orchard ['ɔːtʃəd] *n* verger *m*; ***apple ~*** verger de pommiers; ***cherry ~*** cerisaie	Entrée e
possible ['pɒsəbl] **I** *adj* possible; ***anything is ~*** tout est possible; ***as soon as ~*** dès que possible;	Exemple ***gras*** et i
Biscay ['bɪskeɪ] *n* ***the Bay of ~*** le golfe de Gascogne	Le tilde ~ remplace l'entrée en entier
rhythm ['rɪðm] *n* rythme *m* **rhythmic(al)** ['rɪðmɪk(əl)] *adj* rythmique **rhythmically** *adv* en rythme	Traduction en caractères normaux
macaroon [ˌmækə'ruːn] *n* macaron *m* **approval** [ə'pruːvəl] *n* **1.** approbation *f*; (*consent*) assentiment *m* (***of*** pour)	Informations grammaticales
infrastructure ['ɪnfrəˌstrʌktʃəʳ] *n* infrastructure *f*	Alphabet phonétique international
win [wɪn] *vb* ⟨*past, past part* **won**⟩ **I** *n* victoire *f* **II** *v/t* gagner; *contract* obtenir	Informations sur la conjugaison anglaise
rind [raɪnd] *n* (*of cheese*) croûte *f*; (*of bacon*) couenne *f*; (*of fruit*) peau *f*; (*grated*) zest *m*	Indicateurs contextuels et sémantique en *italique*
mackintosh ['mækɪntɒʃ] *n* *Br* imperméable *m*	Variantes britanniques
braise [breɪz] *v/t* COOK braiser	Noms de spécialités en PETITES CAPITALES
garnish ['gɑːnɪʃ] **I** *v/t* garnir **II** *n* garniture *f*	Les chiffres romains marquent les catégories grammaticales
kiwi ['kiːwiː] *n* **1.** (*bird*) kiwi *m* **2.** (*a.* **kiwi fruit**) kiwi *m* **3.** (*infml New Zealander*) Néo-Zélandais(e) *m*(*f*)	Les chiffres arabes indiquent les catégories sémantiques
etiquette ≠ marque **Etiquette** = protocole. Il n'a jamais le sens de marque sur un produit ou un vêtement.	Encadrés avec informations sur la grammaire, les faux amis et la culture

Berlitz®

French

Easy Read Dictionary

French – English • Anglais – Français

Berlitz Publishing

New York · Munich · Singapore

Original edition edited by the Langenscheidt editorial staff

Editors: Rosalind Combley, Valerie Grundy, Laurence Larroche, Sinda López
English translation: Daphne Day, Marianne Chalmers, Gloria George, Janet Gough, Mary O'Neill, Laura Wedgeworth
French translation: Anne-Claire Brabant, Anne Kansau, Rose Rociola, Catherine Roux, Florence Vuarnesson
Features: Laurence Larroche, Wendy Lee, Susan Maingay, Della Summers
File administration: Pauline Summers
Computer manager: Allan Ørsnes

Maps: Geographic Publishers GmbH & Co. KG, Munich

Book in cover photo: © Punchstock/Medioimages

Berlitz Publishing
193 Morris Avenue
Springfield, NJ 07081
USA

Printed in Germany
ISBN 978-981-268-523-0

09010 (97954)

Contents – Table des matières

Preface

This new dictionary of French and English is a tool for those who are studying French or English or working with the French and English languages at intermediate or advanced level.

With more than 120,000 references and about 155,000 translations focusing on modern usage, this dictionary not only covers general present-day language, but also a wide range of important terminology from fields as diverse as information technology, politics and society, culture, genetics and many more. The dictionary focuses on American English, but British English is also covered.

Often the meaning of a word only becomes clear when it appears in context. This is why particular attention has been paid to idiomatic and colloquial expressions as they are the elements that bring a language to life. A wide selection of geographical names and important abbreviations is also included.

This dictionary has been specifically tailored to your needs. Labeling has been provided in English on the English-French side of the dictionary, and all information regarding French grammar, register, subject areas etc. is also in English for maximum clarity.

Vocabulary needs to be backed up by grammar, so in this dictionary you will find irregular verb forms, in both English and French, guidance on French feminine endings and French plurals, and on prepositional usage with verbs.

In addition, error notes and cultural notes in French and English are spread through both parts of this dictionary and will give you invaluable advice on common errors to avoid as well as information on some interesting aspects of both cultures.

The completely new 48-page middle part is your essential communication guide, containing all the tools necessary to communicate effectively in French or English in almost every situation.

This French-English dictionary is packed with information. We hope it will become an indispensable and enjoyable part of your language toolkit.

Préface

Ce nouveau dictionnaire Français-Anglais est l'outil indispensable pour tous ceux qui étudie la langue anglaise ou travaille avec l'anglais et le français à un niveau intermédiaire ou avancé.

Avec ses 120 000 mots et expressions et 155 000 traductions axé sur l'usage moderne, ce dictionnaire est consacré non seulement au langage quotidien, mais couvre également de multiples domaines et disciplines aussi divers que les technologies de l'information, les sciences politiques et de société, la culture générale, la génétique et de nombreux autres encore. La langue anglaise est représentée principalement dans sa variante américaine mais l'anglais britannique est également représenté.

Certains mots ne pouvant être vraiment compris qu'en contexte, une attention toute particulière a été apportées aux expressions idiomatiques et familières, celles-ci conférant à une langue vivante toute son authenticité. Vous trouverez aussi de nombreuses appellations géographiques et les principales abréviations dans les deux langues.

Ce dictionnaire a été tout spécialement conçu pour vos besoins d'utilisateur. Ainsi, les indications ont été toutes entièrement rédigées en français du côté Français-Anglais et tous les indicateurs contextuels et sémantiques, ainsi que les indications grammaticales et culturelles concernant l'anglais, ont été de même rédigées entièrement en français pour une meilleure utilisation.

Le vocabulaire ne se suffisant pas à lui-même pour communiquer dans une langue, il doit être complété par des connaissances grammaticales. C'est pourquoi vous trouverez également dans ce dictionnaire les formes verbales irrégulières, les pluriels irréguliers anglais ainsi que des indications sur l'usages des prépositions avec les verbes en anglais.

De plus, des encadrés linguistiques et culturels en anglais et en français sont répartis tout au long des deux parties du dictionnaire, elles vous fourniront des conseils et informations précieux sur les subtilités des deux langues et sur les erreurs à éviter, ainsi que des éclairages intéressant sur les aspects les moins connus des cultures anglophones et francophones.

Enfin, le cahier central de 48 pages, entièrement nouveau, est un guide de communication essentiel qui vous délivrera tous les outils nécessaires à une communication authentique et réussi en anglais ou en français, dans toutes les situations possibles.

En résumé, voici ce dictionnaire Français-Anglais est une véritable mine d'informations. Nous espérons qu'il deviendra pour vous l'élément indispensable et agréable d'utilisation pour tous vos échanges en anglais.

How to use this dictionary

To get the most out of your dictionary you should understand how to find the information you need. Whether you are writing text in French or wanting to understand text written in French, the following information will help you find what you want in the dictionary.

1. How and where do I find a word?

1.1 French and English headwords are given in blue. The word list for each language is arranged in alphabetical order and also gives irregular forms of verbs and nouns in their correct alphabetical order.

Sometimes you might want to look up terms made up of two separate words, for example **driver's license**, or hyphenated words, for example **hands-on**. These words are treated as though they were a single word and their alphabetical ordering reflects this.

The only exceptions to this strict alphabetical ordering is made for English phrasal verbs – words like **go off**, **go out**, **go up**. These are positioned in a block directly after their main verb (in this case **go**), rather than being split up and placed apart.

1.2 French feminine headwords are shown as follows:

> **danseur** [dɑ̃sœʀ] *m*, **danseuse** [-øz] *f* dancer
> **dentiste** [dɑ̃tist] *m/f* dentist

When a French headword has a feminine form which is translated differently from the masculine form, the feminine form is entered as a separate headword in alphabetical order within the same entry:

> **dépanneur** [depanœʀ] *m* repairman; (*pour voitures*) mechanic **dépanneuse** *f* wrecker, *brit* breakdown lorry

1.3 If you are looking for a French or English word you can use the **running heads** printed in bold and blue in the top corner of each page. The running head on the left tells you the first headword on the left hand page and the one on the right tells you the last headword on the right-hand page.

1.4 The first spelling of the headword in the dictionary is the recommended spelling. British spelling variants are shown second and marked *Br*:

> **analyze**, *Br* **analyse** ['ænəlaɪz] *v/t* analyser

2. Hyphenated words

When an English or French word is written with a hyphen, then this dictionary makes a distinction between a hyphen which is given just because the dictionary line ends at that point and a hyphen which is actually part of the word. If the hyphen is a real hyphen then it is repeated at the start of the following line. So, for example:

> **varié** [vaʀje] *adj* ⟨**~e**⟩ varied; ***hors-***
> ***-d'œuvre ~s*** a selection of hors-d'œu-
> vres

Here the hyphen in *hors-d'œuvre* is a real hyphen; the hyphen in *œuvres* is not.

3. Swung dash ~

3.1 A swung dash (~) replaces the entire headword, when the headword is repeated within an entry:

> **face** [feɪs] **I** *n* **1.** visage *m*, figure *f*; (*of clock*) cadran *m*; (*rock face*) paroi *f*; ***we were standing ~ to ~*** nous étions face à face

Here ***~ to ~*** means ***face to face***.

3.2 When a headword changes form in an entry, for example if it is put in the past tense or in the plural, then the past tense or plural ending is added to the swung dash – but only if the rest of the word does not change:

> **flame** [fleɪm] **I** *n* **1.** flamme *f*; ***the house was in ~s*** la maison était en flammes

But:

> ◆ **bear up** *v/i* tenir le coup; ***how are you? — bearing up!*** comment ça va? — on fait aller!

3.3 Double headwords are replaced by a single swung dash:

bargain hunter *n* ***the ~s*** les personnes *fpl* l'affût des bonnes affaires

4. What do the different typefaces mean?

4.1 All French and English headwords appear in **blue**:

base rate *n* taux *m* de base
courroie [kuʀwa] *f* strap; AUTO belt

4.2 *Italics* are used for:

a) abbreviated grammatical labels: *adj*, *adv*, *v/t*, *v/i* etc

b) gender labels: *m*, *f*, *mpl* etc

c) all the indicating words which are the signposts pointing to the correct translation for your needs.

Here are some examples of indicating words in italics:

squeak [skwiːk] **I** *n* (*of hinge etc.*) grincement *m*; (*of person, mouse*) petit cri *m* aigu; (*of animal*) glapissement *m*; (*fig, infml sound*) couinement *m*

agrafer [agʀafe] *v/t* **1.** *vêtement* to fasten **2.** *papiers* to staple

4.3 All phrases (examples, collocations, and idioms) are given in ***bold italics***:

porté [pɔʀte] *adj* ⟨**~e**⟩ ***être ~ à croire que ...*** to be inclined to think that ...; ***être ~ sur qc*** to be fond of sth

4.4 The normal typeface is used for the translations.

4.5 If a translation is given in italics, and not in the normal typeface, this means that the translation is more of an explanation in the other language and that an explanation has to be given because there just is no real equivalent:

bachelier [baʃəlje] *m*, **bachelière** [-jɛʀ] *f holder of the baccalaureate*

5. Stress

To indicate where to put the stress in English words, the stress marker ˈ appears before the syllable on which the main stress falls:

record player [ˈrekɔːdpleɪəʳ] *n* platine *f* tourne-disque

6. What the various symbols and abbreviations mean

6.1 A solid black triangle indicates that the headword is part of the French basic vocabulary. Mastering those essential words will enable you to express a great deal in French:

▶ **agricole** [agʀikɔl] *adj* agricultural

6.2 Words which are spelled the same but which have totally different meanings are known as homographs. In this dictionary, homographs are treated as separate headwords and distinguished from one another by the use of superscript numbers. Headwords of this type directly follow one another in the headword list.

pool[1] [puːl] *n* **1.** flaque *f* **2.** (…)
pool[2] **I** *n* **1.** (*fund*) fonds *m* commun (…)

6.3 A solid blue diamond is used to indicate a phrasal verb:

◆ **look down** *v/i* regarder en bas, baisser les yeux

6.4 The signs = and → refer the user from one headword to another which is identical in meaning but has a different spelling. The headword which the user is cross-referred to is dealt with in greater detail and includes the translation(s) and other information. On the English-French side of the dictionary the equals sign cross-refers the user from headwords given in American English to the British English variant:

anaemia *n Br* = **anemia** **anaemic** *adj Br* = **anemic**

6.5 If the register of the headword is neutral, there is no register label. Otherwise the level of register is indicated accordingly by using labels such as *infml* = informal; *sl* = slang; *vulg* = vulgar; *form* = formal; *liter* = literary. Additional information is given if the word is used in a negative (= *neg*), pejorative (= *pej*), ironic (= *iron*), euphemistic (= *euph*) or humorous (= *hum*) sense. A full list of labels appears on page 1,535.

The labels refer to headwords and phrases in the source language and also to the corresponding translations. If a register label appears at the beginning of an entry this means that it refers to the whole entry. Otherwise, a label only applies to the sense (Arabic numerals) or subsense in which it appears. As far as possible, translations are selected which match the register of the headword or phrase in the source language:

> **extracurricular** ['ekstrəkə'rɪkjʊləʳ] *adj* parascolaire; **~ *activity*** *esp hum* fredaines *hum*
> **crap** [kræp] **I** *n* **1.** *sl* merde *f vulg* **2.** (…)

7. Treatment of grammar in the dictionary

7.1 All English headwords are given part of speech label:

> **happily** ['hæpɪlɪ] *adv* **1.** d'un air heureux; *say, play* gaiement

7.2 French gender markers are given:

> **oursin** [uʀsɛ̃] *m* sea urchin

If a French word can be used both as a noun and as an adjective, then both parts of speech are clearly separated by roman numerals in bold:

> **patient** [pasjɑ̃] **I** *adj* ⟨**-iente** [-jɑ̃t]⟩ patient **II ~(*e*)** *m(f)* MÉD patient

7.3 On the English-French side, if a word can only be used in front of a noun, and not after it, this is marked with the label *attr* (= attributive):

> **cardboard I** *n* carton *m* **II** *attr* en carton

If a word on the English-French side can only be used after a verb and not in front of a noun, this is marked *pred* (= predicative):

> **faint** [feɪnt] **I** *adj* ⟨**+er**⟩ **1.** faible, léger… pas la moindre idée **2.** *pred* MED ***she was*** *or* ***felt ~*** elle s'est sentie mal

On the French-English side, if a word can only be used in front of a noun and not after the verb, this is marked *épith* (= épithète):

> **villageois** [vilaʒwa] **I** *adj* ⟨**-oise** [-waz]⟩ village *épith* **II ~(*e*)** *m(f)* villager

For words on the French-English side that can only be used after a verb and not in front of a noun, the label is *attrib* (= attribut):

> **revendicateur** [ʀ(ə)vɑ̃dikatœʀ] *adj* ⟨**-trice** [-tʀis]⟩ full of demands (*attrib*)

7.4 If the French, unlike the English, does not change form if used in the plural, this is marked with ⟨*inv*⟩:

> **volte-face** [vɔltəfas] *f* ⟨*inv*⟩ about-face, *brit* about-turn

7.5 If the English noun is plural in form, but behaves as an uncountable noun, taking a singular verb, this is marked *n sg*:

> **measles** ['miːzlz] *n sg* rougeole *f*

If a word is plural in form, but can take either a singular or a plural verb, this is shown thus:

> **economics** *n* **1.** *sg or pl* économie *f* **2.** *pl* ***the ~ of the situation*** l'aspect économique de la situation

7.6 Irregular English plurals are shown and French plural forms are given in cases where there could be uncertainty:

> **thief** [θiːf] *n* ⟨*pl* **thieves**⟩ voleur(-euse) *m(f)*
> **fédéral** [fedeʀal] *adj* ⟨**~e; -aux** [-o]⟩ federal

7.7 Irregular verb forms are shown as follows:

> **aller¹** [ale] ⟨**je vais, tu vas, il va, nous allons, ils vont; j'allais; j'allai; j'irai; que j'aille, que nous allions; va!**, *mais*: **vas-y!** [vazi]; **allant; être allé**⟩
> **eat** [iːt] *vb* ⟨*past* **ate**⟩ ⟨*past part* **eaten**⟩

7.8 Information is provided on the prepositions needed in order to create complete sentences:

> **unrelated** [ˌʌnrɪ'leɪtɪd] *adj* **1.** ***the two events are ~*** les deux événements n'ont aucun lien (***to*** avec)
> **accouder** [akude] *v/pr* ***s'~*** to lean on one's elbows (***à, sur*** on)

8. Key to the symbols used in the boxes

= indicates the correct translation of a word
≠ indicates an incorrect translation of a word
✓ indicates the correct use of a word in an example sentence
✗ indicates an incorrect use of a word in an example sentence

Comment utiliser ce dictionnaire

Pour exploiter au mieux votre dictionnaire, vous devez comprendre comment trouver les informations dont vous avez besoin. Que vous vouliez écrire un texte en anglais ou comprendre un texte qui a été écrit en anglais, les pages suivantes vous aideront à trouver ce que vous chercher dans le dictionnaire.

1. Comment et où trouver un terme ?

1.1 Entrées françaises et anglaises apparaissent toutes en bleu. Pour chaque langue, la nomenclature est classée par ordre alphabétique et présente également les formes irrégulières des verbes et des noms dans le bon ordre alphabétique.

Vous pouvez avoir parfois besoin de rechercher des termes composés de deux mots séparés, comme **driver's license**, ou reliés par un trait d'union, comme **hands-on**. Ces termes sont traits comme un mot à part entière et apparaissent à leur place dans l'ordre alphabétique.

La seule exception à ce classement alphabétique rigoureux sont les verbes composés anglais, tels que **go off**, **go out**, **go up**. Ceux-ci sont rassemblés dans un bloc juste après le verbe (ici **go**), au lieu d'apparaître séparément.

1.2 Les formes féminines des entrées françaises sont présentées de la façon suivante :

> **danseur** [dɑ̃sœʀ] *m*, **danseuse** [-øz] *f* dancer
> **dentiste** [dɑ̃tist] *m/f* dentist

Lorsque la forme féminine d'une entrée française ne correspond pas à la même traduction que le masculin, elle est traitée comme une entrée à part entière et classée par ordre alphabétique dans cette même entrée :

> **dépanneur** [depanœʀ] *m* repairman; (*pour voitures*) mechanic **dépanneuse** *f* wrecker, *brit* breakdown lorry

1.3 Pour rechercher un terme anglais ou français, vous pouvez utiliser les **titres courants** qui apparaissent en gras dans le coin supérieur de chaque page. Le titre courant à gauche indique la première entrée de la page de gauche tandis que celui qui se trouve à droite indique la dernière entrée de la page de droite.

1.4 Vous pouvez utiliser votre dictionnaire pour vérifier l'orthographe d'un mot exactement comme dans un dictionnaire d'orthographe. Les variantes orthographiques britanniques sont signalées par l'indication *Br* :

> **analyze**, *Br* **analyse** ['ænəlaɪz] *v/t* analyser

2. Mots coupés dans le dictionnaire

Lorsqu'un terme anglais ou français est écrit avec un tiret (-), ce dictionnaire indique s'il s'agit d'un tiret servant à couper le mot en fin de ligne ou d'un trait d'union qui fait partie du mot. S'il s'agit d'un trait d'union, il est répété au début de la ligne suivante. Par exemple :

> **varié** [vaʀje] *adj* ⟨**~e**⟩ varied; ***'hors--d'œuvre ~s*** a selection of hors-d'œu-vres

Dans ce cas, le tiret de *hors-d'œuvre* est un trait d'union, mais pas celui de *œuvres*.

3. Tilde ~

3.1 L'entrée est remplacée par un tilde (~) lorsqu'elle est répétée dans le corps de l'article :

> **face** [feɪs] **I** *n* **1.** visage *m*, figure *f*; (*of clock*) cadran *m*; (*rock face*) paroi *f*; ***we were standing ~ to ~*** nous étions face à face

Ici, ***~ to ~*** signifie ***face to face.***

3.2 Lorsqu'une entrée change de forme au sein d'un article, par exemple, si elle est conjuguée au passé ou mise au pluriel, la terminaison du passé ou du pluriel est ajoutée au tilde, à condition que le reste du mot reste identique :

> **flame** [fleɪm] **I** *n* **1.** flamme *f*; ***the house was in ~s*** la maison était en flammes

Mais :

◆ **bear up** *v/i* tenir le coup; ***how are you? — bearing up!*** comment ça va? – on fait aller!

3.3 Les entrées doubles sont remplacées par un seul tilde :

bargain hunter *n* ***the ~s*** les personnes *fpl* l'affût des bonnes affaires

4. Que signifient les différents styles typographiques ?

4.1 Les entrées françaises et anglaises apparaissent tous en **bleu** :

base rate *n* taux *m* de base
courroie [kurwa] *f* strap; AUTO belt

4.2 L'*italique* est utilisé pour :

a) Les indicateurs grammaticaux abrégés : *adj*, *adv*, *v/t*, *v/i* etc.

b) Les indicateurs de genre : *m*, *f*, *mpl* etc.

c) Tous les indicateurs contextuels et sémantiques qui vous permettent de déterminer quelle traduction choisir. Voici quelques exemples d'indicateurs en italique :

squeak [skwiːk] **I** *n* (*of hinge etc.*) grincement *m*; (*of person, mouse*) petit cri *m* aigu; (*of animal*) glapissement *m*; (*fig, infml sound*) couinement *m*

agrafer [agrafe] *v/t* **1.** *vêtement* to fasten **2.** *papiers* to staple

4.3 Toutes les locutions (exemples, collocations et expressions) apparaissent en ***gras et italique*** :

porté [pɔrte] *adj* ⟨**~e**⟩ ***être ~ à croire que ...*** to be inclined to think that ...; ***être ~ sur qc*** to be fond of sth

4.4 Le style normal est utilisé pour les traductions.

4.5 Si une traduction apparaît en italique et non en style normal, ceci signifie qu'il s'agit plus d'une explication dans la langue d'arrivée que d'une traduction à proprement parler et qu'il n'existe pas vraiment d'équivalent :

bachelier [baʃəlje] *m*, **bachelière** [-jɛr] *f holder of the baccalaureate*

5. Accent

Pour indiquer où mettre l'accent dans les mots anglais, l'indicateur d'accent ' est placé devant la syllabe sur laquelle tombe l'accent tonique :

record player ['rekɔːdpleɪəʳ] *n* platine *f* tourne-disque

6. Que signifient les différents symboles et abréviations ?

6.1 Un triangle plein noir devant une entrée indique que celle-ci fait partie du vocabulaire de base du français :

▶ **agricole** [agʀikɔl] *adj* agricultural

6.2 Les mots ayant la même orthographe mais des sens différents sont des homographes. Dans ce dictionnaire, les homographes sont traités comme des entrées indépendantes et distinguées l'une de l'autre par un numéro en exposant. Ces entrées se suivent par ordre alphabétique :

pool¹ [puːl] *n* **1.** flaque *f* **2.** (…)
pool² **I** *n* **1.** (*fund*) fonds *m* commun (…)

6.3 Un losange plein bleu indique un verbe composé :

◆ **look down** *v/i* regarder en bas, baisser les yeux

6.4 Les signes = et → ont la fonction de renvoyer l'utilisateur d'une entrée à une autre, dont le sens est le même, mais l'orthographe différente. L'entrée vers laquelle l'utilisateur est renvoyé contiendra ainsi de façon détaillée des différents sens et traductions, ainsi que de plus amples informations. Du côté Anglais-Français du dictionnaire, le signe égal renvoie l'utilisateur d'un mot donné d'abord en anglais américain vers sa version en anglais britannique :

anaemia *n Br* = **anemia** **anaemic** *adj Br* = **anemic**

6.5 Si un mot d'entrée appartient à un registre de langue neutre, aucun indicateur de niveau de langue ne sera alors précisé.

Sinon, le niveau de langue sera indiqué grâce à des marqueurs tels que *fam* = familier, *pop* = populaire, *vulg* = vulgaire, *form* = formel, *litt* = littéraire. L'usage sera aussi indiqué, selon que le terme est utilisé dans un sens outrageant (= *nég*), péjoratif (= *péj*), ironique (= *iron*), euphémistique (= *euph*) ou par plaisanterie (= *plais*).

Une liste complète est donnée en page 1,535.

Ces indicateurs se rapportent aux mots d'entrée et aux expressions dans la langue source, mais aussi à leurs traductions. Si un indicateur de niveau de langue apparaît au début d'une entrée, cela signifie qu'il concerne cette entrée dans son ensemble. Dans les autres cas, l'indicateur ne concernera que le sens principal (chiffres arabes) ou le sens secondaire au niveau duquel il apparaît. Dans le mesure du possible, les traductions choisies correspondent au niveau de langue de l'entrée ou de l'expression en langue source:

extracurricular ['ekstrəkə'rɪkjʊləʳ] *adj* parascolaire; **~ *activity*** *esp hum* fredaines *hum*
crap [kræp] **I** *n* **1.** *sl* merde *f vulg* **2.** (...)

7. Traitement de la grammaire dans le dictionnaire

7.1 Les entrées anglaises sont, en règle générale, assorties d'un indicateur grammatical:

happily ['hæpɪlɪ] *adv* **1.** d'un air heureux; *say, play* gaiement

7.2 Le genre des entrées françaises est indiqué:

oursin [uʀsɛ̃] *m* sea urchin

Si un même mot français peut être utilisé comme nom et comme adjectif, alors les deux catégories grammaticales sont bien clairement séparées:

patient [pasjɑ̃] **I** *adj* ⟨**-iente** [-jɑ̃t]⟩ patient **II ~(e)** *m(f)* MÉD patient

7.3 Du côté anglais-français, si un mot ne peut être placé dans la phrase que devant un nom, et non après, cela sera alors indiqué par l'abréviation *attr* (= *attributive*, « attribut »):

cardboard I *n* carton *m* **II** *attr* en carton

De même, côté anglais-français, si un mot ne peut être placé dans la phrase qu'après un verbe et non devant un nom, cela sera alors signalé par l'abréviation *pred* (= *predicative*, « prédicatif »):

faint [feɪnt] **I** *adj* ⟨**+er**⟩ **1.** faible, léger … pas la moindre idée **2.** *pred* MED ***she was*** *or* ***felt ~*** elle s'est sentie mal

Du côté français-anglais, si un mot ne peut être placé dans la phrase que devant un nom et non après un verbe, cela sera indiqué par l'abréviation *épith* (= épithète) :

villageois [vilaʒwa] **I** *adj* ⟨**-oise** [-waz]⟩ village *épith* **II ~(*e*)** *m(f)* villager

Pour les mots côté français-anglais qui ne peuvent être placés qu'après un verbe et non devant un nom, ceux-ci seront signalés par l'abréviation *attrib* (= attribut) :

revendicateur [ʀ(ə)vɑ̃dikatœʀ] *adj* ⟨**-trice** [-tʀis]⟩ full of demands (*attrib*)

7.4 ⟨*inv*⟩ indique que le terme français, contrairement à l'anglais, ne s'accorde pas au pluriel :

volte-face [vɔltəfas] *f* ⟨*inv*⟩ about-face, *brit* about-turn

7.5 *n sg* indique que l'anglais, en dépit des apparences, n'est pas au pluriel :

measles ['mi:zlz] *n sg* rougeole *f*

Si un nom qui s'écrit au pluriel peut être utilisé avec un verbe à la 3e personne du pluriel ou à la 3e personne du singulier, cette information est marquée comme suit :

economics *n* **1.** *sg or pl* économie *f* **2.** *pl* ***the ~ of the situation*** l'aspect économique de la situation

7.6 Les pluriels irréguliers sont indiqués pour les entrées anglaises. Du côté français, le pluriel est donné à chaque fois qu'il peut y avoir un doute :

thief [θi:f] *n* ⟨*pl* **thieves**⟩ voleur(-euse) *m(f)*
fédéral [fedeʀal] *adj* ⟨**~e; -aux** [-o]⟩ federal

7.7 Les formes verbales qui ne suivent pas les modèles réguliers apparaissent après le verbe :

> **aller**[1] [ale] ⟨**je vais, tu vas, il va, nous allons, ils vont; j'allais; j'allai; j'irai; que j'aille, que nous allions; va!**, *mais*: **vas-y!** [vazi]; **allant; être allé**⟩
> **eat** [iːt] *vb* ⟨*past* **ate**⟩ ⟨*past part* **eaten**⟩

7.8 Les prépositions dont vous aurez besoin pour construire une phrase sont également indiquées :

> **unrelated** [ˌʌnrɪˈleɪtɪd] *adj* **1.** ***the two events are ~*** les deux événements n'ont aucun lien (***to*** avec)
> **accouder** [akude] *v/pr* ***s'~*** to lean on one's elbows (***à, sur*** on)

7.9 Le comparatif anglais de supériorité se construit, pour les adjectifs d'une syllabe avec adjectif + *-er* + *than.*

Pour les adjectifs de deux syllabes terminés par un *-y*, il se construit ainsi : adjectif + *-ier* + *than.*

Pour les adjectifs de deux syllabes terminés par un *-e*, le comparatif de supériorité se construit alors : adjectif + *-r* + *than.*

> **nice** [naɪs] *adj* ⟨**+er**⟩ **1.** sympathique; *smell, meal, work* bon(ne);

Pour les adjectifs de deux syllabes (sauf ceux terminés par un *-y*) ou plus, le comparatif de supériorité se construit avec *more* + adjectif + *than.*

8. Légende des symboles utilisés dans les encadrés

= indique la bonne traduction d'un terme
≠ signale une traduction incorrecte d'un terme
✓ indique la bonne utilisation d'un terme dans une phrase d'exemple
✘ signale une utilisation incorrecte d'un terme dans une phrase d'exemple

Pronunciation – La prononciation

Equivalent sounds, especially for vowels and diphthongs can only be approximations.

Les équivalences, surtout pour les voyelles et les diphtongues, ne peuvent être qu'approximatives.

1. Consonants – Les consonnes

bouche	[b]	**b**ag	sauf	[s]	**s**un
dans	[d]	**d**ear	**t**able	[t]	**t**ake
foule	[f]	**f**all	**v**ain	[v]	**v**ain
gai	[g]	**g**ive	**ou**i	[w]	**w**ait
et **h**op !	[h]	**h**ole	ro**s**e	[z]	ro**s**e
rad**i**o	[j]	**y**es	feeli**ng**	[ŋ]	bri**ng**
qui	[k]	**c**ome	a**gn**eau	[ɲ]	o**ni**on
la	[l]	**l**and	**ch**at	[ʃ]	**sh**e
mon	[m]	**m**ean	**ch**a-**ch**a-**ch**a	[ʧ]	**ch**air
nuit	[n]	**n**ight	ad**j**uger	[ʤ]	**j**oin
pot	[p]	**p**ot	**j**uge	[ʒ]	lei**s**ure
reine	[r]	**r**ight	(*à prononcer la langue entre les dents du haut*)	[θ]	**th**ink
(**r** *from the throat*)		(*à prononcer la langue vers la haut*)	h**u**it	[ɥ]	*roughly* s**w**eet

2. Les voyelles anglaises

âme	[aː]	f**ar**	ph**a**se	[ɒː]	in-l**aw**s
s**a**lle	[æ]	m**a**n	ess**or**	[ɔː]	m**ore**
s**e**c	[e]	g**e**t	*son ouvert, entre* **à** *et* **eux**	[ʌ]	m**o**ther
l**e**	[ə]	**u**tter			
b**eu**rre	[ɜː]	abs**ur**d	b**ou**quin (*son très court*)	[ʊ]	b**oo**k
i *très court*	[ɪ]	st**i**ck			
s**i**	[iː]	n**ee**d	s**ou**s	[uː]	h**oo**t

3. Les diphtongues anglaises

aïe	[aɪ]	**time**	*suivi d'un* **y** court		
ciao	[aʊ]	**cloud**	cow-**boy**	[ɔɪ]	**point**
nez,	[eɪ]	**name**	**eau**, *suivi d'un u court*	[oʊ]	**so**

4. French vowels and nasals

abats	[a]	**fat**	**souci**	[u]	**tool**
âme	[ɑ]	**Mars**	**tu**, **eu**	[y]	*mouth ready to say* **oo**, *then say* **ee**
les	[e]	**pay** (*no* **y** *sound*)			
p**è**re, **sec**	[ɛ]	**bed**	**dans**, **en**trer	[ɑ̃]	*roughly as in* **song** (*no* **ng**)
le, d**e**hors	[ə]	**letter**			
ici, st**y**le	[i]	**peel**	v**in**, bi**en**	[ɛ̃]	*roughly as in* **van** (*no* **n**)
beau, **au**	[o]	**bone**			
p**o**che	[ɔ]	**hot** (*British accent*)	**ton**, p**om**pe	[õ]	*roughly as in* **song** (*no* **ng** *but with mouth more rounded*)
leur	[œ]	**fur**			
m**eu**te, n**œud**	[ø]	**learn** (*no* **r** *sound*)	**un**, auc**un**	[œ̃]	*roughly as* in **huh**

5. [']

The symbol ['] means that the following syllable is stressed: ability [ə'bɪlətɪ]

Le symbole ['] *signifie que la syllabe qui le suit sera accentuée*: ability [ə'bɪlətɪ]

Some French words starting with **h** have ' before the **h**. This ' is not part of the French word. It shows that a preceding vowel does not become an apostrophe and that no elision takes place (this is called an aspirated h).

Le symbole ' *placé devant le* ***h*** *des mots français commençant par un* ***h*** *indique le h aspiré français.*

'hanche: la hanche, les hanches [leɑ̃ʃ] but **habit: l'habit, les habits** [lezabi]

A

A, a[1] [ɑ, a] *m* ⟨*inv*⟩ A, a; *fig* ***de A à Z*** from A to Z; ***prouver qc par a + b*** to prove sth conclusively

a[2] [a] → ***avoir***[1]

▶ **à** [a] *prép-* ⟨*„à le“ devient* **au**, *„à les“ devient* **aux**⟩ **1.** *lieu: question «où?»*: in; *être*, *arriver* ***~ Paris*** in Paris; ***au Portugal*** in Portugal; ***aux États-Unis*** in the United States; ***~ Mykonos*** in Mykonos, on Mykonos; ***~ la fenêtre*** at the window; ***~ l'hôtel*** at the hotel; *question «vers où?»*: to; *aller*, *envoyer* ***~ Paris*** to Paris; ***au Canada*** to Canada; ***~ Chypre*** to Cyprus; ***aux Pays-Bas*** to the Netherlands **2.** *temps*: ***~ son arrivée*** when he / she arrived; ***~ six heures*** at six (o'clock); ***au mois de janvier*** in January; ***~ lundi!*** see you Monday! **3.** *destination, but*: ***marché** m **aux poissons*** fish market; ***tasse** f **~ café*** coffee cup; ***machine** f **~ écrire*** typewriter; ***avoir beaucoup ~ faire*** to have a lot to do **4.** *introduisant un complément d'obj/indir*; ***arracher aux flammes*** to pull from the flames; ***donner qc ~ qn*** to give sth to sb, to give sb sth; ***penser ~ qn*** to think about sb, to think of sb; ***~ toi!*** your turn!; RAD ***~ vous Paris!*** over to you in Paris **5.** *appartenance*: ***ce livre est ~ moi*** this book is mine; ***c'est mon livre ~ moi*** this is / that's my book; ***un ami ~ moi*** a friend of mine **6.** *manière*: ***~ bicyclette*** by bicycle; ***~ mes frais*** at my own expense; *chauffage* ***au mazout*** oil-fired; ***aux yeux bleus*** with blue eyes; ***~ la française, ~ l'italienne***, *etc* French-style, Italian *etc* style; ***~ la Picasso*** in the style of Picasso; à la Picasso **7.** *mesures et nombres*: ***au kilo*** *vendre* by the kilo; *prix* per kilo; ***~ 20 euros (la) pièce*** 20 euros each; ***on y est allé ~ cinq*** five of us went; ***~ dix contre un*** (at) ten to one; ***~ 100 m d'ici*** 100 m from here; ***on voit ~ 50 m*** you can see 50 m away; ***~ 100 degrés*** at 100 degrees; ***100 ~ l'heure*** at 100 an hour; ***4 ~ 5 heures*** 4 to 5 hours; ***de 4 ~ 6 heures*** from 4 to 6 (o'clock)

abaissant [abɛsɑ̃] *adj* ⟨**-ante** [-ɑ̃t]⟩ degrading

abaisse [abɛs] *f* CUIS (piece of) rolled-out pastry

abaissement [abɛsmɑ̃] *m* lowering

abaisser [abese] **I** *v/t* **1.** *prix*, *niveau* to lower **2.** *fig* to humiliate **II** *v/pr* ***s'~*** *fig* to humble o.s.; ***s'~ à faire qc*** to stoop so low as to do sth

abandon [abɑ̃dõ] *m* **1.** (*action de quitter*) abandonment; ***~ d'enfant*** child abandonment **2.** (*cessation*) giving up (*a* SPORT); withdrawal (***de*** from) **3.** (*délaissement*) neglected state; ***laisser à l'~*** to neglect **4.** (*nonchalance*) abandon

abandonné [abɑ̃dɔne] *adj* ⟨**~e**⟩ abandoned; (*négligé*) neglected; *animal*, *voiture* abandoned

▶ **abandonner** [abɑ̃dɔne] **I** *v/t* **1.** abandon; to leave; *bébé*, *animal* to abandon **2.** *métier*, *projet*, *combat*, *espoir* to give up **3.** ***~ qn à son triste sort*** to leave sb to his / her fate **II** *v/pr* ***s'abandonner*** **1.** to let o.s. go *à un sentiment* to give o.s. up **2.** (*s'épancher*) to open up

abasourdi [abazuʀdi] *adj* ⟨**~e**⟩ **1.** *par le bruit* deafened **2.** (*étonné*) stunned

abasourdir [abazuʀdiʀ] *v/t* **1.** to deafen **2.** (*étonner*) to stun

abâtardir [abɑtaʀdiʀ] *v/pr* ***s'~*** to degenerate

abat-jour [abaʒuʀ] *m* ⟨*inv*⟩ lampshade

abats [aba] *mpl* offal

abattage [abataʒ] *m* **1.** *d'un arbre* felling **2.** *d'un animal* slaughter

abattant [abatɑ̃] *m* flap

abattement [abatmɑ̃] *m* **1.** FIN reduction **2.** (*fatigue*) exhaustion; *moral* despondency

abattis [abati] *mpl* **1.** giblets **2.** *fam*, *fig* limbs

abattoir [abatwaʀ] *m* slaughterhouse

abattre [abatʀ] ⟨→ **battre**⟩ **I** *v/t* **1.** *arbre* to fell; *maison* to pull down; *avion* to bring down **2.** *animal* to slaughter **3.** ***~ qn*** to shoot sb down **4.** ***~ de la besogne*** to get through lots of work **5.** *maladie* ***~ qn*** to severely weaken sb **6.** *échec* ***~ qn*** to demoralize sb; ***ne pas se laisser ~*** not to get discouraged **II** *v/pr* **1.** ***s'~*** *arbre* fall; *avion* to be brought down **2.** ***s'~ sur*** *orage* to hit; *sauterelles* to descend on; *fig malheur* to strike

abattu [abaty] *adj* ⟨**~e**⟩ worn out

abbatial [abasjal] *adj* ⟨**~e; -aux** [-o]⟩ ab-

bey
abbaye [abei] *f* abbey
abbé [abe] *m* **1.** priest **2.** *d'un monastère* abbot
abbesse [abɛs] *f* abbess
abc [abese] *m* ⟨*inv*⟩ *fig* basics *pl*
abcès [apsɛ] *m* abscess; *fig* ***crever l'~*** to clear the air
abdication [abdikasjõ] *f* abdication
abdiquer [abdike] *v/i* **1.** to abdicate **2.** *fig* to give up
abdomen [abdɔmɛn] *m* abdomen
abdominal [abdɔminal] **I** *adj* ⟨**~e; -aux** [-o]⟩ abdominal **II** ***abdominaux*** *mpl* abdominals; *par ext* stomach exercises
abécédaire [abesedɛʀ] *m* alphabet book
► **abeille** [abɛj] *f* bee
aberrant [abɛʀɑ̃] *adj* ⟨**-ante** [-ɑ̃t]⟩ absurd **aberration** *f* aberration
abêtir [abetiʀ] *v/t* to dull the mind of **abêtissant** *adj* ⟨**-ante** [-ɑ̃t]⟩ mind-numbing **abêtissement** *m* mind-numbing effect; *état* mindlessness
abhorrer [abɔʀe] *litt v/t* to abhor
abîme [abim] *m* chasm
► **abîmer** [abime] **I** *v/t* to spoil; *fam* to beat up; *cheveux* to mess up; *santé* to ruin **II** *v/pr* **1. *s'~*** to get damaged; *denrées* to go bad; *fam* to go off **2. *s'~ les yeux*** to ruin one's eyesight
abject [abʒɛkt] *adj* ⟨**~e**⟩ despicable **abjection** *f* abjection
abjuration [abʒyʀasjõ] *f* recantation **abjurer** *v/t* to recant
ablation [ablasjõ] *f* removal
ablette [ablɛt] *f* bleak
ablution [ablysjõ] *f* ablution
abnégation [abnegasjõ] *f* abnegation
aboiements [abwamɑ̃] *mpl* barking
abois *adj* ***aux ~*** [ozabwa] in desperate straits
abolir [abɔliʀ] *v/t* to abolish **abolition** *f* abolition **abolitionnisme** *m* HIST *aux U.S.A.* abolitionism
abominable [abɔminabl] *adj* dreadful **abomination** *f* abomination
abondamment [abõdamɑ̃] *adv* → ***abondant***
abondance [abõdɑ̃s] *f* abundance (***de*** of); ***en ~*** in abundance
abondant [abõdɑ̃] *adj* ⟨**-ante** [-ɑ̃t]⟩ abundant
abonder [abõde] *v/i* **1.** to abound; ***~ en*** to be full of **2. *~ dans le sens de qn*** to fully agree with sb
abonné [abɔne] *m à un journal* subscriber (*a* THÉ); *au gaz* consumer; CH DE FER customer; ***~s du*** *ou* ***au téléphone*** telephone subscribers
abonnement [abɔnmɑ̃] *m* subscription; ***carte*** *f* ***d'~*** season ticket
abonner [abɔne] **I** *v/t* ***~ qn à un journal*** to take out a subscription to a magazine for sb **II** *v/pr* ***s'~ à une revue*** to subscribe to a magazine
abord [abɔʀ] *m* **1. *abords*** *pl* surrounding area **2. *d'un abord facile*** *lieu* easy to get to; *personne* approachable **3.** ► ***d'abord*** first; ***tout d'abord*** first of all; ***au premier abord*** at first sight
abordable [abɔʀdabl] *adj* (*prix d'une*) *chose* affordable
abordage [abɔʀdaʒ] *m* MAR **1.** *assaut* boarding **2.** *accident* collision
aborder [abɔʀde] **I** *v/t* **1.** *navire* to board **2. *~ qn*** to approach sb **3.** (*arriver à*) to reach, **4.** *sujet* to broach **II** *v/i* MAR to land
aborigène [abɔʀiʒɛn] **I** *adj* aboriginal **II** *mpl* ***~s*** aborigines
abortif [abɔʀtif] MÉD, PHARM **I** *adj* ⟨**-ive** [-iv]⟩ abortive **II** *m* abortifacient *t/t*
abouler [abule] *v/t pop* (*donner*) to hand over
aboulie [abuli] *f* MÉD abulia **aboulique** *adj* abulic
aboutir [abutiʀ] **I** *v/t indir* **aboutir à 1.** *chemin, etc* to end in **2.** *fig* (*mener à*) to lead to **II** *v/i* to succeed
aboutissants [abutisɑ̃] *mpl* → ***tenant*** *II 2*
aboutissement [abutismɑ̃] *m* result
► **aboyer** [abwaje] *v/i* ⟨**-oi-**⟩ **1.** *chien* to bark; ***~ après qn*** to bark at sb **2.** *fig* to yell
abracadabrant [abʀakadabʀɑ̃] *adj* ⟨**-ante** [-ɑ̃t]⟩ preposterous **abracadabrantesque** *adj* preposterous
abrasif [abʀazif] *adj* ⟨**-ive** [-iv]⟩ abrasive
abrasion [abʀazjõ] *f* abrasion
abrégé [abʀeʒe] *m* summary; ***en ~*** in brief
abrègement *ou* **abrégement** [abʀɛʒmɑ̃] *m* shortening
abréger [abʀeʒe] *v/t* ⟨**-è-; -ge-**⟩ *texte* to cut; *mot* to abbreviate; *souffrances* to shorten; *itinéraire* to cut short
abreuver [abʀœve] **I** *v/t* **1.** *animaux* to water **2.** *fig* ***~ qn d'injures*** to shower sb with abuse **II** *v/pr* ***s'~*** *animal* to drink; *fam personne* to quench one's

thirst
abreuvoir [abʀœvwaʀ] *m* watering place
abréviatif [abʀevjatif] *adj* ⟨**-ive** [-iv]⟩ abbreviating
abréviation [abʀevjasjõ] *f* abbreviation
abri [abʀi] *m* **1.** shelter; *à l'arrêt d'un bus* bus shelter; *par ext* (*protection, habitation*) refuge; ***à l'~ de*** protected from; ***à l'~ du vent*** sheltered from the wind; ***être à l'~*** *de la pluie, du vent* to be sheltered; *du danger* to be safe; ***se mettre à l'~*** to take cover; ***être sans ~*** to be homeless **2.** MIL shelter
abribus [abʀibys] *m* bus shelter
abricot [abʀiko] *m* **1.** apricot **2.** *adj* ⟨*inv*⟩ apricot
abricotier [abʀikɔtje] *m* apricot tree
abriter [abʀite] **I** *v/t* **1.** to shelter (***qn*** sb), (***de*** from); ***abrité*** sheltered **2.** *fig loger* to take in **II** *v/pr* ***s'abriter*** **1.** to take shelter **2.** *fig* ***s'~ derrière qn*** to hide behind sb
abrogation [abʀɔgasjõ] *f* JUR repeal
abroger [abʀɔʒe] *v/t* ⟨**-ge-**⟩ to repeal
abrupt [abʀypt] *adj* ⟨**~e**⟩ **1.** (*raide*) steep **2.** *question, etc* abrupt
abruti(e) [abʀyti] *m(f)* *injure* idiot
abrutir [abʀytiʀ] **I** *v/t* to exhaust; (*abêtir*) to stupefy **II** *v/pr* ***s'~*** to deaden one's mind
abrutissant [abʀytisɑ̃] *adj* ⟨**-ante** [-ɑ̃t]⟩ mind-numbing **abrutissement** *m* mindless state
A.B.S. [abeɛs] *m, abr* (= **Anti-lock Braking System**) A.B.S.
abscisse [apsis] *f* MATH abscissa
absence [apsɑ̃s] *f* **1.** absence; ***~ d'enfants*** absence of children ***~ de ressources*** lack of resources **2.** ***il a des ~s*** at times his mind goes blank; (*distrait*) at times his mind wanders
▶ **absent** [apsɑ̃] **I** *adj* ⟨**-ente** [-ɑ̃t]⟩ **1.** away; ***être ~*** to be away **2.** (*distrait*) vacant **II** ***~(e)*** *m(f)* absentee
absentéisme [apsɑ̃teism] *m* absenteeism; skiving *fam*; *à l'école* truancy **absentéiste** *m/f* absentee
absenter [apsɑ̃te] *v/pr* ***s'~*** to leave
abside [apsid] *f* apse
absinthe [apsɛ̃t] *f* **1.** BOT wormwood **2.** *liqueur* absinthe
absolu [apsɔly] **I** *adj* ⟨**~e**⟩ **1.** absolute; ***majorité ~e*** overall majority; ***monarchie ~e*** absolute monarchy **2.** *personne* ***être trop ~*** to be too black and white **II** *m* **1.** ***l'~*** the absolute **2.** ***dans l'~*** in absolute terms
▶ **absolument** [apsɔlymɑ̃] *adv* absolutely; ***~!*** absolutely!
absolution [apsɔlysjõ] *f* absolution **absolutisme** *m* absolutism **absolutiste** *adj* absolutist
absorbant [apsɔʀbɑ̃] *adj* ⟨**-ante** [-ɑ̃t]⟩ **1.** absorbent; *pour le bruit* sound-absorbing **2.** *fig* absorbing
absorber [apsɔʀbe] **I** *v/t* **1.** (*résorber*) to absorb **2.** *aliment* to consume; *médicament* to take **3.** *fig capitaux* to take up; *entreprise fam* to take over **4.** *activité* ***~ qn*** to occupy sb; ***absorbé*** (***dans ses pensées***) lost in thought **II** *v/pr* ***s'~ dans qc*** to become engrossed in sth
absorption [apsɔʀpsjõ] *f* **1.** absorption **2.** *de médicaments* taking
absoudre [apsudʀ] *v/t* ⟨**j'absous, il absout, nous absolvons; j'absolvais; j'absoudrai; que j'absolve; absolvant; absous, absoute**⟩ CATH to absolve
abstenir [apstəniʀ] *v/pr* ⟨→ **venir**⟩ **1.** ***s'~ de qc*** to refrain from sth **2.** (*ne pas voter*) ***s'~*** to abstain
abstention [apstɑ̃sjõ] *f* abstention
abstentionnisme [apstɑ̃sjɔnism] *m* abstentionism **abstentionniste** *m/f* abstainer
abstinence [apstinɑ̃s] *f* abstinence; ***faire ~*** abstain from eating meat
abstraction [apstʀaksjõ] *f* **1.** abstraction **2.** ***faire ~ de*** to disregard
abstraire [apstʀɛʀ] ⟨→ **traire**⟩ **I** *v/t* to abstract **II** *v/pr* ***s'~*** to cut o.s. off
▶ **abstrait** [apstʀɛ] *adj* ⟨**-aite** [-ɛt]⟩ abstract; ***art ~*** abstract art
absurde [apsyʀd] *adj* absurd **absurdité** *f* absurdity
abus [aby] *m* **1.** abuse; ***~ d'alcool*** alcohol abuse; JUR ***~ de confiance*** breach of trust; *fam* ***il y a de l'~*** that's a bit much *fam* **2.** (*injustice*) injustice
abuser [abyze] **I** *v/t* to deceive **II** *v/t indir* ***~ de*** to abuse; *situation* to exploit; *abs* to abuse **III** *v/pr* ***s'~*** to be mistaken
abusif [abyzif] *adj* ⟨**-ive** [-iv]⟩ **1.** improper; ***usage ~*** misuse **2.** *mère, père* abusive
abysse [abis] *m* GÉOG abyssal zone
acabit [akabi] *m péj* ***de cet ~*** of that sort
acacia [akasja] *m* acacia
académicien [akademisjɛ̃] *m*, **académicienne** [-jɛn] *f* academician *especial-*

ly of the French Academy (*surtout de l'Académie française*)
académie [akademi] *f* **1.** academy; ***l'Académie*** (***française***) the Académie française **2.** *école* academy **3.** *circonscription* county education area
académique [akademik] *adj* academic
acajou [akaʒu] *m* mahogany
acariâtre [akaʀjɑtʀ] *adj* cantankerous
acariens [akaʀjɛ̃] *mpl* dust mites
accablant [akablɑ̃] *adj* ⟨**-ante** [-ɑ̃t]⟩ *chaleur* oppressive; *preuves* overwhelming; *nouvelle* devastating **accablement** *m* despondency
accabler [akable] *v/t* **1. ~ *qn*** *chaleur, soucis* to overwhelm sb; *témoignage* to condemn sb; ***accablé de travail*** snowed under with work **2. ~ *qn de qc*** to heap sth on sb
accalmie [akalmi] *f* lull
accaparement [akapaʀmɑ̃] *m* **1.** *de marchandises* hoarding **2.** *par ext* monopolizing
accaparer [akapaʀe] *v/t place* to take up all of; *conversation, attention* to monopolize; **~ *qn*** to take up all sb's time (and energy)
accéder [aksede] *v/t indir* ⟨**-è-**⟩ **~ *à* 1.** *personne* to reach **2.** *fig* **~ *à*** *pouvoir* to come to; *honneur, indépendance* to attain **3. ~ *aux désirs de qn*** to comply with sb's wishes
accélérateur [akseleʀatœʀ] *m* **1.** AUTO accelerator; ***donner un coup d'~*** to accelerate **2.** PHYS **~ *de particules*** particle accelerator
accélération [akseleʀasjõ] *f* acceleration (*a* PHYS)
accéléré [akseleʀe] *m* accelerated
▶ **accélérer** [akseleʀe] ⟨**-è-**⟩ **I** *v/t* to speed up **II** *v/i* AUTO to accelerate **III** *v/pr* ***s'~*** to speed up
▶ **accent** [aksɑ̃] *m* **1.** *sur une syllabe* stress **2.** accent; ***avoir un ~*** to have an accent **3.** *sur un caractère* accent **4.** *fig dans la voix* tone **5.** *fig* ***mettre l'~ sur*** to put the emphasis on
accentuation [aksɑ̃tɥasjõ] *f* **1.** accentuation **2.** *fig* increase
accentuer [aksɑ̃tɥe] **I** *v/t* **1.** to accentuate **2.** *fig* (*souligner*) to emphasize; *efforts* to increase **II** *v/pr* ***s'~*** *tendance* to become more pronounced
acceptable [aksɛptabl] *adj* satisfactory
acceptation *f* acceptance
▶ **accepter** [aksɛpte] *v/t* to accept; **~ *de*** *+inf* to agree *+inf*
acception [aksɛpsjõ] *f* sense
accès [aksɛ] *m* **1.** access; *lieu, fig* ***d'un ~ facile*** easily accessible; ***donner ~ à*** to give access to; *à un métier* to open the door to **2.** (*crise*) attack; *d'émotion* wave; **~ *de fièvre*** sudden high temperature; **~ *de colère*** fit of anger **3.** INFORM access
accessible [aksesibl] *adj* **1.** *lieu* accessible (***à*** to) **2.** *œuvre* accessible (***à qn*** to sb) **3.** *personne* approachable **~ *à qc*** capable of sth
accession [aksesjõ] *f* accession (***à*** to)
accessoire [akseswaʀ] **I** *adj* of secondary importance **II** *m* **1.** TECH accessory **2. ~*s*** *pl* (***de mode***) (fashion) accessories **3.** THÉ, FILM prop
accessoirement [akseswaʀmɑ̃] *adv* if need be; (*en plus*) incidentally **accessoiriser** *v/t* COUT to accessorize **accessoiriste** *m* THÉ props master
▶ **accident** [aksidɑ̃] *m* **1.** accident; **~ *d'avion, de train*** plane, train crash; **~ *de la route*** road accident; **~ *de voiture*** car wreck **2. ~** (***de parcours***) hiccup **3. ~ *de terrain*** undulation
accidenté [aksidɑ̃te] **I** *adj* ⟨**~*e***⟩ **1.** *terrain* uneven **2.** *véhicule* damaged; *personne* injured **II ~(*e*)** *m(f)* casualty, injured person
accidentel [aksidɑ̃tɛl] *adj* ⟨**~*le***⟩ **1.** (*fortuit*) accidental **2.** ***mort ~le*** accidental death
acclamations [aklamasjõ] *fpl* cheering
acclamer *v/t* to cheer (***qn*** sb)
acclimatation [aklimatasjõ] *f* acclimation, acclimatization
acclimater [aklimate] **I** *v/t* to acclimate, *brit* to acclimatize **II** *v/pr* ***s'~*** to become acclimated, *brit* to become acclimatized
accolade [akɔlad] *f* **1.** (formal) embrace **2.** TYPO brace
accoler [akɔle] *v/t* to put side by side; **~ *qc à qc*** to put sth next to sth
accommodant [akɔmɔdɑ̃] *adj* ⟨**-ante** [-ɑ̃t]⟩ accommodating **accommodation** *f adaptation* adaptation **accommodement** *m* compromise
accommoder [akɔmɔde] **I** *v/t* **1.** CUIS to prepare; *restes* to use up **II** *v/pr* **1. *s'~ à*** to adapt to **2. *s'~ de*** to put up with
accompagnateur [akõpaɲatœʀ] *m*, **accompagnatrice** [-tʀis] *f* MUS accompanist; *d'un voyage organisé* courier

accompagnement [akõpaɲəmɑ̃] *m* accompaniment

▶ **accompagner** [akõpaɲe] *v/t* **1.** to go with, to accompany (*a* MUS); ***bagages accompagnés*** registered baggage **2.** ***~ un mets*** to be served on the side

accompli [akõpli] *adj* 〈**~e**〉 accomplished; ***fait~*** fait accompli; ***mettre qn devant le fait~*** to present sb with a fait accompli

accomplir [akõpliʀ] **I** *v/t mission* to accomplish; *action* to carry out; *formalités* to complete; *temps de service* to do **II** *v/pr **s'~** souhait* to be fulfilled

accomplissement [akõplismɑ̃] *m de mission, d'action* accomplishment

accord [akɔʀ] *m* **1.** (*entente, convention*) agreement; ***d'un commun accord*** of one accord; ***en accord avec*** in agreement with; ▶ ***être d'accord*** to agree (***avec qn*** with sb); ***se mettre d'accord, tomber d'accord*** to come to an agreement (***sur*** about) **2.** (*approbation*) agreement, consent; ***d'accord!***, *fam **d'acc!*** OK!; ▶ ***être d'accord*** to agree **3.** MUS chord **4.** GRAM agreement

accordéon [akɔʀdeõ] *m* **1.** MUS accordion **2.** *fig **en ~** chaussettes* wrinkled; ***circulation*** *f* ***en ~*** kangaroo traffic

accorder [akɔʀde] **I** *v/t* **1.** (*donner*) to grant; *confiance* to give; ***~ à qn que ...*** to admit to sb that ... **2.** (*mettre en accord*) to make agree (***avec*** with) (*a* GRAM); *couleurs* to match **3.** *instrument de musique* to tune **II** *v/pr* **1.** ***s'~*** *être d'accord* to agree **2.** GRAM ***s'~ avec*** to agree with **3.** ***s'~ qc*** to give o.s. sth

accordeur [akɔʀdœʀ] *m* tuner

accostage [akɔstaʒ] *m* MAR coming alongside

accoster [akɔste] **I** *v/t qn* to accost **II** *v/i* MAR to come alongside

accotement [akɔtmɑ̃] *m* shoulder, *brit* verge

accouchement [akuʃmɑ̃] *m* birth

accoucher [akuʃe] **I** *v/t **~ qn*** to deliver sb's baby **II** *v/t indir* **accoucher de 1.** to give birth to; *abs* to give birth **2.** *fig et plais* manage to produce

accoucheur [akuʃœʀ] *m* obstetrician

accouder [akude] *v/pr **s'~*** to lean on one's elbows (***à, sur*** on) **accoudoir** *m* armrest

accouplement [akupləmɑ̃] *m* **1.** ZOOL mating **2.** TECH coupling

accoupler [akuple] **I** *v/t* **1.** *animaux* to mate (***et, à*** with) **2.** TECH to couple **3.** *fig* to link together **II** *v/pr **s'~*** to mate

accourir [akuʀiʀ] *v/i* 〈→ **courir**; *avec* **être**〉 to rush up; ***~ vers qn*** to come rushing up to sb

accoutrement [akutʀəmɑ̃] *m péj fam* get-up **accoutrer** *v/t* (*et v/pr **s'~** fam* to get o.s. up) *fam* to get up

accoutumance [akutymɑ̃s] *f dépendance* addiction (***à*** to)

accoutumé [akutyme] *adj* 〈**~e**〉 usual; ***comme à l'~e*** as usual; ***être ~ à qc*** to be used to sth

accoutumer [akutyme] *v **s'~ à*** to get used to; ***~ qn à*** to get sb used to

accréditer [akʀedite] *v/t* **1.** DIPL to accredit **2.** *nouvelle* to give credence to

accro [akʀo] *fam adj fam* hooked

accroc [akʀo] *m* **1.** tear **2.** *fig* hitch

accrochage [akʀɔʃaʒ] *m* MIL, *fig* skirmish; AUTO collision

accroche [akʀɔʃ] *f* slogan

accroche-cœur *m* 〈**accroche-cœurs**〉 spit curl, *brit* kiss curl

▶ **accrocher** [akʀɔʃe] **I** *v/t* **1.** *tableau, manteau, etc* to hang (up); *remorque* to hitch; (*attacher*) to hitch up (***à*** to); ***rester accroché à qc*** to be caught on sth **2.** *piéton* to hit; *véhicule* to bump into **II** *v/i* **1.** *publicité, film* to catch on **III** *v/pr* **1.** ***s'~*** (*rester accroché*) to get caught (***à*** on) **2.** ***s'~*** (*se cramponner*) to hang on (***à*** to); *fig **s'~ à qn, qc*** to cling to sb, sth **3.** ***s'~*** (*s'efforcer*) to try hard; *fam* to brace o.s. **4.** *fig **s'~ avec qn*** to have a brush with sb

accrocheur [akʀɔʃœʀ] *adj* 〈**-euse** [-øz]〉 **1.** *personne* persistent **2.** *publicité* catchy

accroire [akʀwaʀ] *v/t* 〈*only in inf*〉 ***il veut m'en faire ~*** he's trying to take me in

accroissement [akʀwasmɑ̃] *m* increase

accroître [akʀwatʀ] 〈**j'accrois, il accroît, nous accroissons; j'accroissais; j'accrus; j'accroîtrai; que j'accroisse; accroissant**〉 **I** *v/t* to increase **II** *v/pr **s'~*** to increase

accroupi [akʀupi] *adj* 〈**~e**〉 crouching

accroupir *v/pr **s'~*** to crouch (down)

accru [akʀy] *pp* → ***accroître***

accueil [akœj] *m* welcome; *bureau* reception

accueillant [akœjɑ̃] *adj* 〈**-ante** [-ɑ̃t]〉 *personne, maison* welcoming

accueillir [akœjiʀ] *v/t* 〈→ **cueillir**〉 to

welcome, to greet
acculer [akyle] *v/t* **1.** to drive back **2.** *fig* **~ *qn à qc*** to force sb into sth
acculturation [akyltyʀasjõ] *f* cultural assimilation
accumulateur [akymylatœʀ] *m* (storage) battery, accumulator **accumulation** *f* **1.** accumulation **2.** TECH storage
accumuler [akymyle] **I** *v/t* to accumulate **II** *v/pr* ***s'~*** to accumulate; *signes, erreurs* to mount up
accus [aky] *fam mpl* battery *sg*
accusateur [akyzatœʀ], **accusatrice** [-tʀis] **I** *m/f* accuser **II** *adj* accusing
accusatif [akyzatif] *m* accusative
accusation [akyzasjõ] *f* **1.** JUR *plainte* charge; *ministère* prosecution **2.** accusation
accusé [akyze] **I 1. *~(e)*** *m(f)* defendant **2. ~** *m* ***de réception*** acknowledgment of receipt **II** *adj* ⟨**~e**⟩ pronounced; *traits* strong
▶ **accuser** [akyze] *v/t* **1.** to accuse; ***~ qn de qc*** to accuse sb of sth **2.** *contours, différences, hausse* to show **3. *~ réception*** to acknowledge receipt
acerbe [asɛʀb] *adj* caustic
acéré [aseʀe] *adj* ⟨**~e**⟩ sharp *fig* scathing
acétate [asetat] *m* acetate,
acétique [asetik] *adj* CHIM acetic
acétone [asetɔn] *f* acetone
acétylène [asetilɛn] *m* CHIM acetylene
achalandé [aʃalɑ̃de] *adj* ⟨**~e**⟩ *magasin* ***bien ~*** well-stocked
acharné [aʃaʀne] *adj* ⟨**~e**⟩ relentless; *combat* fierce
acharnement [aʃaʀnəmɑ̃] *m* fierce determination; ***~ thérapeutique*** prolongation of life by artificial means; ***avec ~*** relentlessly
acharner [aʃaʀne] *v/pr* **1. *s'~ contre, sur*** to have it in for **2. *s'~ à faire qc*** to be fiercely determined to do sth
▶ **achat** [aʃa] *m* purchase; ÉCON ***pouvoir*** *m* ***d'~*** purchasing power
acheminement [aʃminmɑ̃] *m* transportation
acheminer [aʃmine] **I** *v/t* to transport **II** *v/pr* ***s'~ vers*** to make one's way toward; *fig* to head for
achetable [aʃtabl] *adj* buyable
▶ **acheter** [aʃte] ⟨**-è-**⟩ **I** *v/t* **1.** to buy, to purchase; ***~ qc à qn*** *pour qn* to buy sth for sb; *de qn* to buy sth from sb **2.** *témoin, fonctionnaire* to buy (off); *complicité, bonheur* to buy **II** *v/pr* ***s'~ qc*** to buy o.s. sth
acheteur [aʃtœʀ] *m*, **acheteuse** [-øz] *f* buyer
achevé [aʃve] *adj* ⟨**~e**⟩ *artiste, style* accomplished; *bêtise* utter
achèvement [aʃɛvmɑ̃] *m* completion
achever [aʃve] ⟨**-è-**⟩ **I** *v/t* **1.** to finish **2.** (*tuer*) to kill; *fig* ***~ qn*** to finish sb off *fam* **II** *v/pr* ***s'~*** to end

achever ≠ achieve

Achever = complete or finish off in the sense of to kill:

Nous comptons achever les travaux en juin.

We expect to complete the work in June.

achoppement [aʃɔpmɑ̃] *m* ***pierre*** *f* ***d'~*** stumbling block
achromatique [akʀɔmatik] *adj* OPT achromatic
acide [asid] **I** *adj* **1.** acid **2.** *fig* acerbic **II** *m* **1.** CHIM acid **2.** *fam drogue* acid
acidité [asidite] *f* **1.** acidity **2.** *fig* acerbity
acidulé [asidyle] *adj* ⟨**~e**⟩ slightly acid; ***bonbon*** *m* ***~*** acid drop
▶ **acier** [asje] *m* **1.** steel; ***en ~, d'~*** steel; *fig* ***d'~*** *regard* steely **2.** *adj* ***bleu, gris ~*** ⟨*inv*⟩ steel
aciérie [asjeʀi] *f* steelworks
acné [akne] *f* acne
acolyte [akɔlit] *m péj* acolyte
acompte [akõt] *m* installment; *arrhes* deposit
acoquiner [akɔkine] *v/pr* ***s'~ avec qn*** to team up with sb
à-côté [akote] *m* ⟨**à-côtés**⟩ **1.** side issue **2.** *pl* ***~s*** extras
à-coup [aku] *m* ⟨**à-coups**⟩ jolt; ***avancer par ~s*** to jolt along
acousticien [akustisjɛ̃] *m* acoustician
acoustique [akustik] **I** *adj* acoustic **II** *f* acoustics
acquéreur [akeʀœʀ] *m* buyer
acquérir [akeʀiʀ] ⟨**j'acquiers, il acquiert, nous acquérons, ils acquièrent; j'acquérais; j'acquis; j'acquerrai; que j'acquière, que nous acquérions; acquérant; acquis**⟩ *v/t* **1.** to acquire; *en achetant* to buy, to purchase **2.** *savoir* to acquire; *gloire, certitude, expérience* to gain

acquiers, acquiert [akjɛʀ] → ***acquérir*** **acquiescement** [akjɛsmɑ̃] *m* acquiescence **acquiescer** *v/t indir* to agree (***à*** to)

acquis [aki] **I** *pp* → ***acquérir*** *et adj* ⟨**-ise** [-iz]⟩ **1.** acquired (*a* BIOL) **2.** (*sûr*) established **3.** *personne* ***être ~ à une cause*** to be a committed supporter of a cause **II** *m* asset; ***les ~ sociaux*** social benefits

acquisition [akizisjõ] *f* acquisition

acquit [aki] *m* **1.** ***pour ~*** received **2.** ***par ~ de conscience*** in order to put one's mind at rest

acquittement [akitmɑ̃] *m* **1.** JUR acquittal **2.** *d'une obligation* settlement

acquitter [akite] **I** *v/t* **1.** JUR to acquit **2.** (*payer*) to pay **II** *v/pr* ***s'~ d'une dette*** to pay off a debt; ***s'~ d'une mission*** to fulfill a mission

acre [akʀ] *f* AGR *autrefois* acre

âcre [ɑkʀ] *adj* acrid

âcreté [ɑkʀəte] *f* acridity

acrimonie [akʀimɔni] *f* acrimony

acrobate [akʀɔbat] *m/f* acrobat

acrobatie [akʀɔbasi] *f* **1.** *art* acrobatics (+ *sg*); ***~ aérienne*** aerobatics (+ *sg*) **2.** *tour* acrobatic feat

acrobatique [akʀɔbatik] *adj* acrobatic

acrylique [akʀilik] *adj* acrylic

acte [akt] *m* **1.** act; PSYCH ***~ manqué*** subconsciously deliberate mistake; ***~ médical*** medical treatment; ***faire ~ d'autorité*** to exercise one's authority; ***faire ~ de présence*** to put in an appearance; ***passer aux ~s*** to act **2.** JUR deed; ***~ de mariage*** marriage certificate; *fig* ***prendre ~ de qc*** to note sth **3.** ***~s*** *pl d'un colloque* proceedings **4.** THÉ act

► **acteur** [aktœʀ] *m*, **actrice** [aktʀis] *f* **1.** actor; ***acteur de cinéma*** movie actor **2.** *fig* player

► **actif** [aktif] **I** *adj* ⟨**-ive** [-iv]⟩ active ***la population active*** the working population ***vie active*** working life **II** *m* **1.** FIN assets; *fig* ***avoir à son ~*** to have as a point in one's favor; *iron délits* to have to one's name **2.** GRAM active

► **action** [aksjõ] *f* **1.** (*acte*) action, act; (*activité*) action; ***bonne ~*** good deed; ***~ d'éclat*** remarkable feat; ***entrer en ~*** to go into action; ***passer à l'~*** to take action **2.** (*effet produit*) action; ***sous l'~ de*** under the effect of **3.** THÉ, FILM action; ***film*** *m* ***d'~*** action movie **4.** COMM share **5.** ***~ (en justice)*** lawsuit

actionnaire [aksjɔnɛʀ] *m* stockholder, *brit* shareholder **actionnariat** *m ensemble des actionnaires* stockholders, *brit* shareholders (*pl*) *détention d'actions* stockholding, *brit* shareholding

actionnement [aksjɔnmɑ̃] *m* operation; *d'une alarme etc* activation **actionner** *v/t* to operate; *alarme etc* to activate

activement [aktivmɑ̃] *adv* actively

activer [aktive] **I** *v/t* to speed up; *feu* to stoke **II** *v/pr* ***s'~*** to bustle about

activisme [aktivism] *m* POL activism **activiste** *m* activist

► **activité** [aktivite] *f* **1.** activity; ***~s*** *pl* activities; ***~ (professionnelle)*** occupation **2.** (*dynamisme*) energy **3.** *fonctionnaire* ***en ~*** practicing

actualisation [aktɥalizasjõ] *f* updating

actualiser *v/t* to update

► **actualité** [aktɥalite] *f* **1.** *de qc* topicality; ***être d'~*** to be topical **2.** (*événements actuels*) current affairs **3.** ***~s*** *pl* news

actuel ≠ actual

Actuel = current or topical:

le conflit actuel

the present conflict
(NOT the actual conflict)

► **actuel** [aktɥɛl] *adj* ⟨**~le**⟩ **1.** (*du moment*) current **2.** *sujet* topical

► **actuellement** [aktɥɛlmɑ̃] *adv* currently, at the moment

actuellement ≠ actually

Actuellement = happening now, at the moment or currently:

L'euro est actuellement très fort par rapport au dollar.

The euro is very strong against the dollar right now.

acuité [akɥite] *f* acuteness; ***~ visuelle*** visual acuity

acuponcteur *ou* **acupuncteur** [akypõktœʀ] *m* acupuncturist

acuponcture *ou* **acupuncture** [akypõktyʀ] *f* acupuncture

acyclique [asiklik] *adj* non-cyclical

adage [adaʒ] *m* saying

adagio [adadʒjo] MUS **I** *adv* adagio **II** *m*

adagio

adaptable [adaptabl] *adj* adaptable (***à*** to)

adaptateur [adaptatœʀ] *m*, **adaptatrice** [-tʀis] *f* THÉ, FILM, TECH adapter

adaptation [adaptasjõ] *f* adaptation (***à*** to)

adapter [adapte] **I** *v/t* to adapt (***à*** to) **II** *v/pr* ***s'adapter* 1.** to adapt (***à*** to) **2.** TECH ***s'~ à*** to fit

additif [aditif] *m* **1.** *à un écrit* rider; ***~ au budget*** supplemental budget **2.** CHIM additive

► **addition** [adisjõ] *f* **1.** MATH addition **2.** *au restaurant* check, *brit* bill; ***l'~, s'il vous plaît!*** may we have the check, please? **3.** (*adjonction*) addition

additionnel [adisjɔnɛl] *adj* ⟨**~le**⟩ additional

additionner [adisjɔne] **I** *v/t* **1.** MATH to add **2.** ***~ qc de qc*** to add sth to sth **II** *v/pr* ***s'~*** to add up

adducteur [adyktœʀ] *m* ANAT adductor

adduction *f* adduction

adepte [adɛpt] *m/f* follower

adéquat [adekwa(t)] *adj* ⟨**-ate** [-at]⟩ appropriate

adhérence [adeʀɑ̃s] *f* **1.** ***~ (au sol)*** grip **2.** MÉD, BOT adhesion

adhérent [adeʀɑ̃] **I** *adj* ⟨**-ente** [-ɑ̃t]⟩ **1.** TECH adherent ***être ~ à qc*** to adhere to sth; *pneu* to grip sth **2.** *pays* member **3.** BIOL adherent (***à*** to) **II** ***~(e)*** *m(f)* member

adhérer [adeʀe] *v/t indir* ⟨**-è-**⟩ **1.** ***~ à qc*** to stick to sth, to adhere to sth **2.** ***~ à un parti*** to be a member of a party **3.** ***~ à*** *une opinion* to subscribe to; *à un idéal* to adhere to

adhésif [adezif] **I** *adj* ⟨**-ive** [-iv]⟩ adhesive; ***pansement ~*** Band-Aid® **II** *m* adhesive

adhésion [adezjõ] *f* **1.** *à un parti, etc* membership (***à*** of) **2.** *à une opinion* support (***à*** for)

ad hoc [adɔk] *approprié* appropriate; *commission* ad hoc

adieu [adjø] **I** *int* goodbye; *litt* farewell **II** *m souvent pl* ***~x*** goodbyes; ***faire ses ~x à qn*** to say one's goodbyes to sb

adipeux [adipø] *adj* ⟨**-euse** [-øz]⟩ **1.** ANAT fatty **2.** *par ext* fleshy

adiposité [adipozite] *f* adiposity

adjacent [adʒasɑ̃] *adj* ⟨**-ente** [-ɑ̃t]⟩ adjacent

► **adjectif** [adʒɛktif] *m* ***~ (qualificatif)*** qualifying adjective; ***~ démonstratif*** demonstrative adjective

adjectival [adʒɛktival] *adj* ⟨**~e; -aux** [-o]⟩ adjectival

adjoindre [adʒwɛ̃dʀ] ⟨→ **joindre**⟩ **I** *v/t* ***~ qc à qc*** to attach sth to sth **II** *v/pr* ***s'~ un collaborateur*** to take on an assistant

adjoint [adʒwɛ̃] **I** *m* assistant; ***~ (au maire)*** deputy (mayor) **II** *adj* ⟨**adjointe** [adʒwɛ̃t]⟩ assistant

adjonction [adʒõksjõ] *f* addition (***à*** to)

adjudant [adʒydɑ̃] *m* warrant officer

adjudant-chef *m* ⟨**adjudants-chefs**⟩ MIL chief warrant officer, *brit* warrant officer 1st class

adjudication [adʒydikasjõ] *f* **1.** ***~ (administrative)*** sale by auction **2.** (*attribution*) awarding (***à*** to)

adjuger [adʒyʒe] ⟨**-ge-**⟩ **I** *v/t* **1.** *aux enchères* to auction (***qc*** sth) **2.** *récompense* to award **II** *v/pr* ***s'~ qc*** to take sth (for o.s.)

adjuration [adʒyʀasjõ] *f* plea **adjurer** *v/t* to implore

adjuvant [adʒyvɑ̃] *m* additive

► **admettre** [admɛtʀ] *v/t* ⟨→ **mettre**⟩ **1.** *personne* to admit (***à, dans*** to, into), to let in **2.** *raisons* to accept; ***~ que …*** (+ *subj ou ind*) *a* to admit that … **3.** *comme hypothèse* to suppose **4.** (*tolérer*) ***ne pas ~ qc*** not to allow sth, not to accept sth

administrateur [administʀatœʀ] *m*, **administratrice** [-tʀis] *f* administrator

administratif [administʀatif] *adj* ⟨**-ive** [-iv]⟩ administrative

administration [administʀasjõ] *f* **1.** (*gestion*) management, running; ***~ de biens*** asset management **2.** *service* public service; ***Administration*** Civil Service

administrativement [administʀativmɑ̃] *adv* administratively

administré(e) [administʀe] *m(f)* constituent

administrer [administʀe] *v/t* **1.** (*gérer*) to manage, to run **2.** *médicament, sacrement* to administer, *fam coups* to deal out

admirable [admiʀabl] *adj* admirable

admirateur [admiʀatœʀ] *m*, **admiratrice** [-tʀis] *f* admirer

admiratif [admiʀatif] *adj* ⟨**-ive** [-iv]⟩ admiring

admiration [admiʀasjõ] *f* admiration; *iron* ***être en ~ devant qn*** to be lost in admiration for sb

▶ **admirer** [admiʀe] *v/t* admire
admis [admi] *pp* → ***admettre***
admissibilité [admisibilite] *f* eligibility
admissible [admisibl] *adj* **1.** *candidat* eligible **2.** ***ne pas être ~*** to be unacceptable
admission [admisjõ] *f* **1.** admission (***à*** to); *droit* eligibility **2.** TECH intake
admonestation [admɔnɛstasjõ] *st/s f* admonishment **admonester** *st/s v/t* to admonish
A.D.N. [adeɛn] *m, abr* (= **acide désoxyribonucléique**) DNA
ado [ado] *m/f, abr* → ***adolescent***
adolescence [adɔlesɑ̃s] *f* adolescence
adolescent [adɔlesɑ̃] *m*, **adolescente** [-ɑ̃t] *f* teenager, adolescent
adonis [adɔnis] *m iron* Adonis
adonner [adɔne] *v/pr* ***s'~ à qc*** to devote o.s. to sth; ***adonné à la boisson*** addicted to alcohol
adopter [adɔpte] *v/t* **1.** *enfant* to adopt **2.** *attitude, méthode, point de vue, ton* to adopt **3.** *projet de loi, résolution* to pass; ***faire ~ qc*** to get sth passed
adoptif [adɔptif] *adj* ⟨**-ive** [-iv]⟩ adoptive
adoption [adɔpsjõ] *f* **1.** JUR adoption **2.** ***d'~*** *pays* of adoption; ***Parisien*** *m* ***d'~*** Parisian by adoption **3.** *d'une méthode* adoption **4.** *d'une loi* passing
adorable [adɔʀabl] *adj* sweet, lovely
adorateur [adɔʀatœʀ] *m*, **adoratrice** [-tʀis] *f* REL, *fig* worshipper
adoration [adɔʀasjõ] *f* worship, adoration
▶ **adorer** [adɔʀe] *v/t* to worship; *fig* to worship, to adore; *fam chose fam* to love
adosser [adɔse] **I** *v/t* ***~ à ou contre qc*** to stand against sth **II** *v/pr* ***s'~ au mur*** to lean against the wall
adoucir [adusiʀ] **I** *v/t* **1.** to soften; *douleur* to ease **2.** *peau, l'eau* to soften **II** *v/pr* ***s'~*** to soften
adoucissant [adusisɑ̃] *m* fabric conditioner
adoucissement [adusismɑ̃] *m* **1.** ***~ (de la température)*** improvement (in the temperature) **2.** *de l'eau* softening
adoucisseur [adusisœʀ] *m* water softener; *pour le linge* fabric softener
adrénaline [adʀenalin] *f* adrenalin
adressage [adʀɛsaʒ] *m* INFORM addressing
▶ **adresse**[1] [adʀɛs] *f* **1.** address (*a* INFORM); *fig* ***se tromper d'~*** to get the wrong number **2.** ***à l'~ de qn*** for the benefit of sb
adresse[2] *f* (*habileté*) skill
▶ **adresser** [adʀese] **I** *v/t* ***adresser à*** to direct at; *lettre* to send to; ***adresser la parole à qn*** to address sb **II** *v/pr* ▶ ***s'adresser à*** to address; *livre, film* to be aimed at

adresse, adresser
Note – only one "d" in the French spelling.

adret [adʀɛ] *m* GÉOG south-facing side
Adriatique [adʀijatik] *f* ***l'~*** the Adriatic
▶ **adroit** [adʀwa] *adj* ⟨**adroite** [adʀwat]⟩ skillful
adsorption [adsɔʀpsjõ] *f* PHYS adsorption
adulation [adylasjõ] *st/s f* adulation
aduler *v/t* to adulate
▶ **adulte** [adylt] **I** *adj* adult; *plante, animal* mature; ***âge*** *m* ***~*** adulthood **II** *m/f* adult
adultère [adyltɛʀ] **I** *adj* adulterous; ***homme*** *m* ***~*** adulterer; ***femme*** *f* ***~*** adulteress **II** *m* adultery
adultérin [adylteʀɛ̃] *adj* ⟨**-ine** [-in]⟩ born of adultery
advenir [advəniʀ] *v/imp* ⟨→ **venir; être**⟩ to happen; ***advienne que pourra*** come what may
adventiste [advɑ̃tist] *m/f* REL Adventist
▶ **adverbe** [advɛʀb] *m* adverb **adverbial** *adj* ⟨**~e; -aux** [-o]⟩ GRAM adverbial
▶ **adversaire** [advɛʀsɛʀ] *m/f* opponent; MIL enemy
adverse [advɛʀs] *adj* opposing; ***partie*** *f* ***~*** other side
adversité [advɛʀsite] *f* adversity
aérateur [aeʀatœʀ] *m* ventilator **aération** *f* ventilation; *de tissu* airing
aéré [aeʀe] *adj* ⟨**~e**⟩ **1.** *pièce* airy **2.** *tissu* aired; *fig texte* well spaced out
aérer [aeʀe] ⟨**-è-**⟩ **I** *v/t* **1.** *pièce, lits* to air; TECH to ventilate **2.** *fig* to lighten up **II** *v/pr* ***s'~*** to get some fresh air; *fam* to lighten up
aérien [aeʀjɛ̃] *adj* ⟨**-ienne** [-jɛn]⟩ **1.** air; ***attaque ~ne*** aerial attack; ***ligne ~ne*** AVIAT airline; ÉLEC overhead; ***métro ~*** above-ground subway **2.** *fig* ethereal; *démarche* light

aérobic [aeʀɔbik] *f* aerobics
aérobie [aeʀɔbi] **I** *adj* BIOL, TECH aerobic **II** *m* BIOL aerobe
aéro-club [aeʀoklœb] *m* ⟨**aéro-clubs**⟩ flying club
aérodrome [aeʀɔdʀom] *m* airfield, *brit* aerodrome
aérodynamique [aeʀɔdinamik] **I** *adj* aerodynamic **II** *f* aerodynamics + *v sg*
aérofrein [aeʀɔfʀɛ̃] *m* AVIAT airbrake
aérogare [aeʀɔgaʀ] *f* terminal
aéroglisseur [aeʀɔglisœʀ] *m* hovercraft
aérogramme [aeʀɔgʀam] *m* aerogram
aérolithe [aeʀɔlit] *m* aerolite
aéromodélisme [aeʀɔmɔdelism] *m* model aircraft making
aéronautique [aeʀɔnotik] **I** *adj* aeronautical **II** *f* aeronautics + *v sg*
aéronaval [aeʀɔnaval] MAR MIL *adj* ⟨**~e; -als**⟩ ***forces ~es*** air and sea forces
aéronef [aeʀɔnɛf] *m* aircraft
aérophagie [aeʀɔfaʒi] *f* MÉD aerophagia
aéroplane [aeʀɔplan] *m* AVIAT *autrefois* airplane, *brit* aeroplane
▶ **aéroport** [aeʀɔpɔʀ] *m* airport
aéroporté [aeʀɔpɔʀte] *adj* ⟨**~e**⟩ ***troupes ~es*** airborne troops
aérosol [aeʀɔsɔl] *m* aerosol; *adj* ***bombe f ~*** aerosol can
aérospatial [aeʀɔspasjal] *adj* ⟨**~e; -aux** [-o]⟩ aerospace
aérotrain [aeʀɔtʀɛ̃] *m* hovertrain
affabilité [afabilite] *f* affability
affable [afabl] *adj* affable
affabulation [afabylasjõ] *f* (pure) fabrication
affadir [afadiʀ] *v/t* to make insipid **affadissement** *m* weakening
affaiblir [afebliʀ] **I** *v/t* to weaken **II** *v/pr* ***s'~*** to weaken; *vue* to grow weaker; *souvenir* to fade; ***le sens du mot s'est affaibli*** the word has lost much of its meaning
affaiblissement [afɛblismɑ̃] *m* weakening
▶ **affaire** [afɛʀ] *f* **1.** matter, business; ***affaire d'État*** affair of state; *fig* big issue; ***avoir affaire à qn*** to have to deal with sb; ***il aura affaire à moi!*** he'll have me to deal with!; ***c'est (une) affaire de goût*** it's a matter of taste; ***c'est l'affaire d'une seconde*** it'll only take a few minutes; ***c'est toute une affaire*** it's a whole big rigmarole; *ce morceau de ficelle* ***fera l'affaire*** will do the job; ***j'en fais mon affaire*** I'll deal with it **2.** *péj* affair; *fam* shenanigans (*pl*); ***affaire de mœurs*** sex scandal; ***se tirer d'affaire*** to get out of trouble **3.** JUR case **4.** (*marché*) deal; *fam* ***une affaire*** a bargain **5.** (*entreprise*) business **6.** COMM ▶ ***affaires*** *pl* business (+ *sg*); ***… d'affaires*** business …; ***pour affaires*** on business **7.** ▶ ***affaires*** *pl* (*objets personnels*) belongings **8.** ***affaire de cœur*** love affair
affairé [afeʀe] *adj* ⟨**~e**⟩ busy
affairement [afɛʀmɑ̃] *m* busy activity
affairer [afeʀe] *v/pr* ***s'~*** to busy o.s. (***à faire qc*** doing sth)
affairisme [afeʀism] *m* wheeling and dealing **affairiste** *m/f* wheeler-dealer
affaissement [afɛsmɑ̃] *m* *de sol* subsidence
affaisser [afese] *v/pr* ***s'~*** **1.** *sol* to subside **2.** *personne* to collapse
affaler [afale] *v/pr* ***s'~ dans un fauteuil*** to collapse into an armchair
affamé [afame] *adj* ⟨**~e**⟩ **1.** starving **2.** *fig* ***~ de gloire*** hungry for fame
affamer [afame] *v/t* MIL to starve
affect [afɛkt] *m* PSYCH affect
affectation[1] [afɛktasjõ] *f* **1.** *d'une chose* allocation (***à*** to) **2.** ADMIN, MIL appointment; *à une région, un pays* posting
affectation[2] *f* (*manque de naturel*) affectation
affecté [afɛkte] *adj* ⟨**~e**⟩ affected
affecter[1] [afɛkte] *v/t* **1.** (*destiner*) to allocate (***à*** to) **2.** ***~ à un poste*** to appoint to a post
affecter[2] *v/t* **1.** (*feindre*) to affect, to feign **2.** *chose* ***~ une forme*** to assume a shape, to take on a shape
affecter[3] *v/t* **1.** (*émouvoir*) to affect (***qn*** sb) **2.** (*agir sur*) to affect
affectif [afɛktif] *adj* ⟨**-ive** [-iv]⟩ emotional; PSYCH affective; ***vie affective*** emotional life
affection[1] [afɛksjõ] *f* affection; ***terme m d'~*** term of endearment; ***prendre en ~*** to become fond of
affection[2] *f* MÉD condition
affectionné [afɛksjɔne] *adj* ⟨**~e**⟩ *st/s fin de lettre* ***votre ~ X*** yours affectionately, X
affectionner [afɛksjɔne] *v/t* to be fond of
affectivité [afɛktivite] *f* PSYCH affectivity
affectueusement [afɛktɥøzmɑ̃] *adv* → ***affectueux***; *à la fin d'une lettre* (***bien***)

~ yours affectionately
affectueux [afɛktɥø] *adj* ⟨**-euse** [-øz]⟩ affectionate
affermir [afɛʀmiʀ] *v/t* to strengthen
affichage [afiʃaʒ] *m* **1.** posting **2.** INFORM display
► **affiche** [afiʃ] *f* poster; *pièce, film* ***rester à l'~*** to run
afficher [afiʃe] **I** *v/t* **1.** to display; *affiche* to put up **2.** *fig* to show openly **3.** INFORM to display **II** *v/pr* ***s'~ avec qn*** to make a point of being seen with sb
affichette [afiʃɛt] *f* small poster **afficheur** *m* display **affichiste** *m/f* poster designer
affilée [afile] ***d'~*** in a row
affiler [afile] *v/t* to sharpen
affiliation [afiljasjõ] *f* affiliation (***à*** to)
affilié(e) [afilje] *m(f)* affiliated member
affilier [afilje] *v/pr* ***s'~ à un club*** to become affiliated to a club
affinage [afinaʒ] *m* **1.** TECH refining **2.** *du fromage* maturing
affinement [afinmɑ̃] *m du goût etc* refinement
affiner [afine] **I** *v/t* **1.** TECH to refine **2.** *fromage* to mature **3.** *fig goût* to refine **II** *v/pr* ***s'~*** to become more refined
affinité [afinite] *f* affinity
affirmatif [afiʀmatif] *adj* ⟨**-ive** [-iv]⟩ **1.** *ton, personne* assertive **2.** *réponse*, GRAM affirmative
affirmation [afiʀmasjõ] *f* assertion
affirmative [afiʀmativ] *f* ***dans l'~*** in the affirmative; ***répondre par l'~*** to answer in the affirmative
affirmativement [afiʀmativmɑ̃] *adv* ***répondre ~*** to answer in the affirmative
► **affirmer** [afiʀme] **I** *v/t* **1.** (*soutenir*) to claim **2.** *sa détermination, etc* to affirm **II** *v/pr* ***s'~*** *caractère, talent* to assert itself
affleurer [aflœʀe] *v/i* to show on the surface
affliction [afliksjõ] *f st/s* affliction
affligé [afliʒe] *adj* ⟨**~e**⟩ afflicted
affligeant [afliʒɑ̃] *adj* ⟨**-ante** [-ɑ̃t]⟩ distressing
affliger [afliʒe] ⟨**-ge-**⟩ **I** *v/t* **1.** *st/s* ***être affligé de qc*** to be afflicted with sth **2.** (*attrister*) to distress **II** *v/pr* ***s'~*** to be distressed (***de*** about)
affluence [aflyɑ̃s] *f* crowds (*pl*); ***heures*** *fpl* ***d'~*** rush hour
affluent [aflyɑ̃] *m* tributary
affluer [aflye] *v/i* **1.** *sang* ***~ au visage*** to rush to the face **2.** *personnes* to flock; *capitaux* ***~ dans un pays*** to flood into a country
afflux [afly] *m* **1.** ***~ de sang*** rush of blood **2.** *de visiteurs* influx; *de capitaux* inflow
affolant [afɔlɑ̃] *adj* ⟨**-ante** [-ɑ̃t]⟩ alarming
affolé [afɔle] *adj* ⟨**~e**⟩ panic-stricken
affolement [afɔlmɑ̃] *m* panic
affoler [afɔle] **I** *v/t* to terrify **II** *v/pr* ***s'~*** to panic
► **affranchir** [afʀɑ̃ʃiʀ] **I** *v/t* **1.** *lettre* to frank **2.** *esclave* to free; *peuple* to liberate **3.** *fam* (*mettre au courant*) to bring up to speed *fam* **II** *v/pr* ***s'~*** to free o.s. (***de*** from) **affranchissement** *m* **1.** *d'une lettre* franking **2.** *d'esclave* emancipation
affres [afʀ] *st/s fpl* throes
affrètement [afʀɛtmɑ̃] *m* chartering
affréter [afʀete] *v/t* ⟨**-è-**⟩ to charter
affreusement [afʀøzmɑ̃] *adv fam* horribly
► **affreux** [afʀø] *adj* ⟨**-euse** [-øz]⟩ awful
affriolant [afʀijɔlɑ̃] *adj* ⟨**-ante** [-ɑ̃t]⟩ tempting; *femme* alluring
affront [afʀõ] *m* affront; ***faire un ~ à qn*** to affront sb
affrontement [afʀõtmɑ̃] *m* confrontation
affronter [afʀõte] **I** *v/t* to confront **II** *v/pr* ***s'~*** to confront each other
affubler [afyble] *v/t* (*et v/pr* ***s'~*** to dress up) to dress up (***de*** in)
affût [afy] *m* CH hide; *fig* ***être à l'~ de qc*** to be on the look-out for sth
affûtage [afytaʒ] *m* sharpening **affûter** *v/t* to sharpen
Afghanistan [afganistɑ̃] ***l'~*** *m* Afghanistan
afin [afɛ̃] **I** *prép* ***~ de*** *+inf* to, in order to **II** *conj* ***~ que*** *+subj* so that

affluence

Affluence in French relates to crowds of people or flows of traffic, and has nothing to do with being rich or having purchasing power:

Il y a un train toutes les dix minutes aux heures d'affluence.

There's a train every 10 minutes during the rush hour.

a fortiori [afɔʀsjɔʀi] *adv* all the more so
A.F.P. *ou* **afp** [aɛfpe] *f*, *abr* (= **Agence France-Presse**) French Press Agency
► **africain** [afʀikɛ̃] **I** *adj* ⟨**-aine** [-ɛn]⟩ African **II** ***Africain(e)*** *m(f)* African
africanisation [afʀikanizasjõ] *f* Africanization **africaniser** *v/t* Africanize
africaniste *m/f* Africanist
afrikaans [afʀikɑ̃s] *m* LING ***l'~*** Afrikaans
► **Afrique** [afʀik] ***l'~*** *f* Africa
afro [afʀo] *adj* ⟨*inv*⟩ ***coiffure*** *f* **~** Afro hairstyle
after-shave [aftœʀʃɛv] *m* after-shave
agaçant [agasɑ̃] *adj* ⟨**-ante** [-ɑ̃t]⟩ annoying
agacement [agasmɑ̃] *m* annoyance
agacer [agase] *v/t* ⟨**-ç-**⟩ **1.** (*énerver*) **~ *qn*** to annoy sb, to get on sb's nerves *fam* **2.** (*taquiner*) to tease
agaceries [agasʀi] *fpl* irritations
agapes [agap] *plais fpl* banquet (+ *v sg*)
agate [agat] *f* **1.** MINÉR agate **2.** *bille* marble
agave [agav] *m* agave
► **âge** [ɑʒ] *m* **1.** age; ***les personnes du troisième ~*** senior citizens; **~ *de raison*** age of reason; ***à l'~ de*** at the age of; *vieux* ***avant l'~*** before one's time; ***enfant*** *m* ***en bas ~*** very young child; ***entre deux ~s*** middle-aged; ***quel ~ a-t-il?*** how old is he?; ***avoir le même ~*** to be the same age **2.** (*ère*) age; **~ *du bronze*** the Bronze Age; MYTH, *fig* ***l'~ d'or*** the Golden Age
► **âgé** [ɑʒe] *adj* ⟨**~e**⟩ **1.** (*vieux*) elderly; ***les personnes ~es*** the elderly **2.** **~ *de trente ans*** aged thirty, thirty years old
agence [aʒɑ̃s] *f* **1.** agency; **~ *immobilière*** real estate agency, *brit* estate agency; **~ *de presse*** news agency; **~ *de publicité*** advertising agency; ► **~ *de voyages*** travel agency **2.** *d'une banque* branch
agencement [aʒɑ̃smɑ̃] *m* **1.** *d'un appartement* layout **2.** *d'une phrase* arrangement
agencer [aʒɑ̃se] *v/t* ⟨**-ç-**⟩ to lay out; *appartement* ***bien agencé*** well laid out
agenda [aʒɛ̃da] *m* **1.** diary; *de bureau* desk diary; **~ *électronique*** personal organizer **2.** POL agenda **~ *2000*** Agenda 2000
agenouillement [aʒnujmɑ̃] *st/s m* kneeling
agenouiller [aʒnuje] *v/pr* ***s'~*** to kneel (down); ***être agenouillé*** to be kneeling (down)
► **agent** [aʒɑ̃] *m* **1.** ADMIN official **2.** **~ (*de police*)** police officer **3.** ÉCON (*représentant*) agent; **~ *immobilier*** realtor, *brit* estate agent; **~ *de change*** stockbroker **4.** POL agent; **~ *secret*** secret agent **5.** (*substance*) agent; **~ *pathogène*** pathogen(ic agent)
agglomérat [aglɔmeʀa] *m* MINÉR agglomerate
agglomération [aglɔmeʀasjõ] *f* **1.** built-up area; *urbaine* conurbation **2.** *de particules* agglomeration
aggloméré [aglɔmeʀe] *m* (***panneau*** *m* ***d'***) **~** chipboard
agglomérer [aglɔmeʀe] ⟨**-è-**⟩ *v/t* **I** *v/t* to agglomerate **II** *v/pr* ***s'~*** to gather (together)
agglutinant [aglytinɑ̃] *adj* ⟨**-ante** [-ɑ̃t]⟩ MÉD agglutinant **agglutination** *f* MÉD agglutination
agglutiner [aglytine] **I** *v/t* agglutinate *a* MÉD **II** *v/pr* ***s'~*** *personnes* to cluster together
aggravant [agʀavɑ̃] *adj* ⟨**-ante** [-ɑ̃t]⟩ JUR aggravating **aggravation** *f de situation, maladie* worsening
aggraver [agʀave] **I** *v/t peine* to increase **~ *qc*** to make sth worse; **~ *le sort de qn*** to make things worse for sb **II** *v/pr* ► ***s'aggraver*** *maladie* to get worse; *situation* to deteriorate
agile [aʒil] *adj* agile **agilité** *f* agility
agios [aʒjo] *mpl* bank charges
► **agir** [aʒiʀ] **I** *v/i* **1.** to act; ***mal ~ envers qn*** to behave badly toward sb **2.** *médicament* to take effect; **~ *sur qn, qc*** to have an effect on sb, sth **II** *v/pr et v/imp* ***il s'agit de qn, qc*** it's about sb, sth; ***il s'agit de faire*** it's a matter of doing
agissant [aʒisɑ̃] *adj* ⟨**-ante** [-ɑ̃t]⟩ effective
agissements [aʒismɑ̃] *mpl péj* doings, activities
agitateur [aʒitatœʀ] *m*, **agitatrice** [-tʀis] *f* agitator, rabble-rouser
agitation [aʒitasjõ] *f* **1.** *des gens* bustle; *de la mer* choppiness **2.** (*nervosité*) agitation **3.** POL unrest
agité [aʒite] *adj* ⟨**~e**⟩ *mer* rough; *sommeil, malade, enfant* restless; *vie* hectic
agiter [aʒite] **I** *v/t* **1.** *mouchoir, drapeau, bras* to wave; *vent*: *feuilles* to rustle; *liquide* to shake; **~ *avant usage*** shake

before use; ~ to wag its tail *fig* ***~ la menace de qc*** to raise the threat of sth **2.** (*préoccuper*) to upset **3.** *question* to debate **II** *v/pr* **1. *s'~*** *malade* to toss and turn; *élèves* to fidget **2.** (*s'énerver*) to get upset

▸ **agneau** [aɲo] *m* ⟨**~x**⟩ lamb *a* CUIS

agnelet [aɲəlɛ] *m* young lamb

agnostique [agnɔstik] **I** *adj* agnostic **II** *m* agnostic

agonie [agɔni] *f* death throes (+ *pl*); ***être à l'~*** to be at death's door

agonir [agɔniʀ] *v/t* ***~ qn d'injures*** to hurl abuse at sb

agonisant [agɔnizɑ̃] *adj* ⟨**-ante** [-ɑ̃t]⟩ dying

agoniser [agɔnize] *v/i* **1.** to be dying **2.** *fig* to be on its last legs

agoraphobie [agɔʀafɔbi] *f* agoraphobia

agrafage [agʀafaʒ] *m* **1.** MÉD fastening skin clips **2.** *de papiers* stapling

agrafe [agʀaf] *f* **1.** COUT hook **2. ~ (*de bureau*)** staple **3.** MÉD skin clip

agrafer [agʀafe] *v/t* **1.** *vêtement* to fasten **2.** *papiers* to staple **agrafeuse** *f* stapler

agraire [agʀɛʀ] *adj* agrarian ***réforme*** *f* **~** land reform

agrandir [agʀɑ̃diʀ] **I** *v/t photo, ouverture* to enlarge; *maison* to extend **II** *v/pr* ***s'agrandir*** **1.** *ville* to expand **2.** *entrepreneur* to expand

agrandissement [agʀɑ̃dismɑ̃] *m de photo* enlargement; *de ville* expansion **agrandisseur** *m* enlarger

▸ **agréable** [agʀeabl] *adj maison, région, visite* pleasant; *nouvelle* nice; ***avoir un physique ~*** to be good-looking

agréablement [agʀeabləmɑ̃] *adv* ***~ surpris*** pleasantly surprised

agréer [agʀee] *v/t* **1.** *demande* to agree to; *excuse* to accept; ***veuillez ~, Monsieur, mes salutations distinguées*** yours sincerely **2.** (*admettre*) to authorize

agrèg [agʀɛg] *f, abr fam* → ***agrégation***

agrégat [agʀega] *m* **1.** MINÉR aggregate **2.** *fig et st/s* jumble

agrégation [agʀegasjõ] *f competitive examination for people planning to teach at college and university level*

agrégé(e) [agʀeʒe] *m(f) person qualified to teach at college and university level*

agrément [agʀemɑ̃] *m* **1.** *surtout pl* ***~s*** delights; ***jardin*** *m* ***d'~*** pleasure garden; ***voyage*** *m* ***d'~*** pleasure trip **2.** (*consentement*) approval, consent

agrémenter [agʀemɑ̃te] *v/t pièce* to decorate (***de*** with); *repas* to supplement (***de*** with)

agrès [agʀɛ] *mpl* SPORT apparatus (+ *sg*)

agresser [agʀese] *v/t* **1.** to attack (*a* MÉD) **2.** *verbalement* ***~ qn*** to verbally abuse sb

agresseur [agʀɛsœʀ] *m* attacker; MIL aggressor

agressif [agʀɛsif] *adj* ⟨**-ive** [-iv]⟩ aggressive

agression [agʀɛsjõ] *f* **1.** MIL attack **2.** PSYCH aggression **3.** *surtout pl* ***les ~s*** *par des nuisances* damaging effects; MÉD stress (+ *v sg*)

agressivité [agʀɛsivite] *f* aggressiveness (*a* PSYCH)

▸ **agricole** [agʀikɔl] *adj* agricultural

▸ **agriculteur** [agʀikyltœʀ] *m*, **agricultrice** [agʀikyltʀis] *f* farmer

▸ **agriculture** [agʀikyltyʀ] *f* agriculture, farming

agripper [agʀipe] **I** *v/t* to clutch **II** *v/pr* ***s'~*** to cling (***à*** to)

agroalimentaire [agʀoalimɑ̃tɛʀ] *m* food industry

agronome [agʀɔnɔm] *m* agronomist **agronomie** *f* agronomy **agronomique** *adj* agronomic

agrumes [agʀym] *mpl* citrus fruits

aguerrir [ageʀiʀ] **I** *v/t personne* to toughen **II** *v/pr* ***s'aguerrir*** to become hardened (***à, contre*** to)

aguets [agɛ] ***être aux ~*** to be on the lookout; (*sur ses gardes*) to be on one's guard

aguichant [agiʃɑ̃] *adj* ⟨**-ante** [-ɑ̃t]⟩ alluring **aguicher** *v/t* to attract; *sexuellement* to lead on *fam*

aguicheuse [agiʃøz] ***une petite ~*** a little tease

ah [ɑ] *int étonné, admiratif, déçu* oh; *iron ou étonné* ***~ ~!*** aha!

ahuri [ayʀi] **I** *adj* ⟨**~e**⟩ astounded **II** *m injure* idiot

ahurissant [ayʀisɑ̃] *adj* ⟨**-ante** [-ɑ̃t]⟩ incredible **ahurissement** *m* astonishment

ai [e] → ***avoir***[1]

aï [ai] *m* ZOOL three-toed sloth

▸ **aide**[1] [ɛd] *f* **1.** *action* help; ***à l'~ de*** *qn, qc* with the help of; *qc* using; ***appeler qn à son ~*** to call to sb for help; ***venir en ~ à qn*** to come to sb's assistance **2.** *financière* aid (+ *v sg*); ***~ sociale*** welfare benefits (+ *v pl*), *brit* social security benefits (+ *v pl*)

aide[2] **1.** *m/f personne* assistant; **~ *familiale*** home help **2.** *m* MIL **~ *de camp*** aide-de-camp

aide-comptable [ɛdkõtabl] *m/f* ⟨**aides-comptables**⟩ assistant accountant **aide-cuisinier** *m* ⟨**aides-cuisiniers**⟩ assistant cook **aide-maçon** *m* ⟨**aides-maçons**⟩ apprentice mason

aide-mémoire [ɛdmemwaʀ] *m* ⟨*inv*⟩ aide-mémoire

▶ **aider** [ede] **I** *v/t* **~ *qn*** to help sb (***à faire qc*** to do sth); **~ *qn à obtenir qc*** to help sb to get sth **II** *v/t indir* **~ *à qc*** to contribute to sth **III** *v/pr* ***s'~ de qc*** to use sth

aide-soignante [ɛdswaɲɑ̃t] *f* ⟨**aides-soignantes**⟩ nurse's aid, *brit* nursing auxiliary

▶ **aïe** [aj] *int* ouch; *fig* **~! ~! (~!)** oh no!

aïeul(e) [ajœl] *st/s m(f)* ancestor; ***aïeuls*** *mpl* ancestors

aïeux [ajø] *mpl st/s* ancestors

aigle [ɛgl] *m* eagle

aiglefin [ɛgləfɛ̃] *m* haddock

aigre [ɛgʀ] *adj* **1.** *goût* sour **2.** *fig vent* bitter; *voix* shrill; *remarque* sharp

aigre-doux [ɛgʀədu] *adj* ⟨**aigre-douce** [-dus]⟩ **1.** sweet and sour **2.** *fig* barbed

aigrelet [ɛgʀəlɛ] *adj* ⟨**-ette** [-ɛt]⟩ **1.** *goût* fairly sour **2.** *fig voix* shrill

aigrette [ɛgʀɛt] *f* **1.** ZOOL egret **2.** *ornement* aigrette

aigreur [ɛgʀœʀ] *f* **1.** sourness **2.** *fig* bitterness **3. *~s (d'estomac)*** heartburn (+ *v sg*)

aigri [egʀi] *adj* ⟨**~e**⟩ embittered

aigrir [egʀiʀ] **I** *v/t fig* to embitter **II** *v/i* (*et v/pr*) **1. (*s'*)~** to turn sour **2.** *fig* ***s'~*** to become embittered

aigu [egy] *adj* ⟨**aiguë** [egy]⟩ **1.** *son, cri, voix* high-pitched **2. *accent ~*** [-tegy] acute accent **3.** *douleur, maladie* acute **4.** *intelligence* keen

aigue-marine [ɛgmaʀin] *f* ⟨**aigues-marines**⟩ MINÉR aquamarine

aiguière [ɛgjɛʀ] *f* ewer

aiguillage [egɥijaʒ] *m* CH DE FER **1.** switches (*pl*), *brit* points (*pl*) **2.** *manœuvre* switching the points, *brit* shifting the points

▶ **aiguille** [egɥij] *f* **1.** COUT, MÉD needle; **~ *à tricoter*** knitting needle **2.** *d'une montre* hand; *du compteur de vitesse* needle **3.** BOT needle **4.** GÉOL peak **5.** *adj* ***talons*** *mpl* ***~s*** spike heels, *brit* stilettos

aiguillée [egɥije] *f* piece of thread

aiguiller [egɥije] *v/t fig* steer; guide

aiguilleur [egɥijœʀ] *m* **1.** CH DE FER switchman, *brit* pointsman **2. *~ du ciel*** air-traffic controller

aiguillon [egɥijõ] *m* **1.** ZOOL, BOT sting **2.** *fig* incentive

aiguillonner [egɥijɔne] *v/t* to spur (on)

aiguiser [egize] *v/t* **1.** *couteau* to sharpen **2.** *fig curiosité* to arouse; *appétit* to whet

aïkido [aikido] *m* SPORT aikido

ail [aj] *m* garlic

▶ **aile** [ɛl] *f* **1.** ZOOL wing *a* MIL, SPORT; *fig* ***battre de l'~*** *économie* to be struggling; *fig* ***donner des ~s à qn*** *peur* to lend sb wings; *fig* ***voler de ses propres ~s*** to stand on one's own two feet **2.** AVIAT, ARCH wing **3.** AUTO fender, *brit* wing

ailé [ele] *adj* ⟨**~e**⟩ ZOOL winged

aileron [ɛlʀõ] *m* **1.** *d'oiseau* wing tip **2.** *de certains poissons* fin **3.** AVIAT aileron

ailier [elje] *m* wing, *brit* winger

aille [aj] → ***aller***[1]

▶ **ailleurs** [ajœʀ] *adv* somewhere else, elsewhere; *avec un verbe de mouvement* somewhere else; ▶ ***d'ailleurs*** besides; ***par ailleurs*** in addition; ***nulle part ailleurs*** nowhere else; *fig* ***il est ailleurs*** his mind is somewhere else

ailloli [ajɔli] *m mayonnaise à l'ail* aïoli *garlic mayonnaise*

▶ **aimable** [ɛmabl] *adj* kind (***avec qn*** to sb)

aimablement [ɛmabləmɑ̃] *adv recevoir qn* kindly; *informer qn* politely

aimant[1] [ɛmɑ̃] *m* magnet

aimant[2] *adj* ⟨**-ante** [-ɑ̃t]⟩ loving

aimantation [ɛmɑ̃tasjõ] *f* magnetization **aimanter** *v/t* to magnetize

aimé [eme] *adj* ⟨**~e**⟩ loved (***de, par*** by); *acteur* beloved (***du public*** by the public)

▶ **aimer** [eme] **I** *v/t mets, activité* to like; *personne, animal* to love; ***aimer qn*** (*être amoureux*) to love sb; ***aimer bien qn*** to like sb a lot; ***aimer faire qc*** to like doing sth; ***j'aimerais faire qc*** I'd like to do sth; ***aimer que qn fasse qc*** to like sb to do sth; ***j'aimerais qu'elle m'aide*** I'd like her to help me; ***j'aime autant ça*** that's all right with me; ***aimer mieux qc*** to prefer sth; ▶ ***aimer mieux faire qc*** to prefer to do sth **II** *v/pr* ***s'aimer*** to love each other

aine [ɛn] *f* ANAT groin

▶ **aîné** [ene] **I** *adj* ⟨**~e**⟩ *(le plus âgé)* eldest; *(plus âgé)* elder **II ~(e)** *m(f) de deux* elder; *de trois ou plus* eldest

aînesse [ɛnɛs] *f* HIST ***droit*** *m* ***d'~*** law of primogeniture

▶ **ainsi** [ɛ̃si] *adv* **1.** this way; ***c'est ~ que ...*** that's the way ...; ***~ soit-il!*** so be it!; ***s'il en est ~*** if that's the way it is; ***pour ~ dire*** so to speak; ***~ que*** *comparaison* as; *énumération* as well as **2. ~ (*donc*)** so; thus *form*

aïoli [ajɔli] *m* → ***ailloli***

▶ **air¹** [ɛʀ] *m* air; ***à l'air*** outside; ***au grand air*** [-t-] in the open air; ***être dans l'air*** *maladie* to be going around; *idée* to be in the air; ***en l'air*** in(to) the air; *promesses* empty; *projets* vague; ***tête*** *f* ***en l'air*** scatterbrain; *pop, fig* ***foutre en l'air*** to mess up *fam*; ▶ ***en plein air*** [ɑ̃plɛnɛʀ] in the open; **(*aller*) *prendre l'air*** to (go out and) get some fresh air

air² *m (apparence)* appearance; *(mine)* expression; ***~ de famille*** family resemblance; ***d'un ~ fatigué*** with a tired expression; ***avoir l'~*** (+ *adj*) to look (+ *adj*); ***avoir l'~ de faire*** to seem to be doing; ***ça en a tout l'~*** it looks like it; ***avoir l'~ de*** (+ *subst*) to look like (+ *subst*); ***ça n'a l'~ de rien*** it doesn't look it; ***avoir un drôle d'~*** to look odd; ***prendre de grands ~s*** to put on airs

air³ *m* **1.** *(chanson)* tune **2.** *d'un opéra* aria

airbag [ɛʀbag] *m* airbag; ***~ latéral*** side airbag

airbus® [ɛʀbys] *m* AVIAT airbus®

aire [ɛʀ] *f* **1.** *(surface)* area; ***~ (de repos)*** picnic area; ***~ de jeu*** play area **2.** MATH area **3.** *des rapaces* eyrie

airelle [ɛʀɛl] *f* blueberry; ***~ rouge*** cranberry

aisance [ɛzɑ̃s] *f* **1.** *(facilité)* ease **2.** *(richesse)* wealth

aise¹ [ɛz] *f* **1.** ***à votre ~!*** as you like!; ***être à l'~, à son ~*** to be comfortable; *dans une situation* to feel at ease; ***être mal à l'~*** to be uncomfortable; *dans une situation* to feel ill at ease; ***mettez-vous à l'~*** make yourself comfortable; ***mettre qn à l'~*** to put sb at ease; ***en prendre à son ~ avec qc*** to make free with sth **2.** ***~s*** *pl* (creature) comforts; ***prendre ses ~s*** to make oneself at home **3.** *(richesse)* ***être à son ~*** to be comfortable **4.** *fam* ***à l'~*** *(facilement)* easily

aise² *adj litt* ***être bien ~ de*** *+inf* to be very pleased to *+inf*

aisé [eze] *adj* ⟨**~e**⟩ **1.** *ton* easy; *style* flowing **2.** *(riche)* comfortable **3.** *st/s (facile)* easy **aisément** *adv* easily

aisselle [ɛsɛl] *f* armpit

Aix-la-Chapelle [ɛkslaʃapɛl] Aachen

ajonc [aʒõ] *m* gorse

ajouré [aʒuʀe] *adj* ⟨**~e**⟩ embroidered in openwork

ajournement [aʒuʀnəmɑ̃] *m* **1.** *d'un projet etc* postponement **2.** *d'un candidat* referring

ajourner [aʒuʀne] *v/t* **1.** to postpone, to put off (***à*** until; ***d'une semaine*** for a week); *séance* to adjourn **2.** *candidat* to refer

ajout [aʒu] *m* addition

▶ **ajouter** [aʒute] **I** *v/t* to add *a* CUIS (***à*** to) **II** *v/t indir* ***~ à qc*** to add to sth *problème* **III** *v/pr* **(*venir*) *s'~ à*** to be added to

ajustage [aʒystaʒ] *m* TECH fitting

ajustement [aʒystəmɑ̃] *m* **1.** TECH fit **2.** *fig* adjustment (***à*** to)

ajuster [aʒyste] **I** *v/t* **1.** to adjust (***à*** to); to alter (***à*** to); TECH *(joindre)* to fit (***à*** to); ***ajusté*** *vêtement* tailored **2.** *fig* to aim (***à***); at **II** *v/pr* ***s'~ à*** *clé* to fit

ajusteur [aʒystœʀ] *m* fitter

alaise [alɛz] *f* mattress protector

alambic [alɑ̃bik] *m* CHIM still

alambiqué [alɑ̃bike] *adj* ⟨**~e**⟩ convoluted

alangui [alɑ̃gi] *adj* ⟨**~e**⟩ languid **alanguir** *v/t maladie, chaleur* to make listless

alarmant [alaʀmɑ̃] *adj* ⟨**-ante** [-ɑ̃t]⟩ alarming

alarme [alaʀm] *f* **1.** alarm; ***donner l'~*** to raise the alarm **2.** *dispositif* alarm

alarmer [alaʀme] **I** *v/t* alarm **II** *v/pr* ***s'~*** to become alarmed

alarmiste [alaʀmist] *adj* alarmist

Alaska [alaska] ***l'~*** *m* Alaska

albanais [albanɛ] **I** *adj* ⟨**-aise** [-ɛz]⟩ Albanian **II *Albanais(e)*** *m(f)* Albanian

Albanie [albani] ***l'~*** *f* Albania

albâtre [albɑtʀ] *m* alabaster

albatros [albatʀos] *m* albatross

albinos [albinos] *m/f* albino

album [albɔm] *m* album; ***~ de photos*** photo album

albumine [albymin] *f* albumin; *dans les urines* albuminuria MÉD

alcali [alkali] *m* **1.** CHIM alkali **2.** *(produit)* ammonia

alcalin [alkalɛ̃] *adj* ⟨**-ine** [-in]⟩ alkaline

alcaloïde [alkalɔid] *m* CHIM alkaloid
alchimie [alʃimi] *f* alchemy **alchimique** *adj* alchemic **alchimiste** *m* alchemist
▶ **alcool** [alkɔl] *m* **1.** alcohol; ***~ à brûler*** methylated spirits **2.** ***les ~s*** (***forts***) spirits
alcoolémie [alkɔlemi] *f* ***taux d'alcoolémie*** blood alcohol level
alcoolique [alkɔlik] **I** *adj* alcoholic **II** *m/f* alcoholic
alcooliser [alkɔlize] **I** *v/t* to alcoholize; *boisson* ***alcoolisé*** alcoholic; ***non alcoolisé*** non-alcoholic **II** *v/pr fam* ***s'~*** to get drunk
alcoolisme [alkɔlism] *m* alcoholism
alco(o)test® [alkɔtɛst] *m* Breathalyzer®
alcôve [alkov] *f* alcove
al dente [aldɛnte] *adj* ⟨*inv*⟩ *et adv* CUIS al dente
aléas [alea] *mpl* risks, hazards
aléatoire [aleatwaʀ] *adj* uncertain
alémanique [alemanik] *adj* Alemannic
alentours [alɑ̃tuʀ] *mpl* **1.** surroundings **2.** ***aux ~ de*** *local* in the vicinity of; *temporel, fig* about
alerte[1] [alɛʀt] *adj personne, esprit* alert; *style* lively
alerte[2] *f* **1.** alarm (*a* MIL); *fig* ***fausse ~*** false alarm; ***~ à la bombe, à l'ozone*** bomb, ozone scare; ***donner l'~*** to raise the alarm **2.** ***donner l'~ à qn contre qc*** *fig* to alert sb to sth
alerter [alɛʀte] *v/t* to alert
alésage [alezaʒ] *m* TECH *avec outil* boring
alèse [alɛz] *f* → ***alaise***
aléser [aleze] *v/t* ⟨**-è-**⟩ TECH bore
alevin [alvɛ̃] *m* young fish
alexandrin [alɛksɑ̃dʀɛ̃] *m vers* alexandrine
alezan [alzɑ̃] *adj* ⟨**-ane** [-an]⟩ chestnut (horse)
algarade [algaʀad] *f* quarrel
algèbre [alʒɛbʀ] *f* algebra
algébrique [alʒebʀik] *adj* algebraic
Alger [alʒe] Algiers
▶ **Algérie** [alʒeʀi] ***l'~*** *f* Algeria
▶ **algérien** [alʒeʀjɛ̃] **I** *adj* ⟨**-ienne** [-jɛn]⟩ Algerian **II** ***Algérien(ne)*** *m(f)* Algerian
algorithme [algɔʀitm] *m* MATH, INFORM algorithm
algue [alg] *f* algae
alias [aljɑs] *adv* alias
alibi [alibi] *m* alibi
aliénable [aljenabl] *adj* JUR alienable
aliénation [aljenasjõ] *f* alienation
aliéné(e) [aljene] *m(f)* insane person
aliéner [aljene] ⟨**-è-**⟩ **I** *v/t* **1.** JUR to alienate **2.** (*éloigner*) to alienate (***à*** from) **II** *v/pr* ***s'~ qn*** to alienate sb; ***s'~ les sympathies*** to lose sympathy
alignement [aliɲmɑ̃] *m* **1.** row, line **2.** CONSTR *a fig* alignment (***sur*** with)
aligner [aliɲe] **I** *v/t* **1.** to line up; *chiffres* to list; *phrases* to string together **2.** *fig* ***~ qc sur qc*** to align sth with sth **II** *v/pr* ***s'aligner*** **1.** *personnes* to line up; *objets* to be lined up **2.** *fig* ***s'~ sur*** to align oneself with
aligot [aligo] *m* CUIS *creamed potatoes with Tomme cheese*
aliment [alimɑ̃] *m* **1.** food; ***~s*** *pl* food + *v sg* **2.** *fig* fuel
alimentaire [alimɑ̃tɛʀ] *adj* **1.** *prix* food; *besoins* dietary **2.** ***pension*** *f* ***~*** alimony **3.** *péj travail* done for money
alimentation [alimɑ̃tasjõ] *f* **1.** *saine, de base* diet; (*nourriture*) food **2.** EN EAU, ÉLECTRICITÉ supply (***en*** of)
alimenter [alimɑ̃te] **I** *v/t* **1.** (*nourrir*) to feed **2.** (*approvisionner*) to supply (***en*** with) **3.** *fig* ***~ les conversations*** to keep the conversation going **II** *v/pr* ***s'~*** to eat; *malade* to have solid food
alinéa [alinea] *m* TYPO paragraph
aliter [alite] **I** *v/t* ***être alité*** to be confined to bed **II** *v/pr* ***s'~*** to take to one's bed
alizé [alize] *m* trade wind
allaitement [alɛtmɑ̃] *m* breastfeeding **allaiter** *v/t* to breastfeed; ZOOL to suckle
allant [alɑ̃] *m* drive, energy
alléchant [aleʃɑ̃] *adj* ⟨**-ante** [-ɑ̃t]⟩ tempting **allécher** *v/t* ⟨**-è-**⟩ tempt
allée [ale] *f* **1.** path; *dans un cinéma, etc* aisle **2.** ***~s et venues*** comings and goings
allégé [aleʒe] *adj* ⟨***~e***⟩ *yaourt* low-fat; *confiture* low-sugar
allégeance [aleʒɑ̃s] *f* allegiance
allégement [alɛʒmɑ̃] *m* **1.** *d'un fardeau* lightening **2.** *de charges financières* reduction; *des programmes scolaires* slimming down of
alléger [aleʒe] *v/t* ⟨**-è-**⟩ **1.** *fardeau* to lighten **2.** *charge financière* to reduce; *programmes scolaires* to slim down
allégorie [alegɔʀi] *f* allegory **allégorique** *adj* allegorical
allègre [alɛgʀ] *adj* cheerful
allégrement [alɛgʀəmɑ̃] *adv* cheerfully

allégresse [alegʀɛs] *f* cheerfulness
allegro [alegʀo] *adv* MUS allegro
allégro [alegʀo] *m* MUS allegro
alléguer [alege] *v/t* ⟨**-è-**⟩ *excuse*, *raison* to offer
alléluia [aleluja] *int*, *m* alleluia
▸ **Allemagne** [almaɲ] ***l'~*** *f* Germany
▸ **allemand** [almɑ̃] **I** *adj* German **II** *subst* **1.** ***Allemand*(*e*)** *m*(*f*) German **2.** *langue* ***l'~*** *m* German
▸ **aller**[1] [ale] ⟨**je vais, tu vas, il va, nous allons, ils vont; j'allais; j'allai; j'irai; que j'aille, que nous allions; va!**, *mais*: **vas-y!** [vazi]; **allant; être allé**⟩ **I** *v/i* **1.** to go; *dans un véhicule* to drive, to go by car; ***allez!*** go on!; ***allons! du calme!*** come on now! calm down!; ***allons donc!*** *ou* ***allez donc!*** *ce n'est pas vrai!* come on!; ***aller dehors*** to go outside, *fam* to get out; ***vas-y!, allez-y!*** go ahead!; ***allons-y!*** *ou* ***on y va!*** let's go!; ***aller à*** *ou* ***en vélo*** to cycle, to go by bike; ***aller à l'étranger, à Paris, en France*** to go abroad, to Paris, to France; ***aller à pied*** to walk; ***aller chez le***, *fam* ***au coiffeur*** to go to the hairdresser; ***aller en*** *ou* ***par avion*** to go by plane; ***aller en bateau*** to go by boat; ***aller et venir*** to come and go **2.** (*se porter*) to be; ▸ ***comment allez-vous?*** how are you?; ▸ ***comment vas-tu?*** how are you?; *fam* (***comment***) ***ça va?*** how are you doing?; ***ça va*** I'm fine, thanks; *choses* things are fine; ***je vais bien***, *fam* ***ça va bien*** I'm fine **3.** (*être seyant*) ▸ ***aller bien à qn*** *vêtement* to suit sb **4.** (*convenir*) ***aller à*** *ou* ***avec qc*** to go with sth; ***aller à qn*** *vêtement* to fit sb ***si ça te va ...*** if that suits you ... **II** *v/aux* **1.** *avec inf ou ppr*: ▸ ***aller chercher qn, qc*** to go for sb, sth; ▸ ***aller se coucher*** to go to bed; ***aller croissant*** to be growing; ***aller en s'améliorant*** to be improving **2.** *futur proche*: ***aller faire qc*** to be going to do sth; ***je vais partir*** I'm going to leave; ***c'est ce que j'allais dire*** that's what I was going to say; ***vous allez comprendre*** you'll understand **III** *v/imp* ***il y va de ...*** it's a question of ... **IV** *v/pr* ▸ ***s'en aller*** to go away; *tache* to come out; *bouton* to clear up
aller[2] *m* **1.** going; AVIAT outward journey; ***à l'aller*** on the way out **2.** CH DE FER one-way ticket, *brit* single (ticket); ▸ ***aller*** (***et***) ***retour*** round-trip ticket, *brit* return (ticket); ***deux allers*** (***et***) ***retours pour Lyon*** two round-trip tickets for Lyons **3.** *adj* ***match*** *m* ***aller*** away game
allergie [alɛʀʒi] *f* allergy (***à*** to; *a fig*) **allergique** *adj* allergic (***à*** to; *a fig*)
allergologue [alɛʀgɔlɔg] *m/f* allergist
alliage [aljaʒ] *m* alloy
alliance [aljɑ̃s] *f* **1.** POL *et par ext* alliance **2.** *parent* ***par ~*** by marriage; ***être parents par ~*** to be related by marriage **3.** *bague* wedding ring
allié [alje] **I** *adj* ⟨**~e**⟩ allied **II** *m* ally
allier [alje] **I** *v/t* **1.** TECH to alloy **2.** *fig* ***~ qc à*** *ou* ***avec qc*** to combine sth with sth **II** *v/pr* ***s'~*** POL to ally oneself (***à*** with)
alligator [aligatɔʀ] *m* alligator
allitération [aliteʀasjõ] *f* alliteration
▸ **allô** [alo] *int* TÉL hello
allocation [alɔkasjõ] *f* allowance, *brit* benefit; ***~s familiales*** dependents' allowance, *brit* child benefit; ***~*** (***de***) ***logement*** housing benefits, *brit* housing benefit
allocution [alɔkysjõ] *f* speech, address
allogène [alɔʒɛn] *adj* *population* non-indigenous
allonge [alõʒ] *f* **1.** BOUCHERIE meathook **2.** SPORT reach
allongé [alõʒe] *adj* ⟨**~e**⟩ **1.** *forme* elongated **2.** *sur lit*, *canapé* stretched out; (*couché*) lying down
allongement [alõʒmɑ̃] *m* **1.** *dans l'esp*, *dans le temps* lengthening **2.** PHON, TECH extension
allonger [alõʒe] ⟨**-ge-**⟩ **I** *v/t* **1.** to lengthen; *fig* ***~ le pas*** to lengthen one's stride **2.** *membre* to stretch out; *cou* to crane **3.** *fam coup* to throw **4.** *fam somme d'argent* to fork out **II** *v/pr* ***s'allonger*** **1.** to get longer; *fig mine* to look thinner **2.** (*se coucher*) to lie down (***sur*** on)
allopathie [alɔpati] *f* MÉD allopathy
allouer [alwe] *v/t* to allocate
allumage [alymaʒ] *m* **1.** AUTO ignition **2.** *d'un feu* lighting; *d'une lampe*, *etc* switching on
▸ **allumé** [alyme] *adj* ⟨**~e**⟩ *lampe* (switched) on; *bougie* lit; ***c'est ~ chez eux*** their lights are on; *fam* ***être ~*** to be crazy *fam*
allume-cigare [alymsigaʀ] *m* ⟨**allume-cigares**⟩ AUTO cigar lighter **allume-gaz** *m* ⟨*inv*⟩ gas lighter
▸ **allumer** [alyme] **I** *v/t* **1.** *feu*, *bougie*, *cigarette* to light **2.** *appareil*, *lampe* to turn on, to switch on; ***~ l'électricité, la lu-***

mière) to turn the electricity, the light on **3.** *fig désir* to arouse; *fam* **~ *qn*** to turn sb on *fam* **II** *v/pr* ***s'allumer*** **1.** *bois, papier* to light (up) **2.** *lampe, lumière* to come on; *regard* to light up

▸ **allumette** [alymɛt] *f* match

allumeur [alymœʀ] *m* **1.** AUTO distributor **2.** TECH lighter

allumeuse [alymøz] *f fam* tease

allure [alyʀ] *f* **1.** (*vitesse*) speed; ***à toute ~ rouler*** at top speed; *faire qc* very quickly **2.** (*démarche*) walk; *d'animaux* gait **3.** (*aspect*) appearance; ***avoir de l'~*** have style

allusif [alyzif] *adj* ⟨**-ive** [-iv]⟩ allusive

▸ **allusion** [alyzjõ] *f* allusion (***à*** to); ***faire ~ à*** to allude to

alluvial [alyvjal] *adj* ⟨**~e; -aux** [-o]⟩ GÉOL alluvial **alluvions** *fpl* GÉOL alluvia

almanach [almana] *m* almanac

aloès [alɔɛs] *m* aloe

aloi [alwa] ***de bon ~*** *succès* well-deserved; *gaîté* natural

▸ **alors** [alɔʀ] **I** *adv* **1.** *dans le passé* then; ***d'alors*** at the time; ***jusqu'alors*** until then **2.** *consécutif* then; ***et alors*** and then **3.** *fam* (*par conséquence*) so ***alors?*** so?; ***alors, ça va?*** *fam* so, how are things?; ***ça alors!*** well!; ***et*** (***puis***) ***alors?*** so what? **II** ▸ ***alors que*** *temps* when; *opposition* whereas

alouette [alwɛt] *f* lark

alourdir [aluʀdiʀ] *v/t* **1.** to make heavy; *fig* to weigh down **2.** *charges fiscales* to increase

alourdissement [aluʀdismɑ̃] *m* heaviness

aloyau [alwajo] *m* sirloin

alpaga [alpaga] *m* alpaca

alpage [alpaʒ] *m* mountain pasture

▸ **Alpes** [alp] ***les ~*** *fpl* the Alps

alpestre [alpɛstʀ] *adj* alpine

alpha [alfa] *m lettre grecque* alpha

alphabet [alfabɛ] *m* alphabet

alphabétique [alfabetik] *adj* alphabetical **alphabétisation** *f* literacy teaching **alphabétiser** *v/t* **~ *qn*** to teach sb to read and write

alphanumérique [alfanymeʀik] *adj* INFORM alphanumeric

alpin [alpɛ̃] *adj* ⟨**-ine** [-in]⟩ alpine

alpinisme [alpinism] *m* mountaineering **alpiniste** *m/f* mountaineer

▸ **Alsace** [alzas] ***l'~*** *f* Alsace

alsacien [alzasjɛ̃] **I** *adj* ⟨**-ienne** [-jɛn]⟩ Alsatian **II** ***Alsacien(ne)*** *m(f)* Alsatian, person from Alsace

altération [alteʀasjõ] *f* deterioration

altercation [altɛʀkasjõ] *f* altercation

alter ego [altɛʀego] *m* alter ego

altérer [alteʀe] ⟨**-è-**⟩ **I** *v/t* **1.** *relations, saveur* to alter; *aliments* to spoil; ***d'une voix altérée*** in a faltering voice **2.** (*falsifier*) to distort **3.** **~ *qn*** to make sb thirsty **II** *v/pr* ***s'~*** *visage* to change; *couleurs* to fade

altermondialiste [altɛʀmõdjalist] *adj* **1.** anti-globalist **2.** *m/f* anti-globalist

alternance [altɛʀnɑ̃s] *f* alternation (*a* POL)

alternant [altɛʀnɑ̃] *adj* ⟨**-ante** [-ɑ̃t]⟩ alternating **alternateur** *m* ÉLEC alternator

alternatif [altɛʀnatif] *adj* ⟨**-ive** [-iv]⟩ **1.** alternating; ***courant ~*** alternating current **2.** *solution, médecine* alternative

alternative [altɛʀnativ] *f* **1.** alternative **2.** ***~s*** *pl* alternatives **alternativement** *adv* alternately

alterné [altɛʀne] *adj* ⟨**~e**⟩ alternating **alterner** *v/i* to alternate (***avec*** with); ***~ avec qn*** to take turns with sb

Altesse [altɛs] *f titre* Highness

altier [altje] *adj* ⟨**-ière** [-jɛʀ]⟩ haughty

altimètre [altimɛtʀ] *m* altimeter

▸ **altitude** [altityd] *f* altitude; *voler* ***à basse ~*** at low altitude; ***en ~*** at altitude

alto [alto] *m* alto

altruisme [altʀɥism] *m* altruism **altruiste** **I** *adj* altruistic **II** *m/f* altruist

alu [aly] *m, abr* (= **aluminium**) *fam* aluminum, aluminium; *adj* ***papier*** *m* **~** aluminum foil, *brit* tinfoil

aluminium [alyminjɔm] *m* aluminum, *brit* aluminium

alunir [alyniʀ] *v/i* to land on the moon **alunissage** *m* moon landing

alvéolaire [alveɔlɛʀ] *adj* ANAT, PHON alveolar

alvéole [alveɔl] *f* **1.** *d'abeille* alveolus **2.** ANAT alveolus; **~ *dentaire*** tooth socket; **~ *pulmonaire*** alveolus of the lung **3.** *par ext* cell

alvéolé [alveɔle] *adj* ⟨**~e**⟩ honeycombed

alzheimer [alzajmœʀ] *m* MÉD Alzheimer's (disease)

amabilité [amabilite] *f* kindness

amadouer [amadwe] *v/t* to softsoap

amaigri [amegʀi] *adj* ⟨**~e**⟩ thinner

amaigrir [amegʀiʀ] *v/t* **~ *qn*** to make sb thinner

amaigrissant [amegʀisɑ̃] *adj* ⟨**-ante** [-ɑ̃t]⟩ ***régime ~*** slimming diet
amaigrissement [amegʀismɑ̃] *m* weight loss
amalgame [amalgam] *m* MÉD, *fig* amalgam; *fig* mixture **amalgamer** *v/t fig* amalgamate
amande [amɑ̃d] *f* **1.** almond; *fig* ***yeux en ~*** almond-shaped eyes **2.** *dans un noyau* kernel **3.** *adj* ***vert ~*** ⟨*inv*⟩ almond green
amandier [amɑ̃dje] *m* almond tree **amandine** *f pâtisserie* almond cake
amanite [amanit] *f* amanita
amant [amɑ̃] *m* lover; ***les ~s*** the lovers
amarrage [amaʀaʒ] *m* **1.** *d'un bateau* mooring **2.** *d'un engin spatial* docking
amarre [amaʀ] *f* MAR mooring line **amarrer** *v/t bateau* to moor; *engin spatial* to dock
amaryllis [amaʀilis] *f* BOT amaryllis
amas [ama] *m* **1.** mass **2.** *fig d'objets* pile, heap (***de*** of)
amasser [amase] **I** *v/t* to amass **II** *v/pr* ***s'~*** to pile up
amateur [amatœʀ] *m* **1.** (*d'art, de musique*) lover **2.** SPORT enthusiast; THÉ amateur; ***photographe*** *m* ***~*** amateur photographer; ***en ~*** *faire qc* as a hobby **3.** *péj* amateurish
amateurisme [amatœʀism] *m* SPORT amateurism *a péj*
amazone [amazon] *f* Amazon (*a* MYTH); ***en ~*** sidesaddle
Amazone [amazon] ***l'~*** *f* the Amazon
ambages [ɑ̃baʒ] ***sans ~*** without beating about the bush
ambassade [ɑ̃basad] *f* embassy
ambassadeur [ɑ̃basadœʀ] *m* ambassador **ambassadrice** *f* ambassador
▸ **ambiance** [ɑ̃bjɑ̃s] *f* atmosphere; ***mettre de l'~*** to liven things up *a iron*
ambiant [ɑ̃bjɑ̃] *adj* ⟨**-ante** [-ɑ̃t]⟩ ambient; ***température ~e*** room temperature
ambidextre [ɑ̃bidɛkstʀ] *adj* ambidextrous
ambigu [ɑ̃bigy] *adj* ⟨**ambiguë** [ɑ̃bigy]⟩ ambiguous
ambiguïté [ɑ̃bigɥite] *f* ambiguity; ***sans ~*** unambiguous(ly)
ambitieux [ɑ̃bisjø] **I** *adj* ⟨**-euse** [-øz]⟩ ambitious **II ~, *ambitieuse*** *m/f* ambitious person
ambition [ɑ̃bisjõ] *f* **1.** ambition; ***~s*** *pl* ambitions **2.** ***l'~ de faire qc*** an ambition to do sth
ambitionner [ɑ̃bisjɔne] *v/t* to aim for; ***~ de faire qc*** to want to do sth
ambivalence [ɑ̃bivalɑ̃s] *f* ambivalence **ambivalent** *adj* ⟨**-ente** [-ɑ̃t]⟩ ambivalent
amble [ɑ̃bl] *m* amble
ambre [ɑ̃bʀ] *m* **1. ~ (*jaune*)** amber **2. ~ (*gris*)** ambergris
▸ **ambulance** [ɑ̃bylɑ̃s] *f* ambulance **ambulancier** *m*, **ambulancière** *f* paramedic, *brit* ambulance driver
ambulant [ɑ̃bylɑ̃] *adj* ⟨**-ante** [-ɑ̃t]⟩ traveling; COMM itinerant; ***comédiens ~s*** traveling actors; ***cadavre ~*** walking skeleton
ambulatoire [ɑ̃bylatwaʀ] *adj* MÉD ambulatory
▸ **âme** [ɑm] *f* soul (*a* REL, PSYCH, *fig personne*); ***état*** *m* ***d'~*** state of mind; ***avec ~*** with feeling; *être artiste* ***dans l'~*** to the core; ***en son ~ et conscience*** in one's heart and soul; ***errer comme une ~ en peine*** to wander around like a lost soul; ***ne pas rencontrer ~ qui vive*** not to meet a soul; ***rendre l'~*** to breathe one's last / pass away
amélioration [ameljɔʀasjõ] *f* improvement (***de qc*** in sth)
améliorer [ameljɔʀe] **I** *v/t* to improve **II** *v/pr* ▸ ***s'améliorer*** to improve, to get better
amen [amɛn] *adv* amen
aménagement [amenaʒmɑ̃] *m* **1.** arrangement (***en*** as); (*transformation*) conversion (***en bureau*** into an office) **2. *~ du territoire*** town and country planning
aménager [amenaʒe] *v/t* ⟨**-ge-**⟩ *pièce* to arrange; *pour le tourisme* to develop; *parc* to create; *pour une autre utilisation* to convert (***en*** into); *horaires, programmes* to arrange
▸ **amende** [amɑ̃d] *f* **1.** JUR fine; ***sous peine d'~*** or you will be liable to a fine **2. *faire ~ honorable*** to make amends
amendement [amɑ̃dmɑ̃] *m* POL amendment
amender [amɑ̃de] **I** *v/t* **1.** POL to amend **2.** AGR *sol* to improve **II** *v/pr* ***s'~*** to mend one's ways
amène [amɛn] *st/s adj* affable
amener [amne] ⟨**-è-**⟩ **I** *v/t* **1.** to bring **2.** *à un certain point* to take; *liquide: à une température* to bring **3.** (*entraîner*) to cause **4. *~ qn à faire qc*** to get sb to do sth **II** *v/pr fam* ***s'~*** *fam* to turn up
amenuisement [amənɥizmɑ̃] *m* dwin-

amener

Note that **amener** can only be used with people or animate objects. Use **apporter** when you mean to bring an object or something inanimate.

dling

amenuiser [amənɥize] *v/pr* ***s'~*** to dwindle

▶ **amer** [amɛʀ] *adj* ⟨**-ère** [-ɛʀ]⟩ bitter

amèrement [amɛʀmɑ̃] *adv* bitterly

▶ **américain** [ameʀikɛ̃] **I** *adj* ⟨**-aine** [-ɛn]⟩ American **II 1.** ***Américain(e)*** *m(f) personne* American **2.** *m ling* American English

américanisation [ameʀikanizasjõ] *f* Americanization **américaniser** *v/t* to Americanize **américanisme** *m* LING Americanism

amérindien [ameʀɛ̃djɛ̃] *sc adj* ⟨**-ienne** [-jɛn]⟩ Amerindian

▶ **Amérique** [ameʀik] ***l'~*** *f* America; ***l'~ centrale*** Central America; ***l'~ du Nord, du Sud*** North, South America

Amerloque [amɛʀlɔk] *m fam* (*Américain*) *fam* Yank

amerrir [ameʀiʀ] *v/i* AVIAT to land on water

amertume [amɛʀtym] *f* bitterness

améthyste [ametist] *f* amethyst

ameublement [amœbləmɑ̃] *m meubles* furniture

ameublir [amœbliʀ] *v/t terre* to break up

ameuter [amøte] *v/t* **1.** ***~ les gens*** to bring people out **2.** (*soulever*) to stir up (***contre*** against)

▶ **ami(e)** [ami] **I** *m(f)* friend; ***petit ~*** boyfriend; ***petite ~*** girlfriend; ***~(e) d'enfance*** childhood friend; ***chambre*** *f* ***d'~(s)*** guest room; ***se faire des ~s*** to make friends **II** *adj* **1.** friendly; *fig* ***être ~ de qc*** *personne : animaux, musique* to like sth **2.** (*amical*) friendly

amiable [amjabl] ***à l'~*** amicably; *Jur* out of court; *arrangement* amicable

amiante [amjɑ̃t] *m* asbestos

amibe [amib] *f* ameba **amibien** *adj* ⟨**-ienne** [-jɛn]⟩ MÉD amebic

▶ **amical** [amikal] *adj* ⟨**~e; -aux** [-o]⟩ friendly; ***match ~*** friendly (game)

amicale [amikal] *f* association **amicalement** *adv* in a friendly way; *à la fin d'une lettre* best wishes

amidon [amidõ] *m* CHIM starch

amidonner [amidɔne] *v/t linge* starch

amincir [amɛ̃siʀ] **I** *v/t* ***~ qn*** to make sb look thinner **II** *v/pr* ***s'~*** to get thinner

aminé [amine] *adj* ⟨**~e**⟩ CHIM amino

amiral [amiʀal] *m* ⟨**-aux** [-o]⟩ admiral

▶ **amitié** [amitje] *f* **1.** friendship; ***prendre qn en ~*** to take a liking to sb **2.** ***~s*** *pl* regards

ammoniac [amɔnjak] *m* ammonia

ammoniaque [amɔnjak] *f* ammonia

amnésie [amnezi] *f* amnesia **amnésique I** *adj* amnesic **II** *m/f* amnesiac

amniocentèse [amnjosɛ̃tɛz] *f* amniocentesis

amniotique [amnjɔtik] *adj* ***liquide*** *m* ***~*** amniotic fluid

amnistie [amnisti] *f* amnesty **amnistier** *v/t* to grant amnesty to

amocher [amɔʃe] *fam v/t* to bash up

amoindrir [amwɛ̃dʀiʀ] **I** *v/t* to weaken **II** *v/pr* ***s'~*** to diminish

amoindrissement [amwɛ̃dʀismɑ̃] *m des forces* decline; *ressources* diminution

amollir [amɔliʀ] **I** *v/t* to soften **II** *v/pr* ***s'amollir*** **1.** *cire* to soften **2.** *énergie* to weaken

amollissant [amɔlisɑ̃] *adj* ⟨**-ante** [-ɑ̃t]⟩ *climat* debilitating **amollissement** *m* softening

amonceler [amõsle] ⟨**-ll-**⟩ **I** *v/t* to pile up **II** *v/pr* ***s'~*** to pile up

amoncellement [amõsɛlmɑ̃] *m action* piling up; (*pile*) pile

amont [amõ] ***en ~*** upstream; ***en ~ de*** upstream from

amoral [amɔʀal] *adj* ⟨**~e; -aux** [-o]⟩ amoral **amoralisme** *m* amorality

amorçage [amɔʀsaʒ] *m* **1.** TECH *et fig* initiation **2.** *de munitions* priming **3.** ÉLEC *d'un arc* striking

amorce [amɔʀs] *f* **1.** PÊCHE bait **2.** *d'explosif* cap **3.** (*début*) beginning (***de*** of)

amorcer [amɔʀse] ⟨**-ç-**⟩ **I** *v/t* **1.** PÊCHE to bait **2.** (*commencer*) to begin **3.** *charge explosive* to prime **4.** INFORM to boot up **II** *v/pr* ***s'~*** to begin

amorphe [amɔʀf] *adj* **1.** (*sans énergie*) listless **2.** GÉOL, CHIM amorphous

amorti [amɔʀti] *m* FOOT trap; SPORT drop shot

amortir [amɔʀtiʀ] *v/t* **1.** *choc* to cushion; *bruit* to muffle **2.** *dette* to redeem **3.** *matériel* to write off the cost of

amortissement [amɔʀtismɑ̃] *m* **1.** *d'une*

dette redemption **2.** *d'un investissement* return **3.** *d'un choc* cushioning; *d'un bruit* muffling **amortisseur** *m* shock absorber

▶ **amour** [amuʀ] *m* **1.** *d'une personne, d'un pays, de la vérité, d'un métier* love; ***amour de son métier*** love of one's work; ***amour du prochain*** love of one's neighbor; ***amour de la vérité*** love of the truth; *quand qn éternue* ***à tes, vos amours!*** bless you!; ▶ ***faire l'amour*** to make love; ***filer le parfait amour*** to live love's dream; *fig* ***vivre d'amour et d'eau fraîche*** to live on love alone **2.** (*personne aimée*) love; ***mon amour*** my love; *s'adressant à qn* honey **3.** ***amours*** *fpl* love life (+ *sg*); *fig* ***revenir, retourner à ses premières amours*** to come back, return to one's first love **4.** *fam, fig* ***un amour de …*** a really adorable … **5.** MYTH ***l'Amour*** Cupid

amouracher [amuʀaʃe] *v/pr* ***s'~ de qn*** *péj* to be infatuated with sb

amourette [amuʀɛt] *f* infatuation

▶ **amoureux** [amuʀø] **I** *adj* ⟨**-euse** [-øz]⟩ in love (***de*** with); ***vie amoureuse*** love life; ***être ~ de qn*** to be in love with sb; ***tomber ~ de qn*** to fall in love with sb **II ~, *amoureuse*** *m/f* lover

amour-propre *m* ⟨**amours-propres**⟩ pride

amovible [amɔvibl] *adj* **1.** ***fonctionnaire ~*** *official whose appointment can be terminated at pleasure* **2.** *doublure* detachable; *housse* removable

ampère [ɑ̃pɛʀ] *m* amp **ampèremètre** *m* ÉLEC ammeter

amphétamine [ɑ̃fetamin] *f* amphetamine

amphi [ɑ̃fi] *m, abr fam* → ***amphithéâtre***

amphibie [ɑ̃fibi] *adj* **1.** BIOL amphibious **2.** ***véhicule*** *m* **~** amphibious vehicle

amphibiens [ɑ̃fibjɛ̃] *mpl* ZOOL amphibians

amphithéâtre [ɑ̃fiteɑtʀ] *m* **1.** lecture hall, *brit* lecture theater **2.** *antique* amphitheater

ample [ɑ̃pl] *adj* **1.** *vêtement* loose-fitting; *mouvement* sweeping **2.** *sujet* broad; ***de plus ~s renseignements*** further information

amplement [ɑ̃pləmɑ̃] *adv suffire* amply

ampleur [ɑ̃plœʀ] *f* **1.** *d'un vêtement* fullness **2.** *fig d'un désastre, problème* scale; *de dégâts* extent; ***prendre de l'~*** *rumeur* to spread; *mouvement* to grow in size

ampli [ɑ̃pli] *fam m ou* **amplificateur** [ɑ̃plifikatœʀ] *m* amplifier, amp *fam*

amplification [ɑ̃plifikasjõ] *f* **1.** ÉLEC amplification **2.** *de relations commerciales* expansion; *d'une crise, d'un mouvement de grève* escalation

amplifier [ɑ̃plifje] **I** *v/t* **1.** ÉLEC to amplify **2.** *fig relations* to expand; *problème* to magnify **II** *v/pr* ***s'~*** *crise* to escalate; *son* to grow louder

amplitude [ɑ̃plityd] *f* PHYS amplitude

▶ **ampoule** [ɑ̃pul] *f* **1.** PHARM vial **2.** ÉLEC (light)bulb **3.** *sous la peau* blister

ampoulé [ɑ̃pule] *adj* ⟨**~e**⟩ overblown

amputation [ɑ̃pytasjõ] *f* **1.** MÉD amputation **2.** *fig* radical cut

amputé(e) [ɑ̃pyte] *m(f)* amputee; ***être ~(e) d'un bras*** to have an arm amputated

amputer [ɑ̃pyte] *v/t* **1.** *membre* to amputate; ***~ qn d'une jambe*** to amputate sb's leg **2.** *fig* cut (***de*** from)

amulette [amylɛt] *f* amulet

▶ **amusant** [amyzɑ̃] *adj* ⟨**-ante** [-ɑ̃t]⟩ *qui occupe* entertaining; *qui fait rire* funny

amuse-gueule [amyzgœl] *m* ⟨**amuse-gueule(s)**⟩ ***les ~(s)*** nibbles

amusement [amyzmɑ̃] *m* amusement

▶ **amuser** [amyze] **I** *v/t* **1.** to amuse; ***qc amuse qn*** sb finds sth amusing **2.** (*détourner l'attention*) ***amuser qn*** to entertain sb **II** *v/pr* ▶ ***s'amuser*** to have fun (***avec*** with); ***s'amuser à faire qc*** to have fun doing sth; ***pour s'amuser*** for fun; ▶ ***amuse-toi, amusez-vous bien!*** have fun!

amusette [amyzɛt] *f* diversion **amuseur** *m* entertainer

amygdale [ami(g)dal] *f* ANAT tonsil

▶ **an** [ɑ̃] *m* year; ▶ ***au nouvel an, le jour de l'An*** in the New Year, on New Year's Day; ***il y a un an*** a year ago; ***à vingt ans*** at twenty (years of age); *enfant* ***de neuf ans*** nine-year-old; ***par an*** a year; ***tous les ans*** every year; ***bon an, mal an*** year in, year out; ***aller sur ses cinquante ans*** to be nearing fifty; ***avoir trente ans*** to be thirty (years old)

anabolisant [anabɔlizɑ̃] *m* anabolic steroid

anachronique [anakʀɔnik] *adj* anachronistic **anachronisme** *m* anachronism

anagramme [anagʀam] *f* anagram
anal [anal] *adj* ⟨**~e; -aux** [-o]⟩ anal
analeptique [analɛptik] *m* PHARM analeptic
analgésique [analʒezik] *m* painkiller
anallergique [analɛʀʒik] *adj* non-allergenic
analogie [analɔʒi] *f* analogy; ***par ~ avec*** by analogy with
analogique [analɔʒik] *adj* analogical; INFORM analog
analogue [analɔg] *adj* analogous (***à*** with); similar (***à*** to)
analphabète [analfabɛt] *m/f* illiterate
analphabétisme [analfabetism] *m* illiteracy
analyse [analiz] *f* **1.** analysis (*a* GRAM, TV); PSYCH (psycho)analysis; ***en dernière ~*** in the final analysis **2.** *de l'eau*, MÉD test
analyser [analize] *v/t* **1.** to analyze (*a* GRAM); PSYCH ***se faire ~*** to undergo (psycho)analysis **2.** *eau*, *sang*, *urines*, *etc* to test
analyste [analist] *m/f* analyst; PSYCH (psycho)analyst **analyste-programmeur** *m* ⟨**analystes-programmeurs**⟩ analyst programmer
analytique [analitik] *adj* analytical
ananas [anana(s)] *m* pineapple
anaphore [anafɔʀ] *f* RHÉT anaphora
anarchie [anaʀʃi] *f* anarchy **anarchique** *adj* anarchic **anarchisant** *adj* ⟨**-ante** [-ɑ̃t]⟩ anarchistic **anarchisme** *m* anarchism
anarchiste [anaʀʃist] **I** *adj* anarchist **II** *m/f* anarchist
anathème [anatɛm] *m* anathema
anatomie [anatɔmi] *f* anatomy **anatomique** *adj* anatomical
ancestral [ɑ̃sɛstʀal] *adj* ⟨**~e; -aux** [-o]⟩ ancestral
ancêtre [ɑ̃sɛtʀ] *m/f* **1.** ancestor; ***~s*** *mpl* ancestors; *st/s* forbears **2.** *fig* forerunner
anchois [ɑ̃ʃwa] *m* anchovy
▶ **ancien** [ɑ̃sjɛ̃] **I** *adj* ⟨**-ienne** [-jɛn]⟩ **1.** (*vieux*) old; *meuble*, *bijou* antique; *monument* ancient **2.** (*précédent*) former **II** *mpl* ***les ~s*** *d'une tribu* the elders; *d'une école* the senior classes; ***les Anciens*** the Ancients
anciennement [ɑ̃sjɛnmɑ̃] *adv* formerly
ancienneté [ɑ̃sjɛnte] *f* **1.** (*âge*) age; *d'un monument* antiquity **2.** *dans une fonction* seniority
ancrage [ɑ̃kʀaʒ] *m* anchorage
ancre [ɑ̃kʀ] *f* anchor; ***jeter l'~*** to drop anchor; ***lever l'~*** to weigh anchor; *fam* (*partir*) to make tracks *fam*
ancrer [ɑ̃kʀe] **I** *v/t* to anchor; *fig* ***être ancré dans*** to be firmly rooted in **II** *v/pr idée* ***s'~*** to take root, to become established
Andalousie [ɑ̃daluzi] ***l'~*** *f* Andalusia
Andes [ɑ̃d] ***les ~*** *fpl* the Andes
Andorre [ɑ̃dɔʀ] ***l'~*** *f* Andorra
andouille [ɑ̃duj] *f* **1.** CUIS pork chitterling sausage **2.** *fig* fool **andouillette** *f* pork chitterling sausage
androgène [ɑ̃dʀɔʒɛn] *m* BIOL androgen
androgyne [ɑ̃dʀɔʒin] **I** *adj* androgynous **II** *m* androgyne
▶ **âne** [ɑn] *m* donkey, ass (*a fig injure*) fool *péj*; ***~ bâté*** stupid fool; ***bonnet*** *m* ***d'~*** dunce's cap; *personne* ***être comme l'~ de Buridan*** to be chronically indecisive
anéantir [aneɑ̃tiʀ] **I** *v/t* **1.** (*détruire*) to destroy; *espoirs* to shatter **2.** ***~ qn*** to overwhelm sb **II** *v/pr* ***s'~*** to be shattered
anéantissement *m* **1.** *de ville* destruction; *d'espoirs* shattering **2.** (*abattement*) exhaustion
anecdote [anɛkdɔt] *f* **1.** anecdote **2.** *par ext* ***l'~*** trivial detail **anecdotique** *adj* anecdotal
anémie [anemi] *f* anemia **anémique** *adj* **1.** MÉD anemic **2.** *fig* weak
anémone [anemɔn] *f* anemone
ânerie [ɑnʀi] *f fam parole* dumb remark *fam*; *action* stupid blunder
ânesse [ɑnɛs] *f* she-ass; ***lait*** *m* ***d'~*** asses' milk
anesthésie [anɛstezi] *f* anesthesia; ***~ gé-***

ancien

Ancien = old in the sense of former, used before. The opposite of **ancien** is **nouveau** (*m*) or **nouvelle** (*f*). **Vieux** is used to refer to old in general. The opposite of **vieux** or **vieille** is usually **neuf** or **neuve** (when applying to things; for people, the opposite of **vieux** is **jeune**):

mon ancienne voiture, BUT **une vieille voiture**

my old car (= the one I used to own); an old car

nérale general anesthetic; ***~ locale*** local anesthetic; ***sous ~*** under anesthetic
anesthésier [anɛstezje] *v/t* to anesthetize
anesthésique [anɛstezik] **I** *adj* anesthetic **II** *m* anesthetic
anesthésiste [anɛstezist] *m/f* anesthesiologist
aneth [anɛt] *m* dill
anfractuosité [ɑ̃fʀaktɥozite] *f* crevice
► **ange** [ɑ̃ʒ] *m* angel; ***~ gardien*** guardian angel; *fig* ***être patient comme un ~*** to have the patience of a saint; ***être aux ~s*** to be in seventh heaven; *silence soudain* ***un ~ passe*** there is a lull in the conversation
angélique [ɑ̃ʒelik] **I** *adj* angelic **II** *f* BOT angelica
angelot [ɑ̃ʒlo] *m* cherub
angélus [ɑ̃ʒelys] *m* angelus
angine [ɑ̃ʒin] *f* throat infection; ***~ de poitrine*** angina pectoris
► **anglais** [ɑ̃glɛ] **I** *adj* ⟨**-aise** [-ɛz]⟩ **1.** English **2.** ***pommes*** *fpl* (***de terre***) ***à l'~e*** boiled potatoes **3.** *fig* ***filer à l'~e*** take French leave **II** *subst* **1.** ***Anglais***(***e***) *m*(*f*) Englishman, Englishwoman **2.** *langue* ***l'~*** *m* English **3.** *boucles* ***~es*** *fpl* ringlets
angle [ɑ̃gl] *m* **1.** (*coin*) corner; *d'une pièce* corner; ***à l'~ de la rue*** at the corner of the street; *fig* ***arrondir les ~s*** to smooth things over **2.** MATH angle; ***objectif*** *m* ***grand ~*** wide-angle lens **3.** (***vu***) ***sous cet ~*** (viewed) from this angle
► **Angleterre** [ɑ̃glətɛʀ] ***l'~*** *f* England
anglican [ɑ̃glikɑ̃] *adj* ⟨**-ane** [-an]⟩ REL Anglican **anglicanisme** *m* REL anglicanism
angliciser [ɑ̃glisize] *v/t nom etc* to anglicize **anglicisme** *m* LING anglicism **angliciste** *m/f* Anglicist
anglo-... [ɑ̃glo] *adj* Anglo-...
anglomanie [ɑ̃glɔmani] *f* Anglomania
Anglo-Normandes [ɑ̃glonɔʀmɑ̃d] *adj* ***îles ~*** Channel Islands
anglophile [ɑ̃glɔfil] *adj* anglophile **anglophobe** *adj* anglophobe **anglophobie** *f* Anglophobia **anglophone** *adj* English-speaking
anglo-saxon **I** *adj* ⟨**-onne**⟩ Anglo-Saxon **II** ***Anglo-Saxons*** *mpl* Anglo-Saxons
angoissant [ɑ̃gwasɑ̃] *adj* ⟨**-ante** [-ɑ̃t]⟩ alarming
angoisse [ɑ̃gwas] *f* anxiety
angoissé [ɑ̃gwase] *adj* ⟨**~e**⟩ anxious **angoisser** *v/t* (*et v/pr* ***s'~***) to get anxious
Angola [ɑ̃gɔla] ***l'~*** *m* Angola
angora [ɑ̃gɔʀa] *adj* angora
anguille [ɑ̃gij] *f* eel; *fig* ***il y a ~ sous roche*** there's something going on
angulaire [ɑ̃gylɛʀ] *adj* **1.** ***pierre*** *f* ***~*** cornerstone **2.** MATH angular
anguleux [ɑ̃gylø] *adj* ⟨**-euse** [-øz]⟩ jagged
anicroche [anikʀɔʃ] *f* hitch; ***sans ~*** without a hitch
► **animal** [animal] **I** *m* ⟨**-aux** [-o]⟩ **1.** animal **2.** *fig* animal, brute **II** *adj* ⟨**~e; -aux** [-o]⟩ **1.** animal **2.** *réaction* animal
animalerie [animalʀi] *f magasin* pet store; *dans un laboratoire* animal house
animalité *f* animality
animateur [animatœʀ] *m*, **animatrice** [-tʀis] *f d'un spectacle* host; *d'une émission* host, presenter; *de vacances* organizer, leader
animation [animasjõ] *f* **1.** *en ville* hustle and bustle; *de la discussion, du visage* liveliness **2.** *socioculturelle* organized activity **3.** ***film*** *m* ***d'~*** animation
animé [anime] *adj* ⟨**~e**⟩ **1.** *ville* busy, bustling **2.** ► ***dessin***(***s***) ***animé***(***s***) cartoon(s) **3.** (*vivant*) lively
animer [anime] **I** *v/t* **1.** *rendre vivant* to liven up **2.** *sentiment* ***~ qn*** to drive sb on **3.** *spectacle* to host; *émission* to host, to present; *débat* to chair; *stage* to run **II** *v/pr* ***s'~*** to come alive; *conversation* get lively
animisme [animism] *m* animism
animosité [animozite] *f* animosity
anis [ani(s)] *m* aniseed
aniser [anize] *v/t* to flavor with aniseed **anisette** *f* anisette
ankyloser [ɑ̃kiloze] *v/pr* ***s'~*** to get stiff; ***ankylosé*** stiff
annales [anal] *fpl* annals
anneau [ano] *m* ⟨**~x**⟩ **1.** ring; ***~ nasal*** nose ring **2.** SPORT ***~x*** *pl* rings
► **année** [ane] *f* year; ***bonne ~!*** Happy New Year!; ***~ scolaire*** academic year; ***les ~s trente*** the thirties; ***cette ~*** this year; ***chaque ~*** every year; ***d'~ en ~*** year by year; ***depuis des ~s*** for years
année-lumière *f* ⟨**années-lumière**⟩ light year
annexe [anɛks] *f* **1.** *d'un bâtiment* annex **2.** *d'une lettre* enclosure; *d'un dossier* appendix ***~s*** *pl* appendices
annexer [anɛkse] *v/t* **1.** POL to annex **2.**

document to append (***à*** to)
annexion [anɛksjõ] *f* annexation
annihiler [aniile̞r] *v/t* to annihilate
▶ **anniversaire** [anivɛʀsɛʀ] *m* **1.** *de personne* birthday; ***bon ~!*** happy birthday! **2.** *d'événement* anniversary; ***~ de mariage*** wedding anniversary

anniversaire
Anniversaire = birthday in French. You have to say **anniversaire de mariage** if you mean wedding anniversary.

▶ **annonce** [anõs] *f* **1.** (*message*) announcement **2.** (*publicité*) advertisement; ***petite ~*** classified ad; ***passer une~*** place an advertisement **3.** (*indice*) sign (***de*** of)
▶ **annoncer** [anõse] ⟨**-ç-**⟩ **I** *v/t* **1.** to announce; *dans un journal* to advertise; RAD to announce **2.** *visiteur* to announce **3.** *symptôme* ***~ qc*** to be a sign of **II** *v/pr* **1.** ***s'~ bien*** to look promising **2.** *crise* ***s'~*** *orage* to be brewing
annonceur [anõsœʀ] *m* **1.** *dans un journal* advertiser **2.** RAD, TV announcer
Annonciation [anõsjasjõ] *f* ***l'~*** the Annunciation
annotation [anɔtasjõ] *f* annotation **annoter** *v/t* to annotate
▶ **annuaire** [anɥɛʀ] *m* **1.** yearbook **2.** ***~ du téléphone*** telephone directory
annuel [anɥɛl] *adj* ⟨**~le**⟩ **1.** *chaque année* annual, yearly; ***revenu ~*** annual income **2.** *bot* annual
annuellement [anɥɛlmɑ̃] *adv* annually, yearly
annuité [anɥite] *f* annuity
annulaire [anylɛʀ] *m* ring finger
annulation [anylasjõ] *f* cancellation; JUR revocation
annuler [anyle] **I** *v/t* to cancel; *dette* to write off; *résultat* to discount; JUR to revoke **II** *v/pr* ***s'~*** to cancel each other out
anoblir [anɔbliʀ] *v/t* to ennoble **anoblissement** *m* ennoblement
anode [anɔd] *f* ÉLEC anode
anodin [anɔdɛ̃] *adj* ⟨**-ine** [-in]⟩ harmless; *insignifiant* insignificant; *question, plaisanterie* innocent
anomalie [anɔmali] *f* anomaly
ânon [ɑnõ] *m* donkey foal
ânonner [anɔne] *v/t* to read in a drone; *abs* to drone on
anonymat [anɔnima] *m* anonymity
anonyme [anɔnim] *adj* anonymous
anorak [anɔʀak] *m* anorak
anorexie [anɔʀɛksi] *f* anorexia
anorexique [anɔʀɛksik] **I** *adj* anorexic **II** *m/f* anorexic
anormal [anɔʀmal] *adj* ⟨**~e; -aux** [-o]⟩ **1.** abnormal **2.** *insolite* unusual
anormalement [anɔʀmalmɑ̃] *adv bas* abnormally; *gai* unusually
A.N.P.E. [aɛnpeə] *f, abr* (= **Agence nationale pour l'emploi**) *French national employment agency*
anse [ɑ̃s] *f* **1.** *d'une tasse, etc* handle; *fig* ***faire danser l'~ du panier*** to be on the fiddle **2.** (*petite baie*) cove
antagonisme [ɑ̃tagɔnism] *m* antagonism **antagoniste I** *adj groupes* opposing; *intérêts* conflicting **II** *m/f* antagonist
antalgique [ɑ̃talʒik] *adj* PHARM analgesic
antan [ɑ̃tɑ̃] *litt* ***d'~*** of old
antarctique [ɑ̃taʀktik] **I** *adj* Antarctic **II** ***l'Antarctique*** *m* the Antarctic
antécédent [ɑ̃tesedɑ̃] *m* ***~s*** *pl* MÉD medical history; *d'un événement* past history
antédiluvien [ɑ̃tedilyvjɛ̃] *adj* ⟨**-ienne** [-jɛn]⟩ *fig* antediluvian
antenne [ɑ̃tɛn] *f* **1.** TECH antenna, *brit* aerial **2.** TV, RAD ***heures*** *fpl* ***d'~*** airtime; ***'hors ~'*** 'off air'; ***être à*** *ou* ***sur l'~*** to be on the air **3.** ZOOL antenna; *fig* ***avoir des ~s*** to have a sixth sense **4.** *d'une institution* branch
antéposer [ɑ̃tepoze] *v/t* GRAM to place in front of
antérieur [ɑ̃teʀjœʀ] *adj* ⟨**~e**⟩ **1.** (*de devant*) front; ANAT anterior **2.** (*dans le temps*) previous; ***être ~ à qc*** to come before sth
antérieurement [ɑ̃teʀjœʀmɑ̃] *adv* previously
anthologie [ɑ̃tɔlɔʒi] *f* anthology
anthracite [ɑ̃tʀasit] *m* **1.** anthracite **2.** *adj* ⟨*inv*⟩ charcoal gray
anthrax [ɑ̃tʀaks] *m* **1.** MÉD carbuncle **2.** → ***charbon*** *2 a)*
anthropologie [ɑ̃tʀɔpɔlɔʒi] *f* anthropology **anthropologiste** *m/f ou* **anthropologue** *m/f* anthropologist **anthropométrie** *f* anthropometry **anthropométrique** *adj* anthropometric **anthropomorphisme** *m* anthropomorphism **an-**

thropophage *m* cannibal **anthropophagie** *f* cannibalism
anti… [ɑ̃ti] *préfixe* anti…
antiaérien *adj* ⟨**-ienne** [-ɛn]⟩ anti-aircraft; ***abri ~*** air raid shelter
antialcoolique *adj* ***ligue*** *f* **~** temperance league
antiaméricain *adj* ⟨**-aine** [-ɛn]⟩ anti-American **antiaméricanisme** *m* anti-Americanism
antiatomique *adj* anti-radiation; ***abri*** *m* **~** nuclear fallout shelter
antibiotique [ɑ̃tibjɔtik] *m* antibiotic; ***être sous ~s*** to be on antibiotics
antiblocage *adj* ***système*** *m* **~** anti-lock braking system
antibrouillard *adj* (***phare*** *m*) **~** *m* fog light
antibruit *adj* ⟨*inv*⟩ soundproof **antibuée** *adj* ⟨*inv*⟩ demisting **anticancéreux** *adj* ⟨**-euse**⟩ anticancer **anticapitaliste** *adj* anti-capitalist
antichambre *f* anteroom
antichar *adj* antitank **antichoc** *adj montre* shockproof
anticipation [ɑ̃tisipasjõ] *f* anticipation (***de*** of); ***roman*** *m* ***d'~*** science fiction novel
anticipé [ɑ̃tisipe] *adj* ⟨**~e**⟩ early; ***retraite ~e*** early retirement
anticiper [ɑ̃tisipe] **I** *v/t* to anticipate; *paiement* to bring forward **II** *v/t indir* ***~ sur qc*** to anticipate sth; ***n'anticipons pas*** let's not get ahead of ourselves
anticlérical *adj* ⟨**~e; -aux**⟩ anticlerical **anticléricalisme** *m* anticlericalism
anticoagulant [ɑ̃tikɔagylɑ̃] MÉD **I** *adj* ⟨**-ante** [-ɑ̃t]⟩ anticoagulant **II** *m* anticoagulant
anticolonialisme *m* anti-colonialism
anticommunisme *m* anti-communism
anticommuniste **I** *adj* anti-communist **II** *m/f* anti-communist
anticonceptionnel [ɑ̃tikõsɛpsjɔnɛl] *adj* ⟨**~le**⟩ contraceptive
anticonformisme *m* nonconformism **anticonformiste** **I** *adj* nonconformist **II** *m/f* nonconformist
anticonstitutionnel *adj* ⟨**~le**⟩ unconstitutional **anticorps** *m* antibody **anticyclone** *m* anticyclone **antidater** *v/t* to antedate **antidémocratique** *adj* undemocratic **antidépresseur** *m* antidepressant **antidérapant** *adj* ⟨**-ante** [-ɑ̃t]⟩ nonskid **antidétonant** *m* AUTO antiknock
antidopage *ou* **antidoping** *adj* ***contrôle*** *m* ***antidopage*** *ou* ***antidoping*** drugs test
antidote [ɑ̃tidɔt] *m fig* antidote
antienne [ɑ̃tjɛn] *f* ÉGL antiphon
antifasciste **I** *adj* antifascist **II** *m/f* antifascist
antigang *adj* ***brigade*** *f* **~** crime squad
antigel *m* antifreeze **antigène** *m* antigen **antigrippe** *adj* flu **antihéros** *m* anti-hero **antihygiénique** *adj* unhygienic
anti-inflammatoire *adj* anti-inflammatory **anti-inflationniste** *adj* anti-inflationary
Antilles [ɑ̃tij] ***les ~*** *fpl* the West Indies
antilope [ɑ̃tilɔp] *f* antelope
antimilitarisme *m* antimilitarism **antimilitariste** **I** *adj* antimilitarist **II** *m/f* antimilitarist
antimissile *adj* antimissile
antimite(s) *m* moth repellent
antimoine [ɑ̃timwan] *m* antimony
antimondialiste [ɑ̃timõdjalist] *adj* **1.** anti-globalist; **2.** *m/f* anti-globalist
antinucléaire *m/f* antinuclear
antipaludéen [ɑ̃tipalydeɛ̃] **I** *adj* ⟨**-enne** [-ɛn]⟩ antimalarial **II** *m* antimalarial
antipape *m* HIST antipope **antiparasite** *m* ÉLEC suppressor **antiparasiter** *v/t* ÉLEC to fit a suppressor to
antipathie [ɑ̃tipati] *f* antipathy **antipathique** *adj* unpleasant
antipatriotique *adj* unpatriotic **antipelliculaire** *adj* antidandruff
antipersonnel *adj* ⟨*inv*⟩ MIL ***mine*** *f* **~** antipersonnel mine
antiphrase *f* RHÉTORIQUE antiphrasis
antipodes [ɑ̃tipɔd] *mpl* ***être aux ~ de*** GÉOG to be the antipodes of; *fig* to be the exact opposite of
antipolio *adj* ⟨*inv*⟩ polio **antipollution** *adj* ⟨*inv*⟩ antipollution
antiquaire [ɑ̃tikɛʀ] *m/f* antique dealer
antique [ɑ̃tik] *adj* **1.** *civilisation* ancient **2.** *coutume* old-fashioned; *iron* antiquated
antiquité [ɑ̃tikite] *f* **1.** ***l'Antiquité*** Antiquity; *par ext* ancient times **2.** ***~s*** *pl* antiquities
antirabique [ɑ̃tirabik] *adj* rabies **antiraciste** *adj* antiracist **antireflet** *adj verre* nonreflective; *phot* antiglare **anti-rétroviral** *adj* ⟨**-ale**⟩ antiretroviral **antiride(s)** *adj* anti-wrinkle **antirouille** *adj* ⟨*inv*⟩ rust-proofing **antisèche** *f arg scolaire* crib *arg scolaire*

antisémite I *adj* anti-Semitic II *m/f* anti--Semite **antisémitisme** *m* anti-Semitism

antiseptique [ɑ̃tisɛptik] *m* antiseptic **antisocial** *adj* ⟨**~e; -aux**⟩ antisocial **antisolaire** *adj* sun

anti-sous-marin *adj* ⟨**-ine** [-in]⟩ MIL anti-submarine

antispasmodique MÉD I *adj* antispasmodic II *m* antispasmodic

antisportif *adj* ⟨**-ive** [-iv]⟩ unsporting **antitabac** *adj* ⟨*inv*⟩ antismoking

antiterroriste *adj* antiterrorist; ***lutte*** *f* **~** fight against terrorism

antitétanique [ɑ̃titetanik] *adj* tetanus

antithéâtre *m* LITTÉR antitheater

antithèse [ɑ̃titɛz] *f* **1.** PHIL antithesis **2.** *fig* exact opposite

antithétique [ɑ̃titetik] *adj* antithetical **antitoxine** *f* MÉD antitoxin **antitrust** *adj* antitrust **antituberculeux** *adj* ⟨**-euse** [-øz]⟩ MÉD tuberculosis **antivariolique** *adj* MÉD smallpox

antivirus INFORM I *adj* ⟨*inv*⟩ antivirus II *subst* antivirus software

antivol *m* anti-theft device; AUTO steering lock; CYCLISME lock

antonyme [ɑ̃tɔnim] *m* LING antonym

antre [ɑ̃tʀ] *m* **1.** *des fauves* den, lair **2.** *fig* lair

anus [anys] *m* anus

Anvers [ɑ̃vɛʀ] Antwerp

anxiété [ɑ̃ksjete] *f* anxiety

anxieux [ɑ̃ksjø] *adj* ⟨**-euse** [-øz]⟩ anxious

A.O.C. *abr* (= **appellation d'origine contrôlée**) appellation contrôlée

aorte [aɔʀt] *f* aorta

▶ **août** [u(t)] *m* August

> **août**
>
> Many people take their vacation in August, sometimes for the whole of August. It can be difficult to get a hotel room without reserving in advance.

aoûtat [auta] *m* chigger

aoûtien [ausjɛ̃] *m*, **aoûtienne** [-jɛn] *f* vacationer, *brit* holidaymaker

apaisant [apɛzɑ̃] *adj* ⟨**-ante** [-ɑ̃t]⟩ soothing **apaisement** *m* calm; *des souffrances* easing; *de personne* calming down

apaiser [apeze] I *v/t personne* to pacify; *souffrance, douleur* to ease; *désir* to satisfy II *v/pr* ***s'~*** *douleur* to ease; *tempête* to die down

apanage [apanaʒ] *m* ***être l'~ de qn*** to be the prerogative of sb

aparté [apaʀte] *m* **1.** THÉ aside **2.** (*entretien*) private conversation

apartheid [apaʀtɛd] *m* apartheid

apathie [apati] *f* apathy **apathique** *adj* apathetic

apatride [apatʀid] *m/f* stateless

apercevoir [apɛʀsəvwaʀ] ⟨→ **recevoir**⟩ I *v/t* (*voir*) to make out; *personne* to catch sight of II *v/pr* ***s'~ de qc*** to notice sth; ***s'~ de qn*** to catch sight of sb

aperçu [apɛʀsy] *m de situation* outline (***de*** of); *point de vue* insight (into); *échantillon* glimpse (of)

apéritif [apeʀitif] *m* drink, aperitif; ***prendre l'~*** to have a drink

apéro [apeʀo] *m*, *abr fam* → ***apéritif***

apesanteur [apəzɑ̃tœʀ] *f* weightlessness

à-peu-près [apøpʀɛ] *m* ⟨*inv*⟩ rough guess

apeuré [apœʀe] *adj* ⟨**~e**⟩ frightened

aphone [afɔn] *adj* voiceless

aphorisme [afɔʀism] *m* aphorism

aphrodisiaque [afʀɔdizjak] I *adj* aphrodisiac II *m* aphrodisiac

aphte [aft] *m* mouth ulcer

aphteux [aftø] *adj* ⟨**-euse** [-øz]⟩ ***fièvre aphteuse*** foot-and-mouth disease

apicole [apikɔl] *adj* beekeeping **apiculteur** *m* beekeeper **apiculture** *f* beekeeping

apitoiement [apitwamɑ̃] *m* pity

apitoyer [apitwaje] ⟨**-oi-**⟩ I *v/t* **~ *qn*** to move sb to pity II *v/pr* ***s'~ sur*** to feel sorry for

A.P.L. [apeɛl] *f*, *abr* ⟨*inv*⟩ (= **aide personnalisée au logement**) ≈ housing benefit

aplanir [aplaniʀ] *v/t* **1.** *terrain* to level **2.** *fig difficultés* to iron out

aplanissement [aplanismɑ̃] *m* **1.** leveling **2.** *fig* ironing out

aplati [aplati] *adj* ⟨**~e**⟩ flattened, flat

aplatir [aplatiʀ] I *v/t* **1.** to flatten **2.** *au fer* to press; *cheveux* to smooth down II *v/pr* **1.** ***s'~*** *fam* (*tomber*) to fall down flat **2.** *fig* ***s'~*** (***devant qn***) to grovel to sb

aplatissement [aplatismɑ̃] *m* flattening; *de la Terre* flattening off

aplomb [aplɔ̃] *m* **1.** (*équilibre*) balance; ***d'~*** steady; *fig* ***ne pas se sentir d'~*** not

to feel very well **2.** *péj* (*confiance en soi*) self-confidence
apnée [apne] *f* apnoea
apocalypse [apɔkalips] *f* apocalypse; *fig* ***une vision d'~*** an apocalyptic vision
apocalyptique [apɔkaliptik] *adj* apocalyptic
apogée [apɔʒe] *m fig* peak
apolitique [apɔlitik] *adj* apolitical
apologie [apɔlɔʒi] *f* **1.** (*justification*) apology **2.** (*éloge*) panegyric
apologiste [apɔlɔʒist] *st/s m/f* (*qui justifie*) apologist; (*qui loue*) eulogist
apophyse [apɔfiz] *f* ANAT apophysis
apoplectique [apɔplɛktik] MÉD **I** *adj* apoplectic **II** *m/f* apoplectic
apoplexie [apɔplɛksi] *f* apoplexy
a posteriori [apɔsteʀjɔʀi] *adv* with hindsight
apostille [apɔstij] *f* ADMIN apostil
apostolat [apɔstɔla] *m* **1.** REL apostolate **2.** *fig* vocation **apostolique** *adj* apostolic
apostrophe [apɔstʀɔf] *f* **1.** (*remarque vive*) remark **2.** (*signe*) apostrophe
apostropher *v/t* to heckle
apothéose [apɔteoz] *f* high point
apothicaire [apɔtikɛʀ] *m* ***compte*** *m* ***d'~*** complex calculation
apôtre [apotʀ] *m* apostle
► **apparaître** [apaʀɛtʀ] ⟨→ **connaître; être**⟩ **I** *v/i* **1.** (*devenir visible*) to appear; *problèmes* to arise; *vérité* to surface; *fantôme* ***~ à qn*** to appear to sb; ***faire ~ qc*** to reveal sth **2.** (*sembler*) ***~ à qn*** to appear to sb (***comme*** to be) **II** *v/imp* ***il apparaît que …*** it seems that …
apparat [apaʀa] *m* (*luxe*) grandeur; (*cérémonial*) pomp ***d'~*** ceremonial
► **appareil** [apaʀɛj] *m* **1.** TECH device, appliance; ***appareil à sous*** slot machine **2.** ANAT system **3.** ***appareil*** (***téléphonique***) telephone; ***qui est à l'appareil?*** who is calling, please? **4.** (*avion*) plane **5.** ► ***appareil*** (***photo***) camera **6.** MÉD appliance; (*dentier*) brace **7.** *fig*, POL apparatus **8.** *personne* ***dans le plus simple appareil*** in one's birthday suit *euph*
appareillage [apaʀɛjaʒ] *m* **1.** MAR casting off **2.** TECH equipment
appareiller[1] [apaʀeje] *v/i bateau* to set sail (***pour*** for); to cast off
appareiller[2] *v/t* (*assortir*) to match up; *adj* ***être bien, mal appareillés*** to be a good, poor match
apparemment [apaʀamɑ̃] *adv* apparently
apparence [apaʀɑ̃s] *f* **1.** (*aspect*) appearance **2.** (*façade*) appearance; ***en ~*** on the face of things; ***selon toute ~*** judging by appearances; ***sauver les ~s*** to keep up appearances; ***les ~s sont trompeuses*** appearances are deceptive
apparent [apaʀɑ̃] *adj* ⟨**-ente** [-ɑ̃t]⟩ **1.** (*visible*) visible, apparent; ***sans raison ~e*** for no apparent reason **2.** (*en apparence seulement*) apparent; ***sa mort ~e*** his apparent death
apparenté [apaʀɑ̃te] *adj* ⟨**~e**⟩ **1.** ***~ à*** related to **2.** POL allied
apparenter [apaʀɑ̃te] *v/pr fig* ***s'~ à qc*** to be similar to sth
apparier [apaʀje] *v/t* **1.** *oiseaux* to pair **2.** *objets* to match
appariteur [apaʀitœʀ] *m* UNIV university porter
apparition [apaʀisjõ] *f* **1.** appearance; *d'idées* emergence; ***faire son ~*** to appear **2.** (*vision*) apparition
► **appartement** [apaʀtəmɑ̃] *m* apartment, *brit* flat
appartenance [apaʀtənɑ̃s] *f* membership (***à*** of)
► **appartenir** [apaʀtəniʀ] ⟨→ **venir**⟩ **I** *v/t indir* **1.** ***~ à qn*** to belong to sb **2.** *à un milieu, etc* ***~ à*** to be a member of **II** *v/imp* ***il appartient à qn de*** *+inf* it is up to sb to *+inf*
apparu [apaʀy] → ***apparaître***
appas [apɑ] *litt mpl* charms
appât [apɑ] *m* PÊCHE bait; *fig* lure
appâter [apɑte] *v/t* PÊCHE to bait; *fig* to lure
appauvrir [apovʀiʀ] **I** *v/t* to impoverish **II** *v/pr* ***s'~*** to become impoverished **appauvrissement** *m* impoverishment
► **appel** [apɛl] *m* **1.** (*cri*) call; ***~ au secours*** call for help; ***faire ~ à qn, qc*** to appeal to sb, sth; *activité* ***faire ~ à certaines compétences*** to call for certain skills, to require certain skills **2.** (*signe*) ***~ de phares*** flash of high beams; ***faire un ~, des ~s de phare*** to flash one's high beams; *fig* ***~ du pied*** discreet invitation **3.** ***~*** (***téléphonique***) (phone) call **4.** *nominal* roll call; *à l'école* registration ***faire l'~*** to take the register **5.** *au public* call; ***~ à la révolte*** call to rebellion; ***~ d'offres*** invitation to tender **6.** MIL draft, *brit* call up **7.** JUR appeal; ***cour*** *f* ***d'~*** court of appeal; *fig* ***sans ~*** final;

faire ~ to appeal **8.** SPORT take-off **9.** ***~ d'air*** draft
appelé [aple] *m* MIL draftee, *brit* conscript
► **appeler** [aple] ⟨**-ll-**⟩ **I** *v/t* **1.** (*faire venir*) to call; ***appeler qn*** to call sb; ***appeler la police*** to call the police **2.** (*désigner*) to appoint; ***appeler qn à un poste*** to appoint sb to a post **3.** (*nommer*) to call **4.** ***appeler*** (***sous les drapeaux***) to call up **5.** TÉL ***appeler qn*** to call sb **6.** INFORM to call up **7.** (*exiger*) ***appeler qc*** to require sth **II** *v/t indir* ***en appeler à qc*** to appeal to sth **III** *v/pr* ► ***s'appeler*** to be called
appellation [apɛ(l)lasjõ] *f* name; ***~*** (***d'origine***) ***contrôlée*** appellation contrôlée
appendice [apɛ̃dis] *m* **1.** ANAT appendix **2.** *dans un livre* appendix **appendicite** *f* appendicitis
appentis [apɑ̃ti] *m* lean-to
appesantir [apəzɑ̃tiʀ] *v/pr* ***s'~ sur un sujet*** to dwell on a subject
appétissant [apetisɑ̃] *adj* ⟨**-ante** [-ɑ̃t]⟩ *mets* appetizing, tempting (*fig personne*) appealing
► **appétit** [apeti] *m* **1.** appetite; ***bon ~!*** enjoy your meal!; ***manger de bon ~*** to eat heartily; ***cela m'a coupé l'~*** it took my appetite away; ***mettre qn en ~*** to whet sb's appetite; *prov* ***l'~ vient en mangeant*** appetite comes with eating **2.** *fig* appetite, *péj* greed (***de*** for) **3.** ***~*** (***sexuel***) sexual appetite
applaudimètre [aplodimɛtʀ] *m plais* applause meter
► **applaudir** [aplodiʀ] **I** *v/t et v/i* ***~*** (***qn, qc***) to applaud (sb, sth) **II** *v/t indir st/s* ***~ à qc*** to applaud sth
applaudissements [aplodismɑ̃] *mpl* applause + *v sg*
applicable [aplikabl] *adj* applicable (***à*** to)
application [aplikasjõ] *f* **1.** *d'une compresse, d'un produit, etc* application **2.** *d'une méthode* application (***à*** to); *d'une loi* enforcement, implementation; ***mettre en ~*** apply; *loi* implement **3.** (*zèle*) application
applique [aplik] *f* wall light
appliqué [aplike] *adj* ⟨**~e**⟩ **1.** *sciences* applied **2.** *personne* hardworking; *écriture* careful
appliquer [aplike] **I** *v/t* **1.** *produit, peinture, etc* to apply, (***sur*** to) **2.** *méthode* to apply (***à*** to); *loi* enforce, implement **II** *v/pr* **1.** *personne* ***s'~*** to work hard, to apply oneself **2.** *loi* ***s'~*** to apply; *remarque* ***s'~ à*** to apply to
appoint [apwɛ̃] *m* **1.** ***faire l'~*** to provide the exact change **2.** ***d'~*** additional, supplementary
appointements [apwɛ̃tmɑ̃] *mpl* salary
appointer *v/t* to pay a salary to
appontage [apõtaʒ] *m* AVIAT landing **appontement** *m* MAR landing stage **apponter** *v/i* AVIAT to land
apport [apɔʀ] *m* **1.** FIN contribution **2.** *fig* contribution
► **apporter** [apɔʀte] *v/t objet, nouvelle, capitaux* to bring; *changements* to bring about; *difficultés* to cause

apporter

Note that **apporter** can only be used with things that are inanimate. Use **amener** when you mean to bring a person or people.

apposer [apoze] *v/t* to affix (***sur un mur*** to a wall); *signature* to append, to affix
apposition [apozisjõ] *f* **1.** GRAM apposition **2.** *action* stamping
appréciable [apʀesjabl] *adj* **1.** (*considérable*) considerable, appreciable **2.** (*précieux*) appreciable
appréciation [apʀesjasjõ] *f* **1.** (*évaluation*) evaluation **2.** (*jugement*) assessment; ***laisser qc à l'~ de qn*** to leave sth to sb's discretion
apprécier [apʀesje] *v/t* **1.** (*évaluer*) to value; *distance, vitesse* to estimate **2.** (*juger*) to assess **3.** (*goûter*) to appreciate
appréhender [apʀeɑ̃de] *v/t* **1.** (*craindre*) ***~ qc*** to dread sth **2.** (*arrêter*) to arrest, to apprehend
appréhension [apʀeɑ̃sjõ] *f* apprehension
apprenant [apʀənɑ̃] *m* learner
► **apprendre** [apʀɑ̃dʀ] *v/t* ⟨→ **prendre**⟩ **1.** (*étudier*) to learn; *métier, langue* to learn; ► ***apprendre à conduire, à lire*** to learn to drive, to read **2.** (*enseigner*) ***apprendre qc à qn*** to teach sb sth; *fig* ***cela lui apprendra*** (***à vivre***)***!*** that'll teach him! **3.** *nouvelle* to hear, to learn (***par qn*** from sb) **4.** (*faire savoir*) ***apprendre qc à qn*** to tell sb sth
► **apprenti(e)** [apʀɑ̃ti] *m*(*f*) apprentice,

trainee; ***apprenti boulanger*** trainee baker

apprentissage [aprɑ̃tisaʒ] *m* **1.** apprenticeship, training; ***être en ~*** to be an apprentice, to be a trainee **2.** *d'une langue* learning

apprêt [aprɛ] *m* **1.** TECH primer **2.** *fig* ***sans ~*** unaffected

apprêté [aprɛte] *adj* ⟨**~e**⟩ affected

apprêter [aprɛte] **I** *v/t* TECH to prime **II** *v/pr* **1.** ***s'~ à faire qc*** to get ready to do sth **2.** (*se parer*) ***s'~*** to get ready

appris [apri] → ***apprendre***

apprivoisable [aprivwazabl] *adj* tamable **apprivoisement** *m* taming

apprivoiser [aprivwaze] **I** *v/t animal* to tame; ***apprivoisé*** tame **II** *v/pr* ***s'apprivoiser*** **1.** *animal* to become tame **2.** *personne* to become easier to get on with

approbateur [aprɔbatœr] *adj* ⟨**-trice** [-tris]⟩ *ou* **approbatif** *adj* ⟨**-ive** [-iv]⟩ approving

approbation [aprɔbasjõ] *f* **1.** (*accord*) approval **2.** (*jugement favorable*) approval

approchant [aprɔʃɑ̃] *adj* ⟨**-ante** [-ɑ̃t]⟩ similar; ***qc d'~*** sth similar

► **approche** [aprɔʃ] *f* **1.** (*action d'approcher*) approach; AVIAT approach **2.** (*façon d'aborder*) approach (***de*** to)

approché [aprɔʃe] *adj* ⟨**~e**⟩ *résultat* approximate

approcher [aprɔʃe] **I** *v/t* **1.** *objet* to move close, to move near (***de*** to) **2.** ***~ qn*** to go up to sb; (*aborder*) to approach sb **II** *v/t indir* **1.** ***~ de qc*** to get close to sth, to get near to sth; *fig* to be close to sth; ***~ de la trentaine*** to be close to thirty **III** *v/i* (*et v/pr*) **1.** (***s'***)***~*** to come near, to approach; *personne* to get closer; *date* to draw near, to get closer **2.** ***s'~ de qn, de qc*** to come close to sb, sth

approfondi [aprɔfõdi] *adj* ⟨**~e**⟩ detailed; *connaissances* in-depth **approfondir** *v/t* **1.** *puits* to deepen **2.** *fig savoir, pensée* to improve; *domaine* to explore in more depth

approfondissement [aprɔfõdismɑ̃] *m* deepening; *fig* improvement

appropriation [aprɔprijasjõ] *f* JUR appropriation

approprié [aprɔprije] *adj* ⟨**~e**⟩ appropriate

approprier [aprɔprije] *v/pr* ***s'~ qc*** to take sth, to appropriate sth

► **approuver** [apruve] *v/t* approve of; ***~ qn*** to approve of sb; (*se déclarer de son opinion*) to agree with sb

approvisionnement [aprɔvizjɔnmɑ̃] *m* **1.** (*activité*) supply (***en*** of) **2.** (*provisions*) supplies + *v pl*

approvisionner [aprɔvizjɔne] **I** *v/t* **1.** (*fournir*) to supply (***en, de*** with) **2.** *compte en banque* to pay money into **II** *v/pr* ***s'~ en qc*** to stock up on sth

approximatif [aprɔksimatif] *adj* ⟨**-ive** [-iv]⟩ approximate **approximation** *f* approximation

approximativement [aprɔksimativmɑ̃] *adv* approximately

appui [apɥi] *m* **1.** (*soutien*) support; ***prendre ~ sur*** to lean on **2.** *d'un balcon* rail; *d'une fenêtre* sill, ledge **3.** *fig* (*soutien*) support; (***avec***) ***preuves à l'~*** with supporting evidence

appui-tête [apɥitɛt] *m* ⟨**appuis-tête**⟩ *ou* **appuie-tête** *m* ⟨*inv*⟩ headrest

appuyé [apɥije] *adj* ⟨**~e**⟩ *regard* intent

► **appuyer** [apɥije] ⟨**-ui-**⟩ **I** *v/t* **1.** *poser* to lean, to rest; ***~ qc contre*** to lean sth against; ***~ qc sur*** to lean sth against; *fig affirmation* to back up, to support **2.** *presser* to press **3.** *fig* (*soutenir*) to support, to back **II** *v/i* **1.** (*presser*) to press; ***~ sur*** to press on **2.** *fig* ***~ sur*** to stress, to emphasize **III** *v/pr* **1.** ***s'~ contre*** to lean against; ***s'~ sur*** to lean on **2.** *fig* ***s'~ sur qn*** to rely on sb **3.** *fam* ***s'~*** *une corvée* to be stuck with *fam*

âpre [ɑpr] *adj* **1.** *goût, fruit* bitter; *vin* sour; *voix* harsh; *froid* bitter **2.** *lutte* fierce; *discussion* heated **3.** ***~ au gain*** grasping

aprèm(e) [aprɛm] *m ou f, abr fam* → ***après-midi***

► **après** [aprɛ] **I** *prép* **1.** *dans le temps, dans l'ordre* after; ***après avoir lu le journal, il ...*** after reading the newspaper, he ..., after having read the newspaper, he ...; *fam* ***après manger*** after eating; ***après cela*** after that; ***après quoi*** after which; ***après tout*** after all **2.** *dans l'esp* (*derrière*) behind; ***traîner qc après soi*** to drag sth along behind one; (*plus loin*) after, past **3.** ► ***d'après*** according to; *peindre* ***d'après nature*** from life; ***d'après lui*** according to him **II** *adv* **1.** *temporel* afterward, *brit* afterwards; ***sa famille passe après*** his / her family takes second place; (***et***) ***après?*** *que vous a-t-il dit?* (and) then what?; *défi* ***et*** (***puis***) ***après!*** so what!;

la semaine d'après the week after, the following week **2.** (*dans une hiérarchie*) after **3.** *local* (*derrière*) after; *fam* (*dessus*) on **III** *conj* ***après que*** (+ *indicatif*, *abus +subjonctif*) after

► **après-demain** *adv* the day after tomorrow

après-guerre *m ou f* ⟨**après-guerres**⟩ post war period; ***d'~*** postwar

► **après-midi** *m ou f* ⟨*inv*⟩ afternoon; ***cet~*** this afternoon; ***l'~*** in the afternoon

après-rasage *adj* ⟨*inv*⟩ (***lotion** f*) ***~** m* aftershave

après-ski *m* ⟨**après-ski(s)**⟩ (*moment*) après-ski; (*botte*) moon boot

après-vente *adj* ⟨*inv*⟩ ► ***service** m **après-vente*** after sales service

âpreté [ɑpʀəte] *f* fierceness; (*d'une discussion*) bitterness

a priori [apʀijɔʀi] *adv* on the face of it

apr. J.-C. *abr* (= **après Jésus-Christ**) AD

à-propos [apʀɔpo] *m* aptness

apte [apt] *adj **~ à*** capable of, fit for; ***être ~ à faire qc*** to be capable of doing sth; JUR to be legally capable of doing

aptitude [aptityd] *f* aptitude (***à, pour*** for); JUR legal capacity; ***~s** pl* abilities

apurement [apyʀmɑ̃] *m* FIN auditing **apurer** *v/t compte* to audit

aquaculture [akwakyltyʀ] *f* aquaculture **aquaplanage** *m ou* **aquaplaning** *m* AUTO aquaplaning

aquarelle [akwaʀɛl] *f* **1.** *tableau* watercolor **2.** *technique* watercolors + *v pl*

aquarelliste [akwaʀelist] *m/f* watercolorist

aquarium [akwarjɔm] *m* aquarium

aquatique [akwatik] *adj* aquatic

aqueduc [akdyk] *m* aqueduct

aqueux [akø] *adj* ⟨**-euse** [-øz]⟩ aqueuos

aquilin [akilɛ̃] *adj* ⟨*m*⟩ ***nez ~*** aquiline nose

Aquitaine [akitɛn] ***l'~** f* Aquitaine

arabe [aʀab] **I** *adj* Arab **II** ***Arabe*** *m/f* Arab

arabesque [aʀabɛsk] *f* arabesque

Arabie [aʀabi] ***l'~** f* Arabia

arabisant [aʀabizɑ̃] *m* Arabist **arabisation** *f* Arabization **arabiser** *v/t* to Arabize **arabisme** *m* Arabism

arable [aʀabl] *adj* arable

arabophone [aʀabɔfɔn] *adj* Arab-speaking

arachide [aʀaʃid] *f* groundnut; ***huile** f **d'~*** groundnut oil

► **araignée** [aʀeɲe] *f* spider; *fam*, *fig **avoir une ~ au plafond*** to have a screw loose *fam*; → ***cinglé***

araser [aʀɑze] *v/t* **1.** CONSTR to level off **2.** GÉOL to wear down

aratoire [aʀatwaʀ] *adj **instrument** m **~*** ploughing implement

arbalète [aʀbalɛt] *f* crossbow **arbalétrier** *m* crossbowman

arbitrage [aʀbitʀaʒ] *m* **1.** JUR arbitration **2.** FIN arbitrage **3.** SPORT refereeing; (*en tennis, baseball*) umpiring; ***erreur** f **d'~*** referee's error

arbitraire [aʀbitʀɛʀ] **I** *adj* arbitrary **II** *m* arbitrary power

► **arbitre** [aʀbitʀ] *m* **1.** SPORT referee; (*en tennis, baseball*) umpire; (*dans un conflit*) arbitrator **2.** ***libre ~*** free will

arbitrer [aʀbitʀe] *v/t* **1.** *litige* to arbitrate in **2.** SPORT to referee; (*en tennis, baseball*) to umpire

arborer [aʀbɔʀe] *v/t* **1.** *drapeau* to fly **2.** *fig vêtement* to sport; *sourire*, *air* to wear

arborescent [aʀbɔʀɛsɑ̃] *adj* ⟨**-ente** [-ɑ̃t]⟩ BOT tree **arboricole** *adj* ZOOL tree-dwelling **arboriculteur** *m* tree surgeon; *au sens strict* arboriculturalist **arboriculture** *f* tree surgery; *au sens strict* arboriculture **arborisation** *f* tree-like patterns

arbousier [aʀbuzje] *m* BOT arbutus tree

► **arbre** [aʀbʀ] *m* **1.** tree; ***~ fruitier*** fruit tree; ***~ de Noël*** Christmas tree; *prov **les ~s cachent la forêt*** you can't see the forest for the trees **2.** TECH shaft

arbrisseau [aʀbʀiso] *m* ⟨**~x**⟩ shrub

arbuste [aʀbyst] *m* shrub

arc [aʀk] *m* arc; ***~ de cercle*** arc of a circle; ***en ~ de cercle*** arched; ***~ de triomphe*** triumphal arch; ***tirer à l'~*** to shoot with a bow and arrow

arcade [aʀkad] *f* **1.** ARCH arcade; ***~s** pl* arcades **2.** ***~ sourcilière*** arch of the eyebrow

arcane [aʀkan] *m* **1.** arcana **2.** *litt d'une science* ***~s** pl* mysteries

arc-boutant [aʀkbutɑ̃] *m* ⟨**arcs-boutants**⟩ flying buttress

arc-bouter [aʀkbute] *v/pr **s'~ contre qc*** to brace oneself against sth

arceau [aʀso] *m* ⟨**~x**⟩ **1.** arch **2.** ***~ de sécurité*** roll bar

arc-en-ciel [aʀkɑ̃sjɛl] *m* ⟨**arcs-en-ciel** [aʀkɑ̃sjɛl]⟩ rainbow

archaïque [aʀkaik] *adj* archaic **archaï-**

sant *adj* ⟨**-ante** [-ɑ̃t]⟩ archaistic
archaïsme [aʀkaism] *m* archaism
archange [aʀkɑ̃ʒ] *m* archangel
arche [aʀʃ] *f* **1.** ARCH arch **2.** ***l'~ de Noé*** Noah's ark
archéologie [aʀkeɔlɔʒi] *f* archeology **archéologique** *adj* archeological **archéologue** *m/f* archeologist
archéoptéryx [aʀkeɔpteʀiks] *m* ARCHÉOL archeopteryx
archer [aʀʃe] *m* archer
archet [aʀʃe] *m* MUS bow
archétype [aʀketip] *m* archetype
archevêché [aʀʃəveʃe] *m* **1.** *territoire* archdiocese **2.** *siège* archbishop's palace
archevêque [aʀʃəvɛk] *m* archbishop
archi… [aʀʃi] *fam préfixe* really **archicomble** *adj fam* → ***archiplein*** **archiconnu** *fam adj* ⟨**~e**⟩ really well-known
archidiacre [aʀʃidjakʀ] *m* ÉGL archdeacon **archidiocèse** *m* ÉGL archdiocese **archiduc** *m* HIST archduke **archiduchesse** *f* HIST archduchess **archiépiscopal** *adj* ⟨**~e; -aux**⟩ ÉGL archiepiscopal **archiépiscopat** *m* ÉGL archbishopric
archifaux *fam adj* ⟨**-fausse**⟩ totally wrong
archipel [aʀʃipel] *m* archipelago
archiplein *fam adj* ⟨**-pleine**⟩ packed, jam-packed *fam*
archiprêtre [aʀʃipʀɛtʀ] *m* ÉGL archpriest
architecte [aʀʃitekt] *m/f* architect
architectonique [aʀʃitɛktɔnik] **I** *adj* architechtonic **II** *f* architechtonics + *v pl*
architectural [aʀʃitektyʀal] *adj* ⟨**~e; -aux [-o]**⟩ architectural
architecture [aʀʃitɛktyr] *f* architecture
archivage [aʀʃivaʒ] *m* archiving **archiver** *v/t* to archive
archives [aʀʃiv] *fpl* archives **archiviste** *m/f* archivist
arçon [aʀsõ] *m* SPORT ***cheval*** *m* ***d'~s*** pommel horse
arctique [aʀktik] **I** *adj* arctic **II** *m* ***l'Arctique*** the Arctic
ardemment [aʀdamɑ̃] *adv* → ***ardent***
ardent [aʀdɑ̃] *adj* ⟨**-ente** [-ɑ̃t]⟩ **1.** *litt* (*qui brûle*) burning; *soleil, chaleur* blazing; ***chapelle ~e*** chapel of rest: **2.** *fig amour* passionate; *désir* burning; *personne* passionate
ardeur [aʀdœʀ] *f d'une passion* fervor; *d'une prière* fervor; *d'une personne* passion; *au travail* enthusiasm
ardillon [aʀdijõ] *m* PÊCHE barb; *de boucle* prong
ardoise [aʀdwaz] *f* **1.** MINÉR slate **2.** ENSEIGNEMENT slate; *fig* ***avoir une ~ chez qn*** to owe sb money
ardu [aʀdy] *adj* ⟨**~e**⟩ laborious
are [aʀ] *m* one hundred square meters
arène [aʀɛn] *f* **1.** *pour spectacle* arena; *pour corrida, cirque* ring **2. ~s** *pl* ARCH amphitheater; *pour corridas* bullring
aréole [aʀeɔl] *f* ANAT areola
arête [aʀɛt] *f* **1.** *de poisson* bone **2.** ***~ du nez*** bridge of the nose **3.** (*angle*) edge **4.** *en montagne* ridge
► **argent** [aʀʒɑ̃] *m* **1.** (*métal*) silver; ***d'~, en ~*** silver; *couleur* silver **2.** (*monnaie*) money; ***~ comptant*** cash; *fig* ***prendre qc pour ~ comptant*** to take sth at face value; *fig* ***jeter l'~ par les fenêtres*** to throw money away; *prov* ***l'~ n'a pas d'odeur*** money does not smell; *prov* ***l'~ ne fait pas le bonheur*** money can't buy happiness
argenté [aʀʒɑ̃te] *adj* ⟨**~e**⟩ **1.** *métal* silver-plated **2.** *couleur* silvery; *cheveux* silver
argenter [aʀʒɑ̃te] *v/t* **1.** *métal* to silver-plate **2.** *fig et poét* to silver
argenterie [aʀʒɑ̃tʀi] *f* silverware, silver
argentier [aʀʒɑ̃tje] *m plais* (*a* HIST) ***grand ~*** Minister of Finance
argentin [aʀʒɑ̃tɛ̃] **I** *adj* ⟨**-ine** [-in]⟩ **1.** (*d'Argentine*) Argentinian, Argentine **2.** *son* silvery **II** ***Argentin(e)*** *m(f)* Argentinian
Argentine [aʀʒɑ̃tin] ***l'~*** *f* Argentina
argile [aʀʒil] *f* clay
argileux [aʀʒilø] *adj* ⟨**-euse** [-øz]⟩ clayey
argot [aʀgo] *m* slang
argotique [aʀgɔtik] *adj* slang
Argovie [aʀgɔvi] ***le canton d'~*** the canton of Aargau
arguer [aʀgɥe] ⟨**j'arguë** *od* **j'argue**⟩ *v/t indir st/s* ***~ de qc*** to deduce from sth, to infer from sth
► **argument** [aʀgymɑ̃] *m* argument; ***tirer ~ de qc*** to use sth as an argument
argumentaire [aʀgymɑ̃tɛʀ] *m* PUBLICITÉ sales talk **argumentation** *f* line of argument **argumenter** *v/i* to argue
argus [aʀgys] *m* clipping service, *brit* press cutting service; AUTO ***l'Argus*** *used car price guide*
argutie(s) [aʀgysi] *fpl* quibble(s)
aria [aʀja] *f* MUS aria

aride [aʀid] *adj* **1.** *sol* arid **2.** *fig sujet* dry **aridité** *f* **1.** aridity **2.** *fig* dryness
ariette [aʀjɛt] *f* MUS arietta
aristo [aʀisto] *m/f, abr fam* → ***aristocrate*** **aristocrate** *m/f* aristocrat **aristocratie** *f* aristocracy
Aristote [aʀistɔt] *m* Aristotle **aristotélicien** PHIL **I** *adj* ⟨**-ienne** [-jɛn]⟩ Aristotelian **II** *m* Aristotelian **aristotélisme** *m* PHIL Aristotelianisn
arithmétique [aʀitmetik] **I** *adj* arithmetic **II** *f* arithmetic
arlequin [aʀləkɛ̃] *m* harlequin **arlequinade** *f* THÉ harlequinade
armada [aʀmada] *f* **1.** HIST armada **2.** *fam, fig* huge army
armagnac [aʀmaɲak] *m* armagnac
armateur [aʀmatœʀ] *m* shipowner
armature [aʀmatyʀ] *f* **1.** TECH frame; (*de soutien-gorge*) underwiring; (*du béton*) reinforcing steel framework **2.** *fig* infrastructure
▶ **arme** [aʀm] *f* **1.** MIL weapon; (*fusil*) gun; ***arme absolue*** ultimate weapon; ***armes nucléaires*** nuclear arms; ▶ ***arme à feu*** firearm; ***aux armes!*** to arms!; ***à armes égales*** on equal terms; ***partir avec armes et bagages*** to pack up and go; ***déposer, rendre les armes*** to surrender; *fig* ***faire ses premières armes*** to start out; *fam, fig* ***passer l'arme à gauche*** to kick the bucket *fam*; ***prendre les armes*** to take up arms **2.** (*division de l'armée*) service **3.** ***armes*** *pl* (*armoiries*) coat of arms
armé [aʀme] *adj* ⟨**~e**⟩ **1.** armed; ***forces ~es*** armed forces; *attaque* ***à main ~e*** armed **2.** *fig personne* armed (***contre*** against); ***~ de*** armed with, *personne* equipped with **3.** ***béton ~*** reinforced concrete
▶ **armée** [aʀme] *f* **1.** MIL army; ***~ de l'air*** air force; ***~ de métier*** professional army; ***~ de terre*** army; ***à, dans l'~*** in the army **2.** ***Armée du Salut*** Salvation Army **3.** *fig* ***une ~ de …*** an army of
armement [aʀməmɑ̃] *m* **1.** *d'un pays* ***~s*** *pl* arms **2.** (*des troupes*) arming **3.** (*d'une arme à feu*) cocking; (*d'appareil photo*) winding on **4.** (*d'un bateau*) fitting out
Arménie [aʀmeni] ***l'~*** *f* Armenia
arménien [aʀmenjɛ̃] **I** *adj* ⟨**-ienne** [-jɛn]⟩ Armenian **II** ***Arménien(ne)*** *m(f)* Armenian
armer [aʀme] **I** *v/t* **1.** *pays* to arm **2.** *arme à feu* to cock **3.** *bateau* to fit out **II** *v/pr* ***s'armer*** **1.** to arm oneself (***de*** with) **2.** *fig* to arm oneself (***contre*** against; ***de*** with)
armistice [aʀmistis] *m* armistice
▶ **armoire** [aʀmwaʀ] *f* closet, *brit* wardrobe; ***~ à glace*** closet with a mirror; *fam, fig d'un homme* bruiser *fam*
armoire-penderie *f* ⟨**armoires-penderies**⟩ wardrobe
armoiries [aʀmwaʀi] *fpl* arms
armoricain [aʀmɔʀikɛ̃] *adj* ⟨**-aine** [-ɛn]⟩ Armorican
armure [aʀmyʀ] *f* **1.** HIST armor **2.** TEXT weave
armurerie [aʀmyʀʀi] *f* gunsmith's **armurier** *m* gunsmith
ARN *ou* **A.R.N.** [aɛʀɛn] *m, abr* (= **acide ribonucléique**) BIOCHIMIE RNA
arnaque [aʀnak] *fam f* swindle, con *fam* **arnaquer** *v/t fam* to swindle, to con *fam* **arnaqueur** *fam m* swindler, conman *fam*
arnica [aʀnika] *f* arnica
ar(r)obase [aʀɔbɑz] *f* INFORM at sign
aromate [aʀɔmat] *m herbe* herb; *épice* spice
aromatique [aʀɔmatik] *adj* aromatic; ***plante*** *f* ***~*** herb
aromatisant [aʀɔmatizɑ̃] *m* aromatic **aromatiser** *v/t* to flavor
arôme *ou* **arome** [aʀom] *m odeur* aroma; *additif* flavor
arpège [aʀpɛʒ] *m* arpeggio
arpent [aʀpɑ̃] *m* HIST acre **arpentage** *m d'un terrain* surveying; *science* surveying **arpenter** *v/t* **1.** (*terrain*) to survey **2.** *fig* (*pièce*) to pace up and down **arpenteur** *m* land surveyor
arpète [aʀpɛt] *fam m/f* apprentice
arpion [aʀpjõ] *m fam* (*pied*) *fam* foot
arqué [aʀke] *adj* ⟨**~e**⟩ *nez* hooked; *sourcils* arched; ***avoir les jambes ~es*** to be bow-legged
arquer [aʀke] *v/t* TECH to bend
arr. *abr* (= **arrondissement**) district
arrachage [aʀaʃaʒ] *m de dent* pulling out; *de pommes de terre* lifting; *de récolte* picking
arraché [aʀaʃe] *m* **1.** SPORT snatch **2.** ***obtenir qc à l'~*** to snatch sth
arrache-clou [aʀaʃklu] *m* ⟨**arrache-clous**⟩ nail wrench **arrachement** *m* wrench **arrache-pied** ***d'~*** flat out; ***travailler d'~*** to work flat out
▶ **arracher** [aʀaʃe] **I** *v/t* **1.** to pull out;

pommes de terre to lift; *affiche* to pull down; **~ qc à qn** to snatch sth from sb **2.** *fig* **~ à qn** *sourire* to manage to get from sb; *augmentation de salaire* to manage to get out of sb; *promesse, secret, aveu* to extract from sb **3. ~ qn à sa famille** to tear sb away from their family; **~ qn à la misère** to drag sb out of poverty **II** *v/pr* **1. s'~ à** *ou* **de qc** to tear o.s. away from sth **2.** (*se disputer*) **s'~ qn, qc** to fight over sb, sth **3.** *fam* (*s'efforcer*) **s'~** to bust a gut *fam*

arracheur [aʀaʃœʀ] *m* **mentir comme un ~ de dents** to lie through one's teeth

arracheuse [aʀaʃøz] *f* AGR lifter

arraisonnement [aʀɛzɔnmɑ̃] *m* *d'un bateau, avion* inspection **arraisonner** *v/t bateau* to inspect

arrangeant [aʀɑ̃ʒɑ̃] *adj* ⟨**-ante** [-ɑ̃t]⟩ accommodating

arrangement [aʀɑ̃ʒmɑ̃] *m* arrangement

► **arranger** [aʀɑ̃ʒe] ⟨**-ge-**⟩ **I** *v/t* **1.** (*disposer*) to arrange; *coiffure, vêtements, appartement* to tidy up **2.** (*organiser*) to arrange **3.** *conflit* to settle; *affaire* to sort out **4.** (*réparer*) to fix **5.** (*convenir*) **cela m'arrange** that suits me **6.** *fam* (*malmener*) **~ qn** to beat sb up, *iron* to sort sb's face out*fam* **II** *v/pr* **s'arranger 1.** *affaire* to be resolved **2.** (*ajuster sa toilette*) to tidy o.s. up **3.** (*se mettre d'accord*) **s'~** (**avec qn**) to come to an arrangement (with sb) **4.** (*faire en sorte de*) **s'~ pour** *+inf* to manage *+inf* **5.** (*prendre son parti*) **s'~ de qc** to make do with

arrangeur [aʀɑ̃ʒœʀ] *m* MUS arranger

arrérages [aʀeʀaʒ] *mpl* arrears

► **arrestation** [aʀɛstasjõ] *f* arrest

► **arrêt** [aʀɛ] *m* **1.** stopping; CH DE FER stop; TECH (*action d'arrêter*) stopping; *de la respiration* cessation; **arrêt de travail** work stoppage; MÉD arrest; *d'un magnétoscope* **arrêt sur image** freeze frame; **temps** *m* **d'arrêt** pause; **marquer un temps d'arrêt** to halt; *véhicule* **à l'arrêt** stationary; ► **sans arrêt** constantly; *fig* **tomber en arrêt devant qc** to be transfixed by sth **2.** *de bus* stop **3.** JUR judgment

arrêté[1] [aʀete] *m* **1.** ADMIN order **2. ~ de compte** settlement of account

arrêté[2] *adj* ⟨**~e**⟩ **1.** stopped; **être ~** *véhicule* to be stationary **2.** *idée, intention* **bien ~** definite

► **arrêter** [aʀete] **I** *v/t* **1.** to stop; *hostilités* to cease **2.** *difficulté* **arrêter qn** to stop sb **3.** (*fixer*) to decide on **4.** (*appréhender*) **arrêter qn** to arrest sb **5.** *fam médecin* **arrêter qn** to give sb a sick note **6.** *compte* to settle **II** *v/i* **1.** (*ne plus avancer*) to stop **2.** (*cesser*) to stop (**de faire** doing); **arrête!** stop it! **III** *v/pr* ► **s'arrêter 1.** *piéton, voiture, bruit, cœur, respiration, personne dans son activité* to stop **2.** *en chemin* to stop (**à** at) **3.** (*cesser*) to stop (**de faire** + *inf* doing) **4. s'arrêter à qc** to settle on sth

arrhes [aʀ] *fpl* deposit

arriération [aʀjeʀasjõ] *f* **1. ~** (**mentale**) retardation **2.** *d'un pays etc* backwardness

► **arrière** [aʀjɛʀ] **I** *adv* **en ~** behind; **rester en ~** to lag behind **II** *prép* **en ~ de** behind **III** *adj* ⟨*inv*⟩ back; **roue** *f* **~** back wheel; **siège** *m* **~** back seat **IV** *m* **1.** *d'un véhicule* back; **à l'~** in back; **à l'~ du car** in the back of the bus **2.** MIL **~s** *pl* rear; *fig* **assurer ses ~s** to leave o.s. a way out **3.** SPORT back

arrière-... *préfixe* ⟨*pl inv* **eg arrière--boutiques**⟩ back shop; → *les articles correspondants*

arriéré [aʀjeʀe] **I** *adj* ⟨**~e**⟩ **1.** *pays* backward *idées* old-fashioned **2.** *enfant* backward **II** *m* arrears *pl*

arrière-ban *m* ⟨**arrière-bans**⟩ HIST vassals *pl*; *fig* **convoquer le ban et l'~ de ses amis, de ses parents** to assemble every single one of one's friends, relatives

arrière-boutique *f* ⟨**arrière-boutiques**⟩ back shop **arrière-cour** *f* ⟨**arrière--cours**⟩ back yard **arrière-cuisine** *f* ⟨**arrière-cuisines**⟩ back kitchen

arrière-garde *f* ⟨**arrière-gardes**⟩ MIL rearguard; *fig* **mener un combat d'~** to mount a rearguard action

arrière-gorge *f* ⟨**arrière-gorges**⟩ ANAT back of the throat **arrière-goût** *m* ⟨**arrière-goûts**⟩ aftertaste

arrière-grand-mère *f* ⟨**arrière-grands--mères**⟩ great-grandmother **arrière--grand-père** *m* ⟨**arrière-grands-pères**⟩ great-grandfather **arrière--grands-parents** *mpl* great-grandparents

arrière-pays *m* ⟨*inv*⟩ hinterland **arrière-pensée** *f* ⟨**arrière-pensées**⟩ ulterior motive

arrière-petite-fille *f* ⟨**arrière-petites-filles**⟩ great-granddaughter **arrière-petit-fils** *m* ⟨**arrière-petits-fils**⟩ great-

grandson **arrière-petits-enfants** *mpl* great-grandchildren
arrière-plan *m* ⟨**arrière-plans**⟩ background **arrière-saison** *f* ⟨**arrière-saisons**⟩ fall **arrière-salle** *f* ⟨**arrière-salles**⟩ *d'un restaurant* back room
arrière-train *m* ⟨**arrière-trains**⟩ **1.** ZOOL hindquarters **2.** *fam* (*fesses*) *fam* butt
arrimage [aʀimaʒ] *m* **1.** *du chargement* MAR stowage; *par ext* loading **2.** *d'un vaisseau spatial* docking (***avec*** with)
arrimer [aʀime] *v/t* **1.** MAR to stow **2.** *vaisseau spatial* to dock (***avec*** with)
arrivage [aʀivaʒ] *m* **1.** *de marchandises* delivery **2.** *marchandises* consignment **3.** *plais* ***un ~ de touristes*** a busload of tourists
arrivant [aʀivɑ̃] *m*, **arrivante** [-ɑ̃t] *f* newcomer
arrivé [aʀive] **I** *adj* ⟨**~e**⟩ (*qui a réussi*) successful **II** *subst* ***les premiers, derniers ~s*** the first, last to arrive
▶ **arrivée** [aʀive] *f* **1.** arrival **2.** SPORT finishing line; ***à l'~*** at the finish **3.** TECH inlet
▶ **arriver** [aʀive] ⟨**être**⟩ *v/i* **1.** to arrive; *informations* to come; ***arriver en courant*** to run up **2.** (*atteindre*) ***arriver à*** (+ *subst*) to arrive at; *à un but, à un âge, stade, à une certaine taille* to reach; ***arriver au pouvoir*** to come to power; ***n'arriver à rien*** to come to nothing **3.** (*réussir*) ▶ ***arriver à*** *+inf* to manage *+inf*; ***arriver à ouvrir qc*** to manage to open sth; ***j'y arrive*** I can manage **4.** ***en arriver à faire qc*** to reach the point of doing sth **5.** *abs personne* to be successful **6.** (*se produire*) to happen; ***arriver à qn*** to happen to sb; ***qu'est-ce qui t'arrive?*** what's happened?; ***quoi qu'il arrive*** whatever happens; ***il arrive que …*** *+subj* it can happen that…

> **arriver**
>
> **Arriver** = to arrive, but there is another important meaning – to manage, succeed in doing:
>
> **Je finirai bien par y arriver.**
>
> I'll manage to do it in the end.

arrivisme [aʀivism] *m* careerism **arriviste** *m/f* careerist
arrobase [aʀɔbɑz] *f* INFORM at sign
arrogance [aʀɔgɑ̃s] *f* arrogance **arrogant** *adj* ⟨**-ante** [-ɑ̃t]⟩ arrogant
arroger [aʀɔʒe] *v/pr* ⟨**-ge-**⟩ ***s'~ qc*** to assume sth
arrondi [aʀɔ̃di] **I** *adj* ⟨**~e**⟩ round **II** *m* curve
arrondir [aʀɔ̃diʀ] **I** *v/t* **1.** to make round; *lèvres* to purse **2.** *somme* to round up; *fig* ***~ ses fins de mois*** to supplement one's income **II** *v/pr* ***s'~*** to fill out
arrondissement [aʀɔ̃dismɑ̃] *m* **1.** district, arrondissement **2.** rounding
arrosage [aʀozaʒ] *m* watering
▶ **arroser** [aʀoze] *v/t* **1.** *à l'arrosoir* to water; *personne* to spray; *rôti* to baste; ***~ d'essence*** to pour gas over **2.** *fam, fig événement* to have a drink to celebrate; ***~ le repas d'un bon vin*** to wash down the meal with a good wine **3.** *fleuve: contrée* to water **4.** *fam, fig* ***~ qn*** to bribe sb, *fam* to give sb a sweetener
arroseur [aʀozœʀ] *m appareil* sprinkler
arrosoir *m* watering can
arsenal [aʀsənal] *m* ⟨**-aux** [-o]⟩ arsenal
arsenic [aʀsənik] *m* arsenic
arsouille [aʀsuj] **I** *adj* villainous **II** *m* villain
▶ **art** [aʀ] *m* art; ***~s appliqués, décoratifs*** applied, decorative arts; ***~ nouveau*** art nouveau; ***le septième ~*** cinema; ***dans (toutes) les règles de l'~*** according to the book; *fig* ***avoir l'~ de*** *+inf* to have a gift for (+ *v-ing*)
artère [aʀtɛʀ] *f* **1.** ANAT artery **2.** (***grande***) ***~*** main road
artériel [aʀteʀjɛl] *adj* ⟨**~le**⟩ arterial; ***tension ~le*** blood pressure
artériosclérose [aʀteʀjɔskleʀoz] *f* arteriosclerosis **artérite** *f* arthritis
artésien [aʀtezjɛ̃] **I** *adj* ⟨**-ienne** [-jɛn]⟩ **1.** ***puits ~*** artesian well **2.** from Artois **II** ***Artésien(ne)*** *m(f)* native of Artois
arthrite [aʀtʀit] *f* arthritis
arthritique **I** *adj* arthritic **II** *m/f* arthritic
arthropodes [aʀtʀɔpɔd] *mpl* ZOOL arthropods
arthrose [aʀtʀoz] *f* osteoarthritis
artichaut [aʀtiʃo] *m* artichoke; *fam, fig* ***avoir un cœur d'~*** to go from one affair to the next
▶ **article** [aʀtikl] *m* **1.** *de presse* article; ***~ de fond*** feature **2.** *dans une encyclopédie* entry **3.** JUR clause **4.** COMM item; ***~ de consommation courante*** convenience item; ***~s de sport, de voyage*** sport, travel goods; ***faire l'~*** to do the

sales pitch; *fig* to praise sth to the skies **5.** GRAM article **6.** ***être à l'~ de la mort*** to be close to death
articulaire [aʀtikylɛʀ] *adj* articular
articulation [aʀtikylasjõ] *f* **1.** ANAT, TECH joint **2.** PHON articulation **3.** *fig* articulation
articulatoire [aʀtikylatwaʀ] *adj* PHON articulatory
articulé [aʀtikyle] *adj* ⟨**~e**⟩ jointed; ***poupée ~e*** doll with arms and legs that bend
articuler [aʀtikyle] **I** *v/t* PHON to articulate **II** *v/pr* ***s'articuler*** **1.** ANAT, TECH to be articulated (***avec, sur*** with) **2.** *fig* ***s'~ autour de qc*** to be centered on sth
artifice [aʀtifis] *m* **1.** trick **2.** ***feu m d'~*** firework
► **artificiel** [aʀtifisjɛl] *adj* ⟨**~le**⟩ **1.** artificial; ***jambe ~le*** artificial leg **2.** *fig* false
artificier [aʀtifisje] *m* bomb disposal expert
artificieux [aʀtifisjø] *litt adj* ⟨**-euse** [-øz]⟩ *personne* wily; *paroles, attitude* deceitful
artillerie [aʀtijʀi] *f* artillery
artilleur [aʀtijœʀ] *m* artilleryman
artimon [aʀtimõ] *m* MAR mizzen
► **artisan** [aʀtizɑ̃] *m* **1.** craftsman **2.** *fig* architect
artisanal [aʀtizanal] *adj* ⟨**~e; -aux** [-o]⟩ traditional
artisanat [aʀtizana] *m* craft work; ***~ d'art*** arts and crafts
► **artiste** [aʀtist] **I** *m/f* **1.** artist; ***~ peintre*** painter **2.** THÉ artiste **II** *adj* artistic
artistement [aʀtistəmɑ̃] *adv* artistically
artistique [aʀtistik] *adj* artistic; ***enseignement m ~*** artistic training
artistiquement [aʀtistikmɑ̃] *adv* artistically
Artois [aʀtwa] ***l'~*** *m former province of Northern France*
arum [aʀɔm] *m* BOT arum lily
aryen [aʀjɛ̃] *adj* ⟨**-yenne** [-jɛn]⟩ Aryan
arythmie [aʀitmi] *f* MÉD **~ (*cardiaque*)** (cardiac) arrhythmia
as[1] [as, ɑs] *m* **1.** ace; ***~ de pique*** ace of spades; *fam, fig* ***être ficelé comme l'~ de pique*** to be dressed up like a dog's dinner *fam*; *fam, fig* ***être plein aux ~*** to be stinking rich *fam* **2.** *sur un dé* spot **3.** *fam, fig* (*champion*) ace *fam*; SPORT star
as[2] [a] → ***avoir***[1]
asbeste [asbɛst] *m* MINÉR asbestos
ascaride [askaʀid] *m ou* **ascaris** [askaʀis] *m* ZOOL ascarid
ascendance [asɑ̃dɑ̃s] *f* rising; *coll* ancestry
ascendant [asɑ̃dɑ̃] **I** *adj* ⟨**-ante** [-ɑ̃t]⟩ rising **II** *m* **1.** (*influence*) influence (***sur qn*** on sb) **2.** ASTROL ascendant **3.** ***~s*** *pl* ancestors
► **ascenseur** [asɑ̃sœʀ] *m* elevator, *brit* lift; ***appeler l'~*** to call the elevator; *fig* ***renvoyer l'~*** to return the favor
ascension [asɑ̃sjõ] *f* **1.** ascent; ***faire l'~ d'une montagne*** to climb a mountain **2.** *d'une fusée* ascent **3.** *fig* rise **4.** REL ***l'Ascension*** Ascension
ascensionnel [asɑ̃sjɔnɛl] *adj* ⟨**~le**⟩ upward
ascèse [asɛz] *f* asceticism
ascète [asɛt] *m* ascetic
ascétique [asetik] *adj* ascetic **ascétisme** *m* asceticism
ascorbique [askɔʀbik] *adj* ***acide m ~*** ascorbic acid
asepsie [asɛpsi] *f* asepsis **aseptique** *adj* aseptic **aseptisation** *f* sterilization
aseptisé [asɛptize] *adj* ⟨**~e**⟩ **1.** MÉD sterilized **2.** *fig* sanitized
aseptiser [asɛptize] *v/t* to sterilize
asexué [asɛksɥe] *adj* ⟨**~e**⟩ sexless; *reproduction* asexual
► **asiatique** [azjatik] **I** *adj* Asian **II** ***Asiatique*** *m/f* Asian
► **Asie** [azi] ***l'~*** *f* Asia
asile [azil] *m* **1.** refuge; *par ext* asylum; ***droit m d'~*** right to asylum **2.** **~ (*d'aliénés*)** (lunatic) asylum
asocial [asɔsjal] **I** *adj* ⟨**~e; -aux** [-o]⟩ antisocial **II** ***asociaux*** *mpl* social misfits
asparagus [aspaʀagys] *m plante ornementale* asparagus fern; *chez le fleuriste* fern
aspartam(e)® [aspaʀtam] *m* PHARM aspartame®
aspect [aspɛ] *m* **1.** (*apparence*) appearance **2.** (*point de vue*) point of view
asperge [aspɛʀʒ] *f* **1.** BOT, CUIS asparagus **2.** *fam, fig de qn fam* string bean, *brit* beanpole
asperger [aspɛʀʒe] *v/t* (*et v/pr*) ⟨**-ge-**⟩ (***s'***)~ to spray (***de*** with)
aspérité [aspeʀite] *f* bump
aspersion [aspɛʀsjõ] *f* **1.** spraying **2.** ÉGL CATH sprinkling of holy water
asphaltage [asfaltaʒ] *m* **1.** *action* asphalting **2.** *revêtement* asphalt
asphalte [asfalt] *m* asphalt **asphalter** *v/t* to asphalt

asphyxiant [asfiksjɑ̃] *adj* ⟨**-ante** [-ɑ̃t]⟩ suffocating **asphyxie** *f* **1.** MÉD asphyxia **2.** *fig* suffocation
asphyxier [asfiksje] **I** *v/t* to suffocate (***qn*** sb) **II** *v/pr* **1.** ***s'~*** to suffocate; ***s'~ au gaz*** to gas o.s. **2.** *fig économie* ***s'~*** to become stifled
aspic [aspik] *m* **1.** ZOOL asp **2.** CUIS aspic
aspirant [aspiʀɑ̃] *m* cadet; MAR midshipman
► **aspirateur** [aspiʀatœʀ] *m* vacuum cleaner; ***passer l'~*** to vacuum **aspirateur-balai** *m* ⟨**aspirateurs-balais**⟩ upright vacuum cleaner **aspirateur-traîneau** *m* ⟨**aspirateurs-traîneaux**⟩ cylinder vacuum cleaner
aspiration [aspiʀasjõ] *f* **1.** *d'air* inhalation **2.** TECH aspiration **3.** (*désir*) *souvent pl* ***~s*** aspirations (***à*** to)
aspiré [aspiʀe] *adj* ⟨**~e**⟩ PHON aspirated
aspirer [aspiʀe] **I** *v/t* **1.** *air* to breathe in **2.** TECH to suck up **II** *v/t indir* ***~ à*** to aspire to
aspirine® [aspiʀin] *f* aspirin
assagir [asaʒiʀ] *v/pr* ***s'~*** to settle down; *enfant* to become better behaved
assagissement [asaʒismɑ̃] *m* **1.** settling down **2.** *des passions* subduing
assaillant [asajɑ̃] *m* assailant
assaillir [asajiʀ] *v/t* ⟨**j'assaille, nous assaillons; j'assaillais; j'assaillis; j'assaillirai**, *a* **j'assaillerai; que j'assaille; assaillant; assailli**⟩ **1.** MIL to attack (***qc*** sth) **2.** *fig* ***~ qn de questions*** to bombard sb with questions **3.** *fig doute* ***~ qn*** to assail sb
assainir [aseniʀ] *v/t* **1.** *quartier* to clean up; *air* to purify **2.** *économie* to revitalize **assainissement** *m* cleansing **assainisseur** *m* cleanser
assaisonnement [asɛzɔnmɑ̃] *m* seasoning
assaisonner [asɛzɔne] *v/t* **1.** to season; *salade* to dress **2.** *fig discours* to spice up (***de*** with) **3.** *fam, fig* (*réprimander*) *fam* to tell off
assassin [asasɛ̃] *m* murderer
assassinat [asasina] *m* murder (***de qn*** of sb); *d'un président* assassination
► **assassiner** [asasine] *v/t* to murder; *président* to assassinate
assaut [aso] *m* assault (***de*** on); *fig* ***faire ~ de qc*** to seek to excel in sth; ***prendre d'~*** to take by storm
assèchement [asɛʃmɑ̃] *m* drying
assécher [aseʃe] ⟨**-è-**⟩ **I** *v/t marais* to drain **II** *v/pr* ***s'~*** to dry up
A.S.S.E.D.I.C. *ou* **Assedic** [asedik] *fpl, abr* ⟨*inv*⟩ (= **associations pour l'emploi dans l'industrie et le commerce**) ≈ unemployment office; ***toucher les Assedic*** to be on unemployment benefit
assemblage [asɑ̃blaʒ] *m* **1.** putting together; TECH assembly **2.** *fig* collection
assemblée [asɑ̃ble] *f* assembly; ► ***l'Assemblée nationale*** the National Assembly
assembler [asɑ̃ble] **I** *v/t* to assemble; *fig idées* to collect **II** *v/pr* ***s'~*** to gather
assembleur [asɑ̃blœʀ] *m* INFORM assembler
assener *ou* **asséner** [asene] *v/t* ⟨**-è-**⟩ ***assener*** *ou* ***asséner un coup à qn*** to land sb a blow
assentiment [asɑ̃timɑ̃] *m* assent
asseoir [aswaʀ] ⟨**j'assieds** *ou* **j'assois**, *a* **j'asseois, il assied** *ou* **assoit**, *a* **asseoit, nous asseyons** *ou* **assoyons, ils asseyent** *ou* **assoient**, *a* **asseoient; j'asseyais** *ou* **j'assoyais; j'assis; j'assiérai** *ou* **j'assoirai**, *a* **j'asseoirai; que j'asseye** *ou* **que j'assoie; asseyant** *ou* **assoyant; assis**⟩ **I** *v/t* **1.** *enfant, malade* to sit down (***sur*** on) **2.** *fig théorie* ***asseoir sur qc*** to base on sth **II** *v/pr* ► ***s'asseoir*** to sit down (***sur une chaise*** on a chair); ***faire asseoir qn*** to invite sb to sit down
assermenté [asɛʀmɑ̃te] *adj* ⟨**~e**⟩ sworn
assertion [asɛʀsjõ] *f* assertion
asservir [asɛʀviʀ] *v/t* ⟨→ **servir**⟩ to subjugate **asservissement** *m* subservience; *p/fort* enslavement; *état* slavery (***à qc*** to sth)
assesseur [asɛsœʀ] *m* JUR assessor
asseyons [asɛjõ], **asseyez** [aseje] → ***asseoir***
► **assez** [ase] *adv* **1.** (*suffisamment*) enough; ***assez de*** (+ *subst*) enough; ***assez d'argent*** enough money; *fam* ► ***en avoir assez de qn, qc*** to have had enough of sb, sth **2.** (*plutôt*) quite; ***assez avancé pour son âge*** quite advanced for his age
assidu [asidy] *adj* ⟨**~e**⟩ **1.** (*ponctuel*) regular; (*appliqué*) constant **2.** *travail* diligent **3.** (*empressé*) ***être ~ auprès de qn*** to be attentive to sb
assiduité [asidɥite] *f* **1.** (*ponctualité*) regularity; (*application*) diligence; (*présence continuelle*) regular attend-

ance **2.** *péj* ***poursuivre qn de ses ~s*** to press one's attentions on sb
assidûment [asidymɑ̃] *adv* → ***assidu***
assied(s) [asje] → ***asseoir***
assiégé [asjeʒe] **I** *adj ville, citadelle* besieged **II** *m* besieged person
assiégeant [asjeʒɑ̃] *m* besieger
assiéger [asjeʒe] *v/t* ⟨**-è-; -ge-**⟩ **1.** *ville* to besiege **2.** *guichet* to mob
▶ **assiette** [asjɛt] *f* **1.** plate; *fig* ***~ au beurre*** cushy job **2.** ***~ anglaise*** assorted cold meats **3.** *fig* ***ne pas être dans son ~*** to be under the weather **4.** *de l'impôt, etc* base **5.** *d'un cavalier* seat
assiettée [asjete] *f* plateful
assignation [asiɲasjõ] *f* **1.** JUR summons **2.** (*attribution*) allocation
assigner [asiɲe] *v/t* **1.** ***~ qc à qn*** to allocate sth to sb **2.** (*fixer*) to set **3.** JUR ***~ qn*** to summons sb
assimilation [asimilasjõ] *f* **1.** (*rapprochement*) comparison (***à*** with) **2.** SOCIOL, BIOL, FIG assimilation
assimilé [asimile] *adj* ⟨**~e**⟩ **1.** (*catégorie de*) *personnes* comparable **2.** ADMIN related
assimiler [asimile] **I** *v/t* **1.** (*considérer comme semblable*) comparer (***à*** *to*) **2.** *étrangers* to assimilate (***à*** into) **3.** BIOL to assimilate **4.** *fig connaissances* to assimilate **II** *v/pr* ***s'assimiler*** **1.** *personnes* to become assimilated (***à*** into) **2.** *aliment* to be assimilated
assis [asi] *pp* → ***asseoir*** *et adj* ⟨**-ise** [-iz]⟩ **1.** seated; ***place assise*** seat; ▶ ***être assis*** to be sitting down; ***rester assis*** to remain seated **2.** *fig* ***bien assis*** *réputation* well established; *autorité* established
assise [asiz] *f* **1.** CONSTR course **2.** *fig* basis
assises [asiz] *fpl* **1.** (***cour*** *f* ***d'***)***~*** (court of) assizes **2.** (*réunion*) conference
assistanat [asistana] *m* assistantship
assistance [asistɑ̃s] *f* **1.** (*public*) audience **2.** (*secours*) assistance; *de l'État* social security
assistant [asistɑ̃] *m*, **assistante** [-ɑ̃t] *f* assistant; ***assistante sociale*** social worker
assisté [asiste] **I** *adj* ⟨**~e**⟩ TECH ***direction ~e*** power steering; ***~ par ordinateur*** computer-aided **II** ***~(e)*** *m(f)* welfare claimant; ***mentalité*** *f* ***d'~*** claimant mentality
assister [asiste] **I** *v/t* ***assister qn*** to help

assister à ≠ assist

Don't forget the **à** in French:
✓ **assister à un match de baseball**
(✗ **Il a besoin qu'on l'assiste pour s'habiller.**
✓ **Il a besoin qu'on l'aide pour s'habiller.**)
to attend a baseball game
(He needs someone to help him get dressed.)

sb **II** *v/t indir* ▶ ***assister à qc*** to attend sth
associatif [asɔsjatif] *adj* ⟨**-ive** [-iv]⟩ **1.** belonging to an association **2.** ***vie associative*** community life
▶ **association** [asɔsjasjõ] *f* **1.** (*groupement*) association **2.** *action* association; ***~ d'idées*** association of ideas
associé(e) [asɔsje] *m(f)* associate
associer [asɔsje] **I** *v/t* **1.** ***~ qn à*** to give sb a share of **2.** *personnes, qualités* to combine, *idées* to associate (***à*** with) **II** *v/pr* **1.** *personne(s)* ***s'~*** to join together (***à*** *ou* ***avec*** with) **2.** ***s'~ à*** *la joie de, au point de vue de qn* to share **3.** *chose(s)* ***s'~ à*** to combine together with
assoiffé [aswafe] *adj* ⟨**~e**⟩ thirsty
assolement [asɔlmɑ̃] *m* AGR rotation
assombrir [asõbʀiʀ] *v/t* (*et v/pr* ***s'~*** to darken) to cast a shadow over (*a fig visage*) **assombrissement** *m* darkening; *état* darkness
assommant [asɔmɑ̃] *adj* ⟨**-ante** [-ɑ̃t]⟩ deadly boring
assommer [asɔme] *v/t* **1.** *animal* to stun; *personne* to knock out **2.** *fig* (*ennuyer*) to bore to death
Assomption [asõpsjõ] *f* ***l'~*** the Assumption
assorti [asɔʀti] *adj* ⟨**~e**⟩ **1.** matching (***~ à*** matching) **2.** *magasin* ***bien ~*** well-stocked **3.** ***~ de*** accompanied with
assortiment [asɔʀtimɑ̃] *m* **1.** ***~ de couleurs*** combination of colours **2.** *d'objets* collection (*a* COMM), assortment (***de*** of)
assortir [asɔʀtiʀ] **I** *v/t* to match (***à*** to); *plusieurs objets, couleurs* to mix **II** *v/pr* ***s'~ à*** to match; ***s'~ bien*** to go well together
assoupir [asupiʀ] *v/pr* ***s'~*** to doze off

assoupissement *m* doze
assouplir [asupliʀ] **I** *v/t* **1.** to soften; *corps* to make more supple **2.** *règlement* to relax **II** *v/pr* ***s'assouplir*** **1.** to become more supple **2.** *fig caractère* to soften
assouplissant [asuplisɑ̃] *m* softener
assouplissement *m* softening **assouplisseur** *m* softener
assourdir [asuʀdiʀ] *v/t* **1.** *personne* to deafen **2.** *bruit* to deaden **assourdissant** *adj* 〈**-ante** [-ɑ̃t]〉 deafening **assourdissement** *m* **1.** *d'une personne* deafness **2.** *des bruits* deadening
assouvir [asuviʀ] *v/t* to satisfy **assouvissement** *m fig* satisfaction
assujetti [asyʒeti] *adj* 〈**~e**〉 ***être ~ à qc*** to be subject to sth; ***~ à l'impôt*** liable to tax
assujettir [asyʒetiʀ] **I** *v/t* **1.** ***~ qn, qc à qc*** to subject sb, sth to sth **2.** (*fixer*) to fix **II** *v/pr* ***s'~ à qc*** to submit to sth
assujettissant [asyʒetisɑ̃] *adj* 〈**-ante** [-ɑ̃t]〉 *métier, travail* demanding
assujettissement [asyʒetismɑ̃] *m st/s* **1.** subservience (***à*** to); subjection (***à un horaire*** to a timetable) **2.** (*contrainte*) constraint
assumer [asyme] **I** *v/t* **1.** to assume; *frais* to bear **2.** *sa condition* to accept; *son passé* to come to terms with **II** *v/pr* ***s'~*** to be at ease with o.s.

> **assumer ≠ assume**
>
> Don't assume that the French verb means the same as assume.
> **Assumer** = to assume control of something. The correct French translation of the English verb assume in the sense of suppose is **supposer**:
>
> **✓ Il va assumer la fonction de président de la société.**
> **(✗ J'assume qu'il a raison.**
> **✓ Je suppose qu'il a raison.)**
>
> He will assume the position of president of the company.
> (I assume he is right.)

► **assurance** [asyʀɑ̃s] *f* **1.** (*confiance en soi*) self-confidence; ***avoir de l'~*** to be self-confident **2.** (*garantie*) assurance **3.** *contrat* insurance policy; ***~s*** *pl* insurance; ***~ auto(mobile)*** car insurance; ***~maladie*** health insurance; ***~s sociales*** welfare, *brit* social security; ***~vie*** life assurance; ***~ vieillesse*** pension scheme
assurance-maladie [asyʀɑ̃smaladi] *f* 〈**assurances-maladie**〉, **assurance-vie** [-vi] *f* 〈**assurances-vie**〉 → ***assurance*** *3*
assuré [asyʀeẽ] **I** *adj* 〈**~e**〉 **1.** certain; *succès* assured; *retraite* taken care of; *voix* steady; *voix, démarche* ***mal ~*** shaky **2.** (***être***) **~** (to be) insured (***contre*** against) **II** **~**(***e***) *m*(*f*) policyholder
assurément [asyʀemɑ̃] *adv* assuredly
► **assurer** [asyʀe] **I** *v/t* **1.** **~** (***à qn***) ***que …*** to assure sb that … **2.** ***~ qn de qc*** (*de son amitié, etc*) *st/s* to assure sb of sth **3.** (*garantir*) to ensure; *un service* to provide; ***~ une permanence*** to be on duty **4.** *par contrat* ***~ qn, qc*** to insure sb, sth (***contre*** against) **5.** *alpiniste* to belay **II** *v/i* **1.** *fam* (*être à la hauteur*) to be very good **III** *v/pr* **1.** (*vérifier*) ***s'~*** to check (***de qc*** sth; ***que*** that; ***si*** if) **2.** (*se pourvoir de*) ***s'~ qc*** to make sure of having sth **3.** ***s'~ contre qc*** to insure o.s. against sth
assureur [asyʀœʀ] *m* insurer
aster [astɛʀ] *m* aster
astérisque [asteʀisk] *m* TYPO asterisk
astéroïde [asteʀɔid] *m* asteroid
asthénie [asteni] *f* MÉD asthenia **asthénique** **I** *adj* asthenic **II** *m/f* asthenic
asthmatique [asmatik] **I** *adj* asthmatic **II** *m/f* asthmatic
asthme [asm] *m* asthma; ***crise*** *f* ***d'~*** asthma attack; ***faire de l'~*** to suffer from asthma
asticot [astiko] *m* **1.** ZOOL maggot **2.** *fam, fig* worm
asticoter [astikɔte] *fam v/t* to bug
astigmate [astigmat] *adj* MÉD astigmatic **astigmatisme** *m* astigmatism
astiquage [astikaʒ] *m* polishing **astiquer** *v/t* to polish
astragale [astʀagal] *m* **1.** ANAT talus **2.** ARCH astragal
astrakan [astʀakɑ̃] *m* astrakhan
astral [astʀal] *adj* 〈**~e; -aux** [-o]〉 astral
astre [astʀ] *m* star
astreignant [astʀɛɲɑ̃] *adj* 〈**-ante** [-ɑ̃t]〉 *métier, tâche, travail* demanding
astreindre [astʀɛ̃dʀ] 〈→ **peindre**〉 *v/t* (*et v/pr* ***s'~*** to force o.s.) to force (***à qc, à faire qc*** sb, to do sth)
astringent [astʀɛ̃ʒɑ̃] *m* astringent
astrologie [astʀɔlɔʒi] *f* astrology **astro-**

logique *adj* astrological **astrologue** *m/f* astrologer
► **astronaute** [astʀonot] *m/f* astronaut **astronautique** *f* astronautics *sg*
astronome [astʀɔnɔm] *m/f* astronomer **astronomie** *f* astronomy **astronomique** *adj* astronomical (*a fig prix*, *chiffres*)
astrophysique [astʀɔfizik] *f* astrophysics *sg*
astuce [astys] *f* **1.** *qualité* ingeniousness **2.** *d'un métier* trick **3.** (*plaisanterie*) wisecrack
astucieux [astysjø] *adj* ⟨**-euse** [-øz]⟩ ingenious; *personne* clever
asymétrie [asimetʀi] *f* asymmetry **asymétrique** *adj* asymmetrical
asynchrone [asɛ̃kʀon] *adj* asynchronous
atavique [atavik] *adj* atavistic **atavisme** *m* atavism
atchoum [atʃum] *int* atishoo
► **atelier** [atəlje] *m* **1.** TECH workshop **2.** *d'artiste* studio **3.** ENSEIGNEMENT group; (*colloque*) workshop
atermoiements [atɛʀmwamɑ̃] *mpl* procrastinations; (*faux-fuyants*) evasions
atermoyer [atɛʀmwaje] *v/i* ⟨**-oi-**⟩ to procrastinate
athée [ate] **I** *adj* atheistic **II** *m/f* atheist **athéisme** *m* atheism
athénée [atene] *m en Belgique* high school
► **athlète** [atlɛt] **1.** *m/f* SPORT athlete **2.** *m fig* muscleman
athlétique [atletik] *adj* athletic
► **athlétisme** [atletism] *m* athleticism
atlantique [atlɑ̃tik] *adj* Atlantic; ***l'*(*océan m*) *Atlantique m*** the Atlantic (Ocean)
atlas [atlɑs] *m* atlas
atmosphère [atmɔsfɛʀ] *f* atmosphere
atmosphérique [atmɔsferik] *adj* atmospheric; ***conditions*** *fpl* **~s** atmospheric conditions; ***pression*** *f* **~** atmospheric pressure
atoll [atɔl] *m* atoll
atome [atom] *m* atom; *fig* ***avoir des ~s crochus avec qn*** to have a lot in common with sb
► **atomique** [atɔmik] *adj* atomic
atomisation [atɔmizasjõ] *f* **1.** *d'un liquide* atomization **2.** *fig* dispersal
atomiser [atɔmize] *v/t* **1.** *liquide* to atomize **2.** (*morceler*) to fragment **3.** (*détruire*) to destroy with nuclear weapons
atomiseur [atɔmizœʀ] *m* atomizer
atomiste [atɔmist] *m/f* atomic scientist **atomistique** *f* atomic theory
atonal [atɔnal] *adj* ⟨**~e; -als**⟩ MUS atonal **atonalité** *f* MUS atonality
atone [atɔn, aton] *adj* **1.** MÉD atonic **2.** *regard*, *voix* expressionless **3.** PHON unstressed
atonie [atɔni] *f* **1.** MÉD atony **2.** *fig* lifelessness
atours [atuʀ] *mpl plais* finery; ***paré de ses plus beaux ~*** arrayed in all her finery
atout [atu] *m* **1.** trump **2.** *fig* asset
atoxique [atɔksik] *adj* atoxic
âtre [ɑtʀ] *m* hearth; *par ext* fireplace
atrium [atrijɔm] *m* ARCH atrium
atroce [atʀɔs] *adj* appalling
atrocité [atʀɔsite] *f* **1.** *caractère* appalling nature **2.** *acte*, *souvent pl* **~s** atrocities **3.** *propos* **~s** *pl* terrible things
atrophie [atʀɔfi] *f* atrophy
atrophier [atʀɔfje] *v/pr* ***s'~*** to atrophy; ***atrophié*** atrophied
attabler [atable] *v/pr* ***s'~*** to sit down at the table
attachant [ataʃɑ̃] *adj* ⟨**-ante** [-ɑ̃t]⟩ endearing
attache [ataʃ] *f* **1.** fastener; *de tableau* loop **2.** ***point*** *m* ***d'~*** mooring; ***port*** *m* ***d'~*** home base **3.** ANAT **~s** *pl* joints **4.** *fig* **~s** *pl affectives* ties; (*relations*) relationships
attaché[1] [ataʃe] *adj* ⟨**~e**⟩ **1.** *personne* ***être ~ à qn, qc*** to be attached to sb, sth **2.** INFORM ***fichier ~*** attachment
attaché[2] *m* DIPL attaché; ***~ de presse*** press attaché; *d'une entreprise* official
attaché-case [ataʃekɛz] *m* ⟨**attaché--cases**⟩ attaché case
attachement [ataʃmɑ̃] *m* attachment (***à ou pour qn, qc*** to sb, sth)
► **attacher** [ataʃe] **I** *v/t* **1.** to fasten (***à*** to); *plusieurs objets ensemble* to fasten together; *tablier*, (*lacets de*) *chaussures* to do up **2.** *fig* ***~ qn à qn, qc*** to attach sb to sb, sth **3.** ***~ de l'importance à qc*** to attach importance to sth **II** *v/i* **1.** CUIS to stick (***à*** to) **III** *v/pr* **1.** *en voiture*, *avion* ***s'~*** to fasten one's seatbelt **2.** *fig personne* ***s'~ à qn, à qc*** to become attached to sb, sth **3.** *souvenirs*, *avantages* ***s'~ à qc*** to be attached to sth **4.** (*s'appliquer*) ***s'~ à*** *+inf* to endeavor *+inf*
attaquant [atakɑ̃] *m*, **attaquante** [-ɑ̃t] *f* attacker

▶ **attaque** [atak] *f* **1.** MIL, *fig* attack (***contre*** on); ***~ à main armée*** hold-up **2.** SPORT attack **3.** MÉD attack; ***~ cérébrale*** stroke **4.** *fam, fig* ***être d'~*** to be on form
▶ **attaquer** [atake] **I** *v/t* **1.** MIL, SPORT *a fig* to attack; *qn dans la rue* to mug; ***~ qn en justice*** to sue sb **2.** *rouille, acide, parasites* ***~ qc*** to attack sth **3.** *tâche* to set about; *fam plat* to dig into **II** *v/pr* **1.** *personne* ***s'~ à qn, à qc*** to attack sb, sth **2.** ***s'~ à*** *un problème* to tackle
attardé [atarde] *adj* ⟨**~e**⟩ **1.** (*en retard*) late **2.** *enfant* backward
attarder [atarde] *v/pr* ***s'~*** **1.** to stay on; *quelque part* to linger **2.** ***s'~ à*** *ou* ***sur un sujet*** to dwell on a subject
▶ **atteindre** [atɛ̃dr] ⟨→ **peindre**⟩ **I** *v/t* **1.** *lieu, but, niveau* to reach **2.** *avec un projectile* to hit **3.** *fig critique* ***~ qn*** to affect sb; *réputation* ***être atteint*** to be damaged **4.** *maladie* ***~ qn*** to affect sb **II** *v/t indir st/s* ***~ à qc*** to achieve sth
atteinte [atɛ̃t] *f* **1.** ***'hors d'~*** out of reach **2.** (*préjudice*) attack ***porter ~ à qc*** to undermine sth **3.** *d'un mal* ***premières ~s*** first effects
attelage [atlaʒ] *m* harness
atteler [atle] ⟨**-ll-**⟩ **I** *v/t animal* to harness (***à*** to) **II** *v/pr* ***s'~ à un travail*** to get down to a job
attelle [atɛl] *f* MÉD splint
attenant [at(ə)nɑ̃] *adj* ⟨**-ante** [-ɑ̃t]⟩ ***~ à*** adjoining
attendant [atɑ̃dɑ̃] ***en ~*** in the meantime
▶ **attendre** [atɑ̃dr] ⟨→ **rendre**⟩ **I** *v/t* to wait for; *occasion* to wait for; ***attendre le bus*** to wait for a bus; ***attendre un enfant*** to expect a baby; ***attendre qc de qn*** to expect sth from sb; ***attendre que ...*** *+subj* to expect that ... **II** *v/t indir fam* ***attendre après qn, qc*** to be waiting for sb, sth **III** *v/i* wait; ***en attendant mieux*** until something better comes up; ***se faire attendre*** to be a long time coming **IV** *v/pr* ▶ ***s'attendre à qc*** to expect sth; ***s' attendre à ce que ...*** *+subj* to expect that ...
attendrir [atɑ̃drir] **I** *v/t* **1.** *personne* to move **2.** *viande* to tenderize **II** *v/pr* ***s'~*** to be touched (***sur*** by)
attendrissant [atɑ̃drisɑ̃] *adj* ⟨**-ante** [-ɑ̃t]⟩ moving **attendrissement** *m* emotion **attendrisseur** *m* BOUCHERIE tenderizer
attendu [atɑ̃dy] **I** *adj* ⟨**~e**⟩ expected **II** *prép* considering; JUR ***~ que*** whereas
attentat [atɑ̃ta] *m* **1.** attack (***contre*** on); ***~ au plastic*** bomb attack **2.** JUR ***~ à la pudeur*** indecent assault
attente [atɑ̃t] *f* **1.** wait (***de qn, qc*** for sb, sth); *durée* waiting; ***dans l'~ de qc*** looking forward to sth **2.** (*prévision*) expectation; ***contre toute ~*** contrary to all expectations
attenter [atɑ̃te] *v/t indir* ***~ à qc*** to violate sth; ***~ à la vie de qn*** to make an attempt on sb's life
attentif [atɑ̃tif] *adj* ⟨**-ive** [-iv]⟩ attentive; ***être ~ à*** *+inf* to be anxious *+inf*
▶ **attention** [atɑ̃sjõ] *f* **1.** attention; ***attention!*** watch out!; *lettre* ***à l'attention de*** for the attention of (*abr* FAO); ▶ ***faire attention à qc*** to pay attention to sth; ***fais attention!*** be careful! **2.** *fig souvent pl* ***attentions*** attentions
attentionné [atɑ̃sjɔne] *adj* ⟨**~e**⟩ considerate (***pour qn*** towards sb)
attentisme [atɑ̃tism] *m* wait-and-see policy **attentiste** *adj* person playing a waiting game
attentivement [atɑ̃tivmɑ̃] *adv* attentively
atténuant [atenɥɑ̃] *adj* ⟨**-ante** [-ɑ̃t]⟩ ***circonstances ~es*** mitigating circumstances
atténuation [atenɥasjõ] *f* mitigation **atténué** *adj* ⟨**~e**⟩ *lumière* dimmed; *symptômes* less severe; *sens d'un mot* weakened
atténuer [atenɥe] **I** *v/t douleur* to ease; *punition* to reduce; *lumière* to dim; *expression* to tone down **II** *v/pr* ***s'~*** *douleur* to ease
atterrant [aterɑ̃] *adj* ⟨**-ante** [-ɑ̃t]⟩ appalling **atterrer** *v/t* to appall
▶ **atterrir** [aterir] *v/t* AVIAT to land
atterrissage [aterisaʒ] *m* landing; ***~ sans visibilité*** blind landing
attestation [atɛstasjõ] *f* certificate
attesté [atɛste] *adj* ⟨**~e**⟩ *fait* confirmed; LING attested **attester** *v/t* to testify to; *par écrit* to certify
attiédir [atjedir] *st/s v/pr* ***s'~*** **1.** to warm **2.** *fig sentiment* to temper
attifer [atife] *v/t* (*et v/pr* ***s'~*** *péj* to get o.s. up); *fam* to get o.s. gussied up (***de*** in)
attiger [atiʒe] *fam v/i* ⟨**-ge-**⟩ to go too far
attique [atik] *m* ARCH attic
attirail [atiraj] *m* gear
attirance [atirɑ̃s] *f* attraction; ***éprouver une certaine ~ pour*** to feel a certain at-

traction for
attirant [atiʀɑ̃] *adj* ⟨**-ante** [-ɑ̃t]⟩ attractive
▶ **attirer** [atiʀe] **I** *v/t* **1.** to attract (*a* PHYS); to draw; **~ *qn dans un piège*** to lure sb into a trap **2. ~ *qc à*** *ou* ***sur qn*** to attract sth to sb **3. ~ *l'attention de qn sur qc*** to draw the attention of sb to sth **II** *v/pr* ***s'~ qc*** to come in for sth; *compliments* to win
attiser [atize] *v/t feu* to poke up, *fig* to stir
attitré [atitʀe] *adj* ⟨**~e**⟩ official
attitude [atityd] *f* **1.** bearing **2.** (*disposition*) stance; (*comportement*) attitude; *péj* pose
attouchements [atuʃmɑ̃] *mpl* fondling
attractif [atʀaktif] *adj* ⟨**-ive** [-iv]⟩ attractive
attraction [atʀaksjõ] *f* **1.** PHYS, FIG attraction **2.** *pour le public* attraction; *pl* **~s** *au cirque* acts; *d'une boîte de nuit* numbers
attrait [atʀɛ] *m* appeal; *st/s d'une femme* **~s** *pl* charms
attrape [atʀap] *f* (***farces*** *fpl* ***et***) **~s** tricks
attrape-nigaud *m* ⟨**attrape-nigauds**⟩ con
▶ **attraper** [atʀape] **I** *v/t* **1.** to catch; **~ *qc*** to catch sth **2.** *fam maladie* to catch; **~ *froid*** to catch cold **3.** (*tromper*) to take in **4.** *fam* (*réprimander*) *fam* to tell off **II** *v/pr* ***s'~*** *fam maladie* to catch
attrayant [atʀɛjɑ̃] *adj* ⟨**-ante** [-ɑ̃t]⟩ attractive
attribuable [atʀibɥabl] *adj* ***être ~ à qc*** to be attributable to sth
attribuer [atʀibɥe] **I** *v/t* **1.** *dans une répartition* to assign; *crédit* to grant; *prix* to award **2.** (*imputer*) **~ *qc à qn, à qc*** to attribute sth to sb, sth; *qualités* to credit sb, sth with sth; *défauts* to impute sth to sb, sth **II** *v/pr* ***s'~ qc*** to take
attribut [atʀiby] *m* **1.** attribute **2.** GRAM predicate; *adj* ***adjectif*** *m* **~** predicative adjective
attribution [atʀibysjõ] *f* **1.** attribution; *de crédits* granting; *d'un prix* award **2.** **~s** *pl* competence *sg*
attristant [atʀistɑ̃] *adj* ⟨**-ante** [-ɑ̃t]⟩ distressing **attrister I** *v/t* to sadden **II** *v/pr* ***s'~*** to be saddened
attroupement [atʀupmɑ̃] *m* crowd
attrouper [atʀupe] *v/pr* ***s'~*** to gather
atypique [atipik] *adj* atypical
au [o] → ***à***
aubade [obad] *f* dawn serenade
aubaine [obɛn] *f* (***bonne***) **~** stroke of luck
aube [ob] *f* **1.** dawn; ***à l'~*** at dawn **2.** *de communiants* white robe
aubépine [obepin] *f* hawthorn
auberge [obɛʀʒ] *f* **1.** hotel; *autrefois* inn; *fig* ***auberge espagnole*** potluck; madhouse; *fam, fig* ***on n'est pas sorti de l'auberge*** *fam* we're not out of the wood yet **2.** ▶ ***auberge de*** (***la***) ***jeunesse*** youth hostel
aubergine [obɛʀʒin] *f* aubergine
aubergiste [obɛʀʒist] *m/f* innkeeper
aubette [obɛt] *f* bus shelter
auburn [obœʀn] *adj* ⟨*inv*⟩ *cheveux* auburn
▶ **aucun** [okɛ̃, okœ̃] *m*, **aucune** [okyn] *f* **I** *adj indéf* ⟨*avec* **ne** *avec verbe*⟩ no, not … any; ***en aucun cas*** in no circumstances; ***sans aucun effort*** without any effort **II** *pr ind* **1.** ⟨*with* **ne** *with verb*⟩ none, not … one **2.** *litt* ***d'aucuns*** some
aucunement [okynmɑ̃] *adv* not in the least
audace [odas] *f* **1.** daring **2.** *péj* audacious; *p/fort* rash
audacieux [odasjø] *adj* ⟨**-euse** [-øz]⟩ **1.** daring **2.** *péj* audacious
au-dedans [od(ə)dɑ̃] *adv* inside; *prép* **~ *de*** inside
au-dehors [odəɔʀ] *adv* outside; *prép* **~ *de*** outside
au-delà [od(ə)la] **I** *adv* beyond **II** *prép* **~ *de*** beyond **III** *m* REL hereafter
▶ **au-dessous** [od(ə)su] **I** *adv* underneath **II** *prép* **~ *de*** under; ***c'est ~ de moi*** it's beneath me; *fig* ***être ~ de tout*** to be beneath contempt
▶ **au-dessus** [od(ə)sy] *adv* above; *prép* **~ *de*** above
au-devant [od(ə)vɑ̃] *prép* ***aller ~ de qn*** to meet sb
audible [odibl] *adj* audible
audience [odjɑ̃s] *f* **1.** (*entrevue*) audience **2.** JUR hearing **3.** audience; (*taux d'écoute*) audience figures
audimat [odimat] *m* ratings
audio [odjo] *adj* ⟨*inv*⟩ audio **audiomètre** *m* MÉD audiometer **audiophone** *m* MÉD hearing aid **audioprothésiste** *m/f* hearing aid specialist **audiovisuel I** *adj* ⟨**~le**⟩ audiovisual **II** *m* **1.** *domaine* broadcasting **2.** *médias* radio and television **3.** ENSEIGNEMENT audiovisual

methods
audit [odit] *m* audit
▶ **auditeur** [oditœʀ] *m*, **auditrice** [oditʀis] *f* listener
auditif [oditif] *adj* ⟨**-ive** [-iv]⟩ auditory; ***appareil ~*** hearing aid
audition [odisjõ] *f* **1.** (*ouïe*) hearing **2.** JUR **~ *des témoins*** witness hearing **3.** *de cassettes* playing **4.** (*essai*) audition
auditionner [odisjɔne] *v/t* to audition
auditoire [oditwaʀ] *m* audience
auditorium [oditɔʀjɔm] *m* auditorium
auge [oʒ] *f* trough
▶ **augmentation** [ɔgmɑ̃tasjõ, og-] *f* increase
▶ **augmenter** [ɔgmɑ̃te, og-] **I** *v/t* **1.** to increase; *salaire* to raise **2.** *salarié* ***être augmenté*** to get a raise **II** *v/i* to increase; *prix* to rise (***de*** by); *marchandise* to go up in price; *jours* to lengthen
augure [ogyʀ] *m* ***être de bon, de mauvais ~*** to be a good, bad omen
augurer [ogyʀe] *v/t* ***n'~ rien de bon*** to bode no good
auguste [ogyst] *st/s adj* noble; *assemblée* august
▶ **aujourd'hui** [oʒuʀdɥi] *adv* **1.** today; ***d'~*** today's **2.** (*à notre époque*) these days
aulne [on] *m* alder
aumône [omon] *f* alms
aumônerie [omonʀi] *f* ÉGL chaplain
aumônier [omonje] *m* chaplain; ***~ militaire*** padre
aune [on] *m* → ***aulne***
auparavant [opaʀavɑ̃] *adv* previously
auprès [opʀɛ] *prép* **~ *de*** **1.** beside **2.** (*en comparaison de*) in comparison with
auquel [okɛl] → ***lequel***
aurai [ɔʀɛ], **auras** [ɔʀa], *etc* → ***avoir*[1]**
auréole [ɔʀeɔl] *f* **1.** halo **2.** *autour d'une tache* ring **auréoler** *v/t fig* to crown
auriculaire [ɔʀikylɛʀ] *m* little finger
aurifère [ɔʀifɛʀ] *adj* gold-bearing
aurochs [ɔʀɔk] *m* ZOOL aurochs
aurore [ɔʀɔʀ] *f* **1.** dawn **2.** **~ *boréale*** aurora borealis, northern lights **~ *polaire*** polar lights
auscultation [oskyltasjõ, ɔs-] *f* MÉD auscultation **ausculter** *v/t* MÉD to sound
auspices [ospis] *mpl* ***sous de meilleurs ~*** auspiciously
▶ **aussi** [osi] **I** *adv* **1.** (*également*) also, too; ***lui aussi*** he too **2.** ▶ ***aussi*** (+ *adj ou adv*) ***que*** as … as; ***aussi vite que possible*** as fast as possible; ***aussi*** (+ *adj*) ***que*** +*subj* as …as; ***aussi riche qu'il soit*** *ou* ***soit-il*** as rich as he may be; (***tout***) ***aussi bien*** just as well; ***aussi bien que*** as well as **II** *conj* so; ***…, aussi coûtent-ils cher*** …, so, they're expensive
▶ **aussitôt** [osito] **I** *adv* immediately; ***~ dit, ~ fait*** no sooner said than done **II** *conj* **~ *que*** as soon as
austère [ostɛʀ] *adj* austere
austérité [osteʀite] *f* **1.** austerity **2.** *d'un style* plainness **3.** (***politique*** *f* ***d'***)**~** austerity measures *pl*
austral [ostʀal] *adj* ⟨**~e; -als**⟩ southern
▶ **Australie** [ostʀali] ***l'~*** *f* Australia
▶ **australien** [ostʀaljɛ̃] **I** *adj* ⟨**-ienne** [-jɛn]⟩ Australian **II** ***Australien(ne)*** *m(f)* Australian
austro-… [ostʀo] *adj* Austro- **austro--hongrois** *adj* ⟨**~e**⟩ Austro-Hungarian
▶ **autant** [otɑ̃] **I** *adv* as much; *avec verbe* so much; **~ *de*** (+ *subst*) ***que*** as much as; **~ *de garçons que de filles*** as many boys as girls; ***il travaille ~ qu'il peut*** he works as much as he can; **~ *parler à un sourd*** you might as well talk to a brick wall; ***en faire ~*** to do likewise; **~ *de personnes, ~ d'avis différents*** there are as many different opinions as there are people; **~ *il l'adore, ~ elle le déteste*** he adores her as much as she loathes him; ***d'~*** accordingly; ***pour ~*** for all that **II** *conj* (***pour***) **~ *que je sache*** as far as I know; ***d'~ que*** since; ***d'~ plus*** (***que***) all the more so (since)
autarcie [otaʀsi] *f* autarchy **autarcique** *adj* autarchic
autel [otɛl] *m* altar
▶ **auteur** [otœʀ] *m* **1.** **~ *d'un accident*** person causing an accident; **~ *d'un attentat*** bomber; **~ (*du crime*)** perpetrator (of the crime) **2.** (*écrivain*) author
authenticité [otɑ̃tisite] *f* **1.** authenticity **2.** *fig* (*sincérité*) genuineness
authentifier [otɑ̃tifje] *v/t* to authenticate
authentique [otɑ̃tik] *adj* **1.** authentic; *information* true **2.** *par ext sentiments* genuine
autisme [otism] *m* autism **autiste** *m/f* autistic person
▶ **auto** [oto] *f*, *abr* (= **automobile**) auto
auto… [oto] *préfixe* **1.** (*soi-même*) self- **2.** (*voiture*) auto…
autoaccusation *f* self-accusation **autoallumage** *m* AUTO pre-ignition **au-**

toanticorps *m* MÉD autoantibody
autobiographie *f* autobiography **autobiographique** *adj* autobiographical
▸ **autobus** *m* bus
▸ **autocar** *m* bus
autocensure *f* PRESSE, FILM self-censorship **autochenille** *f* half-track
autochtone [ɔtɔktɔn] *m/f* native
autocollant **I** *adj* ⟨**-ante**⟩ self-adhesive **II** *m* sticker
autoconsommation *f* ÉCON self-consumption **autocopiant** *adj* ⟨**-ante** [-ɑ̃t]⟩ *papier* self-copy
autocouchettes *adj* ***train*** *m* **~** motorail train
autocrate [otokʀat] *m* autocrat **autocratie** *f* autocracy **autocratique** *adj* autocratic
autocritique *f* self-criticism
autocuiseur [otokɥizœʀ] *m* pressure cooker **autodafé** *m* HIST auto-da-fé **autodéfense** *f* self-defense **autodestruction** *f* self-destruction **autodétermination** *f* self determination
autodidacte [otodidakt] *m/f* autodidact
autodiscipline *f* self discipline
autodrome [otodʀom] *m* motor racing track
auto-école *f* ⟨**auto-écoles**⟩ driving school
auto-épuration *f* self-purifying **autoérotisme** *m* auto-eroticism **autofécondation** *f* BIOL self-fertilization
autofinancement *m* self-financing **autofinancer** *v/pr* ⟨**-ç-**⟩ ***s'~*** to be self-financing
autofocus [otofɔkys] *m* autofocus
autogène *adj* TECH, MÉD autogenous
autogéré [otoʒeʀe] *adj* ⟨**~e**⟩ self-managed **autogérer** *v/t* (*et v/pr*) ⟨**-è-**⟩ (***s'~*** to be self-managing) to self-manage **autogestion** *f* self-management **autogestionnaire** *adj* self-managing
autographe [otogʀaf] *m* autograph
autoguidage [otogidaʒ] *m* AVIAT, MIL self-steering **autoguidé** *adj* ⟨**~e**⟩ AVIAT, MIL self-steered
auto-intoxication *f* MÉD auto-intoxication
automate [ɔtɔmat] *m* automaton **automaticité** *f* automaticity **automation** *f* automation
▸ **automatique** [ɔtɔmatik] *adj* automatic; ***boîte*** *f* **~** automatic gearbox
automatiquement [ɔtɔmatikmɑ̃] *adv* automatically

automatisation [ɔtɔmatizasjõ] *f* automation **automatiser** *v/t* to automate
automatisme [ɔtɔmatism] *m* automatic reflex
automédication [otomedikasjõ] *f* self-medication
automitrailleuse *f* MIL machine gun
automnal [otɔnal] *adj* ⟨**~e; -aux** [-o]⟩ autumnal
▸ **automne** [otɔn] *m/f* fall, *brit* autumn; ***en*** **~** in the fall
automobile **I** *adj* auto; ***industrie*** *f* **~** auto industry **II** *f* automobile; ADMIN vehicle
automobilisme [otomɔbilism] *m* **1.** *domaine* driving **2.** *sport* motor sport
▸ **automobiliste** [otomɔbilist] *m/f* driver
automoteur *adj* ⟨**-trice** [-tʀis]⟩ self-propeled **automotrice** *f* electric railcar
automutilation *f* self-mutilation
autonettoyant *adj* ⟨**-ante** [-ɑ̃t]⟩ *four* self-cleaning
autonome [otonom, ɔtɔnɔm] *adj* autonomous
autonomie [otonɔmi] *f* **1.** autonomy; **~** (***administrative***) (regional) autonomy **2.** *d'un véhicule* level of autonomy
autonomisme [otonɔmism] *m* POL autonomism **autonomiste** *m* POL separatist
autopompe *f* **1.** *des pompiers* fire engine **2.** *de la police* water cannon **autoportrait** *m* self-portrait
autopropulsé [otopʀɔpylse] *adj* ⟨**~e**⟩ *engin* self-propelled **autopropulsion** *f* TECH self-propulsion
autopsie [otɔpsi] *f* postmortem; JUR autopsy **autopsier** *v/t* to perform an autopsy on
autopunition *f* PSYCH self-punishment
autoradio *m* car radio **autorail** *m* rail car
autorisation [ɔtɔʀizasjõ] *f* authorization
autorisé [ɔtɔʀize] *adj* ⟨**~e**⟩ **1.** (*qui fait autorité*) authoritative **2.** (*permis, officiel*) authorized
autoriser [ɔtɔʀize] **I** *v/t* **1.** **~ *qc*** to authorize sth; **~ *qn à faire qc*** to authorize sb to do sth **2.** *situation* **~ *qc*** to authorize sth **II** *v/pr* ***s'~ de qc*** to use sth as a pretext
autoritaire [ɔtɔʀitɛʀ] *adj* authoritarian
autoritarisme [ɔtɔʀitaʀism] *m* authoritarianism
autorité [ɔtɔʀite] *f* **1.** (*pouvoir*) authority; **~ *parentale*** parental authority; ***d'~***

decisively; ***être sous l'~ de qn*** to be under sb's authority **2.** (*influence*) authority; ***faire ~*** to be authoritative; *personne* to be an authority **3.** (*expert*) authority **4.** ADMIN ***~s*** *pl* authorities

► **autoroute** *f* **1.** freeway **2.** ***~ de l'information*** information highway

autoroutier *adj* ⟨**-ière** [-jɛʀ]⟩ freeway *épith*

autosatisfaction *f* self-satisfaction

autos-couchettes *adj* ***train*** *m* ***~*** car--sleeper train

auto-stop *m* hitchhiking; ***faire de l'~*** to hitchhike

auto-stoppeur *m* ⟨**auto-stoppeurs**⟩, **auto-stoppeuse** *f* hitchhiker

autosuggestion *f* auto-suggestion

► **autour** [otuʀ] **I** *adv* around; ***tout ~*** all around **II** *prép* ***~ de*** around

autovaccin *m* MÉD autovaccine

► **autre** [otʀ] **I** *adj indéf* other; *non traduit* ***nous autres*** we; *attribut* ***tout autre*** quite different (***que*** from); ► ***autre chose*** something else; ***l'autre jour*** the other day **II** *pr ind* ***un(e) autre*** another one; ***d'autres*** others; *fam* ***à d'autres!*** go tell it to the marines!; ***l'autre*** the other; *fam* that idiot; ***les autres*** other people; *fam* ***comme dit l'autre*** as they say; as you-know-who says; ***et autres*** and so on (*abr* etc.); ***entre autres*** amongst others (*abr* e.g.); ***aucun autre, personne d'autre*** ⟨**+ ne**⟩ nobody else; ***quelqu'un d'autre*** somebody else; ***rien d'autre*** nothing else; ***il n'en fait jamais d'autres*** that's just typical of him; ***j'en ai vu bien d'autres*** I've seen a lot worse; → ***un***

► **autrefois** [otʀəfwa] *adv* in the past

► **autrement** [otʀəmɑ̃] *adv* **1.** (*différemment*) differently (***que*** from) **2.** (*sinon*) otherwise **3.** (+ *adj*) particularly; ***~ dangereux*** much more dangerous

► **Autriche** [otʀiʃ] ***l'~*** *f* Austria

► **autrichien** [otʀiʃjɛ̃] **I** *adj* ⟨**-ienne** [-jɛn]⟩ Austrian **II** ***Autrichien(ne)*** *m(f)* Austrian

autruche [otʀyʃ] *f* ZOOL ostrich; *fig* ***politique*** *f* ***de l'~*** burying one's head in the sand

autrui [otʀɥi] *pr ind* other people; ***le bien d'~*** other people's welfare

auvent [ovɑ̃] *m* awning

Auvergne [ovɛʀɲ] ***l'~*** *f* Auvergne

aux [o] → ***à***

auxiliaire [oksiljɛʀ] **I** *adj* auxiliary; ***personnel*** *m* ***~*** assistant; (***verbe***) ***~*** *m* (auxiliary) verb **II** *m/f* helper, assistant

auxquel(le)s [okɛl] → ***lequel***

av. *abr* (= **avenue**) ave.

avachi [avaʃi] *adj* ⟨**~e**⟩ **1.** *chaussures* out of shape; *vêtement* shapeless **2.** *personne* unfit; flabby *fam*

avachir [avaʃiʀ] *v/pr* ***s'~*** **1.** *chaussures* to go out of shape; *vêtement* to lose its shape **2.** *fam personne physiquement* to go to seed *fam*; to go all flabby *fam* **3.** *personne psychiquement* to start to lose one's grip

avachissement [avaʃismɑ̃] *m* sluggishness; slobbishness *fam*

aval[1] [aval] ***en ~*** downstream; ***en ~ de*** downstream of

aval[2] *m* ⟨**avals**⟩ **1.** FIN guarantee **2.** *fig* approval

avalanche [avalɑ̃ʃ] *f* avalanche

avaler [avale] *v/t* to swallow

avaliser [avalize] *v/t* **1.** FIN to guarantee **2.** *fig* to approve

avance [avɑ̃s] *f* **1.** MIL advance **2.** lead; ***prendre de l'avance*** to pull ahead (***sur*** of) **3.** ***avoir une heure d' avance*** to be an hour early; ► ***être en avance*** to be early; *fig* ***être en avance sur son temps*** to be ahead of schedule; *enfant* ***être très en avance pour son âge*** to be advanced for one's age **4.** ► ***à l'avance, d'avance*** in advance **5.** *somme d'argent* advance **6.** ***avances*** *pl* advances

avancé [avɑ̃se] *adj* ⟨**~e**⟩ **1.** *saison, journée, travail, végétation* well advanced; *maladie* at an advanced stage; ***à une heure ~e*** late at night; ***d'un âge ~*** at an advanced age **2.** *idées* progressive **3.** *viande* rancid; *fruits* overripe

avancée [avɑ̃se] *f* advance

avancement [avɑ̃smɑ̃] *m* **1.** promotion; ***avoir de l'~*** to be promoted **2.** *de travaux* progress

► **avancer** [avɑ̃se] ⟨**-ç-**⟩ **I** *v/t* **1.** to move forward; *main* to hold out (***vers*** towards); *cou* to crane; *pied* to hold out; *voiture* to move forward **2.** *travail* to make progress with; *personne* to help to move on **3.** *argent* to lend **4.** *montre* to put forward; *rendez-vous* to bring forward **5.** *fait* to suggest; *thèse* to put forward **II** *v/i* **1.** to advance; MIL to advance; *personne, véhicule* to move forward **2.** *toit, dents, etc* to stick out **3.** *personne dans son travail* to make progress **4.** *dans une carrière* to get ahead **5.** *nuit,* *saison* to wear on **6.** *montre* to be fast **III** *v/pr* **1.** ***s'~ vers qn, qc*** to move towards sb, sth **2.** *fig personne* ***s'~ trop*** to exaggerate

avanies [avani] *fpl* humiliation

► **avant** [avɑ̃] **I** *prép* before; ***avant le déjeuner*** before lunch; ***avant cela*** before that; ***avant tout*** above all; ► ***avant de*** *+inf ou conj* ► ***avant que … (ne)*** *+subj* before **II** *adv* **1.** *temporel, dans l'ordre* before; ***le jour d'avant*** the day before **2.** ► ***en avant*** forward(s); ***en avant!*** full steam ahead!; *fig* ***mettre qc en avant*** to put sth forward; *fig* ***se mettre en avant*** to be pushy; ***en avant de*** ahead of **III** *adj* ⟨*inv*⟩ front; ***siège*** *m* ***avant*** front seat **IV** *m* **1.** *d'un véhicule* front; ***à l'avant*** in front; *fig* ***aller de l'avant*** to forge ahead **2.** SPORT forward

avant-… [avɑ̃] *préfixe* → *les articles correspondants*

► **avantage** [avɑ̃taʒ] *m* **1.** advantage; ***~s sociaux*** welfare benefits; ***à l'~ de qn*** to sb's advantage **2.** (*supériorité*) advantage; ***prendre l'~ sur qn*** to have the advantage over sb **3.** SPORT advantage

avantager [avɑ̃taʒe] *v/t* ⟨**-ge-**⟩ **1.** to favor; ***être avantagé par rapport à qn*** to be at an advantage compared with sb **2.** *vêtement* ***~ qn*** to show sb off to advantage

avantageux [avɑ̃taʒø] *adj* ⟨**-euse** [-øz]⟩ **1.** favorable, advantageous; ***à un prix ~*** attractively priced **2.** (*prétentieux*) conceited

avant-bras *m* ⟨*inv*⟩ forearm **avant-centre** *m* ⟨**avants-centres**⟩ center forward

avant-coureur *adj seulement m* ***signe ~*** warning sign

avant-dernier *adj* ⟨**-ière** [-jɛʀ]⟩ second last

avant-garde *f* ⟨**avant-gardes**⟩ **1.** MIL vanguard **2.** *fig* avant-garde; ***d'~*** avant-garde

avant-gardisme [avɑ̃gaʀdism] *m* avant-gardism

avant-gardiste [avɑ̃gaʀdist] **I** *adj* avant-gardist **II** *m/f* avant-gardist

avant-goût *m fig* foretaste (***de*** of)

avant-guerre *m ou f* ⟨**avant-guerres**⟩ pre-war period; ***d'~*** pre-war

► **avant-hier** [avɑ̃tjɛʀ] *adv* the day before yesterday **avant-midi** *m* ⟨*inv*⟩ *en Belgique et au Canada* morning

avant-poste *m* MIL outpost **avant-première** *f* preview **avant-projet** *m* pilot study; SCULP maquette **avant-propos** *m* ⟨*inv*⟩ foreward

avant-scène *f* THÉ proscenium; *loge* box

avant-train *m* forequarters

avant-veille *f* ***l'~ de*** two days before

► **avare** [avaʀ] **I** *adj* mean; *fig* ***être ~ de qc*** to be mean with sth **II** *m/f* miser

avarice [avaʀis] *f* meanness

avarie [avaʀi] *f* MAR average; *par ext* damage

avarié [avaʀje] *adj* ⟨**~e**⟩ **1.** MAR damaged **2.** *aliment* rotten

avarier [avaʀje] *v/pr* ***s'~*** *aliment* to go off

avatar [avataʀ] *m* **1.** (*mésaventure*) mishap **2.** (*transformation*) change

► **avec** [avɛk] **I** *prép* with; *dans un magasin* ***et ~ ça?*** anything else?; ***avoir qn ~ soi*** to have sb with you; ***~ le temps qu'il fait*** given what the weather is like; ***manger des légumes ~ la viande*** to eat vegetables with meat **II** *adv* with it; *fam* ***faire ~*** to get on (with it)

avenant [avnɑ̃] **I** *adj* ⟨**-ante** [-ɑ̃t]⟩ pleasant; *manières* pleasing **II** *adv* ***à l'~*** in keeping

avènement [avɛnmɑ̃] *m* **1.** accession **2.** *fig* advent

► **avenir** [avniʀ] *m* future; ***d'~*** of the future; *personne* with a future; *métier* with prospects; ***à l'~*** in future

Avent [avɑ̃] *m* Advent

► **aventure** [avɑ̃tyʀ] *f* **1.** adventure; ***roman*** *m* ***d'~s*** adventure story; ***avoir l'esprit d'~*** to be adventurous **2.** *en amour* affair **3.** ***à l'~*** aimlessly; *st/s* ***d'~*** by chance **4.** ***dire la bonne ~ à qn*** to tell sb's fortune

aventurer [avɑ̃tyʀʀe] *v/pr* ***s'~*** venture (***dans*** into); ***s'~ trop loin*** to go too far

aventureux [avɑ̃tyʀø] *adj* ⟨**-euse** [-øz]⟩ **1.** *personne, vie* adventurous **2.** *projet* risky

aventurier [avɑ̃tyʀje] *m*, **aventurière** [-jɛʀ] *f* adventurer, adventuress **aventurisme** *m* adventurism **aventuriste** *adj* POL adventurist

avenu [avny] *adj* ***nul et non ~*** ⟨**nulle et non ~e**⟩ null and void

► **avenue** [avny] *f* avenue

avéré [aveʀe] *adj* ⟨**~e**⟩ confirmed

avérer [aveʀe] *v/pr* ⟨**-è-**⟩ ***s'~ juste**, etc* to turn out to be right

averse [avɛʀs] *f* shower

aversion [avɛʀsjõ] *f* aversion (***pour*** to)

averti [avɛʀti] *adj* ⟨**~e**⟩ (*expérimenté*) experienced (***de*** in); (*compétent*) well informed

▶ **avertir** [avɛʀtiʀ] *v/t* **1.** (*informer*) ***~ qn de qc*** to inform sb of sth **2.** (*mettre en garde*) to warn (***de*** about)

avertissement [avɛʀtismɑ̃] *m* **1.** (*mise en garde, mesure disciplinaire*) warning; (*avis*) notification **2.** (*préface*) foreward

avertisseur [avɛʀtisœʀ] *m* **1.** alarm; ***~ d'incendie*** fire alarm **2.** AUTO horn

aveu [avø] *m* ⟨**~x**⟩ **1.** confession; JUR ***~x*** *pl* confession; ***passer aux ~x*** to confess **2.** ***de l'~ de*** on the admission of

aveuglant [avøglɑ̃] *adj* ⟨**-ante** [-ɑ̃t]⟩ blinding

▶ **aveugle** [avœgl] **I** *adj* blind; ***devenir ~*** go blind **II** *m/f* **1.** blind person **2.** *fig* ***en ~*** blind

aveuglement [avœgləmɑ̃] *m fig* blindness

aveuglément [avœglemɑ̃] blindly

aveugler [avœgle] **I** *v/t* **1.** (*priver de la vue, éblouir*) to blind **2.** *fig passion* ***~ qn*** to blind sb **II** *v/pr* ***s'~ sur qc*** to be blind to sth

aveuglette [avœglɛt] ***à l'~*** blindly; *fig* at random

aviateur [avjatœʀ] *m*, **aviatrice** [-tʀis] *f* aviator

aviation [avjasjõ] *f* **1.** aircraft industry **2.** MIL air force

aviculteur [avikyltœʀ] *m*, **avicultrice** [-tʀis] *f* poultry farmer **aviculture** *f de volailles* poultry farming; *d'oiseaux* aviculture

avide [avid] *adj* **1.** *regard* eager; *personne* ***~ de*** eager for; ***être ~ de*** *+inf* to be eager *+inf* **2.** (*lecteur*) avid **3.** (*gourmand, cupide*) greedy

avidement [avidmɑ̃] *adv* avidly; *manger* greedily **avidité** *f* greed

avilir [aviliʀ] *v/t* to demean

aviné [avine] *adj* ⟨**~e**⟩ (*ivre*) inebriated; *haleine* wine-laden

▶ **avion** [avjõ] *m* airplane; plane; ***avion commercial*** commercial aircraft; ***avion de ligne*** civil aircraft; *courrier* ▶ ***par avion*** by airmail; ***prendre l'avion*** to fly

aviron [aviʀõ] *m* **1.** (*rame*) oar **2.** *sport* rowing

▶ **avis** [avi] *m* **1.** (*opinion*) opinion; ***à mon ~*** in my opinion; ***de l'~ de*** in the opinion of; ***je suis de votre ~*** I agree with you; ***être d'~ que ...*** *+subj* to be of the opinion that **2.** (*information*) notice; ***~*** (***au public***) (public) announcement; ***~ d'imposition*** tax notice; ***~ de recherche*** missing person poster; RAD, TV missing person announcement

> **avis ≠ advice**
>
> **Avis** = opinion, especially in the phrase **à mon avis** (in my opinion):
>
> **À mon avis, c'est complètement injuste.**
>
> In my opinion, it's completely unfair.

avisé [avize] *adj* ⟨**~e**⟩ sensible

aviser [avize] **I** *v/t* ***~ qn de qc*** to notify sb of sth **II** *v/pr* **1.** (*remarquer*) ***s'~*** to notice (***de qc*** sth; ***que*** that); to realize **2.** (*avoir l'audace de*) ***s'~ de*** *+inf* to dare *+inf*

aviver [avive] *v/t* **1.** *couleurs* to brighten up **2.** *fig* → ***raviver 2***

av. J.-C. *abr* (= **avant Jésus-Christ**) B.C.

▶ **avocat**[1] [avɔka] *m*, **avocate** [avɔkat] *f* **1.** JUR lawyer; ***~ général*** Advocate-General **2.** *fig* champion; *d'une cause* advocate; ***~ du diable*** devil's advocate

avocat[2] *m fruit* avocado

avoine [avwan] *f* oats *pl*

▶ **avoir**[1] [avwaʀ] ⟨**j'ai, tu as, il a, nous avons, vous avez, ils ont; j'avais; j'eus; j'aurai; que j'aie, qu'il ait, que nous ayons; aie!, ayons!, ayez!; ayant; avoir eu**⟩ **I** *v/aux*; ***j'ai dormi*** I slept; I have slept; ***j'ai couru*** I ran; I have run; ***il a vieilli*** he has aged; ***j'ai été*** I was; I have been **II** *v/t* **1.** to have; *qn comme invité* to have as a guest; ▶ ***j'ai froid*** I am cold; ***~ les cheveux blancs*** to have white hair; ***j'ai les mains qui tremblent*** my hands are shaking; *fam* ***en ~ après qn*** to have it in for sb *fam*; ***en ~ pour son argent*** to get one's money's worth; ***nous en avons pour deux heures*** it will take us two hours; ***qu'est-ce qu'il a?*** what's the matter with him?; ***~ tout d'un gangster*** to be an out and out gangster **2.** (*obtenir*) to obtain; to get *fam*; ***il a eu son bac*** he passed his baccalaureate; ***j'ai eu mon train de justesse*** I only just caught my train; ***faire ~ qc à qn*** to arrange sth for sb **3.** *fam* (*tromper*) ***~ qn*** to get sb *fam*; ***se faire, se laisser ~*** to be had *fam* (***par qn*** by sb); to be conned **4.**

(*porter*) *vêtement* to be wearing **5.** *âge, mesure* to be; ***quel âge avez-vous?*** how old are you?; ***~ cinq mètres de haut*** to be five metres high **6. *~ à faire qc*** to have to do sth; ***j'ai à te parler*** I have something to say to you; ***tu n'as qu'à lui demander*** just ask him **III** *v/imp* ▶ **il y a 1.** there is / are; ***il y a des gens qui …, il y en a qui …*** there are people who …; ***combien y a-t-il d'ici à Paris?*** how far is it from here to Paris?; ***il n'y en a plus*** there's none left; ***qu'est-ce qu'il y a?*** what's the matter?; ***il n'y a qu'à*** *+inf* the only thing to do is *+inf* **2.** *temporel*: ago; *il est parti* ***il y a deux ans*** two years ago; ▶ ***il y a deux ans que …*** it's two years since …

avoir[2] *m* FIN credit; ***~ fiscal*** tax credit

avoisinant [avwazinɑ̃] *adj* ⟨**-ante** [-ɑ̃t]⟩ neighboring **avoisiner** *v/t* to be close to

avortement [avɔʀtəmɑ̃] *m* abortion

avorter [avɔʀte] *v/i* **1.** ***se faire ~*** to have an abortion **2.** *fig* to abort

avorteur [avɔʀtœʀ] *m*, **avorteuse** [-øz] *f péj* abortionist

avorton [avɔʀtõ] *m péj* runt

avouable [avwabl] *adj but, motif etc* respectable

avoué [avwe] *m* attorney

▶ **avouer** [avwe] **I** *v/t* **1.** JUR to confess **2.** (*admettre*) to admit; *amour* to declare **II** *v/pr* ***s'~ coupable*** to confess one's guilt; ***s'~ vaincu*** to admit defeat

▶ **avril** [avʀil] *m* April

axe [aks] *m* **1.** axis (*a* MATH, POL) **2.** (*auto*)*route* (***grand***) **~** freeway **3.** *fig* main theme

axer [akse] *v/t* ***~ sur*** to base on

axial [aksjal] *adj* ⟨**~e; -aux** [-o]⟩ axial

axiome [aksjom] *m* axiom

ayant [ɛjɑ̃] **I** *ppr* → ***avoir***[1] **II** *m* ***~ droit*** ⟨**ayants droit**⟩ eligible person

azalée [azale] *f* azalea

azimut [azimyt] *m* **1.** ASTROL azimuth **2.** ***tous ~s*** total

azote [azɔt] *m* nitrogen

azoté [azɔte] *adj* ⟨**~e**⟩ CHIM nitrogenous

AZT® [azɛdte] *m*, *abr* (= **azidothymidine**) MÉD AZT

aztèque [astɛk] *adj* **I** *adj* Aztec **II** *mpl* ***Aztèques*** Aztec

azur [azyʀ] *m* blue; *poét* azure; ***ciel m d'~*** azure sky

azuré [azyʀe] *st/s adj* ⟨**~e**⟩ azure

azyme [azim] *adj* ***pain m ~*** unleavened bread

B

B, b [be] *m* ⟨*inv*⟩ **1.** B, b **2.** *fig* ***b a ba*** [beɑba] rudiments

B.A. [bea] *f*, *abr* ⟨*inv*⟩ (= **bonne action**) good deed

baba[1] [baba] *fam adj* ⟨*inv*⟩ flabbergasted

baba[2] *m* CUIS ***~ au rhum*** rum baba

baba[3] *m/f ou* **baba cool** [babakul] *m/f* ⟨**babas cool**⟩ *fam* hippie

babeurre [babœʀ] *m* buttermilk

babil [babil] *m* → ***babillage***

babillage [babijaʒ] *m* babbling **babiller** *v/i* to babble

babine [babin] *f* **1.** ZOOL chop **2.** *fam, fig* ***s'en lécher les ~s*** to lick one's chops; *à l'avance* to lick one's lips

babiole [babjɔl] *f* trinket

bâbord [bɑbɔʀ] *m* port (side); ***à ~*** to port

babouche [babuʃ] *f* (oriental) slipper

babouin [babwɛ̃] *m* baboon

baby-boom [babibum, be-] *m* ⟨**baby-booms**⟩ baby boom **baby-foot** *m* ⟨*inv*⟩ table soccer **baby-sitter** *m/f* ⟨**baby-sitters**⟩ babysitter **baby-sitting** *m* babysitting

bac[1] [bak] *m* **1.** *bateau* ferry **2.** tub; ***~ à sable*** sandbox

▶ **bac**[2] *m*, *abr fam* (= **baccalauréat**) *fam* baccalaureate; ***passer le ~*** to sit the baccalaureate

baccalauréat [bakalɔʀea] *m* baccalaureate

baccalauréat

This is the final exam taken at the end of secondary school (**lycée**) by almost all 18-year-olds in France, similar to the high-school diploma in the US, except **le bac,** as it is often known, is a qualifying exam for university entrance, more than a school-l.

baccara [bakaʀa] *m jeu* baccarat
baccarat [bakaʀa] *m* Baccarat crystal
bacchantes [bakɑ̃t] *fam fpl* mustache
bâche [bɑʃ] *f* tarpaulin
bachelier [baʃəlje] *m*, **bachelière** [-jɛʀ] *f holder of the baccalaureate*

bachelier ≠ bachelor

Bachelier = someone who has passed his **baccalauréat** exam (high school diploma), not a man who is not married.

bâcher [bɑʃe] *v/t* to cover with a tarpaulin
bachot [baʃo] *m fam* baccalaureate
bachotage [baʃɔtaʒ] *m* cramming **bachoter** *v/i fam* to cram for an exam
bacillaire [basilɛʀ] *adj* bacillary
bacille [basil] *m* bacillus
background [bakgʀaund] *m* background
backslash [bakslaʃ] *m* TYPO backslash
bâclage [bɑklaʒ] *m fam* slapdash work **bâcler** *v/t fam* to make a slapdash job of
bacon [bekɔn] *m* smoked back bacon
bactéricide [bakteʀisid] *adj* bactericidal
bactérie [bakteʀi] *f* bacterium **~s** bacteria
bactérien [bakteʀjɛ̃] *adj* ⟨**-ienne** [-jɛn]⟩ bacterial
bactériologie [bakteʀjɔlɔʒi] *f* bacteriology **bactériologique** *adj* bacteriological **bactériologiste** *m/f* bacteriologist
bactériostatique [bakteʀjostatik] *adj* MÉD bacteriostatic
badaud [bado] *m* onlooker; *péj* rubberneck
badge [badʒ] *m* swipe card
badigeon [badiʒõ] *m* whitewash
badigeonnage [badiʒɔnaʒ] *m* **1.** whitewashing **2.** MÉD swabbing
badigeonner [badiʒɔne] *v/t* **1.** to whitewash **2.** *péj* to slap paint on (**de** with)
badin [badɛ̃] *adj* ⟨**-ine** [-in]⟩ playful
badinage [badinaʒ] *m* playfulness
badine [badin] *f* cane
badiner [badine] *v/i* to jest; ***ne pas ~*** not to stand for any nonsense
badminton [badmintɔn] *m* badminton
baffe [baf] *f fam* → ***gifle***
baffle [bafl] *m* **1.** *écran* baffle **2.** *boîte* speaker
bafouer [bafwe] *v/t* to scorn
bafouillage [bafujaʒ] *m* gibberish
bafouille [bafuj] *f fam* letter
bafouiller [bafuje] *v/t et v/i* to mumble
bâfrer [bɑfʀe] *v/i fam* to gorge oneself
bagage [bagaʒ] *m* **1.** piece of baggage; ▶ ***bagages*** *pl* baggage; ***bagages à main*** carry-on baggage; ***plier bagage*** to pack one's bags and leave **2.** *fig* to get out quick
bagagiste [bagaʒist] *m* baggage handler
▶ **bagarre** [bagaʀ] *f* **1.** fight **2.** *fam*, *fig* struggle
bagarrer [bagaʀe] **I** *fam v/i* to fight **II** *v/pr* ***se ~*** to fight **bagarreur** *m* fighter
bagatelle [bagatɛl] *f* **1.** trifle **2.** *fam* ***être porté sur la ~*** to like to have it away *fam*
bagnard [baɲaʀ] *m* convict
bagne [baɲ] *m* **1.** HIST penal colony **2.** *fig* slave labor
bagnole [baɲɔl] *fam f* automobile; *fam* clunker
bagou(t) [bagu] *fam m fam* talkativeness; ***avoir du bagou(t)*** to have the gift of the gab
▶ **bague** [bag] *f* **1.** ring; ***~ de fiançailles*** engagement ring **2.** TECH collar; clip
baguenauder [bagnode] *fam v/i* (*et v/pr* ***se***) ~ *fam* to trail around
▶ **baguette** [bagɛt] *f* **1.** stick; *pour manger* breadstick; ***~ de sourcier*** water-diviner's rod; ***~ (de chef d'orchestre)*** (conductor's) baton; ***~s de tambour*** drumsticks; ***~ magique*** magic wand; *fig* ***mener qn à la ~*** to rule sb with a rod of iron **2.** *pain* baguette **3.** (*moulure*) beading
bah [bɑ] *int* huh
bahut [bay] *m* **1.** sideboard **2.** *fam* (*lycée*) *fam* high school
bai [bɛ] *adj* ⟨**~e**⟩ *cheval* bay
baie [bɛ] *f* **1.** bay **2.** opening; ***~ vitrée*** picture window **3.** BOT berry
baignade [bɛɲad] *f* **1.** bathing **2.** bathing spot
baigner [beɲe] **I** *v/t* **1.** to bathe **2.** *mer*: *île* to surround; *côte* to lap around; *fig* ***baigné de larmes*** bathed in tears **II** *v/i* CUIS ***baigner dans qc*** to be swimming in sth; *fam*, *fig* ***ça baigne (dans l'huile)*** *fam* it's/they're swimming (in oil) **III** *v/pr* ▶ ***se baigner*** to go for a swim
baigneur [bɛɲœʀ], **baigneuse** [-øz] **1.**

m/f swimmer **2.** *m* baby doll
▶ **baignoire** [bɛɲwaʀ] *f* **1.** (bath)tub **2.** THÉ ground-floor box
bail [baj] *m* ⟨**baux** [bo]⟩ **1.** JUR lease **2.** *fam, fig* ***ça fait un ~*** *fam* it's been ages
bâillement [bɑjmɑ̃] *m* yawn
bâiller [bɑje] *v/i* **1.** to yawn (***d'ennui*** with boredom) **2.** *porte* to be ajar; *col* to be gaping open
bailleur [bajœʀ] *m* ***~ de fonds*** silent partner
bâillon [bɑjõ] *m* gag
bâillonnement [bɑjɔnmɑ̃] *m* gagging *a fig* **bâillonner** *v/t* gag *a fig*
▶ **bain** [bɛ̃] *m* **1.** bath; ***~ de bouche*** mouthwash; ***~ de boue(s)*** mudbath; *fig* ***~ de foule*** walkabout; ***~ de pied*** footbath; *fig* ***être dans le ~*** (*au courant*) to be in the swing of things; (*compromis*) to be implicated **2.** ***~s*** *pl* swimming baths; ***petit ~*** shallow end **3.** ***prendre un ~ de soleil*** sunbathe; (***robe*** *f*) ***~ de soleil*** sundress
bain-marie [bɛ̃maʀi] *m* ⟨**bains-marie**⟩ CUIS bain-marie, double boiler
baïonnette [bajɔnɛt] *f* **1.** MIL bayonet **2.** *adjt* TECH (***à***) ***~*** bayonet
baise [bɛz] *f pop* intercourse; screwing *vulg*; fucking *vulg*
baisemain [bɛzmɛ̃] *m* kiss on the hand
baiser[1] [beze] *v/t* **1.** (*embrasser*) to kiss **2.** *fam* ***se faire ~*** to get screwed *pop*; to get fucked *vulg* **3.** *vulg* have intercourse with, screw *vulg* (***qn*** sb); fuck *vulg*
▶ **baiser**[2] *m* kiss
baiseur [bɛzœʀ] *m*, **baiseuse** [-øz] *f vulg* fuck *vulg*
baisodrome [bɛzodʀom] *m vulg* love shack
▶ **baisse** [bɛs] *f* fall; *des prix* drop; ***être en ~*** to be dropping; *marchandise* to be dropping in price
▶ **baisser** [bese] **I** *v/t* **1.** *vitre, store* to pull down; *yeux* to lower; *tête* to bow **2.** *prix* to reduce **3.** *voix* to lower; *radio, chauffage, gaz, lumière* to turn down **II** *v/i* to go down; *soleil* to sink; *influence* to decrease; TECH *pression, tension* to drop; *personne, malade, forces, vue* to fail; *prix* to drop; ***faire baisser les prix*** to bring prices down **III** *v/pr* ▶ ***se baisser*** to bend down
baissier [besje] *m* BOURSE bear
bajoue [baʒu] *f* **1.** ***~s*** *pl* cheeks **2.** *d'un animal* chops
bakchich [bakʃiʃ] *m* bribe
bal [bal] *m* dance; ***aller au ~*** to go dancing
balade [balad] *fam f* walk; *en voiture* drive; (*excursion*) trip
balader [balade] *fam* **I** *v/t* to walk **II** *v/pr* ***se ~*** to go for a walk; *en voiture* to go for a drive
baladeur [baladœʀ] *m* personal stereo
baladeuse *f* portable lamp
baladin [baladɛ̃] *m* strolling player
balafre [balafʀ] *f* scar **balafrer** *v/t* to scar (***qn*** sb)
▶ **balai** [balɛ] *m* **1.** broom; *fig* ***coup*** *m* ***de ~*** mass redundancies; ***donner un coup de ~*** to give the floor a sweep; *fig* to make a clean sweep **2.** ***~ d'essuie-glace*** windshield wiper blade **3.** *fam* (*dernier train, bus*) last train / bus; *adj* **4.** *fam* ***avoir trente ~s*** to be thirty
balai-brosse *m* ⟨**balais-brosses**⟩ stiff broom
balaise [balɛz] → ***balèze***
▶ **balance** [balɑ̃s] *f* **1.** scales; *fig* ***mettre dans la ~*** to weigh up the pros and cons of; *fig* ***faire pencher la ~ en faveur de*** to tip the scales in favor of **2.** *fig* (*équilibre*) balance **3.** ***~ commerciale*** balance of trade; ***~ des paiements*** balance of payments **4.** ASTROL ***la Balance*** Libra

> **balance**
>
> **Balance** is more restricted in meaning in French, meaning usually scales and related uses:
>
> **Cette balance n'est pas très juste.**
>
> These scales are not very accurate.

balancé [balɑ̃se] *adj* ⟨***~e***⟩ *fam* ***bien ~*** *fam* well-built
balancelle [balɑ̃sɛl] *f* hammock
balancement [balɑ̃smɑ̃] *m* swaying
balancer [balɑ̃se] ⟨**-ç-**⟩ **I** *v/t* **1.** to swing; ***~ les bras*** to swing one's arms **2.** *fam* to chuck out *fam* **3.** *arg* (*dénoncer*) to grass on *fam* **II** *v/i* **1.** *st/s, fig* to swing (***entre*** between) **III** *v/pr* ***se balancer*** **1.** to swing; *bateau* to rock; *personne* to sway; ***se ~ sur sa chaise*** to rock to and fro on one's chair **2.** *fam* ***je m'en balance*** *fam* I couldn't care less, I don't give a damn *fam*
balancier [balɑ̃sje] *m* **1.** *d'une horloge* pendulum **2.** *d'un funambule* balancing

pole
balançoire [balɑ̃swaʀ] *f* swing; (*bascule*) seesaw
balayage [balɛjaʒ] *m* **1.** sweeping **2.** ÉLEC scanning **3.** COIFFURE highlighting
▶ **balayer** [baleje] *v/t* ⟨**-ay-** *od* **-ai-**⟩ **1.** to sweep; *pièce* to sweep out; *saletés* to sweep up **2.** *par ext nuages*, *fig soucis*, *résistance* to sweep away; *objections* to brush aside **3.** *projecteur*: *ciel* to sweep; ÉLEC to scan
balayette [balɛjɛt] *f* (hand)brush **balayeur** *m* street sweeper **balayeuse** *f* street sweeper **balayures** *fpl* sweepings
balbutiement [balbysimɑ̃] *m* **1.** stammering **2.** *fig* **~s** *pl* first steps
balbutier [balbysje] *v/t et v/i* to stammer; *bébé fam* to babble
▶ **balcon** [balkõ] *m* **1.** balcony **2.** THÉ circle
balconnet [balkɔnɛ] *m* small balcony
baldaquin [baldakɛ̃] *m* canopy; ***lit*** *m* ***à ~*** four-poster bed
Bâle [bɑl] Basle
▶ **baleine** [balɛn] *f* **1.** whale **2.** *de soutien-gorge* bone; ***~ de parapluie*** umbrella spoke
baleiné [balene] *adj* ⟨**~e**⟩ boned **baleineau** *m* ⟨**~x**⟩ ZOOL whale calf **baleinier** *m* whaler **baleinière** *f* MAR whaleboat
balèze [balɛz] *fam adj* fantastic
balisage [balizaʒ] *m* marking
balise [baliz] *f* **1.** MAR, AVIAT beacon; MAR buoy **2.** *d'une route* signpost; *d'un sentier* marker **3.** INFORM tag [tɛk] *subst*
baliser [balize] *v/t* **1.** MAR, AVIAT to mark out with beacons **2.** *route* to signpost; *sentier* to mark
balistique [balistik] **I** *adj* ballistic **II** *f* ballistics + *v sg*
balivernes [balivɛʀn] *fpl* nonsense *sg*
balkanique [balkanik] *adj* Balkan
Balkans [balkɑ̃] ***les ~*** *mpl* the Balkans
ballade [balad] *f* ballad
ballant [balɑ̃] *adj* ⟨**-ante** [-ɑ̃t]⟩ dangling
ballast [balast] *m* CH DE FER ballast
▶ **balle** [bal] *f* **1.** ball; *fig* ***être un enfant*** *m* ***de la ~*** to come from a family of performers; *fig* ***renvoyer la ~ à qn*** to make a quick retort to sb; *fig* ***saisir la ~ au bond*** to seize the opportunity **2.** bullet; ***~ dans la tête*** gunshot wound to the head **3.** COMM bale **4.** *fam*, *fig* ***mille ~s*** a thousand euros
ballerine [balʀin] *f* **1.** ballerina **2.** ballerina-style shoe
ballet [balɛ] *m* ballet
▶ **ballon** [balõ] *m* **1.** ball; ***~ de football*** football **2.** *jouet* ball **3.** AVIAT balloon; ***~ d'essai*** pilot balloon **4.** *adjt* ***manche*** *f* ***~*** balloon sleeve; ***verre*** *m* ***~*** balloon glass **5.** MÉD ***~ d'oxygène*** oxygen bottle **6.** *alcootest* ***souffler dans le ~*** to be breathalyzed
ballonné [balɔne] *adj* ⟨**~e**⟩ bloated **ballonnement** *m* bloating **ballonner** *v/t aliments* ***~er qn*** to make sb feel bloated
ballon-sonde *m* ⟨**ballons-sondes**⟩ sounding balloon
ballot [balo] *m* **1.** bundle **2.** *fam* idiot
ballottage [balɔtaʒ] *m* run-off ballot
ballottement [balɔtmɑ̃] *m d'un véhicule* jolting; *d'un objet* banging about
ballotter [balɔte] **I** *v/t* **être ballotté 1.** to be tossed around **2.** *fig* to be tossed backwards and forwards (***entre*** between) **II** *v/i* to toss about; *poitrine* to bounce up and down
ballottine [balɔtin] *f* CUIS meat loaf
ball-trap [baltʀap] *m* ⟨**ball-traps**⟩ clay pigeon shoot
balluchon [balyʃõ] *fam m* bundle; *fig* ***faire son ~*** to pack one's bags
balnéaire [balneɛʀ] *adj* ***station*** *f* ***~*** seaside resort
balnéothérapie [balneoteʀapi] *f* MÉD balneotherapy
balourd [baluʀ] *adj* ⟨**-ourde** [-uʀd]⟩ clumsy, uncouth
balourdise [baluʀdiz] *f* clumsiness
balsa [balza] *m* balsa wood
balsamique [balzamik] *adj* balsamic
balte [balt] **I** *adj* Baltic; ***les pays*** *mpl* ***~s*** the Baltic States **II** ***Balte*** *m/f* Balte
Baltique [baltik] *adj* ***la mer ~*** the Baltic (Sea)
baluchon → ***balluchon***
balustrade [balystʀad] *f* balustrade
bambin [bɑ̃bɛ̃] *m* child; kid *fam*
bambocher [bɑ̃bɔʃe] *v/i fam* to have a wild time
bambou [bɑ̃bu] *m* **1.** bamboo **2.** *fam*, *fig* ***c'est le coup de ~*** that's a bit steep *fam*
ban [bɑ̃] *m* **1.** **~s** *pl* (***du mariage***) bans; ***faire publier les ~s*** to publish the bans **2.** ***mettre qn au ~ de la société*** to ostracize sb from society; ***être en rupture de ~*** to have broken off relations with **3.** round of applause
banal [banal] *adj* ⟨**~e; -als**⟩ commonplace

banalisation [banalizasjõ] *f* trivialization
banaliser [banalize] *v/t* to trivialize; ***voiture*** (***de police***) ***banalisée*** unmarked police vehicle
banalité [banalite] *f* banality
banana split [bananasplit] *m* ⟨*inv*⟩ CUIS banana split
► **banane** [banan] *f* **1.** banana **2.** *fam coiffure* pompadour **3.** (***sac*** *m*) ~ fanny pack, *brit* bum bag
bananeraie [bananʀɛ] *f* banana plantation
bananier [bananje] *m* **1.** BOT banana tree **2.** MAR banana boat
► **banc** [bɑ̃] *m* **1.** bench; ***~ des accusés*** dock **2.** ***~ de sable*** sandbank **3.** *de poissons* shoal; *d'huîtres* bed **4.** TECH, *fig* ***~ d'essai*** test bed
bancable [bɑ̃kabl] *adj effet de commerce* bankable
bancaire [bɑ̃kɛʀ] *adj* bank
bancal [bɑ̃kal] *adj* ⟨**~e; -als**⟩ **1.** *personne* lame **2.** *meuble* wobbly
banco [bɑ̃ko] *m* CARTES ***faire ~*** go banco
bandage [bɑ̃daʒ] *m* MÉD bandage; *pour maintenir* truss
bandagiste [bɑ̃daʒist] *m* supplier of surgical stockings, trusses *etc*
bande [bɑ̃d] *f* **1.** (*groupe*) group; *péj* band; *péj* gang; ***faire bande à part*** to go off on one's own **2.** strip; FILM film; ***bande magnétique*** magnetic tape; AUTOROUTE ***bande d'arrêt d'urgence*** shoulder, *brit* hard shoulder; ***bande de terre*** strip of land; ***sur bande*** on tape **3.** ► ***bande dessinée*** comic strip **4.** MÉD bandage **5.** BILLARD cushion **6.** MAR ***donner de la bande*** to list
bandé [bɑ̃de] *adj* ⟨**~e**⟩ banded
bande-annonce [bɑ̃danõs] *f* ⟨**bandes-annonces**⟩ FILM trailer
bandeau [bɑ̃do] *m* ⟨**~x**⟩ **1.** headband **2.** blindfold
bandelette [bɑ̃dlɛt] *f* small strip; *d'une momie* bandage
bander [bɑ̃de] **I** *v/t* **1.** to bind up; *membre* to bandage; *yeux* to blindfold **2.** *arc* to bend **II** *v/i pop homme pop* to have a hard-on *pop*
banderille [bɑ̃dʀij] *f* CORRIDA banderilla
banderole [bɑ̃dʀɔl] *f* banner
bandit [bɑ̃di] *m* bandit; *fig* crook
banditisme [bɑ̃ditism] *m* crime
bandonéon [bɑ̃dɔneõ] *m* MUS bandoneon
bandoulière [bɑ̃duljɛʀ] *f* ***sac*** *m* ***en ~*** shoulder bag; ***porter qc en ~*** to carry sth over one's shoulder
bang [bɑ̃g] *m* sonic boom
banjo [bɑ̃dʒo] *m* MUS banjo
► **banlieue** [bɑ̃ljø] *f* suburbs *pl*; ***grande ~*** outer suburbs; ***habiter en ~*** to live in the suburbs
banlieusard [bɑ̃ljøzaʀ] *m*, **banlieusarde** [-aʀd] *f* suburban dweller
bannière [banjɛʀ] *f* banner
bannir [baniʀ] *v/t* to banish (*a fig* ***de*** from) **bannissement** *m* banishment
banquable [bɑ̃kabl] → ***bancable***
► **banque** [bɑ̃k] *f* **1.** bank (*a* JEUX) **2.** ***~ de données*** data bank; ***~ d'organes*** organ bank
banquer [bɑ̃ke] *v/i fam* to fork out
banqueroute [bɑ̃kʀut] *f* bankruptcy
banquet [bɑ̃kɛ] *m* banquet
banquette [bɑ̃kɛt] *f* wall seat
banquier [bɑ̃kje] *m* banker
banquise [bɑ̃kiz] *f* ice floe
baobab [baɔbab] *m* baobab
baptême [batɛm] *m* REL baptism; christening *fig* ***~ de l'air*** maiden flight; MAR ***~ de la ligne*** crossing of the line
baptiser [batize] *v/t* **1.** REL to baptize; to christen **2.** *fig* to christen; to dub *fam* **3.** *fam*, *fig vin* to water down
baptismal [batismal] *adj* ⟨**~e; -aux** [-o]⟩ baptismal
baptisme [batism] *m* REL baptism; christening **baptiste** REL **I** *adj* Baptist **II** *m/f* Baptist
baptistère [batistɛʀ] *m* ÉGL baptistry
baquet [bakɛ] *m* **1.** tub **2.** AUTO bucket seat
► **bar** [baʀ] *m* **1.** bar **2.** *poisson* sea bass
baragouinage [baʀagwinaʒ] *fam m* gibberish
baragouiner [baʀagwine] *fam* **I** *v/t langage* to speak badly **II** *v/i* to talk gibberish
baraka [baʀaka] *f fam* ***avoir la ~*** to be a lucky bastard *pop*
baraque [baʀak] *f* **1.** house; (*cabane*) cabin **2.** *fam*, *péj* shack
baraqué [baʀake] *adj* ⟨**~e**⟩ *fam* (***bien***) ~ (real) husky
baraquement [baʀakmɑ̃] *m* group of huts
baratin [baʀatɛ̃] *fam m* sales pitch; bullshitting *pop*
baratiner [baʀatine] *fam* **I** *v/t* to chat up; to bullshit *pop* **II** *v/i* to talk on, to bull-

shit *pop* **baratineur** *fam m*, **baratineuse** *fam f* bullshitter *pop*
baratte [baʀat] *f autrefois* churn **baratter** *v/t crème* to churn
barbacane [baʀbakan] *f* barbican
barbant [baʀbɑ̃] *fam adj* ⟨**-ante** [-ɑ̃t]⟩ *fam* boring
barbaque [baʀbak] *fam f* meat
barbare [baʀbaʀ] **I** *adj* barbaric **II** *m/f* barbarian
barbaresque [baʀbaʀɛsk] *adj* HIST Barbary Coast
barbarie [baʀbaʀi] *f* **1.** barbarism **2.** *cruauté* barbarity
barbarisme [baʀbaʀism] *m* GRAM barbarism
▶ **barbe** [baʀb] *f* **1.** beard; ***à la ~ de qn*** under sb's nose; *fig* ***rire dans sa ~*** to laugh up one's sleeve **2.** *fam* ***la ~!*** I've had enough!; *fam* ***quelle ~!*** what a drag! *fam* **3.** ***~ à papa*** cotton candy *brit* candyfloss **4.** *d'un épi* awn
barbeau [baʀbo] *m* ⟨**~x**⟩ ZOOL barbel
barbecue [baʀbəkju, -ky] *m* barbecue
barbelé [baʀbəle] *m* barbed wire
barber [baʀbe] *fam* **I** *v/t* to bore stiff **II** *v/pr* ***se ~*** to be bored stiff
barbiche [baʀbiʃ] *f* goatee beard **barbichette** *fam f* (little) goatee beard
barbier [baʀbje] *m* HIST barber
barbillon [baʀbijõ] *m chez certains poissons* barbel
barbiturique [baʀbityʀik] *m* barbiturate
barbon [baʀbõ] *m plais* ***un*** (***vieux***) ***~*** an old guy *fam*, an old fogey *péj*, *fam*
barbotage [baʀbɔtaʒ] *m* **1.** *dans l'eau* paddling **2.** CHIM *d'un gaz* bubbling
barboter [baʀbɔte] **I** *v/t fam* to filch; *brit* to nick *fam* **II** *v/i* to paddle
barboteuse [baʀbɔtøz] *f* romper-suit
barbouillage [baʀbujaʒ] *m péj* daub
barbouiller [baʀbuje] *v/t* **1.** (*salir*) to smear (***de*** with) **2.** *péj* (*peindre*) to slap paint on; *toile* to daub **3.** *papier* to cover with drivel **4.** *fam*, *fig* ***avoir l'estomac barbouillé*** to feel queasy
barbouilleur [baʀbujœʀ] *m péj* dauber
barbouze [baʀbuz] *fam f* **1.** beard **2.** *a m* secret agent
barbu [baʀby] *adj* ⟨**~e**⟩ bearded
barbue [baʀby] *f* brill
barcasse [baʀkas] *f* MAR boat
barda [baʀda] *m fam* gear; *fam* kit
bardane [baʀdan] *f* burdock
barde[1] [baʀd] *m* (*poète celte*) bard
barde[2] *f* ***~*** (***de lard***) (bacon) bard
bardeau [baʀdo] *m* ⟨**~x**⟩ shingle
barder [baʀde] **I** *v/t* **1.** ***bardé de décorations*** covered in medals **2.** CUIS to bard **II** *v/imp fam* ***ça va ~*** *fam* all hell is going to break loose
bardot [baʀdo] *m* ZOOL hinny
barème [baʀɛm] *m* scale; ENSEIGNEMENT marking system
barge [baʀʒ] *f* MAR barge
baril [baʀil] *m* **1.** drum; ***~ de lessive*** drum of detergent **2.** *de pétrole* barrel
barillet [baʀijɛ, -ʀilɛ] *m d'un revolver*, *une serrure* cylinder
bariolage [baʀjɔlaʒ] *m* splashing on **bariolé** *adj* ⟨**~e**⟩ multicolored **barioler** *v/t* to splash bright colors on
barjo [baʀʒo] *adj fam* → ***cinglé***
barmaid [baʀmɛd] *f* bartender; *brit* barmaid
barman [baʀman] *m* ⟨**~s** *or* **-men** [-mɛn]⟩ bartender; *brit* barman
barnache [baʀnaʃ] *f* → ***bernache***
baromètre [baʀɔmɛtʀ] *m* barometer **barométrique** *adj* barometric
baron[1] [baʀõ] *m* baron
baron[2] [baʀõ] *m* CUIS ***~ d'agneau*** baron of lamb
baronne [baʀɔn] *f* baroness
baroque [baʀɔk] **I** *adj* baroque **II** *m* baroque
baroud [baʀud] *m* ***~ d'honneur*** last-ditch stand
baroudeur [baʀudœʀ] *m fam* ***un*** (***vieux***) ***~*** an old warrior
barouf [baʀuf] *m fam* row; *fam* din
barque [baʀk] *f* small boat
barquette [baʀkɛt] *f* **1.** tartlet **2.** *emballage* punnet
barracuda [baʀakyda] *m* ZOOL barracuda
barrage [baʀaʒ] *m* **1.** roadblock; ***~ de police*** police roadblock; *fig* ***faire ~ à*** to block **2.** TECH dam
barre [baʀ] *f* **1.** bar *a* SPORT; ***~ fixe*** horizontal bar; ***~s parallèles*** parallel bars; ***~ de chocolat*** chocolate bar; ***~ de fer*** iron bar; *fam*, *fig* ***avoir un coup de ~*** to feel suddenly wiped out *fam*; *fam*, *fig* ***c'est le coup de ~*** it's a rip-off *fam*; *fig* ***baisser la ~*** to lower the stakes **2.** (*lingot*) ***en ~*** golden **3.** (*trait*) line, stroke; ***~ de fraction*** line of a fraction **4.** MAR helm; *de petit bateau* tiller POL ***coup m de ~ à gauche*** movement to the left; *fig* ***avoir ~ sur qn*** to have an

advantage over sb; ***être à la ~*** to be at the helm **5.** JUR **~ *des témoins*** witness stand *brit* witness box **6.** ***avoir une ~ à l'estomac*** to have a pain in one's stomach **7.** ARCH bar

barré [baʀe] *adj* ⟨**~e**⟩ **1.** *route* closed **2.** ***chèque* ~** crossed check

barreau [baʀo] *m* ⟨**~x**⟩ **1.** bar; *d'une échelle* rung **2.** JUR Bar

barrer [baʀe] **I** *v/t* **1.** *route* to close; *passage* to block **2.** (*rayer*) to score out **II** *v/pr fam, fig* ***se* ~** to get out

barrette [baʀɛt] *f* **1.** barrette, *brit* hairslide **2.** *broche* bar brooch **3.** CATH red biretta

barreur [baʀœʀ] *m* helmsman

barricade [baʀikad] *f* barricade

barricader [baʀikade] *v/t* (*et v/pr*) ***se* ~** to barricade o.s.

barrière [baʀjɛʀ] *f* gate (*a* CH DE FER, *fig*); *à la frontière* barrier

barrique [baʀik] *f* barrel

barrir [baʀiʀ] *v/i éléphant* to trumpet

barrissement *m d'un éléphant* trumpeting

baryton [baʀitõ] *m* MUS baritone

► **bas**[1] [bɑ] **I** *adj* ⟨**basse** [bɑs]⟩ **1.** low (*a* GÉOG); *nuages* low; *soleil* low; ***front bas*** low forehead; ***ville basse*** lower town; *pièce* ***bas de plafond*** half-witted **2.** *salaire, nombre, etc* low; *température* low; *dans une hiérarchie* inferior; ***les basses besognes*** menial chores; *fig* dirty work **3.** LING low; ***bas latin*** Low Latin **4.** *voix* low; MUS bass **II** *adv* **1.** low; *dans un texte* ***plus bas*** below; *malade* ***il est bien bas*** he is very weak; *animal* ***mettre bas*** to give birth; *fig* ***il est tombé bien bas*** he has sunk very low; ***voler bas*** lack ambition **2.** *parler, chanter* softly; MUS low **3. *à bas …!*** down with…; ► ***en bas*** down below; downstairs (*vers le* ~) near the bottom; *passer* ***par en bas*** the bottom way; ► ***en bas de*** at the bottom of **III** *m* bottom; ***au bas de*** at the bottom of; ***par le bas*** by the bottom

bas[2] *m* stocking; *fig* **~ *de laine*** woolen stocking; *par ext* savings

basal [bazal] *adj* ⟨**~e; -aux** [-o]⟩ basal

basalte [bazalt] *m* MINÉR basalt **basaltique** *adj* MINÉR basaltic

basané [bazane] *adj* ⟨**~e**⟩ **1.** sun-tanned **2.** *péj* dark-skinned

bas-bleu [bɑblø] *m* ⟨**bas-bleus**⟩ *péj* bluestocking

bas-côté [bɑkote] *m* ⟨**bas-côtés**⟩ **1.** shoulder *brit* hard shoulder **2.** ARCH side aisle

bascule [baskyl] *f* **1.** *balance* weighing machine **2.** (*balançoire*) seesaw **3.** ***cheval*** *m*, ***fauteuil*** *m* ***à* ~** rocking horse, chair **4.** ÉLEC rocker

basculer [baskyle] **I** *v/t* (***faire***) **~** to tip up **II** *v/i* **1.** to tip over **2.** *fig* to change dramatically; POL **~ *dans*** to go over to

basculeur [baskylœʀ] *m* **1.** TECH tipper **2.** ÉLEC rocker switch

base [bɑz] *f* **1.** base (*a* ANAT); *d'une statue* base; MATH base; INFORM **~ *de données*** database **2.** MIL base; **~ *aérienne*** airbase; **~ *navale*** naval base **3.** *fig* base; ***de* ~** basic; ***salaire*** *m* ***de* ~** basic salary; *produit* ***à ~ de soja*** soya-based; ***sur la ~ de*** on the basis of; ***avoir des ~s solides*** to have a basic grounding; ***être à la ~ de qc*** to be at the root of sth **4.** CHIM base

base-ball [bezbol] *m* baseball

baser [bɑze] **I** *v/t* **1. ~ *sur*** to base on; ***être basé sur*** to be based on **2.** MIL ***être basé*** to be based (***à*** in; at) **II** *v/pr* ***se* ~ *sur qc*** to be based on sth

bas-fond [bɑfõ] *m* ⟨**bas-fonds**⟩ **1.** *de la mer, d'un fleuve* shallow **2.** *fig* ***bas-fonds*** *pl d'une ville* sleazy area; *de la société* dregs

basic [bazik] *m* INFORM BASIC

basicité [bɑzisite] *f* CHIM basicity

basilic [bazilik] *m* basil

basilique [bazilik] *f* basilica

basique [bɑzik] *adj* CHIM basic

basket [baskɛt] **1.** *m, abr* → ***basket-ball*** **2.** *fpl* **~*s*** sneakers, *brit* trainers

basket-ball [baskɛtbol] *m* basketball

basketteur [baskɛtœʀ] *m*, **basketteuse** [-øz] *f* basketball player

basquaise [baskɛz] *adj, f* CUIS (***à la***) **~** basquaise *cooked with capsicums and tomatoes*

basque[1] [bask] **I** *adj* Basque; ***le Pays* ~** the Basque Country **II** *subst* **1. Basque** *m/f* Basque **2.** LING ***le* ~** Basque

basque[2] *f fig* ***être toujours pendu aux ~s de qn*** to be forever pestering sb

bas-relief [bɑʀəljɛf] *m* ⟨**bas-reliefs**⟩ bas-relief

Bas-Rhin [bɑʀɛ̃] ***le* ~** the Bas-Rhin

basse [bɑs] *f* **1.** bass; (***voix*** *f* ***de***) **~** bass (voice) **2.** → ***contrebasse***

basse-cour *f* ⟨**basses-cours**⟩ farmyard

bassement [bɑsmɑ̃] *adv* basely **bassesse** *f* baseness

basset [bɑsɛ] *m* basset hound
bassin [basɛ̃] *m* **1.** bowl; GÉOG basin; ANAT pelvis **~** (***hygiénique***) bedpan **2.** (*pièce d'eau*) pond; MAR dock
bassinant [basinɑ̃] *adj* ⟨**-ante** [-ɑ̃t]⟩ *fam* → ***barbant***
bassine [basin] *f* basin
bassiner [basine] *v/t fam* **~ *qn*** to bore sb stiff
bassinoire [basinwaʀ] *f* warming pan
bassiste [bɑsist] *m* bass player
basson [bɑsõ] *m* bassoon
bastide [bastid] *f en Provence* traditional old house
bastingage [bastɛ̃gaʒ] *m* ship's rail
bastion [bastjõ] *m* bastion
bastonnade [bastɔnad] *f* beating
bastringue [bastʀɛ̃g] *m fam* racket
bas-ventre [bɑvɑ̃tʀ] *m* ⟨**bas-ventres**⟩ lower abdomen
bât [bɑ] *m* pack-saddle; *fig* ***c'est là que le ~ blesse*** that's the snag
bataclan [bataklɑ̃] *fam m* stuff; *fam* junk; ***et tout le ~*** and all the rest of it
▶ **bataille** [bataj] *f* **1.** MIL battle; **~ *navale*** naval battle; *jeu* battleships + *v sg*; *fam*; **~ *rangée*** pitched battle; *fig* ***avoir les cheveux en ~*** to have disheveled hair **2.** CART *card game*
batailler [bataje] *v/i* fight
batailleur [batajœʀ] **I** *adj* ⟨**-euse** [-øz]⟩ aggressive **II** *m* fighter
bataillon [batajõ] *m* battalion
bâtard [bɑtaʀ] **I** *adj* ⟨**-arde** [-aʀd]⟩ *style, solution* hybrid; (***chien***) **~** *m* mongrel; *péj enfant* bastard *péj* **II** *m* **1.** *péj* bastard *péj* **2.** *pain small loaf of bread*
batave [batav] *adj plais* Dutch
batavia [batavja] *f* Webb lettuce
bâté [bɑte] *adj fig* ***âne ~*** *fam* stupid fool
▶ **bateau** [bato] *m* ⟨**~x**⟩ **1.** ship; *non ponté* boat; **~ *à moteur*** motorboat; **~ *de pêche*** fishing boat; *fig* ***mener qn en ~*** take sb in **2.** *adjt fam thème* hackneyed
bateau-citerne *m* ⟨**bateaux-citernes**⟩ tanker **bateau-mouche** *m* ⟨**bateaux-mouches**⟩ *sightseeing boat on the river Seine* **bateau-pilote** *m* ⟨**bateaux-pilotes**⟩ pilot boat **bateau-pompe** *m* ⟨**bateaux-pompes**⟩ fireboat
bateleur [batlœʀ] *m* tumbler
batelier [batəlje] *m* boatman
batellerie [batɛlʀi] *f* inland shipping
bâter [bɑte] *v/t* put a pack-saddle on; → ***âne***
bâti [bɑti] **I** *adj* ⟨**~e**⟩ **1.** *terrain* developed **2.** ***bien ~*** *personne* well built **II** *m* **1.** TECH frame **2.** COUT tacking
batifoler [batifɔle] *v/i* to romp about
batik [batik] *m* batik
▶ **bâtiment** [bɑtimɑ̃] *m* **1.** (*construction*) building **2.** *secteur* building trade **3.** MAR ship
bâtir [bɑtiʀ] *v/t* **1.** *maison* to build; *terrain* to develop **2.** *fig théorie* to construct; *fortune, réputation* to build (***sur*** on) **3.** COUT to tack
bâtisse [bɑtis] *f* big building; *péj, fam* pile *fam*
bâtisseur [bɑtisœʀ] *m* **1.** master builder **2.** *fig* builder
batiste [batist] *f* TEXT batiste
▶ **bâton** [bɑtõ] *m* **1.** *bout de bois* stick; **~ *de maréchal*** marshal's baton; *fig* pinnacle of one's career; **~ *de ski*** ski stick; *fig* ***être le ~ de vieillesse de qn*** be a support to sb in their old age; *fig* ***mener une vie de ~ de chaise*** lead a wild life; *fig* ***mettre à qn des ~s dans les roues*** put a spoke in sb's wheels; ***parler à ~s rompus*** make small talk **2.** **~ *de craie*** stick of chalk; **~ *de rouge à lèvres*** lipstick **3.** *trait* vertical stroke
bâtonnet [bɑtɔnɛ] *m* **1.** (*petit bâton*) stick **2.** CUIS **~ *de poisson*** fish stick, *brit* fish finger
bâtonnier [bɑtɔnje] *m* JUR ≈ *president of the Bar*
batraciens [batʀasjɛ̃] *mpl* batrachians
battage [bataʒ] *m* **1.** *du blé* threshing **2.** *fig, fam* hype *fam*
battant [batɑ̃] **I** *adj* ⟨**-ante** [-ɑ̃t]⟩ beating; ***pluie ~e*** driving rain **II** *subst* **1.** *m de porte, fenêtre* hinged section **2.** *m de cloche* clapper **3.** **~**(***e***) *m*(*f*) fighter
batte [bat] *f* SPORT bat
battement [batmɑ̃] *m* **1.** beat; *du cœur, de la pluie* beating; **~ *d'ailes*** flutter of wings; **~ *des cils, des paupières*** fluttering of eyelashes, eyelids; ***avoir des ~s de cœur*** to have palpitations **2.** MUS, PHYS beat
batterie [batʀi] *f* **1.** ÉLEC battery; *fig* ***recharger ses ~s*** to recharge one's batteries **2.** MIL battery; *fig* ***dévoiler ses ~s*** to show one's hand **3.** MUS drum kit, drums + *v pl*; *dans un orchestre* percussion **4.** **~ *de cuisine*** pots and pans + *v pl*
batteur [batœʀ] *m* **1.** CUIS whisk **2.** MUS drummer **3.** SPORT batter, *brit* batsman
batteuse *f* AGR threshing machine

battoirs [batwaʀ] *mpl fam (mains larges)* hands; *fam* paws

▶ **battre** [batʀ] ⟨**je bats, il bat, nous battons; je battais; je battis; je battrai; que je batte; battant; battu**⟩ **I** *v/t* **1.** *(donner des coups)* to beat **2.** *adversaire, record* to beat **3.** *tapis* beat; *tambour* to beat, to bang; *mesure* to beat; *œufs, crème* to beat; *cartes* to shuffle; *fer* to beat; *blé* to thresh; ***battre monnaie*** to mint coins **4.** *région* scour **II** *v/i* **1.** to beat; *cœur* to beat; *pluie* ***battre contre les vitres*** to hammer on the windows; ***battre des cils, des paupières*** to flutter one's eyelashes, eyelids; ***battre des mains*** to clap (one's hands) **III** *v/pr* ▶ **se battre 1.** MIL, *fig* to fight (***contre, pour qn, qc*** against, for sb, sth) **2.** *(se bagarrer)* to fight (***avec qn*** with sb); *fig* ***se battre avec qc*** to struggle with sth

battu [baty] *pp*→ ***battre*** *et adj* ⟨**~e**⟩ **1.** ***avoir les yeux ~s*** to have dark rings under one's eyes **2.** SPORT ***sur terre ~e*** on a clay court; *fig* ***hors des sentiers ~s*** off the beaten track

battue [baty] *f* beat

baudet [bodɛ] *fam m* donkey, ass; ***chargé comme un ~*** weighed down like a mule

baudrier [bodʀije] *m* MIL shoulder strap; ALPINISME harness

baudroie [bodʀwa] *f* ZOOL angler fish

baudruche [bodʀyʃ] *f* ***ballon*** *m* ***de ~*** balloon

bauge [boʒ] *f* pigsty

baume [bom] *m* balm

bauxite [boksit] *f* bauxite

bavard [bavaʀ] **I** *adj* ⟨**-arde** [-aʀd]⟩ talkative; *péj* long-winded; *(indiscret)* indiscreet **II ~(e)** *m(f)* chatterbox; *fam* loudmouth

bavardage [bavaʀdaʒ] *m* **1.** *action* chattering **2.** *propos* chatter; *indiscret* gossip + *v sg*

▶ **bavarder** [bavaʀde] *v/i* to chat, to talk; *(médire)* to gossip

bavarois [bavaʀwa] **I** *adj* ⟨**-oise** [-waz]⟩ Bavarian **II *Bavarois(e)*** *m(f)* Bavarian

bave [bav] *f* **1.** *(salive)* dribble **2.** *de la limace* slime

baver [bave] *v/i* **1.** *personne* to dribble **2.** *encre, peinture* to run **3.** *fam, fig* ***~ d'admiration*** to be open-mouthed with admiration **4.** *fam, fig* ***en ~*** to have a hard time; ***en faire ~ à qn*** to give sb a hard time

bavette [bavɛt] *f* **1.** *pour bébé, tablier* bib **2.** *fam* ***tailler une ~*** *fam* to have a good chat **3.** BOUCHERIE flank

baveux [bavø] *adj* ⟨**-euse** [-øz]⟩ **1.** *enfant, bouche* dribbly **2.** *omelette* runny

Bavière [bavjɛʀ] ***la ~*** Bavaria

bavoir [bavwaʀ] *m* bib

bavure [bavyʀ] *f* **1.** *tâche* smudge; *fig* ***sans ~(s)*** faultless **2.** *fig* blunder

bayer [baje] *v/i* ⟨**-ay-** *od* **-ai-**⟩ ***~ aux corneilles*** to gape

bazar [bazaʀ] *m* **1.** *en Orient* bazaar **2.** *magasin* general store **3.** *fam* → ***fouillis, bataclan***

bazarder [bazaʀde] *v/t fam* to chuck out *fam*

bazooka [bazuka] *m* MIL bazooka

B.C.B.G. [besebeʒe] *adj, abr* ⟨*inv*⟩ (= **bon chic bon genre**) chic and conservative

BCE [beseə] *f, abr* (= **Banque centrale européenne**) CEB

B.C.G. [beseʒe] *m, abr* (= **bacille Calmette-Guérin**) MÉD BCG

bd *abr* → ***boulevard***

B.D. [bede] *f, abr* ⟨*inv*⟩ *fam* (= **bande dessinée**) *dans un journal* comic strip; *livre* comic book

bê [bɛ] *int mouton* baa

beach volley [bitʃvɔlɛ] *m* beach volleyball

béant [beɑ̃] *adj* ⟨**-ante** [-ɑ̃t]⟩ gaping; *gouffre* yawning

béarnais [beaʀnɛ] *adj* ⟨**-aise** [-ɛz]⟩ from the Béarn; CUIS ***sauce ~e*** Béarnaise sauce

béat [bea] *adj* ⟨**-ate** [-at]⟩ blissful

béatification [beatifikasjõ] *f* beatification **béatifier** *v/t* to beatify

béatitude [beatityd] *f* **1.** REL beatitude **2.** *(bonheur)* st/s bliss

beatnik [bitnik] *m* beatnik

▶ **beau** [bo] **I** *adj* ⟨*m avant voyelle ou 'h' muet* **bel** [bɛl]; *f* **belle** [bɛl]; *mpl* **beaux** [bo]⟩ **1.** beautiful; ***un ~ geste*** a noble gesture; ***les ~x quartiers*** the smart districts; ***un ~ soleil*** beautiful sunshine; ***~ temps*** good weather; ***un ~ jour*** a fine day; ***il fait ~*** the weather is fine ***se faire ~*** to do oneself up **2.** *iron* ***j'en ai appris de belles à ton sujet*** I've heard stories about you; ***en dire de belles sur qn*** to say things about sb **3.** *somme* tidy; *résultat* good; *morceau* nice; *gifle fam* hard; *rhume fam* nasty; ***un bel âge*** a good age; ***au ~ milieu de*** right in the middle of **II** *adv* ***j'ai ~ faire qc*** however much I do sth; ***vous avez ~ dire*** it's all very well you saying; *menace* ***il ferait ~ voir que …*** I'd like to see the day when …; ***bel et bien*** well and truly; ***de plus belle*** more than ever **III** *subst* **1.** ***le ~*** beauty **2.** ***un vieux ~*** an aging Romeo; ***faire le ~*** *chien* to sit up and beg; *fam personne* to show off **3.** *iron* ***c'est du ~!*** great! *iron* **4.** ***être au ~ fixe*** *baromètre, temps* to be set fair; *fig relations, affaire* to be going very well **5.** *plais* ***sa belle*** his lady friend *plais*; ***ma belle!*** darling! **6.** ***belle*** *f jeu, match* decider **7.** *arg* (***se***) ***faire la belle*** *fam* to escape; *fam* to do a bunk

▶ **beaucoup** [boku] *adv* a lot; (*de nombreuses personnes*) many people, a lot of people; ▶ ***beaucoup de*** (+ *subst*) a lot of; ***lire beaucoup*** to read a lot; ***il a beaucoup changé*** he has changed a lot; ***beaucoup mieux*** much better; ***beaucoup plus, moins*** much more, less; ***pas beaucoup de temps, d'amis*** not much time, many friends; ***de beaucoup*** by far; ***beaucoup d'accidents*** a lot of accidents; ***beaucoup de chance*** a lot of luck; ***avoir beaucoup de choses à faire*** to have a lot to do; ***il y est pour beaucoup*** he has a lot to do with it; ***beaucoup le pensent*** a lot of people think that

beauf [bof] *m, abr fam* **1.** → ***beau-frère*** **2.** *péj* redneck *péj*

beau-fils *m* ⟨**beaux-fils**⟩ **1.** (*fils du conjoint*) stepson **2.** (*gendre*) son-in-law

▶ **beau-frère** *m* ⟨**beaux-frères**⟩ brother-in-law

Beaujolais [boʒɔlɛ] ***le ~*** the Beaujolais

▶ **beau-père** *m* ⟨**beaux-pères**⟩ **1.** (*père du conjoint*) father-in-law **2.** (*époux de la mère*) stepfather

▶ **beauté** [bote] *f* beauty; ***une ~*** (*belle femme*) a beauty; *terminer* ***en ~*** with a flourish; ***être en ~*** to look really good; *fam* ***se refaire une ~*** to do o.s. up *fam*

beaux-arts [bozaʀ] *mpl* ***les ~*** fine art and architecture

▶ **beaux-parents** [bopaʀɑ̃] *mpl* parents-in-law

▶ **bébé** [bebe] *m* baby; *fig* ***jeter le ~ avec l'eau du bain*** to throw out the baby with the bathwater **bébé-éprouvette** *m* ⟨**bébés-éprouvette**⟩ test-tube baby

bébête [bebɛt] *fam adj* silly

be-bop [bibɔp] *m* MUS be-bop

bec [bɛk] *m* **1.** ZOOL beak; ***coup*** *m* ***de ~*** peck; *fig* cutting remark; *fig* ***rester le ~ dans l'eau*** to be left high and dry **2.** *fam, fig* (*bouche*) mouth; ***un ~ fin*** a gourmet; ***prise*** *f* ***de ~*** row; ***claquer du ~*** *fam* to be starving; ***clouer le ~ à qn*** *fam* to shut sb up *fam* **3.** *d'une cafetière, etc* spout; *d'une plume* nib; MUS mouthpiece; *fam, fig* ***tomber sur un ~*** to hit a snag

bécane [bekan] *fam f* **1.** (*vélo*) *fam* bike **2.** (*moto*) *fam* motorbike

bécarre [bekaʀ] *m* MUS natural

bécasse [bekas] *f* **1.** ZOOL woodcock **2.** *fam, fig* featherbrain *fam*

bécasseau [bekaso] *m* ⟨**~x**⟩ ZOOL sandpiper

bécassine [bekasin] *f* **1.** ZOOL snipe **2.** *fam, fig* → ***bécasse***

bec-de-cane [bɛkdəkan] *m* ⟨**becs-de-cane**⟩ *serrure* spring lock; *poignée* door handle

bec-de-lièvre [bɛkdəljɛvʀ] *m* ⟨**becs-de-lièvre**⟩ harelip

bêchage [bɛʃaʒ] *m* JARD digging

béchamel [beʃamɛl] *f* béchamel sauce, white sauce

bêche [bɛʃ] *f* spade

bêcher [beʃe] **I** *v/t* to dig **II** *fam v/i* to be stuck-up *fam*

bêcheur [bɛʃœʀ] *m fam* snob **bêcheuse** *f fam* snob

bécot [beko] *m* kiss

bécoter [bekɔte] *fam* **I** *v/t* to kiss, *fam* to bill and coo with **II** *v/pr* **se~** to kiss, *fam* to bill and coo

becquée [beke] *f* ***donner la ~ à*** to feed

becquerel [bɛkʀɛl] *m* PHYS becquerel

becqueter [bɛkte] *fam v/t* ⟨**-tt-**⟩ *personne* to eat

bedaine [bədɛn] *f fam* belly, paunch

bedeau [bədo] *m* ⟨**~x**⟩ verger

bedon [bədõ] *m fam* → ***bedaine***

bedonnant [bədɔnɑ̃] *fam adj* ⟨**-ante** [-ɑ̃t]⟩ paunchy; *fam* pot-bellied

bédouin [bedwɛ̃], **bédouine** [-in] **I** *m/f* Bedouin **II** *adj* Bedouin

bée [be] *adj, f* ***rester bouche ~*** to be open-mouthed; *fam* to be flabbergasted

béer [bee] *v/i litt* ***~ d'admiration*** to gape in wonder

beffroi [befʀwa] *m* belfry

bégaiement [begɛmɑ̃] *m* stammering + *v sg*, stuttering + *v sg*

bégayer [begeje] *v/t et v/i* 〈**-ay-** *od* **-ai-**〉 to stammer, to stutter
bégonia [begɔnja] *m* begonia
bègue [bɛg] **I** *adj* ***être ~*** to stammer, to stutter **II** *m/f* stammerer, stutterer
bégueule [begœl] *adj* prudish
béguin [begɛ̃] *m fam* **1.** ***avoir le ~ pour qn*** to have a crush on sb **2.** *personne fam* crush
beige [bɛʒ] *adj* beige
beigne [bɛɲ] *f fam* → ***gifle***
beignet [bɛɲɛ] *m* donut
bel [bɛl] → ***beau***
bêlement [bɛlmɑ̃] *m des moutons* baa-ing; *des chèvres* bleating **bêler** *v/i mouton* to baa; *chèvre* to bleat
belette [bəlɛt] *f* weasel
► **belge** [bɛlʒ] **I** *adj* Belgian **II** ***Belge*** *m/f* Belgian
belgicisme [bɛlʒisism] *m* LING Belgian French expression
► **Belgique** [bɛlʒik] ***la ~*** Belgium
bélier [belje] *m* **1.** ZOOL ram **2.** ASTROL ***Bélier*** Aries **3.** HIST battering ram
belladone [bɛladɔn] *f* BOT deadly nightshade
bellâtre [bɛlɑtʀ] *m* handsome guy
belle [bɛl] → ***beau***
belle-de-jour [bɛldəʒuʀ] *f* 〈**belles-de--jour**〉 BOT morning glory **belle-de-nuit** *f* 〈**belles-de-nuit**〉 BOT four-o'clock flower
belle-doche [bɛldɔʃ] *f péj, fam* 〈*pl* **belles-doches**〉 mother-in-law **belle-famille** *f* 〈**belles-familles**〉 in-laws + *v pl*
► **belle-fille** *f* 〈**belles-filles**〉 **1.** (*bru*) daughter-in-law **2.** (*fille du conjoint*) stepdaughter
► **belle-mère** *f* 〈**belles-mères**〉 **1.** (*mère du conjoint*) mother-in-law **2.** (*épouse du père*) stepmother
belles-lettres [bɛllɛtʀ] *fpl autrefois* literature + *v sg*
► **belle-sœur** *f* 〈**belles-sœurs**〉 sister--in-law
bellicisme [bɛlisism] *m* warmongering
belliciste [bɛlisist] **I** *adj* hawkish **II** *m/f* warmonger
belligérance [bɛliʒeʀɑ̃s] *f* state of belligerence **belligérant** *adj* 〈**-ante** [-ɑ̃t]〉 belligerent
belliqueux [belikø] *adj* 〈**-euse** [-øz]〉 **1.** (*guerrier*) warlike **2.** (*agressif*) aggressive
belon [bəlõ] *f* Belon oyster
belote [bəlɔt] *f card game*
belvédère [bɛlvedɛʀ] *m* panoramic viewpoint
bémol [bemɔl] *m* MUS flat; *adjt* ***do ~*** C flat
ben [bɛ̃] *adv, int fam* (***eh***) ***~*** → ***bien***[1] *I 5*
bénédicité [benedisite] *m* grace
bénédictin [benediktɛ̃] *m* Benedictine
bénédiction [benediksjõ] *f* blessing; ***~ nuptiale*** wedding ceremony
bénef [benɛf] *m, abr fam* → ***bénéfice***; ***c'est tout ~*** it's all profit
► **bénéfice** [benefis] *m* **1.** COMM profit **2.** (*avantage*) advantage; ***au ~ de qn*** to sb's advantage; ***laisser à qn le ~ du doute*** to give sb the benefit of the doubt
bénéficiaire [benefisjɛʀ] **I** *adj* profitable **II** *m/f* beneficiary
bénéficier [benefisje] *v/t indir* ***~ de qc*** to receive sth; *d'immunité, avantage, soutien* to enjoy sth; ***faire ~ qn de qc*** to give sb sth
bénéfique [benefik] *adj* beneficial
Benelux [benelyks] ***le ~*** the Benelux countries
benêt [bənɛ] *m* (***grand***) ***~*** dimwit
bénévolat [benevɔla] *m* voluntary work
bénévole [benevɔl] **I** *adj* voluntary **II** *m* volunteer
bénigne → ***bénin***
bénignité [beniɲite] *f d'une maladie* nonmalignancy
bénin [benɛ̃] *adj* 〈**bénigne** [beniɲ]〉 benign (*a* MÉD); *faute, erreur* harmless
Bénin [benɛ̃] ***le ~*** Benin
bénir [beniʀ] *v/t* **1.** REL *objet, fidèle* to bless **2.** *Dieu* to praise *par ext* to be grateful (***qn*** to sb); to be grateful (***qc*** for sth)
bénit [beni] *adj* 〈**-ite** [-it]〉 blessed; ***eau ~e*** holy water
bénitier [benitje] *m* holy water stoup; *fam, fig* ***grenouille*** *f* ***de ~*** *fam* Holy Joe *fam*
benjamin [bɛ̃ʒamɛ̃] *m*, **benjamine** [-in] *f* SPORT junior; *d'une famille* youngest son, daughter
benne [bɛn] *f* dumpster, *brit* skip; ***~ à ordures*** garbage truck
Benoît [bənwa] *m* Benedict
benzène [bɛ̃zɛn] *m* CHIM benzene
benzine [bɛ̃zin] *f* benzine
béotien [beɔsjɛ̃] *m*, **béotienne** [-jɛn] *f* Boetian
B.E.P. [beəpe, bɛp] *m, abr* 〈*inv*〉 (= **brevet d'études professionnelles**) *certificate of technical education*

béquille [bekij] *f* **1.** crutch; ***marcher avec des ~s*** to walk on crutches **2.** *d'une moto, etc* kickstand **3.** *de serrure* handle
berbère [bɛʀbɛʀ] **I** *adj* Berber **II** ***Berbère*** *m/f* Berber
bercail [bɛʀkaj] *m* **1.** REL fold **2.** *plais* home
berce [bɛʀs] *f* BOT hogweed
berceau [bɛʀso] *m* ⟨**~x**⟩ cradle
bercement [bɛʀsəmɑ̃] *m* rocking
bercer [bɛʀse] ⟨**-ç-**⟩ **I** *v/t* **1.** *bébé* to rock **2.** *fig* ***~ qn de vaines promesses*** to string sb along with false promises **II** *v/pr fig* ***se ~ de qc*** to delude oneself with sth
berceur [bɛʀsœʀ] *adj* ⟨**-euse** [-øz]⟩ lulling **berceuse** *f* lullaby
béret [beʀɛ] *m* beret; ***~ basque*** Basque beret
bergamote [bɛʀgamɔt] *f agrume* bergamot orange
berge [bɛʀʒ] *f* **1.** *de rivière* bank **2.** *fam* ***avoir trente ~s*** be thirty years old
berger [bɛʀʒe] *m* **1.** shepherd; ***l'étoile*** *f* ***du ~*** evening star **2.** ***~ (allemand)*** German shepherd, Alsatian
bergère [bɛʀʒɛʀ] *f* **1.** *personne* shepherdess **2.** *fauteuil* wing chair
bergerie [bɛʀʒəʀi] *f* sheep barn
bergeronnette [bɛʀʒəʀɔnɛt] *f* wagtail
berk [bɛʀk] *int fam* yuk *fam*
Berlin [bɛʀlɛ̃] Berlin
berline [bɛʀlin] *f* sedan, *brit* saloon
berlingot [bɛʀlɛ̃go] *m* **1.** *bonbon hard mint sweet* **2.** *emballage* soft plastic carton
berlinois [bɛʀlinwa] ⟨**-oise** [-waz]⟩ **I** *adj* Berlin **II** ***Berlinois(e)*** *m(f)* Berliner
berlue [bɛʀly] *f* ***avoir la ~*** to be seeing things
bermuda(s) [bɛʀmyda] *mpl* bermudas + *v pl*
bernache [bɛʀnaʃ] *f* **1.** *oiseau* barnacle goose **2.** *crustacé* barnacle
bernacle [bɛʀnakl] *f* → ***bernache***
bernard-l'(h)ermite [bɛʀnaʀlɛʀmit] *m* ⟨*inv*⟩ hermit-crab
berne [bɛʀn] *f* ***en ~*** at half-mast
berner [bɛʀne] *v/t* to fool
bernicle [bɛʀnikl] *ou* **bernique** [bɛʀnik] *f* limpet
besace [bəzas] *f* pouch
bésef [bezɛf] → ***bézef***
bésicles [bezikl] *plais fpl* specs *fam*
besogne [bəzɔɲ] *f* job; *fig* ***tu vas vite en ~, toi!*** you don't waste any time, do you!
besogneux [bəzɔɲø] *adj* ⟨**-euse** [-øz]⟩ laborious
▶ **besoin** [bəzwɛ̃] *m* **1.** need (***de*** for); ***~ d'activité*** need for activity; ***~ de repos*** need for rest; ***au ~, si ~ est*** if necessary, if need be; ***pour les ~s de la cause*** for the good of the cause; ***avoir ~ de*** to need; ***subvenir aux ~s de qn*** to provide for sb **2.** ***~s*** *pl* needs, requirements; ***~s en main-d'œuvre*** manpower requirements **3.** *fam* ***faire ses ~s*** to relieve o.s.; *animal* to do its business **4.** *pauvreté* poverty; ***être dans le ~*** to be in need
bestiaire [bɛstjɛʀ] *m* **1.** *recueil* bestiairy **2.** *gladiateur* gladiator *who fought animals*
bestial [bɛstjal] *adj* ⟨**~e; -aux** [-o]⟩ bestial **bestialité** *f* bestiality
bestiaux [bɛstjo] *mpl* livestock + *v sg*
bestiole [bɛstjɔl] *f* bug
best-seller [bɛstsɛlœʀ] *m* ⟨**best-sellers**⟩ bestseller
bêta [bɛta] *fam* **I** *adj* ⟨**bêtasse** [bɛtas]⟩ silly **II** *m* ***gros ~*** *fam* silly billy *fam*
bêtabloquant [bɛtablɔkɑ̃] *m* MÉD beta blocker
bétail [betaj] *m* livestock; ***gros, petit ~*** large, small livestock
bétaillère [betajɛʀ] *f* cattle truck
▶ **bête**[1] [bɛt] *f* **1.** animal; ***~ à bon Dieu*** ladybug; *fig* ***chercher la petite ~*** *fam* nitpick **2.** *fig* ***grosse, grande ~!*** *fam* you silly thing! *fam*; *péj* ***sale ~*** stupid thing *péj*; *fam* ***~ à concours*** exam fiend *fam*; ***c'est sa ~ noire*** it's his pet hate; ***faire la ~*** to act stupid
▶ **bête**[2] *adj* (*pas intelligent*) stupid; (*regrettable*) silly; ***un accident ~*** a silly accident; *fam* ***être ~ à manger du foin, comme ses pieds*** *fam* to be thick as a brick *fam*
bétel [betɛl] *m* BOT betel
bêtement [bɛtmɑ̃] *adv* **1.** *rire, se conduire* stupidly **2.** ***tout ~*** simply
bêtifier [betifje] *v/i* to say stupid things
▶ **bêtise** [betiz] *f* **1.** (*défaut d'intelligence*) stupidity; (*acte stupide*) stupid thing; ***dire des ~s*** *pl* to talk nonsense; ***faire une ~*** to do something stupid **2.** (*motif futile*) trifle
bêtisier [betizje] *m* collection of bloopers
▶ **béton** [betõ] *m* concrete; ***de*** *ou* ***en ~*** concrete; *fig* ***(en) ~*** strong
bétonnage [betɔnaʒ] *m* **1.** CONSTR con-

creting **2.** *par ext d'une côte etc* concreting over
bétonner [betɔne] **I** *v/t* concrete; *péj région* to concrete over **II** *v/i* FOOT to stonewall
bétonneuse [betɔnøz] *f ou* **bétonnière** [-jɛʀ] *f* cement mixer
bette [bɛt] *f* Swiss chard
betterave [bɛtʀav] *f* beet, beetroot; **~ *rouge*** beetroot
beuglante [bøglɑ̃t] *fam f chanson* raucous song
beuglement [bøgləmɑ̃] *m* **1.** *des bovins* mooing **2.** *fam, péj* hollering, yelling
beugler [bøgle] *v/i* **1.** *bovins* moo **2.** *fam, péj* holler, yell
beur [bœʀ] *fam m/f* second-generation North African (*living in France*)
beurette [bœʀɛt] *f fam* → ***beur***
beurk [bœʀk] *int fam* yuk
► **beurre** [bœʀ] *m* **1.** butter; ***au ~ noir*** in black butter; *fam, fig* ***œil** m* ***au ~ noir*** black eye; *fig* ***faire son ~*** to make a fortune; *fam* to make a packet; *fam, fig* ***compter pour du ~*** to count for nothing; *fig* ***mettre du ~ dans les épinards*** to make life a bit easier **2.** ***petit ~*** *all-butter cookie*
beurré [bœʀe] *fam adj* ⟨**~e**⟩ *fam* plastered *fam*
beurrer [bœʀe] *v/t* butter; ***tartine beurrée*** slice of bread and butter
beurrier [bœʀje] *m* butter dish
beuverie [bœvʀi] *f* drinking session, *fam* binge
bévue [bevy] *f* blunder
bézef [bezɛf] *adv fam* ***c'est pas ~*** there's not a lot
B.H.V. [beaʃve] *m, abr* (= **Bazar de l'Hôtel de ville**) *department store*
biais [bjɛ] *m* **1.** ***de** ou **en ~*** at an angle **2.** *fig* way, means + *v sg*; *péj* dodge; ***de ~*** in a roundabout way; ***par le ~ de*** through
biaiser [bjeze] *v/i* biased
biathlon [biatlõ] *m* biathlon
bibelot [biblo] *m* knick-knack
Bibendum [bibɛ̃dɔm] *m* Michelin® man
biberon [bibʀõ] *m* feeding bottle
biberonner [bibʀɔne] *v/i fam* to booze *fam*
bibi [bibi] *fam pr pers* me; *fam* yours truly
bibiche [bibiʃ] *f fam* pet
bibine [bibin] *f fam* weak beer, dishwater *fam*
► **Bible** [bibl] *f* Bible (*fig* ***bible***)
bibliobus [biblijobys] *m* bookmobile, *brit* mobile library
bibliographie [biblijɔgʀafi] *f* bibliography **bibliographique** *adj* bibliographical
bibliophile [biblijɔfil] *m/f* bibliophile **bibliophilie** *f* bibliophilia
bibliothécaire [biblijɔtekɛʀ] *m/f* librarian
► **bibliothèque** [biblijɔtɛk] *f* **1.** *édifice, pièce* library **2.** *meuble* bookcase
biblique [biblik] *adj* biblical
bic® [bik] *m* ballpoint pen; *fam* biro®
bicarbonate [bikaʀbɔnat] *m* ***~ de soude*** bicarbonate of soda
bicentenaire [bisɑ̃tnɛʀ] *m* bicentenary
bicéphale [bisefal] *adj* two-headed
biceps [bisɛps] *m* bicep
biche [biʃ] *f* **1.** ZOOL doe; *fig* ***yeux** mpl* ***de ~*** doe-like eyes **2.** ***ma ~*** honey, darling
bicher [biʃe] *v/i fam* **1.** *être content de soi* to be pleased with o.s. **2.** ***ça biche?*** *fam* how's things? *fam*
bichette [biʃɛt] *f* ***ma ~*** → ***biche***
bichon [biʃõ] *m chien* bichon frise
bichonner [biʃɔne] *v/t* **1.** (*pomponner*) to dress up **2.** (*soigner*) to pamper
bicolore [bikɔlɔʀ] *adj* two-tone **biconcave** *adj* OPT biconcave **biconvexe** *adj* OPT biconvex
bicoque [bikɔk] *f péj* little house, dump *péj*
bicorne [bikɔʀn] *m* two-horned
bicot [biko] *m injure* North African Arab
bicross [bikʀɔs] *m* SPORT BMX; *vélo* BMX bike
► **bicyclette** [bisiklɛt] *f* bicycle, bike; ***aller à**, fam **en ~*** to cycle
bidasse [bidas] *fam m* soldier
bide [bid] *fam m* **1.** *ventre* stomach; *fam* belly **2.** THÉ ***faire un ~*** *fam* to be a flop
bidet [bidɛ] *m* **1.** *de salle de bains* bidet **2.** *plais* (*cheval*) nag *fam*
bidoche [bidɔʃ] *fam f* meat
bidon [bidõ] *m* **1.** *récipient* can **2.** *fam* → ***bide*** **3.** *bluff fam* baloney *fam*; *adj* ⟨*inv*⟩ phony, bogus
bidonnant [bidɔnɑ̃] *fam adj* ⟨**-ante** [-ɑ̃t]⟩ hilarious **bidonner** *v/pr fam* ***se ~*** *fam* to fall about laughing
bidonville [bidõvil] *m* shanty town
bidouiller [biduje] *v/t fam* to fiddle with
bidule [bidyl] *m fam* gizmo *fam*
bief [bjɛf] *m d'un cours d'eau* reach; *d'un moulin* headrace

bielle [bjɛl] *f* TECH connecting rod; ***couler une ~*** *fam* to run a big end

Biélorussie [bjelɔʀysi] ***la ~*** Belarus

▶ **bien**[1] [bjɛ̃] **I** *adv* **1.** well; ***assez bien*** quite well; *note* good; ***très bien*** very well **2.** (*juste*) well; ***bien conseiller qn*** to give sb good advice **3.** *intensité* very; ***bien content*** very pleased; *pl/fort* extremely pleased; ***bien jeune*** very young; ***bien mieux*** much better; ***bien des*** *ou* ***du*** *ou* ***de la*** (+ *subst*) a lot of; ***bien des fois*** often **4.** *emphatique* ***bien à vous*** best wishes; ***j'irais bien avec vous*** I wouldn't mind going with you; ***c'est bien lui*** it's definitely him; ***je pense bien*** I should say so **5.** *int* ▶ ***eh bien***, *fam* ***eh ben*** well **II** *adj* ⟨*inv*⟩ **1.** *à l'aise* comfortable; ***bien!*** good!; *iron* ***nous voilà bien!*** we're in a fine mess!; ***être, se sentir bien*** to feel well; ***être bien avec qn*** to get on well with sb; *prov* ***tout est bien qui finit bien*** *prov* all's well that ends well **2.** (*beau*) beautiful; ***être bien*** to look good **3.** *fam* (*distingué*) nice; (*comme il faut*) respectable; ***des gens bien*** respectable people **III** *conj* ▶ ***bien que*** *+subj* although; ***si bien que*** so

bien[2] *m* **1.** good; ***le ~*** good; ***faire le ~*** to do good; ***le ~ public*** the public good; ***dire du ~ de qn, qc*** to speak well of sb, sth; ***c'est pour son ~*** it's for his/her own good; ***faire du ~ à qn*** *repos, etc* to do sb good; *iron* ***grand ~ vous fasse!*** much good may it do you!; ***mener qc à ~*** to bring sth to a successful conclusion; ***en tout ~ tout honneur*** with no ulterior motives **2.** *matériel* possession; *maison, terres* property; ***~s de consommation*** consumer goods

bien-aimé [bjɛ̃neme] **I** *adj* ⟨**~e**⟩ beloved **II** **~(*e*)** *m*(*f*) beloved

bien-être [bjɛ̃nɛtʀ] *m* **1.** *sensation* well-being **2.** *matériel* welfare

bienfaisance [bjɛ̃fəzɑ̃s] *f* charity **bienfaisant** *adj* ⟨**-ante** [-ɑ̃t]⟩ beneficial

bienfait [bjɛ̃fɛ] *m* **1.** *acte* kind deed; *fig* ***~s*** *pl* benefits **2.** *d'un traitement* beneficial effect

bienfaiteur [bjɛ̃fɛtœʀ] *m*, **bienfaitrice** [-tʀis] *f* benefactor

bien-fondé [bjɛ̃fõde] *m* validity

bienheureux [bjɛ̃nøʀø] *adj* ⟨**-euse** [-øz]⟩ **1.** happy **2.** BIBL, CATH blessed

biennal [bjenal] **I** *adj* ⟨**~e; -aux** [-o]⟩ biennial **II** *f* ***~e*** biennial

bien-pensant [bjɛ̃pɑ̃sɑ̃] *adj* ⟨**-ante** [-ɑ̃t]⟩ *péj* self-righteous *péj*

bienséance [bjɛ̃seɑ̃s] *f* propriety **bienséant** *adj* ⟨**-ante** [-ɑ̃t]⟩ seemly

▶ **bientôt** [bjɛ̃to] *adv* **1.** *dans peu de temps* soon; ***à ~!*** see you soon!; *fam* bye for now! **2.** *presque* nearly

bienveillance [bjɛ̃vɛjɑ̃s] *f* benevolence **bienveillant** *adj* ⟨**-ante** [-ɑ̃t]⟩ benevolent

bienvenu [bjɛ̃vny] **I** *adj* ⟨**~e**⟩ welcome **II** ***être le ~, la ~e*** to be welcome

▶ **bienvenue** [bjɛ̃vny] *f* welcome; ***souhaiter la ~ à qn*** to welcome sb

▶ **bière**[1] [bjɛʀ] *f boisson* beer; ***~ blonde*** lager ***~ brune*** stout

bière[2] *f cercueil* casket, *brit* coffin; ***mettre qn en ~*** to lay sb in a casket

biffer [bife] *v/t* to cross out

bifocal [bifɔkal] *adj* ⟨**~e; -aux** [-o]⟩ OPT bifocal

▶ **bifteck** [biftɛk] *m* steak; *fam, fig* ***défendre son ~*** to look out for number one *fam*

bifurcation [bifyʀkasjõ] *f* fork, junction

bifurquer [bifyʀke] *v/i* **1.** *route* to fork, to branch off **2.** *véhicule* to turn off (***vers, sur*** to) **3.** *dans une carrière* to branch out (***vers*** into)

bigame [bigam] *adj* bigamous **bigamie** *f* bigamy

bigarade [bigaʀad] *f* BOT Seville orange

bigarré [bigaʀe] *adj* ⟨**~e**⟩ multicolored; *fig foule* colorful

bigarreau [bigaʀo] *m* ⟨**~x**⟩ (bigarreau) cherry

big bang [bigbɑ̃g] *m* big bang

bigler [bigle] **I** *v/t fam* (*regarder*) to look at **II** *v/i fam* (*loucher*) to squint

bigleux [biglø] *adj* ⟨**-euse** [-øz]⟩ *fam* ***être ~*** (*voir mal*) to be as blind as a bat *fam*; (*loucher*) to squint

bigophone [bigɔfɔn] *fam m* phone; *fam* horn

bigorneau [bigɔʀno] *m* ⟨**~x**⟩ winkle

bigot [bigo] *m*, **bigote** [-ɔt] *f* religious zealot

bigoterie [bigɔtʀi] *f* excessive piety

bigoudi [bigudi] *m* roller, curler

bigre [bigʀ] *int fam* holy smoke *fam*

bihebdomadaire [biɛbdɔmadɛʀ] *adj revue* twice-weekly

▶ **bijou** [biʒu] *m* ⟨**~x**⟩ piece of jewelry; *pl* ***~x*** jewelry + *v sg*

bijouterie [biʒutʀi] *f* **1.** *magasin* jewelry store **2.** *bijoux* jewelry

bijoutier [biʒutje] *m* jeweler
bikini® [bikini] *m* bikini®
bilame [bilam] *m* TECH bimetallic strip
bilan [bilɑ̃] *m* **1.** (*évaluation*) assessment; ***faire le ~*** to take stock; ***faire le ~ de qc*** to assess sth; ***~ de santé*** check-up **2.** COMM balance sheet **3.** *de catastrophe* toll **4.** (*résultat*) outcome
bilatéral [bilateʀal] *adj* 〈**~e; -aux** [-o]〉 bilateral; ***stationnement ~*** parking on both sides of the street
bilboquet [bilbɔkɛ] *m* cup-and-ball
bile [bil] *f* **1.** MÉD bile **2.** *fig* ***se faire de la ~*** to fret
biler [bile] *v/pr fam* ***ne pas se ~*** not to get worked up
bileux [bilø] *adj* 〈**-euse** [-øz]〉 *fam* ***ne pas être ~*** → ***biler***
biliaire [biljɛʀ] *adj* biliary
bilieux [biljø] *adj* 〈**-euse** [-øz]〉 **1.** MÉD bilious; *teint* yellowish **2.** *st/s personne, tempérament* irritable
▶ **bilingue** [bilɛ̃g] *adj* bilingual
bilinguisme [bilɛ̃gɥism] *m* bilingualism
billard [bijaʀ] *m* **1.** *jeu* billiards + *v sg*; ***~ électrique*** pinball machine **2.** *fam, fig* ***passer sur le ~*** *fam* go under the surgeon's knife
bille [bij] *f* **1.** (*boule*) ball; *au billard* ball; *jeu d'enfants* marble; ***stylo** m* (***à***) ***~*** ballpoint pen; *fig* ***reprendre ses ~s*** to pull out **2.** *fam, fig* → ***bouille***
▶ **billet** [bijɛ] *m* **1.** ticket; ***billet d'avion*** plane ticket; ***billet de cinéma*** cinema ticket **2.** ▶ ***billet*** (***de banque***) bill, *brit* (bank)note; ***faux billet*** forged bill; ***billet de cent euros*** one hundred euro bill **3.** COMM bill **4.** *lettre st/s* note; ***billet doux*** love letter **5.** *de loterie* ticket; ***billet gagnant*** winning ticket
billetterie [bijɛtʀi] *f* **1.** *de billets de banque* teller machine, cash dispenser **2.** *de billets de théâtre* ticket agency
billevesées [bilvəze] *litt fpl* nonsense + *v sg*
billion [biljõ] *m un million de millions* billion, *brit* trillion
billot [bijo] *m* block
bimensuel [bimɑ̃sɥɛl] *adj* 〈**~le**〉 *revue* semi-monthly, *brit* fortnightly
bimestriel [bimɛstʀijɛl] *adj* 〈**~le**〉 *revue* bimonthly
bimétallisme [bimetalism] *m* FIN bimetallism
bimillénaire [bimi(l)lenɛʀ] **I** *adj* two thousand year-old *épith* **II** *m* two thousandth anniversary
bimoteur [bimɔtœʀ] *adj* AVIAT twin-engined
binage [binaʒ] *m* JARD hoeing
binaire [binɛʀ] *adj* SC binary
biner [bine] *v/t* JARD hoe
binette [binɛt] *f* **1.** JARD hoe **2.** *fam* face
bineuse [binøz] *f* AGR hoeing machine
bing [biŋ] *int* bang
biniou [binju] *m* Breton bagpipes + *v pl*
binocle [binɔkl] *m* **1.** (*pince-nez*) pince-nez **2.** *pl* ***~s*** *plais* (*lunettes*) specs *fam*
binôme [binom] *m* MATH binomial
bio [bjo] *fam adj* 〈*inv*〉 organic; ***produits*** *mpl* ***~*** organic produce + *v sg*; *advt* ***manger ~*** to eat organic produce
biocarburant *m* biofuel
biochimie *f* biochemistry **biochimique** *adj* biochemical **biochimiste** *m/f* biochemist
biodégradable [bjodegʀadabl] *adj* biodegradable
biodiversité [bjodivɛʀsite] *f* biodiversity
bioéthique *f* bioethics + *v sg*
biographe [bjɔgʀaf] *m/f* biographer **biographie** *f* biography **biographique** *adj* biographical
bio-industrie *f* bioindustry
▶ **biologie** [bjɔlɔʒi] *f* biology **biologique** *adj* biological **biologiste** *m/f* biologist
biomasse *f* biomass **biomédical** *m* 〈**~e; -aux** [-o]〉 biomedical **biométrie** *f* biometrics + *v sg*
bionique [bjɔnik] **I** *adj* bionic **II** *f* bionics + *v sg*
biophysique *f* biophysics + *v sg*
biopsie [bjɔpsi] *f* MÉD biopsy
biorythme [bjoʀitm] *m* biorhythm **biosphère** *f* biosphere **biotechnologie** *f* biotechnology
biotope [bjɔtɔp] *m* biotope
bioxyde [biɔksid] *m* CHIM dioxide
bipartisme [bipaʀtism] *m* POL two-party system **bipartite** *adj* POL bipartite
bip-bip [bipbip] *m* 〈*inv*〉 **1.** *son* beep **2.** *appareil fam* bleeper
bipède [bipɛd] *m* biped
biplace [biplas] *adj* AVIAT, AUTO two-seater
biplan [biplɑ̃] *m* AVIAT biplane
bipolaire [bipɔlɛʀ] *adj* PHYS, MATH, SC bipolar **bipolarisation** *f* POL bipolarization **bipolarité** *f* PHYS bipolarity
bique [bik] *fam f* **1.** ZOOL nanny goat **2.**

fig et péj ***grande ~*** *fam* beanpole *fam*; ***vieille ~*** *fam* old bag *péj*
biquet [bikɛ] *fam m*, **biquette** [-ɛt] *fam f zool* kid
birbe [biʀb] *m fam, péj* ***un vieux ~*** *fam* an old fogey
biréacteur [biʀeaktœʀ] *m* AVIAT twin-engined jet
Birmanie [biʀmani] ***la ~*** Burma
bis[1] [bi] *adj* ⟨**bise** [biz]⟩ grayish brown; ***pain ~*** brown bread
bis[2] [bis] **I** *adv avec un numéro* a; ***habiter au 12 ~*** live at number 12 a; ***itinéraire*** *m* **~** alternative route **II** *m* MUS encore
bisaïeul(e) [bizajœl] *st/s m(f)* great-grandfather, great-grandmother; ***bisaïeuls*** *mpl* great-grandparents
bisannuel [bizanɥɛl] *adj* ⟨**~le**⟩ biennial
bisbille [bizbij] *f fam* ***être en ~ avec qn*** to be on bad terms with sb
biscornu [biskɔʀny] *fam adj* ⟨**~e**⟩ quirky
biscoteau [biskɔto] *fam m* ⟨**~x**⟩ *ou* **biscoto** *fam m* → ***biceps***
biscotte [biskɔt] *f* continental toast
biscuit [biskɥi] *m* **1.** (*gâteau sec*) cookie, *brit* biscuit; ***~ de chien*** dog biscuit **2.** ***~ de Savoie*** sponge cake; ***~ à la cuiller*** sponge finger
biscuiterie [biskɥitʀi] *f fabrication* biscuit-making; *usine* biscuit factory
bise[1] [biz] *f vent* North wind
bise[2] *fam f* kiss; ***grosse ~*** big kiss; *fam* smacker; *formule épistolaire* ***grosses ~s*** lots of love
biseau [bizo] *m* ⟨**~x**⟩ ***en ~*** beveled
biseauter [bizote] *v/t* bevel
bisexualité [bisɛksɥalite] *f* BIOL bisexuality
bisexué [bisɛksɥe] *adj* ⟨**~e**⟩ BIOL bisexual **bisexuel** *adj* ⟨**~le**⟩ bisexual
bismuth [bismyt] *m* CHIM bismuth
bison [bizõ] *m* **1.** buffalo; ***~ d'Europe*** bison **2.** ***Bison futé*** *traffic information service*
bisou [bizu] *m fam* → ***bise***[2]
bisque [bisk] *f* ***~ de homard*** lobster bisque
bisquer [biske] *v/i fam* ***faire ~ qn*** *fam* to make sb mad
bissectrice [bisɛktʀis] *f* bisector
bisser [bise] *v/t* ***~ qn*** to ask sb for an encore; ***~ qc*** to do an encore of sth
bissextile [bisɛkstil] *adj* ***année ~*** leap year
bistouri [bistuʀi] *m* bistoury
bistre [bistʀ] *adj* ⟨*inv*⟩ *ou* **bistré** [bistʀe] *adj* ⟨**~e**⟩ *personne* swarthy; *couleur* yellowish brown
▶ **bistro(t)** [bistʀo] *m fam* bistro
bistrotier [bistʀɔtje] *fam m* bistro owner
bit [bit] *m* INFORM bit
bite [bit] *m* → ***bitte*** *2*
bitte [bit] *f* **1.** MAR mooring bollard **2.** *pop* (*pénis*) cock *pop*
bitture [bityʀ] *f fam* ***prendre une ~*** *fam* to get plastered
bitturer [bityʀe] *v/pr fam* ***se ~*** *fam* to get plastered
bitume [bitym] *m* asphalt **bitumer** *v/t* asphalt
biture [bityʀ] *f* → ***bitture***
bivouac [bivwak] *m* bivouac
bivouaquer [bivwake] *v/i* to bivouac
▶ **bizarre** [bizaʀ] *adj* strange, odd
bizarrerie [bizaʀʀi] *f* quirk **bizarroïde** *adj fam* → ***bizarre***
bizness [biznɛs] *m* → ***business***
bizut(h) [bizy] *m fam dans certaines grandes écoles* freshman, *brit* fresher
bizutage [bizytaʒ] *fam m* hazing *fam*, *brit* ragging *fam*
blablabla [blablabla] *m fam* baloney *fam*
black [blak] *fam* **I** *m/f* black man, black woman **II** *adj* black; ***~ blanc beur*** ⟨*inv*⟩ multicultural
blackbouler [blakbule] *v/t fam* ***se faire ~*** to be blackballed; *à un examen* to fail
black-out [blakawt] *m* **1.** MIL blackout **2.** *fig* ***faire le ~ sur qc*** to impose a blackout on sth
blafard [blafaʀ] *adj* ⟨**-arde** [-aʀd]⟩ pale
blague [blag] *f* **1.** (*mensonge*) *fam* fib *fam*; ***sans ~!*** no kidding! *fam* **2.** (*farce*) *fam* trick **3.** (*erreur*) *fam* blunder **4.** **~** (***à tabac***) tobacco pouch
blaguer [blage] *fam v/i* to joke **blagueur** *m*, **blagueuse** *f am* joker
blaireau [blɛʀo] *m* ⟨**~x**⟩ **1.** ZOOL badger **2.** *brosse* shaving brush
blairer [blɛʀe] *v/t fam* ***je ne peux pas le ~*** *fam* I can't stand him
blâmable [blɑmabl] *adj* blameworthy
blâme [blɑm] *m* criticism; *sanction* reprimand **blâmer** *v/t* criticize
▶ **blanc** [blɑ̃] **I** *adj* ⟨**blanche** [blɑ̃ʃ]⟩ **1.** *couleur* white ***arme blanche*** weapon with a blade **2.** *fig* ***examen ~*** mock exam; ***mariage ~*** unconsummated marriage; ***nuit blanche*** sleepless night;

d'une voix blanche in a flat voice **3.** *vierge page* blank; ***bulletin ~*** blank vote **4.** (*propre*) clean; *fig* innocent **II** *subst* **1.** *m* white; ***chauffer qc à ~*** to make sth white hot; ***tirer à ~*** to fire blanks; *habillé* ***en ~*** in white **2. *Blanc, Blanche*** *m/f* white man, woman **3.** *m* **~ (*d'œuf*)** (egg) white **4.** *m de volaille* white meat, *brit* breast **5.** *m linge* household linen; *au lavage* whites + *v pl* **6.** *m vin* white wine **7.** *m dans un texte* blank; ***chèque*** *m* ***en ~*** blank check **8.** MUS ***blanche*** *f* half-note, minim

blanc-bec [blɑ̃bɛk] *m* ⟨**blancs-becs**⟩ greenhorn

blanchâtre [blɑ̃ʃɑtʀ] *adj* whitish

blanche [blɑ̃ʃ] *adj et subst*, *f* → ***blanc***

Blanche-Neige *f* Snow White

blancheur [blɑ̃ʃœʀ] *f* whiteness

blanchiment [blɑ̃ʃimɑ̃] *m* **1.** *d'un mur* whitewashing **2.** CUIS blanching **3.** *fig d'argent* laundering

blanchir [blɑ̃ʃiʀ] **I** *v/t* **1.** *mur, plafond* to whitewash **2.** CUIS to blanch **3.** *fig* (*disculper*) **~ *qn*** to clear sb **4.** *argent de la drogue* to launder **II** *v/i cheveux* to go gray

blanchissage [blɑ̃ʃisaʒ] *m* laundering

blanchissement [blɑ̃ʃismɑ̃] *m des cheveux* graying

blanchisserie [blɑ̃ʃisʀi] *f* laundry **blanchisseur** *m*, **blanchisseuse** *f* laundry worker

blanc-seing [blɑ̃sɛ̃] *m* ⟨**blancs-seings**⟩ free hand

blanquette [blɑ̃kɛt] *f* **~ *de veau*** *veal in a creamy white wine sauce*

blasé [blɑze] *adj* ⟨**~e**⟩ blasé

blaser [blɑze] *v/pr* ***se ~*** to become bored (***de qc*** with sth)

blason [blɑzõ] *m* coat of arms; *fig* ***redorer son ~*** to restore one's reputation

blasphémateur [blasfematœʀ] *m*, **blasphématrice** [-tʀis] *f* blasphemer **blasphématoire** *adj* blasphemous

blasphème [blasfɛm] *m* blasphemy

blasphémer [blasfeme] *v/i* ⟨**-è-**⟩ to blaspheme

blatte [blat] *f* cockroach

blazer [blezœʀ, bla-] *m* blazer

▶ **blé** [ble] *m* **1.** AGR wheat **2.** *fam* (*argent*) → ***fric***

bled [blɛd] *m fam, péj* dump *fam, péj*

blême [blɛm] *adj* pale

blêmir [blemiʀ] *v/i* to go pale

blennorragie [blenɔʀaʒi] *f* gonorrhea

blessant [blɛsɑ̃] *adj* ⟨**-ante** [-ɑ̃t]⟩ *paroles, allusions etc* hurtful

blessé [blese] **I** *adj* ⟨**~e**⟩ injured; *soldat* wounded **II ~(*e*)** *m(f)* injured person; *soldat* casualty

▶ **blesser** [blese] **I** *v/t* **1.** to hurt, injure; *à la guerre* to wound; *chaussures*: *qn, pied* to hurt; *fig* **~ *l'oreille, les yeux*** offend the ear, eye **2.** (*offenser*) to hurt **II** *v/pr* ***se ~*** to hurt o.s., to injure o.s.

▶ **blessure** [blesyʀ] *f* **1.** injury; *de guerre* wound; (*plaie*) wound **2.** (*offense*) wound

blet [blɛ] *adj* ⟨**blette** [blɛt]⟩ overripe

blette [blɛt] *f* → ***bette***

▶ **bleu** [blø] **I** *adj* ⟨**~e**⟩ **1.** *couleur* blue **2.** *fig* ***avoir une peur ~e*** *fam* to have a bad scare; ***avoir une peur ~e de qc*** *fam* to be scared stiff of sth **3.** *bifteck* very rare **II** *m* **1.** *couleur* blue **2.** *sur la peau* bruise **3. ~ (*de travail*)** overalls + *v pl* **4.** ***truite*** *f* ***au ~*** *trout poached in white wine and vinegar* **5.** *fam* (*débutant*) greenhorn; MIL rookie *fam* **6.** *fromage* blue cheese **7.** FOOT ***les Bleus*** the Blues

bleuâtre [bløɑtʀ] *adj* bluish

bleuet [bløɛ] *m* cornflower

bleuir [bløiʀ] **I** *v/t* to turn blue **II** *v/i* to turn blue

bleuté [bløte] *adj* ⟨**~e**⟩ bluish

blindage [blɛ̃daʒ] *m* reinforcement; MIL armor plating

blindé [blɛ̃de] **I** *adj* ⟨**~e**⟩ **1.** MIL armored **2.** *fam, fig* immune (***contre*** to) **II** *m* MIL armored vehicle

blinder [blɛ̃de] *v/t* CONSTR, TECH to reinforce; MIL to armor-plate

blini [blini] *m* CUIS blini

blister [blistɛʀ] *m* blisterpack

blizzard [blizaʀ] *m* blizzard

bloc [blɔk] *m* **1.** *masse* block (*a* TECH *et fig*); **~ *de marbre*** block of marble; **~ (*de papier à lettres*)** (writing) pad; *serrer, visser* ***à ~*** tightly; *gonfler* fully; *fig* ***en ~*** as a whole; *fig* ***faire ~*** to join forces **2.** MÉD **~ *opératoire*** surgical unit **3.** *fam* (*prison*) prison **4.** POL bloc

blocage [blɔkaʒ] *m* **1.** TECH locking; *du ballon* blocking **2.** *d'un compte* freezing; **~ *des prix*** price freeze **3.** PSYCH mental block

bloc-cuisine [blɔkkɥizin] *m* ⟨**blocs--cuisines**⟩ kitchen unit

blockhaus [blɔkos] *m* MIL blockhouse

bloc-notes [blɔknɔt] *m* ⟨**blocs-notes**⟩ notepad

blocus [blɔkys] *m* blockade
blog *m* blog
▶ **blond** [blõ] **I** *adj* ⟨**blonde** [blõd]⟩ **1.** *cheveux, personne* blond **2.** *tabac, cigarette* Virginia *épith* **3.** ***bière ~ e*** lager **II** *subst* **1. ~(*e*)** *m(f)* blond; ***une fausse ~e*** *fam* a dyed blond **2.** *m couleur* blond **3.** ***~e*** *f bière* lager **4.** ***~e*** *f femme* blond
blondasse [blõdas] *adj péj* dirty blond
blondeur *f* blondness
blondin [blõdɛ̃] *m*, **blondine** [-in] *f* blond-haired man, woman
blondinet [blõdinɛ] *m*, **blondinette** [-ɛt] *f* blond-haired boy, girl
blondir [blõdiʀ] *v/i* **1.** to go blond **2.** CUIS ***faire ~*** to lightly brown
▶ **bloquer** [blɔke] **I** *v/t* **1.** *volant, roue* to lock; *route* to block; VIS to tighten; *porte* to wedge; *freins* to jam on; FOOT *ballon* to block; ***rester bloqué*** to be jammed **2.** *fig projet* to stop; *compte bancaire, prix* to freeze **3.** (*grouper*) to group together **4.** PSYCH ***il est bloqué*** he's got a mental block **II** *v/pr* ***se ~*** to jam
blottir [blɔtiʀ] *v/pr* ***se ~*** to nestle; ***se ~ contre qn*** to snuggle up against sb
blouse [bluz] *f* **1.** (*tablier*) overall; *de médecin* white coat **2.** (*chemisier*) blouse
blouser [bluze] **I** *v/t* ***~ qn*** *fam* to take sb for a ride *fam* **II** *v/i* COUT to be loose fitting
blouson [bluzõ] *m* **1.** jacket **2.** *fig* ***~ noir*** hoodlum
▶ **blue-jean** [bludʒin] *m* ⟨**blue-jeans**⟩ jeans + *v pl*
blues [bluz] *m* blues
bluff [blœf] *m* bluff **bluffer** *fam v/t et v/i* to bluff **bluffeur** *m*, **bluffeuse** *f* bluffer
bluter [blyte] *v/t farine* dress
B.N.P. [beɛnpe] *f*, *abr* (= **Banque nationale de Paris**) *French bank*
boa [bɔa] *m* COUT, ZOOL boa
bob [bɔb] *m*, *abr* → ***bobsleigh***
bobard [bɔbaʀ] *fam m* fib *fam*
bobeur [bɔbœʀ] *m* SPORT bobsledder
bobinage [bɔbinaʒ] *m* ÉLEC, TEXT winding
bobine [bɔbin] *f* **1.** *de fil, câble, pellicule* reel; TEXT bobbin **2.** *fam* (*figure*) face
bobiner [bɔbine] *v/t fil, pellicule* to wind
bobo [bobo] *m enf douleur* pain; *plaie* scratch
bobonne [bɔbɔn] *f fam, péj* old lady *fam, péj*
bobsleigh [bɔbslɛg] *m* **1.** *engin* bobsled, *brit* bobsleigh **2.** *activité* bobsledding, *brit* bobsleighing
bocage [bɔkaʒ] *m* hedged farmland
bocal [bɔkal] *m* ⟨**-aux** [-o]⟩ bowl; *à conserves* jar
Boche [bɔʃ] *fam, péj m/f* German; *injure* Boche
bock [bɔk] *m* ***un ~*** a beer
body [bɔdi] *m* ⟨*a* **bodies**⟩ body
bodybuilding [bɔdibildiŋ] *m* bodybuilding
Boers [buʀ] *mpl* Boers
▶ **bœuf** [bœf] *m* ⟨**~s** [bø]⟩ **I 1.** *animal* steer, *brit* bullock; *bête de trait* ox **2.** *viande* beef **II** *fam adj* ⟨*inv*⟩ great; ***succès m ~*** a great success
bof [bɔf] *int pas vraiment* not really; *pour exprimer son indifférence* whatever *fam*
bogue[1] [bɔg] *f d'une châtaigne* chestnut bur
bogue[2] [bɔg] *m* INFORM bug
bohème [bɔɛm] **1.** *m/f* Bohemian; *adjt* ***être ~*** be a Bohemian **2.** *f milieu* Bohemia
Bohême [bɔɛm] ***la ~*** Bohemia
bohémien [bɔemjɛ̃] *m*, **bohémienne** [-jɛn] *f* gipsy
▶ **boire** [bwaʀ] ⟨**je bois, il boit, nous buvons, ils boivent; je buvais; je bus; je boirai; que je boive, que nous buvions; buvant; bu**⟩ **I** *v/t* **1.** drink; *fig* ***~ les paroles de qn*** to drink in sb's words; *fam, fig* ***il y a à ~ et à manger*** it's got plusses and minuses; ***donner à ~ à*** to give a drink to; *au bétail* to water **2.** *abs avec excès* to drink **3.** *buvard* to blot up; *sol: liquide* to soak up **II** *m* drink
▶ **bois** [bwa] *m* **1.** wood; ***de*** *ou* ***en ~*** wooden; *fig* ***je vais lui faire voir de quel ~ je me chauffe!*** *fam* I'll show him what's what; *fig* ***je touche du ~!*** knock on wood! **2.** (*forêt*) wood **3.** ***~ de lit*** bedstead **4.** *d'un cerf* ***~*** *pl* antlers **5.** MUS ***~*** *pl* woodwind + *v pl*
boisé [bwaze] *adj* ⟨**~e**⟩ wooded **boisement** *m* afforestation **boiser** *v/t* to plant with trees
boiseries [bwazʀi] *fpl* paneling
▶ **boisson** [bwasõ] *f* drink
▶ **boîte** [bwat] *f* **1.** box; *en carton* cardboard box; ***boîte postale*** (*abr* **B.P.**) PO box; ***boîte à gants*** glove box; ▶ ***boîte aux lettres*** mailbox; ***boîte à outils*** toolbox; ***boîte à ouvrage*** workbox; ***boîte***

d'allumettes box of matches; *fam, fig* ***mettre qn en boîte*** *fam* to pull sb's leg **2.** *en métal* can; ***boîte à musique*** *m* musical box; ▶ ***boîte de conserve*** can; ***en boîte*** canned **3.** AVIAT ***boîte noire*** black box **4.** AUTO ***boîte de vitesses*** gearbox **5.** *fam* club; ***boîte*** (***de nuit***) nightclub; ***aller en boîte*** to go to a nightclub **6.** ***boîte crânienne*** cranium **7.** *fam, péj* (*lieu de travail*) *fam* company; (*école*) *fam* school

boitement [bwatmɑ̃] *m* limping **boiter** *v/i* to limp; (*fig raisonnement*) to be shaky

boiteux [bwatø] *adj* ⟨**-euse** [-øz]⟩ **1.** *personne* lame **2.** *table, chaise* wobbly **3.** *fig raisonnement* shaky; *vers* lame; *compromis* shaky; *paix* fragile

boîtier [bwatje] *m* case

boitiller [bwatije] *v/i* to limp slightly

boit-sans-soif [bwasɑ̃swaf] *m/f* ⟨*inv*⟩ → ***soûlard, soûlarde***

▶ **bol** [bɔl] *m* **1.** bowl; *fig* ***prendre un ~ d'air*** *fam* to take a breath of air **2.** *fam, fig* ***avoir du ~*** be lucky

bolchevisme [bɔlʃevism] *m* POL Bolchevism

bolcheviste POL **I** *adj* Bolchevik **II** *m/f* Bolchevik

bolée [bɔle] *f* ***une ~ de cidre*** a bowl of cider

boléro [bɔleʀo] *m* bolero

bolet [bɔlɛ] *m* boletus

bolide [bɔlid] *m* meteorite; ***arriver comme un ~*** *fam* to roar up

Bolivie [bɔlivi] ***la ~*** Bolivia

bombance [bõbɑ̃s] *f* ***faire ~*** to have a feast

bombardement [bõbaʀdəmɑ̃] *m* bombardment (*a fig* ***de*** with); AVIAT bombing; *d'obus* shelling

▶ **bombarder** [bõbaʀde] *v/t* **1.** MIL to bomb; *d'obus* to shell; ***ville bombardée*** bombed city **2.** *fig de questions* to bombard, *de tomates, etc* to pelt (***de*** with) **3.** *fam, fig* ***~ qn à un poste*** *fam* to suddenly elevate sb into a job

bombardier [bõbaʀdje] *m* bomber

▶ **bombe** [bõb] *f* **1.** bomb; ***attentat*** *m* ***à la ~*** bombing; ***~ à fragmentation*** cluster bomb; ***éclater comme une ~, faire l'effet d'une ~*** to come as a bombshell **2.** CUIS ***~ glacée*** bombe glacée **3.** spray **4.** *fam* ***faire la ~*** to have a wild time, *fam* to party **5.** *casquette* riding hat

bombement [bõbmɑ̃] *m d'une route* camber

bombé [bõbe] *adj* ⟨**~e**⟩ convex; *verre* balloon

bomber [bõbe] **I** *v/t* **1.** cause to bulge; ***~ le torse*** to stick out one's chest **2.** *slogan etc* spray (***sur*** on) **II** *v/i fam* (*rouler vite*) *fam* bomb along

bombonne [bõbɔn] *f* → ***bonbonne***

bombyx [bõbiks] *m* ZOOL silk worm

▶ **bon**[1] [bõ, *adj* bɔn] **I** *adj* ⟨**bonne** [bɔn]⟩ **1.** good; ***un bon médecin*** a good doctor; ***bonnes vacances!*** have a good vacation!; ***c'est bon*** that's right; ***bon à*** useful for; ***à quoi bon?*** what 's the point?; ***il n'est bon à rien*** he's useless; ***bon en mathématiques*** good at math; ***bon pour la santé*** healthy; ***bon pour le service*** fit for military service **2.** (*qui montre de la bonté*) good; *péj ou iron* righteous; ***le bon Dieu*** God; *fam* ***avoir qn à la bonne*** to be in solid with sb; ***être bon*** to be good **3.** *quantité* good; ***une bonne cuillerée de sucre*** a heaping spoonful of sugar; ***une bonne heure*** a good hour; ***un bon moment*** a good while; ***arriver bon dernier*** to come way last **4.** *intensité* ***un bon rhume*** *fam* a filthy cold **5.** (*correct*) right; ***la bonne clé*** the right key **6.** ***une bonne histoire*** a good story; *fam* ***tu en as de bonnes!*** *fam* you're kidding!; ***elle est bien bonne!*** that's a good one! **7.** *int* (***c'est***) ***bon!*** *accord* okay!; *conclusion* that's it!; ***bon, bon!*** all right, all right!; ***ah bon!*** oh!; ▶ ***ah bon?*** really? **II** *adv* ***il fait bon*** it's nice; ***il fait bon vivre ici*** it's nice living here; ***sentir bon*** to smell good; ***pour de bon*** for good **III** *subst* **1.** ***le bon*** good; ***avoir du bon*** to have good points **2.** ***les bons*** *mpl* the good guys **3.** ***bon*** *m* ***à rien*** good for nothing

bon[2] [bõ] *m* voucher; ***~ de commande*** order form

bonapartisme [bɔnapaʀtism] *m* POL Bonapartism

bonapartiste [bɔnapaʀtist] **I** *adj* Bonapartist **II** *m/f* Bonapartist

bonasse [bɔnas] *adj* easy-going

▶ **bonbon** [bõbõ] *m* candy, *brit* sweet

bonbonne [bõbɔn] *f* canister

bonbonnière [bõbɔnjɛʀ] *f* **1.** candy box **2.** *fig appartement* bijou apartment

bond [bõ] *m* jump; *fig* ***~ en avant*** leap forward; ***d'un ~*** in a bound; ***se lever d'un ~*** to jump up; ***par ~s*** by leaps and bounds; *fig prix, etc* ***faire un ~*** to soar; *fig* ***faire faux ~ à qn*** to let sb down

bonde [bõd] *f* **1.** plughole *m*; *d'un tonneau* bunghole **2.** (*bouchon*) plug, bung

bondé [bõde] *adj* ⟨**~e**⟩ packed; *fam* mobbed

bondieuseries [bõdjøzʀi] *fpl* devotional items; *péj* religious tat

bondir [bõdiʀ] *v/i* jump; *fig* ***~ de joie*** to jump for joy; ***~ sur sa proie*** to pounce on one's prey

bondissement [bõdismɑ̃] *m* leaping

▶ **bonheur** [bɔnœʀ] *m* happiness; ***quel ~ de*** *+inf!* how lovely it is *+inf*; ***au petit ~*** (***la chance***) at random; ***par ~*** luckily; ***faire le ~ de qn*** to make sb happy

bonhomie [bɔnɔmi] *f* affability

bonhomme [bɔnɔm] *m* ⟨**bonshommes** [bõzɔm]⟩ **1.** *fam* ***un ~*** a guy; ***petit ~*** little guy; *fig* ***aller son petit ~ de chemin*** to jog along steadily **2.** man; ***~ de neige*** snowman **3.** *adjt* ⟨**~s**⟩ *air* affable

boniche [bɔniʃ] *f* → ***bonniche***

bonification [bɔnifikasjõ] *f* **1.** COMM discount **2.** SPORT bonus points + *v pl*

bonifier [bɔnifje] **I** *v/t* to improve **II** *v/pr* ***se ~*** to improve

boniment [bɔnimɑ̃] *m* **1.** *fam* spiel **2.** *camelot* ***faire du ~*** to do one's sales talk, *fam* spiel

bonimenteur [bɔnimɑ̃tœʀ] *m* **1.** (*baratineur*) spieler **2.** (*menteur*) fast-talker

bonjour [bõʒuʀ] *m* ***~!*** hello!; *fam* ***donner le ~ à qn*** (***de la part de qn***) to say hi to sb (from sb); ***simple comme ~*** easy as pie

bonne [bɔn] *f* maid; ***~ d'enfants*** nanny

Bonne-Espérance [bɔnɛspeʀɑ̃s] ***le cap de ~*** the Cape of Good Hope

bonnement [bɔnmɑ̃] *adv* ***tout ~*** simply

bonnet [bɔnɛ] *m* **1.** bonnet; *fam, fig* ***gros ~*** *fam* big shot; ***~ de bain*** bathing cap; ***~ de nuit*** nightcap; *fig* spoilsport; *fig* ***avoir la tête près du ~*** to be on a short fuse; *fig* ***c'est ~ blanc et blanc ~*** *fam* it's six of one and half a dozen of the other; *femme* ***jeter son ~ par-dessus les moulins*** to kick over the traces **2.** *de soutien-gorge* cup

bonneterie [bɔnɛtʀi] *f* hosiery

bonnetier [bɔntje] *m*, **bonnetière** [-jɛʀ] *f* hosier

bonniche [bɔniʃ] *péj f* maid; *fam* skivvy

bonsaï [bõ(d)zaj] *m* bonsai

bonsoir [bõswaʀ] *m* ***~!*** good evening!

bonté [bõte] *f* **1.** goodness **2.** ***~s*** *pl* kindnesses

bonus [bɔnys] *m* no-claims bonus

bonze [bõz] *m* REL Buddhist monk; *fig* big shot

boogie-woogie [bugiwugi] *m* MUS boogie-woogie

bookmaker [bukmɛkœʀ] *m* bookmaker

boom [bum] *m* ÉCON boom; *fig* ***~ touristique*** boom in tourism

boomerang [bumʀɑ̃g] *m* boomerang; *fig* ***faire ~*** boomerang

borborygmes [bɔʀbɔʀigm] *mpl* rumblings

▶ **bord** [bɔʀ] *m* **1.** edge; *d'un chapeau* brim; (*arête*) edge; (*rive*) bank; ***~ de la route*** side of the road; ***~ du trottoir*** curb; ***au ~ de*** beside; ***au ~ de la mer*** at the seaside; *fig* ***au ~ des larmes*** on the verge of tears; *fig* ***être un peu fou sur les ~s*** to be a bit crazy **2.** MAR, AVIAT board; ▶ ***à ~*** (***de***) on board; ***monter à ~*** to board; *fig* ***être du même ~*** to be of the same opinion

bordeaux [bɔʀdo] *m* **1.** Bordeaux **2.** *adjt* ⟨*inv*⟩ maroon

bordée [bɔʀde] *f* MAR MIL broadside; *fig* ***~ d'injures*** volley of abuse

bordel [bɔʀdɛl] *m* **1.** *pop* (*maison de prostitution*) brothel; *pop* whorehouse **2.** *fam, fig* mess **3.** *int pop* ***~!*** *fam* hell!; *pop* shit!

bordelais [bɔʀdəlɛ] *adj* ⟨**-aise** [-ɛz]⟩ from Bordeaux

bordélique [bɔʀdelik] *fam adj fam* chaotic

border [bɔʀde] *v/t* **1.** to edge (*a* COUT; ***de*** with) **2.** ***~ un lit*** to tuck in a bed; ***~ qn*** to tuck sb in

bordereau [bɔʀdəʀo] *m* ⟨**~x**⟩ slip

bordure [bɔʀdyʀ] *f* **1.** edge; ***en ~ de*** along the edge of **2.** COUT border

boréal [bɔʀeal] *adj* ⟨**~e; -aux** [-o]⟩ boreal

borgne [bɔʀɲ] *adj* **1.** one-eyed **2.** *fig* (*mal famé*) shady

borne [bɔʀn] *f* **1.** boundary marker; *par ext* post; ***~ kilométrique*** milestone **2.** ***~ d'appel*** phone; ***~ d'incendie*** fire hydrant **3.** *fig* ***~s*** *pl* limits; ***sans ~s*** boundless; ***dépasser les ~s*** to go too far **4.** *fam* kilometer **5.** ÉLEC terminal

borné [bɔʀne] *adj* ⟨**~e**⟩ narrow-minded

borner [bɔʀne] **I** *v/t* limit **II** *v/pr* ***se ~ à qc*** restrict o.s. to sth

bortsch [bɔʀtʃ] *m* CUIS borscht

bosniaque [bɔsnjak] **I** *adj* Bosnian **II** ***Bosniaque*** *m/f* Bosnian

Bosnie(-Herzégovine) [bɔsni(ɛʀzegɔvin)] ***la Bosnie(-Herzégovine)*** Bosnia(-Herzegovina)
bosquet [bɔskɛ] *m* copse
boss [bɔs] *m fam* boss
bossa-nova [bɔsanɔva] *f danse* bossa nova
bosse [bɔs] *f* **1.** *due à un choc* bump **2.** *d'un bossu* hump; *fam* hunchback; *fam, fig* ***rouler sa ~*** to knock about **3.** *de terrain* bump **4.** *d'un chameau*, ANAT hump; *fam, fig* ***avoir la ~ de qc*** to have a gift for sth
bosser [bɔse] *fam* **I** *v/t examen* to study hard for **II** *v/i fam* to work; *p/fort, fam* to work all hours
bosseur [bɔsœʀ] *m*, **bosseuse** [-øz] *f fam* hard worker
bossu [bɔsy] **I** *adj* ⟨**~e**⟩ hunchbacked; *par ext* ***être ~*** to be bent **II ~(e)** *m(f)* hunchback; *fam* ***rire comme un ~*** *fam* to laugh uproariously; *fam* to laugh one's head off
bot [bo] *adj* ***pied ~*** club-foot
botanique [bɔtanik] **I** *adj* botanical **II** *f* botany **botaniste** *m/f* botanist
► **botte** [bɔt] *f* **1.** *de radis, etc* bunch **2.** *chaussure* boot; *fig* ***sous la ~ de*** under the heel of **3.** ESCRIME thrust; *fig* ***~ secrète*** secret weapon
botter [bɔte] *v/t* **1.** *fam* ***~ le derrière à qn*** *fam* to kick sb's butt **2.** *fam* ***ça me botte*** I like that
bottier [bɔtje] *m* bootmaker
bottillon [bɔtijõ] *m* bootee
bottin [bɔtɛ̃] *m* telephone directory
bottine [bɔtin] *f* ankle boot
bouc [buk] *m* **1.** goat; REL *et fig* ***~ émissaire*** scapegoat **2.** *fig* goatee
boucan [bukɑ̃] *fam m* racket; *fam* hullaballoo
boucaner [bukane] *v/t viande, poisson* to smoke
bouchage [buʃaʒ] *m d'un trou* filling; *dans le sol* filling in; *d'une fente* stopping up; *d'un récipient* sealing; *d'une bouteille* corking
► **bouche** [buʃ] *f* **1.** mouth; *fig* ***~ inutile*** unproductive person; ***la ~ en cœur*** with a simper; ***de ~ à oreille*** by word of mouth; *subst* ***le ~ à oreille*** the grapevine; *fig* ***en avoir plein la ~*** to talk of nothing else; ***avoir toujours qc à la ~*** to talk constantly about sth; *un mot* to be always saying sth; *fig* ***faire la fine ~*** to be picky; ***garder qc pour la bonne ~*** to keep sth till last **2.** *de certains animaux* mouth **3.** (*ouverture*) opening; ***~ d'aération*** air vent; ***~ d'égout*** manhole; ***~ d'incendie*** fire hydrant; ***~ de métro*** metro entrance
bouché [buʃe] *adj* ⟨**~e**⟩ **1.** *bouteille* corked **2.** *route, tuyau, nez* blocked **3.** *temps, ciel* cloudy **4.** *fam, fig* (*bête*) stupid; *fam* dumb
bouche-à-bouche [buʃabuʃ] *m* ⟨*inv*⟩ mouth-to-mouth respiration
bouchée [buʃe] *f* **1.** mouthful; *fig* ***pour une ~ de pain*** *fam* for almost nothing; *fam* for peanuts; *fig* ***ne faire qu'une ~ de qn*** to make short work of sb; *fig* ***mettre les ~s doubles*** to get a move on **2.** ***~ à la reine*** vol-au-vent **3.** (*chocolat*) chocolate
► **boucher¹** [buʃe] **I** *v/t* **1.** *ouverture* to block; *bouteille* to cork; *fig* ***~ un trou*** to serve as a stopgap **2.** *passage, route* to block; ***~ la vue à qn*** to block sb's view **II** *v/pr* **1.** ***se ~ le nez*** to hold one's nose; *fig* ***se ~ les oreilles*** to refuse to listen **2.** *lavabo* ***se ~*** to block up
► **boucher²** [buʃe] *m* **1.** butcher **2.** *fig* butcher; (*chirurgien maladroit*) sawbones
► **bouchère** [buʃɛʀ] *f* butcher, butcher's wife
► **boucherie** [buʃʀi] *f* **1.** butcher's shop **2.** *fig* slaughter **boucherie-charcuterie** *f* ⟨**boucheries-charcuteries**⟩ delicatessen
bouche-trou [buʃtʀu] *m* ⟨**bouche-trous**⟩ stand-in; *chose* stopgap
► **bouchon** [buʃõ] *m* **1.** stopper; *d'une bouteille* cork **2.** *de circulation* traffic jam **3.** PÊCHE float
bouchonner [buʃɔne] *v/i fam* ***ça bouchonne*** the traffic's chock-a-block
bouchot [buʃo] *m* mussel bed; ***moules*** *fpl* ***de ~*** farmed mussels
bouclage [buklaʒ] *m* **1.** MIL, POLICE imprisonment **2.** PRESSE putting to bed
boucle [bukl] *f* **1.** *de ceinture* buckle **2.** ***~ d'oreille*** earring **3.** *de cheveux* curl **4.** (*courbe quasi fermée*) loop (*a* INFORM)
bouclé [bukle] *adj* ⟨**~e**⟩ curly
boucler [bukle] **I** *v/t* **1.** *ceinture* buckle; ***~ sa valise*** to do up one's case **2.** *fam porte, etc* to lock; *fam personne* to lock up; *police: quartier* to cordon off; *fam, fig* ***boucle-la!*** *fam* shut it! **3.** *circuit* to go round; *fig travail* complete; *fig* ***~ la boucle*** to come full circle; *fig* ***~ son budget***

fam to balance one's budget **4.** *cheveux* to curl **II** *v/i cheveux* to curl **III** *v/pr fam* ***se ~ dans sa chambre*** to shut o.s. up in one's room
bouclette [buklɛt] *f* small curl
bouclier [buklije] *m* shield
Bouddha [buda] *m* Buddha
bouddhique [budik] *adj* Buddhist **bouddhisme** *m* Buddhism **bouddhiste** *m/f* Buddhist
bouder [bude] **I** *v/t* ***~ qn*** to give sb the cold shoulder; ***~ qc*** to shun sth **II** *v/i* sulk
bouderie [budʀi] *f* sulk
boudeur [budœʀ] *adj* ⟨**-euse** [-øz]⟩ sulky
boudin [budɛ̃] *m* **1.** sausage; ***~ blanc*** white sausage **2.** *fig* (*bourrelet*) roll of fat **3.** *fig* ***~s*** *pl fam* fat fingers **4.** *fam, péj d'une fille fam* fatty
boudiné [budine] *adj* ⟨**~e**⟩ **1.** ***être ~*** to be squeezed in **2.** ***doigts ~s*** *fam* stubby fingers
boudiner [budine] *v/t vêtement trop serré* ***ça*** (***me***) ***boudine*** it's too tight
boudoir [budwaʀ] *m* **1.** boudoir **2.** boudoir biscuit
► **boue** [bu] *f* mud; *fig* ***traîner dans la ~*** to drag through the mud
bouée [bwe] *f* buoy; ***~ de sauvetage*** lifebuoy; *fig* lifeline
boueux [buø, bwø] **I** *adj* ⟨**-euse** [-øz]⟩ muddy **II** *m fam* garbage man
bouffant [bufɑ̃] *adj* ⟨**-ante** [-ɑ̃t]⟩ puffed; *cheveux* bouffant
bouffarde [bufaʀd] *fam f* pipe
bouffe [buf] *fam f* food; *fam* grub; ***se faire une*** (***petite***) ***~*** to get together for a meal; ***ne penser qu'à la ~*** to think of nothing but food
bouffée [bufe] *f* **1.** *en inspirant, en expirant* breath **2.** *d'air* breath; *d'odeurs* blast; MÉD ***~ de chaleur*** hot flash **3.** *fig* ***une ~ d'orgueil*** a fit of pride
bouffer[1] [bufe] *v/i* to billow out
bouffer[2] *fam* **I** *v/t* to eat; ***n'avoir rien à ~*** to have nothing to eat **II** *v/pr* ***se ~ le nez*** *fam* be at each other's throats
bouffetance [buftɑ̃s] *f fam* → ***bouffe***
bouffi [bufi] *adj* ⟨**~e**⟩ bloated; *yeux* puffy; *fig* ***~ d'orgueil*** blown up with pride
bouffir [bufiʀ] **I** *v/t visage* puff up **II** *v/i visage* go puffy
bouffon [bufõ] *m* clown; ***~*** (***du roi***) (court) jester
bouffonnerie [bufɔnʀi] *f* **1.** clowning **2.** ***~s*** *pl* antics
bouge [buʒ] *m péj* dump
bougeoir [buʒwaʀ] *m* candlestick
bougeotte [buʒɔt] *f fam* ***avoir la ~*** to have itchy feet; *fam* to have the fidgets; *enfant* to be fidgety
► **bouger** [buʒe] ⟨**-ge-**⟩ **I** *v/t* to move; *adjt photo* ***bougé*** fuzzy **II** *v/i* **1.** to move; *dent* to wobble **2.** *fam* ***ne pas ~*** to stand still; *prix* not to budge **3.** POL to take action; ***ça bouge*** things are happening **III** *v/pr fam* ***se ~*** to move
► **bougie** [buʒi] *f* **1.** candle **2.** AUTO spark plug
bougnoul(e) [buɲul] *fam, péj m* Arab
bougon [bugõ] *adj* ⟨**-onne** [-ɔn]⟩ grumpy; *fam* grouchy
bougonner [bugɔne] *v/i* to grumble
bougre [bugʀ] *fam m* **1.** *fam* guy; ***un pauvre ~*** a poor devil **2.** *péj* ***~ d'idiot*** dumb idiot
bougrement [bugʀəmɑ̃] *adv fam* terribly
bougresse [bugʀɛs] *f fam, péj* bitch
boui-boui [bwibwi] *m* ⟨**bouis-bouis**⟩ *fam* greasy spoon; *fam brit* caff
bouillabaisse [bujabɛs] *f* bouillabaisse
bouillant [bujɑ̃] *adj* ⟨**-ante** [-ɑ̃t]⟩ boiling
bouille [buj] *fam f* face; ***avoir une bonne ~*** to have a nice face
bouilleur [bujœʀ] *m* distiller; ***~ de cru*** home distiller
bouilli [buji] **I** *adj* ⟨**~e**⟩ boiled **II** *m* boiled meat
bouillie [buji] *f* gruel; ***en ~*** mushy; *fam, fig* ***mettre en ~*** to reduce to a pulp
► **bouillir** [bujiʀ] ⟨**je bous, il bout, nous bouillons; je bouillais; je bouillis; je bouillirai; que je bouille; bouillant; bouilli**⟩ **I** *fam v/t* to boil **II** *v/i* to boil, to be boiling; *fig* ***~ de colère*** to be seething with rage; *fig* ***~ d'impatience*** to be boiling with impatience; ***faire ~*** to boil; *tétine, etc* to sterilize
bouilloire [bujwaʀ] *f* kettle
bouillon [bujõ] *m* **1.** stock; ***~ gras*** meat stock; *fam, iron* ***~ d'onze heures*** poisoned drink; *fam, fig* ***boire un ~*** to swallow water; *fig* to get one's fingers burnt **2.** ***~ de culture*** BIOL culture fluid; *fig* breeding ground **3.** ***~s*** *pl* bubbles; ***bouillir à gros ~s*** to boil fast
bouillonnant [bujɔnɑ̃] *adj* ⟨**-ante** [-ɑ̃t]⟩ *eau* bubbling
bouillonnement [bujɔnmɑ̃] *m d'un li-*

quide bubbling; *fig d'idées* ferment
bouillonner [bujɔne] *v/i* **1.** to bubble **2.** *fig* to seethe
bouillotte [bujɔt] *f* hot-water bottle
▶ **boulanger** [bulɑ̃ʒe] *m* baker
▶ **boulangère** [bulɑ̃ʒɛʀ] *f* baker, baker's wife
▶ **boulangerie** [bulɑ̃ʒʀi] *f* bakery **boulangerie-pâtisserie** *f* ⟨**boulangeries--pâtisseries**⟩ bread and cake shop
▶ **boule** [bul] *f* **1.** ball; **~ *puante*** stink bomb; **~*s Quies*®** [bulkjɛs] earplugs; **~ *de neige*** snowball; *fig* ***faire ~ de neige*** to snowball; ***en ~*** in a ball; *fam*, *fig* ***se mettre en ~*** *fam* to go up the wall; *fig* ***avoir une ~ dans la gorge*** to have a lump in one's throat **2.** ***jeu*** *m* ***de ~s*** boules; ***jouer aux ~s*** to play boules **3.** *fam*, *fig* (*tête*) head; ***perdre la ~*** *fam* to go crazy; *fam*, *fig* ***avoir les ~s*** *fam* to have butterflies
bouleau [bulo] *m* ⟨**~x**⟩ birch
boule-de-neige [buldənɛʒ] *f* ⟨**boules--de-neige**⟩ BOT snowdrop
bouledogue [buldɔg] *m* bulldog
bouler [bule] *v/i fam* ***envoyer ~*** → ***promener*** *I 3*
boulet [bulɛ] *m* **1.** cannonball; *fig* ***tirer sur qn à ~s rouges*** to rain blows on sb **2.** HIST *des bagnards* ball and chain; *fig* ***traîner un ~*** to have a millstone around one's neck
boulette [bulɛt] *f* **1.** pellet **2.** **~ (*de viande*)** meatball **3.** *fam*, *fig* ***faire une ~*** *fam* to make a blunder; *fam* to make a booboo
▶ **boulevard** [bulvaʀ] *m* **1.** boulevard **2.** ***théâtre*** *m* ***de ~*** light comedy
bouleversant [bulvɛʀsɑ̃] *adj* ⟨**-ante** [-ɑ̃t]⟩ deeply moving
bouleversement [bulvɛʀsəmɑ̃] *m* **1.** upheaval **2.** *d'une personne* emotion
bouleverser [bulvɛʀse] *v/t* **1.** to disrupt; *par ext* to change completely **2.** **~ *qn*** to deeply move sb
boulimie [bulimi] *f* insatiable appetite (*a fig* ***de*** for); MÉD bulimia **boulimique** *adj* bulimic
bouliste [bulist] *m* boules player
boulodrome [bulɔdʀom] *m* boules pitch
boulon [bulõ] *m* bolt
boulonner [bulɔne] **I** *v/t* to bolt **II** *fam v/i* to slave
▶ **boulot** [bulo] *m fam* **1.** work; ***petit ~*** little job; ***vivre de petits ~s*** *fam* to do casual jobs; ***chercher du ~*** to look for work **2.** *adjt* ⟨*inv*⟩ ***être ~ ~*** to be a workaholic
boulotte [bulɔt] *adj*, *f fam* plump
boulotter [bulɔte] *fam v/t* eat
boum [bum] **I** *int* bang; *chute* crash **II** *subst* **1.** *m* bang **2.** *fig* ***être en plein ~*** to be in full swing **3.** *fam f* party
boumer [bume] *v/i fam* ***ça boume?*** how's it going?; *fam* how's things?
▶ **bouquet** [bukɛ] *m* **1.** bunch; *st/s* bouquet **2.** CUIS **~ *garni*** bouquet garni **3.** *d'un vin* bouquet **4.** *fam* ***c'est le ~!*** *fam* that takes the biscuit! **5.** ZOOL prawn
bouquetin [buktɛ̃] *m* ibex
bouquin [bukɛ̃] *fam m* book
bouquiner [bukine] *v/i fam* to read **bouquiniste** *m/f* secondhand book-seller
bourbe [buʀb] *f* mud
bourbeux [buʀbø] *adj* ⟨**-euse** [-øz]⟩ muddy
bourbier [buʀbje] *m* **1.** quagmire **2.** *fig* quagmire; *fam* mess
bourbon [buʀbõ] *m* bourbon
bourde [buʀd] *f* blunder, *fam* booboo
bourdon [buʀdõ] *m* **1.** ZOOL bumblebee; ***faux ~*** drone **2.** *fam* ***avoir le ~*** to have the blues, *fam* to be blue **3.** great bell
bourdonnement [buʀdɔnmɑ̃] *m* **1.** *d'insectes* buzzing **2.** *de voix*, *d'un moteur* hum **3.** **~ *d'oreilles*** ringing in the ears
bourdonner [buʀdɔne] *v/i* **1.** buzz **2.** ***avoir les oreilles qui bourdonnent*** to have ringing in one's ears
bourg [buʀ] *m ou* **bourgade** [buʀgad] *f* market town
bourge [buʀʒ] *m/f*, *abr fam* (= **bourgeois**) *péj* bourgeois
bourgeois [buʀʒwa] **I** *adj* ⟨**-oise** [-waz]⟩ **1.** middle-class **2.** *péj* bourgeois **II** *subst* **1.** **~(*e*)** *m*(*f*) middle-class person; ***grands, petits ~*** upper, lower middle-class people **2.** *m péj* bourgeois person
bourgeoisie [buʀʒwazi] *f* bourgeoisie
bourgeon [buʀʒõ] *m* bud
bourgeonnement [buʀʒɔnmɑ̃] *m* budding
bourgeonner [buʀʒɔne] *v/i* **1.** to come into bud **2.** *visage* to come out in spots
bourgmestre [buʀgmɛstʀ] *m en Belgique*, *Hollande*, *Allemagne*, *Suisse* burgomaster
Bourgogne [buʀgɔɲ] **1.** ***la ~*** Burgundy **2.** ***bourgogne*** *m* burgundy
bourguignon [buʀgiɲõ] **I** *adj* ⟨**-onne**

[-ɔn]⟩ Burgundian **II** ***Bourguignon(ne)*** *m(f)* Burgundian
bourlinguer [buʀlɛ̃ge] *v/i* to travel around **bourlingueur** *m* globe-trotter
bourrache [buʀaʃ] *f* BOT borage
bourrade [buʀad] *f* thump
bourrage [buʀaʒ] *m* ***~ de crâne*** POL indoctrination; *scolaire fam* cramming
bourrasque [buʀask] *f* gust
bourratif [buʀatif] *adj* ⟨**-ive** [-iv]⟩ stodgy; ***être ~*** to be filling
bourre [buʀ] *f* **1.** TEXT stuffing **2.** *fam* ***être à la ~*** to be in a dash
bourré [buʀe] *adj* ⟨**~e**⟩ **1.** completely full; ***~ de*** packed with **2.** *fam (ivre) fam* plastered; *fam* sozzled
bourreau [buʀo] *m* ⟨**~x**⟩ **1.** executioner **2.** *fig* tormentor; *plais* ***~ des cœurs*** ladykiller; ***~ d'enfants*** child-beater; ***~ de travail*** workaholic
bourrelet [buʀlɛ] *m* **1.** roll; ***~ (de graisse)*** spare tire **2.** draft excluder
bourrelier [buʀəlje] *m* saddler
bourrer [buʀe] **I** *v/t* **1.** to fill (***de*** with); *fig* ***~ qn de coups*** to beat sb up **2.** *pipe* to fill; *coussin* stuff; *fig* ***~ le crâne de qn*** POL to indoctrinate sb; *à l'école* to cram sb **II** *v/i aliment* to be filling **III** *v/pr* ***se ~*** to stuff o.s. (***de*** with)
bourriche [buʀiʃ] *f* hamper
bourrichon [buʀiʃõ] *m fam* ***se monter le ~*** to get ideas
bourricot [buʀiko] *m* donkey
bourrin [buʀɛ̃] *m fam* horse
bourrique [buʀik] *f* donkey; ***faire tourner qn en ~*** *fam* to drive sb round the bend
bourru [buʀy] *adj* ⟨**~e**⟩ **1.** surly **2.** ***vin ~*** rough wine
bourse [buʀs] *f* **1.** coin purse; *fig* ***sans ~ délier*** without spending a cent **2.** ***~ (d'études)*** (study) grant **3.** ANAT ***~s*** *pl* scrotum + *v sg*
Bourse [buʀs] *f* **1.** Stock Exchange **2.** ***~ du travail*** confederation of labor unions
boursicotage [buʀsikɔtaʒ] *m* dabbling on the stock market **boursicoter** *v/i* to dabble on the stock market
boursier [buʀsje] **I** *adj* ⟨**-ière** [-jɛʀ]⟩ stock market *épith* **II** ***~, boursière*** *m/f* grant-holding
boursouflé [buʀsufle] *adj* ⟨**~e**⟩ **1.** swollen **2.** *fig style* bombastic **boursouflure** *f* swelling; *(cloque)* blister
bousculade [buskylad] *f* **1.** crush **2.** rush
bousculer [buskyle] **I** *v/t* **1.** *(pousser)* to jostle; *p/fort* to shove; *(renverser)* to knock over **2.** *(presser)* to rush **3.** *fig traditions, etc* to shake up **II** *v/pr* **1.** ***se ~*** to jostle, *fam* to push and shove **2.** *fig idées* ***se ~ dans la tête de qn*** to buzz in sb's head
bouse [buz] *f* ***~ (de vache)*** cowpat **bouseux** *m fam, péj* hick
bousillage [busijaʒ] *fam m* **1.** *(action de casser) fam* wrecking **2.** *(travail mal fait) fam* botch up
bousiller [buzije] *fam v/t* **1.** *travail fam* to screw up **2.** *mécanisme fam* to wreck **3.** *(tuer) fam* to do in
bousilleur [buzijœʀ] *fam m*, **bousilleuse** [-øz] *fam f* botcher *fam*; wrecker
boussole [busɔl] *f* compass; *fam, fig* ***perdre la ~*** to lose one's head
boustifaille [bustifaj] *fam f* chow
► **bout**[1] [bu] *m* **1.** *(extrémité)* end; *d'une cigarette* tip; ***bout du doigt, de la langue, du nez*** tip of the finger, tongue, nose; *fig* ***connaître, savoir qc sur le bout des doigts*** to know sth inside out; ***avoir un mot sur le bout de la langue*** to have a word on the tip of one's tongue; *fig* ***mener qn par le bout du nez*** to lead sb by the nose; ***bout à bout*** [butabu] end to end; ***à bout de bras*** at arm's length; ***à tout bout de champ*** all the time; *fam* forever; ***au bout de*** at the end of; ***de bout en bout, d'un bout à l'autre*** from start to finish; *fig* ***aller jusqu'au bout*** to see it through till the end; ***être à bout*** *(fatigué)* be exhausted, *fam* be pooped; *(exaspéré)* to be at the end of one's patience; ***être à bout de qc*** to be out of sth; *fig* ***joindre les deux bouts*** to make ends meet; ***pousser qn à bout*** to push sb to the limit; ***venir à bout de*** to get to the end of **2.** *(terme)* end; ► ***au bout de*** after **3.** *(morceau)* piece; *fam* bit; FILM ***bout d'essai*** screen test; ***un petit bout de femme*** a slip of a woman; ***un bout de papier*** a piece of paper; ***bout de rôle*** bit part; ***depuis un bon bout de temps*** for quite a while; *fam* ***en connaître un bout*** to know a bit about it; ***ça fait un bout jusque là*** it's quite a long way; *fam* ***manger un bout*** to have something to eat, *fam* to have a bite to eat; *fam, fig* ***mettre les bouts*** *fam* to skedaddle
bout[2] → ***bouillir***
boutade [butad] *f* joke

boute-en-train [butɑ̃tʀɛ̃] *m* ⟨*inv*⟩ *fam* live wire

▶ **bouteille** [butɛj] *f* bottle; *vin* ***une bonne ~*** a good bottle; ***~ à la mer*** message in a bottle; ***~ de bière, de vin*** beer, wine bottle; *adj* ***vert ~*** ⟨*inv*⟩ bottle green; ***mettre en ~s*** bottle; *fam, fig* ***prendre de la ~*** to be getting on

bouter [bute] *v/t Jeanne d'Arc* ***ils*** (*les Anglais*) ***seront boutés 'hors de France*** they shall be driven out of France

▶ **boutique** [butik] *f* **1.** store; ***~ de mode*** boutique; ***fermer ~*** to shut up shop **2.** *fam, péj* dump

boutiquier [butikje] *m*, **boutiquière** [-jɛʀ] *f* storekeeper

boutoir [butwaʀ] *m du sanglier* snout

▶ **bouton** [butõ] *m* **1.** BOT bud **2.** *sur la peau* pimple; ***~ de fièvre*** cold sore **3.** COUT button **4.** TECH switch; ***~ de porte*** doorknob; ***~ de sonnette*** bellpush **5.** INFORM ***~ de souris*** mouse button; ***~ gauche, droit de la souris*** left, right mouse button

bouton-d'or [butõdɔʀ] *m* ⟨**boutons-d'or**⟩ buttercup

boutonner [butɔne] **I** *v/t* to button up **II** *v/pr* ***se boutonner*** **1.** to do up one's buttons **2.** *vêtement* to button

boutonneux [butɔnø] *adj* ⟨**-euse** [-øz]⟩ pimply

boutonnière [butɔnjɛʀ] *f* buttonhole

bouton-pression *m* ⟨**boutons-pression**⟩ snap fastener

bouture [butyʀ] *f* cutting

bouvier [buvje] *m* herdsman

bouvreuil [buvʀœj] *m* ZOOL bullfinch

bovidés [bɔvide] *mpl* bovids

bovin [bɔvɛ̃] **I** *adj* ⟨**-ine** [-in]⟩ bovine **II** *mpl* ***~s*** cattle

bowling [boliŋ, bu-] *m* **1.** *jeu* bowling **2.** *lieu* bowling alley

box [bɔks] *m* ⟨**~es** [bɔks]⟩ **1.** *d'écurie* stall; *d'un garage* parking space; *d'une salle* cubicle; ***~ des accusés*** dock **2.** *cuir* box calf

boxe [bɔks] *f* boxing; ***combat*** *m*, ***match*** *m* ***de ~*** boxing match; ***faire de la ~*** to box

boxer[1] [bɔkse] **I** *v/t fam* ***~ qn*** to fight sb **II** *v/i* to box

boxer[2] [bɔksɛʀ] *m chien* boxer

boxeur [bɔksœʀ] *m* SPORT boxer

box-office [bɔksɔfis] *m* ⟨**box-offices**⟩ box office

boxon [bɔksõ] *pop m pop* whorehouse

boy [bɔj] *m* servant boy

boyau [bwajo] *m* ⟨**~x**⟩ **1.** gut; ***~x*** *pl* guts **2.** *passage fam* alleyway **3.** *pour vélo de course* racing tire

boycott [bɔjkɔt] *m ou* **boycottage** [-aʒ] *m* boycott **boycotter** *v/t* to boycott

B.P. *abr* (= **boîte postale**) P.O.

B.P.F. *abr* (= **bon pour francs**) HIST *sur un chèque etc* CE pay

Bq *abr* (= **becquerel[s]**) PHYS NUCL Bq

bracelet [bʀaslɛ] *m* **1.** bracelet **2.** ***~*** (***de force***) wristband **bracelet-montre** *m* ⟨**bracelets-montres**⟩ wristwatch

braconnage [bʀakɔnaʒ] *m* poaching **braconner** *v/i* to poach **braconnier** *m* poacher

brader [bʀade] *v/t* to sell off

braderie [bʀadʀi] *f* clearance sale

braguette [bʀagɛt] *f* fly

braillard [bʀɑjaʀ] *fam* **I** *adj* ⟨**-arde** [-aʀd]⟩ yelling **II** ***~(e)*** *m(f)* person who is yelling

braille [bʀɑj] *m* braille

braillement [bʀɑjmɑ̃] *fam m* yelling; *d'un enfant* howling; *d'un ivrogne fam* bawling

brailler [bʀɑje] *fam* **I** *v/t fam* to yell **II** *v/i* to yell; *enfant* to howl

braiment [bʀɛmɑ̃] *m de l'âne* braying

brainstorming [bʀɛnstɔʀmiŋ] *m* brainstorming

braire [bʀɛʀ] *v/i* ⟨**il brait, ils braient; il brayait; il braira; brayant; brait**⟩ **1.** *âne* to bray **2.** *fam, fig* → ***brailler***

braise [bʀɛz] *f* hot embers; *fig* ***yeux*** *mpl* ***de ~*** burning eyes

braiser [bʀeze] *v/t* braise

brame [bʀɑm] *m ou* **bramement** [-mɑ̃] *m du cerf* belling

bramer [bʀɑme] *v/i cerf* to bell

brancard [bʀɑ̃kaʀ] *m* **1.** stretcher **2.** shaft; *fig* ***ruer dans les ~s*** to kick over the traces

brancardier [bʀɑ̃kaʀdje] *m* stretcher-bearer

branchage [bʀɑ̃ʃaʒ] *m* branches

▶ **branche** [bʀɑ̃ʃ] *f* **1.** bough; *plus mince* branch; ***céleri*** *m* ***en ~*** celery **2.** (*secteur*) branch; ÉCON sector; (*discipline*) subject **3.** *d'un compas* leg; *de lunettes* side-piece **4.** *d'une famille* branch **5.** *fam* ***vieille ~!*** *fam* my old pal!

branché [bʀɑ̃ʃe] *adj* ⟨**~e**⟩ *fam* ***être ~*** *fam* to be hip; *fam* to be switched on

branchement [bʀɑ̃ʃmɑ̃] *m* **1.** TECH connection (***sur*** to); hooking -up **2.** INFORM

branch
brancher [brɑ̃ʃe] *v/t* **1.** TECH to connect up (***sur*** to); (*allumer*) to switch on **2.** *fig* **~ *sur*** to tart off on **3.** *fam* **~ *qn*** *fam* to grab sb
branchies [brɑ̃ʃi] *fpl* gills
brandade [brɑ̃dad] *f* CUIS brandade
brandir [brɑ̃diʀ] *v/t* brandish; *drapeau, pancarte* wave
brandons [brɑ̃dõ] *mpl* firebrands
brandy [brɑ̃di] *m* brandy
branlant [brɑ̃lɑ̃] *adj* ⟨**-ante** [-ɑ̃t]⟩ shaky *a fig*
branle [brɑ̃l] *m* (***se***) ***mettre en*** **~** to get going
branle-bas *m* ⟨*inv*⟩ **~** (***de combat***) MAR preparation for action; *fig* action stations
branlement [brɑ̃lmɑ̃] *m* **~ *de tête*** head shaking
branler [brɑ̃le] **I** *v/t fam* (*faire*) to shake **II** *v/i* **1.** to be shaky **2.** *pop* (*a v/pr* ***se***) **~** (*se masturber*) *pop* to jerk off
braquage [brakaʒ] *m* **1.** AUTO steering; ***rayon m de* ~** turning circle **2.** *fam* hold-up
braque[1] [brak] *m* ZOOL, CH pointer
braque[2] *fam adj* crazy
braquer [brake] **I** *v/t* **1.** *arme, caméra* **~ *sur*** to point at **2.** *fam banque* to hold up **3.** *fig* **~ *qn*** to turn sb (***contre*** against) **II** *v/i roues* to turn; *voiture* **~ *mal*** to have a poor lock **III** *v/pr* ***se* ~ *contre*** to set o.s. against
braquet [brakɛ] *m d'une bicyclette* gear ratio
braqueur [brakœʀ] *fam m* armed robber
► **bras** [bʀa, bʀɑ] *m* **1.** arm; *fig* ***le* ~ *droit de qn*** sb's right-hand man; *fig* **~ *de fer*** arm wrestling; **~ *d'honneur*** *rude gesture, equivalent to the finger*; **~ *dessus,* ~ *dessous*** arm in arm; *accueillir* ***à* ~ *ouverts*** with open arms; ***à tour de* ~** *frapper* with all one's strength; *fig dépenser* extravagantly; ***en* ~ *de chemise*** in shirt sleeves; *fig* ***avoir le* ~ *long*** to have influence; *fig* ***avoir qn, qc sur les* ~** *fam* to be stuck with sb, sth; *fig* ***baisser les* ~** to give up; *fig* ***couper* ~ *et jambes à qn*** to flabbergast sb; *fig* ***lever les* ~ *au ciel*** to throw up one's hands; ***prendre, serrer qn dans ses* ~** to take, hold sb in one's arms; *fig* ***les* ~ *m'en tombent*** I'm amazed **2.** *homme* hand **3.** *d'un fleuve* branch; **~ *de mer*** strait **4.** *d'un fauteuil* arm; **~ *de lecture*** pickup arm; PHYS **~ *de levier*** lever arm
brasage [bʀazaʒ] *m* TECH brazing **braser** *v/t* TECH braze
brasero [bʀazeʀo] *m* brazier
brasier [bʀrazje] *m* **1.** blaze **2.** *fig* inferno
bras-le-corps [bʀalkɔʀ] ***saisir qn à* ~** to seize sb round the waist
brassage [bʀasaʒ] *m* **1.** brewing **2.** *fig* intermingling
brassard [bʀasaʀ] *m* armband; **~ *de deuil*** black armband
brasse [bʀas] *f* stroke
brassée [bʀase] *f* ***une* ~ *de fleurs, de bois*** an armful of flowers, wood
brasser [bʀase] *v/t* **1.** *bière* to brew **2.** (*mélanger*) to mix; *air* to circulate **3.** *fig* **~ *des millions*** to handle millions
brasserie [bʀasʀi] *f* **1.** brewery **2.** brasserie
brasseur[1] [bʀasœʀ] *m* **1.** brewer **2.** *fig* **~ *d'affaires*** tycoon
brasseur[2] [bʀasœʀ] *m*, **brasseuse** [-øz] *f* breast-stroke swimmer
brassière [bʀasjɛʀ] **1.** undershirt **2.** *adj* ***maillot m* ~** life vest

brassière

Brassière has nothing to do with bras. The correct translation for bra in French is **soutien-gorge**.

Son bébé portait une jolie brassière bleue.

Her baby was wearing a pretty blue undershirt.

bravache [bʀavaʃ] *m* braggart
bravade [bʀavad] *f* bravado; ***par* ~** out of bravado
► **brave** [bʀav] *adj* **1.** ⟨*after noun*⟩ (*courageux*) brave **2.** (*honnête et bon*) good; ***mon* ~!** my good man
braver [bʀave] *v/t* **~ *qn, qc*** to defy sb, sth
bravo [bʀavo] **I** *int* well done **II** *m* cheer
bravoure [bʀavuʀ] *f* **1.** bravery **2.** ***morceau m de* ~** purple passage
break [bʀɛk] *m* station wagon
brebis [bʀəbi] *f* **1.** ewe **2.** *fig*, BIBL sheep
brèche [bʀɛʃ] *f* **1.** MIL breach; *fig* ***battre en* ~** to demolish; *fig* ***être toujours sur la* ~** to be always on the go **2.** gap **3.** *à*

une lame nick
bréchet [bʀeʃɛ] *m* wishbone
bredouille [bʀəduj] *adj* ***rentrer ~*** to come back empty-handed
bredouiller [bʀəduje] *v/t et v/i* to mumble; *excuses* to mutter
bref [bʀɛf] **I** *adj* 〈**brève** [bʀɛv]〉 short; ***soyez ~!*** be brief! **II** *adv* to cut a long story short
brelan [bʀəlɑ̃] *m* JEUX three of a kind
breloque [bʀəlɔk] *f* **1.** charm **2.** *fig cœur* ***battre la ~*** not to be too good
brème [bʀɛm] *f* ZOOL bream
Brésil [bʀezil] ***le ~*** Brazil
brésilien [bʀeziljɛ̃] **I** *adj* 〈**-ienne** [-jɛn]〉 Brazilian **II** ***Brésilien(ne)*** *m(f)* Brazilian
Bretagne [bʀətaɲ] ***la ~*** Brittany
bretelle [bʀətɛl] *f* **1.** ***~s*** *pl* suspenders; *de lingerie féminine* (shoulder) straps **2.** strap *a d'un sac* **3.** AUTOROUTE ramp; ***~ (d'accès)*** on ramp
breton [bʀətõ] **I** *adj* 〈**-onne** [-ɔn]〉 Breton **II 1.** ***Breton(ne)*** *m(f)* Breton **2.** LING ***le ~*** Breton
bretonnant [bʀətɔnɑ̃] *adj* 〈**-ante** [-ɑ̃t]〉 ***les Bretons ~s*** Breton-speaking Bretons
breuvage [bʀœvaʒ] *m* beverage
brève [bʀɛv] → ***bref***
brevet [bʀəvɛ] *m* **1.** diploma; ***~ (des collèges)*** *exam taken at age 15* **2.** ***~ (d'invention)*** patent
brevetable [bʀəvtabl] *adj invention, procédé* patentable
breveté [bʀəvte] *adj* 〈**~e**〉 **1.** patented **2.** qualified
breveter [bʀəvte] *v/t* 〈**-tt-**〉 ***(faire) ~*** to patent
bréviaire [bʀevjɛʀ] *m* breviary
brévité [bʀevite] *f* PHON shortness
bribes [bʀib] *fpl* scraps

> **bribes ≠ bribes**
>
> Note that **bribes** has nothing to do with paying someone an illegal or dishonest payment.

bric-à-brac [bʀikabʀak] *m* 〈*inv*〉 bric-a-brac
bric et de broc [bʀikedbʀɔk] ***de ~*** haphazardly
bricolage [bʀikɔlaʒ] *m* **1.** do-it-yourself **2.** *péj* botch-up
bricole [bʀikɔl] *f* little thing
bricoler [bʀikɔle] **I** *v/t* to fix up; *péj* to cobble together **II** *v/i* **1.** to do odd jobs **2.** *par ext* to putter about
▶ **bricoleur** [bʀikɔlœʀ] *m*, **bricoleuse** [-øz] *f* handyman
bride [bʀid] *f* **1.** bridle; *(rênes)* reins; *fig* ***à ~ abattue*** full tilt **2.** *d'un bouton* loop; *d'une ceinture* strap
bridé [bʀide] *adj* 〈**~e**〉 ***yeux ~s*** almond-shaped eyes
brider [bʀide] *v/t* **1.** *cheval* bridle **2.** *fig* restrain **3.** CUIS *volaille* truss
bridge [bʀidʒ] *m jeu de cartes, prothèse dentaire* bridge
briefing [bʀifiŋ] *m* briefing *a* MIL
brièvement [bʀijɛvmɑ̃] *adv* briefly
brièveté [bʀijɛvte] *f* brevity
brigade [bʀigad] *f* **1.** MIL brigade **2.** POLICE squad **3.** *d'ouvriers* gang
brigadier [bʀigadje] *m* **1.** MIL corporal **2.** sergeant
brigand [bʀigɑ̃] *m* **1.** bandit; *fig* ***histoire*** *f* ***de ~s*** cops and robbers **2.** *fig* crook; *plais* rascal
brigandage [bʀigɑ̃daʒ] *m* banditry
briguer [bʀige] *v/t* to seek to get
brillamment [bʀijamɑ̃] *adv fig* brilliantly
brillant [bʀijɑ̃] **I** *adj* 〈**-ante** [-ɑ̃t]〉 shiny; *fig* brilliant **II** *m* **1.** shine **2.** *fig* brilliance **3.** *diamant* brilliant
▶ **briller** [bʀije] *v/i* to shine; *soleil* to shine *a fig*; *yeux* to sparkle (***de joie*** with joy); ***faire ~*** to polish; *prov* ***tout ce qui brille n'est pas (d')or*** all is not gold that glitters
brimade [bʀimad] *f* bullying
brimbaler [bʀɛ̃bale] → ***bringuebaler***
brimer [bʀime] *v/t* bully
brin [bʀɛ̃] *m* **1.** sprig; *fig* ***un beau ~ de fille*** a fine-looking girl; ***~ de paille*** wisp of straw **2.** strand; ***~ de laine*** strand of wool **3.** *fig* ***un ~ de*** (+ *subst*) a bit of (+ *subst*); ***faire un ~ de toilette*** to have a quick wash
brindezingue [bʀɛ̃dzɛ̃g] *adj fam* → ***cinglé***
brindille [bʀɛ̃dij] *f* twig; ***~s*** *pl* sticks
bringue [bʀɛ̃g] *f* **1.** *fam* ***une grande ~*** *fam* a beanpole **2.** *fam* ***faire la ~*** *fam* to have a wild time
bringuebaler [bʀɛ̃gbale] *ou* **brinquebaler** [bʀɛ̃kbale] *v/i* to shake about
brio [bʀijo] *m* ***avec ~*** with panache
brioche [bʀijɔʃ] *f* **1.** brioche **2.** *fam, fig*

avoir, prendre de la ~ *fam* to have, get a paunch
brioché [bʀijɔʃe] *adj* ⟨**~e**⟩ ***pain ~*** milk loaf
brique [bʀik] *f* **1.** brick; *adjt* ⟨*inv*⟩ brick red **2.** carton **3.** *fig* ten grand *fam*
briquer [bʀike] *v/t* to scrub
▶ **briquet** [bʀikɛ] *m* lighter
briqueterie [bʀikɛtʀi] *f* brickyard
briquette [bʀikɛt] *f* briquette
bris [bʀi] *m* breaking; ***~ de glace*** broken windscreen
brisant [bʀizɑ̃] *m* reef
brise [bʀiz] *f* breeze
brisé [bʀize] *adj* ⟨**~e**⟩ **1.** broken; ***pâte ~e*** shortcrust pastry; *fig* ***cœur ~*** broken heart **2.** *fig* ***~ de fatigue*** worn out
brisées [bʀize] *fpl st/s* ***marcher sur les ~ de qn*** to trespass on sb's territory
brise-fer *fam m* ⟨*inv*⟩ → ***brise-tout*** **brise-glace(s)** *m* ⟨*inv*⟩ icebreaker **brise-jet** *m* ⟨*inv*⟩ faucet nozzle **brise-lames** *m* ⟨*inv*⟩ breakwater
briser [bʀize] **I** *v/t* **1.** *st/s* to break; *fig chaînes* to smash **2.** *fig résistance*, *grève*, *cœur* to break; *carrière* to destroy; ***~ qn*** to exhaust sb **II** *v/pr* ***se briser*** **1.** *vagues* to break **2.** *fig espoirs* to be dashed
brise-tout [bʀiztu] *m* ⟨*inv*⟩ *fam* klutz
briseur [bʀizœʀ] *m* ***~ de grève*** strike-breaker
bristol [bʀistɔl] *m* **1.** stiff paper **2.** visiting card
brisure [bʀizyʀ] *f* → ***cassure***
▶ **britannique** [bʀitanik] **I** *adj* British **II** ***Britannique*** *m/f* Briton
broc [bʀo] *m* pitcher
brocante [bʀɔkɑ̃t] *f* secondhand market, secondhand store **brocanteur** *m* dealer in secondhand goods
brocards [bʀɔkaʀ] *litt mpl* gibes
brocart [bʀɔkaʀ] *m* TEXT brocade
brochage [bʀɔʃaʒ] *m* **1.** *d'un livre* binding **2.** TEXT brocading
broche [bʀɔʃ] *f* **1.** *bijou* brooch **2.** CUIS spit; ***à la ~*** cooked on a spit; ***poulet m à la ~*** spit-roasted chicken **3.** TECH pin; MÉD pin
broché [bʀɔʃe] *adj* ⟨**~e**⟩ paperback **brocher** *v/t livre*, TEXT to bind in a paper cover
brochet [bʀɔʃɛ] *m* pike
brochette [bʀɔʃɛt] *f* **1.** CUIS skewer; *plat* kebab **2.** *plais de jeunes filles*, *etc* bevy
brochure [bʀɔʃyʀ] *f* brochure
brocoli [bʀɔkɔli] *m* broccoli
brodequin [bʀɔdkɛ] *m* boot
broder [bʀɔde] **I** *v/t* to embellish; *tissu* to embroider **II** *v/i fig* to embroider
broderie [bʀɔdʀi] *f* embroidery
brodeuse [bʀɔdœz] *f* **1.** *personne* embroiderer **2.** *machine* embroidery machine
bromure [bʀɔmyʀ] *m* bromide
broncher [bʀɔ̃ʃe] *v/i* ***ne pas ~*** to remain impassive; ***sans ~*** without batting an eyelid
bronches [bʀɔ̃ʃ] *fpl* bronchial tubes
bronchite [bʀɔ̃ʃit] *f* bronchitis **bronchitique** *adj* bronchitic; *personne* bronchitis-sufferer
bronzage [bʀɔ̃zaʒ] *m* **1.** tanning **2.** *résultat* tan
bronze [bʀɔ̃z] *m* bronze; ***de ou en ~*** bronze
bronzé [bʀɔ̃ze] *adj* ⟨**~e**⟩ tanned
▶ **bronzer** [bʀɔ̃ze] *v/i* to tan; ***se faire ~*** to sunbathe
brossage [bʀɔsaʒ] *m* brushing
brosse [bʀɔs] *f* **1.** brush; ▶ ***~ à dents*** toothbrush ***~ à cheveux*** hairbrush; ***~ à chaussures, à habits, à ongles*** shoe, clothes, nail brush; *fam*, *fig* ***passer la ~ à reluire*** to suck up **2.** (***cheveux*** *mpl* ***en***) ***~*** crewcut
▶ **brosser** [bʀɔse] **I** *v/t* **1.** to brush **2.** *fig* ***~ un tableau de la situation*** to outline the situation **II** *v/pr* ***se ~*** to brush one's clothes; ***se ~ les dents*** to brush one's teeth; *fam*, *fig* ***tu peux te ~!*** nothing doing!
brosserie [bʀɔsʀi] *f* brush factory
brou [bʀu] *m* ***~ de noix*** walnut stain
brouet [bʀuɛ] *m péj* thin soup, *fam* slop *fam*
brouette [bʀuɛt] *f* wheelbarrow
brouhaha [bʀuaa] *m* hubbub
brouillage [bʀujaʒ] *m* RAD interference; *délibéré* jamming
▶ **brouillard** [bʀujaʀ] *m* fog; ***il y a du ~*** it's foggy; *fig* ***être dans le ~*** to be in the dark
brouille [bʀuj] *f* quarrel
brouillé [bʀuje] *adj* ⟨**~e**⟩ **1.** ***œufs ~s*** scrambled egg **2.** *ciel* overcast **3.** *teint* dull **4.** ***être ~*** (***avec qn*** with sb) to have fallen out; *fam* ***être ~ avec qc*** *fam* to be useless with sth
brouiller [bʀuje] **I** *v/t* **1.** to muddle (up); ***~ les idées de qn*** to confuse sb's thinking; ***~ les pistes*** to cloud the issue **2.** *émission* to scramble **II** *v/pr* **1.** ***ma***

vue se brouille my vision is blurred **2.** ***se~*** *temps* to become overcast **3.** ***se~*** to fall out (***avec qn*** with sb)
brouilleur [bʀujœʀ] *m* RAD jammer
brouillon[1] [bʀujõ] *adj* ⟨**-onne** [-ɔn]⟩ untidy
brouillon[2] *m* (rough) draft; ***papier*** *m* (***de***) ~ scrap paper
broum [bʀum] *int* brum
broussaille [bʀusaj] *f* **1.** ***~s*** *pl* undergrowth + *v sg* **2.** *fig* ***en ~*** *cheveux* tousled; *sourcils* bushy
broussailleux [bʀusajø] *adj* ⟨**-euse** [-øz]⟩ **1.** brushy **2.** → ***broussaille***
brousse [bʀus] *f* GÉOG bush
brouter [bʀute] **I** *v/t* to graze; *abs* to graze **II** *v/i* TECH to chatter
broutilles [bʀutij] *fpl* trifling matters
browning [bʀɔniŋ] *m* Browning (rifle)
broyage [bʀwajaʒ] *m* grinding, crushing
broyer [bʀwaje] *v/t* ⟨**-oi-**⟩ **1.** to crush, to grind **2.** *fig* ***~ du noir*** to think dark thoughts; *fam* to be in the doldrums
broyeur [bʀwajœʀ] *m* crusher
brr [bʀʀ] *int* brr
bru [bʀy] *f* daughter-in-law
bruant [bʀyɑ̃] *m* ZOOL bunting
brucellose [bʀyseloz] *f* MÉD brucellosis
Bruges [bʀyʒ] Bruges
brugnon [bʀyɲõ] *m* nectarine
bruine [bʀɥin] *f* drizzle
bruiner [bʀɥine] *v/imp* to drizzle
bruineux [bʀɥinø] *adj* ⟨**-euse** [-øz]⟩ ***temps ~*** drizzly weather
bruire [bʀɥiʀ] *st/s* *v/i* ⟨*déf:* **il bruit, ils bruissent; il bruissait, ils bruissaient; bruissant**⟩ to murmur; *papier, soie* to rustle
bruissement [bʀɥismɑ̃] *st/s* *m* rustling
▶ **bruit** [bʀɥi] *m* **1.** noise; *des vagues* sound; *de chaînes* clanking; ***~ de fond*** background noise; ***sans~*** silently; ***faire du ~*** to make a noise, *fam* to make a racket; *fig* to cause a commotion **2.** (*rumeur*) rumor
bruitage [bʀɥitaʒ] *m* sound effects *pl*
bruiteur *m* sound effects engineer
brûlage [bʀylaʒ] *m* *des herbes sèches* burning; *des cheveux* singeing
brûlant [bʀylɑ̃] *adj* ⟨**-ante** [-ɑ̃t]⟩ **1.** (burning) hot **2.** *fig* ***sujet~*** burning issue; ***sujet d'une actualité ~e*** burning issue **3.** *fig regard* blazing; *désir* burning
brûlé [bʀyle] **I** *adj* ⟨**~e**⟩ **1.** burned; *maison* burned-out; *linge* scorched **2.** *fig* ***tête~e*** dare-devil **3.** *fig* ***être~*** (*démasqué*) *fam* to have one's cover blown **II** *m* **1.** (***grand***) ~ victim of third degree burns **2.** ***odeur*** *f* ***de~*** smell of burning; ***sentir le ~*** to smell of burning, *plat* to taste burned; *fam, fig affaire fam* to turn nasty
brûle-gueule [bʀylgœl] *m* ⟨*inv*⟩ short-stemmed pipe
brûle-parfum [bʀylpaʀfœ̃, -ɛ̃] *m* ⟨*inv*⟩ perfume-burner
brûle-pourpoint [bʀylpuʀpwɛ̃] ***à ~*** (scented) oil burner
▶ **brûler** [bʀyle] **I** *v/t* **1.** to burn; *linge en repassant, soleil: plantes* to scorch; *plaie* ***brûler qn*** to burn sb **2.** ***brûler un feu rouge*** to jump a red light **II** *v/i* **1.** to burn; *maison, forêt* to be on fire **2.** *plat* to burn; ***laisser brûler*** to burn **3.** *soleil* to be burning hot **4.** *fig* ***brûler d'impatience*** to seethe with impatience; ***brûler de faire qc*** to be dying to do sth **5.** *à certains jeux* ***tu brûles!*** you're getting warmer! **III** *v/pr* ▶ ***se brûler*** to burn o.s.; (*s'ébouillanter*) to scald o.s.
brûleur [bʀylœʀ] *m* burner
brûlis [bʀyli] *m* AGR slash and burn
brûlot [bʀylo] *m* MAR HIST fire ship
brûlure [bʀylyʀ] *f* **1.** burn **2.** ***~s d'estomac*** heartburn **3.** *dans un tissu, etc* burn mark
brumaire [bʀymɛʀ] *m* HIST Brumaire
brume [bʀym] *f* mist
brumeux [bʀymø] *adj* ⟨**-euse** [-øz]⟩ **1.** misty **2.** *fig* hazy
brumisateur [bʀymizatœʀ] *m* atomizer
▶ **brun** [bʀɛ̃, bʀœ̃] **I** *adj* ⟨**brune** [bʀyn]⟩ brown; *personne, tabac* dark; *bière* dark **II** *subst* **1.** ***~(e)*** *m(f)* dark-haired person; *femme* brunette **2.** *m* brown **3.** ***~e*** *f bière* stout **4.** ***~e*** dark tobacco cigarette
brunâtre [bʀynɑtʀ] *adj* brownish
brunch [bʀœnʃ] *m* ⟨**brunches**⟩ brunch
brunette [bʀynɛt] *f* brunette
brunir [bʀyniʀ] *v/t et v/i* tan
brushing [bʀœʃiŋ] *m* blow-dry; ***se faire faire un ~*** to have a blow-dry
brusque [bʀysk] *adj* **1.** (*rude*) abrupt, brusque **2.** (*soudain*) sudden
brusquement [bʀyskəmɑ̃] *adv* abruptly
brusquer [bʀyske] *v/t* **1.** *qn* to be brusque with **2.** *décision, etc* to rush
brusquerie [bʀyskəʀi] *f* brusqueness
brut [bʀyt] **I** *adj* ⟨**~e**⟩ **1.** raw; ***pétrole ~*** crude oil **2.** (***champagne***) ***~*** *m* dry champagne **3.** COMM gross; ***salaire ~***

gross pay **II** *adv* gross
brutal [bʀytal] *adj* ⟨**~e; -aux** [-o]⟩ **1.** brutal **2.** (*soudain*) sudden
brutaliser [bʀytalize] *v/t* ill-treat **brutalité** *f* brutality
brute [bʀyt] *f* **1.** bully; *p/fort* brute **2.** ***~ épaisse*** stupid lout
Bruxelles [bʀy(k)sɛl] Brussels
bruyamment [bʀɥijamɑ̃, bʀyjamɑ̃] *adv* → ***bruyant***
► **bruyant** [bʀɥijɑ̃, bʀyjɑ̃] *adj* ⟨**-ante** [-ɑ̃t]⟩ noisy; *conversation*, *rire* loud
bruyère [bʀɥijɛʀ, bʀyjɛʀ] *f* heather
B.T.S. [beteɛs] *m*, *abr* (= **brevet de technicien supérieur**) *advanced vocational diploma*
bu [by] *pp* → ***boire***
buanderie [bɥɑ̃dʀi] *f* laundry room
buccal [bykal] *adj* ⟨**~e; -aux** [-o]⟩ oral; ***par voie ~e*** orally
bûche [byʃ] *f* **1.** log **2.** ***~ de Noël*** Yule log **3.** *fam* ***ramasser une ~*** to fall flat on one's face
bûcher[1] [byʃe] *m* woodpile; (*échafaud*) stake
bûcher[2] *v/t fam* slog away at *fam*
bûcheron [byʃʀõ] *m* lumberjack **bûcheronne** *f* (female) lumberjack
bûchette [byʃɛt] *f* stick
bûcheur [byʃœʀ] *m*, **bûcheuse** [-øz] *f fam* grind *fam*, *brit* swot *fam*
bucolique [bykɔlik] **I** *adj* bucolic **II** *f* bucolic
budget [bydʒɛ] *m* budget
budgétaire [bydʒetɛʀ] *adj* budget *épith*
budgétisation [bydʒetizasjõ] *f* budgeting **budgétiser** *v/t* to budget for
buée [bɥe] *f* condensation; ***se couvrir de ~*** to mist up
buffet [byfɛ] *m* **1.** *meuble* sideboard; *fam*, *fig* ***danser devant le ~*** *fam* to have nothing to eat **2.** *de réception* buffet **3.** **~ (*de gare*)** station buffet
buffle [byfl] *m* buffalo
bug [bœg] *m* → ***bogue***[2]
bugle [bygl] *m* MUS bugle
building [bildiŋ] *m* high-rise (building)
buis [bɥi] *m* box
► **buisson** [bɥisõ] *m* bush
buissonneux [bɥisɔnø] *adj* ⟨**-euse** [-øz]⟩ **1.** *terrain* scrub-covered **2.** *arbre* bushy
buissonnière [bɥisɔnjɛʀ] *adj* ***faire l'école ~*** skip school
bulbe [bylb] *m* **1.** BOT bulb **2.** ARCH onion dome
bulbeux [bylbø] *adj* ⟨**-euse** [-øz]⟩ BOT bulbous
bulgare [bylgaʀ] **I** *adj* Bulgarian **II** ***Bulgare*** *m/f* Bulgarian
Bulgarie [bylgaʀi] ***la ~*** Bulgaria
bulldozer [byldɔzɛʀ, -zœʀ] *m* bulldozer
bulle [byl] *f* **1.** bubble; ***~ de savon*** soap bubble **2.** *de bande dessinée* speech bubble **3.** *du pape* bull
► **bulletin** [byltɛ̃] *m* **1.** ADMIN report (*a* PRESSE, ÉCOLE); bulletin (*a* PRESSE); ***~ météorologique*** weather forecast; ***~ de santé*** health bulletin **2.** (*formulaire*) form **3.** (*reçu*) receipt **4.** **~ (*de vote*)** ballot paper
bulletin-réponse [byltɛ̃ʀepõs] *m* ⟨**bulletins-réponses**⟩ COMM reply coupon; *pour un concours* entry form
bull-terrier [bultɛʀje, byl-] *m* ⟨**bull-terriers**⟩ bull terrier
bungalow [bɛ̃galo, bœ̃-] *m* bungalow
buraliste [byʀalist] *m/f* **1.** *shopkeeper selling tobacco products and sometimes newspapers* **2.** *à la poste* clerk
bure [byʀ] *f* habit
► **bureau** [byʀo] *m* ⟨**~x**⟩ **1.** *meuble* desk **2.** office *a* ADMIN; ***bureau de change*** bureau de change; ***bureau de location*** box office; ► ***bureau de poste*** post office; ► ***bureau de tabac*** tobacconist's; ***bureau de vote*** polling station **3.** *d'une entreprise*, *d'un ministère* department; ***Deuxième Bureau*** intelligence service **4.** *d'un parti*, *d'un syndicat* board
bureaucrate [byʀokʀat] *m/f péj* bureaucrat **bureaucratie** *f* bureaucracy
bureaucratique [byʀokʀatik] *adj* bureaucratic **bureaucratiser** *v/t péj* bureaucratize
bureautique [byʀotik] *f* bureaucratic
burette [byʀɛt] *f a* CATH cruet
burin [byʀɛ̃] *m* **1.** *pour gravure* engraving tool **2.** TECH chisel
buriné [byʀine] *adj* ⟨**~e**⟩ *visage* deeply lined
buriner *v/t* **1.** *gravure* to engrave **2.** TECH to chisel
Burkina Faso [byʀkinafazo] ***le ~*** Burkina Faso
burlesque [byʀlɛsk] *adj* ludicrous
burlingue [byʀlɛ̃g] *fam m* office
burnous [byʀnu(s)] *m* burnous
Burundi [buʀundi] ***le ~*** Burundi
► **bus**[1] [bys] *m* bus
bus[2] [by] → ***boire***
busard [byzaʀ] *m* ZOOL harrier

buse [byz] *f* **1.** ZOOL buzzard **2.** *fig, fam* clod *fam* **3.** TECH pipe
business [biznɛs] *m* business
businessman [biznɛsman] *m* ⟨**~s** *ou* **-men** [-mɛn]⟩ businessman
busqué [byske] *adj* ⟨**~e**⟩ ***nez ~*** hooked nose
buste [byst] *m* **1.** (*torse*) chest **2.** (*seins*) bust *a* SCULP
bustier [bystje] *m* bustier
▶ **but**[1] [by(t)] *m* **1.** (*objectif*) goal; (*fin*) purpose; ***dans un ~ scientifique*** for scientific purposes; ***dans le ~ de*** *+inf* with the intention of *+ v-ing*; *fig* ***de ~ en blanc*** point-blank; ***sans ~*** aimlessly; ***se fixer un ~*** to set o.s. a goal; ***poursuivre un ~*** to pursue a goal **2.** FOOT, RUGBY, ETC goal; ***~ en or*** golden goal; ***gagner par trois ~s à deux*** to win by three goals to two
but[2] [by] → ***boire***
butane [bytan] *m* butane (gas)
buté [byte] *adj* ⟨**~e**⟩ stubborn
butée [byte] *f* **1.** ARCH buttress **2.** TECH stop
buter [byte] **I** *v/t qn* to make more stubborn **II** *v/i* ***~ contre*** to bump into; *fig* ***~ sur une difficulté*** to come up against a problem; *fig* ***~ sur un mot*** to stumble over a word **III** *v/pr* ***se ~*** (*s'entêter*) to become stubborn
buteur [bytœʀ] *m* FOOT goal-scorer
butin [bytɛ̃] *m* **1.** *de guerre* spoils (*pl*); *d'un vol* haul **2.** *d'une recherche* fruits (*pl*)
butiner [bytine] *v/i abeilles* to gather pollen
butoir [bytwaʀ] *m* **1.** *d'une porte* doorstop **2.** CH DE FER buffer **3.** *adj* ***date*** *f* ***~*** deadline
butor [bytɔʀ] *m* **1.** ZOOL bittern **2.** *fig* boor
buttage [bytaʒ] *m* JARD, AGR earthing-up
butte [byt] *f* mound; *fig* ***être en ~ à qc*** to be exposed to sth
butter [byte] *v/t* to earth up
butyrique [bytiʀik] *adj* CHIM ***acide*** *m* ***~*** butyric acid
buvable [byvabl] *adj* drinkable
buvais, buvai(en)t [byvɛ] → ***boire***
buvard [byvaʀ] *m* **1.** (***papier*** *m*) ***~*** blotting paper **2.** *feuille* sheet of blotting paper
buvette [byvɛt] *f* refreshments area
buveur [byvœʀ] *m*, **buveuse** [-øz] *f* **1.** (*alcoolique*) drinker **2.** ***buveur de bière, de vin*** beer / wine drinker
buvez [byve], **buvons** [byvõ] → ***boire***
by(-)pass [bajpas] (*pontage*) bypass; ***~ gastrique*** gastric bypass
byzantin [bizɑ̃tɛ̃] *adj* ⟨**-ine** [-in]⟩ **1.** Byzantine **2.** *fig* hair-splitting *épith*

C

C, c [se] *m* ⟨*inv*⟩ C, c
c' [s] → ***ce***
▶ **ça** [sa] *fam pr dém* that; ▶ ***comme ça*** like that; ***c'est comme ça*** that's the way it is; ***comme ci, comme ça*** *fam* so-so *fam*; ***c'est pour ça que...*** that's why…; ***sans ça*** otherwise; ***ça alors!*** well I never!; ***ah, ça non!*** no way!; ***pas de ça!*** we'll have none of that!; ***qui ça?*** who?; (***comment***) ***ça va?*** how are things?; ▶ ***ça y est!*** that's it!; ***ça y est?*** is that it then?; ▶ ***c'est ça!*** that's right!
çà [sa] *adv* ***~ et là*** here and there
cabale [kabal] *f* cabbala; *litt* cabal
cabalistique [kabalistik] *adj* cabbalistic
caban [kabɑ̃] *m* sailor's jacket
cabane [kaban] *f* hut; ***~ à lapins*** rabbit hutch; ***mettre qn en ~*** *fam* put sb in the slammer *fam*
cabanon [kabanõ] *m* shed
cabaret [kabaʀɛ] *m* cabaret
cabas [kaba] *m* shopping bag
cabestan [kabɛstɑ̃] *m* capstan
cabillaud [kabijo] *m* cod
cabine [kabin] *f* AVIAT, MAR cabin; *de camion* cab; *de piscine* cubicle; ***cabine spatiale*** spaceship cabin; ▶ ***cabine téléphonique*** phone booth, *brit* phone box; ***cabine de bain*** changing cubicle; ***cabine d'essayage*** fitting room; ***cabine de pilotage*** cockpit
cabinet [kabinɛ] *m* **1.** ***~ de toilette*** bathroom **2.** ***~s*** *pl* bathroom toilet (*+ v sg*) **3.** *d'un médecin* office, *brit* surgery *d'un avocat* chambers (*pl*) **4.** *d'un ministre* cabinet, *brit* staff; ***chef*** *m* ***de ~*** principal private secretary

câblage [kɑblaʒ] *m* **1.** TECH twisting together **2.** ÉLEC wiring **3.** TÉLÉCOMMUNICATIONS, TV cabling

▶ **câble** [kɑbl] *m* cable *a élec*, *télégramme*; MAR mooring line

câblé [kɑble] *adj* ⟨**~e**⟩ **1.** *fil* cabled **2.** TV *quartier etc* set up for cable (TV) **3.** *fam*, *fig personne* ***être ~*** *fam* to be switched on *fam*, *fig*

câbler [kɑble] *v/t* **1.** *dépêche* to cable **2.** TV to set up for cable (TV)

cabochard [kabɔʃaʀ] *fam adj* ⟨**-arde** [-aʀd]⟩ pigheaded

caboche [kabɔʃ] *f fam* (*tête*) head; *fam* nut *fam*

cabossé [kabɔse] *adj* ⟨**~e**⟩ battered **cabosser** *v/t voiture*, *valise*, *chapeau* to dent

cabot [kabo] *m* **1.** *fam*, *péj* (*chien*) mutt *fam* **2.** MIL *fam* (*caporal*) corporal

cabotage [kabɔtaʒ] *m* coastal navigation **caboteur** *m* coaster

cabotin [kabɔtɛ̃] *m*, **cabotine** [-in] *f péj* ham actor

cabotinage [kabɔtinaʒ] *m péj* ham acting

caboulot [kabulo] *m péj* (seedy) dive *péj*

cabrer [kɑbʀe] *v/pr* ***se ~*** **1.** *cheval* to rear **2.** *personne* to jib

cabri [kabʀi] *m* kid

cabriole [kabʀijɔl] *f* capering

cabriolet [kabʀijɔlɛ] *m* convertible

caca [kaka] *m* **1.** *enf* poop *fam*, *brit* poo *fam*; ***faire ~*** poop, do a poop **2.** ***~ d'oie*** *adj* ⟨*inv*⟩ greenish-yellow

cacahouète [kakawɛt] *ou* **cacahuète** [-ɥɛt] *f* peanut

cacao [kakao] *m* cocoa **cacaoté** *adj* ⟨**~e**⟩ chocolate-flavored

cacatoès [kakatɔɛs] *m* cockatoo

cachalot [kaʃalo] *m* sperm whale

cache[1] [kaʃ] *m* PHOT mask

cache[2] *f* (*cachette*) hiding place

caché [kaʃe] *adj* ⟨**~e**⟩ hidden

cache-cache *m* ***jouer à ~*** to play hide and seek

cache-cœur [kaʃkœʀ] *m* ⟨*inv*⟩ crossover top **cache-col** *m* ⟨*inv*⟩ scarf **cache-misère** *m* ⟨*inv*⟩ outer garment *worn to hide old or dirty clothes* **cache-nez** *m* ⟨*inv*⟩ scarf **cache-pot** *m* ⟨*inv*⟩ plant pot holder

▶ **cacher** [kaʃe] **I** *v/t* **1.** to hide, to conceal; *vue* to block **2.** *fig* ***cacher qc à qn*** to hide sth from sb; ***cacher son jeu*** to keep one's cards close to one's chest **II** *v/pr* ▶ **se cacher** **1.** to hide (***derrière***, ***sous*** behind, under) **2.** *fig* ***se cacher de qn pour faire qc*** to hide from sb in order to do sth

cache-radiateur *m* ⟨*inv*⟩ radiator cover

cache-sexe *m* ⟨*inv*⟩ G-string

cachet [kaʃɛ] *m* **1.** (*sceau*) seal **2.** ***~ de la poste*** postmark **3.** HIST ***lettre*** *f* ***de ~*** lettre de cachet *littér* **4.** *d'acteurs* fee **5.** *fig* (distinctive) style **6.** PHARM tablet

cacheter [kaʃte] *v/t* ⟨**-tt-**⟩ *lettre* to seal

cachette [kaʃɛt] *f* hiding place; ***en ~*** secretly

cachot [kaʃo] *m* **1.** dungeon **2.** *en prison* (prison) cell

cachotterie [kaʃɔtʀi] *f* little secret; ***faire des ~s*** to keep little secrets

cachottier [kaʃɔtje] *m*, **cachottière** [-jɛʀ] *f* secretive person

cachou [kaʃu] *m* cachou

cacique [kasik] *m fam* big cheese *fam*

cacophonie [kakɔfɔni] *f* cacophony **cacophonique** *adj* cacophonous

cactus [kaktys] *m* **1.** BOT cactus **2.** *fam* (*difficulté*) *fam* obstacle

c.-à.-d. *abr* (= **c'est-à-dire**) i. e.

cadastre [kadastʀ] *m* land register

cadavérique [kadaveʀik] *adj* deathly

cadavre [kadavʀ] *m* **1.** *humain* corpse; *d'un animal* carcass **2.** *fam* dead one *fam*

caddie® [kadi] *m* shopping cart, *brit* shopping trolley; AVIAT, CH DE FER baggage cart, *brit* baggage trolley

▶ **cadeau** [kado] *m* ⟨**~x**⟩ present, gift; ***~ d'anniversaire*** birthday present; ***faire un ~ à qn*** to give sb a present, to give sb a gift; ***faire ~ de qc à qn*** to give sb sth

cadenas [kadna] *m* padlock

cadenasser [kadnase] *v/t* to padlock

cadence [kadɑ̃s] *f* **1.** rhythm **2.** *par ext* (*vitesse*) rate

cadencé [kadɑ̃se] *adj* ⟨**~e**⟩ ***marcher au pas ~*** to march in quick time

cadencer [kadɑ̃se] *v/t* ⟨**-ç-**⟩ *ses phrases etc* to give rhyhthm to

cadet [kadɛ] *m*, **cadette** [-ɛt] *f* **1.** youngest child; *adj* ***frère cadet*** younger brother; *fig* ***c'est le cadet de mes soucis*** that's the least of my worries **2.** SPORT *athlete between the ages of 15 and 17*

cadrage [kɑdʀaʒ] *m* framing

cadran [kadʀɑ̃] *m* **1.** *d'une horloge*, *etc* face; *d'un instrument de mesure* dial *a tél*; *fig* ***faire le tour du ~*** to sleep round

the clock **2. ~ *solaire*** sundial
cadre [kɑdʀ] *m* **1.** frame **2.** *fig* framework; ***dans le ~ de*** within the framework of **3.** *dans une entreprise* manager; ***~ moyen*** middle manager; ***~ supérieur*** senior manager
cadrer [kɑdʀe] *v/i* ***~ avec*** to tally with
cadreur [kɑdʀœʀ] *m* cameraman
caduc [kadyk] *adj* ⟨**caduque** [kadyk]⟩ **1.** obsolete **2.** ***arbre*** *m* ***à feuilles caduques*** deciduous tree
caducée [kadyse] *m* caduceus
cæcum [sekɔm] *m* cecum
cafard [kafaʀ], **cafarde** [-aʀd] **1.** *m/f* ENSEIGNEMENT *péj* snitch *fam* **2.** *fam* ***avoir le cafard*** to be feeling low, *fam* to be down in the dumps **3.** *m* ZOOL cockroach
cafarder [kafaʀde] *v/i fam, péj* to tattle *fam, péj, brit* to tell tales
cafardeux [kafaʀdø] *adj* ⟨**-euse** [-øz]⟩ gloomy
► **café** [kafe] *m* **1.** coffee; ***~ crème, au lait*** coffee with milk, *brit* white coffee; *adj* ⟨*inv*⟩ coffee-colored; ***inviter qn à prendre le ~*** to invite sb for coffee; *fam, fig* ***c'est un peu fort de ~*** *fam* that's going a bit too far! **2.** *lieu public* café

café

French cafés are very famous, where artists and intellectuals meet to talk, but the old-style **café** is not as common as before. Note that coffee is also served at bars and brasseries. You may pay less for your drink if you take it at the bar.

caféier [kafeje] *m* coffee tree
caféine [kafein] *f* caffeine
cafèt [kafɛt] *f, abr fam* → ***cafétéria***
café-tabac [kafetaba] *m* ⟨**cafés-tabacs**⟩ café *where tobacco products are sold*
cafeter [kafte] *fam v/i péj* to tattle, *brit* to tell tales
cafétéria [kafeteʀja] *f* cafeteria
café-théâtre *m* ⟨**cafés-théâtres**⟩ café with live theater
cafetier [kaftje] *m* café proprietor
cafetière [kaftjɛʀ] *f* coffee pot; ***~ électrique*** coffee machine
cafouillage [kafujaʒ] *fam m* muddle
cafouiller [kafuje] *fam v/i personne* to get in a muddle; *dans une entreprise* ***ça cafouille*** it's a total mess
cafouilleur [kafujœʀ] *ou* **cafouilleux** [-ø] *fam adj* ⟨**-euse** [-øz]⟩ muddle-headed **cafouillis** *fam m* → ***cafouillage***
cafter → ***cafeter***
cage [kaʒ] *f* **1.** cage; *à oiseaux* birdcage; ***~ à lapin*** rabbit hutch *a fig* **2.** TECH ***~ d'ascenseur*** elevator shaft, *brit* lift shaft; ***~ d'escalier*** stairwell; PHYS ***~ de Faraday*** Faraday cage **3.** ANAT ***~ thoracique*** rib cage
cageot [kaʒo] *m* crate
cagibi [kaʒibi] *fam m* store cupboard
cagneux [kaɲø] *adj* ⟨**-euse** [-øz]⟩ ***avoir les jambes cagneuses*** to be knock-kneed
cagnotte [kaɲɔt] *f* kitty
cagoule [kagul] *f de moine* cowl; *de bandit* hood; *passe-montagne* balaclava
cagoulé [kagule] *adj* ⟨**~e**⟩ hooded
► **cahier** [kaje] *m* **1.** notebook; ***~ de brouillon*** notebook; ***~ de textes*** homework diary **2.** ***~ des charges*** specifications (*pl*)
cahin-caha [kaɛ̃kaa] *fam adv* ***aller ~*** to be struggling along
cahot [kao] *m* jolt; ***~s*** *pl* ups and downs
cahotant [kaɔtɑ̃] *adj* ⟨**-ante** [-ɑ̃t]⟩ *véhicule* jolting; *chemin* bumpy
cahoter [kaɔte] *v/i* to jolt along
cahoteux [kaɔtø] *adj* ⟨**-euse** [-øz]⟩ bumpy
cahute [kayt] *f* hut
caïd [kaid] *m fam* **1.** *péj* boss **2.** *fam* big cheese
caillasse [kajas] *fam f* stones (*pl*)
caille [kaj] *f* curd
caillé [kaje] *adj* ***lait ~*** curdled milk
caillebotis [kajbɔti] *m* duckboard
cailler [kaje] *v/i* **1.** to curdle; *sang* to clot **2.** *fam, fig* ***ça caille*** *fam* it's freezing
caillette [kajɛt] *f* rennet stomach
caillot [kajo] *m* ***~ (de sang)*** blood clot
caillou [kaju] *m* ⟨**~x**⟩ **1.** stone, pebble **2.** *fam, fig* ***n'avoir plus un poil sur le ~*** to be as bald as a coot *fam*
caillouteux [kajutø] *adj* ⟨**-euse** [-øz]⟩ pebbly
caïman [kaimɑ̃] *m* cayman
Caïn [kaɛ̃] *m* BIBL Cain
Caire [kɛʀ] ***le ~*** Cairo
► **caisse** [kɛs] *f* **1.** crate; *pour arbustes, etc* planter; *de déménagement* packing

case; *de champagne*, *vin* case; **~ à outils** toolbox **2. grosse ~** bass drum; *fig* **battre la grosse ~** to hype it up **3.** COMM till; *dans un supermarché* checkout; **ticket** *m* **de ~** sales receipt; **faire la, sa ~** *fam* to cash up; *fig* **vous pouvez passer à la ~** you're getting your pink slip! **4.** *institution* fund; **~ d'épargne** savings bank **5.** *fam* **partir de la ~** (*être tuberculeux*) *fam* to be breathing one's last **6.** *fam* (*voiture*) car, rust bucket *fam*; **à fond la ~** *fam* at full throttle

caissette [kɛsɛt] *f emballage* (small) box

caissier [kɛsje] *m*, **caissière** [-jɛʀ] *f* cashier

caisson [kɛsõ] *m* **1. ~ (à air comprimé)** diving bell **2.** ARCH caisson; **plafond** *m* **à ~s** coffered ceiling **3.** *fam* **se faire sauter le ~** to blow one's brains out *fam*

cajoler [kaʒɔle] *v/t* (*flatter*) to bring around, *brit* to bring round; (*câliner*) to cuddle **cajoleries** *fpl* cuddles **cajoleur** *adj* ⟨**-euse** [-øz]⟩ *voix* coaxing; *enfant* affectionate

cajou [kaʒu] *m* **noix** *f* **de ~** cashew (nut)

cake [kɛk] *m* fruit cake

cal [kal] *m* callus

Calabre [kalabʀ] **la ~** Calabria

calage [kalaʒ] *m* **1.** TECH wedging **2.** *d'un moteur* stalling

calamar [kalamaʀ] *m* squid

calaminé [kalamine] *adj* ⟨**~e**⟩ coked up

calaminer [kalamine] *v/pr* **se ~** *bougie* to coke up

calamité [kalamite] *f* calamity, disaster

calancher [kalɑ̃ʃe] *v/i arg* (*mourir*) *pop* to croak *fam*, to kick the bucket *fam*

calandre [kalɑ̃dʀ] *f* radiator grille

calanque [kalɑ̃k] *f* rocky inlet *in the Mediterranean*

calcaire [kalkɛʀ] **I** *adj massif* limestone *épith*; *terrain* chalky; *eau* hard **II** *m* **1.** *roche* limestone **2.** (*tartre*) sediment, *brit* fur

calcification [kalsifikasjõ] *f* calcification **calcifié** *adj* ⟨**~e**⟩ calcified

calcination [kalsinasjõ] *f* calcination **calciné** *adj* ⟨**~e**⟩ charred

calciner [kalsine] *v/t* **1.** TECH, CHIM to calcine **2.** (*brûler*) to burn to a cinder

calcium [kalsjɔm] *m* calcium

calcul[1] [kalkyl] *m* **1.** (*discipline*) arithmetic; (*opération, estimation*) calculation; **~ mental** mental arithmetic; **être bon en ~** be good at arithmetic; **faire des ~s** add everything up **faire un mauvais ~** miscalculate **2.** *péj* **par ~** out of self-interest

calcul[2] *m* MÉD stone; **~ biliaire** gallstone; **~ rénal** kidney stone

calculable [kalkylabl] *adj* calculable

calculateur [kalkylatœʀ] **I** *adj* ⟨**-trice** [-tʀis]⟩ *péj* calculating **II** *m ordinateur* calculator

calculatrice [kalkylatʀis] *f* calculator; **~ de poche** pocket calculator

▶ **calculer** [kalkyle] *v/t* **1.** to work out, to calculate; COMM to calculate; *abs* to calculate; **machine** *f* **à ~** calculating machine **2.** *fig* (*estimer*) to calculate, to work out; *ses chances* to weigh up; **~ que …** to work out that …; *adj* **risque calculé** calculated risk

calculette [kalkylɛt] *f* calculator

Caldoche [kaldɔʃ] *fam m/f* white New Caledonian

cale [kal] *f* **1.** MAR slipway; **~ sèche** dry dock **2.** (*coin*) wedge

calé [kale] *fam adj* ⟨**~e**⟩ bright; **~ en qc** brilliant at sth **c'est trop ~ pour moi** *fam* it's too difficult for me

calebasse [kalbas] *f* **1.** BOT calabash, gourd **2.** *récipient* gourd

calèche [kalɛʃ] *f* barouche

▶ **caleçon** [kalsõ] *m* **1.** (pair of) boxers, boxer shorts; **~ de bain** swimming trunks **2.** *vêtement de femme* leggings

calembour [kalɑ̃buʀ] *m* pun, play on words

calembredaines [kalɑ̃bʀədɛn] *litt fpl* balderdash

calendes [kalɑ̃d] *fpl* **renvoyer qc aux ~ grecques** to put sth off indefinitely

calendrier [kalɑ̃dʀije] *m* **1.** calendar **2.** (*emploi du temps*) schedule, *brit* timetable

cale-pied *m* ⟨**cale-pieds**⟩ toe clip

calepin [kalpɛ̃] *m* notebook

caler [kale] **I** *v/t* **1.** *moteur* to stall **2.** *table, chaise* to wedge **II** *v/i* **1.** *personne* to give up; *moteur* to stall **2.** *fig*, *fam en mangeant* to be full up; *fam mets* to be filling **III** *v/pr* **se ~** to settle o.s.

calfeutrage [kalføtʀaʒ] *m* draftproofing

calfeutrer [kalføtʀe] **I** *v/t* draftproof **II** *v/pr* **se ~ (chez soi)** to shut o.s. up (at home)

calibre [kalibʀ] *m* **1.** TECH, MIL caliber **2.** *des œufs, fruits* size **3.** *fam, péj* gun

calibrer [kalibʀe] *v/t œufs, fruits* to grade

calice [kalis] *m* **1.** ÉGL chalice **2.** BOT calyx
calicot [kaliko] *m* **1.** TEXT calico **2.** (*banderole*) banner
calife [kalif] *m* caliph
Californie [kalifɔʀni] ***la ~*** California
califourchon [kalifuʀʃõ] ***à ~*** astride
câlin [kɑlɛ̃] **I** *adj* 〈**-ine** [-in]〉 affectionate **II** *m* ***faire*** (***un***) ***~ à qn*** *fam* to give sb a cuddle
câliner [kɑline] *v/t* cuddle **câlineries** *fpl* cuddles
calisson [kalisõ] *m* calisson
calleux [kallø] *adj* 〈**-euse** [-øz]〉 calloused
call-girl [kolgœʀl] *f* call girl
calligraphie [kaligʀafi] *f* calligraphy **calligraphier** *v/t* to write in beautiful handwriting
callosité [kalozite] *f* callus
calmant [kalmɑ̃] *m* tranquilizer, sedative; *contre douleur* painkiller
calmar [kalmaʀ] *m* → ***calamar***
► **calme** [kalm] **I** *adj* calm; *personne* composed, calm; ***rester ~*** to keep calm **II** *m* **1.** calm, peace and quiet; MAR calm; ***~ plat*** dead calm; *fig* ***le ~ avant la tempête*** the calm before the storm **2.** *d'une personne* composure; ***perdre son ~*** to lose one's composure, to freak out *fam*
calmement [kalməmɑ̃] *adv* calmly
calmer [kalme] **I** *v/t* **1.** *personne* to calm down **2.** *douleur* to ease; *toux* to soothe; *soif* to quench; *faim* to appease; *impatience* to curb **II** *v/pr* ***se calmer*** **1.** *personne* to calm down **2.** *tempête* to subside; *fièvre* to drop; *douleur* to ease; *passion* to cool; *discussion* to quiet down, *brit* quieten down
calomniateur [kalɔmnjatœʀ] *m*, **calomniatrice** [-tʀis] *f* slanderer; (*par écrit*) libeler
calomnie [kalɔmni] *f* slander; (*écrite*) libel
calomnier [kalɔmnje] *v/t* to slander; (*par écrit*) to libel
calomnieux [kalɔmnjø] *adj* 〈**-euse** [-øz]〉 slanderous; (*écrit*) libelous
calorie [kalɔʀi] *f* calorie
calorifique [kalɔʀifik] *adj* calorific **calorifuge** *adj* (heat-)insulating
calorique [kalɔʀik] *adj* calorie *épith*
calot [kalo] *m* **1.** MIL forage cap **2.** (*grosse bille*) (large) marble
calotin [kalɔtɛ̃] *fam, péj m fam, péj* Holy Joe
calotte [kalɔt] *f* **1.** *bonnet* skullcap **2.** *péj* ***la ~*** the clergy **3.** ***~ glaciaire*** icecap **4.** *fam* slap
calotter [kalɔte] *v/t fam* **1.** (*gifler*) to slap **2.** (*voler*) *fam* to steal, to swipe *fam*
calque [kalk] *m* tracing
calquer [kalke] *v/t* to trace; *fig* ***~ qc sur*** to model sth on
calumet [kalymɛ] *m* ***fumer le ~ de la paix*** to bury the hatchet
calva [kalva] *m fam ou* **calvados** [kalvados] *m* Calvados
calvaire [kalvɛʀ] *m* **1.** calvary **2.** *fig* ordeal
calvinisme [kalvinism] *m* Calvinism
calviniste [kalvinist] **I** *adj* Calvinist **II** *m/f* Calvinist
calvitie [kalvisi] *f* baldness
► **camarade** [kamaʀad] *m/f* **1.** friend; ***~ d'école*** school friend **2.** POL comrade
camaraderie [camaʀadʀi] *f* friendship
camard [kamaʀ] **I** *adj* 〈**-arde** [-aʀd]〉 ***nez ~*** pug nose **II** *fig* ***la Camarde*** the Grim Reaper
Cambodge [kɑ̃bɔdʒ] ***le ~*** Cambodia
cambodgien [kɑ̃bɔdʒjɛ̃] **I** *adj* 〈**-ienne** [-jɛn]〉 Cambodian **II** ***Cambodgien***(***ne***) *m*(*f*) Cambodian
cambouis [kɑ̃bwi] *m* dirty oil
cambré [kɑ̃bʀe] *adj* 〈**~e**〉 *pied* with a high arch; ***reins ~s*** arched back
cambrer [kɑ̃bʀe] *v/pr* ***se ~*** arch one's back
cambriolage [kɑ̃bʀijɔlaʒ] *m* burglary
cambrioler [kɑ̃bʀijɔle] *v/t* to burglarize, *brit* to burgle; ***j'ai été cambriolé*** I've been burglarized
► **cambrioleur** [kɑ̃bʀijɔlœʀ] *m*, **cambrioleuse** [kɑ̃bʀijɔløz] *f* burglar
cambrousse [kɑ̃bʀus] *f fam, péj* ***en pleine ~*** *fam* out in the boondocks, *brit fam* out in the sticks
cambrure [kɑ̃bʀyʀ] *f* curve
cambuse [kɑ̃byz] *f* **1.** *péj* place; *fam* dump **2.** MAR storeroom
came [kam] *f* **1.** TECH ***arbre*** *m* ***à ~s*** camshaft **2.** *arg* (*cocaïne*) *fam* snow, coke; (*drogue*) *fam* dope
camé [kame] *m arg* junkie *fam*
camée [kame] *m* cameo
caméléon [kameleõ] *m* chameleon
camélia [kamelja] *m* camellia
camelot [kamlo] *m* street vendor
camelote [kamlɔt] *f fam* junk
camembert [kamɑ̃bɛʀ] *m* Camembert
camer [kame] *v/pr* ***se ~*** *arg* to be on

drugs

▶ **caméra** [kameʀa] *f* movie camera, *brit* cine-camera; **~ de télévision** TV camera

caméra

Note that **caméra** word in French only refers to a video camera. The French word for an ordinary camera is **un appareil (photo)**.

cameraman [kameʀaman] *m* ⟨**cameramen** [-men]⟩ cameraman
Cameroun [kamʀun] **le ~** Cameroon
camerounais [kamʀunɛ] **I** *adj* ⟨**-aise** [-ɛz]⟩ Cameroonian **II** ***Camerounais(e)*** *m(f)* Cameroonian
caméscope [kameskɔp] *m* camcorder
▶ **camion** [kamjõ] *m* truck, *brit* lorry; **~ de déménagement** moving van
camion-citerne *m* ⟨**camions-citernes**⟩ tanker
camionnage [kamjɔnaʒ] *m* **1.** trucking, *brit* haulage **2.** (*prix*) haulage **camionnette** *f* van **camionneur** *m* trucker, *brit* lorry driver
camisole [kamizɔl] *f* **~ de force** straitjacket
camomille [kamɔmij] *f* **1.** BOT camomile **2.** (*tisane*) camomile tea
camouflage [kamuflaʒ] *m* camouflage
camoufler [kamufle] *v/t* **1.** MIL to camouflage **2.** *fig* to hide
camouflet [kamuflɛ] *litt m* snub
camp [kɑ̃] *m* camp (*a fig*, *pol*); **~ de concentration** concentration camp; **~ de réfugiés** refugee camp; **~ de vacances** summer camp, *brit* holiday camp; POL, *fig* **changer de ~** to change sides; *fam* **fiche(r)**, *pop* **foutre le ~** *personne fam* to split, to clear off *fam*; *bouton* to come off
campagnard [kɑ̃paɲaʀ] **I** *adj* ⟨**-arde** [-aʀd]⟩ country *épith*; *péj* hick *péj* **II** **~(e)** *m(f)* country person; *péj* hick *péj*
▶ **campagne** [kɑ̃paɲ] *f* **1.** country(side); **à la ~** in the country(side) **2.** MIL campaign *a fig*; **~ électorale** election campaign; **~ publicitaire** advertising campaign; **faire ~ pour qc** campaign for sth
campagnol [kɑ̃paɲɔl] *m* vole
campanile [kɑ̃panil] *m* bell tower
campanule [kɑ̃panyl] *f* bellflower
campement [kɑ̃pmɑ̃] *m* (*lieu*) camp; (*activité*) camping
camper [kɑ̃pe] **I** *v/t* **1.** (*poser*) to put **2.** (*décrire*) to portray **II** *v/i* **1.** to camp **2.** MIL to camp out (*a fig chez qn*) **III** *v/pr* **se ~ devant** to plant o.s. in front of
campeur [kɑ̃pœʀ] *m*, **campeuse** [-øz] *f* camper
camphre [kɑ̃fʀ] *m* camphor
▶ **camping** [kɑ̃piŋ] *m* **1.** camping; **faire du ~** go camping **2.** (**terrain** *m* **de**) **~** campsite
camping-car *m* ⟨**camping-cars**⟩ camper **camping-gaz** *m* ⟨*inv*⟩ camp(ing) stove
campus [kɑ̃pys] *m* campus
camus [kamy] *adj* ⟨**-use** [-yz]⟩ **nez ~** snub nose
canada [kanada] *f* russet (apple)
▶ **Canada** [kanada] **le ~** Canada
▶ **canadien** [kanadjɛ̃] **I** *adj* ⟨**-ienne** [-jɛn]⟩ Canadian **II** ***Canadien(ne)*** *m(f)* Canadian
canadienne [kanadjɛn] *f* **1.** *veste* fur-lined jacket **2.** *canoë* North American Indian canoe **3.** *tente* ridge tent
canaille [kanaj] **I** *f* rascal **II** *adj* mischievous
canaillerie [kanajʀi] *f* crookedness; *action* dirty trick
▶ **canal** [kanal] *m* ⟨**-aux** [-o]⟩ canal; **le ~ de Suez** the Suez Canal; *fig* **par le ~ de** through, via
canalisation [kanalizasjõ] *f* (*tuyaux*) pipes (*pl*); (*aménagement*) channeling
canaliser [kanalize] *v/t* to channel
▶ **canapé** [kanape] *m* **1.** sofa, settee **2.** CUIS canapé; **champignons sur ~s** mushroom canapés
canapé-lit *m* ⟨**canapés-lits**⟩ sofa bed
Canaques [kanak] *mpl* Kanaks
▶ **canard** [kanaʀ] *m* **1.** ZOOL duck; **~ (mâle)** drake; **~ de Barbarie** Muscovy duck **2.** *fam, péj* (*journal*) *fam, péj* rag, newspaper
canarder [kanaʀde] *v/t fam* **~ qn** to snipe at sb
canari [kanaʀi] *m* canary
canasson [kanasõ] *fam m fam* nag
cancan [kɑ̃kɑ̃] *m* **1.** **~s** *pl* gossip + *v sg*; *fam* tittle-tattle; **raconter des ~s sur qn** to spread gossip about sb **2.** **French ~** cancan
cancaner [kɑ̃kane] *v/i* to gossip **cancanier** *adj* ⟨**-ière** [-jɛʀ]⟩ gossipy
▶ **cancer** [kɑ̃sɛʀ] *m* **1.** MÉD cancer; **~ du sein** breast cancer **2.** ASTROL ***Cancer***

Cancer
cancéreux [kɑ̃seʀø] **I** *adj* ⟨**-euse** [-øz]⟩ **1.** cancerous; ***tumeur cancéreuse*** malignant tumor **2.** *personne* who has cancer **II ~, *cancéreuse*** *m/f* person who has cancer
cancérigène [kɑ̃seʀiʒɛn] *ou* **cancérogène** [kɑ̃seʀɔʒɛn] *adj* carcinogenic
cancérologie [kɑ̃seʀɔlɔʒi] *f* cancer research **cancérologue** *m/f* cancer specialist
cancre [kɑ̃kʀ] *fam m* dunce
cancrelat [kɑ̃kʀəla] *m* cockroach
candélabre [kɑ̃delɑbʀ] *m* candelabra
candeur [kɑ̃dœʀ] *f* naïvety
candi [kɑ̃di] *adj* ***sucre*** *m* **~** sugar candy
▶ **candidat** [kɑ̃dida] *m*, **candidate** [kɑ̃didat] *f* candidate; ***être, se porter candidat, candidate à qc*** to run for sth
▶ **candidature** [kɑ̃didatyʀ] *f* application; POL candidacy; ***poser sa ~*** (***à un poste*** to apply for a job) (***à une élection*** to run for election)
candide [kɑ̃did] *adj* ingenuous

> **candide ≠ frank/sincere**
>
> **Candide** = ingenuous or too trusting in French:
>
> **✗ Il a parlé très candidement.**
> **Il a parlé très franchement.**
> **✓ Tu es trop candide. On va profiter de toi !**
>
> He spoke very candidly.
> You are too trusting. People will take advantage of you.

cane [kan] *f* (female) duck
caner [kane] *v/i* **1.** *fam* (*reculer*) *fam* to chicken out (***devant*** in the face of) **2.** *pop* (*mourir*) to croak *pop*
caneton [kantõ] *m* duckling *a* CUIS
canette [kanɛt] *f* **1.** *boîte en métal* can **2.** *bouteille* (small) bottle **3.** *d'une machine à coudre* spool
canevas [kanva] *m* **1.** (*toile*) canvas **2.** *de livre, discours* basic structure
caniche [kaniʃ] *m* poodle
caniculaire [kanikylɛʀ] *adj* ***chaleur*** *f* **~** scorching heat
canicule [kanikyl] *f* **1.** *époque* heatwave **2.** *chaleur* scorching heat
canif [kanif] *m* penknife
canin [kanɛ̃] *adj* ⟨**-ine** [-in]⟩ canine, dog *épith*
canine [kanin] *f* canine
caniveau [kanivo] *m* ⟨**~x**⟩ gutter
cannabis [kanabis] *m* cannabis
▶ **canne** [kan] *f* **1. ~ *à sucre*** sugar cane **2.** (walking) stick; **~ *blanche*** white stick; ***marcher avec une ~*** to walk with a stick **3. ~ *à pêche*** fishing rod
canné [kane] *adj* ⟨**~e**⟩ cane *épith*
cannelé [kanle] *adj* ⟨**~e**⟩ fluted
cannelle [kanɛl] *f* cinnamon
cannelloni(s) [kanɛlɔni] *mpl* CUIS cannelloni
cannelure [kanlyʀ] *f* corrugation; *d'une colonne* flute
canner [kane] *v/t* to cane
cannette [kanɛt] *f* → ***canette***
cannibale [kanibal] *m* cannibal **cannibalisme** *m* cannibalism
canoë [kanɔe] *m* canoe
canoéiste [kanɔeist] *m/f* canoeist
canon[1] [kanõ] *m* **1.** MIL cannon; **~ *à eau*** water cannon; **~ *à neige*** snow cannon **2.** *de fusil, etc* barrel **3.** *fam* (*verre de vin*) glass of wine
canon[2] *m* **1.** ÉGL, *fig* canon; *adj* ***droit*** *m* **~** canon law **2.** MUS canon
canonique [kanɔnik] *adj fam* ***être d'un âge ~*** to be of a venerable age
canonisation [kanɔnizasjõ] *f* canonization **canoniser** *v/t* canonize
canonnade [kanɔnad] *f* cannonade **canonner** *v/t* to bombard **canonnier** *m* gunner **canonnière** *f* gunboat
canot [kano] *m* small boat; **~ *de sauvetage*** lifeboat
canotage [kanɔtaʒ] *m* boating **canoter** *v/i* to go boating **canoteur** *m* rower
canotier [kanɔtje] *m fam* boater
cantatrice [kɑ̃tatʀis] *f* opera singer
cantilène [kɑ̃tilɛn] *f* cantilena
cantine [kɑ̃tin] *f* **1.** canteen, cafeteria; ***manger à la ~*** to eat in the canteen **2.** tin trunk
cantinière [kɑ̃tinjɛʀ] *f autrefois* MIL canteen woman
cantique [kɑ̃tik] *m* hymn
canton [kɑ̃tõ] *m* canton
cantonade [kɑ̃tɔnad] *f* ***crier qc à la ~*** to call sth out to the assembled company
cantonal [kɑ̃tɔnal] *adj* ⟨**~e; -aux** [-o]⟩ cantonal; *en France* ***élections ~es*** cantonal elections
cantonnement [kɑ̃tɔnmɑ̃] *m* MIL quarters (*pl*)
cantonner [kɑ̃tɔne] **I** *v/t* confine; MIL

quarter **II** *v/pr* ***se ~*** *fig* to restrict o.s. (***dans*** to)
cantonnier [kɑ̃tɔnje] *m* road-mender
canulant [kanylɑ̃] *fam adj* ⟨**-ante** [-ɑ̃t]⟩ ***il est ~*** *fam* he's a pain in the butt *fam*, *brit* he's a pain in the bum *fam*
canular [kanylaʀ] *fam m* hoax; ***monter un ~*** play a hoax
canule [kanyl] *f* cannula
canyon [kanjõ] *m* canyon
C.A.O. [seɑo] *f, abr* (= **conception assistée par ordinateur**) CAD
caoutchouc [kautʃu] *m* **1.** rubber; ***~ (vulcanisé)*** vulcanized rubber **2.** (*plante*) rubber plant **3.** (*bande élastique*) elastic band, rubber band
caoutchouteux [kautʃutø] *adj* ⟨**-euse** [-øz]⟩ rubbery
cap [kap] *m* **1.** hurdle; *fig* ***passer le ~*** to be over the worst; *fig* ***avoir (dé)passé le ~ de la quarantaine*** to be over forty **2.** MAR course; ***mettre le ~ sur*** to head for **3.** GÉOG cape **4.** ***de pied en ~*** from head to foot
Cap [kap] ***Le ~*** Cape Town
C.A.P. [seape] *m, abr* ⟨*inv*⟩ (= **certificat d'aptitude professionnelle**) *vocational training certificate*
► **capable** [kapabl] *adj* **1.** ***~ de faire*** capable of doing, able to do; ***~ de qc*** capable of sth **2.** (*compétent*) competent
capacité [kapasite] *f* **1.** (*aptitude*) ability; ***~s*** *pl* abilities, capabilities **2.** (*contenance, volume, potentiel*) capacity; ***~ d'accueil*** capacity
cape [kap] *f* cape; ***roman*** *m* ***de ~ et d'épée*** swashbuckler; *fig* ***rire sous ~*** laugh up one's sleeve
capeline [kaplin] *f* broad-brimmed hat
CAPES [kapɛs] *m, abr* (= **certificat d'aptitude professionnelle à l'enseignement secondaire**) *secondary school teaching qualification*
capésien [kapesjɛ̃] *m*, **capésienne** [-jɛn] *f* holder of the CAPES
Capétiens [kapesjɛ̃] *mpl* Capetian
capharnaüm [kafaʀnaɔm] *fam m* shambles
capillaire [kapilɛʀ] **I** *adj* capillary; ***vaisseaux*** *mpl* ***~s*** capillary vessel **II** *m* BOT maidenhair fern
capillarité [kapilaʀite] *f* capillarity
capilotade [kapilɔtad] *fam* ***j'ai le dos en ~*** *fam* my back's killing me
► **capitaine** [kapitɛn] *m* MIL, MAR, SPORT captain; ***~ des pompiers*** fire chief
capital[1] [kapital] *adj* ⟨**~e; -aux** [-o]⟩ **1.** major; CATH ***les sept péchés capitaux*** the seven deadly sins **2.** ***peine ~e*** capital punishment
capital[2] *m* ⟨**-aux** [-o]⟩ capital; ***capitaux*** *pl* funds, capital (*sg*); ***~ d'investissement*** investment capital, equity capital
► **capitale** [kapital] *f* **1.** capital (city); ***~ commerciale*** business capital, ***~ de la soie*** silk capital **2.** TYPO capital (letter)
capitalisable [kapitalizabl] *adj* capitalizable **capitalisation** *f* capitalization
capitaliser [kapitalize] **I** *v/t rente, intérêts* to capitalize **II** *v/i* save (money) **capitalisme** *m* capitalism **capitaliste I** *adj* capitalist **II** *m/f* capitalist
capital-risque *m sing inv* ÉCON venture capital
capiteux [kapitø] *adj* ⟨**-euse** [-øz]⟩ *vin, parfum* heady
capitonnage [kapitɔnaʒ] *m* padding
capitonner [kapitɔne] *v/t* to pad
capitulaire [kapitylɛʀ] *adj* REL capitular; ***salle*** *f* ***~*** chapter house
capitulation [kapitylasjõ] *f* capitulation, surrender
capitule [kapityl] *m* capitulum
capituler [kapityle] *v/i* capitulate, surrender
caporal [kapɔʀal] *m* ⟨**-aux** [-o]⟩ CE private first class, *brit* CE lance-corporal
caporal-chef [kapɔʀalʃɛf] *m* ⟨**caporaux-chefs**⟩ corporal
capot [kapo] *m* hood, *brit* bonnet
capote [kapɔt] *f* **1.** AUTO, *d'un landau* top, *brit* hood **2.** (*manteau*) greatcoat **3.** *fam* ***~ anglaise*** *fam* rubber, condom
capoter [kapɔte] *v/i* **1.** overturn **2.** *fig, fam* go belly-up *fam*
cappuccino [kaputʃino] *m* cappuccino
câpre [kɑpʀ] *f* caper
caprice [kapʀis] *m* whim; ***~s*** *pl* vagaries (*a fig du temps, etc*); *enfant* ***faire un ~*** to throw a tantrum
capricieux [kapʀisjø] *adj* ⟨**-euse** [-øz]⟩ temperamental; ***humeur capricieuse*** capricious mood
Capricorne [kapʀikɔʀn] *m* ASTROL Capricorn
capsule [kapsyl] *f de bouteilles* cap; *par ext* capsule *a anat, bot, tech*; ***~ spatiale*** space capsule
capsuler [kapsyle] *v/t bouteilles* to put a cap on
captage [kaptaʒ] *m* **1.** *d'une source* harnessing **2.** RAD *de signaux etc* picking up

captateur [kaptatœʀ] *m* inveigler **captation** *f* inveigling
capter [kapte] *v/t* **1.** *attention* to catch **2.** *source* to harness **3.** *émetteur* to receive; *signal* to pick up
capteur [kaptœʀ] *m* ***~ solaire*** solar panel
captieux [kapsjø] *adj* ⟨**-euse** [-øz]⟩ specious
captif [kaptif] **I** *adj* ⟨**-ive** [-iv]⟩ **1.** captive **2.** ***ballon ~*** captive balloon **II** ***~, captive*** *m/f* captive
captivant [kaptivɑ̃] *adj* ⟨**-ante** [-ɑ̃t]⟩ gripping; *personne* captivating **captiver** *v/t* captivate
captivité [kaptivite] *f* captivity
capture [kaptyʀ] *f* **1.** capture, catching, **2.** (*butin*) capturing
capturer [kaptyʀe] *v/t* to capture
capuche [kapyʃ] *f* hood
capuchon [kapyʃõ] *m* **1.** hood **2.** *d'un stylo* cap
capucin [kapysɛ̃] *m* Capuchin **capucine** *f* nasturtium
caquet [kakɛ] *m* ***rabattre le ~ à qn*** to put sb in his / her place
caqueter [kakte] *v/i* ⟨**-tt-**⟩ **1.** *poule* to cackle **2.** *fig*, *fam* to prattle on
▶ **car**[1] [kaʀ] *conj* because
car[2] *m* bus *brit* coach; ***~ de ramassage scolaire*** school bus
carabin [kaʀabɛ̃] *fam m* med student *fam*
carabine [kaʀabin] *f* rifle; ***~ à air comprimé*** air gun
carabiné [kaʀabine] *fam adj* ⟨**~e**⟩ ***un … ~*** one hell of a … *fam*; ***rhume ~*** *fam* stinking cold
carabinier [kaʀabinje] *m en Italie* police officer; *en Espagne* carabinero
caraco [kaʀako] *m* camisole
caracoler [kaʀakɔle] *v/i cheval* to prance
▶ **caractère** [kaʀaktɛʀ] *m* **1.** *d'une personne* character; (***force f de***) ***~*** strength of character; ***avoir mauvais ~*** to be bad-tempered; ***être jeune de ~*** to be young at heart; *péj* to be immature **2.** (*particularité*) nature; ***le ~ difficile des négociations*** the difficult nature of the negotiations **3.** character; ***~s d'imprimerie*** block letters; ***en gros ~s*** in large print
caractériel [kaʀakteʀjɛl] **I** *adj* ⟨**~le**⟩ ***troubles ~s*** emotional problems **II** ***~(le)*** *m(f)* emotionally disturbed person
caractérisation [kaʀakteʀizasjõ] *f* characterization **caractérisé** *adj* ⟨**~e**⟩ clear-cut **caractériser** *v/t* to characterize
caractéristique [kaʀakteʀistik] **I** *adj* characteristic(***de*** of) **II** *f* **1.** characteristic **2.** TECH ***~s*** *pl* specifications
carafe [kaʀaf] *f* **1.** carafe; ***vin m en ~*** wine by the carafe **2.** *fam* ***rester en ~*** to be stranded
carafon [kaʀafõ] *m fam* (*tête*) head, *fam* nut
caraïbe [kaʀaib] **I** *adj* Caribbean **II** *subst* ***la mer des Caraïbes*** the Caribbean (Sea)
carambolage [kaʀɑ̃bɔlaʒ] *m* pile-up **caramboler** *v/i* to collide with
caramel [kaʀamɛl] *m* **1.** *sauce* caramel **2.** *bonbon* toffee **3.** *adj* ⟨*inv*⟩ caramel *épith*
caraméliser [kaʀamelize] *v/t* to caramelize; ***sucre caramélisé*** caramelized sugar
carapace [kaʀapas] *f* ZOOL shell
carapater [kaʀapate] *v/pr fam* ***se ~*** *fam* to beat it, *fam* to scram
carat [kaʀa] *m* carat; ***or m à dix-huit ~s*** 18-carat gold
▶ **caravane** [kaʀavan] *f* **1.** trailer, *brit* caravan **2.** *de nomades* caravan
caravanier [kaʀavanje] **I** *m* **1.** (*conducteur d'une caravane*) camper, *brit* caravanner **2.** (*voyageur en caravane*) nomad **II** *adj* ⟨**-ière** [-jɛʀ]⟩ caravan
caravaning [kaʀavaniŋ] *m* caravanning
caravelle [kaʀavɛl] *f* MAR caravel
carbonate [kaʀbɔnat] *m* CHIM carbonate
carbone [kaʀbɔn] *m* **1.** CHIM carbon **2.** *adj* ***papier m ~*** carbon paper
carbonique [kaʀbɔnik] *adj* ***gaz m ~*** carbon dioxide; ***neige f ~*** dry ice
carbonisation [kaʀbɔnizasjõ] *f* carbonization
carbonisé [kaʀbɔnize] *adj* ⟨**~e**⟩ carbonized; ***il est mort ~*** he was burnt to death
carboniser [kaʀbɔnize] *v/t* to burn
carburant [kaʀbyʀɑ̃] *m* fuel **carburateur** *m* carburet(t)or **carburation** *f* carburation
carbure [kaʀbyʀ] *m* carbide; ***~*** (***de calcium***) calcium carbide
carburer [kaʀbyʀe] *v/i* **1.** *fam* ***ça ~?*** how's it going? **2.** *fam* (*boire*) ***~ au café, au rouge*** *etc* to run on coffee, red wine

etc

carcan [karkɑ̃] *m* **1.** HIST iron collar **2.** *fig* yoke

carcasse [karkas] *f* **1.** carcass (*a* CUIS) **2.** *fam* ***ma vieille ~*** *fam* my old carcass **3.** TECH shell; *d'un pneu* casing

carcéral [karseral] *adj* ⟨**~e; -aux** [-o]⟩ prison

cardage [kardaʒ] *m* TEXT carding

cardan [kardɑ̃] *m* (***joint*** *m* ***de***) **~** universal joint

carde [kard] *f* **1.** TEXT card **2.** *légumes* chard

carder [karde] *v/t* TEXT to card

cardiaque [kardjak] **I** *adj* **1.** ANAT, MÉD cardiac **2.** *personne* with a heart condition **II** *m/f* cardiac patient

cardigan [kardigɑ̃] *m* cardigan

cardinal[1] [kardinal] *adj* ⟨**~e; -aux** [-o]⟩ ***nombre ~*** cardinal number; ***les*** (***quatre***) ***points cardinaux*** the (four) points of the compass

cardinal[2] *m* ⟨**-aux** [-o]⟩ CATH cardinal

cardiogramme [kardjɔgram] *m* MÉD cardiogram **cardiographe** *m* MÉD cardiograph **cardiologie** *f* MÉD cardiology **cardiologue** *m/f* MÉD cardiologist **cardio-vasculaire** *adj* MÉD cardiovascular

cardon [kardɔ̃] *m* cardoon

carême [karɛm] *m* REL Lent; *fig* ***arriver comme mars, marée en ~*** to come as surely as night follows day

carence [karɑ̃s] *f* **1. ~ *en vitamines*** vitamin deficiency **2.** POL inadequacy

carène [karɛn] *f* hull

caréné [karene] *adj* ⟨**~e**⟩ streamlined

caressant [karesɑ̃] *adj* ⟨**-ante** [-ɑ̃t]⟩ *ton*, *regard* affectionate; *vent* soft

caresse [karɛs] *f* caress; ***faire des ~s à*** to stroke

caresser [karese] *v/t* **1.** *personne*, *vent* to caress; *objet* to stroke; ***~ qn du regard*** to look fondly at sb **2.** *fig rêve* to cherish; *idée* to toy with

car-ferry [karferi] *m* ⟨**car-ferries**⟩ (car) ferry

cargaison [kargɛzɔ̃] *f* cargo

cargo [kargo] *m* freighter, cargo boat

cariatide [karjatid] *f* ARCH caryatid

caribou [karibu] *m* ZOOL caribou

caricatural [karikatyral] *adj* ⟨**~e; -aux** [-o]⟩ caricatured

caricature [karikatyr] *f* caricature **caricaturer** *v/t* to caricature **caricaturiste** *m* caricaturist

carie [kari] *f* **~** (***dentaire***) (tooth) decay ***une ~*** a cavity

carié [karje] *adj* ⟨**~e**⟩ *dent* bad

carier [karje] MÉD **I** *v/t dent* to cause to decay **II** *v/pr* ***se ~*** *dent* to decay

carillon [karijɔ̃] *m* **1.** *d'un beffroi*, *d'une église* bells (+ *pl*) **2.** *d'une pendule* chimes (+ *pl*); (***horloge*** *f* ***à***) **~** chiming clock

carillonner [karijɔne] **I** *v/t fig nouvelle* to broadcast **II** *v/i cloches* to chime

carillonneur [karijɔnœr] *m* bellringer

cariste [karist] *m* fork-lift truck driver

caritatif [karitatif] *adj* ⟨**-ive** [-iv]⟩ charitable

carlin [karlɛ̃] *m* pug (dog)

carlingue [karlɛ̃g] *f* AVIAT cabin

carmagnole [karmaɲɔl] *f* HIST *danse* carmagnole

carme [karm] *m* Carmelite (monk)

carmélite [karmelit] *f* Carmelite (nun)

carmin [karmɛ̃] *adj* ⟨*inv*⟩ carmine

carnage [karnaʒ] *m* carnage

carnassier [karnasje] **I** *adj* ⟨**-ière** [-jɛr]⟩ carnivorous **II** *mpl* **~s** carnivores

carnassière [karnasjɛr] *f* carnassial tooth

carnation [karnasjɔ̃] *f* complexion

carnaval [karnaval] *m* carnival

carnavalesque [karnavalɛsk] *adj* carnival

carne [karn] *f fam*, *péj* tough meat

carné [karne] *adj* ⟨**~e**⟩ flesh-colored

► **carnet** *m* notebook; ***~ d'adresses*** address book; ***~ de chèques*** checkbook; ***~ de commandes*** order book; **~** (***de métro***) book of (subway) tickets; **~** (***de notes***) school report card; ***~ de timbres*** book of stamps

carnier [karnje] *m* game bag

carnivore [karnivɔr] **I** *adj* carnivorous **II** *mpl* **~s** carnivores; *sc* Carnivora

carolingien [karɔlɛ̃ʒjɛ̃] **I** *adj* ⟨**-ienne** [-jɛn]⟩ Carolingian **II** *mpl* ***Carolingiens*** Carolingians

carotène [karɔtɛn] *m* carotene

carotide [karɔtid] *f* carotid

► **carotte** [karɔt] *f* **1.** carrot; *fig* ***la ~ et le bâton*** the carrot and the stick **2.** *adj* ***poil de ~*** ⟨*inv*⟩ ginger

carotter [karɔte] *v/t fam* ***~ qc à qn*** *fam* to cheat sb out of sth; *fam* to swindle sb out of sth

caroubier [karubje] *m* carob tree

carpe[1] [karp] *f* ZOOL carp; SPORT ***saut*** *m* ***de ~*** jack-knife (dive); ***muet comme***

une ~ silent as the grave
carpe² *m* ANAT carpus
carpette [kaʀpɛt] *f* rug
carpien [kaʀpjɛ̃] *adj* ⟨**-ienne** [-jɛn]⟩ ***os ~s*** carpal bones
carquois [kaʀkwa] *m* quiver
carre [kaʀ] *f de patin* edge
▶ **carré** [kaʀe] **I** *adj* ⟨**~e**⟩ **1.** square (*a* MATH, TECH); ***mètre ~*** square meter; ***racine ~e*** square root **2.** *visage* square; *épaules* broad; *personne* ***aux épaules ~es*** broad-shouldered **3.** ***être ~ en affaires*** to be straight in one's business dealings **II** *m* **1.** square (*a* MATH); ***5 au ~*** 5 squared **2.** ***~ de soie*** silk scarf **3.** JARD patch **4.** *de chocolat* square **5.** CUIS *de porc* rack; ***~ de l'Est*** *a soft cheese from Lorraine*
carreau [kaʀo] *m* ⟨**~x**⟩ **1.** (*vitre*) (window) pane **2.** (*dalle*) tile; ***~ de faïence*** ceramic tile **3.** *sol* tiled floor; ***~ de mine*** mine entrance,*brit* pithead; *fig* ***rester sur le ~*** to be killed; *par ext* to be eliminated **4.** *dessin* check; ***à ~x*** checked **5.** *aux cartes* diamonds; *fig* ***se tenir à ~*** to watch one's step
carrée [kaʀe] *f arg* (*chambre*) *fam* room
▶ **carrefour** [kaʀfuʀ] *m* **1.** crossroads; *fig* ***être à un ~*** to be at a crossroads **2.** *fig* forum
carrelage [kaʀlaʒ] *m sol* tiled floor; *carreaux* tiles (*+pl*)
carrelé [kaʀle] *adj* ⟨**~e**⟩ tiled **carreler** *v/t* ⟨**-ll-**⟩ *pièce* to tile
carrelet [kaʀlɛ] *m* **1.** ZOOL plaice **2.** square ruler
carreleur [kaʀlœʀ] *m* tiler
carrément [kaʀemɑ̃] *adv dire* straight out; *refuser* bluntly
carrer [kaʀe] *v/pr* ***se ~*** to ensconce oneself (***dans*** in)
carrière [kaʀjɛʀ] *f* **1.** TECH quarry; ***~ de marbre*** marble quarry **2.** (*profession*) career; ***militaire*** *m* ***de ~*** professional soldier; ***faire ~*** make a career **3.** ***donner ~ à qc*** to give free rein to sth
carriériste [kaʀjeʀist] *m/f péj* careerist
carriole [kaʀjɔl] *f* cart
carrossable [kaʀɔsabl] *adj* suitable for vehicles; ***chemin*** *m* ***~*** road suitable for vehicles
carrosse [kaʀɔs] *m* coach
carrosserie [kaʀɔsʀi] *f* bodywork
carrossier [kaʀɔsje] *m* coachbuilder
carrousel [kaʀuzɛl] *m* **1.** HIST carousel **2.** *fig de voitures, etc* merry-go-round **3.** *à l'aéroport* (baggage) carousel
carrure [kaʀyʀ] *f* **1.** build **2.** *fig* caliber
cartable [kaʀtabl] *m* schoolbag; *à bretelles* satchel
▶ **carte** [kaʀt] *f* **1.** *donnant certains droits* card; ***Carte bleue*** credit card; ▶ ***carte grise*** car registration document; ***carte orange*** monthly pass *on Parisian rail, bus and underground network*; ***carte vermeil*** senior citizens' railpass; AUTO ***carte verte*** motor insurance certificate, *brit* green card; ***carte à puce*** smartcard; ▶ ***carte de crédit*** credit card; AVIAT ***carte d'embarquement*** boarding pass; ***carte d'étudiant*** student card; ▶ ***carte d'identité*** identity card, ID card; ***carte de séjour*** residence permit **2.** ***carte*** (***à jouer***) (playing) card; ***battre les cartes*** to shuffle the cards; *fig* ***brouiller les cartes*** to confuse the issue; *fig* ***jouer sa dernière carte*** to play one's last card; *fig* ***jouer cartes sur table*** to put one's cards on the table **3.** ***carte*** (***de géographie***) map; ***carte routière*** road map; ***carte d'Allemagne*** map of Germany **4.** *au restaurant* menu; ***manger à la carte*** to order from the menu **5.** ▶ ***carte postale*** postcard; ***carte de visite*** calling card; *en affaires* business card; *fig* ***avoir carte blanche*** to have a free hand

Carte bleue®

Carte bleue® is the general name for a debit card in France, issued by any one of six French banks. Note that any debit card may be referred to as **la carte bleue**.

cartel [kaʀtɛl] *m* cartel
carte-lettre [kaʀtəlɛtʀ] *f* ⟨**cartes-lettres**⟩ letter-card
cartellisation [kaʀtelizasjõ] *f* ÉCON cartelization
carter [kaʀtɛʀ] *m* TECH casing; *de vélo* chain guard
carte-réponse [kaʀt(ə)ʀepõs] *f* ⟨**cartes-réponses**⟩ reply coupon
cartésianisme [kaʀtezjanism] *m* PHIL Cartesianism
cartésien [kaʀtezjɛ̃] *adj* ⟨**-ienne** [-jɛn]⟩ PHIL Cartesian
cartilage [kaʀtilaʒ] *m* cartilage
cartilagineux [kaʀtilaʒinø] *adj* ⟨**-euse**

[-øz]⟩ cartilaginous

cartographe [kaʀtɔgʀaf] *m* cartographer **cartographie** *f* cartography **cartographique** *adj* cartographic

cartomancienne [kaʀtɔmɑ̃sjɛn] *f* fortune-teller

▶ **carton** [kaʀtõ] *m* **1.** *matière* cardboard **2.** *boîte* cardboard box **3.** ***~ à dessin*** portfolio **4.** ***faire un ~*** to hit a target; *fig* to do really well **5.** FOOT ***~ jaune, rouge*** yellow, red card

cartonnage [kaʀtɔnaʒ] *m* **1.** *fabrication* cardboard industry; *emballage* cardboard packaging **2.** *d'un livre* hard cover

cartonné [kaʀtɔne] *adj* ⟨**~e**⟩ hardback

cartonner [kaʀtɔne] *v/imp fam* ***ça a cartonné*** *fam* we blew it *fam*

carton-pâte *m* ⟨**cartons-pâtes**⟩ pasteboard

cartouche[1] [kaʀtuʃ] *f* **1.** MIL, CH cartridge; ***~ à blanc*** blank cartridge **2.** PHOT, *d'un stylo* cartridge **3.** *de cigarettes* carton

cartouche[2] *m ornement* cartouche

cartoucherie [kaʀtuʃʀi] *f* ammunition factory **cartouchière** *f* cartridge belt

carvi [kaʀvi] *m* BOT caraway

▶ **cas** [kɑ] *m* **1.** case (*a* JUR); ***cas de conscience*** moral dilemma; ***cas de figure*** scenario; ▶ ***au cas où, dans le cas où*** (+ *conditionnel*) in case (+ *présent*); ***dans bien des cas*** in many cases; ***dans ce cas(-là)*** in that case; ***en aucun cas*** under no circumstances; ▶ ***en tout cas*** in any case; ***en cas de*** in case of; ***en cas de besoin*** if need be; ***en cas de pluie*** if it rains; ***c'est (bien) le cas de le dire!*** you can say that again! **2.** *d'une personne* case (*a* MÉD); ***cas social*** socially disadvantaged person **3.** ***faire grand cas de qn, qc*** to have a high opinion of sb, sth; ***faire peu de cas de qn, qc*** not to think much of sb, sth **4.** GRAM case

casanier [kazanje] *adj* ⟨**-ière** [-jɛʀ]⟩ stay-at-home; ***être ~*** *péj* to be a homebody

casaque [kazak] *f* jersey; *fig* ***tourner ~*** to turn tail; *fig* to do a U-turn

casbah [kazba] *f en Afrique du Nord* kasbah

cascade [kaskad] *f* **1.** waterfall **2.** *fig* series; ***~ de rires*** gales of laughter (+ *pl*)

cascadeur [kaskadœʀ] *m* FILM stuntman; CIRQUE acrobat

case [kɑz] *f* **1.** *d'un damier, mots croisés* square; *de formulaires* box **2.** *d'armoires, etc* compartment; *fam, fig* ***il a une ~ de vide*** *fam* he's got a screw loose **3.** hut

caséine [kazein] *f* casein

casemate [kazmat] *f* bunker

caser [kɑze] **I** *v/t* **1.** *chose* to put **2.** *fam personne* to put up, lodge; *femme fam* to marry (off) **II** *v/pr fam* ***réussir à se ~*** to settle down

caserne [kazɛʀn] *f* MIL *a fam, péj* barracks (+ *sg*)

cash [kaʃ] *adv fam* ***payer ~*** to pay cash

casher [kaʃɛʀ] *adj* ⟨**-ère**⟩ kosher

casier [kɑzje] *m* **1.** (*case*) pigeonhole **2.** (*étagère*) rack **3.** ***~ judiciaire*** criminal record; ***avoir un ~ judiciaire chargé, vierge*** to have a, to have no criminal record **4.** PÊCHE pot

casino [kazino] *m* casino

casoar [kazɔaʀ] *m* cassowary

Caspienne [kaspjɛn] ***la (mer) ~*** the Caspian (Sea)

▶ **casque** [kask] *m* **1.** helmet (*a* MIL); *d'ouvrier* hard hat; *de motard* crash helmet; *fig* ***les ~s bleus*** the UN forces **2.** (*sèche-cheveux*) hairdryer **3.** ÉLEC headphones

casqué [kaske] *adj* ⟨**~e**⟩ helmeted

casquer [kaske] *v/i fam* to pay up, *fam* to cough up

casquette [kaskɛt] *f* cap; *fig* ***porter plusieurs ~s*** wear several hats

cassable [kasabl, kɑ-] *adj* breakable

cassant [kasɑ̃] *adj* ⟨**-ante** [-ɑ̃t]⟩ **1.** *matériau* fragile **2.** *personne, paroles* abrupt **3.** *fam* ***ce n'est pas ~*** it's hardly back-breaking work

cassation [kasasjõ] *f* JUR quashing

casse[1] [kɑs] *f* **1.** ***il y a de la ~*** things have been broken; ***payer la ~*** to pay for the breakages **2.** *fam* ***il va y avoir de la ~*** *fam* things are going to get ugly **3.** *de voitures, machines* scrapyard; ***mettre à la ~*** to scrap

casse[2] *arg m* break-in, heist *arg*

cassé [kase] *adj* ⟨**~e**⟩ **1.** *jambe, etc* broken **2.** ***pois ~s*** split peas **3.** ***blanc ~*** off-white **4.** *voix* hoarse

casse-cou ⟨*inv*⟩ **I** *adj* reckless **II** *m* daredevil; ***crier ~ à qn*** to give sb a warning

casse-croûte *m* ⟨*inv*⟩ snack **casse-croûter** *fam v/i* to snack *fam*

casse-gueule *m* ⟨*inv*⟩ *fam endroit* dangerous place; *entreprise* risky business

cassement [kasmɑ̃, kɑs-] *m* **~ de tête** headache *a fig*
casse-noisette(s) *m* ⟨**casse-noisettes**⟩ *ou* **casse-noix** *m* ⟨*inv*⟩ nutcracker
casse-pieds ⟨*inv*⟩ *fam* **I** *adj* annoying **II** *m/f fam* pain in the neck
casse-pipe *fam m* ⟨*inv*⟩ *fig* certain death
▶ **casser** [kase, kɑ-] **I** *v/t* **1.** *branche, oeufs, dent, poignée* to break; *noix, bois* to crack; *pointe* to snap; **~ la croûte** to grab a bite (to eat); *fam, fig* **~ les pieds à qn** (*énerver*) *fam* to bug sb; (*ennuyer*) *fam* to bore the pants off sb; *fam, fig* **ça ne casse rien** it's nothing to write home about; *fam, fig* **elle ne casse rien** she's nothing special; *fam* **à tout ~** *fam* fantastic; (*tout au plus*) at the very most **2.** *fig prix* to slash; **~ le moral à qn** to depress sb **3.** JUR *jugement* to quash **4.** *officier* to demote **II** *v/i* **1.** *verre, etc* to break; *fil, branche* to snap **III** *v/pr* **1. se ~** *verre, dent, branche, etc* to break **2.** *personne* **se ~ le bras**, *etc* to break one's arm; *fam, fig* **il ne s'est pas cassé** *fam* he didn't exactly bust a gut **3.** *fam, fig* **je me casse** *fam* I'm out of here, I'm going
▶ **casserole** [kasʀɔl] *f* (sauce)pan; *fam* **chanter comme une ~** to sing appallingly badly; *fam, fig* **passer à la ~** *fam* to go through hell; *sexuellement* to be forced into sex
casse-tête *m* ⟨*inv*⟩ *fig* headache; **être un ~ pour qn** to be a headache for sb
▶ **cassette** [kasɛt] *f* **1.** ÉLEC cassette **2.** *pour bijoux* casket
casseur [kasœʀ] *m* scrap metal dealer
cassis[1] [kasis] *m* **1.** BOT blackcurrant **2.** blackcurrant liqueur
cassis[2] *m sur la route* dip
cassolette [kasɔlɛt] *f* **1.** oil burner **2.** CUIS small (ovenproof) dish
cassonade [kasɔnad] *f* brown sugar
cassoulet [kasulɛ] *m casserole of beans, pork, sausage and preserved goose*
cassure [kasyʀ] *f* **1.** crack **2.** *fig* break-up
castagnette [kastaɲɛt] *f* castanet
caste [kast] *f* caste
castel [kastɛl] *m* small castle
casting [kastiŋ] *m* FILM, THÉ casting
castor [kastɔʀ] *m* beaver
castrat [kastʀa] *m* castrato **castration** *f* castration **castrer** *v/t* to castrate
castriste [kastʀist] *m/f* Castroist
casuel [kazɥɛl] *litt adj* ⟨**~le**⟩ fortuitous
casuiste [kazɥist] *m* REL *et fig* casuist
cataclysme [kataklism] *m* cataclysm
catacombes [katakɔ̃b] *fpl* catacombs
catadioptre [katadjɔptʀ] *m* reflector; *fam* cat's eye
catalan [katalɑ̃] **I** *adj* ⟨**-ane** [-an]⟩ Catalan **II** ***Catalan(e)*** *m(f)* Catalan
Catalogne [katalɔɲ] **la ~** Catalonia
catalogue [katalɔg] *m* catalog
cataloguer [katalɔge] *v/t* **1.** to catalog **2.** *péj personne* to pigeonhole **il est, on l'a catalogué** he's been pigeonholed
catalysé [katalize] *adj* ⟨**~e**⟩ *voiture* catalyzed
catalyser [katalize] *v/t* CHIM to catalyze *a fig* **catalyseur** *m* catalyst
catalytique [katalitik] *adj* AUTO ▶ **pot** *m* **catalytique** catalytic converter
catamaran [katamaʀɑ̃] *m* catamaran
cataphote [katafɔt] *m* → **catadioptre**
cataplasme [kataplasm] *m* poultice
catapultage [katapyltaʒ] *m* catapulting
catapulte [katapylt] *f* catapult **catapulter** *v/t* to catapult
cataracte [kataʀakt] *f* **1.** waterfall **2.** MÉD cataract
catarrhe [kataʀ] *m* MÉD catarrh
▶ **catastrophe** [katastʀɔf] *f* **1.** disaster; **courir à la ~** to be heading for disaster **2. en ~** in a rush; **atterrir en ~** to make a forced landing
catastrophé [katastʀɔfe] *fam adj* ⟨**~e**⟩ stunned **catastropher** *fam v/t échec, nouvelle* to stun **catastrophique** *adj* disastrous **catastrophisme** *m* doomwatch
catch [katʃ] *m* wrestling **catcher** *v/i* to wrestle **catcheur** *m*, **catcheuse** *f* wrestler
catéchiser [kateʃize] *v/t* to catechize
catéchisme [kateʃism] *m* catechism; **aller au ~** to go to catechism class
catéchiste [kateʃist] *adj* catechist; **dame** *f* **~** female catechist
catégorie [kategɔʀi] *f* category; *de viande, etc* grade
catégorique [kategɔʀik] *adj* categorical; **être ~ sur qc** to be adamant about sth
catégoriser [kategɔʀize] *v/t* to categorize
caténaire [katenɛʀ] *f* catenary
cathares [kataʀ] *mpl* REL Cathars
▶ **cathédrale** [katedʀal] *f* cathedral
catherinette [katʀinɛt] *f single woman aged 25 or over*

cathéter [kateteʀ] *m* MÉD catheter
cathode [katɔd] *f* ÉLEC cathode **cathodique** *adj* ÉLEC cathodic
catholicisme [katɔlisism] *m* (Roman) Catholicism
▶ **catholique** [katɔlik] **I** *adj* **1.** (Roman) Catholic **2.** *fam, fig* ***pas très ~*** *fam* a bit dubious **II** *m/f* (Roman) Catholic
catimini [katimini] *adv* ***en ~*** on the quiet
catin [katɛ̃] *f péj* prostitute; *litt* strumpet
catogan [katɔgɑ̃] *m* ponytail
cauchemar [koʃmaʀ] *m* nightmare **cauchemarder** *v/i* to have nightmares **cauchemardesque** *adj* nightmarish
caudal [kodal] *adj* ⟨**~e; -aux** [-o]⟩ caudal
causal [kozal] *adj* ⟨**~e; -aux** [-o]⟩ causal
causalité [kozalite] *f* causality
causant [kozɑ̃] *fam adj* ⟨**-ante** [-ɑ̃t]⟩ talkative
▶ **cause** [koz] *f* **1.** (*origine, motif*) cause; ▶ ***à cause de*** because of; ***à cause de moi*** because of me; ***pour cause de maladie*** owing to sickness; ***et pour cause!*** and with good reason! **2.** (*intérêt*) cause; ***pour la bonne cause*** for a good cause; *fam* (*pour épouser*) case; ***faire cause commune*** to join forces **3.** JUR case; *par ext* ***en tout état de cause*** in any case; ***ne pas être en cause*** not to be at issue; ***mettre qn en cause*** to suspect sb of being involved; ***remettre qc en cause*** to call sth into question; ***mettre qn 'hors de cause*** to clear sb
▶ **causer**[1] [koze] *v/t* (*provoquer*) to cause
causer[2] *v/t indir et v/i* **1.** (*s'entretenir*) **~** (***avec qn de qc, qn***) to chat (with sb about sth, sb) **2.** *fam* (*parler*) to talk (***à qn*** to sb)
causerie [kozʀi] *f* talk
causette [kozɛt] *f fam* ***faire la ~, un brin de ~*** *fam* to have a chat
causeur [kozœʀ] **I** *m* talker **II** *adj* ⟨**-euse** [-øz]⟩ talkative
causeuse [kozøz] *f* talker
causse [kos] *m* limestone plateau
causticité [kostisite] *f* CHIM causticity *a fig*
caustique [kostik] *adj* CHIM caustic *a fig*
cauteleux [kotlø] *adj* ⟨**-euse** [-øz]⟩ cunning
cautère [kotɛʀ] *m* ***c'est un ~ sur une jambe de bois*** it's no use whatsoever
cautériser [koteʀize] *v/t* MÉD to cauterize
caution [kosjõ] *f financière* security; *pour logement* deposit *mettre en liberté* ***sous ~*** on bail; ***sujet à ~*** to be treated with caution
cautionnement [kosjɔnmɑ̃] *m* **1.** JUR *contrat* surety bond; *somme d'argent* security **2.** *fig* (*appui*) backing
cautionner [kosjɔne] *v/t politique, etc* to back
cavalcade [kavalkad] *f* **1.** cavalcade **2.** *fig* stampede
cavalcader [kavalkade] *v/i* to stampede
cavale [kaval] *f arg* ***être en ~*** to be on the run
cavaler [kavale] *fam v/i* to rush around; ***~ après qn*** to chase after sb *a fam, fig*
cavalerie [kavalʀi] *f* **1.** HIST cavalry **2.** stable
cavaleur [kavalœʀ] *fam m fam* womanizer
cavaleuse [kavaløz] *f fam* ***c'est une ~*** *fam* she's a man-chaser
cavalier [kavalje], **cavalière** [-jɛʀ] **I** *subst* **1.** *m/f à cheval* rider **2.** *m/f à table, au bal* partner; *fig* ***faire cavalier seul*** to go it alone **3.** *m* ÉCHECS knight **II** *adj* **1.** cavalier, offhand **2.** ***allée cavalière*** bridleway
▶ **cave**[1] [kav] *f* **1.** cellar; **~** (***à vin***) wine cellar **2.** *cabaret* club

> **cave ≠ cavern**
>
> **Cave** = cellar in French:
>
> **une cave à vin**
> a wine cellar

cave[2] *arg m* sucker *pop*
cave[3] *adj yeux* hollow, sunken; ***veine f ~*** vena cava
caveau [kavo] *m* ⟨**~x**⟩ vault; ***~ de famille*** family vault
caverne [kavɛʀn] *f* **1.** cave **2.** MÉD cavity
caverneux [kavɛʀnø] *adj* ⟨**-euse** [-øz]⟩ **1.** ***voix caverneuse*** sepulchral voice **2.** ANAT ***corps ~*** corpora cavernosa
caviar [kavjaʀ] *m* caviar; ***~ rouge*** salmon roe
caviarder [kavjaʀde] *v/t texte* to censor
caviste [kavist] *m* cellarman
cavité [kavite] *f* cavity (*a* ANAT)
C.B. [sibi] *f, abr* (= **citizen band**) CB
C.C.P. [sesepe] *m, abr* ⟨*inv*⟩ (= **compte chèque postal**) post office account
CD [sede] *m, abr* ⟨*inv*⟩ (= **compact disc**)

CD; ***double, maxi ~*** double, maxi CD

C.D.D. [sedede] *m, abr* (= **contrat à durée déterminée**) fixed-term contract

C.D.I. [sedei] *m, abr* (= **contrat à durée indéterminée**) permanent contract

▶ **CD-ROM** [sedeʀɔm] *m* ⟨*inv*⟩ CD-ROM

▶ **ce** [s(ə)] **I** *adj démonstratif m* ⟨(*before vowel and silent h*) ***cet*** [sɛt], *f* ***cette*** [sɛt], *pl* ***ces*** [se]⟩ this; *pl* these; ***cet homme*** this man; ***~ livre-là*** that book; ***cette année*** this year; ***~ matin, soir*** this morning, evening; *fam* ***il a un de ces rhumes*** *fam* he's got a terrible cold **II** *pr dém neutre* that; ***~ que*** *tu fais* what; ***~ qui*** *me gêne* what; ***c'est*** it's; → ***être***[1]; ***et ~*** and all because; ***et pour ~*** (***faire***) and (in order) to do that; ***sur ~*** with that; ***~ faisant*** in so doing

CE$_1$ [seəɛ̃] *m, abr,* **CE**$_2$ [seədø] *m, abr* → ***cours***

céans [seɑ̃] *adv* ***maître*** *m* ***de ~*** master of the house

ceci [səsi] *pr dém* this

cécité [sesite] *f* blindness

▶ **céder** [sede] ⟨**-è-**⟩ **I** *v/t* **1.** ***~ qc à qn*** to give up sth to sb; ***~ le pas à qn*** to let sb go in front; AUTO ***~ le passage à qn*** to yield to sb, *brit* to give way to sb **2.** (*vendre*) to sell; *créance, etc* to dispose of (***à qn*** to sb); *commerce* to lease **II** *v/t indir et v/i* **1.** to give in (***à*** to) **2.** ***ne le ~ en rien à qn, qc*** to be every bit as good as sb, sth **3.** *branche, digue, corde* to give way

cédérom [sedeʀɔm] *m* CD-ROM

Cedex *ou* **CEDEX** [sedɛks] *m, abr* (= **courrier d'entreprise à distribution exceptionnelle**) *special mail delivery code for corporate users*

cédille [sedij] *f* cedilla

cèdre [sɛdʀ] *m* cedar

C.E.E. [seəə] *f, abr* (= **Communauté économique européenne**) EEC

cégétiste [seʒetist] *m/f* member of the CGT

C.E.I. [seəi] *abr* (= **Communauté des États indépendants**) ***la ~*** the CIS

ceindre [sɛ̃dʀ] ⟨→ **peindre**⟩ *litt v/t* ***~ une écharpe*** to put on a scarf; *adj* ***ceint de ...*** *personne* wearing …; *château* surrounded by …

▶ **ceinture** [sɛ̃tyʀ] *f* **1.** belt; JUDO ***ceinture noire*** black belt; ***ceinture de cuir*** leather belt; ▶ ***ceinture de sécurité*** seatbelt; ***attacher sa ceinture*** to put on one's seatbelt; *fam, fig* ***faire ceinture*** to go without; *fam, fig* ***se serrer la ceinture*** to tighten one's belt **2.** waist; *de jupe, de pantalon* waistband; ***jusqu'à la ceinture*** up to the waist

ceinturer [sɛ̃tyʀe] *v/t adversaire* to tackle

ceinturon [sɛ̃tyʀõ] *m* belt

▶ **cela** [s(ə)la] *pr dém* that; ***de ~*** ago; ***il y a cinq ans de ~*** that was five years ago

célébrant [selebʀɑ̃] *m* ÉGL CATH celebrant

célébration [selebʀasjõ] *f* celebration

▶ **célèbre** [selɛbʀ] *adj* famous

célébrer [selebʀe] *v/t* ⟨**-è-**⟩ *fête, événement, messe* to celebrate *prêtre, maire* ***~ le mariage*** to perform the wedding ceremony

célébrité [selebʀite] *f* **1.** *qualité* fame **2.** (*personne*) celebrity

celer [səle] *litt v/t* ⟨**-è-**⟩ to conceal

céleri [sɛlʀi] *m* celery **céleri-rave** *m* ⟨**céleris-raves**⟩ celeriac

célérité [seleʀite] *f* speed, *litt* celerity

céleste [selɛst] *adj* **1.** celestial **2.** REL, *fig* heavenly

célibat [seliba] *m* single life; ***~ (des prêtres)*** (priestly) celibacy

▶ **célibataire** [selibatɛʀ] **I** *adj* single, unmarried; ***mère*** *f* ***~*** single mother **II** *m/f* single person

> **célibataire ≠ celibate**
>
> **Célibataire** is the normal French word for bachelor, unmarried man.

celle → ***celui***

cellier [selje] *m* (wine) cellar

cellophane® [selɔfan] *f* cellophane®

cellulaire [selylɛʀ] *adj* **1.** BIOL cellular **2.** *en prison* ***régime*** *m* ***~*** solitary confinement; ***fourgon*** *m* ***~*** police van

cellular [selylaʀ] *m* ***chemise*** *f* ***en ~*** Aertex® blouse

cellule [selyl] *f* cell (*a* BIOL, TECH, *fig*); BIOL ***~ souche*** stem cell

cellulite [selylit] *f* cellulite

celluloïd [selylɔid] *m* celluloid

cellulose [selyloz] *f* cellulose

celte [sɛlt] **I** *adj* Celtic **II** ***Celtes*** *mpl* Celts

celtique [sɛltik] *adj* Celtic

▶ **celui** [səlɥi] *pr dém, m* ⟨*f* ***celle*** [sɛl]; *mpl* ***ceux*** [sø], *fpl* ***celles*** [sɛl]⟩ the one, *pl* those; ***~ de mon frère*** my brother's (one); **~ qui** *personne* the one who; *chose* the one that

▶ **celui-ci** [səlɥisi] *pr dém, m* ⟨*f* **celle-ci**; *mpl* **ceux-ci**, *fpl* **celles-ci**⟩ this one, *pl* these, *pl* these ones; *opposé à «celui-là»* the latter

▶ **celui-là** [səlɥila] *pr dém, m* ⟨*f* **celle-là**; *mpl* **ceux-là**, *fpl* **celles-là**⟩ that one, *pl* those, *pl* those ones; *opposé à «celui-ci»* the former

cénacle [senakl] *m form* inner circle, *péj* coterie

▶ **cendre** [sɑ̃dʀ] *f* ash; ***réduire, mettre en ~s*** to reduce to ashes; ***renaître de ses ~s*** to rise from the ashes

cendré [sɑ̃dʀe] *adj* ⟨**~e**⟩ ash-gray; ***blond ~*** ⟨*inv*⟩ ash-blond

cendrée [sɑ̃dʀe] *f* cinder track

▶ **cendrier** [sɑ̃dʀije] *m* ashtray

Cendrillon [sɑ̃dʀijõ] *f* Cinderella

Cène [sɛn] *f* REL Last Supper

censé [sɑ̃se] *adj* ⟨**~e**⟩ ***il est ~ être malade*** he's supposed to be sick; ***je ne suis pas ~ le savoir*** I'm not supposed to know

censément [sɑ̃semɑ̃] *adv* supposedly

censeur [sɑ̃sœʀ] *m* **1.** LYCÉE *autrefois* vice-principal, *brit* deputy head **2.** FILM, PRESSE censor *a fig*

censure [sɑ̃syʀ] *f* censorship **censurer** *v/t* to censure

▶ **cent** [sɑ̃] **I** *num/c* hundred; ***deux cent(s)*** *pas de -s quand suivi par d'autres chiffres* two hundred **II** *m* **1.** *chiffre* a hundred, one hundred **2.** *quantité* hundred; ***un cent de*** a hundred **3.** ▶ ***pour cent*** per cent; ***cinq pour cent*** (***5 %***) five per cent (5%) (*abr* pc); *adj* (***à***) ***cent pour cent*** (at) a hundred per cent

▶ **centaine** [sɑ̃tɛn] *f* **1.** ***une ~*** (***de***) around a hundred; ***par ~s*** by the hundreds **2.** *dans les nombres* hundred

centaure [sɑ̃tɔʀ] *m* centaur

centaurée [sɑ̃tɔʀe] *f* centaury

centenaire [sɑ̃tnɛʀ] **I** *adj* hundred-year-old **II** *subst* **1.** *m/f* centenarian *form* **2.** *m* centennial, *brit* centenary

centésimal [sɑ̃tezimal] *adj* ⟨**~e; -aux** [-o]⟩ centesimal

▶ **centième** [sɑ̃tjɛm] **I** *num/o* hundredth **II** *subst* **1.** ***le, la ~*** the hundredth **2.** *m* MATH hundredth

centigrade [sɑ̃tigʀad] *adj* ***degré*** *m* **~** degree centigrade

centigramme [sɑ̃tigʀam] *m* centigram (*abr* cg) **centilitre** *m* (*abr* ***cl***) centiliter (*abr* cl)

▶ **centime** [sɑ̃tim] *m* centime

▶ **centimètre** [sɑ̃timɛtʀ] *m* **1.** centimeter **2.** **~** (***de couturière***) tape measure

centrafricain [sɑ̃tʀafʀikɛ̃] *adj* ⟨**-aine** [-ɛn]⟩ ***la République ~e*** Central African Republic

▶ **central** [sɑ̃tʀal] **I** *adj* ⟨**~e; -aux** [-o]⟩ central; ***l'Europe centrale*** Central Europe **II** *subst* **1.** *m* ⟨**-aux** [-o]⟩ ***central*** (***téléphonique***) (telephone) exchange **2.** *f* ***centrale*** (***électrique***) power station; ▶ ***centrale nucléaire*** nuclear power station **3.** *f* ***centrale syndicale*** federation of affiliated trade unions **4.** *f* ***centrale*** *prison* prison

centralisation [sɑ̃tʀalizasjõ] *f* centralization **centralisateur** *adj* ⟨**-trice** [-tʀis]⟩ centralizing **centraliser** *v/t* to centralize **centralisme** *m* centralism

▶ **centre** [sɑ̃tʀ] *m* **1.** center (*a* MATH); ***le centre de la France*** *ou* ***le Centre*** central France; ▶ ***centre*** (***de la***) ***ville*** town center; ***au centre*** in the center (***de*** of); ***en plein centre de*** right in the center of **2.** *lieu* center; ***centre industriel, touristique*** industrial, tourist center; ***grands centres urbains*** large urban centers; ***centre des affaires*** business center **3.** *service* center; ▶ ***centre commercial*** shopping mall, *brit* shopping centre; ***centre hospitalier*** hospital complex; ***centre d'accueil*** temporary accommodations (+ *pl*); ***centre de chèques postaux*** postal check center; ***centre de formation professionnelle*** training center; ***centre de loisirs*** sports center **4.** POL center; ***centre gauche*** center-left **5.** *fig* ***centre d'intérêt*** interest **6.** SPORT (***avant*** *m*) ***centre*** center forward

centrer [sɑ̃tʀe] **I** *v/t* PHOT to center; TECH to align; **1.** *fig* ***être centré sur*** to be centered around **II** *v/i* SPORT to center

centrifuge [sɑ̃tʀifyʒ] *adj* centrifugal **centrifugeuse** *f* juicer

centriste [sɑ̃tʀist] *adj* POL centrist

centuple [sɑ̃typl] *m* ***le ~*** a hundred times

centurion [sɑ̃tyʀjõ] *m* HIST centurion

cep [sɛp] *m* vine stock

cépage [sepaʒ] *m* vine variety

cèpe [sɛp] *m* cèpe, boletus

▶ **cependant** [s(ə)pɑ̃dɑ̃] *conj* however

céramique [seʀamik] *f* ceramic **céramiste** *m/f* cerami(ci)st

cerbère [sɛʀbɛʀ] *m* MYTH ***Cerbère*** *et fig*

Cerberus

cerceau [sɛʀso] *m* ⟨**~x**⟩ hoop

▶ **cercle** [sɛʀkl] *m* **1.** (*groupe*) circle (*a* MATH, GÉOG); **~ *d'amis*** circle of friends **2.** **~ *vicieux*** vicious circle

cerclé [sɛʀkle] *adj* ⟨**~e**⟩ *lunettes* **~ *d'or*** gold-rimmed

cercueil [sɛʀkœj] *m* casket, *brit* coffin

▶ **céréale** [seʀeal] *f* **1.** cereal; **~*s*** *pl* cereals **2.** *au petit-déjeuner* **~*s*** *pl* (breakfast) cereal (+ *sg*)

céréalier [seʀealje] **I** *adj* ⟨**-ière** [-jɛʀ]⟩ cereal; ***culture céréalière*** cereal growing **II** *m* cereal grower

cérébral [seʀebʀal] *adj* ⟨**~e; -aux** [-o]⟩ **1.** cerebral **2.** *fig* intellectual; *subst* **un(e) ~** an intellectual

cérémonial [seʀemɔnjal] *m* ⟨**-als**⟩ ceremonial

▶ **cérémonie** [seʀemɔni] *f* **1.** ceremony; (*mariage*) **~ *civile, religieuse*** civil, church ceremony **2.** ***sans* ~** *repas* informal; *se présenter* informally; ***faire des* ~*s*** to stand on ceremony

cérémonieux [seʀemɔnjø] *adj* ⟨**-euse** [-øz]⟩ formal

▶ **cerf** [sɛʀ] *m* deer

cerfeuil [sɛʀfœj] *m* chervil

cerf-volant [sɛʀvɔlɑ̃] *m* ⟨**cerfs-volants**⟩ **1.** kite **2.** ZOOL stag beetle

▶ **cerise** [s(ə)ʀiz] *f* **1.** cherry; **~*s anglaises*** English cherries **2.** *adj* (***rouge***) **~** ⟨*inv*⟩ cerise, cherry (red)

cerisier [s(ə)ʀizje] *m* cherry tree

cerne [sɛʀn] *m* → ***cerné***

cerné [sɛʀne] *adj* ⟨**~e**⟩ ***avoir les yeux* ~*s*** *ou* ***avoir des cernes autour des yeux*** to have rings under one's eyes

cerneau [sɛʀno] *m* ⟨**~x**⟩ *de noix* walnut half

cerner [sɛʀne] *v/t* **1.** to surround **2.** *fig problème* to define **3.** *dessin* to outline

▶ **certain** [sɛʀtɛ̃] **I** *adj* ⟨**-aine** [-ɛn]⟩ (*après le subst*) certain; ***c'est* ~** it's certain; *personne* ***être* ~ *de qc*** to be certain of sth; ***être* ~ *de*** *+inf* to be certain *+inf*; ***être* ~ *que ...*** to be certain that ... **II** *adj indéf* (*devant le subst*) certain; ***d'un* ~ *âge*** [-sɛʀtɛnɑʒ] middle-aged **III** *pr ind* **~*s*** *pl* some (people)

▶ **certainement** [sɛʀtɛnmɑ̃] *adv* certainly; (*probablement*) probably

certes [sɛʀt] *st/s adv* certainly; *indiquant la concession* admittedly

certificat [sɛʀtifika] *m* certificate; **~ *médical*** medical certificate; **~ *d'études*** (***primaires***) *school-leaving qualification after elementary school*

certifié(e) [sɛʀtifje] *m(f) ou adj* ***professeur certifié*** qualified teacher

certifier [sɛʀtifje] *v/t* **1.** **~ *à qn que ...*** to assure sb that ... **2.** ***copie certifiée conforme*** certified true copy

certitude [sɛʀtityd] *f* certainty

cérumen [seʀymɛn] *m* earwax

▶ **cerveau** [sɛʀvo] *m* ⟨**~x**⟩ **1.** brain **2.** *fig* intellect; ***fuite*** *f* ***des* ~*x*** brain drain **3.** **~ *électronique*** electronic brain

cervelas [sɛʀvəla] *m* saveloy

cervelet [sɛʀvəlɛ] *m* cerebellum

cervelle [sɛʀvɛl] *f* **1.** brains (+ *v pl*); ***se brûler*** *ou* ***se faire sauter la* ~** to blow one's brains out **2.** CUIS brains (+ *v pl*) **3.** *fig* brains (+ *v pl*); ***avoir une* ~ *d'oiseau*** *fam* to be a birdbrain *fam*

cervical [sɛʀvikal] *adj* ⟨**~e; -aux** [-o]⟩ cervical; ***vertèbre* ~*e*** cervical vertebra

cervidés [sɛʀvide] *mpl* Cervidae

Cervin [sɛʀvɛ̃] ***le mont* ~** the Matterhorn

cervoise [sɛʀvwaz] *f* HIST barley beer

ces → ***ce***

C.E.S. [seəɛs] *m, abr* → ***collège***

césarienne [sezaʀjɛn] *f* cesarian

cessant [sɛsɑ̃] *adj* ⟨**-ante** [-ɑ̃t]⟩ ADMIN ***toute(s) affaire(s)* ~*e(s)*** forthwith *form*

cessation [sɛsasjõ] *f* cessation; **~ *de commerce*** closing down

cesse [sɛs] *f* **1.** ***sans* ~** constantly **2.** *litt* ***elle n'aura de* ~ *qu'elle ne ...*** *+subj* she won't rest until she has ... (+ *pp*)

▶ **cesser** [sese] **I** *v/t* to stop; **~ *de faire qc*** to stop doing sth **II** *v/i* to stop; ***faire* ~ *qc*** to put a stop to sth

cessez-le-feu [seselfø] *m* ⟨*inv*⟩ cease-fire

cession [sesjõ] *f* JUR transfer; (*vente*) disposal

c'est [sɛ, se] → ***être¹***

▶ **c'est-à-dire** [setadiʀ] *conj* that is (to say)

césure [sezyʀ] *f d'un vers* caesura

▶ **cet** → ***ce***

cétacé [setase] *m* cetacean

cétone [setɔn] *f* CHIM ketone

▶ **cette** → ***ce***

ceux → ***celui***

Ceylan [sɛlɑ̃] HIST Ceylon

cf. *abr* (= **confer**) cf

C.F.A. [seɛfa] *abr* (= **Communauté financière africaine**) ***franc*** *m* **~** CFA franc

C.F.D.T. [seɛfdete] *f, abr* (= **Confédéra-**

tion française [et] démocratique du travail) CFDT *French trade union*

C.G.C. [seʒese] *f, abr* (= **Confédération générale des cadres**) CGC *French trade union*

C.G.T. [seʒete] *f, abr* (= **Confédération générale du travail**) CGT *French trade union*

ch *abr* (= **cheval-vapeur**) hp

chablis [ʃabli] *m* chablis *dry white wine*

chabrol [ʃabʀɔl] *m ou* **chabrot** [ʃabʀo] *m* ***faire ~*** to pour wine into the last of one's soup

chacal [ʃakal] *m* ⟨**-als**⟩ jackal

▶ **chacun** [ʃakɛ̃, -kœ̃] *pr ind* ⟨**chacune** [ʃakyn]⟩ each (one); ***~ de nous** ou **d'entre nous*** each (one) of us; *st/s* ***tout un ~*** each and every person; ***il leur consacre dix minutes ~*** he allows ten minutes for each of them

chafouin [ʃafwɛ̃] *adj* ⟨**-ine** [-in]⟩ sly

chagrin [ʃagʀɛ̃] **I** *adj* ⟨**-ine** [-in]⟩ *st/s* (*triste*) despondent; *litt* (*morose*) chagrined **II** *m* grief; ***~ d'amour*** unhappy love affair; ***avoir du ~*** to be upset

chagriner [ʃagʀine] *v/t* to sadden

chah [ʃa] *m* HIST ***le ~ (d'Iran)*** the Shah (of Iran)

chahut [ʃay] *m fam* racket, din

chahuter [ʃayte] **I** *v/t orateur* to heckle ***~ un professeur*** to play up a teacher **II** *v/i* to make a din, *fam* to kick up a racket

chahuteur [ʃaytœʀ] **I** *adj* ⟨**-euse** [-øz]⟩ rowdy **II** *m* rowdy person

chai [ʃɛ] *m* wine store(house)

▶ **chaîne** [ʃɛn] *f* **1.** chain; AUTO ***chaînes*** *pl* snow chains; ***chaîne (de bicyclette)*** (bicycle) chain **2.** ***chaîne de montage*** assembly line; ***travailler à la chaîne*** to work on an assembly line **3.** *fig* chain; ***chaîne (de montagnes)*** mountain range; ***chaîne du froid*** cold chain; ***chaîne de magasins*** chain of stores; ***faire la chaîne*** to make a chain **4.** *fig et litt* ***chaînes*** chains **5.** RAD, TV channel; ***sur la première chaîne*** on channel one **6.** ▶ ***chaîne ('hi-fi, stéréo)*** (hi-fi, stereo) system **7.** TEXT warp

chaînette [ʃɛnɛt] *f* (small) chain; ***point m de ~*** chain stitch

chaînon [ʃɛnõ] *m* link

chair [ʃɛʀ] *f* flesh (*a d'un fruit*, REL); *fig* ***~ à canon*** cannon fodder; ***~ à saucisse*** sausagemeat; *fig* ***~ de poule*** goosebumps (+ *v pl*), *brit* goosepimples (+ *v pl*); *adj* (***couleur***) ***~*** ⟨*inv*⟩ flesh-colored; *fig* ***en ~ et en os*** in the flesh; ***être bien en ~*** to be plump

chaire [ʃɛʀ] *f* **1.** ÉGL pulpit **2.** UNIV chair

▶ **chaise** [ʃɛz] *f* chair; ***~ longue*** (*transatlantique*) deckchair; (*meuble*) chaise longue; ***~ percée*** commode; ***~ à porteurs*** sedan chair

chaland [ʃalɑ̃] *m* barge

châle [ʃɑl] *m* shawl

chalet [ʃalɛ] *m* chalet

▶ **chaleur** [ʃalœʀ] *f* **1.** heat (*a* PHYS); *moins fort* warmth; ***les grandes ~s*** the hot season; ***dégager, donner de la ~*** to give off heat **2.** *fig* (*cordialité*) warmth; (*ardeur*) heat **3.** ***en ~*** *animal* in heat, *brit* on heat; *vulg personne* horny *vulg*

chaleureux [ʃaløʀø] *adj* ⟨**-euse** [-øz]⟩ *fig* warm

châlit [ʃɑli] *m* bedstead

challenge [ʃalɑ̃ʒ] *m* **1.** SPORT tournament **2.** *fig* challenge

challenger [ʃalɑ̃ʒœʀ] *m ou* **challengeur** [-œʀ] *m* SPORT, *fig* challenger

chaloupe [ʃalup] *f* boat

chaloupé [ʃalupe] *adj* ⟨**~e**⟩ swaying

chalumeau [ʃalymo] *m* ⟨**~x**⟩ **1.** TECH blowtorch **2.** MUS pipe

chalut [ʃaly] *m* trawl

chalutier [ʃalytje] *m* trawler

chamade [ʃamad] *f cœur* ***battre la ~*** to beat wildly

chamailler [ʃamaje] *v/pr fam* ***se ~*** to squabble

chamailleries [ʃamajʀi] *fam fpl* squabbling (+ *sg*)

chamailleur [ʃamajœʀ], **chamailleuse** [-øz] *fam* **I** *m/f fam* squabbler **II** *adj* quarrelsome

chamarré [ʃamaʀe] *adj* ⟨**~e**⟩ richly ornamented (***de*** with) **chamarrures** *fpl* rich decoration

chambard [ʃɑ̃baʀ] *fam m* **1.** *fam* racket, din **2.** upheaval

chambardement [ʃɑ̃baʀdəmɑ̃] *fam m* upheaval **chambarder** *fam v/t mettre en désordre* to turn upside down; *fig* to upset

chambellan [ʃɑ̃bɛlɑ̃] *m* chamberlain

chambouler [ʃɑ̃bule] *fam v/t* → ***chambarder***

chambranle [ʃɑ̃bʀɑ̃l] *m de porte* frame

▶ **chambre** [ʃɑ̃bʀ] *f* **1.** (bed)room; ▶ ***chambre double*** double room; ▶ ***chambre simple*** single room; ***cham-***

bre à coucher bedroom; ***chambre à deux lits*** twin-bedded room; ***chambre d'ami(s)*** guest room, spare bedroom; ***chambre d'enfants*** children's room; ***chambre d'étudiant*** (student) room; ***chambre (d'hôtel)*** (hotel) room; ***faire chambre à part*** to sleep in separate rooms; *malade* ***garder la chambre*** to stay in one's room **2.** (*pièce*) room; ***chambre forte*** strong room; ***chambre froide*** cold-storage room; ***chambre à gaz*** gas chamber **3.** JUR, POL chamber; ***Chambre des députés*** Chamber of Deputies; ***chambre de commerce*** Chamber of Commerce **4.** TECH *d'appareil* chamber; PHOT ***chambre noire*** darkroom; *d'un pneu* ***chambre à air*** inner tube **5.** ***musique*** *f* ***de chambre*** chamber music

chambrée [ʃɑ̃bʀe] *f* MIL barracks

chambrer [ʃɑ̃bʀe] *v/t vin* to bring to room temperature

chambrette [ʃɑ̃bʀɛt] *f* small (bed)room

chambrière [ʃɑ̃bʀijɛʀ] *f vieilli* chambermaid

chameau [ʃamo] *m* ⟨**~x**⟩ **1.** camel; *à deux bosses* Bactrian camel **2.** *fam, fig* nasty person; *femme fam* cow

chamelier [ʃaməlje] *m* camel driver

chamelle *f* she-camel

chamois [ʃamwa] *m* **1.** chamois **2.** ***peau*** *f* ***de ~*** shammy leather

chamoisage [ʃamwazaʒ] *m* oiling *of shammy leather*

▶ **champ** [ʃɑ̃] *m* **1.** field; ***~ de blé*** wheatfield; ***~ de pommes de terre*** potato field; ***à travers ~s*** across country; ***en plein ~*** in open country **2.** (*terrain*) field; ***~ de bataille*** battlefield; ***~ de courses*** racecourse; ***~ de mines*** minefield; ***~ de pétrole*** oilfield; ***~ de tir*** firing range; ***tomber au ~ d'honneur*** to be killed in action **3.** PHYS, OPT field; FILM field; ***~ visuel*** field of vision **4.** *fig* field; ***~ d'action*** field of action; ***laisser le ~ libre à qn, à qc*** to give sb, sth a free hand; ***prendre du ~*** *pour sauter* to give oneself room; *fig* to stand back

Champagne [ʃɑ̃paɲ] ***la ~*** Champagne

▶ **champagne** *m* champagne

champêtre [ʃɑ̃pɛtʀ] *adj scène* rural *bal* village *épith*

▶ **champignon** [ʃɑ̃piɲɔ̃] *m* **1.** BOT, CUIS mushroom; MÉD fungus; ***~ de Paris*** button mushroom; ***pousser comme un ~*** to spring up like a mushroom **2.** *fam* accelerator; ***appuyer sur le ~*** *fam* to step on the gas

champignonnière [ʃɑ̃piɲɔnjɛʀ] *f* mushroom bed

▶ **champion** [ʃɑ̃pjɔ̃] *m*, **championne** [ʃɑ̃pjɔn] *f* **1.** SPORT champion; ***champion, championne olympique*** Olympic champion; ***champion, championne du monde*** world champion; *adj* ***équipe championne*** champions **2.** champion (***d'une cause*** of a cause)

▶ **championnat** [ʃɑ̃pjɔna] *m* championship

Champs-Élysées [ʃɑ̃zelize] *mpl* Champs-Élysées

▶ **chance** [ʃɑ̃s] *f* **1.** luck; ***bonne ~!*** good luck!; ***coup*** *m* ***de ~*** stroke of luck; ***par ~*** luckily; ***pas de ~!*** *fam* bad luck!; ***porter ~*** to bring good luck **2.** ***~s*** *pl* chances; ***~s de succès*** chances of success; ***il n'a qu'une ~ sur dix de le retrouver*** he only has a one in ten chance of finding it

> **chance**
>
> **Chance** = luck, especially good luck:
>
> **Vous avez de la chance d'avoir rencontré quelqu'un de si célèbre.**
>
> You're lucky to have met such a famous guy.

chancelant [ʃɑ̃slɑ̃] *adj* ⟨**-ante** [-ɑ̃t]⟩ unsteady

chanceler [ʃɑ̃sle] *v/i* ⟨**-ll-**⟩ **1.** to stagger **2.** *fig* to totter

▶ **chancelier** [ʃɑ̃səlje] *m* chancellor

▶ **chancelière**[1] [ʃɑ̃səljɛʀ] *f* **1.** (*femme chancelier*) chancellor **2.** *épouse du chancelier* chancellor's wife

chancelière[2] *f* footmuff

chancellerie [ʃɑ̃sɛlʀi] *f* chancellery; *en Allemagne* Chancellorship; *en France* Ministry of Justice

chanceux [ʃɑ̃sø] *adj* ⟨**-euse** [-øz]⟩ ***être ~*** to be lucky

chancre [ʃɑ̃kʀ] *m* MÉD canker

chandail [ʃɑ̃daj] *m* sweater

Chandeleur [ʃɑ̃dlœʀ] ***la ~*** Candlemas

chandelier [ʃɑ̃dəlje] candlestick

chandelle [ʃɑ̃dɛl] *f* **1.** candle; *fig* ***brûler la ~ par les deux bouts*** to burn the candle at both ends; be extravagant; *fig*; ***devoir une fière ~ à qn*** to be greatly indebted to sb; ***dîner aux ~s*** to dine by candlelight; *fig* ***en voir trente-six ~s*** to see stars; ***le jeu n'en vaut pas la ~*** the game is not worth the candle **2.** GYMNASTIQUE shoulder stand; FOOT high ball; AVIAT ***monter en ~*** to climb vertically

chanfrein [ʃɑ̃fʀɛ̃] *m* **1.** TECH chamfer **2.** *du cheval* nose

change [ʃɑ̃ʒ] *m* **1.** exchange; ***gagner, perdre au ~*** to win, lose money on the exchange **2.** FIN foreign exchange; ***bureau** m **de ~*** foreign exchange bureau, bureau de change **3.** ***donner le ~ à qn*** to deceive sb **4.** *pour bébés* ~ (***complet***) disposable diaper, *brit* disposable nappy

changeant [ʃɑ̃ʒɑ̃] *adj* ⟨**-ante** [-ɑ̃t]⟩ **1.** *temps* changeable; *personne* moody **2.** *couleur* shimmering

► **changement** [ʃɑ̃ʒmɑ̃] *m* **1.** change; ***~ d'adresse*** change of address; ***~ d'air*** change of air; ***~ de décor*** THÉ scene change; *fig* change of scene; ***~ de direction*** change of management; ***~ de programme*** change to the schedule; *fig* change of plan; ***~ de propriétaire*** new ownership; ***~ de temps*** change in the weather; ***~ climatique*** climate change; ***~ de vitesse*** *mécanisme* gears; *manœuvre* gear shift; ***aimer le ~*** to like change; ***faire des ~s*** to make changes (***à, dans*** to, in); ***il y a eu du ~*** there have been some changes **2.** CH DE FER change **3.** ADMIN reshuffle

► **changer** [ʃɑ̃ʒe] ⟨**-ge-**⟩ **I** *v/t* **1.** (*modifier*) to change; (*remplacer*) to replace; (*échanger*) to exchange; ***changer qn*** to replace sb; ***changer les draps*** to change the sheets; ***changer une roue*** to change a wheel; ***changer qc à qc*** to change sth; ***ça ne change rien à rien*** that changes nothing; ***changer des euros en dollars*** to change euros into dollars; ***changer qc de place*** to move sth; ***changer qn de poste*** to move sb to another job **2.** (*transformer*) to turn (***en*** into) **3.** *bébé* to change **4.** ***ça me*** (*ou* ***nous***, *etc*) ***change*** it makes a change (***de*** from) **II** *v/t indir* **1.** ***changer de*** (+ *subst*) to change (+ *subst*); ***changer d'avis*** to change one's mind; ***faire changer qn d'avis*** to get sb to change their mind; ***changer de bus, de train*** to change buses, trains; ***changer de chemise*** to change one's shirt; ***changer de couleur*** to change color; ***changer de médecin*** to change doctors; ***changer de métier*** to change jobs; ***changer de professeur*** to change teachers; ***changer de voiture*** to change cars **III** *v/i* **1.** *état* to change; *personne* ***il n'a pas changé*** he hasn't changed; ***le temps va changer*** the weather's going to change **2.** ***changer avec qn*** to change (places) with sb **3.** CH DE FER *etc* to change **IV** *v/pr* **1.** ► ***se changer*** to change (one's clothes) **2.** ***se changer en*** to turn into

changeur [ʃɑ̃ʒœʀ] *m* money changer

chanoine [ʃanwan] *m* canon

► **chanson** [ʃɑ̃sõ] *f* song; ***~ d'amour*** love song; *fam, fig* ***c'est toujours la même ~*** it's always the same old story

chansonnette [ʃɑ̃sɔnɛt] *f* little song

chansonnier [ʃɑ̃sɔnje] *m* singer

chant [ʃɑ̃] *m* **1.** *action* singing **2.** (*air*) song **3.** *des oiseaux* singing; *du coq* crowing; ***au ~ du coq*** at cockcrow

chantage [ʃɑ̃taʒ] *m* blackmail

chantant [ʃɑ̃tɑ̃] *adj* ⟨**-ante** [-ɑ̃t]⟩ *accent* lilting; *musique* tuneful

► **chanter** [ʃɑ̃te] **I** *v/t* **1.** to sing **2.** *fig* (*célébrer*) to sing (of) **3.** *fam, péj* ***qu'est-ce que tu me chantes là?*** what are you talking about? **II** *v/i* **1.** to sing; ***~ faux, juste*** to sing out of, in tune **2.** *oiseaux* to sing; *coq* to crow; *cigales* to chirrup **3.** *fam, fig* ***si ça vous chante*** if you feel like it **4.** ***faire ~ qn*** to blackmail sb

chanterelle [ʃɑ̃tʀɛl] *f* **1.** BOT chanterelle **2.** MUS E string

► **chanteur** [ʃɑ̃tœʀ] *m*, **chanteuse** [ʃɑ̃tøz] *f* **1.** singer; ***chanteur, chanteuse de charme*** crooner **2.** *adj* ***oiseaux chanteurs*** songbirds **3.** *adj* ***maître chanteur*** blackmailer; MUS HIST meistersinger

► **chantier** [ʃɑ̃tje] *m* **1.** construction site; ***~ naval*** shipyard; *panneau* ***~ interdit au public!*** no admittance; *fig* ***mettre qc en ~*** to start work on sth **2.** *fam, fig* ***quel ~!*** what a mess!

chantonner [ʃɑ̃tɔne] *v/t et v/i* to sing under one's breath

chantourner [ʃɑ̃tuʀne] *v/t* to cut out *using a jigsaw*

chantre [ʃɑ̃tʀ] *m* **1.** REL cantor **2.** *fig* bard

chanvre [ʃɑ̃vʀ] *m* hemp

chaos [kao] *m* chaos

chaotique [kaɔtik] *adj* chaotic

chapardage [ʃapaʀdaʒ] *m fam* pilfering; swiping *fam* **chaparder** *v/t fam* to pilfer; to swipe *fam* **chapardeur** *fam adj* ⟨**-euse** [-øz]⟩ petty thief

chape [ʃap] *f* TECH *de pneu* tread; (*couche*) screed coat

▶ **chapeau** [ʃapo] *m* ⟨**~x**⟩ **1.** hat; ***~ de paille*** straw hat; *fig* **~** (***bas***)***!*** congratulations!, well done!; *fam, fig* ***faire porter le ~ à qn*** to let sb take the blame; *fam, fig* ***travailler du ~*** to be a little crazy *fam* **2.** *des champignons* cap **3.** ***~ de roue*** hub cap; *fig*; ***démarrer sur les ~x de roue***(***s***) *voiture* to take off at top speed; *soirée* to get off to a great start **4.** MUS ***~ chinois*** Turkish crescent, Jingling Johnny

chapeauté [ʃapote] *adj* ⟨**~e**⟩ wearing a hat **chapeauter** *fam, fig v/t* to head up

chapelain [ʃaplɛ̃] *m* chaplain

chapelet [ʃaplɛ] *m* **1.** CATH rosary **2.** *fig d'injures* stream; *d'oignons* string

chapelier [ʃapəlje] *m* hatter

chapelle [ʃapɛl] *f* **1.** chapel **2.** *fig et péj* clique

chapelure [ʃaplyʀ] *f* breadcrumbs (+ *v pl*)

chaperon [ʃapʀõ] *m* **1.** chaperone **2.** ***le Petit Chaperon rouge*** Little Red Riding Hood

chaperonner [ʃapʀɔne] *v/t jeune fille* to chaperone

chapiteau [ʃapito] *m* ⟨**~x**⟩ **1.** ARCH capital **2.** big top

chapitre [ʃapitʀ] *m* chapter (*a fig*, ÉGL); *fig* ***sur ce ~*** on this subject

chapitrer [ʃapitʀe] *v/t* ***~ qn*** to tell sb off

chapon [ʃapõ] *m* capon

▶ **chaque** [ʃak] *adj indéf* each

char [ʃaʀ] *m* **1.** MIL **~** (***d'assaut***) tank **2.** (*voiture*) cart; ANTIQUITÉ ***course*** *f* ***de ~s*** chariot race

charabia [ʃaʀabja] *m fam* gibberish

charade [ʃaʀad] *f* riddle

▶ **charbon** [ʃaʀbõ] *m* **1.** coal; ***~ de bois*** charcoal; *fig* ***être sur des ~s ardents*** to be like a cat on a hot tin roof **2.** *des animaux, de l'homme* anthrax; BOT smut

charbonnage [ʃaʀbɔnaʒ] *m* coalmining

charbonnier [ʃaʀbɔnje] **I** *adj* ⟨**-ière** [-jɛʀ]⟩ **1.** coal(mining) *épith* **2.** ***mésange charbonnière*** great tit **II** *m* **1.** coal merchant **2.** *autrefois* coaler

charcuter [ʃaʀkyte] *f fam* ***~ qn*** to butcher sb *fam*; ***se ~ le doigt*** to cut one's finger badly

▶ **charcuterie** [ʃaʀkytʀi] *f* **1.** cold cuts, *brit* cold meat **2.** pork butcher's

charcutier [ʃaʀkytje] *m* pork butcher

chardon [ʃaʀdõ] *m* thistle

chardonneret [ʃaʀdɔnʀɛ] *m* goldfinch

charentaise [ʃaʀɑ̃tɛz] *f* carpet slipper

▶ **charge** [ʃaʀʒ] *f* **1.** (*fardeau*) load; *fig* burden **2.** ÉLEC, *d'une arme* charge; ***~ d'explosifs*** explosive charge **3.** *fig* charge (*a* JUR); *d'un loyer* ***~s*** *pl* costs; ***~s fiscales*** taxation (+ *v sg*); ***~s sociales*** *d'une entreprise* employer's social security contributions; *brit* employer's national insurance contributions; ***enfant*** *m* ***à ~*** dependent child; ***avoir qn à ~*** to be responsible for sb; ***être à la ~ de qn*** *personne* to be dependent on sb; *frais* to be chargeable to sb; ***de lourdes ~s pèsent sur lui*** the charges against him are serious **4.** (*responsabilité*) responsibility; ***avoir ~ d'âme*** to have the cure of souls; ***prendre qn en ~*** to take charge of sb; *taxi* : *passager* to pick up sb; ***prendre qc en ~*** *frais* to take care of sth **5.** (*fonction publique*) office **6.** (*attaque*) charge; *fig* ***revenir à la ~*** to return to the attack

chargé [ʃaʀʒe] **I** *adj* ⟨**~e**⟩ **1.** loaded (***de*** with); *estomac* full; *langue* coated; *fig emploi du temps* busy; ***lettre ~e*** registered letter **2.** *arme* loaded **3.** (*responsable*) ***~ de*** responsible for; ***être ~ de famille*** to have family responsibilities **II** ***~*** *m* ***d'affaires*** chargé d'affaires; ***~***(***e***) *m*(*f*) ***de cours*** part-time lecturer

chargement [ʃaʀʒəmɑ̃] *m* **1.** loading; TECH charging; *de marchandises* loading **2.** (*cargaison*) load, cargo

▶ **charger** [ʃaʀʒe] ⟨**-ge-**⟩ **I** *v/t* **1.** to load (***de*** with); *marchandises* to load; *fam taxi*: *client* to pick up **2.** *fig* to overload (***de*** with); ***charger qn*** to weigh sb down; JUR to charge sb **3.** (*confier*) ***charger qn de faire qc*** to make sb responsible for doing sth **4.** *arme, ordinateur, appareil photo* to load; *batterie* to charge **5.** (*attaquer*) to charge **II** *v/pr* ▶ ***se charger de qc*** to take responsibility for sth; ***se charger de qn*** to look after sb

chargeur [ʃaʀʒœʀ] *m d'un fusil* magazine; *de batterie* charger

chariot [ʃaʀjo] *m* cart; *de supermarché* cart, *brit* trolley; AVIAT, CH DE FER (luggage) cart, *brit* (luggage) trolley; TECH truck

charismatique [kaʀismatik] *adj* charis-

matic **charisme** *m* charisma
charitable [ʃaʀitabl] *adj* charitable **charitablement** *adv* charitably
charité [ʃaʀite] *f* charity (*a* REL); ***faire la ~ à qn*** to give money to sb
charivari [ʃaʀivaʀi] *m* din; racket *fam*
charlatan [ʃaʀlatɑ̃] *m péj* charlatan
Charlemagne [ʃaʀləmaɲ] *m* Charlemagne
Charles [ʃaʀl] *m* Charles
charleston [ʃaʀlɛstɔn] *m danse* charleston
Charlot [ʃaʀlo] *m* Charlie Chaplin
charlotte [ʃaʀlɔt] *f* **1.** CUIS charlotte **2.** mobcap
charmant [ʃaʀmɑ̃] *adj* ⟨**-ante** [-ɑ̃t]⟩ charming, delightful; ***prince ~*** Prince Charming
▶ **charme**[1] [ʃaʀm] *m* **1.** charm; ***faire du ~ à qn*** *fam* to turn the charm on with sb; ***être sous le ~ de qn*** to be under sb's spell; ***il se porte comme un ~*** he's as fit as a fiddle **2.** ***les ~s*** *de femme* charms
charme[2] *m* hornbeam
charmer [ʃaʀme] *v/t* to charm; *p/fort* to enchant; ***être charmé*** to be delighted (***de*** + *inf* to + *inf*)
charmeur [ʃaʀmœʀ] *m* **1.** ***~ de serpent*** snake charmer **2.** (*séducteur*) charmer
charmille [ʃaʀmij] *f* arbor, bower
charnel [ʃaʀnɛl] *adj* ⟨**~le**⟩ carnal; ***amour ~*** carnal love
charnier [ʃaʀnje] *m* mass grave
charnière [ʃaʀnjɛʀ] *f* **1.** hinge **2.** *fig* bridge
charnu [ʃaʀny] *adj* ⟨**~e**⟩ fleshy
charognard [ʃaʀɔɲaʀ] *m* scavenger
charogne [ʃaʀɔɲ] *f* **1.** carrion, rotting carcass **2.** *fam péj*, (*homme*) bastard *pop*; (*femme*) bitch *pop*
charolais [ʃaʀɔlɛ] *m* Charolais
charpente [ʃaʀpɑ̃t] *f* **1.** CONSTR framework; **~** (***du toit***) roof structure **2.** **~** (***osseuse***) skeleton
charpenté [ʃaʀpɑ̃te] *adj* ⟨**~e**⟩ ***être bien ~*** to be well built
charpentier [ʃaʀpɑ̃tje] *m* carpenter
charpie [ʃaʀpi] *f* ***en ~*** in shreds; *viande* cooked to shreds; *livre* torn to shreds
charretée [ʃaʀte] *f* cartload
charretier [ʃaʀtje] *m* carter
charrette [ʃaʀɛt] *f* cart; ***~ à bras*** handcart
charrier [ʃaʀje] **I** *v/t* **1.** *fleuve*: *glaces* to carry along **2.** *fam* ***~ qn*** to tease sb mercilessly *fam* **II** *fam v/i* to go too far *fam*
charron [ʃaʀõ] *m* cartwright, wheelwright
charrue [ʃaʀy] *f* plow; *fig* ***mettre la ~ avant les bœufs*** to put the cart before the horse
charte [ʃaʀt] *f* JUR, POL charter; HIST (ancient) deed
charter [ʃaʀtɛʀ] *m* **1.** charter **2.** *adj* charter *épith*
chartreuse [ʃaʀtʀøz] *f* **1.** CATH Carthusian monastery, Charterhouse **2.** *liqueur* Chartreuse
chartreux [ʃaʀtʀø] *m* CATH Carthusian monk
chas [ʃa] *m d'une aiguille* eye
▶ **chasse** [ʃas] *f* **1.** hunting; ***~ sous-marine*** harpoon fishing; ***~ aux canards*** duck shooting; ***aller, partir à la ~*** to go hunting **2.** *fig* chase; ***~ à l'homme*** manhunt; ***~ aux sorcières*** witchhunt; ***faire la ~ à qn, prendre qn, qc en ~*** to chase (after) sb, sth **3.** ***avion*** *m* ***de ~*** fighter plane **4.** **~** (***d'eau***) flush; ***tirer la chasse*** to flush the toilet
châsse [ʃɑs] *f* **1.** reliquary **2.** *arg* ***~s*** *pl* eyes
chassé-croisé [ʃasekʀwaze] *m* ⟨**chassés-croisés**⟩ *fig* confusion; *de vacanciers* flow in both directions; *en danse* chassé-croisé
chasselas [ʃasla] *m* Chasselas grape
chasse-neige *m* ⟨*inv*⟩ TECH, SKI snowplow
▶ **chasser** [ʃase] **I** *v/t* **1.** to hunt; *papillons* to catch; ***~ le lièvre*** to go hare coursing **2.** (*faire partir*) to chase *ou* drive away; (*congédier*) *fam* to fire, to dismiss; *mauvaise odeur, etc* to get rid of; *soucis, pensées* to chase away, *litt* to banish **II** *v/i voiture* to skid; *ancre* to drag
chasseur [ʃasœʀ] *m* **1.** CH hunter; *fig* ***~ d'autographes*** autograph hound; ***~ de têtes*** headhunter (*a* COMM) **2.** MIL ***~s alpins*** mountain light infantry **3.** AVIAT fighter (plane) **4.** *d'hôtel* bellhop, *brit* bellboy **5.** *adj* ⟨*inv*⟩ CUIS *sauce* chasseur
chassie [ʃasi] *f* rheum
chassieux [ʃasjø] *adj* ⟨**-euse** [-øz]⟩ ***avoir les yeux ~*** to have rheumy eyes
châssis [ʃasi, ʃɑ-] *m* **1.** (*cadre*) frame **2.** AUTO chassis; *fam, fig* ***elle a un beau ~*** she's got a great figure *fam* **3.** *de fenêtre* frame **4.** JARD cold frame
chaste [ʃast] *adj* chaste; ***~s oreilles*** *fpl* innocent ears

chasteté [ʃastəte] *f* chastity
chasuble [ʃazybl] *f* **1.** CATH chasuble **2.** *adj* ***robe*** *f* **~** pinafore dress
► **chat¹** [ʃa] *m* cat; *mâle* tomcat; *fig* ***appeler un ~ un ~*** to call a spade a spade; *fig* ***il n'y a pas un ~*** there isn't a soul around; *fig* ***avoir un ~ dans la gorge*** to have a frog in one's throat; *fig* ***avoir d'autres ~s à fouetter*** to have other fish to fry; *enfants* ***jouer à ~*** to play tag; *prov* ***quand le ~ n'est pas là, les souris dansent*** when the cat's away, the mice will play
chat² [tʃat] *m* INFORM chatroom
châtaigne [ʃɑtɛɲ] *f* **1.** BOT chestnut **2.** *fam* clout
châtaignier [ʃɑteɲe] *m* chestnut (tree)
châtain [ʃɑtɛ̃] *adj cheveux* chestnut; *personne* ***être ~*** to have brown hair
► **château** [ʃɑto] *m* ⟨**~x**⟩ **1.** castle; ***~ fort*** (fortified) castle; ***~ de cartes*** house of cards; *fig* ***bâtir des ~x en Espagne*** to build castles in the air **2.** ***~ d'eau*** water tower
chateaubriand *ou* **châteaubriant** [ʃatobʀijɑ̃] *m* CUIS chateaubriand
châtelain [ʃɑtlɛ̃, ʃɑ-] *m*, **châtelaine** [-ɛn] *f* château owner
chat-huant [ʃayɑ̃] *m* ⟨**chats-huants**⟩ tawny owl
châtier [ʃɑtje] *v/t st/s* **1.** to punish, *litt* to chastize **2.** *adj style* ***châtié*** polished
chatière [ʃatjɛʀ] *f* **1.** catflap **2.** *souterrain* crawl
châtiment [ʃɑtimɑ̃] *m* ***~ corporel*** corporal punishment
chatoiement [ʃatwamɑ̃] *m* shimmer
chaton [ʃatõ] *m* **1.** ZOOL kitten **2.** BOT catkin **3.** ORFÈVRERIE stone, gem; *de bague* setting
chatouillement [ʃatujmɑ̃] *m* tickling; *dans la gorge* tickle
chatouiller [ʃatuje] *v/t* **1.** to tickle **2.** *fig le palais* to titillate; *la vanité de qn* to flatter
chatouilles [ʃatuj] *fpl fam* ***faire des ~ à qn*** to tickle sb
chatouilleux [ʃatujø] *adj* ⟨**-euse** [-øz]⟩ ticklish; *fig* touchy
chatoyant [ʃatwajɑ̃] *adj* ⟨**-ante** [-ɑ̃t]⟩ shimmering **chatoyer** *v/i* ⟨**-oi-**⟩ to shimmer
châtré [ʃɑtʀe] *adj* ⟨**~e**⟩ castrated; *chat* neutered **châtrer** *v/t* to castrate; *chat* to neuter; *cheval* to geld
chatte [ʃat] *f* **1.** ZOOL cat **2.** *adj fig* ***elle est ~*** she's affectionate **3.** *pop* (*sexe de la femme*) pussy *pop*
chatter [tʃate] *v/i* INFORM to chat online
chatteries [ʃatʀi] *fpl* **1.** ***faire des ~ à qn*** to cuddle sb **2.** candy (+ *v sg*), *brit* sweets
chatterton [ʃatɛʀtɔn] *m* insulating tape
► **chaud** [ʃo] **I** *adj* ⟨**chaude** [ʃod]⟩ **1.** warm; *p/fort* hot; ***vin ~*** mulled wine; ***manger ~*** to have a hot meal; ***servir ~*** to serve hot **2.** *fig félicitations, couleur, voix* warm; *discussion* heated; *partisan* keen; POL *journées* turbulent; ***avoir un tempérament ~*** to be hot-tempered; ***nouvelle toute ~e*** hot news; ***il n'est pas très ~ (pour ce projet)*** he's not very keen (on this project); ***opérer à ~*** to carry out an emergency operation; ***reportage*** *m* ***à ~*** on-the-spot report **II** *m* warmth; *p/fort* heat; ***au ~*** *à l'intérieur* in the warm; *au lit* snug; *plat* ***garder, tenir au ~*** to keep warm; ***j'ai ~*** I'm warm, *p/fort* I'm hot; *fig* ***j'ai eu ~*** *fam* I had a narrow escape; ***il fait ~*** it's warm, *p/fort* it's hot; *fig* ***ça ne me fait ni ~ ni froid*** it makes no difference to me; ***prendre un ~ et froid*** to catch a chill
chaudement [ʃodmɑ̃] *adv* warmly (*a fig*)
chaud-froid *m* ⟨**chauds-froids**⟩ chaudfroid
chaudière [ʃodjɛʀ] *f* boiler
chaudron [ʃodʀõ] *m* cauldron
chaudronnerie [ʃodʀɔnʀi] *f* **1.** *usine* boiler works (+ *v sg*) **2.** *objets* boilers; *dans une cuisine* pots and pans (+ *v pl*)
chaudronnier [ʃodʀɔnje] *m* boilermaker
► **chauffage** [ʃofaʒ] *m* heating; ***~ central*** central heating; ***~ au gaz, au mazout*** gas-fired, oil-fired heating; ***appareil*** *m* ***de ~*** heater; TECH heating appliance; ***bois*** *m* ***de ~*** firewood
chauffagiste [ʃofaʒist] *m* heating engineer
chauffant [ʃofɑ̃] *adj* ⟨**-ante** [-ɑ̃t]⟩ heating
chauffard [ʃofaʀ] *m fam* roadhog *fam*, dangerous driver
chauffe-biberon [ʃofbibʀõ] *m* ⟨**chauffe-biberons**⟩ bottle warmer **chauffe-eau** *m* ⟨*inv*⟩ water heater **chauffe-plats** *m* ⟨*inv*⟩ hot plate
► **chauffer** [ʃofe] **I** *v/t* to warm (up); *p/fort* to heat (up); *appartement* to heat

II *v/i* **1.** to warm up, *p/fort* to heat up; ***faire ~*** *le manger* to heat (up); *moteur* to warm (up); ***mettre de l'eau à ~*** to boil *ou* heat up some water **2.** *moteur, essieu* to overheat **3.** *poêle, combustible* to heat up; *soleil* to become hot **4.** *fam, fig* ***ça va ~*** *fam* there'll be trouble **III** *v/pr* ***se chauffer*** **1.** to warm oneself (***au soleil*** in the sunshine) **2.** ***se ~ au bois*** to have wood-fired heating

chaufferette [ʃofʀɛt] *f* bedwarmer

chaufferie [ʃofʀi] *f* boiler room

chauffeur [ʃofœʀ] *m de bus, camion* driver; (*employé*) chauffeur, driver; ***~ de taxi*** taxi *ou* cab driver

chauffeur-livreur [ʃofœʀlivʀœʀ] *m* ⟨**chauffeurs-livreurs**⟩ delivery driver

chauffeuse [ʃoføz] *f* low fireside chair

chauler [ʃole] *v/t mur* to whitewash

chaume [ʃom] *m* **1.** stubble; *champ* stubble field **2.** ***toit*** *m* ***de ~*** thatched roof

chaumière [ʃomjɛʀ] *f* **1.** thatched cottage **2.** simple cottage

chaussant [ʃosɑ̃] *adj* ⟨**-ante** [-ɑ̃t]⟩ *chaussures* ***être ~es*** to be a good fit

chaussée [ʃose] *f* pavement, *brit* roadway

chausse-pied [ʃospje] *m* ⟨**chausse--pieds**⟩ shoehorn

chausser [ʃose] **I** *v/t* **1.** *chaussures et par ext skis, lunettes* to put on; ***~ qn*** to put shoes on sb; ***~ du 37*** to take a size 37 **2.** *chaussures* ***~ (qn) bien*** to fit (sb) well **3.** *véhicule* fit with tires **II** *v/pr* **1.** ***se ~*** to put one's shoes on **2.** ***se ~ chez X*** to get one's shoes at X's

chausse-trape [ʃostʀap] *f* ⟨**chausse--trapes**⟩ **1.** trap **2.** *fig* pitfall

▶ **chaussette** [ʃosɛt] *f* sock

chausson [ʃosõ] *m* **1.** slipper; *de bébés* bootee; ***~ (de danse)*** ballet shoe *ou* pump **2.** ***~ aux pommes*** apple turnover

▶ **chaussure** [ʃosyʀ] *f* **1.** shoe; ***~s*** *pl* shoes; ***~ basse*** shoe; ***~s de marche*** hiking boots; ***~s de ski*** ski boots; *fig* ***trouver ~ à son pied*** (*trouver un compagnon, une compagne*) to find the right man *ou* woman **2.** footwear industry

chaut [ʃo] *vieilli* ***peu me ~*** it matters little to me

chauve [ʃov] *adj* bald

chauve-souris [ʃovsuʀi] *f* ⟨**chauves--souris**⟩ ZOOL bat

chauvin [ʃovɛ̃] **I** *adj* ⟨**-ine** [-in]⟩ chauvinistic **II** ***~(e)*** *m(f)* chauvinist

chauvinisme [ʃovinism] *m* chauvinism

chaux [ʃo] *f* lime; *fig* ***être bâti à ~ et à sable*** to have an iron constitution

chavirement [ʃaviʀmɑ̃] *m* capsizing

chavirer [ʃaviʀe] **I** *v/t fig adj* ***j'en suis tout chaviré*** I'm overwhelmed **II** *v/i* to capsize; ***faire ~*** to capsize

chéchia [ʃeʃja] *f* fez

check-up [(t)ʃɛkœp] *m* ⟨*inv*⟩ check-up

▶ **chef** [ʃɛf] *m, fam a f* **1.** POL leader; (*patron*) *fam* boss; *d'indigènes* chief; ***chef comptable*** chief accountant; ***chef (cuisinier)*** (head) chef; ***chef de bande*** ringleader; ***chef de chantier*** site foreman; ▶ ***chef d'entreprise*** company director; ***chef d'État, de l'État*** head of state; ***chef de famille*** head of the family; ADMIN head of the household; ***chef de file*** *personne* leader; *produit* market leader; ▶ ***chef d'orchestre*** conductor; ***chef de produit*** product manager; ***chef de service*** departmental manager; ***médecin-chef*** senior consultant; ***rédacteur*** *m* ***en chef*** editor-in-chief **2.** ***au premier chef*** first and foremost; ***de son propre chef*** on one's own initiative **3.** JUR ***chef d'accusation*** charge, count

chef-d'œuvre [ʃɛdœvʀ] *m* ⟨**chefs--d'œuvre**⟩ masterpiece

chef-lieu *m* ⟨**chefs-lieux**⟩ administrative centre *of a French département*

cheftaine [ʃɛftɛn] *f de scouts* girl scout leader, *brit* guide captain

cheik(h) [ʃɛk] *m* sheikh

chelem [ʃlɛm] *m* SPORT ***faire le grand ~*** to win the Grand Slam

▶ **chemin** [ʃ(ə)mɛ̃] *m* **1.** (*trajet*) way; (*route*) road (***de*** to) *a fig*; ***~ creux*** sunken road; CATH ***~ de croix*** stations of the Cross (+ *v pl*); ***~ du retour*** way back; MIL ***~ de ronde*** path along the battlements; ***~ de terre*** dirt track; ***en ~*** on the way; ***être en ~*** to be on one's way; *fig* ***ne pas y aller par quatre ~s*** not to beat around the bush; ***~ faisant*** on the way; ***faire du ~*** to come a long way; *fig* ***faire son ~*** to make one's way (in life); *idée* to gain ground; ***passer son ~*** to go one's way; *fig* ***reprendre le ~ de l'école*** to take the long way around; *prov* ***tous les ~s mènent à Rome*** all roads lead to Rome **2.** ***~ de table*** (table) runner

▶ **chemin de fer** [ʃ(ə)mɛ̃dfɛʀ] *m* railroad, *brit* railway; ***voyager en ~*** to go *ou* travel by rail

chemineau [ʃ(ə)mino] *m* ⟨**~x**⟩ vagabond

▶ **cheminée** [ʃ(ə)mine] *f* **1.** fireplace; *encadrement* mantelpiece; *conduit* chimney; **~ *d'usine*** smokestack, chimney **2.** ESCALADE chimney **3.** *de volcan* vent
cheminement [ʃ(ə)minmɑ̃] *m* progression; *des eaux* course
cheminer [ʃ(ə)mine] *v/i* **1.** to walk, to make one's way **2.** *fig idée* to take root
cheminot [ʃ(ə)mino] *m* rail worker
▶ **chemise** [ʃ(ə)miz] *f* **1.** shirt; *dessous féminin* undershirt, *brit* vest; **~ *de nuit*** *de femme* nightgown; *d'homme* nightshirt; *fig* ***changer d'avis comme de ~*** to change one's mind at the drop of a hat; ***il donnerait sa ~*** he'd give you the shirt off his back; *fam* ***je m'en moque comme de ma première ~*** I don't give a hoot *fam* **2.** *pour documents* folder
chemiserie [ʃ(ə)mizʀi] *f industrie* shirt-making; *usine* shirt factory **chemisette** *f* short-sleeved shirt
▶ **chemisier** [ʃ(ə)mizje] *m* blouse; *adj* ***robe*** *f* **~** shirtwaister (dress)
chenal [ʃənal] *m* ⟨**-aux** [-o]⟩ channel
chenapan [ʃ(ə)napɑ̃] *m plais* rascal
▶ **chêne** [ʃɛn] *m* oak (tree); ***de, en ~*** oak *épith*
chéneau [ʃeno] *m* ⟨**~x**⟩ gutter
chêne-liège *m* ⟨**chênes-lièges**⟩ cork oak
chenet [ʃənɛ] *m* firedog, andiron
chenil [ʃənil] *m* kennel, *brit* kennels (+ *v sg*)
chenille [ʃ(ə)nij] *f* **1.** ZOOL caterpillar **2.** ***véhicule*** *m* ***à ~s*** tracked vehicle
chenillé [ʃ(ə)nije] *adj* ⟨**~e**⟩ *véhicule* tracked
chenu [ʃəny] *litt adj* ⟨**~e**⟩ hoary
cheptel [ʃɛptɛl] *m* livestock; **~ *bovin*** beef *ou* dairy herd
▶ **chèque** [ʃɛk] *m* check (***de mille euros*** for a thousand euros); **~ *postal*** post office check, *brit* giro check; **~ *au porteur*** bearer check; **~ *de voyage*** traveler's check; *fam* **~ *en bois*** rubber check *fam*; ***faire un ~*** to write a check; ***payer par ~*** to pay by check **chèque-restaurant** *m* ⟨**chèques-restaurant**⟩ luncheon voucher
chéquier [ʃekje] *m* checkbook
▶ **cher** [ʃɛʀ] **I** *adj* ⟨**chère**⟩ **1.** dear; (***mes***) ***~s auditeurs*** dear listeners; ***mon vœu le plus ~*** my dearest wish **2.** (*coûteux*) dear, expensive; (*précieux*) dear; ***vie chère*** high cost of living **II** *adv* a lot (of money); *fig* dearly; ***moins ~*** more cheaply; *fam* ***je l'ai eu pour pas ~*** I got it cheap *fam*; ***payer qc ~*** to pay a lot for sth; *fig erreur, etc* to pay dearly for sth; *fig* ***il me le payera ~!*** I'll make him pay (dearly) for that!; ***vendre ~*** to sell at a high price; *fig sa vie* to sell dearly
▶ **chercher** [ʃɛʀʃe] **I** *v/t* **1.** to look for; **~ *qn, qc*** to look for sb, sth; **~ *ses mots*** to search for words; **~ *du secours*** to look for help; **~ *qn du regard, des yeux*** to look (around) for sb **2.** ***aller ~ qn, qc*** to go for *ou* fetch sb, sth; ***venir ~ qn, qc*** to come for *ou* collect sb, sth **3.** *danger* to go looking for; **~ *l'accident*** to be heading for an accident; ***il l'a cherché!*** he was asking for it! **4.** *fam* **~ *qn*** to pick on sb **II** *v/t indir* **1.** **~ *à*** *+inf* to try *+inf*; **~ *à plaire*** to try to please (people) **2.** *fam* **~ *après qn*** to look for sb **3.** *fam* ***ça va ~ dans les mille euros*** it'll cost around a thousand euros
chercheur [ʃɛʀʃœʀ] *m* **1.** researcher **2.** **~ *d'or*** gold-digger
chercheuse [ʃɛʀʃøz] *f* **1.** researcher **2.** *adj d'une fusée* ***tête ~*** homing device
chère [ʃɛʀ] *f* ***aimer la bonne ~*** to enjoy good food; ***faire bonne ~*** to eat well
chéri [ʃeʀi] **I** *adj* ⟨**~e**⟩ beloved **II** **~(*e*)** *m(f)* darling
chérir [ʃeʀiʀ] *v/t* to cherish; **~ *le souvenir de qn*** to cherish sb's memory
chérot [ʃeʀo] *fam adj* ⟨*only m*⟩ *fam* pricey
cherté [ʃɛʀte] *f* **~ *de la vie*** high cost of living
chérubin [ʃeʀybɛ̃] *m d'un enfant* cherub
chétif [ʃetif] *adj* ⟨**-ive** [-iv]⟩ *enfant* puny; *plante* scrawny
▶ **cheval** [ʃ(ə)val] *m* ⟨**-aux** [-o]⟩ **1.** horse; *fig* **~ *de bataille*** hobbyhorse; **~ *de course*** racehorse; *fig* ***fièvre de ~*** raging fever; *fig* ***remède*** *m* ***de ~*** drastic remedy; ***à ~*** on horseback; ***à ~!*** mount!; ***à ~ sur*** astride; *fig* spanning; *fig* ***être à ~ sur les principes*** to be a stickler for principles; ***aller à ~*** to ride; *fig* ***monter sur ses grands chevaux*** to get on one's high horse **2.** (*équitation*) horseriding; ***faire du ~*** to go horseriding **3.** (***jeu*** *m* ***de***) ***petits chevaux*** *pl board game for 2 to 4 players* **4.** *fam, fig* ***un grand ~*** a big, mannish woman; *fig* (***vieux***) **~ *de retour*** *fam* habitual offender; *fam* ***c'est pas un mauvais ~*** he's not a bad guy *fam*

5. PHYS (*abr* ***ch***) horsepower (*abr* hp); *par ext* ***une cinq chevaux*** a five-horse-power car

chevaleresque [ʃ(ə)valʀɛsk] *adj* chivalrous

chevalerie [ʃ(ə)valʀi] *f* chivalry

chevalet [ʃ(ə)valɛ] *m* **1.** trestle; *de peintre* easel **2.** *de violon* bridge

chevalier [ʃ(ə)valje] *m* knight; *iron* **~ *servant*** devoted admirer

chevalière [ʃ(ə)valjɛʀ] *f* signet ring

chevalin [ʃ(ə)valɛ̃] *adj* ⟨**-ine** [-in]⟩ equine

cheval-vapeur *m* ⟨**chevaux-vapeur**⟩ TECH horsepower

chevauchée [ʃ(ə)voʃe] *f* ride

chevauchement [ʃ(ə)voʃmɑ̃] *m* overlapping *a fig*

chevaucher [ʃ(ə)voʃe] **I** *v/t* to sit astride **II** *v/i* (*et v/pr* ***se***) **~** to overlap

chevêche [ʃəvɛʃ] *f* little owl

chevelu [ʃəvly] *adj* ⟨**~e**⟩ **1.** ***cuir* ~** scalp **2.** *personne* long-haired

chevelure [ʃəvlyʀ] *f* **1.** hair **2.** *d'une comète* tail

chevet [ʃ(ə)vɛ] *m* **1.** ***lampe*** *f* ***de* ~** bedside lamp; ***livre*** *m* ***de* ~** bedside reading; ***au* ~ *de qn*** at sb's bedside **2.** ARCH chevet

► **cheveu** [ʃ(ə)vø] *m* ⟨**~x**⟩ **1.** hair; **~*x*** *pl* hair (+ *v sg*); *fig* ***à un* ~ *près*** by a hair's breadth; *fig* ***avoir un* ~ *sur la langue*** to have a lisp; *fig* ***avoir mal aux* ~*x*** *fam* to have a hangover; *fig* ***couper les* ~*x en quatre*** to split hairs; *fig* ***faire dresser les* ~*x sur la tête à qn*** to make sb's hair stand on end; *fig* ***se faire des* ~*x*** to worry o.s. sick; *fig* ***c'est tiré par les* ~*x*** it's a bit far-fetched; ***ça vient, arrive comme un* ~ *sur la soupe*** it comes at an awkward moment **2.** **~*x*** *pl* ***d'ange*** angel hair pasta (+ *v sg*); *décoration de Noël* angel hair **3.** BOT **~ *de Vénus*** maidenhair fern

► **cheville** [ʃ(ə)vij] *f* **1.** ANAT ankle; *par ext* ***qui arrive à la* ~** *jupe* ankle-length; *fig* ***il ne lui arrive pas à la* ~** he can't hold a candle to him / her; *fam, fig* ***tu as les* ~*s qui enflent*** *fam* you're getting too big for your britches **2.** TECH peg; *en bois* dowel; *fig* **~ *ouvrière*** kingpin **3.** *de violon* peg

chevillé [ʃ(ə)vije] *adj* ⟨**~e**⟩ ***avoir l'âme* ~*e au corps*** to be indestructible

cheviller [ʃ(ə)vije] *v/t* to peg *ou* bolt (together)

► **chèvre** [ʃɛvʀ] *f* **1.** goat; *fig* ***ménager la* ~ *et le chou*** to sit on the fence **2.** (***fromage*** *m* ***de***) **~** *m* goat's cheese

chevreau [ʃəvʀo] *m* ⟨**~x**⟩ **1.** ZOOL kid **2.** *cuir* kid

chèvrefeuille *m* honeysuckle

► **chevreuil** [ʃəvʀœj] *m* **1.** roe deer **2.** *cuis* venison

chevrier [ʃəvʀije] *m*, **chevrière** [-ijɛʀ] *f* goatherd

chevron [ʃəvʀõ] *m* **1.** CONSTR rafter **2.** TEXT herringbone pattern **3.** MIL stripe, chevron

chevronné [ʃəvʀɔne] *adj* ⟨**~e**⟩ experienced

chevrotant [ʃəvʀɔtɑ̃] *adj* ⟨**-ante** [-ɑ̃t]⟩ *voix* quavering **chevrotement** *m de la voix* quaver **chevroter** *v/i* to quaver

chevrotin [ʃəvʀɔtɛ̃] *m* **1.** ZOOL fawn **2.** *goat's cheese from the Haute-Savoie*

chevrotine [ʃəvʀɔtin] *f* CH buckshot

chewing-gum [ʃwiŋgɔm] *m* ⟨**chewing-gums**⟩ chewing gum

► **chez** [ʃe] *prép* **~ *Voltaire*** in Voltaire; **~ *les jeunes*** among young people; **~ *moi*** at my place; ***chez Marcel*** at Marcel's (place); ***par* ~ *nous*** near our place; ***derrière* ~ *moi*** behind where I live; ***acheter qc* ~ *le boulanger*** to buy sth at the bakery; ***aller* ~ *le coiffeur*** to go to the hairdresser; ***être* ~ *soi*** to be at home; ***rentrer* ~ *soi*** to go home; ***je viens de* ~ *lui*** I've just come from his place

chez-moi *m*, **chez-soi** *m*, *etc* ⟨*inv*⟩ home; ***je suis content de retrouver mon chez-moi*** I'm happy to be back in my own home again

chiadé [ʃjade] *fam adj* ⟨**~e**⟩ elaborate

chialer [ʃjale] *v/i fam* to cry, to blubber *fam*

chialeur [ʃjalœʀ] *m*, **chialeuse** [-øz] *f fam* crybaby

chiant [ʃjɑ̃] *pop adj* ⟨**-ante** [-ɑ̃t]⟩ really boring; ***c'est* ~** it's a pain in the ass! *pop*

chianti [kjɑ̃ti] *m* Chianti

chiasse [ʃjas] *f pop* ***avoir la* ~** to have the runs *fam*

► **chic** [ʃik] **I** *adj* ⟨*inv*, *pl a* **~s**⟩ **1.** (*élégant*) stylish; ***les gens* ~(*s*)** stylish people **2.** *fam* **~ (*alors*)!** great! *fam* **II** *m* **1.** style; ***bon* ~ *bon genre*** → ***B.C.B.G.*** **2.** *iron* ***avoir le* ~ *pour faire qc*** to have a knack of doing sth

chicane [ʃikan] *f* **1.** squabble; ***chercher* ~ *à qn*** to pick a quarrel with sb **2.** **~*s*** *pl* zigzags; SPORT chicanes

chicaner [ʃikane] **I** *v/t* **~ *qn*** to wrangle

with sb **II** *v/pr* ***se ~*** to squabble

chicanerie [ʃikanʀi] *f* fuss **chicaneur** *adj* 〈**-euse** [-øz]〉 quibbler, fussbudget *fam*, *brit* fusspot *fam*

chiche [ʃiʃ] *adj* **1.** *personne* mean; ***être ~ de compliments*** to be stingy with one's compliments **2.** ***pois m ~*** chickpea **3.** *fam* ***~!*** I dare you!

chichement [ʃiʃmɑ̃] *adv vivre* frugally

chichi [ʃiʃi] *m* fuss; ***faire des ~s*** to make a fuss, to be overly formal

chichiteux [ʃiʃitø] *fam adj* 〈**-euse** [-øz]〉 fussy

chicon [ʃikõ] *m* Romaine, *brit* cos lettuce

chicorée [ʃikɔʀe] *f* **1.** ***~ (frisée)*** chicory, *brit* endive **2.** *boisson* chicory (coffee)

chicot [ʃiko] *m* stump

chicotin [ʃikɔtɛ̃] *m* ***amer comme ~*** extremely bitter

chiée [ʃje] *pop* ***une ~ de …*** a slew of … *fam*, *brit* loads of … *fam*

▸ **chien** [ʃjɛ̃] *m* **1.** dog; ***~ d'aveugle, de chasse, de garde*** guide, gun, guard dog; *fam* ***temps m de ~*** foul weather; *fam* ***vie f de ~*** dog's life *fam*; *fam* ***être d'une humeur de ~*** be in a foul mood *fam*; *fam* ***j'ai eu un mal de ~*** it hurt like hell *fam*; ***entre ~ et loup*** at dusk; *fam* ***j'ai été malade comme un ~*** I was sick as a dog *fam*; *enfant* ***faire le jeune ~*** to be playful (as a puppy); *fam* ***je lui garde un ~ de ma chienne*** I've got it in for him / her *fam*; ***recevoir qn comme un ~ dans un jeu de quilles*** to give sb a very unfriendly reception; ***se regarder en ~s de faïence*** to glare at each other **2.** *fig* ***avoir du ~*** to have what it takes **3.** *du fusil* hammer; *être couché* ***en ~ de fusil*** curled up

chien-assis [ʃjɛ̃asi] *m* 〈**chiens-assis**〉 dormer window

chiendent [ʃjɛ̃dɑ̃] *m* couch grass

chienlit [ʃjɑ̃li] *fam f* shambles, chaos

chien-loup *m* 〈**chiens-loups**〉 wolfhound

chienne [ʃjɛn] *f* bitch

chier [ʃje] *v/i pop* **1.** shit *pop* **2.** ***tu me fais ~*** you piss me off *pop*; *pop* ***ça me fait ~*** it pisses me off *pop*; ***se faire ~*** to be bored stupid *fam*

chiffe [ʃif] *f fig*, *fam personne* drip *fam*

▸ **chiffon** [ʃifõ] *m* **1.** *(étoffe usée)* rag; *pour nettoyer* cloth; ***~ (à poussière)*** duster **2.** *fig* ***~ de papier*** scrap of paper **3.** *fam* ***parler ~s*** to talk (about) clothes

chiffonnade [ʃifɔnad] *f* CUIS chiffonnade

chiffonné [ʃifɔne] *adj* 〈**~e**〉 *vêtement* creased; *papier* crumpled; *fig figure* tired-looking

chiffonner [ʃifɔne] **I** *v/t fig* ***ça me chiffonne*** it bothers me **II** *v/pr* ***se ~*** *étoffe* to crease

chiffonnier [ʃifɔnje] *m*, **chiffonnière** [-jɛʀ] *f* rag-and-bone man, rag-and-bone woman

chiffrable [ʃifʀabl] *adj* calculable

chiffrage [ʃifʀaʒ] *m* **1.** *(évaluation)* assessment **2.** *d'un message* encoding

▸ **chiffre** [ʃifʀ] *m* **1.** figure; *(nombre)* number; ***~ arabe*** Arabic numeral **2.** *(montant)* total; ***~ d'affaires*** turnover; ***en ~s ronds*** in round figures **3.** *code* cipher

chiffrement [ʃifʀəmɑ̃] *m* encoding; INFORM encryption

chiffrer [ʃifʀe] **I** *v/t* **1.** *somme*, *revenus* to work out (**à** at) **2.** *message* to encode **II** *v/i* ***ça finit par ~*** it all adds up in the end **III** *v/pr* ***se ~ par millions*** to amount to millions

chiffreur [ʃifʀœʀ] *m* cipher clerk

chignole [ʃiɲɔl] *f* drill

chignon [ʃiɲõ] *m* bun; *fam* ***se crêper le ~*** to have a fight; *fig* to have a spat *fam*

chiite [ʃiit] **I** *adj* Shi'ite **II** *mpl* ***~s*** Shi'ites

Chili [ʃili] ***le ~*** Chile

chilien [ʃiljɛ̃] **I** *adj* 〈**-ienne** [-jɛn]〉 Chilean **II** ***Chilien(ne)*** *m(f)* Chilean

chimère [ʃimɛʀ] *f* fantasy; *form* chimera

chimérique [ʃimeʀik] *adj espoir*, *projet* fanciful

▸ **chimie** [ʃimi] *f* chemistry

chimiothérapie [ʃimjɔteʀapi] *f* chemotherapy

▸ **chimique** [ʃimik] *adj* chemical; ***produits*** *mpl* ***~s*** chemicals

chimiste [ʃimist] *m/f* chemist

chimpanzé [ʃɛ̃pɑ̃ze] *m* chimpanzee

▸ **Chine** [ʃin] ***la ~*** China

chiné [ʃine] *adj* 〈**~e**〉 TEXT *tissu* chiné, mottled

chiner [ʃine] **I** *v/t fam qn* to kid, to make fun of **II** *v/i* to go antique-hunting

chineur [ʃinœʀ] *m* **1.** antique-hunter **2.** *(taquin)* teaser

▸ **chinois** [ʃinwa] **I** *adj* 〈**-oise** [-waz]〉 Chinese **II** ***Chinois(e)*** *m(f)* Chinese

chinoiseries [ʃinwazʀi] *fpl* Chinese curios

chiot [ʃjo] *m* pup

chiottes [ʃjɔt] *fpl pop* toilets; john *fam* (+ *v sg*)
chiper [ʃipe] *fam v/t fam* to pinch (***à qn*** from sb)
chipeur [ʃipœʀ] *m*, **chipeuse** [-øz] *f fam* petty thief
chipie [ʃipi] *f péj fam péj* cow; ***quelle vieille ~!*** what an old cow! *fam péj*
chipolata [ʃipɔlata] *f* chipolata (sausage)
chipotage [ʃipɔtaʒ] *m* quibbling; *au marché* haggling
chipoter [ʃipɔte] *v/i* **1.** ***~ sur qc*** to quibble over sth **2.** *au marché* to haggle (***sur qc*** for sth)
chips [ʃips] *fpl* (potato) chips, *brit* crisps
chique [ʃik] *f* **1.** plug (of tobacco); *fam, fig* ***couper la ~ à qn*** to shut sb up *fam* **2.** *fam, fig* swollen cheek
chiqué [ʃike] *m fam* ***c'est du ~*** *fam* it's all a sham
chiquenaude [ʃiknod] *f* flick; ***faire tomber qc d'une ~*** to knock sth over with a flick of one's finger
chiquer [ʃike] *v/i* to chew tobacco; ***tabac*** *m* ***à ~*** chewing tobacco
chiromancienne [kiʀomɑ̃sjɛn] *f* palm reader
chirurgical [ʃiʀyʀʒikal] *adj* ⟨***~e; -aux*** [-o]⟩ surgical
chirurgie [ʃiʀyʀʒi] *f* surgery
► **chirurgien** [ʃiʀyʀʒjɛ̃] *m* **1.** surgeon **2.** ***~ dentiste*** dental surgeon
chiure [ʃjyʀ] *f* flyspeck
chlore [klɔʀ] *m* chlorine
chloré [klɔʀe] *adj* chlorinated **chlorer** *v/t eau* chlorinate
chlorhydrique [klɔʀidʀik] *adj* ***acide*** *m* ***~*** hydrochloric acid
chloroforme [klɔʀɔfɔʀm] *m* chloroform **chloroformer** *v/t* chloroform
chlorophylle [klɔʀɔfil] *f* chlorophyll
chlorure [klɔʀyʀ] *m* chloride
► **choc** [ʃɔk] *m* **1.** (*coup*) shock; (*impact*) impact; (*collision*) collision; *fig* ***c'est le ~ en retour de qc*** it's the backlash from sth **2.** (*émotion brutale*) shock (*a* MÉD); ***~ opératoire*** post-operative shock; ***ça m'a fait, donné un ~*** it gave me a shock **3.** MIL, POLICE clash; ***troupes*** *fpl* ***de ~*** shock troops; ***résister au ~*** to be shock-resistant **4.** *adj* ***argument*** *m* ***~*** killer argument; ***prix*** *m* ***~*** huge reductions
chochotte [ʃɔʃɔt] *f fam, iron* ***~!*** la-di-da(h)!
► **chocolat** [ʃɔkɔla] **I** *m* **1.** chocolate; ***~ à croquer*** dark chocolate; ***~ à cuire, au lait, aux noisettes*** cooking, milk, hazelnut chocolate **2.** ***un ~*** a chocolate; ***une boîte de ~s*** a box of chocolates **3.** *boisson* (hot) chocolate **II** *adj* ⟨*inv*⟩ **1.** chocolate *épith* **2.** *fam* ***être ~*** *fam* to feel let down
chocolaté [ʃɔkɔlate] *adj* ⟨***~e***⟩ chocolate-flavored **chocolatier** *adj* ⟨***-ière*** [-jɛʀ]⟩ chocolate maker, chocolatier
chocottes [ʃɔkɔt] *fpl fam* ***avoir les ~*** to be very nervous, to have the jitters *fam*
chœur [kœʀ] *m* **1.** choir; ***en ~*** in chorus **2.** ARCH chancel
choir [ʃwaʀ] *v/i* ⟨*déf*: ***je chois, il choit; je chus; chu***⟩ *litt* (*tomber*) to fall; *fam, fig* ***laisser ~ qn*** to let sb down
choisi [ʃwazi] *adj* ⟨***~e***⟩ selected; *langage* carefully chosen; ***morceaux ~s*** selected extracts
► **choisir** [ʃwaziʀ] *v/t* **1.** (*sélectionner*) choose, select **2.** *abs* (*décider*) choose ***~ de*** + *inf* choose + *inf*
► **choix** [ʃwa] *m* **1.** choice; (*décision*) decision; ***~ d'un métier*** choice of job; ***c'est au ~*** you have a choice; ***je n'ai pas le ~*** I don't have a choice; ***il a arrêté son ~ sur …*** he chose …; ***faire son ~*** to make one's choice **2.** (*assortiment*) range (***de*** of) **3.** ***de*** (***premier***) ***~*** choice *épith*
choléra [kɔleʀa] *m* cholera **cholérique** *adj* choleraic
cholestérol [kɔlɛsteʀɔl] *m* cholesterol
► **chômage** [ʃomaʒ] *m* unemployment; ***~ partiel*** short time; ***être au ~*** to be unemployed; ***s'inscrire au ~*** sign up (for unemployment benefits)
chômé [ʃome] *adj* ⟨***~e***⟩ ***jour ~*** day off
chômer [ʃome] *v/i machine, usine* to be idle; *personne* to be out of work; *fig* ***on ne chôme pas*** we've got plenty to keep us busy
► **chômeur** [ʃomœʀ] *m*, **chômeuse** [ʃomøz] *f* unemployed person; ***les chômeurs de longue durée*** the long-term unemployed
chope [ʃɔp] *f* beer mug
choper [ʃɔpe] *fam v/t* **1.** (*voler*) *fam* to pinch *fam* **2.** *rhume fam* to catch
chopine [ʃɔpin] *fam f* (half-liter) bottle of wine
choquant [ʃɔkɑ̃] *adj* ⟨***-ante*** [-ɑ̃t]⟩ shocking
choquer [ʃɔke] *v/t* **1.** (*offusquer*) ***~ qn*** to shock sb; ***~ la vue*** to offend the eye;

être choqué to be shocked (***par, de*** by) **2.** (*traumatiser*) ***être choqué*** to be shaken (***par*** by)

choral [kɔʀal] *m* ⟨**-als**⟩ chorale

chorale [kɔʀal] *f* choir

chorégraphe [kɔʀegʀaf] *m/f* choreographer **chorégraphie** *f* choreography

choriste [kɔʀist] *m/f* chorister

chorus [kɔʀys] *m* ***faire ~*** to voice one's agreement

▶ **chose** [ʃoz] *f* **1.** thing; ▶ ***autre chose*** something else; ***la même chose*** the same thing; (***vous lui direz***) ***bien des choses de ma part*** give him my regards; ***avant toute chose*** above all else; ***de deux choses l'une*** it has to be either one thing or the other; ***je vais vous dire une chose*** I'll tell you something; ***voilà où en sont les choses*** that's how things stand; ***c'est chose faite*** it's done; ***bien faire les choses*** to do things properly; ***parler de choses et d'autres*** to talk about this and that **2.** *pr ind* ▶ ***quelque chose*** something; ***quelque chose de beau*** something beautiful; ***c'est quelque chose!*** that's really something!; ***vous prendrez bien*** (***un petit***) ***quelque chose?*** you'll have a little something (to drink)? **3.** *fam* ***être porté sur la chose*** to have a one-track mind *fam* **4.** *m fam* (*truc*) thingummy *fam* **5.** *adj* ***se sentir tout chose*** to feel funny

▶ **chou** [ʃu] *m* ⟨**~x**⟩ **1.** cabbage; ***un ~*** a head of cabbage; ***~ rouge*** red cabbage; ***~ de Bruxelles*** Brussels sprout; ***~ de Milan*** Savoy cabbage; ***bête comme ~*** easy as pie *fam*; *fam, fig* ***il a fait ~ blanc*** he drew a blank *fam*; *fam, fig* ***faire ses ~x gras*** to have a field day *fam* (***de qc*** with sth); *bébés* ***naître dans les ~x*** to be found under a cabbage leaf; *fam, fig* ***il lui est rentré dans le ~*** he had a go at him / her *fam* **2.** *fig* ***mon*** (***petit***) ***~***, *f* ***ma choute*** [ʃut] my love; ***un*** (***petit***) ***bout de ~*** a sweet little thing; *adj* ***ce qu'il est ~!*** he's so sweet! **3.** ***~ à la crème*** cream puff; ***pâte*** *f* ***à ~*** choux pastry

choucas [ʃukɑ] *m* jackdaw

chouchou [ʃuʃu] *fam m* ⟨**~s**⟩, **chouchoute** [ʃuʃut] *fam f* pet, favorite

chouchouter [ʃuʃute] *fam v/t* to pamper

▶ **choucroute** [ʃukʀut] *f* sauerkraut

chouette[1] [ʃwɛt] *f* ZOOL owl

chouette[2] *adj fam* great, terrific *fam*

▶ **chou-fleur** *m* ⟨**choux-fleurs**⟩ cauliflower **chou-navet** *m* ⟨**choux-navets**⟩ rutabaga, *brit* swede **chou-rave** *m* ⟨**choux-raves**⟩ kohlrabi

chouraver [ʃuʀave] *v/t arg, fam* to pinch *fam*, to steal

choyer [ʃwaje] *v/t* ⟨**-oi-**⟩ to coddle

chrême [kʀɛm] *m* ÉGL (***saint***) **~** (holy) chrism

▶ **chrétien** [kʀetjɛ̃] **I** *adj* ⟨**-ienne** [-jɛn]⟩ Christian **II ~**(***ne***) *m*(*f*) Christian

chrétien-démocrate [kʀetjɛ̃demɔkʀat] *adj* POL Christian Democrat

chrétiennement [kʀetjɛnmɑ̃] *adv vivre, être élevé, mourir* as a Christian

chrétienté [kʀetjɛ̃te] *f* Christendom

Christ [kʀist] *m* **1.** ***le ~*** Christ **2. christ** crucifix

christianisation [kʀistjanizasjõ] *f* Christianization **christianiser** *v/t* to Christianize **christianisme** *m* Christianity

chromatique [kʀɔmatik] *adj* **1.** MUS, OPT chromatic **2.** BIOL ***réduction*** *f* **~** chromosome reduction

chrome [kʀom] *m* **1.** chromium **2. *~s*** *pl* chrome (+ *v sg*)

chromé [kʀome] *adj* ⟨**~e**⟩ chrome-plated **chromer** *v/t* chrome-plate

chromo [kʀomo] *m* **1.** chromolithograph **2.** *péj* bad color print

chromosome [kʀomozom] *m* chromosome **chromosomique** *adj* chromosomal

chronicité [kʀɔnisite] *f* chronicity

chronique [kʀɔnik] **I** *adj* chronic **II** *f* **1.** column **2.** MÉDIA report; *locale* news **3.** HIST chronicle

chroniqueur [kʀɔnikœʀ] *m* **1.** HIST chronicler **2. ~ *sportif*** sports columnist

chrono [kʀono] *m, abr fam* (= **chronomètre**) ***faire du 130 ~*** *fam* to do 130 kilometers an hour

chronologie [kʀɔnɔlɔʒi] *f* chronology

chronologique [kʀɔnɔlɔʒik] *adj* ***ordre*** *m* **~** chronological order

chronométrage [kʀɔnɔmetʀaʒ] *m* timing **chronomètre** *m* stopwatch **chronométrer** *v/t* ⟨**-è-**⟩ time **chronométreur** *m* timekeeper

chronophage[kʀɔnɔfaʒ] *adj* time-wasting

chrysalide [kʀizalid] *f* ZOOL chrysalis; *fig* ***sortir de sa ~*** come out of one's shell

chrysanthème [kʀizɑ̃tɛm] *m* chrysanthemum

ch'timi [ʃtimi] *fam m person from north-*

ern France

C.H.U. [seaʃy] *m*, *abr* ⟨*inv*⟩ (= **centre hospitalier universitaire**) teaching hospital

chuchotement [ʃyʃɔtmɑ̃] *m* whisper

▶ **chuchoter** [ʃyʃɔte] *v/t et v/i* to whisper

chuchoteries *fpl* whispering

chuintante [ʃɥɛ̃tɑ̃t] *f* palato-alveolar fricative

chuintement [ʃɥɛ̃tmɑ̃] *m* **1.** *pronunciation of 's' as 'sh'* **2.** *de la vapeur* hiss

chuinter [ʃɥɛ̃te] *v/i vapeur* to hiss

chut [ʃyt] *int* hush, shh

▶ **chute** [ʃyt] *f* **1.** *d'une personne* fall; ***faire une ~*** to fall (***de bicyclette*** off one's bicycle) **2.** *de choses* fall, drop (*a* PHYS); *fig des cours*, *des prix*, *de température* fall; ***~ des cheveux*** hair loss; ***~ d'eau*** waterfall; ***~s de neige*** snowfall; ***les ~s du Niagara*** the Niagara Falls; ***~ de pierres*** falling rocks; ***~ de tension*** sudden drop in blood pressure; ***point*** *m* ***de ~*** *d'un projectile* landing point; *fig* stopping-off place; ***en ~ libre*** PHYS in free fall; *fig* ÉCON ***descendre en ~ libre*** to be plummeting **3.** POL, MIL *d'un régime*, *d'une ville* fall; ***la ~ du mur de Berlin*** the fall of the Berlin Wall **4.** ***~ de cuir*** leather offcut **5.** ***la ~ des reins*** the small of one's back **6.** *d'un texte* end

chuter [ʃyte] *fam v/i* **1.** to fall **2.** *fig* to come to grief

Chypre [ʃipʀ] Cyprus

ci [si] **I** *adv* here; ***ce banc-~*** this seat; ***ces jours-~*** these days **II** *pr dém fam* ***comme ~ comme ça*** so-so *fam*

ci-après [siapʀɛ] *adv* below

cibiste [sibist] *m/f* CBer

cible [sibl] *f* **1.** target *a* PUBLICITÉ **2.** *adj* ***langue*** *f* ***~*** target language

ciboire [sibwaʀ] *m* CATH ciborium

ciboulette [sibulɛt] *f* chives + *v pl*

ciboulot [sibulo] *m fam* nut

cicatrice [sikatʀis] *f* scar

cicatrisant [sikatʀizɑ̃] *adj* ⟨**-ante** [-ɑ̃t]⟩ *remède* healing **cicatrisation** *f* healing

cicatriser [sikatʀize] **I** *v/t blessure*, *a fig* to heal **II** *v/i* (*et v/pr* ***se***) ***~*** to heal

ci-contre *adv* opposite

ci-dessous *adv* below

ci-dessus *adv* above

cidre [sidʀ] *m* cider

Cie *abr* (= **compagnie**) Co

▶ **ciel** [sjɛl] *m* ⟨**cieux** [sjø], PEINT **~s**⟩ sky (*a* ASTROL, PEINT); REL heaven ***~ de lit*** ⟨**~s**⟩ canopy; *adj* (***bleu***) ***~*** ⟨*inv*⟩ sky blue; ***à ~ ouvert*** MINES open cut; *égout* open; ***dans le ~*** in the sky; ***sous d'autres cieux*** in other climes; ***aller au ~*** to go to heaven; *fig* ***remuer ~ et terre*** to move heaven and earth; *fig* ***tomber du ~*** to be heaven-sent

cierge [sjɛʀʒ] *m* candle

cieux [sjø] *mpl* → ***ciel***

cigale [sigal] *f* cicada

▶ **cigare** [sigaʀ] *m* cigar

▶ **cigarette** [sigaʀɛt] *f* **1.** cigarette **2.** ***~ (russe)*** cigarette russe

ci-gît [siʒi] here lies

cigogne [sigɔɲ] *f* stork; ***nid*** *m* ***de ~*** stork's nest

ciguë [sigy] *f* hemlock; ***boire la ~*** to drink hemlock

ci-inclus *ou* **ci-joint** *adj et adv* enclosed

cil [sil] *m* eyelash

cilice [silis] *m* hair shirt

ciller [sije] *v/i* blink; *fig* ***ne pas ~*** not to bat an eyelid

cimaise [simɛz] *f* **1.** ARCH molding **2.** ***avoir les honneurs de la ~*** to have one's works shown

cime [sim] *f d'un arbre* top; *d'une montagne* summit

ciment [simɑ̃] *m* cement

cimenter [simɑ̃te] *v/t* to cement *a fig amitié*

cimenterie [simɑ̃tʀi] *f usine* cement works + *v pl*

cimeterre [simtɛʀ] *m* scimitar

▶ **cimetière** [simtjɛʀ] *m* cemetery; *par ext* ***~ de voitures*** scrapyard

cimier [simje] *m* crest

ciné [sine] *m*, *abr fam* (= **cinéma**) movies + *v pl*

cinéaste [sineast] *m/f* moviemaker

ciné-club *m* ⟨**ciné-clubs**⟩ film club

▶ **cinéma** [sinema] *m* **1.** cinema; *par ext* movies + *v pl*; ***faire du ~*** to be a movie actor *ou* actress **2.** (***salle*** *f* ***de***) ***~*** movie theater; ***aller au ~*** to go to the movies **3.** *fam*, *fig* ***c'est du ~*** it's all an act

cinémathèque [sinematɛk] *f* movie theater

cinématographique [sinematɔgʀafik] *adj* movie *épith*

cinéphile [sinefil] *m/f* moviegoer

cinéraire [sineʀɛʀ] *adj* ***urne*** *f* ***~*** cinerary urn

cinétique [sinetik] *adj* kinetic

cingalais [sɛ̃galɛ] *adj* ⟨**-aise** [-ɛz]⟩ Singhalese

cinglant [sɛ̃glɑ̃] *adj* ⟨**-ante** [-ɑ̃t]⟩ *vent*,

fig paroles cutting; *pluie* lashing

cinglé [sɛ̃gle] *fam adj* ⟨**~e**⟩ *fam* crazy ***être ~ a*** *fam* to be crazy; *subst* **un ~** nutcase *fam*

cingler[1] [sɛ̃gle] *v/i* **~ *vers*** to be bound for

cingler[2] *v/t* to lash (*a fig pluie*); *vent* to sting

cinoche [sinɔʃ] *m fam* movie theater

▶ **cinq** [sɛ̃k,] **I** *num/c* five; ***le ~ mai*** May fifth; *fam* ***en ~ sec*** in a flash; *fig* ***il était moins ~*** it was a near thing **II** *m* ⟨*inv*⟩ fifth; ***le ~*** (***du mois***) the fifth (of the month)

cinquantaine [sɛ̃kɑ̃tɛn] *f* **1.** ***une ~*** (***de***) about fifty **2.** *âge* fifty or so

▶ **cinquante** [sɛ̃kɑ̃t] **I** *num/c* fifty **II** *m* ⟨*inv*⟩ fifty

cinquantenaire [sɛ̃kɑ̃tnɛʀ] *m* fiftieth anniversary

▶ **cinquantième** [sɛ̃kɑ̃tjɛm] **I** *num/o* fiftieth **II** *subst* **1. *le, la ~*** the fiftieth **2.** *m* MATH fiftieth

▶ **cinquième** [sɛ̃kjɛm] **I** *num/o* fifth **II** *subst* **1. *le, la ~*** the fifth **2.** *m* MATH fifth **3.** *m étage* ***au~*** on the sixth floor, *brit* on the fifth floor **4.** *f à l'école* seventh grade,*brit* second year

cinquièmement [sɛ̃kjɛmmɑ̃] *adv* fifthly

cintre [sɛ̃tʀ] *m* **1.** coathanger **2.** ARCH (***arc*** *m* ***en***) ***plein ~*** semi-circular arch **3.** THÉ flies *pl*

cintré [sɛ̃tʀe] *adj* ⟨**~e**⟩ *veste* fitted

cintrer [sɛ̃tʀe] *v/t* **1.** TECH to arch **2.** *veste* to fit at the waist

C.I.O. [seio] *m*, *abr* (= **Comité international olympique**) IOC

cirage [siʀaʒ] *m* **1.** waxing **2.** *fam*, *fig* ***être dans le ~*** to be woozy *fam*

circoncire [siʀkõsiʀ] *v/t* ⟨→ **suffire**; *mais pp* **circoncis**⟩ to circumcise **circoncis** *adj* ⟨**-ise** [-iz]⟩ circumcised **circoncision** *f* circumcision

circonférence [siʀkõfeʀɑ̃s] *f* circumference

circonflexe [siʀkõflɛks] *adj* ***accent*** *m* **~** circumflex accent

circonlocutions [siʀkõlɔkysjõ] *fpl* circumlocutions

circonscription [siʀkõskʀipsjõ] *f* district; **~** (***électorale***) (electoral) district

circonscrire [siʀkõskʀiʀ] *v/t* ⟨→ **écrire**⟩ **1.** MATH, *fig* to circumscribe; *sujet* to define **2.** *incendie*, *épidémie* to contain

circonspect [siʀkõspɛ(kt)] *adj* ⟨**-ecte** [-ɛkt]⟩ circumspect

circonspection [siʀkõspɛksjõ] *f* caution

circonstance [siʀkõstɑ̃s] *f* occasion; ▶ ***circonstances*** *pl* circumstances; ***de circonstance*** appropriate; ***être de circonstance*** to be appropriate; ***dans les circonstances actuelles*** in the present circumstances; ***étant donné les circonstances*** given the situation; ***pour la circonstance*** for the occasion

circonstancié [siʀkõstɑ̃sje] *adj* ⟨**~e**⟩ detailed **circonstanciel** *adj* ⟨**~le**⟩ → ***complément***

circonvenir [siʀkõvniʀ] *v/t* ⟨→ **venir**; *but* **avoir**⟩ to circumvent

circonvolutions [siʀkõvɔlysjõ] *fpl* **~ *cérébrales*** cerebral convolutions

▶ **circuit** [siʀkɥi] *m* **1.** **~** (***touristique***) tour **2.** SPORT circuit **3.** **~** (***électrique***) (electrical) circuit; **~ *intégré*** integrated circuit; ***en ~*** connected; ***mettre 'hors ~*** to disconnect **4.** ÉCON circulation; **~ *de distribution*** distribution network

circulaire [siʀkylɛʀ] **I** *adj* circular; ***coup*** *m* ***d'œil ~*** glance around **II** *f* circular

▶ **circulation** [siʀkylasjõ] *f* **1.** traffic; **~ *automobile*** road traffic; ***route*** *f*, ***voie*** *f* ***à grande ~*** main highway; *fam*, *fig* ***avoir disparu de la ~*** to have disappeared from the scene **2.** **~** (***sanguine, du sang***) circulation; **~ *d'air*** circulation of air **3.** *d'argent*, *etc* circulation; (***libre***) **~ *des marchandises*** (free) movement of goods; *de personnes* ***libre ~*** free movement; ***mettre en ~*** to put into circulation

circulatoire [siʀkylatwaʀ] *adj* ***appareil*** *m* **~** circulatory system; ***troubles*** *mpl* **~*s*** circulatory problems

▶ **circuler** [siʀkyle] *v/i* **1.** *véhicules* to move; ***circulez!*** move along; **~ *bien*** to move freely **2.** *sang*, *eau* to circulate; *gaz* to flow **3.** *argent*, *lettre* to circulate **4.** *nouvelle*, *bruit* to go around

cire [siʀ] *f* **1.** wax; *pour parquet* wax; **~ *d'abeille*** beeswax **2.** **~ *à cacheter*** sealing wax

ciré [siʀe] **I** *adj* ⟨**~e**⟩ ***toile ~e*** oilcloth **II** *m* oilskin; *a* MAR

cirer [siʀe] *v/t parquet*, *meuble* to wax; *chaussures* to shine

cireur [siʀœʀ] *m* **~ *de chaussures*** shoeshine boy

cireuse [siʀøz] *f* floor polisher

▶ **cirque** [siʀk] *m* **1.** circus **2.** *fam*, *fig* ***quel ~!*** what a performance! what a

shambles *fam* **3.** GÉOL corrie
cirrhose [siʀoz] *f* cirrhosis
cirrus [siʀys] *m* cirrus
cisaille(s) [sizaj] *fpl* shears
cisaillement [sizajmɑ̃] *m* **1.** pruning **2.** *usure* shearing
cisailler [sizaje] *v/t* to cut
cisalpin [sizalpɛ̃] *adj* ⟨**-ine** [-in]⟩ HIST ***la Gaule ~e*** Cisalpine Gaul
ciseau [sizo] *m* ⟨**~x**⟩ **1.** ► ***ciseaux*** *pl* scissors; ***une paire de ciseaux*** a pair of scissors; ***ciseaux à ongles*** nail scissors **2.** TECH chisel **3.** ***sauter en ciseaux*** to do scissor kicks
ciseler [sizle] *v/t* ⟨**-è-**⟩ to chisel **ciseleur** *m* carver **ciselure** *f* carving
Cisjordanie [sisʒɔʀdani] ***la ~*** the West Bank
cistercien [sistɛʀsjɛ̃] **I** *adj* ⟨**-ienne** [-jɛn]⟩ Cistercian **II** *m* Cistercian
citadelle [sitadɛl] *f* citadel *a fig*
citadin [sitadɛ̃] **I** *adj* ⟨**-ine** [-in]⟩ city *épith* **II** *~(e) m(f)* city dweller
citation [sitasjõ] *f* **1.** quotation **2.** JUR summons + *v sg* **3.** MIL citation
cité [site] *f* **1.** (*ville*) city **2.** (*vieille ville*) ***Cité*** City **3.** (*immeubles*) project; ***~ universitaire*** student dormitory; *plus grand* student village **4.** *fig* ***avoir droit de ~*** to be accepted
cité-dortoir *f* ⟨**cités-dortoirs**⟩ dormitory town
► **citer** [site] *v/t* **1.** to quote **2.** JUR to order to appear **3.** MIL to mention
citerne [sitɛʀn] *f* **1.** *d'eau de pluie* water tank **2.** (*cuve*) tank
cithare [sitaʀ] *f* zither
► **citoyen** [sitwajɛ̃] *m* **1.** citizen; ***~ d'honneur*** honorary citizen **2.** *fam, fig* ***un drôle de ~*** an odd customer
► **citoyenne** [sitwajɛn] *f* citizen **citoyenneté** *f* citizenship
Citroën [sitʀɔɛn] ***une ~*** a Citroën
► **citron** [sitʀõ] *m* **1.** lemon; *adj* (***jaune***) *~* ⟨*inv*⟩ lemon (yellow); *fig* ***presser qn comme un ~*** to squeeze sb dry **2.** *fam* (*tête*) head
citronnade [sitʀɔnad] *f* lemonade
citronné [sitʀɔne] *adj* ⟨**~e**⟩ lemon-scented; lemon-flavored
citronnelle [sitʀɔnɛl] *f* lemon grass **citronnier** *m* lemon tree
citrouille [sitʀuj] *f* pumpkin
civet [sivɛ] *m* ***~ de lapin*** rabbit stew
civette [sivɛt] *f* civet
civière [sivjɛʀ] *f* stretcher
civil [sivil] **I** *adj* ⟨**~e**⟩ **1.** JUR civil; ***année ~e*** calendar year; ***mariage ~*** civil wedding; ***se constituer partie ~e*** to sue for damages **2.** (*des citoyens*) civil; ***guerre ~e*** civil war **3.** (*non militaire*) civilian **4.** *litt* (*poli*) civil **II** *m* civilian; ***en ~*** in plain clothes; ***dans le ~*** in civilian life
civilement [sivilmɑ̃] *adv* **1.** civilly **2.** JUR in the civil court
► **civilisation** [sivilizasjõ] *f* civilization
civilisé [sivilize] *adj* ⟨**~e**⟩ civilized **civiliser** *v/t* to civilize
civilité [sivilite] *f litt* civility
civique [sivik] *adj* civic; ***courage*** *m* *~* civic courage; ***droits*** *mpl* ***~s*** civic rights
civisme [sivism] *m* public-spiritedness
clac [klak] *int* slam
clafoutis [klafuti] *m* clafoutis
claie [klɛ] *f* fence
► **clair** [klɛʀ] **I** *adj* ⟨**~e**⟩ **1.** *pièce, couleur* light; *cheveux* fair; *teint, eau, temps, ciel, voix, son* clear; ***bleu ~*** ⟨*inv*⟩ light blue **2.** *fig* clear; ***~ comme le jour*** crystal-clear **3.** (*peu épais*) light **II** *adv* ***il fait*** (***déjà***) ***~*** it's (already) light; ***voir ~*** to see clearly; *fig* ***y voir ~*** (***dans qc***) to understand (sth) **III** *m* **1.** ***~ de lune*** moonlight **2.** ***mettre sabre au ~*** to draw one's sword; ***tirer qc au ~*** to clear sth up; ***en ~*** to be plain about it; ***s'habiller en ~*** to wear light colors **3.** PEINT ***~s*** *pl* areas of light **4.** ***le plus ~ de*** most of
claire [klɛʀ] *f* ***fines*** *fpl* ***de ~*** *ou pl* ***~s*** green oysters
clairement [klɛʀmɑ̃] *adv* clearly
clairette [klɛʀɛt] *f* sparkling wine
claire-voie *f* ⟨**claires-voies**⟩ openwork fence; ***volet*** *m* ***à ~*** louvered shutter
clairière [klɛʀjɛʀ] *f* clearing
clair-obscur *m* ⟨**clairs-obscurs**⟩ **1.** PEINT chiaroscuro **2.** (*pénombre*) twilight
clairon [klɛʀõ] *m* **1.** bugle **2.** *musicien* bugler
claironnant [klɛʀɔnɑ̃] *adj* ⟨**-ante** [-ɑ̃t]⟩ *voix* strident **claironner** *v/t* trumpet
clairsemé [klɛʀsəme] *adj* ⟨**~e**⟩ scattered; *cheveux* sparse
clairvoyance [klɛʀvwajɑ̃s] *f* perceptiveness **clairvoyant** *adj* ⟨**-ante** [-ɑ̃t]⟩ perceptive
clamer [klame] *v/t* to proclaim; ***~ son innocence*** to protest one's innocence
clameur [klamœʀ] *f* clamor
clamser [klamse] *v/i arg* (*mourir*) to croak *pop*

clan [klɑ̃] *m* clan
clandestin [klɑ̃dɛstɛ̃] **I** *adj* ⟨**-ine** [-in]⟩ secret; ***passager ~*** stowaway **II** *m* illegal worker
clandestinement [klɑ̃dɛstinmɑ̃] *adv* secretly
clandestinité [klɑ̃destinite] *f* ***vivre dans la ~*** to live in hiding
clapet [klapɛ] *m* **1.** TECH valve **2.** *fam, fig* mouth; trap *fam*
clapier [klapje] *m* rabbit hutch
clapotement [klapɔtmɑ̃] *m* lapping **clapoter** *v/i* to lap
clapotis [klapɔti] *m* lapping
clappement [klapmɑ̃] *m* clicking **clapper** *v/i* to click
claquage [klakaʒ] *m* **~** (***d'un muscle***) strained muscle
claquant [klakɑ̃] *fam adj* ⟨**-ante** [-ɑ̃t]⟩ exhausting
claque [klak] *f* **1.** slap; ***tête f à ~s*** face crying out to be smacked **2.** THÉ claque **3.** *fam* ***j'en ai ma ~*** I'm fed up to the teeth
claqué [klake] *fam adj* ⟨**~e**⟩ *fam* pooped *fam*; dead beat *fam*
claquement [klakmɑ̃] *m* slamming; ***~ de dents*** chattering of teeth
claquemurer [klakmyʀe] *v/pr* ***se ~*** to shut o.s. up
claquer [klake] **I** *v/t* **1.** *porte* to slam **2.** *argent fam* to blow *fam* **3.** *fam travail* ***~ qn*** to do sb in *fam* **II** *v/i* **1.** *drapeau* to flap (***au vent*** in the wind); *porte* to slam; *volet* to bang; *fouet* to crack; *coup de feu* to ring out; ***elle claquait des dents*** her teeth were chattering; ***faire ~ ses doigts, sa langue*** to click one's fingers, tongue **2.** *fam* (*mourir*) to croak *fam*; ***l'affaire lui a claqué dans la main*** the deal fell through **III** *v/pr* **1.** *fam* ***se ~*** (***pour qc***) to wear o.s. out (doing sth) **2.** ***se ~ un muscle*** to strain a muscle
claquette [klakɛt] *f* **1.** FILM clapper-board **2.** ***~s*** *pl* tap dancing + *v sg*; ***danseur m à ~s*** tap dancer
clarification [klaʀifikasjõ] *f d'une situation* clarification
clarifier [klaʀifje] *v/t* to clarify
clarinette [klaʀinɛt] *f* clarinet **clarinettiste** *m/f* clarinettist
clarté [klaʀte] *f* **1.** light; ***~ du jour*** daylight **2.** *de l'eau* clearness; *fig de la langue, etc* clarity
► **classe** [klɑs] *f* **1.** *sociale*, CH DE FER, AVIAT, BIOL, *etc* class; ***~s moyennes*** middle classes; ***~ ouvrière*** working class; ***~ d'âge*** age group **2.** ENSEIGNEMENT class; (*cours*) class; ***rentrée f des ~s*** start of the new school year; (***salle f de***) **~** classroom; ***~ verte*** study trip to the country; ***~ de neige*** winter sports study trip; ***en ~*** in class; ***aller en ~*** to go to school; ***faire la ~*** to teach **3.** *fig* class; ***avoir de la ~*** to have class; *femme* to be chic **4.** (***soldat m de***) ***deuxième ~ m*** private **5.** MIL (*année*) class; ***~ 1998*** class of 1998
classement [klasmɑ̃] *m* **1.** classification **2.** ENSEIGNEMENT rank; SPORT ranking
classer [klɑse] **I** *v/t* **1.** (*ranger*) to classify *a* BOT, ZOOL; ***être classé monument historique*** to be classified as a historic monument **2.** *documents* to file; *dossier* to close; *fig affaire* to consider closed; ***affaire classée*** case closed **3.** *fam, péj* ***~ qn*** to pigeonhole sb **II** *v/pr* ***se ~ parmi les …*** to rank among the …
classeur [klɑsœʀ] *m en carton* file; *meuble* filing cabinet
classicisme [klasisism] *m* classicism
classification [klasifikasjõ] *f* classification **classifier** *v/t* to classify
classique [klasik] **I** *adj* **1.** *littérature, musique, Antiquité, architecture, peinture, style* classical; ***auteur m ~*** classic **2.** *fig* (*courant*) standard; *fam* ***c'est*** (***le coup***) **~** it's the usual story **3.** *fig* (*qui fait autorité*) classic **II** *m* classic
claudication [klodikasjõ] *f* limp
clause [kloz] *f* clause
claustré [klostʀe] *pp* ⟨**~e**⟩ ***rester ~*** (***chez soi***) to shut o.s. up (at home)
claustrophobe [klostʀofɔb] *adj* claustrophobic **claustrophobie** *f* claustrophobia
clavecin [klavsɛ̃] *m* harpsichord
clavette [klavɛt] *f* key
clavicule [klavikyl] *f* collarbone
► **clavier** [klavje] *m* MUS, *d'un ordinateur, etc* keyboard
claviste [klavist] *m/f* keyboard player; TYPO keyboarder
clayette [klɛjɛt] *f* tray
clayonnage [klɛjɔnaʒ] *m* wattle
► **clé** [kle] *f* **1.** key; ***~ de contact*** ignition key; ***~ de voiture*** car key; ***~ USB*** USB key ***fermer à ~*** to lock; *maison* ***~s en main*** ready to move into; ***sous ~*** locked; ***mettre sous ~*** to put under lock and key; ***laisser la ~ sur la porte*** to leave the key in the door; *fig* ***prendre***

la ~ des champs to run away **2.** TECH wrench; ***~ Allen*** [alɛn] Allen wrench; ***~ anglaise*** monkey wrench **3.** *fig* key (***de qc*** to sth); ***la ~ de l'énigme*** the key to the mystery; ***roman*** *m* ***à ~(s)*** *novel featuring real-life people under fictitious names* **4.** *adj* key; ***personnage*** *m* ***~*** key figure; ***position*** *f* ***~*** key position (*a* MIL) **5.** MUS key; *fig récompense* ***à la ~*** reward offered **6.** ***~ de voûte*** ARCH *a fig* keystone

clébard [klebaʀ] *m ou* **clebs** [klɛps] *m fam* mutt *fam*

clef [kle] *f* → ***clé***

clématite [klematit] *f* clematis

clémence [klemɑ̃s] *f* mildness **clément** *adj* ⟨**-ente** [-ɑ̃t]⟩ mild

clémentine [klemɑ̃tin] *f* clementine

cleptomane, cleptomanie → ***kleptomane, kleptomanie***

clerc [klɛʀ] *m* ***~ de notaire*** clerk; *fig* ***pas besoin d'être grand ~*** you don't need to be a genius (***pour*** + *inf*)(+ *inf*)

clergé [klɛʀʒe] *m* clergy

clérical [kleʀikal] *adj* ⟨**~e; -aux** [-o]⟩ **1.** ÉGL clerical **2.** POL *et péj* clerical

cléricalisme [kleʀikalism] *m* POL *et péj* clericalism

clic [klik] **I** *int* click **II** *m* **1.** click **2.** INFORM ***~ (de la souris)*** (mouse) click; ***double ~*** double click

clic-clac *m* ⟨*inv*⟩ click

cliché [kliʃe] *m* **1.** PHOT negative **2.** *fig* cliché

▶ **client** [klijɑ̃] *m*, **cliente** [klijɑ̃t] *f* COMM customer; *d'un taxi* fare; *d'un hôtel* guest; *d'un café* customer; MÉD patient; JUR client; ÉCON *d'un pays* customer; *prix* ***à la tête du client*** depending on who the customer is

clientèle [klijɑ̃tɛl] *f* COMM customers; *d'un hôtel* guests; *d'un café* customers; MÉD patients; JUR clients; *fig* ***~ électorale*** voters; ***~ d'habitués*** regular customers; ***~ de passage*** passing trade

clignement [kliɲmɑ̃] *m* ***~ d'yeux*** blinking

cligner [kliɲe] *v/t indir* ***~ des yeux*** to blink; ***~ de l'œil à qn*** to wink at sb

▶ **clignotant** [kliɲɔtɑ̃] *m* **1.** AUTO turn signal **2.** *fig* warning sign

clignotement [kliɲɔtmɑ̃] *m* **1.** *de lumières* flickering **2.** *d'yeux* blinking

clignoter [kliɲɔte] *v/i* to blink; ***feu clignotant*** flashing light

▶ **climat** [klima] *m* climate

climatique [klimatik] *adj* climatic; ***station*** *f* ***~*** health resort

climatisation [klimatizasjõ] *f* **1.** air conditioning **2.** *dispositif* air conditioner

climatiser [klimatize] *v/t* to air-condition; *adj* ***climatisé*** air conditioned

climatiseur [klimatizœʀ] *m* air conditioner

climatologie [klimatɔlɔʒi] *f* climatology

clin [klɛ̃] *m* ***~(s) d'œil, ~s d'yeux*** wink; ***en un ~ d'œil*** in a twinkling; ***faire un ~ d'œil à qn*** to wink at sb

clinicien [klinisjɛ̃] *m* clinician

▶ **clinique** [klinik] **I** *adj* clinical **II** *f* clinic

clinquant [klɛ̃kɑ̃] **I** *adj* ⟨**-ante** [-ɑ̃t]⟩ flashy **II** *m* flashiness

clip [klip] *m* brooch

clipper [klipœʀ] *m* MAR HIST clipper

clique [klik] *f* **1.** *péj* clique **2.** band

cliquer [klike] *v/i* INFORM to click; ***~ sur qc*** to click on sth

cliques [klik] *fpl fam* ***prendre ses ~ et ses claques*** to pack one's bags and go

cliquet [klikɛ] *m* TECH pawl

cliqueter [klikte] *v/i* ⟨**-tt-**⟩ to jingle **cliquetis** *m* jingling

clitoris [klitɔʀis] *m* clitoris

clivage [klivaʒ] *m* divide

cloaque [klɔak] *m* cesspool

clochard [klɔʃaʀ] *m*, **clocharde** [-aʀd] *f* hobo *fam*; bum *fam* **clochardisation** *f* destitution

▶ **cloche** [klɔʃ] *f* **1.** bell; *fam, fig* ***sonner les ~s à qn*** to give sb a telling-off; to give sb a tongue-lashing *fam* **2.** ***~ à fromage*** cheese cover **3.** *fam, fig* ***se taper la ~*** to pig out *fam* **4.** *fam, fig* ***quelle ~!***, *adj* ***ce qu'il est ~!*** he's so dumb! *fam* **5.** *fam* ***la ~*** bums *fam pl*

cloche-pied: ***sauter à ~*** to hop

▶ **clocher**[1] [klɔʃe] *m* church tower; *fig* ***esprit*** *m* ***de ~*** parochialism

clocher[2] *v/i* ***il y a quelque chose qui cloche*** there's something not quite right

clocheton [klɔʃtõ] *m* pinnacle

clochette [klɔʃɛt] *f* bell

cloison [klwazõ] *f* **1.** partition **2.** BOT, ANAT septum

cloisonnement [klwazɔnmɑ̃] *m fig* compartmentalization **cloisonner** *v/t* to partition off

cloître [klwatʀ] *m* cloister

cloîtrer [klwatʀe] *v/pr* ***se ~*** to shut o.s. up

clonage [klonaʒ] *m* cloning

clone [klon] *m* clone
cloner [klone] *v/t* to clone
clope [klɔp] *fam* **1.** *m* (*mégot*) butt **2.** *f* (*cigarette*) *fam* smoke *fam*
cloper [klɔpe] *fam v/i* smoke
clopin-clopant [klɔpɛ̃klɔpɑ̃] *fam adv* ***aller, marcher*** **~** to limp
clopinettes [klɔpinɛt] *fpl fam* ***des ~*** peanuts *fam*
cloporte [klɔpɔʀt] *m* woodlouse
cloque [klɔk] *f* blister
cloqué [klɔke] *adj* ⟨**~e**⟩ ***tissu ~*** seersucker
clore [klɔʀ] *v/t* ⟨*déf*: **je clos, tu clos, il clôt, ils closent; je clorai; que je close; clos**⟩ *séance* to end; *débat* to close
clos [klo] **I** *pp* → ***clore*** *et adj* ⟨**close** [kloz]⟩ closed; ***l'incident est ~*** that's the end of the matter **II** *m* **1.** field **2.** vineyard
clôture [klotyʀ] *f* **1.** fence **2.** ADMIN, COMM closing
clôturer [klotyʀe] *v/t* **1.** *terrain* to fence **2.** *débat, etc* to close; *séance* to end
► **clou** [klu] *m* **1.** nail; ***maigre comme un ~*** thin as a rake; *fig* ***river son ~ à qn*** to shut sb up; *fig* ***ça ne vaut pas un ~*** that's not worth a damn **2.** *fam* ***~s*** *pl* (*passage clouté*) crosswalk **3.** *fig* (*attraction*) main attraction **4.** MÉD boil **5.** *fam* ***un vieux ~*** *véhicule* old car **6.** *fam* (*mont-de-piété*) ***mettre qc au ~*** to put sth in hock *fam* **7.** *fam* ***des ~s!*** no way! *fam*
clouer [klue] *v/t* **1.** to nail **2.** *fig maladie* ***~ qn au lit*** to keep sb in bed; ***rester cloué*** (***sur place***) to be rooted to the spot
clouté [klute] *adj* ⟨**~e**⟩ studded; ***passage ~*** crossway
clovisse [klɔvis] *f* clam
clown [klun] *m* clown
clowneries [klunʀi] *fpl* clowning
► **club** [klœb] *m* **1.** club; ***~ de vacances*** vacation center **2.** (***fauteuil*** *m*) **~** leather armchair **3.** *de golf* club
cluse [klyz] *f* transverse valley in the Jura
cm *abr* (= **centimètre**) cm
CM₁ [seɛmɛ̃] *m, abr,* **CM₂** [seɛmdø] *m, abr* → ***cours***
CNES [knɛs] *m, abr* (= **Centre national d'études spatiales**) *French national center for space studies*
C.N.P.F. [seɛnpeɛf] *m, abr* (= **Conseil national du patronat français**) *national council of French employers*
C.N.R.S. [seɛnɛʀɛs] *m, abr* (= **Centre national de la recherche scientifique**) *French national scientific research body*
c/o *abr* (**care of; aux bons soins de**) c/o
co... [ko] *préfixe* co...
coaccusé(e) *m(f)* co-accused
coagulable [kɔagylabl] *adj* coagulable
coagulation *f* coagulation
coaguler [kɔagyle] **I** *v/t* to coagulate **II** *v/i* (*et v/pr* ***se***) **~** to coagulate
coalisé [kɔalize] *adj* ⟨**~e**⟩ united
coaliser [kɔalize] *v/pr* ***se ~*** to form a coalition
coalition [kɔalisjõ] *f* coalition
coassement [kɔasmɑ̃] *m de la grenouille* croaking **coasser** *v/i* to croak
coauteur *m* co-author
coaxial [kɔaksjal] *adj* ⟨**~e; -aux** [-o]⟩ TECH coaxial
cobalt [kɔbalt] *m* cobalt
cobaye [kɔbaj] *m* guinea pig; *fig* ***servir de ~*** to be used as a guinea pig
cobra [kɔbʀa] *m* cobra
coca-cola® [kɔkakɔla] *m* ⟨*inv*⟩ Coca-Cola®
cocagne [kɔkaɲ] *f* **1.** ***pays*** *m* ***de ~*** land flowing with milk and honey **2.** ***mât*** *m* ***de ~*** greasy pole
cocaïne [kɔkain] *f* cocaine
cocarde [kɔkaʀd] *f* rosette
cocardier [kɔkaʀdje] *adj* ⟨**-ière** [-jɛʀ]⟩ jingoistic
cocasse [kɔkas] *adj* funny **cocasserie** *f* funniness
coccinelle [kɔksinɛl] *f* **1.** ZOOL ladybug **2.** *fam* AUTO bug
coccyx [kɔksis] *m* coccyx
coche [kɔʃ] *m* coach; *fam, fig* ***rater le ~*** to miss the boat
cocher¹ [kɔʃe] *m* coachman
cocher² *v/t* to check
cochère [kɔʃɛʀ] *adj, f* ***porte ~*** carriage entrance
► **cochon** [kɔʃõ] **I** *m* **1.** ZOOL pig; CUIS pork; ***~ d'Inde*** guinea pig; ***~ de lait*** suckling pig; *fig* ***temps*** *m* ***de ~*** filthy weather; ***ils sont copains comme ~s*** they're thick as thieves; *enfant* ***faire le ~ pendu*** to play hangman; ***manger comme un ~*** to eat like a pig **2.** *fam, fig personne* (*au moral*) pig *fam*; swine *pop*; *enfant* mucky pup *fam*; ***tour*** *m* ***de ~*** dirty trick; ***avoir une tête de ~*** to be pig-headed **II** *adj* ⟨**-onne** [-ɔn]⟩ *fam* **1.** *personne* dirty-minded **2.** *histoire* dirty

cochonnaille [kɔʃɔnaj] *fam f* CUIS pork products
cochonne [kɔʃɔn] *f fam* dirty pig; *enfant* mucky pup *fam*
cochonner [kɔʃɔne] *v/t fam* **1.** *travail* to botch *fam* **2.** (*salir*) to dirty
cochonnerie [kɔʃɔnʀi] *f fam* **1.** (*saleté*) filth, crap *fam* **2.** (*chose sans valeur*) piece of crap *fam*; *nourriture* junk *fam* **3.** ***raconter des ~s*** to tell dirty jokes
cochonnet [kɔʃɔnɛ] *m* piglet
cocker [kɔkɛʀ] *m* cocker spaniel
cockpit [kɔkpit] *m* cockpit
cocktail [kɔktɛl] *m* **1.** cocktail **2.** cocktail party **3.** ***~ Molotov*** Molotov cocktail
coco[1] [koko] *m* ***noix** f **de ~*** coconut
coco[2] *m* **1.** *enf* (*œuf*) egg **2.** ***mon ~*** honey **3.** *péj* ***un drôle de ~*** an oddball
coco[3] *f fam* (*cocaïne*) coke *fam*
cocon [kɔkõ] *m* cocoon
cocooning [kɔkuniŋ] *m* cocooning
cocorico [kɔkɔʀiko] *m* cock-a-doodle--do
cocoter [kɔkɔte] *v/i fam* stink
cocotier [kɔkɔtje] *m* coconut palm
cocotte[1] [kɔkɔt] *f* **1.** *enf* (*poule*) hen; *enf* chickie; ***~ en papier*** paper bird **2.** ***ma ~*** darling **3.** *péj* tarte
cocotte[2] *f* casserole; ***~ minute*** pressure cooker
cocu [kɔky] *fam m* betrayed husband; *litt* cuckold; *fig* ***avoir une veine de ~*** to have the luck of the devil; ***faire qn ~*** to cheat on sb *fam*
cocufier [kɔkyfje] *v/t fam* ***~ qn*** to cheat on sb *fam*
codage [kɔdaʒ] *m* coding
code [kɔd] *m* **1.** ***code civil*** civil code; ***code pénal*** penal code; ▶ ***code de la route*** traffic regulations, *brit* highway code **2.** *fam* (*~ de la route*) traffic regulations; *examen* test on the traffic regulations **3.** *phares* ***en codes*** on low beam; ***se mettre en code(s)*** to switch to low beam **4.** *fig* code **5.** (*système de symboles*) code ***code génétique*** genetic code **6.** ***code confidentiel, secret*** PIN (number); ▶ ***code postal*** zip code, *brit* postcode *brit*
code-barres *m* ⟨**codes-barres**⟩ bar code
coder [kɔde] *v/t* to code
codétenu(e) *m(f)* fellow prisoner
codex [kɔdɛks] *m* pharmacopoeia
codification [kɔdifikasjõ] *f* codification
codifier *v/t* to codify
codirecteur *m*, **codirectrice** *f d'un journal* co-editor
coédition *f* co-edition
coefficient [kɔefisjɑ̃] *m* coefficient; *d'une matière d'examen* weighting
coéquipier *m*, **coéquipière** *f* team mate
coercition [kɔɛʀsisjõ] *st/s f* coercion
▶ **cœur** [kœʀ] *m* **1.** ANAT heart; ***opération** f **à cœur ouvert*** open-heart surgery; ***il avait le ~ qui battait*** his heart was thumping **2.** *fig* heart; ***avoir un coup de cœur*** to fall in love ***femme** f **de cœur*** kind-hearted woman; ***de bon cœur, de grand cœur*** *donner, accepter* gladly; *rire* heartily; ***de tout son cœur*** with all one's heart; ▶ ***par cœur*** by heart; ***sans cœur*** heartless; ***avoir bon cœur, du cœur*** to be good-hearted; ***il a le cœur gros*** he's big-hearted; ***je n'ai pas eu le cœur de*** *+inf* I didn't have the heart *+inf*; ***je veux en avoir le cœur net*** I want to be sure about it; ***avoir le cœur sur la main*** to be open-handed; ***si le cœur vous en dit*** if you feel like it; ***donner à qn du cœur à l'ouvrage*** to give sb courage for their work; ***faire mal au cœur à qn*** to hurt sb's feelings; ***faire le joli cœur*** to be a ladykiller; ***parler à cœur ouvert*** to speak freely; ***prendre qc à cœur*** to take sth to heart; ***cela lui tient à cœur*** he feels strongly about it **3.** (*estomac*) ***j'ai mal au cœur*** I feel nauseous; ***ça me donne mal au cœur*** *ou* ***ça me soulève le cœur*** it makes me feel nauseous **4.** *fig* (*centre*) heart; ***au cœur de*** in the heart of **5.** *aux cartes* hearts ***as** m **de cœur*** ace of hearts **6.** *de salade, fruit, légume* heart; ***cœur de palmier*** palm heart
cœur-poumon *m* ⟨**cœurs-poumons**⟩ ***~ artificiel*** heart-lung
coexistence *f* coexistence; ***~ pacifique*** peaceful coexistence
coexister *v/i* to coexist
coffrage [kɔfʀaʒ] *m* formwork
coffre [kɔfʀ] *m* **1.** chest; ***~ à jouets*** toybox **2.** AUTO trunk, boot *brit* **3.** → ***coffre-fort*** **4.** *fam, fig* ***avoir du ~*** to have plenty of puff
coffre-fort [kɔfʀəfɔʀ] *m* ⟨**coffres-forts**⟩ safe
coffrer [kɔfʀe] *v/t* **1.** *fam* ***se faire ~*** to get put away *fam* **2.** CONSTR to coffer
coffret [kɔfʀɛ] *m* box
cogestion *f* joint management

cogiter [kɔʒite] *v/i* to cogitate
cognac [kɔɲak] *m* cognac ***digestif***
cognassier [kɔɲasje] *m* quince tree
cogne [kɔɲ] *m fam, péj* cop *fam*
cognée [kɔɲe] *f* ax
cognement [kɔɲmɑ̃] *m* banging
cogner [kɔɲe] **I** *v/t* **1.** (*heurter*) ***~ qc*** to knock sth; ***~ qn*** to bump into sb **2.** *fam* (*battre*) to beat up **II** *v/i* to bang; *moteur diesel* to knock **III** *v/pr* ***se ~ à, contre qc*** to bump into sth
cohabitation *f* cohabitation *a* POL
cohabiter *v/i* to cohabit (***avec*** with)
cohérence [kɔeʀɑ̃s] *f de vues, d'un système* coherence; *d'un groupe* cohesion **cohérent** *adj* ⟨**-ente** [-ɑ̃t]⟩ coherent
cohéritier *m*, **cohéritière** *f* joint heir
cohésion [kɔezjõ] *f* **1.** PHYS cohesion **2.** *fig* cohesiveness
cohorte [kɔɔʀt] *fam f* cohort
cohue [kɔy] *f* crush; (*foule*) rabble
coi [kwa] *adj* ⟨**coite** [kwat]⟩ ***se tenir ~*** remain silent; ***il en resta ~*** it left him speechless
coiffe [kwaf] *f* headdress
coiffé [kwafe] *adj* ⟨**~e**⟩ **1.** ***elle était bien, mal ~e*** her hair was nice, a mess **2.** ***être ~ d'une casquette*** to be wearing a cap
coiffer [kwafe] **I** *v/t* **1.** ***~ qn*** (*peigner*) to do sb's hair **2.** *fig* (*contrôler*) to head **3.** SPORT ***coiffer au poteau*** to nose sb out **II** *v/pr* ► ***se coiffer*** to do one's hair
► **coiffeur** [kwafœʀ] *m* hairdresser; ***~ pour dames*** ladies' hairdresser
► **coiffeuse** [kwaføz] *f* **1.** hairdresser **2.** dressing table
► **coiffure** [kwafyʀ] *f* **1.** hairstyle **2.** (*couvre-chef*) headdress
► **coin** [kwɛ̃] *m* **1.** corner; (*angle*) corner; ***~ cuisine*** kitchenette; CH DE FER ***~ fenêtre*** window seat; ***du ~ de l'œil*** out of the corner of one's eye; *fig* ***sourire*** *m* ***en ~*** half smile; ***au ~ du feu*** by the fireside; ***aux quatre ~s du monde*** to the four corners of the earth; ***au ~ de la rue*** on the street corner; *fam, fig* ***ça t'en bouche un ~*** it'll blow you away; ***les quatre ~s*** *game in which four people run around the four corners of a square while a fifth tries to occupy one of the corners* **2.** (*endroit*) place; ***un ~ de terre*** a patch of land; ***vous êtes du ~?*** are you from here? **3.** *fam, fig* ***le petit ~*** *fam* the bathroom; ***aller au petit ~*** *fam* to go to the bathroom **4.** TECH wedge
coincement [kwɛ̃smɑ̃] *m* TECH jamming
coincer [kwɛ̃se] ⟨**-ç-**⟩ **I** *v/t* **1.** to jam; TECH to wedge; *adj* ***être coincé*** TECH to be jammed; *dans la foule, etc* to be stuck **2.** *fam, fig* (*coller*) ***~ qn*** to corner sb **3.** *fam, fig voleur* to nab *fam* **II** *v/pr* **1.** *mécanisme* ***se ~*** to jam **2.** ***se ~ le doigt*** to catch one's finger
coïncidence [kɔɛ̃sidɑ̃s] *f* coincidence **coïncident** *adj* ⟨**-ente** [-ɑ̃t]⟩ MATH coincident
coïncider [kɔɛ̃side] *v/i* **1.** *dates* to coincide (***avec*** with) **2.** *témoignages* to agree **3.** MATH to coincide
coin-coin [kwɛ̃kwɛ̃] *int* quack quack
coing [kwɛ̃] *m* quince
coït [kɔit] *m* coitus
coke[1] [kɔk] *m* coke
coke[2] *f fam* (*cocaïne*) coke *fam*
cokerie [kɔkʀi] *f* cokeworks
► **col** [kɔl] *m* **1.** collar; ***~ droit*** stand-up collar; ***faux ~*** detachable collar; *fig d'un verre de bière* head; *fam* ***pull*** *m* ***à ~ roulé*** turtleneck sweater **2.** *fig* ***~s blancs*** white-collar workers; ***~s bleus*** blue-collar workers **3.** *d'un récipient*, ANAT neck; ***~ du fémur, de l'utérus*** neck of the femur, uterus ***se faire opérer du col de fémur*** to have a hip replacement operation **4.** GÉOG pass
colback [kɔlbak] *m fam* ***attraper qn par le ~*** *fam* to grab sb by the collar
colchique [kɔlʃik] *m* autumn crocus
coléoptère [kɔleɔptɛʀ] *m* beetle
► **colère** [kɔlɛʀ] *f* **1.** anger; *p/fort* rage; ***être dans une ~ noire*** to be in a towering rage; ***être en ~*** (***contre qn***) to be mad (at sb); ***mettre qn en ~*** to make sb mad **2.** *accès* fit of rage; *fam* ***piquer une ~*** to throw a tantrum
coléreux [kɔleʀø] *adj* ⟨**-euse** [-øz]⟩ *ou* **colérique** [-ik] *adj* quick-tempered
colibacille [kɔlibasil] *m* colon bacillus
colibri [kɔlibʀi] *m* hummingbird
colifichet [kɔlifiʃɛ] *m* trinket
colimaçon [kɔlimasõ] *m* ***escalier*** *m* ***en ~*** spiral staircase
colin [kɔlɛ̃] *m* hake
colin-maillard [kɔlɛ̃majaʀ] *m* ***jouer à ~*** to play blind man's buff
colique [kɔlik] *f* **1.** ***~ hépatique, néphrétique*** biliary, renal colic **2.** ***avoir la ~*** to have diarrhea; *fam, fig* (*avoir peur*) to be scared stiff *fam*; *fam, fig* ***donner la ~ à qn*** to put the wind up sb *fam*

colis [kɔli] *m* package
collabo [kɔlabo] *m, abr fam* → ***collaborateur*** *2*
collaborateur [kɔlabɔʀatœʀ] *m,* **collaboratrice** [-tʀis] *f* **1.** colleague **2.** *m* POL collaborator
collaboration [kɔlabɔʀasjõ] *f* collaboration *a* POL
collaborer [kɔlabɔʀe] **I** *v/t indir* ***~ à qc*** to collaborate on sth **II** *v/i* POL to collaborate
collage [kɔlaʒ] *m* **1.** BEAUX-ARTS collage **2.** *fam* affair
collagène [kɔlaʒɛn] *m* BIOL collagen
▶ **collant** [kɔlɑ̃] **I** *adj* ⟨**-ante** [-ɑ̃t]⟩ **1.** ***papier ~*** gummed paper **2.** *doigts* sticky **3.** *robe, jeans* tight-fitting **4.** *fam, fig* ***ce qu'il est ~!*** you can't get away from him! **II** *subst* **1.** *m* pantyhose + *v pl, brit* tights + *v pl,* **2.** ENSEIGNEMENT *fam* ***~e*** *f* notification
collapsus [kɔlapsys] *m* MÉD collapse
collatéral [kɔlateʀal] *adj* ⟨**~e; -aux** [-o]⟩ collateral
collation [kɔlasjõ] *f* light meal
collationner [kɔlasjɔne] **I** *v/t des textes* to collate **II** *plais v/i* to have a bite to eat
▶ **colle** [kɔl] *f* **1.** glue; ***~ forte*** adhesive; ***~ à bois*** wood glue; ***~ d'amidon*** flour and water paste; *fam, plais* ***faites chauffer la ~!*** get the super glue out! *fam* **2.** *fam* ENSEIGNEMENT mock exam; *punition* detention
collecte [kɔlɛkt] *f* collection **collecter** *v/t* to collect
collecteur [kɔlɛktœʀ] (***égout***) ***~*** *m* main sewer
collectif [kɔlɛktif] **I** *adj* ⟨**-ive** [-iv]⟩ collective; (***nom***) ***~*** *m* collective (noun) **II** *m* ***~ budgétaire*** mini-budget
▶ **collection** [kɔlɛksjõ] *f* **1.** collection; ***~ de timbres*** stamp collection; ***faire ~ de*** to collect **2.** *d'un éditeur* series **3.** COMM collection
▶ **collectionner** [kɔlɛksjɔne] *v/t* **1.** to collect **2.** *iron* ***~ qc*** to collect sth
collectionneur [kɔlɛksjɔnœʀ] *m,* **collectionneuse** [-øz] *f* collector
collectivement [kɔlɛktivmɑ̃] *adv* collectively **collectivisation** *f* collectivization **collectivisme** *m* collectivism
collectivité [kɔlɛktivite] *f* **1.** group **2.** ADMIN ***~ locale*** local authority
▶ **collège** [kɔlɛʒ] *m* **1.** ***~*** (***d'enseignement secondaire***) junior high school **2.** ***~ électoral*** electoral college

collège ≠ university
Collège = high school.

collégial [kɔleʒjal] *adj* ⟨**~e; -aux** [-o]⟩ **1.** ÉGL CATH collegiate **2.** (*en commun*) collective
collégiale [kɔleʒjal] *f* collegiate church
collégien [kɔleʒjɛ̃] *m,* **collégienne** [-jɛn] *f* junior high school student
▶ **collègue** [kɔlɛg] *m/f* colleague
▶ **coller** [kɔle] **I** *v/t* **1.** to stick; *enveloppe* to seal; ***~ qc sur qc*** to stick sth on sth **2.** *fig visage, oreille* to press (***contre, à*** against, to) **3.** *fam, fig* ***~ qc à qn*** to give sb sth; ***~ une gifle à qn*** *fam* to give sb a smack; ***~ qc dans un coin*** to stick sth in a corner *fam* **4.** *fam, fig* ***être toujours collés ensemble*** to be joined at the hip *fam* **5.** *fam élève* to flunk *brit* to fail(***qn*** sb); *à un examen* ***être collé, se faire ~*** *fam* to be flunked *brit* to fail; *punir* ***être collé*** to get detention **II** *v/t indir et v/i* **1.** (*adhérer*) to stick (***à*** to) *a fig* **2.** *fam, fig* ***ça colle*** *fam* that's ok **III** *v/pr fig* ***se ~ contre, à*** to press against, on
collerette [kɔlʀɛt] *f* collar
collet [kɔlɛ] *m* **1.** *adj fig* ***~ monté*** prim; ***saisir qn au ~*** to seize sb by the collar **2.** CH snare **3.** ANAT neck
colleter [kɔlte] *v/pr* ⟨**-tt-**⟩ ***se ~*** to tussle
colleur [kɔlœʀ] *m* ***~ d'affiches*** bill poster
▶ **collier** [kɔlje] *m* **1.** necklace; ***~ de perles*** pearl necklace **2.** *d'animaux* collar; *fig* ***donner un coup de ~*** to put one's back into it **3.** ***~*** (***de barbe***) *beard following the jawline* **4.** TECH collar **5.** BOUCHERIE neck
collimateur [kɔlimatœʀ] *m* OPT collimator; *fig* ***avoir qn dans le ~*** to have sb in one's sights
▶ **colline** [kɔlin] *f* hill
collision [kɔlizjõ] *f* collision; ***~ en chaîne*** pile-up; ***entrer en ~*** to collide (***avec*** with)
collocation [kɔlɔkasjõ] *f* **1.** JUR *priority ranking of creditors* **2.** LING collocation
colloque [kɔlɔk] *m* colloquium
collusion [kɔlyzjõ] *f* collusion
collutoire [kɔlytwaʀ] *m* oral medication
collyre [kɔliʀ] *m* eye drops *pl*
colmatage [kɔlmataʒ] *m* plugging **colmater** *v/t* to plug
colo [kɔlo] *f, abr fam* → ***colonie***

colocataire *m/f* fellow tenant
colombage [kɔlõbaʒ] *m* half-timbering; ***maison*** *f* ***à ~s*** half-timbered house
colombe [kɔlõb] *f* dove; *fig* **~ *de la paix*** dove of peace
Colombie [kɔlõbi] ***la ~*** Colombia
colombier [kɔlõbje] *m* dovecot
colombin [kɔlõbɛ̃] *m* POTERIE coil; *fig, fam* turd *fam*
colombophile [kɔlõbɔfil] *m/f* pigeon fancier
colon [kɔlõ] *m* HIST settler
côlon [kolõ] *m* colon
colonel [kɔlɔnɛl] *m* colonel
colonial [kɔlɔnjal] *adj* ⟨**~e; -aux** [-o]⟩ colonial; ***casque ~*** pith helmet
colonialisme [kɔlɔnjalism] *m péj* colonialism
▸ **colonie** [kɔlɔni] *f* **1.** HIST colony **2.** ▸ ***colonie (de vacances)*** summer camp **3.** BIOL colony; ***colonie d'abeilles*** colony of bees
colonisateur [kɔlɔnizatœʀ] **I** *adj* ⟨**-trice** [-tʀis]⟩ colonizing **II** *m* colonizer
colonisation [kɔlɔnizasjõ] *f* colonization **coloniser** *v/t* to colonize
colonnade [kɔlɔnad] *f* colonnade
colonne [kɔlɔn] *f* **1.** ARCH column; ***colonne Morris*** [mɔʀis] *cylindrical billboard*; ***colonne de fumée*** column of smoke **2.** TECH ***colonne montante*** rising main **3.** ▸ ***colonne vertébrale*** spinal column **4.** *d'un journal* column; *de chiffres* column; *par ext* ***dans les ~s du journal X*** in the columns of the X newspaper **5.** (*file*) column (*a* MIL); POL ***cinquième colonne*** fifth column; ***colonne de secours*** rescue party
colophane [kɔlɔfan] *f* rosin
coloquinte [kɔlɔkɛ̃t] *f* BOT bitter apple
colorant [kɔlɔʀɑ̃] *m* coloring
coloration [kɔlɔʀasjõ] *f* coloring; *par ext* ***se faire faire une ~*** to have one's hair colored
coloré [kɔlɔʀe] *adj* ⟨**~e**⟩ colorful (*a fig description*); *teint* ruddy
colorer [kɔlɔʀe] *v/t* to color; **~ *qc en bleu*** to color sth blue
coloriage [kɔlɔʀjaʒ] *m* coloring; *d'images* coloring in
colorier [kɔlɔʀje] *v/t dessin* to color in; *abs* to color in; ***album*** *m* ***à ~*** coloring book
coloris [kɔlɔʀi] *m* coloring
coloriste [kɔlɔʀist] *m* colorist
colossal [kɔlɔsal] *adj* ⟨**~e; -aux** [-o]⟩ colossal **colossalement** *adv* colossally
colosse [kɔlɔs] *m* colossus
colostrum [kɔlɔstʀɔm] *m* colostrum
colportage [kɔlpɔʀtaʒ] *m* COMM hawking
colporter [kɔlpɔʀte] *v/t* **1.** COMM to hawk **2.** *nouvelle* to spread
colporteur [kɔlpɔʀtœʀ] *m* hawker
colt [kɔlt] *m* handgun
coltiner [kɔltine] *v/pr fam* ***se ~ un travail*** to get landed with a job *fam*
columbarium [kɔlõbaʀjɔm] *m* columbarium
colvert [kɔlvɛʀ] *m* mallard
colza [kɔlza] *m* rape
coma [kɔma] *m* coma *a* SC; **~ *dépassé*** deep coma; ***être dans le ~*** to be in a coma
comateux [kɔmatø] *m* comatose
▸ **combat** [kõba] *m* fight (*a fig et* SPORT); MIL battle; **~ *aérien*** air battle; **~ *de boxe*** boxing match; **~ *de coqs*** cockfight; ***avion*** *m* ***de ~*** fighter plane; ***'hors de ~*** out of action
combatif [kõbatif] *adj* ⟨**-ive** [-iv]⟩ ready to fight
combativité [kõbativite] *f* pugnacity
combattant [kõbatɑ̃] *m* **1.** MIL **~*s*** *pl* combatants; ***ancien ~*** veteran **2.** *fam* ***séparer les ~s*** to separate the people fighting
▸ **combattre** [kõbatʀ] ⟨→ **battre**⟩ **I** *v/t* to fight **II** *v/i* to fight
combe [kõb] *f* coomb
▸ **combien** [kõbjɛ̃] **I** *adv* **1.** *quantité* how much; *nombre* how many; ***combien de fois*** how many times; ***combien de jours*** *restez-vous?* how many days are you staying?; ***combien de temps*** how long?; ▸ ***combien coûte ... ?*** how much is...?; *fam* ***c'est combien?*** *ou* ***ça fait combien?*** how much is that? **2.** (*à quel point*) how much; *avec adj* how **II** *subst* **1.** *fam* ***le combien sommes-nous?*** what's the date? **2.** *fam* ***tu es le, la combien?*** where did you come?; *bus fam* ***il passe tous les combien?*** how often does it run?
combientième [kõbjɛ̃tjɛm] *fam pr ind* ***c'est ta ~ médaille?*** how many medals is that?; ***il est arrivé le ~ dans la course?*** where did he come in the race?
combinaison [kõbinɛzõ] *f* **1.** (*assemblage*) combination (*a* CHIM) **2.** *fig* (*combine*) scheme **3.** jumpsuit; *d'ouvrier* coveralls + *v pl*, *brit* overalls + *v pl*; **~ *de***

plongée wetsuit; **~ *de ski*** ski-suit; *sous--vêtement* (full-length) slip

combinard [kõbinaʀ] *fam, péj adj* ⟨**-arde** [-aʀd]⟩ scheming; *fam* wheeler--dealing

combinatoire [kõbinatwaʀ] *adj* combinatory

combine [kõbin] *fam f* scheme; scam *fam*; ***être dans la ~*** to be in on it *fam*

combiné [kõbine] *m* **1.** TÉL receiver **2.** SKI combination

combiner [kõbine] *v/t* **1.** (*réunir*) to combine **2.** (*calculer*) to work out

comble[1] [kõbl] *m* **1.** height; ***pour ~ de malheur*** to crown it all; ***c'est le, un ~!*** that's the absolute limit!; ***être au ~ de la joie*** to be absolutely delighted **2.** CONSTR roof space; **~*s*** *pl* attic + *v sg*

comble[2] *adj salle, bus* packed

combler [kõble] *v/t* **1.** *fossé, etc* to fill **2.** *fig lacune* to fill in; *déficit, retard* to make up; *manque* to make up for **3.** *vœux, besoin* to fulfill; **~ *qn*** to fill sb with joy; **~ *qn de qc*** *cadeaux, honneurs* to shower sb with sth; **~ *qn de joie*** to fill sb with joy

combustible [kõbystibl] **I** *adj* combustible **II** *m* fuel **combustion** *f* combustion

▸ **comédie** [kɔmedi] *f* **1.** comedy; **~ *musicale*** musical; **~ *de boulevard*** light comedy **2.** *fig* play-acting; ***c'est de la ~*** it's just an act

comédien [kɔmedjɛ̃] *m*, **comédienne** [-jɛn] *f* actor, actress; *fig* ***c'est un ~*** it's all just an act

comédon [kɔmedõ] *m* blackhead

comestible [kɔmɛstibl] **I** *adj* edible; ***champignon*** *m* **~** edible mushroom **II** *mpl* **~*s*** food + *v sg*

comète [kɔmɛt] *f* comet; *fig* ***tirer des plans sur la ~*** to make ambitious plans

comices [kɔmis] *mpl* **~ *agricoles*** agricultural show + *v sg*

▸ **comique** [kɔmik] **I** *adj* **1.** THÉ, FILM comic; ***auteur*** *m* **~** comedy writer; ***pièce*** *f* **~** comedy **2.** (*amusant*) funny **II** *m* **1.** *d'une scène, etc* funny side **2.** *acteur* comic actor *humoriste* comedian

comité [kɔmite] *m* committee; **~ *directeur*** management committee; **~ *d'entreprise*** plant committee, *brit* works council; **~ *des fêtes*** events committee; *fig* ***se réunir en petit ~*** to meet in a small group

commandant [kɔmɑ̃dɑ̃] *m* **1.** MIL *grade* major; AVIAT major, *brit* squadron leader; (*chef*) commander; **~ *en chef*** commander-in-chief **2.** MAR captain; AVIAT **~ *de bord*** captain

▸ **commande** [kɔmɑ̃d] *f* **1.** COMM order; *fig sourire* ***de ~*** forced; ***travailler sur ~*** to work to commission; *fig* to work to order; ***passer une ~ à qn*** to place an order with sb **2.** TECH control; **~ *à distance*** remote control; ***être aux ~s***, *fig* ***tenir les ~s*** to be in control (***de qc*** of sth) **3.** INFORM command

commandement [kɔmɑ̃dmɑ̃] *m* **1.** MIL command **2.** REL commandment

▸ **commander** [kɔmɑ̃de] **I** *v/t* **1.** COMM, *qc au café, taxi* to order **2.** MIL *troupes* to command; *par ext* **~ *qn*** to give sb orders, to boss sb around *fam* **3.** MIL *attaque, retraite* to order; *par ext mesures* to order **4.** (*dominer*) **~ *qn*** to order sb around **5.** (*exiger*) to command **6.** TECH to control **II** *v/t indir* **1.** **~ *à qn de*** +*inf* to order sb +*inf* **2.** *fig* **~ *à ses passions*** to be in control of one's passions **III** *v/i* to be in command **IV** *v/pr* ***se commander ces choses ne se commandent pas*** you can't force these things

> **commander**
>
> **Commander** = to order, to ask in French:
>
> **Elle a commandé 2 mètres de tissu.**
>
> She ordered 2 meters of the cloth.

commandeur [kɔmɑ̃dœʀ] *m de la Légion d'honneur* commander

commanditaire [kɔmɑ̃ditɛʀ] *m* silent partner, *brit* sleeping partner; ***le ~ d'un attentat*** the person behind an attack

commandite [kɔmɑ̃dit] *f* limited partnership **commanditer** *v/t* finance

commando [kɔmɑ̃do] *m* commando; ***raid*** *m* ***de ~*** commando raid

▸ **comme** [kɔm] **I** *conj* **1.** *comparaison* like; ***tout comme*** just like; ***comme son frère*** like his brother; *fam* ***facile comme tout*** really easy; ***comme autrefois*** like in the old days; ▸ ***comme si*** as if, as though; ***comme vous voulez*** as you like **2.** (*en tant que*) as; ***travailler comme secrétaire*** to work as a secretary; ***qu'est-ce qu'il a comme livres?*** what books has he got? **3.** *temporel* as **4.** *causal* as, since **II** *adv* how; ***comme c'est laid!*** isn't it ugly!

commémoratif [kɔmemɔʀatif] *adj* ⟨**-ive** [-iv]⟩ commemorative

commémoration [kɔmemɔʀasjõ] *f* **1.** *action* remembrance; *st/s* commemoration; ***en ~ de*** in commemoration of **2.** *cérémonie* commemoration

commémorer [kɔmemɔʀe] *v/t* to commemorate

► **commencement** [kɔmɑ̃smɑ̃] *m* beginning, start; ***~ du monde*** beginning of time; ***au ~*** at the beginning

► **commencer** [kɔmɑ̃se] ⟨**-ç-**⟩ **I** *v/t* to start, to begin; ***~ qc par qc*** to begin sth with sth **II** *v/t indir* ***~ à*** *ou litt* ***de*** *+inf* to begin *+inf*, to start *+inf*; ***~ à manger*** to begin *ou* start to eat; ***il commence à pleuvoir*** it's starting to rain; ***~ par faire qc*** to begin *ou* start by doing sth; ***~ par qc*** to begin *ou* start with sth **III** *v/i* to begin, to start

commensal [kɔmɑ̃sal] *m* ⟨**-aux** [-o]⟩ *litt* table companion

commensurable [kɔmɑ̃syʀabl] *adj* MATH commensurable

► **comment** [kɔmɑ̃] **I** *adv* how; ***~?*** pardon?; ***mais comment donc!*** of course!; ***et comment!*** most certainly!; ► ***comment allez-vous?*** how are you?; ***comment faire?*** how can it be done? **II** *subst* ⟨*inv*⟩ ***le comment*** the how

commentaire [kɔmɑ̃tɛʀ] *m* **1.** *remarque* comment; *fig* ***et pas de ~s!*** and no arguments!; ***sans ~!*** no comment!; ***faire des ~s sur*** to pass comment on **2.** ENSEIGNEMENT ***~ (composé, de texte)*** commentary **3.** *rad, tv* commentary

commentateur [kɔmɑ̃tatœʀ] *m*, **commentatrice** [-tʀis] *f* commentator

commenter [kɔmɑ̃te] *v/t* to comment on; *rad, tv match* to commentate on

commérages [kɔmeʀaʒ] *mpl* gossip + *v sg*

commerçant [kɔmɛʀsɑ̃] **I** *adj* ⟨**-ante** [-ɑ̃t]⟩ ***rue commerçante*** shopping street; ***il est très commerçant*** he's got good business sense **II** ► ***commerçant(e)*** *m(f)* storekeeper, *brit* shopkeeper; ***les petits commerçants*** small storekeepers

► **commerce** [kɔmɛʀs] *m* **1.** trade; ***faire du ~*** to be in business; ***faire le ~ de qc*** to trade in sth **2.** (*magasin*) store, *brit* shop; ***tenir un ~*** to run a store **3.** *litt* ***il est d'un ~ agréable*** he's good company

commercer [kɔmɛʀse] *v/i* ⟨**-ç-**⟩ to trade (***avec qn*** with sb)

► **commercial** [kɔmɛʀsjal] *adj* ⟨**~e; -aux** [-o]⟩ **1.** *comm* commercial; ***français ~*** business French **2.** *écon accord, embargo* trade *épith* **3.** *péj* commercial; *par ext* phony

commerciale [kɔmɛʀsjal] *f* station wagon, *brit* estate car

commercialisation [kɔmɛʀsjalizasjõ] *f* marketing; *péj* commercialization

commercialiser *v/t* to market

commère [kɔmɛʀ] *f* gossip

commettre [kɔmɛtʀ] ⟨→ **mettre**⟩ *erreur* to make; *crime* to commit

comminatoire [kɔminatwaʀ] *adj* menacing

commis [kɔmi] *m* **1.** *de bureau* clerk; *de commerce* sales clerk, *brit* sales assistant; ***~ voyageur*** traveling salesman **2.** ***les grands ~ de l'État*** senior civil servants

commisération [kɔmizeʀasjõ] *f* commiseration

commissaire [kɔmisɛʀ] *m* **1.** ***~ (de police)*** police superintendent **2.** ADMIN, POL commissioner; ***~ européen*** European Commissioner; ***~ aux comptes*** auditor **3.** SPORT steward **commissaire-priseur** *m* ⟨**commissaires-priseurs**⟩ auctioneer

► **commissariat** [kɔmisaʀja] *m* **1.** ***~ (de police)*** police station **2.** ADMIN, POL commission (***à*** for)

commission [kɔmisjõ] *f* **1.** (*message*) message; (*course*) errand; ***~s*** *pl* shopping + *v sg*; ***faire les ~s*** to do the shopping; ***faire une ~ pour qn*** to run an errand for sb; ***transmettre une ~ à qn*** pass a message on to sb **2.** *groupe* committee **3.** COMM commission **4.** *enf* ***faire sa grosse, sa petite ~*** to do number one, number two *enf*

commissionnaire [kɔmisjɔnɛʀ] *m* **1.** COMM agent, broker **2.** (*coursier*) messenger

commissure [kɔmisyʀ] *f* ***~ des lèvres*** corner of the mouth

commode[1] [kɔmɔd] *adj* **1.** convenient, handy **2.** *personne* ***ne pas être ~*** *difficile* to be awkward to deal with; *sévère* to be strict

commode[2] *f* chest of drawers

commodément [kɔmɔdemɑ̃] *adv* conveniently

commodité [kɔmɔdite] *f* **1.** convenience **2.** **~s** *pl* facilities, services; *dans une maison* mod cons *fam*

commotion [kɔmɔsjõ] *f* **~ *cérébrale*** concussion

commotionner [kɔmɔsjɔne] *v/t* concuss

commuer [kɔmɥe] *v/t peine* to commute (***en*** to)

▶ **commun** [kɔmɛ̃, -mœ̃] **I** *adj* ⟨**-une** [-yn]⟩ **1.** (*collectif*) *souvenirs*, *goûts*, *équipement*, *pièce* shared; *langue*, *facteur*, *dénominateur* common; *projet*, *stratégie* joint; *travail* collaborative; ***fosse ~e*** communal grave; ***après cinq ans de vie ~e*** after living together for five years; ***en ~*** jointly, together **2.** (*banal*) common; ***peu ~*** unusual **3.** ZOOL, BOT common **II** *m* **1.** ***le ~ des mortels*** ordinary mortals + *v pl* **2.** ***hors du ~*** exceptional **3.** **~s** *pl* outbuildings

communal [kɔmynal] *adj* ⟨**~e; -aux** [-o]⟩ local government *épith*, *brit* local council *épith*; ***école ~e*** local elementary school

communautaire [kɔmynotɛʀ] *adj* **1.** community *épith* **2.** POL Community *épith*

▶ **communauté** [kɔmynote] *f* **1.** community (*a* POL, REL); *de personnes vivant en commun* commune **2.** JUR joint ownership **3.** **~ *de goûts*, *valeurs*** shared tastes, values

▶ **commune** [kɔmyn] *f village* village; *ville* town; *admin* (administrative) district

communément [kɔmynemɑ̃] *adv* commonly, generally

communiant [kɔmynjɑ̃] *m*, **communiante** [-ɑ̃t] *f* CATH ***premier*** (***première***) **~(*e*)** first communicant

communicable [kɔmynikabl] *adj* communicable **communicant** *adj* ⟨**-ante** [-ɑ̃t]⟩ communicating

communicatif [kɔmynikatif] *adj* ⟨**-ive** [-iv]⟩ **1.** *personne* talkative **2.** *rire* infectious

▶ **communication** [kɔmynikasjõ] *f* **1.** (*contact*) communication, contact; ***être en ~ avec qn*** to be in contact with sb **2.** (*message*) message; *action* communication; ***demander ~ d'un dossier*** to ask for a file **3.** (*liaison*) communication; **~s** *pl* communications; ***porte*** *f* ***de ~*** communicating door **4.** TÉL call

communier [kɔmynje] *v/i* **1.** REL to receive Communion **2.** *st/s* to commune

communion [kɔmynjõ] *f* **1.** REL Communion; ***première ~*** First Communion **2.** (*union*) communion **3.** *st/s* (*accord*) harmony

communiqué [kɔmynike] *m* press release; POL statement

communiquer [kɔmynike] **I** *v/t* **1.** *nouvelle*, *renseignements* to announce; *liste*, *dossier*, *détail* to give **2.** *maladie*, *enthousiasme* to pass on (***à*** to); PHYS *mouvement* to transmit (***à*** to); **~ *qc à qn*** to pass sth on to sb **II** *v/i* **1.** to communicate (***entre eux*** with each other; ***avec qn*** with sb; ***par signes*** by signs) **2.** *pièces* to be adjoining **III** *v/pr feu* ***se ~*** to spread (***à*** to)

communisme [kɔmynism] *m* communism

▶ **communiste** [kɔmynist] **I** *adj* communist **II** *m/f* communist

commutateur [kɔmytatœʀ] *m* ÉLEC switch **commutatif** *adj* ⟨**-ive** [-iv]⟩ MATH commutative

commutation [kɔmytasjõ] *f* **1.** JUR **~ *de peine*** commutation of sentence **2.** TÉL switching

commuter [kɔmyte] *v/t* MATH, LING to commute

Comores [kɔmɔʀ] ***les ~*** *fpl* the Comores

compact [kõpakt] **I** *adj* ⟨**~e**⟩ **1.** (*dense*) dense **2.** (*peu encombrant*) compact **II** *m disque* CD

compacter [kõpakte] *v/t* to compress (*a* INFORM)

compagne [kõpaɲ] *f* companion; *dans un couple* partner; ZOOL mate; **~ *de classe*** classmate

▶ **compagnie** [kõpaɲi] *f* **1.** company; ***aller de compagnie*** (***avec***) to go hand in hand (with); ***en compagnie de*** together with; ***tenir compagnie à qn*** to keep sb company **2.** COMM company; *fam* **... *et compagnie*** ... and co; ▶ ***compagnie aérienne*** airline; ***compagnie d'assurances*** insurance company **3.** ***compagnie de théâtre*** theater company **4.** MIL company

compagnon [kõpaɲõ] *m* **1.** (*ami*) companion; *dans un couple* partner; **~ *d'infortune*** companion in misfortune; **~ *de voyage*** traveling companion **2.** *artisan* journeyman

compagnonnage [kõpaɲɔnaʒ] *m* HIST trade guilds + *v pl*

comparable [kõpaʀabl] *adj* comparable

(*à* to)

► **comparaison** [kõpaʀɛzõ] *f* comparison; ***en ~ de*** compared with; ***par ~*** by comparison; ***faire la ~*** compare

comparaître [kõpaʀɛtʀ] *v/i* ⟨→ **connaître**⟩ JUR to appear (***en justice*** in court)

comparatif [kõpaʀatif] **I** *adj* ⟨**-ive** [-iv]⟩ comparative **II** *m* GRAM comparative

comparatiste [kõpaʀatist] *m* specialist in comparative literature

comparativement [kõpaʀativmɑ̃] *adv* comparatively; ***~ à*** compared with

comparé [kõpaʀe] *adj* ⟨**~e**⟩ comparative

► **comparer** [kõpaʀe] *v/t* to compare; ***~ à, avec*** to compare with

comparse [kõpaʀs] *m/f* THÉ extra; *fig fam* sidekick

► **compartiment** [kõpaʀtimɑ̃] *m* **1.** *d'un tiroir, meuble* compartment; *d'un damier* square **2.** CH DE FER compartment

compartimenté [kõpaʀtimɑ̃te] *adj* ⟨**~e**⟩ *société* compartmentalized

compartimenter [kõpaʀtimɑ̃te] *v/t* to compartmentalize

comparution [kõpaʀysjõ] *f* JUR appearance

compas [kõpa] *m* **1.** *de géométrie* pair of compasses; ***boîte*** *f* ***à ~*** compass set; *fig* ***avoir le ~ dans l'œil*** to have a good eye **2.** MAR, AVIAT compass

compassé [kõpase] *adj* ⟨**~e**⟩ stuffy

compassion [kõpasjõ] *f* compassion (***pour*** for)

compatibilité [kõpatibilite] *f* compatibility (*a* INFORM) **compatible** *adj* compatible (*a* INFORM)

compatir [kõpatiʀ] *v/t indir* ***~ à*** to sympathize with

compatissant [kõpatisɑ̃] *adj* ⟨**-ante** [-ɑ̃t]⟩ compassionate

compatriote [kõpatʀijɔt] *m/f* compatriot, fellow countryman, fellow countrywoman

compensateur [kõpɑ̃satœʀ] *adj* ⟨**-trice** [-tʀis]⟩ compensatory

compensation [kõpɑ̃sasjõ] *f* compensation; ***en ~*** in compensation; ***~ carbone*** carbon offsetting

compensatoire [kõpɑ̃satwaʀ] *adj* compensatory

compensé [kõpɑ̃se] *adj* ⟨**~e**⟩ ***semelle ~e*** wedge heel

compenser [kõpɑ̃se] *v/t* compensate; ***pour ~*** to compensate, as compensation

compère [kõpɛʀ] *m* **1.** *litt* fellow **2.** *péj* accomplice **compère-loriot** *m* ⟨**compères-loriots**⟩ MÉD sty

compétence [kõpetɑ̃s] *f* **1.** (*aptitude*) ability, skill; ***~(s)*** skills **2.** (*ressort*) competence (*a* JUR)

compétent [kõpetɑ̃] *adj* ⟨**-ente** [-ɑ̃t]⟩ **1.** (*capable*) competent **2.** ADMIN *autorité* competent; *service, administration* appropriate

compétitif [kõpetitif] *adj* ⟨**-ive** [-iv]⟩ competitive

► **compétition** [kõpetisjõ] *f* competition, rivalry ÉCON competition; ***~ (sportive)*** sporting event; ***esprit*** *m* ***de ~*** competitive streak

compétitivité [kõpetitivite] *f* competitiveness

compilateur [kõpilatœʀ] *m* INFORM compiler **compilation** *f* compilation **compiler** *v/t* to compile

complainte [kõplɛ̃t] *f* lament

> **complainte ≠ complaint**
>
> **Complainte** = lament, sad song. The French word for complaint is **plainte** but using the verb **se plaindre** is more usual.

complaire [kõplɛʀ] *v/pr* ⟨→ **plaire**⟩ ***se ~ dans qc*** to take pleasure in sth

complaisance [kõplɛzɑ̃s] *f* **1.** (*amabilité*) kindness **2.** *péj* (*indulgence*) indulgence; ***certificat*** *m* ***de ~*** *medical certificate issued by an obliging doctor* **3.** *péj* (*satisfaction*) smugness, complacency; ***avec ~*** smugly

complaisant [kõplɛzɑ̃] *adj* **1.** (*obligeant*) obliging **2.** *péj* indulgent; ***un mari ~*** *iron* a husband who turns a blind eye **3.** *péj* (*satisfait*) complacent, smug

complément [kõplemɑ̃] *m* **1.** ***~ d'information*** further information; ***~ (d'une somme)*** rest, remainder; ***~ de salaire*** extra pay; **2.** GRAM complement; ***~ (d'objet)*** object; ***~ circonstanciel, de circonstance*** adverbial phrase; ***~ déterminatif*** postmodifier

complémentaire [kõplemɑ̃tɛʀ] *adj* **1.** (*supplémentaire*) further, supplementary; (***retraite*** *f*) ***~*** *f* supplementary pension **2.** (*apparié*) complementary; ***couleurs*** *fpl* ***~s*** complementary colors

complémentarité [kõplemɑ̃taʀite] *f sc* complementarity

► **complet** [kõplɛ] I *adj* ⟨**-ète** [-ɛt]⟩ **1.** (*entier*) complete; (*exhaustif*) comprehensive, full; ***aliment ~*** whole food; ***pain ~*** wholemeal bread; ***la famille au*** (***grand***) ***~*** the whole family **2.** (*plein*) full; *hôtel* fully booked; *théâtre* sold out II *m* suit

► **complètement** [kõplɛtmɑ̃] *adv* completely

compléter [kõplete] ⟨**-è-**⟩ *v/t* complete

complétif [kõpletif] *adj* ⟨**-ive** [-iv]⟩ GRAM ***proposition complétive*** noun clause

complexe [kõplɛks] I *adj* complex II *m* complex; ***~ d'infériorité*** inferiority complex; ***sans ~s*** uninhibited

complexé [kõplɛkse] *fam adj* ⟨**~e**⟩ ***être très ~*** *fam* to have a lot of hang-ups *fam*

complexer [kõplɛkse] *v/t fam* ***ça le complexe*** it screws him up *fam*

complexion [kõplɛksjõ] *f* constitution

complexité [kõplɛksite] *f* complexity

complication [kõplikasjõ] *f* **1.** (*complexité*) complexity **2.** (*difficulté*) complication (*a* MÉD)

complice [kõplis] I *adj* collusive; *air, sourire* of complicity II *m/f* accomplice; JUR accessory

complicité [kõplisite] *f* bond; JUR complicity; ***~ de vol*** complicity in a robbery

compliment [kõplimɑ̃] *m* compliment; ***faire des ~s à qn*** to compliment sb; (***tous***) ***mes ~s!*** congratulations!; ***avec les ~s de …*** with the compliments of …

complimenter [kõplimɑ̃te] *v/t* ***~ qn*** to compliment sb

complimenteur [kõplimɑ̃tœʀ] I *adj* ⟨**-euse** [-øz]⟩ *péj* flattering II *m péj* flatterer

► **compliqué** [kõplike] *adj* ⟨**~e**⟩ complicated; ***c'est un*** (***esprit***) ***~*** *m fam* he's got a tortuous mind

compliquer [kõplike] I *v/t* to complicate II *v/pr* ***se compliquer*** to become complicated

complot [kõplo] *m* plot; *par ext* ***mettre qn dans le ~*** to let sb in on the plot

comploter [kõplɔte] I *v/t* ***~ de faire qc*** to plot to do sth; *fam* ***~ qc*** to plan sth II *v/i* to plot

comploteur [kõplɔtœʀ] *m* plotter

componction [kõpõksjõ] *f* self-importance; ***air*** *m* ***de ~*** self-important air

comportement [kõpɔʀtəmɑ̃] *m* behavior

comporter [kõpɔʀte] I *v/t* **1.** (*contenir*) to include; (*se composer de*) to comprise **2.** (*impliquer*) *risque* to entail II *v/pr* ► ***se comporter*** *personne, animal* to behave; (*fonctionner*) to perform (*a* TECH)

composant [kõpozɑ̃] *m* component (*a* ÉLECTRON) **composante** *f* component, constituent part

composé [kõpoze] I *adj* ⟨**~e**⟩ CHIM, GRAM, MATH, MUS compound *épith*; *style* composite; *salade* mixed II *m* **1.** ***~*** (***chimique***) (chemical) compound **2.** GRAM compound

composées [kõpoze] *fpl* BOT composites

► **composer** [kõpoze] I *v/t* **1.** (*assembler*) *programme, menu, équipe* to put together; *plat* to make; *bouquet* to make up TÉL *numéro* to dial **2.** (*constituer*) to make up **3.** *poème* to write; MUS to compose **4.** TYPO to typeset II *v/i* **1.** (*s'arranger*) to come to a compromise (***avec*** with) III *v/pr* **1.** ► ***se composer de*** to be made up of **2.** ***se composer un visage de circonstance*** to assume an appropriate expression

composite [kõpozit] *adj* **1.** ARCH, TECH composite **2.** (*divers*) mixed

► **compositeur** [kõpozitœʀ] *m*, **compositrice** [kõpozitʀis] *f* MUS composer

composition [kõpozisjõ] *f* **1.** (*éléments constitutifs*) composition; *d'un tableau* composition; SPORT ***~ d'une équipe*** team line-up **2.** ENSEIGNEMENT test; ***~ de chimie*** chemistry test **3.** MUS composition **4.** *personne* ***être de bonne ~*** to be good-natured **5.** TYPO typesetting

compost [kõpɔst] *m* compost

► **composter** [kõpɔste] *v/t billet* validate **composteur** *m* ticket validating machine

► **compote** [cõpɔt] *f* stewed fruit, compote; ***~ de pommes*** stewed apple + *v sg*; *fam, fig* ***en ~*** *meurtri* black and blue; *douloureux* aching; *tremblant* like jelly

compotier [kõpɔtje] *m* fruit bowl

compréhensibilité [kõpʀeɑ̃sibilite] *f* comprehensibility

compréhensible [kõpʀeɑ̃sibl] *adj* comprehensible **compréhensif** *adj* ⟨**-ive** [-iv]⟩ understanding

compréhension [kõpʀeɑ̃sjõ] *f* **1.** (*indulgence*) understanding **2.** *faculté* understanding, comprehension

► **comprendre** [kõpʀɑ̃dʀ] ⟨→ **prendre**⟩ I *v/t* **1.** (*saisir*) to understand; ***tu y***

compréhensif ≠ comprehensible

Compréhensif = understanding in French:

Elle était tout à fait compréhensive quand il s'agissait de problèmes familiaux.

She was quite understanding about any problems to do with the family.

comprends quelque chose? (*tu t'y connais?*) do you know anything about it?; (*tu saisis?*) do you understand it?; ***faire ~ qc à qn*** to make sb understand sth; ***se faire ~*** to make oneself understood **2.** (*comporter*) to consist of, to comprise **3.** (*inclure*) to include **II** *v/pr* ***se ~*** *deux personnes* to understand each other; *être compréhensible* to be understandable

compresse [kõpʀɛs] *f* compress

compresser [kõpʀese] *v/t* to compress (*a* INFORM)

compresseur [kõpʀesœʀ] *m* compressor

compressible [kõpʀɛsibl] *adj* **1.** PHYS compressible **2.** *dépenses* reducible

compressif [kõpʀesif] *adj* ⟨**-ive** [-iv]⟩ MÉD ***bandage ~*** compression bandage

compression [kõpʀɛsjõ] *f* **1.** TECH compression **2.** *de dépenses, du personnel* reduction

► **comprimé** [kõpʀime] *m* tablet

comprimer [kõpʀime] *v/t* **1.** TECH to compress; ***air comprimé*** compressed air **2.** (*serrer*) to constrict **3.** *dépenses, personnel* to reduce, to cut

compris [kõpʀi] *pp*→ ***comprendre*** *et adj* ⟨**-ise** [-iz]⟩ **1.** (***y***) **~** including; ***service non ~*** service not included, service extra; ***tout ~*** in total, all inclusive **2.** (*situé*) ***~ entre ...*** between ...

compromettant [kõpʀɔmɛtɑ̃] *adj* ⟨**-ante** [-ɑ̃t]⟩ compromising

compromettre [kõpʀɔmɛtʀ] ⟨→ **mettre**⟩ **I** *v/t* **1.** *chances, santé* to jeopardize, to endanger **2.** *personne* to compromise **II** *v/pr* ***s'être compromis dans qc*** to have become involved in sth

compromis [kõpʀɔmi] *m* compromise

compromissions [kõpʀɔmisjõ] *fpl* shady dealing + *v sg*

comptabiliser [kõtabilize] *v/t* **1.** COMM to enter in the books **2.** *par ext* to count

comptabilité [kõtabilite] *f* accountancy; ***livres*** *mpl* ***de ~*** accounts books; ***tenir la ~*** to keep the books, to keep the accounts

comptable [kõtabl] *m/f* accountant

comptage [kõtaʒ] *m* counting

comptant [kõtɑ̃] **I** *adj* ***800 euros ~*** ⟨*inv*⟩ 800 euros cash **II** *adv* *payer* cash; *acheter, vendre* ***au ~*** for cash; ***paiement*** *m* ***au ~*** cash payment

► **compte** [kõt] *m* **1.** ***compte rond*** round number; *fig* ***à ce compte-là*** in that case; ***être à son compte*** to be self-employed; ***se mettre à son compte*** to set up one's own business; *fig* ***pour mon compte*** on my behalf; ***pour le compte de*** on behalf of; *dire qc* ***sur le compte de qn*** about sb; ***en fin de compte*** at the end of the day; ***tout compte fait*** when all is said and done; *fam* ***avoir son compte*** (*être mort*) to be done for *fam*; (*être ivre*) to be drunk; ***donner son compte à qn*** to give sb notice; *fam* ***son compte est bon*** he's had it *fam*; *fig* ***être loin du compte*** to be far short of the mark; ***faire le compte de*** to count; ***faire ses comptes*** to do the accounts; *fig* ***régler son compte à qn*** *fam* to fix sb *fam*; ► ***tenir compte de qc*** to take sth into account; ***compte tenu de*** considering, bearing in mind; ***s'en tirer à bon compte*** to get off lightly; ***y trouver son compte*** to get something out of it **2.** *en banque*, COMM account; ***compte chèque postal*** post office account; ***compte courant*** current account; ***compte en banque*** bank account **3.** (*explication*) ***compte rendu*** report, account; *d'une séance* minutes + *v pl*; *d'un livre* review; ***demander des comptes à qn*** to ask sb for an explanation; ***je n'ai pas de comptes à vous rendre*** I don't have to answer to you; ***rendre compte de qc*** to give an account of sth; ► ***se rendre compte de qc*** to realize sth; ***tu te rends compte!*** can you believe it!

compte-gouttes *m* ⟨*inv*⟩ dropper; *fig* ***au ~*** sparingly, a little at a time

► **compter** [kõte] **I** *v/t* **1.** (*dénombrer*) to count; (*inclure*) to count; ***~ qc, qn parmi les meilleurs*** to count sb, sth among the best; ***sans ~*** (+ *subst*) not including; ***sans ~ que*** (*et de plus*) not to mention that; (*d'autant plus que*) especially as **2.**

(*prévoir*) to expect; ***je ne compte pas qu'elle vienne ce soir*** I'm not expecting her to come tonight **3.** (*avoir l'intention*) **~** *+inf* to intend *+inf* **4.** ***~ qc à qn*** (*facturer*) to charge sb for sth; (*verser*) to pay sb sth **5.** (*avoir*) *membres, victoires, habitants* to have **6.** *évaluer* to allow; ***il faut ~ trois heures*** you have to allow three hours **II** *v/i* **1.** (*calculer*) to count; *dépenser, donner* ***sans ~*** freely; ***à ~ de*** (as) from **2.** (*avoir de l'importance*) to matter **III** *v/t indir* ***~ avec qc, qn*** to take sb, sth into account, to reckon with sb, sth; ***~ sur qc, qn*** to count on on sb, sth, to rely on sb, sth; ***j'y compte*** I'm counting on it!

compte rendu *m* ⟨**comptes rendus**⟩ → ***compte***

compte-tours *m* ⟨*inv*⟩ rev counter

compteur [kõtœʀ] *m* meter; ***~ électrique*** electric meter; ***~ Geiger*** [ʒɛʒɛʀ] Geiger counter; ***~ à eau, à gaz*** water, gas meter; ***~ de taxi*** taxi meter; **~** (***de vitesse***) speedometer

comptine [kõtin] *f* nursery rhyme

comptoir [kõtwaʀ] *m* **1.** *d'un bar* bar **2.** *d'un magasin* counter **3.** HIST trading post

compulser [kõpylse] *v/t* to consult

compulsion [kõpylsjõ] *f* compulsion

comte [kõt] *m* count; *titre anglais* earl

comté [kõte] *m* **1.** ADMIN county **2.** CUIS *type of hard cheese*

comtesse [kõtɛs] *f* countess

▶ **con** [kõ] *pop* **I** *adj* ⟨*f inv ou* **conne** [kɔn]⟩ damn stupid *fam* **II** *subst* **1. ~, *conne*** *m/f* stupid jerk, bitch *pop* ***faire le con*** to piss around *pop* **2.** *m obscène* cunt *obscène*

conard [kɔnaʀ] *pop m*, **conasse** [kɔnas] *pop f* → ***con*** *II 1*

concasser [kõkase] *v/t* to crush **concasseur** *m de pierres* crusher

concave [kõkav] *adj* concave; ***miroir*** *m* **~** concave mirror

concavité [kõkavite] *f* **1.** OPT concavity **2.** (*creux*) hollow

concéder [kõsede] *v/t* ⟨**-è-**⟩ **1.** *droit* to grant **2.** (*admettre*) ***~ que …*** to concede that … **3.** SPORT *but* to concede

concentration [kõsɑ̃tʀasjõ] *f* concentration; ***camp*** *m* ***de ~*** concentration camp

concentrationnaire [kõsɑ̃tʀasjɔnɛʀ] *adj* concentration camp *épith*

concentré [kõsɑ̃tʀe] **I** *adj* ⟨**~e**⟩ **1.** CHIM concentrated; ***lait*** *m* **~** condensed milk **2.** (*attentif*) *air* of concentration; ***un élève ~*** a pupil who is concentrating **II** *m* concentrate; ***~ de tomates*** tomato paste

concentrer [kõsɑ̃tʀe] **I** *v/t* to concentrate **II** *v/pr* ***se ~*** to concentrate (***sur*** on)

concentrique [kõsɑ̃tʀik] *adj* concentric

concept [kõsɛpt] *m* concept

conception [kõsɛpsjõ] *f* **1.** (*idée*) concept **2.** (*création*) design **3.** BIOL conception

conceptualiser [kõsɛptɥalize] *v/t* to conceptualize

conceptuel [kõsɛptɥɛl] *adj* ⟨**~le**⟩ conceptual

concernant [kõsɛʀnɑ̃] *prép* concerning; ADMIN with regard to

concerné [kõsɛʀne] *adj* ⟨**~e**⟩ concerned; ***être ~*** to be affected (***par*** by)

▶ **concerner** [kõsɛʀne] *v/t* ***~ qc, qn*** (*viser*) to concern sb, sth; (*toucher*) to affect sb, sth ***en ce qui me concerne …*** as far as I am concerned …

▶ **concert** [kõsɛʀ] *m* **1.** MUS concert; *fig* chorus; ***un ~ d'avertisseurs*** a blaring of horns **2.** *agir* ***de ~*** together

concertation [kõsɛʀtasjõ] *f* cooperation

concerter [kõsɛʀte] *v/pr* ***se ~*** to confer

concerto [kõsɛʀto] *m* concerto

concessif [kõsɛsif] *adj* ⟨**-ive** [-iv]⟩ GRAM concessive

concession [kõsɛsjõ] *f* **1.** (*compromis*) concession **2.** ADMIN contract; *funéraire* burial plot; ***~ à perpétuité*** burial plot in perpetuity **3.** (*droit d'exploitation*) concession; COMM dealership

concessionnaire [kõsɛsjɔnɛʀ] *m* COMM *pour un service* agent; *pour un produit* distributor; *auto* dealer

concevable [kõsvabl] *adj* conceivable

concevoir [kõs(ə)vwaʀ] ⟨→ **recevoir**⟩ *v/t* **1.** (*comprendre*) to understand; (*s'imaginer*) to conceive; *idée* to form **2.** *projet, ouvrage* to design **3.** *st/s sentiment* to conceive **4.** BIOL to conceive

▶ **concierge** [kõsjɛʀʒ] **1.** *m/f d'immeuble* superintendent, *brit* caretaker; *d'hôtel* concierge **2.** *f fig* gossip

concile [kõsil] *m* council

conciliable [kõsiljabl] *adj* compatible

conciliabules [kõsiljabyl] *mpl* consultations

conciliant [kõsiljɑ̃] *adj* ⟨**-ante** [-ɑ̃t]⟩ conciliatory

conciliateur [kõsiljatœʀ] *m*, **conciliatrice** [-tʀis] *f* conciliator

conciliation [kõsiljasjõ] *f* **1.** *d'opinions, intérêts* reconciliation **2.** JUR conciliation; ***tentative*** *f* ***de ~*** attempt at conciliation

concilier [kõsilje] **I** *v/t* to reconcile **II** *v/pr* ***se ~ la bienveillance de qn*** to win sb over

concis [kõsi] *adj* ⟨**-ise** [-iz]⟩ concise

concision [kõsizjõ] *f* conciseness, concision

concitoyen [kõsitwajɛ̃] *m*, **concitoyenne** [-jɛn] *f* fellow citizen

conclave [kõklav] *m* ÉGL CATH conclave

concluant [kõklɥɑ̃] *adj* ⟨**-ante** [-ɑ̃t]⟩ conclusive

conclure [kõklyʀ] ⟨**je conclus, il conclut, nous concluons; je concluais; je conclus; je conclurai; que je conclue; concluant; conclu**⟩ **I** *v/t* **1.** *affaire* to close; *traité* to conclude **2.** (*clore*) to bring to a close **3.** (*déduire*) ***j'en conclus que …*** I conclude that … **II** *v/t indir* ***~ à la nécessité de qc*** to conclude that sth is necessary; ***~ à l'assassinat*** to conclude that it was murder

▶ **conclusion** [kõklyzjõ] *f* **1.** *d'un traité, d'une affaire* conclusion **2.** (*fin*) *de discours, séance* close **3.** (*déduction*) conclusion; ***~, …*** in other words, …; ***tirer des ~s*** draw conclusions (***de*** from)

concocter [kõkɔkte] *plais v/t surprise, etc fam* to devise; CUIS to concoct

concombre [kõkõbʀ] *m* cucumber

concomitant [kõkɔmitɑ̃] *adj* ⟨**-ante** [-ɑ̃t]⟩ concomitant

concordance [kõkɔʀdɑ̃s] *f* **1.** (*accord*) agreement (*similarité*) similarity **2.** GRAM ***~ des temps*** sequence of tenses

concordant [kõkɔʀdɑ̃] *adj* ⟨**-ante** [-ɑ̃t]⟩ corroborating

concordat [kõkɔʀda] *m* concordat

concorde [kõkɔʀd] *f* harmony

concorder [kõkɔʀde] *v/i* to tally (***avec*** with); *caractères* to match; ***faire ~ qc*** to make sth tally

concourant [kõkuʀɑ̃] *adj* ⟨**-ante** [-ɑ̃t]⟩ MATH *droites* convergent

concourir [kõkuʀiʀ] ⟨→ **courir**⟩ **I** *v/t indir* **1.** ***~ à qc*** to combine to bring about sth **2.** MATH to converge **II** *v/i* to compete; SPORT ***~ pour un titre*** to compete for a title

concours [kõkuʀ] *m* **1.** (*compétition*) competition; ENSEIGNEMENT, EMPLOI competitive entrance exam; ***~ hippique*** showjumping event; ***~ publicitaire*** promotional competition; ***~ de beauté*** beauty pageant; ***~ d'entrée*** entrance exam **2.** (*aide*) help; (*collaboration*) cooperation **3.** ***~ de circonstances*** combination of circumstances

▶ **concret** [kõkʀɛ] *adj* ⟨**concrète** [kõkʀɛt]⟩ concrete

> **concret**
>
> **Concret** is only used in the sense of a concrete idea, etc. The French word for concrete as used in buildings is **béton.**

concrètement [kõkʀɛtmɑ̃] *adv* in practical terms

concrétisation [kõkʀetizasjõ] *f d'espoir, de souhait* fulfillment; *d'ambition* achievement

concrétiser [kõkʀetize] *v/t* ***~ qc*** to make sth a reality

conçu [kõsy] *pp*→ ***concevoir*** *et adj* ⟨**~e**⟩ **1.** TECH designed (***pour*** for) **2.** (*rédigé*) ***ainsi ~*** expressed in these terms

concubin [kõkybɛ̃] *m*, **concubine** [-in] *f* common-law husband, wife

concubinage [kõkybinaʒ] *m* cohabitation

concupiscent [kõkypisɑ̃] *adj* ⟨**-ente** [-ɑ̃t]⟩ lecherous

concurremment [kõkyʀamɑ̃] *adv* (*ensemble*) conjointly; (*simultanément*) concurrently

▶ **concurrence** [kõkyʀɑ̃s] *f* **1.** competition, rivalry; ***libre ~*** free competition; ***faire ~ à qn*** to compete with sb **2.** ***jusqu'à ~ de*** up to a limit of

concurrencer [kõkyʀɑ̃se] *v/t* ⟨**-ç-**⟩ to compete with

concurrent [kõkyʀɑ̃] *m*, **concurrente** [-ɑ̃t] *f* rival, competitor; SPORT competitor

concurrentiel [kõkyʀɑ̃sjɛl] *adj* ⟨**~le**⟩ competitive

condamnable [kõdanabl] *adj* reprehensible

condamnation [kõdanasjõ] *f* conviction; (*peine*) sentence

condamné(e) [kõdane] *m(f)* convicted prisoner

▶ **condamner** [kõdane] *v/t* **1.** JUR to sentence (***à*** to); ***~ qn pour qc*** to convict sb of sth **2.** (*forcer*) ***être condamné à*** to be forced to, to be condemned to **3.** (*blâmer*) to condemn **4.** ***les médecins l'ont condamné*** his doctors have given up all hope **5.** *porte* to seal up

condensateur [kõdɑ̃satœʀ] *m* condenser

condensation [kõdɑ̃sasjõ] *f* condensation

condensé [kõdɑ̃se] *adj* ⟨**~e**⟩ condensed; ***lait ~*** condensed milk; ***texte ~*** digest

condenser [kõdɑ̃se] **I** *v/t* **1.** PHYS to condense **2.** *fig texte* to condense **II** *v/pr vapeur* ***se ~*** condense

condenseur [kõdɑ̃sœʀ] *m* OPT, TECH condenser

condescendance [kõdesɑ̃dɑ̃s] *f* condescension **condescendant** *adj* ⟨**-ante** [-ɑ̃t]⟩ condescending

condescendre [kõdesɑ̃dʀ] *v/t indir* ⟨→ **rendre**⟩ **~ *à*** *+inf* to condescend *+inf*

condiment [kõdimɑ̃] *m* condiment

condisciple [kõdisipl] *m/f* fellow student

► **condition** [kõdisjõ] *f* **1.** condition; ***~s*** *pl* (*circonstances*) conditions; ***~s atmosphériques*** atmospheric conditions; ***la ~ féminine*** women's position in society; ***~s de paiement*** terms of payment; ***à*** (***la***) ***~ que*** (*+subjonctif ou futur*), ***à ~ de*** *+inf* provided that *+ pron +v*; ***dans ces ~s*** (*puisque c'est comme ça*) in that case; ***sans ~*** unconditionally **2.** (*forme*) condition; *d'un sportif* form; ***être en bonne ~*** to be fit; *fig* ***mettre qn en ~*** *physiquement* to get sb fit; *mentalement* to prepare sb **3.** (*rang social*) social status; ***de ~ modeste*** from a humble background

conditionné [kõdisjɔne] *adj* ⟨**~e**⟩ **1.** (***à***) ***air ~*** air-conditioned **2.** ***réflexe ~*** conditioned reflex

conditionnel [kõdisjɔnɛl] *adj* ⟨**~le**⟩ **1.** conditional (*a* JUR) **2.** GRAM (***mode***) **~** *m* conditional

conditionnement [kõdisjɔnmɑ̃] *m* **1.** COMM packaging **2.** **~ *de l'air*** air conditioning

conditionner [kõdisjɔne] *v/t* **1.** COMM to package **2.** (*être la condition de*) ***leur retour conditionne mon départ*** my departure depends on their return **3.** (*influencer*) to condition

condoléances [kõdɔleɑ̃s] *fpl* condolences; ***mes sincères ~*** my deepest condolences

condor [kõdɔʀ] *m* condor

conducteur [kõdyktœʀ] **I** *adj* ⟨**-trice** [-tʀis]⟩ **1.** PHYS conductive **2.** *fig* ***fil conducteur*** thread **II** *subst* **1.** ► ***conducteur, conductrice*** *m/f* driver; ***conducteur d'engin*** heavy plant driver **2.** *m* PHYS conductor

> **conducteur**
>
> **Conducteur** = car driver. For the conductor of an orchestra, use **le chef d'orchestre**.

conductibilité [kɔdyktibilite] *f* PHYS conductivity

conduction [kõdyksjõ] *f* PHYS, PHYSIOL conduction

conductivité [kõdyktivite] *f* PHYS conductivity

► **conduire** [kõdɥiʀ] ⟨**je conduis, il conduit, nous conduisons; je conduisais; je conduisis; je conduirai; que je conduise; conduisant; conduit**⟩ **I** *v/t* **1.** *personne* to lead; *cortège*, *délégation* to lead; *entreprise* to run **2.** *chose*, *route* ***~ à*** to lead to **3.** *voiture* to drive; ***savoir ~*** to be able to drive; ***permis*** *m* ***de ~*** driver's license **4.** *électricité*, *chaleur*, *eau* to carry **II** *v/pr* ***se ~*** to behave

conduit [kõdɥi] *m* **1.** TECH conduit; (*tuyau*) pipe **2.** ANAT canal

► **conduite** [kõdɥit] *f* **1.** (*comportement*) behavior (*a* ÉCOLE) **2.** AUTO driving; ***~ en état d'ivresse*** drunk driving; ***leçons*** *fpl* ***de ~*** driving lessons; ***voiture avec ~ à droite*** right-hand drive car **3.** (*direction*) *d'enquête* conduct *d'affaires* running, management; (*accompagnement*) supervision **4.** TECH pipe; ***~ d'eau, de gaz*** water, gas pipe

cône [kon] *m* cone (*a* MATH)

confection [kõfɛksjõ] *f* **1.** making; *d'un plat* preparation **2.** COUT ***la ~*** ready-to--wear clothing

confectionner [kõfɛksjɔne] *v/t* **1.** to make; *plat* to prepare **2.** *vêtements* to make

confectionneur [kõfɛksjɔnœʀ] *m* manufacturer of ready-to-wear clothing

confédéral [kõfedeʀal] *adj* ⟨**~e; -aux** [-o]⟩ confederal

confédération [kõfedeʀasjõ] *f* confederation; ***Confédération helvétique***

Switzerland
confédéré [kõfedeʀe] *adj* ⟨**~e**⟩ confederated **confédérer** *v/t* ⟨**-è-**⟩ to confederate
conférence [kõfeʀɑ̃s] *f* **1.** (*réunion*) conference; ***~ de presse*** press conference **2.** (*exposé*) lecture
conférencier [kõfeʀɑ̃sje] *m*, **conférencière** [-jɛʀ] *f* lecturer
conférer [kõfeʀe] ⟨**-è-**⟩ **I** *v/t droit, diplôme* to confer; *décoration* to award **II** *v/i* to confer
confesse [kõfɛs] *fam f* ***aller à ~*** to go to confession
confesser [kõfese] **I** *v/t* **1.** *ses péchés* to confess **2.** ***~ qn*** to hear sb's confession; *fam, fig* to get sb to talk **3.** (*avouer*) to confess **II** *v/pr* ***se ~*** to go to confession
confesseur [kõfesœʀ] *m* confessor
confession [kõfesjõ] *f* **1.** REL confession **2.** (*foi*) denomination **3.** (*aveu*) confession
confessionnal [kõfesjɔnal] *m* ⟨**-aux** [-o]⟩ confessional
confessionnel [kõfesjɔnɛl] *adj* ⟨**~le**⟩ denominational
confetti(s) [kõfeti] *mpl* confetti + *v sg*
▶ **confiance** [kõfjɑ̃s] *f* **1.** (*foi*) trust (***en, dans*** in); ***faire ~ à qn, qc*** to trust sb, sth; ***personne*** *f* ***de ~*** trustworthy person; ***en toute ~*** in confidence **2.** (*assurance*) confidence; ***~ en soi*** self-confidence
confiant [kõfjɑ̃] *adj* ⟨**-ante** [-ɑ̃t]⟩ **1.** (*certain*) confident **2.** *enfant, animal* trusting **3.** (*assuré*) (self-)confident; ***trop ~*** overconfident
confidence [kõfidɑ̃s] *f* secret; ***faire des ~s à qn*** to confide in sb; ***en ~*** in confidence; ***être dans la ~*** to be in on the secret

confidence

Note that **confidence** is usually used in the sense of telling someone something confidential. The French word for confidence meaning believing in yourself is **confiance** or **assurance**:

Il nous a fait des confidences surprenantes. Elle était pleine d'assurance après sa dernière victoire.

He told us some surprising news, in confidence. She was full of confidence after her latest win.

confident [kõfidɑ̃] *m*, **confidente** [-ɑ̃t] *f* confidant, confidante (*a* THÉ)
confidentialité [kõfidɑ̃sjalite] *f* confidentiality
confidentiel [kõfidɑ̃sjɛl] *adj* ⟨**~le**⟩ confidential
confier [kõfje] **I** *v/t* ***~ qc, qn à qn*** to entrust sb, sth to sb **II** *v/pr* ***se ~ à qn*** to confide in sb
configuration [kõfigyʀasjõ] *f* configuration; *des lieux* layout
confiné [kõfine] *adj* ⟨**~e**⟩ *air* stale; *atmosphère* stuffy; *esp* confined
confiner [kõfine] **I** *v/t* ***~ qn*** to confine sb **II** *v/t indir* ***~ à*** to border on **III** *v/pr* ***se ~ chez soi*** to shut o.s. up at home
confins [kõfɛ̃] *mpl* ***aux ~ de*** on the borders of
confirmation [kõfiʀmasjõ] *f* confirmation *a* REL
confirmer [kõfiʀme] **I** *v/t* **1.** *réservation, nouvelle, etc* to confirm **2.** ***~ qn dans son opinion*** to reinforce sb's opinion **3.** REL to confirm **II** *v/pr* ***se ~*** to be confirmed
confiscation [kõfiskasjõ] *f* JUR, ADMIN confiscation
confiserie [kõfizʀi] *f* **1.** *marchandise, commerce* confectionery; ***~s*** *pl* candy + *v sg*, *brit* sweets **2.** *magasin* candy store, *brit* sweetshop
confiseur [kõfizœʀ] *m*, **confiseuse** [-øz] *f* confectioner
confisquer [kõfiske] *v/t* confiscate
confit [kõfi] **I** *adj* ⟨**-ite** [-it]⟩ **1.** *fruits* crystallized **2.** ***~ en dévotion*** steeped in piety **II** *m* ***~ d'oie*** preserved goose
▶ **confiture** [kõfityʀ] *f* jam
conflagration [kõflagʀasjõ] *st/s f* conflagration
conflictuel [kõfliktɥɛl] *adj* ⟨**~le**⟩ *sujet* controversial; *idées* conflicting; *rapports* confrontational
▶ **conflit** [kõfli] *m* conflict; ***~ social*** industrial unrest + *v sg*
confluent [kõflyɑ̃] *m* confluence
confondant [kõfõdɑ̃] *adj* ⟨**-ante** [-ɑ̃t]⟩ staggering
▶ **confondre** [kõfõdʀ] ⟨→ **rendre**⟩ **I** *v/t* **1.** (*mélanger*) to confuse, to mix up (***avec, et*** with) **2.** (*déconcerter*) to astound **3.** *litt* (*démasquer*) to expose **4.** *mêler* to merge **II** *v/pr* **1.** ***se ~*** (*se mélanger*) to merge **2.** ***se ~ en excuses*** to

apologize profusely; ***se ~ en remerciements*** to be effusive in one's thanks

conformation [kõfɔʀmasjõ] *f* conformation

conforme [kõfɔʀm] *adj* ***être ~ à*** *en accord* to comply with; *identique* to conform to; ***être ~ au règlement*** to comply with the rules; ***pour copie ~*** certified true copy

conformé [kõfɔʀme] *adj* ⟨**~e**⟩ *enfant* ***bien ~*** normally formed

conformément [kõfɔʀmemɑ̃] *adv* ***~ à*** in accordance with

conformer [kõfɔʀme] *v/pr* ***se ~ à qc*** *usage* conform to sth *règlement* comply with sth

conformisme [kõfɔʀmism] *m* conformity **conformiste** *adj* conformist

conformité [kõfɔʀmite] *f* compliance; ***en ~ avec*** in compliance with

► **confort** [kõfɔʀ] *m* comfort; *adj* ***tout ~*** with all mod cons

► **confortable** [kõfɔʀtabl] *adj maison, voiture, situation* comfortable; *revenus, majorité* comfortable

confortablement [kõfɔʀtabləmɑ̃] *adv* **1.** *être assis, installé* comfortably **2.** *vivre* in comfort; *gagner* easily

conforter [kõfɔʀte] *v/t* to comfort; ***~ qn dans qc*** to confirm sb in sth

confraternel [kõfʀatɛʀnɛl] *adj* ⟨**~le**⟩ fraternal

confrère [kõfʀɛʀ] *m d'association* fellow member; *collègue* colleague

confrérie [kõfʀeʀi] *f* REL brotherhood

confrontation [kõfʀõtasjõ] *f* clash, confrontation; *comparaison* comparison

confronter [kõfʀõte] *v/t* (*opposer*) to confront; (*comparer*) to compare; ***être confronté à qc*** to be confronted with sth

confus [kõfy] *adj* ⟨**-use** [-yz]⟩ **1.** *forme, bruit* indistinct **2.** *fig idées, etc* vague **3.** (*embarrassé*) embarrassed; ***je suis ~*** I'm overwhelmed

confusément [kõfyzemɑ̃] *adv* vaguely

confusion [kõfyzjõ] *f* **1.** (*désordre*) confusion **2.** (*embarras*) embarrassment **3.** (*erreur*) mix-up

► **congé** [kõʒe] *m* **1.** *arrêt de travail* leave; ***~s payés*** paid leave + *v sg*; ***~ de maternité*** maternity leave; ***avoir ~*** to be on leave; ***avoir un jour de ~*** to have a day off; ***être en ~*** to be on vacation **2.** notice; *patron* ***donner son ~ à qn*** to give sb notice **3.** ***prendre ~ de qn*** to take leave of sb

congédiement [kõʒedimɑ̃] *m* dismissal

congédier *v/t* to dismiss

► **congélateur** [kõʒelatœʀ] *m* freezer

congélation [kõʒelasjõ] *f* freezing; *d'huile* congealing

congeler [kõʒle] *v/t* ⟨**-è-**⟩ to freeze; ***viande congelée*** frozen meat

congénère [kõʒenɛʀ] *m/f* fellow creature; *fig* ***lui et ses ~s*** him and his kind

congénital [kõʒenital] *adj* ⟨**~e; -aux** [-o]⟩ congenital

congère [kõʒɛʀ] *f* snowdrift

congestion [kõʒɛstjõ] *f* congestion; ***~ cérébrale*** stroke

congestionné [kõʒɛstjɔne] *adj* ⟨**~e**⟩ **1.** *visage* flushed **2.** *route* congested

congestionner [kõʒɛstjɔne] *v/t* **1.** MÉD to congest; ***~ le visage*** *toux, rire* to make the face flush **2.** *route* to congest

conglomérat [kõglɔmeʀa] *m* conglomerate

Congo [kõgo] ***le ~*** the Congo

congolais [kõgɔlɛ̃] **I** *adj* ⟨**-aise** [-ɛz]⟩ Congolese **II** *subst* **1.** ***Congolais(e)*** *m(f)* Congolese **2.** *m small coconut cake*

congratuler [kõgʀatyle] *plais v/t* to congratulate

congre [kõgʀ] *m* conger eel

congrégation [kõgʀegasjõ] *f* congregation

congrès [kõgʀɛ] *m* conference

congressiste [kõgʀesist] *m/f* (conference) delegate

congru [kõgʀy] *adj* ⟨**~e**⟩ ***en être réduit à la portion ~e*** to get the smallest share

congruent [kõgʀyɑ̃] *adj* ⟨**-ente** [-ɑ̃t]⟩ MATH congruent

conifère [kɔnifɛʀ] *m* conifer

conique [kɔnik] *adj* conical

conjecture [kõʒɛktyʀ] *f* speculation

conjecturer *v/t* speculate

conjoint [kõʒwɛ̃] *m*, **conjointe** spouse; ***les ~s*** *pl* the husband and wife

conjointement [kõʒwɛ̃tmɑ̃] *adv* jointly

conjonctif [kõʒõktif] *adj* ⟨**-ive** [-iv]⟩ ***tissu ~*** connective tissue

conjonction [kõʒõksjõ] *f* conjunction (*a* ASTROL)

conjonctive [kõʒõktiv] *f* conjunctiva

conjonctivite *f* conjunctivitis

conjoncture [kõʒõktyʀ] *f* **1.** (*situation*) situation **2.** ÉCON economic situation

conjoncturel *adj* ⟨**~le**⟩ *situation* economic; *politique, déficit* short-term

conjoncturiste [kõʒõktyʀist] *m* economic forecaster
conjugable [kõʒygabl] *adj* conjugable
conjugaison [kõʒygɛzõ] *f* conjugation
conjugal [kõʒygal] *adj* ⟨**~e; -aux** [-o]⟩ *amour, fidélité* conjugal; *vie* married
conjuguer [kõʒyge] *v/t* **1.** ***~ ses efforts*** to combine ones efforts **2.** GRAM to conjugate
conjuration [kõʒyʀasjõ] *f* conspiracy
conjuré [kõʒyʀe] *m* conspirator
conjurer [kõʒyʀe] *v/t* **1.** (*implorer*) ***~ qn de*** *+inf* to beg sb *+inf* **2.** (*écarter*) *danger* to avert; *mauvais esprits* to ward off
► **connaissance** [kɔnɛsɑ̃s] *f* **1.** (*savoir*) knowledge; ***~s d'anglais*** knowledge of English; ***à ma ~*** to my knowledge; ***en ~ de cause*** with full knowledge of the facts; ***avoir ~ de qc*** to know about sth; ***prendre ~ de*** to acquaint o.s. with **2.** PHIL consciousness **3.** (*conscience*) ***sans ~*** unconscious; ***avoir toute sa ~*** to be fully conscious; ***perdre ~*** to lose consciousness; ***reprendre ~*** to regain consciousness **4.** *personne* acquaintance **5.** (*action de connaître*) acquaintance; ***un visage*** *m* ***de ~*** a familiar face; ***faire ~ avec qn, qc*** *ou* ***faire la ~ de qn, qc*** to get to know sb, sth; ***lier ~ avec qn*** to strike up an acquaintance with sb
connaisseur [kɔnɛsœʀ] **I** *adj* ⟨*rarement* **-euse** [-øz]⟩ expert *épith* **II** *m* expert, connoisseur; ***en ~*** with an expert eye; ***être ~ en vins*** to be a wine expert
► **connaître** [kɔnɛtʀ] ⟨**je connais, il connaît, nous connaissons; je connaissais; je connus; je connaîtrai; que je connaisse; connaissant; connu**⟩ **I** *v/t* **1.** to know; *personne* to know, to be acquainted with; ***~ l'anglais*** to speak English; ***on lui connaît deux faiblesses*** he is known to have two weaknesses; ***je n'y connais rien*** I haven't got a clue; ***faire ~ qc*** *décision* to announce; ***faire ~ qn à qn, qc*** to introduce sb to sb, sth; ***se faire ~*** to make a name for o.s. (***par, pour*** through, for) **2.** (*faire l'expérience de*) *réussite, amour, pauvreté* to experience; *sort* to know; *succès* to enjoy **II** *v/pr* ***se connaître*** **1.** *réciproquement* to know each other; *soi-même* to know o.s.; ***ils se sont connus à Paris*** they met in Paris **2.** ***s'y ~ en qc*** to know a lot about sth

> **connaître**
>
> **Connaître** = to know a person as in to be acquainted with someone or to be familiar with something. **Savoir** = to know a fact or know how to do something.
>
> **Je connais très bien Marie-Hélène. Il connaît les films des frères Coen.**
>
> I know Marie-Hélène very well. He is familiar with the films of the Coen brothers.

connard [kɔnaʀ] *pop m*, **connasse** [kɔnas] *pop f* → **con** *II 1*
connecter [kɔnɛkte] **I** *v/t* ÉLEC to connect (**à** to) **II** *v/pr* INFORM ***se ~*** to log on; *à internet* to go online
► **connerie** [kɔnʀi] *pop f péj* ***c'est une ~*** it's a bloody stupid thing to do / say *pop*; ***faire une ~*** to screw up *pop*; ***dires des ~s*** to talk crap *pop*
connexe [kɔnɛks] *adj* related
connexion [kɔnɛksjõ] *f* connection
connivence [kɔnivɑ̃s] *f* tacit agreement; ***être de ~ avec qn*** to connive with sb
connotation [kɔnɔtasjõ] *f* LING connotation
► **connu** [kɔny] *pp*→ ***connaître*** *et adj* ⟨**~e**⟩ well-known (***de, par qn*** by sb)
conque [kõk] *f* ZOOL conch
conquérant [kõkeʀɑ̃] **I** *adj* ⟨**-ante** [-ɑ̃t]⟩ *air* triumphant **II** *m* conqueror
conquérir [kõkeʀiʀ] ⟨→ **acquérir**⟩ *v/t* *pays, sommet* to conquer; *droit, pouvoir* to gain; *cœur, titre* to win; *marché* to capture; *fig* ***~ qn*** to win sb over
conquête [kõkɛt] *f* conquest; *fig* ***faire la ~ de qn*** to win the heart of sb
conquis [kõki] *pp* ⟨**-ise** [-iz]⟩ → ***conquérir***
consacré [kõsakʀe] *adj* ⟨**~e**⟩ **1.** REL consecrated **2.** *expression* time-honored
consacrer [kõsakʀe] *v/t* **1.** to devote (***à qc, à qn*** to sb, to sth) **2.** REL to consecrate
consanguin [kõsɑ̃gɛ̃] *adj* ⟨**-ine** [-in]⟩ *mariage* between blood relatives; ***frère ~*** half brother
consciemment [kõsjamɑ̃] *adv* consciously, knowingly
► **conscience** [kõsjɑ̃s] *f* **1.** *morale* conscience; ***~ professionnelle*** conscientiousness; ***en toute ~*** in all conscience;

avoir bonne ~ to have a clear conscience; ***il n'a pas la ~ tranquille*** he has a guilty conscience; ***avoir qc sur la ~*** to have sth on one's conscience; ***mettre beaucoup de ~ à faire qc*** to do sth very conscientiously **2.** *psychologique* consciousness, awareness; ***prise** f **de ~*** realization; ***avoir ~ de qc*** to be aware of sth; ***perdre ~*** to lose consciousness; ***prendre ~ de qc*** to become aware of sth

consciencieux [kõsjɑ̃sjø] *adj* ⟨**-euse** [-øz]⟩ conscientious

conscient [kõsjɑ̃] *adj* ⟨**-ente** [-ɑ̃t]⟩ aware; (*pas évanoui*) conscious; ***être ~ de qc*** to be aware of sth

conscription [kõskʀipsjõ] *f* HIST MIL conscription

conscrit [kõskʀi] *m* MIL draftee, *brit* conscript; *fig* ***les ~s de la classe 1990*** the class of 1990

consécration [kõsekʀasjõ] *f* **1.** REL consecration **2.** CATH consecration **3.** (*sanction*) sanctioning

consécutif [kõsekytif] *adj* ⟨**-ive** [-iv]⟩ consecutive; ***pendant trois jours ~s*** for three consecutive days; ***~ à*** resulting from

consécutivement [kõsekytivmɑ̃] *adv* consecutively; ***~ à*** following

▶ **conseil** [kõsɛj] *m* **1.** (*recommandation*) advice + *v sg*; ***un ~*** a piece of advice; ***demander (un) conseil à qn*** to ask sb for advice **2.** *personne* consultant, advisor; ***conseil juridique*** legal advisor **3.** *assemblée* council; *réunion* meeting; ***conseil général*** county commission, *brit* county council; ▶ ***conseil municipal*** town council; ***conseil de classe*** staff meeting *for all those teaching a particular class*; ***Conseil de l'Europe*** Council of Europe; ***conseil de famille*** board of guardians; ***conseil de guerre*** council of war; *tribunal* court-martial; ***conseil des ministres*** council of ministers, *brit* Cabinet; MIL ***conseil de révision*** draft board, *brit* recruiting board; ***Conseil de sécurité*** Security Council; *d'une S.A.* ***conseil de surveillance*** supervisory board

▶ **conseiller**[1] [kõseje] *v/t* **1.** *servir d'expert à* to advise; ***~ à qn de** +inf* to advise sb *+inf*; ***être mal conseillé*** to be badly advised **2.** *proposer* to recommend; ***~ qn*** to recommend sb; ***~ qc à qn*** to recommend sth to sb; ***prix conseillé*** recommended price

conseiller[2] *m* advisor; *membre d'un conseil* councilor; ***~ municipal*** councilman, *brit* town councilor

conseillère [kõsɛjɛʀ] *f* advisor; *membre d'un conseil* councilor; ***~ municipale*** councilwoman, *brit* town councilor

consensus [kõsɛ̃sys] *m* consensus

consentant [kõsɑ̃tɑ̃] *adj* ⟨**-ante** [-ɑ̃t]⟩ willing; JUR consenting

consentement [kõsɑ̃tmɑ̃] *m* consent

consentir [kõsɑ̃tiʀ] ⟨→ **sentir**⟩ **I** *v/t* to grant **II** *v/t indir* ***~ à qc*** to agree to sth

▶ **conséquence** [kõsekɑ̃s] *f* **1.** (*suite*) consequence; ***en ~ (de)*** as a result (of); ***agir en ~*** to act accordingly; ***sans ~*** of no consequence; ***avoir pour ~*** to result in; ***cela ne tire pas à ~*** that's of no consequence **2.** (*déduction*) conclusion

conséquent [kõsekɑ̃] *adj* ⟨**-ente** [-ɑ̃t]⟩ **1.** (*logique*) consistent **2.** (*important*) substantial **3.** ***par ~*** therefore, as a result

conservateur [kõsɛʀvatœʀ] **I** *adj* ⟨**-trice** [-tʀis]⟩ conservative (*a* POL) **II** *subst* **1.** *d'un musée* ***~, conservatrice** m/f* curator **2.** POL ***~, conservatrice** m/f* conservative; ***les ~s*** the conservatives **3.** *m pour aliments* preservative

conservation [kõsɛʀvasjõ] *f* **1.** conservation **2.** *des aliments* preservation; *adj* ***lait** m **longue ~*** long-life milk

conservatisme [kõsɛʀvatism] *m* conservatism

Conservatoire [kõsɛʀvatwaʀ] *m* **1.** academy, school **2.** MUS conservatoire

conserve [kõsɛʀv] *f* **1.** canned food, *brit* tinned food; ***en ~*** canned; *fig fam* ***musique** f **en ~*** canned music *fam* **2.** ***de ~*** in concert

conservé [kõsɛʀve] *adj* ⟨**~e**⟩ *personne* ***bien ~*** well-preserved

conserver [kõsɛʀve] *v/t* **1.** (*garder*) to keep; *habitude* to retain **2.** *aliments* to preserve

conserverie [kõsɛʀvəʀi] *f* **1.** *usine* cannery **2.** *industrie* canning industry

considérable [kõsideʀabl] *adj* considerable

considérablement [kõsideʀabləmɑ̃] *adv* considerably

considérant [kõsideʀɑ̃] *conj* ADMIN ***~ que ...*** considering that ...

considération [kõsideʀasjõ] *f* **1.** (*réflexion*) reflection; (*facteur*) consideration; ***en ~ de*** in view of; ***je ne peux en-***

trer dans ces ~s I can't go into these issues; ***prendre qc en ~*** to take sth into consideration **2.** (*estime*) respect

considérer [kõsideʀe] *v/t* ⟨**-è-**⟩ **1.** (*examiner*) to consider; ***tout bien considéré*** all things considered **2.** (*juger*) ***je considère que ...*** I consider that ...; ***~ qn, qc comme*** to consider sb, sth to be **3.** (*regarder attentivement*) to study **4.** (*respecter*) ***être bien considéré*** to be held in high regard (***de*** by)

consignation [kõsiɲasjõ] *f* JUR deposit

consigne [kõsiɲ] *f* **1.** (*instruction*) orders (+ *v pl*) **2.** *pour bagages* baggage checkroom, *brit* left luggage office; ***~ automatique*** baggage lockers (+ *v pl*), *brit* left luggage lockers (+ *v pl*) **3.** *d'un emballage* deposit **4.** ENSEIGNEMENT detention

consigner [kõsiɲe] *v/t* **1.** (*noter*) to record **2.** *emballage* to put a deposit on; ***bouteille consignée*** returnable bottle **3.** *élève* to give a detention to; *soldat* to confine to barracks **4.** ***~ qc*** *bagages* to put sth in the checkroom, *brit* to put sth in the left luggage office

consistance [kõsistɑ̃s] *f* consistency; *fig* ***sans ~*** *rumeur* without substance; *personnage* spineless

consistant [kõsistɑ̃] *adj* ⟨**-ante** [-ɑ̃t]⟩ *plat* nourishing

consister [kõsiste] *v/t indir* ***~ en, dans*** (*résider*) to consist in; ***~ en*** (*être composé de*) to consist of; ***~ à faire*** to consist in doing

consœur [kõsœʀ] *f* female colleague

consolant [kõsɔlɑ̃] *adj* ⟨**-ante** [-ɑ̃t]⟩, **consolateur** [-atœʀ] *adj* ⟨**-trice** [-tʀis]⟩ comforting

consolation [kõsɔlasjõ] *f* consolation

console [kõsɔl] *f* **1.** *table* console table **2.** ARCH console **3.** INFORM, TECH console

► **consoler** [kõsɔle] **I** *v/t* to console **II** *v/pr* ***se consoler*** to find consolation; ***se ~ de qc*** to get over sth

consolidation [kõsɔlidasjõ] *f* **1.** CONSTR strengthening **2.** *fig* consolidation (*a* FIN)

consolider [kõsɔlide] *v/t* **1.** *mur* to strengthen **2.** *fig* to consolidate (*a* FIN)

consommable [kõsɔmabl] *adj* **1.** *aliment* edible **2.** INFORM, COMM consumable

► **consommateur** [kõsɔmatœʀ] *m*, **consommatrice** [kõsɔmatʀis] *f* consumer; *dans un café* customer

► **consommation** [kõsɔmasjõ] *f* **1.** ÉCON consumption; ***faire une grande ~ de ...*** to use a lot of ... **2.** *d'une voiture* fuel consumption (***aux 100 km*** per 100 km) **3.** *dans un café* drink

consommé [kõsɔme] **I** *adj* ⟨**~e**⟩ consummate **II** *m* consommé, clear soup

consommer [kõsɔme] *v/t* **1.** to consume, to use; (*manger*) to eat; (*boire*) to drink **2.** JUR *mariage* to consummate; *crime* to commit

consomption [kõsõpsjõ] *f* MÉD consumption

consonance [kõsɔnɑ̃s] *f* consonance

consonantique [kõsɔnɑ̃tik] *adj* consonantal; *groupe* consonant *épith*

consonne [kõsɔn] *f* consonant

consort [kõsɔʀ] **I** *adj* ***prince*** *m* ***~*** prince consort **II** *mpl* ***... et ~s*** ... and co

consortium [kõsɔʀsjɔm] *m* consortium

conspirateur [kõspiʀatœʀ] *m*, **conspiratrice** [-tʀis] *f* conspirator **conspiration** *f* conspiracy

conspirer [kõspiʀe] *v/i* to conspire (***contre*** against)

conspuer [kõspɥe] *v/t* to boo

constamment [kõstamɑ̃] *adv* constantly

constance [kõstɑ̃s] *f* constancy

Constance [kõstɑ̃s] ***le lac de ~*** Lake Constance

constant [kõstɑ̃] *adj* ⟨**-ante** [-ɑ̃t]⟩ **1.** (*continuel*) continuous **2.** *st/s* (*persévérant*) steadfast

constat [kõsta] *m* **1.** JUR official report; AUTO ***~ amiable*** accident report *for insurance purposes* **2.** *fig* acknowledgment, admission; ***~ d'échec*** admission of failure

constatation [kõstatasjõ] *f* **1.** (*observation*) observation **2.** (*enquête*) investigation

► **constater** [kõstate] *v/t* **1.** (*remarquer*) to notice, to see **2.** (*établir*) to establish **3.** (*consigner*) to record

constellation [kõstɛlasjõ] *f* ASTRON constellation; *fig* cluster

constellé [kõstɛle] *adj* ⟨**~e**⟩ ***~ de*** *fleurs* scattered with; *fautes* riddled with; ***~ d'étoiles*** starry

consternant [kõstɛʀnɑ̃] *adj* ⟨**-ante** [-ɑ̃t]⟩ dismaying **consternation** *f* dismay, consternation

consterner [kõstɛʀne] *v/t* to fill with dismay; ***consterné*** dismayed (***par*** by)

constipation [kõstipasjõ] *f* MÉD constipation

constipé [kõstipe] *adj* ⟨**~e**⟩ **1.** MÉD constipated **2.** *fam* (*coincé*) *fam* uptight

constiper *v/t* to constipate

constituant [kõstitɥɑ̃] *adj* ⟨**-ante** [-ɑ̃t]⟩ **1.** (***élément***) **~** *m* constituent **2.** ***assemblée* ~*e*** constituent assembly

constitué [kõstitɥe] *adj* ⟨**~e**⟩ ***être bien* ~** to be of sound constitution

constituer [kõstitɥe] **I** *v/t* **1.** (*être*) to be, to constitute **2.** (*créer*) *équipe* to form; *dossier*, *collection* to put together; *stocks* to build up **3.** (*composer*) to make up **II** *v/pr* ***se constituer*** *clientèle*, *réserve* to build up; ***se* ~ *prisonnier*** to give o.s. up

constitutif [kõstitytif] *adj* ⟨**-ive** [-iv]⟩ constituent; POL constitutional

constitution [kõstitysjõ] *f* **1.** POL constitution **2.** (*création*) setting up; *d'un dossier* preparation **3.** *d'un individu* constitution **4.** (*structure*) composition

constitutionnaliser [kõstitysjɔnalize] *v/t* to constitutionalize **constitutionnalité** *f* constitutionality

constitutionnel [kõstitysjɔnɛl] *adj* ⟨**~le**⟩ **1.** POL constitutional **2.** *faiblesse* physical

constructeur [kõstʀyktœʀ] *m* TECH manufacturer; (*bâtisseur*) builder; **~ *d'avions*** aircraft manufacturer; *fig* **~ *d'empires*** empire builder

constructif [kõstʀyktif] *adj* ⟨**-ive** [-iv]⟩ constructive

▶ **construction** [kõstʀyksjõ] *f* **1.** (*bâtiment*) building; TECH manufacture; *action* building; **~ *de logements*** house building; ***en* ~** under construction **2.** GRAM, GÉOMÉTRIE, *fig* construction

▶ **construire** [kõstʀɥiʀ] *v/t* ⟨→ **conduire**⟩ **1.** *édifice* to build; TECH to manufacture; *avenir*, *personnalité* to build; ***il fait* ~** he's having a house built **2.** *phrase* to construct

consul [kõsyl] *m* consul **consulaire** *adj* consular

consulat [kõsyla] *m* consulate

consultant [kõsyltɑ̃] *m* consultant

consultatif [kõsyltatif] *adj* ⟨**-ive** [-iv]⟩ consultative

consultation [kõsyltasjõ] *f* **1.** *pour donner un avis* consultation **2.** *fait de demander un avis* consulting; *d'un ouvrage* consultation (***de*** of) **3.** MÉD consultation; ***heures*** *fpl* ***de* ~** office hours, *brit* surgery hours; ***donner des* ~*s*** to give consultations

consulter [kõsylte] **I** *v/t ouvrage*, *manuel*, *horoscope* to consult; **~ *qn*** *ami*, *collègue* to ask sb for advice; *médecin*, *avocat*, *expert* to consult sb **II** *v/i médecin* to see patients

consumer [kõsyme] **I** *v/t* **1.** *feu*: *édifice* to consume **2.** *st/s chagrin* **~ *qn*** to eat away at at sb **II** *v/pr* ***se consumer*** *cigarette* to be burning

▶ **contact** [kõtakt] *m* **1.** *de deux choses* contact; ÉLEC ***mauvais* ~** faulty connection; AUTO ***clé*** *f* ***de* ~** ignition key; ***au* ~ *de*** on contact with; AUTO ***mettre le* ~** to turn on the ignition **2.** *entre personnes* contact (+ *v sg*); ***au* ~ *de qn*** by spending time with sb; ***se mettre en* ~ *avec qn*** to get in touch with sb; ***prendre* ~ *avec qn*** to make contact with sb **3.** (*personne*) contact **4.** ***lentilles*** *fpl*, ***verres*** *mpl* ***de* ~** contact lenses

contacter [kõtakte] *v/t* to contact, to get in touch with

contacteur [kõtaktœʀ] *m* ÉLEC contactor

▶ **contagieux** [kõtaʒjø] *adj* ⟨**-euse** [-øz]⟩ *maladie* infectious, contagious; *rire* infectious; *personne* ***être* ~** to be infectious

contagion [kõtaʒjõ] *f* contagion; *fig* infectiousness

container [kõtɛnɛʀ] *m* → ***conteneur***

contamination [kõtaminasjõ] *f* contamination

contaminer [kõtamine] *v/t* (*infecter*) to infect; (*polluer*) to contaminate

conte [kõt] *m* tale; **~ (*de fées*)** fairy tale

contemplatif [kõtɑ̃platif] *adj* ⟨**-ive** [-iv]⟩ contemplative

contemplation [kõtɑ̃plasjõ] *f* contemplation (*a* REL); ***rester en* ~ *devant qc*** to stand contemplating sth

contempler [kõtɑ̃ple] *v/t* **1.** (*regarder*) to gaze at, to contemplate **2.** *par la pensée* to consider, to contemplate

contemporain [kõtɑ̃pɔʀɛ̃] **I** *adj* ⟨**-aine** [-ɛn]⟩ contemporary **II** *m* contemporary

contenance [kõtnɑ̃s] *f* **1.** *d'un récipient* capacity **2.** *d'une personne* bearing; ***faire bonne* ~** to keep one's composure; ***perdre* ~** to lose one's composure

contenant [kõtnɑ̃] *m* packaging

conteneur [kõtnœʀ] *m* container

▶ **contenir** [kõtniʀ] ⟨→ **venir**⟩ **I** *v/t* **1.** (*renfermer*) to contain; (*avoir une capa-*

cité de) to hold **2.** (*retenir*) *foule, émotions* to contain; *larmes* to hold back **II** *v/pr* ***se contenir*** to contain o.s.

► **content** [kõtɑ̃] **I** *adj* ⟨**-ente** [-ɑ̃t]⟩ (*satisfait*) pleased, satisfied (***de*** with); (*heureux*) happy, pleased (with); ***être ~ de*** *+inf* to be happy *+inf*; ***être ~ de soi*** to be pleased with o.s. **II** *m* ***avoir son ~ de qc*** to have one's fill of sth

contentement [kõtɑ̃tmɑ̃] *m* contentment, satisfaction

contenter [kõtɑ̃te] **I** *v/t personne* to please; *envie, curiosité* to satisfy **II** *v/pr* ***se contenter se ~ de qc*** to content o.s. with sth

contentieux [kõtɑ̃sjø] *m* **1.** (*litiges*) disputes (+ *v pl*); JUR litigation (+ *v sg*) **2.** *service* legal department

► **contenu** [kõtny] *m* content

conter [kõte] *v/t* to tell; *iron* ***en ~ de belles*** *iron* to tell tall tales

contestable [kõtɛstabl] *adj* questionable

contestataire [kõtɛstatɛʀ] **I** *adj* anti-establishment **II** *m/f* protester

contestation [kõtɛstasjõ] *f* **1.** *de succession, résultats* contesting; *d'un fait* questioning; *de droit, décision* challenging **2.** POL protest **3.** (*dispute*) dispute

conteste [kõtɛst] ***sans ~*** unquestionably

contesté [kõtɛste] *adj* ⟨**~e**⟩ *territoire, résultat* disputed; *théorie* controversial

contester [kõtɛste] **I** *v/t fait, nécessité* to question; JUR *droit, décision* to challenge; *résultats, succession* to contest **II** *v/i* POL to protest

conteur [kõtœʀ] *m*, **conteuse** [-øz] *f* storyteller

contexte [kõtɛkst] *m* context

contextuel [kõtɛkstɥɛl] *adj* ⟨**~le**⟩ contextual

contigu [kõtigy] *adj* ⟨**-guë** [-gy]⟩ adjoining

continence [kõtinɑ̃s] *f* continence

continent [kõtinɑ̃] *m* continent; *par rapport à une île* mainland

continental [kõtinɑ̃tal] *adj* ⟨**~e; -aux** [-o]⟩ continental

contingence [kõtɛ̃ʒɑ̃s] *f* ***les basses ~s matérielles*** the humdrum stuff of daily life

contingent [kõtɛ̃ʒɑ̃] *m* **1.** MIL *groupe* contingent; ***le ~*** the draft, *brit* national service conscripts (+ *v pl*) **2.** COMM quota

contingenter [kõtɛ̃ʒɑ̃te] *v/t* to fix a quota for

continu [kõtiny] *adj* ⟨**~e**⟩ continuous; ***courant ~*** ÉLEC direct current

continuation [kõtinɥasjõ] *f* continuation; *fam* ***bonne ~!*** all the best! *fam*

continuel [kõtinɥɛl] *adj* ⟨**~le**⟩ continual

continuellement [kotinɥɛlmɑ̃] *adv* continually

► **continuer** [kõtinɥe] **I** *v/t* to continue; ***~ ses études*** to pursue one's studies **II** *v/i* to continue, to go on; ***~ à*** *ou* ***de*** *+inf* to continue *+inf*

continuité [kõtinɥite] *f* continuity

contondant [kõtõdɑ̃] *adj* ⟨**-ante** [-ɑ̃t]⟩ ***arme ~e*** blunt instrument

contorsion [kõtɔʀsjõ] *f* contortion

contorsionner [kõtɔʀsjɔne] *v/pr* ***se ~*** to contort o.s. **contorsionniste** *m* contortionist

contour [kõtuʀ] *m* outline

contourné [kõtuʀne] *adj* ⟨**~e**⟩ **1.** *pied de meuble* elaborately curved **2.** *raisonnement, style* convoluted

contourner [kõtuʀne] *v/t* **1.** *colline* to skirt round; *(en) voiture* to by-pass; *route* ***~ qc*** to by-pass sth **2.** *fig difficulté, loi* to get around

contraceptif [kõtʀasɛptif] *m* contraceptive **contraception** *f* contraception

contractant [kõtʀaktɑ̃] *adj* ⟨**-ante** [-ɑ̃t]⟩ contracting

contracté [kõtʀakte] *adj* ⟨**~e**⟩ **1.** *personne* tense; *muscle* contracted **2.** LING contracted

contracter [kõtʀakte] **I** *v/t* **1.** *alliance, mariage* to enter into; *assurance, emprunt* to take out; *dettes* to incur; *marché* to enter into **2.** *habitude* to acquire; ***~ une maladie*** to contract a disease **3.** *muscles* to contract **II** *v/pr* ***se ~*** **1.** (*se crisper*) *personne* to tense up; *muscle* to contract **2.** (*diminuer*) to contract; COMM *marché* to shrink

contraction [kõtʀaksjõ] *f de marché* shrinking; FIN *des cours* drop; *ling, sc* contraction; *du visage* tenseness

contractuel [kõtʀaktɥɛl] **I** *adj* ⟨**~le**⟩ contractual **II 1.** **~(*le*)** *m(f) employé* contract worker, contractor **2.** *qui contrôle le stationnement* traffic officer, *brit* traffic warden

contradicteur [kõtʀadiktœʀ] *m* opponent

contradiction [kõtʀadiksjõ] *f* contradiction; ***avoir l'esprit*** *m* ***de*** **~** to be contrary

contradictoire [kõtʀadiktwaʀ] *adj* **1.** *idées, témoignages* contradictory **2.** *débat* open

contraignant [kõtʀɛɲɑ̃] *adj* ⟨**-ante** [-ɑ̃t]⟩ restrictive

contraindre [kõtʀɛ̃dʀ] ⟨→ **craindre**⟩ *v/t* **1.** (*obliger*) to compel, to force (***à*** + *inf* to + *inf*) **2.** (*réprimer*) to restrain

contraint [kõtʀɛ̃] *adj* ⟨**-ainte** [-ɛ̃t]⟩ *sourire* forced; *air* constrained

contrainte [kõtʀɛ̃t] *f* **1.** (*exigence*) constraint; *parler* ***sans*** **~** freely; *agir* ***sous la*** **~** under duress **2.** (*pression*) pressure, coercion

▸ **contraire** [kõtʀɛʀ] **I** *adj* opposite; ***vent*** *m* ***contraire*** contrary wind; ***être contraire à qc*** to be contrary to sth; ***contraire au règlement*** contrary to the rules **II** *m* opposite; ▸ ***au contraire*** on the contrary; ***au contraire de*** unlike

contrairement [kõtʀɛʀmɑ̃] *prép* **~ *à qc*** contrary to sth; **~ *à qn*** unlike sb

contralto [kõtʀalto] *m* MUS contralto

contrariant [kõtʀaʀjɑ̃] *adj* ⟨**-ante** [-ɑ̃t]⟩ **1.** (*ennuyeux*) annoying **2.** ***il n'est pas*** **~** he is accommodating

contrarié [kõtʀaʀje] *adj* ⟨**~e**⟩ **1.** *amour, projets* thwarted **2.** *air, personne* annoyed

contrarier [kõtʀaʀje] *v/t* **1.** (*gêner*) *mouvement* to hinder; *projets, amour* to thwart **2.** (*mécontenter*) to annoy

contrariété [kõtʀaʀjete] *f* annoyance

contraste [kõtʀast] *m* contrast (*a* OPT); ***par*** **~** (***avec***) in contrast (with)

contrasté [kõtʀaste] *adj* ⟨**~e**⟩ contrasting

contraster [kõtʀaste] *v/i* to contrast (***avec*** with)

contrastif [kõtʀastif] *adj* ⟨**-ive** [-iv]⟩ contrastive

▸ **contrat** [kõtʀa] *m* contract; **~ *de mariage, de travail*** marriage, employment contract; ***s'engager par*** **~ *à faire qc*** to contract to do sth; ***être sous*** **~** to be under contract; *fig* ***remplir son*** **~** to fulfill one's pledge

contravention [kõtʀavɑ̃sjõ] *f* **1.** *pour excès de vitesse* speeding ticket; *pour stationnement illicite* parking ticket **2.** JUR minor offense; ***être en*** **~ *à la loi*** to be in contravention of the law

▸ **contre** [kõtʀ] **I** *prép* **1.** *opposition* against; SPORT, JUR versus; ***par trente voix*** **~ *dix*** by thirty votes to ten; ***50*** **~ *1*** *dans un pari* 50 to 1; **~ *toute attente*** against all expectations **2.** *en échange de* for **3.** *contact* against; ***pousser la table*** **~ *le mur*** to push the table against the wall **II** *adv* ***j'ai voté*** **~** I voted against (it); ***je suis*** **~** I'm against it; ***par*** **~** on the other hand **III** *m* **1.** ***le pour et le*** **~** the pros and cons **2.** *aux cartes* double **3.** SPORT counter-attack

contre-... *préfixe* counter- ...

contre-accusation *f* counter-accusation **contre-allée** *f de parc* side path; *d'une église* side aisle; *d'une route* service road **contre-attaque** *f* counter-attack **contre-attaquer** *v/t* to counter-attack

contrebalancer ⟨**-ç-**⟩ **I** *v/t* to counterbalance **II** *v/pr* ***se contrebalancer*** *fam* ***je m'en contrebalance*** I don't give a damn *fam*

contrebande *f* smuggling; (***marchandise*** *f* ***de***) **~** smuggled goods; ***faire de la*** **~ *de qc*** to smuggle sth

contrebandier [kõtʀəbɑ̃dje] *m*, **contrebandière** [-jɛʀ] *f* smuggler

contrebas *adv* ***en*** **~** (down) below; ***en*** **~ *de*** at the foot of

contrebasse *f* double bass **contrebassiste** *m/f* double bass player

contrebraquer *v/i* to turn the wheel in the opposite direction **contrecarrer** *v/t tentative, projet* to thwart; *influence* to counteract

contrecœur *adv* ***à*** **~** reluctantly

contrecoup *m* effects (+ *v pl*); ***par*** **~** as a result

contre-courant *m*, *adv* ***à*** **~** against the current; *fig* against the tide

contre-culture *f* counter-culture

contredanse *f fam* (*contravention*) fine; *pour stationnement illicite* parking ticket

▸ **contredire** ⟨→ **dire**; *but* **vous contredisez**⟩ **I** *v/t* to contradict **II** *v/pr* ***se contredire*** to contradict o.s.

contredit *adv* ***sans*** **~** indisputably

contrée [kõtʀe] *f* (*pays*) land; (*région*) region

contre-espionnage *m* counter-intelligence, counter-espionage **contre-expertise** *f* second opinion

contrefaçon *f* (*action*) forging; (*résultat*) forgery, fake

contrefaire ⟨→ **faire**⟩ *v/t* **1.** (*déguiser*) *sa voix, son écriture* to disguise **2.** (*imiter*)

to imitate *frauduleusement* to forge
contrefait *adj* ⟨**-aite**⟩ misshapen
contreficher *v/pr fam* **se contreficher** ***je m'en contrefiche*** I don't give a damn *fam*
contre-filet *m* → ***faux-filet***
contrefort *m* **1.** CONSTR buttress **2.** GÉOG ***~s*** *pl* foothills
contre-indication *f* contra-indication
contre-indiqué *adj* ⟨**~e**⟩ ***être ~*** MÉD to be contra-indicated; *fig* to be inadvisable
contre-jour *m* backlighting; ***photo prise à ~*** photo taken against the light
contremaître *m* foreman, forewoman
contre-manifestation *f* counter-demonstration
contremarque *f* **1.** COMM counterseal; *sur de l'or etc* countermark **2.** THÉ pass-out (ticket)
contre-mesure *f* countermeasure
contre-offensive *f* counteroffensive
contrepartie *f* **1.** (*équivalent*) equivalent (**de** of) **2.** *dédommagement* compensation ***en ~ de*** in compensation for; *en échange* in return for
contre-performance *f* poor performance
contrepèterie [kõtʀəpɛtʀi] *f* intentional spoonerism
contre-pied *m* ***prendre le ~ de qc*** to do the opposite of sth
contreplaqué *m* plywood
contre-plongée *f* low-angle shot
contrepoids *m* counter balance, counterweight **contrepoint** *m* MUS, *fig* counterpoint **contrepoison** *m* antidote
contrer [kõtʀe] **I** *v/t* to counter **II** *v/i aux cartes* to double
contre-révolution *f* counter-revolution
contresens [kõtʀəsɑ̃s] *m* misinterpretation; ***à ~*** *interpréter* the wrong way; *rouler* in the opposite direction; *dans le mauvais sens* the wrong way
contresigner *v/t* to countersign
contretemps *m* setback; ***à ~*** MUS out of time; *fig* at the wrong moment
contrevenant [kõtʀəvnɑ̃] *m*, **contrevenante** [-ɑ̃t] *f* offender
contrevenir [kõtʀəvniʀ] *v/t indir* ⟨→ **venir**;⟩ ***~ à qc*** to contravene sth
contrevent *m* shutter
contre-vérité *ou* **contrevérité** *f* untruth
contribuable [kõtʀibɥabl] *m* taxpayer
contribuer [kõtʀibɥe] *v/t indir* ***~ à qc*** to contribute to sth
contributif [kõtʀibytif] *adj* ⟨**-ive** [-iv]⟩ contributory
contribution [kõtʀibysjõ] *f* **1.** (*part*) contribution (**à** to); ***mettre qn à ~*** to call on sb's services **2.** ***~s*** *pl* (*impôt*) taxes; ADMIN tax office (+ *v sg*)
contrit [kõtʀi] *adj* ⟨**-ite** [-it]⟩ apologetic
contrition [kõtʀisjõ] *f* contrition
contrôlable [kõtʀolabl] *adj* controllable
► **contrôle** [kõtʀol] *m* **1.** (*vérification*) check; AUTO ***~ technique*** vehicle inspection *brit* MOT test; ***~ des billets*** ticket inspection; ***~ des changes*** exchange control; ***~ d'identité*** identity check **2.** (*maîtrise*) control; ***~ des naissances*** birth control; ***perdre le ~ de son véhicule*** to lose control of one's vehicle **3.** ENSEIGNEMENT test; ***~ continu*** continuous assessment
► **contrôler** [kõtʀole] *v/t* **1.** (*vérifier*) to check; *comptes* to audit; *qualité, produit* to test; *résultat* to verify **2.** (*dominer*) to control (*a* ÉCON, MIL)
contrôle-radar *m* ⟨*inv*⟩ radar speed check
► **contrôleur** [kõtʀolœʀ] *m* inspector; CH DE FER ticket inspector; ***~ aérien*** air-traffic controller
► **contrôleuse** [kõtʀoløz] *f* inspector
contrordre [kõtʀɔʀdʀ] *m* counter-order; ***partez ce soir, sauf ~*** leave tonight, unless you hear to the contrary
controuvé [kõtʀuve] *litt adj* ⟨**~e**⟩ fabricated
controverse [kõtʀɔvɛʀs] *f* controversy
controversé [kõtʀɔvɛʀse] *adj* ⟨**~e**⟩ controversial
contumace [kõtymas] JUR ***par ~*** in absentia
contusion [kõtyzjõ] *f* bruise
contusionner [kõtyzjɔne] *v/t* to bruise
convaincant [kõvɛ̃kɑ̃] *adj* ⟨**-ante** [-ɑ̃t]⟩ convincing
► **convaincre** [kõvɛ̃kʀ] *v/t* ⟨→ **vaincre**⟩ **1.** to convince (***qn de qc*** sb of sth) **2.** JUR ***~ qn de mensonge*** to prove sb guilty of lying
convaincu [kõvɛ̃ky] *adj* ⟨**~e**⟩ convinced
convalescence [kõvalesɑ̃s] *f* convalescence; ***être en ~*** to be convalescing
convalescent [kõvalesɑ̃] *m*, **convalescente** [-ɑ̃t] *f* convalescent
convection [kõvɛksjõ] *f* PHYS convection
convenable [kõvnabl] *adj* **1.** (*approprié*)

appropriate, suitable **2.** (*assez bon*) reasonable, decent **3.** (*décent*) respectable

convenablement [kõvnabləmɑ̃] *adv* properly

convenance [kõvnɑ̃s] *f* **1.** **~s** *pl* conventions **2.** ***être à ma ~*** *à mon goût* to be to my liking; *qui me convient* to suit me; ***pour ~s personnelles*** for personal reasons

► **convenir** [kõvniʀ] ⟨→ **venir**⟩ **I** *v/t indir* **1.** ⟨**avoir**⟩ ***~ à qc*** to be suitable for sth; ***~ à qn*** to suit sb, to be convenient for sb **2.** ⟨**avoir**, *st/s* **être**⟩ ***~ de qc*** (*s'accorder*) to agree on sth **3.** ***~ de qc*** (*avouer*) to admit to sth, to acknowledge sth **II** *v/imp* ***il convient de faire*** one should do, one ought to do

convention [kõvɑ̃sjõ] *f* **1.** (*accord*) agreement; ***~ collective*** collective labor agreement **2.** **~s** *pl* convention (+ *v sg*)

conventionné [kovɑ̃sjɔne] *adj* ⟨**~e**⟩ ***médecin ~*** *doctor whose fees are approved and refunded by the state health authority*

conventionnel [kõvɑ̃sjɔnɛl] *adj* ⟨**~le**⟩ conventional

conventuel [kõvɑ̃tɥɛl] *adj* ⟨**~le**⟩ conventual

convenu [kõvny] *adj* ⟨**~e**⟩ agreed

convergence [kõvɛʀʒɑ̃s] *f* convergence

convergent *adj* ⟨**-ente** [-ɑ̃t]⟩ convergent

converger [kõvɛʀʒe] *v/i* ⟨**-ge-**⟩ **1.** to converge (*a* PHYS, MATH); ***tous les regards convergent sur qc*** all eyes turn toward sth **2.** *fig efforts, pensées* ***~ sur*** to be focused on

► **conversation** [kõvɛʀsasjõ] *f* conversation; ***~ téléphonique*** telephone conversation; ***il n'a pas de ~*** he's got no conversation; ***détourner la ~*** to change the subject

converser [kõvɛʀse] *v/i* to converse

conversion [kõvɛrsjõ] *f* **1.** REL conversion (***à*** to) **2.** FIN conversion (*a* MATH) (***en*** into)

converti [kõvɛʀti] REL **I** *adj* ⟨**~e**⟩ converted **II** **~(*e*)** *m(f)* convert

convertibilité [kõvɛʀtibilite] *f* FIN convertibility

convertible [kõvɛʀtibl] *adj* convertible

convertir [kõvɛʀtiʀ] **I** *v/t* **1.** ***~ qn*** to convert sb (***à*** to) **2.** FIN to convert (*a* MATH) (***en*** into) **II** *v/pr* ***se convertir*** REL to convert (***à*** to)

convertisseur [kõvɛʀtisœʀ] *m* **1.** MÉTALL, TECH converter **2.** ÉLEC ***~ de tension*** transformer

convexe [kõvɛks] *adj* convex

convexité [kõvɛksite] *f* convexity

conviction [kõviksjõ] *f* **1.** *certitude* conviction; **~s** *pl* convictions **2.** JUR ***pièce f à ~*** exhibit

convier [kõvje] *v/t* ***~ qn à qc*** to invite sb to sth

convive [kõviv] *m/f* guest

convivial [kõvivjal] *adj* ⟨**~e; -aux** [-o]⟩ **1.** *repas, ambiance* friendly **2.** INFORM user-friendly

convivialité [kõvivjalite] *f* **1.** *de personne, ambiance* friendliness, warmth **2.** INFORM user-friendliness

convocation [kõvɔkasjõ] *f* **1.** *d'une assemblée* convening **2.** JUR summons (+ *v sg*) **3.** ADMIN notification to attend; ***~ à l'examen*** notification of examination times

convoi [kõvwa] *m* **1.** *de véhicules, bateaux* convoy; ***~ exceptionnel*** abnormal load **2.** **~ (*funèbre*)** funeral cortege **3.** CH DE FER train

convoiter [kõvwate] *v/t* to lust after, to covet **convoitise** *f* lust, greed

convoler [kõvɔle] *v/i plais* ***~ en justes noces*** to get married

convoquer [kõvɔke] *v/t* **1.** *assemblée* to convene, to call **2.** JUR to summon; *élève, employé* to send for

convoyer [kõvwaje] *v/t* ⟨**-oi-**⟩ **1.** *escorter* to escort **2.** *transporter* to transport

convoyeur [kõvwajœʀ] *m* **1.** ***~ de fonds*** security guard **2.** MAR escort ship **3.** TECH conveyor

convulsé [kõvylse] *adj* ⟨**~e**⟩ *visage* contorted **convulser** *v/t visage* to contort; *fig pays* to throw into turmoil **convulsif** *adj* ⟨**-ive** [-iv]⟩ convulsive **convulsion** *f* convulsion **convulsionner** *v/t* to convulse

cooccupant *m* JUR fellow occupant; (*colocataire*) co-tenant

cool [kul] *fam adj* ⟨*inv*⟩ cool *fam*

coolie [kuli] *m* coolie

coopérant [kɔɔpeʀɑ̃] *m person working overseas in lieu of French military service*

coopérateur *m*, **coopératrice** *f* **1.** (*collaborateur*) collaborator **2.** *d'une coopérative* member of a cooperative

coopératif *adj* ⟨**-ive** [-iv]⟩ cooperative

coopération *f* **1.** (*collaboration*) cooperation (*a* POL) **2.** MIL *work overseas in lieu of French military service*
coopératisme [kɔɔpeʀatism] *m* cooperation
coopérative [kɔɔpeʀativ] *f* cooperative
coopérer ⟨-è-⟩ **I** *v/t indir* **~ *à qc*** to cooperate on sth **II** *v/i* to cooperate
coopter *v/t* to co-opt
coordinateur *m* coordinator
coordination *f* **1.** coordination **2.** GRAM ***conjonction*** *f* ***de ~*** coordinating conjunction
coordonnée *f* **1.** MATH coordinate **2.** *fam* (*adresse*) ***~s*** *pl* address and phone number
coordonner *v/t* to coordinate
▶ **copain** [kɔpɛ̃] *fam m* friend; pal *fam*; *dans un couple* boyfriend
copain-copain *adj* ⟨*inv*⟩ *fam* ***ils ne sont pas ~*** they're not the best of friends
copeau [kɔpo] *m* ⟨**~x**⟩ shaving; CUIS chip
copiage [kɔpjaʒ] *m dans un examen* copying
▶ **copie** [kɔpi] *f* **1.** *d'un écrit* copy **2.** *d'une œuvre d'art* reproduction **3.** (*imitation*) copy; *péj* imitation **4.** ENSEIGNEMENT *feuille* sheet; *devoir* paper
copier [kɔpje] *v/t* **1.** (*transcrire*) to copy (***dans un livre*** from a book; ***sur son voisin*** from one's neighbor) **2.** (*imiter, reproduire*) to copy
copieur [kɔpjœʀ] *m*, **copieuse** [-øz] *f* imitator; ENSEIGNEMENT cheat
copieusement [kɔpjøzmɑ̃] *adv manger* heartily; *illustré* lavishly; *servir* generously
copieux [kɔpjø] *adj* ⟨**-euse** [-øz]⟩ *repas* hearty; *portion* generous; *notes* copious
copilote *m* AVIAT co-pilot; AUTO co-driver
copinage [kɔpinaʒ] *m péj* cronyism
▶ **copine** [kɔpin] *fam f* friend; *dans un couple* girlfriend
copiste [kɔpist] *m* copyist
coprésidence *f d'une association* joint presidency; *d'un comité* co-chairing
coproducteur *m* co-producer **coproduction** *f* co-production, joint production
copropriétaire *m dans un immeuble* owner; *d'un bien* joint owner
copropriété *f* co-ownership; ***immeuble*** *m* ***en ~*** condominium, *brit* block of individually owned flats
copte [kɔpt] **I** *adj* Coptic **II** ***Copte*** *m/f* Copt
copulatif [kɔpylatif] *adj* ⟨**-ive** [-iv]⟩ GRAM copulative
copulation [kɔpylasjõ] *f* copulation **copuler** *v/i* to copulate
copyright [kɔpiʀajt] *m* copyright
▶ **coq** [kɔk] *m* **1.** ZOOL rooster, *brit* cock; ***~ de bruyère*** grouse; ***rouge comme un ~*** bright red in the face; ***être comme un ~ en pâte*** to be in clover **2.** *adj* SPORT ***poids*** *m* **~** bantam weight
coq-à-l'âne *m* ⟨*inv*⟩ ***faire un ~*** to change the subject abruptly
coquard [kɔkaʀ] *fam m* black eye
coque [kɔk] *f* **1.** *de noix, etc* shell; ***œuf*** *m* ***à la ~*** boiled egg **2.** *d'un navire* hull; *d'un avion* fuselage **3.** ZOOL cockle
coquelet [kɔklɛ] *m* CUIS cockerel
coquelicot [kɔkliko] *m* poppy
coqueluche [kɔklyʃ] *f* **1.** MÉD whooping cough **2.** *fig* ***être la ~ de qn*** to be sb's idol
coquet [kɔkɛ] *adj* ⟨**-ette** [-ɛt]⟩ **1.** (*soigné*) well turned-out **2.** (*cherchant à plaire*) flirtatious **3.** *fam* ***~te somme*** tidy sum *fam*
coquetier [kɔktje] *m* egg cup
coquetterie [kɔkɛtʀi] *f* **1.** (*désir de plaire*) interest in one's appearance; ***par ~*** out of vanity **2.** (*élégance*) stylishness **3.** (*affectation*) affectation **4.** (*galanterie*) flirtatiousness **5.** *fam* ***avoir une ~ dans l'œil*** to be slightly cross-eyed
coquillage [kɔkijaʒ] *m* shell
coquille [kɔkij] *f* **1.** *des mollusques* shell; ***~ Saint-Jacques*** scallop; ***~ de poisson*** fish served in a scallop shell; ***sortir de sa ~*** to come out of one's shell **2.** *d'œufs, de noix* shell; *fig* ***bateau ~ de noix*** cockleshell **3.** TYPO misprint, typo
coquillettes [kɔkijɛt] *fpl* pasta shells
coquin [kɔkɛ̃] **I** *adj* ⟨**-ine** [-in]⟩ **1.** *enfant, regard* mischievous **2.** *histoire* naughty **II** *subst* (***petit***[***e***]) **~**(***e***) (little) rascal
coquinerie [kɔkinʀi] *f* **1.** (*malice*) mischievousness **2.** (*ruse*) mischievous trick
cor [kɔʀ] *m* **1.** MUS horn; ***~ de chasse*** hunting horn; *fig* ***réclamer qc à ~ et à cri*** to clamor for sth **2.** **~** (***au pied***) corn **3.** ***un cerf*** (***de***) ***dix ~s*** a ten-point stag
corail [kɔʀaj] *m* ⟨**-aux** [-o]⟩ **1.** coral **2.** *adj* (***couleur***) **~** ⟨*inv*⟩ coral *épith*
corallien [kɔʀaljɛ̃] *adj* ⟨**-ienne** [-jɛn]⟩ coral *épith*
Coran [kɔʀɑ̃] *m* Koran
coranique [kɔʀanik] *adj* Koranic

corbeau [kɔRbo] *m* ⟨**~x**⟩ crow

▶ **corbeille** [kɔRbɛj] *f* **1.** (*panier*) basket; ***~ à papier*** waste basket; ***~ d'arrivée, de départ*** in-tray, out-tray; *fig* ***~ de mariage*** wedding presents (+ *v pl*) **2.** THÉ dress circle **3.** BOURSE trading floor

corbillard [kɔRbijaR] *m* hearse

cordage [kɔRdaʒ] *m* **1.** MAR rigging (+ *v sg*) **2.** *d'une raquette* stringing

▶ **corde** [kɔRd] *f* **1.** rope; ***~ à linge*** clothes line; *fig* ***il pleut des ~s*** it's raining cats and dogs **2.** SPORT rope; ***~ lisse*** climbing rope; ***~ raide*** tightrope; ***~ à sauter*** skipping rope; *fig* ***prendre un virage à la ~*** to hug a bend **3.** *d'un arc, d'une raquette* string; *fig* ***avoir plusieurs ~s à son arc*** to have several strings to one's bow **4.** MUS string; ***les ~s*** *pl* the strings; *fig* ***faire vibrer, toucher la ~ sensible de qn*** to touch on something close to sb's heart **5.** ***usé jusqu'à la ~*** threadbare **6.** ***~s vocales*** vocal chords **7.** MATH chord

cordeau [kɔRdo] *m* ⟨**~x**⟩ line; *fig* ***tracé au ~*** dead straight

cordée [kɔRde] *f* (roped) party of climbers

cordelette [kɔRdəlɛt] *f* thin cord

corder [kɔRde] *v/t raquette* to string

cordial [kɔRdjal] ⟨**~e; -aux** [-o]⟩ **I** *adj* cordial **II** *m* cordial

cordialement [kɔRdjalmɑ̃] *adv* warmly; ***~ vôtre*** yours sincerely

cordialité [kɔRdjalite] *f* friendliness, warmth; ***avec ~*** warmly

cordillère [kɔRdijɛR] *f* cordillera

cordon [kɔRdɔ̃] *m* **1.** cord; *de tablier* tie; *de décoration: ruban* ribbon; *écharpe* sash; *fig* ***tenir les ~s de la bourse*** to control the purse strings **2.** ***~ ombilical*** umbilical cord **3.** *de police* cordon; ***~ sanitaire*** cordon sanitaire **4.** ***~ littoral*** offshore sand bar

cordon-bleu *m* ⟨**cordons-bleus**⟩ cordon-bleu cook

cordonnerie [kɔRdɔnRi] *f* (*boutique*) shoe repairer's

cordonnier [kɔRdɔnje] *m* cobbler

Cordoue [kɔRdu] Cordoba

Corée [kɔRe] ***la ~*** Korea

coréen [kɔReɛ̃] **I** *adj* ⟨**-enne** [-ɛn]⟩ Korean **II** ***Coréen(ne)*** *m(f)* Korean

coreligionnaire [kɔRəliʒjɔnɛR] *m* fellow believer

coriace [kɔRjas] *adj* **1.** *viande* tough **2.** *fam fig* ***être ~ en affaires*** to be hard-headed in business

coriandre [kɔRjɑ̃dR] *f* cilantro

coricide [kɔRisid] *m* corn remover

corindon [kɔRɛ̃dɔ̃] *m* corundum

cormoran [kɔRmɔRɑ̃] *m* cormorant

cornac [kɔRnak] *m* mahout

cornaline [kɔRnalin] *f* carnelian

cornard [kɔRnaR] *fam* → ***cocu***

▶ **corne** [kɔRn] *f* **1.** *des chèvres, des escargots etc* horn; ***~ d'abondance*** cornucopia, horn of plenty; *fig mari* ***porter des ~s*** to be a cuckold **2.** *substance* horn; *de l'épiderme* callous **3.** *d'une page* dog-ear **4.** ***~ de brume*** foghorn

corné [kɔRne] *adj* ⟨**~e**⟩ horny

cornée [kɔRne] *f* cornea

cornéen [kɔRneɛ̃] *adj* ⟨**-enne** [-ɛn]⟩ corneal

corneille [kɔRnɛj] *f* crow

cornélien [kɔRneljɛ̃] *adj* ⟨**-ienne** [-jɛn]⟩ *tragédie* Cornelian; *fig* ***un choix ~*** a choice between love and duty

cornemuse [kɔRnəmyz] *f* bagpipes (+ *v pl*)

corner¹ [kɔRne] **I** *v/t* **1.** *page* to turn down the corner of **2.** *fam* ***~ qc aux oreilles de qn*** to shout sth in sb's ear **II** *v/i automobiliste* to sound one's horn

corner² [kɔRnɛR] *m* FOOT corner; *coup* corner kick

cornet [kɔRnɛ] *m* **1.** *emballage* paper cone *pour glace* cone **2.** MUS ***~ à pistons*** cornet **3.** ***~ à dés*** dice cup

cornette [kɔRnɛt] *f de religieuses* wimple

corniaud [kɔRnjo] *m* **1.** *chien* mongrel **2.** *fam imbécile* jerk *fam*

corniche [kɔRniʃ] *f* **1.** (***route*** *f* ***en***) ***~*** coastal road **2.** ARCH cornice

cornichon [kɔRniʃɔ̃] *m* **1.** CUIS gherkin, dill pickle **2.** *fam imbécile* idiot *fam*

cornu [kɔRny] *adj* ⟨**~e**⟩ horned

cornue [kɔRny] *f* retort

corollaire [kɔRɔlɛR] *m* corollary, consequence

corolle [kɔRɔl] *f* corolla

coron [kɔRɔ̃] *m* miners' cottages (+ *v pl*)

coronaire [kɔRɔnɛR] *adj* coronary

corporatif [kɔRpɔRatif] *adj* ⟨**-ive** [-iv]⟩ **1.** *mouvement, système* corporate **2.** HIST corporative

corporation [kɔRpɔRasjɔ̃] *f* **1.** corporation **2.** HIST guild

corporatisme [kɔRpɔRatism] *m doctrine* corporatism

corporel [kɔRpɔRɛl] *adj* ⟨**~le**⟩ *besoin, fonction* bodily; *soins, lotion* body *épith*; *châtiment* corporal

► **corps** [kɔʀ] *m* **1.** body (*a* REL); **~ et âme** body and soul; **lutter ~ à ~** to fight hand to hand; **à son ~ défendant** against one's will; **à ~ perdu** headlong **2.** (*cadavre*) body **3.** (*groupe*) body; (*profession*) profession; MIL, DIPL corps; **faire ~ avec qn** to stand solidly behind sb; **~ électoral** electorate; **~ médical** the medical profession; **avoir l'esprit** *m* **de ~** to show solidarity **4.** (*partie principale*) body; *d'un bâtiment* main body; *navire* **perdu ~ et biens** lost with all hands **5.** (*consistance*) body; *vin* **avoir du ~** to be full-bodied; *fig* **prendre ~** to take shape; **~ céleste** heavenly body; **~ composé** compound; **~ étranger** foreign body; **~ gras** fatty substance; **~ simple** element; **~ du délit** corpus delicti

corps-à-corps [kɔʀakɔʀ] *m* ⟨*inv*⟩ **1.** (*mêlée*) brawl **2.** MIL hand-to-hand combat **3.** SPORT clinch

corpulence [kɔʀpylɑ̃s] *f* stoutness **corpulent** *adj* ⟨**-ente** [-ɑ̃t]⟩ stout

corpus [kɔʀpys] *m de textes*, LING corpus

corral [kɔʀal] *m* ⟨**-als**⟩ corral

► **correct** [kɔʀɛkt] *adj* ⟨**~e**⟩ **1.** *sans fautes* correct **2.** *personne* polite, proper; *tenue* correct; **politiquement ~** politically correct **3.** *prix*, *salaire* reasonable; *hôtel*, *vin* decent

correctement [kɔʀɛktəmɑ̃] *adv* (*sans fautes*) correctly

correcteur [kɔʀɛktœʀ], **correctrice** [-tʀis] **1.** *m/f d'épreuves* proofreader; *d'examens* grader, *brit* examiner **2.** *m* INFORM spell checker **3.** *m* **~ liquide** correction fluid

correctif [kɔʀɛktif] **I** *adj* ⟨**-ive** [-iv]⟩ **gymnastique corrective** physiotherapy **II** *m amélioration* corrective

► **correction** [kɔʀɛksjõ] *f* **1.** *action de corriger* correction; **~ des épreuves** proofreading **2.** (*châtiment corporel*) hiding **3.** *de tenue*, *conduite* propriety; (*politesse*) good manners (+ *v pl*)

correctionnel [kɔʀɛksjɔnɛl] *adj* ⟨**~le**⟩ **peine ~le** penalty imposed by a court

correctionnelle [kɔʀɛksjɔnɛl] *f* magistrate's court

corrélatif [kɔʀelatif] *adj* ⟨**-ive** [-iv]⟩ correlative

corrélation [kɔʀelasjõ] *f* correlation

► **correspondance** [kɔʀɛspõdɑ̃s] *f* **1.** *lettres* correspondence; **enseignement** *m* **par ~** correspondence courses (+ *v pl*) **2.** TRANSPORT connection (**pour** to) **3.** (*analogie*) correspondence

correspondancier [kɔʀɛspõdɑ̃sje] *m*, **correspondancière** [-jɛʀ] *f* correspondence clerk

► **correspondant** [kɔʀɛspõdɑ̃] **I** *adj* ⟨**-ante** [-ɑ̃t]⟩ corresponding **II** *subst* **1.** **~(e)** *m(f)* correspondent; ENSEIGNEMENT pen pal **2.** **~(e)** *m(f)* PRESSE correspondent **3.** *m* TÉL **mon ~** the person I am calling

correspondre [kɔʀɛspõdʀ] ⟨→ **rendre**⟩ **I** *v/t indir* ► **correspondre à** *style*, *goût* to suit; *besoins* to meet; *dimensions*, *plan*, *somme* to match, to tally with **II** *v/i par écrit* to correspond (**avec** with)

corrida [kɔʀida] *f* **1.** bull fight **2.** *fig*, *fam lutte* set-to *fam*; *agitation*, *difficultés* to-do *fam*

corridor [kɔʀidɔʀ] *m* corridor

corrigé [kɔʀiʒe] *m* correct version

► **corriger** [kɔʀiʒe] ⟨**-ge-**⟩ **I** *v/t* **1.** *éliminer les erreurs* to correct; ENSEIGNEMENT *copie*, *devoir* to grade, *brit* to mark **2.** (*battre*) to thrash **3.** (*tempérer*) *influence*, *effet* to counteract; *symptômes* to alleviate **II** *v/pr* **se corriger** to correct o.s.

corroborer [kɔʀɔbɔʀe] *v/t* to corroborate

corroder [kɔʀɔde] *v/t* to corrode

corrompre [kɔʀɔ̃pʀ] ⟨→ **rompre**⟩ *v/t* **1.** *jeunesse*, *mœurs* to corrupt **2.** *témoin*, *etc* to bribe

corrompu [kɔʀõpy] *adj* ⟨**~e**⟩ corrupt

corrosif [kɔʀozif] *adj* ⟨**-ive** [-iv]⟩ corrosive **corrosion** *f* corrosion

corroyer [kɔʀwajœʀ] *m cuir* to curry; *bois* to trim; *métall* to weld

corrupteur [kɔʀyptœʀ] *st/s adj* ⟨**-trice** [-tʀis]⟩ *effet*, *influence* corrupting

corruptible [kɔʀyptibl] *adj* **1.** *fonctionnaire* corruptible **2.** *substance* perishable

corruption [kɔʀypsjõ] *f* **1.** corruption; **~ des mœurs** moral corruption **2.** *de témoins*, *etc* bribery

corsage [kɔʀsaʒ] *m* blouse

corsaire [kɔʀsɛʀ] *m* **1.** HIST corsair **2.** **pantalon** *m* **~** pedal pushers (+ *v pl*)

► **Corse** [kɔʀs] **la ~** Corsica

corse I *adj* Corsican **II** **Corse** *m/f* Corsican

corsé [kɔʀse] *adj* ⟨**~e**⟩ **1.** *vin* full-bodied; *plat* spicy; *café* strong **2.** *fig* (*grivois*) racy FACTURE steep; *problème* tough

corser [kɔʀse] **se corser** *v/pr* to get more complicated

corset [kɔʀsɛ] *m* corset

corso [kɔʀso] *m* **~ *fleuri*** procession of floral floats

cortège [kɔʀtɛʒ] *m* procession; *d'un haut personnage* cortege, retinue; **~ *de manifestants*** procession of demonstrators

cortisone [kɔʀtizɔn] *f* cortisone

corvée [kɔʀve] *f* **1.** chore; MIL fatigue duty; ***~s ménagères*** household chores **2.** HIST *unpaid feudal labor*

coryphée [kɔʀife] *litt m* coryphaeus

coryza [kɔʀiza] *m* head cold

cosaque [kɔzak] *m* Cossack

cosignataire *m* cosignatory

cosinus [kɔsinys] *m* MATH cosine

cosmétique [kɔsmetik] **I** *adj* cosmetic **II** *mpl* ***~s*** cosmetics, beauty products

cosmique [kɔsmik] *adj* cosmic

cosmologie [kɔsmɔlɔʒi] *f* cosmology **cosmologique** *adj* cosmological

cosmonaute [kɔsmonot] *m/f* cosmonaut

cosmopolite [kɔsmɔpɔlit] *adj* cosmopolitan

cosmopolitisme [kɔsmɔpɔlitism] *m* cosmopolitanism

cosmos [kɔsmos] *m* cosmos

cossard [kɔsaʀ] *fam adj* ⟨**-arde** [-aʀd]⟩ lazy; bone idle *fam*

cosse [kɔs] *f* **1.** *de petits pois, etc* pod **2.** ÉLEC terminal

cossu [kɔsy] *adj* ⟨**~e**⟩ *personne* well-off; *maison* smart

costal [kɔstal] *adj* ⟨**~e; -aux** [-o]⟩ costal

Costa Rica [kɔstaʀika] ***le ~*** Costa Rica

costaud [kɔsto] *fam adj personne, objet* strong, sturdy; *alcool* strong

▶ **costume** [kɔstym] *m* **1.** *pour homme* suit **2.** THÉ, costume; **~ *régional*** regional dress (+ *v sg*)

costumé [kɔstyme] *adj* ⟨**~e**⟩ in fancy dress; ***bal* ~** costume ball, *brit* fancy dress ball

costumer [kɔstyme] **I** *v/t* **~ *qn*** to dress sb up **II** *v/pr* ***se costumer*** to dress up (***en*** as)

costumier [kɔstymje] *m*, **costumière** [-jɛʀ] *f* **1.** *m magasin* costume store, *brit* fancy dress shop **2.** THÉ wardrobe master, mistress

cotation [kɔtasjõ] *f* FIN quotation

cote [kɔt] *f* **1.** BOURSE quotation **2.** GÉOG spot height; **~ *d'alerte*** flood level; *fig* danger level **3.** (*appréciation*) rating; *d'un cheval* odds (+ *v pl*); **~ *de popularité*** popularity rating; ***avoir la* ~** to be popular **4.** (*marque de classement*) classification number

▶ **côte** [kot] *f* **1.** *de la mer* coast; ***la Côte*** (***d'Azur***) the French Riviera; ***sur la* ~** on the coast **2.** (*montée*) hill **3.** ANAT rib; **~ *à* ~** side by side **4.** BOUCHERIE *de porc, agneau* chop; *de bœuf* rib

coté [kɔte] *adj* ⟨**~e**⟩ **1.** (*prestigieux*) well--thought of **2.** FIN **~ *en Bourse*** listed on the stock exchange

▶ **côté** [kote] *m* side; ***à côté*** (*tout près*) nearby; (*à ~ du but*) wide; ***pièce*** *f* ***à côté*** next-door room; ***les gens*** *mpl* ***d'à côté*** the people next door; ***verser à côté*** to pour over the edge; ▶ ***à côté de*** (*près de*) next to; *fig* (*en comparaison de*) compared to; ***aux côtés de qn*** beside sb; ***de côté*** (*à l'écart*) to one side; (*de biais*) sideways; ***mettre qc de côté*** to put sth aside; ***de l'autre côté*** *venir* from the other side; *être* on the other side; *aller* to the other side; ***côté rue*** overlooking the street; ***côté cour, jardin*** THÉ stage left, right; ***côté travail*** as far as work is concerned; ***d'un côté ..., de l'autre côté ...*** on the one hand ..., on the other hand ...; ***de ce côté*** (***-ci***) this way; *fig* ***de ce côté-là*** in that respect; ***du côté maternel*** on the maternal side; ***de mon côté*** on my side of the family; ***du côté de*** (*aux environs de*) near; (*dans la direction de*) toward, in the direction of

coteau [kɔto] *m* ⟨**~x**⟩ hillside

Côte-d'Ivoire [kotdivwaʀ] ***la* ~** the Ivory Coast

côtelé [kotle] *adj* ***velours* ~** corduroy

▶ **côtelette** [kotlɛt, kɔt-] *f* chop

coter [kɔte] *v/t* **1.** BOURSE to quote, to list **2.** *par ext* to rate

coterie [kɔtʀi] *f péj* clique

côtes-du-Rhône [kotdyʀon] *m* ⟨*inv*⟩ côtes-du-Rhône

côtier [kotje] *adj* ⟨**-ière** [-jɛʀ]⟩ coastal

cotillon [kɔtijõ] *m* cotillion ***accessoires*** *mpl* ***de* ~** party accessories *litt* ***courir le* ~** to chase petticoats *litt*

cotisant [kɔtizɑ̃] *adj* ⟨**-ante** [-ɑ̃t]⟩ *membre* contributing

cotisation [kɔtizasjõ] *f* ADMIN, FIN contribution (***à*** to); *à une association* subscription (***à*** to)

cotiser [kɔtize] **I** *v/i* ADMIN, FIN to pay one's contributions (***à*** to); *à une association* to pay one's subscription (***à*** to) **II** *v/pr* ***se cotiser*** to club together (***pour*** to)

▶ **coton** [kɔtõ] *m* **1.** *fibre* cotton; *fig* ***filer un mauvais ~*** to be in a bad way **2.** *fil* thread; ***~ à repriser*** darning thread **3. ~** (***hydrophile***) absorbent cotton, *brit* cotton wool; (***morceau*** *m* ***de***) **~** cotton swab; *enfant* ***élever qn dans du ~*** to give sb a sheltered upbringing **4.** *adj fam* ***c'est ~!*** it's tricky!

cotonnade [kɔtɔnad] *f* cotton fabric

cotonneux [kɔtɔnø] *adj* ⟨**-euse** [-øz]⟩ *brume* wispy; *feuille* downy; *fruit* soft-textured; *bruit* muffled

cotonnier [kɔtɔnje] *adj* ⟨**-ière** [-jɛʀ]⟩ cotton plant

coton-tige® *m* ⟨**cotons-tiges**⟩ Q-tip®, *brit* cotton bud

côtoyer [kotwaje] *v/t* ⟨**-oi-**⟩ **1. ~ *qn*** to mix with sb, to rub shoulders with sb **2.** *fig* **~ *qc*** to be in close contact with **3.** *route*: *rivière* to run alongside

cottage [kɔtɛdʒ] *m* cottage

cotte [kɔt] *f* HIST ***~ de mailles*** coat of mail

▶ **cou** [ku] *m* neck; ***~ de taureau*** bull neck; ***être endetté jusqu'au ~*** to be up to one's eyes in debt; ***se jeter au ~ de qn*** to throw one's arms around sb's neck

couac [kwak] *m* wrong note

couardise [kwaʀdiz] *st/s f* cowardice

couchage [kuʃaʒ] *m* ***sac*** *m* ***de ~*** sleeping bag

couchant [kuʃɑ̃] *adj* ***soleil ~*** setting sun

couche [kuʃ] *f* **1.** layer; ***~ de neige*** layer of snow; ***~ de peinture*** coat of paint; *fam, fig* ***il en tient une ~*** he's pretty dumb *fam* **2.** *fig* ***~s sociales*** social strata + *v pl* **3.** *pour bébés* diaper, *brit* nappy **4.** ***fausse ~*** miscarriage; ***femme*** *f* ***en ~s*** woman giving birth

couché [kuʃe] *adj* ⟨**~e**⟩ **1.** ▶ ***être couché*** to be lying down; *au lit* to be in bed **2.** *écriture* sloping; *blés* flattened

couche-culotte *f* ⟨**couches-culottes**⟩ disposable diaper, *brit* disposable nappy

coucher[1] [kuʃe] **I** *v/t* **1.** ***coucher qn*** to lie sb down (***sur*** on); *enfant* to sb put to bed; ***coucher qn*** (***chez soi***) to put sb up **2. ~ *qc*** *objet* to lay sth on its side; *pluie*: *blés* to flatten sth **3.** ***coucher qc par écrit*** to put sth down in writing; ***coucher qn sur son testament*** to mention sb in one's will **II** *v/i* **1.** (*dormir*) to sleep; ***coucher à l'hôtel*** to stay in a hotel; *fig* ***nom*** *m* ***à coucher dehors*** impossible name **2.** *fam* ***coucher avec qn*** (*avoir des rapports sexuels*) to sleep with sb **III** *v/pr* ▶ ***se coucher*** **1.** *pour dormir* to go to bed **2.** (*s'étendre*) to lie down; ***se coucher sur qc*** to lie down on sth **3.** *soleil* to set

coucher[2] *m* ▶ (***au***) ***coucher du soleil*** at sunset

couche-tard *m* ⟨*inv*⟩ night-owl

couche-tôt *m* ⟨*inv*⟩ ***c'est un ~-tôt*** he goes to bed early

▶ **couchette** [kuʃɛt] *f* **1.** CH DE FER couchette, berth **2.** MAR berth

coucheur [kuʃœʀ] *m* ***c'est un mauvais ~*** he's an awkward customer

couci-couça [kusikusa] *adv fam* so-so

coucou [kuku] **I** *m* **1.** ZOOL cuckoo **2.** *pendule* cuckoo clock **3.** BOT cowslip **4.** (*vieil avion*) (***vieux***) **~** old crate *fam* **II** *int* hi

▶ **coude** [kud] *m* **1.** elbow; *travailler* ***~ à ~*** shoulder to shoulder; ***jouer des ~s*** to elbow one's way through; *fam, fig* ***lever le ~*** to have a drink, to down a couple *fam*; *fig* ***se serrer les ~s*** to stick together **2.** *d'une rivière* bend, elbow; *d'une route* bend

coudée [kude] *f* ***avoir les ~s franches*** to have elbow room

cou-de-pied [kudpje] *m* ⟨**cous-de-pied**⟩ instep

coudoyer [kudwaje] ⟨**-oi**⟩ *v/t personnes* to come into contact with; **~ *qn*** to mix with sb

▶ **coudre** [kudʀ] *v/t* ⟨**je couds, il coud, nous cousons; je cousais; je cousis; je coudrai; que je couse; cousant; cousu**⟩ to sew; MÉD to stitch; *bouton* to sew on (***à*** to)

coudrier [kudʀije] *m* ***baguette*** *f* ***de ~*** divining rod

couenne [kwan] *f* pork rind

couette [kwɛt] *f* **1.** (*édredon*) comforter, *brit* duvet **2.** *cheveux* ***se faire des ~s*** to wear one's hair in pigtails

couffin [kufɛ̃] *m* bassinet, *brit* Moses basket

couilles [kuj] *pop fpl* balls *pop*

couillon [kujõ] *fam m* stupid idiot *fam*

couiner [kwine] *v/i petit animal* to squeak; *chien* to whine; *frein* to squeal

coulant [kulɑ̃] *adj* ⟨**-ante** [-ɑ̃t]⟩ **1.** ***nœud ~*** slipknot **2.** *fam personne* easy-going

coulée [kule] *f* ***~ de boue*** mudslide; ***~ de lave*** lava flow

► **couler** [kule] **I** *v/t* **1.** TECH *métal* to cast; *béton* to pour **2.** *navire* to sink **3.** *fig personne* to bring down, to sink; *commerce* to ruin **4.** ***~ des jours heureux*** to lead a happy life **II** *v/i* **1.** *eau, larmes, sang* to flow; *maquillage, peinture* to run; *beurre* to melt; *fromage* to go runny; ***faire ~ le sang*** to shed blood **2.** (*fuir*) *robinet, bougie* to drip; *stylo* to leak; ***mon nez coule*** I've got a runny nose **3.** *navire* to sink **III** *v/pr fam* ***se la ~ douce*** to take it easy *fam*

► **couleur** [kulœʀ] *f* **1.** color; ***de ~*** colored; ***en ~s*** *film* in color; ***photo en ~*** color photo; ***haut en ~(s)*** colorful; *fam, fig* ***en faire voir de toutes les ~s à qn*** to give sb a hard time *fam*; ***passer par toutes les ~s*** to change color **2.** *substance* paint **3.** *fig* color; ***~ locale*** local color; ***sans ~*** dull; ***sous ~ de*** *+inf* under the pretense of *+inf* **4.** *pl* ***~s (nationales)*** national colors; *par ext* (*drapeau*) national flag **5.** *aux cartes* suit **6.** *fig, surtout* POL color **7.** *pl* ***les ~s*** *linge* colors

couleuvre [kulœvʀ] *f* grass snake; *fig* ***avaler des ~s*** to endure humiliation; (*être crédule*) to be taken in

coulis [kuli] *m* coulis; ***~ de fraises*** strawberry coulis

coulissant [kulisɑ̃] *adj* ⟨**-ante** [-ɑ̃t]⟩ sliding

coulisse [kulis] *f* **1.** THÉ ***les ~s*** *pl* the wings; *fig* ***se tenir dans la ~*** to stay behind the scenes **2.** (*glissière*) runner; ***à ~*** sliding; *fig* ***regard*** *m* ***en ~*** sidelong glance

coulisser [kulise] *v/i* to slide

► **couloir** [kulwaʀ] *m* hallway, *brit* corridor; CH DE FER, AVIAT aisle; SPORT lane; ***~s*** *pl du métro* passageways; ***~ aérien*** air traffic lane; ***~ d'autobus*** bus lane

coulommiers [kulɔmje] *m creamy cow's milk cheese*

coulpe [kulp] *f* ***battre sa ~*** to go around in sackcloth and ashes

► **coup** [ku] *m* **1.** (*choc*) knock, bang; *de couteau* blow; *d'une arme à feu* shot; *fig* (*action*) job; ***coup bas*** SPORT blow below the belt; *fig* low blow; *fig* ***coup monté*** set-up *fam*; *fam, fig* ***sale coup*** dirty trick *fam*; JUR ***coups et blessures*** *fpl* assault and battery; ***coups de bâton*** beating; MÉD ***coup de chaleur*** heatstroke; ***donner un coup de couteau à qn*** to stab sb; ***coup du lapin*** whiplash; ***coup de marteau*** hammer blow; ***coup de pied*** kick; ***coup de pistolet*** gun shot; ***coup de téléphone*** (telephone) call; ***donner un coup de téléphone à qn*** to call sb; ***à coup(s) de*** by using; ***à coup sûr*** definitely; ***à tous les coups*** every time; ► ***tout à coup*** suddenly, all of a sudden; ***après coup*** afterwards; *fam* ***du coup*** as a result, so; ***du même coup*** by the same token; ***du premier coup*** straight off, at the first attempt; ***d'un (seul) coup*** in one fell swoop; ***tout d'un coup*** suddenly, all of a sudden; ***sous le coup de la fatigue, peur*** out of tiredness, anger; ***tomber sous le coup de la loi*** to fall within the provisions of a law; ***coup sur coup*** in succession; ***être tué sur le coup*** to be killed instantly; ***sur le coup de dix heures*** around ten; *fig* ***accuser le coup*** to be visibly shaken; *fig* ***compter les coups*** to stay on the sidelines; ***donner un coup de chiffon à qc*** to give sth a quick wipe; *fig* ***être aux cent coups*** to be worried sick; ***être dans le coup*** (*au courant*) to know what's going on; (*participer*) to be in on the deal; *fig* ***faire coup double*** to kill two birds with one stone; *fam* ***faire les quatre cents coups*** to be up to no good *fam*; *fam* ***en mettre un coup*** to give it everything one's got, to go for it *fam*; ***en prendre un coup*** to take a beating *fam*; *fig* to take some punishment; ***il a raté, manqué son coup*** he blew it *fam*; *horloge* ***sonner six coups*** to strike six; ***tenir le coup*** *personne* to stick it out; *chose* to last out; *fam* ***valoir le coup*** to be worth it **2.** (*quantité bue*) drink; *vider son verre* ***d'un seul coup*** in one go; *fam* ***boire un coup*** to have a drink **3.** AUX ÉCHECS move

► **coupable** [kupabl] **I** *adj* guilty (***de*** *gén*); *comportement* reprehensible **II** *m/f* culprit, guilty party

coupage [kupaʒ] *m du vin* blending

coupant [kupɑ̃] *adj* ⟨**-ante** [-ɑ̃t]⟩ sharp (-edged); *fig ton* sharp

coup-de-poing [kudpwɛ̃] *m* ⟨**coups--de-poing**⟩ ***~ (américain)*** knuckle-duster

coupe [kup] *f* **1.** *de fruits, glace* bowl; ***~ à***

champagne champagne glass **2.** SPORT cup; ***Coupe du monde de football*** soccer World Cup **3.** (*action de couper*) cutting; **~ (*de cheveux*)** haircut; *fig* ***~s sombres*** drastic cuts **4.** (*section*) section **5.** ***être sous la ~ de qn*** to be under sb's control

coupé [kupe] *m* AUTO coupé

coupe-cigares *m* ⟨*inv*⟩ cigar cutter **coupe-circuit** *m* ⟨*inv*⟩ ÉLEC fuse **coupe-coupe** *m* ⟨*inv*⟩ machete

coupée [kupe] *f* ***échelle*** *f* ***de ~*** accommodation ladder

coupe-faim *m* ⟨*inv*⟩ appetite suppressant

coupe-feu *adj* ⟨*inv*⟩ ***mur*** *m* **~** firewall

coupe-file *m* ⟨*inv*⟩ pass **coupe-gorge** *m* ⟨*inv*⟩ rough area; (*bar louche*) rough bar **coupe-ongles** *m* ⟨*inv*⟩ nail clippers (*pl*) **coupe-papier** *m* ⟨*inv*⟩ paper knife

► **couper** [kupe] **I** *v/t* **1.** to cut; (*découper*) to cut up; (*enlever*) to cut off; *plante, haie* to cut back; *herbe* to mow; *arbres* to cut down; COUT *tissu* to cut out; *fig vent* ***~ le visage à qn*** to sting sb's face; ***se faire ~ les cheveux*** to have one's hair cut; *brouillard* ***à ~ au couteau*** *silence* that you could cut with a knife; *accent* very strong; ***~ avec les dents*** to bite through; ***~ en morceaux*** to cut into pieces; ***fleurs coupées*** cut flowers **2.** (*interrompre*) *route* to cut across; *village, gaz, eau, électricité, téléphone* to cut off; *médicament: fièvre* to bring down ***être coupé*** to be cut off; TÉL ***nous avons été coupés*** we've been cut off; ***être coupé du monde*** to be cut off from the outside world; ***~ le vent*** to act as a windbreak **3.** *passage d'un texte, scène d'un film* to cut **4.** (*châtrer*) to castrate, to neuter **5.** SPORT *balle* to slice **6.** *liquide* to dilute **7.** (*croiser*) *ligne, virage* to intersect **II** *v/t indir* **1.** *fam* ***tu n'y couperas pas*** you won't get out of it! *fam* **III** *v/i* **1.** *couteau, etc* to cut **2.** (*séparer les cartes*) to cut the pack; (*prendre avec un atout*) to trump **3.** ***~ à travers champs*** to cut across the fields **IV** *v/pr* ***se couper*** **1.** to cut o.s.; ***se ~ le ou au doigt*** to cut one's finger **2.** *tissu* to cut **3.** *fig* (*se trahir*) to give o.s. away

couperet [kupʀɛ] *m* **1.** cleaver **2.** *de la guillotine* blade

couperosé [kupʀoze] *adj* ⟨**~e**⟩ with broken veins

coupeur [kupœʀ] *m* ***~ de cheveux en quatre*** hairsplitter

coupe-vent *m* ⟨*inv*⟩ windbreak

couplage [kuplaʒ] *m* TECH, ÉLEC coupling

► **couple** [kupl] *m* couple; (*relation*) relationship

couplé [kuple] *m* reversed forecast

coupler [kuple] *v/t* to couple

couplet [kuplɛ] *m* verse

coupole [kupɔl] *f* cupola

coupon [kupõ] *m* **1.** *d'étoffe* remnant **2.** FIN coupon **3.** *d'un ticket* multi-use pass

coupon-réponse *m* ⟨**coupons-réponse**⟩ reply coupon

coupure [kupyʀ] *f* **1.** *blessure* cut **2.** *fig* break **3.** ***~ de courant*** power cut; ***il y aura une ~ d'eau*** the water will be cut off **4.** *dans un film, texte* break **5.** ***~ de journal*** press cutting **6.** (*billet de banque*) bill, *brit* note

► **cour** [kuʀ] *f* **1.** *d'un bâtiment* courtyard; **~ (*de récréation*)** schoolyard, *brit* playground **2.** *d'un souverain* court; *par ext* entourage; *fig* ***~ d'admirateurs*** followers; ***faire la ~ à qn*** pay court to sb **3.** **~ (*de justice*)** court; ***Cour des comptes*** *French Audit Office*

► **courage** [kuʀaʒ] *m* **1.** (*bravoure*) courage, bravery; ***prendre son ~ à deux mains*** to take one's courage in both hands **2.** (*énergie*) energy; ***bon ~!*** good luck!; ***ne pas avoir le ~ de faire qc*** not to have the heart to do sth

► **courageux** [kuʀaʒø] *adj* ⟨**-euse** [-øz]⟩ **1.** (*brave*) brave **2.** (*énergique*) enthusiastic

couramment [kuʀamɑ̃] *adv* **1.** *parler une langue* fluently **2.** (*habituellement*) commonly

► **courant** [kuʀɑ̃] **I** *adj* ⟨**-ante** [-ɑ̃t]⟩ **1.** (*habituel*) common; *dépenses, affaires, article* everyday; ***c'est courant*** it's common **2.** ***eau courante*** running water **3.** COMM ***l'année courante*** the current year, this year **II** *m* **1.** ÉLEC, *d'un fluide* current; ***courant d'air*** draft; ***il y a un courant d'air ici*** there's a draft; ***faire un courant d'air*** to cause a draft **2.** ***dans le courant de la semaine*** during the week **3.** *fig d'idées, de tendances* trend **4.** ► ***être au courant*** to know (***de*** about); ***mettre au courant*** to put sb in the picture (***de*** about); **(*se*)** ***tenir au courant*** to keep up to date

courante [kuʀɑ̃t] *fam f* ***avoir la ~*** to have

the runs *pop* (*pl*)

courbatu [kuʀbaty] *adj* ⟨**~e**⟩ stiff

courbature [kuʀbatyʀ] *f* stiffness

courbaturé [kuʀbatyʀe] *adj* ⟨**~e**⟩ ***être ~*** to be stiff

courbaturer [kuʀbatyʀe] *v/t* to make stiff

courbe [kuʀb] **I** *adj* curved **II** *f* curve (*a* MATH); bend; ***~s de niveau*** contour lines

courbé [kuʀbe] *adj* ⟨**~e**⟩ *vieillard* bent (over)

courber [kuʀbe] **I** *v/t* **1.** to bend **2.** ***~ la tête, le front*** to bow down **II** *v/pr* ***se ~*** to bend down

courbette [kuʀbɛt] *f* bow; *fig* ***faire des ~s à, devant qn*** to bow and scrape to sb

courbure [kuʀbyʀ] *f* curve

coureur [kuʀœʀ] *m* **1.** runner; ***~ (cycliste)*** (racing) cyclist **2.** *péj* ***~ (de jupons)*** womanizer

coureuse [kuʀøz] *f* **1.** runner **2.** *péj* (***petite***) ***~*** manhunter *péj*

courge [kuʀʒ] *f* gourd

courgette [kuʀʒɛt] *f* zucchini, *brit* courgette

▶ **courir** [kuʀiʀ] ⟨**je cours, il court, nous courons; je courais; je courus; je courrai; que je coure; courant; couru**⟩ **I** *v/t* **1.** ***~ le danger, le risque de*** +*inf* to run the risk of *v -ing*; ***~ un danger*** to be in danger **2.** ***~ les magasins*** to go around the stores **3.** ***~ les filles*** to chase after the girls **4.** ***~ le cent mètres*** to run the 100 meters **II** *v/i* **1.** to run; ***~ après qc, qn*** to run after sth, sb; *fig* to go chasing after sth, sb; *malfaiteur* ***il court toujours*** he's still at large; ***j'y cours*** I'm going, I'm on my way; ***~ chercher le médecin*** to run for the doctor; ***faire ~ qn*** to get sb going; *fam, fig* ***tu peux toujours ~*** you can whistle for it! *fam* **2.** *bruits, nouvelle* to be doing the rounds; ***le bruit court que ...*** rumor has it that ...; ***faire ~*** to spread **3.** SPORT to run **4.** *eau, ruisseau* to run, to rush **5.** *intérêts* to accrue; *délai* to run (***à partir de ...*** from ...); ***par les temps qui courent*** nowadays

courlis [kuʀli] *m* curlew

▶ **couronne** [kuʀɔn] *f* **1.** *d'un roi, d'une dent, monnaie* crown **2.** *de fleurs* wreath **3.** (***brioche*** *f* ***en***) ***~*** ring-shaped brioche

couronné [kuʀɔne] *adj* ⟨**~e**⟩ **1.** ***tête ~e*** crowned head (of state) **2.** *ouvrage, auteur* prize-winning **3.** *fig* ***~ de succès*** crowned with success **4.** *genou* grazed

couronnement [kuʀɔnmɑ̃] *m* coronation

couronner [kuʀɔne] *v/t* **1.** *souverain et fig* to crown **2.** *ouvrage, auteur* to award a prize to

courre [kuʀ] ***chasse*** *f* ***à ~*** hunting (with hounds)

▶ **courrier** [kuʀje] *m* **1.** (*lettres*) mail; ***~ électronique*** e-mail **2.** *dans un journal* ***~ du cœur*** problems page; ***~ des lecteurs*** letters to the editor

courroie [kuʀwa] *f* strap; AUTO belt

courroucé [kuʀuse] *adj* ⟨**~e**⟩ irate

courroux [kuʀu] *st/s m* wrath

▶ **cours** [kuʀ] *m* **1.** (*suite de leçons*) course; (*leçon*) class, lesson UNIV lecture; ***~ préparatoire*** (*abr* ***C.P.***) Kindergarten, 1st Grade; ***~ élémentaire*** (*abr* CE_1, CE_2) 2nd, 3rd Grade; ***~ moyen*** (*abr* CM_1, CM_2) 4th, 5th Grade; ***~ privé*** private school; ***~ d'histoire*** history lesson; ***~ du soir*** evening class; ***faire un ~*** give a lecture **2.** *manuel* textbook **3.** *d'un fleuve* course; ***avoir un ~ rapide*** to be fast-flowing; ***~ d'eau*** waterway; *fig* ***donner libre ~ à*** to give free rein to **4.** *des événements* course; ***au ~ de*** during; ***l'année en ~*** the current year; ***en ~ de construction*** under construction; ***en ~ de route*** on the way; ***être en ~*** it's underway; ***suivre son ~*** to continue **5.** FIN rate; ***~ du change*** exchange rate; ***avoir ~*** to be legal currency; *fig* to be common practice

▶ **course** [kuʀs] *f* **1.** (*action de courir*) running **2.** SPORT *à pied, de véhicules* race; ***course automobile, cycliste*** motor, cycle race; *fig* ***course aux armements*** arms race; ***courses (de chevaux)*** (horse) racing; ***course de taureaux*** bull running; *fig* ***être dans la course*** to be in the running; *enfants* ***faire la course*** to race **3.** ***course en montagne*** mountain trekking **4.** ***course en taxi*** (taxi) ride **5.** ▶ ***courses*** *pl* shopping; ***faire des courses*** to go shopping

course-poursuite *f* ⟨**courses-poursuites**⟩ chase

coursier [kuʀsje] *m*, **coursière** [-jɛʀ] *f* messenger

coursive [kuʀsiv] *f* MAR gangway

▶ **court**[1] [kuʀ] **I** *adj* ⟨**courte** [kuʀt]⟩ short; ***avoir la vue ~e*** to be nearsighted **II** *adv* ***appelez-moi Fred tout ~*** just call me Fred; *cheveux* ***coupés ~*** short; *fig*

couper ~ à qc to put a stop to sth; *fig* ***prendre qn de ~*** to catch sb unawares; *fig* ***tourner ~*** to come to a sudden end; ***être à ~ d'argent***, *etc* to be short of money *etc.*

court[2] [kuʀ] *m* **~** ***(de tennis)*** (tennis) court; **~** ***central*** center court

courtage [kuʀtaʒ] *m* **1.** *activité* brokerage; (*vente par courtiers*) direct selling **2.** *commission* commission

court-bouillon *m* ⟨**courts-bouillons**⟩ court-bouillon

court-circuit *m* ⟨**courts-circuits**⟩ short circuit

court-circuiter [kuʀsiʀkɥite] *v/t* **~** ***qn, qc*** to bypass sb, sth

courtepointe *f* counterpane

courtier [kuʀtje] *m* broker

courtisan [kuʀtizɑ̃] *m* courtier

courtisane [kuʀtizan] *f* courtesan

courtiser [kuʀtize] *v/t* **~** ***une femme*** to court a woman

courtois [kuʀtwa] *adj* ⟨**-oise** [-waz]⟩ **1.** *personne* courteous **2.** *poésie* courtly; ***amour ~*** courtly love

courtoisie [kuʀtwazi] *f* courtesy

couru [kuʀy] *adj* ⟨**~e**⟩ **1.** *spectacle* ***être ~*** to be popular, to draw the crowds **2.** *fam* ***c'est ~*** it's a foregone conclusion

couscous [kuskus] *m* CUIS couscous

couscoussier [kuskusje] *m* CUIS couscous-maker

▶ **cousin** [kuzɛ̃] *m* **1.** cousin **2.** ZOOL cranefly

▶ **cousine** [kuzin] *f* cousin

▶ **coussin** [kusɛ̃] *m* **1.** cushion **2.** **~** ***d'air*** air cushion

coussinet [kusinɛ] *m* **1.** TECH bearing **2.** *du chat* pad

cousu [kuzy] *pp*→ ***coudre*** *et adj* ⟨**~e**⟩ sewn, stitched; **~** ***main*** hand-stitched; *fam, fig* ***du ~ main*** top-notch work *fam*

coût [ku] *m* cost; **~** ***de la vie*** cost of living

coûtant [kutɑ̃] *adj* ***(au) prix ~*** (at) cost price

▶ **couteau** [kuto] *m* ⟨**~x**⟩ **1.** knife; **~** ***à cran d'arrêt*** switchblade, *brit* flick-knife; **~** ***de cuisine, de poche*** kitchen, pocket knife; *fig* ***être à ~x tirés*** to be at daggers drawn **2.** ZOOL razor clam, *brit* razor shell

couteau-scie *m* ⟨**couteaux-scies**⟩ serrated knife

coutelas [kutlɑ] *m* (*couteau*) (large) kitchen knife

coutelier [kutəlje] *m* cutler

coutellerie [kutɛlʀi] *f* **1.** *couverts etc* silverware **2.** *industrie* cutlery industry

▶ **coûter** [kute] **I** *v/t efforts, vie* to cost (***à qn*** sb) **II** *v/i* to cost; **~** ***cher*** to be expensive; *fig* **~** ***cher à qn*** to cost sb dear; ▶ ***combien ça coûte?*** how much is it?; *fig* ***coûte que coûte*** at all costs; *fig* ***il m'en coûte de*** *+inf* it's hard for me *+inf*

coûteux [kutø] *adj* ⟨**-euse** [-øz]⟩ costly

coutil [kuti] *m* cotton drill

coutume [kutym] *f* custom; ***comme de ~*** as usual; ***avoir ~ de*** *+inf* to be in the habit of + *v-ing*; ***la ~ veut que …*** *+subj* custom has it that …

coutumier [kutymje] *adj* ⟨**-ière** [-jɛʀ]⟩ **1.** ***il est ~ du fait*** that's what he usually does **2.** ***droit ~*** common law

couture [kutyʀ] *f* **1.** *action* sewing **2.** *profession* dressmaking; ***haute ~*** haute couture; ***maison*** *f* ***de ~*** fashion house **3.** (*points*) seam; *fig* ***battre qn à plate(s) ~(s)*** to beat sb hands down

couturé [kutyʀe] *adj* ⟨**~e**⟩ *visage* scarred

couturier [kutyʀje] *m* fashion designer

couturière [kutyʀjɛʀ] *f* dressmaker

couvée [kuve] *f* brood

couvent [kuvɑ̃] *m* **1.** convent **2.** *pensionnat* convent school

couver [kuve] **I** *v/t* **1.** *œufs* to sit on **2.** *fig enfant* to wrap in cotton wool; **~** ***des yeux*** to gaze fondly at **3.** *fig maladie* to be coming down with **II** *v/i* **1.** *oiseau* to brood **2.** *feu* to smolder

▶ **couvercle** [kuvɛʀkl] *m* lid

▶ **couvert** [kuvɛʀ] **I** *pp* → ***couvrir*** *et adj* ⟨**-erte** [-ɛʀt]⟩ **1.** covered; *temps* overcast; **~** ***de*** covered in, covered with; **~** ***de sang*** covered in blood; *personne* ***être (bien) ~*** to be warmly dressed **2.** *fig dire* ***à mots ~s*** in a roundabout way **II** *m* **1.** *à table* place setting; ***mettre le ~*** to lay the table **2.** (*cuiller et fourchette*) silverware **3.** ***sous (le) ~ de*** under the pretext of

couverte [kuvɛʀt] *f* TECH glaze

▶ **couverture** [kuvɛʀtyʀ] *f* **1.** blanket; **~** ***chauffante*** electric blanket; *fig* ***tirer la ~ à soi*** to turn things to one's own advantage **2.** *d'un livre, d'un magazine* cover **3.** CONSTR roofing **4.** MIL, FIN cover; **~** ***sociale*** social security cover

couveuse [kuvøz] *f* MÉD incubator

couvrant [kuvʀɑ̃] *adj* ⟨**-ante** [-ɑ̃t]⟩ that provides good cover

couvrante [kuvʀɑ̃t] *f fam* (*couverture*) blanket

couvre-chef [kuvʀəʃɛf] *plais m* ⟨**couvre-chefs**⟩ hat **couvre-feu** *m* ⟨**couvre-feux**⟩ curfew **couvre-lit** *m* ⟨**couvre-lits**⟩, **couvre-pied(s)** *m* ⟨**couvre--pieds**⟩ coverlet

couvreur [kuvʀœʀ] *m* roofer

▶ **couvrir** [kuvʀiʀ] ⟨**je couvre, il couvre, nous couvrons; je couvrais; je couvris; je couvrirai; que je couvre; couvrant; couvert**⟩ **I** *v/t* **1.** to cover *a fig* (***de*** with); ***~ de baisers*** to shower with kisses **2.** MIL to cover; *fig* ***~ qn*** to cover (up) for sb **3.** *distance*, *période*, *secteur*, *frais*, *risques*; *journaliste*: *événement* to cover **4.** *son*, *voix* to drown out **II** *v/pr* ***se couvrir*** **1.** *personne* to wrap up **2.** *ciel* to cloud over

covoiturage [kovwatyʀaʒ] *m* car sharing

cow-boy [kobɔj] *m* ⟨**cow-boys**⟩ cowboy

coyote [kɔjɔt] *m* coyote

C.P. [sepe] *m*, *abr* → ***cours***

C.P.E. [sepeə] *m/f*, *abr* ⟨*inv*⟩ (= **conseiller [conseillère] principal[e] d'éducation**) ENSEIGNEMENT dean, *brit* head of year

C.Q.F.D. [sekyɛfde] *abr* (= **ce qu'il fallait démontrer**) Q.E.D.

crabe [kʀab] *m* crab

crac [kʀak] *int* crack

crachat [kʀaʃa] *m* spit

craché [kʀaʃe] *adj* ⟨**~e**⟩ ***c'est son père tout ~*** he's the spitting image of his father

cracher [kʀaʃe] **I** *v/t* **1.** *bonbon*, *etc* to spit out; *du sang* to spit **2.** *volcan*: *lave* to spit (out); *feu*, *flammes* to belch (out) **3.** *fam*, *fig* ***~*** (***de l'argent***) to cough up *fam* **4.** *fig injures* to hurl **II** *v/i* **1.** to spit **2.** *fam*, *fig* ***ne pas ~ sur qc*** not to say no to sth

crachin [kʀaʃɛ̃] *m* drizzle

crachiner [kʀaʃine] *v/imp* to drizzle

crachoir [kʀaʃwaʀ] *m* spittoon

crachotement [kʀaʃɔtmɑ̃] *m* spluttering

crachoter [kʀaʃɔte] *v/i* **1.** to splutter **2.** *haut-parleur* to crackle

crack [kʀak] *m* **1.** *fam* (*as*) ace *fam*, wizard *fam* **2.** *drogue* crack (cocaine)

cradingue [kʀadɛ̃g] *fam adj ou* **crado** [kʀado] *adj* filthy

▶ **craie** [kʀɛ] *f* chalk

▶ **craindre** [kʀɛ̃dʀ] *v/t* ⟨**je crains, il craint, nous craignons; je craignais; je craignis; je craindrai; que je craigne; craignant; craint**⟩ **1.** ***~ qn, qc*** to be afraid of sb, sth; *abs* ***~ pour qn*** to fear for sb; ***se faire ~*** to make o.s. feared (***de qn*** by sb); ***~ que …*** (***ne***) *+subj* to be afraid that **2.** *plantes* ***~ la gelée*** to be easily damaged by frost **3.** *fam* ***ça ne craint rien*** it will stand up to anything **4.** *abs fam* ***ça craint*** that's bad *fam*

▶ **crainte** [kʀɛ̃t] *f* fear; ***dans la ~ de*** *ou* ***de ~ de*** for fear of

craintif [kʀɛ̃tif] *adj* ⟨**-ive** [-iv]⟩ timid

cramer [kʀame] *fam v/i plat* to burn (to a cinder); *maison* to burn to the ground

cramoisi [kʀamwazi] *adj* ⟨**~e**⟩ crimson

crampe [kʀɑ̃p] *f* cramp; ***~ d'estomac*** stomach cramp

crampon [kʀɑ̃pɔ̃] *m* **1.** TECH clamp; *de chaussures* stud; *d'alpiniste* crampon **2.** *fam*, *fig* ***quel ~!*** what a leech! *fam*

cramponner [kʀɑ̃pɔne] *v/pr* ***se ~ à*** to cling on to

cran [kʀɑ̃] *m* **1.** (*entaille*) notch; *d'une ceinture* hole; TECH nick **2.** *fam* (*courage*) guts *fam* **3.** *fam*, *fig* ***il est à ~*** he's very edgy **4.** *coiffure* ***~s*** *pl* waves

▶ **crâne** [kʀɑn] *m* skull

crâner [kʀɑne] *v/i fam* to show off *fam*

crâneur [kʀɑnœʀ] *m*, **crâneuse** [-øz] *f fam* show-off *fam*

crânien [kʀɑnjɛ̃] *adj* ⟨**-ienne** [-jɛn]⟩ cranial

crapahuter [kʀapayte] *fam v/i* to yomp *fam*

crapaud [kʀapo] *m* toad

crapule [kʀapyl] *f péj* crook *fam*

crapuleux [kʀapylø] *adj* ⟨**-euse** [-øz]⟩ ***crime ~*** murder for money

craquage [kʀakaʒ] *m* CHIM cracking

craquant [kʀakɑ̃] *adj* ⟨**-ante** [-ɑ̃t]⟩ *fam* lovely, gorgeous

craque [kʀak] *fam f* tall story *fam*

craquelé [kʀakle] *adj* ⟨**~e**⟩ cracked

craqueler [kʀakle] ⟨**-ll-**⟩ *v/t* to crack

craquelure [kʀaklyʀ] *f* crack; *dans la porcelaine* crackle

craquement [kʀakmɑ̃] *m* crack; *de plancher* creak

craquer [kʀake] **I** *v/t allumette* to strike **II** *v/i* **1.** to crack; *parquet* to creak; *biscotte* to crunch; ***faire ~ ses doigts*** to crack one's knuckles **2.** *couture* to split; *fig* ***plein à ~*** full to bursting **3.** *fam* (*céder à la tentation*) not to be able to resist; ***~ pour qn, qc*** to fall for sb, sth *fam*; ***il a craqué*** *ou* ***ses nerfs ont craqué*** he cracked up

craqueter [kʀakte] *v/i* ⟨**-tt-**⟩ **1.** *bruit sec* to crack **2.** *cigogne* to clatter
crash [kʀaʃ] *m atterrissage* crash landing; (*écrasement au sol*) crash
crasse¹ [kʀas] *f* **1.** dirt, filth **2.** *fam*, *fig* ***faire une ~ à qn*** to play a dirty trick on sb *fam*
crasse² *adj ignorance* crass
crasseux [kʀasø] *adj* ⟨**-euse** [-øz]⟩ dirty, filthy
cratère [kʀatɛʀ] *m* crater
cravache [kʀavaʃ] *f* (riding) crop
cravacher [kʀavaʃe] **I** *v/t* to whip **II** *v/i fam* to go like crazy *fam*
▸ **cravate** [kʀavat] *f* tie
cravater [kʀavate] *v/t* (*saisir par le cou*) to grab around the neck
crawl [kʀol] *m* crawl **crawler** *v/i* SPORT to swim the crawl
▸ **crayon** [kʀɛjõ] *m* pencil; ***~ feutre*** felt-tip pen; ***~ noir*** lead pencil; ***~ optique*** light pen; ***~ rouge*** red pencil; ***~ à sourcils*** eyebrow pencil; ***~ de couleur*** crayon; ***dessin** m **au ~*** pencil drawing
crayon-feutre *m* ⟨**crayons-feutres**⟩ felt-tip pen
crayonnage [kʀɛjɔnaʒ] *m* pencil sketch **crayonner** *v/t* to make a pencil sketch of
créance [kʀeɑ̃s] *f* JUR debt
créancier [kʀeɑ̃sje] *m*, **créancière** [-jɛʀ] *f* creditor
créateur [kʀeatœʀ], **créatrice** [-tʀis] **I** *m/f* creator; *de produit* designer **II** *adj* creative
créatif [kʀeatif] *adj* ⟨**-ive** [-iv]⟩ creative
création [kʀeasjõ] *f* **1.** (*fondation*, *conception*, *fait de créer*) *a* REL creation; ***la Création*** Creation; ***la ~ du monde*** the creation of the world **2.** THÉ *d'une pièce* first production
créativité [kʀeativite] *f* creativity
créature [kʀeatyʀ] *f* creature
crécelle [kʀesɛl] *f* rattle; *fig* ***voix** f **de ~*** shrill voice
crèche [kʀɛʃ] *f* **1.** BIBL nativity scene **2.** *pour enfants* crèche
crécher [kʀeʃe] *v/i* ⟨**-è-**⟩ *fam* (*loger*) to live
crédibilité [kʀedibilite] *f* credibility **crédible** *adj* credible
▸ **crédit** [kʀedi] *m* **1.** credit *a* COMPTABILITÉ; ***à ~*** on credit; ***faire ~ à qn*** to give sb credit **2.** (*prestige*) reputation **3.** ***donner du ~ à qc*** to lend credence to sth **4.** ***~s*** *pl* funds
crédit-bail *m* leasing
créditer [kʀedite] *v/t* ***~ un compte d'une somme*** to credit an amount to an account
créditeur [kʀeditœʀ] *adj* ⟨**-trice** [-tʀis]⟩ ***compte ~*** credit account
credo [kʀedo] ÉGL, *fig* creed
crédule [kʀedyl] *adj* gullible **crédulité** *f* gullibility
▸ **créer** [kʀee] *v/t* **1.** to create *a* REL; *produit* to create, to design; *mode*, *rôle* to create; *spectacle* to perform for the first time **2.** (*fonder*) to create, to found; *emplois*, *besoins* to create **3.** ***~ des ennuis à qn*** to cause problems for sb
crémaillère [kʀemajɛʀ] *f* **1.** ***pendre la ~*** to have a house-warming party **2.** ***chemin de fer** m **à ~*** rack railway
crémant [kʀemɑ̃] *m* sparkling wine
crématoire [kʀematwaʀ] *adj* ***four** m **~*** crematorium furnace
crématorium [kʀematɔʀjɔm] *m* crematorium
▸ **crème** [kʀɛm] **I** *f* **1.** *du lait*, *produit de toilette* cream; ***~ Chantilly*** [ʃɑ̃tiji] *ou* ***~ fouettée*** whipped cream; (***café** m*) ***~** m* milky coffee **2.** *entremets* cream dessert; ***~ renversée*** caramel custard **3.** *liqueur* ***~ de banane*** crème de banane, banana liqueur **4.** *fam* ***c'est la ~ des hommes*** he's one of the best (of men) **II** *adj* ⟨*inv*⟩ cream(-colored)
crémerie [kʀɛmʀi] *f store selling dairy products*
crémeux [kʀemø] *adj* ⟨**-euse** [-øz]⟩ creamy
crémier [kʀemje] *m*, **crémière** [-jɛʀ] *f person working in a dairy or dairy product store*
crémone [kʀemɔn] *f* window catch
créneau [kʀeno] *m* ⟨**~x**⟩ **1.** MIL slit **2.** AUTO parallel parking; ***faire un ~*** to parallel-park **3.** ***~*** (***horaire***) (time) slot, window **4.** ÉCON (niche) market
créole [kʀeɔl] **I** *adj* creole **II 1.** *m/f* Creole **2.** LING ***le ~*** Creole
crêpage [kʀɛpaʒ] *m* **1.** *des cheveux* teasing **2.** TEXT crimping
crêpe¹ [kʀɛp] *m* **1.** TEXT crepe **2.** *en signe de deuil* black mourning crepe **3.** ***semelles** fpl* (***de***) ***~*** crepe soles
crêpe² *f* CUIS crêpe, pancake
crêper [kʀɛpe] **I** *v/t cheveux* to tease **II** *v/pr fam* ***se ~ le chignon*** to tear each other's hair out
crêperie [kʀɛpʀi] *f* crêperie, pancake

house
crépi [kʀepi] *m* roughcast
crêpier [kʀepje] *m*, **crêpière** [-jɛʀ] *f* crêpe maker
crépine [kʀepin] *f* **1.** TECH inlet filter **2.** BOUCHERIE caul
crépir [kʀepiʀ] *v/t* to roughcast **crépissage** *m* roughcasting
crépitement [kʀepitmɑ̃] *m d'un feu de bois* crackling; *d'une mitrailleuse* rattle
crépiter *v/i feu* to crackle; *mitrailleuse* to rattle; ***les applaudissements crépitaient*** there was a ripple of applause
crépon [kʀepõ] *adj* ***papier m ~*** crepe paper
crépu [kʀepy] *adj* ⟨**~e**⟩ ***cheveux ~s*** frizzy hair
crépusculaire [kʀepyskylɛʀ] *adj* ***lumière f ~*** twilight glow
crépuscule [kʀepyskyl] *m* twilight
crescendo [kʀeʃɛndo] MUS **I** *adv* crescendo **II** *m* crescendo
cresson [kʀɛsõ, kʀə-] *m* watercress
crétacé [kʀetase] *m* Cretaceous
crête [kʀɛt] *f d'une montagne*, *d'une vague* crest; *du coq* comb; *d'un toit*, *d'un mur* ridge
Crète [kʀɛt] ***la ~*** Crete
crétin [kʀetɛ̃] *m*, **crétine** [-in] *f* **1.** *péj* moron *péj* **2.** *m* MÉD cretin
crétinerie [kʀetinʀi] *f* imbecility
creusement [kʀøzmɑ̃] *m* digging
creuser [kʀøze] **I** *v/t* **1.** *tunnel*, *fosse*, *tranchée* to dig; (*rendre creux*) to hollow out, to dig a hole in **2.** *fig* ***~ l'estomac*** to work up an appetite; *visage* ***creusé de rides*** furrowed with wrinkles **3.** *fig sujet*, *question* to go into in depth **II** *v/i* **1.** *dans la terre* to dig **2.** *fig* to dig deeper **III** *v/pr* ***se creuser*** **1.** *joues* to become hollow; *fig* ***un fossé se creuse entre eux*** there is a widening gap between them **2.** *fig* ***se ~ la cervelle*** to rack one's brains
creuset [kʀøzɛ] *m* crucible
▸ **creux** [kʀø] **I** *adj* ⟨**creuse** [kʀøz]⟩ **1.** hollow; ***assiette creuse*** soup dish **2.** *fig* ***heures creuses*** off-peak periods **3.** *fig phrases*, *discours* empty **II** *m* **1.** hollow; ***~ de l'estomac*** pit of the stomach; *fig* ***j'ai un ~ (à l'estomac)*** I'm feeling peckish; ***~ de la main*** palm of the hand; ***~ d'une vague*** trough of a wave **2.** COMM slack period
crevaison [kʀəvɛzõ] *f* puncture, flat *fam*
crevant [kʀəvɑ̃] *adj* ⟨**-ante** [-ɑ̃t]⟩ *fam* **1.** (*épuisant*) exhausting **2.** (*drôle*) hilarious
crevasse [kʀəvas] *f* **1.** *d'un mur*, *du sol* crack **2.** *de la peau* ***~s*** *pl* chapping
crevassé [kʀəvase] *adj* ⟨**~e**⟩ cracked; *peau* chapped **crevasser** *v/t froid*: *mains* to chap
crève [kʀɛv] *f fam* ***attraper la ~*** to catch one's death (of cold)
crevé [kʀəve] *adj* ⟨**~e**⟩ **1.** (*éclaté*) punctured **2.** *plante*, *animal* dead **3.** *fam* (*épuisé*) exhausted, wiped out *fam*
crève-cœur *m* ⟨*inv*⟩ heartbreak
crève-la-faim *m* ⟨*inv*⟩ *fam* half-starved wretch
crever [kʀəve] ⟨**-è-**⟩ **I** *v/t* **1.** (*faire éclater*) to burst, to puncture; *pneu avec un couteau* to slash; *œil* to put out; *fig* ***~ le cœur à qn*** to break sb's heart; *fig* ***ça crève les yeux*** it's blindingly obvious **2.** *fam* (*épuiser*) ***~ qn*** to wear sb out, to wear sb into the ground **II** *v/i* **1.** (*éclater*) to burst; *par ext fam* ***j'ai crevé*** it finished me off *fam*; *fig* ***~ de jalousie*** to be consumed with jealousy; ***c'est à ~ de rire*** *fam* it's hysterical *fam* **2.** *fam animal*, *plante* to die; *pop personne* to die, to croak *pop*; *fam*, *fig* ***~ de faim*** to starve to death; *fam* ***il fait une chaleur à ~*** it's boiling (hot) *fam* **III** *v/pr* **1.** *fam* ***se ~ (au travail)*** to work o.s. into the ground *fam* **2.** ***se ~ les yeux*** to ruin one's eyesight
▸ **crevette** [kʀəvɛt] *f* ***~ grise*** shrimp; ***~ rose*** shrimp, *brit* prawn
▸ **cri** [kʀi] *m* shout, cry; ***~s*** *pl* shouting; *fig* ***le dernier ~*** the latest thing; ***~ d'alarme*** shout *ou* cry of alarm; ***~s de joie*** cries of joy; *fig* ***c'est le ~ du cœur*** it's a cry from the heart
criailleries [kʀijɑjʀi] *fpl* grousing + *v sg*
criant [kʀijɑ̃] *adj* ⟨**-ante** [-ɑ̃t]⟩ *injustice* glaring
criard [kʀijaʀ] *adj* ⟨**-arde** [-aʀd]⟩ **1.** *voix* shrill; *enfant* bawling **2.** *couleur* garish
criblage [kʀiblaʒ] *m* riddling
crible [kʀibl] *m* riddle; *fig* ***passer au ~*** to sift through
criblé [kʀible] *adj* ⟨**~e**⟩ ***~ de balles*** riddled with bullets; *fig* ***être ~ de dettes*** to be crippled by debt
cribler [kʀible] *v/t* **1.** (*percer*) to riddle **2.** TECH to screen
cric [kʀik] *m* jack
cricket [kʀikɛt] *m* cricket
cri-cri *fam m* ⟨*inv*⟩ chirping

criée [kʀije] *f* (***vente*** *f* ***à la***) **~** (sale by) auction

► **crier** [kʀije] **I** *v/t* to shout; **~ *à qn de*** *+inf* to shout to sb *+inf*; **~ *vengeance*** to call for revenge **II** *v/i* **1.** to shout; **~ *au scandale*** to call it a scandal; **~ *au secours*** to call for help; *fam* **~ *après qn*** to yell at sb *fam* **2.** (*grincer*) to squeak

> **crier ≠ cry, weep**
>
> **Crier** = shout. The meaning of cry is translated by the verb **pleurer**:
>
> **Il a crié très fort, mais personne ne l'a entendu. Elle a pleuré pendant des heures.**
>
> He shouted loudly, but no-one heard him. She cried for hours.

crieur [kʀijœʀ] *m* **~ *de journaux*** news vendor

► **crime** [kʀim] *m* crime; **~ *de guerre*** war crime; ***arme*** *f* ***du*** **~** murder weapon

Crimée [kʀime] ***la*** **~** the Crimea

criminaliser [kʀiminalize] *v/t* to criminalize

criminalité [kʀiminalite] *f* crime

► **criminel** [kʀiminɛl] **I** *adj* 〈**~le**〉 criminal; ***acte*** **~** criminal act; ***incendie*** **~** arson **II** *m* criminal; ***grand*** **~** serious criminal

criminellement [kʀiminɛlmɑ̃] *adv* **1.** *agir* criminally **2.** JUR ***poursuivre qn*** **~** to take criminal proceedings against sb

criminologie [kʀiminɔlɔʒi] *f* criminology **criminologue** *m/f* criminologist

crin [kʀɛ̃] *m* horsehair; *fig* ***à tout*** **~** dyed-in-the-wool

crinière [kʀinjɛʀ] *f* mane

crique [kʀik] *f* cove

criquet [kʀikɛ] *m* locust; **~ *pèlerin*** desert locust

► **crise** [kʀiz] *f* **1.** MÉD attack; **~ *cardiaque*** heart attack; **~ *de foie*** indigestion; **~ *de larmes*** crying fit; **~ *de nerfs*** hysterics (+ *v pl*); *fam* ***piquer une*** **~** to throw a fit *fam* **2.** POL, ÉCON crisis; **~ *du logement*** housing crisis

crispant [kʀispɑ̃] *adj* 〈**-ante** [-ɑ̃t]〉 irritating

crispation [kʀispasjõ] *f* **1.** *du visage* tensing **2.** (*irritation*) tension

crispé [kʀispe] *adj* 〈**~e**〉 tense

crisper [kʀispe] *v/t* **1.** to tense (up) **2.** *fam, fig* **~ *qn*** to get on sb's nerves *fam*

crisser [kʀise] *v/i* *gravier* to crunch; *pneus* to screech

cristal [kʀistal] *m* 〈**-aux** [-o]〉 **1.** *verre* piece of crystal(ware) **2.** CHIM, MINÉR crystal; **~ *de roche*** rock crystal **3.** ÉLEC ***cristaux*** *pl* ***liquides*** liquid crystals

cristallerie [kʀistalʀi] *f* **1.** *fabrication* crystal glass-making **2.** *usine* crystal glassworks **3.** *objets* crystal(ware)

cristallin [kʀistalɛ̃] **I** *adj* 〈**-ine** [-in]〉 *eaux, son* crystal-clear **II** *m de l'œil* (crystalline) lens

cristallisation [kʀistalizasjõ] *f* crystallization

cristalliser [kʀistalize] *v/i* (*et v/pr* ***se***) **~** to crystallize; ***sucre cristallisé*** granulated sugar

critère [kʀitɛʀ] *m* **1.** criterion; **~*s*** criteria + *v pl* **2.** (*stipulation*) requirement

critérium [kʀiteʀjɔm] *m* SPORT heat

critiquable [kʀitikabl] *adj* open to criticism

► **critique** [kʀitik] **I** *adj* critical; ***esprit*** *m* **~** critical mindset **II** *subst* **1.** *f* criticism; *d'un livre* review; ***faire la*** **~ *d'un livre*** to review a book; ***formuler des*** **~*s*** to criticize, to express one's criticism(s) **2.** *m* critic; **~ *de cinéma*** movie critic, *brit* film critic

► **critiquer** [kʀitike] *v/t* to criticize

croassement [kʀɔasmɑ̃] *m du corbeau* caw **croasser** *v/i* to caw

croate [kʀɔat] **I** *adj* Croatian **II** ***Croate*** *m/f* Croat

Croatie [kʀɔasi] ***la*** **~** Croatia

croc [kʀo] *m* **1.** fang; *chien* ***montrer les*** **~*s*** to bare one's teeth **2.** *instrument* hook

croc-en-jambe [kʀɔkɑ̃ʒɑ̃b] *m* 〈**crocs-en-jambe** [kʀɔkɑ̃ʒɑ̃b]〉 → ***croche-patte***

croche [kʀɔʃ] *f* eighth note, *brit* quaver; ***double*** **~** sixteenth note, *brit* semiquaver

croche-patte [kʀɔʃpat] *fam m* 〈**croche-pattes**〉 *ou* **croche-pied** *m* 〈**croche-pieds**〉 ***faire un croche-patte*** *ou* ***un croche-pied à qn*** to trip sb up

crochet [kʀɔʃɛ] *m* **1.** *pour suspendre* hook *a* BOXE **2.** *aiguille* crochet hook; ***faire du*** **~** to crochet **3.** (*détour*) detour ***faire un*** **~** to make a detour (***par Reims*** via Reims) **4.** *fam, fig* ***vivre aux*** **~*s de***

qn to sponge off sb *fam* **5.** TYPO ***~s*** *pl* square brackets
crocheter [kRɔʃte] *v/t* ⟨**-è-**⟩ *serrure* to pick **crocheteur** *m* picklock
crochu [kRɔʃy] *adj* ⟨**~e**⟩ *nez* hooked
croco [kRɔko] *m* ***sac*** *m* ***en ~*** crocodile (-skin) bag
crocodile [kRɔkɔdil] *m* crocodile
crocus [kRɔkys] *m* crocus
▶ **croire** [kRwaR] ⟨**je crois, il croit, nous croyons; je croyais; je crus; je croirai; que je croie; croyant; cru**⟩ **I** *v/t* ***~ qc*** to believe sth; ***~ qn*** to believe sb; ***je vous crois*** I believe you; ***je vous crois capable de*** *+inf* I think you can *+inf*; ***~ que ...*** to think that ...; ***je crois que non, que oui*** I think so, don't think so; ***on croirait que ..., c'est à ~ que ...*** you'd think (that) ..., anyone would think (that) ...; ***à l'en ~*** if he / she is to be believed; ***ne pas en ~ ses oreilles, ses yeux*** not to believe one's ears, one's eyes; ***faire ~ qc à qn*** to make sb believe sth, make sb believe sth **II** *v/t indir* ***~ à qc, à qn*** to believe in sth, sb; ***~ en qn*** to believe in sb; ***~ en Dieu*** to believe in God **III** *v/i* to believe *a* REL **IV** *v/pr* ***se ~*** *fam* (*être prétentieux*) to think one is really something *fam*; ***il se croit intelligent*** he thinks he's clever
croisade [kRwazad] *f* crusade
croisé [kRwaze] **I** *adj* ⟨**~e**⟩ crossed; *bras* folded; *veste* double-breasted; ***mots ~s*** crossword (puzzle) (+ *v sg*); *fig* ***rester les bras ~s*** to sit idly by **II** *m* HIST crusader
croisée [kRwaze] *f* **1.** *fig* ***être à la ~ des chemins*** to be at a crossroads **2.** casement **3.** ARCH ***~ d'ogives*** ribbed vault; ***~ du transept*** transept crossing
croisement [kRwazmɑ̃] *m* **1.** (*carrefour*) crossroads **2.** BIOL crossbreeding
croiser [kRwaze] **I** *v/t* **1.** *bras* to fold; *jambes* to cross **2.** ***~ qn*** to meet sb *by accident*, to bump into sb *fam* **3.** *route*: *voie ferrée*, *etc* to cross *a* BIOL **4.** ***~ le fer*** to cross swords **II** *v/i* **1.** *vêtement* to cross over **2.** MAR to cruise **III** *v/pr* **1.** ***se ~*** *routes*, *lettres* to cross; *personnes*, *véhicules* to pass each other; ***leurs regards se sont croisés*** their eyes met **2.** ***se ~ les bras*** to fold one's arms; *fig* to sit idly by
croiseur [kRwazœR] *m* cruiser
▶ **croisière** [kRwazjɛR] *f* cruise
croisillon [kRwazijõ] *m* cross bar
croissance [kRwasɑ̃s] *f* growth
▶ **croissant** [kRwasɑ̃] **I** *adj* ⟨**-ante** [-ɑ̃t]⟩ growing **II** *m* **1.** CUIS croissant **2.** ***~*** (***de lune***) crescent moon **3.** ISLAM crescent
croître [kRwatR] *v/i* ⟨**je croîs, il croît, nous croissons; je croissais; je crûs; je croîtrai; que je croisse; croissant; crû, crue**⟩ to grow *a* BIOL
▶ **croix** [kRwa] *f* cross; ***~ de guerre*** Military Cross; ***en ~*** crosswise; ***mettre les bras*** *mpl* ***en ~*** to hold one's arms out sideways; *fig* ***c'est la ~ et la bannière*** it's one hell of a job *fam*; *fig* ***tu peux faire une ~ dessus*** you can kiss goodbye to it *fam*
Croix-Rouge: ***la ~*** the Red Cross
croquant [kRɔkɑ̃] **I** *adj* ⟨**-ante** [-ɑ̃t]⟩ *biscuit* crunchy; *pomme* crisp **II** *m péj* gristle
croque au sel [kRɔkosɛl] ***à la ~*** with a sprinkling of salt
croque-mitaine [kRɔkmitɛn] *m* ⟨**croque-mitaines**⟩ bogeyman
croque-monsieur [kRɔkmøsjø] *m* ⟨*inv*⟩ *toasted ham sandwich with melted cheese on top*
croque-mort [kRɔkmɔR] *fam m* ⟨**croque-morts**⟩ mortician, *brit* undertaker
croquer [kRɔke] **I** *v/t* **1.** *bonbon*, *biscuits*, *noisettes* crunch; ***~*** (***dans***) ***une pomme*** to bite into an apple; *fam*, *fig* ***être à ~*** to look good enough to eat *fam* **2.** *fig argent* to squander **3.** (*esquisser*) to sketch **II** *v/i* to be crunchy
croquet [kRɔkɛ] *m* croquet
croquette [kRɔkɛt] *f* croquette
croquis [kRɔki] *m* sketch
cross [kRɔs] *m à pied* cross-country running; ***vélo*** *m* ***~*** mountain bike
crosse [kRɔs] *f* **1.** *d'un fusil* butt; ***à coups de ~*** with a rifle butt **2.** ÉGL crozier **3.** ***~*** (***de hockey***) hockey stick
crotale [kRɔtal] *m* rattlesnake
crotte [kRɔt] **I** *f* **1.** *excrément* dropping; *fam* ***~ de nez*** booger *fam*, *brit* bogey *fam* **2.** ***~ de, en chocolat*** chocolate drop **II** *int* shit *pop*
crotté [kRɔte] *adj* ⟨**~e**⟩ *fam* muddy
crotter [kRɔte] *v/pr* ***se ~*** to get muddy
crottin [kRɔtɛ̃] *m* **1.** *de cheval* dung **2.** small goat's cheese
croulant [kRulɑ̃] **I** *adj* ⟨**-ante** [-ɑ̃t]⟩ *murs* crumbling **II** *mpl fam* ***les ~s*** old folk, (old) crumblies *fam*
crouler [kRule] *v/i* to collapse (***sous*** under); *maison* to collapse, to fall down

croup [kʀup] *m* MÉD croup
croupe [kʀup] *f* **1.** *du cheval* croupe; ***prendre qn en ~*** to have sb as a pillion passenger **2.** *d'une colline* hilltop
croupetons [kʀuptõ] ***à ~*** squatting
croupi [kʀupi] *adj* ⟨**~e**⟩ *eau* stagnant
croupier [kʀupje] *m* croupier
croupion [kʀupjõ] *m* rump
croupir [kʀupiʀ] *v/i* **1.** *eau* to stagnate **2.** *personne* to languish
croupissant [kʀupisɑ̃] *adj* ⟨**-ante** [-ɑ̃t]⟩ *eau* stagnant
croustade [kʀustad] *f* croustade, (savory) pie
croustillant [kʀustijɑ̃] *adj* ⟨**-ante** [-ɑ̃t]⟩ **1.** crisp; *pain* crusty **2.** *fig histoires* spicy
croustiller [kʀustije] *v/i galette etc* to be crisp; *pain* to be crusty
croûte [kʀut] *f* **1.** *du pain* crust; *d'un gratin* topping; *du fromage* rind; *fam, fig* ***gagner sa ~*** to earn a crust *fam* **2.** *sur une plaie* scab **3.** ***~ terrestre*** earth's crust **4.** *fam, fig (mauvais tableau)* lousy painting *fam*
croûter [kʀute] *v/i fam* to eat
croûton [kʀutõ] *m* **1.** *de pain* crust **2.** crouton
croyable [kʀwajabl] *adj* ***à peine ~*** hard to believe
croyance [kʀwajɑ̃s] *f* belief (***à*** in); ***~s religieuses*** religious beliefs
croyant [kʀwajɑ̃] **I** *adj* ⟨**-ante** [-ɑ̃t]⟩ ***être ~*** to be a believer **II** *m* believer
C.R.S. [seɛʀɛs] *abr* (= **compagnies républicaines de sécurité**) *m French riot police force*; ***les ~*** *mpl* the French riot police
▸ **cru¹** [kʀy] *adj* ⟨**~e**⟩ **1.** *aliment, soie* raw; *métal* crude **2.** *lumière* harsh **3.** *propos* blunt; *vérité* harsh, stark; *langage* coarse **4.** ***monter à ~*** to ride bareback
cru² *m* **1.** *(vignoble)* vineyard; *(vin)* wine *par ext* ***grand ~*** great vintage **2.** *fig* ***de son ~*** of one's own devising
cru³ *pp* → ***croire***
crû [kʀy] *pp* → ***croître***
cruauté [kʀyote] *f* cruelty
cruche [kʀyʃ] *f* **1.** pitcher, *brit* jug **2.** *fam, péj* dumb idiot
cruchon [kʀyʃõ] *m* small pitcher, *brit* small jug
crucial [kʀysjal] *adj* ⟨**~e; -aux** [-o]⟩ crucial
crucifères [kʀysifɛʀ] *fpl* BOT crucifers
crucifié [kʀysifje] *adj* ⟨**~e**⟩ crucified
crucifier [kʀysifje] *v/t* to crucify
crucifix [kʀysifi] *m* crucifix
crucifixion [kʀysifiksjõ] *f* crucifixion
cruciforme [kʀysifɔʀm] *adj* ***vis*** *f* ***~*** cross-head screw
cruciverbiste [kʀysivɛʀbist] *m/f* crossword enthusiast
crudité [kʀydite] *f* **1.** ***~s*** *pl* crudités; ***assiette*** *f* ***de ~s*** assortment of raw vegetable salads **2.** *des couleurs* garishness; *de la lumière* harshness **3.** *de propos, d'une description* coarseness
crue [kʀy] *f* rise in the water level; *rivière* ***en ~*** in spate
▸ **cruel** [kʀyɛl] *adj* ⟨**~le**⟩ cruel
cruellement [kʀyɛlmɑ̃] *adv* **1.** *traiter qn* cruelly **2.** *souffrir* terribly; ***faire ~ défaut*** to be desperately inadequate
crûment [kʀymɑ̃] *adv dire* bluntly
crustacés [kʀystase] *mpl* shellfish
crypte [kʀipt] *f* crypt
crypter [kʀipte] *v/t* to encrypt; ***chaîne cryptée*** encrypted channel
cryptogamique [kʀiptɔgamik] *adj* ***maladies*** *fpl* ***~s*** fungal diseases
cryptogramme [kʀiptɔgʀam] *m* cryptogram
C.S.G. [seɛsʒe] *f, abr* (= **contribution sociale généralisée**) *supplementary social security contribution*
Cuba [kyba] Cuba; ***à ~*** in Cuba
cubage [kybaʒ] *m* **1.** *volume* volume **2.** *évaluation* cubage
cube [kyb] *m* **1.** cube *a* MATH, CUIS; ***jeu*** *m* ***de ~s*** (set of) building blocks; ***élever au ~*** cube **2.** *adj* cubic; ***mètre*** *m* ***~*** cubic meter
cuber [kybe] *v/i fam* ***ça cube*** it all mounts up
cubique [kybik] *adj* **1.** cubic **2.** MATH ***racine*** *f* ***~*** cube root
cubisme [kybism] *m* Cubism
cubitus [kybitys] *m* ANAT ulna
cucul [kyky] *adj* ⟨*inv*⟩ *fam* silly
cucurbitacées [kykyʀbitase] *fpl* cucurbitaceous plants
cueillette [kœjɛt] *f action* picking; *résultat* crop
cueilleur [kœjœʀ] *m*, **cueilleuse** [-øz] *f* picker
▸ **cueillir** [kœjiʀ] *v/t* ⟨**je cueille, il cueille, nous cueillons; je cueillais; je cueillis; je cueillerai; que je cueille; cueillant; cueilli**⟩ **1.** to pick **2.** *fam* ***~ qn*** to pick sb up *fam*
cui-cui [kɥikɥi] *int* tweet-tweet
▸ **cuiller** [kɥijɛʀ] *f* spoon *a* PÊCHE; ***~ à***

café *ou* ***petite ~*** teaspoon; ***~ à soupe*** soup spoon
cuillère → ***cuiller***
cuillerée [kɥij(e)ʀe] *f* spoonful
► **cuir** [kɥiʀ] *m* **1.** leather **2.** ***~ chevelu*** scalp **3.** *fam* (*liaison fautive*) incorrect liaison *in pronunciation*
cuirasse [kɥiʀas] *f* **1.** HIST breastplate; *fig* ***défaut*** *m* ***de la ~*** chink in sb's armor **2.** MAR, ZOOL, *fig* cuirass
cuirassé [kɥiʀase] *m* armored
cuirassier [kɥiʀasje] *m* MIL HIST cuirassier
► **cuire** [kɥiʀ] ⟨**je cuis, il cuit, nous cuisons; je cuisais; je cuisis; je cuirai; que je cuise; cuisant; cuit**⟩ **I** *v/t* **1.** *aliment* to cook; *pain*, *gâteau* to bake; *viande au four* to roast; *à la poêle* to fry; *à feu doux* to simmer (gently) **2.** TECH to fire **II** *v/i* **1.** to cook; *pain* to bake; ***faire ~ qc*** to cook sth **2.** *peau* to burn **3.** *fam*, *fig* ***on cuit ici*** it's baking (hot) *fam* **III** *v/imp fig* ***il lui en cuira*** he'll regret it
cuisant [kɥizɑ̃] *adj* ⟨**-ante** [-ɑ̃t]⟩ *déception*, *échec* bitter
► **cuisine** [kɥizin] *f* **1.** *pièce* kitchen **2.** (*art culinaire*) cookery; (*plats préparés*) food **3.** (*préparation des aliments*) cooking; ***faire la ~*** to cook **4.** *fig et péj* scheming
cuisiné [kɥizine] *adj* ⟨**~e**⟩ ***plat ~*** ready meal
cuisiner [kɥizine] **I** *v/t* **1.** to cook **2.** *fam*, *fig* ***~ qn*** to grill sb *fam* **II** *v/i* to cook
cuisinette [kɥizinɛt] *f* kitchenette
► **cuisinier** [kɥizinje] *m* cook
► **cuisinière** [kɥizinjɛʀ] *f* **1.** cook **2.** stove, *brit* cooker; ***~ électrique*** electric stove, *brit* electric cooker
cuissage [kɥisaʒ] *m* HIST ***droit*** *m* ***de ~*** droit du seigneur
cuissard [kɥisaʀ] *m* cycling shorts (*pl*)
cuissarde *f* thighboot
cuisse [kɥis] *f* **1.** ANAT thigh **2.** CUIS ***~s de grenouille*** frogs' legs; ***~ de poulet*** chicken leg
cuisseau [kɥiso] *m* ⟨**~x**⟩ haunch (of veal)
cuisson [kɥisõ] *f* **1.** CUIS cooking; *du pain*, *d'un gâteau* baking; *d'un rôti* roasting **2.** TECH firing
cuissot [kɥiso] *m* haunch
cuistot [kɥisto] *fam m* cook
cuistre [kɥistʀ] *litt m* prig
cuit [kɥi] *pp*→ ***cuire*** *et adj* ⟨**cuite** [kɥit]⟩ **1.** CUIS cooked, done; *rôti*, *pain* done; (***assez***) ***~*** done; *bifteck* ***bien ~*** well done **2.** *fam*, *fig* ***il est ~*** he's done for *fam*; *fig* ***c'est du tout ~*** *fam* it's a stroll in the park *fam*
cuite [kɥit] *fam f* bender *fam*; ***prendre une*** (***bonne***) ***~*** to get (totally) drunk, to get trashed *fam*
cuiter [kɥite] *v/pr fam* ***se ~*** to get trashed *fam*
► **cuivre** [kɥivʀ] *m* **1.** ***~*** (***jaune***) brass; ***~*** (***rouge***) copper **2.** ***~s*** *pl jaune* brassware; *rouge* copperware **3.** MUS ***les ~s*** *pl* the brass + *v pl*
cuivré [kɥivʀe] *adj* ⟨**~e**⟩ coppery
cuivrer [kɥivʀe] *v/t* bronze
cul [ky] *m* **1.** *pop* ass, *brit* arse *pop*; *fam* ***être comme ~ et chemise*** to be snuggled up together **2.** *adj* ***ce qu'il est ~!*** *pop* what a dumb ass *pop* **3.** *d'une bouteille*, *casserole* bottom; *fig* ***faire ~ sec*** to down it in one *fam*
culasse [kylas] *f d'un moteur* cylinder head
culbute [kylbyt] *f* somersault; ***faire une ~ dans l'escalier*** to fall down the stairs; *fam*, *fig* ***faire la ~*** to fall on one's face *fam*; COMM to go bust *fam*
culbuter [kylbyte] **I** *v/t* to knock down **II** *v/i* to fall down
culbuteur [kylbytœʀ] *m* **1.** AUTO rocker arm **2.** JOUET tumbler
cul-de-jatte [kydʒat] *m* ⟨**culs-de-jatte**⟩ *person who has had both legs amputated*
cul-de-lampe [kydlɑ̃p] *m* ⟨**culs-de-lampe**⟩ **1.** ARCH cul-de-lampe **2.** TYPO tailpiece
cul-de-poule [kydpul] ***bouche*** *f* ***en ~*** pursed lips
cul-de-sac [kydsak] *m* ⟨**culs-de-sac**⟩ cul-de-sac
culée [kyle] *f* ARCH abutment pier
culinaire [kylinɛʀ] *adj* culinary; ***art*** *m* ***~*** culinary arts (+ *v pl*)
culminant [kylminɑ̃] *adj* ***point ~*** *d'une montagne* highest peak; *fig* peak
culminer [kylmine] *v/i montagne* to reach (***à 3000 mètres*** 3000 meters); *fig* to reach its peak
culot [kylo] *m* **1.** *fam* (*effronterie*) cheek, nerve *fam* **2.** *d'une ampoule* cap
► **culotte** [kylɔt] *f* **1.** short pants (+ *v pl*), *brit* short trousers (+ *v pl*); *sous-vêtement féminin* panties (+ *v pl*), *brit* knickers (+ *v pl*); *fam*, *fig femme* ***porter***

la ~ to wear the pants *fam*, *brit* to wear the trousers *fam* **2.** BOUCHERIE rump
culotté [kylɔte] *fam adj* ⟨**~e**⟩ cheeky
culpabilisation [kylpabilizasjõ] *f* making guilty **culpabiliser** *v/t* to make feel guilty
culpabilité [kylpabilite] *f* guilt; ***sentiment*** *m* ***de ~*** guilt feelings (*pl*)
culte [kylt] *m* **1.** REL, *fig* cult; (*vénération*) worship; *fig* ***~ de la personnalité*** personality cult **2.** (*religion*) religion **3.** PROT service **4.** *adj* cult *épith*; ***film-~*** *m* cult movie
cul-terreux [kytɛʀø] *m* ⟨**culs-terreux**⟩ *fam*, *péj* yokel
cultivable [kyltivabl] *adj* AGR suitable for cultivation, cultivable
cultivateur [kyltivatœʀ] *m*, **cultivatrice** [-tʀis] *f* farmer
cultivé [kyltive] *adj* ⟨**~e**⟩ **1.** (*instruit*) cultured **2.** ***plante ~e*** cultivated plant; ***surface ~e*** cultivated land
▶ **cultiver** [kyltive] **I** *v/t terre*, *champ* to cultivate *a fig*; *céréales*, *légumes*, *fleurs* to grow **II** *v/pr* ***se ~*** to improve one's mind
▶ **culture** [kyltyʀ] *f* **1.** AGR *d'une terre* cultivation; *de légumes*, *de fruits* growing; (*espèce cultivée*) crop; ***~s*** *pl* cultivated land (+ *v sg*) **2.** *d'une personne* culture *a* BIOL; ***~ générale*** general knowledge **3.** (*civilisation*) culture, civilization; ***~ occidentale*** Western civilization, Western culture **4.** ***~ physique*** physical exercise
culturel [kyltyʀɛl] *adj* ⟨**~le**⟩ cultural
culturisme [kyltyʀism] *m* body-building
cumin [kymɛ̃] *m* cumin
cumul [kymyl] *m* accumulation; ***~ de fonctions*** holding of several positions
cumulard [kymylaʀ] *péj m person drawing salaries for several positions concurrently*
cumulatif [kymylatif] *adj* ⟨**-ive** [-iv]⟩ cumulative
cumuler [kymyle] *v/t traitements* to combine; *fonctions* to hold concurrently
cumulo-nimbus [kymylonɛ̃bys] *m* ⟨*inv*⟩ cumulonimbus
cumulus [kymylys] *m* cumulus
cunéiforme [kyneifɔʀm] *adj* ***écriture*** *f* ***~*** cuneiform script
cupide [kypid] *adj* greedy, grasping **cupidité** *f* greed
curable [kyʀabl] *adj* curable
curatelle [kyʀatɛl] *f* JUR (legal) guardianship
curateur [kyʀatœʀ] *m*, **curatrice** [-tʀis] *f* JUR (legal) guardian
curatif [kyʀatif] *adj* ⟨**-ive** [-iv]⟩ healing, curative
cure[1] [kyʀ] *f* **1.** MÉD cure; ***faire une ~ de raisin*** to go on a grape diet; ***~ de repos*** rest cure **2.** ***n'avoir ~ de qc*** to pay no attention to sth
cure[2] *f* CATH presbytery
curé [kyʀe] *m* CATH (parish) priest
cure-dent *m* ⟨**cure-dents**⟩ toothpick
curée [kyʀe] *f* quarry
cure-oreille *m* ⟨**cure-oreilles**⟩ cotton swab, *brit* cotton bud
curer [kyʀe] **I** *v/t* to clean out **II** *v/pr* ***se ~ les ongles*** to clean one's nails
curetage [kyʀtaʒ] *m* MÉD D&C
curie [kyʀi] *f* CATH Curia
curieusement [kyʀjøzmɑ̃] *adv* strangely
▶ **curieux** [kyʀjø] **I** *adj* ⟨**-euse** [-øz]⟩ **1.** (*indiscret*) inquisitive, **2.** (*intéressé*) curious; ***être ~ de savoir qc*** be curious *ou* keen to know sth **3.** (*bizarre*) strange, odd **II** *subst* ***les ~*** *mpl* the onlookers
curiosité [kyʀjozite] *f* **1.** (*indiscrétion*, *désir de connaître*) curiosity; ***~*** (***d'esprit***) inquiring mind **2.** *d'une ville* ***~s*** *pl* interesting sights **3.** (*objet rare*) curio
curiste [kyʀist] *m/f person having hydrotherapy*
curling [kœʀliŋ] *m* curling
curriculum [kyʀikylɔm] *ou* **curriculum vitae** [kyʀikylɔmvite] *m* résumé, *brit* curriculum vitae, CV
curry [kyʀi] *m* curry powder; (*plat*) curry
curseur [kyʀsœʀ] *m* **1.** INFORM cursor **2.** TECH slider
cursif [kyʀsif] *adj* ⟨**-ive** [-iv]⟩ **1.** TYPO ***écriture cursive*** cursive script **2.** *fig style*, *lecture* cursory
cursive [kyʀsiv] *f* TYPO cursive script
cursus [kyʀsys] *m* degree program
cutané [kytane] *adj* ⟨**~e**⟩ skin *épith*
cuti [kyti] *f*, *abr* → ***cuti-réaction***; *fam*, *fig* ***virer sa ~*** to switch sides
cuti-réaction *f* ⟨**cuti-réactions**⟩ ***~*** (***à la tuberculine***) Heaf test
cuve [kyv] *f* vat; ***~ à mazout*** oil tank
cuvée [kyve] *f de vin* vatful; (*vin*) vintage
cuvelage [kyvlaʒ] *m* MINES lining

cuver [kyve] *v/t fam, fig* **~ *son vin*** to sleep it off *fam*
cuvette [kyvɛt] *f* basin *a* GÉOG, bowl; *de W.-C.* pan
CV *abr* → ***cheval***
► **C.V.** [seve] *m, abr* (= **curriculum vitae**) résumé, *brit* CV, curriculum vitae
cyanose [sjanoz] *f* MÉD cyanosis
cyanure [sjanyʀ] *m* **~ (*de potassium*)** (potassium) cyanide
cybercafé [sibɛʀkafe] *m* Internet café **cyberespace** *m ou* **cybermonde** *m* cyberspace **cybernaute** *m/f* (Internet) surfer
cybernétique [sibɛʀnetik] *f* cybernetics
cybersexe [sibɛʀsɛks] *m* cybersex
cyclable [siklabl] *adj* ***piste*** *f* **~** cycle track
cyclamen [siklamɛn] *m* cyclamen
cycle [sikl] *m* cycle ÉTUDES; ***premier* ~** middle school; *à l'université* first and second year; ***second* ~** Final Honors; ***troisième* ~** postgraduate studies
cycles [sikl] *mpl* series (*pl*)
cyclique [siklik] *adj crise, phénomène* cyclical
cyclisme [siklism] *m* cycling
► **cycliste** [siklist] **I** *adj* cycling; ***coureur*** *m* **~** racing cyclist **II** *subst* **1.** *m/f* cyclist **2.** *m* cycling shorts (+ *v pl*)
cyclo-cross [siklokʀɔs] *m* ⟨*inv*⟩ cyclo-cross, off-roading **cyclomoteur** *m* moped **cyclomotoriste** *m/f* moped rider
cyclone [siklon] *m* **1.** cyclone **2.** *fig personne* whirlwind
cyclope [siklɔp] *m* MYTH Cyclops
cyclo-pousse [siklopus] *m* ⟨**cyclo-pousses**⟩ cycle rickshaw **cyclotourisme** *m* bicycle touring **cyclotouriste** *m/f* cycle tourism
cygne [siɲ] *m* swan
cylindre [silɛ̃dʀ] *m* TECH, MATH cylinder; (*rouleau*) roller; AUTO ***une six* ~*s*** a six-cylinder car
cylindrée [silɛ̃dʀe] *f* capacity **cylindrer** *v/t* to roll **cylindrique** *adj* cylindrical
cymbale [sɛ̃bal] *f* MUS cymbal
cynique [sinik] *adj* cynical **cynisme** *m* cynicism
cyprès [sipʀɛ] *m* cypress
cyrillique [siʀilik] *adj* Cyrillic
cystite [sistit] *f* cystitis
cytise [sitiz] *m* BOT laburnum

D

D, d [de] *m* ⟨*inv*⟩ D, d; *fam* ***système*** *m* ***D*** resourcefulness
d' [d] → ***de***
► **d'abord** [dabɔʀ] → ***abord***
dactylo [daktilo] *f* **1.** *personne* typist **2.** *action* typing
dactylographe [daktilɔgʀaf] *m/f* typist **dactylographie** *f* typing **dactylographier** *v/t* to type **dactylographique** *adj* typing (*épith*)
dada [dada] *m* **1.** *enf* horse **2.** *fam, fig* hobby
dadais [dadɛ] *m* **(*grand*) ~** *fam* big lump *fam*
dadaïsme [dadaism] *m* ART Dadaism
dadaïste [dadaist] ART **I** *adj* Dadaist **II** *m/f* Dadaist
dahlia [dalja] *m* dahlia
daigner [deɲe] *v/t* **~** *+inf* to deign *+inf*
d'ailleurs [dajœʀ] → ***ailleurs***
daim [dɛ̃] *m* **1.** ZOOL (fallow) deer **2.** *cuir* suede
dais [dɛ] *m* canopy
dallage [dalaʒ] *m* paving
dalle [dal] *f* **1.** paving stone **2.** *pop* ***se rincer la* ~** to wet one's whistle *fam* **3.** *fam* ***que* ~** zilch *fam*
daller [dale] *v/t* to pave
daltonien [daltɔnjɛ̃] **I** *adj* ⟨**-ienne** [-jɛn]⟩ color-blind **II** *m* color-blind person **daltonisme** *m* color-blindness
dam [dam, dɑ̃] ***au grand* ~ *de*** to the great displeasure of
damas [dama] *m* damask
Damas [damas] Damascus
damassé [damase] *adj* ⟨**~e**⟩ damask *épith*
► **dame** [dam] *f* **1.** lady; **~ *de compagnie*** (lady's) companion **2.** JEUX *aux échecs, cartes* queen; ***jeu*** *m* ***de* ~*s*** (game of) checkers, *brit* (game of) draughts; ***jouer aux* ~*s*** to play checkers, *brit* to play draughts
damer [dame] *v/t* **1.** *pion: aux dames* to crown; *aux échecs* to queen; *fig* **~ *le pion à qn*** to outwit sb **2.** TECH to pack

(down)
damier [damje] *m* **1.** checkerboard, *brit* draughts board **2.** check (pattern)
damnation [danasjõ] *f* damnation
damné [dane] *m* REL ***les*~*s*** the damned; *fig* ***souffrir comme un*** **~** to suffer torments
damner [dane] *v/t* to damn
dancing [dãsiŋ] *m* dance hall
dandiner [dãdine] *v/pr* ***se*** **~** to shift from one foot to the other; *en marchant* to waddle (along)
dandy [dãdi] *m* dandy
▶ **Danemark** [danmaʀk] ***le*** **~** Denmark
▶ **danger** [dãʒe] *m* danger; **~ *de mort*** danger of death; ***sans*** **~** (quite) safe; ***être en*** **~** to be in danger; ***mettre en*** **~** to endanger, to put in danger
▶ **dangereux** [dãʒʀø] *adj* ⟨**-euse** [-øz]⟩ dangerous; ***zone dangereuse*** danger zone
▶ **danois** [danwa] **I** *adj* ⟨**-oise** [-waz]⟩ Danish **II** ***Danois*(*e*)** *m*(*f*) Dane
▶ **dans** [dã] *prép* **1.** *lieu*: *question «where?»*: in; **~ *Paris*** in Paris; *marcher* around Paris; **~ *la Drôme, le Var***, *etc* in the Drôme, the Var *etc*; ***dans le train, l'avion*** on the train, the plane; **~ *la foule*** in the crowd; **~ *la rue*** in the street; *par ext* **~ *Sartre*** in Sartre; ***il est*** **~ *sa chambre*** he's in his bedroom; ***boire*** **~ *une tasse*** to drink from a cup; ***il l'a pris dans sa poche*** he took it out of his pocket; **~ *tout ce qu'il fait*** in everything he does; ***il est*** **~ *le commerce*** he's in business; *question «where to?»*: into; ***entrer*** **~ *la maison*** to go into the house **2.** *temps*: in a week's time; **~ *les 24 heures*** in 24 hours; **~ *l'année*** during the year; in; **~ *une semaine*** in a week **3.** *manière*: **~ *un accident*** in an accident; **~ *ces circonstances*** in *ou* under these circumstances **4.** *approximation* **~ *les* …** about …, around …
dansant [dãsã] *adj* ⟨**-ante** [-ãt]⟩ **1.** dance *épith*; ***soirée*~*e*** dance **2.** dancing (*a fig reflets*)
▶ **danse** [dãs] *f* dance; **~ *classique*** classical ballet; **~ *de salon*** ballroom dancing; **~ *du ventre*** belly dancing
▶ **danser** [dãse] *v/t et v/i* to dance; ***faire*** **~ *qn*** to dance with sb
danseur [dãsœʀ] *m*, **danseuse** [-øz] *f* dancer; CYCLISME ***en danseuse*** standing up
Danube [danyb] ***le*** **~** the Danube
d'après [dapʀɛ] *prép* → ***après*** *I 3*
dard [daʀ] *m d'une abeille* sting
darder [daʀde] *v/t soleil* **~ *ses rayons*** to beam down; **~ *un regard sur qn*** to shoot a glance at sb
dare-dare [daʀdaʀ] *fam adv* double-quick *fam*
darne [daʀn] *f* (fish) steak
dartres [daʀtʀ] *fpl* scurf (+ *v sg*)
darwinisme [daʀwinism] *m* Darwinism
datable [databl] *adj* datable
datation [datasjõ] *f* dating
▶ **date** [dat] *f* date; **~ *de naissance*** date of birth; **~ *limite de conservation*** use-by date; ***à cette*** **~** at that time; ***de fraîche*** **~** recent; ***de longue*** **~** longstanding; *fig* ***faire*** **~** to make its mark
dater [date] **I** *v/t* to date **II** *v/i* **1. ~ *de*** to date from; ***à*** **~ *de*** as of **2.** (*être démodé*) to be dated
datif [datif] *m* dative
datte [dat] *f* date **dattier** *m* date palm
daube [dob] *f* casserole; *par ext fam* garbage *brit* rubbish
dauber [dobe] *litt v/t* to scoff
dauphin [dofɛ̃] *m* **1.** ZOOL dolphin **2.** HIST ***Dauphin*** Dauphin **3.** *fig* heir apparent
daurade [dɔrad] *f* ZOOL sea bream
d'autant [dotã] → ***autant*** *I*
davantage [davãtaʒ] *adv* more; **~ *que*** more than
D.C.A. [desea] *f*, *abr* (= **défense contre avions**) anti-aircraft defense
▶ **de** [d(ə)] ⟨*avant voyelle ou 'h' muet* ***d'***; „*de le*“ *devient* **du**, „*de les*“ *devient* **des**⟩ **I** *prép* **1.** *lieu*: *origine*, *point de départ* from; ***venir de l'étranger, de la gare*** to come from overseas, from the station; ▶ ***de la porte à la fenêtre*** from the door to the window; ***de ville en ville*** from town to town; *destination*: ***le train de Paris*** the train to Paris, the Paris train **2.** *temps*: ***de jour*** by day; *ne rien faire* ***de*** (***toute***) ***la journée*** during the day; ▶ ***de lundi à jeudi*** from Monday to Thursday **3.** *appartenance*: of; ***le livre de Pierre*** Pierre's book; ***la maison*** **~ *mes parents*** my parents' house; ***le prix du pain*** the price of bread **4.** *cause*: ***mourir de soif*** to die of thirst; ***rougir de honte***; to blush with shame; ***trembler de froid*** to shiver with cold; ***un cri de douleur*** a cry of pain; ***se plaindre de qn, qc*** to complain about sb, sth **5.** *matière*: ***plaque*** *f* ***de marbre*** marble slab **6.** *contenu*: of; ***trois verres de vin***

three glasses of wine; ***collection*** *f* ***de timbres*** stamp collection **7.** *moyen, outil*: with; ***coup*** *m* ***de matraque*** blow with a club; ***se nourrir de riz*** to live on rice **8.** *sujet, thème*: about; ***parler de qn, qc*** to talk about sb, sth **9.** *manière*: ***de force*** by force; ***d'un pas ferme*** with a steady tread; ▶ ***de plus en plus grand*** bigger and bigger; ***de moins en moins valable*** less and less valid; ***la plus grande … du monde*** the biggest … in the world; ***livres*** *mpl* ***d'enfants*** children's books; ***père*** *m* ***de cinq enfants*** father of five; *fam* ***le ciel est d'un bleu!*** the sky is so blue!, what a blue sky! **10.** *fonction syntaxique*: ***le mois de mai*** the month of May; ***la ville de Paris*** the city of Paris; ***une drôle de voiture*** a funny car; ***un enfant de dix ans*** a ten-year-old child; ***la hauteur est de trois mètres*** the height is three meters, it's three meters high; ***cesser de parler*** to stop talking; ***et tout le monde de rire*** and everyone laughed; ***en voici une de terminée*** here's a finished one; ***quelque chose de beau*** something lovely; ***quelqu'un de résolu*** a determined person; ***si j'étais (que) de vous*** if I were you **II** *article partitif*: *souvent non traduit*; **1.** ***de l'eau, des épinards, du pain, de la salade*** (some) water, (some) spinach, (some) lettuce; *fam* ***être du solide*** to be sound; ***écouter du Mozart*** to listen to (some) Mozart; ***du bon travail*** good work; ***de*** *ou fam* ***des belles fleurs*** (some) lovely flowers; ***travailler pour de l'argent*** to work for money **2.** *seulement* **de**: ***beaucoup d'argent*** a lot of money; ***un litre de lait*** a liter of milk; ***il n'a jamais eu de succès*** he has never had any success, he has never been successful

dé[1] [de] *m* **1.** dice, die; *fig* ***les ~s sont jetés*** the die is cast; ***jouer aux ~s*** to play dice **2.** CUIS ***couper en ~s*** to dice

dé[2] *m* **~ (*à coudre*)** thimble

D.E.A. [deəa] *m*, *abr* ⟨*inv*⟩ (= **diplôme d'études approfondies**) *postgraduate qualification taken before completing a Ph.D.*

dealer [dilœʀ] *m* (drug) dealer

déambulatoire [deɑ̃bylatwaʀ] *m* walking frame

déambuler [deɑ̃byle] *v/i* to wander around

débâcle [debɑkl] *f* **1.** MIL rout **2.** *fig* collapse

déballage [debalaʒ] *m* **1.** unpacking **2.** *fam, fig* jumble **déballer** *v/t* to unpack

débandade [debɑ̃dad] *f* stampede

débaptiser *v/t* to change the name of

débarbouillage *m* wash

débarbouiller **I** *v/t* **~ *qn*** to wash sb **II** *v/pr* ***se ~*** to wash one's face

débarcadère [debaʀkadɛʀ] *m* landing stage

débarder *v/t* MAR to unload

débardeur [debaʀdœʀ] *m* (*vêtement*) sleeveless top

débarquement [debaʀkəmɑ̃] *m* **1.** *de marchandises* unloading; *de passagers* disembarkation **2.** MIL landing

débarquer [debaʀke] **I** *v/t* **1.** *marchandises* to unload; *passagers* to land **2.** *fam, fig* **~ *qn*** to fire sb *fam* **II** *v/i* **1.** to disembark; **~ *d'un avion*** to get off a plane **2.** *fam, fig* **~ *chez qn*** to turn up at sb's place *fam* **3.** *fam, fig* ***il débarque*** he doesn't have a clue what's going on *fam*

débarras [debaʀa] *m* **1.** *fam* ***bon ~!*** good riddance! *fam* **2.** *lieu* storage room

débarrasser [debaʀase] **I** *v/t* to clear (**de** of); *pièce* to clear out; *table* to clear (off); ***débarrasser qn de qc*** to take sth off sb; ***être débarrassé de qn, qc*** to be rid of sb, sth **II** *v/pr* ▶ ***se débarrasser de qc, de qn*** to get rid of sb, sth

débat [deba] *m* discussion, debate; POL **~*s*** *pl* debates

débattre ⟨→ **battre**⟩ **I** *v/t* to discuss; *prix* to negotiate; *prix* ***à ~*** negotiable **II** *v/pr* ***se débattre*** **1.** to struggle **2.** *fig* to struggle (***contre*** against)

débauchage [deboʃaʒ] *m* (*licenciement*) laying off

débauche [deboʃ] *f* **1.** debauchery **2.** *fig* ***une ~ de*** a profusion of

débauché(e) [deboʃe] *m(f)* debauched person

débaucher [deboʃe] *v/t* **1.** (*détourner de son travail*) to tempt away **2.** (*licencier*) to lay off **3.** *fam* (*distraire*) to tempt away

débile [debil] **I** *adj fam* (*stupide*) stupid **II** *m/f* **1.** **~ *mental(e)*** retarded person **2.** *fam* moron *fam*

débilitant [debilitɑ̃] *adj* ⟨**-ante** [-ɑ̃t]⟩ debilitating

débilité [debilite] *f* weakness

débiner *fam* **I** *v/t* to badmouth *fam* **II** *v/pr* ***se ~*** *fam* to make o.s. scarce *fam*

débit [debi] *m* **1.** (*vente*) sale **2.** **~ *de bois-***

sons bar; **~ *de tabac*** tobacconist **3.** (*manière de parler*) delivery **4.** *d'un robinet, etc* (rate of) flow **5.** COMM turnover **6.** FIN debit **7.** *d'une usine* output
débitage [debitaʒ] *m du bois* sawing
débitant [debitɑ̃] *m de boissons* liquor store manager, *brit* off-licence manager; *de tabac* tobacconist
débiter [debite] *v/t* **1.** *marchandises* to sell (retail) **2.** *péj sottises* to come out with; *par cœur* to reel off **3.** *bois* to saw (up); *animal* to cut up **4.** COMM **~ *un compte d'une somme*** to debit an amount from an account
débiteur [debitœʀ] *m*, **débitrice** [-tʀis] *f* debtor
déblaiement [deblɛmɑ̃] *m* clearing
déblais [deblɛ] *mpl* rubble (*sg*)
déblatérer [deblateʀe] *v/t indir* ⟨**-è-**⟩ **~ *contre*** *fam* to rant on about *fam*
déblayage [deblɛjaʒ] *m* → ***déblaiement***
déblayer [debleje] *v/t* ⟨**-ay-** *od* **-ai-**⟩ **1.** *rue, entrée, terrain* to clear; *décombres* to clear away **2.** *fig* **~ *le terrain*** to clear the way
déblocage *m* **1.** TECH releasing **2.** ÉCON unfreezing; *de fonds, crédits* releasing
débloquer I *v/t* **1.** *freins* to release; *serrure* to free **2.** *prix, salaires* to unfreeze; *fonds, crédits* to release **II** *v/i fam* to be crazy *fam*
débobiner [debɔbine] *v/t* to unwind
débogage [debɔgaʒ] *m* INFORM debugging
déboires [debwaʀ] *mpl* disappointments
déboisement [debwazmɑ̃] *m* deforestation **déboiser** *v/t* to clear (of trees)
déboîtement [debwatmɑ̃] *m* **1.** MÉD dislocation **2.** AUTO pulling out
déboîter [debwate] **I** *v/t* MÉD to dislocate **II** *v/i* AUTO to pull out
débonnaire [debɔnɛʀ] *adj* kindly
débordant [debɔʀdɑ̃] *adj* ⟨**-ante** [-ɑ̃t]⟩ *joie* unbounded; *activité* exuberant; *imagination* overactive
débordé [debɔʀde] *adj* ⟨**~e**⟩ ***être ~*** to be overwhelmed, to be snowed under
débordement [debɔʀdəmɑ̃] *m* **1.** *d'un fleuve, d'un récipient* overflowing **2.** *fig* **~ *de joie*** outpouring of joy **3.** **~*s*** *pl* excesses
déborder *v/i* **1.** *fleuve, liquide, récipient* to overflow; *fig* ***faire ~ le vase*** to be the last straw **2.** *fig* **~ *d'enthousiasme*** to be bursting with enthusiasm; **~ *de vie*** to be bursting with vitality
débotter I *v/t* **~ *qn*** to take sb's boots off **II** *v/pr* ***se ~*** to take one's boots off
débouchage [debuʃaʒ] *m* **1.** *d'une bouteille* opening, uncorking **2.** → ***débouchement***
débouché *m* **1.** *d'une rue* entrance; *d'une vallée* mouth **2.** ÉCON outlet **3.** *pl* **~*s*** prospects, openings
débouchement [debuʃmɑ̃] *m d'un évier* unblocking
déboucher I *v/t* **1.** *bouteille* to open, to uncork **2.** *évier* to unblock **II** *v/i* **1.** **~ *de*** to emerge from **2.** *chemin* **~ *dans*** to open onto **3.** *fig* **~ *sur*** to lead to
déboulé [debule] *m* SPORT sprint
débouler [debule] *fam* **I** *v/i* (*surgir*) to appear suddenly **II** *v/t* **~ *l'escalier*** to come charging down the stairs *fam*
déboulonnage [debulɔnaʒ] *m* unbolting
déboulonner *v/t* **1.** to unbolt **2.** *fam, fig* **~ *qn*** to discredit sb
débourber [debuʀbe] *v/t* **1.** *étang* to dredge **2.** *minerai* to wash **3.** VIT to rack
débourrer I *v/t pipe* to clean out **II** *v/i pop* (*déféquer*) to have a crap *pop*
débourser [debuʀse] *v/t* to pay out
déboussoler [debusɔle] *v/t fam* **~ *qn*** to disorientate sb; ***déboussolé*** completely lost
debout [d(ə)bu] *adv et adj* ⟨*inv*⟩ **1.** standing; *objet* upright; ***places*** *fpl* ***debout*** standing places, standing room; ▶ ***être debout*** to stand, to be standing; ***manger debout*** to eat standing up; ***mettre qc debout*** to stand sth up(right); ***rester debout*** to stand; ***ne plus tenir debout*** to be falling asleep on one's feet **2.** (*hors du lit*) up; ***être debout*** to be up; ***rester debout*** to stay up **3.** *fig* ***une histoire à dormir debout*** a tall story; *argument* ***tenir debout*** to stand up to scrutiny, to hold water
déboutonner I *v/t* to unbutton **II** *v/pr* ***se ~*** to unbutton one's clothes
débraillé [debʀɑje] *adj* ⟨**~e**⟩ *personne, allure* untidy, disheveled
débrailler [debʀaje] *v/pr fam* ***se ~*** to loosen one's clothing
débrancher *v/t* to disconnect
débrayage [debʀɛjaʒ] *m* **1.** AUTO disengaging of the clutch **2.** *fig* stoppage
débrayer [debʀeje] *v/i* ⟨**-ay-** *od* **-ai-**⟩ **1.** AUTO to disengage the clutch **2.** *fig* to stop work

débridé [debʀide] *adj* ⟨**~e**⟩ unbridled **débridement** *m* unbridling
débrider [debʀide] *v/t* **1.** *cheval* to unbridle **2.** CUIS to untruss
débris [debʀi] *mpl* **1.** *d'une statue, etc* fragments; ***des débris de verre*** broken glass (+ *v sg*) **2.** *fig* remains
débrouillard [debʀujaʀ] *adj* ⟨**-arde** [-aʀd]⟩ resourceful
débrouillardise [debʀujaʀdiz] *f* resourcefulness
débrouiller I *v/t* **1.** to disentangle **2.** *fig affaire, intrigue* to clear up **3.** *fam* ***débrouiller qn*** to teach sb the basics **II** *v/pr* ► ***se débrouiller*** to manage, to cope
débroussailler [debʀusaje] *v/t* **1.** to clear (the undergrowth from) **2.** *fig* to do the groundwork on
débusquer [debyske] *v/t* **1.** to drive out **2.** *fig de sa position* to flush out
► **début** [deby] *m* **1.** beginning, start; ***au ~*** at first; ***au ~ de*** at the beginning of; ***du ~ à la fin*** from start to finish; ***~ mai*** early in May; ***en ~ de semaine*** at the beginning of the week **2.** *pl* ***~s*** début (+ *v sg*); ***faire ses ~s*** to make one's début **3.** *fig pl* ***~s*** early stages
débutant [debytɑ̃] **I** *adj* ⟨**-ante** [-ɑ̃t]⟩ novice **II** *subst* **1.** ***~(e)*** *m(f)* beginner **2.** ***~e*** *f* debutante
débuter I *v/i* **1.** to begin, to start; ***~ dans la vie*** to start out in life **2.** *artiste* to make one's début **II** *v/t* to start, to begin
déca [deka] *m, abr fam* → ***décaféiné***
deçà [dəsa] ***en ~ de*** *limite* below
décacheter *v/t* ⟨**-tt-**⟩ *lettre* to unseal
décade [dekad] *f* ten-day period
décadence *f* decline; (*état*) decadence
décadent [dekadɑ̃] *adj* ⟨**-ente** [-ɑ̃t]⟩ decadent
décaféiné [dekafeine] *adj* ⟨**~e**⟩ decaffeinated; *subst* ***du ~*** decaffeinated coffee
décaféiner [dekafeine] *v/t* to decaffeinate
décaisser [dekese] *v/t* **1.** *marchandise* to uncrate **2.** *argent* to pay out
décalage [dekalaʒ] *m* **1.** difference; *dans l'esp* moving, shifting; ***~ horaire*** time difference **2.** *fig* gap
décalaminer [dekalamine] *v/t* AUTO to decarbonize
décalcification [dekalsifikasjõ] *f* decalcification
décalcomanie [dekalkɔmani] *f* transfer, decal
décaler *v/t* to move, to shift; *dans le temps* to reschedule
décalquage [dekalkaʒ] *m* tracing
décalquer *v/t* to trace
décamper *v/i fam* to clear out *fam*
décan [dekɑ̃] *m* ASTROL decan
décaniller [dekanije] *v/i fam* to clear out *fam*
décantation [dekɑ̃tasjõ] *f* decantation
décanter [dekɑ̃te] **I** *v/t* **1.** *liquide* to allow to settle **2.** *fig idées* to clarify **II** *v/pr* ***se décanter*** **1.** to settle; ***laisser ~*** to allow to settle **2.** *fig* to become clearer
décapage [dekapaʒ] *m* **1.** *métal* pickling **2.** *peinture* stripping
décapant [dekapɑ̃] **I** *m* paint stripper **II** *adj* ⟨**-ante** [-ɑ̃t]⟩ *fig* caustic
décaper [dekape] *v/t* to strip
décapiter [dekapite] *v/t* **1.** *personne* to behead; *accidentellement* to decapitate **2.** *fig* to remove the leaders of
décapotable [dekapɔtabl] *adj* (***voiture*** *f*) ***~*** *f* convertible **décapoter** *v/t* ***~une voiture*** to put the top of a car down
décapsuler [dekapsyle] *v/t* *bouteille* to take the top off **décapsuleur** *m* bottle-opener
décarcasser [dekaʀkase] *v/pr fam* ***se ~*** to go to a lot of trouble
décathlon [dekatlõ] *m* decathlon
décati [dekati] *adj* ⟨**~e**⟩ decrepit
décavé [dekave] *adj* ⟨**~e**⟩ *fam* **1.** flat broke *fam* **2.** *physiquement* haggard
décéder *v/i* ⟨**-è-; être**⟩ to die; ***décédé*** deceased
décelable [deslabl] *adj* detectable
déceler [desle] *v/t* ⟨**-è-**⟩ **1.** (*découvrir*) to detect **2.** (*indiquer*) ***~ qc*** to indicate sth
décélération [deseleʀasjõ] *f* **1.** TECH deceleration **2.** *fig* slowdown
► **décembre** [desɑ̃bʀ] *m* December
décemment [desamɑ̃] *adv* → ***décent***
décence [desɑ̃s] *f* decency
décennie [deseni] *f* decade
décent [desɑ̃] *adj* ⟨**-ente** [-ɑ̃t]⟩ **1.** *tenue, propos, etc* decent, proper **2.** *conditions, salaire, etc* decent, reasonable
décentralisation *f* decentralization **décentraliser** *v/t* to decentralize
décentrer *v/t* OPT, PHOT to decenter
déception [desɛpsjõ] *f* disappointment
décernement [desɛʀnəmɑ̃] *m* awarding
décerner *v/t* **1.** *prix* to award **2.** JUR ***~ un mandat d'arrêt*** to issue an arrest warrant

décès [desɛ] *m* death
décevant [des(ə)vɑ̃] *adj* ⟨**-ante** [-ɑ̃t]⟩ disappointing
▶ **décevoir** [des(ə)vwaʀ] *v/t* ⟨→ **recevoir**⟩ to disappoint
déchaîné [deʃene] *adj* ⟨**~e**⟩ *mer*, *passions* raging; *personne* wild
déchaînement [deʃɛnmɑ̃] *m* outburst; *des éléments* raging
déchaîner [deʃene] **I** *v/t éléments*, *passions*, *colère* to unleash; *hilarité* to cause **II** *v/pr* ***se déchaîner*** **1.** *tempête* to rage; *passions* to run high **2.** *personne* to fly into a rage (***contre*** with)
déchanter *v/i* to become disenchanted
▶ **décharge** *f* **1.** ÉLEC, *dans fusillade* discharge; ***recevoir une ~*** to get an electric shock **2.** ***~ publique*** (public) garbage dump, *brit* public tip **3.** JUR acquittal **4.** COMM receipt
déchargement *m* unloading
décharger ⟨**-ge-**⟩ **I** *v/t* **1.** *véhicule*, *marchandise*, *personne* to unload **2.** *arme à feu* to unload; (*tirer*) to fire (***sur*** at) **3.** *batterie* to discharge **4.** *fig* ***~ qn d'une tâche*** to relieve sb of a task **5.** *fig sa conscience* to unburden; ***~ sa colère sur qn*** to vent one's anger on sb **6.** JUR to clear **II** *v/pr* **1.** ***se ~ d'un travail sur qn*** to offload a piece of work onto sb **2.** *batterie* ***se ~*** to run down
décharné [deʃaʀne] *adj* ⟨**~e**⟩ emaciated
déchaussé [deʃose] *adj* ⟨**~e**⟩ **1.** barefoot **2.** *mur* with exposed foundations; ***avoir les dents ~es*** to have receding gums
déchausser **I** *v/t* ***~ qn*** to take sb's shoes off **II** *v/pr* ***se déchausser*** **1.** to take one's shoes off **2.** *dent* to work loose *due to receding gums*
dèche [dɛʃ] *f fam* ***dans la ~*** flat broke *fam*
déchéance [deʃeɑ̃s] *f* **1.** decline **2.** JUR forfeiture
déchet [deʃɛ] *m* **1.** *pl* ▶ ***déchets*** waste (*sg*); ***déchets radioactifs, nucléaires*** radioactive, nuclear waste (+ *v sg*) **2.** *fig* ***un déchet de l'humanité*** a wreck of humanity
déchetterie [deʃɛtʀi] *f* waste collection center
déchiffrable *adj* decipherable **déchiffrage** *m* MUS deciphering
déchiffrement [deʃifʀəmɑ̃] *m* deciphering
déchiffrer *v/t* **1.** *écriture*, *texte* to decipher; *message secret* to decode **2.** MUS to sight-read
déchiqueter [deʃikte] *v/t* ⟨**-tt-**⟩ to tear to pieces
déchirant [deʃiʀɑ̃] *adj* ⟨**-ante** [-ɑ̃t]⟩ heart-rending, heart-breaking
déchiré [deʃiʀe] *adj* ⟨**~e**⟩ torn *a fig*
déchirement [deʃiʀmɑ̃] *m* **1.** tearing **2.** *pl* ***~s*** rifts
déchirer [deʃiʀe] **I** *v/t* **1.** to tear (up); ***~ en morceaux*** to tear to pieces **2.** *fig* ***~ (le cœur)*** to be heart-breaking **3.** *peuple* to tear apart **II** *v/pr* **1.** ***se ~*** *sachet*, *muscle* to tear; *corde* to come apart **2.** ***se ~ un muscle*** to tear a muscle
déchirure [deʃiʀyʀ] *f* tear; ***~ musculaire*** torn muscle
déchoir *v/i* ⟨*déf*: **je déchois, il déchoit, nous déchoyons; je déchus; déchu; avoir** *u* **être**⟩ *socialement* to demean o.s.; *physiquement* to become weaker
déchristianisation [dekʀistjanizasjõ] *f* dechristianization **déchristianiser** *v/t* to dechristianize
déchu [deʃy] *pp*→ ***déchoir*** *et adj* ⟨**~e**⟩ *souverain* deposed; ***ange ~*** fallen angel
de-ci [dəsi] *adv* ***~ de-là*** here and there
décibel [desibɛl] *m* decibel
▶ **décidé** [deside] *adj* ⟨**~e**⟩ **1.** *personne*, *attitude* determined; ***être ~ à faire qc*** to be determined to do sth **2.** *chose* settled
décidément [desidemɑ̃] *adv* really
▶ **décider** [deside] **I** *v/t* **1.** ***décider qc*** to decide sth; ***décider de*** *+inf* to decide *+inf* **2.** ***décider qn à qc*** to convince sb about sth **II** *v/t indir* **1.** ***décider de qc*** to decide on sth **III** *v/i* **1.** to decide, to make a decision **IV** *v/pr* ▶ **se décider** **1.** to make up one's mind, to make a decision (***à qc*** on sth; ***à faire qc*** to do sth) **2.** (*choisir*) to decide (***pour*** on) **3.** *issue*, *avenir* to be decided on
décideur [desidœʀ] *m* decision-maker
décigramme [desigʀam] *m* decigram
décilitre *m* deciliter
décimal [desimal] *adj* ⟨**~e**; **-aux** [-o]⟩ decimal
décimale [desimal] *f* decimal
décimation [desimasjõ] *f* decimation
décimer [desime] *v/t* to decimate
décimètre [desimɛtʀ] *m* **1.** decimeter **2.** ***double ~*** (20 centimeter) ruler
décisif [desizif] *adj* ⟨**-ive** [-iv]⟩ decisive
▶ **décision** [desizjõ] *f* **1.** decision; ***prendre une ~*** to make a decision **2.** *qualité* decisiveness
décisionnel [desizjɔnɛl] *adj* ⟨**~le**⟩ deci-

sion-making *épith*
déclamation [deklamasjõ] *f* declamation **déclamer** *v/t* to declaim
déclarable [deklaʀabl] *adj à la douane* declarable
déclaratif [deklaʀatif] *adj* ⟨**-ive** [-iv]⟩ JUR declaratory
► **déclaration** [deklaʀasjõ] *f* **1.** statement; ***faire une ~*** to make a statement **2. ~** (***d'amour***) declaration of love **3.** ADMIN notification; *d'une naissance* registration; ***~ d'impôts*** tax return
déclaré [deklaʀe] *adj* ⟨**~e**⟩ *ennemi*, *etc* sworn
► **déclarer** [deklaʀe] **I** *v/t* **1.** (*faire savoir*) to declare, to state **2.** ADMIN, COMM, *à la douane* to declare; *naissance* to register **II** *v/pr* ***se déclarer*** **1.** to make one's views known (***sur un point*** on a matter) **2.** *amoureux* to declare one's love **3.** *incendie*, *épidémie* to break out
déclassé [deklɑse] **I** *adj* ⟨**~e**⟩ relegated **II** *m* dropout
déclassement *m* **1.** relegation **2.** *de personnel*, *d'hôtel* downgrading
déclasser *v/t* **1.** *objets* to jumble up **2.** *personnel*, *hôtel* to downgrade; SPORT to relegate
déclenchement [deklɑ̃ʃmɑ̃] *m* **1.** TECH release **2.** *d'une crise* outbreak
déclencher [deklɑ̃ʃe] **I** *v/t* to set off (*a* TECH) **II** *v/pr* ***se ~*** to be activated; *crise*, *guerre* to begin **déclencheur** *m* PHOT shutter release
déclic [deklik] *m* **1.** TECH trigger **2.** *bruit* click; *fig* ***il y a eu un ~*** something clicked
déclin [deklɛ̃] *m* **1.** decline **2.** *st/s* ***~ du jour*** close of the day
déclinable [deklinabl] *adj* GRAM declinable **déclinaison** *f* GRAM, PHYS **1.** GRAM declension **2.** PHYS declination **déclinant** *adj* ⟨**-ante** [-ɑ̃t]⟩ *gloire*, *forces* declining
décliner [dekline] **I** *v/t* **1.** (*refuser*) to decline *a* GRAM **2. ~ *son identité*** to give one's name **II** *v/i soleil* to go down; *forces* to weaken; *st/s jour* to wane *st/s*
déclivité [deklivite] *f* incline
décloisonner *v/t* to open up
déclouer *v/t planche* to remove the nails from, *caisse* to open
décocher *v/t* **1.** *flèche* to shoot **2.** *fig remarque* to fire off; *regard* to flash (***à qn*** at sb)
décodage [dekɔdaʒ] *m* decoding **décoder** *v/t* to decode **décodeur** *m* decoder
décoffrer *v/t* to remove the shoring from
décoiffer *v/t* **1. ~ *qn*** to ruffle sb's hair (up) **2.** *fam*, *fig* ***ça décoiffe*** it takes your breath away
décoincer *v/t* ⟨**-ç-**⟩ **1.** to unjam **2.** *fam*, *fig* ***~ qn*** to put sb at ease
décolérer [dekɔleʀe] *v/i* ⟨**-è-**⟩ ***ne pas ~*** to remain angry
décollage *m* take-off
décollé [dekɔle] *adj* ⟨**~e**⟩ *oreilles* sticking-out *épith*
décollement [dekɔlmɑ̃] *m* detachment
► **décoller** **I** *v/t* to unstick **II** *v/i* **1.** *avion* to take off *a*ÉCON **2.** *fam* ***ne pas ~*** not to budge *fam* **3.** *fam* (*maigrir*) to lose weight **III** *v/pr* ***se ~*** *affiche*, *enveloppe*, *etc* to come unstuck; *meuble*, *livre fam* to come apart
décolleté [dekɔlte] **I** *adj* ⟨**~e**⟩ *robe* low--cut; *femme* wearing a low-cut neckline **II** *m* low neckline
décolonisation [dekɔlɔnizasjõ] *f* decolonization **décoloniser** *v/t* to decolonize
décolorant **I** *adj* ⟨**-ante** [-ɑ̃t]⟩ bleaching *épith* **II** *m* bleaching agent
décoloration *f* discoloration; TECH bleaching
décoloré *adj* ⟨**~e**⟩ *cheveux* bleached; *tissu* faded
décolorer **I** *v/t* to bleach **II** *v/pr* **1.** ***se ~*** (***les cheveux***) to bleach one's hair **2.** ***se ~*** *tissu* to fade
décombres [dekõbʀ] *mpl* rubble
décommander **I** *v/t marchandises* to cancel an order for; *invitation* to cancel; *invités* to put off **II** *v/pr* ***se ~*** to cancel
décompactage [dekõpaktaʒ] *m* INFORM decompressing **décompacter** *v/t* INFORM to decompress
décomplexé *adj* ⟨**~e**⟩ ***être ~*** to be rid of one's complexes **décomplexer** *v/t* ***~ qn*** to rid sb of their complexes
décomposer **I** *v/t* **1.** to break down **2.** *personne* ***être décomposé*** to look distraught **II** *v/pr* ***se ~*** to decompose
décomposition *f* **1.** breaking down (***en*** into) **2.** decomposition
décompresser [dekõpʀese] *v/i fam* to relax, to chill (out) *fam* **décompression** *f* decompression
décomprimer *v/t* INFORM to decompress
décompte *m* **1.** (*déduction*) deduction **2.** *d'un total* breakdown **décompter** *v/t* to deduct

déconcentration *f* ADMIN decentralization

déconcentrer *v/t* **1.** ADMIN to decentralize **2.** ~ *qn* to distract sb

déconcertant [dekõsɛʀtɑ̃] *adj* ⟨**-ante** [-ɑ̃t]⟩ disconcerting **déconcerter** *v/t* to disconcert

déconfit *adj* ⟨**-ite** [-it]⟩ downcast

déconfiture *f fam* collapse

décongélation [dekõʒelasjõ] *f* defrosting

décongeler *v/t* ⟨**-è-**⟩ to defrost

décongestionner [dekõʒɛstjɔne] *v/t route, etc* to relieve congestion on

déconnecter I *v/t* ÉLEC to disconnect **II** *v/pr* INFORM **se** ~ to go off-line

déconner [dekɔne] *v/i fam* (*faire l'idiot*) to mess around *fam*; (*dire des bêtises* to talk crap *fam*; *appareil* to play up *fam*

déconnexion *f* TECH, ÉLEC disconnection

déconseiller *v/t* ~ **qc à qn** to advise sb against sth

déconsidérer *v/t* ⟨**-è-**⟩ to discredit

décontamination *f* decontamination **décontaminer** *v/t* to decontaminate

décontenancer [dekõtnɑ̃se] *v/t* ⟨**-ç-**⟩ to disconcert

▶ **décontracté** *adj* ⟨~**e**⟩ relaxed **décontracter** *v/pr* **se** ~ to relax **décontraction** *f* relaxation

déconvenue [dekõvny] *f* disappointment

décor [dekɔʀ] *m* **1.** decor **2.** *pl* ~**s** THÉ, FILM set (+ *v sg*) **3.** *fig* setting; *fam* **rentrer dans le(s) ~(s)** to go off the road

décorateur [dekɔʀatœʀ] *m*, **décoratrice** [-tʀis] *f* **1.** interior decorator **2.** THÉ set designer

décoratif [dekɔʀatif] *adj* ⟨**-ive** [-iv]⟩ **1.** **arts décoratifs** decorative arts **2.** decorative; *péj personne* purely decorative

décoration [dekɔʀasjõ] *f* decoration

▶ **décorer** [dekɔʀe] *v/t* **1.** to decorate, *vitrine* to dress (**de qc** with sth) **2.** ~ **qn** to decorate sb

décortiquer [dekɔʀtike] *v/t* **1.** to shell **2.** *fig texte* to analyze

décorum [dekɔʀɔm] *m* propriety, decorum

découcher *v/i* to spend the night away from home

découdre ⟨→ **coudre**⟩ **I** *v/t* COUT to unstitch **II** *v/i fig* **en** ~ to have a fight **III** *v/pr* **se** ~ to come unstitched

découler *v/i* ~ **de** to result from

découpage *m* **1.** ~**s** *pl* cut-outs **2.** ~ **électoral** division into constituencies

découpe *f* COUT cut

découper I *v/t* **1.** to cut up; *rôti, volaille* to carve **2.** to split (**dans** into) **II** *v/pr* **se** ~ **sur** to stand out against

découpures *fpl* cuttings

décourageant [dekuʀaʒɑ̃] *adj* ⟨**-ante** [-ɑ̃t]⟩ discouraging **découragement** *m* discouragement

▶ **décourager** [dekuʀaʒe] ⟨**-ge-**⟩ **I** *v/t* ~ **qn** to discourage sb (**de faire qc** from doing sth); **découragé** disheartened **II** *v/pr* **se** ~ to become disheartened

décousu *adj* ⟨~**e**⟩ **1.** that has come unstitched **2.** *fig* disjointed

découvert I *adj* ⟨**-erte** [-ɛʀt]⟩ bare; *terrain* open; *véhicule* open-topped **II** *adv* **à découvert 1.** MIL out in the open **2.** *fig* openly **3.** FIN overdrawn **III** *m* FIN overdraft

découverte [dekuvɛʀt] *f* discovery

▶ **découvrir** ⟨→ **couvrir**⟩ **I** *v/t* **1.** *panier* to take the cover off; *épaules* to bare; *enfant* to take his, her hat off **2.** (*trouver*) to discover; *complot* to uncover **3.** (*révéler*) to reveal **II** *v/pr* **se découvrir 1.** to take one's hat off **2.** *en dormant* to throw off the bedclothes

décrasser [dekʀase] *v/t* to clean (up)

décrépir *v/t* to remove the roughcast from

décrépit [dekʀepi] *adj* ⟨**-ite** [-it]⟩ decrepit

décrépitude [dekʀepityd] *f* decrepitude

decrescendo [dekʀeʃɛndo] MUS **I** *adv* decrescendo **II** *m* decrescendo

décret [dekʀɛ] *m* decree, order

décréter [dekʀete] *v/t* ⟨**-è-**⟩ **1.** to order **2.** (*décider*) to decree

décret-loi *m* ⟨**décrets-lois**⟩ government decree

décrier *litt v/t* to disparage

▶ **décrire** [dekʀiʀ] *v/t* ⟨→ **écrire**⟩ to describe

décrispation [dekʀispasjõ] *f fig* easing of tension **décrisper** *v/t fig* to make more relaxed

décrochage [dekʀɔʃaʒ] *m* **1.** *de rideaux* taking down; TECH switch-over; *d'un wagon* uncoupling **2.** MIL disengaging

▶ **décrocher** [dekʀɔʃe] **I** *v/t* **1.** *rideaux* to take down; TECH to switch over; *remorque* to uncouple; TÉL to pick up **2.** *fam, fig prix* to get; *place* to land *fam* **II** *v/i fam, fig* to give up; to kick the habit *fam*

décroiser *v/t jambes* to uncross; *bras* to unfold

décroissance *f* decline **décroissant** *adj* ⟨**-ante** [-ɑ̃t]⟩ decreasing

décroître *v/i* ⟨→ **accroître**⟩ to decrease, to decline

décrotter *v/t* to scrape the dirt off

décrue *f* drop in the water level

décrypter *v/t* to decipher

déçu [desy] *pp*→ ***décevoir*** *et adj* ⟨**~e**⟩ disappointed (***de*** by)

déculotter [dekylɔte] *v/t* (*et v/pr* ***se ~*** to take off one's pants, *brit* to take off one's trousers) ***~ qn*** to take off sb's pants, *brit* to take off sb's trousers

déculpabiliser *v/t* ***~ qn*** to free sb of guilt

décuplement [dekypləmɑ̃] *m* tenfold increase

décupler [dekyple] *v/i* to increase tenfold

dédaignable [dedɛɲabl] *adj* ***ce n'est pas ~*** it's not to be sneezed at

dédaigner *v/t* to despise; *aide*, *offre* to spurn

dédaigneux [dedɛɲø] *adj* ⟨**-euse** [-øz]⟩ disdainful

dédain [dedɛ̃] *m* disdain

dédale [dedal] *m* labyrinth

▶ **dedans** [d(ə)dɑ̃] **I** *adv* inside; ***de ~*** from inside; ***en ~*** inside; *fam*, *fig* ***foutre qn ~*** to get sb completely muddled up **II** *m* inside

dédicace [dedikas] *f* dedication **dédicacer** *v/t* ⟨**-ç-**⟩ to dedicate

dédier [dedje] *v/t* ***~ qc à qn*** to dedicate sth to sb

dédire *v/pr* ⟨→ **dire**, *mais* **vous dédisez**⟩ ***se ~*** to retract one's statement; *invité* to back out

dédit [dedi] *m* retraction

dédommagement [dedɔmaʒmɑ̃] *m* compensation **dédommager** *v/t* ⟨**-ge-**⟩ to compensate (***qn de qc*** sb for sth)

dédouanement [dedwanmɑ̃] *m* customs clearance **dédouaner** *v/t* to clear through customs

dédoublement *m* **1.** splitting (into two) **2.** PSYCH ***~ de la personnalité*** split personality

dédoubler *v/t* to split into two

dédramatiser *v/t* to play down

déductible [dedyktibl] *adj* deductible **déductif** *adj* ⟨**-ive** [-iv]⟩ deductive

déduction [dedyksjõ] *f* deduction

déduire [dedɥiʀ] *v/t* ⟨→ **conduire**⟩ **1.** COMM to deduct (***de*** from) **2.** (*conclure*) to deduce (***de*** from)

déesse [deɛs] *f* goddess

défaillance [defajɑ̃s] *f* **1.** TECH fault **2.** *fig* failing, weakness

défaillant [defajɑ̃] *adj* ⟨**-ante** [-ɑ̃t]⟩ faulty; *personne* flagging; *mémoire* failing

défaillir *v/i* ⟨→ **assaillir**⟩ **1.** to faint **2.** *fig* to be failing

défaire ⟨→ **faire**⟩ **I** *v/t* to undo; *valise* to unpack; *nœud*, *chaussures* to untie; *paquet* to open; *couture* to unpick; *lit*, *coiffure* to mess up **II** *v/pr* ***se défaire*** **1.** *natte*, *coiffure*, *etc* to come undone; *couture* to come apart **2.** ***se ~ de*** to get rid of; *habitude* to rid o.s. of

défait *adj* ⟨**défaite** [defɛt]⟩ **1.** undone; *lit* unmade **2.** ***avoir la mine ~e*** to look haggard

▶ **défaite** [defɛt] *f* defeat

défaitisme [defetism] *m* defeatism **défaitiste** **I** *adj* defeatist **II** *m/f* defeatist

défalquer [defalke] *v/t* to deduct

▶ **défaut** [defo] *m* **1.** (*absence*) lack (***de*** of); ***à ~ de vin je prendrai …*** if there isn't any wine I'll have …; ***faire ~*** to be lacking **2.** (*imperfection*) defect **3.** (*vice*) fault; ***prendre qn en ~*** to catch sb out

défaveur *f* disfavor

défavorable *adj* unfavorable; *personne* ***être ~ à qc, qn*** to be opposed to sth, sb

défavoriser *v/t* to be unfair to

défécation [defekasjõ] *f* defecation

défection [defɛksjõ] *f* **1.** POL defection **2.** (*absence*) non-appearance

défectueux [defɛktɥø] *adj* ⟨**-euse** [-øz]⟩ faulty, defective **défectuosité** *f* defectiveness

défendable [defɑ̃dabl] *adj* **1.** justifiable; *thèse* tenable **2.** MIL defensible

défendeur [defɑ̃dœʀ] *m*, **défenderesse** [defɑ̃dʀɛs] *f* JUR defendant

▶ **défendre** ⟨→ **rendre**⟩ **I** *v/t* **1.** to defend (***contre*** against); *cause* to support **2.** to forbid (***qc à qn*** sb sth; ***à qn de faire qc*** sb to do sth) **II** *v/pr* ***se défendre*** **1.** to defend o.s. (***contre*** against) **2.** *fam* to manage **3.** ***se ~ de critiquer***, *etc* to refrain from criticizing, etc **4.** ***ça se défend*** it's a valid point

défenestration [defənɛstʀasjõ] *f* defenestration **défenestrer** *v/t* to throw out of a window

▶ **défense** [defɑ̃s] *f* **1.** defense (*a* JUR,

SPORT, MIL, ZOOL, ETC); ***il était en état de légitime ~*** he was acting in self-defense; ***être sans ~*** to be defenceless; ***prendre la ~ de qn*** to defend sb **2.** (*interdiction*) ***~ d'entrer / de fumer / de stationner*** no entry / smoking / parking
défenseur [defɑ̃sœʀ] *m* **1.** defender (*a* SPORT) **2.** JUR defense attorney, *brit* counsel for the defence
défensif [defɑ̃sif] *adj* ⟨**-ive** [-iv]⟩ defensive
défensive [defɑ̃siv] *f* defensive; ***être sur la ~*** to be on the defensive
déféquer [defeke] *v/i* ⟨**-è-**⟩ to defecate
déférence [defeʀɑ̃s] *f* deference
déférer [defeʀe] *v/t* ⟨**-è-**⟩ ***~ à la justice*** to prosecute
déferlement [defɛʀləmɑ̃] *m* **1.** breaking **2.** *fig* ***~ d'enthousiasme*** surge of enthusiasm
déferler [defɛʀle] *v/i* **1.** *vagues* to break; *mer* to surge **2.** *fig foule* to pour in; *enthousiasme* to surge
défi [defi] *m* **1.** challenge; ***lancer un ~ à qn*** to challenge sb; ***relever le ~*** to take up the challenge **2.** ***mettre qn au ~ de faire qc*** → ***défier***
défiance [defjɑ̃s] *f* distrust, mistrust **défiant** *adj* ⟨**-ante** [-ɑ̃t]⟩ distrustful
déficeler [defisle] *v/t* ⟨**-ll-**⟩ to untie
déficience [defisjɑ̃s] *f* deficiency
déficient [defisjɑ̃] *adj* ⟨**-ente** [-ɑ̃t]⟩ deficient
déficit [defisit] *m* deficit
déficitaire [defisitɛʀ] *adj* showing a deficit; *compte* in debit
défier [defje] **I** *v/t* **1.** ***~ qn*** to challenge sb (***à qc*** to sth) **2.** *fig* ***~ le danger*** to defy danger; *prix* ***~ toute concurrence*** to be unbeatable **3.** ***~ qn de faire qc*** to dare sb to do sth **II** *v/pr st/s* ***se ~ de qn, qc*** to distrust sb, sth
défiguration *f* disfigurement **défigurer** *v/t* to disfigure; *fig* to distort
défilé [defile] *m* **1.** procession; *de voitures* (steady) stream; ***~ de mode*** fashion show **2.** GÉOG gorge
défiler **I** *v/i* to march; *clients* to come and go; ***~ devant*** to file past **II** *v/pr* ***se ~*** *fam* to slip away
défini *adj* ⟨**~e**⟩ defined; GRAM ***article ~*** definite article
définir *v/t* to define **définissable** *adj* definable
▶ **définitif** [definitif] *adj* ⟨**-ive** [-iv]⟩ **1.** definitive **2.** ***en définitive*** when all's said and done
définition *f* **1.** definition; ***par ~*** by definition **2.** ***télévision*** *f* ***haute ~*** high-definition TV
déflagration [deflagʀasjõ] *f* explosion
déflation [deflasjõ] *f* deflation
déflationniste [deflasjɔnist] *adj* deflationary
déflecteur [deflɛktœʀ] *m* AUTO vent, *brit* quarter light
défleurir *v/i* to shed (its flowers)
défloration [deflɔʀasjõ] *f* defloration **déflorer** *v/t* to deflower
défolier [defɔlje] *v/t* to defoliate
défonce [defõs] *f arg* drug abuse
défoncer ⟨**-ç-**⟩ **I** *v/t mur* to demolish; *rue* ***défoncé*** potholed **II** *v/pr* ***se défoncer*** **1.** *fam dans un travail* to work flat out *fam* **2.** *arg* to get high *fam*
déformable [defɔʀmabl] *adj* deformable
déformant [defɔʀmɑ̃] *adj* ⟨**-ante** [-ɑ̃t]⟩ *glace* distorting
déformation *f* **1.** deformity (*a* MÉD) **2.** *fig* distortion
déformer **I** *v/t* **1.** to deform; *chaussures* to stretch out of shape; *image* to distort **2.** *fig* to distort, to misrepresent; *goût* to warp **II** *v/pr* ***se ~*** to stretch out of shape
défoulement [defulmɑ̃] *m* letting off steam **défouler** *v/pr* ***se ~*** **1.** to let off steam **2.** *par ext fam* to let one's hair down *fam*
défraîchi [defʀeʃi] *adj* ⟨**~e**⟩ past its best
défraîchir *v/pr* ***se ~*** to look worn; *couleur* to fade
défrayer *v/t* ⟨**-ay-** *od* **-ai-**⟩ **1.** ***~ qn*** to pay sb's expenses **2.** *fig* ***~ la chronique*** to be front-page news
défrichage [defʀiʃaʒ] *m ou* **défrichement** [-mɑ̃] *m* **1.** clearance **2.** *fig* groundwork
défricher [defʀiʃe] *v/t* **1.** *terre* to clear **2.** *fig domaine* to open up
défriper *v/t vêtement* to smooth out
défriser *v/t* **1.** *cheveux* to straighten **2.** *fam, fig* ***ça te défrise?*** is it bugging you? *fam*
défroisser *v/t* to smooth out
défroqué [defʀɔke] *m* defrocked priest **défroquer** *v/i* to defrock
défunt [defɛ̃, -fœ̃] *m*, **défunte** [defɛ̃t, -fœ̃t] *f* deceased
dégagé [degaʒe] *adj* ⟨**~e**⟩ **1.** *nuque, front* bare; *vue, ciel* clear **2.** *allure* casual

dégagement [degaʒmɑ̃] *m* **1.** clearing; *de blessés* freeing **2.** ARCH entrance space **3.** *d'énergie* release
dégager ⟨**-ge-**⟩ **I** *v/t* **1.** *blessés* to free; *objets* to clear **2.** *nuque* to cut sb's hair away from; *~ le passage* to clear the way **3.** *énergie* to release; *odeur* to emit **4.** *fig idée* to bring out **5.** *~ qn de qc* to release sb from sth **II** *v/i* **1.** FOOT to make a clearance **III** *v/pr* ***se dégager*** **1.** *personne* to free o.s. (***de*** from) **2.** *rue* to clear; *nez* to unblock; ***le ciel se dégage*** the sky is clearing **3.** *énergie* to be released; *odeur* to be emitted; *fumée* to come out **4.** *fig résultat* to emerge (***de*** from); *d'une contrainte* to free o.s. (***de*** from)
dégaine *fam f* odd appearance
dégainer *v/i* to draw one's weapon
déganter [degɑ̃te] *v/pr* ***se ~*** to take one's gloves off
dégarnir I *v/t réfrigérateur*, *compte* to empty; ***front dégarni*** receding hairline **II** *v/pr* ***se ~*** *tête* to be balding; *arbre* to be dropping its leaves; *rangs* to empty
► **dégât** [degɑ] *m* damage ***~s*** (*pl*) damage (+ *v sg*)
dégazer *v/i pétrolier* to flush out its tanks
dégel *m* thaw
dégelée [deʒle] *f fam* thrashing
dégeler [deʒle] ⟨**-è-**⟩ **I** *v/t* **1.** to thaw **2.** *fig qn* to break the ice with; *situation* to improve **3.** *crédits* to unfreeze **II** *v/i* to thaw **III** *v/imp* ***il dégèle*** it's thawing **IV** *v/pr* ***se ~*** *fig personne* to thaw
dégénéré [deʒeneʀe] *adj* ⟨**~e**⟩ degenerate
dégénérer *v/i* ⟨**-è-**⟩ to degenerate *a fig* (***en*** into)
dégénérescence [deʒeneʀesɑ̃s] *f* degeneration
dégingandé [deʒɛ̃gɑ̃de, deʒɛ̃-] *adj* ⟨**~e**⟩ *fam* lanky
dégivrage [deʒivʀaʒ] *m* defrosting; AVIAT de-icing
dégivrer [deʒivʀe] *v/t* to defrost; TECH to de-ice **dégivreur** *m* TECH de-icer
déglacer *v/t* ⟨**-ç-**⟩ CUIS ***~ la poêle*** to deglaze the frying pan (***avec, à*** with)
déglinguer [deglɛ̃ge] *fam* **I** *v/t* to bust *fam* **II** *v/pr* ***se ~*** to go on the blink *fam*
déglutir [deglytiʀ] *v/t* to swallow **déglutition** *f* swallowing
dégobiller [degɔbije] *v/t et v/i pop* to barf *pop*, *brit* to puke up *pop*

dégommer *v/t fam personne* to fire *fam*
dégonflage *fam*, *fig m* chickening out *fam*
dégonflé [degõfle] *fam* **I** *adj* ⟨**~e**⟩ chicken *fam* **II** *m* chicken *fam*
dégonflement [degõfləmɑ̃] *m* deflation
dégonfler I *v/t* to deflate **II** *v/pr* ***se dégonfler*** **1.** *pneu* to go down **2.** *fam*, *fig* to chicken out *fam*
dégorgement [degɔʀʒəmɑ̃] *m* **1.** *des égouts* overflow **2.** CUIS sweating; *des escargots* purging
dégorger [degɔʀʒe] ⟨**-ge-**⟩ **I** *v/t* to discharge **II** *v/i* CUIS ***faire ~*** to sweat
dégot(t)er [degɔte] *v/t fam* to find
dégouliner [deguline] *v/i* to trickle
dégoupiller *v/t grenade* to pull the pin out of
dégourdi [deguʀdi] *adj* ⟨**~e**⟩ smart, resourceful
dégourdir [deguʀdiʀ] **I** *v/t* **1.** *membres* to loosen up **2.** *fig* ***~ qn*** to sharpen sb up **II** *v/pr* ***se ~ les jambes*** to stretch one's legs
dégoût *m* disgust (***pour*** for)
dégoûtant [degutɑ̃] *adj* ⟨**-ante** [-ɑ̃t]⟩ **1.** disgusting **2.** *personne*, *acte* revolting; *fam* (***type***) ***~*** *m* revolting guy *fam*, creep *fam*
dégoûté [degute] *adj* ⟨**~e**⟩ **1.** disgusted **2.** ***n'être pas ~*** *fig* to have a strong stomach **3.** ***~ de qn, de qc*** to be tired of sb, of sth
dégoûter I *v/t* **1.** ***~ qn*** to disgust sb **2.** ***~ qn de qc*** to put sb off sth **II** *v/pr* ***se ~ de qc, de qn*** to take a dislike to sth, sb
dégoutter *v/i* to drip
dégradant [degʀadɑ̃] *adj* ⟨**-ante** [-ɑ̃t]⟩ degrading
dégradation [degʀadasjõ] *f* **1.** degradation **2.** (*dégât*) damage; ***~s*** *pl* damage (+ *v sg*) **3.** *fig* deterioration
dégradé *m de couleurs* gradation
dégrader [degʀade] **I** *v/t* **1.** MIL, JUR to demote **2.** *moralement* to degrade **3.** (*abîmer*) to damage **II** *v/pr* ***se dégrader*** **1.** *situation*, *santé* to deteriorate **2.** *maison* to fall into disrepair
dégrafer [degʀafe] *v/t* to unfasten, to undo
dégraissage *m d'une entreprise* downsizing **dégraissant** *m* grease remover
dégraisser *v/t* **1.** CUIS to trim the fat off (***qc*** sth); *liquide* to skim the fat from **2.** *fig entreprise* to downsize
► **degré** [dəgʀe] *m* **1.** degree (*a tempéra-*

ture, GÉOG, MATH); (*échelon*) level; ***le plus 'haut ~ de l'échelle sociale*** the highest level; ***~ de parenté*** degree of kinship; ***brûlure** f **du second ~*** second-degree burn; ***par ~(s)*** by degrees; ***au plus 'haut ~*** extremely **2.** degree; ***de l'alcool a 90 ~s*** 90 degree proof alcohol **3.** ***enseignement** m **du premier ~*** elementary education, *brit* primary education; ***enseignement** m **du second ~*** secondary education

dégressif [degʀesif] *adj* ⟨**-ive** [-iv]⟩ *tarif* tapering

dégrèvement [degʀɛvmɑ̃] *m* tax relief

dégriffé *adj* ⟨**~e**⟩ *vêtement with the designer label removed and sold at a reduced price*

dégringolade [degʀɛ̃gɔlad] *fam f* **1.** fall **2.** *fig* collapse

dégringoler [degʀɛ̃gɔle] *fam* **I** *v/t escalier* to come tearing down *fam* **II** *v/i* ⟨**être** *or* **avoir**⟩ **1.** to fall **2.** *fig actions* to collapse

dégriser *v/t* ***dégriser qn*** to sober sb up, *fig* to bring sb to their senses

dégrossir *v/t* **1.** TECH *pierre* to rough-hew **2.** *fig travail* to break the back of **3.** ***~ qn*** to smooth out sb's rough edges; ***mal dégrossi*** *personne* raw, unpolished

déguenillé [deg(ə)nije] *adj* ⟨**~e**⟩ in rags

déguerpir [degɛʀpiʀ] *v/i* to take off, to clear off *fam*

dégueu [degø] *adj, abr* ⟨*inv*⟩ *fam* → ***dégueulasse***

dégueulasse [degœlas] *pop adj* disgusting, sick-making *fam*; ***pas ~*** *plat* damn good *fam*

dégueuler *v/t et v/i pop* to throw up *fam*, to barf *pop*

déguisé [degize] *adj* ⟨**~e**⟩ **1.** disguised; *pour bal masqué* in fancy dress **2.** (*caché*) disguised

déguisement [degizmɑ̃] *m* disguise; *pour bal masqué* costume

déguiser [degize] **I** *v/t* **1.** *enfant* to dress up (***en*** as) **2.** *voix* to disguise **II** *v/pr* ***se ~*** to disguise o.s.; *pour s'amuser* to dress up (***en*** as)

dégurgiter [degyʀʒite] *v/t* to bring up, to vomit

dégustation [degystasjõ] *f* ***~ de vins*** wine tasting (+ *v sg*)

déguster [degyste] *v/t* **1.** to taste; (*savourer*) to enjoy **2.** *fam, fig* ***déguster des coups*** to get a hiding *fam*

déhanchement [deɑ̃ʃmɑ̃] *m* swaying of the hips

déhancher [deɑ̃ʃe] *v/pr* ***se ~*** to sway one's hips

► **dehors** [dəɔʀ] **I** *adv* outside; *jeter* out; ► ***dehors!*** (get) out!; ***de dehors*** from outside; ***en dehors*** outside **II** *prép* ► ***en dehors de*** outside; *fig* beyond **III** *m* exterior; ***sous des dehors gentils*** beneath a kind exterior

déifier [deifje] *v/t* to deify

déiste [deist] PHIL **I** *m* deist **II** *adj* deistic

► **déjà** [deʒa] *adv* **1.** already **2.** ***comment s'appelle-t-il ~?*** what's his name again?

déjanter [deʒɑ̃te] **I** *v/t pneu* to remove **II** *v/i fam, fig personne* to be crazy, to be nuts *fam*

déjections [deʒɛksjõ] *fpl* faeces

► **déjeuner** [deʒœne] **I** *v/i* **1.** *à midi* to have lunch **2.** *le matin* to have breakfast **II** *m* **1.** lunch; ***~ d'affaires*** business lunch **2.** ***petit ~*** breakfast **3.** breakfast cup and saucer

déjouer *v/t* to thwart

délabré [delɑbʀe] *adj* ⟨**~e**⟩ **1.** *maison* dilapidated **2.** *fig santé, économie* ruined

délabrement [delɑbʀəmɑ̃] *m* **1.** *de maison* dilapidated state **2.** *fig de santé, de l'économie* poor state

délabrer [delɑbʀe] **I** *v/t santé* to ruin **II** *v/pr* ***se délabrer*** **1.** *maison* to fall into disrepair **2.** *fig santé* to deteriorate; *affaires* to go to rack and ruin

délacer *v/t* ⟨**-ç-**⟩ *corsage* to unlace; *chaussures* to loosen

► **délai** [delɛ] *m* **1.** (*temps imparti*) time allowed; (*date limite*) deadline; ***dans un ~ de 3 jours*** within 3 days; ***dans les ~s*** within the allotted time **2.** (*prolongation*) extension; ***sans ~*** without delay

délaissé [delese] *adj* ⟨**~e**⟩ *conjoint* deserted; *enfant* abandoned

délaissement [delɛsmɑ̃] *m* abandonment

délaisser *v/t* **1.** *qn* to leave; (*négliger*) to neglect **2.** *études* to neglect

délassant [delɑsɑ̃] *adj* ⟨**-ante** [-ɑ̃t]⟩ relaxing **délassement** *m* relaxation

délasser **I** *v/t* to relax **II** *v/pr* ***se ~*** to relax

délateur [delatœʀ] *m*, **délatrice** [-tʀis] *f* informer **délation** *f* denunciation

délavé [delave] *adj* ⟨**~e**⟩ *jean, couleur* faded

délayage [delɛjaʒ] *m fig* padding; ***faire du ~*** to waffle *fam*

délayer [deleje] *v/t* ⟨**-ay-** *od* **-ai-**⟩ to dilute; *fig* to pad out
délectable [delɛktabl] *adj nourriture* delicious; *endroit* delightful **délecation** *f* delight
délecter [delɛkte] *v/pr* ***se ~ à*** *ou* ***de qc*** to take delight in sth
délégation *f* **1.** *groupe* delegation **2.** delegation (***de pouvoirs à qn*** of power to sb) **3.** (*mandat*) authority; ***par ~*** on somebody's authority
délégué(e) [delege] *m(f)* delegate; ***~(e) de classe*** class representative
déléguer *v/t* ⟨**-è-**⟩ *personne, pouvoirs* to delegate
délestage [delɛstaʒ] *m* ***itinéraire*** *m* ***de ~*** diversion (to ease congestion)
délester *v/t* **1.** to remove ballast from **2.** *fig* (*voler*) ***~ qn de qc*** to relieve sb of sth *iron*
délibérant [delibeʀɑ̃] *adj* ⟨**-ante** [-ɑ̃t]⟩ deliberative
délibération *f* **1.** (*débat*) deliberation, discussion **2.** (*réflexion*) consideration
délibéré [delibeʀe] *adj* ⟨**~e**⟩ **1.** (*décidé*) deliberate **2.** ***de propos ~*** deliberately
délibérément [delibeʀemɑ̃] *adv* deliberately
délibérer *v/i* ⟨**-è-**⟩ to deliberate (***sur qc*** on sth)
délicat [delika] *adj* ⟨**-ate** [-at]⟩ **1.** (*fin, fragile*) delicate **2.** *fig question, situation* tricky **3.** *personne* tactful **4.** *personne* (*difficile*) picky, *brit* fussy
délicatement [delikatmɑ̃] *adv* **1.** *travaillé* finely **2.** *agir* delicately
délicatesse [delikatɛs] *f* **1.** delicacy **2.** tact; ***manque*** *m* ***de ~*** tactlessness
délice [delis] **1.** *fpl* ***~s*** delights **2.** *m* delight
délicieux [delisjø] *adj* ⟨**-euse** [-øz]⟩ **1.** *mets, parfum* delicious **2.** *sensation* delightful; *femme, robe* gorgeous
délictueux [deliktɥø] *adj* ⟨**-euse** [-øz]⟩ criminal
délié [delje] *adj* ⟨**~e**⟩ **1.** ***avoir la langue ~e*** to be talkative **2.** *esprit* sharp
délier *v/t* **1.** *personne, lacet* to untie; *langue* to loosen **2.** *fig* ***~ qn de qc*** to release sb from sth
délimiter *v/t* to define
délinquance [delɛ̃kɑ̃s] *f* crime; *juvénile* delinquency **délinquant** *m*, **délinquante** *f* criminal, delinquent
déliquescence [delikesɑ̃s] *f* CHIM deliquescence
déliquescent [delikesɑ̃] *adj* ⟨**-ente** [-ɑ̃t]⟩ **1.** CHIM deliquescent **2.** *fig mœurs* decadent; *vieillard* declining
délirant [deliʀɑ̃] *adj* ⟨**-ante** [-ɑ̃t]⟩ **1.** *joie* delirious; *imagination* wild **2.** totally insane *fam*
délire [deliʀ] *m* **1.** MÉD delirium **2.** *fig* frenzy; ***foule*** *f* ***en ~*** ecstatic crowd **3.** *fam* ***c'est du ~!*** it's sheer madness!
délirer [deliʀe] *v/i* **1.** MÉD to be delirious **2.** *fig* ***~ de joie*** to be delirious with joy **3.** *fam* ***il délire*** he's stark raving mad *fam*
▶ **délit** [deli] *m* offense; ***~ de fuite*** failure to report an accident
délivrance [delivʀɑ̃s] *f* **1.** *fig* relief **2.** MÉD, ADMIN delivery
délivrer *v/t* **1.** *prisonnier* to release **2.** *fig* ***~ qn de qc*** *d'angoisse* to relieve sb from sth; *d'obligation* to release sb from sth **3.** *passeport, brevet, billets* to issue; *marchandises* to deliver
délocalisation *f d'une entreprise etc* relocation **délocaliser** *v/t industrie* to relocate
déloger *v/t* ⟨**-ge-**⟩ to dislodge; (*chasser*) *locataire* to evict; *ennemi* to drive out
déloyal *adj* ⟨**~e; -aux** [-o]⟩ disloyal; ***concurrence ~e*** unfair competition
delta [dɛlta] *m* delta
deltaplane [dɛltaplan] *m* **1.** hang-glider **2.** *sport* hang-gliding
déluge [delyʒ] *m* **1.** BIBL ***le Déluge*** the Flood; *fig* ***remonter au ~*** to be as old as the hills **2.** (*de pluie*) downpour **3.** *fig de larmes* flood; *de paroles* torrent
déluré [delyʀe] *adj* ⟨**~e**⟩ **1.** *personne* sharp, smart **2.** *péj* forward
démagogie [demagɔʒi] *f* popularity seeking, *form* demagogy **démagogique** *adj* popularity-seeking, *form* demagogic
démagogue [demagɔg] **I** *m* demagogue **II** *adj* demagogic
▶ **demain** [d(ə)mɛ̃] *adv* tomorrow; ***à ~!*** see you tomorrow!; ***la journée de ~*** tomorrow; ***demain soir*** tomorrow evening
démancher [demɑ̃ʃe] *v/t* **1.** *outil* to take the handle off (***qc*** sth) **2.** *fam bras etc* to dislocate
▶ **demande** [d(ə)mɑ̃d] *f* **1.** request; ADMIN application; ***~ d'emploi*** job application; ***à, sur la ~ de qn*** at sb's request; ***à la ~ générale*** by popular request; ***sur ~*** on demand; ***faire une ~*** to apply (***à*** to) **2.** ***~ en mariage*** proposal

3. ÉCON demand (***de qc*** for sth) **4.** JUR petition; **~ *en divorce*** petition for divorce

demandé [d(ə)mɑ̃de] *adj* ⟨**~e**⟩ *personne* popular; *produit* in demand

▶ **demander** [d(ə)mɑ̃de] **I** *v/t* **1.** (*solliciter*) *aide, travail, conseil* to ask for; *somme d'argent* to ask; ADMIN to apply for; **~ *qc à qn*** to ask sb for sth; *pour se renseigner* to ask sb sth; **~ *la parole*** to ask for permission to speak; **~ *à qn de faire qc*** to ask sb to do sth; **~ *que …*** +*subj* to ask that **2.** (*exiger*) to demand (***qc à qn*** sth of sb); to expect; (*désirer*) to want; ***il ne demande que ça*** he'd be only too delighted; **~ *trop à qn*** to expect too much of sb; **~ *à*** +*inf* to ask +*inf* **3.** *chose* **~ *qc*** to require sth; *situation* **~ *réflexion*** to require careful consideration; **~ *beaucoup de soins*** to require a lot of care; *résultat* **~ *à être vérifié*** to need to be checked **4.** **~ *qn*** to want sb; ***on vous demande*** you're wanted **5.** *par question* to ask (***qc à qn*** sb sth); **~ *son chemin*** (***à qn***) to ask (sb) the way **6.** JUR **~ *le divorce*** to ask for a divorce **7.** **~ *qn en mariage*** to propose to sb **II** *v/t indir fam* **~ *après qn*** to be asking after sb *fam* **III** *v/pr* ***se* ~** to wonder

demander ≠ insist on

Demander = ask for:

✓ **Il lui a demandé si elle avait déjà vu le Grand Canyon.**
(✗ **Je demande que vous vous excusiez immédiatement!**
✓ **J'exige que vous vous excusiez immédiatement!**)

He asked if she had ever seen the Grand Canyon.
(I insist that you apologize immediately.)

demandeur[1] [d(ə)mɑ̃dœʀ] *m*, **demanderesse** [d(ə)mɑ̃dʀɛs] *f* JUR plaintiff

demandeur[2] *m*, **demandeuse** [-øz] *f* ***demandeur, demandeuse d'asile*** asylum seeker; ***demandeur, demandeuse d'emploi*** jobseeker

démangeaison [demɑ̃ʒɛzõ] *f* itch

démanger [demɑ̃ʒe] *v/t et v/i* ⟨**-ge-**⟩ **1.** to itch (***qn*** *ou* ***à qn*** sb) **2.** *fig* ***cela le démange de*** +*inf* he's itching to *fam* +*inf*

démantèlement [demɑ̃tɛlmɑ̃] *m* **1.** dismantling **2.** destruction

démanteler [demɑ̃t(ə)le] *v/t* ⟨**-è-**⟩ **1.** *forteresse* to destroy **2.** *fig* to dismantle

démantibuler [demɑ̃tibyle] *v/t fam* to smash up *fam*

démaquillage *m* make-up removal

démaquillant [demakijɑ̃] *adj* ⟨**-ante** [-ɑ̃t]⟩ (***produit, lait***) **~** *m* cleanser

démaquiller **I** *v/t* to remove make-up from **II** *v/pr* ***se démaquiller*** to remove one's make-up

démarcation [demaʀkasjõ] *f* demarcation; ***ligne*** *f* ***de* ~** boundary

démarchage [demaʀʃaʒ] *m* selling

démarche *f* **1.** (*allure*) walk **2.** *fig* step; **~*s*** *pl* steps; ***faire des* ~*s*** to take steps **3.** *de la pensée* process

démarcheur *m*, **démarcheuse** [-øz] *f* salesman, saleswoman

démarquage *m* **1.** *de marchandise* removal of the designer label; *par ext* plagiarism **2.** SPORT breaking away from one's opponent

démarquer **I** *v/t* **1.** to remove the designer label (***qc*** from sth); *par ext* to plagiarize **2.** COMM to mark down **3.** SPORT *joueur* to leave unmarked **II** *v/pr* ***se démarquer*** **1.** SPORT to break away from one's opponent **2.** *fig* to stand out

démarrage [demaʀaʒ] *m* start *a fig*

▶ **démarrer** **I** *fam v/t* to start (up) **II** *v/i* **1.** to start (up); *moteur* to start; ***faire* ~** *moteur* to start **2.** *fig personne* to get started; *entreprise* to start up

démarreur [demaʀœʀ] *m* starter

démasquer **I** *v/t* to unmask; *espion* to expose **II** *v/pr* ***se* ~** to reveal o.s.

d'emblée [dɑ̃ble] → ***emblée***

démêlé [demele] *m* argument

démêler *v/t* **1.** *cheveux* to untangle **2.** *fig* to clear up; (*distinguer*) to unravel

démembrement [demɑ̃bʀəmɑ̃] *m d'un empire* dismemberment; *d'un poulet* jointing **démembrer** *v/t empire* to dismember; *poulet* to joint

déménagement *m* move

▶ **déménager** ⟨**-ge-**⟩ **I** *v/t* to move **II** *v/i* to move, *brit* to move house **déménageur** *m* **1.** (*personne*) mover, *brit* removal man **2.** (*société*) furniture remover's

démence [demɑ̃s] *f* dementia

démener [demne] *v/pr* ⟨**-è-**⟩ ***se* ~** **1.** to struggle **2.** *fig* to make an effort

dément [demɑ̃] *adj* ⟨**-ente** [-ɑ̃t]⟩ de-

mented
démenti [demɑ̃ti] *m* denial
démentiel [demɑ̃sjɛl] *adj* ⟨**~le**⟩ insane
démentir ⟨→ **partir**⟩ **I** *v/t* **1.** *~ qn* to contradict sb **2.** *nouvelle* to deny **3.** *chose ~ qc* to belie sth **II** *v/pr* ***ne pas se ~*** not to flag
démerdard [demɛʀdaʀ] *pop m et adj* → ***débrouillard***
démerder *v/pr pop* ***se ~*** → ***débrouiller II***
démériter *v/i* ***~ aux yeux de qn*** to lose sb's respect
démesure *f* excess
démesuré *adj* ⟨**~e**⟩ **1.** enormous **2.** *fig orgueil*, *etc* excessive
démettre ⟨→ **mettre**⟩ **I** *v/t* ***~ qn de ses fonctions*** to dismiss sb from office **II** *v/pr* **1.** ***se ~ le bras*** to dislocate one's arm **2.** ***se ~ (de ses fonctions)*** to resign (one's post)
demeurant [dəmœʀɑ̃] *st/s* ***au ~*** moreover
demeure [dəmœʀ] *f* **1.** residence; *fig* ***dernière ~*** final resting place **2.** ***à ~*** permanently **3.** ***mettre qn en ~ de*** *+inf* to require sb to *+inf*
demeuré [dəmœʀe] *adj* ⟨**~e**⟩ retarded *a péj*
demeurer [dəmœʀe] *v/i* **1.** (*habiter*) to reside **2.** ⟨**être**⟩ (*rester*) to remain
► **demi** [d(ə)mi] **I** *adj* ***un jour et ~*** a day and a half; ***trois heures et ~e*** three and a half hours; ***à trois heures et ~e*** at three thirty, at half after three, *brit* at half past three **II** *adv* ***à ~*** half **III** *subst* **1.** *~(e)* *m(f)* half **2.** *m* MATH half **3.** *bière* ***un ~*** half a pint, *brit* a half *fam* **4.** *m* SPORT half **5.** *heure* ***à la ~e*** at half after, *brit* at half past
demi-... [d(ə)mi] *préfixe* ⟨*f et pl inv*: **demi-places**, *etc*⟩ half
demi-cercle *m* semi-circle; ***en ~*** in a semi-circle
demi-douzaine *f* half a dozen **demi-finale** *f* SPORT semi-final **demi-finaliste** *m/f* SPORT semi-finalist **demi-fond** *m* SPORT middle-distance running **demi-frère** *m* half-brother
► **demi-heure** *f* half-hour **demi-jour** *m* half-light **demi-journée** *f* half a day; *de travail* half day
démilitarisation [demilitaʀizasjõ] *f* demilitarization **démilitariser** *v/t* to demilitarize
demi-litre *m* half-liter
demi-lune *f* **1.** MIL, ARCH demilune **2.** *adj* ⟨*inv*⟩ *meuble* half-moon shaped
demi-mal *m* ***il n'y a que ~*** it's not as bad as all that
demi-mesure *f* half-measure
demi-mot: ***il me l'a dit à ~*** he hinted at it to me
déminage [deminaʒ] *m* mine clearance
déminer *v/t* ***déminer qc*** *terrain* to clear sth of mines
déminéralisation [demineʀalizasjõ] *f* demineralization
déminéraliser [demineʀalize] *v/pr* ***se ~*** to become demineralized
demi-pension *f* **1.** American plan, *brit* half board **2.** ***être en ~*** *élève* to be a day boarder **demi-pensionnaire** *m/f* day boarder
demi-place *f* *au spectacle* half-price ticket; *en bus* half fare **demi-pointure** *f* *chaussures* demi-pointe shoe **demi-portion** *f fam*, *fig* half portion **demi-queue** *m* baby grand (piano)
démis [demi] *pp*→ ***démettre*** *et adj* ⟨**-ise** [-iz]⟩ dislocated
demi-saison *f* mid season **demi-sel** *adj* ⟨*inv*⟩ slightly salted **demi-siècle** *m* half a century **demi-sœur** *f* half-sister
demi-sommeil *m* drowsiness
► **démission** *f* **1.** resignation (*a* POL); ***donner sa ~*** to hand in one's resignation **2.** *fig* renunciation
démissionnaire [demisjɔnɛʀ] *adj* **1.** *salarié* resigning **2.** *parents* negligent
► **démissionner** [demisjɔne] *v/i* **1.** to resign **2.** *fig* to give up
demi-tarif: **(*à*) ~** half price
demi-teinte *f* PEINT halftone
demi-tour *m* U-turn; ► ***faire demi-tour*** to do a U-turn
démobilisation *f* **1.** MIL demobilization **2.** *fig* demotivation
démobiliser *v/t* **1.** MIL to demobilize **2.** *fig* to demotivate
démocrate [demɔkʀat] **I** *m/f* democrat **II** *adj* democratic
démocrate-chrétien *adj* ⟨**-ienne** [-jɛn]⟩ Christian Democrat
► **démocratie** [demɔkʀasi] *f* democracy
démocratique *adj* democratic **démocratiquement** *adv* democratically
démocratisation [demɔkʀatizasjõ] *f* democratization
démocratiser [demɔkʀatize] **I** *v/t* to democratize **II** *v/pr* ***se démocratiser*** **1.** POL to become more democratic **2.** to become more widely accessible

démodé [demɔde] *adj* ⟨**~e**⟩ old-fashioned

démoder [demɔde] *v/pr* ***se~*** to go out of fashion

démographie [demɔgʀafi] *f* demography; ***~ galopante*** soaring population

démographique [demɔgʀafik] *adj* demographic

demoiselle [d(ə)mwazɛl] *f* **1.** young lady *a iron* **2.** ***~ d'honneur*** bridesmaid

▶ **démolir** [demɔliʀ] *v/t* **1.** *construction* to demolish **2.** (*casser*) to wreck **3.** *fig* to destroy **4.** *fam* (*frapper*) ***~ qn*** to beat sb up *fam* **5.** *fig* ***~ qn*** to destroy sb; *par la critique* to tear sb to pieces

démolissage [demɔlisaʒ] *m d'un auteur, d'une œuvre* slating (***de*** of)

démolisseur [demɔlisœʀ] *m* **1.** *ouvrier* demolition worker; *entreprise* demolition contractor **2.** *fig* wrecker

démolition [demɔlisjõ] *f* demolition *a fig*

démon [demõ] REL, *fig* demon; *enfant* ***petit~*** little devil; *fig* ***~ de midi*** mid-life crisis

démoniaque [demɔnjak] *adj* demonic

démonstrateur [demõstʀatœʀ] *m*, **démonstratrice** [-tʀis] *f d'appareil, de produit* demonstrator

démonstratif [demõstʀatif] *adj* ⟨**-ive** [-iv]⟩ **1.** *personne* demonstrative **2.** (***pronom***) ***~*** *m* demonstrative pronoun

démonstration [demõstʀasjõ] *f* **1.** (*raisonnement*) demonstration **2.** *d'un appareil, etc* demonstration, demo *fam* **3.** *de sentiments* display; ***~ de force*** display *ou* show of strength (*a* MIL)

démontable [demõtabl] *adj objet* that can be dismantled

démontage *m d'un meuble* dismantling; *d'une tente* taking down; *d'un pneu* removal

démonté [demõte] *adj* ⟨**~e**⟩ *mer* stormy

démonter I *v/t* **1.** *meuble, mécanisme* to dismantle; *tente, échafaudage* to take down **2.** *roue* to remove **3.** *fig* ***~ qn*** to disconcert sb **II** *v/pr* ***se~*** to be disconcerted, to be thrown *fam*

démontrable [demõtʀabl] *adj* demonstrable

▶ **démontrer** *v/t* to demonstrate; *par ext* to prove

démoralisant [demɔʀalizã] *adj* ⟨**-ante** [-ãt]⟩ demoralizing

démoralisation [demɔʀalizasjõ] *f* demoralization

démoraliser *v/t* to demoralize

démordre *v/t indir* ⟨→ **rendre**⟩ ***il n'en démord pas*** *de son opinion* he won't budge *ou* change his mind

démotiver *v/t* to demotivate

démoulage *m* ART removal from the mold; CUIS turning out **démouler** *v/t* ART to remove from the mold; CUIS to turn out

démultiplicateur *m* reduction unit **démultiplier** *v/t* TECH to gear down

démunir I *v/t* ***~ qn de qc*** to deprive sb of sth; ***être démuni*** to be penniless; *fig* to be helpless **II** *v/pr* ***se ~ de qc*** to leave o.s. without sth

démystification *f* demystification

démystifier *v/t* **1.** ***démystifier qn*** to dispel sb's illusions **2.** *chose* to demystify

dénatalité *f* fall in the birthrate

dénationalisation *f* denationalization **dénationaliser** *v/t* to denationalize

dénaturant [denatyʀã] *m* denaturant **dénaturation** *f* TECH denaturation

dénaturé [denatyʀe] *adj* ⟨**~e**⟩ unnatural; ***mère ~e, père ~*** unnatural mother, father

dénaturer [denatyʀe] *v/t* **1.** to distort **2.** TECH to denature

dénazification [denazifikasjõ] *f* denazification

dénégation *f* denial

déneigement [denɛʒmã] *m* snow clearance

déni [deni] *m* ***~ de justice*** denial of justice

déniaiser [denjeze] *v/t* ***~ qn*** to make sb more worldly-wise

dénicher 1. to take from the nest **2.** (*trouver*) to find; to dig out *fam*

dénicotinisation [denikɔtinizasjõ] *f* denicotinization **dénicotiniser** *v/t qc* to make nicotine-free, *t/t* to denicotinize

denier [dənje] *m* **1.** HIST denier **2.** ***~s publics*** public funds; ***~ du culte*** church offering

dénier *v/t* ***~ qc à qn*** to deny sb sth

dénigrer [denigʀe] *v/t* to denigrate

dénivellation [denivɛlasjõ] *f* difference in height *ou* level

dénombrable [denõbʀabl] *adj* countable

dénombrement [denõbʀəmã] *m* count

dénombrer [denõbʀe] *v/t* to count

dénominateur [denɔminatœʀ] *m* denominator; ***~ commun*** common de-

nominator
dénominatif [denɔminatif] *adj* ⟨**-ive** [-iv]⟩ ***mot*** *m*, ***verbe*** *m* denominative (word), (verb)
dénomination *f* denomination
dénommer *v/t* to name; ***le dénommé X*** the man named X
dénoncer [denõse] *v/t* ⟨**-ç-**⟩ **1.** to report (***à la police*** to the police); *bassement* to denounce **2.** *fig abus*, *etc* to denounce **3.** *accord* to terminate
dénonciateur [denõsjatœʀ] *m*, **dénonciatrice** [-tʀis] *f péj* informer
dénonciation [denõsjasjõ] *f* denunciation *a péj*, *fig*
dénoter *v/t* to denote
dénouement [denumɑ̃] *m form* denouement (*a* THÉ); ending
dénouer I *v/t* **1.** to loosen **2.** *fig* to unravel; *crise* to resolve **II** *v/pr* ***se ~*** to end (*a* THÉ); *difficultés* to be resolved
dénoyauter *v/t* to pit, *brit* to stone
denrée [dɑ̃ʀe] *f* **1.** foodstuff; ***~s*** *pl* foodstuffs; ***~s alimentaires*** foodstuffs **2.** *fig* ***une ~ rare*** a rare commodity
dense [dɑ̃s] *adj* **1.** *brouillard* dense, thick; *foule* dense **2.** *fig style* dense
densité [dɑ̃site] *f* density (*a* PHYS)
► **dent** [dɑ̃] *f* **1.** tooth; ***~ de lait, de sagesse*** milk, wisdom tooth; ***à belles ~s*** *mordre* with relish; *fig* ***déchirer qn à belles ~s*** to tear sb to shreds *fam*; *parler* ***entre les ~s*** under one's breath; *fam*, *fig* ***avoir la ~*** to feel peckish *fam*; *fig* ***avoir les ~s longues*** to be ambitious; *fig* ***avoir une ~ contre qn*** to have a grudge against sb; *fig* ***être sur les ~s*** to be on edge; *bébé* ***faire, percer ses ~s*** to be teething; ***n'avoir rien à se mettre sous la ~*** to have nothing to eat **2.** *d'une fourchette* prong; *d'un peigne*, *d'une scie* tooth; *d'un timbre* serration
dentaire [dɑ̃tɛʀ] *adj* dental
dental [dɑ̃tal] *adj* ⟨**~e; -aux** [-o]⟩ ***consonne*** *f* ***~e*** dental (consonant)
dentale [dɑ̃tal] *f* dental (consonant)
denté [dɑ̃te] *adj* ⟨**~e**⟩ TECH toothed; ***roue ~e*** cogwheel
dentelé [dɑ̃tle] *adj* ⟨**~e**⟩ jagged **denteler** *v/t* ⟨**-ll-**⟩ to indent; *papier* to give a jagged edge to
dentelle [dɑ̃tɛl] *f* COUT lace
dentellière [dɑ̃təljɛʀ] *f* lacemaker
dentier [dɑ̃tje] *m* dental plate, false teeth (+ *v pl*)
► **dentifrice** [dɑ̃tifʀis] *m* toothpaste
► **dentiste** [dɑ̃tist] *m/f* dentist
dentition [dɑ̃tisjõ] *f* teeth (+ *v pl*)
dénucléarisé [denykleaʀize] *adj* ⟨**~e**⟩ denuclearized
dénudé [denyde] *adj* ⟨**~e**⟩ *paysage* bare; *crâne* bald; *câble* stripped **dénuder** *v/t* to strip
dénué [denɥe] *adj* ⟨**~e**⟩ ***~ de qc*** devoid of sth
denuement [denymɑ̃] *m* destitution
dénutrition *f* malnutrition
déodorant *m* deodorant
déontologie [deõtɔlɔʒi] *f* professional ethics (+ *v sg*)
dépaillé [depaje] *adj* ⟨**~e**⟩ ***chaise ~e*** chair without its rush seat
dépannage [depanaʒ] *m* **1.** repairs (+ *v pl*); (*remorquage*) recovery; AUTO ***service m de ~*** breakdown service **2.** *fam*, *fig* help
dépanner [depane] *v/t* **1.** (*réparer*) to repair; (*remorquer*) to recover **2.** *fam*, *fig* ***~ qn*** to help sb out
dépanneur [depanœʀ] *m* repairman; (*pour voitures*) mechanic **dépanneuse** *f* wrecker, *brit* breakdown lorry
dépaqueter [depakte] *v/t* ⟨**-tt-**⟩ to unpack
dépareillé [depaʀeje] *adj* ⟨**~e**⟩ *collection* incomplete; *tasses*, *gant* odd **dépareiller** *v/t collection*, *une paire* to lose one of; *une collection* to make incomplete
déparer *v/t* to spoil, to mar
► **départ** [depaʀ] *m* **1.** *d'un train*, *bus*, *avion* departure; ***être sur le ~*** to be about to leave **2.** SPORT start; ***donner le ~*** to start the race; ***prendre le ~*** to be among the starters **3.** (*début*) start; ***au ~*** at first **4.** *d'un fonctionnaire* departure **5.** ***prix m ~ usine*** factory price
départager *v/t* ⟨**-ge-**⟩ to decide between
département [depaʀtəmɑ̃] *m* **1.**, *territoire* departement *French administrative area* **2.** ADMIN department
départemental [depaʀtəmɑ̃tal] *adj* ⟨**~e; -aux** [-o]⟩ departmental; (***route***) ***~e*** *f* secondary road
départir *v/pr* ⟨→ **partir**⟩ ***se ~ de qc*** *calme*, *bonne humeur* to lose sth
dépassé *adj* ⟨**~e**⟩ old-fashioned, out of date
dépassement [depasmɑ̃] *m* **1.** passing, *brit* overtaking **2.** FIN overrun
► **dépasser I** *v/t* **1.** (*doubler*) to pass, *brit* to overtake **2.** *en hauteur*, *en largeur*, *en*

taille to be taller *ou* wider*ou* larger than **3.** *temps*, *quantité*, *espoirs*, *etc* to exceed **4.** *fig* ***cela le dépasse*** it's beyond him; ***il est dépassé*** (***par les événements***) he's been overtaken by events **II** *v/i* to jut out (***de*** from); to stick out; *vêtement* to show **III** *v/pr* ***se ~*** (***soi-même***) to surpass o.s.
dépassionner *v/t discussion* to take the heat out of
dépatouiller [depatuje] *v/pr fam* ***se ~*** to cope
dépaysement [depeizmɑ̃] *m* **1.** disorientation **2.** *positif* change of scene
dépayser [depeize] *v/t* ***~ qn*** to disorient sb; *positif* to be a change of scene for sb; ***se sentir dépaysé*** to feel out of place
dépecer [depəse] *v/t* ⟨**-è-, -ç-**⟩ *proie* to tear apart; *bœuf* to cut up
dépêche [depɛʃ] *f* dispatch
dépêcher **I** *v/t* ***dépêcher qn auprès de qn*** to dispatch sb to sb **II** *v/pr* ► ***se dépêcher*** to hurry (***de faire qc*** to do sth)
dépeigner *v/t* → ***décoiffer*** *1*
dépeindre *v/t* ⟨→ **peindre**⟩ to depict
dépenaillé [dep(ə)naje] *adj* ⟨**~e**⟩ ragged
dépendance [depɑ̃dɑ̃s] *f* **1.** dependence **2.** MÉD dependency **3.** *pl* ***~s*** outbuildings
dépendant *adj* ⟨**-ante** [-ɑ̃t]⟩ **1.** dependent (***de*** on) **2.** ***~*** (***d'une drogue***) dependent (on a drug) **3.** MÉD dependent; ***personne ~e*** elderly*ou* infirm person
► **dépendre** ⟨→ **rendre**⟩ **I** *v/t tableau etc* to take down **II** *v/t indir* **1.** ***~ de qc, de qn*** to depend on sth, sb; *personne* ***~ de qn*** to be dependent on sb; *abs* ***ça dépend*** it depends **2.** (*faire partie*) ***~ de qc*** to be under the control of sth
dépens [depɑ̃] *mpl* ***aux ~ de*** at the expense of; ***à mes ~*** at my expense
dépense [depɑ̃s] *f* **1.** expense, expenditure **2.** *fig d'essence* consumption; *de forces* expenditure; ***~ physique*** physical exertion; ***~ d'énergie*** expenditure of energy
► **dépenser** **I** *v/t* **1.** *argent* to spend **2.** *fig temps* to spend; *énergie* to use up **II** *v/pr* ***se ~*** to be physically active; (*faire des efforts*) to exert o.s.
dépensier [depɑ̃sje] *adj* ⟨**-ière** [-jɛʀ]⟩ extravagant, spendthrift
déperdition *f* loss; ***~ de chaleur*** heat loss
dépérir *v/i personne* to waste away; *plante* to wilt; *entreprise* to go downhill
dépérissement [depeʀismɑ̃] *m* **1.** *d'un malade* deterioration; *d'une plante* wilting **2.** *fig* decline
dépêtrer [depetʀe] **I** *v/t* to extricate (***de*** from) **II** *v/pr* ***se ~ de*** *de qc* to extricate o.s. from; *de qn* to get rid of
dépeuplement *m* depopulation **dépeupler** **I** *v/t* to depopulate **II** *v/pr* ***se ~*** to become depopulated
déphasé [defaze] *adj* ⟨**~e**⟩ **1.** PHYS out of phase **2.** *fig* out of step; *fam* ***être ~*** not to be with it *fam*
dépiauter [depjote] *fam v/t document* to dissect, to take apart
dépilatoire [depilatwaʀ] *m* hair remover
dépistage [depistaʒ] *m* MÉD screening
dépister *v/t maladie* to screen for; *fraude*, *criminel* to track down
dépit [depi] *m* **1.** spite; ***par ~*** *mal agir* out of spite; *faute de mieux* out of disappointment **2.** ***en ~ de*** in spite of; ***en ~ du bon sens*** contrary to common sense
dépité [depite] *adj* ⟨**~e**⟩ crestfallen
déplacé *adj* ⟨**~e**⟩ **1.** inappropriate; *plus fort* uncalled for **2.** ***personne ~e*** displaced person
déplacement *m* **1.** *d'un objet* moving; *du personnel* transfer **2.** trip; ***être en ~*** to be away on business
déplacer ⟨**-ç-**⟩ **I** *v/t* to move; *fonctionnaire* to transfer; *fig problème* to shift the focus of **II** *v/pr* ***se déplacer*** **1.** (*bouger*) to move **2.** (*voyager*) to travel **3.** (*se déranger*) to make the effort to go *or* come
déplaire ⟨→ **plaire**⟩ **I** *v/t indir* ***~ à qn*** (*fâcher*) to offend sb; ***cela me déplaît*** I dislike it **II** *v/pr* ***se ~*** not to be happy
déplaisant *adj* ⟨**-ante** [-ɑ̃t]⟩ *personne*, *remarque* unpleasant
déplaisir *m* displeasure
déplanter *v/t* to dig up
déplâtrer *v/t* to remove the plaster cast from (***un membre*** a limb; ***qn*** sb)
dépliage [deplijaʒ] *m* unfolding
dépliant *m* leaflet
déplier *v/t journal* to unfold; *plan* to open out
déplisser *v/t vêtement* to smooth out
déploiement [deplwamɑ̃] *m* **1.** *de forces*, *courage* display **2.** MIL deployment
déplorable [deplɔʀabl] *adj* **1.** regrettable **2.** (*mauvais*) deplorable **déplorer** *v/t* to deplore

déployer ⟨**-oi-**⟩ **I** *v/t* **1.** to deploy **2.** *fig zèle, courage, puissance* to display **II** *v/pr* ***se déployer*** **1.** *drapeau* to unfurl **2.** MIL to be deployed

déplumé [deplyme] *adj* ⟨**~e**⟩ *fam personne* bald

déplumer *v/pr fam* ***se ~*** to go bald

dépoli *adj* ⟨**~e**⟩ ***verre ~*** frosted glass

dépolitisation *f* depoliticization **dépolitiser** *v/t* to depoliticize

dépolluer *v/t* to clean up

dépollution *f* clean-up

déportation [depɔʀtasjõ] *f internment in a concentration camp*

déporté(e) *m(f) internee in a concentration camp*

déportement [depɔʀtəmɑ̃] *m* swerving

déporter I *v/t* **1.** ***~ qc*** *véhicule* to make sth swerve **2.** *to intern in a concentration camp* **II** *v/pr* ***se ~*** *véhicule* to swerve

déposant [depozɑ̃] *m* COMM, JUR deponent; *d'argent* depositor

déposé *adj* ⟨**~e**⟩ *marque, nom, modèle* registered

déposer I *v/t* **1.** *objet* to put down; *une couronne* to lay; *passager* to drop; *alluvions* to deposit **2.** *en lieu sûr, argent* to deposit; *bagages* to leave **3.** *brevet* to register; ***marque déposée*** registered trademark; ***~ son bilan*** to file for bankruptcy **4.** *souverain* to depose **II** *v/i au tribunal* to testify **III** *v/pr* ***se ~*** *poussière, boue, lie* to settle

dépositaire [depozitɛʀ] *m* **1.** FIN trustee **2.** *d'un secret* guardian **3.** COMM agent

déposition *f* JUR testimony, deposition

déposséder *v/t* ⟨**-è-**⟩ ***~ qn de qc*** to deprive sb of sth

dépossession *f* dispossession

dépôt [depo] *m* **1.** *d'une couronne* laying; *d'une somme* deposit; ***~ de bilan*** bankruptcy; ***~ des ordures*** dumping **2.** FIN deposit **3.** *lieu* warehouse; *pour transports publics* depot; ***~ de pain*** *store selling bread baked elsewhere* **4.** (*prison*) police cell **5.** *dans un liquide* deposit (*a* GÉOL)

dépoter [depɔte] *v/t plante* to remove from its pot

dépotoir [depɔtwaʀ] *m* dump, *brit* tip

dépouille [depuj] *f* **1.** skin **2.** *st/s* ***~ (mortelle)*** (mortal) remains

dépouillé [depuje] *adj* ⟨**~e**⟩ *style* spare, pared down

dépouillement [depujmɑ̃] *m* **1.** ***~ du scrutin*** counting of the votes **2.** asceticism

dépouiller [depuje] *v/t* **1.** ***~ qn de qc*** to rob sb of sth; ***~ qn*** to fleece sb *fam* **2.** *questionnaire, document* to go through; ***~ le scrutin*** to count the votes

dépourvu I *adj* ⟨**~e**⟩ ***~ de qc*** devoid of sth **II** ***prendre qn au ~*** to take sb by surprise

dépoussiérage [depusjeʀaʒ] *m* dusting; TECH dust removal

dépoussiérer [depusjeʀe] *v/t* ⟨**-è-**⟩ **1.** to dust **2.** *fig* to modernize

dépravation [depʀavasjõ] *f* depravity

dépravé [depʀave] *adj* ⟨**~e**⟩ depraved **dépraver** *v/t* to deprave

dépréciation [depʀesjasjõ] *f* depreciation

déprécier [depʀesje] **I** *v/t* **1.** *qc* to lower the value of **2.** *fig qn* to belittle **II** *v/pr* ***se ~*** to depreciate

déprédation [depʀedasjõ] *f* **1.** ***~s*** *pl* (*dégâts*) damage (+ *v sg*) **2.** *de fonds publics* embezzlement **3.** ÉCOL pillaging

dépressif [depʀesif] *adj* ⟨**-ive** [-iv]⟩ depressive

dépression *f* **1.** GÉOG, MÉTÉO, ÉCON depression **2.** MÉD depression; ***~ nerveuse*** nervous breakdown

déprimant [depʀimɑ̃] *adj* ⟨**-ante** [-ɑ̃t]⟩ depressing

déprime *fam f* depression

déprimer I *v/t* to depress **II** *fam v/i* to be depressed, to be very down *fam*

dépuceler [depysle] *fam v/t* ⟨**-ll-**⟩ to deflower *form*

▶ **depuis** [d(ə)pɥi] **I** *prép* **1.** *temps* since; ***depuis toujours*** always **2.** *lieu* from; ***depuis Paris*** from Paris; ***depuis ma fenêtre*** from my window **3.** ***depuis … jusqu'à …*** from … until … **II** *adv* since **III** *conj* ▶ ***depuis que*** since

dépuratif [depyʀatif] *m* depurative

députation [depytasjõ] *f* **1.** deputation **2.** POL post of deputy

▶ **député** [depyte] *m en France* deputy; *au Parlement européen* member of the European Parliament, MEP **député-maire** *m* ⟨**députés-maires**⟩ *en France* deputy and mayor

déraciné [deʀasine] **I** *adj* ⟨**~e**⟩ *personne* uprooted **II** *subst* **~(e)** *m(f)* uprooted person

déraciner [deʀasine] *v/t* **1.** *arbre, fig personne* to uproot **2.** *fig préjugés* to root out

dérailler *v/i* **1.** CH DE FER to go off the

rails **2.** *fam, fig personne* to talk nonsense; *mécanisme* to go on the blink *fam* **dérailleur** *m* gears (+ *v pl*), *t/t* derailleur
déraison *st/s f* madness
déraisonnable *adj* unreasonable **déraisonner** *v/i* to talk nonsense
dérangement *m* **1.** disturbance, trouble **2.** TÉL fault; ***en ~*** out of order
▶ **déranger** ⟨**-ge-**⟩ **I** *v/t* **1.** *objets* to disturb **2.** *fam, fig* ***être dérangé*** to be deranged **3.** ***~ qn*** to bother sb **II** *v/pr* ***se ~*** (*se lever*) to get up; (*se donner du mal*) to put o.s. out
dérapage [deʀapaʒ] *m* **1.** *d'un véhicule* skid **2.** *fig* loss of control; *de langage* slip
déraper [deʀape] *v/i* **1.** *véhicule* to skid **2.** *fig, débat, prix* to get out of control
dératé *m* ***courir comme un ~*** to run like crazy
dératisation [deʀatizasjõ] *f* rat extermination **dératiser** *v/t immeuble* to clear of rats
déréglé *adj* ⟨**~e**⟩ **1.** unbalanced; *machine* out of kilter; *estomac* upset **2.** *vie* wild **dérégler** *v/t* ⟨**-è-**⟩ *mécanisme* to upset
dérider I *v/t* ***~ qn*** to cheer sb up **II** *v/pr* ***se ~*** to cheer up
dérision [deʀizjõ] *f* derision; *p/fort* scorn; ***tourner qc en ~*** to deride sth
dérisoire [deʀizwaʀ] *adj* derisory; ***à un prix ~*** at a ridiculously low price
dérivatif [deʀivatif] *m* diversion (***à*** from) **dérivation** *f* derivation (*a* LING)
dérive *f* **1.** MAR, AVIAT drift; ***aller à la ~*** to drift *a fig* **2.** *d'un bateau* drift; ***à la ~*** adrift
dérivé [deʀive] *m* LING, CHEM derivative
dériver I *v/t* **1.** *cours d'eau* to divert **2.** MATH to derive **II** *v/t indir* ***~ de*** to be derived from **III** *v/i* MAR, AVIAT, *fig* to drift
dermatologie [dɛʀmatɔlɔʒi] *f* dermatology **dermatologue** *m/f* dermatologist
derme [dɛʀm] *m* dermis
▶ **dernier** [dɛʀnje] **I** *adj* ⟨**-ière** [-jɛʀ]⟩ **1.** last; ***~ étage*** top floor; ***en ~*** (***lieu***) last **2.** (*extrême*) utmost **3.** (*le plus proche*) last; (*le plus récent*) latest; ***l'an ~, l'année dernière*** last year; ***information f de dernière minute*** latest news; *elliptiquement* ***connaissez-vous la dernière?*** have you heard the latest? **II** *subst* **1.** ***le ~, la dernière*** (the) last; ***petit ~*** youngest child; ***le ~ des imbéciles*** a complete idiot; ***être le ~ de sa classe*** to be bottom of the class **2.** ***ce ~, cette dernière*** the latter
dernièrement [dɛʀnjɛʀmɑ̃] *adv* recently, lately
dernier-né *m* ⟨**derniers-nés**⟩, **dernière-née** *f* ⟨**dernières-nées**⟩ **1.** youngest **2.** *fig* ***dernier-né des avions*** latest model in airplanes
dérobade [deʀɔbad] *f* evasion
dérobé [deʀɔbe] *adj* ⟨**~e**⟩ ***porte ~e*** concealed door; ***regarder qn à la ~e*** to steal a glance at sb
dérober [deʀɔbe] **I** *v/t* **1.** *st/s* to steal (***qc à qn*** sth from sb) **2.** *fig* to hide **II** *v/pr* **1.** ***se ~ à qc*** *responsabilité* to shirk sth; *question* to evade sth; *abs* ***se ~*** to be evasive **2.** *sol* ***se ~ sous*** to give way under
dérogation [deʀɔgasjõ] *f* **1.** JUR exception (***à*** to) **2.** *par ext* waiver
déroger [deʀɔʒe] *v/t indir* ⟨**-ge-**⟩ to make an exception (***à*** to)
dérouillée [deʀuje] *f fam* hiding *fam*, thrashing
dérouiller I *v/t* to loosen up **II** *v/i* to get a hiding *fam* **III** *v/pr* ***se ~ les jambes*** to loosen up one's legs
déroulement *m des événements* course; *d'une intrigue* unfolding, *d'une corde* uncoiling
dérouler I *v/t tapis, rouleau* to unroll; *fil, pelote* to unwind **II** *v/pr* ***se ~*** *événements* to take place; *drame* to unfold; ***se ~ devant qn*** to unfold before sb's eyes
dérouleur [deʀulœʀ] *m* ***~ de bande*** tape drive
déroutant [deʀutɑ̃] *adj* ⟨**-ante** [-ɑ̃t]⟩ disconcerting
déroute *f* **1.** rout; ***mettre en ~*** to rout **2.** *fig* disarray
dérouté [deʀute] *adj* ⟨**~e**⟩ disconcerted thrown *fam*
dérouter [deʀute] *v/t* **1.** ***~ qn*** to disconcert sb, to throw sb *fam* **2.** *avion* to divert
derrick [deʀik] *m* derrick
▶ **derrière** [dɛʀjɛʀ] **I** *prép* **1.** behind; ***de ~*** from behind **2.** *fig* behind; ***il faut toujours être ~ lui*** you have to keep after him all the time **II** *adv* behind; ***regarder ~*** to look behind; ***par ~ → par-derrière*** **III** *m* **1.** ANAT butt *fam*, *brit* bottom *fam* **2.** ***de ~*** back *épith*; ***patte f de ~*** back

paw
des [de] **I** *article défini* of the; ***la mère ~ enfants*** the mother of the children; the children's mother **II** *article indéfini et article partitif: non traduit:* ***~ amis*** (some) friends; ***~ mois entiers*** whole months
▶ **dès** [dɛ] **I** *prép* from; ***dès mon retour*** as soon as I return; ***dès maintenant*** from now on **II** *conj* ▶ ***dès que*** as soon as, the moment (that)
désabusé [dezabyze] *adj* ⟨**~e**⟩ disillusioned
désabuser *v/t* ***~ qn*** to disillusion sb
désaccord *m* disagreement; ***être en ~ avec qn*** to disagree with sb (***sur*** over)
désaccordé *adj* ⟨**~e**⟩ MUS out of tune
désaffecté *adj* ⟨**~e**⟩ **1.** *bâtiment* disused (*a* CH DE FER, MINES) **2.** (*utilisé autrement*) put to a different use
désaffecter *v/t* to close down; (*utiliser autrement*) to put to a different use
désaffection *f* disaffection (***pour qc*** for sth)
▶ **désagréable** *adj* unpleasant; ***être ~ avec qn*** to be unpleasant to sb
désagrégation *f* disintegration
désagréger [dezagʀeʒe] ⟨**-è-, -ge-**⟩ **I** *v/t* ***~ qc*** to cause sth to disintegrate **II** *v/pr* ***se ~*** to disintegrate
désagrément *m* unpleasantness; (*inconvénient*) annoyance
désaimanter *v/t* to demagnetize
désaliéner *v/t* ⟨**-è-**⟩ to liberate
désaltérant [dezalteʀɑ̃] *adj* ⟨**-ante** [-ɑ̃t]⟩ thirst-quenching **désaltérer** ⟨**-è-**⟩ **I** *v/i* to quench a thirst **II** *v/pr* ***se ~*** to quench one's thirst
désamorçage [dezamɔʀsaʒ] *m* defusing
désamorcer *v/t* ⟨**-ç-**⟩ *bombe* to defuse (*a fig conflit*)
désamour *m* rejection (***pour*** of)
désappointé [dezapwɛ̃te] *adj* ⟨**~e**⟩ disappointed **désappointement** *m* disappointment **désappointer** *v/t* to disappoint
désapprobateur *adj* ⟨**-trice** [-tʀis]⟩ disapproving **désapprobation** *f* disapproval
désapprouver *v/t* to disapprove of
désarçonner [dezaʀsɔne] *v/t* **1.** *cavalier* to throw **2.** *fig* to take aback
désargenté *adj* ⟨**~e**⟩ broke, penniless
désargenter [dezaʀʒɑ̃te] *v/pr* ***se ~*** to lose its silver plating
désarmant [dezaʀmɑ̃] *adj* ⟨**-ante** [-ɑ̃t]⟩ *fig* disarming
désarmement *m* disarmament
désarmer **I** *v/t* **1.** *pays* to disarm **2.** *arme à feu* to disarm **II** *v/i* **1.** POL, MIL to disarm **2.** *fig* ***ne pas ~*** to be unrelenting
désarroi [dezaʀwa] *m* disarray
désarticuler **I** *v/t* MÉD to dislocate **II** *v/pr* ***se ~*** to contort o.s.
désassembler *v/t* to dismantle
désassorti *adj* ⟨**~e**⟩ *service de table* incomplete
désastre *m* disaster
désastreux [dezastʀø] *adj* ⟨**-euse** [-øz]⟩ disastrous
désavantage *m* disadvantage **désavantager** *v/t* ⟨**-ge-**⟩ to put at a disadvantage **désavantageux** *adj* ⟨**-euse** [-øz]⟩ disadvantageous
désaveu *m* ⟨**~x**⟩ **1.** disowning; *d'un propos* retraction **2.** *fig* disapproval
désavouer *v/t* **1.** *déclaration* to deny **2.** *enfant*, *œuvre* to disown; *acte* to deny **3.** *fig conduite*, *personne* to disapprove of
désaxé [dezakse] → ***déséquilibré***(*e*)
desceller [desele] *v/t* **1.** TECH to work loose **2.** *document* to break the seal of (***qc*** sth)
descendance [desɑ̃dɑ̃s] *f* descendants (+ *v pl*)
descendant [desɑ̃dɑ̃] **I** *adj* ⟨**-ante** [-ɑ̃t]⟩ downward **II** **~**(***e***) *m*(*f*) descendant
descendeur [desɑ̃dœʀ] *m*, **descendeuse** [-øz] *f* SKI downhill racer
▶ **descendre** [desɑ̃dʀ] ⟨→ **rendre**⟩ **I** *v/t* **1.** *montagne*, *rue*, *escalier* to go down; (*venir vers le bas*) to come down; *en voiture* to drive down **2.** *objet* to take down; (*porter vers le bas*) to bring down; (*mettre plus bas*) to put down; *de l'armoire* to get down (***de*** from) **3.** *avion*, *oiseau* to shoot down, to bring down; *fam personne* to gun down *fam* **II** *v/i* ⟨**être**⟩ **1.** (*aller vers le bas*) to go down; (*venir vers le bas*) to come down; (*dans un*) *véhicule* to drive down; *d'un sommet* to descend; *d'un bus*, *train* to get off; *d'une voiture* to get out; *dans un hôtel* to stay (***à*** at); ***~ de cheval*** to get off one's horse, to dismount **2.** (*tenir son origine*) ***~ de*** to be descended from **3.** to go down *terrain*, *route* to drop; *avion* to descend; *niveau*, *fig prix* to fall **4.** (*atteindre*) ***~ (jusqu')à*** *jupe*, *manteau* to come down to **5.** *fam nourriture* to go

down *fam*
▶ **descente** [desɑ̃t] *f* **1.** *dans un véhicule, d'un avion* descent; *d'un organe* prolapse; **~ *sur les lieux*** visit to the scene (of the crime); **~ *de police*** police raid; *fam* ***faire une* ~** to carry out a raid (***dans*** on) **2.** ***Descente de croix*** Deposition **3.** (*pente*) slope **4.** SKI descent **5.** **~ *de lit*** bedside rug
descriptif [dɛskʀiptif] **I** *adj* 〈**-ive** [-iv]〉 descriptive **II** *m* description; *technique* specification
▶ **description** [dɛskʀipsjõ] *f* description
désembourber *v/t voiture* to get out of the mud
désembouteiller [dezɑ̃buteje] *v/t* **~ *l'autoroute, le centre*** to ease congestion on the freeway, downtown
désembuer *v/t vitre* to defog, *brit* to demist
désemparé [dezɑ̃paʀe] *adj* 〈**~e**〉 at a loss
désemparer *adv* ***sans* ~** without stopping
désemplir *v/i* ***ne pas* ~** *endroit* to be full
désenchanté *adj* 〈**~e**〉 disenchanted **désenchantement** *m* disenchantment
désenclaver *v/t* to open up
désencombrer *v/t endroit, centre* to clear (***de*** of); *esprit* to free
désencrasser *v/t* to clean
désendettement *m* reduction of debt
désendetter *v/pr* ***se* ~** to get out of debt
désenfler *v/i* MÉD to become less swollen
désengager 〈**-ge-**〉 *v/pr* ***se* ~** to disengage
désengorger *v/t* 〈**-ge-**〉 *conduite* to unblock
désenneiger [dezɑ̃neʒe] *v/t* 〈**-ge-**〉 to clear snow from
désensabler *v/t canal etc* to dredge; *bateau* to get off the sand
désensibilisation *f* desensitization **désensibiliser** *v/t* to desensitize
désensorceler *v/t* 〈**-ll-**〉 to free from a spell
désentortiller *v/t* to unravel
désépaissir *v/t cheveux* to thin
déséquilibre *m* **1.** MÉD lack of balance **2.** *des forces, etc* imbalance
déséquilibré(e) *m(f)* unbalanced **déséquilibrer** *v/t* to unbalance
▶ **désert** [dezɛʀ] **I** *adj* 〈**-erte** [-ɛʀt]〉 **1.** *île, région* desert *épith* **2.** *rue* deserted **II** *m* desert *a fig*; ***prêcher dans le* ~** to be a voice crying in the wilderness
déserter [dezɛʀte] **I** *v/t* **1.** to desert (*a* MIL) **II** *v/i* MIL to desert **déserteur** *m* deserter
désertification [dezɛʀtifikasjõ] *f* **1.** desertification **2.** *par ext* depopulation
désertion [dezɛʀsjõ] *f* **1.** MIL desertion **2.** *d'un parti* defection
désertique [dezɛʀtik] *adj* **1.** desert *épith* **2.** barren
désespérant [dezɛspeʀɑ̃] *adj* 〈**-ante** [-ɑ̃t]〉 depressing
▶ **désespéré** [dezɛspeʀe] *adj* 〈**~e**〉 desperate
désespérément [dezɛspeʀemɑ̃] *adv* **1.** despairingly **2.** *s'efforcer* desperately
désespérer 〈**-è-**〉 **I** *v/t* **~ *qn*** to drive sb to despair **II** *v/t indir* **~ *de*** *faire* to despair of doing; **~ *de la vie*** to despair of life **III** *v/i* (*et v/pr* ***se***) **~** to despair
désespoir *m* despair; ***en* ~ *de cause*** in desperation; ***faire le* ~ *de qn*** to be the despair of sb
déshabillage [dezabijaʒ] *m* undressing
déshabillé [dezabije] *m* negligee
▶ **déshabiller** [dezabije] **I** *v/t* to undress **II** *v/pr* ***se déshabiller*** to get undressed
déshabituer **I** *v/t* **~ *qn de qc*** to get sb out of the habit of sth **II** *v/pr* ***se* ~ *de faire*** to get out of the habit of doing
désherbage *m* weeding **désherbant** *m* weedkiller **désherber** *v/t et v/i* to weed
déshérité(e) [dezeʀite] *m(f) fig* underprivileged person **déshériter** *v/t* to disinherit
déshonneur *m* dishonor
déshonorant [dezɔnɔʀɑ̃] *adj* 〈**-ante** [-ɑ̃t]〉 dishonorable **déshonorer** **I** *v/t* to disgrace **II** *v/pr* ***se* ~** to disgrace o.s.
déshumaniser *v/t* to dehumanize
déshydratation [dezidʀatasjõ] *f* **1.** CHIM, TECH drying **2.** MÉD dehydration
déshydraté [dezidʀate] *adj* 〈**~e**〉 **1.** dehydrated; ***légumes* ~*s*** dried vegetables **2.** *fam* ***être complètement* ~** to be parched *fam*
déshydrater *v/t* CHIM, TECH to dry; MÉD to dehydrate
design [dizajn] *m* design
désignation [deziɲasjõ] *f* **1.** (*description*) description **2.** *d'un successeur* appointment
designer [dizajnœʀ] *m* designer
désigner [deziɲe] *v/t* **1.** (*dénommer*) *mot* to refer to; *symbole, couleur* to represent **2.** (*montrer*) to point out **3.** (*ap-*

peler) personne to name **4.** *successeur* to appoint **5.** (*fixer*) *date, lieu* to set
désillusion *f* disillusionment
désillusionner *v/t* to disillusion
désincrustant [dezɛ̃kʀystɑ̃] *m* **1.** TECH descaler **2.** COSMÉTIQUE cleanser
désincruster [dezɛ̃kʀyste] *v/t* **1.** TECH to descale **2.** *peau* to cleanse
désinence [dezinɑ̃s] *f* GRAM ending
désinfectant [dezɛ̃fɛktɑ̃] *m* disinfectant **désinfecter** *v/t* to disinfect
désinfection *f* disinfection
désinflation *f* disinflation
désinformation *f* disinformation
désintégration *f* disintegration (*a* NUCL)
désintégrer ⟨**-è-**⟩ **I** *v/t* NUCL to disintegrate **II** *v/pr* ***se désintégrer*** to disintegrate (*a* NUCL)
désintéressé *adj* ⟨**~e**⟩ *personne, acte* selfless, unselfish; *conseil* impartial **désintéressement** *m* impartiality
désintéresser *v/pr* ***se ~ de*** to lose interest in
désintérêt *m* lack of interest
désintoxication *f* treatment for addiction; ***faire une cure de ~*** to go into rehab
désintoxiquer *v/t* ***~ qn*** *drogué* to treat sb for his / her addiction
désinvolte [dezɛ̃vɔlt] *adj* casual; *péj* offhand
désinvolture [dezɛ̃vɔltyʀ] *f* offhand manner
désir [deziʀ] *m* **1.** desire (***de qc*** for sth *ou* ***de*** + *inf* to + *inf*) **2.** *sexuel* desire
désirable [deziʀabl] *adj* desirable
désiré [deziʀe] *adj* ⟨**~e**⟩ desired
désirer [deziʀe] *v/t* **1.** (*vouloir*) to want; **~** *+inf* to want to *+inf*; ▶ ***vous désirez?, que désirez-vous?*** what would you like?; ***se faire ~*** to make o.s. wanted; ***laisser à ~*** to leave something to be desired **2.** *sexuellement* to desire
désireux [deziʀø] *adj* ⟨**-euse** [-øz]⟩ ***~ de faire*** anxious to do
désistement [dezistəmɑ̃] *m* withdrawal
désister [deziste] *v/pr* ***se ~ en faveur de qn*** to stand down in favor of sb
désobéir *v/t indir abs enfant* to be disobedient; ***~ à qn, à un ordre*** to disobey sb, an order
désobéissance *f* disobedience **désobéissant** *adj* ⟨**-ante** [-ɑ̃t]⟩ disobedient
désobligeance *st/s f* disagreeableness **désobligeant** *adj* ⟨**-ante** [-ɑ̃t]⟩ *personne* disagreeable; *remarque* offensive
désobliger *v/t* ⟨**-ge-**⟩ to offend
désodorisant [dezɔdɔʀizɑ̃] *m* deodorant **désodoriser** *v/t pièce* to freshen
désœuvré [dezœvʀe] *adj* ⟨**~e**⟩ at loose ends; *st/s* idle
désœuvrement [dezœvʀəmɑ̃] *m* lack of anything to do; *st/s* idleness
désolant [dezɔlɑ̃] *adj* ⟨**-ante** [-ɑ̃t]⟩ distressing, upsetting **désolation** *f* (*affliction*) grief
▶ **désolé** [dezɔle] *adj* ⟨**~e**⟩ **1.** sorry; (***je suis***) **~** I'm sorry **2.** *région* desolate
désoler [dezɔle] **I** *v/t* to upset **II** *v/pr* ***se désoler*** to be upset
désolidariser *v/pr* ***se ~ de*** to dissociate o.s. from
désopilant [dezɔpilɑ̃] *adj* ⟨**-ante** [-ɑ̃t]⟩ hilarious
désordonné *adj* ⟨**~e**⟩ **1.** *personne* untidy; *pensées* muddled; *mouvements* uncoordinated **2.** *vie* wild
▶ **désordre** *m* **1.** mess; ***en ~*** in a mess; *lieu* untidy **2.** (*trouble*) disorder (*a* MÉD); ***~s*** *pl* disorder (+ *v sg*)
désorganiser *v/t* to disrupt
désorienté *adj* ⟨**~e**⟩ (*égaré*) disoriented; (*déconcerté*) confused **désorienter** *v/t* (*égarer*) to disorient; (*déconcerter*) to confuse
désormais [dezɔʀmɛ] *adv* from now on, henceforth
désosser [dezɔse] *v/t* CUIS to bone; *fig* to dissect
désoxyder *v/t* to deoxidize
despote [dɛspɔt] *m* POL despot *a fig* **despotique** *adj* despotic
despotisme [dɛspɔtism] *m* POL despotism *a fig*
desquamer [dɛskwame] *v/i* (*et v/pr* ***se***) **~** to flake off
desquels, desquelles [dekɛl] → ***lequel***
D.E.S.S. [deəɛsɛs] *m, abr* ⟨*inv*⟩ (= **diplôme d'études supérieures spécialisées**) *one-year applied postgraduate diploma*
dessaisir [desεziʀ] *v/pr* ***se ~ de qc*** to part with sth
dessalage [desalaʒ] *m ou* **dessalaison** [-εzõ] *f* desalination
dessaler [desale] **I** *v/t eau de mer* to desalinate; *hareng* to soak the salt out of **II** *v/pr* ***se dessaler*** *fig, fam* to wise up *fam*; *fam* ***dessalé*** clued up *fam*
desséchant [deseʃɑ̃] *adj* ⟨**-ante** [-ɑ̃t]⟩ **1.** *vent* drying **2.** *fig études* soul-destroying
dessécher [deseʃe] ⟨**-è-**⟩ **I** *v/t* **1.** to dry

out **2.** *fig personne*, *cœur* to harden **II** *v/pr* ***se dessécher*** **1.** *aliment* to dry out; *terre*, *lèvres* to become parched; *végétation* to wither **2.** *fig cœur* to harden; *vieillard* to wither

dessein [desɛ̃] *st/s m* (*intention*) intention; (*projet*) design; ***à ~*** intentionally, on purpose

desseller [desele] *v/t cheval* to unsaddle

desserrer [desere] **I** *v/t* **1.** to loosen; *frein* to release **2.** *fig* ***ne pas ~ les dents*** not to open one's mouth **II** *v/pr* ***se desserrer*** to come loose

▶ **dessert** [desɛr] *m* dessert

desserte [desɛrt] *f* **1.** *meuble* sideboard **2.** *d'une localité* service (***de*** to)

desservant [desɛrvɑ̃] *m* priest in charge

desservir [desɛrvir] *v/t* ⟨→ **servir**⟩ **1.** *bus*, *train* to serve; *aéroport*, *port* to serve **2.** ***~ la table*** to clear the table **3.** (*nuire*) ***~ qn*** to do sb a disservice

dessiller [desije] *v/t* ***~ les yeux à qn*** to open sb's eyes

▶ **dessin** [desɛ̃] *m* **1.** (*image*) drawing; ▶ ***dessin animé*** cartoon; ***dessin humoristique*** cartoon **2.** *action* drawing; ***dessin industriel*** technical drawing; ***dessin publicitaire*** commercial artwork (+ *v sg*) **3.** *motif d'un tissu etc* pattern **4.** (*lignes*) outline

dessinateur [desinatœr] *m* draftsman; ***~ humoristique*** cartoonist; ***~ industriel*** technical draftsman

dessinatrice [desinatris] *f* draftswoman

▶ **dessiner** [desine] **I** *v/t* **1.** (*représenter*) to draw **2.** (*concevoir*) to design; ***~ les contours de*** to outline **II** *v/pr* ***se dessiner*** to appear (***à l'horizon*** on the horizon) *a fig*

dessouder [desude] *v/t* to unsolder

dessoûler [desule] **I** *v/t* ***~ qn*** to sober sb up **II** *v/i* ***se dessoûler*** to sober up

dessous [d(ə)su] **I** *adv* underneath; ***en ~*** underneath; *fam* ***par en ~*** underneath **II** *prép* ***de ~*** from underneath; ***en ~ de*** → ***au-dessous*** *II* **III** *m* **1.** *d'objets* underside **2.** (***étage*** *m* ***du***) ***~*** the floor below **3.** *fig* ***avoir le ~*** to come off worst; *fig* ***être au trente-sixième ~*** to be in the depths of depression **4.** ***~*** *pl* (*sous-vêtements*) underwear (+ *v sg*) **5.** *fig* ***~*** *pl d'une affaire* hidden side (+ *v sg*)

dessous-de-bras *m* ⟨*inv*⟩ COUT dress shield **dessous-de-plat** *m* ⟨*inv*⟩ hot pad, *brit* table mat **dessous-de-table** *m* ⟨*inv*⟩ bribe, backhander *fam*

dessus [d(ə)sy] **I** *adv placer*, *monter* on top (of it); *fixer*, *écrire* on it; ***en ~*** on top **II** *prép* ***de ~*** top **III** *m* **1.** *d'objets* top **2.** (***étage*** *m* ***du***) ***~*** the floor above **3.** *fig* ***le ~ du panier*** the pick of the bunch **4.** ***avoir le ~*** to have the upper hand; (***re***)***prendre le ~*** to (re)gain the upper hand

dessus-de-lit [d(ə)sydli] *m* ⟨*inv*⟩ bedspread

déstabilisation *f* destabilization **déstabiliser** *v/t* to destabilize

déstalinisation [destalinizasjõ] *f* destalinization **déstaliniser** *v/t* to destalinize

destin [dɛstɛ̃] *m* destiny, fate

destinataire [dɛstinatɛr] *m d'une lettre* addressee; (*bénéficiaire*) beneficiary

destination [dɛstinasjõ] *f* **1.** *rôle* function **2.** *lieu* destination; ***à ~ de*** to

destinée [dɛstine] *f* destiny

destiner [dɛstine] **I** *v/t* **1.** ***~ qn à qc*** to mark sb out for sth **2.** (*adresser*) ***~ qc à qn*** to intend sth for sb; ***être destiné à qn, à qc*** to be intended for sb, sth **II** (*concevoir*) ***~ qc à qn*** to design sth for sb **III** *v/pr* ***se ~ à l'enseignement*** to decide on a career in teaching

destituer [dɛstitɥe] *v/t souverain* to depose; ***~ qn de ses fonctions*** to relieve sb of their duties

destitution [dɛstitysjõ] *f* dismissal

destroyer [dɛstrwaje] *m* MAR destroyer

destructeur [dɛstryktœr] *adj* ⟨**-trice** [-tris]⟩ destructive *a fig* **destructible** *adj* destructible **destructif** *adj* ⟨**-ive** [-iv]⟩ destructive

▶ **destruction** [dɛstryksjõ] *f* **1.** destruction **2.** *de parasites* extermination

déstructurer *v/t* to dismantle; *texte* to deconstruct

désuet [dezɥɛ, des-] *adj* ⟨**-ète** [-ɛt]⟩ (*vieillot*) old-fashioned; (*dépassé*) obsolete

désuétude [dezɥetyd, des-] *f* ***tomber en ~*** to become obsolete

désuni [dezyni] *adj* ⟨**~e**⟩ **1.** *famille* divided **2.** *sportif* uncoordinated

désunion *f* discord

désunir *v/t* to divide

détachable [detaʃabl] *adj* detachable, removable **détachage** *m* removal (***de qc*** of sth) **détachant** *m* stain remover

détaché [detaʃe] *adj* ⟨**~e**⟩ **1.** ***pièce ~e*** spare part **2.** *air* unconcerned

détachement [detaʃmɑ̃] *m* **1.** (*indifférence*) detachment **2.** *de fonctionnaire* temporary assignment, *brit* secondment **3.** MIL detachment

► **détacher**[1] **I** *v/t* **1.** *ceinture*, *agrafe* to unfasten *nœud*, *corde* to undo, to untie *chien* to untie; *remorque* to uncouple **2.** (*séparer*) to detach (***de*** from) **3.** *mots*, *syllabes* to separate; *lettre*, *titre* to bring out **4.** ADMIN, MIL **~ *qn*** *fonctionnaire*, *militaire* to transfer sb, *brit* to second sb **II** *v/pr* ***se détacher*** **1.** *nœud*, *paquet* to come undone; *animal* to get loose **2.** *fig* ***se ~ de qc*** to turn one's back on sth; *fig* ***se ~ de qn*** to grow away from sb **3.** *ressortir* ***se ~ sur qc*** to stand out against sth

détacher[2] *v/t vêtement* to clean, to remove the stains from

► **détail** [detaj] *m* **1.** (***commerce** m **de***) **~** retail; ***vendre au ~*** to sell retail **2.** (*particularité*) detail; ***en ~*** in detail; *fam* ***ne pas faire de*** *ou* ***le ~*** not to make exceptions **3.** (*vétille*) minor detail

détaillant [detajɑ̃] *m*, **détaillante** [-ɑ̃t] *f* retailer

détaillé [detaje] *adj* ⟨**~e**⟩ detailed; *facture* itemized

détailler [detaje] *v/t* **1.** *problèmes*, *dépenses* to detail **2.** *objet*, *personne* to scrutinize

détaler *v/i fam* to run off

détartrage [detaʀtʀaʒ] *m* descaling **détartrant** *m produit* descaler

détartrer [detaʀtʀe] *v/t* **1.** *appareil* to descale **2.** *dents* to scale

détaxé [detakse] *adj* ⟨**~e**⟩ tax-free, duty-free

détaxer *v/t* **~ *qc*** to remove the tax from sth

détecter [detɛkte] *v/t* to detect **détecteur** *m* detector

détection [detɛksjõ] *f* detection

détective [detɛktiv] *m* **~** (***privé***) private detective

déteindre *v/i* ⟨→ **peindre**⟩ **1.** *tissu* to fade **2.** **~ *sur*** *vêtement* to run onto; *fig* to rub off on

dételer [detle] *v/t* ⟨**-ll-**⟩ *bœuf* to unyoke; *cheval* to unharness; *charrette* to unhitch

détendre ⟨→ **rendre**⟩ **I** *v/t* **1.** *arc* to release **2.** *fig situation*, *atmosphère* to calm **II** *v/pr* ► **se détendre** **1.** *corde* to slacken **2.** *fig personne* to relax; *situation* to become less tense

détendu *adj* ⟨**~e**⟩ *corde* slack; *fig personne* relaxed

détenir *v/t* ⟨→ **venir**⟩ **1.** (*posséder*) to keep; *record* to hold; *preuve*, *secret* to have **2.** **~ *qn*** to detain sb

détente *f* **1.** *d'une arme à feu* trigger; *fam*, *fig* ***être dur à la ~*** to be slow on the uptake *fam* **2.** *d'un ressort* release **3.** *fig* relaxation; ***politique** f **de ~*** policy of détente **4.** SPORT reflexes (+ *v pl*)

détenteur [detɑ̃tœʀ] *m*, **détentrice** [-tʀis] *f* holder; ***détenteur, détentrice d'un record*** record-holder

détention [detɑ̃sjõ] *f* **1.** (*possession*) holding; **~ *d'armes*** possession of firearms **2.** JUR detention; **~ *provisoire*** custody

détenu(e) [detny] *m(f)* prisoner

détergent [detɛʀʒɑ̃] *m* detergent

détérioration [deteʀjɔʀasjõ] *f* damage; *fig* deterioration

détériorer [deteʀjɔʀe] **I** *v/t* to damage *a fig* **II** *v/pr* ***se détériorer*** to deteriorate *a fig*

déterminant [detɛʀminɑ̃] *adj* ⟨**-ante** [-ɑ̃t]⟩ decisive

déterminatif [detɛʀminatif] *adj* ⟨**-ive** [-iv]⟩ ***adjectif ~*** determiner; ***complément ~*** postmodifier

détermination [detɛʀminasjõ] *f* **1.** (*fixation*) establishing, determining **2.** (*résolution*) decision **3.** (*fermeté*) determination

déterminé *adj* ⟨**~e**⟩ **1.** (*défini*) given **2.** (*résolu*) determined

déterminer **I** *v/t* **1.** *cause*, *raison* to determine; *mesures*, *modalités* to work out **2.** **~ *qn à*** *+inf* to cause sb to *+inf* **3.** *réaction* to determine **II** *v/pr* ***se ~ à*** *+inf* to make up one's mind to *+inf*

déterré [deteʀe] *m* ***avoir une mine de ~*** to look like death warmed up *fam*

déterrer *v/t* to dig up

détestable [detɛstabl] *adj* appalling

► **détester** [detɛste] *v/t* to hate

détonant [detɔnɑ̃] *adj* ⟨**-ante** [-ɑ̃t]⟩ explosive

détonateur [detɔnatœʀ] *m* **1.** detonator **2.** *fig* catalyst **détonation** *f* detonation

détoner [detɔne] *v/i* to detonate, to go off

détonner *v/i* **1.** MUS to be out of tune **2.** *fig personne*, *objet* to be out of place; *couleurs* to clash

détordre *v/t* ⟨→ **rendre**⟩ to untwist; *corde* to unwind

▶ **détour** *m* **1.** (*trajet*) detour; *fig* roundabout means; ***faire un ~*** to make a detour; *fig* ***dire qc sans ~*** to say sth straight **2.** (*tournant*) bend
détourné *adj* ⟨**~e**⟩ indirect
détournement [detuʀnəmɑ̃] *m* **1.** ***~ d'avion*** hijacking **2.** ***~ de fonds*** misuse of public funds **3.** ***~ de mineur*** corruption of a minor
détourner I *v/t* **1.** *avion* to hijack **2.** *regard* to avert; ***~ la tête*** to turn one's head away **3.** *fig* ***~ qn de qc*** to put sb off sth **4.** *fig attention* to divert; ***~ les soupçons sur qn*** to cause suspicion to fall on sb; ***~ la conversation*** to change the subject **5.** *fonds* to embezzle **II** *v/pr* ***se détourner*** to turn away
détracteur *m péj* detractor
détraqué(e) [detʀake] *fam m(f)* headcase *fam*
détraquer I *v/t* **1.** *fam estomac* to upset; *foie, santé* to damage **2.** *appareil* to break **II** *v/pr* ***se détraquer*** **1.** *appareil* to break down, to go wrong **2.** *temps* to break **3.** *fam* ***se ~ l'estomac*** to get an upset stomach
détrempé *adj* ⟨**~e**⟩ *terrain* waterlogged
détremper *v/t* **1.** *couleurs* to dilute; *mortier* to mix with water **2.** *pluie*: *sol* to saturate
détresse *f* distress; ***être dans la ~*** to be in distress; ***en ~*** *bateau, avion* in distress
détriment [detʀimɑ̃] *m* ***au ~ de*** to the detriment of
détritus [detʀitys] *mpl* garbage (+ *v sg*), *brit* rubbish (+ *v sg*)
détroit [detʀwa] *m* straits (+ *v pl*)
détromper I *v/t* ***~ qn*** to set sb straight **II** *v/pr* ***détrompez-vous!*** don't you believe it! *fam*
détrôner *v/t* to depose
détrousser *v/t plais* to rob
▶ **détruire** [detʀɥiʀ] *v/t* ⟨→ **conduire**⟩ **1.** to destroy **2.** *parasites* to exterminate **3.** *fig espoirs, etc* to ruin
▶ **dette** [dɛt] *f* COMM debt; ***~ publique*** national debt; *fig* ***avoir une ~ envers qn*** to be indebted to sb
DEUG [døg] *m, abr* ⟨*inv*⟩ (= **diplôme d'études universitaires générales**) *university diploma awarded after two years of study*
deuil [dœj] *m* **1.** *durée* mourning; *fam, fig* ***faire son ~ de qc*** to kiss sth goodbye *fam* **2.** *tenue* mourning clothes (+ *v pl*); ***être en ~*** to be in mourning **3.** (*décès*) bereavement
▶ **deux** [dø] **I** *num/c* two; ▶ ***les deux*** both; ***tous (les) deux*** both of them; ***Élisabeth II*** Elizabeth the second; ***le deux mai*** the second of May; ***à deux*** together; ***couper qc en deux*** to cut sth in half; ***partager qc en deux*** to share sth equally; ***deux par*** *ou* ***à deux*** two by two, in pairs; *fam, fig* ***faire qc en moins de deux*** to do sth in a flash *fam* **II** *m* two; ***le deux (du mois)*** the second; TV *fam* ***sur la deux*** on channel two
▶ **deuxième** [døzjɛm] **I** *num/o* second **II** *subst* **1.** ***le, la ~*** the second **2.** *m étage* ***au ~*** on the second floor
deuxièmement [døzjɛmmɑ̃] *adv* secondly
deux-pièces *m* ⟨*inv*⟩ **1.** (*ensemble*) two-piece suit **2.** (*maillot*) two-piece swimsuit **3.** (*appartement*) two-room apartment **deux-points** *mpl* colon (+ *v sg*)
deux-roues *m* ⟨*inv*⟩ two-wheeled vehicle
deuzio [døzjo] *fam adv* secondly
dévaler [devale] *v/t escalier* to run down; *pente* to hurtle down
dévaliser [devalize] *v/t* **1.** (*voler*) to rob **2.** *fig magasin* to clean out
dévalorisation *f* ÉCON, FIN depreciation
dévaloriser I *v/t* **1.** ÉCON, FIN to reduce the value of **2.** *fig personne* to belittle **II** *v/pr* ***se dévaloriser*** ÉCON, FIN to fall in value, to depreciate
dévaluation [devalɥasjõ] *f* devaluation
dévaluer *v/t* to devalue
devancer [d(ə)vɑ̃se] *v/t* ⟨**-ç-**⟩ **1.** to anticipate, to pre-empt; ***~ une question*** to pre-empt a question **2.** *fig rival* to be ahead of
devancier [dəvɑ̃sje] *m*, **devancière** [-jɛʀ] *f* predecessor
▶ **devant** [d(ə)vɑ̃] **I** *prép en face de* in front of; *avec des verbes de mouvement* past; ***passer ~ qc*** to go past sth; ***regarder ~ soi*** to look straight ahead; ***aller droit ~*** to go straight ahead; *fig* to forge ahead **II** *adv en face* in front; *à l'avant* at the front; *dans une voiture* in the front; *fig face à* in the face of, faced with **III** *m* front; ***patte f de ~*** front leg; ***loger sur le ~*** to live at the front of the building; *fig* ***prendre les ~s*** to take the initiative
devanture [d(ə)vɑ̃tyʀ] *f* frontage; (*vitrine*) store window, *brit* shop window
dévastateur [devastatœʀ] *adj* ⟨**-trice** [-tʀis]⟩ **1.** *tempête etc* devastating **2.**

fig passion destructive
dévaster [devaste] *v/t* to destroy
déveine *f fam* bad luck
développé [devlɔpe] *m* HALTÉROPHILIE press
▶ **développement** [devlɔpmɑ̃] *m* **1.** (*croissance*) development (*a* BIOL); ÉCON growth, expansion; **~ *durable*** sustainable development **2.** *d'un thème* exposition **3.** **~*s*** *pl d'une affaire* developments **4.** PHOT developing **5.** *d'un vélo* ***un grand, petit ~*** a high, low gear
développer [devlɔpe] **I** *v/t* to develop (*a* PHOT); *relations* to foster; *idées* to expand on **II** *v/pr* ▶**se développer** *personne, talent* to develop; *pratique* to become widespread; ÉCON to grow, to expand
▶ **devenir** [dəv(ə)niʀ] *v/i* ⟨→ **venir; être**⟩ to become; ***qu'allons-nous ~?*** what will become of us?; *fam* ***que devenez-vous?*** how are you?, how are you doing? *fam*
dévergondé [devɛʀgõde] *adj* ⟨**~e**⟩ debauched
dévergonder [devɛʀgõde] *v/pr* ***se ~*** to lead a debauched life
déverrouiller *v/t* to unlock
déversement *m* spillage
déverser I *v/t liquide* to pour; *ordures* to dump; *bombes* to drop; *fig voyageurs* to disgorge **II** *v/pr* ***se déverser*** *foule, liquide* to pour
dévêtir ⟨→ **vêtir**⟩ *v/t* (*et v/pr* ***se ~***) to undress
déviance [devjɑ̃s] *f* SOCIOLOGIE deviance (+ *v sg*) **déviant** *adj* ⟨**-ante** [-ɑ̃t]⟩ deviant
▶ **déviation** [devjasjõ] *f* **1.** *de la circulation* diversion **2.** PHYS deviation **3.** ***~ de la colonne vertébrale*** curvature of the spine **4.** *fig*, POL departure
déviationniste [devjasjɔnist] *m/f* deviationist
dévider *v/t* to unwind
dévidoir [devidwaʀ] *m* TECH, TEXT reel
dévier [devje] **I** *v/t circulation* to divert **II** *v/i* to deviate (***de*** from) *a fig*
devin [dəvɛ̃] *m*, **devineresse** [dəvinʀɛs] *f* psychic
▶ **deviner** [d(ə)vine] *v/t énigme* to solve; *intentions, secret* to guess; *avenir* to foresee; ***devine!*** have a guess!
devinette [d(ə)vinɛt] *f* riddle; ***jouer aux ~s*** to talk in riddles; ***poser une ~ à qn*** to ask sb a riddle
devis [d(ə)vi] *m* estimate
dévisager [devizaʒe] *v/t* ⟨**-ge-**⟩ to stare at
devise [d(ə)viz] *f* **1.** (*maxime*) motto **2.** FIN currency; **~*s*** *pl* (*monnaie étrangère*) foreign currency (+ *v sg*) **3.** HIST emblem
deviser [dəvize] *st/s v/i* to converse
dévisser I *v/t* (*défaire*) to unscrew; (*ouvrir*) to undo **II** *v/i alpiniste* to fall
dévitaliser [devitalize] *v/t* ***~ une dent*** to do root canal work on a tooth
dévoilement [devwalmɑ̃] *m* **1.** *de statue* unveiling **2.** *fig* revelation
dévoiler I *v/t* **1.** *statue, nouveau modèle* to unveil **2.** *fig date, identité* to reveal; *secret* to disclose **II** *v/pr* ***se dévoiler*** *fig* to reveal o.s.
▶ **devoir**[1] [d(ə)vwaʀ] ⟨**je dois, il doit, nous devons, ils doivent; je devais; je dus; je devrai; que je doive; devant; dû, due**⟩ **I** *v/t* **1.** *argent, fig explication, respect* to owe; ***~ qc à qn*** to owe sb sth; → ***dû*** **2.** *situation, surnom, vie, etc* ***~ qc à qn*** to owe sth to sb **II** *v/aux avec inf* **1.** *nécessité* to need to *+inf*; *obligation* to have to *+inf*; ***il ne doit pas conduire*** he must not drive; ***cela devait arriver!*** it was bound to happen! **2.** *probabilité* ***il a dû avoir une panne*** he must have broken down **3.** *futur dans le passé* ***il devait mourir deux jours plus tard*** he was to die two days later **III** *v/pr* ***comme il se doit*** *selon l'usage* in the correct way; *comme prévu* as you might expect; ***se ~ de faire qc*** to have a duty to do sth
▶ **devoir**[2] *m* **1.** duty; ***par ~*** out of a sense of duty; ***faire son ~*** to do one's duty **2.** ENSEIGNEMENT *en classe* test; *à la maison* piece of homework; **~*s*** *pl* homework (+ *v sg*); ***~ sur table*** written test
dévolu [devɔly] *m* ***jeter son ~ sur*** to set one's heart on
dévorant [devɔʀɑ̃] *adj* ⟨**-ante** [-ɑ̃t]⟩ *feu* raging; *passion* all-consuming; *curiosité* burning
dévorer [devɔʀe] *v/t* **1.** to devour (*a fig*); *fig* ***~ qc des yeux*** to devour sth with one's eyes **2.** *fig passion, remords* ***~ qn*** to consume sb
dévot [devo] *m*, **dévote** [devɔt] *f* pious person; *péj* sanctimonious person
dévotion [devosjõ] *f* **1.** (*culte*) devotion; (*piété*) piety; ***fausse ~*** false piety **2.** *fig* devotion
dévoué [devwe] *adj* ⟨**~e**⟩ devoted (***à qn***

to sb)
dévouement [devumɑ̃] *m* devotion
dévouer *v/pr* ***se~*** **1.** to devote o.s.; ***se~ à une cause*** to devote o.s. to a cause **2.** *fam, plais* to sacrifice o.s. (***pour faire qc*** to do sth)
dévoyé [devwaje] *adj* ⟨***~e***⟩ depraved
dextérité [dɛksteʀite] *f* dexterity
dextrose [dɛkstʀoz] *m* dextrose
diabète [djabɛt] *m* diabetes
diabétique [djabetik] **I** *adj* diabetic **II** *m/f* diabetic
▶ **diable** [djɑbl] **I** *m* **1.** devil; *fam, fig* ***boucan*** *m* ***du ~*** dreadful racket *fam*; ***à la~*** any old how; ***au ~ …!*** to hell with …!; *se démener* ***comme un*** (***beau***) ***~*** furiously; ***ce serait bien le~ si …*** it would be surprising if …; *fig* ***tirer le ~ par la queue*** to live from hand to mouth **2.** *int* ***~!*** good God!; ***où ~ …?*** where on earth …? **3.** *fig* ***pauvre ~*** poor devil *fam* **4.** *chariot* hand truck, *brit* two--wheeled trolley **II** *adj enfant* devil
diablement [djɑbləmɑ̃] *adv fam* extremely
diablesse [djɑblɛs] *f* **1.** MYTH she-devil **2.** *fig* shrew
diablotin [djablɔtɛ̃] *m* imp (*a fig enfant*)
diabolique [djabɔlik] *adj* diabolical
diabolo [djabɔlo] *m* **1.** *jouet* diabolo **2.** ***~ menthe*** *mint cordial with lemonade*
diacre [djakʀ] *m* deacon
diadème [djadɛm] *m* tiara
diagnostic [djagnɔstik] *m* diagnosis
diagnostiquer [djagnɔstike] *v/t* to diagnose
diagonal [djagɔnal] *adj* ⟨***~e; -aux*** [-o]⟩ diagonal
diagonale [djagɔnal] *f* diagonal; ***en~*** diagonally
diagramme [djagʀam] *m* diagram
dialecte [djalɛkt] *m* dialect
dialogue [djalɔg] *m* dialog (*a* THÉ, FILM, INFORM); *fig* ***c'est un ~ de sourds*** it's a dialog of the deaf
dialoguer [djalɔge] *v/i* ***~ avec qn*** to have talks with sb
dialoguiste [djalɔgist] *m* FILM screenwriter
dialyse [djaliz] *f* dialysis
diamant [djamɑ̃] *m* diamond
diamétralement [djametʀalmɑ̃] *adv fig* ***~ opposé*** diametrically opposed
diamètre [djamɛtʀ] *m* diameter
diapason [djapazõ] *m* tuning fork; *fig* ***être au ~ de qn*** to be on sb's wavelength
diaphane [djafan] *adj* diaphanous
diaphragme [djafʀagm] *m* **1.** ANAT diaphragm **2.** PHOT stop **3.** MÉD cap, diaphragm
diapo [djapo] *f, abr fam* slide
diapositive [djapozitiv] *f* slide
diarrhée [djaʀe] *f* MÉD diarrhea
diaspora [djaspɔʀa] *f* diaspora
diatonique [djatɔnik] *adj* MUS diatonic
diatribe [djatʀib] *f* diatribe (***contre qn*** against sb)
dico [diko] *m fam* → ***dictionnaire***
dictaphone® [diktafɔn] *m* dictaphone®
dictateur [diktatœʀ] *m* dictator
dictatorial [diktatɔʀjal] *adj* ⟨***~e; -aux*** [-o]⟩ dictatorial
▶ **dictature** [diktatyʀ] *f* dictatorship
▶ **dictée** [dikte] *f* dictation (*a* ÉCOLE)
dicter *v/t* to dictate
diction [diksjõ] *f* diction
▶ **dictionnaire** [diksjɔnɛʀ] *m* dictionary; ***~ bilingue*** bilingual dictionary
dicton [diktõ] *m* saying
didacticiel [didaktisjɛl] *m* educational software program **didactique** *adj* didactic
dièse [djɛz] *m* MUS sharp; *adj* ***do ~*** C sharp
diesel [djezɛl] *m* diesel, *par ext* diesel vehicle, diesel *fam*; *adj* ***moteur*** *m* ***diesel*** diesel engine
diète[1] [djɛt] *f* (*régime*) light diet
diète[2] *f* HIST diet
diététicien [djetetisjɛ̃] *m*, **diététicienne** [-jɛn] *f* dietician
diététique [djetetik] *f* dietetics (+ *v sg*); ***magasin*** *m* ***de ~*** health food store
▶ **Dieu** [djø] *m* **1.** REL God; ▶ ***mon Dieu!*** my God!; ***Dieu sait pourquoi, quand***, *etc* goodness knows why, when, *etc*; ***si Dieu le veut*** God willing **2.** ***dieu*** ⟨***dieux***⟩ MYTH god; ***jurer ses grands dieux*** to swear to God
diffamant [difamɑ̃] *adj* ⟨***-ante*** [-ɑ̃t]⟩ slanderous, defamatory
diffamateur [difamatœʀ] *m*, **diffamatrice** [-tʀis] *f par écrit* libeler; *verbalement* slanderer **diffamation** *f* JUR *par écrit* libel; *verbalement* slander **diffamatoire** *adj allégation* defamatory; JUR *propos* slanderous; *article* libellous
diffamer [difame] *v/t par écrit* to libel; *verbalement* to slander
différé [difeʀe] *m* ***émission*** *f* ***en ~*** pre--recorded programme, recording; ***diffuser qc en ~*** to broadcast sth at a later

time
différemment [difeʀamɑ̃] *adv* differently
▶ **différence** [difeʀɑ̃s] *f* difference (*a* MATH); **~ *d'âge*** age difference; ***à la ~ de*** unlike
différenciation [difeʀɑ̃sjasjɔ̃] *f* differentiation
différencier [difeʀɑ̃sje] **I** *v/t* to differentiate (*a* MATH), to distinguish **II** *v/pr* ***se différencier*** to differentiate o.s.
différend [difeʀɑ̃] *m* disagreement
▶ **différent** [difeʀɑ̃] *adj* ⟨**-ente** [-ɑ̃t]⟩ **1.** different (***de*** than, from) **2. *~s*** various
différentiation [difeʀɑ̃sjasjɔ̃] *f* MATH differentiation
différentiel [difeʀɑ̃sjɛl] **I** *adj* ⟨**~le**⟩ ***calcul ~*** differential calculus **II** *m* AUTO differential
différer [difeʀe] ⟨**-è-**⟩ **I** *v/t départ*, *décision* to postpone; *paiement* to defer **II** *v/i* to differ (***de*** from)
▶ **difficile** [difisil] *adj* **1.** (*pénible*) difficult **2.** (*indocile*) difficult **3.** (*exigeant*) picky, *brit* fussy; ***faire le, la ~*** to be picky
difficilement [difisilmɑ̃] *adv* with difficulty
▶ **difficulté** [difikylte] *f* difficulty; ***sans ~*** without any difficulty; ***être en ~*** to be in difficulties
difforme [difɔʀm] *adj* deformed **difformité** *f* deformity
diffraction [difʀaksjɔ̃] *f* PHYS diffraction
diffus [dify] *adj* ⟨**-use** [-yz]⟩ diffuse; *fig* vague
diffuser [difyze] *v/t* **1.** OPT to diffuse **2.** RAD, TV to broadcast **3.** COMM to distribute **4.** *fig nouvelle*, *idées* to spread
diffuseur [difyzœʀ] *m* **1.** AUTO, TECH jet **2.** COMM distributor **3.** *d'une lampe* diffuser
diffusion [difyzjɔ̃] *f* **1.** TECH diffusion **2.** TV broadcasting **3.** COMM distribution **4.** *fig d'idées* dissemination
digérer [diʒeʀe] *v/t* ⟨**-è-**⟩ to digest
digest [diʒɛst, daj(d)ʒɛst] *m revue*, *résumé* digest
digeste [diʒɛst] *adj* easily digestible
digestif [diʒɛstif] **I** *adj* ⟨**-ive** [-iv]⟩ PHYSIOL digestive **II** *m* liqueur
digestion [diʒɛstjɔ̃] *f* digestion
digicode® [diʒikɔd] *m* keypad entry system
digital [diʒital] *adj* ⟨**~e; -aux** [-o]⟩ INFORM, TECH digital
digitale [diʒital] *f* BOT digitalis; **~ (*pourprée*)** foxglove
digitalisation [diʒitalizasjɔ̃] *f* digitization **digitaliser** *v/t* to digitalize
digne [diɲ] *adj* worthy (***de qc*** of sth); *air* dignified; ***~ de confiance*** trustworthy; ***~ d'intérêt*** worthy of interest
dignement [diɲmɑ̃] *adv se comporter* with dignity; *accueillir* fittingly
dignitaire [diɲitɛʀ] *m* dignitary
dignité [diɲite] *f* dignity
digression [digʀɛsjɔ̃] *f* digression
digue [dig] *f* dyke
diktat [diktat] *m* POL diktat
dilapidation [dilapidasjɔ̃] *f* squandering
dilapider *v/t* to squander, to fritter away
dilatable [dilatabl] *adj* PHYS expansible
dilatation [dilatasjɔ̃] *f* **1.** PHYS expansion **2.** MÉD dilation
dilater [dilate] *v/t* (*et v/pr* ***se***) **~ 1.** PHYS to expand **2.** MÉD to dilate
dilemme [dilɛm] *m* dilemma
dilettante [dilɛtɑ̃t] *m/f* amateur; *péj* dilettante; ***peindre en ~*** to be an amateur painter
dilettantisme [dilɛtɑ̃tism] *m* amateurism
diligence [diliʒɑ̃s] *f* **1.** HIST stagecoach **2.** *st/s* (*zèle*) diligence
diluant [dilɥɑ̃] *m* thinner
diluer [dilɥe] *v/t* **1.** *liquide* to dilute **2.** (*dissoudre*) to dissolve
diluvien [dilyvjɛ̃] *adj* ⟨**-ienne** [-jɛn]⟩ *pluies* torrential
▶ **dimanche** [dimɑ̃ʃ] *m* Sunday; *fam*, *fig* ***chauffeur** m* ***du ~*** Sunday driver
dimension [dimɑ̃sjɔ̃] *f* **1.** dimension; ***~s*** *pl* dimensions; ***à trois ~s*** three-dimensional **2.** *fig* aspect
diminué [diminɥe] *adj* ⟨**~e**⟩ *personne* weak
▶ **diminuer** [diminɥe] **I** *v/t* **1.** to reduce **2.** *fig enthousiasme*, *ardeur* to dampen; *mérites* to detract from; *forces* to sap **3. ~ *qn*** (*dénigrer*) to belittle sb **II** *v/i* **1.** to decrease; *prix*, *température* to go down; *quantité*, *réserves* to diminish; *production*, *ventes* to decrease; *pluies* to ease off; *jours* to get shorter **2.** *fig forces*, *enthousiasme* to wane
diminutif [diminytif] *m* diminutive; *d'un nom* diminutive
diminution [diminysjɔ̃] *f* reduction, decrease
dinar [dinaʀ] *m monnaie* dinar
▶ **dinde** [dɛ̃d] *f* **1.** CUIS, ZOOL turkey **2.**

fig, *fam* silly goose *fam*
dindon [dɛ̃dõ] *m* turkey (cock); *fig* ***être le ~ de la farce*** to be the fall guy *fam*
dindonneau [dɛ̃dɔno] *m* ⟨**~x**⟩ ZOOL turkey poult; CUIS turkey
▸ **dîner** [dine] **I** *v/i* to have dinner; *st/s* to dine **II** *m* dinner
dînette [dinɛt] *f* tea party; *jouet* tea set
ding [diŋ] *int sonnette* ding; ***~ dong!*** [diŋdõg] *carillon* ding dong!
dingue [dɛ̃g] *fam* **I** *adj* **1.** *personne* crazy *fam*; → ***cinglé*** **2.** *ambiance*, *succès* wild *fam* **II** *m/f* freak *fam*; ***~ de la télé*** tv freak *fam*
dinosaure [dinɔzɔʀ] *m* dinosaur
diocèse [djɔsɛz] *m* diocese
diode [djɔd] *f* diode
dioxine [djɔksin] *f* dioxin
diphtérie [diftɛʀi] *f* diphtheria
diphtongue [diftõg] *f* diphthong
diplomate [diplɔmat] **I** *m* diplomate **II** *adj fig* diplomatic
diplomatie [diplɔmasi] *f* diplomacy
diplomatique [diplɔmatik] *adj* **1.** diplomatic; ***corps*** *m* ***~*** diplomatic corps **2.** *fig* ***maladie*** *f* ***~*** diplomatic illness
▸ **diplôme** [diplom] *m* diploma; UNIV degree
diplômé [diplome] *adj* ⟨**~e**⟩ qualified; ***être ~ d'une université*** to be a graduate
diplômer [diplome] *v/t* to award a diploma to; UNIV to award a degree to
▸ **dire¹** [diʀ] ⟨**je dis, il dit, nous disons, vous dites, ils disent; je disais; je dis; je dirai; que je dise; disant; dit**⟩ **I** *v/t* **1.** to say; *poème* to recite; *acteur*: *texte* to speak; ***dire la messe*** to say mass; ***dire que …*** to say that; ***dire à qn de faire qc*** to tell sb to do sth; ***à ce qu'il dit*** according to him; ***qui l'eût dit?*** who would have thought it?; ***qu'est-ce que tu en dis?*** what do you think?; ***c'est beaucoup dire*** that's saying a lot; ***comment dirais-je?*** how shall I put it?; *fam* ***dis donc!*** hey! *fam*; *fam* ***eh ben, dis donc!*** well I never!; ***c'est tout dire*** need I say more; ***pour tout dire*** actually, in fact; ***cela va sans dire*** that goes without saying; ***est-ce à dire que …?*** does this mean that …?; ***si j'ose*** (***le***) ***dire*** if I may say so; ***on dit que …*** rumor has it that …; ***comme on dit*** as they say; ***on dirait que*** it looks as if; ***on dirait un gangster*** he looks like a gangster; ***dis***, ***dites*** tell me **2.** (*évoquer*) ***ce nom me dit quelque chose*** the name rings a bell; ***ça ne me dit rien du tout*** it means nothing to me **3.** (*faire envie*) ***ça ne me dit rien*** I don't like the sound of that; ***est-ce que cela vous dit?*** do you like the sound of that? **4.** *chose* ▸ ***vouloir dire*** to mean; ***ça ne veut rien dire*** that doesn't mean anything **II** *v/pr* ***se dire*** **1.** to say to o.s.; ***dis-toi bien que …*** bear in mind that … **2.** ***cela ne se dit plus*** nobody says that any more; ***comment ça se dit en français?*** how do you say that in French?
dire² *m* ***d'après les ~s de*** *ou* ***au ~ de*** according to
direct [diʀɛkt] **I** *adj* ⟨**~e**⟩ direct; ***train direct*** direct train **II** *m* **1.** SPORT jab **2.** ▸ ***émission*** *f* ***en direct*** live broadcast
▸ **directement** [diʀɛktəmɑ̃] *adv* directly
▸ **directeur** [diʀɛktœʀ] **I** *m* **1.** *gérant* manager; *administrateur* director; ***~ sportif*** team manager; ***~ de la publication*** editorial director **2.** ***~*** (***d'école***) principal, *brit* headteacher **II** *adj* ⟨**-trice** [-tʀis]⟩ TECH driving; *fig principe* guiding; *idée* central; ***comité ~*** executive committee
directif [diʀɛktif] *adj* ⟨**-ive** [-iv]⟩ TECH directional
▸ **direction** [diʀɛksjõ] *f* **1.** *action* management, running; POL leadership; (*supervision*) supervision; ***sous la ~ de*** *projet* managed by; *orchestre* conducted by; *recherches* supervised by **2.** ADMIN *personnel dirigeant* management **3.** *d'un ministère* ***~*** (***générale***) department **4.** TECH steering **5.** (*sens*) direction; *panneau* ***toutes ~s*** all routes; ***en ~ de la gare*** toward the station
directives [diʀɛktiv] *fpl* directives
directoire [diʀɛktwaʀ] *m d'une S.A.* board of directors
▸ **directrice** [diʀɛktʀis] *f gérante* manager; *administratrice* director; *d'une école primaire* principal, *brit* headteacher
dirigé [diʀiʒe] *adj* ⟨**~e**⟩ ***économie ~e*** planned economy
dirigeable [diʀiʒabl] *m* dirigible
dirigeant [diʀiʒɑ̃] **I** *adj* ⟨**-ante** [-ɑ̃t]⟩ *classe* ruling; *rôle* leading **II** ***~***(***e***) *m*(*f*) POL leader; *gérant* manager; *administrateur* director; ***~s*** *pl administrateurs* directors; *d'un parti* leadership (+*v sg*)
▸ **diriger** [diʀiʒe] ⟨**-ge-**⟩ **I** *v/t* **1.** (*mener*) *entreprise*, *pays*, *journal* to run; *orches-*

tre to conduct; *travaux*, *recherches* to supervise; *discussion*, *enquête* to lead **2.** (*guider*) to steer (**vers** toward) **3.** (*orienter*) to turn (**vers, sur** toward, to; **contre** against) **II** *v/pr* **se ~ vers qc** to head for sth; *fig* **se ~ vers les sciences** to specialize in science

dirigisme [diʀiʒism] *m* planned economy

dirlo [diʀlo] *langage d'écolier m/f* principal, *brit* head

discal [diskal] *adj* ⟨**~e; -aux** [-o]⟩ **hernie ~e** slipped disk

discernement [disɛʀnəmɑ̃] *m* discernment

discerner [disɛʀne] *v/t* to discern (*a fig vérité*)

disciple [disipl] *m* disciple (*a* REL)

disciplinaire [disiplinɛʀ] *adj* disciplinary

discipline [disiplin] *f* **1.** (*obéissance*) discipline **2.** (*matière*) subject **3.** SPORT discipline

discipliné [disipline] *adj* ⟨**~e**⟩ disciplined

discipliner [disipline] *v/t* **1.** *personne* to discipline **2.** *sentiments*, *instincts* to control; *cheveux* to tame

disc-jockey [diskʒɔkɛ] *m* ⟨**disc-jockeys**⟩ disc jockey, DJ

disco [disko] *m* disco; *adj* **musique** *f* **~** disco music

discontinu [diskõtiny] *adj* ⟨**~e**⟩ **1.** *ligne* broken **2.** *fig* intermittent

discontinuer [diskõtinɥe] **sans ~** nonstop

discontinuité [diskõtinɥite] *f* discontinuity

discordance [diskɔʀdɑ̃s] *f* **1.** *d'opinions* clash **2.** MUS dissonance

discordant [diskɔʀdɑ̃] *adj* ⟨**-ante** [-ɑ̃t]⟩ **1.** *opinions* conflicting; *couleurs* clashing **2.** MUS discordant **3.** *voix*, *cris* strident

discorde [diskɔʀd] *f* discord

discothèque [diskɔtɛk] *f* **1.** *boîte de nuit* disco **2.** *organisme de prêt* music library

discount [diskawnt] *m* discount

discourir [diskuʀiʀ] *v/i* ⟨→ **courir**⟩ to hold forth

▶ **discours** [diskuʀ] *m* **1.** speech; **faire, prononcer un ~** to give a speech **2.** *péj* talk **3.** GRAM **~ direct, indirect** direct, indirect speech

discrédit [diskʀedi] *m* disrepute

discréditer [diskʀedite] **I** *v/t* to discredit **II** *v/pr* **se discréditer** to discredit o.s.

discret [diskʀɛ] *adj* ⟨**-ète** [-ɛt]⟩ **1.** *qui n'attire pas l'attention* discreet; *couleur*, *vêtement* sober; *allusion*, *maquillage* subtle **2.** *qui garde les secrets* discreet

discrétion [diskʀesjõ] *f* **1.** discretion **2.** **à ~** unlimited

discrimination [diskʀiminasjõ] *f* discrimination **discriminatoire** *adj* discriminatory **discriminer** *v/t* to discriminate

disculper [diskylpe] **I** *v/t* **~ qn** to exculpate sb **II** *v/pr* **se disculper** to vindicate o.s.

▶ **discussion** [diskysjõ] *f* **1.** (*échange de vues*) discussion (**de** of); POL debate **2.** (*dispute*) argument; **pas de ~!** no arguments!

discutable [diskytabl] *adj* debatable

discutailler [diskytaje] *v/i fam*, *péj* to quibble

discuté [diskyte] *adj* ⟨**~e**⟩ **très ~** controversial

▶ **discuter** [diskyte] **I** *v/t* **1.** to discuss; **~ politique** to talk politics **2.** (*contester*) to question **II** *v/i* **1.** (*parler*) to talk (**avec qn** with sb); **~ de, sur qc** to discuss sth **2.** (*protester*) to argue

disert [dizɛʀ] *litt adj* ⟨**-erte** [-ɛʀt]⟩ talkative

disette [dizɛt] *f* famine

diseur [dizœʀ] *m*, **diseuse** [-øz] *f* **excellent diseur** excellent speaker; **diseuse de bonne aventure** fortune-teller

disgrâce [dizgʀɑs, dis-] *f* disgrace

disgracieux [dizgʀasjø, dis-] *adj* ⟨**-euse** [-øz]⟩ ugly

disjoindre [disʒwɛ̃dʀ] *v/t* ⟨→ **joindre**⟩ to separate

disjoint [disʒwɛ̃] *adj* ⟨**-jointe** [-ʒwɛ̃t]⟩ unconnected; *dalles* loose

disjoncter [disjõkte] *v/i* **1.** ÉLEC to trip **2.** *fig*, *fam divaguer* to go crazy *fam* **disjoncteur** *m* ÉLEC circuit breaker **disjonction** *f* disjunction

dislocation [dislɔkasjõ] *f* **1.** *de pacte*, *groupe*, *empire* breaking up; *d'un cortège* dispersal **2.** MÉD dislocation

disloquer [dislɔke] **I** *v/t* **1.** *membre* to dislocate **2.** *fig cortège*, *empire* to break up **II** *v/pr* **se disloquer 1.** *empire*, *groupe* to break up; *cortège* to disperse **2.** *clown* to contort o.s.

▶ **disparaître** [dispaʀɛtʀ] *v/i* ⟨→ **connaître**⟩ **1.** (*partir*) to disappear; *tache* to come out; *douleurs*, *soucis* to vanish;

faire ~ *document* to dispose of; *tache*, *douleur*, *fig personne* to get rid of **2.** (*mourir*) to die

disparate [dispaʀat] *adj* disparate **disparité** *f* disparity (***entre*** between)

► **disparition** [dispaʀisjõ] *f* **1.** disappearance; *d'une espèce* extinction **2.** (*mort*) death

disparu [dispaʀy] **I** *pp* → ***disparaître*** *et adj* ⟨**~e**⟩ *personne* missing; *civilisation* lost **II disparu(e)** *m(f)* **1.** missing person **2.** (*mort*) dead person

dispendieux [dispɑ̃djø] *adj* ⟨**-euse** [-øz]⟩ expensive

dispensaire [dispɑ̃sɛʀ] *m* free clinic, *brit* health centre

dispense [dispɑ̃s] *f* exemption (***de*** from); REL dispensation

dispenser [dispɑ̃se] **I** *v/t* **1.** ***~ qn de qc*** to excuse sb from sth **2.** *cours, soins* to give; *bienfaits* to dispense; *lumière* to give out **II** *v/pr* ***se ~ d'une obligation*** to get out of an obligation

dispersé [dispɛʀse] *adj* ⟨**~e**⟩ *habitat, famille* scattered

disperser [dispɛʀse] **I** *v/t* **1.** *objets, cendres, famille* to scatter; *foule, fumée* to disperse; *collection* to break up **2.** *fig* ***~ ses efforts, ses forces*** to spread o.s. too thinly **II** *v/pr* ***se disperser*** **1.** *foule* to disperse; *attention* to wander **2.** *fig personne* to spread o.s. too thinly

dispersion [dispɛʀsjõ] *f* **1.** *de collection, foule, fumée* dispersal; *de famille* scattering **2.** *fig* lack of focus **3.** CHIM, PHYS dispersion

disponibilité [disponibilite] *f* **1.** availability; *morale* open-mindedness **2.** FIN ***~s*** *pl* available funds **3.** *fonctionnaire* ***être en ~*** to be on leave of absence

disponible [disponibl] *adj* available; *personne* free; *moralement* open-minded; FIN, COMM available

dispos [dispo] *adj* ⟨*only m*⟩ ***frais et ~*** fresh as a daisy

disposé [dispoze] *adj* ⟨**~e**⟩ ***être bien, mal ~*** to be in a good, bad mood; ***bien ~ envers qn*** well-disposed toward sb; ***être ~ à faire qc*** to be willing to do sth

disposer [dispoze] **I** *v/t* to arrange, to position **II** *v/t indir* ***~ de qc, qn*** to have at sth, sb at one's disposal **III** *v/pr* ***se ~ à faire qc*** to be about to do sth

dispositif [dispozitif] *m* **1.** TECH device **2.** ***~ policier*** police operation

disposition [dispozisjõ] *f* **1.** *d'objets* arrangement; *de salle, appartement* layout **2.** ***avoir qc à sa ~*** to have sth at one's disposal; ***être à la ~ de qn*** to be at sb's disposal **3.** JUR clause **4.** ***prendre des ~s*** to make arrangements; *face à un danger* to take precautions **5.** ***~s*** *pl* (*dons*) aptitude (+ *v sg*) (***pour*** for)

disproportion [dispʀɔpɔʀsjõ] *f* lack of proportion

disproportionné [dispʀɔpɔʀsjɔne] *adj* ⟨**~e**⟩ disproportionate; ***~ à qc*** out of proportion to sth

dispute [dispyt] *f* argument

disputer [dispyte] **I** *v/t* **1.** ***disputer qc à qn*** to compete with sb for sth **2.** *match* to play; ***disputer un titre*** to compete for a title **3.** *fam enfant* to tell off **II** *v/pr* ► **se disputer** to argue; ***se disputer avec qn*** to argue with sb

disquaire [diskɛʀ] *m/f* record dealer

disqualification [diskalifikasjõ] *f* disqualification

disqualifier [diskalifje] **I** *v/t* SPORT to disqualify **II** *v/pr* ***se disqualifier*** *fig* to discredit o.s.

► **disque** [disk] *m* **1.** disk (*a* INFORM); ► ***disque dur*** hard disk **2.** MUS disc, *brit* record; *fam, fig* ***changer de disque*** to change the disc *fam* **3.** *objet rond* disk (*a* TECH, MÉD); ***disque intervertébral*** intervertebral disk; ***disque de stationnement*** parking badge **4.** SPORT discus

disque-jockey *m* → ***disc-jockey***

► **disquette** [diskɛt] *f* floppy disk, diskette

dissection [disɛksjõ] *f* dissection

dissemblable [disɑ̃blabl] *adj* dissimilar

dissémination [diseminasjõ] *f de germes* spread; *d'idées* dissemination

disséminer [disemine] *v/t germes* to spread; *idées* to disseminate; *armes atomiques, troupes* to disperse

dissensions [disɑ̃sjõ] *fpl* dissension (+ *v sg*)

disséquer [diseke] *v/t* ⟨**-è-**⟩ MÉD to dissect *a fig*

dissertation [disɛʀtasjõ] *f* essay

disserter [disɛʀte] *v/t indir* ***~ sur, de qc*** to speak about sth

dissident [disidɑ̃] *m*, **dissidente** [-ɑ̃t] *f* dissident

dissimulation [disimylasjõ] *f* **1.** (*duplicité*) dissimulation **2.** *d'informations, bénéfices* concealment

dissimulé [disimyle] *adj* ⟨**~e**⟩ *personne*

secretive
dissimuler [disimyle] **I** *v/t* to hide; *revenus* to conceal; *abs* to conceal **II** *v/pr* ***se dissimuler*** to hide
dissipation [disipasjõ] *f* **1.** *de fortune* squandering **2.** *d'élèves* restlessness
dissipé [disipe] *adj* ⟨**~e**⟩ *élèves* restless
dissiper [disipe] **I** *v/t* **1.** *nuages* to disperse **2.** *fig soucis, doutes* to dispel; *malentendu* to clear up **3.** *fortune* to squander **4.** *élèves* to distract **II** *v/pr* ***se dissiper*** **1.** *brume* to clear **2.** *fig soucis* to melt away **3.** *élèves* to get restless
dissociable [disɔsjabl] *adj* separable
dissocier [disɔsje] *v/t* **1.** *(séparer)* to separate **2.** CHIM to dissociate
dissolu [disɔly] *adj* ⟨**~e**⟩ dissolute
dissolubilité [disɔlybilite] *f* POL dissolvability **dissoluble** *adj* POL *parlement* that can be dissolved
dissolution [disɔlysjõ] *f* **1.** JUR, POL dissolution; *fig de famille, groupe* break-up; *d'autorité* breakdown **2.** *de substance* dissolution
dissolvant [disɔlvɑ̃] *m* **1.** CHIM solvent **2.** *pour les ongles* nail polish remover
dissonance [disɔnɑ̃s] *f* MUS, *fig* discord
dissoudre [disudʀ] ⟨→ **absoudre**⟩ *v/t* (*et v/pr* ***se ~*** to dissolve) to dissolve (*a* JUR, *fig*)
dissous [disu] *pp* ⟨**dissoute** [disut]⟩ → ***dissoudre***
dissuader [disɥade] *v/t* ***~ qn de faire qc*** to dissuade sb from doing sth
dissuasif [disɥazif] *adj* ⟨**-ive** [-iv]⟩ *force* deterrent; *prix* prohibitive
dissuasion [disɥazjõ] *f* dissuasion; MIL, POL deterrence
dissymétrique [disimetʀik] *adj* asymmetrical
▶ **distance** [distɑ̃s] *f* **1.** distance (*a* SPORT, *fig*); ***à ~*** from a distance; ***commande*** *f* ***à ~*** remote control; *fig* ***garder ses ~s*** to keep one's distance; *fig* ***prendre ses ~s*** to distance o.s.; ***tenir qn à ~*** to keep sb at a distance **2.** *dans le temps* ***à ~*** with hindsight; ***à quelques années de ~*** several years later
distancer [distɑ̃se] *v/t* ⟨**-ç-**⟩ to distance
distant [distɑ̃] *adj* ⟨**-ante** [-ɑ̃t]⟩ **1.** distant; ***~ de 2 km*** 2 km away **2.** *fig* distant
distendre [distɑ̃dʀ] ⟨→ **rendre**⟩ **I** *v/t* to stretch **II** *v/pr* ***se distendre*** **1.** *corde, peau* to slacken; *estomac* to distend **2.** *fig liens* to become less close
distension [distɑ̃sjõ] *f* stretching; *d'un muscle* straining
distillateur [distilatœʀ] *m* distiller **distillation** *f* distillation
distiller [distile] *v/t* to distill; ***eau distillée*** distilled water; *fig* ***~ l'ennui*** to be profoundly boring
distillerie [distilʀi] *f* distillery
distinct [distɛ̃] *adj* ⟨**-incte** [-ɛ̃kt]⟩ **1.** *(clair)* distinct **2.** *(différent)* distinct (***de*** from)
distinctement [distɛ̃ktəmɑ̃] *adv* distinctly
distinctif [distɛ̃ktif] *adj* ⟨**-ive** [-iv]⟩ *trait* distinctive; ***signe ~*** distinguishing mark
distinction [distɛksjõ] *f* **1.** *action* distinguishing; *(différence)* distinction; ***sans ~*** without discrimination **2.** *(honneur)* honor **3.** *(élégance)* refinement
distingué [distɛ̃ge] *adj* ⟨**~e**⟩ distinguished
▶ **distinguer** [distɛ̃ge] **I** *v/t* **1.** *(percevoir)* to make out **2.** *(différencier)* to distinguish (***de*** from; ***entre*** between) **II** *v/pr* ***se distinguer*** *v/pr* **1.** *(être différent)* to stand out (***de*** from) **2.** *(s'illustrer)* to distinguish o.s (***par*** by)
distorsion [distɔʀsjõ] *f* distortion
▶ **distraction** [distʀaksjõ] *f* **1.** *(inattention)* absent-mindedness **2.** *(diversion)* entertainment, amusement **3.** *(passe-temps)* leisure activity
▶ **distraire** [distʀɛʀ] ⟨→ **traire**⟩ **I** *v/t* **1.** *(déconcentrer)* ***~ qn*** to distract sb (***de son travail*** from his/her work) **2.** *(divertir)* to entertain **II** *v/pr* ***se distraire*** to amuse o.s, to entertain o.s
distrait [distʀɛ] *adj* ⟨**-aite** [-ɛt]⟩ absent-minded
distrayant [distʀɛjɑ̃] *adj* ⟨**-ante** [-ɑ̃t]⟩ entertaining
distribué [distʀibɥe] *adj* ⟨**~e**⟩ *appartement* ***bien ~*** well-planned
▶ **distribuer** [distʀibɥe] *v/t* **1.** *(répartir)* to distribute (***à qn*** to sb); *rôles, tâches* to allocate; *prix* to award *cartes* to deal; *courrier* to deliver **2.** *gaz, eau* to supply **3.** *tickets* to dispense **4.** *film, produit* to distribute
distributeur [distʀibytœʀ] *m* **1.** COMM distributor; ***~ de films*** film distributor **2.** ***~ (automatique)*** vending machine; ***~ de billets*** ATM, *brit* cashpoint **3.** AUTO distributor
distributif [distʀibytif] *adj* ⟨**-ive** [-iv]⟩ LING, MATH distributive

distribution [distʀibysjõ] *f* **1.** (*répartition*) distribution; *du courrier* delivery; *de rôles, tâches* allocation **2.** COMM *secteur* retail **3.** *~ de l'électricité, du gaz* electricity, gas supply **4.** THÉ, FILM cast
district [distʀikt] *m* district
dit [di] *pp→* ***dire¹*** *et adj* ⟨**dite** [dit]⟩ **1.** (*fixé*) appointed **2.** (*surnommé*) known as, referred to as **3.** ***autrement ~*** in other words; ***cela, ceci ~*** having said that; ***soit ~ en passant*** incidentally
diurétique [diyʀetik] *adj* diuretic
diurne [diyʀn] *adj* daytime
divagations [divagasjõ] *fpl* ramblings
divaguer [divage] *v/i* to ramble
divan [divɑ̃] *m* couch
divergence [divɛʀʒɑ̃s] *f* **1.** MATH, OPT divergence **2.** *fig* difference **divergent** *adj* ⟨**-ente** [-ɑ̃t]⟩ divergent; *fig* differing
diverger [divɛʀʒe] *v/i* ⟨**-ge-**⟩ **1.** *lignes, rues* to diverge **2.** *fig* to differ
divers [divɛʀ] *adj* ⟨**-erse** [ɛʀs]⟩ **1.** (*varié*) various; ***fait divers*** news item; ▶ ***faits divers*** news in brief (+ *v sg*) **2.** (*plusieurs*) several
diversification [divɛʀsifikasjõ] *f* ÉCON diversification **diversifié** *adj* ⟨**~e**⟩ varied **diversifier** *v/t* to vary; ÉCON to diversify
diversion [divɛʀsjõ] *f* diversion
diversité [divɛʀsite] *f* diversity
divertir [divɛʀtiʀ] **I** *v/t* to entertain **II** *v/pr* ***se divertir*** to amuse o.s.; *en prenant du bon temps* to enjoy o.s.
divertissant [divɛʀtisɑ̃] *adj* ⟨**-ante** [-ɑ̃t]⟩ entertaining
divertissement [divɛʀtismɑ̃] *m* entertainment
dividende [dividɑ̃d] *m* FIN dividend
divin [divɛ̃] *adj* ⟨**-ine** [-in]⟩ **1.** REL Divine **2.** *fig* divine
divination [divinasjõ] *f* divination; *par ext* fortune-telling
divinisation [divinizasjõ] *f* deification
divinité [divinite] *f* **1.** (*nature divine*) divinity **2.** (*dieu*) deity
diviser [divize] **I** *v/t* **1.** to divide *a fig* (***en*** into; ***par*** by; ***entre*** between); ***divisé*** divided **2.** MATH to divide **II** *v/pr* ***se diviser*** to divide (***en*** into)
divisibilité [divizibilite] *f* divisibility **divisible** *adj* divisible
division [divizjõ] *f* MATH, MIL, SPORT, *d'un thermomètre* division *a fig*
▶ **divorce** [divɔʀs] *m* divorce *a fig*
divorcé [divɔʀse] **I** *adj* ⟨**~e**⟩ divorced **II** **~*(e)*** *m(f)* divorcee
▶ **divorcer** [divɔʀse] *v/i* ⟨**-ç-**⟩ to divorce (***d'avec qn*** sb)
divulgation [divylgasjõ] *f* disclosure **divulguer** *v/t* to divulge
▶ **dix** [dis, *before consonant* di, *before vowel* diz] **I** *num/c* ten; ***Charles X*** Charles X (the Tenth); ***le ~ mars*** March tenth, *brit* the tenth of March; *fam, fig* ***ça vaut ~*** that's hilarious *fam* **II** *m* ten; ***le ~*** (***du mois***) the tenth (of the month)
▶ **dix-huit** [dizɥit] *num/c* eighteen
▶ **dixième** [dizjɛm] **I** *num/o* tenth **II** *subst* **1.** ***le, la ~*** the tenth **2.** *m* MATH tenth
▶ **dix-neuf** [diznœf] *num/c* nineteen
▶ **dix-sept** [di(s)sɛt] *num/c* seventeen
▶ **dizaine** [dizɛn] *f* **1.** ***une ~*** (***de***) about ten, ten or so; ***des ~s de ...*** dozens of ... **2.** *dans les nombres* ten
do [do] *m* ⟨*inv*⟩ MUS C
doberman [dɔbɛʀman] *m* ZOOL Doberman (pinscher)
docile [dɔsil] *adj* docile **docilité** *f* docility
dock [dɔk] *m* **1.** dock **2.** ***~s*** *pl* warehouses
docker [dɔkɛʀ] *m* longshoreman, *brit* docker; ***~s*** *pl* stevedores
docte [dɔkt] *adj péj* learned *iron*
▶ **docteur** [dɔktœʀ] *m* **1.** (*médecin*) doctor **2.** ***~ en droit, ès lettres*** Doctor of Law, of Literature
doctoral [dɔktɔʀal] *adj* ⟨**~e; -aux** [-o]⟩ **1.** doctoral **2.** *péj* pompous
doctorat [dɔktɔʀa] *m* doctorate, *par ext* PhD
doctoresse [dɔktɔʀɛs] *fam f* woman doctor
doctrinaire [dɔktʀinɛʀ] *m* doctrinaire
doctrine [dɔktʀin] *f* doctrine
▶ **document** [dɔkymɑ̃] *m* document; ***~s*** *pl* papers
documentaire [dɔkymɑ̃tɛʀ] **I** *adj* documentary *épith* **II** *m* documentary
documentaliste [dɔkymɑ̃talist] *m/f* documentalist, librarian; TV, RADIO researcher
documentation [dɔkymɑ̃tasjõ] *f* documentation **documenter** *v/pr* ***se ~*** to gather information
dodeliner [dɔdline] *v/i* ***elle dodelinait de la tête*** her head was nodding
dodo [dodo] *m enf* **1.** ***faire ~*** to go to sleep, to go beddy-byes *fam, enf* **2.** (*lit*) *enf* bed
dodu [dɔdy] *adj* ⟨**~e**⟩ plump; *bébé, bras* chubby

dogmatique [dɔgmatik] *adj* dogmatic **dogmatisme** *m* dogmatism
dogme [dɔgm] *m* REL, *fig* dogma
dogue [dɔg] *m* mastiff
▶ **doigt** [dwa] *m* **1.** finger; ***petit doigt*** little finger; *fig* ***ne pas lever le petit doigt*** not to lift a finger; ▶ ***doigt de pied*** toe; ***être comme les deux doigts de la main*** *personnes* to be very close; *fam, fig* ***gagner les doigts dans le nez*** to win hands down; *élève* ***lever le doigt*** to put one's hand up; *fig* ***mettre le doigt sur qc*** to put one's finger on sth; *fam, fig* ***se mettre le doigt dans l'œil*** to make a big mistake, to be badly mistaken; *fig* ***obéir au doigt et à l'œil*** to obey immediately **2.** *mesure* ***un doigt de*** a finger of; ***à deux doigts, à un doigt de qc*** a hair's breadth away from sth
doigté [dwate] *m* **1.** tact **2.** MUS fingering
doigtier [dwatje] *m* fingerstall
dois, doit [dwa] → ***devoir***[1]
doléances [dɔleɑ̃s] *fpl* grievances
dollar [dɔlaʀ] *m* dollar
▶ **domaine** [dɔmɛn] *m* **1.** estate; **~*s*** *pl* estates **2.** ***Domaine (de l'État)*** State property **3.** *fig* field, domain; ***dans ce ~*** in this field; ***être du ~ de qn*** to be sb's field
domanial [dɔmanjal] *adj* ⟨**~e; -aux** [-o]⟩ State(-owned); ***forêt ~e*** state forest
dôme [dom] *m* dome
domestication [dɔmɛstikasjõ] *f* **1.** domestication **2.** *fig d'énergie* harnessing
domesticité [dɔmɛstisite] *litt f* domesticity
domestique [dɔmɛstik] **I** *adj* domestic; ▶ ***animal*** *m* ***domestique*** pet **II** *m/f* servant
domestiquer [dɔmɛstike] *v/t* **1.** *animal* to domesticate **2.** *fig énergie* to harness
▶ **domicile** [dɔmisil] *m* (place of) residence; **~ *conjugal*** marital home; ***à ~***; *travailler* from home; ***livrer à ~***; to do home deliveries; ***travail*** *m* ***à ~*** home-working, working from home; ***sans ~ fixe*** of no fixed abode; ***élire ~*** to take up residence
domicilié [dɔmisilje] *adj* ⟨**~e**⟩ **~ *à*** resident at
dominant [dɔminɑ̃] *adj* ⟨**-ante** [-ɑ̃t]⟩ **1.** dominant; *opinion* prevailing **2.** BIOL dominant **dominante** *f* dominant feature; MUS dominant (note)
dominateur [dɔminatœʀ] *adj* ⟨**-trice** [-tʀis]⟩ domineering

domination [dɔminasjõ] *f* domination (***sur*** over)
dominatrice [dɔminatʀis] *f* **1.** *st/s* ruler **2.** *femme* dominatrix
dominer [dɔmine] **I** *v/t* to dominate; *passions* to master; *situation* to be in control of; *concurrents* to surpass; *monument: ville* to dominate **II** *v/i* to rule; SPORT to be in the lead **III** *v/pr* ***se ~*** to control o.s.
dominicain [dɔminikɛ̃] *m*, **dominicaine** [-ɛn] *f* Dominican
dominical [dɔminikal] *adj* ⟨**~e; -aux** [-o]⟩ Sunday *épith*
domino [dɔmino] *m* **1.** domino; **~*s*** *pl* dominoes **2.** domino costume
dommage [dɔmaʒ] *m* **1.** damage; **~ *corporel*** personal injury; **~ *matériel*** material damage; ***dommages et intérêts*** damages **2.** ▶ ***(c'est) dommage*** it's a pity *or* shame; ***quel dommage!*** what a pity!
dommages-intérêts [dɔmaʒɛ̃teʀɛ] *mpl* damages
dompter [dõ(p)te] *v/t* **1.** *animaux* to tame **2.** *fig rebelles* to subdue; *passions* to master **dompteur** *m*, **dompteuse** *f* tamer, trainer
DOM-TOM *ou* **D.O.M.-T.O.M.** [dɔmtɔm] *mpl, abr* (= **départements et territoires d'outre-mer**) French overseas departments and territories
don [dõ] *m* **1.** donation (*a* JUR); ***faire ~ de qc à qn*** to donate *or* give sth to sb **2.** (*talent*) gift (***pour*** for); ***avoir le ~ de faire*** *iron* to have a talent for doing
donataire [dɔnatɛʀ] *m/f* JUR donee
donateur [dɔnatœʀ] *m*, **donatrice** [-tʀis] *f* donor **donation** *f* JUR donation
▶ **donc** [dõk] *conj* **1.** *conséquence* so, therefore *form* **2.** *dans des interrogatives* ***qui ~?*** who (did you say)?; ***comment ~?*** how (so)? **3.** *avec impératif* ***entrez ~!*** do come in!; ***allons ~!*** come on!; *fam* ***dites ~*** say *fam*, hey *fam* **4. *et moi ~!*** what about me?
dondon [dõdõ] *f fam* ***grosse ~*** big fat woman
donjon [dõʒõ] *m* ARCH keep
don Juan [dõʒɥɑ̃] *m* Don Juan
donnant [dɔnɑ̃] ***c'est ~ ~*** fair's fair
donne [dɔn] *f* **1.** CARTES deal **2.** *fig* order
donné [dɔne] *adj* ⟨**~e**⟩ **1.** (*déterminé*) given (*a* MATH) **2.** ***c'est ~*** it's a bargain, I'm/he's/they're giving it away *fam* **3.** ***étant ~ que*** given that

donnée [dɔne] *f* **1.** ► ***données*** *pl* INFORM data (+ *v sg ou pl*); *par ext* information; ***banque*** *f* ***de données*** data bank **2.** MATH given quantity

► **donner** [dɔne] **I** *v/t* **1.** to give; *mot d'ordre* to issue; *manteau au vestiaire* to hand in; *son nom* to give; *de l'appétit, de l'espoir* to give; ***donner qc à qn*** to give sb sth, to give sth to sb; *arbre* ***donner*** (***des fruits***) to produce fruit; *radio* ***donner des nouvelles*** to give news; ***je me demande ce que ça va donner*** I wonder what the outcome will be; *les recherches* ***ne rien ~*** to be unproductive; ***donner à penser à qn*** to give sb food for thought; ***donner qc à réparer*** to leave (in) sth for repairs **2.** ***donner trente ans à qn*** to put sb's age at around thirty **3.** *fam* ***donner du directeur à qn*** to address sb as the director, to call sb the director **4.** *fam complice* to inform on, to squeal on *fam* **II** *v/i* **1.** ***donner sur*** *ou* ***contre*** (*cogner*) to hit **2.** *personne* ***donner dans qc*** to tend toward sth; *fig* to be into sth *fam* **3.** *fenêtre, pièce* ► ***donner sur la cour*** to look onto the courtyard **III** *v/pr* ***se donner à qc*** to devote o.s. to sth; *femme* ***se donner à qn*** to give o.s. to sb

donneur [dɔnœʀ] *m*, **donneuse** [-øz] *f* donor (*a* MÉD); ***donneur de sang*** blood donor

► **dont** [dõ] *pr rel* **1.** *complément d'un subst*: whose; ***un chanteur ~ les disques*** *connaissent un grand succès* a singer whose records **2.** *complément d'un verbe*: of which; ***l'accident ~ on parle*** the accident they're talking about; ***la manière ~ il est habillé*** the way (in which) he's dressed **3.** *six enfants* ***~ cinq filles*** five of whom are girls

donzelle [dõzɛl] *f fam* pretentious young lady

dopage [dɔpaʒ] *m* drug taking; *de cheval* doping **dopant** *m* drug

dope [dɔp] *f fam* dope *fam*, cannabis

doper [dɔpe] **I** *v/t* to drug **II** *v/pr* ***se ~*** to take drugs

doping [dɔpiŋ] *m* → ***dopage***

dorade *f* → ***daurade***

doré [dɔʀe] *adj* ⟨**~e**⟩ **1.** gilded **2.** *couleur* golden (*a* CUIS)

dorénavant [dɔʀenavɑ̃] *adv* from now on

dorer [dɔʀe] **I** *v/t* **1.** to gild **2.** CUIS to glaze **II** *v/i* CUIS to brown **III** *v/pr* ***se ~ au soleil*** to sunbathe

d'ores et déjà [dɔʀzedeʒa] *adv* already

dorloter [dɔʀlɔte] *v/t* to pamper

dormant [dɔʀmɑ̃] *adj* ⟨**-ante** [-ɑ̃t]⟩ ***eau ~e*** still *or* stagnant water

dormeur [dɔʀmœʀ] *m*, **dormeuse** [-øz] *f* sleeper

► **dormir** [dɔʀmiʀ] *v/i* ⟨**je dors, il dort, nous dormons; je dormais; je dormis; je dormirai; que je dorme; dormant; dormi**⟩ **1.** to sleep **2.** *affaire* to lie idle; ***capitaux qui dorment*** dormant capital

dorsal [dɔʀsal] *adj* ⟨**~e; -aux** [-o]⟩ dorsal

dortoir [dɔʀtwaʀ] *m* **1.** dormitory **2.** *adj* ***ville*** *f* ***~*** dormitory town

dorure [dɔʀyʀ] *f* **1.** gilding **2. ~*s*** *pl* gilt (+ *v sg*)

doryphore [dɔʀifɔʀ] *m* Colorado beetle

► **dos** [do] *m* **1.** back; *transporter* ***à ~ de chameau*** by camel; ***vu de ~*** seen from behind; *fig chose* ***avoir bon ~*** to be a good excuse; *fam, fig* ***en avoir plein le ~*** to be fed up (to the teeth) *fam*; *fig* ***être toujours sur le ~ de qn*** to be always on sb's back; ***faire le gros ~*** *chat* to arch its back; *fig* to dig one's heels in; *fig* ***mettre qc sur le ~ de qn*** to blame sth on sb; *fig* ***se mettre qn à ~*** to get on the wrong side of sb; ***tourner le ~ à qn, à qc*** to turn one's back on sb, on sth *a fig* **2.** *d'objets, d'un chèque, d'une chaise* back; ***~ de la main*** back of the hand **3.** ***~ d'âne*** speed bump; (*pont*) hump-backed bridge

dosage [dozaʒ] *m* dose

dose [doz] *f* dose; PHARM proportion; *par ext* amount; ***forcer la ~*** *fig* to overdo it

doser [doze] *v/t* to measure out

doseur [dozœʀ] *m* measuring glass

dossard [dosaʀ] *m d'un athlète* number

► **dossier** [dosje] *m* **1.** *d'un siège* back **2.** (*documents*) file

dot [dɔt] *f* dowry

dotation [dɔtasjõ] *f* **1.** (*revenus*) allocation **2.** endowment (***en*** with)

doter [dɔte] *v/t* **1.** to endow (***qn de qc*** sb with sth) **2.** (*équiper*) to equip (***de*** with)

douairière [dwɛʀjɛʀ] *f péj, fam* dowager

► **douane** [dwan] *f* customs (+ *v pl*)

douanier [dwanje] **I** *m* customs officer **II** *adj* ⟨**-ière** [-jɛʀ]⟩ customs *épith*

doublage [dublaʒ] *m* FILM dubbing

► **double** [dubl] **I** *adj* double **II** *adv* double; ***voir ~*** to see double **III** *m* **1.** ***le ~*** double; (*une somme, une quantité*) twice as much, double **2.** duplicate; ***avoir qc en ~*** to have a duplicate of sth **3.** *d'un document* copy **4.** SPORT doubles (match) **5.** *fig personne* double

doublé [duble] **I** *adj* ⟨**~e**⟩ **1.** COUT lined **2.** FILM dubbed **3.** *fig* ***~ de*** as well as **II** *m* SPORT, *fig* double

double-clic *m* ⟨**double-clics**⟩ INFORM double-click

doublement [dubləmɑ̃] **I** *adv* doubly **II** *m* doubling

doubler [duble] **I** *v/t* **1.** to double **2.** *vêtement* to line **3.** *acteur* to stand in for; THÉ to understudy **4.** *film* to dub **5.** (*dépasser*) to pass, *brit* to overtake; SPORT to double **6.** *fam* ***~ qn*** to double-cross sb *fam* **II** *v/i* to double **III** *v/pr* ***se ~ de qc*** to be coupled with sth

doublet [dublɛ] *m* LING, *en orfèvrerie* doublet

doublure [dublyʀ] *f* **1.** COUT lining **2.** FILM double; THÉ understudy

douce → ***doux***

douceâtre [dusɑtʀ] *adj* sickly (sweet)

▶ **doucement** [dusmɑ̃] *adv* **1.** *poser* gently; *parler, marcher* softly; *ouvrir, fermer* quietly **2.** (*lentement*) slowly **3.** (*médiocrement*) fairly well **4.** *int* ***~!*** take it easy!; (*fais attention!*) careful!

doucereux [dusʀø] *adj* ⟨**-euse** [-øz]⟩ *fig* unctuous, smooth *péj*

douceur [dusœʀ] *f* **1.** sweetness; ***~s*** *pl* sweet things **2.** *de la musique* softness; *du climat* mildness; *de la peau* softness **3.** *fig* pleasantness; ***la ~ de vivre*** the easy pace of life **4.** ***~ (de caractère)*** gentleness **5.** *atterrir, démarrer* ***en ~*** smoothly

▶ **douche** [duʃ] *f* **1.** shower; ***prendre une ~*** to take a shower **2.** *fig* ***la ~ écossaise*** *décrivant le comportement de qn* blowing hot and cold; *décrivant un contraste* a bucket of cold water *fig*

doucher [duʃe] **I** *v/t* **1.** *qn* to give a shower to **2.** *fig* ***se faire ~*** to get soaked **II** *v/pr* ***se ~*** to (take a) shower

doudou [dudu] *fam f* security blanket

doudoune [dudun] *fam f* down jacket

▶ **doué** [dwe] *adj* ⟨**~e**⟩ **1.** gifted (***pour qc*** at sth); ***être ~ pour les langues*** to have a gift for languages **2.** ***~ de*** endowed with; ***~ de raison*** sentient

douille [duj] *f* **1.** *d'une ampoule* socket **2.** *d'une cartouche* case

douillet [dujɛ] *adj* ⟨**-ette** [-ɛt]⟩ **1.** *coussin* soft **2.** (*confortable*) cozy **3.** *personne* babyish

▶ **douleur** [dulœʀ] *f* **1.** pain; ***de ~*** in pain **2.** ***~s*** *pl* pains; *dans l'oreille, dans le dos* ache (+ *v sg*) **3.** *morale* pain; *plus fort* grief

douloureusement [duluʀøzmɑ̃] *adv* painfully

douloureux [duluʀø] **I** *adj* ⟨**-euse** [-øz]⟩ **1.** *physiquement* painful **2.** *fig perte, souvenir* painful; *spectacle* distressing; *regard* sorrowful **II** *fam* ***la douloureuse*** the check, *brit* the bill

▶ **doute** [dut] *m* doubt; ▶ ***sans doute*** no doubt, probably; ***sans aucun doute*** without a doubt; ***il n'y a pas de doute*** there's no doubt about it; ***mettre qc en doute*** to call sth into question

▶ **douter** [dute] **I** *v/i et v/t indir* ***douter de qc, qn*** to doubt sth, sb; ***douter que …*** *+subj* to doubt that … **II** *v/pr* ▶ ***se douter de qc*** to suspect sth

douteux [dutø] *adj* ⟨**-euse** [-øz]⟩ **1.** doubtful **2.** *péj réputation, goût, propreté* dubious

douve [duv] *f* MIL moat

Douvres [duvʀ] Dover

▶ **doux** [du] **I** *adj* ⟨**douce** [dus]⟩ **1.** *fruit, vin* sweet; ***eau douce*** fresh water **2.** *pente* gentle; *par ext énergie* environmentally friendly; *climat, savon* mild; *peau, musique, lumière* soft; ***drogue douce*** soft drug **3.** *fig émotion, souvenir* pleasant **4.** *personne, regard* gentle **5.** ***faire les yeux ~ à qn*** to make (sheep's) eyes at sb **II** *adv* ***en douce*** on the sly

▶ **douzaine** [duzɛn] *f* **1.** dozen; ***à la ~*** by the dozen **2.** ***une ~ (de)*** about a dozen, a dozen or so

▶ **douze** [duz] **I** *num/c* twelve; ***le ~ mai*** May twelfth; ***Pie XII*** Pius XII (the Twelfth) **II** *m* ⟨*inv*⟩ twelve; ***le ~ (du mois)*** the twelfth (of the month)

▶ **douzième** [duzjɛm] **I** *num/o* twelfth **II** **1.** ***le, la ~*** the twelfth **2.** *m* MATH twelfth

doyen [dwajɛ̃] *m*, **doyenne** [dwajɛn] *f* **1.** *m* dean (*a* ÉGL) **2.** oldest person; DIPL doyen; ***doyen, doyenne d'âge*** oldest member

draconien [dʀakɔnjɛ̃] *adj* ⟨**-ienne** [-jɛn]⟩ draconian

dragée [dʀaʒe] *f* **1.** sugared almond; *fig* ***tenir la ~ 'haute à qn*** to make sb dance to one's tune **2.** sugar-coated pill

dragon [dʀagõ] *m* **1.** MYTH dragon **2.** HIST MIL dragoon

dragonne [dʀagɔn] *f* strap
drague [dʀag] *f* **1.** TECH dredge(r) **2.** hitting on people *fam*, *brit* chatting people up *fam*
draguer [dʀage] *v/t* **1.** to dredge **2.** to hit on *fam*, *brit* to chat up *fam*
dragueur [dʀagœʀ] *m*, **dragueuse** [-øz] *f* **1.** *fam* flirt **2.** ***dragueur de mines*** minesweeper
drain [dʀɛ̃] *m* **1.** AGR drain **2.** MÉD drainage tube
drainage [dʀɛnaʒ] *m* AGR drainage; MÉD draining (off)
drainer [dʀene] *v/t* **1.** AGR, MÉD to drain **2.** *fig capitaux*, *main-d'œuvre* to siphon off
dramatique [dʀamatik] **I** *adj* dramatic; ***art*** *m* **~** drama **II** *f* TV TV movie
dramatisation [dʀamatizasjõ] *f fig* dramatization **dramatiser** *v/t fig* to dramatize
dramaturge [dʀamatyʀʒ] *m* playwright
drame [dʀam] *m* play; *genre* drama; *fig* tragedy
▶ **drap** [dʀa] *m* **1.** TEXT cloth **2.** **~ (*de lit*)** sheet; **~ *de bain*** bath sheet; *fig* ***être dans de beaux ~s*** to be in a fine mess, to be in a pickle *fam*
drapé [dʀape] *m d'une robe* drape
▶ **drapeau** [dʀapo] *m* ⟨**~x**⟩ flag; **~ *tricolore*** tricolor; *fig* ***être sous les ~x*** to serve in the army
draper [dʀape] **I** *v/t* to drape **II** *v/pr* **1.** ***se ~ dans*** to wrap o.s. in **2.** *fig* ***se ~ dans sa dignité*** to stand on one's dignity
draperie [dʀapʀi] *f* **1.** PEINT, SCULP drapery **2.** *décoratif* drapery; *rideau* drape, *brit* curtain **3.** *fabrication* cloth manufacturing; *commerce* cloth trade
drap-housse [dʀaus] *m* ⟨**draps-housses**⟩ fitted sheet
drapier [dʀapje] *m fabricant* cloth manufacturer; *marchand* draper *vieilli*
drastique [dʀastik] *adj mesures* drastic
dreadlocks [dʀɛdlɔks] *fpl* dreadlocks
dressage [dʀɛsaʒ] *m* training; *péj* very strict upbringing
dresser [dʀese] **I** *v/t* **1.** *mât* to raise; *monument* to erect; *échelle* to put up; *tente* to pitch; *tête* to raise; *fig* **~ *l'oreille*** to prick up one's ears; *fig* ***faire ~ les cheveux sur la tête à qn*** to make sb's hair stand on end **2.** *plan*, *bilan*, *liste*, *inventaire*, *contrat* to draw up; *procès-verbal* to write out; *facture* to raise **3.** **~ *qn contre qn*** to set sb against sb **4.** *animaux* to train; *cheval* to break in **5.** *fig et péj enfant* to bring up (very strictly) **6.** CUIS to garnish **II** *v/pr* ***se dresser*** **1.** to straighten up; ***se ~ sur la pointe des pieds*** to stand on tiptoe **2.** *montagne*, *tour* to rise up **3.** *fig* ***se ~ contre*** to rise up against
dresseur [dʀɛsœʀ] *m*, **dresseuse** [-øz] *f* (animal) trainer **dressoir** *m* (*meuble*) dresser
dribble [dʀibl] *m* dribble
dribbler [dʀible] **I** *v/t adversaire* to dribble around **II** *v/i* to dribble
drille [dʀij] *m* ***joyeux ~*** happy guy
dring [dʀiŋ] *int* ting-a-ling
▶ **drogue** [dʀɔg] *f* **1.** drug *a fig*; **~ *douce, dure*** soft, hard drug **2.** *péj* quack remedy
drogué(e) [dʀɔge] *m(f)* drug addict
droguer [dʀɔge] **I** *v/t* to drug **II** *v/pr* ***se droguer*** **1.** to take drugs, to be on drugs **2.** *pour dormir*, *etc* to take pills, to pop pills *fam*
droguerie [dʀɔgʀi] *f* hardware store
droguiste *m/f* hardware store owner
▶ **droit**[1] [dʀwa] *m* **1.** ⟨*no pl*⟩ law; ***droit civil*** civil law; ***droit pénal*** penal law; ***droit du plus fort*** the law of the jungle; ***à qui de droit*** to whom it may concern **2.** *science* law **3.** right; ▶ ***droits de l'homme*** human rights; ***droit de vote*** right to vote; ***avoir le droit, être en droit de*** *+inf* to be entitled to *+inf*; ***avoir droit à qc*** to be entitled to sth; ***être dans son droit*** to be within one's rights **4.** (*taxe*) fee
▶ **droit**[2] [dʀwa] **I** *adj* ⟨**droite** [dʀwat]⟩ **1.** (*à droite*) right **2.** (*rectiligne*) straight; *écriture* straight; *veston* single-breasted; ***angle ~*** right angle; ***en ligne ~e*** in a straight line **3.** *fig personne* upright, straight **II** *adv* straight; ***tout ~*** *ou* **~ *devant soi*** straight ahead; *fig* ***aller ~ au but*** to get straight to the point; ***se tenir ~*** to stand up straight **III** *m* SPORT right
▶ **droite** [dʀwat] *f* **1.** right; ***à ~*** on the right(-hand side); ***à ~ de*** to the right of; ***à*** *ou* ***sur la ~ de qn*** to *or* on sb's right; ***tenir sa ~*** to keep to the right **2.** POL ***la ~*** the right; ***de ~*** right-wing **3.** MATH straight line
droitier [dʀwatje] *m*, **droitière** [-jɛʀ] *f* ***être ~*** to be right-handed
droiture [dʀwatyʀ] *f* honesty, rectitude *form*
▶ **drôle** [dʀol] *adj* **1.** (*amusant*) funny **2.** ⟨*a* **~ *de***⟩ (*bizarre*) funny, odd; ***une ~***

d'idée a funny idea; ***je me sens tout ~*** I feel really funny *or* odd **3.** *fam* **~ de** *de force, de patience, de travail* awful lot of, heck of a lot of *fam*
drôlement [dʀolmɑ̃] *adv* **1.** oddly **2.** *fam* (*très*) awfully, really
drôlerie [dʀolʀi] *f* funniness
dromadaire [dʀɔmadɛʀ] *m* dromedary
drosser [dʀɔse] *v/t* MAR to drive
dru [dʀy] **I** *adj* ⟨**~e**⟩ thick **II** *adv pluie* ***tomber ~*** to pour down
drugstore [dʀœgstɔʀ] *m* drugstore
druide [dʀɥid] *m* druid
D.S.T. [deɛste] *f, abr* (= **Direction de la surveillance du territoire**) *French national counterintelligence organization*
► **du** [dy] → ***de***
dû [dy] **I** *pp* → ***devoir¹*** *et adj* ⟨**due**⟩ **1.** *somme* owed, due **2.** ***en bonne et due forme*** in due form **3.** ***être ~ à qc*** to be due to sth **4.** *honneurs* ***être ~ à qn*** to be due to sb **II** *subst* ***mon ~*** my due
dualité [dɥalite, dya-] *f* duality
dubitatif [dybitatif] *adj* ⟨**-ive** [-iv]⟩ doubtful, dubious
duc [dyk] *m* **1.** duke **2.** ZOOL ***grand ~*** eagle owl
duché [dyʃe] *m* duchy
duchesse [dyʃɛs] *f* **1.** duchess **2.** (***poire*** *f*) **~** Duchess pear
duel [dɥɛl] *m* **1.** duel; ***se battre en ~*** to fight a duel **2.** *fig* **~ *oratoire*** battle of words
dulcinée [dylsine] *f plais* lady-love
dûment [dymɑ̃] *adv* duly (*a* JUR)
dumping [dœmpiŋ] *m* dumping
dune [dyn] *f* (sand) dune
Dunkerque [dɛ̃kɛʀk, dœ̃-] Dunkirk
duo [dyo] *m vocal* duo; *instrumental* duet; *chanter* ***en ~*** to sing as a duo
duodénum [dɥɔdenɔm] *m* duodenum
dupe [dyp] **I** *f* ***être la ~ de qn*** to be fooled *or* taken in by sb **II** *adj* ***être ~ de qc*** to be fooled *or* taken in by sth
duper [dype] *v/t* to dupe, to fool **duperie** *f* deception
duplex [dyplɛks] *m* **1.** TECH duplex; RAD, TV link-up **2.** duplex apartment, *brit* maisonette
duplicata [dyplikata] *m* ⟨*inv*⟩ duplicate **duplicateur** *m* duplicator
duplicité [dyplisite] *f* duplicity
duquel [dykɛl] → ***lequel***
► **dur** [dyʀ] **I** *adj* **1.** (*ferme*) hard; *viande* tough; *œuf* hard-boiled **2.** *combats* tough; *fam* ***coup ~*** tough blow; ***drogue ~e*** hard drug **3.** (*difficile*) hard **4.** (*sévère*) *climat* harsh; *personne* tough **II** *adv frapper, travailler* hard; ***croire à qc ~ comme fer*** to believe in sth wholeheartedly **III** *subst* **1.** *fam* ***un ~*** (***à cuire***) a tough nut *or* cookie *fam* **2.** *m* ***construction*** *f* ***en ~*** permanent structure **3.** ***élevé à la ~e*** brought up the hard way **4.** ***coucher sur la ~e*** to sleep on the floor
durable [dyʀabl] *adj* lasting; *matériau* durable
durant [dyʀɑ̃] *prép* during; **~ *l'été*** during the summer; ***une heure ~*** for an hour
durcir [dyʀsiʀ] **I** *v/t* **1.** to harden **2.** *fig opposition* to intensify **II** *v/i* **1.** to harden **III** *v/pr* ***se durcir*** **1.** to harden **2.** *fig conflit, opposition* to intensify
durcissement [dyʀsismɑ̃] *m* **1.** hardening **2.** *fig* intensification
durcisseur [dyʀsisœʀ] *m* TECH hardener
► **durée** [dyʀe] *f* duration; **~ *du travail*** working hours (+ *v pl*); ***de courte ~*** short-lived; *bail* short-term
durement [dyʀmɑ̃] *adv* **1.** *touché* deeply, badly; *éprouvé* sorely **2.** *parler, répondre* harshly
► **durer** [dyʀe] *v/i* **1.** to last; *beau temps* to last; *mode, œuvre* to last for; ***pourvu que cela dure!*** long may it last!; ***faire ~ qc*** *vêtement* to make sth last; *conversation, repas* to drag sth out **2.** *objet* to last; *matériau* to wear well
dureté [dyʀte] *f* hardness
durillon [dyʀijõ] *m* callus
D.U.T. [deyte] *m, abr* ⟨*inv*⟩ (= **diplôme universitaire de technologie**) *two-year vocationally-oriented qualification* (→ ***I.U.T.***)
duvet [dyvɛ] *m* **1.** (*plumes, poils doux*) down **2.** (*sac de couchage*) sleeping bag
duveter [dyvte] *v/pr* ⟨**-tt-**⟩ ***se ~*** to become downy
duveteux *adj* ⟨**-euse** [-øz]⟩ downy; *tissu* fluffy
DVD [devede] *m, abr* (= **digital versatile disc**) DVD; ***~-R*** DVD-R; ***~-RW*** DVD-RW
dynamique [dinamik] **I** *adj* dynamic **II** *f* PHYS, *fig* dynamics (+ *v sg*)
dynamiser [dinamize] *v/t* to make more dynamic **dynamisme** *m* dynamism
dynamite [dinamit] *f* dynamite **dynamiter** *v/t* to dynamite

dynamo [dinamo] *f* ÉLEC, AUTO dynamo
dynamomètre *m* dynamometer
dynastie [dinasti] *f* dynasty
dysenterie [disɑ̃tʀi] *f* MÉD dysentery
dysfonctionnement [disfɔ̃ksjɔnmɑ̃] *m* MÉD dysfunction, malfunction
dyslexie [dislɛksi] *f* dyslexia **dyslexique I** *adj* dyslexic **II** *m/f* dyslexic
dyspepsie [dispɛpsi] *f* dyspepsia

E

E, e [ə] *m* ⟨*inv*⟩ E, e
E. *abr* (= **est**) E
▶ **eau** [o] *f* ⟨**~x**⟩ **1.** water; **~x** *pl* (*sources thermales*) waters (*a* GÉOG, POL); ***~ froide*** cold water; ***~x thermales*** thermal waters; ***~ de Cologne*** eau de cologne; ***~ de cuisson*** cooking water; ***~ de mer*** seawater; ***~ de pluie*** rainwater; ***~ de toilette*** eau de toilette; ***~ de vaisselle*** dishwater, *brit* washing-up water; *fig*, *péj* dishwater; CUIS ***cuire à l'~*** to boil; ***au bord de l'~*** by the water; ***entre deux ~x*** under the water; *fig* ***nager entre deux ~x*** to sit on the fence; *fig* ***amener de l'~ au moulin de qn*** to supply grist for sb's mill; ***être en ~*** to be dripping with sweat; ***se jeter à l'~*** to jump into the water; *fig* to take the plunge; *fig* ***mettre de l'~ dans son vin*** to lower one's sights; ***cela me met l'~ à la bouche*** it's making my mouth water; ***passer à l'~*** CUIS to rinse; *vaisselle* to wash; *fig* ***pêcher en ~ trouble*** to be fishing in troubled waters; ***prendre l'~*** to take in water **2.** ***Eaux et Forêts*** *fpl French Forest Service*
eau-de-vie [odvi] *f* ⟨**eaux-de-vie**⟩ brandy
eau-forte [ofɔʀt] *f* ⟨**eaux-fortes**⟩ etching
ébahi [ebai] *adj* ⟨**~e**⟩ dumbfounded; ***tout ~*** completely dumbfounded
ébahir [ebaiʀ] *v/t* to astound **ébahissement** *m* astonishment
ébarber [ebaʀbe] *v/t* TECH MÉTALL to trim; *plumes* to clip; *papier* to trim
ébats [eba] *st/s et plais mpl* frolics; ***~ amoureux*** lovemaking
ébattre [ebatʀ] *v/pr* ⟨→ **battre**⟩ *st/s* **s'~** to frolic
ébauche [eboʃ] *f* **1.** *d'un tableau* sketch; *d'un texte* draft **2.** *fig* beginnings + *v pl*
ébaucher [eboʃe] *v/t* **1.** *tableau* to rough out; *texte* to draft **2.** ***~ un sourire*** to smile faintly

ébène [ebɛn] *f* ebony
ébéniste [ebenist] *m* cabinetmaker
ébénisterie [ebenistəʀi] *f* cabinetmaking
éberlué [ebɛʀlɥe] *adj* ⟨**~e**⟩ dumbfounded
éblouir [ebluiʀ] *v/t* (*aveugler*) to dazzle (*a fig*)
éblouissant [ebluisɑ̃] *adj* ⟨**-ante** [-ɑ̃t]⟩ dazzling
éblouissement [ebluismɑ̃] *m* **1.** dazzle; ***j'ai des ~s*** I have dizzy spells **2.** *fig* ***un ~*** a dazzling experience
éborgner [ebɔʀɲe] *v/t* ***~ qn*** to put sb's eye out
éboueur [ebwœʀ] *m* garbage collector, *brit* dustman
ébouillanter [ebujɑ̃te] **I** *v/t* to scald **II** *v/pr* **s'~** to scald o.s.
éboulement [ebulmɑ̃] *m* landslide; *d'une falaise* collapse
ébouler [ebule] *v/pr* **s'~** to collapse
éboulis [ebuli] *m* pile
ébouriffant [ebuʀifɑ̃] *fam adj* ⟨**-ante** [-ɑ̃t]⟩ breathtaking; *péj* outrageous
ébouriffé [ebuʀife] *adj* ⟨**~e**⟩ *cheveux* tousled; *fam par nouvelle* flabbergasted *fam*
ébranlement [ebʀɑ̃lmɑ̃] *m* **1.** shaking **2.** *fig de la confiance, du pouvoir* undermining; *de la santé* deterioration; *du trône* weakening of power **3.** *psychique* shock
ébranler [ebʀɑ̃le] **I** *v/t* **1.** *vitres, sol* to shake **2.** *fig confiance, pouvoir, santé* to undermine; *qn* to shake **II** *v/pr* **s'~** to move off
ébréché [ebʀeʃe] *adj* ⟨**~e**⟩ *lame* nicked; *tasse, dent* chipped **ébrécher** *v/t* ⟨**-è-**⟩ *tasse, dent* to chip, *lame* to nick
ébriété [ebʀijete] *f* inebriation
ébrouer [ebʀue] *v/pr* **s'~** *cheval* to snort
ébruitement [ebʀɥitmɑ̃] *m* disclosure
ébruiter [ebʀɥite] **I** *v/t* to divulge **II** *v/pr* **s'~** to get out, to spread

ébullition [ebylisjõ] *f* **1.** boiling point **2.** *fig* ***en ~*** in a fever of excitement

écaille [ekaj] *f* **1.** ZOOL, BOT scale **2.** *de peinture* flake **3.** *de tortues* shell; ***lunettes*** *fpl* ***d'~*** tortoiseshell glasses

écailler¹ [ekaje] **I** *v/t* **1.** *poisson* to scale **2.** *huîtres* to open **II** *v/pr* ***s'~*** to flake (off)

écailler² [ekaje] *m*, **écaillère** [-ɛʀ] *f* oyster seller

écaler [ekale] *v/t* to husk

écarlate [ekaʀlat] *adj* scarlet

écarquiller [ekaʀkije] *v/t* ***~ les yeux*** to open one's eyes wide

écart [ekaʀ] *m* **1.** (*distance*) gap; (*différence*) difference **2.** *fig* (*irrégularité*) indiscretion; ***~s de langage*** bad language (+ *v pl*) **3.** (*brusque mouvement*) ***faire un ~*** *véhicule* to swerve **4.** ***le grand ~*** the splits (+ *v pl*); ***faire le grand ~*** to do the splits **5.** ***à l'~*** isolated (***de*** from); *fig* ***tenir qn à l'~*** to keep sb away (***de*** from); ***vivre à l'~*** to live in a remote place

écarté [ekaʀte] *adj* ⟨**~e**⟩ **1.** *yeux* widely set **2.** *lieu* out of the way

écartèlement [ekaʀtɛlmɑ̃] *m* **1.** HIST quartering **2.** *fig* feeling of being torn (***entre*** between)

écarteler [ekaʀtəle] *v/t* ⟨**-è-**⟩ **1.** HIST to quarter **2.** *fig* ***être écartelé*** to be torn (***entre*** between)

écartement [ekaʀtəmɑ̃] *m* space; CH DE FER gauge

écarter [ekaʀte] **I** *v/t* **1.** *bras, doigts, jambes* to spread **2.** (*éloigner*) to move aside; *plus fort* to push aside **3.** *fig idée* to reject; *problème* to dismiss; *danger* to avert **4.** *qn du bon chemin* to distract (***de*** from); to cause to stray (from; *fig*) **II** *v/pr* ***s'~*** to move away (***de*** from) *a fig*; *chemins* to diverge; *foule* to part; *fig* ***s'~ du droit chemin*** to stray from the straight and narrow

ecchymose [ekimoz] *f* bruise

ecclésiastique [eklezjastik] **I** *adj* ecclesiastical **II** *m* clergyman

ECD *f, abr* (= **extraction de connaissances à partir de données**) data mining

écervelé [esɛʀvəle] *adj* ⟨**~e**⟩ scatterbrained

échafaud [eʃafo] *m* scaffold

échafaudage [eʃafodaʒ] *m* **1.** CONSTR scaffolding **2.** *fig* structure **échafauder** *v/t plan* to put together; *théorie* to construct

échalas [eʃala] *m* **1.** (*pieu*) cane **2.** *fam, fig* ***grand ~*** beanpole *fam*

échalote [eʃalɔt] *f* shallot

échancré [eʃɑ̃kʀe] *adj* ⟨**~e**⟩ **1.** COUT low-cut **2.** *côte* indented

échancrer [eʃɑ̃kʀe] *v/t* COUT to cut low; TECH to indent

échancrure [eʃɑ̃kʀyʀ] *f d'un robe* neckline; *d'une côte* indentation

► **échange** [eʃɑ̃ʒ] *m* **1.** exchange; ***~s*** (***commerciaux***) trade (+ *v sg*); ***~ scolaire*** school exchange; ***~ de vues*** exchange of views **2.** COMM exchange **3.** ***en ~*** in exchange (***de*** for)

► **échanger** [eʃɑ̃ʒe] *v/t* ⟨**-ge-**⟩ **1.** to exchange (***qc contre qc*** sth for sth); *idées, prisonniers* to exchange; *regards, lettres* to exchange; ***~ un sourire*** to exchange a smile **2.** *marchandises* to exchange, to trade

échangeur [eʃɑ̃ʒœʀ] *m* TECH exchanger; *d'autoroutes* interchange

échangisme [eʃɑ̃ʒism] *m* partner swapping

échantillon [eʃɑ̃tijõ] *m* COMM, STATISTIQUE sample *a fig*

échantillonnage [eʃɑ̃tijɔnaʒ] *m* COMM, STATISTIQUE sampling; *fig* sample

échantillonner [eʃɑ̃tijɔne] *v/t* **1.** COMM ***~ qc*** to make up samples of sth **2.** STATISTIQUE to take a sample of **3.** TECH to sample

échappatoire [eʃapatwaʀ] *f* way out; *par ext* escape

échappé [eʃape] *adj* ⟨**~e**⟩ *animal, oiseau* escaped

échappée [eʃape] *f* **1.** CYCLISME breakaway **2.** (*perspective*) vista (***sur*** over)

échappement [eʃapmɑ̃] *m* exhaust

échapper [eʃape] **I** *v/t* ***l'~ belle*** to have a narrow escape **II** *v/i* **1.** *personne* ***~ à qn*** to escape from sb; ***~ à qc*** to escape sth **2.** ***laisser ~*** *cri, soupir* to let out; ***cela lui a échappé*** (***que …***) he let it slip (that…), it slipped out (that…) **3.** *nom* to escape (***à qn*** sb) **4.** *faute, détail* to escape the attention (***à qn*** of sb) **5.** *objet* ***~ des mains à qn*** to slip out of sb's hands **III** *v/pr* ***s'échapper*** **1.** (*s'évader*) to escape; *oiseau* to fly away **2.** *gaz, fumée* to escape (***de*** from)

écharde [eʃaʀd] *f* splinter

écharpe [eʃaʀp] *f* **1.** (*cache-nez*) scarf **2.** *insigne* sash **3.** MÉD sling; *bras* ***porter en ~*** to wear in a sling **4.** *véhicule* ***prendre***

en **~** to sideswipe, *brit* to hit sideways on
écharper [eʃaʀpe] *v/t* **1.** to slash **2.** *fam, fig* ***se faire*** **~** to get torn apart *fam*
échasse [eʃas] *f* stilt
échassier [eʃasje] *m oiseau* wader
échauder [eʃode] *v/t* **1.** CUIS to scald **2.** *fig* ***être échaudé par*** to be put off by
échauffement [eʃofmɑ̃] *m* **1.** heating; TECH overheating **2.** SPORT warm-up
échauffer [eʃofe] **I** *v/t* to heat; *p/fort* to overheat **II** *v/pr* ***s'échauffer*** **1.** SPORT to warm up **2.** *fig personne* to get excited; *esprits* to be stirred
échauffourée [eʃofuʀe] *f* brawl
échéance [eʃeɑ̃s] *f* **1.** COMM, JUR expiration date, *brit* expiry date **2.** *paiement* payment; *d'emprunt* repayment **3.** ***à brève, longue*** **~** short-, long-term
échéancier [eʃeɑ̃sje] *m* schedule
échéant [eʃeɑ̃] ***le cas*** **~** if necessary
► **échec** [eʃɛk] *m* **1.** failure; ***faire*** **~** ***à*** to frustrate, to thwart **2.** **~*s*** *pl* chess (+ *v sg*); ***jeu*** *m* ***d'~s*** chess set; *partie* game of chess; *adj* **~** ***et mat*** checkmate; *fig* ***tenir qn en*** **~** to hold sb in check
échelle [eʃɛl] *f* **1.** ladder; ***la grande*** **~** *de pompier* scaling ladder; ***faire la courte*** **~** ***à qn*** to give sb a leg up **2.** (*graduation*) scale; **~** ***des salaires*** pay scale **3.** (*hiérarchie*) ladder, scale **4.** (*rapport*) scale; ***à l'~ de 1/10000*** on a scale of 1:10,000; *fig* ***à l'~ nationale*** on a national scale; *fig* ***être à l'~ de*** to be appropriate for; *fig* ***sur une grande, vaste*** **~** on a grand, vast scale
échelon [eʃlõ] *m* **1.** *d'une échelle* rung **2.** *fig* level **3.** ADMIN grade
échelonnement [eʃlɔnmɑ̃] *m* spacing out
échelonner [eʃlɔne] **I** *v/t* to space out; *paiements* to spread out (***sur un an*** over a year) **II** *v/pr* ***s'~*** to be spread out (***sur*** over)
écheveau [eʃvo] *m* ⟨**~x**⟩ **1.** *de laine, etc* hank **2.** *fig* tangle; *de rues* maze
échevelé [eʃəvle] *adj* ⟨**~e**⟩ **1.** disheveled **2.** *fig* unbridled
échevin [eʃ(ə)vɛ̃] *m en Belgique* deputy mayor
échine [eʃin] *f* **1.** spine; *fig* ***plier l'~*** to give in **2.** **~** ***de porc*** loin of pork
échiner [eʃine] *v/pr* ***s'~*** to go to great lengths (***à*** + *inf* to + *inf*)
échiquier [eʃikje] *m* **1.** chessboard **2.** *fig* arena
écho [eko] *m* echo; ***se faire l'~ de qc*** to echo sth
échographie [ekogʀafi] *f* (ultrasound) scan
échoir [eʃwaʀ] ⟨*déf*: **il échoit, ils échoient; il échut; il échoira; échéant; échu; être** *od* **avoir**⟩ **I** *v/t indir* **~** ***à qn*** to fall to sb **II** *v/i dette* to fall due; *date, délai* to expire
échoppe [eʃɔp] *f d'un marchand* stall
échouage [eʃwaʒ] *m* MAR beaching
► **échouer** [eʃwe] *v/i* **1.** *personne, projet* to fail; *projet* to end in failure; **~** ***à un examen*** to fail an exam **2.** *bateau* ⟨*v/pr* ***s'~***⟩ to run aground **3.** **~** ***dans*** *fig* (*arriver*) to end up in
échu [eʃy] *pp* → ***échoir***
écimer [esime] *v/t arbres* to pollard
éclabousser [eklabuse] *v/t* **1.** *boue* to spatter; *eau* to splash **2.** *fig* **~** ***qn*** to damage sb's reputation
éclaboussure [eklabusyʀ] *f* **1.** *de boue* spatter; *d'eau* splash **2.** *fig* blot
► **éclair** [eklɛʀ] *m* **1.** flash of lightning; ***il y a*** *ou* ***il fait un*** **~, *des*** **~*s*** there's lightning; *fig* ***en un*** **~** in a flash **2.** *fig* moment; **~** ***de génie*** brainstorm, *brit* brainwave **3.** *adj* ⟨*inv*⟩ brief; ***guerre*** *f* **~** blitzkrieg; ***visite*** *f* **~** flying visit **4.** *gâteau* eclair
éclairage [eklɛʀaʒ] *m* lighting; ***sous cet*** **~** in that light
éclairagiste [eklɛʀaʒist] *m* lighting technician
éclairant [eklɛʀɑ̃] *adj* ⟨**-ante** [-ɑ̃t]⟩ illuminating
éclaircie [eklɛʀsi] *f* **1.** MÉTÉO bright spell *or* interval **2.** *fig* improvement
éclaircir [eklɛʀsiʀ] **I** *v/t* **1.** *couleur* to lighten **2.** *fig* to clarify **II** *v/pr* ***s'~*** *ciel* to clear; *temps* to brighten up; *couleur* to fade; *cheveux* to thin; *rangs* to thin out; ***s'~ la voix*** to clear one's throat
éclaircissement [eklɛʀsismɑ̃] *m* clarification
éclairé [ekleʀe] *adj* ⟨**~e**⟩ **1.** lit **2.** *fig* enlightened
éclairement [eklɛʀmɑ̃] *m* illumination
► **éclairer** [ekleʀe] **I** *v/t* **1.** **~** ***qc*** to light (up) sth; *abs lampe* **~** ***mal*** to give poor light **2.** **~** ***qn*** to light the way for sb **3.** *fig* **~** ***qn*** to enlighten sb (***sur*** about); **~** ***qc*** to shed light on sth, to clarify sth **II** *v/pr* ***s'éclairer*** **1.** *pièce, fenêtre* to light up; *fig visage* to light up **2.** *fig* (*devenir intelligible*) to become clear(er)
éclaireur [eklɛʀœʀ] *m* **1.** MIL scout; *fig*

envoyer qn en ~ to send sb ahead (to scout around) **2.** (*scout*) scout
éclaireuse [eklɛʀøz] *f* girl scout, *brit* guide
éclat [ekla] *m* **1.** (*fragment*) splinter; ***~ d'obus*** piece of shrapnel **2.** ***~ de rire*** peal of laughter; ***des ~s de voix*** raised voices; ***rire aux ~s*** to roar with laughter **3.** (*scandale*) fuss **4.** (*luminosité*) gleam; *des couleurs* brilliance; *fig* ***coup*** *m* ***d'~*** remarkable feat; ***sans ~*** dull
éclatant [eklatɑ̃] *adj* ⟨**-ante** [-ɑ̃t]⟩ **1.** *rire, voix, bruit* loud **2.** (*brillant*) dazzling; *couleur* brilliant **3.** *fig succès, victoire* dazzling
éclatement [eklatmɑ̃] *m* **1.** explosion; *d'un pneu, d'un tuyau* bursting **2.** *fig* fragmentation, break-up
▶ **éclater** [eklate] **I** *v/i* **1.** *pneu* to burst; *bombe* to explode, to blow up; *vitres* to shatter **2.** *fig parti* to break up; *institution* to collapse **3.** *coups de feu* to ring out; *orage* to break; *applaudissements* to break out; ***~ de rire*** to burst out laughing **4.** *maladie, guerre* to break out **5.** (*se manifester*) *nouvelle* to break; *fait* to become obvious **II** *v/pr fam* ***s'~*** to have a blast *fam*, to have a ball *fam*
éclectique [eklɛktik] **I** *adj* PHIL, (*a personne, goûts*) eclectic **II** *m* PHIL eclectic
éclectisme [eklɛktism] *m* eclecticism (*a* PHIL)
éclipse [eklips] *f* **1.** ***~ de Lune, de Soleil*** lunar, solar eclipse **2.** *fig* gradual disappearance
éclipser [eklipse] **I** *v/t* ***~ qn*** to outshine *or* eclipse sb **II** *v/pr fam* ***s'~*** to vanish, to disappear
écliptique [ekliptik] *m* ASTROL ecliptic
éclopé [eklɔpe] *adj* ⟨**~e**⟩ injured
éclore [eklɔʀ] *v/i* ⟨*déf*: **il éclôt** *od* **éclot, ils éclosent; éclos; être** *od* **avoir**⟩ **1.** *poussin* to hatch **2.** *fleurs* to open **3.** *fig talent* to be born
éclosion [eklozjõ] *f* **1.** ZOOL hatching **2.** BOT opening **3.** *fig* birth
écluse [eklyz] *f d'un canal* lock
écluser [eklyze] *v/t* **1.** *canal* to equip with locks; *péniche* to pass through a lock **2.** *pop* (*boire*) to knock back *fam*
éclusier [eklyzje] *m*, **éclusière** [-jɛʀ] *f* lock keeper
éco [eko] *adj, abr* (= **économique**) *fam* ***sciences*** *fpl* ***~*** economics (+ *v sg*)
écœurant [ekœʀɑ̃] *adj* ⟨**-ante** [-ɑ̃t]⟩ **1.** disgusting, sickening; (*trop sucré*) sickly **2.** (*décourageant*) disheartening, demoralizing
écœurement [ekœʀmɑ̃] *m* disgust
écœurer [ekœʀe] *v/t* **1.** to disgust, to sicken **2.** *fig* (*démoraliser*) to dishearten, to demoralize
▶ **école** [ekɔl] *f* **1.** school; *locaux* school (premises); ***grande ~*** *university-level institution with competitive entry*; ***aller à l'~*** to go to school **2.** ÉQUITATION ***'haute ~*** haute école *t/t*, classical equitation **3.** *fig* school; ***être à bonne ~*** to be in good hands; ***faire ~*** to gain a following
▶ **écolier** [ekɔlje] *m*, **écolière** [ekɔljɛʀ] *f* schoolchild; *fig* ***prendre le chemin des écoliers*** to take the long way around
écolo [ekɔlo] *fam abr* (= **écologiste**) **I** *m/f* environmentalist **II** *adj* environmental, Green
▶ **écologie** [ekɔlɔʒi] *f* ecology; *par ext* environmentalism
▶ **écologique** [ekɔlɔʒik] *adj* ecological; *par ext* environmental, Green
écologisme [ekɔlɔʒism] *m* ecology *or* Green movement
▶ **écologiste** [ekɔlɔʒist] *m/f* ecologist; *par ext* environmentalist
e-commerce [ikɔmɛʀs] *m* e-commerce
écomusée *m* (open-air) living museum
éconduire [ekõdɥiʀ] *v/t* ⟨→ **conduire**⟩ *qn* to turn away; *soupirant* to spurn *form*
économat [ekɔnɔma] *m* **1.** bursar's office **2.** MIL army discount store
économe [ekɔnɔm] **I** *adj* thrifty, economical **II** *m/f* bursar
▶ **économie** [ekɔnɔmi] *f* **1.** economy; *science* economics (+ *v sg*); ***économie politique*** political economy; ***économie de marché*** market economy **2.** (*contraire*: *gaspillage*) economy; (*vertu*) thriftiness **3.** *d'argent* ▶ ***économies*** *pl* savings **4.** *de place, d'énergie, etc* saving; *fig* ***faire des économies de bouts de chandelle*** to scrimp
▶ **économique** [ekɔnɔmik] *adj* **1.** ÉCON economic **2.** *chauffage, voiture, etc* economical; ***classe*** *f* ***~*** economy *épith*
économiquement [ekɔnɔmikmɑ̃] *adv* **1.** economically; ***les ~ faibles*** *mpl* the (economically) disadvantaged **2.** (*en dépensant peu*) cheaply
▶ **économiser** [ekɔnɔmize] *v/t* **1.** *argent, énergie etc* to save; *matériel, personnel* to save on; ***~ sur qc*** to economize on sth **2.** *fig* (*ménager*) to manage

économiseur [ekɔnɔmizœʀ] *m* INFORM **~ *d'écran*** screen saver

économiste [ekɔnɔmist] *m/f* economist

écope [ekɔp] *f* MAR bailer

écoper [ekɔpe] *v/t* **1.** *bateau* to bail out **2.** *fam* **~ (*de*)** *punition* to get

écorce [ekɔʀs] *f* **1.** BOT bark **2.** *d'orange* rind **3. ~ *terrestre*** earth's crust

écorcer [ekɔʀse] *v/t* ⟨**-ç-**⟩ **1.** *arbre* to strip the bark from **2.** *orange* to peel; *riz* to husk

écorché [ekɔʀʃe] *m* **1. ~ *vif*** flayed alive; ***d'une sensibilité d'~ vif*** hypersensitive **2.** PEINT, SCULP anatomical model

écorcher [ekɔʀʃe] **I** *v/t* **1.** (*dépiauter*) to skin **2.** *blesser* to graze; *fig* **~ *les oreilles*** to grate on the ears **3.** *mot* to mangle, to mispronounce **II** *v/pr* ***s'~*** to graze o.s.

écorchure [ekɔʀʃyʀ] *f* graze

écorner [ekɔʀne] *v/t* *meuble* to chip the corners of; *livre* to make dogeared (***qc*** sth)

écossais [ekɔsɛ] **I** *adj* ⟨**-aise** [-ɛz]⟩ Scottish; *fig* ***douche ~e*** *décrivant un contraste* bucket of cold water *fig*; ***jupe ~e*** kilt; (***tissu***) **~** *m* tartan **II** ***Écossais(e)*** *m(f)* Scot

Écosse [ekɔs] ***l'~*** *f* Scotland

écosser [ekɔse] *v/t* to shell

écosystème [ekɔsistɛm] *m* ecosystem

écot [eko] *m à payer* share

écoulement [ekulmɑ̃] *m* **1.** *de l'eau, des véhicules* flow **2.** COMM sale

écouler [ekule] **I** *v/t marchandises* to sell **II** *v/pr* ***s'écouler*** **1.** *liquide* to flow **2.** *foule* to flow out (***de*** of); *temps* to pass; ***l'année écoulée*** the past year **3.** *marchandises* to sell, to move

écourter [ekuʀte] *v/t visite* to cut short; *texte* to shorten

écoute [ekut] *f* RAD audience; TÉL (phone) tapping; ***heure*** *f* ***de grande ~*** peak listening time; ***table*** *f* ***d'~*** (phone) tapping equipment; ***être à l'~ de qn*** to be listening to sb

► **écouter** [ekute] **I** *v/t* **1.** *qc* to listen to; *aux portes, etc* to eavesdrop on; **~ *qn*** to listen to sb; **~ *un concert à la radio*** to listen to a concert on the radio; **~ *la radio*** to listen to the radio **2.** *avec bienveillance* **~ *qn*** to listen to sb **3.** (*suivre*) **~ *qn, qc*** to pay attention to sb, sth; ***n'~ que son courage*** to pay no heed to danger **II** *v/pr* **1.** ***s'~ parler*** to like the sound of one's own voice **2.** ***s'~*** (***trop***) to cosset o.s.

écouter

Écouter = to listen; **entendre** = to hear:

Je vous écoute. Que désirez-vous, monsieur?

Compare: **Je n'entends pas très bien. Pourriez-vous parler un peu plus fort?**

I'm listening. What would you like, sir?

Compare: I don't hear so well. Could you speak a bit louder?

Note that there is no need for the preposition **à** with **écouter**.

✓ **J'écoutais de la musique sur mon lecteur MP3.**

✗ **J'écoutais à de la musique sur mon lecteur MP3.**

I was listening to music on my MP3 player.

écouteur [ekutœʀ] *m* TECH receiver

écoutille [ekutij] *f* MAR hatch

écrabouiller [ekʀabuje] *fam v/t* to squash; *fig* to flatten *fam*

► **écran** [ekʀɑ̃] *m* **1.** *de protection* screen; *par ext* **~ *total*** sunblock **2.** FILM screen, (*endroit*) movie theater, *brit* cinema; ***vedette*** *f* ***de l'~*** movie star; ***porter à l'~*** to adapt for the screen **3.** TV, INFORM screen; ***le petit ~*** the small screen; **~ *plat*** flat screen

écrasant [ekʀɑzɑ̃] *adj* ⟨**ante** [-ɑ̃t]⟩ **1.** *poids* crushing **2.** *fig majorité* overwhelming; *défaite* crushing; *chaleur* oppressive

► **écraser** [ekʀɑze] **I** *v/t* **1.** to crush; *cigarette* to stub out; *accélérateur* to step hard on; *ver* to squash; *personne* to run over; ***se faire ~ par une voiture*** to get run over by a car; *fam* ***rubrique*** *f* ***des chiens écrasés*** filler articles section; ***nez écrasé*** squashed nose **2.** *fig révolte* to crush; MIL to suppress; SPORT to crush **3.** *fig* **~ *qn*** *soucis* to weigh down; *travail, responsabilité* to overwhelm **4.** *pop* ***en ~*** to sleep like a log *fam* **II** *v/pr* ***s'écraser*** **1.** *fruits* to get squashed; *avion* ***s'~*** (***au sol***) to crash; *voiture* ***s'~ contre un mur*** to crash into a wall **2.** *pop* (*s'effacer*) to shut up *fam*

écraseur [ekRɑzœR] *m fam* road hog *fam*
écrémage [ekRemaʒ] *m* skimming
écrémer [ekReme] *v/t* ⟨**-è-**⟩ **1.** *lait* to skim; ***lait écrémé*** skimmed milk **2.** *fig* to cream off (***qc*** sth)
écrémeuse [ekRemøz] *f* separator
écrevisse [ekRəvis] *f* crawfish, *brit* crayfish; *fig* ***rouge comme une ~*** as red as a beet, *brit* as red as a beetroot
écrier [ekRije] *v/pr* ***s'~*** to cry out
écrin [ekRɛ̃] *m* jewel case
► **écrire** [ekRiR] ⟨**j'écris, il écrit, nous écrivons; j'écrivais; j'écrivis; j'écrirai; que j'écrive; écrivant; écrit**⟩ **I** *v/t* to write; (*noter*) to write down; ***~ qc à qn*** to write sth to sb **II** *v/pr* ***s'écrire*** **1.** *mot* to be spelled **2.** *personnes* to write to one another, to correspond *form*
écrit [ekRi] **I** *pp* → ***écrire*** *et adj* ⟨**-ite** [-it]⟩ **1.** written; *feuille* with writing (on it); ***langue ~e*** written language; ***~ à la machine*** typed; ***~ à la main*** handwritten **2.** ***être ~*** *dans un texte* to be written (*a* BIBL); *fig* ***c'était ~*** it was bound to happen **II** *m* **1.** *ouvrage* work **2.** *examen* written exam; ***échouer à l'~*** to fail the written exam **3.** ***par ~*** in writing; ***mettre par ~*** to put in writing
écriteau [ekRito] *m* ⟨**~x**⟩ notice
écritoire [ekRitwaR] *f autrefois* writing case
► **écriture** [ekRityR] *f* **1.** *action, à l'école* writing **2.** *de qn* handwriting **3.** COMM ***~s*** *pl* entries **4.** ***l'Écriture*** (***sainte***) *ou* ***les*** (***Saintes***) ***Écritures*** (Holy) Scripture
écrivailleur [ekRivajœR] *m péj* hack *péj*
► **écrivain** [ekRivɛ̃] *m*, *parfois* **écrivaine** [-ɛn] *f* **1.** writer; ***un grand écrivain*** a great writer **2.** ***écrivain public*** letter writer
écrou [ekRu] *m* **1.** TECH nut **2.** JUR prison admission form
écrouelles [ekRuɛl] *fpl* MÉD HIST scrofula
écrouer [ekRue] *v/t qn* to commit to prison
écroulement [ekRulmɑ̃] *m* collapse *a fig*
écrouler [ekRule] *v/pr* ***s'~*** **1.** to collapse *a fig* **2.** *fam, fig* (*s'affaler*) *dans un fauteuil* to slump; *dans un lit* to collapse (***dans*** into)
écru [ekRy] *adj* ⟨**~e**⟩ *couleur* natural, ecru
ecstasy [ɛkstazi] *f* ecstasy
écu [eky] *m* **1.** HIST MIL shield **2.** HÉRALDIQUE escutcheon **3.** HIST *monnaie* crown **4.** FIN ecu
écueil [ekœj] *m* reef; *fig* pitfall
écuelle [ekɥɛl] *f* bowl
éculé [ekyle] *adj* ⟨**~e**⟩ **1.** *chaussures* worn-out **2.** *fig* hackneyed
écume [ekym] *f* foam; *savonneuse* froth; *sur les vagues* foam
écuménique [ekymenik] *adj* ecumenical
écumer [ekyme] **I** *v/t* **1.** to skim **2.** *fig* to scour **II** *v/i* **1.** to foam **2.** *fig* ***~*** (***de rage***) to be frothing at the mouth (with rage)
écumeux [ekymø] *adj* ⟨**-euse** [-øz]⟩ frothy
écumoire [ekymwaR] *f* skimming ladle
écureuil [ekyRœj] *m* squirrel
écurie [ekyRi] *f* **1.** stable **2.** SPORT stable **3.** *fig* (*lieu sale*) pigsty
écusson [ekysõ] *m* coat of arms
écuyer [ekɥije] *m*, **écuyère** [-ɛR] *f* rider
eczéma [ɛgzema] *m* eczema
eczémateux [ɛgzematø] *adj* ⟨**-euse** [-øz]⟩ eczematous
edelweiss [edɛlvɛs] *m* edelweiss
éden [edɛn] *m fig* paradise
édenté [edɑ̃te] *adj* ⟨**~e**⟩ toothless; *peigne* with missing teeth
E.D.F. [ədeɛf] *f*, *abr* (= **Électricité de France**) *French Electricity Company*
édicter [edikte] *v/t* to enact
édifiant [edifjɑ̃] *adj* ⟨**-ante** [-ɑ̃t]⟩ edifying
édification [edifikasjõ] *f* **1.** (*construction*) erection, building **2.** *des fidèles* edification
édifice [edifis] *m* building
édifier [edifje] *v/t* **1.** (*construire*) to erect **2.** *fig empire, etc* to build; *théorie* to construct **3.** *fidèles* to edify **4.** *iron* (*instruire*) to enlighten
édit [edi] *m* HIST edict
éditer [edite] *v/t livre* to publish; *texte* to edit
éditeur [editœR], **éditrice** [-tRis] **1.** *m/f* publisher; (*commentateur*) editor **2.** *m* INFORM editor
édition [edisjõ] *f* **1.** *œuvre* publication; *action* publishing; (*de commenter*) editing; ***maison*** *f* ***d'~*** publishing house; ***les ~s X*** X (Publishing); ***travailler dans l'~*** to work in publishing **2.** (*tirage*) edition; ***nouvelle ~*** new edition; ***~ spéciale*** special edition
éditorial [editɔRjal] *m* ⟨**-aux** [-o]⟩ edito-

rial, *brit* leader **éditorialiste** *m* editorialist, *brit* leader writer
édredon [edʀədõ] *m* eiderdown
éducable [edykabl] *adj* trainable
éducateur [edykatœʀ], **éducatrice** [-tʀis] **I** *m/f* youth worker **II** *adj* educational
éducatif [edykatif] *adj* ⟨**-ive** [-iv]⟩ educational
▶ **éducation** [edykasjõ] *f* **1.** education; ▶ ***éducation physique*** phys ed, *brit* PE; ***éducation sexuelle*** sex education; ***ministère*** *m* ***de l'Éducation nationale*** ministry of education; ***avoir de l'éducation*** to have good manners; ***ne pas avoir d'éducation*** to be ill-mannered **2.** *d'une faculté* training

éducation ≠ education

Éducation = upbringing, raising (of children). The French word **enseignement** is the translation for education in its general sense:

un nouveau livre sur l'éducation des enfants

a new book on the upbringing of children

édulcorant [edylkɔʀɑ̃] *m* sweetener
édulcorer *v/t* to sweeten
éduquer [edyke] *v/t personne* to educate; *oreille, sens* to train
effaçable [efasabl] *adj* erasable
effacé [efase] *adj* ⟨**~e**⟩ *personne* unassuming
effacement [efasmɑ̃] *m* **1.** *d'un enregistrement* erasure **2.** *d'une personne* self-effacement
▶ **effacer** [efase] ⟨**-ç-**⟩ **I** *v/t* **1.** (*gommer*) to erase; *sur ordinateur* to delete; *tableau* to clean; *traces* to remove; *enregistrement* to erase **2.** *fig souvenir* to blot out **3.** *épaules* to throw back **II** *v/pr* ***s'effacer*** **1.** (*disparaître*) to fade (*a fig souvenir*) **2.** *personne* to step aside; *fig* to give way (***devant qn*** to sb)
effaceur [efasœʀ] *m* correction pen
effarant [efaʀɑ̃] *adj* ⟨**-ante** [-ɑ̃t]⟩ astounding; *prix* outrageous
effaré [efaʀe] *adj* ⟨**~e**⟩ alarmed **effarement** *m* alarm **effarer** *v/t* to alarm
effarouchement [efaʀuʃmɑ̃] *m* alarm
effaroucher [efaʀuʃe] *v/t* **1.** *animal* to frighten off **2.** *fig* to alarm
effectif [efɛktif] **I** *adj* ⟨**-ive** [-iv]⟩ real, actual **II** *m ou* **~s** *pl* workforce; *d'une classe* number of students; MIL strength
effectivement [efɛktivmɑ̃] *adv* indeed
effectuer [efɛktɥe] **I** *v/t réparation, travail, calcul* to do; *paiements, changement, achats* to make; *sondage, mission, expérience* to carry out **II** *v/pr* ***s'effectuer*** to take place
efféminé [efemine] *adj* ⟨**~e**⟩ *péj* effeminate
effervescence [efɛʀvesɑ̃s] *f* **1.** CHIM effervescence **2.** *fig* ***en ~*** in turmoil
effervescent [efɛʀvesɑ̃] *adj* ⟨**-ente** [-ɑ̃t]⟩ effervescent; ***comprimé ~*** effervescent tablet
▶ **effet** [efɛ] *m* **1.** effect; ***~ de serre*** greenhouse effect; ***à cet ~*** to this effect; ***en ~*** (*car*) because; (*effectivement*) actually; ***sans ~*** ineffective; ***sous l'~ de*** under the influence of; ***avoir pour ~ de faire*** to have the effect of doing; ***faire l'~ de*** *donner l'impression* to feel like; *avoir l'air* to look like; *médicament* ***faire son ~*** to take effect; ***faire (un) bon, mauvais ~*** to create a good, bad impression (***sur*** on); ***faire de l'~*** make an impression (***à qn*** on sb); to make an impact; JUR ***prendre ~*** to take effect **2.** COMM, FIN bill
effeuillage [efœjaʒ] *m* **1.** AGR thinning out of leaves **2.** *fig* striptease
effeuillaison [efœjezõ] *f* leaf fall
effeuiller [efœje] *v/t* to strip the leaves off; *fleur* to strip the petals off
effeuilleuse [efœjøz] *f fam* stripper
▶ **efficace** [efikas] *adj aide, remède, mesure* effective; *personne, machine* efficient **efficacement** *adv fonctionner, travailler* efficiently; *intervenir, aider* effectively **efficacité** *f de mesure, action* effectiveness; (*rendement*) efficiency; *d'une personne* efficiency
efficience [efisjɑ̃s] *f* efficiency **efficient** *adj* ⟨**-ente** [-ɑ̃t]⟩ efficient
effigie [efiʒi] *f* effigy; *sur une monnaie* image; *pièce* ***à l'~ de*** bearing the image of
effilé [efile] *adj* ⟨**~e**⟩ *lame* finely sharpened; *silhouette, forme* slender; *tissu* frayed
effiler [efile] **I** *v/t bord d'un tissu* to fray; *cheveux* to thin out **II** *v/pr* ***s'effiler*** **1.** TEXT *tissu* to fray; *fil de laine* to unravel **2.** *objet* to taper

effiloche [efilɔʃ] *f* TEXT fringe
effilocher [efilɔʃe] *v/pr* ***s'~*** to fray
efflanqué [eflɑ̃ke] *adj* ⟨**~e**⟩ emaciated
effleurage [eflœʀaʒ] *m* MÉD light massage **effleurement** *m* light touch
effleurer [eflœʀe] *v/t* **1. ~ *qc*** to touch sth lightly, to brush sth; *question* to skim over sth; *problème* to touch on sth **2.** *idée* **~ *qn*** to occur to sb
efflorescent [eflɔʀesɑ̃] *adj* ⟨**-ente** [-ɑ̃t]⟩ **1.** CHIM, MINÉR efflorescent **2.** *litt et fig* flourishing
effluent [eflyɑ̃] *m* **~ *urbain*** urban effluent
effluves [eflyv] *mpl* smell (+ *v sg*); *agréable* fragrance (+ *v sg*)
effondrement [efɔ̃dʀəmɑ̃] *m* **1.** (*écroulement*) collapse *a fig*; **~ *des prix*** collapse in prices **2.** GÉOL subsidence
effondrer [efɔ̃dʀe] *v/pr* ***s'~*** **1.** *pont*, *tribune* to collapse **2.** *fig empire*, *prix* to collapse; *espoirs* to be dashed **3.** *fig personne* to collapse; ***effondré*** shattered
► **efforcer** [efɔʀse] *v/pr* ⟨**-ç-**⟩ ***s'~*** to try hard (***de*** + *inf* to + *inf*)
► **effort** [efɔʀ] *m* **1.** effort; ***sans~*** effortlessly; ***faire un~*** to make an effort; *fam financer* to give financial aid **2.** TECH stress
effraction [efʀaksjɔ̃] *f* JUR breaking and entering; ***vol*** *m* ***avec~*** burglary with forced entry
effraie [efʀɛ] *f* barn owl
effranger [efʀɑ̃ʒe] *v/t* ⟨**-ge-**⟩ to fray
effrayant [efʀɛjɑ̃] *adj* ⟨**-ante** [-ɑ̃t]⟩ frightening; *fig chaleur* terrific
effrayer [efʀeje] ⟨**-ay-** *od* **-ai-**⟩ **I** *v/t* to frighten **II** *v/pr* ***s'effrayer*** to be frightened
effréné [efʀene] *adj* ⟨**~e**⟩ *course*, *rythme* frantic; *luxe*, *ambition* unbridled
effritement [efʀitmɑ̃] *m* **1.** *des roches* crumbling **2.** *fig* crumbling away; *des cours de la Bourse* dwindling
effriter [efʀite] *v/pr* ***s'~*** **1.** *roche* to crumble **2.** *fig* to crumble; *cours* to dwindle
effroi [efʀwa] *st/s m* terror
effronté [efʀɔ̃te] *adj* ⟨**~e**⟩ (*impudent*) cheeky; (*éhonté*) shameless
effronterie [efʀɔ̃tʀi] *f* cheek
effroyable [efʀwajabl] *adj* dreadful
effusion [efyzjɔ̃] *f* effusion; ***avec~*** effusively; **~ *de sang*** bloodshed
égailler [egaje] *v/pr* ***s'~*** to disperse
► **égal** [egal] **I** *adj* ⟨**~e; -aux** [-o]⟩ **1.** (*identique*) equal; ***être ~ à qc*** to be equal to sth **2.** (*constant*) even, steady; *terrain* level; ***d'humeur ~e*** even-tempered; ***il est toujours ~ à lui-même*** he's always his usual self **3.** (*indifférent*) ***cela m'est ~*** I don't mind either way; *plus fort* I couldn't care less **4.** GÉOM equal **II** *subst* ⟨*mpl* **-aux** [-o]⟩ ***être l'~ de qn*** to be sb's equal; ***à l'~ de*** ⟨*inv*⟩ just like; ***traiter qn d'~ à ~*** ⟨*inv*⟩ to treat sb as one's equal; ***sans ~*** unrivaled; ***être sans ~*** to be the best there is
égalable [egalabl] *adj* ***difficilement ~*** unparalleled
► **également** [egalmɑ̃] *adv* **1.** (*d'une manière égale*) equally **2.** (*aussi*) also
égaler [egale] *v/t* **1. ~ *qc, qn*** to equal sth, sb **2.** MATH ***3 plus 3 égale(nt) 6*** three plus three equals six
égalisateur [egalizatœʀ] *adj* ⟨**-trice** [-tʀis]⟩ equalizing **égalisation** *f* tying, *brit* equalizing (*a* SPORT)
égaliser [egalize] **I** *v/t sol* to level; *cheveux* to even up **II** *v/i* SPORT to tie, *brit* to equalize
égalitaire [egalitɛʀ] *adj* egalitarian
égalitarisme [egalitaʀism] *m* egalitarianism
► **égalité** [egalite] *f* **1.** equality; **~ *des chances*** equal opportunities; **~ *des droits*** equal rights; SPORT ***être à ~*** to be level; ***être sur un pied d'~ avec qn*** to be on the same footing as sb **2.** (*constance*) evenness; **~ *d'humeur*** equanimity **3.** *tennis* deuce **4.** GÉOM equality
égard [egaʀ] *m* **1. *~s*** *pl* consideration (+ *v sg*) **2. *à cet~*** in this respect; ***à tous~s*** in every respect; ***à l'~ de*** regarding (***qn*** sb); with respect to (***qn*** sb); ***eu ~ à*** in view of; ***par ~ pour*** out of respect for
égaré [egaʀe] *adj* ⟨**~e**⟩ **1.** (*perdu*) lost; *animal* stray **2.** (*fou*) wild
égarement [egaʀmɑ̃] *m litt* ***~s*** *pl* aberrations; ***revenir de ses~s*** to see the error of one's ways
égarer [egaʀe] **I** *v/t* **1.** (*perdre*) to mislay **2.** *fig* (*dévier*) **~ *qn, qc*** to lead sb, sth astray **II** *v/pr* ***s'égarer*** **1.** *personne* to get lost; *objet* to go missing **2.** *fig orateur* to ramble
égayer [egeje] *v/t* ⟨**-ay-** *od* **-ai-**⟩ **1.** *public* to amuse **2. ~ *qc*** *lieu* to brighten sth up; *récit* to liven sth up
égérie [eʒeʀi] *f* muse
égide [eʒid] *f* ***sous l'~ de*** under the aegis of

églantier [eglɑ̃tje] *m* wild rose, dog rose **églantine** *f* wild rose, dog rose
églefin [egləfɛ̃] *m* haddock
▶ **église** [egliz] *f* **1.** *édifice* church; ***se marier à l'~*** to have a church wedding **2.** *institution* ***Église*** Church; ***l'Église catholique, l'Église protestante*** the Catholic Church, the Protestant Church
ego [ego] *m* ⟨*inv*⟩ ego
égocentrique [egɔsɑ̃tʀik] *adj* egocentric **égocentrisme** *m* egocentricity
égoïsme [egɔism] *m* selfishness
▶ **égoïste** [egɔist] **I** *adj* selfish **II** *m/f* self man, woman
égorger [egɔʀʒe] *v/t* ⟨**-ge-**⟩ ***~ qn*** to slit sb's throat
égorgeur [egɔʀʒœʀ] *m* cutthroat
égosiller [egozije] *v/pr* ***s'~*** to yell
égotisme [egɔtism] *m* egotism
égout [egu] *m* sewer
égoutier [egutje] *m* sewage worker
égoutter [egute] **I** *v/t* to drain **II** *v/pr* ***s'égoutter*** to drain; *linge* to drip **égouttoir** *m* drainer
égratigner [egʀatiɲe] **I** *v/t* **1.** *peau* to scratch; *genou* to graze; *meuble* to scratch **2.** *fig* (*critiquer*) to hurt **II** *v/pr* ***s'égratigner*** to scratch o.s.
égratignure [egʀatiɲyʀ] *f* scratch; *au genou* graze
égrener [egʀəne] ⟨**-è-**⟩ **I** *v/t* **1.** *épi, pois* to shell; ***~ une grappe de raisin*** to strip the grapes off a bunch **2.** *fig* ***~ son chapelet*** to say one's rosary **II** *v/pr* ***s'égrener*** **1.** *blé* to drop off the stalk **2.** *fig notes* to chime out
égrillard [egʀʀijaʀ] *adj* ⟨**-arde** [-aʀd]⟩ ribald
Égypte [eʒipt] ***l'~*** *f* Egypt
égyptien [eʒipsjɛ̃] **I** *adj* ⟨**-ienne** [-jɛn]⟩ Egyptian **II** ***Égyptien(ne)*** *m(f)* Egyptian
égyptologie [eʒiptɔlɔʒi] *f* Egyptology **égyptologue** *m/f* Egyptologist
eh [e] *int appel* hey; ▶ ***eh bien!*** well!
éhonté [eɔ̃te] *adj* ⟨**~e**⟩ *mensonge, menteur* bare-faced; *tricheur* shameless
éjaculation [eʒakylasjɔ̃] *f* ejaculation **éjaculer** *v/i* to ejaculate
éjectable [eʒɛktabl] *adj* ***siège m ~*** ejector seat
éjecter [eʒɛkte] *v/t* **1.** to eject; ***être éjecté de la voiture*** to be thrown from the car **2.** *fam, fig* ***~ qn*** to throw sb out, to chuck sb out *fam*
éjection [eʒɛksjɔ̃] *f* TECH expulsion; *d'un pilote* ejection
élaboration [elabɔʀasjɔ̃] *f* **1.** *de stratégie, plan* development; *de document* drafting; *d'une œuvre* preparation **2.** BIOL elaboration
élaborer [elabɔʀe] *v/t* **1.** *projet, stratégie* to develop; *document* to draft; *œuvre* to prepare **2.** BIOL to elaborate
élagage [elagaʒ] *m* **1.** *d'arbres* lopping **2.** *fig* pruning
élaguer [elage] *v/t* **1.** *arbre* to lop **2.** *fig texte* to prune
élan[1] [elɑ̃] *m* **1.** momentum; SPORT run-up; ***prendre son ~*** to take a run-up **2.** *fig* impulse; ***~ de générosité*** generous impulse
élan[2] *m* ZOOL elk
élancé [elɑ̃se] *adj* ⟨**~e**⟩ slender
élancement [elɑ̃smɑ̃] *m* shooting pain
élancer [elɑ̃se] ⟨**-ç-**⟩ **I** *v/i* MÉD ***ma jambe m'élance*** I've got shooting pains in my leg **II** *v/pr* ***s'élancer*** to rush (***sur*** at; ***vers*** toward)
élargir [elaʀʒiʀ] **I** *v/t* **1.** *rue, ouverture* to widen **2.** *fig connaissances, activités* to broaden; *débat* to widen **II** *v/pr* ***s'élargir*** *fleuve, rue* to get wider; *vêtements* to stretch
élargissement [elaʀʒismɑ̃] *m* widening
élasticité [elastisite] *f* elasticity
élastique [elastik] **I** *adj* elasticized, *brit* elasticated; *fig* flexible; *démarche* springy **II** *m ruban* rubber band, elastic band; *dans un vêtement* elastic
élastomères [elastɔmɛʀ] *mpl* CHIM elastomers
Elbe [ɛlb] **1.** *fleuve* ***l'~*** *f* the Elba **2.** ***l'île f d'~*** Elba
eldorado [ɛldɔʀado] *m* el Dorado
▶ **électeur** [elɛktœʀ] *m*, **électrice** [elɛktʀis] *f* **1.** POL voter **2.** HIST ***Électeur*** Elector
électif [elɛktif] *adj* ⟨**-ive** [-iv]⟩ elective; *fonction, amnésie* selective
▶ **élection** [elɛksjɔ̃] *f* **1.** POL election; ***~s municipales*** local government elections **2.** ***d'~*** chosen (*a* REL)
électoral [elɛktɔʀal] *adj* ⟨**~e; -aux** [-o]⟩ *programme, réforme* electoral; *campagne, victoire* election *épith*; ***liste ~e*** electoral roll
électoralisme [elɛktɔʀalism] *m* electioneering **électoraliste** *adj* electioneering
électorat [elɛktɔʀa] *m* electorate

► **électricien** [elɛktʀisjɛ̃] *m* electrician; *adj* ***ingénieur ~*** electrical engineer
► **électricité** [elɛktʀisite] *f* electricity; *fam, fig* ***il y a de l'~ dans l'air*** the atmosphere is electric *fam*
électrification [elɛktʀifikasjõ] *f* electrification **électrifier** *v/t* to electrify
► **électrique** [elɛktʀik] *adj* **1.** electric; ***appareil*** *m* ***~*** electrical appliance **2.** *fig atmosphère* electric
électrisation [elɛktʀizasjõ] *f* electrification **électriser** *v/t* to electrify
électrocardiogramme [elɛktʀokardjɔgʀam] *m* electrocardiogram (*abr* ECG)
électrochocs [elɛktʀoʃɔk] *mpl* electroshock therapy (+ *v sg*) (*abr* EST)
électrocuter [elɛktʀɔkyte] **I** *v/t* to electrocute **II** *v/pr* ***s'électrocuter*** to electrocute o.s.
électrocution [elɛktʀɔkysjõ] *f* electrocution
électrode [elɛktʀɔd] *f* electrode
électro-encéphalogramme [elɛktʀoɑ̃sefalɔgʀam] *m* electroencephalogram
électrogène [elɛktʀɔʒɛn] *adj* ***groupe*** *m* ***~*** generator
électrolyse [elɛktʀɔliz] *f* electrolysis **électrolyte** *m* electrolyte **électromagnétique** *adj* electromagnetic **électromagnétisme** *m* electromagnetism
électroménager [elɛktʀomenaʒe] *adj* ***appareils*** *mpl* ***~s*** domestic appliances
électromoteur [elɛktʀɔmɔtœʀ] *adj* ⟨**-trice** [-tʀis]⟩ electromotive
électron [elɛktʀõ] *m* electron
électronicien [elɛktʀɔnisjɛ̃] *m*, **électronicienne** [-jɛn] *f* electronics engineer
électronique [elɛktʀɔnik] **I** *adj* electronic **II** *f* electronics (+ *v sg*)
électrophone [elɛktʀɔfɔn] *m* record player
électrostatique [elɛktʀostatik] **I** *adj* electrostatic **II** *f* electrostatics (+ *v sg*)
électrotechnicien [elɛktʀotɛknisjɛ̃] *m* electrical engineer **électrotechnique** **I** *adj* electrical engineering *épith* **II** *f* electrical engineering
élégamment [elegamɑ̃] *adv* elegantly
élégance [elegɑ̃s] *f* elegance
► **élégant** [elegɑ̃] *adj* ⟨**-ante** [-ɑ̃t]⟩ elegant
élégie [eleʒi] *f* elegy
élément [elemɑ̃] *m* **1.** element (*a* CHIM); *d' un appareil* component; (*détail, fait*) fact; (*facteur*) factor; *d'un meuble* unit **2.** ***~s*** *pl* (*rudiments*) basics **3.** ***~s*** *pl* (*individus*) elements **4.** ***~s*** *pl* (*forces naturelles*) elements **5.** (*milieu*) element; ***être dans son ~*** to be in one's element
élémentaire [elemɑ̃tɛʀ] *adj* basic, elementary; ***précaution*** *f* ***~*** basic precaution
éléphant [elefɑ̃] *m* elephant; *fig* ***avoir une mémoire d'~*** to have a memory like an elephant
éléphanteau [elefɑ̃to] *m* ⟨**~x**⟩ elephant calf **éléphantesque** *adj* elephantine
► **élevage** [elvaʒ] *m ferme* farm; *abs* rearing, breeding; ***~ en batterie*** battery farming
élévateur [elevatœʀ] *adj* ⟨**-trice** [-tʀis]⟩ lifting; ***chariot ~*** forklift truck
élévation [elevasjõ] *f* **1.** *mouvement* raising **2.** *fig de l'âme, à un rang* elevation (***à*** to) **3.** *de température, niveau* rise **4.** *de terrain* rise **5.** (*noblesse*) loftiness
► **élève** [elɛv] *m/f* student; *esp brit* pupil
élevé [elve] *adj* ⟨**~e**⟩ **1.** (*haut*) high **2.** *rang, niveau* high **3.** (*noble*) lofty **4.** ***bien ~*** well brought up; ***mal ~*** badly brought up
► **élever** [elve] ⟨**-è-**⟩ **I** *v/t* **1.** *mur, monument* to put up **2.** *température, niveau* to raise **3.** *objection* to raise; ***~ la voix*** to raise one's voice; *fig* to speak out (***contre*** against) **4.** *lapins, poules* to keep; *bétail* to rear **5.** (*éduquer*) to bring up **II** *v/pr* ***s'élever*** **1.** *avion* to climb; *température, niveau* to rise; *édifice, etc* to rise **2.** *critiques, voix* to be heard **3.** *facture* ***s'~ à*** to come to **4.** *personne à un rang supérieur* to rise; ***s'~ au-dessus de qc*** to rise above sth; ***s'~ contre qc*** to rise up against sth
éleveur [elvœʀ] *m*, **éleveuse** [-øz] *f* breeder; *de volailles* farmer
élider [elide] *v/t voyelle* to elide
éligibilité [eliʒibilite] *f* eligibility **éligible** *adj* eligible for office
élimé [elime] *adj* ⟨**~e**⟩ threadbare
élimination [eliminasjõ] *f* **1.** elimination (*a* SPORT); ***~ des déchets*** garbage disposal, *brit* waste disposal **2.** BIOL elimination
éliminatoire [eliminatwaʀ] **I** *adj note* eliminatory; SPORT qualifying **II** ***~s*** *fpl* qualifying heats
éliminer [elimine] *v/t* **1.** to eliminate (*a* MATH, SPORT); *obstacle, déchets* to remove; *possibilité* to rule out; ***être éliminé*** to be eliminated **2.** BIOL to elim-

inate
▶ **élire** [eliʀ] *v/t* ⟨→ **lire**⟩ to elect; **~ *qn président*** to elect sb president
élision [elizjõ] *f d'une voyelle* elision
élite [elit] *f* elite; ***tireur*** *m* ***d'~*** expert marksman
élitisme [elitism] *m* elitism; ***faire de l'~*** to be elitist
élitiste [elitist] *adj* elitist
élixir [eliksiʀ] *m* elixir
▶ **elle** [ɛl] *pr pers* ⟨*pl* **elles**⟩ **1.** *personne* she; *chose* it; ***~s viennent*** they are coming; ***~ et sa sœur*** she and her sister **2.** *avec prép* her; *chose* it; *réfléchi* herself; ***pour ~*** for her; ***avec ~s*** with them; ***~ ne pense qu'à ~*** she thinks only of herself **3.** *fam* (*histoire, fait*) ***~ est bien bonne!*** that's a good one! *fam*
elle-même [ɛlmɛm] *pr pers* ⟨*pl* **elles-mêmes**⟩ **1.** *emphatique* herself **2.** *réfléchi* herself
▶ **elles** [ɛl] *pr pers* → ***elle***
ellipse [elips] *f* ellipse
elliptique [eliptik] *adj* elliptic; *phrase* elliptical
élocution [elɔkysjõ] *f* diction
éloge [elɔʒ] *m* **1.** (*louange*) praise; ***faire l'~ de qc, qn*** to praise sth, sb **2.** *discours* eulogy
élogieux [elɔʒjø] *adj* ⟨**-euse** [-øz]⟩ *article, discours* laudatory; *personne* full of praise
éloigné [elwaɲe] *adj* ⟨**~e**⟩ **1.** *dans l'esp* distant (***de*** from); *dans le temps* distant; ***~ de 10 km*** 10 km away **2.** *parent* distant
éloignement [elwaɲmɑ̃] *m dans l'esp* distance; *dans le temps* remoteness
▶ **éloigner** [elwaɲe] **I** *v/t* **1.** ***~ qn, qc*** to move sb, sth away (***de*** from); *question* to skim over; *problème* to touch on; *danger, éventualité, soupçons* to remove; *échéance* to extend; *idée* to dismiss **2.** *fig personne* to alienate (***de*** from) **II** *v/pr* ***s'éloigner*** **1.** to move away (***de*** from) **2.** *fig* ***s'~ de qn*** to grow apart from sb
élongation [elõgasjõ] *f* pulled muscle
éloquence [elɔkɑ̃s] *f* eloquence
éloquent [elɔkɑ̃] *adj* ⟨**-ente** [-ɑ̃t]⟩ **1.** eloquent **2.** *fig regard, silence* meaningful; *chiffre* ***être ~*** to speak for itself
élu [ely] **I** *pp* → ***élire*** *et adj* ⟨**~e**⟩ **1.** POL elected **2.** REL chosen **II** *subst* **1.** POL ***les ~s*** *mpl* elected representatives **2.** *fig* ***~(e)*** *m(f) personne aimée* beloved
élucidation [elysidasjõ] *f* clarification
élucider *v/t* to clarify; *crime* to solve
élucubrations [elykybʀasjõ] *fpl péj* rantings
éluder [elyde] *v/t* to evade
Élysée [elize] *m* ***l'~*** POL the Elysée palace
élyséen [elizeɛ̃] *adj* ⟨**-enne** [-ɛn]⟩ **1.** MYTH Elysian **2.** POL *salon* at the Elysée palace; *conseiller, stratégie* presidential
émacié [emasje] *adj* ⟨**~e**⟩ emaciated
e-mail [imɛl] *m* INFORM e-mail [ˈiːmeːl] *f*; *adj* ***adresse*** *f* **~** e-mail address
émail [emaj] *m* ⟨**émaux** [emo]⟩ **1.** enamel; ***en ~*** enamel *épith* **2.** *bijou* enamel **3.** ANAT enamel
émaillage [emajaʒ] *m* enameling
émaillé [emaje] *adj* ⟨**~e**⟩ **1.** TECH enameled **2.** *fig* ***~ de*** *étoiles* spangled with; *allusions* sprinkled with; *fautes* riddled with
émailler [emaje] *v/t céramique* to enamel
émanation [emanasjõ] *f* **1.** (*odeur*) emanation; ***~s de gaz*** gas fumes **2.** *fig* (*manifestation*) expression
émancipateur [emɑ̃sipatœʀ] *adj* ⟨**-trice** [-tʀis]⟩ liberating
émancipation [emɑ̃sipasjõ] *f* emancipation (*a* JUR)
émanciper [emɑ̃sipe] **I** *v/t* **1.** *personne* to emancipate; *colonie* to liberate **2.** JUR to emancipate **II** *v/pr* ***s'~*** *personne* to become emancipated; *colonie* to become independent
émaner [emane] *v/i* **1.** *gaz, etc* to emanate (***de*** from) **2.** *fig* to exude (***de*** from)
émargement [emaʀʒəmɑ̃] *m* signing
émarger [emaʀʒe] *v/t* ⟨**-ge-**⟩ *document* to sign
émasculer [emaskyle] *v/t* to emasculate
emballage [ɑ̃balaʒ] *m* packaging; *dans du papier* wrapping
emballement [ɑ̃balmɑ̃] *m* **1.** (*enthousiasme*) craze (***pour*** for) **2.** *d'un moteur* racing **3.** *des prix* sharp rise
▶ **emballer** [ɑ̃bale] **I** *v/t* **1.** (*envelopper*) to wrap; *dans un carton, une caisse* to pack **2.** *moteur* to race **3.** *fam* (*enthousiasmer*) ***ça ne m'emballe pas*** I'm not taken with it; ***être emballé par qc*** to be taken with sth **II** *v/pr* ***s'emballer*** **1.** *cheval* to bolt **2.** *moteur* to race **3.** *fam* (*s'enthousiasmer*) to get carried away; (*s'emporter*) to get worked up *fam*
embarcadère [ɑ̃baʀkadɛʀ] *m* pier
embarcation [ɑ̃baʀkasjõ] *f* boat

embardée [ɑ̃baʀde] *f* ***faire une ~*** to swerve

embargo [ɑ̃baʀgo] *m* embargo; ***lever l'~*** to lift the embargo; ***mettre l'~ sur*** to place an embargo on

embarquement [ɑ̃baʀkəmɑ̃] *m en avion, train* boarding; MAR embarkation; *de marchandises* loading

embarquer [ɑ̃baʀke] **I** *v/t* **1.** *passagers* to take on; *marchandises* to load; *eau* to take on **2.** *fam* (*voler*) to swipe *fam* **3.** *fam police* ***~ qn*** to pick sb up *fam* **4.** *fam* ***~ qn dans qc*** to get sb mixed up in sth **II** *v/i et v/pr* **1.** *passagers* (***s'***)***~*** to embark **2.** *fam, fig* ***s'~ dans*** *projet* to get involved in; *explications* to launch into

embarras [ɑ̃baʀa] *m* **1.** (*situation difficile*) awkward situation; ***tirer qn d'~*** to get sb out of a tricky situation, to get sb out of a jam *fam*; *fig* ***avoir l'~ du choix*** *ou* ***n'avoir que l'~ du choix*** to have too much to choose from **2.** (*confusion*) dilemma; ***être dans l'~*** to be in a quandary **3.** MÉD ***~ gastrique*** stomach upset

embarrassant [ɑ̃baʀasɑ̃] *adj* ⟨**-ante** [-ɑ̃t]⟩ awkward, embarrassing

embarrassé [ɑ̃baʀase] *adj* ⟨**~e**⟩ embarrassed

embarrasser [ɑ̃baʀase] **I** *v/t* **1.** (*gêner*) to embarrass **2.** (*encombrer*) to clutter up **II** *v/pr* ***s'~ de*** to burden o.s. with; *fig* to worry about

embauche [ɑ̃boʃ] *f* hiring; ***salaire*** *m* ***d'~*** starting salary

► **embaucher** [ɑ̃boʃe] *v/t* **1.** to hire, *brit* to take on **2.** *fam, fig* to rope in

embaumement [ɑ̃bommɑ̃] *m* embalming

embaumer [ɑ̃bome] **I** *v/t* **1.** *cadavre* to embalm **2.** *lieu* to smell of **II** *v/i* to be fragrant

embellie [ɑ̃beli] *f* bright spell

embellir [ɑ̃beliʀ] **I** *v/t* ***~ qn, qc*** to make sb, sth more attractive; *fig récit, vérité* to embellish **II** *v/i* to become more attractive

embellissement [ɑ̃belismɑ̃] *m d'une maison* refurbishment; ***travaux*** *mpl* ***d'~*** improvements; *fig de la réalité* embellishment

emberlificoter [ɑ̃bɛʀlifikɔte] *fam* **I** *v/t fils* to tangle up **II** *v/pr* ***s'emberlificoter*** to get tangled up

embêtant [ɑ̃bɛtɑ̃] *fam adj* ⟨**-ante** [-ɑ̃t]⟩ **1.** (*contrariant*) annoying; *situation* awkward **2.** (*ennuyeux*) boring **3.** (*agaçant*) annoying

embêtement [ɑ̃bɛtmɑ̃] *fam m* problem; ***~s*** *pl* trouble (+ *v sg*)

embêter [ɑ̃bete] *fam* **I** *v/t* **1.** (*lasser*) ***~ qn*** to bore sb **2.** (*contrarier*) ***~ qn*** to bother sb; ***être embêté*** to be in trouble, to be in a mess **3.** (*irriter*) ***~ qn*** to annoy sb, to bug sb *fam* **II** *v/pr* ***s'embêter*** **1.** (*s'ennuyer*) to be bored **2.** ***ne pas s'~ à faire qc*** not to go to the bother of doing sth

emblée [ɑ̃ble] *adv* ***d'~*** immediately, right away

emblématique [ɑ̃blematik] *adj* emblematic

emblème [ɑ̃blɛm] *m* emblem

embobiner [ɑ̃bɔbine] *v/t fam* to hoodwink

emboîtage [ɑ̃bwataʒ] *m d'un livre* slipcase

emboîtement [ɑ̃bwatmɑ̃] *m* TECH fitting

emboîter [ɑ̃bwate] **I** *v/t* **1.** ***~ qc*** *pièces* to fit sth together; ***~ qc dans qc*** to fit sth into sth **2.** ***~ le pas à qn*** to follow close on sb's heels; *fig* to fall in behind sb **II** *v/pr* ***s'emboîter*** *v/pr* to fit

embolie [ɑ̃bɔli] *f* embolism

embonpoint [ɑ̃bɔ̃pwɛ̃] *m* stoutness; ***avoir, prendre de l'~*** to be, become stout

embouché [ɑ̃buʃe] *adj* ⟨**~e**⟩ *fam* ***être mal ~*** to be coarse

emboucher [ɑ̃buʃe] *v/t* MUS ***~ qc*** to raise sth to one's lips

embouchure [ɑ̃buʃyʀ] *f* **1.** *d'un fleuve* mouth **2.** MUS mouthpiece, embouchure

embourber [ɑ̃buʀbe] *v/pr* ***s'~*** **1.** to get stuck in the mud **2.** *fig* to get bogged down (***dans*** in)

embourgeoisement [ɑ̃buʀʒwazmɑ̃] *m* adoption of middle class values

embourgeoiser [ɑ̃buʀʒwaze] *v/pr* ***s'~*** to become middle-class

embout [ɑ̃bu] *m de tuyau* nozzle; *de canne, parapluie* tip *de seringue* base

► **embouteillage** [ɑ̃butɛjaʒ] *m* traffic jam; *sur l'autoroute* tailback; ***être pris dans un ~*** to be stuck in a traffic jam

embouteillé [ɑ̃buteje] *adj* ⟨**~e**⟩ *rue* clogged up; TÉL jammed

embouteiller [ɑ̃buteje] *v/t voie de communication* to block

emboutir [ɑ̃butiʀ] **I** *v/t* **1.** *voiture* to crash into **2.** TECH to stamp **II** *v/pr* ***s'~ contre un camion*** to crash into a lorry

emboutissage [ɑ̃butisaʒ] *m* TECH stamping
embranchement [ɑ̃bʀɑ̃ʃmɑ̃] *m* junction
embrasement [ɑ̃bʀɑzmɑ̃] *m st/s* **1.** (*incendie*) blaze **2.** *fig* (*agitation*) unrest (+ *v sg*)
embraser [ɑ̃bʀɑze] *st/s v/t* **~ qc** *bâtiment* to set sth ablaze; *fig ciel* to set sth alight
embrassades [ɑ̃bʀasad] *fpl* hugging and kissing (+ *v sg*)
embrasse [ɑ̃bʀas] *f* tieback
embrassé [ɑ̃bʀase] *adj* ⟨**~e**⟩ *rimes* enclosing
embrassement [ɑ̃bʀasmɑ̃] *litt m* embrace
▶ **embrasser** [ɑ̃bʀase] **I** *v/t* **1.** (*donner un baiser à*) to kiss; (*étreindre*) to embrace **2.** *fig* **~ *une carrière*** to pursue a career **3.** (*englober*) to take in; *sujet*, *domaine* to cover **4.** ***~ qc du regard*** to survey sth **II** *v/pr* ***s'embrasser*** to kiss; (*s'étreindre*) to embrace
embrasure [ɑ̃bʀɑzyʀ] *f* opening
embrayage [ɑ̃bʀɛjaʒ] *m* **1.** *mécanisme* clutch **2.** *action* letting out the clutch
embrayer [ɑ̃bʀeje] *v/i* ⟨**-ay-** *od* **-ai-**⟩ **1.** AUTO to let out the clutch **2.** ***~ sur qc*** *fig* to launch into sth
embrigadement [ɑ̃bʀigadmɑ̃] *m* recruitment (***dans*** into)
embrigader [ɑ̃bʀigade] *v/t* to recruit
embringuer [ɑ̃bʀɛ̃ge] *fam* **I** *v/t* to drag (***dans*** into) **II** *v/pr* ***s'~ dans qc*** to get o.s mixed up in sth
embrocher [ɑ̃bʀɔʃe] *v/t* **1.** CUIS ***~ qc*** *animal* to put sth on a spit; *sur une brochette* to put sth on a skewer **2.** ***~ qn*** to run sb through
embrouillamini [ɑ̃bʀujamini] *fam m* muddle
embrouille [ɑ̃bʀuj] *f fam* shady goings-on (+ *v pl*) *fam*
embrouillé [ɑ̃bʀuje] *adj* ⟨**~e**⟩ tangled; *fig* muddled
embrouiller [ɑ̃bʀuje] **I** *v/t* **1.** *fils* to tangle **2.** *fig personne*, *situation*, *question* to confuse **II** *v/pr* ***s'embrouiller*** to get tangled up (***dans*** in)
embroussaillé [ɑ̃bʀusaje] *adj* ⟨**~e**⟩ *jardin* overgrown; *cheveux* bushy
embrumer [ɑ̃bʀyme] *v/t* **1.** to cloud **2.** *fig alcool*: *cerveau* to befuddle
embruns [ɑ̃bʀɛ̃, ɑ̃bʀœ̃] *mpl* spray (+ *v sg*)
embryologie [ɑ̃bʀijɔlɔʒi] *f* embryology
embryon [ɑ̃bʀijɔ̃] *m* BIOL embryo *a fig*
embryonnaire [ɑ̃bʀijɔnɛʀ] *adj* **1.** BIOL embryonic **2.** *fig* ***au stade ~*** in its embryonic stages
embûches [ɑ̃byʃ] *fpl* traps
embué [ɑ̃bɥe] *adj* ⟨**~e**⟩ *vitres* fogged-up, *brit* misted up; *yeux* ***~s de larmes*** misty with tears
embuer [ɑ̃bɥe] *v/pr* ***s'~*** *vitre* to fog up, *brit* to mist up
embuscade [ɑ̃byskad] *f* ambush
embusqué [ɑ̃byske] *m* MIL *et péj* cushy posting *fam*
embusquer [ɑ̃byske] *v/pr* ***s'~*** to ambush *a fig*; ***tireur embusqué*** sniper lying in ambush
éméché [emeʃe] *adj* ⟨**~e**⟩ *fam* drunk, tipsy *fam*
émeraude [emʀod] **I** *f* emerald **II** *adj* (***vert***) **~** ⟨*inv*⟩ emerald green
émergence [emɛʀʒɑ̃s] *f* emergence
émerger [emɛʀʒe] *v/i* ⟨**-ge-**⟩ **1.** to emerge *a fig* **2.** *fam du sommeil* to surface *fam*
émeri [emʀi] *m* ***papier m (d')~*** emery paper
émérite [emeʀit] *adj* (*expérimenté*) highly skilled
émerveillement [emɛʀvɛjmɑ̃] *m* wonder
émerveiller [emɛʀveje] **I** *v/t* ***~ qn*** to fill sb with wonder; ***émerveillé*** filled with wonder **II** *v/pr* ***s'émerveiller*** to marvel (***de*** at)
émetteur [emɛtœʀ] **I** *m* **1.** RAD, TV transmitter **2.** FIN issuer **II** *adj* ⟨**-trice** [-tʀis]⟩ **1.** RAD, TV broadcasting **2.** FIN issuing
émettre [emɛtʀ] *v/t* ⟨→ **mettre**⟩ **1.** RAD, TV to broadcast **2.** FIN to issue **3.** PHYS *rayons*, *lumière* to emit; *sons*, *chaleur* to produce **4.** *fig opinion* to express; *message* to send out
émeu [emø] *m* emu
émeute [emøt] *f* riot; ***~s** pl* riots, rioting (+ *v sg*)
émeutier [emøtje] *m* rioter
émiettement [emjɛtmɑ̃] *m* **1.** *d'un gâteau*, *du pain* crumbling **2.** *fig* splitting up
émietter [emjete] **I** *v/t* **1.** *pain* to crumble **2.** *fig* (*morceler*) to split up **II** *v/pr* ***s'émietter*** **1.** to crumble **2.** *fig parti*, *groupe* to fall apart
émigrant [emigʀɑ̃] *m* emigrant
émigration [emigʀasjɔ̃] *f* emigration
émigré [emigʀe] *m* POL emigrant; HIST émigré

émigrer [emigʀe] *v/i* **1.** *personne* to emigrate **2.** *oiseaux* to migrate
émincer [emɛ̃se] *v/t* ⟨**-ç-**⟩ **~ qc** to cut sth into thin slices
éminemment [eminamɑ̃] *adv* eminently
éminence [eminɑ̃s] *f* **1.** *du terrain* hill **2.** CATH **Éminence** Eminence; *fig* **~ grise** gray eminence
éminent [eminɑ̃] *adj* ⟨**-ente** [-ɑ̃t]⟩ distinguished, eminent
émir [emiʀ] *m* emir
émirat [emiʀa] *m* emirate
émissaire [emisɛʀ] **I** *m* emissary **II** *adj* **bouc** *m* **~** scapegoat
▶ **émission** [emisjõ] *f* **1.** RAD, TV program **2.** FIN issue **3.** PHYS emission; **~s de CO2** carbon emissions
emmagasiner [ɑ̃magazine] *v/t* **1.** (*mettre en magasin*) to store **2.** (*accumuler*) to stockpile; *fig connaissances* to store up
emmailloter [ɑ̃majɔte] *v/t bébé* to swaddle; *doigt blessé* to bandage
emmancher [ɑ̃mɑ̃ʃe] *v/pr fam affaire* **s'~ bien, mal** to get off to a good, bad start
emmanchure [ɑ̃mɑ̃ʃyʀ] *f* armhole
emmêlement [ɑ̃mɛlmɑ̃] *m action* tangling; *résultat* tangle
emmêler [ɑ̃mele] *v/t* to tangle; *fig* to muddle
emménagement [ɑ̃menaʒmɑ̃] *m* moving in **emménager** *v/i* ⟨**-ge-**⟩ to move in
▶ **emmener** [ɑ̃mne] *v/t* ⟨**-è-**⟩ to take
emmenthal [emɛ̃tal] *m* Emmenthal
emmerdant [ɑ̃mɛʀdɑ̃] *pop adj* ⟨**-ante** [-ɑ̃t]⟩ *pop* (*ennuyeux*) bloody boring *pop*; (*importun*) bloody annoying *pop*
emmerde [ɑ̃mɛʀd] *f pop* → **emmerdement**
emmerdement [ɑ̃mɛʀdəmɑ̃] *pop m fam* problem; **~s** *pl* problems, hassle *fam* (+ *v sg*)
emmerder [ɑ̃mɛʀde] *pop* **I** *v/t* **1. ~ qn** to annoy sb; to bug sb *fam* **2. je l'emmerde!** fuck him! *pop* **3. être emmerdé** to be in the shit *pop* **II** *v/pr* **s'emmerder** to be bored stiff *fam*
emmerdeur [ɑ̃mɛʀdœʀ] *pop m*, **emmerdeuse** [-øz] *pop f* pain in the ass *pop*
emmitoufler [ɑ̃mitufle] *v/t* (*et v/pr* **s'~**) to wrap up warmly
emmurer [ɑ̃myʀe] *v/t* **~ qn** to wall sb up
émoi [emwa] *st/s m* turmoil; **être en ~** to be in turmoil
émollient [emɔljɑ̃] *m* PHARM emollient
émoluments [emɔlymɑ̃] *mpl* remuneration (+ *v sg*); JUR fees
émotif [emɔtif] *adj* ⟨**-ive** [-iv]⟩ emotional
émotion [emosjõ] *f* **1.** (*sentiment*) emotion **2.** (*affolement*) fright; **~s fortes** thrills; *fam* **tu m'as donné des ~s** you gave me a fright
émotionnel [emosjɔnɛl] *adj* ⟨**~le**⟩ emotional
émotionner [emosjɔne] *fam v/t* to upset
émotivité [emɔtivite] *f* **d'une grande ~** highly emotional
émoulu [emuly] *adj* **être frais ~** ⟨*f* **fraîche ~e**⟩ **de** to be fresh from
émousser [emuse] **I** *v/t* to blunt; **émoussé** blunt **II** *v/pr* **s'émousser 1.** *lame, etc* to become blunt **2.** *fig* to become dulled
émoustillant [emustijɑ̃] *adj* ⟨**-ante** [-ɑ̃t]⟩ *propos* titillating; *présence d'une femme* tantalizing
émoustiller [emustije] *v/t* to titillate
émouvant [emuvɑ̃] *adj* ⟨**-ante** [-ɑ̃t]⟩ moving
émouvoir [emuvwaʀ] ⟨→ **mouvoir**; *mais pp* **ému**⟩ **I** *v/t* to move **II** *v/pr* **s'émouvoir** *être touché* to be touched (**de** by); *s'inquiéter* to be concerned (**de** by)
empaillage [ɑ̃pajaʒ] *m d'animaux* stuffing
empaillé [ɑ̃paje] *adj* ⟨**~e**⟩ *fam* (*maladroit*) clumsy
empailler [ɑ̃paje] *v/t animaux* to stuff
empailleur [ɑ̃pajœʀ] *m* **1.** taxidermist **2.** → **rempailleur**
empaler [ɑ̃pale] **I** *v/t* to impale **II** *v/pr* **s'empaler** to impale o.s.
empaquetage [ɑ̃paktaʒ] *m* packaging **empaqueter** *v/t* ⟨**-tt-**⟩ to package **empaqueteur** *m*, **empaqueteuse** *f* packer
emparer [ɑ̃paʀe] *v/pr* **1.** *par la force* **s'~ de qc, de qn** to grab sth, sb; *st/s* to seize sth, sb; *illégalement* **s'~ de qc** *pouvoir, territoire* to seize sth **2.** *concrètement* **s'~ de qc** *micro, volant* to take hold of sth; *fig journal* **s'~ d'une affaire** to get hold of a story **3.** *sentiment, sommeil* **s'~ de qn** to overcome sb
empâté [ɑ̃pɑte] *adj* ⟨**~e**⟩ *langue* furry; *visage* bloated
empâtement [ɑ̃pɑtmɑ̃] *m de visage, corps* bloating
empâter [ɑ̃pɑte] *v/pr* **s'~** *corps* to fill out;

visage to become bloated
empattement [ɑ̃patmɑ̃] *m* TECH base; AUTO wheelbase
empêché [ɑ̃peʃe] *adj* ⟨**~e**⟩ *air* embarrassed
empêchement [ɑ̃pɛʃmɑ̃] *m* unforeseen difficulty, hitch; ***il a eu un ~ de dernière minute*** something cropped up at the last minute
▶ **empêcher** [ɑ̃peʃe] **I** *v/t* ***~ qc*** to prevent sth, to stop sth; ***~ qn de faire qc*** to prevent sb from doing sth; ***la neige empêche qu'on (ne) parte*** the snow is preventing us from leaving; ***qu'est-ce qui empêche qu'on (ne) le fasse?*** what's to stop us from doing it?; ***(il) n'empêche que …*** the fact remains that …, nonetheless … **II** *v/pr* ***je ne peux pas m'~ de rire*** I can't help laughing
empêcheur [ɑ̃pɛʃœʀ] *m* ***~ de danser** ou **tourner en rond*** killjoy
empennage [ɑ̃pɛnaʒ] *m* AVIAT tail
▶ **empereur** [ɑ̃pʀœʀ] *m* emperor
empeser [ɑ̃pəze] *v/t* ⟨**-è-**⟩ *linge* to starch
empester [ɑ̃pɛste] **I** *v/t* (*empuantir*) to stink up **II** *v/i* (*puer*) ***~ le tabac*** to reek of tobacco
empêtrer [ɑ̃petʀe] *v/pr* ***s'~*** to get tangled up (***dans*** in); *fig* to get mixed up (***dans*** in)
emphase [ɑ̃fɑz] *f* emphasis
emphatique [ɑ̃fatik] *adj* emphatic; *péj* pompous
emphysème [ɑ̃fizɛm] *m* MÉD emphysema
empiècement [ɑ̃pjɛsmɑ̃] *m* COUT yoke
empierrement [ɑ̃pjɛʀmɑ̃] *m action* graveling, *brit* metalling; *couche* roadbed **empierrer** *v/t chemin, route* to gravel, *brit* to metal
empiétement *ou* **empiètement** [ɑ̃pjɛtmɑ̃] *m* encroachment (***sur*** on) *a fig*
empiéter [ɑ̃pjete] *v/t indir* ⟨**-è-**⟩ ***~ sur*** to encroach on *a fig*
empiffrer [ɑ̃pifʀe] *v/pr fam* ***s'~*** *fam* to stuff o.s *fam* (***de*** with)
empilement [ɑ̃pilmɑ̃] *m action* piling up; (*pile*) pile
empiler [ɑ̃pile] **I** *v/t* ***~ qc*** to pile sth up **II** *v/pr* ***s'~*** *objets* to pile up
empire [ɑ̃piʀ] *m* **1.** empire; *fig* ***~ industriel*** industrial empire; *fig* ***pas pour un ~*** not for the world **2.** HIST ***l'Empire*** the Empire; *adj* Empire *épith* **3.** (*influence*) influence; ***sous l'~ de*** under the influence of
empirer [ɑ̃piʀe] *v/i* to get worse, to worsen
empirique [ɑ̃piʀik] *adj* empirical
empirisme [ɑ̃piʀism] *m* PHIL empiricism
empiriste [ɑ̃piʀist] PHIL **I** *m* empiricist **II** *adj* empiricist
emplacement [ɑ̃plasmɑ̃] *m* site; *sur un camping* pitch; AUTO parking space
emplâtre [ɑ̃plɑtʀ] *m fig* → ***cautère***
emplette [ɑ̃plɛt] *f* purchase; ***faire des ~s*** to make some purchases
emplir [ɑ̃pliʀ] *st/s v/t* to fill
▶ **emploi** [ɑ̃plwa] *m* **1.** (*utilisation*) use; ▶ ***emploi du temps*** schedule; ENSEIGNEMENT timetable; ***faire double emploi*** to be surplus to requirements, to be redundant **2.** (*travail*) job; (*embauche*) employment; ***plein emploi*** full employment **3.** THÉ part; ***avoir la tête de l'~*** to look the part
▶ **employé(e)** [ɑ̃plwaje] *m(f)* employee; ***~(e) de bureau*** office worker
▶ **employer** [ɑ̃plwaje] ⟨**-oi-**⟩ **I** *v/t* **1.** (*utiliser*) to use **2.** *salariés* to employ **II** *v/pr* ***s'employer*** **1.** *mot, etc* to be used **2.** ***s'~ à (faire) qc*** to apply o.s. to doing sth
▶ **employeur** [ɑ̃plwajœʀ] *m*, **employeuse** [ɑ̃plwajøz] *f* employer
empocher [ɑ̃pɔʃe] *v/t fam* to pocket
empoignade [ɑ̃pwaɲad] *fam f* fight
empoigne [ɑ̃pwaɲ] *f fam* ***foire d'~*** free-for-all *fam*
empoigner [ɑ̃pwaɲe] **I** *v/t* to grab hold of **II** *v/pr* ***s'empoigner*** (*se battre*) to fight
empoisonnant [ɑ̃pwazɔnɑ̃] *adj* ⟨**-ante** [-ɑ̃t]⟩ *fam* → ***embêtant***
empoisonnement [ɑ̃pwazɔnmɑ̃] *m* **1.** poisoning **2.** *fam, fig* ***~s*** *pl* trouble (+ *v sg*)
empoisonner [ɑ̃pwazɔne] **I** *v/t* **1.** (*intoxiquer*) to poison **2.** (*empuantir*) to poison **3.** *fam* → ***embêter*** **II** *v/pr* ***s'~*** to poison o.s.
empoisonneur [ɑ̃pwazɔnœʀ] *m*, **empoisonneuse** [-øz] *f* **1.** poisoner **2.** *fig, fam* nuisance, pain in the neck *fam*
emporté [ɑ̃pɔʀte] *adj* ⟨**~e**⟩ quick-tempered
emportement [ɑ̃pɔʀtəmɑ̃] *m* fit of anger
emporte-pièce [ɑ̃pɔʀtəpjɛs] *m* ⟨*inv*⟩ **1.** TECH punch **2.** *fig* ***à l'~*** *expression* incisive; *jugement* cut-and-dried
▶ **emporter** [ɑ̃pɔʀte] **I** *v/t* **1.** *objet* to take; ***donner qc à ~ à qn*** to give sb

sth to take away **2.** *blessés* to take away **3.** **~ *qn***; *courant* to sweep sb away; ***un cancer l'a emporté*** he died of cancer; **~ *qc*** *inondations* to sweep sth away; *vent* to blow sth away **4.** ***l'~*** to win; *bon sens, idée* to prevail; ***l'~ sur qn*** to beat sb; **~ *l'affaire*** to swing the deal *fam* **II** *v/pr* ***s'emporter*** to lose one's temper

empoté [ɑ̃pɔte] *fam adj* ⟨**~e**⟩ clumsy

empourprer [ɑ̃puʀpʀe] *v/pr* ***s'~*** *ciel* to turn crimson; *visage* to flush

empreint [ɑ̃pʀɛ̃] *adj* ⟨**-einte** [-ɛ̃t]⟩ **~ *de*** steeped in

empreinte [ɑ̃pʀɛ̃t] *f* **1.** track; *de pas* footprint; **~ *carbone*** carbon footprint; **~ *digitale*** fingerprint; **~ *génétique*** genetic fingerprint **2.** *fig* mark; ***marquer qc de son ~*** to leave one's mark on sth

empressé [ɑ̃pʀese] *adj* ⟨**~e**⟩ *personne* attentive; *secours* prompt

empressement [ɑ̃pʀɛsmɑ̃] *m* **1.** *auprès de qn* attentiveness **2.** (*zèle*) eagerness

empresser [ɑ̃pʀese] *v/pr* **1.** ***s'~ auprès de qn*** to gather round sb **2.** ***s'~ de faire qc*** to hasten to do sth

emprise [ɑ̃pʀiz] *f* influence; ***sous l'~ de*** under the influence of

emprisonnement [ɑ̃pʀizɔnmɑ̃] *m* imprisonment; *action* imprisoning

emprisonner [ɑ̃pʀizɔne] *v/t* to imprison; *fig* ***être emprisonné dans*** to be a prisoner of

emprunt [ɑ̃pʀɛ̃, ɑ̃pʀœ̃] *m* **1.** FIN loan; *action* borrowing **2.** *fig* borrowing (***à qn*** from sb); LING *mot* loan word (***à*** from)

emprunté [ɑ̃pʀɛ̃te, -pʀœ̃-] *adj* ⟨**~e**⟩ *personne* awkward

▶ **emprunter** [ɑ̃pʀɛ̃te, -pʀœ̃-] *v/t* **1.** **~ *qc à qn*** to borrow sth from sb; **~ *de l'argent*** to borrow money **2.** *fig* to borrow (***qc à qn*** sth from sb); *mot* to borrow (***à l'anglais*** from English) **3.** *chemin* to take

emprunteur [ɑ̃pʀɛ̃tœʀ, -pʀœ̃-] *m* borrower

empuantir [ɑ̃pɥɑ̃tiʀ] *v/t* to stink up

▶ **ému** [emy] *pp*→ ***émouvoir*** *et adj* ⟨**~e**⟩ moved

émulation [emylasjõ] *f* emulation

émule [emyl] *m/f* imitator

émulsifiant [emylsifjɑ̃] *m* emulsifier

émulsion [emylsjõ] *f* emulsion

émulsionner [emylsjɔne] *v/t* to emulsify

▶ **en I** *prép* **1.** *lieu*: *question «where?»*: in; *être, arriver, etc* **~ *Allemagne,* ~ *Normandie***, *etc* in Germany, Normandy, *etc*; **~ *Iran*** in Iran; **~ *Corse*** in Corsica; **~ *montagne*** in the mountains; *question «to where?»*: to; *aller, envoyer, etc* **~ *Allemagne, France, Normandie, Sicile***, *etc* to Germany, France, Normandy, Sicily, *etc* **2.** *temps* in; **~ *1945*** in 1945; **~ *l'an mille*** in 1,000 A.D.; **~ *janvier***, *etc* in January, *etc*; **~ *deux heures*** in two hours; **~ *une journée*** in a day **3.** *domaine* in; **~ *allemand, français***, *etc* in French, German, *etc*; **~ *mathématiques, politique***, *etc* in math, politics, *etc*; ***docteur*** *m* **~ *médecine*** doctor of medicine **4.** *manière*: **~ *trois volumes*** in three volumes; ***promenade*** *f* **~ *vélo*** bike ride; *le même article* **~ *rouge***, *etc* in red, *etc*; ***teindre qc ~ rouge*** to dye sth red; ***agir ~ ami*** to act as a friend; ***aller ~ voiture*** to go by car; *personne* ***être ~ blanc, noir*** to be dressed in white, black; ***cela fait ~ euros …*** in euros that comes to … **5.** *matériau* made of; **~ *fer***, *etc* made of iron, *etc*; ***montre*** *f* **~ *or*** gold watch **6.** + *gérondif*: ***parler ~ mangeant*** to speak while eating; **~ *passant par là***, *vous éviterez le bouchon* by going that way; ***répondre ~ souriant*** to reply with a smile **II** *adv et pr* ⟨*abbr of constr. with „de"*⟩ **1.** *local*: *vous allez à Paris?* ***j'~ reviens*** I've just come back from there **2.** *complément*: ***tout le monde ~ parle*** everybody is talking about it, *de qn* everybody is talking about him / her; *il a réussi* ***et il ~ est fier*** and he's proud of it; ***qu'~ dites-vous?*** what do you think about it? **3.** *génitif partitif*: *j'ai des bonbons*, ***est-ce que tu ~ veux?*** do you want some?; ***je n'~ ai plus*** I haven't got any left; *prenez des gâteaux*, ***il y ~ a encore*** there are some left; *avez-vous des frères?* ***j'~ ai deux*** I've got two; ***les journaux ~ sont pleins*** the papers are full of it

ENA [ena] *f, abr* (= **École nationale d'administration**) *institute which trains senior public sector administrators*

énarque [enaʀk] *m/f* graduate of the ENA

encablure [ɑ̃kablyʀ] *f* MAR cable

encadré [ɑ̃kadʀe] *m* box

encadrement [ɑ̃kadʀəmɑ̃] *m* **1.** *d'un tableau* frame **2.** *d'une porte* frame **3.** *de personnes* supervision; *personnel* supervisory staff **4.** *écon* control

encadrer [ɑ̃kadʀe] *v/t* **1.** *tableau* to frame; *texte* to outline **2.** *fig* (*entourer*) to flank **3.** (*superviser*) to supervise **4.** *fam*, *fig* → ***encaisser*** **5.** ÉCON to control
encadreur [ɑ̃kadʀœʀ] *m* **1.** *artisan* picture framer **2.** *entreprise* picture framer's
encaissable [ɑ̃kɛsabl] *adj* cashable
encaisse [ɑ̃kɛs] *f* cash in hand
encaissé [ɑ̃kɛse] *adj* ⟨**~e**⟩ *vallée* steep--sided
encaissement [ɑ̃kɛsmɑ̃] *m* collection; *d'un chèque* cashing
encaisser [ɑ̃kese] *v/t* **1.** FIN to collect; *chèque* to cash **2.** *fam*, *fig coups*, *etc* to take; ***savoir ~*** to know how to take it *fam* **3.** *fam*, *fig* (*supporter*) ***ne pas pouvoir ~ qn*** not to be able to stand sb
encaisseur [ɑ̃kɛsœʀ] *m* collector
encanailler [ɑ̃kanaje] *v/pr* ***s'~*** *personne* to slum it; *style* to become vulgar
encart [ɑ̃kaʀ] *m* insert; ***~ publicitaire*** promotional insert
en-cas *ou* **encas** [ɑ̃kɑ] *m* ⟨*inv*⟩ snack
encastrable [ɑ̃kastʀabl] *adj* which can be built in
encastrer [ɑ̃kastʀe] **I** *v/t* ***~ qc*** *four* to build sth in; ***~ qc dans qc*** to recess sth into sth **II** *v/pr* ***s'~*** to fit (***dans*** into)
encaustique [ɑ̃kɔstik] *f* wax **encaustiquer** *v/t parquet* to wax
► **enceinte**[1] [ɑ̃sɛ̃t] *adj*, *f* pregnant; ***femme ~*** pregnant woman; ***être ~ de quatre mois*** to be four months pregnant
enceinte[2] *f* **1.** *mur* surrounding wall **2.** *de prison*, *palais*, *ambassade* compound **3.** (*espace clos*) enclosure **4.** ***~*** (***acoustique***) speaker
encens [ɑ̃sɑ̃] *m* incense; ***bâtons*** *mpl* ***d'~*** joss sticks
encenser [ɑ̃sɑ̃se] *v/t* **1.** REL to cense **2.** *fig* to sing the praises of **encensoir** *m* censer
encéphale [ɑ̃sefal] *m* encephalon
encerclement [ɑ̃sɛʀkləmɑ̃] *m* surrounding (*a* MIL)
encercler [ɑ̃sɛʀkle] *v/t chiffre*, *mot* to circle; *personne* to be gathered round; MIL to surround
enchaînement [ɑ̃ʃɛnmɑ̃] *m* **1.** *d'idées* chain; *de circonstances* sequence **2.** *dans un spectacle* transition
enchaîner [ɑ̃ʃene] **I** *v/t* **1.** ***~ qn*** *prisonnier* to chain sb up **2.** ***~ qc*** *idées*, *mots* to link sth up **II** *v/i dans la conversation*, *dans un film* to move on (***sur qc*** to sth) **III** *v/pr* ***s'enchaîner*** *épisodes* to follow on
enchanté [ɑ̃ʃɑ̃te] *adj* ⟨**~e**⟩ **1.** (*magique*) enchanted **2.** *fig* (*heureux*) ***être ~*** to be delighted (***de*** with); ***~!*** pleased to meet you!
enchantement [ɑ̃ʃɑ̃tmɑ̃] *m* enchantment, spell; *fig* delight; ***comme par ~*** as if by magic
enchanter [ɑ̃ʃɑ̃te] *v/t* to enchant, to bewitch; *fig* to delight
enchanteur [ɑ̃ʃɑ̃tœʀ], **enchanteresse** [ɑ̃ʃɑ̃tʀɛs] **I** *m/f* enchanter, enchantress **II** *adj* enchanting
enchâsser [ɑ̃ʃɑse] *v/t* **1.** *pierre précieuse* to set **2.** *par ext* to embed (***dans*** in)
enchère [ɑ̃ʃɛʀ] *f* bid; ***vente*** *f* ***aux ~s*** auction; ***vendre qc aux ~s*** to sell sth by auction
enchérir [ɑ̃ʃeʀiʀ] *v/t indir* ***~ sur qn*** to make a higher bid than sb; ***~ sur une offre*** to make a higher bid
enchérisseur [ɑ̃ʃeʀisœʀ] *m* bidder
enchevêtrement [ɑ̃ʃ(ə)vɛtʀəmɑ̃] *m* tangle; *fig* muddle
enchevêtrer [ɑ̃ʃ(ə)vetʀe] **I** *v/t* to tangle; *fig* to muddle **II** *v/pr* ***s'enchevêtrer*** to get tangled up
enclave [ɑ̃klav] *f* enclave
enclavé [ɑ̃klave] *adj* ⟨**~e**⟩ enclosed (***dans*** by)
enclaver [ɑ̃klave] *v/t* **1.** *territoire* to enclose **2.** (*encastrer*) to insert
enclenchement [ɑ̃klɑ̃ʃmɑ̃] *m* TECH engagement
enclencher [ɑ̃klɑ̃ʃe] **I** *v/t* **1.** TECH *minuterie* to set; *vitesse* to engage **2.** ***~ qc*** *fig* to set sth in motion, to launch sth **II** *v/pr* ***s'enclencher*** TECH to engage; *fig* to get under way
enclin [ɑ̃klɛ̃] *adj* ⟨**-ine** [-in]⟩ ***~ à qc*** inclined to sth; ***être ~ à*** *+inf* to be inclined to *+inf*
enclore [ɑ̃klɔʀ] *v/t* ⟨→ **clore**⟩ *st/s* to enclose
enclos [ɑ̃klo] *m* **1.** *terrain*, enclosure **2.** (*clôture*) boundary wall; *de bois*, *fil de fer* fence
enclume [ɑ̃klym] *f* anvil
encoche [ɑ̃kɔʃ] *f* notch
encocher [ɑ̃kɔʃe] *v/t* to make a notch in; *flèche* to nock
encoder [ɑ̃kɔde] *v/t* to encode
encoignure [ɑ̃kɔɲyʀ, ɑ̃kwaɲyʀ] *f* corner
encoller [ɑ̃kɔle] *v/t papier peint* to paste
encolure [ɑ̃kɔlyʀ] *f* **1.** *du cheval* neck;

gagner d'une **~** to win by a neck **2.** COUT (*tour de cou*) collar size; *d'un vêtement* neckline

encombrant [ɑ̃kõbʀɑ̃] *adj* ⟨**-ante** [-ɑ̃t]⟩ **1.** cumbersome, bulky **2.** *fig* troublesome

encombre [ɑ̃kõbʀ] ***sans ~*** without a hitch

encombrement [ɑ̃kõbʀəmɑ̃] *m* **1.** *de véhicules* traffic jam **2.** *fig de profession* overcrowding; TÉL *de standard*, *fréquences* jamming **3.** (*volume*) bulk; (*taille*) size

encombrer [ɑ̃kõbʀe] **I** *v/t* **1.** *rue*, *couloir* to obstruct; *table* to clutter up (***de*** with) **2.** *fig* ***encombré*** *profession* overcrowded; TÉL *standard*, *fréquences* jammed **II** *v/pr* ***s'encombrer*** to burden o.s. (***de*** with)

encontre [ɑ̃kõtʀ] ***aller à l'~ de qc*** to go against sth, to run counter to sth

encorbellement [ɑ̃kɔʀbɛlmɑ̃] *m* corbel

encorder [ɑ̃kɔʀde] *v/pr* ***s'~*** to rope up

▸ **encore** [ɑ̃kɔʀ] **I** *adv* **1.** *temporel* still; ***pas ~*** not yet **2.** (*de nouveau*) again **3.** (*en plus*) another; ***~ un verre*** another glass ***~ plus grand*** even bigger **4.** (*davantage*) more; ***~ du vin*** some more wine **5.** *restrictif* ***si ~*** if only; ***et ~!*** if that!; ***~ faut-il qu'il dise oui*** he still has to agree **II** *conj litt* ***~ que*** *+subj* although, even though

encorner [ɑ̃kɔʀne] *v/t* to gore

encourageant [ɑ̃kuʀaʒɑ̃] *adj* ⟨**-ante** [-ɑ̃t]⟩ encouraging

encouragement [ɑ̃kuʀaʒmɑ̃] *m* **1.** encouragement (*+v sg*) **2.** *de projets* fostering

▸ **encourager** [ɑ̃kuʀaʒe] *v/t* ⟨**-ge-**⟩ **1.** ***~ qn*** to encourage sb; SPORT to cheer sb on; ***~ qn à faire qc*** to encourage sb to do sth **2.** *talent*, *projet* to foster

encourir [ɑ̃kuʀiʀ] *v/t* ⟨→ **courir**⟩ to incur

encrage [ɑ̃kʀaʒ] *m* TYPO inking

encrassement [ɑ̃kʀasmɑ̃] *m* dirtying; *par la suie* sooting up; *de filtre*, *moteur* clogging up

encrasser [ɑ̃kʀase] **I** *v/t* to dirty **II** *v/pr* ***s'encrasser*** to get dirty; *filtre*, *moteur* to clog up

▸ **encre** [ɑ̃kʀ] *f* ink; ***~ de Chine*** India ink

encrer [ɑ̃kʀe] *v/t* to ink

encreur [ɑ̃kʀœʀ] *adj* ⟨*m*⟩ ***tampon ~*** ink pad

encrier [ɑ̃kʀije] *m* inkwell

encroûté [ɑ̃kʀute] *adj* ⟨**~e**⟩ ***être ~*** to be stuck in a rut

encroûtement [ɑ̃kʀutmɑ̃] *m* crusting over

encroûter [ɑ̃kʀute] *v/pr* ***s'~*** to crust over; *fig personne* to get into a rut; ***s'~ dans ses habitudes*** to become set in one's ways

enculé [ɑ̃kyle] *m injure pop* asshole *pop*

enculer [ɑ̃kyle] *v/t injure pop* ***va te faire ~!*** fuck off! *pop*

enculeur [ɑ̃kylœʀ] *m pop* ***~ de mouches*** nit-picker *fam*

encyclique [ɑ̃siklik] *f* encyclical

encyclopédie [ɑ̃siklɔpedi] *f* encyclopedia **encyclopédique** *adj* encyclopedic

encyclopédiste [ɑ̃siklɔpedist] *m* encyclopedist

endémique [ɑ̃demik] *adj* MÉD endemic *a fig*

endetté [ɑ̃dete] *adj* ⟨**~e**⟩ in debt; ***être ~ de dix mille euros*** to be ten thousand euros in debt

endettement [ɑ̃dɛtmɑ̃] *m* debt

endetter [ɑ̃dete] *v/pr* ***s'~*** to get into debt

endeuiller [ɑ̃dœje] *v/t* to plunge into mourning

endiablé [ɑ̃djable] *adj* ⟨**~e**⟩ frenzied

endiguer [ɑ̃dige] *v/t* **1.** *fleuve* to dyke **2.** *fig* to curb

endimanché [ɑ̃dimɑ̃ʃe] *adj* ⟨**~e**⟩ in one's Sunday best

endimancher [ɑ̃dimɑ̃ʃe] *v/pr* ***s'~*** to put on one's Sunday best

endive [ɑ̃div] *f* endive, *brit* chicory

endocrine [ɑ̃dɔkʀin] *adj* PHYSIOLOGIE endocrine

endoctrinement [ɑ̃dɔktʀinmɑ̃] *m péj* indoctrination **endoctriner** *v/t péj* to indoctrinate

endolori [ɑ̃dɔlɔʀi] *adj* ⟨**~e**⟩ aching

endommagement [ɑ̃dɔmaʒmɑ̃] *m* damaging **endommager** *v/t* ⟨**-ge-**⟩ to damage

endormant [ɑ̃dɔʀmɑ̃] *adj* ⟨**-ante** [-ɑ̃t]⟩ *paroles*, *bruits* that lull you to sleep; *par ext discours*, *orateur* mind-numbing

endormi [ɑ̃dɔʀmi] **I** *adj* ⟨**~e**⟩ **1.** (*qui dort*) asleep; ***encore tout ~*** still fast asleep **2.** *fig* sleepy **II** ***~(e)*** *m(f) fig* sleepyhead *fam*

▸ **endormir** [ɑ̃dɔʀmiʀ] ⟨→ **dormir**⟩ **I** *v/t* **1.** *enfant* to lull to sleep; *chaleur*, *fig musique*, *etc* ***~ qn*** to send sb to sleep **2.** (*anesthésier*) to put to sleep **II** *v/pr* ***s'endormir*** **1.** to fall asleep **2.** *st/s* (*mou-*

rir) to pass away *st/s*

endormissement [ɑ̃dɔʀmismɑ̃] *m* ***au moment de l'endormissement*** when falling asleep

endoscope [ɑ̃dɔskɔp] *m* endoscope **endoscopie** *f* endoscopy

endosser [ɑ̃dose] *v/t* **1.** *vêtement* to put on **2.** *fig responsabilité* to take on, to shoulder; *conséquences* to take responsibility for; ***faire ~ qc à qn*** to make sb take responsibility for sth **3.** FIN to endorse

endosseur [ɑ̃dosœʀ] *m* FIN endorser

► **endroit** [ɑ̃dʀwa] *m* **1.** place; ***par endroits*** in places **2.** *d'un tissu* right side; ► ***à l'endroit*** the right way around

enduire [ɑ̃dɥiʀ] ⟨→ **conduire**⟩ **I** *v/t* to coat (***de*** with) **II** *v/pr* ***s'~ de qc*** to put sth on

enduit [ɑ̃dɥi] *m sur un mur* coating

endurance [ɑ̃dyʀɑ̃s] *f* endurance

endurant [ɑ̃dyʀɑ̃] *adj* ⟨**-ante** [-ɑ̃t]⟩ hard-wearing

endurci [ɑ̃dyʀsi] *adj* ⟨**~e**⟩ *célibataire* confirmed; *criminel* hardened

endurcir [ɑ̃dyʀsiʀ] **I** *v/t* **1.** *physiquement* to strengthen **2.** *fig qn* to toughen up; *cœur* to harden **II** *v/pr* ***s'endurcir*** **1.** to become stronger; ***s'~ au froid*** to become inured to the cold **2.** *fig* to become hardened

endurcissement [ɑ̃dyʀsismɑ̃] *m* **1.** *à la douleur* resistance **2.** *fig au malheur* bearing; *du cœur* hardening

endurer [ɑ̃dyʀe] *v/t* to put up with; *souffrances* to endure

énergétique [enɛʀʒetik] *adj* energy *épith a* PHYS; ***aliment*** *m* **~** high-energy food

► **énergie** [enɛʀʒi] *f* energy; ***~ nucléaire*** nuclear energy

énergique [enɛʀʒik] *adj* energetic; *protestation* strong; *poignée de main* vigorous

énergumène [enɛʀgymɛn] *m/f* odd character

énervant [enɛʀvɑ̃] *adj* ⟨**-ante** [-ɑ̃t]⟩ irritating

énervé [enɛʀve] *adj* ⟨**~e**⟩ **1.** (*agacé*) irritated **2.** (*agité*) on edge

énervement [enɛʀvəmɑ̃] *m* **1.** (*agacement*) irritation **2.** (*agitation*) agitation

énerver [enɛʀve] **I** *v/t* **1.** (*agacer*) ***énerver qn*** to irritate sb, to get on sb's nerves **2.** (*agiter*) ***énerver qn*** to put sb on edge **II** *v/pr* ► ***s'énerver*** to get worked up

► **enfance** [ɑ̃fɑ̃s] *f* **1.** childhood; ***petite ~*** infancy; ***dès l'~*** from an early age; ***retomber en ~*** to go into one's second childhood **2.** *fig* dawn; *fam* ***c'est l'~ de l'art*** it's child's play

► **enfant** [ɑ̃fɑ̃] *m* **1.** child; ***~ de chœur*** altar boy; *fig* (little) angel; *fig* ***faire l'~*** to be childish **2.** ***bon ~*** ⟨*inv*⟩ good-natured; *ambiance* friendly **3.** ***étant ~ ou tout ~*** while still a child

enfantement [ɑ̃fɑ̃tmɑ̃] *m* **1.** *litt* (*accouchement*) childbirth **2.** *fig et st/s* birth

enfanter [ɑ̃fɑ̃te] *litt v/t* to give birth to *a fig*

enfantillage [ɑ̃fɑ̃tijaʒ] *m* childish behavior

enfantin [ɑ̃fɑ̃tɛ̃] *adj* ⟨**-ine** [-in]⟩ **1.** childish *a péj* **2.** (*facile*) easy

enfant-soldat *m* ⟨**enfants-soldats**⟩ child soldier

enfariné [ɑ̃faʀine] *adj* ⟨**~e**⟩ *fam, fig* ***arriver le bec ~***, *pop* ***la gueule ~e*** to breeze in looking pleased with o.s.

► **enfer** [ɑ̃fɛʀ] *m* **1.** REL, *fig* hell; ***d'~*** hellish, infernal; *fig* ***bruit*** *m* ***d'~*** one hell of a noise *fam*; ***aller en ~*** to go to hell **2.** MYTH ***~s*** *pl* the underworld

► **enfermer** [ɑ̃fɛʀme] **I** *v/t personne, animal* to shut up (***dans*** in); *chose* to lock away **II** *v/pr* ***s'enfermer*** **1.** to shut o.s. in **2.** *fig* ***s'~ dans une attitude*** to be intransigent

enferrer [ɑ̃feʀe] *v/pr fig* ***s'~ dans qc*** to get tangled up in sth

enfiévrer [ɑ̃fjevʀe] *v/t* ⟨**-è-**⟩ *fig* to stir up

enfilade [ɑ̃filad] *f* succession; *de maisons* row

enfiler [ɑ̃file] **I** *v/t* **1.** *perles* to string; ***~ une aiguille*** to thread a needle **2.** *vêtement* to slip on **II** *v/pr* ***s'enfiler*** **1.** *fam nourriture* to guzzle down *fam* **2.** ***s'~ dans une rue*** to turn into a street

► **enfin** [ɑ̃fɛ̃] *adv* **1.** (*à la fin*) at last, finally; ***viens ~!*** come on, will you! **2.** *conclusion* lastly, finally **3.** *résignation* oh well **4.** *restriction* well, at least

enflammé [ɑ̃flame] *adj* ⟨**~e**⟩ **1.** (*en flammes*) burning **2.** MÉD inflamed **3.** *fig* passionate

enflammer [ɑ̃flame] **I** *v/t* **1.** (*allumer*) to set fire to **2.** *fig visage* to cause to burn **3.** *fig* to inflame *a méd*; *personne* to fire up **II** *v/pr* ***s'enflammer*** **1.** (*prendre feu*) to catch fire **2.** MÉD to become inflamed **3.** *fig* to be fired up (***pour*** about)

enflé [ɑ̃fle] *adj* 〈**~e**〉 swollen
enfler [ɑ̃fle] **I** *v/i* to swell **II** *v/pr* **s'~** *fig voix* to rise
enflure [ɑ̃flyʀ] *f* **1.** swelling **2.** *fig, fam* jerk *fam*
enfoiré(e) [ɑ̃fwaʀe] *m(f) injure pop* (*homme*) bastard *pop*, (*femme*) bitch *pop*
enfoncé [ɑ̃fõse] *adj* 〈**~e**〉 *yeux* deep-set
enfoncement [ɑ̃fõsmɑ̃] *m* **1.** *d'un clou, d'un pieu* hammering in **2.** *d'une porte* breaking down; MIL collapse **3.** (*creux*) dip
enfoncer [ɑ̃fõse] 〈**-ç-**〉 **I** *v/t* **1.** *clou* to knock in; *punaise, bouchon* to push in; *pieu* to hammer in; **~ son chapeau sur les yeux** to pull one's hat down over one's eyes; *fam, fig* **~ qc dans le crâne de qn** to get an idea into sb's head *fam* **2.** *porte, etc* to break down; *fam, fig* **~ qn** (*battre*) to beat sb up *fam*; (*surpasser*) to beat sb hands down *fam* **II** *v/i* **1.** to sink **III** *v/pr* **1. s'~ une épine dans la peau** to get a thorn stuck in one's skin **2.** *bateau* **s'~** to sink; **s'~ dans la neige** to sink into the snow **3.** (*pénétrer*) **s'~ dans la forêt** to go deep into the forest
enfouir [ɑ̃fwiʀ] *v/t* to bury
enfouissement [ɑ̃fwismɑ̃] *m* burying
enfourcher [ɑ̃fuʀʃe] *v/t vélo, cheval* to mount
enfourner [ɑ̃fuʀne] *v/t* **1.** *pain* to put in the oven **2.** *fam, fig* (*avaler*) to stuff down *fam*
enfreindre [ɑ̃fʀɛ̃dʀ] *v/t* 〈→ **peindre**〉 to infringe
► **enfuir** [ɑ̃fɥiʀ] *v/pr* 〈→ **fuir**〉 **s'~ 1.** to run away **2.** *fig, st/s* to fly by
enfumé [ɑ̃fyme] *adj* 〈**~e**〉 *pièce* smoke-filled
enfumer [ɑ̃fyme] *v/t pièce* to fill with smoke; **~ qn** to smoke sb out
engagé [ɑ̃gaʒe] **I** *adj* 〈**~e**〉 committed **II** *m* MIL enlisted man
engageant [ɑ̃gaʒɑ̃] *adj* 〈**-ante** [-ɑ̃t]〉 *sourire* engaging; *offre* tempting
engagement [ɑ̃gaʒmɑ̃] *m* **1.** (*obligation*) commitment (**envers qn** to sb); **sans ~** with no obligation; **prendre un ~** to make a commitment **2.** (*embauche*) recruitment; THÉ engagement; MIL enlistment **3.** *d'un écrivain, etc* involvement
engager [ɑ̃gaʒe] 〈**-ge-**〉 **I** *v/t* **1.** (*mettre en gage*) to stake; **~ sa parole** to give one's word; *fig* **~ l'avenir** to decide the future **2.** (*obliger*) **~ qn** (**à qc**) to commit sb (to sth); *par ext* (*exhorter*) **~ qn à faire qc** to urge sb to do sth **3.** (*embaucher*) to take on, to hire; THÉ to engage **4.** (*introduire*) to insert (**dans** into); *véhicule* to turn (**dans** into) **5.** *argent, capitaux* to invest (**dans** in) **6.** (*commencer*) *négociations* to begin, to enter into; *combat* to go into **II** *v/pr* **1. s'~ à** (**faire**) **qc** to commit o.s. to (doing) sth **2.** *écrivain, etc* **s'~** to get involved **3. s'~** MIL to enlist, to join up; *par ext* to take a job (**comme chauffeur** as a driver) **4.** *vehicule* **s'~ dans qc** to turn into sth **5.** *fig* (*se lancer*) **s'~ dans qc** to embark on sth **6.** (*commencer*) to begin
engeance [ɑ̃ʒɑ̃s] *f péj* scum *péj*
engelure [ɑ̃ʒlyʀ] *f* chilblain
engendrer [ɑ̃ʒɑ̃dʀe] *v/t* **1.** *enfant* to father **2.** (*causer*) to cause
engin [ɑ̃ʒɛ̃] *m* **1.** machine; **~ spatial** spacecraft **2.** MIL device **3.** *fam, péj* contraption *fam*
engineering [ɛnʒiniʀiŋ] *m* → **ingénierie**
englober [ɑ̃glɔbe] *v/t* to include (**dans** in)
engloutir [ɑ̃glutiʀ] *v/t* to wolf down; *navire* to engulf; *somme* to eat up
engluer [ɑ̃glye] **I** *v/t* to lime **II** *v/pr fig* **s'~ dans qc** to get bogged down in sth
engoncé [ɑ̃gõse] *adj* 〈**~e**〉 **~ dans** *un vêtement* squeezed into
engoncer [ɑ̃gõse] *v/t* 〈**-ç-**〉 *manteau* to be too tight for
engorgement [ɑ̃gɔʀʒəmɑ̃] *m* **1.** *d'un conduit* clogging **2.** MÉD congestion **3.** *du marché* glut
engorger [ɑ̃gɔʀʒe] *v/t* 〈**-ge-**〉 to block (up), to clog (up); MÉD to congest
engouement [ɑ̃gumɑ̃] *m* infatuation (**pour** with)
engouer [ɑ̃gwe] *v/pr* **s'~ de** to be infatuated with
engouffrer [ɑ̃gufʀe] **I** *v/t fam nourriture* to wolf down **II** *v/pr* **s'engouffrer 1.** *vent* to rush (**dans** through) **2.** *foule, individus* to surge (**dans** into)
engourdi [ɑ̃guʀdi] *adj* 〈**~e**〉 *membres* numb
engourdir [ɑ̃guʀdiʀ] **I** *v/t* **1.** *membres* to numb **2.** *fig* to dull **II** *v/pr* **s'~** to go numb
engourdissement [ɑ̃guʀdismɑ̃] *m* **1.** *des membres* numbness **2.** *fig* dullness
engrais [ɑ̃gʀɛ] *m* fertilizer; **~ chimique** chemical fertilizer

engraissage [ɑ̃gʀɛsaʒ] *m ou* **engraissement** [-mɑ̃] *m* fattening (up)
engraisser [ɑ̃gʀese] **I** *v/t* **1.** *animaux* to fatten (up) **2.** *terres* to fertilize **II** *v/i* to get fat(ter) **III** *v/pr fig* **s'~** to grow fat
engranger [ɑ̃gʀɑ̃ʒe] *v/t* 〈**-ge-**〉 *récolte* to gather in
engrenage [ɑ̃gʀənaʒ] *m* **1.** TECH gears *pl* **2.** *fig* spiral; ***l'~ de la violence*** the spiral of violence
engrosser [ɑ̃gʀose] *pop v/t* **~ *qn*** to knock sb up *pop*, to get sb pregnant
engueulade [ɑ̃gœlad] *fam f* **1.** bawling out *fam* **2.** (*dispute*) row *fam*
engueuler [ɑ̃gœle] *fam* **I** *v/t* to bawl out *fam*; ***~ qn comme du poisson pourri*** to tear a strip off sb *fam*; ***se faire ~*** to get bawled out *fam* **II** *v/pr* **s'~** to have a row
enguirlander [ɑ̃giʀlɑ̃de] *v/t fam* → ***engueuler***
enhardir [ɑ̃aʀdiʀ] **I** *v/t* to embolden **II** *v/pr* **s'~** to become bolder; ***s'~ jusqu'à faire qc*** to be bold enough to so sth
énième [enjɛm] *adj* → ***nième***
énigmatique [enigmatik] *adj* enigmatic
énigme [enigm] *f* enigma
enivrant [ɑ̃nivʀɑ̃] *adj* 〈**-ante** [-ɑ̃t]〉 *alcool, parfum, beauté* intoxicating
enivrement [ɑ̃nivʀəmɑ̃] *m fig* intoxication
enivrer [ɑ̃nivʀe] **I** *v/t* to intoxicate **II s'~** to become intoxicated
enjambée [ɑ̃ʒɑ̃be] *f* stride
enjambement [ɑ̃ʒɑ̃bmɑ̃] *m* enjambement
enjamber [ɑ̃ʒɑ̃be] *v/t* to stride over; *fossé* to stride across; *pont*: *rivière* to span
enjeu [ɑ̃ʒø] *m* 〈**~x**〉 **1.** *au jeu* stake **2.** *fig* issue
enjoindre [ɑ̃ʒwɛ̃dʀ] *v/t* 〈→ **joindre**〉 *st/s* ***~ à qn de*** *+inf* to enjoin sb *st/s + inf*
enjôler [ɑ̃ʒole] *v/t* to cajole **enjôleur, enjôleuse I** *m/f* charmer **II** *adj* coaxing
enjoliver [ɑ̃ʒɔlive] *v/t* to embellish *a fig* **enjoliveur** *m* hubcap
enjoué [ɑ̃ʒwe] *adj* 〈**~e**〉 cheerful
enjouement [ɑ̃ʒumɑ̃] *m* cheerfulness
enlacement [ɑ̃lasmɑ̃] *m* **1.** *de rubans* intertwining **2.** (*étreinte*) embrace
enlacer [ɑ̃lase] 〈**-ç-**〉 **I** *v/t* **1.** *qc* to intertwine **2.** *qn* to embrace **II** *v/pr* **s'~** *amoureux* to embrace
enlaidir [ɑ̃lediʀ] **I** *v/t* to make look ugly **II** *v/i* to become ugly
enlaidissement [ɑ̃ledismɑ̃] *m* disfigurement
enlevé [ɑ̃lve] *adj* 〈**~e**〉 spirited
enlèvement [ɑ̃lɛvmɑ̃] *m* **1.** removal; ***~ des ordures (ménagères)*** removal of (household) garbage **2.** JUR abduction, kidnapping
► **enlever** [ɑ̃lve] 〈**-è-**〉 **I** *v/t* **1.** (*emporter*) to take away **2.** (*ôter*) to remove; *vêtement* to take off, to remove **3.** (*kidnapper*) to abduct, to remove **4.** (*s'emparer de*) MIL to capture; SPORT *première place* to take; POL *siège* to win **5.** (*priver de*) *courage, illusions* to take (***à qn*** from sb) **II** *v/pr* **s'~** *tache* to come out; *peinture* to come off
enlisement [ɑ̃lizmɑ̃] *m* **1.** *dans le sable* sinking **2.** *fig* stalemate
enliser [ɑ̃lize] *v/pr* **s'~ 1.** *voiture* to get stuck **2.** *fig enquête, etc* to become bogged down
enluminure [ɑ̃lyminyʀ] *f* illumination
enneigé [ɑ̃neʒe] *adj* 〈**~e**〉 snow-covered; *route, maison* snowbound
enneigement [ɑ̃nɛʒmɑ̃] *m* snow conditions; ***bulletin*** *m* ***d'~*** snow report
► **ennemi(e)** [ɛnmi] **I** *m(f)* enemy; ***ennemi public numéro un*** public enemy number one; ***passer à l'ennemi*** to go over to the enemy **II** *adj* enemy *épith*; ***frères ennemis*** feuding brothers
ennoblir [ɑ̃nɔbliʀ] *v/t fig* to ennoble
► **ennui** [ɑ̃nɥi] *m* **1.** *surtout pl* **~s** problems; ***l'~, c'est que …*** the trouble is, … **2.** (*lassitude*) boredom
ennuyé [ɑ̃nɥije] *adj* 〈**~e**〉 **1.** (*contrarié*) annoyed **2.** (*dans l'embarras*) ***je suis ~*** I'm in trouble **3.** (*soucieux*) worried
► **ennuyer** [ɑ̃nɥije] 〈**-ui-**〉 **I** *v/t* **1.** (*contrarier*) to annoy **2.** (*lasser*) to bore **3.** (*préoccuper*) to worry **II** *v/pr* **1.** ► ***s'ennuyer*** to be bored **2.** ***s'ennuyer de qn*** to miss sb
► **ennuyeux** [ɑ̃nɥijø] *adj* 〈**-euse** [-øz]〉 **1.** (*désagréable*) annoying **2.** (*inintéressant*) boring
énoncé [enɔ̃se] *m* statement; *d'une question* wording; LING utterance; JUR pronouncement **énoncer** *v/t* 〈**-ç-**〉 to state **énonciation** *f* statement
enorgueillir [ɑ̃nɔʀgœjiʀ] **I** *v/t* to make proud **II** *v/pr* ***s'~ de*** to pride o.s. on; *péj* to boast about
► **énorme** [enɔʀm] *adj* huge; *crime* terrible
énormément [enɔʀmemɑ̃] *adv* **1.** greatly **2. ~ *de*** (*+ subst*) a huge amount of
énormité [enɔʀmite] *f* **1.** hugeness **2.** *ac-*

tion huge blunder; *parole* outrageous remark

enquérir [ãkeʀiʀ] *v/pr* ⟨→ **acquérir**⟩ *st/s* **s'~ de** to enquire about

► **enquête** [ãkɛt] *f* **1.** investigation; (*sondage*) survey; ***faire sa petite ~*** to do a bit of investigating **2.** JUR inquiry

enquêter [ãkete] *v/i* to investigate (***sur qc*** sth)

enquêteur [ãkɛtœʀ] *m* **1.** JUR investigating officer **2.** ÉCON (market research) interviewer

enquiquinant [ãkikinã] *fam adj* ⟨**-ante** [-ãt]⟩ → ***embêtant***

enquiquiner [ãkikine] *fam v/t* → ***embêter***, ***emmerder***

enraciné [ãʀasine] *adj* ⟨**~e**⟩ *personne* deep-rooted; **~ *dans*** deeply rooted in

enracinement [ãʀasinmã] *m* **1.** BOT rooting **2.** *fig* taking root; *état* deep-rooted nature

enraciner [ãʀasine] *v/pr* **s'~ 1.** *plante* to (take) root **2.** *fig personne* to put down roots; *habitude*, *etc* to take root

enragé [ãʀaʒe] *adj* ⟨**~e**⟩ **1.** *chien* rabid **2.** *fig* fanatical; *subst* ***un(e) ~(e) de musique*** a music fanatic

enrager [ãʀaʒe] *v/i* ⟨**-ge-**⟩ ***j'enrage de*** *+inf* I'm furious at (+ *v-ing*); ***faire ~ qn*** to tease sb

enraiement [ãʀɛmã] *m* → ***enrayement***

enrayage [ãʀɛjaʒ] *m d'une arme à feu* jamming **enrayement** *m d'une épidémie*, *d'une crise* halting

enrayer [ãʀeje] ⟨**-ay-** *od* **-ai-**⟩ **I** *v/t* **1.** *épidémie*, *crise* to halt **2.** *mécanisme* to jam **II** *v/pr* **s'~** *arme* to jam

enrégimenter [ãʀeʒimãte] *v/t* to regiment (***dans*** into)

enregistrable [ãʀ(ə)ʒistʀabl] *adj* recordable

enregistrement [ãʀəʒistʀəmã] *m* **1.** *de son*, *d'images*, *de données*, *d'observations* recording **2.** JUR registration **3.** ***~ des bagages*** baggage check-in; AVIAT ***se présenter à l'~*** to check in

► **enregistrer** [ãʀəʒistʀe] *v/t* **1.** *son*, *images*, *CD*, *données*, *observations* to record **2.** (*inscrire*) to register **3.** *bagages* to check in; ► ***faire enregistrer qc*** to check sth in

enregistreur [ãʀəʒistʀœʀ] *adj* ⟨**-euse** [-øz]⟩ recording *épith*; ***caisse enregistreuse*** cash register

enrhumé [ãʀyme] *adj* ⟨**~e**⟩ with a cold

enrhumer *v/pr* **s'~** to catch a cold

enrichir [ãʀiʃiʀ] **I** *v/t* **1.** **~ *qn*** to make sb wealthy **2.** *collection*, *langue*, *etc* to enrich (***de qc*** with sth) **3.** *minerai*, *terre* to enrich **II** *v/pr* **s'~** to become wealthy

enrichissant [ãʀiʃisã] *adj* ⟨**-ante** [-ãt]⟩ rewarding

enrichissement [ãʀiʃismã] *m* enrichment

enrober [ãʀɔbe] *v/t* **1.** to coat; ***enrobé de chocolat*** chocolate-coated **2.** *fig* to wrap (up) (***de*** with)

enrôlement [ãʀolmã] *m* **1.** HIST MIL, MAR enlistment **2.** *fig* enrolment

enrôler [ãʀole] **I** *v/t* to enrol (***dans*** in) **II** *v/pr* **s'~** to enrol (***dans*** in)

enroué [ãʀwe] *adj* ⟨**~e**⟩ hoarse

enrouement [ãʀumã] *m* hoarseness

enrouer [ãʀwe] *v/pr* **s'~** to go hoarse

enroulement [ãʀulmã] *m* **1.** *action* rolling up **2.** ÉLEC coil

enrouler [ãʀule] **I** *v/t* to wind up; ***~ qc autour de qc*** to wind sth around sth **II** *v/pr* **s'~** to curl up; ***s'~ dans qc*** to curl up in sth

enrouleur [ãʀulœʀ] *m* AUTO ***ceinture*** *f* ***à ~*** inertia reel belt

enrubanner [ãʀybane] *v/t* to decorate with ribbon(s)

ensablement [ãsabləmã] *m d'un port* silting up; *par le vent* (sand) dune

ensabler [ãsable] *v/pr* **s'~ 1.** *port*, *etc* to silt up **2.** *véhicule* to get stuck in the sand

ensacher [ãsaʃe] *v/t ciment*, *grains* to bag up; *bonbons* to put into bags

ensanglanté [ãsãglãte] *adj* ⟨**~e**⟩ bloodstained

ensanglanter [ãsãglãte] *v/t* to bloody

► **enseignant** [ãsɛɲã] **I** *adj* ⟨**-ante** [-ãt]⟩ ***corps ~*** teaching profession **II** ***~(e)*** *m(f)* teacher

enseigne [ãsɛɲ] *f* **1.** sign; ***~ publicitaire*** advertising sign; *fig* ***être logé(s) à la même ~*** to be in the same boat **2.** *litt* ***à telle ~ que*** so much so that

► **enseignement** [ãsɛɲmã] *m* **1.** *institution* education; ***~ technique, professionnel*** technical, professional education **2.** *métier* teaching **3.** (*leçon*) lesson

► **enseigner** [ãseɲe] *v/t* to teach; ***~ qc à qn*** to teach sb sth

► **ensemble** [ãsãbl] **I** *adv* **1.** together; ► ***aller ensemble*** to go together **2.** (*simultanément*) at the same time **II** *m* **1.** (*totalité*) whole; ***d'ensemble*** overall; ***dans l'ensemble*** on the whole **2.** (*grou-*

pe) group **3.** *(harmonie)* cohesion **4.** MUS ensemble **5.** *d'édifices* complex; ***grand ensemble*** high-rise complex **6.** *de meubles* suite **7.** COUT outfit **8.** MATH set; ***théorie*** *f* ***des ensembles*** set theory

ensemblier [ɑ̃sɑ̃blije] *m* interior designer

ensemencer [ɑ̃smɑ̃se] *v/t* ⟨**-ç-**⟩ **1.** *champ* to sow **2.** *rivière* to stock

enserrer [ɑ̃seʀe] *v/t* to hug

ensevelir [ɑ̃səv(ə)liʀ] *v/t* **1.** *litt (enterrer)* to inter *st/s* **2.** *fig* to bury

ensevelissement [ɑ̃səv(ə)lismɑ̃] *m* **1.** *litt (enterrement)* interment *st/s* **2.** *d'une ville* burying

ensoleillé [ɑ̃sɔleje] *adj* ⟨**~e**⟩ sunny

ensoleillement [ɑ̃sɔlɛjmɑ̃] *m* sunshine

ensoleiller [ɑ̃sɔleje] *v/t fig vie, journée* to brighten (up)

▶ **ensommeillé** [ɑ̃sɔmeje] *adj* ⟨**~e**⟩ sleepy

ensorcelant [ɑ̃sɔʀsəlɑ̃] *adj* ⟨**-ante** [-ɑ̃t]⟩ spellbinding

ensorceler [ɑ̃sɔʀsəle] *v/t* ⟨**-ll-**⟩ **1.** to cast a spell on **2.** *fig* to hold spellbound **ensorceleur** *m*, **ensorceleuse** *f* charmer

ensorcellement [ɑ̃sɔʀsɛlmɑ̃] *m* bewitchment

▶ **ensuite** [ɑ̃sɥit] *adv* then; *(plus tard)* after

ensuivre [ɑ̃sɥivʀ] *v/pr* ⟨→ **suivre**⟩ ***s'~*** *(découler)* to follow; *(suivre)* to ensue; ***et tout ce qui s'ensuit*** and all the ensuing consequences

entacher [ɑ̃taʃe] *v/t st/s honneur, réputation* to sully *st/s*

entaille [ɑ̃taj] *f* **1.** notch **2.** *blessure* cut

entailler [ɑ̃taje] **I** *v/t* TECH to notch **II** *v/pr* ***s'~ le doigt*** to cut one's finger

entame [ɑ̃tam] *f* first slice

entamer [ɑ̃tame] *v/t* **1.** *réserves, capital* to eat into *a* CHIM; *pain, rôti* to cut into **2.** *fig optimisme, etc* to undermine **3.** *(commencer)* to start; *discussion, conversation* to open

entartrage [ɑ̃taʀtʀaʒ] *m* scaling

entartrer [ɑ̃taʀtʀe] **I** *v/t* to scale up **II** *v/pr* ***s'~*** to get scaled up

entassement [ɑ̃tasmɑ̃] *m* **1.** piling up; *résultat* pile **2.** *de personnes* cramming together

entasser [ɑ̃tase] **I** *v/t* **1.** *objets* to pile **2.** *personnes* to cram (together) (***dans*** into) **II** *v/pr* ***s'entasser*** **1.** *objets* to pile up **2.** *personnes* to cram together

entendement [ɑ̃tɑ̃dmɑ̃] *m* understanding; ***dépasser l'~*** to be beyond belief

entendeur [ɑ̃tɑ̃dœʀ] *m* ***à bon ~ salut!*** you have been warned!

▶ **entendre** [ɑ̃tɑ̃dʀ] ⟨→ **rendre**⟩ **I** *v/t* **1.** *bruit, voix* to hear; ***j'ai mal entendu*** I didn't hear properly; ***ne pas entendre qc*** not to hear sth; ***à l'entendre*** to hear him / her talk; ***j'ai entendu dire que ...*** I heard that ...; ***entendre qn dire qc*** to hear sb say sth; ***entendre parler de qn, de qc*** to hear about sb, sth; ***se faire entendre*** to make o.s. heard **2.** *(écouter) concert* to listen to; *témoin, prières* to hear **3.** *(comprendre)* to understand; ***laisser entendre qc*** to intimate sth; ***laisser entendre qc à qn*** to give sb to understand sth **4.** *(signifier)* to mean; ***entendre par*** to mean by **5.** *st/s (vouloir)* to intend **II** *v/pr* **1.** ▶ ***s'entendre (bien, mal) avec qn*** to get on (well, badly) with sb; ***entendons-nous bien!*** let's make sure we're clear about this; ***s'entendre avec qn, sur qc*** *(se mettre d'accord)* to agree with sb, about sth; ***s'entendre à qc*** *(s'y connaître)* to be good at sth **2.** *bruit, etc* to be heard

> **entendre**
>
> **Entendre** = to hear; **écouter** = to listen:
>
> **Je n'entends pas très bien. Pourriez-vous parler un peu plus fort?**
> Compare: **Je vous écoute. Que désirez-vous, monsieur?**
>
> I don't hear so well. Could you speak a bit louder?
> Compare: I'm listening. What would you like, sir?

entendu [ɑ̃tɑ̃dy] *adj* ⟨**~e**⟩ **1.** *(convenu)* agreed; **(*c'est*) *~!*** OK!; ***bien ~*** of course **2.** *air, sourire* knowing

entente [ɑ̃tɑ̃t] *f* **1.** *(accord)* agreement (*a* ÉCON, POL) **2.** *(concorde)* harmony

entériner [ɑ̃teʀine] *v/t* to ratify

▶ **enterrement** [ɑ̃tɛʀmɑ̃] *m* burial; *cérémonie* funeral

▶ **enterrer** [ɑ̃teʀe] **I** *v/t* **1.** *mort, cadavre, trésor* to bury; ***être enterré sous les décombres*** to be buried under the rubble **2.** *fig affaire, projets* to shelve **II** *v/pr* ***s'~*** *fig* to hide o.s. away (***en province*** in the country)

entêtant [ɑ̃tɛtɑ̃] *adj* ⟨**-ante** [-ɑ̃t]⟩ heady
en-tête [ɑ̃tɛt] *m* ⟨**en-têtes**⟩ heading
entêté [ɑ̃tete] *adj* ⟨**~e**⟩ stubborn
entêtement [ɑ̃tɛtmɑ̃] *m* stubbornness
entêter [ɑ̃tete] *v/pr* ***s'~*** to be stubborn; ***s'~ dans qc*** to persist in sth; ***s'~ à faire qc*** to persist in doing sth
enthousiasmant [ɑ̃tuzjasmɑ̃] *adj* ⟨**-ante** [-ɑ̃t]⟩ exciting **enthousiasme** *m* enthusiasm
enthousiasmer [ɑ̃tuzjasme] **I** *v/t* to enthuse **II** *v/pr* ***s'~*** to get enthusiastic (***pour*** about)
enthousiaste [ɑ̃tuzjast] *adj* enthusiastic
enticher [ɑ̃tiʃe] *v/pr* ***s'~ de*** *qn* to become infatuated with; *qc* to become passionate about
▶ **entier** [ɑ̃tje] **I** *adj* ⟨**-ière** [-jɛʀ]⟩ **1.** whole; ***une année entière*** a whole year; ***lait ~*** full-fat milk; ***qc tout*** ⟨*inv*⟩ ***~*** the whole of sth **2.** (*absolu*) complete **3.** (*intact*) intact; *mystère* ***rester ~*** to remain unsolved **4.** *caractère* wholehearted **II** *m* **1.** ***en ~*** in its entirety **2.** MATH integer
entièrement [ɑ̃tjɛʀmɑ̃] *adv* completely
entité [ɑ̃tite] *f* entity
entomologie [ɑ̃tɔmɔlɔʒi] *f* entomology
entonner [ɑ̃tɔne] *v/t* to start singing
entonnoir [ɑ̃tɔnwaʀ] *m* funnel
entorse [ɑ̃tɔʀs] *f* sprain; ***se faire une ~ au pied*** to sprain one's foot; *fig* ***faire une ~ au règlement*** to bend the rules
entortiller [ɑ̃tɔʀtije] **I** *v/t* **1.** to twist (***dans*** into) **2.** *fig* ***~ qn*** to get around sb **II** *v/pr* ***s'~*** to get twisted (***autour de*** around)
entourage [ɑ̃tuʀaʒ] *m* circle
entouré [ɑ̃tuʀe] *adj* ⟨**~e**⟩ **1.** ***~ de*** surrounded by *ou* with **2.** *personne* (***très***) ***~*** (very) popular; ***être mal ~*** to be unpopular
▶ **entourer** [ɑ̃tuʀe] **I** *v/t* **1.** to surround (***de*** with); ***~ de, en rouge*** to circle with, in red **2.** *personnes* ***~ qn*** to surround sb; *par ext* (*s'occuper de qn*) to rally around sb **II** *v/pr* ***s'~ de*** to surround o.s. with
entourloupette [ɑ̃tuʀlupɛt] *fam f* dirty trick
entournure [ɑ̃tuʀnyʀ] *f* armhole; *fig* ***être gêné aux ~s*** to be in a difficult position; *financièrement* to be feeling the pinch *fam*
entracte [ɑ̃tʀakt] *m* intermission
entraide [ɑ̃tʀɛd] *f* mutual assistance
entraider [ɑ̃tʀede] *v/pr* ***s'~*** to help each other
entrailles [ɑ̃tʀɑj] *fpl* **1.** (*viscères*) entrails **2.** *fig*, *litt* bowels
entrain [ɑ̃tʀɛ̃] *m* liveliness
entraînant [ɑ̃tʀɛnɑ̃] *adj* ⟨**-ante** [-ɑ̃t]⟩ lively
▶ **entraînement** [ɑ̃tʀɛnmɑ̃] *m* **1.** training (*a* SPORT) **2.** TECH drive
entraîner [ɑ̃tʀene] **I** *v/t* **1.** (*charrier*) ***entraîner qc*** to carry sth away; TECH to drive sth **2.** ***entraîner qn*** to take sb; *fig musique* to carry sb along; *fig passion* to carry sb away; *fig* ***entraîner qn dans qc*** to lead sb into sth; ***il a entraîné qn dans sa chute*** he dragged sb down with him; ***entraîner qn à faire qc*** to get sb to do sth **3.** (*avoir pour conséquence*) to lead to **4.** (*exercer*) to train (*a* SPORT) **II** *v/pr* ▶ ***s'entraîner*** to train (*a* SPORT) (***à qc*** for sth; ***à faire qc*** to do sth)
entraîneur [ɑ̃tʀɛnœʀ] *m* trainer **entraîneuse** *f* hostess
entrapercevoir [ɑ̃tʀapɛʀsəvwaʀ] *v/t* ⟨→ **recevoir**⟩ to glimpse
entrave [ɑ̃tʀav] *f* **1.** shackle **2.** *fig* hindrance
entraver [ɑ̃tʀave] *v/t* **1.** to shackle **2.** *fig* to hinder **3.** *arg* (*comprendre*) to get *fam*
▶ **entre** [ɑ̃tʀ] *prép* **1.** *lieu, temps* between **2.** (*parmi*) among; ***~ autres*** among others; (***soit dit***) ***~ nous*** between ourselves; ***~ amis*** among friends; ***qui d'~ vous?*** which of you?
entrebâillement [ɑ̃tʀəbɑjmɑ̃] *m* gap **entrebâiller** *v/t* to half-open
entrechat [ɑ̃tʀəʃa] *m* DANSE entrechat
entrechoquer [ɑ̃tʀəʃɔke] *v/t et v/pr* ***s'~*** to knock together
entrecôte [ɑ̃tʀəkot] *f* rib steak
entrecoupé [ɑ̃tʀəkupe] *adj* ⟨**~e**⟩ ***~ de*** interrupted by
entrecouper [ɑ̃tʀəkupe] *v/t* to interrupt (***qc de qc*** sth with sth)
entrecroiser [ɑ̃tʀəkʀwaze] **I** *v/t* to intertwine **II** *v/pr* ***s'~*** to intertwine
entre-déchirer [ɑ̃tʀədeʃiʀe] *v/pr litt et fig* ***s'~*** to tear each other apart
entre-deux [ɑ̃tʀədø] *m* ⟨*inv*⟩ **1.** COUT insert **2.** BASKET, FOOTBALL jump ball
entre-deux-guerres [ɑ̃tʀədøgɛʀ] *m* ⟨*inv*⟩ interwar years (*pl*)
▶ **entrée** [ɑ̃tʀe] *f* **1.** *action* entrance *a* THÉ; *dans un pays, dans un parti, de véhicules* entry; *par ext* ***~ en fonction(s)*** taking up of one's post; ***~ en matière***

introduction; *fig* ***avoir ses ~s chez qn*** to have privileged access to sb **2.** *endroit* entrance; ***~ des artistes*** stage door; ***~ d'air*** air intake **3.** (*prix d'entrée*) admission; (*billet*) entrance ticket **4.** (*vestibule*) entrance (hall) **5.** CUIS appetizer, *brit* starter **6.** INFORM input **7.** *d'un dictionnaire* entry **8.** ***d'~ de jeu*** from the outset

> **entrée**
>
> Note that in French menus the entrée is an hors-d'oeuvre or appetizer. In English, especially American English, an entrée is the main course of a meal, for which the French translation would be **le plat principal**.

entrefaite [ɑ̃tʀəfɛt] ***sur ces ~s*** just then
entrefilet [ɑ̃tʀəfilɛ] *m* filler
entregent [ɑ̃tʀəʒɑ̃] *m* ***avoir de l'~*** to have a way with people
entrejambe [ɑ̃tʀəʒɑ̃b] *m* COUT crotch
entrelacement [ɑ̃tʀəlasmɑ̃] *m* intertwining; *résultat* criss-cross
entrelacer [ɑ̃tʀəlase] ⟨**-ç-**⟩ **I** *v/t* to intertwine **II** *v/pr* ***s'~*** to intertwine
entrelarder [ɑ̃tʀəlaʀde] *v/t* CUIS to lard
entremêler [ɑ̃tʀəmele] *v/t* to intermingle
entremets [ɑ̃tʀəmɛ] *m* entremets
entremetteur [ɑ̃tʀəmɛtœʀ] *m* (*intermédiaire*) go-between; *péj* (*proxénète*) procurer
entremetteuse [ɑ̃tʀəmɛtøz] *f* *péj* procuress
entremettre [ɑ̃tʀəmɛtʀ] *v/pr* ⟨→ **mettre**⟩ *st/s* ***s'~*** to mediate
entremise [ɑ̃tʀəmiz] *f* intervention
entrepont [ɑ̃tʀəpõ] *m* tween deck
entreposer [ɑ̃tʀəpoze] *v/t* to store
entrepôt [ɑ̃tʀəpo] *m* warehouse
entreprenant [ɑ̃tʀəpʀənɑ̃] *adj* ⟨**-ante** [-ɑ̃t]⟩ **1.** enterprising **2.** *auprès des femmes* forward
entreprendre [ɑ̃tʀəpʀɑ̃dʀ] *v/t* ⟨→ **prendre**⟩ **1.** to undertake; ***~ de faire qc*** to undertake to do sth **2.** ***~ qn*** to strike up a conversation with sb
entrepreneur [ɑ̃tʀəpʀənœʀ] *m*, **entrepreneuse** [-øz] *f* businessman, businesswoman; CONSTR contractor
▶ **entreprise** [ɑ̃tʀəpʀiz] *f* **1.** (*projet*) undertaking, enterprise **2.** ÉCON business; *par ext* ***la libre ~*** free enterprise
▶ **entrer** [ɑ̃tʀe] **I** *v/t* INFORM to enter **II** *v/i* ⟨**être**⟩ **1.** *personne* to go in; *dans un pays* to enter; (*qn en*) *voiture* to get in; *lumière* to come in; ▶ ***entrez!*** come in!; ***~ dans*** to go into; ***~ en scène*** to come on; ***faire ~ qn*** to let sb in; ***faites ~*** show him / her / them in **2.** *objets* to go (***dans*** in(to)); ***faire ~ qc dans qc*** to put sth in(to) sth **3.** *dans une entreprise*, *un club*, *etc* to join; ***~ à l'école*** to start school **4.** *par ext* (*changer d'état*) ***~ dans, en*** to enter; ***~ dans l'histoire*** to go down in history; ***~ en communication avec qn*** to get in touch with sb; ***~ en guerre*** to go to war **5.** (*faire partie de*) to go (***dans*** into); ***~ dans la fabrication de qc*** to go into the making of sth; ***~ en ligne de compte*** to be part of the equation
entresol [ɑ̃tʀəsɔl] *m* mezzanine
entre-temps [ɑ̃tʀətɑ̃] *adv* meanwhile, in the meantime
entretenir [ɑ̃tʀətniʀ] ⟨→ **venir**⟩ **I** *v/t* **1.** *correspondance*, *etc* to keep up; *relations* to maintain; *légende* to keep alive **2.** *maison*, *vêtements*, *etc* to look after; *édifice*, *machine*, *voiture* to maintain **3.** *famille* to support; *péj femme* to keep **4.** *st/s* ***~ qn de qc*** to speak to sb about sth **II** *v/pr* ***s'~ avec qn de qc*** to discuss sth with sb
entretenu [ɑ̃tʀətny] *adj* ⟨**~e**⟩ **1.** ***bien*** (***mal***) ***~*** *parc*, *maison* well (not well) looked-after; *voiture*, *édifice* well (poorly) maintained **2.** *péj femme*, *homme* kept *épith*
entretien [ɑ̃tʀətjɛ̃] *m* **1.** *en bon état*: *de maison*, *d'édifice* upkeep; *de machine*, *de voiture* maintenance; *de vêtements* care **2.** *d'une famille* keep **3.** (*conversation*) conversation; ***~ d'embauche*** job interview
entretuer [ɑ̃tʀətɥe] *v/pr* ***s'~*** to kill each other
entrevoir [ɑ̃tʀəvwaʀ] *v/t* ⟨→ **voir**⟩ **1.** to glimpse **2.** (*pressentir*) to anticipate
entrevue [ɑ̃tʀəvy] *f* meeting
entrouvrir [ɑ̃tʀuvʀiʀ] *v/t* ⟨→ **couvrir**⟩ to open slightly
entubage [ɑ̃tybaʒ] *m pop* con *fam* **entuber** *v/t pop* to con *fam*
énumération [enymeʀasjõ] *f* list **énumérer** *v/t* ⟨**-è-**⟩ to list
énurésie [enyʀezi] *f* enuresis

► **envahir** [ɑ̃vaiʀ] *v/t* **1.** *territoire* to invade **2.** *par ext* to overcome; *herbes: jardin* to overrun; *produit: marché* to flood; *foule* **~ la salle** to swarm into the hall **3.** *sentiment* **~ qn** to flood through sb

envahissant [ɑ̃vaisɑ̃] *adj* 〈**-ante** [-ɑ̃t]〉 **1.** *voisin* nosy **2.** *mauvaises herbes* invasive **envahisseur** *m* invader

envasement [ɑ̃vɑzmɑ̃] *m d'un port* silting up

envaser [ɑ̃vɑze] *v/pr* **s'~ 1.** *canal* to silt up **2.** *bateau* to get stuck in the mud

enveloppant [ɑ̃vlɔpɑ̃] *adj* 〈**-ante** [-ɑ̃t]〉 **1.** enveloping **2.** *fig* ingratiating

► **enveloppe** [ɑ̃vlɔp] *f* **1.** envelope; ***mettre dans une ~, sous ~*** to put in an envelope **2.** (*revêtement*) cover **3. ~ *budgétaire*** budget

enveloppé [ɑ̃vlɔpe] *adj* 〈**~e**〉 *fam* ***bien ~*** well-padded *fam*

enveloppement [ɑ̃vlɔpmɑ̃] *m* **1.** MÉD pack **2.** MIL envelopment

envelopper [ɑ̃vlɔpe] **I** *v/t* **1.** to wrap (***dans*** in); *emballage* **~ *qc*** to wrap sth (up) **2.** *fig pensées* to veil; *brouillard* **~ *qc*** to shroud sth **II** *v/pr* ***s'~ dans*** to wrap (o.s.) up

envenimer [ɑ̃vnime] **I** *v/t* **1.** *blessure* to cause to go septic **2.** *fig* to inflame **II** *v/pr* ***s'envenimer*** **1.** *blessure* to go septic **2.** *fig* to turn nasty

envergure [ɑ̃vɛʀgyʀ] *f* **1.** ZOOL, AVIAT wingspan **2.** *fig* (*valeur*) caliber; ***d'~*** of great caliber **3.** *fig* (*ampleur*) scale; ***de grande ~*** large-scale *épith*

enverrai, *etc* [ɑ̃vɛʀɛ] → ***envoyer***

envers[1] [ɑ̃vɛʀ] *prép* **1.** to, toward *brit a* toward; ***aimable ~ qn*** kind to sb **2. *~ et contre tous*** *ou* ***tout*** in spite of everything

envers[2] *m* **1.** back; *d'un tissu* wrong side; ► ***à l'envers*** the wrong way; TEXT inside out **2.** *fig* ***l'envers du décor*** the other side of the coin

envi [ɑ̃vi] *adv litt* ***à l'~*** over and over

enviable [ɑ̃vjabl] *adj* enviable

envie [ɑ̃vi] *f* **1.** (*jalousie*) envy **2.** (*désir*) desire (***de*** for); ***avoir ~ de*** (***faire***) ***qc*** to want (to do) sth; ***il a ~ de pleurer*** he feels like crying; *chose* ***faire ~ à qn*** to make sb envious **3.** (*besoin organique*) need; *fam* ***avoir ~ de faire pipi*** *fam* to need a pee *fam*; ***j'ai ~ de vomir*** I feel sick **4.** *autour de l'ongle* hangnail **5.** *sur la peau* birthmark

envier [ɑ̃vje] *v/t* **~ *qn*** to envy; **~ *qc à qn*** to envy sb sth; ***n'avoir rien à ~ à qn*** to be every bit as bad as sb

envieux [ɑ̃vjø] **I** *adj* 〈**-euse** [-øz]〉 envious (***de*** of) **II** *m* envious person; ***faire des ~*** to make people envious

► **environ** [ɑ̃viʀõ] *adv* about, around

environnant [ɑ̃viʀɔnɑ̃] *adj* 〈**-ante** [-ɑ̃t]〉 surrounding

► **environnement** [ɑ̃viʀɔnmɑ̃] *m* environment **environner** *v/t* to surround

environs [ɑ̃viʀõ] *mpl* **1.** surrounding area; ***dans les ~*** in the (surrounding) area **2. *aux ~ de*** *époque* around; *lieu* in the vicinity of; *par ext* in the region of

envisageable [ɑ̃vizaʒabl] *adj* possible

envisager [ɑ̃vizaʒe] *v/t* 〈**-ge-**〉 to envisage; **~ *de faire qc*** to plan to do sth

envoi [ɑ̃vwa] *m* **1.** *action* sending; COMM mailing; *de troupes* dispatching **2.** (*paquet*) mailing, *brit* posting **3.** SPORT, *fig* ***coup m d'~*** kick-off; ***donner le coup d'~*** to kick off; *fig* ***donner le coup d'~*** (***à***) to open

envol [ɑ̃vɔl] *m* flight; *d'avion* take-off

envolée [ɑ̃vɔle] *f* flight of fancy

envoler [ɑ̃vɔle] *v/pr* ***s'~*** **1.** *oiseau* to fly off; *avion* to take off; *fig feuilles* to be blown away **2.** *fam objets* to vanish (into thin air)

envoûtant [ɑ̃vutɑ̃] *adj* 〈**-ante** [-ɑ̃t]〉 spellbinding

envoûtement [ɑ̃vutmɑ̃] *m* bewitchment *a fig*

envoûter [ɑ̃vute] *v/t* to bewitch *a fig*

envoyé [ɑ̃vwaje] *m* envoy **~ *spécial*** special envoy

► **envoyer** [ɑ̃vwaje] 〈**-oi-**; *future and conditional* **j'enverrai(s)**〉 **I** *v/t* **1.** *personne, délégué, troupes, choses* to send; **~ *qn chercher qn, qc*** to send sb to look for sb, sth; **~ *qc à qn*** to send sb sth; **~ *des invitations*** to send (out) invitations **2.** *coup* to give; *balle* to throw; *avec le pied* to kick **II** *v/pr* ***s'~*** *fam travail* to get landed with *fam*; *nourriture* to wolf down *fam*; *pop fille* to get off with *fam*

envoyeur [ɑ̃vwajœʀ] *m* sender

enzyme [ɑ̃zim] *m ou f* enzyme

éolienne [eɔljɛn] *f* windmill

éosine [eɔzin] *f* CHIM eosin

épagneul [epaɲœl] *m* spaniel

► **épais** [epɛ] *adj* 〈**épaisse** [epɛs]〉 **1.** thick; **~ *de 2 cm*** 2 cm thick **2.** *fig plaisanterie* heavy-handed

épaisseur [epɛsœʀ] *f* thickness

épaissir [epesiʀ] **I** *v/t sauce, etc* to thicken **II** *v/i sauce, etc* to thicken **III** *v/pr* ***s'~*** to thicken; *mystère* to deepen

épaississement [epesismɑ̃] *m* thickening

épanchement [epɑ̃ʃmɑ̃] *m* MÉD, *fig* effusion

épancher [epɑ̃ʃe] *v/pr* **1.** MÉD ***s'~*** to pour out **2.** ***s'~*** (***auprès de qn***) to open one's heart (to sb)

épandage [epɑ̃daʒ] *m* ***champs*** *mpl* ***d'~*** sewage farm

épanoui [epanwi] *adj* ⟨**~e**⟩ **1.** *fleur* in full bloom **2.** *visage* radiant **3.** *formes* fuller

épanouir [epanwiʀ] *v/pr* ***s'~*** **1.** *fleur* to bloom; *fig* to blossom **2.** *visage* to light up

épanouissement [epanwismɑ̃] *m* **1.** *de fleurs* blooming **2.** *fig* flowering

épargnant [epaʀɲɑ̃] *m* saver; ***les petits ~s*** small savers

épargne [epaʀɲ] *f* **1.** *action* saving **2.** *somme(s)* savings (*pl*) **épargne-logement** *f savings scheme for home-buyers*

épargner [epaʀɲe] **I** *v/t* **1.** *argent, par ext forces, etc* to save **2.** ***~ qc à qn*** to spare sb sth **3.** (*ménager*) to spare; ***être épargné*** to be spared **II** *v/pr fig* ***s'~ qc*** to save o.s. sth

éparpillement [epaʀpijmɑ̃] *m* **1.** scattering **2.** *fig des efforts* dissipation

éparpiller [epaʀpije] **I** *v/t* **1.** to scatter **2.** *fig* to dissipate **II** *v/pr* ***s'~*** *fig personne* to spread o.s. too thinly

épars [epaʀ] *st/s adj* ⟨**éparse** [epaʀs]⟩ scattered; *cheveux* thinning

épatant [epatɑ̃] *adj* ⟨**-ante** [-ɑ̃t]⟩ *fam* fantastic *fam*, amazing *fam*

épate [epat] *f fam* ***faire de l'~*** to show off

épaté [epate] *adj* ⟨**~e**⟩ **1.** *nez* pug *épith* **2.** *fam* (*étonné*) amazed **épatement** *m* **1.** *du nez* pug shape **2.** *fam* (*étonnement*) amazement **épater** *fam v/t* to amaze

► **épaule** [epol] *f* shoulder (*a* CUIS)

épauler [epole] *v/t* **1.** *fusil* to raise **2.** *fig* to support

épaulette [epolɛt] *f* **1.** MIL epaulette **2.** COUT shoulder strap

épave [epav] *f* wreck (*a fig de qn*)

épeautre [epotʀ] *m* BOT spelt wheat

épée [epe] *f* sword; *fig* ***un coup d'~ dans l'eau*** a waste of effort

► **épeler** [eple] *v/t* ⟨**-ll-**⟩ to spell

épellation [epɛ(l)lasjõ] *f* spelling

épépiner [epepine] *v/t* to seed

éperdu [epɛʀdy] *adj* ⟨**~e**⟩ **1.** overcome (***de*** with); ***~ de bonheur*** beside o.s. with happiness **2.** *amour* limitless **3.** ***fuite ~e*** headlong flight

éperdument [epɛʀdymɑ̃] *adv* ***~ amoureux*** madly in love; ***je m'en moque ~*** I couldn't care less

éperlan [epɛʀlɑ̃] *m* ZOOL smelt

éperon [epʀõ] *m* spur *a* GÉOL

éperonner [epʀɔne] *v/t* to spur on *a fig*

épervier [epɛʀvje] *m* ZOOL sparrowhawk

éphémère [efemɛʀ] **I** *adj* ephemeral **II** *m* mayfly

éphéméride [efemeʀid] *f* block calendar

épi [epi] *m* **1.** spike; *de maïs* ear **2.** *de cheveux* cow-lick **3.** ***stationnement*** *m* ***en ~*** angle parking

épice [epis] *f* spice

épicé [epise] *adj* ⟨**~e**⟩ spicy

épicéa [episea] *m* spruce

épicentre [episɑ̃tʀ] *m* epicenter

épicer [epise] *v/t* ⟨**-ç-**⟩ to spice

► **épicerie** [episʀi] *f* **1.** grocery store, *brit* grocer's; ***petite ~ du coin*** corner store **2.** *produits* groceries; ***~ fine*** delicatessen

► **épicier** [episje] *m*, **épicière** [episjɛʀ] *f* grocer

épidémie [epidemi] *f* MÉD, *fig* epidemic **épidémique** *adj* epidemic *épith*

épiderme [epidɛʀm] *m* epidermis

épidermique [epidɛʀmik] *adj* **1.** ANAT skin *épith* **2.** *fig* (*superficiel*) instinctive

épier [epje] *v/t* to spy on

épieu [epjø] *m* ⟨**~x**⟩ spear

épigramme [epigʀam] *f* epigram

épigraphe [epigʀaf] *f* (*inscription*) epigraph

épilateur [epilatœʀ] *m* epilator **épilation** *f* removal of unwanted hair **épilatoire** *adj* hair-removing

épilepsie [epilɛpsi] *f* epilepsy

épileptique [epilɛptik] **I** *adj* epileptic **II** *m/f* epileptic

épiler [epile] **I** *v/t* to remove unwanted hair from; *sourcils* to pluck **II** *v/pr* ***s'~ les jambes*** to wax one's legs

épilogue [epilɔg] *m* **1.** epilogue **2.** *fig* conclusion

épiloguer [epilɔge] *v/t indir* ***~ sur qc*** to hold forth about sth

épinards [epinaʀ] *mpl* spinach (+ *v sg*)

épine [epin] *f* **1.** spine **2.** ***~ dorsale*** backbone

épineux [epinø] *adj* ⟨**-euse** [-øz]⟩ **1.** BOT thorny **2.** *fig problème* tricky

épingle [epɛ̃gl] *f* pin; **~ à cheveux** hairpin; **virage** *m* **en ~ à cheveux** hairpin bend; **~ de nourrice, de sûreté** safety pin; *fig* **monter en ~** to blow up out of (all) proportion; *fig* **tirer son ~ du jeu** to get out while the going's good; *fig* **tiré à quatre ~s** immaculately turned out

épingler [epɛ̃gle] *v/t* **1.** to pin **2.** *fam, fig* **~ qn** to nab sb *fam*; **se faire ~** to get busted *fam*

épinière [epinjɛʀ] *adj, f* **moelle ~** spinal cord

épinoche [epinɔʃ] *f* stickleback

Épiphanie [epifani] *f* Epiphany, Twelfth Night

épique [epik] *adj* epic

épiscopal [episkɔpal] *adj* ⟨**~e; -aux** [-o]⟩ episcopal

épiscopat [episkɔpa] *m* episcopate

épisode [epizɔd] *m* episode **épisodique** *adj* occasional; *(secondaire)* minor

épistolaire [epistɔlɛʀ] *adj* epistolary

épitaphe [epitaf] *f* epitaph

épithète [epitɛt] *f* **1.** epithet **2.** *adj* **adjectif** *m* **~** attributive adjective

épître [epitʀ] *f* epistle

éploré [eplɔʀe] *adj* ⟨**~e**⟩ *visage, personne* tearful; *par ext* (*affligé*) grief-stricken

épluchage [eplyʃaʒ] *m* **1.** *de pommes de terre, de légumes* peeling; *de salades* cleaning **2.** *fig* dissection

épluche-légumes [eplyʃlegym] *m* ⟨*inv*⟩ potato peeler

éplucher [eplyʃe] *v/t* **1.** *pommes de terre, fruits, légumes* to peel **2.** *fig* (*examiner*) to dissect

éplucheur [eplyʃœʀ] *m* potato peeler

épluchures [eplyʃyʀ] *fpl* peelings

épointer [epwɛ̃te] *v/t* to blunt

éponge [epɔ̃ʒ] *f* **1.** sponge (*a* ZOOL); **~ métallique** scourer; *fig* **jeter l'~** to throw in the towel; *fig* **passer l'~ sur qc** to put sth behind you; **passons l'~!** let's let bygones be bygones **2.** *adj* **serviette** *f* **~** towel; **tissu** *m* **~** toweling

éponger [epɔ̃ʒe] *v/t* ⟨**-ge-**⟩ **1.** *table* to wipe; *visage* to mop; *liquide* to mop up **2.** *fig* to absorb; *dette* to pay off

épopée [epɔpe] *f* **1.** epic **2.** *fig* saga

► **époque** [epɔk] *f* **1.** (*période*) era; **époque classique** classical period; **d'époque** period *épith*; **costume** *m* **d'époque** period costume; ► **à l'époque de** at the time of; **à notre époque** these days; **faire époque** to be epoch-making **2.** (*moment*) time; **à cette époque** (**de l'année**) at this / that time (of year); **à l'époque** at that time

épouiller [epuje] *v/t* to delouse

époumoner [epumɔne] *v/pr* **s'~** to shout o.s. hoarse

épouse [epuz] *f* → **époux**

épouser [epuze] *v/t* **1. ~ qn** to marry sb **2.** *fig* (*adopter*) to espouse **3.** (*se modeler sur*) to follow

épousseter [epuste] *v/t* ⟨**-tt-**⟩ to dust

époustouflant [epustuflɑ̃] *fam adj* ⟨**-ante** [-ɑ̃t]⟩ amazing

époustoufler [epustufle] *fam v/t* to astound; **époustouflé** flabbergasted

épouvantable [epuvɑ̃tabl] *adj* appalling

épouvantablement [epuvɑ̃tabləmɑ̃] *adv* appallingly

épouvantail [epuvɑ̃taj] *m* **1.** scarecrow (*a fig de qn*) **2.** *fig chose* specter

épouvante [epuvɑ̃t] *f* terror; **film** *m* **d'~** horror movie

épouvanter [epuvɑ̃te] *v/t* to terrify; **épouvanté** terrified

époux [epu] *m*, **épouse** [epuz] *f mari* husband; spouse *st/s*; *femme* wife; spouse *st/s* **époux** *pl* married couple (*sg*); **prendre pour époux** (**pour épouse**) to take as one's husband (wife)

éprendre [epʀɑ̃dʀ] *v/pr* ⟨→ **prendre**⟩ *st/s* **s'~** to become enamored *st/s* (**de qn** of sb)

► **épreuve** [epʀœv] *f* **1.** (*test*) test (*a* TECH); **~ de force** test of strength; **à toute ~** unfailing; *santé* robust; **à l'~ des balles, du feu** bullet-proof, fireproof; **mettre à l'~** to put to the test **2.** (*malheur*) ordeal **3.** *d'un examen* paper **4.** SPORT event **5.** PHOT, TYPO proof

épris [epʀi] *pp*→ **éprendre** *et adj* ⟨**-ise** [-iz]⟩ **1. ~ de qn** smitten with sb **2. ~ de qc** enamored of sth

éprouvant [epʀuvɑ̃] *adj* ⟨**-ante** [-ɑ̃t]⟩ grueling

éprouvé [epʀuve] *adj* ⟨**~e**⟩ **1.** (*sûr*) tried and tested **2.** (*qui a souffert*) stricken

► **éprouver** [epʀuve] *v/t* **1.** (*tester*) to (put to the) test **2.** (*faire souffrir*) to hit hard **3.** (*ressentir*) to feel

éprouvette [epʀuvɛt] *f* test tube

E.P.S. [əpeɛs] *f, abr* (= **éducation physique et sportive**) PE

épuisant [epɥizɑ̃] *adj* ⟨**-ante** [-ɑ̃t]⟩ exhausting
épuisé [epɥize] *adj* ⟨**~e**⟩ *personne*, *réserves*, *stock* exhausted; *livre* out of print
épuisement [epɥizmɑ̃] *m* exhaustion; ***jusqu'à l'~ des stocks*** while stocks last
épuiser [epɥize] **I** *v/t* to exhaust *sol* to impoverish **II** *v/pr* ***s'épuiser*** **1.** *réserves* to run out **2.** *personne* to tire o.s. out; *forces* to fail; ***s'~ à faire qc*** to tire o.s. out doing sth
épuisette [epɥizɛt] *f* landing net
épurateur [epyʀatœʀ] *m* TECH purifier
épuration [epyʀasjõ] *f* **1.** TECH purification; *des eaux* treatment **2.** POL purge
épure [epyʀ] *f* working drawing
épurement [epyʀmɑ̃] *m fig* purifying
épurer [epyʀe] *v/t* **1.** TECH, *fig* to purify **2.** POL to purge
équarrir [ekaʀiʀ] *v/t* **1.** *bois* to square off **2.** *animal mort* to quarter
équarrissage [ekaʀisaʒ] *m* **1.** *d'une poutre* squaring off **2.** *de cadavres d'animaux* quartering
équateur [ekwatœʀ] *m* **1.** GÉOG equator **2.** *État* ***l'Équateur*** Ecuador
équation [ekwasjõ] *f* equation
équatorial [ekwatɔʀjal] *adj* ⟨**~e; -aux** [-o]⟩ equatorial
équatorien [ekwatɔʀjɛ̃] **I** *adj* ⟨**-ienne** [-jɛn]⟩ Ecuadorian **II** ***Équatorien(ne)*** *m(f)* Ecuadorian
équerre [ekɛʀ] *f* set square; ***d'~, en ~*** at right angles
équestre [ekɛstʀ] *adj* **1.** ***statue f ~*** equestrian statue **2.** equestrian; ***randonnée f ~*** pony trekking
équeuter [ekøte] *v/t* to remove the stalk from
équilatéral [ekɥilateʀal] *adj* ⟨**~e; -aux** [-o]⟩ equilateral
équilibrage [ekilibʀaʒ] *m* balancing
► **équilibre** [ekilibʀ] *m* balance (*a fig*, ÉCON, POL); ***en ~*** balanced; ***tenir qc en ~*** to balance sth; ***perdre l'~*** to lose one's balance
équilibré [ekilibʀe] *adj* ⟨**~e**⟩ balanced
équilibrer [ekilibʀe] **I** *v/t* to balance **II** *v/pr* ***s'~*** to balance each other (out)
équilibriste [ekilibʀist] *m/f* acrobat
équinoxe [ekinɔks] *m* equinox
équipage [ekipaʒ] *m* crew
► **équipe** [ekip] *f* team; *en usine* shift; ***faire ~ avec qn*** to team up with sb; ***travailler en ~*** to work in shifts
équipée [ekipe] *f* **1.** *plais* (*sortie*) jaunt **2.** *irréfléchie* escapade
équipement [ekipmɑ̃] *m* equipment; ***~s collectifs*** public facilities
équiper [ekipe] **I** *v/t* to equip (***de*** with); *par ext* (*pourvoir*) to provide; ***cuisine tout équipée*** (fully) fitted kitchen **II** *v/pr* ***s'~*** to equip o.s. (***de*** with)
équipier [ekipje] *m*, **équipière** [-jɛʀ] *f* SPORT team member
équitable [ekitabl] *adj* fair
équitation [ekitasjõ] *f* horse riding
équité [ekite] *f* fairness
équivalence [ekivalɑ̃s] *f* equivalence
équivalent [ekivalɑ̃] **I** *adj* ⟨**-ente** [-ɑ̃t]⟩ equivalent **II** *m* equivalent (*a* LING); ***c'est sans ~*** there's nothing like it
équivaloir [ekivalwaʀ] ⟨→ **valoir**⟩ **I** *v/t indir* ***~ à*** to be equivalent to **II** *v/pr* ***s'~*** to be the same
équivoque [ekivɔk] **I** *adj* ambiguous **II** *f* ambiguity; ***sans ~*** unequivocal
érable [eʀabl] *m* maple
éradication [eʀadikasjõ] *f* eradication
érafler [eʀafle] **I** *v/t* to scratch; *balle* ***~ qn*** to graze sb **II** *v/pr* ***s'~*** to scratch o.s.
éraflure [eʀaflyʀ] *f* scratch
éraillé [eʀɑje] *adj* ⟨**~e**⟩ croaky
ère [ɛʀ] *f* era *a* GÉOL
érectile [eʀɛktil] *adj* erectile *a* MÉD
érection [eʀɛksjõ] *f* **1.** CONSTR erecting **2.** *du pénis* erection; ***en ~*** erect
éreintage [eʀɛ̃taʒ] *m* → ***éreintement*** *2*
éreintant *adj* ⟨**-ante** [-ɑ̃t]⟩ exhausting
éreinté [eʀɛ̃te] *adj* ⟨**~e**⟩ exhausted
éreintement [eʀɛ̃tmɑ̃] *m* **1.** (*fatigue*) exhaustion **2.** (*critique*) savage attack
éreinter [eʀɛ̃te] *v/t* **1.** (*fatiguer*) to exhaust **2.** (*critiquer*) to criticize
érésipèle [eʀezipɛl] → ***érysipèle***
ergonome [ɛʀgɔnɔm] *m/f* ergonomist
ergonomique *adj* ergonomic
ergot [ɛʀgo] *m* **1.** *du coq* spur; *du chien* dew claw; *fig* ***se dresser sur ses ~s*** to get one's hackles up **2.** AGR ergot
ergoter [ɛʀgɔte] *v/i* to quibble
ergothérapeute [ɛʀgɔteʀapøt] *m/f* occupational therapist **ergothérapie** *f* occupational therapy
ériger [eʀiʒe] ⟨**-ge-**⟩ **I** *v/t* **1.** *statue*, *etc* to erect **2.** ***~ en*** to set up as **II** *v/pr* ***s'~ en*** to set o.s. up as
ermitage [ɛʀmitaʒ] *m* hermitage
ermite [ɛʀmit] *m* hermit; *fig* ***vivre en ~*** to live like a hermit
éroder [eʀɔde] *v/t* GÉOL to erode
érogène [eʀɔʒɛn] *adj* erogenous

érosif [eʀozif] *adj* ⟨**-ive** [-iv]⟩ GÉOL erosive
érosion [eʀozjõ] *f* GÉOL erosion *fig*
érotique [eʀɔtik] *adj* erotic **érotisation** *f* eroticization **érotiser** *v/t* to eroticize
érotisme *m* eroticism
errance [εʀɑ̃s] *litt f* roving, wandering
errant [εʀɑ̃] *adj* ⟨**-ante** [-ɑ̃t]⟩ *personne* roving; *chien* stray *épith*
errements [εʀmɑ̃] *litt mpl* transgressions *form*, bad ways
errer [εʀe] *v/i* **1.** to roam **2.** *fig regard* to stray
► **erreur** [εʀœʀ, e-] *f* mistake, error; **~ *judiciaire*** miscarriage of justice; INFORM **~ *système*** systems error; **~ *de calcul*** miscalculation; **~ *de jeunesse*** youthful mistake; ***par* ~** by mistake; ***sauf* ~** unless I am mistaken; COMM errors and omissions excepted; ***vous faites* ~** you are mistaken; ***laisser qn dans l'*~** not to set sb straight
erroné [eʀɔne, ε-] *adj* ⟨**~e**⟩ erroneous *form*, wrong; ***conclusion* ~*e*** erroneous conclusion
ersatz [εʀzats] *m* ersatz, substitute
éructer [eʀykte] **I** *v/t injures* to hurl, to yell **II** *v/i* to belch
érudit [eʀydi] **I** *adj* ⟨**-ite** [-it]⟩ erudite, scholarly **II** **~*(e)*** *m(f)* scholar
érudition [eʀydisjõ] *f* erudition
éruptif [eʀyptif] *adj* ⟨**-ive** [-iv]⟩ MÉD, GÉOL eruptive
éruption [eʀypsjõ] *f* **1.** MÉD eruption **2.** *d'un volcan* eruption **3.** *fig* **~ *de colère*** outburst of rage
érysipèle [eʀizipεl] *m* MÉD erysipelas
érythème [eʀitεm] *m* MÉD rash, erythema *t/t*
es [ε] → ***être***[1]
ès [εs] *prép* → ***docteur***
E.S.B. [əesbe] *f, abr* (= **encéphalopathie spongiforme bovine**) BSE
esbroufe [εzbʀuf] *f fam* ***faire de l'*~** to show off
escabeau [εskabo] *m* ⟨**~x**⟩ (*tabouret*) stool; (*marchepied*) stepladder
escadre [εskadʀ] *f* squadron
escadrille [εskadʀij] *f* AVIAT squadron
escadron [εskadʀõ] *m* MIL, AVIAT squadron; *fig* troop, crowd
escalade [εskalad] *f* **1.** *d'un mur* scaling; *d'une montagne* climbing (*a* SPORT) **2.** *fig* escalation
escalader [εskalade] *v/t mur, etc* to scale; *rocher, montagne* to climb
escalator® [εskalatɔʀ] *m* escalator
escale [εskal] *f* **1.** stopover; ***faire* ~ *à Londres*** *avion* to stop over in London; *navire* to call at London **2.** *lieu* (*d'avion*) stopover; (*de navire*) port of call
► **escalier** [εskalje] *m* stairs (+ *v pl*), staircase; **~ *roulant*** *ou* ***mécanique*** escalator; ***dans l'*~** *ou* ***les* ~*s*** on the stairs; *fig* ***avoir l'esprit de l'*~** never to have the perfect comeback at the right moment
► **escalope** [εskalɔp] *f* escalope
escamotable [εskamɔtabl] *adj* retractable; ***lit m* ~** foldaway bed
escamotage [εskamɔtaʒ] *m* **1.** *dans un spectacle* conjuring *ou* spiriting away **2.** AVIAT *du train d'atterrissage* retraction **3.** *fig d'une question, d'un problème* dodging
escamoter [εskamɔte] *v/t* **1.** **~ *qc*** to make sth disappear **2.** *fig difficulté* to get around; *mot, note* to skip
escampette [εskɑ̃pεt] *fam* ***prendre la poudre d'*~** to take off *fam*, to skedaddle *fam*
escapade [εskapad] *f* **1.** (*écart de conduite*) escapade **2.** (*sortie*) jaunt
escarbille [εskaʀbij] *f* speck of soot
escarcelle [εskaʀsεl] *f plais* ***tomber dans l'*~ *de qn*** to come into sb's possession
escargot [εskaʀgo] *m* snail
escarmouche [εskaʀmuʃ] *f* MIL skirmish *a fig*
escarpé [εskaʀpe] *adj* ⟨**~e**⟩ steep
escarpement [εskaʀpəmɑ̃] *m* steep slope, escarpment *t/t*
escarpin [εskaʀpε̃] *m* pump, *brit* court shoe
escarpolette [εskaʀpɔlεt] *f* (garden) swing
escarre [εskaʀ] *f* bedsore
Escaut [εsko] ***l'*~** *m* the Scheldt
escient [εsjɑ̃] ***à bon* ~** wisely
esclaffer [εsklafe] *v/pr* ***s'*~** to guffaw, to burst out laughing
esclandre [εsklɑ̃dʀ] *m* scene; ***faire de l'*~** to make a scene
esclavage [εsklavaʒ] *m* slavery
esclavagisme [εsklavaʒism] *m* (*système*) slavery; (*politique*) culture of slavery **esclavagiste** *m* pro-slaver
esclave [εsklav] **I** *m/f* slave **II** *adj fig* ***être* ~ *de qc*** to be a slave to sth
escogriffe [εskɔgʀif] *m fam* ***un grand* ~** a beanpole *fam*
escompte [εskõt] *m* FIN, COMM discount

escompter *v/t* **1.** to expect, to anticipate **2.** FIN to discount
escorte [ɛskɔʀt] *f* escort **escorter** *v/t* to escort
escouade [ɛskwad] *f* squad
escrime [ɛskʀim] *f* SPORT fencing
escrimer [ɛskʀime] *v/pr* ***s'~ à faire qc*** to wear oneself out trying to do sth
escrimeur [ɛskʀimœʀ] *m*, **escrimeuse** [-øz] *f* SPORT fencer
escroc [ɛskʀo] *m* swindler
escroquer [ɛskʀɔke] *v/t* ***~ qc à qn*** to swindle sb out of sth; ***~ qn*** to rip sb off *fam*
escroquerie [ɛskʀɔkʀi] *f* (*action*) swindling; (*résultat*) swindle; ***c'est de l'~!*** it's a rip-off! *fam*
escudo [ɛskydo] *m* HIST *monnaie* escudo
ésotérique [ezɔteʀik] *adj* esoteric **ésotérisme** *m* esotericism
▶ **esp** [ɛspas] *m* **1.** space; ***~ aérien*** airspace; ***~s verts*** green space + *v sg* **2.** *extraterrestre* space **3.** (*distance*) space, gap **4.** ***en l'~ d'une heure***, *etc* in the space of an hour
espacement [ɛspasmɑ̃] *m* (*action*) spacing (out); *de phénomène* growing infrequency
espacer [ɛspase] ⟨**-ç-**⟩ **I** *v/t visites, objets* to space out **II** *v/pr* ***s'~*** to become more infrequent
espadon [ɛspadõ] *m* swordfish
espadrille [ɛspadʀij] *f* espadrille, rope-soled sandal
▶ **Espagne** [ɛspaɲ] ***l'~*** *f* Spain
▶ **espagnol** [ɛspaɲɔl] **I** *adj* Spanish **II** *m* **1.** (*langue*) Spanish **2.** ***Espagnol(e)*** *m(f)* (*personne*) Spaniard, Spanish person
espagnolette [ɛspaɲɔlɛt] *f* window catch, espagnolette bolt *t/t*
espalier [ɛspalje] *m* **1.** AGR espalier **2.** SPORT ***~s*** *pl* wall bars
▶ **espèce** [ɛspɛs] *f* **1.** (*genre*) kind, sort; ***une ~ de ...*** a kind *ou* sort of ... **2.** *injure* ***~ d'imbécile!*** you idiot! **3.** BIOL species; ***~ humaine*** human species **4.** ***cas*** *m* ***d'~*** specific case; ***en l'~*** the case in point **5.** COMM ***en ~s*** cash; ***paiement*** *m* ***en ~s*** cash payment
espérance [ɛspeʀɑ̃s] *f* **1.** hope **2.** ***~ de vie*** life expectancy
espérantiste [ɛspeʀɑ̃tist] **I** *adj* Esperanto *épith* **II** *m/f* Esperantist
espéranto [ɛspeʀɑ̃to] *m* Esperanto
▶ **espérer** [ɛspeʀe] *v/t et v/i* ⟨**-è-**⟩ ***~ qc*** to hope for sth; ***~ qn*** to expect sb (to come); *st/s* ***~ en qn, qc*** to trust in sb, sth; ***espérons-le!*** let's hope so!; ▶ ***j'espère*** *ou* ***je l'espère*** I hope so; ***j'espère bien*** I should hope so; ***j'espère que ...*** I hope that ...; ***~ faire qc*** to hope to do sth
espiègle [ɛspjɛgl] *adj* mischievous
espièglerie [ɛspjɛgləʀi] *f* mischievousness
espion [ɛspjõ] *m*, **espionne** [ɛspjɔn] *f* **1.** spy **2.** *adj* spy *épith*
espionnage [ɛspjɔnaʒ] *m* espionage, spying; ***~ industriel*** industrial espionage
espionner [ɛspjɔne] *v/t* ***~ qn*** to spy on sb
esplanade [ɛsplanad] *f* esplanade
▶ **espoir** [ɛspwaʀ] *m* **1.** hope; ***~ de guérison*** hope of recovery; ***dans l'~ de faire*** in the hope of doing; ***sans ~*** hopeless; ***j'ai bon ~*** I have high hopes; ***susciter des ~s*** to raise hopes **2.** *personne* hopeful
▶ **esprit** [ɛspʀi] *m* **1.** spirit; *d'une personne* mind; ***~ d'à-propos*** ready wit; ***~ de compétition*** competitive spirit; ***~ d'équipe*** team spirit; ***avoir l'~ de famille*** to have a sense of family; ***homme*** *m* ***d'~*** wit; ***plein d'~*** witty; ***dans mon ~*** to my mind; ***avoir de l'~*** to be witty; ***ne plus avoir tous ses ~s*** to have lost one's mind; ***ne pas avoir l'~ à ...*** not to be in the mood for ...; ***faire de l'~*** to try to be witty; ***reprendre ses ~s*** (*se ressaisir*) to gather one's wits; (*reprendre connaissance*) to regain consciousness; ***venir à l'~ de qn*** to cross sb's mind **2.** *personne* spirit; ***~ libre*** free spirit; ***grands ~s*** *pl* great minds; ***bel ~*** fine mind **3.** REL, MYTH spirit; ***l'Esprit saint*** the Holy Spirit
esquif [ɛskif] *m litt* skiff; ***frêle ~*** frail craft
esquimau [ɛskimo] **I** *adj* ⟨**-aude** [-od]; *mpl* **-aux** [-o]⟩ Eskimo *nég!* **II** *subst* **1.** ***Esquimau(de)*** *m(f)* Eskimo *nég!* **2.** *m* ice-cream bar, *brit* choc-ice *on a stick*
esquintant [ɛskɛ̃tɑ̃] *adj* ⟨**-ante** [-ɑ̃t]⟩ *fam travail* exhausting
esquinter [ɛskɛ̃te] *fam* **I** *v/t* **1.** (*abîmer*) *voiture* to smash up, to total *fam*; *personne* to wear out, to wreck *fam* **2.** (*critiquer*) to pan *fam*, *brit* to slate *fam* **II** *v/pr* ***s'~*** (***au travail***) to wear oneself out (working)
esquisse [ɛskis] *f* **1.** ART sketch; *par ext*

de projet, *roman* outline **2.** *fig de sourire* hint
esquisser [ɛskise] **I** *v/t* **1.** ART to sketch; *par ext projet*, *roman* to outline **2.** ***~ un sourire*** to half-smile; ***~ un geste*** to make a vague gesture **II** *v/pr* ***s'~*** to begin to take shape
esquive [ɛskiv] *f* SPORT dodging *a fig*; (*mouvement*) dodge
esquiver [ɛskive] **I** *v/t* ***~ qc*** to dodge sth **II** *v/pr* ***s'~*** to slip away
► **essai** [esɛ] *m* **1.** attempt (*a* SPORT); *au rugby* try; AUTO trial; ***~ nucléaire*** nuclear test; *fig* ***coup*** *m* ***d'~*** first attempt; ***période*** *f* ***d'~*** trial period; ***pilote*** *m* ***d'~*** test pilot; ***à l'~, à titre d'~*** *prendre qn*, *qc* on a trial basis **2.** *texte* essay
essaim [esɛ̃] *m* swarm
essaimer [eseme] *v/i* **1.** *abeilles* to swarm **2.** *fig famille* to scatter; *entreprise* to expand
essayage [esɛjaʒ] *m* fitting; ***cabine d'~*** fitting room
► **essayer** [eseje] ⟨**-ay-** *od* **-ai-**⟩ **I** *v/t* **1.** (*tester*) *méthode*, *produit* to test; TECH to test; *voiture* to try (out); *vêtements* to try on **2.** (*tenter*) *abs* to try; ***essayer qc*** to try sth; *plat*, *vin* to taste sth; ***il a tout essayé*** he tried everything; ► ***essayer de faire qc*** to try to do sth **II** *v/pr* ***s'essayer à*** (***faire***) ***qc*** to try one's hand at (doing) sth
essayeur [esɛjœʀ] *m* **1.** *de voitures* tester **2.** HIST assayer
essayeuse *f* COUT fitter **essayiste** *m* essayist
► **essence** [esɑ̃s] *f* **1.** gasoline, gas *fam*, *brit* petrol; ***~ sans plomb*** unleaded gas, *brit* unleaded petrol; ***prendre de l'~*** to get some gas **2.** CHIM essential oil; CUIS essence **3.** PHIL essence; ***par ~*** in essence **4.** BOT *d'arbre* species
essencerie [esɑ̃sʀi] *f au Sénégal* gas station, *brit* petrol station
essentiel [esɑ̃sjɛl] **I** *adj* ⟨**~le**⟩ **1.** essential, key *épith* **2.** ***huiles ~les*** essential oils **II** *m* ***l'~*** (*le plus important*) the main thing; (*la plus grande partie*) the main part; (*le strict minimum*) the basics, the essentials (+ *v pl*)
essentiellement [esɑ̃sjɛlmɑ̃] *adv* **1.** (*principalement*) mainly **2.** (*par essence*) essentially
esseulé [esœle] *adj* ⟨**~e**⟩ lonely
essieu [esjø] *m* ⟨**~x**⟩ axle
essor [esɔʀ] *m* expansion; ***en plein ~*** booming
essorage [esɔʀaʒ] *m du linge* drying, spin-drying *brit*; *à la main* wringing **essorer** *v/t linge* to dry, to spin-dry *brit*; *à la main* to wring out **essoreuse** *f* **1.** dryer, spin-dryer *brit* **2.** salad spinner
essoufflement [esufləmɑ̃] *m* **1.** breathlessness **2.** *fig* slowing (down)
essouffler [esufle] **I** *v/t* ***~ qn*** to leave sb breathless; ***essoufflé*** breathless **II** *v/pr* ***s'essouffler*** **1.** to get breathless **2.** *fig économie*, *roman* to run out of steam
► **essuie-glace** [esɥiglas] *m* ⟨**essuie--glaces**⟩ (windshield) wiper, *brit* (windscreen) wiper **essuie-mains** *m* ⟨*inv*⟩ hand towel
► **essuyer** [esɥije] ⟨**-ui-**⟩ **I** *v/t* **1.** *vaisselle*, *mains* to dry; *meuble*, *sueur*, *tache*, *lunettes* to wipe; *sol* to mop **2.** *fig* (*subir*) *défaite* to suffer; *échec* to meet with **II** *v/pr* ***s'~*** to dry oneself; ***s'~ le front*** to wipe one's forehead
► **est**[1] [ɛst] **I** *m* **1.** east; ***à l'~*** (to the) east (***de*** of); ***l'est de la France***; the east of France, eastern France **2.** ***l'Est*** the East (*a* POL); ***l'Europe de l'Est*** Eastern Europe **II** *adj* ⟨*inv*⟩ east, eastern
est[2] [ɛ] → ***être***[1]
estafette [ɛstafɛt] *f* MIL dispatch rider
estafilade [ɛstafilad] *f* gash, slash
estaminet [ɛstaminɛ] *m* tavern; small café *in northern France*
estampe [ɛstɑ̃p] *f* engraving; *de bois* print
estamper [ɛstɑ̃pe] *v/t* **1.** TECH *monnaie* to stamp **2.** *fam* ***~ qn*** to rip sb off *fam*
estampille [ɛstɑ̃pij] *f sur un document* stamp
est-ce que [ɛskə] *adv* ***~ tu viens?*** are you coming?; ***~ c'est vrai?*** is it true?
esthète [ɛstɛt] *m* esthete
esthéticien [ɛstetisjɛ̃] *m* esthetician **esthéticienne** *f* beautician
esthétique [ɛstetik] **I** *adj* **1.** *qualité* esthetic; *monument* esthetically pleasing **2.** ***chirurgie*** *f* ***~*** cosmetic surgery **II** *f* esthetics (+ *v sg*)
esthétisme [ɛstetism] *m* estheticism
estimable [ɛstimabl] *adj personne* estimable; *résultat*, *travail* respectable
estimatif [ɛstimatif] *adj* ⟨**-ive** [-iv]⟩ estimated
estimation [ɛstimasjõ] *f du prix*, *de la distance*, *de la valeur* estimation; *des dommages* assessment; *des coûts* estimate *aux élections* ***~s*** *pl* forecasts

estime [ɛstim] *f* regard, esteem; ***tenir qn en grande ~*** to hold sb in high regard

▶ **estimer** [ɛstime] **I** *v/t* **1.** (*évaluer*) to value (***à*** at); *dégâts* to assess; *frais* to estimate; (*calculer approximativement*) to estimate; *fig œuvre, personne* to value, to have a high opinion of **2.** (*apprécier*) to think highly of **3.** ***~ que ...*** to feel that ..., to reckon that ... *fam* **II** *v/pr* ***s'~ heureux que ...*** *+subj* to consider o.s. lucky that ...

estivage [ɛstivaʒ] *m* AGR summer pasturing *in mountainous regions*

estival [ɛstival] *adj* ⟨**~e; -aux** [-o]⟩ summer *épith*

estivant [ɛstivɑ̃] *m*, **estivante** [-ɑ̃t] *f* (summer) visitor

estocade [ɛstɔkad] *f* deathblow

▶ **estomac** [ɛstɔma] *m* stomach; ***avoir de l'~*** to have a paunch; *fam, fig* to have a lot of guts *fam*; *fam* ***avoir l'~ dans les talons*** to be ravenous; ***rester sur l'~*** to be hard to digest

estomaquer [ɛstɔmake] *fam v/t* to flabbergast *fam*; to astound; ***être estomaqué*** to be flabbergasted *fam*

estompe [ɛstõp] *f* PEINT stump; ***dessin*** *m* ***à l'~*** stump drawing

estomper [ɛstõpe] **I** *v/t contours* to shade off; (*atténuer*) to blur **II** *v/pr* ***s'~*** *contours, formes* to become blurred; *couleurs, souvenirs* to fade

Estonie [ɛstɔni] ***l'~*** *f* Estonia

estonien [ɛstɔnjɛ̃] **I** *adj* ⟨**-ienne** [-jɛn]⟩ Estonian **II** *m* **1.** (*langue*) Estonian **2.** ***Estonien(ne)*** *m(f)* Estonian

estourbi [ɛstuʀbi] *fam adj* ⟨**~e**⟩ stunned

estrade [ɛstʀad] *f* platform, dais

estragon [ɛstʀagõ] *m* tarragon

estropié [ɛstʀɔpje] **I** *adj* ⟨**~e**⟩ crippled **II** *m* cripple

estropier [ɛstʀɔpje] **I** *v/t* **1.** to maim, to cripple **2.** *fig langue étrangère* to murder; *mot* to mangle **II** *v/pr* ***s'~*** to maim o.s.

estuaire [ɛstɥɛʀ] *m* estuary

estudiantin [ɛstydjɑ̃tɛ̃] *adj* ⟨**-ine** [-in]⟩ student *épith*

esturgeon [ɛstyʀʒõ] *m* sturgeon

▶ **et** [e] *conj* **1.** and **2.** *litt* ***~ ... ~ ...*** both ... and ...

étable [etabl] *f* cowshed

établi [etabli] *m* workbench

établir [etabliʀ] **I** *v/t* **1.** (*installer*) *domicile, gouvernement* to set up; (*fonder*) to establish **2.** *relations, contact, règles, frontières* to establish; *liste, devis, record* to draw up; *chèque, facture* to make out; *prix, record* to set; *certificat* to issue; ***établi*** *usage, ordre* established **3.** (*démontrer*) to establish, to prove **II** *v/pr* ***s'~*** to settle; ***s'~ à son compte*** to set up in business

établissement [etablismɑ̃] *m* **1.** (*installations*) premises; TECH factory; (*entreprise*) organization; ***~ hospitalier*** hospital; ***~ scolaire*** school; ***chef*** *m* ***d'~*** principal, headteacher **2.** (*action de s'établir*) setting up **3.** (*création*) *d'un régime* introduction; *de relations, d'un règlement* establishment; *d'un devis, d'une facture, d'une liste* drawing up; *de prix* setting **4.** *de faits* establishing, proving

▶ **étage** [etaʒ] *m* **1.** floor, story; ***immeuble à*** *ou* ***de quatre ~s*** four-story building **2.** *de fusée* stage **3.** *fig* ***de bas ~*** second-rate

étager [etaʒe] *v/pr* ⟨**-ge-**⟩ ***s'~*** *champs* to rise in terraces; *maisons* to rise in tiers

▶ **étagère** [etaʒɛʀ] *f* **1.** *meuble* shelves (+ *v pl*) **2.** *au mur* shelf; *à livres* bookcase

étain [etɛ̃] *m* pewter

étais, était [etɛ] → ***être***[1]

étal [etal] *m* ⟨**-als**⟩ **1.** *de marché* stall **2.** *de boucher* butcher's block

étalage [etalaʒ] *m* **1.** (*devanture*) window display **2.** *fig* display; ***faire ~ de qc*** to display sth, to show sth off

étalagiste [etalaʒist] *m/f* window dresser

étale [etal] *adj mer* slack

étalement [etalmɑ̃] *m de linge, de paiements* spreading out; *de vacances, de travaux, d'horaires* staggering

étaler [etale] **I** *v/t* **1.** *marchandises* to display, to spread out; *journal* to open out, to spread out; *colle, beurre* to spread (***sur*** on) **2.** *dans le temps vacances, travaux* to stagger; *paiements* to spread out **3.** *fig savoir* to show off; *luxe* to flaunt **II** *v/pr* **1.** *titre de journal* ***s'~ sur*** to be splashed all over **2.** *fam* ***s'~*** (*prendre de la place*) to sprawl **3.** *fam* ***s'~*** (*tomber*) to go sprawling *fam*, to fall flat

étalon [etalõ] *m* **1.** *cheval* stallion **2.** *mesure* standard

étalonnage [etalɔnaʒ] *m ou* **étalonnement** *m pour vérifier* testing; *pour régler* calibration **étalonner** *v/t* (*instru-*

ment de) mesure pour vérifier to test; *pour régler* to calibrate
étalon-or *m* FIN gold standard
étamer [etame] *v/t* **1.** to tinplate **2.** *glace* to silver
étamine [etamin] *f* **1.** BOT stamen **2.** *filtre* muslin
étanche [etɑ̃ʃ] *adj* watertight; *montre* waterproof
étanchéité [etɑ̃ʃeite] *f* watertightness
étancher [etɑ̃ʃe] *v/t* **1.** TECH to make watertight **2.** *st/s soif* to quench
▶ **étang** [etɑ̃] *m* pond
étant [etɑ̃] *ppr* → **être**[1]
▶ **étape** [etap] *f* **1.** *distance* stage (*a* SPORT) **2.** *lieu* stopping place; ***faire ~ à*** to stop off at **3.** *fig* stage; ***brûler les ~s*** *dans un travail* to cut corners; *dans une organisation* to move rapidly up the ladder
▶ **état** [eta] *m* **1.** *d'une personne*, *d'un pays* state (*a* PHYS); *d'une machine*, *d'un immeuble*, *d'un objet* condition, state; ***état civil*** civil status; (***bureau*** *m* ***de l'***)***état civil*** registry office; ***état général*** general state *or* condition; ***état second*** state of trance; ***être dans un état second*** to be in a trance; ***état d'alerte*** state of alert; ***états d'âme*** qualms, scruples; ***état de choses*** state of affairs; ***état d'esprit*** state of mind; ***état de fait*** fact; ***état de grâce*** REL state of grace; POL honeymoon period; ***état de santé*** state of health; ***état de siège*** state of siege; ***état d'urgence*** state of emergency; ***à l'état liquide*** in the liquid state; ***dans un état de …*** in a state of …; ***être dans tous ses états*** to be in a real state *fam*, to be extremely upset; ***en bon, mauvais état*** in good, bad condition; ***en tout état de cause*** in any case, at any event; ***en état de marche*** in working order; *véhicule* roadworthy; ***être en état de faire qc*** to be in a fit state to do sth; ***remettre qc en état*** to repair sth; ***être 'hors d'état de faire qc*** to be in no state *or* condition to do sth; ***mettre qn hors d'état de nuire*** *pour son protection* to put sb out of harm's way; *terroriste* to render sb harmless **2.** ▶ ***État*** State; ***État de droit*** rule of law; ***coup*** *m* ***d'État*** coup d'état **3.** (*description*) statement; ***état de frais*** statement of expenses; ***état des lieux*** inventory *of fixtures in rented properties*; ***faire état de qc*** to mention sth, to refer to sth **4.** HIST estate; ***le tiers état*** the third estate; *par ext* ***de son état*** by trade
étatique [etatik] *adj* state *épith* **étatisation** *f* (*processus*) nationalization; (*fait*) state control **étatiser** *v/t* to bring under state control **étatisme** *m* POL statism
état-major [etamaʒɔʀ] *m* ⟨**états-majors**⟩ **1.** MIL staff (+ *v pl*) **2.** *fig d'une organisation* senior management
▶ **États-Unis** [etazyni] ***les ~*** *mpl* the United States
étau [eto] *m* ⟨**~x**⟩ vise; *fig* stranglehold
étayer [eteje] *v/t* ⟨**-ay-** *od* **-ai-**⟩ **1.** CONSTR to shore up **2.** *fig* to support
etc. [ɛtseteʀa] *abr* (= **et cetera**) etc.
▶ **été**[1] [ete] *m* summer; ***en ~*** in summer
été[2] *pp* → **être**[1]
▶ **éteindre** [etɛ̃dʀ] ⟨→ **peindre**⟩ **I** *v/t* **1.** *feu*, *incendie* to put out, to extinguish; *bougie* to blow out **2.** *appareil*, *télévision*, *chauffage* to switch off, to turn off; *lumière*, *lampe* to turn off **II** *v/pr* ***s'éteindre*** **1.** *feu* to go out; *lumière*, *chauffage* to go off **2.** *fig sentiment* to fade; *bruit* to die away **3.** (*mourir*) to pass away; *race*, *famille* to die out
▶ **éteint** [etɛ̃] *pp*→ ***éteindre*** *et adj* ⟨**éteinte** [etɛ̃t]⟩ *feu*, *bougie* out; *volcan* extinct; *voix* lifeless; *regard* dull; *appareil* off; ***être ~*** to be off
étendard [etɑ̃daʀ] *m* standard, flag
étendre [etɑ̃dʀ] ⟨→ **rendre**⟩ **I** *v/t* **1.** *bras*, *jambes* to stretch out; *ailes* to spread; *linge* to hang out; *pâte* to roll out **2.** *vin* to dilute **3.** ***~ qn sur un lit*** to lay sb out on a bed; *fam* ***~ qn*** to deck sb *fam*; *fam*, *fig à un examen* ***se faire ~*** to fail, to flunk *fam* **4.** *influence* to extend (**à** to) **II** *v/pr* ***s'étendre*** **1.** *brouillard*, *épidémie* to spread **2.** *plaine*, *empire* to extend, to stretch (***jusqu'à*** as far as) **3.** *personne* to lie down (***sur*** on) **4.** ***s'~ sur un sujet*** to dwell on a subject
étendu [etɑ̃dy] *adj* ⟨**~e**⟩ **1.** *forêt*, *vue* broad **2.** *connaissances* wide
étendue [etɑ̃dy] *f* **1.** (*surface*) expanse **2.** (*importance*) extent, scope
▶ **éternel** [etɛʀnɛl] **I** *adj* ⟨**~le**⟩ eternal **II** *m* ***l'Éternel*** the Lord
éterniser [etɛʀnize] *v/pr* ***s'~*** **1.** to drag on **2.** *fam personne* to stay for ages
éternité [etɛʀnite] *f* **1.** eternity; ***de toute ~*** from time immemorial **2.** *fig*, *fam attendre* ***une ~*** (for) ages

éternuement [etɛʀnymɑ̃] *m* sneeze **éternuer** [etɛʀnɥe] *v/i* to sneeze **êtes** [ɛt] → ***être***[1]
étêter [etete] *v/t arbre* to pollard; *poisson* to cut the head off
éthane [etan] *m* CHIM ethane
éther [etɛʀ] *m* ether
éthéré [eteʀe] *litt adj* ⟨**~e**⟩ ethereal
Éthiopie [etjɔpi] ***l'~*** *f* Ethiopia
éthiopien [etjɔpjɛ̃] **I** *adj* ⟨**-ienne** [-jɛn]⟩ Ethiopian **II** ***Éthiopien*(*ne*)** *m*(*f*) Ethiopian
éthique [etik] **I** *adj* ethical **II** *f* ethics (+ *v sg*); ~ ***professionnelle*** professional ethics
ethnie [ɛtni] *f* ethnic group **ethnique** *adj* ethnic
ethnographe [ɛtnɔgʀaf] *m/f* ethnographer **ethnographie** *f* ethnography **ethnographique** *adj* ethnographic **ethnologie** *f* ethnology **ethnologue** *m/f* ethnologist
éthologie [etɔlɔʒi] *f* ethology
éthylène [etilɛn] *m* ethylene
éthylique [etilik] **I** *adj* **1.** ***alcool*** *m* ~ ethyl alcohol **2.** MÉD *coma* alcoholic **II** *m/f* alcoholic
éthylisme [etilism] *m* alcoholism
étincelant [etɛ̃slɑ̃] *adj* ⟨**-ante** [-ɑ̃t]⟩ sparkling; *étoile* twinkling **étinceler** *v/i* ⟨**-ll-**⟩ to sparkle; *étoile* to twinkle
étincelle [etɛ̃sɛl] *f* spark; *fig* flash **étincellement** *m* sparkling; *d'une étoile* twinkling
étiolement [etjɔlmɑ̃] *m* **1.** *d'une plante* wilting *t/t* **2.** *fig* deterioration
étioler [etjɔle] *v/pr* **s'~** **1.** *plante* to wilt **2.** *fig* to deteriorate
étique [etik] *adj* emaciated **étiquetage** *m* labeling
étiqueter [etikte] *v/t* ⟨**-tt-**⟩ **1.** to label **2.** *fig* to label (***comme*** as)
étiquette [etikɛt] *f* **1.** (*marque*) label; *de prix* tag **2.** *fig* label; POL ***sans~*** *candidat* independent **3.** (*protocole*) etiquette
étirage [etiʀaʒ] *m* TECH *de métal, du verre* drawing **étirement** *m* stretching (exercise)

> **étiquette**
>
> Note that **étiquette** often means a label as well as knowing how to behave properly:
>
> **l'étiquette du prix**
>
> the price tag

étirer [etiʀe] **I** *v/t* TECH *métal, verre* to draw **II** *v/pr* ***s'étirer*** **1.** *tissu* to stretch **2.** *personne, animal* to stretch
étoffe [etɔf] *f* **1.** (*tissu*) material **2.** *fig* ***avoir l'~ d'un chef***, *etc* to have the makings of a leader, etc
étoffé [etɔfe] *adj* ⟨**~e**⟩ *récit* well-developed, substantial
étoffer [etɔfe] **I** *v/t récit* to develop *personnage* to flesh out **II** *v/pr* ***s'~*** *personne* to fill out
► **étoile** [etwal] *f* **1.** ASTROL, *signe* star; ***à la belle ~*** out in the open *dormir* under the stars; ***un* (*hôtel*) *trois ~s*** a three--star hotel **2.** ZOOL ***~ de mer*** starfish **3.** THÉ, FILM star; *adj* ***danseur*** *m* ~ principal dancer; ***danseuse*** *f* ~ principal dancer, prima ballerina
étoilé [etwale] *adj* ⟨**~e**⟩ **1.** *ciel, nuit* starry **2.** ***bannière ~e*** star-spangled banner **3.** (*en étoile*) *verre* crazed
étoiler [etwale] **I** *v/t astres* ~ ***le ciel*** to stud the sky **II** *v/pr* ***s'étoiler*** **1.** *ciel* to fill with stars **2.** *verre* to craze over
étole [etɔl] *f* stole
étonnamment [etɔnamɑ̃] *adv* surprisingly; *plus fort* astonishingly
► **étonnant** [etɔnɑ̃] *adj* ⟨**-ante** [-ɑ̃t]⟩ surprising; *plus fort* astonishing
étonné [etɔne] *adj* ⟨**~e**⟩ surprised; *plus fort* astonished (***de*** at); ***être ~*** to be amazed
étonnement [etɔnmɑ̃] *m* surprise; *plus fort* astonishment
► **étonner** [etɔne] **I** *v/t* MIS!; ***ça m'étonnerait*** I'd be surprised **II** *v/pr* ► ***s'étonner*** to be surprised (***de*** at; ***que …*** +*subjonctif* that …)
étouffant [etufɑ̃] *adj* ⟨**-ante** [-ɑ̃t]⟩ *air, chaleur* stifling; *fig atmosphère* stifling, oppressive
étouffé [etufe] *adj* ⟨**~e**⟩ **1.** ***mourir ~*** to die of suffocation **2.** *fig bruits, rires* to stifle; *cris* to smother
étouffe-chrétien [etufkʀetjɛ̃] *fam m* ⟨**étouffe-chrétiens**⟩ stodge
étouffée [etufe] ***cuire à l'~*** to braise
étouffement [etufmɑ̃] *m* **1.** suffocation; *crise* choking **2.** *fig* suffocation; *d'un scandale* suppression, hushing up
étouffer [etufe] **I** *v/t* **1.** ~ ***qn*** to suffocate sb; (*gêner la respiration*) to choke sb **2.** *incendie* to smother; *fig révolte* to suppress; *bruits, cri* to stifle; *sentiments* to

quell; *scandale* to hush up **II** *v/i* to suffocate *a fig* **III** *v/pr* ***s'~*** to choke; (*mourir*) to suffocate

étourderie [etuʀdəʀi] *f* (*de caractère*) foolishness; (*légèreté*) thoughtlessness; (*oubli*) silly mistake

étourdi [etuʀdi] *adj* ⟨**~e**⟩ foolish; (*léger*) thoughtless; (*qui oublie*) absent-minded **étourdiment** *adv* → ***étourdi***

étourdir [etuʀdiʀ] **I** *v/t* to daze; *alcool* to make dizzy **II** *v/pr* ***s'~*** *fig* to drown one's sorrows

étourdissant [etuʀdisɑ̃] *adj* ⟨**-ante** [-ɑ̃t]⟩ **1.** *bruit* deafening **2.** *fig vitesse* dizzying; *succès* stunning **étourdissement** *m* dizziness

étourneau [etuʀno] *m* ⟨**~x**⟩ ZOOL starling

► **étrange** [etʀɑ̃ʒ] *adj* strange

étranger [etʀɑ̃ʒe] **I** *adj* ⟨**-ère** [-ɛʀ]⟩ **1.** (*d'une autre nation*) foreign; ***affaires étrangères*** foreign affairs; ***langues étrangères*** foreign languages; ***politique étrangère*** foreign policy **2.** (*d'un autre groupe*) outside *épith*; *visage* unfamiliar; *personne* ***être étranger à qc*** (*insensible à*) to know nothing of sth; (*ne pas participer à*) not to be involved in sth; *chose* ***être étranger à qn*** to be unfamiliar to sb **II** *subst* **1.** ► ***étranger, étrangère*** *m/f d'une autre nation* foreigner; *d'un autre groupe social* outsider **2.** ***l'étranger*** *m* foreign countries (+ *v pl*); ***à l'étranger*** *voyager* abroad; *investissement* foreign

étrangeté [etʀɑ̃ʒte] *f* strangeness

étranglé [etʀɑ̃gle] *adj* ⟨**~e**⟩ *voix* choked

étranglement [etʀɑ̃gləmɑ̃] *m* **1.** (*strangulation*) strangulation **2.** *endroit* narrow section

étrangler [etʀɑ̃gle] **I** *v/t* to strangle; *sans tuer* to choke (***qn*** sb); *émotion* ***~ qn*** to choke sb **II** *v/pr* ***s'étrangler*** **1.** *se tuer* to strangle oneself **2.** (*s'étouffer*) to choke **3.** *voix* to choke

étrangleur [etʀɑ̃glœʀ] *m* strangler

étrave [etʀav] *f* MAR stem

► **être**[1] [ɛtʀ] ⟨**je suis, tu es, il est, nous sommes, vous êtes, ils sont; j'étais; je fus; je serai; que je sois, qu'il soit, que nous soyons; sois!, soyons!, soyez!; étant; avoir été**⟩ **I** *v/aux* **1.** *dans les temps composés en général, quoique moins fréquent comme structure grammaticale en anglais* to have; ***elle est arrivée*** she has arrived; ***elle est arrivée lundi dernier*** she arrived last Monday; ***elle s'est blessée*** she (has) hurt herself; ***ils se sont serré la main*** they shook hands; ***il est né en juin*** he was born in June **2.** *de la forme passive* to be; ***être aimé*** to be loved; ***il a été récemment critiqué*** he has been criticized recently, he was criticized recently **II** *v/i* **1.** to be; *litt* ***il n'est plus*** (*il est mort*) he is no longer with us *form*; ***être bête*** to be stupid; ***être français*** *ou* ***Français*** to be French; ***il n'est pas français*** *ou* ***Français*** he's not French; ***si j'étais*** (***de***) ***vous*** if I were you; ***où en êtes-vous*** (***dans votre travail***)**?** where have you got to (in your work)?: ***je n'en suis pas encore là*** I haven't got that far yet; ***ne plus savoir où l'on en est*** *dans une situation* not to know where one stands; *dans une activité* to be lost; ***en être pour sa peine*** to have nothing to show for one's efforts; ***je n'y suis pour personne*** if anyone asks for me, I'm not here; *fig* ***j'y suis*** I get it *fam*, I'm with you; ***vous n'y êtes pas du tout*** you don't get it *fam*, you're not with me at all; ***je n'y suis pour rien*** I've got nothing to do with it; ***être toujours à crier*** to be always shouting; ***être à louer, à vendre*** to be for hire, for sale; ***être après qn*** to be after sb; *fam* ***il est dans les assurances*** he's in insurance; ***il est de Paris*** he is *ou* he comes from Paris; ***le prix est de 300 euros*** the price is 300 euros; ***être d'une curiosité maladive*** to be incredibly nosy; ***être en maillot de bain*** to be wearing a swimsuit; ***vous n'êtes pas sans savoir que …*** you'll be aware that …; ***être sur le bureau*** *journal* to be on the desk; ***être sur la porte*** *clé* to be in the door **2.** *au passé composé* (*aller*) to be; ***il a été à Paris*** he has been to Paris; ***j'ai été le voir*** I've been to see him, I went to see him **3.** (*se sentir*) to be; ***on est mal dans cette voiture*** this car is uncomfortable; ***il est mieux aujourd'hui*** he is better today **4.** *indiquant la date* to be; ***quel jour sommes-nous aujourd'hui?*** what date is today?; ***nous sommes lundi*** today is Monday; ***nous sommes le deux mars*** it's March second **5.** ► ***être à*** (*appartenir*) to belong to; ***ce livre est à moi*** this book belongs to me, this book is mine; ***je suis à vous tout de suite*** I'll be with you right away

III *v/imp* **1.** ***il est*** *st/s* (*il y a*) there are; *st/s* ***il est des gens qui …*** there are people who …; ***il est difficile de*** *+inf* it is difficult to *+inf*; ***il est dix heures*** it's ten o'clock **2.** ▶ ***c'est*** it is, it's; *dans une situation précise* that's; ***c'est exagéré*** it's a bit much; ***c'est difficile à dire*** it's hard to say; ***c'est mon ami*** it's my friend, he's my friend; *en désignant* that's my friend; ***ce sont***, *fam* ***c'est mes livres*** they're my books; ***c'est moi*** it's me; *en désignant* that's me; ***c'est trois euros*** it's three euros; ▶ ***… n'est-ce pas?*** *en général* … isn't that true?; ***tu es d'accord, n'est-ce pas?*** you agree, don't you?; ***ils ont menti, n'est-ce pas?*** they lied, didn't they?; *il n'est pas venu*, ***c'est qu'il est malade*** it's because he's sick; ***ce n'est pas que …*** *+subj* it's not that …; ***qui est-ce?***, *fam* ***qui c'est?*** who is it?; ***c'était à qui parlerait le plus fort*** they were vying with each other to speak loudest; ***c'est à vous*** *indiquant l'appartenance* it's yours; *dans un jeu* it's your turn; ***c'est à vous de décider*** it's up to you to decide, it's your decision; ***c'est bien de lui*** it's typical of him; ***je sais ce que c'est*** I know what it is; ▶ ***c'est mon frère qui l'a fait*** my brother did it; *plus emphatique* it was my brother who did it; ***c'est à Paris que je voudrais habiter*** Paris is where I'd like to live; ▶ ***est-ce que tu viens?*** are you coming?

être² *m* **1.** being; ***~ humain*** human being; ***~ vivant*** living creature **2.** PHIL being

étreindre [etʀɛ̃dʀ] *v/t* ⟨→ **peindre**⟩ **1.** to embrace; *adversaire* to clasp **2.** *sentiment* ***~ qn*** to grip sb

étreinte [etʀɛ̃t] *f* **1.** embrace; *par ext* ***~ amoureuse*** lovers' embrace **2.** *fig* grip

étrenner [etʀene] *v/t* to use for the first time; *vêtements* to wear for the first time, to christen *fam*

étrennes [etʀɛn] *fpl* **1.** New Year's gift (+ *v sg*) **2.** *gratification* Christmas present *given to mail carriers*, *caretakers*, *etc.*

étrier [etʀije] *m* stirrup

étriller [etʀije] *v/t* **1.** *cheval* to curry **2.** *fig* (*malmener*) to reprimand severely; *client* to fleece *fam*; (*critiquer*) to tear to pieces *fam*

étriper [etʀipe] **I** *v/t animal* to gut **II** *v/pr fam* ***s'~*** to murder each other

étriqué [etʀike] *adj* ⟨***~e***⟩ **1.** *vêtements* too tight **2.** *fig esprit* narrow

▶ **étroit** [etʀwa] *adj* ⟨**étroite** [etʀwat]⟩ **1.** *ruban*, *épaules*, *fenêtre* narrow; *vêtements* tight; ***à l'~*** cramped; *fig* ***au sens ~*** in the narrow sense **2.** *péj* narrow-minded **3.** *rapports* close

étroitement [etʀwatmɑ̃] *adv liés* closely; *surveiller* closely

étroitesse [etʀwatɛs] *f* **1.** narrowness **2.** *fig* ***~ (d'esprit)*** narrowmindedness

étron [etʀõ] *m* piece of excrement; turd *fam*

▶ **étude** [etyd] *f* **1.** *d'une langue*, *d'un rôle*, *d'un texte*, *d'une science* study **2.** ▶ ***études*** *pl* studies; ***études de médecine*** medical studies; ***faire des études de médecine*** to study medicine; ***faire ses études*** to study; *par ext* to go to university **3.** (*examen*) study; ***étude du marché*** market study; ***voyage*** *m* ***d'études*** study trip; ***être à l'étude*** *projet*, *dossier* to be under consideration **4.** *ouvrage* study **5.** MUS study, étude **6.** ENSEIGNEMENT *salle* study hall; *temps* study period **7.** *de notaire* office

▶ **étudiant** [etydjɑ̃], **étudiante** [-ɑ̃t] **I** *m/f* student; ***étudiant(e) en médecine*** medical student **II** *adj* student *épith*

étudié [etydje] *adj* ⟨***~e***⟩ **1.** (*calculé*) carefully prepared; *prix* keen **2.** (*affecté*) studied, affected

▶ **étudier** [etydje] **I** *v/t* **1.** *à l'université* to study; *leçon* to learn; *rôle* to study **2.** (*examiner*) to study, to examine; ***~ un problème*** to study a problem **II** *v/pr* ***s'~*** to examine oneself

étui [etɥi] *m* case; ***~ à lunettes*** glasses case

étuve [etyv] *f* **1.** steam room; *fig* ***quelle ~!*** it's like an oven (in here)! **2.** TECH drying oven

étuvée [etyve] ***cuire à l'~*** to braise

étuver [etyve] *v/t* **1.** TECH to dry **2.** CUIS to braise

étymologie [etimɔlɔʒi] *f* etymology **étymologique** *adj* etymological **étymologiste** *m/f* etymologist

eu [y] *pp* → ***avoir¹***

eucalyptus [økaliptys] *m* eucalyptus

eucharistie [økaʀisti] *f* eucharist **eucharistique** *adj* eucharistic

euh [ø] *int* **1.** *en cherchant ses mots* uhm **2.** *embarras*, *doute* er

eunuque [ønyk] *m* eunuch

euphémique [øfemik] *adj* euphemistic **euphémisme** *m* euphemism

euphorbe [øfɔʀb] *f* BOT euphorbia
euphorie [øfɔʀi] *f* euphoria **euphorique** *adj* euphoric **euphorisant** *adj* ⟨**-ante** [-ɑ̃t]⟩ MÉD euphoriant; *atmosphère* exhilarating
eurafricain [øʀafʀikɛ̃] *adj* ⟨**-aine** [-ɛn]⟩ Eurafrican
eurasiatique [øʀazjatik] *adj* Eurasian
eurasien [øʀazjɛ̃] **I** *adj* ⟨**-ienne** [-jɛn]⟩ Eurasian **II** ***Eurasien(ne)*** *m(f)* Eurasian
eurent [yʀ] → ***avoir***[1]
▶ **euro** [øʀo] *m* euro; *adj* ***zone*** *f* **~** euro zone
euro… [øʀɔ] *préfixe* euro…
eurocrate [øʀɔkʀat] *m* Eurocrat
eurodollars *mpl* Eurodollars
▶ **Europe** [øʀɔp] ***l'~*** *f* Europe
européaniser [øʀɔpeanize] **I** *v/t* to Europeanize **II** *v/pr* ***s'~*** to become Europeanized
européanisme [øʀɔpeanizm] *m* Europeanism
▶ **européen** [øʀɔpeɛ̃] **I** *adj* ⟨**-enne** [-ɛn]⟩ European **II** ***Européen(ne)*** *m(f)* European
euroscepticisme [øʀosɛptisism] *m* Euroskepticism
eurosceptique [øʀosɛptik] **I** *adj* Euroskeptic **II** *m/f* Euroskeptic
eurotunnel *m* Eurotunnel
Eurovision *f* Eurovision
eus [y] → ***avoir***[1]
eut, eût [y] → ***avoir***[1]
euthanasie [øtanazi] *f* euthanasia
▶ **eux** [ø] *pr pers* **1.** they **~ *ils ne sont pas contents*** they aren't happy; ***ce sont ~ qui …*** they're the ones who…; *emphatique* ***je les connais, ~*** I know them **2.** *après prép* them; ***c'est à ~*** *réfléchi* it's theirs
eux-mêmes [ømɛm] *pr pers* **1.** *emphatique* themselves **2.** *réfléchi* themselves
évacuation [evakɥasjõ] *f* **1.** MÉD evacuation **2.** TECH *d'eau* draining off **3.** *d'une salle*, *de la population* evacuation (*a* MIL)
évacuer [evakɥe] *v/t* **1.** MÉD to evacuate **2.** *eaux usées*, *etc* to drain off **3.** *salle*, *population* to evacuate (*a* MIL); ***~ par avion*** to airlift
évadé [evade] **I** *adj* ⟨**~e**⟩ escaped **II** *m* escapee
évader [evade] *v/pr* ***s'~*** **1.** to escape (***d'une prison*** from prison) **2.** *fig* to get away (***de*** from)
évaluable [evalɥabl] *adj* assessable
évaluation [evalɥasjõ] *f* assessment; *d'objet* valuation
évaluer [evalɥe] *v/t distance*, *prix* to estimate (***à*** at); *objet* to value; *risque* to assess
évanescent [evanesɑ̃] *adj* ⟨**-ente** [-ɑ̃t]⟩ evanescent
évangélique [evɑ̃ʒelik] *adj* evangelical
évangélisateur **I** *adj* ⟨**-trice** [-tʀis]⟩ evangelical **II** *m* evangelist **évangéliser** *v/t* to evangelize **évangéliste** *m* evangelist
Évangile [evɑ̃ʒil] *m* Gospel; *fig* ***évangile*** gospel (truth)
évanoui [evanwi] *adj* ⟨**~e**⟩ **1.** *personne* unconscious **2.** *rêve*, *bonheur* faded
▶ **évanouir** [evanwiʀ] *v/pr* ***s'~*** **1.** *personne* to faint **2.** (*disparaître*) to vanish; *espoir* to fade
évanouissement [evanwismɑ̃] *m* **1.** (*syncope*) faint **2.** (*disparition*) disappearance
évaporation [evapɔʀasjõ] *f* evaporation
évaporé [evapɔʀe] *adj* ⟨**~e**⟩ *personne* scatterbrained
évaporer [evapɔʀe] *v/pr* ***s'~*** **1.** to evaporate **2.** *fam*, *fig* to vanish
évasé [evaze, -vɑ-] *adj* ⟨**~e**⟩ *jupe* flared; *vase* widemouthed
évasement [evazmɑ̃, -vɑ-] *m d'un vêtement* flare
évaser [evaze, -vɑ-] **I** *v/t vêtement* to flare; *tuyau*, *ouverture* to widen **II** *v/pr* ***s'~*** to widen
évasif [evazif] *adj* ⟨**-ive** [-iv]⟩ *réponse*, *geste* evasive
évasion [evazjõ] *f* **1.** *d'un prisonnier* escape **2.** *fig* evasion (*a* FIN); (*distraction*) escape
évêché [eveʃe] *m* **1.** *territoire* bishopric **2.** *en ville* bishop's palace
éveil [evɛj] *m fig* awakening; ***en ~*** alert; ***donner l'~ à qn*** to arouse sb's suspicions
éveillé [eveje] *adj* ⟨**~e**⟩ **1.** awake; ***rêve ~*** daydream **2.** *fig enfant* bright
éveiller [eveje] **I** *v/t fig* to awaken; *soupçons*, *sympathie* to arouse **II** *v/pr* ***s'~*** to wake up; *sentiments* to be aroused
▶ **événement** *ou* **évènement** [evɛnmɑ̃] *m* event
événementiel [evɛnmɑ̃sjɛl] *adj* ⟨**~le**⟩ factual
éventail [evɑ̃taj] *m* **1.** fan; ***en ~*** *forme* fan-shaped; *disposition d'objets* fanned

out **2.** *fig* range
éventaire [evɑ̃tɛʀ] *m* stall; *d'un marchand ambulant* tray
éventé [evɑ̃te] *adj* ⟨**~e**⟩ **1.** *boisson* flat; *parfum* stale **2.** *secret* known, out **3.** (*venteux*) windy
éventer [evɑ̃te] **I** *v/t* **1.** **~ *qn*** to fan sb **2.** *complot*, *secret* to uncover **II** *v/pr* ***s'éventer*** **1.** *personne* to fan oneself **2.** *boisson* to go flat; *parfum* to go stale
éventration [evɑ̃tʀasjõ] *f* MÉD rupture
éventrer [evɑ̃tʀe] *v/t* **1.** to disembowel **2.** *objets* to rip open
éventualité [evɑ̃tɥalite] *f* eventuality; ***dans l'~ de*** in the event of
éventuel [evɑ̃tɥɛl] *adj* ⟨**~le**⟩ possible
éventuellement [evɑ̃tɥɛlmɑ̃] *adv* possibly

éventuel, éventuellement ≠ eventual

Éventuel = possible:
✓ **les dangers éventuels**
(✗ **J'y arriverai éventuellement.**
✓ **Je finirai par y arriver).**
the possible dangers
(I will manage to do it in the end.)

évêque [evɛk] *m* bishop
évertuer [evɛʀtɥe] *v/pr* ***s'~*** to try one's hardest (***à faire qc*** to do sth)
éviction [eviksõ] *f* eviction
▸ **évidemment** [evidamɑ̃] *adv* of course
évidence [evidɑ̃s] *f* **1.** obviousness; ***de toute ~*** obviously; ***se rendre à l'~*** to face facts **2.** ***l'~*** (*chose évidente*) *nier* the obvious **3.** ***mettre qc en ~*** to put sth in an obvious place; *fig fait* to highlight sth
▸ **évident** [evidɑ̃] *adj* ⟨**-ente** [-ɑ̃t]⟩ **1.** obvious **2.** ***pas ~*** not that easy
évider [evide] *v/t* to scoop out
évier [evje] *m* sink
évincer [evɛ̃se] *v/t* ⟨**-ç-**⟩ to oust
évitable [evitabl] *adj* avoidable
▸ **éviter** [evite] *v/t* **1.** *mets*, *lieu*, *obstacle* to avoid; **~ *qn*** to avoid sb; **~ *de faire qc*** to avoid doing sth **2.** **~ *qc à qn*** to spare sb sth
évocateur [evɔkatœʀ] *adj* ⟨**-trice** [-tʀis]⟩ evocative
évocation [evɔkasjõ] *f* evocation (***de*** of)
évolué [evɔlɥe] *adj* ⟨**~e**⟩ *pays* advanced, developed; *personne* broadminded
évoluer [evɔlɥe] *v/i* **1.** (*se mouvoir*) to move (around) **2.** (*changer*) to develop, to evolve; *maladie* to progress
évolutif [evɔlytif] *adj* ⟨**-ive** [-iv]⟩ **1.** *poste* with prospects (for career advancement) **2.** *maladie* progressive
▸ **évolution** [evɔlysjõ] *f* **1.** **~*s*** *pl de danseur* movements **2.** (*progression*) development; *d'une maladie* progression **3.** BIOL evolution
évolutionnisme [evɔlysjɔnism] *m* BIOL, PHIL evolutionism
évolutionniste [evɔlysjɔnist] **I** *adj* evolutionist **II** *m* evolutionist
évoquer [evɔke] *v/t* **1.** *image* to conjure up; *souvenirs* to bring to mind, to evoke **2.** *par ext* to mention; *problème* to bring up
ex [ɛks] *m/f fam* ex *fam*
ex-... [ɛks] *préfixe* ex-...
exacerbation [ɛgzasɛʀbasjõ] *f* exacerbation
exacerber [ɛgzasɛʀbe] *v/t douleur* to exacerbate; ***exacerbé*** exaggerated
▸ **exact** [ɛgza(kt)] *adj* ⟨**exacte** [ɛgzakt]⟩ **1.** *nombre*, *science* exact; *reportage* accurate; *date*, *solution* right; ***heure ~e*** right time; ***c'est ~*** that's right **2.** *personne* punctual
▸ **exactement** [ɛgzaktəmɑ̃] *adv* exactly
exaction [ɛgzaksjõ] *f* **1.** FIN exaction **2.** *pl* **~*s*** (*abus de pouvoir*) abuses; *brutaux* atrocities
exactitude [ɛgzaktityd] *f* **1.** accuracy **2.** (*ponctualité*) punctuality
ex æquo [ɛgzeko] *adv* ***être ~*** to tie, to draw
exagération [ɛgzaʒeʀasjõ] *f* exaggeration
exagéré [ɛgzaʒeʀe] *adj* ⟨**~e**⟩ exaggerated
exagérément [ɛgzaʒeʀemɑ̃] *adv* excessively
▸ **exagérer** [ɛgzaʒeʀe] ⟨**-è-**⟩ **I** *v/t* to exaggerate **II** *v/i* to go too far, to push it *fam* **III** *v/pr* ***s'~ qc*** to overestimate sth
exaltant [ɛgzaltɑ̃] *adj* ⟨**-ante** [-ɑ̃t]⟩ thrilling
exaltation [ɛgzaltasjõ] *f* elation; *d'un sentiment* heightening
exalté [ɛgzalte] **I** *adj* ⟨**~e**⟩ *personne* elated; *sentiment* heightened **II** **~(*e*)** *m(f)* fanatic
exalter [ɛgzalte] **I** *v/t* **1.** (*passionner*) to

excite, to thrill **2.** *st/s* (*glorifier*) to exalt **II** *v/pr* **s'~** to get excited

▶ **examen** [ɛgzamɛ̃] *m* **1.** (*épreuves*) exam; ***passer, subir un ~*** to take an exam; ***être reçu à un ~*** to pass an exam **2.** (*contrôle*) examination; *de lieu* inspection **3.** **~** (***médical***) medical (examination) **4.** ***~ de conscience*** examination of conscience **5.** JUR ***mise*** *f* ***en ~*** indictment (***de qn*** of sb)

examinateur [ɛgzaminatœʀ] *m*, **examinatrice** [-tʀis] *f* examiner

examiner [ɛgzamine] *v/t* **1.** (*contrôler*) to examine (*a* MÉD) **2.** (*observer*) to examine

exaspérant [ɛgzaspeʀɑ̃] *adj* ⟨**-ante** [-ɑ̃t]⟩ exasperating **exaspération** *f* exasperation

exaspérer [ɛgzaspeʀe] *v/t* ⟨**-è-**⟩ **1.** (*irriter*) to exasperate **2.** *litt* (*augmenter*) to exacerbate

exaucement [ɛgzosmɑ̃] *m d'une prière* answering; *d'un vœu* granting **exaucer** *v/t* ⟨**-ç-**⟩ *prière* to answer; *vœu* to grant

excavateur [ɛkskavatœʀ] *m ou* **excavatrice** [-tʀis] *f* TECH excavator

excédent [ɛksedɑ̃] *m* surplus (*a* ÉCON); *de poids*, *de nourriture* excess; ***~ de bagages*** excess baggage; ***~ de naissances*** surplus births; ***en ~*** surplus

excédentaire [ɛksedɑ̃tɛʀ] *adj* surplus *épith*

excéder [ɛksede] *v/t* ⟨**-è-**⟩ **1.** (*dépasser*) to exceed **2.** (*agacer*) ***~ qn*** to exasperate sb

excellence [ɛksɛlɑ̃s] *f* **1.** excellence **2.** *titre* ***Excellence*** Excellency **3.** ***par ~*** par excellence

▶ **excellent** [ɛksɛlɑ̃] *adj* ⟨**-ente** [-ɑ̃t]⟩ excellent

exceller [ɛksele] *v/i* ***~ dans, en qc*** to excel in, at sth; ***~ à faire qc*** to excel at doing sth

excentricité [ɛksɑ̃tʀisite] *f* eccentricity

excentrique [ɛksɑ̃tʀik] **I** *adj* **1.** eccentric; *tenue* odd **2.** *quartier* outlying **II** *m/f* eccentric

excepté [ɛksɛpte] *prép* except, with the exception of

excepter [ɛksɛpte] *v/t* to exclude, to except

▶ **exception** [ɛksɛpsjõ] *f* exception; ***~ à la règle*** exception to the rule; ***d'~*** exceptional; ***à l'~ de*** *ou* ***~ faite de*** with the exception of; ***sans ~*** without exception

exceptionnel [ɛksɛpsjɔnɛl] *adj* ⟨**~le**⟩ exceptional

exceptionnellement [ɛksɛpsjɔnɛlmɑ̃] *adv* **1.** (*par exception*) exceptionally **2.** (*extraordinairement*) exceptionally

excès [ɛksɛ] *m* excess; *acte* excess; ***faire des ~ de table*** to overeat; ▶ ***excès de vitesse*** speeding; ***excès de zèle*** overzealousness; ***à l'excès*** to excess; ***tomber dans l'excès inverse*** to go to the other extreme

excessif [ɛksesif] *adj* ⟨**-ive** [-iv]⟩ excessive; *personne* extreme; (*exagéré*) *vitesse* excessive; *prix* exorbitant

excessivement [ɛksesivmɑ̃] *adv* **1.** (*trop*) excessively **2.** (*extrêmement*) extremely

excipient [ɛksipjɑ̃] *m* PHARM excipient

exciser [ɛksize] *v/t* MÉD to excise

excision [ɛksizjõ] *f* **1.** MÉD excision **2.** *rite* female circumcision

excitabilité [ɛksitabilite] *f* excitability

excitable *adj* excitable

▶ **excitant** [ɛksitɑ̃] **I** *adj* ⟨**-ante** [-ɑ̃t]⟩ exciting; *boisson* stimulating **II** *m* stimulant

excitation [ɛksitasjõ] *f* excitement; PHYS, BIOL excitation *sexuelle*; arousal; (*incitation*) incitement

▶ **excité** [ɛksite] **I** *adj* ⟨**~e**⟩ excited; *sexuellement* aroused **II** **~(*e*)** *m(f)*; hothead; (*extrémiste*) fanatic

exciter [ɛksite] **I** *v/t* **1.** *personne* to excite; *sexuellement*, *envie*, *haine* to arouse; ***~ qn à qc*** to incite sb to sth **2.** *appétit* to whet; *imagination* to stir; *nerf* to excite **II** *v/pr* **s'~** to get excited; (*s'irriter*) to get angry, to get worked up *fam*

exclamatif [ɛksklamatif] *adj* ⟨**-ive** [-iv]⟩ exclamatory **exclamation** *f* exclamation

exclamer [ɛksklame] *v/pr* **s'~** to exclaim

exclu [ɛkskly] *pp*→ ***exclure*** *et adj* ⟨**~e**⟩ excluded

exclure [ɛksklyʀ] *v/t* ⟨→ **conclure**⟩ to exclude; *élève* to expel (***de*** from)

exclusif [ɛksklyzif] *adj* ⟨**-ive** [-iv]⟩ exclusive; ***représentant ~*** sole agent; ***il est trop ~*** *dans ses goûts*, *en amitié* he's too selective

exclusion [ɛksklyzjõ] *f* exclusion (***de*** from); *d'élève* expulsion; ***à l'~ de*** to the exclusion of; (*à l'exception de*) with the exception of

exclusive [ɛksklyziv] *f* debarment

exclusivement [ɛksklyzivmɑ̃] *adv* exclusively

exclusivité [ɛksklyzivite] *f* exclusive rights (+ *v pl*); ***passer en ~ film*** to go on limited release (at selected cinemas); ***en ~*** *vendre* exclusively; *interview* exclusive

excommunication [ɛkskɔmynikasjõ] *f* excommunication **excommunier** *v/t* to excommunicate

excréments [ɛkskʀemɑ̃] *mpl* excrement (+ *v sg*)

excrétion [ɛkskʀesjõ] *f* BIOL excretion

excroissance [ɛkskʀwasɑ̃s] *f* MÉD growth, excrescence *t/t*

▶ **excursion** [ɛkskyʀsjõ] *f* trip, excursion

excursionniste [ɛkskyʀsjɔnist] *m/f* tourist, *brit* tripper; (*randonneur*) hiker

excusable [ɛkskyzabl] *adj* excusable, forgivable

▶ **excuse** [ɛkskyz] *f* apology; (*prétexte*) excuse; ***mauvaise ~*** poor excuse; ***faire ses*** *ou* ***des ~s à qn, présenter ses ~s à qn*** to apologize to sb, to make one's apologies to sb

▶ **excuser** [ɛkskyze] **I** *v/t absence, comportement* to excuse; *faute, personne* to forgive; ▶ ***excuse-moi!*** excuse me!, I'm sorry!; ▶ ***excusez-moi!*** excuse me! **II** *v/pr* ▶ ***s'excuser*** to apologize (***de qc auprès de qn*** to sb for sth)

exécrable [egzekʀabl] *adj* atrocious **exécrer** *v/t* ⟨**-è-**⟩ to loathe

exécutable [egzekytabl] *adj* **1.** JUR executable **2.** MUS practicable

exécutant [egzekytɑ̃] *m* **1.** ***n'avoir été qu'un ~*** to have only been carrying out orders **2.** MUS performer

exécuter [egzekyte] **I** *v/t* **1.** (*réaliser*) to carry out **2.** JUR to enforce **3.** MUS to perform, to execute **4.** ***~ qn*** to execute sb **II** *v/pr* ***s'~*** to comply

exécuteur [egzekytœʀ] *m* JUR ***~ testamentaire*** executor

exécutif [egzekytif] *adj* ⟨**-ive** [-iv]⟩ executive; (***pouvoir***) ***~*** *m* executive

exécution [egzekysjõ] *f* **1.** execution; ***mettre à ~*** *plan, menace* to carry out **2.** JUR enforcement **3.** MUS performance **4.** ***~*** (***capitale***) execution

exégèse [egzeʒɛz] *f* exegesis; ***faire l'~ de qc*** to analyze sth in detail

exemplaire [egzɑ̃plɛʀ] **I** *adj* exemplary; *châtiment* intended as a deterrent **II** *m* copy; ***en double ~*** in duplicate

exemplarité [ɛgzɑ̃plaʀite] *f* exemplary nature; *d'un châtiment* deterrent nature

exemple [egzɑ̃pl] *m* example; *avertissement* warning; ***à l'exemple de*** (just) like; ▶ ***par exemple*** for example (*abr* e.g.); *int* well, really! *fam*; ***donner l'exemple*** to set an example; ***faire un exemple*** *en punissant* to make an example of somebody; ***prendre exemple sur qn*** to model oneself on sb

exempt [ɛgzɑ̃] *adj* ⟨**exempte** [ɛgzɑ̃t]⟩ exempt; *personne* free (**de** from)

exempter [ɛgzɑ̃te] *v/t* to exempt; *personne* to safeguard (**de** from)

exemption [ɛgzɑ̃psjõ] *f* exempt (**de** from)

exercé [ɛgzɛʀse] *adj* ⟨**~e**⟩ expert, practiced

exercer [ɛgzɛʀse] ⟨**-ç-**⟩ **I** *v/t* **1.** *pouvoir* to exercise; *influence* to exert; *métier* to practice **2.** *mémoire* to train **II** *v/i médecin, avocat* to practice **III** *v/pr* ***s'~*** to practice; SPORT to train; ***s'~ à faire qc*** to practice doing sth

▶ **exercice** [ɛgzɛʀsis] *m* **1.** *d'un métier* practice; *du pouvoir* exercise; ***le président en ~*** the president in office; ***dans l'~ de ses fonctions*** in the discharge of his duties **2.** SPORT, ÉCOLE exercise **3.** ***~*** (***physique***) (physical) exercise; ***faire de l'~*** to take exercise **4.** COMM fiscal year, *brit* financial year

exergue [ɛgzɛʀg] *m* epigraph

exhalaison [ɛgzalɛzõ] *f* exhalation

exhaler [ɛgzale] **I** *v/t* to exhale; *odeur désagréable* to give off **II** *v/pr* ***s'~*** to waft (**de** from)

exhaussement [ɛgzosmɑ̃] *m* CONSTR heightening

exhausser [ɛgzose] *v/t mur, maison* to increase the height of

exhausteur [ɛgzostœʀ] *m* ***~*** (***de saveur, de goût***) (flavor) enhancer

exhaustif [ɛgzostif] *adj* ⟨**-ive** [-iv]⟩ exhaustive

exhaustivement [ɛgzostivmɑ̃] *adv énumérer, étudier* exhaustively

exhiber [ɛgzibe] **I** *v/t* **1.** to show; *animaux au cirque* to exhibit **2.** *péj* to flaunt **II** *v/pr* ***s'~*** *péj* to flaunt o.s.

exhibition [ɛgzibisjõ] *f* **1.** display **2.** *péj* parade

exhibitionnisme [ɛgzibisjɔnism] *m* PSYCH, *fig* exhibitionism **exhibitionniste** *m* exhibitionist

exhortation [ɛgzɔʀtasjõ] *st/s f* exhortation *st/s* **exhorter** *st/s v/t* to exhort *st/s* (***à qc*** to sth)
exhumation [ɛgzymasjõ] *f* exhumation
exhumer [ɛgzyme] *v/t* **1.** *cadavre* to exhume **2.** *par ext* to unearth
exigeant [ɛgziʒɑ̃] *adj* ⟨**-ante** [-ɑ̃t]⟩ demanding
exigence [ɛgziʒɑ̃s] *f* **1.** ***~s*** *pl de qn* demands; *de la situation, etc* requirements **2.** *caractère* demanding nature
► **exiger** [ɛgziʒe] *v/t* ⟨**-ge-**⟩ **1.** to demand (***qc de qn*** sth of sb) **2.** *chose* **~** ***qc*** to require sth
exigible [ɛgziʒibl] *adj* due
exigu [ɛgzigy] *adj* ⟨**-guë** [-gy]⟩ cramped, very small
exiguïté [ɛgzigɥite] *f* smallness
exil [ɛgzil] *m* exile; ***vivre en ~*** to live in exile
exilé [ɛgzile] **I** *adj* ⟨**~e**⟩ exiled **II** **~*(e)*** *m(f)* exile
exiler [ɛgzile] **I** *v/t* to exile **II** *v/pr* ***s'~*** to go into exile
existant [ɛgzistɑ̃] *adj* ⟨**-ante** [-ɑ̃t]⟩ existing
existence [ɛgzistɑ̃s] *f* existence
existentialisme [ɛgzistɑ̃sjalism] *m* existentialism
existentialiste [ɛgzistɑ̃sjalist] **I** *adj* existentialist **II** *m/f* existentialist
existentiel [ɛgzistɑ̃sjɛl] *adj* ⟨**~le**⟩ existential
► **exister** [ɛgziste] **I** *v/i* to exist **II** *v/imp* ***il existe …*** there is …; *au pluriel* there are …
exode [ɛgzɔd] *m* exodus; **~ *rural*** rural depopulation
exonération [ɛgzɔneʀasjõ] *f* exemption
exonérer [ɛgzɔneʀe] *v/t* ⟨**-è-**⟩ to exempt; **~ *qn de qc*** to exempt sb from sth
exorbitant [ɛgzɔʀbitɑ̃] *adj* ⟨**-ante** [-ɑ̃t]⟩ *prix* exorbitant; *exigences* outrageous
exorbité [ɛgzɔʀbite] *adj* ⟨**~e**⟩ ***yeux ~s*** bulging eyes
exorciser [ɛgzɔʀsize] *v/t* to exorcize **exorcisme** *m* exorcism **exorciste** *m* exorcist
exotique [ɛgzɔtik] *adj* exotic **exotisme** *m* exoticism
exp. *abr* (= **expéditeur**) sender
expansé [ɛkspɑ̃se] *adj* ⟨**~e**⟩ TECH expanded
expansif [ɛkspɑ̃sif] *adj* ⟨**-ive** [-iv]⟩ communicative
expansion [ɛkspɑ̃sjõ] *f* **1.** growth (*a* POL, ÉCON) **2.** ***besoin*** *m* ***d'~*** need to communicate
expansionnisme [ɛkspɑ̃sjɔnism] *m* expansionism **expansionniste** *adj* expansionist
expatriation [ɛkspatʀijasjõ] *f* expatriation
expatrier [ɛkspatʀije] **I** *v/t* *capitaux* to transfer overseas **II** *v/pr* ***s'~*** to emigrate
expectative [ɛkspɛktativ] *f* ***rester dans l'~*** to wait and see
expectorant [ɛkspɛktɔʀɑ̃] *adj* ⟨**-ante** [-ɑ̃t]⟩ expectorant
expédient [ɛkspedjɑ̃] *m* expedient; ***vivre d'~s*** to live by one's wits
expédier [ɛkspedje] *v/t* **1.** *travail* **~** to dispose of; *affaire* to deal with; *repas* to polish off *fam*, to dispatch *plais* **2.** *personne* to dismiss **3.** (*envoyer*) to send; *lettre* to mail, *brit* to post
► **expéditeur** [ɛkspeditœʀ], **expéditrice** [ɛkspeditʀis] **I** *m/f* sender **II** *adj* dispatching
expéditif [ɛkspeditif] *adj* ⟨**-ive** [-iv]⟩ hasty; *méthode* cursory
expédition [ɛkspedisjõ] *f* **1.** (*voyage*), MIL expedition **2.** (*envoi*) sending; COMM shipment
expéditionnaire [ɛkspedisjɔnɛʀ] **I** *adj* ***corps*** *m* **~** expeditionary force **II** *m/f* COMM forwarding agent
► **expérience** [ɛkspeʀjɑ̃s] *f* **1.** experience; **~ *amoureuse*** sexual experience; **~ *professionnelle*** professional experience; ***à titre d'~*** as an experiment; ***faire l'~ de qc*** to experience sth **2.** (*essai*) experiment; ***faire des ~s*** to conduct experiments (***sur*** on)
expérimental [ɛkspeʀimɑ̃tal] *adj* ⟨**~e; -aux** [-o]⟩ experimental **expérimentalement** *adv* experimentally
expérimentateur [ɛkspeʀimɑ̃tatœʀ] *m*, **expérimentatrice** [-tʀis] *f* experimenter
expérimentation [ɛkspeʀimɑ̃tasjõ] *f* testing
expérimenté [ɛkspeʀimɑ̃te] *adj* ⟨**~e**⟩ experienced **expérimenter** *v/t* to test (***sur*** on)
expert [ɛkspɛʀ] **I** *adj* ⟨**-erte** [-ɛʀt]⟩ **1.** expert; ***être ~ en la matière*** to be an expert on the subject **2.** INFORM ***système ~*** expert system **II** *m* expert
expert-comptable *m* ⟨**experts-comptables**⟩ certified public accountant, *brit* chartered accountant

expertise [ɛkspɛʀtiz] *f* **1.** (*estimation*) valuation; *de dégâts* assessment **2.** (*compétence*) expertise **expertiser** *v/t* to value; *dégâts* to assess
expiation [ɛkspjasjõ] *f* atonement
expier [ɛkspje] *v/t* to atone for
expirant [ɛkspiʀɑ̃] *adj* ⟨**-ante** [-ɑ̃t]⟩ *personne* dying *a fig*
expiration [ɛkspiʀasjõ] *f* **1.** BIOL exhalation **2.** *d'un délai* expiration, *brit* expiry; ***date** f **d'~*** expiration date, *brit* expiry date; ***arriver à ~*** to expire
expirer [ɛkspiʀe] **I** *v/t* to exhale **II** *v/i* **1.** *st/s* (*mourir*) *st/s* to expire *st/s*, to die **2.** *délai*, *garantie*, *passeport*, *etc* to expire
explétif [ɛkspletif] GRAM **I** *adj* ⟨**-ive** [-iv]⟩ ***le « ne » ~*** *the expletive use of "ne"* **II** *m* expletive
explicable [ɛksplikabl] *adj* explicable
explicatif [ɛksplikatif] *adj* ⟨**-ive** [-iv]⟩ explanatory
▶ **explication** [ɛksplikasjõ] *f* **1.** explanation; ***~ de texte*** textual analysis; ***demander des ~s à qn*** to demand an explanation from sb (***sur qc*** about sth) **2.** (*discussion*) discussion
explicite [ɛksplisit] *adj* explicit **explicitement** *adv* explicitly **expliciter** *v/t* to clarify
▶ **expliquer** [ɛksplike] **I** *v/t* to explain (***qc à qn*** sth to sb); *texte* to analyze **II** *v/pr* **1.** ***s'~*** to explain o.s.; ***s'~ sur qc*** to explain sth; ***je m'explique: …*** let me explain: … **2.** ***s'~*** (*discuter*) to talk things through (***avec qn*** with sb); *fam* (*se battre*) to fight it out **3.** ***s'~ qc*** (*comprendre*) to understand sth **4.** (*devenir clair*) to be understandable
exploit [ɛksplwa] *m* feat, achievement; *amoureux* exploit; *iron* achievement
exploitable [ɛksplwatabl] *adj richesses naturelles* exploitable *a fig*; *par ordinateur* machine-readable
exploitant [ɛksplwatɑ̃] *m* **1.** ***~ (agricole)*** farmer **2.** FILM exhibitor, movie-theater owner, *brit* cinema owner
exploitation [ɛksplwatasjõ] *f* **1.** exploitation; *du sol* working; *d'une ligne de bus*, *etc* running; INFORM ***système** m **d'~*** operating system **2.** (*entreprise*) concern; ***une ~ agricole*** a farm **3.** *péj de travailleurs* exploitation
exploiter [ɛksplwate] *v/t* **1.** (*faire valoir*) *mine*, *terre* to work; *gisement* to exploit; *brevet* to use; *entreprise* to run; *ligne de bus*, *ligne aérienne*, *etc* to operate **2.** *situation*, *avantage* to make the most of **3.** *péj travailleurs* to exploit
exploiteur [ɛksplwatœʀ] *m*, **exploiteuse** [-øz] *f péj* exploiter
explorateur [ɛksplɔʀatœʀ] *m* explorer
exploration [ɛksplɔʀasjõ] *f* exploration (*a* MÉD)
explorer [ɛksplɔʀe] *v/t* to explore (*a* MÉD)
▶ **exploser** [ɛksploze] *v/i* **1.** to explode (*a fig colère*, *etc*) **2.** *fig prix* to soar, to rocket *fam*
explosible [ɛksplozibl] *adj* explosive
explosif [ɛksplozif] **I** *adj* ⟨**-ive** [-iv]⟩ explosive (*a fig*) **II** *m* explosive
▶ **explosion** [ɛksplozjõ] *f* **1.** explosion (*a fig des prix*, *etc*) **2.** *fig* outburst; ***~ de joie*** outburst of joy
expo [ɛkspo] *f fam* expo *fam*
exponentiel [ɛkspɔnɑ̃sjɛl] *adj* ⟨**~le**⟩ MATH exponential
exportable [ɛkspɔʀtabl] *adj* exportable
exportateur [ɛkspɔʀtatœʀ] **I** *adj* ⟨**-trice** [-tʀis]⟩ export *épith*; *pays* exporting **II** *m* exporter
exportation [ɛkspɔʀtasjõ] *f* export
▶ **exporter** [ɛkspɔʀte] *v/t* to export
exposant [ɛkspozɑ̃] *m* **1.** COMM exhibitor **2.** MATH exponent
exposé [ɛkspoze] *m* account, report; *en classe* presentation
exposer [ɛkspoze] **I** *v/t* **1.** *marchandises* to display; *objets d'art* to exhibit **2.** *morts* to lay out **3.** (*soumettre*) to expose (***à*** to) **4.** (*mettre en danger*) to risk; ***~ qn, qc à un danger*** to expose sb, sth to danger **5.** *édifice* ***être exposé au sud*** to be south-facing; ***bien exposé*** with a good aspect **6.** PHOT to expose **7.** *faits* to state; *idées* to outline **II** *v/pr* ***s'~*** to put o.s. at risk; ***s'~*** to risk sth
▶ **exposition** [ɛkspozisjõ] *f* **1.** *d'objets d'art* exhibition; *de marchandises* show; ***~ de peinture*** exhibition of paintings **2.** ***~ au soleil*** exposure to sunlight **3.** *d'un édifice* aspect **4.** PHOT exposure **5.** *de faits*, *d'idées* exposition **6.** MUS, THÉ exposition
▶ **exprès**[1] [ɛkspʀɛ] *adv* **1.** (*à dessein*) deliberately, on purpose; ***comme par un fait ~*** wouldn't you just know it *fam* **2.** (*spécialement*) specially
exprès[2] [ɛkspʀɛs] *adj* **1.** ⟨**expresse**⟩ *ordre* express; ***défense expresse de fumer*** smoking strictly forbidden **2.** ⟨*inv*⟩ *lettre*, *paquet* special delivery

épith

express [ɛkspʀɛs] **I** *adj* ⟨*inv*⟩ express; (***train** m*) ~ express (train); ***voie** f* ~ expressway **II** *m* **1.** *café* espresso **2.** CH DE FER express

expressément [ɛkspʀesemɑ̃] *adv* expressly

expressif [ɛkspʀesif] *adj* ⟨**-ive** [-iv]⟩ expressive

▶ **expression** [ɛkspʀɛsjõ] *f* expression (*a* LING, MATH); ~ ***toute faite*** cliché; ***liberté** f* ***d'~*** freedom of expression; ***d'~ française*** French-speaking; ***réduire à sa plus simple ~*** to reduce to the bare minimum

expressionnisme [ɛkspʀɛsjɔnism] *m* expressionism **expressionniste I** *adj* expressionist **II** *m* expressionist

expressivité [ɛkspʀesivite] *f* expressiveness

exprimable [ɛkspʀimabl] *adj* possible to express

▶ **exprimer** [ɛkspʀime] **I** *v/t* to express **II** *v/pr* ▶ ***s'exprimer*** to express o.s.

expropriation [ɛkspʀɔprijasjõ] *f* expropriation **exproprier** *v/t* to expropriate

expulsé [ɛkspylse] *m d'un pays* deportee; (*locataire*) evicted tenant

expulser [ɛkspylse] *v/t* **1.** *locataire* to evict (***de*** from); *élève*, *membre* to expel; *étranger* to deport **2.** MÉD to excrete

expulsion [ɛkspylsjõ] *f* **1.** *d'un locataire* eviction; *d'un élève*, *d'un membre* expulsion; *d' un étranger* deportation **2.** MÉD excretion

expurger [ɛkspyʀʒe] *v/t* ⟨**-ge-**⟩ to expurgate

exquis [ɛkski] *adj* ⟨**-ise** [-iz]⟩ **1.** exquisite **2.** *personne* delightful

exsangue [ɛgzɑ̃g, ɛksɑ̃g] *adj* bloodless

extase [ɛkstɑz, -taz] *f* ecstasy; ***être en ~ devant qn, qc*** to be rapturous about sb, sth

extasier [ɛkstazje] *v/pr* ***s'~*** to go into raptures (***devant, sur*** over)

extatique [ɛkstatik] *adj* ecstatic

extenseur [ɛkstɑ̃sœʀ] *m* **1.** ANAT extensor **2.** SPORT chest expander

extensible [ɛkstɑ̃sibl] *adj* stretchable

extensif [ɛkstɑ̃sif] *adj* ⟨**-ive** [-iv]⟩ AGR extensive

extension [ɛkstɑ̃sjõ] *f* **1.** *des membres* stretching **2.** (*augmentation*) expansion; *d'un incendie* spread **3.** LING extension; ***par ~*** by extension

exténuant [ɛkstenɥɑ̃] *adj* ⟨**-ante** [-ɑ̃t]⟩ exhausting **exténuation** *f* exhaustion

exténuer [ɛkstenɥe] **I** *v/t* to exhaust **II** *v/pr* ***s'~ à faire qc*** to exhaust o.s. doing sth

▶ **extérieur** [ɛksteʀjœʀ] **I** *adj* ⟨**~e**⟩ *paroi*, *mur* outside; *quartier*, *surface* outer; (*apparent*) outward; ***monde extérieur*** outside world; ***politique extérieure*** foreign policy **II** *m* **1.** outside; ▶ ***à l'extérieur de*** outside (of); ▶ ***à l'extérieur*** outside; SPORT away **2.** FILM ***extérieurs*** *pl* location shots

extérieurement [ɛksteʀjœʀmɑ̃] *adv* on the outside

extérioriser [ɛksteʀjɔʀize] **I** *v/t* to express **II** *v/pr* ***s'~*** *sentiment* to find expression; *personne* to express one's feelings

exterminateur [ɛkstɛʀminatœʀ] *adj* ⟨**-trice** [-tʀis]⟩ exterminating

extermination [ɛkstɛʀminasjõ] *f* extermination **exterminer** *v/t* to exterminate

externat [ɛkstɛʀna] *m* day school

externe [ɛkstɛʀn] **I** *adj* external; ***à usage ~*** for external use only **II** *m/f* **1.** *élève* day student **2.** ~ (***des hôpitaux***) extern, *brit* non-residential medical student

exterritorialité [ɛksteʀitɔʀjalite] *f* DIPL exterritoriality

extincteur [ɛkstɛ̃ktœʀ] *m* (fire) extinguisher

extinction [ɛkstɛ̃ksjõ] *f* **1.** *d'un incendie* putting out; *par ext* ~ ***des feux*** lights out **2.** *d'une race* extinction **3.** ~ ***de voix*** to lose one's voice

extirpation [ɛkstiʀpasjõ] *f* **1.** *de mauvaises herbes* pulling up **2.** MÉD removal, extirpation *t/t* **3.** *fig et st/s* eradication

extirper [ɛkstiʀpe] **I** *v/t* **1.** *plante* to pull up **2.** *st/s préjugé* to eradicate **3.** *renseignement* ***~ à qn*** to drag out of sb *fam* **II** *v/pr fam* ***s'~ de qc*** to drag o.s. out of sth *fam*

extorquer [ɛkstɔʀke] *v/t* to extort (***à qn*** from sb)

extorsion [ɛkstɔʀsjõ] *f* ~ ***de fonds*** extortion

extra [ɛkstʀa] **I** *m* ⟨*inv*⟩ **1.** ***un ~*** a treat, something special; ***faire des ~*** to splash out *fam* **2.** *serveur* catering assistant **II** *fam adj* ⟨*inv*⟩ fantastic, terrific *fam*

extra... [ɛkstʀa] *préfixe* extra...

extrabudgétaire *adj* extrabudgetary **extracommunautaire** *adj* non-EU *épith*

extraconjugal *adj* ⟨**~e; -aux** [-o]⟩ ex-

tramarital
extraction [ɛkstʀaksjõ] *f* **1.** TECH extraction (*a* CHIM, MINES, MÉD) **2.** *litt* (*origine*) extraction
extrader [ɛkstʀade] *v/t* to extradite
extradition [ɛktʀadisjõ] *f* extradition
extrafin *adj* ⟨**-fine**⟩ extra-fine
extrafort *m* binding tape
extraire [ɛkstʀɛʀ] ⟨→ **traire**⟩ **I** *v/t* **1.** TECH to extract (*a* CHIM, MÉD, MINES, MATH) **2.** *dent* to extract, to pull out **3.** *passages* to take (***d'un livre*** from a book) **II** *v/pr fam* ***s'~ de sa voiture*** to climb out of one's car
extrait [ɛkstʀɛ] *m* **1.** CHIM extract **2.** *d'un livre* excerpt; *d'un film* extract **3.** JUR ***~ (d'acte) de naissance*** birth certificate
extralucide *adj* ***voyante*** *f* **~** clairvoyant
▶ **extraordinaire** *adj* extraordinary
extrapolation [ɛkstʀapɔlasjõ] *f* extrapolation *a* MATH
extrapoler [ɛkstʀapɔle] *v/i* MATH, *fig* to extrapolate
extraterrestre **I** *adj* extraterrestrial **II** *m/f* extraterrestrial
extra-utérine [ɛkstʀayteʀin] *adj*, *f* ***grossesse ~*** ectopic pregnancy
extravagance [ɛkstʀavagɑ̃s] *f* **1.** extravagance **2.** *d'une personne*, *d'une idée*, *d'un habit* eccentricity
extravagant [ɛkstʀavagɑ̃] *adj* ⟨**-ante** [-ɑ̃t]⟩ **1.** *personne* eccentric; *idée*, *tenue* extravagant **2.** *exigences* outrageous
extraversion [ɛkstʀavɛʀsjõ] *f* extroversion
extraverti [ɛkstʀavɛʀti] *adj* ⟨**~e**⟩ extrovert
extrême [ɛkstʀɛm] **I** *adj* extreme; ***cas*** *m* **~** extreme case; ***l'~ droite, gauche*** the far right, left **II** *m* **1.** extreme; ***passer d'un ~ à l'autre*** to go from one extreme to the other **2.** ***à l'~*** to an extreme degree
extrêmement [ɛkstʀɛmmɑ̃] *adv* extremely
extrême-onction *f* CATH extreme unction
Extrême-Orient ***l'~*** *m* the Far East
extrême-oriental *adj* ⟨**~e; -aux**⟩ far eastern
extrémisme [ɛkstʀemism] *m* extremism
extrémiste **I** *adj* extremist **II** *m/f* extremist
extrémité [ɛkstʀemite] *f* **1.** (*bout*) end **2.** ANAT ***~s*** *pl* extremities **3.** *fig* ***en arriver aux pires ~s*** to resort to extreme measures; *malade* ***être à la dernière ~*** to be on the point of death, to be at death's door *fam*
extroverti [ɛkstʀɔvɛʀti] *adj* ⟨**~e**⟩ extroverted
exubérance [ɛgzybeʀɑ̃s] *f* **1.** *de la végétation*, *des formes* luxuriance **2.** *d'une personne* exuberance
exubérant [ɛgzybeʀɑ̃] *adj* ⟨**-ante** [-ɑ̃t]⟩ **1.** *végétation* luxuriant **2.** *personnes*, *joie* exuberant
exultation [ɛgzyltasjõ] *f* exultation
exulter *v/i* to be exultant
exutoire [ɛgzytwaʀ] *m fig* outlet
ex-voto [ɛksvɔto] *m* ⟨*inv*⟩ ex voto
eye-liner [ajlajnœʀ] *m* eyeliner

F

F, f [ɛf] *m* ⟨*inv*⟩ F, f
F *abr* (= **franc**) HIST F
fa [fa] *m* ⟨*inv*⟩ MUS F
fable [fɑbl] *f* fable
fabricant [fabʀikɑ̃] *m* manufacturer
fabrication [fabʀikasjõ] *f* making; COMM manufacture
fabrique [fabʀik] *f* factory
▶ **fabriquer** [fabʀike] *v/t* **1.** to make; COMM to manufacture; *péj* to forge; *histoire* to make up **2.** *fam* (*faire*) to do, to be up to *fam*
fabulation [fabylasjõ] *f* invention **fabuler** *v/i* to make things up
fabuleux [fabylø] *adj* ⟨**-euse** [-øz]⟩ **1.** fabulous **2.** ***animal ~*** mythical creature
▶ **fac** [fak] *f*, *abr fam* (= **faculté**) college, *brit* uni *fam*
façade [fasad] *f* ARCH, *fig* façade
face [fas] *f* **1.** face; *fig* ***perdre, sauver la face*** to lose, save face **2.** ***face à*** facing; *fig* in the face of; ***face au public*** facing the audience; ***face à face*** face to face; ***à la face du monde*** to the whole world; ***de face*** from the front; ▶ ***en face de*** opposite; ***d'en face*** opposite; ***en face*** *dire* straight out; *regarder* in the face; ***faire face à*** *édifice* to face; *fig difficul-*

tés to tackle; *dépense* to deal with **3.** *d'une monnaie* face **4.** *d'un polyèdre, de la lune, d'un disque* side
face-à-face [fasafas] *m* ⟨*inv*⟩ one-on--one debate, *brit* one-to-one debate
facétie [fasesi] *f* facetious comment
facétieux [fasesjø] *adj* ⟨**-euse** [-øz]⟩ facetious
facette [fasɛt] *f* facet
fâché [fɑʃe] *adj* ⟨**~e**⟩ **1.** (*irrité*) angry; ***être ~ contre**, fam **après qn*** to be angry with sb, mad at sb *fam* **2.** (*brouillé*) ***être ~ avec qn*** to have fallen out with sb
▶ **fâcher** [fɑʃe] **I** *v/t* to annoy; (*mettre en colère*) to make angry; *deux personnes* to cause to fall out **II** *v/pr* **1.** ▶ ***se fâcher*** to get angry **2.** ***se fâcher avec qn*** to fall out with sb
fâcherie [fɑʃʀi] *f* falling out (+ *v sg*)
fâcheux [fɑʃø] *adj* ⟨**-euse** [-øz]⟩ annoying; (*déplorable*) unfortunate
facho [faʃo] *fam abr* → ***fasciste***
facial [fasjal] *adj* ⟨**~e; -aux** [-o]⟩ facial
faciès [fasjɛs] *m* (facial) features (*pl*)
▶ **facile** [fasil] *adj* **1.** easy; *caractère* easy--going; *enfant* easy; *personne* ***~ à vivre*** easy-going; ***c'est ~ à dire*** that's easily said **2.** *plaisanterie, critique* facile **3.** *femme* loose
facilement [fasilmɑ̃] *adv* **1.** easily **2.** (*au moins*) at least, easily
facilité [fasilite] *f* **1.** (*simplicité*) easiness **2.** (*aisance*) ease **3.** *élève* ***avoir des ~s*** to have ability **4.** ***~s*** *pl* (***de paiement***) easy terms
▶ **faciliter** [fasilite] *v/t* to make easier
▶ **façon** [fasõ] *f* **1.** way; ***ma, sa façon d'être*** the way I am, he / she is; ***façon de procéder*** way of doing things; ***à ma, sa façon*** my, his / her (own) way; ***à la façon de*** like; ▶ ***de toute façon*** in any case; ***d'une façon ou d'une autre*** one way or another; ***d'une façon générale*** generally speaking; ***de façon*** (***à ce***) ***que …*** *+subj* so that …; ***s'y prendre de telle façon que …*** to go about things in such a way that …; ***en aucune façon*** in no way **2.** ***façons*** *pl* manners; ***sans façon*** informal; *accepter* without any fuss; ***non merci, sans façon!*** no thank you, really; ***faire des façons*** to make a fuss **3.** COUT tailoring
façonnage [fasɔnaʒ] *m* shaping; TECH working
façonner [fasɔne] *v/t* **1.** TECH to work **2.** *fig* to shape
fac-similé [faksimile] *m* ⟨**fac-similés**⟩ facsimile
▶ **facteur** [faktœʀ] *m* **1.** (*préposé*) mail carrier, mailman, *brit* postman **2.** (*élément*) factor (*a* MATH); ***le ~ temps*** the time factor **3.** MUS maker; ***~ d'orgues*** organ builder
factice [faktis] *adj* artificial *a fig*; ***objet*** *m* **~** imitation
factieux [faksjø] **I** *adj* ⟨**-euse** [-øz]⟩ seditious **II** *m* dissident
faction [faksjõ] *f* **1.** POL faction **2.** ***être en ou de ~*** MIL to be on guard duty; *fig* to keep watch
factoriel [faktɔʀjɛl] *adj* ⟨**~le**⟩ factorial
factorielle [faktɔʀjɛl] *f* MATH factorial
factotum [faktɔtɔm] *m* odd-job man, factotum *plais*
▶ **factrice** [faktʀis] *f* mail carrier, mail-woman, *brit* postwoman
factuel [faktɥɛl] *adj* ⟨**~le**⟩ factual
facturation [faktyʀasjõ] *f* COMM **1.** invoicing (***de*** of) **2.** *service* billing department, *brit* invoice department
▶ **facture** [faktyʀ] *f* **1.** COMM bill **2.** *d'un instrument* making
facturer [faktyʀe] *v/t* to invoice; (*compter*) to charge for
facturier [faktyʀje] *m* **1.** billing clerk, *brit* invoice clerk **2.** *livre* invoice register
facturière [faktyʀjɛʀ] *f* invoicing machine
facultatif [fakyltatif] *adj* ⟨**-ive** [-iv]⟩ optional; ***arrêt ~*** request stop
▶ **faculté** [fakylte] *f* **1.** (*aptitude*) faculty; ***ne plus jouir de toutes ses ~s*** to no longer have all one's faculties **2.** UNIV faculty; *par ext* ***la ~*** university; ***~ de médecine*** faculty of medicine **3.** *st/s* (*possibilité*) option
fada [fada] *adj fam* nuts *fam*; → ***cinglé***
fadaises [fadɛz] *fpl* drivel (+ *v sg*)
fadasse [fadas] *adj fam, péj* → ***fade***
fade [fad] *adj* insipid (*a fig*)
fadeur [fadœʀ] *f* blandness
fagot [fago] *m* bundle of firewood; *fig* *vin* ***de derrière les ~s*** very special
fagoté [fagɔte] *adj* ⟨**~e**⟩ *fam* ***mal ~*** badly dressed
faiblard [fɛblaʀ] *fam adj* ⟨**-arde** [-aʀd]⟩ weak
▶ **faible** [fɛbl] **I** *adj* **1.** weak; *bruit, voix* faint; *pluie* light; *raisonnement* poor **2.** *hauteur, poids, coût* low; *monnaie* weak, soft **II** *m* **1.** weak person; *péj* weak-willed person; ***les économique-***

ment ~s the economically disadvantaged; ***un ~ d'esprit*** a feeble-minded person **2.** (*penchant*) soft spot (***pour*** for)

faiblement [fɛbləmɑ̃] *adv épicé* lightly; *battre, protester* weakly; *éclairer* dimly; *critiquer* slightly

faiblesse [fɛblɛs] *f* **1.** weakness; ***~ de caractère*** weakness of character **2.** (*défaillance*) ***avoir une ~*** to feel faint **3.** (*point faible*) weakness, weak point

faiblir [febliʀ] *v/i* to weaken

faïence [fajɑ̃s] *f* (piece of) earthenware

faïencerie [fajɑ̃sʀi] *f* pottery

faignant [fɛɲɑ̃] *fam* → ***fainéant***

faille[1] [faj] *f* **1.** GÉOL fault **2.** *fig* flaw; ***sans ~*** *raisonnement* flawless; *amitié* unfailing

faille[2] → ***falloir***

failli [faji] **I** *adj* ⟨**~e**⟩ bankrupt **II** *m* bankrupt

faillible [fajibl] *adj* fallible

faillir [fajiʀ] *v/i* ⟨*déf*: **j'ai failli**; *passé simple* **je faillis**⟩ **1.** ***j'ai failli tomber*** I almost *or* nearly fell **2.** *st/s* ***~ à son devoir*** to fail in one's duties

faillite [fajit] *f* **1.** bankruptcy; ***faire ~*** to go bankrupt **2.** *fig* failure

► **faim** [fɛ̃] *f* **1.** hunger; ***avoir ~*** to be hungry; ***manger à sa ~*** to have enough to eat; ***ne pas manger à sa ~*** to go hungry; ***mourir de ~*** to die of starvation; *fam, fig* to be starving *fam*; ***rester sur sa ~*** to still feel hungry; *fig* to be left wanting more **2.** *fig, st/s* hunger (***de*** for)

> **faim**
>
> Note that to be hungry is translated by **avoir faim** (have hunger) in French:
>
> **J'ai faim. On mange à quelle heure?**
>
> I'm hungry. What time do we eat?

faîne *ou* **faine** [fɛn] *f* beechnut

fainéant [feneɑ̃] **I** *adj* ⟨**-ante** [-ɑ̃t]⟩ lazy; *p/fort* bone idle *fam* **II** ***~(e)*** *m(f)* lazy person, lazybones *fam*; *p/fort* slacker

fainéanter [feneɑ̃te] *v/i* to laze around

fainéantise [feneɑ̃tiz] *f* laziness

► **faire** [fɛʀ] ⟨**je fais, il fait, nous faisons** [f(ə)zõ], **vous faites, ils font; je faisais** [f(ə)zɛ]; **je fis; je ferai; que je fasse, que nous fassions; faisant** [f(ə)zɑ̃]; **fait**⟩ **I** *v/t* **1.** *activité, action* to do; *produire* to make; ***~ ses chaussures*** to do one's shoes up; ***~ un gâteau*** to make a cake; *chat* ***~ ses griffes*** to sharpen its claws; ***~ du jardinage*** to do some gardening; ***~ dix kilomètres à pied*** to do ten kilometers on foot; *oiseau* ***~ son nid*** to make a nest, to build its nest; ***~ qn président*** to make sb president; ***~ qc de qn, de qc*** to make sth of sb, of sth; ***cette expérience en a fait un homme*** that experience made a man of him; ***il a bien fait*** he did the right thing; ***il ferait bien de*** +*inf* he'd be better +*inf* it would be a good idea for him +*inf*; ***il ferait bien de se taire*** he'd be better to *or* it would be a good idea for him to keep quiet; *fam* ***ça commence à bien ~*** this is getting beyond a joke! *fam*; *st/s* ***c'en est fait de lui, de qc*** he's, it's done for *fam*; ***ne ~ que*** +*inf* to be only *or* just (+ *v-ing*); *désapprobation* to do nothing but +*inf*; ***il ne fait que commencer*** he's only starting; ***il ne fait que parler*** he does nothing but talk; ***cela y fait beaucoup*** that makes a (big) difference; ***fais ce que tu veux!*** do what *or* as you like!; ***ce faisant*** in so doing; ***que ~?*** what am I/are we *etc* going to do?, what's to be done?; ***qu'est-ce que vous faites dans la vie?*** what do you do (for a living)?; ***~ qc pour qn*** to do sth for sb; *fam* ***pour quoi ~?*** what for?; ***il ne fait rien*** he's not doing anything; *sans emploi* he's not working; ***je ne lui ai rien fait*** I didn't do anything to him; ***cela ne fait rien*** it doesn't matter; ***cela ne lui fait rien*** it doesn't bother him; *fam* ***rien à ~!*** it can't be helped; ***j'ai à ~*** I've got things to do; ***avoir à ~ à*** to have to do with; *st/s* ***n'avoir que ~ de qc*** to be able to do without sth; *p/fort* to have no interest in sth; ***on ne peut rien y ~*** there's nothing that can be done about it; ***~ que …*** to mean (that) … **2.** ***~ du sport*** to do sport(s), to take exercise; ***~ de la natation*** to go swimming; ***~ de la marche*** to go walking, to walk; ***~ du tennis*** to play tennis **3.** (*étudier*) *matière* to do; ***~ de l'anglais*** *à la fac* to do English, to study English; *à l'école* to do English; ***~ son droit, sa médecine*** to study law, medicine **4.** (*visiter*) *région* to go to, to do *fam*; *monument* to visit; *magasins* to go around **5.** *fam maladie* to have **6.** *fam magasin*: *article* to do **7.** *fam* (*cultiver*) *blé*, *etc* to grow **8.** (*devenir*) to make; ***il fera un bon professeur*** he'll make a good teacher **9.** (*faire semblant*) ***~ le malade*** to pretend to be sick, *brit* to pretend to be ill **10.** *fam* (*vendre*) ***je vous le fais*** (***à***) ***dix euros*** I'll let you have it for ten euros **11.** GRAM to become; ***«cheval» fait «chevaux» au pluriel*** 'cheval' becomes 'chevaux' in the plural **12.** MATH, *mesures* ***quatre et trois font sept*** four and three is *or* makes seven, four plus three is seven; ***il fait un mètre quatre-vingt*** he's five feet nine; *pointure* ***je fais du quarante*** I take a size nine and a half, *brit* I'm a size seven; ***~ du cent*** (***à l'heure***) to be doing a hundred kilometers an hour *around 60 miles an hour*; ***ça fait mille euros*** that will be one thousand euros; ***ça fait quinze jours que …*** *événement passé* it was two weeks ago that …; *durée* … for two weeks; ***ça fait une semaine que je n'ai pas dormi*** I haven't slept for a week **II** *v/i* **1.** (*agir*) ***~ vite*** to be quick, to hurry (up); ***je ne peux pas ~ autrement*** I have no alternative, there's no other way; ***faites comme chez vous!*** make yourself at home; ***on peut ~ mieux*** we can do better **2.** (*paraître*) to look; ***~ jeune*** to look young; ***~ bien*** to look good **3.** (*devenir*) to be; ***il veut ~ électricien*** he wants to be an electrician **4.** *en incise* ***fit-il*** he said **5.** *fam* ***~ dans sa culotte*** to pee in one's pants *fam* **III** *v/aux* **1.** *avec inf* to get; ***~ lire les élèves*** to get the students to read; ***~ lire un texte aux élèves*** to get students to read a passage; ***~ manger*** *enfant*, *malade* to feed; ***~ rire qn*** to make sb laugh; ***~ traverser la rue à qn*** to help sb across the road; ***~ faire qc*** to get sth done; ***il a fait réparer la voiture*** he got the car fixed **IV** *v/imp* **1.** to be; ***il fait beau, mauvais*** it's a lovely, horrible day; ***il fait froid*** it's cold; ***il va ~ froid*** it's going to be cold; ***il fait trente degrés à l'ombre*** it's thirty degrees in the shade *eighty-six degrees* (*Fahrenheit*) **V** *v/pr* ***se faire*** **1.** *sens passif* (*s'effectuer*) to happen; (*être courant*) to be in (fashion); *paix* to be made; *mariage* to take place; *silence* to descend; *fromage* to ripen; *chaussures* to wear in; ***il pourrait bien se ~ que …*** *+subj* it could well happen that …; ***comment se fait-il que …*** *+subj* how is it that …; ***ça ne se fait pas!*** it's (just) not done! **2.** *sens actif* to make; ***se ~ des ennemis, amis*** to make enemies, friends; ***se ~ une situation*** to get (o.s.) a job; ***se ~ beau*** *ou* ***belle*** to make o.s. look beautiful; ***se ~ couper les cheveux*** to have *or* get one's hair cut; ***se ~ ~ un costume*** to have a suit made **3.** to become; ***se ~ moine*** to become a monk; ***il se fait tard*** it's getting late; ***se ~ vieux*** to be getting old; ***se ~ renverser par une voiture*** to get knocked down by a car **4.** ***se ~ à*** to get used to; *fam* ***il faut se le ~*** you have to get used to it **5.** ***s'en ~*** to worry; ▶ (***ne***) ***t'en fais pas!*** don't worry!

faire-part [fɛʀpaʀ] *m* ⟨*inv*⟩ announcement; ***~ de mariage, de naissance*** wedding, birth announcement

faire-valoir [fɛʀvalwaʀ] *m* ⟨*inv*⟩ AGR farming

fair-play [fɛʀplɛ] **I** *m* fair play **II** *adj* ⟨*inv*⟩ ***être ~*** to play fair

fais [fɛ] → ***faire***

faisable [fəzabl] *adj* feasible, doable *fam*

faisan [fəzɑ̃] *m* pheasant

faisandé [fəzɑ̃de] *adj* ⟨**~e**⟩ *viande* high

faisane [fəzan] (***poule*** *f*) ***~*** *f* hen pheasant

faisceau [fɛso] *m* ⟨**~x**⟩ bundle; ***~ lumineux*** beam of light

faiseur [fəzœʀ] *m*, **faiseuse** [-øz] *f* ***faiseur, faiseuse de …*** maker of …

faisons [f(ə)zõ] → ***faire***

faisselle [fɛsɛl] *f* cheese strainer

fait[1] [fɛ] *pp*→ ***faire*** *et adj* ⟨**faite** [fɛt]⟩ **1.** *travail* done; *objet* made (***de qc*** of sth); *yeux* made-up; *ongles* painted; ***expression toute ~e*** stock phrase; ***c'est bien ~*** it's well-made; ***être ~ pour*** to be made for; *fam* ***c'est ~ pour*** that's what it's for **2.** *fromage* ripe **3.** *personne* ***bien ~*** good-looking **4.** *fam* ***être ~*** to be done for *fam*

▶ **fait**[2] [fɛ(t)] *m* **1.** (*réalité*) fact **2.** (*acte*) action; ***hauts faits*** heroic deeds; ***fait d'armes*** feat of arms; ***le fait de parler*** (the fact of) speaking; ***prendre qn sur le fait*** to catch sb in the act **3.** (*événement*) event **4.** (*cause, série d'intérêts*) ***dire son fait à qn*** to tell sb what's what; *sans ménagement* to give sb a piece of one's mind; ***être sûr de son fait*** to be confident one is right; ***prendre fait et cause pour qn*** to side with sb; ***en venir au fait*** to get to the point **5.** ***au fait*** [ofɛt] by the way; ***de fait*** [dəfɛt] in fact; ***du fait de*** because of; ***de ce fait*** therefore; ▶ ***en fait*** [ɑ̃fɛt] in (actual) fact; ***en fait de*** as regards

faîte [fɛt] *m* **1.** *d'une maison* rooftop **2.** *d'une montagne* summit; *d'un arbre* top **3.** *fig* height, pinnacle *litt*

faites [fɛt] → ***faire***

fait-tout ⟨*inv*⟩ *ou* **faitout** [fɛtu] *m* stockpot

fakir [fakiʀ] *m* fakir

falaise [falɛz] *f* cliff

falbalas [falbala] *mpl péj* frills

fallacieux [falasjø] *adj* ⟨**-euse** [-øz]⟩ false

▶ **falloir** [falwaʀ] *v/imp* ⟨**il faut; il fallait; il fallut; il a fallu; il faudra; qu'il faille; qu'il fallût**⟩ **1.** *indiquant la nécessité, l'obligation* ***il faut*** *+inf* we / you *etc* have *+inf*, we / you *etc* need *+inf*; ***il faut les avertir*** you have to *or* you need to warn them; ***il ne faut pas*** *+inf* we / you *etc* mustn't *+inf*; *pour conseiller, rappeler* we / you *etc* shouldn't *+inf*; ***il ne faut pas oublier*** we mustn't forget; ***il me faut, il lui faut***, *etc +inf* I have, he has, *etc +inf*, I, he, *etc* must *+inf*; ***il me faut sortir*** I have to *or* I must go out; *fam* ***faut voir!*** we'll have to wait and see; ***il faut que je …*** *+subj* I have to …; ***il faut que je sorte*** I have to go out; ***il ne faut pas que je sorte avant de*** *+inf* I mustn't go out before (+ *v-ing*); ***il faut vraiment qu'elle soit fatiguée*** *indiquant la supposition* she must really be tired; ***il le faut*** it has to be done, it's necessary; ***il ne fallait pas!*** you really shouldn't have!; ▶ ***comme il faut*** *gens* respectable; *faire qc* properly **2.** (*avoir besoin de*) ***il me faut qc, qn*** I need sth, sb **3.** ***il s'en faut de peu qu'il …*** *+subj* he very nearly …; ***il s'en faut de beaucoup*** (very) far from it; ***tant s'en faut!*** far from it!, not by a long shot!

falot [falo] *adj* ⟨**-ote** [-ɔt]⟩ insignificant

falsificateur [falsifikatœʀ] *m*, **falsificatrice** [-tʀis] *f* forger **falsification** *f* falsification

falsifier [falsifje] *v/t* to forge; (*dénaturer*) to falsify

falzar [falzaʀ] *m fam* (*pantalon*) *fam* pants (+ *v pl*), *brit* trousers (+ *v pl*)

famé [fame] *adj* ⟨**~e**⟩ ***mal ~*** disreputable

famélique [famelik] *adj* emaciated

fameux [famø] *adj* ⟨**-euse** [-øz]⟩ **1.** (*renommé*) famous (***par, pour*** for) **2.** (*très grand*) ***un ~ problème*** a real *or* major problem **3.** (*excellent*) excellent; *fam* ***pas ~*** not great

familial [familjal] *adj* ⟨**~e; -aux** [-o]⟩ family *épith*

familiariser [familjaʀize] **I** *v/t* ***~ qn avec qc*** to familiarize sb with sth **II** *v/pr* ***se ~ avec qc*** to familiarize o.s. with sth

familiarité [familjaʀite] *f* **1.** (*intimité*) familiarity **2.** *du comportement* familiarity; *du langage* informality **3.** *péj* ***~s*** *pl* familiarities

familier [familje] **I** *adj* ⟨**-ière** [-jɛʀ]⟩ **1.** (*habituel*) familiar **2.** *péj* (over)familiar **3.** *conversation, expression* informal; ***langage ~*** informal language **II** *m* close friend; (*client*) regular

familièrement [familjɛʀmɑ̃] *adv* informally

▶ **famille** [famij] *f* family (*a* BIOL, ZOOL, LING, *fig*); ***de bonne ~*** from a good family; ***en ~*** in the family; ***c'est dans la, c'est de ~*** it runs in the family, it's a family thing; *fam* ***promener sa petite ~*** to go for a walk with the family

famine [famin] *f* famine

fan [fan] *m/f* fan

fana [fana] *fam* **I** *adj* ***elle, il en est ~*** he's, she's crazy about it *fam* **II** *m/f* fanatic, freak *fam*; ***~ de foot*** soccer freak *fam*

fanal [fanal] *m* ⟨**-aux** [-o]⟩ lantern; MAR beacon

fanatique [fanatik] **I** *adj* fanatical **II** *m/f* **1.** (*passionné*) fanatic **2.** POL, REL extremist

fanatiser [fanatize] *v/t* to fanaticize **fanatisme** *m* fanaticism

fané [fane] *adj* ⟨**~e**⟩ *fleur* withered; *couleur* faded

faner [fane] *v/pr* ***se ~*** **1.** *fleurs* to wither **2.** *couleur* to fade

fanes [fan] *fpl de légumes* tops

fanfare [fɑ̃faʀ] *f* **1.** *orchestre* brass band **2.** *musique* fanfare; ***accueillir qn en ~*** to give sb a rousing reception; *fam, fig* ***réveiller qn en ~*** to wake sb up with a great fuss

fanfaron [fɑ̃faʀɔ̃] *adj* ⟨**-onne** [-ɔn]⟩ boastful

fanfaronnade [fɑ̃faʀɔnad] *f* boasting (+ *v sg*)

fanfreluches [fɑ̃fʀəlyʃ] *fpl* frills *péj*

fange [fɑ̃ʒ] *f* mud, mire *litt*
fanion [fanjõ] *m* pennant
fantaisie [fɑ̃tezi] *f* **1.** (*caprice*) whim **2.** (*goût*) fancy **3.** (*imagination*) imaginativeness **4.** *adj* ***bijoux*** *mpl* **~** costume jewelry (+ *v sg*)
fantaisiste [fɑ̃tezist] **I** *adj* **1.** *hypothèse, etc* far-fetched **2.** *personne* eccentric **II** *m* **1.** eccentric **2.** (*artiste*) music-hall artist
fantasmagorie [fɑ̃tasmagɔʀi] *f* phantasmagoria **fantasmagorique** *adj* phantasmagoric
fantasmatique [fɑ̃tasmatik] *adj* PSYCH fantasy *épith*
fantasme [fɑ̃tasm] *m* fantasy *a* PSYCH
fantasmer *v/i* to fantasize
fantasque [fɑ̃task] *adj* bizarre
fantassin [fɑ̃tasɛ̃] *m* foot soldier
fantastique [fɑ̃tastik] *adj* **1.** imaginary; ***cinéma*** *m* **~** fantasy films (+ *v pl*) **2.** (*étonnant*) fantastic
fantoche [fɑ̃tɔʃ] *m fig* puppet; *adj* ***gouvernement*** *m* **~** puppet government
fantomatique [fɑ̃tomatik] *adj* ghostly
▸ **fantôme** [fɑ̃tom] *m* **1.** (*spectre, chimère*) ghost **2.** *adj* ghost *épith*; MÉD phantom *épith*
faon [fɑ̃] *m* ZOOL fawn
F.A.Q. *f, abr* (= **foire aux questions**) INFORM FAQ *Frequently Asked Questions*
far [faʀ] *m* **~** ***breton*** *custard flan with prunes*
faramineux [faʀaminø] *adj* ⟨**-euse** [-øz]⟩ *fam* staggering *fam*
farandole [faʀɑ̃dɔl] *f* farandole *traditional dance*
faraud [faʀo] *m* ***faire le faraud*** to throw one's weight around
farce¹ [faʀs] *f* **1.** THÉ farce **2.** (*tour*) practical joke; ***faire une ~ à qn*** to play a practical joke on sb **3.** ***~s et attrapes*** *fpl* jokes and novelties
farce² *f* CUIS forcemeat, stuffing
farceur [faʀsœʀ] *m*, **farceuse** [-øz] *f* joker
farci [faʀsi] *adj* ⟨**~e**⟩ **1.** CUIS stuffed **2.** *fig* crammed (***de*** with)
farcir [faʀsiʀ] **I** *v/t* **1.** CUIS to stuff; ***tomates farcies*** stuffed tomatoes **2.** *fig* to cram (***de*** with) **II** *v/pr fam* ***se ~*** *repas* to polish off *fam*; *travail, personne* to get landed with *fam*
fard [faʀ] *m* **1.** make-up; **~** ***à paupière*** eye-shadow **2.** *fam* ***piquer un ~*** to go red
fardeau [faʀdo] *m* ⟨**~x**⟩ burden *a fig*
farder [faʀde] *v/pr* ***se ~*** to put make-up on
farfelu [faʀfəly] *adj* ⟨**~e**⟩ *fam personne* scatterbrained; *idée* harebrained *fam*
farfouiller [faʀfuje] *fam v/i* to rummage around (***dans*** in)
▸ **farine** [faʀin] *f* flour; **~(*s*)** ***animale(s)*** *fpl* meat and bone meal (+ *v sg*)
farineux [faʀinø] **I** *adj* ⟨**-euse** [-øz]⟩ **1.** floury **2.** *féculent* starchy **II** *m* starchy foods (+ *v pl*)
farniente [faʀnjɛnte, -njɑ̃t] *m* lazing around
farouche [faʀuʃ] *adj* **1.** *enfant, adulte, animal* shy **2.** *haine* bitter; *volonté* fierce
farouchement [faʀuʃmɑ̃] *adv* fiercely
fart [faʀt] *m* (ski) wax **farter** *v/t skis* to wax
fascicule [fasikyl] *m* **1.** booklet **2.** *d'un livre* installment, section
fascinant [fasinɑ̃] *adj* ⟨**-ante** [-ɑ̃t]⟩ fascinating **fascination** *f* fascination
fasciner [fasine] *v/t* to fascinate
fascisant [faʃizɑ̃] *adj* ⟨**-ante** [-ɑ̃t]⟩ fascistic **fascisme** *m* fascism
fasciste [faʃist] **I** *adj* fascist **II** *m/f* fascist
fasse [fas] → ***faire***
faste¹ [fast] *m* splendor, pomp
faste² *adj* ***jour*** *m* **~** lucky day
fast-food [fastfud] *m* ⟨**fast-foods**⟩ fast food
fastidieux [fastidjø] *adj* ⟨**-euse** [-øz]⟩ tedious
fastueux [fastɥø] *adj* ⟨**-euse** [-øz]⟩ sumptuous
fat [fa(t)] *litt adj, m* conceited
fatal [fatal] *adj* ⟨**~e; -als**⟩ **1.** (*funeste, mortel*) fatal **2.** (*inévitable*) inevitable
fatalement [fatalmɑ̃] *adv* inevitably
fatalisme [fatalism] *m* fatalism **fataliste** **I** *adj* fatalist **II** *m/f* fatalist
fatalité [fatalite] *f* **1.** *de la mort, etc* inevitability **2.** (*destin*) fatalism
fatidique [fatidik] *adj* fateful
▸ **fatigant** [fatigɑ̃] *adj* ⟨**-ante** [-ɑ̃t]⟩ **1.** tiring **2.** *personne* tiresome, wearisome
▸ **fatigue** [fatig] *f* **1.** tiredness; (*épuisement*) exhaustion; ***tomber de ~*** to be exhausted, to be dead tired *fam* **2.** TECH fatigue **3.** ***~s*** *pl* strains
▸ **fatigué** [fatige] *adj* ⟨**~e**⟩ tired
fatiguer [fatige] **I** *v/t* **1.** to tire; *fam salade* to toss **2.** (*importuner*) **~** ***qn*** to wear

sb out **II** *v/i* **1.** *moteur* to be wearing out **III** *v/pr* **1.** ***se ~*** (*s'épuiser*) to become tired **2.** ***se ~ à*** *+inf* to get tired of (+ *v-ing*) **3.** ***se ~ de qc*** to get tired of sth

fatras [fatʀa] *m péj* jumble (***de*** of)

fatuité [fatɥite] *f* smugness

faubourg [fobuʀ] *m* (working-class) suburb

faubourien [fobuʀjɛ̃] *adj* ⟨**-ienne** [-jɛn]⟩ (working-class) Parisian

fauchage [foʃaʒ] *m* reaping

fauche [foʃ] *f fam* thieving

fauché [foʃe] *adj* ⟨**~e**⟩ *fam* ***être ~*** to be broke *fam*

faucher [foʃe] *v/t* **1.** to reap **2.** *fig voiture: piéton* to mow down **3.** *fam* (*voler*) to swipe *fam*, *brit* to nick *fam*

faucheuse [foʃøz] *f* reaper

faucheux [foʃø] *m* ZOOL harvestman

faucille [fosij] *f* sickle

faucon [fokõ] *m* falcon

fauconnerie [fokɔnʀi] *f* falconry **fauconnier** *m* falconer

faudra [fodʀa], **faudrait** [fodʀɛ] → ***falloir***

faufil [fofil] *m* COUT basting thread

faufiler [fofile] **I** *v/t* COUT to baste **II** *v/pr* ***se ~ dans, entre*** to squeeze one's way into, between

faune[1] [fon] *m* MYTH faun

faune[2] *f* **1.** ZOOL wildlife **2.** *péj* crowd

faunesque [fonɛsk] *adj* faun-like

faussaire [fosɛʀ] *m* forger

faussement [fosmɑ̃] *adv* **1.** *accuser* falsely **2.** ***d'un air ~ modeste*** in a falsely modest manner

fausser [fose] *v/t* **1.** *vérité, données* to distort **2.** *clé, lame* to warp **3.** ***~ compagnie à qn*** to give sb the slip

fausset [fosɛ] *m* MUS falsetto; *péj* ***voix*** *f* ***de ~*** falsetto voice

fausseté [foste] *f* falseness

faut [fo] → ***falloir***

▸ **faute** [fot] *f* **1.** (*erreur*) mistake; FOOT foul; ***~ de calcul*** miscalculation; ***~ d'étourderie, d'inattention*** careless mistake; ***~ d'orthographe*** spelling mistake **2.** (*mauvaise action*) wrong; ***prendre qn en ~*** to catch sb out **3.** (*responsabilité*) fault; ***c'est*** (***de***) ***sa ~*** it's his / her fault; ***être en ~*** to be at fault **4.** ***~ de*** through lack of; ***~ de mieux*** for want of anything better; ***~ de preuves*** for lack of evidence; ***~ de quoi*** failing which; ***sans ~*** without fail

fauter [fote] *fam v/i* to sin

▸ **fauteuil** [fotœj] *m* (arm)chair; ***~ roulant*** wheelchair

fauteur [fotœʀ] *m* ***~ de guerre*** warmonger; ***~ de troubles*** troublemaker

fautif [fotif] *adj* ⟨**-ive** [-iv]⟩ in the wrong

fauve [fov] **I** *adj* tawny **II** *m* **1.** ZOOL big cat **2.** PEINT ***les Fauves*** the Fauvists

fauvette [fovɛt] *f* warbler

fauvisme [fovism] *m* PEINT Fauvism

faux[1] [fo] *f* scythe

▸ **faux**[2] [fo] **I** *adj* ⟨**fausse** [fos]⟩ wrong; *personne* false; *bijoux* fake; *piano* out of tune; LING ***~ amis*** false friends; ***fausse clé*** copied key; SPORT ***~ départ*** false start; ***fausse facture*** bogus invoice; ***fausse monnaie*** counterfeit currency; ***~ nez*** false nose; ***~ problème*** non-problem; ***faire un ~ mouvement*** to make a false move **II** *adv* out of tune; ***chanter, jouer ~*** to sing, play out of tune **III** *m* **1.** falsehood **2.** JUR, *d'une œuvre d'art* forgery

faux-filet [fofilɛ] *m* sirloin

faux-fuyant [fofɥijɑ̃] *m* prevarication

faux-monnayeur [fomɔnɛjœʀ] *m* counterfeiter

favela [favela] *f* (*bidonville*) favela

faveur [favœʀ] *f* (*avantage, considération*) favor; ***tarif m de ~*** special rate; ***traitement m de ~*** preferential treatment; ***accorder, faire une ~ à qn*** to do a favor for sb; ***à la ~ de l'obscurité*** under cover of darkness; ***en ~ de*** in favor of; ***être en ~ auprès de qn*** to be in favor with sb

favorable [favɔʀabl] *adj* **1.** *personne* ***être ~ à qn, à qc*** to be in favor of sb, of sth **2.** (*propice*) favorable

favori [favɔʀi] **I** *adj* ⟨**favorite** [favɔʀit]⟩ (*préféré*) favorite (*a* SPORT); ***plat ~*** favorite dish; ***partir ~*** to be the favorite **II** *subst* **1.** ***~(te)*** *m(f) du public, d'un souverain* favorite (*a* SPORT) **2.** ***~s*** *mpl* sideburns

favoriser [favɔʀize] *v/t* **1.** to favor **2.** *faciliter, avantager* to encourage; *p/fort* to promote

favorite → ***favori***

favoritisme [favɔʀitism] *m* favoritism

▸ **fax** [faks] *m* **1.** *message* fax **2.** *appareil* fax machine

▸ **faxer** [fakse] *v/t* to fax

fayot [fajo] *m fam* **1.** CUIS bean **2.** *péj personne* crawler *fam*, creep *fam*

fébrile [febʀil] *adj* MÉD, *fig* feverish **fébrilité** *f fig* agitation

fécal [fekal] *adj* ⟨**~e; -aux** [-o]⟩ fecal; ***matières ~es*** fecal matter (+ *v sg*)
fécond [fekõ] *adj* ⟨**féconde** [fekõd]⟩ fertile; *fig* **~ *en*** rich in
fécondation [fekõdasjõ] *f* fertilization
féconder [fekõde] *v/t* **1.** BIOL to fertilize **2.** *par ext* to enrich
fécondité [fekõdite] *f* fertility
fécule [fekyl] *f* starch
féculent [fekylɑ̃] *m* starch
fédéral [fedeʀal] *adj* ⟨**~e; -aux** [-o]⟩ federal
fédéraliser [fedeʀalize] *v/t* to federalize **fédéralisme** *m* federalism **fédéraliste** **I** *adj* federalist **II** *m* federalist
fédératif [fedeʀatif] *adj* ⟨**-ive** [-iv]⟩ federal
fédération [fedeʀasjõ] *f* POL, *d'associations* federation
fédéré [fedeʀe] **I** *adj* ⟨**~e**⟩ federated **II** *m* HIST communard
fédérer [fedeʀe] ⟨**-è-**⟩ **I** *v/t* to federate **II** *v/pr* ***se*** **~** to become a federation
fée [fe] *f* **1.** MYTH fairy **2.** *fig* ***la ~ du logis*** the perfect housewife
feed-back [fidbak] *m* ⟨*inv*⟩ feedback
féerie [feeʀi] *f* THÉ, *fig* extravaganza
féerique [feeʀik] *adj* magical
feignant [fɛɲɑ̃] *fam* → ***fainéant***
feindre [fɛ̃dʀ] *v/t* ⟨→ **peindre**⟩ to feign; **~ *de*** *+inf* to pretend *+inf*
feint [fɛ̃] *pp*→ ***feindre*** *et adj* ⟨**feinte** [fɛ̃t]⟩ feigned
feinte [fɛ̃t] *f* SPORT feint; *fig* trick **feinter** *v/t* SPORT *adversaire* to feint at, to fake out *fam*; *fig*, *fam* to con *fam*
fêlé [fele] *adj* ⟨**~e**⟩ **1.** *porcelaine*, *etc*, *voix* cracked **2.** *fam*, *fig* ***être*** **~** to be crazy *or* cracked *fam*; → ***cinglé***
fêler [fele] **I** *v/t* to crack **II** *v/pr* ***se*** **~** to crack
▶ **félicitations** [felisitasjõ] *fpl* congratulations; **(*mes*)** ***~!*** congratulations!; ***toutes mes ~*** well done
félicité [felisite] *st/s f* bliss
▶ **féliciter** [felisite] **I** *v/t* **~ *qn*** to congratulate sb (***pour, de*** for) **II** *v/pr* ***se ~ de qc*** to be very happy about sth
félin [felɛ̃] **I** *adj* ⟨**-ine** [-in]⟩ ZOOL, *fig* feline **II** ***~s*** *mpl* ZOOL cats, felines
félon [felõ] *litt m* traitor
félonie [felɔni] *litt f* treachery
fêlure [fɛlyʀ] *f* crack
femelle [fəmɛl] **I** *f* ZOOL female *a péj* **II** *adj* **1.** ZOOL, BOT female **2.** ÉLEC ***fiche f ~*** female socket

▶ **féminin** [feminɛ̃] **I** *adj* ⟨**-ine** [-in]⟩ **1.** female; ***équipe ~e*** women's team **2.** GRAM feminine **II** *m* **1.** GRAM feminine **2.** ***l'éternel ~*** the eternal feminine
féminisation [feminizasjõ] *f* feminization (*a* BIOL)
féminiser [feminize] *v/pr* ***se ~*** **1.** BIOL to feminize **2.** *profession* to open up to women
féminisme [feminism] *m* feminism **féministe** **I** *adj* feminist **II** *m/f* feminist
féminité [feminite] *f* femininity
▶ **femme** [fam] *f* **1.** woman; *fam* ***une bonne femme*** a woman; ***jeune femme*** young woman; ***femme ingénieur*** (woman) engineer; ▶ ***femme au foyer*** homemaker, housewife; ▶ ***femme d'affaires*** businesswoman; ***femme de chambre*** chambermaid; ***femme d'intérieur*** homemaker, housewife; ▶ ***femme de ménage*** cleaner; ***femme de tête*** assertive woman **2.** (*épouse*) wife; ***prendre pour ~*** to wed
femme-enfant *f* ⟨**femmes-enfants**⟩ childlike woman
femmelette [famlɛt] *f homme* wimp *fam*
fémoral [femɔʀal] *adj* ⟨**~e; -aux** [-o]⟩ femoral
fémur [femyʀ] *m* femur
fenaison [fənɛzõ] *f* haymaking
fendillement [fɑ̃dijmɑ̃] *m de la peau* chapping
fendiller [fɑ̃dije] **I** *v/t* to chap **II** *v/pr* ***se ~*** to chap
fendre [fɑ̃dʀ] ⟨→ **rendre**⟩ **I** *v/t* **1.** to split; *bois* to chop (up) **2.** *fig* ***~ l'âme, le cœur*** to be heartbreaking **3.** *fig* to slice through; ***~ la foule*** to push one's way through the crowd **II** *v/pr* ***se fendre*** **1.** *rocher*, *mur*, *sol* to crack (open) **2.** *fam* ***se ~ de qc*** to shell out for sth *fam*
fendu [fɑ̃dy] *adj* ⟨**~e**⟩ *pot* cracked; *jupe* slit
▶ **fenêtre** [f(ə)nɛtʀ] *f* window (*a* INFORM)
fenil [fənil] *m* hayloft
fennec [fenɛk] *m* fennec
fenouil [fənuj] *m* fennel
fente [fɑ̃t] *f* slit; *dans le bois* crack
féodal [feɔdal] *adj* ⟨**~e; -aux** [-o]⟩ feudal **féodalisme** *m* feudalism **féodalité** *f* feudal system
▶ **fer** [fɛʀ] *m* **1.** *métal* iron; ***en, de fer*** iron *épith*; *fig* ***de fer*** *volonté* iron *épith*; ***santé de~*** iron constitution **2.** ***fer à cheval*** horseshoe; ***en fer à cheval*** horseshoe-shaped; ▶ ***fer à repasser*** iron; ***fer à***

souder soldering iron; *fig* ***fer de lance*** spearhead; ***donner un coup de fer à qc*** to iron sth; ***tomber les quatre fers en l'air*** to fall flat on one's back
ferai [f(ə)ʀɛ], **fera(s)** [f(ə)ʀa] → ***faire***
fer-blanc [fɛʀblɑ̃] *m* ⟨**fers-blancs**⟩ tin (-plate); ***boîte*** *f* ***en ~*** can, *brit* tin can
▶ **férié** [feʀje] *adj* ⟨***~e***⟩ ***jour ~*** holiday, *brit* public holiday
férir [feʀiʀ] *v/t* ***sans coup ~*** meeting with no resistance
fermage [fɛʀmaʒ] *m* AGR tenant farming; *loyer* farm rent
▶ **ferme**[1] [fɛʀm] **I** *adj* firm (***avec qn*** with sb); ***prison*** *f* ***~*** prison sentence without remission *or reduction in length*; ***terre*** *f* ***~*** terra firma **II** *adv* ***discuter ~*** to debate hotly; ***s'ennuyer ~*** *fam* to be bored senseless *fam*
▶ **ferme**[2] *f* **1.** farm; *maison* farmhouse; ***~ d'élevage*** cattle farm **2.** JUR leasehold
▶ **fermé** [fɛʀme] *adj* ⟨***~e***⟩ shut, closed; *fig société* exclusive; *fig visage* inscrutable; *col de montagne* closed; ***les yeux ~s*** with one's eyes closed; *fig* without hesitation
fermement [fɛʀməmɑ̃] *adv* firmly
ferment [fɛʀmɑ̃] *m* CHIM ferment *a fig*
fermentation [fɛʀmɑ̃tasjõ] *f* fermentation
fermenter [fɛʀmɑ̃te] *v/i* to ferment; *boisson* (***non***) ***fermenté*** (un)fermented
▶ **fermer** [fɛʀme] **I** *v/t* to close, to shut; *rideaux* to draw; *robinet* to turn off; *appareil électrique* to switch off; *pop* ***ferme-la!*** *ou* ***la ferme!*** shut up! *fam*; ***~ la marche*** to bring up the rear; *fig* ***~ les yeux sur qc*** to turn a blind eye to sth; ***~ à la circulation*** to close to traffic **II** *v/i magasin, etc* to shut; *porte, boîte* to close **III** *v/pr* ***se ~*** *porte, etc* to close; *yeux* to shut; *personne* ***se ~ à qc*** to close o.s. to sth
fermeté [fɛʀməte] *f* firmness
fermeture [fɛʀmətyʀ] *f* **1.** *dispositif* fastener; ▶ ***fermeture éclair®*** zipper, *brit* zip **2.** *action* closing; *d'un commerce* closure; *de la chasse, de la pêche* close; ***fermeture annuelle*** annual closure; ***fermeture des magasins*** closing time
fermier [fɛʀmje], **fermière** [-jɛʀ] **I** *m/f* farmer **II** *adj* farm *épith*
fermoir [fɛʀmwaʀ] *m* clasp
féroce [feʀɔs] *adj animal, homme, regard* fierce; *appétit* voracious **férocité** *f* fierceness
ferraillage [fɛʀajaʒ] *m* CONSTR steel framework
ferraille [fɛʀɑj] *f* **1.** scrap metal; ***tas*** *m* ***de ~*** scrap heap; *fig voiture* wreck *fam*; ***bon à mettre à la ~*** fit for the scrap heap; ***faire un bruit de ~*** to rattle; *chaînes* to clank **2.** *fam* (*menue monnaie*) small change
ferrailleur [fɛʀajœʀ] *m* scrap metal dealer
ferré [fɛʀe] *adj* ⟨***~e***⟩ **1.** *canne* steel-tipped; *chaussure* steel-capped; ***voie ~e*** railroad track, *brit* railway track **2.** *fig* ***être ~*** to be well up (***en*** on)
ferrer [fɛʀe] *v/t* **1.** *cheval* to shoe **2.** *poisson* to strike
ferreux [fɛʀø] *adj* ⟨**-euse** [-øz]⟩ ferrous
ferronnerie [fɛʀɔnʀi] *f* **1.** ***~*** (***d'art***) wrought iron work **2.** *atelier* ironworks (+ *v sg*)
ferronnier [fɛʀɔnje] *m* ***~*** (***d'art***) wrought iron craftsman
ferroviaire [fɛʀɔvjɛʀ] *adj gare, compagnie, réseau* railroad *épith*, *brit* railway *épith*; *transport, trafic* rail *épith*
ferrugineux [fɛʀyʒinø] *adj* ⟨**-euse** [-øz]⟩ ferruginous
ferrure [feʀyʀ] *f* metal fittings (+ *v pl*)
▶ **ferry** [feʀi] *m* ⟨***~s*** *od* **ferries**⟩, **ferry-boat** [feʀibot] *m* ⟨**ferry-boats**⟩ ferry
fertile [fɛʀtil] *adj* fertile *a fig*; ***~ en*** *surprises, émotions* full of
fertilisant [fɛʀtilizɑ̃] **I** *adj* ⟨**-ante** [-ɑ̃t]⟩ fertilizing **II** *m* fertilizer **fertilisation** *f* fertilization **fertiliser** *v/t* to fertilize
fertilité [fɛʀtilite] *f* fertility
féru [feʀy] *adj* ⟨***~e***⟩ ***être ~ de*** to be very keen on
férule [feʀyl] *f* ***être sous la ~ de qn*** to be under sb's iron rule
fervent [fɛʀvɑ̃] *adj* ⟨**-ente** [-ɑ̃t]⟩ *croyant, prière* fervent; *partisan, amour* ardent
ferveur [fɛʀvœʀ] *f de prière* fervor; *d'amour* ardor
▶ **fesse** [fɛs] *f* buttock; ***~s*** *pl* buttocks, butt (+ *v sg*) *fam*, *brit* bottom (+ *v sg*) *fam*; *fam* ***histoire*** *f* ***de ~s*** smutty story
fessée [fese] *f* spanking; ***donner une ~ à qn*** to spank sb
fesser [fese] *v/t* ***~ qn*** to spank sb
fessier [fesje] **I** *m* **1.** backside *fam* **2.** ANAT gluteus **II** *adj* ⟨**-ière** [-jɛʀ]⟩ ANAT gluteal
festin [fɛstɛ̃] *m* feast
festival [fɛstival] *m* festival

festivalier [fɛstivalje] **I** *adj* ⟨**-ière** [-jɛʀ]⟩ festival *épith* **II** *m* festival-goer
festivités [fɛstivite] *fpl* festivities
fest-noz [fɛstnoz] *m* ⟨*inv*⟩ Breton festival
feston [fɛstõ] *m* ARCH festoon; *cout* scallop
festonner [fɛstɔne] *v/t* COUT to scallop
festoyer [fɛstwaje] *v/i* ⟨**-oi-**⟩ to feast
feta [feta] *f* CUIS feta
fêtard [fɛtaʀ] *fam m* reveller
► **fête** [fɛt] *f* **1.** *jour chômé, congé* holiday; **~ *nationale*** Bastille Day; **~ *du travail*** Labor Day, 1st May **2.** (*célébration*) celebration; *entre amis* party; **~ *de famille*** family gathering; **~ *des mères*** Mother's Day; *fig* ***en ~*** joyful; *fig* ***ne pas être à la ~*** to be having a rough time; ***faire la ~*** to live it up *fam*; *fig* ***se faire une ~ de qc*** to be really looking forward to sth; *fig* ***faire ~ à qn*** to give sb a warm welcome **3.** REL feast, festival; *d'une personne* name day, saint's day
Fête-Dieu [fɛtdjø] *f* ⟨**Fêtes-Dieu**⟩ Corpus Christi
► **fêter** [fete] *v/t* to celebrate
fétiche [fetiʃ] *m* fetish **fétichisme** *m* fetishism
fétichiste [fetiʃist] **I** *adj* fetishistic **II** *m* fetishist
fétide [fetid] *adj* fetid
fétu [fety] *m* **~ (*de paille*)** wisp of straw
► **feu**[1] [fø] *m* ⟨**~x**⟩ **1.** fire; (*incendie*) fire; ***feu d'artifice*** firework; *spectacle* fireworks display; ***feu de camp*** camp fire; *fig* ***feu de paille*** flash in the pan; ***feu du rasoir*** razor burn; ***mise*** *f* ***à feu*** *de fusée* blast-off; ***au feu!*** fire!; CUIS ***à feu doux*** on a low heat; *fig* ***dans le feu de l'action*** in the heat of the moment; *plat* ***aller au feu*** to be ovenproof; *fumeur* ***avez-vous du feu?*** have you got a light?; *fam, fig* ***avoir le feu au derrière***, *pop* ***au cul*** to be in a tearing hurry; *fig* ***elle avait les joues en feu*** her cheeks were burning; ***être en feu*** to be on fire; *fig* ***être tout feu tout flamme pour qc*** to be very enthusiastic about sth; ***faire du feu*** to light a fire; *fig* ***faire feu de tout bois*** to use every available means; *fig* ***jouer avec le feu*** to play with fire; ***mettre le feu à qc*** to set sth on fire; ***mettre qc à feu et à sang*** to lay waste to sth; ***prendre feu*** to catch fire; *fam, fig* ***il n'y a vu que du feu*** he fell for it *fam* **2.** (*lumière*) light; CIRCULATION ***feu(x)*** traffic light(s); ***feu(x) arrière*** tail light(s), *brit* rear light(s); ***feu rouge, orange, vert*** red, amber, green light; *fig* ***donner le feu vert*** to give the go-ahead; ***feux de croisement*** dimmed headlights, *brit* dipped headlights; ***feux de détresse*** hazard lights; ***feux de position*** AUTO parking lights, *brit* sidelights; MAR, AVIAT navigation lights; THÉ ***feux de la rampe*** footlights; ***feu de recul*** backup light, *brit* reversing light; ***feux de route*** headlights; ***feux de stationnement*** parking lights, *brit* sidelights; ***sous les feux des projecteurs*** in the spotlight **3.** MIL fire; ► ***coup*** *m* ***de feu*** shot; ***faire feu*** to fire; *fig* ***ne pas faire long feu*** not to last long
feu[2] *litt adj* ⟨*inv*⟩ **~ *sa mère*** his / her late mother
feuillage [fœjaʒ] *m* foliage
feuillaison [fœjɛzõ] *f des arbres* foliation
feuille [fœj] *f* **1.** BOT leaf; **~*s*** *pl* leaves; **~ *de vigne*** vine leaf; ART leaf; *fig* ***trembler comme une ~*** to shake like a leaf **2.** *papier* sheet; **~ *de papier à lettres*** sheet of writing paper; **~ *d'impôt*** tax return; **~ *de paie*** pay stub, *brit* payslip; *fam, fig* **~ *de chou*** newspaper, rag *fam* **3.** (*plaque mince*) sheet; *en bois* veneer **4.** *fam* ***être dur de la ~*** to be hard of hearing
feuillée [fœje] *f poét* leafy
feuille-morte [fœjmɔʀt] *adj* ⟨*inv*⟩ russet
feuillet [fœjɛ] *m* leaf
feuilleté [fœjte] **I** *adj* ⟨**~e**⟩ foliated; ***pâte ~e*** puff pastry **II** *m* savory pasty
feuilleter [fœjte] *v/t* ⟨**-tt-**⟩ to leaf through
feuilleton [fœjtõ] *m* TV, RAD serial; *populaire* soap; ***publié en ~*** serialized
feuillu [fœjy] **I** *adj* ⟨**~e**⟩ leafy **II** **~*s*** *mpl* broad-leaved trees
feutrage [føtʀaʒ] *m des vêtements* felting
feutre [føtʀ] *m* **1.** TEXT felt **2.** *crayon* felt-tip pen
feutré [føtʀe] *adj* ⟨**~e**⟩ *bruit* muffled; *atmosphère* hushed; ***marcher à pas ~s*** to pad along
feutrer [føtʀe] *v/i* (*et v/pr* ***se ~***) to become felted
feutrine [føtʀin] *f* lightweight felt
fève [fɛv] *f* **1.** BOT, CUIS broad bean; **~ *de cacao*** cocoa bean **2.** *figurine* lucky charm *in the Twelfth Night cake*

▶ **février** [fevʀije] *m* February
fi [fi] ***faire ~ de qc*** to treat sth with disdain
fiabilité [fjabilite] *f* reliability
fiable [fjabl] *adj* reliable
fiacre [fjakʀ] *m* fiacre
fiançailles [f(i)jɑ̃saij] *fpl* engagement (+ *v sg*)
▶ **fiancé** [f(i)jɑ̃se] **I** *adj* engaged **II ~(*e*)** *m(f)* fiancé, fiancée
fiancer [f(i)jɑ̃se] *v/pr* ⟨**-ç-**⟩ ***se ~*** to get engaged (***avec qn*** to sb)
fiasco [fjasko] *m* fiasco
fiasque [fjask] *f* straw-covered flask
fibranne [fibʀan] *f* spun viscose
fibre [fibʀ] *f* **1.** BIOL, TEXT, TECH fibre **2.** *fig* streak; ***avoir la ~ maternelle*** to have a strong maternal streak
fibreux [fibʀø] *adj* ⟨**-euse** [-øz]⟩ fibrous
fibrillation [fibʀijasjõ] *f* fibrillation
fibrille [fibʀij] *f* ANAT, BOT fibril
fibrome [fibʀom] *m* fibroid
ficelage [fislaʒ] *m action* tying up; *attaches* string
ficelé [fisle] *adj* ⟨**~e**⟩ *paquet* tied with string
ficeler [fisle] *v/t* ⟨**-ll-**⟩ **1.** *paquet* to tie up **2.** *fam, fig* ***mal ficelé*** badly put together
▶ **ficelle** [fisɛl] *f* **1.** string; *fig* ***tirer les ~s*** to pull the strings **2.** *pain* thin baguette **3.** ***les ~s du métier*** *pl* the tricks of the trade
fiche¹ [fiʃ] *f* **1.** ÉLEC plug **2.** (*feuille*) slip; *d'un fichier* index card **3.** (*formulaire*) form
fiche² → ***ficher***¹
ficher¹ [fiʃe] ⟨*inf a* **fiche**; *pp* **fichu**⟩ *fam* **I** *v/t* **1.** (*faire*) to do **2.** (*donner*) to give; ***~ un coup à qn*** to hit sb; ***je t'en ~ai, moi du caviar*** I'll give you goddam caviar *fam, iron* **3.** (*mettre*) to put; ***~ qc par terre*** to knock sth over **II** *v/pr* ***se ~ de qc, qn*** not to give a damn about sth, sb *fam*; → ***foutre***
ficher² *v/t* **1.** (*enfoncer*) to drive (***dans*** into) **2.** (*mettre en fiche*) ***~ qc*** to put sth on file; ***~ qn*** to open a file on sb
▶ **fichier** [fiʃje] *m* **1.** (*fiches*) file **2.** *boîte* card index file **3.** INFORM file
fichtre [fiʃtʀ] *int admirative, étonnée fam* well I never!
fichu¹ [fiʃy] *m* shawl
▶ **fichu**² *fam pp* → ***ficher***¹ *et adj* ⟨**~e**⟩ **1.** ***être ~*** (*détruit*) to be done for *fam* **2.** (*détestable*) lousy *fam* **3.** ***bien ~*** *femme* good-looking; *mécanisme* well-designed; *personne* ***être mal ~*** to feel lousy *fam* **4.** (*capable de*) ***il est ~ de*** (***le faire***) he's quite capable of (doing it)
fictif [fiktif] *adj* ⟨**-ive** [-iv]⟩ **1.** (*imaginaire*) fictitious **2.** (*faux*) false **3.** ÉCON fictitious
fiction [fiksjõ] *f* **1.** LITTÉR fiction *a fig* **2.** TV drama
▶ **fidèle** [fidɛl] **I** *adj* **1.** *personne, chien* faithful; ***être ~ à qn*** to be faithful to sb; ***être, rester ~ à qc*** to be, remain loyal to sth **2.** *récit, reproduction* faithful; *mémoire* reliable **II** *m/f* **1.** REL believer; ***les ~s*** the faithful (+*v sg*) **2.** (*adepte*) devotee, follower
fidèlement [fidɛlmɑ̃] *adv* faithfully
fidéliser [fidelize] *v/t* ***~ qn*** to win sb's loyalty
fidélité [fidelite] *f* **1.** faithfulness, loyalty (***à, envers qn*** to sb) **2.** *d'une traduction, etc* faithfulness; ***haute ~*** high fidelity (*abr* hi-fi)
fiduciaire [fidysjɛʀ] *adj* JUR, ÉCON fiduciary; ***société f ~*** trust company
fief [fjɛf] *m* **1.** HIST fief **2.** *fig* territory; POL stronghold
fieffé [fjefe] *adj* ⟨**~e**⟩ incorrigible
fiel [fjɛl] *m* **1.** *d'animaux* venom **2.** *fig* bile; ***déverser son ~ sur qn*** to vent one's spleen on **3.**
fielleux [fjɛlø] *adj* ⟨**-euse** [-øz]⟩ venomous
fiente [fjɑ̃t] *f* droppings (+ *v pl*)
fier¹ [fje] *v/pr* ***se ~ à qn, qc*** to trust sb, sth
▶ **fier**² [fjɛʀ] *adj* ⟨**fière** [fjɛʀ]⟩ **1.** (*satisfait*) proud; ***être ~ de qn, qc*** to be proud of sb, sth; *péj* stuck-up *fam*; ***ne pas être si ~*** not to be so cocky *fam* **2.** (*noble*) proud
▶ **fierté** [fjɛʀte] *f* pride
fiesta [fjɛsta] *fam f* party
▶ **fièvre** [fjɛvʀ] *f* **1.** MÉD fever, temperature; ***~ jaune*** yellow fever; ***avoir de la ~*** to have a temperature **2.** *fig* frenzy
fiévreusement [fjevʀøzmɑ̃] *adv* feverishly
fiévreux [fjevʀø] *adj* ⟨**-euse** [-øz]⟩ **1.** MÉD feverish **2.** *fig* frantic
fifty-fifty [fiftififti] *adv fam* fifty-fifty; ***faire ~*** to go halves *fam*
figé [fiʒe] *adj* ⟨**~e**⟩ **1.** *huile, sauce* congealed **2.** *fig sourire* fixed; *système* fossilized; *personne* frozen; *locution* set
figer [fiʒe] ⟨**-ge-**⟩ **I** *v/t* to congeal **II** *v/pr* ***se figer*** *personne, sang* to freeze; *huile,*

sauce to congeal

fignolage [fiɲɔlaʒ] *m* finishing touches (+ *v pl*) **fignoler** *v/t* (*soigner*) to take great pains over; (*terminer*) to put the finishing touches to

figue [fig] *f* fig

figuier [figje] *m* fig tree

figurant [figyʀɑ̃] *m*, **figurante** [-ɑ̃t] *f* FILM extra; THÉ walk-on; *fig* token presence

figuratif [figyʀatif] *adj* ⟨**-ive** [-iv]⟩ **1.** *art, peintre* figurative **2.** *représentation* figurative

figuration [figyʀasjõ] *f* **1.** ***faire de la ~*** FILM to be an extra; THÉ to play walk-on parts **2.** (*représentation*) representation

► **figure** [figyʀ] *f* **1.** (*visage*) face; *fam* ***casser la ~ à qn*** to beat sb up; to smash sb's face in *fam*; *fam* ***se casser la ~*** to fall flat on one's face; to break one's neck *fam*; *fig* to come a cropper *fam*; *fig* ***faire bonne ~*** to make the right impression; *fig* ***faire ~ de*** to look like, to appear to be **2.** ART, MATH, *etc* figure; PATINAGE figure; ***~s imposées*** compulsory figures; ***~s libres*** freestyle (+ *v sg*) **3.** *aux cartes* picture card

figuré [figyʀe] *adj* ⟨**~e**⟩ figurative; ***au*** (***sens***) ***~*** figuratively

figurer [figyʀe] **I** *v/t* to represent **II** *v/i sur une liste, etc* to appear **III** *v/pr* ***se ~ qc*** to imagine sth; ***figure-toi que j'allais justement le proposer*** as it happens, I was just about to suggest it

figurine [figyʀin] *f* figurine

► **fil** [fil] *m* **1.** TEXT yarn; COUT thread; *des haricots* string; *d'un collier* string; ***fil à coudre*** sewing thread; ***fil à plomb*** plumb line; *fig* ***le fil de la conversation*** the thread of of the conversation; ***fils de la Vierge*** gossamer thread; ***en fil d'Écosse, pur fil*** lisle *épith*; *prétexte* ***cousu de fil blanc*** transparent; *fig* ***de fil en aiguille*** gradually; *fig* ***perdre le fil*** to lose the thread; *fig* ***ne tenir qu'à un fil*** to be hanging by a thread **2.** *métallique* wire; *d'une lampe, de téléphone* cord, *brit* flex; ***fil électrique*** electric wire; ***fil de fer*** wire **3.** *fam* ► ***coup*** *m* ***de fil*** call; ***passer un coup de fil à qn*** to give sb a call; ***avoir qn au bout du fil*** to have sb on the line **4.** *d'une lame* edge **5.** ***aller au fil de l'eau*** to go with the flow; ***au fil des jours*** as the days went by

filament [filamɑ̃] *m* **1.** strand **2.** ÉLEC filament

filamenteux [filamɑ̃tø] *adj* ⟨**-euse** [-øz]⟩ filamentous

filandreux [filɑ̃dʀø] *adj* ⟨**-euse** [-øz]⟩ **1.** stringy **2.** *fig* rambling

filant [filɑ̃] *adj* ⟨**-ante** [-ɑ̃t]⟩ ***étoile ~e*** shooting star

filasse [filas] *adj* ***blond ~*** ⟨*inv*⟩ dirty blond

filateur [filatœʀ] *m* mill owner

filature [filatyʀ] *f* **1.** TEXT textile mill **2.** *par la police* tailing *fam*; ***prendre qn en ~*** to tail sb *fam*

file [fil] *f* line; *de gens, de voitures* line, *brit* queue; *d'une route* lane; ***~ d'attente*** line, *brit* queue; ***à la ~*** in a row; ***en ~ indienne*** in single file; ***être garé en double ~*** to be double-parked; ***prendre la ~ de gauche*** to take the left-hand lane

filer [file] **I** *v/t* **1.** *coton, laine, etc* to spin **2.** *bateau* ***~ 30 nœuds*** to do 30 knots **3.** ***~ qn*** to tail sb *fam* **4.** *fam* (*donner*) to give **II** *v/i* **1.** *maille* to run; *bas* to run, *brit* to ladder **2.** (*aller vite*) to rush; *fam* (*s'en aller*) *personne* to dash off; *véhicule* to speed off; *temps* to fly past; *argent* not to last long **3.** ***~ doux*** to keep a low profile *fam*

filet [filɛ] *m* **1.** net; ***~ à bagages*** luggage rack; ***~*** (***à provisions***) string bag; *fig* ***coup*** *m* ***de ~*** raid **2.** CUIS fillet **3.** *de liquide* trickle; *fig* ***~ de voix*** faint voice

filetage [filtaʒ] *m* TECH threading

filial [filjal] *adj* ⟨**~e; -aux** [-o]⟩ filial

filiale [filjal] *f* subsidiary

filiation [filjasjõ] *f* **1.** JUR filiation **2.** *fig* relationship

filière [filjɛʀ] *f* **1.** *d'une carrière* path; UNIV course; ADMIN channels (+ *v pl*) **2.** *fig* network; *de la drogue* ring; ***remonter la ~*** to trace the ringleaders

filiforme [filifɔʀm] *adj* threadlike; *jambes* spindly; *personne* lanky

filigrane [filigʀan] *m* **1.** filigree **2.** *sur le papier* watermark

filin [filɛ̃] *m* rope

► **fille** [fij] *f* **1.** (*opposé à fils*) daughter **2.** (*opposé à garçon*) girl; ► ***jeune fille*** girl; ***fille mère*** unmarried mother; ***petite fille*** little girl; ***vieille fille*** spinster **3.** ***fille*** (***publique***) streetwalker; ***fille de joie*** prostitute **4.** ***fille de cuisine*** kitchen maid; *à l'hôpital* ***fille de salle*** ward orderly

fillette [fijɛt] *f* little girl

filleul(e) [fijœl] *m(f)* godson, goddaughter

▶ **film** [film] *m* **1.** FILM, TV movie, *brit* film; ▶ ***film policier*** detective movie; ***~ de guerre*** war movie **2.** PHOT film **3.** (*couche mince*) film; ***film d'huile*** film of oil **4.** ***film plastique*** plastic film

filmage [filmaʒ] *m* filming; FILM shooting

film-culte *m* 〈**films-culte**〉 cult movie, *brit* cult film

filmer [filme] *v/t* to film; FILM to shoot

filmique *adj* film *épith*; *œuvre* cinematic

filmographie [filmɔgʀafi] *f* filmography

filmologie *f* film studies (*+v sg*)

filon [filõ] *m* **1.** MIN seam, vein **2.** *fam*, *fig* ***avoir trouvé le bon*** *ou* ***un ~*** to be onto a good thing *fam*

filou [filu] *m* (*escroc*) crook; *enfant* rascal

filouter [filute] *v/t* ***~ qc*** *fam* to filch sth; ***~ qn*** to cheat sb

▶ **fils** [fis] *m* son; *fig* ***~ spirituel*** spiritual heir; *péj* ***~ à papa*** spoiled rich kid *péj*; ***~ de famille*** boy from a good family

filtrage [filtʀaʒ] *m* **1.** filtration **2.** *fig* screening

filtrant [filtʀɑ̃] *adj* 〈**-ante** [-ɑ̃t]〉 filter *épith*

filtration [filtʀasjõ] *f* → ***filtrage 1***

filtre [filtʀ] *m* filter; ***~ à air*** air filter; *adjt* ***bout*** *m* ***~*** filter tip

filtrer [filtʀe] **I** *v/t* **1.** *liquides* to filter **2.** *fig* to screen **II** *v/i* **1.** *café* to filter; *eau* to seep; *lumière* to filter **2.** *fig informations* to leak out

▶ **fin¹** [fɛ̃] *f* **1.** end; ***~ du monde*** end of the world; ***en ~ de semaine*** at the end of the week; ***~ de série*** oddment; ***~ de siècle*** fin de siècle; *adjt* decadent, fin de siècle; ***~ mai*** at the end of May; ***à la ~*** at the end (***de*** of); ***à la ~ de l'année*** *ou* ***en ~ d'année*** at the end of the year; ***en ~ d'après-midi*** at the end of the afternoon; ***sans ~*** *discussions*, *combats* endless; *discuter*, *se disputer* endlessly; ***c'est la ~ de tout***, ***des haricots*** we've had it *fam*; ***mener qc à bonne ~*** to bring sth to a successful conclusion; ***mettre ~ à qc*** to put an end to sth; ***prendre ~*** to come to an end; ***tirer, toucher à sa ~*** to be coming to an end; *provisions* to be running out **2.** (*but*) end, aim; ***une ~ en soi*** an end in itself; ***à cette ~*** to this end; ***à toutes ~s utiles*** to all intents and purposes; ***parvenir à ses ~s*** to achieve one's aims

▶ **fin²** [fɛ̃] **I** *adj* 〈**fine** [fin]〉 fine; *mains*, *taille* slender; *traits* fine; *papier*, *couche*, *tranche* thin; *remarque* shrewd; *plaisanterie*, *goût* subtle; *personne* astute, shrewd; ***~ gourmet*** gourmet; ***lingerie ~e*** fine lingerie; ***perle ~e*** real pearl; ***pierre ~e*** gemstone; ***pluie ~e*** fine rain; ***au ~ fond de*** *région* in the remotest part of; *tiroir* right at the bottom of **II** *adv* **1.** ***être ~ prêt*** to be all set **2.** ***moudre ~*** to grind finely **III** *m* **1.** ***le ~ du ~*** the ultimate **2.** ***jouer au plus ~ avec qn*** to try to outsmart sb

final [final] *adj* 〈**~e; -als**〉 final; ***point ~*** period, *brit* full stop

final(e) [final] *m* MUS finale

▶ **finale** [final] *f* **1.** SPORT final **2.** GRAM final

▶ **finalement** [finalmɑ̃] *adv* (*à la fin*) in the end, finally; (*en définitive*) in fact

finalisme [finalism] *m* PHIL finalism **finaliste** *m/f* SPORT finalist **finalité** *f* PHIL finality

finance [finɑ̃s] *f* **1.** *pl* ***~s*** finances; ADMIN ministry of finance **2.** *coll* finance; ***haute ~*** high finance **3.** ***moyennant ~*** for a consideration

financement [finɑ̃smɑ̃] *m* financing **financer** *v/t* 〈**-ç-**〉 to finance

financier [finɑ̃sje] **I** *adj* 〈**-ière** [-jɛʀ]〉 financial **II** *m* financier

financièrement [finɑ̃sjɛʀmɑ̃] *adv* financially

finasser [finase] *v/i* to scheme **finasseries** *fpl* scheming (*+ v sg*)

finaud [fino] *adj* 〈**-aude** [-od]〉 cunning

fine [fin] *f* brandy

finesse [finɛs] *f* **1.** (*minceur*) thinness; (*raffinement*) delicacy; (*subtilité*) subtlety; ***~ d'esprit*** astuteness **2.** *pl* ***~s*** subtleties, finer points

▶ **fini** [fini] **I** *adj* 〈**~e**〉 **1.** *travail* finished; ***produit ~*** finished product; ***c'est ~ entre nous*** we're finished **2.** *objet* ***bien ~*** well finished **3.** *fig* ***c'est un homme ~*** he's a has-been *fam* **4.** *péj menteur*, *escroc* complete **5.** PHIL, MATH finite **II** *m* finish

▶ **finir** [finiʀ] **I** *v/t* **1.** to finish; *vie*, *journée* to end; *vêtements* to wear out; *assiette* to clear; *verre* to empty; ***avoir fini*** (***de faire***) ***qc*** to have finished (doing) sth; ***~ de faire qc*** to finish doing sth **2.** (*parachever*) to put the finishing touches to **II** *v/i* **1.** *personne* to finish;

avoir fini to have finished; ***en ~ avec qn, qc*** to be done with sb, sth **2.** *chose* to end, to come to an end; ***~ bien, mal*** to end well, badly; *personne* ***il finira mal*** he'll come to a bad end; ***n'en pas, plus ~*** to go on for ever; ***des discussions à n'en plus ~*** endless discussions **3.** ***~ par faire qc*** to end up doing sth
finish [finiʃ] *m* SPORT finish
finissage [finisaʒ] *m* finishing **finissant** *adj* ⟨**-ante** [-ɑ̃t]⟩ *saison*, *époque* which is drawing to a close
finisseur [finisœʀ] *m*, **finisseuse** [-øz] *f* **1.** SPORT finisher **2.** INDUSTRIE finisher
finition [finisjõ] *f* **1.** *action* finishing; ***~s*** *pl* finishing touches **2.** *résultat* finish
finlandais [fɛ̃lɑ̃dɛ] **I** *adj* ⟨**-aise** [-ɛz]⟩ Finnish **II** ***Finlandais(e)*** *m(f)* Finn
Finlande [fɛ̃lɑ̃d] ***la ~*** Finland
finnois [finwa] ***le ~*** Finnish
fiole [fjɔl] *f* phial
fiord → ***fjord***
fioritures [fjɔʀityʀ] *fpl* embellishments
firent [fiʀ] → ***faire***
firmament [fiʀmamɑ̃] *m litt* firmament
firme [fiʀm] *f* firm
fis [fi] → ***faire***
fisc [fisk] *m* tax office
fiscal [fiskal] *adj* ⟨**~e; -aux** [-o]⟩ fiscal, tax *épith* **fiscalisation** *f* taxation **fiscaliser** *v/t* to tax **fiscalité** *f* taxation
fission [fisjõ] *f* fission
fissuration [fisyʀasjõ] *f* cracking
fissure [fisyʀ] *f* crack, fissure
fissurer [fisyʀe] **I** *v/t* to crack; ***fissuré*** cracked **II** *v/pr* ***se fissurer*** to crack
fiston [fistõ] *m fam* son, sonny *fam*
fistule [fistyl] *f* MÉD fistula
fit, fît [fi] → ***faire***
F.I.V. [fif, ɛfive] *f*, *abr* (= **fécondation in vitro**) IVF
fixage [fiksaʒ] *m* PHOT fixing
fixateur [fiksatœʀ] *m* **1.** PHOT fixative **2.** COIFFURE hairspray
fixatif [fiksatif] *m* fixative
fixation [fiksasjõ] *f* **1.** *d'un objet* fixing **2.** *dispositif* fastening; *de ski* binding **3.** *d'un délai*, *des prix* setting **4.** PSYCH fixation; ***faire une ~ sur*** to be fixated on
fixe [fiks] **I** *adj date*, *revenu* fixed; COMM fixed; *regard* fixed; *objet* fixed; TECH permanent; ***étoile*** *f* ***~*** fixed star; ***à prix ~*** at a fixed price; ***à heure ~*** at set times; ***sans domicile ~*** homeless **II** *m* base pay, *brit* basic salary
fixé [fikse] *adj* ⟨**~e**⟩ ***être ~ sur qc*** to be in the picture about sth
fixement [fiksəmɑ̃] *adv regarder* fixedly
fixer [fikse] **I** *v/t* **1.** *objet* to fix **2.** *délai*, *date*, *prix* to set **3.** *par écrit* to set down **4.** ***~*** (***son regard sur***) ***qn, qc*** to stare at sb, sth; ***~ son attention sur qn, qc*** to focus on sb, sth **5.** PHOT, PEINT to fix **II** *v/pr* ***se fixer*** **1.** (*s'installer*) to settle **2.** ***se ~ qc*** *budget*, *objectif* to set o.s sth **3.** *regard* ***se ~ sur*** to focus on; ***son choix s'est fixé sur qc*** he / she chose sth
fixing [fiksiŋ] *m* BOURSE fixing
fixité [fiksite] *f* (*invariabilité*) fixedness; *d'un regard* steadiness
fjord [fjɔʀ(d)] *m* fjord
flac [flak] *int* splash
flacon [flakõ] *m* (small) bottle
flagada [flagada] *adj fam* → ***flapi***
flagellation [flaʒɛ(l)lasjõ] *f* flogging; REL flagellation **flageller** *v/t* to flog
flageolant [flaʒɔlɑ̃] *adj* ⟨**-ante** [-ɑ̃t]⟩ wobbly
flageoler [flaʒɔle] *v/i jambes* to wobble; ***~ sur ses jambes*** to be unsteady
flageolet [flaʒɔlɛ] *m* flageolet
flagorner [flagɔʀne] *v/t litt* ***~ qn*** to fawn on sb, to toady to sb
flagrant [flagʀɑ̃] *adj* ⟨**-ante** [-ɑ̃t]⟩ **1.** ***prendre qn en ~ délit*** to catch sb red-handed **2.** (*évident*) obvious; *mensonge*, *contradiction* blatant
flair [flɛʀ] *m* **1.** *du chien*, *etc* nose **2.** *fig* intuition; ***avoir du ~*** to be intuitive
flairer [fleʀe] *v/t* **1.** *animal*: *nourriture*, *etc* to sniff; *gibier* to scent **2.** *fig* to smell
flamand [flamɑ̃] **I** *adj* ⟨**-ande** [-ɑ̃d]⟩ Flemish (*a* ART) **II** *m langue* Flemish **III** ***Flamand(e)*** *m(f)* Flemish man, woman
flamant [flamɑ̃] *m* ***~*** (***rose***) flamingo
flambage [flɑ̃baʒ] *m de la volaille* singeing; *d'aiguilles* sterilizing
flambant [flɑ̃bɑ̃] *adv* ***~ neuf*** ⟨*inv ou* ***~ neuve***⟩ brand new
flambé [flɑ̃be] *adj* ⟨**~e**⟩ **1.** CUIS flambé **2.** *fam*, *fig* done for *fam*
flambeau [flɑ̃bo] *m* ⟨**~x**⟩ torch
flambée [flɑ̃be] *f* **1.** fire; ***faire une ~*** to light a fire **2.** *fig de violence* flare-up; ***~ des prix*** explosion in prices
flamber [flɑ̃be] **I** *v/t* **1.** CUIS to flambé **2.** *volaille* to singe **II** *v/i* **1.** *feu* to blaze; *maison* to go up in flames; *combustible* to burn **2.** *fig prix* to rocket **3.** *fam au jeu* to be a heavy gambler

flambeur [flɑ̃bœʀ] *fam m* big spender; *au jeu* heavy gambler
flamboiement [flɑ̃bwamɑ̃] *m des flammes, du soleil* blazing
flamboyant [flɑ̃bwajɑ̃] *adj* ⟨**-ante** [-ɑ̃t]⟩ **1.** (*brillant*) blazing; *fig regard* **~ (de colère)** blazing (with anger) **2.** ARCH flamboyant
flamboyer [flɑ̃bwaje] *v/i* ⟨**-oi-**⟩ **1.** *feu* to blaze **2.** *fig yeux, colère* to blaze; *épée* to gleam
flamenco [flamɛnko] *m* flamenco
► **flamme** [flam, flɑm] *f* **1.** flame; ***être en ~s*** to be in flames **2.** *fig* love; *litt* ***déclarer sa ~*** to declare one's love
flammé [flame] *adj* ⟨**~e**⟩ flambé
flammèche [flamɛʃ] *f* spark
flan [flɑ̃] *m* flan
flanc [flɑ̃] *m* flank (*a* MIL); ANAT side; *fig* ***être sur le ~*** to be exhausted, to be deadbeat *fam*; *fig* ***prêter le ~*** to lay o.s. open (**à** to); *fam, fig* ***tirer au ~*** to shirk
flancher [flɑ̃ʃe] *fam v/i personne* to lose one's nerve; *cœur* to give out
Flandre [flɑ̃dʀ] ***la ~*** *ou* ***les ~s*** *fpl* Flanders (+ *v sg*)
flanelle [flanɛl] *f* flannel
flâner [flɑne] *v/i* to stroll **flânerie** *f* strolling around; (*promenade*) stroll **flâneur** *m*, **flâneuse** *f* stroller
flanquer[1] [flɑ̃ke] *v/t* to flank; ***flanqué de*** flanked by
flanquer[2] *fam* **I** *v/t* **1.** (*jeter*) to throw; to chuck *fam*; ***~ qn à la porte, dehors*** (*expulser*) to kick sb out *fam*; (*congédier*) to can sb *fam*, *brit* to give sb the boot *fam* **2.** *gifle* to give; *peur* to give; ***~ une volée***, *fam* ***une raclée à qn*** to give sb a good thrashing *fam* **II** *v/pr* ***se ~ par terre*** to throw o.s. on the ground
flapi [flapi] *adj* ⟨**~e**⟩ *fam* shattered *fam*
flaque [flak] *f* puddle
flash [flaʃ] *m* ⟨**~es**⟩ **1.** PHOT flash; *dispositif* flash gun **2.** TV, RAD news summary; *exceptionnel* news flash
flash-back [flaʃbak] *m* ⟨*inv*⟩ flash-back
flasher [flaʃe] *v/i fam* ***~ sur qn, qc*** to fall in love with sb, sth
flasque [flask] *adj* flabby
flatter [flate] **I** *v/t* **1.** *personne, photo* ***~ qn*** to flatter sb **2.** *animal* to pat **II** *v/pr* ***se ~ de faire, d'avoir*** to pride o.s. on doing, having
flatterie [flatʀi] *f* flattery
flatteur [flatœʀ], **flatteuse** [-øz] **I** *m/f* sycophant **II** *adj* **1.** *portrait, propos* flattering **2.** (*élogieux*) flattering
flatulence [flatylɑ̃s] *f* flatulence
flatuosité [flatɥozite] *f* flatus
fléau [fleo] *m* ⟨**~x**⟩ **1.** (*calamité*) blight **2.** *d'une balance* beam **3.** AGR flail
fléchage [fleʃaʒ] *m d'un parcours* signposting
► **flèche** [flɛʃ] *f* **1.** arrow; *fig* ***démarrage m en ~*** rapid take-off; ***passer comme une ~*** to shoot past; ***monter en ~*** to shoot upwards; *fig* to soar **2.** *d'un clocher* spire **3.** *d'une grue* jib
flécher [fleʃe] *v/t* ⟨**-è-**⟩ to signpost
fléchette [fleʃɛt] *f* dart; ***jouer aux ~s*** to play darts
fléchir [fleʃiʀ] **I** *v/t genoux, etc* to bend **II** *v/i* **1.** *poutre* to bend, to sag; *jambes* to give way **2.** *fig* to yield; ***faire ~ qn*** to make sb yield **3.** *cours* to weaken; *demande* to fall off
fléchissement [fleʃismɑ̃] *m* **1.** bending **2.** *fig* yielding; *des cours* weakening; *de la demande* falling off
fléchisseur [fleʃisœʀ] *adj* ⟨**-euse** [-øz]⟩ *muscle* flexor
flegmatique [flɛgmatik] *adj* phlegmatic
flegme [flɛgm] *m* composure
flemmard [flemaʀ] *fam* **I** *adj* ⟨**-arde** [-aʀd]⟩ bone idle *fam* **II** **~(*e*)** *m(f)* idler, lazybones (+ *v sg*) *fam*
flemmarder [flemaʀde] *fam v/i* to loaf around *fam*
flemme [flɛm] *fam f* laziness; ***j'ai la ~ de faire*** I can't be bothered doing
flétan [fletɑ̃] *m* halibut
flétri [fletʀi] *adj* ⟨**~e**⟩ **1.** *plante* withered; *fleur* faded **2.** *fig peau, visage* withered; *beauté* faded
flétrir [fletʀiʀ] **I** *v/t* **1.** *plante* to wither **2.** *litt* (*déshonorer*) to corrupt **II** *v/pr* ***se flétrir*** to wither *a fig*
flétrissure [fletʀisyʀ] *f* **1.** *d'une plante* withering **2.** *litt* blot, stain
► **fleur**[1] [flœʀ] *f* **1.** flower; (*partie en fleur*) bloom; ***~s de jardin*** garden flowers; ***~s d'oranger*** orange blossom (+ *v sg*); *adjt fig* ***~ bleue*** ⟨*inv*⟩ romantic; *tissu* ***à ~s*** floral, flowery; *fam, fig* ***comme une ~*** just like that; ***en ~(s)*** *plante* in bloom; ***être en ~(s)*** *jardin* to be full of flowers; *fam, fig* ***faire une ~ à qn*** to do sb a favor **2.** *fig* ***la (fine) ~*** the flower; ***à la ~ de l'âge*** in the prime of life
fleur[2] *prép* ***à ~ d'eau*** *rocher* just above the water; *fig* ***avoir une sensibilité f***

à ~ de peau to be hypersensitive
fleurer [flœʀe] *v/t* ***~ qc*** to smack of sth
fleuret [flœʀɛ] *m* SPORT foil
fleurette [flœʀɛt] *f* ***conter ~ à qn*** to woo sb
fleuri [flœʀi] *adj* 〈**~e**〉 **1.** *maison*, *table* decorated with flowers; *jardin* full of flowers; *balcon* covered in flowers **2.** *tissu* floral, flowery **3.** *fig teint* florid; *style* flowery
► **fleurir** [flœʀiʀ] **I** *v/t* ***~ qc*** to decorate sth with flowers **II** *v/i* **1.** *plantes* to flower, to bloom **2.** *fig* to flourish
fleuriste [flœʀist] *m/f* **1.** *marchand* florist's **2.** *métier* florist
fleuron [flœʀõ] *m* ***le plus beau ~ de*** the jewel of
► **fleuve** [flœv] *m* **1.** river **2.** *adjt* river *épith*
flexibilité [flɛksibilite] *f* TECH flexibility *a fig*
flexible [flɛksibl] *adj* flexible *a fig*
flexion [flɛkjõ] *f* **1.** TECH flexion **2.** *du bras*, *du genou* flexing; *exercice* bend **3.** LING inflection
flexionnel [flɛksjɔnɛl] *adj* 〈**~le**〉 LING *langue*, *forme* inflected
flic [flik] *fam m* cop *fam*
flingue [flɛ̃g] *m fam* gun; piece *fam*
flinguer [flɛ̃ge] *fam* **I** *v/t* ***~ qn*** to shoot sb; to blow sb away *fam* **II** *v/pr* ***se flinguer*** to shoot o.s; to blow one's brains out *fam*
flipper[1] [flipe] *fam v/i* **1.** (*être déprimé*) to be down *fam* **2.** (*paniquer*) to freak out *fam*
flipper[2] [flipœʀ] *m* pinball machine; ***jouer au ~*** to play pinball
fliquer [flike] *fam v/t* ***~ qn*** to keep sb under surveillance
flirt [flœʀt] *m* **1.** flirtation **2.** *personne* boyfriend, girlfriend **flirter** *v/i* to flirt
F.L.N. [ɛfɛlɛn] *m*, *abr* (= **Front de libération nationale**) National Liberation Front
floc [flɔk] *int* splash
flocon [flɔkõ] *m* flake; ***~s d'avoine*** oatmeal (+ *v sg*); ***~ de neige*** snowflake
floconneux [flɔkɔnø] *adj* 〈**-euse** [-øz]〉 *nuage* fleecy; *neige* powdery
flonflons [flõflõ] *mpl* brass band music (+ *v sg*)
flop [flɔp] *m* flop
flopée [flɔpe] *fam f* ***une ~ de*** a whole load of *fam*
floraison [flɔʀɛzõ] *f* **1.** flowering, blooming **2.** *fig de talents*, *idées* flowering; *d'activités* growth
floral [flɔʀal] *adj* 〈**~e; -aux** [-o]〉 floral
floralies [flɔʀali] *fpl* flower show (+ *v sg*)
flore [flɔʀ] *f* flora (*a* MÉD)
florilège [flɔʀilɛʒ] *m* anthology
florin [flɔʀɛ̃] *m* HIST florin
florissait [flɔʀisɛ] → ***fleurir***
florissant [flɔʀisɑ̃] *adj* 〈**-ante** [-ɑ̃t]〉 flourishing, thriving
flot [flo] *m* **1.** *pl* ***~s*** waves **2.** *marée* flood-tide; *fig de lettres*, *réfugiés* flood; *de visiteurs*, *questions* stream; ***couler à ~s*** to flow freely **3.** MAR ***à ~*** buoyant; ***remettre qc à ~*** to refloat sth; *fig* to put sth back on its feet
flottage [flɔtaʒ] *m* drive
flottaison [flɔtɛzõ] *f* MAR ***ligne f de ~*** waterline
flottant [flɔtɑ̃] *adj* 〈**-ante** [-ɑ̃t]〉 **1.** floating; ***glaces ~es*** ice floes **2.** *fig* irresolute, uncertain **3.** *capitaux*, *monnaie* floating
flotte [flɔt] *f* **1.** MAR, AVIAT fleet **2.** *fam* (*eau*) water
flottement [flɔtmɑ̃] *m* **1.** (*indécision*) wavering **2.** *d'une monnaie* floating
flotter [flɔte] **I** *v/i* **1.** to float (***sur l'eau*** on the water) **2.** *drapeau* to fly; *cheveux* to stream out; *brume* to drift; *parfum dans la pièce* to hang; ***elle flotte dans sa robe*** her dress is hanging off her **3.** *roues* to shimmy **4.** *monnaie* to float **II** *v/imp fam* ***il flotte*** it's raining
flotteur [flɔtœʀ] *m* TECH float
flottille [flɔtij] *f* flotilla
flou [flu] **I** *adj* 〈**~e**〉 **1.** *photo* blurred; *souvenirs* hazy; *coiffure* soft **2.** *fig concept*, *pensée* vague **II** *m* fuzziness; *fig* vagueness
flouer [flue] *fam v/t* to cheat; to con *fam*
flouse [fluz] *m fam* → ***fric***
fluctuant [flyktɥɑ̃] *adj* 〈**-ante** [-ɑ̃t]〉 *personne*, *temps* fickle; *prix* fluctuating
fluctuation [flyktɥasjõ] *f* fluctuation
fluctuer *v/i* to fluctuate
fluet [flyɛ] *adj* 〈**-ette** [-ɛt]〉 *personne* slight; *jambes*, *voix* thin
fluide [flɥid, flyid] **I** *adj* **1.** *huile*, *sang* fluid **2.** *fig circulation*, *style* flowing **II** *m* **1.** PHYS fluid **2.** (*rayonnement*) powers (+ *v pl*)
fluidifier [flɥidifje] *v/t* to thin; *par ext trafic routier* to ease the flow of
fluidité [flɥidite] *f* **1.** *du sang*, *etc* fluidity **2.** *fig du style* fluency; ***~ de la circula-***

tion free flow of traffic

fluor [flyɔʀ] *m* fluoride

fluorescent [flyɔʀesɑ̃] *adj* ⟨**-ente** [-ɑ̃t]⟩ fluorescent; ***tube ~*** fluorescent tube

flûte [flyt] *f* **1.** flute; ***~ à bec*** recorder **2.** ***~ à champagne*** champagne flute **3.** *pain* thin baguette **4.** *int* darn it *fam*

flûté [flyte] *adj* ⟨**~e**⟩ *voix* piping

flûteau [flyto] *m* ⟨**~x**⟩ *ou* **flûtiau** [flytjo] *m* ⟨**~x**⟩ reed pipe

flûtiste [flytist] *m/f* flautist

fluvial [flyvjal] *adj* ⟨**~e; -aux** [-o]⟩ *plaine* fluvial; *bassin*, *transport* river *épith*; ***port ~*** river port

fluviomètre [flyvjɔmɛtʀ] *m* water level gauge

flux [fly] *m* **1.** MÉD flow; ***~ menstruel*** menstrual flow **2.** MAR flood tide; ***le ~ et le reflux*** the flood tide and ebb tide; *fig* the ebb and flow **3.** PHYS flux; *fig* flood, influx

F.M. [ɛfɛm] *f*, *abr* (= **modulation de fréquence**) FM

F.M.I. [ɛfɛmi] *m*, *abr* (= **Fonds monétaire international**) IMF

F.N. [ɛfɛn] *m*, *abr* (= **Front national**) National Front

F.O. [ɛfo] *f*, *abr* (= **Force ouvrière**) *French trade union*

foc [fɔk] *m* jib

focal [fɔkal] *adj* ⟨**~e; -aux** [-o]⟩ PHYS focal; ***distance ~e*** focal length

focaliser [fɔkalize] *v/t* **1.** PHYS to focus **2.** *fig* to focus (***sur*** on)

fœtus [fetys] *m* fetus

fofolle [fɔfɔl] *adj* → ***foufou***

▶ **foi** [fwa] *f* **1.** faith; ***de bonne ~*** genuine, bona fide (*a* JUR); ***être de bonne ~*** to be genuine; ***abuser de la bonne ~ de qn*** to abuse sb's trust; ***mauvaise ~*** insincerity; ***de mauvaise ~*** insincere; *int* ***ma ~ oui*** well, yes; ***digne de ~*** trustworthy; ***sur la ~ de*** on the evidence of; ***ajouter ~ à qc*** to lend credence to sth; ***avoir ~ en qn*** to have faith in sb; ***faire ~ de qc*** to prove sth **2.** REL faith; ***avoir la ~*** to be a believer; ***n'avoir ni ~ ni loi*** to fear neither God nor man

▶ **foie** [fwa] *m* liver; ***~ gras*** foie gras; *pop*, *fig* ***avoir les ~s*** to have the jitters *fam*

▶ **foin** [fwɛ̃] *m* **1.** AGR hay; ***rhume*** *m* ***des ~s*** hay fever **2.** *fam* ***faire du ~*** (*faire du bruit*) to make a racket *fam*; (*se fâcher*) to kick up a fuss *fam*

foire [fwaʀ] *f* **1.** (*exposition*) fair **2.** (*marché*) fair **3.** (*fête foraine*) carnival, *brit* funfair **4.** *fam*, *fig* ***c'est la ~ ici*** it's a madhouse in here *fam*; ***faire la ~*** to live it up *fam*

foirer [fwaʀe] *v/i* to be a disaster

foireux [fwaʀø] *adj* ⟨**-euse** [-øz]⟩ *fam projet* half-baked *fam*; *coup* bungled

▶ **fois** [fwa] *f* time; ▶ ***une fois*** once; ***une autre fois*** another time; ***une bonne fois*** *ou* ***une fois pour toutes*** once and for all; ***une fois sur deux*** every other time; ***en une fois*** in one go; ***encore une fois*** once more, once again; ***il était une fois ...*** once upon a time, there was ...; ***cette fois(-ci)*** this time; ***pour la dernière fois*** for the last time; ***bien des fois*** many times; ***trois fois quatre (font) douze*** three times four equals twelve; ***deux fois plus grand, petit*** twice as big, small; ***dix fois plus*** ten times more; *fig* ***c'est trois fois rien*** it's nothing at all; ▶ ***à la fois*** at once, at the same time; *fam* ***des fois*** (*parfois*) sometimes; (*par hasard*) in case; ***(à) chaque fois, toutes les fois que ...*** every time (that); ***une fois que ...*** once ...

foison [fwazõ] ***à ~*** in abundance

foisonnant [fwazɔnɑ̃] *adj* ⟨**-ante** [-ɑ̃t]⟩ ***~ de*** teeming with

foisonnement [fwazɔnmɑ̃] *m* proliferation; *de personnes* crowds (+ *v pl*)

foisonner [fwazɔne] *v/i* **1.** to abound; *plantes* to be plentiful **2.** ***~ de, en*** to have an abundance of; ***~ d'idées*** to be full of ideas

fol [fɔl] *adj* → ***fou***

folâtre [fɔlɑtʀ] *adj* playful **folâtrer** *v/i* to romp around

folichon [fɔliʃõ] *adj* ⟨**-onne** [-ɔn]⟩ ***c'est pas (très) ~*** it's not much fun

▶ **folie** [fɔli] *f* (*déraison*) madness; (*acte déraisonnable*) act of folly ***~ furieuse*** utter madness; ***~ des grandeurs*** delusions of grandeur (+ *v pl*); ***coup*** *m* ***de ~*** brainstorm; ***aimer qn à la ~*** to be crazy about sb *fam*; ***c'est de la ~*** its utter madness; ***c'est de la ~ douce*** *fam* it's crazy *fam*; *par ext* ***faire une ~*** to splash out *fam*

folio [fɔljo] *m* folio

folklo [fɔlklo] *adj*, *abr fam* → ***folklorique*** 2

folklore [fɔlklɔʀ] *m* **1.** folklore **2.** *fam*, *péj* razzmatazz *fam*, *péj*

folklorique [fɔlklɔʀik] *adj* **1.** folk *épith*; ***costume*** *m* ***~*** traditional costume; ***dan-***

se *f* **~** folk danse **2.** *fam*, *péj* eccentric, offbeat *fam*

folkloriste [fɔlklɔʀist] *m* folklore expert

folle [fɔl] *adj* → ***fou***

follement [fɔlmɑ̃] *adv fam aimer* madly; *drôle* terrifically; ***~ amoureux*** madly in love

follet [fɔlɛ] *adj* ***feu*** *m* **~** will-o'-the-wisp

follicule [fɔlikyl] *m* ANAT, BOT follicle

fomenter [fɔmɑ̃te] *v/t* ***~ qc*** to stir sth up

► **foncé** [fõse] *adj* ⟨**~e**⟩ dark; ***rouge ~*** ⟨*inv*⟩ dark red

foncer [fõse] ⟨**-ç-**⟩ **I** *v/t* **1.** CUIS to line **2.** ***~ qc*** *couleur* to make sth darker **II** *v/i* **1.** *bois* to turn darker; *cheveux* to get darker **2.** ***~ sur qn*** to charge at sb **3.** (*en*) *voiture fam* to tear along *fam*

fonceur [fõsœʀ] *fam m* go-getter *fam*

foncier [fõsje] *adj* ⟨**-ière** [-jɛʀ]⟩ **1.** *revenu* from land; ***impôt ~*** property tax **2.** (*inné*) intrinsic

foncièrement [fõsjɛʀmɑ̃] *adv* fundamentally

fonction [fõksjõ] *f* **1.** (*activité*) duties (+ *v pl*); (*poste*) post; ***~ publique*** civil service; ***appartement*** *m* ***de ~*** company apartment; ***entrer en ~(s)*** to take up one's post; ***être en ~*** to be in office; ***faire ~ de*** *personne* to act as; *choses* to serve as **2.** BIOL, TECH, MATH function **3.** ***en ~ de*** according to; ***être ~ de qc*** to vary according to sth

► **fonctionnaire** [fõksjɔnɛʀ] *m/f* civil servant

fonctionnalisme [fõksjɔnalism] *m* functionalism

fonctionnariser [fõksjɔnaʀize] *v/t* ***~ qn*** to make sb a state employee **fonctionnarisme** *m péj* officialdom

fonctionnel [fõksjɔnɛl] *adj* ⟨**~le**⟩ functional (*a* MÉD)

fonctionnement [fõksjɔnmɑ̃] *m* functioning; *d'une entreprise*, *d'un service* running

► **fonctionner** [fõksjɔne] *v/i* to work; ***faire ~ qc*** to work sth

fond [fõ] *m* **1.** *d'un récipient* bottom; *d'un lac*, *etc* bed; *d'une vallée* bottom; *d'une pièce* back; ***~ d'artichaut*** artichoke heart; ***chambre*** *f* ***du ~*** back bedroom; ***au ~*** basically; ***au ~ du couloir*** at the end of the corridor; ***au ~ du sac*** at the bottom of the bag; ***au ~ des bois, de l'eau*** in the depths of the wood, water; ***de ~ en comble*** from top to bottom; *fig personne* ***toucher le ~*** to hit rock bottom **2.** *dans une bouteille* drop **3.** *en peinture* background; *d'un tissu*, *d'un tableau* background; ***~ sonore*** background music; ***~ de robe*** slip; ***~ de teint*** make-up base, *brit* foundation **4.** *fig* essence; ***le ~ de sa pensée*** what he / she really thinks; ***le ~ du problème*** the root of the problem; ***article*** *m* ***de ~*** in-depth article; ***à ~*** in depth; ***respirer à ~*** to breathe deeply; ***à ~ de train*** at top speed; ***au ~, dans le ~*** in fact; ***aller au ~ des choses*** to get to the bottom of things; ***avoir un bon ~*** to be good at heart **5.** (***course*** *f* ***de***) **~** long-distance race; SKI cross-country ski race

fondamental [fõdamɑ̃tal] *adj* ⟨**~e; -aux** [-o]⟩ basic, fundamental

fondamentalement [fõdamɑ̃talmɑ̃] *adv* (*au fond*) fundamentally; (*totalement*) radically

fondant [fõdɑ̃] *adj* ⟨**-ante** [-ɑ̃t]⟩ **1.** *glace* melting **2.** *biscuit* which melts in the mouth; ***bonbon ~*** fondant

fondateur [fõdatœʀ] *m*, **fondatrice** [-tʀis] *f* founder

fondation [fõdasjõ] *f* **1.** CONSTR ***~s*** *pl* foundations **2.** (*création*) founding **3.** *de bienfaisance* foundation

fondé [fõde] **I** *adj* ⟨**~e**⟩ justified, legitimate **II ~**(***e***) *m*(*f*) ***de pouvoir***(***s***) *de personne* attorney; *de société* authorized representative

fondement [fõdmɑ̃] *m* foundation; ***dénué de ~, sans ~*** unfounded

► **fonder** [fõde] **I** *v/t* **1.** (*créer*) to found **2.** *œuvre de bienfaisance* to found; *prix* to establish **3.** *fig* ***~ qc sur qc*** to base sth on sth; ***être fondé sur qc*** to be based on sth **II** *v/pr* ***se ~ sur qc*** *théorie* to be based on sth; *personne* to base o.s. on sth

fonderie [fõdʀi] *f* foundry **fondeur** *m* **1.** *ouvrier* foundry worker **2.** SKI cross-country skier

► **fondre** [fõdʀ] ⟨→ **rendre**⟩ **I** *v/t* **1.** *métal*, *etc* to melt down **2.** *statue* to cast **3.** *fig* (*mélanger*) to combine **II** *v/i* **1.** *glace*, *neige* to melt; *sucre*, *graisse* to dissolve; *fig* ***~ en larmes*** to dissolve into tears, *p/fort* to burst into tears; ***faire ~*** *glace*, *beurre* to melt; *sucre* to dissolve **2.** *fig argent* to vanish; *personne* to waste away **3.** ***~ sur*** to descend on; *malheur* to overwhelm **III** *v/pr* ***se ~*** to blend in (***dans*** with)

fondrière [fõdʀijɛʀ] *f* pothole

fonds [fõ] *m* **1.** *pl* FIN funds, capital (+ *v sg*); *sg* (*collection*) collection; **~ *publics*** public funds; **~ *de roulement*** working capital; ***à ~ perdu*** at a loss; *fam* ***être en ~*** to be in funds *fam* **2. ~ *de commerce*** business, good will

fondu [fõdy] **I** *adj* ⟨**~e**⟩ melted; ***neige ~e*** slush **II** *m* **1.** FILM **~ *enchaîné*** cross fading **2.** PEINT blending

fondue [fõdy] *f* fondue; **~ *bourguignonne*** meat fondue

fongicide [fõʒisid] *m* fungicide

font [fõ] → ***faire***

► **fontaine** [fõtɛn] *f* fountain

fontanelle [fõtanɛl] *f* ANAT fontanel

fonte [fõt] *f* **1.** (*liquéfaction*) melting; **~ *des neiges*** (spring) thaw **2.** TECH casting **3.** *fer* smelting; ***en ~*** cast-iron *épith*

fonts [fõ] *mpl* **~ *baptismaux*** baptismal font (+ *v sg*)

► **foot** [fut] *m fam* → ***football***

► **football** [futbol] *m* football; **~ *américain*** American football

footballeur [futbolœʀ] *m*, **footballeuse** [-øz] *f* footballer

footing [futiŋ] *m* jogging; ***faire du ~*** to go jogging

for [fɔʀ] *m* ***en, dans mon, son***, *etc* **~ *intérieur*** in my, his, *etc* heart of hearts

forage [fɔʀaʒ] *m* drilling; *de puits* sinking

forain [fɔʀɛ̃] **I** *adj* ⟨**-aine** [-ɛn]⟩ carnival *épith*, fairground *épith*; ***fête ~e*** carnival, *brit* funfair **II** *m* travelling showman

forçage [fɔʀsaʒ] *m* AGR forcing

forçat [fɔʀsa] *m* convict

► **force** [fɔʀs] *f* **1.** strength; PHYS force; ***tour*** *m* ***de force*** tour de force; ***travail*** *m* ***de force*** heavy work (+ *v sg*); ***être à bout de force*** to be drained; ***dans la force de l'âge*** in the prime of life; ***de toutes mes, ses***, *etc* ***forces*** with all my, his, *etc* strength; ► ***à force de faire*** by doing; ***à force de patience*** by dint of patience; *fig* ***être une force de la nature*** to be human dynamo; ***exiger qc avec force*** to demand sth firmly **2.** (*contrainte*) force; (***cas*** *m* ***de***) ***force majeure*** force majeure; ***par la force des choses*** through force of circumstance; ***à toute force*** at all costs; ***de force, par*** (***la***) ***force*** by force **3.** *pl* ***forces*** MIL forces; ***forces de l'ordre*** forces of law and order; *fig* ***en force*** in force

forcé [fɔʀse] *adj* ⟨**~e**⟩ **1.** (*imposé*) forced; ***atterrissage ~*** forced landing **2.** *sourire* forced **3.** ***c'est ~!*** (*inévitable*) there's no way round it!

forcement [fɔʀsəmɑ̃] *m d'une serrure, d'un passage* forcing

► **forcément** [fɔʀsemɑ̃] *adv* ***être ~*** to be bound to be; ***pas ~*** not necessarily

forcené [fɔʀsəne] **I** *adj* ⟨**~e**⟩ *fou* deranged; *fig chasseur, partisan* fanatical; *activité* frenzied **II** *m* maniac

forceps [fɔʀsɛps] *m* forceps (+ *v pl*)

forcer [fɔʀse] ⟨**-ç-**⟩ **I** *v/t* **1.** ***forcer qc*** *serrure, porte* to force sth; *barrage de police* to break through sth **2.** ***forcer qn à faire qc*** to force sb to do sth; ***forcer la main à qn*** to force sb's hand **3.** *admiration* to command **II** *v/i* to overdo it **III** *v/pr* ► ***se forcer*** to force o.s. (***à faire qc*** to do sth)

forcing [fɔʀsiŋ] *m* SPORT pressure; *fam, fig* ***faire le*** *ou* ***du ~*** to put the pressure on

forcir [fɔʀsiʀ] *v/i* to get stronger; *personne* to put on weight

forer [fɔʀe] *v/t trou* to drill; *puits* to sink; *objet* to drill

forestier [fɔʀɛstje] **I** *adj* ⟨**-ière** [-jɛʀ]⟩ *massif* forested; *industrie* timber *épith*; *chemin, espèce* forest *épith* **II** *m* forestry worker

foret [fɔʀɛ] *m* drill

► **forêt** [fɔʀɛ] *f* forest

► **Forêt-Noire** [fɔʀɛnwaʀ] ***la ~*** the Black Forest

foreuse [fɔʀøz] *f* drill

forfait [fɔʀfɛ] *m* **1.** COMM fixed rate **2.** ***déclarer ~*** SPORT to withdraw; *fig* to give up **3.** *litt* (*crime*) hideous crime

forfaitaire [fɔʀfɛtɛʀ] *adj prix* all-inclusive; *taxe* flat-rate *épith*; ***tarif ~*** flat rate

forfanterie [fɔʀfɑ̃tʀi] *f* bragging

forge [fɔʀʒ] *f* forge

forgé [fɔʀʒe] *adj* ⟨**~e**⟩ *métal* wrought; ***fer ~*** wrought iron

forger [fɔʀʒe] *v/t* ⟨**-ge-**⟩ **1.** to forge **2.** *fig expression* to coin

forgeron [fɔʀʒəʀõ] *m* blacksmith

formage [fɔʀmaʒ] *m* TECH forming

formaliser [fɔʀmalize] **I** *v/t* to formalize **II** *v/pr* ***se ~*** to take offense (***de*** at)

formaliste [fɔʀmalist] *adj* formalistic; *personne* formal

formalité [fɔʀmalite] *f* formality; ***ce n'est qu'une simple ~*** it's just a formality

format [fɔʀma] *m* format

formatage [fɔʀmataʒ] *m* INFORM formatting

formater [fɔʀmate] *v/t* INFORM to format

formateur [fɔʀmatœʀ] *adj* ⟨**-trice** [-tʀis]⟩ formative

▶ **formation** [fɔʀmasjõ] *f* **1.** (*développement*) formation (*a* BIOL, MIL, GÉOL) **2.** (*instruction*) training; *scolaire* education; **~ *permanente* ou *continue*** continuing education; **~ *professionnelle*** professional training **3.** POL *d'un gouvernement*, *d'un parti* forming

▶ **forme** [fɔʀm] *f* form (*a* GRAM, JUR, SPORT, *etc*); *d'un objet* shape, form; ***formes*** *pl d'une femme* figure (+ *v sg*); ***dans les ~s*** in the correct manner; ***de pure ~*** purely formal; ***en bonne*** (***et due***) **~** in due form; ***en ~ de*** in the shape of; ***pour la ~*** as a matter of form; ***sous ~ de*** in the form of; ***sous toutes ses ~s*** in all its forms; SPORT, *fig* ▶ ***être en*** (***pleine***) **~** to be in (great) form, to be in good shape; ***prendre ~*** to take shape

formé [fɔʀme] *adj* ⟨**~e**⟩ *jeune fille* fully developed

formel [fɔʀmɛl] *adj* ⟨**~le**⟩ **1.** *ordre*, *interdiction*, *etc* strict; *refus* categorical; *preuve* definite; *personne* ***être ~*** to be categorical **2.** (*de pure forme*) formal

formellement [fɔʀmɛlmɑ̃] *adv* **1.** *nier* categorically; *interdire* strictly **2.** (*en considérant la forme*) formally

▶ **former** [fɔʀme] **I** *v/t* **1.** *équipe* to form **2.** (*constituer*) to form, to constitute **3.** *apprenti*, *personnel* to train; *goût*, *esprit*, *caractère* to develop **II** *v/pr* ***se ~*** to form

formica® [fɔʀmika] *m* formica®

▶ **formidable** [fɔʀmidabl] *adj* **1.** (*énorme*) enormous **2.** (*épatant*) great; terrific

formique [fɔʀmik] *adj* ***acide m ~*** formic acid

formol [fɔʀmɔl] *m* formalin

formulaire [fɔʀmylɛʀ] *m* *document* form

formulation [fɔʀmylasjõ] *f* wording

formule [fɔʀmyl] *f* **1.** formula (*a* MATH, CHIM, *etc*); **~ *magique*** magic formula; **~ *de politesse*** polite phrase; *dans une lettre* letter ending **2.** *de vacances*, *de voyage*, *etc* option; *de paiement* method **3.** SPORT **~ *1*** Formula 1

formuler [fɔʀmyle] *v/t réponse* to formulate; *vœux*, *craintes* to express; *objection* to voice

forniquer [fɔʀnike] *v/i* REL, *plais* to fornicate

forsythia [fɔʀsisja] *m* forsythia

▶ **fort** [fɔʀ] **I** *adj* ⟨**forte** [fɔʀt]⟩ **1.** *personne*, *vent*, *fromage*, *monnaie*, *odeur* strong; *coup* heavy; *voix* loud; *fièvre* high; *pluie* heavy; ***~e tête*** rebel; ***au sens ~ du mot*** in the fullest sense of the word; ***ça a été plus ~ que moi*** I couldn't help it; ***se faire ~*** ⟨*inv*⟩ ***de faire qc*** to claim one can do sth **2.** (*corpulent*) *personne* stout; *poitrine* large **3.** (*doué*) good (***en*** at); ***être ~ en maths*** to be good at math; ***il a trouvé plus ~ que lui*** he's met his match **4.** *somme d'argent* large **5.** *fig*, *fam* ***c'est un peu ~!*** that's a bit much!; *iron* ***le plus ~, c'est que ...*** the best bit is that ... *iron* **II** *adv* **1.** *frapper* hard; *fam*, *fig* ***y aller ~*** (*exagérer*) to go over the top *fam*; ***parler ~*** to speak loudly **2.** (*très*) extremely; ***il aura ~ à faire pour*** *+inf* he'll have a lot to do *+inf*, he'll have his work cut out *+inf* **III** *m* **1.** strong person; *fig* ***c'est un ~ en anglais*** he's good at English; *iron* ***un ~ en thème*** a grind *péj*, *brit* a swot *péj* **2.** *d'une personne* strong point **3.** ***au plus ~ de*** *de l'été* at the height of; *du combat* in the thick of **4.** MIL fort

fortement [fɔʀtəmɑ̃] *adv* *critiquer* strongly; *baisser* sharply; *pousser* hard

forteresse [fɔʀtəʀɛs] *f* fortress

fortifiant [fɔʀtifjɑ̃] *m* tonic

fortifications [fɔʀtifikasjõ] *fpl* fortifications

fortifier [fɔʀtifje] *v/t* **1.** to strengthen **2.** MIL to fortify

fortuit [fɔʀtɥi] *adj* ⟨**-uite** [-ɥit]⟩ (*par hasard*) chance *épith*; (*imprévu*) unexpected

fortuitement [fɔʀtɥitmɑ̃] *adv* fortuitously

▶ **fortune** [fɔʀtyn] *f* **1.** (*richesses*) fortune; ***faire ~*** to make a *ou* one's fortune **2.** (*destinée*) fortune; (*chance*) luck; ***faire contre mauvaise ~ bon cœur*** to make the best of a bad job; ***manger à la ~ du pot*** to take pot luck **3.** ***de ~*** *construction* makeshift; *compagnon* chance *épith*

fortuné [fɔʀtyne] *adj* ⟨**~e**⟩ wealthy

forum [fɔʀɔm] *m* forum

fosse [fos] *f* **1.** pit; ***~ aux lions*** BIBL lions' den; (*au zoo*) lions' enclosure; ***~ d'orchestre*** orchestra pit **2.** ***~ commune*** communal grave **3.** GÉOL trench **4.** ***~s***

nasales nasal passages, nasal fossae *t/t*
fossé [fɔse] *m* **1.** ditch **2.** *fig* gulf; *plus grave* rift
fossette [fosɛt] *f* dimple
fossile [fosil] **I** *adj* fossil *épith* **II** *m* GÉOL fossil *a fig*, *péj*
fossoyeur [foswajœʀ] *m* gravedigger
► **fou** [fu] **I** *adj* ⟨**fol** [fɔl]; *f* **folle** [fɔl]⟩ **1.** *idée*, *tentative*, *rumeur* crazy, mad; *espoir* mad, wild; *regard* crazed; *vitesse* crazy; ***tireur ~*** crazed gunman; ***devenir ~*** to go mad *ou* crazy; *fam* ***il n'est pas ~*** he's no fool; ***être tout ~*** to be totally crazy; ***être ~ de joie*** to be beside oneself with joy, to be wild with joy **2.** ***être ~ de qn*** to be crazy about sb, to be madly in love with sb; ***être ~ de qc*** to be crazy about sth, to be mad about sth **3.** *fam* (*énorme*) huge; (*incroyable*) incredible; *prix* ridiculous; ***un argent ~*** *gagner*, *payer* a fortune; ***un succès ~*** a huge success; ***il y avait un monde ~*** there was a huge crowd **4.** *herbes* rank; *mèche de cheveux* stray **II** *subst* **1.** ***~, folle*** *m/f* madman, madwoman; ***pauvre ~*** poor fool; ***~ du volant*** reckless driver, *brit* speed merchant; ***maison*** *f* ***de ~s*** lunatic asylum, madhouse *fam*; *fam* ***vie*** *f* ***de ~*** mad life; ***faire le ~*** to act the fool **2.** *m* HIST fool, jester **3.** *m* ÉCHECS bishop **4.** *fam* ***une folle*** (*un homosexuel*) a queen *fam*
foudre [fudʀ] *f* **1.** lightning; ***frappé par la ~*** struck by lightning; ***la ~ est tombée sur l'immeuble*** the building was struck by lightning **2.** *fig* ***coup*** *m* ***de ~*** love at first sight **3.** *fig* ***~s*** *pl* wrath (+ *v sg*)
foudroyant [fudʀwajɑ̃] *adj* ⟨**-ante** [-ɑ̃t]⟩ **1.** *succès* huge **2.** *maladie* devastating
foudroyer [fudʀwaje] *v/t* ⟨**-oi-**⟩ **1.** *personne* ***être foudroyé*** to be struck by lightning **2.** *fig maladie* ***~ qn*** to strike sb down; ***~ qn du regard*** to give sb a withering look
fouet [fwɛ] *m* **1.** whip; ***coup*** *m* ***de ~*** whip lash; *fig remède* ***donner un coup de ~ à qc, qn*** to give a boost to sth, to perk sb up **2.** ***de plein ~*** *heurter* head-on **3.** CUIS whisk
Fouettard [fwɛtaʀ] *adj* ***père ~*** bogeyman
fouetter [fwete] *v/t* **1.** to whip, to flog **2.** CUIS to whisk **3.** *pluie* ***~ qc*** to lash sth
foufou [fufu] *adj* ⟨**fofolle** [fɔfɔl]⟩ *fam* nutty *fam*
fougère [fuʒɛʀ] *f* fern
fougue [fug] *f* passion, spirit
fougueux [fugø] *adj* ⟨**-euse** [-øz]⟩ *personne* fiery; *cheval* spirited
fouille [fuj] *f* **1.** ARCHÉOLOGIE ***~s*** *pl* dig (+ *v sg*), excavations **2.** *de gens*, *de bagages* search **3.** *fam* (*poche*) pocket
fouillé [fuje] *adj* ⟨**~e**⟩ detailed
fouiller [fuje] **I** *v/t* **1.** *gens*, *bagages* to search **2.** ARCHÉOLOGIE to excavate **II** *v/i* **1.** to rummage (***dans*** in *or* through) **2.** ARCHÉOLOGIE to excavate
fouillis [fuji] *fam m* (*désordre*) mess; *d'idées* jumble
fouine [fwin] *f* stone marten
fouiner [fwine] *v/i* to nose around *fam*
fouineur [fwinœʀ] *fam*, **fouineuse** [-øz] *fam* **I** *m/f* snooper *fam*, nosy parker *fam* **II** *adj* nosy *fam*
fouir [fwiʀ] *v/t animal* to root around, to burrow
fouisseur [fwisœʀ] *adj* ⟨**-euse** [-øz]⟩ ZOOL *animaux* burrowing
foulage [fulaʒ] *m* **1.** *du raisin* pressing **2.** TEXT fulling
foulant [fulɑ̃] *adj* ⟨**-ante** [-ɑ̃t]⟩ **1.** TECH ***pompe ~e*** force pump **2.** *fam travail* ***pas très ~*** not exactly tiring
foulard [fulaʀ] *m* scarf; *couvrant la tête* headscarf
► **foule** [ful] *f* **1.** *de gens* crowd **2.** ***la ~*** the crowds (+ *v pl*) **3.** ***une ~ de*** lots of, loads of *fam*
foulée [fule] *f* **1.** stride; SPORT ***dans la ~ de qn*** in sb's slipstream **2.** *fig* ***dans la ~, elle …*** while she was at it, she …
fouler [fule] **I** *v/t* **1.** *litt sol* to set foot on; *fig* ***~ aux pieds*** to trample underfoot **2.** *raisins* to press **3.** *drap* to full; *cuir* to tumble **II** *v/pr* **1.** ***se ~ la cheville*** to twist one's ankle **2.** *fam*, *fig* ***ne pas se ~*** not to strain oneself *fam*
foulque [fulk] *f* coot
foultitude [fultityd] *f fam* ***une ~ de*** loads *ou* oodles of *fam*
foulure [fulyʀ] *f* sprain
► **four** [fuʀ] *m* **1.** oven; ***~ à micro-ondes*** microwave (oven); ***faire qc au ~*** to bake sth **2.** TECH kiln **3.** ***petits fours*** *pl* petits fours **4.** THÉ flop *fam*, turkey *fam*; ***faire un four*** to flop *fam*
fourbe [fuʀb] *litt adj* deceitful **fourberie** *litt f* deceitfulness
fourbi [fuʀbi] *m* **1.** *fam* (*affaires*) gear *fam*; stuff *fam* **2.** *fam* (*fouillis*) mess *fam*
fourbir [fuʀbiʀ] *v/t* to burnish
fourbu [fuʀby] *adj* ⟨**~e**⟩ exhausted

fourche [fuʀʃ] *f* AGR pitchfork; *de vélo, d'une route* fork
fourcher [fuʀʃe] *v/i* **1.** *cheveux* to split **2.** ***sa langue a fourché*** it was a slip of the tongue
▶ **fourchette** [fuʀʃɛt] *f* **1.** fork **2.** *d'âge, de prix* bracket
fourchu [fuʀʃy] *adj* ⟨**~e**⟩ *arbre* forked; *cheveu* split; *langue* forked; ***pied ~** du diable* cloven hoof
fourgon [fuʀgõ] *m* **1.** AUTO van; ***~ mortuaire*** hearse **2.** CH DE FER car, *brit* wagon
fourgonner [fuʀgɔne] *v/i fam* to poke around *fam* (***dans*** in)
fourgonnette [fuʀgɔnɛt] *f* small van
fourguer [fuʀge] *v/t fam* ***~ qc à qn*** to sell sth to sb
fourme [fuʀm] *f* blue-veined cheese
▶ **fourmi** [fuʀmi] *f* ant; *fig* ***j'ai des ~s dans les jambes*** I have pins and needles in my legs
fourmilier [fuʀmilje] *m* anteater **fourmilière** *f* ant hill
fourmillement [fuʀmijmɑ̃] *m* **1.** *d'insectes* swarming; *de détails* welter **2.** *dans les membres* pins and needles
fourmiller [fuʀmije] *v/i* ***~ de*** to be swarming with; ***les fautes fourmillent dans ce document*** this document is riddled with mistakes
fournaise [fuʀnɛz] *f* **1.** furnace **2.** *fig endroit* oven
fourneau [fuʀno] *m* ⟨**~x**⟩ **1.** ***'haut ~*** blast furnace **2.** *de cuisine* stove
fournée [fuʀne] *f* batch *a fig*
fourni [fuʀni] *adj* ⟨**~e**⟩ **1.** ***bien ~*** well stocked (***en*** with) **2.** *chevelure* thick
fournil [fuʀni] *m* bakehouse
fournir [fuʀniʀ] **I** *v/t* **1.** ***~ qn*** to supply sb (***en qc*** with sth) **2.** *marchandises* to supply (***à qn*** to sb); ***~ qc à qn*** to provide sb with sth; *moyens financiers, occasion, travail* to provide; *certificat, dossier* to supply; *preuve, alibi* to provide; *exemple* to give **II** *v/pr* ***se ~ chez qn*** to buy from sb, to shop at sb's (place)
fournisseur [fuʀnisœʀ] *m* **1.** supplier; ***~ d'accès Internet*** Internet service provider, ISP **2.** (*marchand*) retailer
fourniture [fuʀnityʀ] *f* **1.** supply **2.** ***~s*** *pl* supplies; ***~s scolaires*** school stationery
fourrage [fuʀaʒ] *m* forage; ***~ sec*** fodder
fourrager¹ [fuʀaʒe] *v/i* ⟨**-ge-**⟩ *fam* to rummage (***dans*** through)
fourrager² [fuʀaʒe] *adj* ⟨**-ère** [-ɛʀ]⟩ fodder *épith*
fourragère [fuʀaʒɛʀ] *f* MIL shoulder braid, fourragère *t/t*
fourré¹ [fuʀe] *m* thicket
fourré² *adj* ⟨**~e**⟩ **1.** CUIS filled (***à qc*** with sth) **2.** *vêtement* lined **3.** *fig* ***coup ~*** dirty trick
fourreau [fuʀo] *m* ⟨**~x**⟩ **1.** *d'un parapluie* cover; *d'une épée* scabbard **2.** *robe* sheath dress
fourrer [fuʀe] **I** *v/t* **1.** *fam* (*faire entrer*) to put, to stick *fam* (***dans*** in) **2.** *fam* (*placer sans soin*) to stick *fam*, to shove *fam* **3.** *vêtement* to line **4.** *bonbons* to fill **II** *v/pr fam* ***se ~ dans, sous qc*** (*se cacher*) to get into, under sth; *fam* ***se ~ dans qc*** to get mixed up in sth; *fam, fig* ***se ~ qc dans la tête*** *idée* to get sth into one's head
fourre-tout [fuʀtu] *fam m* ⟨*inv*⟩ carry-all, *brit* holdall
fourreur [fuʀœʀ] *m* furrier
fourrière [fuʀjɛʀ] *f* **1.** *pour voitures* pound; ***mettre en ~*** to impound **2.** *pour animaux* pound
▶ **fourrure** [fuʀyʀ] *f* COUT fur; ZOOL (*pelage*) coat
fourvoiement [fuʀvwamɑ̃] *litt m* going astray
fourvoyer [fuʀvwaje] *v/pr* ⟨**-oi-**⟩ ***se ~*** **1.** to lose one's way (***dans*** in) **2.** *fig* to make a mistake
foutaise [futɛz] *f fam* (total) crap *pop*
foutoir [futwaʀ] *m pop* mess, shambles *fam*
foutre [futʀ] ⟨**je fous, il fout, nous foutons; je foutais**; *pas de passé simple*; **je foutrai; que je foute; foutant; foutu**⟩ *pop* **I** *v/t* **1.** (*faire*) to do; ***qu'est-ce que tu fous?*** what the hell are you doing? *fam*; ***je n'en ai rien à ~*** I don't give a damn *fam*; I don't give a shit *pop*; ***ça la fout mal*** that really won't look good **2.** (*donner*) *fam* to give; *fam* ***~ un coup à qn*** to give sb a wallop *fam*; *fam* ***~ la paix à qn*** to get out of sb's face *fam* **3.** (*jeter*) *fam* to put, to shove *fam*; ***~ qn à la porte*** to kick sb out *fam*; ***va te faire ~!*** go to hell! *fam*; fuck off! *pop* **II** *v/pr* **1.** ***se ~ de qc, de qn*** (*ne pas se soucier de*) *fam* not to give a damn about sth, about sb, not to give a shit about sth, about sb *pop*; ***je m'en fous*** *fam* I don't give a damn *fam*, I don't give a shit *pop* **2.** ***se ~ de qn*** (*tourner en dérision*) to make

fun of sb, to take the piss out of sb *pop* **3.** ***se ~ dans une sale affaire*** to get tangled up in some dirty business
foutrement [futʀəmɑ̃] *adv fam* damn *fam*; *brit* bloody *fam*
foutu [futy] *pop pp*→ ***foutre*** *et adj* ⟨**~e**⟩ → ***fichu²***
fox-terrier [fɔkstɛʀje] *m* ⟨**fox-terriers**⟩ fox terrier
foyer [fwaje] *m* **1.** (*âtre*) hearth; TECH fireplace; *par ext* (*feu*) (area) of fire **2.** (*domicile familial*) home; ADMIN household **3.** *pour travailleurs* club; *résidentiel* hostel; ***~ d'étudiants*** students' hostel **4.** THÉ foyer **5.** OPT focus; *lunettes **à double ~*** bifocal **6.** *d'incendie* seat; *fig* center, seat **7.** MÉD *d'infection*, *d'épidémie* source
frac [fʀak] *m* morning coat
fracas [fʀaka] *m d'une chute*, *du tonnerre* crash; (*vacarme*) din
fracassant [fʀakasɑ̃] *adj* ⟨**-ante** [-ɑ̃t]⟩ **1.** *bruit* deafening **2.** *fig* staggering; *plus négatif* shattering
fracasser [fʀakase] **I** *v/t* to smash **II** *v/pr* ***se ~*** to smash (***contre*** against)
fraction [fʀaksjõ] *f* **1.** MATH fraction **2.** (*partie*) *d'une population* section; *d'une somme* part; ***en une ~ de seconde*** in a split second **3.** *dans un parti* faction
fractionnaire [fʀaksjɔnɛʀ] *adj **nombre** m ~* fractional number
fractionnel [fʀaksjɔnɛl] *adj* ⟨**~le**⟩ POL divisive
fractionnement [fʀaksjɔnmɑ̃] *m* **1.** division; *d'un parti* fragmentation **2.** CHIM fractionation
fractionner [fʀaksjɔne] **I** *v/t* to divide (up); *parti* to split **II** *v/pr **se ~*** to split
fractionnisme [fʀaksjɔnism] *m* factionalism
fractionniste [fʀaksjɔnist] POL **I** *adj* divisive **II** *m* factionalist
▶ **fracture** [fʀaktyʀ] *f* MÉD fracture (*a* GÉOL); *sociale* divide
fracturer [fʀaktyʀe] **I** *v/t porte* to break open; *serrure* to force **II** *v/pr **se ~ le bras**, etc* to fracture one's arm
▶ **fragile** [fʀaʒil] *adj* **1.** *verre*, *etc* fragile **2.** *personne*, *constitution* frail; *estomac* delicate **3.** *fig bonheur*, *esprit* fragile
fragiliser [fʀaʒilize] *v/t* to weaken
fragilité [fʀaʒilite] *f* fragility (*a fig*, MÉD)
fragment [fʀagmɑ̃] *m* **1.** *d'une œuvre* passage **2.** *d'os*, *d'un texte* fragment
fragmentaire [fʀagmɑ̃tɛʀ] *adj* fragmentary; *connaissances* patchy
fragmentation [fʀagmɑ̃tasjõ] *f* fragmentation; *fig* splitting up **fragmenter** *v/t* to split up
fragrance [fʀagʀɑ̃s] *litt f* fragrance
fraîche [fʀɛʃ] *adj* → ***frais¹***
fraîchement [fʀɛʃmɑ̃] *adv* **1.** (*récemment*) recently **2.** *accueillir* coolly
fraîcheur [fʀɛʃœʀ] *f* **1.** *d'aliments*, *du teint*, *de la jeunesse* freshness **2.** *fig d'un accueil* coolness
fraîchir [fʀɛʃiʀ] *v/i* **1.** *vent* to freshen **2.** *temps* to become cooler
▶ **frais¹** [fʀɛ] **I** *adj* ⟨**fraîche** [fʀɛʃ]⟩ **1.** *air*, *vent*, *nuit* fresh **2.** *fig accueil* cool **3.** *aliment*, *traces*, *teint* fresh; ***légumes ~*** fresh vegetables; ***peinture fraîche!*** wet paint! **4.** *fam **nous voilà ~!*** we're in a real mess! *fam* **II** *adv **il fait ~*** it's cool; ***servir ~*** serve chilled **III** *subst* **1.** *m **mettre qc au ~*** to put sth in a cool place; ***prendre le ~*** to get a breath of fresh air **2.** *f **à la fraîche*** in the cool of the morning *or* evening
▶ **frais²** *mpl* expenses; ***faux ~*** incidental expenses; ***~ généraux*** overhead (+ *v sg*), *brit* overheads; ***~ professionnels*** professional expenses; ***~ de déplacement*** travel expenses; ***~ d'entretien*** maintenance costs; ***aux ~ de qn*** at sb's (own) expense; ***à grands ~*** at great expense; *fig **en être pour ses ~*** to get nothing for one's trouble; ***faire des ~*** *personne* to spend a lot of money; *entreprise* to incur costs; ***rentrer dans ses ~*** to cover one's costs; ***faire les ~ de qc*** to bear the brunt of sth; *fig **faire les ~ de la conversation*** to be the subject of conversation; (*parler seul*) to do most of the talking; ***se mettre en ~*** to go to great expense; *fig* to put oneself out
▶ **fraise** [fʀɛz] *f* **1.** strawberry; ***~s des bois*** wild strawberries; *fam*, *fig **sucrer les ~s*** to be doddery *fam* **2.** TECH countersink (bit); *de dentiste* drill **3.** COUT ruff
fraiser [fʀeze] *v/t* TECH to countersink
fraiseur [fʀɛzœʀ] *m ouvrier* cutter **fraiseuse** *f machine* milling machine
fraisier [fʀɛzje] *m* strawberry plant
▶ **framboise** [fʀɑ̃bwaz] *f* raspberry
framboisier [fʀɑ̃bwazje] *m* raspberry bush
▶ **franc¹** [fʀɑ̃] *m monnaie en Suisse* franc; HIST *en France*, *en Belgique* franc

franc² [fʀɑ̃] *adj* ⟨**franche** [fʀɑ̃ʃ]⟩ **1.** (*sincère*) frank, candid; ***jouer ~ jeu*** to play fair; *par ext* ***franche hostilité*** open hostility **2.** (*libre*) free; ***coup ~*** free kick; ***zone franche*** free zone
franc³ [fʀɑ̃] HIST **I** *adj* ⟨**franque** [fʀɑ̃k]⟩ Frankish **II** ***Francs*** *mpl* Franks
► **français** [fʀɑ̃sɛ] **I** *adj* ⟨**-aise** [-ɛz]⟩ French; ***acheter ~*** to buy French goods **II** *subst* **1.** ***Français*** *m* Frenchman; ***les Français*** the French **2.** *langue* ***le ~*** French **3.** ***Française*** *f* Frenchwoman
► **France** [fʀɑ̃s] ***la ~*** France
France 2 [fʀɑ̃sdø] *second state-owned French TV channel*
Franche-Comté [fʀɑ̃ʃkõte] ***la ~*** Franche-Comté *region in eastern France*
► **franchement** [fʀɑ̃ʃmɑ̃] *adv* **1.** (*sincèrement*) frankly; ***~!*** really! **2.** (*nettement*) really **3.** (*courageusement*) *taper* hard; ***vas-y ~!*** go right ahead!
franchir [fʀɑ̃ʃiʀ] *v/t frontière, ligne d'arrivée, mers* to cross; *obstacle* to get over; *en athlétisme* to clear; *fig* to overcome; *distance* to cover
franchisage [fʀɑ̃ʃizaʒ] *m* COMM franchising
franchise [fʀɑ̃ʃiz] *f* **1.** (*sincérité*) frankness, candor **2.** FIN, COMM franchise; *dans une assurance* deductible, *brit* excess
franchissable [fʀɑ̃ʃisabl] *adj obstacle* surmountable; *col de montagne* passable **franchissement** *m d'un obstacle* surmounting; *en athlétisme* clearing; *d'une frontière, d'un fleuve* crossing
francilien [fʀɑ̃siljɛ̃] *adj* ⟨**-ienne** [-jɛn]⟩ *of ou from the Île de France*
franciscain [fʀɑ̃siskɛ̃] **I** *adj* ⟨**-aine** [-ɛn]⟩ Franciscan **II** ***~(e)*** *m(f)* Franciscan
franciser [fʀɑ̃size] *v/t* to gallicize, to frenchify *fam, péj*
franc-maçon [fʀɑ̃masõ] **I** *m* ⟨**francs-maçons**⟩ Freemason **II** *adj* ⟨**franc-maçonne** [fʀɑ̃masɔn]⟩ Masonic
franc-maçonnerie [fʀɑ̃masɔnʀi] *f* Freemasonry
franco [fʀɑ̃ko] *adv* **~ (*de port*)** postage paid, carriage paid
franco-… [fʀɑ̃ko] *adj* Franco- …; ► ***franco-allemand*** Franco-German
franco-français *adj* ⟨**-aise**⟩ specifically French
François [fʀɑ̃swa] *m* Francis
francophile [fʀɑ̃kɔfil] **I** *adj* francophile **II** *m/f* francophile
francophilie [fʀɑ̃kɔfili] *f* francophilia
francophobe [fʀɑ̃kɔfɔb] *adj* francophobe **francophobie** *f* francophobia
francophone [fʀɑ̃kɔfɔn] *adj* French-speaking **francophonie** *f* French-speaking areas (+ *v pl*)
franc-parler [fʀɑ̃paʀle] *m* ***avoir son ~*** to speak one's mind
franc-tireur [fʀɑ̃tiʀœʀ] *m* ⟨**francs-tireurs**⟩ **1.** MIL sniper **2.** *fig* maverick
frange [fʀɑ̃ʒ] *f* **1.** *bordure* fringe **2.** *cheveux* bangs (+ *v pl*), *brit* fringe **3.** *fig* (*minorité*) fringe group
franger [fʀɑ̃ʒe] *v/t* ⟨**-ge-**⟩ to fringe
frangin [fʀɑ̃ʒɛ̃] *fam m* brother; *plais* bro' *fam* **frangine** *fam f* sister; *plais* sis *fam*
frangipane [fʀɑ̃ʒipan] *f* frangipane
franglais [fʀɑ̃glɛ] *m* franglais *mixture of French and English*
franquette [fʀɑ̃kɛt] *fam* ***à la bonne ~*** simply
frappant [fʀapɑ̃] *adj* ⟨**-ante** [-ɑ̃t]⟩ striking
frappe [fʀap] *f* **1.** *action* typing; *en informatique* keying; ***faute*** *f* ***de ~*** typing error; *en informatique* keying error **2.** *de la monnaie* striking **3.** ***force*** *f* ***de ~*** strike force; (*armements*) nuclear weapons (+ *v pl*) **4.** *fam* ***une petite ~*** a thug, a hoodlum *fam*
frappement [fʀapmɑ̃] *m* striking
► **frapper** [fʀape] **I** *v/t* **1.** to hit, to strike; ***~ qn au visage*** to hit sb in the face **2.** *fig malheur* ***~ qn*** to hit sb; *maladie* to strike sb down **3.** *taxe : marchandises* to be imposed on; *loi, mesure* ***~ qn*** to hit sb (hard) **4.** (*étonner*) ***~ qn*** to strike sb; *positivement* to impress sb **5.** *boisson* ***frappé*** chilled; *café* iced **6.** *monnaie* to strike **II** *v/i* **~ (*à la porte*)** to knock on the door; ***~ dans ses mains*** to clap (one's hands) **III** *v/pr fam, fig* ***se ~*** to get worked up *fam*
frappeur [fʀapœʀ] *adj, m* ***esprit ~*** poltergeist
frasque [fʀask] *f* escapade
fraternel [fʀatɛʀnɛl] *adj* ⟨**~le**⟩ brotherly, fraternal
fraternisation [fʀatɛʀnizasjõ] *f* fraternization **fraterniser** *v/i* to fraternize (***avec*** with)
► **fraternité** [fʀatɛʀnite] *f* fraternity
fratricide [fʀatʀisid] **I** *adj* fratricidal; ***guerre*** *f* ***~*** fratricidal war **II** *m/f* fratri-

cide
fraude [fʀod] *f* fraud; *à un examen* cheating **~ *électorale*** electoral fraud; **~ *fiscale*** tax avoidance; ***passer qc en ~*** to smuggle sth in *or* out
frauder [fʀode] **I** *v/t* to defraud; ***~ le fisc*** to avoid paying tax **II** *v/i* to cheat; *dans le bus, le métro* not to pay one's fare
fraudeur [fʀodœʀ] *m* cheat; *dans le bus, le métro* fare-dodger
frauduleux [fʀodylø] *adj* ⟨**-euse** [-øz]⟩ fraudulent
frayer [fʀeje] ⟨**-ay-** *ou* **-ai-**⟩ **I** *v/t chemin, fig voie* to clear **II** *v/i* **~ *avec qn*** to mix with sb **III** *v/pr* ***se ~ un chemin, un passage à travers*** to make one's way through
frayeur [fʀɛjœʀ] *f* fright
fredaine [fʀədɛn] *f* escapade
fredonnement [fʀədɔnmɑ̃] *m* humming (+ *v sg*) **fredonner** *v/t* to hum
free-lance [fʀilɑ̃s] *adj* freelance
freezer [fʀizœʀ] *m* freezer compartment
frégate [fʀegat] *f* **1.** MAR frigate **2.** ZOOL frigate bird
▶ **frein** [fʀɛ̃] *m* **1.** AUTO brake; **~ *à main*** handbrake; ***donner un coup de ~*** to brake; **2.** *fig* ***donner un coup de ~ à qc*** to put a brake on sth; ***mettre un ~ à qc*** *développement* to put a brake on sth; *émotion, tendance* to curb sth; ***ronger son ~*** to champ at the bit
freinage [fʀɛnaʒ] *m* braking
▶ **freiner** [fʀene] **I** *v/t fig ambition* to curb; *qn* to restrain **II** *v/i* to brake
frelater [fʀəlate] *v/t vin* to adulterate
frêle [fʀɛl] *adj* **1.** (*délicat*) frail **2.** (*faible*) *structure* flimsy
frelon [fʀəlõ] *m* hornet
freluquet [fʀəlykɛ] *m péj* whippersnapper *péj*
frémir [fʀemiʀ] *v/i* **1.** *feuillage* to quiver; *eau chaude* to simmer **2.** *personne* to tremble, to shake
frémissant [fʀemisɑ̃] *adj* ⟨**-ante** [-ɑ̃t]⟩ trembling (***de colère**, etc* with rage, *etc.*)
frémissement [fʀemismɑ̃] *m* trembling
french cancan [fʀɛnʃkɑ̃kɑ̃] *m danse* cancan
frêne [fʀɛn] *m* ash (tree)
frénésie [fʀenezi] *f* frenzy; ***avec ~*** frenziedly
frénétique [fʀenetik] *adj* frenetic **frénétiquement** *adv applaudir* wildly; *danser* frenziedly
fréquemment [fʀekamɑ̃] *adv* frequently
fréquence [fʀekɑ̃s] *f* frequency (*a* PHYS)
▶ **fréquent** [fʀekɑ̃] *adj* ⟨**-ente** [-ɑ̃t]⟩ frequent
fréquentable [fʀekɑ̃tabl] *adj personne* ***peu ~*** disreputable, undesirable
fréquentatif [fʀekɑ̃tatif] *m* LING frequentative
fréquentation [fʀekɑ̃tasjõ] *f des musées* visiting; THÉ, *des cours* attending; ***la ~ des gens*** associating with people; ***avoir de mauvaises ~s*** to keep bad company
fréquenté [fʀekɑ̃te] *adj* ⟨**~e**⟩ *route* busy; *lieu* popular; ***un quartier mal ~*** an area with a bad reputation
fréquenter [fʀekɑ̃te] **I** *v/t* **1.** *cours, école* to attend; *musée, etc* to visit; *cafés, clubs* to go regularly to; to frequent *form* **2.** ***~ qn*** to go around with sb, to associate with sb; (*courtiser*) to go out with sb **II** *v/pr* ***se ~*** to see one another; *couple* to go out together
▶ **frère** [fʀɛʀ] *m* **1.** brother; ***~ et sœur*** brother and sister **2.** *fig* brother (*a* REL); ***faux ~*** false friend; ***partis*** *mpl* ***~s*** sister parties
fresque [fʀɛsk] *f* **1.** PEINT fresco; ***~s*** *pl* frescoes **2.** *fig* panorama
fret [fʀɛ] *m* freight; ***~ aérien*** air freight; ***prendre à ~*** *navire* to charter
fréteur [fʀətœʀ] *m* charterer
frétillant [fʀetijɑ̃] *adj* ⟨**-ante** [-ɑ̃t]⟩ *poisson* wriggling; *personne* vivacious
frétiller [fʀetije] *v/i poisson* to wriggle; *personne* to quiver (***d'impatience*** with impatience); *chien* ***~ de la queue*** to wag its tail
fretin [fʀətɛ̃] *m fig* ***menu ~*** small fry
freudien [fʀødjɛ̃] *adj* ⟨**-ienne** [-jɛn]⟩ PSYCH Freudian
friable [fʀijabl] *adj* crumbly, friable *form*
friand [fʀijɑ̃] **I** *adj* ⟨**-ande** [-ɑ̃d]⟩ ***être ~ de qc*** to be very fond of sth *fig* **II** *m* puff-pastry pie *with a savory filling*
friandises [fʀijɑ̃diz] *fpl* delicacies
fric [fʀik] *m fam* (*argent*) money, dough *fam, brit* dosh *fam*
fricassée [fʀikase] *f* fricassee
fricasser [fʀikase] *v/t* to fricassee
fricative [fʀikativ] *f* fricative
friche [fʀiʃ] *f* AGR fallow land; ***en ~*** fallow
fricotage [fʀikɔtaʒ] *fam m* fiddling *fam*
fricoter [fʀikɔte] *fam* **I** *v/t* ***~ qc*** to be up

to sth *fam* **II** *v/i* (*fréquenter*) to knock around with *fam*; (*trafiquer*) to be on the fiddle *fam*

fricoteur [fʀikɔtœʀ] *m fam* crook, swindler

friction [fʀiskjõ] *f* **1.** (*massage*) rubdown; *de la tête* scalp massage **2.** TECH friction *a fig*

frictionner [fʀiksjɔne] *v/t* to massage

frigidaire® [fʀiʒidɛʀ] *m* refrigerator

frigide [fʀiʒid] *adj* frigid **frigidité** *f* frigidity

▶ **frigo** [fʀigo] *fam m* icebox, *brit* fridge

frigorifié [fʀigɔʀifje] *fam adj* ⟨**~e**⟩ *personne* freezing *fam* **frigorifier** *v/t aliment* to refrigerate

frigorifique [fʀigɔʀifik] *adj* refrigerated; ***camion** m* **~** refrigerated truck, *brit* refrigerated lorry

frileux [fʀilø] *adj* ⟨**-euse** [-øz]⟩ **1.** sensitive to the cold; ***être*** **~** to feel the cold **2.** *fig* timid

frimas [fʀimɑ] *poét mpl* rime *t/t*; wintry weather

frime [fʀim] *f fam* show, pretense; ***pour la*** **~** for show

frimer [fʀime] *v/i fam* to show off **frimeur** *m*, **frimeuse** *f fam* show-off; *prétentieux* poser *fam*

frimousse [fʀimus] *fam f* cute little face *fam*

fringale [fʀɛ̃gal] *fam f* ***avoir la*** **~** to be ravenous

fringant [fʀɛ̃gɑ̃] *adj* ⟨**-ante** [-ɑ̃t]⟩ **1.** *cheval* spirited **2.** *personne* dashing

fringuer [fʀɛ̃ge] *v/pr fam* ***se*** **~** to dress

fringues [fʀɛ̃g] *fpl fam* clothes, gear *fam* (+ *v sg*)

friper [fʀipe] *v/t* to crumple

friperie [fʀipʀi] *f* **1.** (*vieux habits*) secondhand clothes **2.** (*boutique*) secondhand clothes store, *brit* secondhand clothes store

fripes [fʀip] *fam fpl* secondhand clothes

fripon [fʀipõ] *fam* **I** *adj* ⟨**-onne** [-ɔn]⟩ mischievous **II** **~(*ne*)** *m*(*f*) rascal

fripouille [fʀipuj] *fam f* rascal

frire [fʀiʀ] ⟨*déf*: **je fris, il frit; je frirai; frit**⟩ *v/t et v/i* (***faire***) **~** to fry

Frisbee® [fʀizbi] *m* Frisbee®

frise [fʀiz] *f* frieze

frisé [fʀize] *adj* ⟨**~e**⟩ **1.** *cheveux* curly; *personne* curly-haired **2.** ***chou*** **~** curly endive

friser [fʀize] **I** *v/t* **1.** *cheveux* to curl **2.** **~ *le ridicule***, *etc* to be bordering on the ridiculous, *etc.*; **~ *la soixantaine*** to be getting on for sixty **II** *v/i cheveux* to curl; *personne* to have curly hair

frisette [fʀizɛt] *f* little curl

frison [fʀizõ] **I** *adj* ⟨**-onne** [-ɔn]⟩ Frisian; AGR Friesian **II** ***Frison*(*ne*)** *m*(*f*) Frisian

frisottant [fʀizɔtɑ̃] *adj* ⟨**-ante** [-ɑ̃t]⟩ *ou* **frisotté** [fʀizɔte] *adj* ⟨**~e**⟩ *cheveux* curly

frisotter [fʀizɔte] *v/i* to be curly

frisquet [fʀiskɛ] *fam adj* ⟨**-ette** [-ɛt]⟩ nippy *fam*

frisson [fʀisõ] *m de froid*, *de fièvre*, *de plaisir* shiver; *d'horreur*, *de peur* shudder; MÉD **~*s*** *pl* (fit of) shivering (+ *v sg*); ***donner des*** **~*s à qn*** to give sb the shivers

frissonnant [fʀisɔnɑ̃] *adj* ⟨**-ante** [-ɑ̃t]⟩ *de froid* shivering; *d'horreur* shuddering **frissonnement** *m de peur* shivering; *d'horreur* shuddering; *des feuilles* quivering

frissonner [fʀisɔne] *v/i* **1.** *de froid* to shiver; *de peur* to shudder; *de plaisir* to tremble **2.** *eau* to simmer

frisure [fʀizyʀ] *f des cheveux* curls (+ *v pl*)

frit [fʀi] *pp*→ ***frire*** *et adj* ⟨**frite** [fʀit]⟩ fried; ***pommes de terre*** **~*es*** French fries, *brit* chips

frite [fʀit] *f* (French) fry, *brit* chip; ▶ ***frites*** *pl* fries, *brit* chips; *fam*, *fig* ***avoir la frite*** to be on form *fam*

friterie [fʀitʀi] *f* French fries stall, *brit* chip van **friteuse** *f* deep fryer

friture [fʀityʀ] *f* **1.** *graisse* oil *for frying* **2.** *poissons* small fried fish, *brit* whitebait **3.** RAD, TÉL interference, crackling

fritz [fʀits] *m fam*, *péj* kraut *fam*, *péj*, *brit* Jerry *fam*, *péj*

frivole [fʀivɔl] *adj* frivolous **frivolité** *f* frivolity

froc [fʀɔk] *m* **1.** REL habit **2.** *fam* (*pantalon*) pants, *brit* trousers

▶ **froid** [fʀwa] **I** *adj* ⟨**froide** [fʀwad]⟩ **1.** *temps*, *eau*, *lieu*, *etc* cold; ***boire*** **~** to have a cold drink **2.** (*insensible*, *indifférent*) cold; *accueil* cool; *colère* cold; ***cela me laisse*** **~** it leaves me cold; TECH ***à*** **~** from cold; ***démarrage** m **à*** **~** cold start **II** *m* cold; ***attraper, prendre*** **~** to catch a cold; ▶ ***avoir*** **~** to be cold; ***j'ai*** **~** I'm cold; *fig* ***n'avoir pas*** **~ *aux yeux*** to have plenty of nerve; *fig* ***battre froid à qn*** to give sb the cold shoulder; *fam*, *fig* ***je suis en*** **~ *avec elle*** there's a coolness between us; ***il fait*~** it's cold; *fam* ***il fait un ~ de canard*** it's freezing; *fig* ***jeter un ~*** to cast a chill

froidement [fʀwadmɑ̃] *adv accueillir* coolly; *tuer qn* in cold blood **froideur** *f* coldness; *d'accueil* coolness **froidure** *litt f* cold

froissement [fʀwasmɑ̃] *m* crumpling; (*bruit*) rustling

froisser [fʀwase] **I** *v/t* **1.** *tissu* to crease; *papier* to crumple **2.** (*vexer*) to offend, to hurt **II** *v/pr* **1.** *tissu, vêtement* ***se ~*** to crease **2.** ***se ~ un muscle*** to strain a muscle **3.** *personne* ***se ~*** to take offense

frôlement [fʀolmɑ̃] *m* brushing (***contre*** against)

frôler [fʀole] *v/t* **1.** (*effleurer*) to brush against **2.** (*raser*) *pierre* to graze; *oiseau* to skim **3.** *fig accident, etc* to come close to; *la mort* to have a brush with

▶ **fromage** [fʀɔmaʒ] *m* **1.** cheese; ***~ blanc*** fromage frais; ***~ fondu*** cheese spread; ***~ frais*** fromage frais; ***~ à pâte molle*** soft cheese **2.** ***~ de tête*** head cheese, *brit* brawn

fromager [fʀɔmaʒe] **I** *adj* ⟨**-ère** [-ɛʀ]⟩ cheese *épith* **II** *m* BOT kapok tree

fromagerie [fʀɔmaʒʀi] *f* cheese store; *rayon* cheese counter

froment [fʀɔmɑ̃] *m* wheat

fronce [fʀɔ̃s] *f* COUT gather

froncement [fʀɔ̃smɑ̃] *m* ***~ des sourcils*** frown

froncer [fʀɔ̃se] *v/t* ⟨**-ç-**⟩ **1.** ***~ les sourcils*** to frown **2.** COUT to gather

fronde [fʀɔ̃d] *f* **1.** (*arme*) sling **2.** HIST ***la Fronde*** the Fronde *rebellion against Mazarin*; *par ext* rebellion

frondeur [fʀɔ̃dœʀ] **I** *m* rebel **II** *adj* ⟨**-euse** [-øz]⟩ rebellious

▶ **front** [fʀɔ̃] *m* **1.** ANAT forehead; *st/s* ***avoir le ~ de faire qc*** to have the effrontery to do sth *st/s*; *fig* ***faire ~ à*** to face up to **2.** MIL, POL, MÉTÉO front; ***Front national*** Front national *extreme right-wing party*; ***au ~*** at the front **3.** ***~ de mer*** sea front **4.** ***de ~*** *se heurter* head-on *a fig*; *avancer* side by side; ***mener plusieurs activités de ~*** to have several activities on the go

frontal [fʀɔ̃tal] *adj* ⟨**~e; -aux** [-o]⟩ **1.** ANAT frontal **2.** ***collision ~e*** head-on collision

frontalier [fʀɔ̃talje] **I** *adj* ⟨**-ière** [-jɛʀ]⟩ border *épith* **II** *m* **1.** *habitant person who lives near the border* **2.** *travailleur* cross-border commuter

▶ **frontière** [fʀɔ̃tjɛʀ] *f* **1.** border, frontier; *fig* boundary; ***à la ~*** at the border **2.** *adj* ⟨*inv*⟩ border *épith*

frontispice [fʀɔ̃tispis] *m* **1.** title page **2.** frontispiece

fronton [fʀɔ̃tɔ̃] *m* pediment

frottage [fʀɔtaʒ] *m* rubbing; *du parquet* scrubbing

frottement [fʀɔtmɑ̃] *m* **1.** friction (*a* TECH); *mouvement, bruit* rubbing **2.** *fig* **~s** *pl* friction (+ *v sg*)

▶ **frotter** [fʀɔte] **I** *v/t* **1.** *son corps* to rub; *allumette* to strike **2.** *sol, parquet* to scrub; *cuivres, vitres* to polish **II** *v/i* **1.** to rub **III** *v/pr* **1.** ***se ~ les yeux*** to rub one's eyes; ***se ~ les mains*** to rub one's hands **2.** *fig* ***se ~ à qn*** *adversaire* to take sb on **3.** ***se ~ à qc*** *fam* to come up against sth; *prov* ***qui s'y frotte s'y pique*** that's just looking for trouble

frottis [fʀɔti] *m* **1.** PEINT scumble **2.** MÉD pap test, *brit* smear (test)

frottoir [fʀɔtwaʀ] *m d'une boîte d'allumettes* friction strip

frou-frou *ou* **froufrou** [fʀufʀu] *m* rustling sound

froufroutant [fʀufʀutɑ̃] *adj* ⟨**-ante** [-ɑ̃t]⟩ rustling **froufrouter** *v/i* to rustle

froussard [fʀusaʀ] *fam* **I** *adj* ⟨**-arde** [-aʀd]⟩ cowardly, chicken *fam* **II** **~(*e*)** *m(f)* chicken *fam*

frousse [fʀus] *f fam* fear; ***avoir la ~*** to be scared

fructifier [fʀyktifje] *v/i* **1.** *arbre* to bear fruit; *terre* to be productive **2.** FIN to yield a profit; ***faire ~*** *argent* to get a return on

fructose [fʀyktoz] *m* fructose

fructueux [fʀyktɥø] *adj* ⟨**-euse** [-øz]⟩ fruitful

frugal [fʀygal] *adj* ⟨**~e; -aux** [-o]⟩ frugal

frugalité [fʀygalite] *f* frugality

▶ **fruit** [fʀɥi] *m* **1.** fruit (+ *v sg*); ***un ~*** a piece of fruit; ▶ ***fruits*** fruit (+ *v sg*); ***fruits secs*** dried fruit (+ *v sg*) **2.** ▶ ***fruits de mer*** seafood (+ *v sg*) **3.** *fig* fruit; ***porter ses fruits*** to bear fruit

fruité [fʀɥite] *adj* ⟨**~e**⟩ fruity; ***goût ~*** fruity flavor

fruiterie [fʀɥitʀi] *f* fruit store, *brit* greengrocer's (shop)

fruitier [fʀɥitje] *adj* ⟨**-ière** [-jɛʀ]⟩ fruit seller, *brit* greengrocer

frusques [fʀysk] *fpl fam* gear *fam* (+ *v sg*), clothes

fruste [fʀyst] *adj* unpolished, unsophisticated
frustrant [fʀystʀɑ̃] *adj* ⟨**-ante** [-ɑ̃t]⟩ frustrating
frustration [fʀystʀasjõ] *f* frustration
frustrer [fʀystʀe] *v/t* **1.** to frustrate; ***frustré*** frustrated **2.** ***~ qn de qc*** to deprive sb of sth
fuchsia [fyʃja] *m* fuchsia
fuel [fjul] *m* fuel oil
fugace [fygas] *litt adj* fleeting **fugacité** *litt f* fleeting nature
fugitif [fyʒitif] **I** *adj* ⟨**-ive** [-iv]⟩ **1.** *personne* escaped **2.** (*fugace*) fleeting **II** **~, *fugitive*** *m/f* fugitive; (*enfant*) runaway
fugue [fyg] *f* **1.** MUS fugue **2.** *d'enfant* running away; ***faire une ~*** to run away
fugué [fyge] *adj* ⟨**~e**⟩ MUS fugato
fuguer [fyge] *v/i* to run away **fugueur** *m*, **fugueuse** *f* runaway (child)
► **fuir** [fɥiʀ] ⟨**je fuis, il fuit, nous fuyons; je fuyais; je fuis; je fuirai; que je fuie; fuyant; fui**⟩ **I** *v/t* ***~ qn, qc*** to avoid sb, sth **II** *v/i* **1.** to flee (***devant*** from); ***faire ~ qn*** to put *ou* scare sb off **2.** *liquide, gaz* to leak (***de*** from) **3.** *récipient* to leak; *robinet* to drip
► **fuite** [fɥit] *f* **1.** flight; *fig* ***~ en avant*** headlong rush; ***être en ~*** to be on the run; ***mettre en ~*** to put to flight; ***prendre la ~*** to take flight **2.** *fig* ***~ des capitaux*** flight of capital **3.** *de liquide, de gaz* leak **4.** (*fissure*) leak **5.** *fig* avoidance
fulgurant [fylgyʀɑ̃] *adj* ⟨**-ante** [-ɑ̃t]⟩ **1.** *idée* brilliant **2.** *douleur* searing **3.** (*rapide*) *vitesse* lightning *épith*; *progrès* dazzling
fulguration [fylgyʀasjõ] *f* **1.** lightning **2.** *fig et litt* fulguration *litt*
fuligineux [fyliʒinø] *adj* ⟨**-euse** [-øz]⟩ sooty; *flamme* smoky
fulminant [fylminɑ̃] *adj* ⟨**-ante** [-ɑ̃t]⟩ **1.** *personne, regard, lettre* furious **2.** CHIM fulminating
fulminer [fylmine] *v/i* to fulminate (***contre*** against)
fumage [fymaʒ] *m* **1.** *d'aliments* smoking **2.** AGR manuring
fumant [fymɑ̃] *adj* ⟨**-ante** [-ɑ̃t]⟩ **1.** smoking **2.** *fam* ***réussir un coup ~*** to pull off a master stroke
fumasse [fymas] *fam adj* fuming *fam*
fumé [fyme] *adj* ⟨**~e**⟩ **1.** *aliment* smoked **2.** ***verres ~s*** dark lenses
fume-cigarette [fymsigaʀɛt] *m* ⟨*inv*⟩ cigarette holder
► **fumée** [fyme] *f* smoke; ***~ épaisse*** thick smoke; *fig* ***partir en ~*** to go up in smoke *fig*
► **fumer** [fyme] **I** *v/t* **1.** *cigarette, etc* to smoke; ***défense de ~*** no smoking; ***arrêter de ~*** to quit smoking **2.** *aliment* to smoke **3.** AGR to manure **II** *v/i* **1.** *cheminée, etc* to smoke **2.** *personne* to smoke **3.** *soupe* to steam **4.** *fam être furieux* to fume *fam*
fûmes [fym] → ***être***[1]
fumet [fymɛ] *m* **1.** CUIS aroma **2.** (*odeur*) odor; CH scent
► **fumeur** [fymœʀ] *m*, **fumeuse** [fymøz] *f* smoker
fumeux [fymø] *adj* ⟨**-euse** [-øz]⟩ *fig* hazy
fumier [fymje] *m* **1.** AGR manure **2.** *injure pop* shit *fam*
fumigation [fymigasjõ] *f* MÉD, AGR *d'un lieu* fumigation
fumigène [fymiʒɛn] *adj* MIL smoke *épith*
fumiste [fymist] *m/f fam* ***c'est un ~*** he's a shirker
fumisterie [fymistəʀi] *fam f* farce, joke
fumoir [fymwaʀ] *m* **1.** *pour aliments* smokehouse **2.** smoking room
funambule [fynɑ̃byl] *m/f* tightrope walker
funambulesque [fynɑ̃bylɛsk] *adj projets* outlandish
funèbre [fynɛbʀ] *adj* **1.** (*funéraire*) funeral *épith*; ***pompes*** *fpl* ***~s*** funeral home, *brit* undertaker's **2.** *fig* gloomy; *voix* funereal
funérailles [fyneʀɑj] *fpl* funeral (+ *v sg*)
funéraire [fyneʀɛʀ] *adj* **1.** (*d'une tombe*) funerary **2.** (*d'enterrement*) funeral *épith*
funérarium [fyneʀaʀjɔm] *m* funeral parlor
funeste [fynɛst] *adj* fatal
funiculaire [fynikylɛʀ] *m* incline railway, *brit* funicular (railway)
fur [fyʀ] ***au ~ et à mesure*** as I/you, *etc.* go along; ***au ~ et à mesure que*** as
furax [fyʀaks] *fam adj* ⟨*inv*⟩ hopping mad *fam*
furent [fyʀ] → ***être***[1]
furet [fyʀɛ] *m* ZOOL ferret
fureter [fyʀte] *v/i* ⟨**-è-**⟩ to ferret around
fureteur [fyʀtœʀ] **1.** *m/f fam* **~, *fureteuse*** [-øz] nosy parker **2.** *m* INFORM browser

fureur [fyRœR] *f* **1.** fury, rage **2.** *fig* passion; ***faire ~*** to be all the rage
furibard [fyRibaR] *fam adj* ⟨**-arde** [-aRd]⟩ → ***furibond***
furibond [fyRibõ] *adj* ⟨**-bonde** [-bõd]⟩ livid, furious
furie [fyRi] *f* **1.** MYTH Fury; *fig* shrew *péj* **2.** (*fureur*) fury; ***en ~*** raging
▶ **furieux** [fyRjø] *adj* ⟨**-euse** [-øz]⟩ **1.** furious (***contre, de*** with, at) **2.** *fig* tremendous
furoncle [fyRõkl] *m* MÉD boil; furuncle *t/t*
furonculeux [fyRõkylø] *adj* ⟨**-euse** [-øz]⟩ **1.** furuncular **2.** *personne* covered with furuncles
furtif [fyRtif] *adj* ⟨**-ive** [-iv]⟩ **1.** *regard, geste* furtive **2.** ***avion ~*** stealth bomber
furtivement [fyRtivmɑ̃] *adv* furtively
fus [fy] → ***être***[1]
fusain [fyzɛ̃] *m* **1.** charcoal (pencil) **2.** (*dessin*) charcoal drawing
fusant [fyzɑ̃] *m* MIL air
fuseau [fyzo] *m* ⟨**~x**⟩ **1.** *pour filer* spindle **2.** (***pantalon*** *m*) **~** ski pants (+ *v pl*) **3.** ***~ horaire*** time zone
▶ **fusée** [fyze] *f* rocket
fuselage [fyzlaʒ] *m* AVIAT fuselage
fuselé [fyzle] *adj* ⟨**~e**⟩ spindle-shaped; *doigts, jambes* tapering
fuser [fyze] *v/i* **1.** CHIM to crackle **2.** *fig rires, cris* to ring out; *remarques* to come thick and fast
fusible [fyzibl] *m* fuse
▶ **fusil** [fyzi] *m* gun, rifle; ***~ à air comprimé*** air gun; ***~ de chasse*** hunting rifle; *à plomb* shotgun; ***coup*** *m* ***de ~*** gunshot; *fam, fig dans un restaurant* rip-off *fam*; *fig* ***changer son ~ d'épaule*** to change tactics
fusilier [fyzi(l)je] *m* ***~ marin*** marine
fusillade [fyzijad] *f* gunfire (+ *v sg*)
fusiller [fyzije] *v/t* **1.** to shoot *by firing squad* **2.** *fig* ***~ qn du regard*** to look daggers at sb
fusion [fyzjõ] *f* **1.** PHYS fusion **2.** ***~ nucléaire*** nuclear fusion **3.** ÉCON merger **4.** *fig* fusion
fusionner [fyzjɔne] *v/t & v/i* to merge
fusse [fys] → ***être***[1]
fustiger [fystiʒe] *v/t* ⟨**-ge-**⟩ to castigate
fut, fût[1] [fy] → ***être***[1]
fût[2] [fy] *m* **1.** *d'un arbre* bole **2.** *d'une colonne* shaft; *d'un fusil* stock **3.** (*tonneau*) cask
futaie [fytɛ] *f* plantation *producing timber from mature trees*
futé [fyte] *adj* ⟨**~e**⟩ cunning, crafty
fûtes [fyt] → ***être***[1]
futile [fytil] *adj* **1.** futile; *prétexte* trivial **2.** *personne* frivolous
futilité [fytilite] *f* **1.** futility **2.** *pl* **~s** trivialities
▶ **futur** [fytyR] **I** *adj* future **II** *subst* **1.** **~(*e*)** *m(f) fam* (*fiancé*[*e*]) intended *plais* **2.** *m* (*avenir*) future **3.** *m* GRAM future; ***~ antérieur*** future anterior
futurisme [fytyRism] *m* futurism **futuriste** *adj* futurist
futurologie [fytyRɔlɔʒi] *f* futurology **futurologue** *m* futurologist
fuyant [fɥijɑ̃] *adj* ⟨**-ante** [-ɑ̃t]⟩ *menton, front* receding; *regard* evasive
fuyard [fɥijaR] *m* runaway
fuyons [fɥijõ] → ***fuir***

G

G, g [ʒe] *m* ⟨*inv*⟩ G
g *abr* (= **gramme**) g
gabardine [gabaRdin] *f* gabardine
gabarit [gabaRi] *m* **1.** size; *d'une personne* build **2.** *fig* caliber, type
gabegie [gabʒi] *f* mismanagement
gabelle [gabɛl] *f* HIST salt tax, gabelle *t/t*
Gabon [gabõ] ***le ~*** Gabon
gâchage [gɑʃaʒ] *m du plâtre* mixing
▶ **gâcher** [gɑʃe] *v/t* **1.** *plâtre* to mix **2.** *fig* to spoil; *temps* to waste; *vie* to ruin; *travail* to bungle
gâchette [gɑʃɛt] *f* trigger; ***appuyer sur la ~*** to pull the trigger
gâcheur [gɑʃœR] *m*, **gâcheuse** [-øz] *f* wasteful person
gâchis [gɑʃi] *m* **1.** (*gaspillage*) waste **2.** (*désordre*) mess
gadget [gadʒɛt] *m* gadget
gadin [gadɛ̃] *m fam* ***prendre, ramasser un ~*** to fall flat on one's face
gadoue [gadu] *f* mud
gaélique [gaelik] *adj* Gaelic
gaffe [gaf] *f* **1.** *fam* (*maladresse*) blunder,

brit clanger *fam* **2.** *fam* ***faire ~*** to watch out **3.** MAR boathook
gaffer [gafe] *fam v/t* to gaff
gaffeur [gafœʀ] *m*, **gaffeuse** [-øz] *f fam* blunderer; *adjt* blundering
gag [gag] *m* gag
gaga [gaga] *adj fam* gaga *fam*, crazy
gage [gaʒ] *m* **1.** security; JEUX forfeit; ***mettre en ~*** to pawn; ***prêter sur ~*** to lend against security **2.** *fig* (*preuve*) token **3.** ***~s*** *pl* (*salaire*) wages
gager [gaʒe] *v/t* ⟨**-ge-**⟩ ***~ que …*** to wager that …
gageure [gaʒyʀ, *abus* gaʒœʀ] *f* challenge
gagnant [gaɲɑ̃] **I** *adj* ⟨**-ante** [-ɑ̃t]⟩ winning **II** ***~(e)*** *m(f)* winner
gagne-pain [gaɲpɛ̃] *m* ⟨*inv*⟩ livelihood
gagne-petit [gaɲpəti] *m* ⟨*inv*⟩ low-wage earner
► **gagner** [gaɲe] **I** *v/t* **1.** *en travaillant* to earn; ***bien gagné*** well-earned **2.** *jeu, guerre, procès* to win **3.** *temps, place* to save; *l'amitié de qn* to win; ***~ qn à une cause*** to win sb over to a cause **4.** *lieu* to reach **5.** *faim, sommeil* ***~ qn*** to overcome sb; *incendie* ***~ qc*** to spread to sth **II** *v/i* **1.** to win; ***~ par 2-0*** (***deux à zéro***) to win 2-0 (two-zero) **2.** (*s'améliorer*) ***~ à être connu*** to improve with acquaintance; ***~ en précision***, *etc* to gain in precision, *etc.* **3.** (*se propager*) to spread
gai [ge] *adj* ⟨***~e***⟩ **1.** cheerful; *couleur* bright **2.** (*un peu ivre*) tipsy
gaiement [gemɑ̃] *adv* cheerfully
gaieté [gete] *f* cheerfulness; ***ne pas faire qc de ~ de cœur*** not to be happy about doing sth
gaillard [gajaʀ] **I** *adj* ⟨**-arde** [-aʀd]⟩ **1.** (*alerte*) lively **2.** (*grivois*) bawdy **II** *m* **1.** strapping lad **2.** MAR *d'arrière* poop
gaîment → ***gaiement***
gain [gɛ̃] *m* **1.** (*profit*) gain; *par ext* ***~ de temps, de place*** time-, space-saving **2.** ***avoir*** *ou* ***obtenir ~ de cause*** to win one's case
gaine [gɛn] *f* **1.** *sous-vêtement* girdle **2.** *d'une épée*, *etc* sheath **3.** TECH sheath
gainer [gene] *v/t* to sheathe
gaîté → ***gaieté***
gala [gala] *m* gala; ***~ de bienfaisance*** charity gala
galactique [galaktik] *adj* galactic
galamment [galamɑ̃] *adv* → ***galant***
galant [galɑ̃] **I** *adj* ⟨**-ante** [-ɑ̃t]⟩ **1.** gallant; ***homme ~*** ladies' man **2.** (*amoureux*) romantic **II** *m plais* beau
galanterie [galɑ̃tʀi] *f* gallantry
galantine [galɑ̃tin] *f* galantine
galaxie [galaksi] *f* ASTROL **1.** galaxy **2.** ***la Galaxie*** the Galaxy
galbe [galb] *m* curve
galbé [galbe] *adj* ⟨***~e***⟩ rounded; *jambes* ***bien ~*** shapely
gale [gal] *f* **1.** MÉD scabies (+ *v sg*) **2.** VÉT mange **3.** *fig personne fam* rat *fam*
galère [galɛʀ] *f* **1.** MAR HIST galley **2.** *fam, fig* mess *fam*, hassle *fam*
galérer [galeʀe] *v/i* ⟨**-è-**⟩ *fam* to sweat *fam*
galerie [galʀi] *f* **1.** ARCH gallery **2.** gallery; ***~ de peinture*** art gallery **3.** ***~ marchande*** shopping mall, *brit* shopping arcade **4.** ***~s*** *pl* THÉ gallery (+ *v sg*); *fig* ***pour épater la ~*** to (try to) impress people, to show off **5.** (*tunnel*) gallery **6.** AUTO roofrack
galérien [galeʀjɛ̃] *m* HIST convict; galley slave
galeriste [galʀist] *m/f* gallery owner
galet [galɛ] *m* **1.** (*caillou*) pebble **2.** TECH wheel, roller
galette [galɛt] *f* **1.** *crêpe* pancake; ***~s bretonnes*** all-butter cookies; ***~ des Rois*** *cake eaten on 6 January to celebrate Twelfth Night* **2.** *fam* (*argent*) money, dough *fam*; → ***fric***
galeux [galø] *adj* ⟨**-euse** [-øz]⟩ **1.** *animal* mangy; *fig* ***brebis galeuse*** black sheep **2.** MÉD *personne* with scabies
galimatias [galimatja] *m* gibberish
galion [galjõ] *m* MAR HIST galleon
galipette [galipɛt] *fam f* somersault
galle [gal] *f* BOT gall
Galles [gal] ***le pays de ~*** Wales
gallicisme [galisism] *m* gallicism
gallinacés [galinase] *mpl* gallinacean
gallois [galwa] **I** *adj* ⟨**-oise** [-waz]⟩ Welsh **II** *subst* **1.** ***Gallois*** *m* Welshman **2.** *m* (*langue*) Welsh **3.** ***Galloise*** *f* Welshwoman
gallon [galõ] *m mesure de capacité* gallon
gallo-romain [galoʀɔmɛ̃] *adj* ⟨**-aine** [-ɛn]⟩ Gallo-Roman
galoche [galɔʃ] *f* clog; *fig* ***menton*** *m* ***en ~*** protruding chin
galon [galõ] *m* COUT braid; MIL stripe; *fig* ***prendre du ~*** to be promoted
galonné [galɔne] *adj* ⟨***~e***⟩ trimmed with braid **galonner** *v/t* to trim with braid

galop [galo] *m* gallop; **~ *d'essai*** *fig* trial run; ***au ~*** at a gallop
galopade [galɔpad] *f* **1.** gallop **2.** *fig* stampede
galopant [galɔpɑ̃] *adj* ⟨**-ante** [-ɑ̃t]⟩ *fig* galloping **galoper** *v/i* **1.** to gallop **2.** *fig* to dash around
galopin [galɔpɛ̃] *m* rascal
galvanisation [galvanizasjõ] *f* **1.** TECH galvanizing **2.** MÉD galvanization
galvaniser [galvanize] *v/t* TECH to galvanize (*a fig*)
galvauder [galvode] *v/t* *réputation* to sully; *talent* to debase
gamay [gamɛ] *m* gamay *type of grape*
gambade [gɑ̃bad] *f* skip **gambader** *v/i* to gambol
gambas [gɑ̃bas] *fpl* large prawns
gambe [gɑ̃b] *f* → ***viole***
gamberge [gɑ̃bɛʀʒ] *fam f* serious thought **gamberger** *fam v/i* ⟨**-ge-**⟩ to think hard
gambette [gɑ̃bɛt] *f fam* (*jambe*) leg
Gambie [gɑ̃bi] ***la ~*** the Gambia
gambiller [gɑ̃bije] *v/i fam* to jig around
Gameboy® [gɛmbɔj] *m ou f* Gameboy®
gamelle [gamɛl] *f* **1.** tin- dish, *brit* billy can; MIL mess tin **2.** *fam* ***ramasser une ~*** to come a cropper *fam*
gamète [gamɛt] *m* BIOL gamete
gamin [gamɛ̃], **gamine** [-in] **I** *m/f* kid *fam* **II** *adj* youthful; *péj* childish
gaminerie [gaminʀi] *f* childishness
gamma [ga(m)ma] *m lettre* gamma
gamme [gam] *f* **1.** MUS scale **2.** *fig* (*série*) range (*a* COMM) *adjt* ***bas de ~*** downscale, *brit* downmarket; ***'haut de ~*** top-of-the-line, *brit* top-of-the-range
gammée [game] *adj, f* ***croix ~*** swastika
ganache [ganaʃ] *f fam* (***vieille***) **~** (old) fool
Gand [gɑ̃] Ghent
gang [gɑ̃g] *m* gang
Gange [gɑ̃ʒ] ***le ~*** the Ganges
ganglion [gɑ̃glijõ] *m* ganglion
gangrène [gɑ̃gʀɛn] *f* **1.** MÉD gangrene **2.** *fig* canker
gangrener [gɑ̃gʀəne] *v/pr* ⟨**-è-**⟩ MÉD ***se ~*** to become gangrenous
gangreneux [gɑ̃gʀənø] *adj* ⟨**-euse** [-øz]⟩ gangrenous
gangster [gɑ̃gstɛʀ] *m* **1.** gangster **2.** *fig* crook
gangstérisme [gɑ̃gsteʀism] *m* gangsterism
gangue [gɑ̃g] *f* MINES gangue
ganse [gɑ̃s] *f* COUT braid **ganser** *v/t* to trim with braid
► **gant** [gɑ̃] *m* **1.** glove; ***gant de boxe*** boxing glove; ***aller à qn comme un gant*** *vêtement* to fit sb like a glove; *par ext* to suit sb down to the ground; *fam, fig* ***prendre des gants avec qn*** to handle sb with kid gloves; *fig* ***relever le gant*** to take up the gauntlet **2.** ► ***gant*** (***de toilette***) washcloth, *brit* facecloth
ganté [gɑ̃te] *adj* ⟨**~e**⟩ *personne* wearing gloves; *main* gloved
► **garage** [gaʀaʒ] *m* **1.** *abri* garage **2.** *atelier* garage
garagiste [gaʀaʒist] *m propriétaire* garage owner; *mécanicien* auto mechanic, *brit* car mechanic
garance [gaʀɑ̃s] *adj* ⟨*inv*⟩ bright red
garant [gaʀɑ̃] *m*, **garante** [-ɑ̃t] *f* JUR, POL guarantor; *par ext* guarantee; *fig* ***se porter garant, garante de qc*** to vouch for sth
garantie [gaʀɑ̃ti] *f* **1.** COMM warranty, guarantee; ***ma montre est encore sous ~*** my watch is still under warranty **2.** *par ext* guarantee; ***c'est sans ~*** there's no guarantee
garantir [gaʀɑ̃tiʀ] *v/t* **1.** *dette*, *droits* to guarantee *a* COMM; ***être garanti un an*** to be guaranteed for a year **2.** (*certifier*) to guarantee; ***~ le succès*** to guarantee success **3.** (*protéger*) to protect (***de*** from)
garce [gaʀs] *f fam, péj* bitch *fam, péj*
► **garçon** [gaʀsõ] *m* **1.** *enfant* boy **2.** (*jeune homme*) young man; guy *fam*; ***~ d'honneur*** best man; ***être beau ~*** to be good-looking **3.** ***mauvais ~*** tough guy *fam* **4.** ***vieux ~*** old bachelor **5.** ***~ coiffeur*** hairdresser's assistant; ***~ de courses*** messenger **6.** **~** (***de café***) waiter
garçonne [gaʀsɔn] *f* ***coiffure*** *f* ***à la ~*** urchin cut
garçonnet [gaʀsɔnɛ] *m* little boy
garçonnière [gaʀsɔnjɛʀ] *f* bachelor apartment, *brit* bachelor pad
garde[1] [gaʀd] *f* **1.** (*surveillance*) custody; ***~ à vue*** police custody; ***droit*** *m* ***de ~*** custody; ***avoir la ~ d'un enfant*** to have custody of a child **2.** (*attention*) ***mettre qn en ~*** to warn sb (***contre*** against); ***prendre ~*** to watch out (***à*** for); ***être sur ses ~s*** to be on one's guard **3.** *service* duty; MÉD duty period; ***pharmacie*** *f* ***de ~*** duty pharmacy, *brit* duty chemist's; MIL ***tour***

m **de ~** turn of duty; **être de ~** MIL to be on duty; MÉD to be on call; MIL ***monter la ~*** to mount guard **4.** (*soldats en faction*) guard **5.** *corps de troupe* guard; ***~ républicaine*** Republican Guard; *fig* ***la vieille ~*** the old guard **6.** ***page*** *f* ***de ~*** endpaper

garde[2] *m* **1.** guard; ***~ champêtre*** local police officer; ***~ forestier*** forest ranger; ***~ du corps*** bodyguard; ***~ des Sceaux*** French Minister of Justice **2.** MIL guard; ***~ mobile*** member of the security police

gardé [gaʀde] *adj* ⟨**~e**⟩ manned; ***chasse ~e*** preserve *a fig*

garde-à-vous [gaʀdavu] **I** *int* ***~!*** attention! **II** *m* ⟨*inv*⟩ ***se mettre au ~*** to stand to attention

garde-barrière [gaʀd(ə)baʀjɛʀ] *m/f* ⟨**gardes-barrière(s)**⟩ gateman, *brit* level crossing keeper

garde-boue [gaʀdəbu] *m* ⟨*inv*⟩ mudguard **garde-chasse** *m* ⟨**gardes-chasse(s)**⟩ gamekeeper

garde-chiourme [gaʀdəʃjuʀm] *m* ⟨**gardes-chiourme**⟩ HIST overseer; *fig* martinet **garde-côte** *m* ⟨**garde-côte(s)**⟩ coastguard vessel **garde-feu** *m* ⟨*inv*⟩ fireguard, fire screen **garde-fou** *m* ⟨**garde-fous**⟩ (*mur*) parapet; (*barrière*) railing **garde-malade** *m/f* ⟨**gardes-malades**⟩ home nurse **garde-manger** *m* ⟨*inv*⟩ larder, pantry **garde-meuble** *m* ⟨**garde-meuble(s)**⟩ furniture depository

gardénia [gaʀdenja] *m* BOT gardenia

garden-party [gaʀdɛnpaʀti] *f* ⟨**garden-parties**⟩ garden party

garde-pêche *m* ⟨*inv*⟩ game and fish warden, *brit* water bailiff

▶ **garder** [gaʀde] **I** *v/t* **1.** (*surveiller*) to guard; *vaches*, *etc* to look after; *bagages*, *boutique* to keep an eye on; ***~ un enfant*** to look after a child **2.** *provisions*, *documents*, *etc* to keep; *place* to save (***à qn*** for sb) **3.** *objet trouvé*, *etc* to keep; *habitude* to keep up; ***~ son chapeau, manteau*** to keep one's hat, coat on; ***~ qn à dîner*** *invité* to ask sb to stay for dinner; ***~ qc pour soi*** *secret* to keep sth to oneself **4.** *dans tel ou tel état* to keep; *fortune* to hold onto; *humeur* to keep; ***~ sa jeunesse*** to stay young; ***~ la tête froide*** to keep one's head **II** *v/pr* **1.** ***se ~ de qc*** to be wary of sth; ***se ~ de faire qc*** to be careful not to do sth **2.** *aliments* ***se ~*** to keep

garderie [gaʀdəʀi] *f* day care center, *brit* day nursery

garde-robe [gaʀdəʀɔb] *f* ⟨**garde-robes**⟩ (*armoire*, *vêtements*) wardrobe

garde-voie *m* ⟨**gardes-voie(s)**⟩ railroad guard, *brit* railway line guard

▶ **gardien** [gaʀdjɛ̃] *m*, **gardienne** [gaʀdjɛn] *f* **1.** *d'une usine*, *etc* security guard; *d'un immeuble* janitor, *brit* caretaker; *d'un zoo* keeper; *d'un parking* attendant ▶ ***gardien de but*** goalkeeper; ***gardien de la paix*** police officer **2.** *fig* (*défenseur*) guardian **3.** *adjt* ***ange gardien*** guardian angel

gardiennage [gaʀdjɛnaʒ] *m d'une usine*, *etc* security; *d'un immeuble* caretaking; ***société*** *f* ***de ~*** security company

gardon [gaʀdõ] *m poisson* roach; ***être frais comme un ~*** to be as fresh as a daisy

▶ **gare**[1] [gaʀ] *f* **1.** station; ***chef*** *m* ***de ~*** stationmaster; ***à la ~*** at the station; ***entrer en ~*** to arrive **2.** ***~ routière*** bus station, *brit* coach station

gare[2] *int* **1.** ***~ à toi!*** watch out! **2.** ***sans crier ~*** without any warning

garenne [gaʀɛn] *f* ***lapin*** *m* ***de ~*** wild rabbit

▶ **garer** [gaʀe] **I** *v/t* to park **II** *v/pr* **1.** ▶ ***se garer*** to park **2.** ***se garer de*** (*éviter*) to avoid

gargantuesque [gaʀgɑ̃tɥɛsk] *adj* gargantuan

gargariser [gaʀgaʀize] *v/pr* **1.** ***se ~*** to gargle **2.** *fam*, *fig* ***se ~ de*** to revel in

gargarisme [gaʀgaʀism] *m* **1.** *remède* gargle, mouthwash **2.** *action* gargling

gargote [gaʀgɔt] *f péj* cheap restaurant, *brit* greasy spoon *fam*, *péj*

gargouille [gaʀguj] *f* water spout; ARCH gargoyle

gargouillement [gaʀgujmɑ̃] *m* **1.** *d'eau* gurgling (+ *v sg*) **2.** *de l'estomac* ***~s*** *pl* rumbling (+ *v sg*)

gargouiller [gaʀguje] *v/i* **1.** *eau* to gurgle **2.** *estomac* to rumble

gargouillis [gaʀguji] *m* → ***gargouillement***

garnement [gaʀnəmɑ̃] *m* brat

garni [gaʀni] *m* furnished room, *brit* bedsit

garnir [gaʀniʀ] *v/t* **1.** (*munir*) to fill (***de*** with); ***bien garni*** *portefeuille* full; *réfrigérateur*, *cave* well-stocked; *table* laden with food **2.** (*décorer*) to decorate (***de*** with) **3.** (*couvrir*) *coffret*, *vêtement* to

line **4.** CUIS to garnish (***de*** with); ***garni*** with a side order; *avec légumes* served with vegetables
garnison [gaʀnizõ] *f* garrison
garniture [gaʀnityʀ] *f* **1.** fittings (+ *v pl*); AUTO trim, upholstery; ***~ de frein*** brake lining **2.** (*décoration*) trimming **3.** CUIS (*accompagnement*) side order; (*légumes*) vegetables (+ *v pl*); *sur de la viande, etc* garnish **4.** ***~ périodique*** sanitary towel
garrigue [gaʀig] *f* scrubland *in southern France*
garrot [gaʀo] *m* **1.** MÉD tourniquet **2.** *supplice* garrotte **3.** *du cheval, etc* withers (+ *v pl*)
garrotter [gaʀɔte] *v/t* (*lier*) to tie up
gars [gɑ] *fam m* (*garçon*) boy; (*type*) guy *fam*
Gascogne [gaskɔɲ] ***la ~*** Gascony; ***le golfe de ~*** the Bay of Biscay
gascon [gaskõ] *adj* ⟨**-onne** [-ɔn]⟩ Gascon
gasoil [gazwal] *m* → ***gazole***
gaspillage [gaspijaʒ] *m action* wasting; *résultat* waste **gaspiller** *v/t* to waste
gaspilleur [gaspijœʀ], **gaspilleuse** [-øz] **I** *m/f* squanderer **II** *adj* wasteful
gastéropodes [gasteʀɔpɔd] *mpl* ZOOL gastropods
gastrique [gastʀik] *adj* gastric
gastrite [gastʀit] *f* gastritis (+ *v sg*)
gastro-entérite [gastʀoɑ̃teʀit] *f* ⟨**gastro-entérites**⟩ gastro-enteritis (+ *v sg*)
gastro-intestinal [gastʀoɛ̃tɛstinal] *adj* ⟨**~e; -aux** [-o]⟩ gastrointestinal
gastronome [gastʀɔnɔm] *m* gourmet, gastronome **gastronomie** *f* gastronomy **gastronomique** *adj* gourmet *épith*
gâté [gɑte] *adj* ⟨**~e**⟩ **1.** *fruit* spoiled; *dent* rotten **2.** *enfant* spoiled
▶ **gâteau** [gɑto] *m* ⟨**~x**⟩ **1.** cake; ***petits ~x*** cookies, *brit* biscuits; ***~x secs*** cookies, *brit* biscuits; ***~ de riz*** rice pudding; *fam, fig* ***c'est du ~*** it's a piece of cake *fam, fig* **2.** ***~ de cire*** honeycomb **3.** *adjt fam* ***grand-père*** *m* ***~*** doting grandfather
▶ **gâter** [gɑte] **I** *v/t* **1.** *personne, enfant* to spoil **2.** *chose* to spoil; ***ce qui ne gâte rien*** which is no bad thing **II** *v/pr* ***se ~*** (*s'abîmer*) to spoil; *temps* to take a turn for the worse
gâterie [gɑtʀi] *f* **1.** (*petit cadeau*) little present **2.** (*friandise*) little treat
gâteux [gɑtø] *adj* ⟨**-euse** [-øz]⟩ *fam* gaga *fam*; ***devenir ~*** to go gaga *fam*
gâtisme [gɑtism] *m* senility
▶ **gauche** [goʃ] **I** *adj* **1.** (*à gauche*) left; *fig* ***il s'est levé du pied ~*** he got out of bed on the wrong side **2.** (*maladroit*) awkward, clumsy **II** *subst* **1.** *f* left; ***à ~*** on the left; ***à ~ de*** to the left of; ***à** ou **sur la ~ de qn*** to sb's left **2.** POL ***la ~*** the Left; ***de ~*** left-wing; ***être à, de ~*** to be left-wing **3.** *m* SPORT left-hander
gauchement [goʃmɑ̃] *adv* awkwardly, clumsily
gaucher [goʃe], **gauchère** [-ɛʀ] **I** *m/f* left-hander **II** *adj* left-handed
gaucherie [goʃʀi] *f* awkwardness
gauchir [goʃiʀ] *v/i* to warp
gauchisant [goʃizɑ̃] *adj* ⟨**-ante** [-ɑ̃t]⟩ POL with a left-wing bias
gauchisme [goʃism] *m* leftism **gauchiste** **I** *adj* leftist **II** *m/f* leftist
gaudriole [godʀijɔl] *f* broad joke
gaufre [gofʀ] *f* waffle
gaufrer [gofʀe] *v/t* TECH to emboss
gaufrette [gofʀɛt] *f* wafer
gaufrier [gofʀije] *m* waffle iron
Gaule [gol] ***la ~*** Gaul; → ***Gallien***
gaule [gol] *f* **1.** (*perche*) pole **2.** (*canne à pêche*) fishing rod **gauler** *v/t noix* to knock down
gaullien [goljɛ̃] *adj* ⟨**-ienne** [-jɛn]⟩ of de Gaulle **gaullisme** *m* Gaullism **gaulliste** **I** *adj* Gaullist **II** *m/f* Gaullist
gaulois [golwa] **I** *adj* ⟨**-oise** [-waz]⟩ **1.** HIST Gallic **2.** *plaisanterie* bawdy **II** *subst* **1.** ***Gaulois(e)*** *m(f)* Gaul **2.** ***~e*** *f French cigarette*
gauloiserie [golwazʀi] *f* bawdy joke
gavage [gavaʒ] *m* force-feeding
gave [gav] *m* mountain stream
gaver [gave] **I** *v/t* **1.** *oies, canards* to force-feed **2.** *fig* ***~ qn de qc*** *connaissances* to cram sb's head full of sth; *publicités, compliments* to bombard sb with sth **II** *v/pr* ***se ~ de qc*** to stuff o.s. with sth; *fig* to devour sth
gavroche [gavʀɔʃ] **I** *m* street urchin **II** *adj* mischievous, cheeky
gay [gɛ] **I** *adj* ⟨*inv*⟩ gay **II** *m* homosexual, gay man
▶ **gaz** [gɑz] *m* **1.** gas; ***~ naturel*** natural gas; ***~*** *pl* ***d'échappement*** exhaust fumes; *fam* (***à***) ***pleins ~*** at full throttle **2.** *pl* MÉD wind (+ *v sg*)
gaze [gɑz] *f* TEXT gauze (*a méd*)
gazé [gɑze] *m de la guerre* gas victim
gazelle [gazɛl] *f* gazelle

gazer [gaze] **I** *v/t* to gas **II** *v/i fam* ***ça gaze*** everything's great *fam*
gazette [gazɛt] *f* newspaper
gazeux [gazø] *adj* ⟨**-euse** [-øz]⟩ **1.** CHIM gaseous **2.** *boisson* fizzy; ***eau gazeuse*** sparkling water
gazier [gazje] *m agent* gasman *ouvrier* gasworker
gazinière [gazinjɛʀ] *f* gas stove
gazoduc [gazɔdyk] *m* gas pipeline
▶ **gazole** [gazɔl] *m combustible* fuel oil; *carburant* diesel
gazomètre [gazɔmɛtʀ] *m* gasometer
▶ **gazon** [gazõ] *m* grass; (*pelouse*) lawn
gazonner [gazɔne] *v/t* to turf, to grass over
gazouillement [gazujmã] *m* **1.** *d'oiseaux* twittering (+ *v sg*) **2.** *de bébé* babbling (+ *v sg*)
gazouiller [gazuje] *v/i* **1.** *oiseau* to twitter **2.** *bébé* to babble
gazouillis [gazuji] *m* → ***gazouillement***
G.D.F. [ʒedeɛf] *m, abr* (= **Gaz de France**) *French gas company*
geai [ʒe] *m* jay
géant [ʒeã], **géante** [ʒeãt] **I** *m/f* **1.** MYTH giant; *homme* giant **2.** *fig* giant **II** *adj* giant; COMM ***paquet géant*** jumbo pack
gégène [ʒeʒɛn] *f* electric shock torture
geignard [ʒɛɲaʀ] *fam adj* ⟨**-arde** [-aʀd]⟩ whining
geindre [ʒɛ̃dʀ] *v/i* ⟨→ **peindre**⟩ **1.** (*gémir*) to moan, to groan; *faiblement* to whimper **2.** *péj* to whine
geisha [gɛʃa] *f* geisha
▶ **gel** [ʒɛl] *m* **1.** MÉTÉO frost **2.** *fig*, FIN freeze **3.** *substance* gel
gélatine [ʒelatin] *f* gelatin
gélatineux [ʒelatinø] *adj* ⟨**-euse** [-øz]⟩ gelatinous
gelé [ʒ(ə)le] *adj* ⟨**~e**⟩ **1.** *eau, lac* frozen **2.** *personne* ***être ~*** to be frozen; ***être complètement ~*** to be frozen stiff; ***j'ai les mains ~es*** my hands are frozen
gelée [ʒ(ə)le] *f* **1.** (*gel*) frost; ***~ blanche*** hoarfrost **2.** *de viande* stock; ***en ~*** in aspic **3.** *de fruits* jelly **4.** ***~ royale*** royal jelly
▶ **geler** [ʒ(ə)le] ⟨**-è-**⟩ **I** *v/t* **1.** *eau, sol* to freeze **2.** *fig crédits, etc* to freeze **II** *v/i* **1.** *eau* to freeze; *lac, rivière* to freeze over; *canalisation* to freeze; *membres* to get frostbite; *fleurs* to be nipped by frost **2.** *personne* to be freezing **III** *v/imp* ***il gèle*** it's freezing; ***il gèle à pierre fendre*** there's a hard frost **IV** *v/pr* ***se ~*** → *II 2*
gélifier [ʒelifje] *v/t* to gel
gélinotte [ʒelinɔt] *f* ZOOL hazel grouse
gélule [ʒelyl] *f* capsule
gelure [ʒ(ə)lyʀ] *f* frostbite (+ *v sg*)
Gémeaux [ʒemo] *mpl* ASTROL Gemini (+ *v sg*); ***être ~*** to be a Gemini
gémellaire [ʒemɛ(l)lɛʀ] *adj* MÉD twin *épith*
gémination [ʒeminasjõ] *f* BIOL, LING gemination; *de consonnes* doubling
gémir [ʒemiʀ] *v/i* **1.** to moan (***de douleur*** with pain); *sous un fardeau* to groan **2.** *par ext vent* to moan; *porte* to creak **3.** *fig* (*se plaindre*) to moan
gémissant [ʒemisã] *adj* ⟨**-ante** [-ãt]⟩ *voix* moaning
gémissement [ʒemismã] *m* **1.** moan, groan **2.** *du vent* moaning; *d'une porte* creaking
gemme [ʒɛm] *f* **1.** MINÉR gem, gemstone **2.** *adjt* ***sel*** *m* ***~*** rock salt
gênant [ʒɛnã] *adj* ⟨**-ante** [-ãt]⟩ **1.** *objet* cumbersome; *bruit* annoying; ***être ~*** to be a nuisance; ***c'est pas ~*** it doesn't matter **2.** (*qui met mal a l'aise*) embarrassing, awkward
gencive [ʒãsiv] *f* gum
▶ **gendarme** [ʒãdaʀm] *m* **1.** police officer; ***jouer au(x) ~(s) et au(x) voleur(s)*** to play cops and robbers **2.** *fam* ***~ couché*** speed bump, sleeping policeman
gendarmer [ʒãdaʀme] *v/pr* ***se ~*** to protest
gendarmerie [ʒãdaʀməʀi] *f bureaux* police station; (*corps de police*) police force
▶ **gendre** [ʒãdʀ] *m* son-in-law
gêne [ʒɛn] *f* **1.** *physique* discomfort; ***avoir de la ~ à faire*** to find it difficult to do **2.** (*désagrément*) inconvenience **3.** *financière* poverty **4.** *psychique* embarrassment; ***sans ~*** shameless
gène [ʒɛn] *m* gene
gêné [ʒene] *adj* ⟨**~e**⟩ **1.** (*embarrassé*) embarrassed **2.** *financièrement* short of money
généalogie [ʒenealɔʒi] *f* **1.** (*filiation*) ancestry **2.** *science* genealogy
généalogique [ʒenealɔʒik] *adj* ***arbre*** *m* ***~*** family tree
généalogiste [ʒenealɔʒist] *m* genealogist
▶ **gêner** [ʒene] **I** *v/t* **1.** (*entraver*) ***~ qn*** *objets* to be in sb's way; ***ce manteau me gêne*** this coat is uncomfortable **2.** (*dé-

ranger) to disturb; *bruit*, *lumière* to bother **3.** (*embarrasser*) to embarrass **II** *v/pr* ***se ~*** to stand on ceremony (***avec qn*** with sb); ***ne pas se ~ pour faire qc*** not to mind doing sth; ***ne vous gênez pas!*** do you mind!; ***ne vous gênez pas pour moi*** don't mind me

▶ **général** [ʒeneʀal] **I** *adj* ⟨**~e; -aux** [-o]⟩ general; ***médecine générale*** general medicine; ▶ ***en général*** in general **II** *subst* **1.** *m* ⟨**-aux** [-o]⟩ MIL general **2.** ***générale*** *f* THÉ dress rehearsal

générale [ʒeneʀal] *f* ***la ~ X*** General X's wife

▶ **généralement** [ʒeneʀalmɑ̃] *adv* **1.** (*d'une manière générale*) generally, usually **2.** (*en général*) generally

généralisation [ʒeneʀalizasjõ] *f* **1.** *d'un phénomène*, *d'un conflit* spread **2.** *en raisonnant* generalization

généraliser [ʒeneʀalize] **I** *v/t* **1.** ***~ qc*** *mesure*, *méthode* to bring sth into general use, to make sth standard **2.** *cas* to generalize **II** *v/pr* ***se ~*** *technique*, *mesure* to become widespread *maladie*, *phénomène*, *conflit* to spread; ***cancer généralisé*** widespread cancer

généralissime [ʒeneʀalisim] *m* MIL generalissimo

généraliste [ʒeneʀalist] *m/f méd* family practitioner, *brit* general practitioner

généralité [ʒeneʀalite] *f* **1.** generality **2.** ***~s*** *pl* general remarks

générateur [ʒeneʀatœʀ] **I** *adj* ⟨**-trice** [-tʀis]⟩ **1.** BIOL generative **2.** *par ext* ***être ~ de qc*** to generate sth **II** *m* ÉLEC generator

génératif [ʒeneʀatif] *adj* ⟨**-ive** [-iv]⟩ LING *grammaire* generative

génération [ʒeneʀasjõ] *f* **1.** generation (*a* TECH); *espace de temps* generation; ***la jeune, nouvelle ~*** the young, new generation **2.** BIOL generation

génératrice [ʒeneʀatʀis] *f* generator

générer [ʒeneʀe] *v/t* ⟨**-è-**⟩ to generate

▶ **généreux** [ʒeneʀø] *adj* ⟨**-euse** [-øz]⟩ **1.** (*contraire*: *avare*) generous **2.** (*magnanime*) noble; *vainqueur* magnanimous **3.** *poitrine* ample; *sol* fruitful; *vin* full-bodied

générique [ʒeneʀik] **I** *adj* generic; ***terme*** *m* ***~*** generic term **II** *m* FILM, TV credits (+ *v pl*); *à la fin* closing credits (+ *v pl*)

générosité [ʒeneʀozite] *f* **1.** (*libéralité*) generosity **2.** (*noblesse*) kindness, generosity

Gênes [ʒɛn] Genoa

genèse [ʒənɛz] *f* **1.** genesis **2.** BIBL ***la Genèse*** Genesis

genêt [ʒ(ə)nɛ] *m* BOT broom

généticien [ʒenetisjɛ̃] *m*, **généticienne** [-jɛn] *f* geneticist

génétique [ʒenetik] **I** *adj* genetic **II** *f* genetics (+ *v sg*)

génétiquement [ʒenetikmɑ̃] *adv* genetically; ***~ modifié*** genetically modified

gêneur [ʒɛnœʀ] *m*, **gêneuse** [-øz] *f* nuisance

Genève [ʒ(ə)nɛv] Geneva

genévrier [ʒənevʀije] *m* juniper

génial [ʒenjal] *adj* ⟨**~e; -aux** [-o]⟩ **1.** (*inspiré*) inspired, brilliant **2.** *fam* (*formidable*) great, brilliant

génie [ʒeni] *m* **1.** (*esprit*) genie **2.** (*talent*) genius; ***de ~*** *musicien* of genius; *idée* brilliant **3.** MIL military engineering; ***le ~*** the Engineers (+ *v pl*) **4.** ***~ civil*** civil engineering; ***~ génétique*** genetic engineering

genièvre [ʒənjɛvʀ] *m* BOT juniper; *boisson* Dutch gin

génique [ʒenik] *adj* gene *épith*

génisse [ʒenis] *f* heifer

génital [ʒenital] *adj* ⟨**~e; -aux** [-o]⟩ genital; ***organes génitaux*** genitals

géniteur [ʒenitœʀ] *m* **1.** *plais* (*père*) father **2.** ZOOL sire

génitif [ʒenitif] *m* genitive

génocide [ʒenɔsid] *m* genocide

génothérapie [ʒenɔteʀapi] *f* gene therapy

génois [ʒenwa] *adj* ⟨**-oise** [-waz]⟩ Genoese

génoise [ʒenwaz] *f* sponge cake

génome [ʒenom] *m* BIOL genome

▶ **genou** [ʒ(ə)nu] *m* ⟨**~x**⟩ knee; ***à ~x*** kneeling; ***être à ~x*** to be kneeling, to be on one's knees; *fig* ***être à ~x devant qn*** to worship sb; ***se mettre à ~x*** to kneel down; *fig* ***être sur les ~x*** to be on one's last legs; ***prendre qn sur ses ~x*** to sit sb on one's lap

genouillère [ʒ(ə)nujɛʀ] *f* SPORT knee pad; MÉD knee bandage

▶ **genre** [ʒɑ̃ʀ] *m* **1.** sort, kind; ***~ de vie*** lifestyle; ***dans le ~*** of its kind; ***des chapeaux en tout ~*** *ou* ***en tous ~s*** all types of hat; ***avoir mauvais ~*** to look disreputable; ***se donner un ~, faire du ~*** to give o.s. airs; ***ce n'est pas mon ~*** that's not my style; *personne* he's/she's not my type **2.** GRAM gender; *accord* ***en ~ et en nombre*** in gender and number **3.** LITTÉR, *etc* genre **4.** BIOL genus; ***le ~ humain*** the human race **5.** PEINT ***tableau*** *m* ***de ~*** genre painting

▶ **gens** [ʒɑ̃] *mpl* ⟨*adjectif préposé au fpl*⟩ people; ***jeunes ~*** young people, youngsters; (*jeunes hommes*) young men; ***les petites ~*** ordinary people; ***~ de lettres*** writers; ***~ de maison*** servants

gent [ʒɑ̃] *f littér* ***la ~ trotte-menu*** the mouse tribe

gentiane [ʒɑ̃sjan] *f* BOT gentian

▶ **gentil** [ʒɑ̃ti] *adj* ⟨**gentille** [ʒɑ̃tij]⟩ **1.** (*agréable*) nice, kind; ***être ~ avec qn*** to be nice to sb **2.** *enfant* good **3.** *somme d'argent* fair, tidy

gentil ≠ gentle

Gentil = nice, kind:

C'est si gentil à vous de faire ça. Quelqu'un de vraiment gentil.

That's so nice of you to do that. Such a nice person.

gentilhomme [zɑ̃tijɔm] *m* ⟨**gentilshommes** [ʒɑ̃tizɔm]⟩ gentleman

gentillesse [ʒɑ̃tijɛs] *f* kindness

gentillet [ʒɑ̃tijɛ] *adj* ⟨**-ette** [-ɛt]⟩ nice

gentils [ʒɑ̃ti] *mpl* REL HIST Gentiles

gentiment [ʒɑ̃timɑ̃] *adv* → ***gentil***

gentleman [dʒɛntləman, *fam* ʒɑ̃-] *m* ⟨**gentlemen** [dʒɛntləmɛn]⟩ gentleman

génuflexion [ʒenyflɛksjõ] *f* REL genuflection

géographe [ʒeɔgʀaf] *m/f* geographer

▶ **géographie** [ʒeɔgʀafi] *f* geography **géographique** *adj* geographical

geôle [ʒol] *f littér* jail

geôlier [ʒolje] *m littér* jailer

géologie [ʒeɔlɔʒi] *f* geology **géologique** *adj* geological

géologue [ʒeɔlɔg] *m/f* geologist

géomètre [ʒeɔmɛtʀ] *m* land surveyor

géométrie [ʒeɔmetʀi] *f* geometry; ***à ~ variable*** *avion* swing wing *épith*; *fig* infinitely variable

géométrique [ʒeɔmetʀik] *adj* geometric

géophysique [ʒeɔfizik] **I** *adj* geophysical **II** *f* geophysics (+ *v sg*)

géopolitique [ʒeopɔlitik] **I** *adj* geopolitical **II** *f* geopolitics (+ *v sg*)

gérance [ʒeʀɑ̃s] *f* management

géranium [ʒeʀanjɔm] *m* geranium

gérant [ʒeʀɑ̃] *m*, **gérante** [-ɑ̃t] *f* manager; *d'immeubles* managing agent

gerbe [ʒɛʀb] *f* **1.** AGR sheaf **2.** **~** (***de fleurs***) spray (of flowers) **3.** *d'étincelles* shower

gerber [ʒɛʀbe] **I** *v/t* TECH to stack **II** *v/i pop* to throw up; to puke *pop*

gerboise [ʒɛʀbwaz] *f* ZOOL jerboa

gercé [ʒɛʀse] *adj* ⟨**~e**⟩ *peau, lèvres* chapped

gercer [ʒɛʀse] ⟨**-ç-**⟩ **I** *v/t* to chap **II** *v/i* (*et v/pr* ***se ~***) to become chapped

gerçure [ʒɛʀsyʀ] *f* crack

gérer [ʒeʀe] *v/t* ⟨**-è-**⟩ **1.** *affaires, entreprise* to manage, to run; *biens* to manage **2.** *fig problème, crise* to handle

gériatrie [ʒeʀjatʀi] *f* geriatrics (+ *v sg*)

germain [ʒɛʀmɛ̃] *adj* ⟨**-aine** [-ɛn]⟩ ***cousin ~, cousine ~e*** first cousin

Germains [ʒɛʀmɛ̃] *mpl* HIST Germans

germanique [ʒɛʀmanik] *adj* **1.** HIST Germanic **2.** (*allemand*) German

germanisation [ʒɛʀmanizasjõ] *f* Germanization **germaniser** *v/t* to Germanize **germanisme** *m* Germanism **germaniste** *m/f* Germanist

germano-… [ʒɛʀmano] *adj* Germano-…

germanophile [ʒɛʀmanɔfil] *adj* germanophile **germanophilie** *f* germanophilia **germanophobe** *adj* germanophobic **germanophobie** *f* germanophobia **germanophone** *adj* German-speaking

germe [ʒɛʀm] *m* BIOL, MÉD germ *a fig*

germer [ʒɛʀme] *v/i* to germinate

germicide [ʒɛʀmisid] *adj* germicidal

germinal [ʒɛʀminal] **I** *adj* ⟨**~e; -aux** [-o]⟩ BIOL germinal **II** *m* HIST Germinal *seventh month of the French revolutionary calendar*

germination *f* BIOL germination

gérondif [ʒeʀõdif] *m* gerundive

gérontologie [ʒeʀõtɔlɔʒi] *f* gerontology **gérontologue** *m* gerontologist

gésier [ʒezje] *m* gizzard

gésir [ʒeziʀ] *st/s v/i* ⟨*déf*: **il gît, ils gisent; il gisait; gisant**⟩ to be lying

gestaltisme [gəʃtaltism] *m* PHIL, PSYCH gestalt psychology

gestation [ʒɛstasjõ] *f* ZOOL gestation *a fig*; ***en ~*** in gestation

▶ **geste**[1] [ʒɛst] *m* **1.** gesture; ***faire des grands ~s*** to wave one's arms around

2. *par ext* gesture; *fig* ***faire un ~*** to gesture
geste² *f* **1.** ***les faits et ~s de qn*** sb's every move **2.** ***chanson*** *f* ***de ~*** chanson de geste
gesticulation [ʒɛstikylasjõ] *f* gesticulation **gesticuler** *v/i* to gesticulate
gestion [ʒɛstjõ] *f* management (*a* INFORM); *de biens* management; *de crise, problème* handling; **~ *(d'entreprise)*** business management
gestionnaire [ʒɛstjɔnɛʀ] **I** *adj* administrative **II** *m* administrator
gestuel [ʒɛstɥɛl] **I** *adj* ⟨**~le**⟩ gestural; ***langage ~*** body language **II** *f* ***~le*** body language
geyser [ʒezɛʀ] *m* geyser
Ghana [gana] ***le ~*** Ghana
ghetto [geto] *m* ghetto
ghettoïsation [getoizasjõ] *f* ghettoization
G.I.A. [ʒeia] *m*, *abr* (= **Groupe islamique armé**) *GIA, Armed Islamic Group*
gibbon [ʒibõ] *m* ZOOL gibbon
gibbosité [ʒibozite] *f* ANAT hump
gibecière [ʒibsjɛʀ] *f* **1.** CH gamebag **2.** *par ext* satchel
gibelotte [ʒiblɔt] *f* ***~ de lapin*** *rabbit stewed in red wine*
gibet [ʒibɛ] *m* gallows (+ *v sg*)
► **gibier** [ʒibje] *m* **1.** CH, CUIS game; ***gros ~*** big game **2.** *fig* ***~ de potence*** gallows bird
giboulée [ʒibule] *f* shower
giboyeux [ʒibwajø] *adj* ⟨**-euse** [-øz]⟩ full of game
Gibraltar [ʒibʀaltaʀ] Gibraltar
giclée [ʒikle] *f* spurt
gicler [ʒikle] *v/i* to spurt
gicleur [ʒiklœʀ] *m* AUTO jet
► **gifle** [ʒifl] *f* slap (in the face); ***donner***, *fam* ***flanquer une ~ à qn*** to slap sb (in the face)
gifler [ʒifle] *v/t* ***~ qn*** to slap sb (in the face)
giga [ʒiga] *adj*, *abr fam* (= **gigantesque**) *fam* massive; mega *fam*
gigahertz [ʒigaɛʀts] *m* gigahertz
gigantesque [ʒigɑ̃tɛsk] *adj* gigantic
gigantisme [ʒigɑ̃tism] *m* **1.** MÉD gigantism **2.** *fig* huge size; *état* hugeness
G.I.G.N. [ʒeiʒeɛn] *m*, *abr* (= **Groupe d'intervention de la Gendarmerie nationale**) ≈ SWAT team *specialist armed intervention force*
gigogne [ʒigɔɲ] *adj* ***poupée f ~*** Russian doll; ***tables*** *fpl* ***~s*** nest of tables (+ *v sg*)
gigolo [ʒigɔlo] *m* gigolo
gigot [ʒigo] *m* leg; ***~ d'agneau*** leg of lamb
gigoter [ʒigɔte] *fam v/i* to wriggle; *nerveusement* to fidget
gigue [ʒig] *f* **1.** MUS gig **2.** *fam* ***une grande ~*** a beanpole *fam*
gilet [ʒilɛ] *m* vest, *brit* waistcoat; *tricoté* cardigan; ***~ de sauvetage*** life jacket
gin [dʒin] *m* gin
gingembre [ʒɛ̃ʒɑ̃bʀ] *m* ginger
gingival [ʒɛ̃ʒival] *adj* ⟨**~e**; **-aux** [-o]⟩ gum *épith*, gingival *t/t* **gingivite** *f* gingivitis
ginseng [ʒinsɛŋ] *m* ginseng
girafe [ʒiʀaf] *f* giraffe; *fam, fig* ***peigner la ~*** to do busywork, *brit* to waste one's time on a pointless exercise
girafeau [ʒiʀafo] *m* ⟨**~x**⟩ baby giraffe
girandole [ʒiʀɑ̃dɔl] *f* fairy lights (+ *v pl*)
giratoire [ʒiʀatwaʀ] *adj* gyratory; ***sens*** *m* ***~*** traffic circle, *brit* roundabout
girofle [ʒiʀɔfl] *m* ***clou*** *m* ***de ~*** clove
giroflée [ʒiʀɔfle] *f* BOT wallflower
girolle [ʒiʀɔl] *f* BOT chanterelle
giron [ʒiʀõ] *m* lap
girond [ʒiʀõ] *adj* ⟨**-ronde** [-ʀõd]⟩ *fam* (*bien fait*) good-looking; (*bien en chair*) buxom
girouette [ʒiʀwɛt] *f* weather vane *fig* ***c'est une vraie ~*** he's/she's forever changing his mind
gisant [ʒizɑ̃] **I** *ppr* → ***gésir*** **II** *m* recumbent effigy
gisement [ʒizmɑ̃] *m* deposit
gît [ʒi] → ***gésir***
gitan [ʒitɑ̃], **gitane** [-an] **1.** *m/f* Gypsy; *adjt* Gypsy *épith* **2.** *f French cigarette*
gîte¹ [ʒit] *m* **1.** (*abri*) shelter; (*demeure*) home; ***~ rural*** gîte, self-catering cottage **2.** *du gibier* form **3.** *en boucherie* ***~ à la noix*** round, *brit* topside
gîte² *f* MAR list; ***donner de la ~*** to list
gîter [ʒite] *v/i* MAR to list
givrage [ʒivʀaʒ] *m* AVIAT icing
givrant [ʒivʀɑ̃] *adj* ⟨**-ante** [-ɑ̃t]⟩ ***brouillard ~*** freezing fog
givre [ʒivʀ] *m* frost
givré [ʒivʀe] *adj* ⟨**~e**⟩ **1.** *arbres* covered in frost **2.** *vitre* iced up (*a* AVIAT) **3.** ***orange ~e*** orange sorbet *served in the fruit* **4.** *fam* (*fou*) crazy *fam*; → ***cinglé***
givrer [ʒivʀe] **I** *v/t* ***~ qc*** to cover sth in frost **II** *v/i* (*et v/pr* ***se ~***) to frost over; *vitre* to ice up

glabre [glabʀ] *adj* clean-shaven
glaçage [glasaʒ] *m* CUIS *au sucre* frosting, *brit* icing; *de viande, etc* glazing
► **glace** [glas] *f* **1.** (*eau congelée*) ice; *fig* ***rester de ~*** to be unmoved **2.** (*crème glacée*) ice cream; ***~ à l'italienne*** soft-whipped ice cream; ***~ à la vanille*** vanilla ice cream **3.** (*miroir*) mirror **4.** *verre* sheet of glass; AUTO window **5.** *adjt* ***sucre*** *m* ***~*** powdered sugar, *brit* icing sugar
glacé [glase] *adj* ⟨**~e**⟩ **1.** (*gelé*) frozen **2.** CUIS *gâteau* frosted, *brit* iced; *viande, légume* glazed; ***crème ~e*** dairy ice cream **3.** *eau, pièce* icy; *boisson* iced; *personne* frozen **4.** ***papier ~*** glossy paper **5.** ***marrons ~s*** candied chestnuts, marrons glacés
glacer [glase] *v/t* ⟨**-ç-**⟩ **1.** *fig* ***~ qn*** to chill sb to the bone **2.** TECH to glaze **3.** CUIS *gâteau* to frost, *brit* to ice; *viande, légume* to glaze
glaceuse [glasøz] *f* PHOT glazing machine
glaciaire [glasjɛʀ] *adj* glacial; ***période*** *f* **~** Glacial Period *t/t*, Ice Age
glacial [glasjal] *adj* ⟨**~e; -als**, *rarement* **-aux** [-o]⟩ **1.** *vent, etc* icy; ***océan ~*** polar sea **2.** *fig silence* stony; *accueil, regard* frosty; *personne* very cold
glaciation [glasjasjõ] *f* GÉOL glaciation
glacier [glasje] *m* **1.** GÉOG glacier **2.** *pâtissier* ice-cream maker; *marchand* ice-cream seller
glacière [glasjɛʀ] *f* icebox; *portable* ice chest, *brit* cool box
glaçon [glasõ] *m* **1.** *pour une boisson* ice cube; *dans une rivière* block of ice; *sur une gouttière* icicle **2.** *fam, fig personne* iceberg *fam, fig*
gladiateur [gladjatœʀ] *m* gladiator
glaïeul [glajœl] *m* BOT gladiolus
glaire [glɛʀ] *f* mucus
glaireux [glɛʀø] *adj* ⟨**-euse** [-øz]⟩ mucus *épith*
glaise [glɛz] *f* (***terre*** *f*) **~** clay
glaiseux [glɛzø] *adj* ⟨**-euse** [-øz]⟩ clayey
glaisière *f* clay pit
glaive [glɛv] *littér m* double-edged sword
gland [glɑ̃] *m* **1.** BOT acorn **2.** ANAT glans **3.** *décoratif* tassel **4.** *fam* (*idiot*) jerk *fam*
glande [glɑ̃d] *f* ANAT gland
glander [glɑ̃de] *ou* **glandouiller** [glɑ̃duje] *v/i fam* to loaf around *fam*
glaner [glane] *v/t* to glean *a fig*
glaneur [glanœʀ] *m*, **glaneuse** [-øz] *f* gleaner
glapir [glapiʀ] *v/i* **1.** *chien* to yap; *renard* to bark **2.** *fig* to squeal **glapissement** *m de chien* yapping (+ *v sg*); *de personne* squealing (+ *v sg*)
glas [glɑ] *m* knell; ***sonner le ~*** *cloche* to toll; *fig* to sound the death knell
glaucome [glokom] *m* MÉD glaucoma
glauque [glok] *adj* **1.** *mer* blue-green; *yeux* glassy **2.** *fig quartier* seedy; *atmosphère* dreary
glaviot [glavjo] *pop m* gob of spit *fam*
glèbe [glɛb] *f littér* glebe *littér*
glissade [glisad] *f* (*chute*) slip; *jeu* sliding; ***faire des ~s*** to slide
glissant [glisɑ̃] *adj* ⟨**-ante** [-ɑ̃t]⟩ slippery
glisse [glis] *f des skis, d'un skieur* glide; ***sports*** *mpl* ***de ~*** *winter and water sport*
glissé [glise] *adj* ⟨**~e**⟩ ***pas*** *m* **~** sliding step
glissement [glismɑ̃] *m* **1.** sliding; *bruit* swish **2.** ***~ de terrain*** landslide **3.** *fig* shift; POL ***~ à droite*** swing to the right; LING ***~ de sens*** shift in meaning
► **glisser** [glise] **I** *v/t* to slip (***dans*** into); ***~ qc à qn*** to slip sb sth; *fig* ***~ qc à l'oreille de qn*** to whisper sth in sb's ear **II** *v/i* **1.** *se déplacer* to slide (*a* TECH); *personne* (*déraper*) to slip; (*être glissant*) to be slippery; ***le verre lui a glissé des mains*** the glass slipped out of his hands **2.** *fig* ***~ sur un sujet*** to skate over a topic **3.** *reproches* ***~ sur qn*** to have no effect on sb **III** *v/pr* ***se glisser*** **1.** to slip (***dans*** into) **2.** *fig erreur* to creep (***dans*** into)
glissière [glisjɛʀ] *f* TECH runner; ***~ de sécurité*** crash barrier
glissoire [gliswaʀ] *f* (ice) slide
global [glɔbal] *adj* ⟨**~e; -aux** [-o]⟩ global
globalement [glɔbalmɑ̃] *adv* on the whole, overall
globe [glɔb] *m* **1.** **~** (***terrestre***) world, globe **2.** (*mappemonde*) globe **3.** *d'une lampe* globe; *pour protéger* glass dome **4.** ***~ oculaire, de l'œil*** eyeball
globe-trotter [glɔbtʀɔtœʀ, -tɛʀ] *m* ⟨**globe-trotters**⟩ globe-trotter
globulaire [glɔbylɛʀ] *adj* MÉD ***numération*** *f* **~** blood count
globule [glɔbyl] *m* BIOL blood cell
globuleux [glɔbylø] *adj* ⟨**-euse** [-øz]⟩ *yeux* protruding
gloire [glwaʀ] *f* **1.** (*renom*) glory; ***à la ~ de*** to the glory of **2.** (*personne célèbre*) celebrity **3.** (*splendeur*) glory **4.** (*mérite*) credit

glorieux [glɔʀjø] *adj* ⟨**-euse** [-øz]⟩ glorious

glorification [glɔʀifikasjõ] *f* glorification

glorifier [glɔʀifje] **I** *v/t* to glorify **II** *v/pr* ***se ~ de qc*** to boast about sth

gloriole [glɔʀjɔl] *f péj* misplaced vanity

glose [gloz] *f* gloss **gloser** *v/t* to annotate, to gloss

glossaire [glɔsɛʀ] *m* glossary

glotte [glɔt] *f* glottis; PHON ***coup m de ~*** glottal stop

glouglou [gluglu] *fam m de liquide* gurgling sound; *du dindon* gobbling

glouglouter [gluglute] *v/i liquide* to gurgle; *dindon* to gobble

gloussement [glusmã] *m* **1.** *d'une poule* clucking (*+v sg*) **2.** *fig* chuckle

glousser [gluse] *v/i* **1.** *poule* to cluck **2.** *fig* to chuckle

glouton [glutõ] **I** *adj* ⟨**-onne** [-ɔn]⟩ gluttonous **II** *m* glutton

gloutonnement [glutɔnmã] *adv* greedily

gloutonnerie [glutɔnʀi] *f* gluttony

glu [gly] *f* birdlime

gluant [glyã] *adj* ⟨**-ante** [-ãt]⟩ sticky

glucides [glysid] *mpl* carbohydrates

glucomètre [glykɔmɛtʀ] *m* VIT saccharimeter

glucose [glykoz] *m* glucose

glutamate [glytamat] *m* glutamate

gluten [glytɛn] *m* gluten

glycémie [glisemi] *f* blood sugar level

glycérine [gliseʀin] *f* glycerin

glycine [glisin] *f* wisteria

gnangnan [ɲãɲã] *adj* ⟨*inv*⟩ *fam* soppy *fam*

gnaule *ou* **gniole** [ɲol] *f* → ***gnôle***

gnocchi [ɲɔki] *mpl* CUIS gnocchi

gnognote [ɲɔɲɔt] *f fam* ***c'est de la ~*** it's garbage *fam*

gnôle [ɲol] *fam f* firewater

gnome [gnom] *m* gnome

gnon [ɲõ] *fam m* (*bosse*) dent; (*coup*) bash

gnou [gnu] *m* gnu

go [go] *adv annoncer* ***tout de ~*** straight out; ***entrer tout de ~*** to come straight in

gobelet [gɔblɛ] *m en plastique, en carton* cup; *en verre* tumbler

gobelin [gɔblɛ̃] *m* gobelin tapestry

gobe-mouches [gɔbmuʃ] *m* ⟨*inv*⟩ ZOOL flycatcher

gober [gɔbe] *v/t* **1.** *œuf* to suck; *huître* to swallow; *insecte* to catch; *fig* ***~ les mouches*** to gawp **2.** *fam* (*croire*) to swallow *fam*

goberger [gɔbɛʀʒe] *v/pr* ⟨**-ge-**⟩ ***se ~*** to indulge o.s.

godailler [gɔdaje] *fam v/i* to ruck, to wrinkle

godasse [gɔdas] *f fam* shoe

goder [gɔde] *v/i* to ruck, to wrinkle

godet [gɔdɛ] *m* **1.** *récipient* little pot **2.** TECH bucket **3.** ***jupe*** *f* ***à ~s*** gored skirt **4.** *fam* (*verre*) drink

godiche [gɔdiʃ] *fam adj* dumb *fam*, silly

godille [gɔdij] *f* **1.** MAR steering oar **2.** SKI wedeln

godiller [gɔdije] *v/i* **1.** MAR to scull **2.** SKI to wedeln

godillots [gɔdijo] *mpl fam* big boots, clodhoppers *fam*

goéland [gɔelã] *m* gull

goélette [gɔelɛt] *f* MAR schooner

goémon [gɔemõ] *m bot* wrack

gogo[1] [gogo] *adv fam* ***du champagne à ~*** champagne galore

gogo[2] *m fam* sucker *fam*

goguenard [gɔgnaʀ] *adj* ⟨**-arde** [-aʀd]⟩ mocking **goguenardise** *f propos* mocking remark; *d'une personne* mockery, jeering

goguette [gɔgɛt] *fam* ***en ~*** tipsy *fam*

goinfre [gwɛ̃fʀ] **I** *m* greedy pig *fam* **II** *adj* greedy; piggy *fam*

goinfrer [gwɛ̃fʀe] *v/pr* ***se ~*** to stuff o.s. *fam*

goinfrerie [gwɛ̃fʀəʀi] *f* greed; piggishness *fam*

goitre [gwatʀ] *m* MÉD goitre

golden [gɔldɛn] *f* ⟨*inv*⟩ *pomme* Golden Delicious

golf [gɔlf] *m* golf; ***~ miniature*** mini-golf

golfe [gɔlf] *m* gulf

golfeur [gɔlfœʀ] *m*, **golfeuse** [-øz] *f* golfer

gominé [gɔmine] *adj* ⟨**~e**⟩ *cheveux* slicked-back

gommage [gɔmaʒ] *m* **1.** *action d'effacer* erasing, rubbing out **2.** *de la peau* scrub

gomme [gɔm] *f* **1.** *pour effacer* eraser, *brit* rubber **2.** BOT gum **3.** *fam* ***à la ~*** useless

gommé [gɔme] *adj* ⟨**~e**⟩ *papier* gummed

gommer [gɔme] *v/t* **1.** to erase, *brit* to rub out **2.** *fig* to erase

gommeux [gɔmø] **I** *adj* ⟨**-euse** [-øz]⟩ *substance* sticky; *arbre* gum- yielding **II** *m littér* dandy

gond [gõ] *m* hinge; *fig* ***sortir de ses ~s***

to fly off the handle *fam*
gondolage [gõdɔlaʒ] *m du papier* curling; *du bois* warping
gondolant [gõdɔlɑ̃] *adj* ⟨**-ante** [-ɑ̃t]⟩ *fam* hilarious
gondole [gõdɔl] *f* **1.** *barque* gondola **2.** COMM display stand, gondola
gondolement [gõdɔlmɑ̃] *m* → ***gondolage***
gondoler [gõdɔle] *v/i et v/pr* **1.** (***se***) ~ *papier* to curl; *bois* to warp **2.** *fam* ***se*** ~ to laugh; to fall about laughing *fam*
gondolier [gõdɔlje] *m* gondolier
gonflable [gõflabl] *adj* inflatable **gonflage** *m* inflation **gonflant** *adj* ⟨**-ante** [-ɑ̃t]⟩ *pop* → ***chiant***
gonflé [gõfle] *adj* ⟨**~e**⟩ → ***gonfler***
gonflement [gõfləmɑ̃] *m* **1.** (*enflure*) swelling **2.** ÉCON *du budget* increase; *de résultats, de statistiques* inflation
gonfler [gõfle] **I** *v/t* **1.** *ballon, pneu* to inflate, to blow up; *joues* to puff out; *vent: voiles* to fill, to swell; ***être gonflé à bloc*** *pneu* to be fully inflated; *fam, fig personne* to be raring to go *fam* **2.** *par ext* ~ ***qc*** to make sth swell; ***il avait les yeux gonflés de larmes*** his eyes were puffy with tears; ***avoir l'estomac gonflé*** to be bloated **3.** *fig* (*exagérer*) to exaggerate; *prix* to push up; *statistiques* to inflate **4.** *fig sentiments* ~ (***le cœur de***) ***qn*** to make sb's heart swell; ***gonflé d'orgueil*** swelled with pride **5.** *fam, fig* ***être gonflé*** (*effronté*) to have a nerve *fam* **II** *v/i bois humide, etc* to warp; *fleuve, partie du corps* to swell **III** *v/pr* ***se*** ~ to swell up; *voile* to fill
gonfleur [gõflœʀ] *m* air pump
gong [gõg] *m* gong
gonzesse [gõzɛs] *f fam* chick *fam, brit* bird *fam*
goret [gɔʀɛ] *m* piglet
Gore-tex® [gɔʀtɛks] *m* Gore-tex®
▶ **gorge** [gɔʀʒ] *f* **1.** throat; ***mal*** *m* ***de*** ~ sore throat; ***à ~ déployée*** at the top of one's voice; ***avoir la ~ sèche*** to have a dry throat; *fig* ***faire des ~s chaudes de qc*** to have a good laugh about sth; ***prendre qn à la*** ~ to grab sb by the throat; *fig* to put a gun to sb's head **2.** *litt* (*poitrine de femme*) bosom **3.** GÉOG **~*s*** *pl* gorges
gorgée [gɔʀʒe] *f* sip; ***boire à petites ~s*** to sip
gorger [gɔʀʒe] *v/t* ⟨**-ge-**⟩ (*gaver*) to force-feed; ***gorgé d'eau*** saturated
gorgonzola [gɔʀgõzɔla] *m* CUIS Gorgonzola
gorille [gɔʀij] *m* **1.** ZOOL gorilla **2.** *fam, fig* bodyguard; heavy *fam*
gosier [gozje] *m* gullet
gospel [gɔspɛl] *m* gospel music
▶ **gosse** [gɔs] *fam m/f* child; *fam* kid *fam*; *m* boy; *f* girl; *adjt* ***être beau*** ~ to be good-looking
gothique [gɔtik] *adj* Gothic; (***art*** *m*, ***style*** *m*) ~ *m* Gothic (art, style); ***écriture*** *f* ~ Gothic script
gouache [gwaʃ] *f* **1.** gouache **2.** *tableau* gouache
gouaille [gwaj] *f* cheeky banter
gouape [gwap] *fam f* hoodlum
gouda [guda] *m* CUIS Gouda
goudron [gudʀõ] *m* tar
goudronnage [gudʀɔnaʒ] *m* tarring **goudronner** *v/t* to tar **goudronneuse** *f* tar spreader **goudronneux** *adj* ⟨**-euse** [-øz]⟩ tarry
gouffre [gufʀ] *m* **1.** abyss; *fig* ***au bord du*** ~ on the brink of the abyss **2.** *fig* drain
gouge [guʒ] *f* gouge
gougère [guʒɛʀ] *f choux pastry with added cheese*
gouine [gwin] *f abus* (*lesbienne*) dyke *abus*
goujat [guʒa] *m péj* boor
goujaterie [guʒatʀi] *f* boorishness
goujon [guʒõ] *m* ZOOL gudgeon
goulache *ou* **goulasch** [gulaʃ] *f ou m* CUIS goulash
goulag [gulag] *m* gulag
goulée [gule] *fam f* gulp
goulet [gulɛ] *m* **1.** MAR narrows (+ *v pl*) **2.** *en montagne* gully **3.** *fig* ~ ***d'étranglement*** → ***goulot***
gouleyant [gulejɑ̃] *adj* ⟨**-ante** [-ɑ̃t]⟩ *vin* lively
goulot [gulo] *m* **1.** neck; ***boire au*** ~ to drink from the bottle **2.** *fig* ~ ***d'étranglement*** bottleneck (*a* ÉCON)
goulu [guly] *adj* ⟨**~e**⟩ greedy
goulûment [gulymɑ̃] *adv* greedily
goupille [gupij] *f* TECH pin
goupiller [gupije] **I** *v/t fam* to pin **II** *v/pr fam* ***ça s'est bien, mal goupillé*** things turned out well, badly
goupillon [gupijõ] *m* **1.** ÉGL holy water sprinkler **2.** *brosse* bottle brush
gourbi [gurʀbi] *m* shack; (*taudis*) hovel
gourd [guʀ] *adj* ⟨**gourde** [guʀd]⟩ numb
gourde [guʀd] **I** *f* **1.** *bouteille* flask **2.** *fig, fam* dimwit *fam* **II** *adj* dumb *fam*

gourdin [gurdɛ̃] *m* cudgel
gourer [gure] *v/pr fam* ***se ~*** to make a mistake; to goof *fam*; ***se ~ de qc*** to get sth wrong
▶ **gourmand** [gurmɑ̃] **I** *adj* ⟨**-ande** [-ɑ̃d]⟩ **1.** greedy; ***~ de qc*** fond of sth; ***être ~*** *de nourriture* to be a food lover; *de sucreries* to have a sweet tooth **2.** *fig* greedy **II** ***c'est un(e) ~(e)*** *m(f)* he / she likes his / her food; *de sucreries fam* he / she has a sweet tooth
gourmander [gurmɑ̃de] *litt v/t* to castigate
gourmandise [gurmɑ̃diz] *f* **1.** greed **2.** ***~s*** *pl* delicacies
gourmet [gurmɛ] *m* gourmet
gourmette [gurmɛt] *f* chain bracelet
gourou [guru] *m* guru
gousse [gus] *f* **1.** BOT pod **2.** ***~ d'ail*** clove of garlic
gousset [gusɛ] *m* (*poche*) fob
▶ **goût** [gu] *m* **1.** *sens* taste **2.** (*saveur*) taste; ***avoir bon ~*** to taste good **3.** *fig* taste; ***bon ~*** good taste; ***de bon ~*** tasteful; ***de mauvais ~*** tasteless; *bibelot* tacky *fam*; ***à mon ~*** to my liking; ***au ~ du jour*** contemporary, fashionable; ***avec, sans ~*** tastefully, tastelessly **4.** (*envie*) taste (***de, pour*** for); (*penchant*) taste; ***avoir le ~ du risque*** to like taking risks; ***prendre ~ à qc*** to develop a taste for sth **5.** ***~s*** *pl* (*préférences*) tastes; ***avoir des ~s simples*** to have simple tastes
▶ **goûter** [gute] **I** *v/t* **1.** (*déguster*) to taste **2.** *fig* to appreciate **II** *v/t indir* ***~ de qc*** to have a taste of sth, to try sth **III** *v/i enfants* to have an afternoon snack **IV** *m* afternoon snack; ***~ d'anniversaire*** birthday party
▶ **goutte**[1] [gut] **I** *f* **1.** drop; ***~ à ~*** drop by drop; ***couler ~ à ~*** to drip; ***verser qc ~ à ~*** to pour sth a drop at a time; *fig* ***c'est la ~ d'eau qui fait déborder le vase*** it's the straw that broke the camel's back; ***se ressembler comme deux ~s d'eau*** to be like two peas in a pod **2.** PHARM ***~s*** *pl* drops **3.** *par ext* ***une ~ de café***, *etc* a drop of coffee, *etc.* **4.** *fam*, *fig* ***boire la ~*** to have a nip **II** *adv littér ou plais* ***je n'y vois ~*** I can't see a thing
goutte[2] *f* MÉD gout
goutte-à-goutte *m* ⟨*inv*⟩ MÉD intravenous drip
gouttelette [gutlɛt] *f* droplet
goutter [gute] *v/i* to drip

goutteux [gutø] MÉD **I** *adj* ⟨**-euse** [-øz]⟩ gouty **II** *m* gout sufferer
gouttière [gutjɛr] *f* **1.** *d'un toit* gutter **2.** MÉD splint
gouvernail [guvɛrnaj] *m* rudder; AVIAT ***~ de direction, de profondeur*** rudder, elevator
gouvernante [guvɛrnɑ̃t] *f* **1.** *d'enfants* governess **2.** *d'un célibataire* housekeeper
gouvernants [guvɛrnɑ̃] *mpl* POL ***les ~*** the government (+ *v sg*)
gouverne [guvɛrn] *f* **1.** AVIAT ***~s*** *pl* control surfaces **2.** ***pour votre ~*** for your information
▶ **gouvernement** [guvɛrnəmɑ̃] *m* government
gouvernemental [guvɛrnəmɑ̃tal] *adj* ⟨**~e; -aux** [-o]⟩ **1.** government *épith*; *parti, majorité* ruling **2.** *presse* pro-government
▶ **gouverner** [guvɛrne] *v/t* to govern
gouverneur [guvɛrnœr] *m* ADMIN, POL, HIST governor
goyave [gɔjav] *f* guava
G.P.L. [ʒepeɛl] *m*, *abr* (= **gaz de pétrole liquéfié**) LPG
grabat [graba] *m* pallet
grabataire [grabatɛr] *adj* bedridden
grabuge [grabyʒ] *m fam* ruckus *fam*, *brit* ructions (+ *v pl*) *fam*
grâce [grɑs] **I** *f* **1.** (*faveur*) favor; (*volonté*) grace; ***de grâce!*** for pity's sake!; ***de bonne grâce*** willingly, with good grace; ***de mauvaise grâce*** grudgingly, with bad grace; ***être dans les bonnes grâces de qn*** to be in sb's good books; ***trouver grâce aux yeux de qn*** to find favor in sb's eyes **2.** (*miséricorde*) mercy; JUR pardon; *par ext* ***coup*** *m* ***de grâce*** death blow; *avec une arme à feu* fatal bullet; *fig* ***faire grâce à qn de qc*** to spare sb sth **3.** REL grace **4.** (*charme*) charm; *d'une personne* grace **5.** ***les trois Grâces*** the Three Graces **6.** REL ***action*** *f* ***de grâce(s)*** thanksgiving; ***grâce à Dieu!*** thank God! **II** *prép* ▶ ***grâce à*** thanks to
gracier [grasje] *v/t* to pardon
gracieusement [grasjøzmɑ̃] *adv* **1.** (*gratuitement*) free of charge **2.** (*avec grâce*) gracefully
gracieusetés [grasjøzte] *fpl iron* pleasantries
gracieux [grasjø] *adj* ⟨**-euse** [-øz]⟩ **1.** (*charmant*) gracious **2.** (*aimable*) kind

3. ***à titre ~*** free

gracile [gʀasil] *adj* slender **gracilité** *f* slenderness

gradation [gʀadasjõ] *f* gradation

grade [gʀad] *m* grade; MIL rank; ***monter en ~*** to be promoted; *fam, fig* ***en prendre pour son ~*** to be hauled over the coals *fig*

gradé [gʀade] *m* non-commissioned officer

gradin [gʀadɛ̃] *m* **1.** ***~s*** *pl d'un amphithéâtre* tiered seating (+ *v sg*); *d'un stade* bleachers, *brit* terraces **2.** *d'un terrain* terrace

graduation [gʀadɥasjõ] *f* graduation

gradué [gʀadɥe] *adj* ⟨**~e**⟩ **1.** *instrument de mesure* graduated **2.** *exercices* graded

graduel [gʀadɥɛl] *adj* ⟨**~le**⟩ gradual

graduer [gʀadɥe] *v/t* **1.** ***~ qc*** *difficultés, etc* to increase sth gradually **2.** *instrument de mesure* to graduate

graffiter [gʀafite] *v/t* ***~ qc*** to graffiti sth **graffiteur** *m*, **graffiteuse** *f* graffiti artist

graffiti(s) [gʀafiti] *mpl* graffiti (+ *v sg*)

graille [gʀɑj] *f fam* → ***bouffe***

graillon [gʀɑjõ] *m* ***odeur*** *f* ***de ~*** smell of stale fat

graillonner [gʀɑjɔne] *v/i* **1.** to smell of stale fat **2.** *pop* (*cracher*) to hawk up phlegm

▶ **grain** [gʀɛ̃] *m* **1.** *des céréales* grain **2.** *de raisin, de groseille* berry; *de café* bean; ***~ de poivre*** peppercorn; ***café en ~s*** coffee beans (+*v pl*); ***poivre en ~s*** peppercorns (+*v pl*); **3.** *d'un chapelet* bead **4.** *de sable, de sel, etc* grain; *fam, fig* ***mettre son ~ de sel*** to stick one's oar in *fam* **5.** ***~ de beauté*** beauty spot, mole **6.** *d'un papier*, PHOT grain; *d'un cuir* grain **7.** *fam, fig* ***avoir un ~*** to have a screw loose *fam, fig* **8.** (*averse*) squally shower; *fig* ***veiller au ~*** to be on one's guard

graine [gʀɛn] *f* **1.** BOT seed; ***~s de tournesol*** sunflower seeds; ***monter en ~*** to run to seed; *fig* ***prends-en de la ~*** take a leaf out of his, her, *etc.* book **2.** *fig* ***son frère, c'est une mauvaise ~*** *péj* her brother's a bad lot *péj*

grainetier [gʀɛntje] *m* seed merchant

graissage [gʀɛsaʒ] *m* greasing

graisse [gʀɛs] *f* **1.** ANAT, CHIM, CUIS fat **2.** TECH grease

graisser [gʀese] *v/t* **1.** to grease *a* TECH; AUTO to lubricate **2.** *salir* ***~ qc*** to make sth greasy

graisseur [gʀɛsœʀ] *m* TECH lubricator

graisseux [gʀɛsø] *adj* ⟨**-euse** [-øz]⟩ **1.** (*gras*) greasy **2.** BIOL fatty

graminées [gʀamine] *fpl* grasses

▶ **grammaire** [gʀamɛʀ] *f* grammar

grammatical [gʀamatikal] *adj* ⟨**~e; -aux** [-o]⟩ grammatical

▶ **gramme** [gʀam] *m* **1.** gram; ***1 ~ 6 d'alcoolémie*** a blood alcohol level of 1.6 grams **2.** *fig* ***il n'a pas un ~ de bon sens*** he hasn't got an ounce of common sense

▶ **grand** [gʀɑ̃, gʀɑ̃t] **I** *adj* ⟨**grande** [gʀɑ̃d]⟩ big, large; *haut* tall; ***~ âge*** [-t-] great age; ***~ blessé*** serious casualty; ***~ choix*** wide choice; ENSEIGNEMENT ***les ~es classes*** the senior classes; ***~ cri*** loud shout; ***~ format*** large format; ***~ froid*** intense cold; ***~ fumeur*** heavy smoker; ***deux ~es heures*** a good two hours; ***~es jambes*** long legs; ***le ~ monde*** high society **II** *adv* ***en ~*** on a large scale; ***voir ~*** to think big; *péj* to have high hopes; ***~ ouvert*** [-t-] wide open **III** *subst* **1.** *d'enfants* ***le ~, la ~e*** the eldest; *fam* ***mon ~!*** my darling!; *fam* ***ma ~e!*** my darling! **2.** (*adulte*) ***les ~s*** grown-ups, adults; (***les***) ***petits et*** (***les***) ***~s*** young and old alike **3.** (*puissant*) ***les ~s de ce monde*** the great and the good

grand-angle [gʀɑ̃tɑ̃gl] *m* ⟨**grands-angles** [gʀɑ̃zɑ̃gl]⟩ wide-angle lens

grand-chose **I** *pr ind* ***pas ~*** not much **II** *fam* ***un, une pas ~*** a nobody

grand-duc *m* ⟨**grands-ducs**⟩ **1.** grand duke **2.** ZOOL eagle owl

grand-duché *m* ⟨**grands-duchés**⟩ grand duchy

▶ **Grande-Bretagne** [gʀɑ̃dbʀətaɲ] ***la ~*** Great Britain

grande-duchesse [gʀɑ̃ddyʃɛs] *f* ⟨**grandes-duchesses**⟩ grand duchess

grandement [gʀɑ̃dmɑ̃] *adv* **1.** (*beaucoup*) greatly **2.** (*largement*) amply

grandeur [gʀɑ̃dœʀ] *f* size (*a* PHYS, MATH); ***~ d'âme*** nobility of spirit

grand-faim: ***avoir ~*** to be very hungry

grandiloquence [gʀɑ̃dilɔkɑ̃s] *f* grandiloquence **grandiloquent** *adj* ⟨**-ente** [-ɑ̃t]⟩ grandiloquent

grandiose [gʀɑ̃djoz] *adj* splendid

▶ **grandir** [gʀɑ̃diʀ] **I** *v/t* **1.** to make bigger **2.** *fig* to exaggerate **II** *v/i* **1.** (*pousser*) to grow (***de*** by); *fig* ***~ en sagesse*** to grow in wisdom **2.** (*s'intensifier*) to increase

grandissant [gʀɑ̃disɑ̃] *adj* ⟨**-ante** [-ɑ̃t]⟩ growing

grandissime [gʀɑ̃disim] *plais adj* humongous *fam*

grand-maman *f* ⟨**grand(s)-mamans**⟩ grandma

► **grand-mère** *f* ⟨**grand(s)-mères**⟩ **1.** grandmother **2.** *fam* (*vieille femme*) granny *fam*

grand-messe *f* ⟨**grand(s)-messes**⟩ high mass

grand-oncle [gʀɑ̃tõkl] *m* ⟨**grands-oncles** [gʀɑ̃zõkl]⟩ great-uncle

grand-papa *m* ⟨**grands-papas**⟩ grandpa; grandad *fam*

grand-peine *adv* ***à ~*** with great difficulty

► **grand-père** *m* ⟨**grands-pères**⟩ **1.** grandfather **2.** *fam* (*vieillard*) old-timer *fam*

grand-peur: ***avoir ~ que … ne*** +*subjonctif* to be very much afraid that

grand-route *f* ⟨**grand(s)-routes**⟩ highway

grand-rue *f* ⟨**grand(s)-rues**⟩ main street, *brit* high street

grand-soif: ***avoir ~*** to be very thirsty

► **grands-parents** [gʀɑ̃paʀɑ̃] *mpl* grandparents

grand-tante *f* ⟨**grand(s)-tantes**⟩ great-aunt

grand-voile *f* ⟨**grand(s)-voiles**⟩ mainsail

grange [gʀɑ̃ʒ] *f* barn

granit(e) [gʀanit] *m* granite **granitique** *adj* granitic

granny [gʀani] *f*, **granny smith** [gʀanismis] *f* ⟨*inv*⟩ *pomme* Granny Smith

granulat [gʀanyla] *m* CONSTR aggregate

granule [gʀanyl] *m* **1.** granule **2.** PHARM small pill

granulé [gʀanyle] **I** *adj* ⟨**~e**⟩ granular **II** *mpl* ***~s*** PHARM granules

granuler [gʀanyle] *v/t* to granulate **granuleux** *adj* ⟨**-euse** [-øz]⟩ granular

grapheur [gʀafœʀ] *m* INFORM graphics software

graphie [gʀafi] *f* spelling

graphique [gʀafik] **I** *adj* graphic; ***arts*** *mpl* ***~s*** graphic arts; *secteur* graphics **II** *m* graph

graphisme [gʀafism] *m* graphics; *d'un dessinateur* draftsmanship

graphiste [gʀafist] *m/f* graphic designer

graphite [gʀafit] *m* graphite

graphité [gʀafite] *adj* ⟨**~e**⟩ ***lubrifiant ~*** graphite lubricant

graphologie [gʀafɔlɔʒi] *f* graphology **graphologique** *adj* graphological **graphologue** *m/f* graphologist

grappa [gʀapa] *f* grappa

grappe [gʀap] *f* cluster; ***~ de raisin*** bunch of grapes

grappillage [gʀapijaʒ] *m* **1.** VENDANGES picking **2.** *fig* pilfering

grappiller [gʀapije] *v/t* **1.** to pick **2.** *fig avantages* to pick up; *informations* to gather

grappin [gʀapɛ̃] *m* MAR grappling iron; *fam*, *fig* ***mettre le ~ sur qn*** to get one's hands on sb

► **gras** [gʀɑ] **I** *adj* ⟨**grasse** [gʀɑs]⟩ **1.** fat; *aliment* fatty; *personne*, *animal* fat **2.** (*enduit de graisse*) greasy **3.** *fig terre* heavy; *crayon* soft; *toux* loose; *rire* throaty; ***en caractères ~*** in bold **II** ***le ~*** the fat; *fam*, *fig* ***il n'y a pas ~ à manger*** there's not much to eat

gras-double *m* ⟨**gras-doubles**⟩ tripe

grassement [gʀasmɑ̃] *adv* generously

grasseyer [gʀaseje] *v/i* to have a guttural pronunciation

grassouillet [gʀasujɛ] *adj* ⟨**-ette** [-ɛt]⟩ cuddly; *femme* plump

gratifiant [gʀatifjɑ̃] *adj* ⟨**-ante** [-ɑ̃t]⟩ gratifying

gratification [gʀatifikasjõ] *f* **1.** *somme* bonus **2.** PSYCH gratification

gratifier [gʀatifje] *v/t* **1.** ***~ qn de qc*** to present sb with sth **2.** PSYCH ***~ qn*** to give sb gratification

gratin [gʀatɛ̃] *m* **1.** ***au ~*** au gratin; ***~ dauphinois*** gratin Dauphinois **2.** *fam*, *fig* ***le ~*** the upper crust

gratiné [gʀatine] *adj* ⟨**~e**⟩ **1.** au gratin **2.** tremendous

gratinée [gʀatine] *f* French onion soup

gratiner [gʀatine] *v/t* ***faire ~*** to cook au gratin

gratis [gʀatis] *fam adv* free; *adjt* free

gratitude [gʀatityd] *f* gratitude

grattage [gʀataʒ] *m* scratching; LOTERIE scratchcards + *v pl*

gratte-ciel [gʀatsjɛl] *m* ⟨**gratte-ciel(s)**⟩ skyscraper **gratte-cul** *m* ⟨**gratte-cul(s)**⟩ rosehip **gratte-dos** *m* ⟨*inv*⟩ backscratcher

grattement [gʀatmɑ̃] *m* scratching

gratte-papier *m* ⟨**gratte-papier(s)**⟩ *péj* pencil pusher *brit* pen-pusher

gratter [gʀate] **I** *v/t* **1.** *surface*, *cicatrice* to scratch; *casserole* to scrape; *sol*, *neige* to scrape off **2.** (*enlever*) to scratch off; *inscription* to scratch out; *abs* LOTERIE to do scratchcards **3. *ça me gratte*** (*démange*) it makes me itch **4.** *fam à son profit fam* to make something on the side **II** *v/i* **1.** to scratch **2.** *fam* **~ *de la guitare*** *fam* to strum on the guitar **3.** *fam* (*travailler*) to slog *fam*; *p/fort* to slave **III** *v/pr* ***se ~*** to scratch

grattoir [gʀatwaʀ] *m* scraper

grattouiller [gʀatuje] *v/t fam* → ***gratter*** *I 3*

▶ **gratuit** [gʀatɥi] *adj* ⟨**-uite** [-ɥit]⟩ **1.** (*non payant*) free; ***billet ~*** free ticket **2.** (*sans fondement*) unfounded

gratuité [gʀatɥite] *f* **1. *la gratuité des transport*** the fact that transport is free **2.** *d'une accusation*, *etc* unfounded nature

gratuité ≠ gratuity, tip

Gratuité = fact of being free, anything that is free:

× **Doit-on laisser une gratuité?**
✓ **Doit-on laisser un pourboire?**

Do you have to leave a tip?

gratuitement [gʀatɥitmɑ̃] *adv* **1.** (*sans payer*) free **2.** (*sans motif*) for no reason; (*arbitrairement*) wantonly

gravats [gʀava] *mpl* rubble *sg*

▶ **grave** [gʀav] *adj* **1.** *air*, *ton* solemn; *attitude* serious **2.** *problème*, *situation*, *maladie* serious; *erreur* grave; *décision* weighty; ***blessé*** *m* **~** severely injured person; ***ce n'est pas ~*** it doesn't matter **3.** *voix* deep **4.** ***accent*** *m* **~** grave accent

graveleux [gʀavlø] *adj* ⟨**-euse** [-øz]⟩ gravelly

gravement [gʀavmɑ̃] *adv* **1.** (*dignement*) solemnly **2. ~ *malade*** seriously ill

graver [gʀave] *v/t* **1.** to engrave *pour reproduire* to etch (***sur*** onto) **2.** *fig souvenir* ***c'est gravé dans ma mémoire*** it's engraved on my memory

graveur [gʀavœʀ] *m* engraver; **~ *de CD*** CD burner

gravier [gʀavje] *m* gravel

gravillon [gʀavijɔ̃] *m* piece of gravel

gravir [gʀaviʀ] *v/t* to climb

gravissime [gʀavisim] *adj maladie*, *faute*, *erreur* very serious

gravitation [gʀavitasjɔ̃] *f* gravitation

gravité [gʀavite] *f* **1.** (*sérieux*) solemnity **2.** *de la situation* gravity; *d'une maladie* seriousness; ***sans ~*** not serious **3.** *d'un son* deepness **4.** PHYS, *fig* ***centre*** *m* ***de ~*** center of gravity

graviter [gʀavite] *v/t indir* **1.** ASTROL to revolve (***autour de*** around) **2.** *fig* **~ *autour de qn*** to hover around sb

gravure [gʀavyʀ] *f* **1.** *technique*, *art* engraving **2.** *ouvrage* print; *sur bois* woodcut; *par ext* reproduction

gré [gʀe] *m* **1. *à mon ~*** (*à mon goût*) to my liking; (*à volonté*) as I like; (*à mon avis*) to my mind; ***au ~ des événements*** according to how things go; ***contre le ~ de qn*** against sb's will; ***de bon ~*** willingly; ***de son plein ~*** of his own free will; ***de ~ ou de force*** like it or not; ***bon ~ mal ~*** like it or not **2.** *st/s* ***savoir ~ à qn de qc*** to be grateful to sb for sth

▶ **grec** [gʀɛk] **I** *adj* ⟨**grecque** [gʀɛk]⟩ Greek **II 1.** *m langue* Greek **2. *Grec, Grecque*** *m/f* Greek

▶ **Grèce** [gʀɛs] ***la ~*** Greece

grecque [gʀɛk] *f ornement* Greek key

gredin [gʀədɛ̃] *m fam* ***petit ~*** little rascal

gréement [gʀemɑ̃] *m* MAR rigging

greffage [gʀɛfaʒ] *m* BIOL grafting

greffe[1] [gʀɛf] *f* **1.** MÉD graft; **~ *du cœur*** heart transplant **2.** BOT grafting; (*greffon*) graft

greffe[2] *m* court clerk's office

greffer [gʀefe] **I** *v/t* **1.** *arbre* to graft **2.** MÉD to transplant **II** *v/pr fig* ***se ~ sur qc*** to come on top of sth

greffier [gʀefje] *m* clerk of the court

greffon [gʀɛfɔ̃] *m* **1.** BOT graft **2.** MÉD transplant

grégaire [gʀegɛʀ] *adj* gregarious; ***instinct*** *m* **~** herd instinct

grège [gʀɛʒ] *adj* **1. *soie*** *f* **~** raw silk **2.** *couleur* gray-beige

grégorien [gʀegɔʀjɛ̃] *adj* ⟨**-ienne** [-jɛn]⟩ Gregorian

grêle[1] [gʀɛl] *f* hail

grêle[2] *adj* spindly; ***intestin*** *m* **~** small intestine

grêlé [gʀele] *adj* ⟨**~e**⟩ pock-marked

grêler [gʀele] *v/imp* to hail

grêlon [gʀɛlɔ̃] *m* hailstone

grelot [gʀəlo] *m* (small) bell

grelottant [gʀəlɔtɑ̃] *adj* ⟨**-ante** [-ɑ̃t]⟩ shivering **grelottement** *m* shivering

grelotter [gʀəlɔte] *v/i* to shiver; **~ *de fièvre*** to shiver with fever

greluche [gʀəlyʃ] *f fam* chick *fam*
grenade [gʀənad] *f* **1.** BOT pomegranate **2.** MIL grenade
Grenade [gʀənad] **1.** *aux Petites Antilles* Grenada **2.** *en Espagne* Granada
grenadier [gʀənadje] *m* **1.** BOT pomegranate tree **2.** HIST MIL grenadier
grenadin [gʀənadɛ̃] *m* red carnation
grenadine [gʀənadin] *f* grenadine
grenaille [gʀənaj] *f* shot
grenat [gʀəna] *m* **1.** MINÉR garnet **2.** *adjt* ⟨*inv*⟩ garnet-colored
▶ **grenier** [gʀənje] *m* **1.** attic **2.** *fig* grain loft
grenouillage [gʀənujaʒ] *m* POL shady dealings
grenouille [gʀənuj] *f* frog
grenouillère [gʀənujɛʀ] *f* sleepsuit
grès [gʀɛ] *m* **1.** *roche* sandstone **2.** *céramique* stoneware
gréseux [gʀezø] *adj* ⟨**-euse** [-øz]⟩ sandstone *épith*
grésil [gʀezil] *m* hail
grésillement [gʀezijmɑ̃] *m* CUIS sizzling; TÉL, RAD crackling
grésiller [gʀezije] *v/i friture* to sizzle; TÉL, RAD to crackle
▶ **grève** [gʀɛv] *f* **1.** strike; ***~ générale*** general strike; ***~ de la faim*** hunger strike; ***~ du zèle*** work-to-rule; ***~ sur le tas*** sit-down strike; ***être en ~, faire ~*** to be on strike, to strike; ***se mettre en ~*** to go on strike **2.** *plage* shore
grever [gʀəve] *v/t* ⟨**-è-**⟩ to burden (***de*** with)
gréviste [gʀevist] *m/f* striker
gribouillage [gʀibujaʒ] *m péj écriture* scrawl; *fam* scribble
gribouiller [gʀibuje] **I** *v/t* to scrawl; *fam* to scribble **II** *v/i fam* to scribble
gribouilleur [gʀibujœʀ] *m*, **gribouilleuse** [-øz] *f fam* scribbler
gribouillis [gʀibuji] *m* → ***gribouillage***
grief [gʀijɛf] *m* grievance; ***faire ~ de qc à qn*** to hold sth against sb
grièvement [gʀijɛvmɑ̃] *adv* ***~ blessé*** severely injured
griffe [gʀif] *f* **1.** ZOOL claw; *fig* ***tomber dans les ~s de qn*** to fall into sb's clutches **2.** ADMIN signature; COMM label **3.** *fig* stamp
griffé [gʀife] *adj* ⟨**~e**⟩ designer
▶ **griffer** [gʀife] *v/t* to scratch
griffon [gʀifõ] *m* **1.** *chien* griffon terrier **2.** MYTH griffon
griffonnage [gʀifɔnaʒ] *m* scribble **griffonner** *v/t* to scribble; *à la hâte* to jot down
griffu [gʀify] *adj* ⟨**~e**⟩ clawed
griffure [gʀifyʀ] *f* scratch
grignotage [gʀiɲɔtaʒ] *m* **1.** → ***grignotement*** **2.** *fig d'un héritage* frittering; *de droits* erosion
grignotement [gʀiɲɔtmɑ̃] *m* nibbling
grignoter [gʀiɲɔte] *v/t* **1.** to nibble; (*entamer*) to dip into; ***~ qc*** to nibble sth **2.** *fig héritage* to eat into; *droits* to erode
grigou [gʀigu] *m fam* skinflint *fam*
grigri [gʀigʀi] *m* charm
gri-gri [gʀigʀi] *m* ⟨**gris-gris**⟩ → ***grigri***
gril [gʀil] *m* broiler; *fam, fig* ***être sur le ~*** to be on tenterhooks
grillade [gʀijad] *f* broiled meat
grillage [gʀijaʒ] *m* wire mesh; *clôture* fence **grillager** *v/t* ⟨**-ge-**⟩ to cover with wire mesh
grille [gʀij] *f* **1.** railings *pl* **2.** *d'un poêle* grate **3.** *de mots croisés, etc* grid **4.** (*tableau*) grid
grille-pain *m* ⟨*inv*⟩ toaster
▶ **griller** [gʀije] **I** *v/t* **1.** *viande* to broil; *pain* to toast; *marrons, café* to roast; ***amandes grillées*** roasted almonds; ***pain grillé*** toasted bread **2.** *fam cigarette* to smoke **3.** ***~ un feu rouge*** to run a stoplight **4.** *fam, fig* ***~ qn*** SPORT to leave sb standing; *par ext* to outstrip sb; *fam* ***être grillé*** to have had it *fam* **II** *v/i* **1.** *viande* to broil **2.** ÉLEC to blow **3.** *fam personne* to be roasting *fam* **4.** *fig* ***~*** (***d'envie***) ***de*** *+inf* to be itching *+inf*
grillon [gʀijõ] *m* cricket
grimaçant [gʀimasɑ̃] *adj* ⟨**-ante** [-ɑ̃t]⟩ grimacing
grimace [gʀimas] *f* grimace; ***faire des ~s*** to make faces; ***faire la ~*** to make a long face
grimacer [gʀimase] *v/i* ⟨**-ç-**⟩ to grimace
grimer [gʀime] *v/t* (*et v/pr* ***se ~*** to make o.s. up) to make up
grimoire [gʀimwaʀ] *m* **1.** (*livre de magie*) spellbook **2.** *fig* mumbo jumbo
grimpant [gʀɛ̃pɑ̃] *adj* ⟨**-ante** [-ɑ̃t]⟩ ***plante ~e*** climbing plant
grimpée [gʀɛ̃pe] *f* steep climb
grimper [gʀɛ̃pe] *v/i* **1.** to climb (***sur, à*** up); *plante* to climb (***à*** up) **2.** *par ext chemin* to climb; *fig prix* to shoot up
grimpette [gʀɛ̃pɛt] *fam f* steep climb
grimpeur [gʀɛ̃pœʀ] *m*, **grimpeuse** [-øz] *f* climber
grinçant [gʀɛ̃sɑ̃] *adj* ⟨**-ante** [-ɑ̃t]⟩ **1.**

creaking **2.** *fig ton*, *ironie* biting; *humour* caustic
grincement [gʀɛ̃smɑ̃] *m* **1.** creaking **2.** *fig* **~ *de dents*** gnashing of teeth
grincer [gʀɛ̃se] *v/i* ⟨**-ç-**⟩ **1.** to creak **2. ~ *des dents*** to grind one's teeth
grincheux [gʀɛ̃ʃø] *adj* ⟨**-euse** [-øz]⟩ grumpy; *enfant fam* cranky *fam*
gringalet [gʀɛ̃galɛ] *m péj* puny weakling
griotte [gʀijɔt] *f* Morello cherry
grippage [gʀipaʒ] *m* TECH seizing
grippal [gʀipal] *adj* ⟨**~e; -aux** [-o]⟩ flu *épith*
grippe [gʀip] *f* **1.** MÉD flu; ***grippe* ~** avian influenza **2. *prendre en* ~** to take a dislike to
grippé [gʀipe] *adj* ⟨**~e**⟩ ***être grippé*** to have flu
gripper [gʀipe] *v/pr* ***se* ~** TECH to seize
grippe-sou [gʀipsu] *m* ⟨**grippe-sou(s)**⟩ skinflint
▶ **gris** [gʀi] **I** *adj* ⟨**grise** [gʀiz]⟩ **1.** gray; ***cheveux* ~** gray hair **2.** *temps* overcast; *ciel* gray **3.** *fig* colorless **4.** *fig* (*éméché*) tipsy **II** *m* **1.** gray **2.** *fam tabac* shag
grisaille [gʀizaj] *f* grayness
grisant [gʀizɑ̃] *adj* ⟨**-ante** [-ɑ̃t]⟩ *musique*, *succès* exciting; *parfum* heady
grisâtre [gʀizɑtʀ] *adj* grayish; *ciel*, *jour* gray
grisé [gʀize] *m* gray
griser [gʀize] **I** *v/t* **~ *qn*** *alcool*, *fig* to go to sb's head; *succès* to exhilarate **II** *v/pr fig* ***se* ~ *de*** to get tipsy on
griserie [gʀizʀi] *f* tipsiness
grisette [gʀizɛt] *f autrefois* grisette
gris-gris → ***gri-gri***
grison [gʀizõ] **I** *adj* ⟨**-onne** [-ɔn]⟩ from Graubünden **II *Grison*(*ne*)** *m*(*f*) person from Graubünden
grisonnant [gʀizɔnɑ̃] *adj* ⟨**-ante** [-ɑ̃t]⟩ graying **grisonner** *v/i* to become gray; *personne* to be going gray
Grisons [gʀizõ] ***les* ~** *mpl* the Graubünden
grisou [gʀizu] *m* firedamp; ***coup*** *m* ***de* ~** explosion of firedamp
grive [gʀiv] *f* ZOOL thrush
griveton [gʀivtõ] *fam m* soldier
grivois [gʀivwa] *adj* ⟨**-oise** [-waz]⟩ bawdy
grivoiserie [gʀivwazʀi] *f* bawdiness
grizzli *ou* **grizzly** [gʀizli] *m* grizzly bear
Groenland [gʀɔɛnlɑ̃d] ***le* ~** Greenland
grog [gʀɔg] *m* toddy
groggy [gʀɔgi] *adj* groggy
grognard [gʀɔɲaʀ] *m soldier of Napoleon's Old Guard*
grogne [gʀɔɲ] *f* grumbling
grognement [gʀɔɲmɑ̃] *m* **1.** *d'une personne* grunt **2.** *d'un cochon* grunting; *d'un ours* growling
grogner [gʀɔɲe] *v/i* **1.** *personne* to grumble (***contre*** at) **2.** *cochon* to grunt; *ours*, *chien* to growl
grognon [gʀɔɲõ] *adj* grumpy; *enfant fam* cranky
groin [gʀwɛ̃] *m* snout
grol(l)e [gʀɔl] *f fam* shoe
grommeler [gʀɔmle] *v/t et v/i* ⟨**-ll-**⟩ **~ (*entre ses dents*)** to mutter (under one's breath)
grommellement [gʀɔmɛlmɑ̃] *m* muttering
grondement [gʀõdmɑ̃] *m* **1.** *du tonnerre* rumbling; *du canon* booming; *d'un moteur*, *d'un torrent* roar **2.** *d'un chien* growling
gronder [gʀõde] **I** *v/t* to scold (***qn*** sb) **II** *v/i* **1.** *tonnerre* to rumble; *canon* to boom; *moteur*, *torrent* to roar **2.** *chien*, *fauve*, *ours* to growl **3.** *fig révolte* to be brewing
gronderie [gʀõdʀi] *f* scolding **grondeur** *adj* ⟨**-euse** [-øz]⟩ *ton*, *voix* scolding
grondin [gʀõdɛ̃] *m poisson* gurnard
groom [gʀum] *m* bellboy
▶ **gros** [gʀo] **I** *adj* ⟨**grosse** [gʀos]⟩ **1.** (*volumineux*) big; **~ *chien*** big dog; **~ *intestin*** large intestine; **~ *os*** *pl* big bones; **~ *comme le poing*** as big as one's fist **2.** (*corpulent*) fat **3.** (*important*) big; *mangeur* big; *rhume* heavy; *orage* big; *dégâts*, *soucis*, *erreur* serious; *somme* large; *affaire* major; **~ *industriel*** big manufacturer; **~ *soupir*** big sigh; *fam*, *fig* **~*se tête*** bighead *fam*; **~*se voix*** booming voice **4.** (*grossier*) big; **~ *mensonge*** big lie; **~ *mot*** swearword; **~ *rire*** loud laugh; *fam* **~ *rouge*** rough red wine; **~ *sel*** cooking salt **5.** MAR **~*se mer*** rough sea; **~ *temps*** rough weather **II** *adv* **1.** big; ***écrire* ~** to write in big letters **2.** (*beaucoup*) a lot; ***je donnerais* ~ *pour savoir*...** I'd give a lot to know ...; ***jouer* ~** to play for high stakes; ***risquer* ~** to take a big risk; ***il en a* ~ *sur le cœur***, *fam* ***sur la patate*** he's not happy **3. *en* ~** *écrit* in big letters; (*grosso modo*) roughly; COMM wholesale **III** *subst* **1. ~(*se*)** *m*(*f*) (*personne grosse*) fat person **2.** *fam* ***les* ~** *mpl* (*les riches*) the people

with money **3.** *m* COMM wholesale; ***commerce*** *m* ***de*** *ou* ***en*** **~** wholesale business **4.** ***le*** **~** ***de …*** the bulk of …; ***le plus*** **~** ***est fait*** the main part has been done

gros-bec *m* ⟨**gros-becs**⟩ ZOOL hawfinch

▶ **groseille** [gʀozɛj] *f* (red) currant; **~** ***à maquereau*** gooseberry

groseillier [gʀozeje] *m* currant bush

gros-grain *m* ⟨**gros-grains**⟩ grosgrain

gros-porteur *m* ⟨**gros-porteurs**⟩ jumbo jet

grosse [gʀos] *f* **1.** JUR engrossment **2.** COMM (*douze douzaines*) gross

grossesse [gʀosɛs] *f* pregnancy

grosseur [gʀosœʀ] *f* **1.** size **2.** MÉD lump

grossier [gʀosje] *adj* ⟨**-ière** [-jɛʀ]⟩ **1.** *tissu, traits* coarse; *travail, ruse* crude; *erreur* big **2.** (*mal élevé*) uncouth; **~** ***personnage*** uncouth individual **3.** (*vulgaire*) coarse

grossièrement [gʀosjɛʀmɑ̃] *adv* **1.** (*en gros*) roughly **2.** (*lourdement*) very much **3.** (*de façon impolie*) rudely

grossièreté [gʀosjɛʀte] *f* coarseness

▶ **grossir** [gʀosiʀ] **I** *v/t* **1.** *vêtements* **~** ***qn*** to make sb look fatter **2.** (*augmenter*) to make bigger OPT to magnify; *fig* (*exagérer*) to exaggerate **II** *v/i* **1.** *personne* to gain weight ***grossir d'un kilo*** to put on a kilo **2.** (*augmenter*) to grow; *rivière* to swell

grossissant [gʀosisɑ̃] *adj* ⟨**-ante** [-ɑ̃t]⟩ growing **grossissement** *m* **1.** enlarging (*a* OPT) **2.** *fig* exaggeration

grossiste [gʀosist] *m/f* wholesaler

grosso modo [gʀosomodo] *adv* roughly

grotesque [gʀɔtɛsk] **I** *adj* grotesque **II** ***le*** **~** the grotesque

▶ **grotte** [gʀɔt] *f* cave; *artificielle* grotto

grouillant [gʀujɑ̃] *adj* ⟨**-ante** [-ɑ̃t]⟩ swarming (***de*** with) **grouillement** *m* swarming

grouiller [gʀuje] **I** *v/i* to swarm (***de*** with) **II** *v/pr fam* ***se*** **~** to get moving

groupage [gʀupaʒ] *m* COMM bulking

▶ **groupe** [gʀup] *m* **1.** group; **~** ***de travail*** work group; ***cabinet*** *m* ***de*** **~** group practice; ***en*** **~** as a group; *adjt* group **2.** **~** ***parlementaire*** parliamentary group **3.** MUS group; **~** ***de rock*** rock band **4.** **~** ***scolaire*** school complex **5.** TECH group **6.** **~** ***sanguin*** blood group

groupé [gʀupe] *adj* ⟨**~e**⟩ consolidated

groupement [gʀupmɑ̃] *m* grouping

grouper [gʀupe] **I** *v/t* to group; *objets, faits* to group together **II** *v/pr* ***se*** **~** to gather; ***se*** **~** ***autour de qn*** to gather around sb

groupuscule [gʀupyskyl] *m* small group

gruau [gʀyo] *m* ⟨**~x**⟩ superior quality flour

grue [gʀy] *f* **1.** ZOOL crane; *fig* ***faire le pied de*** **~** *fam* to stand around **2.** *fam* (*prostituée*) hooker *fam* **3.** TECH crane

gruger [gʀyʒe] *v/t* ⟨**-ge-**⟩ **~** ***qn*** to swindle sb

grume [gʀym] *f* ***bois*** *m* ***de, en*** **~** rough lumber

grumeau [gʀymo] *m* ⟨**~x**⟩ lump

grumeleux [gʀymlø] *adj* ⟨**-euse** [-øz]⟩ **1.** *sauce, etc* lumpy **2.** *peau* bumpy

grutier [gʀytje] *m* crane driver

gruyère [gʀyjɛʀ] *m* Swiss Cheese

Guadeloupe [gwadlup] ***la*** **~** Guadaloupe

guadeloupéen [gwadlupeɛ̃] *adj* ⟨**-enne** [-ɛn]⟩ Guadalupian

Guatemala [gwatemala] ***le*** **~** Guatamala

gué [ge] *m* ford; ***passer à*** **~** to ford

guéguerre [gegɛʀ] *fam f* squabble

guenilles [gənij] *fpl* rags

guenon [gənõ] *f* female monkey

guépard [gepaʀ] *m* cheetah

▶ **guêpe** [gɛp] *f* wasp

guêpier [gepje] *m* wasps' nest; *fig* ***se fourrer dans un*** **~** to land in a tricky situation

guêpière [gepjɛʀ] *f* basque

guère [gɛʀ] *adv* ***ne …*** **~** hardly; ***il n'y reste*** **~** there's hardly any left; ***il n'y a*** **~** ***que moi …*** I'm just about the only one who …

guéri [geʀi] *adj* ⟨**~e**⟩ **1.** *personne* cured; *maladie* cured; *blessure* healed **2.** *fig d'un préjugé* cured

guéridon [geʀidõ] *m* round table

guérilla [geʀija] *f* guerrilla war

guérillero [geʀijeʀo] *m* guerrilla

▶ **guérir** [geʀiʀ] **I** *v/t* **1.** *malade* to cure; *maladie* to cure **2.** *fig* **~** ***qn de qc*** to cure sb of sth **II** *v/i* **1.** *malade* to get better, to recover *st/s* **2.** *blessure* to heal; *grippe* to get better **III** *v/pr* **1.** ***se*** **~** **2.** *fig* ***se*** **~** ***de qc*** to cure o.s. of sth

guérison [geʀizõ] *f* recovery

guérissable [geʀisabl] *adj* curable **guérisseur** *m* healer

guérite [geʀit] *f* **1.** MIL sentry box **2.** (*baraque*) hut

▶ **guerre** [gɛʀ] *f* war; **~** ***froide*** cold war;

la Grande Guerre World War I; ***la Première, Seconde Guerre mondiale*** World War I, II; **~ *psychologique*** psychological warfare; *fig* ***à la ~ comme à la ~*** you have to do what you can; *fig* ***de bonne ~*** fair enough; *fig* ***de ~ lasse*** tired of resisting; ***déclarer la ~*** to declare war (***à un pays*** on a country); *fig* to declare war (***à qn, qc*** on sb, sth); ***être en ~*** to be at war; ***faire la ~*** to be at war (***à*** with); *fig* to wage war (***à qn*** on sb); ***se faire la ~*** to fight; *fig* ***faire la ~ à qc*** to wage war on sth

guerrier [gɛʀje] **I** *m* warrior **II** *adj* ⟨**-ière** [-jɛʀ]⟩ warrior

guerroyer [gɛʀwaje] *litt v/i* ⟨**-oi-**⟩ to wage war

guet [gɛ] *m* ***faire le ~*** to be on watch; *complice fam* to be the lookout

guet-apens [gɛtapɑ̃] *m* ⟨**guets-apens** [gɛtapɑ̃]⟩ ambush

guêtre [gɛtʀ] *f* gaiter; *fam, fig* ***traîner ses ~s*** to knock around *fam*

guetter [gete] *v/t* **1.** (*épier*) to watch (*abs ou* ***qn*** sb) **2.** *occasion, facteur* to watch out for **3.** *fig maladie, etc* **~ *qn*** to threaten

guetteur [gɛtœʀ] *m* lookout

gueulante [gœlɑ̃t] *fam f* yell

gueulard [gœlaʀ] *fam* **I** *adj* ⟨**-arde** [-aʀd]⟩ (*braillard*) blaring **II ~*(e)*** *m/f* loudmouth

▶ **gueule** [gœl] *f* **1.** *des animaux* mouth; *fig* ***se jeter dans la ~ du loup*** to put one's head in the lion's mouth **2.** *fam* (*bouche*) *fam* mouth; *par ext personne* ***grande ~*** *fam* loudmouth; ***coup*** *m* ***de ~*** outburst of shouting; ***avoir la ~ de bois*** *fam* to have a hangover; *pop* (***ferme***) ***ta ~!*** shut up *fam*; shut your mouth *pop* **3.** *fam* (*figure*) face; mug *fam*; ***avoir une bonne ~*** to look nice; *par ext de qc* ***avoir de la ~*** to look real good *fam*; ***se casser la ~*** to fall flat one's face; ***casser la ~ à qn*** *pop* to smash sb's face in *fam*; ***faire la ~*** *fam* to sulk

gueule-de-loup *f* ⟨**gueules-de-loup**⟩ snapdragon

gueulement [gœlmɑ̃] *fam m* yell

gueuler [gœle] *fam* **I** *v/t* to bawl **II** *v/i* **1.** (*hurler*) to bawl, to yell **2.** (*protester*) to yell **3.** *fig radio, télé* to blare

gueuleton [gœltõ] *fam m* chow down *fam*; ***un bon petit ~*** one hell of a meal *fam*

gueuletonner [gœltɔne] *fam v/i* to chow down *fam*

gueux [gø] *litt m* beggar

gueuze [gøz] *f* gueuse beer

gui [gi] *m* mistletoe

guibol(l)e [gibɔl] *fam f* leg

guiches [giʃ] *fpl* kiss curls

▶ **guichet** [giʃɛ] *m* ticket office; **~ *automatique*** ATM

guichetier [giʃtje] *m*, **guichetière** [-jɛʀ] *f* counter clerk

guidage [gidaʒ] *m* TECH steering; AVIAT guidance

▶ **guide** [gid] **1.** *m/f* guide; **~ *de montagne*** mountain guide **2.** *m livre* guidebook; *par ext* guide **3.** *m fig personne* guide **4.** *f* SCOUTISME guide

guider [gide] **I** *v/t* **1.** *touristes, aveugle* to guide; *étoiles, etc* **~ *qn*** to guide sb **2.** *fig* (*orienter*) to guide **3.** TECH to guide; *par radio* to guide **II** *v/pr* ***se ~ sur*** to be guided by

guides [gid] *fpl* reins

guidon [gidõ] *m* handlebars

guigne [giɲ] *f* **1.** *cerise* Guigne cherry; *fam, fig* ***se soucier de qn, de qc comme d'une ~*** not to give a damn about sb, sth *fam* **2.** *fam* bad luck

guigner [giɲe] *v/t* to look at out of the corner of one's eye

guignol [giɲɔl] *m* **1. *Guignol*** Guignol **2.** puppet show **3.** *fig* farce

guignolet [giɲɔlɛ] *m* cherry liqueur

guignon [giɲõ] *m fam* → ***guigne*** *2*

guilde [gild] *f* guild

guili-guili [giligili] *int* tickle tickle

Guillaume [gijom] *m* William

guilledou [gijdu] *fam, litt* ***courir le ~*** to chase after girls

guillemets [gijmɛ] *mpl* quote marks, quotes *fam*; ***entre ~*** in quote marks

guillemot [gijmo] *m oiseau* guillemot

guilleret [gijʀɛ] *adj* ⟨**-ette** [-ɛt]⟩ perky

guillocher [gijɔʃe] *v/t* to decorate with guilloche

guillotine [gijɔtin] *f* **1.** guillotine **2.** ***fenêtre*** *f* ***à ~*** sash window

guillotiner [gijɔtine] *v/t* to guillotine

guimauve [gimov] *f* **1.** BOT mallow **2.** *pâte* marshmallow **3.** *fig* schmalz

guimbarde [gɛ̃baʀd] *f* **1.** *fam* old jalopy **2.** MUS Jew's harp

guimpe [gɛ̃p] *f* **1.** *d'une religieuse* wimple **2.** *corsage* modesty vest **3.** *plastron* shirt front

guincher [gɛ̃ʃe] *v/i fam* to dance

guindé [gɛ̃de] *adj* ⟨**~e**⟩ prim; *style* stiff

guindeau [gɛ̃do] *m* ⟨**~x**⟩ MAR windlass **guinder** *v/t* MAR, TECH to raise
Guinée [gine] ***la ~*** Guinea
Guinée-Bissau [ginebiso] ***la ~*** Guinea-Bissau
guingois [gɛ̃gwa] *fam* ***de ~*** askew
guinguette [gɛ̃gɛt] *f* open-air café
guiper [gipe] *v/t* **1.** TEXT to whip **2.** ÉLEC *fil* to insulate
guipure [gipyʀ] *f dentelle* guipure
guirlande [giʀlɑ̃d] *f* garland
guise [giz] *f* **1. *à ma*** (***ta***, *etc*) ***~*** as I (you, *etc*) please **2. *en ~ de*** (*comme*) by way of; (*au lieu de*) in place of
► **guitare** [gitaʀ] *f* guitar
guitariste [gitaʀist] *m/f* guitarist
guitoune [gitun] *f fam* (*tente*) tent; (*cabane*) shelter
Gulf Stream [gœlfstʀim] *m* Gulf Stream
guppy [gypi] *m* ZOOL guppy
gustatif [gystatif] *adj* ⟨**-ive** [-iv]⟩ gustatory
guttural [gytyʀal] *adj* ⟨**~e; -aux** [-o]⟩ guttural
Guyane [gɥijan] ***la ~ française*** French Guyana
gym [ʒim] *f, abr fam* → ***gymnastique***
gymkhana [ʒimkana] *m* rally
gymnase [ʒimnɑz] *m* gymnasium
gymnaste [ʒimnast] *m/f* gymnast
gymnastique [ʒimnastik] *f* **1.** gymnastics; ***pas m de ~*** jog trot; ***professeur m de ~*** Phys Ed teacher; ***faire de la ~*** to do exercises **2.** *fig* ***~ de l'esprit*** mental gymnastics
gynéco [ʒineko] *m/f, abr* → ***gynécologue***
gynécologie [ʒinekɔlɔʒi] *f* gynecology **gynécologique** *adj* gynecological **gynécologue** *m/f* gynecologist
gypse [ʒips] *m* gypsum
gyrophare [ʒiʀɔfaʀ] *m* flashing light
gyroscope [ʒiʀɔskɔp] *m* PHYS, TECH gyroscope **gyroscopique** *adj* gyroscopic

H

H, h [aʃ] *m* ⟨*inv*⟩ **1.** h **2.** *fig* ***l'heure H*** zero hour
h *abr* (= **heure**) hr
ha *abr* (= **hectare**) ha
habile [abil] *adj* skillful
habileté [abilte] *f* skill
habilitation [abilitasjõ] *f* JUR capacitation
habilité [abilite] *adj* ⟨**~e**⟩ authorized
habillage [abijaʒ] *m* **1.** dressing **2.** TECH *d'une montre* assembly; *de bouteilles* packaging
habillé [abije] *adj* ⟨**~e**⟩ **1.** *personne* dressed; ***~ de noir*** dressed in black **2.** *vêtements* smart; ***cela fait ~*** it looks smart
habillement [abijmɑ̃] *m* clothes
► **habiller** [abije] **I** *v/t* **1.** *personne* to dress; to clothe *st/s*; *militaires, etc* to provide with uniforms **2.** *vêtement* ***habiller qn bien*** to look good on sb **3.** (*recouvrir*) to cover with (***de*** with) **II** *v/pr* ► ***s'habiller*** to get dressed; *d'une certaine façon* to dress; *avec élégance* to dress up; ***s'habiller chez qn*** to buy one's clothes from sb; ***s'habiller court*** to wear short skirts; ***s'habiller de neuf*** to wear new clothes
habilleur [abijœʀ] *m*, **habilleuse** [-øz] *f* THÉ dresser
habit [abi] *m* **1. *~s*** *pl* (*vêtements*) clothes **2.** *propre à une fonction* dress **3.** (*costume de cérémonie*) evening dress

habits ≠ habit
Habits = clothes:
Tous mes habits sont trop serrés.
All my clothes are too tight.

habitabilité [abitabilite] *f* **1.** habitability **2.** *d'un véhicule* capacity
habitable [abitabl] *adj* inhabitable; ***surface f ~*** living space
habitacle [abitakl] *m* **1.** AVIAT cockpit; *d'un engin spatial* cabin **2.** AUTO passenger compartment
► **habitant** [abitɑ̃] *m*, **habitante** [abitɑ̃t] *f* inhabitant; *d'un immeuble* occupant; ***loger chez l'habitant*** to stay with local people
habitat [abita] *m* **1.** GÉOG habitat **2.** (*conditions de logement*) living conditions

habitation [abitasjõ] *f* living
habité [abite] *adj* ⟨**~e**⟩ **1.** inhabited **2.** *engin spatial* manned
▶ **habiter** [abite] **I** *v/t* **1.** to live in **2.** *fig sentiment* **~ qn** to fill sb; *st/s* to take possession of sb **II** *v/i* to live; ***~ au 5 de la rue X*** to live at number 5 X Street; ***aller ~ en province*** to move out of Paris
▶ **habitude** [abityd] *f* habit; (*coutume*) custom; ***mauvaise habitude*** bad habit; ▶ ***d'habitude*** usually; ***comme d'habitude*** as usual; ***avoir l'habitude de faire qc*** to be in the habit of doing sth; ***j'en ai l'habitude*** I'm used to it; ***avoir l'habitude de qc, de qn*** to be used to sth, sb; ***c'est une question d'habitude*** it's what you're used to; ***perdre l'habitude de*** *+inf* to get out of the habit of (+ *v-ing*); ***prendre l'habitude de*** *+inf* to get into the habit of (+ *v-ing*)
habitué(e) [abitɥe] *m(f)* regular visitor; COMM regular
▶ **habituel** [abitɥɛl] *adj* ⟨**~le**⟩ usual
▶ **habituellement** [abitɥɛlmɑ̃] *adv* usually
habituer [abitɥe] **I** *v/t* ***habituer qn à*** *+inf* to get sb used to (+ *v-ing*); ▶ ***être habitué à qc*** to be used to sth **II** *v/pr* ▶ ***s'habituer à qc, à qn*** to get used to sth, sb
'hâbleur [ablœʀ], **'hâbleuse** [-øz] **I** *m/f* boaster **II** *adj* boastful
'hache [aʃ] *f* ax; *fig* ***enterrer la ~ de guerre*** to bury the hatchet
'haché [aʃe] *adj* ⟨**~e**⟩ **1.** ***steak ~*** hamburger; ***viande ~e*** ground meat **2.** *fig* jerky
'hacher [aʃe] *v/t* to chop; *avec un appareil* to mince
'hachette [aʃɛt] *f* hatchet
'hachis [aʃi] *m* chopped vegetables; ***~ Parmentier*** *stew covered with mashed potato and baked*
'hachisch [aʃiʃ] *m* hashish
'hachoir [aʃwaʀ] *m appareil* grinder; *couteau* chopper
'hachurer [aʃyʀe] *v/t* to hatch
'hachures [aʃyʀ] *fpl* hatching
'haddock [adɔk] *m* smoked haddock
'hagard [agaʀ] *adj* ⟨**-arde** [-aʀd]⟩ wild
▶ **'haie** [ɛ] *f* **1.** *clôture* hedge **2.** ***course*** *f* ***de ~s*** hurdling; ÉQUITATION steeplechase **3.** *de personnes* row
'haillons [ajõ] *mpl* rags; ***en ~*** ragged
'Hainaut [ɛno] ***le ~*** Hainaut
'haine [ɛn] *f* hatred (**pour, de** for, of)
'haineux [ɛnø] *adj* ⟨**-euse** [-øz]⟩ full of hatred
'haïr [aiʀ] ⟨**je hais** [ɛ], **il hait** [ɛ], **nous haïssons, ils haïssent; je haïssais; je haïs; je haïrai; que je haïsse; haïssant; haï**⟩ *v/t* to hate
'haïssable [aisabl] *adj* hateful
Haïti [aiti] Haiti
'haïtien [aisjɛ̃] **I** *adj* ⟨**-ienne** [-jɛn]⟩ Haitian **II** ***'Haïtien(ne)*** *m(f)* Haitian
'halage [alaʒ] *m* ***chemin*** *m* ***de ~*** towpath
'hâle [ɑl] *m* tan
'hâlé [ɑle] *adj* ⟨**~e**⟩ tanned
haleine [alɛn] *f* breath; ***mauvaise ~*** bad breath; *fig travail* ***de longue ~*** long-term; ***'hors d'~*** out of breath; ***reprendre ~*** to get one's breath back; *fig* to take a breather; *fig* ***tenir qn en ~*** to keep sb in suspense
'haler [ale] *v/t bateau* to tow
'hâler [ɑle] *v/t* to tan
'haletant [altɑ̃] *adj* ⟨**-ante** [-ɑ̃t]⟩ *personne* gasping; *chien, cheval* panting; *par ext souffle* gasping
'halètement [alɛtmɑ̃] *m* panting
'haleter [alte] *v/t* ⟨**-è-**⟩ to pant; to puff *fam*
'hall [ol] *m* foyer
hallali [alali] *m* kill
'halle [al] *f* market
halloween [alɔwin] *f* Halloween
hallucinant [alysinɑ̃] *adj* ⟨**-ante** [-ɑ̃t]⟩ *spectacle* awful; *fam* (*étonnant*) staggering **hallucination** *f* hallucination
halluciné [alysine] *adj* ⟨**~e**⟩ suffering from hallucinations
halluciner [alysine] *v/i* to hallucinate
hallucinogène [alysinɔʒɛn] **I** *adj* hallucinogenic **II** *m* hallucinogen
'halo [alo] *m* **1.** ASTROL halo **2.** PHOT fogging **3.** *effet lumineux* halo (***de*** of)
halogène [alɔʒɛn] *adj* ***lampe ~*** halogen lamp
'halte [alt] **I** *f* stop; ***faire (une) ~*** to stop **II** *int* MIL halt; *fig* ***~ à …!*** no …!; ***~-là!*** MIL halt! who goes there?; *fig* whoa!
'halte-garderie *f* ⟨**haltes-garderies**⟩ day nursery
haltère [altɛʀ] *m* dumb-bell; ***les poids et ~s*** weightlifting
haltérophile [alteʀɔfil] *m* weightlifter **haltérophilie** *f* weightlifting
'hamac [amak] *m* hammock
hamamélis [amamelis] *m* BOT witch hazel
'hamburger [ɑ̃buʀgœʀ] *m* CUIS hamburger

'hameau [amo] *m* ⟨**~x**⟩ hamlet
hameçon [amsõ] *m* hook
hameçonnage [amsɔnaʒ] *m* INFORM phishing
'hammam [amam] *m* steam room
'hampe [ɑ̃p] *f* shaft; BOT spike; *d'un drapeau* pole
'hamster [amstɛʀ] *m* hamster
'hanche [ɑ̃ʃ] *f* hip; ***rouler des** ou **les ~s*** to wiggle one's hips
'handball [ɑ̃dbal] *m* handball **'handballeur** *m*, **'handballeuse** *f* handball player
'handicap [ɑ̃dikap] *m* **1.** (*désavantage*) handicap **2.** MÉD disability
► **'handicapé** [ɑ̃dikape] **I** *adj* ⟨**~e**⟩ disabled **II ~(*e*)** *m(f)* disabled person; ***~ mental*** person with learning difficulties; ***~ moteur*** person with a motor disability; ***~ physique*** person with a physical disability
'handicaper [ɑ̃dikape] *v/t* to handicap
'handisport [ɑ̃dispɔʀ] *adj* for the disabled
'hangar [ɑ̃gaʀ] *m* shed; AVIAT hangar
'hanneton [antõ] *m* may bug
'hanséatique [ɑ̃seatik] *adj* Hanseatic
'hanté [ɑ̃te] *adj* ⟨**~e**⟩ haunted; ***château ~*** haunted house
'hanter [ɑ̃te] *v/t* **1.** *fantôme* ***~ une maison*** to haunt a house **2.** *fig* ***~ qn*** to prey on sb's mind
'hantise [ɑ̃tiz] *f* constant fear (***de*** of)
'happening [ap(ə)niŋ] *m* happening
'happer [ape] *v/t* **1.** *proie* to seize **2.** *véhicule* ***~ qn*** to hit sb
'happy end [apiɛnd] *m ou f* happy ending
'hara-kiri [aʀakiʀi] *m* hara-kiri; **(*se*) *faire ~*** to commit hara-kiri
'haranguer [aʀɑ̃ge] *v/t* to harangue (***la foule*** the crowd)
'haras [aʀɑ] *m* stud farm
'harassant [aʀasɑ̃] *adj* ⟨**-ante** [-ɑ̃t]⟩ exhausting
'harassé [aʀase] *adj* ⟨**~e**⟩ exhausting
'harasser [aʀase] *v/t* to exhaust

harasser, harassé ≠ harassed

Harasser, harassé = to exhaust, exhausted:

✓ **Nous étions harassés après cette longue marche.**
(✗ **Elle se faisait harasser sexuellement par son patron.**
✓ **Elle se faisait harceler sexuellement par son patron.)**

We were exhausted about that long walk.
(She was sexually harassed by her boss.)

'harcèlement [aʀsɛlmɑ̃] *m* ***~ moral*** harassment; ***~ sexuel*** sexual harassment; ***tir** m **de ~*** harassing fire
'harceler [aʀsəle] *v/t* ⟨**-è-**⟩ to harass; ***~ qn de questions*** to bombard sb with questions
'harde [aʀd] *f* **1.** *de bêtes sauvages* herd **2.** CH leash **3. *~s*** *pl* (*vêtements*) old clothes
'hardi [aʀdi] *adj* ⟨**~e**⟩ bold
'hardiesse [aʀdjɛs] *f* boldness
'hardiment [aʀdimɑ̃] *adv* → ***'hardi***
'hardware [aʀdwɛʀ] *m* hardware
'harem [aʀɛm] *m* harem
'hareng [aʀɑ̃] *m* herring; *fam, fig* ***être serrés comme des ~s*** to be packed together like sardines
'hargne [aʀɲ] *f* bad-temper; *p/fort* fury
'hargneux *adj* ⟨**-euse** [-øz]⟩ venomous; *p/fort* vicious
► **'haricot** [aʀiko] *m* bean; ► ***haricots blancs, verts*** white, green beans
'haridelle [aʀidɛl] *f* nag
'harki [aʀki] *m Algerian who fought on the French side in the civil war*
harmonica [aʀmɔnika] *m* harmonica
harmonie [aʀmɔni] *f* **1.** harmony; ***en ~ avec*** in harmony with **2.** *orchestre* wind section
harmonieux [aʀmɔnjø] *adj* ⟨**-euse** [-øz]⟩ harmonious
harmonique [aʀmɔnik] *m ou f* harmonic
harmonisation [aʀmɔnizasjõ] *f* harmonization
harmoniser [aʀmɔnize] **I** *v/t* to harmonize (*a* MUS) **II** *v/pr* ***s'~*** to go (***avec*** with)
harmonium [aʀmɔnjɔm] *m* harmonium
'harnachement [aʀnaʃmɑ̃] *m* **1.** harness **2.** *fig* gear
'harnacher [aʀnaʃe] *v/t* **1.** *cheval* to harness **2.** *fig* to fit out
'harnais [aʀnɛ] *m* **1.** *d'un cheval* harness **2.** *d'un parachutiste, etc* harness
'harnois [aʀnwa] *m* HIST armour
harpagon [aʀpagõ] *m* skinflint
'harpe [aʀp] *f* harp

'harpie [aʀpi] *f* harpy
'harpiste [aʀpist] *m/f* harpist
'harpon [aʀpõ] *m* harpoon
'harponnage [aʀpɔnaʒ] *m* harpooning
'harponner [aʀpɔne] *v/t* **1.** to harpoon **2.** *fam, fig* to collar *fam*
'harponneur [aʀpɔnœʀ] *m* harpooner
► **'hasard** [azaʀ] *m* chance; ***jeu m de hasard*** game of chance; ***au hasard*** at random; ***à tout hasard*** just in case; ► ***par hasard*** by chance; ***comme par ~*** as if by chance

hasard ≠ danger, risk

Hasard = chance or coincidence:

× Nous avons rencontré de nombreux hasards pendant notre safari en Afrique.
✓ Nous avons rencontré de nombreux dangers pendant notre safari en Afrique.

We encountered several dangers while we were on safari in Africa.

'hasardé [azaʀde] *adj* ⟨**~e**⟩ → ***'hasardeux***
'hasarder [azaʀde] **I** *v/t* to risk **II** *v/pr* ***se ~*** to venture (***dans la rue*** into the street)
'hasardeux [azaʀdø] *adj* ⟨**-euse** [-øz]⟩ risky
'hasch [aʃ] *m fam* (*haschisch*) grass *fam*
'haschisch [aʃiʃ] *m* hashish
'hase [ɑz, az] *f* doe
'hâte [ɑt] *f* haste; ***à la ~*** hurriedly; ***en ~*** in haste; ***avoir ~ de*** *+inf ou* ***que ...*** *+subj* to be eager to (*+ inf*) *or* that ...
'hâter [ɑte] **I** *v/t* to hasten **II** *v/pr* ***se ~*** to hurry
'hâtif [ɑtif] *adj* ⟨**-ive** [-iv]⟩ **1.** precocious; *conclusion* hasty **2.** AGR early
'hauban [obɑ̃] *m* MAR shroud; TECH stay
'hausse [os] *f* rise; *des salaires* raise; ***être en ~*** to be rising
'haussement [osmɑ̃] *m* ***~ d'épaules*** shrug
'hausser [ose] *v/t* **1.** ***hausser le ton*** to raise one's voice **2.** ***~ les épaules*** to shrug one's shoulders
► **'haut** [o] **I** *adj* ⟨**haute** [ot]⟩ **1.** high; ***plus haut*** higher; ***mur haut de deux mètres*** a wall two meters high; ***être haut de deux mètres*** to be two meters high; ***haut fonctionnaire*** senior official; ***la haute société*** high society; ***au plus haut point*** at the highest point; ***de haute précision*** high precision *épith* **2.** GÉOG upper; ***la haute Égypte*** Upper Eygpt **3.** ***la plus haute antiquité*** earliest antiquity **4.** MUS high **II** *adv* **1.** high; ***haut les cœurs!*** chin up!; ***personnage haut placé*** high-placed figure; ***voir plus haut*** see above; ***voler haut*** to fly high **2.** ***remonter plus haut (dans le temps)*** to go back further (in time) **3.** *parler, penser* (***tout***) ***haut*** out loud **4.** ***de haut*** from above; ***le prendre de haut*** to react scornfully; ***de haut en bas*** from top to bottom; ► ***en haut*** at the top; (*vers le ~*) upward; ***d'en haut*** upstairs; ***par en haut*** via the upstairs; ► ***en haut de qc*** at the top of sth **III** *m* **1.** top; ***le tiroir du haut*** the top drawer; ***les voisins du haut*** the neighbours who live on the floor above; ***du haut de qc*** from the top of sth **2.** ***avoir dix mètres de haut*** to be ten meters high **3.** *fig* ***les hauts et les bas*** the ups and downs
'hautain [otɛ̃] *adj* ⟨**-aine** [-ɛn]⟩ haughty
'hautbois [obwɑ] *m* oboe
'hautboïste [obɔist] *m/f* oboist
'haut-commissaire *m* ⟨**hauts-commissaires**⟩ high commissioner **'haut-commissariat** *m* ⟨**hauts-commissariats**⟩ high commission **'haut-de-forme** *m* ⟨**hauts-de-forme**⟩ top hat
'haute [ot] *f fam* ***la ~*** the upper crust *fam*
'haute-fidélité *f* → ***fidélité***
'hautement [otmɑ̃] *adv* highly
► **'hauteur** [otœʀ] *f* **1.** height (*a* ASTROL); *d'un son* pitch; SPORT ***saut m en ~*** high jump **2.** *péj* haughtiness **3.** GÉOG height **4.** ***à la ~ de*** at the level of; *fig* ***être à la ~ de qc*** to be up to sth
'haut-le-cœur [olkœʀ] *m* ⟨*inv*⟩ retch; ***j'ai un ~*** my stomach is heaving
'haut-le-corps [olkɔʀ] *m* ⟨*inv*⟩ ***avoir un ~*** to start
'haut-parleur *m* ⟨**haut-parleurs**⟩ loudspeaker
'Haut-Rhin [oʀɛ̃] ***le ~*** the Upper Rhine
'havane [avan] **I** *m* Havana cigar **II** *adj* ⟨*inv*⟩ tobacco colored
'hâve [ɑv] *adj* (*pâle*) wan; (*émacié*) gaunt
'havre [ɑvʀ] *m st/s* haven; ***~ de paix*** haven of peace
Hawaï [awaj] Hawaii
'Haye [ɛ] ***La ~*** the Hague
'hayon [ajõ] *m* AUTO tailgate
'hé [(h)e] *int* hey

hebdo [ɛbdo] *m, abr fam* → ***hebdomadaire***
hebdomadaire [ɛbdɔmadɛʀ] **I** *adj* weekly **II** *m* weekly
hébergement [ebɛʀʒəmɑ̃] *m* taking in; (*logement*) accommodations
héberger [ebɛʀʒe] *v/t* ⟨**-ge-**⟩ to accommodate, *réfugiés* to take in
hébété [ebete] *adj* ⟨**~e**⟩ *regard* vacant; *personne* dazed (***de qc*** by sth)
hébétement [ebɛtmɑ̃] *m du regard* vacancy; *d'une personne* stupor
hébétude [ebetyd] *f litt* stupor
hébraïque [ebʀaik] *adj* Hebraic
hébreu [ebʀø] **I** *adj* ⟨*only m*, **~x**⟩ Hebrew **II** *m* **1.** *pl* ***Hébreux*** Jews **2.** ***l'~*** Hebrew
'H.E.C. [aʃəse] *abr* (= [**École des**] **Hautes études commerciales**) *elite business school*
hécatombe [ekatõb] *f* **1.** (*massacre*) slaughter **2.** *fig* ***quelle ~!*** what a disaster!
hectare [ɛktaʀ] *m* hectare
hecto [ɛkto] *m, abr* → ***hectolitre***
hectogramme *m* hectogram **hectolitre** *m* hectoliter **hectomètre** *m* hectometer
hédonisme [edɔnism] *m* hedonism
hégémonie [eʒemɔni] *f* hegemony
hégire [eʒiʀ] *f* ISLAM Hegira
▶ **'hein** [ɛ̃] *int fam* **~? 1.** (*comment?*) what? *fam* **2.** (*n'est-ce pas?*) right? *fam* **3.** *surprise* eh? *fam*
▶ **'hélas** [elɑs] *int* alas
'héler [ele] *v/t* ⟨**-è-**⟩ to hail
hélice [elis] *f* AVIAT propeller (*a* MAR)
hélico [eliko] *m, abr fam* → ***hélicoptère***
hélicoïdal [elikɔidal] *adj* ⟨**~e; -aux** [-o]⟩ helical
▶ **hélicoptère** [elikɔptɛʀ] *m* helicopter
héliport [elipɔʀ] *m* heliport
héliporté [elipɔʀte] *adj* ⟨**~e**⟩ transported by helicopter
hélium [eljɔm] *m* helium
hellénique [ɛ(l)lenik] *adj* Hellenic **hellénisme** *m* Hellenism **helléniste** *m/f* Hellenist **hellénistique** *adj* Hellenistic
helvétique [ɛlvetik] *adj* Swiss
helvétisme [ɛlvetism] *m* Swiss idiom
hématie [emasi] *f* red corpuscle
hématologie [ematɔlɔʒi] *f* hematology
hématome [ematom] *m* hematoma
hémicycle [emisikl] *m* **1.** semicircle **2.** *par ext* ***l'~*** *the chamber of the French National Assembly*
hémiplégie [emipleʒi] *f* hemiplegia **hémiplégique** *m/f* hemiplegic
hémisphère [emisfɛʀ] *m* **1.** hemisphere **2.** ***~ cérébral*** cerebral hemisphere
hémisphérique [emisfeʀik] *adj* hemispheric(al)
hémoglobine [emɔglɔbin] *f* hemoglobin
hémophile [emɔfil] *m* hemophiliac **hémophilie** *f* hemophilia
hémorragie [emɔʀaʒi] *f* MÉD, *fig* hemorrhage
hémorroïdal [emɔʀɔidal] *adj* ⟨**~e; -aux** [-o]⟩ hemorrhoidal
hémorroïdes [emɔʀɔid] *fpl* hemorrhoids
hémostase [emɔstɑz] *f* hemostasia **hémostatique** *adj* hemostatic
'henné [ene] *m* henna
'hennir [eniʀ] *v/i* to neigh **'hennissement** *m* neigh
Henri [ɑ̃ʀi] *m* Henry
'hep [(h)ɛp] *int* hey
hépatique [epatik] *adj* hepatic
hépatite [epatit] *f* hepatitis
heptathlon [ɛptatlõ] *m* heptathlon
héraldique [eʀaldik] *f* heraldry
'héraut [eʀo] *m* HIST herald
herbacé [ɛʀbase] *adj* ⟨**~e**⟩ ***plante ~e*** herbaceous plant
herbage [ɛʀbaʒ] *m* pasture
herbager [ɛʀbaʒe] *v/t* ⟨**-ge-**⟩ *bétail* to put out to grass
▶ **herbe** [ɛʀb] *f* **1.** grass; ▶ ***mauvaise herbe*** weed; ***en herbe*** *blé* unripe; *fig* budding; *fig* ***couper l'herbe sous le pied de qn*** to cut the ground from under sb's feet **2.** BOT, CUIS, MÉD herb; ***fines herbes*** mixed herbs; ***herbes médicinales*** medicinal herbs **3.** *arg drogue* grass *fam*
herbeux [ɛʀbø] *adj* ⟨**-euse** [-øz]⟩ grassy
herbicide [ɛʀbisid] *m* herbicide
herbier [ɛrbje] *m* herbarium
herbivore [ɛʀbivɔʀ] **I** *adj* herbivorous **II** *m* herbivore
herboriser [ɛʀbɔʀize] *v/i* to botanize
herboriste [ɛʀbɔʀist] *m/f* herbalist **herboristerie** *f* herbal medicine store
herculéen [ɛʀkyleɛ̃] *adj* ⟨**-enne** [-ɛn]⟩ Herculean; ***force ~ne*** Herculean strength
'hère [ɛʀ] *m* ***pauvre ~*** poor wretch
héréditaire [eʀeditɛʀ] *adj* hereditary; *fig* ***ennemi*** *m* **~** traditional enemy
hérédité [eʀedite] *f* **1.** BIOL heredity **2.**

par ext family history; ***avoir une ~ chargée*** to have illness running in one's family
hérésie [eʀezi] *f* REL, *fig* heresy
hérétique [eʀetik] REL, *fig* **I** *adj* heretical **II** *m/f* heretic
'hérissé [eʀise] *adj* ⟨**~e**⟩ **1.** *plumes, poils, cheveux* ruffled **2.** ***~ de*** bristling with
'hérissement [eʀismɑ̃] *m des plumes* bristling
'hérisser [eʀise] **I** *v/t* **1.** *d'un animal* to bristle; *d'un oiseau* to ruffle **2.** *fig* ***~ qn*** to ruffle sb's feathers **II** *v/pr* ***se ~*** to bristle
'hérisson [eʀisõ] *m* hedgehog
héritage [eʀitaʒ] *m* inheritance; ***laisser qc en ~*** to bequeath sth; *fig* heritage
hériter [eʀite] *v/t et v/i* to inherit; ***~ (de) qc*** to inherit sth (***de qn*** from sb)
héritier [eʀitje] *m*, **héritière** [-jɛʀ] *f* heir
hermaphrodite [ɛʀmafʀɔdit] *m* hermaphrodite
hermétique [ɛʀmetik] *adj* **1.** *à l'air* airtight; *à l'eau* watertight **2.** *fig* impenetrable
hermine [ɛʀmin] *f* **1.** ZOOL stoat **2.** *fourrure* ermine
'hernie [ɛʀni] *f* hernia; ***~ discale*** slipped disk
▶ **héroïne**[1] [eʀɔin] *f* heroine
héroïne[2] *f drogue* heroin
héroïnomane [eʀɔinɔman] *m/f* heroin addict
héroïque [eʀɔik] *adj* heroic
héroïsme [eʀɔism] *m* heroism
'héron [eʀõ] *m* heron
▶ **'héros** [eʀo] *m* hero
herpès [ɛʀpɛs] *m* MÉD herpes
'herse [ɛʀs] *f* **1.** AGR harrow **2.** *fortif* portcullis **'herser** *v/t* to harrow
hertz [ɛʀts] *m* PHYS hertz
hésitant [ezitɑ̃] *adj* ⟨**-ante** [-ɑ̃t]⟩ hesitant; *personne* uncertain
hésitation [ezitasjõ] *f* hesitation; ***après bien des ~s*** after much hesitation
▶ **hésiter** [ezite] *v/i* to hesitate (***à faire qc*** to do sth); *en parlant* to hesitate; ***~ sur qc*** to hesitate over sth; ***~ entre …*** to hesitate between …
hétéroclite [eteʀɔklit] *adj* ill-assorted
hétérogène [eteʀɔʒɛn] *adj* heterogeneous
hétérogénéité [eteʀɔʒeneite] *f* heterogeneousness, heterogeneity
hétérosexuel [eteʀosɛksɥɛl] *adj* ⟨**~le**⟩ heterosexual
'hêtraie [ɛtʀɛ] *f* beech grove
'hêtre [ɛtʀ] *m* beech
heur [œʀ] *m iron* ***ne pas avoir l'~ de plaire à qn*** to not have the good fortune to please sb
▶ **heure** [œʀ] *f* **1.** (*60 minutes*) hour; ***rouler à cent à l'heure*** to do 100 miles / km an hour; ***gagner cent euros l'heure***, *fam* ***de l'heure*** to earn 100 euros an hour **2.** *division du temps* time; *après un chiffre* o'clock; ***heure locale*** local time; ***heure d'arrivée, de départ*** arrival, departure time; ***heure d'été*** daylight saving time; ***deux heures dix*** ten past two; ***deux heures et*** *ou* ***un quart*** a quarter after two; ***dix heures et demie*** half past ten; ***une heure moins le quart*** a quarter to one; ***trois heures moins cinq*** five to three; ▶ ***à quelle heure?*** what time?; ***vous avez l'heure?*** have you got the time?; ***demander l'heure*** to ask the time; ***quelle heure est-il?*** what time is it?; ***il est 'huit heures*** it's eight o'clock; ▶ ***être à l'heure*** *personne* to be on time; *montre* to show the right time **3.** (*moment*) moment; *par ext* (*époque*) time; ***à l'heure qu'il est*** *ou* ***à l'heure actuelle*** at this moment; ***à la bonne heure!*** bravo!; ***à toute heure*** at any time; ***tout à l'heure*** (*il y a un moment*) not long ago; (*dans un moment*) soon; ***à tout à l'heure!*** see you later!; ***de bonne heure*** early; ***nouvelle*** *f* ***de (la) dernière heure*** breaking news; ***sur l'heure*** at once; ***c'est son ~*** it's sb's usual time; ***c'est l'heure de*** *+inf* it's time *+inf*
▶ **heureusement** [øʀøzmɑ̃] *adv* **1.** (*par bonheur*) luckily **2.** (*avec succès*) successfully
▶ **heureux** [øʀø] **I** *adj* ⟨**-euse** [-øz]⟩ **1.** (*content*) happy; ***~ événement*** (*naissance*) happy event; ***être ~ de*** *+inf* to be pleased *+inf*; ***être ~ que*** *+subj* to be pleased that **2.** (*chanceux*) lucky; ***être ~ au jeu*** to be lucky at cards; ***encore ~ que …*** *+subj* it's lucky that … **3.** *formule, etc* happy **II** *subst* ***faire un ~*** to make sb a happy person
'heurt [œʀ] *m* collision
'heurté [œʀte] *adj* ⟨**~e**⟩ *couleurs* contrasting; *style* jerky; *discours* abrupt
'heurter [œʀte] **I** *v/t* **1.** ***~ qc*** hit sth; *véhicule* collide with sth **2.** *fig personne* to offend **II** *v/pr* **1.** ***se ~ à, contre*** to collide

with; *fig* ***se ~ à des difficultés***, *etc* to run into difficulties *etc* **2.** ***se ~*** *véhicules* to collide; *personnes* to bump into each other; *fig* to clash

heurter ≠ injure, harm

Heurter = hit, bump into:

✓ **La voiture a heurté un mur.**
(✗ **Il m'a heurté le bras.**
✓ **Il m'a fait mal au bras.**)

The car hit a wall.
(He hurt my arm.)

'heurtoir [œʀtwaʀ] *m* door knocker
hévéa [evea] *m* rubber tree
hexagonal [ɛgzagɔnal] *adj* ⟨**~e; -aux** [-o]⟩ **1.** hexagonal **2.** *fig* French
hexagone [ɛgzagon, -gɔn] *m* **1.** hexagon **2.** ▶ ***l'Hexagone*** France
hexamètre [ɛgzamɛtʀ] *m* hexameter
'Hezbollah [ɛzbɔla] *m* Hezbollah
hiatus [jatys] *m* **1.** PHON hiatus **2.** *fig* pause
hibernal [ibɛʀnal] *adj* ⟨**~e; -aux** [-o]⟩ ***sommeil ~*** hibernation
hibernation [ibɛʀnasjõ] *f* hibernation **hiberner** *v/i* to hibernate
hibiscus [ibiskys] *m* hibiscus
'hibou [ibu] *m* ⟨**~x**⟩ owl
'hic [ik] *m fam* ***voilà le ~*** this is the snag *fam*
'hideur [idœʀ] *litt f* hideousness **'hideux** *adj* ⟨**-euse** [-øz]⟩ hideous
▶ **hier** [ijɛʀ, jɛʀ] *adv* yesterday; ***toute la journée d'~*** all day yesterday; *fam, fig* ***ne pas être né d'~*** to know the score *fam*
'hiérarchie [jeʀaʀʃi] *f* hierarchy
'hiérarchique [jeʀaʀʃik] *adj* hierarchical; ADMIN hierarchical; ***voie f ~*** official channels
'hiérarchisation [jeʀaʀʃizasjõ] *f* organization into a hierarchy **'hiérarchiser** *v/t société* to organize into a hierarchy; *valeurs* to prioritize
hiéroglyphe [jeʀɔglif] *m* hieroglyph *ou* hieroglyphic
'hi-fi [ifi] *f* → ***fidélité***
'hi-han [iɑ̃] *int âne* hee-haw
hilarant [ilaʀɑ̃] *adj* ⟨**-ante** [-ɑ̃t]⟩ hilarious
hilare [ilaʀ] *adj* grinning **hilarité** *f* hilarity
'hindi [indi] *m* LING Hindi
hindou [ɛ̃du] **I** *adj* ⟨**~e**⟩ Hindu **II** ***Hindou(e)*** *m(f)* Hindu **hindouisme** *m* Hinduism **hindouiste** *adj* Hindu
'hip-hop [ipɔp] *m* ⟨*inv*⟩ MUS hip-hop
'hippie [ipi] **I** *m/f* hippie **II** *adj* hippie
hippique [ipik] *adj* equestrian **hippisme** *m* horse riding
hippocampe [ipɔkɑ̃p] *m* seahorse
Hippocrate [ipɔkʀat] *m* Hippocrates
hippodrome [ipodʀom] *m* racecourse
hippopotame [ipɔpɔtam] *m* hippopotamus
hirondelle [iʀõdɛl] *f* swallow
hirsute [iʀsyt] *adj* hirsute
hispanique [ispanik] *adj* Hispanic
hispanisant [ispanizɑ̃] *m*, **hispanisante** [-ɑ̃t] *f* hispanist
hispanisme [ispanism] *m* hispanicism
hispano-... [ispano] *adj* Hispano- **hispano-arabe** *ou* **hispano-moresque** *adj* ART Hispano-Moresque
hispanophone [ispanɔfɔn] *adj* Spanish-speaking
'hisse [is] *int* ***oh ~!*** heave-ho!
'hisser [ise] **I** *v/t* to hoist; *charge* to haul up; *drapeau, voile* to hoist **II** *v/pr* ***se ~*** to haul o.s. up
histamine [istamin] *f* histamine
histocompatibilité [istokõpatibilite] *f* BIOL histocompatibility
▶ **histoire** [istwaʀ] *f* **1.** *science* history; ***~ moderne*** modern history; ***~ de l'art*** history of art **2.** (*récit*) story; ***~ de fous*** shaggy dog story; ***ce sont des ~s*** it's all nonsense **3.** (*affaire*) matter; ***~s*** *pl* (*ennuis*) trouble (+ *v sg*); ***sans ~*** uneventful; *vie* uncomplicated; ***c'est toute une ~*** it's quite tricky; ***faire des ~s à qn*** to make trouble for sb **4.** *fam* ***~ de*** *+inf* just to *+inf*; ***~ de rire*** just for fun
histologie [istɔlɔʒi] *f* BIOL histology
historicité [istɔʀisite] *f* historicity
historié [istɔʀje] *adj* ⟨**~e**⟩ ART historiated
historien [istɔʀjɛ̃] *m*, **historienne** [-jɛn] *f* historian
historiographe [istɔʀjɔgʀaf] *m* historiographer **historiographie** *f* historiography
historique [istɔʀik] **1.** *adj monument, événement* historic; *étude, roman* historical **2.** *m* historical account; ***faire l'~ de qc*** to give an account of the history of sth
hitlérien [itleʀjɛ̃] *adj* ⟨**-ienne** [-jɛn]⟩

Hitlerian **hitlérisme** *m* Hitlerism
'hit-parade [itpaʀad] *m* hit parade
'HIV [aʃive] *m*, *abr* (= **human immunodeficiency virus**) HIV
▶ **hiver** [ivɛʀ] *m* winter; ***en ~*** in winter
hivernage [ivɛʀnaʒ] *m* wintering **hivernal** *adj* ⟨**~e; -aux** [-o]⟩ winter **hivernant** *m*, **hivernante** *f* winter visitor **hiverner** *v/i* to winter
H.L.M. [aʃɛlɛm] *m ou f*, *abr* ⟨*inv*⟩ (= **habitation à loyer modéré**) *low-rent public housing apartment*
hoax [oks] *m* ⟨*inv*⟩ INFORM hoax
'hobby [ɔbi] *m* ⟨**hobbies**⟩ hobby
'hobereau [ɔbʀo] *m* ⟨**~x**⟩ ORNITH hobby; *péj* country squire
'hochement [ɔʃmɑ̃] *m* ***~ de tête*** *désapprobation* shake of the head; *approbation* nod of the head
'hocher [ɔʃe] *v/t* ***~ la tête*** *désapprobation* to shake one's head; *approbation* to nod one's head
'hochet [ɔʃɛ] *m* rattle
'hockey [ɔkɛ] *m* **~ (*sur gazon*)** field hockey; ***~ sur glace*** hockey *ou* ice hockey
'hockeyeur [ɔkɛjœʀ] *m*, **'hockeyeuse** [-øz] *f* hockey player
'holà [ɔla] *m* ***mettre le ~ à qc*** to put a stop to sth
'holding [ɔldiŋ] *m* holding company
▶ **'hold-up** [ɔldœp] *m* ⟨*inv*⟩ hold-up
▶ **'hollandais** [ɔlɑ̃dɛ] **I** *adj* ⟨**-aise** [-ɛz]⟩ Dutch **II** ***'Hollandais(e)*** *m(f)* Dutch person
▶ **'Hollande** [ɔlɑ̃d] ***la ~*** Holland
'hollywoodien [ɔliwudjɛ̃] *adj* ⟨**-ienne** [-jɛn]⟩ Hollywood *épith*
holocauste [ɔlokost] *m* holocaust
hologramme [ɔlɔgʀam] *m* hologram
'homard [ɔmaʀ] *m* lobster
'home [om] *m* ***~ d'enfants*** children's home
homélie [ɔmeli] *litt f* homily
homéopathe [ɔmeɔpat] *m/f* (***médecin m***) **~** homeopath
homéopathie [ɔmeɔpati] *f* homeopathy **homéopathique** *adj* homeopathic
homérique [ɔmeʀik] *adj* Homeric
'home-trainer [omtʀɛnœʀ] *m* ⟨**home-trainers**⟩ exercise bike
homicide [ɔmisid] **I** *m* homicide; ***~ volontaire*** first-degree murder; ***~ involontaire*** manslaughter **II** *adj* homicidal
hominiens [ɔminjɛ̃] *mpl* hominoid
hommage [ɔmaʒ] *m* **1.** tribute (*a* HIST); homage; ***mes ~s, Madame*** my respects, Ma'am; ***rendre ~ à qn*** to pay tribute to sb; ***rendre ~ à qc*** to pay tribute to sth **2.** *d'auteur, d'éditeur* compliments
hommasse [ɔmas] *adj péj femme* mannish
▶ **homme** [ɔm] *m* **1.** (*être humain*) man; ***homme des cavernes*** cave man **2.** (*individu mâle*) man; ***grand homme*** great man; ***jeune homme*** young man; ▶ ***homme politique*** politician; ***homme à femmes*** womanizer, *fam* ladies' man; ***homme d'action*** man of action; ▶ ***homme d'affaires*** businessman; ***homme d'État*** statesman; ***homme de loi*** man of law; *péj* ***homme de main*** henchman; ***homme de ménage*** housekeeper; *fig* ***homme de paille*** figurehead; ***l'homme de la rue*** the man in the street; ***d'homme*** man's; ***chemise f d'homme*** man's shirt; ***métier m d'homme*** man's job; ***comme un seul homme*** as one man; ***d'homme à homme*** man to man; ***être homme à*** *+inf* to be one (+ *inf*)
homme-grenouille *m* ⟨**hommes-grenouilles**⟩ frogman **homme-orchestre** *m* ⟨**hommes-orchestres**⟩ MUS, FIG one-man band *a fig* **homme-sandwich** *m* ⟨**hommes-sandwich(e)s**⟩ sandwich man
homo [omo] *m*, *abr fam* (= **homosexuel**) *fam* gay
homogène [ɔmɔʒɛn] *adj* homogeneous
homogénéisation [ɔmɔʒeneizasjõ] *f* homogenization **homogénéiser** *v/t* homogenize
homogénéité [ɔmɔʒeneite] *f* homogeneity
homographe [ɔmɔgʀaf] *m* LING homograph
homologation [ɔmɔlɔgasjõ] *f* **1.** *d'un record* ratification **2.** *des prix* approval
homologue [ɔmɔlɔg] **I** *adj* equivalent, homologous **II** *m* counterpart
homologuer [ɔmɔlɔge] *v/t* **1.** SPORT to ratify **2.** JUR to approve
homonyme [ɔmɔnim] *m* **1.** LING homonym **2.** *personne* namesake
homonymie [ɔmɔnimi] *f* LING homonymy
homosexualité [ɔmɔsɛksɥalite] *f* homosexuality
▶ **homosexuel** [ɔmɔsɛksɥɛl] **I** *adj* ⟨**~le**⟩ homosexual **II** **~(*le*)** *m(f)* homosexual
'Honduras [õdyʀas] ***le ~*** Honduras

'hongre [õgʀ] *adj* ***cheval*** *m* ~ gelding
▶ **'Hongrie** [õgʀi] ***la*** ~ Hungary
▶ **'hongrois** [õgʀwa] **I** *adj* ⟨**-oise** [-waz]⟩ Hungarian **II** ***'Hongrois(e)*** *m(f)* Hungarian
▶ **honnête** [ɔnɛt] *adj* **1.** (*intègre*) honest **2.** (*satisfaisant*) reasonable; *prix* fair
honnêtement [ɔnɛtmɑ̃] *adv* **1.** (*sans voler*) honestly; (*loyalement*) honorably; (*franchement*) frankly **2.** (*passablement*) decently
honnêteté [ɔnɛtte] *f* honesty
▶ **honneur** [ɔnœʀ] *m* honor; ***place*** *f* ***d'~*** place of honor; ***~s*** honors; ***à son ~*** to one's credit; *jurer* ***sur l'~, sur son ~*** on one's honor; ***en l'~ de qn*** in sb's honor; *iron* ***en quel ~?*** for what reason?; ***avoir l'~ de faire part de qc*** to be pleased to announce sth; ***faire à qn l'~ de*** *+inf* to do sb the honor of (+ *v-ing*); ***faire ~ à qn*** to be a credit to sb; *fam* ***faire ~ à un plat*** to do justice to a meal; ***faire les ~s de la maison*** (***à qn***) to show sb around the house; ***mettre son point d'~ à faire qc*** to make it a point of honor to do sth
'honnir [ɔniʀ] *v/t litt* to dishonor
honorabilité [ɔnɔʀabilite] *f* honorableness
honorable [ɔnɔʀabl] *adj* **1.** *personne, métier, conduite* honorable **2.** *moyen* decent
honoraire [ɔnɔʀɛʀ] **I** *adj* honorary **II** *mpl* ***~s*** fees
honorer [ɔnɔʀe] **I** *v/t* **1.** *personne* to honor **2.** *lettre de change, promesse* to honor **II** *v/pr* ***s'~ de qc*** to pride o.s. on sth
honorifique [ɔnɔʀifik] *adj* honorary; ***à titre ~*** honorary
▶ **'honte** [õt] *f* **1.** (*déshonneur*) disgrace; ***faire ~ à qn*** to make sb ashamed **2.** (*sentiment d'humiliation*) shame; ***sans ~*** shameless; ***avoir ~*** be ashamed (***de qn, qc*** of sb, sth; ***d'avoir fait qc*** of having done sth); ***faire ~ à qn*** (*faire des reproches*) to make sb feel ashamed
'honteusement [õtøzmɑ̃] *adv* (*de manière déshonorante*) shamefully; (*de manière révoltante*) disgracefully
'honteux [õtø] *adj* ⟨**-euse** [-øz]⟩ **1.** (*déshonorant*) shameful; *capitulation* shameful **2.** (*qui a honte*) ashamed; ***être ~ de qc*** to be ashamed of sth
'hop [(h)ɔp] *int* ***allez, ~!*** off you go!; ***~ là!*** oops!
▶ **hôpital** [ɔpital] *m* ⟨**-aux** [-o]⟩ hospital; ***~ militaire*** military hospital
'hoquet [ɔkɛ] *m* hiccup; ***avoir le ~*** to have hiccups
'hoqueter [ɔkte] *v/i* ⟨**-tt-**⟩ **1.** to hiccup **2.** (*sangloter*) to gulp **3.** *fig moteur* to sputter
▶ **horaire** [ɔʀɛʀ] **I** *adj* hourly **II** *m* **1.** *des trains, etc* schedule **2.** (*emploi du temps*) schedule; ***~ mobile, variable, à la carte*** flexitime
'horde [ɔʀd] *f* horde
'horions [ɔʀjõ] *mpl* blows
▶ **horizon** [ɔʀizõ] *m* horizon *a fig*; ***à l'~*** on the horizon; ***tour*** *m* ***d'~*** survey
horizontal [ɔʀizõtal] **I** *adj* ⟨***~e*; -aux** [-o]⟩ horizontal **II** *f* ***~e*** horizontal
horizontalement [ɔʀizõtalmɑ̃] *adv* horizontally **horizontalité** *f* horizontality
horloge [ɔʀlɔʒ] *f* clock; ***~ parlante*** speaking clock
horloger [ɔʀlɔʒe] **I** *adj* ⟨**-ère** [-ɛʀ]⟩ watchmaking *ou* clockmaking *épith* **II** ***~, horlogère*** *m/f* watchmaker *ou* clockmaker
horlogerie [ɔʀlɔʒʀi] *f* watchmaking *ou* clockmaking
'hormis [ɔʀmi] *st/s prép* but
hormonal [ɔʀmɔnal] *adj* ⟨***~e*; -aux** [-o]⟩ hormonal
hormone [ɔʀmɔn] *f* hormone
▶ **horodateur** [ɔʀɔdatœʀ] *m* TECH ticket machine; AUTO pay and display machine
horoscope [ɔʀɔskɔp] *m* horoscope
▶ **horreur** [ɔʀœʀ] *f* **1.** horror; ***avoir ~ de*** *ou* ***avoir en ~*** to detest; ***faire ~*** to horrify (***à qn*** sb) **2.** *d'un crime* horror; ***film*** *m* ***d'~*** horror movie; ***vision*** *f* ***d'~*** horrific sight **3.** *fig* (*chose laide*) monstrosity; ***quelle ~!*** how awful!; ***~s*** *pl* horrors; (*propos malveillants*) terrible things
▶ **horrible** [ɔʀibl] *adj* **1.** (*effroyable*) horrible **2.** (*très laid*) hideous **3.** (*extrême*) terrible
horrifiant [ɔʀifjɑ̃] *adj* ⟨**-ante** [-ɑ̃t]⟩ horrifying **horrifié** *adj* ⟨***~e***⟩ horrified (***de, par*** by)
horripilant [ɔʀipilɑ̃] *adj* ⟨**-ante** [-ɑ̃t]⟩ infuriating **horripiler** *v/t* to exasperate (***qn*** sb)
'hors [ɔʀ] *prép* **1.** *dans des expressions* outside **2.** ▶ ***'hors de*** out of; ***'hors de danger*** out of danger; ***être 'hors de soi*** to be beside oneself
'hors-bord *m* ⟨*inv*⟩ speedboat
▶ **'hors-d'œuvre** [ɔʀdœvʀ] *m* ⟨*inv*⟩ ap-

petizer
'hors-jeu *m* ⟨*inv*⟩ SPORT offside
'hors-la-loi *m* ⟨*inv*⟩ outlaw
'hors-texte *m* ⟨*inv*⟩ TYPO plate
hortensia [ɔʀtɑ̃sja] *m* hydrangea
horticole [ɔʀtikɔl] *adj* horticultural
horticulteur [ɔʀtikyltœʀ] *m*, **horticultrice** [-tʀis] *f* horticulturist
horticulture [ɔʀtikyltyʀ] *f* horticulture
hospice [ɔspis] *m* **1.** (*asile*) home **2.** REL hospice
hospitalier [ɔspitalje] *adj* ⟨**-ière** [-jɛʀ]⟩ **1.** (*accueillant*) hospitable **2.** (*relatif aux hôpitaux*) hospital *épith*
hospitalisation [ɔspitalizasjõ] *f admission, séjour* hospitalization
hospitaliser [ɔspitalize] *v/t* to hospitalize; ***hospitalisé*** hospitalized
hospitalité [ɔspitalite] *f* hospitality; ***donner l'~ à qn*** to show sb hospitality
hostellerie [ɔstɛlʀi] *f* hostelry
hostie [ɔsti] *f* host
hostile [ɔstil] *adj* hostile; ***être ~ à*** to be hostile to
hostilité [ɔstilite] *f* **1.** hostility **2.** MIL ***~s*** *pl* hostilities
hosto [ɔsto] *m*, *abr fam* → ***hôpital***
'hot-dog [ɔtdɔg] *m* hot dog
hôte [ot] *m* **1.** *qui reçoit* host **2.** (*invité*) guest **3.** ***table*** *f* ***d'~*** table d'hôte *meal provided for hotel guests*
► **hôtel** [otɛl] *m* **1.** hotel **2.** ***hôtel*** (***particulier***) *urban mansion* **3.** ► ***hôtel de ville*** city hall
hôtel-Dieu *m* ⟨**hôtels-Dieu**⟩ main hospital
hôtelier [otəlje] **I** *adj* ⟨**-ière** [-jɛʀ]⟩ hotel *épith*; ***école hôtelière*** hotel management college **II ~, *hôtelière*** *m/f* hotelier
hôtellerie [otɛlʀi] *f* **1.** hotel industry **2.** (*hôtel-restaurant*) inn
hôtel-restaurant *m* ⟨**hôtels-restaurants**⟩ hotel-restaurant
hôtesse [otɛs] *f* **1.** *qui reçoit chez elle* hostess **2.** ***hôtesse*** (***d'accueil***) receptionist; ► ***hôtesse*** (***de l'air***) flight attendant
'hotte [ɔt] *f* **1.** basket; VIT back basket **2.** ~ (***filtrante***) range hood
'hou [(h)u] *int pour faire peur* boo; *pour faire honte* tut-tut
'houblon [ublõ] *m* hop
'houblonnière [ublɔnjɛʀ] *f* hop field
'houe [u] *f* hoe
'houille [uj] *f* coal; *fig* ***~ blanche*** hydroelectric power
'houiller [uje] *adj* ⟨**-ère** [-ɛʀ]⟩ coal-bearing; ***bassin ~*** coalfield
'houillère [ujɛʀ] *f* coal mine
'houle [ul] *f* swell
'houlette [ulɛt] *f* ***sous la ~ de qn*** under the guidance of sb
'houleux [ulø] *adj* ⟨**-euse** [-øz]⟩ *mer* stormy *a fig*
'houligan [uligan] *m* hooligan **'houliganisme** *m* hooliganism
'houppe [up] *f* **1.** (*touffe*) tuft **2.** *de cheveux* tuft
'houppette [upɛt] *f* powder puff
'hourdis [uʀdi] *m* CONSTR slab
'hourra [uʀa] **I** *int* hurray, hurrah **II** *mpl* ***~s*** cheers
'houspiller [uspije] *v/t* to reprimand
'housse [us] *f* cover
'houx [u] *m* holly
'H.S. [aʃɛs] *abr* (= **hors service**) *adjt fam* ***être ~*** *appareil* to be out of order; *personne* to be zonked *fam*
H.T. *abr* (= **hors taxe**) → ***taxe***
'hublot [yblo] *m* **1.** MAR porthole **2.** AVIAT window **3.** *d'une machine à laver, etc* window
'huche [yʃ] *f* chest; ***~ à pain*** breadbox
'hue [y] *int* gee up
'huées [ɥe] *fpl* boos
'huer [ɥe] *v/t orateur, etc* to boo
'huguenot [ygno] **I** *adj* ⟨**-ote** [-ɔt]⟩ Huguenot **II *~(e)*** *m(f)* Huguenot
huilage [ɥilaʒ] *m* TECH oiling
► **huile** [ɥil] *f* **1.** oil *a* ALIM, MECH; ***~ de foie de morue*** cod-liver oil; ***~ moteur*** engine oil; ***~ d'olive*** olive oil; *fig* ***mer*** *f* ***d'~*** glassy sea; *fig* ***jeter de l'~ sur le feu*** to add fuel to the flames; *fam, fig* ***mettre de l'~ de coude*** to use some elbow grease *fam* **2.** (***peinture*** *f* ***à l'***)***~*** *tableau, activité* oil painting **3.** *fam, fig* (*personnalité*) *fam* big cheese *fam*
huilé [ɥile] *adj* ⟨***~e***⟩ **1.** oiled; ***papier ~*** oilpaper **2.** CUIS ***salade trop ~e*** salad with too much oil **3.** *fig* ***bien ~*** well-oiled
huiler [ɥile] *v/t* to oil
huilerie [ɥilʀi] *f* **1.** *usine* oil mill **2.** *commerce* oil trade
huileux [ɥilø] *adj* ⟨**-euse** [-øz]⟩ oily; *peau, cheveux* greasy
huilier [ɥilje] *m* cruet
'huis clos [ɥiklo] *m* ***à ~*** behind closed doors; JUR in camera
huisserie [ɥisʀi] *f door, window* frame
huissier [ɥisje] *m* **1.** ~ (***de justice***) bailiff **2.** ADMIN usher

▶ **'huit** [ɥit, *devant consonne* ɥi] **I** *num/c* eight; ***le ~ avril*** April eighth; ***Henri VIII*** Henry VIII; ***dans ~ jours*** in a week; ***mardi en ~*** a week from Tuesday **II** *m* ⟨*inv*⟩ **1.** *chiffre* eight; ***le ~ (du mois)*** the eighth (of the month) **2.** ***grand ~*** roller coaster

'huitaine [ɥitɛn] *f* **1.** ***une ~ (de)*** about eight **2.** ***sous ~*** within a week

'huitante [ɥitɑ̃t] *num/c en Suisse* eighty

▶ **'huitième** [ɥitjɛm] **I** *num/o* eighth **II** *subst* **1.** ***le, la ~*** the eighth **2.** *m* MATH eighth **3.** *m étage* ***au ~*** on the eighth floor **4.** *m* SPORT ***~ de finale*** *the stage before the quarterfinals in a competition*

'huitièmement [ɥitjɛmmɑ̃] *adv* eighthly

huître [ɥitʀ] *f* oyster

huîtrier [ɥitʀije] **I** *adj* ⟨**-ière** [-jɛʀ]⟩ oyster *épith* **II** *m* oystercatcher

huîtrière [ɥitʀijɛʀ] *f* oyster bed

'hulotte [ylɔt] *f* tawny owl

'hululement [ylylmɑ̃] *m des oiseaux de nuit* hooting **'hululer** *v/i hibou* to hoot

'hum [(h)œm] *int* ahem

▶ **humain** [ymɛ̃] **I** *adj* ⟨**-aine** [-ɛn]⟩ **1.** (*de l'homme*) human; ***corps ~*** human body; ***sciences ~es*** social sciences **2.** (*bon*) humane **II** *m* **1.** *st/s* ***les ~s*** *pl* human beings **2.** ***l'~*** human being

humainement [ymɛnmɑ̃] *adv* **1.** ***~ possible*** humanly possible **2.** *traiter* humanely

humanisation [ymanizasjõ] *f* humanization

humaniser [ymanize] **I** *v/t* to humanize **II** *v/pr* ***s'~*** to become more human

humanisme [ymanism] *m* humanism **humaniste I** *adj* humanist **II** *m/f* humanist

humanitaire [ymanitɛʀ] *adj* humanitarian

humanitarisme [ymanitaʀism] *m* humanitarianism

▶ **humanité** [ymanite] *f* **1.** (*genre humain*) mankind **2.** (*bonté*) humanity; ***avec ~*** humanely

humble [ɛ̃bl, œ̃-] *adj* **1.** (*modeste*) humble **2.** *st/s* (*de condition modeste*) humble

humecter [ymɛkte] **I** *v/t* to moisten; *linge* to dampen **II** *v/pr* ***s'~*** *yeux* to fill with tears; ***s'~ les lèvres*** to moisten one's lips

'humer [yme] *v/t air* to breathe in; *plat, odeur* to smell

humérus [ymeʀys] *m* humerus

▶ **humeur** [ymœʀ] *f* **1.** mood; ***être de bonne, mauvaise ~*** to be in a good, bad mood; ***être, se sentir d'~ à*** *+inf* to feel like (+ *v-ing*) **2.** (*irritation*) bad mood **3.** (*tempérament*) temperament

▶ **humide** [ymid] *adj linge, herbe, mur* damp; *climat* humid

humidificateur [ymidifikatœʀ] *m* humidifier **humidification** *f* humidification **humidifier** *v/t* to humidify

humidité [ymidite] *f linge, herbe* dampness; *mur* dampness; ***taches ~*** damp patches; *climat* humidity

humiliant [ymiljɑ̃] *adj* ⟨**-ante** [-ɑ̃t]⟩ humiliating **humiliation** *f* humiliation

humilier [ymilje] **I** *v/t* to humiliate **II** *v/pr* ***s'~ devant qn*** to humble o.s. before sb

humilité [ymilite] *f* humility

humoriste [ymɔʀist] *m/f* humorist **humoristique** *adj* humorous

▶ **humour** [ymuʀ] *m* humor; ***avoir (le sens) de l'~*** to have a sense of humor

humus [ymys] *m* humus

'huppe [yp] *f* **1.** (*touffe de plumes*) crest **2.** *oiseau* hoopoe

'huppé [ype] *adj* ⟨**~e**⟩ **1.** ZOOL crested **2.** *fam, fig* upscale

'hure [yʀ] *f* CH head

'hurlant [yʀlɑ̃] *adj* ⟨**-ante** [-ɑ̃t]⟩ *foule* baying; *meute de loups* howling

'hurlement [yʀləmɑ̃] *m* **1.** *d'une personne* yell; ***~s*** *pl* wailing (+ *v sg*) **2.** *du loup* howl

'hurler [yʀle] *v/t et v/i* **1.** *personne* to yell **2.** *animal, sirène, vent* to howl

'hurleur [yʀlœʀ] *m* ZOOL howler

hurluberlu [yʀlybɛʀly] *m fam* crank

'huron [yʀõ] **I** *adj* ⟨**-onne** [-ɔn]⟩ Huron **II** *m* Huron

'hussard [ysaʀ] *m* HIST MIL hussar

'hussarde [ysaʀd] ***à la ~*** roughly

'hutte [yt] *f* hut

hybridation [ibʀidasjõ] *f* BIOL hybridization

hybride [ibʀid] *adj* **1.** BIOL hybrid **2.** *fig* hybrid

hydratant [idʀatɑ̃] *adj* ⟨**-ante** [-ɑ̃t]⟩ moisturizing

hydratation [idʀatasjõ] *f* CHIM hydration

hydrater [idʀate] *v/t* ***~ la peau*** to moisturize the skin

hydraulique [idʀolik] **I** *adj* ***énergie f ~*** hydraulic power **II** *f* hydraulics (+ *v sg*)

hydravion [idʀavjõ] *m* seaplane

hydre [idʀ] *f* MYTH *et fig* hydra
hydrocarbure [idʀokaʀbyʀ] *m* hydrocarbon
hydrocéphale [idʀɔsefal] *adj* hydrocephalic, hydrocephalous **hydrocéphalie** *f* hydrocephalus
hydrocution [idʀɔkysjõ] *f* immersion syncope
hydrodynamique [idʀɔdinamik] **I** *adj* hydrodynamic **II** *f* hydrodynamics + *v sg*
hydro-électrique [idʀoelɛktʀik] *adj* hydroelectric; ***centrale*** *f* **~** hydroelectric power plant
hydrogène [idʀɔʒɛn] *m* hydrogen **hydrogéné** *adj* ⟨**~e**⟩ hydrogenated **hydrogéner** *v/t* ⟨**-è-**⟩ to hydrogenate
hydroglisseur [idʀoglisœʀ] *m* hydrofoil
hydrographie [idʀɔgʀafi] *f* hydrography
hydrologie [idʀɔlɔʒi] *f* hydrology
hydrolyse [idʀɔliz] *f* hydrolysis
hydromel [idʀɔmɛl] *m* mead
hydrophile [idʀɔfil] *adj* absorbent; ***coton*** *m* **~** absorbent cotton
hydrostatique [idʀɔstatik] **I** *adj* hydrostatic **II** *f* hydrostatics (+ *v sg*)
hydrothérapie [idʀɔteʀapi] *f* hydrotherapy
hydroxyde [idʀɔksid] *m* hydroxide
hyène [jɛn] *f* hyena
hygiaphone® [iʒjafɔn] *m à un guichet* protective grill
hygiène [iʒjɛn] *f* hygiene; **~ *de la bouche*** oral hygiene; ***manquer d'~*** *personne* to have poor hygiene; *lieu* to be unsanitary
hygiénique [iʒjenik] *adj* hygienic; ***papier*** *m* **~** toilet paper
hygromètre [igʀɔmɛtʀ] *m* hygrometer
hygrométrique *adj* ***état*** *m* **~** (***de l'air***) moisture content
hymen [imɛn] *m* **1.** ANAT hymen **2.** *poét* (*mariage*) marriage
hymne [imn] *m* hymn (***à*** to); **~ *national*** national anthem
hyper… [ipɛʀ] *préfixe* hyper…
hyperbole [ipɛʀbɔl] *f* hyperbole
hypercorrect *adj* ⟨**~e**⟩ hypercorrect **hypercritique** *adj* hypercritical
hypermarché *m* hypermarket
hypermétrope [ipɛʀmetʀɔp] *adj* hypermetropic **hypermétropie** *f* hypermetropia
hypernerveux *adj* ⟨**-euse** [-øz]⟩ highly strung **hypersensibilité** *f* hypersensitivity **hypersensible** *adj* hypersensitive
hypertendu *adj* ⟨**~e**⟩ hypertensive **hypertension** *f* high blood pressure; *sc* hypertension
hypertexte *m* INFORM hypertext
hypertrophie [ipɛʀtʀɔfi] *f* **1.** MÉD hypertrophy **2.** *fig du moi* self-aggrandizement; *d'un système* overexpansion
hypertrophié [ipɛʀtʀɔfje] *adj* ⟨**~e**⟩ **1.** MÉD, SC NAT hypertrophic **2.** *fig* overdeveloped
hypertrophique [ipɛʀtʀɔfik] *adj* MÉD hypertrophic
hypnose [ipnoz] *f* hypnosis
hypnotique [ipnɔtik] **I** *adj* hypnotic **II** *m* PHARM hypnotic
hypnotiser [ipnɔtize] **I** *v/t* to hypnotize; *fig* ***être hypnotisé par qc*** to be mesmerized by sth **II** *v/pr* ***s'~ sur qc*** to be mesmerized by sth
hypnotiseur [ipnɔtizœʀ] *m* hypnotist **hypnotisme** *m procédés* hypnotism; *science* hypnotism
hypoallerg(én)ique [ipoalɛʀʒ(en)ik] *adj* hypoallergenic
hypocondriaque [ipɔkõdʀijak] **I** *adj* hypochondriac **II** *m* hypochondriac
hypocondrie [ipɔkõdʀi] *f* hypochondria
hypocrisie [ipɔkʀisi] *f* hypocrisy
hypocrite [ipɔkʀit] **I** *adj* hypocritical **II** *m/f* hypocrite; ***faire l'~*** to be a hypocrite
hypodermique [ipɔdɛʀmik] *adj* hypodermic
hypoglycémie [ipɔglisemi] *f* hypoglycemia
hypophyse [ipɔfiz] *f* pituitary gland
hypotension *f* low blood pressure; *sc* hypotension
hypoténuse [ipɔtenyz] *f* hypotenuse
hypothécable [ipɔtekabl] *adj* mortgageable
hypothécaire [ipɔtekɛʀ] *adj* mortgage *épith*
hypothèque [ipɔtɛk] *f* mortgage
hypothéquer [ipɔteke] *v/t* ⟨**-è-**⟩ *grever* to mortgage; *garantir* to hypothecate
hypothermie [ipɔtɛʀmi] *f* hypothermia
hypothèse [ipɔtɛz] *f* hypothesis; ***dans l'~ où …*** assuming that …
hypothétique [ipɔtetik] *adj* **1.** (*supposé*) hypothetical **2.** (*douteux*) hypothetical
hystérie [isteʀi] *f* hysteria; **~ *collective*** mass hysteria
hystérique [isteʀik] **I** *adj* hysterical **II** *m/f* hysteric

I

I, i [i] *m* ⟨*inv*⟩ I; ***i grec*** y; *fig* ***mettre les points sur les i*** to dot one's i's; *personne* ***droit comme un I*** bolt upright
ibérique [ibeʀik] *adj* Iberian; ***péninsule*** *f* **~** Iberian peninsula
ibis [ibis] *m* ibis
iceberg [ajsbɛʀg, isbɛʀg] *m* iceberg
▶ **ici** [isi] *adv* **1.** here; ***viens ~!*** come here!; ***d'~*** from here; ***par ~*** (*dans cette direction*) this way; (*dans les environs*) around here **2.** *temporel* ***d'~*** from now; ***d'~*** **(*à*)** ***demain*** by tomorrow; ***d'~ là*** by then; ***d'~ peu*** before long
ici-bas [isibɑ] *adv* below; ***d'~*** from down here
icône [ikon] *f* **1.** PEINT icon **2.** INFORM icon
iconoclaste [ikɔnɔklast] **I** *m* iconoclast **II** *adj* iconoclastic
iconographie [ikɔnɔgʀafi] *f* **1.** *science* iconography **2.** *d'un livre* illustrations (+ *v pl*)
▶ **idéal** [ideal] **I** *adj* ⟨**~e; -aux** [-o] *ou* **-als**⟩ ideal **II** *m* ⟨**idéaux** [ideo] *ou* **idéals**⟩ **1.** ideal; ***~ de beauté*** ideal of beauty **2.** ***l'~*** the ideal thing
idéalisation [idealizasjõ] *f* idealization **idéaliser** *v/i* to idealize **idéalisme** *m* idealism **idéaliste** **I** *adj* idealistic **II** *m/f* idealist
▶ **idée** [ide] *f* idea; ***~s*** *pl* (*opinion*) views; ***~ fixe*** obsession; ***~ de derrière la tête*** thought at the back of one's mind; ***à mon ~*** in my opinion; ***avoir de l'~*** to be full of ideas; ***je n'en ai aucune ~*** I have no idea; ***avoir dans l'~ que …*** to have an idea that …; ***on n'a pas ~!*** you have no idea!; ***avoir des ~s de gauche*** to have left-wing views; ***changer d'~*** to change one's mind; ***faire changer qn d'~*** to change sb's mind; ***pour se changer les ~s*** in order to take one's mind off things; ***donner à qn l'~ de faire qc*** to give sb the idea of doing sth; ***donner des ~s à qn*** to give sb ideas; ***se faire une ~ de qc*** to get an idea of sth; ***elle se fait des ~s*** she's imagining things
idem [idɛm] *adv* ditto; *fam* (*de même*) likewise
identifiable [idɑ̃tifjabl] *adj* identifiable
identification *f* identification
identifier [idɑ̃tifje] **I** *v/t* **1.** (*reconnaître*) to identify **2.** (*assimiler*) to identify (***avec, à*** with) **II** *v/pr* ***s'~ avec*** *ou* ***à qn, qc*** to identify with
identique [idɑ̃tik] *adj* identical (***à*** to)
identité [idɑ̃tite] *f* **1.** identity (*a* PSYCH) **2.** *d'une personne* identity; ***carte*** *f* ***d'~*** identity card; ***photo*** *f* ***d'~*** passport photo; ***vérification*** *f* ***d'~*** identity verification
idéologie [ideɔlɔʒi] *f* ideology **idéologique** *adj* ideological
idéologue [ideɔlɔg] *m* **1.** ideologist **2.** *péj* ideologue
idiomatique [idjɔmatik] *adj* idiomatic
idiome [idjom] *m* idiom
▶ **idiot** [idjo] **I** *adj* ⟨**idiote** [idjɔt]⟩ idiotic **II** **~(*e*)** *m(f)* idiot (*a* MÉD); *fam* fool
idiotie [idjɔsi] *f* stupidity; *fam* idiocy (*a* MÉD)
idiotisme [idjɔtism] *m* LING idiom
idoine [idwan] *adj* appropriate
idolâtre [idɔlɑtʀ] *adj* idolatrous **idolâtrer** *v/t* to idolize
idolâtrie [idɔlɑtʀi] *f* idolatry (*a fig*)
idole [idɔl] *f* REL idol (*a fig*)
idylle [idil] *f* **1.** *amour* romance **2.** *poème* idyll **idyllique** *adj* idyllic
if [if] *m* yew
IFOP [ifɔp] *m*, *abr* (= **Institut français d'opinion publique**) *international market research company*
igloo *ou* **iglou** [iglu] *m* igloo
ignare [iɲaʀ] *péj* **I** *adj* ignorant **II** *m/f* ignoramus
ignifuge [iɲifyʒ, igni-] *m* flame retardant **ignifuger** *v/t* ⟨**-ge-**⟩ to fireproof
ignition [iɲisjõ, igni-] *f* ignition
ignoble [iɲɔbl] *adj* **1.** (*abject*) vile **2.** (*sordide*) disgraceful
ignominie [iɲɔmini] *f* **1.** (*déshonneur*) ignominy **2.** *acte* disgraceful act
ignorance [iɲɔʀɑ̃s] *f* ignorance
ignorant [iɲɔʀɑ̃] **I** *adj* ⟨**-ante** [-ɑ̃t]⟩ **1.** ***être ~ de qc*** to be unaware of sth **2.** (*inculte*) ignorant **II** **~(*e*)** *m(f)* ignoramus
ignoré [iɲɔʀe] *adj* ⟨**~e**⟩ unknown (***de qn*** to sb); (*méconnu*) ignored
▶ **ignorer** [iɲɔʀe] **I** *v/t* **1.** (*ne pas savoir*) not to know (*qc* sth); ***ne pas ~ que …*** to be aware that … **2.** (*ne pas tenir compte de*) ***~ qn, qc*** to ignore sb, sth **II** *v/pr*

s'ignorer* 1. *c'est un poète qui s'ignore he's a poet without knowing it **2.** *réciproque* ***s'~*** to ignore each other
iguane [igwan] *m* iguana
ikebana [ikebana] *m* ikebana
▶ **il** il *pr pers* **1.** *m* he; ***~ vient*** he's coming **2.** *impersonnel* it; ***~ fait froid*** it's cold
▶ **île** [il] *f* **1.** island; ***l'~ de Ré*** the Île de Ré **2.** ***des ~s*** from the Antilles **3.** CUIS ***~ flottantes*** floating islands
▶ **illégal** [ilegal] *adj* ⟨**~e; -aux** [-o]⟩ illegal **illégalité** *f* illegality
illégitime [ileʒitim] *adj* **1.** *régime*, *enfant* illegitimate **2.** (*injustifié*) unwarranted
illégitimité [ileʒitimite] *f d'un régime*, *d'un enfant* illegitimacy
illettré [iletʀe] **I** *adj* ⟨**~e**⟩ illiterate **II ~(*e*)** *m*(*f*) person who is illiterate
illettrisme [i(l)letʀism] *m* illiteracy
illicite [ilisit] *adj* illicit
illico [iliko] *adv fam* **~ (*presto*)** pronto *fam*
illimité [ilimite] *adj* ⟨**~e**⟩ unlimited
illisible [ilizibl] *adj* **1.** *écriture* illegible **2.** *ouvrage* unreadable
illogique [ilɔʒik] *adj* illogical **illogisme** *m* illogicality
illumination [ilyminasjõ] *f* **1.** (*éclairage*) lighting **2.** (*inspiration*) inspiration
illuminé [ilymine] *m péj* crank
illuminer [ilymine] **I** *v/t* **1.** to light up; *avec des projecteurs* to floodlight **2.** *par ext* to light up **II** *v/pr* ***s'~*** to light up (***de joie*** with joy)
illusion [ilyzjõ] *f* **1.** *des sens* illusion; ***~ d'optique*** optical illusion **2.** (*croyance erronée*) illusion; ***faire ~*** to give a false impression; ***se faire des ~s*** to delude o.s.
illusionner [ilyzjɔne] *v/pr* ***s'~*** to delude o.s. (***sur*** about)
illusionnisme [ilyzjɔnism] *m* conjuring
illusionniste *m* conjuror
illusoire [ilyzwaʀ] *adj* illusory
illustrateur [ilystʀatœʀ] *m*, **illustratrice** [-tʀis] *f* illustrator
illustration [ilystʀasjõ] *f* **1.** *action*, *dessin* illustration **2.** *fig* illustration
illustre [ilystʀ] *adj* illustrious
illustré [ilystʀe] **I** *adj* ⟨**~e**⟩ illustrated **II** *m* comic
illustrer [ilystʀe] **I** *v/t* to illustrate **II** *v/pr* ***s'~*** to distinguish o.s
illustrissime [ilystʀisim] *adj iron* most illustrious
îlot [ilo] *m* **1.** small island; *fig* ***~ de calme*** a quiet spot **2.** *de maisons* block
îlotier [ilɔtje] *m* community police officer
▶ **ils** [il] *pr pers mpl* they
▶ **image** [imaʒ] *f* **1.** picture (*a* OPT, RHÉT); *fig* ***~ d'Épinal*** stereotypical image; ***livre*** *m* ***d'~s*** picture book; *enfant* ***sage comme une ~*** as good as gold; ***être l'~ fidèle de qc*** to be a fair representation of sth; ***être à l'~ de qn*** to be in the image of sb **2. ~ (*de marque*)** brand image
imagé [imaʒe] *adj* ⟨**~e**⟩ colorful
imagerie [imaʒʀi] *f* imagery
imaginable [imaʒinabl] *adj* imaginable
imaginaire [imaʒinɛʀ] *adj* imaginary; ***malade*** *m* **~** hypochondriac
imaginatif [imaʒinatif] *adj* ⟨**-ive** [-iv]⟩ imaginative
▶ **imagination** [imaʒinasjõ] *f* imagination
▶ **imaginer** [imaʒine] **I** *v/t* **1.** (*supposer*) ***imaginer qc*** to imagine sth **2.** (*inventer*) ***imaginer qc*** to devise sth **II** *v/pr* ▶ ***s'imaginer*** **1.** (*se figurer*) to imagine **2.** (*croire à tort*) to think
imam [imam] *m* imam
imbattable [ɛ̃batabl] *adj* unbeatable
imbécile [ɛ̃besil] **I** *adj* idiotic **II** *m/f* idiot
imbécillité [ɛ̃besilite] *f* idiocy
imberbe [ɛ̃bɛʀb] *adj* beardless
imbiber [ɛ̃bibe] **I** *v/t* **1.** to soak (***de*** in) **2.** *fam*, *fig* ***complètement imbibé*** completely sloshed *fam* **II** *v/pr* ***s'~*** to become soaked (***de*** with)
imbrication [ɛ̃bʀikasjõ] *f* **1.** CONSTR overlapping **2.** *fig* interlinking
imbriqué [ɛ̃bʀike] *adj* ⟨**~e**⟩ overlapping
imbriquer [ɛ̃bʀike] *v/pr problèmes* ***s'~*** to be interlinked
imbroglio [ɛ̃bʀɔglijo] *m* imbroglio
imbu [ɛ̃by] *adj* ⟨**~e**⟩ ***~ de qc*** full of sth; ***~ de soi-même*** full of o.s.
imbuvable [ɛ̃byvabl] *adj* undrinkable; (*fam*, *fig personne*) unbearable
imitable [imitabl] *adj* imitable **imitateur** *m*, **imitatrice** *f* imitator; *artiste* impersonator **imitatif** *adj* ⟨**-ive** [-iv]⟩ imitative **imitation** *f* imitation
▶ **imiter** [imite] *v/t* **1.** to imitate; (*suivre l'exemple*) to copy (***qn*** sb) **2.** *matière* ***~ qc*** to look like sth
immaculé [imakyle] *adj* ⟨**~e**⟩ **1.** REL ***Immaculée Conception*** Immaculate Conception **2.** *fig* spotless; *linge* immaculate
immanent [imanɑ̃] *adj* ⟨**-ente** [-ɑ̃t]⟩ im-

manent (***à*** in)
immangeable [ɛ̃mɑ̃ʒabl] *adj* inedible
immanquable [ɛ̃mɑ̃kabl] *adj* inevitable; *cible* impossible to miss
immatériel [imateʀjɛl] *adj* ⟨**~le**⟩ **1.** PHIL immaterial **2.** FIN intangible
immatriculation [imatʀikylasjõ] *f* registration; AUTO ***numéro d' ~*** license number, *brit* registration number **immatriculer** *v/t* to register; AUTO to license, *brit* to register
immature [imatyʀ] *adj* immature **immaturité** *f* immaturity
immédiat [imedja] **I** *adj* ⟨**-ate** [-at]⟩ *successeur, départ* immediate **II** *m* ***dans l'~*** for the moment
▶ **immédiatement** [imedjatmɑ̃] *adv* immediately
immémorial [imemɔʀjal] *adj* ⟨**~e; -aux** [-o]⟩ age-old *litt*; ***de temps ~*** from time immemorial
▶ **immense** [imɑ̃s] *adj* immense
immensément [imɑ̃semɑ̃] *adv* ***~ riche*** immensely rich
immensité [imɑ̃site] *f* immensity; (*vaste étendue*) vastness
immergé [i(m)mɛʀʒe] *adj* ⟨**~e**⟩ submerged
immerger [imɛʀʒe] *v/t* ⟨**-ge-**⟩ **1.** to immerse (***dans*** in); *déchets* to dump *ou* to dispose of at sea; *mort* to bury at sea **2.** *v/pr d'un sous-marin* ***s'~*** to dive
immérité [imeʀite] *adj* ⟨**~e**⟩ undeserved
immersion [imɛʀsjõ] *f* immersion; *de déchets* dumping *ou* disposal at sea; *d'un mort* burial at sea
immettable [ɛ̃mɛtabl] *adj vêtement* unwearable
▶ **immeuble** [imœbl] *m* building
immigrant [imigʀɑ̃] *m*, **immigrante** [-ɑ̃t] *f* immigrant
▶ **immigration** [imigʀasjõ] *f* immigration
immigré [imigʀe] **I** *adj* ⟨**~e**⟩ immigrant *épith*; ***travailleur immigré*** immigrant worker **II** ▶ ***immigré(e)*** *m(f)* immigrant
immigrer [imigʀe] *v/i* to immigrate
imminence [iminɑ̃s] *f* imminence **imminent** *adj* ⟨**-ente** [-ɑ̃t]⟩ imminent
immiscer [imise] *v/pr* ⟨**-ç-**⟩ ***s'~ dans qc*** to interfere in sth
▶ **immobile** [imɔbil] *adj personne, mer* still; *visage* immobile
immobilier [imɔbilje] **I** *adj* ⟨**-ière** [-jɛʀ]⟩ **1.** real estate *épith*; ***agence immobilière*** real estate agency **2.** JUR ***biens m ~s*** real estate **II** *m* real estate
immobilisation [imɔbilizasjõ] *f* **1.** *de la circulation* immobilization **2.** MÉD *d'un membre* immobilization **3.** FIN *de capitaux* tying up
immobiliser [imɔbilize] **I** *v/t* **1.** *circulation, etc* to bring to a standstill **2.** MÉD *membre* to immobilize **3.** FIN *capitaux* to tie up **II** *v/pr* ***s'~*** to come to a halt
immobilisme [imɔbilism] *m* opposition to change**immobiliste** *adj* opposed to change**immobilité** *f* immobility
immodéré [imɔdeʀe] *adj* ⟨**~e**⟩ immoderate **immodérément** *adv* immoderately
immolation [imɔlasjõ] *f* REL *et fig, litt* immolation **immoler** *v/t* to sacrifice, to immolate *st/s*
immonde [imõd] *adj* **1.** (*sale*) foul; *lieu* filthy **2.** (*ignoble*) foul
immondices [imõdis] *fpl* trash (+ *v sg*), *brit* refuse (+ *v sg*)
immoral [imɔʀal] *adj* ⟨**~e; -aux** [-o]⟩ immoral **immoralisme** *m* immoralism **immoralité** *f* immorality
immortaliser [imɔʀtalize] **I** *v/t* to immortalize **II** *v/pr* ***s'~*** to gain immortality **immortalité** *f* immortality
immortel [imɔʀtɛl] *adj* ⟨**~le**⟩ **1.** immortal **2.** *fig* everlasting
immortelle [imɔʀtɛl] *f* everlasting (flower)
immotivé [imɔtive] *adj* ⟨**~e**⟩ unmotivated; *peur* groundless
immuable [imɥabl] *adj* unchanging; *loi* immutable
immunisant [imynizɑ̃] *adj* ⟨**-ante** [-ɑ̃t]⟩ immunizing **immunisation** *f* immunization
immuniser [imynize] *v/t* to immunize (***contre*** against); *fig* ***être immunisé contre*** to be immune to
immunitaire [imynitɛʀ] *adj* immune
immunité [imynite] *f* MÉD, JUR immunity
immunologie [imynɔlɔʒi] *f* immunology
immutabilité [imytabilite] *f* immutability
impact [ɛ̃pakt] *m* **1.** *d'un projectile* (***point*** *m* ***d'***)***~*** point of impact **2.** *fig, d'une publicité* impact (***sur*** on)
impair [ɛ̃pɛʀ] **I** *adj* ⟨**~e**⟩ *nombre* odd **II** *m* blunder, faux pas
impalpable [ɛ̃palpabl] *adj* impalpable
imparable [ɛ̃paʀabl] *adj coup, tir* unstoppable; *argument* irrefutable

impardonnable [ɛ̃paʀdɔnabl] *adj* unforgivable; ***vous êtes ~ d'avoir menti*** it's unforgivable that you lied
imparfait [ɛ̃paʀfɛ] **I** *adj* ⟨**-faite** [-fɛt]⟩ imperfect **II** *m* GRAM imperfect
impartial [ɛ̃paʀsjal] *adj* ⟨**~e; -aux** [-o]⟩ impartial **impartialité** *f* impartiality
impartir [ɛ̃paʀtiʀ] *v/t délai* to allow; ***les délais impartis*** the allotted time
impasse [ɛ̃pas] *f* **1.** dead end; *brit* cul-de-sac **2.** *fig* deadlock, impasse **3.** *pour un examen* ***faire l'~ sur qc*** to skip sth in one's revision
impassibilité [ɛ̃pasibilite] *f* impassivity **impassible** *adj* impassive
impatiemment [ɛ̃pasjamɑ̃] *adv* impatiently
impatience [ɛ̃pasjɑ̃s] *f* impatience
▶ **impatient** [ɛ̃pasjɑ̃] *adj* ⟨**-ente** [-ɑ̃t]⟩ impatient; ***être ~ de*** *+inf* to be eager *+inf*
impatienter [ɛ̃pasjɑ̃te] **I** *v/t* ***~ qn*** to irritate sb **II** *v/pr* ***s'~*** to get impatient
impayable [ɛ̃pɛjabl] *adj fam* priceless, hilarious
impayé [ɛ̃peje] *adj* ⟨**~e**⟩ unpaid
impec [ɛ̃pɛk] *adj, abr fam* → ***impeccable***
impeccable [ɛ̃pekabl] *adj* perfect
impédance [ɛ̃pedɑ̃s] *f* ÉLEC impedance
impénétrable [ɛ̃penetʀabl] *adj forêt* impenetrable; *intentions* unfathomable; *personne, visage* inscrutable
impénitence [ɛ̃penitɑ̃s] *f* impenitence **impénitent** *adj* ⟨**-ente** [-ɑ̃t]⟩ unrepentant, impenitent (*a* REL)
impensable [ɛ̃pɑ̃sabl] *adj* unthinkable, inconceivable
imper [ɛ̃pɛʀ] *m, abr fam* → ***imperméable***
impératif [ɛ̃peʀatif] **I** *adj* ⟨**-ive** [-iv]⟩ imperative **II** *m* **1.** GRAM imperative **2.** ***~s*** *pl* imperatives
impératrice [ɛ̃peʀatʀis] *f* empress
imperceptible [ɛ̃pɛʀsɛptibl] *adj* imperceptible
imperdable [ɛ̃pɛʀdabl] *adj* ***un match ~*** a match that is, was *etc* impossible to lose
imperfection [ɛ̃pɛʀfɛksjõ] *f* imperfection
impérial [ɛ̃peʀjal] **I** *adj* ⟨**~e; -aux** [-o]⟩ imperial *a fig* **II** *f* ***~e*** *d'un bus* top *or* upper deck
impérialisme [ɛ̃peʀjalism] *m* imperialism **impérialiste I** *adj* imperialist **II** *m/f* imperialist
impérieux [ɛ̃peʀjø] *adj* ⟨**-euse** [-øz]⟩ **1.** *ton* imperious **2.** *besoin, nécessité* pressing
impérissable [ɛ̃peʀisabl] *adj* enduring, unforgettable
imperméabilisation [ɛ̃pɛʀmeabilizasjõ] *f* waterproofing **imperméabiliser** *v/t* to waterproof **imperméabilité** *f* impermeability; *de qn* imperviousness
imperméable [ɛ̃pɛʀmeabl] **I** *adj* **1.** waterproof; *sol* impermeable **2.** *fig* ***~ à qc*** impervious to sth **II** *m* raincoat
impersonnalité [ɛ̃pɛʀsɔnalite] *f* impersonality
impersonnel [ɛ̃pɛʀsɔnɛl] *adj* ⟨**~le**⟩ impersonal
impertinence [ɛ̃pɛʀtinɑ̃s] *f* impertinence **impertinent** *adj* ⟨**-ente** [-ɑ̃t]⟩ *adj* impertinent
imperturbabilité [ɛ̃pɛʀtyʀbabilite] *f* imperturbability **imperturbable** *adj* imperturbable
impétigo [ɛ̃petigo] *m* impetigo
impétrant [ɛ̃petʀɑ̃] *m*, **impétrante** [-ɑ̃t] *f* ADMIN applicant
impétueux [ɛ̃petɥø] *adj* ⟨**-euse** [-øz]⟩ impetuous; *fig torrent* raging
impétuosité [ɛ̃petɥozite] *st/s f* impetuousness
impie [ɛ̃pi] *litt adj* impious *st/s*, ungodly
impitoyable [ɛ̃pitwajabl] *adj* merciless, pitiless
implacable [ɛ̃plakabl] *adj* implacable
implant [ɛ̃plɑ̃] *m* MÉD implant
implantation [ɛ̃plɑ̃tasjõ] *f* **1.** *d'une entreprise, de traditions* establishment; *d'un groupe ethnique* settling **2.** MÉD implantation
implanter [ɛ̃plɑ̃te] **I** *v/t* **1.** *entreprise* to establish; *mode* to introduce **2.** MÉD to implant **II** *v/pr* ***s'~*** *colons* to settle; *traditions* to become established; *entreprise* to set up
implication [ɛ̃plikasjõ] *f* **1.** JUR involvement (***dans*** in) **2.** (*conséquence*) implication
implicite [ɛ̃plisit] *adj* implicit **implicitement** *adv* implicitly
impliquer [ɛ̃plike] *v/t* **1.** ***~ qn dans qc*** to implicate sb in sth; (*inclure qn*) to involve sb in sth **2.** (*comporter*) to involve, to mean (***de faire*** doing) **3.** (*supposer*) to imply
implorant [ɛ̃plɔʀɑ̃] *adj* ⟨**-ante** [-ɑ̃t]⟩ imploring **imploration** *litt f* entreaty
implorer [ɛ̃plɔʀe] *v/t* **1.** ***~ qn*** to implore

or beg sb **2.** ***~ qc*** to beg for sth
imploser [ɛ̃ploze] *v/i* to implode **implosion** implosion
▶ **impoli** [ɛ̃pɔli] *adj* ⟨**~e**⟩ rude, impolite
impolitesse [ɛ̃pɔlitɛs] *f* rudeness
impondérable [ɛ̃põdeʀabl] **I** *adj* imponderable **II** ***~s*** *mpl* imponderables
impopulaire [ɛ̃pɔpylɛʀ] *adj* unpopular
impopularité [ɛ̃pɔpylaʀite] *f* unpopularity
importable [ɛ̃pɔʀtabl] *adj* **1.** *vêtement* unwearable **2.** ÉCON importable
▶ **importance** [ɛ̃pɔʀtɑ̃s] *f* **1.** importance; ***d'~*** *adj* important; *adv battre* soundly; ***sans ~*** unimportant; ***avoir de l'~*** to be important; ***se donner de l'~*** to make o.s. look important **2.** *d'une somme* size
▶ **important** [ɛ̃pɔʀtɑ̃] **I** *adj* ⟨**-ante** [-ɑ̃t]⟩ **1.** important; *péj* ***se donner des airs ~s*** to give o.s. airs **2.** *retard*, *dégâts* significant; *somme* large **II** ***faire l'~(e)*** *m(f)* to act important *fam*
importateur [ɛ̃pɔʀtatœʀ] **I** *adj* ⟨**-trice** [-tʀis]⟩ importing **II** *m* importer
importation [ɛ̃pɔʀtasjõ] *f* **1.** importation **2.** *produit* import
▶ **importer**[1] [ɛ̃pɔʀte] *v/t* COMM to import
importer[2] *v/i et v/imp* **1.** to matter; ***peu importe que …*** it doesn't matter if …; ***peu importe!*** never mind! **2.** ***n'importe qui, quoi, où, quand*** anyone, anything, anywhere, any time **3.** *souvent péj* ***n'importe comment*** any old how; ***n'importe où*** just anywhere; ***n'importe quoi!*** nonsense!; ***n'importe qui*** just anyone; ***à n'importe quel prix*** at any price
import-export [ɛ̃pɔʀɛkspɔʀ] *m* import-export
importun [ɛ̃pɔʀtɛ̃, -tœ̃] **I** *adj* ⟨**-une** [-yn]⟩ tiresome; *visiteur* unwelcome **II** *m personne* nuisance
importuner [ɛ̃pɔʀtyne] *v/t* ***~ qn*** to bother sb
importunité [ɛ̃pɔʀtynite] *f* importunity; *d'une visite* bad timing
imposable [ɛ̃pozabl] *adj revenu* taxable; *personne* liable to tax
imposant [ɛ̃pozɑ̃] *adj* ⟨**-ante** [-ɑ̃t]⟩ imposing
imposé [ɛ̃poze] *adj* ⟨**~e**⟩ **1.** *travail* set; PATINAGE ***figures ~es*** compulsory figures; COMM ***prix ~*** fixed price **2.** *revenu* fixed
imposer [ɛ̃poze] **I** *v/t* **1.** ***~ qc à qn*** *conditions*, *règle*, *devoirs*, *punition*, *volonté* to impose sth on sb; *régime*, *chef* to force *or* foist sth on sb **2.** FIN to tax **3.** REL ***~ les mains*** to lay on hands **II** *v/i* **1.** ***en ~ à qn*** to impress sb **III** *v/pr* **1.** ***s'~ de faire qc*** to make it a rule to do sth **2.** *mesure*, *etc* ***s'~*** to be essential **3.** *produit*, *personne* ***s'~*** to gain recognition; *personne* to make a name for o.s. **4.** ***s'~*** (*imposer sa présence*) to impose (***à qn*** on sb)
imposition [ɛ̃pozisjõ] *f* **1.** FIN taxation **2.** REL ***~ des mains*** laying on of hands
impossibilité [ɛ̃pɔsibilite] *f* **1.** impossibility; ***être dans l'~ de*** *+inf* to be unable *+inf* **2.** (*chose impossible*) impossibility
▶ **impossible** [ɛ̃pɔsibl] **I** *adj* impossible **II** *m* ***l'~*** the impossible; ***faire l'~*** to do one's utmost
imposteur [ɛ̃pɔstœʀ] *m* imposter **imposture** *f* deception, imposture *st/s*
▶ **impôt** [ɛ̃po] *m* tax; ***~ sur le revenu*** income tax
impotence [ɛ̃pɔtɑ̃s] *f* disability **impotent** *adj* ⟨**-ente** [-ɑ̃t]⟩ *personne* disabled
impraticable [ɛ̃pʀatikabl] *adj* **1.** *chemin*, *route* impassable **2.** *idée* unworkable
imprécation [ɛ̃pʀekasjõ] *litt f* imprecation *litt*
imprécis [ɛ̃pʀesi] *adj* ⟨**-ise** [-iz]⟩ vague; *statistiques*, *données* imprecise
imprécision [ɛ̃pʀesizjõ] *f* vagueness; *des statistiques*, *données* imprecision
imprégnation [ɛ̃pʀeɲasjõ] *f* **1.** TECH impregnation; MÉD ***~ alcoolique*** blood alcohol level **2.** *fig* permeation (***par qc*** by sth)
imprégner [ɛ̃pʀeɲe] ⟨**-è-**⟩ **I** *v/t* **1.** TECH to impregnate (***de*** with); *par ext odeur* to permeate **2.** *fig* ***~ qn*** to (heavily) influence sb **II** *v/pr* ***s'~ de qc*** to immerse o.s. in sth
imprenable [ɛ̃pʀənabl] *adj* **1.** *forteresse* impregnable **2.** *vue* unimpeded
imprésario *ou* **impresario** [ɛ̃pʀezaʀjo] *m* impresario
imprescriptible [ɛ̃pʀɛskʀiptibl] *adj* JUR imprescriptible
▶ **impression** [ɛ̃pʀɛsjõ] *f* **1.** impression; ***avoir l'~ de*** *+inf ou* ***que …*** to have the impression of (*+ v-ing*) *or* that …; ***faire (une) bonne, mauvaise ~*** to make a good, bad impression (***à qn*** on sb) **2.** TECH printing; ***faute*** *f* ***d'~*** printing error
impressionnable [ɛ̃pʀɛsjɔnabl] *adj* impressionable **impressionnant** *adj* ⟨**-ante** [-ɑ̃t]⟩ impressive; (*troublant*)

upsetting
▶ **impressionner** [ɛ̃pʀesjɔne] *v/t* to impress; (*troubler*) to upset
impressionnisme [ɛ̃pʀesjɔnism] *m* impressionism **impressionniste I** *adj* impressionist **II** *m* impressionist
imprévisible [ɛ̃pʀevizibl] *adj* unpredictable
imprévoyance [ɛ̃pʀevwajɑ̃s] *f* lack of foresight **imprévoyant** *adj* ⟨**-ante** [-ɑ̃t]⟩ improvident
▶ **imprévu** [ɛ̃pʀevy] **I** *adj* ⟨**~e**⟩ unexpected, unforeseen **II** *m* unexpected incident; (*anicroche*) hitch; ***sauf ~*** barring accidents
imprimable [ɛ̃pʀimabl] *adj* printable
▶ **imprimante** [ɛ̃pʀimɑ̃t] *f* printer; ***~ à jet d'encre, à laser*** inkjet, laser printer
imprimé [ɛ̃pʀime] **I** *adj* printed; ***tissu ~*** printed fabric, print **II** *m* **1.** POSTE printed matter (+ *v sg*) **2.** *livre, brochure, etc* publication **3.** (*formulaire*) form **4.** TEXT print
▶ **imprimer** [ɛ̃pʀime] **I** *v/t* **1.** *texte* to print; INFORM to print (out) **2.** *tissu, papier, motif* to print **3.** ***~ qc sur qc*** *cachet* to put sth on sth; *initiales* to print sth on sth **4.** ***~ qc à qc*** *mouvement* to transmit sth to sth **II** *v/pr* ***s'~ dans la mémoire*** to be imprinted in one's memory
imprimerie [ɛ̃pʀimʀi] *f* **1.** *entreprise* printing works (+ *v pl*) **2.** *technique* printing
imprimeur [ɛ̃pʀimœʀ] *m* printer **imprimeur-éditeur** *m* ⟨**imprimeurs-éditeurs**⟩ printer and publisher
improbabilité [ɛ̃pʀɔbabilite] *f* improbability
improbable [ɛ̃pʀɔbabl] *adj* improbable; ***il est ~ que …*** *+subjonctif* it is unlikely that …
improductif [ɛ̃pʀɔdyktif] *adj* ⟨**-ive** [-iv]⟩ unproductive; FIN idle **improductivité** *f* unproductiveness
impromptu [ɛ̃pʀɔ̃pty] **I** *adj* ⟨**~e**⟩ impromptu; *visite* unexpected **II** *m* MUS impromptu
imprononçable [ɛ̃pʀɔnɔ̃sabl] *adj* unpronounceable
impropre [ɛ̃pʀɔpʀ] *adj* **1.** *mot* incorrect **2.** ***~ à qc*** unsuitable for sth; *aliment* unfit for sth
improprement [ɛ̃pʀɔpʀəmɑ̃] *adv* incorrectly
impropriété [ɛ̃pʀɔpʀijete] *f* **1.** *d'un mot* incorrectness **2.** (*expression impropre*) incorrect usage
improvisateur [ɛ̃pʀɔvizatœʀ] *m*, **improvisatrice** [-tʀis] *f* improviser **improvisation** *f* improvisation (*a* MUS)
improviser [ɛ̃pʀɔvize] **I** *v/t* to improvise; ***~ un discours*** to make an impromptu speech **II** *v/i* MUS to improvise **III** *v/pr* ***s'~ arbitre***, *etc* to act as referee, *etc*
improviste [ɛ̃pʀɔvist] ***à l'~*** unexpectedly
imprudemment [ɛ̃pʀydamɑ̃] *adv* → ***imprudent***
imprudence [ɛ̃pʀydɑ̃s] *f* **1.** foolish act; ***commettre des ~s*** to act rashly **2.** JUR carelessness **imprudent** *adj* ⟨**-ente** [-ɑ̃t]⟩ careless; *conducteur* reckless; *action* foolhardy
impubère [ɛ̃pybɛʀ] *adj* prepubescent (*a* JUR)
impubliable [ɛ̃pyblijabl] *adj* unpublishable
impudence [ɛ̃pydɑ̃s] *f* impudence **impudent** *adj* ⟨**-ente** [-ɑ̃t]⟩ impudent
impudeur [ɛ̃pydœʀ] *f* shamelessness **impudicité** *f* indecency **impudique** *adj personne* shameless; *vêtement* indecent
impuissance [ɛ̃pɥisɑ̃s] *f* **1.** (*faiblesse*) powerlessness **2.** *sexuelle* impotence
impuissant [ɛ̃pɥisɑ̃] *adj* ⟨**-ante** [-ɑ̃t]⟩ **1.** powerless; ***être ~ à*** *+inf* to be powerless *+inf* **2.** *sexuellement* impotent
impulsif [ɛ̃pylsif] *adj* ⟨**-ive** [-iv]⟩ impulsive
impulsion [ɛ̃pylsjɔ̃] *f* impulse; (*élan*) impetus; PHYS impulse; PSYCH drive
impulsivité [ɛ̃pylsivite] *f* impulsiveness
impunément [ɛ̃pynemɑ̃] *adv* with impunity
impuni [ɛ̃pyni] *adj* ⟨**~e**⟩ unpunished
impunité [ɛ̃pynite] *f* impunity; ***en toute ~*** with impunity
impur [ɛ̃pyʀ] *adj* ⟨**~e**⟩ impure (*a* REL); *eau* dirty
impureté [ɛ̃pyʀte] *f* **1.** impurity **2.** ***~s*** *pl* impurities
imputable [ɛ̃pytabl] *adj* ***être ~ à qc*** to be attributable to sth
imputer [ɛ̃pyte] *v/t* **1.** ***~ qc à qn*** to attribute sth to sb, to impute sth to sb *st/s* **2.** ***~ qc à qc*** to attribute sth to sth **3.** FIN ***~ à, sur qc*** to charge to sth
imputrescible [ɛ̃pytʀesibl] *adj* rotproof
in [in] *adj* ⟨*inv*⟩ *fam* trendy, in *fam*; ***être ~*** to be in *fam*; ***une boîte ~*** a trendy nightclub

inabordable [inabɔʀdabl] *adj prix* unaffordable; *endroit* inaccessible
inaccentué [inaksɑ̃tɥe] *adj* ⟨**~e**⟩ PHON unstressed
inacceptable [inaksɛptabl] *adj* unacceptable
inaccessible [inaksesibl] *adj* **1.** *lieu* inaccessible (***à qn*** to sb); *fig but* unattainable; *texte* inaccessible **2.** *personne* unapproachable; ***~ à la pitié*** incapable of pity
inaccoutumé [inakutyme] *adj* ⟨**~e**⟩ unaccustomed
inachevé [inaʃve] *adj* ⟨**~e**⟩ unfinished
inachèvement [inaʃɛvmɑ̃] *m* incompleteness
inactif [inaktif] *adj* ⟨**-ive** [-iv]⟩ **1.** idle; SOCIOL *population* non-working; ***rester ~*** to remain idle **2.** ÉCON idle; *marché* slack
inaction [inaksjõ] *f* inactivity
inactivité [inaktivite] *f* inactivity
inactuel [inaktɥɛl] *adj* ⟨**~le**⟩ non-contemporary
inadaptation [inadaptasjõ] *f* PSYCH maladjustment
inadapté [inadapte] *adj* ⟨**~e**⟩ **1.** *enfant* maladjusted **2.** *outil*, *méthode* ***~ à*** unsuitable for
inadéquat [inadekwa] *adj* ⟨**-ate** [-at]⟩ inadequate
inadmissible [inadmisibl] *adj* unacceptable; JUR inadmissible
inadvertance [inadvɛʀtɑ̃s] ***par ~*** inadvertently
inaliénable [inaljenabl] *adj* JUR inalienable
inaltérable [inalteʀabl] *adj matériel* that does not deteriorate; *substance* unalterable; *fig calme* unfailing; *espoir* unwavering
inamical [inamikal] *adj* ⟨**~e; -aux** [-o]⟩ unfriendly
inamovible [inamɔvibl] *adj* JUR irremovable
inanimé [inanime] *adj* ⟨**~e**⟩ *personne* unconscious; (*mort*) lifeless; *matière* inanimate
inanition [inanisjõ] *f* starvation; ***tomber d'~*** to faint from hunger
inaperçu [inapɛʀsy] *adj* ⟨**~e**⟩ ***passer ~*** to go unnoticed
inapplicable [inaplikabl] *adj principe* inapplicable; *mesures* unenforceable
inappréciable [inapʀesjabl] *adj* **1.** *soutien* invaluable **2.** *différence* imperceptible
inapte [inapt] *adj* unfit (***à qc*** for sth); ***~ à*** *+inf* incapable of (+ *v-ing*); MIL unfit *for military service*
inaptitude [inaptityd] *f* unfitness (***à*** for)
inarticulé [inaʀtikyle] *adj* ⟨**~e**⟩ inarticulate
inassimilable [inasimilabl] *adj individus dans un groupe* unassimilable
inassouvi [inasuvi] *st/s adj* ⟨**~e**⟩ *faim* unsatisfied; *fig* unfulfilled
inattaquable [inatakabl] *adj* unassailable; *théorie* irrefutable
inattendu [inatɑ̃dy] *adj* ⟨**~e**⟩ unexpected
inattentif [inatɑ̃tif] *adj* ⟨**-ive** [-iv]⟩ inattentive **inattention** *f* inattention, carelessness
inaudible [inodibl] *adj* inaudible
inaugural [inogyʀal] *adj* ⟨**~e; -aux** [-o]⟩ inaugural **inauguration** *f* inauguration
inaugurer [inogyʀe] *v/t* **1.** *monument* to unveil; *édifice* to open **2.** *fig* to inaugurate
inauthentique [inotɑ̃tik] *adj document* not authentic; *fait* incorrect
inavouable [inavwabl] *adj* shameful
inavoué [inavwe] *adj* ⟨**~e**⟩ unconfessed
inca [ɛ̃ka] **I** *adj* ⟨*inv*⟩ Inca **II** *mpl* ***Incas*** Incas
incalculable [ɛ̃kalkylabl] *adj* innumerable *risques* incalculable
incandescence [ɛ̃kɑ̃desɑ̃s] *f* incandescence **incandescent** *adj* ⟨**-ente** [-ɑ̃t]⟩ incandescent
incantation [ɛ̃kɑ̃tasjõ] *f* incantation **incantatoire** *adj* incantatory
incapable [ɛ̃kapabl] **I** *adj* incapable (***de qc*** of sth); ***~ de*** *+inf* incapable of (+ *v-ing*); *pour une raison ponctuelle* unable *+inf* **II** *m/f* incompetent, *p/fort* idiot
incapacité [ɛ̃kapasite] *f* **1.** inability; ***être dans l'~ de*** *+inf* to be unable *+inf* **2.** ***~ (de travail)*** unfitness for work
incarcération [ɛ̃kaʀseʀasjõ] *f* imprisonment, incarceration *st/s* **incarcérer** *v/t* ⟨**-è-**⟩ to imprison, to incarcerate *st/s*
incarnation [ɛ̃kaʀnasjõ] *f* **1.** REL incarnation **2.** *fig* embodiment, incarnation *st/s*
incarné [ɛ̃kaʀne] *adj* ⟨**~e**⟩ *ongle* ingrowing
incarner [ɛ̃kaʀne] **I** *v/t* to embody, to personify; THÉ to play **II** *v/pr* ***s'incarner*** **1.** REL to become incarnate **2.** *espoirs*, *etc* to be embodied (***en qn*** in sb)

incartade [ɛ̃kaʀtad] *f* indiscretion, misdemeanor
incassable [ɛ̃kasabl] *adj* unbreakable
incendiaire [ɛ̃sɑ̃djɛʀ] **I** *adj* **1.** incendiary **2.** *fig propos* inflammatory; *œillade* smoldering **II** *m/f* arsonist
▶ **incendie** [ɛ̃sɑ̃di] *m* fire; **~ *volontaire*** arson; **~ *de forêt*** forest fire; ***bouche*** *f* ***d'~*** fire hydrant
incendié [ɛ̃sɑ̃dje] *adj* ⟨**~e**⟩ **1.** *maison* burned-out; *forêt* destroyed by fire **2.** *personne* made homeless by fire
incendier [ɛ̃sɑ̃dje] *v/t* **1.** to set fire to; (*brûler*) to burn down **2.** *fam* **~ *qn*** to lay into sb *fam*
incertain [ɛ̃sɛʀtɛ̃] *adj* ⟨**-aine** [-ɛn]⟩ **1.** uncertain; *temps* unsettled; *contours* blurred **2.** *personne* indecisive
incertitude [ɛ̃sɛʀtityd] *f* uncertainty
incessamment [ɛ̃sesamɑ̃] *adv* very shortly **incessant** *adj* ⟨**-ante** [-ɑ̃t]⟩ incessant; *effort* unceasing
incessible [ɛ̃sesibl] *adj* JUR non-transferable
inceste [ɛ̃sɛst] *m* incest
incestueux [ɛ̃sɛstɥø] *adj* ⟨**-euse** [-øz]⟩ incestuous
inchangé [ɛ̃ʃɑ̃ʒe] *adj* ⟨**~e**⟩ unchanged
inchavirable [ɛ̃ʃaviʀabl] *adj* uncapsizable
incidemment [ɛ̃sidamɑ̃] *adv* in passing
incidence [ɛ̃sidɑ̃s] *f* impact (***sur*** on)
▶ **incident** [ɛ̃sidɑ̃] *m* incident (*a* NUCL); **~ *technique*** technical hitch; **~ *de parcours*** minor setback
incinérateur [ɛ̃sineʀatœʀ] *m* incinerator
incinération [ɛ̃sineʀasjõ] *f* incineration; *d'un cadavre* cremation **incinérer** *v/t* ⟨**-è-**⟩ to incinerate; *cadavre* to cremate
incise [ɛ̃siz] *f* GRAM interpolated clause
inciser [ɛ̃size] *v/t* to make an incision in; *abcès* to lance
incisif [ɛ̃sizif] *adj* ⟨**-ive** [-iv]⟩ *ton* cutting; *ironie*, *critique* incisive
incision [ɛ̃sizjõ] *f* incision
incisive [ɛ̃siziv] *f* DENT incisor
incitation [ɛ̃sitasjõ] *f* **1.** incentive; **~ *fiscale*** tax incentive **2.** *au crime* incitement (***à qc*** to sth)
inciter [ɛ̃site] *v/t* **1.** to encourage; ***inciter qn à*** +*inf* to encourage sb +*inf*; **~ *à la prudence*** to make people cautious **2.** to incite; **~ *à la révolte*** to stir up sedition

inclément [ɛ̃klemɑ̃] *litt adj* ⟨**-ente** [-ɑ̃t]⟩ *temps* inclement *st/s*; *climat* harsh
inclinaison [ɛ̃klinɛzõ] *f d'un toit* slope; *d'un terrain* incline
inclination [ɛ̃klinasjõ] *f* **1.** *du corps* bow; *de tête* nod **2.** (*penchant*) inclination (***pour*** toward)
incliné [ɛ̃kline] *adj* ⟨**~e**⟩ *toit* sloping; *tête* tilted to one side; PHYS ***plan* ~** inclined plane
incliner [ɛ̃kline] **I** *v/t* to tilt; *toit* to slope **II** *v/i* **~ *à*** +*inf* to be inclined +*inf* **III** *v/pr* ***s'incliner*** **1.** (*se courber*) to bend (forward); *pour saluer* to bow (***devant*** before) **2.** (*se soumettre*) ***s'~ devant qc, qn*** to accept sth, to bow to sb *fig*
inclure [ɛ̃klyʀ] *v/t* ⟨→ **conclure**; *pp* **inclus**⟩ **1.** (*insérer*) to enclose (***dans une lettre*** with a letter); *clause* to insert (***dans*** in) **2.** (*impliquer*) to include
inclus [ɛ̃kly] *pp*→ ***inclure*** *et adj* ⟨**-use** [-yz]⟩ included; *joint* enclosed; **~ *dans le prix*** included in the price; ***jusqu'au vendredi* ~** through Friday, *brit* up to and including Friday; ***10 personnes, enfants* ~** 10 people, including children
inclusion [ɛ̃klyzjõ] *f* inclusion
inclusivement [ɛ̃klyzivmɑ̃] *adv* through, *brit* up to and including
incoercible [ɛ̃kɔɛʀsibl] *adj rire* irrepressible; *toux* uncontrollable
incognito [ɛ̃kɔɲito] **I** *adv* incognito **II** *m* ***garder l'~*** to remain incognito
incohérence [ɛ̃kɔeʀɑ̃s] *f de discours* incoherence; *de décisions* inconsistency
incohérent *adj* ⟨**-ente** [-ɑ̃t]⟩ *discours* incoherent; *décisions* inconsistent
incollable [ɛ̃kɔlabl] *fam adj personne* impossible to catch out
incolore [ɛ̃kɔlɔʀ] *adj* colorless (*a fig*)
incomber [ɛ̃kõbe] *v/t indir* **~ *à qn*** *devoir* to fall to sb; *faute* to lie with sb; ***il m'incombe de*** +*inf* it is my duty +*inf*
incombustible [ɛ̃kõbystibl] *adj* incombustible
incommensurable [ɛ̃kɔmɑ̃syʀabl] *adj* **1.** MATH incommensurable **2.** *fig* (*démesuré*) immeasurable
incommodant [ɛ̃kɔmɔdɑ̃] *adj* ⟨**-ante** [-ɑ̃t]⟩ unpleasant
incommode [ɛ̃kɔmɔd] *adj* (*peu pratique*) inconvenient; *outil* awkward; (*inconfortable*) uncomfortable
incommoder [ɛ̃kɔmɔde] *v/t* to bother
incommodité [ɛ̃kɔmɔdite] *f* inconvenience

incommunicable [ɛ̃kɔmynikabl] *adj* **1.** *émotion* incommunicable **2.** *deux univers* incompatible
incomparable [ɛ̃kõpaʀabl] *adj* incomparable
incompatibilité [ɛ̃kõpatibilite] *f* **1.** incompatibility **2.** JUR, MÉD, INFORM incompatibility
incompatible [ɛ̃kõpatibl] *adj* (*a* MÉD, INFORM) incompatible (***avec*** with)
incompétence [ɛ̃kõpetɑ̃s] *f* **1.** incompetence **2.** JUR incompetency **incompétent** *adj* ⟨**-ente** [-ɑ̃t]⟩ incompetent; JUR unqualified
incomplet [ɛ̃kõplɛ] *adj* ⟨**-ète** [-ɛt]⟩ incomplete
incompréhensible [ɛ̃kõpʀeɑ̃sibl] *adj* incomprehensible **incompréhensif** *adj* ⟨**-ive** [-iv]⟩ unsympathetic **incompréhension** *f* lack of understanding
incompressible [ɛ̃kõpʀesibl] *adj* **1.** PHYS incompressible **2.** FIN *dépense* fixed
incompris [ɛ̃kõpʀi] *adj* ⟨**-ise** [-iz]⟩ misunderstood
inconcevable [ɛ̃kõs(ə)vabl(ə)] *adj* inconceivable
inconciliable [ɛ̃kõsiljabl] *adj* irreconcilable (***avec*** with)
inconditionnel [ɛ̃kõdisjɔnɛl] **I** *adj* ⟨**~le**⟩ unconditional **II** *m* admirer, total fan *fam*
inconduite [ɛ̃kõdɥit] *f* misbehavior
inconfort [ɛ̃kõfɔʀ] *m* lack of comfort
inconfortable [ɛ̃kõfɔʀtabl] *adj* uncomfortable
incongru [ɛ̃kõgʀy] *adj* ⟨**~e**⟩ incongruous
inconnaissable [ɛ̃kɔnɛsabl] *adj* unknowable (***à qn*** to sb)
▶ **inconnu** [ɛ̃kɔny] **I** *adj* ⟨**~e**⟩ unknown (***de qn*** to sb); *sentiment* strange; ADMIN *enfant* ***né de père ~*** father unknown **II** *subst* **1.** **~(*e*)** *m*(*f*) stranger **2.** ***l'~*** *m* (*ce qui est ~*) the unknown **3.** MATH ***~e*** *f* unknown
inconsciemment [ɛ̃kõsjamɑ̃] *adv* unconsciously
inconscience [ɛ̃kõsjɑ̃s] *f* **1.** irresponsibility; *p/fort* recklessness **2.** MÉD unconsciousness
inconscient [ɛ̃kõsjɑ̃] **I** *adj* ⟨**-ente** [-ɑ̃t]⟩ **1.** (*irréfléchi*) irresponsible; *p/fort* reckless **2.** *réaction* unconscious **3.** MÉD unconscious **II** *subst* **1.** **~(*e*)** *m*(*f*) irresponsible person **2.** PSYCH ***l'~*** *m* the unconscious
inconséquence [ɛ̃kõsekɑ̃s] *f* inconsistency; *de comportement* thoughtlessness **inconséquent** *adj* ⟨**-ente** [-ɑ̃t]⟩ inconsistent; *comportement* thoughtless
inconsidéré [ɛ̃kõsideʀe] *adj* ⟨**~e**⟩ rash, ill-considered *st/s*
inconsistance [ɛ̃kõsistɑ̃s] *f d'une théorie, d'un thème, d'un personnage* lack of substance; *d'une argumentation* flimsiness
inconsistant [ɛ̃kõsistɑ̃] *adj* ⟨**-ante** [-ɑ̃t]⟩ **1.** *théorie, programme* lacking in substance **2.** *personne* characterless
inconsolable [ɛ̃kõsɔlabl] *adj* inconsolable
inconstance [ɛ̃kõstɑ̃s] *f* changeableness; *en amour* fickleness **inconstant** *adj* ⟨**-ante** [-ɑ̃t]⟩ changeable; *en amour* fickle
inconstitutionnel [ɛ̃kõstitysjɔnɛl] *adj* ⟨**~le**⟩ unconstitutional
incontestable [ɛ̃kõtɛstabl] *adj* indisputable **incontestablement** *adv* indisputably
incontesté [ɛ̃kõtɛste] *adj* ⟨**~e**⟩ undisputed
incontinence [ɛ̃kõtinɑ̃s] *f* MÉD incontinence **incontinent** *adj* ⟨**-ente** [-ɑ̃t]⟩ incontinent
incontournable [ɛ̃kõtuʀnabl] *adj problème* that cannot be ignored; *monument* that should not be missed
incontrôlable [ɛ̃kõtʀolabl] *adj* unverifiable
incontrôlé [ɛ̃kõtʀole] *adj* ⟨**~e**⟩ unverified
inconvenance [ɛ̃kõvnɑ̃s] *f* impropriety **inconvenant** *adj* ⟨**-ante** [-ɑ̃t]⟩ unseemly
▶ **inconvénient** [ɛ̃kõvenjɑ̃] *m* disadvantage; ***je n'y vois pas d'~*** I have no objection
inconvertible [ɛ̃kõvɛʀtibl] *adj monnaie* inconvertible
incoordination [ɛ̃kɔɔʀdinasjõ] *f* MÉD **~ *motrice*** motor incoordination
incorporation [ɛ̃kɔʀpɔʀasjõ] *f* MIL draft, *brit* enlistment
incorporel [ɛ̃kɔʀpɔʀɛl] *adj* ⟨**~le**⟩ JUR ***biens ~s*** intangible property
incorporer [ɛ̃kɔʀpɔʀe] *v/t* **1.** *substance* **~ *dans*** *ou* ***à qc*** to mix with *or* into sth **2.** *par ext* **~ *dans qc*** to incorporate into sth; TECH ***incorporé*** built-in **3.** MIL to

draft, *brit* to enlist (***dans*** into)
incorrect [ɛ̃kɔʀɛkt] *adj* ⟨**~e**⟩ **1.** incorrect **2.** *personne* rude (***avec qn*** to sb)
incorrection [ɛ̃kɔʀɛksjõ] *f* incorrectness; *d'un geste* impropriety
incorrigible [ɛ̃kɔʀiʒibl] *adj* incorrigible
incorruptible [ɛ̃kɔʀyptibl] *adj* incorruptible
incrédibilité [ɛ̃kʀedibilite] *f* incredibility
incrédule [ɛ̃kʀedyl] *adj* incredulous **incrédulité** *f* incredulity
incrément [ɛ̃kʀemɑ̃] *m* INFORM increment
increvable [ɛ̃kʀəvabl] *adj* **1.** *fam personne* tireless **2.** *pneu* puncture-proof
incriminer [ɛ̃kʀimine] *v/t actions* to incriminate; *personne* to accuse
incrochetable [ɛ̃kʀɔʃtabl] *adj serrure* burglar-proof
▶ **incroyable** [ɛ̃kʀwajabl] *adj* incredible, unbelievable; ***~, mais vrai!*** strange but true; *d'une personne* ***il est vraiment ~!*** he's really something else!
incroyance [ɛ̃kʀwajɑ̃s] *f* unbelief
incroyant [ɛ̃kʀwajɑ̃] **I** *adj* ⟨**-ante** [-ɑ̃t]⟩ unbelieving **II** **~(*e*)** *m(f)* non-believer
incrustation [ɛ̃kʀystasjõ] *f* ART inlay; *technique* inlaying (+ *v sg*)
incruster [ɛ̃kʀyste] **I** *adj* ***incrusté de nacre*** inlaid with mother-of-pearl **II** *v/pr* ***s'incruster*** **1.** to become embedded (***dans*** in) **2.** *visiteur* to take up residence *plais*, to overstay one's welcome *péj* (***chez qn*** at sb's)
incubateur [ɛ̃kybatœʀ] *m* incubator
incubation [ɛ̃kybasjõ] *f* **1.** ZOOL, MÉD incubation **2.** *fig* hatching
incuber [ɛ̃kybe] *v/t* to incubate
inculpation [ɛ̃kylpasjõ] *f* JUR charge
inculpé(e) [ɛ̃kylpe] *m(f)* ≈ accused **inculper** *v/t* to charge (***d'un crime*** with a crime)
inculquer [ɛ̃kylke] *v/t* ***~ qc à qn*** to instill sth in sb, to inculcate sth in sb *st/s*
inculte [ɛ̃kylt] *adj* **1.** AGR uncultivated **2.** *personne* uneducated, uncultured
inculture [ɛ̃kyltyʀ] *f* lack of education
incurable [ɛ̃kyʀabl] *adj* incurable *a fig*
incurie [ɛ̃kyʀi] *f* negligence
incursion [ɛ̃kyʀsjõ] *f* **1.** MIL incursion **2.** *fig* foray (***dans*** into)
incurvé [ɛ̃kyʀve] *adj* ⟨**~e**⟩ curved
incurver [ɛ̃kyʀve] *v/pr* ***s'~*** to curve
indatable [ɛ̃databl] *adj objet* undatable
▶ **Inde** [ɛ̃d] ***l'~*** *f* India

indécence [ɛ̃desɑ̃s] *f* indecency
indécent [ɛ̃desɑ̃] *adj* ⟨**-ente** [-ɑ̃t]⟩ **1.** *tenue, propos* indecent **2.** *luxe* obscene
indéchiffrable [ɛ̃deʃifʀabl] *adj* indecipherable
indéchirable [ɛ̃deʃiʀabl] *adj* tearproof
indécis [ɛ̃desi] *adj* ⟨**-ise** [-iz]⟩ **1.** *personne* undecided; *de caractère* indecisive **2.** *victoire* uncertain; *problème* undefined **3.** (*vague*) blurred
indécision [ɛ̃desizjõ] *f* indecision; *de caractère* indecisiveness
indéclinable [ɛ̃deklinabl] *adj* indeclinable
indécomposable [ɛ̃dekõpozabl] *adj* MATH indecomposable
indécrottable [ɛ̃dekʀɔtabl] *fam adj* hopeless *fam*
indéfectible [ɛ̃defɛktibl] *litt adj* indestructible
indéfendable [ɛ̃defɑ̃dabl] *adj* indefensible
indéfini [ɛ̃defini] *adj* ⟨**~e**⟩ **1.** GRAM indefinite **2.** (*vague*) undefined; *quantité* indefinite **indéfiniment** *adv* indefinitely
indéfinissable [ɛ̃definisabl] *adj* indefinable
indéformable [ɛ̃defɔʀmabl] *adj* indeformable, that keeps its shape
indéfrisable [ɛ̃defʀizabl] *f autrefois* perm, permanent wave *vieilli*
indélébile [ɛ̃delebil] *adj* indelible *a fig*
indélicat [ɛ̃delika] *adj* ⟨**-ate** [-at]⟩ **1.** (*sans tact*) tactless **2.** (*malhonnête*) dishonest
indélicatesse [ɛ̃delikatɛs] *f* **1.** (*manque de tact*) tactlessness **2.** (*procédé malhonnête*) dishonesty
indémaillable [ɛ̃demajabl] *adj collant* run-resistant
indemne [ɛ̃dɛmn] *adj* unharmed, uninjured
indemnisable [ɛ̃dɛmnizabl] *adj personne* entitled to compensation; *dommage* compensable **indemnisation** *f* compensation (+ *v sg*) **indemniser** *v/t* to compensate (***qn de qc*** sb for sth)
indemnité [ɛ̃dɛmnite] *f* compensation (+ *v sg*); ADMIN allowance; ***~ journalière*** daily allowance *under sickness benefit scheme* (+ *v sg*); ***~ parlementaire*** ≈ Congressman's salary, *brit* ≈ MP's salary; ***~ de licenciement*** severance pay (+ *v sg*), *brit* redundancy payment
indémontrable [ɛ̃demõtʀabl] *adj* undemonstrable

indéniable [ɛ̃denjabl] *adj* undeniable
indépendamment [ɛ̃depɑ̃damɑ̃] *prép* **~ de 1.** (*sans égard à*) regardless of **2.** (*en plus de*) in addition to
► **indépendance** [ɛ̃depɑ̃dɑ̃s] *f* independence (*a* POL)
► **indépendant** [ɛ̃depɑ̃dɑ̃] *adj* ⟨**-ante** [-ɑ̃t]⟩ **1.** independent (**de** of) **2.** *chambre* separate **3.** *travailleur* self-employed
indépendantiste [ɛ̃depɑ̃dɑ̃tist] **I** *adj* ***mouvement* ~** independence movement **II** *m/f* (*activiste*) freedom fighter
indéracinable [ɛ̃deʀasinabl] *adj* ineradicable
indéréglable [ɛ̃deʀeglabl] *adj* TECH that will not break down
indescriptible [ɛ̃dɛskʀiptibl] *adj* indescribable
indésirable [ɛ̃deziʀabl] *adj* undesirable
indésiré [ɛ̃deziʀe] *adj* ⟨**~e**⟩ unwanted, unwelcome
indestructible [ɛ̃dɛstʀyktibl] *adj* indestructible
indéterminable [ɛ̃detɛʀminabl] *adj* indeterminable
indétermination [ɛ̃detɛʀminasjõ] *f* **1.** (*indécision*) indecision **2.** (*imprécision*) vagueness
indéterminé [ɛ̃detɛʀmine] *adj* ⟨**~e**⟩ **1.** indeterminate (*a* MATH); *raison* unspecified **2.** *personne* indecisive
indétraquable [ɛ̃detʀakabl] *adj* foolproof
index [ɛ̃dɛks] *m* **1.** ANAT index finger, forefinger **2.** (*liste*) index **3.** *fig* ***mettre à l'~*** to blacklist
indexation [ɛ̃dɛksasjõ] *f* ÉCON indexation, index-linking
indexer [ɛ̃dɛkse] *v/t* ÉCON to index-link (*sur* to); ***indexé*** index-linked
indic [ɛ̃dik] *m, abr fam* (= **indicateur**) informer, stool pigeon *fam*
indicateur [ɛ̃dikatœʀ] **I** *adj* ⟨**-trice** [-tʀis]⟩ ***panneau* ~** road sign **II** *m* **1. ~** (***des chemins de fer***) railroad timetable **2.** (*mouchard*) informer **3.** TECH gauge, indicator; **~ *d'altitude*** altimeter **4.** CHIM, ÉCON indicator
indicatif [ɛ̃dikatif] **I** *adj* ⟨**-ive** [-iv]⟩ ***prix* ~** indicative price; ***à titre* ~** for information only **II** *m* **1.** GRAM indicative **2.** *d'une émission* theme tune **3.** TÉL dialing code
indication [ɛ̃dikasjõ] *f* indication; **~*s*** (*renseignements*) information (+ *v sg*); (*mode d'emploi*) instructions
indice [ɛ̃dis] *m* **1.** (*signe*) sign; JUR piece of evidence; *dans une enquête* clue **2.** (*taux*) index; **~ *du coût de la vie*** cost-of-living index; **~ *d'écoute*** audience ratings (+ *v pl*); **~ *d'octane*** octane rating
indicible [ɛ̃disibl] *adj* indescribable; *rage* unspeakable
► **indien** [ɛ̃djɛ̃] **I** *adj* ⟨**-ienne** [-jɛn]⟩ **1.** (*d'Inde*) Indian **2.** (*d'Amérique*) Native American **II Indien(ne)** *m(f)* **1.** *de l'Inde* Indian **2.** *d'Amérique du Nord* Native American; *d'Amérique latine* Amerindian
indifféremment [ɛ̃difeʀamɑ̃] *adv* equally; *péj* indiscriminately
indifférence [ɛ̃difeʀɑ̃s] *f* indifference
indifférencié [ɛ̃difeʀɑ̃sje] *adj* ⟨**~e**⟩ undifferentiated
indifférent [ɛ̃difeʀɑ̃] *adj* ⟨**-ente** [-ɑ̃t]⟩ **1.** (*peu intéressé*) indifferent (***à qc*** to sth) **2.** (*sans importance*) irrelevant
indifférer [ɛ̃difeʀe] *v/t* ⟨**-è-**⟩ ***cela m'indiffère*** it's of no concern to me
indigence [ɛ̃diʒɑ̃s] *f* destitution
indigène [ɛ̃diʒɛn] **I** *adj* **1.** (*autochtone*) indigenous **2.** (*local*) native **II** *m/f* native *a plais*
indigent [ɛ̃diʒɑ̃] *adj* ⟨**-ente** [-ɑ̃t]⟩ **1.** destitute **2.** *fig* poor
indigeste [ɛ̃diʒɛst] *adj* indigestible
indigestion [ɛ̃diʒɛstjõ] *f* indigestion (+ *v sg*); *fig* ***avoir une* ~ *de qc*** to be fed up of sth *fam*
indignation [ɛ̃diɲasjõ] *f* indignation
indigne [ɛ̃diɲ] *adj* **1. ~ *de qn, de qc*** unworthy of sb, sth **2.** (*odieux*) disgraceful; ***parents*** *mpl* **~*s*** bad parents
indigné [ɛ̃diɲe] *adj* ⟨**~e**⟩ indignant
indigner [ɛ̃diɲe] **I** *v/t* to make indignant **II** *v/pr* ***s'*~** to be indignant (***contre qn, de qc*** at sb, about sth)
indignité [ɛ̃diɲite] *f* unworthiness
indigo [ɛ̃digo] *m* **1.** indigo **2.** *adj* ⟨*inv*⟩ ***bleu*** *m* **~** indigo
indiqué [ɛ̃dike] *adj* ⟨**~e**⟩ **1.** (*conseillé*) advisable; MÉD indicated **2.** *lieu*, *heure* specified; ***être* ~ *sur*** (*être écrit*) to be written on
► **indiquer** [ɛ̃dike] *v/t* **1.** (*montrer*) to point out (***à qn*** to sb); *chemin* to show; *direction*, *température* to show, to give; *horloge* to show **2.** (*faire connaître*) **~ *qc à qn*** to tell sb sth; *restaurant* to recommend sth to sb **3.** (*dénoter*) **~ *qc*** to in-

dicate *or* point to sth

indirect [ɛ̃diʀɛkt] *adj* ⟨**~e**⟩ indirect

indirectement [ɛdiʀɛktəmɑ̃] *adv* indirectly

indiscernable [ɛ̃disɛʀnabl] *adj* indiscernible

indiscipline [ɛ̃disiplin] *f* lack of discipline

indiscipliné [ɛ̃disipline] *adj* ⟨**~e**⟩ undisciplined

indiscret [ɛ̃diskʀɛ] *adj* ⟨**-ète** [-ɛt]⟩ indiscreet

indiscrétion [ɛ̃diskʀesjõ] *f* indiscretion; ***sans ~ …*** without wishing to be indiscreet …

indiscutable [ɛ̃diskytabl] *adj* indisputable

► **indispensable** [ɛ̃dispɑ̃sabl] **I** *adj* essential, indispensable **II** ***l'~*** *m* the essentials (+ *v pl*)

indisponibilité [ɛ̃dispɔnibilite] *f* unavailability **indisponible** *adj* unavailable; *personne* not available

indisposé [ɛ̃dispoze] *adj* ⟨**~e**⟩ unwell; *euph* ***être ~e*** to be having one's period

indisposer [ɛ̃dispoze] *v/t* **1.** (*rendre malade*) ***~ qn*** to make sb sick, *brit* to make sb ill **2.** (*fâcher*) to annoy

indisposition [ɛ̃dispozisjõ] *f* indisposition, slight illness

indissociable [ɛ̃disɔsjabl] *adj* inseparable

indissoluble [ɛ̃disɔlybl] *adj* indissoluble

indistinct [ɛ̃distɛ̃] *adj* ⟨**-incte** [-ɛ̃kt]⟩ indistinct

indistinctement [ɛ̃distɛ̃ktəmɑ̃] *adv* **1.** *voir*, *parler* indistinctly **2.** (*indifféremment*) indiscriminately

individu [ɛ̃dividy] *m* individual *a péj*; ***l'~*** the person, the individual

individualisation [ɛ̃dividɥalizasjõ] *f* individualization **individualiser** *v/t* to individualize, to tailor to individual needs **individualisme** *m* individualism **individualiste** **I** *adj* individualistic **II** *m/f* individualist **individualité** *f* individuality

individuel [ɛ̃dividɥɛl] *adj* ⟨**~le**⟩ individual; *responsabilité*, *propriété* personal; ***chambre ~le*** single room; ***maison ~le*** detached house

indivisible [ɛ̃divizibl] *adj* indivisible

indivision [ɛ̃divizjõ] *f* JUR joint ownership

indo-… [ɛ̃do] *adj* indo-…

Indochine HIST ***l'~*** *f* Indochina

indocile [ɛ̃dɔsil] *st/s adj* intractable *st/s*; *enfant* unruly **indocilité** *st/s f* intractability *st/s*; *d'un enfant* unruliness

indo-européen *adj* ⟨**-enne** [-ɛn]⟩ Indo-European

indolence [ɛ̃dɔlɑ̃s] *f* indolence *st/s*, laziness **indolent** *adj* ⟨**-ente** [-ɑ̃t]⟩ indolent *st/s*, lazy

indolore [ɛ̃dɔlɔʀ] *adj* painless

indomptable [ɛ̃dõtabl] *adj caractère* indomitable

indompté [ɛ̃dõte] *adj* ⟨**~e**⟩ **1.** *animal* untamed **2.** *fig et st/s volonté* unbroken, unsubdued

Indonésie [ɛ̃dɔnezi] ***l'~*** *f* Indonesia

indonésien [ɛ̃dɔnezjɛ̃] **I** *adj* ⟨**-ienne** [-jɛn]⟩ Indonesian **II** ***Indonésien(ne)*** *m(f)* Indonesian

indu [ɛ̃dy] *adj* ⟨**~e**⟩ ***à une heure ~e*** at some ungodly hour

indubitable [ɛ̃dybitabl] *adj* indubitable

inducteur [ɛ̃dyktœʀ] ÉLEC **I** *adj* ⟨**-trice** [-tʀis]⟩ inductive **II** *m* inductor

inductif [ɛ̃dyktif] *adj* ⟨**-ive** [-iv]⟩ ÉLEC, PHIL inductive

induction [ɛ̃dyksjõ] *f* ÉLEC, PHIL induction

induire [ɛ̃dɥiʀ] *v/t* ⟨→ **conduire**⟩ **1.** ***~ en erreur*** to mislead **2.** ÉLEC to induce

induit [ɛ̃dɥi] *adj* ⟨**-ite** [-it]⟩ ÉLEC induced; ***courant ~*** induction current

indulgence [ɛ̃dylʒɑ̃s] *f* **1.** indulgence; *d'un juge* leniency; ***avec ~*** indulgently; *traiter* leniently; ***sans ~*** severely **2.** CATH indulgence

indulgent [ɛ̃dylʒɑ̃] *adj* ⟨**-ente** [-ɑ̃t]⟩ indulgent; *juge* lenient

indûment [ɛ̃dymɑ̃] *adv* unjustifiably

induration [ɛ̃dyʀasjõ] *f* MÉD induration

industrialisation [ɛ̃dystʀijalizasjõ] *f* industrialization

industrialiser [ɛ̃dystʀijalize] **I** *v/t* to industrialize **II** *v/pr* ***s'~*** to become industrialized

industrialisme [ɛ̃dystʀijalizm] *m* industrialism

► **industrie** [ɛ̃dystʀi] *f* **1.** industry; ***~ textile*** textile industry **2.** (*secteur d'activité*) industry

► **industriel** [ɛ̃dystʀijɛl] **I** *adj* ⟨**~le**⟩ industrial; ***région ~le*** industrial region; *fam*, *fig* ***en quantité ~le*** in vast amounts **II** *m* manufacturer, industrialist

industrieux [ɛ̃dystʀijø] *st/s adj* ⟨**-euse** [-øz]⟩ industrious

inébranlable [inebʀɑ̃labl] *adj personne* steadfast; *conviction* unshakeable
inédit [inedi] **I** *adj* ⟨**-ite** [-it]⟩ **1.** unpublished; *musique*, *film* unreleased **2.** *fig* original; *p/fort* unheard of **II** *m* unpublished work
ineffable [inefabl] *adj st/s joie* ineffable
ineffaçable [inefasabl] *adj* indelible
inefficace [inefikas] *adj traitement* ineffective; *personne* inefficient **inefficacité** *f d'un traitement* ineffectiveness; *d'une personne* inefficiency
inégal [inegal] *adj* ⟨**~e; -aux** [-o]⟩ **1.** unequal **2.** (*irrégulier*) irregular **3.** *sol* uneven
inégalable [inegalabl] *adj* matchless
inégalé [inegale] *adj* ⟨**~e**⟩ unequaled
inégalement [inegalmɑ̃] *adv* unequally
inégalité [inegalite] *f* **1.** inequality **2.** (*différence*) disparity (***de, entre*** in, between) **3.** (*irrégularité*) irregularity **4.** *du sol* unevenness
inélégant [inelegɑ̃] *adj* ⟨**-ante** [-ɑ̃t]⟩ **1.** inelegant **2.** (*indélicat*) clumsy
inéligible [ineliʒibl] *adj* ineligible
inéluctable [inelyktabl] *adj* inescapable
inemployé [inɑ̃plwaje] *adj* ⟨**~e**⟩ unused, untapped
inénarrable [inenaʀabl] *adj* hilarious
inepte [inɛpt] *adj personne* inept; *propos*, *film* inane
ineptie [inɛpsi] *f* ineptitude; **~s** *pl* inane remarks, nonsense (+ *v sg*)
inépuisable [inepɥizabl] *adj* inexhaustible
inéquation [inekwasjõ] *f* MATH inequation
inerte [inɛʀt] *adj* **1.** inert (*a* PHYS) **2.** *fig* passive
inertie [inɛʀsi] *f* **1.** PHYS inertia; ***force*** *f* ***d'~*** force of inertia **2.** *fig* passivity, inertia
inespéré [inɛspeʀe] *adj* ⟨**~e**⟩ unhoped-for
inesthétique [inɛstetik] *adj* unsightly
inestimable [inɛstimabl] *adj tableau* priceless; *aide* invaluable; *fortune* inestimable
inévitable [inevitabl] *adj conséquence* inevitable; *accident* unavoidable; *subst*, *m* ***accepter l'~*** to accept the inevitable
inexact [inɛgza(kt)] *adj* ⟨**-acte** [-akt]⟩ **1.** inaccurate **2.** (*en retard*) unpunctual
inexactitude [inɛgzaktityd] *f* **1.** inaccuracy **2.** (*retard*) unpunctuality
inexcusable [inɛkskyzabl] *adj action* inexcusable; ***vous êtes ~*** you are unforgivable
inexécutable [inegzekytabl] *adj* impracticable
inexistant [inegzistɑ̃] *adj* ⟨**-ante** [-ɑ̃t]⟩ **1.** (*absent*) non-existent **2.** (*sans efficacité*) ***être ~*** to make no impact whatsoever, to be useless
inexistence [inegzistɑ̃s] *f* non-existence
inexorable [inegzɔʀabl] *adj* inexorable
inexpérience [inɛkspeʀjɑ̃s] *f* inexperience
inexpérimenté [inɛkspeʀimɑ̃te] *adj* ⟨**~e**⟩ inexperienced
inexplicable [inɛksplikabl] *adj* inexplicable
inexpliqué [inɛksplike] *adj* ⟨**~e**⟩ unexplained
inexploitable [inɛksplwatabl] *adj invention* unusable; *gisement* unexploitable
inexploité [inɛksplwate] *adj* ⟨**~e**⟩ *marché* untapped; *gisement* unexploited
inexploré [inɛksplɔʀe] *adj* ⟨**~e**⟩ unexplored
inexplosible [inɛksplozibl] *adj* non-explosive
inexpressif [inɛkspʀesif] *adj* ⟨**-ive** [-iv]⟩ inexpressive; *visage* expressionless
inexprimable [inɛkspʀimabl] *adj* inexpressible
inexprimé [inɛkspʀime] *adj* ⟨**~e**⟩ unspoken
inexpugnable [inɛkspygnabl] *adj* impregnable
inextensible [inɛkstɑ̃sibl] *adj* non-stretch
inextinguible [inɛkstɛ̃gibl] *litt adj* inextinguishable
in extremis [inɛkstʀemis] *adv* at the last minute; *avant de mourir* on one's deathbed
inextricable [inɛkstʀikabl] *adj* inextricable
infaillibilité [ɛ̃fajibilite] *f* infallibility
infaillible [ɛ̃fajibl] *adj* infallible
infailliblement [ɛ̃fajibləmɑ̃] *adv* infallibly
infaisable [ɛ̃fəzabl] *adj* not feasible, impossible
infalsifiable [ɛ̃falsifjabl] *adj* impossible to forge
infamant [ɛ̃famɑ̃] *adj* ⟨**-ante** [-ɑ̃t]⟩ defamatory

infâme [ɛ̃fɑm] *adj* **1.** (*condamnable*) vile **2.** (*répugnant*) revolting, vile

infamie [ɛ̃fami] *f* infamy; *action* vile action

infant [ɛ̃fɑ̃] *m*, **infante** [-ɑ̃t] *f* HIST *Espagne, Portugal* (*infant*) infante; (*infante*) infanta

infanterie [ɛ̃fɑ̃tʀi] *f* infantry

infanticide [ɛ̃fɑ̃tisid] **1.** *m/f* child killer **2.** *m acte* infanticide

infantile [ɛ̃fɑ̃til] *adj* **1.** MÉD infantile; *maladie* childhood *épith*; ***mortalité f ~*** infant mortality **2.** *péj* infantile, childish

infantilisme [ɛ̃fɑ̃tilism] *m* **1.** PSYCH infantilism **2.** *péj* infantile behavior

infarctus [ɛ̃faʀktys] *m* heart attack, infarction *t/t*; ***~ du myocarde*** myocardial infarction

infatigable [ɛ̃fatigabl] *adj* tireless

infatué [ɛ̃fatɥe] *adj* ⟨**~e**⟩ conceited; *de soi-même* full of oneself

infécond [ɛ̃fekõ] *adj* ⟨**-onde** [-õd]⟩ infertile; *terre* barren

infécondité [ɛ̃fekõdite] *f* infertility

infect [ɛ̃fɛkt] *adj* ⟨**~e**⟩ *temps* foul; *personne, plat* horrible

infecter [ɛ̃fɛkte] **I** *v/t* to infect **II** *v/pr* ***s'~*** to become infected

infectieux [ɛ̃fɛksjø] *adj* ⟨**-euse** [-øz]⟩ infectious

infection [ɛ̃fɛksjõ] *f* **1.** MÉD infection **2.** (*puanteur*) ***c'est une ~*** it stinks

inféodé [ɛ̃feɔde] *adj* ⟨**~e**⟩ ***être ~ à*** to be the vassal of

inféoder [ɛ̃feɔde] *v/t* HIST to enfeoff

inférence [ɛ̃feʀɑ̃s] *f* inference **inférer** *v/t* ⟨**-è-**⟩ to infer (***de*** from)

inférieur [ɛ̃feʀjœʀ] **I** *adj* ⟨**~e**⟩ **1.** *dans l'esp* lower **2.** *dans une hiérarchie* lower; ***~ à qc*** lower than sth; ***être ~ à qn*** to be below sb **3.** *en quantité* less (***à qc*** than sth); *en qualité* inferior (***à*** to); ***~ à la normale*** below normal; ***qualité ~e*** inferior quality **II** **~(*e*)** *m*(*f*) inferior

infériorité [ɛ̃feʀjɔʀite] *f* inferiority (*a* PSYCH)

infernal [ɛ̃fɛʀnal] *adj* ⟨**~e; -aux** [-o]⟩ **1.** (*de l'enfer*) infernal **2.** *fam* (*insupportable*) *chaleur* infernal; *personne* diabolical *fam*; *bruit* terrible

infertile [ɛ̃fɛʀtil] *adj* infertile **infertilité** *f* infertility

infester [ɛ̃fɛste] *v/t* to infest; *plantes* to overrun

infidèle [ɛ̃fidɛl] **I** *adj* **1.** *ami* disloyal; *en amour* unfaithful **2.** *récit* inaccurate; *mémoire* unreliable **II** *mpl* ***les ~s*** REL the infidels

infidélité [ɛ̃fidelite] *f* infidelity; ***faire des ~s à qn*** to be unfaithful to sb

infiltration [ɛ̃filtʀasjõ] *f* infiltration (*a* MÉD, POL)

infiltrer [ɛ̃filtʀe] *v/pr* **1.** ***s'~ dans*** *lumière* to filter into; *liquide* to seep into **2.** *fig*, POL ***s'~ dans qc*** to infiltrate sth

infime [ɛ̃fim] *adj* tiny, minute

infini [ɛ̃fini] **I** *adj* ⟨**~e**⟩ infinite (*a* MATH, *fig patience, etc*) **II** *m* ***l'~*** infinity (*a* PHIL); MATH ***de zéro à l'~*** from zero to infinity; PHOT ***régler sur l'~*** to focus on infinity

infiniment [ɛ̃finimɑ̃] *adv* infinitely

infinité [ɛ̃finite] *f* ***une ~ de*** an endless number of

infinitif [ɛ̃finitif] *m* infinitive

infirmatif [ɛ̃fiʀmatif] *adj* ⟨**-ive** [-iv]⟩ JUR *arrêt* invalidating

infirme [ɛ̃fiʀm] **I** *adj* disabled **II** *m/f* disabled person

infirmer [ɛ̃fiʀme] *v/t* **1.** *preuve, etc* to invalidate **2.** JUR *jugement* to invalidate

infirmerie [ɛ̃fiʀməʀi] *f* infirmary

▶ **infirmier** [ɛ̃fiʀmje] *m* (male) nurse; MIL nursing officer

▶ **infirmière** [ɛ̃fiʀmjɛʀ] *f* nurse **infirmité** *f* disability

inflammable [ɛ̃flamabl] *adj* flammable

inflammation [ɛ̃flamasjõ] *f* MÉD inflammation **inflammatoire** *adj* MÉD inflammatory

inflation [ɛ̃flasjõ] *f* inflation

inflationniste [ɛ̃flasjɔnist] *adj* inflationary

infléchir [ɛ̃fleʃiʀ] **I** *v/t* POL to change the direction of **II** *v/pr* ***s'infléchir*** **1.** to bend, to curve **2.** *fig* to change direction

inflexibilité [ɛ̃flɛksibilite] *f* inflexibility

inflexible [ɛ̃flɛksibl] *adj* inflexible

inflexion [ɛ̃flɛksjõ] *f* **1.** bending; *du corps* bow **2.** *de la voix* inflection **3.** LING inflection

infliger [ɛ̃fliʒe] *v/t* ⟨**-ge-**⟩ ***~ qc à qn*** *pertes, défaite* to inflict sth on sb; ***~ une humiliation, une punition à qn*** to humiliate, punish sb

influençable [ɛ̃flyɑ̃sabl] *adj* easily influenced, impressionable

▶ **influence** [ɛ̃flyɑ̃s] *f* influence (***sur*** on)

▶ **influencer** [ɛ̃flyɑ̃se] *v/t* ⟨**-ç-**⟩ to influence

influent [ɛ̃flyɑ̃] *adj* ⟨**-ente** [-ɑ̃t]⟩ influential

influer [ɛ̃flye] *v/i* ***~ sur*** to influence

info [ɛ̃fo] *f, abr fam* → ***information***
informateur [ɛ̃fɔʀmatœʀ] *m*, **informatrice** [-tʀis] *f* LING, SOCIOL informant; *péj* informer
informaticien [ɛ̃fɔʀmatisjɛ̃] *m*, **informaticienne** [-jɛn] *f* computer scientist
▶ **information** [ɛ̃fɔʀmasjõ] *f* **1.** *action* information; ***à titre d'~*** for information **2.** (*renseignement*) information (+ *v sg*), piece of information; (*nouvelle*) piece of news; PRESSE news item; ***~s télévisées*** television news **3.** INFORM information; ***traitement*** *m* ***de l'~*** data processing **4.** JUR inquiry; ***ouvrir une ~*** to open a judicial inquiry
▶ **informatique** [ɛ̃fɔʀmatik] **I** *adj* computer *épith* **II** *f science* computer science; *techniques* information technology, IT
informatisation [ɛ̃fɔʀmatizasjõ] *f* computerization
informatiser [ɛ̃fɔʀmatize] *v/t* to computerize; *adj* ***informatisé*** computerized
informe [ɛ̃fɔʀm] *adj* shapeless
informé [ɛ̃fɔʀme] *adj* ⟨**~e**⟩ informed (***sur qn, de*** *ou* ***sur qc*** about sb, about sth)
informel [ɛ̃fɔʀmɛl] *adj* ⟨**~le**⟩ informal
▶ **informer** [ɛ̃fɔʀme] **I** *v/t* ***~ qn de qc*** to inform sb about *or* of sth; ***milieux bien informés*** well-informed circles **II** *v/pr* ***s'~*** to find out, to inquire (***de*** *ou* ***sur qc*** about sth)
infortune [ɛ̃fɔʀtyn] *st/s f* misfortune
infortuné [ɛ̃fɔʀtyne] *st/s adj* ⟨**~e**⟩ unfortunate
infraction [ɛ̃fʀaksjõ] *f* offense; ***une ~ à qc*** a breach *or* violation of sth
infranchissable [ɛ̃fʀɑ̃ʃisabl] *adj col* impassable; *obstacle* insurmountable
infrarouge [ɛ̃fʀaʀuʒ] **I** *adj* infrared **II** *m* infrared
infrastructure [ɛ̃fʀastʀyktyʀ] *f* infrastructure
infroissable [ɛ̃fʀwasabl] *adj* crease-resistant
infructueux [ɛ̃fʀyktɥø] *adj* ⟨**-euse** [-øz]⟩ fruitless
infuse [ɛ̃fyz] *adj* ***avoir la science ~*** to think one knows everything
infuser [ɛ̃fyze] *v/t* to infuse; ***laisser, faire ~*** *thé* to brew
infusette [ɛ̃fyzɛt] *f* infuser
infusion [ɛ̃fyzjõ] *f* herbal tea
ingénier [ɛ̃ʒenje] *v/pr* ***s'~ à*** *+inf* to do one's utmost *+inf*
ingénierie [ɛ̃ʒeniʀi] *f* engineering
▶ **ingénieur** [ɛ̃ʒenjœʀ] *m/f* engineer
ingénieux [ɛ̃ʒenjø] *adj* ⟨**-euse** [-øz]⟩ *personne* clever; *invention, etc* ingenious
ingéniosité [ɛ̃ʒenjozite] *f* ingenuity
ingénu [ɛ̃ʒeny] **I** *adj* ⟨**~e**⟩ ingenuous **II** *f* ***~e*** THÉ ingénue
ingénuité [ɛ̃ʒenɥite] *f* ingenuousness
ingérable [ɛ̃ʒeʀabl] *adj situation* unmanageable
ingérence [ɛ̃ʒeʀɑ̃s] *f* interference (+ *v sg*)
ingérer [ɛ̃ʒeʀe] ⟨**-è-**⟩ **I** *v/t médicament* to ingest **II** *v/pr* ***s'~*** to interfere (***dans*** in)
ingestion [ɛ̃ʒɛstjõ] *f* ingestion
ingouvernable [ɛ̃guvɛʀnabl] *adj* ungovernable
ingrat [ɛ̃gʀa] *adj* ⟨**-ate** [-at]⟩ **1.** *personne* ungrateful (***envers qn*** to sb) **2.** *tâche* thankless **3.** *visage* unattractive; ***âge ~*** awkward age
ingratitude [ɛ̃gʀatityd] *f* ingratitude
ingrédient [ɛ̃gʀedjɑ̃] *m* ingredient
inguérissable [ɛ̃geʀisabl] *adj* incurable
ingurgiter [ɛ̃gyʀʒite] *v/t* **1.** to swallow; *boisson* to gulp down **2.** *fig* ***faire ingurgiter qc à qn*** *connaissances* to cram sth into sb
inhabile [inabil] *st/s adj* clumsy
inhabitable [inabitabl] *adj* uninhabitable
inhabité [inabite] *adj* ⟨**~e**⟩ uninhabited

> **inhabité ≠ inhabited**
>
> **Inhabité** = uninhabited:
>
> **une île inhabitée depuis des décennies**
>
> an island that had been uninhabited for dozens of years

inhabituel [inabitɥɛl] *adj* ⟨**~le**⟩ unusual
inhalateur [inalatœʀ] *m* inhaler **inhalation** *f* inhalation
inhaler [inale] *v/t* to inhale
inhérent [ineʀɑ̃] *adj* ⟨**-ente** [-ɑ̃t]⟩ inherent (***à qc*** in sth)
inhibé [inibe] *adj* ⟨**~e**⟩ inhibited **inhiber** *v/t* to inhibit
inhibiteur [inibitœʀ] **I** *adj* ⟨**-trice** [-tʀis]⟩ *réflexe* inhibitory; MÉD inhibitive **II** *m* CHIM, SC inhibitor

inhibition [inibisjõ] *f* inhibition (*a* PSYCH)
inhospitalier [inɔspitalje] *adj* ⟨**-ière** [-jɛʀ]⟩ inhospitable
inhumain [inymɛ̃] *adj* ⟨**-aine** [-ɛn]⟩ inhuman
inhumanité [inymanite] *f* inhumanity
inhumation [inymasjõ] *f* burial **inhumer** *v/t* to bury
inimaginable [inimaʒinabl] *adj* unimaginable
inimitable [inimitabl] *adj* inimitable
inimitié [inimitje] *st/s f* enmity
ininflammable [inɛ̃flamabl] *adj* non-flammable
inintelligence [inɛ̃teliʒɑ̃s] *f* lack of understanding (***d'un problème*** of a problem) **inintelligent** *adj* ⟨**-ente** [-ɑ̃t]⟩ unintelligent
inintelligibilité [inɛ̃teliʒibilite] *f* unintelligibility **inintelligible** *adj* unintelligible
inintéressant [inɛ̃teʀɛsɑ̃] *adj* ⟨**-ante** [-ɑ̃t]⟩ uninteresting
ininterrompu [inɛ̃tɛʀõpy] *adj* ⟨**~e**⟩ uninterrupted
inique [inik] *st/s adj* iniquitous *st/s*; unjust **iniquité** *st/s f* iniquity *st/s*; unjustness
initial [inisjal] *adj* ⟨**~e; -aux** [-o]⟩ initial; (***lettre***) **~*e*** *f* initial letter
initiateur [inisjatœʀ] *m*, **initiatrice** [-tʀis] *f* (*novateur*) originator; (*maître*) initiator
initiation [inisjasjõ] *f* **1.** *à un culte* initiation (***à*** to) **2.** (*instruction*) introduction (***à*** to)
initiatique [inisjatik] *adj* initiatory
initiative [inisjativ] *f* initiative; ***esprit*** *m* ***d'~*** initiative; ***à l'~ de qn*** on sb's initiative; ***prendre l'~*** to take the initiative (***de faire*** of doing)
initié(e) [inisje] *m(f)* initiate; FIN insider trader
initier [inisje] **I** *v/t* to initiate (***à*** to) **II** *v/pr* ***s'~ à qc*** to learn the basics of sth
injectable [ɛ̃ʒɛktabl] *adj* injectable
injecté [ɛ̃ʒɛkte] *adj* ⟨**~e**⟩ *yeux* ***~s de sang*** bloodshot
injecter [ɛ̃ʒɛkte] *v/t* **1.** MÉD to inject (***dans*** into) **2.** TECH to inject
injecteur [ɛ̃ʒɛktœʀ] **I** *adj* ⟨**-trice** [-tʀis]⟩ injection *épith* **II** *m* **1.** MÉD injector **2.** AUTO injector
injection [ɛ̃ʒɛksjõ] *f* **1.** MÉD injection **2.** ***moteur*** *m* ***à ~*** fuel injection engine
injonction [ɛ̃ʒõksjõ] *f* order; JUR injunction
injouable [ɛ̃ʒwabl] *adj* **1.** MUS unplayable; THÉ impossible to stage **2.** *terrain de sport* unfit for play
injure [ɛ̃ʒyʀ] *f* abuse (+ *v sg*) (*a* JUR); (*gros mot*) insult **injurier** *v/t* to insult, to abuse **injurieux** *adj* ⟨**-euse** [-øz]⟩ insulting, abusive

injurier ≠ injure

Injurier = insult. **Blesser** is the translation for injure.

Il l'a injurié en le traitant de cochon.

He insulted him by calling him a pig.

▶ **injuste** [ɛ̃ʒyst] *adj* unfair
injustice [ɛ̃ʒystis] *f* unfairness, injustice; *acte* injustice; ***réparer une ~*** to right a wrong
injustifiable [ɛ̃ʒystifjabl] *adj* unjustifiable
injustifié [ɛ̃ʒystifje] *adj* ⟨**~e**⟩ unjustified
inlassable [ɛ̃lasabl] *adj* tireless
inné [ine] *adj* ⟨**~e**⟩ innate
innervation [inɛʀvasjõ] *f* PHYSIOL innervation
innocemment [inɔsamɑ̃] *adv* → ***innocent I***
innocence [inɔsɑ̃s] *f* innocence
▶ **innocent** [inɔsɑ̃] **I** *adj* ⟨**-ente** [-ɑ̃t]⟩ **1.** (*pas responsable*) innocent (***de qc*** of sth); blameless **2.** (*candide*) innocent; ***air ~*** innocent air **3.** (*naïf*) naive **4.** *jeux, etc* harmless **II innocent(e)** *m(f)* **1.** JUR innocent person **2.** *fig* innocent
innocenter [inɔsɑ̃te] *v/t* ***~ qn*** to prove sb innocent, to clear sb
innocuité [inɔkɥite] *f* harmlessness
innombrable [inõbʀabl] *adj* countless; *foule* huge
innommable [inɔmabl] *adj péj* unspeakable
innovateur [inɔvatœʀ] *adj* ⟨**-trice** [-tʀis]⟩ innovative
innovation [inɔvasjõ] *f* innovation (*a* TECH) **innover** *v/i* to innovate (*a* TECH)
inoccupé [inɔkype] *adj* ⟨**~e**⟩ **1.** *personne* unoccupied, idle **2.** *maison* unoccupied; *poste* vacant
inoculation [inɔkylasjõ] *f* MÉD inocula-

tion
inoculer [inɔkyle] *v/t* MÉD to inoculate
inodore [inɔdɔʀ] *adj* odorless
inoffensif [inɔfɑ̃sif] *adj* ⟨**-ive** [-iv]⟩ harmless
► **inondation** [inɔ̃dasjɔ̃] *f* flood *a fig; action* flooding (***de qc*** of sth)
inondé [inɔ̃de] *pp et adj* ⟨**~e**⟩ **1.** *région* flooded **2.** *par ext visage* **~ *de larmes*** bathed in tears **3.** *fig* **~ *de soleil*** *paysage* bathed in sunshine; *pièce* flooded with sunlight; *personne* ***être* ~ *de lettres*** to be inundated with letters
inonder [inɔ̃de] *v/t* to flood (*a fig* ***de qc*** with sth); to inundate
inopérable [inɔpeʀabl] *adj* inoperable
inopérant [inɔpeʀɑ̃] *adj* ⟨**-ante** [-ɑ̃t]⟩ inoperative
inopiné [inɔpine] *adj* ⟨**~e**⟩ unexpected
inopportun [inɔpɔʀtɛ̃, -tœ̃] *adj* ⟨**-une** [-yn]⟩ ill-timed
inoubliable [inublijabl] *adj* unforgettable
inouï [inwi] *adj* ⟨**~e**⟩ *succès, événement* unprecedented; *personne* incredible
inox [inɔks] *m* stainless steel
inoxydable [inɔksidabl] *adj* stainless
in petto [inpeto] *adv* privately
inqualifiable [ɛ̃kalifjabl] *adj* unspeakable
► **inquiet** [ɛ̃kjɛ] *adj* ⟨**-ète** [-ɛt]⟩ worried
inquiétant [ɛ̃kjetɑ̃] *adj* ⟨**-ante** [-ɑ̃t]⟩ **1.** (*alarmant*) worrying **2.** (*peu rassurant*) disturbing
inquiéter [ɛ̃kjete] ⟨**-è-**⟩ **I** *v/t* **1.** (*alarmer*) to worry **2.** (*importuner*) to disturb, to bother **II** *v/pr* ► ***s'inquiéter*** to worry (***pour qn*** about sb; ***de qc*** about sth); to be concerned
inquiétude [ɛ̃kjetyd] *f* concern, anxiety
inquisiteur [ɛ̃kizitœʀ] *adj* ⟨**-trice** [-tʀis]⟩ *regard* inquisitive
Inquisition [ɛ̃kizisjɔ̃] *f* HIST Inquisition
insaisissable [ɛ̃sezi sabl] *adj* **1.** JUR privileged from seizure **2.** *fugitif* elusive **3.** *nuance* imperceptible
insalubre [ɛ̃salybʀ] *adj* insalubrious **insalubrité** *f* insalubrity
insanité [ɛ̃sanite] *f* **1.** insanity **2.** **~*s*** *pl* nonsense (+ *v sg*)
insatiable [ɛ̃sasjabl] *adj* insatiable
insatisfaction [ɛ̃satisfaksjɔ̃] *f* dissatisfaction **insatisfait** *adj* ⟨**-faite** [-fɛt]⟩ *désir* unsatisfied; *personne* dissatisfied
inscription [ɛ̃skʀipsjɔ̃] *f* **1.** *gravée* inscription; *imprimée* inscription **2.** *action* enrolling, registering; *à l'université* enrollment
inscrire [ɛ̃skʀiʀ] ⟨→ **écrire**⟩ **I** *v/t* **~ *qn, qc*** to put sb, sth down (***sur une liste*** on a list); (***faire***) ***inscrire*** to enroll (***à une école*** at a school) **II** *v/pr* ► **s'inscrire 1.** to register (***à un concours*** for a competition); ***s'inscrire à une faculté*** to enroll at a university; ***s'inscrire à un parti*** to join a party **2.** *chose* ***s'inscrire dans*** (***le cadre de***) ***qc*** to come within the framework of sth **3.** ***s'inscrire en faux contre qc*** to lodge a challenge to sth
inscrit [ɛ̃skʀi] **I** *pp* → ***inscrire*** *et adj* ⟨**-ite** [-it]⟩ *député* ***non* ~** independent **II** **~*s*** *mpl* POL registered voters
► **insecte** [ɛ̃sɛkt] *m* insect
insecticide [ɛ̃sɛktisid] **I** *adj* insecticidal **II** *m* insecticide
insécuriser [ɛ̃sekyʀize] *v/t* **~ *qn*** to make sb feel insecure **insécurité** *f* insecurity
INSEE [inse] *m, abr* (= **Institut national de la statistique et des études économiques**) *French institute for statistical and economic studies*
insémination [ɛ̃seminasjɔ̃] *f* **~ *artificielle*** artificial insemination **inséminer** *v/t* to inseminate
insensé [ɛ̃sɑ̃se] *adj* ⟨**~e**⟩ insane
insensibilisation [ɛ̃sɑ̃sibilizasjɔ̃] *f* MÉD anesthetization **insensibiliser** *v/t* MÉD to anesthetize
insensibilité [ɛ̃sɑ̃sibilite] *f* insensitivity, imperviousness; *fig* insensitivity
insensible [ɛ̃sɑ̃sibl] *adj* **1.** *sans réaction* insensitive, impervious; **~ *au froid*** impervious to the cold **2.** *moralement* insensitive (***à*** to) **3.** (*imperceptible*) imperceptible
insensiblement [ɛ̃sɑ̃sibləmɑ̃] *adv* imperceptibly
inséparable [ɛ̃sepaʀabl] *adj amis* inseparable
insérer [ɛ̃seʀe] ⟨**-è-**⟩ **I** *v/t* to insert (***dans*** into) **II** *v/pr* ***s'~ dans qc*** to fit into sth; *personnes* to become integrated into sth
insertion [ɛ̃sɛʀsjɔ̃] *f* insertion, *de personnes* integration (***dans*** into)
insidieux [ɛ̃sidjø] *adj* ⟨**-euse** [-øz]⟩ *question, maladie* insidious
insigne [ɛ̃siɲ] **I** *m* badge; **~*s*** *pl de royauté, etc* insignia **II** *adj* great, remarkable; *faveur* signal *épith*
insignifiance [ɛ̃siɲifjɑ̃s] *f* insignifi-

cance **insignifiant** *adj* ⟨**-ante** [-ɑ̃t]⟩ insignificant
insinuant [ɛ̃sinɥɑ̃] *adj* ⟨**-ante** [-ɑ̃t]⟩ insinuating **insinuation** *f* insinuation
insinuer [ɛ̃sinɥe] **I** *v/t* to insinuate **II** *v/pr* ***s'insinuer*** *personne* to slip (***dans*** into); *doute* to creep in
insipide [ɛ̃sipid] *adj* insipid, tasteless; *fig* bland **insipidité** *f* insipidness; *fig* blandness
insistance [ɛ̃sistɑ̃s] *f* insistence; ***avec ~*** insistently
insistant [ɛ̃sistɑ̃] *adj* ⟨**-ante** [-ɑ̃t]⟩ insistent
► **insister** [ɛ̃siste] *v/i* **1.** ***~ sur qc*** to emphasize sth **2.** ***~ auprès de qn*** to keep asking sb; ***~ pour*** *+inf* to insist on (+ *v-ing*) **3.** *abs* to persevere, to keep trying
insolation [ɛ̃sɔlasjõ] *f* **1.** MÉD sunstroke; ***attraper une ~*** to get sunstroke **2.** MÉTÉO sunshine
insolemment [ɛ̃sɔlamɑ̃] *adv* → ***insolent***
insolence [ɛ̃sɔlɑ̃s] *f* insolence **insolent** *adj* ⟨**-ente** [-ɑ̃t]⟩ (*impoli*) insolent; *luxe, fortune* unashamed; ***avoir une chance insolente*** to be incredibly lucky
insolite [ɛ̃sɔlit] *adj* unusual
insoluble [ɛ̃sɔlybl] *adj* **1.** CHIM insoluble **2.** *problème* insoluble
insolvabilité [ɛ̃sɔlvabilite] *f* insolubility
insolvable *adj adj* insolvent
insomniaque [ɛ̃sɔmnjak] *adj* insomniac
insomnie [ɛ̃sɔmni] *f* insomnia; ***avoir des ~s*** to have insomnia
insondable [ɛ̃sõdabl] *adj* unfathomable (*a fig mystère*); (*immense*) immense
insonore [ɛ̃sɔnɔʀ] *adj* soundproof **insonorisation** *f* soundproofing **insonoriser** *v/t* to soundproof
insouciance [ɛ̃susjɑ̃s] *f* carefreeness, lack of concern **insouciant** *adj* ⟨**-ante** [-ɑ̃t]⟩ carefree, unconcerned
insoumis [ɛ̃sumi] *adj* ⟨**-ise** [-iz]⟩ **1.** rebellious **2.** ***soldat ~*** draft dodger
insoumission [ɛ̃sumisjõ] *f* **1.** rebelliousness, insubordination (***à*** to) **2.** MIL draft dodging
insoupçonnable [ɛ̃supsɔnabl] *adj* above suspicion
insoupçonné [ɛ̃supsɔne] *adj* ⟨**~e**⟩ unsuspected; *richesses* undreamed of
insoutenable [ɛ̃sutnabl] *adj* **1.** *argument* untenable **2.** (*insupportable*) unbearable
inspecter [ɛ̃spɛkte] *v/t* to inspect
inspecteur [ɛ̃spɛktœʀ] *m*, **inspectrice** [-tʀis] *f fonctionnaire* inspector; *dans l'enseignement* inspector; ***inspecteur de police*** lieutenant, *brit* detective sergeant
inspection [ɛ̃spɛksjõ] *f* **1.** *action* inspection **2.** ADMIN inspectorate; ***Inspection du travail*** ≈ Labor Board, *brit* ≈ Health and Safety Executive
inspectorat [ɛ̃spɛktɔʀa] *m charge* inspectorate
inspirateur [ɛ̃spiʀatœʀ] *m*, **inspiratrice** [-tʀis] *f* inspirer; *péj* instigator
inspiration [ɛ̃spiʀasjõ] *f* **1.** BIOL breathing in **2.** (*idée*) inspiration (*a* REL); (*influence*) influence, inspiration; *œuvre* ***d'~ cubiste*** cubist-inspired, with a cubist influence
inspiré [ɛ̃spiʀe] *adj* ⟨**~e**⟩ **1.** *œuvre, poète* inspired (*a* REL); *péj* ***prendre des airs ~s*** to assume the air of one inspired **2.** ***il a été bien, mal ~ de*** *+inf* he was well-advised, ill-advised to *+inf* **3.** *œuvre, mode* ***~ de qn, qc*** influenced by sb, sth
inspirer [ɛ̃spiʀe] **I** *v/t* **1.** ***~ qc*** *air* to breathe sth in **2.** *artiste* to inspire; ***~ qc à qn*** to inspire sth in sb; *par ext, fam* ***cela ne m'inspire pas*** that doesn't appeal to me **3.** ***~ qc à qn*** *sentiment* to fill sb with sth; ***~ confiance à qn*** to fill sb with confidence **II** *v/pr* ***s'~ de qn, de qc*** to draw one's inspiration from sb, sth
instabilité [ɛ̃stabilite] *f* instability
instable [ɛ̃stabl] **I** *adj temps* unsettled; *personne, caractère, situation* unstable; ***être en équilibre ~*** to be precariously balanced **II** *m/f* unstable person
installateur [ɛ̃stalatœʀ] *m* fitter; TV, RAD, ÉLEC engineer
installation [ɛ̃stalasjõ] *f* **1.** TECH, INFORM *action* installation **2.** (*équipement*) system, set-up; ***~s*** *pl* facilities **3.** *d'un appartement* fitting out; (*emménagement*) moving in **4.** *d'un professionnel, d'une usine* setting up; *d'un fonctionnaire* installation
► **installer** [ɛ̃stale] **I** *v/t* **1.** *gaz, chauffage, etc* to install; *appareil* to install **2.** *cuisine, etc* to fit; *meubles* to put in **3.** (*loger*) to put **4.** *fonctionnaire* to install **II** *v/pr* ► **s'installer** **1.** (*s'établir, s'asseoir*) to settle down, to sit down; ***s'installer confortablement*** to settle down comfortably **2.** *fig sentiments* to set

in; ***le doute s'installe dans mon esprit*** I'm beginning to have doubts

instamment [ɛ̃stamɑ̃] *adv* insistently

instance [ɛ̃stɑ̃s] *f* **1.** ***sur les ~s de qn*** in the face of sb's entreaties **2.** (*autorité*) authority **3.** JUR legal proceedings (+ *v pl*); ***être en ~*** JUR to be engaged in legal proceedings; *par ext* to be pending; ***être en ~ de divorce*** to be engaged in divorce proceedings

► **instant** [ɛ̃stɑ̃] *m* instant, moment; ***à l'~*** this instant; ***à chaque ~, à tout ~*** all the time; ***dans un ~*** in a moment; ***en un ~*** in no time at all; ***pour l'~*** for the moment

instantané [ɛ̃stɑ̃tane] **I** *adj* ⟨**~e**⟩ instantaneous; *café, etc* instant **II** *m* PHOT snapshot

instantanément [ɛ̃stɑ̃tanemɑ̃] *adv* instantaneously

instar [ɛ̃staʀ] *litt prép* ***à l'~ de*** following the example of

instauration [ɛ̃stɔʀasjõ] *f* institution

instaurer *v/t système, régime* to set up; *loi, règle* to institute; *dialogue* to initiate

instigateur [ɛ̃stigatœʀ] *m*, **instigatrice** [-tʀis] *f d'un mouvement* originator; *de troubles* instigator

instigation [ɛ̃stigasjõ] *f* ***à l'~ de qn*** at sb's instigation

instinct [ɛ̃stɛ̃] *m* **1.** instinct **2.** *par ext* instinct (***de*** for); ***d'~*** instinctively

instinctif [ɛ̃stɛ̃ktif] *adj* ⟨**-ive** [-iv]⟩ instinctive; ***c'est ~!*** I can't help it!

instinctivement [ɛ̃stɛ̃ktivmɑ̃] *adv* instinctively

instit [ɛ̃stit] *m/f, abr fam* (= **instituteur, -trice**) elementary school teacher

instituer [ɛ̃stitɥe] **I** *v/t* to institute **II** *v/pr* ***s'instituer*** **1.** *relations, etc* to become established **2.** ***s'~ le défenseur de qc*** to set o.s. up as the defender of sth

institut [ɛ̃stity] *m* **1.** institute; ***Institut*** (***de France***) *learned society representing the five French Academies of arts and science* **2.** ***~ de beauté*** beauty salon

► **instituteur** [ɛ̃stitytœʀ] *m*, **institutrice** [ɛ̃stitytʀis] *f* elementary school teacher

institution [ɛ̃stitysjõ] *f* **1.** (*établissement*) institution **2.** ***~ religieuse*** private denominational school; *catholique* private Catholic school

institutionnalisation [ɛ̃stitysjɔnalizasjõ] *f* institutionalization

institutionnaliser [ɛ̃stitysjɔnalize] **I** *v/t* to institutionalize **II** *v/pr* ***s'institutionnaliser*** to become institutionalized

institutionnel [ɛ̃stitysjɔnɛl] *adj* ⟨**~le**⟩ institutional

instructeur [ɛ̃stʀyktœʀ] *m* MIL instructor

instructif [ɛ̃stʀyktif] *adj* ⟨**-ive** [-iv]⟩ informative

instruction [ɛ̃stʀyksjõ] *f* **1.** (*enseignement*) education; ***~ civique*** civics (+ *v sg*); ***~ publique*** public education, *brit* state education **2.** (*connaissances*) education; ***avoir de l'~*** to be well-educated **3.** (*directive*) directive **4.** (*mode d'emploi*) ***~s*** *pl* instructions **5.** INFORM instruction **6.** JUR preliminary inquiry *by an examining magistrate*

instruire [ɛ̃stʀɥiʀ] ⟨→ **conduire**⟩ **I** *v/t* **1.** to train (*a* MIL); to instruct **2.** JUR ***~ un procès*** to set up a preliminary inquiry **II** *v/pr* ***s'instruire*** to educate o.s.

instruit [ɛ̃stʀɥi] *adj* ⟨**-ite** [-it]⟩ educated

► **instrument** [ɛ̃stʀymɑ̃] *m* **1.** instrument; ***~ de mesure*** measuring instrument **2.** ***~*** (***de musique***) (musical) instrument; ***~ à cordes*** string instrument; ***jouer d'un ~*** to play an instrument **3.** *fig* tool; *personne* instrument

instrumental [ɛ̃stʀymɑ̃tal] *adj* ⟨**~e; -aux** [-o]⟩ instrumental

instrumentation [ɛ̃stʀymɑ̃tasjõ] *f* MUS orchestration; TECH instrumentation

instrumenter [ɛ̃stʀymɑ̃te] **I** *v/t* TECH to instrument **II** MUS to orchestrate **III** *v/i* JUR to draw up a formal document

instrumentiste [ɛ̃stʀymɑ̃tist] *m/f* MUS instrumentalist

insu [ɛ̃sy] *prép* ***à l'~ de qn*** *sans le dire* without sb's knowledge; ***à mon, son,*** *etc* ***~*** *sans en avoir conscience* without realizing it

insubmersible [ɛ̃sybmɛʀsibl] *adj* unsinkable

insubordination [ɛ̃sybɔʀdinasjõ] *f* insubordination

insubordonné [ɛ̃sybɔʀdɔne] *adj* ⟨**~e**⟩ insubordinate

insuccès [ɛ̃syksɛ] *m* failure

insuffisamment [ɛ̃syfizamɑ̃] *adv* insufficiently

insuffisance [ɛ̃syfizɑ̃s] *f* **1.** (*manque*) deficiency, shortage **2.** ***~ cardiaque*** heart failure

► **insuffisant** [ɛ̃syfizɑ̃] *adj* ⟨**-ante** [-ɑ̃t]⟩ *en quantité* insufficient; *en qualité* inadequate

insuffler [ɛ̃syfle] *v/t* **1.** MÉD to insufflate **2.** *fig vie* to breathe
insulaire [ɛ̃sylɛʀ] **I** *adj* insular **II** *m/f* islander
insularité [ɛ̃sylaʀite] *f* insularity
insuline [ɛ̃sylin] *f* insulin
insultant [ɛ̃syltɑ̃] *adj* ⟨**-ante** [-ɑ̃t]⟩ insulting
▶ **insulte** [ɛ̃sylt] *f* insult (*a fig* **à** to); **~s** *pl* abuse (+ *v sg*)
▶ **insulter** [ɛ̃sylte] *v/t* to insult
insupportable [ɛ̃sypɔʀtabl] *adj* unbearable; *personne* insufferable, unbearable
insurgé [ɛ̃syʀʒe] **I** *adj* ⟨**~e**⟩ insurgent **II** *m* insurgent
insurger [ɛ̃syʀʒe] *v/pr* ⟨**-ge-**⟩ **s'~** to rise up (**contre** against)
insurmontable [ɛ̃syʀmõtabl] *adj* insurmountable
insurpassable [ɛ̃syʀpasabl] *adj* unsurpassable
insurrection [ɛ̃syʀɛksjõ] *f* uprising, insurrection; **~ populaire** popular uprising
insurrectionnel [ɛ̃syʀɛksjɔnɛl] *adj* ⟨**~le**⟩ insurrectionary
intact [ɛ̃takt] *adj* ⟨**~e**⟩ intact
intangibilité [ɛ̃tɑ̃ʒibilite] *f* intangibility **intangible** *adj* intangible
intarissable [ɛ̃taʀisabl] *adj* **1.** *source*, *fig imagination* inexhaustible; *larmes*, *bavardage* endless **2.** *personne* unstoppable
intégral [ɛ̃tegʀal] **I** *adj* ⟨**~e; -aux** [-o]⟩ complete, full; *texte* unabridged; *bronzage* all-over; **casque ~** full helmet **II** *f* **intégrale 1.** MATH integral **2.** MUS complete series
intégralement [ɛ̃tegʀalmɑ̃] *adv* in full
intégralité [ɛ̃tegʀalite] *f* whole; **l'~ de la somme** the whole amount; **dans son ~** in full
intégrant [ɛ̃tegʀɑ̃] *adj* ⟨**-ante** [-ɑ̃t]⟩ **faire partie ~e de** to be an integral part of
intégration [ɛ̃tegʀasjõ] *f* integration; POL, ÉCON integration; *entrée dans un ensemble* entry **intégrationniste** *m/f* integrationist
intègre [ɛ̃tɛgʀ] *adj* honest
intégrer [ɛ̃tegʀe] ⟨**-è-**⟩ **I** *v/t* **1.** to integrate (**dans, à** into); to incorporate **2.** ⟨*v/i* **~ à**⟩ *école* to get into **II** *v/pr* **s'intégrer** to integrate (**dans, à** into)
intégrisme [ɛ̃tegʀism] *m* REL fundamentalism **intégriste I** *adj* fundamentalist **II** *m/f* fundamentalist
intégrité [ɛ̃tegʀite] *f* **1.** *d'un territoire* integrity **2.** (*probité*) integrity
intellect [ɛ̃telɛkt] *m* intellect
intellectualiser [ɛ̃telɛktɥalize] *v/t* to intellectualize **intellectualisme** *m* intellectualism **intellectualiste** *adj* intellectualist **intellectualité** *f* intellectuality
intellectuel [ɛ̃telɛktɥɛl] **I** *adj* ⟨**~le**⟩ **1.** intellectual; **quotient ~** IQ, intelligence quotient **2.** *personne* intellectual **II** **~(le)** *m(f)* intellectual
intelligemment [ɛ̃teliʒamɑ̃] *adv* → **intelligent**
▶ **intelligence** [ɛ̃teliʒɑ̃s] *f* **1.** intelligence; **~ artificielle** artificial intelligence; **avec ~** intelligently **2.** (*compréhension*) understanding (**de qc** of sth) **3.** (*entente*) agreement; (*complicité*) complicity; **vivre en bonne ~ avec qn** to be on good terms with sb
▶ **intelligent** [ɛ̃teliʒɑ̃] *adj* ⟨**-ente** [-ɑ̃t]⟩ intelligent
intelligentsia [ɛ̃teliʒɛntsja] *f* intelligentsia
intelligibilité [ɛ̃teliʒibilite] *f* intelligibility
intelligible [ɛ̃teliʒibl] *adj* intelligible; **à 'haute et ~ voix** loudly and clearly
intello [ɛ̃telo] *m/f*, *abr fam* (= **intellectuel[le]**) intellectual
intempérance [ɛ̃tɑ̃peʀɑ̃s] *st/s f* intemperance **intempérant** *st/s adj* ⟨**-ante** [-ɑ̃t]⟩ intemperate
intempéries [ɛ̃tɑ̃peʀi] *fpl* bad weather (+ *v sg*)
intempestif [ɛ̃tɑ̃pɛstif] *adj* ⟨**-ive** [-iv]⟩ *arrivée*, *démarche* untimely; *zèle*, *joie* inappropriate
intenable [ɛ̃t(ə)nabl] *adj* (*insupportable*) unbearable; (*indiscipliné*) unruly
intendance [ɛ̃tɑ̃dɑ̃s] *f* ADMIN, FIN financial management; *dans un lycée* bursar's office
intendant [ɛ̃tɑ̃dɑ̃] *m*, **intendante** [-ɑ̃t] *f* bursar
intense [ɛ̃tɑ̃s] *adj* intense; *circulation* heavy
intensément [ɛ̃tɑ̃semɑ̃] *adv* intensely
intensif [ɛ̃tɑ̃sif] *adj* ⟨**-ive** [-iv]⟩ intensive (*a* AGR)
intensification [ɛ̃tɑ̃sifikasjõ] *f* intensification **intensifier I** *v/t* to intensify **II** *v/pr* **s'intensifier** to intensify
intensité [ɛ̃tɑ̃site] *f* intensity (*a* PHYS)

intenter [ɛ̃tɑ̃te] *v/t* **~ *un procès à qn*** to take sb to court

► **intention** [ɛ̃tɑ̃sjõ] *f* intention; ***à l'~ de qn*** for sb; *fête* in honor of sb; ***avoir l'~ de*** *+inf* to intend *+inf*; ***c'est l'~ qui compte*** it's the thought that counts; ***il n'est pas dans mes ~s de*** *+inf* I have no intention of (+ *v-ing*)

intentionné [ɛ̃tɑ̃sjɔne] *adj* ⟨**~e**⟩ ***bien ~*** well-intentioned

intentionnel [ɛ̃tɑ̃sjɔnɛl] *adj* ⟨**~le**⟩ deliberate, intentional

inter [ɛ̃tɛʀ] *m* SPORT inside-forward; **~ *droit, gauche*** inside right, left

interactif [ɛ̃tɛʀaktif] *adj* ⟨**-ive** [-iv]⟩ interactive (*a* INFORM) **interaction** *f* interaction **interactivité** *f* INFORM interactivity

interallemand [ɛ̃tɛʀalmɑ̃] *adj* ⟨**-ande** [-ɑ̃d]⟩ HIST between East and West Germany **interallié** *adj* ⟨**~e**⟩ allied

intercalaire [ɛ̃tɛʀkalɛʀ] **I** *adj jour* intercalary **II** *m feuillet* insert; *fiche* divider

intercaler *v/t* to insert

intercéder [ɛ̃tɛʀsede] *v/i* ⟨**-è-**⟩ to intercede (***pour qn*** on behalf of sb)

intercellulaire [ɛ̃tɛʀselylɛʀ] *adj* BIOL intercellular

intercepter [ɛ̃tɛʀsɛpte] *v/t* **1.** *message, lettre, avion, ballon* to intercept; TÉL to intercept **2.** *lumière, etc* to block

intercepteur [ɛ̃tɛʀsɛptœʀ] *m* AVIAT, MIL interceptor

interception [ɛ̃tɛʀsɛpsjõ] *f* **1.** interception (*a* MIL); *d'une lettre* interception; TÉL interception **2.** *de lumière, de chaleur* blocking

intercesseur [ɛ̃tɛʀsesœʀ] *m* REL, *litt* intercessor **intercession** *f* REL, *litt* intercession

interchangeable [ɛ̃tɛʀʃɑ̃ʒabl] *adj* interchangeable

interclasse [ɛ̃tɛʀklɑs] *m* ENSEIGNEMENT recess, *brit* break

intercommunal [ɛ̃tɛʀkɔmynal] *adj* ⟨**~e; -aux** [-o]⟩ between local councils

interconnexion [ɛ̃tɛʀkɔnɛksjõ] *f* TECH, ADMIN interconnection

intercontinental [ɛ̃tɛʀkõtinɑ̃tal] *adj* ⟨**~e; -aux** [-o]⟩ intercontinental **intercostal** *adj* ⟨**~e; -aux** [-o]⟩ intercostal **interdépartemental** *adj* ⟨**~e; -aux** [-o]⟩ interdepartmental *between two or more departments of France*

interdépendance [ɛ̃tɛʀdepɑ̃dɑ̃s] *f* interdependence **interdépendant** *adj* ⟨**-ante** [-ɑ̃t]⟩ interdependent

interdiction [ɛ̃tɛʀdiksjõ] *f* **1.** ban; **~ *de stationner*** parking ban; JUR **~ *de séjour*** banning order **2.** *d'un fonctionnaire* suspension

► **interdire** [ɛ̃tɛʀdiʀ] ⟨→ **dire**; *mais* **vous interdisez**⟩ **I** *v/t* **1.** (*défendre*) to forbid; *film, revue, alcool, vente* to ban **2.** *fonctionnaire* to suspend **II** *v/pr* ***s'~ qc*** to abstain from sth

interdisciplinaire [ɛ̃tɛʀdisiplinɛʀ] *adj* interdisciplinary

interdit [ɛ̃tɛʀdi] **I** *adj* ⟨**-ite** [-it]⟩ **1.** (*défendu*) forbidden; *film, revue, alcool* banned; **~ *aux moins de 18 ans*** adults only; JUR **~ *de séjour*** prohibited from residence **2.** (*très étonné*) dumbfounded **II** *m* **1.** CATH interdict; *fig* ***jeter l'~ sur qn*** to cast sb out **2.** (*tabou*) taboo

interentreprises [ɛ̃tɛʀɑ̃tʀəpʀiz] *adj* ⟨*inv*⟩ intercompany

► **intéressant** [ɛ̃teʀɛsɑ̃] **I** *adj* ⟨**-ante** [-ɑ̃t]⟩ **1.** (*qui retient l'attention*) interesting **2.** (*avantageux*) attractive **II** *péj* ***faire l'~(e)*** *m(f)* to show off

intéressant

Intéressant = financially interesting or advantageous:

Il y a des offres très intéressantes sur les télés en ce moment.

There are some great offers on TVs right now.

intéressé [ɛ̃teʀese] **I** *adj* ⟨**~e**⟩ **1.** (*concerné*) concerned, involved **2.** (*recherchant son intérêt*) self-interested **II ~(e)** *m(f)* person concerned

intéressement [ɛ̃teʀɛsmɑ̃] *m* profit-sharing

► **intéresser** [ɛ̃teʀese] **I** *v/t* **1.** (*retenir l'attention*) ***intéresser qn*** to interest sb **2.** (*concerner*) ***intéresser qc, qn*** to affect sb, sth, to concern sb, sth **3.** ÉCON ***intéresser qn*** to give sb a share (***aux bénéfices*** of the profits) **II** *v/pr* ► ***s'intéresser à qn, qc*** to be interested in sb, sth

► **intérêt** [ɛ̃teʀɛ] *m* **1.** (*attention*) interest; ***avec ~*** with interest **2.** (*importance*) interest; ***sans ~, dénué d'~*** of no interest; ***avoir, présenter de l'~*** to be of interest (***pour qn*** to sb) **3.** (*avantage*) interest; ***~s** pl* interests; ***dans l'~ de qn*** in sb's interest; ***il a (tout) ~ à faire qc*** it's in his interest to do sth; ***agir par ~*** to act out of self-interest **4.** FIN **~(*s*)** interest; **~(*s*) *composé*(*s*)** compound interest (+ *v sg*)

interface [ɛ̃tɛʀfas] *f* INFORM interface *a fig*

interférence [ɛ̃tɛʀfeʀɑ̃s] *f* PHYS, *fig* interference

interférer [ɛ̃tɛʀfeʀe] *v/i* ⟨**-è-**⟩ **1.** PHYS to interfere **2.** (*intervenir*) to intervene (***dans*** in)

intergalactique [ɛ̃tɛʀgalaktik] *adj* intergalactic **interglaciaire** *adj* interglacial **intergouvernemental** *adj* ⟨**~e; -aux** [-o]⟩ intergovernmental

▶ **intérieur** [ɛ̃teʀjœʀ] **I** *adj* ⟨**~e**⟩ interior, internal; ***marché intérieur*** internal market; ***mer intérieure*** inland sea; ***politique intérieure*** domestic politics (+ *v pl*); ***vol intérieur*** internal flight **II** *m* **1.** inside; *d'un État* interior; ***l'intérieur du pays*** the interior; ***ministère** m **de l'Intérieur*** ≈ Department of the Interior, *brit* ≈ Home Office; ▶ ***à l'intérieur de*** inside; ▶ ***à l'intérieur*** *dans la maison* indoors; *dedans* inside **2.** (*décor*) interior; (*foyer*) home; ***veste** f **d'intérieur*** indoor coat, *brit* indoor jacket

intérieurement [ɛ̃teʀjœʀmɑ̃] *adv* inside; (*en soi-même*) inwardly

intérim [ɛ̃teʀim] *m* **1.** *période* interim period; ***par ~*** *président, trésorier* acting *épith*; *gouvernement* interim *épith*; ***assurer l'~*** to take over on an interim basis **2.** (*travail temporaire*) temporary work; ***agence** f **d'~*** temping agency

intérimaire [ɛ̃teʀimɛʀ] **I** *adj* temporary; ***le travail** m **~*** temporary work, temping **II** *m/f* **1.** *remplaçant* stand-in, *brit* locum **2.** *travailleur* temporary worker, temp

intérioriser [ɛ̃teʀjɔʀize] *v/t émotion, conflit* to internalize

interjectif [ɛ̃tɛʀʒɛktif] *adj* ⟨**-ive** [-iv]⟩ LING interjectional

interjection [ɛ̃tɛʀʒɛksjõ] *f* interjection

interligne [ɛ̃tɛʀliɲ] *m* blank space (between lines); ***simple, double ~*** single, double spacing; TYPO lead

interlocuteur [ɛ̃tɛʀlɔkytœʀ] *m*, **interlocutrice** [-tʀis] *f* interlocutor *st/s*; ***mon ~*** *qui m'écoute* the person I am speaking to; *qui me parle* the person speaking to me; POL negotiating partner; LING speaker

interlope [ɛ̃tɛʀlɔp] *adj* (*illégal*) illicit; (*louche*) shady

interloqué [ɛ̃tɛʀlɔke] *adj* ⟨**~e**⟩ stunned **interloquer** *v/t* to stun

interlude [ɛ̃tɛʀlyd] *m* **1.** MUS interlude **2.** TV interlude

intermède [ɛ̃tɛʀmɛd] *m* THÉ, *fig* interlude

intermédiaire [ɛ̃tɛʀmedjɛʀ] **I** *adj* intermediate **II** *subst* **1.** *m/f* intermediary **2.** *m/f* COMM middle man, intermediary **3.** *m* ***par l'~ de qn*** through the intermediary of sb

interminable [ɛ̃tɛʀminabl] *adj* endless, never-ending

interministériel [ɛ̃tɛʀministeʀjɛl] *adj* ⟨**~le**⟩ interdepartmental

intermittence [ɛ̃tɛʀmitɑ̃s] *f* irregularity; ***par ~*** intermittently

intermittent [ɛ̃tɛʀmitɑ̃] *adj* ⟨**-ente** [-ɑ̃t]⟩ intermittent (*a* MÉD)

internat [ɛ̃tɛʀna] *m* **1.** *école* boarding school **2.** MÉD internship, *brit* hospital training

▶ **international** [ɛ̃tɛʀnasjɔnal] **I** *adj* ⟨**~e; -aux** [-o]⟩ international; ***un match ~*** an international **II** *subst* **1. ~(*e*)** *m*(*f*) ⟨*mpl* **-aux** [-o]⟩ SPORT international (player) **2.** ***Internationale*** *f* POL Internationale

internationalisation [ɛ̃tɛʀnasjɔnalizasjõ] *f d'un conflit* internationalization

internationaliser [ɛ̃tɛʀnasjɔnalize] *v/t port, conflit etc* to internationalize

internationalisme [ɛ̃tɛʀnasjɔnalism] *m* internationalism

internaute [ɛ̃tɛʀnot] *m/f* Internet user, surfer

interne [ɛ̃tɛʀn] **I** *adj* internal; ***oreille** f **~*** inner ear; ***à usage ~*** for internal use **II** *m/f* **1.** *dans un internat* boarder **2. ~ (*des hôpitaux*)** intern, *brit* house officer

interné(**e**) [ɛ̃tɛʀne] *m*(*f*) **1.** POL internee **2.** MÉD committed patient, *brit* sectioned patient

internement [ɛ̃tɛʀnəmɑ̃] *m* **1.** POL internment **2.** MÉD commitment, *brit* sectioning **interner** *v/t* **1.** POL to intern **2.** MÉD to commit, *brit* to section

Internet [ɛ̃tɛʀnɛt] *m* Internet; *adjt* ***adresse** f, **connexion** f **~*** Internet address, connection; ***naviguer sur ~*** to surf the Internet

interpellation [ɛ̃tɛʀpelasjõ] *f* **1.** POL question **2.** *par la police* questioning

interpeller [ɛ̃tɛʀpəle] *v/t* **1.** (*apostropher*) to call out to **2.** *police* **~ *qn*** to take sb in for questioning **3.** *chose* **~ *qn*** to touch sb

interpénétration [ɛ̃tɛʀpenetʀasjõ] *f* interpenetration

interphone® [ɛ̃tɛʀfɔn] *m* intercom

interplanétaire [ɛ̃tɛʀplanetɛʀ] *adj* interplanetary

interpolation [ɛ̃tɛʀpɔlasjõ] *f* MATH, *d'un texte* interpolation **interpoler** *v/t* MATH, *texte* to interpolate

interposé [ɛ̃tɛʀpoze] *adj* ⟨**~e**⟩ ***par personne ~e*** through an intermediary

interposer [ɛ̃tɛʀpoze] **I** *v/t* to interpose **II** *v/pr* ***s'interposer*** to intervene

interprétable [ɛ̃tɛʀpʀetabl] *adj* interpretable

interprétariat [ɛ̃tɛʀpʀetaʀja] *m* interpreting

interprétation [ɛ̃tɛʀpʀetasjõ] *f* **1.** (*explication*) interpretation **2.** THÉ, MUS interpretation

▶ **interprète** [ɛ̃tɛʀpʀɛt] *m/f* **1.** interpreter; ***servir d'~, faire l'~*** to interpret **2.** MUS performer; THÉ actor **3.** *fig* (*porte-parole*) spokesperson; ***se faire l'~ de qc*** to be a spokesperson for sth

interpréter [ɛ̃tɛʀpʀete] *v/t* ⟨**-è-**⟩ **1.** (*traduire, comprendre*) to interpret **2.** THÉ, MUS to perform; *rôle* to play

interprofessionnel [ɛ̃tɛʀpʀɔfɛsjɔnɛl] *adj* ⟨**~le**⟩ interprofessional

interracial [ɛ̃tɛʀʀasjal] *adj* ⟨**~e; -aux** [-o]⟩ interracial

interro [ɛ̃tɛʀo] *f fam* test

interrogateur [ɛ̃tɛʀɔgatœʀ] *adj* ⟨**-trice** [-tʀis]⟩ inquiring

interrogatif [ɛ̃tɛʀɔgatif] *adj* ⟨**-ive** [-iv]⟩ **1.** *regard, etc* inquiring **2.** GRAM interrogative; (***proposition***) ***interrogative*** *f* interrogative clause

interrogation [ɛ̃tɛʀɔgasjõ] *f* **1.** GRAM question **2.** *action* questioning; (*question*) question; ENSEIGNEMENT **~ *écrite*** written test

interrogatoire [ɛ̃tɛʀɔgatwaʀ] *m* interrogation; *jur* cross-examination; ***faire subir un ~ à qn*** to interrogate sb

▶ **interroger** [ɛ̃tɛʀɔʒe] ⟨**-ge-**⟩ **I** *v/t* **1.** to question (***sur*** about); *prisonnier, espion* to interrogate; JUR to cross-examine; *élève* to test; (*examiner*) to search **2.** *fig conscience* to examine **3.** INFORM to query **II** *v/pr* ***s'~ sur qc*** to wonder about sth

▶ **interrompre** [ɛ̃tɛʀõpʀ] ⟨→ **rompre**⟩ **I** *v/t* to interrupt **II** *v/pr* ***s'~*** to take a break (***dans son travail*** from one's work)

interrupteur [ɛ̃tɛʀyptœʀ] *m* ÉLEC switch

interruption [ɛ̃tɛʀypsjõ] *f* interruption; MÉD **~ *de grossesse***; termination (of pregnancy); ***sans ~*** continuously

intersection [ɛ̃tɛʀsɛksjõ] *f* **1.** MATH intersection **2.** *de routes* intersection, junction

interstellaire [ɛ̃tɛʀstɛ(l)lɛʀ] *adj* interstellar

interstice [ɛ̃tɛʀstis] *m* chink

intersyndical [ɛ̃tɛʀsɛ̃dikal] *adj* ⟨**~e; -aux** [-o]⟩ inter-union **intertitre** *m* FILM insert title **intertropical** *adj* ⟨**~e; -aux** [-o]⟩ intertropical

interurbain [ɛ̃tɛʀyʀbɛ̃] *adj* ⟨**-aine** [-ɛn]⟩ ***communication ~e*** long-distance call, *brit* trunk call

intervalle [ɛ̃tɛʀval] *m* **1.** interval (*a* MUS); ***à dix minutes d'~*** ten minutes apart; ***dans l'~*** in the meantime, meanwhile; ***par ~s*** at intervals **2.** (*distance*) space (***entre*** between)

intervenant [ɛ̃tɛʀvənɑ̃] *m*, **intervenante** [-ɑ̃t] *f* speaker; RAD, TV contributor

▶ **intervenir** [ɛ̃tɛʀvəniʀ] *v/i* ⟨→ **venir**⟩ **1.** to intervene (***dans qc*** in sth); to intercede (***auprès de qn*** with sb) **2.** *événement* to take place, to occur; *facteur* to have a bearing; *accord* to be reached

intervention [ɛ̃tɛʀvɑ̃sjõ] *f* **1.** intervention (*a* MIL) **2.** (*prise de parole*) speech **3.** MÉD operation

interventionnisme [ɛ̃tɛʀvɑ̃sjɔnism] *m* ÉCON, POL interventionism

interversion [ɛ̃tɛʀvɛʀsjõ] *f de mots, objets* inversion; *de rôles* reversal

intervertir [ɛ̃tɛʀvɛʀtiʀ] *v/t* to invert; *rôles* to reverse

▶ **interview** [ɛ̃tɛʀvju] *f* interview

interviewer[1] [ɛ̃tɛʀvjuve] *v/t* to interview

interviewer[2] *ou* **intervieweur** [ɛ̃tɛʀvjuvœʀ] *m*, **intervieweuse** [-øz] *f* interviewer

intestin [ɛ̃tɛstɛ̃] *m* intestine; **~*s*** *pl* intestines

intestinal [ɛ̃tɛstinal] *adj* ⟨**~e; -aux** [-o]⟩ intestinal

intifada [intifada] *f* POL intifada

intimation [ɛ̃timasjõ] *f* JUR summons (+ *v sg*)

intime [ɛ̃tim] **I** *adj* **1.** intimate; *liaison* close; *personnes* close; *atmosphère* intimate; *conviction* deep; ***être ~ avec qn*** to be on intimate terms with sb **2.** (*privé*) private; *cérémonie* quiet, private; ***journal*** *m* **~** journal, *brit* diary **3.** (*sexuel*) intimate **II** *m/f* close friend

intimement [ɛ̃tim(ə)mɑ̃] *adv* **1. *~ liés*** closely connected **2. *~ convaincu*** firmly convinced

intimer [ɛ̃time] *v/t* ***~ l'ordre à qn de*** *+inf* to order sb *+inf*

intimidant [ɛ̃timidɑ̃] *adj* ⟨**-ante** [-ɑ̃t]⟩ intimidating **intimidation** *f* intimidation **intimider** *v/t* to intimidate

intimité [ɛ̃timite] *f* **1.** (*familiarité*) intimacy **2.** (*vie privée*) privacy; ***dans la plus stricte ~*** in the strictest privacy

intitulé [ɛ̃tityle] *m* heading, title

intituler [ɛ̃tityle] **I** *v/t* to call **II** *v/pr* ***s'~ …*** *personne* to call o.s. …; *œuvre* to be called …

intolérable [ɛ̃tɔleʀabl] *adj* **1.** (*insupportable*) intolerable, unbearable **2.** (*inadmissible*) unacceptable **intolérance** *f* intolerance (*a* MÉD) **intolérant** *adj* ⟨**-ante** [-ɑ̃t]⟩ intolerant

intonation [ɛ̃tɔnasjõ] *f* intonation (*a* MUS, PHON)

intouchable [ɛ̃tuʃabl] **I** *adj* untouchable **II** *m/f* untouchable

intoxication [ɛ̃tɔksikasjõ] *f* **1.** poisoning; ***~ alimentaire*** food poisoning **2.** *fig* propaganda

intoxiqué(e) [ɛ̃tɔksike] *m(f)* addict

intoxiquer [ɛ̃tɔksike] **I** *v/t* **1.** to poison **2.** *fig* to brainwash **II** *v/pr* ***s'intoxiquer*** to poison o.s.

intracellulaire [ɛ̃tʀaselylɛʀ] *adj* BIOL intracellular **intracommunautaire** *adj* POL intra-Community **intradermique** *adj* MÉD intradermal

intraduisible [ɛ̃tʀadɥizibl] *adj* **1.** untranslatable **2.** *fig* indescribable

intraitable [ɛ̃tʀɛtabl] *adj* uncompromising (***sur*** about)

intra-muros [ɛ̃tʀamyʀos] *adv* within the town boundaries

intramusculaire [ɛ̃tʀamyskylɛʀ] *adj* intramuscular

Intranet [ɛ̃tʀanɛt] *m* INFORM Intranet

intransigeance [ɛ̃tʀɑ̃ziʒɑ̃s] *f* intransigence **intransigeant** *adj* ⟨**-ante** [-ɑ̃t]⟩ intransigent

intransitif [ɛ̃tʀɑ̃zitif] *adj* ⟨**-ive** [-iv]⟩ intransitive

intransmissible [ɛ̃tʀɑ̃smisibl] *adj* JUR non-transferable; BIOL intransmissable

intransportable [ɛ̃tʀɑ̃spɔʀtabl] *adj* untransportable; *malade* unfit to travel

intra-utérin [ɛ̃tʀaytɛʀɛ̃] *adj* ⟨**-ine** [-in]⟩ intrauterine; *sc* in utero **intraveineux** *adj* ⟨**-euse** [-øz]⟩ intravenous

intrépide [ɛ̃tʀepid] *adj* intrepid **intrépidité** *f* boldness

intrigant [ɛ̃tʀigɑ̃] **I** *adj* ⟨**-ante** [-ɑ̃t]⟩ scheming **II** **~(e)** *m(f)* schemer

intrigue [ɛ̃tʀig] *f* **1.** scheme, plot **2.** THÉ plot

intriguer [ɛ̃tʀige] **I** *v/t* to puzzle, to intrigue **II** *v/i* to plot

intrinsèque [ɛ̃tʀɛ̃sɛk] *adj* intrinsic

introducteur [ɛ̃tʀɔdyktœʀ] *m* ***l'~ de qc*** the person who introduced sth

introduction [ɛ̃tʀɔdyksjõ] *f* **1.** introduction; ***lettre*** *f* ***d'~*** letter of introduction **2.** (*préface*) introduction

introduire [ɛ̃tʀɔdɥiʀ] ⟨→ **conduire**⟩ **I** *v/t* **1.** *personne* to introduce (***auprès de qn*** to sb); *dans un club*, *milieu* to introduce **2.** *objet*, *pièce* to insert **3.** *mode*, *produit* to start **II** *v/pr* ***s'introduire*** to gain entry (***dans*** to)

intronisation [ɛ̃tʀɔnizasjõ] *f* enthronement **introniser** *v/t* to enthrone

introspection [ɛ̃tʀɔspɛksjõ] *f* introspection

introuvable [ɛ̃tʀuvabl] *adj* ***être ~*** *personne* to be nowhere to be found; COMM to be impossible to get hold of

introversion [ɛ̃tʀɔvɛʀsjõ] *f* introversion

introverti [ɛ̃tʀɔvɛʀti] *adj* ⟨**~e**⟩ introverted

intrus [ɛ̃tʀy] *m*, **intruse** [-yz] *f* intruder

intrusion [ɛ̃tʀyzjõ] *f* intrusion (***dans*** into); ***faire ~ dans*** *réunion* to interrupt; *vie privée* to intrude on

intuitif [ɛ̃tɥitif] *adj* ⟨**-ive** [-iv]⟩ intuitive

intuition [ɛ̃tɥisjõ] *f* intuition; (*pressentiment*) premonition; ***avoir de l'~*** to be intuitive

inusable [inyzabl] *adj* extremely hard-wearing

inusité [inyzite] *adj* ⟨**~e**⟩ (*inexistant*) not used; (*rare*) uncommon

▶ **inutile** [inytil] *adj* useless; *efforts* futile; *mesure* ineffective; ***il est ~ de*** *+inf* there's no point in (*+ v-ing*)

inutilement [inytilmɑ̃] *adv* unnecessarily

inutilisable [inytilizabl] *adj* unusable

inutilisé [inytilize] *adj* ⟨**~e**⟩ unused

inutilité [inytilite] *f* uselessness

invaincu [ɛ̃vɛ̃ky] *adj* ⟨**~e**⟩ undefeated

invalidation [ɛ̃validasjõ] *f* invalidation

invalide [ɛ̃valid] **I** *adj* **1.** JUR invalid **2.** MÉD disabled **II** *m/f* disabled person **invalider** *v/t* to invalidate **invalidité** *f* disability

invariabilité [ɛ̃vaʀjabilite] *f* invariability **invariable** *adj* invariable

invasion [ɛ̃vazjõ] *f* invasion

invective [ɛ̃vɛktiv] *f* abuse (+ *v sg*) **invectiver** *v/t* to hurl abuse at

invendable [ɛ̃vɑ̃dabl] *adj* unsaleable

invendu [ɛ̃vɑ̃dy] **I** *adj* ⟨**~e**⟩ unsold **II** *mpl* ***~s*** unsold items

inventaire [ɛ̃vɑ̃tɛʀ] *m opération* stocktaking; COMM stocklist, inventory; *liste* list; ***faire l'~ de qc*** to draw up an inventory of sth

▶ **inventer** [ɛ̃vɑ̃te] **I** *v/t* to invent **II** *v/pr* ***ça ne s'invente pas*** you couldn't make it up if you tried

inventeur [ɛ̃vɑ̃tœʀ] *m*, **inventrice** [-tʀis] *f* inventor

inventif [ɛ̃vɑ̃tif] *adj* ⟨**-ive** [-iv]⟩ inventive

▶ **invention** [ɛ̃vɑ̃sjõ] *f* **1.** invention **2.** *don* inventiveness

inventivité [ɛ̃vɑ̃tivite] *f* inventiveness

inventorier [ɛ̃vɑ̃tɔʀje] *v/t* to list; COMM, JUR to make an inventory of

invérifiable [ɛ̃veʀifjabl] *adj* unverifiable

inverse [ɛ̃vɛʀs] **I** *adj* opposite **II** *m* **1.** opposite; ***il fait l'~ de ce qu'on lui dit*** he does the opposite of what you tell him **2.** ***à l'~*** conversely; ***à l'~ de*** unlike, contrary to

inversement [ɛ̃vɛʀsəmɑ̃] *adv* conversely; MATH inversely; ***~ proportionnel*** in inverse proportion (***à*** to)

inverser [ɛ̃vɛʀse] *v/t* to reverse (*a* ÉLEC)

inversible [ɛ̃vɛʀsibl] *adj* PHOT ***film*** *m* ***~*** reversible film

inversion [ɛ̃vɛʀsjõ] *f* **1.** reversal **2.** GRAM inversion

invertébrés [ɛ̃vɛʀtebʀe] *mpl* invertebrates

investigateur [ɛ̃vɛstigatœʀ] *m*, **investigatrice** [-tʀis] *f* investigator

investigation [ɛ̃vɛstigasjõ] *f* investigation

investir [ɛ̃vɛstiʀ] *v/t* **1.** ÉCON to invest (***dans*** in) *a fig* **2.** ***~ qn (d'une charge)*** to induct sb; ***~ qn de pouvoirs*** to confer power on sb **3.** MIL to surround

investissement [ɛ̃vɛstismɑ̃] *m* investment **investisseur** *m* investor

investiture [ɛ̃vɛstityʀ] *f* POL *d'un candidat* nomination

invétéré [ɛ̃veteʀe] *adj* ⟨**~e**⟩ inveterate; ***alcoolique ~*** habitual drinker

invincible [ɛ̃vɛ̃sibl] *adj* **1.** invincible **2.** *fig* irrefutable

inviolabilité [ɛ̃vjɔlabilite] *f* JUR inviolability; POL immunity **inviolable** *adj* JUR inviolable; (*imprenable*) impregnable

invisibilité [ɛ̃vizibilite] *f* invisibility **invisible** *adj* invisible

▶ **invitation** [ɛ̃vitasjõ] *f* **1.** invitation (***à*** to) **2.** (*incitation*) invitation

invite [ɛ̃vit] *f* invitation; INFORM prompt

▶ **invité(e)** [ɛ̃vite] *m(f)* guest

▶ **inviter** [ɛ̃vite] *v/t* **1.** (*convier*) to invite; ***~ qn au cinéma, à dîner*** to invite sb to the cinema, to dinner; ***~ qn à danser*** to ask sb to dance **2.** (*inciter*) ***~ qn à*** +*inf* to incite sb +*inf*

in vitro [invitʀo] ***fécondation*** *f* ***~*** in vitro fertilization

invivable [ɛ̃vivabl] *adj* unbearable; *personne* insufferable

invocation [ɛ̃vɔkasjõ] *f* REL invocation

involontaire [ɛ̃vɔlõtɛʀ] *adj* involuntary

invoquer [ɛ̃vɔke] *v/t* **1.** REL to invoke **2.** (*avoir recours à*) to call on; *argument* to put forward; *excuse* to offer

invraisemblable [ɛ̃vʀɛsɑ̃blabl] *adj* **1.** *histoire*, *etc* unlikely **2.** *tenue*, *etc* extraordinary **invraisemblance** *f* improbability

invulnérabilité [ɛ̃vylneʀabilite] *f* invulnerability **invulnérable** *adj* invulnerable

iode [jɔd] *m* iodine; ***phare*** *m* ***à ~*** quartz-iodine lamp

iodé [jɔde] *adj* ⟨**~e**⟩ iodized

ion [jõ] *m* ion

ionique [jɔnik] *adj* ARCH Ionic

iota [jɔta] *m lettre* iota; *fig* ***sans changer un ~*** without changing a thing

iPod® *m* iPod®

irai [iʀɛ], **ira(s)** [iʀa], *etc* → ***aller***[1]

Irak [iʀak] → ***Iraq***

irakien [iʀakjɛ̃] → ***iraq(u)ien***

Iran [iʀɑ̃] ***l'~*** *m* Iran

iranien [iʀanjɛ̃] **I** *adj* ⟨**-ienne** [-jɛn]⟩ Iranian **II** ***Iranien(ne)*** *m(f)* Iranian

Iraq [iʀak] ***l'~*** *m* Iraq

iraq(u)ien [iʀakjɛ̃] **I** *adj* ⟨**-ienne** [-jɛn]⟩ Iraqi **II** ***Iraq(u)ien(ne)*** *m(f)* Iraqi

irascible [iʀasibl] *adj* short-tempered
iridié [iʀidje] *adj* ⟨**~e**⟩ TECH ***platine ~*** platiniridium
iris [iʀis] *m* **1.** BOT iris **2.** ANAT iris
irisé [iʀize] *adj* ⟨**~e**⟩ iridescent
▶ **irlandais** [iʀlɑ̃dɛ] **I** *adj* ⟨**-aise** [-ɛz]⟩ Irish **II** ***Irlandais(e)*** *m(f)* Irishman, Irishwoman
▶ **Irlande** [iʀlɑ̃d] ***l'~*** *f* Ireland; ***l'~ du Nord*** Northern Ireland
ironie [iʀɔni] *f* irony; ***l'~ du sort*** the irony of fate
▶ **ironique** [iʀɔnik] *adj* ironic **ironiser** *v/i* to be sarcastic **ironiste** *m* ironist
iroquois [iʀɔkwa] **I** *adj* ⟨**-oise** [-waz]⟩ Iroquois **II** ***Iroquois(e)*** *m(f)* Iroquois
irradiation [iʀadjasjõ] *f* MÉD, NUCL irradiation
irradier [iʀadje] **I** *v/t* MÉD, NUCL ***~ qn, qc*** to irradiate sb, sth; *accidentellement* to expose sb, sth to radiation **II** *v/i douleur* to radiate (***dans*** to)
irraisonné [iʀɛzɔne] *adj* ⟨**~e**⟩ irrational
irrationalisme [iʀasjɔnalism] *m* irrationalism **irrationalité** *f* irrationality
irrationnel [iʀasjɔnɛl] *adj* ⟨**~le**⟩ irrational (*a* MATH)
irréalisable [iʀealizabl] *adj* unrealizable, unachievable
irréalisme [iʀealism] *m* lack of realism **irréaliste** *adj* unrealistic **irréalité** *f* unreality
irrecevable [iʀəsəvabl] *adj* **1.** JUR inadmissable **2.** *fig* unacceptable
irréconciliable [iʀekõsiljabl] *adj* irreconcilable
irrécouvrable [iʀekuvʀabl] *adj créance* irrecoverable
irrécupérable [iʀekypeʀabl] *adj* **1.** *déchets* unrecyclable **2.** *personne* beyond redemption
irrécusable [iʀekyzabl] *adj* **1.** JUR unimpeachable **2.** *preuve* irrefutable
irréductible [iʀedyktibl] *adj* **1.** *personne* uncompromising **2.** MATH *fraction* irreducible
irréel [iʀeɛl] *adj* ⟨**~le**⟩ unreal
irréfléchi [iʀefleʃi] *adj* ⟨**~e**⟩ rash, ill-considered; *personne* impulsive
irréflexion [iʀeflɛksjõ] *f* impulsiveness
irréfragable [iʀefʀagabl] *adj preuve, alibi* indisputable
irréfutable [iʀefytabl] *adj* irrefutable
irrégularité [iʀegylaʀite] *f* irregularity
irrégulier [iʀegylje] *adj* ⟨**-ière** [-jɛʀ]⟩ **1.** irregular (*a* GRAM) **2.** (*illégal*) irregular, unauthorized **3.** *personne* erratic
irrégulièrement [iʀegyljɛʀmɑ̃] *adv* irregularly
irréligieux [iʀeliʒjø] *adj* ⟨**-euse** [-øz]⟩ irreligious **irréligion** *f* irreligion
irrémédiable [iʀemedjabl] *adj mal* incurable; *perte* irreparable
irrémissible [iʀemisibl] *st/s adj* unpardonable
irremplaçable [iʀɑ̃plasabl] *adj* irreplaceable
irréparable [iʀeparabl] *adj* **1.** *objet* beyond repair **2.** *faute* irreparable
irrépréhensible [iʀepʀeɑ̃sibl] *st/s adj* irreproachable
irrépressible [iʀepʀɛsibl] *adj* irrepressible
irréprochable [iʀepʀɔʃabl] *adj conduite, personne* irreproachable; *travail, tenue, goût* impeccable
irrésistible [iʀezistibl] *adj* **1.** irresistible **2.** (*très amusant*) hilarious
irrésolu [iʀezɔly] *adj* ⟨**~e**⟩ *personne* indecisive; *problème* unresolved **irrésolution** *f* indecisiveness
irrespect [iʀɛspɛ] *m* disrespect, lack of respect
irrespectueux [iʀɛspɛktɥø] *adj* ⟨**-euse** [-øz]⟩ disrespectful
irrespirable [iʀɛspiʀabl] *adj* **1.** *air* unbreathable; *trop chaud* stifling **2.** *fig atmosphère* unbearable
irresponsabilité [iʀɛspõsabilite] *f* **1.** *morale* irresponsibility **2.** JUR non-accountability **3.** POL immunity
irresponsable [iʀɛspõsabl] *adj* **1.** irresponsible **2.** JUR not legally capable **3.** POL immune
irrétrécissable [iʀetʀesisabl] *adj tissu* shrink-resistant
irrévérence [iʀeveʀɑ̃s] *st/s f* irreverence **irrévérencieux** *adj* ⟨**-euse** [-øz]⟩ irreverent
irréversible [iʀevɛʀsibl] *adj* irreversible
irrévocable [iʀevɔkabl] *adj* irrevocable
irrigation [iʀigasjõ] *f* **1.** AGR irrigation **2.** MÉD irrigation
irriguer [iʀige] *v/t* **1.** AGR to irrigate **2.** MÉD to irrigate
irritabilité [iʀitabilite] *f* irritability **irritable** *adj* irritable **irritant** *adj* ⟨**-ante** [-ɑ̃t]⟩ irritating, annoying
irritation [iʀitasjõ] *f* **1.** (*colère*) annoyance, irritation **2.** MÉD irritation
irrité [iʀite] *adj* ⟨**~e**⟩ **1.** *geste, regard, personne* irritated **2.** MÉD irritated

irriter [iʀite] **I** *v/t* **1.** ~ ***qn*** to annoy sb, to irritate sb **2.** MÉD to irritate **II** *v/pr* ***s'~ contre qn, de qc*** to get annoyed with sb, sth

irruption [iʀypsjõ] *f* irruption; MIL storming; *fig* upsurge; ***faire ~*** to burst (***dans*** into)

islam [islam] *m* Islam **islamique** *adj* Islamic **islamisation** *f* Islamization **islamiser** *v/t* to Islamize **islamisme** *m* Islamism **islamiste I** *adj* Islamist **II** *m* Islamist

islandais [islɑ̃dɛ] **I** *adj* ⟨**-aise** [-ɛz]⟩ Icelandic **II** *m langue* Icelandic **III** ***Islandais(e)*** *m(f)* Icelander

Islande [islɑ̃d] ***l'~*** *f* Iceland

isocèle [izɔsɛl] *adj* isosceles

isolable [izɔlabl] *adj* isolatable

isolant [izɔlɑ̃] **I** *adj* ⟨**-ante** [-ɑ̃t]⟩ insulating **II** *m* insulating material **isolateur** *m* insulator **isolation** *f* CONSTR, ÉLEC insulation

isolationnisme [izɔlasjɔnism] *m* isolationism

isolé [izɔle] *adj* ⟨**~e**⟩ **1.** *endroit* remote **2.** *arbre, bâtiment* isolated, lone **3.** (*individuel*) isolated; ***cas ~*** isolated case **4.** *personne* isolated (***de*** from); *tireur, activiste* lone

isolement [izɔlmɑ̃] *m* **1.** *éloignement* remoteness; *d'une personne* isolation **2.** *d'un malade, d'un détenu* isolation **3.** CONSTR, ÉLEC insulation

isolément [izɔlemɑ̃] *adv* separately, in isolation

isoler [izɔle] **I** *v/t* **1.** to insulate (*a* TECH, ÉLEC) **2.** *malade* to isolate **3.** *fait* to single out **II** *v/pr* ***s'isoler*** to isolate o.s (***de qn*** from sb); to cut o.s. off

isoloir [izɔlwaʀ] *m* voting booth, *brit* polling booth

isotherme [izɔtɛʀm] *adj* **1.** ***sac*** *m* **~** cool bag **2.** MÉTÉO (***ligne*** *f*) **~** *f* isotherm

isotope [izɔtɔp] *m* isotope

Israël [isʀaɛl] Israel

israélien [isʀaeljɛ̃] **I** *adj* ⟨**-ienne** [-jɛn]⟩ Israeli **II** ***Israélien(ne)*** *m(f)* Israeli

israélite [isʀaelit] **I** *adj* Jewish **II** *m/f* Jew

israélo-arabe [isʀaeloaʀab] *adj* Arab-Israeli

issu [isy] *adj* ⟨**~e**⟩ ***être ~(e) de*** *personne* to come from; *fig* to result from, to stem from

issue [isy] *f* **1.** (*sortie*) exit; ***~ de secours*** emergency exit; ***voie*** *f* ***sans ~*** dead end **2.** *fig* (*solution*) solution (***à*** to); ***sans ~*** hopeless; ***une situation sans ~*** an impasse **3.** *fig* (*fin*) outcome; ***à l'~ de*** at the end of

isthme [ism] *m* isthmus

italianiser [italjanize] *v/t* to Italianize

italianisme *m* Italianism

▶ **Italie** [itali] ***l'~*** *f* Italy

▶ **italien** [italjɛ̃] **I** *adj* ⟨**-ienne** [-jɛn]⟩ Italian **II** *m langue* Italian **III** ***Italien(ne)*** *m(f)* Italian

italique [italik] *m* italics (+ *v pl*); ***en ~*** in italics

item [itɛm] **I** *adv* COMM ditto **II** *m* item

itératif [iteʀatif] *adj* ⟨**-ive** [-iv]⟩ GRAM iterative

itinéraire [itineʀɛʀ] *m* route, itinerary

itinérant [itineʀɑ̃] *adj* ⟨**-ante** [-ɑ̃t]⟩ *main-d'œuvre* itinerant; *spectacle* touring; *musicien, artiste* traveling

itou [itu] *adv plais* ***et moi ~*** me too

I.U.T. [iyte] *m, abr* ⟨*inv*⟩ (= **institut universitaire de technologie**) *university institute of technology*

I.V.G. [iveʒe] *f, abr* ⟨*inv*⟩ (= **interruption volontaire de grossesse**) MÉD termination

ivoire [ivwaʀ] *m* **1.** ivory **2.** ANAT dentine

ivoirien [ivwaʀjɛ̃] **I** *adj* ⟨**-ienne** [-jɛn]⟩ of the Ivory Coast **II** ***Ivoirien(ne)*** *m(f)* inhabitant of the Ivory Coast

▶ **ivre** [ivʀ] *adj* **1.** drunk; ***~ mort*** dead drunk **2.** *fig* ***~ de joie, rage*** beside o.s with happiness, rage; ***~ de pouvoir*** drunk on power

ivresse [ivʀɛs] *f* **1.** drunkenness **2.** *fig* euphoria

ivrogne [ivʀɔɲ] *m/f* drunk

ivrognerie [ivʀɔɲʀi] *f* drunkenness

ivrognesse [ivʀɔɲɛs] *fam f* drunken woman

J

J, j [ʒi] *m* ⟨*inv*⟩ J; ***le jour J*** D-day
j' [ʒ] → ***je***
jabot [ʒabo] *m* **1.** ZOOL crop **2.** COUT ruffle
jacasser [ʒakase] *v/i* **1.** *pie* to chatter **2.** *fig* to chatter, to prattle
jacasserie [ʒakasʀi] *fam f* chatter (+ *v sg*), prattle (+ *v sg*) **jacasseur** *fam adj* ⟨**-euse** [-øz]⟩ chattering
jachère [ʒaʃɛʀ] *f champ* fallow land; ***en ~*** (lying) fallow
jacinthe [ʒasɛ̃t] *f* hyacinth
jacobin [ʒakɔbɛ̃] *m* HIST Jacobin
jacobinisme [ʒakɔbinism] *m* Jacobinism
jacquard [ʒakaʀ] *m* TEXT **1.** *tissu* jacquard **2.** *métier* jacquard loom
jacquerie [ʒakʀi] *f* HIST peasants' revolt
Jacques [ʒak] *m* **1.** *prénom* James **2.** *fam* ***faire le ~*** to fool around
jactance [ʒaktɑ̃s] *f* **1.** *litt* (*vanité*) conceit **2.** *fam* (*bavardage*) chattering (+ *v sg*)
jacter [ʒakte] *v/i fam* to chatter
jacuzzi® [ʒakyzi] *m* jacuzzi®
jade [ʒad] *m* jade
jadis [ʒadis] *adv* in bygone days
jaguar [ʒagwaʀ] *m* jaguar
jaillir [ʒajiʀ] *v/i* **1.** *liquide* to spurt, to gush (***de*** from); *flammes* to shoot up; *étincelles* to fly **2.** *fig idées* to come thick and fast
jaillissant [ʒajisɑ̃] *adj* ⟨**-ante** [-ɑ̃t]⟩ gushing, spurting
jaillissement [ʒajismɑ̃] *m* **1.** *d'un liquide* gushing (+ *v sg*), spurting (+ *v sg*); *d'une flamme* spurting (+ *v sg*); *d'étincelles* shooting (+ *v sg*); ÉLEC surge; *de la lumière* burst **2.** *fig de la vérité* outpouring
jais [ʒɛ] *m* jet; *fig* ***de ~*** jet *épith*
jaja [ʒaʒa] *m arg* (*vin*) wine
jalon [ʒalõ] *m* marker; *fig* milestone; ***poser des ~s*** to pave the way (***de qc*** for sth)
jalonnement [ʒalɔnmɑ̃] *m du terrain* marking
jalonner [ʒalɔne] *v/t* **1.** *terrain* to mark out **2.** (*border*) to line; *fig* ***jalonné de*** *échecs, événements* punctuated by
jalousement [ʒaluzmɑ̃] *adv* → ***jaloux***; ***garder ~ un secret*** to guard a secret jealously
jalouser [ʒaluze] *v/t* to be jealous of
jalousie [ʒaluzi] *f* **1.** (*envie*) jealousness **2.** *en amour* possessiveness **3.** TECH Venetian blind
▶ **jaloux** [ʒalu] *adj* ⟨**jalouse** [ʒaluz]⟩ **1.** (*envieux*) jealous, envious (***de qn, qc*** of sb, sth); *subst* ***faire des ~*** to make people jealous **2.** *en amour* possessive (***de qn*** of sb) **3.** (*très attaché à*) ***être ~ de qc*** to guard sth jealously
Jamaïque [ʒamaik] ***la ~*** Jamaica
▶ **jamais** [ʒamɛ] *adv* **1.** *avec 'ne'* never; ***je ne l'oublierai ~*** I'll never forget it; ***ne … plus ~*** *ou* ***ne … ~ plus*** never … again; ***ce n'est ~ qu'une histoire*** it's only a story; ***~ de la vie!*** not on your life!; ***il n'en fait ~ d'autres*** he's always doing stupid things; ***on ne sait ~*** you never know **2.** *sens positif* ever; ***pire que ~*** worse than ever; ***si ~ je te revois*** if I ever see you again; ***à (tout) ~*** for ever; ***sans ~*** *+inf* without ever (+ *v-ing*)
jambage [ʒɑ̃baʒ] *m de lettres* descender
▶ **jambe** [ʒɑ̃b] *f* leg; *s'enfuir* ***à toutes ~s*** at top speed; *fig* ***faire qc par-dessous*** *ou* ***par-dessus la ~*** to do sth in a careless manner; *fig* ***j'avais les ~s en coton*** my legs were like jelly; *fam, fig* ***cela me fait une belle ~!*** much good that does me! *fam*; *fig* ***prendre ses ~s à son cou*** to take to one's heels; *fig* ***tenir la ~ à qn*** to drone on at sb; ***traîner la ~*** to limp; *fig* to drag one's heels
jambière [ʒɑ̃bjɛʀ] *f* **1.** SPORT shin pad **2.** *en laine* legwarmer
▶ **jambon** [ʒɑ̃bõ] *m* ham (*a fam, fig cuisse*); ***~ de Bayonne*** Bayonne ham
jambonneau [ʒɑ̃bɔno] *m* ⟨**~x**⟩ knuckle of ham
jansénisme [ʒɑ̃senism] *m* REL Jansenism; *par ext* puritanism
janséniste [ʒɑ̃senist] **I** *adj* REL Jansenist; *par ext* puritan **II** *m/f* Jansenist
jante [ʒɑ̃t] *f* AUTO rim
▶ **janvier** [ʒɑ̃vje] *m* January
▶ **Japon** [ʒapõ] ***le ~*** Japan
▶ **japonais** [ʒapɔnɛ] **I** *adj* ⟨**-aise** [-ɛz]⟩ Japanese **II** *m langue* Japanese **III** ***Japonais(e)*** *m(f)* Japanese man, woman
japonaiserie [ʒapɔnɛzʀi] *f style* japonaiserie; *bibelot* Japanese curio
japonisant [ʒapɔnizɑ̃] *m*, **japonisante**

[-ɑ̃t] *f* expert on Japan
jappement [ʒapmɑ̃] *m* yap **japper** *v/i* to yap
jaquette [ʒakɛt] *f* **1.** *pour hommes* morning coat; *pour femmes* jacket **2.** *d'un livre* dust jacket **3.** *d'une dent* crown
▶ **jardin** [ʒaʀdɛ̃] *m* **1.** garden, yard; **~ *ouvrier*** allotment; **~ *public*** park **2.** **~ *d'enfants*** kindergarten
jardinage [ʒaʀdinaʒ] *m* gardening **jardiner** *v/i* to garden
jardinerie [ʒaʀdinʀi] *f* nursery; *brit* garden centre
jardinet [ʒaʀdinɛ] *m* small garden
▶ **jardinier** [ʒaʀdinje] *m* gardener
▶ **jardinière** [ʒaʀdinjɛʀ] *f* **1.** (female) gardener **2.** (*bac à fleurs*) jardinière, planter **3.** CUIS diced mixed vegetables (+ *v pl*)
jargon [ʒaʀgõ] *m* **1.** jargon **2.** *péj* mumbo-jumbo
jarre [ʒaʀ] *f* (earthenware) jar
jarret [ʒaʀɛ] *m* **1.** ANAT ham, back of the knee **2.** CUIS knuckle
jarretelle [ʒaʀtɛl] *f* garter, *brit* suspender
jarretière [ʒaʀtjɛʀ] *f* garter
jars [ʒaʀ] *m* ZOOL gander
jaser [ʒaze] *v/i* (*médire*) to gossip **jaseur** *adj* ⟨**-euse** [-øz]⟩ gossipy
jasmin [ʒasmɛ̃] *m* jasmine
jaspe [ʒasp] *m* jasper
jatte [ʒat] *f* basin, bowl
jauge [ʒoʒ] *f* gauge; **~ *d'essence*** gas gauge, *brit* fuel gauge
jaugeage [ʒoʒaʒ] *m* **1.** *de récipients* measuring **2.** MAR measurement
jauger [ʒoʒe] ⟨**-ge-**⟩ **I** *v/t* **1.** (*mesurer*) to measure **2.** *fig* (*évaluer*) **~ *qn*** to size sb up; **~ *qc*** to weigh sth up **II** *v/i* MAR **~ *10 000 tonneaux*** to have a tonnage of 10,000 tons
jaunâtre [ʒonɑtʀ] *adj* yellowish
▶ **jaune** [ʒon] **I** *adj* yellow **II** *adv fig* ***rire* ~** to give a hollow laugh **III** *m* **1.** *couleur* yellow **2.** **~ *d'œuf*** egg yolk **3.** *péj* strikebreaker; blackleg *péj*
jaunir [ʒoniʀ] **I** *v/t* **~ *qc*** to turn sth yellow **II** *v/i* to turn yellow; *papier* to go yellow
jaunissant [ʒonisɑ̃] *adj* ⟨**-ante** [-ɑ̃t]⟩ *feuillages, papier* yellowing
jaunisse [ʒonis] *f* jaundice; *fam, fig* ***elle va en faire une* ~** that will put her nose out of joint *fam*
jaunissement [ʒonismɑ̃] *m* yellowing
java [ʒava] *f* **1.** *popular type of dance to accordion music* **2.** *fam, fig* ***faire la* ~** to party *fam*
Javel [ʒavɛl] ***eau** f **de** ~* bleach
javelle [ʒavɛl] *f* AGR swath
javellisant [ʒavelizɑ̃] *adj* ⟨**-ante** [-ɑ̃t]⟩ *produit récurant* containing bleach **javellisation** *f* chlorination
javellisé [ʒavelize] *adj* ⟨**~e**⟩ chlorinated
javelliser [ʒavelize] *v/t* to chlorinate
javelot [ʒavlo] *m* **1.** javelin **2.** *discipline* javelin
jazz [dʒaz] *m* jazz
▶ **je** [ʒ(ə)] *pr pers* I; **~ *parle*** I'm speaking; ***j'entends*** I hear
Jean [ʒɑ̃] *m* John
▶ **jean** [dʒin] *m* **1.** *pantalon* **~** *ou pl* **~*s*** [dʒins] jeans (+ *v pl*) **2.** *tissu* denim
Jeanne d'Arc [ʒandaʀk] *f* Joan of Arc; ***coiffure f à la* ~** pageboy cut
Jeep® [dʒip] *f* Jeep®
je-m'en-fichisme [ʒmɑ̃fiʃism] *fam m* casualness; couldn't-care-less attitude *fam*
je-m'en-fichiste [ʒmɑ̃fiʃist] *fam* **I** *adj* casual; devil-may care *épith* **II** *m/f* person with a couldn't-care-less attitude *fam*
je-m'en-foutisme [ʒmɑ̃futism] *fam m* couldn't-give-a damn attitude *fam*
je-m'en-foutiste [ʒmɑ̃futist] *fam* **I** *adj* casual; couldn't-give-a damn *épith fam* **II** *m/f* person with a couldn't-give-a damn attitude *fam*
je-ne-sais-quoi [ʒənsekwa] *m* ⟨*inv*⟩ ***un* ~** a certain something
jérémiades [ʒeʀemjad] *fpl fam* moaning (+ *v sg*)
jerricane *ou* **jerrycan** [(d)ʒeʀikan] *m* jerrycan
jersey [ʒɛʀzɛ] *m* **1.** TEXT jersey **2.** *corsage* jersey knit top; *tricot* sweater
Jersey [ʒɛʀzɛ] Jersey
jésuite [ʒezɥit] **I** *m* Jesuit **II** *adj* **1.** Jesuit **2.** *péj* Jesuitical, casuist
jésuitisme [ʒezɥitism] *m péj, fig* casuistry
Jésus-Christ [ʒezykʀi] *m* Jesus Christ
jet¹ [ʒɛ] *m* **1.** (*action de jeter*) throwing (+ *v sg*) **2.** *d'un fluide* jet; **~ *d'eau*** jet of water **3.** *fig* ***premier* ~** first attempt; ***d'un*** (***seul***) **~** in one go
jet² [dʒɛt] *m* AVIAT jet
jetable [ʒətabl] *adj* disposable
jeté [ʒ(ə)te] *m* **~ *de table*** table runner
jetée [ʒ(ə)te] *f* jetty, pier
▶ **jeter** [ʒ(ə)te] ⟨**-tt-**⟩ **I** *v/t* **1.** (*lancer*) to

throw; *filet*, *ligne de pêche* to cast; *liquide* to pour (***dans*** into); ***~ qc par la fenêtre*** to throw sth out of the window; ***~ des pierres à qn*** to throw stones at sb; *fig* ***~ un regard à qn*** to glance at sb; *fig* ***~ un coup d'œil sur qc*** to have a quick look at sth; ***~ qc à la tête de qn*** to throw sth at sb **2.** ***~ qc*** *pour s'en débarrasser* to throw sth away; (***bon***) ***à ~*** fit for the garbage, *brit* fit for the bin **3.** (*émettre*) *lumière*, *ombre* to cast (***sur*** on); *cri* to give; *étincelles* to give off; *fam* ***en ~*** to be quite something *fam* **4.** (*poser*) *fig* ***~ les bases de qc*** to lay the foundations for sth; ***~ un pont*** to build a bridge (***sur*** over) **II** *v/pr* **1.** ***se ~*** to throw o.s. (***dans le vide*** into the void); ***se ~ de côté*** to leap sideways; ***se ~ aux pieds de qn*** to throw o.s. at sb's feet; ***se ~ sur qn, qc*** to pounce on sb, sth **2.** *fleuve* ***se ~ dans*** to flow into

jeteur [ʒ(ə)tœʀ] *m* ***~ de sort*** wizard

jeton [ʒ(ə)tõ] *m* **1.** token (*a* TÉL); *au jeu* counter; *au poker*, *etc* chip; ***~s de présence*** director's fees **2.** *fam*, *fig* **être un *faux ~*** [foʃtõ] to be two-faced *fam* **3.** *fam* (*coup*) whack *fam* **4.** *fam* ***avoir les ~s*** to be scared stiff *fam*

▶ **jeu** [ʒø] *m* 〈***~x***〉 **1.** game (*a objet*, *fig*); ***~ télévisé*** game show; ***~ de cartes*** card game; ***~ de construction*** construction set; ***~ d'enfant*** children's game; ***~ de mots*** pun; ***~ de piste*** treasure hunt; ***~ de société*** board game; *devinettes*, *charades*, *etc* parlor game; ***perdre une fortune au ~*** to lose a fortune gambling; SPORT ***'hors ~*** offside; *fig* ***avoir beau ~ de faire qc*** to have no trouble doing sth; *fig* ***entrer dans le ~ de qn*** to go along with sb; ***entrer en ~*** *facteur* to come into play; *personne* to intervene; ***ce n'est pas de ~*** that's not fair; *fig* ***être en ~*** to be at stake; *fig* ***faire le ~ de qn*** to play into sb's hands; *fig* ***les ~x sont faits*** there's no going back; ***jouer le ~*** to play the game; *fig* ***se piquer, se prendre au ~*** to get hooked **2.** *adjt fam* ***vieux ~*** old-fashioned **3.** TECH (*série*) set; ***~ de clés*** set of keys **4.** TECH play; ***avoir du ~*** to have some play

▶ **jeudi** [ʒødi] *m* Thursday; ***~ saint*** Maundy Thursday

jeun [ʒɛ̃, ʒœ̃] ***à ~*** on an empty stomach

▶ **jeune** [ʒœn] **I** *adj* **1.** young; ***tout jeune*** very young; ***dès son plus jeune âge*** from his earliest childhood **2.** (*juvénile*) young; ***être jeune de caractère*** to be young at heart; ***ils font jeune(s)*** they look young **II** *m/f* young man, girl; ▶ ***les jeunes*** young people, youngsters

jeûne [ʒøn] *m* fast (*a* REL) **jeûner** *v/i* to fast

▶ **jeunesse** [ʒœnɛs] *f* **1.** *période* youth; ***première ~*** early youth; *prov* ***il faut que ~ se passe*** youth must have its day **2.** (*les jeunes*) young people (+ *v pl*) **3.** *qualité* youthfulness; ***~ d'esprit*** youthful outlook **4.** *plais* ***une ~*** a girl

jeunet [ʒœnɛ] *fam adj* 〈**-ette** [-ɛt]〉 youngish

jeunot [ʒœno] *m fam* ***un petit ~*** a youngster, a young lad

J.O. [ʒio] *mpl*, *abr* (= **Jeux olympiques**) Olympic Games

joaillerie [ʒɔajʀi] *f* **1.** *art* jewelry-making **2.** *magasin* jewelry store, *brit* jeweller's

joaillier [ʒɔaje] *m*, **joaillière** [-jɛʀ] *f* jeweller

job [dʒɔb] *fam m* job

jobard [ʒɔbaʀ] *adj* 〈**-arde** [-aʀd]〉 gullible **jobardise** *f* gullibility

jockey [ʒɔkɛ] *m* jockey

Joconde [ʒɔkõd] ***la ~*** the Mona Lisa

jodler [ʒɔdle] *v/i* to yodel

joggeur [dʒɔgœʀ] *m*, **joggeuse** [-øz] *f* jogger

jogging [dʒɔgiŋ] *m* **1.** *sport* jogging; ***faire du ~*** to go jogging **2.** *vêtement* tracksuit

▶ **joie** [ʒwa] *f* joy; ***~ de vivre*** joie de vivre; *iron* ***les ~s de la voiture*** the joys of motoring; ***à cœur ~*** to one's heart's content; ***s'en donner à cœur ~*** to have a tremendous time; ***faire la ~ de qn*** to delight sb; ***mettre qn en ~*** to delight sb; ***pleurer de ~*** to weep for joy

joignable [ʒwaɲabl] *adj personne* contactable

joindre [ʒwɛ̃dʀ] 〈**je joins** [ʒwɛ̃], **il joint, nous joignons** [ʒwaɲõ]; **je joignais; je joignis; je joindrai; que je joigne; joignant; joint**〉 **I** *v/t* **1.** (*mettre ensemble*) to join; ***~ les mains*** to join hands **2.** (*ajouter*) ***~ qc*** to add sth; *à une lettre* to enclose sth; INFORM to attach sth **3.** ***~ qn*** (*contacter*) to contact sb, to reach sb **II** *v/i planches*, *etc* ***~ bien*** to fit tightly together **III** *v/pr* ***se ~ à qn*** to join sb

joint [ʒwɛ̃] **I** *adj* 〈**jointe** [ʒwɛ̃t]〉 **1.** enclosed (***à*** with); *document* attached, enclosed; ***pièces ~es*** enclosures; ***sauter à pieds ~s*** with both feet together **2.**

INFORM ***fichier ~, pièce ~e*** attachment [əʈtɛtʃmənt] *subst* **II** *m* **1.** TECH (*articulation*) joint; *fig* ***chercher le ~*** to look for the solution **2.** TECH *de robinet, etc* washer; *de tuyauterie* seal; ***~ de culasse*** cylinder head gasket **3.** CONSTR joint **4.** *fam de haschisch* joint
jointif [ʒwɛ̃tif] *adj* ⟨**-ive** [-iv]⟩ butt-jointed
jointure [ʒwɛ̃tyʀ] *f* **1.** ANAT joint **2.** TECH joint
jojo [ʒoʒo] *fam* **I** *adj* ⟨*inv*⟩ ***pas très ~*** not much to look at **II** *m* ***un affreux ~*** a little horror
joker [ʒɔkɛʀ] *m* joker
▶ **joli** [ʒɔli] *adj* ⟨**~e**⟩ **1.** pretty; ***~ comme un cœur*** as pretty as a picture **2.** *fam réussite, résultat* great; ***une ~e somme*** a tidy sum; ***c'est bien ~, mais …*** that's all very well, but … **3.** *iron*; *subst* ***c'est du ~!*** that's just great! *iron*
joliment [ʒɔlimɑ̃] *adv* **1.** prettily **2.** *fam* (*très*) really
jonc [ʒõ] *m* BOT rush
jonchée [ʒõʃe] *f* ***~ de fleurs*** carpet of flowers; *par ext* ***une ~ de papiers*** *etc* ***par terre*** papers *etc* strewn all over the floor
joncher [ʒõʃe] *v/t* **1.** to strew (***de*** with) **2.** *objets* to litter (***le sol*** the ground); ***jonché de*** *fleurs* strewn with; *objets* littered with
jonchet [ʒõʃɛ] *m* spillikin
jonction [ʒõksjõ] *f* junction
jongler [ʒõgle] *v/i* to juggle (***avec*** with; *a fig*) **jongleur** *m*, **jongleuse** *f* juggler
jonque [ʒõk] *f* MAR junk
jonquille [ʒõkij] *f* daffodil
Jordanie [ʒɔʀdani] ***la ~*** Jordan
jordanien [ʒɔʀdanjɛ̃] **I** *adj* ⟨**-ienne** [-jɛn]⟩ Jordanian **II** ***Jordanien(ne)*** *m(f)* Jordanian
jouable [ʒwabl] *adj* **1.** MUS playable; *pièce de théâtre* which can be performed **2.** (*possible*) feasible
▶ **joue** [ʒu] *f* cheek; ***mettre qn en ~*** to take aim at sb; ***tenir qn en ~*** to keep sb in one's sights
▶ **jouer** [ʒwe] **I** *v/t* **1.** to play (*a* MUS, THÉ); *carte, couleur* to play; *somme* to bet (***sur*** on); *fig réputation* to stake; *film* to show; *pièce* to perform; MUS ***~ qc à qn*** to play sth to sb **2.** *fig étonnement, etc* to feign; ***~ les innocents***, *etc* to play the innocent, *etc.* **II** *v/i et v/t indir* **1.** to play; ***à qui de ~?*** whose turn is it?; *fig* ***bien joué!*** well done!; ***~ aux cartes, aux échecs***, *etc* to play cards, chess, *etc.*; ***~ au football, au tennis***, *etc* to play football, tennis, *etc*; ***~ aux courses*** to bet on the races; ***~ de la flûte, du piano***, *etc* to play the flute, piano, *etc.*; ***~ sur les mots*** to play on words **2.** (*utiliser*) ***~ de qc*** to use sth; ***~ de son charme*** to use one's charm **3.** (*entrer en jeu*) to come into play; ***faire ~ ses relations*** to use one's connections **III** *v/pr* ***se jouer*** **1.** MUS to be played; THÉ to be performed; *fig drame* to unfold; *avenir* to be at stake, to be hanging in the balance **2.** ***se ~ de qn*** to deceive sb; ***se ~ des difficultés*** to make light of the difficulties
▶ **jouet** [ʒwɛ] *m* **1.** toy; ***~s*** *pl* toys **2.** *fig* ***être le ~ de*** to be the victim of
▶ **joueur** [ʒwœʀ], **joueuse** [ʒwøz] **I** *m/f* MUS player; SPORT player; ***il est beau, mauvais joueur*** he's a good, bad sport **II** *adj enfant, chat* playful
joufflu [ʒufly] *adj* ⟨**~e**⟩ chubby-cheeked
joug [ʒu] *m* yoke *a fig*
jouir [ʒwiʀ] **I** *v/t indir* **jouir de qc 1.** (*posséder*) to have **2.** (*tirer plaisir de*) to enjoy **3.** JUR *droit* to enjoy; *bien* to enjoy the use of **II** *v/i sexuellement* to have an orgasm; to come *fam*
jouissance [ʒwisɑ̃s] *f* **1.** (*plaisir*) pleasure **2.** JUR use
jouisseur [ʒwisœʀ] *m*, **jouisseuse** [-øz] *f* pleasure-seeker
joujou [ʒuʒu] *m* ⟨**~x**⟩ *enf* **1.** toy **2.** ***faire ~*** to play
joule [ʒul] *m* PHYS joule
▶ **jour** [ʒuʀ] *m* **1.** day; ***~ de l'An*** New Year's Day; ***~ de fête*** legal holiday, *brit* bank holiday; ***~ de semaine, de travail*** weekday; ***beau comme le ~*** very good-looking; ***(pendant) le ~*** during the day; ***l'autre ~*** the other day; ***un ~*** one day; ***un ~ ou l'autre*** one of these days; ***un ~ sur deux, tous les deux ~s*** every other day; ***ces ~s-ci*** these days; ***un de ces ~s*** one of these days; ***tous les ~s*** *ou* ***chaque ~*** every day; ***à ~*** up to date; ***mettre à ~*** to update; ***~ après ~*** day in day out; ***de ~*** by day; ***de ~ en ~*** daily, from one day to the next; ***de nos ~s*** nowadays; ***du ~ au lendemain*** overnight; ***du ~ où …*** from the day that …; ***deux vols par ~*** two flights a day; ***~ pour ~*** to the day; ***être comme le ~ et la nuit*** to be as different as night

and day; ***vivre au ~ le ~*** to live from day to day; *fig* to live from hand to mouth **2.** (*clarté*) daylight; ***faux ~*** false light; ***au ~*** in daylight; *fig* ***faire qc au grand ~*** to do sth openly; ***au petit ~*** at daybreak; *fig* ***sous un ~ favorable*** in a favorable light; *fig* ***se montrer sous son vrai ~*** to show one's true colors; ***il fait ~*** it's light; *fig* ***se faire ~*** *vérité* to emerge; *idée* to dawn; *fig* ***voir le ~*** *personne* to be born; *idée, mode* to appear **3.** (*vie*) ***~s*** *pl* days; ***donner le ~ à un enfant*** to give birth to a child; ***finir ses ~s à la campagne*** to end one's days in the country **4.** COUT ***~s*** *pl* openwork (+ *v sg*)

▶ **journal** [ʒuʀnal] *m* ⟨**-aux** [-o]⟩ **1.** *publication* newspaper; (*périodique*) journal **2.** ***~ télévisé*** television news **3.** ***~*** (***intime***) journal, diary; ***~ vidéo*** video diary; ***~ de voyage*** travel journal

journalier [ʒuʀnalje] **I** *adj* ⟨**-ière** [-jɛʀ]⟩ daily **II** *m* day laborer

journalisme [ʒuʀnalism] *m* journalism

▶ **journaliste** [ʒuʀnalist] *m/f* journalist

journalistique *adj* journalistic

▶ **journée** [ʒuʀne] *f* **1.** (*jour*) day; ***toute la ~*** all day; ***des ~s entières*** for days on end; ***à la ~*** on a daily basis **2.** ***une ~*** (***de travail***) a working day; ***~ continue*** continuous working day; ***faire la ~ continue*** *employé* to work through one's lunch break; *magasin* to stay open at lunchtime

journellement [ʒuʀnɛlmɑ̃] *adv* every day

joute [ʒut] *f* **1.** joust; ***~ sur l'eau*** water jousting **2.** *fig* ***~ oratoire*** debate

jouvence [ʒuvɑ̃s] *f* ***fontaine*** *f* ***de ~***, *fig* ***a bain*** *m* ***de ~*** fountain of youth

jouvenceau [ʒuvɑ̃so] *m* ⟨**~x**⟩ *plais* youngster

jovial [ʒɔvjal] *adj* ⟨**~e; -aux** [-o] *od* **-als**⟩ jovial **jovialité** *f* joviality

joyau [ʒwajo] *m* ⟨**~x**⟩ jewel, gem; *fig* jewel

▶ **joyeux** [ʒwajø] *adj* ⟨**-euse** [-øz]⟩ cheerful

joystick [dʒɔjstik] *m* joystick

jubé [ʒybe] *m* ARCH rood screen

jubilation [ʒybilasjõ] *f* jubilation

jubilé [ʒybile] *m* jubilee

jubiler [ʒybile] *v/i* to be jubilant; *méchamment* to gloat

juché [ʒyʃe] *adj* ⟨**~e**⟩ perched

jucher [ʒyʃe] **I** *v/t* to perch **II** *v/pr* ***se ~ sur qc*** to perch on sth

juchoir [ʒyʃwaʀ] *m* perch

judaïque [ʒydaik] *adj* Judaic

judaïsme [ʒydaism] *m* Judaism

judas [ʒyda] *m* *d'une porte* peephole

judiciaire [ʒydisjɛʀ] *adj* judicial; ***police*** *f* ***~*** *French criminal investigations department*

judicieusement [ʒydisjøzmɑ̃] *adv* → ***judicieux***

judicieux [ʒydisjø] *adj* ⟨**-euse** [-øz]⟩ judicious

judo [ʒydo] *m* judo

judoka [ʒydɔka] *m/f* judoka

▶ **juge** [ʒyʒ] *m/f* JUR judge; ***~ d'instruction*** committing magistrate, *brit* examining magistrate; SPORT ***~ de touche*** linesman; ***~ pour enfants*** children's judge

jugé [ʒyʒe] *m* ***au ~*** at a guess

▶ **jugement** [ʒyʒmɑ̃] *m* **1.** judgement; JUR (*verdict*) sentence; REL ***le Jugement dernier*** the Last Judgement; ***~ de valeur*** value judgement; JUR ***~ par défaut*** judgement in absentia; ***prononcer, rendre un ~*** to pass sentence **2.** *faculté* judgement; ***manquer de ~*** to lack judgement

jugeote [ʒyʒɔt] *f fam* common sense

juger [ʒyʒe] ⟨**-ge-**⟩ **I** *v/t* **1.** JUR to try; ▶ ***être jugé*** to stand trial; ***force*** *f* ***de chose jugée*** res judicata **2.** *fig* to judge (*abs ou* ***qn, qc*** sb, sth) **3.** (*considérer*) *avec adj* ***~ nécessaire de faire qc*** to consider it necessary to do sth **II** *v/t indir* ***~ de*** to judge; *la joie, surprise de qn* to imagine; ***à en ~ par sa réaction ...*** judging by his / her reaction ... **III** *m* → ***jugé***

jugulaire [ʒygylɛʀ] **I** *adj* ANAT ***veines*** *fpl* ***~s*** jugular veins **II** *f* chinstrap

juguler [ʒygyle] *v/t* to curb, to check

▶ **juif** [ʒɥif] **I** *adj* ⟨**juive** [ʒɥiv]⟩ Jewish **II** ***~, juive*** *m/f* Jew

▶ **juillet** [ʒɥijɛ] *m* July; ***le quatorze Juillet*** Bastille Day, the Fourteenth of July

▶ **juin** [ʒɥɛ̃] *m* June

le quatorze Juillet

French holiday celebrating the storming of the **Bastille**, a notorious prison in Paris, during the French Revolution in 1789. Also known as Bastille Day, celebrations are marked especially by firework displays in the evening.

jujube [ʒyʒyb] *m* jujube
juke-box [(d)ʒukbɔks] *m* ⟨*inv*⟩ jukebox
julienne [ʒyljɛn] *f* ~ ***de légumes*** julienne vegetables (+ *v pl*)
jumbo(-jet) [dʒœmbo(dʒɛt)] *m* ⟨**jumbo-jets**⟩ jumbo jet
jumeau [ʒymo] **I** *adj* ⟨**-elle** [-ɛl]; **~x**⟩ twin *épith*; ***frère~, sœur jumelle*** twin brother, sister; ***lits ~x*** twin beds **II** ~ *m* ⟨**~x**⟩, ***jumelle*** *f* twin; ***~x, jumelles*** twins; ***vrais, faux ~x*** identical, fraternal twins
jumelage [ʒymlaʒ] *m* twinning
jumelé [ʒymle] *adj* ⟨**~e**⟩ double; ***pari ~*** dual forecast; ***villes ~es*** sister cities, *brit* twin(ned) towns
jumeler [ʒymle] *v/t* ⟨**-ll-**⟩ to twin
jumelles [ʒymɛl] *fpl* **1.** binoculars; ***~ de théâtre*** opera glasses **2.** → ***jumeau***
jument [ʒymɑ̃] *f* mare
jumping [dʒœmpiŋ] *m* show jumping
jungle [ʒɛ̃gl, ʒœ̃-] *f* jungle
junior [ʒynjɔʀ] **I** *adj* SPORT junior; *par ext* ***mode*** *f* ~ childrenswear **II** *m/f* junior
junkie [dʒœŋki] *fam m/f* junkie *fam*
junte [ʒɛ̃t, ʒœ̃t] *f* junta; ***~ militaire*** military junta
▶ **jupe** [ʒyp] *f* skirt **jupe-culotte** *f* ⟨**jupes-culottes**⟩ culottes (+ *v pl*)
jupette [ʒypɛt] *f* short skirt
jupon [ʒypõ] *m* petticoat, slip
Jura [ʒyʀa] ***le ~*** GÉOG the Jura
jurançon [ʒyʀɑ̃sõ] *m wine from southern France*
jurassien [ʒyʀasjɛ̃] *adj* ⟨**-ienne** [-jɛn]⟩ GÉOG of the Jura mountains
jurassique [ʒyʀasik] *m* GÉOL Jurassic
juré [ʒyʀe] **I** *adj* ⟨**~e**⟩ ***ennemi ~*** sworn enemy **II** *m* JUR juror
▶ **jurer** [ʒyʀe] **I** *v/t* to swear; *par ext* (*assurer*) to swear; ***~ fidélité à qn*** to swear loyalty to sb; *fig* ***on ne jure plus que par lui*** everybody swears by him; ***je vous jure*** I assure you; honestly *fam* **II** *v/i* **1.** (*dire des jurons*) to swear; ***~ comme un charretier*** to swear like a trooper **2.** (*aller mal avec*) to clash (***avec qc*** with sth) **III** *v/pr* ***se ~ de faire qc*** to vow to do sth
juridiction [ʒyʀidiksjõ] *f* jurisdiction; (*tribunaux*) courts (+ *v pl*)
juridictionnel [ʒyʀidiksjɔnɛl] *adj* ⟨**~le**⟩ jurisdictional
juridique [ʒyʀidik] *adj* legal; ***études*** *fpl* ***~s*** law studies
jurisprudence [ʒyʀispʀydɑ̃s] *f* case law; ***faire ~*** to set a legal precedent
juriste [ʒyʀist] *m/f* lawyer
juron [ʒyʀõ] *m* oath
jury [ʒyʀi] *m* **1.** JUR jury **2.** *d'un prix*, SPORT panel of judges **3.** *d'examen* board of examiners
jus [ʒy] *m* **1.** juice; ▶ ***jus de fruit*** fruit juice; ***jus de rôti*** meat juice; *fam, fig* ***ça vaut le jus*** it's worth it **2.** *fam* (*café*) coffee; *péj* ***jus de chaussette*** weak coffee; dishwater *fam* **3.** *fam* (*courant électrique*) electricity; juice *fam*
jusant [ʒyzɑ̃] *m* ebb tide
jusqu'au-boutiste [ʒyskobutist] *m* hardliner; *par ext* extremist
▶ **jusque** [ʒysk(ə)] **I** *prép* until; ***jusqu'à Paris*** as far as Paris; ***jusqu'au bord*** right up to the edge; ***jusqu'à demain*** until tomorrow; ***jusqu'à quand?*** until when?; ***jusqu'au dernier*** right down to the last one; *avec d'autres prép*: ***accompagner qn ~ chez lui*** to take sb all the way home; ***jusqu'après Noël*** until after Christmas; *avec adv*: ***jusqu'ici*** *lieu* up to here; *temps* so far, up to now; ***~-là*** *temps* until then; *fam, fig* ***j'en ai ~-là*** I've had it up to here *fam*; ***~ tard dans la nuit*** until late at night **II** *adv* even **III** *conj* ▶ ***jusqu'à ce que ...*** +*subj* until
justaucorps [ʒystokɔʀ] *m* leotard
▶ **juste** [ʒyst] **I** *adj* **1.** (*équitable*) fair; *revendications* just **2.** (*correct*) correct; (*exact*) right; *mot* right; ***être ~*** *addition, réponse* to be correct; *montre* to be accurate **3.** (*serré*) tight **II** *adv* **1.** (*exactement*) accurately; (*précisément*) just; ***~ à côté*** just next door; ***chanter ~*** to sing in tune; ***il vient ~ d'arriver*** he has just arrived; ***au ~*** exactly; ***comme de ~*** needless to say **2.** (***tout***) ~ (*de justesse*) only just; (*seulement*) only; ***au plus ~*** to the absolute minimum **III** *m* just man

> **juste ≠ justice**
>
> **Juste** has nothing to do with justice:
>
> **Cette balance n'est pas très juste.**
>
> These scales are not very accurate.

▶ **justement** [ʒystəmɑ̃] *adv* **1.** (*précisément*) precisely **2.** (*avec justesse*) correctly **3.** (*à bon droit*) justifiably
justesse [ʒystɛs] *f* **1.** *d'une montre, etc*

accuracy; *d'une remarque*, *etc* aptness **2.** ***de ~*** only just; ***gagner de ~*** to win by a narrow margin

► **justice** [ʒystis] *f* **1.** (*équité*) justice; ***ce n'est que ~*** it's only fair; ***rendre ~ à qn*** to do sb justice **2.** (*juridiction*) law; ***passer en ~*** to stand trial, to appear in court; ***se faire ~*** (***soi-même***) (*se tuer*) to take one's own life; (*se venger*) to take the law into one's own hands; ***il faut lui rendre cette ~ qu'il …*** you have to acknowledge that he …

justiciable [ʒystisjabl] *adj* answerable (***de*** for)

justicier [ʒystisje] *m* righter of wrongs

justifiable [ʒystifjabl] *adj* justifiable

justificateur [ʒystifikatœʀ] *adj* ⟨**-trice** [-tʀis]⟩ justificatory

justificatif [ʒystifikatif] **I** *adj* ⟨**-ive** [-iv]⟩ *facture*, *document* supporting **II** *m* documentary proof; *de frais* receipt

justification [ʒystifikasjõ] *f* **1.** (*motivation*) justification **2.** (*preuve*) proof; *écrite* documentary proof

justifier [ʒystifje] **I** *v/t* to justify; *conduite*, *critiques* to justify; *affirmation* to prove; ***justifié*** justifiable **II** INFORM, TYPO to justify **III** *v/pr* ***se justifier*** **1.** *personne* to justify o.s. **2.** *craintes* to be justified

jute [ʒyt] *m* jute

juteux [ʒytø] *adj* ⟨**-euse** [-øz]⟩ **1.** *fruit* juicy **2.** *fam*, *fig affaire* profitable

juvénile [ʒyvenil] *adj sourire*, *air* youthful; *délinquance* juvenile

juxtaposer [ʒykstapoze] *v/t* to juxtapose **juxtaposition** *f* juxtaposition *a* LING

K

K, k [kɑ] *m* ⟨*inv*⟩ K

K7 [kasɛt] *f*, *abr* K7

kabyle [kabil] **I** *adj* Kabyle **II** ***Kabyle*** *m/f* Kabyle

Kabylie [kabili] ***la ~*** Kabylia

kafkaïen [kafkajɛ̃] *adj* ⟨**-ïenne** [-jɛn]⟩ Kafkaesque

kakatoès → ***cacatoès***

kaki[1] [kaki] *adj* ⟨*inv*⟩ khaki

kaki[2] *m fruit* persimmon

kalachnikov [kalaʃnikɔf] *f* MIL Kalashnikov

kaléidoscope [kaleidɔskɔp] *m* kaleidoscope

kamikaze [kamikaz] *m* **1.** MIL kamikaze **2.** *fig adjt* kamikaze

kangourou [kɑ̃guʀu] *m* kangaroo

kaolin [kaɔlɛ̃] *m* kaolin

kapok [kapɔk] *m* kapok

karaoké [kaʀaɔke] *m* **1.** *action* karaoke **2.** *appareil* karaoke machine

karaté [kaʀate] *m* karate

karst [kaʀst] *m* karst **karstique** *adj* karstic

kart [kaʀt] *m* go-cart

karting [kaʀtiŋ] *m* go-karting

kascher → ***casher***

kayak [kajak] *m* kayak; ***faire du ~*** to go kayaking

Kazakhstan [kazakstɑ̃] ***le ~*** Kazakhstan

kebab [kebab] *m* kebab

kéfir [kefiʀ] *m* kefir *fermented milk drink*

Kenya [kenja] ***le ~*** Kenya

kényan [kenjɑ̃] **I** *adj* ⟨**-ane** [-an]⟩ Kenyan **II** ***Kényan***(***e***) *m*(*f*) Kenyan

képi [kepi] *m* kepi

kératine [keʀatin] *f* keratin

kermesse [kɛʀmɛs] *f* **1.** (*fête de charité*) fête **2.** (*fête foraine*) fair

kérosène [keʀozɛn] *m* kerosene

ketchup [kɛtʃœp] *m* ketchup

keuf [kœf] *m fam* (*policier*) cop *fam*

keum [kœm] *m fam* guy *fam*

kg *abr* (= **kilogramme**) kg

khmer [kmɛʀ] **I** *adj* ⟨**-ère**⟩ Khmer **II** *mpl* ***Khmers*** Khmers

khôl [kol] *m* kohl

kibboutz [kibuts] *m* kibbutz

kidnapper [kidnape] *v/t* to kidnap **kidnappeur** *m*, **kidnappeuse** *f* kidnapper **kidnapping** *m* kidnapping

kif-kif [kifkif] *adj* ⟨*inv*⟩ *fam* ***c'est ~*** it's all the same

kiki [kiki] *m fam* ***serrer le ~ à qn*** to throttle sb

► **kilo** [kilo] *m* kilo

kilocalorie [kilokalɔʀi] *f* kilocalorie

► **kilogramme** [kilɔgʀam] *m* kilogram **kilohertz** *m* kilohertz **kilojoule** *m* kilojoule

kilométrage [kilɔmetʀaʒ] *m d'un comp-*

teur ≈ mileage
▶ **kilomètre** [kilɔmɛtʀ] *m* kilometer; **~** ***carré*** square kilometer; ***~s alimentaires*** food miles; ***faire des ~s*** to walk for miles
kilomètres-heure *mpl* kilometers per hour
kilométrique [kilɔmetʀik] *adj* in kilometers
kilo-octet [kilɔɔktɛ] *m* ⟨**kilo-octets**⟩ INFORM kilobyte
kilowatt [kilɔwat] *m* kilowatt **kilowattheure** *f* kilowatt-hour
kilt [kilt] *m* kilt
kimono [kimɔno] *m* kimono
kinésithérapeute [kineziteʀapøt] *m/f* (*abr fam* ***kiné***) physical therapist, *brit* physiotherapist **kinésithérapie** *f* (*abr fam* ***kiné***) physical therapy, *brit* physiotherapy
kiosque [kjɔsk] *m* **1.** kiosk; **~** ***à journaux*** news-stand **2.** *abri* pavilion
kirsch [kiʀʃ] *m* kirsch
kit [kit] *m* kit; ***en ~*** in kit form; *meuble* self-assembly, flatpack *épith*
kitchenette [kitʃənɛt] *f* kitchenette
kitsch [kitʃ] **I** *adj* ⟨*inv*⟩ kitsch **II** *m* kitsch
kiwi [kiwi] *m* **1.** *fruit* kiwi **2.** *oiseau* kiwi
klaxon® [klaksɔn] *m* horn; ***donner un coup de ~*** to honk the horn
klaxonner [klaksɔne] *v/i* to honk the horn
klebs → ***clébard***
kleptomane [klɛptɔman] *m/f* kleptomaniac **kleptomanie** *f* kleptomania
km *abr* (= **kilomètre**) km
km/h *abr* (= **kilomètres-heure**) kmph
knock-out [(k)nɔkawt, -kut] **I** *adj* knocked out **II** *m* ⟨*inv*⟩ knock-out
K.-O. [kao] *abr* (= **knock-out**) **I** *adj* ⟨*inv*⟩ ***être ~*** to be out for the count; ***mettre qn ~*** to knock sb out **II** *m* knock-out
koala [kɔala] *m* koala (bear)
Kosovo [kɔsɔvo] ***le ~*** Kosovo
kouglof [kuglɔf] *m Alsatian fruit cake*
kouing-amann [kuiɲaman] *m* ⟨*inv*⟩ *caramel-topped Breton pastry*
Koweït [kɔwɛjt] ***le ~*** Kuwait
krach [kʀak] *m* FIN crash
kraft [kʀaft] *adjt* ***papier*** *m* **~** kraft (paper)
Kremlin [kʀɛmlɛ̃] ***le ~*** the Kremlin
kung-fu [kuŋfu] *m* ⟨*inv*⟩ kung-fu
kurde [kyʀd] **I** *adj* Kurdish **II** ***Kurde*** *m/f* Kurd
kW *abr* (= **kilowatt**) kW
kWh *abr* (= **kilowattheure**) kWh
kyrielle [kiʀjɛl] *f* string (***de*** of)
kyste [kist] *m* cyst

L

L, l [ɛl] *m* ⟨*inv*⟩ L
l *abr* (= **litre**) l
l' [l] → ***le***
▶ **la**[1] [la] *article et pr pers* → ***le***
la[2] *m* ⟨*inv*⟩ MUS A; ***donner le ~*** to give an A
▶ **là** [la] **I** *adv* (*là-bas*) there; (*ici*) here; ***ces gens-là*** those people; ***être là*** to be there; *fam, fig* ***être un peu là*** to make one's presence felt; ***les faits sont là*** those are the facts; ***de là*** from there; *causalité* hence; ***à quelque temps de là*** some time after; ***mais de là à prétendre que …*** that's quite a long way from claiming that …; ***par là*** *passer, entrer* that way; *habiter* over there; ***qu'entendez-vous par là?*** what do you mean by that? **II** *int* ***'hé là!*** hey!; ▶ ***oh là là!*** oh dear!
▶ **là-bas** *adv* over there; (*en un lieu éloigné*) there
label [labɛl] *m* **~** (***de qualité***) quality label; **~** ***d'origine*** label of origin; **~** ***vert*** eco-friendly label
labeur [labœʀ] *st/s m* toil, hard work
labial [labjal] *adj* ⟨**~e; -aux** [-o]⟩ labial
labiodental [labjɔdɑ̃tal] *adj* ⟨**~e; -aux** [-o]⟩ labiodental
labo [labo] *m, abr fam* (= **laboratoire**) lab
laborantin [labɔʀɑ̃tɛ̃] *m*, **laborantine** [-in] *f* laboratory assistant
laboratoire [labɔʀatwaʀ] *m* laboratory; **~** ***de langues*** language laboratory
laborieux [labɔʀjø] *adj* ⟨**-euse** [-øz]⟩ **1.** *recherches, etc* laborious; ***c'est ~!*** it's taking ages! **2.** *personne* hardworking; ***une vie laborieuse*** a life of toil; ***les classes laborieuses*** the working classes

labour [labuʀ] *m* **1.** plowing (+ *v sg*) **2. ~s** *pl* plowed fields
labourable [labuʀabl] *adj* plowable
labourage [labuʀaʒ] *m* plowing
labourer [labuʀe] *v/t* **1.** *terre* to plow (*a abs*) **2.** *fig terrain* to churn up; (*griffer*) to lacerate
laboureur [labuʀœʀ] *m* plowman; *litt* husbandman
labrador [labʀadɔʀ] *m* Labrador
labyrinthe [labiʀɛ̃t] *m* labyrinth; *jardin* maze *a fig*
► **lac** [lak] *m* lake
laçage [lasaʒ] *m* lacing
lacer [lase] *v/t* ⟨**-ç-**⟩ to lace
lacération [laseʀasjõ] *f* laceration **lacérer** *v/t* ⟨**-è-**⟩ to lacerate
lacet [lasɛ] *m* **1.** *de chaussure* lace **2.** *d'une route* **~s** *pl* hairpin bends **3.** CH snare
lâchage [lɑʃaʒ] *m* **1.** *panne* failure **2.** *fam*, *fig de qn* desertion
► **lâche** [lɑʃ] **I** *adj* **1.** *nœud*, *etc* loose, slack **2.** (*sans courage*) cowardly **3.** (*méprisable*) cowardly **4.** (*sans rigueur*) lax **II** *m/f* coward
► **lâcher** [lɑʃe] **I** *v/t* **1.** *objet*, *main* to let go of; *chien* to unleash; *animal* to release; *pigeons*, *ballons* to release; *bombe*, *lest* to drop; *fam*, *fig* ***ne pas vouloir les ~*** to be tight-fisted *fam* **2.** *fig remarque* to come out with; *juron* to let out **3.** *fam* (*abandonner*) to leave; *petite amie* to dump *fam* **II** *v/i corde* to snap; *freins* to fail **III** *m de pigeons*, *de ballons* release
lâcheté [lɑʃte] *f* **1.** (*manque de courage*) cowardice **2.** (*bassesse*) baseness
lâcheur [lɑʃœʀ] *m*, **lâcheuse** [-øz] *f fam* ***c'est un ~eur*** he's unreliable
lacis [lasi] *m* maze
laconique [lakɔnik] *adj* **1.** *réponse*, *etc* terse **2.** *personne* laconic
laconisme [lakɔnism] *m* terseness
lacrymal [lakʀimal] *adj* ⟨**~e; -aux** [-o]⟩ tear *épith*
lacrymogène [lakʀimɔʒɛn] *adj* ***gaz m ~*** tear gas
lacs [lɑ] *m* CH snare
lactaire [laktɛʀ] *m* BOT milk cap
lactation [laktasjõ] *f* lactation
lacté [lakte] *adj* ⟨**~e**⟩ milky; ***Voie ~e*** Milky Way
lactifère [laktifɛʀ] *adj* lactiferous
lactique [laktik] *adj* ***acide m ~*** lactic acid
lactose [laktoz] *m* lactose
lacune [lakyn] *f* gap; ***combler une ~*** to fill a gap
lacustre [lakystʀ] *adj plantes* lacustrine; ***cité f ~*** ARCHÉOL lake dwelling
lad [lad] *m* stable-hand
là-dedans [lad(ə)dɑ̃] *adv* (*là-bas*) in there; (*ici*) in here; *fig* ***il y a du vrai ~*** there's some truth in it
là-dessous [lad(ə)su] *adv* (*là-bas*) under there; (*ici*) under here
là-dessus [lad(ə)sy] *adv* (*là-bas*) on there; (*ici*) on here
ladite [ladit] *adj* → ***ledit***
lagon [lagõ] *m* lagoon
lagune [lagyn] *f* lagoon
là-haut [lao] *adv* up there; (*au ciel*) in Heaven; (*à l'étage*) upstairs
laïc [laik] *m* ÉGL layman
laïcisation [laisizasjõ] *f* secularization **laïciser** *v/t enseignement* to secularize **laïcisme** *m* secularism **laïcité** *f* secularism
► **laid** [lɛ] *adj* ⟨**laide** [lɛd]⟩ ugly
laideron [lɛdʀõ] *m* ugly girl
laideur [lɛdœʀ] *f* ugliness
laie [lɛ] *f* ZOOL wild sow
lainage [lɛnaʒ] *m* **1.** *tissu* woolen material **2.** *gilet* woolen cardigan
► **laine** [lɛn] *f* **1.** wool; ***pure ~ vierge*** pure virgin wool, *brit* pure new wool; ***~ de verre*** glass wool; ***de*** *ou* ***en ~*** woolen; *fig* ***il se laisse manger la ~ sur le dos*** he lets people walk all over him **2.** *fam* ***une petite ~*** sweater, *brit* woolly *fam*
laineux [lɛnø] *adj* ⟨**-euse** [-øz]⟩ wooly
laïque [laik] **I** *adj* **1.** ÉGL lay *épith* **2.** *école*, *État* secular; ***enseignement m ~*** secular education **II** *m/f* ÉGL layman, laywoman
laisse [lɛs] *f* leash, *brit* lead; ***tenir un chien en ~*** to keep a dog on a leash; *fig* ***tenir qn en ~*** to keep sb on a tight rein
laissé-pour-compte *ou* **laissé pour compte** [lesepuʀkõt] **1.** *m* COMM return **2.** *fig* ***laissé(e)s-pour-compte*** *mpl fpl* outcasts
► **laisser** [lese] **I** *v/t* **1.** to leave; (*ne pas emmener*) to leave (behind); (*ne pas manger*, *etc*) to leave; *fautes dans un texte* to leave; ***~ la lumière allumée*** to leave the light on; ***~ la porte ouverte*** to leave the door open; ***y ~ sa vie*** to lose one's life; ***laisse ça!*** leave it alone! **2.** (*quitter*) to leave; *logement* to leave;

fam **je vous laisse** I'll be off now *fam* **3.** *traces, goût, adresse, personnes à sa mort* to leave **4.** (*confier, céder*) **~ *qc à qn*** to leave sb sth **II** *v/aux* to let; **~ *tout aller*** to let everything go; **~ *entrer qn*** to let sb in; **~ *qn faire*** to let sb do; ***laisse faire*** don't worry; **~ *partir qn*** to let sb go **III** *v/pr* ***se* ~ *aller*** to let o.s. go; ***se* ~ *aller à faire qc*** to go so far as to do sth; ***il se laisse faire*** he lets people take advantage of him; *fam* ***laissez-vous faire!*** go on! *fam*

laisser-aller *m péj* casualness; *dans le travail* sloppiness **laisser-faire** *m* laissez-faire, non-interventionism

laissez-passer [lesepase] *m* ⟨*inv*⟩ pass

▶ **lait** [lɛ] *m* milk; **~ *de vache*** cow's milk; **~ *en poudre*** powdered milk

laitages [lɛtaʒ] *mpl* dairy products

laiterie [lɛtʀi] *f* dairy

laiteux [lɛtø] *adj* ⟨**-euse** [-øz]⟩ milky

laitier [lɛtje] **I** *adj* ⟨**-ière** [-jɛʀ]⟩ dairy *épith*; ***vache laitière*** dairy cow **II ~, *laitière*** *m/f* milkman, milkwoman

laiton [lɛtõ] *m* brass

laitue [lety] *f* lettuce

laïus [lajys] *fam m* speech; ***faire un* ~** to ramble on *fam*

lama [lama] *m* **1.** ZOOL lama **2.** REL lama

lambeau [lãbo] *m* ⟨**~x**⟩ scrap, bit; ***mettre qc en* ~*x*** to tear sth to bits

lambin [lãbɛ̃] *adj* ⟨**-ine** [-in]⟩ slowpoke *fam*, *brit* slowcoach *fam*

lambiner [lãbine] *v/i fam* to dawdle

lambris [lãbʀi] *m* panneling (+ *v sg*)

▶ **lame** [lam] *f* **1.** *de couteau, d'épée* blade; **~ *de rasoir*** razor blade; **~ *de scie*** saw blade **2.** (*bande mince*) strip; *d'une jalousie* slat; **~ *de parquet*** parquet strip **3.** (*vague forte*) breaker; **~ *de fond*** ground swell

lamé [lame] **I** *adj* ⟨**~e**⟩ lamé *épith* **II** *m* lamé

lamelle [lamɛl] *f* thin strip

lamellé [lamɛle] *m* TECH **~ *collé*** laminate

lamentable [lamɑ̃tabl] *adj* (*désolant*) deplorable, appalling; (*mauvais*) pathetic **lamentations** *fpl* wailing (+ *v sg*); moaning (+ *v sg*) *fam*

lamenter [lamɑ̃te] *v/pr* ***se* ~** to complain (***sur*** about)

lamier [lamje] *m* BOT dead-nettle

lamifié [lamifje] *m* laminated

laminage [laminaʒ] *m* TECH rolling

laminé [lamine] *adj* ⟨**~e**⟩ TECH rolled

laminer [lamine] *v/t* **1.** TECH to roll **2.** *fig* to erode

lamineur [laminœʀ] *m* rolling mill worker **laminoir** *m* TECH rolling mill

lampadaire [lãpadɛʀ] *m* **1.** (*réverbère*) streetlight **2.** *d'appartement* floor lamp, *brit* standard lamp

▶ **lampe** [lãp] *f* lamp; **~ *à bronzer*** sunlamp; **~ *à halogène*** halogen lamp; **~ *à incandescence*** incandescent lamp; **~ *à pétrole*** kerosene lamp, *brit* paraffin lamp; **~ *de bureau*** desk lamp; **~ *de poche*** flashlight, *brit* torch; *fam, fig* ***s'en mettre plein la* ~** to stuff one's face *fam*

lampée [lãpe] *f fam* swig

lampion [lãpjõ] *m* paper lantern

lampiste [lãpist] *m* lampman; *par ext* dogsbody

lamproie [lãpʀwa] *f* ZOOL lamprey

lance [lãs] *f* **1.** *arme* lance **2.** **~ *d'arrosage*** hosepipe; **~ *d'incendie*** fire hose

lancé [lãse] *adj* ⟨**~e**⟩ **1.** *artiste* established **2.** (*sur sa lancée*) underway; ***départ* ~** flying start

lancée [lãse] *f* momentum; ***continuer sur sa* ~** *véhicule, coureur* to keep going; *fig* to keep the momentum going

lance-flammes *m* ⟨*inv*⟩ flame-thrower

lance-fusées *m* ⟨*inv*⟩ rocket launcher

lance-grenades *m* ⟨*inv*⟩ grenade launcher

lancement [lãsmã] *m* **1.** *d'une fusée, d'un satellite* launch **2.** *d'un navire* launch **3.** *fig d'un produit, d'une société* launch

lance-missiles *m* ⟨*inv*⟩ missile launcher

lance-pierres *m* ⟨*inv*⟩ catapult; *fam, fig* ***manger avec un* ~** to bolt one's food down; ***payer avec un* ~** to pay peanuts *fam*

▶ **lancer**[1] [lãse] ⟨**-ç-**⟩ **I** *v/t* **1.** throw; *fusée, satellite* to launch; *flèche* to fire **~ *qc à qn*** to throw sth to sb; **~ *des pierres à qn*** to throw stones at sb **2.** *cri* to give; *insultes* to hurl (***à qn*** at sb) **~ *un regard à qn*** to glance at sb **3.** *artiste* to launch; *affaire, produit* to launch; *emprunt* to float, to issue; *campagne publicitaire* to launch; *mandat d'arrêt* to issue; *mode* to start; *appel, ultimatum* to issue (***à qn*** to sb); *invitation* to send **4.** *moteur* to start **5.** *navire* to launch **6.** **~ *ses chiens sur qc*** to set one's dogs on sth **II** *v/pr fig* ***se* ~ *dans une aventure*** to throw o.s. into a venture; ***se* ~ *dans des dépenses*** to start spending money; ***se* ~ *dans***

des explications to launch into explanations

lancer² *m* **1.** SPORT throw; ***le ~ du disque*** the discus; ***le ~ du poids*** the shot put **2.** (***pêche*** *f* ***au***) **~** rod and line fishing

lanceur [lɑ̃sœʀ] *m*, **lanceuse** [-øz] *f* **1.** SPORT pitcher, *brit* bowler; ***lanceur, lanceuse de javelot*** javelin thrower; ***lanceur, lanceuse de poids*** shot putter **2.** *m fusée* launcher

lancier [lɑ̃sje] *m* MIL lancer

lancinant [lɑ̃sinɑ̃] *adj* ⟨**-ante** [-ɑ̃t]⟩ **1.** *douleur* throbbing **2.** *fig souvenir, regret* nagging; *musique* pounding

lanciner [lɑ̃sine] **I** *v/t fig* to torment **II** *v/i* MÉD to throb

landau [lɑ̃do] *m* baby carriage, *brit* pram

lande [lɑ̃d] *f* moor

► **langage** [lɑ̃gaʒ] *m* language; **~ *technique*** technical language; INFORM **~ *machine*** machine language

langagier [lɑ̃gaʒje] *adj* ⟨**-ière** [-jɛʀ]⟩ linguistic

lange [lɑ̃ʒ] *m* baby blanket

langer [lɑ̃ʒe] *v/t* ⟨**-ge-**⟩ *bébé* to change

langoureux [lɑ̃guʀø] *adj* ⟨**-euse** [-øz]⟩ *regard* languid; *pose* langorous

langouste [lɑ̃gust] *f* crawfish, spiny lobster **langoustier** *m* lobster boat **langoustine** *f* langoustine, Dublin bay prawn

► **langue** [lɑ̃g] *f* **1.** ANAT tongue; *fig* ***mauvaise ~*** malicious gossip; ***avoir une langue de vipère*** to have a vicious tongue; CUIS ***langue de bœuf*** ox tongue; *fig* ***langue de terre*** spit of land; *fig* ***avoir la langue bien pendue*** to be very talkative; *fig* ***elle n'a pas sa langue dans sa poche*** she's never at a loss for words; *fig* ***donner sa langue au chat*** to give in; ***se mordre la langue*** to bite one's tongue; ***tenir sa langue*** to hold one's tongue; ***tirer la langue*** to stick one's tongue out (***à qn*** at sb); *fig (s'appliquer)* to work hard **2.** LING language; ► ***langue maternelle*** mother tongue; ***langue de bois*** hackneyed expressions (+ *v pl*)

langue

Langue = language, but the word **langage** means a technical language or language in general:

la langue française, les langues étrangères
BUT **le langage technique**

the French language, foreign languages
technical language.

langue-de-chat [lɑ̃gdəʃa] *f* ⟨**langues--de-chat**⟩ *crisp finger biscuit*

languette [lɑ̃gɛt] *f* TECH tongue; *de chaussure* tongue

langueur [lɑ̃gœʀ] *litt f* languor

languir [lɑ̃giʀ] **I** *v/i* **1.** *litt* ***~ d'amour pour qn*** to be pining with love for sb; ***faire ~ qn*** to keep sb in suspense **2.** *conversation* to flag; ÉCON to be sluggish **II** *v/pr* ***se ~ de qn*** to pine for sb

languissant [lɑ̃gisɑ̃] *adj* ⟨**-ante** [-ɑ̃t]⟩ listless; ÉCON sluggish; *litt* lovesick

lanière [lanjɛʀ] *f* strap

lanoline [lanɔlin] *f* lanolin

lanterne [lɑ̃tɛʀn] *f* lantern; *fig* ***être la ~ rouge*** to bring up the rear; *fig* ***éclairer la ~ de qn*** to enlighten sb

lanterner [lɑ̃tɛʀne] *v/i* ***faire ~ qn*** to keep sb waiting

Laos [laɔs] ***le ~*** Laos

laotien [laɔsjɛ̃] **I** *adj* ⟨**-ienne** [-jɛn]⟩ Laotian **II** ***Laotien(ne)*** *m(f)* Laotian

lapalissade [lapalisad] *f* truism

lapement [lapmɑ̃] *m d'un chien, chat* lapping (+ *v sg*) **laper** *v/t* to lap

lapereau [lapʀo] *m* ⟨**~x**⟩ young rabbit

lapidaire [lapidɛʀ] **I** *adj inscription* lapidary; *formule* pithy **II** *m* lapidary

lapidation [lapidasjõ] *f* stoning

lapider [lapide] *v/t* **1.** ***~ qn*** *tuer* to stone sb to death **2.** *par ext* to throw stones at

► **lapin** [lapɛ̃] *m* **1.** ZOOL, CUIS rabbit **2.** *fam, fig* ***chaud ~*** horny devil *fam*; ***mon (petit) ~*** honey, *brit* sweetheart; ***poser un ~ à qn*** to stand sb up

lapine [lapin] *f* doe rabbit

lapon [lapõ] **I** *adj* ⟨**lapone** [lapɔn]⟩ Lapp **II** ***Lapon(e)*** *m(f)* Lapp

Laponie [lapɔni] ***la ~*** Lapland

Lapons [lapõ] *mpl* Lapps

laps [laps] *m* ***~ de temps*** period of time

lapsus [lapsys] *m* slip of the tongue; ***faire un ~*** to make a slip of the tongue

laquage [lakaʒ] *m* lacquering

laquais [lakɛ] *m* (*valet*) footman

laque [lak] *f* **1.** PEINT enamel, *brit* gloss paint **2.** *pour les cheveux* hairspray

laqué [lake] *adj* ⟨**~e**⟩ **1.** *meuble* lacquered **2.** CUIS ***canard ~*** Peking duck

► **laquelle** → ***lequel***

laquer [lake] *v/t* **~ qc** *meuble* to lacquer sth; *porte* to enamel sth, *brit* to paint sth with gloss paint
larbin [laʀbɛ̃] *péj m domestique* flunky *péj*
larcin [laʀsɛ̃] *m* petty theft
► **lard** [laʀ] *m* bacon; *fam*, *fig* ***gros ~*** fat slob *fam*; ***~ de poitrine*** streaky bacon; *fam* ***faire du ~*** to sit around getting fat *fam*
larder [laʀde] *v/t* **1.** CUIS to lard **2.** *fig* (*percer*) to pierce
lardon [laʀdõ] *m* **1.** CUIS lardon **2.** *fam* (*enfant*) little kid *fam*
largable [laʀgabl] *adj* AVIAT able to be dropped **largage** *m de bombes*, *de parachutistes* dropping
► **large** [laʀʒ] **I** *adj* **1.** wide; *vêtements* wide; ***~ de dix mètres*** ten meters wide **2.** *fig* (*important*) wide; *responsabilités*, *concessions* big **3.** ***avoir les idées ~s*** to be broad-minded **4.** (*généreux*) generous **II** *adv calculer* allowing a margin; *fam*, *fig* ***ne pas en mener ~*** to be downhearted **III** *m* **1.** width; ***avoir dix mètres de ~*** to be ten meters wide **2.** ***être au ~*** to have plenty of room **3.** (*haute mer*) open sea; ***au ~*** out at sea; ***au ~ de Cherbourg*** off Cherbourg; *fam*, *fig* ***prendre le ~*** to take off

large
Large = wide, broad: **un fleuve très large** a really wide river

► **largement** [laʀʒəmɑ̃] *adv* **1.** widely; ***~ répandu*** widespread **2.** (*amplement*) generously
largesse [laʀʒɛs] *f* **1.** generosity **2.** ***~s*** *pl* generous gifts
► **largeur** [laʀʒœʀ] *f* **1.** width **2.** *fig* ***~ d'esprit*** broad-mindedness
larguer [laʀge] *v/t* **1.** *bombes*, *parachutistes* to drop **2.** *fam* ***~ qn*** to dump sb *fam*; *fam*, *fig* ***être largué*** to be mystified **3.** MAR *amarres* to cast off
► **larme** [laʀm] *f* **1.** tear; *fig* ***~s de crocodile*** crocodile tears; ***avoir les ~s aux yeux*** to have tears in one's eyes; ***être*** (***tout***) ***en ~s*** to be in tears; ***pleurer à chaudes ~s*** to weep bitterly; ***rire aux ~s*** to cry with laughter **2.** *fig* ***une ~ de cognac***, *etc* a drop of brandy
larmoiement [laʀmwamɑ̃] *m* **1.** *des yeux* watering **2.** (*pleurnicherie*) sniveling
larmoyant [laʀmwajɑ̃] *adj* ⟨**-ante** [-ɑ̃t]⟩ **1.** *yeux* watery **2.** *voix* tearful; *histoire* tear-jerking **larmoyer** *v/i* ⟨**-oi-**⟩ to snivel
larron [laʀõ] *m* BIBL thief; *fig* ***un troisième ~*** *a third party who benefits from a quarrel*; *fig* ***s'entendre comme ~s en foire*** to be thick as thieves
larve [laʀv] *f* **1.** ZOOL larva **2.** *fig*, *péj* worm
larvé [laʀve] *adj* ⟨**~e**⟩ latent
laryngal [laʀɛ̃gal] *adj* ⟨**~e; -aux** [-o]⟩ laryngeal **laryngale** *f* glottal sound **laryngite** *f* laryngitis **laryngoscopie** *f* laryngoscopy
larynx [laʀɛ̃ks] *m* larynx
las [lɑ] *adj* ⟨**lasse** [lɑs]⟩ *st/s* **1.** weary **2.** *fig* ***être ~ de qc*** to be weary of sth
lasagnes [lazaɲ] *fpl* lasagne *sg*
lascar [laskaʀ] *m fam* rogue
lascif [lasif] *adj* ⟨**-ive** [-iv]⟩ lascivious
laser [lazɛʀ] *m* laser; *adjt* laser
lassant [lɑsɑ̃] *adj* ⟨**-ante** [-ɑ̃t]⟩ tiresome
lasser [lɑse] **I** *v/t* to weary **II** *v/pr* ***se ~ de qc*** to grow weary of sth
lassitude [lɑsityd] *f* **1.** (*fatigue*) weariness **2.** (*ennui*) weariness
lasso [laso] *m* lasso
lastex® [lastɛks] *m* Lastex®
latence [latɑ̃s] *f* MÉD, PSYCH latency
latent [latɑ̃] *adj* ⟨**-ente** [-ɑ̃t]⟩ latent (*a* MÉD)
latéral [lateʀal] *adj* ⟨**~e; -aux** [-o]⟩ lateral; ***rue ~e*** side street
latex [latɛks] *m* latex
latin [latɛ̃] **I** *adj* ⟨**-ine** [-in]⟩ **1.** Latin; ***l'Amérique ~e*** Latin America; ***Quartier ~*** Latin Quarter **2.** *langues*, *peuples* Latin **II** *subst* **1.** ***le ~*** Latin; *fig* ***y perdre son ~*** to be unable to make head or tail of sth **2.** ***Latins*** *mpl* Latins
latiniser [latinize] *v/t* to latinize **latinisme** *m* latinism **latiniste** *m/f* Latin scholar **latinité** *f* latinity
latino-américain [latinoameʀikɛ̃] *adj* ⟨**-aine** [-ɛn]⟩ Hispanic
latitude [latityd] *f* **1.** latitude; ***sous nos ~s*** in our part of the world **2.** *fig* scope; ***avoir toute ~ pour faire qc*** to have carte blanche to do sth
latrines [latʀin] *fpl* latrines
latte [lat] *f* lath
latté [late] *m* battening

laudatif [lodatif] *adj* ⟨**-ive** [-iv]⟩ laudatory

lauréat [lɔrea] *m*, **lauréate** [-at] *f* prize-winner

laurier [lɔrje] *m* **1.** BOT laurel **2.** *fig* **~s** *pl* laurels; ***se reposer sur ses ~s*** to rest on one's laurels

laurier-rose *m* ⟨**lauriers-roses**⟩ oleander

lavable [lavabl] *adj* washable; *peinture* washable; ***~ en machine*** machine-washable

▸ **lavabo** [lavabo] *m* **1.** bathroom sink, *brit* washbasin **2.** **~s** *pl* toilets

lavage [lavaʒ] *m* **1.** washing; *fig* ***~ de cerveau*** brainwashing **2.** MÉD ***~ d'estomac*** stomach pump

lavallière [lavaljɛr] *f* floppy bow tie

lavande [lavɑ̃d] *f* lavender

lavandière [lavɑ̃djɛr] *poét f* washerwoman

lavasse [lavas] *f fam, péj* dishwater

lavatory [lavatɔri] *m* ⟨**lavatories**⟩ lavatory

lave [lav] *f* lava

lavé [lave] *adj* ⟨**~e**⟩ *couleur* washed-out

lave-glace *m* ⟨**lave-glaces**⟩ windshield washer, *brit* windscreen washer **lave-linge** *m* ⟨*inv*⟩ washing machine

lavement [lavmɑ̃] *m* enema

▸ **laver** [lave] **I** *v/t* **1.** to wash; *vitres* to clean; *sol* to wash; *tache* to wash off; *plaie* to bathe; *peinture* to wash down; ***laver la vaisselle*** to wash the dishes **2.** *fig d'une accusation* to clear (***de*** of) **II** *v/pr* ▸ ***se laver*** to wash; ***se laver les dents*** to brush one's teeth; *fig* ***je m'en lave les mains*** I wash my hands of it

laverie [lavri] *f* **~** (***automatique***) Laundromat®, *brit* Launderette®

lavette [lavɛt] *f* **1.** dish cloth **2.** *fam, fig* (*homme mou*) wimp *fam*

laveur [lavœr] *m* washer; ***~ de carreaux*** window cleaner

laveuse [lavøz] *f* washerwoman

▸ **lave-vaisselle** *m* ⟨*inv*⟩ dishwasher; *adjt vaisselle* dishwasher-proof

lavis [lavi] *m* PEINT **1.** washing **2.** *dessin* wash drawing

lavoir [lavwar] *m* wash-house

laxatif [laksatif] **I** *adj* ⟨**-ive** [-iv]⟩ laxative **II** *m* laxative

laxisme [laksism] *m* laxity **laxiste** *adj* lax

layette [lɛjɛt] *f* layette

lazzis [la(d)zi] *st/s mpl* gibes

▸ **le** [l(ə)] *m*, **la** [la] *f* ⟨*devant voyelle et h muet* ***l'***⟩, *pl* **les** [le] **I** *article défini* the; ***aller à l'école*** to go to school; ***approchez, les enfants!*** come here, children; *adv* ***le 20 juillet*** on July 20; *adv* ***le mardi*** on Tuesdays; ***les Durand*** the Durands; ***avoir les cheveux gris*** to have gray hair **II** *pr pers* **1.** *m* him, *f* her, *pl* them; ***je les ai vu(e)s hier*** I saw them yesterday **2.** *neutre* ***le*** it; ***je le sais*** I know it

lé [le] *m* COUT width

leader [lidœr] *m* **1.** POL leader **2.** SPORT leader

leasing [liziŋ] *m* leasing

léchage [leʃaʒ] *m d'un dessin* final touches; *d'un texte* polishing

lèche [lɛʃ] *f fam* ***faire de la ~*** (***à qn***) to suck up (to sb) *fam*

léché [leʃe] *adj* ⟨**~e**⟩ polished

lèche-bottes *fam m* ⟨*inv*⟩ bootlicker *fam* **lèche-cul** *m* ⟨*inv*⟩ *pop* ass-kisser *pop*

lèchefrite [lɛʃfrit] *f* broiler

lécher [leʃe] ⟨**-è-**⟩ **I** *v/t* **1.** to lick; *plat, assiette* to lick; *fig flammes* to lick (***qc*** sth) **2.** *fig fam* ***~ les bottes à qn*** to lick sb's boots *fam*; *pop* ***~ le cul à qn*** to kiss sb's ass *pop* **II** *v/pr animal* ***se ~*** to lick o.s.; ***se ~ les doigts*** to lick one's fingers

lécheur [leʃœr] *m péj* toady

lèche-vitrines *m* ⟨*inv*⟩ ***faire du ~*** to go window-shopping

lécithine [lesitin] *f* lecithin

▸ **leçon** [l(ə)sõ] *f* **1.** (*cours*) lesson; *d'un manuel scolaire* lesson; **~s** *pl* lessons; *fig* ***faire la ~ à qn*** to lecture sb **2.** *à apprendre* homework **3.** *fig* lesson; ***tirer la ~ de qc*** to learn a lesson from sth

▸ **lecteur** [lɛktœr] *m*, **lectrice** [lɛktris] *f* **1.** (*qui lit*) reader **2.** *à l'université* professor **3.** *m appareil* player; ***lecteur de cassettes*** cassette player; ▸ ***lecteur de CD*** CD player; ***lecteur de disquettes*** disk drive; ***lecteur de DVD*** DVD player

▸ **lecture** [lɛktyr] *f* **1.** (*action de lire*) reading; ***livre*** *m* ***de ~*** reading book **2.** *à haute voix* reading; ***faire la ~ à qn*** to read to sb **3.** (*texte*) book **4.** *d'un projet de loi* reading **5.** (*interprétation*) reading **6.** ÉLEC, INFORM reading; *d'un disque* playing

ledit [lədi] *adj* ⟨*f* **ladite** [ladit]; *mpl* **lesdits** [ledi], *fpl* **lesdites** [ledit]⟩ JUR the said

► **légal** [legal] *adj* 〈**~e; -aux** [-o]〉 legal; ***âge ~*** legal age; ***médecine ~e*** forensic medicine

légalement [legalmɑ̃] *adv* legally **légalisation** *f* legalization; *d'un document, d'une signature* authentication **légaliser** *v/t* to legalize; *signature* to authenticate **légalité** *f* legality

légataire [legatɛʀ] *m/f* legatee; ***~ universel*** sole legatee

légation [legasjõ] *f* legation

légendaire [leʒɑ̃dɛʀ] *adj* **1.** (*fabuleux*) mythical **2.** (*célèbre*) legendary

légende [leʒɑ̃d] *f* **1.** (*conte*) legend; ***entrer dans la ~*** to become a legend **2.** *d'une illustration* caption; *d'une carte* key

légender [leʒɑ̃de] *v/t carte, plan* to provide a key for

► **léger** [leʒe] *adj* 〈**-ère** [-ɛʀ]〉 **1.** light; *thé, café* weak; *repas* light; *bruit* faint; *couche* thin; ***blessé ~*** person with minor injuries; ***le cœur ~*** light-heartedly; ***d'un pas ~*** with a light step **2.** *comportement* thoughtless; *mœurs* loose; *propos* idle; ***musique légère*** light music; ***à la légère*** *s'engager* without thinking; ***prendre qc à la légère*** to take sth lightly

légèreté [leʒɛʀte] *f* **1.** *d'un objet* lightness **2.** (*agilité*) lightness **3.** (*manque de sérieux*) thoughtlessness

légiférer [leʒifeʀe] *v/i* 〈**-è-**〉 to legislate

légion [leʒjõ] *f* **1.** MIL legion; ***Légion*** (***étrangère***) Foreign Legion **2.** *fig* ***une ~ de …*** a vast number of …; ***être ~*** to be legion **3.** ***Légion d'honneur*** Legion of Honor

légionnaire [leʒjɔnɛʀ] *m* legionnaire

législateur [leʒislatœʀ] *m* legislator

législatif [leʒislatif] *adj* 〈**-ive** [-iv]〉 legislative; (***pouvoir***) ***~*** *m* legislative power; ► (***élections***) ***législatives*** *fpl* ≈ Congressional elections

législation [leʒislasjõ] *f* legislation **législature** *f* legislature

légiste [leʒist] *adj* ***médecin*** *m* ***~*** pathologist

légitimation [leʒitimasjõ] *f* **1.** JUR *d'un enfant naturel* legitimization **2.** *st/s* (*justification*) justification, legitimation *st/s*

légitime [leʒitim] *adj* **1.** legitimate; *enfant* legitimate **2.** (*justifié*) legitimate **3.** JUR ***~ défense*** *f* self-defense

légitimer [leʒitime] *v/t* **1.** JUR *enfant* to legitimize **2.** (*justifier*) to justify

légitimité [leʒitimite] *f* **1.** legitimacy **2.** *d'une revendication* legitimacy

legs [lɛg] *m* legacy

léguer [lege] *v/t* 〈**-è-**〉 **1.** JUR to bequeath **2.** *fig* to pass on

► **légume** [legym] **1.** *m* vegetable; ***~s*** *mpl* vegetables; ***~s secs*** pulses **2.** *fam, fig* ***une grosse ~*** a big shot *fam*

légumineuse [legyminøz] *f* leguminous

leitmotiv [lajtmɔtif, lɛt-] *m* **1.** MUS leitmotif **2.** *fig* leitmotif

Léman [lemɑ̃] ***le lac ~*** Lake Geneva

lémuriens [lemyʀjɛ̃] *mpl* lemurs

lendemain [lɑ̃dmɛ̃] *m* **1.** ***le ~*** the next day; *adv* next day; ***le ~ de son arrivée*** the day after she arrived **2.** (*avenir*) tomorrow; ***sans ~*** short-lived

lénifiant [lenifjɑ̃] *adj* 〈**-ante** [-ɑ̃t]〉 **1.** MÉD calming **2.** *fig* soothing

léniniste [leninist] **I** *adj* Leninist **II** *m/f* Leninist

► **lent** [lɑ̃] *adj* 〈**lente** [lɑ̃t]〉 slow; *voix* measured; ***véhicule ~*** slow vehicle; ***il est ~ à faire qc*** he takes his time doing sth

lente [lɑ̃t] *f* nit

lentement [lɑ̃tmɑ̃] *adv* slowly

lenteur [lɑ̃tœʀ] *f* slowness; ***~s*** *pl* slowness; ***~ d'esprit*** dim-wittedness

lentille [lɑ̃tij] *f* BOT, CUIS lentil; OPT lens

léonin [leɔnɛ̃] *adj* 〈**-ine** [-in]〉 leonine

léopard [leɔpaʀ] *m* leopard

LEP [lɛp] *m, abr* 〈*inv*〉 (= **lycée d'enseignement professionnel**) *vocational high school*

lépidoptères [lepidɔptɛʀ] *mpl* Lepidoptera

lépisme [lepism] *m* silverfish

lèpre [lɛpʀ] *f* **1.** MÉD leprosy **2.** *fig* plague

lépreux [lepʀø] **I** *adj* 〈**-euse** [-øz]〉 **1.** MÉD leprous **2.** *fig mur* peeling **II** ***~, lépreuse*** *m/f* leper

► **lequel** [l(ə)kɛl] 〈*f* ***laquelle*** [lakɛl]; *mpl* ***lesquels*** [lekɛl], *fpl* ***lesquelles***〉 **I** *pr rel personne*: *sujet* who; *personne*: *objet* who, whom *st/s*; *chose* which; ***le milieu dans lequel il vit*** the environment in which he lives; *un outil* ***à l'aide duquel …*** with the aid of which …; *adjt* ***auquel cas*** in which case **II** *pr interrog* which *a pl*; ***lequel de vos enfants?*** which of your children?; ***duquel parlez-vous?*** which one do you mean?

► **les** [le] → ***le***

lesbienne [lɛzbjɛn] *f* lesbian

lèse-majesté [lɛzmaʒɛste] *f* ***crime*** *m* ***de***

~ lese-majesty
léser [leze] *v/t* ⟨-è-⟩ **1.** to wrong; *les droits de qn* to infringe on **2.** MÉD to injure
lésiner [lezine] *v/t indir* ***~ sur qc*** to skimp on sth
lésion [lezjõ] *f* MÉD lesion
lésionnel [lezjɔnɛl] *adj* ⟨**~le**⟩ ***signe ~*** sign of a lesion
lesquel(le)s [lekɛl] → ***lequel***
lessivage [lesivaʒ] *m* **1.** *d'un plancher* washing; *de murs* washing down **2.** GÉOL leaching
▶ **lessive** [lesiv] *f* **1.** *produit* soap powder **2.** (*lavage*) washing **3.** (*linge*) laundry
lessivé [lesive] *adj* ⟨**~e**⟩ *fam* dead-beat *fam* **lessiver** *v/t mur* to wash down **lessiveuse** *f* boiler
lest [lɛst] *m* ballast; ***lâcher du ~*** to discharge ballast; *fig* to make concessions
leste [lɛst] *adj* **1.** (*agile*) nimble; *fig* ***avoir la main ~*** to be quick to use one's fists **2.** *propos* crude
lestement [lɛstəmɑ̃] *adv* nimbly
lester [lɛste] *v/t* **1.** MAR to ballast **2.** *filet de pêche* to weight with sinkers
létal [letal] *adj* ⟨**~e; -aux** [-o]⟩ lethal *a* SC; ***dose ~e*** lethal dose
letchi [letʃi] → ***litchi***
léthargie [letarʒi] *f* **1.** MÉD lethargy **2.** *fig* lethargy **léthargique** *adj* lethargic
letton [lɛtõ] **I** *adj* ⟨**-one** [-ɔn]⟩ Latvian **II** *subst* **1.** ***le ~*** Latvian **2.** ***Letton(e)*** *m(f)* Latvian
Lettonie [lɛtɔni] ***la ~*** Latvia
▶ **lettre** [lɛtr] *f* **1.** (*caractère*) letter; TYPO letter; ***à la ~, au pied de la ~*** literally; *fig* ***avant la ~*** before there was a word for it; ***en toutes ~s*** *mot* in full; *chiffre* in words; *fig* in black and white **2.** (*missive*) letter; COMM, ADMIN letter; ***~ d'amour, d'affaires*** love, business letter; FIN ***~ de change*** bill of exchange; DIPL ***~s de créance*** credentials; ***~ de licenciement*** dismissal letter; ***par ~(s)*** by mail; *fam* ***passer comme une ~ à la poste*** to go like clockwork **3.** ***~s*** *pl* literature; ***homme*** *m*, ***femme*** *f* ***de ~s*** man, woman of letters; ***avoir des ~s*** to be well-read **4.** ***~s*** *pl* (*opposé à «sciences»*) arts; ***~s modernes*** French; ***faculté*** *f* ***des ~s et sciences humaines*** faculty of arts and social sciences
lettré [letre] *adj* ⟨**~e**⟩ well-read
lettrine [letrin] *f* **1.** *d'un dictionnaire* running head **2.** *au début d'un chapitre* dropped initial
leucémie [løsemi] *f* leukemia
leucémique [løsemik] **I** *adj* suffering from leukemia **II** *m/f* leukemia sufferer
leucocytes [løkɔsit] *mpl* leukocytes
▶ **leur** [lœr] **I** *pr pers* ⟨*inv*⟩ them; ***elle le ~ a dit*** she told them; ***je le ~ ai montré*** I showed it to them; ***il ~ est difficile*** it's difficult for them **II** *adj poss* ⟨*pl* **~s**⟩ their **III** *pr poss* ▶ ***le leur, la leur*** theirs; *pl* ***les leurs*** theirs **IV** *subst* **1.** ***le leur*** theirs; ***ils y ont mis du leur*** they did their part **2.** ***les leurs*** *mpl* (*parents, amis*) their people
leurre [lœr] *m* illusion
leurrer [lœre] **I** *v/t* to deceive **II** *v/pr* ***se ~*** to deceive o.s.
levage [l(ə)vaʒ] *m* TECH lifting
levain [l(ə)vɛ̃] *m* sourdough starter
levant [l(ə)vɑ̃] **I** *adj* ***soleil ~*** rising sun **II** ***le Levant*** HIST the Levant
levé [l(ə)ve] *adj* ⟨**~e**⟩ **1.** *bras, tête, etc* raised **2.** ***être ~*** (*sorti du lit*) to be up **3.** ***pâte ~e*** raised dough
levée [l(ə)ve] *f* **1.** *d'une interdiction, etc* lifting; ***~ d'écrou*** release **2.** *du courrier* collection **3.** *aux cartes* trick **4.** ***~ de terre*** levee **5.** ***~ du corps*** *removal of a coffin from a house* **6.** *fig* ***~ de boucliers*** general outcry
lève-glace [lɛvglas] *m* ⟨**lève-glaces**⟩ window winder
▶ **lever**[1] [l(ə)ve] ⟨**-è-**⟩ **I** *v/t* **1.** *main, jambe, etc* to raise; THÉ *rideau* to raise; *voile* to lift; *ancre* to weigh; ***lever les enfants*** to get the children up; ***lever son verre à la santé de qn*** to raise one's glass to sb **2.** *interdiction, etc* to lift; *séance* to adjourn **3.** *impôt* to levy **4.** *gibier* to flush **II** *v/i* **1.** *pâte* to rise; *semis* to come up **III** *v/pr* ▶ **se lever** **1.** *personne* to get up; ***se lever de table*** to get up from the table **2.** *astre* to rise; *jour* to break **3.** *vent* to get up **4.** *temps* to clear; *brouillard* to lift **5.** *mains*, THÉ *rideau* to go up; *rideau* to rise
lever[2] *m* **1.** ***lever du jour*** daybreak; ▶ ***lever du soleil*** sunrise **2.** *du lit* rising **3.** THÉ ***lever du rideau*** curtain rise
lève-tard [lɛvtar] *m* ⟨*inv*⟩ late riser **lève-tôt** *m* ⟨*inv*⟩ early riser
levier [l(ə)vje] *m* lever
levraut [ləvro] *m* leveret
▶ **lèvre** [lɛvr] *f* **1.** lip; *fig* ***du bout des ~s*** reluctantly; ***avoir le sourire aux ~s*** to

have a smile on one's lips **2.** *de la vulve* **~s** *pl* lips **3.** MÉD **~s** *pl* labia
levrette [ləvʀɛt] *f* female greyhound
lévrier [levʀije] *m* greyhound
levure [l(ə)vyʀ] *f* yeast; **~ *chimique*** baking powder; **~ *de bière*** brewers' yeast
lexical [lɛksikal] *adj* ⟨**~e; -aux** [-o]⟩ lexical **lexicaliser** *v/t* to lexicalize
lexicographe [lɛksikɔgʀaf] *m/f* lexicographer **lexicographie** *f* lexicography **lexicographique** *adj* lexicographic
lexicologie [lɛksikɔlɔʒi] *f* lexicology **lexicologique** *adj* lexicological **lexicologue** *m/f* lexicologist
lexique [lɛksik] *m* **1.** *dictionnaire* glossary **2.** (*vocabulaire*) vocabulary
lézard [lezaʀ] *m* lizard
lézarde [lezaʀd] *f* crack
lézardé [lezaʀde] *adj* ⟨**~e**⟩ *mur* cracked
lézarder [lezaʀde] **I** *v/i fam* to bask in the sun **II** *v/pr* **se ~** to crack
liaison [ljɛzõ] *f* **1.** connection; (*rapport*) relationship; **~ *routière, téléphonique*** road, phone link; ***être en ~ avec qn*** to be in contact with sb **2. ~** (***amoureuse***) relationship **3.** GRAM liaison; ***faire la ~*** to make a liaison
liane [ljan] *f* creeper
liant [ljɑ̃] **I** *adj* ⟨**-ante** [-ɑ̃t]⟩ sociable **II** *m* TECH flexibility
liard [ljaʀ] *m* penny
lias [ljɑs] *m* GÉOL Lias
liasse [ljas] *f* wad
Liban [libɑ̃] ***le ~*** Lebanon
libanais [libanɛ] **I** *adj* ⟨**-aise** [-ɛz]⟩ Lebanese **II *Libanais(e)*** *m(f)* Lebanese
libellé [libele] *m* wording **libeller** *v/t document* to draw up; *chèque* to write
libellule [libelyl] *f* dragonfly
libérable [libeʀabl] *adj **militaire** m* **~** *soldier who has completed his term of service*; ***permission*** *f* **~** leave in hand
libéral [libeʀal] *adj* ⟨**~e; -aux** [-o]⟩ **1.** POL liberal; *subst* ***les libéraux*** *mpl* liberals; ***économie ~e*** free-market economy **2.** (*tolérant*) liberal **3.** *médecin, etc* private-sector; ***professions ~es*** professions
libéralement [libeʀalmɑ̃] *adv* liberally
libéralisation [libeʀalizasjõ] *f* liberalization **libéraliser** *v/t* to liberalize
libéralisme [libeʀalism] *m* **1.** POL, ÉCON liberalism **2.** *attitude* liberalism
libéralité [libeʀalite] *st/s f* liberality
libérateur [libeʀatœʀ], **libératrice** [-tʀis] **I** *m/f* liberator **II** *adj* POL of liberation; *fig rire* liberating
libération [libeʀasjõ] *f* **1.** POL *d'un pays, etc* liberation; *des femmes* liberation; ***la Libération*** the Liberation **2.** *d'un détenu* release; *de soldats* discharge **3.** *d'une obligation* release (***de*** from) **4.** ÉCON payment in full **5.** PHYS, CHIM release
libératoire [libeʀatwaʀ] *adj* FIN ***prélèvement*** *m* **~** deduction at source
libéré [libeʀe] *adj* ⟨**~e**⟩ *pays* liberated; *femme* liberated; *détenu* released
► **libérer** [libeʀe] ⟨**-è-**⟩ **I** *v/t* **1.** POL *pays, etc* to liberate **2.** *détenu* to release; *soldats* to discharge **3.** *d'une obligation* to release (***de*** from) **4.** *prix, etc* to decontrol **5.** *passage* to open up **6.** *énergie, gaz* to release **7.** *fig sa conscience* to clear one's conscience **II** *v/pr* **se ~** *de son travail* to take time off work
Liberia [libeʀja] ***le ~*** Liberia
libéro [libeʀo] *m* sweeper
libertaire [libɛʀtɛʀ] *adj* libertarian
► **liberté** [libɛʀte] *f* freedom; **~ *d'action, de mouvement*** freedom of action, movement; **~ *d'expression*** freedom of speech; ***en toute ~*** quite freely; ***mettre qn en ~*** to set sb free; ***prendre des ~s avec qn*** to take liberties with sb
libertin [libɛʀtɛ̃] **I** *adj* ⟨**-ine** [-in]⟩ licentious; *personne* dissolute **II** *m* libertine
libertinage [libɛʀtinaʒ] *m* licentiousness
libidineux [libidinø] *adj* ⟨**-euse** [-øz]⟩ libidinous
libido [libido] *f* libido
libraire [libʀɛʀ] *m/f* bookseller
► **librairie** [libʀɛʀi] *f* bookstore, *brit* bookshop; **~ *d'occasion*** used book store; ***en ~*** on sale in bookstores
► **libre** [libʀ] *adj* free; ***école*** *f* **~** faith school; TECH ***roue*** *f* **~** free wheel; ***temps***

librairie ≠ library

Librairie = bookstore:

× Les enfants vont encore étudier en librairie, mais ils utilisent surtout l'ordinateur.
✓ Les enfants vont encore étudier en bibliothèque, mais ils utilisent surtout l'ordinateur.

Kids still go to the library, but they mainly use the computers.

m ~ free time; ***~ à vous de*** *+inf* you are free *+inf*; ***~ comme l'air*** free as a bird; ***être très ~ avec qn*** to be very familiar with sb; *médicament* ***en vente ~*** available over the counter
libre-échange [libʀeʃɑ̃ʒ] *m* free trade
libre-échangiste [libʀeʃɑ̃ʒist] ⟨**libre-échangistes**⟩ **I** *adj* free-market **II** *m* free-trader
librement [libʀəmɑ̃] *adv* **1.** *circuler, traduire* freely **2.** *parler* freely **3.** ***~ consenti*** freely agreed to
libre-penseur [libʀəpɑ̃sœʀ] *m* ⟨**libres-penseurs**⟩ freethinker
▶ **libre-service** [libʀəsɛʀvis] *m* ⟨**libres-services**⟩ **1.** *système* self-service **2.** *magasin* self-service store
librettiste [libʀɛtist] *m* librettist
Libye [libi] ***la ~*** Libya
libyen [libjɛ̃] **I** *adj* ⟨**-yenne** [-jɛn]⟩ Libyan **II** ***Libyen(ne)*** *m(f)* Libyan
lice [lis] *f* HIST lists *pl*; *fig* ***entrer en ~*** to enter the fray
licence [lisɑ̃s] *f* **1.** degree; ***~ en droit, ès sciences*** Law, Science degree **2.** COMM, JUR license: SPORT membership card **3.** ***~ poétique*** poetic license **4.** *litt* (*liberté excessive*) license
licencié(e) [lisɑ̃sje] *m(f)* **1.** graduate **2.** SPORT member
▶ **licenciement** [lisɑ̃simɑ̃] *m* lay-off
▶ **licencier** [lisɑ̃sje] *v/t* to lay off
licencieux [lisɑ̃sjø] *litt adj* ⟨**-euse** [-øz]⟩ licentious
lichen [likɛn] *m* BOT lichen
lichette [liʃɛt] *fam f* tiny piece
licite [lisit] *adj* lawful
licorne [likɔʀn] *f* unicorn
licou [liku] *m* halter
lie [li] *f* **1.** ***~ de vin*** wine sediment; *adjt* ⟨*inv*⟩ purplish red; *fig* ***boire le calice jusqu'à la ~*** to drain the cup to the dregs **2.** *litt, fig* dregs
liège [ljɛʒ] *m* cork
liégeois [ljeʒwa] *adj* ⟨**-oise** [-waz]⟩ from Liège; ***café ~*** coffee sundae
lien [ljɛ̃] *m* **1.** *pour attacher* bond **2.** *fig* tie; ***~s de parenté*** family ties; ***servir de ~ entre deux personnes*** to create a bond between two people **3.** (*rapport*) connection
lier [lje] **I** *v/t* **1.** to bind (***à*** to); *plusieurs choses* to bind together; *fig promesse, etc* ***~ qn*** to bind sb; *fig* ***j'ai les mains liées*** my hands are tied; ***être fou à ~*** *fam* to be fit to be tied *fam* **2.** *sauce* to thicken **3.** *fig* to unite; ***ils sont très liés*** they are very close; *chose* ***être lié à qc*** to be connected with sth **II** *v/pr* ***se ~ d'amitié avec qn*** to make friends with sb
lierre [ljɛʀ] *m* ivy
liesse [ljɛs] *f* ***en ~*** jubilant
▶ **lieu** [ljø] *m* ⟨**~x**⟩ **1.** place; *st/s* location; *fig* ***lieu commun*** commonplace; ***'haut lieu*** mecca; *fig* ***en haut lieu*** in high places; ***les Lieux saints*** the holy places; ***lieu de naissance*** place of birth; ▶ ***au lieu de*** instead of; ***au lieu de cela*** instead of that; ***en premier lieu*** in the first place; ***avoir lieu*** to take place; *accident* to happen; ***avoir lieu de faire qc*** to have grounds for doing sth; ***donner lieu à qc*** to give rise to sth; ***mettre en lieu sûr*** to put in a safe place; ***tenir lieu de qc*** to serve as sth **2.** ***lieux*** *pl* premises; *d'un appartement* property; JUR scene; ***sur les lieux du crime*** at the scene of the crime
lieu-dit *m* ⟨**lieux-dits**⟩ *ou* **lieudit** *m* ⟨**lieudits**⟩ locality
lieue [ljø] *f* league; *fig* ***être à mille ~s de faire qc*** to be a million miles from doing sth
lieutenant [ljøtnɑ̃] *m* lieutenant **lieutenant-colonel** *m* ⟨**lieutenants-colonels**⟩ lieutenant colonel
lièvre [ljɛvʀ] *m* hare; *fig* ***courir deux ~s à la fois*** to try to do two things at once; *fig* ***(sou)lever un ~*** to raise an awkward question
lifter [lifte] *v/t* ***se faire ~*** to have a face-lift
lifting [liftiŋ] *m* face-lift
ligament [ligamɑ̃] *m* ANAT ligament
ligature [ligatyʀ] *f* MÉD ligature **ligaturer** *v/t* to ligature
lige [liʒ] *adj* HIST ***homme*** *m* ***~*** liegeman
▶ **ligne** [liɲ] *f* **1.** line; ***~ d'arrivée*** finish line; ***~s de la main*** lines of the hand; *fig* ***dans les grandes ~s*** in broad outline; *fig* ***sur toute la ~*** all along the line **2.** ÉLEC, TÉL line; TÉL ***être en ~*** to be connected **3.** INFORM ***en ~*** online; ***'hors ~*** off line; ***achat*** *m* ***en ~*** buying online; ***banque*** *f* ***en ~*** online banking **4.** TRANSPORT line; CH DE FER ***grandes ~s*** main lines; ***~ de métro*** subway line; ***vol*** *m* ***de ~*** scheduled flight **5.** *d'un texte*, TV line; ***aller à la ~*** to begin a new paragraph; *fig* ***lire entre les ~s*** to read between the lines **6.** (*suite alignée*) line (*a*

par ext MIL, GÉNÉALOGIE); *fig* ***'hors ~*** unequalled **7.** PÊCHE line; *par ext* fishing rod **8.** *fig* (*règle*) line; ***~ directrice*** guiding line; ***~ de conduite*** line of conduct; ***~ du parti*** party line **9.** (*silhouette*) ***avoir la ~*** to have a good figure; ***garder la*** *ou* ***sa ~*** to keep one's figure
lignée [liɲe] *f* descendants *pl*; *fig* ***dans la ~ de qn*** in the tradition of sb
ligner [liɲe] *v/t* to mark with lines
ligneux [liɲø] *adj* ⟨**-euse** [-øz]⟩ woody
lignification [liɲifikasjõ] *f* lignification
lignifier [liɲifje] *v/pr* ***se ~*** to lignify
lignite [liɲit] *m* lignite
ligoter [ligɔte] *v/t* to bind hand and foot
ligue [lig] *f* league
liguer [lige] *v/pr* ***se ~*** to unite (***contre qn*** against sb)
lilas [lilɑ] **I** *m* lilac **II** *adj* ⟨*inv*⟩ lilac
lilliputien [lilipysjɛ̃] *m*, **lilliputienne** [-jɛn] *f* Lilliputian
limace [limas] *f* slug
limaçon [limasõ] *m* **1.** ZOOL snail **2.** ANAT cochlea
limage [limaʒ] *m* TECH filing
limaille [limaj] *f* filings
limande [limɑ̃d] *f* dab
limbes [lɛ̃b] *mpl* CATH limbo; *fig* ***être encore dans les ~*** to be still up in the air
lime [lim] *f* file; ***~ à ongles*** nail file
limer [lime] *v/t* to file; *enlever* file off; *barreau* file through
limette [limɛt] *f* sweet lime
limier [limje] *m* **1.** CH bloodhound **2.** *fig* ***fin ~*** ace sleuth
limitatif [limitatif] *adj* ⟨**-ive** [-iv]⟩ restrictive
limitation [limitasjõ] *f* limitation; ***~ de vitesse*** speed limit
limite [limit] *f* **1.** limit; ***~ d'âge*** age limit; ***à la ~*** if absolutely necessary; ***sans ~s*** boundless; ***il y a des ~s*** (***à tout***) there are limits (to anything) **2.** *adjt* ***âge*** *m* ***~*** maximum age; ***cas*** *m* ***~*** borderline case; ***date*** *f* ***~*** deadline; ***vitesse*** *f* ***~*** maximum speed
limité [limite] *adj* ⟨**~e**⟩ limited (***à*** to); *tirage* limited; ***~ dans le temps*** time-limited; *fam*, *fig* ***il est assez ~*** he is somewhat dumb *fam*
► **limiter** [limite] **I** *v/t* to limit (***à*** to) **II** *v/pr* ***se ~*** to limit o.s. (***à*** to)
limitrophe [limitʀɔf] *adj* bordering (***de*** on)
limogeage [limɔʒaʒ] *m fam* firing **limoger** *v/t* ⟨**-ge-**⟩ *haut fonctionnaire*, *officier fam* to fire, to cashier
limon [limõ] *m* silt
limonade [limɔnad] *f* soda
limonadier [limɔnadje] *m* **1.** manufacturer of soft drinks **2.** ADMIN (*cafetier*) café owner
limoneux [limɔnø] *adj* ⟨**-euse** [-øz]⟩ silty; ***eaux limoneuses*** *d'un fleuve* silty waters
limousinage [limuzinaʒ] *m* rubble work
limousine [limuzin] *f* limousine
limpide [lɛ̃pid] *adj* clear **limpidité** *f* clearness
lin [lɛ̃] *m* **1.** BOT flax **2.** TEXT linen
linceul [lɛ̃sœl] *m* shroud
linéaire [lineɛʀ] *adj* **1.** linear **2.** *fig récit* linear
► **linge** [lɛ̃ʒ] *m* **1.** linen; ***~*** (***de corps***) underwear; ***~ de table*** table linen; *fig* ***laver son ~ sale en famille*** not to wash one's dirty linen in public **2.** (*chiffon*) cloth; *fig* ***blanc comme un ~*** white as a sheet
lingère [lɛ̃ʒɛʀ] *f dans un hôtel* linen maid
lingerie [lɛ̃ʒʀi] *f* **1.** *linge de corps* lingerie **2.** *local* linen room
lingot [lɛ̃go] *m* ingot; ***~ d'or*** gold ingot
lingual [lɛ̃gwal] *adj* ⟨**~e; -aux** [-o]⟩ ANAT, PHON lingual
linguiste [lɛ̃gɥist] *m/f* linguist
linguistique [lɛ̃gɥistik] **I** *adj* **1.** linguistic **2.** (*relatif à la langue*) language *épith* **II** *f* linguistics *sg*; ***~ appliquée*** applied linguistics
liniment [linimɑ̃] *m* liniment
lino [lino] *abr* → ***linoléum***
linoléum [linɔleɔm] *m* linoleum
linotte [linɔt] *f* **1.** ZOOL linnet **2.** *fam*, *fig* ***tête*** *f* ***de ~*** *fam* scatterbrain
linteau [lɛ̃to] *m* ⟨**~x**⟩ lintel
► **lion** [ljõ] *m* lion; (ASTROL ***Lion***) Leo
lionceau [ljõso] *m* ⟨**~x**⟩ lion cub
lionne [ljɔn] *f* lioness
lipides [lipid] *mpl* lipids
liposuccion [liposy(k)sjõ] *f* liposuction
lippe [lip] ***faire la ~*** to pout
lippu [lipy] *adj* ⟨**~e**⟩ *lèvre* thick-lipped
liquéfaction [likefaksjõ] *f* liquefaction
liquéfier [likefje] **I** *v/t* to liquefy **II** *v/pr* ***se liquéfier*** **1.** to liquefy **2.** *fig*, *fam* to turn to jelly
liquette [likɛt] *f fam* shirt
liqueur [likœʀ] *f* liqueur
liquidateur [likidatœʀ] *m* JUR ***~ judiciaire*** official liquidator
liquidation [likidasjõ] *f* **1.** JUR settle-

ment **2.** COMM ~ (***du stock***) (stock) clearance **3.** *fam d'une personne* liquidation

▸ **liquide** [likid] **I** *adj* **1.** liquid; *sauce* ***trop*** ~ too runny **2.** FIN liquid; ***argent m*** ~ cash **II** *m* **1.** liquid **2.** FIN cash; ***payer en*** ~ to pay cash

liquider [likide] *v/t* **1.** JUR to settle **2.** COMM to sell off **3.** *fam affaire* to wind up *travail* to get finished; *fam restes d'un repas* to clear away **4.** *fam adversaire* to eliminate

liquidité [likidite] *f* FIN liquidity; ***~s*** *pl* cash assets, liquid assets

liquoreux [likɔʀø] *adj* ⟨**-euse** [-øz]⟩ ***vin*** ~ rich sweet wine

▸ **lire**[1] [liʀ] ⟨**je lis, il lit, nous lisons; je lisais; je lus; je lirai; que je lise; lisant; lu**⟩ *v/t* to read; *jugement* to deliver; *discours* to read; INFORM to read; ***~ qc à qn*** to read sth to sb; ***~ qc sur le visage de qn*** to see sth on sb's face

lire[2] *f* HIST *monnaie* lira

lis[1] [lis] *m* lily

lis[2] [li] → ***lire***[1]

Lisbonne [lizbɔn] Lisbon

liseré [lizʀe] *ou* **liséré** [lizeʀe] *m* border

liseron [lizʀõ] *m* BOT bindweed

liseur [lizœʀ] *m*, **liseuse**[1] [-øz] *f* ***c'est un grand liseur, une grande liseuse*** he, she is a great reader

liseuse[2] [lizøz] *f* **1.** (*couvre-livre*) book jacket **2.** *vêtement* bed jacket

lisibilité [lizibilite] *f* legibility

lisible [lizibl] *adj* legible

lisière [lizjɛʀ] *f* **1.** TEXT selvage **2.** ***~ du bois*** edge of the wood

lissage [lisaʒ] *m* TECH smoothing

lisse [lis] *adj* smooth

lisser [lise] *v/t* to smooth

listage [listaʒ] *m* → ***listing***

liste [list] *f* list; ***~ noire*** black list; TÉL ***être sur ~ rouge*** to be unlisted; ***~ d'attente*** waiting list; ***~ de mariage*** wedding list

lister [liste] *v/t* INFORM to list

listériose [listeʀjoz] *f* MÉD listeriosis

listing [listiŋ] *m* printout

▸ **lit**[1] [li] *m* **1.** bed; *cadre* bedstead; ***~ de camp*** cot; ***~ d'enfant*** crib; ***~ de mort*** deathbed; ***aller, se mettre au ~*** to go to bed; ***faire le ~*** to make the bed; ***garder le ~*** to stay in bed **2.** *par ext* mattress; ***~ de paille*** paillasse **3.** ***enfant m du premier ~*** child of the first marriage **4.** *d'un cours d'eau* bed; ***sortir de son ~*** to overflow **5.** (*couche*) layer

lit[2] → ***lire***[1]

litanie [litani] *f* litany

litchi [litʃi] *m* lychee

liteau [lito] *m* ⟨***~x***⟩ batten

literie [litʀi] *f* bedding

lithium [litjɔm] *m* lithium

litho [lito] *f*, *abr* → ***lithographie***

lithographe [litɔgʀaf] *m* lithographer **lithographie** *f* lithography **lithographier** *v/t* to lithograph **lithographique** *adj* lithographic

litière [litjɛʀ] *f* **1.** *pour animaux* bedding **2.** *autrefois* litter

litige [litiʒ] *m* dispute; JUR lawsuit; ***en ~*** in dispute

litigieux [litiʒjø] *adj* ⟨**-euse** [-øz]⟩ contentious

litote [litɔt] *f* RHÉT litotes (+ *v sg*)

▸ **litre** [litʀ] *m* liter

litron [litʀõ] *fam m* liter bottle of wine

littéraire [liteʀɛʀ] **I** *adj* literary; *talent* literary; *par ext études* literary; ***langue f ~*** literary language **II** *m/f* literary person

littéral [liteʀal] *adj* ⟨**~e; -aux** [-o]⟩ literal **littéralement** *adv* literally

▸ **littérature** [liteʀatyʀ] *f* literature

littoral [litɔʀal] **I** *adj* ⟨**~e; -aux** [-o]⟩ coastal **II** *m* coast

Lituanie [litɥani] ***la ~*** Lithuania

lituanien [litɥanjɛ̃] **I** *adj* ⟨**-ienne** [-jɛn]⟩ Lithuanian **II** *subst* **1.** ***le ~*** Lithuanian **2.** ***Lituanien(ne)*** *m(f)* Lithuanian

liturgie [lityʀʒi] *f* liturgy **liturgique** *adj* liturgical

livarot [livaʀo] *m* Livarot cheese

livide [livid] *adj* pale **lividité** *f* pallor

living [liviŋ] *m* living room

livrable [livʀabl] *adj* deliverable

livraison [livʀɛzõ] *f* delivery; ***~ à domicile*** home delivery; ***délai m de ~*** delivery time

▸ **livre**[1] [livʀ] *m* book; ***~ d'art*** art book; ***~ de classe*** textbook; ***~ de cuisine*** cookbook; ***~ d'or*** visitors' book; ***~ de poche*** paperback; *fig* ***à ~ ouvert*** at sight; ***parler comme un ~*** to talk like a book

livre[2] *f* pound

livre-cassette [livʀəkasɛt] *m* ⟨**livres-cassettes**⟩ audiobook

livrée [livʀe] *f* livery; ***en ~*** in livery

▸ **livrer** [livʀe] **I** *v/t* **1.** *marchandises* to deliver; ***~ qc à qn*** to deliver sth to sb; ***~ qn*** to deliver sb's order **2.** *coupable, complice* to hand over (***à qn*** to sb); *secret* to divulge (***à qn*** to sb); ***il est livré à***

lui-même he is left to his own devices **3.** ~ (***une***) ***bataille*** to join battle **II** *v/pr* **1.** ***se*** ~ to give o.s. up (***à la police*** to the police) **2.** ***se ~ à qc*** to devote o.s. to sth; ***se ~ à une enquête*** to set up an inquiry **3.** ***se*** ~ (*se confier*) to open up
livresque [livʀɛsk] *adj péj* academic
livret [livʀɛ] *m* **1.** booklet; ***~ scolaire*** report book; ***~ de caisse d'épargne*** passbook; ***~ de famille*** family record book *recording births and deaths* **2.** *d'un opéra* libretto
livreur [livʀœʀ] *m* delivery man
lob [lɔb] *m* SPORT lob
lobby [lɔbi] *m* ⟨**lobbies**⟩ lobby
lobe [lɔb] *m* ANAT, BOT lobe; ***~ de l'oreille*** earlobe
lobé [lɔbe] *adj* ⟨**~e**⟩ **1.** ANAT, BOT lobed **2.** ARCH foiled
lober [lɔbe] *v/i* SPORT to lob
local [lɔkal] **I** *adj* ⟨**~e; -aux** [-o]⟩ local **II** *m* ⟨**-aux** [-o]⟩ premises (+ *v pl*); *pl* ***locaux*** premises
localement [lɔkalmɑ̃] *adv* locally
localisable [lɔkalizabl] *adj* localizable **localisation** *f* localization; *d'un avion, navire* location **localiser** *v/t* to localize; *incendie, épidémie* to confine
localité [lɔkalite] *f* locality
▶ **locataire** [lɔkatɛʀ] *m/f* tenant
locatif [lɔkatif] *adj* ⟨**-ive** [-iv]⟩ rental
location [lɔkasjõ] *f* **1.** *par le locataire* renting; *par le propriétaire* renting out; *de barques, vélos, etc* renting; ***~ de voitures*** car rental **2.** THÉ reservation; CH DE FER, AVIAT reservation **3.** *pour les vacances* holiday house

> **location**
> **≠ place, whereabouts**
>
> **Location** = rental, hire:
> **la location de voitures**
> car rental

location-vente *f* ⟨**locations-ventes**⟩ installment plan
lock-out [lɔkawt] *m* ⟨*inv*⟩ lockout
locomoteur [lɔkɔmɔtœʀ] *adj* ⟨**-trice** [-tʀis]⟩ locomotive
locomotion [lɔkɔmɔsjõ] *f* locomotion; ***moyens*** *mpl* ***de ~*** means of transportation
locomotive [lɔkɔmɔtiv] *f* **1.** locomotive **2.** *fig personne* driving force
locotracteur [lɔkɔtʀaktœʀ] *m* shunter
locuteur [lɔkytœʀ] *m* LING speaker
locution [lɔkysjõ] *f* phrase
loden [lɔdɛn] *m* **1.** *tissu* loden **2.** *manteau* loden coat
lœss [løs] *m* lœss
loft [lɔft] *m logement* loft
logarithme [lɔgaʀitm] *m* logarithm **logarithmique** *adj* logarithmic
loge [lɔʒ] *f* **1.** ***~ du concierge*** janitor's lodge **2.** THÉ box; *fig* ***être aux premières ~s*** to have a ringside view **3.** THÉ *d'un acteur* dressing room **4.** *des francs-maçons* lodge
logeable [lɔʒabl] *adj* habitable
▶ **logement** [lɔʒmɑ̃] *m* housing; *pour les vacances, etc* accommodations; ***~ social*** housing project
loger [lɔʒe] ⟨**-ge-**⟩ **I** *v/t* **1.** to accommodate; ***être logé et nourri*** to have room and board; ***être bien, mal logé*** to have, not to have decent housing **2.** *par ext objets* to put **II** *v/i* **1.** to live **III** *v/pr* **1.** ***trouver à se ~*** to find somewhere to live **2.** *balle* ***se ~*** to lodge (***dans le bras*** in one's arm)
logeur [lɔʒœʀ] *m*, **logeuse** [-øz] *f* landlord, landlady
loggia [lɔdʒja] *f* loggia
▶ **logiciel** [lɔʒisjɛl] *m* software
logicien [lɔʒisjɛ̃] *m*, **logicienne** [-jɛn] *f* logician
▶ **logique** [lɔʒik] **I** *f* logic **II** *adj* logical; GRAM ***analyse*** *f* ***~*** diagramming; ***rester ~ avec soi-même*** to be consistent
logiquement [lɔʒikmɑ̃] *adv* logically; *en début de phrase ou en incise* all things being equal
logis [lɔʒi] *m litt* dwelling; ***maître*** *m* ***du ~*** master of the house; *fig* ***la folle du ~*** the imagination
logisticien [lɔʒistisjɛ̃] *m*, **logisticienne** [-jɛn] *f* logistician
logistique [lɔʒistik] **I** *adj* logistical **II** *f* logistics *pl*
logo [logo] *m* logo
▶ **loi** [lwa] *f* law; ***~ du plus fort*** the survival of the fittest; ***faire la ~*** to lay down the law; ***tomber sous le coup de la ~ …*** to commit an offense under the … law; *abs* to commit a statutory offense
loi-cadre *f* ⟨**lois-cadres**⟩ framework law
▶ **loin** [lwɛ̃] *adv* far (***de*** from); ***au ~*** in the distance; ***de ~*** from a long way away; *fig* by far; ***de ~ en ~*** every now and then;

conj **d'aussi ~ que** *ou* **du plus ~ que** (+ *ind ou subj*) as far back as; *fig* **~ de là!** far from it; *fig* **~ de moi cette idée!** I wouldn't dream of it!; *fig* **être (bien) ~ de faire qc** to be (very) far from doing sth; **aller ~** to go a long way; *fig affaire* to have far-reaching consequences; *fig* **il ira ~** he will go far; *fig* **j'irai même plus ~** I'll go even further; *fig* **aller trop ~** to go too far

lointain [lwɛ̃tɛ̃] **I** *adj* ⟨**-aine** [-ɛn]⟩ faraway; *époque* distant; **pays ~** faraway country **II** *m* distance; **dans le ~** in the distance

loir [lwaʀ] *m* dormouse; *fig* **dormir comme un ~** to sleep like a log

loisible [lwazibl] *adj* **il vous est ~ de faire qc** you are at liberty to do sth

▶ **loisir** [lwaziʀ] *m* **1.** leisure; **moments** *mpl* **de ~** free time; **(tout) à ~** at one's leisure **2. ~s** *pl* leisure activities

lokoum [lɔkum] *m confiserie orientale* Turkish delight

lolo [lolo] *m enf* (*lait*) milk

lombago [lõbago] *m* → **lumbago**

lombaire [lõbɛʀ] *adj* lumbar; **ponction** *f* **~** lumbar puncture

lombric [lõbʀik] *m* earthworm

l'on [lõ] → **on**

londonien [lõdɔnjɛ̃] **I** *adj* ⟨**-ienne** [-jɛn]⟩ London *épith* **II Londonien(ne)** *m(f)* Londoner

Londres [lõdʀ] London

▶ **long** [lõ] **I** *adj* ⟨**longue** [lõg]⟩ long; *visage* long; *cri* long drawn out; **moins ~** shorter; **plus ~** longer; **long de trois mètres** three meters long; *réunion* **être long** to be long; **être long à faire qc** to take a long time to do sth; *réponse*, *personne* **être long à venir** to be a long time coming **II** *adv* **à la longue** in the end; *regard* **en dire long** to be eloquent; **en savoir long** to know a lot (**sur** about) **III** *m* length; **avoir dix mètres de long** to be ten meters long; *tomber* **de tout son long** headlong; **de long en large** to and fro; *fig* **en long et en large** in detail; ▶ **le long de qc** *ou* **au long de qc** along sth; **tout le long du chemin** all along the road; **tout au long** *ou* **tout le long de l'année** throughout the year

long-courrier *m* ⟨**long-courriers**⟩ long-haul plane; *adjt* long-haul

longe [lõʒ] *f* **1.** CUIS loin **2.** *corde* tether

longer [lõʒe] *v/t* ⟨-ge-⟩ **~ qc** to follow sth, *en voiture* to drive along sth, *route* to follow sth

longeron [lõʒʀõ] *m* TECH girder

longévité [lõʒevite] *f* **1.** (*longue durée de la vie*) longevity **2.** (*durée de la vie*) life expectancy

longiligne [lõʒiliɲ] *adj* slender

longitude [lõʒityd] *f* longitude

longitudinal [lõʒitydinal] *adj* ⟨**~e; -aux** [-o]⟩ longitudinal

▶ **longtemps** [lõtɑ̃] *adv* for a long time; **il y a ~ que ...** it's a long time since; **avant ~** before long; *fam* **dans ~?** will it be long?; **depuis ~** for a long time; **pour ~** for a long time

longue [lõg] → **long**

longuement [lõgmɑ̃] *adv* for a long time

longuet [lõgɛ] *fam adj* ⟨**-ette** [-ɛt]⟩ rather long

▶ **longueur** [lõgœʀ] *f* **1.** length; *durée* length; **~ d'onde** wavelength; *fam*, *fig* **(ne pas) être sur la même ~ d'onde** (not) to be on the same wavelength *fam*; **à ~ d'année** all year long **2.** *d'un texte*, *d'un film* **~s** *pl* parts that drag

longue-vue *f* ⟨**longues-vues**⟩ telescope

look [luk] *m* look

looping [lupiŋ] *m* looping the loop

lopin [lɔpɛ̃] *m* **~ de terre** plot

loquace [lɔkas] *adj* talkative

loquacité [lɔkasite] *f* talkativeness

loque [lɔk] *f* **1. ~s** *pl* rags; *vêtement* **tomber en ~s** to fall to pieces **2.** *fig personne* wreck

loquet [lɔkɛ] *m* latch

loqueteux [lɔktø] *adj* ⟨**-euse** [-øz]⟩ ragged

lord [lɔʀ(d)] *m* lord

lorgner [lɔʀɲe] *v/t* to eye

lorgnette [lɔʀɲɛt] *f* opera glasses

lorgnon [lɔʀɲõ] *m* **1.** (*pince-nez*) pince-nez **2.** *avec manche* lorgnette

loriot [lɔʀjo] *m* oriole

lorrain [lɔʀɛ̃] **I** *adj* ⟨**-aine** [-ɛn]⟩ from Lorraine **II Lorrain(e)** *m(f)* person from Lorraine

Lorraine [lɔʀɛn] **la ~** Lorraine

lors [lɔʀ] **I** *adv* **depuis lors** from that time; **dès lors** from that time on; (*en conséquence*) consequently; **dès lors que** as soon as **II** *prép* ▶ **lors de** at the time of

▶ **lorsque** [lɔʀsk(ə)] *conj* ⟨*devant voyelle* **lorsqu'**⟩ when

losange [lɔzɑ̃ʒ] *m* diamond; GÉOM

rhombus

lot [lo] *m* **1.** LOTERIE prize; ***le gros ~*** the jackpot **2.** JUR share **3.** COMM batch

loterie [lɔtʀi] *f* lottery *a fig*

loti [lɔti] *adj* ⟨**~e**⟩ ***être bien, mal ~*** to be well, badly provided for

lotion [lɔsjõ] *f* lotion; ***~ capillaire*** hair lotion

lotir [lɔtiʀ] *v/t* ***~ qc*** to divide sth up

lotissement [lɔtismɑ̃] *m* **1.** *d'un terrain* dividing up **2.** (*terrain*) lot, *brit* plot; *ensemble* housing development

loto [lɔto] *m* lottery; ***~ sportif*** national sports lottery; ***jouer au ~*** to do the lottery

lotte [lɔt] *f* ZOOL monkfish

lotus [lɔtys] *m* lotus

louable [lwabl] *adj* commendable

louage [lwaʒ] *m* letting

louanges [lwɑ̃ʒ] *fpl* praise (+ *v sg*); ***chanter les ~ de qn*** to sing sb's praises

loubar(d) [lubaʀ] *m fam* hood *fam*, *brit* yob *fam*

louche[1] [luʃ] *adj* shady

louche[2] *f* ladle

loucher [luʃe] *v/i* **1.** to squint **2.** *fam*, *fig* ***~ sur qn, qc*** to eye sb, sth up *fam*

louer[1] [lwe] **I** *v/t* to praise; *efforts*, *mérites de qn* to commend; ***~ qn de** ou **pour qc*** to praise sb for sth **II** *v/pr* ***se ~ de qc*** to congratulate o.s. on sth

► **louer**[2] **I** *v/t* **1.** (*donner en location*) to rent out; ***à ~*** for rent; ***chambre à ~*** room for rent **2.** (*prendre en location*) *logement* to rent; *voiture* to rent, *brit* to hire **3.** (*réserver*) to reserve **II** *v/pr* ***se louer*** *appartement* to be for rent

loueur [lwœʀ] *m*, **loueuse** [-øz] *f* lessor; *société* rental company

loufiat [lufja] *m pop* waiter

loufoque [lufɔk] *adj fam* crazy *fam*; → ***cinglé***

loufoquerie [lufɔkʀi] *fam f* eccentricity

Louis [lwi] *m* Louis

loulou [lulu] *m* **1.** ZOOL Spitz **2.** (*jeune voyou*) hoodlum

► **loup** [lu] *m* **1.** ZOOL wolf; *fig* ***il est connu comme le ~ blanc*** everybody knows him **2.** *fig* ***jeune ~*** young Turk **3.** *fam* ***~ de mer*** sea-dog *fam* **4.** *masque* domino **5.** *poisson* bass

loupe [lup] *f* **1.** magnifying glass; *fig* ***regarder qc à la ~*** to put sth under the microscope *fig* **2.** BOT burr

louper [lupe] *fam* **I** *v/t* **1.** *travail* to botch *fam*, to bungle *fam* **2.** *train*, *occasion* to miss; *personne* to miss **II** *v/i* ***j'avais bien dit que ça ne marcherait pas, ça n'a pas loupé*** I said it wouldn't work and, sure enough, it didn't

loup-garou [lugaʀu] *m* ⟨**loups-garous**⟩ werewolf

loupiot [lupjo] *m*, **loupiotte** [-ɔt] *f fam* (*enfant*) kid *fam*

loupiote [lupjɔt] *fam f* small lamp

► **lourd** [luʀ] **I** *adj* ⟨**lourde** [luʀd]⟩ **1.** heavy; *nourriture* heavy, rich; ***industrie ~e*** heavy industry; ***~ de conséquences*** fraught with consequences; ***~ de sous-entendus*** heavy with innuendo; ***avoir l'estomac ~*** to feel bloated; ***avoir la main ~e*** to be strict; *fig* to be heavy-handed; ***j'ai la tête ~e*** my head feels heavy **2.** *temps* oppressive; *fig silence*, *atmosphère* oppressive; ***il fait ~*** it's very close **3.** *personne*, *démarche*, *style* clumsy **II** *adv* ***peser ~*** to be heavy; *fig* ***ne pas peser ~ dans la balance*** not to carry much weight; *fam*, *fig* ***ça ne fait pas ~*** that's not very much; *fam personne* ***ne pas en faire ~*** not to do very much

lourdaud [luʀdo] *adj* ⟨**-aude** [-od]⟩ oafish, clumsy

lourde [luʀd] *f arg* (*porte*) door

lourdement [luʀdəmɑ̃] *adv* **1.** *chargé* heavily; *fig* ***se tromper ~*** to be gravely mistaken **2.** (*gauchement*) clumsily

lourdeur [luʀdœʀ] *f* **1.** *fig* heaviness; ***avoir des ~s d'estomac*** to feel bloated **2.** (*maladresse*) clumsiness

lourdingue [luʀdɛ̃g] *adj fam* → ***lourdaud***

loustic [lustik] *m fam*, *péj* guy *fam*, *brit* dodgy character *fam*

loutre [lutʀ] *f* otter; ***~ de mer*** sea otter

louve [luv] *f* she-wolf

louveteau [luvto] *m* ⟨**~x**⟩ **1.** ZOOL wolf cub **2.** (*jeune scout*) cub scout

louvoiement [luvwamɑ̃] *m surtout pl* ***~s*** MAR tacking (+ *v sg*); *fig* maneuvering (+ *v sg*)

louvoyer [luvwaje] *v/i* ⟨**-oi-**⟩ **1.** MAR to tack **2.** *fig* to maneuver

lover [lɔve] *v/pr* ***se ~*** to coil up

loyal [lwajal] *adj* ⟨**~e; -aux** [-o]⟩ loyal

loyalement [lwajalmɑ̃] *adv* loyally

loyalisme [lwajalism] *m* loyalty

loyauté [lwajote] *f* loyalty

► **loyer** [lwaje] *m* rent

L.S.D. [ɛlɛsde] *m* LSD

lu [ly] *pp* → ***lire***[1]

lubie [lybi] *f* whim

lubricité [lybʀisite] *f d'une personne* lechery; *d'un propos* lewdness
lubrifiant [lybʀifjɑ̃] *m* lubricant
lubrification [lybʀifikasjõ] *f* lubrication **lubrifier** *v/t* to lubricate
lubrique [lybʀik] *adj personne* lecherous; *image, propos* lewd
lucarne [lykaʀn] *f* skylight
lucide [lysid] *adj* clear-sighted; *malade* lucid
lucidité [lysidite] *f* clear-sightedness; MÉD lucidity; ***moments*** *mpl* ***de ~*** lucid spells
luciole [lysjɔl] *f* firefly
lucratif [lykʀatif] *adj* ⟨**-ive** [-iv]⟩ lucrative
lucre [lykʀ] *m st/s et péj* lucre *péj*
ludique [lydik] *adj relatif au jeu* play *épith*; *de jeu, pour jouer* recreational
ludothèque [lydɔtɛk] *f* toy library
luette [lɥɛt] *f* ANAT uvula
lueur [lɥœʀ] *f* **1.** (faint) light **2.** *du regard* glint **3.** *fig* ***~ d'espoir*** glimmer of hope
luge [lyʒ] *f* sled; ***faire de la ~*** to go sledding
lugubre [lygybʀ] *adj* lugubrious
▶ **lui** [lɥi] *pr pers* **1.** ⟨*m et f*⟩ *obj/indir* him, her; ***je ~ pardonne*** I forgive him / her **2.** ⟨*m*⟩ *sujet* he; *obj dir* him; *avec prép* him; *réfléchi* himself; ***~ aussi*** him too; ***je ne vois que ~*** I can only see him; ***avec ~*** with him; ***sans ~*** without him; ***il est content de ~*** he's pleased with himself
lui-même [lɥimɛm] *pr pers* **1.** *emphatique* he; TÉL ***~!*** speaking! **2.** *réfléchi* himself; ***de ~*** of his own accord
luire [lɥiʀ] *v/i* ⟨→ **conduire**; *mais pp* **lui**⟩ *métal* to gleam; *surface mouillée* to glisten
luisant [lɥizɑ̃] *adj* ⟨**-ante** [-ɑ̃t]⟩ **1.** *métal* gleaming; *surface mouillée* glistening **2.** ***ver ~*** glowworm
lumbago [lõbago, lɛ̃-] *m* lumbago
▶ **lumière** [lymjɛʀ] *f* **1.** light; ***à la ~*** (***du jour***) in daylight; *fig* ***à la ~ des événements*** in the light of events; ***sous la ~ des projecteurs*** in the spotlight; *fig* ***faire*** (***toute***) ***la ~ sur une affaire*** to get to the bottom of a matter **2.** *fig personne* ***ce n'est pas une ~*** he's/she's no genius **3.** ***~s*** *pl* insight + *v sg*; ***le siècle des ~s*** the age of Enlightenment; *plais* ***j'ai besoin de vos ~s*** I need to pick your brain
luminaire [lyminɛʀ] *m* light
luminescence [luminesɑ̃s] *f* PHYS luminescence **luminescent** *adj* ⟨**-ente** [-ɑ̃t]⟩ PHYS luminescent
lumineux [lyminø] *adj* ⟨**-euse** [-øz]⟩ **1.** luminous; *regard* radiant; ***enseigne lumineuse*** illuminated sign **2.** *fig* bright; *fam idée* brilliant
luminosité [lyminozite] *f* **1.** brightness **2.** ASTROL luminosity
lump [lɛ̃p, lœ̃p] *m* ***œufs*** *mpl* ***de ~*** lumpfish roe (+ *v sg*)
lunaire [lynɛʀ] *adj* lunar; *fig* ***face*** *f* ***~*** moonface; *fig* ***paysage*** *m* ***~*** lunar landscape
lunatique [lynatik] *adj* moody
lunch [lœntʃ, lɛ̃ʃ] *m* cold buffet
▶ **lundi** [lɛ̃di, lœ̃-] *m* Monday; ***~ de Pâques*** Easter Monday; ***~ de*** (***la***) ***Pentecôte*** Whit Monday
▶ **lune** [lyn] *f* **1.** (ASTRON ***Lune***) moon; ***nouvelle ~*** new moon; ***pleine ~*** full moon; ***~ rousse*** April moon; *fig* ***être dans la ~*** to have one's head in the clouds; *fig* ***promettre la ~ à qn*** to promise sb the moon **2.** ***~ de miel*** honeymoon **3.** *fam* (*derrière*) butt *fam*
luné [lyne] *adj* ⟨**~e**⟩ ***bien, mal ~*** in a good, bad mood
lunetier [lyntje] *m opticien* optician; *fabricant* glasses manufacturer
lunette [lynɛt] *f* **1.** ▶ ***lunettes*** *pl* glasses; ***lunettes de soleil*** sunglasses; ***porter des lunettes*** to wear glasses **2.** OPT telescope **3.** ***lunette*** (***arrière***) rear window **4.** (*siège d'aisances*) toilet seat
lunule [lynyl] *f* half-moon
lupin [lypɛ̃] *m* BOT lupin
lurette [lyʀɛt] *f fam* ***il y a belle ~*** ages ago
luron [lyʀõ] *m* ***c'est un gai, joyeux ~*** he's quite a guy *fam*
lus [ly] → ***lire***[1]
lustrage [lystʀaʒ] *m* polishing; TEXT lustring
lustral [lystʀal] *adj* ⟨**~e; -aux** [-o]⟩ lustral
lustre [lystʀ] *m* **1.** *luminaire* chandelier **2.** (*éclat*) sheen **3.** ***depuis des ~s*** for ages
lustré [lystʀe] *adj* ⟨**~e**⟩ **1.** *vêtement* shiny **2.** *poil, cheveux, étoffe* glossy
lustrer [lystʀe] *v/t* ***~ qc*** (*rendre brillant*) to polish sth; *par l'usure* to make sth shiny
lut [ly] → ***lire***[1]
luth [lyt] *m* MUS lute
luthérien [lyteʀjɛ̃] **I** *adj* ⟨**-ienne** [-jɛn]⟩

Lutheran **II ~(*ne*)** *m(f)* Lutheran
luthier [lytje] *m* stringed instrument maker
lutin [lytɛ̃] *m* imp
lutte [lyt] *f* **1.** (*combat*) fight; *st/s* struggle; ***la ~ contre le cancer*** the fight against cancer; ***la ~ des classes*** the class struggle; ***de haute ~*** after a hard fight **2.** SPORT wrestling
▶ **lutter** [lyte] *v/i* **1.** to fight (*a fig*); ***~ contre qc, qn*** to fight against sth, sb **2.** SPORT to wrestle
lutteur [lytœʀ] *m*, **lutteuse** [-øz] *f* **1.** *m* SPORT wrestler **2.** *fig* fighter
luxation [lyksasjõ] *f* dislocation
luxe [lyks] *m* **1.** luxury; ***de ~*** luxury *épith*; *fig* ***se payer le ~ de faire qc*** to give o.s. the satisfaction of doing sth **2.** *fig* ***un ~ de*** a wealth of
▶ **Luxembourg** [lyksɑ̃buʀ] *ville ~, pays **le ~*** Luxembourg
▶ **luxembourgeois** [lyksɑ̃buʀʒwa] **I** *adj* ⟨**-oise** [-waz]⟩ of Luxembourg **II** ***Luxembourgeois(e)*** *m(f)* inhabitant of Luxembourg
luxer [lykse] *v/pr* ***se ~ le bras****, etc* to dislocate one's arm, *etc.*
luxueux [lyksɥø] *adj* ⟨**-euse** [-øz]⟩ luxurious
luxure [lyksyʀ] *f litt* lust
luxuriance [lyksyʀjɑ̃s] *f de la végétation* luxuriance *a fig*
luxuriant [lyksyʀjɑ̃] *adj* ⟨**-ante** [-ɑ̃t]⟩ luxuriant
luxurieux [lyksyʀjø] *litt adj* ⟨**-euse** [-øz]⟩ luxurious
luzerne [lyzɛʀn] *f* alfalfa, *brit* lucerne
▶ **lycée** [lise] *m* high school, *brit* secondary school
▶ **lycéen** [liseɛ̃] *m*, **lycéenne** [-eɛn] *f* high school student, *brit* secondary school student
lycra® [likʀa] *m* lycra®
lymphatique [lɛ̃fatik] *adj* **1.** MÉD lymphatic **2.** *fig* lethargic
lymphe [lɛ̃f] *f* lymph
lynchage [lɛ̃ʃaʒ] *m* lynching **lyncher** *v/t* to lynch
lynx [lɛ̃ks] *m* lynx; *fig* ***avoir des yeux de ~*** to have a keen eye
Lyon [ljõ] Lyons
lyophilisé [ljɔfilize] *adj* ⟨**~e**⟩ freeze--dried
lyre [liʀ] *f* MUS lyre
lyrique [liʀik] *adj* **1.** LITT lyric; ***poésie*** *f* **~** lyric poetry; ***poète*** *m* **~** lyric poet **2.** MUS ***artiste*** *m,f* **~** opera singer; ***théâtre*** *m* **~** lyric theatre **3.** *fig* lyrical
lyrisme [liʀism] *m* lyricism
lys [lis] *m* lily

M

M, m [ɛm] *m* ⟨*inv*⟩ M
m *abr* (= **mètre**) m
M. *abr* (= **Monsieur**) Mr.
m' [m] → ***me***
▶ **ma** → ***mon***
maboul [mabul] *adj* ⟨**~e**⟩ *fam* crazy *fam*; → ***cinglé***
mac [mak] *m arg* → ***maquereau*** *2*
macabre [makɑbʀ] *adj* macabre; ***danse*** *f* **~** danse macabre
macadam [makadam] *m* macadam **macadamiser** *v/t* to tarmac
macaque [makak] *m* ZOOL macaque
macaron [makaʀõ] *m* **1.** *pâtisserie* macaroon **2.** *coiffure* coiled braid, *brit* coiled plait **3.** *fam insigne* badge
macaroni(s) [makaʀɔni] *mpl* macaroni (+ *v sg*)
macchabée [makabe] *m pop* corpse
macédoine [masedwan] *f* ***~ de fruits*** fruit salad; ***~ de légumes*** mixed vegetables (+ *v pl*)
Macédoine [masedwan] ***la ~*** Macedonia
macérer [maseʀe] ⟨**-è-**⟩ **I** *v/t* to steep, to macerate *t/t* **II** *v/i* to steep, to macerate *t/t*
mâche [mɑʃ] *f* corn salad, *brit* lamb's lettuce
mâcher [mɑʃe] *v/t* **1.** to chew **2.** *fig* ***~ la besogne à qn*** to make sb's work easier; ***il ne mâche pas ses mots*** he doesn't mince his words **3.** ***papier mâché*** papier mâché
machette [maʃɛt] *f* machete
machiavélique [makjavelik] *adj* POL *et fig* Machiavellian **machiavélisme** *m* POL *et fig* Machiavellian
▶ **machin** [maʃɛ̃] *m fam* thing; thingy *fam*
machinal [maʃinal] *adj* ⟨**~e; -aux** [-o]⟩

mechanical
machination [maʃinasjõ] *f* conspiracy, plot
▶ **machine** [maʃin] *f* **1.** machine; ▶ ***machine à coudre*** sewing machine; ▶ ***machine à écrire*** typewriter; ▶ ***machine à laver*** washing machine; ***machine à sous*** one-armed bandit, *brit* fruit machine; ***machine à vapeur*** steam engine; ***fait à la machine*** machine-made; *fig* ***faire machine arrière*** to backtrack **2.** *fig et péj d'une personne* machine
machine-outil *f* ⟨**machines-outils**⟩ machine tool
machiner [maʃine] *v/t* to plot, to engineer
machinerie [maʃinʀi] *f* equipment; THÉ machinery **machinisme** *m* mechanization
machiniste [maʃinist] *m* **1.** THÉ stagehand **2.** (*conducteur*) driver
machisme [ma(t)ʃism] *m péj* male chauvinism
machiste [ma(t)ʃist] **I** *adj* male chauvinist *épith* **II** *m* male chauvinist; → ***macho***
macho [matʃo] *m fam, péj* male chauvinist; macho man *fam, péj*
mâchoire [mɑʃwaʀ] *f* **1.** ANAT jaw; ***~ inférieure, supérieure*** lower, upper jaw **2.** TECH jaw
mâchonner [mɑʃɔne] *v/t* to chew (***qc*** sth)
mâchouiller [mɑʃuje] *v/t fam* ***~ qc*** to chew away at sth
▶ **maçon** [masõ] *m* mason, *brit* bricklayer
maçonner [masɔne] *v/t* ***~ qc*** to build sth; (*revêtir*) to line sth with bricks
maçonnerie [masɔnʀi] *f* **1.** *ouvrage* brickwork **2.** *travail* building work
maçonnique [masɔnik] *adj* Masonic
macramé [makʀame] *m* macramé
macro [makʀo] *f* INFORM macro
macroéconomie [makʀoekɔnɔmi] *f* macroeconomy **macroéconomique** *adj* macroeconomic **macromolécule** *f* macromolecule
maculer [makyle] *v/t st/s* to stain
Madagascar [madagaskaʀ] Madagascar
▶ **madame** [madam] *f* ⟨**mesdames** [medam]⟩ *avec un nom*: ***~ X*** Mrs X; ***Madame votre mère*** your mother; ***Madame la Présidente*** Madam Chairman; *pour s'adresser à une femme*: ***Madame*** *dont on connaît le nom* Mrs X; *dans un magasin* Madam; *au début d'une lettre* Dear Madam; ***Mesdames!*** Ladies!; ***Mesdames, Messieurs!*** Ladies and gentlemen!; (***bonjour,***) ***Madame!*** good morning!
madeleine [madlɛn] *f* CUIS madeleine
▶ **mademoiselle** [madmwazɛl] *f* ⟨**mesdemoiselles** [medmwazɛl]⟩ *avec un nom*: ***~ X*** Miss X; ***Mademoiselle*** *pour s'adresser à une jeune fille ou femme dont on connaît le nom*: Miss X; *au début d'une lettre* Dear Madam; (***bonjour,***) ***Mademoiselle!*** good morning!; ***Mesdemoiselles!*** Ladies!
madère [madɛʀ] *m* Madeira
madone [madɔn] *f* madonna
madras [madʀas] *m* madras cotton
madré [madʀe] *litt adj* ⟨**~e**⟩ crafty
madrier [madʀije] *m* beam
madrigal [madʀigal] *m* ⟨**-aux** [-o]⟩ MUS, POÉSIE madrigal
madrilène [madʀilɛn] **I** *adj* of Madrid **II** ***Madrilène*** *m/f natif* native of Madrid; *habitant* inhabitant of Madrid
maestria [maɛstʀija] *f* mastery; ***avec ~*** masterfully
maf(f)ia [mafja] *f* mafia
maf(f)ieux [mafjø] *m* mafioso; *pl* mafiosi
▶ **magasin** [magazɛ̃] *m* **1.** store, *brit* shop; ▶ ***grand magasin*** department store; ***magasin spécialisé*** specialist store; ***magasin d'alimentation*** grocery store, *brit* grocer's; ***faire les magasins*** to go shopping **2.** (*entrepôt*) store
magasinage [magazinaʒ] *m* warehousing
magasiner [magazine] *v/i au Canada* to go shopping
magasinier [magazinje] *m* warehouseman
▶ **magazine** [magazin] *m* magazine (*a* TV, RAD)
mage [maʒ] *adj* ***les Rois*** *mpl* ***~s*** the Magi, the Three Kings
Maghreb [magʀɛb] ***le ~*** the Maghreb, North Africa
maghrébin [magʀebɛ̃] **I** *adj* ⟨**-ine** [-in]⟩ North African, Maghrebi **II** ***Maghrébin(e)*** *m(f)* North African
magicien [maʒisjɛ̃] *m*, **magicienne** [-jɛn] *f* magician
magie [maʒi] *f* magic; ***comme par ~*** as if by magic
magique [maʒik] *adj* magical; ***baguette***

f ~ magic wand
magistère [maʒistɛʀ] *m* magisterium
magistral [maʒistʀal] *adj* ⟨**~e; -aux** [-o]⟩ **1.** (*parfait*) masterly **2.** *fam gifle* tremendous **3.** ***cours*** **~** lecture
magistrat [maʒistʀa] *m* ADMIN senior public servant; (*juge*) judge; (*procureur*) prosecuting attorney, *brit* public prosecutor
magistrature [maʒistʀatyʀ] *f* **1.** *fonction* public office; *d'un juge* magistracy **2.** ***la*** **~** the judiciary
magma [magma] *m* **1.** GÉOL magma **2.** *fig* jumble
magnanime [maɲanim] *adj* magnanimous **magnanimité** *f* magnanimity
magnat [magna] *m* magnate
magner [maɲe] *v/pr fam* ***se*** **~** to get a move on *fam*
magnésium [maɲezjɔm] *m* magnesium
magnétique [maɲetik] *adj* magnetic; ***champ*** *m* **~** magnetic field
magnétiser [maɲetize] *v/t* **1.** PHYS, MÉD to magnetize **2.** *fig* to mesmerize **magnétiseur** *m* (magnetic) healer, mesmerist *t/t*
magnétisme [maɲetism] *m* PHYS magnetism *a fig*
magnéto [maɲeto] *m*, *abr fam* → ***magnétophone***
magnétophone [maɲetɔfɔn] *m* tape recorder; *à cassettes* cassette recorder
▸ **magnétoscope** [maɲetɔskɔp] *m* video recorder
magnificat [maɲifikat] *m* ⟨*inv*⟩ ÉGL CATH, MUS magnificat
magnificence [maɲifisɑ̃s] *f st/s* magnificence
magnifier [maɲifje] *v/t litt* to idealize
▸ **magnifique** [maɲifik] *adj* magnificent
magnitude [maɲityd] *f* ASTROL magnitude
magnolia [maɲɔlja] *m* magnolia
magnum [magnɔm] *m* magnum
magot [mago] *m* stash
magouillage [magujaʒ] *m ou* **magouille** [maguj] *f fam*, *péj* scheme
magouiller [maguje] *v/i fam*, *péj* to scheme
magret [magʀɛ] *m* **~ *de canard*** fillet of duck breast
Mahomet [maɔmɛ] *m* Mohammed
▸ **mai** [mɛ] *m* May; ***le Premier*** **~** May Day
▸ **maigre** [mɛgʀ] **I** *adj* **1.** thin; *personne, visage* thin; *advt* ***faire*** **~** to go without meat **2.** *fig résultat* poor; *régime* low-fat; *repas, salaire* meagre; *végétation* sparse **II** *m/f* thin person; ***c'est une fausse*** **~** she looks thinner than she really is
maigrelet [mɛgʀəlɛ] *adj* ⟨**-ette** [-ɛt]⟩ → ***maigrichon***
maigreur [mɛgʀœʀ] *f* thinness
maigrichon [megʀiʃõ] **I** *adj* ⟨**-onne** [-ɔn]⟩ skinny, scrawny **II** **~*(ne)*** *m(f)* skinny man, woman
maigriot [megʀijo] *adj* ⟨**-otte** [-ɔt]⟩ → ***maigrichon***
▸ **maigrir** [megʀiʀ] *v/i* to lose weight; *plus fort* to get thinner; ***se faire*** **~** to try to lose weight
mail [mɛl] *m* (*e-mail*) email
mailing [mɛliŋ] *m* mailshot
maille [maj] *f* **1.** *d'un tricot* stitch; *d'un filet* mesh **2.** ***avoir*** **~ *à partir avec qn*** to have a brush with sb
maillet [majɛ] *m* mallet
mailloche [majɔʃ] *f* **1.** TECH mallet **2.** *de grosse caisse* beater
maillon [majõ] *m* link
▸ **maillot** [majo] *m* **1.** **~ *(de bain)*** swimsuit **2.** *de sportif* singlet; ***le*** **~ *jaune*** the yellow jersey **3.** **~ *(de corps)*** undershirt, *brit* vest
▸ **main** [mɛ̃] *f* **1.** hand; COUT ***petite*** **~** apprentice seamstress; ***coup*** *m* ***de*** **~** MIL surprise attack; ***donner un coup de*** **~ *à qn*** to give sb a hand; ***à la*** **~** *écrire, coudre* by hand; *avoir, tenir* in one's hand; ***fait (à la)*** **~** hand-made; ***à*** **~ *levée*** *dessiner* free-hand; *voter* by show of hands; ***à pleines*** **~*s*** *prendre* by the handful; *dépenser* lavishly; MUS ***jouer à quatre*** **~*s*** to play a duet; ***la*** **~ *dans la*** **~** hand in hand; ***de longue*** **~** *préparer* for a long time; ***de première*** **~** first-hand; ***de seconde*** **~** second hand ***de la*** **~ *à la*** **~** directly; ***de*** **~ *de maître*** in a masterly fashion; ***en (de) bonnes*** **~*s*** in good hands; *fig* ***entre les*** **~*s de qn*** in sb's hands; ***sous la*** **~** to hand; ***avoir qc sous la*** **~** to have sth to hand; ***(en) sous*** **~** in an underhand way; ***'haut les*** **~*s!*** hands up!; ***gagner 'haut la*** **~** to win hands down; *fig* ***avoir la haute*** **~ *sur qc*** to have total control over sth; ***ne pas y aller de*** **~ *morte*** not to pull one's punches; *par ext* to overdo it; ***changer de*** **~*s*** to change hands; ***donner la*** **~ *à qn*** to hold sb's hand; ***se faire la*** **~** to prac-

tise; ***faire ~ basse sur qc*** to help o.s. to sth; ***lever, porter la ~ sur qn*** to raise one's hand to sb; ***mettre la dernière ~ à qc*** to put the finishing touches to sth; ***j'en mettrais ma ~ au feu*** I'd swear to it; *fam* ***mettre la ~ à la pâte*** to lend a hand; *police* ***mettre la ~ sur qn*** to lay hands on sb; *fig* ***prendre qc en ~*** to take sth in hand; ***prendre qn la ~ dans le sac*** to catch sb red-handed; *fig* ***tendre la ~*** (*mendier*) to beg; *fig* ***tendre la ~ à qn*** to offer the hand of friendship to sb; ***en venir aux ~s*** to come to blows **2.** *d'un escalier* ***~ courante*** handrail

▶ **main-d'œuvre** [mɛ̃dœvʀ] *f* (*travail*) labor; *personnes* workforce

main-forte [mɛ̃fɔʀt] *f* ***prêter ~ à qn*** to give sb a helping hand

mainlevée [mɛ̃lve] *f* JUR *d'une saisie* restoration of goods taken in distraint; *d'une hypothèque* discharge

mainmise [mɛ̃miz] *f* control (***sur qc*** over sth)

maint [mɛ̃] *adj indéf st/s* ⟨**mainte** [mɛ̃t]⟩ many; ***~e(s) fois*** many times; ***à ~es reprises*** time and time again, many a time

maintenance [mɛ̃tnɑ̃s] *f* maintenance

▶ **maintenant** [mɛ̃tnɑ̃] *adv* now; ***~ que*** now that

maintenir [mɛ̃tniʀ] ⟨→ **tenir**⟩ **I** *v/t* **1.** (*conserver*) to keep; *paix* to keep; *tradition* to preserve **2.** (*soutenir*) ***~ que …*** to maintain that … **3.** (*tenir*) to hold **II** *v/pr* ***se maintenir*** to remain stable

maintien [mɛ̃tjɛ̃] *m* **1.** ***le ~ de l'ordre*** maintaining law and order; ***le ~ de la paix*** keeping the peace; *de qn en fonction* retention **2.** (*attitude*) bearing

▶ **maire** [mɛʀ] *m* mayor

mairesse [mɛʀɛs] *f plais* mayor; (*épouse du maire*) mayoress

▶ **mairie** [meʀi] *f* town hall

▶ **mais** [mɛ] **I** *conj* but **II** *adv* ***~ non!*** no!; *indigné* ***ah ~!*** well really! **III** *m* but

▶ **maïs** [mais] *m* corn, *brit* maize

▶ **maison** [mɛzõ] *f* **1.** house; ***~ close, de tolérance*** brothel; ***Maison des jeunes et de la culture*** youth and community centre; ***~ de retraite*** retirement home; ***ami*** *m* ***de la ~*** family friend; ***à la ~*** at home; ***rentrer à la ~*** to go home; ***rester à la ~*** to stay at home **2.** COMM company; ***~ mère*** head office; ***~ d'édition*** publishing house **3.** ***~ d'arrêt*** prison *for short-term inmates* **4.** *adjt* CUIS home-made **5.** (*lignée de nobles*) house

maisonnée [mɛzɔne] *f* household **maisonnette** *f* small house

maître [mɛtʀ], **maîtresse** [mɛtʀɛs] **I** *m/f* **1.** master, mistress; *d'un chien* master; ***maître, maîtresse de maison*** master, mistress of the house; host, hostess; ***être son*** (***propre***) ***maître*** to be one's own master; ***être maître de soi*** to have self-control **2.** ***maître, maîtresse*** (***d'école***) schoolteacher **3.** ***maître*** *m* master; ***maître nageur*** lifeguard; *professeur* swimming instructor; ***maître à penser*** mentor; ***maître de conférences*** assistant professor, *brit* senior lecturer; ***maître d'hôtel*** maître d'(hôtel), *brit* head waiter; (*majordome*) butler; ***maître d'œuvre*** CONSTR main contractor; ***coup*** *m* ***de maître*** masterstroke **4.** JUR ***Maître Dupont*** Mr / Mrs / Miss Dupont **5.** ***maîtresse*** *f* (*bien-aimée*) lover; *péj* mistress **II** *adj* **1.** main; ***idée maîtresse*** key idea **2.** ***une maîtresse femme*** a powerful woman

maître-autel [mɛtʀotɛl] *m* ⟨**maîtres-autels**⟩ high altar

maître-chien [mɛtʀəʃjɛ̃] *m* ⟨**maîtres-chiens**⟩ dog handler

maîtrisable [metʀizabl] *adj* controllable; *technique* easy to master

maîtrise [metʀiz] *f* **1.** (*domination*) control (***de*** of); ***~ de soi*** self-control **2.** (*virtuosité*) mastery **3.** ***agents*** *mpl* ***de ~*** supervisory staff **4.** *diplôme* ≈ masters degree **5.** MUS choir; *école* choir school

maîtriser [metʀize] **I** *v/t* *animal* to control; *agresseur* to overcome; ***~ qc*** *incendie, épidémie* to bring sth under control; *difficulté* to overcome sth; *colère, jalousie* to curb sth **II** *v/pr* ***se maîtriser*** to control o.s.

majesté [maʒɛste] *f* **1.** majesty **2.** ***Sa, Votre Majesté*** His, Your Majesty

majestueux [maʒɛstɥø] *adj* ⟨**-euse** [-øz]⟩ majestic

▶ **majeur** [maʒœʀ] **I** *adj* ⟨**~e**⟩ **1.** (*important*) major; ***la ~e partie de*** the majority of, most of **2.** MUS major; ***en ré ~*** in D major **3.** JUR ***être ~*** to be of age **4.** ***le lac Majeur*** Lake Maggiore **II** *m* ANAT middle finger

major [maʒɔʀ] *m* **1.** MIL chief warrant officer, *brit* warrant officer first class; MIL MAR warrant officer; MIL AVIAT master sergeant, *brit* warrant officer **2.** ENSEIGNEMENT ***~ de promotion*** top of

the year
majoration [maʒɔʀasjõ] *f* increase
majordome [maʒɔʀdɔm] *m* butler, majordomo
majorer [maʒɔʀe] *v/t* to increase
majorette [maʒɔʀɛt] *f* majorette
majoritaire [maʒɔʀitɛʀ] *adj* majority *épith*
▶ **majorité** [maʒɔʀite] *f* **1.** majority (*a* POL); ***à la ~ absolue*** with an absolute majority; ***dans la ~ des cas*** in most cases; ***en ~*** for the most part **2. ~ (*civile*)** voting age; ***~ pénale*** legal majority
Majorque [maʒɔʀk] Majorca
majuscule [maʒyskyl] *adj* (***lettre*** *f*) **~** *f* capital (letter); ***un A ~*** a capital A
▶ **mal**[1] [mal] **I** *adv* **1.** badly; ***mal payé*** badly paid; ▶ ***pas mal de gens*** quite a few people; ***aller mal*** *projet, affaires* to go badly; *personne* ***il va mal*** he's ill; *malade* ***il est au plus mal*** he's critically ill; ***prendre mal qc*** to take sth badly **2.** (*incorrectement*) wrongly; ***mal interpréter*** to misinterpret; ***mal comprendre*** to misunderstand **II** *adj* ⟨*inv*⟩ ***dire, faire qc de mal*** to say, do sth wrong; ***être mal*** to feel ill; ***être mal avec qn*** to be on bad terms with sb; ***être pas mal*** to be quite good; ***elle est pas mal*** she's quite good-looking
▶ **mal**[2] [mal] *m* ⟨**maux** [mo]⟩ **1.** ***le mal*** wrong; REL evil; (*dommage*) harm; ***le moindre mal*** the lesser evil; ***quel mal y a-t-il à cela?*** where's the harm in that?; ***dire du mal de qn*** to speak ill of sb; ***faire du mal à qn*** (*nuire*) to harm sb; (*faire souffrir*) to hurt sb; *paroles* to wound sb; ***sans penser à mal*** without meaning any harm; ***je n'y vois aucun mal*** I don't see any harm in it **2.** (*souffrance*) pain; (*maladie*) disease; ***mal blanc*** → ***panaris***; ▶ ***avoir maux de dents, de tête*** to suffer from toothache, headaches; ***mal de mer*** sea sickness; ***avoir le mal de mer*** to be seasick; ***mal du pays*** homesickness; ***mal des transport*** travel sickness; ***j'ai mal au cœur*** I feel sick; ***avoir mal aux dents, à la tête*** to have a toothache, a headache; ***il n'y a pas de mal!*** there's no harm done!; *fig* ***être en mal de qc*** to be short of sth; ▶ ***faire mal à qn*** to hurt sb **3.** (*peine*) difficulty; ***sans mal*** easily; ***donner du mal à qn*** to give sb trouble; ***se donner du mal*** to go to a lot of trouble
malabar [malabaʀ] *fam m* muscleman *fam*
▶ **malade** [malad] **I** *adj* **1.** sick, ill; ***avoir le cœur ~, être ~ du cœur*** to have a heart condition; ***je suis ~*** (*j'ai mal au cœur*) I feel sick; *fig* ***être ~ de jalousie*** to be sick with jealousy; ***tomber ~*** to get sick, *brit* to fall ill **2.** *fam* (*fou*) crazy *fam*; → ***cinglé*** **3.** *fam objet, entreprise* ***être ~*** to be in a bad way **II** *m/f* sick man, woman; *d'un médecin* patient; ***grand(e) ~*** seriously ill man, woman; ***~ mental(e)*** mentally ill man, woman
▶ **maladie** [maladi] *f* **1.** (*mauvaise santé*) illness; (*affection*) disease; ***~ de Parkinson*** Parkinson's disease; *fam, fig* ***en faire une ~*** to have a fit *fam* **2.** *fig* (*manie*) obsession; *plus fort* phobia
maladif [maladif] *adj* ⟨**-ive** [-iv]⟩ **1.** *personne* sickly; ***être ~*** to be sickly **2.** *curiosité, peur* pathological
maladresse *f* clumsiness
▶ **maladroit I** *adj* ⟨**-oite**⟩ clumsy **II ~(e)** *m(f)* clumsy person
mal-aimé *adj* ⟨**~e**⟩ starved of affection
malaise *m* **1.** MÉD ***avoir un ~*** to feel faint **2.** *fig* uneasiness
malaisé *st/s adj* ⟨**~e**⟩ difficult
malappris *m* lout
malaria [malaʀja] *f* malaria
malavisé [malavize] *litt adj* ⟨**~e**⟩ unwise
malaxer [malakse] *v/t* to mix; *pâte* to knead
Malaysia [malezja] ***la ~*** Malaysia
malbouffe *fam f* unhealthy eating
malchance *f* bad luck; ***jouer de ~*** to be dogged by bad luck
malchanceux *adj* ⟨**-euse**⟩ unlucky; *subst* ***un ~*** an unlucky person
malcommode [malkɔmɔd] *adj* → ***incommode***
Maldives [maldiv] ***les îles*** *fpl* **~** the Maldives
maldonne *f* ***il y a ~*** *aux cartes* there's been a misdeal; *fam, fig* there's been a misunderstanding
mâle [mɑl] **I** *m* **1.** ZOOL male **2.** (*homme*) man **II** *adj* male
malédiction [malediksjõ] *f* curse
maléfice [malefis] *m* evil spell
maléfique [malefik] *adj* evil
malencontreux [malɑ̃kõtʀø] *adj* ⟨**-euse** [-øz]⟩ unfortunate
malentendant [malɑ̃tɑ̃dɑ̃] *m*, **malentendante** [-ɑ̃t] *f* hearing-impaired person

malentendu *m* misunderstanding
mal-être *m* malaise
malfaçon *f* defect
malfaisant [malfəzɑ̃] *adj* ⟨**-ante** [-ɑ̃t]⟩ **1.** *esprit* evil **2.** *influence* harmful
malfaiteur [malfɛtœʀ] *m* criminal
malfamé *adj* ⟨**~e**⟩ disreputable
malformation *f* malformation
malfrat [malfʀa] *m fam* crook *fam*
malgache [malgaʃ] **I** *adj* Malagasy, Madagascan **II** ***Malgache*** *m/f* Malagasy, Madagascan
▶ **malgré** *prép* **1.** ***~ moi*** (*contre mon gré*) against my wishes; (*sans le vouloir*) in spite of myself **2.** (*en dépit de*) despite, in spite of; ***~ cela*** nevertheless; ***~ tout*** (*en dépit de*) in spite of everything; (*pourtant*) even so
malhabile [malabil] *adj* clumsy
▶ **malheur** [malœʀ] *m* misfortune; (*ennui*) accident; mishap; ***~ à …!*** woe betide …!; ***par ~*** unfortunately; ***pour son ~*** unfortunately for him / her; ***faire le ~ de qn*** to bring sb unhappiness; *spectacle* ***faire un ~*** to be a sensation; ***le ~ des uns fait le bonheur des autres*** one man's joy is another man's sorrow
▶ **malheureusement** *adv* unfortunately
▶ **malheureux** **I** *adj* ⟨**-euse**⟩ **1.** (*qui souffre*) unhappy; (*malchanceux*) unlucky; *situation*, *suites* unfortunate; ***être ~ en amour*** to be unlucky in love **2.** *péj* (*négligeable*) miserable; lousy *fam* **II** ***~, malheureuse*** *m/f* unfortunate man, woman; (*indigent*) poor man, woman
malhonnête *adj* dishonest
malhonnêteté *f* dishonesty
Mali [mali] ***le ~*** Mali
malice [malis] *f* **1.** mischief **2.** ***être sans ~*** to be harmless
malicieux [malisjø] *adj* ⟨**-euse** [-øz]⟩ mischievous
maligne → ***malin***
malignité [maliɲite] *f* **1.** spitefulness **2.** MÉD malignancy
▶ **malin** [malɛ̃] **I** *adj* ⟨**maligne** [maliɲ]⟩ **1.** (*rusé*) smart; *air*, *sourire* cunning **2.** (*malveillant*) malicious; *plus fort* spiteful; ***mettre une joie maligne à faire qc*** to take a perverse pleasure in doing sth **3.** MÉD malignant **II** ***~, maligne*** *m/f* smart person; smart aleck *fam*; *fam*, *iron* wise guy *fam*, *iron*; ***faire le ~*** to try to be smart; to show off
malingre [malɛ̃gʀ] *adj* sickly
malintentionné *adj* ⟨**~e**⟩ malicious
malle [mal] *f* trunk; *pop*, *fig* ***se faire la ~*** to beat it *fam*
malléable [maleabl] *adj* **1.** *métal* malleable; *substance* soft, malleable **2.** *fig* easily influenced
mallette [malɛt] *f* case
malmener *v/t* ⟨**-è-**⟩ ***~ qn*** (*brutaliser*) to manhandle sb; *fig adversaire* to give sb a hard time
malnutrition *f* malnutrition
malodorant *adj* ⟨**-ante**⟩ foul-smelling
malotru [malɔtʀy] *m* boor
Malouines [malwin] ***les (îles) ~*** *fpl* the Falkland Islands, the Falklands
malpropre **I** *adj* dirty **II** *m* filthy swine; ***se faire traiter comme un ~*** to be treated like dirt
malsain *adj* ⟨**-aine**⟩ unhealthy
malséant *st/s adj* ⟨**-ante**⟩ unseemly, improper
malt [malt] *m* malt
Malte [malt] Malta
malthusianisme [maltyzjanism] *m* Malthusianism
maltraitance [maltʀɛtɑ̃s] *f* physical abuse **maltraiter** *v/t* to abuse
malus [malys] *m* premium surcharge
malveillance [malvɛjɑ̃s] *f* **1.** (*hostilité*) malice, spite **2.** (*intention de nuire*) malicious intent **malveillant** *adj* ⟨**-ante** [-ɑ̃t]⟩ malicious
malvenu [malvəny] *adj* ⟨**~e**⟩ ***être ~ de*** *ou* ***à*** *+inf* to be in no position *+inf*
malversation [malvɛʀsasjõ] *f* JUR embezzlement (*+ v sg*)
malvoyant *m*, **malvoyante** *f* partially-sighted person
▶ **maman** [mamɑ̃] *f* mom(my) *fam*, *brit* mum(my) *fam*
mamelle [mamɛl] *f* teat; *de vache* udder
mamelon [mamlõ] *m* **1.** ANAT nipple **2.** (*sommet arrondi*) hillock
mamelonné [mamlɔne] *adj* ⟨**~e**⟩ *paysage* hummocky
▶ **mamie** [mami] *f enf* granny
mammaire [mamɛʀ] *adj* mammary
mammifère [mamifɛʀ] *m* mammal
mammographie [mamɔgʀafi] *f* mammogram
mammouth [mamut] *m* mammoth
mamours [mamuʀ] *mpl fam* ***faire des ~ à qn*** to kiss and cuddle sb
management [manaʒmɑ̃] *m* management
manager [manadʒɛʀ] *m* manager

manant [manɑ̃] *m* **1.** *litt* (*rustre*) boor **2.** HIST peasant

▶ **manche¹** [mɑ̃ʃ] *f* **1.** sleeve; ***à ~s courtes, longues*** short-sleeved, long-sleeved; ***sans ~s*** sleeveless **2.** *d'un jeu, aux épreuves de ski* round **3.** AVIAT ***~ à air*** windsock **4.** ***faire la ~*** to beg

manche² *m* **1.** *d'un outil, d'un couteau, d'un tournevis* handle; ***~ à balai*** broom handle; AVIAT joystick; *fig* ***jeter le ~ après la cognée*** to throw in the towel **2.** *d'un violon* neck **3.** *d'un gigot* knuckle

Manche [mɑ̃ʃ] ***la ~*** the (English) Channel

manchette [mɑ̃ʃɛt] *f* **1.** *de chemise* cuff **2.** *d'un journal* headline

manchon [mɑ̃ʃõ] *m* **1.** *en fourrure* muff **2.** TECH sleeve

manchot [mɑ̃ʃo], **manchote** [-ɔt] **1.** *m/f* one-armed man, woman **2.** *m* ZOOL penguin

mandale [mɑ̃dal] *f arg* (*gifle*) slap; clout *fam*

mandarin [mɑ̃daʀɛ̃] *m* **1.** HIST mandarin **2.** *fig, péj* mandarin **3.** *langue* Mandarin (Chinese)

mandarine [mɑ̃daʀin] *f* mandarin **mandarinier** *m* mandarin tree

mandat [mɑ̃da] *m* **1.** mandate (*a* POL); term of office **2.** JUR ***~ d'amener*** summons (+ *v sg*); ***~ d'arrêt*** warrant; ***~ de dépôt*** committal order **3.** ***~*** (***postal***) money order

mandataire [mɑ̃datɛʀ] *m/f* representative; JUR proxy

mandater [mɑ̃date] *v/t* ***~ qn*** to appoint sb as one's representative

mander [mɑ̃de] *v/t litt* to summon

mandibules [mɑ̃dibyl] *fpl* ZOOL mandibles

mandoline [mɑ̃dɔlin] *f* mandolin

manège [manɛʒ] *m* **1.** ÉQUITATION riding school **2.** *attraction foraine* merry-go-round; ***faire un tour de ~*** to have a ride on the merry-go-round **3.** *comportement* game

manette [manɛt] *f* lever

manganèse [mɑ̃ganɛz] *m* manganese

mangeable [mɑ̃ʒabl] *adj* edible

mangeaille [mɑ̃ʒaj] *f fam, péj* food; grub *fam*

mangeoire [mɑ̃ʒwaʀ] *f pour bovins, chevaux* manger; *pour volaille, porcs* feeding trough

▶ **manger** [mɑ̃ʒe] **I** *v/t* ⟨**-ge-**⟩ **1.** *personne, animal* to eat; ***donner à ~ à*** to feed **2.** *fig fortune* to use up **3.** ***mangé par les mites*** moth-eaten; ***mangé par la rouille*** rusty **II** *m* food

mange-tout [mɑ̃ʒtu] *mpl haricot* runner bean; *pois* snow pea, *brit* mangetout

mangeur [mɑ̃ʒœʀ] *m*, **mangeuse** [-øz] *f* ***un gros mangeur*** a big eater

mangouste [mɑ̃gust] *f* **1.** ZOOL mongoose **2.** BOT mangosteen

mangue [mɑ̃g] *f* mango **manguier** *m* mango tree

maniabilité [manjabilite] *f* ease of use; *d'un appareil* practicality; *d'un véhicule* handling

maniable [manjabl] *adj* **1.** *outil, format* easy to use, practical; *véhicule* which handles well **2.** *fig personne* amenable

maniaco-dépressif [manjakodepʀesif] *adj* ⟨**-ive** [-iv]⟩ manic-depressive

maniaque [manjak] **I** *adj* **1.** PSYCH manic **2.** *fig* fussy **II** *m/f* **1.** PSYCH maniac **2.** *fig pointilleux* fusspot; *fanatique* fanatic

maniaquerie [manjakʀi] *f* fussiness

manichéen [manikeɛ̃] *adj* ⟨**-enne** [-ɛn]⟩ **1.** REL Manichean **2.** ***être ~*** *fig* to see everything in black and white

manichéisme [manikeism] *m* REL Manicheanism

manie [mani] *f* **1.** PSYCH mania; ***~ de la persécution*** persecution complex **2.** *fig* quirk; *plus fort* obsession

maniement [manimɑ̃] *m* handling (***de*** of; *a fig*)

manier [manje] **I** *v/t* **1.** to handle (***qc*** sth); *machine, véhicule* to handle **2.** *fig fonds* to manage; *ironie* to use **II** *v/pr* ***se ~*** → ***magner***

▶ **manière** [manjɛʀ] *f* **1.** way; ***manière d'agir*** way of acting; ***adverbe*** *m* ***de manière*** adverb of manner; ***à la manière de*** like; BEAUX-ARTS in the style of; ***de la manière suivante*** as follows; ▶ ***de toute manière*** in any case, anyhow; ***de manière à*** *+inf* so as *+inf*; ***de manière*** (***à ce***) ***que …*** *+subj* so that …; ***employer la manière forte*** to use strong-arm tactics **2.** ▶ ***manières*** *pl* manners; ***faire des manières*** to stand on ceremony

maniéré [manjeʀe] *adj* ⟨**~e**⟩ **1.** *personne* affected **2.** *style* mannered

maniérisme [manjeʀism] *m* ART mannerism

manieur [manjœʀ] *m* ***~ d'argent, de fonds*** financier

manif [manif] *f*, *abr fam* (= **manifestation**) demo *fam*
manifestant [manifɛstɑ̃] *m*, **manifestante** [-ɑ̃t] *f* demonstrator
▶ **manifestation** [manifɛstasjɔ̃] *f* **1.** *d'un sentiment* expression **2.** POL demonstration **3.** *sportive*, *culturelle* event
manifeste [manifɛst] **I** *adj* obvious **II** *m* manifesto
▶ **manifester** [manifɛste] **I** *v/t* to demonstrate, to show **II** *v/i* POL to demonstrate **III** *v/pr* ***se manifester*** **1.** *maladie*, *sentiment* to manifest itself (***par*** by) **2.** *personne* to appear
manigance [manigɑ̃s] *f* scheme; ***~s*** *pl* scheming (+ *v sg*)
manigancer [manigɑ̃se] *v/t* ⟨**-ç-**⟩ to plot, to engineer
manioc [manjɔk] *m* manioc, cassava
manipulateur [manipylatœʀ], **manipulatrice** [-tʀis] **1.** *m/f* technician **2.** *m* TECH sending key
manipulation [manipylasjɔ̃] *f* **1.** (*maniement*) handling (***de*** of); manipulation **2.** ENSEIGNEMENT experiment **3.** ***~ génétique*** genetic manipulation **4.** *péj* manipulation
manipuler [manipyle] *v/t* **1.** to handle, to manipulate **2.** *péj* to manipulate
manitou [manitu] *m fam* big noise *fam*
manivelle [manivɛl] *f* handle
manne [man] *f* BIBL, BOT manna
mannequin [mankɛ̃] *m* **1.** *personne* model **2.** COUT tailor's dummy; *dans une vitrine* dummy, mannequin
manœuvrabilité [manœvʀabilite] *f* maneuverability **manœuvrable** *adj* maneuverable
manœuvre[1] [manœvʀ] *f* **1.** *d'un véhicule* maneuver; CH DE FER switching, *brit* shunting **2.** MIL ***~s*** *pl* maneuvers **3.** *moyen* tactic; *péj* maneuver; ***~s*** *pl* scheming (+ *v sg*)
manœuvre[2] *m* unskilled worker; AGR, CONSTR laborer
manœuvrer [manœvʀe] **I** *v/t* **1.** *véhicule*, *bateau* to maneuver; *appareil*, *machine* to operate, to work **2.** *fig personne* to manipulate **II** *v/i fig* to maneuver
manoir [manwaʀ] *m* manor (house)
manomètre [manɔmɛtʀ] *m* TECH pressure gauge
manouche [manuʃ] *m/f fam* gypsy
manquant [mɑ̃kɑ̃] *adj* ⟨**-ante** [-ɑ̃t]⟩ missing
▶ **manque** [mɑ̃k] *m* **1.** lack (***de*** of); shortage; ***~ de calcium*** calcium deficiency; ***~ d'intérêt*** lack of interest; ***par ~ de*** for lack of **2.** ***~ à gagner*** missed opportunity **3.** *d'un drogué* (***état*** *m* ***de***) ***~*** withdrawal
manqué [mɑ̃ke] *adj* ⟨***~e***⟩ *occasion* missed; *tentative* failed; *vie* wasted; ***c'est un garçon ~*** she's a tomboy
manquement [mɑ̃kmɑ̃] *m* ***~ à*** breach of
▶ **manquer** [mɑ̃ke] **I** *v/t cible*, *personne* to miss; *occasion*, *train*, *bus* to miss; ***~ sa vocation*** to miss one's vocation; *fam* ***il n'en manque pas une!*** you can rely on him to put his foot in it! *fam* **II** *v/t indir* **1.** ***~ à son devoir*** to fail in one's duty; ***~ à sa parole*** to break one's word **2.** ***~ de qc*** to lack sth, to be short of sth; ***je manque de qc*** I'm short of sth **3.** ***ne pas ~ de faire qc*** not to fail to do sth **4.** (*faillir*) ***elle a manqué*** (***de***) ***se faire écraser*** she almost got run over **III** *v/i et v/imp* **1.** ***elle nous manque*** we miss her; ***~ à l'école*** to be absent from school; ***il manque deux pages*** two pages are missing; ***il ne manquait plus que cela!*** that's all I, we, *etc.* need! **2.** *tentative*, *voix*, *forces* to fail **IV** *v/pr* **1.** *réciproque* ***se ~*** to miss each other **2.** *réfléchi* ***il s'est manqué*** he failed in his suicide bid

manquer

1) As well as meaning to miss (a person) in French, **manquer** also means to miss a bus and to lack, to not have something that is necessary.
2) Pay attention to the grammatical constructions used with **manquer**. It is the person you are missing that is the subject of the French construction **Steve me manque**. Note that it is **manquer de lait**, NOT **manquer du lait**:

J'ai manqué mon vol. Steve me manque. Nous manquons de lait.

I missed my flight. I miss Steve. We have no milk/we haven't got enough milk.

mansarde [mɑ̃saʀd] *f* attic room
mansardé [mɑ̃saʀde] *adj* ⟨***~e***⟩ attic *épith*

mansuétude [mɑ̃sɥetyd] *f st/s* indulgence
mante [mɑ̃t] *f* ZOOL **~ religieuse** praying mantis
▶ **manteau** [mɑ̃to] *m* ⟨**~x**⟩ coat; *fig* **sous le ~** illicitly
mantille [mɑ̃tij] *f* mantilla
manucure [manykyʀ] *f* manicure **manucurer** *v/t* to manicure
▶ **manuel** [manɥɛl] **I** *adj* ⟨**~le**⟩ manual; **métier ~** manual job **II** *m* manual; *scolaire* textbook
manuellement [manɥɛlmɑ̃] *adv* manually, by hand
manufacture [manyfaktyʀ] *f usine* factory; *fabrication* manufacture
manufacturé [manyfaktyʀe] *adj* ⟨**~e**⟩ **produits ~s** manufactured goods
manu militari [manymilitaʀi] *adv* by force
manuscrit [manyskʀi] **I** *adj* ⟨**-ite** [-it]⟩ handwritten **II** *m* **1.** *ancien* manuscript **2.** TYPO manuscript
manutention [manytɑ̃sjõ] *f* handling
manutentionnaire [manytɑ̃sjɔnɛʀ] *m* warehouseman **manutentionner** *v/t marchandises* to handle
maoïsme [maɔism] *m* Maoism
maoïste [maɔist] **I** *adj* Maoist **II** *m/f* Maoist
mappemonde [mapmõd] *f* **1.** *globe* globe **2.** *carte* map
maquer [make] *v/pr pop* **se ~** to shack up *fam* (**avec qn** with sb)
maquereau [makʀo] *m* ⟨**~x**⟩ **1.** ZOOL mackerel **2.** *pop* (*souteneur*) pimp *fam*
maquerelle [makʀɛl] *f pop* (brothel) madam
maquette [makɛt] *f* **1.** scale model; **~ d'avion** model airplane **2.** (*ébauche*) sketch; TYPO paste-up
maquettiste [maketist] *m* layout artist
maquignon [makiɲõ] *m* horse trader; *péj* shady operator
maquignonnage [makiɲɔnaʒ] *m* **1.** horse trading **2.** *péj* (*manœuvres frauduleuses*) wheeling and dealing; (*marchandage honteux*) shady dealing
▶ **maquillage** [makijaʒ] *m* **1.** *action* applying make-up; *résultat* make-up **2.** (*falsification*) doctoring
maquiller [makije] **I** *v/t* **1. ~ qn** *acteur, etc* to make sb up **2.** *documents, etc* to doctor; *voiture volée* to disguise **II** *v/pr* ▶ **se maquiller** to put one's make-up on
maquilleur [makijœʀ] *m*, **maquilleuse** [-øz] *f* make-up artist
maquis [maki] *m* **1.** GÉOG maquis **2.** HIST Maquis, French Resistance
maquisard [makizaʀ] *m* member of the Maquis, French Resistance fighter
marabout [maʀabu] *m* **1.** ZOOL marabou **2.** ISLAM marabout
maracuja [maʀakyʒa, -kuʒa] *m* passion fruit
maraîcher [maʀeʃe], **maraîchère** [-ɛʀ] **I** *m/f* truck farmer, *brit* market gardener **II** *adj* **culture ~ère** truck farming, *brit* market gardening; **produits ~s** truck (+ *v sg*), *brit* market garden produce (+ *v sg*)
marais [maʀɛ] *m* **1.** marsh **2. ~ salant** salt marsh
marasme [maʀasm] *m* stagnation
marasquin [maʀaskɛ̃] *m* maraschino
marathon [maʀatõ] *m* **1.** SPORT marathon; **coureur** *m* **de ~** marathon runner **2.** *fig* marathon; *adjt* marathon *épith*; **séance** *f* **~** marathon session
marâtre [maʀɑtʀ] *f péj* cruel mother
maraudage [maʀodaʒ] *m* → **maraude** 2
maraude [maʀod] *f* **1.** *taxi* **être en ~** to be cruising for fares **2.** JUR petty theft
marauder [maʀode] *v/i* **1.** *taxi* → **maraude 1 2.** to pilfer
maraudeur [maʀodœʀ] *m*, **maraudeuse** [-øz] *f* petty thief
marbre [maʀbʀ] *m* **1.** marble; **de, en ~** marble *épith*; *fig* **rester de ~** to remain impassive **2.** (*statue*) marble statue
marbré [maʀbʀe] *adj* ⟨**~e**⟩ marbled; *peau* mottled; **gâteau ~** marble cake
marbrerie [maʀbʀəʀi] *f* **1.** *atelier* marble mason's workshop **2. ~ funéraire** monumental masonry
marbrier [maʀbʀije] *m* **1.** *ouvrier* marble mason **2.** *funéraire* monumental mason
marbrure [maʀbʀyʀ] *f* **1.** *sur papier* marbling **2.** *sur la peau* mottling
marc [maʀ] *m* **1.** *résidu* marc **2.** *eau-de-vie* marc **3. ~ de café** coffee grounds (+ *v pl*)
marcassin [maʀkasɛ̃] *m* young wild boar
marchand [maʀʃɑ̃], **marchande** [-ɑ̃d] **I** *m/f* **1.** trader; *dans un magasin* storekeeper, *brit* shopkeeper; *sur un marché* stallholder; **marchand, marchande de journaux** newsdealer, *brit* newsagent; *dans la rue* newsvendor; **marchand, marchande des quatre-saisons** fruit

and vegetable seller, *brit* costermonger **2.** *enf* ***marchand de sable*** sandman **II** *adj qualité, denrée* saleable; *quartier* commercial; *prix* market *épith*; ***valeur marchande*** market value

marchandage [maʀʃɑ̃daʒ] *m* bargaining (+ *v sg*); *péj* haggling (+ *v sg*)

marchander [maʀʃɑ̃de] *v/t* to bargain over; *péj* to haggle over

▶ **marchandise** [maʀʃɑ̃diz] *f* goods (+ *v pl*)

▶ **marche** [maʀʃ] *f* **1.** *d'un escalier* step **2.** (*action de marcher*) walking (*a* SPORT); *dans la nature* walk; ***une heure f de marche*** an hour's walk **3.** march (*a* MIL, MUS); (*randonnée*) ramble; ***marche à pied*** walking **4.** *d'un véhicule* running; *d'une machine* operation; ▶ ***marche arrière*** reverse; ▶ ***marche avant*** forward; ***faire marche arrière*** to reverse; *fig* to backtrack; ***être en marche*** *véhicule* to be moving; *machine, moteur* to be running; ***(se) mettre en marche*** *moteur, machine* to start **5.** (*cours*) course; ***marche à suivre*** procedure

▶ **marché** [maʀʃe] *m* **1.** market; ***marché aux poissons*** fish market; ***aller au marché*** to go to the market; ***faire son marché*** to do one's shopping at the market **2.** ÉCON market; *par ext d'une grande ville* marketplace; *vieilli* ***le Marché commun*** the Common Market *vieilli*; ***le grand marché européen*** *ou* ***le marché unique*** the single European market; ***marché des changes*** foreign exchange market; ***marché de l'emploi*** labor market, *brit* job market **3.** (*transaction*) deal; *fig* ***par-dessus le marché*** to top it all **4.** ▶ ***(à) bon marché*** ⟨*inv*⟩ cheap; ***(à) meilleur marché*** cheaper

marchepied [maʀʃəpje] *m* **1.** *d'un train, d'un bus* step **2.** (*petite échelle*) steps (+ *v pl*) **3.** *fig* stepping stone

▶ **marcher** [maʀʃe] *v/i* **1.** (*aller à pied*) to walk; MIL to march; (*poser le pied*) ~ ***sur, dans qc*** to step on, in sth; *fam, fig* ***ne pas se laisser ~ sur les pieds*** to not let anyone walk all over you **2.** *fam* (*consentir*) to agree; *fam* ***ça marche*** OK *fam*; *au restaurant* coming up **3.** *fam* (*croire*) *fam* to be taken in; ***faire ~ qn*** to put sb on *fam* **4.** (*fonctionner*) to work; ***faire ~*** to operate **5.** (*réussir*) *affaires, études* to go well; *ruse* to work

marcheur [maʀʃœʀ], **marcheuse** [-øz] **1.** *m/f* walker; ***être bon marcheur, bonne marcheuse*** to be a good walker **2.** *m* SPORT walker

marcotte [maʀkɔt] *f* JARD layer

▶ **mardi** [maʀdi] *m* Tuesday; ***~ gras*** Shrove Tuesday

mare [maʀ] *f* **1.** pond **2.** ***~ de sang*** pool of blood

marécage [maʀekaʒ] *m* swamp **marécageux** *adj* ⟨**-euse** [-øz]⟩ swampy

maréchal [maʀeʃal] *m* ⟨**-aux** [-ø]⟩ **1.** marshal **2.** ***~ des logis*** sergeant

maréchal-ferrant [maʀeʃalfɛʀɑ̃] *m* ⟨**maréchaux-ferrants** [maʀeʃofɛʀɑ̃]⟩ blacksmith

maréchaussée [maʀeʃose] *f* **1.** *plais* the police **2.** HIST mounted constabulary

marée [maʀe] *f* **1.** tide; ***~s pl*** tides; ***~ basse*** low tide; ***~ 'haute*** high tide; ***à ~ basse*** at low tide; ***~ descendante*** ebb tide; ***grande ~*** spring tide; ***~ montante*** flood tide **2.** ***~ noire*** oil slick **3.** *fig* ***~ humaine*** surge of people

marelle [maʀɛl] *f* ***jouer à la ~*** to play hopscotch

marémoteur [maʀemɔtœʀ] *adj* ⟨**-trice** [-tʀis]⟩ ***usine marémotrice*** tidal power plant

marengo [maʀɛ̃go] *adjt* ⟨*inv*⟩ CUIS ***poulet*** *m*, ***veau*** *m* ***~*** chicken, veal marengo

mareyeur [maʀɛjœʀ] *m*, **mareyeuse** [-øz] *f* wholesale fish merchant

margarine [maʀgaʀin] *f* margarine

marge [maʀʒ] *f* **1.** *d'un texte* margin **2.** *fig* latitude; ***~ d'erreur*** margin of error; ***~ de manœuvre*** room to maneuver; ***~ de sécurité*** safety margin **3.** COMM margin; ***~ bénéficiaire*** profit margin **4.** *fig* ***en ~ de*** on the fringes of; ***vivre en ~ (de la société)*** to live on the fringes of society

margelle [maʀʒɛl] *f* coping

margeur [maʀʒœʀ] *m* **1.** TYPO machine feeder **2.** *d'une machine à écrire* margin stop

marginal [maʀʒinal] **I** *adj* ⟨**~e; -aux** [-o]⟩ marginal; *fig* peripheral; ***groupe ~*** fringe group **II** *m* ⟨**-aux** [-o]⟩ person who lives on the fringes of society

marginaliser [maʀʒinalize] *v/t* to marginalize **marginalisme** *m* ÉCON marginalism **marginalité** *f* marginality

margoulette [maʀgulɛt] *f pop* mug *fam*

margoulin [maʀgulɛ̃] *m péj* crook

marguerite [maʀgəʀit] *f* daisy; ***effeuil-***

ler la ~ to play he loves me, he loves me not

▶ **mari** [maʀi] *m* husband

mariable [maʀjabl] *adj* marriageable

▶ **mariage** [maʀjaʒ] *m* **1.** *institution* marriage; (*fait de se marier*) marriage; *cérémonie, fête* wedding ***~ d'amour*** love match; ***~ de raison*** marriage of convenience; ***faire un beau ~*** to marry well; ***enfant né 'hors ~*** child born out of wedlock **2.** *fig* blend

> **mariage**
>
> Note – only one "r" in the French spelling.

marial [maʀjal] *adj* ⟨**~e; -als** *ou* **-aux** [-o]⟩ CATH Marian

▶ **marié** [maʀje] **I** *adj* ⟨**~e**⟩ married **II** ***~(e)*** *m(f) marié* bridegroom; *mariée* bride; ***les ~s*** the married couple; ***les jeunes ~s*** the newlyweds

marier [maʀje] **I** *v/t* **1.** (*unir*) to marry **2.** (*donner en mariage*) to marry **3.** *fig* to combine (***à*** with) **II** *v/pr* **1.** ▶ ***se marier*** to get married, to marry; ***se marier avec qn*** to get married to sb, to marry sb; ***se marier à l'église*** to have a church wedding **2.** *fig couleurs, etc* ***se marier*** to harmonize

marihuana *ou* **marijuana** [maʀiʀwana] *f* marijuana

marin [maʀɛ̃] **I** *adj* ⟨**-ine** [-in]⟩ **1.** (*de la mer*) sea *épith* **2.** ***col, costume ~*** sailor collar, suit; ***avoir le pied ~*** to be a good sailor **II** *m* **1.** (*matelot*) sailor **2.** (*navigateur*) mariner

marina [maʀina] *f* marina

marinade [maʀinad] *f* marinade

▶ **marine** [maʀin] *f* **1.** navy; ***~ marchande*** merchant marine **2.** PEINT navy **3.** *adjt* (***bleu***) ***~*** ⟨*inv*⟩ navy blue

mariner [maʀine] **I** *v/t* to marinate **II** *v/i* **1.** CUIS to marinate **2.** *fam* ***laisser qn ~*** to keep sb hanging around *fam*

marinier [maʀinje] *m* bargeman

marinière [maʀinjɛʀ] *f* **1.** *vêtement* smock **2.** ***moules*** *fpl* (***à la***) ***~*** moules marinière

marin-pêcheur *m* ⟨**marins-pêcheurs**⟩ ocean fisherman

mariolle [maʀjɔl] *m fam* ***faire le ~*** to try to act smart

marionnette [maʀjɔnɛt] *f* **1.** puppet; ***~ à fils*** marionette **2.** *fig* puppet

marital [maʀital] *adj* ⟨**~e; -aux** [-o]⟩ JUR marital

maritalement [maʀitalmɑ̃] *adv* ***vivre ~*** to cohabit

maritime [maʀitim] *adj* maritime; ***gare*** *f* ***~*** harbor station

marivaudage [maʀivodaʒ] *m* sophisticated banter **marivauder** *v/i* to engage in sophisticated banter

marjolaine [maʀʒɔlɛn] *f* marjoram

mark [maʀk] *m* HIST *monnaie* mark

marketing [maʀkətiŋ] *m* marketing

marmaille [maʀmaj] *f fam* kids *fam*

marmelade [maʀməlad] *f* stewed fruit; ***en ~*** CUIS cooked to a mush; *fam, fig* reduced to a pulp

marmite [maʀmit] *f* cooking pot; *fig* ***faire bouillir la ~*** to bring home the bacon

marmiton [maʀmitɔ̃] *m* kitchen boy

marmonnement [maʀmɔnmɑ̃] *m* muttering **marmonner** *v/t* to mutter

marmot [maʀmo] *m fam* kid *fam*

marmotte [maʀmɔt] *f* marmot

marmotter [maʀmɔte] *v/t* → ***marmonner***

marner [maʀne] *v/i fam* to slog *fam*

Maroc [maʀɔk] ***le ~*** Morocco

marocain [maʀɔkɛ̃] **I** *adj* ⟨**-aine** [-ɛn]⟩ Moroccan **II** ***Marocain(e)*** *m(f)* Moroccan

maroilles [maʀwal] *m a cow's milk cheese*

maronner [maʀɔne] *fam v/i* to grouch *fam*; ***faire ~ qn*** *fam* to infuriate sb

maroquin [maʀɔkɛ̃] *m* morocco leather

maroquinerie [maʀɔkinʀi] *f boutique* leather goods store; *articles* leather goods

maroquinier [maʀɔkinje] *m* **1.** *fabricant* leather worker **2.** *commerçant* dealer in leather goods

marotte [maʀɔt] *f* hobby

marquage [maʀkaʒ] *m* marking *a* SPORT

marquant [maʀkɑ̃] *adj* ⟨**-ante** [-ɑ̃t]⟩ remarkable

▶ **marque** [maʀk] *f* **1.** (*signe*) mark; SPORT ***à vos ~s – prêts? – partez!*** on your marks, get set, go! **2.** COMM brand; *de voiture* make; ***de ~*** branded; ***de grande ~*** of a major brand; *fig* ***hôte*** *m* ***de ~*** VIP guest **3.** (*trace*) mark; *sur la peau* mark **4.** *fig* (*témoignage*) token

marqué [maʀke] *adj* ⟨**~e**⟩ **1.** *objet* marked **2.** *fig personne* marked (***par la misère*** by misfortune); *traits* pronounced; *visage* lined **3.** *taille* accentuated; *différence* marked; *préférence* distinct

► **marquer** [marke] **I** *v/t* **1.** *par un signe distinctif* to mark; *linge* to mark; *place* to mark; *passage dans un livre* to mark; ***~ d'une croix*** to mark with a cross **2.** (*écrire*) to write down **3.** (*laisser des traces*) to mark (***qc*** sth); *fig* to mark; *épreuve* ***~ qn*** to mark sb **4.** *fig événement* ***~ qc*** to signal sth **5.** *instrument de mesure* ***~ qc*** to show sth **6.** SPORT *but, point* to score; *fig* ***~ un point*** to score a point **7.** SPORT *joueur* to mark **8.** (*souligner*) to mark; ***~ le coup*** to mark the occasion; (*réagir*) to react **9.** *sentiment, intérêt* to show **II** *v/i* **1.** *coups, etc* to leave a mark; *fig* to leave an impression **2.** SPORT to score

marqueter [markəte] *v/t* ⟨**-tt-**⟩ *bois* to inlay

marqueterie [markɛtri] *f ouvrage, art* marquetry

marqueur [markœr] *m* **1.** SPORT scorer **2.** *crayon* marker pen

marqueuse [markøz] *f* scorer

marquis [marki] *m* marquis, marquess

marquise [markiz] *f* **1.** (*femme d'un marquis*) marchioness **2.** *auvent* marquee, *brit* glass canopy **3.** ***les îles Marquises*** *fpl* the Marquesas Islands

► **marraine** [marɛn] *f* godmother

marrant [marɑ̃] *adj* ⟨**-ante** [-ɑ̃t]⟩ *fam* **1.** (*rigolo*) funny **2.** (*bizarre*) strange

marre [mar] *adv fam* ► ***en avoir marre*** to be fed up *fam*; ► ***en avoir marre de qn, qc*** to have had enough of sb, sth *fam*

marrer [mare] to laugh ***se ~*** *fam* to have a good laugh

marron[1] [marõ] *m* **1.** chestnut; ***~ d'Inde*** horse chestnut; *fig* ***tirer les ~s du feu*** to reap the benefits; to be tricked into doing sth dangerous **2.** *fam coup* whack *fam*

marron[2] **I** *adj* ⟨*inv*⟩ **1.** brown **2.** *fam, fig* ***être ~*** to be had *fam* **II** *m* brown

marron[3] *adj péj* ***avocat ~*** crooked lawyer

marronnier [marɔnje] *m* chestnut tree ***~ d'Inde*** horse chestnut tree

► **mars** [mars] *m* March

Mars [mars] ASTROL Mars

marseillais [marsɛjɛ] **I** *adj* ⟨**-aise** [-ɛz]⟩ from Marseilles **II** *subst* **1.** ***Marseillais(e)*** *m(f)* person from Marseilles **2.** ***la Marseillaise*** the Marseillaise *French national anthem*

Marseille [marsɛj] Marseilles

marsouin [marswɛ̃] *m* porpoise

marsupial [marsypjal] ZOOL **I** *adj* ⟨**~e; -aux** [-o]⟩ marsupial; ***poche ~e*** marsupial pouch **II** *mpl* ***marsupiaux*** marsupial

► **marteau** [marto] ⟨**~x**⟩ **I** *m* hammer (*a* SPORT) **II** *adj fam* nuts *fam*; → ***cinglé***

marteau-piqueur [martopikœr] *m* ⟨**marteaux-piqueurs**⟩ jackhammer, *brit* pneumatic drill

martel [martɛl] *m* ***se mettre ~ en tête*** to worry

martelage [martəlaʒ] *m* hammering

martèlement *ou* **martellement** [martɛlmɑ̃] *m* **1.** hammering **2.** *fig* pounding

marteler [martəle] *v/t* ⟨**-è-**⟩ **1.** *métaux* to beat **2.** *fig* to pound **3.** *ses mots* to rap out

martial [marsjal] *adj* ⟨**~e; -aux** [-o]⟩ **1.** (*guerrier*) martial **2.** ***cour ~e*** court martial; ***loi ~e*** martial law **3.** ***arts martiaux*** martial arts

martien [marsjɛ̃] **I** *adj* ⟨**-ienne** [-jɛn]⟩ Martian **II** *m* ***Martien*** Martian

martinet [martinɛ] *m* **1.** ZOOL swift **2.** *fouet* whip

martingale [martɛ̃gal] *f* **1.** COUT half belt **2.** *jeux* winning formula

martiniquais [martinikɛ] **I** *adj* ⟨**-aise** [-ɛz]⟩ from Martinique **II** ***Martiniquais(e)*** *m(f)* person from Martinique

Martinique [martinik] ***la ~*** Martinique

martin-pêcheur [martɛ̃pɛʃœr] *m* ⟨**martins-pêcheurs**⟩ kingfisher

martre [martr] *f* marten

martyr(e) [martir] *m(f)* **1.** martyr **2.** *adjt enfant* abused

martyre [martir] *m* martyrdom; *fig* ***souffrir le ~*** to suffer agony

martyriser [martirize] *v/t* **1.** to torture **2.** REL to martyr

marxisme [marksism] *m* Marxism

marxiste **I** *adj* Marxist **II** *m/f* Marxist

mas [mɑ(s)] *m farmhouse in the south of France*

mascara [maskara] *m* mascara

mascarade [maskarad] *f* masquerade

mascotte [maskɔt] *f* mascot

► **masculin** [maskylɛ̃] **I** *adj* ⟨**-ine** [-in]⟩ **1.** male; *d'une femme* masculine; ***mode ~e*** men's fashion **2.** GRAM masculine **II** *m* GRAM masculine

masculiniser [maskylinize] *v/t* to masculinize

maso [mazo] *fam abr* → ***masochiste***
masochisme [mazɔʃism] *m* masochism **masochiste** **I** *adj* masochistic **II** *m/f* masochist
masque [mask] *m* **1.** mask; *de chirurgien* mask; *de plongée* mask; **~ *respiratoire*** breathing mask; **~ *à gaz*** gas mask; *fig* ***lever le*** **~** to reveal one's true colors **2.** *préparation* face pack
masqué [maske] *adj* ⟨**~e**⟩ masked; ***bal*** **~** masked ball
masquer [maske] *v/t* **1.** *vérité*, *desseins* to conceal **2.** *vue* to block; *goût*, *odeur* to mask; *lumière* to shade
massacrant [masakʀɑ̃] *adj* ⟨**-ante** [-ɑ̃t]⟩ ***humeur*** **~*e*** foul mood
massacre [masakʀ] *m* **1.** massacre; *fig match de boxe* ***tourner au*** **~** to turn into a bloodbath **2.** *fig* mess; *fam* botch-up *fam*
massacrer [masakʀe] *v/t* **1.** to massacre **2.** *fam*, *fig adversaire* to slaughter *fam* **3.** *fig travail* to make a mess of; *fam* to botch *fam*
massage [masaʒ] *m* massage; **~ *cardiaque*** cardiac massage
masse [mas] *f* **1.** mass (*a* PHYS, ELECT); ***la*** **~** (*le peuple*) the masses + *v pl*; ***une*** **~** ***énorme de ...*** a huge mass of; **~ *monétaire*** money supply; **~ *salariale*** wage bill; **~*s d'eau*** bodies of water; ***en*** **~** en masse; ***tomber comme une*** **~** to collapse in a heap **2.** *marteau* sledgehammer
massepain [maspɛ̃] *m* marzipan
masser [mase] **I** *v/t* **1.** to assemble; *troupes* to mass **2.** MÉD to massage **II** *v/pr* ***se*** **~** to gather
masseur [masœʀ], **masseuse** [-øz] **1.** *m/f homme* masseur; *femme* masseuse **2.** *m appareil* massager
massif [masif] **I** *adj* ⟨**-ive** [-iv]⟩ **1.** (*gros*) massive **2.** *bois*, *or* solid **3.** (*en masse*) mass *épith*; *attaque* massive; *dose* massive **II** *m* **1.** massif; ***le Massif central*** the Massif Central **2.** **~ *de fleurs*** flowerbed
massivement [masivmɑ̃] *adv* in great numbers
mass media [masmedja] *mpl* mass media
massue [masy] *f* **1.** club; *fig* ***coup*** *m* ***de*** **~** stunning blow **2.** *adjt* ***argument*** *m* **~** sledgehammer argument
mastic [mastik] *m pour vitres* putty; *pour trous* filler
masticage [mastikaʒ] *m vitre* puttying; *trou* filling
masticateur [mastikatœʀ] *adj* ⟨**-trice** [-tʀis]⟩ *muscles* masticatory **mastication** *f* mastication
mastiquer [mastike] *v/t* **1.** (*mâcher*) to chew **2.** *vitre* to putty; *trou* to fill
mastite [mastit] *f* mastitis
mastoc [mastɔk] *adj* ⟨*inv*⟩ *péj* hefty
mastodonte [mastɔdɔ̃t] *m* **1.** *personne* colossus **2.** *machine* monster **3.** *animal fossile* mastodon
masturbation [mastyʀbasjɔ̃] *f* masturbation
masturber [mastyʀbe] **I** *v/t* to masturbate **II** *v/pr* ***se*** **~** to masturbate
m'as-tu-vu(e) [matyvy] *m(f)* ⟨*pl inv*⟩ *fam* show-off *fam*
masure [mazyʀ] *f péj* hovel
mat¹ [mat] *adj* ⟨*inv*⟩ ÉCHECS checkmated
mat² [mat] *adj* ⟨**mate** [mat]⟩ **1.** (*pas brillant*) matt **2.** *bruit* dull
mât [mɑ] *m* MAR mast; *d'un drapeau* pole
matador [matadɔʀ] *m* matador
▶ **match** [matʃ] *m* ⟨**~s** *o* **~es**⟩ game, *brit* match; **~ *aller*** first game; **~ *de boxe*** boxing match; **~ *de football*** soccer game
maté [mate] *m* **1.** BOT maté **2.** *boisson* maté
matelas [matla] *m* mattress
matelassé [matlase] *adj* ⟨**~e**⟩ quilted **matelasser** *v/t* to quilt **matelassier** *m* mattress maker
matelot [matlo] *m* sailor
matelote [matlɔt] *f* matelote
mater [mate] *v/t* (*dompter*) to bring under control; *révolte* to quash
mâter [mɑte] *v/t* MAR to mast
matérialisation [mateʀjalizasjɔ̃] *f* **1.** *d'un plan*, *d'un espoir* materialization **2.** PHYS, OCCULTISME materialization
matérialiser [mateʀjalize] **I** *v/t* **1.** *plan*, *idée* to realize **2.** *voie* ***matérialisé*** marked with lines **II** *v/pr* ***se*** **~** to materialize
matérialisme [mateʀjalism] *m* materialism **matérialiste** **I** *adj* materialistic **II** *m/f* materialist
matérialité [mateʀjalite] *f* PHIL materiality
matériau [mateʀjo] *m* ⟨**~x**⟩ CONSTR material
matériel [mateʀjɛl] **I** *adj* ⟨**~le**⟩ material; FIN financial; PHIL material; *preuve* material; ***dégâts matériels*** material dam-

ages **II** *m* **1.** equipment **2.** INFORM ▶ ***matériel*** (***informatique***) hardware
matériellement [mateʀjɛlmɑ̃] *adv* materially
maternel [matɛʀnɛl] *adj* ⟨**~le**⟩ **1.** maternal; ***langue maternelle*** mother tongue **2.** ▶ (***école***) ***maternelle*** *f* nursery school
materner [matɛʀne] *v/t* to mother
maternité [matɛʀnite] *f* **1.** *état* motherhood **2.** *grossesse* pregnancy
mathématicien [matematisjɛ̃] *m*, **mathématicienne** [-jɛn] *f* mathematician
mathématique [matematik] **I** *adj* mathematical **II** *fpl* ▶ ***mathématiques*** mathematics
mathématiquement [matematikmɑ̃] *adv* **1.** mathematically **2.** *par ext* logically
matheux [matø] *m*, **matheuse** [-øz] *f fam* mathematician
▶ **maths** [mat] *fpl fam* math + *v sg*, *brit* maths + *v sg*
▶ **matière** [matjɛʀ] *f* **1.** PHIL, PHYS matter **2.** (*substance*) material; ***~s grasses*** fat; **~ *grise*** gray matter; *fam*, *fig* brain; **~ *première*** raw material **3.** (*sujet*) subject; ***entrée*** *f* ***en ~*** introduction; ***en la ~*** on the subject; ***en ~ de*** when it comes to **4.** ENSEIGNEMENT subject **5.** (*motif*) ***donner ~ à qc*** to prompt sth
Matignon [matiɲõ] (***l'hôtel*** *m*) **~** *offices of the French Prime Minister*
▶ **matin** [matɛ̃] *m* morning; ***le ~*** in the morning; ***ce ~*** this morning; ***demain ~*** tomorrow morning; ***tous les ~s*** every morning; ***de bon, de grand ~*** early in the morning; ***du ~ au soir*** from morning till night; ***~ et soir*** morning and evening; *personne* ***être du ~*** to be an early riser
matinal [matinal] *adj* ⟨**~e; -aus** [-o]⟩ **1.** morning *épith* **2.** ***être ~*** to get up early
mâtiné [mɑtine] *adj* ⟨**~e**⟩ **~ *de*** *chien* crossed with; *fig* mixed with
▶ **matinée** [matine] *f* **1.** morning; ***dans la ~*** in the morning; ***faire la grasse ~*** to sleep in **2.** THÉ, FILM matinée
matines [matin] *fpl* matins
maton [matõ] *m*, **matonne** [-ɔn] *f arg* prison guard
matou [matu] *m* tomcat
matraquage [matʀakaʒ] *m fig* overkill
matraque [matʀak] *f* blackjack, *brit* cosh
matraquer [matʀake] *v/t* **1.** *frapper* to bludgeon **2.** *fig fam clients* to rip off *fam* **3.** *le public* to bombard; *chanson* to plug
matriarcal [matʀijaʀkal] *adj* ⟨**~e; -aux** [-o]⟩ matriarchal **matriarcat** *m* matriarchy
matrice [matʀis] *f* **1.** TECH die, matrix **2.** MATH matrix
matriciel [matʀisjɛl] *adj* ⟨**~le**⟩ ***calcul ~*** matrix calculus
matricule [matʀikyl] **1.** *f* (*registre*) ADMIN register; MIL roll **2.** *m* number
matrimonial [matʀimɔnjal] *adj* ⟨**~e; -aux** [-o]⟩ matrimonial; ***agence ~e*** marriage bureau
matrone [matʀɔn] *f* matronly woman
maturation [matyʀasjõ] *f* maturation; *fig* development
mâture [mɑtyʀ] *f* MAR masts + *v pl*
maturité [matyʀite] *f* maturity; ***venir à ~*** to come to maturity
maudire [modiʀ] *v/t* ⟨**je maudis, il maudit, nous maudissons; je maudissais; je maudis; je maudirai; que je maudisse; maudissant; maudit**⟩ to curse
maudit [modi] *adj* ⟨**-ite** [-it]⟩ blasted *fam*
maugréer [mogʀee] *v/i* to grouch
Maure [mɔʀ] **I** *m/f* Moor **II** ***maure*** *adj* Moorish
mauresque [mɔʀɛsk] *adj* Moorish
Maurice [mɔʀis, mo-] ***l'île*** *f* **~** Mauritius
Mauritanie [mɔʀitani, mo-] ***la ~*** Mauritania
mausolée [mozɔle] *m* mausoleum
maussade [mosad] *adj* **1.** *personne* sullen; *mine* gloomy **2.** *temps* dull
▶ **mauvais** [mɔvɛ] **I** *adj* ⟨**-aise** [-ɛz]⟩ **1.** bad; *odeur*, *situation*, *nouvelle* bad; ***~e graisse*** saturated fat; ***~e plaisanterie*** joke in poor taste; ***~e tête*** headstrong person; ***avoir ~e mine*** to look sick; ***être ~ en français*** to be bad at French; *fam* ***je la trouve ~e*** *ou* ***je l'ai ~e*** I don't appreciate it **2.** (*erroné*) wrong; ***la ~e direction*** the wrong direction **3.** (*méchant*) bad; ***joie ~e*** malicious pleasure; **~ *tour*** dirty trick **4.** *mer* rough **II** *adv* *sentir* bad; ***il fait ~*** the weather is bad
mauve [mov] **I** *f* mauve **II** *adj* mauve
mauviette [movjɛt] *f péj* weakling
maux [mo] *mpl* → ***mal²***
max [maks] *fam abr* (= **maximum**) ***un ~*** loads *fam*; big time *fam*
maxi [maksi] *adj* ⟨*inv*⟩ **1.** ***mode*** *f* **~** maxi style **2.** *fam* (*maximal*) giant-sized; *advt* tops *fam*

maxi… [maksi] *préfixe* maxi
maxillaire [maksilɛʀ] *m* jawbone
maxima [maksima] → ***maximum***
maximal [maksimal] *adj* ⟨**~e; -aux** [-o]⟩ maximum
maxime [maksim] *f* maxim
maximisation [maksimizasjõ] *f* maximization **maximiser** *v/t* to maximize
▸ **maximum** [maksimɔm] **I** *adj* ⟨*f* **~** *o* **maxima**; *pl m et f* **~s** *o* **maxima**⟩ maximum **II** *m* ⟨**~s** *o* **maxima**⟩ maximum; ***un ~ d'attention*** lots of attention; ***le ~ de chances*** the best chance; ***au ~*** at most; *température* ***atteindre son ~*** to reach a peak; ***faire le ~*** to do one's best
Maya [maja] **I** *m/f* Maya, Mayan **II** *adj* Mayan, Maya *épith*
mayonnaise [majɔnɛz] *f* mayonnaise
mazout [mazut] *m* fuel oil
mazoutage [mazutaʒ] *m des plages* pollution with oil; *des animaux* covering with oil
mazouté [mazute] *adj* ⟨**~e**⟩ oil-covered
mazouter [mazute] **I** *v/t polluer* to pollute with oil **II** *v/i* MAR to fill up with fuel oil
mazurka [mazyʀka] *f* mazurka
▸ **me** [m(ə)] *pr pers* ⟨*devant voyelle ou h muet* ***m'***⟩ *obj dir* me; *obj/indir* me; ***~ voici!*** here I am
Me *ou* **Me** *abr* → ***maître***
mea-culpa [meakylpa] *m* ***faire son ~*** to admit one's guilt
méandre [meɑ̃dʀ] *m* **1.** *d'un fleuve* meander **2.** *fig* ***~s de la pensée*** the twists and turns of thinking
mec [mɛk] *fam m* guy *fam*
▸ **mécanicien** [mekanisjɛ̃] *m* **1.** mechanic **2.** CH DE FER engineer, *brit* train driver
mécanique [mekanik] **I** *adj* **1.** mechanical (*a* PHYS); *jouet* clockwork; ***train m ~*** model train **2.** *fig geste* mechanical **II** *f* **1.** PHYS mechanics **2.** TECH engineering; ***~ de précision*** precision engineering **3.** *fam*, *fig* ***rouler des ~s*** to swagger
mécanisation [mekanizasjõ] *f* mechanization **mécaniser** *v/t* to mechanize
mécanisme [mekanism] *m* mechanism
mécano [mekano] *fam m* mechanic
meccano® [mekano] *m* Meccano®
mécénat [mesena] *m* sponsorship
mécène [mesɛn] *m* sponsor
méchamment [meʃamɑ̃] *adv* spitefully
méchanceté [meʃɑ̃ste] *f* **1.** nastiness; ***par pure ~*** out of pure spite; ***sans ~*** without being nasty **2.** *acte* nasty thing to do; *parole* nasty thing to say
▸ **méchant** [meʃɑ̃] **I** *adj* ⟨**-ante** [-ɑ̃t]⟩ **1.** nasty; *enfant* naughty; ***attention, chien ~!*** beware of the dog **2.** *humeur* bad **3.** *fam* ***pas ~*** *blessure, etc* not too serious **4.** (*médiocre*) *péj* pathetic **5.** *fam* (*formidable*) *fam* wicked **II** **~(*e*)** *m(f)* bad person
mèche [mɛʃ] *f* **1.** *d'une bougie* wick **2.** *d'une charge explosive* fuse; ***vendre la ~*** to give the game away **3.** *pour percer* bit **4.** **~** (***de cheveux***) lock **5.** *fam* ***être de ~ avec qn*** to be in league with sb
méchoui [meʃwi] *m barbecue of a whole sheep*
mécompte [mekõt] *m* disappointment
méconnaissable [mekɔnɛsabl] *adj* unrecognizable
méconnaissance [mekɔnɛsɑ̃s] *f* disregard; (*ignorance*) ignorance
méconnaître [mekɔnɛtʀ] *v/t* ⟨→ **connaître**⟩ to fail to appreciate
méconnu [mekɔny] *adj* ⟨**~e**⟩ unrecognized
mécontent [mekõtɑ̃] **I** *adj* ⟨**-ente** [-ɑ̃t]⟩ displeased (***de*** with) **II** **~(*e*)** *m(f)* malcontent
mécontentement [mekõtɑ̃tmɑ̃] *m* dissatisfaction **mécontenter** *v/t* to displease
Mecque [mɛk] ***La ~*** Mecca
mécréant [mekʀeɑ̃] *litt ou plais m* infidel
médaille [medaj] *f* medal (*a* MIL, SPORT); ***~ d'or*** gold medal
médaillé(e) [medaje] *m(f)* medal-holder; SPORT medalist
médaillon [medajõ] *m* medallion (*a* CUIS)
▸ **médecin** [mɛdsɛ̃] *m* doctor; ***~ de famille*** family doctor; (***aller***) ***voir le ~*** (to go) to see the doctor
médecin-chef *m* ⟨**médecins-chefs**⟩ chief physician, *brit* medical director
médecine [mɛdsin] *f* **1.** *science* medicine **2.** *profession* medicine
média [medja] *m* medium; ▸ ***les médias*** the media
médian [medjɑ̃] *adj* ⟨**-ane** [-an]⟩ median
médiateur [medjatœʀ] *m*, **médiatrice** [-tʀis] *f* mediator
médiathèque [medjatɛk] *f* media library
médiation [medjasjõ] *f* mediation

médiatique [medjatik] *adj* **1.** media *épith*; ***événement*** *m* **~** media event **2.** *qui fait effet* with media appeal
médiatiser [medjatize] *v/t* to give media coverage to
▶ **médical** [medikal] *adj* ⟨**~e; -aux** [-o]⟩ medical
▶ **médicament** [medikamɑ̃] *m* medicine, drug
médicamenteux [medikamɑ̃tø] *adj* ⟨**-euse** [-øz]⟩ medicinal
médication [medikasjõ] *f* medication
médicinal [medisinal] *adj* ⟨**~e; -aux** [-o]⟩ medicinal; ***plantes ~es*** medicinal plants
médico-légal [medikolegal] *adj* ⟨**~e; -aux** [-o]⟩ forensic
médiéval [medjeval] *adj* ⟨**~e; -aux** [-o]⟩ medieval
médiocre [medjɔkʀ] **I** *adj* mediocre; *existence* meager; *nourriture* mediocre; *élève* poor **II** *subst* ***un(e)*** **~** nonentity
médiocrement [medjɔkʀəmɑ̃] *adv* **1.** (*assez peu*) not very well **2.** (*assez mal*) poorly
médiocrité [medjɔkʀite] *f* mediocrity
médire [mediʀ] *v/t indir* ⟨→ **dire**; *mais* **vous médisez**⟩ **~ *de qn*** to speak ill of sb
médisance [medizɑ̃s] *f* scandalmongering
médisant [medizɑ̃] **I** *adj* ⟨**-ante** [-ɑ̃t]⟩ slanderous **II ~(*e*)** *m(f)* scandalmonger
méditatif [meditatif] *adj* ⟨**-ive** [-iv]⟩ meditative **méditation** *f* meditation
méditer [medite] **I** *v/t* **1. ~ *qc*** to think about sth **2.** *projet* to consider; **~ *de faire qc*** to contemplate doing sth **II** *v/i* to meditate (***sur*** on)
▶ **Méditerranée** [mediteʀane] ***la*** **~** the Mediterranean
méditerranéen [mediteʀaneɛ̃] **I** *adj* ⟨**-éenne** [-eɛn]⟩ Mediterranean; ***bassin*** **~** Mediterranean Basin **II *Méditerranéen(ne)*** *m(f)* person from the Mediterranean
médium [medjɔm] *m* **1.** SPIRITISME medium **2.** MUS middle register
méduse [medyz] *f* jellyfish
médusé [medyze] *adj* ⟨**~e**⟩ ***en rester*** **~** to be dumbfounded
méduser [medyze] *v/t* to dumbfound
meeting [mitiŋ] *m* POL, SPORT meeting; **~ *aérien*** air show
méfait [mefɛ] *m* **1.** *pl* **~*s*** *de l'alcool, etc* harmful effects **2.** (*délit*) misdemeanor
méfiance [mefjɑ̃s] *f* suspicion
méfiant [mefjɑ̃] *adj* ⟨**-ante** [-ɑ̃t]⟩ suspicious
▶ **méfier** [mefje] *v/pr* **1. *se ~ de qn, de qc*** to mistrust sb, sth **2. *se ~*** (*faire attention*) to be careful
méga… [mega] *préfixe* **1.** *sc* mega **2.** *fam* mega *fam*
mégalo [megalo] *fam abr* → ***mégalomane***
mégalomane [megalɔman] *adj* megalomaniac **mégalomanie** *f* megalomania
méga-octet *m* ⟨**méga-octets**⟩ INFORM megabyte
mégaphone [megafɔn] *m* bullhorn, *brit* loudhailer
mégarde [megaʀd] ***par*** **~** inadvertently
mégawatt *m* megawatt
mégère [meʒɛʀ] *f* shrew
mégot [mego] *m* butt
mégoter [megɔte] *v/i fam* to skimp (***sur*** on)
▶ **meilleur** [mɛjœʀ] **I** *adj* ⟨**~e**⟩ **1.** ⟨*comp de* **bon**⟩ better **2.** ⟨*sup de* **bon**⟩ best **II** *subst* **1.** *personne* ***le ~, la ~e*** the best (one) **2. *le ~*** the best; ***donner le ~ de soi*** to give of one's best; ***pour le ~ et pour le pire*** for better or for worse; *fam* ***c'est la ~e!*** *fam* that's the best one yet!; ***j'en passe et des ~es*** that's not the half of it
méjuger [meʒyʒe] *v/t indir* ⟨**-ge-**⟩ *st/s* **~ *de qn, de qc*** to misjudge sb, sth
mélaminé [melamine] *adj* ⟨**~e**⟩ *panneau* melamine-coated
mélancolie [melɑ̃kɔli] *f* melancholy
mélancolique [melɑ̃kɔlik] **I** *adj* melancholy **II** *m/f* melancholic
Mélanésie [melanezi] ***la*** **~** Melanesia
▶ **mélange** [melɑ̃ʒ] *m* **1.** *opération* mixing; *de vins, thés* blending ***sans*** **~** unadulterated *a fig* **2.** *produit* mix; *de vins, thés* blend (***de*** of)
mélangé [melɑ̃ʒe] *adj* ⟨**~e**⟩ mixed
▶ **mélanger** [melɑ̃ʒe] *v/t* ⟨**-ge-**⟩ **1.** (*mêler*) to mix; *vins, thés* to blend **2.** (*confondre*) to muddle up
mélangeur [melɑ̃ʒœʀ] *m* **1.** *appareil* mixer **2.** *robinet* mixing faucet, *brit* mixer tap **3. ~ *de son*** sound mixer
mélanine [melanin] *f* melanin
mélasse [melas] *f* molasses + *v sg*, *brit* treacle
mêlé [mele] *adj* ⟨**~e**⟩ **1.** *couleur, race, sang* mixed **2.** *société, clientèle* mixed
mêlée [mele] *f* **1.** mêlée; ***se jeter dans la***

~ *fig* to throw o.s. into the fray **2.** SPORT scrum

mêler [mele] **I** *v/t* **1.** (*mélanger*) to mix (***à***, ***avec*** with) **2.** (*embrouiller*) to mix up **3.** ~ ***qn à une affaire*** to involve sb in an affair **II** *v/pr* **1.** *odeurs*, *races*, *etc* ***se*** ~ to mingle **2.** ***se*** ~ ***à la foule*** to blend in with the crowd **3.** *personne* ***se*** ~ ***de qc*** to get involved in sth; *péj* to interfere in sth

mélèze [melɛz] *m* larch

méli-mélo [melimelo] *fam m* ⟨**mélis-mélos**⟩ jumble

mélisse [melis] *f* balm

mélo [melo] *fam abr* → ***mélodrame***, ***mélodramatique***

mélodie [melɔdi] *f* melody

mélodieux [melɔdjø] *adj* ⟨**-euse** [-øz]⟩ melodious

mélodique [melɔdik] *adj* melodic

mélodramatique [melɔdʀamatik] *adj* melodramatic

mélodrame [melɔdʀam] *m* melodrama

mélomane [melɔman] **I** *adj* music-loving **II** *m/f* music lover

melon [m(ə)lõ] *m* melon

mélopée [melɔpe] *f* monotonous chant

membrane [mɑ̃bʀan] *f* membrane

membraneux [mɑ̃bʀanø] *adj* ⟨**-euse** [-øz]⟩ BIOL membranous

► **membre** [mɑ̃bʀ] *m* **1.** ANAT limb; **~s** *pl* limbs; ~ (***viril***) male member **2.** *d'une association* member; *d'une famille* member

► **même** [mɛm] **I** *adj indéf et pr ind* **1.** ► ***le, la même***, *pl* ***les mêmes*** the same; ***du même âge*** of the same age; ***cela revient au même*** it comes to the same thing **2.** itself; ***être la bonté même*** to be kindness itself **II** *adv* **1.** even; ► ***même pas*** not even; ***avant même que*** *+subj* even before; ***sans même faire qc*** without even doing sth; ***même si*** even if; ***à même*** directly on, from, etc; ***à même le sol*** on the ground; ***de même*** the same (***que*** as); ***tout de même*** all the same; → ***quand*** **2.** ***être à même de faire qc*** to be able to do sth

mémé [meme] *f fam*, *enf* granny *fam*

mémento [memɛ̃to] *m* **1.** (*agenda*) appointments diary **2.** (*aide-mémoire*) summary

mémère [memɛʀ] *fam f* **1.** *enf* granny *fam* **2.** *péj* ***grosse*** ~ fat older woman

► **mémoire**[1] [memwaʀ] *f* **1.** *faculté* memory; ~ ***des noms*** memory for names; ***de*** ~ from memory; ***avoir de la*** ~ to have a good memory; ***si j'ai bonne*** ~ if I remember rightly **2.** (*souvenir*) memory (***de*** of); (*réputation*) reputation; ***à la*** ~ ***de***, *st/s* ***en*** ~ ***de*** in memory of; ***de sinistre*** ~ of evil repute; ***de*** ~ ***d'homme*** in living memory; ***pour*** ~ for the record **3.** INFORM memory; ~ ***morte*** read-only memory, ROM; ~ ***vive*** random access memory, RAM; ***mettre en*** ~ to write to memory

mémoire[2] *m* **1.** (*exposé*) dissertation **2.** *scientifique* paper **3.** **~s** *pl* memoirs

mémorable [memɔʀabl] *adj* memorable

mémorandum [memɔʀɑ̃dɔm] *m* DIPL memorandum

mémorial [memɔʀjal] *m* ⟨**-aux** [-o]⟩ memorial

mémoriser [memɔʀize] *v/t* **1.** to memorize **2.** INFORM to write to memory

menaçant [mənasɑ̃] *adj* ⟨**-ante** [-ɑ̃t]⟩ threatening

menace [mənas] *f* **1.** threat; **~*s de mort*** death threats **2.** (*danger imminent*) imminent danger

menacé [mənase] *adj* ⟨**~e**⟩ threatened

► **menacer** [mənase] *v/t* ⟨**-ç-**⟩ to threaten; ~ ***qn de qc*** to threaten sb with sth; ~ ***de*** *+inf* to threaten *+inf*; ***la pluie menace*** it's threatening to rain

► **ménage** [menaʒ] *m* **1.** household; ***articles*** *mpl* ***de*** ~ household goods; ***faire le*** ~ to do the housework; ***faire des*** **~*s*** to work as a house cleaner; ***monter son*** ~ to set up house; ***tenir le*** ~ ***à qn*** to keep house for sb **2.** (*couple*) couple; *fam* ~ ***à trois*** ménage à trois; ***se mettre en*** ~ to set up home together; *fig* ***faire bon*** ~ ***avec qn*** to get on well with sb

ménagement [menaʒmɑ̃] *m* consideration; ***sans*** ~ without consideration

ménager[1] [menaʒe] ⟨**-ge-**⟩ **I** *v/t* **1.** *adversaire* to handle carefully; *ses forces*, *etc* to use sparingly; ***ne pas*** ~ ***sa peine*** to spare no effort **2.** *rencontre* to arrange; *surprise* to prepare; *esp* to arrange **3.** *escalier*, *etc* to install **II** *v/pr* **1.** ***se*** ~ to take care of o.s. **2.** ***se*** ~ ***l'appui de qn*** to contrive to get sb's support

ménager[2] [menaʒe] *adj* ⟨**-ère** [-ɛʀ]⟩ household *épith*; ***appareils*** **~*s*** household appliances; ***travaux*** **~*s*** housework + *v sg*

ménagère [menaʒɛʀ] *f* **1.** *femme* housewife **2.** (*couverts*) set of flatware, *brit* canteen of cutlery

ménagerie [menaʒʀi] *f* menagerie
▸ **mendiant** [mɑ̃djɑ̃] *m*, **mendiante** [mɑ̃djɑ̃t] *f* beggar
mendicité [mɑ̃disite] *f* begging
mendier [mɑ̃dje] *v/t et v/i* to beg (***qc*** for sth) *a fig*
menées [məne] *fpl* machinations
▸ **mener** [məne] 〈**-è-**〉 **I** *v/t* **1.** (*conduire*) to take (***à*** to); *enfant* **~ *à l'école*** to take to school; ***cela ne vous mène à rien*** that's not getting you anywhere **2.** (*être en tête de*) to lead **3.** *affaire*, *enquête* to conduct; *vie* to lead; **~ *la vie dure à qn*** to make life difficult for sb **4.** (*diriger*) to run **II** *v/i* **1.** *chemin* **~ *à*** to lead to **2.** SPORT to lead
meneur [mənœʀ] *m* **1.** leader; *péj* ringleader; **~ *d'hommes*** leader of men **2.** **~ *de jeu*** master of ceremonies
menhir [meniʀ] *m* menhir
méninge [menɛ̃ʒ] *f* **1.** ANAT meninx; ***les ~s*** the meninges **2.** *fam*, *fig* ***ne pas se fatiguer les ~s*** *fam* to not overtax one's brain
méningite [menɛ̃ʒit] *f* meningitis
ménisque [menisk] *m* meniscus
ménopause [menɔpoz] *f* menopause
menotte [mənɔt] *f* **1.** **~*s*** *pl* handcuffs; ***passer les ~s à qn*** to handcuff sb **2.** *enf* little hand
▸ **mensonge** [mɑ̃sõʒ] *m* lie; ***dire des ~s*** to tell lies
mensonger [mɑ̃sõʒe] *adj* 〈**-ère** [-ɛʀ]〉 false
menstruation [mɑ̃stʀyasjõ] *f* menstruation
menstruel [mɑ̃stʀyɛl] *adj* 〈**~le**〉 menstrual
mensualisation [mɑ̃syalizasjõ] *f* monthly payment **mensualiser** *v/t* to pay monthly
mensualité [mɑ̃syalite] *f* *versement* monthly payment; *salaire* monthly pay
mensuel [mɑ̃syɛl] *adj* 〈**~le**〉 monthly
mensuration [mɑ̃syʀasjõ] *f* **1.** *action* measurement **2.** **~*s*** *pl* measurements
mental [mɑ̃tal] *adj* 〈**~e; -aux** [-o]〉 **1.** mental; ***maladie ~e*** mental illness **2.** mental; ***calcul ~*** mental arithmetic
mentalement [mɑ̃talmɑ̃] *adv* **1.** *malade* mentally **2.** *calculer* in one's head
mentalité [mɑ̃talite] *f* mentality
menteur [mɑ̃tœʀ] *m*, **menteuse** [-øz] *f* **1.** liar **2.** *adjt* lying
menthe [mɑ̃t] *f* **1.** BOT mint; (***tisane*** *f* ***de***) **~** mint tea **2.** peppermint; **~ *à l'eau*** peppermint cordial; ***bonbon*** *m* ***à la ~*** peppermint
menthol [mɛ̃tɔl] *m* menthol
mentholé [mɛ̃tɔle] *adj* 〈**~e**〉 menthol *épith*
mention [mɑ̃sjõ] *f* **1.** mention; ***faire ~ de qc*** to mention sth **2.** (*indication*) note; ***rayer les ~s inutiles*** delete as appropriate **3.** EXAMEN grade; ***être reçu avec ~*** to pass with distinction
mentionner [mɑ̃sjɔne] *v/t* to mention
▸ **mentir** [mɑ̃tiʀ] 〈→ **partir**〉 *v/i* to lie; **~ *à qn*** to lie to sb; ***sans ~*** honestly; ***il ment comme il respire*** he's a compulsive liar
▸ **menton** [mɑ̃tõ] *m* chin; ***double ~*** double chin
mentor [mɛ̃tɔʀ] *st/s* *m* mentor
menu[1] [məny] **I** *adj* 〈**~e**〉 small; *personne* slight; ***par le ~*** in detail **II** *adv* ***couper ~*** to cut very fine
▸ **menu**[2] *m* **1.** (*carte*) menu (*a* INFORM) **2.** (*repas*) meal

> **menu**
>
> French restaurants and brasseries often offer a set meal for a certain price (menu à 30 euros, etc) or a **formule** (a fixed price menu). If you want to eat something other than the fixed dishes offered for the specified price, you eat **à la carte** (from the main, full menu).

menuet [mənyɛ] *m* minuet
menuiserie [mənɥizʀi] *f* carpentry **menuisier** *m* carpenter
méprendre [mepʀɑ̃dʀ] *v/pr* 〈→ **prendre**〉 *st/s* ***se ~ sur qn, qc*** to be mistaken about sb, sth; *se ressembler* ***à s'y ~*** difficult to tell apart
▸ **mépris** [mepʀi] *m* contempt; ***au ~ de*** regardless of
méprisable [mepʀizabl] *adj* despicable **méprisant** *adj* 〈**-ante** [-ɑ̃t]〉 scornful
méprise [mepʀiz] *f* mistake
▸ **mépriser** [mepʀize] *v/t* to despise
▸ **mer** [mɛʀ] *f* **1.** ocean, sea; ***la ~ Morte*** the Dead Sea; ***la ~ du Nord*** the North Sea; ***les ~s du Sud*** the South Seas; ***en ~*** at sea; ***en 'haute, pleine ~*** on the high seas; ***par ~*** by sea; *fig* ***ce n'est pas la ~ à boire*** it's not so difficult; *fam* it's no big deal; ***prendre la ~*** to go to sea **2.** *fig* ***une ~ de …*** a sea of …; **~ *de feu*** sheet of fire

mercantile [mɛʀkɑ̃til] *adj péj* mercenary
mercantilisme [mɛʀkɑ̃tilism] *m* **1.** *péj* profiteering **2.** ÉCON, HIST mercantilism
mercenaire [mɛʀsənɛʀ] *m* mercenary
mercerie [mɛʀsəʀi] *f* **1.** *articles* notions, *brit* haberdashery **2.** *magasin* notions store, *brit* haberdasher's
merchandising [mɛʀʃɑ̃dajziŋ, -diziŋ] *m* merchandising
► **merci**[1] [mɛʀsi] *int* thank you; thanks *fam*; ► ***merci beaucoup!*** thank you very much; ***merci bien!*** many thanks *fam*; ***Dieu merci!*** thank God!; ► ***non, merci*** no thank you; no thanks *fam*; ***dire merci à qn*** to say thank you to sb
merci[2] *f* ***sans ~*** merciless; ***être à la ~ de qn, de qc*** to be at the mercy of sb, sth; ***tenir qn à sa ~*** to have sb at one's mercy
mercier [mɛʀsje] *m*, **mercière** [-jɛʀ] *f* notions dealer, *brit* haberdasher
► **mercredi** [mɛʀkʀədi] *m* Wednesday
mercure [mɛʀkyʀ] *m* mercury
mercurochrome® [mɛʀkyʀɔkʀom] *m* mercurochrome®
► **merde** [mɛʀd] *pop f* shit *pop*; ***de ~*** shitty *pop*; lousy *fam*; ► ***merde!*** shit! *pop*; *fam admiration* ***merde alors!*** jeez! *fam*; *fam, fig* ***il ne se prend pas pour une merde*** he thinks he's it *fam*
merder [mɛʀde] *v/i pop personne* to screw up *pop*; *projet* to bomb *fam*
merdeux [mɛʀdø] *m*, **merdeuse** [-øz] *f pop* shitty *pop*; lousy *fam*
merdier [mɛʀdje] *m pop* mess *fam*
merdique [mɛʀdik] *adj pop* shitty *pop*
merdoyer [mɛʀdwaje] *v/i* ⟨**-oi-**⟩ *fam* to mess up *fam*
► **mère** [mɛʀ] *f* **1.** mother; REL mother; *fam* ***la ~ X*** old mother X; ***~ de famille*** mother **2.** *adjt* parent; ***maison*** *f* ***~*** parent company
mère-grand *f dans les contes de fées* grandmama
merguez [mɛʀgɛz] *f spicy sausage*
méridien [meʀidjɛ̃] **I** *adj* ⟨**-ienne** [-jɛn]⟩ ASTRON meridian **II** *m* meridian
méridional [meʀidjɔnal] **I** *adj* ⟨**~e; -aux** [-o]⟩ **1.** (*au sud*) southern **2.** (*du Midi*) southern (French) **II ~** *m* ⟨**-aux** [-o]⟩, **~e** *f* southerner
meringue [məʀɛ̃g] *f* meringue
meringué [məʀɛ̃ge] *adj* ⟨**~e**⟩ with a topping of meringue
mérinos [meʀinos] *m* merino
merise [məʀiz] *f* wild cherry
merisier [məʀizje] *m* **1.** BOT wild cherry **2.** *bois* cherry
méritant [meʀitɑ̃] *adj* ⟨**-ante** [-ɑ̃t]⟩ deserving
mérite [meʀit] *m* merit; ***il a du ~ à faire qc*** he deserves credit for doing sth
► **mériter** [meʀite] **I** *v/t* to deserve; *endroit* ***~ le détour*** to be worth a visit; ***ceci mérite réflexion*** this is worth considering; *repos* ***bien mérité*** well deserved **II** *v/t indir st/s* ***il a bien mérité de la patrie*** he deserves well of his country
méritoire [meʀitwaʀ] *adj* praiseworthy
merlan [mɛʀlɑ̃] *m* whiting
merle [mɛʀl] *m* blackbird
merlu [mɛʀly] *m* hake
mérovingien [meʀɔvɛ̃ʒjɛ̃] **I** *adj* ⟨**-enne** [-ɛn]⟩ Merovingian **II** *mpl* ***Mérovingiens*** Merovingians
merveille [mɛʀvɛj] *f* marvel, wonder; ***à ~*** wonderfully well; ***faire ~, des ~s*** to work wonders
merveilleux [mɛʀvɛjø] **I** *adj* ⟨**-euse** [-øz]⟩ wonderful **II** ***le ~*** the supernatural
mes [me] → ***mon***
mésalliance [mezaljɑ̃s] *f* misalliance
mésange [mezɑ̃ʒ] *f* ZOOL tit
mésaventure [mezavɑ̃tyʀ] *f* mishap
mesdames, mesdemoiselles *pl* → ***madame, mademoiselle***
mésentente [mezɑ̃tɑ̃t] *f* disagreement
mésestimer [mezɛstime] *litt v/t* to underrate; *difficultés* to underestimate
mésintelligence [mezɛ̃teliʒɑ̃s] *litt f* disagreement
mesquin [mɛskɛ̃] *adj* ⟨**-ine** [-in]⟩ **1.** (*avare*) cheap, *brit* mean **2.** *caractère* petty
mesquinerie [mɛskinʀi] *f* **1.** (*avarice*) cheapness, *brit* meanness **2.** *caractère* pettiness
mess [mɛs] *m* MIL mess
► **message** [mɛsaʒ] *m* message; ***~ publicitaire*** commercial; ***~ radio*** radio message; ***laisser un ~ à qn*** to leave a message for sb
messager [mɛsaʒe] *m*, **messagère** [-ɛʀ] *f* messenger
messagerie [mɛsaʒʀi] *f* **1.** *pl* ***~s aériennes, maritimes*** air freight, shipping company; ***~s de presse*** press distribution service **2.** ***~ électronique*** electronic mail
► **messe** [mɛs] *f* mass; ***~ de minuit*** midnight mass; ***aller à la ~*** to go to mass; *fam, fig* ***faire des ~s basses*** to mutter

Messie [mesi] ***le ~*** the Messiah
messieurs *pl* → ***monsieur***
mesurable [məzyʀabl] *adj* measurable
mesurage *m* measuring
► **mesure** [məzyʀ] *f* **1.** *action* measurement; ***appareil*** *m* ***de ~*** measuring device **2.** (*dimension, unité, récipient*) measure; ***~ de capacité*** *liquides* liquid measure; *grains, poudre* dry measure; ***~ de longueur*** measure of length; ***à ~ que*** as; ***à la ~ de qn, qc*** corresponding to sb, sth; ***dans la ~ où*** insofar as; ***dans la ~ du possible*** as far as possible; ***dans une large ~*** to a large extent; ***sans commune ~*** incomparable; ***sur ~*** tailor-made; ***costume*** *m* ***sur ~*** tailor-made suit; ***donner toute sa ~*** to show what one is capable of; ***faire bonne ~*** to give a generous amount; ***prendre les ~s de qc*** to measure sth **3.** (*modération*) moderation; ***outre ~*** beyond measure; ***sans ~*** limitless **4.** (*disposition*) measure; ***~ de sécurité*** security measure; ***par ~ de*** for the sake of; ***prendre des ~s*** to take steps **5.** MUS time; ***en ~*** in time **6.** ***être en ~ de faire qc*** to be in a position to do sth
mesuré [məzyʀe] *adj* ⟨**~e**⟩ **1.** (*modéré*) moderate **2.** *pas* measured
► **mesurer** [məzyʀe] **I** *v/t* **1.** (*prendre les mesures*) to measure **2.** (*avoir pour mesure*) to measure **3.** *fig risque, etc* to gauge; *ses paroles* to weigh; ***~ qc à qc*** to measure sth according to sth **II** *v/pr* ***se ~ à, avec qn*** to pit o.s. against sb
métabolisme [metabɔlism] *m* metabolism
métacarpe [metakaʀp] *m* metacarpus
métairie [meteʀi] *f* smallholding
► **métal** [metal] *m* ⟨**-aux** [-o]⟩ metal
métalangage [metalɑ̃gaʒ] *m ou* **métalangue** *f* metalanguage
métallifère [metalifɛʀ] *adj* metalliferous
métallique [metalik] *adj* **1.** (*en métal*) metal *épith* **2.** *éclat, son* metallic
métallisé [metalize] *adj* ⟨**~e**⟩ metallic
métalliser [metalize] *v/t* to metallize
métallo [metalo] *m, abr fam* (= **métallurgiste**) metalworker
métallurgie [metalyʀʒi] *f* **1.** *industrie* metallurgical industry **2.** *techniques* metallurgy
métallurgique [metalyʀʒik] *adj* metallurgical; ***usine*** *f* ***~*** metalworks
métallurgiste [metalyʀʒist] *m ouvrier* metalworker; *industriel* metallurgist
métamorphique [metamɔʀfik] *adj* ***roche*** *f* ***~*** metamorphic rock
métamorphisme [metamɔʀfism] *m* GÉOL metamorphism
métamorphose [metamɔʀfoz] *f* metamorphosis (*a* ZOOL)
métamorphoser [metamɔʀfoze] *v/t* (*et v/pr* ***se ~*** to be transformed) to transform (***en*** into)
métaphore [metafɔʀ] *f* metaphor
métaphorique [metafɔʀik] *adj* **1.** *sens, emploi* metaphorical **2.** *style* metaphorical
métaphysique [metafizik] **I** *f* metaphysics **II** *adj* metaphysical
métastase [metastaz] *f* metastasis
métatarse [metataʀs] *m* metatarsus
métayage [metɛjaʒ] *m* sharecropping
métayer *m*, **métayère** *f* sharecropper
métempsyc(h)ose [metɑ̃psikoz] *f* metempsychosis
► **météo** [meteo] **I** *f* weather forecast **II** *adj* ⟨*inv*⟩ weather *épith*
météore [meteɔʀ] *m* meteor **météorique** *adj* meteoric **météorite** *m ou f* meteorite
météorologie [meteɔʀɔlɔʒi] *f* **1.** *science* meteorology **2.** *service* weather service
météorologique *adj* meteorological
météorologiste [meteɔʀɔlɔʒist] *m/f ou* **météorologue** [-lɔg] *m/f* meteorologist
métèque [metɛk] *m péj* foreigner
méthadone [metadɔn] *f* MÉD, CHIM methadone
méthane [metan] *m* methane
méthanol [metanɔl] *m* methanol
► **méthode** [metɔd] *f* **1.** method; ***avec ~*** methodically **2.** *livre* primer
méthodique [metɔdik] *adj* methodical
méthodisme [metɔdism] *m* REL Methodism **méthodiste** *m/f* REL Methodist
méthodologie [metɔdɔlɔʒi] *f* methodology
méthylène [metilɛn] *m* methylene
méticuleux [metikylø] *adj* ⟨**-euse** [-øz]⟩ meticulous
► **métier** [metje] *m* **1.** job, occupation; *profession* profession; *artisanal* craft; ***de son ~*** by trade; ***avoir du ~*** to have practical experience; ***être du ~*** to be in the trade; ***faire son ~*** to do one's job **2.** ***~*** (***à tisser***) loom
métis [metis] **I** *adj* ⟨**~se**⟩ *personne* mixed race; ZOOL crossbred; BOT hybrid

II *subst* **1. ~(*se*)** *m(f) personne* person of mixed race; ZOOL crossbreed; BOT hybrid **2.** *m* TEXT *cloth made from a mixture of cotton and linen*

métissage [metisaʒ] *m* mix

métissé [metise] *adj* ⟨**~e**⟩ ***race ~e*** mixed race

métonymie [metɔnimi] *f* metonymy

métrage [metʀaʒ] *m* **1.** COUT length **2.** FILM ***court ~*** short film; ***long ~*** feature film

▶ **mètre** [mɛtʀ] *m* **1.** *unité de mesure* meter; ***~ carré, cube*** square, cubic meter **2.** meter ruler; ***~ pliant*** folding ruler; ***~ de couturière*** tape measure **3.** SPORT ***cent ~s*** one hundred meters **4.** *d'un vers* meter

métrer [metʀe] *v/t* ⟨**-è-**⟩ to measure *in meters*

métreur [metʀœʀ] *m* CONSTR ***~ vérificateur*** quantity surveyor

métrique [metʀik] **I** *adj* metric; ***système m ~*** metric system **II** *f* metrics (*+v sg*)

▶ **métro** [metʀo] *m* subway, *brit* underground

métronome [metʀɔnɔm] *m* metronome

métropole [metʀɔpɔl] *f* **1.** *ville* metropolis **2.** *d'une colonie* mother country

métropolitain [metʀɔpɔlitɛ̃] *adj* ⟨**-aine** [-ɛn]⟩ metropolitan; ***la France ~e*** metropolitan France

mets [mɛ] *m* dish

mettable [mɛtabl] *adj vêtements* wearable

metteur [mɛtœʀ] *m* ***~ en scène*** director

▶ **mettre** [mɛtʀ] ⟨**je mets, il met, nous mettons; je mettais; je mis; je mettrai; que je mette; mettant; mis**⟩ **I** *v/t* **1.** *objet, liquide* to put (***dans*** in); *pellicule* to put in; *nappe* to put on; *verrou* to shoot; *rideaux* to draw; *du beurre* to spread (***sur*** on); *radio, télé, chauffage* to put on; *personne* to put (***au lit*** to bed); *enfant* to take (***à l'école maternelle*** to nursery school); *interne* to send (***en pension*** to boarding school); ***combien voulez-vous mettre?*** how much do you want to spend?; ***mettre à la boîte aux lettres*** to mail, *brit* to post in a postbox; ***mettre au four*** to put in the oven; ***mettre au futur*** to put in the future; *montre* ***mettre à l'heure*** to set to the right time; ***mettre à mal*** to damage; ***mettre à mort*** to put to death; ***mettre son orgueil à faire qc*** to take pride in doing sth; ***mettre qc a la poste*** to mail sth, *brit* to post sth; ***mettre de la bonne volonté à faire qc*** to do something willingly; ***mettre du sel dans la soupe*** to add salt to the soup; *texte* ***mettre en bon français*** to put into good French **2.** *vêtements, ceinture, tablier* to put on; *chapeau, lunettes* to put on; *bijoux, bague* to put on **3.** *un certain temps* to take; ***mettre deux heures (à faire qc)*** to take two hours (to do sth) **4.** (*écrire*) to put down; ***mettre son nom sur une liste*** to put one's name on a list **5.** *fam* (*supposer*) ***mettons que ...*** *+subj* let's say that ... *+inf* **II** *v/pr* ***se mettre* 1.** to take one's seat (***au volant*** behind the wheel); to stand (***à la fenêtre*** at the window); to go (***au lit*** to bed); *fam* ***s'en mettre partout*** to be covered with it; *fam, fig* ***s'en mettre jusque là*** to have one helluva meal *fam*; *fig dans une discussion* ***se mettre avec qn*** to side with sb *fig* ***se mettre bien avec qn*** to get in with sb; *poussière* ***se mettre dans qc*** to get into sth; ***se mettre en relation avec qn*** to get in touch with sb **2.** *vêtement* to wear; ***se mettre en pantalon*** to put on trousers; ***je n'ai rien à me mettre*** I've got nothing to wear **3.** ▶ ***se mettre à faire qc*** to start doing sth; ***se mettre à qc*** to start on sth; ***se mettre à l'anglais*** to start learning English; ***s'y mettre*** to get down to it; ***il se met à pleuvoir*** it's starting to rain; ***le temps se met au beau*** the weather is turning out nice

▶ **meuble** [mœbl(e)] **I** *m* piece of furniture; ***~s*** *pl* furniture (*+v sg*); *fam, fig* ***sauver les ~s*** to salvage something **II** *adj* **1.** JUR movable **2.** *terre* soft

meublé [mœble] **I** *adj* ⟨**~e**⟩ furnished **II** *m* furnished apartment

▶ **meubler** [mœble] **I** *v/t* **1.** *appartement* to furnish **2.** *abs* (*décorer*) to decorate **3.** *fig silence* to fill **II** *v/pr* ***se ~*** to furnish one's home

meuf [mœf] *f fam* (*femme*) chick *fam*

meuglement [møgləmɑ̃] *m* mooing

meugler *v/i* to moo

meuh [mø] *int* moo

meule [møl] *f* **1.** *à moudre* millstone **2.** *à aiguiser* grindstone **3.** *de fromage* wheel **4.** AGR rick **5.** *fam* (*moto*) bike

meuler [møle] *v/t* to grind down

meulière [møljɛʀ] *f* millstone

meunerie [mønʀi] *f* **1.** *industrie* milling **2.** *coll* flour millers

meunier [mønje] *m* miller
meunière [mønjɛʀ] *f* CUIS (***à la***) ~ meunière
meurs, meurt [mœʀ] → ***mourir***
meurt-de-faim [mœʀdefɛ̃] *m* ⟨*inv*⟩ down-and-out
▶ **meurtre** [mœʀtʀ] *m* murder (*a* JUR) (***de qn*** of sb)
meurtrier [mœʀtʀije] **I** *adj* ⟨**-ière** [-ijɛʀ]⟩ *combat* bloody; *épidémie* deadly; *route* lethal; ***folie meurtrière*** murderous rage **II** *subst* **1.** ~, ***meurtrière*** *m/f* murderer **2.** MIL ***meurtrière*** *f* arrow slit
meurtrir [mœʀtʀiʀ] *v/t* **1.** to bruise **2.** *fig* to crush
meurtrissure [mœʀtʀisyʀ] *f* **1.** *sur la peau* bruise **2.** *fig* scar
meus, meut [mø] → ***mouvoir***
Meuse [møz] ***la*** ~ the Meuse
meute [møt] *f* pack
mévente [mevɑ̃t] *f* slump
mexicain [mɛksikɛ̃] **I** *adj* ⟨**-aine** [-ɛn]⟩ Mexican **II** ***Mexicain(e)*** *m(f)* Mexican
Mexico [mɛksiko] Mexico City
Mexique [mɛksik] ***le*** ~ Mexico
mezzanine [mɛdzanin] *f* mezzanine
mezzo-soprano [mɛdzɔsɔpʀano] ⟨**mezzo-sopranos**⟩ *f* mezzo-soprano
Mgr *ou* **M**gr *abr* → ***monseigneur***
mi [mi] *m* ⟨*inv*⟩ MUS mi
mi-... [mi] *préfixe* **1.** *devant noms de mois* mid; (***à la***) ***~janvier*** (in) mid-January **2.** (*à moitié*) half
miam-miam [mjammjam] *int* yum-yum
miaou [mjau] *int* miaow
miasme [mjasm] *m* miasma
miaulement [mjolmɑ̃] *m* miaowing **miauler** *v/i* to miaow
mi-bas *m* ⟨*inv*⟩ knee-high
mica [mika] *m* mica
Mi-Carême: ***la*** ~ *the third Thursday in Lent*
micelle [misɛl] *f* CHIM micelle
miche [miʃ] *f* **1.** large round loaf **2.** **~*s*** *pl arg* (*fesses*) butt *fam*, *brit* bum *fam*
mi-chemin *adv* ***à*** ~ halfway
mi-clos *adj* ⟨**-ose**⟩ half-closed
micmac [mikmak] *fam m* **1.** (*intrigues*) funny business *fam* **2.** (*désordre*) mess
mi-corps *adv* ***à*** ~ up to the waist
mi-côte *adv* ***à*** ~ halfway up *ou* down the hill
mi-course *adv* ***à*** ~ at the halfway mark
▶ **micro** [mikʀo] *m*, *abr* **1.** (*microphone*) mike; *pour espionner fam* bug **2.** (*micro-ordinateur*) microcomputer
microbe [mikʀɔb] *m* **1.** germ **2.** *fam*, *fig* runt *fam*
microbien [mikʀɔbjɛ̃] *adj* ⟨**-ienne** [-jɛn]⟩ microbial
microbiologie *f* microbiology **microchimie** *f* microchemistry **microchirurgie** *f* microsurgery **microclimat** *m* microclimate
microcosme [mikʀokɔsm] *m* microcosm
micro-économie *f* microeconomics (+*v sg*) **micro-électronique** *f* microelectronics (+*v sg*)
microfiche *f* microfiche **microfilm** *m* microfilm **microfilmer** *v/t* to microfilm
micro-informatique *f* microcomputing
micrométrique *adj* micrometric
Micronésie [mikʀɔnezi] ***la*** ~ Micronesia
▶ **micro-ondes** *m* (***four*** *m* ***à***) ~ microwave (oven)
micro-ordinateur *m* microcomputer **micro-organisme** *m* microorganism
microphone [mikʀɔfɔn] *m* microphone
microphysique *f* microphysics (+*v sg*) **microprocesseur** *m* microprocessor
microscope [mikʀɔskɔp] *m* microscope **microscopie** *f* microscopy **microscopique** *adj* microscopic *a fig*
microseconde *f* microsecond **microsillon** *m* microgroove
miction [miksjõ] *f* micturition
▶ **midi** [midi] *m* **1.** noon; *heure* twelve o'clock; ***à midi*** at midday; ***ce midi*** at lunchtime today; ***il est midi dix*** it's ten after twelve (in the afternoon); *fig* ***chercher midi à quatorze heures*** *iron* to go looking for problems **2.** ▶ ***le Midi*** the South of France
midinette [midinɛt] *f* young girl
mie [mi] *f* ***la*** ~ the soft part of the bread
▶ **miel** [mjɛl] *m* honey; *fig* ***lune*** *f* ***de*** ~ honeymoon *a fig*
miellé [mjele] *litt adj* ⟨**~e**⟩ honeyed
mielleux [mjɛlø] *adj* ⟨**-euse** [-øz]⟩ honey-sweet
mien [mjɛ̃] **I** *pr poss* ⟨**mienne** [mjɛn]⟩ ▶ ***le mien, la mienne*** mine; *pl* ***les miens, les miennes*** mine **II** *subst* **1.** ***le mien*** my property; ***j'y ai mis du mien*** I made an effort **2.** ***les miens*** (*famille*, *amis*) my folks
miette [mjɛt] *f* crumb; *par ext* ***mettre en ~s*** to smash to pieces; *fam* ***ne pas en perdre une*** ~ not to miss the slightest detail

▶ **mieux** [mjø] **I** *adv* **1.** ⟨*comparatif de* **bien**⟩ better; ***à qui ~ ~*** each one more than the other; ***de ~ en ~*** better and better; ***on ne peut ~*** extremely well; ***je ne demande pas ~*** it suits me fine; ***je ne peux pas te dire ~*** that's all I know; ***faire ~ de*** *+inf* to do better *+inf*; *adjt*: *dans ce fauteuil* ***vous serez ~*** you'll be more comfortable; ***elle est ~ que sa sœur*** she's better-looking than her sister; ***se sentir ~*** to feel better; ***il n'a rien trouvé de ~ que de*** *+inf* he couldn't find anything better to do than *+inf* **2.** ⟨*superlatif de* **bien**⟩ ***le ~*** the best; ***le ~ qu'il peut*** the best he can; ***le plus tôt sera le ~*** the sooner, the better; ***des ~*** (*+ pp*) of the best; ***un(e) des ~ réussi(e)s*** one of the most successful; ***pour le ~*** for the best; ***être au ~ avec qn*** to be on the best of terms with sb; (***en mettant les choses***) ***au ~*** at best **II** *m* **1.** ***le ~*** the best; ***faire de son ~*** to do one's best **2.** (*amélioration*) improvement; (*progrès*) progress

mieux-être [mjøzɛtʀ] *m* better quality of life

mièvre [mjɛvʀ] *adj* insipid **mièvrerie** *f* insipidness

mi-figue, mi-raisin *adjt accueil* not wholly enthusiastic; *réponse* ambiguous; *mine* wry

mignard [miɲaʀ] *adj* ⟨**-arde** [-aʀd]⟩ sweet; *péj* pretty-pretty *péj*

▶ **mignon** [miɲõ] **I** *adj* ⟨**-onne** [-ɔn]⟩ **1.** cute; *fig* ***péché ~*** weakness **2.** *fam* (*gentil*) nice **II** *~(ne) m(f)* cutie *fam*

migraine [migʀɛn] *f* migraine

migrant [migʀɑ̃] *m* migrant

migrateur [migʀatœʀ] *adj* ⟨**-trice** [-tʀis]⟩ migratory; (***oiseau***) *~ m* migrant

migration [migʀasjõ] *f* migration; ***~ des oiseaux*** migration of birds

migratoire [migʀatwaʀ] *adj* migratory

mi-jambe [miʒɑ̃b] *adv* ***à ~*** up *ou* down to the knees

mijaurée [miʒɔʀe] *f péj* affected woman

mijoter [miʒɔte] *v/t et v/i* **1.** (***faire***) *~* to simmer **2.** (*préparer avec soin*) to prepare lovingly **3.** *fam*, *fig* to cook up *fam*

mikado [mikado] *m* **1.** (*empereur du Japon*) Mikado **2.** *jeu* spillikins (*+v sg*)

mil[1] [mil] *num/c* one thousand

mil[2] [mil] *m* BOT millet

milan [milɑ̃] *m* kite

Milan [milɑ̃] Milan

mildiou [mildju] *m* mildew

milice [milis] *f* militia

milicien [milisjɛ̃] *m* militiaman

▶ **milieu** [miljø] *m* ⟨*~x*⟩ **1.** middle; ***du ~*** in the middle; ***au ~ de*** in the middle of; ***au ~ de la semaine prochaine*** in the middle of next week **2.** *fig* middle way; ***le juste ~*** a happy medium **3.** (*entourage*) environment **4.** *~x pl* circles; ***~x gouvernementaux*** government circles **5.** (*pègre*) ***le ~*** the underworld **6.** FOOT ***~ de terrain*** midfielder

▶ **militaire** [militɛʀ] **I** *adj* military **II** *m* soldier; (*officier supérieur*) officer

militant [militɑ̃] **I** *adj* ⟨**-ante** [-ɑ̃t]⟩ militant **II** *~(e) m(f)* militant; *d'un parti* activist

militantisme [militɑ̃tism] *m* militancy

militarisation [militaʀizasjõ] *f* militarization **militariser** *v/t* to militarize **militarisme** *m péj* militarism **militariste** *péj* **I** *adj* militarist **II** *m* militarist

militer [milite] *v/i* to be an activist

▶ **mille**[1] [mil] **I** *num/c* ⟨*inv*⟩ thousand; ***~ un*** a thousand and one; ***cent ~*** a hundred thousand; ***l'an deux ~*** the year two thousand; *fig* ***~ fois*** thousands of times; *fig* ***je vous le donne en ~*** you'll never guess **II** *m* ⟨*inv*⟩ **1.** *nombre* thousand; MATH thousand; ***cinq pour ~*** five per thousand **2.** *quantité* thousand; *fam* ***des ~ et des cents*** loads of money **3.** *d'une cible* ***le ~*** the bulls-eye; ***taper dans le ~*** to hit the bulls-eye

mille[2] *m* mile; ***~ marin*** nautical mile

millefeuille [milfœj] *m* napoleon, *brit* vanilla slice

millénaire [milenɛʀ] **I** *adj* thousand-year-old; *par ext* very ancient; ***plusieurs fois ~*** thousands of years old **II** *m* **1.** *période* a thousand years; *st/s* millennium **2.** *anniversaire* thousandth anniversary

mille-pattes *m* ⟨*inv*⟩ millipede

millésime [milezim] *m* year; *d'un vin* vintage

millésimé [milezime] *adj* ⟨*~e*⟩ *vin* vintage

millet [mijɛ] *m* millet

▶ **milliard** [miljaʀ] *m* billion; ***un ~ de dollars*** a billion dollars

milliardaire [miljaʀdɛʀ] *m/f* billionaire

milliardième [miljaʀdjɛm] **I** *num/o* billionth **II** *m* billionth

▶ **millième** [miljɛm] **I** *num/o* thousandth **II** *subst* **1.** ***le, la ~*** the thousandth

2. *m* MATH thousandth

▶ **millier** [milje] *m* thousand; ***des ~s de*** thousands of; ***par ~s*** by the thousand

milligramme [miligʀam] *m* milligram

millimètre *m* millimeter

millimétré [milimetʀe] *adj* ⟨**~e**⟩ *ou* **millimétrique** [-ik] *adj* graduated; ***papier millimétré*** *ou* ***millimétrique*** graph paper

▶ **million** [miljõ] *m* million; ***un ~ d'hommes*** a million men; ***1,5 ~*** (+*v sg*) 1.5 million; ***être riche à ~s*** to have millions

▶ **millionième** [miljɔnjɛm] **I** *num/o* millionth **II** *m* millionth

millionnaire [miljɔnɛʀ] *m/f* millionaire

mime [mim] *m* mime

mimer [mime] *v/t* **1.** THÉ to mime **2.** (*imiter*) to mimic

mimétisme [mimetism] *m* **1.** BIOL mimicry **2.** *fig* imitation

mimique [mimik] *f* expression

mimolette [mimɔlɛt] *f* orange-colored cheese

mimosa [mimoza] *m* BOT mimosa

minable [minabl] *fam* **I** *adj* pathetic *fam* **II** *m/f* loser *fam*

minaret [minaʀɛ] *m* minaret

minauder [minode] *v/i* to simper **minauderies** *fpl* simpering (+*v sg*); *par ext* affectation (+*v sg*) **minaudier** *adj* ⟨**-ière** [-jɛʀ]⟩ affected

▶ **mince** [mɛ̃s] **I** *adj* **1.** thin; *personne* slim **2.** *fig* slight; ***ce n'est pas une ~ affaire*** *difficile* it's no easy task; *sérieuse* it's no small matter **II** *int fam* **~ (*alors*)!** drat it! *fam*; *admiration* wow! *fam*

minceur [mɛ̃sœʀ] *f* slimness

▶ **mine**[1] [min] *f* (*physionomie*) expression; (*aspect*) look; ***avoir bonne ~*** to look well; ***faire grise ~ à qn*** to give sb a cool reception; *péj* ***faire des ~s*** to simper; ***faire ~ de*** +*inf* to make as if +*inf*; *fam* ***~ de rien*** casually

mine[2] *f* **1.** *exploitation* mine; ***~ d'or*** gold mine *a fig*; ***service*** *m* ***des Mines*** *official body responsible for vehicle regulations* **2.** *fig* mine **3.** *d'un crayon* lead **4.** MIL mine

miner [mine] **I** *v/t* **1.** MIL to mine **2.** (*creuser*) to undermine **3.** *fig santé* to undermine; *soucis* ***~ qn*** to wear sb down **II** *v/pr* ***se ~*** to wear o.s. out

minerai [minʀɛ] *m* ore

minéral [mineʀal] **I** *adj* ⟨**~e; -aux** [-o]⟩ mineral; ▶ ***eau minérale*** mineral water **II** *m* ⟨**-aux** [-o]⟩ mineral

minéralier [mineʀalje] *m* MAR ore ship

minéraliser [mineʀalize] *v/t* to mineralize (***l'eau*** water)

minéralogie [mineʀalɔʒi] *f* mineralogy

minéralogique [mineʀalɔʒik] *adj* **1.** mineralogical **2.** AUTO ***plaque*** *f* ***~*** license plate

minéralogiste [mineʀalɔʒist] *m/f* mineralogist

minerve [minɛʀv] *f* surgical collar

minet [minɛ], **minette** [-ɛt] **1.** *m/f fam* (*chat*) kitty *fam* **2.** *m* (*jeune homme*) cool guy *fam* **3.** *f* (*jeune fille*) *fam* cool chick *fam*

▶ **mineur**[1] [minœʀ] **I** *adj* ⟨**~e**⟩ **1.** (*secondaire*) minor; ***l'Asie Mineure*** Asia Minor **2.** MUS minor; ***en ut ~*** in C minor **3.** JUR minor **II ~(e)** *m(f)* JUR minor

mineur[2] *m ouvrier* miner; ***~ de fond*** underground worker

mini [mini] *adj* ⟨*inv*⟩ ***mode*** *f* ***~*** the fashion for minis; *advt* ***s'habiller ~*** to wear miniskirts

mini… [mini] *préfixe* mini

miniature [minjatyʀ] *f* **1.** *image* miniature **2.** *art* miniature **3.** *adjt* **(*en*) ~** miniature

miniaturisation [minjatyʀizasjõ] *f* miniaturization **miniaturiser** *v/t* to miniaturize

miniaturiste [minjatyʀist] *m* miniaturist

minibar *m* minibar

minibus *m* minibus

minichaîne *f* mini system

minidosé [minidoze] *adj* ⟨**~e**⟩ ***pilule ~e*** mini-pill

minier [minje] *adj* ⟨**-ière** [-jɛʀ]⟩ mining

minigolf *m* mini golf, *brit* crazy-golf

minijupe *f* miniskirt

minima [minima] → ***minimum***

minimal [minimal] *adj* ⟨**~e; -aux** [-o]⟩ minimal

minime [minim] **I** *adj* minimum **II** *m* SPORT junior

minimiser [minimize] *v/t* to minimize

▶ **minimum** [minimɔm] **I** *adj* ⟨*f* **~** *ou* **minima**; *pl m and f* **~s** *ou* **minima**⟩ minimum **II** *m* ⟨**~s** *ou* **minima**⟩ minimum; ***~ vital*** living wage; ***un ~ de travail*** a minimum of work; ***au ~*** at the very least

mini-ordinateur *m* minicomputer

minipilule *f* mini-pill

ministère [ministɛʀ] *m* **1.** department; ***~ des Affaires étrangères*** ≈ State Deparment, *brit* ≈ Foreign Office **2.** *char-*

ge office **3.** (*cabinet*) government **4.** **~ public** prosecution **5.** REL ministry
ministériel [ministerjɛl] *adj* ⟨**~le**⟩ **1.** (*du ministre*) ministerial; ***arrêté*** **~** ministerial order **2.** (*du gouvernement*) governmental
ministrable [ministrabl] **I** *adj* in line for ministerial office **II** *m* candidate for ministerial office
▶ **ministre** [ministr] *m* **1.** POL minister; ▶ ***Premier ministre*** Prime Minister; ***ministre des Finances*** Finance Minister, ≈ Secretary of the Treasury, *brit* ≈ Chancellor of the Exchequer **2.** DIPL ***ministre*** (***plénipotentiaire***) minister plenipotentiary **3.** ÉGL minister; ***ministre du culte*** minister of religion
minitel® [minitɛl] *m* Minitel® *computer information system supplied by French telephone company*
minium [minjɔm] *m* red lead
minois [minwa] *m* little face
minoritaire [minɔritɛr] *adj* minority
▶ **minorité** [minɔrite] *f* **1.** minority (*a* POL); **~ *ethnique*** ethnic minority; ***une ~ de*** a minority of; ***mettre en ~*** to outvote **2.** JUR minority
Minorque [minɔrk] Minorca
minoterie [minɔtri] *f* flour mill
minou [minu] *m enf* kitty
▶ **minuit** [minɥi] *m* midnight; ***à ~*** at midnight; ***à ~ et demi*** midnight thirty
minus [minys] *m fam* waste of space *fam*
▶ **minuscule** [minyskyl] *adj* **1.** (*très petit*) tiny **2.** (***lettre*** *f*) **~** *f* lower-case letter; ***un a ~*** a small a
minutage [minytaʒ] *m* time-keeping
▶ **minute** [minyt] *f* **1.** minute; *par ext* moment; *fam* **~!** hang on a minute! *fam*; **~ *de silence*** minute's silence; ***dans une ~*** in a minute; ***d'une ~ à l'autre*** any minute now **2.** *adjt* quick; ***clé*** *f* **~** keys cut while you wait **3.** JUR original
minuter [minyte] *v/t* to time
minuterie [minytri] *f* time switch **minuteur** *m* ÉLEC timer; *avec sonnerie* kitchen timer
minutie [minysi] *f* meticulousness
minutieux [minysjø] *adj* ⟨**-euse** [-øz]⟩ meticulous
mioche [mjɔʃ] *fam m/f* (*petit garçon*) kid *fam*; (*petite fille*) kid *fam*
mirabelle [mirabɛl] *f* **1.** *fruit* mirabelle plum **2.** *eau-de-vie* mirabelle liqueur
mirabellier [mirabelje] *m* mirabelle plum tree
▶ **miracle** [mirakl] *m* **1.** miracle (*a* REL); (***comme***) ***par ~*** (as if) by a miracle **2.** *adjt* miracle *épith*; ***remède*** *m* **~** miracle cure; ***solution*** *f* **~** miraculous solution
miraculé [mirakyle] *adj* ⟨**~e**⟩ miraculously cured
miraculeusement [mirakyløzmɑ̃] *adv* miraculously
miraculeux [mirakylø] *adj* ⟨**-euse** [-øz]⟩ **1.** miraculous; *eau* wonder-working **2.** (*extraordinaire*) wonderful
mirador [miradɔr] *m* watch tower
mirage [miraʒ] *m* **1.** *du désert* mirage **2.** *fig* illusion
miraud [miro] *adj* ⟨**-aude** [-od]⟩ *fam* → ***miro***
mire [mir] *f* **1.** ***ligne*** *f* ***de ~*** line of sight; *fig* ***être le point de ~*** to be the target **2.** TV test card
mirent [mir] → ***mettre***
mirer [mire] *v/pr litt* ***se ~*** to gaze at one's reflection (*fam* ***dans l'eau*** in the water)
mirettes [mirɛt] *fam fpl* eyes; peepers *fam*
mirifique [mirifik] *adj fam* → ***mirobolant***
mirliton [mirlitõ] *m* party whistle
miro [miro] *fam adj* short-sighted
mirobolant [mirɔbɔlɑ̃] *adj* ⟨**-ante** [-ɑ̃t]⟩ *fam* incredibly good
miroir [mirwar] *m* mirror; *fig* **~ *aux alouettes*** lure
miroitant [mirwatɑ̃] *adj* ⟨**-ante** [-ɑ̃t]⟩ sparkling
miroiter [mirwate] *v/i* **1.** to sparkle **2.** *fig* ***faire ~ qc à qn*** to try to dazzle sb with sth
miroiterie [mirwatri] *f* **1.** *fabrication* mirror manufacturing **2.** *commerce* mirror business
miroitier [mirwatje] *m* mirror manufacturer
mironton [mirõtõ] *adjt* CUIS ***bœuf*** *m* **~** *sliced beef in onion sauce*
mis [mi] **I** *pp et passé simple* → ***mettre*** **II** *adj* ⟨**mise** [miz]⟩ **1.** *table* laid **2.** *personne* ***bien ~*** nicely dressed
misaine [mizɛn] *f* ***mât*** *m* ***de ~*** mizzen mast
misanthrope [mizɑ̃trɔp] *m/f* misanthrope **misanthropie** *f* misanthropy; *par ext* unsociability
mise [miz] *f* **1.** *au jeu* stake; *fam, fig* ***sauver la ~ à qn*** to save sb's skin **2.** *vestimentaire* clothes (*+v pl*) **3.** *fig* ***être de ~*** to be acceptable **4.** **~ *à*** (***la***) ***disposi-***

tion granting; **~ *à jour*** updating; **~ *à mort*** killing; **~ *à pied*** dismissal; **~ *au point*** (*réglage*) adjustment; (*éclaircissement*) clarification; (*création*) development; **~ *à la retraite*** pensioning off; **~ *au tombeau*** entombment; **~ *en liberté*** release; **~ *en marche*** start up; *d'un moteur* starting; **~ *en œuvre*** implementation; **~ *en scène*** production; **~ *en valeur*** *d'un terrain* development; *d'un mot*, *etc* highlighting

miser [mize] *v/t au jeu* to bet (***sur*** on)

misérabilisme [mizeʀabilism] *m* miserabilism **misérabiliste** *adj auteur* miserabilist

misérable [mizeʀabl] **I** *adj* **1.** *personne* destitute; *vêtements* shabby; *cabane* wretched **2.** (*sans valeur*) miserable **II** *m/f* **1.** (*pauvre*) poor wretch **2.** *litt*, *plais* wretch

> **misérable**
> **≠ sad, unhappy**
>
> **Misérable** = poor, wretched, poor person:
>
> **Une grande partie de la population a encore des conditions de vie misérables.**
>
> A large proportion of the population still lives in miserable conditions.

▶ **misère** [mizɛʀ] *f* **1.** (*pauvreté*) poverty; **~ *noire*** abject poverty; ***salaire*** *m* ***de ~*** starvation wages; ***crier, pleurer ~*** to plead poverty **2.** (*malheur*) *souvent pl* **~*s*** woes; ***petites ~s*** small problems; ***faire des ~s à qn*** to be nasty to sb **3.** (*bagatelle*) pittance

miséreux [mizeʀø] *adj* ⟨**-euse** [-øz]⟩ poverty-stricken

miséricorde [mizeʀikɔʀd] *f* mercy

miséricordieux [mizeʀikɔʀdjø] *adj* ⟨**-euse** [-øz]⟩ merciful

misogyne [mizɔʒin] **I** *adj* misogynous **II** *m* misogynist

misogynie [mizɔʒini] *f* misogyny

miss [mis] *f* ⟨*inv*⟩ **~ *France*** Miss France

missel [misɛl] *m* missal

missile [misil] *m* missile; **~ *sol-air*** ground-to-air missile; **~ *de croisière*** cruise missile

mission [misjõ] *f* **1.** (*charge*) mission; ADMIN assignment; ***envoyer qn en ~*** to send sb on a mission **2.** *groupe* mission **3.** REL mission

missionnaire [misjɔnɛʀ] **I** *m* missionary **II** *adj* missionary

missive [misiv] *f litt*, *iron* missive

mistigri [mistigʀi] *m fam* kitty *fam*

mistral [mistʀal] *m* mistral

mit [mi] → ***mettre***

mitage [mitaʒ] *m du paysage* concreting over

mitaine [mitɛn] *f* mitten

mitard [mitaʀ] *m arg* → ***cachot***

mite [mit] *f* clothes moth

mité [mite] *adj* ⟨**~e**⟩ moth-eaten

mi-temps [mitɑ̃] **1.** *f* ⟨*inv*⟩ SPORT half-time; ***pendant la ~*** at half-time **2.** *m* ⟨*inv*⟩ *ou* ***travail*** *m* ***à ~*** part-time work; ***travailler à ~*** to work part-time

miteux [mitø] *adj* ⟨**-euse** [-øz]⟩ shabby

mitigé [mitiʒe] *adj* ⟨**~e**⟩ **1.** (*relâché*) lessened **2.** (*mélangé*) mixed (***de*** with)

mitigeur [mitiʒœʀ] *m robinet* mixer faucet; *brit* mixer tap

mitonner [mitɔne] *v/t et v/i* → ***mijoter***

mitoyen [mitwajɛ̃] *adj* ⟨**-enne** [-ɛn]⟩ ***mur ~*** party wall

mitoyenneté [mitwajɛnte] *f* joint ownership

mitraillage [mitʀajaʒ] *m* machine gunfire

mitraille [mitʀaj] *f* **1.** MIL ***sous la ~*** under a hail of bullets **2.** *fam* (*menue monnaie*) small change *fam*

mitrailler [mitʀaje] *v/t* **1.** MIL to machine gun **2.** *fig* to bombard (***de questions*** with questions) **3.** *fam* PHOT to snap away at *fam* (***qn, qc*** sb, sth)

mitraillette [mitʀajɛt] *f* sub-machine gun **mitrailleur** *m* machine gunner **mitrailleuse** *f* machine gun

mitre [mitʀ] *f* mitre

mitron [mitʀõ] *m* baker's boy

mi-voix *adv* ***à ~*** in a low voice

mixage [miksaʒ] *m* FILM, MUS mixing

mixer[1] *v/t* to mix

mixer[2] [miksɛʀ] *m ou* **mixeur** [miksœʀ] *m* CUIS blender

mixité [miksite] *f* variety

mixte [mikst] *adj* mixed; ***école*** *f* **~** mixed school; ***mariage*** *m* **~** mixed marriage

mixture [mikstyʀ] *f péj à boire* vile brew; *à manger* vile concoction

M.L.F. [ɛmɛlɛf] *m*, *abr* (= **Mouvement de libération des femmes**) Women's Liberation Movement

Mlle *ou* **M**[lle] *abr* (= **Mademoiselle**) Miss
mm *abr* (= **millimètre**) mm.
MM. *abr* (= **Messieurs**) Messrs.
Mme *ou* **M**[me] *abr* (= **Madame**) Mrs.
mn *abr* (= **minute**[**s**]) min.
mnémotechnique [mnemɔtɛknik] *adj* mnemonic; ***moyen** m* **~** mnemonic
Mo *abr* (= **méga-octet**) Mb
mob [mɔb] *f, abr fam* → ***mobylette®***
mobile [mɔbil] **I** *adj* mobile **II** *m* **1.** *d'une action* motive (*a* JUR) **2.** *objet décoratif* mobile
mobilier [mɔbilje] **I** *adj* ⟨**-ière** [-jɛʀ]⟩ JUR movable **II** *m* furniture
mobilisable [mɔbilizabl] *adj* MIL available for call-up; *fig* available
mobilisation [mɔbilizasjõ] *f* **1.** MIL mobilization **2.** *par ext* mobilization
mobiliser [mɔbilize] **I** *v/t* **1.** MIL to draft, to call up; *abs* to mobilize **2.** *par ext ressources, personnel* to mobilize **II** *v/pr* ***se* ~** to act
mobilité [mɔbilite] *f* mobility; ***personne** f **à ~ réduite*** person with reduced mobility
mobylette® [mɔbilɛt] *f* moped
mocassin [mɔkasɛ̃] *m* **1.** *des Indiens* moccasin **2.** *par ext* loafer
▶ **moche** [mɔʃ] *fam adj* **1.** (*laid*) ugly **2.** (*mauvais*) lousy *fam* **3.** *moralement* mean
mocheté [mɔʃte] *f fam* (*femme laide*) ugly woman
modalité [mɔdalite] *f* method; ***~s** pl* modalities; ***~s de paiement*** methods of payment
mode[1] [mɔd] *m* **1.** method; ▶ ***mode d'emploi*** instructions; TECH user manual; ***mode de scrutin*** voting system; ***mode de vie*** way of life **2.** GRAM mood **3.** MUS mode
▶ **mode**[2] *f* **1.** fashion (*a* COUT); ***à la ~*** fashionable; *par ext* ***à la ~ de*** in the style of; ***être passé de ~*** to be out of date **2.** *adjt* fashionable; CUIS ***bœuf** m* **~** pot roast bœuf à la mode
modelage [mɔdlaʒ] *m* modeling
▶ **modèle** [mɔdɛl] *m* **1.** model *a fig*; *fig* ***un ~ de fidélité*** a model of fidelity; ***prendre qn pour ~, prendre ~ sur qn*** to model o.s. on sb **2.** *adjt* model; ***élève** m* **~** model student **3.** TECH, COUT, BEAUX-ARTS design; ***~ déposé*** registered design; ***~ réduit*** scale model
modelé [mɔdle] *m* **1.** SCULP contours; PEINT relief **2.** GÉOG relief
modeler [mɔdle] ⟨**-è-**⟩ **I** *v/t* **1.** to model; ***pâte** f **à ~*** modeling clay **2.** *fig* ***~ sur*** to model on **II** *v/pr* ***se ~ sur qn, qc*** to model o.s. on sb, sth
modeleur [mɔdlœʀ] *m* **1.** SCULP modeler **2.** TECH pattern maker
modélisme [mɔdelism] *m* model-making **modéliste** *m/f* **1.** COUT designer **2.** TECH model maker
modem [mɔdɛm] *m* modem
modérateur [mɔdeʀatœʀ] **I** *adj* ⟨**-trice** [-tʀis]⟩ moderating **II** *m* **1.** *personne* moderating influence **2.** NUCL moderator
modération [mɔdeʀasjõ] *f* moderation
modéré [mɔdeʀe] *adj* ⟨**~e**⟩ moderate (*a* POL) **modérément** *adv* moderately
modérer [mɔdeʀe] ⟨**-è-**⟩ **I** *v/t* to moderate **II** *v/pr* ***se* ~** to control o.s.
▶ **moderne** [mɔdɛʀn] *adj* modern; ***les temps ~s*** modern times
modernisation [mɔdɛʀnizasjõ] *f* modernization
moderniser [mɔdɛʀnize] **I** *v/t* to modernize **II** *v/pr* ***se* ~** to modernize
modernisme [mɔdɛʀnism] *m* modernism
moderniste [mɔdɛʀnist] **I** *adj* modernist **II** *m* modernist
modernité [mɔdɛʀnite] *f* modernity
modeste [mɔdɛst] *adj* modest
modestie [mɔdɛsti] *f* modesty
modicité [mɔdisite] *f* smallness
modifiable [mɔdifjabl] *adj* modifiable
modificateur *adj* ⟨**-trice** [-tʀis]⟩ modifying **modification** *f* modification
modifier [mɔdifje] **I** *v/t* to change; *st/s* to modify *st/s* **II** *v/pr* ***se* ~** to change
modique [mɔdik] *adj* modest
modiste [mɔdist] *f* milliner
modulable [mɔdylabl] *adj* **1.** TECH ***système** m* **~** modular system **2.** *fig* flexible
modulation [mɔdylasjõ] *f* MUS, ÉLEC modulation; RAD ***~ de fréquence*** frequency modulation
module [mɔdyl] *m* **1.** TECH, INFORM module **2.** *par ext* (*élément*) unit; *d'apprentissage* unit; *à l'université* module
moduler [mɔdyle] *v/t* **1.** MUS, ÉLEC to modulate **2.** *fig* to adjust
modus vivendi [mɔdysvivɛ̃di] *m* ⟨*inv*⟩ modus vivendi
moelle [mwal] *f* marrow; ***~ épinière*** spinal cord; *fig* ***jusqu'à la ~*** to the marrow
moelleux [mwalø] *adj* ⟨**-euse** [-øz]⟩ **1.**

étoffe, *coussin* soft **2.** *fromage* soft; *vin* sweet
moellon [mwalõ] *m* rubble stone
mœurs [mœʀ(s)] *fpl* morals; ***c'est entré, passé dans les ~*** it's become normal
mohair [mɔɛʀ] *m* mohair
▶ **moi** [mwa] **I** *pr pers* **1.** *sujet* me; ▶ ***moi aussi*** me too; ▶ ***moi non plus*** me neither; ***moi, je ne viens pas*** I'm not coming; ***c'est comme moi*** it's the same with me; ***c'est moi*** it's me; ***c'est moi qui …*** it's me who … **2.** *obj dir* me; *objet indirecte* (to) me; ***regarde-moi*** look at me; ***donne-moi la clé*** give me the key; ***sans moi*** without me; ***avec moi*** with me **II** *m* ⟨*inv*⟩ self
moignon [mwaɲõ] *m* stump
moi-même [mwamɛm] *pr pers* **1.** *emphatique* myself **2.** *réfléchi* myself; ***de ~*** on my own initiative
moindre [mwɛ̃dʀ] *adj* **1.** ⟨*comparatif de* **petit**⟩ less; ***à ~ prix*** at a lower price **2.** ⟨*superlatif de* **petit**⟩ ***le ~, la ~*** the least; ***au ~ bruit*** at the slightest sound; ***les ~s détails*** the smallest details; ***c'est la ~ des choses*** you're welcome
moine [mwan] *m* monk
moineau [mwano] *m* ⟨**~x**⟩ sparrow
▶ **moins** [mwɛ̃] **I** *adv* **1.** ⟨*comparative de* **peu**⟩ less; ***moins riche*** less well-off; ***moins âgé*** younger; ***moins de*** (+ *subst*) less than (+ *subst*); ***moins que***, ***moins de*** *suivi d'un numéral* less than ***cinq heures moins dix*** (***minutes***) ten of five, *brit* ten to five ***interdit aux moins de 18 ans*** over-18s only; ***à moins le quart*** at a quarter of, *brit* at a quarter to; ***à moins de dix euros*** for under ten euros; ***c'est un moins que rien*** he's a total loser; ***de moins en moins*** less and less; ***en moins*** short; ***être en moins*** to be missing; ***en moins de rien, en moins de deux*** in next to no time; ***la moitié moins*** half as much; *conj* ▶ ***à moins que …*** (***ne***) +*subj*, ***à moins de*** (+ *inf*) unless; ***à moins de*** (+ *subst*) short of (+ *subst*); ***moins … moins …*** the less … the less … **2.** MATH minus; ***il fait moins dix*** it's minus ten **3.** ⟨*superlatif de* **peu**⟩ ***le moins*** the least; ***pas le moins du monde*** not in the least; ▶ ***au moins*** at least; ***tout au moins, pour le moins*** at the very least; ***du moins*** at least; ***le climat le moins humide*** the driest climate; ***le moins souvent possible*** as little as possible; ***le moins de bagages possible*** as little luggage as possible **II** *subst* **1.** ▶ ***le moins*** the least; ***c'est le moins qu'on puisse dire*** that's putting it mildly **2.** *m* MATH minus sign
moire [mwaʀ] *f* watered silk
moiré [mwaʀe] *adj* ⟨**~e**⟩ **1.** *tissu* watered *papier* marbled **2.** *fig* shimmering
moirer [mwaʀe] *v/t tissu, papier* to water
▶ **mois** [mwa] *m* **1.** month; ***le ~ de janvier*** the month of January; ***trois ~ de loyer*** three months' rent; ***au ~ d'août*** in the month of August; ***dans un ~*** in a month; ***par ~, tous les ~*** every month; ***tous les trois, six ~*** every three, six months **2.** *salaire* monthly salary
Moïse [mɔiz] *m* Moses
moisi [mwazi] **I** *adj* ⟨**~e**⟩ moldy **II** *m* mold; ***tache*** *f* ***de ~*** mold stain
moisir [mwaziʀ] *v/i* **1.** to go moldy **2.** *fam*, *fig personne* to languish
moisissure [mwazisyʀ] *f* mold
moisson [mwasõ] *f* **1.** harvest; ***faire la ~*** to harvest **2.** *fig* crop (***de*** of)
moissonner [mwasɔne] *v/t* to harvest
moissonneur [mwasɔnœʀ] *m* harvester **moissonneuse** *f* harvester **moissonneuse-batteuse** *f* ⟨**moissonneuses--batteuses**⟩ combine harvester
moite [mwat] *adj* sweaty **moiteur** *f* sweatiness
▶ **moitié** [mwatje] *f* half; *fam, fig* ***ma ~*** (*ma femme*) my better half *fam*; ***la ~ de …*** half of …; *fam* ***~ plus*** half as much again; ***à ~*** half; ***à ~ plein*** half full; ***de ~*** by half; ***~ …, ~ …*** half … half …; *fam* ***faire ~-~*** to go halves
moka [mɔka] *m* **1.** *café* mocha **2.** *gâteau* coffee
mol [mɔl] → ***mou***
molaire [mɔlɛʀ] *f* molar
Moldavie [mɔldavi] ***la ~*** Moldavia
môle [mol] *m* **1.** (*jetée*) breakwater **2.** (*quai*) quay
moléculaire [mɔlekylɛʀ] *adj* molecular; ***biologie*** *f* ***~*** molecular biology
molécule [mɔlekyl] *f* molecule
moleskine [mɔlɛskin] *f* moleskin
molester [mɔlɛste] *v/t* to rough up
molette [mɔlɛt] *f* wheel; ***clé*** *f* ***à ~*** monkey wrench
mollard [mɔlaʀ] *pop m* gob of spit *pop*
mollasse [mɔlas] *adj* **1.** *chairs* flabby **2.** *fig* lethargic
mollasson [mɔlasõ] *m*, **mollassonne** [-ɔn] *f fam* lump of flab *fam*
molle [mɔl] → ***mou***

mollement [mɔlmɑ̃] *adv travailler* half-heartedly; *être étendu* languidly

mollesse [mɔlɛs] *f* **1.** *d'une personne* flabbiness **2.** *d'un matelas, etc* softness

mollet[1] [mɔlɛ] *m* calf

mollet[2] *adj, m* ***œuf ~*** soft-boiled egg

molletière [mɔltjɛʀ] *adj, f* ***bande ~*** gaiter

molleton [mɔltõ] *m* brushed cotton

molletonné [mɔltɔne] *adj* ⟨**~e**⟩ fleecy

mollir [mɔliʀ] *v/i* to give way; *vent* to drop

mollo [mɔlo] *adv fam* ***vas-y ~!*** *fam* take it easy! *fam*

mollusques [mɔlysk] *mpl* mollusks

molosse [mɔlɔs] *m* enormous hound

môme [mom] *fam* **1.** *m/f* kid *fam* **2.** *f* chick *fam*

► **moment** [mɔmɑ̃] *m* **1.** moment; ***bons, mauvais ~s*** good, bad times; ***un ~!*** one moment!; ***un bon ~*** for quite a time; ***au ~ de*** *+inf* just when; ***à tout ~*** at any moment; ***à tous ~s*** constantly; ***dans un ~*** in a moment; ***d'un ~ à l'autre*** from one minute to the next; ***du ~ que*** (*puisque*) since; ***en ce ~*** at the moment; ***par ~s*** at times; ***pour le ~*** for the moment; ***sur le ~*** at the time; ***c'est le ~ ou jamais!*** it's now or never! **2.** PHYS momentum

momentané [mɔmɑ̃tane] *adj* ⟨**~e**⟩ temporary **momentanément** *adv* for a short while

momie [mɔmi] *f* mummy

momification [mɔmifikasjõ] *f* mummification **momifier** *v/t* to mummify

► **mon** [mõ] *adj poss* ⟨*f* ***ma*** [ma], *devant voyelle et h muet* ***mon***; *pl* ***mes*** [me]⟩ my; ***~ capitaine!*** captain, sir

monacal [mɔnakal] *adj* ⟨**~e; -aux** [-o]⟩ monastic

Monaco [mɔnako] Monaco

monarchie [mɔnaʀʃi] *f* monarchy **monarchique** *adj* monarchical **monarchisme** *m* monarchism **monarchiste** **I** *adj* monarchist **II** *m/f* monarchist

monarque [mɔnaʀk] *m* monarch

monastère [mɔnastɛʀ] *m* monastery

monastique [mɔnastik] *adj* monastic

monceau [mõso] *m* ⟨**~x**⟩ pile

mondain [mõdɛ̃] **I** *adj* ⟨**-aine** [-ɛn]⟩ society *épith*; *personne* who moves in high circles **II** **~(*e*)** *m(f)* socialite

mondanité [mõdanite] *f* **1.** **~s** *pl* (*vie mondaine*) society life; *chronique* gossip column **2.** *d'une personne* taste for the high life

► **monde** [mõd] *m* **1.** world; ***l'Ancien, le Nouveau Monde*** the Old, New World; ***l'autre monde*** the next world; ***monde du travail*** world of work; ***dans le monde, au monde*** in the world; ***en ce bas monde*** on this earth; *poét* here below; ***c'est un monde!*** it's a bit much; ***c'est le monde à l'envers, le monde renversé*** the world's gone mad; ***se faire un monde de qc*** to make a fuss about sth; *enfant* ***mettre au monde*** to give birth to; ***venir au monde*** to be born **2.** (*gens*) people; (*foule*) lot of people; ***devant le monde*** in front of people; ***avoir du monde*** to have guests; ***se moquer du monde*** to have a nerve **3.** ► ***tout le monde*** everybody; ***Monsieur Tout le monde*** Mr Average; ***bonjour tout le monde!*** good morning everyone! **4.** (*haute société*) society; ***femme*** *f*, ***homme*** *m* ***du monde*** woman, man of the world

► **mondial** [mõdjal] *adj* ⟨**~e; -aux** [-o]⟩ world *épith*; ***guerre ~e*** world war

mondialement [mõdjalmɑ̃] *adv* all over the world

mondialisation [mõdjalizasjõ] *f* globalization **mondialiser** *v/t* to globalize

monégasque [mɔnegask] **I** *adj* Monegasque **II** ***Monégasque*** *m/f* Monegasque

monétaire [mɔnetɛʀ] *adj* monetary

monétique [mɔnetik] *f* electronic banking

mongol [mõgɔl] **I** *adj* ⟨**~e**⟩ Mongol **II** *subst* **1.** ***le ~*** Mongolian **2.** ***Mongol(e)*** *m(f)* Mongolian

Mongolie [mõgɔli] ***la ~*** Mongolia

mongolien [mõgɔljɛ̃] *vieilli* MÉD **I** *adj* ⟨**-ienne** [-jɛn]⟩ Down's (syndrome) **II** **~(*ne*)** *m(f)* person with Down's syndrome **mongolisme** *m vieilli* MÉD Down's syndrome

moniteur [mɔnitœʀ], **monitrice** [-tʀis] **1.** *m/f d'une colonie de vacances* counselor, *brit* camp leader; SPORT coach; ***moniteur, monitrice*** (***d'auto-école***) driving instructor; ***moniteur, monitrice*** (***de ski***) (ski) instructor **2.** *m appareil* monitor

► **monnaie** [mɔnɛ] *f* **1.** *d'un État* currency; ***~ électronique*** plastic money; ***fausse ~*** forged currency; *fig* ***~ d'échange*** currency; *fig* ***c'est ~ courante*** it happens all the time **2.** *pièces* coins; *coll* small money; *d'un gros billet* change; ***petite, menue ~*** small change; ***auriez-vous la ~ de cent euros?*** do you have change of a hundred euros?; ***faire de la ~*** to give change **3.** (*somme rendue*) change; ***rendre la ~*** to give change (***sur dix euros*** from ten euros); *fig* ***rendre la ~ de sa pièce à qn*** to give sb a taste of their own medicine

monnaie ≠ money

Monnaie = change or coins. The French word for money is **argent**.

Je dois payer l'horodateur. Est-ce que tu pourrais me prêter de la monnaie?

I need to pay for the parking meter. Can you loan me some change?

monnayable [mɔnɛjabl] *adj* convertible
monnayer [mɔneje] *v/t* ⟨**-ay-** *od* **-ai-**⟩ to convert into cash
monnayeur [mɔnɛjœʀ] *m* ***faux ~*** forger
mono [mɔno] *fam* **I** *adj, abr* ⟨*inv*⟩ (*monophonique*) mono **II** *m, abr fam d'une colonie de vacances* counselor, *brit* camp leader
monochrome [mɔnɔkʀom] *adj* monochrome
monocle [mɔnɔkl] *m* monocle
monocoque [mɔnɔkɔk] *adj voiture, avion* monocoque; *voilier* monohull
monocorde [mɔnɔkɔʀd] *adj* **1.** MUS one-stringed **2.** *fig* monotonous
monoculture [mɔnɔkyltyʀ] *f* AGR monoculture
monogame [mɔnɔgam] *adj* monogamous **monogamie** *f* monogamy
monogramme [mɔnɔgʀam] *m* monogram
monographie [mɔnɔgʀafi] *f* monograph
monolingue [mɔnɔlɛ̃g] *adj* monolingual
monolithique [mɔnɔlitik] *adj* monolithic *a fig*
monologue [mɔnɔlɔg] *m* monolog (*a* THÉ) **monologuer** *v/i* to soliloquize
monôme [mɔnom] *m des étudiants* rag parade
monomoteur [mɔnɔmɔtœʀ] **I** *adj* ⟨**-trice** [-tʀis]⟩ *avion* single-engined **II** *m* single-engined plane
monoparental [mɔnɔpaʀɑ̃tal] *adj* ⟨**~e; -aux** [-o]⟩ ***famille ~e*** single-parent family
monophonique [mɔnɔfɔnik] *adj disque* monophonic
monoplace [mɔnɔplas] **I** *adj* single-seater **II** *m* single-seater (plane)
monopole [mɔnɔpɔl] *m* ÉCON monopoly *a fig*; ***avoir le ~ de qc*** to have a monopoly on sth
monopolisation [mɔnɔpɔlizasjõ] *f* monopolization
monopoliser [mɔnɔpɔlize] *v/t* ÉCON to monopolize *a fig*
monopoliste [mɔnɔpɔlist] **I** *adj* monopolistic **II** *m* monopolist; *péj* monopolizer
monoprix® [mɔnɔpʀi] *m French chain store*
monorail [mɔnɔʀaj] *m* monorail
monospace [mɔnɔspas] *m ou f* minivan
monosyllabe [mɔnɔsilab] **I** *adj* monosyllabic **II** *m* monosyllable; *fig* ***répondre par ~s*** to give a monosyllabic response
monosyllabique [mɔnɔsilabik] *adj* → ***monosyllabe I***
monothéisme [mɔnɔteism] *m* monotheism
monothéiste [mɔnɔteist] **I** *adj* monotheistic **II** *m* monotheist
monotone [mɔnɔtɔn] *adj* monotonous
monotonie *f* monotony
monoxyde [mɔnɔksid] *m* monoxide
monseigneur [mõsɛɲœʀ] *m* ⟨**messeigneurs** [mesɛɲœʀ]⟩ *évêque* His Grace; *prince* His Highness
▶ **monsieur** [məsjø] *m* ⟨**messieurs** [mesjø]⟩ **1.** *avec un nom ou titre*: ***~ Durand*** Mr Durand; ***Monsieur le Maire*** Mr Mayor; *par ext* ***~ Sécurité*** Mr Security; *pour s'adresser à un homme*: ***Monsieur*** Sir; *au début d'une lettre* Dear Sir; ***Messieurs!*** good morning (gentlemen); (***bonjour,***) ***Monsieur!*** good morning, Sir; *fam* ***bonjour, Messieurs Dames!*** good morning everyone **2.** (*homme*) (gentle)man; ***un vieux ~*** an old gentleman
monstre [mõstʀ] *m* **1.** MYTH monster **2.** *fig* (*personne cruelle*) monster **3.** ***~ sacré*** towering figure **4.** MÉD abnormal person **5.** *fam adjt* massive; ***procès m ~*** mammoth trial; ***succès m ~*** massive success
monstrueux [mõstʀyø] *adj* ⟨**-euse** [-øz]⟩ **1.** (*gigantesque*) colossal **2.** (*hor-*

rible) monstrous
monstruosité [mõstʀyozite] *f* monstrousness
mont [mõ] *m* mountain; ***le ~ Blanc*** Mont Blanc; *fig* ***être toujours par ~s et par vaux*** *fam* to be always on the go *fam*; *fig* ***promettre ~s et merveilles*** to promise the earth
montage [mõtaʒ] *m* **1.** TECH assembly (***dans*** in) **2.** ÉLEC connecting **3.** FILM editing **4.** ~ (***photo***) (photo) montage
montagnard [mõtaɲaʀ] **I** *adj* ⟨**-arde** [-aʀd]⟩ mountain **II** ~(*e*) *m*(*f*) mountain dweller
▶ **montagne** [mõtaɲ] *f* **1.** mountain; *fig* ***se faire une ~ de qc*** to get worked up about sth **2.** ~ *ou* ~*s pl* mountains; ***'haute ~*** high mountains; ***en ~*** in the mountains **3.** *fig* mountain **4.** ***~s russes*** roller coaster (+*v sg*)
montagneux [mõtaɲø] *adj* ⟨**-euse** [-øz]⟩ mountainous
montant [mõtɑ̃] **I** *adj* ⟨**-ante** [-ɑ̃t]⟩ **1.** *chemin* upward; *gamme* rising **2.** *robe* high-necked; ***chaussure ~e*** ankle boot **II** *m* **1.** (*somme*) amount; ***~ de la facture*** the total bill **2.** *d'un lit* post; *d'une échelle*, *d'une fenêtre* upright
mont-de-piété [mõdpjete] *m* ⟨**monts-de-piété**⟩ pawnshop
monte-charge [mõtʃaʀʒ] *m* ⟨*inv*⟩ hoist
▶ **montée** [mõte] *f* **1.** climb; *en téléférique* ascent; *des eaux* rise **2.** (*augmentation*) rise **3.** (*pente*) uphill slope
Monténégro [mõtenegʀo] ***le ~*** Montenegro
monte-plats [mõtpla] *m* ⟨*inv*⟩ service lift
▶ **monter** [mõte] **I** *v/t* **1.** *escalier*, *marches*, *côte* to climb, to go up; (*en*) *voiture* to drive up **2.** *objet* to bring up, to take up **3.** *cheval* to ride **4.** TECH to assemble; *tente*, *échafaudage* to put up; ÉLEC to connect; COUT *manche* to set in; *mailles* to cast on; *film* to edit **5.** *une affaire* to set up; *spectacle* to mount **6.** *fig* ~ (***la tête à***) ***qn*** to set sb (***contre*** against) **7.** *femelle* to serve **II** *v/i* ⟨*usu* **être**, *quand une personne est sujet*⟩ **1.** to climb (***à***, ***sur*** on), (*dans un*) *véhicule* to get in; *dans un moyen de transport* to get on (***dans***, ***en*** into, onto); ***~ à bicyclette*** to ride a bike; ***~ sur le trône*** to ascend to the throne **2.** *route* to go uphill; *avion* to climb; *eaux*, *température*, *odeurs* to rise; *lait qui bout* to boil over; *flammes*, *brouillard* to rise; *fig prix* to go up, to rise; *fig ton* to get heated; *vin* ***~ à la tête*** to go to one's head; *vêtement* ~ (***jusqu'***)***à*** to come up to; ***faire ~*** *prix* to push up **3.** ~ (***à cheval***) to ride (on horseback); ***police montée*** mounted police **III** *v/pr* **1.** *somme*, *dépenses* ***se ~ à*** to come to **2.** *personne* ***se ~ en qc*** to supply o.s. with sth
monteur [mõtœʀ] *m*, **monteuse** [-øz] *f* **1.** TECH fitter **2.** FILM editor
montgolfière [mõgɔlfjɛʀ] *f* hot-air balloon
monticule [mõtikyl] *m* mound
▶ **montre** [mõtʀ] *f* **1.** watch; ***course f contre la ~*** CYCLISME race against the clock; *fig* race against time; ***deux heures ~ en main*** two hours exactly **2.** ***faire ~ de qc*** to show sth
montre-bracelet *f* ⟨**montres-bracelets**⟩ wristwatch
▶ **montrer** [mõtʀe] **I** *v/t* to show; *chemin*, *papiers* to show; *courage* to show; ***~ qn, qc du doigt*** to point at sb, sth; ***~ les dents*** to bare one's teeth *a fig* **II** *v/pr* ***se montrer*** to show o.s.; ***se ~ courageux*** to show courage
montreur [mõtʀœʀ] *m* ***~ de marionnettes*** puppeteer
monture [mõtyʀ] *f* **1.** *animal*, *cheval* mount **2.** *d'un bijou* setting; ~ (***de lunettes***) frame
▶ **monument** [mɔnymɑ̃] *m* **1.** monument; ***~ classé*** listed monument; ***~ aux morts*** war memorial **2.** *édifice* (historic) building **3.** *fam* ***être un ~ de bêtise*** to be colossally stupid
monumental [mɔnymɑ̃tal] *adj* ⟨**~e; -aux** [-o]⟩ **1.** (*imposant*) monumental **2.** (*énorme*) monumental
▶ **moquer** [mɔke] *v/pr* ***se ~ de*** **1.** (*tourner en ridicule*) to mock **2.** (*ne pas se soucier de*) not to care about; ***je m'en moque*** I couldn't care less **3.** ***se ~ de qn*** (*berner*) to fool sb
moquerie [mɔkʀi] *f* mockery (+ *v sg*)
▶ **moquette** [mɔkɛt] *f* wall-to-wall carpet, *brit* fitted carpet
moqueur [mɔkœʀ] **I** *adj* ⟨**-euse** [-øz]⟩ mocking **II** *m* ORNITH mocking bird
moraine [mɔʀɛn] *f* GÉOL moraine
moral [mɔʀal] **I** *adj* ⟨**~e; -aux** [-o]⟩ **1.** *conduite*, *valeur*, *etc* moral; ***sens ~*** moral sense **2.** (*psychique*) *torture*, *douleur* mental; *force*, *soutien* moral **II** *m* morale; ***avoir le ~***, ***avoir bon ~*** to be in

good spirits; ***remonter le ~ à qn*** to cheer sb up

morale [mɔʀal] *f* **1.** (*valeurs morales*) morality; *doctrine* moral code; ***faire la ~ à qn*** to give sb a lecture **2.** (*leçon*) moral

moralisateur [mɔʀalizatœʀ] *adj* ⟨**-trice** [-tʀis]⟩ *péj* moralizing **moraliser** *v/i* to moralize; *péj* to lecture **moralisme** *m* moralism **moraliste** *m* moralist; *péj* moralizer

moralité [mɔʀalite] *f* **1.** (*qualité morale*) morality; *d'une personne* morals (+ *v pl*) **2.** (*enseignement*) moral

moratoire [mɔʀatwaʀ] **I** *m* moratorium **II** *adj* ***intérêts*** *mpl* ***~s*** interest on overdue payment

morbide [mɔʀbid] *adj* morbid

▶ **morceau** [mɔʀso] *m* ⟨**~x**⟩ **1.** piece; ***un ~ de pain*** a piece of bread; ***en (mille) ~x*** in pieces; *fam*, *fig* ***c'est un ~*** it's very big; *fam* ***manger un ~*** to have a bite to eat; *fam*, *fig* ***manger, lâcher le ~*** to spill the beans *fam* **2.** MUS piece

morceler [mɔʀsəle] *v/t* ⟨**-ll-**⟩ ***~ qc*** to divide sth up

morcellement [mɔʀsɛlmɑ̃] *m* division

mordant [mɔʀdɑ̃] **I** *adj* ⟨**-ante** [-ɑ̃t]⟩ *froid* biting; *critique*, *ton* scathing **II** *m* bite; ***avoir du ~*** to pack a punch

mordicus [mɔʀdikys] *adv fam* ***soutenir qc ~*** to be pigheaded about sth *fam*

mordiller [mɔʀdije] *v/t* to nibble

mordoré [mɔʀdɔʀe] *adj* ⟨**~e**⟩ golden-brown

▶ **mordre** [mɔʀdʀ] ⟨→ **rendre**⟩ **I** *v/t* **1.** to bite (***qn à la jambe*** sb on the leg); *pomme* to bite into; (*ronger*) to chew; *plais* ***je ne mords pas*** I don't bite **2.** *acide*: *métal*, *etc* to eat into **II** *v/t indir* **1.** *poisson* ***~ (à l'appât)*** to bite; *fig* ***~ à l'hameçon*** to take the bait **2.** ***~ dans qc*** to bite into sth **3.** SPORT ***~ sur la ligne*** to go over the line; AUTO ***~ sur la ligne continue*** to cross the center line **III** *v/i mécanisme*, *vis* to bite **IV** *v/pr* ***se ~ les lèvres*** to chew one's lips; *fig* ***se ~ les doigts de qc*** to kick o.s. over sth

mordu [mɔʀdy] *fam* **I** *adj* ⟨**~e**⟩ (*amoureux*) smitten **II** *subst* ***un ~ du jazz*** a jazz fan

moresque [mɔʀɛsk] → ***mauresque***

morfal [mɔʀfal] *m* ⟨**-als**⟩ *arg* (*goinfre*) greedyguts *fam*

morfondre [mɔʀfɔ̃dʀ] *v/pr* ⟨→ **rendre**⟩ ***se ~*** to mope

morfondu [mɔʀfɔ̃dy] *adj* ⟨**~e**⟩ dejected

morgue [mɔʀg] *f* **1.** *bâtiment* morgue; *salle* mortuary **2.** (*orgueil*) arrogance

moribond [mɔʀibɔ̃] **I** *adj* ⟨**-onde** [-ɔ̃d]⟩ dying **II** **~(*e*)** *m(f)* dying man, woman

morigéner [mɔʀiʒene] *v/t* ⟨**-è-**⟩ *st/s* to reprimand

morille [mɔʀij] *f* BOT, CUIS morel

mormon [mɔʀmɔ̃] *m*, **mormone** [-ɔn] *f* Mormon

morne [mɔʀn] *adj* gloomy; *personne* glum; *existence*, *paysage* dreary

morose [mɔʀoz] *adj* morose **morosité** *f* moroseness

morphème [mɔʀfɛm] *m* LING morpheme

morphine [mɔʀfin] *f* morphine

morphinomane [mɔʀfinɔman] *m/f* morphine addict

morphologie [mɔʀfɔlɔʒi] *f* morphology (*a* LING) **morphologique** *adj* morphological

morpion [mɔʀpjɔ̃] *m fam* **1.** JEUX tick-tack-toe, *brit* noughts and crosses **2.** (*petit garçon*) brat *fam*

mors [mɔʀ] *m* bit; ***prendre le ~ aux dents*** *cheval* to take the bit between its teeth; *fig* (*s'emporter*) to fly off the handle *fam*

morse[1] [mɔʀs] *m* ZOOL walrus

morse[2] *m code* Morse code

morsure [mɔʀsyʀ] *f* bite

▶ **mort**[1] [mɔʀ] *f* death; ***à ~*** to death; *combat* to the death; ***condamner qn à ~*** to condemn sb to death; *fam*, *fig* ***freiner à ~*** to brake like mad *fam*; ***la ~ dans l'âme*** with a heavy heart; ***se donner la ~*** to kill o.s.

▶ **mort**[2] [mɔʀ] **I** *pp* → ***mourir*** *et adj* ⟨**morte** [mɔʀt]⟩; BOT, MÉD dead; *yeux* lifeless; *fam ville*, *pile* dead; ***angle ~*** blind spot; ***eau ~e*** stagnant water; ***feuille ~e*** dead leaf; ***langue ~e*** dead language; ***poids ~*** TECH dead weight *a fig*; ***temps ~*** (*sans activité*) idle time; SPORT time out; ***être ~ (de fatigue)*** to be dead tired; ***être ~ de peur*** to be scared to death **II** **~(*e*)** *m(f)* dead man, woman; (*victime*) fatality; ***jour*** *m* ***des Morts*** All Soul's Day; ***faire le ~*** to play dead; *fig* to lie low; *accident* ***faire deux ~s*** to claim two lives

mortadelle [mɔʀtadɛl] *f* Mortadella

mortaise [mɔʀtɛz] *f* mortise

mortalité [mɔʀtalite] *f* mortality; (***taux*** *m* ***de***) ***~*** mortality rate

mort-aux-rats [mɔʀoʀa] *f* ⟨*inv*⟩ rat poison
mortel [mɔʀtɛl] **I** *adj* ⟨**~le**⟩ **1.** *être vivant* mortal **2.** *poison* lethal; *maladie* fatal; *danger* mortal; ***coup ~*** fatal blow **3.** *fig* ***ennemi ~*** mortal enemy; ***ennui ~*** deadly boredom; ***péché ~*** mortal sin **4.** *fam* (*très ennuyeux*) deadly dull **II** **~(*le*)** *m(f)* mortal
mortellement [mɔʀtɛlmɑ̃] *adv* **1.** ***~ blessé*** fatally wounded **2.** ***~ ennuyeux*** deadly dull
morte-saison [mɔʀt(ə)sɛzõ] *f* ⟨**mortes--saisons**⟩ off season
mortier [mɔʀtje] *m* **1.** CONSTR mortar **2.** MIL, *récipient* mortar
mortification [mɔʀtifikasjõ] *f* **1.** humiliation **2.** REL mortification **mortifier** *v/t* **1.** to humiliate **2.** REL to mortify
mortinatalité [mɔʀtinatalite] *f* (***taux** m* ***de***) ~ incidence of still births
mort-né [mɔʀne] **I** *adj* ⟨**mort-née**⟩ **1.** *enfant* stillborn **2.** *fig projet* abortive **II** *m* ⟨**mort-nés**⟩ stillborn child
mortuaire [mɔʀtɥɛʀ] *adj* funeral *épith*; ***couronne** f* **~** funeral wreath
morue [mɔʀy] *f* **1.** ZOOL cod; *séchée* salted cod **2.** *pop*, *péj prostituée* hooker *pop*, *péj*
morve [mɔʀv] *f* nasal mucus
morveux [mɔʀvø] **I** *adj* ⟨**-euse** [-øz]⟩ *enfant* snotty-nosed *fam* **II** **~**, ***morveuse*** *m/f* little brat *fam*
mosaïque [mɔzaik] *f* mosaic
Moscou [mɔsku] Moscow
moscovite [mɔskɔvit] **I** *adj* Muscovite **II** ***Moscovite*** *m/f* Muscovite
mosquée [mɔske] *f* mosque
▶ **mot** [mo] *m* **1.** word; ***bon ~***, ***~ d'esprit*** witticism; *fig* ***le fin ~ de l'histoire*** the last word; ***~ d'enfant*** child's saying; *fig* ***le ~ de l'énigme*** the key to the riddle; ***~ d'ordre*** watchword; ***~ de passe*** password *a inform*, *mil*; ***~ à ~*** [motamo] word for word; *traduction* literal; ***~ pour ~*** word for word, verbatim; ***au bas ~*** at least; ***en un ~*** in a word; ***sans ~ dire*** without saying a word; ***avoir des ~s avec qn*** to have words with sb; ***avoir toujours le ~ pour rire*** to be a born joker; ***avoir le dernier ~*** to have the last word; ***j'ai deux ~s à vous dire*** I've got a bone to pick with you; ***avoir son ~ à dire*** to be entitled to one's say; ***se donner le ~*** to pass the word around; ***prendre qn au ~*** to take sb at his / her, *etc*. word; ***ne*** (***pas***) ***souffler ~*** not to say a word; ***toucher un ~ de qc à qn*** to have a word with sb about sth **2.** (*message*) ***un*** (***petit***) **~** note; ***~ d'excuse*** absence note
motard [mɔtaʀ] *fam m* **1.** biker *fam* **2.** *agent de police* police motorcyclist
motel [mɔtɛl] *m* motel
▶ **moteur** [mɔtœʀ] **I** *adj* ⟨**-trice** [-tʀis]⟩ **1.** ANAT motor *épith* **2.** TECH driving; ***roue motrice*** driving wheel **II** *m* **1.** TECH engine; ***~ électrique*** electric motor; ***~ à essence*** petrol engine; *adjt* ***bloc** m*, ***frein** m* **~** engine block, brake **2.** INFORM ***~ de recherche*** search engine **3.** *fig* driving force
motif [mɔtif] *m* **1.** (*raison*) motive; ***sans ~*** motiveless; ***pour ~s médicaux*** for medical reasons **2.** (*sujet*) motif (*a* MUS, PEINT); *d'un tissu* pattern
motion [mɔsjõ] *f* POL motion; ***~ de censure*** motion of censure
motivation [mɔtivasjõ] *f* **1.** PSYCH motivation **2.** (*raison*) motive; **~s** *pl* motives
motivé [mɔtive] *adj* ⟨**~e**⟩ **1.** *personne* motivated **2.** *refus*, *plaintes* legitimate
motiver [mɔtive] *v/t* **1.** (*justifier*) to justify **2.** (*être le motif de*) to be the reason for (***qc*** sth) **3.** PSYCH ***~ qn*** to motivate sb
▶ **moto** [mɔto] *f* motorbike; ***faire de la ~*** to ride a motorbike
motocross [mɔtɔkʀɔs] *m* motocross, *brit* scrambling
motoculteur [mɔtɔkyltœʀ] *m* AGR cultivator
motocycle [mɔtɔsikl] *m* motorcycle **motocyclette** *f* → ***moto*** **motocyclisme** *m* motorcycle racing **motocycliste** *m/f* motorcyclist
motoneige [mɔtɔnɛʒ] *f* snowmobile
motoriser [mɔtɔʀize] *v/t* to motorize; *fam* ***être motorisé*** to have transport
motrice [mɔtʀis] *f du T.G.V.* power unit
motricité [mɔtʀisite] *f* motivity
motte [mɔt] *f* **1.** **~** (***de terre***) clod (of earth) **2.** ***~ de beurre*** pat of butter
motus [mɔtys] *int* **~** (***et bouche cousue***)! keep it quiet!
▶ **mou** [mu] **I** *adj* ⟨*devant voyelle et h muet* **mol** [mɔl]; *f* **molle** [mɔl]⟩ **1.** *substance*, *matelas*, *etc* soft **2.** *fig personne* spineless; *excuse*, *discours*, *tentative* lame, feeble **II** *m* **1.** *en boucherie* lungs (+ *v pl*), *brit* lights (+ *v pl*) **2.** *personne* wimp *fam* **3.** ***donner du ~*** to give some slack (***à*** to) **4.** *pop*, *fig* ***bourrer le ~ de***

qn to put sb on *fam*, *brit* to have sb on *fam*

mouchard [muʃaʀ] *m*, **moucharde** [-aʀd] *f fam* **1.** (*espion*) informer **2.** ENSEIGNEMENT snitch, *brit* tell-tale *fam* **3.** *m* TECH tachograph

mouchardage [muʃaʀdaʒ] *m fam* **1.** informing **2.** ENSEIGNEMENT snitching *fam*, *brit* tale-telling

moucharder [muʃaʀde] *v/t fam* **1.** (*espionner*) to inform on; *abs* to be an informant **2.** (*dénoncer*) to squeal on *fam*; *abs* to squeal *fam*

▸ **mouche** [muʃ] *f* **1.** ZOOL fly; **~ *bleue*** bluebottle; *fig* ***c'est une fine ~*** *fam* he's/she's a crafty one; ***on aurait entendu une ~ voler*** you could have heard a pin drop; ***il ne ferait pas de mal à une ~*** he wouldn't hurt a fly; *fig* ***prendre la ~*** to fly off the handle *fam* **2.** TIR, *fig* ***faire ~*** to hit the bull's-eye **3.** *adjt* SPORT ***poids m ~*** flyweight

moucher [muʃe] **I** *v/t* **1. ~ *qn*** to blow sb's nose **2.** *fam*, *fig* ***se faire ~*** to be put in one's place **II** *v/pr* ***se moucher*** to blow one's nose

moucheron [muʃʀõ] *m* midge

moucheté [muʃte] *adj* ⟨**~e**⟩ speckled

moucheter [muʃte] *v/t* ⟨**-tt-**⟩ to speckle

▸ **mouchoir** [muʃwaʀ] *m* handkerchief; **~ *en papier*** tissue; ***grand comme un ~*** (***de poche***) the size of a postage stamp

moudre [mudʀ] *v/t* ⟨**je mouds, il moud, nous moulons; je moulais; je moulus; je moudrai; que je moule; moulant; moulu**⟩ to grind

moue [mu] *f* pout; ***faire la ~*** to pout; ***faire une ~ de dédain*** to pout disdainfully

mouette [mwɛt] *f* seagull

moufeter → ***moufter***

moufle [mufl] *f* mitten

mouflet [muflɛ] *m*, **mouflette** [-ɛt] *f fam* kid *fam*

mouflon [muflõ] *m* ZOOL mouflon

moufter [mufte] *fam v/i* ***ne pas ~*** to keep one's mouth shut

mouillage [mujaʒ] *m* MAR anchoring; *endroit* anchorage

mouillant [mujɑ̃] *m* CHIM wetting agent

▸ **mouillé** [muje] *adj* ⟨**~e**⟩ wet

mouillement [mujmɑ̃] *m* PHON palatalization

mouiller [muje] **I** *v/t* **1.** to wet; ***se faire ~*** to get wet **2.** *ancre* to drop **II** *v/i* **1.** *bateau* to drop anchor **III** *v/pr* ***se mouiller*** **1.** *enfant* to wet o.s. **2.** *fam*, *fig* to stick one's neck out *fam*, *fig*

mouillette [mujɛt] *f* finger of bread *with a boiled egg*, *brit* soldier *fam*

mouise [mwiz] *pop f* poverty; ***il est dans la ~*** he's broke *fam*

moulage [mulaʒ] *m* **1.** TECH molding **2.** SCULP casting

moulant [mulɑ̃] *adj* ⟨**-ante** [-ɑ̃t]⟩ tight-fitting

moule[1] [mul] *m* **1.** TECH, SCULP cast **2.** CUIS mold; **~ *à gâteau*** cake pan, *brit* baking tin;; **~ *à tarte*** pie pan, *brit* flan dish; **3.** *pour pâtés de sable* mold

moule[2] *f* ZOOL mussel

moulé [mule] *adj* ⟨**~e**⟩ **1.** *statue* cast **2.** ***pain ~*** pan loaf, *brit* tin loaf **3.** ***écriture ~e*** copperplate (handwriting)

mouler [mule] *v/t* **1.** (*fabriquer*) to mold **2.** (*reproduire*) to mold **3.** *fig* **~ *qc sur*** to model sth on **4.** *vêtement* **~ *le corps*** to be tight-fitting

mouleur [mulœʀ] *m* TECH molder; MÉTALL caster

▸ **moulin** [mulɛ̃] *m* **1.** mill; **~ *à café*** coffee grinder; **~ *à légumes*** vegetable mill; **~ *à vent*** windmill; *jouet* windmill; *fam*, *fig* ***c'est un ~ à paroles*** he's/she's a chatterbox **2.** *fam* (*moteur*) engine

mouliner [muline] *v/t* CUIS to puree

moulinet [mulinɛ] *m* **1.** PÊCHE reel **2.** ***faire des ~s avec qc*** *bras* to wave sth; *bâton* to twirl sth

moulinette® [mulinɛt] *f* vegetable mill

moult [mult] *iron adv* many

moulu [muly] *pp* → ***moudre*** *et adj* ⟨**~e**⟩ **1.** *café*, *poivre* ground **2.** *fig* ***être ~*** (***de fatigue***) to be worn out

moulure [mulyʀ] *f* molding

moumoute [mumut] *f* **1.** *plais* toupee **2.** *veste* sheepskin jacket

mourant [muʀɑ̃] **I** *adj* ⟨**-ante** [-ɑ̃t]⟩ **1.** dying **2.** *fig*, *litt* moribund **II ~(*e*)** *m*(*f*) dying man, woman

▸ **mourir** [muʀiʀ] ⟨**je meurs, il meurt, nous mourons, ils meurent; je mourais; je mourus; je mourrai; que je meure, que nous mourions; mourant; être mort**⟩ *v/i personne*, *animal*, *plante* to die; *fig bruit* to fade; *fig passion*, *civilisation* to die; *fig* **~ *d'amour*** to be desperately in love; *fig* **~ *de chaleur*** to be boiling; **~ *de froid*** to be freezing; **~ *de sa belle mort*** to die of natural causes; *iron* ***tu n'en mourras pas*** it won't kill you; ***s'ennuyer à ~*** to be bored to death; ***c'est à ~ de rire*** it's hi-

larious
mouroir [murwaʀ] *m péj* old people's home
mouron [muʀõ] *m fam* ***se faire du ~*** to worry
mouscaille [muskaj] *f pop* → ***mouise***
mousquetaire [muskətɛʀ] *m* musketeer
mousqueton [muskətõ] *m* clasp
moussaillon [musajõ] *m fam* ship's apprentice
moussant [musɑ̃] *adj* ⟨**-ante** [-ɑ̃t]⟩ foaming
mousse[1] [mus] *f* **1.** BOT moss; *adjt* ***vert ~*** ⟨*inv*⟩ moss green **2.** (*écume*) foam **3.** CUIS mousse; ***~ au chocolat*** chocolate mousse **4.** *matière plastique* foam rubber **5.** ***~ carbonique*** carbon dioxide foam **6.** TRICOT *adjt* ***point*** *m* ***~*** moss stitch
mousse[2] *m* MAR ship's boy
mousseline [muslin] *f* **1.** TEXT muslin; *de soie* chiffon **2.** CUIS *adjt* ***pommes*** *fpl* ***~*** creamed potatoes; ***sauce*** *f* ***~*** mousseline sauce
mousser [muse] *v/i* **1.** to foam; *vin* to fizz **2.** *fam, fig* ***se faire ~*** to blow one's own trumpet *fam*
mousseron [musʀõ] *m* BOT St George's mushroom
mousseux [musø] *adj* ⟨**-euse** [-øz]⟩ frothy; (***vin*** *m*) ***~*** *m* sparkling wine
mousson [musõ] *f* monsoon
moustache [mustaʃ] *f* **1.** mustache **2.** ZOOL ***~s*** *pl* whiskers
moustachu [mustaʃy] **I** *adj* ⟨**~e**⟩ with a mustache **II** *m* man with a mustache
moustiquaire [mustikɛʀ] *f* mosquito net
▶ **moustique** [mustik] *m* **1.** mosquito **2.** *fig enfant* kid *fam*
moût [mu] *m* must
moutard [mutaʀ] *m fam* kid *fam*
▶ **moutarde** [mutaʀd] *f* mustard (*a* BOT); *adjt* ⟨*inv*⟩ mustard *épith*; ***sauce*** *f* ***~*** mustard sauce; *fig* ***la ~ lui monte au nez*** he's/she's beginning to see red *fam*
moutardier [mutaʀdje] *m* mustard pot
▶ **mouton** [mutõ] *m* **1.** ZOOL sheep; *fig* ***~ de Panurge*** sheep *fig*; *fig* ***revenons à nos ~s!*** let's get back to the subject! **2.** *viande* mutton; ***côtelette*** *f* ***de ~*** mutton chop **3.** *fig* ***~s*** *pl poussière* fluff (+ *v sg*); *sur les vagues* white horses; *nuages* fleecy clouds
mouture [mutyʀ] *f* **1.** *du blé, etc* milling **2.** *café* ***une ~ fine*** finely ground coffee **3.** *fig* version; *péj* rehash
mouvance [muvɑ̃s] *f* sphere of influence
mouvant [muvɑ̃] *adj* ⟨**-ante** [-ɑ̃t]⟩ **1.** moving, shifting **2.** ***sables ~s*** quicksand (+ *v sg*)
▶ **mouvement** [muvmɑ̃] *m* **1.** movement (*a fig*, POL); ***~ de grève*** strike action; *mécanisme* ***mettre qc en ~*** to set sth in motion; *fig* ***suivre le ~*** to go with the flow **2.** MUS movement **3.** ***~ d'horlogerie*** clock movement; ***~ perpétuel*** perpetual motion **4.** (*impulsion*) impulse; *de colère, pitié* surge (***de*** of); ***bon ~*** good turn; ***de son propre ~*** of one's own accord **5.** (*animation*) bustle
mouvementé [muvmɑ̃te] *adj* ⟨**~e**⟩ *semaine, vie* eventful; *séance* lively
mouvoir [muvwaʀ] ⟨**je meus, il meut, nous mouvons, ils meuvent; je mouvais; je mus; je mouvrai; que je meuve, que nous mouvions; mouvant; mû, mue**; *rare* ⟩ **I** *v/t* to move; ***être mû par l'électricité*** to be powered by electricity **II** *v/pr* ***se mouvoir*** to move
▶ **moyen**[1] [mwajɛ̃] *adj* ⟨**moyenne** [mwajɛn]⟩ **1.** (*intermédiaire*) medium, medium-sized; ***Moyen Âge*** Middle Ages (+ *v pl*) **2.** (*en moyenne*) average; ***le Français ~*** the average Frenchman **3.** *résultats, élève* average
▶ **moyen**[2] *m* **1.** means (+ *v pl*), way; *fig* ***les ~s du bord*** the means at one's disposal; ***~ de transport*** means of transport; ***au ~ de*** by means of; *fam* ***pas ~!*** no way!; ***il y a ~ de*** +*inf* there's a way of (+ *v-ing*); ***employer les grands ~s*** to resort to drastic measures; ***tous les ~s lui sont bons*** he'll / she'll stop at nothing **2.** ***~s*** *pl d'une personne* ability (+ *v sg*); *physiques* strength (+ *v sg*); ***par ses propres ~s*** under one's own steam; ***perdre ses ~s*** to go to pieces **3.** ***~s*** *pl* (*ressources pécuniaires*) means; *fam* ***il a les ~s!*** he can afford it!; ***vivre au-dessus de ses ~s*** to live beyond one's means
moyenâgeux [mwajɛnɑʒø] *adj* ⟨**-euse** [-øz]⟩ medieval
moyen-courrier *m* ⟨**moyen-courriers**⟩ medium haul airliner; *adjt* medium haul
moyennant [mwajɛnɑ̃] *prép* for; ***~ récompense*** in return for a reward; ***~ quoi*** in return for which

moyenne [mwajɛn] *f* average (*a* MATH, MÉTÉO); **~ *d'âge*** average age; ***en* ~** on average; ***faire du 70 de* ~** to average 70 kilometers per hour
moyennement [mwajɛnmɑ̃] *adv intelligent, vite* fairly, moderately; *réussir* moderately well
Moyen-Orient [mwajɛnɔʀjɑ̃] ***le* ~** the Middle East
moyeu [mwajø] *m* ⟨**~x**⟩ hub
Mozambique [mɔzɑ̃bik] ***le* ~** Mozambique
M.S.T. [ɛmɛste] *f, abr* ⟨*inv*⟩ (= **maladie sexuellement transmissible**) STD
mû [my] *pp* → ***mouvoir***
mucosité [mykozite] *f* mucus
mucoviscidose [mykovisidoz] *f* MÉD cystic fibrosis
mucus [mykys] *m* mucus
mue [my] *f* **1.** *des oiseaux* molting; *des serpents* shedding of the skin **2.** *de la voix* changing of the voice, *brit* breaking of the voice
muer [mɥe] **I** *v/i* **1.** *oiseaux* to molt; *serpent* to shed its skin **2.** *voix* to change, *brit* to break **II** *v/pr litt* ***se* ~ *en*** to change into
► **muet** [mɥɛ] **I** *adj* ⟨**muette** [mɥɛt]⟩ silent; MÉD mute; ***e, h* ~** silent e, h; ***le cinéma* ~** the silent movies (+ *v pl*); ***film* ~** silent movie; *loi, règlement* ***être* ~ *sur qc*** to remain silent on sth **II 1. ~(*te*)** *m*(*f*) mute **2.** FILM ***le* ~** the silent screen
mufle [myfl] *m* **1.** *d'un animal* muffle **2.** *péj* (*goujat*) boor
muflerie [myflǝʀi] *f* boorishness
mugir [myʒiʀ] *v/i* **1.** *bovins* to bellow **2.** *fig mer* to roar
mugissement [myʒismɑ̃] *m* **1.** *des bovins* bellowing **2.** *fig* roar
muguet [mygɛ] *m* **1.** BOT lily of the valley **2.** MÉD thrush
mulâtre [mylɑtʀ] *m/f* mulatto **mulâtresse** *f* mulatto woman
mule [myl] *f* **1.** ZOOL (female) mule; *fam, fig* ***être une tête f de* ~** to be as stubborn as a mule **2.** *pantoufle* mule
mulet [mylɛ] **1.** (***grand***) **~** mule; (***petit***) **~** hinny **2.** *poisson* mullet
muletier [myltje] **I** *m* muleteer **II** *adj* ***sentier* ~** mule track
mulot [mylo] *m* fieldmouse
multicolore [myltikɔlɔʀ] *adj* multicolored **multiforme** *adj* many-sided, multifaceted
multigrade [myltigʀad] *adj* TECH ***huile*** *f* **~** multigrade oil
multilatéral [myltilateʀal] *adj* ⟨**~e; -aux** [-o]⟩ multilateral **multimédia** *adj* multimedia **multimillionnaire I** *adj* multimillionaire *épith* **II** *m/f* multimillionaire **multinational I** *adj* ⟨**~e; -aux** [-o]⟩ multinational **II** *f* **~*e*** multinational
multipartisme [myltipaʀtism] *m* multi-party system **multiplace** *adj* with several seats; ***voiture multiplace*** mpv, *brit* people carrier
multiple [myltipl] **I** *adj* multiple; ***grossesse f* ~** multiple pregnancy; ÉLEC ***prise f* ~** adaptor plug; ***à usages* ~*s*** multipurpose **II** *m* MATH multiple
multiplex [myltiplɛks] *m* multiplex
multiplicateur [myltiplikatœʀ] *m* multiplier
multiplicatif [myltiplikatif] *adj* ⟨**-ive** [-iv]⟩ MATH ***signe* ~** multiplication sign
multiplication [myltiplikasjõ] *f* **1.** MATH multiplication **2.** (*augmentation*) multiplication (*a* BIOL) **3.** TECH gear ratio
multiplicité [myltiplisite] *f* **1.** (*grand nombre*) multiplicity **2.** (*caractère multiple*) multiplicity
multiplier [myltiplije] **I** *v/t* **1.** MATH to multiply (***par*** by) **2.** *erreurs, difficultés* to increase **II** *v/pr* ***se multiplier* 1.** *cas, incidents, etc* to be on the increase **2.** *êtres vivants* to multiply
multiprogrammation [myltipʀɔgʀamasjõ] *f* multiprogramming **multipropriété** *f* time-share
multiracial [myltiʀasjal] *adj* ⟨**~e; -aux** [-o]⟩ multiracial; ***État* ~** multiracial state
multirisque [myltiʀisk] *adj* ***assurance f* ~** comprehensive insurance
multisalles [myltisal] *adj* ***cinéma m* ~** multiplex
multitude [myltityd] *f* **1.** (*grand nombre*) multitude **2.** *st/s* (*foule*) multitude *st/s*
muni [myni] → ***munir***
Munich [mynik] Munich
municipal [mynisipal] *adj* ⟨**~e; -aux** [-o]⟩ *conseil* local, municipal; *bibliothèque, parc* public; (***élections*** *fpl*) **~*es*** *fpl* local elections
municipalité [mynisipalite] *f* **1.** (*corps municipal*) town council **2.** (*commune*) town; (*ville*) city
munir [myniʀ] **I** *v/t* to provide (***de*** with) **II** *v/pr* ***se* ~ *de qc*** to bring sth; (*emporter*) to take sth

munitions [mynisjõ] *fpl* ammunition (+ *v sg*)

munster [mɛ̃stɛʀ, mœ̃-] *m* Munster (cheese)

muqueuse [mykøz] *f* mucous membrane

muqueux [mykø] *adj* ⟨**-euse** [-øz]⟩ mucous

► **mur** [myʀ] *m* wall; **~ *antibruit*** soundproof wall; AVIAT **~ *du son*** sound barrier; *fig* ***coller qn au ~*** (*fusiller*) to stand sb against a wall and shoot him / her; ***faire le ~*** (*sortir sans permission*) to sneak out; *prisonnier* to go over the wall; SPORT to make a wall

► **mûr** [myʀ] *adj* ⟨**~e**⟩ *personne* mature; *fig* ready; *fruit, abcès* ripe; *fam étoffe* worn; *péj femme* older; *fruit* ***trop ~*** overripe; ***après ~e réflexion*** after careful consideration

muraille [myʀaj] *f* wall

mural [myʀal] *adj* ⟨**~e; -aux** [-o]⟩ wall *épith*; ***peinture ~e*** mural

mûre [myʀ] *f* mulberry; *sauvage* blackberry

mûrement [myʀmɑ̃] *adv réfléchir* carefully

murène [myʀɛn] *f* moray eel

murer [myʀe] **I** *v/t* **~ *qc*** *fenêtre, porte* to brick sth up; *lieu* to build a wall round sth; **~ *qn*** to wall sb up; *fig mineurs* ***être murés*** to be trapped **II** *v/pr fig* ***se ~ dans son silence*** to retreat into silence

muret [myʀɛ] *m*, **murette** [-ɛt] *f* low wall

mûrier [myʀje] *m* mulberry tree

mûrir [myʀiʀ] *v/t et v/i fruit* to ripen; *fig personne* to mature; *fig projet* to develop

mûrissant [myʀisɑ̃] *adj* ⟨**-ante** [-ɑ̃t]⟩ **1.** *fruit* ripening **2.** *fig personne* older

mûrissement [myʀismɑ̃] *m naturel* ripening; *provoqué* forcing

murmure [myʀmyʀ] *m* **1.** (*chuchotement*) murmur **2.** *poét de l'eau* babbling (+ *v sg*); *du vent* whisper

murmurer [myʀmyʀe] *v/i* **1.** *personne* to murmur **2.** *poét eau* to babble; *vent, feuilles* to whisper

musaraigne [myzaʀɛɲ] *f* shrew

musarder [myzaʀde] *v/i* to wander around

musc [mysk] *m* musk

muscade [myskad] *f* (***noix*** *f*) **~** nutmeg

muscadet [myskadɛ] *m* Muscadet

muscat [myska] *m* muscat

► **muscle** [myskl] *m* muscle

musclé [myskle] *adj* ⟨**~e**⟩ **1.** muscular **2.** *fig* tough **muscler** *v/t* **~ *les bras*** to build up one's arm muscles

musculaire [myskylɛʀ] *adj personne* muscular; *fibre, tissu* muscle *épith*

musculation [myskylasjõ] *f* body-building; ***salle*** *f* ***de ~*** weights room

musculature [myskylatyʀ] *f* musculature **musculeux** *adj* ⟨**-euse** [-øz]⟩ muscular

muse [myz] *f* muse

museau [myzo] *m* ⟨**~x**⟩ **1.** *de chien, bovin* muzzle; *de chat, etc* nose **2.** CUIS **~ *de porc*** head cheese, *brit* brawn **3.** *fam* (*figure*) face

► **musée** [myze] *m* museum

museler [myzle] *v/t* ⟨**-ll-**⟩ to muzzle *a fig*

muselière [myzəljɛʀ] *f* muzzle

musette [myzɛt] **1.** *adjt* ***bal*** *m* **~** *old-time dance with accordion music* **2.** *m* accordion music **3.** *f sac* haversack

muséum [myzeɔm] *m* natural history museum

musical [myzikal] *adj* ⟨**~e; -aux** [-o]⟩ musical *a fig*; ***comédie ~e*** musical

musicalement [myzikalmɑ̃] *adv* ***être doué ~*** to be musical

music-hall [myzikol] *m* ⟨**music-halls**⟩ music hall

► **musicien** [myzisjɛ̃], **musicienne** [myzisjɛn] **I** *m/f* musician; (*compositeur*) composer **II** *adj* ***être musicien, musicienne*** to be musical

musicologie [myzikɔlɔʒi] *f* musicology

musicologue *m/f* musicologist

► **musique** [myzik] *f* **1.** music; **~ *classique***, *fam* ***grande ~*** classical music; **~ *de chambre*** chamber music; **~ *de film*** film music; *travailler, dîner* ***en ~*** to music; *fam, fig* ***connaître la ~*** to have heard it all before; to know the tune *fam*; ***faire de la ~*** to play an instrument; ***mettre qc en ~*** to set sth to music **2.** *écrite* music; *fig* ***c'est réglé comme du papier à ~*** it's as regular as clockwork; ***magasin*** *m* ***de ~*** music store, *brit* music shop **3.** **~** (***militaire***) (military) band

musqué [myske] *adj* ⟨**~e**⟩ **1.** *parfum* musky **2.** ***bœuf ~*** musk ox; ***rat ~*** muskrat

must [mœst] *m* ***être un ~*** to be a must

musulman [myzylmɑ̃] **I** *adj* ⟨**-ane** [-an]⟩ Muslim **II** **~(*e*)** *m(f)* Muslim

mutant [mytɑ̃] **I** *adj* ⟨**-ante** [-ɑ̃t]⟩ BIOL mutant **II** *m* BIOL mutant *a fig*

mutation [mytasjõ] *f* **1.** *à un autre poste* transfer **2.** BIOL mutation **3.** *fig* transformation; ***être en pleine ~*** to be undergoing a radical transformation

muter [myte] *v/t* to transfer

mutilation [mytilasjõ] *f* mutilation

mutilé(e) [mytile] *m(f)* disabled person; ***~(e) de guerre*** disabled war veteran

mutiler [mytile] *v/t* to mutilate

mutin [mytɛ̃] **I** *adj* ⟨**-ine** [-in]⟩ mutinous **II** *m* mutineer

mutiner [mytine] *v/pr* ***se ~*** to mutiny

mutinerie [mytinʀi] *f* mutiny

mutisme [mytism] *m* silence

mutité [mytite] *f* mutism

mutualisme [mytɥalism] *m* ÉCON mutualism

mutualiste [mytɥalist] **I** *adj* ***société f ~*** → ***mutuelle*** **II** *m/f* member of a benefit society, *brit* member of a friendly society

mutualité [mytɥalite] *f* mutual insurance company

mutuel [mytɥɛl] *adj* ⟨**~le**⟩ mutual; ***torts ~s*** shared blame

mutuelle [mytɥɛl] *f* benefit society, *brit* friendly society

mutuellement [mytɥɛlmɑ̃] *adv* mutually

mycose [mikoz] *f* MÉD fungal infection; *aux pieds*, *aux orteils* athlete's foot

mygale [migal] *f* tarantula

myocarde [mjɔkaʀd] *m* myocarditis

myopathe [mjɔpat] *adj* myopathic **myopathie** *f* myopathy

myope [mjɔp] **I** *adj* short-sighted **II** *m/f* short-sighted person **myopie** *f* short-sightedness, myopia *t/t*

myosotis [mjozɔtis] *m* forget-me-not

myriade [miʀjad] *f* myriad

myrrhe [miʀ] *f* myrrh

myrte [miʀt] *m* myrtle

myrtille [miʀtij] *f* blueberry

▶ **mystère** [mistɛʀ] *m* **1.** mystery; ***faire des ~s, s'entourer de ~*** to surround o.s. in mystery; ***faire (un) ~ de qc*** to make a secret of sth **2.** REL Mystery play **3.** CUIS *ice cream dessert with meringue and praline*

▶ **mystérieux** [misteʀjø] *adj* ⟨**-euse** [-øz]⟩ mysterious

mysticisme [mistisism] *m* REL mysticism

mystificateur [mistifikatœʀ] *m*, **mystificatrice** [-tʀis] *f* hoaxer

mystification [mistifikasjõ] *f* **1.** (*blague*) hoax **2.** (*tromperie*) myth

mystifier [mistifje] *v/t* to deceive

mystique [mistik] **I** *adj* REL mystic, mystical *a fig* **II** *subst* **1.** *m/f* REL mystic **2.** *f* REL mysticism (**de** of); *fig* blind belief (**de** in)

mythe [mit] *m* **1.** myth **2.** *péj* myth

mythique [mitik] *adj* **1.** mythical **2.** *péj* imaginary

mythologie [mitɔlɔʒi] *f* mythology **mythologique** *adj* mythological

mythomane [mitɔman] **I** *adj* mythomaniac **II** *m/f* mythomaniac

mythomanie [mitɔmani] *f* mythomania

myxomatose [miksɔmatoz] *f* MÉD myxomatosis

N

N, n [ɛn] *m* ⟨*inv*⟩ N

N. *abr* (= **nord**) N.

n' [n] → ***ne***

na! [na] *int fam* so there!

nabab [nabab] *m* mogul

nabot [nabo] *m péj* dwarf; midget *péj*

nacelle [nasɛl] *f de ballon* gondola

nacre [nakʀ] *f* mother of pearl

nacré [nakʀe] *adj* ⟨**~e**⟩ pearly

nage [naʒ] *f* **1.** swimming; ***~ libre*** freestyle; ***quatre ~s*** medley; ***~ sur le dos*** backstroke; ***traverser qc à la ~*** to swim across sth **2.** *fig* ***être en ~*** to be in a sweat

nageoire [naʒwaʀ] *f* fin

▶ **nager** [naʒe] ⟨**-ge-**⟩ **I** *v/t distance* to swim; ***~ la brasse*** to do the breaststroke; ***~ le crawl*** to do the crawl **II** *v/i* **1.** to swim; *fig* ***~ dans le bonheur*** to be basking in happiness **2.** *fig* ***il nage dans son costume*** his costume is far too big for him **3.** *fam* (*être dans l'embarras*) to be out of one's depth

nageur [naʒœʀ] *m*, **nageuse** [-øz] *f* swimmer

naguère [nagɛʀ] *adv* **1.** (*récemment*) not long ago **2.** (*jadis*) formerly

naïf [naif] *adj* ⟨**naïve** [naiv]⟩ **1.** naive; *subst* ***un ~, une naïve*** *fam* gullible fool **2.** ***les (peintres) ~s*** the naive painters

nain [nɛ̃], **naine** [nɛn] **I** *m/f* dwarf **II** *adj* dwarf *épith*

▶ **naissance** [nɛsɑ̃s] *f* **1.** birth; ***à sa ~*** at birth; ***de ~*** by birth; ***donner ~ à une fille*** to give birth to a girl **2.** *fig* birth; ***la ~ du jour*** daybreak, dawn **3.** ***~ des cheveux*** hairline

naissant [nɛsɑ̃] *adj* ⟨**-ante** [-ɑ̃t]⟩ *amour* growing; *jour* dawning; *talent* budding; ***une barbe ~e*** the beginnings of a beard

▶ **naître** [nɛtʀ] *v/i* ⟨**je nais, il naît, nous naissons; je naissais; je naquis; je naîtrai; que je naisse; naissant; être né**⟩ **1.** *personne* to be born; ***être né Français*** to be born French; ***il est né à Paris*** he was born in Paris; ***être né de qn*** to be born of sb; *fig* ***je ne suis pas né d'hier*** I wasn't born yesterday **2.** *fig mouvement*, *projet*, *légende* to be born; *difficultés*, *problème*, *soupçon* to arise; *amour* to be born; *jour* to dawn; ***faire ~*** to give rise to

naïveté [naivte] *f* naivety

naja [naʒa] *m* cobra

Namibie [namibi] ***la ~*** Namibia

nana [nana] *f fam* girl; chick *fam*

nanisme [nanism] *m* dwarfism

nanomètre [nanɔmɛtʀ] *m* nanometer **nanoseconde** *f* nanosecond **nanotechnologie** *f* nanotechnology

nanti [nɑ̃ti] *adj* ⟨**~e**⟩ well-off; *subst* ***les ~s*** *mpl* the well-off

nantir [nɑ̃tiʀ] *v/t surtout pp* ***être nanti de qc*** to be provided with sth

nantissement [nɑ̃tismɑ̃] *m* JUR security

naphtaline [naftalin] *f* ***boule f de ~*** mothball

naphte [naft] *m* naphtha

Naples [napl] Naples

napoléonien [napɔleɔnjɛ̃] *adj* ⟨**-ienne** [-jɛn]⟩ Napoleonic

napolitain [napɔlitɛ̃] *adj* ⟨**-aine** [-ɛn]⟩ Neapolitan; ***tranche ~e*** Neapolitan ice cream

▶ **nappe** [nap] *f* **1.** tablecloth **2.** ***~ de brouillard*** blanket of fog; ***~ de pétrole*** *gisement* layer of oil; *sur la mer* oil slick

napper [nape] *v/t* CUIS to coat (***de*** with)

napperon [napʀõ] *m* small mat

naquit [naki] → ***naître***

narcisse [naʀsis] *m* narcissus **narcissisme** *m* narcissism **narcissique** *adj* narcissistic

narcodollars [naʀkodɔlaʀ] *mpl* narcodollars

narcose [naʀkoz] *f* narcosis

narcotique [naʀkɔtik] *m* narcotic

narguer [naʀge] *v/t personne* to taunt; *tradition*, *autorité* to flout

narguilé [naʀgile] *m* hookah

narine [naʀin] *f* nostril

narquois [naʀkwa] *adj* ⟨**-oise** [-waz]⟩ mocking

narrateur [naʀatœʀ] *m*, **narratrice** [-tʀis] *f* narrator

narratif [naʀatif] *adj* ⟨**-ive** [-iv]⟩ narrative

narration [naʀasjõ] *f* narration

narrer [naʀe] *litt v/t* to relate

narval [naʀval] *m* ZOOL narwhal

nasal [nazal] *adj* ⟨**~e; -aux** [-o]⟩ **1.** ANAT nasal **2.** PHON nasal; *subst* ***~e*** *f* nasal

nasalisation [nazalizasjõ] nasalization

nasaliser *v/t* to nasalize

nase [nɑz] *adj* **1.** *fam* (*foutu*) beat *fam*, *brit* bust *fam* **2.** *fam* → ***cinglé***

naseau [nazo] *m* ⟨**~x**⟩ nostril

nasillard [nazijaʀ] *adj* ⟨**-arde** [-aʀd]⟩ nasal **nasillement** *m* nasal twang

nasiller [nazije] *v/i* **1.** to speak through one's nose **2.** *fig vieille radio* to make a tinny sound **3.** *canard* to quack

nasse [nas] *f* lobster pot

natal [natal] *adj* ⟨**~e; -als**⟩ native; ***pays ~*** native country

nataliste [natalist] *adj* pro-birth *épith*

natalité [natalite] *f* (***taux m de***) **~** birth rate

▶ **natation** [natasjõ] *f* swimming

natatoire [natatwaʀ] *adj* ZOOL ***vessie f ~*** swim bladder

natif [natif] *adj* ⟨**-ive** [-iv]⟩ **1.** ***être ~ de*** to be born in **2.** *or* native

▶ **nation** [nasjõ] *f* nation; ***les Nations Unies*** the United Nations

▶ **national** [nasjɔnal] **I** *adj* ⟨**~e; -aux** [-o]⟩ national; ***équipe ~e*** national team; ***produit ~ brut*** gross national product; (***route***) ***~e*** *f* highway, *brit* trunk road **II** ***les nationaux*** *mpl* nationals

nationalisation [nasjɔnalizasjõ] *f* nationalization **nationaliser** *v/t* to nationalize

nationalisme [nasjɔnalism] *m* nationalism **nationaliste** **I** *adj* nationalist **II** *m/f* nationalist

▶ **nationalité** [nasjɔnalite] *f* nationality

national-socialisme *m* National Socialism

national-socialiste ⟨*inv*; *mpl* **nationaux-socialistes**⟩ **I** *adj* National Socialist **II** *m/f* National Socialist

nativité [nativite] *f* nativity

natte [nat] *f* **1.** *tapis* mat **2.** *tresse* braid, *brit* plait

natter [nate] *v/t cheveux* to braid, *brit* to pleat

naturalisation [natyʀalizasjõ] *f* naturalization

naturaliser [natyʀalize] *v/t* **1.** *étranger* to naturalize; ***se faire ~ français*** to be granted French citizenship **2.** *animal* to stuff

naturalisme [natyʀalism] *m* naturalism

naturaliste [natyʀalist] **I** *adj* naturalistic **II** *m* **1.** *peintre*, *romancier* naturalist **2.** (*empailleur*) taxidermist **3.** *savant* naturalist

▶ **nature** [natyʀ] *f* **1.** (*monde physique*) nature; ***grandeur ~*** life-size **2.** (*caractère*) nature; ***la ~ humaine*** human nature; ***de cette ~*** of this nature; ***de ~ à*** *+inf* likely *+inf*; ***de*** *ou* ***par ~*** by nature **3.** PEINT ***~ morte*** still life **4.** ***payer en ~*** to pay in kind **5.** *adjt* ⟨*inv*⟩ CUIS plain; *café* black; *fam personne* ***être ~*** to be very natural

▶ **naturel** [natyʀɛl] **I** *adj* ⟨**~le**⟩ **1.** natural; ***mort ~le*** natural death; ***soie ~le*** pure silk **2.** *personne*, *geste*, *style* natural **3.** (*normal*) normal, natural **4.** *enfant* natural **II** *m* **1.** (*caractère de qn*) nature **2.** (*simplicité*) naturalness **3.** ***au ~*** *thon* in brine; *riz* plain; (*en réalité*) in reality

▶ **naturellement** [natyʀɛlmɑ̃] *adv* **1.** (*évidemment*) naturally, of course **2.** (*de nature*) naturally

naturisme [natyʀism] *m* naturism **naturiste** *m/f* naturist

naufrage [nofʀaʒ] *m* **1.** shipwreck; *bateau* ***faire ~*** to be shipwrecked **2.** *fig d'une entreprise*, *d'un mariage* collapse

naufragé(e) [nofʀaʒe] *m(f)* shipwreck victim

nauséabond [nozeabõ] *adj* ⟨**-onde** [-õd]⟩ nauseating

nausée [noze] *f* **1.** nausea **2.** *fig* disgust

nauséeux [nozeø] *adj* ⟨**-euse** [-øz]⟩ nauseating, sickening

nautile [notil] *m* ZOOL nautilus

nautique [notik] *adj* **1.** MAR nautical **2.** ***ski*** *m* ***~*** waterskiing; ***sports*** *mpl* ***~s*** water sport

nautisme [notism] *m* water sport (+ *v pl*)

naval [naval] *adj* ⟨**~e; -als**⟩ **1.** TECH naval; ***chantier ~*** shipyard **2.** MAR MIL naval

navarin [navaʀɛ̃] *m mutton stew with vegetables*

navet [navɛ] *m* **1.** *légume* turnip **2.** *péj* (*mauvais film*) turkey *fam*, *brit* flop *fam*

navette [navɛt] *f* **1.** TEXT shuttle **2.** *service*, *train* shuttle service; *bus* shuttle bus; ***faire la navette*** to go back and forth; *travailleurs* to commute **3.** ▶ ***navette spatiale*** space shuttle

navigabilité [navigabilite] *f* **1.** *d'un cours d'eau* navigability **2.** *d'un navire* seaworthiness; *d'un avion* airworthiness

navigable [navigabl] *adj* navigable

navigant [navigɑ̃] *adj* ⟨**-ante** [-ɑ̃t]⟩ AVIAT ***le personnel ~*** the aircrew, the flight personnel

navigateur [navigatœʀ] *m* **1.** AVIAT, MAR navigator **2.** (*marin*) sailor **3.** INFORM ***~ (Web)*** browser

navigation [navigasjõ] *f* **1.** MAR sailing, navigation; ***~ côtière*** coastal navigation; ***~ au long cours*** deep-sea navigation **2.** ***~ aérienne*** flying; ***~ spatiale*** space travel **3.** TECH navigation

naviguer [navige] *v/i bateau*, *voilier* to sail; *marin* to sail; AVIAT to fly; *guider* to navigate

navire [naviʀ] *m* ship; ***~ de commerce*** merchant ship; ***~ de guerre*** warship

navire-école *m* ⟨**navires-écoles**⟩ training ship

navrant [navʀɑ̃] *adj* ⟨**-ante** [-ɑ̃t]⟩ distressing, upsetting

navré [navʀe] *adj* ⟨**~e**⟩ ***je suis ~*** I'm sorry

navrer [navʀe] *v/t* **1.** *st/s* to distress **2.** *sens affaibli* ***je suis navré, mais ...*** I'm sorry, but ...

naze [nɑz] → ***nase***

nazi [nazi] *péj* **I** *adj* ⟨**~e**⟩ Nazi **II ~*(e)*** *m(f)* Nazi

nazisme [nazism] *m péj* Nazism

NB *abr* (= **nota bene**) N. B.

▶ **ne** [n(ə)] *adv* ⟨*devant voyelle et h muet* ***n'***⟩ **1.** ▶ ***ne ... pas*** not; ***il ne fume pas*** he doesn't smoke; ***je n'ai pas de*** (+ *subst*) I don't have any (+ *subst*); ▶ ***je ne triche jamais*** I never cheat; ***je n'invite personne*** I'm not inviting anybody; ▶ ***je ne conduis plus*** I don't drive any more; ▶ ***ne ... que*** only; *temporel* only; ***elle ne mange rien*** she isn't eating anything **2.** *sans «pas» dans un style plus élégant*: ***je ne cesse de vous le répéter***

I keep telling you **3.** *explétif*: *non traduit*; ***il est plus riche qu'on ne pense*** he's richer than you think

né [ne] *pp*→ ***naître*** *et adj* ⟨**~e**⟩ born; ***madame X ~e Y*** Mrs X, née Y; *fig* ***un orateur-~*** a born orator

néanmoins [neɑ̃mwɛ̃] *adv* nevertheless

néant [neɑ̃] *m* **1.** PHIL ***le ~*** nothingness; *manque de valeur* emptiness; *espoirs* ***réduire à ~*** to dash **2.** ADMIN none

nébuleuse [nebyløz] *f* ASTROL nebula

nébuleux [nebylø] *adj* ⟨**-euse** [-øz]⟩ **1.** *ciel* cloudy **2.** *fig* obscure

nébulisation [nebylizasjõ] *f* nebulization **nébuliseur** *m* nebulizer

nébulosité [nebylozite] *f* **1.** MÉTÉO haze **2.** *fig d'une théorie* haziness

nécessaire [nesesɛr] **I** *adj* necessary; ***mal*** *m* **~** necessary evil **II** *m* **1.** ***le ~*** the necessities (+ *v pl*) **2.** ***~ de voyage*** travel bag

nécessairement [nesesɛrmɑ̃] *adv* necessarily; ***pas ~!*** not necessarily!

nécessité [nesesite] *f* **1.** necessity; ***de première ~*** vital; ***par ~*** out of necessity; ***être dans la ~ de faire qc*** to have no choice but to do sth **2.** ***~s*** *pl de la vie* necessities; (*exigences*) requirements

nécessiter [nesesite] *v/t* to require

nécessiteux [nesesitø] *adj* ⟨**-euse** [-øz]⟩ needy

nec plus ultra [nɛkplysyltʀa] *m* ⟨*inv*⟩ ***le ~*** (***de***) the ultimate (in)

nécrologie [nekʀɔlɔʒi] *f* (*notice biographique*) obituary

nécrologique [nekʀɔlɔʒik] *adj* ***notice*** *f* **~** obituary; ***rubrique*** *f* **~** obituary column

nécropole [nekʀɔpɔl] *f cimetière* necropolis

nécrose [nekʀoz] *f* necrosis

nectar [nɛktaʀ] *m* nectar

nectarine [nɛktaʀin] *f* nectarine

néerlandais [neɛʀlɑ̃dɛ] **I** *adj* ⟨**-aise** [-ɛz]⟩ Dutch **II** ***Néerlandais***(***e***) *m*(*f*) Dutchman, Dutchwoman

nef [nɛf] *f* **1.** ARCH nave **2.** HIST vessel

néfaste [nefast] *adj* harmful; ***jour*** *m* **~** fateful day

nèfle [nɛfl] *f* medlar

négateur [negatœʀ] *litt adj* ⟨**-trice** [-tʀis]⟩ negative

négatif [negatif] **I** *adj* ⟨**-ive** [-iv]⟩ **1.** *critique*, MÉD, ÉLEC, MATH negative; ÉLEC ***pôle ~*** negative pole **2.** *réponse* negative (*a* GRAM) **II** *subst* **1.** *m* PHOT negative **2.** ***dans la négative*** in the negative

négation [negasjõ] *f* negation

négativement [negativmɑ̃] *adv* ***répondre ~*** to reply in the negative

négligé [negliʒe] **I** *adj* ⟨**~e**⟩ *personne*, *tenue* scruffy; *travail* careless; sloppy *fam* **II** *m* négligée

négligeable [negliʒabl] *adj* negligible

négligemment [negliʒamɑ̃] *adv* → ***négligent***

négligence [negliʒɑ̃s] *f* negligence (*a* JUR); carelessness

négligent [negliʒɑ̃] *adj* ⟨**-ente** [-ɑ̃t]⟩ **1.** *personne* careless **2.** *geste* casual

► **négliger** [negliʒe] ⟨**-ge-**⟩ **I** *v/t* to neglect; *conseil* to ignore; ***ce n'est pas à ~*** it's not to be sneezed at; ***~ de faire qc*** to fail to do sth **II** *v/pr* ***se négliger*** to let o.s. go

négoce [negɔs] *m* trade

négociable [negɔsjabl] *adj* COMM *titre* negotiable

négociant [negɔsjɑ̃] *m* ***~ en vins*** wine merchant

négociateur [negɔsjatœʀ] *m*, **négociatrice** [-tʀis] *f* negotiator

négociation [negɔsjasjõ] *f* negotiation

négocier [negɔsje] **I** *v/t* **1.** *accord* to negotiate **2.** COMM *titre* to trade in **II** *v/i* to negotiate (***avec*** with)

nègre [nɛgʀ] *m*, **négresse** [negʀɛs] *f* **1.** *péj* (*Noir*) negro, negress *péj* **2.** *m* LITTÉR ghostwriter **3.** *adjt* ***nègre*** ⟨*m et f*⟩ negro *péj*

négrier [negʀije] *m* slave trader

négritude [negʀityd] *f* black identity

négro [negʀo] *m péj* negro *péj*

négroïde [negʀɔid] *adj* negroid

► **neige** [nɛʒ] *f* snow (*a arg*: *cocaïne*); ***~s éternelles*** eternal snows; *par ext* ***battre des blancs*** (***d'œuf***) ***en ~*** to beat egg whites until they are stiff; ***être bloqué par la ~*** to be snowed in; ***partir à la ~*** to go skiing

► **neiger** [neʒe] *v/imp* ⟨**-ge-**⟩ ***il neige*** it's snowing

neigeux [nɛʒø] *adj* ⟨**-euse** [-øz]⟩ snowy

nem [nɛm] *m* Vietnamese spring roll

néné [nene] *m fam* (*sein*) breast; boob *fam*

nénette [nenɛt] *f fam* **1.** ***ne pas se casser la ~*** not to put o.s. out **2.** → ***nana***

nenni [nɛ(n)ni] *litt adv* nay

nénuphar [nenyfaʀ] *m* waterlily

néo... [neo] *préfixe* neo...

néo-calédonien [neokaledɔnjɛ̃] **I** *adj*

⟨**-ienne** [-jɛn]⟩ New Calendonian **II** ***Néo-Calédonien*(*ne*)** *m*(*f*) New Caledonian
néocapitalisme *m* neo-capitalism **néoclassicisme** *m* ART, LITTÉR neo-classicism **néoclassique** *adj* neo-classical **néocolonialisme** *m* neo-colonialism **néocolonialiste** *adj* neo-colonial **néofascisme** *m* neo-fascism
néofasciste I *adj* neo-fascist **II** *m/f* neo-fascist
néogothique I *adj* neogothic **II** *m* Gothic revival
néolithique [neɔlitik] **I** *adj* Neolithic **II** *m* Neolithic era
néologisme [neɔlɔʒism] *m* neologism
néon [neõ] *m* neon; (***tube*** *m* ***au***) **~** neon light
néo-nazi(e) *m*(*f*) neo-Nazi
néonazisme *m* neo-Nazism
néophyte [neɔfit] *m/f* neophyte; *fig* novice
néoréalisme *m* ART, FILM, PHIL neo-realism
néo-zélandais [neozelɑ̃dɛ] **I** *adj* ⟨**-aise** [-ɛz]⟩ New Zealand *épith* **II** ***Néo-Zélandais*(*e*)** *m*(*f*) New Zealander
néphrétique [nefʀetik] *adj* nephretic
néphrologie [nefʀɔlɔʒi] *f* MÉD nephrology
népotisme [nepɔtism] *m* nepotism
nerf [nɛʀ] *m* **1.** ANAT nerve **2.** PSYCH ***~s*** *pl* nerves; ***avoir ses ~s*** to be on edge; ***être à bout de ~s*** to be at the end of one's rope; ***être, vivre sur les ~s*** to be highly strung; ***passer ses ~s sur qn*** to take it out on sb; *fam* ***taper sur les ~s à qn*** to get on sb's nerves **3.** (*vigueur*) spirit **4.** ***~ de bœuf*** pizzle
▶ **nerveux** [nɛʀvø] **I** *adj* ⟨**-euse** [-øz]⟩ **1.** ANAT nerve *épith* **2.** *personne*, *rire*, *tension*, *fatigue etc* nervous; ***rendre qn ~*** to make sb nervous **3.** *mains* sinewy **4.** *cheval* nervous; *voiture* responsive **II** ***~, nerveuse*** *m/f* highly-strung person
nervosité [nɛʀvozite] *f* nervousness
nervure [nɛʀvyʀ] *f* BOT, *d'une aile d'insecte* nervure *t/t*, vein; ARCH, AVIAT rib
▶ **n'est-ce pas** [nɛspa] *adv* ***il fait beau, ~?*** it's a lovely day, isn't it?; ***tu la connais, ~?*** you know her, don't you?
Net [nɛt] *m* INFORM Net
net [nɛt] **I** *adj* ⟨**nette** [nɛt]⟩ **1.** (*propre*) clean **2.** (*clair, distinct*) clear; *amélioration* marked; *réponse* clear; *impression* distinct; *image*, *photo* sharp **3.** COMM net; ***~ d'impôt*** net of tax **II** *adv* ⟨*inv*⟩ **1.** (*brusquement*) *s'arrêter* dead; *tuer* outright **2.** (*carrément*) (***tout***) **~** *refuser* flatly; *parler* plainly
▶ **nettement** [nɛtmɑ̃] *adv* **1.** (*clairement*) clearly **2.** (*distinctement*) distinctly, clearly
netteté [nɛtte] *f* **1.** (*clarté*) clarity **2.** PHOT, TV sharpness
nettoiement [nɛtwamɑ̃] *m* ***service*** *m* ***de ~*** sanitation department, *brit* cleansing department
nettoyage [nɛtwajaʒ] *m* cleaning; *euph* cleansing; MIL mopping up; ***~ à sec*** dry cleaning; *fam*, *fig* ***faire le ~ par le vide*** to have a good clearout *fam*
nettoyant [nɛtwajɑ̃] *m* cleaning agent
▶ **nettoyer** [nɛtwaje] *v/t* ⟨**-oi-**⟩ **1.** to clean; *étable* to muck out; *oreilles* to clean out; ***faire ~ les vêtements*** to have clothes cleaned **2.** MIL, *fig* to mop up **3.** *fam*, *fig* (*vider*) to clean out *fam*
nettoyeur [nɛtwajœʀ] *m* **1.** *personne* cleaner **2.** *machine* cleaner
▶ **neuf**[1] [nœf] **I** *num/c* nine; ***Charles IX*** Charles the Ninth, Charles IX; ***le ~ juin*** June ninth, *brit* the ninth of June **II** *m* ⟨*inv*⟩ ninth; ***le ~*** (***du mois***) the ninth
▶ **neuf**[2] [nœf] **I** *adj* ⟨**neuve** [nœv]⟩ new; ***voiture neuve*** new car **II** *m* **1.** ***le ~*** the new; ***du ~*** something new; ***quoi de ~?*** what's new?, what's happening? **2.** ***remettre à ~*** *moteur* to recondition; *logement* ***refaire à ~*** to renovate; ***repeindre à ~*** to redo, to repaint

neuf, neuve

Neuf, neuve recently bought or acquired. Brand new would be translated as **tout neuf**. **Nouveau** is used to refer to new because different than before. The opposite of **neuf** is **vieux**; the opposite of **nouveau** is **ancien. Nouveau** comes before the noun; **neuf** follows the noun it describes:

ma nouvelle voiture,
BUT **une voiture neuve, comme neuf**

my new car (= newly purchased by me),
BUT a new car (= a brand new car), good as new

neurasthénie [nøʀasteni] *f* depression, neurasthenia *t/t* **neurasthénique** *adj* depressed
neurobiologie [nøʀɔbjɔlɔʒi] *f* neurobiology **neurobiologiste** *m/f* neurobiologist **neurochirurgie** *f* neurosurgery
neuroleptique [nøʀɔlɛptik] **I** *adj* neuroleptic **II** *m* neuroleptic
neurologie [nøʀɔlɔʒi] *f* neurology **neurologique** *adj* neurological **neurologiste** *m/f ou* **neurologue** *m/f* neurologist
neurone [nøʀɔn] *m* ANAT neuron
neurovégétatif [nøʀoveʒetatif] *adj* ⟨**-ive** [-iv]⟩ ***système ~*** neurovegetative system
neutralisation [nøtʀalizasjõ] *f* **1.** CHIM, PHYS neutralization **2.** *de l'adversaire* neutralization (*a* POL, MIL)
neutraliser [nøtʀalize] *v/t* CHIM, PHYS to neutralize; *adversaire* to neutralize (*a* POL, MIL) **neutralisme** *m* neutralism
neutraliste [nøtʀalist] **I** *adj* neutralist **II** *m* neutralist
neutralité [nøtʀalite] *f* neutrality ***~ carbone*** carbon neutrality
neutre [nøtʀ] **I** *adj* **1.** *État, personne* neutral **2.** GRAM neuter **3.** ÉLEC ***conducteur m ~*** neutral conductor **4.** *fig couleur, ton, style* neutral **II** *m* **1.** POL ***les ~s*** *pl* neutral countries **2.** GRAM neuter
neutron [nøtʀõ] *m* neutron
► **neuvième** [nœvjɛm] **I** *num/o* ninth **II** *subst* **1.** ***le, la ~*** the ninth **2.** *m* MATH ninth
neuvièmement [nœvjɛmmɑ̃] *adv* ninthly
névé [neve] *m* GÉOL névé, firn
► **neveu** [n(ə)vø] *m* ⟨**~x**⟩ nephew
névralgie [nevʀalʒi] *f* **1.** neuralgia (+ *v sg*) **2.** (*mal de tête*) headache
névralgique [nevʀalʒik] *adj* neuralgic; *fig* ***point*** *m* ***~*** key point
névrose [nevʀoz] *f* neurosis
névrosé(e) [nevʀoze] *m(f)* neurotic
névrotique [nevʀɔtik] *adj* neurotic
newton [njutɔn] *m* newton
► **nez** [ne] *m* nose (*a fig d'un avion*); ***faux ~*** false nose; ***au ~ et à la barbe de qn*** right under sb's nose; *fig* ***avoir du ~*** to be shrewd; *fam, fig* ***avoir qn dans le ~*** not to be able to stand sb *fam*; *fig* ***se casser le ~*** (***à la porte de qn***) to find nobody home; ***ne pas mettre le ~ dehors*** not to set foot outside; *fam* ***fourrer son ~ partout*** to poke one's nose into everything *fam*; ***se mettre***, *fam* ***se fourrer les doigts dans le ~*** to pick one's nose; ***parler du ~*** to speak with a nasal twang; ***cela lui pend au ~*** he's/she's got it coming to him / her; ***rire au ~ de qn*** to laugh in sb's face; ***saigner du ~*** to have a nosebleed; ***se trouver ~ à ~ avec qn*** to find o.s. face to face with sb
ni [ni] *conj* ⟨*avec verbe avec* ***ne***⟩ nor; ► ***ni … ni …*** neither … nor …; ***ni aujourd'hui, ni demain*** neither today nor tomorrow; ***ni plus, ni moins*** (***que***) neither more nor less (than); ***ne dire ni oui ni non*** not to say yes or no; ***sans … ni …*** without … or …
niable [njabl] *adj* ***cela n'est pas ~*** that is undeniable
niais [njɛ] **I** *adj* ⟨**niaise** [njɛz]⟩ stupid **II** **~(*e*)** *m(f)* fool
niaiseries [njɛzʀi] *fpl* nonsense (+ *v sg*)
Nicaragua [nikaʀagwa] ***le ~*** Nicaragua
Nice [nis] Nice
niche [niʃ] *f* **1.** *dans un mur* recess, niche **2.** *de chien* doghouse, *brit* kennel **3.** (*farce*) ***faire des ~s à qn*** to play tricks on sb
nichée [niʃe] *f* **1.** *d'oiseaux* brood **2.** *fam, fig* brood
nicher [niʃe] **I** *v/i* **1.** *oiseaux* to nest **2.** *fam, fig personne* to hang out *fam* **II** *v/pr* ***se ~ dans*** *fig* (*se blottir*) to nestle in; (*se cacher*) to hide in
nichon [niʃõ] *m* (*sein*) *pop* tit *pop*, breast
nickel [nikɛl] *m* **1.** nickel **2.** *adj fam* spotless; ***c'est ~ chez eux*** their place is spick and span *fam*
nickeler [nikle] *v/t* ⟨**-ll-**⟩ to nickel(-plate)
nicotine [nikɔtin] *f* nicotine
► **nid** [ni] *m* nest; ***~ de guêpes*** wasps' nest
nidation [nidasjõ] *f* BIOL implantation; *sc* nidation
nid-d'abeilles [nidabɛj] *m* ⟨**nids-d'abeilles**⟩ COUT honeycomb stitch; ***serviette*** *f* ***~*** honeycomb-weave towel; AUTO ***radiateur*** *m* ***à nids-d'abeilles*** honeycomb radiator
nid-de-poule [nidpul] *m* ⟨**nids-de-poule**⟩ pothole
► **nièce** [njɛs] *f* niece
nieller [njele] *v/t* TECH, ART to niello
nième [ɛnjɛm] *adj* **1.** MATH nth **2.** *fam* ***pour la ~ fois*** for the umpteenth time *fam*
► **nier** [nje] *v/t* to deny
nigaud [nigo] **I** *adj* ⟨**-aude** [-od]⟩ silly **II**

~(*e*) *m*(*f*) idiot, dope *fam*; ***gros ~!*** you blockhead! *fam*

Niger [niʒɛʀ] ***le ~*** **1.** *fleuve* Niger **2.** *État* Niger

Nigeria [niʒeʀja] ***le ~*** Nigeria

nihilisme [niilism] *m* nihilism

nimbe [nɛ̃b] *m* nimbus, halo

nimbus [nɛ̃bys] *m sc* nimbus

► **n'importe ...** [nɛ̃pɔʀt] → ***importer***[2]

niôle [njol] *f* → ***gnôle***

nipper [nipe] *fam v/t surtout adj* ***être bien, mal nippé*** to be nicely, badly dressed

nippes [nip] *fpl* clothes, togs *fam*

nippon [nipõ] *adj* ⟨**-on(n)e** [-ɔn]⟩ Japanese

nique [nik] *f* ***faire la ~ à qn*** to thumb one's nose at sb

niquer [nike] *arg v/t pop* to screw *pop*

nirvana [niʀvana] *m* REL, *a fam*, *fig* nirvana

nitouche [nituʃ] *f fam* ***sainte ~*** goody two-shoes *fam*, *péj*; ***faire la sainte ~*** to look as if butter wouldn't melt in your mouth

nitrate [nitʀat] *m* nitrate

nitré [nitʀe] *adj* ⟨**~e**⟩ ***dérivés ~s*** nitric oxide derivatives

nitrification [nitʀifikasjõ] *f* BIOL, CHIM nitrification

nitrique [nitʀik] *adj* ***acide*** *m* ***~*** nitric acid

nitrite [nitʀit] *m* nitrite

nitroglycérine [nitʀogliseʀin] *f* nitroglycerine

nival [nival] *adj* ⟨**~e; -aux** [-o]⟩ ***régime ~*** snowmelt-dominated flow

► **niveau** [nivo] *m* ⟨**~x**⟩ **1.** (*hauteur*) level; *d'un liquide* level; ***niveau d'essence, d'huile*** gas, oil level; ***niveau de la mer*** sea level; ***au niveau de***; *arriver eau* to the level of; *voiture* level with **2.** *fig* level; ***niveau intellectuel*** intellectual level; ***niveau de langue*** register, level of language; ***niveau des salaires*** salary levels (+ *v pl*); ► ***niveau de vie*** standard of living; ***à tous les niveaux*** on every level; ***au niveau de*** as regards **3.** CONSTR floor, story **4.** *instrument* ***niveau*** (***à bulle***) spirit level

nivelage [nivlaʒ] *m* → ***nivellement*** *1*

niveler [nivle] *v/t* ⟨**-ll-**⟩ **1.** *terrain* to level, TECH to grade **2.** *fig* to level (out); *par le bas* to level down

niveleuse [nivløz] *f* TECH grader

nivellement [nivɛlmɑ̃] *m* **1.** *d'un terrain* leveling, TECH grading **2.** *fig* leveling out; *par le bas* leveling down

n^o *ou* **N^o** *abr* (= **numéro**) no., No.

nobiliaire [nɔbiljɛʀ] *adj* nobiliary

noble [nɔbl] **I** *adj* **1.** (*aristocratique*) noble **2.** *fig sentiments*, *style*, *attitude* noble; *cause* worthy, noble **II** *m/f* noble

noblesse [nɔblɛs] *f* **1.** *classe sociale* nobility **2.** *fig* nobility; ***~ d'âme*** nobility of soul

noce [nɔs] *f* **1.** ***~s*** wedding (+ *v sg*); ***~ ou ~s*** wedding celebrations; ***~s d'or*** golden wedding anniversary; ***il l'a épousée en secondes ~s*** she was his second wife; *fig* ***je n'étais pas à la ~*** it was no picnic **2.** (*les invités*) wedding guests (+ *v pl*) **3.** *fam*, *fig* ***faire la ~*** to live it up *fam*

noceur [nɔsœʀ] *fam m* party animal *fam*

nocif [nɔsif] *adj* ⟨**-ive** [-iv]⟩ noxious

nocivité [nɔsivite] *f* noxiousness

noctambule [nɔktɑ̃byl] *m/f* night owl

nocturne [nɔktyʀn] **I** *adj* nocturnal **II** *subst* **1.** *m* MUS nocturne **2.** *f* COMM late-night opening **3.** ***match*** *m* ***en ~*** evening game

nodosité [nɔdɔzite] *f* MÉD nodule

nodule [nɔdyl] *m* MÉD nodule

Noé [nɔe] *m* Noah

► **Noël** [nɔɛl] *m* **1.** Christmas; ***joyeux ~!*** Merry Christmas!; ***à ~*** at Christmas **2.** *fam* (***petit***) ***noël*** Christmas present **3.** **noël** *chant* Christmas carol

► **nœud** [nø] *m* **1.** *pour attacher* knot; ***~ de cravate*** tie knot; *fig* ***un ~ dans la gorge*** a lump in one's throat **2.** (*ruban noué*) bow **3.** *fig d'une affaire* crux **4.** ***~ ferroviaire*** major railroad junction **5.** MAR knot **6.** *dans du bois* knothole

► **noir** [nwaʀ] **I** *adj* ⟨**noire**⟩ **1.** *couleur* black; *raisin* black; ***pain ~*** black bread; ***~ comme du jais*** jet black; ***~ comme de l'encre*** as black as ink; ***~ de monde*** swarming with people **2.** (*sale*) black, filthy **3.** (*sans lumière*) dark **4.** *race*, *personne* black; ***l'Afrique ~e*** black Africa **5.** *fig idées* gloomy; *regard* black; ***être d'humeur ~e*** to be in a black mood **6.** *fig complot*, *desseins* evil; *colère* towering **7.** (*illégal*) ***caisse ~e*** slush fund; ***marché ~*** black market; ***travailler au ~*** to moonlight *fam* **8.** *fam* (*ivre*) drunk, plastered *fam* **II** *subst* **1.** *m couleur* black; ***~ sur blanc*** (*par écrit*) in black and white; ***photo*** *f* ***en ~ et blanc*** black-and-white photo; ***se mettre du ~ aux yeux*** to put on some eyeliner;

fig ***voir tout en ~*** to look on the black side of things **2.** *m* (*obscurité*) dark **3.** ***Noir*** *m* black man; ***Noire*** *f* black woman **4.** MUS ***~e*** *f* quarter note, *brit* crotchet **5.** *fam* ***un*** (***petit***) ***~*** an espresso
noirâtre [nwaʀɑtʀ] *adj* blackish
noiraud [nwaʀo] **I** *adj* ⟨**-aude** [-od]⟩ swarthy **II** ***~*(*e*)** *m*(*f*) swarthy person
noirceur [nwaʀsœʀ] *f* **1.** *couleur* blackness **2.** *litt* blackness, foulness
noircir [nwaʀsiʀ] **I** *v/t* **1.** to blacken **2.** *fig* ***~ la situation*** to paint things blacker than they are; ***~ des pages*** to write page after page **II** *v/i* to go black
noire [nwaʀ] *f* MUS quarter note, *brit* crotchet
noise [nwaz] ***chercher ~*** *ou* ***des ~s à qn*** to pick a quarrel with sb
noisetier [nwaztje] *m* hazel (tree)
noisette [nwazɛt] *f* **1.** hazelnut **2.** *adj* ⟨*inv*⟩ *yeux* hazel
▶ **noix** [nwa] *f* **1.** *du noyer* walnut; ***~ de coco*** coconut; *fam*, *fig* ***à la ~*** pathetic *fam* **2.** ***une ~ de beurre*** a knob of butter **3.** ***~ de veau*** round fillet of veal **4.** *fam*, *fig* (*imbécile*) idiot, twit *fam*
▶ **nom** [nõ] *m* **1.** name; ***nom commercial*** corporate name; ***nom déposé*** registered trademark; ***nom d'emprunt*** pseudonym; ***nom de guerre*** nom de guerre *litt*, pseudonym; ▶ ***nom*** (***de famille***) surname; ***nom de jeune fille*** maiden name; ***nom de rue*** street name; ***au nom de*** on behalf of; *connaître qn* ***de nom*** by name; ***sans nom*** *misère* unspeakable; *bêtise* indescribable; ***appeler les choses par leur nom*** to call a spade a spade; ***quel est le nom de la rue?*** what's the name of the street?; ***prendre le nom de qn*** to take sb's name **2.** GRAM noun; ***nom commun*** common noun; ***nom propre*** proper noun **3.** *int fam* ***nom d'un chien!*** hell! *fam*
nomade [nɔmad] **I** *adj* nomadic **II** *m/f* **1.** *du désert* nomad **2.** ADMIN traveler; (*gitan*) gypsy
nomadisme [nɔmadism] *m* nomadism
no man's land [nomanslɑ̃d] *m* no man's land
▶ **nombre** [nõbʀ] *m* **1.** number (*a* MATH); ***~ d'habitants*** number of inhabitants; TECH ***~ de tours*** revolutions, revs *fam*; ***~ de ...*** many ...; (***un***) ***bon ~ de ...*** a good many; ***au ~ de trois*** three in number; ***dans le ~*** amongst them; ***en ~*** in number; *être supérieur* greater in number; ***sans ~*** countless; ***serez-vous du ~?*** will you be among them? **2.** GRAM number
▶ **nombreux** [nõbʀø] *adj* ⟨**-euse** [-øz]⟩ *personnes*, *cas* many, numerous; *foule*, *public* large; ***famille nombreuse*** large family; ***venir ~*** to come in large numbers
nombril [nõbʀil] *m* navel, belly button *fam*
nombrilisme [nõbʀilism] *m fam* navel-gazing *fam*
nomenclature [nɔmɑ̃klatyʀ] *f* **1.** (*terminologie*) nomenclature **2.** (*liste*) list **3.** *d'un dictionnaire* word list
nominal [nɔminal] *adj* ⟨**~e; -aux** [-o]⟩ **1.** (*des noms*) of names; *vérification* name *épith* **2.** (*n'existant que de nom*) nominal **3.** ÉCON nominal **4.** GRAM nominal
nominatif[1] [nɔminatif] *m* nominative
nominatif[2] *adj* ⟨**-ive** [-iv]⟩ nominative
nomination [nɔminasjõ] *f à un poste* appointment; *à un prix* nomination
nommé [nɔme] *adj* ⟨**~e**⟩ **1.** named, called **2.** (*cité*) named **3.** ***à point ~*** at just the right moment **4.** (*opposé*: *élu*) appointed
nommément [nɔmemɑ̃] *adv* by name
▶ **nommer** [nɔme] **I** *v/t* **1.** (*donner un nom*) to name, to call; *chose* to call **2.** (*dire le nom*) to name **3.** *qn à une fonction* to appoint **II** *v/pr* ***se ~*** to be called
▶ **non** [nõ] **I** *adv* **1.** no; ***il est venu? - non*** did he come? - no; ▶ ***non, merci*** no, thanks; ***ah, ça non!*** definitely not!, no way! *fam*; ***ils ont adoré, moi non*** they loved it, I didn't; ▶ ***non plus*** neither; ***moi non plus*** me neither, I don't either; ***non sans*** not without; ***non*** (***pas***) ***... mais ...*** not ... but (rather) ...; ***non que ...*** *+subj* not that ...; ***j'espère que non*** I hope not **2.** *int fam* ***non, mais!*** oh come on, really! *fam* **3.** *fam en fin de phrase* (*n'est-ce pas*) isn't it?; ***elle vient, non?*** she's coming, isn't she? **II** *m* ⟨*inv*⟩ **1.** no **2.** POL 'no' vote
non-... *ou* **non ...** [nõ, *devant voyelle et h muet* nɔn] *préfixe* non(-); *exemples*: ***non-gréviste*** *m* non-striker; ***non professionnel*** non-professional
non-actif [nɔnaktif] *m* unemployed
non-activité [nɔnaktivite] *f* MIL, ADMIN ***mise*** *f* ***en ~*** suspension
nonagénaire [nɔnaʒenɛʀ] *m/f* nonagenarian
non-agression [nɔnagʀɛsjõ] *f* ***pacte*** *m*

de ~ non-aggression pact
non-aligné [nɔnaliɲe] *adj* ⟨**~e**⟩ non--aligned **non-alignement** *m* non-alignment
nonante [nɔnɑ̃t] *num/c en Belgique et en Suisse* ninety
non-assistance [nɔnasistɑ̃s] *f* ***~ à personne en danger*** failure to render assistance *a criminal offense in France*
nonce [nõs] *m* nuncio
nonchalamment [nõʃalamɑ̃] *adv* → ***nonchalant***
nonchalance [nõʃalɑ̃s] *f* nonchalance
nonchalant *adj* ⟨**-ante** [-ɑ̃t]⟩ nonchalant, casual
non-conformisme [nõkõfɔʀmism] *m* nonconformism
non-conformiste [nõkõfɔʀmist] **I** *adj* nonconformist **II** *m* nonconformist
non-engagé [nɔnɑ̃gaʒe] *adj* → ***non-aligné*** **non-exécution** *f* ***~-exécution d'un contrat*** failure to comply with a contract **non-existence** *f* nonexistence **non-figuratif** *adj* ⟨**-ive** [-iv]⟩ *art, peintre* nonfigurative **non-fumeur** *m* nonsmoker **non-ingérence** *f* non-interference
non-inscrit [nɔnɛ̃skʀi] *adj* ⟨**-ite** [-it]⟩ (***député***) ***~*** *m* POL independent **non-intervention** *f* non-intervention
non-lieu [nõljø] *m* JUR dismissal *of a case*
nonne [nɔn] *f plais* (*religieuse*) nun
nonnette [nɔnɛt] *f* iced gingerbread cookie
nonobstant [nɔnɔpstɑ̃] ADMIN *prép* notwithstanding
non-paiement [nõpɛmɑ̃] *m* non-payment
non-prolifération [nõpʀɔlifeʀasjõ] *f* ***traité*** *m* ***de ~*** non-proliferation treaty
non-recevoir [nõʀ(ə)səvwaʀ] *m* ***fin*** *f* ***de ~*** flat refusal
non-résident [nõʀezidɑ̃] *m* non-resident
non-retour [nõʀ(ə)tuʀ] *m* ***point*** *m* ***de ~*** point of no return
non-sens [nõsɑ̃s] *m* (piece of) nonsense **non-stop** *adj* ⟨*inv*⟩ non-stop **non-violence** *f* non-violence **non-violent** *adj* ⟨**-ente** [-ɑ̃t]⟩ non-violent
▶ **nord** [nɔʀ] **I** *m* **1.** north; ***au ~*** (to the) north (***de*** of); *fam, fig* ***perdre le ~*** to lose one's head; ***ne pas perdre le ~*** to have one's head screwed on right *fam* **2.** ***le Nord*** the north; *de la France* northern France; ***le Grand Nord*** the Far North; ***l'Afrique*** *f* ***du Nord*** North Africa; ***la mer du Nord*** the North Sea; ***les gens*** *mpl* ***du Nord*** the northern French **II** *adj* ⟨*inv*⟩ north; *frontière* northern
nord-africain [nɔʀafʀikɛ̃] **I** *adj* ⟨**-aine** [-ɛn]⟩ North African **II** ***Nord-Africain(e)*** *m(f)* North African
nord-américain [nɔʀameʀikɛ̃] *adj* ⟨**-aine** [-ɛn]⟩ North American
nord-est [nɔʀɛst] *m* northeast
nordique [nɔʀdik] *adj* Nordic
nordiste [nɔʀdist] HIST U.S.A. **I** *m/f* Unionist **II** *adj* Unionist
nord-ouest [nɔʀwɛst] *m* northwest
noria [nɔʀja] *f* TECH noria *type of water wheel*
▶ **normal** [nɔʀmal] **I** *adj* ⟨**~e; -aux** [-o]⟩ **1.** (*habituel*) normal; (*qui se comprend*) natural; ***redevenir ~*** to become normal again **2.** ***École ~e*** teacher-training college (*abr* EN) **II** *f* ***la ~e*** the average; *intelligence* ***au-dessus de la ~e*** above-average *épith*; *situation* ***revenir à la ~e*** to return to normal
▶ **normalement** [nɔʀmalmɑ̃] *adv* normally; *en début de phrase* usually
normalien [nɔʀmaljɛ̃] *m*, **normalienne** [-jɛn] *f* student *at the École normale supérieure, a prestigious teacher-training college*
normalisation [nɔʀmalizasjõ] *f* **1.** POL normalization **2.** TECH standardization
normalisé [nɔʀmalize] *adj* ⟨**~e**⟩ standard
normaliser [nɔʀmalize] *v/t* **1.** *relations diplomatiques* to normalize **2.** TECH to standardize
normalité [nɔʀmalite] *f* normality
normand [nɔʀmɑ̃] **I** *adj* ⟨**-ande** [-ɑ̃d]⟩ Norman (*a* HIST) **II** *subst* **1.** ***Normand(e)*** *m(f)* Norman; *fig* ***réponse*** *f* ***de Normand*** noncommittal answer **2.** HIST ***les Normands*** *mpl* the Normans
Normandie [nɔʀmɑ̃di] ***la ~*** Normandy
normatif [nɔʀmatif] *adj* ⟨**-ive** [-iv]⟩ normative, prescriptive
norme [nɔʀm] *f* norm; TECH standard; ***être conforme aux ~s*** to comply with the standards
noroît [nɔʀwa] *m* northwester
▶ **Norvège** [nɔʀvɛʒ] ***la ~*** Norway
▶ **norvégien** [nɔʀveʒjɛ̃] **I** *adj* ⟨**-ienne** [-jɛn]⟩ Norwegian **II** *subst* **1.** ***Norvégien(ne)*** *m(f)* Norwegian **2.** ***le norvé-***

gien Norwegian

nos [no] → ***notre***

nostalgie [nɔstalʒi] *f de son pays* homesickness; *du passé* nostalgia (***de*** for) **nostalgique** *adj de son pays* homesick; *du passé* nostalgic

nota [nɔta] *m ou* **nota bene** [nɔtabene] *m* ⟨*inv*⟩ nota bene, NB

notabilité [nɔtabilite] *f* notability; ***les~s*** *pl* prominent figures, notables

notable [nɔtabl] **I** *adj* notable **II** *m* → ***notabilité***

notaire [nɔtɛʀ] *m* notary (public)

notamment [nɔtamɑ̃] *adv* in particular

notariat [nɔtaʀja] *m* **1.** *fonction* profession of notary (public) **2.** *coll* notaries (public) (+ *v pl*)

notarié [nɔtaʀje] *adj* ⟨**~e**⟩ ***acte ~*** notarial deed

notation [nɔtasjõ] *f* **1.** notation **2.** ENSEIGNEMENT grading, *brit* marking

▶ **note** [nɔt] *f* **1.** *imprimée* note; *en bas de page* footnote **2.** *par écrit* note; ***~s*** *pl* notes; ***prendre des ~s*** to take notes; *fig* ***prendre bonne ~ de qc*** to take due note of sth **3.** DIPL note **4.** **~** (***de service***) memorandum, memo *fam* **5.** MUS note **6.** *fig* note; ***fausse ~*** false *or* jarring note; ***ne pas être dans la ~*** to strike the wrong note; ***forcer la ~*** to overdo it **7.** ENSEIGNEMENT grade, *brit* mark; *d'un fonctionnaire* rating **8.** (*facture*) check, *brit* bill

▶ **noter** [nɔte] *v/t* **1.** (*marquer*) to mark **2.** (*écrire*) to write down; *date*, *numéro* to make a note of **3.** (*remarquer*) to note **4.** *élève*, *devoir*, *copie* to grade, *brit* to mark; *fonctionnaire* to rate

notice [nɔtis] *f* note; ***~ explicative*** instructions (for use) (+ *v pl*)

notification [nɔtifikasjõ] *f* notification

notifier [nɔtifje] *v/t* ***~ qc à qn*** to notify sb of sth

notion [nosjõ] *f* **1.** (*concept*) notion; (*connaissance intuitive*) sense (***de qc*** of sth); ***je n'en ai pas la moindre ~*** I haven't got the faintest idea **2.** ***~s*** *pl* basic knowledge (+ *v sg*) (***de français*** of French)

notionnel [nosjɔnɛl] *adj* ⟨**~le**⟩ LING ***champ ~*** notional field

notoire [nɔtwaʀ] *adj fait* well-known; *criminel* notorious

notoriété [nɔtɔʀjete] *f de personne* reputation; ***il est de ~ publique que*** it is common knowledge that

▶ **notre** [nɔtʀ] *adj poss* ⟨*pl* **nos** [no]⟩ our

nôtre [notʀ] **I** *pr poss* ▶ ***le nôtre, la nôtre, les nôtres*** ours **II** *subst* **1.** ***le nôtre*** ours **2.** ***les nôtres*** *mpl* (*famille, amis, etc*) our family and friends; ***serez-vous des nôtres?*** will you join us?

Notre-Dame [nɔtʀədam] *f* **1.** Our Lady **2.** Notre Dame *cathedral*

nouba [nuba] *f fam* ***faire la ~*** to live it up *fam*, to party *fam*

nouer [nwe, nue] *v/t* **1.** *lacets* to tie; *cheveux* to tie back; *cravate* to knot; *fig* ***il avait la gorge nouée*** he had a lump in his throat **2.** *relations* to establish; *intrigue* to weave

noueux [nuø] *adj* ⟨**-euse** [-øz]⟩ gnarled

nougat [nuga] *m* nougat

nougatine [nugatin] *f* nougatine

nouille [nuj] *f* **1.** ***~s*** *pl* noodles; *tagliatelle, etc* pasta (+ *v sg*) **2.** *fam, fig personne* drip *fam*

nounou [nunu] *enf f* nurse; *brit* nanny

nounours [nunuʀs] *enf m* teddy bear

nourri [nuʀi] *adj* ⟨**~e**⟩ **1.** ***bien ~*** well-fed **2.** *fig applaudissements* sustained; MIL ***feu ~*** heavy fire

nourrice [nuʀis] *f* **1.** *qui allaite* wet nurse; *qui garde* (baby)sitter, *brit* childminder **2.** TECH auxiliary tank; *bidon* jerrycan

nourricier [nuʀisje] *adj* ⟨**-ière** [-jɛʀ]⟩ nourishing

▶ **nourrir** [nuʀiʀ] **I** *v/t* **1.** *personne, famille* (*entretenir*) to keep; (*alimenter*) to feed; *fig* ***~ l'esprit*** to nourish the mind; ***~ au sein*** to breastfeed; *abs* ***le sucre nourrit*** sugar is nourishing **2.** *animal* to feed **3.** *fig désir, espoir, etc* to nurture **II** *v/pr* ***se ~ de*** *personne* to live on; *animal* to feed on

nourrissant [nuʀisɑ̃] *adj* ⟨**-ante** [-ɑ̃t]⟩ nourishing

nourrisson [nuʀisõ] *m* infant

▶ **nourriture** [nuʀityʀ] *f* **1.** (*aliments*) food **2.** *d'un animal* diet

▶ **nous** [nu] *pr pers*: *sujet* we; *objet directe et indirecte* us; ***~ ~ sommes regardé(e)s*** we looked at one another; ***c'est ~*** it's us

nous-mêmes [numɛm] *pr pers* **1.** *accentué* we ourselves **2.** *réfléchi* ourselves

▶ **nouveau** [nuvo] **I** *adj* ⟨*devant voyelle et h muet* **nouvel** [nuvɛl]; *f* **nouvelle** [nuvɛl]; *mpl* **~x**⟩ new; *vin* new; ***nouvel an*** New Year; ***pommes de terre nouvelles*** new potatoes; ***les nouveaux ri-***

ches the new rich, the nouveaux riches; ***de nouvelles têtes*** new faces; ***à nouveau*** once again; ▶ ***de nouveau*** once again **II** *subst* **1.** ***du nouveau*** something new; *dans un projet* new development; ***rien de nouveau*** nothing new **2.** ***le nouveau, la nouvelle*** (*élève*) the new student; (*employé*[*e*]) the new employee

nouveau, nouvelle

Nouveau = new because different than before. **Neuf** or **neuve** is used to mean brand new (**tout neuf**). The opposite of **nouveau** is **ancien**; the opposite of **neuf** is **vieux. Nouveau** comes before the noun; **neuf** follows the noun it describes:

ma nouvelle voiture,
BUT **une voiture neuve**

my new car (= newly purchased by me),
but a new car (= a brand new car)

nouveau-né *m* ⟨**nouveau-nés**⟩ ***le ~*** the new-born baby
nouveauté [nuvote] *f* **1.** (*originalité, du nouveau*) novelty; ***c'est une ~!*** that's new! **2.** (*innovation*) innovation **3.** (*produit récent*) new product; *en librairie* new title
nouvel(le) [nuvɛl] *adj* → ***nouveau***
▶ **nouvelle** [nuvɛl] *f* **1.** *d'un événement* news (+ *v sg*); ***~s*** *pl* news; ***la grande ~*** the big *or* exciting news; ***aller aux ~s*** to go to see what's happened / what's happening; ***connaissez-vous la ~?*** have you heard the latest? **2.** ***~s*** *pl* news (+ *v sg*); ***avoir des ~s de qn*** to hear from sb; ***demander des ~s de qn*** to ask after sb; ***donne-nous de tes ~s*** let us know how you're getting on **3.** LITTÉR short story
Nouvelle-Calédonie [nuvɛlkaledɔni] ***la ~*** New Caledonia
nouvellement [nuvɛlmɑ̃] *adv* recently
Nouvelle-Orléans [nuvɛlɔʀleɑ̃] ***la ~*** New Orleans
Nouvelle-Zélande [nuvɛlzelɑ̃d] ***la ~*** New Zealand
nouvelliste [nuvelist] *m* short-story writer
novateur [nɔvatœʀ] *m*, **novatrice** [-tʀis] *f* innovator
▶ **novembre** [nɔvɑ̃bʀ] *m* November
novice [nɔvis] *m/f* **1.** CATH novice **2.** (*débutant*[*e*]) novice, beginner
noviciat [nɔvisja] *m* CATH novitiate
noyade [nwajad] *f* drowning (+ *v sg*)
noyau [nwajo] *m* ⟨**~x**⟩ **1.** BOT pit, *brit* stone; ***~ de cerise*** cherry pit; ***fruits*** *mpl* ***à ~*** fruit with pits, *brit* stone fruit **2.** PHYS *et fig* nucleus; ***~ de l'atome*** nucleus of the atom **3.** BIOL nucleus **4.** *de personnes* core group
noyautage [nwajotaʒ] *m* infiltration
noyauter *v/t* to infiltrate
noyé [nwaje] **I** *adj* ⟨**~e**⟩ **1.** drowned; *fam, fig* out of one's depth *fig* **2.** ***elle avait les yeux ~s de pleurs*** her eyes were swimming with tears **II** ***~(e)*** *m(f)* drowned person; ***deux ~s*** two people drowned
noyer[1] [nwaje] ⟨**-oi-**⟩ **I** *v/t personne, animal, plante* to drown; *région* to flood; ***noyer le carburateur*** to flood the engine; ***noyer une révolte dans le sang*** to resort to bloodshed to put down a rebellion **II** *v/pr* ▶ **se noyer 1.** to drown, to be drowned; (*se suicider*) to drown o.s. **2.** *fig dans les détails* to get bogged down
noyer[2] *m* walnut (tree); *bois* walnut
▶ **nu** [ny] **I** *adj* **1.** *personne* naked (*a fig vérité*); *bras, etc* bare; ***se battre les mains ~es*** to fight with bare fists; ***(les) pieds ~s*** *aller* barefoot; ***à l'œil ~*** *visible* to the naked eye; ***se mettre ~*** to take one's clothes off, to strip **2.** *mur* bare **II** *m* ART nude
▶ **nuage** [nɥaʒ] *m* cloud; ***~s*** *pl* clouds; ***~ de fumée, de poussière*** cloud of smoke, of dust; ***~ de pluie*** raincloud; ***sans ~s*** *ciel* cloudless; *fig bonheur* blissful; *fig* ***être dans les ~s*** to have one's head in the clouds
nuageux [nɥaʒø] *adj* ⟨**-euse** [-øz]⟩ cloudy
nuance [nɥɑ̃s] *f de sens* nuance; *fig d'opinion* subtle difference; *d'une couleur* shade
nuancé [nɥɑ̃se] **I** *adj* ⟨**~e**⟩ *couleur* subtle; *réponse, avis* qualified **II** *m* subtlety of nuance
nuancer [nɥɑ̃se] *v/t* ⟨**-ç-**⟩ *couleurs* to shade; *avis, propos* to moderate
nubile [nybil] *adj* nubile **nubilité** *f* nubility
▶ **nucléaire** [nykleɛʀ] **I** *adj* nuclear; ***puissance*** *f* ***~*** nuclear power **II** *m* nu-

clear energy

nudisme [nydism] *m* nudism

nudiste [nydist] **I** *adj* nudist **II** *m/f* nudist; ***camp*** *m* ***de ~s*** nudist camp

nudité [nydite] *f* **1.** *d'une personne* nakedness, nudity **2.** *fig* bareness **3.** ART ***~s*** *pl* nude figures

nue [ny] *f* ***porter qn aux ~s*** to praise sb to the skies; ***tomber des ~s*** to be flabbergasted

nuée [nɥe] *f* **1.** *litt* cloud **2.** *fig d'insectes* swarm; *de journalistes* horde

► **nuire** [nɥiʀ] ⟨→ **conduire**; *mais pp* **nui**⟩ *v/t indir* ***~ à qn*** *personne* to harm sb; *chose* to be harmful to sb; ***~ à qc*** to damage sth;

nuisance [nɥizɑ̃s] *f* nuisance (+ *v sg*)

nuisette [nɥizɛt] *f* babydoll nightie

nuisible [nɥizibl] *adj* harmful; ***animaux*** *mpl* ***~s*** vermin (+ *v sg*); ***~ à la santé*** damaging to one's health

► **nuit** [nɥi] *f* night; ► ***bonne nuit!*** goodnight; ***la nuit*** *ou* ***de nuit*** *voyager* at night; ***dans la nuit des temps*** in the mists of time; ***il fait nuit*** it's dark

nuitée [nɥite] *f* (hotel) night

nul[1] [nyl] *adj* ⟨**~le**⟩ **1.** SPORT ***match nul*** tie, *brit* draw; ***faire match nul*** (***avec***) to tie (with) **2.** (*inexistant*) nonexistent, nil **3.** JUR *contrat* void; *testament* invalid **4.** (*sans valeur*) *travail* useless; *roman, film* trashy *fam* **5.** *personne* ► ***être nul*** to be useless, to be a waste of space *fam*

nul[2] **I** *adj indéf* ⟨**~le**; *avec* **ne** *devant un verbe*⟩ **1.** *st/s* (*aucun*) no **2.** ► ***nulle part*** nowhere **II** *pr ind* ⟨*seulement m sg*; *avec* **ne** *avec verbe*⟩ *st/s* (*aucun*) nobody, no one

nullard [nylaʀ] *m fam* (*incapable*) idiot, dope *fam*

nullement [nylmɑ̃] *adv* not at all, not in the least

nullité [nylite] *f* **1.** JUR nullity **2.** *d'une personne* worthlessness **3.** (*personne incapable*) nonentity, waste of space *fam*

numéraire [nymeʀɛʀ] *m* cash

numéral [numeʀal] *adj* ⟨**~e; -aux** [-o]⟩ numeral; ***adjectif ~*** numeral adjectives

numérateur [nymeʀatœʀ] *m* MATH numerator

numération [nymeʀasjõ] *f* **1.** MATH numeration **2.** MÉD blood count

numérique [nymeʀik] *adj* **1.** MATH numerical **2.** *supériorité* numerical **3.** INFORM digital

numérisation [nymeʀizasjõ] *f* digitization **numériser** *v/t* to digitize

numéro [nymeʀo] *m* **1.** number; ***numéro gagnant*** winning number; *fig* ***le numéro un*** the number one; TÉL ***numéro vert*** toll-free number, *brit* freefone® number; ***numéro de compte*** account number; AUTO ***numéro d'immatriculation*** license number, *brit* registration number; ► ***numéro de téléphone*** telephone number; TÉL ***faire un numéro*** to dial a number; *fig* ***tirer le bon numéro*** to be fortunate **2.** *d'un journal* number; *d'une revue* issue; ***numéro spécial*** special issue **3.** SPECTACLES act, turn; *d'un chanteur* number; ***numéro de cirque*** circus act; *fam, fig* ***faire son numéro habituel*** to do one's usual trick *fam* **4.** *fam, fig* ***c'est un*** (***drôle de***) ***numéro*** he's a real character

numérotage [nymeʀɔtaʒ] *m* numbering **numérotation** *f* numbering

numéroter [nymeʀɔte] *v/t* to number

numismate [nymismat] *m* numismatist **numismatique** *f* numismatics (+ *v sg*)

nu-pieds **I** *adv* barefoot **II** *mpl* sandal

nuptial [nypsjal] *adj* ⟨**~e; -aux** [-o]⟩ wedding *épith*; *messe* nuptial; ***chambre ~e, lit ~*** bridal room, nuptial bed

nuptialité [nypsjalite] *f* marriage rate

nuque [nyk] *f* nape (of the neck)

nurse [nœʀs] *f* nurse, *brit* nanny

nu-tête *adv* bareheaded

nutritif [nytʀitif] *adj* ⟨**-ive** [-iv]⟩ **1.** *repas* nutritious; ***valeur nutritive*** nutritional value **2.** (*nourrissant*) nourishing

nutrition [nytʀisjõ] *f* nutrition

nutritionnel [nytrisjɔnɛl] *adj* ⟨**~le**⟩ nutritional **nutritionniste** *m/f* nutritionist

nylon® [nilõ] *m* nylon®; *adj* ***bas*** *mpl* ***~*** nylon® stockings

nymphe [nɛ̃f] *f* MYTH, ZOOL nymph

nymphéa [nɛ̃fea] *m* waterlily

nymphette [nɛ̃fɛt] *f* nymphet

nympho [nɛ̃fo] *f* → ***nymphomane***

nymphomane [nɛ̃fɔman] **I** *adj* nymphomaniac **II** *f* nymphomaniac

O

O, o [o] *m* ⟨*inv*⟩ O, o
ô [o] *int* O; **~ *ciel!*** O heavens!
O. *abr* (= **ouest**) W
oasis [ɔazis] *f, a m* oasis
obédience [ɔbedjɑ̃s] *f pays* ***d'~ communiste, catholique***, *etc* communist, Catholic, *etc.*
▶ **obéir** [ɔbeiʀ] *v/t indir* **~ *à qn, à qc*** to obey sb, sth; (***savoir***) ***se faire ~*** to command obedience
obéissance [ɔbeisɑ̃s] *f* obedience (***à qn*** to sb)
obéissant [ɔbeisɑ̃] *adj* ⟨**-ante** [-ɑ̃t]⟩ obedient
obélisque [ɔbelisk] *m* obelisk
obèse [ɔbɛz] *adj* obese
obésité [ɔbezite] *f* obesity
objecter [ɔbʒɛkte] *v/t* **1.** (*opposer*) to object (***que*** that); **~ *qc à qn*** to object to sth **2.** (*alléguer*) **~ *qc*** to plead sth (as an excuse)
objecteur [ɔbʒɛktœʀ] *m* **~ *de conscience*** conscientious objector
objectif [ɔbʒɛktif] **I** *adj* ⟨**-ive** [-iv]⟩ objective **II** *m* **1.** OPT, PHOT lens **2.** (*but*) objective, aim
objection [ɔbʒɛksjõ] *f* objection (***à qc*** to sth)
objectivité [ɔbʒɛktivite] *f* objectivity
▶ **objet** [ɔbʒɛ] *m* **1.** *concret* object; *de luxe* item; **~ *d'art*** objet d'art **2.** (*sujet, matière*) *de débat* subject; *de haine, d'amour* object; *en début de lettre* re.; ***être sans ~*** to be groundless; ***être, faire l'~ de qc*** to be the subject of sth **3.** (*but*) object, purpose **4.** GRAM (***complément*** *m* ***d'***)**~ *direct*** direct object; (***complément*** *m* ***d'***)**~ *indirect*** indirect object
objurgations [ɔbʒyʀgasjõ] *litt fpl* objurgations *litt*
obligataire [ɔbligatɛʀ] FIN **I** *adj* bond *épith* **II** *m* bondholder
obligation [obligasjõ] *f* **1.** (*engagement*) obligation; (*devoir*) responsibility (***envers qn*** to *or* toward sb) **2.** (*nécessité, contrainte*) obligation; ***sans ~ d'achat*** with no obligation to buy; ***être dans l'~ de faire qc*** to be obliged to do sth **3.** FIN bond
▶ **obligatoire** [ɔbligatwaʀ] *adj* **1.** compulsory, obligatory; ***enseignement*** *m* **~** compulsory education **2.** *fam* inevitable
obligatoirement [ɔbligatwaʀmɑ̃] *adv* ***vous devez ~ faire qc*** you must do sth
obligé(e) [ɔbliʒe] *m(f)* ***être l'~ de qn*** to be in sb's debt
obligeamment [ɔbliʒamɑ̃] *adv* obligingly
obligeance [ɔbliʒɑ̃s] *f* obligingness; *iron* kindness
obligeant [ɔbliʒɑ̃] *adj* ⟨**-ante** [-ɑ̃t]⟩ obliging
▶ **obliger** [ɔbliʒe] *v/t* ⟨**-ge-**⟩ **1.** **~ *qn*** *loi* to bind sb; *contrat* to be binding on sb **2.** (*forcer*) **~ *qn à faire qc*** to force sb to do sth; ***être obligé de faire qc*** to be obliged to do sth **3.** ***je vous serais très obligé de bien vouloir faire qc*** I would be very grateful if you could do sth
oblique [ɔblik] *adj* oblique (*a* MATH); *regard* sidelong **obliquer** *v/i* to turn off (***vers la droite, la gauche*** to the right, to the left) **obliquité** *f* obliqueness; MATH obliquity
oblitérateur [ɔbliteʀatœʀ] *m de timbres* franker
oblitération [ɔbliteʀasjõ] *f* **1.** *de timbres* canceling; *cachet* postmark **2.** MÉD obstruction
oblitérer [ɔbliteʀe] *v/t* ⟨**-è-**⟩ to cancel; ***timbre oblitéré*** canceled stamp
oblong [ɔblõ] *adj* ⟨**oblongue** [ɔblõg]⟩ oblong
obnubiler [ɔbnybile] *v/t* → ***obséder***
obole [ɔbɔl] *f* (small) offering; BIBL widow's mite
obscène [ɔpsɛn] *adj* obscene
obscénité [ɔpsenite] *f* obscenity; ***dire des ~s*** to make obscene remarks
obscur [ɔpskyʀ] *adj* ⟨**~e**⟩ **1.** (*sombre*) dark **2.** *fig question, raison* obscure; *sentiment* vague **3.** *auteur* obscure; *existence* lowly
obscurantisme [ɔpskyʀɑ̃tism] *m* obscurantism
obscurcir [ɔpskyʀsiʀ] **I** *v/t* **1.** to darken **2.** *fig* to obscure **II** *v/pr* ***s'~*** *ciel* to darken, to cloud over; *temps* to turn dark
obscurcissement [ɔpskyʀsismɑ̃] *m du ciel* darkening
obscurément [ɔpskyʀemɑ̃] *adv* **1.** *vivre, mourir* in obscurity **2.** *sentir* vaguely
obscurité [ɔpskyʀite] *f* **1.** darkness;

dans l'~ in the darkness **2.** *fig d'une activité, d'un texte* obscurity **3.** *(anonymat)* obscurity

obsédant [ɔpsedɑ̃] *adj* ⟨**-ante** [-ɑ̃t]⟩ *souvenir* haunting; *rythme* insistent

obsédé(e) [ɔpsede] *m(f) d'un sport* fanatic, freak *fam péj*; ***~ sexuel(le)*** sex maniac

obséder [ɔpsede] *v/t* ⟨**-è-**⟩ ***~ qn*** to obsess sb; *souvenir, rêve* to haunt sb; ***être obsédé par une idée*** to be obsessed by an idea

obsèques [ɔpsɛk] *fpl* funeral (+ *v sg*); ***~ nationales*** state funeral

obséquieux [ɔpsekjø] *adj* ⟨**-euse** [-øz]⟩ obsequious

observance [ɔpsɛʀvɑ̃s] *f* observance (*a* REL)

observateur [ɔpsɛʀvatœʀ] *m*, **observatrice** [-tʀis] *f* observer

observation [ɔpsɛʀvasjõ] *f* **1.** *(surveillance)* observation **2.** *(remarque)* observation, comment **3.** *(réprimande)* remark **4.** *d'une règle* observance

observatoire [ɔpsɛʀvatwaʀ] *m* vantage point; MIL observation post; ASTROL observatory; MÉTÉO weather station

observer [ɔpsɛʀve] *v/t* **1.** *(regarder attentivement)* to watch, to observe; ***se sentir observé*** to feel that one is being watched **2.** *(remarquer)* to observe, to notice; ***faire ~ à qn que …*** to point out to sb that … **3.** *loi* to observe; *règlement* to abide by

obsession [ɔpsesjõ] *f* obsession

obsessionnel [ɔpsesjɔnɛl] *adj* ⟨**~le**⟩ PSYCH obsessive

obsidienne [ɔpsidjɛn] *f* obsidian

obsolète [ɔpsɔlɛt] *adj* obsolete

► **obstacle** [ɔpstakl] *m* obstacle *a fig*; SPORT hurdle; *dans l'équitation* fence; ***course*** *f* ***d'~s*** obstacle race; *fig* ***faire ~ à qc*** to stand in the way of sth

obstétrique [ɔpstetʀik] *f* obstetrics (+ *v sg*)

obstination [ɔpstinasjõ] *f* obstinacy

obstiné [ɔpstine] *adj* ⟨**~e**⟩ *personne* obstinate, stubborn

obstiner [ɔpstine] *v/pr* ***s'~*** to persist; ***s'~ à faire qc*** to persist in doing sth; *(vouloir faire qc)* to be set on doing sth; ***s'~ dans son refus*** to continue doggedly to refuse

obstruction [ɔpstʀyksjõ] *f* **1.** *dans un tuyau* blockage; MÉD, POL obstruction **2.** SPORT obstruction

obstructionnisme [ɔpstʀyksjɔnism] *m* POL obstructionism

obstruer [ɔpstʀye] *v/t passage, artère* to obstruct, to block

obtempérer [ɔptɑ̃peʀe] *v/t indir* ⟨**-è-**⟩ ***~ à un ordre*** to comply with an order

obtenir [ɔptəniʀ] *v/t* ⟨→ **venir**⟩ to get, to obtain; JUR to obtain; *résultat, prix* to get; *succès* to achieve; *total* to arrive at; ***faire ~ qc à qn*** to obtain sth for sb, to get sth for sb

obtention [ɔptɑ̃sjõ] *f* obtaining

obturateur [ɔptyʀatœʀ] *m* PHOT shutter

obturation [ɔptyʀasjõ] *f* **1.** *d'un tuyau* sealing **2.** *dentaire* filling

obturer [ɔptyʀe] *v/t tuyau* to seal; *dent* to fill

obtus [ɔpty] *adj* ⟨**obtuse** [ɔptyz]⟩ **1.** *angle* obtuse **2.** *fig esprit, personne* obtuse

obus [ɔby] *m* MIL shell; ***des éclats d'~*** shrapnel (+ *v sg*)

oc [ɔk] HIST ***la langue d'~*** langue d'oc *collective term for medieval dialects of southern France*

ocarina [ɔkaʀina] *m* MUS ocarina

occase [ɔkɑz] *f, abr fam* → ***occasion*** *3*

► **occasion** [ɔkazjõ] *f* **1.** opportunity; ***à l'~*** sometime, when the opportunity arises *st/s*; *(quelquefois)* occasionally; ***à la première ~*** at the earliest opportunity **2.** *(cause)* occasion; ***à l'~ de*** on the occasion of **3.** COMM secondhand buy; *marché* bargain; ***d'~*** *articles* secondhand; *acheter qc* secondhand

> **occasion**
>
> **Occasion** = something like the occasion to do something or an opportunity. It can also mean a purchase that is second-hand. **Avoir l'occasion de** means to have a/the chance to:
>
> **Je n'ai pas encore eu l'occasion de lire ce livre. Ils ont acheté une voiture d'occasion.**
>
> I didn't have a chance yet to read that book. They bought a second-hand car.

occasionnel [ɔkazjɔnɛl] *adj* ⟨**~le**⟩ occasional; *(fortuit)* chance *épith* **occasionner** *v/t* to cause, to occasion *st/s*

occident [ɔksidɑ̃] *m* **1.** ***l'~*** the west **2.** POL

l'~ the West
occidental [ɔksidɑ̃tal] **I** *adj* ⟨**~e; -aux** [-o]⟩ GÉOG western; *civilisation* Western (*a* POL) **II** ***les Occidentaux*** *mpl* Westerners
occidentaliser [ɔksidɑ̃talize] *v/pr* ***s'~*** to become westernized
occiput [ɔksipyt] *m* occiput, back of the head
occire [ɔksiʀ] *v/t* ⟨*seulement inf et pp* **occis**⟩ *plais* (*tuer*) *fam* to slay *litt*
occitan [ɔksitɑ̃] *m* LING ***l'~*** Occitan
occlusif [ɔklyzif] *adj* ⟨**-ive** [-iv]⟩ PHON ***consonne occlusive*** occlusive consonant
occlusion [ɔklyzjõ] *f* ***~ intestinale*** intestinal obstruction
occultation [ɔkyltasjõ] *f* **1.** ASTROL occultation **2.** *fig* overshadowing; *volontaire* concealment
occulte [ɔkylt] *adj* occult; *fig* clandestine; ***sciences*** *fpl* ***~s*** the occult (sciences)
occulter [ɔkylte] *v/t fig* to overshadow; *vérité* to conceal **occultisme** *m* occultism
occupant [ɔkypɑ̃] **I** *adj* ⟨**-ante** [-ɑ̃t]⟩ MIL occupying **II** *m* **1.** *d'un logement* occupier; *d'une voiture* occupant **2.** MIL ***~(s)*** occupying forces (+ *v pl*)
▶ **occupation** [ɔkypasjõ] *f* **1.** (*activité*) occupation **2.** MIL occupation; HIST *en France* ***l'Occupation*** the Occupation
▶ **occupé** [ɔkype] *adj* ⟨**~e**⟩ **1.** *personne* busy (***à*** (***faire***) ***qc*** doing sth) **2.** *logement* occupied; *place*, *poste*, *taxi* taken; *toilettes* engaged; TÉL busy, *brit* engaged **3.** MIL occupied
▶ **occuper** [ɔkype] **I** *v/t* **1.** *personne(s)* to occupy, to keep occupied *or* busy; *temps* to fill, to occupy; *trop* to take up **2.** *poste*, *fonction* to hold **3.** *de la place* to take up **4.** *logement* to live in **5.** MIL, *grévistes*: *usine* to occupy **II** *v/pr* **1.** ▶ ***s'occuper*** to keep o.s. busy **2.** ▶ ***s'occuper de qn*** *enfant*, *malade* to take care of sb; *client* to attend to sb; ▶ ***s'occuper de qc*** *responsable* to be in charge of sth; *affaire*, *problème* to deal with sth; *politique*, *littérature* to be interested in sth
occurrence [ɔkyʀɑ̃s] *f* ***en l'~*** in this instance
O.C.D.E. [osedeə] *f*, *abr* (= **Organisation de coopération et de développement économique**) OECD
▶ **océan** [ɔseɑ̃] *m* ocean
Océanie [ɔseani] ***l'~*** *f* Oceania
océanien [ɔseanjɛ̃] *adj* ⟨**-ienne** [-jɛn]⟩ Oceanian
océanique [ɔseanik] *adj* oceanic
océanographe [ɔseanɔgʀaf] *m/f* oceanographer **océanographie** *f* oceanography **océanographique** *adj* oceanographic
ocelle [ɔsɛl] *m* ZOOL *tache* ocellus
ocelot [ɔslo] *m* ocelot
ocre [ɔkʀ] *m* ocher
ocré [ɔkʀe] *adj* ⟨**~e**⟩ ochered
octane [ɔktan] *m* octane
octante [ɔktɑ̃t] *num/c en Belgique*, *en Suisse* eighty
octave [ɔktav] *f* MUS octave
octet [ɔktɛ] *m* INFORM byte
▶ **octobre** [ɔktɔbʀ] *m* October
octogénaire [ɔktɔʒenɛʀ] *m/f* octogenarian
octogonal [ɔktɔgɔnal] *adj* ⟨**~e; -aux** [-o]⟩ octagonal
octogone [ɔktɔgon, -gɔn] *m* octagon
octosyllabe [ɔktɔsi(l)lab] **I** *adj vers* octosyllabic **II** *m* octosyllable
octroi [ɔktʀwa] *m* **1.** granting, concession **2.** HIST octroi *type of city toll*
octroyer [ɔktʀwaje] ⟨**-oi-**⟩ **I** *v/t* ***~ qc à qn*** to grant sth to sb **II** *v/pr fam* ***s'~ qc*** to award o.s. sth
oculaire [ɔkylɛʀ] *adj* eye *épith*; ***témoin*** *m* ***~*** eyewitness
oculiste [ɔkylist] *m/f* eye specialist, oculist
▶ **odeur** [ɔdœʀ, o-] *f* smell; *corporelle* odor; (*parfum*) fragrance
odieux [ɔdjø] *adj* ⟨**-euse** [-øz]⟩ **1.** *crime* odious **2.** *personne* horrible; *p/fort* obnoxious
odorant [ɔdɔʀɑ̃] *adj* ⟨**-ante** [-ɑ̃t]⟩ scented
odorat [ɔdɔʀa] *m* sense of smell
odyssée [ɔdise] *f* odyssey
œcuménique [ekymenik] *adj* ecumenical **œcuménisme** *m* ecumenism
œdème [edɛm] *m* edema
Œdipe [edip] *m* Oedipus
▶ **œil** [œj] *m* ⟨**yeux** [jø]⟩ **1.** eye; *fig* ***mauvais œil*** evil eye; ▶ ***coup*** *m* ***d'œil*** glance; ***jeter un coup d'œil sur qc*** to take a quick look at sth; ***avoir le coup d'œil*** to have a good eye; *fam* ***mon œil!*** my eye! *fam*; *fam* ***à l'œil*** for free *fam*; *fig* ***à mes yeux*** in my opinion, in my eyes; ***de ses*** (***propres***) ***yeux*** with his

own eyes; *fam* ***entre quatre-z-yeux*** [ɑ̃tʀəkatzjø] face to face; ***pour ses beaux yeux*** *faire qc* just to please him / her, for his / her sake; ***sous mes yeux*** in front of me; ***avoir les yeux bleus*** to have blue eyes; ***avoir l'œil à tout*** to keep an eye on everything; *fam* ***avoir qn à l'œil*** to keep an eye on sb; *fam* ***je m'en bats l'œil*** I couldn't care less *fam*; ***être tout yeux tout oreilles*** to be all eyes and ears; *fam* ***faire de l'œil à qn*** to make eyes at sb; ***ouvrir de grands yeux*** to open one's eyes wide; ***tourner de l'œil*** to faint, to keel over; ***voir qc d'un bon, mauvais œil*** to see sth in a good, bad light **2.** *dans une porte* peephole **3.** BOT bud **4.** *pl* ***yeux*** *de bouillon* beads of fat

œil-de-bœuf *m* ⟨**œils-de-bœuf**⟩ ARCH bull's-eye window **œil-de-perdrix** *m* ⟨**œils-de-perdrix**⟩ MÉD corn

œillade [œjad] *f* glance, look

œillère [œjɛʀ] *f* blinder, *brit* blinker; *fig* ***avoir des ~s*** to have a blinkered attitude

œillet [œjɛ] *m* **1.** BOT carnation **2.** *de chaussure* eyelet; *de ceinture* hole; *de feuille de classeur* reinforcement

œnologie [enɔlɔʒi] *f* winemaking, enology *t/t* **œnologique** *adj* wine *épith*, enological *t/t* **œnologue** *m* wine expert, enologist *t/t* **œnométrie** *f* enometry *science concerned with properties of wine*

œsophage [ezɔfaʒ] *m* esophagus

œstrogène [ɛstʀɔʒɛn] *m* estrogen

▶ **œuf** [œf] *m* ⟨**~s** [ø]⟩ egg; ***~ à repriser*** darning egg; ***~ de Pâques*** Easter egg; ***~s de poisson*** fish roe; ***~ de poule*** hen's egg; ***~ sur le plat, au plat*** fried egg; *fig* ***étouffer dans l'~*** to nip in the bud

œuvre[1] [œvʀ] *f* **1.** work; REL ***bonnes ~s*** charitable *or* good works; ***~ d'art*** work of art; ***se mettre à l'~*** to set to work; ***être l'~ de qn*** to be the work of sb; ***mettre tout en ~ pour faire qc*** to make every effort to do sth **2.** ***~*** (***de bienfaisance***) charity (+ *v sg*)

œuvre[2] *m* **1.** TECH ***le gros ~*** fabric (of a building) **2.** ART, LITTÉR, MUS works (+ *v pl*)

œuvrer [œvʀe] *litt v/i* to work *st/s*

off [ɔf] *adj* ⟨*inv*⟩ **1.** FILM ***voix f ~*** voice-over; ***être ~*** to be off camera **2.** *spectacle, festival* fringe *épith*

offensant [ɔfɑ̃sɑ̃] *adj* ⟨**-ante** [-ɑ̃t]⟩ offensive

offense [ɔfɑ̃s] *f* **1.** insult **2.** REL trespass; ***pardonne-nous nos ~s*** forgive us our trespasses

offensé [ɔfɑ̃se] *adj* ⟨**~e**⟩ injured (*a* JUR)

offenser [ɔfɑ̃se] *v/t* to offend **offenseur** *m* offending party

offensif [ɔfɑ̃sif] *adj* ⟨**-ive** [-iv]⟩ offensive, insulting; *fig du froid, etc* ***retour ~*** renewed onslaught

offensive [ɔfɑ̃siv] *f* MIL offensive; ***~ de l'hiver*** onslaught of winter

offert [ɔfɛʀ] *pp* ⟨**-erte** [-ɛʀt]⟩ → ***offrir***

offertoire [ɔfɛʀtwaʀ] *m* CATH offertory

office [ɔfis] *m* **1.** ***faire ~ de …*** *personne* to act as …; *chose* to serve as … **2.** (*bureau*) office, bureau; ***~ du tourisme*** tourist information office **3.** ***bons ~s*** good offices; ***Monsieur*** *m* ***Bons ~s*** mediator **4.** ***d'~*** without consultation; *par ext* automatically; ***avocat*** (***commis***) ***d'~*** attorney appointed by the court **5.** CATH office, service

officialiser [ɔfisjalize] *v/t* to make official

officiant [ɔfisjɑ̃] *m* officiating priest

▶ **officiel** [ɔfisjɛl] **I** *adj* ⟨**~le**⟩ official; ***Journal ~*** Official Journal *EU administrative and legal bulletin*; ***visite ~le*** official visit; *d'un président, etc* state visit **II** *m* **1.** ADMIN ***~s*** *pl* officials **2.** SPORT official

officiellement [ɔfisjɛlmɑ̃] *adv* officially

▶ **officier**[1] [ɔfisje] *m* **1.** MIL officer **2.** ***~ de la Légion d'honneur*** officer of the Legion of Honor **3.** ***~ de l'état civil*** registrar

officier[2] *v/i* REL to officiate

officieusement [ɔfisjøzmɑ̃] *adv* unofficially

officieux [ɔfisjø] *adj* ⟨**-euse** [-øz]⟩ unofficial

officinal [ɔfisinal] *adj* ⟨**~e; -aux** [-o]⟩ ***plantes, herbes ~es*** medicinal plants, herbs

officine [ɔfisin] *f* PHARM dispensary

offrande [ɔfʀɑ̃d] *f* REL offering

offrant [ɔfʀɑ̃] *m* ***vendre au plus ~*** to sell to the highest bidder

offre [ɔfʀ] *f* **1.** offer (*a* COMM); ENCHÈRES bid; ***~s d'emploi*** job offers; *dans le journal* job adverts; *rubrique* 'appointments' **2.** ÉCON supply; ***l'~ et la demande*** supply and demand

▶ **offrir** [ɔfʀiʀ] ⟨→ **couvrir**⟩ **I** *v/t* **1.** ***~ qc à***

qn** en cadeau* to give sth to sb; *en l'achetant* to buy sth for sb **2.** (*proposer*) to offer (qc à qn*** sth to sb); ***~ de faire qc*** to offer to do sth **3.** *difficultés* to present; *spectacle*, *avantages* to offer **II** *v/pr* ***s'offrir*** **1.** ***s'~ comme qc*** to offer to act as sth; ***s'~ à faire qc*** to volunteer to do sth **2.** *occasion*, *vue* to present itself **3.** ***s'~ qc*** (*se payer qc*) to treat o.s. to sth

offset [ɔfsɛt] *m* TYPO offset printing

offusquer [ɔfyske] **I** *v/t* to offend **II** *v/pr* ***s'~ de qc*** to take offense at sth

ogive [ɔʒiv] *f* **1.** ARCH (***arc** m **en***) **~** ogival arch **2.** ***~ nucléaire*** nuclear warhead

ogre [ɔgʀ] *m* ogre; *fig* ***manger comme un ~*** to eat like a horse

ogresse [ɔgʀɛs] *f* ogress

oh [o] *int* oh; ▶ ***oh là là!*** oh dear!

ohé [ɔe] *int* hey; MAR ahoy

ohm [om] *m* ÉLEC ohm **ohmmètre** *m* ÉLEC ohmmeter

▶ **oie** [wa] *f* **1.** ZOOL goose **2.** ***jeu** m **de l'~*** ≈ snakes and ladders **3.** MIL ***pas** m **de l'~*** goose-step

▶ **oignon** [ɔɲõ] *m* **1.** BOT, CUIS onion; ***~ de tulipe*** tulip bulb; *fam, fig* ***aux petits ~s*** first-rate; *fig* ***en rang d'~s*** in a row; *fam, fig* ***occupe-toi de tes ~s!*** mind your own business! **2.** MÉD *au pied* bunion

oïl [ɔjl] LING ***la langue d'~*** *Northern French medieval dialect*

oindre [wɛ̃dʀ] *v/t* ⟨→ **joindre**⟩ to anoint

▶ **oiseau** [wazo] *m* ⟨**~x**⟩ **1.** ZOOL bird; ***~ de proie*** bird of prey **2.** *fam* (*individu*) ***un drôle d'~*** an oddball *fam*; ***trouver l'~ rare*** to find that special person; ***~ de mauvais augure, de malheur*** bird of ill omen

oiseau-mouche *m* ⟨**oiseaux-mouches**⟩ humming bird

oiseleur [wazlœʀ] *m* bird-catcher

oiselier [wazəlje] *m* bird-seller

oiseux [wazø] *adj* ⟨**-euse** [-øz]⟩ pointless

oisif [wazif] *adj* ⟨**-ive** [-iv]⟩ idle

oisillon [wazijõ] *m* fledgling

oisiveté [wazivte] *f* idleness

oison [wazõ] *m* gosling

O.K. [okɛ] *int fam* OK *fam*

okapi [ɔkapi] *m* ZOOL okapi

olé [ɔle] *adj* ⟨*inv*⟩ *fam* ***un peu ~ ~*** a bit racy

oléagineux [ɔleaʒinø] *m* oleaginous

oléoduc [ɔleɔdyk] *m* (oil) pipeline

olfactif [ɔlfaktif] *adj* ⟨**-ive** [-iv]⟩ olfactory

olibrius [ɔlibʀijys] *fam m* oddball *fam*

oligarchie [ɔligaʀʃi] *f* oligarchy **oligarchique** *adj* oligarchic

oligo-éléments [ɔligoelemɑ̃] *mpl* trace elements

oligopole [ɔligɔpɔl] *m* ÉCON oligopoly

olivaie [ɔlivɛ] *f* → ***oliveraie***

olivâtre [ɔlivɑtʀ] *adj* olive-greenish

olive [ɔliv] *f* **I** olive; ***huile** f **d'~*** olive oil **II** *adjt* ⟨*inv*⟩ olive-green

oliveraie [ɔlivʀɛ] *f* olive grove

olivette [ɔlivɛt] *f* plum tomato

olivier [ɔlivje] *m* **1.** olive tree **2.** *bois* olive wood

ollé [ɔle] → ***olé***

O.L.P. [oɛlpe] *f, abr* (= **Organisation de libération de la Palestine**) PLO

Olympe [ɔlɛ̃p] ***l'~*** *m* Mount Olympus

olympiade [ɔlɛ̃pjad] *f surtout pl* ***~s*** Olympics (+ *v pl*)

olympien [ɔlɛ̃pjɛ̃] *adj* ⟨**-ienne** [-jɛn]⟩ Olympian

olympique [ɔlɛ̃pik] *adj* olympic; ***Jeux** mpl* ***~s*** Olympic Games; ***stade** m **~*** Olympic stadium

ombelle [õbɛl] *f* umbel

ombilic [õbilik] *m* navel, umbilicus

ombilical [õbilikal] *adj* ⟨**~e; -aux** [-o]⟩ umbilical; ***cordon ~*** umbilical cord

ombrage [õbʀaʒ] *m* **1.** shade **2.** *fig* ***prendre ~ de qc*** to take umbrage at sth

ombragé [õbʀaʒe] *adj* ⟨**~e**⟩ shady **ombrager** *v/t* ⟨**-ge-**⟩ to shade **ombrageux** *adj* ⟨**-euse** [-øz]⟩ *personne* touchy; *cheval* skittish

▶ **ombre** [õbʀ] *f* **1.** shade; ***~s chinoises*** shadow puppets; ***à l'~*** in the shade; *fam, fig* ***mettre qn à l'~*** to put sb behind bars; *fig* ***rester dans l'~*** *personne* to stay in the background; *détail* to remain unclear; ***tu me fais de l'~*** you're putting me in the shade **2.** *fig* ***il n'y a pas l'~ d'un doute*** there isn't the shadow of a doubt **3.** ***~ à paupières*** eye shadow

ombrelle [õbʀɛl] *f* parasol, sunshade

ombrer *v/t* PEINT to shade in **ombreux** *litt adj* ⟨**-euse** [-øz]⟩ shady

ombrelle ≠ umbrella

Ombrelle = sunshade. NOT umbrella, which is **parapluie** in French:

une jolie ombrelle bordée de dentelle. Elle a ouvert son parapluie pour se protéger de la pluie.
a pretty sunshade edged with lace. She put up her umbrella against the rain.

oméga [ɔmega] *m* omega
▶ **omelette** [ɔmlɛt] *f* omelette
omerta [ɔmɛʀta] *f* omertà
omettre [ɔmɛtʀ] *v/t* ⟨→ **mettre**⟩ to omit; *~ **de** +inf* to omit *+inf*
omis [ɔmi] *pp* ⟨**-ise** [-iz]⟩ → ***omettre***
omission [ɔmisjõ] *f* omission; ***pécher par ~*** to sin by omission; ADMIN ***sauf erreur ou ~*** errors and omissions excepted
omnibus [ɔmnibys] *m* local train
omnipotence [ɔmnipɔtɑ̃s] *f* omnipotence **omnipotent** *adj* ⟨**-ente** [-ɑ̃t]⟩ omnipotent **omnipraticien(ne)** *m(f)* general practitioner **omniprésence** *litt f* omnipresence **omniprésent** *adj* ⟨**-ente** [-ɑ̃t]⟩ omnipresent **omniscient** *litt adj* ⟨**-ente** [-ɑ̃t]⟩ omniscient **omnisport** *adj* ⟨*inv*⟩ ***salle, terrain ~sport*** sports centre, field
omnivore [ɔmnivɔʀ] *m* omnivore
omoplate [ɔmɔplat] *f* shoulder blade
▶ **on** [õ] *pr ind* **1.** ***~ fait ce qu'~ peut*** you do what you can; ***~ frappe*** there's somebody at the door; ***~ vous demande au téléphone*** there's a phone call for you **2.** *fam* (*nous*) we; ***alors, ~ y va?*** shall we go?
onagre [ɔnagʀ] *m* onager
once [õs] *f* ounce *a fig*
▶ **oncle** [õkl] *m* uncle
onction [õksjõ] *f* anointing, unction
onctueux [õktɥø] *adj* ⟨**-euse** [-øz]⟩ **1.** *savon* creamy; *potage* smooth **2.** *fig* unctuous
onde [õd] *f* wave; ***~s courtes*** short wave (*+ v sg*); ***grandes ~s*** long wave (*+ v sg*); ***petites ~s*** medium wave (*+ v sg*); ***~ de choc*** shock wave; ***passer sur les ~s*** to be on the air
ondée [õde] *f* shower
ondine [õdin] *f* MYTH water sprite
on-dit [õdi] *m* ⟨*inv*⟩ hearsay (*+ v sg*); ***les ~s*** hearsay
ondoiement [õdwamɑ̃] *m* **1.** *des herbes, du blé* swaying; *sur l'eau* rippling **2.** REL baptism *by a layperson in an emergency*
ondoyant [õdwajɑ̃] *adj* ⟨**-ante** [-ɑ̃t]⟩ *blés* swaying; *démarche* swaying
ondoyer [õdwaje] *v/i* ⟨**-oi-**⟩ *paysage* to undulate; *blés* to sway
ondulant [õdylɑ̃] *adj* ⟨**-ante** [-ɑ̃t]⟩ *démarche* swaying
ondulations [õdylasjõ] *fpl* **1.** *du sol* undulations **2.** *des cheveux* waves
ondulatoire [õdylatwaʀ] *adj* PHYS wave *épith*
ondulé [õdyle] *adj* ⟨**~e**⟩ *surface* undulating; *cheveux* wavy; ***tôle ~e*** corrugated iron
onduler [õdyle] *v/i* **1.** *blés* to ripple; *surface de l'eau* to ripple **2.** *cheveux* to be wavy
onduleux [õdylø] *adj* ⟨**-euse** [-øz]⟩ *terrain* undulating; *ligne* wavy
onéreux [ɔneʀø] *adj* ⟨**-euse** [-øz]⟩ **1.** (*coûteux*) expensive **2.** ***à titre ~*** subject to payment
O.N.G. [oɛnʒe] *f, abr* ⟨*inv*⟩ (= **organisation non gouvernementale**) NGO
▶ **ongle** [õgl] *m* **1.** nail; ***se faire les ~s*** to do one's nails **2.** ZOOL claw; *des rapaces* talon
onglée [õgle] *f* ***j'ai l'~*** my fingers are numb with cold
onglet [õglɛ] *m* **1.** *en reliure* stub; *entaille* thumb notch **2.** *en boucherie* flank
onguent [õgɑ̃] *m* ointment
ongulés [õgyle] *mpl* ungulates
onirique [ɔniʀik] *adj* dream *épith*
onomatopée [ɔnɔmatɔpe] *f* onomatopoeia
ont [õ] → ***avoir¹***
ontologie [õtɔlɔʒi] *f* ontology **ontologique** *adj* ontological
▶ **ONU** *ou* **O.N.U.** [ɔny] *f, abr* (= **Organisation des Nations Unies**) UN
onusien [ɔnyzjɛ̃] **I** *adj* ⟨**-ienne** [-jɛn]⟩ UN *épith* **II** *m* UN official
onyx [ɔniks] *m* onyx
▶ **onze** [õz] **I** *num/c* eleven; ***le ~ mai*** May eleventh **II** *m* ⟨*inv*⟩ eleven (*a* FOOTBALL); team; ***le ~*** (***du mois***) the eleventh
▶ **onzième** [õzjɛm] **I** *num/o* eleventh **II** *subst* ***le, la ~*** the eleventh
onzièmement [õzjɛmmɑ̃] *adv* in eleventh place
O.P.A. [opea] *f, abr* ⟨*inv*⟩ (= **offre publique d'achat**) takeover bid
opacité [ɔpasite] *f* opacity
opale [ɔpal] *f* opal
opalin [ɔpalɛ̃] *adj* ⟨**-ine** [-in]⟩ opaline
opaline [ɔpalin] *f* opaline

opaque [ɔpak] *adj* **1.** opaque **2.** *brouillard* impenetrable; ***la nuit ~*** the pitch-dark

OPEP [ɔpɛp] *f, abr* (= **Organisation des pays exportateurs de pétrole**) OPEC

opéra [ɔpeʀa] *m* **1.** *œuvre* opera **2.** *théâtre* ***Opéra*** opera house

opérable [ɔpeʀabl] *adj* operable

opéra-comique *m* ⟨**opéras-comiques**⟩ opéra comique

opérant [ɔpeʀɑ̃] *adj* ⟨**-ante** [-ɑ̃t]⟩ effective

opérateur [ɔpeʀatœʀ] *m*, **opératrice** [-tʀis] *f* **1.** TECH, INFORM operator **2.** FILM operator

▶ **opération** [ɔpeʀasjõ] *f* **1.** MATH operation; (*calcul*) calculation; ***les quatre ~s*** the four basic operations **2.** ***~*** (***chirurgicale***) operation; ***avoir une ~*** to have an operation, to have surgery **3.** ***~*** (***militaire***) (military) operation **4.** *par ext* operation; ***~ de sauvetage*** rescue operation **5.** COMM, FIN transaction **6.** TECH process, operation **7.** *iron* ***par l'~ du Saint-Esprit*** by magic

opérationnel [ɔpeʀasjɔnɛl] *adj* ⟨**~le**⟩ MIL, TECH operational

opératoire [ɔpeʀatwaʀ] *adj* MÉD surgical

opercule [ɔpɛʀkyl] *m* **1.** BOT, ZOOL operculum **2.** *couvercle* lid

opéré [ɔpeʀe] *adj* ⟨**~e**⟩ who has had an operation

opérer [ɔpeʀe] ⟨**-è-**⟩ **I** *v/t* **1.** MÉD to operate on **2.** *changement, choix, paiement* to make; *réforme, sauvetage* to carry out **II** *v/i* **1.** (*procéder*) to proceed **2.** (*intervenir*) to operate **3.** *remède* to work **III** *v/pr* ***s'opérer*** (*se produire*) to take place

opérette [ɔpeʀɛt] *f* light opera

ophtalmique [ɔftalmik] *adj* ANAT, MÉD ophthalmic

ophtalmologie [ɔftalmɔlɔʒi] *f* ophthalmology **ophtalmologiste** *m/f ou* **ophtalmologue** *m/f* ophthalmologist **ophtalmoscope** *m* ophthalmoscope

opiacé [ɔpjase] *m* opiate

opiner [ɔpine] *v/i* ***~ du bonnet*** to nod in agreement

opiniâtre [ɔpinjɑtʀ] *adj* stubborn, tenacious

opiniâtreté [ɔpinjɑtʀəte] *f* stubbornness, tenaciousness

▶ **opinion** [ɔpinjõ] *f* **1.** opinion; ***la presse** f **d'~*** current affairs journalism; ***se faire une ~*** to form an opinion **2.** ***l'~*** (***publique***) public opinion

opiomane [ɔpjɔman] *m/f* opium addict **opiomanie** *f* opium addiction

opium [ɔpjɔm] *m* opium

opossum [ɔpɔsɔm] *m* (o)possum

opportun [ɔpɔʀtɛ̃, -tœ̃] *adj* ⟨**-tune** [-tyn]⟩ opportune

opportunément [ɔpɔʀtynemɑ̃] *st/s adv* opportunely

opportunisme [ɔpɔʀtynism] *m* opportunism **opportuniste** *m/f* opportunist **opportunité** *f* (*à propos*) timeliness; (*occasion*) opportunity

opposable [ɔpozabl] *adj argument, objection* which can be countered; JUR opposable

opposant [ɔpozɑ̃] *m*, **opposante** [-ɑ̃t] *f* opponent

opposé [ɔpoze] **I** *adj* ⟨**~e**⟩ **1.** opposed (***à*** to); *direction* opposite **2.** *goûts, opinions* conflicting; *caractères* contrasting **3.** *personne* ***être ~ à qc*** to be opposed to sth **II** *m* opposite; ***à l'~ de*** in contrast to; ***à l'~*** in the opposite direction; ***être tout l'~ de qn*** to be the complete opposite of sb

opposer [ɔpoze] **I** *v/t* **1.** (*mettre en face*) to compare (***à qn, qc*** to sb, sth); *pour faire obstacle* to counter **2.** *argument* to put forward; ***~ son veto à qc*** to veto sth **3.** *conflit* ***~ deux pays*** to set two countries against each other; ***ce match oppose l'équipe de R à celle de M*** the R team are playing against the M team **II** *v/pr* **1.** *personne* ***s'~ à qn, qc*** to be opposed to sb, sth **2.** *chose, situation* ***s'~ à qc*** to stand in the way of sth

opposition [ɔpozisjõ] *f* **1.** (*contraste*) contrast; (*contradiction*) contradiction; ***par ~ à*** in contrast to **2.** (*résistance*) opposition (***à qc*** to sth); ***faire ~ à qc*** to oppose sth **3.** JUR objection; ***faire ~ à un chèque*** to stop a check **4.** POL opposition

oppositionnel [ɔpozisjɔnɛl] *adj* ⟨**~le**⟩ opposition *épith*

oppressant [ɔpʀɛsɑ̃] *adj* ⟨**-ante** [-ɑ̃t]⟩ **1.** *chaleur* oppressive **2.** *fig ambiance, souvenirs* oppressive

oppressé [ɔpʀese] *adj* ⟨**~e**⟩ **1.** oppressed **2.** *fig* ***être ~*** to be breathless

oppresser [ɔpʀese] *v/t* to oppress; ***la chaleur m'~*** I find the heat oppressive; ***la crainte l'~*** he / she was choked by fear

oppresseur [ɔpʀɛsœʀ] *m* oppressor **oppressif** *adj* ⟨**-ive** [-iv]⟩ oppressive
oppression [ɔpʀɛsjõ] *f* **1.** *du peuple* oppression **2.** (*gêne respiratoire*) breathlessness
opprimé [ɔpʀime] **I** *adj* ⟨**~e**⟩ oppressed **II** ***les ~s*** *mpl* the oppressed
opprimer [ɔpʀime] *v/t* to oppress
opprobre [ɔpʀɔbʀ] *litt m* disgrace; opprobrium *litt*
optatif [ɔptatif] *adj* ⟨**-ive** [-iv]⟩ GRAM optative; ***mode ~*** optative mode
opter [ɔpte] *v/i* ***~ pour qc*** to opt for sth
opticien [ɔptisjɛ̃] *m*, **opticienne** [-jɛn] *f* optician
optimal [ɔptimal] *adj* ⟨**~e; -aux** [-o]⟩ optimal
optimiser [ɔptimize] *v/t* to optimize
optimisme [ɔptimism] *m* optimism **optimiste** **I** *adj* optimistic **II** *m/f* optimist
optimum [ɔptimɔm] **I** *adj* ⟨*f* **~** *ou* **optima**; *pl m et f* **~s** *od* **optima**⟩ → ***optimal*** **II** *m* ⟨**~s** *ou* **optima**⟩ optimum
option [ɔpsjõ] *f* **1.** option (*a* JUR, COMM); (***matière*** *f* ***à***) **~** optional subject; ***lever l'~*** to exercise the option **2.** AUTO ***~s*** *pl* optional extras
optionnel [ɔpsjɔnɛl] *adj* ⟨**~le**⟩ optional
optique [ɔptik] **I** *adj* **1.** ANAT ***nerf*** *m* **~** optic nerve **2.** OPT optical **3.** ***fibre*** *f* **~** fiber optics (+ *v sg*) **II** *f* **1.** optics (+ *v sg*); ***instruments*** *mpl* ***d'~*** optical instruments **2.** *fig* perspective
opulence [ɔpylɑ̃s] *st/s f* opulence
opulent [ɔpylɑ̃] *adj* ⟨**-ente** [-ɑ̃t]⟩ *st/s* **1.** opulent; *luxe* extravagant **2.** *poitrine* ample
opuscule [ɔpyskyl] *m* opuscule
▶ **or**[1] [ɔʀ] *m* gold; ***d'~, en ~*** gold *épith*; *fig* ***cheveux*** *mpl* ***d'~*** golden hair; *fam, fig* ***un mari en ~*** a wonderful husband; ***acheter qc à prix d'~*** to pay a small fortune for sth; ***rouler sur l'~*** to be rolling in it *fam*
or[2] *conj* (*cependant*) and yet; (*pour récapituler*) now
oracle [ɔʀakl] *m* oracle
▶ **orage** [ɔʀaʒ] *m* storm; ***il fait de l'~*** it's stormy; *fig* ***il y a de l'~ dans l'air*** there's a storm brewing
orageux [ɔʀaʒø] *adj* ⟨**-euse** [-øz]⟩ **1.** MÉTÉO stormy **2.** *fig discussion* stormy
oraison [ɔʀɛzõ] *f* **1.** (*prière*) prayer **2.** ***~ funèbre*** funeral oration
▶ **oral** [ɔʀal] **I** *adj* ⟨**~e; -aux** [-o]⟩ **1.** (*verbal*) oral **2.** ANAT, MÉD oral; ***par voie ~e*** orally **II** *m* oral (exam)
▶ **orange**[1] [ɔʀɑ̃ʒ] *f* orange
▶ **orange**[2] **I** *adj* ⟨*inv*⟩ orange **II** *m* orange; *feu* ***passer à l'~*** to go through on the yellow light
orangé [ɔʀɑ̃ʒe] *adj* ⟨**~e**⟩ *et subst, m* → ***orange***[2]
orangeade [ɔʀɑ̃ʒad] *f* orangeade
oranger [ɔʀɑ̃ʒe] *m* orange tree
orangeraie [ɔʀɑ̃ʒʀɛ] *f* orange grove
orangerie *f* orangery
orang-outan [ɔʀɑ̃utɑ̃] *m* ⟨**orangs-outans**⟩ orangutan
orateur [ɔʀatœʀ] *m* speaker; HIST orator; ***être un bon ~*** to be a good speaker
oratoire[1] [ɔʀatwaʀ] *adj* oratorical; *par ext* ***prendre des précautions*** *fpl* ***~s*** to chose one's words carefully
oratoire[2] *m* oratory
oratorien [ɔʀatɔʀjɛ̃] *m* ÉGL CATH Oratorian
oratorio [ɔʀatɔʀjo] *m* MUS oratorio
orbital [ɔʀbital] *adj* ⟨**~e; -aux** [-o]⟩ orbital
orbite [ɔʀbit] *f* **1.** ANAT eye socket **2.** ASTROL, ESP orbit; ***placer qc sur son ~*** to put sth into orbit **3.** *fig* sphere of influence
orbiter [ɔʀbite] *v/i engin spatial* to orbit
orchestral [ɔʀkɛstʀal] *adj* ⟨**~e; -aux** [-o]⟩ orchestral
orchestrateur [ɔʀkɛstʀatœʀ] *m* orchestrator
orchestration *f* MUS orchestration *a fig*
▶ **orchestre** [ɔʀkɛstʀ] *m* **1.** orchestra; *de jazz, rock* band **2.** THÉ orchestra, *brit* stalls (+ *v pl*)
orchestrer [ɔʀkɛstʀe] *v/t* MUS to orchestrate *a fig*
orchidée [ɔʀkide] *f* orchid
ordinaire [ɔʀdinɛʀ] **I** *adj* **1.** (*habituel*) usual **2.** (*normal*) regular, ordinary; ***vin*** *m* ***ordinaire*** table wine **3.** *péj gens* common *péj* **II** *m* **1.** ***sortir de l'ordinaire*** to be out of the ordinary; ***comme à l'ordinaire*** as usual; ▶ ***d'ordinaire*** usually **2.** *essence* regular gasoline, *brit* standard fuel **3.** *nourriture* everyday fare
ordinairement [ɔʀdinɛʀmɑ̃] *adv* usually, normally
ordinal [ɔʀdinal] *adj* ⟨**~e; -aux** [-o]⟩ ***nombre ~*** ordinal number
▶ **ordinateur** [ɔʀdinatœʀ] *m* computer; *travailler* ***sur ~*** on a computer, on-screen

ordination [ɔrdinasjõ] *f* ordination
ordinogramme [ɔrdinɔgram] *m* flow chart
ordonnance [ɔrdɔnɑ̃s] *f* **1.** MÉD prescription **2.** ADMIN regulation **3.** JUR ruling **4.** MIL *autrefois* batman **5.** (*disposition*) layout
ordonnancement [ɔrdɔnɑ̃smɑ̃] *m* **1.** FIN order to pay **2.** ÉCON, TECH scheduling
ordonnancer [ɔrdɔnɑ̃se] *v/t* ⟨**-ç-**⟩ FIN to authorize
ordonnateur [ɔrdɔnatœr] *m* ***~ des pompes funèbres*** funeral director
ordonné [ɔrdɔne] *adj* ⟨**~e**⟩ *pièce* tidy; *existence* orderly; *personne* methodical
ordonnée [ɔrdɔne] *f* MATH ordinate
ordonner [ɔrdɔne] *v/t* **1.** (*classer*) to order, to arrange **2.** (*commander*) to order; ***~ le silence a qn*** to order sb to be quiet **3.** MÉD to prescribe **4.** REL to ordain
► **ordre** [ɔrdr] *m* **1.** (*opposé à chaos*) order (*a* BIOL, ARCH); ***~ public*** public order; ***en ~*** tidy; ***mettre de l'~ dans qc*** to tidy sth up; ***rappeler qn à l'~*** to reprimand sb; ***rentrer dans l'~*** to get back to normal **2.** (*succession*) order; ***dans l'~*** in order; ***par ~ alphabétique*** in alphabetical order; ***par ~ d'ancienneté*** in order of seniority **3.** (*catégorie*) order; ***~ de grandeur*** order of magnitude; ***de l'~ de*** of the order of; *problème* ***d'~ économique*** of an economic nature; ***du même ~*** of the same order; ***de second ~*** second-rate; ***dans le même ~ d'idées*** in a similar vein **4.** ***~ du jour*** agenda; ***être à l'~ du jour*** to be on the agenda; *fig* to be in the news **5.** (*directive*) order (*a* MIL, INFORM); ***~ de grève*** strike call; ***jusqu'à nouvel ~*** until further notice; ***par ~*** (*abr* **p.o.**) by order; ***par ~ de, sur (l')~ de*** on the orders of; ***avoir qn sous ses ~s*** to have sb under one's command; ***être sous les ~s de qn*** to be under sb's command; *plais* ***je suis à vos ~s!*** at your service! **6.** COMM, FIN order **7.** REL *et par ext* order; ***entrer dans les ~s*** to take holy orders **8.** *de professions libérales* association
ordure [ɔrdyr] *f* **1.** *pl* ***~s*** (***ménagères***) trash (+ *v sg*), garbage (+ *v sg*), *brit* rubbish (+ *v sg*) **2.** *injure pop* scum *pop*
ordurier [ɔrdyrje] *adj* ⟨**-ière** [-jɛr]⟩ filthy; *st/s* foul
orée [ɔre] *f litt* ***à l'~ du bois*** *poét* at the edge of the wood
► **oreille** [ɔrɛj] *f* **1.** ear; *par ext* (*ouïe*) hearing; ***avoir de l'~*** to have a good (musical) ear; ***casser les ~s à qn*** *bruit* to deafen sb; *pour demander qc* to pester sb; ***n'écouter que d'une ~*** to half-listen; *fig* ***il ne l'entend pas de cette ~*** he won't hear of it; ***faire la sourde ~*** to turn a deaf ear; ***prêter l'~ (à qc)*** to listen (to sth); *fig* ***se faire tirer l'~*** to need a lot of persuading **2.** *d'une marmite* handle **3.** ***fauteuil*** *m* ***à ~s*** wing chair
► **oreiller** [ɔreje] *m* pillow
oreillette [ɔrɛjɛt] *f du cœur* auricle
oreillons [ɔrɛjõ] *mpl* MÉD mumps (+ *v sg*)
ores *adv* ***d'~ et déjà*** [dɔrzedeʒa] already
orfèvre [ɔrfɛvr] *m/f* goldsmith; *fig* ***être ~ en la matière*** to be an expert in the field
orfèvrerie [ɔrfɛvrəri] *f* goldsmith's art
orfraie [ɔrfrɛ] *f* ***pousser des cris d'~*** to scream bloody murder *fam*
organdi [ɔrgɑ̃di] *m* organdie
organe [ɔrgan] *m* ANAT, *fig* organ
organigramme [ɔrganigram] *m* **1.** (*schéma*) organization chart **2.** INFORM flow chart
organique [ɔrganik] *adj* organic
organisateur [ɔrganizatœr] *m*, **organisatrice** [-tris] *f* organizer
► **organisation** [ɔrganizasjõ] *f* **1.** *action* organizing; ***~ des loisirs*** the organizing of leisure activities **2.** (*structure*) organization **3.** (*association*) organization
organisationnel [ɔrganizasjɔnɛl] *adj* ⟨**~le**⟩ organizational
organisé [ɔrganize] *adj* ⟨**~e**⟩ **1.** organized; ***voyage ~*** package tour **2.** ***une personne ~e*** an organized person
► **organiser** [ɔrganize] **I** *v/t* to organize; *travail* to organize; *son temps, une journée, ses loisirs* to organize, to plan; *congrès, fête* to organize **II** *v/pr* ***s'organiser*** to get o.s. organized
organisme [ɔrganism] *m* **1.** BIOL organism **2.** (*institution*) body, organization
organiste [ɔrganist] *m/f* organist
orgasme [ɔrgasm] *m* orgasm
orge [ɔrʒ] *f* barley
orgelet [ɔrʒəlɛ] *m* MÉD sty
orgie [ɔrʒi] *f* **1.** orgy **2.** *fig* ***une ~ de couleurs*** a riot of colors
orgue [ɔrg] *m* organ; ***les grandes ~s*** the great organ; ***~ de Barbarie*** barrel organ

orgueil [ɔʀgœj] *m* pride
orgueilleux [ɔʀgœjø] *adj* ⟨**-euse** [-øz]⟩ proud
Orient [ɔʀjɑ̃] *m* ***l'~*** the East
orientable [ɔʀjɑ̃tabl] *adj* adjustable
oriental [ɔʀjɑ̃tal] **I** *adj* ⟨**~e; -aux** [-o]⟩ **1.** (*est*) eastern **2.** (*de l'Orient*) oriental **II** ***les Orientaux*** *mpl* Asians
orientalisme [ɔʀjɑ̃talism] *m* orientalism
orientaliste [ɔʀjɑ̃talist] *m/f* Orientalist
orientation [ɔʀjɑ̃tasjõ] *f* **1.** direction; ***sens*** *m* ***de l'~*** sense of direction **2.** *fig* advice; ***~ professionnelle*** careers advice **3.** *d'un journal* bias; POL leanings (+ *v pl*) **4.** *d'un édifice* aspect
orienté [ɔʀjɑ̃te] *adj* ⟨**~e**⟩ ***être ~ à l'est*** to be facing East; ***être bien ~*** to be well positioned
orienter [ɔʀjɑ̃te] **I** *v/t* **1.** ***~ qc au sud*** to make sth south-facing **2.** *fig élève* to steer (***vers*** toward); *recherches* to slant (toward) **II** *v/pr* **1.** ***s'~*** to get one's bearings **2.** *fig* ***s'~ vers qc*** to turn toward sth
orienteur [ɔʀjɑ̃tœʀ] *m* ***~*** (***professionnel***) careers counselor
orifice [ɔʀifis] *m* orifice
oriflamme [ɔʀiflam] *f* HIST banner
origami [ɔʀigami] *m* origami
originaire [ɔʀiʒinɛʀ] *adj* **1.** ***être ~ de*** to be originally from **2.** (*primitif*) original
originairement [ɔʀiʒinɛʀmɑ̃] *adv* originally
original [ɔʀiʒinal] ⟨*mpl* **-aux** [-o]⟩ **I** *adj* ⟨**~e**⟩ **1.** *document* original **2.** *idée, etc* original **II** *subst* **1.** *m d'une œuvre* original **2.** **~(*e*)** *m*(*f*) *personne* eccentric
originalité [ɔʀiʒinalite] *f* **1.** *d'une idée, etc* originality **2.** (*élément original*) original aspect
▸ **origine** [ɔʀiʒin] *f* **1.** (*commencement*) origin; *pl* ***~s de la vie*** origins; ***à l'~*** originally **2.** (*provenance*) origin; *d'une personne* origins (+*v pl*); ***d'~*** *produit* original; ***pays*** *m* ***d'~*** country of origin; *mot* ***d'~ latine*** of Latin origin; *personne* ***être d'~ française*** to be of French extraction **3.** (*cause*) origin
originel [ɔʀiʒinɛl] *adj* ⟨**~le**⟩ **1.** (*primitif*) original **2.** REL ***péché ~*** original sin
originellement [ɔʀiʒinɛlmɑ̃] *adv* originally
orignal [ɔʀiɲal] *m* ⟨**-aux** [-o]⟩ moose
oripeaux [ɔʀipo] *mpl* faded finery (+ *v sg*)
O.R.L. [oɛʀɛl] *m/f, abr* ⟨*inv*⟩ → ***oto-rhino(-laryngologiste)***
orme [ɔʀm] *m* elm
ormeau [ɔʀmo] *m* ⟨**~x**⟩ ZOOL abalone
ornement [ɔʀnəmɑ̃] *m* ornament; ***plante*** *f* ***d'~*** ornamental plant
ornemental [ɔʀnəmɑ̃tal] *adj* ⟨**~e; -aux** [-o]⟩ ornamental
ornementation [ɔʀnəmɑ̃tasjõ] *f* ornamentation **ornementer** *v/t* to adorn, to decorate
orner [ɔʀne] *v/t* to decorate (***de*** with)
ornière [ɔʀnjɛʀ] *f* rut
ornithologie [ɔʀnitɔlɔʒi] *f* ornithology **ornithologique** *adj* ornithological **ornithologue** *m/f* ornithologist **ornithorynque** *m* duckbilled platypus
oronge [ɔʀõʒ] *f* ***~*** (***vraie***) agaric; ***fausse ~*** fly agaric
orpailleur [ɔʀpajœʀ] *m* gold panner
orphelin [ɔʀfəlɛ̃] *m*, **orpheline** [-in] *f* **1.** orphan; ***être orphelin, orpheline de père*** to be fatherless; ***être orphelin, orpheline de père et de mère*** to be fatherless and motherless **2.** *adjt* orphan *épith*
orphelinat [ɔʀfəlina] *m* orphanage
orphéon [ɔʀfeõ] *m* town band
orque [ɔʀk] *m* killer whale
ORSEC [ɔʀsɛk] *abr* (= **organisation des secours**) ***plan*** *m* ***~*** *national disaster management plan*
orteil [ɔʀtɛj] *m* toe; ***gros ~*** big toe
orthodontie [ɔʀtɔdõti] *f* orthodontics (+ *v sg*) **orthodontiste** *m/f* orthodontist
orthodoxe [ɔʀtɔdɔks] **I** *adj* orthodox **II** ***les ~s*** *mpl* members of the Orthodox church
orthodoxie [ɔʀtɔdɔksi] *f* orthodoxy
orthogonal [ɔʀtɔgɔnal] *adj* ⟨**~e; -aux** [-o]⟩ orthogonal
▸ **orthographe** [ɔʀtɔgʀaf] *f* spelling
orthographier [ɔʀtɔgʀafje] **I** *v/t* ***correctement ~ qc*** to spell sth correctly; ***mal ~ qc*** to misspell sth **II** *v/pr* ***s'orthographier*** to be spelled
orthographique [ɔʀtɔgʀafik] *adj* spelling *épith*
orthopédie [ɔʀtɔpedi] *f* orthopedics (+ *v sg*) **orthopédique** *adj* orthopedic **orthopédiste** *m/f* orthopedic specialist
orthophonie [ɔʀtɔfɔni] *f* speech therapy **orthophoniste** *m/f* speech therapist
orthoptiste [ɔʀtɔptist] *m/f* MÉD orthoptist
ortie [ɔʀti] *f* **1.** nettle **2.** ***~ blanche*** white

nettle

ortolan [ɔʀtɔlɑ̃] *m* ZOOL ortolan

orvet [ɔʀvɛ] *m* slowworm

▶ **os** [ɔs; *pl* o] *m* **1.** bone; **~ *à moelle*** marrowbone; *objet* ***en ~*** bone *épith*; ***être trempé jusqu'aux ~*** to be soaked to the skin *fam*; *fam, fig* ***il y a un ~*** there's a hitch **2. *~ de seiche*** cuttlebone

O.S. [oɛs] *m, abr* (= **ouvrier spécialisé**) unskilled worker

oscar [ɔskaʀ] *m* **1.** FILM Oscar **2.** *par ext* (*prix*) prize (***de*** for)

O.S.C.E. [oɛsseə] *f, abr* (= **Organisation pour la sécurité et la coopération en Europe**) OSCE

oscillant [ɔsilɑ̃] *adj* ⟨**-ante** [-ɑ̃t]⟩ fluctuating; PHYS oscillating

oscillateur [ɔsilatœʀ] *m* ÉLEC oscillator

oscillation [ɔsilasjõ] *f* **1.** PHYS oscillation **2.** *fig* fluctuation

osciller [ɔsile] *v/t* **1.** *pendule* to swing **2.** *fig personne* to vacillate

oscillogramme [ɔsilɔgʀam] *m* oscillogram **oscillographe** *m* oscillograph

osé [oze] *adj* ⟨**~e**⟩ (*audacieux*) daring; (*licencieux*) risqué

oseille [ozɛj] *f* **1.** BOT sorrel **2.** *fam* → ***fric***

▶ **oser** [oze] *v/t* to dare; *abs* to dare; ***~ faire qc*** to dare to do sth; *péj* to have the nerve to do sth; ***si j'ose m'exprimer ainsi*** if I may put it that way

oseraie [ozʀɛ] *f* willow bed

osier [ozje] *m* **1.** BOT osier **2.** *rameaux* wicker; ***panier*** *m* ***d'~*** wicker basket

osmose [ɔsmoz] *f* osmosis *a fig*

ossature [ɔsatyʀ] *f* **1.** ANAT skeleton **2.** CONSTR framework

osselets [ɔslɛ] *mpl* knucklebones, jacks

ossements [ɔsmɑ̃] *mpl* bones, remains

osseux [ɔsø] *adj* ⟨**-euse** [-øz]⟩ **1.** ANAT bone *épith* **2.** *visage, mains* bony

ossification [ɔsifikasjõ] *f* ossification

ossifier [ɔsifje] *v/pr* ***s'~*** to ossify

ossuaire [ɔsɥɛʀ] *m* ossuary

ostensible [ɔstɑ̃sibl] *adj* obvious

ostensoir [ɔstɑ̃swaʀ] *m* monstrance

ostentation [ɔstɑ̃tasjõ] *f* ostentation; ***avec ~*** ostentatiously

ostentatoire [ɔstɑ̃tatwaʀ] *adj* ostentatious

ostéopathe [ɔsteɔpat] *m* osteopath **ostéoporose** *f* osteoporosis

ostracisme [ɔstʀasism] *m* ostracism

ostréiculteur [ɔstʀeikyltœʀ] *m* oyster farmer **ostréiculture** *f* oyster farming

Ostrogoths [ɔstʀɔgo] *mpl* Ostrogoths

▶ **otage** [ɔtaʒ] *m* hostage; ***prendre qn en ~*** to take sb hostage

▶ **OTAN** [ɔtɑ̃] *f, abr* (= **Organisation du traité de l'Atlantique Nord**) NATO

otarie [ɔtaʀi] *f* sea lion

ôter [ote] **I** *v/t* **1.** (*enlever*) **~ *qc*** to remove sth; *manteau* to take sth off **2.** MATH to take away **3. *cela n'ôte rien à son mérite*** that doesn't detract from his merit **II** *v/pr fam* ***ôte-toi de là!*** get out of the way!

otite [ɔtit] *f* earache, otitis *t/t*

oto-rhino(-laryngologiste) [ɔtɔʀino (-laʀɛ̃gɔlɔʒist)] *m/f, abr* ear, nose and throat specialist

ottoman [ɔtɔmɑ̃] *adj* ⟨**-ane** [-an]⟩ Ottoman

▶ **ou** [u] *conj* **1.** or; ▶ ***ou bien*** or else; ▶ ***ou*** (***bien***) ***… ou*** (***bien***) either … or; ***ou alors*** or else **2.** or; ***deux ou trois fois*** two or three times

▶ **où** [u] *adv* **1.** *interrogation* where; ***~ est-il?*** where is he?; ***~ vas-tu?*** where are you going?; ***d'~?*** where from?; ***d'~ mon étonnement*** hence my surprise; ***jusqu'~?*** how far? **2.** *relatif* ***le pays ~ il est né*** the country in which he was born; ***au moment ~ il arriva*** when he arrived

O.U.A. [oya] *f, abr* (= **Organisation de l'unité africaine**) OAU

ouailles [waj] *fpl* flock (+ *v sg*)

ouais [wɛ] *fam adv* yeah *fam*

ouate [wat] *f* (*coton*) cotton wool; TEXT wadding

ouaté [wate] *adj* ⟨**~e**⟩ *bruit* muffled

ouater [wate] *v/t* to quilt

ouatiné [watine] *adj* ⟨**~e**⟩ quilted

oubli [ubli] *m* **1.** *d'un nom, etc* forgetting; ***tomber dans l'~*** to be completely forgotten **2.** (*omission*) omission

▶ **oublier** [ublije] **I** *v/t* **1.** *nom, date* to forget; *ce qu' on a appris* to forget; ***~ qc*** *clefs, parapluie* to leave sth behind **2.** **~ *qc*** (*omettre*) to leave sth out **II** *v/pr* **1.** *iron* ***il ne s'est pas oublié*** he didn't leave himself out **2. *s'~*** *enfant, animal* to have an accident *euph*

oubliettes [ublijɛt] *fpl* dungeon (+ *v sg*); *fig* ***tomber dans les ~*** to be forgotten

oued [wɛd] *m* wadi

▶ **ouest** [wɛst] **I** *m* **1.** west; ***à l'~*** (to the) west (***de*** of) **2. *l'Ouest*** the West (*a* POL); ***l'Europe*** *f* ***de l'Ouest*** western Europe **II** *adj* ⟨*inv*⟩ *côte, façade* west; *frontière, banlieue, zone* western

ouf [uf] *int* phew
Ouganda [ugɑ̃da] ***l'~*** *m* Uganda
▶ **oui** [wi] **I** *adv* yes; ***mais oui*** yes; ▶ ***je pense que oui*** I think so; ***il semble que oui*** it would seem so **II** *m* ⟨*inv*⟩ **1.** yes; ***pour un oui ou pour un non*** *s'énerver, se disputer* over the slightest thing; *changer d'avis* at the drop of a hat **2.** POL vote in favor, *brit* aye
ouï [wi] *pp*→ ***ouïr***
ouï-dire [widiʀ] *m* ⟨*inv*⟩ ***par ~*** by hearsay
ouïe [wi] *f* **1.** PHYSIOL hearing **2.** *des poissons* ***~s*** *pl* gills
ouille [uj] *int* ouch
ouïr [wiʀ] *v/t* ⟨*seulement inf ou pp* **ouï**⟩ ***j'ai ouï dire que …*** I've heard say that …
ouistiti [wistiti] *m* **1.** ZOOL marmoset **2.** *fam, fig* ***un drôle de ~*** a bit of an oddball *fam*
ouragan [uʀagɑ̃] *m* hurricane; ***arriver en ~*** to arrive like a whirlwind
Oural [uʀal] ***l'~*** *m* the Urals (+ *v pl*)
ourdir [uʀdiʀ] *v/t complot* to hatch
ourler [uʀle] *v/t* COUT to hem
ourlet [uʀlɛ] *m* hem; ***faire un ~ à qc*** to hem sth
▶ **ours** [uʀs] *m* **1.** bear; ***~ blanc*** polar bear; ***~ en peluche*** teddy bear **2.** ***être un peu ~*** *fig personne* to be a bit gruff; ***~ mal léché*** boor
ourse [uʀs] *f* **1.** ZOOL female bear **2.** ASTROL ***la Grande Ourse*** the Big Dipper, *brit* the Plough; ***la Petite Ourse*** the Little Dipper, *brit* the Little Bear
oursin [uʀsɛ̃] *m* sea urchin
ourson [uʀsõ] *m* bear cub
oust(e) [ust] *int fam* **1.** (*dehors!*) scram *fam* **2.** (*vite!*) get a move on
out [awt] *adv au tennis* out
outarde [utaʀd] *f* ZOOL bustard
▶ **outil** [uti] *m* **1.** tool; ***~s de jardinage*** garden tools **2.** *fig* ***~ (de travail)*** tool
outillage [utijaʒ] *m* tools (+ *v pl*)
outillé [utije] *adj* ⟨***~e***⟩ ***bien ~*** properly equipped
outilleur [utijœʀ] *m* toolmaker
outrage [utʀaʒ] *m* insult (*a* JUR)
outragé [utʀaʒe] *adj* ⟨***~e***⟩ gravely offended
outrageant [utʀaʒɑ̃] *adj* ⟨**-ante** [-ɑ̃t]⟩ offensive, insulting **outrager** *v/t* ⟨**-ge-**⟩ to offend, to insult
outrageusement [utʀaʒøzmɑ̃] *adv* outrageously

outrage ≠ outrage

Beware of the word **outrage**, which has nothing to do with being deeply offensive, and is only used in the phrase **outrage à la pudeur** (meaning indecent exposure).

outrance [utʀɑ̃s] *f* excess; *caractère* excessiveness; ***à ~*** excessively; *guerre* all-out *épith*
outrancier [utʀɑ̃sje] *adj* ⟨**-ière** [-jɛʀ]⟩ extreme
outre¹ [utʀ] *f* wine skin
outre² **I** *prép* in addition to **II** *adv* **1.** ***passer ~ à qc*** to disregard sth **2.** ***en ~*** moreover, besides; ***cela ne m' étonne pas ~ mesure*** I'm not unduly surprised
outré [utʀe] *adj* ⟨***~e***⟩ **1.** (*exagéré*) extravagant **2.** ***être ~ de, par qc*** to be outraged by sth
outre-Atlantique [utʀatlɑ̃tik] *adv* across the Atlantic
outrecuidance [utʀəkɥidɑ̃s] *litt f* presumptuousness
outre-Manche [utʀəmɑ̃ʃ] *adv* across the Channel
outremer [utʀəmɛʀ] *adj* ⟨*inv*⟩ *couleur* ultramarine
outre-mer [utʀəmɛʀ] *adj* ***d'~*** overseas
outrepasser [utʀəpase] *v/t ses droits* to exceed
outrer [utʀe] *v/t* ***une telle injustice m'a outré*** I was outraged by such unfairness
outre-Rhin [utʀəʀɛ̃] *adv* across the Rhine; ***d'~*** German
outre-tombe [utʀətõb] *adj* ***d'~*** from beyond the grave
outsider [awtsajdœʀ] *m* outsider
▶ **ouvert** [uvɛʀ] *pp*→ ***ouvrir*** *et adj* ⟨**ouverte** [uvɛʀt]⟩ open; *fenêtre, porte* open; *fig personne* open; ***lettre ~e*** open letter; ***la chasse est ~e*** the hunting season is open
ouvertement [uvɛʀtəmɑ̃] *adv* openly
ouverture [uvɛʀtyʀ] *f* **1.** *d'une porte, d'un magasin, etc* opening (*a fig* POL); ***heures*** *fpl* ***d'~*** opening hours **2.** *d'une séance, de débats, d'un compte, d'une exposition, d'un nouveau magasin, etc* opening; *d'un spectacle, d'une enquête* opening; ***~ de la chasse*** opening of the hunting season; ***~ de la succession*** reading of the will **3.** *dans un mur* opening; PHOT ***~ du diaphragme*** f-stop **4.**

MUS overture **5.** *fig* **~ *d'esprit*** open-mindedness
ouvrable [uvRabl] *adj* ***jour*** *m* **~** working day
ouvrage [uvRaʒ] *m* **1.** (*travail*) work; ***~ de dames*** needlework (+ *v sg*); ***se mettre à l'~*** to get to work **2.** *litt*, *t/t* work, book **3.** CONSTR work; ***~s d'art*** civil engineering works
ouvragé [uvRaʒe] *adj* ⟨**~e**⟩ finely-worked
ouvrant [uvRɑ̃] *adj* ⟨**-ante** [-ɑ̃t]⟩ ***toit ~*** sunroof
ouvré [uvRe] *adj* ⟨**~e**⟩ COUT embroidered
▶ **ouvre-boîte** [uvRəbwat] *m* ⟨**ouvre-boîtes**⟩ can-opener, *brit* tin-opener
▶ **ouvre-bouteille** [uvRəbutɛj] *m* ⟨**ouvre-bouteilles**⟩ bottle opener
ouvreur [uvRœR] *m* *skieur* trailmaker
ouvreuse *f* FILM, THÉ usherette
▶ **ouvrier** [uvRije] **I** *m* worker; ***~ agricole*** agricultural laborer **II** *adj* ⟨**-ière** [-ijɛR]⟩ *quartier* working-class; *conflit*, *législation* industrial; ***revendications ouvrières*** workers' demands
▶ **ouvrière** [uvRijɛR] *f* worker (*a* ZOOL)
▶ **ouvrir** [uvRiR] ⟨→ **couvrir**⟩ **I** *v/t* **1.** to open; *avec une clé* to unlock; *yeux*, *livre*, *journal* to open; *rideaux*, *tiroir* to open; *parapluie* to unfurl; *bras*, *ailes* to spread; *testament* to read; ***~ l'appétit à qn*** to whet sb's appetite; ***~ qc à la circulation*** to open sth up to traffic **2. *~ qc*** (*faire fonctionner*) *gaz*, *eau*, *robinet* to turn sth on; *radio*, *télé* to switch sth on **3.** *séance*, *débats*, *exposition*, *bal*, *compte en banque*, *nouveau magasin*, *hostilités*, *etc* to open; *enquête* to open; *crédit* to take out; *nom* **~ *la liste*** to be top of the list; ***~ la marche*** to lead the way **4.** (*percer*) *fenêtre* to make (***dans*** in); *brèche* to make **II** *v/i* **1.** *magasin*, *musée*, *etc* to open; *fenêtre*, *porte* ***~ sur la rue*** to open onto the street **III** *v/pr* **1. *s'~*** to open; *fenêtre*, *porte* to open; *tiroir*, *boîte* ***s'~ facilement*** to open easily **2. *s'~ les genoux*** to cut one's knees; ***s'~ les veines*** to slit one's wrists **3.** *exposition*, *congrès* ***s'~*** to open (***par*** with); *perspectives*, *vie nouvelle* ***s'~ devant qn*** to open up before sb **4.** *personne* ***s'~ à qn*** to open up one's heart to sb
ouvroir [uvRwaR] *m* *cout* workroom
Ouzbékistan [uzbekistɑ̃] ***l'~*** *m* Uzbekistan
ovaire [ɔvɛR] *m* ANAT ovary
ovale [ɔval] **I** *adj* oval; ***ballon ~*** rugby ball **II** *m* oval
ovalisé [ɔvalize] *adj* ⟨**~e**⟩ oval
ovarien [ɔvaRjɛ̃] *adj* ⟨**-ienne** [-jɛn]⟩ ovarian
ovation [ɔvasjõ] *f* ovation; ***faire une ~ à qn*** to give sb an ovation
ovationner [ɔvasjɔne] *v/t* ***~ qn*** to give sb an ovation
overdose [ɔvəRdoz] *f* overdose
ovin [ɔvɛ̃] *adj* ⟨**-ine** [-in]⟩ sheep *épith*, ovine
ovins [ɔvɛ̃] *mpl* sheep
ovipare [ɔvipaR] *adj* ZOOL oviparous
ovni [ɔvni] *m*, *abr* (= **objet volant non identifié**) UFO
ovulation [ɔvylasjõ] *f* ovulation
ovule [ɔvyl] *m* BIOL ovum
oxydable [ɔksidabl] *adj* liable to rust
oxydant **I** *adj* ⟨**-ante** [-ɑ̃t]⟩ oxidizing **II** *m* oxidizing agent
oxydation [ɔksidasjõ] *f* oxidation
oxyde [ɔksid] *m* oxide; ***~ de carbone*** carbon monoxide
oxyder [ɔkside] *v/pr* ***s'~*** to oxidize
oxygénation [ɔksiʒenasjõ] *f* oxygenation (*a* MÉD)
oxygène [ɔksiʒɛn] *m* oxygen; ***manque*** *m* ***d'~*** oxygen deprivation
oxygéné [ɔksiʒene] *adj* ⟨**~e**⟩ ***eau ~e*** hydrogen peroxide; ***cheveux blonds ~s*** bleached-blond hair
oxygéner [ɔksiʒene] *v/pr* ⟨**-è-**⟩ *fam* ***s'~*** (***les poumons***) to get some fresh air
oyez [oje] *litt* oyez
ozone [ozɔn] *m* ozone; ***trou*** *m* ***dans la couche d'~*** hole in the ozone layer
ozoniser [ozonize] *v/t* to ozonize

P

P, p [pe] *m* ⟨*inv*⟩ P
p. *abr* (= **page**) p.
pacage [pakaʒ] *m* pasture
pacha [paʃa] *m* HIST pasha; *fam, fig* ***faire le*** ~ to live like a lord
pachyderme [paʃidɛʀm] *m* pachyderm
pacificateur [pasifikatœʀ], **pacificatrice** [-tʀis] **I** *m/f* peacemaker **II** *adj mesures* placatory
pacification [pasifikasjõ] *f* peacemaking
pacifier [pasifje] *v/t* to pacify; *région* to bring peace to
pacifique [pasifik] *adj* **1.** peaceful; *personne, peuple* peace-loving, peaceful **2.** ***l'océan*** *m* ***Pacifique*** *ou* ***le Pacifique*** the Pacific (Ocean)
pacifiquement [pasifikmɑ̃] *adv* peacefully
pacifisme [pasifism] *m* pacifism **pacifiste** *m/f* pacifist
pack [pak] *m* **1.** GÉOG pack ice **2.** COMM pack **3.** SPORT pack
package [pakɛdʒ] *m* package
pacotille [pakɔtij] *f* cheap junk; ***de*** ~ cheap
pacs *ou* **Pacs** [paks] *m, abr* (= **pacte civil de solidaritÃ©**) *civil union between two same-sex or opposite-sex adults*
pacsé [pakse] *m(f)* ⟨**~e**⟩ *person who has entered into a pacs*
pacser [pakse] *v/pr* ***se*** ~ to enter into a pacs
pacte [pakt] *m* pact **pactiser** *v/i* to make a deal (***avec*** with)
pactole [paktɔl] *m* gold mine
paella [paɛla] *f* paella
paf [paf] **I** *int* wham **II** *adj* ⟨*inv*⟩ drunk; plastered *fam*
pagaie [pagɛ] *f* paddle
pagaïe *ou* **pagaille** [pagaj] *f fam* **1.** (*désordre*) mess; *chambre* ***en pagaïe*** *ou* ***en pagaille*** in a mess **2.** ***en pagaïe*** *ou* ***en pagaille*** (*beaucoup*) loads of *fam*
paganisme [paganism] *m* paganism
pagayer [pageje] *v/i* ⟨**-ay-** *od* **-ai-**⟩ to paddle
► **page**[1] [paʒ] *f* **1.** page; (***à la***) **~ *10*** on page 10; *fig* ***être à la*** ~ to be up to date; *fig* ***tourner la*** ~ to make a fresh start **2.** INFORM ~ ***d'accueil*** home page; ~ ***Web*** web page
page[2] *m* HIST page
pageot [paʒo] *m pop* (*lit*) bed
pageoter [paʒɔte] *v/pr pop* ***se*** ~ (*se coucher*) to hit the sack *fam*
pagination [paʒinasjõ] *f* pagination **paginer** *v/t* to paginate
pagne [paŋ] *m* loincloth *en paille* grass skirt
pagode [pagɔd] *f* pagoda
paie [pɛ] *f* ***jour*** *m* ***de*** ~ pay day
paiement [pɛmɑ̃] *m* payment
païen [pajɛ̃] **I** *adj* ⟨**-ïenne** [-jɛn]⟩ pagan **II** ~(***ne***) *m(f)* pagan
paierie [pɛʀi] *f* ~ ***générale*** paymaster's office
paillard [pajaʀ] *adj* ⟨**-arde** [-aʀd]⟩ *personne* coarse; *chanson, histoire* bawdy
paillardise [pajaʀdiz] *f histoire* smutty story
paillasse [pajas] *f* **1.** (*matelas*) straw mattress **2.** *d'un évier* draining board
paillasson [pajasõ] *m* doormat
► **paille** [paj, pɑj] *f* **1.** straw; *fig* ***être sur la*** ~ to be penniless **2.** (*brin de* ~) wisp of straw; *pour boire* straw **3.** ***une ~!*** *fam, iron* that's nothing!; that's chicken feed! *fam* **4.** ~ ***de fer*** steel wool
paillé [paje] *adj* ⟨**~e**⟩ *chaise* straw-seated
pailleté [pajte] *adj* ⟨**~e**⟩ sequined
paillette [pajɛt] *f* **1.** COUT sequin **2.** ~ ***d'or*** gold particle; ***savon*** *m* ***en ~s*** soap flakes (+ *v pl*)
paillote [pajɔt] *f* grass hut
► **pain** [pɛ̃] *m* **1.** bread; ~ ***blanc*** white bread; ***petit*** ~ roll; *fig* ***se vendre comme des petits ~s*** to sell like hot cakes; ~ ***au chocolat*** pain au chocolat *chocolate filled pastry*; ~ ***aux raisins*** raisin brioche, *brit* currant bun; ~ ***d'épice***(***s***) gingerbread; ~ ***de mie*** sliced bread; ~ ***de seigle*** rye bread; *fig* ***avoir du ~ sur la planche*** to have one's work cut out **2.** ~ ***de savon*** bar of soap; ~ ***de sucre*** sugar loaf
pair[1] [pɛʀ] *adj* ⟨**~e**⟩ *nombre* even
pair[2] *m* **1.** ***st/s ses ~s*** (*ses égaux*) his / her peers; ***'hors*** ~ excellent; ***aller de*** ~ to go hand in hand (***avec*** with) **2.** ***jeune fille*** *f* ***au*** ~ au pair; ***être au*** ~ to be an au pair
► **paire** [pɛʀ] *f* **1.** pair; ***une ~ de chaussures*** a pair of shoes; *fig* ***c'est une autre ~ de manches*** that's a different ket-

tle of fish **2.** ***une ~ de ciseaux, de lunettes*** a pair of scissors, glasses
paisible [pezibl] *adj* peaceful; *personne* calm; *sommeil*, *vie* peaceful; *lieu* quiet
paître [pɛtʀ] *v/i* ⟨*déf*: **il paît, ils paissent; il paissait; il paîtra; qu'il paisse; paissant**⟩ **1.** to graze **2.** *fam*, *fig* ***envoyer ~ qn*** to send sb packing *fam*
► **paix** [pɛ] *f* **1.** POL peace; ***en temps de paix*** in peacetime; ***faire la paix avec qn*** to make peace with sb **2.** *fig* to make it up with sb; ***la paix!*** be quiet!; REL ***qu'il repose en paix*** may he rest in peace; ***pour avoir la paix*** *fermer la télé* to get some peace and quiet; *céder* for the sake of peace and quiet; ***laisser qn en paix*** to leave sb in peace; *fam* ► ***fiche-moi***, *pop* ***fous-moi la paix!*** get lost! *fam*
Pakistan [pakistɑ̃] ***le ~*** Pakistan
pakistanais [pakistanɛ] **I** *adj* ⟨**-aise** [-ɛz]⟩ Pakistani **II** ***Pakistanais(e)*** *m(f)* Pakistani
palabrer [palabʀe] *v/i* to talk endlessly
palabres [palabʀ] *mpl* endless discussions
palace [palas] *m* luxury hotel
paladin [paladɛ̃] *m* **1.** *de Charlemagne* paladin **2.** *chevalier* champion, paladin
palais[1] [palɛ] *m* **1.** ARCH, HIST palace **2.** ***~ de justice*** law courts (+ *v pl*)
palais[2] *m* ANAT palate
palan [palɑ̃] *m* hoist
palanquin [palɑ̃kɛ̃] *m* palanquin
palatal [palatal] *adj* ⟨**~e; -aux** [-o]⟩ palatal
palatale [palatal] *f* *consonne* palatal consonant; *voyelle* front vowel
Palatinat [palatina] ***le ~*** the Palatinate
pale [pal] *f* *d'une hélice*, *etc* blade
► **pâle** [pɑl] *adj* pale; ***bleu ~*** ⟨*inv*⟩ pale blue
palefrenier [palfʀənje] *m* groom
palefroi [palfʀwa] *m* HIST palfrey
paléolithique [paleɔlitik] *m* Paleolithic
paléontologie [paleɔ̃tɔlɔʒi] *f* paleontology **paléontologique** *adj* paleontological **paléontologue** *m/f* paleontologist
paleron [palʀɔ̃] *m* CUIS chuck steak
Palestine [palɛstin] ***la ~*** Palestine
palestinien [palɛstinjɛ̃] **I** *adj* ⟨**-ienne** [-jɛn]⟩ Palestinian **II** ***Palestinien(ne)*** *m(f)* Palestinian
palet [palɛ] *m* HOCKEY SUR GLACE puck; MARELLE quoit
paletot [palto] *m* jacket
palette [palɛt] *f* **1.** PEINT palette **2.** CUIS shoulder **3.** *manutention* pallet
palétuvier [paletyvje] *m* mangrove
pâleur [pɑlœʀ] *f* paleness
pâlichon [pɑliʃɔ̃] *fam adj* ⟨**-onne** [-ɔn]⟩ pale, peaky
palier [palje] *m* **1.** landing; ***être voisins de ~*** to live on the same landing **2.** TECH bearing **3.** *fig* stage; ***par ~s*** in stages
palière [paljɛʀ] *adj*, *f* ***porte ~*** landing door
pâlir [pɑliʀ] *v/i* **1.** to go pale (***de colère*** with anger) **2.** *couleurs* to fade
palissade [palisad] *f* fence
palissandre [palisɑ̃dʀ] *m* rosewood
palliatif [paljatif] *m* palliative
pallier [palje] *v/t* (*abus* ***~ à***) to make up for
palmarès [palmaʀɛs] *m* list of prizewinners; SPORT winners' list
palme [palm] *f* **1.** BOT palm **2.** *fig* prize **3.** SPORT flipper
palmé [palme] *adj* ⟨**~e**⟩ ZOOL ***patte ~e*** webbed foot
palmer [palmɛʀ] *m* micrometer
palmeraie [palməʀɛ] *f* palm grove
palmier [palmje] *m* **1.** BOT palm tree **2.** *gâteau pastry biscuit*
palombe [palɔ̃b] *f* wood pigeon
pâlot [pɑlo] *adj* ⟨**-otte** [-ɔt]⟩ pale
palourde [paluʀd] *f* clam
palpable [palpabl] *adj preuve*, *avantage* tangible
palper [palpe] *v/t* to feel
palpeur [palpœʀ] *m* sensor
palpitant [palpitɑ̃] *adj* ⟨**-ante** [-ɑ̃t]⟩ *récit*, *film* thrilling **palpitations** *fpl* palpitations
palpiter [palpite] *v/i* **1.** *paupières* to flutter; *narines* to quiver **2.** *cœur* to beat
palplanche [palplɑ̃ʃ] *f* pile plank
paltoquet [paltɔkɛ] *m litt et péj* boor
palu [paly] *m*, *abr fam* → ***paludisme***
paluche [palyʃ] *f fam* (*main*) hand
paludéen [palydeɛ̃] *adj* ⟨**-enne** [-ɛn]⟩ **1.** (*des marais*) paludal **2.** MÉD malarial
paludisme [palydism] *m* malaria
pâmer [pɑme] *v/pr* ***se ~ d'admiration*** to be in raptures; ***se ~ de rire*** to be convulsed with laughter
pâmoison [pɑmwazɔ̃] *f plais* ***tomber en ~ devant qc*** to swoon over sth
pampa [pɑ̃pa] *f* pampas
pamphlet [pɑ̃flɛ] *m* satirical tract
pamphlétaire [pɑ̃fletɛʀ] *m* pamphleteer

pamplemousse [pɑ̃pləmus] *m* grapefruit
pampre [pɑ̃pʀ] *m* vine branch
pan[1] [pɑ̃] *m* **1.** COUT tail **2.** *~ de mur* (wall) section **3.** TECH side
pan[2] *int* bang
panacée [panase] *f* panacea
panachage [panaʃaʒ] *m mode de scrutin voting system which allows people to vote for candidates from more than one party*
panache [panaʃ] *m* **1.** plume **2.** ***~ de fumée*** plume of smoke **3.** *fig* ***avoir du ~*** to have panache
panaché [panaʃe] *adj* ⟨**~e**⟩ *glace* mixed-flavor; *bière* mixed with soda; ***un ~*** a shandygaff
panacher [panaʃe] *v/t* ***~ une liste électorale*** to split one's votes between parties
panade [panad] *f* **1.** CUIS bread soup **2.** *fam, fig* ***il est dans la ~*** he's in the soup *fam*
panafricain [panafʀikɛ̃] *adj* ⟨**-aine** [-ɛn]⟩ Pan-African **panafricanisme** *m* Pan-Africanism
panais [panɛ] *m* BOT parsnip
Panama [panama] **1.** ***(le) ~*** Panama **2.** *m* ***panama*** panama hat
panaméricain [panameʀikɛ̃] *adj* ⟨**-aine** [-ɛn]⟩ Pan-American **panaméricanisme** *m* Pan-Americanism **panarabe** *adj* Pan-Arab **panarabisme** *m* Pan-Arabism
panard [panaʀ] *m fam* foot; ***~s*** *pl fam* feet
panaris [panaʀi] *m* whitlow
pancarte [pɑ̃kaʀt] *f* **1.** (*écriteau*) sign **2.** *de manifestants* placard
pancréas [pɑ̃kʀeas] *m* pancreas
pancréatique [pɑ̃kʀeatik] *adj* pancreatic
panda [pɑ̃da] *m* panda
pandore [pɑ̃dɔʀ] *m fam* cop *fam*
pané [pane] *adj* ⟨**~e**⟩ breadcrumbed; ***escalope ~e*** Wiener Schnitzel
panégyrique [paneʒiʀik] *m* panegyric
paner [pane] *v/t* to breadcrumb
► **panier** [panje] *m* basket (*a* BASKET); *fig* ***~ percé*** spendthrift; ***~ à salade*** salad shaker; *fam, fig* paddywagon *fam, fig*; ÉCON ***~ de la ménagère*** shopping basket; *fig* ***c'est un ~ de crabes*** they're like rats in a sack; ***mettre au ~*** to throw away **panier-repas** *m* ⟨**paniers-repas**⟩ lunch basket
panifiable [panifjabl] *adj* ***céréales*** *fpl* ***~s*** bread-making cereals
panifier [panifje] *v/t* to make into bread
panique [panik] *f* panic; ***être pris de ~*** to be panic-stricken; ***semer la ~*** to spread panic
paniquer [panike] *fam* **I** *v/t* to get into a panic; ***paniqué*** in a panic **II** *v/i* to panic
panislamisme [panislamism] *m* Pan-Islamism
► **panne** [pan] *f* breakdown; ***~ d'électricité*** power outage; ***en ~*** broken down; ***avoir une*** *ou* ***tomber en ~*** to break down; ***il a une ~ d'essence*** *ou* ***il est tombé en ~ sèche*** he's run out of gas; *fam, fig* ***être en ~*** *personne* to be at a loss; *travaux* to come to a halt; ***être en ~ de qc*** to be out of sth
panneau [pano] *m* ⟨**~x**⟩ **1.** board; ***panneau électoral*** electoral billboard; ***panneau publicitaire*** billboard, *brit* hoarding; ► ***panneau de signalisation*** road sign **2.** CONSTR panel **3.** ***tomber dans le panneau*** *fam* to fall into the trap **4.** COUT panel
panonceau [panõso] *m* ⟨**~x**⟩ plaque
panoplie [panɔpli] *f* **1.** ***~ de cow-boy*** cowboy suit **2.** *fig* range
panorama [panɔʀama] *m* panorama
panoramique [panɔʀamik] **I** *adj* panoramic; ***écran*** *m* ***~*** wide screen **II** *m* FILM, TV panning
panse [pɑ̃s] *f* **1.** ZOOL rumen **2.** *fam* ***se remplir la ~*** to fill one's belly *fam*
► **pansement** [pɑ̃smɑ̃] *m* MÉD dressing; *adhésif* plaster; ***boîte*** *f* ***à ~*** first aid box
panser [pɑ̃se] *v/t* **1.** MÉD to dress **2.** *cheval* to groom
panslavisme [pɑ̃slavism] *m* Pan-Slavism
pansu [pɑ̃sy] *adj* ⟨**~e**⟩ *vase* potbellied
pantagruélique [pɑ̃tagʀyelik] *adj repas* gargantuan
► **pantalon** [pɑ̃talõ] *m* pants, *brit* trousers; ***~ de ski*** ski pants; ***en ~*** wearing pants
pantalonnade [pɑ̃talɔnad] *f* farce
pantelant [pɑ̃tlɑ̃] *adj* ⟨**-ante** [-ɑ̃t]⟩ panting
panthéisme [pɑ̃teism] *m* pantheism
panthéon [pɑ̃teõ] *m* pantheon
panthère [pɑ̃tɛʀ] *f* panther
pantin [pɑ̃tɛ̃] *m* puppet
pantois [pɑ̃twa] *adj* ⟨**-oise** [-waz]⟩ ***rester ~*** to be speechless
pantomime [pɑ̃tɔmim] *f* **1.** *art* mime **2.**

THÉ mime show

pantouflard [pɑ̃tuflaʀ] *m*, **pantouflarde** [-aʀd] *f fam* stay-at-home

pantoufle [pɑ̃tufl] *f* slipper

pantoufler [pɑ̃tufle] *v/i* ~ (***dans le privé***) to leave the civil service for the private sector

panure [panyʀ] *f* breadcrumbs (+ *v pl*)

P.A.O. [peao] *f*, *abr* (= **publication assistée par ordinateur**) D.T.P.

paon [pɑ̃] *m* peacock

▶ **papa** [papa] *m* **1.** dad **2.** *fam* ***le cinéma de*** ~ the movies of yesteryear; *fam* ***à la*** ~ at a gentle pace

papal [papal] *adj* ⟨**~e; -aux** [-o]⟩ papal

papamobile [papamɔbil] *f* Popemobile

paparazzi [papaʀadzi] *mpl* paparazzi

papauté [papote] *f* papacy

papaye [papaj] *f* papaya

▶ **pape** [pap] *m* pope; ***sérieux comme un*** ~ deadly earnest

papelard [paplaʀ] *fam m* piece of paper; (*écrit*) *fam* article

paperasse [papʀas] *f coll* paperwork, *brit* bumf

paperasserie [papʀasʀi] *f péj* red tape; ADMIN paperwork

paperassier [papʀasje] *adj* ⟨**-ière** [-jɛʀ]⟩ ***administration paperassière*** adminstration obsessed with paperwork

papesse [papɛs] *f* HIST ***la*** ~ ***Jeanne*** Pope Joan

▶ **papeterie** [papɛtʀi] *f* stationery store

papetier [paptje] *m* stationer

▶ **papi** [papi] *m enf* granddaddy

▶ **papier** [papje] *m* **1.** paper; ***papier journal*** newspaper; ***papier calque*** tracing paper; ***papier à cigarettes*** cigarette paper; ***papier à dessin*** drawing paper; ***papier à lettres*** writing paper; ***papier d'emballage*** brown paper; ***en** ou **de papier*** paper *épith* **2.** ***papier peint*** wallpaper; ***poser du papier peint*** to hang wallpaper **3.** ***papier d'aluminium*** kitchen foil **4.** ***un papier*** a piece of paper **5.** (*article de journal*) paper **6.** *pl* ▶ ***papiers*** (***d'identité***) papers; *fig* ***être dans les petits papiers de qn*** to be in sb's good books

papier-monnaie *m* paper money

papille [papij] *f* papilla

▶ **papillon** [papijõ] *m* **1.** ZOOL butterfly; ~ ***de nuit*** moth **2.** *fam* (*contravention*) ticket **3.** (***brasse*** *f*) ~ butterfly (stroke) **4.** *adjt* ***nœud*** *m* ~ bow tie **5.** *écrou* wing nut

papillonner [papijɔne] *v/i* to flit about

papillote [papijɔt] *f* CUIS ***en*** ~ cooked in oiled paper, en papillote *t/t*

papillotement [papijɔtmɑ̃] *m* fluttering

papilloter *v/i yeux* to blink

papisme [papism] *m péj* popery **papiste** *m/f péj* papist

papotage [papɔtaʒ] *m* chatting **papoter** *v/i* to shoot the breeze

papou [papu] **I** *adj* ⟨**~e**⟩ Papuan **II** ***Papou***(***e***) *m*(*f*) Papuan

papouille [papuj] *f fam* ***faire des*** **~*s à qn*** to tickle sb

paprika [papʀika] *m* paprika

papy → ***papi***

papyrus [papiʀys] *m* papyrus

Pâque [pɑk] *f* ***la*** ~ the Passover

paquebot [pakbo] *m* liner

pâquerette [pakʀɛt] *f* daisy; *fig* ***au ras des*** **~*s*** banal

▶ **Pâques** [pɑk] ⟨*pas d'article*, *fpl*⟩ Easter; ***joyeuses*** **~!** Happy Easter!; ***à*** ~ at Easter; *fig* ***à*** **~ *ou à la Trinité***, never *brit* when pigs might fly

▶ **paquet** [pakɛ] *m* **1.** packet; **~ *de café, de lessive*** packet of coffee, laundry detergent; **~ *de cigarettes*** pack of cigarettes; **~ *de linge*** pile of washing; *fig de qn* **~ *de nerfs*** bag of nerves **2.** **~ *de mer*** big wave **3.** *fam* (***y***) ***mettre le*** ~ to go all out

paquetage [paktaʒ] *m* MIL kit

▶ **par** [paʀ] *prép* **1.** *lieu* through; **~ *la porte*** through the door; *aller à Paris* **~ *Reims*** via Rheims **2.** *temps* on; **~ *un beau matin d'été*** on a lovely summer's morning; **~ *quinze degrés*** in a temperature of fifteen degrees **3.** *moyen* by; **~ (*le*) *bateau, train*** by boat, train; **~ *ruse*** by trickery; ***faire faire qc*** **~ *qn*** to have sth done by sb **4.** *après un verbe passif* by; ***être élu*** **~ *l'assemblée*** to be elected by the assembly; ***être détruit*** **~ *un incendie*** to be destroyed by a fire **5.** *cause* out of; **~ *amour, curiosité*** out of love, curiosity **6.** *distributif* per; **~ *jour*** per day; **~ *personne*** per person **7.** ***de*** **~ *la loi*** legally

para [paʀa] *m*, *abr fam* (= **parachutiste**) para *fam*

parabole [paʀabɔl] *f* **1.** BIBL parable **2.** MATH parabola

parabolique [paʀabɔlik] *adj* ***antenne f*** ~ satellite dish

parachèvement [paʀaʃɛvmɑ̃] *m* per-

fecting **parachever** *v/t* ⟨**-è-**⟩ to perfect
parachutage [paʀaʃytaʒ] *m* **1.** *de vivres* dropping, *de troupes* parachuting **2.** *fam, fig* surprise appointment
parachute [paʀaʃyt] *m* parachute; ***sauter en ~*** to parachute
parachuter [paʀaʃyte] *v/t* **1.** *troupes* to parachute, *matériel* to drop **2.** *fam, fig* ***~ qn à un poste*** to catapult sb into a job
parachutisme [paʀaʃytism] *m* parachuting **parachutiste 1.** *m* MIL paratrooper **2.** *m/f* SPORT parachutist
parade [paʀad] *f* **1.** ***de ~*** ceremonial; ***faire ~ de qc*** to show sth off **2.** MIL, SPORT parade **3.** *fig* show
parader [paʀade] *v/i* to strut about
paradigmatique [paʀadigmatik] *adj* paradigmatic **paradigme** *m* paradigm *a* GRAM
► **paradis** [paʀadi] *m* REL, *fig* paradise; *fig* ***~ fiscal*** tax haven
paradisiaque [paʀadizjak] *adj* heavenly
paradoxal [paʀadɔksal] *adj* ⟨**~e; -aux** [-o]⟩ paradoxical **paradoxalement** *adv* paradoxically
paradoxe [paʀadɔks] *m* paradox
parafe [paʀaf] *m* initials (+ *v pl*) **parafer** *v/t* to initial
paraffinage [paʀafinaʒ] *m* paraffining
paraffine [paʀafin] *f* paraffin **paraffiner** *v/t* to paraffin
parafiscal [paʀafiskal] *adj* ⟨**~e; -aux** [-o]⟩ special **parafiscalité** *f* special taxation
parages [paʀaʒ] *mpl* area
paragraphe [paʀagʀaf] *m* **1.** paragraph; JUR subsection **2.** TYPO paragraph
Paraguay [paʀagwɛ] ***le ~*** Paraguay
► **paraître** [paʀɛtʀ] ⟨→ **connaître**⟩ **I** *v/i* **1.** (*se montrer*) to appear; *sentiments* ***laisser ~*** to show **2.** (*sembler*) to seem (***à qn*** to sb); ***le voyage me paraît très long*** the journey seems very long; ***il ne paraît pas son âge*** he doesn't look his age **3.** (*être publié*) ⟨*souvent* **être**⟩ to come out; ***faire ~*** to bring out **II** *v/imp* ***il paraît que …*** it seems that …
parallèle [paʀalɛl] **I** *adj* **1.** parallel (***à*** to) **2.** *fig* (*non officiel*) unofficial; *médecine* alternative; ***marché*** *m* **~** illegal market; ***police*** *f* **~** secret police **II** *subst* **1.** *f* MATH parallel **2.** *m* GÉOG parallel **3.** *m fig* parallel; ***faire un ~ entre …*** to draw a parallel between …
parallèlement [paʀalɛlmɑ̃] *adv* **~ *à*** in parallel to
parallélépipède [paʀalelepipɛd] *m* MATH paralleliped
parallélisme [paʀalelism] *m* **1.** AUTO wheel alignment **2.** *fig* parallelism
parallélogramme [paʀalelɔgʀam] *m* parallelogram
paralyser [paʀalize] *v/t* **1.** MÉD to paralyze; ***paralysé*** paralyzed **2.** *fig personne, économie* to paralyze; *circulation* to bring to a halt
paralysie [paʀalizi] *f* paralysis
paralytique [paʀalitik] *m/f* paralysed person
paramédical [paʀamedikal] *adj* ⟨**~e; -aux** [-o]⟩ ***professions ~es*** paramedical professions
paramètre [paʀamɛtʀ] *m* MATH, *fig* parameter
paramilitaire [paʀamilitɛʀ] *adj* paramilitary
parangon [paʀɑ̃gɔ̃] *m litt* ***~ de vertu*** paragon of virtue
parano [paʀano] *abr fam* → ***paranoïaque***
paranoïa [paʀanɔja] *f* paranoia
paranoïaque [paʀanɔjak] *m/f* paranoid
parapente [paʀapɑ̃t] *m* **1.** *engin* paraglider **2.** *sport* paragliding
parapentiste [paʀapɑ̃tist] *m/f* paraglider
parapet [paʀapɛ] *m* parapet
paraphe → ***parafe***
paraphrase [paʀafʀɑz] *f* paraphrase **paraphraser** *v/t* to paraphrase
paraplégie [paʀapleʒi] *f* paraplegia **paraplégique I** *adj* paraplegic **II** *m/f* paraplegic
► **parapluie** [paʀaplɥi] *m* umbrella
parascolaire [paʀaskɔlɛʀ] *adj* extracurricular
parasitaire [paʀazitɛʀ] *adj* BIOL, *fig* parasitic
parasite [paʀazit] *m* **1.** BIOL, *fig* parasite **2.** RAD **~s** *pl* interference *sing*
parasiter [paʀazite] *v/t* **1.** BIOL, *fig* to be a parasite on (***un hôte*** a host) **2.** RAD to interfere with
parasitisme [paʀazitism] *m* parasitism
parasol [paʀasɔl] *m* **1.** parasol **2.** *adjt* ***pin*** *m* **~** umbrella pine
parasympathique [paʀasɛ̃patik] *adj et subst, m* ANAT (***système*** *m*) **~** parasympathetic system
parataxe [paʀataks] *f* LING parataxis

paratonnerre [paʀatɔnɛʀ] *m* lightning rod
paravalanche [paʀavalɑ̃ʃ] *m* avalanche barrier
paravent [paʀavɑ̃] *m* windbreak
parbleu [paʀblø] *litt int* good Lord!
▶ **parc** [paʀk] *m* **1.** park; **~ *régional*** regional park; **~ *d'attractions*** amusement park; **~ *de loisirs*** leisure park **2. ~ *de stationnement*** parking lot **3.** *pour bébés* playpen **4. ~ *à huîtres*** oyster bed **5. ~ *automobile*** number of vehicles on the road **6.** *à bestiaux* pen
parcellaire [paʀsɛlɛʀ] *adj* fragmentary
parcelle [paʀsɛl] *f* **1.** *terrain* parcel **2.** *fig* fragment
parcellisation [paʀsɛlizasjõ] *f* **1.** ADMIN division into units **2.** *fig* division
parcelliser [paʀsɛlize] *v/t* **1.** ADMIN *terre* to divide up **2.** *fig* to divide into units
▶ **parce que** [paʀs(ə)kə] *conj* ⟨*devant voyelle* ***parce qu'***⟩ **1.** because **2.** *abs* because
parchemin [paʀʃəmɛ̃] *m* parchment
parcheminé [paʀʃəmine] *adj* ⟨**~e**⟩ wrinkled
par-ci [paʀsi] *adv* **~, *par-là*** *esp* here and there; *temps* now and then; *fig* ***maman ~, maman par-là*** mommy this, mommy that *fam*
parcimonie [paʀsimɔni] *f* ***avec ~*** sparingly
parcimonieux [paʀsimɔnjø] *adj* ⟨**-euse** [-øz]⟩ parsimonious
parcmètre [paʀkmɛtʀ] *m ou* **parcomètre** [paʀkɔmɛtʀ] *m* parking meter
parcourir [paʀkuʀiʀ] *v/t* ⟨→ **courir**⟩ **1.** *région, ville* to go all over; *en voiture* to drive all over; *un pays* to travel all over **2.** *distance* to cover **3.** *texte* to skim
parcours [paʀkuʀ] *m* route; SPORT circuit; **~ *du combattant*** MIL assault course; *fig* obstacle course
par-delà [paʀdəla] *prép* beyond
par-derrière [paʀdɛʀjɛʀ] **I** *adv* from behind; (*en cachette*) behind sb's back **II** *prép* behind
par-dessous [paʀdəsu] **I** *adv* underneath **II** *prép* under
pardessus [paʀdəsy] *m* overcoat
par-dessus [paʀdəsy] **I** *adv* above **II** *prép* on top of; **~ *tout*** above all
par-devant [paʀdəvɑ̃] **I** *adv* in front **II** *prép* **~ *notaire*** before a lawyer
pardi [paʀdi] *int* of course
▶ **pardon** [paʀdõ] *m* pardon; REL forgiveness; ▶ ***pardon!*** excuse me!; ▶ ***pardon?*** excuse me?; ***demander pardon à qn*** to apologize to sb
pardonnable [paʀdɔnabl] *adj* pardonable
▶ **pardonner** [paʀdɔne] **I** *v/t* to pardon; REL to forgive; **~ (*qc*) *à qn*** forgive sb (for sth); ***pardonnez-moi, mais ...*** excuse me, but ... **II** *v/i maladie grave* ***cela ne pardonne pas*** there's no hope
pare-avalanches [paʀavalɑ̃ʃ] *m* ⟨*inv*⟩ → ***paravalanche***
pare-balles [paʀbal] *adj* ⟨*inv*⟩ ***gilet*** *m* **~** bulletproof vest
pare-boue [paʀbu] *m* ⟨*inv*⟩ AUTO mud flap
▶ **pare-brise** [paʀbʀiz] *m* ⟨*inv*⟩ windshield
▶ **pare-chocs** [paʀʃɔk] *m* ⟨*inv*⟩ fender
pare-feu *m* ⟨*inv*⟩ firebreak
▶ **pareil** [paʀɛj] **I** *adj* ⟨**pareille**⟩ **1.** (*semblable*) similar; **~ *à*** similar to; *fam advt* ***faire ~*** to do the same **2.** (*tel*) such; ***chose ~le*** such a thing; ***en ~ cas*** in such a case **II** *subst* **1.** *m/f* ***ne pas avoir son ~, sa ~le*** to be second to none; ***sans ~(le)*** unrivalled **2.** *f* ***rendre la ~le à qn*** to pay sb back in their own coin **3.** *m fam* ***c'est du ~ au même*** it comes to the same thing
pareillement [paʀɛjmɑ̃] *adv* in the same way
parement [paʀmɑ̃] *m* **1.** COUT facing **2.** CONSTR facing
parenchyme [paʀɑ̃ʃim] *m* ANAT, BOT parenchyma
▶ **parent** [paʀɑ̃] **I** *adj* ⟨**-ente** [-ɑ̃t]⟩ related **II** *subst* **1. *parent*(*e*)** *m*(*f*) relation **2.** *mpl* ▶ ***parents*** (*père et mère*) parents; ***l'un des parents*** one of the parents; ***association*** *f* ***de*(*s*) *parents d'élèves*** parent-teacher association

> **parent**
>
> **Parent** = relative, NOT just someone's mother or father:
>
> **Tous mes parents étaient là, y compris mes oncles et tantes.**
>
> All my relatives were there, including my aunts and uncles.

parental [paʀɑ̃tal] *adj* ⟨**~e; -aux** [-o]⟩ parental; ***congé ~*** parental leave

parenté [paʀɑ̃te] *f* relationship
parenthèse [paʀɑ̃tɛz] *f* **1.** (*digression*) digression **2.** parenthesis; ***entre ~s*** in parentheses; *fig* incidentally; ***ouvrez, fermez la ~!*** open, close parentheses
paréo [paʀeo] *m* sarong
parer[1] [paʀe] **I** *v/t* **1.** *st/s* (*orner*) to adorn (***de*** with) **2.** (*attribuer*) to attribute (***qn de qc*** sth to sb) **3.** *viande* to dress **4.** MAR to clear **II** *v/pr* ***se ~*** to dress oneself up (***de*** in)
parer[2] **I** *v/t coup, attaque* to ward off **II** *v/t indir* ***~ à qc*** to deal with sth
pare-soleil [paʀsɔlɛj] *m* ⟨*inv*⟩ sun visor
paresse [paʀɛs] *f* laziness; ***~ intestinale*** sluggish bowels
paresser [paʀɛse] *v/i* to laze around
► **paresseux** [paʀɛsø] **I** *adj* ⟨**-euse** [-øz]⟩ lazy **II** *subst* **1. ~, *paresseuse*** *m/f* lazy person; lazybones *fam* **2.** *m* ZOOL sloth
parfaire [paʀfɛʀ] *v/t* ⟨*seulement inf*⟩ to perfect
► **parfait** [paʀfɛ] **I** *adj* ⟨**-faite** [-fɛt]⟩ **1.** perfect; (***c'est***) ***~!*** (that's) perfect! **2.** (*total*) complete; *iron imbécile, etc* total; ***en ~ accord*** in total agreement **II** *m* **1.** GRAM perfect **2.** *glace* parfait
► **parfaitement** [paʀfɛtmɑ̃] *adv* **1.** (*complètement*) perfectly **2.** *abs réponse* absolutely
► **parfois** [paʀfwa] *adv* sometimes
parfum [paʀfɛ̃, -fœ̃] *m* **1.** *odeur* perfume **2.** *substance* perfume; ***se mettre du ~*** to put on perfume **3.** *d'une glace* flavor **4.** *fam* ***être au ~*** to be in the picture *fam* (***de*** about)
parfumé [paʀfyme] *adj* ⟨**~e**⟩ **1.** *savon* scented; ***~ à la lavande*** lavender-scented **2.** *personne* wearing perfume **3.** ***glace ~e à la fraise*** strawberry-flavored ice cream
parfumer [parʀfyme] **I** *v/t* **1.** *pièce* to perfume **2.** *mouchoir* to put scent on **3.** CUIS ***~ au citron*** to flavor with lemon **II** *v/pr personne* ***se ~*** to put perfume on
parfumerie [paʀfymʀi] *f boutique* perfumery **parfumeur** *m*, **parfumeuse** *f fabricant(e)* perfumer
► **pari** [paʀi] *m* **1.** bet; ***~ mutuel*** parimutuel, *brit* tote; ***faire un ~*** to make a bet; ***tenir le ~*** to agree to a bet **2.** *fig* bet
paria [paʀja] *m* pariah
► **parier** [paʀje] *v/t* to bet (***qc*** something; ***que*** that)
pariétal [paʀjetal] *adj* ⟨**~e; -aux** [-o]⟩ **1.** ANAT ***os ~*** parietal bone **2.** ***peintures ~es*** wall paintings
parieur [paʀjœʀ] *m*, **parieuse** [-øz] *f* punter
parigot [paʀigo] *fam* **I** *adj* ⟨**-ote** [-ɔt]⟩ Parisian **II** ***Parigot(e)*** *m(f)* Parisian
Paris [paʀi] Paris
paris-brest [paʀibʀɛst] *m* ⟨*inv*⟩ *choux pastry ring filled with cream*
► **parisien** [paʀizjɛ̃] **I** *adj* ⟨**-ienne** [-jɛn]⟩ Parisian **II** ***Parisien(ne)*** *m(f)* Parisian
paritaire [paʀitɛʀ] *adj* equal
parité [paʀite] *f* parity
parjure [paʀʒyʀ] **1.** *m* (*violation de serment*) betrayal; (*faux serment*) false promise **2.** *m/f personne* traitor
parka [paʀka] *m ou f* parka
► **parking** [paʀkiŋ] *m* parking lot; ***~ souterrain*** underground parking lot
par-là [paʀla] → ***par-ci***
parlant [paʀlɑ̃] *adj* ⟨**-ante** [-ɑ̃t]⟩ **1.** ***cinéma, film ~*** talking pictures; ***horloge ~e*** speaking clock **2.** ***les chiffres sont ~s*** the figures speak for themselves **3.** *advt* ***économiquement ~*** economically speaking
parlé [paʀle] *adj* ⟨**~e**⟩ *langue* spoken
► **Parlement** [paʀləmɑ̃] *m* Parliament
parlementaire [paʀləmɑ̃tɛʀ] **I** *adj* parliamentary; ***groupe*** *m* ***~*** parliamentary group **II** *subst* **1.** *m/f* POL *en Europe* member of parliament **2.** *m* MIL Parliamentarian
parlementarisme [paʀləmɑ̃taʀism] *m* parliamentarism
parlementer [paʀləmɑ̃te] *v/i* to argue about things
► **parler**[1] [paʀle] **I** *v/t* **1.** *une langue* to speak; ***~ (le) français*** to speak French **2.** ***~ affaires*** to talk business; ***~ métier*** to talk shop **II** *v/t indir* ***~ à qn***, *fam* ***avec qn*** to speak to sb, to talk with sb; ***~ de qc*** to talk about sth; *livre* to be about sth; ***~ de qn*** to talk about sb; ***faire ~ de soi*** to get o.s. talked about; ***~ de*** *+inf* to talk about (+ *v-ing*); ***sans ~ de …*** not to mention …; ***on m'a beaucoup parlé de vous*** I've heard a lot about you; ***qu'on ne m'en parle plus!*** I don't want to hear any more about it!; ***ne m'en parlez pas!*** you're telling me!; *fam* ***tu parles d'un idiot!*** talk about an idiot! *fam*; ***tu parles!*** you bet! **III** *v/i* to talk; ***c'est une façon de ~*** it's a figure of speech; ***faire ~ qn*** to

make sb talk **IV** *v/pr* ***se~*** to talk to each other
parler² *m* dialect
parleur [parlœr] *m péj* ***beau ~*** smooth talker
parloir [parlwar] *m* parlor
parlot(t)e [parlɔt] *f fam* chat
parme [parm] *adj* violet
parmesan [parməzɑ̃] *m* Parmesan
► **parmi** [parmi] *prép* among; ***~ tant d'autres*** among so many others
parodie [parɔdi] *f* parody **parodier** *v/t* to parody **parodique** *adj* parodic **parodiste** *m/f* parodist
parodontose [parɔdɔ̃toz] *f* periodontosis
paroi [parwa] *f* partition; *d'un récipient* inner wall; ***~ rocheuse*** rock face
paroisse [parwas] *f* parish
paroissial [parwasjal] *adj* ⟨***~e; -aux*** [-o]⟩ parish *épith*
paroissien [parwasjɛ̃] *m*, **paroissienne** [-jɛn] *f* parishioner
► **parole** [parɔl] *f* **1.** (*mot*) word; ***temps m de ~*** air time; ***donner la ~ à qn*** to give sb the floor; ***couper la ~ à qn*** to cut sb short; ***prendre la ~*** to speak **2.** (*faculté de parler*) speech **3.** (*promesse*) ***~ (d'honneur)*** word (of honor); ***sur ~*** on one's word of honor; ***croire qn sur ~*** to take sb at their word; ***n'avoir qu'une ~*** to keep one's word **4.** *d'une chanson* ***~s*** *pl* lyrics **5.** ***~ historique*** historic words (+ *v pl*); ***la ~ de Dieu*** the word of God
parolier [parɔlje] *m*, **parolière** [-jɛr] *f* lyric writer
paroxysme [parɔksism] *m* paroxysm
parpaing [parpɛ̃] *m* cinder block, *brit* breeze block
parquer [parke] *v/t* **1.** *bétail* to pen **2.** *péj personnes* to herd together (***dans*** in) **3.** *voiture* to park
parquet [parkɛ] *m* **1.** parquet **2.** JUR public prosecutor's office, ≈ District Attorney's Office, *brit* ≈ Crown Prosecution Service
parqueter [parkəte] *v/t* ⟨**-tt-**⟩ to put a parquet floor down **parqueteur** *m* layer of parquet
► **parrain** [parɛ̃] *m* **1.** *d'un enfant* godfather **2.** *dans un cercle, club* sponsor **3.** *de la maffia* godfather
parrainage [parɛnaʒ] *m* sponsorship
parrainer [parɛne] *v/t* **1.** ***~ qn*** to sponsor sb **2.** ***~ qc*** to promote sth
parricide [parisid] **1.** *m* parricide **2.** *m/f* parricide
parsemé [parsəme] *adj* ⟨***~e***⟩ sprinkled (***de*** with)
parsemer [parsəme] *v/t* ⟨**-è-**⟩ to sprinkle (***de*** with)
parsi [parsi] REL **I** *adj* Parsee **II** *mpl* ***~s*** Parsees
► **part** [par] *f* **1.** share; ***part de gâteau*** piece of cake; ***part d'héritage*** share of inheritance; *fig* ***part du lion*** lion's share; ***part de marché*** share of the market; ***à part entière*** fully-fledged; ***à parts égales*** in equal parts; ***pour ma part*** as far as I'm concerned; ***pour une bonne part*** to a large extent; ***faire part de qc à qn*** to inform sb about sth; ***faire la part des choses*** to make allowances; ***prendre part à qc*** to take part in sth; *à la douleur de qn* to share in sth **2.** ► ***à part*** *adj* special; *adv* aside; *prép* aside from; ***c'est un garçon à part*** he's not like other boys; ***le mauvais temps mis à part*** aside from the bad weather; ***prendre qn à part*** to take sb aside; *penser* ***à part soi*** to oneself; *fam* ► ***à part ça*** apart from that **3.** ***autre part*** elsewhere; ***d'autre part*** moreover; ***de part et d'autre*** on either side (***de*** of); ***d'une part … d'autre part*** one the one hand … and on the other hand …; ***de la part de qn*** from sb; *par ext* on behalf of sb; ***de toute(s) part(s)*** from all sides; ***de part en part*** *avec certains verbes* through; ► ***nulle part*** nowhere; ► ***quelque part*** someplace
partage [partaʒ] *m* division; ***~ du travail*** job sharing
partagé [partaʒe] *adj* ⟨***~e***⟩ divided; ***être ~ entre*** *deux sentiments* to be torn between
partageable [partaʒabl] *adj* divisible
► **partager** [partaʒe] *v/t* ⟨**-ge-**⟩ to share (***qc avec qn*** sth with sb) (***entre*** between)
partageur [partaʒœr] *adj* ⟨**-euse** [-øz]⟩ (***ne pas***) ***être ~*** (not) to be ready to share
partance [partɑ̃s] *f* ***en ~ pour*** bound for
partant¹ [partɑ̃] **I** *m* SPORT starter; TURF runner **II** *adj* ⟨**-ante** [-ɑ̃t]⟩ *fam* ***être ~*** to be ready
partant² *litt conj* hence
partenaire [partənɛr] *m/f* partner
partenariat [partənarja] *m* partnership
parterre [partɛr] *m* **1.** bed **2.** THÉ orches-

tra, *brit* stalls (+ *v pl*)

▶ **parti**[1] [paʀti] *m* **1.** POL party **2.** *locutions*: ***prendre ~*** to side (***pour, contre*** with, against); ***prendre le ~ de qn*** to take sb's side; ***prendre le ~ de faire qc*** to decide to do sth; ***prendre son ~ de qc*** to resign o.s. to sth; ***tirer ~ de qc*** to take advantage of sth **3.** ***~ pris*** preconception **4.** (*personne à marier*) ***un beau ~*** a good match

parti[2] *pp*→ ***partir*** *et adj* ⟨**~e**⟩ **1.** ***être ~*** to have left; *personne* to be away; *bouton, peinture* to have come off **2.** ***être bien, mal ~*** *affaire* to have got off to a good, bad start; ***il est mal ~*** he's in a bad way **3.** *fam* (*ivre*) ***être ~*** to be drunk, to be tight *fam*

partial [paʀsjal] *adj* ⟨**~e; -aux** [-o]⟩ biased **partialité** *f* bias

participant [paʀtisipɑ̃] *m*, **participante** [-ɑ̃t] *f* participant

participation [paʀtisipasjõ] *f* **1.** (*collaboration*) participation (***à*** in) **2.** FIN stake

participe [paʀtisip] *m* participle

▶ **participer** [paʀtisipe] *v/t indir* **1.** ***~ à*** *débat, vote, voyage* to take part in; *chagrin, joie de qn* to share; *succès de qn* to have a share in **2.** ***~ à*** FIN to contribute to

participial [paʀtisipjal] *adj* ⟨**~e; -aux** [-o]⟩ GRAM participial

particularisme [paʀtikylaʀism] *m* **1.** POL sense of identity **2.** (*particularité*) characteristic

particularité [paʀtikylaʀite] *f* special feature

particule [paʀtikyl] *f* **1.** particle (*a* LING) **2.** ***~ (nobiliaire)*** nobiliary particle

▶ **particulier** [paʀtikylje] **I** *adj* ⟨**-ière** [-jɛʀ]⟩ **1.** (*privé*) private; ***leçons particulières*** private lessons; ***voiture particulière*** private car **2.** (*spécifique*) particular; ***cas particulier*** particular case; ***particulier à qn, qc*** characteristic of sb, sth; ▶ ***en particulier*** (*à part*) separately; *parler à qn* in private; *surtout* in particular **II** *m* individual

particulièrement [paʀtikyljɛʀmɑ̃] *adv* particularly

▶ **partie** [paʀti] *f* **1.** *d'un tout* part; ***les ~s (génitales)*** private parts; ***~ du corps*** part of the body; ***~s du discours*** parts of speech; ***en ~*** partly; ***en ~ ... en ~*** partly ... partly; ***en grande ~*** largely; ***faire ~ de*** to be part of **2.** (*spécialité*) field **3.** JEUX, SPORT game; ***faire une ~ de tennis*** to have a game of tennis **4.** ***~ de chasse*** shooting party; *fig* ***ce n'est pas une ~ de plaisir*** it's no picnic; ***ce n'est que ~ remise*** we'll take a raincheck; ***être de la ~*** to join in **5.** JUR party; ***se constituer ~ civile*** to take civil action; *fig* ***prendre qn à ~*** to attack sb **6.** MUS part

partiel [paʀsjɛl] *adj* ⟨**~le**⟩ partial; (***élection***) ***~le*** *f* by-election; (***examen***) ***~*** *m* exam

partiellement [paʀsjɛlmɑ̃] *adv* partly

▶ **partir** [paʀtiʀ] *v/i* ⟨**je pars, il part, nous partons; je partais; je partis; je partirai; que je parte; partant; être parti**⟩ **1.** (*s'en aller*) to leave (***de chez soi*** home); (*se mettre en route*) to set off (***à*** *ou* ***pour Paris*** for Paris; ***en France*** to France); (*en voiture*) to drive off; (*en avion*) to fly out; *train, bus, bateau* to leave; *coureur* to set out; ***faire partir*** *lettre* to send off; *personne* to send away; *moteur* to start **2.** ***partir de*** (*provenir de*) to come from **3.** *bouton, peinture, tache* to come off; *maladie* to go away; *douleur* to subside **4.** *coup de feu* to go off **5.** ▶ ***à partir de*** *prép* from

▶ **partisan** [paʀtizɑ̃] **I** *m* **1.** POL supporter **2.** MIL partisan **II** *adj* ⟨**-ane** [-an]⟩ **1.** ***être ~ de qc*** to be in favor of sth **2.** ***querelles ~es*** infighting (+ *v sg*)

partitif [paʀtitif] *adj* ⟨**-ive** [-iv]⟩ ***article ~*** partitive article

partition [paʀtisjõ] *f* MUS score

partouse [paʀtuz] *f fam* orgy

▶ **partout** [paʀtu] *adv* **1.** everywhere; ***de ~*** from everywhere **2.** SPORT ***trente ~*** thirty all

partouze → ***partouse***

paru [paʀy] *pp* → ***paraître***

parure [paʀyʀ] *f* **1.** finery; *de bijoux* set **2.** *de linge* set

parution [paʀysjõ] *f* appearance

parvenir [paʀvəniʀ] *v/t indir* ⟨→ **venir; être**⟩ **1.** (*atteindre*) ***~ à qc, qn*** to reach sth, sb; ***faire ~ qc à qn*** to forward sth to sb **2.** (*réussir*) ***il parvient à*** *+inf* he manages *+inf*

parvenu(e) [paʀvəny] *m(f)* upstart

parvis [paʀvi] *m* square

▶ **pas**[1] [pɑ, pa] *m* **1.** step; ***~ de course*** run; ***~ à ~*** [pɑzapɑ] step by step; ***à ~ de loup*** stealthily; ***sur le ~ de la porte*** on the doorstep; ***j'y vais de ce ~*** I'll go at once; *fig* ***c'est à deux ~ d'ici*** it's very near here; ***faire les cent ~*** to pace up and down; ***faire un faux ~*** to stumble;

fig to make a blunder; ***marcher au ~*** to march; ***marcher d'un bon ~*** to walk briskly; ***marquer le ~*** to mark time; *fig* ***prendre le ~ sur*** to override; ***retourner, revenir sur ses ~*** to retrace one's steps; ***rouler au ~*** to go at a walking pace; *fig* ***sortir, se tirer d'un mauvais ~*** to get o.s. out of a difficult situation **2.** ***le ~ de Calais*** the Straits of Dover (+ *v pl*)

▶ **pas²** *adv* **1.** *avec "ne" avec un verbe* not; ***il ne vient pas*** he isn't coming; ***ne … pas de*** (+ *subst*) not … any (+ *subst*); ***je n'ai pas d'argent*** I don't have any money; ***ne … pas que*** not … that **2.** *dans langue parlée souvent sans "ne"*: ***pas encore*** not yet; ***pas moi*** not me; ***sûrement pas*** surely not; ▶ ***pas du tout*** not at all; ***poires pas mûres*** unripe pears

pascal [paskal] *adj* ⟨**~e; -als** *ou* **-aux** [-o]⟩ Easter *épith*

pas-de-géant [pɑdʒeɑ̃] *m* ⟨*inv*⟩ SPORT giant stride

pas-de-porte [pɑdpɔʀt] *m* ⟨*inv*⟩ COMM key money

passable [pasabl] *adj* **1.** (*raisonnable*) acceptable **2.** *note scolaire* fair

passablement [pasabləmɑ̃] *adv* **1.** (*pas trop mal*) reasonably well **2.** (*assez*) fairly

passade [pasad] *f* **1.** (*liaison*) brief affair **2.** (*caprice*) whim

passage [pasaʒ] *m* **1.** (*à bord d'un véhicule, en traversant un lieu*) passage; *d'une frontière, rivière* crossing; ***~ interdit!*** no entry!; ***~s nuageux*** cloudy spells; SPORT ***~ du témoin*** transfer of the baton; ***au ~*** in passing; ***être de ~ à Paris*** to be passing through Paris **2.** *d'un état à un autre* transition **3.** *endroit* passage; *couvert* passageway; ***~ protégé*** right of way; ***~ souterrain*** underpass; ***~ à niveau*** grade crossing, *brit* level crossing; ***~ pour piétons*** crosswalk, *brit* pedestrian crossing **4.** *d'une œuvre* passage **5.** *fig* ***avoir un ~ à vide*** *fam* to have a bad patch *fam*

▶ **passager** [pasaʒe], **passagère** [-ʒɛʀ] **I** *m/f* passenger **II** *adj* brief; *bonheur* fleeting

▶ **passant** [pasɑ̃] **I** *adj* ⟨**-ante** [-ɑ̃t]⟩ *rue* busy **II** *adv* ***en ~*** when passing; *fig* in passing **III** *subst* **1.** **~(e)** *m(f)* passerby **2.** *m* loop

passation [pasasjõ] *f* ***~ des pouvoirs*** transfer of power

passe [pɑs, pas] *f* **1.** SPORT pass **2.** *fig* ***~ d'armes*** heated argument **3.** ***hôtel*** *m*, ***maison*** *f* ***de ~*** brothel **4.** ***être dans une mauvaise ~*** to be going through a bad patch; ***être en ~ de*** *+inf* to be about *+inf*

▶ **passé** [pɑse, pɑ-] **I** *m* **1.** past; ***comme par le ~*** as in the past **2.** GRAM past; ***~ antérieur*** past anterior; ***~ composé*** perfect; ***~ simple*** past historic **II** *prép* ⟨*inv*⟩ after **III** *adj* ⟨**~e**⟩ **1.** past; ***il est onze heures ~es*** it's past eleven o'clock **2.** ***participe ~*** past participle **3.** *couleur* faded

passe-droit *m* ⟨**passe-droits**⟩ special favor

passéisme [paseism] *m* attachment to the past **passéiste** *adj* backward-looking

passementerie [pasmɑtʀi] *f* soft furnishings (+ *v pl*)

passe-montagne *m* ⟨**passe-montagnes**⟩ balaclava **passe-partout** *m* ⟨*inv*⟩ *clé* skeleton key

passe-passe *m* ⟨*inv*⟩ ***tour*** *m* ***de ~*** conjuring trick; *péj* sleight of hand

passe-plat *m* ⟨**passe-plats**⟩ serving hatch

passepoil [paspwal] *m* COUT piping

passepoiler *v/t* COUT to pipe

▶ **passeport** [paspɔʀ] *m* passport

▶ **passer** [pɑse, pɑ-] **I** *v/t* **1.** *rivière, frontière* to cross **2.** *temps, vacances* to spend; ***pour passer le temps*** to pass the time **3.** *examen* to take **4.** *ligne* to leave out; *au jeu* ***je passe*** pass **5.** (*permettre*) ***passer qc à qn*** to let sb get away with sth **6.** (*donner*) ***passer qc à qn*** to hand sth to sb; TÉL ***je vous passe Monsieur X*** I'll put you through to Mr X; ***passer le ballon à qn*** to pass the ball to sb; ***passer une maladie à qn*** to give sb an illness **7.** *contrat, marché* to sign **8.** *vêtement* to slip on **9.** *soupe, sauce* to blend; *café* to strain **10.** *film, vidéo* to show; *spectacle* to put on; *disque, cassette* to play **11.** AUTO ***passer la seconde*** to shift into second; ***passer les vitesses*** to shift gears, *brit* to change gears **12.** ***passer sa colère, ses nerfs sur qn*** to take it out on sb **13.** ***passer l'aspirateur*** to vacuum, *brit* to hoover **14.** (*appliquer*) ***passer une couche de peinture sur qc*** to give sth a coat of paint **II** *v/i* ⟨**avoir,** *souvent* **être**⟩ **1.** *devant qn, qc* to go past; (*à bord d'un*) *vé-*

hicule to drive past; *oiseau*, *avion* to fly past; *en traversant un lieu* to cross; *café* to brew; ÉLEC *courant* to pass; *loi au Parlement* to be passed; *idées* to gain acceptance; ***ne pas passer*** *objet* not to go through; *repas* not to go down; THÉ not to be successful; ***le facteur vient de passer*** the mailman has just been; ***passer prendre qn, qc*** to go to collect sb, sth; ***où est passé mon crayon?*** where did my pencil go?; ***y passer*** *personne fam* to go through it *fam*; **passer à autre chose** to move on to other matters; ***passer à la visite médicale*** to have a physical examination; ***passer chez qn*** to call in on sb; ***passer dans l'usage*** to come into use; *fam* ***le camion lui a*** *ou* ***est passé dessus*** the truck ran him over; ***il m'est passé devant*** he went in front of me; *conducteur* ***passer en seconde*** to shift into second gear; *élève* ***passer en cinquième*** ≈ to move up into seventh grade, *brit* ≈ to go into Year 8; ***passer par*** to go by; *école*, *route* to go through; *fig* ***il faut en passer par là*** there's no other way; ***passer sur qc*** to go over sth; *fig* to pass over sth; *abs* ***passons!*** let's forget it!; ***faire passer*** *objet* to pass; *mot d'ordre* to pass on; ***ne faire que passer*** to just drop by; ***laisser passer*** *personne* to let through; *lumière* to let in; *faute* to overlook; *délai* to miss; ***vouloir passer*** to want to get past **2.** (*être tolérable*) ***ça passe pour cette fois*** I'll let it go this time **3.** ***passer capitaine***, *etc* to become captain, *etc.* **4.** ⟨**avoir**⟩ ***passer pour*** (+ *adj ou subst*) to pass as (+ *adj ou subst*); ***se faire passer pour*** (+ *subst*) to pass o.s. off as **5.** *temps* to pass; *douleur*, *chagrin* to suffer; *colère* to subside; *couleurs*, *étoffe* to fade; ***faire passer qc à qn*** to cure sb of sth **6.** *film* to be showing; *spectacle* to be on; ***passer à la télévision*** *acteur* to be on television; *émission* to be shown **III** *v/pr* ▶ **se passer** **1.** *événement* to happen; *scène*, *action* to take place (***à Paris*** in Paris); ***tout s'est bien passé*** everything went smoothly; ***que se passe-t-il?*** *ou* ▶ ***qu'est-ce qui se passe?*** what's happening? **2.** ▶ ***se passer de qc*** to do without sth; ***se passer de qn*** to manage without sb; ***ne plus pouvoir se passer de qc, qn*** to be no longer able to manage without sth, sb **3.** ***se passer la main sur le front*** to wipe one's forehead with one's hand

> **passer**
>
> **Passer un examen** only means to sit or take an exam/test. Pass an exam is **réussir à un examen** in French.

passereaux [pasʀo] *mpl* passerines

passerelle [pasʀɛl] *f* **1.** footbridge **2.** AVIAT, MAR gangway; **~ *télescopique*** telescopic boarding bridge **3.** MAR bridge *a fig*

passe-temps *m* ⟨*inv*⟩ hobby

passeur [pasœʀ] *m* **1.** *batelier* ferryman **2.** *clandestin péj* smuggler

passible [pasibl] *adj* ***être ~ d'une amende*** to be liable to a fine

passif [pasif] **I** *adj* ⟨**-ive** [-iv]⟩ passive **II** *m* **1.** FIN liabilities (+ *v sg*); *d'un bilan* debit side **2.** GRAM passive

passion [pasjõ] *f* **1.** passion; **~ *du jeu*** passion for gambling **2.** ***la Passion*** (***du Christ***) the Passion **3.** ***fleur*** *f*, ***fruit*** *m* ***de la ~*** passion flower, fruit

passionnant [pasjɔnɑ̃] *adj* ⟨**-ante** [-ɑ̃t]⟩ exciting

passionné [pasjɔne] ⟨**~e**⟩ **I** *adj* passionate; *chasseur*, *lecteur*, *etc* keen **II ~**(***e***) *m*(*f*): ***c'est une ~e de musique*** she's a great music-lover

passionnel [pasjɔnɛl] *adj* ⟨**~le**⟩ ***crime ~*** crime of passion; ***drame ~*** passionate drama

passionnément [pasjɔnemɑ̃] *adv* passionately; *aimer* passionately

passionner [pasjɔne] **I** *v/t* **1.** to fascinate **2.** *débat* to inflame **II** *v/pr* ***se ~ pour qc*** to have a passion for sth

passivité [pasivite] *f* passivity

passoire [paswaʀ] *f* sieve

pastel [pastɛl] *m* **1.** *crayon* pastel **2.** *œuvre* pastel **3.** *adjt* ⟨*inv*⟩ pastel

pastèque [pastɛk] *f* watermelon

▶ **pasteur** [pastœʀ] *m* **1.** PROT pastor; ***femme*** *f* **~** female pastor **2.** *poét* shepherd

pasteurisation [pastœʀizasjõ] *f* pasteurization

pasteuriser [pastœʀize] *v/t* to pasteurize; ***lait pasteurisé*** pasteurized milk

pastiche [pastiʃ] *m* pastiche

pastille [pastij] *f* **1.** pastille (*a* PHARM) **2.** AUTO **~ *verte*** green disc *for environ-*

mentally-friendly cars
pastis [pastis] *m* pastis
pastoral [pastɔʀal] *adj* ⟨**~e; -aux** [-o]⟩ pastoral
pastorale [pastɔʀal] *f* **1.** LITTÉR, THÉ pastoral **2.** PEINT, MUS pastorale
pastorat [pastɔʀa] *m* ÉGL PROT pastorate
pastoureau [pastuʀo] *m litt* ⟨**~x**⟩ shepherd boy **pastourelle** *f litt* shepherd girl
pat [pat] *adj* ⟨*inv*⟩ ÉCHECS stalemate
patachon [pataʃõ] *m fam* ***mener une vie de ~*** to live a wild life
patapouf [patapuf] *m fam* ***gros ~*** fat lump *fam*; *enfant* fatty *fam*
pataquès [patakɛs] *m* PHON incorrect elision
patate [patat] *f* **1.** ***~ douce*** sweet potato **2.** *fam* (*pomme de terre*) potato **3.** *fam* (*imbécile*) dummy *fam*
patati [patati] *int fam* ***et ~ et patata!*** and so on and so forth
patatras [patatʀa] *int* crash!
pataud [pato] *adj* ⟨**-aude** [-od]⟩ clumsy
pataugeoire [patoʒwaʀ] *f* paddling pool
patauger [patoʒe] *v/i* ⟨**-ge-**⟩ **1.** to paddle **2.** *fam*, *fig* to flounder
patchouli [patʃuli] *m parfum* patchouli
patchwork [patʃwœʀk] *m* patchwork
▶ **pâte** [pɑt] *f* **1.** CUIS pastry **2.** *pl* ▶ ***pâtes (alimentaires)*** pasta (+ *v sg*) **3.** ***pâte à modeler*** modeling clay; ***pâte à papier*** wood pulp; ***pâte d'amandes*** marzipan; ***pâtes de fruits*** fruit jellies **4.** *fig de qn* ***une bonne pâte*** a good sort
▶ **pâté** [pɑte] *m* **1.** CUIS pâté; ***~ de foie*** liver pâté; ***~ en croûte*** ≈ puff pastry pie **2.** *d'encre* blot **3.** ***~ de maisons*** block **4.** ***faire des ~s de sable*** to make sand castles
pâtée [pɑte] *f* mash
patelin [patlɛ̃] *m fam* village
patent [patɑ̃] *litt adj* ⟨**-ente** [-ɑ̃t]⟩ obvious
patente [patɑ̃t] *f* HIST trading tax
patenté [patɑ̃te] *fam adj* ⟨**~e**⟩ complete, out-and-out *épith fam*
patère [patɛʀ] *f* coat peg
paternalisme [patɛʀnalism] *m* paternalism **paternaliste** *adj* paternalistic; *politique* paternalist
paterne [patɛʀn] *litt adj* benevolent
paternel [patɛʀnɛl] **I** *adj* ⟨**~le**⟩ paternal **II** *m fam* ***mon ~*** my old man *fam*
paternité [patɛʀnite] *f* paternity *a fig*
pâteux [pɑtø] *adj* ⟨**-euse** [-øz]⟩ **1.** *substance* doughy **2.** *bouche* dry
pathétique [patetik] *adj* moving
pathogène [patɔʒɛn] *adj* pathogenic
pathologie *f* pathology **pathologique** *adj* pathological
pathos [patos] *m* pathos
patibulaire [patibylɛʀ] *adj* ***mine*** *f* ***~*** sinister-looking face
patiemment [pasjamɑ̃] *adv* → ***patient***
▶ **patience** [pasjɑ̃s] *f* patience; (*persévérance*) patience; ***jeu*** *m* ***de ~*** game of patience; ***perdre ~*** to lose patience; ***prendre son mal en ~*** to suffer patiently
▶ **patient** [pasjɑ̃] **I** *adj* ⟨**-iente** [-jɑ̃t]⟩ patient **II** ***~(e)*** *m(f)* MÉD patient
patienter [pasjɑ̃te] *v/i* to wait; ***faire ~ qn*** to ask sb to wait
patin [patɛ̃] *m* **1.** ***~ (à glace)*** (ice) skate; ***faire du ~*** to skate; ***~ à roulettes*** roller skate **2.** ***~ de frein*** brake block **3.** *pour parquet* felt pad *to walk on polished floor*
patinage [patinaʒ] *m* skating; ***~ artistique*** figure skating; ***~ de vitesse*** speed skating
patine [patin] *f* patina
patiner [patine] *v/i* **1.** SPORT to skate **2.** *personne*, *véhicule* to skid **3.** *roues* to spin
patinette [patinɛt] *f* scooter
patineur [patinœʀ] *m*, **patineuse** [-øz] *f* skater
patinoire [patinwaʀ] *f* skating rink; *fig* ***la route est une vraie ~*** the road is really icy
patio [pasjo, patjo] *m* patio
pâtir [pɑtiʀ] *v/i* ***~ de qc*** to suffer because of sth
▶ **pâtisserie** [pɑtisʀi, pa-] *f* **1.** ***~*** *ou pl* ***~s*** pastries; ***aimer les ~s*** to like pastries **2.** *magasin* cake shop
pâtissier [pɑtisje, pa-], **pâtissière** [-jɛʀ] **I** *m/f* pastrycook **II** *adj*, *f* ***crème pâtissière*** confectioner's custard
pâtissier-glacier *m* ⟨**pâtissiers-glaciers**⟩ maker of pastries and ice cream
pâtisson [pɑtisõ, pa-] *m* BOT *courge* custard squash
patois [patwa] *m* dialect
patraque [patʀak] *adj fam* ***être ~*** to be feeling off-color
pâtre [pɑtʀ] *litt m* shepherd
patriarcal [patʀijaʀkal] *adj* ⟨**~e; -aux** [-o]⟩ patriarchal **patriarcat** *m* patri-

archy
patriarche [patʀijaʀʃ] *m* patriarch (*a* BIBL, ÉGL)
▶ **patrie** [patʀi] *f* **1.** native country **2.** (*ville natale*) native city
patrimoine [patʀimwan] *m* heritage; *fig* **~ *culturel*** cultural heritage
patriote [patʀijɔt] **I** *m/f* patriot **II** *adj* patriotic **patriotique** *adj* patriotic **patriotisme** *m* patriotism
▶ **patron¹** [patʀõ] *m*, **patronne** [patʀɔn] *f* **1.** (*employeur, chef d'entreprise*) boss; *de café, etc* owner **2.** REL patron

> **patron**
>
> **Patron** = boss, owner, proprietor. The English word patron would be translated by **client**, **bienfaiteur** or (of the arts) **mécène**:
>
> **le patron de l'établissement**
>
> the boss of the establishment

patron² *m* COUT pattern
patronage [patʀɔnaʒ] *m* **1.** patronage **2.** *pour jeunes* youth club
patronal [patʀɔnal] *adj* ⟨**~e; -aux** [-o]⟩ **1.** employers' *épith* **2.** CATH patronal
patronat [patʀɔna] *m* employers (+*v pl*)
patronner [patʀɔne] *v/t* to sponsor
patronnesse [patʀɔnɛs] *adj, f* ***dame* ~** Lady Bountiful
patronyme [patʀɔnim] *m* patronymic **patronymique** *adj* ADMIN ***nom* ~** patronymic
patrouille [patʀuj] *f* patrol *a* MIL; **~ *de police*** police patrol
patrouiller [patʀuje] *v/i* to patrol **patrouilleur** *m* MAR patrol boat; AVIAT scout plane
▶ **patte** [pat] *f* **1.** ZOOL paw; *d'un oiseau* foot; *d'un insecte, cheval* leg; *fig* ***~s de mouche*** spidery scrawl (+ *v sg*); *fig* ***coup*** *m* ***de* ~** cutting remark; *chien* ***donner la* ~** to give its paw **2.** *fam* (*jambe*) leg; pin *fam*; ***marcher à quatre ~s*** to walk on four legs; *fig* ***montrer ~ blanche*** to show one's credentials **3.** *fam* (*main*) paw *fam*; *fig* ***graisser la ~ à qn*** to grease sb's palm *fam, fig* **4.** *pl* ***~s*** (*favoris*) sideburns (+ *v pl*) **5.** COUT strap **6.** (*attache*) clip
patte-d'oie [patdwa] *f* ⟨**pattes-d'oie**⟩ **1.** *carrefour* junction **2.** *à l'œil* ***pattes-d'oie*** *pl* crow's feet
pattemouille [patmuj] *f* damp cloth *for ironing*
pâturage [pɑtyʀaʒ] *m* pasture
pâture [pɑtyʀ] *f* feed; *fig* ***donner, jeter, livrer qc en ~ à qn*** to serve sth up to sb *fig*
pâturer [pɑtyʀe] *v/i* to graze
paume [pom] *f* **1.** ANAT palm **2.** (***jeu*** *m* ***de***) **~** court tennis, *brit* real tennis
paumé [pome] *adj fam* ⟨**~e**⟩ **1.** (*perdu*) lost; *dans des calculs, etc.* confused **2.** (*isolé*) jerkwater *fam épith, brit* godforsaken **3.** (*inadapté*) mixed-up; ***les ~s*** *mpl* misfits
paumer [pome] *fam* **I** *v/t* to lose **II** *v/pr* ***se paumer*** to get lost
paupérisation [popeʀizasjõ] *f* pauperization
paupière [popjɛʀ] *f* eyelid
paupiette [popjɛt] *f* **~ *de veau*** veal olive
▶ **pause** [poz] *f* pause; *dans une activité* break; **~ *café*** coffee break
▶ **pauvre** [povʀ] **I** *adj* **1.** *personne, pays* poor; *vêtements* shabby; *demeure* wretched; *sol* poor; **~ *en ...*** lacking in ...; **~ *d'esprit*** half-witted **2.** (*malheureux*) poor **II** *m* poor person; ***les nouveaux ~s*** the new poor
pauvrement [povʀəmɑ̃] *adv* poorly
pauvresse [povʀɛs] *f litt* poor wretch
▶ **pauvreté** [povʀəte] *f* poverty; *d'une demeure* wretchedness; *du sol* poverty
pauvrette [povʀɛt] ***la* ~** poor little thing
pavage [pavaʒ] *m* paving
pavaner [pavane] *v/pr* ***se* ~** to strut around
pavé [pave] *m* **1.** *bloc de pierre* cobble; *fig* ***jeter un ~ dans la mare*** to set the cat among the pigeons **2.** *revêtement* cobbles (+ *v pl*); *fig* ***être sur le* ~** to be homeless **3.** *péj livre* hefty tome **4.** *fam* PRESSE display **5.** *de viande* thick-cut steak
pavement [pavmɑ̃] *m* decorative tiled floor
paver [pave] *v/t* to cobble **paveur** *m* paver
pavillon [pavijõ] *m* **1.** (*maison individuelle*) detached house; **~ *de banlieue*** suburban house **2.** *d'une exposition, etc* pavilion; **~ *de chasse*** hunting lodge **3.** MAR flag; **~ *de complaisance*** flag of convenience; *fig* ***baisser* ~ (*devant qn*)** to admit defeat (to sb); ***battre* ~ *français*** to fly the French flag **4.** MUS

bell **5.** ~ (***de l'oreille***) pinna

pavillonnaire [pavijɔnɛʀ] *adj banlieue* residential

pavoiser [pavwaze] *v/t* ~ ***qc*** to deck sth with flags

pavot [pavo] *m* poppy

payable [pɛjabl] *adj somme* payable; ~ ***en versements*** *achat* payable in installments

payant [pɛjɑ̃] *adj* **1.** *personne* paying **2.** *parking* fee-paying; ***billet*** ~ ticket for which a charge is made **3.** *fig* (*rentable*) profitable; ***être*** ~ to be profitable

paye [pɛj] → ***paie***

payement [pɛjmɑ̃] *m* payment

▶ **payer** [peje] 〈**-ay-** *od* **-ai-**〉 **I** *v/t* **1.** *personne*, *facture*, *dettes* to pay; *travail* to pay for; *salaire*, *somme*, *loyer*, *impôt*, *etc* to pay; ***payer qc dix euros*** to pay ten euros for sth; ***combien l'avez-vous payé?*** how much did you pay for it?; *fig* ***je suis payé pour le savoir*** I ought to know **2.** *fam* (*offrir*) ***payer qc à qn*** to buy sb sth **3.** *fig* (*expier*) ***payer qc*** to pay for sth; ***il me le paiera!*** he'll pay for that! **II** *v/i* **1.** to pay (***pour*** for) **2.** (*rapporter*) to pay **3.** ***payer d'audace*** to take a gamble; ***ne pas payer de mine*** not to look like anything special; ***elle a payé de sa personne*** it cost her dear **III** *v/pr fam* (*s'offrir*) ▶ (***pouvoir***) ***se payer qc*** to (be able to) treat o.s. to sth

> **payer**
>
> Note that **payer** is not followed by for:
>
> **J'ai payé les honoraires de l'avocat de la part de mon frère.**
>
> I paid for the lawyer on my brother's behalf.

payeur [pɛjœʀ] *m*, **payeuse** [-øz] *f* payer; ***mauvais payeur*** bad payer

▶ **pays** [pei] *m* **1.** GÉOG, POL country; ~ ***en voie de développement*** developing nation **2.** (*région*) region; ***les gens*** *mpl* ***du*** ~ local people; ***vin*** *m* ***de*** ~ regional wine; ***voir du*** ~ to travel **3.** (*patrie*) homeland **4.** (*localité*) town; (*village*) village

▶ **paysage** [peizaʒ] *m* landscape (*a* PEINT, *fig*)

paysager [peizaʒe] *adj* 〈**-ère** [-ɛʀ]〉 *park* landscaped

paysagiste [peizaʒist] *m* **1.** PEINT landscape artist **2.** (***architecte*** *m*) ~ landscape architect

▶ **paysan** [peizɑ̃], **paysanne** [peizan] **I** *m/f* small farmer; HIST peasant **II** *adj* farming *épith*; *péj* peasant

paysannat [peizana] *m ou* **paysannerie** [-ʀi] *f* small farmers (+ *v pl*); HIST peasantry

▶ **Pays-Bas** [peiba] ***les*** ~ *mpl* the Netherlands

Pays-de-la-Loire *ou* **Pays de la Loire** [peidlalwaʀ] ***les Pays-de-la-Loire*** *ou* ***les Pays de la Loire*** *mpl* the Pays-de--la-Loire region

▶ **P.C.** [pese] *m*, *abr* 〈*inv*〉 **1.** (*personal computer*) PC **2.** (*Parti communiste*) Communist party **3.** (*poste de commandement*) HQ

p.c.c. *abr* (= **pour copie conforme**) certified true copy

P.C.V. [peseve] *m*, *abr* 〈*inv*〉 (= **paiement contre vérification**) TÉL collect call, *brit* reverse charge call

P.D.G. [pedeʒe] *m*, *abr* 〈*inv*〉 (= **président-directeur général**) CEO, *brit* MD

▶ **péage** [peaʒ] *m* **1.** toll; *autoroute*, *pont* ***à*** ~ toll *épith*; TV ***chaîne*** *f* ***à*** ~ pay channel **2.** *poste* tollbooth

péagiste [peaʒist] *m/f* tollbooth attendant

▶ **peau** [po] *f* 〈~**x**〉 **1.** *de l'homme* skin; ***n'avoir que la*** ~ ***et les os*** to be all skin and bone; *fig* ***être bien, mal dans sa*** ~ to feel good, bad about o.s.; *fig* ***faire*** ~ ***neuve*** to change one's image; *fam* ***il y a laissé sa*** ~ it cost him his life; ***se mettre dans la*** ~ ***de qn*** to put o.s. in sb's place **2.** *d'un animal* (*fourrure*) skin; (*cuir souple*) leather; ***de, en*** ~ leather; *prov* ***il ne faut pas vendre la*** ~ ***de l'ours avant de l'avoir tué*** don't count your chickens before they're hatched **3.** *de fruits* peel; *de pêche*, *etc* skin; *de saucisson* rind; ~ ***de banane*** banana skin *a fig* **4.** ~ ***du lait*** milk skin

peaufiner [pofine] *v/t* to put the finishing touches to, to polish

Peau-Rouge *m/f* 〈**Peaux-Rouges**〉 HIST Red Indian *vieilli et abus*

pécaïre [pekaiʀ] *int* → ***peuchère***

pécari [pekaʀi] *m* **1.** ZOOL peccary **2.** *cuir* peccary skin

peccadille [pekadij] *f péché* peccadillo;

(*vétille*) trifle
pêche[1] [pɛʃ] *f* **1.** *fruit* peach **2.** *fam* ***avoir la ~*** to be feeling great
► **pêche**[2] *f* **1.** fishing; **~** (***à la ligne***) angling; ***~ sous-marine*** underwater fishing; ***~ à la baleine*** whaling; ***aller à la ~*** to go fishing **2.** (*poissons pêchés*) catch
► **péché** [peʃe] *m* sin; *fig* ***~ mignon*** weakness
pécher [peʃe] *v/i* ⟨**-è-**⟩ **1.** REL to sin **2.** *fig* ***~ contre qc*** to go against the rules of sth; *projet, etc* ***~ par qc*** to fall down on account of sth; ***~ par excès de confiance*** to be overconfident
pêcher[1] [pɛʃe] *m* peach tree
pêcher[2] *v/t* **1.** *poissons* to fish for; **~** (***à la ligne***) to angle **2.** *fam* (*trouver*) to get
pécheresse [peʃʀɛs] *f* sinner
pêcherie [pɛʃʀi] *f* fishery; ***~s*** *pl* fishing grounds
pécheur [peʃœʀ] *m* sinner
pêcheur [pɛʃœʀ] *m*, **pêcheuse** [-øz] *f* fisherman, fisherwoman; ***pêcheur, pêcheuse à la ligne*** angler
pecnot [pɛkno] *m* → ***péquenaud***
pécore [pekɔʀ] *f* → ***pimbêche***
pectoral [pɛktɔʀal] *adj* ⟨**~e; -aux** [-o]⟩ **1.** ANAT pectoral; ***pectoraux*** *mpl* pectoral muscles **2.** ***sirop ~*** cough mixture
pécule [pekyl] *m* nest egg
pécuniaire [pekynjɛʀ] *adj* financial
pédagogie [pedagɔʒi] *f* education; (*art d'enseigner*) teaching skills (+ *v pl*) **pédagogique** *adj* educational
pédagogue [pedagɔg] *m/f* teacher; *adjt* ***être ~*** to be good at explaining things
pédale [pedal] *f* pedal ***~ de frein*** brake pedal; *fam*, *fig* ***perdre les ~s*** (*s'affoler*) to lose one's grip *fam*; (*perdre le fil*) to lose the plot *fam*
pédaler [pedale] *v/i* to pedal; *fam*, *fig* ***~ dans la choucroute*** to be getting nowhere
pédalier [pedalje] *m* transmission mechanism
pédalo® [pedalo] *m* pedal boat, *brit* pedalo
pédant [pedɑ̃] *péj* **I** *adj* ⟨**-ante** [-ɑ̃t]⟩ pedantic **II** *m* pedant
pédanterie [pedɑ̃tʀi] *f litt* → ***pédantisme*** **pédantesque** *adj litt* pedantic **pédantisme** *m* pedantry
pédé [pede] *m*, *abr péj* (= **pédéraste**) (*homosexuel*) homosexual
pédéraste [pedeʀast] *m* **1.** (*pédophile*) pederast **2.** (*homosexuel*) homosexual
pédérastie *f* **1.** (*pédophilie*) pederasty **2.** (*homosexualité*) homosexuality
pédestre [pedɛstʀ] *adj sentier* pedestrian; *association* ramblers' *épith*; ***randonnée*** *f* **~** ramble
pédiatre [pedjatʀ] *m/f* pediatrician **pédiatrie** *f* pediatrics (+ *v sg*)
pédicule [pedikyl] *m* **1.** ANAT pedicle **2.** BOT, ZOOL peduncle
pédicure [pedikyʀ] *m/f* pedicure
pedigree [pedigʀe] *m* pedigree
pédoncule [pedɔ̃kyl] *m* BOT, ZOOL peduncle
pédophile [pedɔfil] *adj* pedophile *épith*
pédophilie *f* pedophilia
pedzouille [pɛdzuj] *m/f* → ***péquenaud***
peeling [piliŋ] *m* exfoliation (treatment)
pègre [pɛgʀ] *f* underworld
peignage [pɛɲaʒ] *m* TEXT *de la laine*, *du lin* combing
► **peigne**[1] [pɛɲ] *m* comb; ***se donner un coup de ~*** to run a comb through one's hair; *fig* ***passer qc au ~ fin*** to go through sth with a fine-tooth comb; *région* to scour sth
peigne[2] → ***peindre***
peigner [peɲe] **I** *v/t* **1.** to comb **2.** TEXT ***laine peignée*** combed wool **II** *v/pr* ***se peigner*** to comb one's hair
peignoir [pɛɲwaʀ] *m* **1.** *de bain* bathrobe **2.** (*robe de chambre*) robe, *brit* dressing gown
peinard [pɛnaʀ] *adj fam* ⟨**-arde** [-aʀd]⟩ *personne* easy-going; *travail* easy; cushy *fam*
► **peindre** [pɛ̃dʀ] ⟨**je peins, il peint, nous peignons; je peignais; je peignis; je peindrai; que je peigne; peignant; peint**⟩ *v/t* **1.** *mur*, *clôture*, *pièce etc* to paint; ***~ qc sur qc*** to paint sth on sth **2.** PEINT to paint **3.** *fig* (*décrire*) to depict
► **peine** [pɛn] *f* **1.** (*chagrin*) sadness, sorrow; ***faire de la peine à qn*** to upset sb **2.** (*effort*) difficulty; ***sans peine*** easily; ***avoir de la peine à faire qc*** to have difficulty doing sth; ***se donner la peine de faire qc*** to go to a lot of trouble to do sth; ***ce n'est pas la peine*** it's not worth it; ***c'est peine perdue*** it's a waste of time; ***valoir la peine*** to be worthwhile (***de faire qc*** doing sth); ***valoir la peine d'être vu*** to be worth seeing **3.** (*punition*) punishment; JUR sentence; ***peine de mort*** death penalty; *défendu* ***défense de fumer sous peine d'amende***

smokers will be fined; *par ext* ***sous peine de*** *+inf* because of the risk of (+ *v ing*) **4.** *adv* ▶ ***à peine*** hardly, barely; ***à peine étiez-vous parti qu'il arrivait*** no sooner had you left than he arrived
peiner [pene] **I** *v/t* to sadden **II** *v/i personne* to work hard; *moteur, véhicule* to labor
peins [pɛ̃] → ***peindre***
peint [pɛ̃] *pp* ⟨**peinte** [pɛ̃t]⟩ → ***peindre***
▶ **peintre** [pɛ̃tʀ] *m* **1.** ~ (***en bâtiment***) painter and decorator **2.** *artiste* painter
▶ **peinture** [pɛ̃tyʀ] *f* **1.** *matière* paint; ***~ à l'eau*** water-based paint **2.** *d'une pièce, d'une voiture* paintwork **3.** ART *opération, œuvre* painting ***faire de la ~*** to paint **4.** *fig* (*description*) portrayal
peinturlurer [pɛ̃tyʀlyʀe] *v/t fam* ***~ qc*** to daub paint on sth
péjoratif [peʒɔʀatif] *adj* ⟨**-ive** [-iv]⟩ pejorative
pékin [pekɛ̃] *arg m* civilian
Pékin [pekɛ̃] HIST Peking
pékinois [pekinwa] **I** *adj* ⟨**-oise** [-waz]⟩ HIST Pekinese **II 1.** ***Pékinois*(*e*)** *m(f)* HIST native of Peking **2.** *m* ZOOL Pekinese
pelade [pəlad] *f* MÉD alopecia
pelage [pəlaʒ] *m* coat
pelé [pəle] *adj* ⟨**~e**⟩ *animal* mangy; *vêtement* threadbare
pêle-mêle [pɛlmɛl] *adv* higgeldy-piggeldy
peler [pəle] ⟨**-è-**⟩ **I** *v/t pomme de terre, fruit* to peel **II** *v/i peau, nez* to peel; ***je pèle*** I'm peeling
pèlerin [pɛlʀɛ̃] *m* pilgrim
pèlerinage [pɛlʀinaʒ] *m* pilgrimage; ***aller en ~, faire un ~*** to go on a pilgrimage (***à*** to)
pèlerine [pɛlʀin] *f* cape
pélican [pelikɑ̃] *m* pelican
pelisse [pəlis] *f* fur-trimmed coat
pellagre [pɛ(l)lagʀ] *f* MÉD pellagra
pelle [pɛl] *f* **1.** *pour ramasser* shovel, *pour creuser* spade; ~ (***à ordures***) dustpan; ***~ à tarte*** cake slice; *fig* ***à la ~*** by the dozen **2.** ***~ mécanique*** mechanical digger
pelletée [pɛlte] *f* shovelful, spadeful
pelleter [pɛlte] *v/t* ⟨**-tt-**⟩ to shovel
pelleterie [pɛltʀi] *f* **1.** *préparation* fur dressing **2.** *commerce* fur trade **3.** *peau* fur
pelleteuse [pɛltøz] *f* mechanical digger
pelletier [pɛltje] *m commerçant* furrier
pellicule [pelikyl] *f* **1. ~s** *pl* dandruff (+ *v sg*) **2.** PHOT film **3.** (*couche mince*) film
pelotage [p(ə)lɔtaʒ] *m fam* groping *fam*
pelote [p(ə)lɔt] *f* **1.** ball; ***~ de laine*** ball of wall; *fam, fig* ***avoir les nerfs en ~*** to be a bundle of nerves **2.** ~ (***d'épingles***) pin cushion **3.** ***~ basque*** pelota
peloter [p(ə)lɔte] *v/t fam* ***~ qn*** to grope sb *fam* **peloteur** *m*, **peloteuse** *f fam* groper *fam*
peloton [p(ə)lɔtõ] *m* **1.** SPORT pack; ***~ de tête*** leading pack; *fig* ***être dans le ~ de tête*** to be among the leaders **2.** ***~ d'exécution*** firing squad
pelotonner [p(ə)lɔtɔne] *v/pr* ***se ~*** to curl up; ***se ~ contre qn*** to snuggle up against sb
pelouse [p(ə)luz] *f* lawn
peluche [p(ə)lyʃ] *f* **1.** TEXT plush **2.** (*animal en ~*) soft toy; ***ours*** *m* ***en ~*** teddy bear **3.** (*petit poil*) fluff
peluché [p(ə)lyʃe] *adj* ⟨**~e**⟩ pilled **pelucher** *v/i étoffe* to pill **pelucheux** *adj* ⟨**-euse** [-øz]⟩ fluffy
pelure [p(ə)lyʀ] *f* peel; *d'oignon* skin
pénal [penal] *adj* ⟨**~e; -aux** [-o]⟩ criminal **pénalement** *adv* ***~ responsable*** criminally responsible
pénalisation [penalizasjõ] *f* penalizing; (*sanction*) penalty (*a* SPORT) **pénaliser** *v/t* to penalize; (*défavoriser*) to disadvantage **pénalité** *f* penalty (*a* SPORT)
penalty [penalti] *m* ⟨**penalties** *od* **~s**⟩ penalty
pénard [penaʀ] *adj* → ***peinard***
pénates [penat] *mpl plais* ***regagner ses ~*** to go home
penaud [pəno] *adj* ⟨**-aude** [-od]⟩ sheepish
penchant [pɑ̃ʃɑ̃] *m* fondness (***à*** *ou* ***pour qc*** for sth); ***avoir un ~ pour qn*** to be fond of sb
penché [pɑ̃ʃe] *adj* ⟨**~e**⟩ sloping
pencher [pɑ̃ʃe] **I** *v/t* to tilt **II** *v/i* **1.** *arbre, mur, etc* to lean **2.** *personne* ***pencher pour qc*** to be inclined to favor sth **III** *v/pr* **1.** ▶ ***se pencher*** (*s'incliner*) to lean (***sur*** over; ***vers*** towards); ***se pencher par la fenêtre*** to lean out of the window **2.** *fig* ***se pencher sur qc*** to examine sth
pendable [pɑ̃dabl] *adj* ***tour*** *m* ***~*** mean trick
pendaison [pɑ̃dɛzõ] *f* **1.** *supplice* hanging **2.** ***~ de crémaillère*** house-warming (party)
pendant[1] [pɑ̃dɑ̃] *m d'un objet* matching

piece; *d'une personne* counterpart (***de*** to)

▶ **pendant**[2] **I** *prép* (*au cours de*) during; *pour exprimer la durée* for; ***pendant les vacances*** during the vacation; ***pendant trois heures*** for three hours **II** *conj* ▶ ***pendant que*** while; ***pendant que tu y es*** while you're at it

pendant[3] **I** *adj* ⟨**-ante** [-ɑ̃t]⟩ **1.** dangling; ***oreilles ~es*** droopy ears **2.** *procès* pending; *par ext affaire* outstanding **II** *mpl* ***~s d'oreilles*** drop earrings

pendeloque [pɑ̃dlɔk] *f* drop, pendant

pendentif [pɑ̃dɑ̃tif] *m* pendant

penderie [pɑ̃dʀi] *f* closet, *brit* wardrobe

pendouiller [pɑ̃duje] *v/i fam* to hang down

pendre [pɑ̃dʀ] ⟨→ **rendre**⟩ **I** *v/t* **1.** *objet* to hang (***à*** on) **2.** *condamné* to hang **II** *v/i* **1.** to hang down (***à*** to); ***~ jusqu'à terre*** to hang down to the ground **2.** *robe* ***~ d'un côté*** to hang down on one side **III** *v/pr* **1.** ***se ~ à qc*** to hang from sth **2.** *suicidé* ***se ~*** to hang o.s.

pendu [pɑ̃dy] **I** *adj* ⟨**~e**⟩ ***être ~*** to be hanging (***à*** from; *a fig*); *fam* ***être toujours ~ au téléphone*** to be always on the phone **II** **~(e)** *m(f)* hanged man, woman

pendulaire [pɑ̃dylɛʀ] *adj* pendular; *train* tilting *épith*

pendule[1] [pɑ̃dyl] *m* pendulum

pendule[2] *f* clock

pendulette [pɑ̃dylɛt] *f* small clock

pêne [pɛn] *m* bolt

pénétrable [penetʀabl] *adj* ***être difficilement ~*** *forêt* to be impenetrable; *fig intentions de qn*, *mystère* to be hard to fathom

pénétrant [penetʀɑ̃] *adj* ⟨**-ante** [-ɑ̃t]⟩ *odeur* overpowering; *froid* biting; *regard* piercing; *pluie* driving *épith* **pénétration** *f* **1.** penetration (*a fig*) **2.** (*sagacité*) perception

pénétré [penetʀe] *adj* ⟨**~e**⟩ full (***de*** of); ***~ de son importance*** full of self-importance

pénétrer [penetʀe] ⟨**-è-**⟩ **I** *v/t* **1.** *liquide* ***~ qc*** to penetrate sth **2.** *fig intentions de qn*, *mystère* to fathom **3.** *fig* (*remplir*) to fill (***de*** with) **II** *v/i* to penetrate (***dans*** into)

pénibilité [penibilite] *f d'un travail* difficulty

▶ **pénible** [penibl] *adj* **1.** *travail*, *existence* hard; *voyage* difficult **2.** *situation*, *événement*, *nouvelle* sad, distressing; ***il m'est ~ de devoir vous annoncer que …*** I'm very sad to have to inform you that … **3.** *fam personne* tiresome

péniblement [penibləmɑ̃] *adv* **1.** (*difficilement*) with difficulty **2.** (*tout juste*) barely

péniche [peniʃ] *f* barge

pénicilline [penisilin] *f* penicillin

péninsulaire [penɛ̃sylɛʀ] *adj* peninsular

péninsule [penɛ̃syl] *f* peninsula

pénis [penis] *m* penis

pénitence [penitɑ̃s] *f* **1.** (*châtiment*) punishment **2.** REL penitence

pénitencier [penitɑ̃sje] *m* penitentiary, *brit* prison

pénitent [penitɑ̃] *m*, **pénitente** [-ɑ̃t] *f* REL penitent

pénitentiaire [penitɑ̃sjɛʀ] *adj* ***établissement*** *m* ***~*** penal establishment, prison

penne [pɛn] *f* ORNITH quill

pénombre [penɔ̃bʀ] *f* half-light

pensable [pɑ̃sabl] *adj* ***ne pas être ~*** to be unthinkable

pensant [pɑ̃sɑ̃] *adj* ⟨**-ante** [-ɑ̃t]⟩ thinking; ***bien ~*** right-thinking *épith*

pense-bête [pɑ̃sbɛt] *m* ⟨**pense-bêtes**⟩ aide-memoire

pensée[1] [pɑ̃se] *f* **1.** (*fait de penser*) thinking; (*faculté de penser*) thought **2.** (*idée*) thought; ***à la ~ de faire qc*** at the thought of doing sth; ***par la ~, en ~*** in one's mind; ***je suis avec vous par la ~*** my thoughts are with you **3.** (*façon de penser*) thinking; (*opinion*) thought

pensée[2] *f* BOT pansy

▶ **penser** [pɑ̃se] **I** *v/t* **1.** (*croire*) to think (***que*** that); ▶ ***je pense que oui*** I think so; ***qu'est-ce qui vous fait ~ cela?*** what makes you think that?; ***qu'en pensez-vous?*** what do you think?; ***il ne dit rien, mais il n'en pense pas moins*** he doesn't say anything, but that doesn't mean he doesn't think **2.** (*avoir l'intention de*) ***~*** to intend to do, to be thinking of doing **3.** ***~ qc*** *problème*, *aménagement*, *etc* to think sth through **II** *v/t indir et v/i* to think (***à*** of, about); ***à quoi penses-tu?*** what are you thinking about?; ***n'y pensons plus!*** let's forget all about it!; ***mais j'y pense …*** now I come to think of it …; ***sans ~ à mal*** without meaning any harm; ***sans y ~*** without thinking; ***~ à faire qc*** to re-

member to do sth; ***faire ~ qn à qc*** to remind sb of sth; ***cela donne à ~*** it makes you think; *fam* ***penses-tu!*** you must be joking!
penseur [pɑ̃sœʀ] *m* thinker
pensif [pɑ̃sif] *adj* ⟨**-ive** [-iv]⟩ thoughtful, pensive
pension [pɑ̃sjõ] *f* **1.** (*internat*) boarding school **2.** ***~ de famille*** boarding house **3.** ***~ complète*** full board **4.** *allocation* pension; ***~ alimentaire*** alimony, *brit* maintenance
pensionnaire [pɑ̃sjɔnɛʀ] *m/f* **1.** *élève* boarder **2.** *d'un hôtel* resident; *d'une maison de retraite*, *etc* resident
pensionnat [pɑ̃sjɔna] *m* boarding school
pensionné [pɑ̃sjɔne] *adj et subst* ⟨**~e**⟩ → ***retraité***
pensum [pɛ̃sɔm] *m* (*corvée*) chore; *pour écolier* punishment exercise
pentagonal [pɛ̃tagɔnal] *adj* ⟨**~e; -aux** [-o]⟩ pentagonal
pentagone [pɛ̃tagɔn, -gɔn] *m* pentagon
pentathlon [pɛ̃tatlõ] *m* pentathlon
pente [pɑ̃t] *f* **1.** *d'un terrain*, *d'une route* slope; ***en ~*** sloping **2.** *d'une colline* gradient; *fig* ***être sur une mauvaise ~*** to be on a downward path; *fig* ***remonter la ~*** to get back on one's feet
► **Pentecôte** [pɑ̃tkot] ***la ~*** BIBL Pentecost; *période* Whitsun; ***à la ~*** at Whitsun
penture [pɑ̃tyʀ] *f d'un volet etc* strap hinge
pénultième [penyltjɛm] *f* LING penultimate
pénurie [penyʀi] *f* shortage (***de*** of); lack (***de*** of)
pep [pɛp] *m fam* ***avoir du ~*** to be full of pep *fam*
pépé [pepe] *m enf* grandad
pépée [pepe] *f fam* (*femme*) girl; chick *fam*
pépère [pepɛʀ] **I** *adj fam vie* quiet; *travail* cushy *fam* **II** *m* **1.** *enf* grandad **2.** *fam* ***un gros ~*** *bébé* a chubby little chap
pépètes [pepɛt] *fpl fam* → ***fric***
pépie [pepi] *f fam*, *fig* ***avoir la ~*** to be parched
pépiement [pepimɑ̃] *m* chirping
pépier [pepje] *v/i* to chirp
pépin [pepɛ̃] *m* **1.** *de certains fruits* pip **2.** *fam*, *fig* ***avoir un ~*** to hit a snag **3.** *fam* (*parapluie*) umbrella
pépinière [pepinjɛʀ] *f* **1.** (tree) nursery **2.** *fig* breeding ground
pépiniériste [pepinjeʀist] *m/f* nurseryman, nurserywoman
pépite [pepit] *f* nugget; ***~ de chocolat*** chocolate chip
péquenaud [pɛkno], **péquenot** [pɛkno] *m*, **péquenaude** [-od] *f fam*, *péj* hick *fam*, *péj*, *brit* country bumpkin *fam*, *péj*
péquin [pekɛ̃] *m* → ***pékin***
perçage [pɛʀsaʒ] *m* drilling, boring
percale [pɛʀkal] *f* percale
perçant [pɛʀsɑ̃] *adj* ⟨**-ante** [-ɑ̃t]⟩ *vue* sharp; *regard* piercing; *cris*, *voix* shrill
perce [pɛʀs] *f tonneau* ***mettre qc en ~*** to tap sth; ***mise f en ~*** tapping
percée [pɛʀse] *f* breakthrough (*a* MIL, SPORT, *fig*)
percement [pɛʀsəmɑ̃] *m d'une rue* building; *d'un mur* drilling a hole in; *d'un tunnel* boring
perce-neige [pɛʀsənɛʒ] *m ou f* ⟨*inv*⟩ snowdrop
perce-oreille [pɛʀsɔʀɛj] *m* ⟨**perce--oreilles**⟩ earwig
percepteur [pɛʀsɛptœʀ] *m* tax inspector
perceptible [pɛʀsɛptibl] *adj* perceptible
perception [pɛʀsɛpsjõ] *f* **1.** *bureau* tax office **2.** *d'impôt*, *etc* collection **3.** PHIL, PSYCH perception
percer [pɛʀse] ⟨**-ç-**⟩ **I** *v/t* **1.** *mur*, *etc* to make a hole in; *avec une aiguille* to burst; *défense*, *front ennemi*, SPORT to break through; *trou*, *tunnel* to bore; *porte*, *fenêtre* to make; *tonneau* to tap; *coffre-fort* to break open; to crack *fam*; *abcès* to lance; *ampoule* to burst; *fig* ***~ le cœur à qn*** to break sb's heart; *soleil* ***~ les nuages*** to break through the clouds; ***ma chaussure est percée*** there's a hole in my shoe **2.** ***~ qc*** (***à jour***) *intentions de qn* to see right through sth; *mystère* to penetrate sth **II** *v/i* **1.** *dents* to come through; *abcès* to burst; SPORT to make a break; MIL to break through **2.** *fig sentiment* to show **3.** *fig personne* (*réussir*) to make a name for o.s.
perceur [pɛʀsœʀ] *m* ***~ de coffre-fort*** safe-breaker
perceuse [pɛʀsøz] *f* drill
percevable [pɛʀsəvabl] *adj impôts* payable
percevoir [pɛʀsəvwaʀ] *v/t* ⟨→ **recevoir**⟩ **1.** *par les sens* to perceive **2.** *impôts* to collect; *loyer*, *somme* to receive

perche[1] [pɛʀʃ] *f* ZOOL perch

perche[2] *f* pole; ***saut*** *m* ***à la ~*** pole vault; *fig* ***tendre la ~ à qn*** to throw sb a line

perché [pɛʀʃe] *adj* ⟨**~e**⟩ **1.** *oiseau*, *personne* perched (***sur*** on); *village* hilltop *épith* **2.** *fig* ***voix 'haut ~e*** high-pitched voice

percher [pɛʀʃe] **I** *v/i* **1.** *oiseaux* to perch **2.** *fam personne* to perch **II** *v/pr oiseaux*, *fam personne* ***se ~*** to perch (***sur*** on)

percheron [pɛʀʃəʀõ] *m cheval* Percheron

percheur [pɛʀʃœʀ] *adj* ⟨**-euse** [-øz]⟩ ***oiseaux ~s*** perching birds

perchiste [pɛʀʃist] *m* **1.** SPORT pole-vaulter **2.** FILM, TV boom operator

perchoir [pɛʀʃwaʀ] *m* **1.** perch; *pour volailles* roost **2.** *fam*, *fig* perch **3.** POL *seat of the president of the National Assembly*

perclus [pɛʀkly] *adj* ⟨**-use** [-yz]⟩ ***être ~ de rhumatismes*** to be crippled by rheumatism

percolateur [pɛʀkɔlatœʀ] *m* coffee machine

perçu [pɛʀsy] *pp* → ***percevoir***

percussion [pɛʀkysjõ] *f* **1.** MUS ***instrument*** *m* ***à ~*** percussion instrument **2.** TECH ***perceuse*** *f* ***à ~*** hammer drill

percussionniste [pɛʀkysjɔnist] *m* percussionist

percutant [pɛʀkytɑ̃] *adj* ⟨**-ante** [-ɑ̃t]⟩ *argument* trenchant

percuter [pɛʀkyte] *v/t et v/i* ***~ (contre) qc*** to crash into sth

percuteur [pɛʀkytœʀ] *m d'une arme à feu* firing pin

perdant [pɛʀdɑ̃] **I** *adj* ⟨**-ante** [-ɑ̃t]⟩ losing *épith*; ***numéro ~*** losing number **II** ***~(e)*** *m(f)* loser

perdition [pɛʀdisjõ] *f* **1.** *navire* ***en ~*** in distress **2.** *iron* ***un lieu de ~*** a den of iniquity

▶ **perdre** [pɛʀdʀ] ⟨→ **rendre**⟩ **I** *v/t* **1.** to lose; *somme*, *prestige*, *droits* to lose; ***~ courage*** to lose heart; ***~ espoir*** to lose hope; ***tu n'y perds rien!*** it's no great loss!; ***faire ~ qc à qn*** to make sb lose sth **2.** ***~ qn*** (*causer sa ruine*) to be sb's undoing **II** *v/i* to lose; ***j'y perds*** I lose out **III** *v/pr* ***se perdre*** **1.** (*disparaître*) to disappear **2.** (*s'égarer*) to get lost; *fig* ***je m'y perds*** I'm all confused **3.** *denrées alimentaires* to go to waste

perdreau [pɛʀdʀo] *m* ⟨**~x**⟩ (young) partridge

perdrix [pɛʀdʀi] *f* partridge

perdu [pɛʀdy] *pp*→ ***perdre*** *et adj* ⟨**~e**⟩ **1.** *objet*, *enfant* lost; *temps* wasted; *occasion* missed; ***balle ~e*** stray bullet; ***à tes moments ~s*** in your spare time; *malade* ***il est ~*** there's no hope for him; *fig* ***je suis ~*** I'm done for **2.** *lieu* isolated **3.** ***emballage ~*** disposable packaging

perdurer [pɛʀdyʀe] *v/i* to endure

▶ **père** [pɛʀ] *m* **1.** father; ***~ de famille*** father; ***de ~ en fils*** from father to son **2.** ***nos ~s*** (*ancêtres*) our forefathers **3.** *fig* (*créateur*) father **4.** *fam* ***le ~ X*** old X *fam*; ***le ~ Noël*** Father Christmas **5.** ***Dieu le Père*** God the Father; ***le Notre Père*** the Our Father **6.** CATH Father

pérégrinations [peʀegʀinasjõ] *fpl* peregrinations

péremption [peʀɑ̃psjõ] *f* ***date f de ~*** expiry date

péremptoire [peʀɑ̃ptwaʀ] *adj ton* peremptory

pérennité [peʀenite] *f* permanence

péréquation [peʀekwasjõ] *f* **1.** ÉCON adjustment **2.** *des traitements* realignment

perfectible [pɛʀfɛktibl] *adj* perfectible

perfection [pɛʀfɛksjõ] *f* perfection; ***à la ~*** to perfection, perfectly

perfectionnement [pɛʀfɛksjɔnmɑ̃] *m* improvement; ***cours*** *m* ***de ~*** advanced class

perfectionner [pɛʀfɛksjɔne] **I** *v/t* to improve **II** *v/pr* ***se ~ en français*** to improve one's French

perfectionniste [pɛʀfɛksjɔnist] *m/f* perfectionist

perfide [pɛʀfid] *adj* treacherous **perfidie** *f* treachery

perforant [pɛʀfɔʀɑ̃] *adj* ⟨**-ante** [-ɑ̃t]⟩ *projectile* armor-piercing

perforation [pɛʀfɔʀasjõ] *f* **1.** TECH perforation **2.** MÉD perforation

perforatrice [pɛʀfɔʀatʀis] *f* **1.** *appareil* punch **2.** *personne* punchcard operator **3.** *dans une mine* boring machine

perforé [pɛʀfɔʀe] *adj* ⟨**~e**⟩ INFORM ***bande, carte ~e*** punched tape, card

perforer [pɛʀfɔʀe] *v/t* to perforate (*a* MÉD); TECH to bore through

perforeuse [pɛʀfɔʀøz] *f* → ***perforatrice*** *1, 2*

performance [pɛʀfɔʀmɑ̃s] *f* performance; (*réussite*) result **performant** *adj* ⟨**-ante** [-ɑ̃t]⟩ *machine*, *technique*, *per-*

sonne effective; *société* competitive; *investissement* money-making *épith*; *voiture* high-performance *épith*
perfusion [pɛʀfyzjõ] *f* IV, *brit* drip; ***être sous ~*** to be on an IV
pergola [pɛʀgɔla] *f* pergola
périarthrite [peʀiaʀtʀit] *f* MÉD periarthritis
péricarde [peʀikaʀd] *m* pericardium
péricardite *f* pericarditis (+ *v sg*)
péricarpe [peʀikaʀp] *m* pericarp
péricliter [peʀiklite] *v/i* to be going downhill
péridurale [peʀidyʀal] *f* epidural
périgée [peʀiʒe] *m* ASTROL perigee
Périgord [peʀigɔʀ] ***le ~*** the Perigord
péril [peʀil] *m* danger; ***au ~ de sa vie*** at great risk to one's own life; ***il (n')y a (pas) ~ en la demeure*** there's no particular hurry
périlleux [peʀijø] *adj* ⟨**-euse** [-øz]⟩ dangerous
périmé [peʀime] *adj* ⟨**~e**⟩ **1.** *passeport, billet* expired **2.** *théorie* outdated
périmer [peʀime] *v/pr* **1.** ⟨*sans "se"*⟩ ***laisser ~ qc*** *billet* to let sth expire **2.** *procédé, théorie* ***se ~ vite*** to become dated quickly
périmètre [peʀimɛtʀ] *m* **1.** MATH perimeter **2.** *fig* area
périnatal [peʀinatal] *adj* ⟨**~e; -als**⟩ MÉD perinatal
périnée [peʀine] *m* ANAT perineum
période [peʀjɔd] *f* **1.** period; ***la ~ des vacances*** the vacation period; ***en ~ de crise*** in times of crisis **2.** GÉOL period **3.** NUCL **~ (*radioactive*)** half-life
périodicité [peʀjɔdisite] *f* frequency
périodique [peʀjɔdik] **I** *adj* **1.** periodic; *publication* periodical **2.** ***serviette** f*, ***garniture** f* **~** sanitary towel **II** *m* periodical
périodiquement [peʀjɔdikmɑ̃] *adv* periodically
péripatéticienne [peʀipatetisjɛn] *f plais* streetwalker
péripétie [peʀipesi] *f surtout pl* **~s** (*aventures*) adventures; (*événements*) events; *dans un récit* twists and turns
périphérie [peʀifeʀi] *f* periphery
périphérique [peʀifeʀik] **I** *adj* peripheral (*a* INFORM, PHYSIOL); *quartier* outlying *épith* **II** *m* **1.** *à Paris* ***le ~*** the Paris beltway, *brit* the Paris ring road **2.** INFORM peripheral
périphrase [peʀifʀɑz] *f* circumlocution
périple [peʀipl] *m* journey
périr [peʀiʀ] *v/i litt* **1.** *personne* to die; ***~ noyé*** to drown **2.** *civilisation, etc* to perish
périscope [peʀiskɔp] *m* periscope
périssable [peʀisabl] *adj* *denrées* perishable
périssoire [peʀiswaʀ] *f* canoe
péristaltique [peʀistaltik] *adj* ANAT ***mouvements** mpl* **~s** peristalsis (+ *v sg*)
péristyle [peʀistil] *m* peristyle
péritel [peʀitɛl] *adj* ⟨*inv*⟩ ***prise** f* **~** *femelle* scart socket; *mâle* scart plug
péritoine [peʀitwan] *m* peritoneum
péritonite [peʀitɔnit] *f* peritonitis (+ *v sg*)
▶ **perle** [pɛʀl] *f* **1.** pearl; ***~ en verre*** glass bead **2.** *fig* gem **3.** *fig* (*ineptie burlesque*) howler
perlé [pɛʀle] *adj* ⟨**~e**⟩ *robe* beaded; ***coton ~*** pearl cotton; *fig* ***grève ~e*** selective strike; *fig* ***rire ~*** rippling laugh
perler [pɛʀle] *v/i* ***la sueur perlait son front*** beads of sweat formed on his brow
perlier [pɛʀlje] *adj* ⟨**-ière** [-jɛʀ]⟩ ***huître perlière*** pearl oyster
perlimpinpin [pɛʀlɛ̃pɛ̃pɛ̃] *m* ***poudre** f* ***de ~*** magical cure
permanence [pɛʀmanɑ̃s] *f* **1.** (*continuité*) permanence; ***en ~*** permanently **2.** ADMIN office; ***être de ~*** to be on duty **3.** ENSEIGNEMENT study hall, *brit* study period
permanent [pɛʀmanɑ̃] **I** *adj* ⟨**-ente** [-ɑ̃t]⟩ permanent; ***cinéma ~*** continuous screenings (+ *v pl*) **II** *m d'un syndicat, parti* official
permanente [pɛʀmanɑ̃t] *f* perm
permanenté [pɛʀmanɑ̃te] *adj* ⟨**~e**⟩ *cheveux* permed
permanganate [pɛʀmɑ̃ganat] *m* permanganate
perme [pɛʀm] *f*, *abr fam* → ***permission** 2*
perméabilité [pɛʀmeabilite] *f* permeability
perméable [pɛʀmeabl] *adj* **1.** permeable **2.** *fig personne* ***~ à qc*** susceptible to sth
▶ **permettre** [pɛʀmɛtʀ] ⟨→ **mettre**⟩ **I** *v/t* **1.** (*autoriser*) to allow; ***~ que qn fasse qc*** to allow sb to do sth; ***~ qc à qn*** to allow sb sth; ***~ à qn de faire qc*** to allow sb to do sth; ***vous permettez?*** may I?; ***être permis*** to be allowed; ***il se croit tout permis*** he thinks he can do as

he pleases **2.** (*rendre possible*) to enable, to permit **II** *v/pr* **1.** (*prendre la liberté*) ***se ~ de*** *+inf* to take the liberty of (+ *v-ing*) **2.** (*s'offrir*) ***se ~ qc*** to allow o.s. sth

permien [pɛʀmjɛ̃] *m* GÉOL Permian

permis [pɛʀmi] **I** *m* **1.** license, permit; ***permis de chasse*** hunting permit; ***permis de construire*** building permit; ***permis de séjour*** residence permit **2.** ▶ ***permis*** (***de conduire***) driver's license, *brit* driving licence; ***avoir son permis*** to have a driver's license; ***passer son permis*** to sit one's driving test **II** *pp* → ***permettre***

permissif [pɛʀmisif] *adj* ⟨**-ive** [-iv]⟩ permissive

▶ **permission** [pɛʀmisjõ] *f* **1.** permission **2.** MIL furlough, *brit* leave; ***en ~*** on furlough; ***~ de minuit*** permission to stay out late

permissionnaire [pɛʀmisjɔnɛʀ] *m* MIL soldier on furlough, *brit* soldier on leave

permutable [pɛʀmytabl] *adj* interchangeable **permutation** *f* permutation

permuter [pɛʀmyte] **I** *v/t* ***~ qc*** to switch sth round **II** *v/i* to swap places

pernicieux [pɛʀnisjø] *adj* ⟨**-euse** [-øz]⟩ pernicious

péroné [peʀɔne] *m* fibula

péronnelle [peʀɔnɛl] *f fam* silly girl

péroraison [peʀɔʀɛzõ] *f* peroration

pérorer [peʀɔʀe] *v/i péj* to hold forth

Pérou [peʀu] ***le ~*** Peru; *fam, fig* ***ce n'est pas le ~*** it 's not exactly a fortune

peroxyde [pɛʀɔksid] *m* peroxide

perpendiculaire [pɛʀpɑ̃dikylɛʀ] **I** *adj* perpendicular (***à*** to) **II** *m* perpendicular

perpète [pɛʀpɛt] *adv fam* (***jusqu'***)***à ~*** forever; ***être condamné à ~*** to get life

perpétration [pɛʀpetʀasjõ] *f d'un crime* perpetration **perpétrer** *v/t* ⟨**-è-**⟩ *crime* to commit; *st/s* to perpetrate *st/s*

perpétuel [pɛʀpetɥɛl] *adj* ⟨**~le**⟩ perpetual; (*à vie*) permanent; ***calendrier ~*** perpetual calendar

perpétuellement [pɛʀpetɥɛlmɑ̃] *adv* constantly, perpetually

perpétuer [pɛʀpetɥe] **I** *v/t* to perpetuate, to carry on **II** *v/pr* ***se perpétuer*** *tradition, injustice* to survive; *espèce* to perpetuate itself

perpétuité [pɛʀpetɥite] *f* ***être condamné à ~*** to be sentenced to life imprisonment

perplexe [pɛʀplɛks] *adj* puzzled **perplexité** *f* confusion

perquisition [pɛʀkizisjõ] *f* search

perquisitionner [pɛʀkizisjɔne] *v/i* to search

perron [pɛʀõ] *m* steps (+ *v pl*)

perroquet [pɛʀɔkɛ] *m* parrot

perruche [pɛʀyʃ] *f* parakeet, budgerigar

perruque [pɛʀyk] *f* wig

pers [pɛʀ] *adj, m st/s* ***yeux*** *mpl* ***~*** blue-green eyes

persan [pɛʀsɑ̃] **I** *adj* ⟨**-ane** [-an]⟩ Persian; ***tapis ~*** Persian rug **II** ***Persan***(***e***) *m*(*f*) Persian

Perse [pɛʀs] ***la ~*** HIST Persia

persécuté(**e**) [pɛʀsekyte] *m*(*f*) **1.** victim of persecution **2.** PSYCH person with a persecution complex

persécuter [pɛʀsekyte] *v/t* to persecute

persécuteur *m*, **persécutrice** *f* persecutor, tormentor

persécution [pɛʀsekysjõ] *f* **1.** POL, REL persecution **2.** ***manie*** *f* ***de la ~*** persecution complex

persévérance [pɛʀseveʀɑ̃s] *f* perseverance **persévérant** *adj* ⟨**-ante** [-ɑ̃t]⟩ persevering

persévérer [pɛʀseveʀe] *v/i* ⟨**-è-**⟩ to persevere; ***~ dans ses efforts*** to keep on trying

persienne [pɛʀsjɛn] *f* shutter

persiflage [pɛʀsiflaʒ] *m* mockery **persifler** *v/t* to mock **persifleur** *adj* ⟨**-euse** [-øz]⟩ disparager

persil [pɛʀsi] *m* parsley

persillade [pɛʀsijad] *f* chopped parsley and garlic garnish

persillé [pɛʀsije] *adj* ⟨**~e**⟩ **1.** CUIS garnished with parsley **2.** *viande* marbled; ***fromage ~*** blue cheese

Persique [pɛʀsik] *adj* ***le golfe ~*** the Persian Gulf

persistance [pɛʀsistɑ̃s] *f* **1.** *d'une personne* persistence (***dans*** in); ***avec ~*** persistently **2.** *d'un phénomène* ***la ~ du mauvais temps*** the continuing bad weather

persistant [pɛʀsistɑ̃] *adj* ⟨**-ante** [-ɑ̃t]⟩ continuing; *toux* persistent; *odeur, doute* lingering ***à feuilles ~es*** evergreen

persister [pɛʀsiste] *v/i* **1.** ***~ dans qc*** *choix, décision, projet* to stick to sth; ***je persiste à croire que …*** I still believe that … **2.** *douleurs, fièvre, mauvais* *temps* to persist; *doutes, préjugés* to remain

▶ **personnage** [pɛʀsɔnaʒ] *m* **1.** (*personne importante*) figure **2.** (*individu*) character; ***un curieux ~*** a strange character **3.** THÉ character; *dans un roman* character

personnaliser [pɛʀsɔnalize] *v/t* to personalize, to customize

▶ **personnalité** [pɛʀsɔnalite] *f* **1.** (*identité*) personality; ***avoir une forte ~*** to have a strong personality **2.** (*personnage important*) personality

▶ **personne**[1] [pɛʀsɔn] *f* **1.** (*être humain*) person; ***~s*** *pl* people; ***une grande ~*** an adult, a grown-up; ***une famille de douze ~s*** a family of twelve; ***en ~*** in person; (*personnifié*) personified **2.** ***une jeune ~*** a young person **3.** JUR ***~ morale*** legal entity **4.** GRAM person

▶ **personne**[2] *pr ind* **1.** ⟨*avec* **ne** *avec un verb*⟩ ***il n'y a ~*** there's nobody there; ***il ne doit rien à ~*** he doesn't owe anybody anything; ***~ ne le sait*** nobody knows **2.** *st/s* ⟨*sans* **ne**⟩ anybody, anyone; ***sans avoir vu ~*** without having seen anybody

▶ **personnel**[1] [pɛʀsɔnɛl] *adj* ⟨**~le**⟩ **1.** personal **2.** ***pronom ~*** personal pronoun

▶ **personnel**[2] *m d'une entreprise* staff (+ *v sg ou* + *v pl*); *d'une usine* workforce; ***~ au sol*** ground staff

personnellement [pɛʀsɔnɛlmɑ̃] *adv* personally

personnification [pɛʀsɔnifikasjõ] *f* personification

personnifier [pɛʀsɔnifje] *v/t* to personify; ***la bonté personnifiée*** goodness personified

perspectif [pɛʀspɛktif] *adj* ⟨**-ive** [-iv]⟩ perspective

perspective [pɛʀspɛktiv] *f* **1.** PEINT perspective **2.** (*éventualité*) prospect; ***~s*** *pl* ***d'avenir*** prospects, outlook (+ *v sg*); ***avoir qc en ~*** to have sth in mind; ***ouvrir de nouvelles ~s à qn*** to open up new horizons for sb **3.** (*point de vue*) viewpoint

perspicace [pɛʀspikas] *adj* perceptive

perspicacité *f* perspicacity

persuader [pɛʀsɥade] **I** *v/t* **1.** ***~ qn*** (***de qc***) to convince sb (of sth); ***j'en suis persuadé*** I'm convinced (of it) **2.** ***~ qn de faire qc*** to persuade sb to do sth **II** *v/pr* ***se ~ que …*** to convince o.s. that …

persuasif [pɛʀsɥazif] *adj* ⟨**-ive** [-iv]⟩ persuasive

persuasion [pɛʀsɥazjõ] *f* persuasion; (***don*** *m*, ***pouvoir*** *m* ***de***) ***~*** powers of persuasion (+ *v pl*)

▶ **perte** [pɛʀt] *f* **1.** loss; ***~ de sang*** blood loss; ***~ de temps*** waste of time; *fig* ***être en ~ de vitesse*** to be losing speed; *vendre* ***à ~*** at a loss; ***à ~ de vue*** as far as the eye can see; ***en pure ~*** to no avail; ***avoir des ~s de mémoire*** to suffer from memory loss **2.** *fig* (*ruine*) ruin; ***courir à sa ~*** to be riding for a fall

pertinemment [pɛʀtinamɑ̃] *adv* ***savoir ~ qc*** to know sth perfectly well

pertinence [pɛʀtinɑ̃s] *f* **1.** *d'une remarque* relevance **2.** JUR relevance **3.** LING distinctiveness

pertinent [pɛʀtinɑ̃] *adj* ⟨**-ente** [-ɑ̃t]⟩ relevant

pertuis [pɛʀtɥi] *m* GÉOG (*détroit*) straits (+ *v pl*); *régional* (*col*) pass

perturbateur [pɛʀtyʀbatœʀ] *m*, **perturbatrice** [-tʀis] *f* troublemaker

perturbation [pɛʀtyʀbasjõ] *f* **1.** *du trafic, etc* disruption; MÉTÉO patch of unsettled weather; ***~ atmosphérique*** atmospheric disturbance **2.** *sociale* disturbance

perturber [pɛʀtyʀbe] *v/t* to disturb

péruvien [peʀyvjɛ̃] **I** *adj* ⟨**-ienne** [-jɛn]⟩ Peruvian **II** ***Péruvien(ne)*** *m(f)* Peruvian

pervenche [pɛʀvɑ̃ʃ] *f* **1.** BOT periwinkle **2.** *adjt* ⟨*inv*⟩ periwinkle blue **3.** *fam, fig* (*contractuelle*) (female) traffic warden

pervers [pɛʀvɛʀ] **I** *adj* ⟨**-verse** [-vɛʀs]⟩ **1.** depraved, perverted **2.** ***effet ~*** pernicious effect **II** ***~(e)*** *m(f)* pervert

perversion [pɛʀvɛʀsjõ] *f* perversion

perversité *f* perversity

pervertir [pɛʀvɛʀtiʀ] *v/t* to corrupt

pervertissement *m litt* perversion; *de la jeunesse, des mœurs* corruption

pesage [pəzaʒ] *m* **1.** weighing; SPORT weigh-in **2.** *endroit* weighing room

pesamment [pəzamɑ̃] *adv tomber* heavily; *marcher* with a heavy tread

pesant [pəzɑ̃] **I** *adj* ⟨**-ante** [-ɑ̃t]⟩ **1.** *fig charge* heavy; *présence de qn, silence* oppressive **2.** *démarche* heavy **II** *m fig* ***valoir son ~ d'or*** to be worth one's weight in gold; *iron* to be priceless

pesanteur [pəzɑ̃tœʀ] *f* **1.** PHYS gravity **2.** *fig* heaviness

pèse [pɛz] *m arg* → ***fric***
pèse-bébé [pɛzbebe] *m* ⟨**pèse-bébés**⟩ baby scales (+ *v pl*)
pesée [pəze] *f* **1.** *opération* weighing **2.** (*poussée*) push
pèse-lettre [pɛzlɛtʀ] *m* ⟨**pèse-lettres**⟩ letter scales (+ *v pl*) **pèse-personne** *m* ⟨**pèse-personnes**⟩ scales (+ *v pl*)
▸ **peser** [pəze] ⟨**-è-**⟩ **I** *v/t* **1.** *objet, personne* to weigh **2.** *fig* ~ ***qc*** to weigh sth up; ***tout bien pesé*** all things considered **II** *v/i* **1.** to weigh (***deux kilos*** two kilos) **2.** ~ ***sur*** to press heavily on; *fig responsabilité, menace, silence* to hang over; *fig* ~ ***sur la décision de qn*** to have an influence on sb's decision; *repas* ~ ***sur l'estomac*** to lie heavy on the stomach **3.** *fig solitude, etc* ~ ***à qn*** to weigh heavily on sb **III** *v/pr* ***se peser*** to weigh o.s.
peseta [pezeta] *f* HIST *monnaie* peseta
peso [pezo] *m monnaie* peso
pessaire [pesɛʀ] *m* MÉD pessary
pessimisme [pesimism] *m* pessimism **pessimiste I** *adj* pessimistic **II** *m/f* pessimist
peste [pɛst] *f* **1.** MÉD plague; *fig* ***fuir qn comme la*** ~ to avoid sb like the plague **2.** *péj d'une femme* pest
pester [pɛste] *v/i* ~ (***contre qn, qc***) to complain (about sb, sth)
pesticide [pɛstisid] *m* pesticide
pestiféré [pɛstifeʀe] *m* plague-stricken
pestilence [pɛstilɑ̃s] *f* foul smell; *st/s* stench
pestilentiel [pɛstilɑ̃sjɛl] *adj* ⟨**~le**⟩ *odeur* foul
pet [pɛ] *m fam* fart *fam*
pétainiste [petenist] *m/f* HIST supporter of Maréchal Pétain
pétale [petal] *m* petal
pétanque [petɑ̃k] *f* pétanque
pétant [petɑ̃] *adj* ⟨**-ante** [-ɑ̃t]⟩ *fam* ***à dix heures ~es*** at ten on the dot
pétarade [petaʀad] *f d'une moto* backfire **pétarader** *v/i* to backfire
pétard [petaʀ] *m* **1.** (*explosif*) firecracker **2.** *fam* (*bruit*) racket *fam* **3.** *fam* (*revolver*) gun; piece *fam* **4.** *fam* (*derrière*) ass *fam*; butt *fam* **5.** *fam* (*cigarette de marijuana*) joint *fam*
pétaudière [petodjɛʀ] *f* ***c'est une véritable*** ~ it's a complete shambles
pet-de-nonne [pɛdnɔn] *m* ⟨**pets-de-nonne**⟩ *choux pastry fritter*
péter [pete] *fam v/i* ⟨**-è-**⟩ **1.** *fam* (*lâcher un pet*) to break wind; to fart *fam* **2.** *coup de feu, pétard* to go off **3.** *bouton* to pop; *ficelle, etc* to snap
pète-sec [pɛtsɛk] *m* ⟨*inv*⟩ *fam, fig* disciplinarian
péteux [petø] *m*, **péteuse** [-øz] *f fam* **1.** (*prétentieux*) stuck-up *fam* **2.** (*peureux*) cowardly
pétillant [petijɑ̃] *adj* ⟨**-ante** [-ɑ̃t]⟩ **1.** *eau minérale, champagne* sparkling **2.** *texte* ~ ***d'esprit*** bubbling with wit
pétillement [petijmɑ̃] *m* **1.** *d'une boisson* fizzing **2.** *d'un feu de bois* crackling
pétiller [petije] *v/i* **1.** *feu* to crackle **2.** *eau, champagne* to fizz **3.** *fig* ~ ***d'esprit*** to sparkle with wit; *yeux* ~ ***de joie*** to be sparkling with joy
pétiole [pesjɔl] *m* leafstalk
petiot [pətjo] *m*, **petiote** [-ɔt] *f fam* little boy, little girl
▸ **petit** [p(ə)ti] **I** *adj* ⟨**-ite** [-it]⟩ small; ~ ***bruit*** slight noise; ENSEIGNEMENT ***les ~es classes*** the juniors; ***une ~e heure*** no more than an hour; ***~e ville*** small town; ~ ***à*** ~ little by little, gradually **II** *subst* **1.** *enfant* ***le*** ~, ***la ~e*** the little boy, girl; ***les ~s*** the children **2.** *socialement* ***les ~s*** ordinary people **3.** (*jeune animal*) ***le*** ~ the young animal, the baby; ***la mère et ses ~s*** the mother and her young
petit-beurre *m* ⟨**petits-beurre**⟩ *all-butter cookie*
petit-bourgeois, petite-bourgeoise I *m/f* lower middle-class person, *péj* petit-bourgeois **II** *adj* lower middle-class, *péj* petit-bourgeois
▸ **petit-déjeuner** *m* ⟨**petits-déjeuners**⟩ breakfast
▸ **petite-fille** *f* ⟨**petites-filles**⟩ granddaughter
petitement [p(ə)titmɑ̃] *adv* **1.** ***être logé*** ~ to live in cramped conditions **2.** ***vivre*** ~ to lead a meager existence **3.** ***se venger*** ~ to get one's petty revenge
petite-nièce *f* ⟨**petites-nièces**⟩ great-niece
petitesse [p(ə)titɛs] *f* **1.** smallness **2.** *fig* ~ ***d'esprit*** narrow-mindedness
▸ **petit-fils** *m* ⟨**petits-fils**⟩ grandson
petit-gris *m* ⟨**petits-gris**⟩ **1.** *fourrure* grey squirrel fur **2.** ZOOL garden snail
pétition [petisjɔ̃] *f* petition
pétitionnaire [petisjɔnɛʀ] *m/f* petitioner
petit-lait *m* ⟨**petits-laits**⟩ whey
petit-nègre *m* ⟨*inv*⟩ gibberish

petit-neveu *m* ⟨**petits-neveux**⟩ great-nephew
▶ **petits-enfants** [p(ə)tizɑ̃fɑ̃] *mpl* grandchildren
petit-suisse® *m* ⟨**petits-suisses**⟩ fromage frais, petit-suisse®
pétochard [petɔʃaʀ] *adj et subst* ⟨**-arde** [-aʀd]⟩ *fam* → ***froussard***
pétoche [petɔʃ] *f fam* → ***frousse***
pétoire [petwaʀ] *f fam* (*fusil*) rusty old gun
peton [pətõ] *fam m* foot
pétoncle [petõkl] *m* scallop
pétrel [petʀɛl] *m* ORNITH petrel
pétrification [petʀifikasjõ] *f* petrification
pétrifié [petʀifje] *adj* ⟨**~e**⟩ petrified; *fig* ***~ de terreur*** transfixed by fear
pétrifier [petʀifje] **I** *v/t* **1.** GÉOL to petrify **2.** *fig* to transfix **II** *v/pr* ***se pétrifier*** to become petrified
pétrin [petʀɛ̃] *m* **1.** CUIS kneading trough; ***~ mécanique*** kneading machine **2.** *fam* mess; ***être dans le ~*** to be in a mess; ***se fourrer, se mettre dans le ~*** to get into a mess
pétrir [petʀiʀ] *v/t* **1.** *pâte* to knead **2.** *fig* ***pétri d'orgueil*** full of pride
pétrissage [petʀisaʒ] *m* **1.** *d'une pâte* kneading **2.** MÉD deep tissue massage
pétrochimie [petʀɔʃimi] *f* petrochemistry **pétrochimique** *adj* petrochemical
pétrodollars *mpl* petrodollars
▶ **pétrole** [petʀɔl] *m* **1.** (*brut*) oil **2.** (*raffiné*) kerosene, *brit* paraffin; ***lampe*** *f* ***à ~*** kerosene lamp
pétrolette [petʀɔlɛt] *f fam* (*vélomoteur*) scooter
pétrolier [petʀɔlje] **I** *adj* ⟨**-ière** [-jɛʀ]⟩ oil *épith*; *pays* oil-producing *épith* **II** *m* oil tanker
pétrolifère [petʀɔlifɛʀ] *adj* oil-producing *épith*
pétulance [petylɑ̃s] *f* exuberance **pétulant** *adj* ⟨**-ante** [-ɑ̃t]⟩ exuberant
pétunia [petynja] *m* petunia
▶ **peu** [pø] **I** *adv* **1.** not much; ▶ ***peu de*** (*avec un nom non dénombrable*) not much; (*avec un nom dénombrable*) few, not many; ***il gagne peu*** he doesn't earn much; ***peu recommandable*** disreputable; ***peu après*** not long after; ▶ ***peu à peu*** gradually, little by little; ▶ ***à peu près*** (*plus ou moins*) more or less; (*presque*) almost; ***avant peu, d'ici peu, sous peu*** before long, in a short while; ***depuis peu*** not long ago, recently; ▶ ***de peu*** only just; ***si peu enthousiaste qu'il soit*** however unenthusiastic he may be; ***pour peu que ...*** *+subj* if; ***c'est peu de chose*** it's nothing; ***à peu de chose près*** more or less, approximately; ***en peu de mots*** in very few words; ***en peu de temps*** in a short time **2.** ▶ ***un peu*** a bit, a little; ***un peu moins*** a bit less; ***un peu partout*** almost everywhere; ***un peu de*** (+*subst*) a little (+*subst*), a bit of (+*subst*); ***un*** (***tout***) ***petit peu de sel*** a little salt; ***pour un peu je l'aurais cru***, I nearly believed him; ***un peu plus*** (***et***) ***j'étais parti*** I had nearly left; (***un***) ***tant soit peu*** a little bit **II** *subst* ***le peu que j'en sais*** what little I know **III** *pr ind* few, not many people
peuchère [pøʃɛʀ] *int régional* poor thing
Peugeot® [pøʒo] *voiture* ***une ~*** a Peugeot®
peuplade [pœplad] *f* tribe
▶ **peuple** [pœpl] *m* people
peuplé [pœple] *adj* ⟨**~e**⟩ ***peu ~*** sparsely populated; ***très ~*** densely populated
peuplement [pœpləmɑ̃] *m* populating
peupler [pœple] *v/t* **1.** *pays, région* to populate **2.** *étang* to stock
peuplier [pœplije, pø-] *m* poplar
▶ **peur** [pœʀ] *f* fear (***de*** of); ***de ou par peur qu'on*** [***ne***] ***l'accuse*** for fear of being accused, in case he should be accused; ***avoir peur*** to be frightened; ***j'ai eu peur*** I had a fright; ***avoir peur de*** *+inf* to be afraid of (+ *v-ing*); *sens affaibli* to be scared of (+ *v-ing*); ***avoir peur pour qn*** to be frightened for sb; ▶ ***faire peur à qn*** to scare sb; (*effrayer qn*) to frighten sb; ***prendre peur*** to take fright, to get frightened
peureux [pøʀø, pœ-] **I** *adj* ⟨**-euse** [-øz]⟩ timid, fearful **II ~, *peureuse*** *m/f* timid person
peut [pø] → ***pouvoir***[1]
▶ **peut-être** [pøtɛtʀ] *adv* perhaps, maybe; ***~ qu'il fera beau*** maybe the weather will be fine
peuvent [pœv], **peux** [pø] → ***pouvoir***[1]
p. ex. *abr* (= **par exemple**) e.g.
pèze [pɛz] *m arg* → ***fric***
pH [peaʃ] *m* pH
phacochère [fakɔʃɛʀ] *m* warthog
phagocyte [fagɔsit] *m* phagocyte **phagocyter** *v/t fig* ***~*** to swallow sth up
phalange [falɑ̃ʒ] *f* ANAT phalanx

phalangiste [falɑ̃ʒist] *m* HIST *en Espagne* Falangist
phalène [falɛn] *f ou m* ZOOL geometer moth
phallique [falik] *adj* phallic
phallocrate [falɔkʀat] *m fam* male chauvinist
phalloïde [falɔid] *adj* BOT ***amanite** f* **~** death cap
phallus [falys] *m* phallus
phanérogame [faneʀɔgam] *f* BOT phanerogam
phantasme [fɑ̃stasm] *m* → ***fantasme***
pharamineux [faʀaminø] *adj* ⟨**-euse** [-øz]⟩ → ***faramineux***
pharaon [faʀaõ] *m* pharaoh
phare [faʀ] *m* **1.** MAR lighthouse **2.** AUTO headlight, headlamp; ***les ~s*** (*opposé à codes*) the high beams, *brit* the full beams
pharisaïque [faʀizaik] *adj* BIBL Pharisaic; *fig et litt* Pharisaical **pharisaïsme** *m* BIBL *et fig* Pharisaism
pharisien [faʀizjɛ̃] *m*, **pharisienne** [-jɛn] *f* Pharisee
pharmaceutique [faʀmasøtik] *adj* pharmaceutical; ***industrie** f* **~** pharmaceutical industry; ***produit** m* **~** pharmaceutical
► **pharmacie** [faʀmasi] *f* **1.** *commerce* drugstore, *brit* chemist's, pharmacy; ***vendu en ~*** available in drugstores **2.** *meuble* medicine cabinet **3.** *science* pharmacy
► **pharmacien** [faʀmasjɛ̃] *m*, **pharmacienne** [faʀmasjɛn] *f* pharmacist
pharmacodépendance [faʀmakodepɑ̃dɑ̃s] *f* drug dependence **pharmacologie** *f* pharmacology **pharmacopée** *f* pharmacopeia
pharyngal [faʀɛ̃gal] *adj* ⟨**~e; -aux** [-o]⟩ PHON pharyngeal
pharyngite [faʀɛ̃ʒit] *f* pharyngitis
pharynx [faʀɛ̃ks] *m* pharynx
phase [fɑz] *f* phase (*a* ASTR); stage; *fig* ***en ~*** on the same wavelength
phénicien [fenisjɛ̃] *adj* ⟨**-ienne** [-jɛn]⟩ Phoenician
phénix [feniks] *m* MYTH phoenix
phénol [fenɔl] *m* phenol
phénoménal [fenɔmenal] *adj* ⟨**~e; -aux** [-o]⟩ phenomenal
phénomène [fenɔmɛn] *m* **1.** phenomenon **2.** *fam, fig* ***c'est un ~*** he's/she's quite a character
phénoménologie [fenɔmenɔlɔʒi] *f* phenomenology
phénoplaste [fenɔplast] *m* CHIM phenoplast
philanthrope [filɑ̃tʀɔp] *m/f* philanthropist **philanthropie** *f* philanthropy **philanthropique** *adj* philanthropic
philatélie [filateli] *f* philately **philatélique** *adj* philatelic **philatéliste** *m/f* philatelist
philharmonique [filaʀmɔnik] *adj* philharmonic
Philippines [filipin] ***les ~*** *fpl* the Philippines
philistin [filistɛ̃] *m litt* philistine
philo [filo] *f, abr fam* philosophy
philodendron [filɔdɛ̃dʀõ] *m* BOT philodendron
philologie [filɔlɔʒi] *f* philology; ***~ germanique, romane*** German, Romance philology
philologique [filɔlɔʒik] *adj* philological
philologue *m/f* philologist
philosophale [filɔzɔfal] *adj* ***la pierre ~*** the philosopher's stone
philosophe [filɔzɔf] **I** *m* philosopher **II** *adj* philosophical **philosopher** *v/i* to philosophize
philosophie [filɔzɔfi] *f* **1.** philosophy **2.** (*sagesse*) wisdom
philosophique [filɔzɔfik] *adj* philosophical
philosophiquement [filɔzɔfikmɑ̃] *adv* philosophically
philtre [filtʀ] *m* potion, philtre
phishing *m* phishing
phlébite [flebit] *f* phlebitis
phlegmon [flɛgmõ] *m* MÉD phlegmon
phlox [flɔks] *m* phlox
phobie [fɔbi] *f* phobia; *par ext* ***avoir la ~ de qc*** to have a phobia about sth
phobique [fɔbik] *adj névrose, personne* phobic
phocéen [fɔseɛ̃] *adj* ⟨**-éenne** [-eɛn]⟩ ***la cité ~ne*** Marseilles
phonateur [fɔnatœʀ] *adj* ⟨**-trice** [-tʀis]⟩ phonatory **phonation** *f* phonation
phone [fɔn] *m* phon
phonème [fɔnɛm] *m* phoneme
phonéticien [fɔnetisjɛ̃] *m*, **phonéticienne** [-jɛn] *f* phonetician
phonétique [fɔnetik] **I** *adj* phonetic; ***alphabet ~ international*** international phonetic alphabet **II** *f* phonetics (+ *v sg*)
phonique [fɔnik] *adj* **1.** PHON phonic **2.** (*relatif aux bruits*) phonic

phono [fɔno] *m, abr* → ***phonographe***
phonographe [fɔnɔgʀaf] *m* phonograph, *brit* gramophone
phonologie [fɔnɔlɔʒi] *f* phonology
phonothèque [fɔnɔtɛk] *f* sound archive
phoque [fɔk] *m* ZOOL seal; *fig* ***souffler comme un ~*** to puff and pant
phosphatage [fɔsfataʒ] *m* treatment with phosphates
phosphate [fɔsfat] *m* phosphate
phosphaté [fɔsfate] *adj* ⟨**~e**⟩ phosphate enriched (*épith*); ***engrais ~*** phosphate fertilizer
phosphater [fɔsfate] *v/t* to apply phosphates to
phosphore [fɔsfɔʀ] *m* phosphorous
phosphoré [fɔsfɔʀe] *adj* ⟨**~e**⟩ phosphorous
phosphorer [fɔsfɔʀe] *v/i fam* to beaver away *fam*
phosphorescence [fɔsfɔʀɛsɑ̃s] *f* phosphorescence **phosphorescent** *adj* ⟨**-ente** [-ɑ̃t]⟩ phosphorescent
phosphorique [fɔsfɔʀik] *adj* ***acide m ~*** phosphoric acid
▶ **photo** [fɔto] *f* **1.** *image* photo, picture; ***~ d'identité*** passport photo; ***~ en couleurs*** colour photo; ***faire, prendre une ~*** to take a photo; ***prendre qn, qc en ~*** to take a photo of sb, sth **2.** *art* ***la ~*** photography
photochimie *f* photochemistry **photocomposeuse** *f* photocomposer, *brit* filmsetter **photocomposition** *f* photocomposition, *brit* filmsetting
photocopie [fɔtɔkɔpi] *f* photocopy **photocopier** *v/t* to photocopy **photocopieur** *m ou* **photocopieuse** *f* photocopier
photo-électrique *adj* ***cellule f ~*** photoelectric cell
photo-finish *f* ⟨**photos-finish**⟩ photo finish
photogénique *adj* photogenic
▶ **photographe** [fɔtɔgʀaf] *m/f* photographer **photographie** *f image* photograph; *art* photography
▶ **photographier** [fɔtɔgʀafje] *v/t* to photograph, to take a photograph of **photographique** *adj* photographic
photogravure *f* photoengraving
photomaton® [fɔtɔmatɔ̃] *m* photo booth
photomécanique *adj* photomechanical **photométrie** *f* photometry **photomontage** *m* photomontage
photon [fɔtɔ̃] *m* PHYS photon
photopile *f* solar cell **photosensible** *adj* photosensitive **photosynthèse** *f* photosynthesis **photothèque** *f* photographic archive, picture archive
phrase [fʀɑz] *f* **1.** GRAM sentence **2.** (*propos*) phrase; *péj* ***~s** pl* flowery words; ***faire des ~s*** to use flowery language **3.** MUS phrase

> **phrase**
>
> **Phrase** = sentence in French. The French word for phrase is **expression**.

phrasé [fʀɑze] *m* MUS phrasing
phraséologie [fʀazeɔlɔʒi] *f* **1.** LING phraseology **2.** *péj* verbosity
phraser [fʀɑze] *v/t* MUS to phrase
phraseur [fʀɑzœʀ] *m*, **phraseuse** [-øz] *f péj* phrasemonger
phréatique [fʀeatik] *adj* ***nappe f ~*** ground water
phrygien [fʀiʒjɛ̃] *adj* ⟨**-ienne** [-jɛn]⟩ ***bonnet ~*** Phrygian cap
phtisie [ftizi] *f* MÉD consumption
phylloxéra [filɔkseʀa] *m* phylloxera
physalis [fizalis] *m* physalis, cape gooseberry
physicien [fizisjɛ̃] *m*, **physicienne** [-jɛn] *f* physician
physico-chimique [fizikoʃimik] *adj* physico-chemical
physiologie [fizjɔlɔʒi] *f* physiology
physiologique [fizjɔlɔʒik] *adj* physiological
physiologiste [fizjɔlɔʒist] *m/f* physiologist
physionomie [fizjɔnɔmi] *f* appearance (*a fig de qc*)
physionomiste [fizjɔnɔmist] *adj* ***être ~*** to have a good memory for faces
physiothérapie [fizjoteʀapi] *f* physical therapy, *brit* physiotherapy
▶ **physique**[1] [fizik] *f* physics (+ *v sg*)
physique[2] *m* **1.** (*aspect de qn*) physical appearance; (*corps*) physique **2.** ***le ~*** the physical; ***au ~ et au moral*** physically and mentally
▶ **physique**[3] *adj* **1.** (*de la nature matérielle*) physical **2.** (*du corps humain*) physical; ***amour m ~*** physical love **3.** JUR ***personne f ~*** natural person
physiquement [fizikmɑ̃] *adv* physical-

ly; ***il est bien ~*** he's physically healthy
phytoplancton [fitoplɑ̃ktɔ̃] *m* phytoplankton **phytosociologie** *f* phytosociology **phytothérapie** *f* herbal medicine
pi [pi] *m lettre grecque*, MATH pi
piaf [pjaf] *fam m* little bird
piaffement [pjafmɑ̃] *m* pawing (of the ground)
piaffer [pjafe] *v/i* **1.** *cheval* to paw the ground **2.** *fig* ***~ d'impatience*** to be champing at the bit
piaillement [pjajmɑ̃] *m* **1.** *d'oiseaux* chirping **2.** *fam*, *fig* squealing
piailler [pjaje] *v/i* **1.** *oiseaux* to chirp **2.** *fam enfants* to squeal
pianissimo [pjanisimo] *adv* MUS pianissimo; *fig* very softly
pianiste [pjanist] *m/f* pianist
▶ **piano** [pjano] **I** *m* ~ (***droit***) (upright) piano; ***~ à queue*** grand piano **II** *adv* **1.** MUS piano **2.** *fam* ***allez-y ~!*** take it easy! *fam*
pianoter [pjanɔte] *v/i* **1.** *péj* to tinkle **2.** *fig* ***~ sur qc*** *table* to drum on sth; *clavier* to tap on sth
piastre [pjastʀ] *f monnaie* piastre
piaule [pjol] *f fam* (*chambre*) room
piaulement [pjolmɑ̃] *m* **1.** *de petits oiseaux* cheeping **2.** *fam de jeunes enfants* whining
piauler [pjole] *v/i* **1.** *petits oiseaux* to cheep **2.** *fam jeunes enfants* to whine
P.I.B. [peibe] *m*, *abr* ⟨*inv*⟩ (= **produit intérieur brut**) GDP
pic[1] [pik] *m* **1.** *outil* pick **2.** *montagne* peak **3.** *fig d'une courbe* peak **4.** ZOOL woodpecker
pic[2] *adv* **à ~ 1.** ***couler à ~*** to sink straight to the bottom **2.** *fam* ***tomber à ~*** to arrive at just the right time
picador [pikadɔʀ] *m dans une corrida* picador
picaillons [pikajɔ̃] *mpl fam* → ***fric***
picaresque [pikaʀɛsk] *adj roman* picaresque
piccolo [pikɔlo] *m* **1.** MUS piccolo **2.** *fam* (*vin*) wine
pichenette [piʃnɛt] *f* → ***chiquenaude***
pichet [piʃɛ] *m* pitcher, *brit* jug
pickpocket [pikpɔkɛt] *m* pickpocket
pick-up [pikœp] *m* ⟨*inv*⟩ **1.** (*tourne-disque*) record player **2.** AUTO pickup (truck)
picoler [pikɔle] *fam v/i* to drink; to booze *fam*
picolo → ***piccolo***
picorer [pikɔʀe] *v/i* **1.** *poules* to scratch about **2.** *fam*, *fig* to nibble
picot [piko] *m* **1.** *d'une dentelle* picot **2.** *outil* pick hammer
picoté [pikɔte] *adj* ⟨**~e**⟩ *visage* ***~ de rougeurs*** blotchy
picotement [pikɔtmɑ̃] *m* tingling
picoter [pikɔte] *v/t* **1.** to sting; *fumée* ***~ les yeux*** to make one's eyes sting **2.** *poules* to peck at
picotin [pikɔtɛ̃] *m* ration
picouse → ***piquouse***
picrate [pikʀat] *m* **1.** CHIM picrate **2.** *fam vin* cheap wine; vino *fam*
pictogramme [piktɔgʀam] *m* pictogram, pictograph
pictural [piktyʀal] *adj* ⟨**~e; -aux** [-o]⟩ PEINT pictorial
pie[1] [pi] **I** *f* **1.** ZOOL magpie *a fig* **2.** *fam*, *fig* chatterbox *fam* **II** *adj* ⟨*inv*⟩ *bovin* black and white; *cheval* piebald
pie[2] *adj* ***œuvre*** *f* ***~*** charitable work
▶ **pièce** [pjɛs] *f* **1.** (*unité*) piece; ***pièce d'argenterie*** piece of silverware; *maillot de bain* ***une pièce, deux pièces*** one-piece, two-piece swimsuit; ***travailler à la pièce*** to do piecework; ***être aux pièces*** to be on piecework; ***cela coûte cinq euros pièce*** they cost five euros each; *fig* ***c'est inventé de toutes pièces*** it's a complete fabrication **2.** *d'un tout*, *a* TECH part; ▶ ***pièce de rechange*** spare part; *service* ***de douze pièces*** twelve-piece (*épith*); ***mettre qc en pièces*** to smash sth **3.** *d'habitation* room; ***un appartement de deux pièces*** a two-room apartment **4.** (*document*) document; ▶ ***pièce d'identité*** ID, proof of identity; ADMIN identity papers (+ *v pl*); ***juger sur pièces*** to judge on the evidence **5.** ▶ ***pièce*** (***de théâtre***) play **6.** ***pièce*** (***de monnaie***) coin; ***pièce de deux euros*** two euro piece *ou* coin; *fig* ***donner la pièce à qn*** to give sb a tip **7.** COUT patch **8.** ***pièce*** (***d'artillerie***) gun **9.** ***pièce d'eau*** lake **10.** *aux échecs* chessman; *d'un puzzle* piece **11.** ***pièce montée*** *cake made of a pyramid of choux buns*
piécette [pjesɛt] *f* small coin
▶ **pied** [pje] *m* **1.** foot; ***à ~*** on foot; *fig* ***au ~ levé*** at a moment's notice; *fam* ***comme un ~*** really badly; ***des ~s à la tête*** from head to foot; ***attendre qn, qc de ~ ferme*** to be ready and waiting

for sb, sth; ***sur le ~ de guerre*** *armée* on a war footing; *fig* ready for action; *dans l'eau* ***avoir ~*** to be able to touch the bottom; ***avoir bon ~ bon œil*** to be as fit as a fiddle; *fig* ***avoir les ~s sur terre*** to have one's feet on the ground; ***faire du ~ à qn*** to play footsie with sb; *fam*, *fig* ***cela lui fera les ~s*** that will teach him a lesson; *fig* ***faire des ~s et des mains pour*** *+inf* to pull out all the stops *+inf*; ***lâcher ~*** to fall back; *fig* to give way; *fig* ***mettre les ~s dans le plat*** to put one's foot in it; ***mettre ~ à terre*** to dismount; *fig* ***mettre qn à ~*** to suspend sb; *fig* ***mettre qc sur ~*** to set sth up; *armée* to raise sth; ***perdre ~*** *dans l'eau* to be out of one's depth *a fig*; *fig* ***remettre qn sur ~*** to get sb back on their feet again; *fig* ***ne pas savoir sur quel ~ danser*** not to know what to do; *fig* ***vivre sur un grand ~*** to live in style **2.** *d'un animal* foot; CUIS ***~s de veau*** calf's foot; ***~s de porc*** pig's trotters **3.** *d'un meuble* leg; *d'une lampe*, *etc* base; PHOT tripod; ***verre*** *m* ***à ~*** stem glass **4.** (*partie basse*) foot; *d'un lit* foot; ***au ~ de*** at the foot of; *fig* ***mettre qn au ~ du mur*** to call sb's bluff; ***être à ~ d'œuvre*** to be ready to get down to work **5.** ***~ de salade*** head of lettuce; ***~ de vigne*** vine; *récolte* ***sur ~*** uncut, standing (*épith*) **6.** *ancienne mesure* foot; *fig* ***faire un ~ de nez à qn*** to thumb one's nose at sb **7.** *fam* ***c'est le ~*** it's fantastic *fam*; *fam* ***prendre son ~*** to get one's kicks *fam*

pied-à-terre [pjetatɛʀ] *m* ⟨*inv*⟩ pied-à--terre

pied-de-biche [pjedbiʃ] *m* ⟨**pieds-de--biche**⟩ **1.** TECH (*levier*) crowbar; (*pince*) nail puller **2.** COUT presser foot

pied-de-poule [pjedpul] *m* ⟨**pieds-de--poule**⟩ houndstooth check

piédestal [pjedɛstal] *m* ⟨**-aux** [-o]⟩ pedestal; *fig* ***mettre qn sur un ~*** to put sb on a pedestal

pied-noir *m/f* ⟨**pieds-noirs**⟩ pied-noir *French colonial settler in Algeria*

piège [pjɛʒ] *m* **1.** trap; ***être pris au ~*** to be caught in the trap; *fig* ***tendre un ~ à qn*** to set a trap for sb **2.** *adj* ***question*** *f* ***~*** trick question

piégé [pjeʒe] *adj* ⟨**~e**⟩ ***voiture ~e*** booby--trapped car; ***lettre ~e*** letterbomb

piéger [pjeʒe] *v/t* ⟨**-è-, -ge-**⟩ **1.** *animaux* to trap **2.** *fig* ***~ qn*** to trick sb; ***se faire ~*** to be tricked

piercing [piʀsiŋ] *m* piercing

piéride [pjeʀid] *f* pierid butterfly

pierraille [pjɛʀɑj] *f* loose stones (+ *v pl*)

► **pierre** [pjɛʀ] *f* **1.** stone; ***la première ~*** the foundation stone; ***~ de taille*** dressed stone; *fig* ***cœur*** *m* ***de ~*** heart of stone; *fig* ***faire d'une ~ deux coups*** to kill two birds with one stone **2.** ***~*** (***précieuse***) precious stone, gem

Pierre [pjɛʀ] *m* Peter

pierreries [pjɛʀʀi] *fpl* gems

pierreux [pjɛʀø] *adj* ⟨**-euse** [-øz]⟩ stony

pierrot [pjɛʀo] *m* **1.** ZOOL sparrow **2.** THÉ Pierrot

pietà [pjeta] *f* ⟨*inv*⟩ pietà

piétaille [pjetaj] *f iron* underlings (+ *v pl*)

piété [pjete] *f* **1.** REL piety **2.** *st/s* (*respect*) devotion; ***~ filiale*** filial devotion

piètement [pjɛtmɑ̃] *m d'un siège* legs (+ *v pl*)

piétinement [pjetinmɑ̃] *m* **1.** shuffling; *de chevaux* sound of hooves **2.** *fig de négociations* lack of progress

piétiner [pjetine] **I** *v/t* to trample **II** *v/i* to shuffle around; *fig* to be getting nowhere

piétisme [pjetism] *m* pietism

piétiste **I** *adj* pietistic **II** *m/f* pietist

► **piéton** [pjetõ] **I** *m* pedestrian **II** *adj* ⟨**-onne** [-ɔn]⟩ pedestrian; ► ***zone piétonne, rue***(***s***) ***piétonne***(***s***) pedestrian precinct

piétonnier [pjetɔnje] *adj* ⟨**-ière** [-jɛʀ]⟩ pedestrian (*épith*)

piètre [pjɛtʀ] *adj* very poor; ***c'est une ~ consolation*** *f* it's small comfort

pieu [pjø] *m* ⟨**~x**⟩ **1.** stake **2.** *fam* (*litt*) bed

pieusement [pjøzmɑ̃] *adv* **1.** ***mourir ~*** to die with the benefit of the sacraments **2.** (*avec respect*) reverently

pieuter [pjøte] *v/pr fam* ***se ~*** to hit the hay *fam*, *brit* to hit the sack *fam*

pieuvre [pjœvʀ] *f* octopus

pieux [pjø] *adj* ⟨**pieuse** [pjøz]⟩ **1.** pious; *fig* ***~ mensonge*** white lie **2.** (*respectueux*) reverent

pif [pif] *m fam* (*nez*) nose

pifomètre [pifɔmɛtʀ] *m fam* ***au ~*** at a guess, roughly

pige [piʒ] *f* **1.** *journaliste* ***être payé à la ~*** to be paid on a freelance basis **2.** *arg* (*année d'âge*) ***avoir 30 ~s*** to be 30 (years old)

▸ **pigeon** [pizõ] *m* **1.** ZOOL pigeon **2.** *fig* ***le ~*** the sucker *fam*
pigeonnant [piʒɔnɑ̃] *adj* ⟨**-ante** [-ɑ̃t]⟩ ***soutien-gorge ~*** push-up bra
pigeonne [piʒɔn] *f* hen pigeon **pigeonneau** *m* ⟨**~x**⟩ young pigeon
pigeonner [piʒɔne] *fam v/t* ***~ qn*** to take sb for a ride *fam*
pigeonnier [piʒɔnje] *m* pigeon loft; *tour circulaire* dovecote
piger [piʒe] *fam v/t* ⟨**-ge-**⟩ to understand; to catch on *fam*
pigiste [piʒist] *m* freelance journalist
pigment [pigmɑ̃] *m* pigment
pigmentation [pigmɑ̃tasjõ] *f* pigmentation
pigmenté [pigmɑ̃te] *adj* ⟨**~e**⟩ pigmented
pignocher [piɲɔʃe] *fam v/i* to pick at one's food
pignon [piɲõ] *m* **1.** ARCH gable; *fig* ***avoir ~ sur rue*** to be well established **2.** TECH cogwheel **3.** BOT pine kernel
pignouf [piɲuf] *fam m* lout
pilaf [pilaf] *m* (***riz** m*) **~** pilau rice
pilage [pilaʒ] *m* grinding
pilastre [pilastʀ] *m* pilaster
pilchard [pilʃaʀ] *m* ZOOL pilchard
pile[1] [pil] *f* **1.** (*tas*) pile **2.** *d'un pont* pier **3.** **~** (***électrique***) battery **4.** *d'une pièce de monnaie* ***côté** m* **~** reverse face; ***~ ou face?*** heads or tails?
pile[2] *fam adv* ***s'arrêter ~*** to stop dead; ***ça tombe ~*** that's lucky; ***à deux heures ~*** at two on the dot *fam*
piler [pile] *v/t* **1.** (*broyer*) to grind **2.** *fam* (*s'arrêter pile*) to pull up short *fam*
pileux [pilø] *adj* ⟨**-euse** [-øz]⟩ hair (*épith*); ***système ~*** hair
pilier [pilje] *m* **1.** ARCH pillar **2.** *péj de qn* ***c'est un ~ de bistrot*** he props up the bar **3.** SPORT prop forward
pillage [pijaʒ] *m* HIST pillaging; *de magasins* looting **pillard** *m* looter **piller** *v/t* HIST to pillage; *magasins* to loot **pilleur** *m* looter
pilon [pilõ] *m* **1.** *outil* pestle (*a* CUIS); TYPO ***mettre qc au ~*** to pulp sth **2.** CUIS *d'un poulet* drumstick
pilonnage [pilɔnaʒ] *m* MIL shelling; AVIAT bombardment **pilonner** *v/t* MIL to shell; AVIAT to bombard
pilori [pilɔʀi] *m* HIST stocks (+ *v pl*)
pilosité [pilozite] *f* hairiness
pilotage [pilɔtaʒ] *m* **1.** AVIAT piloting; AUTO driving; ***~ sans visibilité*** flying blind; *fig d'une entreprise, etc* running **2.** MAR piloting
pilote [pilɔt] *m* **1.** AVIAT pilot; ***~ automatique*** automatic pilot; ***~ de chasse*** fighter pilot; ***~ de ligne*** airline pilot **2.** MAR pilot **3.** *d'une voiture de course* driver **4.** *adj* pilot (*épith*)
piloter [pilɔte] *v/t* **1.** *avion* to fly; *voiture* to drive **2.** *fig* ***~ qn*** to show sb round
pilotis [pilɔti] *m* pile; ***maisons** fpl* ***sur ~*** houses built on stilts
▸ **pilule** [pilyl] *f* pill; *fig* ***avaler la ~*** to grin and bear it; *fig* ***la ~ est dure à avaler*** it's a bitter pill to swallow; *fig* ***dorer la ~ à qn*** to sweeten the pill for sb; ***elle prend la ~*** she's on the pill
pimbêche [pɛ̃bɛʃ] *f* stuck-up woman
piment [pimɑ̃] *m* **1.** **~** (***rouge***) red chili; ***~ doux*** sweet pepper **2.** *fig* spice
pimenter [pimɑ̃te] *v/t* ***~ qc*** to season sth with chili; *fig* to spice sth up
pimpant [pɛ̃pɑ̃] *adj* ⟨**-ante** [-ɑ̃t]⟩ smart
pimprenelle [pɛ̃pʀənɛl] *f* BOT salad burnet
pin [pɛ̃] *m* pine (tree)
pinacle [pinakl] *m* ARCH pinnacle; *fig* ***porter qn au ~*** to praise sb to the skies
pinailler [pinaje] *fam v/i* to quibble; ***~ sur qc*** to quibble over sth
pinailleur [pinajœʀ], **pinailleuse** [-øz] *fam* **I** *m/f* quibbler **II** *adj* persnickety *fam*, *brit* pernickety *fam*
pinard [pinaʀ] *fam m* wine
pinasse [pinas] *f régional* flat bottomed boat
pince [pɛ̃s] *f* **1.** *outil* pliers (+ *v pl*); ***~ universelle*** universal pliers (+ *v pl*); ***~ à épiler*** tweezers (+ *v pl*) **2.** *pour serrer* tongs (+ *v pl*); ***~ à cheveux*** hair grip; ***~ à linge*** clothespin, *brit* clothes peg **3.** *des crabes, etc* claw, pincer **4.** COUT dart **5.** *fam* (*main*) ***serrer la ~ à qn*** to shake sb's hand **6.** *fam* (*pied*) ***à ~s*** on foot
pincé [pɛ̃se] *adj* ⟨**~e**⟩ *air* stiff; *sourire* tight-lipped
pinceau [pɛ̃so] *m* ⟨**~x**⟩ **1.** paintbrush **2.** ***~x*** *fam* (*pieds*) feet
pincée [pɛ̃se] *f* ***une ~ de sel*** a pinch of salt
pincement [pɛ̃smɑ̃] *m fig* ***avoir un ~ au cœur*** to feel a twinge of sadness
pince-monseigneur *f* ⟨**pinces-monseigneur**⟩ jemmy **pince-nez** *m* ⟨*inv*⟩ pince-nez
pincer [pɛ̃se] ⟨**-ç-**⟩ **I** *v/t* **1.** to pinch (***qn*** sb); ***~ le bras à qn*** to pinch sb's arm

2. *lèvres* to purse **3.** MUS *cordes* to pluck **4.** *fam*, *fig malfaiteur* to catch; to nab *fam*; ***se faire ~*** to get caught **5.** *fam*, *fig* ***ça pince dur*** it's bitterly cold **II** *v/i fam* ***en ~ pour qn*** to be crazy about sb *fam* **III** *v/pr* ***se ~ le doigt*** to pinch one's finger

pince-sans-rire *m/f* ⟨*inv*⟩ ***c'est un(e) ~*** he's (she's) got a deadpan sense of humor

pincette [pɛ̃sɛt] *f* **1.** *pour le feu* ***~s*** *pl* fire tongs (+ *v pl*); *fig* ***il n'est pas à prendre avec des ~s*** he's like a bear with a sore head **2.** TECH tweezers (+ *v pl*)

pinçon [pɛ̃sõ] *m* pinch mark

pineau [pino] *m* ***~ des Charentes*** *unfermented grape juice and brandy aperitif*

pinède [pinɛd] *f* pine forest

pingouin [pɛ̃gwɛ̃] *m* auk; (*manchot*) penguin

ping-pong [piŋpõg] *m* ⟨*inv*⟩ ping-pong

pingre [pɛ̃gʀ] *adj* stingy **pingrerie** *f péj* stinginess

pinot [pino] *m* pinot

pin-pon [pɛ̃põ] *int* ***~! ~!*** *sound made by a two-tone siren*

pin's [pins] *m* lapel badge

pinson [pɛ̃sõ] *m* chaffinch; *fig* ***gai comme un ~*** as happy as a lark

pintade [pɛ̃tad] *f* guinea fowl **pintadeau** *m* ⟨***~x***⟩ young guinea fowl

pinte [pɛ̃t] *f* ≈ quart **pinter** *fam v/i* to get drunk; to get plastered *fam*

pin-up [pinœp] *f* ⟨*inv*⟩ *photo* pinup; *fille* sexy-looking girl

pioche [pjɔʃ] *f* pick

piocher [pjɔʃe] **I** *v/t terre* to dig over **II** *v/i* JEUX to take a card from the stock; *fig* ***~ dans le tas*** to dig in

piolet [pjɔlɛ] *m* ice ax

pion [pjõ] *m* **1.** (*f* ***pionne*** [pjɔn]) *fam à l'école* supervisor *for school students* **2.** *pour jouer* counter; *aux échecs* pawn; *aux dames* checker, *brit* draught

pioncer [pjõse] *v/i* ⟨**-ç-**⟩ *fam* to sleep

pionne [pjɔn] *f* → ***pion 1***

pionnier [pjɔnje] *m*, **pionnière** [-jɛʀ] *f* **1.** HIST (*colon*) pioneer **2.** *fig* pioneer

▶ **pipe** [pip] *f* pipe; *fam*, *fig* ***casser sa ~*** to croak *fam*

pipeau [pipo] *m* ⟨***~x***⟩ (reed) pipe

pipelette [piplɛt] *f fam* gossip

pipeline *ou* **pipe-line** [pajplajn, piplin] *m* pipeline

piper [pipe] *v/t* **1.** ***ne pas ~ (mot)*** not to breathe a word **2.** *cartes* to mark; *dés* to load

piperade [pipeʀad] *f tomato and pepper omelette*

pipette [pipɛt] *f* pipette

pipi [pipi] *m enf ou fam* pee *fam*, *brit* wee *fam*; *fam* ***la dame ~*** (female) lavatory attendant; ***faire ~*** *enf* to have a pee *fam*, *brit* to have a wee *fam*

piquage [pikaʒ] *m* COUT stitching

piquant [pikɑ̃] **I** *adj* ⟨**-ante** [-ɑ̃t]⟩ **1.** *plante*, *barbe* prickly **2.** *froid* biting **3.** ***sauce ~e*** spicy sauce **II** *m* **1.** BOT thorn, prickle **2.** ZOOL spine **3.** *litt* piquancy; ***le ~ de l'affaire*** the best part of the affair; ***ne pas manquer de ~*** to be full of juicy details

pique[1] [pik] *f* **1.** *arme* pike **2.** *fig* ***envoyer, lancer des ~s à qn*** to make cutting remarks to sb

pique[2] *m aux cartes* spade

piqué [pike] **I** *adj* ⟨***~e***⟩ **1.** COUT machine stitched **2.** *miroir* tarnished; *livre* foxed; ***~ (des vers)*** worm-eaten **3.** CUIS ***~ d'ail*** studded with garlic **4.** *fam*, *fig* (*fou*) ***être un peu ~*** to be a bit crazy *fam* **II** *m* **1.** TEXT quilted **2.** AVIAT ***bombardement en ~*** dive bombing

pique-assiette *m/f* ⟨*inv*⟩ scrounger *fam*, sponger *fam* **pique-feu** *m* ⟨*inv*⟩ poker **pique-fleurs** *m* ⟨*inv*⟩ flower holder

pique-nique [piknik] *m* ⟨**pique-niques**⟩ picnic **pique-niquer** *v/i* to have a picnic **pique-niqueurs** *mpl* picnickers

▶ **piquer** [pike] **I** *v/t* **1.** *avec une aiguille*, *etc* to prick; *olives*, *viande* to prick; *épingles*, *fleurs* ***~ qc dans*** to stick sth into **2.** MÉD to inject (***qn*** sb); *par ext* ***faire ~ son chien*** to have one's dog put to sleep **3.** *guêpe*, *épines*, *orties*, *etc*: *qn ou abs* to sting; *serpent*, *puce* to bite; *barbe* to prickle **4.** ***la fumée nous pique les yeux*** the smoke is making our eyes sting; ***le froid me pique le visage*** the cold is making my face sting **5.** COUT to machine-stitch **6.** *fig curiosité de qn* to arouse **7.** *fam* ***~ une colère*** to throw a tantrum; ***~ une crise*** to have a fit *fam*; *fam* ***~ un cent mètres*** to put on a burst of speed **8.** *fam*, *fig* (*voler*) to pinch *fam* **9.** *fam*, *fig* (*voleur*) to nab *fam* **II** *v/i* **1.** *avion* ***~ (du nez)*** to nosedive **III** *v/pr* **1.** ***se ~ le doigt*** to prick one's finger **2.** ***se ~*** *diabétique* to inject o.s.; *drogué* to inject o.s.; to shoot up *fam* **3.** *fig personne* ***se ~ de qc*** to pride o.s. on sth

piquet [pikɛ] *m* **1.** post, stake; ***~ de tente*** tent peg **2.** ***~ de grève*** picket line **3.** *élève* ***il est au ~*** he's been made to sit in the corner

piqueté [pikte] *adj* ⟨***~e***⟩ ***~ de*** studded with

piquette [pikɛt] *f fam* (*vin*) cheap wine

piqueur [pikœʀ] *m* **1.** CH whipper-in **2.** *dans une mine* hewer **3.** TECH (*surveillant*) foreman

piqueuse [pikøz] *f* COUT machinist

piquouse [pikuz] *f fam* (*piqûre*) shot *fam*; *des drogués* fix *fam*

▶ **piqûre** [pikyʀ] *f* **1.** *d'insecte* bite; *d'ortie* sting; ***~ de moustique*** mosquito bite; *abus* ***~ de serpent*** snake bite **2.** MÉD injection; ***faire une ~ à qn*** to give sb an injection **3.** COUT stitching (+ *v sg*)

piranha [piʀana] *m* piranha

piratage [piʀataʒ] *m* pirating; INFORM hacking

pirate [piʀat] *m* **1.** MAR pirate; ***~ de l'air*** hijacker **2.** *de logiciels*, *cassettes* pirate; INFORM hacker **3.** *adj* ***radio*** *f* ***~*** pirate radio station

pirater [piʀate] *v/t DVD* to make pirate copy of

piraterie [piʀatʀi] *f* piracy (*a* COMM); INFORM hacking

▶ **pire** [piʀ] **I** *adj* **1.** ⟨*comparatif de* **mauvais**⟩ worse **2.** ⟨*superlatif de* **mauvais**⟩ ***le, la ~*** the worst **II** *subst* ***le ~*** the worst

pirogue [piʀɔg] *f* dugout canoe

pirouette [piʀwɛt] *f en danse* pirouette; *fam, fig* ***répondre par des ~s*** to answer evasively

pirouetter [piʀwɛte] *v/i* to pirouette

pis[1] [pi] *m* udder

pis[2] *adv* **1.** ⟨*comparatif de* **mal**⟩ worse; ***de mal en ~*** from bad to worse **2.** ⟨*superlatif de* **mal**⟩ ***au ~ aller*** at worst

pis-aller [pizale] *m* ⟨*inv*⟩ lesser evil

pisciculteur [pisikyltœʀ] *m* fish farmer

pisciculture *f* fish farming

▶ **piscine** [pisin] *f* swimming pool; ***~ couverte*** indoor swimming pool; ***~ en plein air*** open-air swimming pool

pisé [pize] *m* ***maison*** *f* ***en ~*** cob house

pissaladière [pisaladjɛʀ] *f onion, anchovy and chive tart*

pisse [pis] *f pop* piss *pop* **pisse-froid** *m fam* ⟨*inv*⟩ cold fish *fam*

pissenlit [pisɑ̃li] *m* dandelion; *fam, fig* ***manger les ~s par la racine*** to be pushing up the daisies *fam*

pisser [pise] *v/i* **1.** *pop* (*uriner*) to piss *pop* **2.** *fam, fig robinet* to leak

pisseuse [pisøz] *f fam, péj* (*petite fille*) little brat *fam, péj*

pisseux [pisø] *adj* ⟨**-euse** [-øz]⟩ **1.** *aspect* dingy; *couleur* washed-out **2.** *fam draps* urine-soaked (*épith*)

pissotière [pisɔtjɛʀ] *f fam* public urinal

pistache [pistaʃ] *f* **1.** pistachio **2.** *adj* (***vert***) ***~*** ⟨*inv*⟩ pistachio green

pistachier [pistaʃje] *m* pistachio tree

pistard [pistaʀ] *m en cyclisme* track cyclist

piste [pist] *f* **1.** (*trace*) trail; (*indice*) lead **2.** *dans le désert* trail; *dans la jungle* trail; ***~ cyclable*** cycle path **3.** AVIAT runway; ***~ d'atterrissage*** landing strip **4.** SPORT *pour athlètes*, *cyclistes* track; SKI piste; ***~ (de ski) de fond*** cross-country skiing course **5.** ***~ de danse*** dance floor **6.** CIRQUE ring **7.** TECH track; *d'une carte bancaire* ***~ magnétique*** magnetic strip

pister [piste] *v/t* ***~ qn*** to follow sb

pistil [pistil] *m* BOT pistil

pistole [pistɔl] *f* HIST pistole

pistolet [pistɔlɛ] *m* **1.** *arme* pistol **2.** TECH gun; ***peindre au ~*** to spray-paint

pistolet-mitrailleur *m* ⟨**pistolets-mitrailleurs**⟩ sub-machine gun

piston [pistõ] *m* **1.** TECH piston **2.** *fig* contacts (+ *v pl*), connections (+ *v pl*); ***avoir du ~*** to have connections

pistonner [pistɔne] *v/t* to pull strings for; ***se faire ~*** to use one's connections

pistou [pistu] *m* ***au ~*** pesto (*épith*)

pitance [pitɑ̃s] *f* ***maigre ~*** meager fare

pitbull [pitbyl, -bul] *m* ZOOL pitbull terrier

pitchoun [pitʃun] *m/f régional*, *terme d'affection* little one

piteux [pitø] *adj* ⟨**-euse** [-øz]⟩ pitiful

pithiviers [pitivje] *m puff pastry cake filled with almond cream*

▶ **pitié** [pitje] *f* pity; ***par ~!*** for pity's sake!; ***sans ~*** cruel; ***avoir ~ de qn*** to have pity on sb; ***il me fait ~*** I feel sorry for him; *péj* ***à faire ~*** pitifully; ***prendre qn en ~*** to take pity on sb

piton [pitõ] *m* **1.** *clou* piton; ***~ (à vis)*** screw hook **2.** *rocheux* outcrop

pitoyable [pitwajabl] *adj* **1.** pitiful **2.** *péj* pathetic

pitre [pitʀ] *m* clown

pitreries [pitʀəʀi] *fpl* clowning (+ *v sg*)

pittoresque [pitɔʀɛsk] *adj* **1.** *site* pictur-

esque; *personnage* colorful **2.** *langage* vivid; *style* colorful
pivert [pivɛʀ] *m* green woodpecker
pivoine [pivwan] *f* peony
pivot [pivo] *m* **1.** TECH pivot **2.** *fig* linchpin **3.** ***dent f à, sur ~*** post crown
pivotant [pivɔtɑ̃] *adj* ⟨**-ante** [-ɑ̃t]⟩ revolving; ***fauteuil ~*** swivel chair
pivoter [pivɔte] *v/i* to revolve; ***~ sur ses talons*** to spin round
pixel [piksɛl] *m* pixel
pizza [pidza] *f* pizza
pizzeria [pidzeʀja] *f* pizzeria
PJ [peʒi] *f, abr fam* (= **police judiciaire**) ≈ FBI, *brit* ≈ CID *detective division of the French police*
placage [plakaʒ] *m en bois* veneering
▶ **placard** [plakaʀ] *m* **1.** cupboard **2.** ***~ publicitaire*** display advertisement
placarder [plakaʀde] *v/t* ***~ qc*** (*afficher*) to stick sth up; ***placardé de*** plastered with
▶ **place** [plas] *f* **1.** place; ***place*** (***pour se garer***) parking space; ***à la place*** instead; ***à ta place*** in your place; ***à la place de*** in place of; ***mettre qc en place*** to set sth up; ***se mettre à la place de qn*** to put o.s. in sb's place; ***prendre, tenir beaucoup de place*** to take up a lot of space; ***se rendre sur place*** to go there **2.** (*siège*) place; THÉ seat; *billet* ticket; CH DE FER ***louer, réserver sa place*** to buy one's ticket; ▶ ***prendre place*** to sit down; ***ne pas rester, tenir en place*** to be fidgety **3.** (*emploi*) post, position **4.** (*rang*) place; *fig* ***remettre qn à sa place*** to put sb in their place **5.** *lieu public* square; ***place du marché*** market place, market square **6.** MIL ***place forte*** stronghold **7.** FIN market
placé [plase] *adj* ⟨**~e**⟩ THÉ ***être bien, mal ~*** to have a good, bad seat; *fig* ***il est bien ~ pour le savoir*** he's in a position to know
placebo [plasebo] *m* placebo
placement [plasmɑ̃] *m* **1.** FIN investment **2.** *de demandeurs d'emploi, etc* placing
placenta [plasɛ̃ta] *m* placenta
▶ **placer** [plase] ⟨**-ç-**⟩ **I** *v/t* **1.** *objet* to put; ***~ qn*** *au cinéma* to show sb to their seat; *à table* to seat sb **2.** ***~ qc*** *remarque, anecdote* to slip sth in; ***ne pas*** (***pouvoir***) ***~ un mot*** not to be able to get a word in edgeways **3.** *demandeur d'emploi, enfant, malade* to place **4.** *argent* to invest **II** *v/pr* **1.** ***se ~*** (*debout*) to stand; (*s'asseoir*) to sit; *fig* ***se ~ à un certain point de vue*** to adopt a certain point of view **2.** SPORT ***se ~ deuxième*** to come second
placide [plasid] *adj* placid **placidité** *f* placidity
placier [plasje] *m* COMM sales representative
▶ **plafond** [plafõ] *m* **1.** *d'une pièce* ceiling; ***faux ~*** false ceiling **2.** AVIAT ceiling **3.** *limite* ceiling, limit; *de la Sécurité sociale upper limit on social security deductions from pay*
plafonner [plafɔne] *v/i* **1.** *avion* to reach its ceiling; *voiture* to reach maximum speed **2.** *production, salaires* to reach a peak (***à*** of)
plafonnier [plafɔnje] *m* ceiling light
▶ **plage** [plaʒ] *f* **1.** (*rivage*) beach; ***~ de sable*** sandy beach **2.** (*station balnéaire*) beach resort **3.** ***~ arrière*** AUTO parcel shelf; MAR quarterdeck **4.** (*durée limitée*) time slot (*a* RAD)
plagiaire [plaʒjɛʀ] *m/f* plagiarist **plagiat** *m* plagiarism **plagier** *v/t* to plagiarize
plagiste [plaʒist] *m/f* beach attendant
plaid [plɛd] *m* plaid rug
plaidant [plɛdɑ̃] *adj* ⟨**-ante** [-ɑ̃t]⟩ *avocat* trial attorney, *brit* barrister
plaider [plɛde] **I** *v/t* ***~ la cause de qn*** *avocat* to plead sb's case; *fig* to speak in sb's defence; *accusé* ***~ coupable*** to plead guilty **II** *v/i* **1.** ***~ pour qn*** *avocat* to plead sb's case; *fig* to speak in sb's defence **2.** (*faire un procès*) ***~ contre qn*** to plead against sb
plaideur [plɛdœʀ] *m*, **plaideuse** [-øz] *f* litigant
plaidoirie [plɛdwaʀi] *f* JUR plea
plaidoyer [plɛdwaje] *m fig* plea
plaie [plɛ] *f* **1.** wound **2.** *fam, fig personne, chose* nuisance, pain; ***quelle ~!*** what a pain!
plaignant [plɛɲɑ̃] *m*, **plaignante** [-ɑ̃t] *f* plaintiff
plain-chant [plɛ̃ʃɑ̃] *m* ⟨**plains-chants**⟩ plainchant
plaindre [plɛ̃dʀ] ⟨→ **craindre**⟩ **I** *v/t* to feel sorry for; ***je le plains*** I feel sorry for him; ***il n'est pas à plaindre*** he's got nothing to complain about **II** *v/pr* ▶ ***se plaindre*** to complain (***de*** about) ***se plaindre à qn de qc*** to complain to sb about sth
▶ **plaine** [plɛn] *f* plain

plain-pied [plɛ̃pje] *adv* ***de ~*** single-story; ***de ~ avec*** on the same level as; *fig* on an equal footing; *fig* ***être de ~ avec qn*** to be on an equal footing with sb

plainte [plɛ̃t] *f* **1.** (*gémissement*) moan **2.** (*grief*) complaint **3.** JUR complaint; ***déposer une ~, porter ~*** to lodge a complaint (***contre*** against)

plaintif [plɛ̃tif] *adj* ⟨**-ive** [-iv]⟩ plaintive, mournful

▶ **plaire** [plɛʀ] ⟨**je plais, il plaît, nous plaisons; je plaisais; je plus; je plairai; que je plaise; plaisant; plu** *inv*⟩ **I** *v/t indir* ***elle me plaît*** I like her; ***un spectacle qui plaît aux enfants*** a show that is popular with children **II** *v/imp* ***quand il vous plaira*** whenever you like; ▶ ***s'il te plaît, s'il vous plaît*** (*abr* ***S.V.P.***) please **III** *v/pr* **1.** ***se ~ à faire qc*** to enjoy doing sth **2.** ***se ~ avec qn*** to enjoy sb's company **3.** ***je me plais à Paris*** I like Paris; *plante* ***se ~ à l'ombre*** to like shade **4.** *réciproquement* ***se ~*** to like each other

plais [plɛ] → ***plaire***

plaisamment [plɛzamɑ̃] *adv* → ***plaisant I***

plaisance [plɛzɑ̃s] *f* ***bateau*** *m* ***de ~*** pleasure boat; (***navigation*** *f* ***de***) ***~*** sailing; ***port*** *m* ***de ~*** marina

plaisancier [plɛzɑ̃sje] *m* amateur sailor

plaisant [plɛzɑ̃] **I** *adj* **1.** (*agréable*) pleasant **2.** (*comique*) amusing **II** *m* ***c'est un mauvais ~*** he's got a warped sense of humor

▶ **plaisanter** [plɛzɑ̃te] *v/i* to joke; ***vous plaisantez!*** you're joking!; you're kidding! *fam*

plaisanterie [plɛzɑ̃tʀi] *f* joke

plaisantin [plɛzɑ̃tɛ̃] *m* practical joker

▶ **plaisir** [plɛziʀ] *m* **1.** pleasure; ***au ~*** (***de vous revoir***)***!*** see you again soon!; ***avec ~*** with pleasure; ***pour son ~*** for pleasure; ***avoir le ~ de*** *+inf* to have the pleasure of (*+ v-ing*); ***faire ~ à qn*** to please sb; ***cela fait ~ à voir*** that's a pleasure to see; ***prendre du ~ à faire*** to enjoy doing **2.** *pl* ***~s*** (*distractions*) pleasures

plaît [plɛ] → ***plaire***

plan[1] [plɑ̃] **I** *adj* ⟨**plane** [plan]⟩ flat **II** *m* **1.** MATH, PHYS plane **2.** ***au premier ~*** in the foreground; *fig* ***de tout premier ~*** leading (*épith*); *fig* ***mettre qc au premier ~*** to prioritize sth; ***mettre qc au second ~*** to place less emphasis on sth **3.** ***sur le ~ de qc*** from the point of view of sth; ***sur le ~ politique*** from a political point of view **4.** FILM shot; ***gros ~*** close-up

▶ **plan**[2] *m* **1.** (*dispositions*) plan (*a* ÉCON); ***~ social*** corporate restructuring plan; ***~ de bataille*** battle plan; ***avoir son ~*** to have an idea **2.** *graphique* map; CONSTR plan; ***~ de Paris*** map of Paris **3.** *fam* ***laisser qn en ~*** to leave sb in the lurch *fam*; ***laisser tout en ~*** to drop everything

▶ **planche** [plɑ̃ʃ] *f* **1.** board; ***planche à dessin*** drawing board; ***planche à repasser*** ironing board; ▶ ***planche à roulettes*** skateboard; ▶ ***planche à voile*** *activité* windsurfing; *dispositif* sailboard; *fig* ***planche de salut*** lifeline; *nageur* ***faire la planche*** to float on one's back **2.** THÉ ***les planches*** the stage (*+ v sg*); ***monter sur les planches*** to tread the boards **3.** *dans un livre* plate **4.** *terre cultivée* bed

planchéier [plɑ̃ʃeje] *v/t sol* to lay floorboards on; *parois* to panel

▶ **plancher**[1] [plɑ̃ʃe] *m* **1.** *sol* floor; *fam, fig* ***débarrasse-moi le ~!*** scram! **2.** *entre deux étages* floor; ***~ en béton*** concrete floor **3.** *d'un véhicule* floor; *fam, fig* ***avoir le pied au ~*** to be going flat out *fam* **4.** *limite* floor

plancher[2] *v/i terme d'écolier* to have a test

planchette [plɑ̃ʃɛt] *f* small board

planchiste [plɑ̃ʃist] *m/f* windsurfer

plancton [plɑ̃ktõ] *m* plankton

planer [plane] *v/i* **1.** *oiseau, etc* to soar; AVION to glide; ***vol plané*** glide (*a* AVIAT) **2.** *fig personne* to have one's head in the clouds; *drogué* to be high *fam*; ***~ au-dessus de qc*** to soar above sth **3.** *fig danger* ***~ sur qn*** to hang over sb; ***laisser ~ qc*** *soupçons, mystère* to allow sth to persist

planétaire [planetɛʀ] *adj* **1.** ASTROL planetary **2.** (*mondial*) global

planétarium [planetaʀjɔm] *m* planetarium

▶ **planète** [planɛt] *f* planet

planeur [planœʀ] *m* glider

planificateur [planifikatœʀ] *m*, **planificatrice** [-tʀis] *f* planner

planification [planifikasjõ] *f* planning

planifier [planifje] *v/t* to plan; ***économie planifiée*** planned economy

planisphère [planisfɛʀ] *m* planisphere

planning [planiŋ] *m* **1.** schedule **2.** **~ *familial*** family planning
planque [plɑ̃k] *fam f* **1.** *travail* cushy job *fam* **2.** (*cachette*) hideout
planqué [plɑ̃ke] *m fam* skiver *fam*
planquer [plɑ̃ke] *fam v/t* (*et v/pr* ***se ~***) to hide
plant [plɑ̃] *m* young plant
plantain [plɑ̃tɛ̃] *m* plantain
plantaire [plɑ̃tɛʀ] *adj* ***verrue f ~*** verruca; ***voûte f ~*** arch of the foot
plantation [plɑ̃tasjõ] *f* **1.** *activité* planting **2.** *de légumes* patch **3.** *exploitation* plantation
▶ **plante**[1] [plɑ̃t] *f* plant; ***~ d'appartement*** houseplant
plante[2] *f* ***~ du pied*** sole of the foot
planté [plɑ̃te] *adj* ⟨**~e**⟩ **1.** ***bien ~*** *personne* sturdily built; *barbe* bushy **2.** *personne* ***rester ~ devant une vitrine*** to stand in front of a shop window
▶ **planter** [plɑ̃te] **I** *v/t* **1.** *plant(e)* to plant; *arbre, salade, bulbes, pommes de terre* to plant; *terrain, champ* to plant (***de*** with) **2.** ***~ qc*** *piquet, clou* to drive sth in; *drapeau* to put sth up; *tente* to pitch sth; *décors* to put sth up; *poignard* to stick sth (***dans*** in) **3.** ***~ là qn, qc*** to dump sb, sth there *fam* **II** *v/pr* **1.** *personne* ***se ~ devant qn*** to stand right in front of sb **2.** *fam* ***se ~*** *conducteur* to stand; *fig* (*échouer*) to fail; *ordinateur* to crash
planteur [plɑ̃tœʀ] *m* planter
planteuse [plɑ̃tøz] *f* AGR planter
plantigrades [plɑ̃tigʀad] *mpl* ZOOL plantigrades
plantoir [plɑ̃twaʀ] *m* dibble
planton [plɑ̃tõ] *m* **1.** MIL sentry **2.** *fam, fig* ***faire le ~*** to wait around
plantureux [plɑ̃tyʀø] *adj* ⟨**-euse** [-øz]⟩ **1.** *repas* lavish **2.** *femme* buxom
plaquage [plakaʒ] *m* **1.** SPORT tackle **2.** *fam de qn* ditching *fam*, dumping *fam*
plaque [plak] *f* **1.** plate; ***~ chauffante, de cuisson*** hotplate; *fig* ***~ tournante*** hub, crossroads (+ *v sg*); ***une ~ de chocolat*** a bar of chocolate; ***~ d'égout*** manhole cover; *fam, fig* ***être à côté de la ~*** to be completely mistaken *fam* **2.** *avec une inscription* plaque; ***~ commémorative*** commemorative plaque; AUTO ***~ minéralogique, d'immatriculation*** license plate, *brit* registration plate **3.** *sur la peau* blotch; ***~ dentaire*** plaque
plaqué [plake] *m* plated
plaquer [plake] *v/t* **I 1.** *métal* to plate; ***plaqué or*** gold-plated **2.** *bois* to veneer; ***en chêne plaqué*** with an oak veneer **3.** ***~ qn contre le mur*** to pin sb against the wall **4.** MUS *accord* to strike **5.** *fam* (*abandonner*) ***~ qn*** to ditch sb *fam*; ***~ qc*** to ditch sth *fam*, to chuck sth *fam* **II** *v/pr* ***se ~ contre qc*** to flatten o.s. against sth
plaquette [plakɛt] *f* **1.** ***une ~ de beurre*** a packet of butter **2.** PHARM blister pack **3.** ***~ sanguine*** (blood) platelet
plasma [plasma] *m* **~** (***sanguin***) (blood) plasma
plastic [plastik] *m* plastic explosive
plasticage *m* bomb attack
plasticien [plastisjɛ̃] *m* MÉD plastic surgeon; ART plastic artist
plasticité [plastisite] *f* **1.** TECH *d'une matière* plasticity **2.** PSYCH malleability
plastifiant [plastifjɑ̃] *m* TECH plasticizer
plastifier [plastifje] *v/t* ***~ qc*** to coat sth with plastic
plastiquage [plastikaʒ] *m* → ***plasticage***
▶ **plastique** [plastik] **I** *adj* **1.** ***matière f ~*** plastic **2.** ***arts*** *mpl* ***~s*** plastic arts **3.** ***chirurgie f ~*** plastic surgery **II** *subst* **1.** *m* plastic; ***en ~*** plastic **2.** *f art* plastic arts (+ *v pl*)
plastiquer [plastike] *v/t* ***~ qc*** to bomb sth, to blow sth up **plastiqueur** *m* bomber
plastron [plastʀõ] *m* ***~ de chemise*** shirt front
plastronner [plastʀɔne] *v/i* (*bomber le torse*) to puff one's chest out; *par ext* (*poser*) to swagger
▶ **plat**[1] [pla] **I** *adj* ⟨**plate** [plat]⟩ **1.** flat; *assiette* flat; ***chaussure à talon ~*** flat shoe; ***avoir les pieds ~s*** to have flat feet; ***à ~*** *batterie* flat; ***pneu m à ~*** flat tyre; flat *fam*; *fam, fig personne* ***être à ~*** to be done in *fam*; ***mettre qc à ~*** to lay sth down flat; *fig* to review sth from all angles **2.** ***eau ~e*** still water **3.** *fig style, goût* bland; ***faire de ~es excuses*** to make abject apologies **4.** ***rimes ~es*** rhyming couplets **II** *m* **1.** ***le ~ de la main*** the flat of the hand **2.** *d'une route* ***faux ~*** dip in the road **3.** (*plongeon manqué*) bellyflop
▶ **plat**[2] *m* **1.** *pièce de vaisselle* dish; ***~ (à gratin)*** gratin dish; *fig* ***mettre les petits ~s dans les grands*** to lay on a feast **2.** (*mets*) dish; *d'un menu* course; ***~ du jour*** special; ***~ de résistance*** main course; *fam, fig* ***faire tout un ~ de qc***

to make a big deal about sth *fam*
platane [platan] *m* plane tree
plateau [plato] *m* ⟨**~x**⟩ **1.** *pour servir* tray; **~ *de fromages*** cheeseboard **2.** *d'une balance* pan **3.** THÉ stage; FILM, TV set; *par ext* studio **4.** GÉOG plateau
plateau-repas *m* ⟨**plateaux-repas**⟩ meal tray; AVIAT in-flight meal
plate-bande [platbɑ̃d] *f* ⟨**plates-bandes**⟩ flowerbed; *fam, fig* ***marcher sur les plates-bandes de qn*** to tread on sb's toes
platée [plate] *f* ***une ~ de riz*** a plateful of rice
plate-forme [platfɔʀm] *f* ⟨**plates-formes**⟩ **1.** *d'un bus* platform **2.** POL platform **3.** **~ *de forage*** drilling rig
platine[1] [platin] *m* **1.** platinum **2.** *adj* (***blond***) **~** ⟨*inv*⟩ platinum blond
platine[2] *f pour disques* turntable; *par ext* recordplayer; *pour cassettes* cassette deck; **~ *laser*** CD player
platiné [platine] *adj* ⟨**~e**⟩ **1.** ***une blonde ~e*** a platinum blond **2.** AUTO ***vis ~es*** platinum-plated screws
platiner [platine] *v/t* TECH to platinum plate
platitude [platityd] *f* platitude
Platon [platõ] *m* Plato
platonicien [platɔnisjɛ̃] **I** *adj* ⟨**-ienne** [-jɛn]⟩ Platonic **II** *m* Platonist
platonique [platɔnik] *adj* **1.** *amour* platonic **2.** *protestation* token (*épith*)
platonisme [platɔnism] *m* Platonism
plâtrage [plɑtʀaʒ] *m* plastering
plâtras [plɑtʀa] *mpl* rubble (+ *v sg*)
plâtre [plɑtʀ] *m* **1.** CONSTR plaster; *fig* ***essuyer les ~s*** to bear the brunt of the initial problems **2.** MÉD plaster cast **3.** ART *objet* plaster cast; *matériau* plaster
plâtrer [plɑtʀe] *v/t* **1.** CONSTR to plaster **2.** MÉD **~ *qc*** to put sth in plaster
plâtrerie [plɑtʀəʀi] *f usine* plasterworks (+ *v sg ou v pl*)
plâtreux [plɑtʀø] *adj* ⟨**-euse** [-øz]⟩ **1.** *sol* chalky **2.** *teint* pasty **3.** *fromage* chalky
plâtrier [plɑtʀije] *m* plasterer
plâtrière [plɑtʀijɛʀ] *f* **1.** *carrière* gypsum quarry **2.** → ***plâtrerie***
plausible [plozibl] *adj* plausible
play-back [plɛbak] *m* ⟨*inv*⟩ lip-synching; ***chanter en ~*** to lip-synch
play-boy [plɛbɔj] *m* ⟨**play-boys**⟩ playboy
plèbe [plɛb] *f* HIST plebeian *a péj*
plébéien [plebejɛ̃] *adj* ⟨**-ienne** [-jɛn]⟩ *litt* plebeian
plébiscitaire [plebisitɛʀ] *adj* plebiscitary (*épith*); ***par voie ~*** by plebiscite
plébiscite [plebisit] *m* plebiscite **plébisciter** *v/t* (*élire*) to vote overwhelmingly in favor of; (*approuver*) to acclaim
pléiade [plejad] *f fig* group; (*de célébrités*) galaxy
▶ **plein** [plɛ̃] **I** *adj* ⟨**pleine** [plɛn]⟩ **1.** (*rempli*) full; **~ *de qc*** full of sth; **~ *d'admiration*** full of admiration; **~ *de force*** very strong **2.** (*complet*) full, *confiance, satisfaction* complete; ***~e et entière*** complete; ***travailler à ~ temps*** to work full-time; ***en ~ désert*** in the middle of the desert; ***en ~ été*** [-plɛn-] at the height of summer; ***en ~ hiver*** [-plɛn-] in the depths of winter; ***en ~ jour*** in broad daylight; ***en ~e nature*** in the middle of nowhere **3.** *visage, joues* full **4.** *femelle animale* **~e** pregnant **5.** ***une journée ~e*** a busy day **6.** *bois* solid; ***pneu ~*** solid tyre; ***roue ~e*** solid wheel **II** *adv* **1.** *fam* **~ *de*** (*beaucoup*) lots of; loads of *fam* **2.** *fam* ***en ~ dans, sur*** right in the middle of, on top of **III** *prép* ⟨*inv*⟩ ***avoir de l'argent ~ les poches*** to be rolling in money *fam* **IV** *m* **1.** ***faire le ~ (d'essence)*** to fill up (with gas); *hôtel* ***faire le ~*** to be fully booked **2.** ***battre son ~*** to be in full swing
pleinement [plɛnmɑ̃] *adv* fully
plein-emploi [plɛnɑ̃plwa] *m* full employment
plénier [plenje] *adj* ⟨**-ière** [-jɛʀ]⟩ plenary; ***assemblée plénière*** plenary assembly; ***réunion plénière*** plenary meeting
plénipotentiaire [plenipɔtɑ̃sjɛʀ] *m* DIPL plenipotentiary
plénitude [plenityd] *f st/s* fullness; ***conserver la ~ de ses facultés intellectuelles*** to still be in possession of all one's faculties
plénum [plenɔm] *m* POL plenum
pléonasme [pleɔnasm] *m* pleonasm
pléthore [pletɔʀ] *f* plethora (***de*** of) **pléthorique** *adj* excessive; *classe* overcrowded
pleurage [plœʀaʒ] *m* TECH wow
pleural [plœʀal, plø-] *adj* ⟨**~e; -aux** [-o]⟩ ANAT pleural
▶ **pleurer** [plœʀe] **I** *v/t* to cry; (*regretter*) *parent, ami, mort* to mourn **II** *v/t indir* **1.** *fig* **~ *sur qc*** to bemoan sth; **~ *sur son sort*** to feel sorry for o.s. **2.** *fam* **~ *après qc*** to beg for sth **III** *v/i* **1.** to cry, to weep;

~ ***de joie*** to weep for joy; ***rire à en*** ~ to laugh till one cries; *fig* ***aller*** ~ ***auprès de qn pour obtenir qc*** to go crying *or* whining to sb for sth *péj* **2.** *yeux* to water; ***faire*** ~ to make one's eyes water
pleurésie [plœrezi] *f* pleurisy
pleureur [plœrœr] *adj* ⟨**-euse** [-øz]⟩ ***saule*** ~ weeping willow
pleureuse [plœrøz] *f* (hired) mourner
pleurnichements [plœrniʃmɑ̃] *mpl* → ***pleurnicheries***
pleurnicher [plœrniʃe] *v/i* to snivel, to whine **pleurnicheries** *fpl* sniveling (+ *v sg*), whining (+ *v sg*)
pleurnicheur [plœrniʃœr] *adj* ⟨**-euse** [-øz]⟩ *enfant, ton* whining; ***gamine pleurnicheuse*** crybaby *fam*
pleurote [plœrɔt, plø-] *m* BOT pleurotus; COMM oyster mushroom
pleurs [plœr] *mpl* ***être tout en*** ~ to be in tears
pleut [plø] → ***pleuvoir***
pleutre [pløtr] *litt m* coward **pleutrerie** *litt f* cowardice
pleuvasser [pløvase] *v/imp*, **pleuviner** [pløvine] *v/imp* → ***pleuvoter***
▶ **pleuvoir** [pløvwar] **I** *v/imp* ⟨**il pleut; il pleuvait; il plut; il pleuvra; qu'il pleuve; pleuvant; plu**⟩ to rain; ***il pleut*** it's raining **II** *v/i* ⟨**ils pleuvent; ils pleuvaient; ils plurent; ils pleuvront; qu'ils pleuvent**⟩ *coups* to rain down; *punitions* to come thick and fast
pleuvoter [pløvɔte] *v/imp* to drizzle; ***il pleuvote*** it's drizzling
plèvre [plɛvr] *f* ANAT pleura
plexus [plɛksys] *m* ANAT ~ ***solaire*** solar plexus
pli [pli] *m* **1.** COUT pleat; (***faux***) ~ crease; ***faire des*** ~***s*** to be creased; *fam, fig* ***cela ne fait pas un*** ~ there's no doubt about it **2.** *marque dans du tissu, du papier* fold (*a* TYPO); ~ ***de pantalon*** pants crease, *brit* trouser crease **3.** *coiffure* ***mise*** *f* ***en*** ~***s*** set **4.** *fig* ***prendre un mauvais*** ~ to get into a bad habit **5.** (*lettre*) letter **6.** *sur la peau* fold; ~ ***de l'aine, du bras*** hollow of the groin, of the armpit **7.** *aux cartes* trick
pliable [plijabl] *adj* pliable
pliage [plijaʒ] *m* folding (*a* TYPO)
pliant [plijɑ̃] **I** *adj* ⟨**-ante** [-ɑ̃t]⟩ *chaise, lit, vélo* folding **II** *m* folding stool
plie [pli] *f* ZOOL plaice
▶ **plier** [plije] **I** *v/t* **1.** *tissu, linge* to fold; *pour ranger linge, journal* to fold up **2.** *papier* to fold **3.** *table pliante, etc* to fold down **4.** ~ ***les bras, les genoux*** to bend one's arms, one's legs **5.** *fig* ~ ***qn à une discipline sévère*** to subject sb to strict discipline **II** *v/i* **1.** *branche* to bend **2.** *fig personne* to give in **III** *v/pr fig personne* ***se*** ~ ***à*** *volonté, règles* to submit to; *caprices* to yield to
plinthe [plɛ̃t] *f* plinth
plissage [plisaʒ] *m* pleating
plissé [plise] **I** *adj* ⟨~**e**⟩ ***jupe*** ~***e*** *à plis fins* pleated skirt; *jupe écossaise* kilt **II** *m* COUT pleats (+ *v pl*)
plissement [plismɑ̃] *m* GÉOL fold
plisser [plise] *v/t* **1.** COUT to pleat **2.** *tissu, papier* to crease **3.** ~ ***le front, les yeux*** to knit one's brows, to screw up one's eyes
pliure [plijyr] *f* fold; ~ ***du genou*** back of the knee
ploiement [plwamɑ̃] *litt m* folding; *des genoux* bending
▶ **plomb** [plõ] *m* **1.** lead; ***de plomb*** lead; *fig sommeil* heavy; *soleil* burning; *ciel* leaden; *essence* ▶ ***sans plomb*** unleaded; *fig* ***ne pas avoir de plomb dans la cervelle*** to be scatterbrained **2.** ÉLEC fuse **3.** CH shot (+ *v sg*); ***plombs*** *pl* pellets **4.** PÊCHE sinker
plombage [plõbaʒ] *m d'une dent* filling
plombe [plõb] *f arg* (*heure*) hour; ***à cinq*** ~***s*** at five o'clock
plombé [plõbe] *adj* ⟨~**e**⟩ **1.** *dent* filled **2.** *camion, colis* sealed **3.** *ciel* leaden; *teint* ashen
plomber [plõbe] *v/t* **1.** *dent* to fill **2.** (*sceller*) to seal **3.** PÊCHE *ligne* to weight **4.** CONSTR *ligne* to plumb
plomberie [plõbri] *f* **1.** *métier* plumbing **2.** *installations* plumbing
▶ **plombier** [plõbje] *m* plumber
plombières [plõbjɛr] *f* tutti-frutti ice cream
plonge [plõʒ] *f* ***faire la*** ~ to wash the dishes
plongeant [plõʒɑ̃] *adj* ⟨**-ante** [-ɑ̃t]⟩ *décolleté* plunging; ***vue*** ~***e*** bird's eye view
plongée [plõʒe] *f* **1.** *activité* diving (+ *v sg*); ***une*** ~ a dive; ~ ***sous-marine*** scuba diving; *sous-marin* ***en*** ~ submerged **2.** FILM high-angle shot
plongeoir [plõʒwar] *m* diving board
plongeon [plõʒõ] *m* SPORT dive; *fig* ***faire le*** ~ *monnaie* to take a dive
plonger [plõʒe] ⟨**-ge-**⟩ **I** *v/t* **1.** to plunge (***dans*** into) **2.** *fig* ~ ***son regard dans les yeux de qn*** to stare into sb's eyes; *fig* ~

qn dans la consternation to throw sb into disarray **II** *v/i* **1.** (*s'enfoncer dans l'eau*) to dive **2.** (*faire un plongeon*) *voiture* to plunge; *monnaie* to take a dive **3.** *gardien de but* to dive **III** *v/pr* **1.** *personne* ***se ~ dans l'eau*** to plunge into the water **2.** *fig* ***se ~ dans un livre*** to lose o.s. in a book

plongeur [plõʒœʀ] *m*, **plongeuse** [-øz] *f* **1.** diver **2.** *dans un restaurant* dishwasher

plot [plo] *m* ÉLEC contact

plouc [pluk] *m* → ***péquenaud***

plouf [pluf] *int* splash

ploutocrate [plutɔkʀat] *m* plutocrat **ploutocratie** *f* plutocracy

ployer [plwaje] *v/i* ⟨**-oi-**⟩ **1.** *poutre, branche* to sag **2.** *fig sous un fardeau* be weighed down; *litt sous le joug* to bend

plu [ply] *pp* → ***plaire***, ***pleuvoir***

plucher [plyʃe] → ***pelucher***

pluches [plyʃ] *fam fpl* potato-peeling, KP *fam*

plucheux [plyʃø] ⟨**-euse** [-øz]⟩ → ***pelucheux***

► **pluie** [plɥi] *f* **1.** rain; ***~s*** *pl* rains; ***~s acides*** acid rain (+ *v sg*); ***sous la ~*** in the rain; ***le temps est à la ~*** it looks like rain; *fig* ***faire la ~ et le beau temps*** to call the shots *fam*; ***parler de la ~ et du beau temps*** to make small talk; *fam, fig* ***il n'est pas tombé de la dernière ~*** he wasn't born yesterday *fam* **2.** *fig* ***une ~ de coups*** a shower of blows

plumage [plymaʒ] *m* plumage

plumard [plymaʀ] *m fam* (*lit*) bed, sack *fam*; ***aller au ~*** to hit the sack *fam*

► **plume** [plym] *f* **1.** feather; *fam, fig* ***y laisser des ~s*** not to come away unscathed; *fig* ***se parer des ~s du paon*** to take all the credit **2.** (pen) nib; *d'oie* quill; *litt* ***un homme de ~*** a writer

plumeau [plymo] *m* ⟨**~x**⟩ feather duster

plumer [plyme] *v/t* **1.** *volaille* to pluck **2.** *fam, fig* ***~ qn*** to fleece *fam*

plûmes [plym] → ***plaire***

plumet [plymɛ] *m* plume

plumetis [plymti] *m* COUT satin stitch

plumier [plymje] *m* pencil box

plumitif [plymitif] *m péj employé* pen-pusher *fam*; *écrivain* hack *péj*

plupart [plypaʀ] *adv* ► ***la plupart des*** (+ *subst*) most (+ *subst*) *abs* ***la plupart*** *des gens* most people; *des voitures, villes, etc* most cars, towns, *etc*; ***la plupart d'entre nous*** most of us; ***pour la plupart*** for the most part; ► ***la plupart du temps*** most of the time

pluralisme [plyʀalism] *m* pluralism **pluraliste** *adj* pluralist **pluralité** *f* plurality, multiplicity

pluri... [plyʀi] *préfixe* multi...

pluricellulaire *adj* BIOL multicellular

pluridisciplinaire *adj* multidisciplinary

► **pluriel** [plyʀjɛl] *m* plural; ***au ~*** in the plural

plurilatéral *adj* ⟨**~e; -aux** [-o]⟩ multilateral

plurilingue [plyʀilɛ̃g] *adj* multilingual

plurilinguisme *m* multilingualism

pluripartisme [plyʀipaʀtism] *m* multiparty system

► **plus**[1] [plys, *devant adj et adv* ply, *devant voyelle* plyz] **I** *adv* **1.** ⟨*comp de* **beaucoup**⟩ more (***que*** than); ***plus efficace, intéressant*** more efficient, interesting ***plus court*** shorter; ***plus grand*** bigger; *personne* taller; ***elle lit, travaille plus que moi*** she reads, works more than I do; ***plus de*** *avec un chiffre* more than; ***enfants*** *mpl* ***de plus de dix ans*** children over ten (years of age); ***plus d'un*** more than one; ***pour plus d'une raison*** for more than one reason; ***il est plus de midi*** it's after midday; ***beaucoup, bien plus*** a lot more; ***beaucoup, bien plus difficile*** a lot more difficult; ***beaucoup plus vite*** a lot quicker; *en incise* ***bien plus*** even more so; ***de plus*** what's more, moreover *st/s*; ***une fois de plus*** once more; ***20 euros de plus*** 20 euros more; ► ***de plus en plus*** more and more (+ *adj*); ***aller de plus en plus vite*** to go faster and faster; ***en plus*** on top of that; COMM extra, more; ► ***en plus de*** on top of; ***plus ou moins*** more or less; *p/négatif* not particularly (+ *adj*); ***ni plus ni moins*** neither more nor less; ***on ne peut plus*** (+ *adj*) so, incredibly; ***rien de plus*** nothing more; ***sans plus*** but that's all; ***plus ... plus*** [ply] the more ... the more; ***plus j'y pense, plus je m'énerve*** [ply] the more I think about it, the angrier I get; ***plus ... moins*** the more ... the less; ***plus de*** [plysdə] (+ *subst*) more (+ *subst*) **2.** [plys] MATH plus **3.** ⟨*superlatif de* **beaucoup**⟩ ***le plus*** the most; ***le plus efficace, intéressant*** the most efficient, interesting; ***le plus grand, la plus grande*** the biggest; *personne* the tallest; ***être le***

plus grand to be the biggest; *personne* to be the tallest; ***la situation était des plus compliquées*** the situation was extremely complicated; ***c'est lui qui court le plus vite*** he runs the fastest; (***tout***) ***au plus*** at the (very) most **II** *subst* **1.** ▶ ***le plus*** the most; ***le plus que je puisse faire*** the most I can do **2.** *m* MATH plus sign **3.** *m* (*avantage*) plus

plus² [ply] *adv de négation* ***ne … ~*** no longer; ***elle n'y habite plus*** she doesn't live there any more; (***ne …***) ***~ de*** (+ *subst*) no more (+ *subst*) ***il n'y a plus de café*** there's no coffee left; ***ne … ~ personne*** nobody (left); ***ne … ~ que*** only (+ *subst*); ***ne … ~ rien*** nothing more; ***moi non ~*** me neither

▶ **plusieurs** [plyzjœʀ] **I** *adj indéf* several; ***~ fois, personnes*** several times, people **II** *pr ind* several people; ***se mettre à ~ pour faire qc*** to get together to do sth

plus-que-parfait [plyskəpaʀfɛ] *m* pluperfect

plus-value [plyvaly] *f* ⟨**plus-values**⟩ FIN capital gain; *d'impôts* surplus

plut [ply] → ***pleuvoir***, ***plaire***

plutonium [plytɔnjɔm] *m* plutonium

▶ **plutôt** [plyto] *adv* **1.** (*de préférence*) rather; ***ou ~*** or rather; ***~ que de*** +*inf* rather than (+ *v-ing*) **2.** (*assez*) rather, pretty *fam*

pluvial [plyvjal] *adj* ⟨**~e; -aux** [-o]⟩ pluvial

pluvier [plyvje] *m* ZOOL plover

pluvieux [plyvjø] *adj* ⟨**-euse** [-øz]⟩ rainy, wet

pluviner [plyvine] *v/imp* → ***pleuvoter***

pluviomètre [plyvjɔmɛtʀ] *m* rain gauge

pluviosité [plyvjozite] *f* rainfall

P.M.E. [peɛmə] *fpl, abr* (= **petites et moyennes entreprises**) small and medium(-sized) enterprises, SMEs; ***une ~*** an SME

P.M.U. [peɛmy] *m, abr* ⟨*inv*⟩ (= **Pari mutuel urbain**) *French state-run betting system*; *agence* betting shop

P.N. B. [peɛnbe] *m, abr* ⟨*inv*⟩ (= **produit national brut**) GNP

▶ **pneu** [pnø] *m* tire; ***~ neige, à clous*** snow, studded tire; ***~ à plat*** flat tire

pneumatique [pnømatik] *adj matelas, canot* inflatable; TECH pneumatic; ***marteau*** *m* ***~*** jackhammer, *brit* pneumatic drill

pneumonie [pnømɔni] *f* pneumonia

pochade [pɔʃad] *f* **1.** PEINT (quick) sketch **2.** LITTÉR sketch

pochard [pɔʃaʀ] *m*, **pocharde** [-aʀd] *f fam* drunk, lush *fam*; *brit* pisshead *pop*

▶ **poche** [pɔʃ] *f* **1.** COUT pocket; ***de ~*** *guide, couteau* pocket *épith*; ***argent*** *m* ***de ~*** pocket money; ***livre*** *m* ***de ~*** paperback; ***connaître qc comme sa ~*** *une ville, un endroit* to know sth like the back of one's hand; *fam, fig* ***c'est dans la ~*** it's in the bag *fam*; ***faire les ~s à qn*** *voleur* to pick sb's pocket **2.** *d'un sac, etc* pocket **3.** (*sac en plastique*) (plastic) bag **4.** *pantalon* ***faire des ~s aux genoux*** to be baggy at the knees **5.** ***avoir des ~s*** (***sous les yeux***) to have bags under one's eyes **6.** *du kangourou* pouch **7.** *de gaz naturel, etc* pocket **8.** MÉD ***~ des eaux*** amniotic sac; ***~ de pus*** sac of pus

poché [pɔʃe] *adj* ⟨**~e**⟩ **1.** ***œil ~*** black eye **2.** ***œufs ~s*** poached eggs

pocher [pɔʃe] *v/t* **1.** CUIS *œufs* to poach **2.** PEINT to sketch

pochette [pɔʃɛt] *f* **1.** *mouchoir* pocket handkerchief **2.** *pour documents* folder; *d'un CD* sleeve; ***~ de disque*** record sleeve **3.** *sac à main* clutch bag **pochette-surprise** *f* ⟨**pochettes-surprises**⟩ goody bag

pochoir [pɔʃwaʀ] *m* stencil

podcast *m* podcast

podium [pɔdjɔm] *m* runway, *brit* catwalk; (*estrade*) podium

podologie [pɔdɔlɔʒi] *f* podiatry

poêle¹ [pwal] *m* stove; ***~ à mazout*** oil stove

▶ **poêle²** *f* frying pan

poêlée [pwale] *f* ***une ~ de …*** a frying pan full of …

poêler [pwale] *v/t* to (pan-)fry

poêlon [pwalõ] *m* CUIS heavy saucepan

poème [pɔɛm] *m* poem

▶ **poésie** [pɔezi] *f* **1.** *art* poetry **2.** (*poème*) poem

▶ **poète** [pɔɛt] *m* poet *a plais*

poétesse [pɔetɛs] *f iron, vieilli* poetess *vieilli*

poétique [pɔetik] *adj* poetic **poétiser** *v/t* to poeticize

pogne [pɔɲ] *f fam* (*main*) hand, mitt *fam*

pognon [pɔɲõ] *m fam* → ***fric***

pogrom(e) [pɔgʀɔm] *m* pogrom

▶ **poids** [pwa] *m* **1.** weight; *fig des soucis, etc* weight; *des impôts, du passé* burden; *fig* ***faire deux poids, deux mesu-***

res to have a double standard; ***perdre, prendre du poids*** to lose, put on weight; ***vendre au poids*** to sell by weight **2.** SPORT, LUTTE weight; ***poids plume*** featherweight; *fig* ***il ne fait pas le poids*** he's not up to it *fam* **3.** SPORT shot; ***lancer le poids*** to put the shot **4.** ▶ ***poids lourd*** heavy truck, *brit* HGV *fam* **5.** *fig (importance) d'une personne, d'un pays* influence; *d'un argument* weight; ***de poids*** *argument* weighty; *homme* influential

poignant [pwaɲɑ̃] *adj* ⟨**-ante** [-ɑ̃t]⟩ poignant

poignard [pwaɲaʀ] *m* dagger

poignarder [pwaɲaʀde] *v/t* to stab

poigne [pwaɲ] *f* grip; *fig* ***homme à ~*** strong man

poignée [pwaɲe] *f* **1.** *quantité* handful **2.** ***~ de main*** handshake **3.** *d'une fenêtre, valise, porte* handle

▶ **poignet** [pwaɲɛ] *m* **1.** ANAT wrist; *fig* ***à la force du ~*** by sheer hard work **2.** COUT cuff

▶ **poil** [pwal] *m* **1.** *d'un animal* hair; *(pelage)* coat **2.** *chez l'être humain* hair *on the body, face*; ***~s de la barbe*** bristles (of the beard); *fam* ***à ~*** *fam* buck naked *fam*, naked; ***se mettre à ~*** to strip; *fam* **(*être*) *au ~*** *personne* (to be) terrific *fam*; *chose* (to be) great *fam*; *fig* ***à un ~ près*** *faire qc* very nearly; *fig* ***de tout ~*** of all kinds; *fig* ***avoir un ~ dans la main*** to be bone idle; *fig* ***être de mauvais ~*** to be in a bad mood; *fig* ***reprendre du ~ de la bête*** to perk up *fam* **3.** BOT hair; ***~ à gratter*** itching powder **4.** *d'une brosse, d'un pinceau* bristle **5.** *d'un tapis* pile (+ *v sg*); *d'un velours* nap (+ *v sg*)

poilant [pwalɑ̃] *fam adj* ⟨**-ante** [-ɑ̃t]⟩ *fam* hilarious *fam*

poiler [pwale] *v/pr fam* ***se ~*** to laugh one's head off *fam*

poilu [pwaly] **I** *adj* ⟨**~e**⟩ hairy **II** *m* HIST French soldier *in the First World War*

poinçon [pwɛ̃sõ] *m* **1.** *pour percer de cordonnier* awl; *d'orfèvre* punch **2.** *pour graver* burin **3.** *marque* hallmark

poinçonnage [pwɛ̃sɔnaʒ] *m* **1.** *d'un billet* punching **2.** *de tôles* punching out **3.** *de bijoux* hallmarking

poinçonner [pwɛ̃sɔne] *v/t* **1.** *billet* to punch **2.** *bijoux* to hallmark

poinçonneur [pwɛ̃sɔnœʀ] *m autrefois* ticket puncher

poinçonneuse [pwɛ̃sɔnøz] *f* **1.** *autrefois* ticket punch **2.** *pince* puncher **3.** *pour tôles* punching machine

poindre [pwɛ̃dʀ] *v/i* ⟨*déf*: **il point; il poignait; il poindra**⟩ *litt* ***le jour commence à ~*** day is dawning

▶ **poing** [pwɛ̃] *m* fist; ***coup*** *m* ***de ~*** punch; *fig* ***dormir à ~s fermés*** to sleep soundly

▶ **point**[1] [pwɛ̃] *m* **1.** GRAM period, *brit* full stop; **(*les*) *deux points*** colon; ***point d'exclamation*** exclamation mark; ***point d'interrogation*** question mark; ***le point sur le i*** the dot on the i; *fig* ***un point, c'est tout!*** period!, and that's that! **2.** *(endroit)* spot, point (*a fig*); MATH point; *fig* ***point chaud*** hot spot; *(centre d'intérêt)* hot *or* topical issue; *fig* ***point faible*** weak point; ***point mort*** AUTO neutral; DIPL deadlock; ***point noir*** *sur la peau* blackhead; *fig* problem; ***point de départ*** starting point; *fig revenir au* square one; ***point d'eau*** *dans un désert* waterhole; ***point de vente*** point of sale; ▶ ***point de vue*** viewpoint; *fig* point of view, perspective; ***à point*** *bifteck* medium rare; *fromage* ripe; *rôti* ***être (cuit) à point*** to be cooked *or* done; ***à point (nommé)*** at just the right moment; ***au point où en sont les choses*** as things stand; ***être au point*** *machine, procédé, système* to be well designed; ***mettre au point*** *procédé, système, appareil* to develop; *(finaliser)* to perfect; ***au point de*** *+inf* to the point of (+ *v-ing*); ***au point que, à tel point que*** to the extent that, to such an extent that; ***ennuyeux, fatigant au point que …*** so boring, tiring that …; ***ennuyeux****, etc* ***à ce point (que)*** so boring, *etc* (that); ***à ce point-là?*** as bad as that?; ***à quel point*** how much, to what extent; ***être mal en point*** to be in a bad way; ***être sur le point de faire qc*** to be (just) about to do sth, to be on the point of doing; ***faire le point*** MAR, AVIAT to take bearings; *fig* to take stock **3.** *(sujet)* point; ***point de détail*** minor point; ***point par point*** point by point; ***sur ce point*** on this point **4.** ENSEIGNEMENT, SPORT, JEUX point; *fig* ***bon point*** good point; ***mauvais point*** black mark; SPORT ***aux points*** on points **5.** COUT, TRICOT, CROCHET stitch **6.** *d'un dé à jouer* pip; *aux cartes* point **7.** MÉD ***point de côté*** stitch in one's side **8.** ***au point du jour*** daybreak

point[2] *adv litt* **ne … ~** not; ***il ne le fera ~*** he will not do it

pointage [pwɛ̃taʒ] *m* **1.** *sur une liste* checking off, *brit* ticking off **2.** *du personnel en arrivant* clocking in *or* on; *en partant* clocking out *or* off

► **pointe** [pwɛ̃t] *f* **1.** (*bout pointu*) point; *d'une flèche* tip; ***pointe d'asperge*** asparagus tip; ***marcher sur la pointe des pieds*** to walk on tiptoe; ***se terminer en pointe*** to end in a point **2.** DANSE (***chaussons*** *mpl* ***à***) ***pointes*** points; ***faire des pointes*** to dance on points **3.** (*objet pointu*) *d'une grille* spike; *de barbelés* barb; (*clou*) nail; SPORT (***chaussures*** *fpl* ***à***) ***pointes*** spikes **4.** *du graveur* metal point; ***pointe sèche*** dry point **5.** hint; *d'ail* touch; ***une pointe d'ironie***, *etc* a hint of irony **6.** *fig* (*allusion ironique*) dig; ***lancer des pointes à qn*** to snipe at sb **7.** *fig* (*maximum*): ***de pointe*** *technologie* advanced, state-of-the-art *épith*; *industrie* high-tech; *entreprise* leading; ► ***heures*** *fpl* ***de pointe*** peak times; ***l'heure de pointe*** the rush hour; ***vitesse*** *f* ***de pointe*** top speed

pointeau [pwɛ̃to] *m* ⟨**~x**⟩ **1.** *outil* awl **2.** *d'un carburateur* needle

pointer [pwɛ̃te] **I** *v/t* **1.** *sur une liste* to check, *brit* to tick off **2.** *arme, par ext index* to point (***vers*** at, toward) **3.** *animal: oreilles* to prick up **4.** ENSEIGNEMENT ***zéro pointé*** fail grade, *brit* fail mark **II** *v/i* **1.** *personnel d'une entreprise en arrivant* to clock in *or* on; *en partant* to clock out *or* off **2.** *aux boules to get one's ball nearest the jack* **3.** *tour* to rise up; *seins* to stick out **4.** *bourgeons* to open; *pousses* to come up **III** *v/pr fam, fig* ***se ~ chez qn*** to turn up at sb's place *fam*

pointeur [pwɛ̃tœʀ] *m* **1.** *artilleur* gun-layer **2.** *aux boules best player at getting his ball nearest the jack*

pointeuse [pwɛ̃tøz] *f* time clock

pointillé [pwɛ̃tije] *m* dotted line; (*perforations*) perforation(s); *fig message* ***en ~*** underlying

pointilleux [pwɛ̃tijø] *adj* ⟨**-euse** [-øz]⟩ fussy (***sur*** about), persnickety *fam*, *brit* pernickety *fam*

pointillisme [pwɛ̃tijism] *m* PEINT pointillism

pointilliste [pwɛ̃tijist] PEINT **I** *adj* pointillist **II** *m/f* pointillist

► **pointu** [pwɛ̃ty] *adj* ⟨**~e**⟩ **1.** *clocher, chapeau, nez, etc* pointed **2.** *voix* shrill **3.** *fig industrie, formation* highly specialized

pointure [pwɛ̃tyʀ] *f* size *of shoe, glove*; ***quelle ~ faites-vous?*** what size (shoe) do you take?

point-virgule *m* ⟨**points-virgules**⟩ semicolon

► **poire** [pwaʀ] *f* **1.** pear; *fig* ***couper la ~ en deux*** to split the difference; *plus généralement* to compromise; *fig* ***garder une ~ pour la soif*** to put sth by for a rainy day **2.** ***~ électrique*** (pear-shaped) switch; ***~ à lavement*** bulb syringe **3.** *fam, fig* (*figure*) mug *fam* **4.** *fam, fig* ***une*** (***bonne***) ***~*** a sucker *fam*, *brit* a mug *fam*; *fam* ***vous me prenez pour une ~!*** what kind of sucker do you take me for? *fam*

poiré [pwaʀe] *m* perry

poireau [pwaʀo] *m* ⟨**~x**⟩ leek

poireauter [pwaʀɔte] *v/i fam* to hang around *fam*; ***faire ~ qn*** to keep sb hanging around *fam*

poirier [pwaʀje] *m* **1.** BOT pear tree **2.** *fig* ***faire le ~*** to do a headstand

poiroter → ***poireauter***

pois [pwa] *m* **1.** pea; ► ***petits pois*** garden peas **2.** ***pois de senteur*** sweet pea **3.** ***à pois*** polka-dot *épith*, spotted

► **poison** [pwazõ] **1.** *m* poison **2.** *m/f fam* (*personne méchante*) nightmare *fam*; (*enfant insupportable*) pest *fam* **3.** *m fam d'une activité* drag *fam*

poissarde [pwasaʀd] *f* fishwife *vieilli*

poisse [pwas] *f fam* bad luck **poisser** *v/t* to make sticky **poisseux** *adj* ⟨**-euse** [-øz]⟩ *surface* sticky; *restaurant* greasy

► **poisson** [pwasõ] *m* **1.** fish; ***~ d'eau douce, de mer*** freshwater, saltwater fish; ***~ de rivière*** river fish **2.** ***~ d'avril*** April fool; (*blague*) April fool's trick; ***faire un ~ d'avril à qn*** to make an April fool of sb **3.** ASTROL ***les Poissons*** Pisces (+ *v sg*); ***être Poissons*** to be (a) Pisces

poisson-chat *m* ⟨**poissons-chats**⟩ catfish **poisson-épée** *m* ⟨**poissons-épées**⟩ swordfish

poissonnerie [pwasɔnʀi] *f* **1.** *magasin* fish store, *brit* fishmonger's **2.** *commerce* fish trade **poissonneux** *adj* ⟨**-euse** [-øz]⟩ with plenty of fish **poissonnier** *m*, **poissonnière** *f* fish merchant, *brit* fishmonger

poisson-scie *m* ⟨**poissons-scies**⟩ sawfish

poitrail [pwatʀaj] *m* ZOOL *d'un cheval, d'un chien* breast
poitrinaire [pwatʀinɛʀ] *adj* consumptive *vieilli*
▶ **poitrine** [pwatʀin] *f* **1.** ANAT chest **2.** *d'une femme seins* bosom; COUT bust; ***tour de ~*** chest measurement **3.** ***~ de bœuf*** brisket; ***~ de veau*** breast of veal; ***~ de porc*** ≈ pork belly
▶ **poivre** [pwavʀ] *m* **1.** pepper **2.** *adj* ⟨*inv*⟩ ***~ et sel*** pepper-and-salt *épith*
poivrer [pwavʀe] *v/t mets* to season with pepper, to put pepper on **poivrier** *m* BOT pepper tree **poivrière** *f* CUIS pepper shaker; *pour moudre* pepper mill
poivron [pwavʀõ] *m* capsicum, bell pepper
poivrot [pwavʀo] *m*, **poivrote** [-ɔt] *f fam* drunk, wino *fam*
poix [pwa] *f* CONSTR pitch
poker [pɔkɛʀ] *m* poker
polaire [pɔlɛʀ] *adj région* polar (*a* MATH); *froid* arctic; ***l'étoile*** *f* ***~*** the Pole Star
polar [pɔlaʀ] *m fam* detective novel
polarisation [pɔlaʀizasjõ] *f* **1.** OPT, ÉLEC polarization **2.** *fig* focusing (***sur*** on)
polariser [pɔlaʀize] *v/t* **1.** PHYS to polarize **2.** *fig attention* to focus (***sur*** on)
polariseur [pɔlaʀizœʀ] *m* OPT polarizer
polarité [pɔlaʀite] *f* polarity
polaroïd® [pɔlaʀɔid] *m* Polaroid®
polder [pɔldɛʀ] *m* polder
▶ **pôle** [pol] *m* **1.** GÉOG, ÉLEC pole; ***~ Nord, Sud*** North, South Pole **2.** *fig* ***~ d'attraction*** center of attraction **3.** (*centre d'activités*) center; ***~ d'excellence*** center of excellence
polémique [pɔlemik] **I** *adj* controversial; *p/théorique* polemical **II** *f* debate; *p/fort* controversy; *p/théorique* polemic
polémiquer [pɔlemike] *v/i* to argue **polémiste** *m/f* polemicist
polenta [pɔlɛnta] *f* polenta
pole position [polpozisjõ] *f* ⟨**pole positions**⟩ SPORT pole position
▶ **poli** [pɔli] **I** *adj* ⟨**~e**⟩ **1.** *personne, ton* polite **2.** *surface* polished **II** *m* shine
▶ **police** [pɔlis] *f* **1.** police; ***~ judiciaire*** ≈ Federal Bureau of Investigation, *brit* ≈ Criminal Investigation Department (*abr* FBI, *brit* CID); ***~ privée*** private police force; ***~ secours*** ≈ emergency services (+ *v pl*) **2.** ~ (***d'assurance***) insurance policy; *document* policy **3.** ~ (***de caractères***) TYPO typeface; INFORM font
policé [pɔlise] *litt adj* ⟨**~e**⟩ civilized
Polichinelle [pɔliʃinɛl] *m* **1.** Punchinello *Punch-like puppet*; *fig* ***c'est le secret de ~*** it's an open secret **2.** *fig, péj* ***polichinelle*** puppet *péj*
▶ **policier** [pɔlisje] **I** *adj* ⟨**-ière** [-jɛʀ]⟩ **1.** *mesures* police *épith*; ***chien ~*** police dog **2.** *roman, film* detective *épith* **II** *m* police officer, *brit* policeman
policlinique [pɔliklinik] *f* ≈ outpatients' clinic
poliment [pɔlimɑ̃] *adv* politely
polio [pɔljo] **1.** *f* polio **2.** *m/f* polio sufferer
poliomyélite [pɔljɔmjelit] *f* poliomyelitis
polir [pɔliʀ] *v/t* **1.** TECH to polish **2.** *fig style* to polish, to refine
polissage [pɔlisaʒ] *m* polishing
polisson [pɔlisõ] **I** *adj* ⟨**-onne** [-ɔn]⟩ naughty, mischievous; *regards* naughty, *brit* cheeky **II** ~(***ne***) *m(f)* rascal, scamp
politesse [pɔlitɛs] *f* politeness
politicard [pɔlitikaʀ] *m péj* (political) fixer, politico *fam*
politicien [pɔlitisjɛ̃], **politicienne** [-jɛn] *souvent péj* **I** *m/f* politician **II** *adj* political
politico-économique [pɔlitikoekɔnɔmik] *adj* politico-economic **politico-social** *adj* ⟨**~e; -aux** [-o]⟩ politico-social
▶ **politique** [pɔlitik] **I** *adj* **1.** political; ***crise*** *f* ***politique*** political crisis; ▶ ***homme*** *m* ***politique*** (male) politician **2.** *st/s* (*habile*) shrewd **II** *subst* **1.** *f d'un gouvernement, d'un parti* policy; ***politique européenne, de l'emploi*** European, employment policy **2.** *matière, affaires publiques* politics (+ *v sg*); ***faire de la politique*** *comme métier* to be in politics; *par intérêt* to be involved in politics **3.** *m* politician

politique ≠ politic

Politique = policy:
les politiques économiques
economic policies

politisation [pɔlitizasjõ] *f* politicization
politiser *v/t* to politicize
politologie [pɔlitɔlɔʒi] *f* political science **politologue** *m/f* political scientist

polka [pɔlka] *f* polka
pollen [pɔlɛn] *m* pollen
pollinisation [pɔlinizasjõ] *f* pollination
polluant [pɔlɥɑ̃] **I** *adj* ⟨**-ante** [-ɑ̃t]⟩ polluting; ***non ~*** non-polluting **II** *m* pollutant
▶ **polluer** [pɔlɥe] *v/t* to pollute
pollueur [pɔlɥœʀ] *m* polluter
▶ **pollution** [pɔlysjõ] *f* pollution (+ *v sg*); ***~ atmosphérique*** air pollution; ***~ des sols*** ground contamination
polo [pɔlo] *m* **1.** SPORT polo **2.** *chemise* polo (shirt)
polochon [pɔlɔʃõ] *fam m* bolster
▶ **Pologne** [pɔlɔɲ] ***la ~*** Poland
▶ **polonais** [pɔlɔnɛ] **I** *adj* ⟨**-aise** [-ɛz]⟩ Polish **II** *subst* **1.** ***Polonais(e)*** *m(f)* Pole **2.** LING ***polonais*** *m* Polish **3.** ***~e*** *f* polonaise
polonium [pɔlɔnjɔm] *m* CHIM polonium
poltron [pɔltʀõ] *m*, **poltronne** [-ɔn] *f* coward **poltronnerie** *f* cowardice
poly… [pɔli] *préfixe* poly…
polyacrylique *adj* CHIM ***résines*** *fpl* ***~s*** polyacrylic resins
polyamide [pɔliamid] *m* CHIM polyamide
polyandrie [pɔliɑ̃dʀi] *f* SOCIOL polyandry
polyarthrite *f* MÉD polyarthritis
polychrome [pɔlikʀom] *adj* polychrome **polychromie** *f* polychromy
polyclinique *f* private hospital *employing a range of specialists*, polyclinic
polycopie *f* duplicate
polycopier *v/t* to duplicate; ***(cours) polycopié*** *m* course materials (+ *v pl*)
polyculture *f* mixed farming
polyester [pɔliɛstɛʀ] *m* polyester
polyéthylène [pɔlietilɛn] *m* polyethylene, *brit* polythene
polygame [pɔligam] **I** *adj* polygamous **II** *m/f* polygamist **polygamie** *f* polygamy
polyglotte I *adj* polyglot **II** *m/f* polyglot
polygonal [pɔligɔnal] *adj* ⟨**~e; -aux** [-o]⟩ polygonal
polygone [pɔligon, -gɔn] *m* polygon
polymère [pɔlimɛʀ] *m* polymer
polymérie [pɔlimeʀi] *f* CHIM, BIOL polymery **polymérisation** *f* CHIM polymerization
polymorphe [pɔlimɔʀf] *adj* BIOL polymorphous **polymorphisme** *m* polymorphism
Polynésie [pɔlinezi] ***la ~*** Polynesia; ***la ~ française*** French Polynesia
polynésien [pɔlinezjɛ̃] **I** *adj* ⟨**-ienne** [-jɛn]⟩ Polynesian **II** ***Polynésien(ne)*** *m(f)* Polynesian
polynôme [pɔlinom] *m* MATH polynomial
polype [pɔlip] *m* polyp
polyphasé [pɔlifɑze] *adj* ⟨**~e**⟩ ÉLEC ***courant ~*** polyphase current
polyphonie [pɔlifɔni] *f* polyphony **polyphonique** *adj* polyphonic
polysémie [pɔlisemi] *f* polysemy **polysémique** *adj* polysemous
polystyrène [pɔlistiʀɛn] *m* polystyrene ***~ expansé*** Styrofoam®, expanded polystyrene
polysyllabe, polysyllabique [-ik] *adj* polysyllabic
polytechnicien *m*, **polytechnicienne** *f* *student or graduate of the École polytechnique*
polytechnique *adj* ***École*** *f* ***~*** *ou subst* ***Polytechnique*** *f* Grande École *prestigious university institution specializing in science and technology*
polythéisme [pɔliteism] *m* polytheism
polythéiste [pɔliteist] **I** *adj* polytheistic **II** *m/f* polytheist
polyvalence *f* versatility; CHIM polyvalence **polyvalent** *adj* ⟨**-ente** [-ɑ̃t]⟩ multipurpose; CHIM polyvalent
polyvinyle [pɔlivinil] *m* CHIM ***(chlorure m de) ~*** polyvinyl chloride, PVC
pomélo [pɔmelo] *m fruit* pomelo
Poméranie [pɔmeʀani] ***la ~*** Pomerania
pommade [pɔmad] *f* ointment
pommadé [pɔmade] *adj* ⟨**~e**⟩ *cheveux* oiled, *brit* brylcreamed
▶ **pomme** [pɔm] *f* **1.** apple; *fam, fig* ***tomber dans les pommes*** to faint, to pass out **2.** ▶ ***pomme de terre*** potato; ***pommes de terre frites*** French fried potatoes, *brit* chips; ***pommes de terre à l'eau*** boiled potatoes; ***pommes de terre en robe de chambre*** *ou* ***en robe des champs*** jacket potatoes; ***pommes vapeur*** steamed potatoes **3.** ANAT ***pomme d'Adam*** Adam's apple **4.** ***pomme de pin*** pine cone **5.** ***pomme d'arrosoir*** (sprinkler) rose; ***pomme de douche*** shower head **6.** *fam* ***ce sera encore pour ma pomme*** it's me who's going to get it again *fam* **7.** (*boule décorative*) knob
pommé [pɔme] *adj* ⟨**~e**⟩ BOT *chou* firm
pommeau [pɔmo] *m* ⟨**~x**⟩ knob
pommelé [pɔmle] *adj* ⟨**~e**⟩ ***ciel ~*** mack-

erel sky; ***cheval gris ~*** dapple-gray horse

pommette [pɔmɛt] *f* cheekbone

▶ **pommier** [pɔmje] *m* apple tree

pompage [põpaʒ] *m* pumping

▶ **pompe**[1] [põp] *f* **1.** pump; ***~ à bicyclette*** bicycle pump; ***~ à chaleur*** heat pump; ***~ à essence*** gas pump, *brit* petrol pump; ***~ à incendie*** fire engine **2.** *fam, fig* ***à toute ~*** at top speed **3.** *fam* ***~s*** *pl* (*chaussures*) shoes; *fam, fig* ***être à côté de ses ~s*** not to be with it *fam*, to be spaced out *fam* **4.** *fam exercice* ***faire des ~s*** to do push-ups

pompe[2] *f* **1.** *st/s* (*faste*) pomp; ***en grande ~*** with great pomp **2.** ***~s funèbres*** mortician's, funeral home, *brit* undertaker's

pomper [põpe] *v/t* **1.** TECH to pump; (*vider*) to pump out; *d'un puits* to pump up **2.** *sol: eau* to soak up; *moustiques: sang* to suck **3.** *fam* (*copier*) to copy, to crib *fam* (***sur*** from)

pompette [põpɛt] *adj fam* tipsy *fam*, drunk

pompeux [põpø] *adj* ⟨**-euse** [-øz]⟩ pompous

▶ **pompier**[1] [põpje] *m* firefighter; ***~s*** *pl* fire department, *brit* fire brigade

pompier[2] *adj* ⟨**-ière** [-jɛʀ]⟩ pompous

pompiste [põpist] *m* gas pump attendant, *brit* petrol pump attendant

pompon [põpõ] *m* pompom, bobble; *fam, iron* ***avoir le ~*** to be the dizzy limit *fam*, *brit* to take the biscuit *fam*

pomponner [põpɔne] **I** *v/t qn* to dress up, *brit* to titivate *plais* **II** *v/pr* ***se ~*** to get dolled up, *brit* to titivate o.s.

ponçage [põsaʒ] *m* sanding; *à la pierre ponce* pumicing; *au papier émeri* sanding (off)

ponce [põs] *adj* ***pierre*** *f* ***~*** pumice stone

poncer [põse] *v/t* ⟨**-ç-**⟩ to sand; *au papier émeri* to sand (off)

ponceuse [põsøz] *f* sander

poncho [põʃo] *m* poncho

poncif [põsif] *m st/s* commonplace, cliché

ponction [põksjõ] *f* **1.** MÉD puncture **2.** FIN levy

ponctionner [põksjɔne] *v/t* MÉD to puncture; (*extraire*) to drain

ponctualité [põktɥalite] *f* punctuality

ponctuation [põktɥasjõ] *f* punctuation

ponctuel [põktɥɛl] *adj* ⟨**~le**⟩ **1.** *personne* punctual; *paiement* prompt **2.** ***source lumineuse ponctuelle*** point source; *fig intervention* exceptional; *changements* selective

ponctuellement [põktɥɛlmɑ̃] *adv* punctually; *payer* promptly

ponctuer [põktɥe] *v/t* **1.** *texte* to punctuate **2.** *fig* ***~ d'un geste*** to punctuate with a gesture

pondérateur [põdeʀatœʀ] *adj* ⟨**-trice** [-tʀis]⟩ *influence* stabilizing

pondération [põdeʀasjõ] *f* **1.** *d'une personne* levelheadedness **2.** *statistique* weighting

pondéré [põdeʀe] *adj* ⟨**~e**⟩ levelheaded

pondéreux [põdeʀø] *mpl* heavy goods

pondeuse [põdøz] *f* layer, laying hen

pondre [põdʀ] *v/t* ⟨→ **rendre**⟩ **1.** *œufs* to lay; *abs* to lay **2.** *fam, péj enfant, oeuvre* to produce

poney [pɔnɛ] *m* pony

pongiste [põʒist] *m/f* table-tennis player

▶ **pont** [põ] *m* **1.** bridge; ***~ aérien*** airlift; AUTO ***~ de graissage*** ramp; *fig* ***faire le ~*** to take a long weekend; *fig* ***faire un ~ d'or à qn*** to make sb a lucrative job offer **2.** ***Ponts et Chaussées*** [põze-] highways department **3.** MAR deck **4.** AUTO ***~ arrière, avant*** rear, front axle

pontage [põtaʒ] *m* bypass (operation)

ponte[1] [põt] *f* ZOOL *processus* laying; *résultat* clutch

ponte[2] *m fam* big shot *fam*, bigwig *fam*

ponté [põte] *adj* ⟨**~e**⟩ MAR decked

ponter [põte] **I** *v/t* MAR *bateau* to deck **II** *v/i aux jeux de hasard* to bet

pontife [põtif] *m* **1.** pontiff; ***souverain ~*** pope **2.** *fam, fig* bigwig *fam*; (*expert*) pundit *fam, péj*

pontifical [põtifikal] *adj* ⟨**~e; -aux** [-o]⟩ papal **pontificat** *m* pontificate

pontifier [põtifje] *v/i* to pontificate

pont-l'évêque [põlevɛk] *m* ⟨*inv*⟩ soft rind cheese *made from cow's milk*

pont-levis [põl(ə)vi] *m* ⟨**ponts-levis**⟩ drawbridge

ponton [põtõ] *m* pontoon **ponton-grue** *m* ⟨**pontons-grues**⟩ pontoon crane

pontonnier [põtɔnje] *m* MIL pontonier

pool [pul] *m* **1.** ÉCON pool **2.** ***~ de dactylos*** typing pool

pop [pɔp] *adj* ⟨*inv*⟩ pop; ***musique*** *f* ***~*** pop music

pop'art [pɔpaʀ] *m* Pop Art

pop-corn [pɔpkɔʀn] *m* popcorn

pope [pɔp] *m* orthodox priest

popeline [pɔplin] *f* poplin

popote [pɔpɔt] *f fam* **1.** cooking; ***faire la ~*** to do the cooking **2.** *adj* ⟨*inv*⟩ *personne* stay-at-home *épith*

popotin [pɔpɔtɛ̃] *m fam* bottom, butt *fam*, *brit* bum *fam*

populace [pɔpylas] *f péj* rabble **populacier** *adj* ⟨**-ière** [-jɛʀ]⟩ *péj* common *péj*, vulgar *st/s*

▶ **populaire** [pɔpylɛʀ] *adj* **1.** (*du peuple*) working-class (*a* POL); *mouvement, presse* popular; ***quartier** m **~*** working-class district; ***art** m **~*** folk art **2.** (*plébéien*) *public, restaurant* ordinary **3.** (*aimé*) popular; ***devenir, rendre ~*** to become, to make popular

populariser [pɔpylaʀize] *v/t* to popularize **popularité** *f* popularity

▶ **population** [pɔpylasjõ] *f* population

populeux [pɔpylø] *adj* ⟨**-euse** [-øz]⟩ densely populated, populous *st/s*

populisme [pɔpylism] *m* populism

populiste [pɔpylist] **I** *adj roman etc* populist **II** *m écrivain* populist

populo [pɔpylo] *fam m* ***le ~*** the masses (+ *v pl*)

▶ **porc** [pɔʀ] *m* **1.** ZOOL pig, hog **2.** *viande* pork **3.** *cuir* pigskin *material* **4.** *péj d'un homme* pig *fam, péj*

porcelaine [pɔʀsəlɛn] *f* **1.** porcelain, china; ***de** ou **en ~*** porcelain *or* china *épith* **2.** *objet* piece of porcelain *or* china; *vaisselle* porcelain, china **3.** ZOOL cowrie

porcelainier [pɔʀsəlenje] **I** *adj* ⟨**-ière** [-jɛʀ]⟩ porcelain *or* china *épith* **II** *m* porcelain *or* china manufacturer

porcelet [pɔʀsəlɛ] *m* ZOOL piglet

porc-épic [pɔʀkepik] *m* ⟨**porcs-épics** [-ke-]⟩ porcupine

porche [pɔʀʃ] *m* porch

porcher [pɔʀʃe] *m*, **porchère** [-ɛʀ] *f* pig keeper

porcherie [pɔʀʃəʀi] *f* pigsty *a fig*

porcin [pɔʀsɛ̃] **I** *adj* ⟨**-ine** [-in]⟩ **1.** *élevage* pig *épith* **2.** *fig* ***yeux ~s*** piggy eyes **II** *mpl* ***~s*** pigs

pore [pɔʀ] *m* pore

poreux [pɔʀø] *adj* ⟨**-euse** [-øz]⟩ porous

porion [pɔʀjõ] *m* MINES foreman

porno [pɔʀno] *adj, abr fam* (= **pornographique**) porn *fam*

pornographe [pɔʀnɔgʀaf] *m* pornographer **pornographie** *f* pornography, porn *fam* **pornographique** *adj* pornographic

porosité [pɔʀozite] *f* porosity

▶ **port**[1] [pɔʀ] *m* **1.** harbor; *à grande échelle* port; ***~ de pêche*** fishing port; *fig* ***arriver à bon ~*** to arrive safe and sound **2.** *ville* port **3.** *dans les Pyrénées* pass **4.** INFORM port; ***~ USB*** USB port

port[2] *m* **1.** *de casque à moto, etc* wearing; *d'armes* carrying **2.** *d'une lettre* postage; ***en ~ dû*** carriage forward; ***en ~ payé*** carriage paid; *d'un journal* postage paid **3.** (*maintien*) carriage

▶ **portable** [pɔʀtabl] *adj* portable; (***ordinateur** m*) ***~** m* laptop; (***téléphone** m*) ***~** m* cell(phone), *brit* mobile (phone)

portage [pɔʀtaʒ] *m de marchandises* porterage; MAR portage

▶ **portail** [pɔʀtaj] *m* ARCH portal; *d'un parc* gate

portance [pɔʀtɑ̃s] *f* AVIAT lift

portant [pɔʀtɑ̃] **I** *adj* ⟨**-ante** [-ɑ̃t]⟩ **1.** CONSTR ***mur ~*** load-bearing wall; *fig* ***à bout ~*** at point-blank range **2.** ***être bien ~*** to be in good health **II** *m* strut, support

portatif [pɔʀtatif] *adj* ⟨**-ive** [-iv]⟩ portable; → ***portable***

▶ **porte**[1] [pɔʀt] *f* door; *d'une ville, d'un slalom* gate; *du Paradis, de l'Enfer* gate *gén au pluriel*; AVIAT gate; ***journée** f **~s ouvertes*** open house, *brit* open day; ***~ d'entrée*** main entrance; *d'une maison* front door; ***~ de secours*** emergency exit; *habiter* ***~ à ~*** next door; ***être à la ~*** to be at the door; ***mettre qn à la ~*** to throw sb out, to show sb the door *fam*; *employé* to fire sb; *fig* ***entre deux ~s*** very briefly; (***fermez**) **la ~!*** close the door!; *fig* ***se ménager une ~ de sortie*** to leave o.s. a way out

porte[2] *adj* ***veine** f **~*** portal vein

porté [pɔʀte] *adj* ⟨***~e***⟩ ***être ~ à croire que …*** to be inclined to think that …; ***être ~ sur qc*** to be fond of sth

porte-à-faux: ***en ~*** (*hors d'aplomb*) out of plumb; *fig* in an awkward position; (*en surplomb*) overhanging

porte-à-porte *m* COMM ***faire du ~*** to be a door-to-door salesperson

porte-avions *m* ⟨*inv*⟩ aircraft carrier

porte-bagages *m* ⟨*inv*⟩ *d'un vélo* carrier; *dans un train* baggage rack; *dans un avion* overhead locker **porte-bébé** *m* ⟨**porte-bébé(s)**⟩ (baby) carrier, *brit* carrycot **porte-bonheur** *m* ⟨*inv*⟩ lucky charm **porte-bouteilles** *m* ⟨*inv*⟩ wine rack **porte-cartes** *m* ⟨*inv*⟩ card holder

porte-cigarettes *m* ⟨*inv*⟩ cigarette case **porte-clefs** *ou* **porte-clés** *m* ⟨*inv*⟩ key ring **porte-conteneurs** *m* ⟨*inv*⟩ container ship **porte-couteau** *m* ⟨**porte-couteau(x)**⟩ knife rest **porte-documents** *m* ⟨*inv*⟩ briefcase **porte-drapeau** *m* ⟨**porte-drapeau(x)**⟩ standard bearer

portée [pɔʀte] *f* **1.** ZOOL litter; ***une ~ de chiots*** a litter of puppies **2.** *distance* range; ***à ~ de la main*** within reach; ***à ~ de (la) voix*** within earshot; ***à la ~ de qn*** within sb's reach; ***à la ~ de toutes les bourses*** affordable for all, that everyone can afford; ***à la ~ de tous*** accessible to all, that everyone can understand; ***'hors de la ~ de qn*** out of sb's reach **3.** *fig d'une décision, de paroles, etc* impact **4.** MUS staff, *brit* stave

portefaix [pɔʀtəfɛ] *m autrefois* porter

porte-fenêtre *f* ⟨**portes-fenêtres**⟩ French window

▶ **portefeuille** [pɔʀtəfœj] *m* **1.** *étui* billfold, wallet **2.** *d'un ministre* portfolio **3.** FIN portfolio

porte-hélicoptères *m* ⟨*inv*⟩ helicopter carrier **porte-jarretelles** *m* ⟨*inv*⟩ garter belt, *brit* suspender belt **porte-journaux** *m* ⟨*inv*⟩ newspaper rack

portemanteau *m* ⟨**~x**⟩ coat rack; *sur pied* coat stand

porte-mine ⟨**porte-mine(s)**⟩ *ou* **portemine** [pɔʀtəmin] *m* mechanical pencil, *brit* propelling pencil

▶ **porte-monnaie** *m* ⟨*inv*⟩ coin purse, *brit* purse **porte-objet** *m* ⟨**porte-objet(s)**⟩ *de microscope lame* slide; *platine* stage **porte-outil** *m* ⟨**porte-outil(s)**⟩ tool holder **porte-parapluies** *m* ⟨*inv*⟩ umbrella stand **porte-parole** *m* ⟨*inv*⟩ spokesperson **porte-plume** *m* ⟨*inv*⟩ penholder

▶ **porter** [pɔʀte] **I** *v/t* **1.** to carry; *chapeau* to wear; *titre* to hold **2.** (*amener*) to take, to bring (***à*** to); *cuiller, etc à la bouche* to raise; ***~ une lettre à la poste*** to take a letter to the post office; ***~ bonheur, malheur*** to be lucky, unlucky; *litige* ***~ devant les tribunaux*** to take to court; *température* ***~ à cent degrés*** to heat to one hundred degrees; ***tout porte à croire que …*** everything leads one to believe that … **3.** (*inscrire*) to enter (***sur*** into *or* on); ***être porté disparu*** to be reported missing; ***se faire ~ malade*** to report sick **4.** *sentiments* to have (***à qn*** for sb); *intérêt* to have (***à qn*** in sb) **5.** *regard, attention* ***~ qc sur qn, qc*** to direct sth toward sb; ***~ son effort sur qc*** to direct one's efforts at sth **6.** ZOOL *femelles* to carry **II** *v/i* **1.** *voix* ***~ (loin)*** to carry; ***aussi loin que porte la vue*** as far as the eye can see **2.** (*avoir de l'effet*) to strike home; *remarque* to hit home **3.** *discussion, etc* ***~ sur qc*** to be about sth **III** *v/pr* **1.** ▶ ***il se porte bien, mal*** he's well, not well **2.** ***se ~ acquéreur*** to state one's intention to buy; ***se ~ volontaire*** to (come forward as a) volunteer **3.** ***se ~ sur qn*** *regard* to fall on sb; *a choix* to fall on sb; *grippe* ***se ~ sur les bronches*** to spread to the lungs **4.** *vêtements* ***se ~*** to be worn

porte-revues *m* ⟨*inv*⟩ magazine rack **porte-savon** *m* ⟨**porte-savon(s)**⟩ soap dish **porte-serviettes** *m* ⟨*inv*⟩ towel rail **porte-skis** *m* ⟨*inv*⟩ AUTO ski rack

porteur [pɔʀtœʀ] **I** *m* **1.** CH DE FER porter; *dans une expédition* bearer, porter **2.** (*détenteur*) bearer; *chèque* ***payable au ~*** payable to the bearer **II** *adj* ⟨**-euse** [-øz]⟩ **1.** TECH *essieu* bearing; *câble* suspension *épith* **2.** ***avion gros ~*** jumbo jet **3.** ***mère porteuse*** surrogate mother **4.** ÉCON buoyant

porte-vélo *m* ⟨**porte-vélo(s)**⟩ AUTO bike-carrier **porte-voix** *m* ⟨*inv*⟩ bullhorn, *brit* megaphone

portier [pɔʀtje] *m* **1.** doorman, porter **2.** ***~ électronique*** numeric keypad

portière [pɔʀtjɛʀ] *f* (car) door

portillon [pɔʀtijõ] *m du métro* gate (*a* CH DE FER)

portion [pɔʀsjõ] *f* **1.** CUIS portion, serving **2.** *d'un tout* portion

portique [pɔʀtik] *m* **1.** ARCH portico **2.** SPORT crossbeam *for rings* **3.** TECH CONSTR gantry

porto [pɔʀto] *m* port (wine)

portoricain [pɔʀtɔʀikɛ̃] *adj* ⟨**-aine** [-ɛn]⟩ Puerto Rican

portrait [pɔʀtʀɛ] *m* portrait; ***être tout le ~ de son père*** to be the (spitting) image of one's father; ***faire le ~ de qn*** to paint *or* draw sb's portrait

portraitiste [pɔʀtʀɛtist] *m/f* portrait painter

portrait-robot *m* ⟨**portraits-robots**⟩ composite picture *or* sketch, *brit* Identikit® picture

portraiturer [pɔʀtʀɛtyʀe] *iron v/t* to portray

port-salut [pɔʀsaly] *m* ⟨*inv*⟩ mild cow's-milk cheese *with an orange rind*
portuaire [pɔʀtɥɛʀ] *adj* port *épith*, harbor *épith*
▶ **portugais** [pɔʀtygɛ] **I** *adj* ⟨**-aise** [-ɛz]⟩ Portuguese **II** *subst* **1.** ***Portugais(e)*** *m(f)* Portuguese man, Portuguese woman **2.** LING **~** *m* Portuguese **3.** ZOOL **~*e*** *f* Portuguese oyster
▶ **Portugal** [pɔʀtygal] ***le ~*** Portugal
P.O.S. [peoɛs] *m, abr* ⟨*inv*⟩ (= **plan d'occupation des sols**) land-use plan
pose [poz] *f* **1.** TECH *de pierres, carrelage, moquette* laying; *d'un radiateur, de vitres* installation; *de rideaux* hanging; ***après la ~ de la première pierre ...*** when the first stone has been laid... **2.** (*attitude*) pose (*a* ART, PEINT); ***garder la ~*** to hold the pose **3.** ***avec, sans ~*** affectedly, unaffectedly **4.** PHOT exposure
posé [poze] *adj* ⟨**~e**⟩ *personne, manière* self-possessed, poised; *voix* calm, controlled
posemètre [pozmɛtʀ] *m* PHOT exposure meter
▶ **poser** [poze] **I** *v/t* **1.** *objet* to put (down) (***sur*** on); *bagages* to put down; *verre, tasse* to put *or* set down; ***~ qc par terre*** to put sth (down) on the ground; ***~ son regard sur*** to look at **2.** (*installer*) *compteur, radiateur etc* to install, to put in; *serrure* to fit; *tuyaux, câbles, carrelage, moquette* to lay; *bombe* to plant **3.** *équation* to set up; *question* to ask; *condition, principe* to lay down; *problème* to pose; ***ceci posé*** assuming this to be true; ***~ sa candidature à un poste*** to apply for a job **4.** (*donner du prestige*) ***~ qn*** to give sb status **5.** MATH *chiffre* to put down **II** *v/i* **1.** PEINT to pose; *fig* **~** (***pour la galerie***) to play to the gallery, to pose *péj* **III** *v/pr* **1.** ***se ~*** *oiseau* to settle (***sur*** on); *avion* to land; *regard* to fall (***sur*** on) **2.** *question, problème* ***se ~*** to arise, to come up **3.** *personne* ***se ~ en*** to present o.s. *or* set o.s. up as
poseur [pozœʀ] *m*, **poseuse** [-øz] *f* **1.** poser *fam, péj*, show-off **2.** ***poseur de bombes*** bomb planter, bomber
positif [pozitif] *adj* ⟨**-ive** [-iv]⟩ **1.** *attitude, termes* positive (*a* MÉD, ÉLEC, MATH); *critique* constructive; ÉLEC ***pôle ~*** positive pole **2.** *personne* ***esprit ~*** realist
position [pozisjõ] *f* **1.** *du corps, d'un levier* position; ***rester en ~ assise*** to stay sitting down; ***~ horizontale*** horizontal position **2.** *d'une personne* (*situation*) position **3.** AVIAT, MAR position **4.** *dans une hiérarchie, une série* place; (*condition sociale*) position, (social) standing **5.** MIL position **6.** *fig* (*point de vue*) position (***sur*** on); ***prendre ~*** to take a stand (***sur*** on)
positionner [pozisjɔne] *v/t* TECH, COMM to position; MIL *avion, adversaire* to establish the position of
positivement [pozitivmɑ̃] *adv* **1.** (*réellement*) positively, for certain **2.** positively
positivisme [pozitivism] *m* positivism
positiviste [pozitivist] **I** *adj* positivist **II** *m* positivist
posologie [pɔzɔlɔʒi] *f* dosage
possédant [pɔsedɑ̃] **I** *adj* ⟨**-ante** [-ɑ̃t]⟩ ***la classe ~e*** the wealthy **II** *mpl* ***les ~s*** the wealthy
possédé [pɔsede] **I** *adj* ⟨**~e**⟩ *personne* possessed (***de*** by) **II ~(*e*)** *m(f)* possessed person
▶ **posséder** [pɔsede] ⟨**-è-**⟩ **I** *v/t* **1.** *biens* to own, to possess; *expérience, qualités* to have **2.** *sujet* to have a thorough knowledge of; *langue* to speak fluently **3.** *femme st/s* to possess **4.** *fam* (*tromper*) to have *fam*; ***se faire ~*** to be had *fam* **II** *v/pr st/s* ***ne plus se ~*** to be beside oneself
possesseur [pɔsɛsœʀ] *m* owner, possessor *st/s*; *d'un diplôme, d'un titre* holder
possessif [pɔsɛsif] *adj* ⟨**-ive** [-iv]⟩ **1.** (***pronom***) **~** *m* possessive pronoun **2.** *personne* possessive
possession [pɔsɛsjõ] *f* **1.** possession (+ *v sg*) (*a* SPORT); ***c'est en ma ~*** I have it in my possession; ***être en pleine ~ de ses moyens*** to be at the peak of one's powers; ***prendre ~ de qc*** to take possession of sth **2.** PSYCH possession
▶ **possibilité** [pɔsibilite] *f* possibility; (*choix, solution*) option; (*occasion*) opportunity
▶ **possible** [pɔsibl] **I** *adj* possible; ***aussi bien que ~*** *ou* ***le mieux ~*** *faire qc* as well as possible; ***le plus ~*** *de temps, d'argent, de place* as much as possible; *de personnes, de livres, etc* as many as possible; ***le plus grand nombre ~ de personnes*** the largest possible number of people; ***le plus souvent, tôt, vite ~*** as often, soon, quickly as possible **II** *m* ***faire*** (***tout***) ***son ~*** (***pour faire qc***) to do every-

thing one can (to do sth); *aimable, bête, etc* ***au ~*** extremely; *fam* ***pas ~!*** I don't believe it! *fam*
post... [pɔst] *préfixe* post...
postage [pɔstaʒ] *m* ADMIN mailing
postal [pɔstal] *adj* ⟨**~e; -aux** [-o]⟩ *services, tarif* mail, *brit* postal; *train* mail *épith*
postbac *adj* ⟨*inv*⟩ ***classes*** *fpl* **~** post-baccalaureate classes *taken before entry into a Grande École*
postcombustion *f* AVIAT ESP, AVIAT afterburning **postcure** *f* aftercare
postdater *v/t* to postdate
▶ **poste**[1] [pɔst] *f* mail, *brit* post; *bureau* post office; ***envoyer qc par la ~*** to mail sth, *brit* to send sth by post; *lettre* ***mettre à la ~*** to mail, *brit* to (put in the) post
▶ **poste**[2] *m* **1.** MIL post; ***poste d'observation*** observation post; *par ext* ▶ ***poste (de police)*** police station; *fig* ***rester à son poste*** to remain at one's post **2.** (*emplacement technique*) post; TÉL extension; ***poste frontière*** border post; CH DE FER ***poste d'aiguillage*** signal box; ***poste de pilotage*** cockpit; ***poste de secours*** first-aid post; ***poste de travail*** workstation **3.** (*emploi*) position, job; *de professeur, de fonctionnaire* post; ***poste de confiance*** position of trust; ***poste de directeur*** post of principal; *fam, fig* ***être fidèle au poste*** to be still going strong; *de caractère* to be reliable **4.** ▶ ***poste de radio, de télévision*** radio, television set; *par ext* (*émetteur*) ***poste (de radio)*** (radio) transmitter
posté [pɔste] *adj* ⟨**~e**⟩ ***travail ~*** shift work
▶ **poster**[1] [pɔste] *v/t* **1.** *qn* to post, to station **2.** *lettre* to mail, *brit* to post
poster[2] [pɔstɛʀ] *m* poster
postérieur [pɔsteʀjœʀ] **I** *adj* ⟨**~e**⟩ **1.** *dans le temps date*, later; *événement* subsequent (***à*** to); ***être ~ à qc*** *événement* to come after sth **2.** ANAT posterior **II** *m fam* backside *fam*, behind *fam*, posterior *plais*
postérieurement [pɔsteʀjœʀmɑ̃] *adv* **~ *à*** subsequent to *st/s*, after
posteriori → ***a posteriori***
postériorité [pɔsteʀjɔʀite] *f* posteriority
postérité [pɔsteʀite] *f* **1.** (*générations futures*) posterity **2.** *st/s* (*descendants*) descendants (+ *v pl*)
posthume [pɔstym] *adj* posthumous
postiche [pɔstiʃ] **I** *adj* fake; *barbe* false **II** *m* hairpiece
postier [pɔstje] *m*, **postière** [-jɛʀ] *f* postal worker
postillon [pɔstijõ] *m* **1.** HIST postilion **2.** *de salive* drop of saliva
postillonner [pɔstijɔne] *v/i* to spit; *avec force* to splutter
post-it® [pɔstit] *m* ⟨*inv*⟩ post-it® (note)
postmoderne *adj* postmodern **postmodernisme** *m* postmodernism **postnatal** *adj* ⟨**~e**⟩ postnatal **postopératoire** *adj* post-operative **postposer** *v/t* GRAM *partie de discours* to place after **postscolaire** *adj* ***éducation~scolaire*** further education
post-scriptum [pɔstskʀiptɔm] *m* ⟨*inv*⟩ (*abr* ***P.-S.***) postscript (*abr* P.S.)
postsynchronisation *f* dubbing
postulant [pɔstylɑ̃] *m*, **postulante** [-ɑ̃t] *f* candidate; REL postulant **postulat** *m* MATH, PHIL postulate **postuler** *v/t* to apply for (***un emploi*** a job)
posture [pɔstyʀ] *f* posture; *fig* position; ***être en mauvaise ~*** to be in a difficult position
▶ **pot** [po] *m* **1.** pot; *pour liquides* jar; ***~ à eau*** water pitcher, *brit* water jug; ***~ (de chambre)*** chamber pot; *fam, fig* ***quel ~ de colle!*** you can't get rid of him! *fam*; ***~ de confiture*** pot of jam; ***~ de fleurs*** flowerpot; ***~ de yaourt*** carton of yogurt; *fig* ***découvrir le ~ aux roses*** [pɔtoʀoz] to find out what's been going on; *fig* ***payer les ~s cassés*** to take the rap *fam*; *fam* ***prendre, boire un ~*** to have a drink; *fig* ***tourner autour du ~*** to beat around the bush **2.** ***~ d'échappement*** exhaust; ***~ catalytique*** catalytic converter **3.** *fam* (*chance*) luck; ***avoir du ~*** to be lucky; ***manque m de ~!*** bad luck! *fam*
potable [pɔtabl] *adj* **1.** ***eau*** *f* **~** drinking water **2.** *fam, fig travail* decent
potache [pɔtaʃ] *m fam* schoolboy
potage [pɔtaʒ] *m* soup
potager [pɔtaʒe] *adj* ⟨**-ère** [-ɛʀ]⟩ BOT, CUIS edible; (***jardin***) **~** *m* kitchen garden
potasse [pɔtas] *f* potash
potasser [pɔtase] *v/t fam* to bone up on *fam*, *brit* to swot up (on) *fam*; ***~ un examen*** to bone up for, *brit* swot up for an exam
potassique [pɔtasik] *adj* potassic
potassium [pɔtasjɔm] *m* potassium

pot-au-feu [pɔtofø] *m* ⟨*inv*⟩ boiled beef *with vegetables*
pot-de-vin [podvɛ̃] *m* ⟨**pots-de-vin**⟩ bribe, kickback *fam*, *brit* backhander
pote [pɔt] *m fam* pal *fam*, *brit* mate *fam*
poteau [pɔto] *m* ⟨**~x**⟩ post (*a* SPORT); ***~ indicateur*** signpost; ***~ électrique*** electricity pole
potée [pɔte] *f* pork and cabbage stew
potelé [pɔtle] *adj* ⟨**~e**⟩ chubby; ***main ~e*** chubby hand
potence [pɔtɑ̃s] *f* gallows (+ *v pl*); TECH bracket, support
potentat [pɔtɑ̃ta] *m* potentate
potentialiser [pɔtɑ̃sjalize] *v/t* to maximize **potentialité** *f* potential
potentiel [pɔtɑ̃sjɛl] **I** *adj* ⟨**~le**⟩ potential **II** *m* potential
poterie [pɔtʀi] *f art*, *objet* piece of pottery; ***~s*** *pl* pottery (+ *v sg*); ***faire de la ~*** to make pottery
poterne [pɔtɛʀn] *f* postern
potiche [pɔtiʃ] *f* **1.** vase **2.** *fig*, *péj* puppet *fig*, *péj*
potier [pɔtje] *m*, **potière** [-jɛʀ] *f* potter
potin [pɔtɛ̃] *m fam* **1.** ***~s*** *pl* gossip (+ *v sg*) **2.** (*vacarme*) racket *fam*, din *fam*
potiner [pɔtine] *v/i fam* to gossip
potion [posjõ] *f* potion; ***~ magique*** magic potion
potiron [pɔtiʀõ] *m* pumpkin
pot-pourri [popuʀi] *m* ⟨**pots-pourris**⟩ potpourri; MUS medley
potron-minet [pɔtʀõminɛ] *plais* ***dès ~*** at the crack of dawn
pou [pu] *m* ⟨**~x**⟩ louse; ***des ~x de tête*** headlice; *fam*, *fig* ***chercher des ~x dans la tête à qn*** to find fault with sb
pouah [pwa] *int fam* yuck *fam*, ugh *fam*
▶ **poubelle** [pubɛl] *f* trash can, *brit* dustbin; *d'un immeuble* garbage chute, *brit* rubbish chute; *adj* ***sac*** *m* ***~*** *brit* bin liner
▶ **pouce** [pus] *m* **1.** thumb; *fig* ***donner un coup de ~ à qc*** to help sth along; *fig* ***manger sur le ~*** to have a quick bite (to eat) *fam*; *fam*, *fig* ***se tourner les ~s*** to twiddle one's thumbs *fam* **2.** *int aux jeux d'enfants* ***~!*** truce! **3.** *ancienne mesure* inch; *fig* ***ne pas reculer d'un ~*** not to move an inch
pouding *m* → ***pudding***
poudrage [pudʀaʒ] *m* AGR powdering
▶ **poudre** [pudʀ] *f* **1.** powder; ***~ à éternuer*** sneezing powder; ***en ~*** *café* instant; *lait* dried *ou* powdered; ***sucre*** *m* ***en ~*** superfine sugar, *brit* caster sugar **2.** *pour le visage* (face) powder **3.** *explosif* gunpowder
poudrer [pudʀe] **I** *v/t* to powder **II** *v/pr* ***se ~*** to powder one's face
poudrerie [pudʀəʀi] *f* gunpowder factory
poudreux [pudʀø] *adj* ⟨**-euse** [-øz]⟩ powdery; (***neige***) ***poudreuse*** *f* powdery snow
poudrier [pudʀije] *m* (powder) compact
poudrière [pudʀijɛʀ] *f* **1.** gunpowder magazine **2.** *fig* powder keg
poudroyer [pudʀwaje] *v/i* ⟨**-oi-**⟩ *soleil* to light up the dust in the air; *poussière* to rise up in clouds
pouf [puf] **I** *int* bump **II** *m* pouffe
pouffer [pufe] *v/i* ***~*** (***de rire***) to burst out laughing
pouffiasse [pufjas] *f pop* (*prostituée*) tart *pop*
pouilleux [pujø] **I** *adj* ⟨**-euse** [-øz]⟩ **1.** *quartier* seedy **2.** ***la Champagne pouilleuse*** *the barren area in the Champagne region* **II** *subst* **1.** ***~, pouilleuse*** *m/f homme* bum *fam*, *femme* fleabag *fam* **2.** *jeu de cartes* ***le ~*** ≈ Old Maid
poujadisme [puʒadism] *m* POL Poujadism *conservative movement of the 1950s, protecting petit-bourgeois business interests*
poulailler [pulaje] *m* **1.** henhouse **2.** THÉ gallery, *brit* gods *fam* (+ *v pl*)
poulain [pulɛ̃] *m* **1.** foal **2.** *fig* protégé
poulaine [pulɛn] *f* HIST ***souliers*** *mpl* ***à la ~*** piked shoes
poularde [pulaʀd] *f* fattened chicken
poulbot [pulbo] *m* street urchin; ***les petits ~s*** the little street urchins *of Montmartre*
▶ **poule** [pul] *f* **1.** hen; *fig* ***~ mouillée*** coward, wimp *fam*; ***~ au pot*** chicken casserole; ***~ d'eau*** moorhen; *fig* ***c'est une mère ~*** she's a mother hen **2.** *fam* ***ma ~*** honey *fam*, *brit* love *fam* **3.** *fam*, *fig* ***~ de luxe*** high-class hooker *fam* **4.** SPORT tournament; *groupe* group
▶ **poulet** [pulɛ] *m* **1.** chicken; ***~ rôti*** roast chicken; ***~ de grain*** corn-fed chicken **2.** *fam* ***mon*** (***petit***) ***~*** honeybunch *fam*, *brit* my love *fam* **3.** *fam* (*policier*) cop *fam*
poulette [pulɛt] *f fam* ***ma ~*** honey *fam*, *brit* my love *fam*
pouliche [puliʃ] *f* filly
poulie [puli] *f* pulley
poulinière [pulinjɛʀ] *adj* ***jument*** *f* ***~*** brood mare

poulpe [pulp] *m* octopus
pouls [pu] *m* pulse; ***prendre le ~ de qn*** to take sb's pulse; *fig* ***tâter le ~ de qn*** to sound sb out
▶ **poumon** [pumõ] *m* lung; ***~s*** *pl* lungs
poupard [pupaʀ] *m* chubby baby
poupe [pup] *f* MAR stern
▶ **poupée** [pupe] *f* **1.** doll; ***jouer à la ~*** to play with dolls **2.** *fam pansement* finger bandage
poupin [pupɛ̃] *adj* 〈**-ine** [-in]〉 ***visage ~*** chubby face
poupon [pupõ] *m* (tiny) baby
pouponner [pupɔne] *v/i* to play the doting parent **pouponnière** *f* children's home *for under-threes*
▶ **pour** [puʀ] **I** *prép* **1.** *but, intention* for; ***c'est pour toi*** it's for you; *personne* ***être pour qn, qc*** to be for *ou* in favor of sb, sth; *abs* ***être pour*** to be in favor; ***payer pour qn*** to pay for sb; ***pour dix euros*** for ten euros; *il est grand* ***pour son âge*** for his age **2.** *destination* to; ***un billet, le train pour Lyon*** a ticket to, the train to Lyons **3.** (*concernant*) ***pour*** (***ce qui est de***) **…** as for …; ***pour moi, pour ma part*** as far as I'm concerned, for my part **4.** *cause*: ***pour cela*** because of that; ***pour cette raison*** for this reason ***c'est pour cela que …*** that's why … **5.** (*comme*) as; ***pour tout bagage*** as one's only baggage **6.** ***pour*** *+inf finalité* so as *+inf*, in order *+inf*; ***pour te prévenir*** (so as) to warn you; ***pour ne pas le rencontrer*** so as not to meet him; *cause* for (+ *v-ing*); *il a été puni* ***pour avoir volé*** for stealing **II** *conj finalité* ▶ ***pour que …*** *+subj* so that …; ***pour que tout le monde soit content*** so that everyone is happy; *conséquence* ***il est bien trop riche pour qu'on le plaigne*** he's far too rich for people to feel sorry for him **III** *subst* ***le pour et le contre*** the pros and cons (+ *v pl*)

> **pour**
>
> Note that for referring to periods of time is normally translated into French using **pendant**, or sometimes **depuis**:
>
> **Nous avons marché pendant plusieurs heures. Il est en vacances depuis deux mois. C'est pour toi.**
>
> We walked for several hours. He has been on vacation for two months. It's for you.

▶ **pourboire** *m* tip; ***donner un ~ à qn*** to tip sb
pourceau [puʀso] *m litt* 〈**~x**〉 swine *a péj*
pourcentage [puʀsɑ̃taʒ] *m* **1.** *rapport* percentage **2.** *part* percentage, cut *fam* (***sur*** of)
pourchasser *v/t* to hunt; *fig* to pursue
pourfendeur [puʀfɑ̃dœʀ] *m litt d'injustices* sworn enemy **pourfendre** *v/t litt* 〈→ **rendre**〉 *injustice* to combat
pourlécher *v/pr* 〈**-è-**〉 ***s'en ~ les babines*** *fam* to smack one's lips *fam*
pourparlers *mpl* talks
pourpier [puʀpje] *m* BOT purslane
pourpoint [puʀpwɛ̃] *m* HIST pourpoint, doublet
pourpre[1] [puʀpʀ] *f colorant, étoffe* purple
pourpre[2] **I** *m* **1.** *couleur* crimson **2.** ***~ rétinien*** visual purple **II** *adj* crimson
pourpré [puʀpʀe] *adj litt* 〈**~e**〉 crimson
▶ **pourquoi** **I** *adv* why; ***pourquoi pas?*** why not?; ▶ ***c'est pourquoi*** that's why **II** *m* 〈*inv*〉 **1.** ***le pourquoi*** the reason **2.** *question* ***le pourquoi et le comment*** the whys and wherefores (+ *v pl*)
pourrai [puʀɛ] → ***pouvoir***[1]
pourri [puʀi] **I** *adj* 〈**~e**〉 **1.** *aliments, etc* rotten **2.** *fig* corrupt, crooked *fam*; *enfant* spoiled **3.** *été, temps* foul, rotten *fam* **II** *m de fruits* rot; ***odeur*** *f* ***de ~*** rotting smell
pourrir [puʀiʀ] **I** *v/t enfant, vie* to spoil; *p/fort* to ruin; *argent* ***~ qn*** to corrupt sb **II** *v/i* **1.** *fruits* to go bad *ou* rotten; *feuilles, bois* to rot **2.** *fig situation* to deteriorate; ***laisser ~ une grève*** to allow a strike to deteriorate
pourrissement [puʀismɑ̃] *m* **1.** decay **2.** *fig d'une situation* deterioration
pourriture [puʀityʀ] *f* **1.** rot **2.** *fig* corruption **3.** *injure pop* swine *fam*, bastard *pop*
poursuite *f* **1.** pursuit; ***se lancer à la ~ de qn*** to set off in pursuit of sb **2.** CYCLISME pursuit **3.** (*continuation*) continuation **4.** ***~*** (***judiciaire***) (legal) proceedings (+ *v pl*)
poursuivant *m*, **poursuivante** *f* pursuer
▶ **poursuivre** 〈→ **suivre**〉 **I** *v/t* **1.** to pursue, to chase; *fig images* ***~ qn*** to haunt sb; *journalistes* to hound sb; ***~ qn de sa haine*** to be consumed with hatred for

sb **2.** (*continuer*) to go on, to carry on; ***poursuivez!*** carry on! **3.** ***~ qn (en justice)*** to sue sb; *criminel* to prosecute sb **II** *v/pr négociations, etc* ***se ~*** to continue

► **pourtant** *adv* yet

pourtour *m* **1.** (*circonférence*) perimeter **2.** (*bord*) edge

pourvoi [puʀvwa] *m* JUR appeal; ***~ en cassation*** ≈ appeal to the Supreme Court

pourvoir ⟨→ **voir**; *mais*: **je pourvus; je pourvoirai**⟩ **I** *v/t* **1.** *poste* to fill **2.** ***~ qn de qc*** *ressources* to equip sb with sth; *talents* to endow sb with sth; ***~ qc de qc*** to equip sth with sth **II** *v/t indir* ***~ à qc*** to provide for sth **III** *v/pr* **1.** ***se ~ de qc*** to equip o.s. with sth; *souvent plais* to arm o.s. with sth **2.** JUR ***se ~ en cassation*** ≈ to appeal to the Supreme Court

pourvoyeur *m*, **pourvoyeuse** [-øz] *f* ***pourvoyeur, pourvoyeuse de …*** supplier of …, purveyor of … *st/s*; *emplois* source of …

pourvu I *pp* → ***pourvoir*** **II** *conj* ***~ que …*** +*subj* (*à condition que*) provided that …; *souhait*: *en tête de phrase* let's hope that …, hopefully, …

poussa(h) [pusa] *m* **1.** (*jouet*) tumbler **2.** *fig* fat man

pousse [pus] *f* **1.** *d'un végétal* shoot; ***~s de bambou*** bamboo shoots **2.** (*action*) growth

poussé [puse] *adj* ⟨**~e**⟩ *moteur* souped-up; *études* advanced; *discussion* exhaustive

pousse-café *m* ⟨*inv*⟩ after-dinner liqueur

poussée [puse] *f* **1.** *d'une foule, de l'eau* pressure **2.** (*action, coup*) push **3.** PHYS, TECH thrust **4.** ***~ de fièvre*** sudden high temperature **5.** *fig de prix* rise (***de*** in); ***~ démographique*** rise in population; POL ***~ vers la gauche*** marked shift toward the left

pousse-pousse *m* ⟨*inv*⟩ rickshaw

► **pousser** [puse] **I** *v/t* **1.** *personne, véhicule* to push; *pour déplacer* to shift, to move; *verrou* to slide home; *porte* : *pour ouvrir* to push open; *porte* : *pour fermer* to push shut; *vent*: *nuages* to blow; *sur une porte* ***poussez!*** push; *abs* ***ne poussez pas!*** don't push!; ***~ qc du pied*** to nudge sth with one's foot **2.** ***~ qn à faire qc*** to encourage sb to do sth; *plfort* to urge sb to do sth; *péj* to drive sb to do sth **3.** *études, recherches* to pursue; *moteur* to drive hard; ***~ la gentillesse, la bêtise jusqu'à*** +*inf* to be kind, stupid enough +*inf* ***faut pas ~*** don't push your luck *fam* **4.** *cri, soupir* to let out **II** *v/i* **1.** (*grandir*) to grow; *enfant* ***~ bien*** to be thriving; ***faire ~ des légumes*** to grow vegetables **2.** ***~ jusqu'à …*** to go on *ou* push on as far as … **3.** *pour aller à la selle* to push **III** *v/pr* ***se ~*** to move over

poussette [pusɛt] *f* stroller, *brit* pushchair

poussier [pusje] *m* coal dust

► **poussière** [pusjɛʀ] *f* **1.** dust (+ *v sg*); ***une ~*** a speck of dust; ***faire mordre la ~ à qn*** to wipe the floor with sb *fam* **2.** *fam* ***mille euros et des ~s*** just over a thousand euros

poussiéreux [pusjeʀø] *adj* ⟨**-euse** [-øz]⟩ dusty

poussif [pusif] *adj* ⟨**-ive** [-iv]⟩ wheezy

poussin [pusɛ̃] *m* chick; CUIS spring chicken, *brit* poussin

poutre [putʀ] *f* **1.** CONSTR beam; *métallique* girder **2.** SPORT beam

poutrelle [putʀɛl] *f* girder

► **pouvoir**[1] [puvwaʀ] ⟨**je peux** *ou st/s* **je puis,** *mais toujours* **puis-je?, tu peux, il peut, nous pouvons, ils peuvent; je pouvais; je pus; je pourrai; que je puisse; pouvant; pu** *inv*⟩ **I** *v/t* to be able to; ***on n'y peut rien*** there's nothing we can do (about it); ***je n'en peux plus*** I can't take any more **II** *v/aux avec inf* **1.** (*être capable de*) to be able to; ***elle ne pouvait pas venir*** she wasn't able to come; *il est* ***on ne peut plus aimable, généreux*** as nice, generous as can be **2.** (*avoir le droit de*) to be allowed to; ► ***est-ce que je peux … +inf?*** can I …?; *plpoli* may I …?; ► ***est-ce que vous pourriez … +inf?*** would you …?; *plpoli* could you …?; ***… si l'on peut dire …*** in a manner of speaking **3.** *possibilité* ***quel âge peut-elle bien avoir?*** how old do you think she is? **III** *v/imp et v/pr* ***il se peut que …*** +*subj* it is possible that …, it may be that …

► **pouvoir**[2] *m* **1.** power (***sur qn*** over sb); ***~ d'achat*** purchasing *ou* buying power; ***cela n'est pas en mon ~*** that is not within my power **2.** POL power; ***être au ~*** to be in power **3.** POL, JUR power; ***~s publics*** authorities **4.** (*procuration*) power of attorney; (*droit*) power;

pleins ~s full powers **5.** PHYS, TECH power; **~ *calorifique*** calorific value
pragmatique [pʀagmatik] *adj* pragmatic **pragmatisme** *m* pragmatism **pragmatiste** *m/f* pragmatist
praire [pʀɛʀ] *f* clam
prairie [pʀɛʀi] *f* **1.** meadow **2.** ***la Prairie*** the Prairie
praline [pʀalin] *f* **1.** sugar-coated almond **2.** *en Belgique* (*chocolat*) (hand-made) praline, *brit* chocolate
praliné [pʀaline] *adj* ⟨**~e**⟩ *chocolat, glace* praline *épith*
praticable [pʀatikabl] **I** *adj* **1.** *chemin, route* passable; *terrain de sport* fit for play **2.** *opération* feasible **II** *m* **1.** THÉ practicable scenery **2.** FILM, TV platform *for cameras*
praticien [pʀatisjɛ̃] *m*, **practicienne** *f* general practitioner, *brit* GP
pratiquant [pʀatikɑ̃] *adj* ⟨**-ante** [-ɑ̃t]⟩ practicing; ***elle est très ~e*** she's very devout
▶ **pratique** [pʀatik] **I** *adj personne, raison, technique* practical; *outil, endroit* handy **II** *f* **1.** (*opposé: théorie*) practice; ***mettre en ~*** to put into practice **2.** (*savoir-faire*) practical experience **3.** *d'un sport* playing; *d'un métier* practicing; *d'une langue étrangère* speaking **4.** (*usage*) practice; ***~s*** *pl* practices
pratiquement [pʀatikmɑ̃] *adv* **1.** (*dans la pratique*) in practice **2.** (*à peu près*) practically, virtually
pratiquer [pʀatike] **I** *v/t* **1.** *métier, art* to practice; *football, tennis* to play; *athlétisme* to do **2.** *méthode* to use; *une politique* to employ; *charité* to give **3.** REL *abs* to practice (one's religion) **4.** *ouverture* to make; *intervention chirurgicale* to carry out **II** *v/pr* ***se ~*** *méthode, technique* to be used; *sport* to be played
▶ **pré** [pʀe] *m* meadow
pré... [pʀe] *préfixe* pre(-)...
préadolescent *m*, **préadolescente** *f* pre-adolescent, pre-teen *fam*
préalable [pʀealabl] **I** *adj avis* prior; *discussions, conditions* preliminary; **~ *à*** preceding **II** *m* **1.** precondition **2.** ***au ~*** beforehand, first
préalablement [pʀealabləmɑ̃] *adv* beforehand; **~ *à*** before, prior to *st/s*
préalpin *adj* ⟨**-ine** [-in]⟩ pre-Alpine
préambule [pʀeɑ̃byl] *m* **1.** *d'un discours* preamble (*a* JUR); ***sans ~*** with no forewarning; *demander* straight out **2.** *fig* prelude
préau [pʀeo] *m* ⟨**~x**⟩ courtyard; covered section *of a school playground*
préavis *m de licenciement, grève, etc* notice; *renvoyer qn* ***sans ~*** without notice
prébende [pʀebɑ̃d] *f* ÉGL HIST prebend
précaire [pʀekɛʀ] *adj position, structure* precarious; *travail* casual
précambrien [pʀekɑ̃bʀijɛ̃] *m* GÉOL Precambrian (era)
précarité [pʀekaʀite] *f* precariousness; ***la ~ de l'emploi*** job insecurity
précaution *f* (*prudence*) caution; *disposition prise* precaution; ***par ~*** as a precaution; ***prendre des ~s*** to take precautions
précautionneux [pʀekosjɔnø] *adj* ⟨**-euse** [-øz]⟩ careful
précédemment [pʀesedamɑ̃] *adv* previously
précédent [presedɑ̃] **I** *adj* ⟨**-ente** [-ɑ̃t]⟩ previous; ***l'année ~e*** the year before, the previous year **II** *m* precedent; ***sans ~*** unprecedented, without precedent
précéder *v/t* ⟨**-è-**⟩ **1.** *dans le temps* to precede; *événement* to lead up to; ***il m'a précédé de dix minutes*** he got there ten minutes before me **2.** *dans l'esp* **~ *qn*** to be in front of sb
précepte [pʀesɛpt] *m* precept
précepteur [pʀesɛptœʀ] *m*, **préceptrice** [-tʀis] *f* (private) tutor
précession [pʀesɛsjɔ̃] *f* PHYS, ASTROL precession
prêche [pʀɛʃ] *m* sermon
prêcher [pʀɛʃe] *v/t et v/i* to preach
prêchi-prêcha [pʀɛʃipʀɛʃa] *m* ⟨*inv*⟩ *fam, péj* sermonizing *péj*
précieusement [pʀesjøzmɑ̃] *adv garder* carefully
précieuses [pʀesjøz] *fpl* HIST précieuses *term applied to 17th century women of intellect and wit*
▶ **précieux** [pʀesjø] *adj* ⟨**-euse** [-øz]⟩ **1.** (*de valeur*) precious; ***métaux ~*** precious metal **2.** (*affecté*) precious *péj*
préciosité [pʀesjozite] *f* preciosity; *péj* preciousness
précipice [pʀesipis] *m* precipice
précipitamment [pʀesipitamɑ̃] *adv partir* hurriedly; *décider* hastily
précipitation [pʀesipitasjɔ̃] *f* **1.** haste **2.** ***~s*** *pl* rainfall (+ *v sg*), precipitation *t/t* (+ *v sg*)
précipité [pʀesipite] **I** *adj* ⟨**~e**⟩ **1.** *pas* rapid **2.** *départ, décision* hasty **II** *m* CHIM

precipitate
précipiter [pʀesipite] **I** *v/t* **1.** (*jeter d'en haut*) to throw off **2.** (*projeter*) *d'une fenêtre* to push out; *d'une falaise* to push over **3.** (*brusquer*) to speed up, to precipitate *st/s* **II** *v/pr* ***se précipiter* 1.** (*se jeter d'en haut*) ***se ~ dans le vide*** to jump (off) **2.** (*s'élancer*) to rush (***à la porte, sur qn*** to the door, at sb); ***se ~ au secours de qn*** to rush to sb's aid **3.** *événements* to move faster
► **précis** [pʀesi] **I** *adj* ⟨**-ise** [-iz]⟩ *réponse* precise; *renseignement, chiffre* accurate; *endroit, point* exact; ***à dix heures ~es*** at exactly ten o'clock **II** *m* handbook
précisément [pʀesizemɑ̃] *adv* **1.** (*de façon précise*) precisely; ***plus ~*** more precisely **2.** (*justement*) precisely; ***pas ~*** not exactly
préciser [pʀesize] **I** *v/t* to specify; ***pouvez-vous ~?*** could you be more specific?; ***~ que …*** to make it clear that …; (*ajouter*) to add that … **II** *v/pr* ***se ~*** *forme, avenir* to become clear(er); *projets* to take shape
précision [pʀesizjõ] *f* **1.** precision (*a* TECH); *de mesures, de données, d'une montre* accuracy **2.** ***~s*** *pl* information (+ *v sg*); (*détails*) details
précoce [pʀekɔs] *adj* **1.** *fruit* early **2.** *enfant* precocious **3.** *rides* premature; *hiver* early
précocité [pʀekɔsite] *f* precociousness
précolombien [pʀekɔlõbjɛ̃] *adj* ⟨**-ienne** [-jɛn]⟩ pre-Columbian
préconçu *adj* ⟨**~e**⟩ ***idée ~e*** preconceived idea
préconiser [pʀekɔnize] *v/t* to recommend, to advocate *st/s*
précontraint [pʀekõtʀɛ̃] *adj* ⟨**-ainte** [-ɛ̃t]⟩ ***béton ~*** prestressed concrete
précuit *adj* ⟨**-cuite** [kɥit]⟩ precooked
précurseur I *m personne, modèle* precursor; *institution* forerunner **II** *adj, m* ***signe ~*** warning sign
prédateur [pʀedatœʀ] *m* predator
prédécesseur [pʀedesesœʀ] *m* predecessor
prédélinquant [pʀedelɛ̃kɑ̃] *m* potential young offender
prédestination [pʀedɛstinasjõ] *f* predestination
prédestiner *v/t* to predestine (***à qc*** for sth)
prédicat [pʀedika] *m* GRAM predicate
prédicateur [pʀedikatœʀ] *m* preacher
prédication *f* preaching
prédiction *f* prediction; ***faire des ~s*** to predict
prédilection [pʀedilɛksjõ] *f* predilection *st/s*, fondness (***pour*** for); ***de ~*** favorite
prédire *v/t* ⟨→ **dire**; *but*: **vous prédisez**⟩ to predict
prédisposer *v/t* ***~ qn à (faire) qc*** to predispose sb to (do) sth
prédisposition *f* predisposition *a* MÉD (***à*** to)
prédominance *f* predominance **prédominant** *adj* ⟨**-ante** [-ɑ̃t]⟩ predominant
prédominer *v/i* to predominate
préélectoral *adj* ⟨**~e; -aux** [-o]⟩ pre-electoral
préemballé [pʀeɑ̃bale] *adj* ⟨**~e**⟩ prepacked
prééminence *f* preeminence **prééminent** *adj* ⟨**-ente** [-ɑ̃t]⟩ preeminent
préemption [pʀeɑ̃psjõ] *f* ***droit m de ~*** pre-emptive right
préétabli [pʀeetabli] *adj* ⟨**~e**⟩ pre-established
préexistant *adj* ⟨**-ante** [-ɑ̃t]⟩ pre-existing **préexister** *v/i* to pre-exist; ***~ à qc*** to predate sth
préfabrication *f* prefabrication (***de*** of)
préfabriqué [pʀefabʀike] **I** *adj* ⟨**~e**⟩ prefabricated; ***maison ~e*** prefabricated house **II** *m* prefab *fam*, prefabricated building
préface *f* preface **préfacer** *v/t* ⟨**-ç-**⟩ to write the preface to
préfectoral [pʀefɛktɔʀal] *adj* ⟨**~e; -aux** [-o]⟩ prefectorial
préfecture [pʀefɛktyʀ] *f* **1.** prefecture *French administrative region* **2.** main city *of a French département* **3.** ***~ de police*** ≈ police headquarters (+ *v pl*)
préférable [pʀefeʀabl] *adj* ***être ~ à qc*** to be preferable to sth
préféré [pʀefeʀe] **I** *adj* ⟨**~e**⟩ favorite **II** *m(f)* ***le ~, la ~e de qn*** sb's favorite
préférence [pʀefeʀɑ̃s] *f* preference (*a* ÉCON); ***avoir une ~ pour qn, qc*** to have a preference for sb, sth; ***de ~*** preferably
préférentiel [pʀefeʀɑ̃sjɛl] *adj* ⟨**~le**⟩ preferential
► **préférer** [pʀefeʀe] *v/t* ⟨**-è-**⟩ to prefer (***à*** to); ***je préfère le train (à la voiture)*** I prefer the train (to driving); ***~ faire qc*** to prefer to do sth; ***je préfère qu'ils viennent*** +*subj* ***demain*** I'd prefer them

to come tomorrow, I'd rather they came tomorrow
préfet [pʀefɛ] *m* **1.** prefect *state official who administers a prefecture* **2.** **~ de police** ≈ chief of police
préfète [pʀefɛt] *f* **1.** prefect *state official who administers a prefecture* **2.** prefect's wife **3.** *en Belgique* principal, *brit* headmistress
préfiguration *st/s f* prefiguration **préfigurer** *v/t* to prefigure
préfinancement *m* advance funding
préfixe *m* prefix
préformage [pʀefɔʀmaʒ] *m* TECH preform **préformer** *v/t* TECH to preform
préhenseur [pʀeɑ̃sœʀ] *adj, m*, **préhensile** [-il] *adj* BIOL prehensile
préhension [pʀeɑ̃sjõ] *f* BIOL prehension *t/t*, grip; **de ~** prehensile
préhistoire *f* prehistory **préhistorique** *adj* prehistoric
préjudice [pʀeʒydis] *m* harm (+ *v sg*); *financier, matériel* loss; **au ~ de** to the detriment of; **causer un ~** *ou* **porter ~ à qn** to harm sb; **porter ~ à qc** to damage sth
préjudiciable [pʀeʒydisjabl] *adj* **~ à** prejudicial to
▶ **préjugé** *m* prejudice
préjuger *v/t indir* ⟨**-ge-**⟩ **~ de qc** to prejudge sth
prélasser *v/pr* **se ~ au soleil** to laze in the sunshine; **se ~ dans un fauteuil** to lounge in an armchair
prélat [pʀela] *m* prelate
prélavage *m* prewash **prélaver** *v/t* to prewash
prêle *ou* **prèle** [pʀɛl] *f* BOT horsetail, equisetum *t/t*
prélèvement [pʀelɛvmɑ̃] *m* **1.** deduction (**sur** from); *sur un compte bancaire* withdrawal; **~ automatique** direct debit **2.** sample; **faire un ~ de sang** to take a blood sample
prélever *v/t* ⟨**-è-**⟩ **1.** to deduct (**sur** from); *sur un compte bancaire* to withdraw **2.** *sang* to take a sample of
préliminaire [pʀeliminɛʀ] **I** *adj* preliminary **II** *mpl* **préliminaires 1.** preliminaries **2.** POL preliminary talks
prélude [pʀelyd] *m* **1.** MUS prelude **2.** *fig* prelude (**à** to)
préluder [pʀelyde] *v/t indir* **~ à qc** to be the prelude to sth
prématuré [pʀematyʀe] *adj* ⟨**~e**⟩ **1.** *démarche* premature **2.** *mort* untimely; **accouchement ~** premature birth; (**enfant**) **~ m** premature baby
prématurément [pʀematyʀemɑ̃] *adv* prematurely
préméditation *f* JUR premeditation; **avec ~** with premeditation
préméditer *v/t* to premeditate
prémices [pʀemis] *fpl litt* beginnings
▶ **premier** [pʀəmje] **I** *adj* ⟨**-ière** [-jɛʀ]⟩ **1.** first; **le ~ août** August first, *brit* the first of August; **François Ier** Francis the First, Francis I; **~ âge** *vêtement* for babies up to three months; **objectif ~** primary objective **2.** (*primitif*) first, initial; **nombre ~** prime number **II** *subst* **1. le ~, la première** first; *dans un classement* first; *élève* top (of the class); **les trois ~s** the first three; **le ~ de l'an** New Year's Day; **le ~ du mois** the first of the month; *adv* first; **arriver le ~** to arrive first; **en ~** first (and foremost) **2.** *m étage* **au ~** on the second floor, *brit* on the first floor **3.** THÉ **jeune ~** young romantic lead
première [pʀəmjɛʀ] *f* **1.** FILM, THÉ première **2.** CH DE FER first class **3.** ENSEIGNEMENT ≈ 11th grade *penultimate year of high school*, *brit* ≈ lower sixth form **4.** AUTO first (gear) **5.** ALPINISME first ascent
premièrement [pʀəmjɛʀmɑ̃] *adv* firstly
premier-né *m* ⟨**premiers-nés**⟩, **première-née** *f* ⟨**premières-nées**⟩ first-born
prémilitaire *adj* premilitary
prémisse [pʀemis] *f* premise
prémolaires *fpl* premolars
prémonition [pʀemɔnisjõ] *f* premonition
prémonitoire [pʀemɔnitwaʀ] *adj* premonitory; **signe** *m* **~** ominous sign
prémunir *v/pr* **se ~ contre qc** to protect o.s. against sth
prenable [pʀənabl] *adj place forte* pregnable
prenant [pʀənɑ̃] *adj* ⟨**-ante** [-ɑ̃t]⟩ **1.** *film, livre* fascinating **2.** *activité* absorbing **3.** **partie ~e** stakeholder
prénatal *adj* ⟨**~e; -als**⟩ antenatal
▶ **prendre** [pʀɑ̃dʀ] ⟨**je prends, il prend, nous prenons, ils prennent; je prenais; je pris; je prendrai; que je prenne, que nous prenions; prenant; pris**⟩ **I** *v/t* **1.** to take; (*enlever*) to take away; (*sortir de*) to take out (**dans, de** from); (*emporter*) to take (along), to bring; (*accueillir*) to take (in); *ordres, commandes*

to take; MIL *ville* to capture; *crédit* to get; *assurance*, *argent* to take out; *photo*, *mesures*, *risques* to take; *pouvoir* to take over; *ses fonctions* to assume; ***prendre de l'âge*** to grow old; *taxi* ***prendre un client*** to pick up a customer; ***prendre des forces*** to build up one's strength; ***prendre du poids*** to put on weight; ***prendre de l'importance*** to take on importance; ***prendre bien, mal qc*** to take sth well, badly; ***à tout prendre*** all in all; ***prendre qn, qc en aversion*** to develop a loathing for sb, sth; ***prendre qn par les sentiments*** to appeal to sb's better nature; ***c'est à prendre ou à laisser*** take it or leave it; ***passer, venir prendre qn, qc*** to come by and pick sb, sth up; *chez le coiffeur, etc* ***pouvez-vous me prendre à cinq heures?*** can you fit me in at five o'clock?; ***savoir prendre qn*** to know how to handle sb **2.** *nourriture*, *repas* to have; *médicament*, *poison* to take; ***prendre son petit-déjeuner*** to have breakfast; ***vous prendrez bien quelque chose?*** what would you like? **3.** *moyen de transport* to take **4.** *direction*, *chemin*, *route* to take **5.** (*embaucher*) to take on (***comme secrétaire*** as a secretary) **6.** (*capturer*) *animal*, *poisson* to catch; *personne en fuite* to catch, to capture **7.** (*surprendre*) ***prendre qn*** to catch sb (***en train de*** *+inf* in the process of (+ *v-ing*)); *fig* ***se laisser prendre*** to be taken in *fam* **8.** (*adopter*) *air* to put on; *ton*, *attitude* to adopt; *habitude* to pick up **9.** (*recevoir*) *coups*, *contravention* to get; *rhume* to catch **10.** (*s'emparer de*) ***prendre qn*** *fatigue*, *envie* to overcome sb; *panique* to grip sb; *fam* ***qu'est-ce qui te prend?*** what's come over you?, what's the matter with you? **11.** *travail* ***prendre qn*** to take up sb's time **12.** (*voler*) ***prendre qc, qn à qn*** to steal sth, sb from sb **13.** (*se faire payer*) to charge; ***il prend cher*** he charges a lot **14.** ▶ ***prendre qn pour*** (*considérer comme*) to consider sb (as); ***pour qui me prenez-vous?*** what do you take me for? **II** *v/i* **1.** *mayonnaise*, *crème* to thicken; *ciment* to set **2.** *bouture* to take; *feu* to catch **3.** *mode* to catch on; *spectacle* to be a success; *menace*, *excuse* ***ne pas prendre*** not to work, not to wash *fam* **4.** ***prendre à droite, sur la droite*** to go right **5.** ***prendre sur soi*** to get a hold of o.s., to get a grip *fam*; ***prendre sur soi pour*** *+inf* to take it upon o.s. *+inf* **III** *v/pr* **1.** ***se prendre le doigt dans la porte*** to catch one's finger in the door **2.** ***s'en prendre à qn*** to take it out on sb; ***s'en prendre à qc*** to lay into sth *fam* **3.** ***s'y prendre à l'avance pour*** *+inf* to act early *+inf*; ***s'y prendre bien, mal*** to go about it the right, the wrong way **4.** ***se prendre pour un génie***, *etc* to think one is a genius, *etc.*

preneur [pʀənœʀ] *m* **1.** COMM taker **2.** **~ *d'otage*(*s*)** hostage taker **3.** ***~ de son*** sound engineer

preneuse [pʀənøz] *adj, f* TECH ***benne ~*** clamshell bucket, *brit* grab bucket

▶ **prénom** *m* first name; ADMIN forename

prénommé [pʀenɔme] *adj* ⟨**~e**⟩ ADMIN ***le ~ Paul*** the man named Paul

prénommer I *v/t* ***~ qn …*** to name *ou* call sb … **II** *v/pr* ***se ~ …*** to be called …

prénuptial *adj* premarital

préoccupant *adj* ⟨**-ante**⟩ worrying

préoccupation *f* concern

préoccupé *adj* ⟨**~e**⟩ preoccupied

préoccuper I *v/t* ***~ qn*** (*inquiéter*) to worry sb; (*occuper fortement*) to concern sb **II** *v/pr* ***se ~ de qc*** to be concerned about sth

prépa [pʀepa] *f, abr fam* (= **classe préparatoire**) → ***préparatoire***

préparateur [pʀepaʀatœʀ] *m*, **préparatrice** [-tʀis] *f* laboratory assistant; PHARM pharmacist's assistant

préparatifs [pʀepaʀatif] *mpl* preparations

préparation [pʀepaʀasjõ] *f* **1.** preparation (*a* CUIS) **2.** CHIM, PHARM preparation

préparatoire [pʀepaʀatwaʀ] *adj* preparatory; ***classes*** *fpl* ***~s*** preparatory classes *for competitive entry to the Grandes Écoles*

▶ **préparer I** *v/t* **1.** to prepare; *documents*, *vêtements* to get ready; *repas* to fix, to make; *vacances* to plan; ***préparer un examen*** to prepare for an exam; ***plat préparé*** ready-to-eat meal, *brit* ready meal; ***préparer qn à qc*** to prepare sb for sth **2.** *avenir* ***préparer qc à qn*** to have sth in store for sb; ***préparer une surprise à qn*** to plan a surprise for sb **II** *v/pr* **1.** ▶ ***se préparer à faire*** to get ready to do; ***se préparer pour qc*** to get ready for sth; ***se préparer à qc*** *pour un examen* to prepare for

sth **2.** ***se préparer*** *orage* to be brewing; *fig qc de grave* to be in the offing
prépondérance [prepõdeʀɑ̃s] *f* predominance **prépondérant** *adj* ⟨**-ante** [-ɑ̃t]⟩ predominant
préposé(e) **I** *m(f)* **1.** *des postes* mail carrier, mailman, mailwoman, *brit* postman, postwoman **2.** (*agent*) *au vestiaire* attendant; *des douanes* official **II** *pp* ***être ~ à qc*** to be in charge of sth
préposer *v/t* ***~ qn à qc*** to appoint sb to sth
prépositif *adj* ⟨**-ive** [iv]⟩ GRAM ***locution prépositive*** prepositional phrase
préposition *f* preposition
prépuce [prepys] *m* foreskin
prérasage *m* ***lotion*** *f* ***de ~*** pre-shave lotion
préretraite *f* **1.** early retirement **2.** *allocation* early retirement pension
prérogative [preʀɔgativ] *f* prerogative
▶ **près** [prɛ] **I** *adv* **1.** (***tout***) ***près*** (very) close by; ***de près*** *suivre*, *examiner* closely; *littéral* ***se raser de près*** to have a close shave **2.** ***à … près*** apart from …; ***à cela près que …*** except that …; ***je ne suis pas à cinq minutes près*** I can spare five minutes; ▶ ***à peu près, à peu de chose(s) près*** (*environ*) around; (*presque*) almost **II** *prép* ▶ ***près de*** near; *d'un ami*, *d'un parent* close to; *avec un nombre* nearly; ***près d'ici*** near here; ***il est près de dix heures*** it's nearly *ou* almost ten o'clock; ***être près de faire qc*** to be on the point of doing sth, to be about to do sth
présage [prezaʒ] *m* omen
présager [prezaʒe] *v/t* ⟨**-ge-**⟩ to presage *litt*; *personne* to predict; (***laisser***) ***~*** to be an omen of
pré-salé [presale] *m* ⟨**prés-salés**⟩ salt-meadow sheep; CUIS salt-meadow lamb
presbyte [prɛzbit] *adj* farsighted, *brit* longsighted
presbytère [prɛzbitɛʀ] *m* presbytery
presbytie [prɛzbisi] *f* farsightedness, *brit* longsightedness
prescience [presjɑ̃s] *f* foreknowledge, prescience *st/s*
préscolaire *adj* preschool
prescription [prɛskripsjõ] *f* **1.** MÉD prescription **2.** JUR prescription; ***il y a ~*** the statute of limitations applies
prescrire [prɛskʀiʀ] ⟨→ **écrire**⟩ *v/t* to stipulate; *médicament* to prescribe
prescrit [prɛskʀi] *adj* ⟨**-ite** [-it]⟩ **1.** stipulated; MÉD prescribed **2.** JUR subject to the statute of limitations
préséance [preseɑ̃s] *f* precedence
présélection [preselɛksjõ] *f* **1.** *de candidats* shortlisting **2.** TECH presetting; AUTO preselection
présélectionner [preselɛksjɔne] *v/t* **1.** *candidats* to shortlist **2.** TECH to preset; AUTO to preselect
▶ **présence** [prezɑ̃s] *f* **1.** *de qn* presence; *à une réunion*, *un cours*, *etc* attendance; ***en ~ de*** in the presence of *st/s*, in front of; ***en votre ~*** in your presence; *adversaires* ***être en ~*** to be face to face **2.** *de qc* presence **3.** ***~ d'esprit*** presence of mind **4.** *d'un acteur* FILM screen presence; THÉ stage presence
▶ **présent**[1] [prezɑ̃] **I** *adj* ⟨**-ente** [-ɑ̃t]⟩ **1.** *personne* present; *réponse* ***~!*** here!; ***personnes ~es*** those present; ***être ~*** (***à qc***) to be present (at sth) **2.** (*actuel*) present **3.** ADMIN, COMM active; *subst* JUR ***par la ~e*** hereby **4.** ***participe ~*** present participle **II** *m* **1.** present; ***à ~*** at present; *maintenant* now; ***à ~ que …*** now that …; ***jusqu'à ~*** until now **2.** GRAM present (tense) **3.** ***les ~s*** *mpl* those present
présent[2] *m litt* gift, present
présentable [prezɑ̃tabl] *adj* presentable
présentateur [prezɑ̃tatœʀ] *m*, **présentatrice** [-tʀis] *f* RAD, TV presenter; *dans un spectacle* master of ceremonies; *du journal* newscaster, *brit* newsreader
présentation [prezɑ̃tasjõ] *f* **1.** *d'une collection*, *etc* showing; *d'un livre*, *d'une émission*, *d'un spectacle* presentation; *d'un produit* display **2.** (*manière de présenter*) *d'un plat* presentation; *d'un texte* layout **3.** *d'une thèse*, *etc* presentation **4.** *d'une pièce d'identité*, *d'un chèque* presentation; ***sur ~ de*** on production of **5.** *d'une personne à une autre* introduction; ***faire les ~s*** to make the introductions **6.** (*apparence de qn*) appearance
présente [prezɑ̃t] → ***présent***[1] *I 3*
présentement [prezɑ̃tmɑ̃] *adv* presently, *brit* at present
▶ **présenter** [prezɑ̃te] **I** *v/t* **1.** *plat* to display; *pièce d'identité*, *billet* to show, to present; *chèque* to present; *rapport*, *facture* to submit; *proposition* to put forward; *fig arguments* to set out; *condoléances*, *félicitations*, *sa démission* to offer; ***~ sa candidature à un poste*** to

apply for a job; *cadeau, etc* **bien présenté** well-presented **2.** *collection, etc* to show; *produit* to display; *livre, film* to present; (*annoncer*) *émission, numéro de cirque* to present **3. ~ qn à qn** to introduce sb to sb **4.** (*exposer*) *idées, faits* to present **5.** (*avoir*) *défauts, qualités* to have; *risques* to involve **II** *v/i* **1.** *personne* **~ bien** to have a smart appearance **III** *v/pr* **1. se ~ (à qn)** to introduce o.s. (to sb); **se ~ aux élections** to run for election; **se ~ à un examen** to take an examination **2. se ~** *occasion* to arise, to present itself; *cas* to arise; **l'affaire se présente bien, mal** things are looking good, bad

présentoir [pʀezɑ̃twaʀ] *m* display rack; *emballage* presentation pack

présérie *f* TECH, AUTO pilot series

préservatif [pʀezɛʀvatif] *m* condom

préservation [pʀezɛʀvasjõ] *f de l'individu, de l'environnement* protection; *du patrimoine* preservation, conservation

préserver *v/t environnement, individu* to protect (**de** from, against); *patrimoine* to preserve (**de** from, against)

présidence [pʀezidɑ̃s] *f* **1.** *d'une réunion* chairmanship **2.** POL presidency

▸ **président** [pʀezidɑ̃] *m* **1.** chairman **2.** POL president; **le ~ de la République** the French President

président-directeur général *m* (*abr* **P.D.G.**) ⟨*pl* **présidents-directeurs généraux**⟩ president, CEO, *brit* managing director, chairman

présidente [pʀezidɑ̃t] *f* **1.** chairwoman; POL president **2.** First Lady

présidentiable [pʀezidɑ̃sjabl] *adj* **candidat ~** potential presidential candidate

présidentiel [pʀezidɑ̃sjɛl] *adj* ⟨**~le**⟩ (**élection**) **~le** *f* presidential election; **régime ~** presidential system

présider [pʀezide] **I** *v/t* **1.** to chair (**une réunion** a meeting); **présidé par** chaired by **2. ~ un repas** to be the guest of honor at a dinner **II** *v/t indir* **~ à qc** to preside over sth

présignalisation [pʀesiɲalizasjõ] *f* AUTO **triangle** *m* **de ~** warning triangle

présomptif [pʀezõptif] *adj* ⟨**-ive** [-iv]⟩ **héritier ~** heir apparent

présomption [pʀezõpsjõ] *f* **1.** (*supposition*) presumption (*a* JUR) **2.** (*suffisance*) presumption, presumptuousness

présomptueux [pʀezõptɥø] *adj* ⟨**-euse** [-øz]⟩ presumptuous

▸ **presque** [pʀɛsk] *adv* almost, nearly; **~ jamais** hardly ever

presqu'île [pʀeskil] *f* peninsula

pressage [pʀɛsaʒ] *m* pressing

pressant [pʀɛsɑ̃] *adj* ⟨**-ante** [-ɑ̃t]⟩ *problème, besoin* pressing, urgent; *personne* insistent

▸ **presse** [pʀɛs] *f* **1.** press; **la grande ~** the major press; **~ du cœur** women's magazines (+ *v pl*); **avoir bonne, mauvaise ~** to have a good, bad press; *fig* to be well, badly thought of **2.** TECH press; **être mis sous ~** to go to press

▸ **pressé** [pʀese] **I** *adj* ⟨**~e**⟩ **1.** *travail, lettre* urgent; **être ~** *personne* to be in a hurry; *travail, lettre* to be urgent **2.** *fruits* fresh; **orange ~e** freshly squeezed orange juice **II** *m* **aller** *ou* **parer au plus ~** to deal with the most urgent things first

presse-agrume *m* ⟨*inv*⟩ juicer **presse-ail** *m* ⟨*inv*⟩ garlic press **presse-bouton** *adj* ⟨*inv*⟩ *technologie* push-button *épith* **presse-citron** *m* ⟨*inv*⟩ lemon squeezer **presse-fruits** *m* ⟨*inv*⟩ fruit squeezer

pressentiment [pʀesɑ̃timɑ̃] *m* premonition

pressentir [pʀesɑ̃tiʀ] *v/t* ⟨→ **sentir**⟩ **1. ~ que …** to have a premonition that … **2.** (*sonder*) **~ qn** to approach sb, to sound sb out

presse-papiers *m* ⟨*inv*⟩ paperweight **presse-purée** *m* ⟨*inv*⟩ (potato) masher

presser [pʀese] **I** *v/t* **1.** *fruits* to juice; *éponge* to squeeze **2.** TECH to press **3.** (*serrer*) *main* to squeeze **4.** *personne* to press; **~ qn de questions** to pester sb with questions **5.** (*hâter*) to speed up; **~ le pas** to quicken one's pace **II** *v/i* **1.** to be urgent; **le temps presse** time is running out **III** *v/pr* **1.** (*se dépêcher*) **se ~** to hurry up; **faire qc sans se ~** to take one's time doing sth; *fam* **allons, pressons!** come on, get a move on! *fam* **2.** *foule* **se ~** to crowd

pressing [pʀesiŋ] *m* dry cleaner

pression [pʀɛsjõ] *f* **1.** pressure; *fig* **exercer une, faire ~ sur qn** to put pressure on sb **2.** (**bière** *f*) **~** draft beer **3.** (*bouton-~*) snap fastener, *brit* press stud

pressoir [pʀɛswaʀ] *m* press; *pour le vin* wine press

pressurage [pʀɛsyʀaʒ] *m de raisins*

pressing **pressurer** *v/t* AGR to press
pressurisation [pʀɛsyʀizasjõ] *f* pressurization
pressurisé [pʀɛsyʀize] *adj* ⟨**~e**⟩ ***cabine ~e*** pressurized cabin
pressuriser [pʀɛsyʀize] *v/t* to pressurize
prestance [pʀɛstɑ̃s] *f aspect* presence; *maintien* bearing
prestataire [pʀɛstatɛʀ] *m* **1. *~ de services*** service provider **2.** (*bénéficiaire*) benefit recipient
prestation [pʀɛstasjõ] *f* **1.** *allocation* benefit, allowance; ***~ dépendance*** dependants' allowance **2.** *service* service; ***~ de service*** provision of a service **3. *~ de serment*** swearing-in **4.** (*performance*) performance
preste [pʀɛst] *adj* nimble **prestesse** *f litt* nimbleness
prestidigitateur [pʀɛstidiʒitatœʀ] *m*, **prestidigitatrice** [-tʀis] *f* conjuror **prestidigitation** *f* conjuring
prestige [pʀɛstiʒ] *m* prestige
prestigieux [pʀɛstiʒjø] *adj* ⟨**-euse** [-øz]⟩ prestigious
presto [pʀɛsto] *adv* MUS presto
présumé [pʀezyme] *adj* ⟨**~e**⟩ presumed; *criminel* alleged
présumer [pʀezyme] **I** *v/t* to presume; ***être présumé innocent*** to be presumed innocent **II** *v/t indir* ***trop ~ de ses forces*** to overestimate one's strength
présupposer [pʀesypoze] *v/t* to presuppose
présure [pʀezyʀ] *f* rennet
► **prêt**[1] [pʀɛ] *adj* ⟨**prête** [pʀɛt]⟩ ***être ~*** to be ready; ***~ à tout*** ready for anything; ***~ à partir*** ready to leave
prêt[2] *m* loan
pretantaine [pʀətɑ̃tɛn] → ***prétentaine***
prêt-à-porter [pʀɛtapɔʀte] *m* ⟨**prêts-à--porter**⟩ ready-to-wear clothes (+ *v pl*)
prêté [pʀɛte] *m* ***c'est un ~ pour un rendu*** it's tit for tat
prétendant [pʀetɑ̃dɑ̃] *m* **1.** candidate **2.** *d'une femme* suitor
prétendre ⟨→ **rendre**⟩ **I** *v/t* **1.** (*soutenir*) to claim **2.** (*vouloir*) ***~ faire qc*** to intend to do sth **II** *v/t indir* ***~ à qc*** to lay claim to sth **III** *v/pr* ***se ~ qc*** to claim to be sth
prétendu *adj* ⟨**~e**⟩ *criminel* alleged; *expert* so-called
prête-nom [pʀɛtnõ] *m* ⟨**prête-noms**⟩ frontman, man of straw
prétentaine [pʀetɑ̃tɛn] *f* ***courir la ~*** to go chasing after women
prétentieux [pʀetɑ̃sjø] *adj* ⟨**-euse** [-øz]⟩ pretentious
prétention [pʀetɑ̃sjõ] *f* **1.** (*revendication*) claim; ***~s*** *pl* (*salaire exigé*) salary expectations **2.** (*ambition*) pretension; ***avoir la ~ de*** +*inf* to claim +*inf*; *maison, style* ***sans ~*** unpretentious **3.** (*vanité*) pretentiousness
► **prêter** [pʀɛte] **I** *v/t* **1.** *argent, objet* to lend; *par ext* ***~ son nom à qc*** to lend one's name to sth **2. *~ (son) assistance à qn*** to lend (one's) assistance to sb; ***~ attention à*** to pay attention to **3.** (*attribuer*) ***~ qc à qn*** *intentions* to attribute sth to sb, *propos* to credit sb with sth **II** *v/t indir* **1. *~ à qc*** to give rise to sth **III** *v/pr* **1.** *personne* ***se ~ à qc*** to be a party to sth **2.** *thème, terre* ***se ~ à qc*** to lend itself to sth
prétérit [pʀeteʀit] *m* preterite
préteur [pʀetœʀ] *m* HIST praetor
prêteur [pʀɛtœʀ], **prêteuse I** *m/f d'un prêt* lender; ***prêteur, prêteuse sur gages*** pawnbroker **II** *adj* ***être prêteur, prêteuse*** to be willing to lend one's belongings
► **prétexte** *m* pretext; ***sous ~ que …*** on the pretext that …; ***un ~ pour faire qc*** an excuse to do sth
prétexter [pʀetɛkste] *v/t* ***~ qc*** to use sth as an excuse; ***~ que …*** to claim that …
prétoire [pʀetwaʀ] *m* courtroom
prétorien [pʀetɔʀjɛ̃] *adj* ⟨**-ienne** [-jɛn]⟩ HIST ***garde ~ne*** Praetorian Guard
► **prêtre** [pʀɛtʀ] *m* priest
prêtre-ouvrier *m* ⟨**prêtres-ouvriers**⟩ worker priest
prêtresse [pʀɛtʀɛs] *f* priestess **prêtrise** *f* priesthood
► **preuve** [pʀœv] *f* **1.** proof; JUR ***des ~s*** evidence (+ *v sg*); *fig* ***~ d'amitié*** demonstration of friendship; ***vous êtes la ~ vivante que …*** you are living proof that …; ***jusqu'à ~ du contraire*** until proved otherwise; ***faire ses ~s*** to prove o.s.; ***faire ~ de courage*** to show courage **2.** MATH ***faire la ~ par neuf*** to cast out nines
preux [pʀø] *m* HIST gallant knight
prévaloir ⟨→ **valoir**; *but*: **que je prévale**⟩ **I** *v/i st/s* to prevail (**contre** against); *principe* to take precedence; ***faire ~ ses droits*** to assert one's rights **II** *v/pr* ***se ~ de qc*** to pride o.s. on sth

prévaricateur [prevarikatœr] **I** *adj* ⟨**-trice** [-tris]⟩ corrupt **II** *m* corrupt official

prévarication [prevarikasjõ] *f* maladministration

prévenance [prevnɑ̃s] *f* consideration, thoughtfulness **prévenant** *adj* ⟨**-ante** [-ɑ̃t]⟩ considerate, thoughtful

▶ **prévenir** *v/t* ⟨→ **venir**; *but v/aux* **avoir**⟩ **1.** (*informer*) **~ *qn*** (***de qc***) to tell sb (about sth); *police* to call **2.** (*avertir*) **~ *qn*** (***de qc***) to warn sb (about sth) **3.** (*empêcher*) **~ *qc*** *crise* to avert sth; *maladie* to prevent sth **4. ~ *les désirs de qn*** to anticipate sb's wishes

préventif [prevɑ̃tif] *adj* ⟨**-ive** [-iv]⟩ **1.** preventive **2. *détention préventive*** custody

prévention [prevɑ̃sjõ] *f* **1.** prevention; **~ *routière*** road safety **2.** (*préjugé*) prejudice, bias

prévenu(e) *m(f)* defendant

prévisible *adj* predictable

prévision *f* forecast; *action* forecasting; **~*s*** *pl dépassées* expectations; **~ *budgétaire*** budgetary forecast; **~*s météorologiques*** weather forecast (+ *v sg*); ***en* ~ *de*** in anticipation of

prévisionnel [previzjɔnɛl] *adj* ⟨**~*le***⟩ projected

▶ **prévoir** *v/t* ⟨→ **voir**; *but*: **je prévoirai**⟩ **1.** (*imaginer à l'avance*) to foresee **2.** (*s'attendre à*) to expect; ***comme prévu*** as expected **3.** (*organiser d'avance*) to plan; ***être prévu*** to be planned

prévôt [prevo] *m* **1.** HIST provost *royal official* **2.** MIL ≈ provost marshal

prévôté [prevote] *f* MIL military police

prévoyance [prevwajɑ̃s] *f* foresight

prévoyant *adj* ⟨**-ante** [-ɑ̃t]⟩ farsighted

prévu *pp et adj* ⟨**~*e***⟩ → ***prévoir***

prie-Dieu [pridjø] *m* ⟨*inv*⟩ prie-dieu, prayer kneeler

▶ **prier** [prije] *v/t* **1.** REL to pray; **~ *Dieu*** to pray to God **2.** (*demander*) to ask; **~ *qn de faire qc*** to ask sb to do sth; ***vous êtes prié de*** *+inf* you are requested *+inf*; *dans une invitation* you are invited *+inf*; ***ne pas se faire* ~** not to have to be asked twice; ▶ ***je t'en prie*** you're welcome, no problem; *injonction* please; ▶ ***je vous en prie*** you're welcome, don't mention it; *injonction* please

▶ **prière** [prijɛr] *f* **1.** REL prayer; ***dire, faire une* ~** to say a prayer **2.** (*demande*) request; **~ *de ne pas fumer, toucher*** no smoking please, please do not touch

prieur(e) [prijœr] *m(f)* prior

prieuré [prijœre] *m* priory

prima donna [primadɔna] *f* ⟨*pl inv ou* **prime donne**⟩ prima donna

primaire [primɛr] *adj* **1. *école f* ~** primary school; (***enseignement** m*) **~** *m* primary education **2.** primary; ***élections** fpl* **~*s*** primaries; ***ère** f* **~** palaeozoic era; ***secteur** m* **~** primary sector **3.** *péj* simple-minded

primal [primal] *adj* ⟨**~*e*; -aux** [-o]⟩ PSYCH ***cri* ~** primal scream

primat [prima] *m* CATH primate

primates [primat] *mpl* ZOOL primates

primauté [primote] *f* primacy

prime[1] [prim] *adj* **1. *de* ~ *abord*** at first sight; ***dès sa* ~ *jeunesse*** since his / her early youth **2.** MATH ***a* ~** a prime

prime[2] *f* **1.** (*indemnité*) subsidy; **~ *à l'exportation*** export subsidy; **~ *de fin d'année*** Christmas bonus; COMM ***avoir qc en* ~** to get a free gift of sth **2.** ASSURANCES premium

primer [prime] *v/t* **1.** (*l'emporter*) to take precedence over (***qc*** sth) **2.** (*récompenser*) to award a prize to

primerose [primroz] *f* hollyhock

primesautier [primsotje] *adj* ⟨**-ière** [-jɛr]⟩ impulsive

prime time [prajmtajm] *m* TV prime-time tv

primeur [primœr] *f* **1. *avoir la* ~ *de qc*** to be the first to hear sth **2.** *adj* ***vin** m* **~** new season's wine **3. ~*s*** *pl* early fruit and vegetables

primevère [primvɛr] *f* primrose

primitif [primitif] *adj* ⟨**-ive** [-iv]⟩ **1.** (*d'origine*) primitive; ***homme* ~** primitive man **2.** (*non civilisé*) primitive; ***art* ~** primitive art **3.** *fig* (*fruste*) unsophisticated

primitivement [primitivmɑ̃] *adv* originally

primo [primo] *adv* firstly

primogéniture [primoʒenityr] primogeniture

primo-infection *f* ⟨**primo-infections**⟩ primary infection

primordial [primɔrdjal] *adj* ⟨**~*e*; -aux** [-o]⟩ essential

prince [prɛ̃s] *m régnant* prince; *fig* ***être bon* ~** to be magnanimous *ou* generous

prince-de-galles [prɛ̃sdəgal] *m* ⟨*inv*⟩ TEXT Prince-of-Wales check

princesse [prɛ̃sɛs] *f* **1.** princess; *fig* ***aux***

frais de la **~** at the company's expense **2.** *adj* **'haricots** *mpl* **~(s)** French beans; **robe** *f* **~** princess-line dress

princier [prɛ̃sje] *adj* ⟨**-ière** [-jɛʀ]⟩ princely

▶ **principal** [prɛ̃sipal] **I** *adj* ⟨**~e; -aux** [-o]⟩ main; (***proposition***) **~e** *f* main clause **II** *subst* **1.** ***le*** **~** the main thing **2.** *m* ⟨**-aux** [-o]⟩, **~e** *f d'un collège* principal, *brit* headteacher

principalement [prɛ̃sipalmɑ̃] *adv* mainly

principauté [prɛ̃sipote] *f* principality

principe [prɛ̃sip] *m* **1.** principle; ***question de*** **~** a matter of principle; ***en*** **~** in theory; *généralement* as a rule; ***par*** **~** on principle **2.** CHIM principle

printanier [prɛ̃tanje] *adj* ⟨**-ière** [-jɛʀ]⟩ spring *épith*

▶ **printemps** [prɛ̃tɑ̃] *m* spring; *poét* springtime; ***au*** **~** in spring

priori → ***a priori***

prioritaire [prijɔʀitɛʀ] *adj* priority *épith*; ***être*** **~** to have priority; *véhicule* to have the right of way

▶ **priorité** [prijɔrite] *f* **1.** priority (***sur*** over); ***en*** **~** first (and foremost) **2.** right of way; **~ *à droite*** yield to cars coming from the right; ***route*** *f* ***à*** **~** road with right of way; ***avoir*** **~ *sur*** to have the right of way over; ***j'ai la*** **~** I've got the right of way

pris [pʀi] *pp*→ ***prendre*** *et adj* ⟨**prise** [pʀiz]⟩ **1.** *place* taken **2.** *personne* busy; ***être très*** **~** to be very busy **3.** *st/s* **~ *de boisson*** under the influence; **~ *de panique*** panic-stricken; ***avoir la gorge*** **~e** to be hoarse **4.** *crème* stiff; *rivière* frozen

prise [pʀiz] *f* **1.** (*action de prendre*) taking; MIL capture; HIST ***la prise de la Bastille*** the storming of the Bastille; ***prise de contact*** initial contact; ***prise d'otage(s)*** hostage-taking; ***prise de position*** stand (***sur une question*** on an issue); POL ***prise de pouvoir*** takeover; ***prise de vue(s)*** *photos* shot(s); FILM shooting; ADMIN ***prise en charge*** reimbursement; ***avoir prise sur qn*** to have a hold over sb; ***avoir prise sur qc*** *effet* to have a grip on sth; ***donner prise à*** to lay o.s. open to; ***être aux prises avec qn, qc*** to be battling with sb, sth; ***lâcher prise*** to let go; *fig* to give up **2.** DE MÉDICAMENTS taking **3.** LUTTE, JUDO hold; ALPINISME ***avoir prise*** to have a (foot)hold **4.** (*capture*) catching; CH catch **5.** ▶ ***prise*** (***de courant***) outlet, *brit* socket; *mâle* plug; ***prise de terre*** ground, *brit* earth **6.** ***prise*** (***de tabac***) pinch (of tobacco)

prisé [pʀize] *adj* ⟨**~e**⟩ prized

priser [pʀize] *v/t* **1.** *litt* (*estimer*) to prize **2.** to take; ***tabac*** *m* ***à*** **~** snuff

prismatique [pʀismatik] *adj* prismatic

prisme [pʀism] *m* prism

▶ **prison** [pʀizõ] *f* prison; ***avoir fait de la*** **~** to have been in prison; ***mettre qn en*** **~** to send sb to prison

▶ **prisonnier** [pʀizɔnje], **prisonnière** [pʀizɔnjɛʀ] **I** *m/f* prisoner; (*détenu*) convict; ***faire qn prisonnier*** to take sb prisoner **II** *adj* captive; *fig* ***être prisonnier de ses préjugés*** to be a prisoner of one's prejudices

privatif [pʀivatif] *adj* ⟨**-ive** [-iv]⟩ **1.** GRAM privative **2.** ***peine privative de liberté*** custodial sentence **3.** *jardin* private

privation [pʀivasjõ] *f* **1.** deprivation **2.** **~s** *pl* hardships

privatisation [pʀivatizasjõ] *f* privatization **privatiser** *v/t* to privatize

privautés [pʀivote] *fpl* liberties

▶ **privé** [pʀive] **I** *adj* ⟨**~e**⟩ private; ***école*** **~e** private school; ***en*** **~** in private **II** *m* ***dans le*** **~** in the private sector

priver [pʀive] **I** *v/t* **~ *qn de qc*** to deprive sb of sth **II** *v/pr* ***se*** **~ *de qc*** to go without sth; *iron* ***il ne se prive pas*** he doesn't deprive himself

privilège [pʀivilɛʒ] *m* privilege; *par ext* (*chance*) good fortune

privilégié [pʀivileʒje] *adj* ⟨**~e**⟩ privileged; *par ext* fortunate **privilégier** *v/t* to favor

▶ **prix** [pʀi] *m* **1.** COMM price; *par ext* (*valeur*) value; **~ *à la consommation*** consumer prices; **~ *d'achat*** purchase price; **~ *d'ami*** reduced price; **~ *de lancement*** introductory price; **~ *de vente*** selling price (*a* COMM); ***de*** **~** expensive; **'*hors de*** **~** prohibitive; *fig* ***à aucun*** **~** on no account; ***à bas*** **~** cheap; ***au*** **~ *fort*** at the full price; ***à moitié*** **~** half price; *fig* ***à tout*** **~** at all costs; ***à*** **~ *d'or*** for a small fortune; *fig* ***n'avoir pas de*** **~** to be priceless; ***faire un*** **~ *à qn*** to give sb a good price; ***mettre à*** **~ *la tête de qn*** to put a price on sb's head; ***y mettre le*** **~** to pay a lot **2.** *distinction* prize; *lauréat* prizewinner; **~ *Nobel*** Nobel Prize

pro [pʀo] *m/f*, *abr fam* (= **profession-**

nel) pro
probabilité [pʀɔbabilite] *f* probability
▶ **probable** [pʀɔbabl] *adj* probable
▶ **probablement** [pʀɔbabləmɑ̃] *adv* probably
probant [pʀɔbɑ̃] *adj* ⟨**-ante** [-ɑ̃t]⟩ convincing
probation [pʀɔbasjõ] *f* **1.** ÉGL CATH probation **2.** JUR probation
probatoire [pʀɔbatwaʀ] *adj* probationary; ***examen** m* ~ preliminary exam
probité [pʀɔbite] *f* probity
problématique [pʀɔblematik] *adj* problematic; ***aspect** m* ~ problematic nature
▶ **problème** [pʀɔblɛm] *m* **1.** problem; ***à problèmes*** problem *épith*; ***sans problème*** without any problem; *fam* ▶ ***(il n'y a) pas de problème!*** no problem! *fam* **2.** MATH problem
procédé [pʀɔsede] *m* **1.** (*méthode*) process (*a* TECH); method **2.** (*manière d'agir*) **~s** *pl* behavior (+ *v sg*)
procéder [pʀɔsede] ⟨**-è-**⟩ **I** *v/t indir* **1.** ***~ à qc*** to carry out sth **2.** *litt* ***~ de*** to originate from **II** *v/i* to proceed
procédure [pʀɔsedyʀ] *f* **1.** JUR procedure **2.** (*marche à suivre*) procedure (*a* INFORM)
procédurier [pʀɔsedyʀje] *adj* ⟨**-ière** [-jɛʀ]⟩ *péj* quibbling
▶ **procès** [pʀɔsɛ] *m* trial; *fig* ***sans autre forme de ~*** without more ado; ***être en ~ avec qn*** to be involved in legal proceedings with sb; *fig* ***faire le ~ de qc*** to judge sth; *fig* ***faire un ~ d'intention à qn*** to judge sb on the basis of their intentions
processeur [pʀɔsɛsœʀ] *m* processor
procession [pʀɔsesjõ] *f* procession
processus [pʀɔsesys] *m* process
procès-verbal *m* ⟨**procès-verbaux**⟩ **1.** (*contravention*) ticket **2.** (*compte rendu écrit*) minutes (+ *v pl*)
▶ **prochain** [pʀɔʃɛ̃] **I** *adj* ⟨**-aine** [-ɛn]⟩ next; ***l'année ~e, l'an ~*** next year; *adv fam* ***à la ~e!*** see you! *fam*; ***descendre à la ~e (station)*** to get off at the next station **II** *subst* BIBL ***le ~*** one's neighbor
prochainement [pʀɔʃɛnmɑ̃] *adv* soon
▶ **proche** [pʀɔʃ] **I** *adj* **1.** close; ***ses plus ~s parents*** his closest relatives; ***être ~*** *endroit* to be near (***de*** to); *date* forthcoming; *langue* similar; *fig personne* close (***de qn*** to sb) **2.** ***de ~ en ~*** gradually **II** *mpl* ***ses ~s*** his family and friends (+ *v pl*)
Proche-Orient [pʀɔʃɔʀjɑ̃] ***le ~*** the Near East
proche-oriental [pʀɔʃɔʀjɑ̃tal] *adj* ⟨**~e; -aux** [-o]⟩ Near Eastern
proclamation [pʀɔklamasjõ] *f* declaration
proclamer [pʀɔklame] *v/t* **1.** *indépendance, etc* to declare; *résultats* to announce; ***~ qn empereur*** to proclaim sb emperor **2.** *fig* to proclaim
proconsul [pʀɔkõsyl] *m* proconsul
procréateur [pʀɔkʀeatœʀ] *adj* ⟨**-trice** [-tʀis]⟩ *litt* procreative
procréation [pʀɔkʀeasjõ] *f* **1.** *litt* procreation **2.** ***~ (médicalement) assistée*** assisted reproduction
procréer [pʀɔkʀee] *v/i* to procreate
procurateur [pʀɔkyʀatœʀ] *m* HIST procurator
procuration [pʀɔkyʀasjõ] *f* **1.** JUR power of attorney **2.** *pour une élection* proxy; ***voter par ~*** to vote by proxy
procurer [pʀɔkyʀe] **I** *v/t* ***~ qc à qn*** to get sth for sb; (*causer*) to bring sb sth **II** *v/pr* ***se ~ qc*** to get sth
procureur [pʀɔkyʀœʀ] *m* ***~ (de la République)*** ≈ Attorney General
prodigalité [pʀɔdigalite] *f* **1.** extravagance, prodigality *st/s* **2.** **~s** *pl* extravagances
prodige [pʀɔdiʒ] *m* **1.** wonder; ***faire des ~s*** to do wonders **2.** *adjt* ***enfant** m* ~ child prodigy
prodigieusement [pʀɔdiʒjøzmɑ̃] *adv* tremendously
prodigieux [pʀɔdiʒjø] *adj* ⟨**-euse** [-øz]⟩ tremendous
prodigue [pʀɔdig] *adj* prodigal; BIBL ***l'enfant** m* ~ the prodigal son
prodiguer [pʀɔdige] *v/t* ***~ qc à qn*** to lavish sth on sb; ***~ des soins à qn*** to lavish care and attention on sb
producteur [pʀɔdyktœʀ], **productrice** [-tʀis] **I** *m/f* producer (*a* FILM, TV); (*fabricant*) maker **II** *adj* ***pays producteur de pétrole*** oil-producing country
productif [pʀɔdyktif] *adj* ⟨**-ive** [-iv]⟩ productive; *sol* fertile; FIN interest-bearing *épith*
▶ **production** [pʀɔdyksjõ] *f* **1.** production (*a* FILM, TV); *littéraire, artistique* work; ***~ de pétrole*** oil production **2.** *d'un document d'identité* presentation
productivité [pʀɔdyktivite] *f* productivity

▶ **produire** [pʀɔdɥiʀ] ⟨→ **conduire**⟩ **I** *v/t* **1.** *produits agricoles, pétrole, énergie, son* to produce; *œuvre artistique* to create; *arbre*: *fruits* to bear; *capital*: *intérêts* to yield **2.** (*causer*) to produce **3.** *document* to present **II** *v/pr* **se ~** *accident, événement* to happen; *changement* to come about

▶ **produit** [pʀɔdɥi] *m* **1.** (*substance*) product (*a* AGR, IND); ***~s de beauté*** beauty products; ***~s d'entretien*** cleaning products **2.** (*rapport*) yield; *d'une vente* proceeds (+ *v pl*); ***~ national brut*** gross national product **3.** MATH product

proéminence [pʀɔeminɑ̃s] *f st/s état* prominence; (*protubérance*) protuberance

proéminent [pʀɔeminɑ̃] *adj* ⟨**-ente** [-ɑ̃t]⟩ prominent

▶ **prof** [pʀɔf] *m/f, abr fam* (= **professeur**) teacher; ***notre ~ de maths*** our math teacher

profanateur [pʀɔfanatœʀ] *m*, **profanatrice** [-tʀis] *f st/s d'église, d'une sépulture* desecrator

profanation [pʀɔfanasjõ] *f* desecration; ***~ de sépulture*** desecration of graves

profane [pʀɔfan] **I** *adj* secular **II** *m/f* (*non-spécialiste*) lay person; (*non-initié*) outsider; ***être ~ en la matière*** to know nothing about the subject

profaner [pʀɔfane] *v/t* to defile; *tombes* to desecrate

proférer [pʀɔfeʀe] *v/t* ⟨**-è-**⟩ to utter

professer [pʀɔfɛse] *v/t* to proclaim

▶ **professeur** [pʀɔfɛsœʀ] *m/f* teacher; *à l'université* professor; ***~ d'anglais, de dessin*** English, art teacher

> **professeur**
>
> **Professeur** = any teacher, including teachers at school level:
>
> **J'ai eu un professeur de maths formidable quand j'étais au collège.**
>
> I had a brilliant math teacher when I was in middle school.

▶ **profession** [pʀɔfɛsjõ] *f* **1.** (*métier*) occupation; ***sans ~*** unemployed; *femme* housewife **2.** *coll* profession **3.** ***~ de foi*** profession of faith

professionnalisme [pʀɔfɛsjɔnalism] *m* **1.** SPORT professionalism **2.** *d'un travail* professionalism

▶ **professionnel** [pʀɔfɛsjɔnɛl] **I** *adj* ⟨**~le**⟩ **1.** (*qualifié*) professional **2.** (*opposé à amateur*) professional **II professionnel(le)** *m(f)* **1.** (*spécialiste*) professional **2.** SPORT professional

professionnellement [pʀɔfɛsjɔnɛlmɑ̃] *adv* professionally

professoral [pʀɔfɛsɔʀal] *adj* ⟨**~e; -aux** [-o]⟩ **1.** ***corps ~*** the teaching staff (+ *v pl*) **2.** *péj* didactic

professorat [pʀɔfɛsɔʀa] *m* teaching

profil [pʀɔfil] *m* **1.** *d'un visage*, TECH profile (*a fig de qn*); ***de ~*** sideways on **2.** *d'un édifice, etc* outline

profilé [pʀɔfile] TECH **I** *adj* ⟨**~e**⟩ shaped **II** *m* section

profiler [pʀɔfile] *v/pr* **se ~** to be silhouetted

profit [pʀɔfi] *m* **1.** ÉCON profit **2.** (*avantage*) benefit; ***au ~ de*** in aid of; ***avec ~*** with advantage; ***tirer ~ de qc*** to take advantage of sth; ***mettre qc à ~*** to make the most of sth

profitable [pʀɔfitabl] *adj* profitable

▶ **profiter** [pʀɔfite] **I** *v/t indir* **1.** ***~ de qc*** to make the most of sth; ***~ de qn*** to take advantage of sb **2.** ***~ à qn, à qc*** to be to sb's, sth's advantage **II** *v/i fam* ***bien ~*** to thrive

profiterole [pʀɔfitʀɔl] *f* profiterole

profiteur [pʀɔfitœʀ] *m péj* profiteer; ***~ de guerre*** war profiteer

▶ **profond** [pʀɔfõ] **I** *adj* ⟨**-onde** [-õd]⟩ **1.** *littéral, fig voix, sommeil, etc* deep; *différence* great **2.** (*caché*) *sens, causes* underlying; ***la France ~e*** traditional France **3.** *esprit, pensées* deep **II** *m* ***au plus ~ de la forêt*** in the depths of the forest; ***du plus ~ de mon être*** deep inside

profondément [pʀɔfõdemɑ̃] *adv* deeply; *fig* profoundly; *aimer* deeply; ***~ malheureux*** deeply unhappy

▶ **profondeur** [pʀɔfõdœʀ] *f* depth; PHOT ***~ de champ*** depth of field; ***à mille mètres de ~*** at a depth of one thousand meters; ***en ~*** in depth; *fig* thoroughly

pro forma [pʀofɔʀma] *adj* ⟨*inv*⟩ ***facture f ~*** pro forma invoice

profusion [pʀɔfyzjõ] *f* profusion; ***à ~*** in abundance

progéniture [pʀɔʒenityʀ] *f plais* offspring, progeny *st/s*

progestérone [pʀɔʒɛsteʀɔn] *f* progesterone

progiciel [pʀɔʒisjɛl] *m* software package

programmable [pʀɔgʀamabl] *adj* programmable

programmateur [pʀɔgʀamatœʀ] *m*, **programmatrice** [-tʀis] *f* **1.** RAD, TV, FILM program planner **2.** *m* TECH time switch

programmation [pʀɔgʀamasjõ] *f* **1.** RAD, TV, FILM program planning **2.** INFORM programming

▶ **programme** [pʀɔgʀam] *m* **1.** program (*a* POL, INFORM); ***~ de télévision*** television program; ***c'est tout un ~*** that's quite an undertaking; *adjt* ***discours m ~*** keynote speech **2.** *à l'école* syllabus

programmer [pʀɔgʀame] *v/t* **1.** *émission* to schedule **2.** *ordinateur, magnétoscope* to program; *micro-ondes* to set **3.** (*organiser*) to plan

programmeur [pʀɔgʀamœʀ] *m*, **programmeuse** [-øz] *f* programmer

▶ **progrès** [pʀɔgʀɛ] *m* progress; *fam* ***il y a du ~*** there are signs of improvement; ***faire des ~*** to make progress

progresser [pʀɔgʀese] *v/i* **1.** *épidémie* to spread; *idées* to gain acceptance; *chômage* to increase; *maladie* to progress **2.** *élève* to improve; *recherche* to advance **3.** (*avancer*) to advance; *alpiniste* to make progress

progressif [pʀɔgʀɛsif] *adj* ⟨**-ive** [-iv]⟩ progressive (*a* MÉD); *amélioration* steady

progression [pʀɔgʀɛsjõ] *f* **1.** *d'une maladie* progression; *du chômage* increase **2.** (*mouvement en avant*) advance **3.** MATH progression

progressisme [pʀɔgʀɛsism] *m* progressivism

progressiste I *adj* progressive **II** *m/f* progressive

progressivement [pʀɔgʀɛsivmɑ̃] *adv* progressively

progressivité [pʀɔgʀɛsivite] *f* ***~ de l'impôt*** progressiveness of tax

prohibé [pʀɔibe] *adj* ⟨**~e**⟩ forbidden; *armes* illegal **prohiber** *v/t* to ban

prohibitif [pʀɔibitif] *adj* ⟨**-ive** [-iv]⟩ **1.** ÉCON ***droits ~s*** prohibitive taxes **2.** *fig prix* prohibitive

prohibition [pʀɔibisjõ] *f* **1.** JUR ban **2.** HIST *aux États-Unis* prohibition

proie [pʀwa] *f* prey; *fig personne* victim; *fig* ***être la ~ des flammes*** to be engulfed in flames; *fig* ***être en ~ au désespoir*** to be consumed by despair

projecteur [pʀɔʒɛktœʀ] *m* **1.** *de scène* spotlight **2.** OPT projector

projectile [pʀɔʒɛktil] *m* projectile; *lancé à la main* missile

projection [pʀɔʒɛksjõ] *f* **1.** *d'un film* screening **2.** *de boue, de graisse* ***~s*** *pl* splashes; *d'un volcan* ***~s de cendres*** ashfall (+ *v sg*) **3.** MATH, PSYCH projection

projectionniste [pʀɔʒɛksjɔnist] *m/f* projectionist

▶ **projet** [pʀɔʒɛ] *m* **1.** plan; ***faire des ~s*** to make plans **2.** (*ébauche*) draft

projeter [pʀɔʒte, -ʃte] *v/t* ⟨**-tt-**⟩ **1.** (*envisager*) to plan **2.** *film* to project (*a* MATH, OPT); *ombre* to throw **3.** PSYCH ***~ sur qn*** to project onto sb **4.** (*lancer*) to throw; ***être projeté contre un mur*** to be thrown against a wall

prolétaire [pʀɔletɛʀ] **I** *m* proletarian **II** *adj* proletarian

prolétariat [pʀɔletaʀja] *m* proletariat **prolétarien** *adj* ⟨**-ienne** [-jɛn]⟩ proletarian **prolétarisation** *f* proletarianization **prolétariser** *v/t* to proletarianize

prolifération [pʀɔlifeʀasjõ] *f* proliferation *a fig*; ***la ~ des armes nucléaires*** the proliferation of nuclear weapons

proliférer *v/i* ⟨**-è-**⟩ to proliferate; *fig* to multiply

prolifique [pʀɔlifik] *adj* prolific

prolixe [pʀɔliks] *adj* verbose **prolixité** *st/s f* prolixity *st/s*

prolo [pʀɔlo] *m*, *abr fam* (= **prolétaire**) *péj* prole *fam*, *péj*

prologue [pʀɔlɔg] *m* **1.** prologue **2.** *fig* prologue

prolongateur [pʀɔlõgatœʀ] *m* extension cable

prolongation [pʀɔlõgasjõ] *f* extension; SPORT ***jouer les ~s*** to play overtime, *brit* to go into extra time

prolongé [pʀɔlõʒe] *adj* ⟨**~e**⟩ prolonged

prolongement [pʀɔlõʒmɑ̃] *m* **1.** extension; ***dans le ~ de*** in line with **2.** *fig* continuation; ***~s*** *pl* repercussions

prolonger [pʀɔlõʒe] ⟨**-ge-**⟩ **I** *v/t* **1.** to extend (**de** by); *soirée, discussion* to continue **2.** (*être le prolongement de*) to be an extension of **II** *v/pr* **se ~** *réunion* to continue; *route* to go on

▶ **promenade** [pʀɔmnad] *f* **1.** *à pied* walk; (*excursion*) outing; *en voiture,* *en vélo* ride; **~ en mer** boat trip; **faire une ~** to go for a walk **2.** *lieu* promenade

promener [pRɔmne] ⟨**-è-**⟩ **I** *v/t* **1.** *personne* to take for a walk; *bébé* to take out in the baby carriage; *chien* to walk **2.** *ses doigts* to run, *son regard* to cast (**sur** over) **3.** *fam*, *fig* **envoyer promener qn** to send sb packing; *fam* **envoyer tout promener** to give everything up, *brit* to chuck everything in *fam* **II** *v/pr* **1.** ► (**aller**) **se promener** *à pied* to go for a walk; *en voiture*, *en vélo* to go for a ride **2. se promener nu-pieds**, *etc* to go barefoot

promeneur [pRɔmnœR] *m*, **promeneuse** [-øz] *f* stroller

promenoir [pRɔmənwaR] *m* THÉ gallery

► **promesse** [pRɔmɛs] *f* **1.** promise; **faire une ~** to make a promise **2. plein de ~s** very promising

Prométhée [pRɔmete] *m* MYTH Prometheus

prometteur [pRɔmɛtœR] *adj* ⟨**-euse** [-øz]⟩ promising

► **promettre** [pRɔmɛtR] ⟨**→ mettre**⟩ **I** *v/t* **1.** to promise (**qc à qn** sth to sb); *fam*, *iron* **ça promet!** that's a great start! *fam*, *iron* **2.** (*assurer*) to promise **II** *v/pr* **se ~ de faire qc** to make up one's mind to do sth

promis [pRɔmi] **I** *pp* **→ promettre** *et adj* ⟨**-ise** [-iz]⟩ **1.** BIBL **la terre ~e** the Promised Land **2. être ~ à qc** to be destined for sth; **~ au succès** destined for success **II ~(e)** *m(f)* *régional* fiancé(e)

promiscuité [pRɔmiskɥite] *f* overcrowding

promo [pRɔmo] *f*, *abr fam* **→ promotion** *3*

promontoire [pRɔmõtwaR] *m* promontory

promoteur [pRɔmɔtœR] *m*, **promotrice** [-tRis] *f* **1.** CONSTR developer **2.** *st/s* creator

promotion [pRɔmɔsjõ] *f* **1.** (*avancement*) promotion; **~ sociale** social advancement **2. ~ des ventes** sales promotion; **en ~** on special offer **3.** *d'une grande école* class, *brit* year

promotionnel [pRɔmɔsjɔnɛl] *adj* ⟨**~le**⟩ promotional

promouvoir [pRɔmuvwaR] *v/t* ⟨**→ mouvoir**; *but* **promu**⟩ **1.** *qn à un poste* to promote; **~ qn directeur** to promote sb to manager **2.** (*encourager*) to promote

prompt [pRõ] *adj* ⟨**prompte** [pRõt]⟩ prompt; **être ~ à réagir** to be quick to react

promptitude [pRõtityd] *f* quickness

promu [pRɔmy] *pp* **→ promouvoir**

promulgation [pRɔmylgasjõ] *f d'une loi* promulgation

promulguer [pRɔmylge] *v/t* to promulgate

prôner [pRone] *v/t* (*louer*) to extol; (*préconiser*) to advocate

pronom [pRɔnõ] *m* pronoun

pronominal [pRɔnɔminal] *adj* ⟨**~e; -aux** [-o]⟩ **verbe ~** reflexive verb

pronominalement [pRɔnɔminalmɑ̃] *adv* **employer ~** *verbe* to use reflexively

prononçable [pRɔnõsabl] *adj* pronounceable

prononcé [pRɔnõse] *adj* ⟨**~e**⟩ pronounced; **un goût ~ pour qc** a decided taste for sth

► **prononcer** [pRɔnõse] ⟨**-ç-**⟩ **I** *v/t* **1.** *mot* to pronounce **2.** (*dire*) to utter; *discours* to give **3.** JUR *jugement* to pass; *peine* to pass (**contre qn** on sb) **II** *v/pr* **1. se ~** to express an opinion (**sur qc** on sth); **se ~ contre, pour qn, qc** to come out against, in favor of sb, sth **2.** *mot* **se ~** to be pronounced

prononciation [pRɔnõsjasjõ] *f* PHON pronunciation

pronostic [pRɔnɔstik] *m* prognosis (*a* MÉD)

pronostiquer [pRɔnɔstike] *v/t* to forecast **pronostiqueur** *m*, **pronostiqueuse** *f* forecaster; TURF tipster

propagande [pRɔpagɑ̃d] *f* propaganda

propagateur [pRɔpagatœR] *m*, **propagatrice** [-tRis] *f* propagator

propagation [pRɔpagasjõ] *f* propagation

propager [pRɔpaʒe] ⟨**-ge-**⟩ **I** *v/t* to propagate **II** *v/pr* **se propager 1.** *incendie*, *épidémie* to spread; *nouvelle*, *idées* to spread; PHYS *lumière*, *son* to be propagated **2.** *espèce* to propagate

propane [pRɔpan] *m* propane

propédeutique [pRɔpedøtik] *f jusqu'en 1966* first year in the Science and Philosophy faculties

propension [pRɔpɑ̃sjõ] *f* propensity (**à qc** for sth)

propergol [pRɔpɛRgɔl] *m* CHIM propellent

prophète [pRɔfɛt] *m* prophet

prophétesse [pRɔfetɛs] *f* prophetess

prophétie [pʀɔfesi] *f* prophecy (*a* REL)
prophétique [pʀɔfetik] *adj* prophetic
prophétiser *v/t* to prophesy
prophylactique [pʀɔfilaktik] *adj* prophylactic
prophylaxie [pʀɔfilaksi] *f* prophylaxis
propice [pʀɔpis] *adj* **1.** (*favorable*) favorable (***à*** to) **2.** *st/s sort* propitious
proportion [pʀɔpɔʀsjõ] *f* **1.** (*rapport*) proportion; (*taux*) percentage; ***~s*** *pl* proportions; ***toutes ~s gardées*** on balance; ***en ~ de*** in proportion to **2.** *fig* ***~s*** *pl* proportions **3.** MATH ratio
proportionnalité [pʀɔpɔʀsjɔnalite] *f* proportionality
proportionné [pʀɔpɔʀsjɔne] *adj* ⟨**~e**⟩ **1.** ***bien ~*** well proportioned **2.** ***être ~ à qc*** to be proportionate to sth
proportionnel [pʀɔpɔʀsjɔnɛl] *adj* ⟨**~le**⟩ proportionate (***à*** to) **proportionnelle** *f* proportional representation
proportionnellement [pʀɔpɔʀsjɔnɛlmɑ̃] *adv* in proportion (***à*** to)
proportionner [pʀɔpɔʀsjɔne] *v/t* to make proportional (***à*** to)
propos [pʀɔpo] *m* **1.** *pl* (*paroles*) words **2.** (*intention*) intention **3.** (*occasion*) ***arriver, tomber à propos*** to come at just the right moment; ***juger à propos de*** *+inf* to think it right *+inf*; ***mal à propos*** at the wrong moment; ***à tout propos*** constantly; ***il serait 'hors de propos de*** *+inf* it would be inappropriate *+inf* **4.** (*sujet*) ***à propos de*** about; ***à quel propos?*** what about?; *en tête de phrase* ▸ ***à propos*** by the way
▸ **proposer** [pʀɔpoze] **I** *v/t* **1.** (*suggérer*) to suggest (***qc à qn*** sth to sb; ***qn pour qc*** sb for sth) **2.** (*offrir*) to offer **II** *v/pr* **1.** ***se ~ de faire qc*** to propose to do sth **2.** ***se ~*** to offer one's services (***comme*** as); to offer (***pour faire qc*** to do sth)

proposer

Proposer = suggest:

Je vous propose de boire du vin.

Can I suggest having some wine?

▸ **proposition** [pʀɔpozisjõ] *f* **1.** (*suggestion*) suggestion; ***~ de loi*** bill **2.** (*offre*) offer **3.** GRAM clause
▸ **propre** [pʀɔpʀ] **I** *adj* **1.** (*opposé à sale*) clean; *chien, chat* housebroken, *brit* house-trained; *iron* ***nous voilà ~s!*** now we're in a fine mess! *fam* **2.** *fig* (*honnête*) *personne* honest; *argent* clean; *affaire* honest **3.** *possession* own; *remettre* ***en main(s) ~(s)*** personally; *je l'ai vu* ***de mes ~s yeux*** with my own eyes **4.** *mot* ***au (sens) ~*** literally **5.** (*particulier*) ***être ~ à qn, à qc*** to be characteristic of sb, sth **6.** (*approprié*) ***~ à qc*** suitable for sth **II** *m* **1.** *texte* ***mettre au ~*** to make a clean copy of; *fam* ***sentir le ~*** to smell clean; *iron* ***c'est du ~!*** it's a mess! **2.** ***posséder qc en ~*** to be sole owner of sth **3.** ***le ~ de*** the distinctive feature of
propre-à-rien *m/f* ⟨**propres-à-rien**⟩ good-for-nothing
proprement [pʀɔpʀəmɑ̃] *adv* **1.** (*opposé à salement*) cleanly **2.** (*précisément*) precisely; ***~ dit*** actual; ***à ~ parler*** strictly speaking **3.** *iron* well and truly
propret [pʀɔpʀɛ] *adj* ⟨**-ette** [-ɛt]⟩ neat
propreté [pʀɔpʀəte] *f* cleanliness
▸ **propriétaire** [pʀɔpʀijetɛʀ] *m/f* owner; *par rapport au locataire* landlord, landlady
▸ **propriété** [pʀɔpʀijete] *f* **1.** JUR ownership; ***~ industrielle*** patent rights (+ *v pl*); ***~ littéraire et artistique*** intellectual property **2.** (*terre, maison*) property; ***~ privée*** private property **3.** PHYS, CHIM property
proprio [pʀɔpʀijo] *m/f, abr fam* (= **propriétaire**) landlord, landlady
propulser [pʀɔpylse] *v/t* **1.** TECH to propel **2.** (*projeter*) to throw **3.** *à un poste fam* to catapult into
propulseur [pʀɔpylsœʀ] *m* TECH booster; AVIAT propeller
propulsion [pʀɔpylsjõ] *f* TECH propulsion
prorata [pʀɔʀata] *prép* ***au ~ de*** in proportion to
prorogation [pʀɔʀɔgasjõ] *f* **1.** *d'un contrat* extension **2.** POL *d'une assemblée* adjournment
proroger [pʀɔʀɔʒe] *v/t* ⟨**-ge-**⟩ **1.** *délai* to extend **2.** *assemblée* to adjourn
prosaïque [pʀɔzaik] *adj* prosaic **prosaïsme** *m* mundaneness
prosateur [pʀozatœʀ] *m* prose-writer
proscription [pʀɔskʀipsjõ] *f* **1.** (*interdiction*) banning **2.** HIST proscription
proscrire [pʀɔskʀiʀ] *v/t* ⟨→ **écrire**⟩ **1.** (*interdire*) to ban **2.** (*bannir*) to banish
proscrit [pʀɔskʀi] **I** *pp* → ***proscrire*** **II** *m*

HIST exile
prose [pRoz] *f* **1.** prose; ***texte en ~*** prose text **2.** *fam, iron* masterpiece; (*lettre*) *fam* missive *iron*
prosélyte [pRɔzelit] *m/f* convert **prosélytisme** *m* proselytism
prosodie [pRɔzɔdi] *f* prosody
prospect [pRɔspɛ(kt)] *m* prospect
prospecter [pRɔspɛkte] *v/t* **1.** GÉOL to prospect **2.** COMM to explore (***une région*** an area)
prospecteur [pRɔspɛktœR] *m*, **prospectrice** *f* COMM prospector
prospectif [pRɔspɛktif] *adj* ⟨**-ive** [-iv]⟩ prospective
prospection [pRɔspɛksjõ] *f* **1.** GÉOL prospecting **2.** COMM exploration of prospects
prospective [pRɔspɛktiv] *f* futurology
prospectus [pRɔspɛktys] *m* brochure
prospère [pRɔspɛR] *adj* prosperous
prospérer [pRɔspeRe] *v/i* ⟨**-è-**⟩ to prosper **prospérité** *f* prosperity
prostaglandines [pRɔstaglɑ̃din] *fpl* BIOCHIMIE prostaglandins
prostate [pRɔstat] *f* prostate
prosternation [pRɔstɛRnasjõ] *f* prostration
prosterner [pRɔstɛRne] *v/pr* ***se ~ devant qn*** to grovel to sb
prostitué [pRɔstitɥe] *m* male prostitute
prostituée [pRɔstitɥe] *f* prostitute
prostituer [pRɔstitɥe] **I** *v/t* to force into prostitution **II** *v/pr* ***se ~*** to prostitute o.s.
prostitution [pRɔstitysjõ] *f* prostitution
prostration [pRɔstRasjõ] *f* prostration
prostré [pRɔstRe] *adj* ⟨**~e**⟩ prostrate
protagoniste [pRɔtagɔnist] *m* protagonist
prote [pRɔt] *m* TYPO foreman printer
protecteur [pRɔtɛktœR], **protectrice** [-tRis] **I** *m/f* protector; *des arts* patron; *patronnant qn* sponsor **II** *adj* **1.** protective **2.** *air, ton* patronizing
protection [pRɔtɛksjõ] *f* **1.** protection; ***~ civile*** civil defense; ***~ contre les radiations*** protection against radiation; ***~ de l'environnement*** environmental protection; ***prendre qn sous sa ~*** to take sb under one's wing **2.** (*patronage*) patronage
protectionnisme [pRɔtɛksjɔnism] *m* protectionism **protectionniste** *adj* protectionist
protectorat [pRɔtɛktɔRa] *m* protectorate
protégé(e) [pRɔteʒe] *m(f)* protégé(e)
protège-bas [pRɔtɛʒbɑ] *m* ⟨*inv*⟩ sockette **protège-cahier** *m* ⟨**protège-cahiers**⟩ exercise book cover **protège-dents** *m* ⟨*inv*⟩ SPORT gum shield
► **protéger** [pRɔteʒe] *v/t* ⟨**-è-, -ge-**⟩ **1.** *personne* to protect (***de*** from; ***contre*** against) **2.** *favori* to protect; *arts* to be a patron of
protège-slip [pRɔtɛʒslip] *m* ⟨**protège-slips**⟩ panty-liner **protège-tibia** *m* ⟨**protège-tibias**⟩ shin guard
protéine [pRɔtein] *f* protein
protéique [pRɔteik] *adj* ***substances*** *fpl* ***~s*** proteins
► **protestant** [pRɔtɛstɑ̃] **I** *adj* ⟨**-ante** [-ɑ̃t]⟩ Protestant **II** ***~(e)*** *m(f)* Protestant
protestantisme [pRɔtɛstɑ̃tism] *m* Protestantism
protestataire [pRɔtɛstatɛR] *litt adj* protest
protestation [pRɔtɛstasjõ] *f* **1.** protest **2.** ***~s*** *pl* ***d'amitié*** protestations of friendship
► **protester** [pRɔtɛste] **I** *v/i* to protest (***contre*** against, about) **II** *v/t indir* ***~ de qc*** to protest sth
prothèse [pRɔtɛz] *f* prosthesis (+ *v sg*); ***~ dentaire*** dentures (+ *v pl*)
prothésiste [pRɔtezist] *m/f* prosthetic engineer
protides [pRɔtid] *mpl* proteins
protocolaire [pRɔtɔkɔlɛR] *adj* formal
protocole [pRɔtɔkɔl] *m* protocol
proton [pRɔtõ] *m* proton
prototype [pRɔtɔtip] *m* prototype
protoxyde [pRɔtɔksid] *m* ***~ d'azote*** nitrous oxide
protubérance [pRɔtybeRɑ̃s] *f* ANAT bump, protuberance *t/t*; ASTROL prominence **protubérant** *adj* ⟨**-ante** [-ɑ̃t]⟩ protruding, protuberant *t/t*
prou [pRu] *adv litt* ***peu ou ~*** more or less
proue [pRu] *f* MAR prow; ***figure*** *f* ***de ~*** figurehead
prouesse [pRuɛs] *f* prowess
prout [pRut] *m enf* (*pet*) *fam* fart *fam*
prouvable [pRuvabl] *adj* provable
► **prouver** [pRuve] *v/t* to prove
provenance [pRɔv(ə)nɑ̃s] *f* origin; ***en ~ de*** from
provençal [pRɔvɑ̃sal] **I** *adj* ⟨**~e; -aux** [-o]⟩ Provençal **II** *subst* **1. Provençal** *m* ⟨**-aux** [-o]⟩, **Provençale** *f* Provençal **2.** CUIS ***à la ~e*** *cooked with garlic and*

tomatoes

Provence [pRɔvɑ̃s] ***la ~*** Provence
provenir [pRɔv(ə)niR] *v/i* ⟨→ **venir**; *pp non utilisé*⟩ ***~ de*** to come from; *douleurs, tristesse* to arise from
proverbe [pRɔvɛRb] *m* proverb
proverbial [pRɔvɛRbjal] *adj* ⟨**~e; -aux** [-o]⟩ proverbial
providence [pRɔvidɑ̃s] *f* (*personnifiée* ***la Providence*** Providence) providence; *fig* ***vous êtes ma ~*** you are my salvation; *adjt* ***État*** *m* ***~*** welfare state
providentiel [pRɔvidɑ̃sjɛl] *adj* ⟨**~le**⟩ providential
▶ **province** [pRɔvɛ̃s] *f* province
provincial [pRɔvɛ̃sjal] **I** *adj* ⟨**~e; -aux** [-o]⟩ **1.** provincial; ***vie ~e*** life in the provinces **2.** *péj* provincial **II** *m* ⟨**-aux** [-o]⟩ ***~e*** *f* person living in the provinces; *péj* provincial
provincialisme [pRɔvɛ̃sjalism] *m* **1.** LING provincialism **2.** *péj* provincialism
▶ **proviseur** [pRɔvizœR] *m* principal
provision [pRɔvizjõ] *f* **1.** (*stock*) supply (***de*** of); ***faire ~ de qc*** to stock up on sth **2.** ***~s*** *pl* provisions; ***faire ses ~s*** to go shopping **3.** *chèque* ***sans ~*** bad **4.** JUR (*acompte*) retainer
provisionnel [pRɔvizjɔnɛl] *adj* ⟨**~le**⟩ ***acompte ~*** interim payment, *brit* down payment
provisionner [pRɔvizjɔne] *v/t compte* to pay into
provisoire [pRɔvizwaR] **I** *adj* provisional; *installation* temporary **II** *m* temporary arrangement
provisoirement [pRɔvizwaRmɑ̃] *adv* for the time being
provocant [pRɔvɔkɑ̃] *adj* ⟨**-ante** [-ɑ̃t]⟩ provocative
provocateur [pRɔvɔkatœR] **I** *adj* ⟨**-trice** [-tRis]⟩ provocative **II** *m* agitator
provocation [pRɔvɔkasjõ] *f* provocation, JUR incitement (***à*** to)
provoque [pRɔvɔk] *f, abr fam* → ***provocation***
▶ **provoquer** [pRɔvɔke] *v/t* **1.** ***~ qn*** to provoke sb; ***~ qn à qc*** to incite sb to sth; *femme* ***~ les hommes*** to lead men on **2.** ***~ qc*** to cause sth
proxénète [pRɔksenɛt] *m* pimp
proxénétisme [pRɔksenetism] *m* procuring
proximité [pRɔksimite] *f* proximity; ***à ~ de*** in the vicinity of
prude [pRyd] *adj* prudish
prudemment [pRydamɑ̃] *adv conduire* carefully; *s'abstenir* wisely
prudence [pRydɑ̃s] *f* caution; ***par*** (***mesure de***) ***~*** as a precaution
▶ **prudent** [pRydɑ̃] *adj* ⟨**-ente** [-ɑ̃t]⟩ careful; (*judicieux*) wise; ***c'est plus ~*** it's wiser
pruderie [pRydRi] *f* prudishness
prud'homal [pRydɔmal] *adj* ⟨**~e; -aux** [-o]⟩ of a labor relations board *épith*, *brit* of an industrial tribunal *épith*
prud'homme [pRydɔm] *m* ***conseil*** *m* ***des ~s*** labor relations board, *brit* industrial tribunal
▶ **prune** [pRyn] *f* **1.** plum; *fam, fig* ***pour des ~s*** for nothing **2.** *adjt* ⟨*inv*⟩ plum-colored **3.** *fam* (*contravention*) ticket
pruneau [pRyno] *m* ⟨**~x**⟩ **1.** prune **2.** *fam* (*balle de fusil*) slug *fam*
prunelle [pRynɛl] *f* **1.** pupil; ***tenir à qc comme à la ~ de ses yeux*** to be the apple of sb's eye **2.** BOT sloe
prunellier [pRynɛlje] *m* sloe bush
prunier [pRynje] *m* plum tree
prurigineux [pRyRiʒinø] *adj* ⟨**-euse** [-øz]⟩ pruriginous
prurit [pRyRit] *m* severe itching
Prusse [pRys] ***la ~*** Prussia
prussien [pRysjɛ̃] **I** *adj* ⟨**-ienne** [-jɛn]⟩ Prussian **II** ***Prussien***(***ne***) *m*(*f*) Prussian
P.S. [peɛs] *m, abr* (= **Parti socialiste**) Socialist Party
P.-S. [peɛs] *abr* (= **post-scriptum**) P.S.
psalmodier [psalmɔdje] *v/t et v/i* **1.** ÉGL to chant **2.** *texte* to read without expression
psaume [psom] *m* psalm
pschit(t) [pʃit] *int* fizz
pseudo [psødo] *m, abr fam* → ***pseudonyme***
pseudo-… [psødo] *préfixe* pseudo-…
pseudonyme [psødɔnim] *m* pseudonym
psi [psi] *m lettre grecque* psi
psitt [psit] *int* psst!
psittacose [psitakoz] *f* psittacosis (+ *v sg*)
psoriasis [psɔRjazis] *m* psoriasis (+ *v sg*)
pst [pst] *int* → ***psitt***
psy [psi] *m/f, abr fam* (= **psychiatre, etc**); shrink *fam*
psychanalyse [psikanaliz] *f* psychoanalysis (+ *v sg*) **psychanalyser** *v/t* to psychoanalyze
psychanalyste [psikanalist] *m/f* psy-

choanalyst **psychanalytique** *adj* psychoanalytic
psyché [psiʃe] *f* psyche
psychédélique [psikedelik] *adj* psychedelic **psychédélisme** *m* psychedelic state
psychiatre [psikjatʀ] *m/f* psychiatrist
psychiatrie [psikjatʀi] *f* psychiatry **psychiatrique** *adj* psychiatric
psychique [psiʃik] *adj* psychic **psychisme** *m* mind
psychodrame [psikodʀam] *m* psychodrama
psychologie [psikɔlɔʒi] *f* **1.** psychology **2.** (*perspicacité*) perceptiveness **psychologique** *adj* **1.** *méthode, analyse, guerre* psychological **2.** *problème* psychological
psychologue [psikɔlɔg] *m/f* **1.** psychologist **2.** *par ext* ***il n'est pas très ~*** he doesn't understand people very well
psychomoteur [psikomɔtœʀ] *adj* ⟨**-trice** [-tʀis]⟩ psychomotor **psychopathologie** *f* psychopathology
psychose [psikoz] *f* psychosis (+ *v sg*)
psychosomatique [psikosɔmatik] *adj* psychosomatic **psychotechnique** *adj* ***test*** *m* ***~*** psychological test
psychothérapeute [psikoteʀapøt] *m/f* psychotherapist **psychothérapie** *f* psychotherapy
psychotique [psikɔtik] **I** *adj* psychotic **II** *m/f* psychotic
psychotrope [psikotʀɔp] *m* psychotropic drug
P.T.T. [petete] *fpl, abr* (= **Postes, Télégraphe, Téléphone**) Post Office and Telecommunications
pu [py] *pp* → ***pouvoir***[1]
puant [pɥɑ̃] *adj* ⟨**-ante** [-ɑ̃t]⟩ stinking
puanteur [pɥɑ̃tœʀ] *f* stink
pub [pyb] *f, abr fam* → ***publicité***
pubère [pybɛʀ] *adj* pubescent
puberté [pybɛʀte] *f* puberty
pubien [pybjɛ̃] *adj* ⟨**-ienne** [-jɛn]⟩ pubic
pubis [pybis] *m* pubis; ***poils*** *mpl* ***du ~*** pubic hair
▶ **public** [pyblik] **I** *adj* ⟨**publique**⟩ public; (*de l'État*) public, state *épith*; *conducteur* ***c'est un danger ~*** he's a danger to the public; ***rendre ~*** to make public **II** *m* **1.** (*les gens*) the public; ***interdit au ~*** keep out; ***ouvert au ~*** open to the public; ***en ~*** in public **2.** (*spectateurs, etc*) audience; ***le grand ~*** the general public; *adjt* ***électronique*** *f* ***grand ~*** consumer electronics (+ *v pl*); *personne* ***être bon ~*** to be easy to please
publication [pyblikasjõ] *f* publication
publiciste [pyblisist] *m/f* publicist
publicitaire [pyblisitɛʀ] **I** *adj* advertising **II** *m/f* advertising executive
▶ **publicité** [pyblisite] *f* **1.** advertising; ***~ mensongère*** misleading advertising; ***faire de la ~ (pour qc)*** to advertise (sth) **2.** *des débats* public nature **3.** *d'une affaire* publicity
▶ **publier** [pyblije] *v/t* **1.** *livre, article* to publish **2.** *affaire* to make public
publiphone [pyblifɔn] *m* public phone
publiquement [pyblikmɑ̃] *adv* publicly
publireportage [pybliʀ(ə)pɔʀtaʒ] *m* advertorial
puce [pys] *f* **1.** ZOOL flea; ***jeu*** *m* ***de ~*** tiddlywinks (+ *v sg*); ***le marché aux ~s*** *ou* ***les ~s*** the flea market; *fig* ***mettre la ~ à l'oreille de qn*** to awaken sb's suspicions; *fam, fig* ***secouer les ~s à qn*** to give sb a talking to *fam* **2.** *fam* ***ma ~*** honey *fam* **3.** INFORM chip
puceau [pyso] *fam m* ⟨**~x**⟩ virgin
pucelage [pyslaʒ] *fam m* virginity
pucelle [pysɛl] *fam f* virgin
puceron [pysʀõ] *m* aphid
pudding [pudiŋ] *m* plum pudding
pudeur [pydœʀ] *f* modesty; *par ext* (*décence*) sense of decency; ***par ~*** out of delicacy
pudibond [pydibõ] *adj* ⟨**-onde** [-õd]⟩ prim and proper
pudibonderie [pydibõdʀi] *f* prudishness
pudique [pydik] *adj* **1.** modest **2.** *paroles* discreet
puer [pɥe] *v/t et v/i* ***~ (qc)*** to stink (of sth)
puéricultrice [pɥeʀikyltʀis] *f* nursery nurse **puériculture** *f* child care
puéril [pɥeʀil] *adj* ⟨**~e**⟩ childish **puérilité** *f* childishness
puerpéral [pɥɛʀpeʀal] *adj* ⟨**~e; -aux** [-o]⟩ ***fièvre ~e*** puerperal fever
pugilat [pyʒila] *m* fight **pugiliste** *litt m* pugilist
pugnace [pygnas, pyɲas] *adj st/s* pugnacious *st/s* **pugnacité** *f st/s* pugnacity *st/s*
▶ **puis**[1] [pɥi] *adv* then; ***et ~*** and then; (*d'ailleurs*) and besides; *fam* ***et ~ après ou quoi?*** so what? *fam*
puis[2] → ***pouvoir***[1]
puisard [pɥizaʀ] *m* sink hole, *brit* soakaway

puisatier [pɥizatje] *m* well-digger
puiser [pɥize] *v/t* **1.** *liquide* to draw (***à*** *ou* ***dans*** from) **2.** *fig* **~ *dans*** to draw from; *exemples* to take from
► **puisque** [pɥisk(ə)] *conj* 〈*devant voyelle* ***puisqu'***〉 **1.** *cause* since **2.** *exclamation* right; ***~ je vous le dis!*** I told you, didn't I?
puissamment [pɥisamɑ̃] *adv* powerfully
puissance [pɥisɑ̃s] *f* **1.** (*pouvoir*) power (*a* POL); ***les grandes ~s*** the great powers **2.** (*force*) strength **3.** PHYS, ÉLEC power **4.** MATH power; ***deux ~ cinq*** two to the power of five **5.** *advt* ***en ~*** potential
► **puissant** [pɥisɑ̃] **I** *adj* 〈**-ante** [-ɑ̃t]〉 **1.** POL powerful **2.** (*fort*) powerful; *muscles* strong; *voix* powerful; ***voiture ~e*** powerful car **II** ***les ~s*** *mpl* the powerful
puits [pɥi] *m* **1.** *d'eau* well; *fig de qn* ***un ~ de science*** *fam* a mine of information **2.** MINES shaft; ***~ de pétrole*** oil well
► **pull** [pyl] *m* sweater
► **pull-over** [pylɔvɛʀ] *m* 〈**pull-overs**〉 sweater
pullulement [pylylmɑ̃] *m* swarming mass
pulluler [pylyle] *v/i* to proliferate; ***les erreurs pullulent dans ce texte*** this piece is riddled with mistakes
pulmonaire [pylmɔnɛʀ] *adj* pulmonary
pulpe [pylp] *f* **1.** pulp; CUIS purée **2.** ***~ dentaire*** dental pulp
pulpeux [pylpø] *adj* 〈**-euse** [-øz]〉 fleshy; *femme* voluptuous
pulsation [pylsasjõ] *f* beat; ***il avait 120 ~s à la minute*** his heart rate was 120 beats per minute
pulsé [pylse] *adj* 〈**~e**〉 ***chauffage*** *m* ***à air ~*** forced air heating
pulsion [pylsjõ] *f* PSYCH drive
pulvérisateur [pylveʀizatœʀ] *m* spray
pulvérisation *f* MÉD spray; AGR spraying
pulvériser [pylveʀize] *v/t* **1.** (*détruire*) to pulverize **2.** (*projeter*) to spray; *arbres fruitiers* to spray **3.** *fig record* to smash
puma [pyma] *m* puma
punaise [pynɛz] *f* **1.** ZOOL bug **2.** *petit clou* thumb tack, *brit* drawing pin
punaiser [pynɛze] *v/t* to pin
punch[1] [põʃ] *m boisson* punch
punch[2] [pœnʃ] *m d'un boxeur* punch; *fam, fig* get-up-and-go
puncheur [pœnʃœʀ] *m* SPORT puncher
punching-ball [pœnʃiŋbol] *m* 〈**punching-balls**〉 punching bag
puni [pyni] *adj* 〈**~e**〉 punished
punique [pynik] *adj* HIST Punic
► **punir** [pyniʀ] *v/t* to punish (***de*** with) (*a* JUR); ***être puni de prison*** to be given a jail sentence
punissable [pynisabl] *adj* punishable
punitif [pynitif] *adj* 〈**-ive** [-iv]〉 punitive
punition [pynisjõ] *f* punishment; ***en ~ de*** as a punishment for
punk [pœ̃k] **I** *m/f* punk **II** *adj* punk *épith*
pupille[1] [pypij] *m/f* JUR ward; ***~ de la Nation*** war orphan
pupille[2] *f* ANAT pupil
pupitre [pypitʀ] *m* desk; **~ (*à musique*)** music stand; TV ***~ image*** console
pupitreur [pypitʀœʀ] *m*, **pupitreuse** [-øz] *f* INFORM system operator
► **pur** [pyʀ] *adj* 〈**~e**〉 **1.** pure; *profil, formes* clean; *style* pure; *ciel* clear; *intentions, regard, jeune fille* innocent; *cheval* ***~ sang*** thoroughbred **2.** *hasard, curiosité, etc* **~ (*et simple*)** pure (and simple); ***c'est la ~e vérité*** it's the simple truth
purée [pyʀe] *f* purée; **~ (*de pommes de terre*)** mashed potato; *fig* ***~ de pois*** (*brouillard épais*) peasouper *fam*
purement [pyʀmɑ̃] *adv* purely; ***~ et simplement*** purely and simply
purent [pyʀ] → ***pouvoir***[1]
pureté [pyʀte] *f* purity
purgatif [pyʀgatif] **I** *adj* 〈**-ive** [-iv]〉 purgative **II** *m* purgative
purgatoire [pyʀgatwaʀ] *m* purgatory
purge [pyʀʒ] *f* **1.** MÉD purge **2.** POL purge
purger [pyʀʒe] 〈**-ge-**〉 **I** *v/t* **1.** MÉD ***~ qn*** to give sb a purgative **2.** TECH to drain; *radiateur* to bleed **3.** POL to purge (***de*** of) **4.** *peine* to serve **II** *v/pr* ***se ~*** to take a purgative
purgeur [pyʀʒœʀ] *m pour l'eau* drain cock; *pour l'air* bleeder valve
purificateur [pyʀifikatœʀ] *adj* 〈**-trice** [-tʀis]〉 purifying
purification [pyʀifikasjõ] *f* **1.** purification **2.** ***~ ethnique*** ethnic cleansing
purificatoire [pyʀifikatwaʀ] *litt*, REL *adj* purifying
purifier [pyʀifje] *v/t* to purify
purin [pyʀɛ̃] *m* slurry
purisme [pyʀism] *m* purism **puriste** *m* purist
puritain [pyʀitɛ̃] *adj* 〈**-aine** [-ɛn]〉 puritan

puritanisme [pyʀitanism] *m* puritanism
pur-sang [pyʀsɑ̃] *m* ⟨*inv*⟩ thoroughbred
purulent [pyʀylɑ̃] *adj* ⟨**-ente** [-ɑ̃t]⟩ purulent
pus[1] [py] *m* pus
pus[2] → ***pouvoir***[1]
pusillanime [pyzilanim] *litt adj* pusillanimous **pusillanimité** *litt f* pusillanimity *litt*
pustule [pystyl] *f* pustule
put [py] → ***pouvoir***[1]
putain [pytɛ̃] *f pop* **1.** *péj* whore; hooker *fam* **2.** **~ de** (+ *subst*) *pop* god-damn *pop*
putatif [pytatif] *adj* ⟨**-ive** [-iv]⟩ JUR putative
pute [pyt] *f pop* → ***putain***
putois [pytwa] *m* ZOOL polecat; *fig* ***crier comme un ~*** to scream one's head off
putréfaction [pytʀefaksjõ] *f* putrefaction; ***en ~*** rotting
putréfier [pytʀefje] *v/pr* ***se ~*** to putrefy
putrescible [pytʀesibl] *adj st/s* putrescible *st/s*
putride [pytʀid] *adj* putrid
putsch [putʃ] *m* putsch **putschiste** *m* putschist
puzzle [pœzəl] *m* jigsaw
P.-V. [peve] *m, abr* ⟨*inv*⟩ *fam* (= **procès-verbal**) ticket
P.V.C. [pevese] *m* PVC
pygmée [pigme] *m* pygmy
► **pyjama** [piʒama] *m* pajamas (+ *v pl*)
pylône [pilon] *m* pylon
pylore [pilɔʀ] *m* ANAT pylorus
pyramidal [piʀamidal] *adj* ⟨**~e; -aux** [-o]⟩ pyramid-shaped
pyramide [piʀamid] *f* **1.** pyramid **2.** *fig* ***~ des âges*** population pyramid
pyrénéen [piʀeneɛ̃] *adj* ⟨**-enne** [-ɛn]⟩ Pyrenean
► **Pyrénées** [piʀene] ***les ~*** *fpl* the Pyrenees
pyrex® [pyʀɛks] *m* Pyrex®
pyrograver [piʀɔgʀave] *v/t* to decorate with pokerwork **pyrogravure** *f* pokerwork
pyrolyse [piʀɔliz] *f* CHIM pyrolysis (+ *v sg*)
pyromane [piʀɔman] *m/f* pyromaniac
pyrotechnicien [piʀɔtɛknisjɛ̃] *m* pyrotechnics expert
python [pitõ] *m* python

Q

Q, q [ky] *m* ⟨*inv*⟩ Q, q
q *abr* (= **quintal**) q
Q.C.M. [kyseɛm] *m, abr* ⟨*inv*⟩ (= **questionnaire à choix multiple**) multiple choice questionnaire
Q.G. [kyʒe] *m, abr* ⟨*inv*⟩ (= **quartier général**) HQ
Q.I. [kyi] *m, abr* ⟨*inv*⟩ (= **quotient intellectuel**) IQ
qu' [k] → ***que***
quadragénaire [kwadʀaʒenɛʀ] *m/f* forty-year-old
quadrangulaire [kwadʀɑ̃gylɛʀ] *adj* quadrangular
quadrature [kwadʀatyʀ] *f* ***la ~ du cercle*** squaring the circle
quadrilatère [kwadʀilatɛʀ] *m* quadrilateral
quadrillage [kadʀijaʒ] *m* **1.** *du papier* square pattern **2.** MIL, POLICE systematic surveillance
quadrille [kadʀij] *m* quadrille
quadrillé [kadʀije] *adj* ⟨**~e**⟩ *papier* squared **quadriller** *v/t* MIL, POLICE to put under systematic surveillance
quadrimoteur [kwadʀimɔtœʀ, ka-] *m* four-engined plane
quadriphonie [kwadʀifɔni] *f* quadraphony
quadriréacteur [kwadʀiʀeaktœʀ, ka-] *m/f* four-engined plane
quadrupède [kwadʀypɛd, ka-] **I** *adj* quadrupedal **II** *m* quadruped
quadruple [kwadʀypl, ka-] **I** *adj* quadruple **II** *subst* ***le ~*** four times as much
quadrupler [kwadʀyple, ka-] **I** *v/t* to quadruple **II** *v/i* to quadruple
quadruplé(e)s [kwadʀyple, ka-] *m(f), pl* quadruplets
►**quai** [ke] *m* **1.** CH DE FER platform **2.** *d'un port* quay **3.** bank; *à Paris* ***les ~s de la Seine*** the banks of the Seine; ***le Quai d'Orsay*** *the French Foreign Office*
qualifiable [kalifjabl] *adj* **1.** *péj* ***ne pas être ~*** to defy description **2.** SPORT able to qualify *attrib*
qualificatif [kalifikatif] **I** *adj* ⟨**-ive** [-iv]⟩

adjectif ~ qualifying adjective **II** *m* qualifier

qualification [kalifikasjõ] *f* **1.** SPORT qualification; ***match** m **de ~*** qualifier **2.** *professionnelle* qualification

▶ **qualifié** [kalifje] *adj* ⟨**~e**⟩ **1.** qualified; ***ouvrier ~*** skilled worker **2.** JUR ***vol ~*** aggravated burglary

qualifier [kalifje] **I** *v/t* **1.** (*nommer*) ***~ de*** to describe as **2.** (*donner la compétence*) to qualify (***pour*** for) **II** *v/pr* SPORT ***se ~*** to qualify (***pour*** for)

qualitatif [kalitatif] *adj* ⟨**-ive** [-iv]⟩ qualitative

▶ **qualité** [kalite] *f* **1.** *de choses* quality (*a* COMM); ***~ de la vie*** quality of life; ***de ~*** (high) quality *épith* **2.** *de personnes* quality **3.** JUR occupation; ***vos nom, prénom et ~*** your full name and occupation; ***en ~ de*** in the capacity of

▶ **quand** [kɑ̃, *devant voyelle* kɑ̃t] **I** *conj* **1.** (*lorsque*) when **2.** *opposition* (*alors que*) when; ***quand (bien) même*** even if **II** *adv* **1.** when; ***quand est-ce que vous aurez fini?*** when will you be finished?; ***depuis quand?*** since when?; ***je ne sais pas quand il viendra*** I don't know when he's coming **2.** ▶ ***quand même*** (*malgré tout*) all the same; (*à vrai dire*) really; *int*, *indigné* really!

quant *prép* ***~ à*** [kɑ̃ta] as for; ***~ à moi*** as far as I'm concerned

quant-à-soi [kɑ̃taswa] *m* ***rester sur son ~*** to keep oneself to oneself

quantifier [kɑ̃tifje] *v/t* quantifier

quantitatif [kɑ̃titatif] *adj* ⟨**-ive** [-iv]⟩ quantitative

▶ **quantité** [kɑ̃tite] *f* **1.** quantity; ***~ de ...*** a lot of ...; ***en ~*** in abundance **2.** MATH quantity

quarantaine [kaʀɑ̃tɛn] *f* **1.** ***une ~ (de)*** about forty **2.** *âge* about forty; ***avoir la ~*** to be in one's forties **3.** MÉD quarantine; ***mettre en ~*** to put in quarantine; *fig* to ostracize

▶ **quarante** [kaʀɑ̃t] **I** *num/c* forty **II** *m* ⟨*inv*⟩ forty

quarante-cinq *num/c* forty five; *disque* ***un ~ tours*** a single

▶ **quarantième** [kaʀɑ̃tjɛm] **I** *num/o* fortieth **II** ***le, la ~*** the fortieth

▶ **quart** [kaʀ] *m* **1.** quarter; SPORT ***quart de finale*** quarter final; *moteur* ***démarrer au quart de tour*** to start first time; ***les trois quarts*** three quarters; *par ext* ***les trois quarts du temps*** most of the time **2.** ▶ ***quart d'heure*** quarter of an hour; ***dans trois quarts d'heure*** in three quarters of an hour; ***passer un mauvais quart d'heure*** to have a bad time; ***il est le quart*** it's quarter after, *brit* it's quarter past; → ***heure*** **3.** MAR watch; ***être de quart*** to be on watch **4.** MIL (*gobelet*) beaker

quarté [kaʀte] *m betting on the first four horses in a race*

quarteron [kaʀtəʀõ] *m péj* insignificant group

quartette [kwaʀtɛt] *m* quartet

▶ **quartier** [kaʀtje] *m* **1.** *d'une ville* district; ***Quartier latin*** Latin Quarter **2.** MIL ***~ général*** headquarters (+ *v pl*); ***grand ~ général*** general headquarters (+ *v pl*); *fig* ***ne pas faire de ~*** to show no mercy; *fig* ***je vous laisse ~ libre*** you're free to do what you like **3.** *portion* piece; ***~ d'orange*** orange segment **4.** ***la Lune est dans son premier, dernier ~*** the moon is in its first, last quarter **5.** *fig* ***avoir ses ~s de noblesse*** to be well established

quartier-maître *m* ⟨**quartiers-maîtres**⟩ MAR quartermaster

quart-monde *m* ⟨**quarts-mondes**⟩ ***le ~*** the Fourth World; *d'un pays* underclass

quartz [kwaʀts] *m* quartz; ***montre** f **à ~*** quartz watch

quasi [kazi] *m* CUIS chump end

quasi-... [kazi] *préfixe* ***la quasi-totalité des Français*** almost all French people; ***à la quasi-unanimité*** almost unanimously

quasiment [kazimɑ̃] *adv fam* (*presque*) almost, virtually

quaternaire [kwatɛʀnɛʀ] *m* GÉOL Quaternary

▶ **quatorze** [katɔʀz] **I** *num/c* fourteen; ***Louis XIV*** Louis XIV; ***le ~ mai*** May fourteenth, *brit* the fourteenth of May **II** *m* ⟨*inv*⟩ fourteen; ***le ~ (du mois)*** the fourteenth (of the month)

▶ **quatorzième** [katɔʀzjɛm] *num/o* fourteenth

quatrain [katʀɛ̃] *m* quatrain

▶ **quatre** [katʀ] **I** *num/c* four; ***le ~ août*** August fourth; ***Henri IV*** Henry IV; *fig* ***un de ces ~ matins*** one of these days; ***manger comme ~*** to eat like a horse; *fig* ***se mettre en ~*** to bend over backwards (***pour qn*** for sb); ***monter les escaliers ~ à ~*** to climb the stairs four at a time **II** *m* ⟨*inv*⟩ four; ***le ~ (du mois)*** the fourth

Quatre-Cantons [katʀəkɑ̃tõ] ***le lac des ~*** Lake Lucerne

quatre-heures [katʀœʀ] *m* ⟨*inv*⟩ *fam, enf* children's afternoon snack

quatre-quarts [katkar] *m* ⟨*inv*⟩ pound cake

quatre-quatre [katkatʀ] *f* ⟨*inv*⟩ ***une ~*** *ou* ***une 4x4*** a four-by-four

quatre-saisons [kat(ʀə)sɛzõ] *f* ⟨*inv*⟩ → ***marchand*** *I 1*

▶ **quatre-vingt(s)** [katʀəvɛ̃] **I** *num/c* eighty **II** *m* eighty

▶ **quatre-vingt-dix I** *num/c* ninety **II** *m* ⟨*inv*⟩ ninety

▶ **quatre-vingt-dixième** *num/o* ninetieth

▶ **quatre-vingtième** *num/o* eightieth

quatre-vingt-un [katʀəvɛ̃ɛ̃] *num/c* eighty-one **quatre-vingt-unième** *num/o* eighty-first

▶ **quatrième** [katʀijɛm] **I** *num/o* fourth **II** *subst* **1.** ***le, la ~*** the fourth **2.** *m étage* ***au ~*** on the fourth floor **3.** *f third year of secondary school ≈ ninth grade, brit ≈* year nine **4.** *f* AUTO fourth

quatrièmement [katʀijɛmmɑ̃] *adv* fourthly

quatuor [kwatɥɔʀ] *m* quartet

▶ **que** [kə] ⟨*devant voyelle et h muet* ***qu'***⟩ **I** *pr rel personne* who, that, *st/s* whom; *chose* that, which; ***un monsieur que je ne connais pas*** a man that I don't know; ***ce que*** that; ***tout ce que j'ai vu*** everything that I've seen; *fam* ***que tu dis!*** that's what you say!; ***imbécile que tu es!*** you idiot!; ***tout rusé qu'il est …*** cunning as he is … **II** *pr interrog* what; ***qu'en pensez-vous?*** *ou* ***qu'est--ce que vous en pensez?*** what do you think?; ***que faire?*** what's to be done?; ▶ ***qu'est-ce que c'est*** (***que ça***)***?*** what's that?; ***que s'est-il passé?*** what happened? **III** *adv exclamatif* what; ***que c'est beau!*** *ou fam* (***qu'est-***) ***ce que c'est beau!*** it's so beautiful!; *fam* how beautiful is that! *fam;* ***que de monde!*** what a lot of people! **IV** *conj* **1.** that; ***je crois qu'il viendra*** I think that he'll come; ***je pense que non*** I don't think so **2.** *pour reprendre une autre conj* ***s'il vient et que je ne sois pas là …*** if he comes and I'm not there… **3.** *hypothèse* ***que vous y alliez ou non*** whether you go or not **4.** *souhait, ordre* ***qu'il vienne!*** let him come! **5.** *comparaison*: *égalité* as; *après comp* than; ***aussi grand que*** as big as; ***plus grand que*** bigger than; ***je dépense plus que toi*** I spend more than you; ***tout autre que lui*** anybody else **6.** (*seulement*) ▶ ***ne … que*** only; ***je n'ai qu'une clé*** I only have one key; ***il n'est que huit heures*** it's only eight o'clock

Québec [kebɛk] **1.** *ville* Quebec **2.** *province* ***le ~*** Quebec

québécois [kebekwa] **I** *adj* ⟨**-oise** [-waz]⟩ of Quebec **II** *subst* **1.** ***Québécois***(***e***) *m*(*f*) Québecois, Quebecker **2.** *m langue* Canadian French

▶ **quel** [kɛl] *adj* ⟨**~le**⟩ **1.** *interrogatif épithète* what, which; ***~ film avez-vous vu?*** what movie did you see?; ***quelle heure est-il?*** what's the time?; *attribut chose* what, *personne* who; ***quelle est la capitale de ce pays?*** what is the capital of this country? **2.** *exclamatif* ***~ beau temps!*** what fine weather! **3.** *indéfini* ***~les que soient vos raisons …*** whatever your reasons may be …

▶ **quelconque** [kɛlkõk] **I** *adj indéf* any; ***pour une raison ~*** for some reason or other **II** *adj* (*médiocre*) mediocre; (*insignifiant*) nondescript; (*ordinaire*) ordinary

quelque [kɛlkə; *devant voyelle* kɛlk] *adj indéf* **1.** *sg* some; ***depuis quelque temps*** for some time; *st/s* ***quelque peu*** somewhat **2.** *pl* ▶ ***quelques*** a few, some; ***avec quelques amis*** with some friends; ***les quelques …*** the few …; *fam après un chiffre* ***… et quelques*** and some *fam* **3.** *advt* ⟨*inv*⟩ (*environ*) about; ***quelque trente personnes*** about thirty people **4.** *st/s* ***quelque … que*** +*subj* however; ***à quelque prix que ce soit*** whatever the price

▶ **quelque chose** [kɛlkəʃoz] → ***chose***

▶ **quelquefois** [kɛlkəfwa] *adv* sometimes

▶ **quelqu'un** [kɛlkɛ̃, -kœ̃] *pr ind* **1.** ⟨*f* **quelqu'une** [kɛlkyn]⟩ someone, somebody; ***~ de sûr*** someone reliable; ***c'est ~ de bien*** he's/she's a good person; *fam* ***être ~*** *fam* to be somebody; *fam, péj* ***c'est ~!*** he's, she's something else! *fam, péj* **2.** *pl* ▶ **quelques-uns** [kɛlkəzɛ̃, -zœ̃] ⟨*f* **quelques-unes** [kɛlkəzyn]⟩ some

quémander [kemɑ̃de] *v/t* to beg (***qc*** for sth) **quémandeur** *m*, **quémandeuse** *f* beggar

qu'en-dira-t-on [kɑ̃diʀatɔ̃] *m* ⟨*inv*⟩ gossip; ***je n'ai peur du ~*** I'm not bothered about what people say
quenelle [kənɛl] *f* quenelle
quenotte [kənɔt] *f enf* tooth
quenouille [kənuj] *f* distaff
querelle [kəʀɛl] *f* quarrel; ***~s*** *pl* squabbles; ***chercher ~ à qn*** to try to pick a quarrel with sb
quereller [kəʀele] *v/pr* ***se ~*** to quarrel (***avec qn*** with sb)
querelleur [kəʀɛlœʀ] *adj* ⟨**-euse** [-øz]⟩ quarrelsome
quérir [keʀiʀ] *v/t* ⟨*seulement inf*⟩ *litt* ***aller ~ qc*** to go and get sth
► **qu'est-ce que** [kɛskə] what; → ***que***
► **qu'est-ce qui** [kɛski] who; → ***qui***
► **question** [kɛstjɔ̃] *f* **1.** (*interrogation*) question; POL ***~ de confiance*** vote of confidence; ***poser une ~ (à qn)*** to ask (sb) a question **2.** (*problème*) question, matter; *prép fam* ***~ salaire*** *fam* a far as the salary is concerned; ***en ~*** in question; ***remettre qc en ~*** to call sth into question; ***la ~ est de savoir si …*** the question is whether …; ***la ~ n'est pas là*** *ou* ***ce n'est pas la ~*** that is not the point; ***c'est une ~ de point de vue*** it depends on your point of view; ***il est ~ de*** it's a question of; ***il n'en est pas ~*** it's out of the question **3.** HIST (*torture*) question
questionnaire [kɛstjɔnɛʀ] *m* questionnaire
questionner [kɛstjɔne] *v/t* to question (***sur*** about) **questionneur** *m*, **questionneuse** *f* questioner
quête [kɛt] *f* **1.** collection; ***faire la ~*** *à l'église* to take the collection; *dans le métro* to pass the hat round **2.** (*recherche*) quest; ***se mettre en ~ de*** to set out in search of
quêter [kete] **I** *v/t* (*solliciter*) to seek **II** *v/i* (*faire la quête*) to make a collection (***pour*** for)
quetsche [kwɛtʃ] **1.** purple plum **2.** *eau-de-vie plum liqueur*; → ***digestif***
► **queue** [kø] *f* **1.** *d'animaux* tail; ***à la ~ leu leu*** in single file; *fig* ***la situation n'a ni ~ ni tête*** you can't make head or tail out of the situation *fig*; AUTO ***faire une ~ de poisson à qn*** to cut in front of sb, *brit* to cut sb up; *fig* ***finir en ~ de poisson*** to fizzle out **2.** *d'un avion*, *d'une comète* tail; *d'un fruit* stalk; *d'une poêle* handle; *d'une fleur* stem (*a* MUS) **3.** (*dernière partie*) end; ***à la ~***, ***en ~*** at the end **4.** (*file*) line, *brit* queue; ***faire la ~*** to wait in line (***pour qc*** for sth), *brit* to queue (up) (***pour qc*** for sth) **5.** BILLARD cue **6.** *pop* (*pénis*) cock *pop*
queue-de-cheval [kødʃəval] *f* ⟨**queues-de-cheval**⟩ *coiffure* ponytail
queue-de-pie *f* ⟨**queues-de-pie**⟩ *habit* tails (+ *v pl*) **queue-de-rat** *f* ⟨**queues-de-rat**⟩ TECH round file
queux [kø] *m* ***maître ~*** chef
► **qui** [ki] **I** *pr interrog* **1.** *sujet* who; ***qui est là?*** *ou* ***qui est-ce qui est là?*** who's there? **2.** *obj dir* who; ***qui cherchez-vous?*** *ou* ***qui est-ce que vous cherchez?*** who are you looking for?; *objet indirecte* ***à qui penses-tu?*** who are you thinking of?; ***de qui parlez-vous?*** who are you talking about? **3.** ► ***qu'est-ce qui?*** what; ***qu'est-ce qui est arrivé?*** what's happened?; ► ***qu'est-ce qui se passe?*** what's going on? **II** *pr rel* **1.** *sujet personne* who, that; *chose* which, that ***l'homme qui parle*** the man who's talking; *objet indirecte* ***l'homme à qui je parle*** the man that I'm talking to; ***ce qui*** what; ***ce qui me fait plaisir*** what I like **2.** *sans antécédent* whoever; ***c'était à qui entrerait le premier*** everyone was trying to be the first to go in; ***qui vous savez*** you know who; *st/s* ***on buvait, qui du vin, qui de la bière*** some were drinking wine, some beer; ***qui plus est*** what is more; ***voilà qui est fait*** that's done **III** *pr ind* ***qui que*** *+subj sujet* whoever; *obj dir* anyone; ***qui que vous soyez*** whoever you are
quiche [kiʃ] *f* ***~ lorraine*** quiche lorraine
quiconque [kikɔ̃k] *pr ind* **1.** (*n'importe qui*) whoever **2.** (*toute personne qui*) anyone, anybody
quidam [kidam] *m* ***un ~*** a fellow
quiétude [kjetyd] *f* ***en toute ~*** in peace
quignon [kiɲɔ̃] *m* ***~ (de pain)*** chunk of bread
quille[1] [kij] *f* **1.** ninepin; ***jouer aux ~s*** to play ninepins **2.** *pl* ***~s*** *fam* (*jambes*) legs **3.** *arg* MIL end of military service
quille[2] *f* MAR keel
quincaillerie [kɛ̃kɑjʀi] *f* **1.** *articles* hardware; *magasin* hardware store **2.** *fam*, *fig* (*bijoux*) jewelry
quincaillier [kɛ̃kɑje] *m*, **quincaillière** [-jɛʀ] *f* hardware dealer
quinconce [kɛ̃kɔ̃s] *m arbres* ***disposés***

en ~ arranged in staggered rows
quinine [kinin] *f* quinine
quinquagénaire [kɛ̃kaʒenɛʀ] *m/f* person in his / her fifties
quinquennal [kɛ̃kenal] *adj* ⟨**~e; -aux** [-o]⟩ ***plan*** **~** five-year plan
quinquennat [kɛ̃kena] *m* five-year term
quinquina [kɛ̃kina] *m* PHARM cinchona
Quint [kɛ̃] *adj* ***Charles*** **~** Charles the Fifth
quintal [kɛ̃tal] *m* ⟨**-aux** [-o]⟩ quintal
quinte [kɛ̃t] *f* **1. ~** (***de toux***) coughing fit **2.** MUS fifth
quintessence [kɛ̃tesɑ̃s] *f* quintessence
quintette [kɛ̃tɛt, kɥɛ̃-] *m* quintet
quintuple [kɛ̃typl] **I** *adj* quintuple **II** *subst* ***le*** **~** five times as much
quintupler [kɛ̃typle] *v/t et v/i* to quintuple
quinzaine [kɛ̃zɛn] *f* **1.** ***une*** **~** (***de***) about fifteen **2.** (*deux semaines*) two weeks (+ *v pl*); ***la première*** **~** ***de mai*** the first two weeks of May; **~** ***commerciale*** two-week sale
▶ **quinze** [kɛ̃z] **I** *num/c* **1.** fifteen; ***le quinze avril*** April fifteenth; ***Louis XV*** Louis XV **2.** ▶ ***quinze jours*** two weeks; ***dans quinze jours*** in two weeks **II** *m* ⟨*inv*⟩ **1.** *nombre* fifteen; ***le quinze*** (***du mois***) the fifteenth **2.** SPORT fifteen
▶ **quinzième** [kɛ̃zjɛm] *num/o* fifteenth
quiproquo [kipʀɔko] *m* mix-up
quittance [kitɑ̃s] *f* (*reçu*) receipt; **~** ***de loyer*** rent receipt
quitte [kit] *adj* **1.** ***être*** **~** ***envers qn*** to be quits with sb; *fig* ***en être*** **~** ***pour la peur*** to get away with just a fright; **~** ***à*** *+inf* even if it means (+ *v-ing*) **2.** ***jouer à*** **~** ***ou double*** to play double or quits; *fig* to go for broke
▶ **quitter** [kite] **I** *v/t* **1.** *personne, lieu* to leave; *métier* to give up; *voiture* **~** ***la route*** to leave the road; TÉL ***ne quittez pas!*** hold the line, please; ***ne pas*** **~** ***qn, qc des yeux*** to not let sb, sth out of one's sight **2.** *vêtement* to take off **II** *v/pr* ***se*** **~** to part
quitus [kitys] *m* ***donner*** **~** ***à qn*** to discharge sb
qui-vive [kiviv] **I** *int* MIL who goes there? **II** *m* ***être sur le*** **~** to be on the alert
▶ **quoi** [kwa] **I** *pr interrog* **1.** what; ***quoi faire?*** what to do?; *fam* ***quoi?*** *je n'ai pas compris* what?; ***quoi!*** *vous partez?* what!; ***quoi de neuf?*** what's new? **2.** *objet indirecte* what (*selon la prép*); ***à quoi pensez-vous?*** what are you thinking about?; ***à quoi bon?*** what's the use? **3.** *fam en fin d'explication* ***une vie monotone, quoi*** basically, a pretty humdrum life **II** *pr rel* **1.** what (*selon la prép*); ***s'il savait ce à quoi je pense*** if he knew what I was thinking **2.** *sans antécédent* ***avoir de quoi écrire*** to have something to write with; ***avoir de quoi vivre*** to have enough to live on; ▶ (***il n'y a***) ***pas de quoi*** you're welcome **III** *pr ind* ***quoi que*** *+subj* whatever; ***quoi qu'on dise*** whatever people say; ***quoi qu'il en soit*** be that as it may
quoique [kwak(ə)] ⟨*devant il, elle, un, une, on* ***quoiqu'***⟩ *conj +subj* although, though
quolibet [kɔlibɛ] *m* jeer
quorum [kɔʀɔm, kwɔ-] *m* ***le*** **~** ***est atteint*** we have a quorum
quota [kɔta, kwɔ-] *m* quota
quote-part [kɔtpaʀ] *f* ⟨**quotes-parts**⟩ share
quotidien [kɔtidjɛ̃] **I** *adj* ⟨**-ienne** [-jɛn]⟩ daily **II** *m* **1.** *journal* daily **2.** (*vie quotidienne*) ***au*** **~** on a daily basis
quotient [kɔsjɑ̃] *m* **1.** MATH quotient **2.** IMPÔTS **~** ***familial*** dependents' allowance

R

R, r [ɛʀ] *m* ⟨*inv*⟩ R
rab [ʀab] *m fam* **1.** *de nourriture* extra **2.** ***faire du*** **~** to do a bit extra
rabâchage [ʀabaʃaʒ] *m* endless repetition **rabâcher** *v/t* to keep on repeating **rabâcheur** *m fam*, **rabâcheuse** *f fam* repetitive bore
rabais [ʀabɛ] *m* discount; ***au*** **~** at a discount; ***faire un*** **~** ***sur qc*** to give a discount on sth
rabaisser [ʀabese] **I** *v/t* to reduce **II** *v/pr* ***se*** **~** to belittle o.s.
rabane [ʀaban] *f* raffia
rabat [ʀaba] *m* **1.** *plastron* front **2.** *d'un*

sac, *d'une poche* flap **rabat-joie** *m* ⟨*inv*⟩ killjoy

rabattage [ʀabataʒ] *m* CH beating

rabatteur [ʀabatœʀ] *m* **1.** CH beater **2.** *fig et péj* tout

rabattre [ʀabatʀ] ⟨→ **battre**⟩ **I** *v/t* **1.** *capot* to close; *col* to turn down; *vent*: *fumée* to blow back down **2.** CH *gibier* to drive **II** *v/i* **1.** ***en ~*** to climb down **III** *v/pr* **1.** ***se ~*** *voiture* to pull back into **2.** ***se ~ sur*** to make do with

rabattu [ʀabaty] *adj* ⟨**~e**⟩ COUT *col* turned down

rabbin [ʀabɛ̃] *m* rabbi

rabibocher [ʀabibɔʃe] *v/pr fam* ***se ~*** to make up (***avec qn*** with sb)

rabiot [ʀabjo] *m fam* → ***rab***

râble [ʀɑbl] *m de lapin*, *lièvre* saddle (*a* CUIS)

râblé [ʀɑble] *adj* ⟨**~e**⟩ stocky

rabot [ʀabo] *m* plane

raboter [ʀabɔte] *v/t* to plane

raboteux [ʀabɔtø] *adj* ⟨**-euse** [-øz]⟩ rough

rabougri [ʀabugʀi] *adj* ⟨**~e**⟩ shriveled

rabougrir [ʀabugʀiʀ] *v/pr* ***se ~*** **1.** *plante* to shrivel up **2.** *personne* to become shriveled

rabrouer [ʀabʀue] *v/t* ***~ qn*** to snub sb; ***se faire ~*** to be snubbed

racaille [ʀakaj] *f* rabble

raccommodable [ʀakɔmɔdabl] *adj* repairable **raccommodage** *m* mending **raccommodement** *fam m* reconciliation

raccommoder [ʀakɔmɔde] **I** *v/t vêtement* to mend; *dispute* to reconcile **II** *v/pr fam* ***se ~*** to patch things up *fam*

raccompagner [ʀakõpaɲe] *v/t* to take home

raccord [ʀakɔʀ] *m* **1.** ***faire un ~*** *de peinture* to touch up *a fig* **2.** TECH joint **3.** FILM splice

raccordement [ʀakɔʀdəmɑ̃] *m* connecting

raccorder [ʀakɔʀde] *v/t* to connect (***à*** to)

raccourci [ʀakuʀsi] *m chemin* shortcut

raccourcir [ʀakuʀsiʀ] **I** *v/t séjour* to cut short; *robe* to shorten; *texte* to cut; *fig* ***à bras raccourcis*** violently **II** *v/i* to become shorter; *au lavage* to shrink

raccroc [ʀakʀo] ***par ~*** by chance

▸ **raccrocher** [ʀakʀɔʃe] **I** *v/t tableau*, *etc* to put back up; *wagon* to reconnect **II** *v/i* **1.** TÉL to hang up **2.** SPORT to retire **III** *v/pr* ***se ~ à*** to cling to

▸ **race** [ʀas] *f* **1.** breed; ***de ~*** purebred **2.** (*catégorie de personnes*) race

racé [ʀase] *adj* ⟨**~e**⟩ **1.** *animal* purebred **2.** *personne* well-bred

rachat [ʀaʃa] *m* repurchase; *de rente* redemption

racheter [ʀaʃte] ⟨**-è-**⟩ **I** *v/t* **1.** *maison*, *etc* to buy back; *rente* to redeem; ***~ qc à qn*** to buy sth back from sb **2.** *prisonniers* to pay a ransom for **3.** REL to atone for **4.** *fig faute*, *crime* to make amends for **II** *v/pr* ***se ~*** to redeem o.s.

rachidien [ʀaʃidjɛ̃] *adj* ⟨**-ienne** [-jɛn]⟩ MÉD rachidian

rachitique [ʀaʃitik] *adj* **1.** MÉD rachitic **2.** *par ext* scrawny **rachitisme** *m* rickets (+ *v sg*)

racial [ʀasjal] *adj* ⟨**~e; -aux** [-o]⟩ racial

▸ **racine** [ʀasin] *f* root (*a* MATH, *fig*); *fig* ***attaquer le mal à sa ~*** to deal with the root of the problem; ***prendre ~*** to take root *a fig*

▸ **racisme** [ʀasism] *m* racism **raciste** **I** *adj* racist **II** *m/f* racist

racket [ʀakɛt] *m* racket

racketter [ʀakete] *v/t* ***~ qn*** to extort money from sb

racketteur [ʀakɛtœʀ] *m* racketeer

raclage [ʀɑklaʒ] *m* scraping

raclée [ʀɑkle] *f fam* **1.** beating; *fam* thrashing *fam* **2.** *fig* ***prendre une ~*** to get thrashed *fam*

raclement [ʀɑkləmɑ̃] *m* ***~ de gorge*** clearing of the throat

racler [ʀɑkle] **I** *v/t* **1.** to scrape; *casserole* to scour **2.** *fam vin* ***~ le gosier*** to be rough on the throat **II** *v/pr* ***se ~ la gorge*** to clear one's throat

raclette [ʀɑklɛt] *f* CUIS raclette

racloir [ʀɑklwaʀ] *m* scraper

racolage [ʀakɔlaʒ] *m péj* touting; ***~ sur la voie publique*** soliciting in the street

racoler [ʀakɔle] *v/t péj* to tout for; *prostituée*: *clients* to solicit for

racoleur [ʀakɔlœʀ] *péj m* tout **racoleuse** *f* streetwalker

racontars [ʀakõtaʀ] *mpl* gossip (+ *v sg*)

▸ **raconter** [ʀakõte] **I** *v/t* to tell; ***~ qc*** to relate sth; ***je te raconte pas!*** you don't want to know!; ***on raconte que …*** they say that … **II** *v/pr* ***se ~ des blagues*** to tell each other jokes

racorni [ʀakɔʀni] *adj* ⟨**~e**⟩ *viande* toughened; *cuir* stiffened **racornir** *v/pr* ***se ~*** to harden

radar [ʀadaʀ] *m* radar; *adjt* ***contrôle*** *m* **~** speed check

rade [ʀad] *f* **1.** MAR harbor **2.** *fam, fig* ***rester en ~*** *projet* to be shelved; *personne* to be left stranded

radeau [ʀado] *m* ⟨**~x**⟩ raft; ***~ de sauvetage*** life raft

radial [ʀadjal] *adj* ⟨**~e; -aux** [-o]⟩ radial

radiateur [ʀadjatœʀ] *m* **1.** *de chauffage central* radiator; *électrique, à gaz* heater **2.** AUTO radiator

radiation [ʀadjasjõ] *f* **1.** *sur une liste* crossing off **2.** PHYS radiation

radical [ʀadikal] **I** *adj* ⟨**~e; -aux** [-o]⟩ radical **II** *m* ⟨**-aux** [-o]⟩ **1.** GRAM stem **2.** CHIM radical **3.** MATH radical sign **4.** POL ***radicaux*** *pl* radical

radicalement [ʀadikalmɑ̃] *adv* radically

radicalisation [ʀadikalizasjõ] *f* radicalization **radicaliser I** *v/t* to radicalize **II** *v/pr* ***se ~*** to become more radical

radicelle [ʀadisɛl] *f* rootlet

radier [ʀadje] *v/t* to cross off

radiesthésiste [ʀadjɛstezist] *m* diviner

radieux [ʀadjø] *adj* ⟨**-euse** [-øz]⟩ **1.** *soleil* dazzling; *journée* glorious **2.** *personne* radiant

radin [ʀadɛ̃] *fam* **I** *adj* ⟨**-ine** [-in]⟩ *fam* cheap, *brit* mean *fam* **II** ***~(e)*** *m(f)* cheapskate *fam*

radiner [ʀadine] *v/i fam* (*et v/pr* ***se ~***) *fam* to turn up

radinerie [ʀadinʀi] *f fam* stinginess *fam*

▶ **radio¹** [ʀadjo] *f* **1.** (*radiodiffusion*) radio; ***à la ~*** on the radio **2.** *récepteur* radio **3.** *station émettrice* radio station; ***~ libre*** independent local radio station **4.** (*radiotéléphonie*) radio; ***par ~*** by radio **5.** (*radiographie*) X-ray; (*radioscopie*) radioscopy; ***passer à la ~*** to be X-rayed

radio² *m* radio operator

radioactif *adj* ⟨**-ive**⟩ radioactive **radioactivité** *f* radioactivity **radioamateur** *m* radio enthusiast **radiocassette** *f* radio cassette player **radiodiffuser** *v/t* to broadcast **radiodiffusion** *f* broadcasting **radioélectrique** *adj* radio *épith*

radiographie [ʀadjɔgʀafi] *f* **1.** *procédé* radiography **2.** *cliché* X-ray **radiographier** *v/t* to X-ray

radiographique [ʀadjɔgʀafik] *adj* X-ray *épith*

radioguidage *m* **1.** TECH radio control **2.** AUTO traffic information

radiologie [ʀadjɔlɔʒi] *f* radiology **radiologique** *adj* radiological **radiologiste** *ou* **radiologue** *m/f* radiologist

radiophonique [ʀadjɔfɔnik] *adj* radio *épith*; ***jeu*** *m* **~** radio quiz; ***pièce*** *f* **~** radio play

radioreporter *m* radio reporter

radio-réveil *m* ⟨**radios-réveils**⟩ clock radio

radioscopie [ʀadjɔskɔpi] *f* radioscopy

radio-taxi *m* ⟨**radio-taxis**⟩ radio taxi

radiotéléphone *m* radio telephone **radiotélévisé** *adj* ⟨**~e**⟩ broadcast on radio and television **radiothérapie** *f* radiotherapy

radis [ʀadi] *m* **1.** **~** (***rose***) radish; ***~ noir*** horseradish **2.** *fam, fig* ***n'avoir pas un ~*** to not have a cent *fam, fig, brit* to not have a penny *fam, fig*

radium [ʀadjɔm] *m* radium

radius [ʀadjys] *m* ANAT radius

radotage [ʀadɔtaʒ] *m* rambling **radoter** *v/i* to ramble on **radoteur** *m*, **radoteuse** *f* rambling old fool

radoub [ʀadu] *m* ***bassin*** *m* ***de ~*** dry dock

radoucir [ʀadusiʀ] *v/pr* ***se ~*** **1.** *temps* to become milder **2.** *personne* to calm down **radoucissement** *m* **1.** *du temps* spell of warmer weather **2.** *d'une personne* softening

rafale [ʀafal] *f* **1.** **~** (***de vent***) gust; ***~ de neige*** flurry **2.** MIL burst

raffermir [ʀafɛʀmiʀ] *v/t* **1.** *muscles, poitrine* to tone **2.** *fig autorité* to reassert; *courage* to strengthen

raffinage [ʀafinaʒ] *m* TECH refining

raffiné [ʀafine] *adj* ⟨**~e**⟩ **1.** TECH refined; ***sucre ~*** refined sugar **2.** *fig* subtle; *personne* refined

raffinement [ʀafinmɑ̃] *m* **1.** refinement **2.** ***~ de cruauté*** refinement of cruelty

raffiner [ʀafine] *v/t* TECH to refine

raffinerie [ʀafinʀi] *f* refinery

raffoler [ʀafɔle] *v/t indir* ***~ de*** to adore; ***elle raffole de musique*** she loves music

raffut [ʀafy] *m fam* racket *fam*

rafiot [ʀafjo] *m péj* ***vieux ~*** old tub *péj*

rafistolage [ʀafistɔlaʒ] *m fam* patching up **rafistoler** *v/t fam* to patch up

rafle [ʀafl] *f* raid

rafler [ʀafle] *v/t fam* ***~ qc*** *voleurs* to swipe *fam*; *clients* to snap up; *sportif: médailles* to sweep up

rafraîchir [ʀafʀeʃiʀ] **I** *v/t* **1.** *boisson* to chill; *boisson* ***~ qn*** to refresh sb's glass

2. *tableau*, *couleur* to freshen up; *fig* *mémoire* to refresh; *cheveux* to trim **II** *v/i* **1.** ***mettre à ~*** to chill **III** *v/pr* ***se rafraîchir*** **1.** *temps* to become cooler **2.** *se laver* to freshen up **3.** *boire* to have a refreshing drink

rafraîchissant [ʀafʀɛʃisɑ̃] *adj* ⟨**-ante** [-ɑ̃t]⟩ refreshing

rafraîchissement [ʀafʀɛʃismɑ̃] *m* **1.** *de la température* cooling **2.** *souvent pl* ***~s*** refreshments; ***prendre un ~*** to have a cold drink

rafting [ʀaftiŋ] *m* rafting

ragaillardir [ʀagajaʀdiʀ] *v/t* to cheer up

rage [ʀaʒ] *f* **1.** MÉD rabies (+ *v sg*) **2.** (*colère*) rage; *fig* ***~ de vivre*** will to live; ***faire ~*** *tempête*, *feu*, *bataille* to rage **3.** ***~ de dents*** raging toothache

rageant [ʀaʒɑ̃] *adj* ⟨**-ante** [-ɑ̃t]⟩ *fam* ***c'est ~*** it's infuriating

rager [ʀaʒe] *v/i fam* ⟨**-ge-**⟩ ***ça me fait ~*** it makes me furious

rageur [ʀaʒœʀ] *adj* ⟨**-euse** [-øz]⟩ furious

raglan [ʀaglɑ̃] *adj* ⟨*inv*⟩ raglan

ragondin [ʀagɔ̃dɛ̃] *m* **1.** ZOOL coypu **2.** *fourrure* nutria

ragots [ʀago] *mpl fam* gossip (+ *v sg*)

ragoût [ʀagu] *m* stew

ragoûtant [ʀagutɑ̃] *adj* ⟨**-ante** [-ɑ̃t]⟩ ***peu ~*** unsavory

rai [ʀɛ] *m litt* ray

raï [ʀaj] *m* MUS raï

raid [ʀɛd] *m* **1.** MIL raid; ***~ (aérien)*** air raid **2.** SPORT trek

raide [ʀɛd] **I** *adj* **1.** *membres*, *personne* stiff; *cheveux* straight **2.** *pente*, *escalier* steep **3.** *fam* (*fort*) *histoire* far-fetched **4.** *fam* (*fauché*) ***être ~*** *fam* to be broke **II** *adv* ***tomber ~*** (***mort***) to drop dead

raideur [ʀɛdœʀ] *f* **1.** *d'un membre* stiffness **2.** *fig des principes* rigidity

raidillon [ʀɛdijɔ̃] *m* steep path

raidir [ʀɛdiʀ] **I** *v/t muscles* to tense **II** *v/pr fig personne* ***se ~ contre*** to brace o.s. against

raidissement [ʀɛdismɑ̃] *m* **1.** *des membres* stiffening **2.** *fig d'une position*, POL hardening

raie¹ [ʀɛ] *f* **1.** (*bande*) stripe; (*éraflure*) scratch **2.** *de la chevelure* part, *brit* parting **3.** ***~ des fesses*** anal cleft **4.** PHYS line

raie² *f* ZOOL ray

raifort [ʀɛfɔʀ] *m* horseradish

rail [ʀɑj] *m* **1.** CH DE FER, TECH rail; *fig* ***remettre sur les ~s*** to put back on the rails **2.** *par ext* ***le ~*** rail

railler [ʀɑje] *v/t* to mock

raillerie(s) [ʀɑjʀi] *fpl* mockery

railleur [ʀɑjœʀ] **I** *adj* ⟨**-euse** [-øz]⟩ mocking **II** **~, *railleuse*** *m/f* mocker

rail-route *adj* ⟨*inv*⟩ ***transport*** *m* **~** road-rail transport

rainette [ʀɛnɛt] *f* tree frog

rainurage [ʀɛnyʀaʒ] *m sur la chaussée* uneven surface

rainure [ʀɛnyʀ] *f* groove

► **raisin** [ʀɛzɛ̃] *m* grape; ***~s secs*** raisins; ***~s de Corinthe*** currants; ***acheter du ~*** to buy grapes

raison [ʀɛzɔ̃] *f* **1.** (*intelligence*) reason; ***~ d'État*** reasons of State (+ *v pl*); ***ne pas vouloir entendre ~*** to not want to listen to reason; ***perdre la ~*** to lose one's mind **2.** (*contraire: tort*) ***avec ~*** rightly; ***comme de ~*** as one might expect; ***avoir ~*** to be right; *par ext* ***avoir ~ de qn, qc*** to get the better of sb, sth; ***donner ~ à qn*** to agree with sb **3.** (*motif*, *cause*) reason; ***~ d'être*** raison d'être; ***~ de vivre*** reason for living; ***~ de plus pour*** *+inf* all the more reason *+inf*; ***à plus forte ~*** especially; ***en ~ de*** because of; ***pour ~s de santé*** for health reasons; ***pour cette ~*** for that reason; ***sans ~*** without reason; ***se faire une ~*** to resign o.s. **4.** ***~ sociale*** company name **5.** ***à ~ de cent euros l'heure*** at the rate of one hundred euros per hour

► **raisonnable** [ʀɛzɔnabl] *adj* **1.** reasonable; *personne* sensible **2.** *prix*, *salaire* fair

raisonnablement [ʀɛzɔnabləmɑ̃] *adv* **1.** *agir*, *penser*, *parler* reasonably **2.** *boire*, *manger*, *dépenser* moderately; *rétribuer* reasonably well

raisonné [ʀɛzɔne] *adj* ⟨**~e**⟩ rational

raisonnement [ʀɛzɔnmɑ̃] *m* **1.** (*argumentation*) argument **2.** (***force*** *f* ***de***) **~** force of reason

raisonner [ʀɛzɔne] **I** *v/t* to reason with **II** *v/i* (*juger*) to think; (*argumenter*) to argue; (*conclure*) to deduce **III** *v/pr personne* ***se ~*** to see reason; *sentiments* ***ne pas se ~*** to know no reason

raisonneur [ʀɛzɔnœʀ] *m*, **raisonneuse** [-øz] *f* reasoner

rajeunir [ʀaʒœniʀ] **I** *v/t* **1.** ***~ qn*** to make sb look younger **2.** *fig* (*moderniser*) to modernize **II** *v/i* ⟨*action* **avoir**, **résultat** **être**⟩ to look younger **III** *v/pr* ***se ~*** to make o.s. look younger

rajeunissant [ʀaʒœnisɑ̃] *adj* ⟨**-ante** [-ɑ̃t]⟩ rejuvenating

rajeunissement [ʀaʒœnismɑ̃] *m* rejuvenation; ***cure** f **de ~*** rejuvenation treatment

rajouter [ʀaʒute] *v/t* to add; *fam* ***vous en rajoutez!*** you're laying it on a bit thick! *fam*

rajustement [ʀaʒystəmɑ̃] *m* adjustment

rajuster *v/t* **1.** *lunettes, vêtement* to straighten **2.** *salaires, prix* to adjust

râlant [ʀɑlɑ̃] *adj* ⟨**-ante** [-ɑ̃t]⟩ *fam* ***c'est ~*** it's infuriating

râle [ʀɑl] *m de mourant* death rattle

ralenti [ʀalɑ̃ti] *m* **1.** *d'un moteur* slow running; *par ext* ***au ~*** at a snail's pace **2.** FILM slow motion

▶ **ralentir** [ʀalɑ̃tiʀ] **I** *v/t et v/i* to slow down **II** *v/pr* ***se ~*** to slow down

ralentissement [ʀalɑ̃tismɑ̃] *m* **1.** slowing down **2.** ***~s*** *pl* hold-ups **ralentisseur** *m* speed bump

râler [ʀɑle] *v/i* **1.** *mourant* to give a death rattle **2.** *fam (protester)* to moan; ***faire ~ qn*** to annoy sb

râleur [ʀɑlœʀ] *fam* **I** *adj* ⟨**-euse** [-øz]⟩ *fam* grumbling **II ~, *râleuse*** *m/f* grumbler

ralliement [ʀalimɑ̃] *m* **1.** ***point** m **de ~*** rallying point **2.** *(adhésion)* rallying (***à*** to)

rallier [ʀalje] **I** *v/t* **1.** *troupes* to rally **2.** *(unir)* to rally; *suffrages* to win **3.** *(rejoindre)* to rejoin; *endroit* to return to **II** *v/pr* ***se rallier*** **1.** *troupes* to rally **2.** *(adhérer)* to rally (***à*** to)

rallonge [ʀalõʒ] *f* **1.** *d'une table* leaf; ÉLEC extension cable **2.** *fam, fig (supplément)* extra money

rallongement [ʀalõʒmɑ̃] *m* extension; *des jours* lengthening

rallonger [ʀalõʒe] ⟨**-ge-**⟩ **I** *v/t vêtement* to lengthen; *piste, etc* to extend; *fam* ***cela me rallonge*** that takes me longer **II** *v/i jours* to get longer

rallumer [ʀalyme] **I** *v/t* **1.** *feu, cigarette* to relight; *lumière, radio, télé* to switch on again **2.** *fig passion, conflit* to revive **II** *v/pr* ***se ~*** *incendie, fig passion, guerre* to flare up again

rallye [ʀali] *m* rally

ramadan [ʀamadɑ̃] *m* Ramadan

ramage [ʀamaʒ] *m* **1.** ***~s*** *pl* foliage pattern (+ *v sg*) **2.** *litt des oiseaux* song

ramassage [ʀamasaʒ] *m* collection; *de fruits* picking; ***car** m **de ~ scolaire*** school bus

ramassé [ʀamase] *adj* ⟨**~e**⟩ **1.** *personne, animal* huddled **2.** *forme* squat **3.** *expression, style* compact

ramasse-miettes [ʀamasmjɛt] *m* ⟨*inv*⟩ silent butler, *brit* table tidy

▶ **ramasser** [ʀamase] **I** *v/t* **1.** *cahiers, copies, ordures* to collect; *argent (accumuler)* to amass; *(encaisser)* to pocket; *fam malfaiteurs* to pick up **2.** *(prendre par terre)* to pick up; *champignons* to pick; *coquillages* to collect; *blessés, ivrogne, animal perdu* to pick up **3.** *fam maladie* to catch *fam*; *volée* to get **II** *v/pr* ***se ramasser*** **1.** *(se pelotonner)* to curl up **2.** *fam (se relever)* to pick o.s. up; *par ext (tomber)* to fall over; *fig à un examen* to fail

ramasseur [ʀamasœʀ] *m*, **ramasseuse** [-øz] *f* ***~** m, **ramasseuse** f **de balles*** ballboy, ballgirl

ramassis [ʀamasi] *m péj* pack

rambarde [ʀɑ̃baʀd] *f* guardrail

rame [ʀam] *f* **1.** *(aviron)* oar **2.** ***'haricots** mpl **à ~s*** runner beans **3.** ***~ de métro*** subway train, *brit* underground train

rameau [ʀamo] *m* ⟨**~x**⟩ **1.** branch; ***~ d'olivier*** olive branch **2.** ***les Rameaux*** *ou* ***le dimanche des Rameaux*** Palm Sunday

▶ **ramener** [ʀamne] ⟨**-è-**⟩ **I** *v/t* **1.** *(amener de nouveau)* to take back; *(faire revenir)* to bring back **2.** ***~ à*** to bring back to; ***~ qn à la raison*** to make sb see sense; ***~ tout à soi*** to relate everything to o.s.; ***~ qn à la vie*** to bring sb back to life **3.** *ordre, paix* to restore **4.** *pop* ***la ~*** to horn in *fam*, *brit* to stick one's oar in *fam* **II** *v/pr* **1.** ***se ~ à qc*** to come down to sth **2.** *fam* ***se ~*** *(revenir)* to roll up *fam*

ramequin [ʀamkɛ̃] *m* ramekin

ramer [ʀame] *v/i* **1.** to row **2.** *fam, fig* to slog away *fam, fig*

rameur [ʀamœʀ] *m*, **rameuse** [-øz] *f* rower

rameuter [ʀamøte] *v/t* to round up

ramier [ʀamje] *m* wood pigeon

ramification [ʀamifikasjõ] *f* BIOL, *fig* ramification; *fig* ***avoir des ~s*** to have ramifications

ramifié [ʀamifje] *adj* ⟨**~e**⟩ branched

ramifier [ʀamifje] *v/pr* ***se ~*** to branch out

ramolli [ʀamɔli] *adj* ⟨**~e**⟩ **1.** soft **2.** *fam personne* lily-livered *fam*; *péj* soft in the head

ramollir [ʀamɔliʀ] **I** *v/t* to soften **II** *v/i* (*et v/pr* ***se ~***) to go soft

ramollissement [ʀamɔlismɑ̃] *m* ***~ du cerveau*** softening of the brain

ramonage [ʀamɔnaʒ] *m* sweeping **ramoner** *v/t cheminée* to sweep **ramoneur** *m* chimney sweep

rampant [ʀɑ̃pɑ̃] **I** *adj* ⟨**-ante** [-ɑ̃t]⟩ **1.** *animal* crawling **2.** *plante* creeping **3.** *personne* groveling **II** *mpl fam* AVIAT ***les ~s*** the ground staff

rampe [ʀɑ̃p] *f* **1.** *pour véhicules* ramp; ***~ d'accès*** entrance ramp; *pour fusées* ***~ de lancement*** launchpad **2.** *d'un escalier* banister; *fam, fig* ***tenir bon la ~*** to be still going strong *fam* **3.** THÉ footlights (+ *v pl*)

ramper [ʀɑ̃pe] *v/i* to crawl (*a fig* ***devant qn*** to sb)

rancard [ʀɑ̃kaʀ] *m* **1.** *fam* (*rendez-vous*) date **2.** *arg* (*renseignement*) tip

rancart [ʀɑ̃kaʀ] *m fam* ***mettre au ~*** to throw out

rance [ʀɑ̃s] **I** *adj* rancid **II** *m* ***sentir le ~*** to smell rancid

ranch [ʀɑ̃tʃ] *m* ⟨**~(e)s**⟩ ranch

ranci [ʀɑ̃si] *adj* ⟨**~e**⟩ *beurre* rancid **rancir** *v/i* to go rancid

rancœur [ʀɑ̃kœʀ] *f* resentment

rançon [ʀɑ̃sõ] *f* **1.** ransom **2.** *fig* price (**de** of)

rançonner [ʀɑ̃sɔne] *v/t* ***~ qn*** to hold sb to ransom

rancune [ʀɑ̃kyn] *f* resentment; ***sans ~!*** no hard feelings!; ***garder ~ à qn de qc*** to hold a grudge against sb for sth

rancunier [ʀɑ̃kynje] *adj* ⟨**-ière** [-jɛʀ]⟩ resentful

▶ **randonnée** [ʀɑ̃dɔne] *f* hike **randonneur** *m*, **randonneuse** *f* hiker

▶ **rang** [ʀɑ̃] *m* **1.** (*rangée*) row; ***au premier ~*** in the front row; *fig* ***grossir les ~s des mécontents*** to swell the ranks of the discontented; ***se mettre en ~(s) par deux*** to line up in twos; *fig* ***se mettre sur les ~s*** to join the fray **2.** MIL rank; *officier* ***sorti du ~*** come up through the ranks **3.** (*place*) order; ***par ~ d'âge, de taille*** in order of age, size **4.** (*échelon*) rank; (*condition*) station

▶ **rangé** [ʀɑ̃ʒe] *adj* ⟨**~e**⟩ *vie* orderly; *personne* well-behaved

rangée [ʀɑ̃ʒe] *f* row; ***~ de maisons*** row of houses

rangement [ʀɑ̃ʒmɑ̃] *m* tidying; ***faire du ~*** to do some tidying

▶ **ranger** [ʀɑ̃ʒe] ⟨**-ge-**⟩ **I** *v/t* **1.** *chambre* to tidy; *papiers, livres* to put in order; *objets* to put away **2.** (*classer*) to rank (***parmi*** among); ***être à ~ parmi ...*** to be ranked among... **3.** *voiture* to park **II** *v/pr* ***se ranger*** **1.** (*se mettre en rangs*) to line up **2.** (*s'écarter*) to move aside; *voiture* ***se ~ contre le trottoir*** to pull in at the curb **3.** *fig* ***se ~ du côté de qn*** to side with sb **4.** (*s'assagir*) to settle down

ranimer [ʀanime] *v/t* **1.** *personne* to bring round **2.** *flamme, fig sentiment* to rekindle

rap [ʀap] *m* MUS rap

rapace [ʀapas] **I** *adj personne* rapacious **II** *m* ZOOL bird of prey **rapacité** *f* rapacity

rapatrié(e) [ʀapatʀije] *m(f)* repatriate

rapatriement [ʀapatʀimɑ̃] *m* repatriation

rapatrier [ʀapatʀije] *v/t* to repatriate

râpe [ʀɑp] *f* TECH rasp; CUIS grater; ***~ à fromage*** cheese grater

râpé [ʀɑpe] *adj* ⟨**~e**⟩ **1.** CUIS grated **2.** *vêtement* worn **3.** *fam, fig* ***c'est ~*** it's off

râper [ʀɑpe] *v/t* **1.** CUIS to grate; TECH to rasp **2.** *fam, fig* ***~ le gosier*** to be rough on the throat

rapetissement [ʀaptismɑ̃] *m* reduction in size; shrinking

rapetisser [ʀaptise] **I** *v/t* ***~ qc*** to make sth look smaller; to shrink sth **II** *v/i* to shrink

râpeux [ʀɑpø] *adj* ⟨**-euse** [-øz]⟩ rough

raphia [ʀafja] *m* raffia

▶ **rapide** [ʀapid] **I** *adj* fast, quick; *courant* fast; *descente* rapid; ***voie*** *f* ***~*** expressway, *brit* motorway **II** *m* **1.** *d'un cours d'eau* rapids (+ *v pl*) **2.** CH DE FER express

rapidement [ʀapidmɑ̃] *adv* quickly

rapidité [ʀapidite] *f* rapidity

rapiécer [ʀapjese] *v/t* ⟨**-è-, -ç-**⟩ to patch

rapière [ʀapjɛʀ] *f* HIST rapier

rapin [ʀapɛ̃] *m péj* dauber

rapine [ʀapin] *f litt* plunder

raplapla [ʀaplapla] *adj* ⟨*inv*⟩ *fam* **1.** *objet* flat **2.** *personne fam* done in *fam*

rappel [ʀapɛl] *m* **1.** *d'ambassadeur* recall; *acteur* ***avoir de nombreux ~s*** to have many curtain calls **2.** POL ***~ à l'ordre*** call to order **3.** (*évocation*) reminder (**de** of) **4.** (*répétition*) booster; (***piqûre*** *f* ***de***) ***~*** booster shot **5.** *paiement* reminder **6.** COMM recall **7.** ***descendre en ~*** to abseil down

rappelé [Raple] *m* MIL recalled soldier

► **rappeler** [Raple] ⟨**-ll-**⟩ **I** *v/t* **1.** (*faire revenir*) to call back; *ambassadeur* to recall; *réservistes* to call up; *acteur* to call back **2.** TÉL to call back **3.** (*remettre en mémoire*) ***rappeler qc à qn*** to remind sb of sth; ***rappelez-moi votre nom*** what's your name again? **II** *v/pr* ► ***se rappeler*** to remember (***qc*** sth, *abus* ***de qc, de qn*** sth, sb)

rappeur [Rapœr] *m* MUS rapper

rappliquer [Raplike] *v/i fam* to turn up *fam*

rapport [Rapɔr] *m* **1.** (*compte rendu*) report **2.** *entre choses* connection; ***~ qualité-prix*** value for money; ***en ~ avec*** suited to; ***par ~ à*** compared with; ***sous tous les ~s*** in all respects; ***il n'y a aucun ~*** there is no connection **3.** *entre personnes, pays* ***~s*** *pl* relations; ***~s*** (***sexuels***) sexual relations; ***se mettre en ~ avec qn*** to get in touch with sb **4.** (*rendement*) return; ***~s du tiercé*** winnings from horse races

rapportage [Rapɔrtaʒ] *m* ENSEIGNEMENT *péj* tattling *péj*, *brit* telling tales

rapporter [Rapɔrte] **I** *v/t* **1.** *à l'endroit initial* to take back **2.** (*apporter*) to bring back **3.** (*faire le récit de*) to give an account of; *péj* ENSEIGNEMENT to tattle *péj*, *brit* to tell tales **4.** *bénéfice* to yield **II** *v/pr* **1.** ***se ~ à*** to be connected with **2.** ***s'en ~ à qn*** to rely on sb

rapporteur [Rapɔrtœr] *m*, **rapporteuse** [-øz] *f* **1.** ENSEIGNEMENT *péj* tattle-tale *péj*, *brit* telltale *péj* **2.** *m* JUR, ADMIN reporter **3.** *m* MATH protractor

rapprendre [RapRɑ̃dR] → ***réapprendre***

rapproché [RapRɔʃe] *adj* ⟨***~e***⟩ close at hand, *dans le temps* near; ***protection ~e*** personal protection

rapprochement [RapRɔʃmɑ̃] *m* **1.** *de peuples* rapprochement **2.** (*parallèle*) ***faire le ~ entre qc et qc*** to draw a parallel between sth and sth

rapprocher [RapRɔʃe] **I** *v/t* **1.** *un objet* to move closer (***de*** to); *deux objets* to move closer together **2.** *dans le temps* to bring closer (***de*** to) **3.** *fig personnes* to bring closer together **4.** (*comparer*) to compare **II** *v/pr* ***se rapprocher*** **1.** (*venir plus près*) to get closer (***de*** to); (*se serrer*) to move closer together **2.** *fig adversaires, etc* to be reconciled **3.** *fig* (*devenir comparable*) to be similar (***de*** to)

rapprovisionner [RapRɔvizjɔne] **I** *v/t* to restock (***en*** with) **II** *v/pr* ***se ~*** (***en qc***) to stock up (on sth)

rapt [Rapt] *m* abduction

► **raquette** [Rakɛt] *f* **1.** SPORT racket **2.** *pour la neige* snowshoe

► **rare** [RɑR] *adj* **1.** rare; *denrées, main-d'œuvre* scarce; ***gaz*** *mpl* ***~s*** rare gases; ***un des ~s ... qui*** *+subj* one of the few ... who; *personne* ***se faire ~*** to be rarely seen **2.** (*exceptionnel*) rare **3.** (*clairsemé*) sparse; *cheveux* thinning

raréfaction [RaRefaksjõ] *f* **1.** *de l'air* rarefaction **2.** *de denrées* scarcity

raréfier [RaRefje] *v/pr* ***se ~*** **1.** *air* to become rarefied **2.** (*devenir rare*) to become rare; *produit* to become scarce

► **rarement** [RaRmɑ̃] *adv* rarely

rareté [RɑRte] *f* **1.** *de qc* rarity; *de denrées* scarcity **2.** (*chose rare*) rarity

rarissime [RaRisim] *adj* extremely rare

ras [Rɑ] *adj* ⟨**rase** [Rɑz]⟩ **1.** *cheveux* short; ***à poil ~*** short-haired **2.** *mesure, cuiller* level; ***pull ~ du cou*** crew-neck sweater; ***plein, rempli à ~ bord*** full to the brim; ***en ~e campagne*** in open country; ***à ~ de, au ~ de*** at the level of; *fam, fig* ***en avoir ~ le bol*** to be fed up *fam*

rasade [Rɑzad] *f* ***boire une grande ~*** to drink a large measure

rasage [Rɑzaʒ] *m* shaving

rasant [Rɑzɑ̃] *fam adj* ⟨**-ante** [-ɑ̃t]⟩ boring

rascasse [Raskas] *f* ZOOL scorpion fish

rasé [Rɑze] *adj* ⟨***~e***⟩ *cheveux, barbe* shaved; *crâne* shaven

rase-mottes [Rɑzmɔt] *m* ⟨*inv*⟩ hedgehopping; ***faire du ~*** to hedgehop

raser [Rɑze] **I** *v/t* **1.** *personne, jambes, crâne* to shave; *barbe* to shave off **2.** *fam* (*ennuyer*) to bore **3.** *bâtiment, quartier* to demolish; *à la guerre* ***être rasé*** to be razed to the ground **4.** (*effleurer*) to graze; *sol, eau* to skim; *fig murs* to hug *fig* **II** *v/pr* ► **se raser** **1.** (*se faire la barbe*) to shave **2.** *fam* (*s'ennuyer*) to be bored

raseur [Rɑzœr], **raseuse** [-øz] *m/f fam* bore

ras-le-bol [Rɑlbɔl] *m fam* discontent

► **rasoir** [RɑzwaR] *m* **1.** razor; ***~ électrique, mécanique*** electric, safety razor; ***coupe*** *f* (***de cheveux***) ***au ~*** razor cut **2.**

fam adjt ⟨*inv*⟩ boring
rassasiant [ʀasazjɑ̃] *adj* ⟨**-ante** [-ɑ̃t]⟩ *nourriture* satisfying
rassasié [ʀasazje] *adj* ⟨**~e**⟩ **1.** satisfied **2.** *fig* ***~ de qc*** tired of sth
rassasier [ʀasazje] *v/t* **1.** to satisfy (*a abs*: *plat*); to satisfy sb's hunger **2.** *fig* ***ne pouvoir ~ sa vue de qc*** to never tire of looking at sth
rassemblement [ʀasɑ̃bləmɑ̃] *m* **1.** *de personnes* gathering **2.** MIL parade **3.** POL rally
rassembler [ʀasɑ̃ble] **I** *v/t* **1.** *élèves*, *troupes*, *etc* to assemble **2.** *documents* to gather together **3.** *fig courage* to summon up; ***rassembler ses esprits*** to gather o.s. **II** *v/pr* ► ***se rassembler*** to gather
rassembleur [ʀasɑ̃blœʀ] *m* unifier
rasseoir [ʀaswaʀ] *v/pr* ⟨→ **asseoir**⟩ ***se ~*** to sit down again
rasséréner [ʀaseʀene] *v/t* ⟨**-è-**⟩ to calm down
rassir [ʀasiʀ] *v/i* to go stale
rassis [ʀasi] *adj* **1.** ⟨**rassie** [ʀasi]⟩ *pain* stale **2.** ⟨**-ise** [-iz]⟩ *fig* sedate
rassurant [ʀasyʀɑ̃] *adj* ⟨**-ante** [-ɑ̃t]⟩ *nouvelles* reassuring; ***individu peu ~*** a dubious character
rassuré [ʀasyʀe] *adj* ⟨**~e**⟩ reassured
► **rassurer** [ʀasyʀe] **I** *v/t* to reassure **II** *v/pr* ***se ~*** to feel reassured; *par ext* ***rassurez-vous!*** don't be concerned
rasta [ʀasta] *fam* **I** *m* (*rastafari*) Rasta **II** *adj* Rasta; ***coiffure*** *f* **~** dreadlocks (+ *v pl*)
► **rat**[1] [ʀa] *m* **1.** ZOOL rat; *fig* ***être fait comme un ~*** to have no way out **2.** *fig* ***~ de bibliothèque*** bookworm; ***~ d'hôtel*** hotel thief; ***petit ~ de l'Opéra*** ballet student *at the Paris Opera*
rat[2] *adj fam*, *péj* → ***radin***
rata [ʀata] *m fam*, *péj* grub *fam*
ratage [ʀataʒ] *m* failure
ratatiné [ʀatatine] *adj* ⟨**~e**⟩ **1.** shriveled **2.** *fam véhicule* ***être ~*** to be totaled, *brit* to be a write-off
ratatiner [ʀatatine] *v/pr* ***se ~*** to shrivel up
ratatouille [ʀatatuj] *f* **~** (***niçoise***) ratatouille
rate [ʀat] *f* ANAT spleen
raté [ʀate] **1.** *m d'un moteur* misfire **2.** **~**(*e*) *m*(*f*) *péj* loser
râteau [ʀɑto] *m* ⟨**~x**⟩ rake
râtelier [ʀɑtəlje] *m* **1.** rack; *fig* ***manger à tous les ~s*** to run with the hare and hunt with the hounds **2.** *fam* (*dentier*) false teeth
► **rater** [ʀate] **I** *v/t* **1.** *but* to miss; *train*, *occasion*, *virage* to miss **2.** (*ne pas réussir*) *fam* to fail, to mess up *fam*; ***~ un examen*** to fail an exam **II** *v/i* **1.** (*échouer*) to go wrong; *fam* to flop *fam*; ***faire tout ~*** to spoil everything; *fam* ***ça n'a pas raté!*** it was right **III** *v/pr* ***se rater*** **1.** (*ne pas se rencontrer*) to miss each other **2.** ***il s'est raté*** he failed in his suicide attempt
ratiboisé [ʀatibwaze] *adj fam* ⟨**~e**⟩ ruined; *fam* cleaned out
ratière [ʀatjɛʀ] *f* rat trap
ratification [ʀatifikasjõ] *f* ratification
ratifier *v/t* to ratify
ration [ʀasjõ] *f* **1.** ration **2.** *fig* ***sa ~ de …*** one's share of …
rationalisation [ʀasjɔnalizasjõ] *f* rationalization **rationaliser** *v/t* to rationalize
rationalisme [ʀasjɔnalism] *m* rationalism
rationaliste [ʀasjɔnalist] **I** *adj* rationalist **II** *m/f* rationalist
rationalité [ʀasjɔnalite] *f* rationality
rationnel [ʀasjɔnɛl] *adj* ⟨**~le**⟩ **1.** (*raisonnable*) rational (*a* MATH) **2.** (*pratique*) sensible
rationnement [ʀasjɔnmɑ̃] *m* rationing
rationner *v/t* **1.** *vivres*, *etc* to ration **2.** *personnes* to impose rationing on; *fig* to give short rations to
ratissage [ʀatisaʒ] *m par la police* search
ratisser [ʀatise] *v/t* **1.** *allée* to rake; *feuilles mortes* to rake up **2.** *police*: *quartier* to search **3.** *fam* ***~ large*** to cast one's net wide
raton [ʀatõ] *m* young rat; ***~ laveur*** raccoon
ratonnade [ʀatɔnad] *f* racist attack *on North African Arab immigrants*
R.A.T.P. [ɛʀɑtepe] *f*, *abr* (= **Régie autonome des transports parisiens**) *mass transit authority*, *public transport system in Paris*
ratrac [ʀatʀak] *m* Nordic skiing
rattachement [ʀataʃmɑ̃] *m territoire* incorporation; *employé* assignment, *brit* attachment (***à*** to)
rattacher [ʀataʃe] **I** *v/t* **1.** (*attacher de nouveau*) to tie up again **2.** *territoire* to unite (***à*** with) **3.** *fig question*, *idée*

to connect (***à*** with) **II** *v/pr* ***se ~*** to be linked (***à*** to)

rattrapage [RatRapaʒ] *m* ***cours*** *m* ***de ~*** remedial course

▶ **rattraper** [RatRape] **I** *v/t* **1.** *animal, fugitif* to recapture **2.** *objet, enfant qui tombe* to catch **3.** (*rejoindre*) to catch up **4.** *retard, heures de travail* to make up; *erreur* to make up for **II** *v/pr* ***se rattraper*** **1.** *en tombant* to catch hold (***à*** of) **2.** *lors d'un retard* to catch up; *après une erreur* to make up for it

rature [RatyR] *f* deletion **raturer** *v/t* to delete

raugmenter [Rɔgmɑ̃te] *v/i fam* to go up again

rauque [Rok] *adj* hoarse

ravagé [Ravaʒe] *adj* ⟨**~e**⟩ **1.** *pays, jardin* devastated **2.** *fig visage* haggard **3.** *fam, fig* → ***cinglé***

ravager [Ravaʒe] *v/t* ⟨**-ge-**⟩ to devastate *a fig*

ravages [Ravaʒ] *mpl* ravages; ***faire, causer des ~*** to wreak havoc; *épidémie, drogue* to leave a trail of destruction; *fam, fig dans les cœurs* to break hearts

ravageur [RavaʒœR] *adj* ⟨**-euse** [-øz]⟩ **1.** ***insecte ~*** crop-destroying insect **2.** *fig* devastating

ravalement [Ravalmɑ̃] *m* restoration; cleaning

ravaler [Ravale] **I** *v/t* **1.** *façade* to restore; (*nettoyer*) to clean **2.** *salive, fig colère* to swallow **3.** *fig* (*dignité de*) *qn* to lower **II** *v/pr* ***se ~ au rang de*** to lower o.s. to the level of

ravaleur [RavalœR] *m* stone restorer

rave[1] [Rav] *f* BOT rape

rave[2] [Rɛv] *f fête* rave

ravi [Ravi] *adj* ⟨**~e**⟩ delighted

ravier [Ravje] *m* hors d'oeuvres dish

ravigote [Ravigɔt] *adjt* (***à la***) ***~*** (with a) strongly-flavored vinegar sauce

ravigoter [Ravigɔte] *v/t fam fam* to perk up

ravin [Ravɛ̃] *m* ravine

raviner [Ravine] *v/t* **1.** *sol* to furrow **2.** *fig visage* ***raviné*** lined

ravioli(s) [Ravjɔli] *mpl* ravioli

ravir [RaviR] *v/t* **1.** (*charmer*) to delight; ***cela vous va à ~*** that really suits you **2.** *litt* (*enlever*) to abduct

raviser [Ravize] *v/pr* ***se ~*** to change one's mind

ravissant [Ravisɑ̃] *adj* ⟨**-ante** [-ɑ̃t]⟩ delightful **ravissement** *m* rapture

ravisseur [RavisœR] *m*, **ravisseuse** [-øz] *f* abductor

ravitaillement [Ravitajmɑ̃] *m* **1.** supplying (***en*** with); *en carburant* refueling **2.** *fam* (*provisions*) supplies (+ *v pl*)

ravitailler [Ravitaje] **I** *v/t* MIL, *ville* to supply; *avion* ***~ en vol*** to refuel in flight **II** *v/pr* ***se ~*** to get fresh supplies (***en*** of)

ravitailleur [RavitajœR] *m navire* supply ship, *véhicule* supply vehicle, *avion* supply plane

raviver [Ravive] *v/t* **1.** *feu* to rekindle **2.** *fig souvenirs, douleur* to bring back **3.** *couleur* to brighten up

ravoir [RavwaR] *v/t* ⟨*seulement inf*⟩ **1.** (*récupérer*) to get back **2.** *fam* (*nettoyer*) to get clean

rayé [Reje] *adj* ⟨**~e**⟩ **1.** *étoffe* striped **2.** *meuble, etc* scratched

rayer [Reje] *v/t* ⟨**-ay-** *ou* **-ai-**⟩ **1.** *meuble, voiture* to scratch **2.** *mot* to cross out

▶ **rayon** [Rɛjõ] *m* **1.** *de lumière* ray, beam **2.** PHYS ***~s*** *pl* radiation (+ *v sg*) **3.** *d'une roue* spoke **4.** MATH radius; *fig* ***~ d'action*** AVIAT, MAR range; *par ext* sphere of activity; ***dans un ~ de*** within a radius of **5.** *d'une étagère* shelf **6.** *d'un grand magasin* department **7.** *d'une ruche* honeycomb

rayonnage [Rɛjɔnaʒ] *m* shelving

rayonnant [Rɛjɔnɑ̃] *adj* ⟨**-ante** [-ɑ̃t]⟩ radiant; ***~ de joie*** radiant with joy; ***~ de santé*** glowing with health

rayonne [Rɛjɔn] *f* rayon

rayonnement [Rɛjɔnmɑ̃] *m* **1.** PHYS radiation **2.** *fig* radiance

rayonner [Rɛjɔne] *v/i* **1.** *chaleur* to radiate **2.** *visage* to shine (***de joie*** to glow) **3.** *civilisation* to extend, *douleur* to spread **4.** *avenues* to radiate (***de*** from) **5.** *personne* to beam

rayure [RɛjyR] *f* **1.** (*bande*) stripe; ***à ~s*** striped **2.** (*éraflure*) scratch

raz-de-marée *ou* **raz de marée** [Radmare] *m* ⟨*inv*⟩ tidal wave *a fig*

razzia [Ra(d)zja] *f* raid; *fam, fig* ***faire une ~ sur qc*** to raid sth

R.D.A. [ɛRdea] *f, abr* (= **République démocratique allemande**) HIST GDR

re... [R(ə)] *préfixe* ⟨*devant voyelle* ***ré...***, *devant s* ***res...***⟩ re

ré [Re] *m* ⟨*inv*⟩ MUS D

réa [Rea] *f, abr fam* → ***réanimation***

réabonnement [Reabɔnmɑ̃] *m* renewal of subscription

réabonner [Reabɔne] *v/pr* ***se ~*** to renew

one's subscription (***à qc*** to sth); *abs* to resubscribe

réaccoutumer [ʀeakutyme] *v/pr* ***se ~ à qc*** to get used to sth again

réacteur [ʀeaktœʀ] *m* **1.** AVIAT jet engine **2.** ***~ nucléaire*** nuclear reactor

réactif [ʀeaktif] *m* CHIM reactive

► **réaction** [ʀeaksjõ] *f* **1.** reaction (*a* CHIM, *etc*) (***à*** to); ***~ en chaîne*** chain reaction **2.** ***avion*** *m* ***à ~*** jet aircraft

réactionnaire [ʀeaksjɔnɛʀ] *péj* **I** *adj* reactionary **II** *m/f* reactionary

réactiver [ʀeaktive] *v/t* to reactivate; *fig* to revive

réadaptation [ʀeadaptasjõ] *f* **1.** readjustment (***à*** to) **2.** MÉD rehabilitation

réadapter [ʀeadapte] **I** *v/t* **1.** ***~ qn*** to readjust sb (***à*** to) **2.** MÉD to rehabilitate **II** *v/pr* ***se réadapter*** to readjust

réadmission [ʀeadmisjõ] *f* readmission

réagir [ʀeaʒiʀ] *v/t indir* **1.** ***~ à*** to react to (*a* CHIM) **2.** ***~ contre*** to react against; *abs* ***il faut ~!*** we, you, *etc*. have to do something! **3.** ***~ sur*** to have an effect on, to affect

réajuster [ʀeaʒyste] → ***rajuster***

réalisable [ʀealizabl] *adj rêve* achievable; *projet* feasible; FIN realizable

réalisateur [ʀealizatœʀ] *m*, **réalisatrice** [-tʀis] *f* FILM director; TV, RAD producer

réalisation [ʀealizasjõ] *f* **1.** *d'un projet* carrying out, execution; *d'un rêve* fulfillment **2.** *œuvre* creation **3.** TV, RAD, FILM production; (*mise en scène*) directing

réaliser [ʀealize] **I** *v/t* **1.** *projet, programme* to carry out; *bénéfice* to make; SPORT *meilleur temps* to get; *rêve* to fulfill; *exploit* to achieve; *économies* to make **2.** JUR *achat, vente* to make; *contrat* to seal **3.** *film* to direct; *scénario* to write; *émission* to produce **4.** FIN to realize **5.** (*se rendre compte*) to realize **II** *v/pr* ***se réaliser*** **1.** *projet* to be carried out; *rêve* to come true **2.** *personne* to find fulfillment

réaliser

Réaliser = make real, achieve:

Elle avait réalisé son rêve en devenant propriétaire d'un café.

She had managed to realize her dream of owning her own café.

réalisme [ʀealism] *m* realism

réaliste [ʀealist] **I** *adj* realistic; PEINT, LITTÉR realist **II** *m/f* realist

► **réalité** [ʀealite] *f* reality; ► ***en réalité*** in actual fact

réanimateur [ʀeanimatœʀ] *m*, **réanimatrice** [-tʀis] *f* member of the intensive care team

réanimation [ʀeanimasjõ] *f* MÉD *technique* resuscitation; *science* intensive care; ***service*** *m* ***de ~*** intensive care unit; ***être en ~*** to be in intensive care

réanimer [ʀeanime] *v/t* to resuscitate

réapparaître [ʀeapaʀɛtʀ] *v/i* ⟨→ **connaître; avoir** *ou* **être**⟩ to reappear; *maladie* to recur; *personne* to come back, to return **réapparition** *f* reappearance; *de maladie* recurrence

réapprendre [ʀeapʀɑ̃dʀ] *v/t* ⟨→ **prendre**⟩ to relearn

réarmement [ʀeaʀməmɑ̃] *m* rearmament

réarmer [ʀeaʀme] **I** *v/t* **1.** *pays* to rearm **2.** *arme à feu* to reload **II** *v/i pays* to rearm

réassortir [ʀeasɔʀtiʀ] **I** *v/t* ***~ qc*** *service de table, la même laine, etc* to match sth up **II** *v/pr* ***se réassortir*** *commerçant* to restock

réassurance [ʀeasyʀɑ̃s] *f* reinsurance

rebaptiser [ʀ(ə)batize] *v/t rue, etc* to rename

rébarbatif [ʀebaʀbatif] *adj* ⟨**-ive** [-iv]⟩ **1.** *air, apparence* forbidding **2.** *sujet, travail* off-putting

rebâtir [ʀ(ə)bɑtiʀ] *v/t* to rebuild

rebattre [ʀ(ə)batʀ] *v/t* ⟨→ **battre**⟩ ***~ les oreilles à qn de qc*** to harp on to sb about sth

rebattu [ʀ(ə)baty] *adj* ⟨**~e**⟩ hackneyed

rebelle [ʀəbɛl] **I** *adj personne, enfant* rebellious; *troupes, province* rebel *épith*; *fièvre, tache* persistent; *mèche de cheveux* unruly **II** *m/f* rebel

rebeller [ʀ(ə)bɛle] *v/pr* ***se ~*** to rebel (***contre*** against)

rébellion [ʀebɛljõ] *f* rebellion

rebelote [ʀəbəlɔt] *int fam* ***et ~*** here we go again!

rebiffer [ʀ(ə)bife] *v/pr fam* ***se ~*** to rebel, to strike out (***contre*** against)

rebiquer [ʀ(ə)bike] *v/i fam mèche de cheveux* to stick up

reblochon [ʀəblɔʃõ] *m soft cheese made from cow's milk*

reboisement [ʀ(ə)bwazmɑ̃] *m* refores-

tation **reboiser** *v/t* to reforest
rebond [R(ə)bõ] *m* rebound
rebondi [R(ə)bõdi] *adj* ⟨**~e**⟩ rounded; ***aux joues ~es*** chubby-cheeked
rebondir [R(ə)bõdiR] *v/i* **1.** *balle* to bounce (***sur le sol*** on the ground); to bounce (***sur*** off) **2.** *fig affaire* to be revived **rebondissement** *m* new development
rebord [R(ə)bɔR] *m* edge; ***~ de la fenêtre*** window sill, window ledge
reboucher [R(ə)buʃe] *v/t* ***~ qc*** *bouteille de vin* to recork sth; *tube*, *flacon* to put the lid back on sth; *trou* to fill sth back up again
rebours [R(ə)buR] ***à ~*** backwards; *fig* the wrong way; ***compte*** *m* ***à ~*** countdown
rebouteux [R(ə)butø] *m* bonesetter
reboutonner [R(ə)butɔne] *v/t* to rebutton
rebrousse-poil [R(ə)bRuspwal] ***à ~*** *caresser* in the wrong direction; TEXT against the pile; *fam*, *fig* ***prendre qn à ~*** to rub sb up the wrong way
rebrousser [R(ə)bRuse] *v/t* **1.** ***~ qc*** *poil* to brush sth the wrong way **2.** *fig* ***~ chemin*** to turn back
rebuffade [R(ə)byfad] *f* rebuff; ***essuyer une ~*** to be rebuffed
rébus [Rebys] *m* rebus
rebut [Rəby] *m* **1.** garbage, *brit* rubbish; ***mettre qc au ~*** to throw sth away; *fig* to put sth on the scrapheap **2.** *fig* ***le ~ de la société*** the dregs of society (+ *v pl*)
rebutant [R(ə)bytɑ̃] *adj* ⟨**-ante** [-ɑ̃t]⟩ *tâche* unpleasant; *visage* repulsive; *style* off-putting **rebuter** *v/t* ***~ qn*** (*déplaire*) to disgust sb; (*décourager*) to put sb off
recalage [R(ə)kalaʒ] *m fam à un examen* flunking, *brit* failing
recalcification [R(ə)kalsifikasjõ] *f* MÉD recalcification
récalcitrant [Rekalsitʀɑ̃] *adj* ⟨**-ante** [-ɑ̃t]⟩ recalcitrant
recalculer [R(ə)kalkyle] *v/t* to recalculate
recaler [R(ə)kale] *v/t fam* to flunk, *brit* to fail; ***se faire ~*** to flunk, *brit* to fail
récapitulatif [Rekapitylatif] *adj* ⟨**-ive** [-iv]⟩ summary *épith* **récapitulation** *f* summary, recapitulation **récapituler** *v/t* to summarize, to recapitulate
recaser [R(ə)kɑze] *v/t fam personne* to find a new job for
recauser [R(ə)koze] *v/i* to speak again (***à qn*** to sb; ***de*** about)

recel [Rəsɛl] *m* possession of stolen goods
recéler [R(ə)sele] *ou* **receler** [Rəs(ə)le] *v/t* ⟨**-è-**⟩ **1.** *secret*, *trésor* to hold **2.** *objets volés* to receive
receleur [Rəs(ə)lœR] *m*, **receleuse** [-øz] *f* receiver of stolen goods
▶ **récemment** [Resamɑ̃] *adv* recently
recensement [R(ə)sɑ̃smɑ̃] *m* inventory; *de la population* census **recenser** *v/t population* to carry out a census of; *marchandises*, *objets* to make an inventory of **recenseur** *m* census taker
recension [R(ə)sɑ̃sjõ] *f* recension
▶ **récent** [Resɑ̃] *adj* ⟨**-ente** [-ɑ̃t]⟩ *événements* recent; *blessure* fresh
recentrage [R(ə)sɑ̃tRaʒ] *m* POL refocusing
récépissé [Resepise] *m* receipt
réceptacle [Resɛptakl] *m* **1.** container **2.** BOT receptacle
récepteur [Resɛptœr] **I** *m* **1.** RAD receiver **2.** **~** (***de téléphone***) receiver **II** *adj* ⟨**-trice** [-tRis]⟩ receiving *épith*
réceptif [Resɛptif] *adj* ⟨**-ive** [-iv]⟩ receptive; ***~ à*** receptive to; MÉD susceptible
▶ **réception** [Resɛpsjõ] *f* **1.** *d'une lettre* receipt; *d'un hôte* welcome **2.** RAD, TV reception **3.** *d'un hôtel* reception **4.** *fête*, *soirée* reception, party **5.** ***~ de travaux*** acceptance of completed work **6.** SPORT *d'un sauteur* landing; *avec la main* catch **7.** *de marchandises* receipt
réceptionner [Resɛpsjɔne] *v/t marchandises* to take delivery of **réceptionniste** *m/f* receptionist
récessif [Resesif] *adj* ⟨**-ive** [-iv]⟩ recessive
récession [Resesjõ] *f* recession
▶ **recette** [R(ə)sɛt] *f* **1.** FIN take, *brit* takings (+ *v pl*); ***faire ~*** to be profitable **2.** **~** (***de cuisine***) recipe; *fig* ***~ du succès*** recipe for success
recevable [Rəsəvabl] *adj* **1.** JUR admissible **2.** *excuse* acceptable
receveur [Rəsəvœr] *m* **1.** ***~ des contributions*** tax officer; ***~ des postes*** postmaster **2.** MÉD recipient; ***~ universel*** universal recipient **3.** **~** (***de bus***) conductor
receveuse [Rəsəvøz] *f* **~** (***de bus***) conductress
▶ **recevoir** [Rəsəvwar] ⟨**je reçois, il reçoit, nous recevons, ils reçoivent; je recevais; je reçus; je recevrai; que je reçoive, que nous recevions; rece-**

vant; reçu〉 I *v/t* 1. to receive (*a* RAD, TV); *pluie* to get; ***recevez mes amitiés*** yours truly, *brit* yours sincerely 2. *personne(s) invités* to entertain; *patient*, *client* to see; (*accueillir*) to welcome; (*inviter*) to invite; ***~ qn à déjeuner*** to invite sb to dinner; *abs*: *médecin*, *avocat*, *directeur* to be available 3. ***être reçu*** (***à un examen***) to pass (an exam) II *v/pr* ***se recevoir*** SPORT to land

rechange [R(ə)ʃɑ̃ʒ] ***de ~*** spare *épith*; ***roue*** *f* ***de ~*** spare wheel; ***des vêtements*** *mpl* ***de ~*** spare clothes (+ *v pl*)

rechanger [R(ə)ʃɑ̃ʒe] *v/t* 〈**-ge-**〉 ***~ qc*** to change sth again

rechanter [R(ə)ʃɑ̃te] *v/t* ***~ qc*** to sing sth again

rechaper [R(ə)ʃape] *v/t pneu* to retread

réchapper [Reʃape] *v/t indir* 〈**avoir** *ou* **être**〉 ***en ~*** to survive

recharge [R(ə)ʃaRʒ] *f de stylo* cartridge

rechargeable [R(ə)ʃaRʒabl] *adj stylo* refillable; *pile* rechargeable

recharger [R(ə)ʃaRʒe] *v/t* 〈**-ge-**〉 *fusil*, *appareil photo*, *camion* to reload; *fig* ***~ ses accus*** to recharge one's batteries

réchaud [Reʃo] *m* portable stove

réchauffé [Reʃofe] *m fig* ***c'est du ~*** that's old hat *fam*

réchauffement [Reʃofmɑ̃] *m* warming (up); ***~ de la planète*** global warming

réchauffer [Reʃofe] I *v/t* 1. ***~ qc*** *aliment* to heat sth up 2. *fig cœur* to warm II *v/pr* ***se réchauffer*** *personne* to warm o.s. up; *temps* to warm up

rechausser [R(ə)ʃose] I *v/t* ***~ un enfant*** to put a child's shoes back on II *v/pr* ***se rechausser*** to put one's shoes back on

rêche [Rɛʃ] *adj* rough

recherche [R(ə)ʃɛRʃ] *f* 1. search (***de*** for); ***~s*** *pl* search (+ *v sg*); *de la police* investigations; ***à la ~ de*** in search of; ***faire des ~s*** to carry out investigations 2. *scientifique* research; ***faire de la ~*** to carry out research 3. *de la perfection*, *etc* pursuit (***de*** of) 4. (*raffinement*) meticulousness; *péj* affectation

recherché [R(ə)ʃɛRʃe] *adj* 〈**~e**〉 1. (*demandé*) sought-after; ***être ~*** to be in demand 2. (*raffiné*) elaborate; *péj* affected

rechercher [R(ə)ʃɛRʃe] *v/t* 1. (*chercher*) to look for; *malfaiteur* to hunt for (***qn*** sb) 2. *cause* to try to find 3. *perfection*, *etc* to pursue

rechigner [R(ə)ʃiɲe] *v/i* ***~ à la besogne*** to be unwilling to do it; ***sans ~*** without a murmur

rechute [R(ə)ʃyt] *f* MÉD, *fig* relapse **rechuter** *v/i* MÉD to have a relapse

récidive [Residiv] *f* JUR *deuxième infraction* second offense; *nouvelle infraction* subsequent offense; *fig* recurrence; ***vol*** *m* ***avec ~*** subsequent offense of theft

récidiver [Residive] *v/i* 1. JUR to commit a subsequent offense 2. MÉD *tumeur* to recur **récidiviste** *m/f* repeat offender; *st/s* recidivist

récif [Resif] *m* reef

récipiendaire [Resipjɑ̃dɛR] *m à une académie* member elect; *d'un diplôme* recipient

récipient [Resipjɑ̃] *m* container

réciprocité [ResipRɔsite] *f* reciprocity

réciproque [ResipRɔk] I *adj* 1. (*mutuel*) mutual 2. GRAM, MATH reciprocal II *subst* ***la ~*** the opposite, the reverse

réciproquement [ResipRɔkmɑ̃] *adv* ***s'aimer ~*** to love one another; ***et ~*** and vice versa

récit [Resi] *m* (*histoire*) story; (*exposé*) account; ***faire le ~ de qc*** to give an account of sth

récital [Resital] *m* 〈**-als**〉 recital; ***~ de chant*** song recital

récitant [Resitɑ̃] *adj* 〈**-ante** [-ɑ̃t]〉 MUS solo

récitatif [Resitatif] *m* recitative **récitation** *f texte* recitation; *action* reciting **réciter** *v/t vers* to recite

réclamation [Reklamasjõ] *f* 1. (*plainte*) complaint 2. JUR (*demande*) claim

réclame [Reklam] *f* publicity; ***en ~*** on sale, *brit* on offer

réclamer [Reklame] I *v/t* (*demander*) to ask for (***qn, qc*** for sb, sth); ***~ qc à qn*** to ask sb for sth II *v/i* (*protester*) to complain III *v/pr* ***se ~ de qn*** to use sb's name; ***se ~ de qc*** to identify with sth

reclassement [R(ə)klɑsmɑ̃] *m* 1. *de chômeurs* placement 2. *de fonctionnaires* redeployment

reclasser [R(ə)klɑse] *v/t* 1. *chômeurs* to place 2. *fonctionnaires* to redeploy

reclus [Rɔkly] *adj* 〈**-use** [-yz]〉 reclusive; *subst* ***vivre en ~(e)*** to live as a recluse

réclusion [Reklyzjõ] *f* imprisonment; ***cinq ans de ~*** (***criminelle***) a five-year prison sentence with hard labor

recoiffer [R(ə)kwafe] I *v/t* ***~ qn*** to tidy sb's hair II *v/pr* ***se recoiffer*** to tidy one's hair

recoin [Rəkwɛ̃] *m* corner
reçois, reçoive, *etc* [R(ə)swa, R(ə)swav] → ***recevoir***
récoltant [Rekɔltɑ̃] *m* (wine) producer
▶ **récolte** [Rekɔlt] *f* **1.** crop, harvest; ***mauvaise ~*** bad harvest **2.** *fig action* gathering (***de*** of); *résultat* collection
récolter [Rekɔlte] *v/t* **1.** *fruits, légumes* to pick **2.** *fig ingratitude* to meet with; *fam argent* to collect; *fam* ***~ des coups*** to get a beating *fam*
recommandable [R(ə)kɔmɑ̃dabl] *adj* commendable; ***individu*** *m* ***peu ~*** disreputable individual
recommandation [R(ə)kɔmɑ̃dasjõ] *f* **1.** (*appui*) recommendation; ***lettre de ~*** reference, letter of recommendation **2.** (*conseil*) recommendation
recommandé [R(ə)kɔmɑ̃de] *adj* ⟨**~e**⟩ **1.** ***lettre ~e*** registered letter **2.** *fam* ***ce n'est pas très ~*** it's not really advisable
▶ **recommander** [R(ə)kɔmɑ̃de] **I** *v/t* **1.** to recommend (***qc à qn*** sth to sb) **2.** *envoi postal* to register **II** *v/pr* ***se ~ de qn*** to use sb's name as a reference
recommencement [R(ə)kɔmɑ̃smɑ̃] *m* resumption
▶ **recommencer** [R(ə)kɔmɑ̃se] ⟨**-ç-**⟩ **I** *v/t* **1.** *après une pause* ***~ qc*** to start sth again; ***~ à*** *+inf* to begin *+inf*, to start *+inf* **2.** (*refaire*) ***~ qc*** to do sth again **II** *v/i* to start again, to begin again
▶ **récompense** [Rekõpɑ̃s] *f* reward; ***en ~ de*** as a reward for
récompenser [Rekõpɑ̃se] *v/t* to reward
recompter [R(ə)kõte] *v/t argent* to recount, *addition* to recheck
réconciliation [Rekõsiljasjõ] *f* reconciliation
réconcilier [Rekõsilje] **I** *v/t* to reconcile **II** *v/pr* ***se ~*** to make up (***avec qn*** with sb)
reconductible [R(ə)kõdyktibl] *adj* JUR renewable
reconduire [R(ə)kõdɥiR] *v/t* ⟨→ **conduire**⟩ **1.** ***~ qn*** (*raccompagner chez lui*) to take sb home; (*raccompagner à la porte*) to show sb out **2.** *contrat* to renew; *politique, grève* to extend
réconfort [Rekõfɔr] *m* comfort
réconfortant [Rekõfɔrtɑ̃] *adj* ⟨**-ante** [-ɑ̃t]⟩ comforting
réconforter [Rekõfɔrte] *v/t* **1.** (*consoler*) to comfort **2.** *aliment* ***~ qn*** to make sb feel better
reconnaissable [R(ə)kɔnɛsabl] *adj* recognizable (***à*** by)
reconnaissance [R(ə)kɔnɛsɑ̃s] *f* **1.** POL, JUR recognition; ***~ de dette*** acknowledgement of a debt **2.** (*gratitude*) gratitude; ***avoir, éprouver de la ~*** (***pour, envers qn***) to feel grateful (to sb) **3.** *d'un lieu* reconnaissance (*a* MIL); ***vol*** *m* ***de ~*** reconnaissance flight; *fam* ***partir en ~*** to go and have a look around **4.** (*identification*) recognition; ***signe*** *m* ***de ~*** sign of recognition
reconnaissant [R(ə)kɔnɛsɑ̃] *adj* ⟨**-ante** [-ɑ̃t]⟩ grateful; ***être ~ à qn de qc*** to be grateful to sb for sth
▶ **reconnaître** [R(ə)kɔnɛtR] ⟨→ **connaître**⟩ **I** *v/t* **1.** (*identifier*) to identify (***à*** by) **2.** *torts, faute* to admit; *qualité, droit* to recognize; ***~ un droit à qn*** to recognize sb's right; ***il faut lui ~ ça*** you have to grant him, her that **3.** *gouvernement, signature, dette, enfant* to recognize **4.** *lieu* to reconnoiter (*a* MIL); to look round **II** *v/pr* ***se reconnaître*** **1.** (*soi-même*) to recognize o.s. **2.** (*se retrouver*) to find one's way round **3.** ***se ~ coupable*** to admit that one is guilty
reconnu [R(ə)kɔny] *pp* → ***reconnaître*** *et adj* ⟨**~e**⟩ recognized
reconquérir [R(ə)kõkeRiR] *v/t* ⟨→ **acquérir**⟩ *territoire* to recapture; ***~ qn*** to win sb back
reconquête [R(ə)kõkɛt] *f territoire* recapture; *fig* winning back
reconsidérer [R(ə)kõsideRe] *v/t* ⟨**-è-**⟩ to reconsider
reconstituant [R(ə)kõstitɥɑ̃] *m* restorative
reconstituer [R(ə)kõstitɥe] **I** *v/t crime, etc* to reconstruct **II** *v/pr* ***se reconstituer*** *parti* to re-form
reconstitution [R(ə)kõstitysjõ] *f* reconstruction; FILM ***~ historique*** historical reconstruction
reconstruction [R(ə)kõstRyksjõ] *f* reconstruction
reconstruire [R(ə)kõstRɥiR] *v/t* ⟨→ **conduire**⟩ **1.** *ville, maison* to rebuild **2.** *fig fortune, vie* to rebuild
reconversion [R(ə)kõvɛRsjõ] *f* ÉCON restructuring; *de personnel* redeployment; (*recyclage*) retraining
reconvertir [R(ə)kõvɛRtiR] **I** *v/t usine, production* to convert (***en*** into); *personnel* to redeploy; (*recycler*) to retrain; *bâtiment* to convert (***en*** into) **II** *v/pr* ***se ~*** to retrain; ***se ~ dans l'informati-***

que to retrain in IT

▶ **recopier** [R(ə)kɔpje] *v/t* **~ *qc*** to recopy sth; *au propre* to copy sth out

▶ **record** [R(ə)kɔR] *m* **1.** record *a fig*; **~ *de vitesse*** speed record; *iron* ***ça bat tous les ~s*** that beats everything **2.** *adjt* record *épith*

recordman [R(ə)kɔRdman] *m* ⟨**recordmen** [-mɛn]⟩ recordholder

recoucher [R(ə)kuʃe] *v/pr* ***se ~*** to go back to bed

recoudre [R(ə)kudR] *v/t* ⟨→ **coudre**⟩ **~ *qc*** *bouton* to sew sth back on; MÉD to stitch sth up

recoupement [R(ə)kupmɑ̃] *m* cross--checking; ***faire un ~*** to cross-check

recouper [R(ə)kupe] *v/t* **1.** *cheveux* to cut again; *pain* to cut some more **2.** (*coïncider*) to tally with

recourbé [R(ə)kuRbe] *adj* ⟨**~e**⟩ curved **recourber** *v/t* **~ *qc*** to bend sth back

recourir [R(ə)kuRiR] ⟨→ **courir**⟩ *v/t indir* **1. ~ *à qn*** to turn to sb **2. ~ *à qc*** to resort to sth; **~ *à la violence*** to resort to violence

recours [R(ə)kuR] *m* **1.** recourse; **~ *à qc*** recourse to sth, resorting to sth; ***en dernier ~*** as a last resort; ***avoir ~ à*** → ***recourir***; ***c'est sans ~*** there's nothing to be done **2.** JUR, ADMIN appeal; **~ *en grâce*** petition for reprieve; ***voies*** *fpl* ***de ~*** appeals procedure (+ *v sg*)

recouvrement [R(ə)kuvRəmɑ̃] *m* **1.** *de sommes dues* collection; *de dettes* recovery **2.** *st/s des forces*, *de la santé* recovery

recouvrer [R(ə)kuvRe] *v/t* **1.** *impôts*, *créances* to collect; *dettes* to recover **2.** *liberté* to regain; **~ *ses forces*** to get one's strength back

recouvrir [R(ə)kuvRiR] ⟨→ **couvrir**⟩ *v/t* **1. ~ *qc*** *de nouveau* to cover sth again; *siège* to reupholster sth; **~ *qn*** *enfant*, *malade* to cover sb up again **2.** *entièrement* to cover (***de*** with); *livre* to cover; *sol* **~ *d'une moquette*** to carpet **3.** *fig* (*cacher*) to hide **4.** *fig* (*englober*) to encompass

recracher [R(ə)kRaʃe] *v/t* **~ *qc*** to spit sth out again

récré [RekRe] *f*, *abr fam* → ***récréation***

récréatif [RekReatif] *adj* ⟨**-ive** [-iv]⟩ recreational

récréation [RekReasjõ] *f à l'école* recess, *brit* break

recréer [R(ə)kRee] *v/t* to recreate

récrier [RekRije] *v/pr* ***se ~*** to exclaim

récriminations [RekRiminasjõ] *fpl* recriminations **récriminer** *v/i* to protest

récrire [RekRiR] ⟨→ **écrire**⟩ *v/t* to rewrite

recroqueviller [R(ə)kRɔkvije] *v/pr* ***se ~*** *feuilles* to shrivel up; *personne* to huddle up

recru [RəkRy] *adj* ⟨**~e**⟩ *st/s* **~ *de fatigue*** exhausted

recrudescence [R(ə)kRydesɑ̃s] *f* fresh outbreak **recrudescent** *adj* ⟨**-ente** [-ɑ̃t]⟩ increasing

recrue [RəkRy] *f* MIL recruit; *fig* ***faire une nouvelle ~*** to gain a new recruit

recrutement [R(ə)kRytmɑ̃] *m* recruitment (*a* MIL)

recruter [R(ə)kRyte] **I** *v/t personnel* to recruit **II** *v/pr* ***se ~*** to be recruited (***dans, parmi*** from)

recruteur [R(ə)kRytœR] *m* **1.** HIST MIL recruiting officer **2.** *agent* recruitment agent

rectal [Rɛktal] *adj* ⟨**~e; -aux** [-o]⟩ rectal

rectangle [Rɛktɑ̃gl] *m* rectangle

rectangulaire [Rɛktɑ̃gylɛR] *adj* rectangular

recteur [Rɛktœr] *m d'académie* superintendent of schools, *brit* chief education officer

rectifiable [Rɛktifjabl] *adj* rectifiable

rectificatif [Rɛktifikatif] *m*, **rectification** [-fikasjõ] *f* correction **rectifier** *v/t erreur* to correct; *facture*, *document* to amend

rectiligne [Rɛktiliŋ] *adj* straight; MATH rectilinear

rection [Rɛksjõ] *f* LING government

recto [Rɛkto] *m* front

rectorat [Rɛktɔra] *m* board of education, *brit* local education authority

rectum [Rɛktɔm] *m* rectum

reçu [R(ə)sy] **I** *pp* → ***recevoir*** *et adj* ⟨**~e**⟩ ***idées ~es*** received ideas **II** *m* receipt

recueil [Rəkœj] *m* anthology

recueillement [R(ə)kœjmɑ̃] *m* contemplation

recueilli [R(ə)kœji] *adj* ⟨**~e**⟩ *visage*, *public* rapt; *silence*, *attitude* reverent

recueillir [R(ə)kœjiR] ⟨→ **cueillir**⟩ **I** *v/t* **1.** (*réunir*) to gather; *renseignements* to collect **2.** *approbation* to win; *suffrages* to get **3.** *liquide* to collect **4. ~ *qn, qc*** *réfugiés*, *orphelins*, *animal* to take sb, sth in **II** *v/pr* ***se ~*** (*méditer*) to collect o.s.; (*prier*) to pray; ***se ~ sur la tombe de qn*** to spend time in contemplation

by sb's grave
recuire [R(ə)kɥiR] ⟨→ **conduire**⟩ *v/t* **~ *qc*** to cook sth a bit longer; ***faire ~ qc*** to recook sth
recul [R(ə)kyl] *m* **1.** *d'une arme à feu* recoil **2.** *d'une armée* retreat; *fig du chômage, etc* drop (***de*** in) **3.** *personne* ***avoir un mouvement de ~*** to recoil; ***prendre du ~*** *pour mieux voir* to stand back; *fig* to distance o.s.
reculade [R(ə)kylad] *f péj* climb-down
reculé [R(ə)kyle] *adj* ⟨**~e**⟩ **1.** *village* remote **2.** *dans le temps* distant
► **reculer** [R(ə)kyle] **I** *v/t* **1. ~ *qc*** *chaise* to push sth back; *voiture* to back sth up, *brit* to reverse sth **2.** (*reporter à plus tard*) to postpone **II** *v/i* **1.** *personne* to move back; *voiture* to back up, *brit* to reverse **2.** *épidémie* to recede; *chômage* to fall **3.** (*hésiter*) to shrink back; ***elle ne recule devant rien*** nothing daunts her **III** *v/pr* ***se reculer*** to move back
reculons [R(ə)kylõ] ***à ~*** backwards
récupérable [RekypeRabl] *adj ferraille, déchets* recyclable; *heures de travail* which can be made up; *drogué* who can be rehabilitated; *accidenté* who can be saved **récupérateur** *m entreprise* salvage company; *personne* salvage merchant **récupération** *f* TECH salvage
récupérer [RekypeRe] ⟨**-è-**⟩ **I** *v/t* **1. ~ *qc*** to get sth back; *engin spatial* to recover sth; *heures de travail* to make sth up **2.** *ferraille, etc* to salvage; (*ramasser*) to collect; *chaleur, énergie* to save **3.** *fam* (*aller chercher*) **~ *qn*** to fetch sb **4.** *délinquants, drogués* to rehabilitate **5.** POL to hijack **II** *v/i* to recover
récurer [RekyRe] *v/t* to scour
récurrent [RekyRɑ̃] *adj* ⟨**-ente** [-ɑ̃t]⟩ recurrent
récusable [Rekyzabl] *adj juré* who can be discharged; *témoignage* refutable
récuser [Rekyze] **I** *v/t* to challenge (*a* JUR); to object to **II** *v/pr* ***se récuser*** to decline to comment
recyclable [R(ə)siklabl] *adj* recyclable
recyclage [R(ə)siklaʒ] *m* **1.** *de déchets* recycling; *de main-d'œuvre* retraining **2.** TECH recirculating
► **recycler** [R(ə)sikle] **I** *v/t* **1.** *déchets* to recycle; *main-d'œuvre* to retrain; ***papier recyclé*** recycled paper **2.** TECH to recirculate **II** *v/pr* ***se recycler*** to retrain
rédacteur [RedaktœR] *m*, **rédactrice** [-tRis] *f* editor
rédaction [Redaksjõ] *f* **1.** (*écriture*) writing; *de document, de décret* drafting (*a* JUR); (*correction*) editing **2.** *coll équipe* editorial staff (+ *v pl*) **3.** *bureaux* editorial offices (+ *v pl*) **4.** ENSEIGNEMENT essay
rédactionnel [Redaksjɔnɛl] *adj* ⟨**~le**⟩ editorial
reddition [Rɛdisjõ] *f* MIL surrender
redécoupage [R(ə)dekupaʒ] *m* **~ *électoral*** redistricting, *brit* constituency boundary changes (+ *v pl*)
redécouvrir [R(ə)dekuvRiR] *v/t* ⟨→ **couvrir**⟩ to rediscover
redéfaire [R(ə)defɛR] *v/t* ⟨→ **faire**⟩ **~ *qc*** *du tricot, une couture, nœud, paquet* to undo sth again
redéfinir [R(ə)definiR] *v/t* to redefine
redemander [Rəd(ə)mɑ̃de] *v/t* **~ *qc à qn*** *de nouveau* to ask sb sth again; *chose prêtée* to ask sb for sth back
redémarrage [R(ə)demaRaʒ] *m* **1.** ÉCON upturn **2.** INFORM **~ *à chaud, à froid*** soft, hard reboot
redémarrer [R(ə)demaRe] **I** *v/t* INFORM to reboot, to restart **II** *v/i* **1.** *véhicule* to restart **2.** ÉCON to take off again
Rédempteur [Redɑ̃ptœR] *m* Redeemer
Rédemption *f* REL Redemption
redéploiement [R(ə)deplwamɑ̃] *m* **1.** ÉCON restructuring **2.** MIL redeployment
redescendre [R(ə)desɑ̃dR] ⟨→ **rendre**⟩ **I** *v/t* **1.** *escalier* to go back down **2. ~ *qc*** *meubles du grenier, etc* to bring sth back down **II** *v/i* ⟨**être**⟩ **1.** *personne* to go back down (***de*** from); (*dans un véhicule*) to drive back down **2.** *mer* to go back out; *baromètre, température* to drop again; *chemin* to go down again
redevable [Rəd(ə)vabl] *adj* ***être ~ de qc à qn*** to be indebted to sb for sth
redevance [Rəd(ə)vɑ̃s] *f* TV TV license; TÉL rental charge
redevenir [Rədvəniʀ, Rdəvnir] *v/i* ⟨→ **venir**⟩ **~ *ministre*** to become a minister again; **~ *calme*** to become calm again
redevoir [RədvwaR, RdəvwaR] *v/t* ⟨→ **devoir**⟩ to owe (***qc à qn*** sth to sb)
rédhibitoire [RedibitwaR] *adj* JUR ***vice m ~*** latent defect
rediffuser [R(ə)difyze] *v/t* to rerun, *brit* to repeat **rediffusion** *f* rerun, *brit* repeat
rédiger [Rediʒe] *v/t* ⟨**-ge-**⟩ to write; *contrat* to draft

redingote [ʀ(ə)dɛ̃gɔt] *f* **1.** HIST frock coat **2.** *adjt* ***manteau*** *m* **~** fitted coat
redire [ʀ(ə)diʀ] ⟨→ **dire**⟩ **I** *v/t* to repeat; ***~ après qn*** to repeat after sb **II** *v/t indir* ***trouver à ~ à tout*** to find fault with everything
redistribuer [ʀ(ə)distʀibɥe] *v/t* **1.** ***~ qc*** *cahiers* to hand sth out again; *cartes* to deal sth again **2.** *terres, tâches* to reallocate; *revenus, richesses* to redistribute
redistribution [ʀ(ə)distʀibysjõ] *f de terres, de tâches* reallocation; FIN redistribution
redite [ʀ(ə)dit] *f* repetition
redondance [ʀ(ə)dõdɑ̃s] *f* **1.** *du style* verbosity **2.** INFORM redundancy
redondant [ʀ(ə)dõdɑ̃] *adj* ⟨**-ante** [-ɑ̃t]⟩ **1.** *style* verbose **2.** INFORM redundant
redonner [ʀ(ə)dɔne] *v/t* ***~ qc*** (*donner de nouveau*) to give sth again; (*rendre*) to give sth back
redorer [ʀ(ə)dɔʀe] *v/t* to regild; → ***blason***
redoublant [ʀ(ə)dublɑ̃] *m*, **redoublante** [-ɑ̃t] *f fam* student repeating a grade, *brit* student staying down a year
redoublé [ʀ(ə)duble] *adj* ⟨**~e**⟩ *syllabe* repeated; *lettre* double *épith*; *par ext zèle* increased; ***frapper qc à coups ~s*** to hit sth very hard
redoublement [ʀ(ə)dubləmɑ̃] *m* **1.** repeating; LING reduplication **2.** ***avec un ~ d'attention, de prudence*** with increased attention, caution
► **redoubler** [ʀ(ə)duble] **I** *v/t* **1.** (*rendre double*) to double **2.** **~** (***une classe***) to repeat a grade, *brit* to stay down a year **II** *v/t indir* ***~ d'amabilité*** to be twice as friendly; ***~ d'efforts*** to try twice as hard **III** *v/i tempête, etc* to become fiercer; *peur* to intensify
redoutable [ʀ(ə)dutabl] *adj mal* dreadful; *adversaire* formidable
redoute [ʀ(ə)dut] *f* MIL HIST redoubt
redouter [ʀ(ə)dute] *v/t* to dread
redoux [ʀədu] *m* mild spell
redresse [ʀ(ə)dʀɛs] *pop* ***un mec à la ~*** a tough guy *fam*
redressement [ʀ(ə)dʀɛsmɑ̃] *m* **1.** *d'un pays, de l'économie* recovery **2.** ***~ fiscal*** tax adjustment
redresser [ʀ(ə)dʀese] **I** *v/t* **1.** *chose penchée* to straighten; *chose tordue* to straighten out; *roues avant* to straighten; ***~ qc, qn*** *chose, personne tombée* to stand sb, sth back up **2.** ***~ qc*** *fig économie* to put sth back on its feet; *situation* to turn sth round **II** *v/pr* ***se redresser*** **1.** (*se mettre debout*) to stand up; (*s'asseoir*) to sit up **2.** *fig pays* to recover
redresseur [ʀ(ə)dʀɛsœʀ] *m* **1.** *iron* ***~ de torts*** righter of wrongs **2.** ÉLEC rectifier
réducteur [ʀedyktœʀ] *m* **1.** CHIM reducing agent **2.** TECH reducer
réductible [ʀedyktibl] *adj* **1.** *quantité* which can be reduced (***à*** to) **2.** CHIM reducible
► **réduction** [ʀedyksjõ] *f* **1.** reduction (***à*** to); *de personnel* cut; *d'un format* scaling down; ***~ du temps de travail*** cut in working hours **2.** *sur un prix* reduction **3.** CHIM reduction
réduire [ʀedɥiʀ] ⟨→ **conduire**⟩ **I** *v/t* **1.** (*diminuer*) *format, vitesse* to reduce; *dépenses, impôts, salaires, temps de travail* to cut, to reduce; *risque, chances* to reduce **2.** ***~ qc au même dénominateur*** to reduce sth to the lowest common denominator; ***~ qn au silence*** to reduce sb to silence; ***en être réduit à qc*** to be reduced to sth **3.** (*transformer*) ***~ en qc*** to reduce to sth **4.** MÉD *fracture* to set **5.** ⟨*a v/i*⟩ *sauce* to reduce **II** *v/pr* ***se ~ à*** to consist merely of
réduit [ʀedɥi] **I** *adj* ⟨**-uite** [-ɥit]⟩ **1.** *prix, tarif* reduced **2.** *format, modèle* scaled-down *épith* **II** *m* (*petite pièce*) cubbyhole; (*recoin*) recess
rééchelonnement [ʀeeʃlɔnmɑ̃] *m* FIN rescheduling
réécrire [ʀeekʀiʀ] → ***récrire***
rééditer [ʀeedite] *v/t* **1.** *œuvre* to reissue **2.** *fam, fig* to repeat **réédition** *f* reissue
rééducation [ʀeedykasjõ] *f* MÉD rehabilitation; *exercices* physical therapy, *brit* physiotherapy
rééduquer [ʀeedyke] *v/t* **1.** *un blessé, paralysé* to give physical therapy to, *brit* to give physiotherapy to **2.** *délinquant* to rehabilitate **3.** POL to rehabilitate
► **réel** [ʀeɛl] **I** *adj* ⟨**~le**⟩ **1.** real; ***faits ~s*** true facts **2.** MATH real **II** *subst* ***le ~*** reality
réélection [ʀeelɛksjõ] *f* re-election
rééligible [ʀeeliʒibl] *adj* re-eligible
réélire [ʀeeliʀ] *v/t* ⟨→ **lire**⟩ to re-elect
réellement [ʀeɛlmɑ̃] *adv* really
réembaucher [ʀeɑ̃boʃe] *v/t* ***~ qn*** *main-d'œuvre* to take sb on again
réemployer [ʀeɑ̃plwaje] *v/t* ⟨**-oi-**⟩ **1.** *choses* to reuse **2.** *personnel* to re-em-

ploy

réentendre [ʀeɑ̃tɑ̃dʀ] *v/t* ⟨→ **rendre**⟩ **~ *qc*** to listen to sth again

rééquilibrer [ʀeekilibʀe] *v/t* to rebalance

réessayer [ʀeeseje] *v/t* ⟨**-ay-** *ou* **-ai-**⟩ **~ *qc*** *robe* to try sth on again; *abs* to try again

réévaluation [ʀeevalɥasjõ] *f* reassessment; FIN revaluation **réévaluer** *v/t monnaie* to revalue; *salaire*, *budget* to revise; *situation* to reassess

réexaminer [ʀeɛgzamine] *v/t* to reexamine

réexpédier [ʀeɛkspedje] *v/t* **1. ~ *qc*** (*retourner*) to send sth back **2.** (*faire suivre*) to forward

réexporter [ʀeɛkspɔʀte] *v/t* to re-export

réf. *abr* → ***référence***

refaire [ʀ(ə)fɛʀ] ⟨→ **faire**⟩ **I** *v/t* **1. ~ *qc*** (*faire de nouveau*) to do sth again **2.** (*remettre en état*) to redo; ***~ son maquillage*** to redo one's make-up; ***~ les peintures*** to repaint **3.** *fam* (*rouler*) ***j'ai été refait*** I've been had *fam* **II** *v/pr* **1. *on ne se refait pas*** you can't change the way you are **2. *se ~ une santé*** to recuperate

réfection [ʀefɛksjõ] *f* repairing

réfectoire [ʀefɛktwaʀ] *m* dining hall; *d'un couvent* refectory

référé [ʀefeʀe] *m* JUR summary judgement

référence [ʀefeʀɑ̃s] *f* **1. *~s*** *pl* (*recommandations*) references; (*rapport*) letter of reference (+ *v sg*); testimonial (+ *v sg*) **2. *faire ~ à*** to refer to; *d'une citation, etc* reference; ***ouvrage*** *m* ***de ~*** reference book **3.** *en tête d'une lettre* reference; *dans un catalogue* reference number; *dans les petites annonces* reference **4.** (*modèle*) benchmark

référendaire [ʀefeʀɑ̃dɛʀ] *adj* referendum *épith*

référendum *ou* **referendum** [ʀefeʀɛ̃dɔm] *m* referendum

référentiel [ʀefeʀɑ̃sjɛl] *m* PHYS referential

référer [ʀefeʀe] ⟨**-è-**⟩ **I** *v/t indir* ***en ~ à qn*** to refer back to sb; *par ext* to consult **II** *v/pr* ***se ~ à*** to refer to

refermer [ʀ(ə)fɛʀme] *v/t* to close, to shut

refiler [ʀ(ə)file] *v/t fam* ***~ qc à qn*** to give sb sth; *fig maladie* to give sb sth

réfléchi [ʀefleʃi] *adj* ⟨**~e**⟩ **1.** *décision* considered; *personne* thoughtful; ***c'est tout ~*** my mind is made up **2.** GRAM reflexive; ***pronom ~*** reflexive pronoun

▶ **réfléchir** [ʀefleʃiʀ] **I** *v/t lumière, ondes* to reflect **II** *v/i* to think (***à, sur qc*** about sth); ***ça fait ~, ça donne à ~*** it makes you stop and think; ***demander à ~*** to ask for time to think **III** *v/pr* ***se réfléchir*** to be reflected

réfléchissant [ʀefleʃisɑ̃] *adj* ⟨**-ante** [-ɑ̃t]⟩ reflective

réflecteur [ʀeflɛktœʀ] *m* reflector

reflet [ʀ(ə)flɛ] *m* **1.** *de lumière* sheen; ***des ~s verts*** *pl* a green sheen (+ *v sg*); ***à ~s changeants*** shimmering **2.** (*image réfléchie*) reflection **3.** *fig* thought

refléter [ʀ(ə)flete] ⟨**-è-**⟩ **I** *v/t* to reflect **II** *v/pr* ***se ~*** to be reflected

refleurir [ʀ(ə)flœʀiʀ] **I** *v/t* to put flowers on **II** *v/i* **1.** *plante* to flower again **2.** *fig* to reappear

reflex [ʀeflɛks] (***appareil*** *m*) ***~*** *m* reflex camera

réflexe [ʀeflɛks] **I** *m* **1.** (*réaction*) reaction **2.** BIOL reflex; ***avoir de bons ~s*** to have quick reflexes **II** *adj* reflex *épith*

▶ **réflexion** [ʀeflɛksjõ] *f* **1.** (*pensée*) thought (***sur*** on); ***~ faite*** on second thoughts **2.** (*remarque*) remark **3.** PHYS reflection

refluer [ʀəflye] *v/i liquide* to flow back; *fig souvenirs* to flood back

reflux [ʀəfly] *m de la mer* ebb tide

refondre [ʀ(ə)fõdʀ] *v/t* ⟨→ **rendre**⟩ **1.** *métal* to recast **2.** *fig ouvrage* to revise; *p/fort* to overhaul

refonte [ʀ(ə)fõt] *f* **1.** *de métal* recasting **2.** *d'un ouvrage* revision; *p/fort* overhaul

réformable [ʀefɔʀmabl] *adj* which may be amended

réformateur [ʀefɔʀmatœʀ], **réformatrice** [-tʀis] **I** *m/f* **1.** reformer **2.** *m* REL Reformer **II** *adj* reforming

▶ **réforme** [ʀefɔʀm] *f* **1.** reform **2.** HIST ***la Réforme*** the Reformation

réformé [ʀefɔʀme] *adj* ⟨**~e**⟩ **1.** REL reformed **2.** MIL *soldat* discharged; *appelé* declared unfit for military service

reformer [ʀ(ə)fɔʀme] *v/t* (*et v/pr* ***se ~***) to re-form

réformer [ʀefɔʀme] *v/t* **1.** (*changer*) to reform (*a* REL) **2.** *soldat* to discharge

refoulé [ʀ(ə)fule] **I** *adj* ⟨**~e**⟩ *pulsions* repressed; *personne* inhibited **II** ***~(e)*** *m(f)* inhibited person

refoulement [ʀ(ə)fulmɑ̃] *m* **1.** *d'étrangers* expulsion **2.** PSYCH repression

refouler [ʀ(ə)fule] *v/t* **1.** *envahisseurs* to repel; *étrangers* to expel **2.** **~ qc** *colère, désirs* to repress sth; *larmes* to hold sth back **3.** PSYCH to repress
réfractaire [ʀefʀaktɛʀ] *adj* **1.** *à l'autorité* recalcitrant (**à** to); *à une influence* impervious (**à** to) **2.** TECH refractory
réfracter [ʀefʀakte] *v/t* PHYS *rayon* to refract
réfraction [ʀefʀaksjõ] *f* PHYS refraction
refrain [ʀ(ə)fʀɛ̃] *m* chorus; *fig* ***c'est toujours le même ~*** it's the same old story
réfréner *ou* **refréner** [ʀefʀene] *v/t* ⟨**-è-**⟩ to curb
réfrigérant [ʀefʀiʒeʀɑ̃] *adj* ⟨**-ante** [-ɑ̃t]⟩ **1.** TECH cooling *épith* **2.** *fam, fig accueil* frosty; *personne* icy
▸ **réfrigérateur** [ʀefʀiʒeʀatœʀ] *m* refrigerator **réfrigération** *f* refrigeration
réfrigérer [ʀefʀiʒeʀe] *v/t* ⟨**-è-**⟩ **1.** TECH to cool; *aliments* to refrigerate **2.** *fam personne* ***réfrigéré*** frozen **3.** *fam, fig* **~ qn** to have a dampening effect on sb
réfringent [ʀefʀɛ̃ʒɑ̃] *adj* ⟨**-ente** [-ɑ̃t]⟩ refractive
refroidir [ʀ(ə)fʀwadiʀ] **I** *v/t* **1.** to cool (*a fig zèle*) **2.** *fig* **~ qn** to dampen sb's spirits **3.** **~ qn** *fam* (*assassiner*) to bump sb off *fam* **II** *v/i* ⟨*état* **être**⟩ **1.** *mets, moteur* to cool (down) **III** *v/pr* ***se refroidir*** **1.** *temps, air* to get colder **2.** *personne* to get cold
refroidissement [ʀ(ə)fʀwadismɑ̃] *m* **1.** *de l'air, etc* drop in temperature; *d'un moteur* cooling **2.** MÉD chill
refuge [ʀ(ə)fyʒ] *m* **1.** refuge; ***chercher ~*** to seek refuge (***auprès de qn*** with) **2.** *en montagne* mountain refuge **3.** *pour piétons* traffic island
▸ **réfugié** [ʀefyʒje] **I** *adj* ⟨**~e**⟩ refugee *épith* **II** **~(*e*)** *m(f)* refugee
réfugier [ʀefyʒje] *v/pr* ***se ~*** to take refuge (***auprès de qn*** with sb; *fig* ***dans qc*** in sth)
▸ **refus** [ʀ(ə)fy] *m* refusal; *d'une autorisation, etc* refusal; ***~ de priorité*** refusing priority, *brit* failure to give way; ***essuyer un ~*** to meet with a refusal; *fam* ***ce n'est pas de ~!*** I wouldn't say no!
▸ **refuser** [ʀ(ə)fyze] **I** *v/t* **1.** *autorisation, aide* to refuse; *renseignement* to refuse to give; *offre* to reject; *invitation* to decline; ***~ l'accès à qn*** to deny sb access; ***~ de faire qc*** to refuse to do sth **2.** **~ qn** *candidat à un poste* to turn sb down; *candidat à un examen* to fail sb; *spectateurs, clients* to turn away **II** *v/pr* **1.** ***il ne se refuse rien*** he doesn't deprive himself **2.** ***se ~ à qc*** to refuse to accept sth; ***se ~ à faire qc*** to refuse to do sth
réfutable [ʀefytabl] *adj* refutable **réfutation** *f* refutation **réfuter** *v/t* to refute
regagner [ʀ(ə)gaɲe] *v/t* **1.** **~ qc** (*retrouver*) to win sth back **2.** (*retourner à*) to get back to sth
regain [ʀəgɛ̃] *m* **1.** AGR second crop **2.** ÉCON recovery; *fig* revival; ***un ~ de jeunesse*** renewed youthfulness; ***avoir un ~ de vie*** to get a new lease of life
régal [ʀegal] *m* delight; ***quel ~!*** delicious!; *fig* ***un ~ pour les yeux*** a feast for the eyes
régalade [ʀegalad] *f* ***boire à la ~*** *to drink without letting one's lips touch the bottle*
régaler [ʀegale] **I** *v/t* ***~ qn de qc*** to treat sb to sth; ***~ qn avec qc*** to regale sb with sth; ***c'est moi qui régale*** it's my treat **II** *v/pr* ***je me suis régalé*** *en mangeant* it was delicious; *fig* I thoroughly enjoyed it
▸ **regard** [ʀ(ə)gaʀ] *m* **1.** (*action de regarder*) look; (*expression*) expression **2.** ***avoir droit de ~ sur …*** to have a say in … **3.** ***au ~ de*** with regard to … **4.** ***en ~*** on the opposite page **5.** *d'un égout* manhole
regardant [ʀ(ə)gaʀdɑ̃] *adj* ⟨**-ante** [-ɑ̃t]⟩ (*économe*) careful with money; *par ext* particular
▸ **regarder** [ʀ(ə)gaʀde] **I** *v/t* **1.** to look at; *comme spectateur* to watch; ***~ sa montre*** to look at one's watch; ***~ la télé*** to watch television; ***~ les gens passer*** to watch people go by **2.** (*concerner*) **~ qn** to concern sb; ***cela ne le regarde pas*** that doesn't concern him **II** *v/t indir* (*faire attention*) ***~ à qc*** to pay attention to sth; ***ne pas ~ à la dépense*** not to worry about the cost; ***y ~ à deux fois*** to think twice **III** *v/i* **1.** to look; *comme spectateur* to watch; *dans une direction* to look; (*vérifier*) to check; ***~ par la fenêtre*** to look out of the window; ***~ partout*** to look all over **2.** *maison* ***~ vers le midi*** to face south **IV** *v/pr* ***se regarder*** *soi-même* to look at o.s.; *l'un l'autre* to look at each other; *fig* ***il ne s'est pas regardé*** he ought to take a look at himself
régate [ʀegat] *f* regatta
regel [ʀəʒɛl] *m* renewed frost

regarder

Note that there is no need for the preposition **à** with **regarder**, although it is the usual translation for look at:

× Ils ont regardé aux vieilles photos pendant des heures.

✓ Ils ont regardé les vieilles photos pendant des heures.

They looked at the old photos for hours.

regeler [ʀəʒle, ʀʒəle] *v/imp* ⟨**-è-**⟩ ***il regèle*** it's freezing again
régence [ʀeʒɑ̃s] *f* regency
régénérateur [ʀeʒeneʀatœʀ] *adj* ⟨**-trice** [-tʀis]⟩ regenerative
régénération [ʀeʒeneʀasjõ] *f* **1.** BIOL regeneration **2.** *fig* revival (*a* REL)
régénérer [ʀeʒeneʀe] *v/t* ⟨**-è-**⟩ to regenerate (*a* BIOL); *personne* to revive
régent [ʀeʒɑ̃] *m*, **régente** [-ɑ̃t] *f* regent
régenter [ʀeʒɑ̃te] *v/t* to control (***qc*** sth, ***qn*** sb)
reggae [ʀege] *m* MUS reggae
régicide [ʀeʒisid] *m* **1.** *personne* regicide **2.** *crime* regicide
régie [ʀeʒi] *f* **1.** *entreprise* state-owned company **2.** THÉ, FILM, TV *équipe* production team; *local* control room
regimber [ʀ(ə)ʒɛ̃be] *v/i* to balk
► **régime** [ʀeʒim] *m* **1.** POL government; *péj* regime; HIST ***l'Ancien Régime*** Ancien Régime **2.** JUR **~ *pénitentiaire*** prison system; **~ *matrimonial*** marriage settlement; **~ *de la communauté*** joint ownership *of marital property* **3. ~** (***alimentaire***) diet; *d'un malade* diet; ***être au ~*** to be on a diet; ***suivre un ~*** to follow a diet **4.** *d'un moteur* speed; ***marcher à plein ~*** to run at full speed **5.** *d'un cours d'eau* rate of flow **6.** *de bananes* bunch
régiment [ʀeʒimɑ̃] *m* **1.** MIL regiment **2.** *fam* (*service militaire*) military service **3.** *fig* army (***de*** of)
► **région** [ʀeʒiõ] *f* **1.** ADMIN, GÉOG region; ***la ~ parisienne*** the Paris region **2.** ANAT region
régional [ʀeʒjɔnal] *adj* ⟨**~e; -aux** [-o]⟩ region **régionalisation** *f* regionalization **régionalisme** *m* POL, LING regionalism
régionaliste [ʀeʒjɔnalist] *adj* **1.** regionalist **2.** ***écrivain*** *m* **~** regional writer
régir [ʀeʒiʀ] *v/t* **1.** (*déterminer*) to govern **2.** GRAM to govern
régisseur [ʀeʒisœʀ] *m* **1.** THÉ stage manager; FILM, TV assistant director **2.** *d'une propriété* steward
registre [ʀəʒistʀ] *m* **1.** register (*a* MUS); **~ *du commerce*** register of companies; **~ *d'état civil*** register of births, marriages and deaths **2.** *fig d'un discours, etc* register
réglable [ʀeglabl] *adj* **1.** TECH adjustable; *siège, etc* adjustable **2.** (*payable*) payable **réglage** *m* TECH adjustment; AUT, RAD, TV tuning
► **règle** [ʀɛgl] *f* **1.** *instrument* ruler **2.** (*principe*) rule; ***les ~s du jeu*** the rules (of the game); ***dans les ~s*** (***de l'art***) *opération, travail* professional; *iron* according to the rule book; ***en ~ générale*** as a general rule; ***bataille*** *f* ***en ~*** battle royal; ***être de ~*** to be customary; ***être en ~*** *papiers* to be in order; (*avoir ses papiers*) to have valid papers; (*avoir payé*) to be fully paid-up; ***se mettre en ~*** to sort one's situation out **3.** *de la femme* ***~s*** *pl* period (+ *v sg*) **4. ~ *de trois*** rule of three
réglé [ʀegle] *adj* ⟨**~e**⟩ **1.** (*organisé*) well-ordered **2.** (*terminé*) settled; *facture* ***non ~*** unpaid **3.** *papier* lined, ruled **4.** *jeune fille* ***être ~e*** to have started one's periods
règlement [ʀɛgləmɑ̃] *m* **1.** (*règles*) regulation, rule; **~ *intérieur*** rules and regulations (+ *v pl*) **2.** *d'un conflit, d'une affaire* settlement; JUR **~ *judiciaire*** compulsory liquidation **3.** *d'une facture* payment, settlement; *fig* **~ *de compte*(*s*)** settling of scores
réglementaire [ʀɛgləmɑ̃tɛʀ] *adj* (*conforme*) regulation *épith*; JUR statutory
réglementation [ʀɛgləmɑ̃tasjõ] *f* **1.** *action* control, regulation **2.** (*règlements*) regulations (+ *v pl*), (*règlements*) rules (+ *v pl*) **réglementer** *v/t* to regulate, to control
► **régler** [ʀegle] ⟨**-è-**⟩ **I** *v/t* **1.** *affaire, question* to settle; *conflit* to resolve; *circulation* to direct; *programme* to decide on **2.** *facture, dettes* to settle, to pay; *abs* to pay up **3.** TECH *appareil* to adjust **II** *v/pr* ***se ~ sur qn*** to model o.s. on sb
réglisse [ʀeglis] *m ou f pâte, racine* licorice

réglo [ʀeglo] *fam adj* ⟨*inv*⟩ *affaire* legit *fam*; *personne* straight

règne [ʀɛɲ] *m* **1.** *d'un souverain* reign; ***sous le ~ de*** during the reign of **2.** ***~ animal, végétal*** the animal, vegetable kingdom

► **régner** [ʀeɲe] *v/i* ⟨**-è-**⟩ to reign (***sur*** over); *souverain* to reign; ***faire ~ l'ordre*** to restore order

regonfler [ʀ(ə)gõfle] *v/t* ***~ qc*** *ballon* to blow sth up again; *pneu* to reinflate sth

regorger [ʀ(ə)gɔʀʒe] *v/t indir* ⟨**-ge-**⟩ ***~ de qc*** to be packed with sth

régresser [ʀegʀese] *v/i* to regress **régressif** *adj* ⟨**-ive** [-iv]⟩ regressive

régression [ʀegʀɛsjõ] *f* **1.** *de la natalité, etc* decline **2.** MATH regression **3.** PSYCH regression

regret [ʀ(ə)gʀɛ] *m* **1.** (*chagrin*) regret (***de qc*** at sth); (*nostalgie*) regret (***de qc*** for sth); ***à ~*** reluctantly, regretfully **2.** (*remords*) regret, (*déplaisir*) regret (***de*** for); ***je n'ai qu'un ~, c'est de ne pas lui avoir écrit*** my only regret is that I didn't write to him; ***j'ai le ~ de vous informer …*** I regret to inform you …; ***exprimer ses ~s*** to offer one's sincere apologies

regrettable [ʀ(ə)gʀɛtabl] *adj* regrettable

► **regretter** [ʀ(ə)gʀɛte] *v/t* **1.** (*être triste au souvenir de*) to miss (***qn, qc*** sb, sth); *un absent* to miss; ***~ le temps où …*** to miss the time when … **2.** (*déplorer*) to regret; ***je regrette que vous soyez malade*** I'm sorry that you are ill; ***je regrette de vous avoir fait attendre*** I'm sorry to have kept you waiting **3.** (*se repentir de*) *faute, erreur* to regret, to be sorry for; ***vous ne le regretterez pas!*** you won't regret it!

regrossir [ʀ(ə)gʀosiʀ] *v/i* to put on weight again

regroupement [ʀ(ə)gʀupmɑ̃] *m* grouping **regrouper** *v/t* ***~ qc*** to group sth together

régularisation [ʀegylaʀizasjõ] *f d'une situation* sorting out

régulariser [ʀegylaʀize] *v/t* **1.** ***~ sa situation*** ADMIN to get one's papers in order; (*se marier*) to get married; **2.** *fleuve* to regulate the flow of

régularité [ʀegylaʀite] *f* **1.** regularity; *d'un mouvement* steadiness **2.** *de l'élection, etc* legitimacy

régulateur [ʀegylatœʀ] **I** *adj* ⟨**-trice** [-tʀis]⟩ regulating; *influence* steadying **II** *m* TECH regulator **régulation** *f* regulation; ***~ des naissances*** birth control

régulier [ʀegylje] *adj* ⟨**-ière** [-jɛʀ]⟩ **1.** (*égal, constant*) regular; *mouvement, respiration* steady; *train* regular; ***vol ~*** scheduled flight; ***il est ~ dans son travail*** he's a steady worker **2.** (*légal*) legitimate **3.** *fam* (*honnête*) honest

régulièrement [ʀegyljɛʀmɑ̃] *adv* **1.** (*avec régularité*) regularly **2.** *en tête de phrase* in principle **3.** (*légalement*) lawfully

régurgiter [ʀegyʀʒite] *v/t nourriture* to regurgitate

réhabilitation [ʀeabilitasjõ] *f* **1.** JUR *d'un condamné* rehabilitation; *d'un failli* discharge **2.** CONSTR renovation

réhabiliter [ʀeabilite] **I** *v/t* **1.** JUR *condamné* to rehabilitate; *failli* to discharge **2.** (*rénover*) to renovate; *fig* ***~ la mémoire de qn*** to clear sb's name **II** *v/pr* ***se réhabiliter*** to restore one's reputation

réhabituer [ʀeabitɥe] *v/pr* ***se ~*** to reaccustom o.s (***à*** to)

rehausser [ʀəose] *v/t* **1.** *mur* to raise **2.** *fig* to enhance

réimplantation [ʀeɛ̃plɑ̃tasjõ] *f* MÉD reimplantation

réimportation [ʀeɛ̃pɔʀtasjõ] *f* reimportation **réimporter** *v/t* to reimport

réimpression [ʀeɛ̃pʀɛsjõ] *f ouvrage* reprint

réimprimer [ʀeɛ̃pʀime] *v/t* to reprint

Reims [ʀɛ̃s] Reims

rein [ʀɛ̃] *m* **1.** ANAT kidney; ***~ artificiel*** kidney machine **2.** ***~s*** *pl* back (+ *v sg*); ***avoir mal aux ~s*** to have backache; ***se faire un tour de ~s*** to strain one's back; *fig* ***avoir les ~s solides*** to be in a strong financial position

réincarnation [ʀeɛ̃kaʀnasjõ] *f* reincarnation

► **reine** [ʀɛn] *f* **1.** queen (*a* ZOOL) **2.** *aux échecs* queen

reine-claude [ʀɛnklod] *f* ⟨**reines-claudes**⟩ greengage **reine-marguerite** *f* ⟨**reines-marguerites**⟩ China aster

reinette [ʀɛnɛt] *f pomme* rennet apple

réinfecter [ʀeɛ̃fɛkte] *v/pr* ***se ~*** to become infected again

réinscrire [ʀeɛ̃skʀiʀ] ⟨→ **écrire**⟩ **I** *v/t* to re-enroll **II** *v/pr* ***se réinscrire*** to re-enroll

réinsérer [ʀeɛ̃seʀe] ⟨**-è-**⟩ *v/t handicapé*

to integrate; *délinquant*, *drogué* to rehabilitate
réinsertion [Reɛ̃sɛRsjõ] *f des handicapés* integration; *des délinquants* rehabilitation
réinstaller [Reɛ̃stale] *v/pr* ***se ~*** *(s'asseoir)* to settle back down; ***se ~ en ville*** to move back to town
réintégrer [Reɛ̃tegRe] *v/t* ⟨**-è-**⟩ **1.** *lieu* to return to **2.** *personne* to reinstate sb (***dans*** in)
réintroduire [Reɛ̃tRɔdɥiR] *v/t* ⟨→ **conduire**⟩ to reintroduce
réinventer [Reɛ̃vɑ̃te] *v/t* to reinvent
réinvestir [Reɛ̃vɛstiR] *v/t* to reinvest
réinviter [Reɛ̃vite] *v/t* ***~ qn*** to invite sb back
réitération [ReiteRasjõ] *f litt* repetition, reiteration
réitérer [ReiteRe] *v/t* ⟨**-è-**⟩ to repeat, to reiterate
rejaillir [R(ə)ʒajiR] *v/i* **1.** *liquide* to spurt **2.** *fig* ***~ sur qn*** *gloire* to reflect on sb; *scandale* to have an adverse effect on sb
rejet [Rəʒɛ] *m* **1.** MÉD rejection **2.** ÉCOL discharge **3.** *(refus)* rejection **4.** BOT shoot
rejeter [Rəʒ(ə)te] *v/t* ⟨**-tt-**⟩ **1.** ***~ qc*** *mer*: *épaves* to wash sth up; *nourriture* to bring sth up; *organe greffé* to reject sth; *polluants* to discharge sth; *lave* to spew sth out; ***~ qc à la fin de la phrase*** to put sth at the end of the sentence **2.** *faute*, *responsabilité* ***~ qc sur qn*** to shift sth to sb **3.** *proposition*, *etc* to reject **4.** *personne* to reject
rejeton [Rəʃtõ] *m* **1.** BOT offshoot **2.** *fam (enfant)* offspring
rejoindre [R(ə)ʒwɛ̃dR] ⟨→ **joindre**⟩ **I** *v/t* **1.** ***~ qn*** *(aller retrouver)* to meet up with sb; *(rattraper)* to catch up with sb; ***je te rejoindrai plus tard*** I'll follow on later **2.** *endroit* to get to **3.** *rue* ***~ le boulevard*** to join the boulevard **II** *v/pr* ***se rejoindre*** **1.** *personnes*, *rues* to meet up **2.** *fig opinions* to concur
rejouer [R(ə)ʒwe] **I** *v/t* ***~ qc*** to play sth again **II** *v/i* to play again
réjoui [Reʒwi] *adj* ⟨**~e**⟩ cheerful
réjouir [Reʒwir] **I** *v/t* to delight **II** *v/pr* ► ***se réjouir*** to be delighted (***de qc*** at sth); ***se ~ à l'avance de qc*** to be looking forward to sth
réjouissance [Reʒwisɑ̃s] *f* **1.** rejoicing **2.** ***~s*** *pl* celebrations **réjouissant** *adj* ⟨**-ante** [-ɑ̃t]⟩ *nouvelle* joyful; *spectacle* delightful
relâche¹ [Rəlɑʃ] *m ou f* **1.** THÉ ***le mardi c'est notre jour m de ~*** there are no performances on Tuesdays; ***faire ~*** to be closed **2.** ***sans ~*** relentlessly
relâche² *f* MAR ***faire ~ dans un port*** to put in at a port
relâché [R(ə)lɑʃe] *adj* ⟨**~e**⟩ *mœurs*, *discipline* lax; *style* slipshod
relâchement [R(ə)lɑʃmɑ̃] *m de discipline* relaxation; *du zèle* decline; ***~ des mœurs*** decline in moral standards
relâcher [R(ə)lɑʃe] **I** *v/t* **1.** *corde*, *rênes*, *etc* to slacken; *muscles* to relax **2.** *fig* ***elle a relâché son zèle*** her enthusiasm has flagged; ***~ son attention*** to let one's attention wander **3.** *détenu* to release **II** *v/pr* ***se relâcher*** **1.** *liens*, *étreinte* to slacken; *muscles* to relax **2.** *fig mœurs* to be in decline; *discipline* to become lax; *attention* to wander; *zèle* to flag
relais [R(ə)lɛ] *m* **1.** (***course*** *f* ***de***) ***~*** relay (race); *fig* ***prendre le ~ de qn, qc*** to take over from sb, sth **2.** ÉLEC, RAD relay **3.** ***~ (routier)*** truck stop, *brit* transport café
relance [Rəlɑ̃s] *f* **1.** ÉCON reflation; *fig* boost **2.** COMM follow-up; ***lettre de ~*** follow-up letter
relancer [R(ə)lɑ̃se] *v/t* ⟨**-ç-**⟩ **1.** ***~ qc*** *balle* to throw sth again **2.** *économie* to reflate; *emploi*, *ventes* to boost; *projet* to relaunch **3.** *moteur* to restart **4.** ***~ qn*** *client* to follow sb up **5.** *abs au jeu* to raise the stakes
relater [R(ə)late] *v/t* to recount
relatif [R(ə)latif] *adj* ⟨**-ive** [-iv]⟩ **1.** relative **2.** ***~ à qc*** relating to sth **3.** GRAM relative; ***pronom ~*** relative pronoun
► **relation** [R(ə)lasjõ] *f* **1.** *entre choses* connection, relationship; ***~ de cause à effet*** relationship of cause and effect **2.** *entre personnes*, *pays* ***~s*** *pl* relations; ***~s publiques*** public relations; ***avoir des ~s avec une femme*** to have sexual relations with a woman; ***être en ~(s) avec qn*** to be in touch with sb **3.** *personne* acquaintance; ***~s*** *pl* connections; ***avoir des ~s*** to have connections
relationnel [R(ə)lasjɔnɛl] *adj* ⟨**~le**⟩ *troubles* relationship *épith*
relativement [R(ə)lativmɑ̃] *adv* **1.** relatively **2.** ***~ à*** in relation to, relative to
relativiser [R(ə)lativize] *v/t* ***~ qc*** to put sth in perspective **relativisme** *m* relativism **relativité** *f* relativity
relaver [R(ə)lave] *v/t* ***~ qc*** to wash sth

again

relax [Rəlaks] *adj fam* → ***relaxe***

relaxant [R(ə)laksɑ̃] *adj* ⟨**-ante** [-ɑ̃t]⟩ relaxing **relaxation** *f* relaxation

relaxe [Rəlaks] *fam* **I** *adj* laid-back *fam* **II** *f* JUR discharge

relaxer [R(ə)lakse] **I** *v/t* JUR to discharge **II** *v/pr* ***se relaxer*** to relax

relayer [R(ə)leje] ⟨**-ay-** *ou* **-ai-**⟩ **I** *v/t* **1.** ~ ***qn*** to take over from sb, to relieve sb **2.** *émission* to relay **II** *v/pr* ***se relayer*** to take turns

relayeur [R(ə)lɛjœR] *m*, **relayeuse** [-jøz] *f* relay runner

relégation [R(ə)legasjõ] *f* SPORT relegation

reléguer [R(ə)lege] *v/t* ⟨**-è-**⟩ *personne* to relegate; *chose* to banish (***au grenier*** to the attic)

relent [Rəlɑ̃] *m* **1.** odour (***de*** of) **2.** *fig* whiff (***de*** of)

relevable [Rəlvabl, Rləvabl] *adj* adjustable

relève [R(ə)lɛv] *f action* changeover; *personnel* relief team; MIL relief guard ***prendre la*** ~ to take over; ***prendre la*** ~ ***de qn, qc*** to take over from sb, sth

relevé [Rəl(ə)ve] **I** *adj* ⟨~**e**⟩ **1.** *bord* raised; *col* turned-up *épith*; *virage* banked **2.** *expression* coarse **3.** CUIS spicy **II** *m* ~ ***de compte*** bank statement; ~ ***d'identité bancaire*** (*abr* ***RIB***) bank account details (+ *v pl*)

relèvement [R(ə)lɛvmɑ̃] *m* **1.** *d'un pays* recovery **2.** *des salaires, etc* increase

relever [Rəl(ə)ve] ⟨**-è-**⟩ **I** *v/t* **1.** ~ ***qn*** *enfant* to pick sb up; *adulte* to help sb up; *chaise* to pick up; *par ext cahiers* to collect; *fig économie, entreprise* to boost **2.** ~ ***qc*** *siège* to lift sth; *vitre de voiture* to wind sth up; *col* to turn sth up; *manches* to roll sth up; *plafond* to raise sth; *tête* to lift sth; *fig salaires, impôts* to increase sth; *niveau de vie* to raise sth; CUIS to spice sth up **3.** (*constater*) to find; *traces* to detect; *faute* to find; *allusion* to spot; *par écrit* to note; *compteur* to read **4.** (*remplacer*) *sentinelle, équipe* to relieve; ~ ***qn de ses fonctions*** to relieve sb of their duties **II** *v/t indir* **1.** ~ ***d'une grippe*** to recover from a bout of flu **2.** (*dépendre*) ~ ***de*** to depend on **III** *v/i* **1.** *jupe* to ride up **IV** *v/pr* ***se relever*** **1.** (*se remettre debout*) to stand up **2.** *fig* (*se remettre*) to recover (***de*** from)

releveur [Rəl(ə)vœR] *m* ~ ***des compteurs*** meter reader

relief [Rəljɛf] *m* **1.** relief (*a* SCULP); GÉOG relief; ***carte*** *f* ***en*** ~ relief map; ***être en*** ~ *dessin, motif* to be raised, to be in relief; *lettres* to be embossed; *fig* ***mettre qc en*** ~ to accentuate sth **2.** *litt* ~***s*** *pl* leftovers

relier [Rəlje] *v/t* **1.** *livre* to bind **2.** (*joindre*) to connect

relieur [RəljœR] *m*, **relieuse** [-øz] *f* bookbinder

religieusement [R(ə)liʒjøzmɑ̃] *adv* **1.** (*à l'église*) in church **2.** (*scrupuleusement*) scrupulously **3.** (*avec recueillement*) reverently

religieux [R(ə)liʒjø] **I** *adj* ⟨**-euse** [-øz]⟩ **1.** religious; ***édifice*** ~ religious building; ***mariage*** ~ church wedding **2.** *fig* (*scrupuleux*) conscientious **3.** *fig prière, silence* reverent **II** *subst* **1.** ~, ***religieuse*** *m/f* member of a religious order; (*moine*) monk; (*sœur*) nun **2.** *pâtisserie* ***religieuse*** *f cream puff*

▶ **religion** [R(ə)liʒjõ] *f* religion

religiosité [R(ə)liʒjozite] *f* religiosity

reliquaire [RəlikɛR] *m* reliquary

reliquat [Rəlika] *m* remainder; *de compte* balance

relique [Rəlik] *f* **1.** REL relic **2.** *fig* treasure

relire [R(ə)liR] ⟨→ **lire**⟩ **I** *v/t* to reread **II** *v/pr* ***se relire*** to read over what one has written

reliure [RəljyR] *f* **1.** *action* binding; *métier* bookbinding **2.** *couverture* binding

reloger [R(ə)lɔʒe] *v/t* ⟨**-ge-**⟩ to rehouse

reluire [R(ə)lɥiR] *v/i* ⟨→ **conduire**; *mais pp* **relui**⟩ to shine; *surface mouillée* to glisten; ***faire*** ~ ***qc*** to polish sth

reluisant [R(ə)lɥizɑ̃] *adj* ⟨**-ante** [-ɑ̃t]⟩ shiny; *fig* ***peu*** ~ far from brilliant

reluquer [R(ə)lyke] *v/t fam* to check sb out *fam*, *brit* to eye sb up *fam*

remâcher [R(ə)mɑʃe] *v/t* ~ ***qc*** to chew sth again; *fig problème* to brood over sth

remake [Rimɛk] *m* remake

remanger [R(ə)mɑ̃ʒe] *v/t* ⟨**-ge-**⟩ ~ ***qc*** to have sth again

remaniement [R(ə)manimɑ̃] *m* ~ ***ministériel*** cabinet reshuffle

remanier [R(ə)manje] *v/t* **1.** *texte, projet* to revise **2.** *ministère, équipe* to reshuffle

remaquiller [R(ə)makije] *v/pr* ***se*** ~ to reapply one's make-up

remariage [R(ə)maRjaʒ] *m* remarriage

remarier [R(ə)maRje] *v/pr* ***se*** ~ to remarry

remarquable [ʀ(ə)maʀkabl] *adj* remarkable

▶ **remarque** [ʀ(ə)maʀk] *f* **1.** (*réflexion*) remark **2.** (*annotation*) comment

remarqué [ʀ(ə)maʀke] *adj* ⟨**~e**⟩ conspicuous, noticeable; ***être très ~*** to attract a lot of attention

▶ **remarquer** [ʀ(ə)maʀke] **I** *v/t* **1.** (*dire*) to observe **2.** (*voir*) to notice; ***remarquez*** (***bien***) ***que …*** you will observe that …; ***faire ~ qc*** (***à qn***) to point sth out (to sb); ***se faire ~*** to draw attention to o.s (***par*** by); ***sans être remarqué*** unnoticed; ***sans se faire ~*** without being noticed **II** *v/pr* ***se remarquer*** (*attirer l'attention*) to attract attention; (*être visible*) to show

remballer [ʀɑ̃bale] *v/t* to pack up again

rembarquement [ʀɑ̃baʀkəmɑ̃] *m* reloading

rembarquer [ʀɑ̃baʀke] *v/i* (*et v/pr* ***se ~***) to re-embark

rembarrer [ʀɑ̃baʀe] *v/t fam* to send packing *fam*

remblai [ʀɑ̃blɛ] *m* embankment

remblayer [ʀɑ̃blɛje] *v/t* ⟨**-ay-** *ou* **-ai-**⟩ *chaussée* to embank; *fossé* to fill up

rembobiner [ʀɑ̃bɔbine] *v/t film* to wind back

rembourrage [ʀɑ̃buʀaʒ] *m* stuffing

rembourrer [ʀɑ̃buʀe] *v/t fauteuil, coussin* to stuff; *matelas* to fill; *fam personne* ***bien rembourré*** well-padded

remboursable [ʀɑ̃buʀsabl] *adj* refundable

remboursement [ʀɑ̃buʀsəmɑ̃] *m* **1.** repayment **2.** *envoi postal* ***contre ~*** cash with order

▶ **rembourser** [ʀɑ̃buʀse] *v/t emprunt* to repay; *frais* to refund; ***~ qn*** to pay sb back

rembrunir [ʀɑ̃bʀyniʀ] *v/pr* ***se ~*** *visage* to darken; *personne* to scowl

remède [ʀ(ə)mɛd] *m* **1.** (*médicament*) remedy; ***~ de bonne femme*** traditional remedy **2.** *fig* remedy; ***y porter ~*** to find a remedy

remédier [ʀ(ə)medje] *v/t indir* ***~ à*** to remedy

remembrement [ʀ(ə)mɑ̃bʀəmɑ̃] *m* consolidation

remémorer [ʀ(ə)memɔʀe] *v/pr* ***se ~ qc*** to recall sth

remerciement [ʀ(ə)mɛʀsimɑ̃] *m* thanks; ***avec tous mes ~s*** with many thanks

▶ **remercier** [ʀ(ə)mɛʀsje] *v/t* **1.** to thank (***qn de, pour qc*** sb for sth); to say thank you to **2.** (*congédier*) ***~ qn*** to dismiss sb

remettre [ʀ(ə)mɛtʀ] ⟨→ **mettre**⟩ **I** *v/t* **1.** *vêtements, chapeau* to put back on; *articulation* to reset; *objet* to put back; *le courant, de l'eau, etc* to put back on; ***remettre une montre à l'heure*** to set a watch to the right time; ***remettre qc dans sa poche*** to put sth back in one's pocket; ***remettre en marche*** to restart **2.** (*donner*) ***remettre qc à qn*** to give sth to sb; *lettre, etc* to deliver sth to sb **3.** (*faire grâce de*) *péchés* to forgive; ***remettre une dette à qn*** to cancel sb's debt **4.** (*ajourner*) to put off **5.** (*rétablir la santé*) ***remettre qn*** to restore sb to health **6.** *fam* (*reconnaître*) ***remettre qn*** to place sb **7.** *fam* (*recommencer*) ***on remet ça?*** shall we have the same again? **II** *v/pr* **1.** ***le temps se remet*** (***au beau***) the weather is brightening up **2.** ***se remettre à table*** to sit back down at the table **3.** (*recommencer*) ***se remettre à qc*** to go back to sth; ***se remettre à faire qc*** to start doing sth again **4.** (*aller mieux*) ▶ ***se remettre de qc*** to recover from sth; ***allons, remettez-vous!*** come on, cheer up! **5.** (*se fier*) ***s'en remettre à qn*** to rely on sb

remilitariser [ʀ(ə)militaʀize] *v/t* to remilitarize

réminiscence [ʀeminisɑ̃s] *f* reminiscence

remis [ʀ(ə)mi] → ***remettre***

remise [ʀ(ə)miz] *f* **1.** *local* shed **2.** COMM (*réduction*) discount **3.** ***~ de dette*** debt cancellation; ***~ de peine*** remission **4.** (*action de donner*) delivery; *d'un prix* award **5.** ***~ à neuf*** reconditioning; ***~ en état*** restoration; ***~ en forme*** reformatting; SPORT ***~ en jeu*** throw-in; ***~ en marche*** restarting; ***~ en question*** questioning

remiser [ʀ(ə)mize] *v/t véhicule, objet* to put away

rémission [ʀemisjõ] *f* **1.** *des péchés* remission; *fig* ***sans ~*** mercilessly; *par ext* unremittingly **2.** MÉD remission

remmener [ʀɑ̃mne] *v/t* ⟨**-è-**⟩ to take back

remodeler [ʀ(ə)mɔdle] *v/t* ⟨**-è-**⟩ **1.** *visage* to remodel **2.** ADMIN to restructure

remontant [ʀ(ə)mõtɑ̃] *m* tonic

remontée [ʀ(ə)mõte] *f* **1.** ascent; ***la ~ du***

fleuve the journey up river **2.** *de l'eau, etc* rise **3.** SPORT recovery **4.** ***~s mécaniques*** *pl* ski-lifts

remonte-pente [R(ə)mõtpɑ̃t] *m* ⟨**remonte-pentes**⟩ ski lift

remonter [R(ə)mõte] **I** *v/t* **1.** (*monter*) *rue* to go back up; (*dans un*) *véhicule* to drive back up; *colonne de voitures, peloton* to move up; ***~ un fleuve*** to go up a river **2.** (*monter de nouveau*) *escalier* to go back up **3.** *objet* to bring up; *col* to turn up; *pantalon, chaussettes* to pull up; *vitre d'une voiture* to wind up, to close **4.** *fig* ***~ qn*** to cheer sb up **5.** *pendule, réveil, jouet* to wind up **6.** TECH to reassemble **II** *v/i* ⟨*souvent* **être**, *quand une personne est sujet*⟩ **1.** *personne* to go up again; (*dans un*) *véhicule* to drive up again; ***~ dans la voiture*** to get back in the car **2.** *prix, baromètre, fièvre, mer* to rise; *robe* ***~ par-devant*** to hitch up at the front **3.** *dans le passé* to go back (***à*** to); *chose* to date back (***à*** to); *événement* ***~ loin*** to belong to the distant past

remontrance [R(ə)mõtRɑ̃s] *f* reprimand; ***~s*** *pl* remonstrances

remontrer [R(ə)mõtRe] *v/i* ***en ~ à qn*** to tell sb a thing or two

remords [R(ə)mɔR] *m souvent pl* remorse (+ *v sg*)

remorque [R(ə)mɔRk] *f* **1.** trailer **2.** ***prendre en ~*** to tow

remorquer [R(ə)mɔRke] *v/t* **1.** *voiture, bateau* to tow **2.** *fam, fig qn* to drag **remorqueur** *m* MAR tug

rémoulade [Remulad] *f* remoulade

rémouleur [RemulœR] *m* grinder

remous [Rəmu] *m* **1.** *dans l'eau* eddy; *d'un bateau* wash **2.** *fig pl* stir

rempaillage [Rɑ̃pajaʒ] *m* re-caning **rempailler** *v/t chaise* to re-cane **rempailleur** *m*, **rempailleuse** *f* chair re-caner

rempaqueter [Rɑ̃pakte] *v/t* ⟨**-tt-**⟩ to re-wrap

rempart [Rɑ̃paR] *m* **1.** MIL rampart; *d'une ville* city wall **2.** *fig* bulwark

rempiler [Rɑ̃pile] *v/i fam* MIL to re-enlist

remplaçable [Rɑ̃plasabl] *adj* replaceable

remplaçant [Rɑ̃plasɑ̃] *m*, **remplaçante** [-ɑ̃t] *f* replacement; SPORT reserve

remplacement [Rɑ̃plasmɑ̃] *m* **1.** *de choses* replacement; ***en ~ de*** in place of **2.** *d'un absent* standing in; ***faire des ~s*** to do temporary work, to temp *fam*

▶ **remplacer** [Rɑ̃plase] ⟨**-ç-**⟩ *v/t* **1.** *chose* to replace (***par*** with); *joueur* to substitute for **2.** ***~ qn*** *provisoirement* to stand in for; (*succéder à*) to replace

rempli [Rɑ̃pli] *adj* ⟨**~e**⟩ full; *journée, vie* ***bien ~*** busy; ***~ de*** full of

▶ **remplir** [Rɑ̃pliR] **I** *v/t* **1.** *verre, etc* to fill (***de*** with); *esp* to fill **2.** *fig* ***~ qn de joie****, etc* to fill sb with joy, *etc.* **3.** *questionnaire* to fill in **4.** *conditions* to fulfil; *devoir, mission* to carry out; *fonction* to perform **II** *v/pr* ***se ~*** to fill (***de*** with)

remplissage [Rɑ̃plisaʒ] *m* **1.** *action* filling **2.** *péj* padding

remplumer [Rɑ̃plyme] *v/pr fam* ***se ~*** **1.** to get back on one's feet **2.** *physiquement* to put on a little weight

rempocher [Rɑ̃pɔʃe] *v/t* to put back in one's pocket

remporter [Rɑ̃pɔRte] *v/t* **1.** *objet* to take away **2.** *victoire, prix* to win; *succès* to achieve

rempoter [Rɑ̃pɔte] *v/t* to repot

remuant [Rəmɥɑ̃] *adj* ⟨**-ante** [-ɑ̃t]⟩ overactive

remue-ménage [R(ə)mymenaʒ] *m* ⟨*inv*⟩ hustle and bustle; (*agitation*) commotion

▶ **remuer** [Rəmɥe] **I** *v/t* **1.** *objet, meuble* to move; *café* to stir; *salade* to toss; *chien* ***~ la queue*** to wag its tail **2.** *fig* (*émouvoir*) to move **II** *v/i* **1.** (*bouger*) to move; *enfant* to be active; *dent* to be loose **III** *v/pr* ***se remuer*** **1.** (*bouger*) to move **2.** *fig* (*se démener*) to exert o.s.

rémunérateur [RemyneRatœR] *adj* ⟨**-trice** [-tRis]⟩ lucrative **rémunération** *f* remuneration

rémunérer [RemyneRe] *v/t* ⟨**-è-**⟩ to pay; *travail* to pay for; *capital* to pay interest on

renâcler [R(ə)nɑkle] *v/i* **1.** *cheval, etc* to snort **2.** *fig* → ***rechigner***

renaissance [R(ə)nɛsɑ̃s] *f* **1.** renaissance **2.** HIST ***la Renaissance*** the Renaissance

renaître [R(ə)nɛtR] *v/i* ⟨→ **naître**⟩ to be born again (*a* REL); *fig* to come back to life; *plantes au printemps* to come up again; ***se sentir ~*** to feel re-born

rénal [Renal] *adj* ⟨**~e; -aux** [-o]⟩ renal

▶ **renard** [R(ə)naR] *m* fox

renardeau [R(ə)naRdo] *m* ⟨**~x**⟩ fox cub

Renault® [Rəno] *voiture* ***une ~*** a Renault®

rencard [Rɑ̃kaR] → ***rancard***

renchérir [ʀɑ̃ʃeʀiʀ] **I** *v/t indir* ~ ***sur qc*** to outdo sth **II** *v/i* to go one better
renchérissement [ʀɑ̃ʃeʀismɑ̃] *m* increase in price
rencontre [ʀɑ̃kõtʀ] *f* meeting (*a* SPORT); encounter; ***ami(e)*** *m(f)* ***de*** ~ casual friend; ***aller, venir à la*** ~ ***de qn*** to go, come to meet sb; ***faire une mauvaise*** ~ to have an unpleasant encounter
▶ **rencontrer** [ʀɑ̃kõtʀe] **I** *v/t* **1.** to meet; ~ ***qn*** *par hasard* to bump into sb; *exprès* to meet sb; SPORT to play sb **2.** *obstacle, difficultés* to encounter **II** *v/pr* ***se rencontrer*** **1.** *personnes, regards* to meet; (*avoir une entrevue*) to have a meeting **2.** (*exister*) to be found; ***ça se*** ~ ***rarement*** that's not something one finds too often
rendement [ʀɑ̃dmɑ̃] *m* **1.** FIN, ÉCON yield **2.** AGR yield **3.** *du travail* result; *d'une machine* output
▶ **rendez-vous** [ʀɑ̃devu] *m* **1.** appointment; ~ (***amoureux***) date; ***avoir*** (***un***) ~ to have a date (***avec qn*** with sb); *chez le médecin* to have an appointment; ***donner*** ~ ***à qn*** to make an appointment with sb; ***se donner*** ~ to arrange to meet; *client* ***prendre*** ~ to make an appointment (***avec le médecin*** to see the doctor); *médecin* ***recevoir sur*** ~ to see patients by appointment **2.** *lieu* meeting place **3.** ~ ***spatial*** docking
rendormir [ʀɑ̃dɔʀmiʀ] ⟨→ **dormir**⟩ *v/pr* ***se*** ~ to go back to sleep
▶ **rendre** [ʀɑ̃dʀ] ⟨**je rends, il rend, nous rendons; je rendais; je rendis; je rendrai; que je rende; rendant; rendu**⟩ **I** *v/t* **1.** (*restituer*) to return; (*redonner*) to give back; *monnaie* to give; *devoir* to give in; ~ ***un coup*** to return a blow; ~ ***une invitation*** to return an invitation **2.** (*payer*) to repay; *péj* ~ ***qc à qn*** to pay sb back for sth **3.** (*laisser échapper*) *de l'eau* to release; *sons* to make; (*vomir*) to vomit; *abs* to be sick **4.** *par le langage, par l'art* to render **5.** *avec adj* to make; ~ ***qn célèbre, fou, malade***, *etc* to make sb famous, mad, ill, *etc.* **II** *v/i* **1.** *terres, arbres fruitiers* ~ ***peu, bien*** to produce a poor, good crop **2.** *par ext* ***bien*** ~ ***à l'écran*** to look good on screen **III** *v/pr* ***se rendre*** **1.** MIL to surrender **2.** (*aller*) to go (***chez qn*** to sb's home; ***à Paris*** to Paris); ***se*** ~ ***à son travail*** to go to work **3.** *avec adj* ***se*** ~ ***malade, utile***, *etc* to make o.s. ill, useful, *etc.*

> **rendre**
>
> The basic meaning of **rendre** is to give back, including giving back money. But the other meanings include to make someone ill, famous, etc and **se rendre**, which means to go or to become:
>
> **Mark lui a rendu l'argent qu'il lui avait prêté. Attendez, je vous rends la monnaie. Le poisson les a rendus malades. Le président s'est rendu en visite officielle en Inde.**
>
> Mark gave him back the money he loaned him. Wait, I'll give you your change. The fish made them sick. The president went on an offical visit to India.

rendu [ʀɑ̃dy] **I** *pp* → ***rendre*** *et adj* ⟨**~e**⟩ **1.** *portrait* ***bien*** ~ finely rendered **2.** (*arrivé*) arrived **II** *m* ART rendering
rêne [ʀɛn] *f* rein; *fig* ***tenir les*** **~*s*** to hold the reins
renégat [ʀənega] *m*, **renégate** [-at] *f* REL, *fig* renegade
reneiger [ʀ(ə)neʒe] *v/imp* ⟨**-ge-**⟩ ***il reneige*** it's snowing again
renfermé [ʀɑ̃fɛʀme] **I** *adj* ⟨**~e**⟩ *air, personne* withdrawn **II** *m* ***odeur*** *f* ***de*** ~ musty smell; ***sentir le*** ~ to smell musty
renfermer [ʀɑ̃fɛʀme] **I** *v/t* to contain **II** *v/pr* ***se*** ~ ***en soi-même*** to withdraw into o.s.
renflé [ʀɑ̃fle] *adj* ⟨**~e**⟩ bulging
renflement [ʀɑ̃fləmɑ̃] *m* bulge
renflouage [ʀɑ̃fluaʒ] *m ou* **renflouement** [-mɑ̃] *m* MAR, *fig* refloating
renflouer [ʀɑ̃flue] *v/t* MAR, *fig* to refloat; *fig* ~ ***qn*** to help sb get back on their feet
renfoncement [ʀɑ̃fõsmɑ̃] *m* recess
renfoncer [ʀɑ̃fõse] ⟨**-ç-**⟩ *v/t* ~ ***son chapeau sur sa tête*** to pull one's hat down
renforcement [ʀɑ̃fɔʀsəmɑ] *m* reinforcement
renforcer [ʀɑ̃fɔʀse] *v/t* ⟨**-ç-**⟩ **1.** to reinforce; POL to strengthen **2.** ~ ***qn dans son opinion*** to confirm sb in an opinion
renfort [ʀɑ̃fɔʀ] *m* **1.** MIL, *fig* reinforcements (+ *v pl*) **2.** ***à grand*** ~ ***de*** with copious amounts of

renfrogné [ʀɑ̃fʀɔɲe] *adj* ⟨**~e**⟩ scowling
renfrogner *v/pr* ***se ~*** to scowl
rengager [ʀɑ̃gaʒe] *v/pr* ⟨**-ge-**⟩ MIL ***se ~*** to re-enlist
rengaine [ʀɑ̃gɛn] *f* song; *fig* ***c'est toujours la même ~*** it's the same old story
rengainer [ʀɑ̃gene] *v/t* **1.** *épée* to sheathe **2.** ***~ qc*** *fam* to keep sth to o.s
rengorger [ʀɑ̃gɔʀʒe] *v/pr* ⟨**-ge-**⟩ ***se ~*** to strut
reniement [ʀənimɑ̃] *m* renunciation
renier [ʀənje] *v/t* to renounce
reniflement [ʀ(ə)nifləmɑ̃] *m* sniffing
renifler [ʀ(ə)nifle] **I** *v/t* **1.** to sniff (***qc*** sth) **2.** *fig mauvais coup, etc* to smell **II** *v/i* to sniff
renne [ʀɛn] *m* reindeer
renom [ʀənõ] *m* renown
renommé [ʀ(ə)nɔme] *adj* ⟨**~e**⟩ renowned; ***~ pour*** famous for
renommée [ʀ(ə)nɔme] *f* fame
renoncement [ʀ(ə)nõsmɑ̃] *m* renunciation (***à*** of)
▶ **renoncer** [ʀ(ə)nõse] *v/t indir* ⟨**-ç-**⟩ ***~ à*** to renounce; (*abandonner*) to give up; ***~ au monde*** to renounce the world; ***~ à un projet*** to give up a project; ***~ à faire qc*** to give up doing sth
renonciation [ʀ(ə)nõsjasjõ] *f* renunciation (***à*** of)
renoncule [ʀənõkyl] *f* ranunculus
renouer [ʀənwe] **I** *v/t* **1.** *lacets* to retie **2.** *fig conversation* to resume **II** *v/t indir* ***~ avec qc*** to take sth up again; ***~ avec qn*** to get back in touch with sb
renouveau [ʀ(ə)nuvo] *m* ⟨**~x**⟩ revival
renouvelable [ʀ(ə)nuvlabl] *adj passeport, contrat* renewable; *expérience* repeatable
renouveler [ʀ(ə)nuvle] ⟨**-ll-**⟩ **I** *v/t* to renew; *contrat, passeport* to renew; *offre, exploit, question* to repeat; ***~ une assemblée*** to re-elect an assembly **II** *v/pr* ***se renouveler*** **1.** to be renewed; *peintre, etc* to take a new direction **2.** *incident* to happen again
renouvellement [ʀ(ə)nuvɛlmɑ̃] *m* renewal
rénovateur [ʀenɔvatœʀ] *m*, **rénovatrice** [-tʀis] *f* reforming
rénovation [ʀenɔvasjõ] *f* renovation
rénover [ʀenɔve] *v/t* **1.** *bâtiment* to renovate **2.** *fig enseignement, etc* to bring up to date
▶ **renseignement** [ʀɑ̃sɛɲmɑ̃] *m* **1.** piece of information; *par ext* ***~s*** *pl* information (+ *v pl*); ***prendre des ~s*** to make inquiries (***sur*** about) **2.** ***~s généraux*** *pl* ≈ FBI, *brit* ≈ Special Branch; ***service*** *m* ***de ~s*** intelligence service
renseigner [ʀɑ̃sɛɲe] **I** *v/t* to inform (***qn sur qc, qn*** sb about sth, sb) **II** *v/pr* ▶ ***se renseigner*** to find out (***sur*** about)
rentabiliser [ʀɑ̃tabilize] *v/t* to make profitable **rentabilité** *f* profitability
rentable [ʀɑ̃tabl] *adj* profitable; ***être ~*** to be profitable
rente [ʀɑ̃t] *f* **1.** *d'un capital, bien* income; *fig* ***~ de situation*** guaranteed income; ***vivre de ses ~s*** to live on one's private income **2.** *fam* (*dépense régulière*) regular outgoing **3.** (*emprunt d'État*) government bond

rente ≠ rent

Rente = income:

Il a vécu de ses rentes pendant des années.

He lived on his private income for years.

rentier [ʀɑ̃tje] *m*, **rentière** [-jɛʀ] *f* person with independent means
rentrée [ʀɑ̃tʀe] *f* **1.** (*retour*) return **2.** *après les vacances* return home; ***la ~ des classes*** the beginning of the new school year **3.** (*réapparition*) reappearance; *de qn* comeback; ***faire sa ~*** to make a comeback **4.** COMM *d'argent* sum; ***~s*** *pl* takings **5.** ESP ***~ dans l'atmosphère*** re-entry into the atmosphere
▶ **rentrer** [ʀɑ̃tʀe] **I** *v/t objet* to bring in, to take in; *ventre* to hold in; *avion: train d'atterrissage* to raise; TYPO *ligne* to indent; *fig colère* to suppress; ***~ sa chemise dans son pantalon*** to tuck one's shirt into one's pants; ***~ sa voiture*** (***au garage***) to put the car away (in the garage) **II** *v/i* ⟨**être**⟩ **1.** (*revenir*) to go back, to come back; ***~*** (***chez soi***) to go, come home **2.** (*retrouver*) ***~ dans qc*** to recover sth; ***~ dans ses frais*** to recoup one's investment **3.** *après les vacances* to go back to work; *écoles* to go back **4.** (*entrer*) to go in; *personne* to go in, to come in; *pluie, odeur* to come in; *argent* to come in **5.** *fam voiture* ***~ dans un arbre*** to crash into a tree; *fig* ***il va lui***

~ ***dedans*** he's going to punch his lights out **6.** *objet dans qc* to fit (***dans*** in) **7.** (*faire partie de*) *~* ***dans*** to be part of

> **rentrer**
>
> **Rentrer** = to go (or come) back to your home, wherever the speaker is at present. Compare **revenir** and **retourner**:
>
> **Quand rentrez-vous chez vous? Je rentre vendredi prochain./Je suis rentré vendredi dernier.**
>
> When are you going back home? I'm going back next Friday./I went back last Friday.

renversant [ʀɑ̃vɛʀsɑ̃] *adj* ⟨**-ante** [-ɑ̃t]⟩ *nouvelle* amazing; staggering *fam*
renverse [ʀɑ̃vɛʀs] ***tomber à la ~*** to fall backward
renversé [ʀɑ̃vɛʀse] *adj* ⟨**~e**⟩ **1.** (*à l'envers*) upside down; ***crème ~e*** crème caramel **2.** *chaise* overturned; *liquide* spilled; *tête* bent down **3.** *fig* (*stupéfait*) amazed
renversement [ʀɑ̃vɛʀsəmɑ̃] *m* **1.** *d'un régime* overthrow **2.** (*inversion*) inversion; *fig* reversal
► **renverser** [ʀɑ̃vɛʀse] **I** *v/t* **1.** *objet* to overturn; *tempête*: *arbres* to blow down; *voiture*: *piéton* to knock down; *par ext vin, café* to spill; *fam, fig* ***cela me renverse*** that amazes me **2.** *gouvernement, régime* to overthrow **3.** (*inverser*) to reverse **4.** *~* ***la tête*** (***en arrière***) to tip one's head back **II** *v/pr* ***se renverser*** **1.** *objet* to overturn **2.** *personne* (*s'adosser*) to lean backward **3.** *situation* to be reversed
renvoi [ʀɑ̃vwa] *m* **1.** *de personnel* dismissal; *d'un élève* expulsion **2.** *d'une lettre, etc* return **3.** *dans un texte* cross-reference (***à*** to) **4.** JUR referral (***devant un tribunal*** to a court) **5.** (*ajournement*) adjournment (***à 'huitaine*** for a week) **6.** (*rot*) belch
► **renvoyer** [ʀɑ̃vwaje] ⟨→ **envoyer**⟩ **I** *v/t* **1.** *personnel* to dismiss; *élève* to expel (***de l'école*** from school); *visiteur gênant* to get rid of **2.** (*faire retourner*) to send back **3.** *balle* to return; *image* to reflect; *son* to echo **4.** *~* ***qn à qn*** to refer sb to sb; *dans un texte* *~* ***à qc*** to refer to sth **5.** (*reporter*) to postpone (***à*** until) **II** *v/pr* ***se ~ la faute*** to blame each other
réoccuper [ʀeɔkype] *v/t* to reoccupy
réorganisation [ʀeɔʀganizasjõ] *f* reorganization **réorganiser** *v/t* to reorganize
réorientation [ʀeɔʀjɑ̃tasjõ] *f* reorientation **réorienter** *v/t* to reorient
réouverture [ʀeuvɛʀtyʀ] *f* reopening
repaire [ʀ(ə)pɛʀ] *m* **1.** *d'animaux* lair **2.** *fig* haunt
repaître [ʀəpɛtʀ] *v/pr* ⟨→ **connaître**⟩ *st/s* ***se ~ de*** **1.** *animal* to eat its fill of **2.** *fig* to revel in
répandre [ʀepɑ̃dʀ] ⟨→ **rendre**⟩ **I** *v/t* **1.** *liquide par accident* to spill (***sur*** over); *sable, etc* to spread; *larmes* to shed **2.** *odeur* to give out; *nouvelle, allégresse* to spread; *bienfaits* to do constantly **II** *v/pr* ***se répandre*** **1.** *liquide* to spill (***sur*** over) **2.** *odeur, nouvelle, mode, épidémie* to spread **3.** *personne* ***se ~ en*** to utter a stream of
répandu [ʀepɑ̃dy] *adj* ⟨**~e**⟩ widespread
réparable [ʀepaʀabl] *adj* repairable; *perte* possible to make up
reparaître [ʀ(ə)paʀɛtʀ] *v/i* ⟨→ **connaître**⟩ to reappear
réparateur [ʀepaʀatœʀ] *adj* ⟨**-trice** [-tʀis]⟩ *sommeil* restorative
réparation [ʀepaʀasjõ] *f* **1.** TECH repair; ***être en ~*** to be under repair **2.** *d'une faute* reparation; *après une guerre* ***~s*** *pl* reparations **3.** FOOT ***surface*** *f* ***de ~*** penalty area
► **réparer** [ʀepaʀe] *v/t* **1.** TECH to repair; *fig* *~* ***ses forces*** to get one's strength back **2.** *faute* to make amends for
reparler [ʀ(ə)paʀle] **I** *v/i* to talk again **II** *v/pr* ***se ~*** to be on speaking terms again
repartie [ʀepaʀti] *f* ***avoir de la ~*** to have a gift for repartee
repartir [ʀ(ə)paʀtiʀ] *v/i* ⟨→ **partir**⟩ **1.** *de nouveau* to leave again; *moteur* to restart **2.** *d'où l'on vient* to go back again
répartir [ʀepaʀtiʀ] **I** *v/t* **1.** (*partager*) to share out (***entre*** between) **2.** (*classer*) to divide (***en*** into) **II** *v/pr* **1.** ***se ~ un travail*** to share a task **2.** *frais, etc* ***se ~*** to be divided
répartition [ʀepaʀtisjõ] *f* distribution
► **repas** [ʀ(ə)pɑ] *m* meal
repassage [ʀ(ə)pasaʒ] *m* ironing
► **repasser** [ʀ(ə)pase] **I** *v/t* **1.** *fleuve* to cross again; *frontière* to go back over; *film* to show again; *examen* to take

again **2.** *fam* (*donner*) **~ *qc à qn*** to give sb sth **3.** *du linge* to iron **4.** (*relire*) *leçons* to go over **5.** (*aiguiser*) to sharpen **II** *v/i* ⟨**être**⟩ to come back; *fig* **~ *derrière qn*** to keep tabs on sb; ***passer et* ~** to go backwards and forwards

repasseuse [ʀ(ə)pasøz] *f* ironing woman

repayer [ʀ(ə)peje] *v/t et v/i* ⟨**-ay-** *ou* **-ai-**⟩ to pay again

repêchage [ʀ(ə)pɛʃaʒ] *m examen awarding of a passing grade*

repêcher [ʀ(ə)pɛʃe] *v/t* **1.** *dans l'eau* to fish out **2.** *fam*, *fig candidat* to give a pass to

repeindre [ʀ(ə)pɛ̃dʀ] *v/t* ⟨→ **peindre**⟩ to repaint

repeint [ʀ(ə)pɛ̃] *m* repainted area

repenser [ʀ(ə)pɑ̃se] **I** *v/t problème* to rethink **II** *v/t indir* **~ *à*** to think again about; ***j'y repenserai*** I'll have another think about it

repentant [ʀ(ə)pɑ̃tɑ̃] *adj* ⟨**-ante** [-ɑ̃t]⟩ repentant

repenti [ʀ(ə)pɑ̃ti] *m* JUR informer

repentir [ʀ(ə)pɑ̃tiʀ] **I** *v/pr* ⟨→ **partir**⟩ ***se* ~ *de qc*** to regret sth **II** *m* repentance

repérage [ʀ(ə)peʀaʒ] *m* **1.** AVIAT locating **2.** FILM location

répercussion [ʀepɛʀkysjõ] *f* impact (***sur*** on)

répercuter [ʀepɛʀkyte] **I** *v/t* **1.** *son* to echo **2.** FIN *charge* to pass on (***sur*** to) **II** *v/pr* **1.** ***se* ~** *bruit* to reverberate; *sons*, *cris* to echo **2.** *fig* ***se* ~ *sur qc*** to have repercussions on sth

repère [ʀ(ə)pɛʀ] *m* mark; ***point*** *m* ***de* ~** landmark

repérer [ʀ(ə)peʀe] ⟨**-è-**⟩ **I** *v/t* **1.** (*découvrir*) to locate; *fam* ***se faire* ~** to get caught **2.** AVIAT, MIL to pinpoint **II** *v/pr* ***se* ~** to get one's bearings

répertoire [ʀepɛʀtwaʀ] *m* **1.** directory; **~ *d'adresses*** address book **2.** THÉ, *d'un artiste*, *fig* repertoire; ***faire partie du* ~** to be part of the repertoire

répertorier [ʀepɛʀtɔʀje] *v/t* to list

▶ **répéter** [ʀepete] *v/t* ⟨**-è-**⟩ **1.** to repeat; *secret*, *nouvelle* to tell; ***ne pas se le faire* ~** not to need to be asked twice; ***des tentatives répétées*** repeated attempts **2.** *rôle*, *pièce*, *etc* to rehearse; *leçon* to go over

répétiteur [ʀepetitœʀ] *m* coach

répétitif [ʀepetitif] *adj* ⟨**-ive** [-iv]⟩ repetitive; *par ext* monotonous

répétition [ʀepetisjõ] *f* **1.** repetition **2.** THÉ, *etc* rehearsal; **~ *générale*** dress rehearsal

repeupler [ʀ(ə)pœple] *v/t* **1.** *région* to repopulate **2.** *étang* to restock; *forêt* to replant

repiquage [ʀ(ə)pikaʒ] *m* **1.** JARD pricking out **2.** *d'une cassette*, *etc* rerecording

repiquer *v/t* **1.** JARD to prick out **2.** *disque*, *cassette* to rerecord

répit [ʀepi] *m* respite; ***sans* ~** without respite

replacer [ʀ(ə)plase] ⟨**-ç-**⟩ *v/t* to put back

replanter [ʀ(ə)plɑ̃te] *v/t* to replant

replat [ʀəpla] *m* GÉOL shelf

replâtrage [ʀ(ə)plɑtʀaʒ] *m fam*, *péj* patching up

replet [ʀəplɛ] *adj* ⟨**-ète** [-ɛt]⟩ podgy

repleuvoir [ʀ(ə)plœvwaʀ] *v/imp* ⟨→ **pleuvoir**⟩ ***il repleut*** it's raining again

repli [ʀəpli] *m* **1.** fold; *de l'intestin* coil; COUT fold **2.** MIL withdrawal **3.** *fig du cœur* depth

repliement [ʀ(ə)plimɑ̃] *m* withdrawal

replier [ʀ(ə)plije] **I** *v/t journal*, *vêtement* to fold up; *bord* to fold down; *ailes* to fold; *jambes* to draw up **II** *v/pr* **1.** MIL ***se* ~** to withdraw **2.** ***se* ~ *sur soi-même*** to retreat into one's shell

réplique [ʀeplik] *f* **1.** (*riposte*) retort **2.** (*objection*) objection; ***sans* ~** irrefutable **3.** THÉ cue; ***donner la* ~ *à un acteur*** to give an actor his cue **4.** ART replica

répliquer [ʀeplike] *v/t* **1.** (*répondre*) to retort (***qc à qn*** sth to sb) **2.** *abs* (*protester*) to protest

replonger [ʀ(ə)plõʒe] ⟨**-ge-**⟩ *v/t* to plunge back (***dans*** in)

répondant [ʀepõdɑ̃] *m* ***avoir du* ~** *fam*, *fig* not to be short of money

répondeur [ʀepõdœʀ] *m* TÉL answering machine

▶ **répondre** [ʀepõdʀ] ⟨→ **rendre**⟩ **I** *v/t* to answer (***qc à qn*** sth to sb; ***que*** that) **II** *v/t indir et v/i* **1.** to answer (***à qn*** sb; ***à qc*** sth); to reply (***à qc*** to sth); **~ *à l'affection de qn*** to return sb's affection; **~ *à une lettre*** to reply to a letter; **~ *au nom de …*** to answer to the name of …; **~ *au téléphone*** to answer the phone; TÉL ***ça ne répond pas*** there's no reply **2.** (*correspondre*) **~ *à qc*** to match sth **3.** (*répliquer*) *enfant* **~ *à qn*** to answer sb back; *abs* ***il répond*** he answers back **4.** *mécanisme*, *organisme* to respond (***à*** to) **5.** **~ *de qc, de qn*** to answer for sth, sb; ***je ne***

réponds de rien I can't guarantee anything

réponse [ʀepõs] *f* **1.** answer, reply (***à*** to); ***droit*** *m* ***de ~*** right of reply; ***en ~ à votre lettre*** in reply to your letter; *lettre*, *question* ***rester sans ~*** to remain unanswered **2.** BIOL, *fig* response

report [ʀəpɔʀ] *m* **1.** (*ajournement*) postponement **2.** COMPTABILITÉ sum brought forward **3.** POL ***~ des voix*** transfer of votes

► **reportage** [ʀ(ə)pɔʀtaʒ] *m* report

reporter[1] [ʀ(ə)pɔʀte] **I** *v/t* **1.** *au point de départ* to take back **2.** (*transcrire*) to copy out **3.** (*ajourner*) to postpone **4.** ***~ qc sur qn*** to transfer sth to sb **II** *v/pr* **1.** (*se référer*) ***se ~ à qc*** to refer to sth; ***se ~ page 16*** see page 16 **2.** ***se ~*** *dans le passé* to think back (***à*** to)

reporter[2] [ʀ(ə)pɔʀtɛʀ] *m* reporter

► **repos** [ʀ(ə)po] *m* **1.** rest; ***de tout ~*** *placement*, *situation* safe; *travail* easy; ***prendre du ~*** to take a rest **2.** MIL ***~!*** at ease!

reposant [ʀ(ə)pozɑ̃] *adj* ⟨**-ante** [-ɑ̃t]⟩ restful

reposé [ʀ(ə)poze] *adj* ⟨**~e**⟩ rested; ***à tête ~e*** at leisure

repose-pied(s) [ʀ(ə)pozpje] *m* ⟨**repose-pieds**⟩ *d'une moto* footrest

reposer [ʀ(ə)poze] **I** *v/t* **1.** *objet* to put back down; *question* to repeat **2.** (*délasser*) to rest; ***~ les yeux*** to rest one's eyes **II** *v/i* **1.** *st/s* to lie; ***ici repose ...*** here lies ... **2.** ***laisser reposer*** *liquide* to leave to stand; *pâte* to leave to rest **3.** ***reposer sur*** to rest on **III** *v/pr* **1.** ► ***se reposer*** to rest; ***aller se reposer*** to go to have a rest **2.** ***se reposer sur qn*** to rely on sb

repose-tête [ʀ(ə)poztɛt] *m* ⟨*inv*⟩ headrest

repoussant [ʀ(ə)pusɑ̃] *adj* ⟨**-ante** [-ɑ̃t]⟩ repellent

repousse [ʀ(ə)pus] *f* regrowth

repoussé [ʀ(ə)puse] *adj* ⟨**~e**⟩ *métal* embossed

repousser [ʀ(ə)puse] **I** *v/t* **1.** (*faire reculer*) to push away; *ennemi* to drive back; *attaque* to fight off **2.** (*éconduire*) to reject **3.** (*dégoûter*) to repel **4.** (*rejeter*) *conseil*, *demande*, *etc* to reject **5.** *objets gênants*, *meuble* to push out of the way **6.** (*différer*) to postpone **II** *v/i cheveux*, *gazon*, *etc* to grow again

repoussoir [ʀ(ə)puswaʀ] *m* ***servir de ~ à qn*** to serve as a foil to sb

répréhensible [ʀepʀeɑ̃sibl] *adj* reprehensible

reprendre [ʀ(ə)pʀɑ̃dʀ] ⟨→ **prendre**⟩ **I** *v/t* **1.** *objet* to take back; *personne*, *voiture*, *etc* (*aller chercher*) to go to get; *fugitif* to recapture; *sa place* to return to; *habitude* to get back into; ***~ courage*** to get one's courage back; ***~ des forces*** to get one's strength back **2.** COMM *article* to take back; *vieille voiture*, *etc* to take in part exchange **3.** (*continuer*) *travail*, *conversation*, *etc* to continue; *appartement*, *commerce*, *programme* to take over **4.** (*améliorer*) *texte* to revise; *vêtement* to repair **5.** (*réprimander*) to reprimand **6.** ***on ne m'y reprendra plus*** I won't get caught out like that again **II** *v/i* **1.** (*dire*) ***reprit-il*** he went on **2.** *plante* to recover; *par ext affaires* to pick up **3.** (*recommencer*) to start again; *froid* to set in again **III** *v/pr* **1.** ***se ~*** (*se ressaisir*) to pull o.s. together; (*rectifier*) to correct o.s. **2.** ***s'y ~ à deux fois*** to make two attempts

repreneur [ʀ(ə)pʀənœʀ] *m* buyer

représailles [ʀ(ə)pʀezaj] *fpl* reprisals

représentable [ʀ(ə)pʀezɑ̃tabl] *adj* representable

► **représentant** [ʀ(ə)pʀezɑ̃tɑ̃] *m*, **représentante** [-ɑ̃t] *f* representative (*a* POL, COMM); ***représentant, représentante de commerce*** sales representative

représentatif [ʀ(ə)pʀezɑ̃tatif] *adj* ⟨**-ive** [-iv]⟩ representative (***de*** of)

► **représentation** [ʀ(ə)pʀezɑ̃tasjõ] *f* **1.** (*image*) representation **2.** THÉ performance **3.** COMM, POL, JUR representation

représentativité [ʀ(ə)pʀezɑ̃tativite] *f* representativeness

► **représenter** [ʀ(ə)pʀezɑ̃te] **I** *v/t* **1.** (*exprimer*, *constituer*) to represent **2.** THÉ *pièce* to perform **3.** COMM, POL, JUR to represent **II** *v/pr* **1.** (*s'imaginer*) ***se ~ qc*** to imagine sth **2.** ***se ~ aux élections*** to run again for election; ***se ~ à un examen*** to retake an examination

répressif [ʀepʀesif] *adj* ⟨**-ive** [-iv]⟩ repressive

répression [ʀepʀesjõ] *f* **1.** *d'un crime* curbing **2.** *d'une révolte* suppression

réprimande [ʀepʀimɑ̃d] *f* reprimand **réprimander** *v/t* to reprimand

réprimer [ʀepʀime] *v/t* to crack down on; *révolte* to suppress

repris [ʀ(ə)pʀi] *m* ***~ de justice*** known criminal

reprise [ʀ(ə)pʀiz] *f* **1.** *du travail, etc* resumption; *d'un fonds de commerce* re-opening; THÉ revival; (*recommencement*) continuation; ***~ économique*** economic recovery **2.** COMM *d'un article* taking back; *d'une vieille voiture* trading-in, *brit* part-exchange **3.** *moteur* ***avoir de bonnes ~s*** to have good acceleration **4.** SPORT round **5.** *lors d'un emménagement* key money **6.** COUT darn; ***faire une ~ à qc*** to mend sth **7. *à plusieurs ~s*** several times

repriser [ʀ(ə)pʀize] *v/t* to darn

réprobateur [ʀepʀɔbatœʀ] *adj* ⟨**-trice** [-tʀis]⟩ reproachful **réprobation** *f* disapproval

▶ **reproche** [ʀ(ə)pʀɔʃ] *m* reproach

▶ **reprocher** [ʀ(ə)pʀɔʃe] **I** *v/t* to reproach (***qc à qn*** sb for sth) **II** *v/pr* ***se ~ qc*** to be ashamed of sth

reproducteur [ʀ(ə)pʀɔdyktœʀ] *adj* ⟨**-trice** [-tʀis]⟩ reproductive

reproduction [ʀ(ə)pʀɔdyksjõ] *f* **1.** BIOL reproduction **2.** (*copie*) reproduction; TECH, TYPO reproduction; *d'un texte* reprinting

reproduire [ʀ(ə)pʀɔdɥiʀ] ⟨→ **conduire**⟩ **I** *v/t* **1.** *sons* to reproduce; *réalité* to portray faithfully **2.** *texte* to reprint; *a tableau, dessin* to reproduce **II** *v/pr* ***se reproduire*** **1.** (*recommencer*) to happen again **2.** BIOL to reproduce

réprouvé(e) [ʀepʀuve] *m(f)* outcast

réprouver [ʀepʀuve] *v/t* to reprove

reptation [ʀɛptasjõ] *f* crawling

reptile [ʀɛptil] *m* reptile

repu [ʀəpy] *adj* ⟨**~e**⟩ full

républicain [ʀepyblikɛ̃] **I** *adj* ⟨**-aine** [-ɛn]⟩ republican **II** **~(*e*)** *m(f)* republican

▶ **république** [ʀepyblik] *f* republic

répudier [ʀepydje] *v/t épouse* to repudiate *a fig*

répugnance [ʀepyɲɑ̃s] *f* repugnance (***pour*** for), loathing (***pour*** of); ***avec ~*** with disgust

répugnant [ʀepyɲɑ̃] *adj* ⟨**-ante** [-ɑ̃t]⟩ repugnant

répugner [ʀepyɲe] *v/t indir* **1.** *personne* ***~ à qc*** to be repelled by sth; ***~ à faire qc*** to be reluctant to do sth **2.** *chose* ***~ à qn*** to disgust sb

répulsion [ʀepylsjõ] *f* disgust (***pour*** for); repulsion (***pour*** of)

réputation [ʀepytasjõ] *f* reputation; ***avoir*** (***une***) ***mauvaise ~*** to have a bad reputation; ***faire une mauvaise ~ à qn*** to give sb a bad reputation; *connaître* ***de ~*** by repute

réputé [ʀepyte] *adj* ⟨**~e**⟩ famous (***pour*** for)

requérant [ʀəkeʀɑ̃] *m*, **requérante** [-ɑ̃t] *f* JUR applicant

requérir [ʀəkeʀiʀ] *v/t* ⟨→ **acquérir**⟩ **1.** JUR *peine* to demand **2.** *attention, soins* to require

requête [ʀəkɛt] *f* request; ***à, sur la ~ de*** at the request of

requiem [ʀekɥijɛm] *m* ⟨*inv*⟩ requiem

requiert [ʀəkjɛʀ] → ***requérir***

▶ **requin** [ʀəkɛ̃] *m* **1.** ZOOL shark **2.** *fig* ***~*** (***de la finance***) shark

requinquer [ʀ(ə)kɛ̃ke] *v/t* to pep up *fam*

requis [ʀəki] *adj* ⟨**-ise** [-iz]⟩ necessary

réquisition [ʀekizisjõ] *f* **1.** *de choses* requisitioning **2.** *de personnes* conscription

réquisitionner [ʀekizisjɔne] *v/t* **1.** *véhicules, locaux* to requisition **2.** *personnes* to conscript **3.** *fam, fig* ***~ qn pour faire qc*** to volunteer sb to do sth *fam*

réquisitoire [ʀekizitwaʀ] *m* **1.** JUR summing up **2.** *fig* indictment

▶ **R.E.R.** [ɛʀəɛʀ] *m, abr* ⟨*inv*⟩ (= **réseau express régional**) *express train service covering the Paris area*

resaler [ʀ(ə)sale] *v/t* to add more salt to

resalir [ʀ(ə)saliʀ] *v/pr* ***se ~*** to get dirty again

rescapé(e) [ʀɛskape] *m(f)* survivor

rescousse [ʀɛskus] *f* ***venir à la ~*** (***de qn***) to come to the rescue (of sb)

réseau [ʀezo] *m* ⟨**~x**⟩ network (*a* INFORM); ANAT reticulum; ***~ routier*** road network; ***~ d'espionnage*** spy network; ***~ social*** INFORM social networking site

réséda [ʀezeda] *m* reseda

▶ **réservation** [ʀezɛʀvasjõ] *f* reservation; *d'un voyage* booking; CH DE FER reservation

▶ **réserve** [ʀezɛʀv] *f* **1.** (*provision*) stock; ***en ~*** in stock **2.** MIL reserve; ***officier*** *m* ***de ~*** reserve officer **3.** *territoire* reserve; ***~ naturelle*** nature reserve **4.** *qualité de qn* reserve **5.** (*restriction*) reservation; ***sans ~*** without reservation; ***sous toutes ~s*** subject to confirmation; ***sous ~ de ...*** subject to ...

réservé [ʀezɛʀve] *adj* ⟨**~e**⟩ **1.** *personne* reserved **2.** *place, etc* reserved (***à qn*** for sb)

▶ **réserver** [ʀezɛʀve] **I** *v/t* **1.** (*garder*) to

keep **2.** *chambre, place, table* to reserve; *voyage, billet d'avion, chambre* to book **3.** (*destiner*) ***~ qc à qn*** to keep sth for sb; *surprise, déception* to have sth in store for sb; *accueil* to give sb sth **II** *v/pr* **1.** ***se ~ qc*** to keep sth for o.s.; ***se ~ de*** *+inf* to hold back from (+ *v-ing*) **2.** ***se ~*** to save o.s. (***pour*** for)

réserviste [ʀezɛʀvist] *m* reservist

réservoir [ʀezɛʀvwaʀ] *m* tank; ***~ d'essence*** gas tank

résidant [ʀezidɑ̃] *adj* ⟨**-ante** [-ɑ̃t]⟩ ***~ à*** resident in

résidence [ʀezidɑ̃s] *f* **1.** (*domicile*) residence; ***~ principale*** main home; ***~ secondaire*** second home **2.** *immeuble(s)* apartment building

résident [ʀezidɑ̃] *m* resident alien, *brit* foreign resident ***les ~s français en Allemagne*** French nationals resident in Germany

résidentiel [ʀezidɑ̃sjɛl] *adj* ⟨**~le**⟩ ***quartier ~*** residential area

résider [ʀezide] *v/i* **1.** to live (***à, en, dans*** in) **2.** *fig* ***~ dans qc*** to lie in sth

résidu [ʀezidy] *m* residue (*a* CHIM, TECH); *péj* waste

résiduel [ʀezidɥɛl] *adj* ⟨**~le**⟩ residual

résignation [ʀeziɲasjõ] *f* resignation

résigné [ʀeziɲe] *adj* ⟨**~e**⟩ resigned

résigner [ʀeziɲe] *v/pr* ***se ~*** to resign o.s.; ***se ~ à qc*** to resign o.s. to sth

résiliable [ʀeziljabl] *adj contrat* that can be terminated *épith* **résiliation** *f d'un contrat* cancellation **résilier** *v/t contrat* to cancel

résille [ʀezij] *f* **1.** net **2.** *adjt* ***bas*** *mpl* ***~*** net stockings

résine [ʀezin] *f* resin

résineux [ʀezinø] **I** *adj* ⟨**-euse** [-øz]⟩ resinous **II** *mpl* resins

► **résistance** [ʀezistɑ̃s] *f* **1.** (*opposition*) resistance (***à*** to); ***n'opposer aucune ~*** to put up no resistance **2.** HIST ***la Résistance*** the Resistance **3.** PHYS, ÉLEC resistance; *de matériaux* strength **4.** (*endurance*) stamina

résistant [ʀezistɑ̃] **I** *adj* ⟨**-ante** [-ɑ̃t]⟩ resistant; *personne* tough; BIOL hardy; *vêtement* hard-wearing **II** ***~(e)*** *m(f)* POL Resistance fighter

► **résister** [ʀeziste] *v/t indir et v/i* ***~ à*** **1.** (*s'opposer*) to resist **2.** (*supporter*) to withstand **3.** (*ne pas céder*) to resist

résolu [ʀezɔly] *pp*→ ***résoudre*** *et adj* ⟨**~e**⟩ determined

résolument [ʀezɔlymɑ̃] *adv s'opposer* resolutely; *être contre* firmly

résolution [ʀezɔlysjõ] *f* **1.** (*décision*) resolution; ***prendre une ~*** to resolve; ***prendre de bonnes ~s*** to make good resolutions **2.** *d'une assemblée* resolution **3.** (*détermination*) resolution

résolvais [ʀezɔlvɛ] → ***résoudre***

résonance [ʀezɔnɑ̃s] *f* resonance; MÉD ***~ magnétique nucléaire*** (*abr* ***R.M.N.***) nuclear magnetic resonance; ***caisse*** *f* ***de ~*** sound box

résonner [ʀezɔne] *v/i* to resound (***de*** with)

résorber [ʀezɔʀbe] **I** *v/t chômage, etc* to absorb **II** *v/pr* ***se ~*** MÉD to be resorbed

résorption [ʀezɔʀpsjõ] *f* **1.** MÉD resorption **2.** *du chômage, etc* absorption

► **résoudre** [ʀezudʀ] ⟨**je résous, il résout, nous résolvons; je résolvais; je résolus; je résoudrai; que je résolve; résolvant; résolu**⟩ **I** *v/t* **1.** *problème, énigme* to solve; *équation* to solve **2.** ***~ de*** *+inf* to decide *+inf* **II** *v/pr* ***se ~ à*** *+inf* to decide *+inf*

► **respect** [ʀɛspɛ] *m* **1.** respect; ***manque*** *m* ***de ~*** lack of respect; ***sauf votre ~*** with all due respect; ***tenir qn en ~*** to respect sb **2.** *de la loi* respect (***de*** for); *des formes* respect

respectabilité [ʀɛspɛktabilite] *f* respectability

respectable [ʀɛspɛktabl] *adj* **1.** respectable; *scrupules* honorable **2.** *somme* sizeable

► **respecter** [ʀɛspɛkte] **I** *v/t* to respect; *priorité* to yield; *règles* to observe; *engagements* to honor; *traditions, formes* to respect; *sommeil de qn* not to disturb; ***faire ~ la loi*** to enforce the law; ***se faire ~*** to command respect **II** *v/pr* ***se ~*** to have self-respect

respectif [ʀɛspɛktif] *adj* ⟨**-ive** [-iv]⟩ respective

respectivement [ʀɛspɛktivmɑ̃] *adv* respectively; *deux enfants* ***âgés ~ de cinq et huit ans*** five and eight years old respectively

respectueux [ʀɛspɛktɥø] *adj* ⟨**-euse** [-øz]⟩ **1.** respectful **2.** ***~ de qc*** respectful of sth

respirable [ʀɛspiʀabl] *adj* ***pas ~*** *air* breathable; *fig* tolerable

respiration [ʀɛspiʀasjõ] *f* breathing; ***~ artificielle*** artificial respiration

respiratoire [ʀɛspiʀatwaʀ] *adj* respiratory

▸ **respirer** [ʀɛspiʀe] **I** *v/t* **1.** to breathe **2.** *fig le calme, etc* to radiate **II** *v/i* **1.** to breathe; **~ *par la bouche, par le nez*** to breathe through one's mouth; *par ext* ***laissez-moi ~*** let me get my breath back **2.** *fig* (*être soulagé*) to breathe more easily

resplendir [ʀɛsplɑ̃diʀ] *v/i* to glitter (*a fig*, ***de*** with)

resplendissant [ʀɛsplɑ̃disɑ̃] *adj* ⟨**-ante** [-ɑ̃t]⟩ glittering

responsabiliser [ʀɛspɔ̃sabilize] *v/t* **~ *qn*** to make sb aware of their responsibilities

▸ **responsabilité** [ʀɛspɔ̃sabilite] *f* responsibility (***de*** for); JUR liability; **~ *civile*** civil liability; ***prendre ses ~s*** to accept one's responsibilities

▸ **responsable** [ʀɛspɔ̃sabl] **I** *adj* **1.** responsible (***de*** for; ***devant qn*** to sb); ***être ~ de*** JUR to be liable for **2.** (*réfléchi*) responsible **II** *m* person in charge; **~ *syndical*** labor union official, *brit* trade union official

resquiller [ʀɛskije] *v/i dans une queue* to cut in the line; *au cinéma, etc* to go in without paying; *dans le métro, etc* to travel without a ticket **resquilleur** *m*, **resquilleuse** *f au cinéma, etc* person who sneaks in without paying; *dans le métro, etc* fare-dodger

ressac [ʀəsak] *m* backwash

ressaisir [ʀ(ə)seziʀ] *v/pr* ***se ~*** to pull o.s. together

ressasser [ʀ(ə)sase] *v/t* to keep repeating

ressayer [ʀesɛje] *v/t* → ***réessayer***

ressemblance [ʀ(ə)sɑ̃blɑ̃s] *f* resemblance **ressemblant** *adj* ⟨**-ante** [-ɑ̃t]⟩ lifelike

▸ **ressembler** [ʀ(ə)sɑ̃ble] **I** *v/t indir* **~ *à*** to be like; *fig* ***cela lui ressemble tout à fait*** that's just like him; *fig* ***à quoi ça ressemble!*** look at the state of it! **II** *v/pr* ***se ~*** to look alike

ressemelage [ʀ(ə)səmlaʒ] *m* resoling **ressemeler** *v/t* ⟨**-ll-**⟩ to resole

ressemer [ʀəsme, ʀsəme] ⟨**-è-**⟩ *v/t graines* to resow

ressentiment [ʀ(ə)sɑ̃timɑ̃] *m* resentment

ressentir [ʀ(ə)sɑ̃tiʀ] ⟨→ **sentir**⟩ **I** *v/t* to feel **II** *v/pr* ***se ~ de qc*** to show the effects of sth

resserre [ʀəsɛʀ] *f* shed

resserré [ʀ(ə)seʀe] *adj* ⟨**~e**⟩ squeezed (***entre*** between)

resserrement [ʀəsɛʀmɑ̃] *m* **~ *du crédit*** credit crunch

resserrer [ʀ(ə)seʀe] **I** *v/t* **1.** *nœud, ceinture* to tighten **2.** *fig liens* to strengthen **II** *v/pr* ***se resserrer*** **1.** *vallée* to narrow; *filet* to close in **2.** *fig liens* to grow stronger

resservir [ʀ(ə)sɛʀviʀ] ⟨→ **partir**⟩ **I** *v/t* **1.** *mets* to give another helping of **2.** *fig histoires* to trot out again **II** *v/i vêtement* to be okay to wear again

ressort[1] [ʀ(ə)sɔʀ] *m* **1.** TECH spring; ***faire ~*** to spring back **2.** *fig d'une personne* motive

ressort[2] *m* ***être du ~ d'un tribunal*** to be within the competence of a court; *par ext* ***cela n'est pas de mon ~*** it's not my responsibility; ***en dernier ~*** *juger* without appeal; *fig* as a last resort

ressortir [ʀ(ə)sɔʀtiʀ] ⟨→ **partir**⟩ **I** *v/t* to take out again; *fig histoires* to trot out again **II** *v/i* ⟨**être**⟩ **1.** to go out again **2.** *relief* to stand out; *couleur* to stand out; ***faire ~*** to emphasize **III** *v/imp* ⟨**être**⟩ ***il ressort de là que …*** it emerges from this that …

ressortissant [ʀ(ə)sɔʀtisɑ̃] *m*, **ressortissante** [-ɑ̃t] *f* national

ressouder [ʀ(ə)sude] *v/t* to resolder

ressource [ʀ(ə)suʀs] *f* **1.** resource; ***n'avoir d'autre ~ que …*** to have no option but to… **2. ~*s*** *pl* resources; *par ext* ***~s humaines*** human resources; ***~s minières*** mining resources; ***~s naturelles*** natural resources; ***être sans ~s*** to have no resources

ressourcer [ʀ(ə)suʀse] *v/pr* ⟨**-ç-**⟩ ***se ~*** to go back to one's roots

ressurgir [ʀ(ə)syʀʒiʀ] → ***resurgir***

ressusciter [ʀesysite] **I** *v/t* **1.** *mort* to resuscitate **2.** *fig* to revive **II** *v/i* ⟨**être**⟩ **1.** REL to rise from the dead **2.** *fig* to come back to life

restant [ʀɛstɑ̃] **I** *adj* ⟨**-ante** [-ɑ̃t]⟩ **1.** remaining **2. *poste ~e*** poste restante **II** *m* remainder

restau [ʀɛsto] *m fam* → ***resto***

▸ **restaurant** [ʀɛstɔʀɑ̃] *m* restaurant; **~ *universitaire*** university cafeteria

restaurateur [ʀɛstɔʀatœʀ] *m*, **restauratrice** [-tʀis] *f* **1.** *d'un restaurant* restaurateur **2.** *d'art* restoration

restauration [ʀɛstɔʀasjɔ̃] *f* **1.** *d'art* restoration **2.** HIST ***la Restauration*** the

Restoration **3.** *métier, secteur* catering; **~ *rapide*** fast food

restaurer [rɛstɔre] **I** *v/t* **1.** *objet d'art* to restore **2.** *ordre, etc* to restore **II** *v/pr* ***se ~*** to have something to eat

▶ **reste** [rɛst] *m* remainder; ***le ~*** the rest; *d'un mort* ***les ~s*** the remains; *adv* ***le ~ du temps*** the rest of the time; ***et tout le ~*** and everything else; ***du ~*** moreover; ***pour le ~*** for the rest; ***pour ne pas être en ~*** so as not to be outdone

▶ **rester** [rɛste] ⟨**être**⟩ **I** *v/i* **1.** to stay; ***~ ouvert jusqu'à 20 heures*** to stay open until 8 p.m.; ***~ des heures entières à bavarder*** to spend hours on end chatting **2.** *fam* ***y ~*** to die **3.** ***où en sommes-nous restés?*** where did we stop?; ***restons-en là*** let's leave it at that **4.** (*subsister*) to remain; ***le temps qui me reste*** the time I have left **II** *v/imp* ***il ne reste plus de pain*** there's no bread left; ***(il) reste que ...*** nevertheless; ***il n'en reste pas moins que ...*** the fact remains that ...; ***il reste beaucoup à faire*** much remains to be done; ***il ne vous reste qu'à signer*** all you need to do now is sign

rester ≠ rest

Rester = stay, stop:

Elle est restée immobile à écouter pendant plusieurs minutes.

She stood motionless for several minutes, listening.

restituer [rɛstitɥe] *v/t* **1.** (*rendre*) to return **2.** *texte* to reconstruct **3.** *énergie* to restore; *son* to reproduce

restitution [rɛstitysjõ] *f* return

resto [rɛsto] *m, abr fam* → ***restaurant***; ***~ U*** university cafeteria; ***~ du cœur*** ≈ soup kitchen

restoroute® [rɛstɔʀut] *m* ≈ freeway restaurant, *brit* ≈ motorway café

restreindre [rɛstʀɛ̃dʀ] ⟨→ **peindre**⟩ **I** *v/t* to restrict **II** *v/pr* ***se ~*** to limit o.s.

restreint [rɛstʀɛ̃] *adj* ⟨**-einte** [-ɛ̃t]⟩ *vocabulaire, moyens* limited

restrictif [rɛstʀiktif] *adj* ⟨**-ive** [-iv]⟩ restrictive

restriction [rɛstʀiksjõ] *f* **1.** restriction; ***sans ~*** unreservedly **2.** *pl* ***~s*** restrictions

restructuration [ʀəstʀyktyʀasjõ] *f* restructuring **restructurer** *v/t* to restructure

résultante [ʀezyltɑ̃t] *f* **1.** outcome **2.** PHYS resultant

▶ **résultat** [ʀezylta] *m* result; ***avoir pour ~ que ...*** to have the result that ...

résulter [ʀezylte] ⟨**avoir** *ou* **être**⟩ **I** *v/i* ***~ de qc*** to result from sth **II** *v/imp* ***il en résulte que ...*** the result is that ...

résumé [ʀezyme] *m* summary; ***en ~*** in short

▶ **résumer** [ʀezyme] **I** *v/t* to sum up **II** *v/pr* ***se résumer*** **1.** *personne* to sum up **2.** *chose* to amount (***à, en*** to)

résurgence [ʀezyʀʒɑ̃s] *f* resurgence

resurgir [ʀ(ə)syʀʒiʀ] *v/i* to re-emerge

résurrection [ʀezyʀɛksjõ] *f* REL resurrection *a fig*

retable [ʀətabl] *m* altarpiece

rétabli [ʀetabli] *adj* ⟨**~e**⟩ recovered

rétablir [ʀetabliʀ] **I** *v/t* **1.** *ordre, communications, etc* restore; *relations diplomatiques* re-establish; *peine de mort* re-introduce; *courant* to restore **2.** ***~ qn dans ses fonctions*** to reinstate sb **3.** *malade* to restore to health **II** *v/pr* ***se rétablir*** **1.** *malade* to recover **2.** *calme* to be restored

rétablissement [ʀetablismɑ̃] *m* **1.** *de l'ordre, etc* restoration **2.** *d'un malade* recovery; ***je vous souhaite un prompt ~*** I wish you a speedy recovery **3.** SPORT push-up

rétamé [ʀetame] *adj* ⟨**~e**⟩ **1.** *fam* (*épuisé*) all in **2.** (*ivre*) *fam* wasted *fam*

rétamer [ʀetame] *v/t* **1.** *casserole* to retin **2.** *fam personne* to knock out; *chose* to destroy

rétameur [ʀetamœʀ] *m* tinker

retaper [ʀ(ə)tape] **I** *v/t* **1.** *fam vieille maison* to do up; *médicament* ***~ qn*** to get sb back on their feet **2.** *à la machine* to re-type **II** *v/pr* ***se ~*** *fam* to get back on one's feet

▶ **retard** [ʀ(ə)taʀ] *m* **1.** lateness (***au travail*** at work); ***sans ~*** without delay; ***être en ~*** to be late; *train, etc* to be late; *montre* ***prendre du ~*** to be slow **2.** *dans le travail, un paiement, un développement* delay; ***avoir du ~, être en ~*** to be behind (***sur qn, qc*** sb, sth); *enfant* to be backward **3.** TECH ***~ à l'allumage*** ignition lag **4.** *adjt* PHARM delayed

retardataire [ʀ(ə)taʀdatɛʀ] *m/f* latecomer

retardé [r(ə)tarde] *adj* ⟨**~e**⟩ backward
retardement [r(ə)tardəmɑ̃] *m* ***bombe*** *f* ***à ~*** time bomb; *fig* ***comprendre à ~*** to be slow on the uptake
▶ **retarder** [r(ə)tarde] **I** *v/t* **1.** *personne, train, etc* to delay **2.** *montre* to put back **3.** *départ, etc* to delay **II** *v/i* **1.** *montre* ***~ de cinq minutes*** to be five minutes slow **2.** *personne fam* to be out of touch; ***~ sur son temps, sur son siècle*** to be behind the times
retéléphoner [r(ə)telefɔne] *v/i* ***~ à qn*** (*encore*) to call sb again; (*retourner un appel*) to call sb back
retenir [rət(ə)nir] ⟨→ **venir**⟩ **I** *v/t* **1.** *personne, chose* to hold back; *argent* to deduct (***de, sur*** from); *souffle* to hold; *barrage*: *eau* to hold back; *ruban*: *cheveux* to hold back; ***~ l'attention de qn*** to hold sb's attention; ***~ ses larmes*** to keep back one's tears; ***~ qn prisonnier*** to keep sb prisoner; ***~ qn à dîner*** to invite sb to stay to dinner **2.** *dans sa mémoire* to remember **3.** *proposition, candidature* to accept **4.** (*réserver*) to reserve **II** *v/pr* ***se retenir*** **1.** (*se rattraper*) to hold (***à*** onto) **2.** (*s'empêcher*) to stop o.s.
rétention [retɑ̃sjõ] *f* MÉD *d'urine* retention
retentir [r(ə)tɑ̃tir] *v/i* **1.** to boom; *chants* to ring out; *coup de feu* to ring out; ***~ de*** to resound with **2.** *fig* ***~ sur*** to impact on
retentissant [r(ə)tɑ̃tisɑ̃] *adj* ⟨**-ante** [-ɑ̃t]⟩ **1.** *choc, gifle* resounding; *voix* booming **2.** *fig* resounding
retentissement [r(ə)tɑ̃tismɑ̃] *m* impact (***sur*** on)
retenu [rətny, rtəny] *adj* ⟨**~e**⟩ **1.** (*réservé*) reserved **2.** *personne* restrained **3.** *voix* discreet
retenue [rət(ə)ny] *f* **1.** ENSEIGNEMENT detention; ***être en ~*** to be in detention **2.** (*prélèvement*) deduction (***sur*** from) **3.** (*réserve*) restraint; ***sans ~*** without restraint **4.** MATH number to be carried over **5.** ***lac*** *m* ***de ~*** reservoir
réticence [retisɑ̃s] *f* hesitation **réticent** *adj* ⟨**-ente** [-ɑ̃t]⟩ hesitant
réticule [retikyl] *m* **1.** OPT reticle **2.** *sac* reticle
rétif [retif] *adj* ⟨**-ive** [-iv]⟩ rebellious
rétine [retin] *f* retina
retiré [r(ə)tire] *adj* **1.** (*solitaire*) isolated **2.** (*à la retraite*) retired **3.** *village* remote
retirer [r(ə)tire] **I** *v/t* **1.** to take out (***de*** of); *argent de la banque* to withdraw; *courrier, billets réservés* to pick up; *noyé, etc* ***~ de l'eau*** to recover from the water **2.** *main* to take away; *fig candidature, plainte* to withdraw; *ce qu'on a dit* to take back **3.** *vêtement, bottes, gants* to take off; *chapeau, lunettes, housse* to take off **4.** *confiance* to no longer have; *parole* to go back on; ***~ le permis de conduire à qn*** to take sb's driver's license away, *brit* to ban sb from driving **5.** *bénéfice, avantages* to gain **II** *v/pr* ***se retirer*** **1.** (*partir*) to leave; *fam* ***retire-toi de là!*** get away from there! **2.** *mer, eaux* to recede
retombées [r(ə)tõbe] *fpl* **1.** ***~ radioactives*** radioactive fallout **2.** *fig* repercussions
retomber [r(ə)tõbe] *v/i* ⟨**être**⟩ **1.** to fall again **2.** *fig* ***~ dans qc*** to sink back into sth **3.** ***~ malade*** to get ill again **4.** *rideau* to fall; *cheveux* ***~ sur les épaules*** to be shoulder-length **5.** *responsabilité* ***~ sur qn*** to fall to sb
retordre [r(ə)tɔrdr] *v/t* ⟨→ **rendre**⟩ *fig* ***donner du fil à ~ à qn*** to give sb trouble
rétorquer [retɔrke] *v/t* ***~ que …*** to retort that …
retors [rətɔr] *adj* ⟨**-orse** [-ɔrs]⟩ sly
rétorsion [retɔrsjõ] *f* retaliation
retouche [r(ə)tuʃ] *f* **1.** PHOT touching up; *fig* alteration **2.** COUT alteration **retoucher** *v/t* **1.** PHOT to touch up; *fig œuvre* to alter **2.** COUT to alter
retoucheuse [r(ə)tuʃøz] *f* **1.** *photographe* retoucher **2.** *en confection* alterations seamstress
▶ **retour** [r(ə)tur] *m* **1.** return; *chez soi* return home; FILM ***~ en arrière*** flashback; ***à mon ~*** on my return; ***être de ~*** to be back; *fig* ***faire un ~ sur soi-même*** to do some soul-searching **2.** (*voyage de retour*) return; *en avion* return flight; ***les ~s de vacances*** the journeys back from holiday **3.** (*réexpédition*) return; ***~ à l'expéditeur*** return to sender; ***par ~ du courrier*** by return of mail **4.** *du printemps, du froid, etc* return; ***sans ~*** for ever **5.** (*revirement*) change; ***~ d'âge*** change of life; *fig* ***~ de bâton*** backlash; ***~ de flamme*** TECH backfiring; *fig* backlash; (*regain d'activité*) upsurge; *fig* ***~ de manivelle*** backfiring; ***par un juste ~ des choses*** by a deserved turn of fate **6.** (*échange*) ***en ~*** in return **7.** *adjt* ***match*** *m* ***~*** return match

retournement [R(ə)tuRnəmɑ̃] *m* reversal

retourner [R(ə)tuRne] **I** *v/t* **1.** (*tourner*) to turn; *vêtement* to turn inside out; *bifteck* to turn over; *poche* to turn out; *terre* to turn over; *fig situation* to turn round; *arme* **~ contre qn** to turn against sb **2.** *fam* (*mettre en désordre*) to turn upside down **3.** *fam* (*bouleverser*) **~ qn** to shake sb **4.** (*renvoyer*) to send back; *fig compliment* to return **II** *v/i* ⟨**être**⟩ **1.** (*aller de nouveau*) to go back (**à, en** to) **2.** *au point de départ* to return, *en avion* to fly back; **~ chez soi** to return home **3.** *maison, terrain* **~ à qn** to go back to sb **III** *v/imp* **1.** **savoir de quoi il retourne** to know what it's about **IV** *v/pr* **1.** **se ~** *personne* to turn round; *voiture* to turn round; **se ~ sur le dos** to turn onto one's back; *fig* **savoir se ~** to be able to cope **2.** **s'en ~** to leave **3.** **se ~ contre qn** to turn against sb

retourner

Retourner = to go back (to somewhere different from where the speaker currently is). Compare **revenir** and **rentrer**:

Je vais retourner à Paris vendredi prochain.
BUT **Je suis revenue à Paris vendredi dernier.**

I'm going back to Paris next Friday.
BUT I came back to Paris last Friday.

retracer [R(ə)tRase] *v/t* ⟨**-ç-**⟩ to relate

rétractation [RetRaktasjõ] *f* retraction

rétracter [RetRakte] **I** *v/t griffes* to draw in **II** *v/pr* **se rétracter 1.** *muscle* to retract **2.** (*se dédire*) to recant

retrait [R(ə)tRɛ] *m* **1.** *du permis de conduire* revocation; *d'une candidature* withdrawal; *de bagages* retrieval; *d'argent* withdrawal **2.** *de la compétition* retreat (*a* MIL) **3.** **en ~** *bâtiment* set back; *fig* **rester en ~** to remain in the background

▶ **retraite** [R(ə)tRɛt] *f* **1.** MIL retreat; **battre en ~** to retreat; *fig* to beat a retreat **2.** **~ aux flambeaux** torchlit procession **3.** *d'un travailleur* retirement; **maison f de ~** retirement home; **à la ~, en ~** *fonctionnaire* retired; **prendre sa ~** to retire **4.** *pension* pension **5.** CATH retreat **6.** *litt* (*refuge*) retreat

▶ **retraité** [R(ə)tRete] **I** *adj* ⟨**~e**⟩ retired **II** **~(e)** *m(f)* pensioner

retraitement [R(ə)tRɛtmɑ̃] *m* NUCL reprocessing **retraiter** *v/t* NUCL to reprocess

retranchement [R(ə)tRɑ̃ʃmɑ̃] *m* MIL entrenchment

retrancher [R(ə)tRɑ̃ʃe] **I** *v/t* **1.** *mot* to remove **2.** (*déduire*) to deduct **3.** MIL **camp retranché** fortified camp **II** *v/pr* MIL, *fig* **se ~** to entrench o.s.

▶ **retransmettre** [R(ə)tRɑ̃smɛtR] *v/t* ⟨→ **mettre**⟩ RAD, TV to broadcast **retransmission** *f* broadcast

retravailler [R(ə)tRavaje] **I** *v/t* (*modifier*) to work on again **II** *v/i* to go back to work

rétréci [RetResi] *adj* ⟨**~e**⟩ *chaussée* narrow *a fig*

rétrécir [RetResiR] **I** *v/t et v/i vêtement* to shrink **II** *v/pr* **se ~** to shrink; **rétréci** shrunk

rétrécissement [RetResismɑ̃] *m* **1.** narrowing **2.** *d'une étoffe* shrinkage

retremper [R(ə)tRɑ̃pe] *v/pr fig* **se ~ dans** *milieu* to reimmerse o.s. in; *activité* to go back to

rétribuer [RetRibɥe] *v/t* to remunerate

rétribution [RetRibysjõ] *f* (*salaire*) remuneration; (*récompense*) reward

rétro [RetRo] **I** *adj, abr* ⟨*inv*⟩ retro **II** *m fam* → **rétroviseur**

rétroactif *adj* ⟨**-ive**⟩ retrospective; **avec effet ~** retrospectively

rétrocéder *v/t* ⟨**-è-**⟩ **~ qc** JUR to retrocede sth; FIN to sell sth back

rétrofusée *f* retro-rocket

rétrograde *adj mouvement* backward; *politique* retrograde; *personne* reactionary

rétrograder [RetRɔgRade] **I** *v/t* MIL to demote **II** *v/i* **1.** (*régresser*) to move down **2.** AUTO to downshift, *brit* to change down

rétropédalage [RetRopedalaʒ] *m* **frein m à ~** backpedal brake

rétroprojecteur *m* overhead projector

rétrospectif [RetRɔspɛktif] *adj* ⟨**-ive** [-iv]⟩ retrospective; **j'ai eu une peur rétrospective** I was frightened after the event **rétrospective** *f exposition* retrospective

rétrospectivement [ʀetʀɔspɛktivmɑ̃] *adv* **1.** *(après réflexion)* in retrospect **2.** *(après coup)* after the event

retroussé [ʀ(ə)tʀuse] *adj* ⟨**~e**⟩ *manches* rolled up; ***nez ~*** turned up nose

retrousser [ʀ(ə)tʀuse] *v/t* ***~ qc*** *manches* to roll sth up; *jupe* to hitch sth up; *babines* to bare sth; *moustaches* to curl sth up

retrouvailles [ʀ(ə)tʀuvaj] *fpl fam* reunion (+ *v sg*)

retrouver [ʀ(ə)tʀuve] **I** *v/t* **1.** *de nouveau* to find **2.** *(recouvrer)* ***~ qc*** *vue*, *sourire* to get sth back; *santé*, *calme*, *équilibre* to regain sth, to recover sth **3.** ***~ qn*** *(se réunir)* to meet sb again; *(rejoindre)* to meet up with sb; ***aller ~ qn*** to go and meet sb; ***~ sa famille*** to be reunited with one's family **II** *v/pr* ***se retrouver*** **1.** *personnes* to meet up again; *menace* ***on se retrouvera!*** I'll get my own back! **2.** *(être de nouveau)* to find o.s.; ***se ~ seul*** to find o.s. alone again **3.** ***s'y ~*** *(s'y reconnaître)* to find one's way round; *fam (faire un bénéfice)* to do well *fam*

rétrovirus *m* retrovirus

rétroviseur *m* rear-view mirror

rets [ʀɛ] *litt m* toils (+ *v pl*)

réuni [ʀeyni] *adj* ⟨**~e**⟩ *forces*, *objets* combined; *personnes* assembled; COMM associated

réunification [ʀeynifikasjõ] *f* reunification **réunifier** *v/t* to reunify

▶ **réunion** [ʀeynjõ] *f (retrouvailles)* reunion; *(rencontre)* gathering; *(séance)* meeting; ***~ de famille*** family gathering; ***~ de parents d'élèves*** parents' meeting

Réunion [ʀeynjõ] *f* (***l'île*** *f* ***de***) ***la ~*** Reunion (Island)

réunir [ʀeyniʀ] **I** *v/t* **1.** *(rassembler)* to gather; *documents* to gather together; *preuves* to collect; *fonds* to raise; *qualités* to combine; ***réunir qc à qc*** to join sth to sth **2.** *personnes* to bring together; *en un même lieu* to gather together **II** *v/pr* ▶ ***se réunir*** *chemins*, *fleuves* to meet; *délégués* to meet; *amis* to get together

réussi [ʀeysi] *adj* ⟨**~e**⟩ successful

réussir [ʀeysiʀ] **I** *v/t* ***~ qc*** to make a success of sth; *examen* to pass; ***~ un soufflé*** to make a soufflé that works **II** *v/i* **1.** *personne* to succeed; ***~*** (***à un examen***) to pass (an exam); ***j'ai réussi à faire qc*** I managed to do sth **2.** *expérience*, *affaire* to be successful; ***faire ~qc*** to make a success of sth **3.** *(faire du bien)* ***~ à qn*** to do sb good

réussite [ʀeysit] *f* **1.** success; ***~ sociale*** social success **2.** *jeu de cartes* patience; ***faire une ~*** to play a game of patience

réutiliser [ʀeytilize] *v/t* to reuse

revaloir [ʀ(ə)valwaʀ] *v/t* ⟨→ **valoir**⟩ ***~ qc à qn*** *en bien* to repay sb; *en mal* to pay sb back

revalorisation [ʀ(ə)valɔʀizasjõ] *f d'une monnaie* revaluation; *des salaires*, *etc* increase **revaloriser** *v/t monnaie* to revalue; *salaires*, *retraites* to increase

revanchard [ʀ(ə)vɑ̃ʃaʀ] **I** *adj* ⟨**-arde** [-aʀd]⟩ *politique* of revenge; *st/s* revanchist; *propos* vengeful **II** *m* revanchist

revanche [ʀ(ə)vɑ̃ʃ] *f* revenge (*a* SPORT, JEU); ***prendre sa ~*** *(se venger)* to get one's revenge (***sur qn*** on sb); ***en ~*** on the other hand

rêvasser [ʀɛvase] *v/i* to daydream **rêvasserie** *f* daydream

▶ **rêve** [ʀɛv] *m* dream (*a fig*); ***une voiture de ~*** a dream car; ***faire un ~*** to have a dream

rêvé [ʀɛve] *adj* ⟨**~e**⟩ ideal, perfect

revêche [ʀəvɛʃ] *adj* surly

▶ **réveil** [ʀevɛj] *m* **1.** waking up; ***au ~*** on waking up **2.** *fig* revival **3.** *(pendule)* alarm clock

▶ **réveiller** [ʀeveje] **I** *v/t* **1.** ***~ qn*** to wake sb up; ***être réveillé*** to be awake **2.** *fig curiosité* to arouse; *souvenirs* to reawaken; *appétit* to whet **II** *v/pr* ▶ **se réveiller** **1.** to wake up **2.** *fig souvenirs*, *jalousie* to be reawakened; *douleurs*, *maladie* to come back again

▶ **réveillon** [ʀevɛjõ] *m* ***~ de Noël, du Nouvel An*** *(dîner)* Christmas Eve, New Year's Eve dinner; *par ext* Christmas Eve, New Year's Eve party

réveillonner [ʀevɛjɔne] *v/i pour Noël* to have a Christmas Eve party; *pour le Nouvel An* to have a New Year's Eve party

révélateur [ʀevelatœʀ] **I** *adj* ⟨**-trice** [-tʀis]⟩ revealing; ***être ~ de*** to be indicative of **II** *m* PHOT developer

révélation [ʀevelasjõ] *f* **1.** *d'un crime*, *etc* revelation, disclosure; ***~s*** *pl* revelations **2.** REL revelation *a fig* **3.** *personne* discovery, new talent

révéler [ʀevele] ⟨**-è-**⟩ **I** *v/t* **1.** *secret*, *projets*, *etc* to reveal, to disclose **2.** REL to reveal **3.** *qualité, attitude* to reveal **II** *v/pr* ***se révéler*** to be discovered; ***se ~ vrai*** to prove to be true

revenant [Rəv(ə)nɑ̃] *m* ghost

revendeur [R(ə)vɑ̃dœR] *m*, **revendeuse** [-øz] *f* (*détaillant*) retailer; *d'objets d'occasion* secondhand dealer

revendicateur [R(ə)vɑ̃dikatœR] *adj* ⟨**-trice** [-tRis]⟩ full of demands (*attrib*)

revendication *f* demand

revendiquer [R(ə)vɑ̃dike] *v/t* **1.** (*exiger*) to demand **2.** *responsabilité* to claim; *attentat* to claim responsibility for

revendre [R(ə)vɑ̃dR] *v/t* ⟨→ **rendre**⟩ to resell; *fig* ***avoir qc à ~*** to have lots of sth

▶ **revenir** [Rəv(ə)niR] *v/i* ⟨→ **venir; être**⟩ **1.** *de nouveau* to come back; *saison* to come round again; *calme* to be restored **2.** *au point de départ* to return; ***je reviens tout de suite*** I'll be right back; ***~ en arrière*** to go back; *dans le temps* to turn the clock back **3.** *fig* (*reprendre*) ***~ à, sur qc*** to return to sth; ***~ à soi*** to come to **4.** (*annuler*) ***~ sur qc*** to go back on sth **5.** ***il me revient dix euros*** I get ten euros **6.** *mot, nom* ***~ à qn*** to come back to sb **7.** *appétit, courage, faculté* to return **8.** *droit, honneur* ***~ à qn*** to be due to sb; ***c'est à lui qu'il revient de faire*** that's for him to do **9.** (*plaire*) ***sa tête ne me revient pas*** I don't like the look of him / her **10.** (*équivaloir*) ***~ à*** to come down to; ***cela revient à dire que ...*** it amounts to saying that ... **11.** (*se remettre*) ***~ de sa surprise*** to get over one's surprise; ***il revient de loin*** it was touch and go for him; *fam* ***je n'en reviens pas*** I can't get over it! **12.** (*se débarrasser*) ***~ de qc*** *illusions* to lose sth; *idée* to abandon sth; ***j'en suis bien revenu*** I'm through with it **13.** (*coûter*) to cost; ***~ cher*** to be expensive; *fig* ***~ cher à qn*** to cost sb dear **14.** CUIS ***faire ~*** *viande, oignons* to brown **15.** *radis, etc* ***~ à qn*** to repeat on sb

> **revenir**
>
> **Revenir** = to come back (to wherever the speaker is). Compare **rentrer** and **retourner**:
>
> **Je suis revenue à Paris vendredi dernier.**
> BUT **Je vais retourner à Paris vendredi prochain.**
>
> I came back to Paris last Friday.
> BUT I am going back to Paris next Friday.

revente [R(ə)vɑ̃t] *f* resale

▶ **revenu** [Rəv(ə)ny] *m souvent pl de particuliers* income (+ *v sg*); *de l'État* revenue (+ *v sg*)

▶ **rêver** [Rɛve] **I** *v/t* **1.** to dream (***que*** that) **2.** *fig* ***~ qc*** to dream of sth **II** *v/i* **1.** to dream (***de*** about) **2.** *fig* (*souhaiter*) ***~ de qc*** to dream of sth; ***~ de*** *+inf* to dream of (+ *v-ing*) **3.** *fig* (*rêvasser*) to dream (***à*** of)

réverbération [RevɛRbeRasjõ] *f* (*réflexion*) glare

réverbère [RevɛRbɛR] *m* street lamp, street light

réverbérer [RevɛRbeRe] *v/t* ⟨**-è-**⟩ to reflect

reverdir [R(ə)vɛRdiR] *v/i* to grow green again

révérence [RevɛRɑ̃s] *f d'homme* bow; *de femme* curtsy; *fam, fig* ***tirer sa ~ à qn*** to take one's leave of sb

révérend [RevɛRɑ̃] **I** *adj* ⟨**-ende** [-ɑ̃d]⟩ reverend **II** *m* (*pasteur anglican*) reverend

révérer [RevɛRe] *v/t* ⟨**-è-**⟩ to revere

rêverie [RɛvRi] *f activité* daydreaming; *st/s* reverie; (*rêve*) daydream

revers [R(ə)vɛR] *m* **1.** *d'une feuille, monnaie* back; *fig* ***le ~ de la médaille*** the other side of the coin; ***d'un ~ de main*** with the back of one's hand **2.** *d'un veston* lapel; *d'un pantalon* cuff, *brit* turn-up; *d'une manche* cuff **3.** *fig* (*échec*) setback; ***~*** (***de fortune***) reversal of fortune **4.** *au tennis* backhand

reverser [R(ə)vɛRse] *v/t* **1.** ***~ à boire à qn*** to pour sb another drink **2.** *argent* to transfer

réversible [RevɛRsibl] *adj* reversible; ***manteau*** *m* ***~*** reversible coat

réversion [RevɛRsjõ] *f* ***pension*** *f* ***de ~*** reversion benefit

revêtement [R(ə)vɛtmɑ̃] *m* TECH coating, covering; *d'une route, de sol* surface

revêtir [R(ə)vetiR] *v/t* ⟨→ **vêtir**⟩ **1.** *habits* to don **2.** *par ext* ***~ qn d'une dignité*** to invest sb with dignity **3.** *fig aspect, caractère* to assume; *par ext* (*avoir*) to have **4.** (*pourvoir*) ***~ qc de qc*** to cover sth in sth

rêveur [RɛvœR] **I** *adj* ⟨**-euse** [-øz]⟩ **1.**

dreamy **2.** ***cela me laisse ~*** it makes me wonder **II** **~, *rêveuse*** *m/f* dreamer
revient [ʀəvjɛ̃] ***prix*** *m* ***de ~*** cost price
revigorer [ʀ(ə)vigɔʀe] *v/t* to revive
revirement [ʀ(ə)viʀmɑ̃] *m* turnaround
réviser [ʀevize] *v/t* **1.** JUR *jugement* to review **2.** *tarif, contrat* to review; *manuscrit, texte* to check **3.** TECH *machine* to overhaul; ***faire ~ sa voiture*** to have one's car serviced **4.** *matière d'examen* to revise
révision [ʀevizjõ] *f* **1.** *d'un texte, etc* revision **2.** JUR review **3.** TECH overhaul; AUTO service **4.** *en vue d'un examen* revision
révisionnisme [ʀevizjɔnism] *m* revisionism
revitalisant [ʀ(ə)vitalizɑ̃] *adj* ⟨**-ante** [-ɑ̃t]⟩ revitalizing
revivre [ʀ(ə)vivʀ] ⟨→ **vivre**⟩ **I** *v/t épreuve* to relive **II** *v/i* **1.** to come alive again **2.** *fig* ***faire ~*** to revive
révocable [ʀevɔkabl] *adj contrat* revocable; *fonctionnaire* dismissible
révocation [ʀevɔkasjõ] *f* **1.** JUR revocation **2.** *d'un fonctionnaire* dismissal
revoici [ʀ(ə)vwasi] *prép fam* ***me ~*** I'm back
revoilà [ʀ(ə)vwala] *prép fam* ***nous ~*** we're back
▶ **revoir** [ʀ(ə)vwaʀ] ⟨→ **voir**⟩ **I** *v/t* **1.** ***~ qn, qc*** to see sb, sth again; ▶ ***au revoir*** goodbye **2.** *texte* to check; *leçon* to go over **3.** *en esprit* to see ***je le revois encore*** I can still see it now **II** *v/pr* ***se revoir*** to see each other again
révoltant [ʀevɔltɑ̃] *adj* ⟨**-ante** [-ɑ̃t]⟩ appalling
révolte [ʀevɔlt] *f* **1.** (*rébellion*) revolt, rebellion **2.** (*indignation*) outrage
révolté [ʀevɔlte] **I** *adj* ⟨**~e**⟩ **1.** (*rebelle*) rebel *épith* **2.** (*indigné*) outraged **II** *m* rebel
révolter [ʀevɔlte] **I** *v/t* to appall **II** *v/pr* ***se révolter*** **1.** (*se rebeller*) to rebel (***contre*** against) **2.** (*s'indigner*) to be appalled (***contre*** by)
révolu [ʀevɔly] *adj* ⟨**~e**⟩ *époque, jours* bygone *épith*; ***en des temps ~s*** in days gone by; ***avoir trente ans ~s*** to be over thirty
▶ **révolution** [ʀevɔlysjõ] *f* **1.** POL revolution; *fam, fig* ***être en ~*** to be in turmoil **2.** ASTROL, ESP, MATH revolution
révolutionnaire [ʀevɔlysjɔnɛʀ] **I** *adj* **1.** POL revolutionary **2.** *méthode, invention* revolutionary **II** *m/f* revolutionary
révolutionner [ʀevɔlysjɔne] *v/t* **1.** *quartier* to cause a stir in **2.** *industrie, domaine* to revolutionize
revolver [ʀevɔlvɛʀ] *m* **1.** revolver **2.** *adjt* ***poche*** *f* ***~*** hip pocket
révoquer [ʀevɔke] *v/t* **1.** *fonctionnaire* to dismiss **2.** JUR to revoke
▶ **revue** [ʀ(ə)vy] *f* **1.** (*magazine*) magazine **2.** THÉ revue; ***~ à grand spectacle*** spectacular **3.** (*examen*) examination; ***~ de presse*** press review **4.** MIL (*défilé*) parade; (*inspection*) inspection; ***passer en ~*** *troupes défilant* to review; *troupes formant la haie* to inspect; *fig problèmes, etc* to examine
révulsé [ʀevylse] *adj* ⟨**~e**⟩ ***être ~*** *yeux* to be rolled backward; *visage* to be contorted
révulser [ʀevylse] **I** *v/t* to revolt **II** *v/pr* ***se révulser*** *visage* to contort; ***ses yeux se révulsèrent*** his / her eyes rolled backwards
révulsif [ʀevylsif] *m* PHARM revulsant
rewriting [ʀəʀajtiŋ] *m* rewriting
▶ **rez-de-chaussée** [ʀedʃose] *m* ⟨*inv*⟩ first floor, *brit* ground floor
R.F. *abr* (= **République française**) French Republic
▶ **R.F.A.** [ɛʀɛfɑ] *f, abr* (= **République fédérale d'Allemagne**) FRG
rhabiller [ʀabije] *v/t* (*et v/pr* ***se ~***) to get dressed again, to put one's clothes back on; *fam, fig* ***va te ~!*** get lost! *fam*
rhénan [ʀenɑ̃] *adj* ⟨**-ane** [-an]⟩ from the Rhine; ART Rhenish ***le pays ~*** the Rhineland
Rhénanie [ʀenani] ***la ~*** the Rhineland
rhésus [ʀezys] *m* (***facteur*** *m*) ***~*** rhesus factor; ***~ négatif, positif*** ⟨*inv*⟩ rhesus negative, positive
rhétorique [ʀetɔʀik] *f* rhetoric (*a péj*)
▶ **Rhin** [ʀɛ̃] ***le ~*** the Rhine
rhinite [ʀinit] *f* rhinitis
rhinocéros [ʀinɔseʀɔs] *m* rhinoceros
rhinopharyngite *f* MÉD rhinopharyngitis + *v sg*
rhizome [ʀizom] *m* BOT rhizome
rhodanien [ʀɔdanjɛ̃] *adj* ⟨**-ienne** [-jɛn]⟩ Rhône *épith*
Rhodes [ʀɔd] Rhodes
rhododendron [ʀɔdɔdɛ̃dʀõ] *m* rhododendron
Rhône [ʀon] ***le ~*** the Rhône
rhubarbe [ʀybaʀb] *f* rhubarb
rhum [ʀɔm] *m* rum

rhumatisant [ʀymatizɑ̃] *m*, **rhumatisante** [-ɑ̃t] *f* rheumatic

rhumatismal [ʀymatismal] *adj* ⟨**~e; -aux** [-o]⟩ rheumatic

rhumatisme [ʀymatism] *m* rheumatism; **~ *articulaire*** rheumatoid arthritis

rhumatologue [ʀymatɔlɔg] *m/f* rheumatologist

▶ **rhume** [ʀym] *m* **~ (*de cerveau*)** (head) cold; **~ *des foins*** hay fever

ri [ʀi] *pp* → ***rire***

riant [ʀijɑ̃] *adj* ⟨**-ante** [-ɑ̃t]⟩ *air* happy; *paysage* pleasant

RIB [ʀib] *m, abr* ⟨*inv*⟩ → ***relevé II***

ribambelle [ʀibɑ̃bɛl] *f fam d'enfants, etc* swarm (**de** of); *d'objets* series (**de** of)

ricanement [ʀikanmɑ̃] *m* **1.** *moqueur* sneer **2.** *bête* snigger

ricaner [ʀikane] *v/i* **1.** *pour se moquer* to sneer **2.** *bêtement* to snigger

ricaneur [ʀikanœʀ] *adj* ⟨**-euse** [-øz]⟩ sneering

richard [ʀiʃaʀ] *m fam, péj* ***c'est un gros ~*** he's rolling in money *fam, péj*

▶ **riche** [ʀiʃ] **I** *adj sol, nourriture* rich (*a fig*; **en** in); *ameublement, etc* lavish; *langue* rich; *fam idée* excellent; ***~ en vitamines*** rich in vitamins **II** *m/f* rich man, woman; ***les ~s*** rich people; ***nouveau ~*** nouveau riche

▶ **richesse** [ʀiʃɛs] *f* (*fortune*) wealth; (*abondance*) wealth (**en** of); ***sa ~ en vitamine C*** its high vitamin C content; *d'un aliment* richness; *de l'ameublement, etc* lavishness; ***~s*** *pl* wealth (+ *v sg*); *d'une collection* treasures; ***~s du sous-sol*** underground resources

richissime [ʀiʃisim] *adj* fabulously rich

ricin [ʀisɛ̃] *m* ***huile*** *f* ***de ~*** castor oil

ricocher [ʀikɔʃe] *v/i* to ricochet (**sur** off)

ricochet [ʀikɔʃɛ] *m* rebound; *d'une balle* ricochet; *d'un caillou* bounce; ***faire des ~s sur l'eau*** to skim stones; *fig* ***par ~*** indirectly

rictus [ʀiktys] *m* fixed grin

ride [ʀid] *f* **1.** *de la peau* wrinkle **2.** *pl* ***~s de l'eau*** ripples

ridé [ʀide] *adj* ⟨**~e**⟩ *peau, visage* wrinkled; *pomme* wizened

▶ **rideau** [ʀido] *m* ⟨**~x**⟩ **1.** *de fenêtre* curtain (*a* THÉ); ***~ de douche*** shower curtain; ***~ de fer*** HIST Iron Curtain; *d'un magasin* security shutter **2.** *fig* ***~ d'arbres*** screen of trees; ***~ de fumée*** smokescreen

rider [ʀide] **I** *v/t eau* to ripple the surface of **II** *v/pr* ***se rider*** **1.** *peau* to wrinkle **2.** *eau* to ripple

▶ **ridicule** [ʀidikyl] **I** *adj* ridiculous; *somme, salaire* derisory **II** *m* ridicule; ***se couvrir de ~*** to make o.s. an object of ridicule; ***tourner qn, qc en ~*** to make sb, sth look ridiculous

ridiculiser [ʀidikylize] **I** *v/t* to ridicule **II** *v/pr* ***se ridiculiser*** to make a fool of o.s.

▶ **rien** [ʀjɛ̃] **I** *pr ind* **1.** ⟨*avec* **ne** *avec un verbe*⟩ ***je n'entends ~*** I can't hear anything; ***je ne sais rien*** I don't know anything; ▶ ***rien du tout*** nothing at all; ***il n'y a rien de mieux*** there's nothing better; ***ce n'est rien*** it's nothing; *fam* ***ce n'est pas rien*** *d'une tâche* it's no mean feat; *d'un exploit* that's quite something; ***il n'en est rien*** quite the contrary; ***un petit bobo de rien*** a tiny scratch; ***une fille de rien*** a worthless girl; ***de rien!*** you're welcome!; ***comme si de rien n'était*** as if nothing were wrong; ***en rien*** in the least, at all; ***pour rien*** (*en vain*) for nothing; (*à bas prix*) for next to nothing; ***pour rien au monde*** for anything in the world; ***rien que*** just, only; ***rien que d'y penser*** just thinking about it, the mere thought of it **2.** *sens positif* ⟨*sans* **ne**⟩ anything; ***sans rien dire, faire*** without saying, doing anything **II** *m* ***un ~*** a trifle; ***un rien de*** a touch of; a tiny bit of *fam*; ***en un rien de temps*** in no time at all; ***se fâcher pour un rien*** to get angry over the slightest thing

rieur [ʀijœʀ] **I** *adj* ⟨**-euse** [-øz]⟩ *personne, air* cheerful; *yeux* laughing **II** *m* cheerful person

rififi [ʀififi] *arg m* trouble

rifle [ʀifl] *adjt* ***carabine*** *f* ***22 long ~*** 22 caliber rifle

rigide [ʀiʒid] *adj* **1.** *matériau* rigid **2.** *principes* strict; *personne* unbending, inflexible **rigidité** *f* **1.** rigidity **2.** *fig* inflexibility

rigolade [ʀigɔlad] *f fam* fun; ***c'est de la ~*** (*pas sérieux*) it's a joke; (*pas difficile*) it's dead easy *fam*; ***prendre qc à la ~*** to treat sth as a joke

rigolard [ʀigɔlaʀ] *fam adj* ⟨**-arde** [-aʀd]⟩ joker

rigole [ʀigɔl] *f* **1.** *d'écoulement* channel **2.** (*filet d'eau*) rivulet

rigoler [ʀigɔle] *v/i fam* (*rire*) to laugh; (*s'amuser*) to have fun; ***tu rigoles!***

you're kidding!; ***il ne faut pas ~ avec ça*** you shouldn't mess about with that

rigolo [ʀigɔlo] *fam* **I** *adj* ⟨**-ote** [-ɔt]⟩ funny **II ~*(te)*** *m(f)* joker; *péj* comedian

rigorisme [ʀigɔʀism] *m* rigorism

rigoureusement [ʀiguʀøzmɑ̃] *adv faux*, *interdit* absolutely, strictly; *punir* harshly; *vérifier* rigorously

rigoureux [ʀiguʀø] *adj* ⟨**-euse** [-øz]⟩ *analyse*, *logique* rigorous; *climat* harsh; *personne*, *sens*, *obéissance* strict

rigueur [ʀigœʀ] *f* rigor; ***à la ~*** if absolutely necessary; ***de ~*** obligatory, compulsory; ***tenir ~ à qn de qc*** to bear sb a grudge for sth; POL austerity

rillettes [ʀijɛt] *fpl* potted meat (+ *v sg*)

rime [ʀim] *f* rhyme; *fig* ***sans ~ ni raison*** without rhyme or reason

rimer [ʀime] *v/i* to rhyme (***avec*** with); *fig* ***ne ~ à rien*** to make no sense

rimmel® [ʀimɛl] *m* mascara

rinçage [ʀɛ̃saʒ] *m* **1.** rinsing, rinse **2.** *coiffeur* ***faire un ~ à qn*** to give sb a rinse

rince-doigts [ʀɛ̃zdwa] *m* ⟨*inv*⟩ finger bowl

rincer [ʀɛ̃se] ⟨**-ç-**⟩ **I** *v/t* ***~ qc*** *linge*, *vaisselle*, *cheveux* to rinse sth; *verres* to rinse sth out; *l'extérieur* to rinse sth off; *fam*, *fig* ***se faire ~*** to be cleaned out *fam* **II** *v/pr* ***se ~ la bouche*** to rinse one's mouth out; *fig* ***se ~ l'œil*** to get an eyeful *fam*

ring [ʀiŋ] *m* boxing ring

ringard [ʀɛ̃gaʀ] *adj fam* ⟨**-arde** [-aʀd]⟩ *idée* outdated *fam*; *film*, *musique* corny; *parents*, *vêtements* old-fashioned; *adolescent* nerdy *fam*

ripaille [ʀipaj] *f fam* ***faire ~*** to have a feast

riper [ʀipe] *v/i* to slip

ripolin® [ʀipɔlɛ̃] *m* enamel paint

riposte [ʀipɔst] *f* **1.** retort; *st/s* riposte **2.** MIL, *fig* counter-attack

riposter [ʀipɔste] *v/i* **1.** to respond (***à qc*** to sth; ***à qn*** to sb) **2.** MIL, *fig* to counter-attack

ripou *m* [ʀipu] *fam* ⟨**~x**⟩ bad cop *fam*, *brit* bent cop *fam*

riquiqui [ʀikiki] *adj fam* ⟨*inv*⟩ teeny-weeny *fam*; *péj* (*mesquin*) mean

► **rire** [ʀiʀ] ⟨**je ris, il rit, nous rions; je riais; je ris; je rirai; que je rie; riant; ri**⟩ **I** *v/i* **1.** to laugh (***de*** at); ***vous me faites ~*** you make me laugh; *iron* don't make me laugh; ***mourir de ~*** to be doubled up with laughter **2.** (*plaisanter*) to joke; ***c'était pour ~*** it was a joke **3.** (*se moquer*) ***~ de qn, qc*** to laugh at sb, sth **II** *v/pr st/s* ***se ~ des difficultés*** to make light of the problems **III** *m* laughter (+ *v sg*); ***un ~*** a laugh (***crise*** *f* ***de***) ***fou ~*** fit of the giggles; ***avoir le fou ~*** to have a fit of the giggles

ris [ʀi] *m* **1.** ***~ de veau*** calf's sweetbreads (+ *v pl*) **2.** MAR reef

risée [ʀize] *f* ***être la ~ de tout le monde*** to be a laughing stock

risette [ʀizɛt] *f enfant* ***faire des ~s à qn*** to smile at sb

risible [ʀizibl] *adj* laughable

► **risque** [ʀisk] *m* risk; ***assurance*** *f* ***tous ~s*** comprehensive insurance; ***à mes***, *etc* ***~s et périls*** at my, *etc.* own risk; ***à ~(s)*** risky; ***au ~ de*** *+inf* at the risk of (+ *v-ing*); ***prendre des ~s*** to take risks

risqué [ʀiske] *adj* ⟨**~e**⟩ risky

> **risqué**
> **≠ daring, slightly naughty**
>
> **Ses plaisanteries étaient un peu trop osées à mon goût.**
> His jokes were a bit too risqué for my taste.

risquer [ʀiske] **I** *v/t* **1.** *regard*, *plaisanterie* to venture; *vie* to risk; ***~ gros*** to take a major risk; ***~ de*** *+inf* to risk (+ *v-ing*) **2.** *chose* ***tu ~ de te casser la jambe*** you might break your leg; ***la maison risque de s'écrouler*** the house might collapse; *par ext* ***tu ~ de réussir*** there's a good chance that you'll succeed **II** *v/pr* ***se ~ à faire qc*** to dare to do sth

> **risquer**
>
> **Risquer** = to risk, to venture or to dare. **Risquer de faire quelque chose** = to be likely to do something or something might happen because of what you do.

risque-tout [ʀiskətu] *m/f* ⟨*inv*⟩ daredevil

rissoler [ʀisɔle] *v/t* CUIS ***faire ~*** to brown

ristourne [ʀistuʀn] *f* discount

rite [ʀit] *m* **1.** REL rite **2.** *fig* ritual

ritournelle [ʀituʀnɛl] *f* **1.** MUS ritornello **2.** *fig* ***c'est toujours la même ~*** it's always the same old story

rituel [ʀitɥɛl] **I** *adj* ⟨**~le**⟩ REL ritual *a fig* **II** *m* ritual

rivage [ʀivaʒ] *m* shore

rival(e) [ʀival] **I** *m(f)* ⟨*mpl* **-aux** [-o]⟩ rival **II** *adj* rival

rivaliser [ʀivalize] *v/i* to compete (***avec qn*** with sb); ***ils ~ de générosité*** they are trying to outdo each other in generosity

rivalité *f* rivalry

▶ **rive** [ʀiv] *f d'un lac, de la mer* shore; *d'une rivière* bank

river [ʀive] *v/t* **1.** *tôles* to rivet **2.** ***être ~ à*** *travail* to be tied to; *écran* to be glued to; *regard* ***être rivé sur qc*** to be riveted on sth

riverain [ʀivʀɛ̃] *m*, **riveraine** [-ɛn] *f de bord de lac* lakeside dweller; *de cours d'eau* riverside dweller; *de rue* resident

rivet [ʀivɛ] *m* TECH rivet

Riviera [ʀivjeʀa] ***la ~*** the Italian Riviera

▶ **rivière** [ʀivjɛʀ] *f* **1.** river **2.** *fig* river (***de*** of) **3.** SPORT water jump **4.** ***~ de diamants*** diamond rivière

rixe [ʀiks] *f* brawl

▶ **riz** [ʀi] *m* rice; ***~ au lait*** rice pudding; ***poule*** *f* ***au ~*** boiled chicken with rice

riziculture [ʀizikyltyʀ] *f* rice-growing

rizière [ʀizjɛʀ] *f* paddy field

R.M.I. [ɛʀɛmi] *m*, *abr* ⟨*inv*⟩ (= **revenu minimum d'insertion**) *minimum welfare payment*

RMiste [ɛʀɛmist] *m/f person claiming the minimum welfare payment*

R.M.N. [ɛʀɛmɛn] *f* ⟨*inv*⟩ → ***résonance***

R.N. *abr* (= **route nationale**) state highway, *brit* A-road

R.N.I.S. [ɛʀɛniɛs] *m*, *abr* (= **réseau numérique à intégration de services**) ISDN

▶ **robe** [ʀɔb] *f* **1.** dress; ***~ de chambre*** robe, *brit* dressing gown; ***~ d'été*** summer dress; ***~ de mariée, du soir*** wedding dress, evening gown **2.** *des juges, etc* robes (+ *v pl*) **3.** *d'un animal* coat **4.** *d'un cigare* wrapper leaf **5.** *du vin* color

▶ **robinet** [ʀɔbinɛ] *m* TECH faucet, *brit* tap

robinetterie [ʀɔbinɛtʀi] *f* plumbing fixtures (+ *v pl*)

roboratif [ʀɔbɔʀatif] *adj litt* ⟨**-ive** [-iv]⟩ *remède, repas* restorative; *boisson* fortifying

robot [ʀɔbo] *m* **1.** TECH, *fig* robot **2.** CUIS food processor

robotique [ʀɔbɔtik] *f* robotics (+ *v sg*)

robotisation [ʀɔbɔtizasjõ] *f* **1.** TECH automation **2.** *fig et péj* robotization

robotiser [ʀɔbɔtize] *v/t* TECH to automate

robuste [ʀɔbyst] *adj machine, santé* robust; *personne* sturdy; *foi* strong

robustesse *f de machine, de santé* robustness; *d'une personne* sturdiness; *de la foi* strength

roc [ʀɔk] *m* rock

rocade [ʀɔkad] *f* bypass; *circulaire* beltway, *brit* ring road

rocaille [ʀɔkaj] *f* **1.** *terrain* rockery **2.** ARCH rocaille **3.** *adjt* ***style*** *m* ***~*** rocaille *épith*

rocailleux [ʀɔkajø] *adj* ⟨**-euse** [-øz]⟩ **1.** *chemin* rocky **2.** *fig voix* grating

rocambolesque [ʀɔkɑ̃bɔlɛsk] *adj* incredible

roche [ʀɔʃ] *f* rock (*a* GÉOL)

▶ **rocher** [ʀɔʃe] *m* **1.** rock **2.** *au chocolat* praline chocolate

rocheux [ʀɔʃø] *adj* ⟨**-euse** [-øz]⟩ rocky

rock [ʀɔk] **I** *m* **1.** MUS rock **2.** *danse* jive **II** *adj* ⟨*inv*⟩ rock *épith*

rocker [ʀɔkœʀ] *m*, **rockeuse** [-øz] *f* **1.** *chanteur* rock singer; *musicien* rock musician **2.** *amateur* rocker

rocking-chair [ʀɔkiŋ(t)ʃɛʀ] *m* ⟨**rocking-chairs**⟩ rocking chair

rococo [ʀokoko] **I** *adj* ⟨*inv*⟩ rococo **II** *m* rococo

rodage [ʀɔdaʒ] *m* **1.** *d'une voiture* breaking in, *brit* running in; ***une voiture en ~*** a car which is being broken in **2.** *fig* polishing up; *de qn* training

rodéo [ʀɔdeo] *m* **1.** rodeo **2.** *fig* high-speed car chase

roder [ʀɔde] *v/t* ***~ qc*** *voiture* to break sth in, *brit* to run sth in; *fig* to bring sth up to scratch; *personne* to train (***à*** for)

rôder [ʀode] *v/i* to hang around; *avec de mauvaises intentions* to lurk, to loiter

rôdeur [ʀodœʀ] *m*, **rôdeuse** [-øz] *f* prowler

rodomontade [ʀɔdɔmõtad] *f* bragging (+ *v sg*)

rogatoire [ʀɔgatwaʀ] *adj* JUR ***commission*** *f* ***~*** letters rogatory (+ *v pl*)

rogatons [ʀɔgatõ] *mpl fam d'un repas* leftovers

rogne [ʀɔɲ] *f fam* ***être en ~*** to be in a bad mood

rogner [ʀɔɲe] **I** *v/t* to trim **II** *v/t indir* ***~ sur qc*** to cut back on sth

rognon [ʀɔɲõ] *m* CUIS kidney
rognure [ʀɔɲyʀ] *f de papier* trimming; ***~s d'ongles*** nail clippings; ***~s de viande*** off-cuts of meat
rogomme [ʀɔgɔm] *fam* ***voix f de ~*** husky voice
rogue [ʀɔg] *adj* haughty
► **roi** [ʀwa] *m* king (*a* ÉCHECS, CARTES, *fig*); *fig* ***les ~s du pétrole*** oil tycoons; *fam* ***le ~ des imbéciles*** a complete idiot; ***fête f des Rois*** Twelfth Night; REL Epiphany; ***tirer les ~s*** *to eat the traditional Twelfth Night cake*
roitelet [ʀwatlɛ] *m* **1.** ZOOL goldcrest **2.** *plais* (*petit roi*) kinglet
► **rôle** [ʀol] *m* **1.** THÉ part, role (*a fig*); ***avoir le beau ~*** to have it easy *fam*; *fig* ***jouer un grand ~ dans qc*** to play a big part in sth **2.** ***à tour de ~*** in turn; ***faire qc à tour de ~*** to take it in turns to do sth
► **roller** [ʀɔlœʀ] *m chaussure* rollerblade; *activité* rollerblading
romain [ʀɔmɛ̃] **I** *adj* ⟨**-aine** [-ɛn]⟩ **1.** Roman **2.** TYPO ***caractères ~s*** roman characters **II** *subst* **1. *Romain(e)*** *m(f)* Roman **2. *~e*** *f* romaine lettuce, *brit* cos lettuce
► **roman** [ʀɔmɑ̃] **I** *adj* ⟨**-ane** [-an]⟩ ARCH Romanesque; *en Grande Bretagne* Norman **II** *m* **1.** LITTÉR novel; ***~ d'aventures*** adventure story; ***~ d'amour*** romance **2.** ARCH Romanesque
romance [ʀɔmɑ̃s] *f* **1.** LITTÉR romance **2.** MUS love song
romancer [ʀɔmɑ̃se] *v/t* ⟨**-ç-**⟩ LITTÉR to fictionalize
romanche [ʀɔmɑ̃ʃ] *m* Romansch
romancier [ʀɔmɑ̃sje] *m*, **romancière** [-jɛʀ] *f* novelist
romand [ʀɔmɑ̃] *adj* ⟨**-ande** [-ɑ̃d]⟩ ***la Suisse ~e*** French-speaking Switzerland
romanesque [ʀɔmanɛsk] *adj* **1.** *aventure, etc* fantastic(al); *personne* romantic **2.** LITTÉR fictional; ***œuvre f ~*** novel
roman-feuilleton *m* ⟨**romans-feuilletons**⟩ serial **roman-fleuve** *m* ⟨**romans-fleuves**⟩ saga
romanichel(le) [ʀɔmaniʃɛl] *m(f)* *péj* gypsy, Romany
romaniste [ʀɔmanist] *m/f* LING Romanist, specialist in Romance languages
roman-photo *m* ⟨**romans-photos**⟩ photo-story
romantique [ʀɔmɑ̃tik] **I** *adj* romantic **II** *m* romantic **romantisme** *m* romanticism
romarin [ʀɔmaʀɛ̃] *m* rosemary
rombière [ʀõbjɛʀ] *f fam* stuck-up old bag *fam*
Rome [ʀɔm] Rome
rompre [ʀõpʀ] ⟨**je romps, il rompt, nous rompons; je rompais; je rompis; je romprai; que je rompe; rompant; rompu**⟩ **I** *v/t* to break; *silence, charme* to break; *équilibre* to upset; ***~ ses fiançailles*** to break off one's engagement; ***applaudir à tout ~*** to applaud wildly **II** *v/i* ***~ avec qn*** to break up with sb; ***~ avec qc*** to break away from sth **III** *v/pr* ***se ~*** *corde* to snap; *branche, digue* to break; ***se ~ les os*** to break one's neck
rompu [ʀõpy] *adj* ⟨**~e**⟩ **1. ~ (*de fatigue*)** exhausted **2.** (*habile*) ***~ à qc*** well accustomed to sth
romsteck [ʀɔmstɛk] *m* rump steak
ronce [ʀõs] *f* **1.** BOT blackberry bush; ***~s*** *pl* brambles **2.** *de noyer, etc* burr
ronchon [ʀõʃõ] *fam* → ***ronchonneur***
ronchonnement [ʀõʃɔnmɑ̃] *m fam* grouching
ronchonner [ʀõʃɔne] *v/i fam* to grouch
ronchonneur, ronchonneuse **I** *m/f fam* grouch **II** *adj fam* grouchy
► **rond** [ʀõ] **I** *adj* ⟨**ronde** [ʀõd]⟩ **1.** round; ***le ballon ~*** soccer, *brit* football **2.** *fam* ***~ en affaires*** on the level **3.** *fam* (*ivre*) drunk; plastered *fam* **II** *adv* ***tourner ~*** *moteur* to run smoothly; *fig* ***ça ne tourne pas ~*** there's something wrong; ***ça fait cent euros tout ~*** that's exactly one hundred euros **III** *m* **1.** circle; ***~ de serviette*** napkin ring; ***en ~*** in a circle; ***tourner en ~*** to go round in circles; *fam, fig* ***en rester comme deux ~s de flan*** to be flabbergasted **2.** *fam* (*sou*) ***avoir des ~s*** to be loaded *fam*
rond-de-cuir [ʀõdkɥiʀ] *m* ⟨**ronds-de--cuir**⟩ *péj* pencil pusher, *brit* penpusher
ronde [ʀõd] *f* **1.** *d'un gardien* round; *de police* beat **2.** ***à dix lieues à la ~*** for miles around; ***faire passer qc à la ~*** to pass sth around **3.** *danse* ronde; *enfants* ***faire la ~*** to join hands in a circle **4.** MUS whole note, *brit* semibreve
rondelet [ʀõdlɛ] *adj* ⟨**-ette** [-ɛt]⟩ **1.** *personne* plump, chubby **2.** ***une somme ~te*** a tidy sum
rondelle [ʀõdɛl] *f* **1.** *tranche ronde* slice; ***~ de saucisson*** slice of salami **2.** *d'un écrou* washer

rondement [Rõdmã] *adv* **1.** *faire qc* quickly and efficiently **2.** *parler* frankly
rondeur [Rõdœr] *f* **1.** *du corps* roundness **2.** (*sincérité*) openness
rondin [Rõdɛ̃] *m* ***cabane f en ~s*** log cabin
rondouillard [Rõdujar] *adj fam* ⟨**-arde** [-ard]⟩ pudgy *fam*
rond-point *m* ⟨**ronds-points**⟩ traffic circle, *brit* roundabout
ronflant [Rõflɑ̃] *adj* ⟨**-ante** [-ɑ̃t]⟩ *péj* pompous
ronflement [Rõfləmɑ̃] *m* snore
ronfler [Rõfle] *v/i* **1.** *personne* to snore **2.** *moteur* to purr; *feu* to roar
ronfleur [Rõflœr] *m*, **ronfleuse** [-øz] *f* snorer
ronger [Rõʒe] ⟨**-ge-**⟩ **I** *v/t* **1.** to gnaw (***qc*** sth); *os* to gnaw on; *vers*: *bois* to eat **2.** *rouille*: *fer, etc* to eat away at **3.** *fig chagrin, etc* ***~ qn*** to eat away at sb **II** *v/pr* **1.** ***se ~ les ongles*** to bite one's nails **2.** *fig* ***se ~ d'inquiétude*** to be worried sick
rongeur [Rõʒœr] *m* rodent
ronron [RõRõ] *m* **1.** *du chat* purring **2.** *d'un moteur* purring; *d'une machine* hum
ronronnement [Rõrɔnmɑ̃] *m* → ***ronron***
ronronner [RõRɔne] *v/i* **1.** *chat* to purr **2.** *moteur* to purr; *machine* to hum
roquefort [Rɔkfɔr] *m* roquefort
roquer [Rɔke] *v/i aux échecs* to castle
roquet [Rɔkɛ] *m* yappy dog
roquette [Rɔkɛt] *f* MIL rocket
rosace [Rozas] *f* ARCH *au plafond* ceiling rose; (*vitrail*) rose window
rosaire [Rozɛr] *m* rosary
rosâtre [Rozɑtr] *adj* pinkish
rosbif [Rɔzbif] *m* roast of beef, *brit* joint of beef
► **rose**[1] [Roz] *f* **1.** BOT rose; ***~ de Noël*** Christmas rose; *fig* ***à l'eau de ~*** sentimental; *fam* ***envoyer qn sur les ~s*** to send sb packing *fam* **2.** ***~ des vents*** compass rose **3.** ***~ des sables*** gypsum flower
► **rose**[2] **I** *adj* **1.** pink; ***~ bonbon*** ⟨*inv*⟩ candy pink **2.** *fig* (*réjouissant*) rosy **3.** *fig* (*érotique*) erotic **II** *m* pink; *fig* ***voir la vie, tout en ~*** to see life through rose-tinted spectacles
rosé [Roze] *adj* ⟨**~e**⟩ **1.** pinkish **2.** (***vin***) **~** *m* rosé
roseau [Rozo] *m* ⟨**~x**⟩ reed
rosée [Roze] *f* dew
roséole [Rozeɔl] *f* MÉD roseola
roseraie [RozRɛ] *f* rose garden
rosette [Rozɛt] *f* **1.** *nœud* bow **2.** *insigne* rosette; ***avoir la ~*** to hold the Légion d'Honneur **3.** ***~ de Lyon*** *type of salami*
rosier [Rozje] *m* rosebush
rosir [Rozir] *v/i* to turn pink
rosse [Rɔs] **I** *f* nasty piece of work **II** *adj* mean (***avec qn*** to sb)
rossée [Rɔse] *f fam* thrashing
rosser [Rɔse] *v/t* to thrash
rosserie [RɔsRi] *f* meanness
rossignol [Rɔsiɲɔl] *m* **1.** ZOOL nightingale **2.** (*passe-partout*) picklock **3.** *fam* COMM piece of junk
rot [Ro] *m fam* burp *fam*; *bébé* ***faire son ~*** to burp
rotatif [Rɔtatif] *adj* ⟨**-ive** [-iv]⟩ rotary; ***moteur*** *m* ***à piston ~*** rotary piston engine
rotation [Rɔtasjõ] *f* **1.** (*mouvement*) rotation **2.** *fig* (*roulement*) rotation; ÉCON turnover; *d'un moyen de transport* return trip; ***~ du personnel*** staff turnover
rotative [Rɔtativ] *f* rotary
rotavirus [RɔtaviRys] *m* MÉD rotavirus
roter [Rɔte] *v/i fam* to burp
► **rôti** [Roti, Rɔ-] *m cru* joint; *cuit* roast ***un~ de bœuf*** *cru* a joint of beef; *cuit* a roast beef (joint)
rotin [Rɔtɛ̃] *m* rattan; ***fauteuil*** *m* ***de, en ~*** rattan chair
rôtir [Rotir, Rɔ-] **I** *v/t* (***faire***) **~** to roast **II** *v/i* to roast (*a fam, fig personne*) **III** *v/pr* ***se ~*** (***au soleil***) to toast o.s.
rôtisserie [RɔtisRi] *f* steakhouse, grill **rôtisseur** *m* seller of roast meat **rôtissoire** *f* spit
rotonde [Rɔtõd] *f* ARCH rotunda
rotor [Rɔtɔr] *m* rotor
rotule [Rɔtyl] *f* **1.** ANAT kneecap; *fam, fig* ***être sur les ~s*** to be on one's last legs *fam* **2.** TECH ball and socket joint
roturier [RɔtyRje] *m*, **roturière** [-jɛr] *f* HIST commoner
rouage [Rwaʒ] *m* wheel; ***~s*** *pl* works
roublard [Rublar] *fam* **I** *adj* ⟨**-arde** [-ard]⟩ crafty **II** **~**(***e***) *m*(*f*) crafty devil *fam*
roublardise [RublaRdiz] *f fam* craftiness
rouble [Rubl] *m* rouble
roucoulement [Rukulmɑ̃] *m* cooing; *fig d'amoureux* billing and cooing
roucouler [Rukule] *v/i* **1.** *pigeon* to coo **2.** *fig amoureux* to bill and coo
► **roue** [Ru] *f* wheel; ***grande ~*** Ferris wheel, *brit* big wheel; ***~ libre*** freewheel;

~ de loterie lottery wheel; faire la ~ SPORT to do a cartwheel; paon to display; fig pousser à la ~ to give a helping hand

roué [RWe] adj ⟨~e⟩ cunning

rouelle [RWɛl] f ~ (de veau) round of veal

rouer [RWe] v/t ~ qn de coups to beat sb up

rouerie [RURi] f cunning

rouet [RWɛ] m spinning wheel

rouflaquettes [Ruflakɛt] fpl fam sideburns

► rouge [Ruʒ] I adj red (a POL); fer red-hot; la mer Rouge the Red Sea; poisson m ~ goldfish; (vin m) ~ m red wine II adv se fâcher tout ~ to be hopping mad fam; voir ~ to see red fam III m 1. red; de la peau, du visage redness; chauffer qc au ~ to heat sth until it is red hot; feux être au ~ to be red; passer au ~ feux to turn red; voiture to go through a red light 2. ~ à joues blusher; ~ à lèvres lipstick

rougeâtre [Ruʒɑtʀ] adj reddish

rougeaud [Ruʒo] adj ⟨-aude [-od]⟩ ruddy

rouge-gorge m ⟨rouges-gorges⟩ robin

rougeole [Ruʒɔl] f measles (+ v sg)

rougeoyer [Ruʒwaje] v/i ⟨-oi-⟩ to glow red

rouget [Ruʒɛ] m mullet

rougeur [Ruʒœʀ] f (congestion) redness sur la peau blotch

rougi [Ruʒi] adj ⟨~e⟩ yeux red; eau ~e water with a dash of red wine

rougir [Ruʒiʀ] v/i 1. to go red; peau, feuilles to turn red; métal to glow red 2. personne to blush (de honte with shame); fig je n'ai pas à ~ de cela I've got nothing to be ashamed of

rougissant [Ruʒisɑ̃] adj ⟨-ante [-ɑ̃t]⟩ personne blushing

rouille [Ruj] f 1. du fer rust 2. AGR rust 3. CUIS red pepper and garlic sauce 4. adjt ⟨inv⟩ rust-colored

rouillé [Ruje] adj ⟨~e⟩ fer, clé rusty (a fig)

rouiller [Ruje] I v/i to rust II v/pr se rouiller to rust; fig personne to be rusty

roulade [Rulad] f 1. SPORT roll 2. MUS run

roulant [Rulɑ̃] adj ⟨-ante [-ɑ̃t]⟩ rolling; (cuisine) ~e f field kitchen; feu ~ MIL running fire; fig de questions barrage; table ~e serving cart; brit trolley

roulé [Rule] adj 1. CUIS épaule ~e rolled shoulder; gâteau ~ roll 2. LING r ~ rolled r 3. fam femme bien ~e curvaceous

rouleau [Rulo] m ⟨~x⟩ 1. de papier roll; fig être au bout du ~ to be at the end of one's tether 2. (bigoudi) roller, curler 3. TECH roller; ~ compresseur steamroller; ~ à pâtisserie rolling pin; ~ de peintre roller 4. (grosse vague) breaker 5. SPORT roll

roulé-boulé [Rulebule] m ⟨roulés-boulés⟩ SPORT roll; faire un ~ to do a roll

roulement [Rulmɑ̃] m 1. mouvement rolling (+ v sg) 2. bruit de voiture, du tonnerre rumble; ~ de tambour drum roll 3. ~ à billes ball bearings (+ v pl) 4. (alternance) rotation; par ~ in rotation; travailler on a rota system

► rouler [Rule] I v/t 1. to roll; invalide to push; cigarette to roll; ~ qc tapis, crêpe to roll sth up 2. fam (tromper) ~ qn to con sb fam; se faire ~ to be conned fam (par qn by sb) II v/i 1. balle, etc to roll; bateau to roll 2. véhicule to go; personne to drive; fam, fig ~ pour qn to support sb; fam ça roule everything's fine 3. péj (se déplacer) to move around 4. tonnerre to rumble 5. conversation ~ sur qc to be centered on III v/pr se ~ par terre to roll on the ground; se ~ en boule to curl up in a ball

roulette [Rulɛt] f 1. de meubles caster; sifflet m à ~ whistle (with a pea); fam, fig marcher comme sur des ~s to go smoothly 2. outil cutting wheel; de dentiste drill; dentiste passer la ~ to drill 3. jeu roulette

roulis [Ruli] m MAR rolling

roulotte [Rulɔt] f 1. trailer, brit caravan 2. vol m à la ~ theft from parked cars

roulottier [Rulɔtje] m fam thief who robs parked cars

roulure [Rulyʀ] f pop, péj slut pop, péj

roumain [Rumɛ̃] I adj ⟨-aine [-ɛn]⟩ Romanian II Roumain(e) m(f) Romanian

Roumanie [Rumani] la ~ Romania

round [Rawnd, Rund] m en boxe round

roupiller [Rupije] v/i fam to sleep

roupillon [Rupijõ] m fam sleep

rouquin [Rukɛ̃] fam I adj ⟨-ine [-in]⟩ redhaired II ~(e) m(f) redhead

rouspéter [Ruspete] v/i fam ⟨-è-⟩ to grumble; to bellyache fam rouspéteur m fam grumbler fam

rousse [Rus] f arg (police) the cops (+ v pl) fam

roussette [Rusɛt] f poisson spotted dogfish

rousseur [Rusœʀ] f taches fpl de ~

freckles
roussi [ʀusi] *m* ***ça sent le ~*** there's a smell of burning; *fig* there's trouble brewing
routage [ʀutaʒ] *m* sorting and mailing
routard [ʀutaʀ] *m* backpacker
▶ **route** [ʀut] *f* **1.** road; ***grande ~*** main road; ***la ~ de Paris*** the road to Paris; *voiture* ***tenir bien la ~*** to have good roadholding; *fig argument* ***tenir la ~*** to hold water **2.** (*itinéraire*) way; ***bonne ~!*** have a good trip!; ***en*** (***cours de***) ***~*** en route, on the way; ***se mettre en ~*** to set off; ***en ~!*** let's go!; *fig* ***faire fausse ~*** to be on the wrong track; ***faire ~ vers*** to head towards; ***faire de la ~*** to do a lot of driving **3.** ***mettre qc en ~*** *appareil, voiture* to start sth; *fig* to get sth started

> **route**
>
> **Route** = road or highway as well as itinerary:
>
> **Pouvez-vous m'indiquer la route de Lyon, s'il vous plaît?**
>
> Can you direct me to the right road to Lyon, please?

routier [ʀutje] **I** *adj* ⟨**-ière** [-jɛʀ]⟩ road *épith* **II** *m* **1.** (*camionneur*) truck driver, *brit* lorry driver **2.** *restaurant* truck stop, *brit* transport café **3.** ***vieux ~*** veteran
routine [ʀutin] *f* routine
routinier [ʀutinje] **I** *adj* ⟨**-ière** [-jɛʀ]⟩ *travail, vie* routine *épith*; ***être ~*** to be set in one's ways **II** *m* creature of habit
rouvre [ʀuvʀ] *m* (***chêne*** *m*) ***~*** common oak
rouvrir [ʀuvʀiʀ] ⟨→ **couvrir**⟩ **I** *v/t* ***~ qc*** *porte, carton, yeux* to open sth again; *débat* to reopen sth **II** *v/i magasin* to reopen
▶ **roux** [ʀu] **I** *adj* ⟨**rousse** [ʀus]⟩ *feuilles, pelage* russet; *cheveux* red; *personne* redheaded **II** *subst* **1.** ***~, rousse*** *m/f* redhead **2.** *m* CUIS roux
royal [ʀwajal] *adj* ⟨**~e; -aux** [-o]⟩ **1.** royal **2.** *fig cadeau* lavish **3.** *fig indifférence* supreme
royalement [ʀwajalmɑ̃] *adv traiter, vivre* royally, like royalty; *payer* handsomely; *fig* totally
royalisme [ʀwajalism] *m* royalism
royaliste [ʀwajalist] **I** *adj* royalist; *fig* ***être plus ~ que le roi*** to be more Catholic than the pope **II** *m/f* royalist
royalties [ʀwajalti] *fpl* royalties
royaume [ʀwajom] *m* kingdom (*a* REL, *fig*)
Royaume-Uni [ʀwajomyni] ***le ~*** the United Kingdom
royauté [ʀwajote] *f* (*régime*) monarchy; (*dignité de roi*) kingship
R.P.R. [ɛʀpeɛʀ] *m, abr* (= **Rassemblement pour la République**) *right-wing political party*
R.S.V.P. *abr* (= **répondez, s'il vous plaît**) R.S.V.P.
RTT [ɛʀtete] *f, abr* ⟨*inv*⟩ (= **réduction du temps de travail**) reduction in the working week
ruade [ʀyad] *f d'un cheval* buck
Ruanda [ʀwɑ̃da] ***le ~*** Rwanda
ruban [ʀybɑ̃] *m* ribbon; ***~ adhésif*** adhesive tape, *brit* sticky tape; ***~*** (***encreur***) printer ribbon
rubéole [ʀybeɔl] *f* German measles (+ *v sg*), rubella
rubicond [ʀybikɔ̃] *adj* ⟨**-onde** [-ɔ̃d]⟩ ruddy
rubis [ʀybi] *m* ruby; *fig* ***payer ~ sur l'ongle*** to pay cash on the nail
rubrique [ʀybʀik] *f* **1.** (*chronique*) column **2.** (*catégorie*) category
ruche [ʀyʃ] *f* **1.** *habitation* beehive; *colonie* hive **2.** *fig* hive of activity
ruché [ʀyʃe] *m* COUT ruche
rucher [ʀyʃe] *m* apiary
rude [ʀyd] *adj* **1.** *personne, manières* coarse; *métier, épreuve* hard; *adversaire* tough; *climat* harsh **2.** *fam* (*fort*) hard; *appétit* hearty
rudement [ʀydmɑ̃] *adv* **1.** (*sans ménagement*) roughly **2.** *fam* (*très*) really
rudesse [ʀydɛs] *f de la vie, du climat, des conditions* harshness; (*manque de finesse*) coarseness
rudiment [ʀydimɑ̃] *m* **1.** *pl* ***~s*** *d'une science, d'un art* rudiments, basics **2.** BIOL rudiment
rudimentaire [ʀydimɑ̃tɛʀ] *adj* rudimentary
rudoyer [ʀydwaje] *v/t* ⟨**-oi-**⟩ to bully
▶ **rue** [ʀy] *f* street; *fam* ***ça ne court pas les ~s*** it's pretty thin on the ground *fam*; *fig* ***descendre dans la ~*** to take to the streets; *fig* ***être à la ~*** to be on the streets
ruée [ʀɥe] *f* rush (***vers*** towards); ***~ vers l'or*** gold rush

ruelle [ʀɥɛl] *f* alleyway
ruer [ʀɥe] **I** *v/i cheval* to kick **II** *v/pr* ***se ~*** to pounce (***sur*** on); ***se ~ vers la sortie*** to rush towards the exit
rugby [ʀygbi] *m* rugby
rugbyman [ʀygbiman] *m* ⟨**rugbymen** [-mɛn]⟩ rugby player
rugir [ʀyʒiʀ] *v/i* **1.** *fauve* to roar; *personne* to bellow **2.** *vent* to howl **rugissement** *m* **1.** *du lion* roar **2.** *du vent* howling; *d'un moteur* roar
rugosité [ʀygozite] *f* roughness
rugueux [ʀygø] *adj* ⟨**-euse** [-øz]⟩ rough
Ruhr [ʀuʀ] ***la ~*** the Ruhr
▶ **ruine** [ʀɥin] *f* **1.** ***~s*** *pl* ruins; (*décombres*) ruins; ***château*** *m* ***en ~*** ruined castle; ***tomber en ~*** to go to ruin **2.** *fig personne* wreck **3.** ÉCON ruin **4.** (*cause de ruine*) ***être une ~*** to be ruinously expensive
ruiné [ʀɥine] *adj* ⟨**~e**⟩ ruined
ruiner [ʀɥine] **I** *v/t santé, espérances, économie* to ruin **II** *v/pr* ***se ~*** (*dépenser beaucoup*) to spend a fortune; (*tout perdre*) to lose everything; ***se ~ la santé*** to ruin one's health
ruineux [ʀɥinø] *adj* ⟨**-euse** [-øz]⟩ very expensive
▶ **ruisseau** [ʀɥiso] *m* ⟨**~x**⟩ **1.** *cours d'eau* stream **2.** (*caniveau*) gutter
ruisselant [ʀɥislɑ̃] *adj* ⟨**-ante** [-ɑ̃t]⟩ ***~ d'eau*** streaming with water; ***~ de sueur*** dripping with sweat
ruisseler [ʀɥisle] *v/i* ⟨**-ll-**⟩ **1.** *eau, larmes* to stream (***sur*** down) **2.** ***~ de sueur*** to be dripping with sweat
ruissellement [ʀɥisɛlmɑ̃] *m* **1.** ***eaux*** *fpl* ***de ~*** run-off (+ *v sg*) **2.** *fig de lumière* stream
rumeur [ʀymœʀ] *f* **1.** (*on-dit*) rumor **2.** *de voix* murmur **3.** (*bruit sourd*) murmur
ruminant [ʀyminɑ̃] *m* ruminant
ruminer [ʀymine] *v/t* **1.** *vache, etc* to ruminate **2.** *fig* to brood over
rumsteck [ʀɔmstɛk] → ***romsteck***
rupestre [ʀypɛstʀ] *adj* cave *épith*
rupin [ʀypɛ̃] *fam* **I** *adj personne* rich; loaded *fam*; *quartier* swanky *fam*, *brit* posh *fam* **II** *m* rich man
rupture [ʀyptyʀ] *f* **1.** TECH break; (*panne*) failure **2.** MÉD *d'un tendon, d'un ligament* tear; *de la rate, du foie* rupture **3.** *entre personnes* break-up **4.** *des relations diplomatiques* breaking off; ***~ de contrat*** breach of contract **5.** COMM ***nous sommes en ~ de stock*** we're out of stock
rural [ʀyʀal] **I** *adj* ⟨**~e; -aux** [-o]⟩ rural; (*agricole*) farming *épith* **II** *mpl* ***ruraux*** country people
ruse [ʀyz] *f* **1.** (*artifice*) trick **2.** (*rouerie*) cunning
rusé [ʀyze] **I** *adj* ⟨**~e**⟩ **~(*e*)** *m(f)* cunning, crafty **II** ***c'est un(e) ~(e)*** *m(f)* he's (she's) a crafty one
ruser [ʀyze] *v/i* to be crafty
rush [ʀœʃ] *m* rush
▶ **russe** [ʀys] **I** *adj* Russian **II** ***Russe*** *m/f* Russian
▶ **Russie** [ʀysi] ***la ~*** Russia
russification [ʀysifikasjõ] *f* Russification
rusticité [ʀystisite] *f* **1.** *st/s des mœurs* rustic nature **2.** *d'une plante, d'un animal* hardiness
rustine® [ʀystin] *f* (puncture repair) patch
rustique [ʀystik] *adj* **1.** *style* rustic **2.** *st/s mœurs, vie* country *épith* **3.** *plante* hardy
rustre [ʀystʀ] *m péj* lout *péj*
rut [ʀyt] *m* CH, ZOOL rutting season; ***être en ~*** to be in rut
rutabaga [ʀytabaga] *m* rutabaga, *brit* swede
rutilant [ʀytilɑ̃] *adj* ⟨**-ante** [-ɑ̃t]⟩ sparkling
Rwanda → ***Ruanda***
▶ **rythme** [ʀitm] *m* rhythm; *par ext* (*cadence*) rate; (*vitesse*) speed; ***~ cardiaque*** heart rate; ***~ de vie*** pace of life; ***au ~ de*** at a rate of
rythmé [ʀitme] *adj* ⟨**~e**⟩ rhythmic
rythmer [ʀitme] *v/t* **1.** (*ponctuer*) to punctuate **2.** (*scander*) *chanson* to beat out the rhythm of; *phrase* to put rhythm into
rythmique [ʀitmik] **I** *adj* rhythmic(al) **II** *f* **1.** *science* rhythmics (+ *v sg*) **2.** *d'un groupe* rhythm section

S

S, s [ɛs] *m* ⟨*inv*⟩ S
s *abr* (= **seconde**) s
S. *abr* (= **sud**) S
s' [s] **1.** → ***se*** **2.** ⟨*devant il(s)*⟩ → ***si²***
▶ **sa** [sa] → ***son¹***
S.A. [ɛsa] *f, abr* ⟨*inv*⟩ (= **société anonyme**) public company
sabayon [sabajõ] *m* CUIS zabaglione
sabbat [saba] *m* **1.** REL Sabbath **2.** *de sorcières* sabbath
sabir [sabiʀ] *m* **1.** LING lingua franca **2.** *par ext* mumbo-jumbo
sablage [sablaʒ] *m de la chaussée* gritting; TECH sandblasting
▶ **sable** [sɑbl, sa-] *m* **1.** sand **2.** *adjt* ⟨*inv*⟩ sand-colored
sablé [sable] **I** *adj* ⟨**~e**⟩ ***pâte ~e*** sweet shortcrust pastry **II** *m* shortbread cookie, *brit* shortbread biscuit
sabler [sable] *v/t* **1.** *chaussée* to grit **2.** TECH to sandblast **3.** ***~ le champagne*** to crack open the champagne
sableuse [sabløz] *f pour la chaussée* gritter; TECH sandblaster **sablier** *m* hourglass; CUIS egg timer **sablière** *f* sand quarry
sablonneux [sablɔnø] *adj* ⟨**-euse** [-øz]⟩ sandy
sabordage [sabɔʀdaʒ] *m* MAR scuttling
saborder [sabɔʀde] **I** *v/t* **1.** *navire* to scuttle **2.** *par ext* to scupper **II** *v/pr* ***se saborder*** **1.** MAR to scuttle one's own ship **2.** *fig entreprise* to close down, *journal* to fold
sabot [sabo] *m* **1.** *chaussure* clog **2.** ZOOL hoof **3.** ***~ de Denver*** [dɑ̃vɛʀ] wheel clamp; ***~ de frein*** brake shoe **4.** *adjt* ***baignoire*** *f* **~** hip bath
sabotage [sabɔtaʒ] *m* sabotage
saboter [sabɔte] *v/t* **1.** *installation, négociations* to sabotage **2.** *travail* to botch *fam*
saboteur [sabɔtœʀ] *m*, **saboteuse** [-øz] *f* saboteur
sabotier [sabɔtje] *m* clog maker
sabre [sɑbʀ] *m* saber
sabrer [sɑbʀe] *v/t texte* to make major cuts to; *qn* → ***sacquer***
▶ **sac¹** [sak] *m* **1.** *de grande taille, en jute* sack; ***sac postal*** mail sack; ***sac à dos*** backpack, *brit* rucksack; ***sac de couchage***, *fam* ***sac à viande*** sleeping bag; *fig* ***l'affaire est dans le sac*** it's in the bag *fam*; *fig* ***mettre dans le même sac*** to lump together; *fam* ***vider son sac*** to get it off one's chest *fam* **2.** *de petite taille* bag; ***sac en papier*** paper bag; ***sac en plastique*** plastic bag **3.** *porté à la main* bag; ▶ ***sac*** (***à main***) handbag; ***sac de voyage*** travel bag
sac² *m* ***mettre à ~*** to sack
saccade [sakad] *f* jolt, jerk; ***par ~s*** in fits and starts
saccadé [sakade] *adj* ⟨**~e**⟩ *gestes, démarche* jerky; *voix* halting
saccage [sakaʒ] *m* destruction
saccager [sakaʒe] *v/t* ⟨**-ge-**⟩ **1.** (*piller*) to sack **2.** (*abîmer*) to wreck
saccharification [sakaʀifikasjõ] *f* saccharization
saccharine [sakaʀin] *f* saccharin
saccharose [sakaʀoz] *m* saccharose, sucrose
sacerdoce [sasɛʀdɔs] *m* **1.** ÉGL priesthood **2.** *fig* vocation
sacerdotal [sasɛʀdɔtal] *adj* ⟨**~e; -aux** [-o]⟩ priestly
sachant [saʃɑ̃] *ppr* → ***savoir¹***
sache [saʃ] → ***savoir¹***
sachet [saʃɛ] *m* packet; ***~ de thé*** teabag
sacoche [sakɔʃ] *f* bag; *de vélo, de moto* saddle bag, *brit* pannier
sacquer [sake] *v/t* **1.** *fam* ***~ qn*** (*noter sévèrement*) to grade sb harshly; (*recaler*) to flunk sb *fam*, *brit* to fail sb *fam* **2.** *fam* (*renvoyer*) to fire *fam*
sacraliser [sakʀalize] *v/t* ***~ qc*** to regard sth as sacred
sacramentel [sakʀamɑ̃tɛl] *adj* ⟨**~le**⟩ sacramental
sacre [sakʀ] *m* **1.** *d'un souverain* anointing; (*couronnement*) coronation **2.** CATH consecration
▶ **sacré** [sakʀe] *adj* ⟨**~e**⟩ **1.** *art, musique* sacred **2.** *fam* damn *fam*; ***avoir un ~ culot*** to have a damn nerve *fam*
sacrement [sakʀəmɑ̃] *m* sacrament; ***le saint ~*** the Blessed Sacrament; ***les derniers ~s*** the last rites
sacrément [sakʀemɑ̃] *adv fam* really
sacrer [sakʀe] *v/t* **1.** ***~ qn roi*** to crown sb king; ***~ qn évêque*** to consecrate sb as bishop **2.** *fig* ***~ qn qc*** to crown sb sth
sacrificateur [sakʀifikatœʀ] *m* sacri-

ficer
sacrifice [sakrifis] *m* REL, *fig* sacrifice; *fig* ***faire des ~s*** to make sacrifices
sacrifié [sakrifje] *adj* ⟨**~e**⟩ **1.** sacrificed **2.** *par ext soldats* dead **3.** COMM *articles* at knock-down prices; ***prix ~*** rock-bottom price
sacrifier [sakrifje] **I** *v/t* **1.** REL, *fig* to sacrifice **2.** ***~ qc*** *marchandises* to sell sth off cheaply; *prix* to slash sth **II** *v/pr* ***se ~*** to sacrifice o.s (***à, pour*** to, for)
sacrilège [sakrilɛʒ] **I** *m* REL, *fig* sacrilege **II** *adj* sacrilegious
sacripant [sakripɑ̃] *m* scoundrel
sacristain [sakristɛ̃] *m* sexton
sacristie [sakristi] *f* sacristy
sacro-saint [sakrosɛ̃] *adj* ⟨**-sainte** [-sɛ̃t]⟩ *iron* sacrosanct
sacrum [sakrɔm] *m* sacrum
sadique [sadik] **I** *adj* sadistic **II** *m/f* sadist
sadisme [sadism] *m* sadism
sadomasochisme [sadɔmazɔʃism] *m* sadomasochism
sadomasochiste I *adj* sadomasochistic **II** *m* sadomasochist
safari [safari] *m* safari **safari-photo** *m* ⟨**safaris-photos**⟩ photo-safari
safran [safrɑ̃] *m* **1.** saffron **2.** *adjt* ⟨*inv*⟩ saffron *épith*
saga [saga] *f* saga
sagace [sagas] *adj* wise **sagacité** *f* wisdom
sagaie [sagɛ] *f* assegai
▶ **sage** [saʒ] **I** *adj* **1.** wise; ***il serait plus ~ d'y renoncer*** it would be wiser to give up **2.** *enfant* well-behaved **II** *m* wise man
sage-femme *f* ⟨**sages-femmes**⟩ midwife
sagesse [saʒɛs] *f* **1.** wisdom; ***la voix de la ~*** the voice of reason **2.** *d'un enfant* good behavior
Sagittaire [saʒitɛr] *m* ASTROL Sagittarius
sagouin [sagwɛ̃] *fam m* filthy slob *fam*
Sahara [saara] ***le ~*** the Sahara
saharien [saarjɛ̃] **I** *adj* ⟨**-ienne** [-jɛn]⟩ Saharan **II** *f* ***~ne*** *veste* safari jacket
saignant [sɛɲɑ̃] *adj* ⟨**-ante** [-ɑ̃t]⟩ *viande, steak* rare
saignée [seɲe] *f* **1.** MÉD, *fig* bleeding, bloodletting **2. ~** (***du bras***) crook of the elbow **3.** TECH groove
saignement [sɛɲmɑ̃] *m* bleeding; ***~ de nez*** nosebleed
▶ **saigner** [seɲe] **I** *v/t* **1.** HIST MÉD to bleed **2.** *animal* to stick **II** *v/i* to bleed (*a fig cœur*) **III** *v/pr fig* ***se ~ aux quatre veines*** to make huge sacrifices
saillant [sajɑ̃] *adj* ⟨**-ante** [-ɑ̃t]⟩ prominent
saillie [saji] *f* **1.** projection; ***être en ~*** to jut out **2.** *d'un animal femelle* covering
saillir [sajir] **I** *v/t animal femelle* to cover **II** *v/i* ⟨→ **assaillir**; *mais* **il saillera**⟩ *veines, etc* to bulge
▶ **sain** [sɛ̃] *adj* ⟨**saine** [sɛn]⟩ **1.** (*en bonne santé*) healthy; ***~ et sauf*** safe and sound **2.** *fig curiosité* healthy; *jugement* sound
saindoux [sɛ̃du] *m* lard
sainfoin [sɛ̃fwɛ̃] *m* sainfoin
▶ **saint** [sɛ̃] **I** *adj* ⟨**sainte** [sɛ̃t]⟩ holy; ***l'histoire ~e*** biblical history; ***~ Martin*** saint Martin; *par ext* ***toute la ~e journée*** all day long **II** *subst* **1.** ***~(e)*** *m(f)* saint; ***les ~s de glace*** *the 11th, 12th and 13th of May*; *fig* ***ne*** (***plus***) ***savoir à quel ~ se vouer*** not to know which way to turn **2.** ***le ~ des ~s*** the Holy of Holies
saint-bernard [sɛ̃bɛrnar] *m* ⟨*inv*⟩ **1.** ZOOL St Bernard **2.** *fig* Good Samaritan
saint-cyrien [sɛ̃sirjɛ̃] *m* ⟨**saint-cyriens**⟩ *cadet at St-Cyr military academy*
Saint-Esprit [sɛ̃tɛspri] *m* ***le ~*** the Holy Spirit, the Holy Ghost
sainteté [sɛ̃tte] *f* **1.** *d'une personne* saintliness, sanctity; *d'un lieu* holiness **2.** ÉGL ***Sa Sainteté*** His Holiness
saint-frusquin [sɛ̃fryskɛ̃] *m fam* ***tout le ~*** the whole caboodle *fam*
saint-glinglin [sɛ̃glɛ̃glɛ̃] *fam* ***attendre jusqu'à la ~*** to wait until the cows come home *fam*
saint-honoré [sɛ̃tɔnɔre] *m* ⟨*inv*⟩ *pastry topped with caramel-coated profiteroles and cream*
Saint-Marin [sɛ̃marɛ̃] San Marino
Saint-Père: ***le ~*** the Holy Father
saint-pierre *m* ⟨*inv*⟩ ZOOL John Dory
Saint-Pierre-et-Miquelon [sɛ̃pjɛremiklõ] Saint Pierre and Miquelon
Saint-Sépulcre: ***le ~*** the Holy Sepulchre
Saint-Siège: ***le ~*** the Holy See
Saint-Sylvestre [sɛ̃silvɛstr] ***la ~*** New Year's Eve
sais [sɛ] → ***savoir***[1]
saisi [sezi] **I** *adj* ⟨**~e**⟩ **1.** → ***saisir* 2.** JUR ***tiers*** *m* ***~*** garnishee **II** *m* JUR distrainee
saisie [sezi] *f* **1.** INFORM keyboarding **2.** JUR seizure **3.** *de drogue* seizure

▶ **saisir** [seziʀ] **I** *v/t* **1.** *objet, personne* to grab **2.** *fig occasion* to seize; *prétexte* to seize on **3.** (*comprendre*) to understand, to grasp **4.** *sensation* **~ qn** to strike sb; **être saisi de qc** to be struck by sth **5.** *viande* to sear **6.** JUR *biens* to confiscate; *par ext drogue* to seize **7. ~ un tribunal d'une affaire** to refer a matter to the court **8.** INFORM *données* to capture; *texte* to keyboard **II** *v/pr* **se ~ de** to grab hold of

saisissant [sezisɑ̃] ⟨**-ante** [-ɑ̃t]⟩ *adj* **1.** *froid* biting **2.** *spectacle, ressemblance* striking **saisissement** *m* **1.** (*frisson*) sudden chill **2.** (*émotion*) shock

▶ **saison** [sɛzõ] *f* **1.** (*division de l'année*) season; **la belle ~** the summer months (+ *v pl*); **~ des pluies** rainy season; *fig* **être de ~** to be appropriate **2.** (*période d'activité*) season (*a* SPORT); **~ théâtrale** theatrical season; **faire la ~** to do seasonal work

saisonnier [sɛzɔnje] **I** *adj* ⟨**-ière** [-jɛʀ]⟩ seasonal **II** *m* seasonal worker

sait [sɛ] → **savoir**[1]

saké [sake] *m* sake

salace [salas] *st/s adj* salacious

▶ **salade** [salad] *f* **1.** CUIS salad; **~ niçoise** salade niçoise; **~ de fruits** fruit salad; **foies de volaille en ~** chicken liver salad **2.** *plante* lettuce **3.** *fam, fig* (*confusion*) muddle **4.** *fam, fig* **raconter des ~s** to spin yarns *fam*

▶ **saladier** [saladje] *m* salad bowl

salage [salaʒ] *m* **1.** CUIS salting **2.** *d'une route* salting, *brit* gritting

▶ **salaire** [salɛʀ] *m* **1.** *d'un ouvrier* wages (+ *v pl*), pay; *d'un employé* salary; **~ de base** base pay, *brit* basic salary **2.** (*récompense*) reward **3.** (*punition*) punishment

salaison [salɛzõ] *f* **1.** *pour conserver* salting **2. ~s** *pl* salt meats

salamalecs [salamalɛk] *mpl fam* kowtowing (+ *v sg*)

salamandre [salamɑ̃dʀ] *f* **1.** ZOOL salamander **2.** *poêle* slow-burning stove

salami [salami] *m* salami

salant [salɑ̃] *adj* ⟨**-ante** [-ɑ̃t]⟩ **marais ~s** salt marshes

salarial [salaʀjal] *adj* ⟨**~e; -aux** [-o]⟩ wage *épith*

salariat [salaʀja] *m* wage-earners

salarié [salaʀje] **I** *adj* ⟨**~e**⟩ *travail* paid; *poste, employé* salaried; *travailleur* wage-earning, *brit* waged **II** *m* wage-earner

salaud [salo] *m pop* son-of-a-bitch *pop*, *brit* bastard *pop*

▶ **sale** [sal] *adj* **1.** (*malpropre*) dirty **2.** (*ordurier*) dirty **3.** (*vilain*) nasty, horrible; **~ temps** foul weather; **~ tour** *m* mean trick **4.** *terme d'injure* **~ menteur, tricheur** dirty liar, cheat *fam*; **~ gosse** horrible brat *fam*

▶ **salé** [sale] **I** *adj* ⟨**~e**⟩ **1.** *mets, eau de mer, goût* salty; **eau ~e** salt water; **trop ~** too salty **2.** *fig* (*grivois*) racy **3.** *fam addition* steep **II** *m* **petit ~** streaky salted pork

salement [salmɑ̃] *adv* **manger ~** to be a messy eater

saler [sale] *v/t* **1.** CUIS to salt **2.** *route* to salt, *brit* to grit **3.** *fam, fig* **~ la note** to bump up the bill *fam*

▶ **saleté** [salte] *f* **1.** (*crasse*) dirt; **faire des ~s sur le tapis** to make a mess on the carpet **2.** (*malpropreté*) dirtiness; **être d'une ~ repoussante** to be disgustingly dirty **3.** *fig* (*obscénité*) smut; **raconter des ~s** to tell smutty stories **4.** *fam* (*bassesse*) dirty trick; **faire des ~s à qn** to play dirty tricks on sb **5.** *fam* (*chose sans valeur*) piece of junk *fam* **6.** *pop personne* scum *pop*

salière [saljɛʀ] *f* saltshaker, *brit* saltcellar

saligaud [saligo] *m fam* **1.** (*personne malpropre*) filthy pig *fam* **2.** *fig, péj* swine

salin [salɛ̃] *adj* ⟨**-ine** [-in]⟩ salt marsh

saline [salin] *f* saltworks (+ *v sg*)

▶ **salir** [saliʀ] **I** *v/t* **1.** to dirty **2.** *fig mémoire, réputation* to sully **II** *v/pr* **se salir** **1.** to get dirty; **se ~ les mains** to get one's hands dirty **2.** *robe* to get dirty

salissant [salisɑ̃] *adj* ⟨**-ante** [-ɑ̃t]⟩ **1. une couleur ~** a colour that shows the dirt **2.** *travail* dirty

salissure [salisyʀ] *f* dirty mark

salivaire [salivɛʀ] *adj* salivatory

salivation [salivasjõ] *f* salivation

salive [saliv] *f* saliva; *fig* **perdre sa ~** to waste one's breath

saliver [salive] *v/i* to salivate; **faire ~ qn** to make sb drool

▶ **salle** [sal] *f* **1.** (*pièce*) room; FILM, THÉ auditorium; **salle commune** common room; **salle polyvalente** multi-purpose room; ▶ **salle à manger** dining room; ▶ **salle d'attente** CH DE FER, MÉD waiting room; **salle d'audience** courtroom;

► ***salle de bains*** bathroom; ***salle de classe*** classroom; ***salle d'embarquement*** departure lounge; ***salle d'opération*** operating room (*abr* OR), *brit* operating theatre; ► ***salle de séjour*** living room; SPORT ***en salle*** indoor *épith* **2.** ***salle*** (***de cinéma***) movie theater, *brit* cinema

salmis [salmi] *m* salmi

salmonelle [salmɔnɛl] *f* salmonella

saloir [salwaʀ] *m* salting tub

► **salon** [salõ] *m* **1.** living room, sitting room **2.** *meubles* lounge suite **3.** ***~ de coiffure*** hair salon; ***~ de thé*** tearoom **4.** (*exposition*) trade fair

salopard [salɔpaʀ] *m pop* → ***salaud***

salope [salɔp] *f pop* (*garce*) bitch *pop*; (*femme facile*) slut *pop*

saloper [salɔpe] *v/t fam* ***~ qc*** (*bousiller*) to botch sth *fam*; (*salir*) to make a mess of sth

saloperie [salɔpʀi] *f pop* **1.** (*chose sans valeur*) junk *fam* **2.** (*nourriture malsaine*) junk food (+ *v sg*) **3.** (*maladie*) ***attraper une ~*** to catch a bug *fam* **4.** (*bassesse*) mean trick

salopette [salɔpɛt] *f* (*à bretelles et bavette*) overalls (+ *v pl*), *brit* dungarees (+ *v pl*); (*d'un ouvrier*) overall, *brit* overalls (+ *v pl*); (*pour le ski*) ski overalls (+ *v pl*), *brit* salopettes (+ *v pl*)

salpêtre [salpɛtʀ] *m* saltpeter

salsifis [salsifi] *m* salsify

saltimbanque [saltɛ̃bɑ̃k] *m* entertainer; (*acrobate*) acrobat

salubre [salybʀ] *adj* healthy

salubrité [salybʀite] *f* healthiness; ***mesures*** *fpl* ***de ~ publique*** public health measures

► **saluer** [salɥe] **I** *v/t* **1.** (*dire bonjour à*) to say hello to, to greet; (*dire au revoir à*) to say goodbye to; (*accueillir*) to greet; MIL to salute (***qn*** sb) **2.** *fig événement, mesure* to welcome **3.** ***~ qn comme…*** to hail sb as … **II** *v/pr* ***se saluer*** to greet each other

salut [saly] *m* **1.** *geste* salute **2.** *fam int* (*bonjour*) hi *fam*; (*au revoir*) bye *fam* **3.** *d'un peuple, pays* salvation; ***le ~ public*** national salvation **4.** (*vie sauve*) salvation (*a* REL)

salutaire [salytɛʀ] *adj* **1.** *air* healthy; *remède* beneficial **2.** *conseil, lecture* salutary

salutation [salytasjõ] *f* greeting

salutiste [salytist] *m/f* Salvationist

Salvador [salvadɔʀ] ***le ~*** El Salvador

salve [salv] *f* **1.** MIL salvo **2.** *fig* ***~ d'applaudissements*** burst of applause

Samaritain [samaʀitɛ̃] *m* ***le bon ~*** the Good Samaritan

samba [sɑ̃mba] *f* samba

► **samedi** [samdi] *m* Saturday

samovar [samɔvaʀ] *m* samovar

SAMU [samy] *m, abr* ⟨*inv*⟩ (= **service d'aide médicale d'urgence**) ≈ paramedic service, *brit* ≈ ambulance service

sanatorium [sanatɔʀjɔm] *m* sanatorium

sanctifiant [sɑ̃ktifjɑ̃] *adj* ⟨**-ante** [-ɑ̃t]⟩ *grâce* sanctifying **sanctification** *f* sanctification **sanctifier** *v/t* to sanctify

sanction [sɑ̃ksjõ] *f* **1.** JUR sanction **2.** POL sanction **3.** (*approbation*) sanction

sanctionner [sɑ̃ksjɔne] *v/t* **1.** (*approuver*) to approve, to sanction **2.** (*punir*) to punish

sanctuaire [sɑ̃ktɥɛʀ] *m* **1.** (*lieu saint*) shrine **2.** *d'une église, d'un temple* sanctuary

sandale [sɑ̃dal] *f* sandal **sandalette** *f* light sandal

sandow® [sɑ̃do] *m* bungee strap

sandre [sɑ̃dʀ] *m ou f* pikeperch

sandwich [sɑ̃dwi(t)ʃ] *m* ⟨**sandwich(e)-s**⟩ sandwich; ***~ au jambon*** ham sandwich; *fam, fig* ***être*** (***pris***) ***en ~*** to be sandwiched (***entre*** between)

► **sang** [sɑ̃] *m* blood; ***prise*** *f* ***de ~*** blood test; ***faire une prise de ~*** (***à qn***) to take a blood sample (from sb); (*se gratter*) ***jusqu'au ~*** until one bleeds; *fig* ***avoir du ~ bleu*** to be aristocratic; *fig* ***avoir le ~ chaud*** (*être irascible*) to be hotheaded; *fig* ***il a ça dans le ~*** it's in his blood; ***être*** (***tout***) ***en ~*** to be covered in blood; *fig* ***se faire du mauvais ~*** to worry; *fam* ***tout mon ~ n'a fait qu'un tour*** my heart skipped a beat; *fig* ***se ronger les ~s*** to worry o.s. sick

sang-froid *m* **1.** (*calme*) composure; ***garder, perdre son ~*** to keep, lose one's composure **2.** ***de ~*** (*froidement*) in cold blood

sanglant [sɑ̃glɑ̃] *adj* ⟨**-ante** [-ɑ̃t]⟩ **1.** bloody **2.** *fig reproches* cruel

sangle [sɑ̃gl] *f* strap

sangler [sɑ̃gle] *v/t fig* to girth

sanglier [sɑ̃glije] *m* wild boar

sanglot [sɑ̃glo] *m* sob; ***éclater en ~s*** to start sobbing

sangloter [sɑ̃glɔte] *v/i* to sob

sangsue [sɑ̃sy] *f* leech
sanguin [sɑ̃gɛ̃] *adj* ⟨**-ine** [-in]⟩ **1.** PHYSIOL blood *épith* **2.** *tempérament* fiery **3.** ***orange ~e*** → ***sanguine***
sanguinaire [sɑ̃ginɛʀ] *adj* bloody; *personne* bloodthirsty
sanguine [sɑ̃gin] *f* **1.** PEINT red chalk; *dessin* red chalk drawing **2.** BOT blood orange
sanguinolent [sɑ̃ginɔlɑ̃] *adj* ⟨**-ente** [-ɑ̃t]⟩ *vêtements* blood-stained; *plaie* bleeding
sanisette® [sanizɛt] *f* automated public toilet, *brit* superloo
sanitaire [sanitɛʀ] *adj* **1.** MÉD health *épith* **2.** ***appareils*** *mpl*, ***installations*** *fpl* ***~s*** plumbing (+ *v sg*); ***les ~s*** (*dans un bâtiment*) bathroom (+ *v sg*); (*dans un camping*) toilet block (+ *v sg*)
▸ **sans** [sɑ̃] **I** *prép* without; ***sans valeur*** worthless; *fam* ***sans ça, sans quoi*** otherwise; ***non sans*** not without; ***sans comprendre*** without understanding **II** *conj* ▸ ***sans que ...*** (***ne***) +*subj* without (+ *v-ing*); ***sans que je ne m'en rende compte*** without my realizing
sans-abri [sɑ̃zabʀi] *m/f* ⟨*inv*⟩ homeless person
sans-cœur [sɑ̃kœʀ] **I** *adj* ⟨*inv*⟩ heartless **II** *m/f* ⟨*inv*⟩ heartless person
sans-culotte [sɑ̃kylɔt] *m* ⟨**sans-culottes**⟩ HIST sans culotte
sans-emploi [sɑ̃zɑ̃plwa] *m/f* ⟨*inv*⟩ unemployed person
sans-façon [sɑ̃fasõ] *m* ⟨*inv*⟩ casualness
sans-faute [sɑ̃fot] *m* ⟨*inv*⟩ (*en équitation*) clear round; *fig* ***faire un ~*** not to put a foot wrong
sans-gêne [sɑ̃ʒɛn] **1.** *m* ⟨*inv*⟩ cheekiness; ***quel ~!*** what a cheek! **2.** *m/f* ⟨*inv*⟩ inconsiderate person
sanskrit [sɑ̃skʀi] *m* Sanskrit
sans-le-sou [sɑ̃lsu] *fam m/f* ⟨*inv*⟩ penniless person
sans-logis [sɑ̃lɔʒi] *m/f* ⟨*inv*⟩ homeless person
sansonnet [sɑ̃sɔnɛ] *m* ZOOL starling
sans-papiers [sɑ̃papje] *mpl* illegal immigrant
sans-plomb [sɑ̃plõ] *m* ⟨*inv*⟩ unleaded gas, *brit* unleaded petrol
sans-travail [sɑ̃tʀavaj] *m/f* ⟨*inv*⟩ unemployed person
santal [sɑ̃tal] *m* ***bois*** *m* ***de ~*** sandalwood
▸ **santé** [sɑ̃te] *f* health; ***la ~ publique*** public health; ***maison*** *f* ***de ~*** nursing home; ***à votre ~!*** cheers!; ***meilleure ~!*** get well soon!; ***comment va la ~?*** how are you?; ***boire à la ~ de qn*** to drink to sb's health; ***être en bonne ~*** to be in good health
santiag [sɑ̃tjag] *f* cowboy boot
santon [sɑ̃tõ] *m* crib figure
Saône [son] ***la ~*** the Saône
saoudien [saudjɛ̃] **I** *adj* ⟨**-ienne** [-jɛn]⟩ Saudi **II** ***Saoudien***(***ne***) *m*(*f*) Saudi
Saoudite [saudit] *adj* ***l'Arabie*** *f* ***~*** Saudi Araba
saoul [su] *adj* → ***soûl***
saper [sape] **I** *v/t* **1.** CONSTR to undermine; *eau*: *rive* to undercut **2.** *fig* to undermine **II** *v/pr* ***se saper*** to get all dressed up, *brit* to get all togged up *fam*; ***être bien sapé*** to be all dressed up
sapeur [sapœʀ] *m* MIL sapper
sapeur-pompier *m* fire officer; ***sapeurs-pompiers*** *pl* fire brigade (+ *v sg*)
saphir [safiʀ] *m* sapphire
▸ **sapin** [sapɛ̃] *m* **1.** fir tree; ***~ de Noël*** Christmas tree **2.** (*bois*) deal; *fam, fig* ***ça sent le ~*** he's/she's got one foot in the grave *fam*
sapinière [sapinjɛʀ] *f* fir plantation
sapristi [sapʀisti] *int fam* heavens!
saquer → ***sacquer***
sarabande [saʀabɑ̃d] *f danse, musique* saraband; *fig* ***faire la ~*** to make a racket
sarbacane [saʀbakan] *f* blowpipe
sarcasme [saʀkasm] *m* sarcasm **sarcastique** *adj* sarcastic
sarcelle [saʀsɛl] *f* ORNITH teal
sarclage [saʀklaʒ] *m* hoeing **sarcler** *v/t* to hoe **sarcloir** *m* hoe
sarcophage [saʀkɔfaʒ] *m* sarcophagus
Sardaigne [saʀdɛɲ] ***la ~*** Sardinia
sarde [saʀd] **I** *adj* Sardinian **II** ***Sarde*** *m/f* Sardinian
sardine [saʀdin] *f* sardine; ***~s à l'huile*** sardines in oil; *fam* ***être serrés comme des ~s*** to be crammed in like sardines *fam*
sardonique [saʀdɔnik] *adj* sardonic
sari [saʀi] *m* sari
S.A.R.L. [ɛsaɛʀɛl] *f, abr* ⟨*inv*⟩ → ***société***
sarment [saʀmɑ̃] *m* vine shoot
Sarrasin [saʀazɛ̃] *m*, **Sarrasine** [-in] *f* HIST Saracen
sarrasin [saʀazɛ̃] *m* BOT buckwheat
sarrau [saʀo] *m* smock
▸ **Sarre** [saʀ] ***la ~*** *fleuve* the Saar; *région* the Saarland
sarriette [saʀjɛt] *f* BOT savory

sarrois [saʀwa] **I** *adj* ⟨**-oise** [-waz]⟩ of the Saarland **II** ***Sarrois(e)*** *m(f)* inhabitant of the Saarland
sas [sɑs] *m* **1.** TECH airlock **2.** *d'une écluse* lock
satané [satane] *adj fam* ⟨**~e**⟩ damn *épith fam* **satanique** *adj* satanic
satelliser [satelize] *v/t* **1.** **~ *qc*** *engin spatial* to put sth into orbit **2.** POL **~ *qc*** to turn sth into a satellite
▶ **satellite** [satelit] *m* **1.** ASTROL, ESP satellite; ***~s de Jupiter*** moons of Jupiter; ***~ de télécommunications*** telecommunications satellite **2.** POL satellite; *adjt* ***pays*** *m* **~** satellite nation; *par ext* ***ville*** *f* **~** satellite town
satiété [sasjete] *f* ***manger, boire à ~*** to eat, drink one's fill; ***répéter qc à ~*** to repeat sth ad nauseam
satin [satɛ̃] *m* TEXT satin
satiné [satine] *adj* ⟨**~e**⟩ **1.** satin *épith*; *papier* glossy **2.** *peau* silky
satiner [satine] *v/t* TECH to give a glossy finish to
satire [satiʀ] *f* satire **satirique** *adj* satirical
satisfaction [satisfaksjõ] *f* **1.** (*contentement*) satisfaction; ***son travail nous donne ~*** we are pleased with his work **2.** *d'un besoin, désir* satisfaction **3.** (*réparation*) satisfaction
satisfaire [satisfɛʀ] ⟨→ **faire**⟩ **I** *v/t* **1.** *personne* to satisfy **2.** *besoin, curiosité, désir* to satisfy; *attente* to meet; *faim, soif* to satisfy **II** *v/t indir* **~ *à*** *critères, obligations* to meet **III** *v/pr* ***se satisfaire*** **1.** *sexuellement* to get one's pleasure **2.** ***se ~ de*** to be satisfied with
▶ **satisfaisant** [satisfəzɑ̃] *adj* ⟨**-ante** [-ɑ̃t]⟩ satisfying
▶ **satisfait** [satisfɛ] *adj* ⟨**-faite** [-fɛt]⟩ satisfied (***de*** with)
saturation [satyʀasjõ] *f* **1.** CHIM, *du marché* saturation; TÉL overloading; *d'une route* overcrowding **2.** *fig* saturation point
saturé [satyʀe] *adj* ⟨**~e**⟩ **1.** CHIM, *marché* saturated; TÉL overloaded; *route* gridlocked; *terre* ***~e d'eau*** waterlogged **2.** *fig personne* ***être ~ de qc*** to have had one's fill of sth
saturer [satyʀe] *v/t* **1.** CHIM to saturate (***de*** with) **2.** *fig personne* to inundate (***de*** with)
satyre [satiʀ] *m* **1.** MYTH satyr **2.** *fig* lecher
▶ **sauce** [sos] *f* sauce; **~ *blanche*** white sauce; **~ *tomate*** tomato sauce; *fig* ***mettre qc à toutes les ~s*** to adapt sth to every circumstance
saucée [sose] *f fam* downpour
saucer [sose] *v/t* ⟨**-ç-**⟩ **1.** **~ *son assiette*** to wipe one's plate with a piece of bread **2.** *fam, fig* ***se faire ~*** to get soaked
saucière [sosjɛʀ] *f* gravy boat
sauciflard [sosiflaʀ] *m fam* → ***saucisson***
▶ **saucisse** [sosis] *f* sausage; **~ *de Francfort*** frankfurter
▶ **saucisson** [sosisõ] *m* slicing sausage; **~ *sec*** summer sausage, *brit* salami
saucissonné [sosisɔne] *fam adj* ⟨**~e**⟩ trussed up **saucissonner** *fam* **I** *v/t* **~ *qc*** (*diviser*) to chop sth up **II** *v/i* (*manger*) to have a snack
▶ **sauf** [sof] **I** *adj* ⟨**sauve** [sov]⟩ safe; ***j'ai eu la vie sauve*** my life was spared; *fig honneur, réputation* intact **II** *prép* **1.** (*excepté*) except; **~ *que …*** except that … **2.** (*à moins que*) unless
sauf-conduit *m* ⟨**sauf-conduits**⟩ safe-conduct
sauge [soʒ] *f* BOT sage
saugrenu [sogʀəny] *adj* ⟨**~e**⟩ crazy *fam*
saule [sol] *m* BOT willow
saumâtre [somɑtʀ] *adj* **1.** ***eau*** *f* **~** brackish water **2.** *fam, fig* ***la trouver ~*** to find it hard to take
saumon [somõ] *m* **1.** salmon **2.** *adjt* ⟨*inv*⟩ salmon *épith*
saumoné [somɔne] *adj* ⟨**~e**⟩ ***truite ~e*** salmon trout
saumure [somyʀ] *f* brine
sauna [sona] *m* sauna
saupoudrer [sopudʀe] *v/t* to sprinkle (***de*** with) **saupoudreuse** *f* shaker
saur [sɔʀ] *adj* ***'hareng*** *m* **~** smoked herring, kipper
saurai, saura(s) [sɔʀe, sɔʀa] → ***savoir***[1]
sauriens [sɔʀjɛ̃] *mpl* ZOOL Lacertilia, Sauria *t/t*
saut [so] *m* **1.** jump; **~ *périlleux*** somersault; **~ *à l'élastique*** bungee jumping (+ *v sg*); **~ *à la perche*** pole vaulting (+ *v sg*); **~ *à skis*** ski jumping (+ *v sg*); **~ *en 'hauteur, en longueur*** high, long jump; **~ *en parachute*** parachute jump; *fig* ***faire le ~*** to take the plunge; *fig* ***faire un ~ chez qn*** to drop in and see sb **2.** ***au ~ du lit*** first thing in the morning
saute [sot] *f* **~ *de vent*** shift in the wind;

fig ~ ***d'humeur*** mood swing
sauté [sote] **I** *adj* ⟨~**e**⟩ sautéed; ***pommes de terre ~es*** sautéed potatoes **II** *m* ~ ***de veau*** sautéed veal
saute-mouton [sotmutõ] *m* leapfrog; ***jouer à ~*** to play leapfrog
► **sauter** [sote] **I** *v/t* **1.** *obstacle* to jump over; *fig* ~ ***le pas*** to take the plunge **2.** *mot, etc* to skip **3.** *fam* ***la ~*** *(avoir faim)* to be starving *fam* **4.** *pop fille* to screw *pop* **II** *v/i* **1.** to jump; ~ ***à la corde*** to jump rope, *brit* to skip; *fig* ~ ***aux yeux*** to be blindingly obvious; ~ ***de joie*** to jump for joy; ~ ***en parachute*** to make a parachute jump **2.** *(se précipiter)* to jump; ~ ***sur qc*** to pounce on sth; ~ ***à la gorge de qn*** to go for sb's throat; *fig* ~ ***sur l'occasion*** to jump at the opportunity **3.** *bouton* to burst; *vitre* to shatter; *bouchon* to pop; ***les plombs ont sauté*** the fuses have blown **4.** *(exploser)* to blow up; *explosif* to go off; *char* ~ ***sur une mine*** to be blown up by a mine; ***faire ~*** to break *(a fig banque)*; *serrure* to force **5.** *fam, fig (être supprimé) avantage* to be withdrawn; *cours* to be canceled; ***faire ~*** *amende* to get out of paying **6.** *fam* ***et que ça saute!*** make it snappy! **7.** CUIS ***faire ~*** to sautée **8.** *fam, fig* ***faire ~ qn*** to fire sb **9.** *paupière,* TV *image* to flicker
sauterelle [sotʀɛl] *f* grasshopper
sauterie [sotʀi] *f* party
sauternes [sotɛʀn] *m* sauternes wine
sauteur [sotœʀ], **sauteuse** [-øz] **I** *subst* **1.** *m/f* SPORT jumper **2.** *f* CUIS sauté pan **II** *adj* **1.** ZOOL hopping **2.** ***scie sauteuse*** jigsaw
sautillant [sotijɑ̃] *adj* ⟨**-ante** [-ɑ̃t]⟩ **1.** *démarche* bouncy **2.** *musique* bouncy; *style* light
sautillement [sotijmɑ̃] *m* hopping (+ *v sg*) **sautiller** *v/i* to hop
sautoir [sotwaʀ] *m* **1.** *collier* long necklace **2.** SPORT long jump pit
► **sauvage** [sovaʒ] **I** *adj* **1.** BOT, ZOOL wild; ***canard*** *m* ~ wild duck **2.** *peuplade* primitive **3.** *air, cri* wild **4.** *(farouche)* fierce **5.** *(illégal)* illegal **II** *m/f* **1.** *péj (non-civilisé)* savage *péj* **2.** *(brute)* brute
sauvagement [sovaʒmɑ̃] *adv* savagely
sauvageon [sovaʒõ] *m*, **sauvageonne** [-ɔn] *f* wild child
sauvagerie [sovaʒʀi] *f* savagery
sauvagine [sovaʒin] *f* CH waterfowl (+ *v pl*)
sauvegarde [sovgaʀd] *f* **1.** protection; *de droits* safeguarding (+ *v sg*) **2.** INFORM saving (+ *v sg*); *copie* back-up
sauvegarder *v/t* **1.** to safeguard **2.** INFORM to save; *copier* to back-up
sauve-qui-peut [sovkipø] *m* ⟨*inv*⟩ stampede; *int* run for your life!
► **sauver** [sove] **I** *v/t* **1.** to save (***de*** from); *accidentés* to rescue; *au jeu* ***sauver la mise*** to get one's stake back; ***sauver la vie à qn*** to save sb's life; *par ext* ***sauver les apparences*** to keep up appearances **2.** REL to save **II** *v/pr* ► **se sauver** **1.** *(s'enfuir)* to run away **2.** *fam (s'en aller)* to rush off **3.** *fam lait* to boil over
sauvetage [sovtaʒ] *m* rescue
sauveteur [sovtœʀ] *m* rescuer; ~***s*** *pl* rescue team (+ *v sg*)
sauvette [sovɛt] ***à la ~*** COMM illegally; *(à la hâte)* in a hurry
sauveur [sovœʀ] *m* **1.** savior **2.** ***le Sauveur*** the Savior
savamment [savamɑ̃] *adv* **1.** *parler* knowledgeably **2.** *(habilement)* skillfully
savane [savan] *f* savannah
► **savant** [savɑ̃] **I** *adj* ⟨**-ante** [-ɑ̃t]⟩ **1.** *(érudit)* scholarly; *(versé)* knowledgeable **2.** *(fait avec art)* skillful **3.** *animal* performimg *épith* **II** *m* scientist **III** *m/f* scholar
savarin [savaʀɛ̃] *m ring-shaped cake soaked in liqueur*
savate [savat] *f (chaussure)* old shoe; *(pantoufle)* old slipper
savetier [savtje] *m litt* cobbler
saveur [savœʀ] *f* **1.** flavor **2.** *fig* spice
Savoie [savwa] ***la ~*** Savoy
► **savoir**[1] [savwaʀ] ⟨**je sais, il sait, nous savons; je savais; je sus; je saurai; que je sache, que nous sachions; sachant; su**⟩ **I** *v/t* **1.** *(connaître)* to know; *(apprendre)* to hear; ► ***tu sais …*** you know …; ► ***vous savez …*** you know …; ***je n'en sais rien*** I have no idea; ***un je ne sais quoi*** a certain something; ***on ne sait jamais*** you never know; ***je sais bien que …*** I'm well aware that …; ***quand il a su que …*** when he heard that …; ***faire ~ qc à qn*** to let sb know that …; ***à ~ …*** namely …; ***reste à ~ si …*** it remains to be seen whether …; ***il s'agit de ~ si …*** it's a question of finding out whether …; **(*autant*) *que je sache*** as far as I know; ***pas que je sache***

not to my knowledge; ***sachez que ...*** let me tell you that ... **2.** (*être capable, avoir appris*) to know how to, to be able to; **~ *l'anglais*** to speak English; **~ *lire, nager, jouer au tennis*** to be able to read, swim, play tennis; *fam* **~ *y faire avec des enfants, animaux*** to be good with children, animals; ***elle a su rester jeune*** she's managed to stay young; ***il ne saurait être question de ...*** there's no question of ... **II** *v/pr* ***se savoir*** **1.** (*être connu*) to be known **2.** ***il se sait incurable*** he knows that he won't recover

> **savoir**
>
> **Savoir** = to know a fact or to know how to do something. **Connaître** = to know a person as in to be acquainted with someone or to be familiar with something:
>
> **Tu savais qu'elle était partie? Je ne sais pas skier. Pierre connaît des gens célèbres. Je ne connais pas Rome, mais j'aimerais beaucoup y aller.**
>
> Did you know she left? I can't (or I don't know how to) ski. Pierre knows some famous people. I don't know Rome, but I would really like to go there.

savoir² *m* knowledge **savoir-faire** *m* ⟨*inv*⟩ know-how **savoir-vivre** *m* ⟨*inv*⟩ social graces (+ *v pl*), manners (+ *v pl*)

▶ **savon** [savõ] *m* **1.** soap; ***deux ~s*** two bars of soaps; **~ *de Marseille*** household soap **2.** *fam, fig* ***passer un ~ à qn*** to give sb a telling-off

savonnage [savɔnaʒ] *m* soaping

savonner [savɔne] **I** *v/t* to soap **II** *v/pr* ***se savonner*** to soap o.s.

savonnerie [savɔnʀi] *f* soap factory **savonnette** *f* toilet soap

savonneux [savɔnø] *adj* ⟨**-euse** [-øz]⟩ ***eau savonneuse*** soapy water

savourer [savuʀe] *v/t* to savor

savoureux [savuʀø] *adj* ⟨**-euse** [-øz]⟩ tasty

savoyard [savwajaʀ] **I** *adj* ⟨**-arde** [-aʀd]⟩ Savoyard **II** ***Savoyard(e)*** *m(f)* Savoyard

Saxe [saks] ***la ~*** Saxony

saxe [saks] *m* Dresden china

saxon [saksõ] **I** *adj* ⟨**-onne** [-ɔn]⟩ Saxon **II** ***Saxon(ne)*** *m(f)* Saxon

saxophone [saksɔfɔn] *m* saxophone **saxophoniste** *m/f* saxophonist

sbire [zbiʀ] *m péj* henchman *péj*

scabreux [skabʀø] *adj* ⟨**-euse** [-øz]⟩ **1.** *histoire* risqué **2.** *entreprise* risky

scalp [skalp] *m* scalp

scalpel [skalpɛl] *m* scalpel

scalper [skalpe] *v/t* to scalp

scampi [skɑ̃pi] *mpl* scampi (+ *v sg*)

scandale [skɑ̃dal] *m* **1.** scandal; ***presse f à ~*** gutter press (+ *v sg*) **2.** (*indignation*) scandal **3.** ***faire du ~*** to make a fuss

scandaleux [skɑ̃dalø] *adj* ⟨**-euse** [-øz]⟩ scandalous

scandaliser [skɑ̃dalize] **I** *v/t* to outrage **II** *v/pr* ***se ~*** to be shocked (***de*** by); to be outraged (by)

scander [skɑ̃de] *v/t slogan, nom* to chant

scandinave [skɑ̃dinav] **I** *adj* Scandinavian **II** ***Scandinave*** *m/f* Scandinavian

Scandinavie [skɑ̃dinavi] ***la ~*** Scandinavia

scanner [skanɛʀ] *m* **1.** TECH scanner **2.** MÉD scan

scaphandre [skafɑ̃dʀ] *m des plongeurs* diving suit; *des astronautes* spacesuit **scaphandrier** *m* deep-sea diver

scarabée [skaʀabe] *m* (scarab) beetle

scarification [skaʀifikasjõ] *f* scarification

scarlatine [skaʀlatin] *f* scarlet fever

scarole [skaʀɔl] *f* BOT escarole

scatologique [skatɔlɔʒik] *adj* scatological

sceau [so] *m* ⟨**~x**⟩ seal; *fig* ***sous le ~ du secret*** in complete confidence

scélérat [seleʀa] *litt* **I** *adj* villainous **II** *m* villain

scellement [sɛlmɑ̃] *m* sealing

sceller [sele] *v/t* **1.** *amitié, pacte* to seal **2.** (*fermer*) to seal **3.** (*fixer*) to fix

scellés [sele] *mpl* JUR seals

scénario [senaʀjo] *m* **1.** FILM screenplay **2.** *fig* scenario **scénariste** *m* screenwriter

▶ **scène** [sɛn] *f* **1.** THÉ (*plateau*) stage; *métier* stage; ***mettre qc en ~*** *pièce* to stage sth; FILM to direct sth **2.** FILM, THÉ (*partie d'un acte*) scene **3.** *fig* (*univers*) scene **4.** (*dispute*) scene; ***faire une ~*** to cause a scene; **~ *de ménage*** domes-

tic dispute
scénique [senik] *adj* stage *épith*
scepticisme [sɛptisism] *m* skepticism
sceptique [sɛptik] **I** *adj* skeptical **II** *m/f* skeptic
sceptre [sɛptʀ] *m* scepter
schéma [ʃema] *m* diagram
schématique [ʃematik] *adj* TECH schematic; (*simplifié*) simplified **schématisation** *f* TECH schematization; (*simplification*) simplification **schématiser** *v/t* (*faire un dessin de*) to draw a diagram of; (*simplifier*) to simplify **schématisme** *m souvent péj* simplification
schilling [ʃiliŋ] *m* HIST schilling
schisme [ʃism] *m* REL schism *a fig*
schiste [ʃist] *m* schist
schizophrène [skizɔfʀɛn] **I** *adj* schizophrenic **II** *m/f* schizophrenic
schizophrénie [skizɔfʀeni] *f* schizophrenia
schlinguer [ʃlɛ̃ge] *pop v/i* to stink
schnaps [ʃnaps] *m* schnapps (+ *v sg*)
schnock *ou* **schnoque** [ʃnɔk] *m fam* ***vieux schnock*** *ou* ***schnoque*** old fogey *fam*
schuss [ʃus] *m* SKI schuss (+ *v sg*); ***descendre (en) ~*** to schuss down
sciage [sjaʒ] *m* sawing
scialytique® [sjalitik] *m* surgical light
sciatique [sjatik] **I** *adj* ***nerf ~*** sciatic nerve **II** *f* sciatica
▶ **scie** [si] *f* **1.** saw; ***~ circulaire*** circular saw; ***~ à métaux*** hacksaw **2. *~ musicale*** musical saw **3.** (***poisson*** *m*) ~ sawfish **4.** *fig, fam* (*chose, personne ennuyeuse*) bore
sciemment [sjamɑ̃] *adv* knowingly
▶ **science** [sjɑ̃s] *f* **1.** science (*a* ENSEIGNEMENT); ***~s naturelles*** natural sciences **2.** (*savoir*) knowledge
science-fiction *f* science fiction
▶ **scientifique** [sjɑ̃tifik] **I** *adj* scientific **II** *m/f* scientist
scientisme [sjɑ̃tism] *m* scientism
scier [sje] *v/t* **1.** *bois, branche* to saw **2.** *fam, fig* (*stupéfier*) to stun

scientifique
Note that **scientifique** is a noun as well as an adjective, meaning **a scientist**: **un scientifique très célèbre** a very famous scientist

scierie [siʀi] *f* sawmill
scinder [sɛ̃de] *v/t* (*et v/pr* ***se ~***) to split (***en*** into)
scintillant [sɛ̃tijɑ̃] *adj* ⟨**-ante** [-ɑ̃t]⟩ sparkling; *étoile* twinkling
scintillement [sɛ̃tijmɑ̃] *m* **1.** sparkling; *d'étoiles* twinkling **2.** TV flickering
scintiller [sɛ̃tije] *v/i* to sparkle; *étoile* to twinkle
scission [sisjõ] *f* split, schism
sciure [sjyʀ] *f* sawdust
sclérose [skleʀoz] *f* sclerosis (+ *v sg*); ***~ en plaques*** multiple sclerosis
sclérosé [skleʀoze] *adj* ⟨**~e**⟩ **1.** MÉD sclerosed **2.** *fig* fossilized
scléroser [skleʀoze] *v/pr* ***se ~*** **1.** *tissu, organe* to become sclerosed **2.** *fig* to become fossilized
scolaire [skɔlɛʀ] *adj* **1.** school *épith*; ***année*** *f* ~ academic year **2.** *péj* unimaginative
scolarisable [skɔlaʀizabl] *adj* ready to start school **scolarisation** *f* schooling **scolariser** *v/t* ***~ qn*** to send sb to school
scolarité [skɔlaʀite] *f* schooling; *durée* schooldays (+ *v pl*); ***~ obligatoire*** compulsory education
scolastique [skɔlastik] **I** *adj* PHIL scholastic **II** *subst* **1.** *f* scholasticism **2.** *m* PHIL schoolman
scoliose [skɔljoz] *f* scoliosis (+ *v sg*)
scolopendre [skɔlɔpɑ̃dʀ] *f* ZOOL scolopendrid
scoop [skup] *m fam* scoop
scooter [skutœʀ, -tɛʀ] *m* scooter
scootériste [skuteʀist] *m/f* scooter rider
scorbut [skɔʀbyt] *m* scurvy
scorbutique [skɔʀbytik] **I** *adj* scurvy **II** *m/f* scurvy sufferer
score [skɔʀ] *m* **1.** SPORT score; ***~ final*** final score **2.** ***~ électoral*** electoral result
scories [skɔʀi] *fpl* MIN slag (+ *v sg*)
scorpion [skɔʀpjõ] *m* **1.** ZOOL scorpion **2.** ASTROL ***Scorpion*** Scorpio
scotch[1] [skɔtʃ] *m* ⟨**~es**⟩ (*whisky*) Scotch
scotch®[2] *m* (*ruban adhésif*) adhesive tape, *brit* sticky tape **scotcher** *v/t* (*abasourdir*) to flabbergast
scout [skut] **I** *m* scout **II** *adj* ⟨**scoute** [skut]⟩ scout *épith* **scoutisme** *m* scouting
Scrabble® [skʀabœl] *m* Scrabble®
scribe [skʀib] *m* HIST scribe

scribouillard [skʀibujaʀ] *m péj* pencil pusher, *brit* penpusher

script [skʀipt] *m* **1.** ***écrire en ~*** to print **2.** *scénario* script

scripte [skʀipt] *f* continuity girl

scripteur [skʀiptœʀ] *m* LING writer

scriptural [skʀiptyʀal] *adj* ⟨**~e; -aux** [-o]⟩ ***monnaie ~e*** bank money

scrotum [skʀɔtɔm] *m* scrotum

scrupule [skʀypyl] *m* scruple; ***~s** pl* scruples; ***sans ~(s)*** unscrupulous

scrupuleux [skʀypylø] *adj* ⟨**-euse** [-øz]⟩ scrupulous

scrutateur [skʀytatœʀ] **I** *adj* ⟨**-trice** [-tʀis]⟩ *regard* searching **II** *m* teller, *brit* scrutineer

scruter [skʀyte] *v/t* to examine; *horizon* to scan

scrutin [skʀytɛ̃] *m* (*vote*) ballot; (*élections*) polls (+ *v pl*); ***~ majoritaire*** election by majority vote; ***~ proportionnel*** proportional representation

sculpter [skylte] *v/t statue*, *meuble* to carve; *sur bois*, *ivoire* to carve; *bloc de pierre* to sculpt; *abs* to be a sculptor

▶ **sculpteur** [skyltœʀ] *m*, **sculptrice** [skyltʀis] *f* sculptor; ***sculpteur sur bois*** woodcarver

sculptural [skyltyʀal] *adj* ⟨**~e; -aux** [-o]⟩ **1.** sculptural **2.** *fig* statuesque

▶ **sculpture** [skyltyʀ] *f* **1.** *art* sculpture; ***~ sur bois*** woodcarving **2.** *œuvre* sculpture **3.** *d'un pneu* ***~s** pl* tread (+ *v sg*)

S.D.F. [ɛsdeɛf] *m/f*, *abr* ⟨*inv*⟩ (= **sans domicile fixe**) homeless person; ***les ~*** the homeless

▶ **se** [s(ə)] *pr pers* ⟨*devant voyelle et h muet* ***s'***⟩ **1.** *réfléchi et réciproque* ***il ~ lave les mains*** he washes his hands; ***ils ~ regardent*** they look at each other **2.** *passif* ***cela ne ~ fait pas*** that's not the done thing **3.** *non traduit* ***s'en aller*** to go away

▶ **séance** [seɑ̃s] *f* **1.** (*réunion*) session **2.** MÉD ***~ de rayons*** radiotherapy session **3.** FILM screening

séant [seɑ̃] **I** *m* ***se dresser, se mettre sur son ~*** to sit up **II** *litt adj* ⟨**-ante** [-ɑ̃t]⟩ fitting

▶ **seau** [so] *m* ⟨**~x**⟩ pail, bucket; ***~ à champagne*** champagne bucket; ***~ à ordures*** waste pail; ***un ~ d'eau*** a bucket of water; *fig* ***il pleut à ~x*** it's pouring

sébacé [sebase] *adj* ⟨**~e**⟩ sebaceous; ***glande ~e*** sebaceous gland

sébile [sebil] *f* begging bowl

séborrhée [sebɔʀe] *f* MÉD seborrhea

sébum [sebɔm] *m* sebum

▶ **sec** [sɛk] **I** *adj* ⟨**sèche** [sɛʃ]⟩ **1.** *peau*, *cheveux*, *feuille* dry; *aliments* dried; ***à ~*** *torrent*, *puits* dry; ***nettoyage à ~*** dry cleaning; *fam*, *fig* ***être à ~*** to be broke *fam* **2.** *fig vin* dry; *coup* sharp; ***un bruit ~*** a snap; ***perte sèche*** waste of space *fam*, *brit* dead loss *fam* **3.** *fig personne* terse **4.** *fig réponse*, *ton* curt; *cœur* cold **II** *adv frapper*, *freiner* hard; *conduire* hard and fast; ***démarrer ~*** to get off to a flying start; ***boire ~*** to be a heavy drinker; *fam* ***aussi ~*** straight off **III** *m* ***tenir qc au ~*** to keep sth dry

sécable [sekabl] *adj* divisible

SECAM [sekam] *m*, *abr* (= **séquentiel couleur à mémoire**) SECAM

sécante [sekɑ̃t] *f* MATH secant

sécateur [sekatœʀ] *m pour les fleurs* secateurs (+ *v pl*); *pour les haies* pruning shears (+ *v pl*)

sécession [sesesjõ] *f* secession; ***faire ~*** to secede

sécessionniste [sesesjɔnist] POL **I** *adj* secessionist **II** *m* secessionist

séchage [seʃaʒ] *m* drying

sèche [sɛʃ] **I** *adj* → **sec II** *fam f* cig *fam*, *brit* fag *fam*

sèche-cheveux [sɛʃʃəvø] *m* ⟨*inv*⟩ blow-dryer, *brit* hairdryer **sèche-linge** *m* ⟨*inv*⟩ tumble dryer **sèche-mains** *m* ⟨*inv*⟩ blower, *brit* hand-dryer

sèchement [sɛʃmɑ̃] *adv* drily

sécher [seʃe] ⟨**-è-**⟩ **I** *v/t* **1.** to dry; *froid*: *peau* to dry; ***poisson séché*** dried fish **2.** *fam élève* ***~ un cours*** to skip a class, *brit* to bunk off a class **II** *v/i* **1.** *linge*, *peinture*, *etc* to dry; *sol* to dry out; *récolte* ***~ sur pied*** to wither on the stalk **2.** *fam élève* to go blank *fam*

sécheresse [seʃʀɛs] *f* **1.** *d'un climat*, *d'un terrain* dryness **2.** *fig d'un style*, *d'un ouvrage* dryness **3.** MÉTÉO drought **4.** *fig* (*dureté*) curtness

séchoir [sɛʃwaʀ] *m* **1.** ***~ à linge*** *appareil* tumble dryer; *pliant* clothes-horse **2.** *pièce* drying room **3.** ***~ à cheveux*** blow-dryer, *brit* hairdryer

second [s(ə)gõ] **I** *num/o* ⟨**seconde** [s(ə)gõd]⟩ second; ***état ~*** → ***état 1*** **II** *subst* **1.** ***le ~, la ~e*** the second one; ***en ~*** in second place; ***être le ~ de sa classe*** to come second in the class **2.** *m étage* ***au ~*** on the third floor, *brit* on the second floor **3.** *m* (*adjoint*) second in command; MAR ***le ~*** the first mate **4.** *f* ***~e*** ENSEIGNEMENT ≈ tenth grade, *brit* ≈ year ten **5.** *f* ***~e*** CH DE FER second class **6.** *f* ***~e*** AUTO second gear

secondaire [s(ə)gõdɛʀ] *adj* **1.** (*en deuxième position*) secondary **2.** MÉD secondary; ***effets*** *mpl* ***~s*** side effects **3.** (***enseignement*** *m*) ***~*** *m* secondary education **4.** ***secteur*** *m* ***~*** secondary sector **5.** ***ère*** *f* ***~*** Mesozoic era

► **seconde** [s(ə)gõd] *f* second; ***à la ~*** to the second; *par ext* ***une ~!*** just a minute!; ***dans une ~*** in a minute; → ***second***

secondement [s(ə)gõdmã] *adv* secondly

seconder [s(ə)gõde] *v/t* ***~ qn*** to assist sb (*a* MÉD)

► **secouer** [s(ə)kwe] **I** *v/t* **1.** to shake; *poussière*, *fig joug* to shake off; *explosion*: *ville* to shake; *dans une voiture* ***être secoué*** to be shaken around **2.** *fam* ***~ qn*** to shake sb up, to give sb a shaking *fam* **3.** *maladie*, *etc* ***~ qn*** to shake sb **II** *v/pr* ***se secouer*** **1.** *chien* to shake itself **2.** *fam* ***secoue-toi!*** pull yourself together!

secourable [s(ə)kuʀabl] *adj* helpful

secourir [s(ə)kuʀiʀ] *v/t* ⟨→ **courir**⟩ to help (***qn*** sb)

secourisme [s(ə)kuʀism] *m* first aid **secouriste** *m/f* first-aider

► **secours** [s(ə)kuʀ] *m* **1.** help (+ *v sg*); ***premiers ~*** first aid (+ *v sg*); ***~ en montagne*** mountain rescue; ***roue*** *f* ***de ~*** spare wheel; ***sortie*** *f* ***de ~*** emergency exit; ***trousse*** *f* ***de ~*** first-aid kit; ***au ~!*** help!; ***appeler au ~*** to call for help; ***porter ~ à qn*** to help sb; ***venir au ~ de qn*** to come to sb's aid **2.** *matériel*, *financier* assistance; *pl* aid (+ *v sg*) **3.** MIL relief troops (+ *v pl*)

secousse [s(ə)kus] *f* **1.** jolt **2.** *fig* upset, shock **3.** GÉOL tremor

► **secret** [səkʀɛ] **I** *adj* ⟨**secrète** [səkʀɛt]⟩ secret; *personne* secretive **II** *m* **1.** secret; ***~ professionnel*** confidentiality; ***~ de la confession*** seal of the confessional; ***~ d'État*** state secret; ***dans le plus grand ~*** in the utmost secrecy; ***en ~*** in secret; ***avoir le ~ de qc*** to know the secret of sth; ***garder le ~ sur qc*** to keep sth secret; ***mettre qn dans le ~*** to let sb in on the secret **2.** JUR ***mise*** *f* ***au ~*** solitary confinement

► **secrétaire** [s(ə)kʀetɛʀ] **1.** *m/f* secretary; ***~ médicale*** medical secretary; ***~*** *f* ***de direction*** personal assistant **2.** *m* POL secretary; ***~ général*** Secretary General; ***~ d'État*** *en France* minister; *aux USA*, *en Grande Bretagne* Secretary of State **3.** *m* ***~ de rédaction*** copy-editor, *brit* subeditor **4.** *m meuble* writing desk

> **secret**
>
> **Secret** = secretive:
>
> **un homme très secret**
>
> a very secretive man

secrétariat [s(ə)kʀetaʀja] *m* **1.** *bureau* secretary's office; ADMIN secretariat **2.** *métier* secretarial work

secrète [səkʀɛt] *f fam* (*police* ~) secret police

secrètement [səkʀɛtmã] *adv* (*en cachette*, *intérieurement*) secretly

sécréter [sekʀete] *v/t* ⟨**-è-**⟩ **1.** BIOL to secrete **2.** *fig ennui* to exude

sécrétion [sekʀesjõ] *f phénomène*, *substance* secretion

sectaire [sɛktɛʀ] *adj* sectarian

sectarisme [sɛktaʀism] *m* sectarianism

secte [sɛkt] *f* sect

secteur [sɛktœʀ] *m* **1.** ADMIN district; *par ext* area **2.** ÉCON sector; ***~ privé, public*** private, public sector **3.** ÉLEC mains (+ *v pl*); ***panne*** *f* ***de ~*** power failure **4.** MATH sector

section [sɛksjõ] *f* **1.** MATH section **2.** TECH gauge **3.** *d'une route* section; *d'une ligne de bus* fare stage **4.** ADMIN section; *à l'école* track, *brit* stream; ***~ électorale*** ward; *d'un parti*, *etc* ***~ locale*** local branch **5.** MIL sector **6.** MUS ***~ rythmique*** rhythm section

sectionnement [sɛksjɔnmã] *m* **1.** *d'une artère* severing **2.** *fig* dividing

sectionner [sɛksjɔne] **I** *v/t* **1.** *artère* to sever **2.** *fig* to divide (**en** into) **II** *v/pr* ***se sectionner*** *câble* to be severed

sectoriel [sɛktɔʀjɛl] *adj* ⟨**~le**⟩ ÉCON sectoral

sécu [seky] *f*, *abr fam* → ***sécurité*** *2*

séculaire [sekylɛʀ] *adj* ancient

sécularisation [sekylaʀizasjõ] *f* secularization **séculariser** *v/t* to secularize

séculier [sekylje] *adj* ⟨**-ière** [-jɛʀ]⟩ secular

secundo [s(ə)gõdo] *adv* secondly

sécurisant [sekyʀizɑ̃] *adj* ⟨**-ante** [-ɑ̃t]⟩ reassuring
sécuriser [sekyʀize] *v/t* ***~ qn*** to reassure sb
► **sécurité** [sekyʀite] *f* **1.** safety, security; PSYCH security; ***sécurité routière*** road safety; ***de sécurité*** safety *épith*; ***en toute sécurité*** in complete safety **2.** ► ***Sécurité sociale*** *French health and social welfare system* **3.** TECH safety catch
sédatif [sedatif] *m* sedative
sédentaire [sedɑ̃tɛʀ] *adj population, vie* sedentary; ***emploi ~*** desk job **sédentariser** *v/t* to settle
sédiment [sedimɑ̃] *m* GÉOL sediment (*a* MÉD) **sédimentaire** *adj* GÉOL sedimentary
sédimentation [sedimɑ̃tasjõ] *f* MÉD ***vitesse*** *f* ***de ~*** sedimentation rate
séditieux [sedisjø] *adj* ⟨**-euse** [-øz]⟩ *propos, écrit* seditious; *personne* rebellious **sédition** *f* insurrection
séducteur [sedyktœʀ] *m*, **séductrice** [-tʀis] *f* seducer
séduction [sedyksjõ] *f* (*charme*) charm; (*action*) seduction; ***pouvoir*** *m* ***de ~*** powers of seduction (+ *v pl*); *fig* lure, attraction
séduire [sedɥiʀ] *v/t* ⟨→ **conduire**⟩ **1.** *femme* to seduce **2.** ***~ qn*** *fig* (*attirer*) to attract sb, to appeal to sb; (*charmer*) to win sb over
séduisant [sedɥizɑ̃] *adj* ⟨**-ante** [-ɑ̃t]⟩ *personne* attractive; *idée* appealing
segment [sɛgmɑ̃] *m* **1.** MATH, BIOL, *fig* segment **2.** ***~ de frein*** brake shoe; ***~ de piston*** piston ring
segmentation [sɛgmɑ̃tasjõ] *f* BIOL segmentation **segmenter** *v/t* to segment
ségrégation [segʀegasjõ] *f* ***~ raciale*** racial segregation
ségrégationniste [segʀegasjɔnist] **I** *adj* segregationist **II** *m/f* segregationist
seiche [sɛʃ] *f* cuttlefish
seigle [sɛgl] *m* rye
seigneur [sɛɲœʀ] *m* **1.** HIST lord; *fig* ***faire le grand ~*** to flash one's money around **2.** REL ***le Seigneur*** the Lord
seigneurial [sɛɲœʀjal] *adj* ⟨**~e; -aux** [-o]⟩ seigneurial; *littér* lordly
seigneurie [sɛɲœʀi] *f* (*terres*) seigneury
► **sein** [sɛ̃] *m* **1.** *d'une femme* breast; ***~s*** *pl* breasts, chest (+ *v sg*); ***~s nus*** topless; ***donner le ~ à un enfant*** to breastfeed a child **2.** *fig* bosom; ***au ~ de*** within

Seine [sɛn] ***la ~*** the Seine
seing [sɛ̃] *m* JUR ***acte*** *m* ***sous ~ privé*** private agreement
séisme [seism] *m* earthquake; ***~ sous-marin*** underwater earthquake
► **seize** [sɛz] **I** *num/c* sixteen; ***Louis XVI*** Louis the sixteenth; ***le ~ mai*** the sixteenth of May **II** *m* ⟨*inv*⟩ sixteen; ***le ~*** (***du mois***) the sixteenth
► **seizième** [sɛzjɛm] *num/o* sixteenth
► **séjour** [seʒuʀ] *m* **1.** stay; ***faire un bref ~ à Paris*** to have a short stay in Paris **2.** (***salle*** *f* ***de***) ***~*** living room
séjourner [seʒuʀne] *v/i* to stay
► **sel** [sɛl] *m* **1.** salt (*a* CHIM); ***~s de bain*** *pl* bath salts; ***régime*** *m* ***sans ~*** salt-free diet **2.** *fig* savor, piquancy
sélec [selɛkt] *adj* ⟨**~e**⟩ select
sélecteur [selɛktœʀ] *m* AUTO gearshift, *brit* gearstick; ÉLEC selector; *d'un lave-linge* programme selector
sélectif [selɛktif] *adj* ⟨**-ive** [-iv]⟩ selective
sélection [selɛksjõ] *f* selection (*a* SPORT, BIOL)
sélectionner [selɛksjɔne] *v/t* to select; ***fruits sélectionnés*** *pl* choice fruit (+ *v sg*)
sélectionneur [selɛksjɔnœʀ] *m* selector
sélectivité [selɛktivite] *f* selectivity
sélénium [selenjɔm] *m* CHIM selenium
► **self** [sɛlf] *m*, *abr fam* (= **self-service**) self-service restaurant
self-made-man [sɛlfmɛdman] *m* ⟨**self-made-men** [-men]⟩ self-made man
self-service [sɛlfsɛʀvis] *m* ⟨**self-services**⟩ self-service restaurant
selle [sɛl] *f* **1.** saddle; ***cheval*** *m* ***de ~*** saddle horse; ***se mettre en ~*** to get in the saddle **2.** CUIS saddle; ***~ de chevreuil*** saddle of venison **3.** MÉD ***~s*** *pl* stools; ***aller à la ~*** to have a bowel movement
seller [sele] *v/t* to saddle
sellerie [sɛlʀi] *f* **1.** *métier* saddlery **2.** (*selles et harnais*) tack
sellette [sɛlɛt] *f* ***être sur la ~*** to be in the hot seat; ***mettre qn sur la ~*** to put sb in the hot seat
sellier [sɛlje] *m* saddler
► **selon** [s(ə)lõ] *prép loi, données* according to; *circonstances, humeur* depending on; ***~ moi*** in my opinion; *fam* ***c'est ~*** it all depends
semailles [s(ə)maj] *fpl* **1.** sowing (+ *v sg*) **2.** (*graines*) seeds (+ *v pl*)

▸ **semaine** [s(ə)mɛn] *f* **1.** week; ***la ~ sainte*** Holy Week; ***des ~s (entières)*** (whole) weeks; *fig* ***à la petite ~*** *vivre* from day to day; ***en ~*** during the week; ***une fois par ~*** once a week **2.** (*paie*) week's wages (+ *v pl*) **3.** (*argent de poche*) pocket money
semainier [s(ə)menje] *m* desk diary
sémantique [semɑ̃tik] **I** *adj* semantic **II** *f* semantics (+ *v sg*)
sémaphore [semafɔʀ] *m* **1.** MAR signal station **2.** CH DE FER semaphore signal
semblable [sɑ̃blabl] **I** *adj* **1.** (*analogue*) similar (***à*** to) **2.** (*tel*) such; ***une ~ situation*** such a situation **II** *m* **1.** (*personne comparable*) ***son ~*** a fellow human being **2.** (*prochain*) ***ses ~s*** people like him / her
semblant [sɑ̃blɑ̃] *m* ***un semblant de …*** a semblance of …; ***faire semblant de*** *+inf* to pretend *+inf*; ▸ ***il fait semblant de dormir*** he's pretending to be asleep; ***ne faire semblant de rien*** to pretend not to notice; not to let on *fam*
▸ **sembler** [sɑ̃ble] **I** *v/i* to seem (***faire, être*** to do, to be); ***vous semblez fatigué*** you seem tired **II** *v/imp* ***il me semble inutile de*** *+inf* I think it's pointless *+inf*; ***comme bon lui semble*** as he / she sees fit; ***il (me) semble que*** (+ *ind ou* + *subj*) it seems (to me) that
semelle [s(ə)mɛl] *f* **1.** sole; *à l'intérieur* insole; ***battre la ~*** to stamp one's feet; ***ne pas quitter qn d'une ~*** to stick to sb like a leech **2.** TECH bedplate
semence [s(ə)mɑ̃s] *f* **1.** semen **2.** AGR seed
▸ **semer** [s(ə)me] *v/t* ⟨**-è**⟩ **1.** AGR to sow **2.** (*répandre*) to scatter; ***semé de*** *fleurs* strewn with; *erreurs* riddled with **3.** *fig terreur, faux bruits* to spread; *discorde* to sow **4.** *fam* ***~ qn*** to lose sb, to shake sb off *fam*
semestre [s(ə)mɛstʀ] *m* **1.** (*de l'année civile*) half-year; ***une fois par ~*** twice a year **2.** UNIV semester
semestriel [səmɛstʀijɛl] *adj* ⟨**~le**⟩ **1.** half-yearly **2.** UNIV *examen* end-of-semester *épith*
semeur [s(ə)mœʀ] *m*, **semeuse** [-øz] *f* sower
semi-automatique [səmiɔtɔmatik] *adj* semiautomatic **semi-conducteur** *m* ⟨**semi-conducteurs**⟩ semiconductor
semi-fini [səmifini] *adj* ⟨**~e**⟩ ***produit ~*** semifinished product
sémillant [semijɑ̃] *adj* ⟨**-ante** [-ɑ̃t]⟩ *esprit* sparkling; *personne* lively
séminaire [seminɛʀ] *m* **1.** seminar **2.** REL seminary
séminal [seminal] *adj* ⟨**~e; -aux** [-o]⟩ ANAT ***vésicules ~es*** seminal vesicles
séminariste [seminaʀist] *m* seminarian
sémiologie [semjɔlɔʒi] *f* LING, MÉD semiology **sémiotique** *f* semiotics (+ *v sg*)
semi-perméable [səmipɛʀmeabl] *adj* PHYS semipermeable **semi-remorque** *m* ⟨**semi-remorques**⟩ tractor-trailer, *brit* articulated lorry
semis [s(ə)mi] *m* **1.** *action* sowing **2.** *plantes* seedlings (+ *v pl*) **3.** *terrain* seedbed **4.** *décor* (small) repeating pattern
sémite [semit] **I** *adj* Semitic **II** ***Sémite*** *m/f* Semite **sémitique** *adj* Semitic
semoir [səmwaʀ] *m* seed drill; ***~ à engrais*** fertilizer drill
semonce [səmɔ̃s] *f* **1.** reprimand **2.** MAR, *fig* ***coup*** *m* ***de ~*** shot across the bows
semoule [s(ə)mul] *f* semolina
sempiternel [sɑ̃pitɛʀnɛl, sɛ̃-] *adj* ⟨**~le**⟩ endless, perpetual *st/s*
Sénat [sena] *m* Senate
sénateur [senatœʀ] *m* senator
sénatorial [senatɔʀjal] *adj* ⟨**~e; -aux** [-o]⟩ senatorial, senate *épith*
séneçon [sɛnsɔ̃] *m* BOT groundsel
Sénégal [senegal] ***le ~*** Senegal
sénégalais [senegalɛ] **I** *adj* Senegalese **II** ***Sénégalais(e)*** *m(f)* Senegalese
sénile [senil] *adj* senile **sénilité** *f* senility
senior [senjɔʀ] *m* SPORT senior; *adj* ***catégorie*** *f* ***~*** senior category
▸ **sens**[1] [sɑ̃s] *m* **1.** sense; ***les cinq sens*** the five senses; *fig* ***sixième sens*** sixth sense; *par ext* ***le bon sens, le sens commun*** common sense; ***sens esthétique*** esthetic sense; ***avoir le sens pratique*** to be practical; ***sens du devoir*** sense of duty; ***plaisirs*** *mpl* ***des sens*** sensual pleasures; ***à mon sens*** to my mind; ***avoir le sens de qc*** to have a flair for sth; ***avoir le sens des affaires*** to have a head for business; *fig* ***cela tombe sous le sens*** it's perfectly obvious **2.** (*signification*) sense; ***au sens strict, large du terme*** in the strict, broad sense of the word; ***à double sens*** with a double meaning; ***en un sens*** in a sense; ***en ce sens que*** in the sense that; ***ne pas avoir de sens*** to make no sense

3. (*direction*) direction; ▶ ***sens interdit*** 'no entry'; (*rue*) one-way street; ▶ (***rue** f **à***) ***sens unique*** one-way street; ***dans tous les sens*** *courir* in every direction; ***dans le sens des aiguilles d'une montre*** clockwise; ***dans le sens de la longueur*** lengthwise, *brit* lengthways; ***dans le sens de la marche*** *voyager* facing the front; ***en sens inverse*** in the opposite direction; ***sens dessus dessous*** [sɑ̃dsydsu] upside down *a fig*

sens

Sens has an important meaning in French of direction, often found in street signs:

sens unique/sens interdit

one-way street/no entry sign

sens[2] [sɑ̃] → ***sentir***

sensation [sɑ̃sasjɔ̃] *f* **1.** (*perception*) sensation; (*émotion*) feeling; ***éprouver une ~ de fatigue*** to feel tired **2.** (*forte impression*) feeling; ***~ étrange*** peculiar sensation; ***faire ~*** *événement* to cause a sensation; *personne, film* to be a sensation; *presse* ***à ~*** tabloid *épith*; *péj* gutter *épith péj*

sensationnel [sɑ̃sasjɔnɛl] *adj* ⟨**~le**⟩ **1.** (*étonnant*) sensational *a péj* **2.** (*formidable*) fantastic *fam*, *brit* brilliant *fam*

sensé [sɑ̃se] *adj* ⟨**~e**⟩ sensible

sensibilisation [sɑ̃sibilizasjɔ̃] *f* ***la ~*** *de l'opinion publique* raising awareness; ***campagne de ~*** awareness campaign

sensibiliser *v/t* **1. *~er qn à qc*** to make sb aware of sth; ***~er le public à qc*** to raise public awareness about sth **2.** MÉD, PHOT to sensitize

sensibilité [sɑ̃sibilite] *f* **1.** *d'une personne* sensitivity; *artistique* sensibility **2.** TECH, PHOT sensitivity

sensible [sɑ̃sibl] *adj* **1.** sensitive; ***~ à la douleur*** sensitive to pain **2.** (*impressionnable*) sensitive; ***~ à la flatterie*** susceptible to flattery; ***avoir le cœur ~*** to be sensitive **3.** *appareil* sensitive (*a* PHOT) **4.** *progrès, baisse* noticeable **5.** (*délicat*) *dossier* sensitive; ***quartier** m* **~** volatile area

sensiblement [sɑ̃sibləmɑ̃] *adv* **1.** (*notablement*) noticeably **2.** (*à peu près*) roughly

sensible ≠ sensible

Sensible in French should be translated by the English word sensitive. The usual translations for sensible meaning showing good sense are **raisonnable** or **judicieux.**

Il était de nature sensible.

He had a sensitive nature.

sensiblerie [sɑ̃sibləʀi] *f* sentimentality

sensitif [sɑ̃sitif] *adj* ⟨**-ive** [-iv]⟩ sensory

sensitive [sɑ̃sitiv] *f* BOT sensitive plant, mimosa pudica *t/t*

sensoriel [sɑ̃sɔʀjɛl] *adj* ⟨**~le**⟩ sensory

sensualisme [sɑ̃sɥalism] *m* sensualism

sensualité *f* sensuality

sensuel [sɑ̃sɥɛl] *adj* ⟨**~le**⟩ sensual

sentence [sɑ̃tɑ̃s] *f* JUR sentence

sentence ≠ sentence in writing

Sentence = as in life sentence.

sentencieux [sɑ̃tɑ̃sjø] *adj* ⟨**-euse** [-øz]⟩ *péj* sententious

senteur [sɑ̃tœʀ] *litt f* scent, perfume

senti [sɑ̃ti] *adj* ⟨**~e**⟩ ***bien ~*** well-chosen

sentier [sɑ̃tje] *m* path

▶ **sentiment** [sɑ̃timɑ̃] *m* **1.** (*émotion*) feeling; *fam* ***ça n'empêche pas les ~s*** it doesn't change how I feel; ***veuillez agréer l'expression de mes ~s distingués*** *destinataire nommé* yours sincerely; *destinataire non nommé* yours faithfully **2.** (*opinion*) feeling

sentimental [sɑ̃timɑ̃tal] *adj* ⟨**~e; -aux** [-o]⟩ **1.** (*affectif*) *personne* sentimental **2.** *péj film, etc* sentimental **3.** (*amoureux*) *vie* love *épith*

sentimentalisme [sɑ̃timɑ̃talism] *m* sentimentalism **sentimentalité** *f* sentimentality

sentinelle [sɑ̃tinɛl] *f* sentry

▶ **sentir** [sɑ̃tiʀ] ⟨**je sens, il sent, nous sentons; je sentais; je sentis; je sentirai; que je sente; sentant; senti**⟩ **I** *v/t* **1.** *douleur, joie, faim, force* to feel; *danger* to sense; *par le toucher* to feel; ***sentir la mort venir*** to sense death approaching; ***faire sentir qc à qn*** to make sb feel sth; *présence* ***se faire sentir*** to be felt; *fatigue*, *froid* to set in **2.** (*flairer*) to smell; ***tu ne sens rien?*** can't you smell anything?; *fam*, *fig* ***ne pas pouvoir sentir qn*** not to be able to stand sb *fam* **II** *v/i* **1.** (*répandre une odeur*) ***sentir qc*** to smell of sth; ***sentir bon*** to smell good; ***sentir mauvais*** to smell bad; *p/fort* to stink *fam*; ***sentir de la bouche*** to have bad breath **2.** *fig* ***ça sent la neige*** it feels like it might snow **III** *v/pr* ► ***se sentir bien*** to feel well; ***se sentir mal*** not to feel well; ***se sentir la force de faire qc*** to feel strong enough to do sth; ***ne plus se sentir de joie*** to be beside o.s. with joy; ***cela se sent*** you can tell

seoir [swaʀ] ⟨*déf*: **il sied; il seyait; il siérait; seyant**⟩ *litt* **I** *v/i robe* **~ *à qn*** to suit sb **II** *v/imp* ***il sied à qn de faire qc*** *litt* it is appropriate for sb to do sth

sépale [sepal] *m* BOT sepal

séparable [sepaʀabl] *adj* separable

séparateur [sepaʀatœʀ] *adj* ⟨**-trice** [-tʀis]⟩ *mur* dividing *épith*

séparation [sepaʀasjõ] *f* separation (*a* JUR, POL); **~ *de biens*** *après le divorce* division of property; **~ *des pouvoirs*** separation of powers

séparatisme [sepaʀatism] *m* separatism

séparatiste [sepaʀatist] **I** *adj* separatist **II** *m/f* separatist

séparé [sepaʀe] *adj* ⟨**~e**⟩ separate (***de*** from); *époux* separated **séparément** *adv* separately

► **séparer** [sepaʀe] **I** *v/t* **1.** to separate; **~ *qc de qc*** to separate sth from sth; *distinguer* to distinguish between sth and sth **2.** *différences* : *personnes* to divide, to stand between **3.** *pièce* to divide **II** *v/pr* **1.** ► ***se séparer*** *époux* to separate (***de qn*** from sb), to split up (***de qn*** with sb) **2.** *amis* to break up; ***se séparer de qc*** *d'un groupe*, *de sa famille* to leave sth; *d'un objet* to part with sth **3.** *groupe* to disperse

► **sept** [sɛt] **I** *num/c* seven; ***le ~ mai*** May seventh, *brit* the seventh of May **II** *m* ⟨*inv*⟩ seven; ***le ~ (du mois)*** the seventh (day) of the month

septante [sɛptɑ̃t] *num/c en Belgique et en Suisse* seventy

► **septembre** [sɛptɑ̃bʀ] *m* September

septennat [sɛptena] *m* seven-year term of office *of a French President*

septentrional [sɛptɑ̃tʀijɔnal] *adj* ⟨**~e; -aux** [-o]⟩ northern

septicémie [sɛptisemi] *f* blood poisoning, septicemia *t/t*

► **septième** [sɛtjɛm] **I** *num/o* seventh **II** *subst* **1.** ***le, la ~*** the seventh **2.** *m* MATH seventh **3.** *m étage* ***au ~*** on the seventh floor, *brit* on the sixth floor **4.** *f* ≈ fifth grade *last year of primary school*, *brit* ≈ year six

septièmement [sɛtjɛmmɑ̃] *adv* in seventh place

septique [sɛptik] *adj* septic; ***fosse*** *f* **~** septic tank

septuagénaire [sɛptɥaʒenɛʀ] *m/f* seventy-year old, septuagenarian *st/s*

sépulcral [sepylkʀal] *adj* ⟨**~e; -aux** [-o]⟩ sepulchral; ***voix ~e*** funereal voice

sépulcre [sepylkʀ] *m* → ***Saint-Sépulcre***

sépulture [sepyltyʀ] *f* grave; *action d'enterrer* burial

séquelles [sekɛl] *fpl* MÉD after-effects; *fig* aftermath (+ *v sg*)

séquence [sekɑ̃s] *f* sequence

séquentiel [sekɑ̃sjɛl] *adj* ⟨**~le**⟩ INFORM sequential

séquestration [sekɛstʀasjõ] *f de personnes* illegal confinement; JUR *de biens* sequestration

séquestre [sekɛstʀ] *m* JUR sequestration **séquestrer** *v/t personne* to confine illegally; JUR *biens* to sequestrate

séquoia [sekɔja] *m* sequoia

séracs [seʀak] *mpl* GÉOL seracs (+ *v sg*)

serai [s(ə)ʀɛ], **sera(s)** [s(ə)ʀa] → ***être***[1]

sérail [seʀaj] *m hist* seraglio; *fig* ***être du ~*** to be part of the innermost circle

serbe [sɛʀb] **I** *adj* Serbian **II 1.** ***Serbe*** *m/f* Serb **2.** LING Serbian

Serbie [sɛʀbi] ***la ~*** Serbia

serein [səʀɛ̃] *adj* ⟨**-eine** [-ɛn]⟩ **1.** (*calme*) serene **2.** *temps*, *ciel* clear

sérénade [seʀenad] *f* **1.** MUS serenade **2.** (*charivari*) *fam* racket *fam*

sérénité [seʀenite] *f* serenity

serf [sɛʀ(f)] *m* HIST serf

serge [sɛʀʒ] *f* serge

sergent [sɛʀʒɑ̃] *m* sergeant **sergent-chef** *m* ⟨**sergents-chefs**⟩ staff sergeant

sériciculture [seʀisikyltyʀ] *f* silk farming, sericulture *t/t*

► **série** [seʀi] *f* **1.** series (+ *v sg*) (*a* MATH); *de choses semblables* set; COMM *de produits* range; **~ *noire*** *fig* catalog of disasters; *de malchance* run of bad luck; *litt* crime thriller; ***voiture*** *f* ***de ~*** standard car; ***en ~*** in series; ***fabrication** f **en ~*** mass production; ***'hors ~** modèle* custom-built; *numéro* special; *fig* outstanding **2.** TV, RAD series (+ *v sg*) **3.** ÉLEC ***montage** m **en ~*** series connection **4.** SPORT (*épreuve*) heat

sériel [seʀjɛl] *adj* ⟨**~le**⟩ *musique* serial

sérier [seʀje] *v/t* to classify

sérieusement [seʀjøzmɑ̃] *adv* **1.** (*sans plaisanter, gravement*) seriously **2.** (*consciencieusement*) *travailler* seriously **3.** (*vraiment*) really, seriously *fam*

► **sérieux** [seʀjø] **I** *adj* ⟨**-euse** [-øz]⟩ **1.** (*grave*) serious; *doute* grave; *offre* genuine; ***ce n'est pas ~?*** you can't be serious! **2.** (*important*) *raisons*, *besoin* serious; *progrès* considerable **3.** *personne dans sa conduite* serious; (*consciencieux*) responsible; COMM *maison* reliable **II** *m* seriousness; ***garder son ~*** to keep a straight face; ***prendre qn, qc au ~*** to take sb, sth seriously; ***se prendre au ~*** to take o.s. seriously

serin [s(ə)ʀɛ̃] *m* **1.** ZOOL canary **2.** *fig* (*nigaud*) nitwit *fam*

seriner [s(ə)ʀine] *v/t péj* ***~ qc à qn*** to drum sth into sb

seringa [s(ə)ʀɛ̃ga] *m* BOT mock orange, syringa *t/t*

seringue [s(ə)ʀɛ̃g] *f* MÉD syringe

serment [sɛʀmɑ̃] *m* vow; JUR oath; ***~ d'amour*** pledge of love; *fig* ***~ d'ivrogne*** empty promise; ***sous (la foi du) ~*** under oath, *brit* on oath; ***faire (le) ~ de** +inf* to vow *+inf*; ***prêter ~*** to take the oath

sermon [sɛʀmõ] *m* **1.** ÉGL sermon **2.** *péj* lecture

sermonner [sɛʀmɔne] *v/t* to lecture *péj*; ***se faire ~*** to get a lecture *péj* **sermonneur** *m* sermonizer

sérologie [seʀɔlɔʒi] *f* MÉD serology

séropositif [seʀopozitif] *adj* ⟨**-ive** [-iv]⟩ HIV-positive

serpe [sɛʀp] *f* billhook; *fig visage* ***taillé à coups de ~*** craggy

► **serpent** [sɛʀpɑ̃] *m* **1.** ZOOL snake; ***~ à sonnettes*** rattlesnake **2.** ***~ monétaire*** currency snake

serpenter [sɛʀpɑ̃te] *v/i* to wind (***à travers*** through)

serpentin [sɛʀpɑ̃tɛ̃] *m* **1.** streamer **2.** TECH coil

serpette [sɛʀpɛt] *f* pruning knife

serpillière [sɛʀpijɛʀ] *f* floorcloth

serpolet [sɛʀpɔlɛ] *m* wild thyme

serrage [sɛʀaʒ] *m d'une vis, d'un frein* tightening

serre [sɛʀ] *f* **1.** greenhouse **2.** *des rapaces* ***~s** pl* talons

serré [seʀe] *adj* ⟨**~e**⟩ **1.** *vêtement, nœud* tight; *écriture* cramped; *par ext café* very strong; ***en rangs ~s*** in serried ranks; *gens* ***être ~s*** to be cramped; *dans un bus* to be tightly packed **2.** *concurrence, score* close; *discussion* heated; *délais* tight; *fig* ***jouer ~*** not to take any chances

serre-joint(s) *m* ⟨*inv*⟩ TECH clamp **serre-livres** *m* ⟨*inv*⟩ bookend

serrement [sɛʀmɑ̃] *m* ***~ de main*** handshake; ***~ de cœur*** pang

serrer [seʀe] **I** *v/t* **1.** *dans sa main* to grip; (*presser*) to squeeze; *sous son bras* to hold tight; *dans un étau* to grip; *dents* to grit; *lèvres* to press together; *poings* to clench; *fig* ***avoir la gorge serrée*** to have a lump in one's throat; *fig* ***cela me serre le cœur*** it breaks my heart; *vêtement, chaussures* ***serrer qn*** to be too tight (for sb); ► ***serrer la main à qn*** to shake sb's hand; ***serrer les rangs*** to close ranks; ***serrer qn dans ses bras*** to hug sb; *fig* ***serrer qn de près*** to be hot on sb's heels **2.** *nœud, frein, ceinture* to tighten **II** *v/i* **1.** ***serrer à droite*** to keep to the right **III** *v/pr* **1.** ***j'ai le coeur qui se serre*** I feel heartbroken **2.** to squeeze up; ***se serrer contre qn*** to snuggle up to sb; *réciproquement* ***se serrer*** to huddle together

serre-tête *m* ⟨*inv*⟩ *bandeau* hairband

serrure [seʀyʀ] *f* lock; ***trou** m **de la ~*** keyhole

serrurerie [seʀyʀʀi] *f* **1.** COMM locksmith's store **2.** *travail* locksmith's trade

serrurier [seʀyʀje] *m* locksmith

sers, sert [sɛʀ] → ***servir***

sertir [sɛʀtiʀ] *v/t pierre précieuse* to set

sertissage [sɛʀtisaʒ] *m* **1.** *de pierres précieuses* setting **2.** TECH crimping

sérum [seʀɔm] *m* serum

servage [sɛʀvaʒ] *m* HIST serfdom

serval [sɛʀval] *m* ZOOL serval

servant [sɛʀvɑ̃] **I** *m* **1.** ÉGL CATH altar server **2.** MIL member of a gun crew **3.** SPORT server **II** *adj* → ***chevalier***

servante [sɛʀvɑ̃t] *f* maidservant

serveur [sɛʀvœʀ] *m* **1.** (*garçon*) waiter; *dans un bar* bartender, *brit* barman **2.** SPORT server **3.** INFORM server

► **serveuse** [sɛʀvøz] *f* server, *brit* waitress; *dans un bar* bartender, *brit* bar-

maid
serviabilité [sɛʀvjabilite] *f* helpfulness
serviable *adj* helpful, obliging
▶ **service** [sɛʀvis] *m* **1.** service; ÉCON ***services*** *pl* services; ***service secret*** secret service; ***service de cars*** coach service; ***service d'entretien*** maintenance department; ***service de nuit*** night duty; ***service d'ordre*** stewards (+ *v pl*); ***service en ligne*** online service; ***être de service*** to be on duty; ***j'ai un service à vous demander*** I'd like you to do something for me; *faveur* I've got a favor to ask you; ***je suis à votre service*** I'm very happy to help; ***rendre*** (***un***) ***service à qn*** to help sb; *faveur* to do sb a favor; *chose* ***rendre de grands services à qn*** to be a great help to sb **2.** ▶ ***service*** (***militaire***) military service **3.** ***service*** (***religieux***) (church) service **4.** *dans un restaurant, etc* service; ***service compris*** service included **5.** TECH ***être en service*** *ascenseur* to be working; *ligne de bus* to be running; ***mettre en service*** *machine* to bring into service; *autoroute, ligne de bus* to open; **'*hors service*** out of order **6.** *vaisselle* set; ***service à café*** coffee set **7.** *d'une entreprise* section; ADMIN department; *d'un hôpital* department; ***service public*** public service **8.** SPORT service, serve
▶ **serviette** [sɛʀvjɛt] *f* **1.** ~ (***de toilette***) towel; ***~ de bain*** bath towel **2.** ~ (***de table***) (table) napkin, *brit* serviette; ***~ en papier*** paper napkin **3.** ***~ hygiénique, périodique*** sanitary napkin, *brit* sanitary towel **4.** *sac en cuir* briefcase
servile [sɛʀvil] *adj* servile **servilité** *f* servility
▶ **servir** [sɛʀviʀ] ⟨**je sers, il sert, nous servons; je servais; je servis; je servirai; que je serve; servant; servi**⟩ **I** *v/t* **1.** to serve ***~ dans la marine*** to serve in the navy **2.** ***~ qn*** to serve sb; ***on vous sert, Madame?*** are you being served, Madam?; ***se faire ~*** to be waited on **3.** *repas, plat* to serve; ***~ qc à qn*** to serve sth to sb; ***~ à boire*** to serve drinks **4.** SPORT ***~*** (***la balle***) to serve **II** *v/t indir* **1.** ***~ à qn*** to be of use to sb; *abs* ***cela peut encore ~*** it could still be useful; ***cela nous sert pour*** *+inf* we use that *+inf*; ***cela ne sert à rien de*** *+inf* there's no point in (+ *v-ing*); ***à quoi ça sert de*** *+inf?* what's the point of (+ *v-ing*) **2.** ***~ à*** (***faire***) ***qc*** to be used for (doing) sth; *fam* ***à quoi sert cette machine?*** what's this machine for? **3.** ***~ de*** *d'interprète, etc* to act as; ***~ de bouc émissaire*** to be made a scapegoat; ***~ de père à qn*** to be a father to sb **III** *v/pr* **1.** ***se ~*** to serve o.s.; ▶ ***servez-vous!*** help yourselves!; ***se ~ de rôti*** to help o.s. to some roast meat; *par ext* ***se ~ chez un marchand*** to be a regular customer at a store **2.** ***se ~ de qc, qn*** to use sth, sb **3.** ***se ~ frais*** to be served chilled
serviteur [sɛʀvitœʀ] *m* servant
servitude [sɛʀvityd] *f* **1.** (*asservissement*) servitude; (*contrainte*) constraint **2.** JUR easement
servofrein [sɛʀvofʀɛ̃] *m* power brakes (+ *v pl*) **servomoteur** *m* servomotor
ses [se] → ***son***[1]
sésame [sezam] *m* BOT sesame
session [sɛsjo] *f* **1.** *d'une assemblée* session **2.** *d'un examen* ***~ de juin*** June examinations (+ *v pl*)
set [sɛt] *m* **1.** SPORT set **2.** ***~*** (***de table***) place mat
setter [setɛʀ] *m* (*chien*) setter
seuil [sœj] *m* **1.** doorstep **2.** *fig* threshold; ***~ d'audibilité*** difference threshold
▶ **seul** [sœl] **I** *adj* ⟨**~e**⟩ **1.** (*solitaire*) alone, on one's own; (*isolé*) lonely; ***parler, rire tout ~*** to talk, laugh to o.s.; ***~ à ~*** *se parler* alone **2.** (*unique*) only; ***une ~e fois*** just once; ***à la ~e pensée de partir*** at the very thought of leaving **II** *adv* by oneself, on one's own; *réussir* ***à elle ~e*** single-handedly; ***cela va tout ~*** *facile* it's really easy **III** *subst* ***un ~, une ~e*** only one person; ***pas un ~, pas une ~e*** not a single person; ***le ~, la ~e, les ~s à*** *+inf* the only one, ones *+inf*
▶ **seulement** [sœlmɑ̃] *adv* **1.** only; ***non ~ … mais aussi, encore …*** not only … but also **2.** *temporel* only; ***~ ce soir*** she won't be back before this evening **3.** (***ne …***) ***pas ~*** not even; ***elle ne les a pas ~ remerciés*** she didn't even thank them
sève [sɛv] *f* **1.** BOT sap **2.** *fig* vigor
▶ **sévère** [sevɛʀ] *adj* **1.** (*dur*) strict; *critique, punition* severe, harsh **2.** (*austère*) *regard* stern **3.** (*grave*) *pertes, défaite* heavy, severe
sévèrement [sevɛʀmɑ̃] *adv* **1.** *punir* severely; *critiquer* harshly **2.** *regarder* sternly **3.** (*gravement*) severely
sévérité [seveʀite] *f d'une personne* strictness; *d'une punition* severity;

d'un ton, d'un regard sternness
sévices [sevis] *mpl* (physical) abuse (+ *v sg*); ***exercer des ~ sur qn*** to abuse sb
sévir [seviʀ] *v/i* **1. *~ contre*** to clamp down on; *abs* to clamp down **2.** *épidémie, tempête* to rage; *voyous* to rampage
sevrage [səvʀaʒ] *m d'un enfant* weaning; *d'un drogué* detoxification **sevrer** *v/t* ⟨**-è-**⟩ *enfant* to wean
sexagénaire [sɛksaʒenɛʀ] *m/f* sixty-year old, sexagenarian *st/s*
► **sexe** [sɛks] *m* **1.** sex; ***le beau ~*** the fair sex; ***des deux ~s*** of both sexes **2.** *organes* genitals (+ *v pl*) **3.** (*sexualité*) sex
sexisme [sɛksism] *m* sexism
sexiste [sɛksist] **I** *adj* sexist **II** *m/f* sexist
sexologie [sɛksɔlɔʒi] *f* sexology **sexologue** *m/f* sexologist
sex-shop [sɛksʃɔp] *m ou f* ⟨**sex-shops**⟩ sex shop
sextant [sɛkstɑ̃] *m* MAR sextant
sextuple [sɛkstypl] **I** *adj* sixfold **II** *subst payer, gagner **le ~*** six times as much
sexualité [sɛksɥalite] *f* sexuality
sexué [sɛksɥe] *adj* ⟨**~e**⟩ BIOL *reproduction* sexual
sexuel [sɛksɥɛl] *adj* ⟨**~le**⟩ sexual
sexy [sɛksi] *adj* ⟨*inv*⟩ sexy
seyant [sɛjɑ̃] *adj* ⟨**-ante** [-ɑ̃t]⟩ becoming
Seychelles [sɛʃɛl] ***les ~*** *fpl* the Seychelles
shaker [ʃɛkœʀ] *m* cocktail shaker
shako [ʃako] *m* MIL shako
► **shampo(o)ing** [ʃɑ̃pwɛ̃] *m* **1.** *produit* shampoo **2.** *lavage* shampoo; ***se faire faire un ~*** to have a shampoo
shampouiner [ʃɑ̃pwine] *v/t* to shampoo (***qn*** sb's hair)
shérif [ʃeʀif] *m* sheriff
sherry [ʃeʀi] *m* sherry
shetland [ʃɛtlɑ̃d] *m* Shetland pony; (***pull m en***) **~** Shetland sweater
shoot [ʃut] *m* **1.** FOOT shot **2.** *d'une drogue fam* fix *fam*
shooter [ʃute] **I** *v/i* FOOT to shoot **II** *v/pr fam drogué* ***se ~*** to shoot up *fam*
shopping [ʃɔpiŋ] *m* ***faire du ~*** to go shopping
► **short** [ʃɔʀt] *m* shorts (+ *v pl*)
show [ʃo] *m* show
showbiz [ʃobiz] *fam m* showbiz *fam*
si[1] [si] *adv* **1.** *après négation* yes; *vous ne viendrez pas?* yes, I am *tu ne le sais pas!* (***que***) ***~!*** yes I do! **2.** (*tellement*) so; ***pas ~ vite!*** not so fast!
► **si**[2] **I** *conj* ⟨*devant il, ils* **s'**⟩ **1.** if; ***~ vous continuez ainsi ...*** if you carry on like this ...; ***~ on veut*** if you will; ***~ je le savais, je vous le dirais*** if I knew, I'd tell you; ***~ ce n'est*** (*excepté*) apart from; (*sinon*) if not; ***~ ce n'est que*** apart from the fact that **2.** ***c'est à peine ~ on se parle*** we barely speak to each other **3.** if, whether; ***je ne sais pas s'il viendra*** I don't know whether he'll come; ***vous pensez s'il a été content!*** you can imagine how pleased he was! **4.** *dans les suggestions* ***et ~ on allait au cinéma?*** how about going to see a movie?, *brit* why don't we go to the cinema? **II** *m* ⟨*inv*⟩ if; ***trop de ~ et de mais*** too many ifs and buts
si[3] *m* ⟨*inv*⟩ MUS B
siamois [sjamwa] *adj* ⟨**-oise** [-waz]⟩ ***chat ~*** Siamese (cat); ***frères*** *mpl* ***~*** *ou* ***sœurs*** *fpl* ***~es*** Siamese twins
Sibérie [sibeʀi] ***la ~*** Siberia
sibérien [sibeʀjɛ̃] *adj* ⟨**-ienne** [-jɛn]⟩ Siberian
sibyllin [sibilɛ̃] *adj* ⟨**-ine** [-in]⟩ sibylline
sicav [sikav] *f, abr* ⟨*inv*⟩ (= **société d'investissement à capital variable**) ≈ mutual fund, *brit* ≈ unit trust
Sicile [sisil] ***la ~*** Sicily
sicilien [sisiljɛ̃] **I** *adj* ⟨**-ienne** [-jɛn]⟩ Sicilian **II** ***Sicilien(ne)*** *m(f)* Sicilian
► **sida** [sida] *m, abr* (= **syndrome immuno-déficitaire acquis**) Aids (+ *v sg*)
side-car [sidkaʀ] *m* ⟨**side-cars**⟩ sidecar
sidéen [sideɛ̃] **I** *adj* ⟨**-enne** [-ɛn]⟩ suffering from Aids **II** ***~(ne)*** *m(f)* Aids sufferer
sidéral [sideʀal] *adj* ⟨**~e; -aux** [-o]⟩ ***année ~e*** sidereal year
sidérant [sideʀɑ̃] *adj fam* ⟨**-ante** [-ɑ̃t]⟩ staggering
sidérer [sideʀe] *v/t fam* ⟨**-è-**⟩ to stagger *fam*, to astound; ***sidéré*** staggered *fam*, *brit* gobsmacked *fam*
sidérurgie [sideʀyʀʒi] *f* steel industry
sidérurgique [sideʀyʀʒik] *adj* steel *épith*; ***industrie*** *f* ***~*** steel industry; ***usine*** *f* ***~*** steel factory
sidérurgiste [sideʀyʀʒist] *m* steelworker
► **siècle** [sjɛkl] *m* century; (*époque*) age; ***au vingtième*** (***XX***[e]) ***~*** in the twentieth (20th) century; *fam* ***il y a des ~s que ...*** it's ages since ... *fam*; ***être de son ~*** to move with the times
sied [sje] → ***seoir***

▶ **siège** [sjɛʒ] *m* **1.** seat; *d'une organisation* headquarters (+ *v pl*); **~ social** *d'une entreprise, d'un organisme* (registered) head office; ***bain*** *m* ***de~*** hip bath **2.** ÉGL see **3.** MIL siege; ***lever le~*** to raise the siege

siéger [sjeʒe] *v/i* 〈**-è-, -ge-**〉 **1.** *assemblée* to be in session **2.** *député* to sit (***à*** on); *entreprise, organisme* to be headquartered (***à*** in)

▶ **sien** [sjɛ̃] **I** *pr poss* 〈**sienne** [sjɛn]〉 ***le ~, la~ne, les~s, les~nes*** *d'homme* his; *de femme* hers; *de chose, d'animal* its **II** *subst* **1.** ***y mettre du~*** to do one's bit **2.** ***les ~s*** (*famille, amis*) one's family and friends **3.** ***il a encore fait des~nes*** he's been up to his tricks again; *machine* it's been acting up again

sieste [sjɛst] *f* nap, siesta

sieur [sjœʀ] *m* JUR ***le ~ X*** Mr. X

sifflant [siflɑ̃] *adj* 〈**-ante** [-ɑ̃t]〉 *son* whistling; *bruit* hissing; ***consonne ~e*** sibilant (consonant)

sifflement [sifləmɑ̃] *m* whistling; RAD hissing; ***~s*** *pl d'un public* hissing

▶ **siffler** [sifle] **I** *v/t* **1.** *air, chanson* to whistle; ***~ son chien*** to whistle for one's dog; ***~ le coup d'envoi*** to blow the whistle for kick-off **2.** *public* : *orateur, pièce* to hiss **3.** *fam* (*boire*) to knock back *fam* **II** *v/i* to whistle; *serpent, vapeur* to hiss

▶ **sifflet** [siflɛ] *m* **1.** *instrument* whistle; ***coup*** *m* ***de ~*** whistle **2.** ***~s*** *pl* (*huées*) hissing (+ *v sg*), whistling (+ *v sg*) **3.** *fam* ***ça lui a coupé le ~*** that shut him / her up *fam*

siffleur [siflœʀ] **I** *adj* 〈**-euse** [-øz]〉 hissing; *merle* chirping **II** *m* whistler

sifflotement [siflɔtmɑ̃] *m* whistling (+ *v sg*) **siffloter I** *v/t* ***~ qc*** to whistle sth to o.s. **II** *v/i* to whistle to o.s.

sigle [sigl] *m* acronym

signal [siɲal] *m* 〈**-aux** [-o]〉 signal (*a* CH DE FER, RAD); ***~ d'alarme*** alarm signal; CH DE FER (*a contre le vol*) alarm; ***donner le ~ de qc*** to give the signal for sth

signalé [siɲale] *litt adj* 〈**~e**〉 notable, signal *st/s*

signalement [siɲalmɑ̃] *m d'un fugitif* description

signaler [siɲale] **I** *v/t* **1.** (*indiquer*) to indicate **2.** (*faire remarquer*) ***~ qc à qn*** to point sth out to sb; (*informer*) to inform sb of sth; ***rien à ~*** nothing to report **II** *v/pr* ***se ~*** to distinguish o.s. (***par*** by)

signalétique [siɲaletik] *adj* ***fiche*** *f* **~** *d'un fugitif* description, identification sheet

signalisation [siɲalizasjõ] *f routière* signposting; CH DE FER signaling; (*signaux*) (road) signs (+ *v pl*); CH DE FER signals (+ *v pl*) **signaliser** *v/t route* to signpost

signataire [siɲatɛʀ] *m* signatory

▶ **signature** [siɲatyʀ] *f* **1.** (*nom*) signature **2.** *action* signing

▶ **signe** [siɲ] *m* **1.** sign (*a* MATH, ASTRON, LING); TYPO mark; ***signes*** *mpl* ***particuliers*** distinguishing features; ***signe de ponctuation*** punctuation mark; ***signe du zodiaque*** sign of the zodiac; ***en signe de*** as a sign of; *conférence* ***sous le signe de la solidarité, la paix*** on solidarity, peace; ***ne plus donner signe de vie*** not to have been in touch; ***c'est bon, mauvais signe*** it's a good, a bad sign **2.** (*geste*) sign; ***signe de tête*** *affirmatif* nod; *négatif* shake of one's head; ***faire signe de la tête à qn*** *approbateur* to nod to sb; *désapprobateur* to shake one's head at sb; ▶ ***faire signe à qn*** to signal to sb; *pour dire bonjour* to wave to sb; *par ext* to get in touch with sb

▶ **signer** [siɲe] **I** *v/t document, oeuvre* to sign; *joueur, acteur* to sign (up) **II** *v/pr* ***se ~*** to make the sign of the cross

signet [siɲɛ] *m* bookmark (*a* INFORM)

signifiant [siɲifjɑ̃] *m* LING signifier

significatif [siɲifikatif] *adj* 〈**-ive** [-iv]〉 significant; ***~ de*** indicative of **signification** *f* meaning

signifié [siɲifje] *m* LING signified

signifier [siɲifje] *v/t* **1.** (*vouloir dire*) to mean **2.** (*faire savoir*) to inform (***qc à qn*** sb of sth) **3.** JUR to serve; ***~ qc à qn*** to serve notice of sth to sb

▶ **silence** [silɑ̃s] *m* **1.** silence; ***~!*** quiet!, silence!; ***~ de mort*** deathly silence; ***garder le ~*** to keep quiet (***sur*** about); ***passer qc sous ~*** to pass over sth in silence **2.** MUS rest

▶ **silencieux** [silɑ̃sjø] **I** *adj* 〈**-euse** [-øz]〉 silent; *pas, geste* silent; *machine* quiet; (*taciturne*) silent; ***majorité silencieuse*** silent majority; ***rester ~*** to remain silent **II** *m* TECH, AUTO muffler, *brit* silencer

Silésie [silezi] ***la ~*** Silesia

silex [silɛks] *m* flint

silhouette [silwɛt] *f* **1.** silhouette, out-

line **2.** *d'une personne* figure
silice [silis] *f* silica **siliceux** *adj* ⟨**-euse** [-øz]⟩ siliceous
silicium [silisjɔm] *m* silicon
silicone [silikon] *f* silicone **silicose** *f* silicosis
sillage [sijaʒ] *m* **1.** MAR wake; AVIAT slipstream; *fig* ***marcher dans le ~ de qn*** to follow in sb's wake **2.** *d'un parfum* trail
sillon [sijõ] *m* **1.** AGR furrow **2.** ANAT fissure **3.** *d'un disque* groove
sillonner [sijɔne] *v/t bateau*: *mer* to sail back and forth across, to ply *st/s*; *routes*: *pays* to criss-cross; *en voiture* ***~ une région*** to drive up and down a region; *visage* ***sillonné de rides*** furrowed with wrinkles
silo [silo] *m* silo
silure [silyʀ] *m* ZOOL silurid
simagrées [simagʀe] *fpl* affectation (+ *v sg*), airs and graces *péj*; ***faire des ~*** to make a fuss
simiesque [simjɛsk] *adj* ape-like, simian *t/t*
similaire [similɛʀ] *adj* similar
simili [simili] *m* imitation
similitude [similityd] *f* similarity
▶ **simple** [sɛ̃pl] **I** *adj* **1.** simple; *méthode* easy; *robe* simple; *style*, *personne* simple, unaffected; ***une ~ formalité*** just a formality **2.** ***~ d'esprit*** simple-minded, simple; ***elle est un peu ~ d'esprit*** she's a bit simple **II** *m* **1.** SPORT singles (+ *v pl*) **2.** PHARM ***~s*** *pl* medicinal herbs
simplement [sɛ̃pləmɑ̃] *adv* simply
simplet [sɛ̃plɛ] *adj* ⟨**-ette** [-ɛt]⟩ simple-minded
simplicité [sɛ̃plisite] *f* **1.** (*facilité*) simplicity **2.** *du style* simplicity **3.** *d'une personne* unpretentiousness
simplificateur [sɛ̃plifikatœʀ] *adj* ⟨**-trice** [-tʀis]⟩ simplifying **simplification** *f* simplification **simplifier** *v/t* to simplify; MATH *fraction* to reduce
simplisme [sɛ̃plism] *m* simplism **simpliste** *adj* simplistic
simulacre [simylakʀ] *m* ***~ de ...*** semblance of ...; ***~ de combat*** MIL simulated battle
simulateur [simylatœʀ] *m*, **simulatrice** [-tʀis] *f* **1.** faker; *faux malade* malingerer **2.** *m* TECH simulator; ***simulateur de vol*** flight simulator
simulation [simylasjõ] *f* **1.** simulation, faking *fam* **2.** TECH simulation; INFORM modeling
simulé [simyle] *adj* ⟨**~e**⟩ simulated (*a* TECH, INFORM)
simuler [simyle] *v/t* **1.** (*feindre*) to simulate; *maladie* to feign **2.** TECH to simulate; INFORM to model
simultané [simyltane] *adj* ⟨**~e**⟩ simultaneous; ***traduction ~e*** simultaneous translation
simultanéité [simyltaneite] *f* simultaneity
simultanément [simyltanemɑ̃] *adv* simultaneously
sinapisme [sinapism] *m* mustard plaster
sincère [sɛ̃sɛʀ] *adj personne*, *condoléances* sincere; *émotion*, *offre* genuine
sincérité [sɛ̃seʀite] *f d'une personne* sincerity; *d'une émotion*, *d'un offre* genuineness
sinécure [sinekyʀ] *f* sinecure; *fam* ***ce n'est pas une ~*** it's no picnic *fam*
sine qua non [sinekwanɔn] ***condition*** *f* ***~*** sine qua non
Singapour [sɛ̃gapuʀ] Singapore
▶ **singe** [sɛ̃ʒ] *m* **1.** ZOOL monkey; *sans queue* ape; ***faire le ~*** to clown around **2.** *arg* (*corned-beef*) corned beef **3.** *arg* (*patron*) ***le ~*** the boss
singer [sɛ̃ʒe] *v/t* ⟨**-ge-**⟩ to mimic, to ape *péj*
singeries [sɛ̃ʒʀi] *fpl* (*actions*) antics; (*grimaces*) faces
singulariser [sɛ̃gylaʀize] *v/pr* ***se ~*** to call attention to o.s.
singularité [sɛ̃gylaʀite] *f* **1.** (*particularité*) peculiarity, singularity *st/s* **2.** (*étrangeté*) oddness
▶ **singulier** [sɛ̃gylje] **I** *adj* ⟨**-ière** [-jɛʀ]⟩ **1.** peculiar **2.** ***combat ~*** single combat **II** *m* GRAM singular
singulièrement [sɛ̃gyljɛʀmɑ̃] *adv* **1.** (*très*) particularly, singularly *st/s* **2.** (*bizarrement*) strangely, peculiarly
sinistre [sinistʀ] **I** *adj* **1.** sinister; *présage* grim **2.** *péj* ***une ~ crapule*** a total crook *fam* **II** *m* **1.** disaster; (*accident*) accident; (*incendie*) blaze **2.** JUR, ASSU damage; (*réclamation*) claim
sinistré [sinistʀe] **I** *adj* ⟨**~e**⟩ stricken; ***région ~e*** disaster area **II** *m* disaster victim
sinistrose [sinistʀoz] *f* pessimism
sino-... [sino] *adj* Sino-...
sinologie [sinɔlɔʒi] *f* sinology **sinologue** *m/f* sinologist
▶ **sinon** [sinõ] *conj* **1.** (*autrement*) other-

wise, or else **2.** (*sauf*) except **3.** (*si ce n'est*) if not

sinueux [sinɥø] *adj* ⟨**-euse** [-øz]⟩ **1.** *ligne* sinuous; *route* winding **2.** *fig* tortuous

sinuosités [sinɥozite] *fpl d'une route* twists and turns; *d'une ligne* curves

sinus [sinys] *m* **1.** ANAT sinus **2.** MATH sine

sinusite [sinyzit] *f* sinusitis (+ *v sg*)

sionisme [sjɔnism] *m* Zionism **sioniste** **I** *adj* Zionist **II** *m/f* Zionist

Sioux [sju] *mpl* Sioux; *fam, fig* ***ruses*** *fpl* ***de ~*** cunning tricks

siphon [sifõ] *m* **1.** *d'un évier* U-bend **2.** *bouteille* siphon **3.** PHYS siphon

siphonné [sifɔne] *adj* ⟨**~e**⟩ *fam* nuts *fam*; → ***cinglé***

sire [siʀ] *m* **1.** *titre* ***Sire*** Sire **2.** ***un triste ~*** a disreputable character

sirène [siʀɛn] *f* siren (*a* MYTH)

sirocco [siʀɔko] *m* sirocco

sirop [siʀo] *m* syrup; (*boisson*) cordial; ***~ contre la toux*** cough mixture; ***~ de menthe*** peppermint cordial; ***fruits*** *mpl* ***au ~*** preserved fruits

siroter [siʀɔte] *fam v/t* to sip

sis [si] *adj* ⟨**sise** [siz]⟩ JUR located

sismique [sismik] *adj* seismic; ***secousse*** *f* ***~*** earth tremor

sismographe [sismɔgʀaf] *m* seismograph **sismologie** *f* seismology **sismologue** *m/f* seismologist

site [sit] *m* **1.** (*paysage*) area; (*endroit*) *touristique* place of interest; *d'une ville, d'une usine* site; ***~ classé*** conservation area; ***~ historique*** historic site; ***~ protégé*** conservation area **2.** INFORM **~** (***Web, Internet***) (web)site

sitôt [sito] **I** *adv* ***~ après*** soon after; ***on n'y retournera pas de ~*** we won't go back there in a hurry *fam*; ***~ dit, ~ fait*** no sooner said than done **II** *conj* ***~ que*** as soon as

► **situation** [sitɥasjõ] *f* **1.** *d'une ville, d'une maison* location **2.** (*circonstances*) situation (*a* THÉ); ***~ de famille*** marital status; ***être en ~ de*** *+inf* to be in a position to *+inf*; ***mettre qn en ~*** to give sb experience of a real-life situation **3.** (*emploi*) position, job

situé [sitɥe] *adj* ⟨**~e**⟩ situated; *histoire* set; ***être bien ~*** to be in a good location

situer [sitɥe] **I** *v/t maison* to situate, to locate; (*contextualiser*) to place; *film, histoire* to set **II** *v/pr* ***se ~*** *chose* to be located; *événement* to take place; *roman* to be set (***à*** in); *personne* to stand; POL ***se ~*** to have left-wing views

► **six** [*devant consonne* [si], *devant voyelle* [siz]] **I** *num/c* six; ***le ~ mai*** May sixth, *brit* the sixth of May; ***Charles VI*** Charles the Sixth, Charles VI; ***~ jours*** *mpl* six days **II** *m* sixth; ***le ~*** (***du mois***) the sixth (day) of the month

► **sixième** [sizjɛm] **I** *num/o* sixth **II** *subst* **1.** ***le, la ~*** the sixth **2.** *m* MATH sixth **3.** *m étage* ***au ~*** on the sixth floor, *brit* on the fifth floor **4.** *f* ≈ 6th grade *first year of secondary school, brit* ≈ year 7

sixièmement [sizjɛmmɑ̃] *adv* sixthly

six-quatre-deux [siskatdø] *fam* ***à la ~*** sloppily

skaï® [skaj] *m* imitation leather, Leatherette®

skate-board [skɛtbɔʀd] *m* ⟨**skate-boards**⟩ skateboard; *activité* skateboarding

sketch [skɛtʃ] *m* ⟨**sketches**⟩ THÉ sketch

► **ski** [ski] *m* **1.** ski; ***à, en ~s*** on skis **2.** *sport* skiing; ***faire du ~*** to go skiing; *régulièrement* to ski; ***~ de fond*** cross-country skiing

skiable [skjabl] *adj* skiable

► **skier** [skje] *v/i* to ski

skieur [skjœʀ] *m*, **skieuse** [-øz] *f* skier

skin(head) [skin(ɛd)] *m/f* skinhead

skipper [skipœʀ] *m* MAR skipper

slalom [slalɔm] *m* slalom; ***~ géant, spécial*** giant, special slalom; *fig* ***faire du ~*** to zigzag

slalomeur [slalɔmœʀ] *m*, **slalomeuse** [-øz] *f* slalom skier

slave [slav] **I** *adj* Slavic **II** ***Slave*** *m/f* Slav

► **slip** [slip] *m* briefs (+ *v pl*), underpants (+ *v pl*); *pour femme* panties (+ *v pl*), *brit* knickers (+ *v pl*); ***~ de bain*** swimming trunks (+ *v pl*)

slogan [slɔgɑ̃] *m* slogan

slovaque [slɔvak] **I** *adj* Slovak **II 1.** ***Slovaque*** *m/f* Slovak **2.** *m* LING Slovak

Slovaquie [slɔvaki] ***la ~*** Slovakia

slovène [slɔvɛn] **I** *adj* Slovenian **II 1.** ***Slovène*** *m/f* Slovene, Slovenian **2.** *m* LING Slovene, Slovenian

Slovénie [slɔveni] ***la ~*** Slovenia

slow [slo] *m* slow dance

smala(h) [smala] *f fam, péj* tribe *fam, péj*

smash [smaʃ] *m* ⟨**smashes**⟩ SPORT smash **smasher** *v/i* SPORT to smash

S.M.E. [ɛsɛmə] *m, abr* (= **Système monétaire européen**) E.M.S.

▶ **SMIC** [smik] *m*, *abr* (= **salaire minimum interprofessionnel de croissance**) minimum wage *guaranteed by the state*

smicard [smikaʀ] *m*, **smicarde** [-aʀd] *f* minimum-wage earner

smoking [smɔkiŋ] *m* tuxedo, *brit* dinner jacket

smurf [smœʀf] *m* breakdancing

▶ **snack** [snak] *m* snack bar

▶ **S.N.C.F.** [ɛsɛnseɛf] *f*, *abr* (= **Société nationale des chemins de fer français**) French national railroad company

snob [snɔb] **I** *adj personne* snobbish; *endroit* posh **II** *m/f* snob

snober [snɔbe] *v/t* to snub **snobisme** *m* snobbery

snowboard [snobɔʀd] *m* snowboard; *activité* snowboarding **snowboardeur** *m*, **snowboardeuse** *f* snowboarder

sobre [sɔbʀ] *adj* **1.** *personne* abstemious; *qui ne boit pas d'alcool* teetotal; *qui n'est pas ivre* sober **2.** *tenue* plain; *style* sober, restrained

sobriété [sɔbʀijete] *f* **1.** abstemiousness; *tempérance* sobriety **2.** *du style*, *etc* soberness, restraint

sobriquet [sɔbʀikɛ] *m* nickname

soc [sɔk] *m* plowshare

sociabilité [sɔsjabilite] *f* sociability **sociable** *adj* sociable

▶ **social** [sɔsjal] **I** *adj* ⟨**~e; -aux** [-o]⟩ **1.** (*relatif à la justice sociale*) social; ***mesures ~es*** social measures **2.** (*de la société*) social; ***sciences ~es*** social sciences **3.** COMM company *épith* **II** *m* social issues (+ *v pl*)

social-démocrate **I** *adj* ⟨**sociale-démocrate; sociaux-démocrates**⟩ social-democrat *épith* **II** *m/f* social democrat

socialisation [sɔsjalizasjõ] *f* socialization **socialiser** *v/t* SOCIOL to socialize

socialisme [sɔsjalism] *m* socialism

▶ **socialiste** [sɔsjalist] **I** *adj* socialist **II** *m/f* socialist

sociétaire [sɔsjetɛʀ] *m* member

▶ **société** [sɔsjete] *f* **1.** society; ***~ industrielle*** industrial society; ***~ de consommation*** consumer society; ***en ~*** in society **2.** (*association*) society; *sportive*, *etc* club; ***~ protectrice des animaux*** (*abr* ***S.P.A.***) animal protection society (≈ A.S.P.C.A., *brit* ≈ RSPCA); ***~ secrète*** secret society **3.** ÉCON company; ***~ anonyme*** (*abr* ***S.A.***) incorporated company (*abr* Inc.); *brit* public limited company (*abr* plc); ***~ à responsabilité limitée*** (*abr* ***S.A.R.L.***) limited liability company (*abr* L.L.C.)

socioculturel [sɔsjokyltyʀɛl] *adj* ⟨**~le**⟩ sociocultural

socio-économique *adj* socioeconomic

socio-éducatif *adj* ⟨**-ive** [-iv]⟩ socio-educational

sociologie [sɔsjɔlɔʒi] *f* sociology **sociologique** *adj* sociological **sociologue** *m/f* sociologist

socioprofessionnel [sɔsjɔpʀɔfɛsjɔnɛl] *adj* ⟨**~le**⟩ socioprofessional

socle [sɔkl] *m* plinth

socquette [sɔkɛt] *f* anklet, *brit* ankle sock

soda [sɔda] *m* **1.** *eau* soda water **2.** *boisson gazeuse* soda, *brit* fizzy drink

sodium [sɔdjɔm] *m* sodium

sodomie [sɔdɔmi] *f* sodomy **sodomiser** *v/t* to sodomize

▶ **sœur** [sœʀ] *f* **1.** sister; REL nun, sister *fam*, *fig* ***et ta ~!*** get lost! *fam* **2.** *adj* ***âme*** *f* ~ soulmate

sofa [sɔfa] *m* sofa

SOFRES [sɔfʀɛs] *f*, *abr* (= **Société française d'enquête par sondage**) *French market research company*, ≈ A.A.P.O.R., *brit* ≈ MORI

software [sɔftwɛʀ] *m* software

▶ **soi** [swa] *pr pers* oneself; ***la confiance en ~*** self-confidence; ***la haine de ~*** self-loathing; ***cela va de ~*** it goes without saying; ***en ~*** in itself; ***chacun pour ~*** every man for himself

▶ **soi-disant** [swadizɑ̃] **I** *adj* ⟨*inv*⟩ so-called **II** *adv* supposedly

▶ **soie** [swa] *f* **1.** silk; *par ext* ***papier*** *m* ***de ~*** tissue paper; ***en ~, de ~*** silk *épith* **2.** *du porc* bristle

soient [swa] → ***être***[1]

soierie [swaʀi] *f* silk (material)

▶ **soif** [swaf] *f* thirst (*a fig* **de** for); ***avoir ~***

> **soif**
>
> Note that to be thirsty is translated by **avoir soif** (have thirst) in French:
>
> **J'ai soif. Y a-t'il de l'eau minérale?**
>
> I'm thirsty. Do we have any mineral water?

to be thirsty; *fig* ***mourir de ~*** to be dying of thirst; *fam*, *fig* ***jusqu'à plus ~*** until one has had enough

soignant [swaɲɑ̃] *adj* ⟨**-ante** [-ɑ̃t]⟩ ***aide ~e*** nurse's aide, *brit* auxiliary nurse

soigné [swaɲe] *adj* ⟨**~e**⟩ **1.** well-groomed; *travail* meticulous **2.** *fam*, *iron addition* stiff *fam*

▶ **soigner** [swaɲe] **I** *v/t* **1.** (*s'occuper de*) to look after; *vêtement* to take care of **2.** MÉD to treat; ***se faire ~*** to get treatment **II** *v/pr* ***se ~*** to take care of o.s.

soigneur [swaɲœʀ] *m* FOOT trainer; *en cyclisme* soigneur

▶ **soigneusement** [swaɲøzmɑ̃] *adv* carefully; *écrire* neatly

soigneux [swaɲø] *adj* ⟨**-euse** [-øz]⟩ careful; *ordonné* neat

soi-même *pr pers* oneself

soin [swɛ̃] *m* **1.** (*application*) care; (*ordre*) neatness; ***avec ~*** carefully; ***sans ~*** carelessly **2.** (*préoccupation*) care; ***avoir, prendre ~ de qn*** to look after sb; ***avoir, prendre ~ de qc*** to take care of sth; ***avoir, prendre ~ de*** *+inf* to be careful *+inf* **3.** ***~s*** *pl* care (+ *v sg*); ***~s de beauté*** beauty care (+ *v sg*); *sur une lettre* ***aux bons ~s de*** care of (*abr* c/o); ***être aux petits ~s pour, avec qn*** to attend to someone's every need **4.** MÉD ***~s*** *pl* care (+ *v sg*); *traitement* treatment (+ *v sg*); ***premiers ~s*** first aid (+ *v sg*)

▶ **soir** [swaʀ] *m* evening; ***le ~*** in the evening; ***un ~*** one evening; ***ce ~*** this evening; *p/tard* tonight; ***à ce ~!*** see you tonight!; ***demain ~*** tomorrow evening; ***lundi ~*** Monday evening

▶ **soirée** [swaʀe] *f* **1.** evening; ***dans la ~*** during the evening **2.** *réunion* party **3.** THÉ evening performance; FILM evening showing

sois [swa] → ***être***[1]

soit [swa] **I** *conj* **1.** ***~ …, ~ …*** either … or …; ***~ du yaourt, ~ des fruits*** either yoghurt or fruit; ***~ que …*** *+subj*, ***~ que …*** *+subj* either … or …; ***~ qu'il vienne ici, ~ qu'on aille le retrouver*** either he comes here or we go to meet him **2.** MATH ***~ un triangle XYZ*** let XYZ be a triangle **3.** (*à savoir*) that is **II** *adv* ***~!*** [swat] very well

soixantaine [swasɑ̃tɛn] *f* **1.** ***une ~ (de)*** around sixty, sixty or so **2.** *âge* ***avoir la ~*** to be around sixty

▶ **soixante** [swasɑ̃t] **I** *num/c* sixty; ▶ ***soixante et onze*** seventy-one; ***soixante et onzième*** seventy-first **II** *m* ⟨*inv*⟩ sixtieth

▶ **soixante-dix** [swasɑ̃tdis] **I** *num/c* seventy **II** *m* ⟨*inv*⟩ seventieth

▶ **soixante-dixième** [swasɑ̃tdizjɛm] *num/o* seventieth

soixante-huitard [swasɑ̃tɥitaʀ] *m fam* sixty-eighter *participant in the May '68 student protests fam*

▶ **soixantième** [swasɑ̃tjɛm] *num/o* sixtieth

soja [sɔʒa] *m* soybean, *brit* soya bean

▶ **sol**[1] [sɔl] *m* **1.** *dehors* ground; (*plancher*) floor; ***au ~*** on the ground **2.** *territoire* soil (*a* AGR)

sol[2] *m* ⟨*inv*⟩ MUS G

▶ **solaire** [sɔlɛʀ] **I** *adj* solar; ***chauffage*** *m* ***~*** solar-powered heating; ***crème*** *f* ***~*** sun cream **II** *m* solar energy

solarium [sɔlaʀjɔm] *m* solarium

▶ **soldat** [sɔlda] *m* soldier; ***~ de métier*** career soldier; ***~ de plomb*** toy soldier, tin soldier

soldatesque [sɔldatɛsk] *f péj* soldiery

solde[1] [sɔld] *f* MIL pay; *fig* ***être à la ~ de qn*** to be in sb's pay

solde[2] *m* **1.** *d'un compte* balance; (*reste à payer*) outstanding balance; ***pour solde de (tout) compte*** in settlement **2.** ▶ ***soldes*** *pl* (*abus fpl*) *marchandises* sale goods; *ventes* sales; *en vitrine* sale; ***acheter qc en solde*** to buy sth in a sale; *fam* ***faire les soldes*** to go to the sales

solder [sɔlde] **I** *v/t* **1.** *compte* to close **2.** *marchandises* to sell off **II** *v/pr* ***se ~ par*** to end in; *fig* ***se ~ par un échec*** to end in failure

sole [sɔl] *f* ZOOL sole

solécisme [sɔlesism] *m* solecism

▶ **soleil** [sɔlɛj] *m* **1.** (ASTRON ***Soleil***) sun; ▶ ***coup(s)*** *mpl* ***de soleil*** sunburn (+ *v sg*); ***au soleil*** in the sun; ***en plein soleil*** in the hot sun; ***il y a du soleil*** *ou* ***il fait (du) soleil*** it's sunny **2.** BOT sunflower **3.** FEU D\146ARTIFICE Catherine wheel **4.** SPORT grand circle

solennel [sɔlanɛl] *adj* ⟨**~le**⟩ solemn; *déclaration* formal

solennité [sɔlanite] *f* solemnity

Soleure [sɔlœʀ] Solothurn

solfège [sɔlfɛʒ] *m* music theory; *chanté* sol-fa

solfier [sɔlfje] *v/t* to sol-fa

solidaire [sɔlidɛʀ] *adj* **1.** *personnes*, *groupe* united (***de qn*** in support of sb); ***être ~ de qn*** to stand by sb **2.** TECH interdependent

solidariser [sɔlidaʀize] *v/pr* to show solidarity; ***se ~ avec qn, qc*** to stand by sb, sth

solidarité [sɔlidaʀite] *f* solidarity

► **solide** [sɔlid] **I** *adj* **1.** *maison* solid; *matériau* strong; *vêtement* hard-wearing; *chaussures* sturdy; *base* firm **2.** *fig connaissances, raison, argument* sound; *amitié* solid; *garantie* firm **3.** *personne* strong, robust; *nerfs* strong; ***ne plus être très ~ sur ses jambes*** not to be steady on one's legs any more **II** *m* GÉOM, PHYS solid

solidification [sɔlidifikasjõ] *f* solidification

solidifier [sɔlidifje] *v/pr* ***se ~*** to solidify

solidité [sɔlidite] *f* **1.** solidity; *d'un matériau* strength **2.** *d'un argument* soundness

soliloquer [sɔlilɔke] *v/i* to soliloquize

soliste [sɔlist] *m/f* soloist

solitaire [sɔlitɛʀ] **I** *adj personne, vie* solitary; (*isolé*) lonely; *endroit* isolated; ***navigateur** m*, ***navigatrice** f* ***~*** solo yachtsman, yachtswoman **II** *subst* **1.** *m/f* loner **2.** *m diamant* solitaire

solitude [sɔlityd] *f* solitude; (*sentiment d'isolement*) loneliness

solive [sɔliv] *f* joist

sollicitation [sɔlisitasjõ] *f* appeal; *pl/fort* plea

solliciter [sɔlisite] *v/t* **1.** (*demander*) ***~ qc*** *entretien, autorisation* to request sth; *avis, contribution, voix* to seek sth; ***~ qn*** to appeal to sb (***de*** *+inf* to *+inf*); ***être sollicité*** *personne* to be in demand; *avis* to be sought-after **2.** *attention* to attract; *curiosité* to arouse; *personne* ***être sollicité par qc*** to be attracted by sth

solliciteur [sɔlisitœʀ] *m*, **solliciteuse** [-øz] *f* petitioner

sollicitude [sɔlisityd] *f* concern, solicitude *st/s*

solo [sɔlo] *m* MUS solo; *chanter* ***en ~*** solo

solstice [sɔlstis] *m* ***~ d'été, d'hiver*** summer, winter solstice

solubilité [sɔlybilite] *f* solubility

soluble [sɔlybl] *adj* **1.** soluble; ***~ dans l'eau*** water-soluble **2.** *problème* solvable, soluble *st/s*

soluté [sɔlyte] *m* PHARM solution

► **solution** [sɔlysjo] *f* **1.** solution; ***~ de facilité*** easy way out **2.** *st/s* ***~ de continuité*** solution of continuity *t/t* **3.** CHIM, PHARM solution

solutionner [sɔlysjɔne] *v/t* to solve

solvable [sɔlvabl] *adj* solvent

solvant [sɔlvɑ̃] *m* solvent

Somalie [sɔmali] ***la ~*** Somalia

somatique [sɔmatik] *adj* MÉD, PSYCH somatic

sombre [sõbʀ] *adj* **1.** (*obscur*) dark **2.** *fig personne, air, avenir, etc* gloomy

sombrer [sõbʀe] *v/i* **1.** *bateau* to sink **2.** *fig* ***~ dans qc*** to sink into sth

sommaire [sɔmɛʀ] **I** *adj* **1.** *explication, exposé* brief **2.** *tenue, repas* simple; *connaissances* basic **3.** *exécution* summary; ***procédure** f* ***~*** summary proceedings (+ *v pl*) **II** *m* summary

sommation [sɔmasjõ] *f* JUR summons (+ *v sg*); MIL warning; *de payer* demand

► **somme**[1] [sɔm] *f* **1.** MATH sum; ***faire la ~ de*** to add together **2.** ***~ (d'argent)*** sum (of money) **3.** *par ext* amount; ***en ~, ~ toute*** in short

somme[2] *f* ***bête** f* ***de ~*** beast of burden

somme[3] *m* nap; forty winks *fam*; ***ne faire qu'un ~*** to have a little nap

► **sommeil** [sɔmɛj] *m* **1.** sleep; ***nuit** f* ***sans ~*** sleepless night; ***avoir le ~ léger*** to be a light sleeper **2.** (*envie de dormir*) sleepiness; ***avoir ~*** to be sleepy; ***tomber de ~*** to be asleep on one's feet **3.** *fig projet* ***être en ~*** to be on hold

sommeiller [sɔmeje] *v/i* to doze

sommelier [sɔməlje] *m* **1.** wine waiter; sommelier *t/t* **2.** (*caviste*) cellarman

sommer [sɔme] *v/t* ***~ qn de faire qc*** to order sb to do sth

sommes [sɔm] → ***être***[1]

► **sommet** [sɔmɛ] *m* **1.** *d'une montagne* summit; *d'un arbre* top; *d'une tour, d'un rocher* top **2.** ***(conférence** f* ***au) ~*** summit (conference) **3.** MATH vertex

sommier [sɔmje] *m* ***~ (à ressorts)*** sprung bed base; ***~ à lattes*** slatted bed base

sommité [sɔmite] *f* leading figure

somnambule [sɔmnɑ̃byl] **I** *m/f* sleepwalker; somnambulist *t/t* **II** *adj* somnambulistic

somnambulisme [sɔmnɑ̃bylism] *m* sleepwalking; somnambulism *t/t*

somnifère [sɔmnifɛʀ] *m* sleeping pill

somnolence [sɔmnɔlɑ̃s] *f* drowsiness

somnolent *adj* ⟨**-ente** [-ɑ̃t]⟩ drowsy

somnoler *v/i* to doze

somptuaire [sõptɥɛʀ] *adj dépenses* extravagant

somptueux [sõptɥø] *adj* ⟨**-euse** [-øz]⟩ sumptuous
somptuosité [sõptɥozite] *f* sumptuousness
► **son¹** [sõ] *adj poss* ⟨*f* **sa** [sa], *devant voyelle et h muet* **son**; *pl* **ses** [se]⟩ his; *d'un possesseur féminin* her; *d'une chose* its
► **son²** *m* **1.** sound (*a* MUS); ***prise*** *f* ***de ~*** sound recording **2.** PHON sound **3.** PHYS sound **4.** (***spectacle*** *m*) ***~ et lumière*** son et lumière (show)
son³ *m du blé* bran
sonar [sɔnaʀ] *m* sonar
sonate [sɔnat] *f* sonata
sondage [sõdaʒ] *m* **1.** TECH probe; *forage* drilling **2.** (*enquête*) poll; ***~ d'opinion*** opinion poll; *science* opinion polling
sonde [sõd] *f* **1.** MAR sounding line **2.** MÉD, TECH probe; ***~*** (***urinaire***) catheter; ***~ spatiale*** space probe
sonder [sõde] *v/t* **1.** TECH, MÉD to probe; *malade* to fit with a catheter **2.** *fig* ***~ qn*** to sound sb out; ***~ l'opinion*** to survey opinion
sondeur [sõdœʀ] *m d'opinion* pollster
songe [sõʒ] *m litt* dream
songer [sõʒe] *v/t indir* ⟨**-ge-**⟩ ***~ à*** to think about; ***~ à faire qc*** to think about doing sth
songerie [sõʒʀi] *f litt* reverie
songeur [sõʒœʀ] *adj* ⟨**-euse** [-øz]⟩ pensive
sonnant [sɔnɑ̃] *adj* ⟨**-ante** [-ɑ̃t]⟩ ***à cinq heures ~es*** on the dot of five o'clock
sonné [sɔne] *adj* ⟨**~e**⟩ **1.** ***il est midi ~*** it's past midnight; *fam, fig* ***avoir soixante ans bien ~s*** to be well over sixty **2.** *fam, fig* (*fou*) crazy *fam*; → ***cinglé*** **3.** *fam boxeur* punch-drunk
► **sonner** [sɔne] **I** *v/t* **1.** *cloches* to ring; *l'heure* to strike **2.** MIL ***~ l'alarme*** to sound the alarm **3.** ***~ qn*** to ring for sb; *fam* ***on ne vous a pas sonné*** nobody asked your opinion **II** *v/t indir* **1.** ***~ de la trompette***, *etc* to play the trumpet, *etc.* **III** *v/i* **1.** *cloche, téléphone, réveil* to ring; *horloge* to strike; ***trois heures sonnent*** it's striking three o'clock; *fig* ***sa dernière heure a sonné*** his final hour has come **2.** ***~ bien*** *instrument* to have a good sound; *fig nom* to have a good ring to it **3.** *à la porte de qn* to ring the bell
sonnerie [sɔnʀi] *f* **1.** (*son*) ringing; MIL, CH call **2.** *mécanisme* striking mechanism; *d'une horloge* chimes (+ *v pl*); *d'un réveil* alarm
sonnet [sɔnɛ] *m poème* sonnet
► **sonnette** [sɔnɛt] *f* bell; ***coup*** *m* ***de ~*** ring
sonneur [sɔnœʀ] *m* bell ringer
sono [sɔno] *f, abr fam* → ***sonorisation***
sonore [sɔnɔʀ] *adj* **1.** resonant; *voix* loud; *rire* resounding; *logement* noisy; ***une salle ~*** an echoing room **2.** sound; FILM ***piste*** *f* ***~*** sound track; ***signal*** *m* ***~*** beep **3.** PHYS sound **4.** PHON voiced
sonorisation [sɔnɔʀizasjõ] *f* **1.** *d'une salle* installation of a PA system; *appareils* PA system **2.** *d'un film* dubbing
sonoriser *v/t* **1.** *salle* to equip with a PA system **2.** *film* to dub
sonorité [sɔnɔʀite] *f* **1.** *d'un violon, d'une voix* tone **2.** *d'une salle* acoustics (+ *v pl*)
sonotone® [sɔnɔtɔn] *m* hearing aid
sont [sõ] → ***être¹***
sophistication [sɔfistikasjõ] *f* **1.** (*affectation*) artificiality **2.** (*complexité*) sophistication
sophistiqué [sɔfistike] *adj* ⟨**~e**⟩ **1.** (*affecté*) artificial; (*recherché*) sophisticated **2.** (*perfectionné*) sophisticated
sophistiquer [sɔfistike] *v/pr* ***se ~*** to become more sophisticated
soporifique [sɔpɔʀifik] *m* sleep-inducing
soprano [sɔpʀano] **1.** *m voix* soprano **2.** *m/f* soprano
sorbet [sɔʀbɛ] *m* sorbet
sorbetière [sɔʀbətjɛʀ] *f* ice cream maker
sorbier [sɔʀbje] *m* service tree
sorbitol [sɔʀbitɔl] *m* CHIM sorbitol
sorcellerie [sɔʀsɛlʀi] *f* sorcery
sorcier [sɔʀsje] *m* sorcerer; *en Afrique* witch doctor; ***apprenti ~*** sorcerer's apprentice; *adjt* ***ce n'est pas bien ~*** it's not rocket science
sorcière [sɔʀsjɛʀ] *f* witch
sordide [sɔʀdid] *adj* **1.** *maison* squalid **2.** *fig avarice, affaire* grubby; *crime* nasty
sornettes [sɔʀnɛt] *fpl* nonsense (+ *v sg*)
► **sort** [sɔʀ] *m* **1.** (*destin*) fate; *fam, fig* ***faire un ~ à*** *mets, bouteille* to polish off *fam* **2.** (*hasard*) ***tirer au ~*** to draw lots for; *abs* to draw lots; *fig* ***le ~ en est jeté*** the die is cast **3.** (*maléfice*) ***jeter un ~ à qn*** to put a jinx on sb
sortable [sɔʀtabl] *adj* ***il n'est pas ~*** he's not presentable

sortant [sɔʀtɑ̃] *adj* ⟨**-ante** [-ɑ̃t]⟩ **1.** *député* outgoing **2.** ***numéros ~s*** winning numbers

▶ **sorte** [sɔʀt] *f* **1.** (*espèce*) sort (*a* COMM); ***toutes ~s de*** all sorts of **2.** (*façon*) way; ***de la ~*** like that; ***en quelque ~*** in a way; ***de (telle) ~ que*** so that; ***faire en ~ que*** +*subj* to see to it that (+ *ind*)

▶ **sortie** [sɔʀti] *f* **1.** *endroit* exit, way out; *sur la route* exit; *d'un bus* exit door; ***à la ~*** at the exit **2.** *action* departure; *d'un acteur, d'un gymnaste* exit; ***à la ~ des bureaux*** when people leave their offices **3.** (*promenade*) outing; ***~ du personnel*** company outing; ***être de ~*** *du travail* to have a day off; *élèves* to be on a school trip **4.** MIL sortie **5.** AVIAT, *de la police, des pompiers* deployment **6.** *fig* ***faire une ~ contre qn*** to launch an attack on sb **7.** *d'un nouveau produit* launch; *d'un livre* publication; *d'un film* release **8.** *pl* ***~s (d'argent)*** outgoings; ***~ de devises*** outflow of currency **9.** INFORM printout **10.** ***~ de bain*** bathrobe

sortilège [sɔʀtilɛʒ] *m* spell *a fig*

▶ **sortir** [sɔʀtiʀ] ⟨→ **partir**⟩ **I** *v/t* **1.** *personne, chien* to take out; *qn en voiture* to take out for a ride **2.** *fam* ***~ qn*** to kick sb out *fam* **3.** *qc de qc* to take out; *plante, chaise de jardin* to put out; *avion: train d'atterrissage* to lower; ***~ sa voiture du garage*** to take one's car out of the garage **4.** *nouveau produit* to bring out **5.** *fam sottises* to come out with **II** *v/i* ⟨**être**⟩ **1.** *personne* to go out, to come out; *acteur* to exit; *en voiture* to drive out; *objet, odeur* to come out; *liquide, gaz* to leak; *gaz* to escape; *dents* to come through; (*dépasser*) to stick out; *fig* ***que va-t-il en ~?*** what will come of it?; ***~ vainqueur*** to emerge as the winner; ***~ à cinq heures*** *ouvrier* to finish work at five; *élève* to finish school at five; ***je sors de chez lui*** I've just been to his house; ***~ de l'hôpital*** to come out of hospital; *rivière* ***~ de son lit*** to burst its banks; *bateau* ***~ du port*** to leave port; ***~ de table*** to leave the table; SPORT *balle* ***~ du terrain*** to go out; *fig* ***~ de maladie*** to come through an illness; *fig* ***ça m'est sorti de la mémoire, de la tête*** it went out of my head; *fig* ***~ de sa réserve*** to come out of one's shell; ***faire ~*** *qn* to send out; *arbitre: joueur* to send off; *animal* to put out; *jus d'un citron* to squeeze out; *air* to let out **2.** *en soirée ou pour se promener* to go out; ***~ (en voiture)*** to go out (in the car); *par ext d'amoureux* ***~ avec qn*** to go out with sb **3.** *nouveau produit* to come out; *film* to be released **4.** LOTERIE *numéro* to come up **5.** ***~ de*** (*s'écarter de*) to leave; ***~ de la route*** to come off the road **6.** ***~ de*** (*venir de*) to come from; ***d'où est-ce qu'il sort, celui-là?*** where did that guy come from? **III** *v/pr* ***s'en ~*** (*venir à bout*) to get finished; (*en réchapper*) to survive

S.O.S. [ɛsoɛs] *m* SOS; ***lancer un ~*** to put out an SOS

sosie [sɔzi] *m* double

sot [so] **I** *adj* ⟨**sotte** [sɔt]⟩ foolish **II** ***~(te)*** *m(f)* fool

sottise [sɔtiz] *f* foolishness

sottisier [sɔtizje] *m* collection of howlers

sou [su] *m* HIST sou; *fam, fig* ***~s*** *pl* (*argent*) money; → ***fric***; ***propre comme un ~ neuf*** clean as a new pin; ***être sans le ~, n'avoir pas le ~*** not to have a penny; ***être près de ses ~s*** to be careful with one's money

soubassement [subasmɑ̃] *m* base

soubresaut [subʀəso] *m* **1.** (*secousse*) jolt **2.** (*tressaillement*) ***avoir un ~*** to jump

soubrette [subʀɛt] *f* maid

souche [suʃ] *f* **1.** *d'un arbre* stump **2.** *fig* ***être de vieille ~*** to belong to an old family; ***faire ~*** to found a line **3.** *d'un chéquier* stub

▶ **souci**[1] [susi] *m* **1.** worry; ***donner bien du ~ à qn*** to be a great worry to sb; ***se faire du ~*** to worry (***pour qn*** about sb) **2.** (*intérêt*) ***par ~ d'équité*** for the sake of fairness; ***avoir le ~ de l'exactitude*** to be a stickler for detail

souci[2] *m* BOT marigold

soucier [susje] *v/pr* ***ne pas se ~ de qc, qn*** not to worry about sth, sb

▶ **soucieux** [susjø] *adj* ⟨**-euse** [-øz]⟩ **1.** (*inquiet*) anxious **2.** ***être ~ de*** +*inf* to be anxious +*inf*

soucoupe [sukup] *f* **1.** saucer **2.** *fig* ***~ volante*** flying saucer

▶ **soudain** [sudɛ̃] ⟨**-aine** [-ɛn]⟩ **I** *adj* sudden **II** *adv* suddenly

soudainement [sudɛnmɑ̃] *adv* suddenly

soudaineté *f* suddenness

Soudan [sudɑ̃] ***le ~*** (the) Sudan

soudard [sudaʀ] *m péj* brute

soude [sud] *f* soda; **~** ***(caustique)*** caustic soda

soudé [sude] *adj* ⟨**~e**⟩ **1.** BIOL joined together **2.** *fig* firmly united

souder [sude] **I** *v/t* **1.** *par fusion* to weld; *par métal d'apport* to solder **2.** *fig* to bring closer together **II** *v/pr* ***se* ~** BIOL, *fig* to join together

soudeur [sudœʀ] *m*, **soudeuse** [-øz] *f* welder

soudoyer [sudwaje] *v/t* ⟨**-oi**⟩ to bribe

soudure [sudyʀ] *f* **1.** TECH *opération* welding; *résultat* weld **2.** BIOL fusion **3.** ÉCON ***faire la* ~** to bridge the gap

souffert [sufɛʀ] *pp* → ***souffrir***

soufflage [suflaʒ] *m du verre* blowing

soufflant [suflɑ̃] *adj* ⟨**-ante** [-ɑ̃t]⟩ *fam* ***c'est* ~** it's mind-blowing *fam*

▶ **souffle** [sufl] *m* **1.** *(expiration)* puff **2.** *(respiration)* breath; *fig* ***il en a eu le* ~ *coupé*** it took his breath away; ***être à bout de* ~** to be out of breath; *fig* to be unable to go on; ***retenir son* ~** to hold one's breath **3.** *fig* ***second* ~** second wind **4.** *d'air* breath; ***il n'y a pas un* ~** there's not a breath of wind **5.** *d'un réacteur, d'une explosion* blast **6.** ***avoir un* ~ *au cœur*** to have a heart murmur

soufflé [sufle] **I** *adj* ⟨**~e**⟩ **1.** CUIS soufflé **2.** *fam (stupéfait)* amazed; flabbergasted *fam* **II** *m* CUIS soufflé

▶ **souffler** [sufle] **I** *v/t* **1.** *bougie* to blow out **2.** *par une explosion* ***être soufflé*** to be blasted **3.** *un pion au jeu* to take; *fam* **~ *qc à qn*** to pinch sth from sb *fam* **4.** *(dire)* **~ *qc à qn*** to whisper sth to sb, ENSEIGNEMENT to whisper, THÉ to prompt **5.** *verre* to blow **II** *v/i* **1.** *vent* to blow; *p/fort* to howl **2.** *personne* to blow; ***inspirez, soufflez!*** breathe in, breathe out!; **~ *dans, sur ses doigts*** to blow on one's fingers; **~ *sur le feu*** to blow on the fire **3.** *(respirer difficilement)* to pant **4.** *(reprendre haleine)* to get one's breath back

soufflerie [sufləʀi] *f* bellows (+ *v pl*); **~** ***(aérodynamique)*** wind tunnel

soufflet [suflɛ] *m* **1.** TECH gasket **2.** *entre deux wagons* concertina vestibule **3.** *litt (gifle) st/s* slap in the face

souffleur [suflœʀ] *m* **1.** *de verre* blower **2.** THÉ prompter

souffleuse [sufløz] *f* THÉ prompter

souffrance [sufʀɑ̃s] *f* **1.** suffering **2.** ***rester en* ~** *dossier* to be pending; *colis* to be awaiting collection

souffrant [sufʀɑ̃] *adj* ⟨**-ante** [-ɑ̃t]⟩ unwell

souffre-douleur [sufʀədulœʀ] *m* ⟨*inv*⟩ whipping boy

souffreteux [sufʀətø] *adj* ⟨**-euse** [-øz]⟩ sickly

▶ **souffrir** [sufʀiʀ] ⟨→ **couvrir**⟩ **I** *v/t* **1.** *(supporter)* to stand; ***ne pas pouvoir* ~ *qn, qc*** not to be able to stand sb, sth **2.** *litt (permettre)* ***souffrez que je*** *+subj* allow me *+inf*; *st/s affaire* ***ne* ~ *aucun retard*** to admit of no delay **II** *v/i* to suffer (***de*** MÉD from); **~ *de la tête*** to suffer from headaches; **~ *du froid*** to suffer from the cold; ***faire* ~ *qn*** to make sb suffer; MÉD to harm sb

soufre [sufʀ] *m* sulfur

▶ **souhait** [swɛ] *m* wish; *fam* ***à vos* ~*s!*** bless you!; ***à* ~** *(parfaitement)* perfectly; *(très)* extremely

souhaitable [swɛtabl] *adj* desirable

▶ **souhaiter** [swete] *v/t* to wish (***qc à qn*** sb sth; ***que …*** *+subj* that; ***faire qc*** to do sth); **~ *la bonne année à qn*** to wish sb a happy New Year

souiller [suje] *v/t st/s* to soil

souillon [sujõ] *f péj* slattern

souillure [sujyʀ] *f st/s* stain

souk [suk] *m* **1.** souk **2.** *fam, fig* mess *fam*

soûl [su] **I** *fam adj* ⟨**soûle** [sul]⟩ drunk; wasted *fam* **II** *adv* ***tout mon*** *(ou* ***ton, son****, etc)* **~** to my *(ou* your, his, *etc.)* fill

soulagement [sulaʒmɑ̃] *m* relief

soulager [sulaʒe] ⟨**-ge-**⟩ **I** *v/t* **1.** *moralement* to relieve; ***être soulagé*** to be relieved **2.** *douleur, misère* to relieve; **~ *un malade*** to soothe a sick person **3.** **~ *qn*** *au travail* to relieve sb **4.** *plais (voler)* **~ *qn de qc*** to relieve sb of sth *plais* **II** *v/pr fam* ***se* ~** *d'un besoin naturel* to relieve o.s. *plais*

soûlant [sulɑ̃] *fam adj* ⟨**-ante** [-ɑ̃t]⟩ *personne* maddening

soûlard [sulaʀ] *m fam* drunk **soûlarde** *f fam* drunk **soûlaud** *m fam* → ***soûlard***

soûler [sule] *fam* **I** *v/t* **1.** *fam* to get drunk **2.** *fig (fatiguer)* **~ *qn*** to wear sb out; *de paroles fam* to drive sb mad *fam* **II** *v/pr* ***se* ~** *fam* to get drunk

soulèvement [sulɛvmɑ̃] *m* **1.** *(révolte)* uprising **2.** GÉOL upthrust

▶ **soulever** [sulve] ⟨**-è-**⟩ **I** *v/t* **1.** *objet* to lift up; *un peu* to raise; *poids, charge* to lift; *poussière* to raise **2.** *enthousiasme, etc* to arouse; *problème* to raise; **~ *l'opi-***

nion contre qn to stir up public opinion against sb **3.** *élan de générosité, etc* **~ *qn*** to take hold of sb **II** *v/pr* ***se ~*** *peuple* to rise up
soulier [sulje] *m* shoe; *fam, fig* ***être dans ses petits ~s*** to feel small
soulignage [suliɲaʒ] *m ou* **soulignement** [-mɑ̃] *m* underlining
souligner [suliɲe] *v/t* to underline
soûlographie [sulɔgʀafi] *f fam* drinking
soumettre [sumɛtʀ] ⟨→ **mettre**⟩ **I** *v/t* **1.** *pays, rebelles* to subdue **2.** ADMIN to make liable (***à l'impôt*** to tax); ***être soumis à*** to be liable to **3.** (*faire subir*) to subject to (***à un examen*** an exam) **4.** *projet, question, cas* to refer (***à qn*** to sb) **II** *v/pr* ***se ~*** to submit (***à*** to)
soumis [sumi] *pp*→ ***soumettre*** *et adj* ⟨**-ise** [-iz]⟩ submissive
soumission [sumisjõ] *f* **1.** (*capitulation*) submission (***à*** to) **2.** (*obéissance*) submission **3.** JUR submission
soumissionner [sumisjɔne] *v/t* to tender for; *abs* to tender
soupape [supap] *f* valve
soupçon [supsõ] *m* **1.** suspicion; ***être au-dessus de tout ~*** to be above suspicion **2.** (*un peu*) touch
▶ **soupçonner** [supsɔne] *v/t* **1. *~ qn*** to suspect sb (***de vol*** of theft) **2.** (*pressentir*) to suspect
soupçonneux [supsɔnø] *adj* ⟨**-euse** [-øz]⟩ suspicious
▶ **soupe** [sup] *f* **1.** soup; *par ext* ***~ populaire*** soup kitchen; ***~ à l'oignon*** onion soup; *fam, fig* ***un gros plein de ~*** a fat guy *fam*, a fatso; *fig* ***être ~ au lait*** to be quick to fly off the handle **2.** *fam* (*neige fondante*) slush
soupente [supɑ̃t] *f* loft; *sous un escalier* closet
souper [supe] **I** *v/i* to have supper; *st/s* to dine; *fam, fig* ***j'en ai soupé*** I'm up to here with it *fam* **II** *m* **1.** supper **2.** *régional* dinner
soupeser [supəze] *v/t* ⟨**-è-**⟩ **1.** to weigh in one's hand **2.** *fig* to weigh up
soupière [supjɛʀ] *f* soup tureen
soupir [supiʀ] *m* **1.** sigh; ***rendre le dernier ~*** to breathe one's last **2.** MUS quarter rest
soupirail [supiʀaj] *m* ⟨**-aux** [-o]⟩ basement window
soupirant [supiʀɑ̃] *m plais* admirer
soupirer [supiʀe] *v/t et v/i* to sigh
▶ **souple** [supl] *adj* **1.** *corps* supple; *matière* flexible **2.** *fig personne, caractère* flexible **3.** *fam* (*accommodant*) ready to oblige
souplesse [suplɛs] *f* **1.** softness; *du corps* suppleness **2.** *fig de qn* flexibility
sourate [suʀat] *f du Coran* sura
▶ **source** [suʀs] *f* spring; *fig* source; ***~ lumineuse*** light source; *fig* ***de ~ sûre*** from a reliable source; *fig* ***cela coule de ~*** that's natural; *fleuve* ***prendre sa ~*** to rise
sourcier [suʀsje] *m* water diviner
sourcil [suʀsi] *m* eyebrow
sourcilier [suʀsilje] *adj* ⟨**-ière** [-jɛʀ]⟩ superciliary
sourciller [suʀsije] *v/i* ***ne pas ~*** not to bat an eyelid; ***sans ~*** without batting an eyelid
sourcilleux [suʀsijø] *adj* ⟨**-euse** [-øz]⟩ fussy
▶ **sourd** [suʀ] **I** *adj* ⟨**sourde** [suʀd]⟩ **1.** *personne* hearing-impaired, deaf; *fig* ***rester ~ aux prières de qn*** to be deaf to sb's pleas **2.** *bruit, douleur* dull; *lutte* silent **3.** PHON unvoiced **II** **~(*e*)** *m(f)* hearing-impaired person; ***les ~s*** *pl* the hearing-impaired
sourdine [suʀdin] *f* MUS mute; ***en ~*** softly; *fig* ***mettre une ~ à*** to tone sth down
sourd-muet [suʀmɥɛ], **sourde-muette** [suʀdəmɥɛt] **I** *m/f* deaf-mute **II** *adj* deaf-and-dumb
sourdre [suʀdʀ] *v/i* ⟨*seulement inf ou 3e pers. présent* **il sourd, ils sourdent**⟩ *litt* to rise
souriant [suʀjɑ̃] *adj* ⟨**-ante** [-ɑ̃t]⟩ smiling
souriceau [suʀiso] *m* ⟨**~x**⟩ baby mouse
souricière *f* **1.** mousetrap **2.** *fig* trap
▶ **sourire** [suʀiʀ] **I** *v/i* ⟨→ **rire**⟩ to smile; ***~ à qn*** to smile at sb; *fig projet, idée* to be appealing to sb; *fig* ***la chance lui sourit*** fortune smiles on her **II** *m* smile
▶ **souris** [suʀi] *f* mouse (*a* INFORM)
sournois [suʀnwa] **I** *adj* ⟨**-oise** [-waz]⟩ sly **II** **~(*e*)** *m(f)* sly person
sournoiserie [suʀnwazʀi] *f* slyness
▶ **sous** [su] *prép* under; ***~ (la) terre*** underground; ***~ mes yeux*** in front of me; ***~ Napoléon*** under Napoleon; ***~ la Révolution*** during the Revolution; ***~ cet aspect*** from that angle; ***être ~ antibiotiques*** to be on antibiotics; ***placer ~ sa direction*** to put under his management

sous-… [su, *devant voyelle* suz] *préfixe* under-…
sous-alimentation [suzalimɑ̃tasjõ] *f* undernourishment **sous-alimenté** *adj* ⟨**~e**⟩ undernourished
sous-bois [subwa] *m* undergrowth
sous-chef *m/f* second-in-command
souscripteur [suskʀiptœʀ] *m* subscriber
souscription [suskʀipsjõ] *f* **1.** subscription (*a* FIN); (*quête*) fund **2.** *somme* subscription
souscrire [suskʀiʀ] *v/t indir* ⟨→ **écrire**⟩ **1.** to take out a subscription (***à une publication*** to a publication); to subscribe (***à un emprunt*** to a loan); *donner de l'argent* to subscribe (***à qc*** to sth) **2.** *fig* ***~ à*** to subscribe to
souscrit [suskʀi] *pp*→ ***souscrire*** *et adj* ⟨**-ite** [-it]⟩ FIN subscribed
sous-cutané [sukytane] *adj* ⟨**~e**⟩ MÉD subcutaneous
sous-développé [sudevlɔpe] *adj* ⟨**~e**⟩ underdeveloped **sous-développement** *m* underdevelopment
sous-directeur [sudiʀɛktœʀ] *m*, **sous-directrice** [-tʀis] *f* assistant manager
sous-emploi [suzɑ̃plwa] *m* underemployment
sous-entendre [suzɑ̃tɑ̃dʀ] *v/t* ⟨→ **rendre**⟩ to imply
sous-entendu [suzɑ̃tɑ̃dy] *m* insinuation
sous-estimer [suzɛstime] *v/t* to underestimate
sous-évaluer [suzevalɥe] *v/t* to undervalue
sous-exposé [suzɛkspoze] *adj* ⟨**~e**⟩ PHOT underexposed
sous-fifre [sufifʀ] *m fam* sidekick *fam*
sous-lieutenant [suljøtnɑ̃] *m* second lieutenant
sous-locataire [sulɔkatɛʀ] *m/f* subtenant **sous-location** *f* subletting
sous-louer [sulwe] *v/t* **1.** *locataire principal* to sublet **2.** *sous-locataire* to rent as a subtenant
sous-main [sumɛ̃] **1.** *m* ⟨*inv*⟩ desk blotter **2.** ***en ~*** secretly
sous-marin [sumaʀɛ̃] **I** *adj* ⟨**-ine** [-in]⟩ underwater **II** *m* submarine
sous-officier [suzɔfisje] *m* non-commissioned officer
sous-pied [supje] *m d'un pantalon* stirrup
sous-préfecture [supʀefɛktyʀ] *f* sub-prefecture **sous-préfet** *m* sub-prefect
sous-produit [supʀɔdɥi] *m* by-product
sous-pull *m* turtleneck sweater
soussigné [susiɲe] *adj* ⟨**~e**⟩ JUR undersigned; ***je ~ X déclare*** I the undersigned X certify
sous-sol [susɔl] *m* **1.** *d'une maison* basement **2.** GÉOL subsoil
sous-titre [sutitʀ] *m* subtitle **sous-titrer** *v/t* to subtitle
soustraction [sustʀaksjõ] *f* MATH subtraction
soustraire [sustʀɛʀ] ⟨→ **traire**⟩ **I** *v/t* **1.** MATH to subtract (***de*** from) **2.** (*voler*) to purloin (***qc à qn*** sth from sb); to remove (***qc*** sth) **3.** (*faire échapper*) ***~ à*** to shield from **II** *v/pr* ***se ~ à qc*** to escape sth
sous-traitance [sutʀɛtɑ̃s] *f* subcontracting **sous-traitant** *m* subcontractor
sous-verre [suvɛʀ] *m* ⟨*inv*⟩ clip frame
sous-vêtements *mpl* underwear (+ *v sg*)
soutane [sutan] *f* cassock
soute [sut] *f* AVIAT, MAR hold; ***~ à bagages*** hold
soutenable [sutnabl] *adj* **1.** *opinion* tenable **2.** (*supportable*) ***pas ~*** intolerable
soutenance [sutnɑ̃s] *f* UNIV *d'une thèse* defense, *brit* viva
soutènement [sutɛnmɑ̃] *m* ***mur m de ~*** retaining wall
souteneur [sutnœʀ] *m* pimp
soutenir [sutniʀ] *v/t* ⟨→ **venir**⟩ **1.** CONSTR, *malade*, *fig monnaie* to support **2.** (*aider*) to support; ***~ qn*** to support sb **3.** *attaque* to withstand; *regard* to meet **4.** *attention* to maintain; *conversation* to keep going; ***~ son effort*** to keep up one's efforts **5.** (*prétendre*) to maintain **6.** *point de vue* to support; UNIV ***~ une thèse*** to defend a thesis, *brit* to take a viva
soutenu [sutny] *adj* ⟨**~e**⟩ **1.** *effort*, *attention* sustained; *effort* unflagging **2.** *couleur* strong **3.** *style* formal
souterrain [sutɛʀɛ̃] **I** *adj* ⟨**-aine** [-ɛn]⟩ underground **II** *m* underground passage; *pour piétons*, *voitures* underpass
soutien [sutjɛ̃] *m* **1.** (*aide*) support; ***apporter son ~ à qn*** to give sb one's support **2.** *personne*, *chose* support; ***~ de famille*** breadwinner
soutien-gorge *m* ⟨**soutiens-gorge**⟩ brassière (*abr* bra)

soutirage [sutiʀaʒ] *m du vin* decanting
soutirer [sutiʀe] *v/t* **1.** *vin* to decant **2.** **~ à qn** *argent fam* to get out of sb; *information* to extract from sb
souvenance [suvnɑ̃s] *f litt* recollection
▶ **souvenir**[1] [suvniʀ] *v/pr* ⟨→ **venir**⟩ **se ~ de qn, qc** to remember sb, sth
▶ **souvenir**[2] *m* **1.** memory (**de** of); **en ~** in memory (**de** of); **garder un bon ~ de qn, qc** to have happy memories of sb, sth **2.** **meilleurs ~s** best wishes (**de Paris** from Paris) **3.** *objet* souvenir
▶ **souvent** [suvɑ̃] *adv* often; **assez souvent** quite often; ▶ **le plus souvent** most of the time
souverain [suvʀɛ̃] **I** *adj* ⟨**-aine** [-ɛn]⟩ **1.** POL sovereign **2.** (*suprême*) sovereign; **remède ~** sovereign remedy **II** **~(e)** *m(f)* sovereign
souverainement [suvʀɛnmɑ̃] *adv* **1.** *décider* with sovereign authority **2.** **~ intelligent** highly intelligent **3.** **déplaire ~** to displease exceedingly
souveraineté [suvʀɛnte] *f* sovereignty; **~ du peuple** sovereignty of the people
soviétique [sɔvjetik] *adj* HIST Soviet; **l'Union** *f* **~** the Soviet Union
soyeux [swajø] **I** *adj* ⟨**-euse** [-øz]⟩ silky **II** *m à Lyon* silk manufacturer
soyez, soyons [swaje, swajõ] → **être**[1]
S.P.A. [ɛspea] *f, abr* → **société**
spacieux [spasjø] *adj* ⟨**-euse** [-øz]⟩ spacious
spaghetti(s) [spageti] *mpl* spaghetti (+ *v sg*)
sparadrap [spaʀadʀa] *m* Band-Aid®, *brit* plaster
spartiate [spaʀsjat] **I** *adj* Spartan **II** **~s** *fpl* Roman sandals
spasme [spasm] *m* spasm
spasmodique [spasmɔdik] *adj* spasmodic
spasmophilie [spasmɔfili] *f* MÉD smasmophilia
spatial [spasjal] *adj* ⟨**~e; -aux** [-o]⟩ spatial; ▶ **vol spatial** space flight
spationaute [spasjonot] *m/f* astronaut
spatule [spatyl] *f* **1.** *outil* spatula (*a* MÉD, CUIS) **2.** *d'un ski* tip
speaker [spikœʀ] *m* announcer
▶ **spécial** [spesjal] *adj* ⟨**~e; -aux** [-o]⟩ **1.** special; **rien de ~** nothing special; **~ à qn** restricted to sb **2.** (*bizarre*) strange
spécialement [spesjalmɑ̃] *adv* especially; (*exprès*) specially, particularly **spécialisation** *f* specialization
spécialisé [spesjalize] *adj* ⟨**~e**⟩ specialized; *ouvrier* semi-skilled **être ~ dans** to specialize in
spécialiser [spesjalize] *v/pr* **se ~** to specialize (**dans** in)
▶ **spécialiste** [spesjalist] *m/f* **1.** specialist (**de** in) **2.** MÉD specialist
spécialité [spesjalite] *f* **1.** (*domaine*) specialty; *fam, iron* **c'est sa ~** it's her specialty **2.** CUIS specialty
spécieux [spesjø] *adj* ⟨**-euse** [-øz]⟩ specious
spécification [spesifikasjõ] *f* specification **spécificité** *f* specificity
spécifier [spesifje] *v/t* to specify; **bien ~** to make quite clear
spécifique [spesifik] *adj* specific
spécimen [spesimɛn] *m* **1.** (*représentant*) specimen; **un ~ rare** a rare specimen **2.** *d'un livre* sample copy; *d'une revue* sample number
▶ **spectacle** [spɛktakl] *m* **1.** (*tableau*) sight; **à ce ~** at this sight; *péj* **se donner en ~** to make a spectacle of o.s. **2.** (*représentation*) show; **industrie** *f* **du ~** show business; **salle** *f* **de ~** theater; **aller au ~** to go to a show
spectaculaire [spɛktakylɛʀ] *adj* spectacular
▶ **spectateur** [spɛktatœʀ] *m*, **spectatrice** [spɛktatʀis] *f* spectator
spectral [spɛktʀal] *adj* ⟨**~e; -aux** [-o]⟩ **1.** ghostly **2.** PHYS spectral
spectre [spɛktʀ] *m* **1.** (*fantôme*) ghost; *fig* specter **2.** PHYS spectrum
spéculaire [spekylɛʀ] *adj* specular
spéculateur [spekylatœʀ] *m*, **spéculatrice** [-tʀis] *f* speculator **spéculatif** *adj* ⟨**-ive** [-iv]⟩ FIN speculative **spéculation** *f* speculation
spéculer [spekyle] *v/i* to speculate (**en Bourse** on the Stock Market; **sur** on)
spéléologie [speleɔlɔʒi] *f* caving **spéléologique** *adj* speleological **spéléologue** *m/f* caver
spermatozoïde [spɛʀmatɔzɔid] *m* sperm
sperme [spɛʀm] *m* sperm
spermicide [spɛʀmisid] *m* spermicide
sphère [sfɛʀ] *f* **1.** MATH sphere **2.** *fig* sphere; **~ d'influence** sphere of influence
sphérique [sfeʀik] *adj* **1.** (*rond*) spherical **2.** MATH spherical
sphincter [sfɛ̃ktɛʀ] *m* sphincter
sphinx [sfɛ̃ks] *m* **1.** ART, MYTH sphinx **2.**

fig sphinx
spinnaker [spinakɛʀ] *m* spinnaker
spirale [spiʀal] *f* spiral; ***en ~*** in a spiral
spire [spiʀ] *f* TECH single turn
spiritisme [spiʀitism] *m* spiritualism
spiritualiser [spiʀitɥalize] *v/t* to spiritualize **spiritualisme** *m* spiritualism
spiritualiste [spiʀitɥalist] **I** *adj* spiritualist **II** *m* spiritualist
spiritualité [spiʀitɥalite] *f* **1.** *de l'âme, etc* spiritual nature **2.** REL spirituality
spirituel [spiʀitɥɛl] *adj* ⟨**~le**⟩ **1.** (*moral*) spiritual **2.** REL spiritual **3.** (*plein d'esprit*) witty
spiritueux [spiʀitɥø] *mpl* spirits
spleen [splin] *m litt* melancholy
splendeur [splɑ̃dœʀ] *f* **1.** splendor **2.** ***une ~*** a magnificent thing
splendide [splɑ̃did] *adj* splendid
spolier [spɔlje] *v/t st/s* to despoil; ***~ qn de qc*** to rob sb of sth
spongieux [spɔ̃ʒjø] *adj* ⟨**-euse** [-øz]⟩ spongy
sponsor [spɔ̃sɔʀ] *m* sponsor **sponsoriser** *v/t* to sponsor
spontané [spɔ̃tane] *adj* ⟨**~e**⟩ spontaneous; *personne, caractère* spontaneous
spontanéité [spɔ̃taneite] *f* spontaneousness; *de qn* spontaneity
spontanément [spɔ̃tanemɑ̃] *adv* spontaneously
sporadicité [spɔʀadisite] *f* sporadic nature **sporadique** *adj* sporadic
spore [spɔʀ] *f* BIOL spore
▶ **sport** [spɔʀ] **I** *m* **1.** sport; ***sport de compétition*** competitive sport; ***faire du sport*** to do sport **2.** (*forme de sport*) sport; ***sport*** *pl* ***d'équipe*** team sport (+ *v sg*); ▶ ***sport*** *pl* ***d'hiver*** winter sport; → ***Sport*** **3.** *fam, fig* ***il va y avoir du sport*** sparks are going to fly *fam, fig* **II** *adj* ⟨*inv*⟩ casual
▶ **sportif** [spɔʀtif] **I** *adj* ⟨**-ive** [-iv]⟩ **1.** (*relatif au sport*) sport **2.** *personne, allure* athletic **3.** (*beau joueur*) sporting *épith* **II ~, *sportive*** *m/f* sportsman, sportswoman
sportivement [spɔʀtivmɑ̃] *adv* sportingly
spot [spɔt] *m* **1.** *lampe* spotlight **2.** **~ (*publicitaire*)** ad *fam*
sprat [spʀat] *m* sprat
spray [spʀɛ] *m* spray
sprint [spʀint] *m* **1.** final spurt **2.** (*course de vitesse*) sprint
sprinter[1] [spʀintœʀ] *m* sprinter
sprinter[2] [spʀinte] *v/i* to sprint
squale [skwal] *m* shark
square [skwaʀ] *m* public garden
squash [skwaʃ] *m* squash
squat [skwat] *fam m* squat
squatter [skwate] *ou* **squattériser** [skwateʀize] *v/t* to squat in
squatteur [skwatœʀ] *m* squatter
squelette [skəlɛt] *m* ANAT, TECH skeleton
squelettique [skəletik] *adj* **1.** skeletal **2.** *fig* skeleton-like
Sri Lanka [sʀilɑ̃ka] ***le ~*** Sri Lanka
S.S. [ɛsɛs] HIST ***les ~*** *mpl* the SS; ***un ~*** an SS man
St *abr* (= **saint**) St.
stabilisant [stabilizɑ̃] *m* CHIM stabilizer
stabilisateur [stabilizatœʀ] **I** *adj* ⟨**-trice** [-tʀis]⟩ stabilizing **II** *m* **1.** AUTO anti-roll bar; MAR stabilizer; AVIAT tailplane **2.** CHIM stabilizer
stabilisation [stabilizasjɔ̃] *f* stabilization
stabiliser [stabilize] **I** *v/t* to stabilize (*a* ÉCON, TECH) **II** *v/pr* ***se ~*** to stabilize
stabilité [stabilite] *f* stability (*a* ÉCON, TECH); *d'une échelle* steadiness
stable [stabl] *adj* stable (*a* ÉCON, TECH); *échelle* steady
▶ **stade** [stad] *m* **1.** SPORT stadium **2.** (*phase*) stage
staff [staf] *m* staff
▶ **stage** [staʒ] *m* course; *pour avocat débutant* internship, *brit* articles (+ *v pl*); *pour professeur débutant* teaching practice; *dans une entreprise* internship, *brit* work experience
▶ **stagiaire** [staʒjɛʀ] **I** *m/f* trainee; *dans une entreprise* intern **II** *adj* ***avocat*** *m* **~** legal intern; ***professeur*** *m* **~** student teacher
stagnant [stagnɑ̃] *adj* ⟨**-ante** [-ɑ̃t]⟩ **1.** ***eaux ~es*** stagnant waters **2.** ÉCON stagnant
stagnation [stagnasjɔ̃] *f* ÉCON stagnation
stagner [stagne] *v/i* **1.** *liquide* to become stagnant **2.** *fig* to stagnate
stalactite [stalaktit] *f* stalactite
stalagmite [stalagmit] *f* stalagmite
stalinisme [stalinism] *m* Stalinism
stalle [stal] *f* **1.** ÉGL ***~s*** *pl* stalls **2.** *dans une écurie* stall
stances [stɑ̃s] *fpl poème* stanzas
stand [stɑ̃d] *m* **1.** *d'exposition* stand **2.** *pour voitures de course* ***~ de ravitaillement*** pits (+ *v pl*) **3.** **~ (*de tir*)** shooting

range

standard [stɑ̃daʀ] *m* **1.** (*type*) standard; *adjt* ⟨*inv*⟩ standard **2.** switchboard

standardisation [stɑ̃daʀdizasjõ] *f* standardization **standardiser** *v/t* to standardize **standardiste** *m/f* switchboard operator

standing [stɑ̃diŋ] *m* status; ***appartement** m **de grand ~*** luxury apartment

staphylocoque [stafilɔkɔk] *m* BIOL staphylococcus; ***~s** pl* staphylococci

star [staʀ] *f* star

starlette [staʀlɛt] *f* starlet

starter [staʀtɛʀ] *m* AUTO choke

starting-block [staʀtiŋblɔk] *m* ⟨**starting-blocks**⟩ starting block

▶ **station** [stasjõ] *f* **1.** CH DE FER, *etc* station; *bus* bus station; ▶ ***station de métro*** subway station, *brit* underground station; ***station de taxis*** cab stand, *brit* taxi rank **2.** (*ville*) resort; ***station thermale*** spa; ***station de sports d'hiver*** ski resort **3.** TECH station; ***station météorologique*** weather station; ***station orbitale, spatiale*** space, orbital station; ***station d'épuration*** water treatment plant; ***station de radio*** radio station; INFORM ***station de travail*** workstation **4.** ***station debout*** standing position

stationnaire [stasjɔnɛʀ] *adj* stationary

stationné [stasjɔne] *adj* ⟨**~e**⟩ **1.** *véhicule* parked **2.** *troupes* stationed

▶ **stationnement** [stasjɔnmɑ̃] *m* parking

▶ **stationner** [stasjɔne] *v/i* to park

▶ **station-service** *f* ⟨**stations-service**⟩ service station

statique [statik] *adj* static

statisticien [statistisjɛ̃] *m*, **statisticienne** [-jɛn] *f* statistician

statistique [statistik] **I** *adj* statistical **II** *f* statistic

statuaire [statɥɛʀ] *f* statuary

▶ **statue** [staty] *f* statue

statuer [statɥe] *v/t indir* ***~ sur qc*** to give a ruling on sth

statuette [statɥɛt] *f* statuette

statufier [statyfje] *v/t plais* to petrify

statu quo [statykwo] *m* status quo

stature [statyʀ] *f* **1.** stature **2.** *fig de qn* caliber

statut [staty] *m* **1.** (*règlement*) ***~s** pl* statutes **2.** (*position*) status

statutaire [statytɛʀ] *adj* statutory

Ste *abr* (= **sainte**) St.

Sté *abr* (= **Société**) Co.

▶ **steak** [stɛk] *m* steak

stéarine [steaʀin] *f* CHIM stearin

stéatite [steatit] *f* GÉOL steatite

stèle [stɛl] *f* BOT stele

sténo [steno] *f*, *abr* **1.** (*sténographie*) shorthand **2.** → ***sténodactylo***

sténodactylo [stenɔdaktilo] *f* shorthand typist

sténographie [stenɔgʀafi] *f* shorthand **sténographier** *v/t* to take down in shorthand **sténographique** *adj* shorthand

sténotypiste [stenɔtipist] *m/f* stenotypist

stentor [stɑ̃tɔʀ] *m **voix** f **de ~*** stentorian voice

stéphanois [stefanwa] *adj* ⟨**-oise** [-waz]⟩ (*et subst* ***Stéphanois*** person from Saint-Étienne) from Saint-Étienne

steppe [stɛp] *f* steppe

stère [stɛʀ] *m* stere

stéréo [steʀeo] **I** *f* stereo; ***en ~*** in stereo **II** *adj* ⟨*inv*⟩ stereo

stéréoscope [steʀeɔskɔp] *m* OPT stereoscope

stéréotype [steʀeɔtip] *m* stereotype **stéréotypé** *adj* ⟨**~e**⟩ stereotyped

stérile [steʀil] *adj* **1.** *sol, être vivant* infertile **2.** *pansement, etc* sterile **3.** *fig* sterile

stérilet [steʀilɛ] *m contraceptif* coil

stérilisateur [steʀilizatœʀ] *m* sterilizer

stérilisation [steʀilizasjõ] *f* **1.** (*désinfection*) sterilization **2.** *d'une personne* sterilization **stériliser** *v/t* **1.** (*désinfecter*) to sterilize **2.** *personne* to sterilize

stérilité [steʀilite] *f* infertility

sternum [stɛʀnɔm] *m* sternum

stéthoscope [stetɔskɔp] *m* stethoscope

steward [stiwaʀd] *m* steward; AVIAT flight attendant

stick [stik] *m produit de beauté* stick

stigmate [stigmat] *m* **1.** REL ***~s** pl* stigmata **2.** *péj* scars (+ *v pl*)

stigmatisation [stigmatizasjõ] *f* REL stigmatization *a fig*

stigmatiser [stigmatize] *v/t* to stigmatize

stimulant [stimylɑ̃] **I** *adj* ⟨**-ante** [-ɑ̃t]⟩ stimulating **II** *m* **1.** PHARM stimulant **2.** *fig* incentive

stimulateur [stimylatœʀ] *m* ***~ cardiaque*** pacemaker

stimulation [stimylasjõ] *f* **1.** (*encouragement*) incentive **2.** *de l'appétit, etc* stimulation

stimuler [stimyle] *v/t* **1.** *personne, zèle* to encourage **2.** *digestion, appétit* to stimulate
stipendié [stipɑ̃dje] *adj* ⟨**~e**⟩ *litt* hired
stipulation [stipylasjõ] *f* JUR stipulation
stipuler [stipyle] *v/t* **1.** JUR ***le contrat stipule que …*** the contract lays down that … **2.** (*spécifier*) ***il est stipulé que …*** it is clearly stated that …
stock [stɔk] *m* **1.** COMM stock; ***en ~*** in stock **2.** *fam* (*réserve*) supply
stockage [stɔkaʒ] *m* storage (*a* INFORM) **stocker** *v/t* to store (*a* INFORM); *pour spéculer* to stockpile
stoïcisme [stɔisism] *m* stoicism *a fig*
stoïque [stɔik] *adj* stoical
stop [stɔp] **I** *int* stop **II** *m* **1.** *panneau* stop sign **2.** AUTO brake light **3.** *fam* (*auto-stop*) hitchhiking; ***aller en stop*** to hitchhike; ► ***faire du stop*** to hitchhike
stoppage [stɔpaʒ] *m* invisible mending
stopper¹ [stɔpe] *v/t et v/i* to stop
stopper² *v/t* COUT to mend
stoppeur [stɔpœʀ] *m* **1.** (*auto-~*) hitchhiker **2.** FOOT fullback
store [stɔʀ] *m* **1.** *léger* shade **2.** *à lamelles* ~ (***vénitien***) venetian blind **3.** *en biais* awning **4.** (*voilage*) net curtain
strabisme [stʀabism] *m* squint; strabismus *t/t*
stradivarius [stʀadivaʀjys] *m violon* Stradivarius
strangulation [stʀɑ̃gylasjõ] *f* strangulation
strapontin [stʀapõtɛ̃] *m* tip-up seat
Strasbourg [stʀazbuʀ] Strasbourg
strass [stras] *m* paste
stratagème [stʀataʒɛm] *m* stratagem
strate [stʀat] *f* GÉOL stratum
stratège [stʀatɛʒ] *m* MIL, *fig* strategist
stratégie [stʀateʒi] *f* strategy **stratégique** *adj* strategic
stratification [stʀatifikasjõ] *f* GÉOL stratification
stratifié [stʀatifje] **I** *adj* ⟨**~e**⟩ TECH, GÉOL stratified **II** *m* laminate
stratosphère [stʀatɔsfɛʀ] *f* stratosphere
streptocoque [stʀɛptɔkɔk] *m* BIOL streptococcus; ***~s*** *pl* streptococci
stress [stʀɛs] *m* stress
stressant [stʀɛsɑ̃] *adj* ⟨**-ante** [-ɑ̃t]⟩ stressful
stresser [stʀɛse] **I** *v/t* to put under stress; ***être stressé*** to be stressed(-out) **II** *v/i fam* to get stressed out *fam*
stretch [stʀɛtʃ] *m tissu* stretch fabric
strict [stʀikt] *adj* ⟨**~e**⟩ strict; *tenue* severe; *vérité* absolute; ***le ~ minimum*** the bare minimum; ***au sens ~*** in the strict sense; ***c'est son droit le plus ~*** it's the least he's entitled to
strictement [stʀiktəmɑ̃] *adv* strictly; ***~ rien*** absolutely
strident [stʀidɑ̃] *adj* ⟨**-ente** [-ɑ̃t]⟩ strident; *cri* shrill
stridulation [stʀidylasjõ] *f litt* stridulation
strie [stʀi] *f surtout pl* ***~s*** grooves; (*rayures*) streaks
strié [stʀije] *adj* ⟨**~e**⟩ grooved
string [stʀiŋ] *m* string
strip-tease [stʀiptiz] *m* strip(tease) **strip-teaseuse** *f* stripper
strophe [stʀɔf] *f* verse
structural [stʀyktyʀal] *adj* ⟨**~e; -aux** [-o]⟩ structural **structuralisme** *m* structuralism
structuration [stʀyktyʀasjõ] *f* structuring
structure [stʀyktyʀ] *f* structure; ***~(s) d'accueil*** facilities
structurel [stʀyktyʀɛl] *adj* ⟨**~le**⟩ structural **structurer** *v/t* to structure
strychnine [stʀiknin] *f* strychnine
stuc [styk] *m* stucco; ***~s*** *pl* stuccowork (+ *v sg*)
studieux [stydjø] *adj* ⟨**-euse** [-øz]⟩ studious; *vacances* study *épith*
studio [stydjo] *m* **1.** *logement* studio apartment **2.** RAD, TV studio **3.** FILM, PHOT, *d'un artiste* studio
stupéfaction [stypefaksjõ] *f* stupefaction
stupéfait [stypefɛ] *adj* ⟨**-faite** [-fɛt]⟩ astounded
stupéfiant [stypefjɑ̃] **I** *adj* ⟨**-ante** [-ɑ̃t]⟩ astounding **II** *m* drug; PHARM narcotic; ***trafic*** *m* ***de ~s*** drug trafficking
stupéfier [stypefje] *v/t* (*étonner*) to astound; (*consterner*) to stun
stupeur [stypœʀ] *f* **1.** (*étonnement*) astonishment; (*consternation*) dismay **2.** MÉD stupor
stupide [stypid] *adj* stupid; *travail* mindless; (*absurde*) ridiculous
stupidité [stypidite] *f* **1.** stupidity **2.** ***~s*** *pl* nonsense (+ *v sg*)
► **style** [stil] *m* **1.** style; ***~ gothique*** Gothic style; ***~ 1900*** nineteenth-century style; *par ext* ***~ de vie*** lifestyle **2.** GRAM ***~ (in)direct*** indirect speech

stylé [stile] *adj* ⟨**~e**⟩ *personnel* perfectly trained
stylet [stilɛ] *m poignard* stiletto
styliser [stilize] *v/t* to stylize
styliste [stilist] *m* **1.** COUT designer **2.** *écrivain* stylist
stylistique [stilistik] **I** *adj* stylistic **II** *f* stylistics (+ *v sg*)
▶ **stylo** [stilo] *m à plume* fountain pen; ▶ ***stylo*** **(*à*)** ***bille*** ballpoint (pen)
stylo-feutre *m* ⟨**stylos-feutres**⟩ felt-tip pen
stylomine® [stilɔmin] *m* propelling pencil
su [sy] **I** *pp* → ***savoir***[1] **II** *m* → ***vu***
suaire [sɥɛʀ] *m* ***le saint*** ~ the Holy Shroud
suant [sɥɑ̃] *adj* ⟨**-ante** [-ɑ̃t]⟩ **1.** sweaty **2.** *fam*, *fig* deadly *fam*, *fig*
suave [sɥav] *adj* suave
subalterne [sybaltɛʀn] **I** *adj* subordinate **II** *m* subordinate
subconscient [sypkõsjɑ̃] *m* subconscious
subdiviser [sybdivize] *v/t* to subdivide (***en*** into) **subdivision** *f* subdivision
▶ **subir** [sybiʀ] *v/t* **1.** *défaite*, *pertes* to suffer; *conséquences* to suffer; *opération* to undergo; ~ ***un interrogatoire*** to be questioned; ~ ***des violences*** to suffer violence **2.** ~ ***qn*** to put up with sb **3.** *chose*: *modification*, *etc* to undergo
subit [sybi] *adj* ⟨**-ite** [-it]⟩ sudden
subjectif [sybʒɛktif] *adj* ⟨**-ive** [-iv]⟩ subjective **subjectivité** *f* subjectivity
subjonctif [sybʒõktif] *m* subjunctive
subjuguer [sybʒyge] *v/t* to subjugate
sublimation [syblimasjõ] *f* CHIM, PSYCH sublimation
sublime [syblim] *adj* **1.** *beauté*, *spectacle*, *etc* sublime **2.** *personne* wonderful
sublimé [syblime] *m* CHIM sublimate **sublimer** *v/t* CHIM, PSYCH to sublimate
sublimité [syblimite] *litt f* sublimeness
submerger [sybmɛʀʒe] *v/t* ⟨**-ge-**⟩ **1.** (*inonder*) to submerge **2.** *fig sentiment* ~ ***qn*** to overwhelm sb; ***être submergé de travail*** to be snowed under with work; ***être submergé par la foule*** to be swamped by the crowd
submersible [sybmɛʀsibl] *m* submersible
subodorer [sybɔdɔʀe] *v/t plais* to suspect
subordination [sybɔʀdinasjõ] *f* subordination; ***conjonction*** *f* ***de*** ~ subordinating conjunction
subordonné [sybɔʀdɔne] *m* subordinate
subordonnée [sybɔʀdɔne] *f* (*a adj* ***proposition*** ~) subordinate clause
subordonner [sybɔʀdɔne] *v/t* ~ ***qn à*** to subordinate sb to; *décision*, *action* to make dependent (***à*** on); ***être subordonné à qn*** to be subordinate to sb
subornation [sybɔʀnasjõ] *f* ~ ***de témoins*** subornation of witnesses
subrepticement [sybʀɛptismɑ̃] *adv* surreptitiously
subrogé [sybʀɔʒe] *adj* ⟨**~e**⟩ JUR ~ ***tuteur*** ⟨*f* **subrogée tutrice**⟩ deputy guardian
subséquemment [sypsekamɑ̃] *adv* subsequently
subsides [sybzid, -psid] *mpl* subsidies
subsidiaire [sybzidjɛʀ] *adj* subsidiary; ***question*** *f* ~ tiebreaker
subsidiarité [sybzidjaʀite] *f* subsidiarity
subsistance [sybzistɑ̃s] *f* subsistence
subsister [sybziste] *v/i* **1.** *chose* to remain **2.** *personne* to survive
substance [sypstɑ̃s] *f* **1.** (*matière*) substance **2.** *d'un livre*, *discours* gist; ***en*** ~ essentially
substantiel [sypstɑ̃sjɛl] *adj* ⟨**~le**⟩ **1.** (*nourrissant*) substantial **2.** (*important*) substantial
substantif [sypstɑ̃tif] *m* noun
substantivé [sypstɑ̃tive] *adj* ⟨**~e**⟩ LING nominalized
substituer [sypstitɥe] **I** *v/t* to substitute (***une copie à l'original*** a copy for the original) **II** *v/pr* ***se*** ~ ***à*** to take the place of
substitut [sypstity] *m* substitute
substitution [sypstitysjõ] *f* substitution (*a* CHIM, MATH)
subterfuge [syptɛʀfyʒ] *m* subterfuge
subtil [syptil] *adj* ⟨**~e**⟩ **1.** *personne*, *esprit* discerning; *question* finely-judged; *péj* hairsplitting **2.** *différence*, *nuance* subtle; *odeur* pervasive
subtiliser [syptilize] *v/t fam* to pinch *fam* (***qc à qn*** sth from sb)
subtilité [syptilite] *f d'une personne* astuteness; *d'un raisonnement* subtlety; *péj* hairsplitting; *d'une nuance* subtleness
subtropical [sybtʀɔpikal] *adj* ⟨**~e; -aux** [-o]⟩ subtropical
suburbain [sybyʀbɛ̃] *adj* ⟨**-aine** [-ɛn]⟩

suburban

subvenir [sybvəniʀ] *v/t indir* ⟨→ **venir**; *mais*: **avoir**⟩ ~ ***à qc*** to provide for sth

subvention [sybvɑ̃sjõ] *f* grant

subventionner [sybvɑ̃sjɔne] *v/t* to subsidize

subversif [sybvɛʀsif] *adj* ⟨**-ive** [-iv]⟩ subversive **subversion** *f* subversion

suc [syk] *m* **1.** BIOL juice; ~ ***gastrique*** gastric juice **2.** *litt* meat

succédané [syksedane] *m* substitute (**de** for)

▶ **succéder** [syksede] ⟨**-è-**⟩ **I** *v/t indir* ~ ***à qc, qn*** to succeed sth, sb **II** *v/pr* ***se*** ~ to follow each other

> **succéder**
> **≠ succeed, have success**
>
> **Succéder** = succeed to a throne, etc. **Réussir** = to succeed (in business, life, etc).

▶ **succès** [syksɛ] *m* success; ***à*** ~ successful; ***avec*** ~ successfully; ***sans*** ~ unsuccessfully; ***avoir du*** ~ to be successful; *proposition* to meet with approval

successeur [syksesœʀ] *m* successor

successif [syksesif] *adj* ⟨**-ive** [-iv]⟩ successive

succession [syksesjõ] *f* **1.** (*suite*) succession **2.** *dans une fonction* succession; ***prendre la*** ~ ***de qn*** to succeed sb **3.** (*transmission de biens*) succession; ***par voie de*** ~ by right of inheritance **4.** (*biens transmis*) inheritance; ***droits*** *mpl* ***de*** ~ inheritance tax (+ *v sg*)

successivement [syksesivmɑ̃] *adv* successively

successoral [syksesɔʀal] *adj* ⟨**~e; -aux** [-o]⟩ JUR inheritance

succinct [syksɛ̃] *adj* ⟨**-cincte** [-sɛ̃t]⟩ succinct; *exposé* brief

succinctement [syksɛ̃tmɑ̃] *adv* succinctly

succion [sysjõ, syksjõ] *f* suction

succomber [sykõbe] *v/i* **1.** (*mourir*) to die; ~ ***à ses blessures*** to die of one's injuries **2.** (*céder*) to give in (***à la tentation*** to temptation)

succulence [sykylɑ̃s] *f litt* succulence **succulent** *adj* ⟨**-ente** [-ɑ̃t]⟩ succulent

succursale [sykyʀsal] *f* branch; ***magasin*** *m* ***à ~s multiples*** chain store

sucer [syse] *v/t* ⟨**-ç-**⟩ **1.** (*aspirer*) to suck **2.** *plaie* to lick **3.** *bonbon* to suck; ~ ***son pouce*** to suck one's thumb

sucette [sysɛt] *f bonbon* lollipop

suceur [sysœʀ] *m insecte* sucking insect

suçoir [syswaʀ] *m* ZOOL proboscis

suçon [sysõ] *m fam* hickey *fam*, *brit* love bite *fam*

suçoter [sysɔte] *v/t bonbon* to suck

sucrage [sykʀaʒ] *m du vin* sugaring **sucrant** *adj* ⟨**-ante** [-ɑ̃t]⟩ sweetening

▶ **sucre** [sykʀ] *m* sugar; ***un*** ~ a lump of sugar; ~ ***cristallisé*** granulated sugar; ~ ***glace*** confectioner's sugar, *brit* icing sugar; ~ ***d'orge*** barley sugar; ~ ***en morceaux*** lump sugar, *brit* cube sugar; ~ ***en poudre*** superfine sugar, *brit* caster sugar; *fig* ***casser du*** ~ ***sur le dos de qn*** to talk about sb behind their back

▶ **sucré** [sykʀe] *adj* ⟨**~e**⟩ **1.** sweetened; *subst* ***préférer le*** ~ ***au salé*** to prefer sweet to savory **2.** *fig*, *péj* sugary

sucrer [sykʀe] **I** *v/t* **1.** to put sugar in **2.** *fam* (*supprimer*) to stop **II** *v/pr fam* ***se sucrer*** **1.** to help o.s. to sugar **2.** *fig* (*se servir*) *fam* to line one's pockets

sucrerie [sykʀəʀi] *f* **1.** ***~s*** *pl* candy (+ *v sg*), *brit* sweets **2.** sugar refinery

sucrette® [sykʀɛt] *f* artificial sweetener

sucrier [sykʀije] **I** *adj* ⟨**-ière** [-jɛʀ]⟩ sugar; ***betterave sucrière*** sugar beet **II** *m* sugar bowl

▶ **sud** [syd] **I** *m* **1.** south; ***au*** ~ in the south (**de** of) **2.** *d'un pays, d'une ville, etc* ***le Sud*** the South; ***l'Afrique*** *f* ***du Sud*** South Africa **II** *adj* ⟨*inv*⟩ southern

sud-africain [sydafʀikɛ̃] **I** *adj* ⟨**-aine** [-ɛn]⟩ South African **II** ***Sud-Africain(e)*** *m(f)* South African

sud-américain [sydameʀikɛ̃] **I** *adj* ⟨**-aine** [-ɛn]⟩ South American **II** ***Sud-Américain(e)*** *m(f)* South American

sudation [sydasjõ] *f* sweating

sud-est [sydɛst] *m* south east; ***le Sud-Est asiatique*** South-East Asia

sudiste [sydist] HIST U.S.A. **I** *m/f* Confederate **II** *adj* Confederate

sudorifique [sydɔʀifik] *adj* PHARM sudorific

sudoripare [sydɔʀipaʀ] *adj* ***glandes*** *fpl* ***~s*** sweat glands

sud-ouest [sydwɛst] *m* south-west

▶ **Suède** [sɥɛd] ***la*** ~ Sweden

suédine [sɥedin] *f* suedette

▶ **suédois** [sɥedwa] **I** *adj* ⟨**-oise** [-waz]⟩ Swedish **II** *subst* **1.** ***le*** ~ Swedish **2.** ***Suédois(e)*** *m(f)* Swede

suée [sɥe] *f fam* sweat
suer [sɥe] *v/t et v/i* **1.** to sweat; *fig* **~ *sang et eau*** to sweat blood and tears **2.** *fam, fig* ***faire ~ qn*** to get on sb's nerves; *fam, fig* ***se faire ~*** to be bored to death *fam*
sueur [sɥœʀ] *f* sweat; ***cela vous donne des ~s froides*** it puts you in a cold sweat; ***être en ~, couvert de ~*** to be sweating, dripping with sweat
▶ **suffire** [syfiʀ] ⟨**je suffis, il suffit, nous suffisons; je suffisais; je suffis; je suffirai; que je suffise; suffisant; suffi**⟩ **I** *v/i* to be enough (***à qn*** for sb; ***pour qc*** for sth; ***à, pour*** + *inf* to + *inf*) **II** *v/imp* ***il suffit de*** +*inf ou* ***que ...*** +*subj* all you have to do is + *inf sans 'to'* **III** *v/pr* ***se ~ à soi-même*** to be self-sufficient
suffisamment [syfizamɑ̃] *adv* sufficiently **suffisance** *f* arrogance
▶ **suffisant** [syfizɑ̃] *adj* ⟨**-ante** [-ɑ̃t]⟩ **1.** (*qui suffit*) sufficient **2.** *personne, air, ton* arrogant
suffixe [syfiks] *m* suffix
suffocant [syfɔkɑ̃] *adj* ⟨**-ante** [-ɑ̃t]⟩ **1.** *atmosphère, chaleur* stifling **2.** *fig* astounding
suffocation [syfɔkasjõ] *f* suffocation
suffoquer [syfɔke] **I** *v/t* **~ *qn*** to suffocate sb, *fig* to astound sb **II** *v/i* to choke (*a fig* ***d'indignation*** with indignation)
suffrage [syfʀaʒ] *m* **1.** (*scrutin*) suffrage; ***~ universel*** universal suffrage **2.** (*voix*) vote; ***~s exprimés*** votes cast; *fig* ***remporter tous les ~s*** to meet with general approval
suggérer [sygʒeʀe] *v/t* ⟨**-è-**⟩ **1.** (*proposer*) **~ *qc à qn*** to suggest sth to sb **2.** (*évoquer*) to suggest **3.** *en influençant* **~ *qc à qn*** to give the idea of sth to sb
suggestible [sygʒɛstibl] *adj* suggestible
suggestif [sygʒɛstif] *adj* ⟨**-ive** [-iv]⟩ **1.** *paroles, musique* evocative **2.** *déshabillé, pose* provocative **suggestion** *f* **1.** (*proposition*) suggestion **2.** PSYCH suggestion
suggestionner [sygʒɛstjɔne] *v/t* **~ *qn*** to put an idea into sb's head
suicidaire [sɥisidɛʀ] *adj acte, personne* suicidal
suicide [sɥisid] *m* suicide
suicidé(e) [sɥiside] *m(f)* suicide victim
suicider [sɥiside] *v/pr* ***se ~*** to commit suicide
suie [sɥi] *f* soot
suif [sɥif] *m* tallow
suinter [sɥɛ̃te] *v/i* **1.** *liquide* to ooze **2.** *mur* to drip; *plaie* to weep
suis¹ [sɥi] → ***être¹***
suis² → ***suivre***
▶ **Suisse** [sɥis] ***la ~*** Switzerland
▶ **suisse** [sɥis] **I** *adj* Swiss **II** *subst* **1.** ***Suisse*** *m/f* Swiss **2.** *m* CATH verger **3.** *fam* ***boire en ~*** to drink in secret
Suissesse [sɥisɛs] *f* Swiss woman
▶ **suite** [sɥit] *f* **1.** continuation; ***propos*** *mpl* ***sans suite*** incoherent comments; ***à la suite, de suite*** in a row; ▶ ***tout de suite*** immediately; ***à la suite de*** after; (*derrière*) behind; (*à cause de*) because of; ***par la suite*** later; ***par suite de*** due to; ***avoir de la suite dans les idées*** to be single-minded; ***faire suite à qc*** to follow sth; ***prendre la suite de qn*** to succeed sb **2.** *d'un roman, d'une affaire* sequel; ***et ainsi de suite*** and so on **3.** (*série*) series (+ *v sg*) **4.** (*escorte*) retinue **5.** MUS, *dans un hôtel* suite

> **suite**
>
> **Suite** = the noun from the verb **suivre** (to follow):
>
> **la suite au prochain numéro. Je n'ai pas entendu la suite de l'histoire parce que le téléphone a sonné.**
>
> to be continued. I didn't hear the end of the story because the phone rang.

▶ **suivant** [sɥivɑ̃] **I** *adj* ⟨**-ante** [-ɑ̃t]⟩ following; *subst* ***au ~!*** next! **II** *prép* **1.** (*conformément à*) in accordance with **2.** (*selon*) according to; **~ *le(s) cas*** depending on the circumstances **III** *conj* **~ *que ...*** depending on whether ...
suivante [sɥivɑ̃t] *f autrefois* lady-in-waiting
suiveur [sɥivœʀ] *m* SPORT follower
suivi [sɥivi] **I** *adj* ⟨**~e**⟩ **1.** sustained; *correspondance* regular; *qualité* consistent; ***très ~*** *procès* very popular; *exemple* widely-followed; *cours* well-attended **2.** *raisonnement* coherent **II** *m* follow-up; (*surveillance*) monitoring; *de personnes* aftercare
▶ **suivre** [sɥivʀ] ⟨**je suis, il suit, nous suivons; je suivais; je suivis; je suivrai; que je suive; suivant; suivi**⟩ **I**

v/t **1. ~ qn, qc** to follow sb, sth; ***je vous suis*** I'll follow you; ***~ qn, qc des yeux*** to follow sb, sth with one's eyes; ***qc suit qc*** sth follows sth; ***comme suit*** as follows; *courrier* ***faire ~*** please forward **2.** *idée, piste, politique* to follow **3.** (*obéir à*) to follow; ***~ la mode*** to follow fashion; ***~ un traitement*** to follow a course of treatment **4.** (*être attentif à*) *conversation* to follow; *émission* to keep up with; *médecin* ***~ un malade*** to monitor a patient; ***à ~*** to be continued **5.** (*comprendre*) to follow **6.** (*assister à*) ***~ un, des cours*** to go to a class, classes **7.** COMM *article* to stock **II** *v/pr* ***se ~*** to follow each other; *numéros, pages* to be consecutive, to be in order; *voitures* ***se ~ de trop près*** to follow too close to the car in front

sujet[1] [syʒɛ] *adj* ⟨**-ette** [-ɛt]⟩ ***~ à qc*** subject to sth

▶ **sujet**[2] *m* **1.** subject (*a* MUS); ***sujet de conversation*** topic of conversation; ▶ ***au sujet de*** on the subject of; ***à ce sujet*** about that; ***c'est à quel sujet?*** what is it about? **2.** GRAM subject **3.** (*motif*) cause; ***sujet de mécontentement*** reason to be dissatisfied, grounds for dissatisfaction **4.** (*individu*) person; *péj* individual; MÉD experimental subject; ***mauvais sujet*** bad lot **5.** *d'un souverain* subject

sujétion [syʒesjõ] *f* **1.** *st/s* POL subjection **2.** *fig* constraint

sulfamide [sylfamid] *m* sulfa drug

sulfate [sylfat] *m* sulfate

sulfater [sylfate] *v/t* VIT to spray with copper sulfate

sulfateuse [sylfatøz] *f* **1.** VIT spraying machine **2.** *arg militaire* (*mitraillette*) *fam* machine gun

sulfure [sylfyʀ] *m* sulfide

sulfureux [sylfyʀø] *adj* ⟨**-euse** [-øz]⟩ *fig* demonic

sulfurique [sylfyʀik] *adj* ***acide*** *m* ***~*** sulfuric acid

sulfurisé [sylfyʀize] *adj* ⟨**~e**⟩ ***papier*** *m* ***~*** wax paper

sultan [syltã] *m* sultan

sultanat [syltana] *m* sultanate

summum [sɔmɔm] *m* height

sunlight [sœnlajt] *m* sun lamp

sunnites [synit] *mpl* Sunnis

sup [syp] *adj, abr* ⟨*inv*⟩ *fam* (= **supplémentaire**) ***heures*** *fpl* ***~*** overtime (+ *v sg*)

▶ **super** [sypɛʀ] *adj* ⟨*inv*⟩ *fam* neat *fam*

super... [sypɛʀ] *préfixe* super...

superbe [sypɛʀb] **I** *adj* superb **II** *f litt* arrogance

superchampion *m* superstar

supercherie [sypɛʀʃəʀi] *f* hoax

supérette [sypeʀɛt] *f* superette

superfétatoire [sypɛʀfetatwaʀ] *adj litt* superfluous

superficie [sypɛʀfisi] *f* **1.** area **2.** *fig* surface

superficiel [sypɛʀfisjɛl] *adj* ⟨**~le**⟩ superficial

superflu [sypɛʀfly] **I** *adj* ⟨**~e**⟩ superfluous **II** ***le ~*** non-essentials (+ *v pl*)

supergrand *m* superpower

supérieur [sypeʀjœʀ] **I** *adj* ⟨**~e**⟩ **1.** *localement* upper **2.** *hiérarchiquement* superior; ***cadres ~s*** senior managers; ***enseignement ~*** higher education; ***~ à qc*** higher than sth; ***être ~ à*** to be above **3.** (*dominant*) superior; ***qualité ~e*** superior quality; ***~ à qn, à qc*** superior to sb, sth **II** **supérieur(e)** *m(f)* **1.** superior **2.** REL superior

supérieurement [sypeʀjœʀmã] *adv* ***~ intelligent, doué*** exceptionally intelligent, gifted

supériorité [sypeʀjɔʀite] *f* superiority

superlatif [sypɛʀlatif] *m* superlative

▶ **supermarché** *m* supermarket

superposé *adj* ⟨**~e**⟩ superimposed; ***lits*** *mpl* ***~s*** bunk beds

superposer **I** *v/t* to stack **II** *v/pr* ***se ~*** to be one on top of the other

superposition *f* **1.** *action* stacking **2.** *état* superimposition

superproduction *f* blockbuster **superpuissance** *f* superpower

supersonique [sypɛʀsɔnik] *adj* supersonic

superstar *f* superstar

superstitieux [sypɛʀstisjø] *adj* ⟨**-euse** [-øz]⟩ superstitious **superstition** *f* superstition

superstructure *f* CONSTR, MAR superstructure

superviser [sypɛʀvize] *v/t* to supervise **superviseur** *m* INFORM supervisor

supplanter [syplãte] *v/t* to supplant

suppléance [sypleãs] *f* substitute post

suppléant [sypleã] *m*, **suppléante** [-ãt] *f* substitute

suppléer [syplee] *v/t indir* ***~ à qc*** to make up for sth

▶ **supplément** [syplemã] *m* **1.** supple-

ment; *financier* additional payment; ***un ~ d'information*** further information **2.** *d'un livre, d'un journal* supplement **3.** CH DE FER supplement; COMM extra charge; ***vin** m **en ~*** wine not included
supplémentaire [syplemɑ̃tɛʀ] *adj* additional; ▶ ***heure** f **supplémentaire*** hour's overtime; ***train** m **supplémentaire*** relief train
supplétif [sypletif] *adj* ⟨**-ive** [-iv]⟩ MIL back-up
suppliant [syplijɑ̃] *adj* ⟨**-ante** [-ɑ̃t]⟩ pleading
supplication [syplikasjõ] *f* plea
supplice [syplis] *m* **1.** (*peine corporelle*) torture; (*peine capitale*) execution **2.** (*souffrance*) agony; ***être au ~*** to be in agony
supplicié [syplisje] *m* torture victim
supplicier [syplisje] *v/t* to torture
supplier [syplije] *v/t* ***~ qn de*** *+inf* to plead with sb *+inf*
supplique [syplik] *f litt* petition
support [sypɔʀ] *m* **1.** TECH stand; *au mur, etc* mounting **2.** *fig* support (*a* INFORM); ***~ publicitaire*** advertising medium
supportable [sypɔʀtabl] *adj* bearable
▶ **supporter¹** [sypɔʀte] *v/t* **1.** TECH to support; *conséquences* to take; *frais* to bear **2.** *douleurs, épreuve, maladie* to endure; *douleurs* to bear; *critique, conduite de qn* to accept; ***ne pas ~ que*** *+subj* not to stand for (*+ v-ing*) **3.** *chaleur, froid, alcool* to take, to stand **4.** ***~ qn*** to support sb; SPORT *par ext* to support sb; ***ne pas pouvoir ~ qn*** not to be able to stand sb
supporter² [sypɔʀtɛʀ] *m* SPORT supporter
supposé [sypoze] *adj* ⟨**~e**⟩ supposed
▶ **supposer** [sypoze] *v/t* **1.** (*présumer*) to suppose; ***à ~ ou en supposant que …*** *+subj* supposing that … **2.** (*impliquer*) to imply
supposition [sypozisjõ] *f* supposition
suppositoire [sypozitwaʀ] *m* PHARM suppository
suppôt [sypo] *m* ***~ de Satan*** fiend
suppression [sypʀesjõ] *f* suppression
▶ **supprimer** [sypʀime] *v/t* to suppress; *censure* to abolish; *libertés* to destroy; *arrêt de bus* to remove; *trains* to cancel; *subventions, emplois, passage d'un texte* to cut; ***~ qc à qn*** to deprive sb of sth; ***~ qn*** to get rid of sb
suppuration [sypyʀasjõ] *f* suppuration
suppurer *v/i* to suppurate
supputation [sypytasjõ] *f* calculation
supputer *v/t* to calculate
supraconducteur [sypʀakõdyktœʀ] *m* ÉLEC superconductor **supranational** *adj* ⟨**~e; -aux**⟩ supranational
suprématie [sypʀemasi] *f* supremacy
suprême [sypʀɛm] *adj* **1.** (*supérieur*) supreme **2.** *st/s* (*très grand*) greatest **3.** *st/s* (*dernier*) last **4.** ***sauce** f **~*** supreme sauce
▶ **sur¹** [syʀ] *prép* **1.** *lieu*: on; *sans contact* over; ***s'asseoir ~ une chaise*** to sit down on a chair; ***être assis ~ une chaise*** to be sitting on a chair; *personne* ***avoir qc ~ soi*** to have sth on one; ***je n'avais pas d'argent ~ moi*** I didn't have any money on me; ***fermer la porte ~ soi*** to shut the door behind one; ***il pleut ~ Paris*** it's raining in Paris; ***retirer qc de ~ la table*** to take sth off the table; ***fenêtre ~ la rue*** window overlooking the street **2.** *temps*: around; ***~ ses vieux jours*** in his old age; ***~ le soir*** toward evening; *fam* ***aller ~ la cinquantaine*** to be going on for fifty *fam*; ***être ~ un travail*** to be doing a job; ***faire bêtise ~ bêtise*** to do one stupid thing after another **3.** *fig* on; ***~ (la) recommandation de*** on the recommendation of; ***juger ~ les apparences*** to judge by appearances **4.** (*au sujet de*) about; ***apprendre qc ~ qn*** to learn sth about sb **5.** *rapport numérique*: in; ***un cas ~ cent*** one in a hundred; ***un Français ~ deux*** one French person in two; *pièce* ***avoir trois mètres ~ cinq*** to be three meters by five; *élève* ***avoir douze ~ vingt*** to get twelve out of twenty
sur² *adj* ⟨**~e**⟩ sour
▶ **sûr** [syʀ] *adj* ⟨**~e**⟩ **1.** (*incontestable*) certain; ***c'est sûr et certain*** it's absolutely certain; ▶ ***bien sûr!*** of course! **2.** *personne* ***être sûr de qc*** to be sure of sth; ***être sûr de qn*** to trust sb; ***être sûr de soi*** to be sure of o.s. **3.** (*fiable*) reliable **4.** *endroit, quartier* safe
sur… [syʀ] *préfixe* over…
surabondance *f* overabundance (***de*** of)
surabondant *adj* ⟨**-ante** [-ɑ̃t]⟩ overabundant **surabonder** *v/i* to be overabundant
suraigu *adj* ⟨**-aiguë** [-egy]⟩ shrill; *voix* very high-pitched **surajouter** *v/t* to add
suralimentation *f* **1.** overeating **2.** *d'un*

moteur supercharging
suralimenter *v/t* **1.** to overfeed **2.** *moteur* to supercharge
suranné [syʀane] *adj* ⟨**~e**⟩ old-fashioned **surarmement** *m* stockpiling of weapons
surbaissé [syʀbese] *adj* ⟨**~e**⟩ **1.** ARCH ***arc ~*** flat arch **2.** *carrosserie* low-slung
surbooké [syʀbuke] *adj* ⟨**~e**⟩ overbooked **surbooking** *m* overbooking
surcharge *f* **1.** excess weight; *d'un véhicule* overloading **2.** *sur un timbre* overprint
surcharger *v/t* ⟨**-ge-**⟩ to overload; ***être surchargé de travail*** to be overloaded with work
surchauffe [syʀʃof] *f* ÉCON overheating; TECH superheating **surchauffé** *adj* ⟨**~e**⟩ *pièce* overheated *a fig*; TECH superheated
surchauffer *v/t* **1.** *pièce* to overheat **2.** TECH to superheat
surchoix *adj* ⟨*inv*⟩ top-quality
surclasser *v/t* SPORT, *fig* to outclass
surcomposé *adj* ⟨**~e**⟩ ***passé ~*** compound past tense
surconsommation *f* overconsumption
surcroît [syʀkʀwa] *m* ***~ de travail*** extra work; ***par, de ~*** moreover
surdité [syʀdite] *f* deafness; *incomplète* hearing difficulties (+ *v pl*)
surdoué *adj* ⟨**~e**⟩ exceptional
sureau [syʀo] *m* ⟨**~x**⟩ elder
sureffectif *m* overmanning
surélévation *f* raising; *d'une maison* addition of a story
surélever *v/t* ⟨**-è-**⟩ to raise; *maison* ***~ d'un étage*** to add another story to
▶ **sûrement** [syʀmɑ̃] *adv* safely
surenchère *f* **1.** higher bid **2.** *par ext* wild promises (***électorale*** in an election)
surenchérir *v/i* **1.** to raise one's bid **2.** *fig* to go one better
surendetté *adj* ⟨**~e**⟩ over-indebted **surendettement** *m* excessive debt
surent [syʀ] → ***savoir***[1]
surentraîné [syʀɑ̃tʀene] *adj* ⟨**~e**⟩ overtrained
suréquipement *m* overequipment; TECH overmechanization
surestimation *f* overestimate **surestimer** *v/t* to overestimate
sûreté [syʀte] *f* **1.** safety; ***de ~*** safety *épith*; ***en ~*** to safety **2.** ***Sûreté*** (***nationale***) *French criminal investigation department*, ≈ FBI, *brit* ≈ CID **3.** *d'une arme*, *d'un bijou* safety catch
surévaluer *v/t* to overvalue
surexcitation *f* overexcitement **surexcité** *adj* ⟨**~e**⟩ overexcited **surexciter** *v/t* to overexcite
surexploiter *v/t* to overexploit **surexposer** *v/t* to overexpose
surf [sœʀf] *m* **1.** surfing **2.** ~ (***des neiges***) snowboard
▶ **surface** [syʀfas] *f* **1.** (*partie apparente*) surface; ***surface de l'eau*** surface of the water; *sous-marin* ***faire surface*** to surface; *fig* ***refaire surface*** to resurface **2.** (*superficie*) surface area; ***surface de but, de réparation*** goal, penalty area **3.** COMM ▶ ***grande surface*** hypermarket
surfait *adj* ⟨**-faite**⟩ overrated
surfer [sœʀfe] *v/i* to surf; *fig* ***~ sur Internet*** to surf the Internet
surfeur [sœʀfœʀ] *m*, **surfeuse** [-øz] *f* surfer
surfiler *v/t* COUT to oversew
surfin *adj* ⟨**-ine**⟩ top-quality
surgelé [syʀʒəle] **I** *adj* ⟨**~e**⟩ deep-frozen **II** *mpl* **surgelés** frozen food (+ *v sg*)
surgénérateur *m* fast-breeder reactor
surgir [syʀʒiʀ] *v/i* to appear suddenly
surhomme *m* superman **surhumain** *adj* ⟨**-aine**⟩ superhuman
surimpression *f* superimposition; *fig* ***en ~*** superimposed
Surinam [syʀinam] ***le ~*** Surinam
surinfection *f* secondary infection
surir [syʀiʀ] *v/i* to go sour
surjet [syʀʒɛ] *m* overcast seam
sur-le-champ [syʀləʃɑ̃] *adv* immediately
surlendemain *m* ***le ~*** the day after next
surligner [syʀliɲe] *v/t* to highlight **surligneur** *m* highlighter
surmenage [syʀmənaʒ] *m* overwork; ***~ scolaire*** pushing children too hard at school
surmener ⟨**-è-**⟩ **I** *v/t* to overwork; ***surmené*** overworked **II** *v/pr* ***se ~*** to work too hard
surmontable [syʀmɔ̃tabl] *adj* surmountable
surmonter *v/t* **1.** *difficulté, peur, etc* to get over **2.** (*être placé au-dessus*) to top
surnager *v/i* ⟨**-ge-**⟩ to float
surnaturel I *adj* ⟨**~le**⟩ supernatural **II** ***le ~*** the supernatural
surnom *m* nickname
surnombre *adjt* ***en ~*** in surplus

surnommé *adj* ⟨**~e**⟩ nicknamed
surnommer *v/t* ***~ qn*** to nickname sb, to call sb; ***être surnommé …*** to be nicknamed …
surnuméraire *adj* supernumerary
surpasser **I** *v/t* ***~ qn*** to surpass sb (***en courage*** in bravery) **II** *v/pr* ***se ~*** to excel o.s.
surpeuplé *adj* ⟨**~e**⟩ overpopulated **surpeuplement** *m* overpopulation
surpiqûre *f* topstitch
surplace *m* ***faire du ~*** to make no progress
surplis [syʀpli] *m* CATH surplice
surplomb *m* overhang; ***en ~*** *balcon* projecting; *mur*, *rocher* overhanging
surplomber *v/t* to overhang
surplus [syʀply] *m* **1.** surplus **2.** ***au ~*** moreover
surpopulation *f* overpopulation; *des prisons* overcrowding
surprenant *adj* ⟨**-ante**⟩ surprising
▶ **surprendre** ⟨→ **prendre**⟩ **I** *v/t* **1.** (*étonner*) to surprise **2.** *voleur* to surprise; *secret* to discover **3.** *ennemi* to surprise; ***~ qn*** (***chez lui***) to pay a surprise visit to sb; ***être surpris par la pluie*** to be caught in the rain **II** *v/pr* ***se ~ à faire qc*** to catch o.s. doing sth
surpris *pp* → ***surprendre***
▶ **surprise** *f* **1.** surprise; ***à la ~ de tous*** to everyone's surprise; ***attaquer qn par ~*** to make a surprise attack on sb; ***faire une ~ à qn*** to give sb a surprise **2.** *adjt* surprise; ***attaque f ~*** surprise attack
surproduction *f* overproduction **surpuissant** *adj* ⟨**-ante** [-ɑ̃t]⟩ *moteur* supercharged
surréalisme *m* surrealism **surréaliste** **I** *adj* surrealist **II** *m* surrealist
surrénal *adj* ⟨**~e; -aux**⟩ ***glandes*** *ou* ***capsules ~es*** suprarenal glands
sursaut *m* **1.** jump; ***avoir un ~*** → ***sursauter***; ***se réveiller en ~*** to wake up with a start **2.** *de colère*, *etc* fit
sursauter *v/i* to jump
surseoir [syʀswaʀ] *v/t indir* ⟨**je sursois, il sursoit, nous sursoyons; je sursoyais; je sursis; je surseoirai; que je sursoie; sursoyant; sursis**⟩ ***~ à*** *décision* to defer
sursis [syʀsi] *m* **1.** JUR ***six mois de prison avec ~*** six-month suspended prison sentence **2.** (*délai*) extension; (*répit*) reprieve; ***être un mort en ~*** *malade* to be terminally ill; *criminel* to be a condemned man
sursitaire [syʀsitɛʀ] *m* deferred
surtaxe *f* surcharge; *d'une lettre* surcharge, *brit* excess postage
▶ **surtout** **I** *adv* especially; ***~ ne fais pas ça!*** don't do that, whatever you do!; *conj fam* ***~ que*** especially since **II** *m* overcoat
surveillance [syʀvɛjɑ̃s] *f* supervision (***de*** of); ***être placé sous la ~ de la police*** to be put under police surveillance
▶ **surveillant** [syʀvɛjɑ̃] *m*, **surveillante** [-ɑ̃t] *f* prison guard; ENSEIGNEMENT supervisor
surveillé [syʀveje] *adj* ⟨**~e**⟩ JUR ***liberté ~e*** probation; ***être en résidence ~e*** to be under house arrest
▶ **surveiller** [syʀveje] **I** *v/t* to watch; SPORT *adversaire* to mark; ***~ sa ligne*** to watch one's figure **II** *v/pr* ***se ~*** to watch one's step
survenir [syʀvəniʀ] *v/i* ⟨→ **venir**⟩ to turn up, *incident* to happen, *changement* to take place, *problème* to crop up
survêtement *m* sweatsuit
survie *f* **1.** survival **2.** REL afterlife
survivance [syʀvivɑ̃s] *f* survival
survivant **I** *adj* ⟨**-ante**⟩ surviving **II** **~(*e*)** *m(f)* survivor
▶ **survivre** ⟨→ **vivre**⟩ *v/t indir et v/i* to survive; ***~ à qn*** to survive sb; ***~ à qc*** to outlast sth; ***~ à un accident*** to survive an accident
survol *m* overflying
survoler *v/t* to fly over
survoltage [syʀvɔltaʒ] *m* ÉLEC boosting
survolté [syʀvɔlte] *adj* ⟨**~e**⟩ excited; *atmosphère* highly-charged
sus[1] [sy] → ***savoir***[1]
sus[2] [sy(s)] *adv st/s* ***courir ~ à l'ennemi*** to rush at the enemy; ***en ~*** in addition (***de*** to)
susceptibilité [sysɛptibilite] *f* touchiness
susceptible [sysɛptibl] *adj* **1.** *personne* touchy **2.** ***être ~ de*** *+inf* to be likely *+inf*; ***~ d'être amélioré*** able to be improved on
susciter [sysite] *v/t* to arouse
susdit [sy(s)di] *adj* ⟨**-ite** [-it]⟩ aforesaid
sushi [suʃi] *m* CUIS sushi
susnommé [sy(s)nɔme] *adj* ⟨**~e**⟩ above--named
▶ **suspect** [syspɛ(kt)] **I** *adj* ⟨**-ecte** [-ɛkt]⟩ suspected (***de qc*** of sth); suspicious **II** **~(*e*)** *m(f)* suspect

suspecter [syspɛkte] *v/t* to suspect; *la bonne foi de qn* to have doubts about
suspendre [syspɑ̃dʀ] *v/t* ⟨→ **rendre**⟩ **1.** (*accrocher*) to hang up **2.** (*interrompre*) *séance* to adjourn; *négociations* to break off; *paiements* to stop **3.** *fonctionnaire* to suspend; *permis de conduire* to withdraw
suspendu [syspɑ̃dy] *adj* ⟨**~e**⟩ **1.** hanging (***à, par*** by); ► ***être suspendu*** to hang; ***pont suspendu*** suspension bridge **2.** *voiture* ***bien suspendue*** with good suspension
suspens [syspɑ̃] ***en ~*** *affaire, question* on hold; *travail* unfinished
suspense [syspɛns] *m* suspense; ***film*** *m* ***à ~*** thriller
suspension [syspɑ̃sjõ] *f* **1.** AUTO, TECH suspension **2.** (*lustre*) pendant light **3.** *d'une séance* adjournment; *des paiements* suspension **4.** *d'un fonctionnaire* suspension **5.** ***points*** *mpl* ***de ~*** suspension points
suspentes [syspɑ̃t] *fpl* hawsers
suspicieux [syspisjø] *adj litt* ⟨**-euse** [-øz]⟩ suspicious
suspicion [syspisjõ] *f st/s* suspicion
sustentation [systɑ̃tasjõ] *f* ***train*** *m* ***à ~ magnétique*** maglev train
sustenter [systɑ̃te] *v/pr* ***se ~*** to sustain o.s.
susurrer [sysyʀe] *v/t et v/i* to whisper
sut, sût [sy] → ***savoir***[1]
suture [sytyʀ] *f* MÉD suture; ***point*** *m* ***de ~*** stitch
suturer [sytyʀe] *v/t* MÉD *plaie* to suture; *bords d'une plaie* to stitch
suzerain [syzʀɛ̃] *m* HIST suzerain
svelte [svɛlt] *adj* slender **sveltesse** *f* slenderness
S.V.P. *abr* (= **s'il vous plaît**) pls
sweat-shirt [switʃœʀt] *m* ⟨**sweat--shirts**⟩ sweatshirt
swing [swiŋ] *m* **1.** MUS swing **2.** SPORT swing
swinguer [swiŋge] *v/i* **1.** MUS to swing **2.** *fam, fig* ***ça swingue*** it's really swinging *fam*
syllabe [silab] *f* syllable
sylphe [silf] *m* sylph
sylviculture [silvikyltyʀ] *f* forestry
symbiose [sɛ̃bjoz] *f* symbiosis (+ *v sg*)
► **symbole** [sɛ̃bɔl] *m* **1.** symbol (*a* MATH, CHIM) **2.** REL Creed
symbolique [sɛ̃bɔlik] *adj* symbolic
symboliser *v/t* to symbolize **symbolisme** *m* **1.** symbolism **2.** ART Symbolism
symboliste [sɛ̃bɔlist] LITTÉR **I** *adj* Symbolist **II** *m* Symbolist
symétrie [simetʀi] *f* symmetry **symétrique** *adj* symmetrical
sympa [sɛ̃pa] *adj, abr fam* → ***sympathique***
sympathie [sɛ̃pati] *f* liking; (*condoléances*) sympathy; ***avoir de la ~ pour qn*** to like sb
► **sympathique** [sɛ̃patik] **I** *adj personne, visage* nice; *accueil* friendly; *soirée, ambiance* pleasant **II** *m* ANAT sympathetic

> **sympathique**
> **≠ understanding, nice to talk to**
>
> **Sympathique** = nice:
>
> **J'aime beaucoup Rob. Il est très sympathique.**
>
> I like Rob a lot. He's very nice.

sympathisant [sɛ̃patizɑ̃] *m*, **sympathisante** [-ɑ̃t] *f* sympathizer
sympathiser [sɛ̃patize] *v/i* to get on (***avec qn*** with sb); ***ils ont tout de suite sympathisé*** they clicked straightaway
symphonie [sɛ̃fɔni] *f* symphony
symphonique [sɛ̃fɔnik] *adj* symphonic; ***orchestre*** *m* ***~*** symphony orchestra
symphoniste [sɛ̃fɔnist] *m/f* symphonist
symposium [sɛ̃pozjɔm] *m* symposium
symptomatique [sɛ̃ptɔmatik] *adj* symptomatic (***de*** of)
symptôme [sɛ̃ptom] *m* symptom *a fig*
synagogue [sinagɔg] *f* synagogue
synchrone [sɛ̃kʀon] *adj* synchronous; ***moteur*** *m* ***~*** synchronous motor
synchronisation [sɛ̃kʀɔnizasjõ] *f* synchronization (*a* TECH)
synchronisé [sɛ̃kʀɔnize] *adj* ⟨**~e**⟩ synchronized; ***feux*** *mpl* ***~s*** synchronized lights
synchroniser [sɛ̃kʀɔnize] *v/t* to synchronize (*a* TECH, *film*)
syncope [sɛ̃kɔp] *f* **1.** MÉD ***avoir une ~*** to faint **2.** MUS syncopation
syndic [sɛ̃dik] *m* property agent
syndical [sɛ̃dikal] *adj* ⟨**~e; -aux** [-o]⟩ **1.** labor-union **2.** ***chambre ~e*** employers' confederation

syndicalisation [sɛ̃dikalizasjõ] *f* unionization
syndicalisme [sɛ̃dikalism] *m* unionism; ***faire du ~*** to be a union activist
syndicaliste [sɛ̃dikalist] **I** *adj* labor-union **II** *m/f* union member
▶ **syndicat** [sɛ̃dika] *m* **1.** *de salariés* union; *par ext* (*association*) association; ***syndicat patronal*** employers' federation **2.** ▶ ***syndicat d'initiative*** tourist office
syndiqué(e) [sɛ̃dike] *m(f)* union member
syndiquer [sɛ̃dike] *v/pr* ***se ~*** **1.** *salariés* to form a labor-union **2.** *adhérer* to join a labor-union
syndrome [sɛ̃dʀom] *m* syndrome
synergie [sinɛʀʒi] *f* synergy (*a* ÉCON)
synode [sinɔd] *m* synod
synonyme [sinɔnim] **I** *adj* synonymous; *fig* ***être ~ de*** to be synonymous with **II** *m* synonym
synonymie [sinɔnimi] *f* synonymy
synoptique [sinɔptik] *adj* synoptic; ***tableau*** *m* ***~*** overall view
synovie [sinɔvi] *f* synovia
syntaxe [sɛ̃taks] *f* syntax
syntaxique [sɛ̃taksik] *adj* syntactic
synthèse [sɛ̃tɛz] *f* synthesis (*a* CHIM); ***avoir l'esprit de ~*** to have an ability to see the big picture
▶ **synthétique** [sɛ̃tetik] *adj* synthetic (*a* CHIM); ***fibres*** *fpl* ***~s*** man-made fibers; ***résine*** *f* ***~*** synthetic resins (+ *v pl*)
synthétiser [sɛ̃tetize] *v/t* CHIM to synthesize
synthétiseur [sɛ̃tetizœʀ] *m* MUS synthesizer
syphilis [sifilis] *f* syphilis
Syrie [siri] ***la ~*** Syria
syrien [siʀjɛ̃] **I** *adj* ⟨**-ienne** [-jɛn]⟩ Syrian **II** ***Syrien(ne)*** *m(f)* Syrian
systématique [sistematik] *adj* systematic; *péj* automatic **systématiquement** *adv* systematically
systématisation [sistematizasjõ] *f* systematization **systématiser** *v/t* to systematize
système [sistɛm] *m* system (*a* POL, PHYS, INFORM, *etc*); *fam* ***je connais le ~*** I know how the system works; *fam* ***taper sur le ~ à qn*** to get on sb's nerves

T

T, t [te] *m* ⟨*inv*⟩ T, t
T9 *m* predictive texting
t' [t] → ***te***
▶ **ta** → ***ton***[1]
▶ **tabac** [taba] *m* **1.** tobacco; ▶ (***bureau*** *m* ***de***) ***tabac*** tobacco store **2.** *fam* ***passage*** *m* ***à tabac*** beating; ***passer qn à tabac*** to beat sb up **3.** *fam* ***faire un tabac*** to be a big hit *fam* **4.** MAR ***coup*** *m* ***de tabac*** squall **5.** *adjt* ⟨*inv*⟩ tobacco brown
tabagie [tabaʒi] *f* smoke-filled room **tabagisme** *m* smoking
tabasser [tabase] *v/t fam* to beat up
tabatière [tabatjɛʀ] *f* snuffbox
tabernacle [tabɛʀnakl] *m* tabernacle
▶ **table** [tabl] *f* **1.** table; ***table basse*** coffee table; *fig* ***table ronde*** round table; ***table à dessin, à repasser*** drawing, ironing board; ***table de nuit, de chevet*** nightstand, *brit* bedside table; ***table d'opération*** operating table; ***table de ping-pong*** table-tennis table; ***table de travail*** work table; *fig* ***faire table rase*** to make a clean sweep **2.** (*nourriture*) table; ***plaisirs*** *mpl* ***de la table*** gastronomic pleasures; ***être à table*** to be eating; ▶ ***mettre la table*** to lay the table; ***se mettre à table*** to sit down to eat; *fam*, *fig* (*avouer*) to come clean *fam*; ***passer à table*** to go to the table **3.** (*tableau*) table; ***table des matières*** table of contents; ***table de multiplication*** multiplication table
▶ **tableau** [tablo] *m* ⟨**~x**⟩ **1.** (*peinture*) painting; *fig*, *péj* ***vieux ~*** *fam* old hag *fam*; *par ext* ***~ de chasse*** bag; *fam*, *fig* list of conquests **2.** (*spectacle*) scene (*a* THÉ); sight **3.** (*description*) picture **4.** (*panneau*) board; ***~ d'affichage*** bulletin board; *dans une gare*, *etc* indicator board; ***~ de bord*** instrument panel **5.** ENSEIGNEMENT ***~*** (***noir***) (black)board **6.** (*liste*) table; ***~ d'avancement*** promotions table; ***~ des conjugaisons*** verb table; ENSEIGNEMENT ***~ d'honneur*** honor roll; ***~ de service*** duty roster
tablée [table] *f* (people round a) table

tabler [table] *v/t indir* **~ *sur qc*** to count on sth
tablette [tablɛt] *f* **1.** (*planchette*) shelf **2.** **~ *de chewing-gum*** stick of chewing gum; **~ *de chocolat*** bar of chocolate **3.** HIST tablet; *fig* ***noter qc sur ses ~s*** to make a note of sth
tableur [tablœʀ] *m* INFORM spreadsheet
tablier [tablije] *m* **1.** apron; **~ *à bavette*** bib apron; **~ *d'écolier*** school smock; *fig* ***rendre son ~*** to hand in your notice **2.** *d'un pont* roadway **3.** *d'une cheminée* hood
tabloïd(e)® [tablɔid] *m* tabloid
tabou [tabu] **I** *adj* ⟨**~e**⟩ taboo **II** *m* taboo
taboulé [tabule] *m* tabbouleh
tabouret [tabuʀɛ] *m* stool
tabulateur [tabylatœʀ] *m* tab key
tac [tak] ***du ~ au ~*** quick as a flash
▶ **tache** [taʃ] *f* **1.** stain; **~ *d'encre, de graisse*** ink, grease stain; **~*s*** *fpl* ***de rousseur, de son*** freckles; **~ *de vin*** wine stain; *fig* ***faire ~*** to be out of place (***dans*** in); *fig* ***faire ~ d'huile*** to spread **2.** (*tare*) blot
▶ **tâche** [tɑʃ] *f* **1.** (*devoir*) task; (*travail*) work **2.** ***travailler à la ~*** to be on piecework
taché [taʃe] *adj* ⟨**~e**⟩ stained
tacher [taʃe] **I** *v/t* to stain **II** *v/pr* ***se tacher*** **1.** *personne* to get o.s. dirty **2.** *chose* to get stained
tâcher [tɑʃe] *v/t* **~ *de*** *+inf* to try *+inf*
tâcheron [tɑʃʀõ] *m péj* drudge
tacheté [taʃte] *adj* ⟨**~e**⟩ flecked
tachycardie [takikaʀdi] *f* MÉD tachycardia
tacite [tasit] *adj* tacit
taciturne [tasityʀn] *adj* taciturn
tacot [tako] *m* (***vieux***) **~** *fam* (old) jalopy *fam*, *brit* (old) banger *fam*
tact [takt] *m* **1.** tact; ***manque*** *m* ***de ~*** tactlessness; ***avoir du ~*** to be tactful **2.** BIOL touch
tacticien [taktisjɛ̃] *m* tactician
tactile [taktil] *adj* tactile
tactique [taktik] *f* tactic
tænia → ***ténia***
taffetas [tafta] *m* taffeta
tag [tag] *m* tag
tagueur [tagœʀ] *m* tagger
Tahiti [taiti] Tahiti
tahitien [taisjɛ̃] **I** *adj* ⟨**-ienne** [-jɛn]⟩ Tahitian **II** ***Tahitien(ne)*** *m(f)* Tahitian
taie [tɛ] *f* **~ (*d'oreiller*)** pillowcase
taillable [tajabl] *adj* HIST liable to tallage
taillader [tajade] *v/pr* ***se ~*** to slash one's wrists
▶ **taille** [taj, tɑj] *f* **1.** size (*a* COUT); *d'une personne* height; ***de ~ moyenne*** of medium height; *fam* ***de ~*** huge; COUT ***la ~ au-dessus*** the next size up; *fig* ***être de ~ à*** *+inf* to be capable of (+ *v-ing*) **2.** ANAT waist; **~ *de guêpe*** wasp waist; ***avoir la ~ fine*** to have a small waist **3.** *de la pierre* dressing; *de diamants* cutting; *d'arbres* pruning **4.** HIST tallage
taillé [taje] *adj* ⟨**~e**⟩ **~ *en athlète*** of athletic build; *fig* ***être ~ pour*** to be cut out for
taille-crayon(s) *m* ⟨**taille-crayons**⟩ pencil sharpener
tailler [taje] **I** *v/t vêtement* to cut out; *pierre* to dress; *diamants* to cut; *crayon* to sharpen; *haie, etc* to cut **II** *v/i vêtement* **~ *grand, petit*** to be cut large, small **III** *v/pr* **1.** *fig* ***se ~ la part du lion*** to take the lion's share; ***se ~ un succès*** to be a success **2.** *fam* ***se ~*** to clear off *fam*
tailleur [tajœʀ] *m* **1.** tailor; ***être assis en ~*** to sit cross-legged **2.** *costume de femme* (woman's) suit **3.** **~ *de pierre(s)*** stone cutter
taillis [taji] *m* coppice
tain [tɛ̃] *m* silvering; ***glace*** *f* ***sans ~*** two-way mirror
taire [tɛʀ] ⟨→ **plaire**; *mais* **il se tait**⟩ **I** *v/t* not to talk about **II** *v/pr* ▶ ***se taire*** (*être silencieux*) to say nothing (***sur*** about); to be quiet; (*cesser*) to stop talking; ***tais-toi!*** be quiet!; ***faire taire qn*** to tell sb to be quiet
Taïwan [tajwan] Taiwan
talc [talk] *m* talc
talé [tale] *adj* ⟨**~e**⟩ *fruit* bruised
talent [talɑ̃] *m* talent; ***avoir du ~*** to be talented
talentueux [talɑ̃tɥø] *adj* ⟨**-euse** [-øz]⟩ talented
talion [taljõ] *m* ***la loi du ~*** (the principle of) an eye for an eye
talisman [talismɑ̃] *m* talisman
talkie-walkie [tokiwoki] *m* ⟨**talkies-walkies**⟩ walkie-talkie
taloche [talɔʃ] *f* **1.** *fam* (*gifle*) slap **2.** CONSTR float
▶ **talon** [talõ] *m* **1.** ANAT, *d'un bas* heel; *fig* **~ *d'Achille*** Achilles' heel; *fig* ***être sur les ~s de qn*** to be hot on sb's heels; *fig* ***tourner les ~s*** to turn on one's heel **2.** *de la chaussure* heel **3.** *d'un jambon*

heel **4.** *d'un chèque*, *etc* stub **5.** CARTES talon
talonnade [talɔnad] *f* FOOT back-heel **talonnage** *m* SPORT heeling
talonner [talɔne] *v/t* **~ qn** to follow close behind sb; *fig* to hound sb
talonnette [talɔnɛt] *f* **1.** *de chaussure* heel pad **2.** *du pantalon* binding
talquer [talke] *v/t* to put talcum powder on
talus [taly] *m* bank
tamagotchi® [tamagɔtʃi] *m* Tamagotchi®
tamaris [tamaʀis] *m* tamarisk
tambouille [tɑ̃buj] *fam f* grub *fam*; *péj* stodgy grub *fam*; ***faire la ~*** to make the grub
tambour [tɑ̃buʀ] *m* **1.** MUS, TECH drum; *fig* ***mener l'affaire ~ battant*** to deal with the matter speedily; *fig* ***partir sans ~ ni trompette*** to slip away quietly **2.** *personne* drummer **3.** CONSTR porch; (***porte*** *f* ***à***) **~** revolving door **4.** *pour broder* hoop
tambourin [tɑ̃buʀɛ̃] *m* tambourine
tambouriner [tɑ̃buʀine] *v/i* to drum
tambour-major *m* ⟨**tambours-majors**⟩ drum major
tamil [tamil] → ***tamoul***
tamis [tami] *m* sieve
Tamise [tamiz] ***la ~*** the Thames
tamiser [tamize] *v/t* **1.** to sieve **2.** *fig lumière* to filter
tamoul [tamul] **I** *adj* ⟨**~e**⟩ Tamil **II** *subst* **1.** *m* (*langue*) ***le ~*** Tamil **2.** ***Tamouls*** *mpl* Tamils
► **tampon** [tɑ̃pɔ̃] *m* **1.** ***~ hygiénique, périodique*** tampon; ***~ d'ouate*** cotton ball, *brit* cotton wool ball **2.** CH DE FER buffer *a fig*; *adjt* ***État*** *m* ***~*** buffer state; *personne* ***servir de ~*** to act as a buffer **3.** (*cachet*) stamp **4.** ***~ encreur*** ink pad **5.** (*bouchon*) stopper
tamponner [tɑ̃pɔne] **I** *v/t* **1.** (*essuyer*) to dab **2.** *véhicule* to crash into **3.** (*apposer un cachet*) to stamp **II** *v/pr* ***se ~*** to collide
tamponneuse [tɑ̃pɔnøz] *adj* ⟨*f*⟩ ***auto ~*** bumper car
tam-tam [tamtam] *m* ⟨**tam-tams**⟩ **1.** tomtom **2.** *fig* ***faire du ~*** to make a lot of fuss (***autour de qc*** about sth)
tancer [tɑ̃se] ⟨**-ç-**⟩ *v/t litt* to reprimand
tanche [tɑ̃ʃ] *f* tench
tandem [tɑ̃dɛm] *m* **1.** *vélo* tandem **2.** *fig* twosome
tandis que [tɑ̃dik(ə)] *conj* while; (*opposition*) whereas
tangage [tɑ̃gaʒ] *m* MAR pitching
tangence [tɑ̃ʒɑ̃s] *f* MATH tangency
tangent [tɑ̃ʒɑ̃] *adj* ⟨**-ente** [-ɑ̃t]⟩ **1.** ***droite ~e à un cercle*** straight line tangent to a circle **2.** (*de justesse*) tight
tangente [tɑ̃ʒɑ̃t] *f* tangent **tangentiel** *adj* ⟨**~le**⟩ tangential
tangible [tɑ̃ʒibl] *adj* tangible
tango [tɑ̃go] **I** *m* tango **II** *adj* ⟨*inv*⟩ tangerine
tanguer [tɑ̃ge] *v/i* MAR to pitch; *par ext véhicule* to sway
tanière [tanjɛʀ] *f d'un animal* lair
tanin [tanɛ̃] *m* tannin
tank [tɑ̃k] *m* **1.** (*réservoir*) tank **2.** MIL tank **3.** *voiture* tank *fam*
tanner [tane] *v/t* **1.** *peaux*, *par ext soleil*: *visage* to tan **2.** *fam* ***~ qn*** to pester sb
tannerie [tanʀi] *f* **1.** *atelier* tannery **2.** *technique* tanning
tanneur [tanœʀ] *m* tanner
tannin → ***tanin***
► **tant** [tɑ̃] **I** *adv* **1.** so much; ***tant de fois*** so many times; ***il a tant de livres que ...*** he has so many books that ...; ***il vous aime tant*** he loves you so much; ***il a tant travaillé que ...*** he worked so hard that ...; ***tous tant que vous êtes*** every one of you; ***tant et plus*** a great deal; ***tant bien que mal*** with difficulty; ► ***tant mieux*** so much the better; ► ***tant pis*** too bad **2.** (*quantité indéfinie*) so much; *subst* ***le tant*** on the such and such (of the month) **II** *conj* **1.** ► ***tant que ...*** as long as ...; ***tant que vous y êtes*** while you're here; ***tant qu'à faire!*** if you're going to do it, do it properly! **2.** ***tant et si bien que ...*** so much so that ... **3.** ***si tant est que*** +*subj* so long as **4.** ***en tant que*** as; ***en tant que médecin*** as a doctor **5.** ***tant ... que*** both ... and
► **tante** [tɑ̃t] *f* **1.** aunt **2.** *fam* (*homosexuel*) pansy *fam*, *péj* **3.** *fam*, *plais* (*mont-de-piété*) ***ma ~*** the pawnshop
tantième [tɑ̃tjɛm] *m* percentage (*a* COMM)
tantinet [tɑ̃tinɛ] *adv* ***un ~*** a touch
tantôt [tɑ̃to] *adv* **1.** this afternoon **2.** **~ ..., ~ ...** sometimes ..., sometimes ...
Tanzanie [tɑ̃zani] ***la ~*** Tanzania
taon [tɑ̃] *m* ZOOL horsefly
tapage [tapaʒ] *m* **1.** (*bruit*) racket; ***~ nocturne*** disturbance **2.** *fig* fuss
tapageur [tapaʒœʀ] *adj* ⟨**-euse** [-øz]⟩

noisy; *publicité* blatant

tapant [tapɑ̃] *adj* ⟨**-ante** [-ɑ̃t]⟩ ***à midi ~*** at twelve o'clock sharp

tape [tap] *f* pat

tapé [tape] *adj* ⟨**~e**⟩ *fam* → ***cinglé***

tape-à-l'œil [tapalœj] *adj* ⟨*inv*⟩ loud; *subst* ***c'est du ~*** it's all show

tapecul *ou* **tape-cul** [tapky] *fam m* ⟨**tape-culs**⟩ **1.** *voiture fam* jalopy *fam*, *brit* boneshaker *fam* **2.** *balançoire* see-saw

tapée [tape] *f fam* load *fam*

▶ **taper** [tape] **I** *v/t* **1.** (*frapper*) to bang; ***~ trois coups à la porte*** to knock three times at the door **2.** *à la machine à écrire* to type; *sur ordinateur, minitel* to key **3.** *fam* (*emprunter*) ***~ qn*** to scrounge off sb *fam* **II** *v/i* **1.** (*frapper*) to knock; ***~ dans les mains*** *ou* ***des mains*** to clap one's hands; ***~ des pieds*** to stamp one's feet; *fam, fig* ***~ sur qn*** to have a go at sb *fam*; *fam, fig* ***~ dans l'œil de qn*** to take sb's fancy *fam*; ***~ sur les nerfs à qn*** to get on sb's nerves **2.** ***~*** (***à la machine***) to type **3.** *fam* (*se servir*) ***~ dans*** to help o.s. **4.** *soleil* ***~*** (***dur***) to beat down **III** *v/pr* ***se taper*** **1.** *fam à manger, à boire* to put away *fam*; to dig into *fam* **2.** *fam travail, collègues* to get stuck with, *brit* to get lumbered with; ***se ~ le trajet à pied*** to end up having to walk

tapette [tapɛt] *f* **1.** *pour tapis* carpet beater; *pour mouches* fly swatter **2.** *fam* (*langue*) tongue **3.** (*souricière*) mousetrap **4.** *pop* (*homosexuel*) fag *pop*

tapeur [tapœʀ] *m fam* cadger *fam*

tapi [tapi] *adj* ⟨**~e**⟩ crouched

tapin [tapɛ̃] *m pop* ***faire le ~*** to turn tricks *pop*

tapinois [tapinwa] ***en ~*** stealthily

tapioca [tapjɔka] *m* tapioca

tapir[1] [tapiʀ] *v/pr* ***se ~*** to crouch

tapir[2] *m* ZOOL tapir

▶ **tapis** [tapi] *m* **1.** carpet; *d'escalier* staircarpet **2.** *par ext* mat (*a* SPORT); ***~ de bain*** bathmat; SPORT ***aller au ~*** to go down; *fig* (***re***)***mettre une question sur le ~*** to raise a question for discussion **3.** ***~ roulant*** conveyor belt; *pour piétons* moving walkway, travelator

tapis-brosse *m* ⟨**tapis-brosses**⟩ doormat

tapisser [tapise] *v/t* **1.** *murs* to wallpaper **2.** *par ext* to plaster (***de*** with)

tapisserie [tapisʀi] *f* **1.** wallpaper; *fig* ***faire ~*** to be a wallflower **2.** (*canevas*) tapestry

tapissier [tapisje] *m* **1.** *décorateur* paperhanger **2.** *d'ameublement* upholsterer

tapotement [tapɔtmɑ̃] *m* tap; *de la joue* pat **tapoter** *v/t* to tap; *joue* to pat

taquet [takɛ] *m* wedge

taquin [takɛ̃] *adj* ⟨**-ine** [-in]⟩ teasing

taquiner [takine] *v/t* to tease **taquinerie** *f* teasing

tarabiscoté [taʀabiskɔte] *adj* ⟨**~e**⟩ *décor* fussy; *style* over-elaborate

tarabuster [taʀabyste] *v/t* ***~ qn*** to pester sb

taratata [taʀatata] *int* nonsense!

tarauder [taʀode] *v/t* TECH to thread

▶ **tard** [taʀ] **I** *adv* late; ***plus ~*** later; ***au plus ~*** at the latest; ***trop ~*** too late; ***attendre trop ~*** to wait too long; *prov* ***mieux vaut ~ que jamais*** better late than never **II** *m* ***sur le ~*** late in life

tarder [taʀde] **I** *v/i* to delay; ***ça ne va pas ~*** it won't be long; ***sans ~*** without delay; ***~ à*** *+inf* to take a long time *+inf*; ***ne pas ~ à faire qc*** not to take long to do sth **II** *v/imp* ***il me tarde de faire qc*** I can't wait to do sth

tardif [taʀdif] *adj* ⟨**-ive** [-iv]⟩ *fruit* late

tare [taʀ] *f* **1.** (*défaut*) defect; ***~ héréditaire*** hereditary defect **2.** COMM tare

taré [taʀe] *adj* ⟨**~e**⟩ **1.** (*dégénéré*) defective **2.** *fam* (*débile*) crazy *fam*

tarentule [taʀɑ̃tyl] *f* tarantula

targette [taʀʒɛt] *f* bolt

targuer [taʀge] *v/pr st/s* ***se ~ de*** *+inf* to pride o.s. on (*+ v-ing*)

tari [taʀi] *adj* ⟨**~e**⟩ *source* dried up

▶ **tarif** [taʀif] *m* rate; *des médecins, avocats* fee; ***plein ~*** full price; ***~s*** *mpl* ***postaux*** postage rates; ***billet*** *m* ***à ~ réduit*** reduced-rate ticket; ***~ syndical*** union rate

tarifaire [taʀifɛʀ] *adj* tariff **tarifer** *v/t* to set the price for; ADMIN to set the rate for **tarification** *f* price setting

tarin [taʀɛ̃] *m arg* (*nez*) hooter *fam*

tarir [taʀiʀ] **I** *v/t* to dry up **II** *v/i* **1.** *source, par ext larmes* to dry up **2.** *fig* ***ne pas ~ d'éloges sur*** to be full of praise for **III** *v/pr* ***se ~*** *source, fig inspiration* to dry up

tarissement [taʀismɑ̃] *m* drying up

tarot [taʀo] *m* tarot; ***~s*** *pl* tarot cards

tarse [taʀs] *m* tarsus

tartare [taʀtaʀ] *adj* ***sauce*** *f* ***~*** tartare sauce; ***steak*** *m* ***~*** steak tartare

► **tarte** [taʀt] **I** *f* **1.** tart; **~ *aux pommes*** apple tart; *fig* **~ *à la crème*** pet theme; *humour* slapstick; *fam, fig* ***c'est pas de la* ~** it's no picnic **2.** *fam* (*gifle*) slap in the face **II** *adj fam* (*moche*) hideous; (*sot*) *fam* dumb *fam*; (*ridicule*) ridiculous
tartelette [taʀtəlɛt] *f* tartlet
Tartempion [taʀtɑ̃pjõ] *m fam* so-and-so *fam*, what's-his-name *fam*
► **tartine** [taʀtin] *f* **1.** slice of bread; **~ *beurrée*** slice of bread and butter **2.** *fam* (*laïus*) long-winded ramble *fam*; *écrit* reams (+ *v pl*)
tartiner [taʀtine] *v/t du beurre, etc* to spread; *tranche de pain* to butter
tartre [taʀtʀ] *m* **1.** *calcaire* limescale, *brit* fur **2.** *des dents* tartar
tartuf(f)e [taʀtyf] *m* hypocrite
► **tas** [tɑ, ta] *m* **1.** (*amas*) heap, pile; ***mettre en* ~** to put in a heap *ou* pile; *linge, terre* to pile up **2.** (*grande quantité*) pile, bunch *fam*; *fam* ***un* ~ *de*** loads of *fam*; *pop* **~ *de salauds!*** you load of bastards! *pop*; *taper, tirer* ***dans le* ~** indiscriminately; *se servir* whatever one likes **3.** *former qn* ***sur le* ~** on the job
t'as [ta] *fam* → ***tu as***
► **tasse** [tɑs, tas] *f* cup; **~ *à café*** coffee cup; **~ *de café*** cup of coffee; *fig* ***boire la* ~** to swallow a mouthful *when swimming*
tassé [tɑse] *adj* ⟨**~e**⟩ **1.** *fam* ***bien* ~** *verre* full; *café* strong; *whisky* stiff **2.** *personne* shrunk with age (*attrib*)
tasseau [tɑso] *m* ⟨**~x**⟩ batten
tassement [tɑsmɑ̃] *m* **~ *de vertèbres*** compression of the vertebrae
tasser [tɑse] **I** *v/t sol* to pack down; *qc de volumineux* to cram **II** *v/pr* ***se tasser*** **1.** *sol*, CONSTR to settle; *fig personne* to shrink **2.** *fam affaire* to settle down; *rumeurs* to die down
taste-vin [tastəvɛ̃] *m* ⟨*inv*⟩ wine-tasting cup
tata [tata] *f enf* auntie
tatanes [tatan] *fpl fam* shoes
tâter [tɑte] **I** *v/t* to feel **II** *v/t indir* **~ *de qc*** to try one's hand at sth, to have a shot at sth **III** *v/pr* ***je me tâte*** I'm in two minds about it
tatillon [tatijõ] *adj* ⟨**-onne** [-ɔn]⟩ nit-picking, *brit* pernickety *fam*
tâtonnement [tɑtɔnmɑ̃] *m* **1.** groping (+ *v sg*) **2.** *fig surtout pl* **~s** tentative progress (+ *v sg*); *dans la recherche* trial and error
tâtonner [tɑtɔne] *v/i* **1.** to grope around **2.** *fig* to proceed by trial and error
tâtons [tɑtõ] ***avancer à* ~** to feel one's way along; ***chercher la sortie à* ~** to feel one's way towards the exit
tatou [tatu] *m* armadillo
tatouage [tatwaʒ] *m* tattoo **tatouer** *v/t* to tattoo **tatoueur** *m* tattoo artist
taudis [todi] *m* hovel; *par ext, péj* slum
taulard [tolaʀ] *m arg* convict
taule [tol] *f* **1.** *arg* (*prison*) jail, slammer *arg* **2.** *fam* (*chambre*) room; (*maison*) place, *brit* gaff *fam*
taulier [tolje] *m*, **taulière** [-jɛʀ] *f fam* hotel boss
taupe [top] *f* mole (*a fig espion*); *fig* ***myope comme une* ~** blind as a bat
taupinière [topinjɛʀ] *f* molehill
taureau [tɔʀo] *m* ⟨**~x**⟩ **1.** ZOOL bull; **~ *de combat*** fighting bull; *fig* ***prendre le* ~ *par les cornes*** to take the bull by the horns **2.** ASTROL ***le Taureau*** Taurus
tauromachie [tɔʀɔmaʃi] *f* bullfighting
► **taux** [to] *m* **1.** FIN **~ (*d'intérêt*)** interest rate; **~ *directeurs*** key interest rates; **~ *de change*** exchange rate; **~ *d'escompte*** discount rate **2.** (*proportion*) ratio; *de liquide* level; **~ *de chômage*** unemployment rate; **~ *de glucose dans le sang*** blood sugar level; **~ *d'inflation*** rate of inflation; **~ *d'invalidité*** degree of disability; **~ *de mortalité*** mortality rate
tavelé [tavle] *adj* ⟨**~e**⟩ spotted; *fruit* marked
taverne [tavɛʀn] *f* tavern
taxable [taksabl] *adj* taxable
taxation [taksasjõ] *f* **1.** *des prix* price-fixing **2.** (*imposition*) taxation
taxe [taks] *f* (*impôt*) tax; **~ *professionnelle*** business taxes (+ *v pl*), *brit* business rates (+ *v pl*); **~ *de séjour*** tourist tax; ***'hors* ~** excluding tax; *marchandise importée* duty-free
taxer [takse] *v/t* **1.** *prix* to fix **2.** (*imposer*) to tax **3.** *fig* **~ *qn, qc de laxisme, d'inconscience*** to accuse sb, sth of being lax, thoughtless
► **taxi** [taksi] *m* cab, taxi; *par ext, fam* ***il est* ~** he's a cab driver
taximètre [taksimɛtʀ] *m* meter
Tchad [tʃad] ***le* ~** Chad
tchador [tʃadɔʀ] *m* chador
tchatche [tʃatʃ] *f fam* ***avoir de la* ~** to have the gift of the gab *fam*
tchèque [tʃɛk] **I** *adj* Czech; ***la Républi-***

que ~ the Czech Republic **II 1.** ***Tchèque*** *m/f* Czech **2.** *nm* LING Czech
Tchétchénie [tʃetʃeni] ***la*** ~ Chechnya
tchin-tchin [tʃintʃin] *int* cheers, *brit* chin-chin
T.D. [tede] *mpl, abr* → ***travail***
▶ **te** [t(ə)] *pr pers* ⟨*devant voyelle et h muet* ***t'***⟩ *objet directe* you; ***je t'entends*** I can hear you; *objet indirect* (to) you; ***je ~ l'envoie*** I'm sending it to you; ***je vais ~ chercher un sac*** I'll go and get you a bag
té [te] *m règle* T-square
▶ **technicien** [tɛknisjɛ̃] *m*, **technicienne** [tɛknisjɛn] *f* **1.** technician; ***technicien supérieur*** qualified technician **2.** (*spécialiste*) technical expert
technicité [tɛknisite] *f* technical nature
technico-commercial [tɛknikokɔmɛʀsjal] *adj* ⟨**~e; -aux** [-o]⟩ ***ingénieur ~*** sales engineer
▶ **technique** [tɛknik] **I** *adj* **1.** (*spécialisé*) technical; ***lycée*** *m* ~ ≈ technical high school, *brit* ≈ technical college; ***terme*** *m* ~ technical term **2.** (*mécanique*) technical; ***incident*** *m* ~ technical hitch **II** *f* technique
techno [tɛkno] *adj* (***musique*** *f*) ~ *f* techno
technocrate [tɛknɔkʀat] *m* technocrat **technocratie** *f* technocracy **technologie** *f* technology **technologique** *adj* technological
teck [tɛk] *m* teak
teckel [tekɛl] *m* dachshund
tectonique [tɛktɔnik] *adj* tectonic
tectrice [tɛktʀis] *f* ZOOL cover, tectrix *t/t*
TDAH *m, abr* (= **trouble déficit de l'attention avec hyperactivité**) ADHD
teenager [tinɛdʒœʀ] *m/f* teenager
▶ **tee-shirt** [tiʃœʀt] *m* ⟨**tee-shirts**⟩ T-shirt
téflon® [teflɔ̃] *m* teflon®
teigne [tɛɲ] *f* **1.** MÉD ringworm **2.** *fig personne* real piece of work *fam, brit* nasty piece of work *fam*
teindre [tɛ̃dʀ] ⟨→ **peindre**⟩ **I** *v/t tissu* to dye; *bois* to stain **II** *v/pr* ***se ~*** (***les cheveux***) to dye one's hair
teint [tɛ̃] **I** *m* **1.** complexion **2.** *adj* ⟨*inv*⟩ ***bon, grand ~*** *tissu* colorfast; *fig, plais de qn* dyed-in-the-wool **II** *adj* ⟨**teinte** [tɛ̃t]⟩ dyed; *fam* ***elle est ~e*** she dyes her hair
teinte [tɛ̃t] *f* **1.** *de couleur* shade **2.** *fig* tinge
teinté [tɛ̃te] *adj* ⟨**~e**⟩ ***lunettes*** *fpl* ***à verres ~s*** tinted glasses
teinter [tɛ̃te] **I** *v/t* to tint; *bois* to stain **II** *v/pr* **1.** ***se ~ de rouge*** to become tinged with red **2.** *fig* ***se ~ d'ironie***, *etc* to be tinged with irony, *etc.*
teinture [tɛ̃tyʀ] *f* **1.** *action* dyeing **2.** (*colorant*) dye **3.** ***~ d'iode*** tincture of iodine
teinturerie [tɛ̃tyʀʀi] *f* dry cleaner's
teinturier [tɛ̃tyʀje] *m*, **teinturière** [-jɛʀ] *f* dry cleaner; ***porter une robe chez le teinturier*** to take a dress to the dry cleaner's
▶ **tel** [tɛl] *adj et pr* ⟨**~le**⟩ **1.** (*semblable*) such; ***une ~le conduite*** such behavior, behavior like that; ***je n'ai rien vu de ~*** I've never seen anything like it; ***~le est mon opinion*** that is my opinion; *il n'est pas riche*, ***mais il passe pour ~*** but he seems it; ***comme ~*** *ou* ***en tant que ~*** as such; ***~ que*** like, such as; *énumération* ***~(le)s que …*** such as …; *laisser qc* ***~ quel*** as it is / was **2.** (*si grand*) such; ***il n'y a rien de ~ que …*** there's nothing like … **3.** *indéfini* such and such; ***~ jour, à ~le heure*** on such and such a day, at such and such a time; ***Monsieur Un ~*** Mr. so-and-so; ***Madame Une ~le*** Mrs so-and-so
tél. *abr* (= **téléphone**) tel.
▶ **télé** [tele] *f fam* **1.** TV, *brit* telly *fam*; ***à la ~*** on TV; ***regarder la ~*** to watch TV **2.** (*téléviseur*) TV, *brit* telly *fam*
télé… [tele] *préfixe* TV, INFORM tele…
téléachat *m* teleshopping
télébenne *f ou* **télécabine** *f* cable car
▶ **télécarte** *f* phonecard
téléchargeable [teleʃaʀʒabl] *adj* INFORM **1.** *vers l'internaute* downloadable **2.** *vers le serveur* uploadable
téléchargement *m* INFORM **1.** *vers l'internaute* downloading **2.** *vers le serveur* uploading
télécharger *v/t* ⟨**-ge-**⟩ INFORM *vers l'internaute* to download
télécommande *f* remote control **télécommander** *v/t* to operate by remote control; ***télécommandé*** remote-controlled
télécommunications *fpl* telecommunications
téléconférence *f* (*audioconférence*) conference call, teleconference; (*vidéoconférence*) videoconference
télécopie *f* fax **télécopieur** *m* fax (machine)

télédiffusion *f* broadcasting
téléenseignement *m* distance learning
téléférique → ***téléphérique***
téléfilm *m* TV movie, *brit* TV film
télégramme *m* telegram, cable
télégraphe [telegʀaf] *m* telegraph **télégraphier** *v/t* to telegraph
télégraphique *adj* **1.** TECH telegraph *épith* **2.** (*par télégramme*) telegraphic **3.** *fig* ***style*** *m* **~** telegraphic style
télégraphiste [telegʀafist] *m* telegraphist
téléguidage [telegidaʒ] *m* remote control **téléguidé** *adj* ⟨**~e**⟩ remote-controlled **téléguider** *v/t* to operate by remote control
téléinformatique *f* teleprocessing
télématique [telematik] *f* telematics (+ *v sg*)
téléobjectif *m* telephoto lens
télépathie [telepati] *f* telepathy
téléphérique [telefeʀik] *m* cable car
▶ **téléphone** [telefɔn] *m* **1.** telephone, phone; ▶ ***téléphone mobile*** mobile (phone); ***téléphone public*** public (tele)phone, *brit* pay phone; POL ***le téléphone rouge*** the hotline; ***téléphone à cartes*** cardphone; ***téléphone de voiture*** carphone; ***téléphone sans fil*** cordless phone; ***par téléphone*** by (tele)phone **2.** *fam*, *fig* ***téléphone arabe*** grapevine, bush telegraph *fam*
▶ **téléphoner** [telefɔne] **I** *v/t* to call, to phone; ***~ le résultat, la nouvelle à qn*** to call sb with the result, the news **II** *v/i* to call *ou* phone (***à qn*** sb); to make a phone call **III** *v/pr* ***se ~*** to call *ou* phone one another
téléphonique [telefɔnik] *adj* (tele)phone *épith* **téléphoniste** *m/f* (telephone) operator
télescopage [teleskɔpaʒ] *m* collision
télescope [teleskɔp] *m* telescope
télescoper [teleskɔpe] **I** *v/t véhicule* to collide with **II** *v/pr véhicules* ***se ~*** to collide
télescopique [teleskɔpik] *adj* telescopic
téléscripteur [teleskʀiptœʀ] *m* teletypewriter, *brit* teleprinter
télésiège *m* chair lift
téléski *m* ski tow
▶ **téléspectateur** *m*, **téléspectatrice** *f* viewer
télésurveillance *f* electronic surveillance
télétravail *m* teleworking
télévisé [televize] *adj* ⟨**~e**⟩ televised **téléviser** *v/t* to televise
téléviseur *m* television (set), TV (set); ***~ couleur*** color TV
▶ **télévision** *f* **1.** television; ***~ par câble, par satellite*** cable, satellite television **2.** → ***téléviseur***
télex [telɛks] *m* telex
▶ **tellement** [tɛlmɑ̃] *adv facile*, *vite*, *intelligent* so; *changer*, *aimer* so much; *fam* ***~ de*** *de choses* so many; *de travail* so much; ***pas ~*** not really; ***ce serait ~ mieux*** it would be so much better
tellurique [tɛlyʀik] *adj* ***secousse*** *f* **~** earth tremor
téméraire [temeʀɛʀ] *adj* reckless, foolhardy **témérité** *f* recklessness
témoignage [temwaɲaʒ] *m* **1.** (*déclaration*) story; JUR evidence (+ *v sg*); ***faux ~*** false evidence; *par ext* perjury **2.** (*signe*) token (***de qc*** of sth); *geste* expression; ***en ~ de*** as a token of
témoigner [temwaɲe] **I** *v/t* ***~ qc*** *personne* to testify to sth; *chose* to show sth **II** *v/t indir* ***~ de qc*** *personne* to vouch for sth; *chose* to show sth **III** *v/i* JUR to testify, to give evidence
▶ **témoin** [temwɛ̃] *m* **1.** witness (*a* JUR); ***~ à charge, à décharge*** witness for the prosecution, for the defense **2.** SPORT baton **3.** *adj* ***appartement*** *m* **~** show apartment; ***lampe*** *f* **~** indicator light
tempe [tɑ̃p] *f* ANAT temple
tempérament [tɑ̃peʀamɑ̃] *m* **1.** (*caractère*) disposition **2.** ***acheter qc à ~*** to buy sth on an installment basis
tempérance [tɑ̃peʀɑ̃s] *f* temperance **tempérant** *adj* ⟨**-ante** [-ɑ̃t]⟩ *personne* temperate *st/s*
▶ **température** [tɑ̃peʀatyʀ] *f* temperature; ***avoir, faire de la ~*** to have a temperature; ***prendre sa ~*** to take one's temperature
tempéré [tɑ̃peʀe] *adj* ⟨**~e**⟩ *climat*, *zone* temperate **tempérer** *v/t* ⟨**-è-**⟩ to temper
▶ **tempête** [tɑ̃pɛt] *f* storm; ***~ de neige*** snowstorm; ***~ de sable*** sandstorm; *fig* ***~ d'applaudissements*** a storm of applause
tempêter [tɑ̃pete] *v/i* to rage
temple [tɑ̃pl] *m* **1.** temple *a fig* **2.** *protestant* church
templier [tɑ̃plije] *m* HIST (Knight) Templar
tempo [tɛmpo, tɛ̃po] *m* MUS tempo

temporaire [tɑ̃pɔʀɛʀ] *adj* temporary; ***travail*** *m* **~** temporary job
temporalité [tɑ̃pɔʀalite] *f* PHIL temporality
temporel [tɑ̃pɔʀɛl] *adj* ⟨**~le**⟩ temporal (*a* REL, GRAM)
temporiser [tɑ̃pɔʀize] *v/i* to stall, to temporize *st/s*
▶ **temps**[1] [tɑ̃] *m* **1.** time; ***temps de réflexion*** time to think; ***un certain temps*** a while, some time; ***ces derniers temps*** recently; ***ces temps-ci*** lately; ***peu de temps après*** shortly after; ***quelque temps*** some time; ▶ ***tout le temps*** all the time; ▶ ***à temps*** in time; ***dans le temps*** in those days; ***dans peu de temps*** soon; ***dans un premier temps ..., dans un second temps ...*** first ..., and then ...; ***de mon temps*** in my day; ***de tout temps*** always; ***du*** *ou* ***au temps des diligences*** in the days of the stagecoach; ▶ ***de temps en temps, de temps à autre*** from time to time, occasionally; ***en ce temps-là*** in that time; ***en même temps*** at the same time; ***en deux temps, trois mouvements*** in no time at all, in a flash; ***en un temps record*** in record time; ***depuis le temps que ...*** since the time when ...; ***le temps de me retourner, il était déjà parti*** by the time I'd turned round, he was already gone; ***avoir le temps*** to have time (***de*** + *inf* to + *inf*); ***n'avoir pas le temps*** not to have the time; ***vous avez tout votre temps*** you have plenty of time; ***il est temps*** it's time (***de*** + *inf* to + *inf*; ***que tu ...*** +*subjonctif* (that) you ...); ***il est grand temps*** it's high time; ***être de son temps*** to move with the times; ***avoir fait son temps*** *objet* to have had its day; *fig* to have seen better days; ***perdre son temps*** to waste one's time; ***perdre du temps*** to waste time; ***faire perdre son temps à qn*** to take up sb's time; ***prendre le temps de*** +*inf* to take (the) time +*inf*; ***prendre*** (***tout***) ***son temps*** to take one's time; ***travailler à plein temps*** to work full time; ***je trouve le temps long*** i've got a lot of time on my hands **2.** GRAM tense **3.** MUS beat **4.** TECH stroke **5.** INFORM ***temps partagé*** timesharing
▶ **temps**[2] *m* MÉTÉO weather; ***par beau*** **~** in fine weather; ***quel ~ fait-il?*** what's the weather like?
tenable [t(ə)nabl] *adj* ***pas ~*** *situation* unbearable
tenace [tənas] *adj* *personne* tenacious; *toux*, *souvenir* persistent
ténacité [tenasite] *f* tenacity
tenailler [tənaje] *v/t* *faim*, *remords* to gnaw at
tenailles [t(ə)naj] *fpl* pincers
tenancier [tənɑ̃sje] *m*, **tenancière** [-jɛʀ] *f péj ou* ADMIN *de casino*, *de bar* manager
tenant [tənɑ̃] **I** *adj* ⟨**-ante** [-ɑ̃t]⟩ ***séance ~e*** immediately **II** *subst* **1.** SPORT **~(*e*)** *m*(*f*) ***du titre*** titleholder **2.** *mpl* ***les ~s et les aboutissants*** the ins and outs; ***d'un seul ~*** all in one piece
tendance [tɑ̃dɑ̃s] *f* **1.** (*inclination*) tendency (*a* POL); ***avoir ~ à faire qc*** to tend to do sth **2.** ART, FIN trend; ***~ à la hausse*** upward trend
tendancieux [tɑ̃dɑ̃sjø] *adj* ⟨**-euse** [-øz]⟩ *péj* tendentious
tendeur [tɑ̃dœʀ] *m* tightener; *pour porte-bagages* bungee grip
tendinite [tɑ̃dinit] *f* tendinitis
tendon [tɑ̃dõ] *m* tendon
tendre[1] [tɑ̃dʀ] ⟨→ **rendre**⟩ **I** *v/t* **1.** *corde*, *ressort* to tighten; *muscle* to tense; *arc* to bend **2.** *mur* to hang (**de** with) **3.** (*avancer*) to hold out; ***~ qc à qn*** to hold sth out to sb; ***~ la main*** to hold out one's hand; ***~ le cou*** to crane one's neck; ***~ l'oreille*** to strain one's ears **4.** *toile* to spread **5.** *piège* to set **II** *v/t indir* **1.** *personne* ***~ à, vers qc*** to strive for sth **2.** *activité*, *paroles* ***~ à*** +*inf* to be aimed at (+ *v-ing*); *situation* to tend +*inf* **III** *v/pr* ***se ~*** *fig rapports* to become strained
▶ **tendre**[2] *adj* **1.** *viande*, *légumes* tender; *pain*, *herbe*, *couleur* soft **2.** *fig* ***âge*** *m* **~** youth; ***depuis ma plus ~ enfance*** since my earliest childhood **3.** (*affectueux*) tender; *cœur* loving; ***mot*** *m* **~** tender word; *subst* ***c'est un ~*** soft-hearted person
tendrement [tɑ̃dʀəmɑ̃] *adv* tenderly
tendresse [tɑ̃dʀɛs] *f* tenderness; *fig* ***n'avoir aucune ~ pour*** not to care for
tendreté [tɑ̃dʀəte] *f* CUIS tenderness
tendron [tɑ̃dʀõ] *m* ***~ de veau*** gristle
tendu [tɑ̃dy] *adj* ⟨**~e**⟩ tight; *fig personne*, *visage* tense; *rapports* strained
ténèbres [tenɛbʀ] *fpl* darkness (+ *v sg*) (*a* REL)
ténébreux [tenebʀø] *adj* ⟨**-euse** [-øz]⟩ *fig* obscure

teneur [tənœʀ] *f* **1.** *d'un écrit* contents (+ *v pl*) **2.** CHIM content; **~ en alcool** alcohol content

ténia [tenja] *m* tapeworm, tænia *t/t*

▶ **tenir** [t(ə)niʀ] ⟨→ **venir**⟩ **I** *v/t* **1.** to hold; **tenir qc à la main** to hold sth in one's hand; **tenir les yeux baissés** to keep one's eyes lowered **2.** (*avoir*) to have; *voleur*, *etc* to hold; **tenir qc de qn** to get sth from sb **3.** *registre*, *compte* to keep; *caisse* to be in charge of; *restaurant* to run **4.** *promesse*, *pari*, *engagements* to keep; **tenir (sa) parole** to keep one's word **5.** *réunion*, *conférence* to hold; *discours* to give; **tenir des propos insensés** to talk nonsense **6. tenir pour** to consider; **tenez-vous-le pour dit** I won't tell you again **7.** *de la place* to take up **8.** *int* ▶ **tiens!** (*prends*) here (you go)!; *étonné* oh!; **tenez!** here!; *par ext* (*écoutez*) listen!; (*regardez*) look! **II** *v/t indir* **1. tenir à qn, qc** (*être attaché à*) to be fond of sb, sth; **j'y tiens beaucoup** it means a lot to me; **il a tenu à vous inviter** he really wanted to invite you; **il tient à vous parler** he insists on speaking to you **2. tenir à** (*résulter*) to be due to; (*dépendre de*) to depend on; **s'il ne tenait qu'à moi** if it were up to me; **qu'à cela ne tienne!** that's no problem! **3.** *concrètement* **tenir à qc** to hold on to sth **4. tenir de qn** to take after sb; **il a de qui tenir** you can see where he gets it from; **cela tient du miracle** that's bordering on miraculous **III** *v/i* **1.** *clou*, *corde*, *nœud* to hold; *pansement*, *etc* to stay in place; *coiffure* to hold; *couleur* not to fade; *neige* to last; *fig union*, *accord* to last; *vase*, *etc* **tenir debout** to stay standing **2.** *personne* (*résister*) to hold out; **tenir bon, ferme** to hang on, to hang in there *fam*; **ne plus pouvoir (y) tenir** to be unable to stand it any more **3.** (*être contenu*) to fit (**dans** into); **cela tient en peu de mots** it's only a few words **IV** *v/pr* ▶ **se tenir 1.** *sens réfléchi* **se tenir à qc** to hold onto sth; *fig* **tenez-vous bien** brace yourself *for a shock* **2.** *réciproquement* **se tenir par la main** to hold hands **3.** *dans une certaine position* **se tenir caché** to stay hidden; **se tenir tranquille** to stay still; *se taire* to keep quiet **4. se tenir pour** to consider o.s. to be **5.** (*se comporter*) to behave; **tiens-toi bien!** behave yourself! **6. s'en tenir à qc** *à une promesse* to stand by sth; *au minimum* to keep to sth; **tenons-nous-en là** let's leave it at that; **savoir à quoi s'en tenir avec** to know what to make of **7.** *congrès*, *marché*, *etc* to be held **8.** *arguments*, *récit* to hold up

▶ **tennis** [tenis] *m* **1.** SPORT tennis; **~ de table** table tennis **2.** *terrain* tennis court **3.** *pl chaussures* tennis shoes

tenon [tənõ] *m* TECH tenon

ténor [tenɔʀ] *m* **1.** MUS tenor **2.** *fig* leading light

tensio-actif [tɑ̃sjoaktif] **I** *adj* ⟨**-ive** [-iv]⟩ CHIM surface-active **II** *m* surfactant

tension [tɑ̃sjõ] *f* **1.** tension (*a* ÉLEC, *fig*, POL); ÉLEC **'haute ~** high voltage **2. ~ (artérielle)** blood pressure; **avoir de la ~** to have high blood pressure **3. ~ d'esprit** mental concentration

tentaculaire [tɑ̃takylɛʀ] *adj fig* sprawling, tentacular *st/s*

tentacule [tɑ̃takyl] *m* tentacle

tentant [tɑ̃tɑ̃] *adj* ⟨**-ante** [-ɑ̃t]⟩ tempting

tentateur [tɑ̃tatœʀ] *adj* ⟨**-trice** [-tʀis]⟩ *litt* tempter

tentation [tɑ̃tasjõ] *f* temptation; **céder à la ~** to give in to temptation

▶ **tentative** [tɑ̃tativ] *f* attempt; **~ d'évasion** escape attempt; **~ de suicide** suicide attempt

▶ **tente** [tɑ̃t] *f* tent; **~ à oxygène** oxygen tent; **sous la ~** *dormir* in tents

tenter [tɑ̃te] *v/t* **1.** to tempt (*a* REL); *par ext* (*séduire*) to tempt; **être tenté de** *+inf* to be tempted *+inf*; **ça ne me tente pas** I don't feel like it **2.** (*essayer*) to try (**de** + *inf* to + *inf*); **~ sa chance** to try one's luck

tenture [tɑ̃tyʀ] *f* (wall) hanging

tenu [t(ə)ny] *pp*→ **tenir** *et adj* ⟨**~e**⟩ **1. être ~ au secret professionnel** to be bound by professional secrecy; **être ~ de faire qc** to be required to do sth **2. bien ~** *enfant* well cared-for; *maison* well-kept

ténu [teny] *adj* ⟨**~e**⟩ *fil*, *brume* fine; *voix* reedy *fig lien* tenuous

tenue [t(ə)ny] *f* **1.** *des livres de compte* keeping; *du ménage* running **2.** (*conduite*) manners (+ *v pl*), behavior **3.** *du corps* **mauvaise ~** bad posture **4.** (*vêtements*) clothes (+ *v pl*); MIL dress uniform; **~ de soirée** formal dress; *pour hommes* black tie; **~ de sport** sportswear; **être en ~ légère, en petite ~** to be lightly dressed, scantily clad **5.** AUTO

~ de route roadholding
ter [tɛʀ] *adv* ***habiter au 18~*** to live at 18c
T.E.R. *m, abr* ⟨*inv*⟩ (= **train express régional**) *express local train service*
tercet [tɛʀsɛ] *m* tercet
térébenthine [teʀebɑ̃tin] *f* turpentine
tergal® [tɛʀgal] *m* Terylene®
tergiversations [tɛʀʒivɛʀsasjõ] *fpl* equivocation (+ *v sg*), humming and hawing *fam* (+ *v sg*) **tergiverser** *v/i* to equivocate, to hum and haw *fam*
terme [tɛʀm] *m* **1.** (*fin*) end; (*date*) date; ***marché*** *m* ***à ~*** futures market; ***à court, à moyen, à long ~*** in the short, medium, long term; ***accoucher à ~, avant ~*** to give birth at full term, before term; ***mener qc à ~*** to see sth through to completion; ***mettre un ~ à qc*** to put an end to sth **2.** *pour les loyers* due date; *somme* rent **3.** ***être en bons, mauvais ~s avec qn*** to be on good, bad terms with sb **4.** (*mot*) term; (*expression*) expression; ***aux ~s du contrat*** according to the terms of the contract; ***en d'autres ~s*** in other words **5.** GRAM, MATH term
terminaison [tɛʀminɛzõ] *f* GRAM ending
terminal [tɛʀminal] **I** *adj* ⟨**~e; -aux** [-o]⟩ final **II** *subst* **1.** *m* ⟨**-aux** [-o]⟩ INFORM, AVIAT, TECH terminal **2.** ***~e*** *f* ≈ 12th grade, *brit* ≈ Year 13
▶ **terminer** [tɛʀmine] **I** *v/t* to finish, to end; *abs* ***j'ai terminé*** I've finished; ***pour ~*** in conclusion; ▶ ***être terminé*** *chose* to be over **II** *v/pr* ***se ~*** to end (***par*** with); ***se ~ bien, mal*** to end well, badly; GRAM ***se ~ en -er*** to end in -er
terminologie [tɛʀminɔlɔʒi] *f* terminology
▶ **terminus** [tɛʀminys] *m* terminus
termite [tɛʀmit] *m* termite **termitière** *f* termites' nest
terne [tɛʀn] *adj* **1.** *couleur* drab; *regard* lifeless **2.** *fig* dull
ternir [tɛʀniʀ] **I** *v/t* to tarnish; ***terni*** *vitre, miroir* tarnished **II** *v/pr* ***se ~*** *miroir, métal* to tarnish
▶ **terrain** [tɛʀɛ̃] *m* ground; MIL terrain; (*parcelle*) plot of land; (*sol*) soil; *fig* (*domaine*) field; SPORT field, *brit* pitch; ***~ à bâtir*** site; (*parcelle*) plot of land; ***~ d'aviation*** airfield; *fig* ***~ d'entente*** common ground; ***~ de jeu(x)*** play park, playground; ***~ de sport(s)*** sports ground; *adj* ***véhicule*** *m* ***tout ~*** off-road vehicle, all-terrain vehicle; *fig* ***sur le ~*** in the field; *fig* ***céder du ~*** to give ground; *fig* ***gagner, perdre du ~*** to gain, lose ground; *fig* ***préparer le ~*** to prepare the ground; *fig* ***tâter le ~*** to test the water
terrarium [tɛʀaʀjɔm] *m* terrarium
▶ **terrasse** [tɛʀas] *f* terrace; *d'un café* the tables outside (+ *v pl*); ***toit*** *m* ***en ~*** flat roof
terrassement [tɛʀasmɑ̃] *m* (***travaux*** *mpl* ***de***) ***~*** earthworks (+ *v pl*)
terrasser [tɛʀase] *v/t* *adversaire* to knock down, to deck *fam*; *maladie* to strike down
terrassier [tɛʀasje] *m* building laborer
▶ **terre** [tɛʀ] *f* **1.** (*sol*) ground; *adj fig* ***terre à terre*** down to earth; ***à terre,*** ▶ ***par terre*** on the ground; *à l'intérieur* on the floor; ***être assis par terre*** to be sitting on the ground; *à l'intérieur* to be sitting on the floor; ***jeter à, par terre*** to throw on the ground **2.** *matière* earth, soil; ***en pleine terre*** in the open ground **3.** (*terrain, domaine*) land (+ *v sg*); ***terres*** *pl* land (+ *v sg*) **4.** *planète* ***Terre*** Earth; (*monde*) world; ***sur*** (***la***) ***terre*** on earth **5.** (*territoire, pays*) land; ***la Terre sainte*** the Holy Land; ***la Terre de Feu*** Tierra del Fuego; ***en terre étrangère*** in foreign lands **6.** (*opposé à mer et air*) land; ***par voie de terre*** by land; ***sur terre et sur mer*** on land and on sea; ***aller, descendre à terre*** to go ashore; *bateau* ***toucher terre*** to land **7.** ÉLEC ground, *brit* earth; ***mettre à la terre*** to ground, *brit* to earth **8.** TECH clay; ***terre cuite*** terracotta; ***de, en terre*** earthenware *épith*
terreau [tɛʀo] *m* ⟨**~x**⟩ compost
terre-neuvas [tɛʀnœva] *m* ⟨*inv*⟩ Newfoundland fisherman
Terre-Neuve [tɛʀnœv] *f* Newfoundland
terre-neuve [tɛʀnœv] *m* ⟨*inv*⟩ ZOOL Newfoundland (dog)
terre-plein *m* ⟨**terre-pleins**⟩ **1.** (*levée de terre*) platform **2.** *d'une autoroute* ***~ central*** median strip, *brit* central reservation
terrer [tɛʀe] *v/pr* ***se ~*** *renard* to go to earth; (*se cacher*) *personne* to go to ground
terrestre [tɛʀɛstʀ] *adj* **1.** (*de la planète*) of the Earth **2.** (*opposé à mer ou air*) land *épith* **3.** REL earthly **4.** TV terrestrial
terreur [tɛʀœʀ] *f* **1.** (*épouvante*) terror **2.** POL terror **3.** *fam, fig personne* ***la ~ du quartier*** the terror of the neighborhood
terreux [tɛʀø] *adj* ⟨**-euse** [-øz]⟩ **1.** *teint*

gray, ashen *st/s* **2.** *goût* earthy

▶ **terrible** [teʀibl] *adj* **1.** (*effrayant*) terrible; ***il fait un froid ~*** it's terribly cold **2.** *fam* (*énorme*) *accident* terrible **3.** *fam* (*sensationnel*) fantastic *fam*, terrific *fam* **4.** *fam* (*pénible*) awful

terriblement [teʀibləmɑ̃] *adv* terribly

terrien [teʀjɛ̃] **I** *adj* ⟨**-ienne** [-jɛn]⟩ **1.** ***propriétaire ~*** landowner **2.** (*paysan*) country person **II** ***Terrien(ne)*** *m(f)* earthling

terrier [teʀje] *m* **1.** *d'un lapin* burrow; *d'un renard* earth **2.** *chien* terrier

terrifiant [teʀifjɑ̃] *adj* ⟨**-ante** [-ɑ̃t]⟩ terrifying **terrifier** *v/t* to terrify

terril [teʀi(l)] *m* slag heap

terrine [teʀin] *f* **1.** *récipient* terrine dish **2.** *pâté* terrine

territoire [teʀitwaʀ] *m* **1.** territory; ***~s d'outre-mer*** overseas territory **2.** *d'un animal* territory

territorial [teʀitɔʀjal] *adj* ⟨**~e; -aux** [-o]⟩ territorial; ***eaux*** *fpl* ***~es*** territorial waters

territorialité [teʀitɔʀjalite] *f* territoriality

terroir [teʀwaʀ] *m* **1.** *vin* ***avoir un goût de ~*** to have an earthy tang **2.** local region; ***accent*** *m* ***du ~*** local accent

terroriser [teʀɔʀize] *v/t* to terrorize

▶ **terrorisme** [teʀɔʀism] *m* terrorism; ***acte*** *m* ***de ~*** terrorist act

terroriste [teʀɔʀist] **I** *adj* terrorist **II** *m/f* terrorist

tertiaire [teʀsjɛʀ] *adj* **1.** (**ère** *f*) **~** *m* Tertiary era **2.** (**secteur** *m*) **~** *m* service sector

tertio [teʀsjo] *adv* thirdly

tertre [teʀtʀ] *m* mound

tes [te] → ***ton¹***

t'es [tɛ] *fam* = ***tu es***

tesson [tesõ] *m* (glass) shard

test [tɛst] *m* PSYCH, MÉD, *fig* test; ***~ de dépistage du sida*** Aids test

testament [tɛstamɑ̃] *m* **1.** JUR will **2.** ***l'Ancien, le Nouveau Testament*** the Old, New Testament

testamentaire [tɛstamɑ̃tɛʀ] *adj* JUR *disposition* of a will*épith*

▶ **tester** [tɛste] *v/t* to test

testicule [tɛstikyl] *m* testicle

testostérone [tɛstɔsteʀɔn] *f* testosterone

tétanique [tetanik] *adj* tetanus *épith* **tétaniser** *v/t fig* to paralyze *fig*

tétanos [tetanos] *m* tetanus

têtard [tɛtaʀ] *m* tadpole

▶ **tête** [tɛt] *f* **1.** head; *fig* mind; ***~ de mort*** (*symbole*) death's head; ANAT skull; ***coup*** *m* ***de ~*** headbutt; *fig* impulse; ***la ~ 'haute*** with head held high; ***la ~ la première*** head first; *calculer* ***de ~*** in one's head, mentally; ***de la ~ aux pieds*** from head to toe; *fig* ***en ~ à ~*** in private; *d'un couple* alone together; *fam, fig* ***ça ne va pas, la ~?*** are you crazy? *fam*; *fig* ***il n'a pas de ~*** he's very forgetful; *fig* ***avoir la ~ dure*** to be stubborn, to be pigheaded *fam*; *fam, fig* ***avoir la grosse ~*** to be an egghead *fam*; ***avoir encore toute sa ~*** to still have all one's faculties, to still be all there *fam*; ***il n'a que cela en ~*** that's all he thinks about; *fam* ***j'en ai par-dessus la ~*** I've had it up to here *fam*; *fam, fig* ***casser la ~ à qn*** to drive sb crazy *fam*; *fig* ***se casser la ~*** to rack one's brains; ***ne pas se casser la ~*** not to kill o.s. *fig*; ***chercher dans sa ~*** to turn over in one's mind; FOOT ***faire une ~*** to head the ball; *fig* ***n'en faire qu'à sa ~*** to do exactly as one pleases; *cheval* ***gagner d'une courte ~*** to win by a short head; *fig* ***se mettre qc dans la ~*** *ou* ***en ~*** to get sth into one's head; ***mets-toi bien cela dans la ~!*** get that into your head (once and for all)!; *fig, fam* ***se payer la ~ de qn*** to make a fool of sb; *fig* ***perdre la ~*** (*s'affoler*) to lose one's head; (*devenir fou*) to lose one's mind, to go mad; ***piquer une ~*** to take a header *fam*; *volontairement* to dive; ***faire rentrer qc dans la ~ à qn*** to get sth into sb's head, *p/fort* to drum sth into sb; ***cela ne veut pas lui rentrer dans la ~*** he / she just can't get the hang of it *fam*; ***ne plus savoir où donner de la ~*** not to know where to turn; *fig* ***tenir ~ à qn*** to stand up to sb; *p/négatif* to defy sb; *fig* ***tu es tombé sur la ~, non?*** are you out of your mind? **2.** (*individu, animal*) head; ***par ~***, *fam* ***par ~ de pipe*** a head, each **3.** (*visage*) face; ***~ sympathique*** nice face; ***il a une sale ~*** he looks mean; ***faire la ~*** to sulk; ***faire une ~ d'enterrement*** to look gloomy **4.** *d'un train* front; *d'un chapitre* beginning; *d'une liste* top; *d'un lit* bedhead; *d'une fusée* warhead; *d'un clou* head; *d'un cortège, d'une conjuration* head; *fig* ***~ d'affiche*** top of the bill; ***~ d'épingle*** pinhead; ÉLEC ***~ de lecture*** head; ***~ de ligne*** end of the line; POL ***~***

de liste chief candidate; MIL **~ *de pont*** bridgehead; ***wagon*** *m* ***de* ~** front car, *brit* front carriage; ***en* ~** *candidat, élève* at the top; SPORT, POL ***être en* ~** to be in the lead; ***être à la* ~ *de qc*** to be at the head of sth

tête-à-queue *m* ⟨*inv*⟩ AUTO AUTO ***faire un* ~** to spin around

tête-à-tête *m* ⟨*inv*⟩ private meeting; ~ (***amoureux***) tête-à-tête

tête-bêche *adv* ***être couchés* ~** to be lying head to tail

tête-de-nègre *adj* ⟨*inv*⟩ dark brown

tétée [tete] *f d'un nourrisson* nursing, feeding; ***donner six* ~*s par jour*** give six feeds a day

téter [tete] *v/t et v/i* ⟨**-è-**⟩ to feed; *nourrisson* **~ *sa mère*** to suckle its mother's breast

tétine [tetin] *f* **1.** *du biberon* nipple, *brit* teat **2.** *pour calmer* pacifier, *brit* dummy

téton [tetõ] *fam m* breast, tit *pop*

tétralogie [tetʀalɔʒi] *f* LITTÉR, MUS tetralogy

têtu [tety] *adj* ⟨**~e**⟩ stubborn

teuf [tœf] *f fam* (*fête en verlan*) party

teuf-teuf [tœftœf] *fam m* ⟨*inv*⟩ *enf* vrrm vrrm; *voiture* jalopy *fam*, *brit* banger *fam*

teuton [tøtõ] *péj* **I** *adj* ⟨**-onne** [-ɔn]⟩ Teutonic **II *Teuton*(*ne*)** *m*(*f*) Teuton

texte [tɛkst] *m* text; ***lire Balzac dans le* ~** to read Balzac in the original

textile [tɛkstil] **I** *adj* textile *épith* **II** *m* **1.** fiber; *tissus* **~*s*** *pl* textiles; **~*s artificiels*** artificial fibers **2.** textile industry

texto® [tɛksto] *m* text (message)

textuel [tɛkstɥɛl] *adj* ⟨**~le**⟩ *analyse* textual; *traduction* literal

textuellement [tɛkstɥɛlmɑ̃] *adv* word for word

texture [tɛkstyʀ] *f* texture

T.F. 1 [teɛfɛ̃, -œ̃] *abr* (= **Télévision française première chaîne**) French state-owned TV channel

▸ **T.G.V.** [teʒeve] *m, abr* ⟨*inv*⟩ (= **train à grande vitesse**) high-speed train, TGV

Thaïlande [tajlɑ̃d] ***la* ~** Thailand

thalassothérapie [talasɔteʀapi] *f* thalassotherapy

thaumaturge [tomatyʀʒ] *litt m* miracle worker, thaumaturge *st/s*

▸ **thé** [te] *m* tea

théâtral [teɑtʀal] *adj* ⟨**~e; -aux** [-o]⟩ **1.** *œuvre* dramatic; *adaptation* stage *épith* **2.** *fig, péj* melodramatic

▸ **théâtre** [teɑtʀ] *m* **1.** theater; **~ *en plein air*** open-air theater; *fig* ***coup*** *m* ***de* ~** dramatic turn of events; ***aller au* ~** to go to the theater; ***faire du* ~** *comme métier* to be an actor **2.** *fig* playacting, histrionics *péj* (+ *v pl*)

théier [teje] *m* tea plant

théière [tejɛʀ] *f* teapot

théisme [teism] *m* theism

thématique [tematik] *adj* thematic

thème [tɛm] *m* **1.** (*sujet*) topic; FILM, MUS theme **2.** ENSEIGNEMENT translation (into a foreign language); **~ *anglais*** translation into English **3. ~ *astral*** birth chart

théocratie [teɔkʀasi] *f* theocracy

théologie [teɔlɔʒi] *f* theology

théologien [teɔlɔʒjɛ̃] *m*, **théologienne** [-jɛn] *f* theologian **théologique** *adj* theological

théorème [teɔʀɛm] *m* theorem

théoricien [teɔʀisjɛ̃] *m*, **théoricienne** [-jɛn] *f* theoretician

théorie [teɔʀi] *f* theory; **~ *de la relativité*** theory of relativity; ***en* ~** in theory

théorique [teɔʀik] *adj* theoretical **théoriquement** *adv* theoretically

thérapeute [teʀapøt] *m/f* therapist **thérapeutique** *adj* therapeutic

thérapie [teʀapi] *f* therapy; **~ *de groupe*** group therapy

thermal [tɛʀmal] *adj* ⟨**~e; -aux** [-o]⟩ *eaux* thermal **thermalisme** *m* hydrotherapy

thermes [tɛʀm] *mpl* HIST thermal baths

thermique [tɛʀmik] *adj* thermal

thermodynamique [tɛʀmodinamik] *f* thermodynamics (+ *v sg*)

thermomètre [tɛʀmomɛtʀ] *m* thermometer; **~ *médical*** clinical thermometer

thermonucléaire [tɛʀmonykleɛʀ] *adj* thermonuclear **thermoplongeur** *m* immersion heater

thermos® [tɛʀmos] *m ou f ou adjt* ***bouteille*** *f* **~** thermos®, *brit* flask

thermostat [tɛʀmosta] *m* thermostat

thésaurisation [tezɔʀizasjõ] *f* ÉCON hoarding **thésauriser** *v/t et v/i* ÉCON to hoard

thèse [tɛz] *f* **1.** (*opinion*) theory; ***pièce*** *f*, ***roman*** *m* ***à* ~** drama, novel of ideas **2.** UNIV thesis

thibaude [tibod] *f* (carpet) underlay

▸ **thon** [tõ] *m* tuna

thoracique [tɔʀasik] *adj* thoracic

thorax [tɔʀaks] *m* **1.** ANAT thorax **2.** *des insectes* thorax
thrombose [tʀõboz] *f* thrombosis (+ *v sg*)
thune [tyn] *f arg* money, dough *fam*; ***je n'ai plus une ~*** I'm broke *fam*
thuya [tyja] *m* BOT thuja
thym [tɛ̃] *m* thyme
thyroïde [tiʀɔid] *f* thyroid
Tibériade [tibeʀjad] ***le lac de ~*** Lake Tiberias
Tibet [tibɛ] ***le ~*** Tibet
tibia [tibja] *m* shin; *os* shinbone
tic [tik] *m* MÉD, *fig verbal* tic; *gestuel* habit
▶ **ticket** [tikɛ] *m* **1.** *de transport, d'entrée* ticket; ***~ repas, restaurant*** meal ticket, *brit* luncheon voucher; ***~ de caisse*** sales slip, *brit* till receipt; ***~ de métro*** subway ticket, *brit* underground ticket **2.** SÉCURITÉ SOCIALE ***~ modérateur*** patient's contribution *towards the cost of medical treatment* **3.** *fam* ***avoir un ~ avec qn*** to be well in with sb *fam*
tic-tac [tiktak] **I** *int* ticktock; ***faire ~*** to tick **II** *m* ⟨*inv*⟩ ticking
▶ **tiède** [tjɛd] *adj* **1.** *liquide* lukewarm; *air, vent* warm **2.** *fig* lukewarm
tiédeur [tjedœʀ] *f* **1.** *température* warmth **2.** *fig* half-heartedness
tiédir [tjediʀ] **I** *v/t* to cool down; (*réchauffer*) to warm up **II** *v/i* to cool (down); (*devenir plus chaud*) to warm up; ***laisser ~*** to leave to cool
▶ **tien** [tjɛ̃] **I** *pr poss* ⟨**tienne** [tjɛn]⟩ ***le tien, la tienne, les tiens, les tiennes*** yours; *fam* ▶ ***à la tienne!*** cheers!; *iron* best of luck (you'll need it)! **II** *subst* **1.** ***le tien*** (*ton bien*) yours; ***le tien et le mien*** yours and mine; ***il faut y mettre du tien*** you've got to do your bit **2.** ***les tiens*** (*famille, amis*) your family and friends
tiens [tjɛ̃] → ***tenir***
tierce [tjɛʀs] **I** *adj* → ***tiers*** **II** *f* MUS third
tiercé [tjɛʀse] *m turf betting system where money is put on three horses*; ***jouer au ~*** to bet on the horses
▶ **tiers** [tjɛʀ] **I** *adj* ⟨**tierce** [tjɛʀs]⟩ third; ***le ~ monde*** the Third World; JUR ***une tierce personne*** a third party **II** *m* **1.** ***un ~*** a third party (*a* JUR); ***~ payant*** third-party payer *in a system whereby the insurer pays medical expenses* **2.** MATH third; ***les deux ~*** two thirds; ***~ provisionnel*** tax installment *a third of annual tax due*
▶ **tiers-monde** [tjɛʀmõd] *m* Third World
tiers-mondiste [tjɛʀmõdist] *adj* Third-World *épith*
tif *ou* **tiffe** [tif] *m fam* hair
tige [tiʒ] *f* **1.** BOT stem; *des céréales* stalk **2.** TECH *d'une pompe* rod; *d'une valve* stem
tignasse [tiɲas] *f* mop of hair
▶ **tigre** [tigʀ] *m* tiger
tigré [tigʀe] *adj* ⟨**~e**⟩ striped
tigresse [tigʀɛs] *f* ZOOL, *fig* tigress
tilde [tild] *m* tilde
tilleul [tijœl] *m* **1.** BOT lime (tree) **2.** *tisane* lime-blossom tea
tilt [tilt] *m fam, fig* ***ça a fait ~*** the penny dropped *fam*
timbale [tɛ̃bal] *f* **1.** MUS kettledrum; ***~s*** *fpl* timpani **2.** (*gobelet*) (metal) tumbler; *fam, fig* ***décrocher la ~*** to hit the jackpot **3.** CUIS timbale; *moule* timbale mold
timbrage [tɛ̃bʀaʒ] *m* postmarking
▶ **timbre** [tɛ̃bʀ] *m* **1.** (*timbre-poste*) stamp; ***~ de collection*** collector's stamp **2.** (*tampon*) stamp; *de la Poste* postmark **3.** ***~ fiscal*** stamp *on official documents* **4.** (*sonnette*) bell **5.** *de la voix, d'un instrument* timbre
timbré [tɛ̃bʀe] *adj* ⟨**~e**⟩ **1.** *fam* nuts *fam*; → ***cinglé*** **2.** *voix* ***bien ~e*** resonant **3.** *enveloppe* stamped; *par la Poste* postmarked; ***enveloppe ~e*** stamped envelope, *brit* s.a.e. **4.** ***papier ~*** paper stamped with a coat of arms
timbre-poste [tɛ̃bʀəpɔst] *m* ⟨**timbres-poste**⟩ → ***timbre***
timbrer [tɛ̃bʀe] *v/t* **1.** (*affranchir*) to put a stamp on **2.** (*tamponner*) to stamp
timide [timid] **I** *adj* shy **II** *m/f* shy person
timidité [timidite] *f* shyness; *d'une réaction, etc* timidity
timon [timõ] *m* tiller
timonier [timɔnje] *m* helmsman
timoré [timɔʀe] *adj* ⟨**~e**⟩ timid
tint [tɛ̃] → ***tenir***
tintamarre [tɛ̃tamaʀ] *m* din; *des klaxons* hooting
tintement [tɛ̃tmɑ̃] *m* **1.** *d'une sonnette* ringing; *des cloches* chiming **2.** *de verres, etc* clinking **3.** ***~ d'oreilles*** ringing in one's ears, tinnitus *t/t*
tinter [tɛ̃te] *v/i* **1.** *cloches* to chime; *clochette* to tinkle **2.** *verres, métal* to clink; *fig* ***les oreilles ont dû vous ~*** your ears must have been burning

tintin [tɛ̃tɛ̃] *int fam* no way *fam*; ***faire ~*** to go without
tintinnabuler [tɛ̃tinabyle] *v/i litt* to tinkle
tintouin [tɛ̃twɛ̃] *m fam* racket *fam*, din
tique [tik] *f* ZOOL tick
tiquer [tike] *v/i* to wince; ***faire ~ qn*** to make sb wince
tir [tiʀ] *m* **1.** shooting (+ *v sg*); MIL *activité* firing (+ *v sg*); *coups* fire (+ *v sg*); ***~ à l'arc*** archery **2.** FOOT, *etc* shot; ***~s au but*** shots at goal **3.** ***~*** (***forain***) rifle range
tirade [tiʀad] *f* **1.** THÉ declamation **2.** *péj* tirade
tirage [tiʀaʒ] *m* **1.** TYPO impression; *de livre* print run; *de journal* circulation; ***à grand ~*** mass-circulation *épith* **2.** PHOT printing (+ *v sg*); *image* print **3.** INFORM hard copy **4.** LOTERIE draw; ***par un ~ au sort*** by drawing lots **5.** *d'un chèque, d'une lettre de change* drawing **6.** *d'une cheminée* draft **7.** *du vin* bottling **8.** *fam, fig* (*difficultés*) trouble (+ *v sg*)
tiraillement [tiʀɑjmɑ̃] *m* **1.** tugging **2.** ***~s*** *pl* (*douleurs*) pangs **3.** *fig* ***~s*** *pl* (*difficultés*) friction (+ *v sg*)
tirailler [tiʀaje] **I** *v/t* **1.** to tug (at) **2.** *fig* ***être tiraillé entre*** to be torn between **II** *v/i* to shoot at random
tirailleur [tiʀajœʀ] *m* skirmisher
tirant [tiʀɑ̃] *m* MAR draft; ***échelle de ~ d'eau*** draft marks
tire [tiʀ] *f* **1.** ***vol*** *m* ***à la ~*** pickpocketing (+ *v pl*); ***voleur*** *m* ***à la ~*** pickpocket **2.** *arg* (*auto*) car
tiré [tiʀe] **I** *adj* ⟨***~e***⟩ ***avoir les traits ~s*** to look drawn **II** *m* COMM drawee
tire-au-flanc *m* ⟨*inv*⟩ *fam* shirker, *brit* skiver *fam*
► **tire-bouchon** *m* ⟨**tire-bouchons**⟩ corkscrew; *fig* ***queue*** *f* ***en ~*** curly tail
tire-bouchonner *v/i pantalon* to be twisted
tire-d'aile [tiʀdɛl] ***à ~*** swiftly
tire-fesses *m fam* ⟨*inv*⟩ ski tow, T-bar
tire-lait *m* ⟨*inv*⟩ breast pump
tire-larigot [tiʀlaʀigo] ***à ~*** as much as one likes
tirelire [tiʀliʀ] *f* piggy bank
► **tirer** [tiʀe] **I** *v/t* **1.** to pull; *rideau, verrou* to draw; *porte* to close; *tiroir* to pull out; *vin* to draw; ***tirer les cartes*** to read the cards; ***tirer les cheveux à qn*** to pull sb's hair; ***tirer une remorque*** to tow a trailer; ***tirer qn du lit*** to drag sb out of bed; ***tirer qc de sa poche*** to pull sth out of one's pocket; ***tirer qn du sommeil*** to rouse sb; ***tirer qn par la manche*** to tug sb's sleeve; ***tirer qc vers soi*** to draw sb towards one **2.** *fig* to get (***de*** from); *argent* to make; *bénéfice* to gain; *renseignements* to get; *plaisir* (*a* CHIM) to derive; ***tirer des sons d'un instrument*** to get sounds out of an instrument **3.** *balle, coup de feu* to fire *flèche* to shoot; *feu d'artifice* to let off; ***tirer un lièvre*** to shoot a hare; *par ext* ***tirer un penalty*** to take a penalty **4.** *ligne, trait* to draw **5.** *chèque, lettre de change* to draw **6.** *livre, photo* to print; ***tirer un livre à dix mille exemplaires*** to print ten thousand copies of a book **7.** *fam, fig laps de temps* ***un mois à tirer*** a month to go **II** *v/t indir* **1.** *couleur* ***tirer sur le bleu*** to verge on blue, to be bluish **2.** ***tirer sur la soixantaine*** to be pushing sixty **III** *v/i* **1.** to pull; *cheminée* to draw; ***tirer sur sa cigarette*** to draw on one's cigarette **2.** *avec une arme* to shoot, to fire; *par ext* ***tirer au but*** to take a shot at goal; ► ***tirer sur qn, qc*** to fire at sb, sth **3.** PÉTANQUE to throw **4.** *journal* ***tirer à cent mille exemplaires*** to have a circulation of one hundred thousand **IV** *v/pr* **1.** ***s'en tirer*** *d'un accident, d'une condamnation* to escape; *d'affaire* to come through; (*se débrouiller*) to manage, to cope **2.** *fam* (*se terminer*) ***ça se tire*** it'll soon be over **3.** *fam* (*s'en aller*) ***se tirer*** to take off *fam*; (*se sauver*) to leg it *fam*, to beat it *fam*
tiret [tiʀɛ] *m* TYPO dash; *en fin de ligne* (soft) hyphen
tirette [tiʀɛt] *f* **1.** *d'un meuble* pull-out shelf **2.** *en Belgique* zipper, *brit* zip
tireur [tiʀœʀ] *m* **1.** marksman; ***~ d'élite*** sharpshooter **2.** SPORT striker **3.** FIN drawer
tireuse [tiʀøz] *f* ***~ de cartes*** fortune teller, card reader *t/t*
► **tiroir** [tiʀwaʀ] *m* drawer
tiroir-caisse *m* ⟨**tiroirs-caisses**⟩ cash register
tisane [tizan] *f* herbal tea
tison [tizõ] *m* (fire)brand
tisonner [tizɔne] *v/t feu* to poke **tisonnier** *m* poker
tissage [tisaʒ] *m* **1.** *action* weaving **2.** *atelier* cloth mill
tisser [tise] *v/t* to weave
tisserand [tisʀɑ̃] *m* weaver
tisseur [tisœʀ] *m*, **tisseuse** [-øz] *f* weav-

er

▶ **tissu** [tisy] *m* **1.** TEXT fabric, material **2.** BIOL tissue **3.** *fig* ***~ de mensonges*** tissue of lies *st/s*

tissu-éponge *m* ⟨**tissus-éponges**⟩ toweling

titan [titã] *m* MYTH titan

titane [titan] *m* CHIM titanium

titi [titi] *m* ***~ parisien*** urchin, rascal

titiller [titije] *v/t* **1.** (*chatouiller*) to tickle **2.** *fam*, *fig* (*démanger*) to titillate

titrage [titʀaʒ] *m* CHIM titration

▶ **titre** [titʀ] *m* **1.** (*dignité*) title (*a* SPORT); ***~ universitaire*** university qualification; ***en ~*** permanent; *par ext* official **2.** *d'un livre*, *film*, *article*, *etc* title; *d'un chapitre* heading; *dans un journal* headline; ***gros ~s*** headlines **3.** (*document*) deed; (*droit*) claim; ***~ de transport*** ticket **4.** ***à ~ de*** by way of; ***à ce ~*** therefore; ***à ~ d'exemple*** by way of an example; ***à ~ d'information*** for (your) information; ***à ~ de réciprocité*** in return; ***à aucun ~*** in no way; ***à ~ définitif*** on a permanent basis; ***à ~ exceptionnel*** as an exception; ***à juste ~*** rightly; ***au même ~ que …*** in the same capacity as … **5.** FIN security **6.** CHIM titer; *d'or*, *etc* fineness

titrer [titʀe] *v/t* **1.** *journal* ***~ sur cinq colonnes …*** to announce in a five-column spread … **2.** CHIM to titrate; *liqueur* ***~ 15 degrés*** to be 15 degrees proof

titubant [titybã] *adj* ⟨**-ante** [-ãt]⟩ unsteady; *ivrogne* staggering **tituber** *v/i* to stagger

titulaire [titylɛʀ] **I** *adj employé* permanent; ADMIN who has been confirmed in a post *épith* **II** *m/f* permanent staff member; ***~ d'un compte*** account holder

titularisation [titylaʀizasjõ] *f* confirmation in a post **titulariser** *v/t qn* to confirm in a post

T neuf *m* ? ***T9***

TNT *f* **télévision numérique terrestre** DTT *digital terrestrial television*

toast [tost] *m* **1.** toast; ***porter un ~*** to propose a toast (***à qn*** to sb) **2.** (*pain grillé*) piece of toast

toasteur [tostœʀ] *m* toaster

toboggan [tɔbɔgã] *m* **1.** *pour jouer* slide; AVIAT emergency chute; TECH chute **2.** *sur une route* overpass, *brit* flyover **3.** *traîneau* toboggan

toc [tɔk] *m* ***c'est du ~*** it's fake; ***en ~*** *bijoux* imitation *épith*

tocade → ***toquade***

tocard [tɔkaʀ] **I** *adj* ⟨**-arde** [-aʀd]⟩ *fam* lousy *fam* **II** *m péj* loser *fam*

tocsin [tɔksɛ̃] *m* alarm bell; ***sonner le ~*** to sound the alarm

tofu [tɔfu] *m* tofu

toge [tɔʒ] *f* **1.** HIST toga **2.** *des avocats*, *etc* gown

Togo [tɔgo] ***le ~*** Togo

tohu-bohu [tɔybɔy] *m* commotion, hurly-burly

▶ **toi** [twa] *pr pers* **1.** *sujet* you; ***~, tu restes ici!*** you stay here!; ***si j'étais ~*** if I were you **2.** *objet directe* you; *objet indirecte* you; ***on parle de ~*** they're *ou* we're talking about you; ***sers-~*** help yourself; ***figure-~ …*** can you imagine …

toile [twal] *f* **1.** TEXT cloth; *par ext de lin* linen; *de coton* cotton; ***de ou en ~*** canvas **2.** *tableau* canvas; *fig* ***~ de fond*** backdrop **3.** MAR net **4.** ***~ d'araignée*** ZOOL spiderweb, *brit* spider's web; *à enlever* cobweb **5.** INFORM ***la Toile*** the web

toilettage [twalɛtaʒ] *m pour chiens* grooming; ***boutique f de ~*** grooming parlor

toilette [twalɛt] *f* **1.** washing; ***serviette f de toilette*** towel; ***faire sa toilette*** to have a wash; *chat* to groom itself **2.** (*habits*) outfit; ***être en grande toilette*** to be all dressed up **3.** ▶ ***toilettes*** *pl* bathroom (+ *v sg*), *brit* toilet (+ *v sg*); ***aller aux toilettes*** to go to the bathroom

toi-même [twamɛm] *pr pers* **1.** *emphatique* yourself **2.** *réfléchi* yourself

toise [twaz] *f* height gauge; ***passer qn à la ~*** to measure sb

toiser [twaze] *v/t* ***~ qn*** to look sb up and down

toison [twazõ] *f* **1.** *du mouton* fleece; *par ext* mane; ***la Toison d'or*** the Golden Fleece **2.** *fig* mane of hair

▶ **toit** [twa] *m* roof; *par ext* ***avoir un ~*** to have a roof over one's head; *fig* ***crier qc sur les ~s*** to shout sth from the rooftops; ***recevoir qn sous son ~*** to have sb as guest in one's home

toiture [twatyʀ] *f* roof

tôle [tol] *f* **1.** *matière* sheet metal; *plaque* sheet of metal **2.** → ***taule***

tôlé [tole] *adj* ⟨**~e**⟩ ***neige ~e*** crusted snow

tolérable [tɔleʀabl] *adj* **1.** (*admissible*)

acceptable **2.** (*supportable*) bearable

tolérance [tɔleʀɑ̃s] *f* **1.** tolerance **2.** REL toleration **3.** TECH tolerance (*a* MÉD) **4.** *~ **orthographique*** allowable spelling variations (+ *v pl*)

tolérant [tɔleʀɑ̃] *adj* ⟨**-ante** [-ɑ̃t]⟩ tolerant

tolérer [tɔleʀe] *v/t* ⟨**-è-**⟩ **1.** *chose, personne* to tolerate, to put up with **2.** MÉD to tolerate

tôlerie [tolʀi] *f* **1.** *atelier* sheet-metal works (+ *v sg*) **2.** *coll* metalwork

tolet [tɔlɛ] *m* MAR rowlock

tôlier [tolje] *m* **1.** *ouvrier* sheet-metal worker; *commerçant* sheet-metal merchant **2.** → ***taulier***

tollé [tɔle] *m* outcry

► **tomate** [tɔmat] *f* tomato

tombal [tõbal] *adj* ⟨**~e; -als**⟩ ***pierre ~e*** *dalle* tombstone; *stèle* headstone

tombant [tõbɑ̃] *adj* ⟨**-ante** [-ɑ̃t]⟩ *moustaches, paupières* drooping; ***cheveux*** *mpl* ***~s*** long hair (+ *v sg*); ***poitrine*** *f* ***~e*** sagging chest; *fig* ***à la nuit ~e*** at nightfall

► **tombe** [tõb] *f* grave

tombeau [tõbo] *m* ⟨**~x**⟩ grave; *poét* tomb; *fig* ***rouler à ~ ouvert*** to drive at breakneck speed

tombée [tõbe] *f* ***à la ~ du jour*** at the close of day; ***à la ~ de la nuit*** at nightfall

► **tomber** [tõbe] **I** *v/t* **1.** *fam* ***tomber la veste*** to take one's jacket off **2.** *fam, fig femme* to pick up *fam* **II** *v/i* ⟨**être**⟩ **1.** to fall; (*se renverser*) to fall over; *du haut de qc* to fall off; *alpiniste* to fall; *avion* to drop; *feuilles, fruits* to fall; *cheveux, dents* to fall out; *foudre* to strike; ***tomber à** ou **dans l'eau*** to fall into the water; *projet* to fall through; ***tomber par terre*** to fall on the ground; *personne debout* to fall over; ***faire tomber qc*** (*renverser*) to knock sth over; *du haut de qc* to knock sth off; *d'un arbre* to knock sth down **2.** *fig paroles, etc* to fall; ***la nuit tombe*** night is falling; ***son anniversaire tombe un dimanche*** his birthday falls on a Sunday **3.** *soldat, ville* to fall; *obstacle, difficulté* to disappear; *gouvernement* to fall; ***faire tomber*** *gouvernement* to topple; ► ***laisser tomber*** *projet, personne* to abandon; *fam abs* ***laisse tomber!*** forget it!; *avec irritation* give it a rest! *fam* **4.** ***tomber sur qn*** (*attaquer*) to attack sb **5.** (*devenir*) to fall; ***tomber amoureux*** to fall in love (***de qn*** with sb); ***tomber malade*** to fall ill; ***il est tombé dans le piège*** he fell into the trap **6.** (*arriver*) to come; *fax, etc* to arrive; ***tomber bien, mal*** (*à propos*) to be convenient, inconvenient; ***ça tombe bien*** that's lucky; ***il est bien tombé*** (*il a eu de la chance*) he's really lucky; ***tomber juste*** *calcul* to come out right; (*deviner*) to hit the nail on the head; ***tomber sur qc*** to come across sth; ***tomber sur qn*** to run into sb **7.** *prix, température* to drop, to fall; *enthousiasme* to wane; *jour* to draw to a close; *vent* to drop; ***faire tomber les prix*** to bring prices down **8.** (*descendre, pendre*) to hang; *vêtement* ***tomber bien*** to hang well; ***épaules*** *fpl* ***qui tombent*** sloping shoulders **III** *v/imp* ***il tombe de la neige, de la pluie*** it's snowing, raining

tombereau [tõbʀo] *m* ⟨**~x**⟩ **1.** *charrette* tip-up cart **2.** TECH dumptruck, *brit* dumper truck

tombeur [tõbœʀ] *m fam* **1.** (*séducteur*) charmer **2.** POL ***le ~ du ministre*** the person who brought the minister down

tombola [tõbɔla] *f* lottery, *brit* tombola

tome [tɔm] *m* volume

tomette [tɔmɛt] *f* hexagonal floor tile

tomme [tɔm] *f* (*fromage*) tomme

► **ton**[1] [tõ] *adj poss* ⟨*f* **ta** [ta], *devant voyelle et h muet* **ton**; *pl* **tes** [te]⟩ your

ton[2] *m* **1.** *hauteur de la voix* pitch; *qualité de la voix* tone **2.** *fig* (*style*) tone; ***de bon ~*** in good taste; *élégance* tasteful; *fig* ***changer de ~*** to change one's tune; ***si vous le prenez sur ce ~…*** if you're going to be like that about it … **3.** MUS (*note*) pitch; (*intervalle*) tone; (*tonalité*) key; *fig* ***donner le ~*** to set the tone **4.** (*couleur*) tone

tonalité [tɔnalite] *f* **1.** MUS key **2.** *d'une voix, radio, etc* tone **3.** TÉL dial tone

tondeuse [tõdøz] *f* **1.** *du coiffeur* clippers (+ *v pl*) **2.** **~ (*à gazon*)** lawn mower

► **tondre** [tõdʀ] *v/t* ⟨→ **rendre**⟩ **1.** *mouton* to shear; *caniche, cheveux* to clip **2.** *gazon* to mow **3.** *fam, fig* ***~ qn*** to fleece sb *fam*

tondu [tõdy] *adj* ⟨**~e**⟩ *mouton* shorn; *chien* clipped; *crâne* shaven

tongs [tõg] *fpl* thongs, *brit* flip-flops

tonicité [tɔnisite] *f* bracing effect

tonifier [tɔnifje] *v/t* to tone

tonique [tɔnik] **I** *adj* **1.** (*stimulant*) tonic; ***lotion*** *f* ***~*** toner **2.** PHON tonic **II** *subst* **1.** *m* tonic **2.** *f* MUS tonic

tonitruant [tɔnitʀyɑ̃] *adj* ⟨**-ante** [-ɑ̃t]⟩ ***voix ~e*** booming voice
tonnage [tɔnaʒ] *m* tonnage
tonnant [tɔnɑ̃] *adj* ⟨**-ante** [-ɑ̃t]⟩ thunderous
► **tonne** [tɔn] *f* tonne; *fam, fig* ***des ~s de ...*** loads of ... *fam*; *camion* ***un sept ~s*** a seven-tonne truck
tonneau [tɔno] *m* ⟨**~x**⟩ **1.** *à vin, etc* barrel **2.** MAR ton **3.** AUTO ***faire un ~*** to roll over
tonnelet [tɔnlɛ] *m* keg
tonnelier [tɔnəlje] *m* cooper
tonnelle [tɔnɛl] *f* arbor
tonner [tɔne] **I** *v/imp* ***il tonne*** it's thundering **II** *v/i* **1.** *canons* to thunder **2.** *personne* ***~ contre*** to rail against
► **tonnerre** [tɔnɛʀ] *m* **1.** thunder; *fig* ***~ d'applaudissements*** thunderous applause; ***coup*** *m* ***de ~*** clap of thunder; *fig* bolt from the blue **2.** *fam, fig* ***du ~*** fantastic *fam*
tonsure [tɔ̃syʀ] *f* CATH tonsure
tonte [tɔ̃t] *f de moutons* shearing
tonton [tɔ̃tɔ̃] *m enf* uncle
tonus [tɔnys] *m* **1.** *d'une personne* energy **2.** **~** (***musculaire***) muscle tone
top [tɔp] *m* RAD ***au quatrième ~ il sera ...*** at the fourth stroke it will be ...
topaze [tɔpɑz] *f* topaz
toper [tɔpe] *v/i* ***tope là!*** shake on it!
topette [tɔpɛt] *f fam* small bottle
topinambour [tɔpinɑ̃buʀ] *m* Jerusalem artichoke
topique [tɔpik] *m* **1.** MÉD topical remedy **2.** RHÉT topic
topo [tɔpo] *m fam* short talk
topographe [tɔpɔgʀaf] *m/f* topographer **topographie** *f* topography **topographique** *adj* topographic
topoguide [tɔpɔgid] *m* topographical guide
topologie [tɔpɔlɔʒi] *f* topology
toponymie [tɔpɔnimi] *f* toponymy
toquade [tɔkad] *f fam* fad; ***avoir une ~ pour qn*** to have a crush on sb
toquard → ***tocard***
toque [tɔk] *f* toque; *de magistrat* hat; **~** (***de cuisinier***) chef's hat; ***~ de fourrure*** fur toque
toqué [tɔke] *adj* ⟨**~e**⟩ *fam* crazy *fam*; ***être ~ de qn*** to be crazy about sb *fam*
toquer [tɔke] *v/i* to knock (***à la porte*** on the door)
torche [tɔʀʃ] *f* **1.** (*flambeau*) torch **2.** **~** (***électrique***) torch
torcher [tɔʀʃe] *v/t fam* **1.** **~** (***le derrière d'***)***un enfant*** *fam* to wipe a child's bottom **2.** *travail* to dash off *fam*; ***bien torché*** well-written
torchère [tɔʀʃɛʀ] *f* **1.** *d'une raffinerie* flare stack **2.** (*candélabre*) torchère
torchis [tɔʀʃi] *m* CONSTR cob
torchon [tɔʀʃɔ̃] *m* **1.** *pour la vaisselle* dish towel, *brit* tea towel; *fig* ***le ~ brûle*** it's war **2.** *fam, fig* (*écrit sans valeur*) mess; ***c'est un ~!*** it's a mess! **3.** *en Belgique* (*serpillière*) floor cloth
tordant [tɔʀdɑ̃] *adj fam* ⟨**-ante** [-ɑ̃t]⟩ hilarious; hysterical *fam*
tord-boyaux [tɔʀbwajo] *m fam* ⟨*inv*⟩ gut-rot *fam*
tordre [tɔʀdʀ] ⟨→ **rendre**⟩ **I** *v/t* **1.** ***~ qc*** (*tourner*) to twist sth; *linge* to wring sth out; *fam* ***~ le cou à qn*** to wring sb's neck **2.** (*plier*) to bend **3.** *visage* to distort; *bouche* to twist **II** *v/pr* **1.** ***se ~ la cheville, le pied*** to twist one's ankle, foot; ***se ~ les mains*** to wring one's hands **2.** ***se ~*** (*se plier*) to be contorted (***de douleur*** with pain); ***se ~*** (***de rire***) to be doubled up with laughter
tordu [tɔʀdy] *adj* ⟨**~e**⟩ **1.** *barre* twisted; *jambes, nez* crooked; *bouche, visage* contorted **2.** *fam* (*fou*) crazy *fam*; *fig* ***avoir l'esprit ~*** to have a twisted mind
toréador [tɔʀeadɔʀ] *m* → ***torero***
torero [tɔʀeʀo] *m* torero
torgnole [tɔʀɲɔl] *f fam* clout *fam*
tornade [tɔʀnad] *f* tornado
torpeur [tɔʀpœʀ] *f* torpor
torpillage [tɔʀpijaʒ] *m* torpedoing
torpille [tɔʀpij] *f* **1.** MIL torpedo **2.** (***poisson*** *m*) **~** torpedo ray
torpiller [tɔʀpije] *v/t* to torpedo **torpilleur** *m* torpedo boat
torréfaction [tɔʀefaksjɔ̃] *f* roasting **torréfier** *v/t* to roast
► **torrent** [tɔʀɑ̃] *m* **1.** torrent; ***il pleut à ~s*** it's pouring **2.** *fig* torrent
torrentiel [tɔʀɑ̃sjɛl] *adj* ⟨**~le**⟩ ***pluie ~le*** torrential rain
torride [tɔʀid] *adj climat* torrid; *chaleur* scorching
tors [tɔʀ] *adj* ⟨**torse** [tɔʀs]⟩ twisted; *jambes* crooked
torsade [tɔʀsad] *f* **1.** ***~ de cheveux*** coil of hair; ***pull à ~s*** cable-knit sweater **2.** *de fils* twist
torsader [tɔʀsade] *v/t cheveux* to coil
torse [tɔʀs] *m* chest; ANAT, SCULP torso; ***~ nu*** bare-chested; ***se mettre ~ nu*** to strip to the waist

torsion [tɔʀsjõ] *f* twisting; PHYS torsion

▶ **tort** [tɔʀ] *m* **1.** (*erreur*) mistake; (*faute*) fault; ***à ~*** wrongly; ***à ~ ou à raison*** rightly or wrongly; ***à ~ et à travers*** *parler*, *dépenser* without thinking; ***avoir ~*** to be wrong; ***il a ~ de*** *+inf* he's wrong *+inf*; ***être dans son ~*** to be in the wrong; ***reconnaître ses ~s*** to acknowledge that one was wrong **2.** (*préjudice*) wrong; ***faire du ~ à qn*** to harm sb

torticolis [tɔʀtikɔli] *m* stiff neck

tortillard [tɔʀtijaʀ] *m fam* slow local train

tortillement [tɔʀtijmɑ̃] *m en marchant* wiggle of the hips

tortiller [tɔʀtije] **I** *v/t* to twist; *moustache* to twirl **II** *v/i fam*, *fig* ***il n'y a pas à ~*** there's no wriggling out of it **III** *v/pr* ***se tortiller*** *d'impatience* to fidget; *en marchant* to wiggle one's hips

tortionnaire [tɔʀsjɔnɛʀ] *m* torturer

tortue [tɔʀty] *f* tortoise; *avancer* ***comme une ~*** at snail's pace

tortueux [tɔʀtɥø] *adj* ⟨**-euse** [-øz]⟩ **1.** *chemin* tortuous; *ruelle* winding **2.** *fig manœuvres* devious

torturant [tɔʀtyʀɑ̃] *adj* ⟨**-ante** [-ɑ̃t]⟩ *pensée*, *remords* agonizing

torture [tɔʀtyʀ] *f* **1.** torture; HIST ***chambre*** *f* ***de ~*** torture chamber; *fig* ***mettre qn à la ~*** to put sb through hell **2.** *fig* torture

torturer [tɔʀtyʀe] **I** *v/t* to torture; *fig* to torment **II** *v/pr* ***se torturer*** to torment o.s.; ***se ~ l'esprit*** to rack one's brains

torve [tɔʀv] *adj regard* baleful

▶ **tôt** [to] *adv* early; ***plus ~*** earlier (***que*** than); ***~ ou tard*** sooner or later; ***au plus ~*** at the earliest; ***il n'eut pas plus ~ dit cela que …*** no sooner had he said it than …; ***on ne le reverra pas de si ~*** we won't be seeing him again in a hurry

total [tɔtal] **I** *adj* ⟨**~e; -aux** [-o]⟩ **1.** (*complet*) complete, total; ***confiance ~e*** complete trust **2.** (*global*) total **II** *subst* **1.** *m* total; ***au ~*** (*en tout*) in total; (*tout compte fait*) when all is said and done; ***faire le ~ de qc*** to add sth up **2.** MÉD ***~e*** *f* full hysterectomy

▶ **totalement** [tɔtalmɑ̃] *adv* totally, completely

totalisation [tɔtalizasjõ] *f* adding up

totaliser [tɔtalize] *v/t* **1.** (*avoir au total*) to have a total of; *voix* to get **2.** ***~ qc*** (*faire le total*) to add sth up

totalitaire [tɔtalitɛʀ] *adj* totalitarian

totalitarisme [tɔtalitaʀism] *m* totalitarianism

totalité [tɔtalite] *f* ***la*** (***presque***) ***~ du personnel*** (almost) all of the staff; ***la ~ de la somme, facture*** the whole amount, bill ***en ~*** *détruit*, *financé* completely; *remboursé* in full

totem [tɔtɛm] *m* totem; *poteau* totem pole

toubib [tubib] *m fam* doctor

toucan [tukɑ̃] *m* ZOOL toucan

touchant [tuʃɑ̃] *adj* ⟨**-ante** [-ɑ̃t]⟩ touching

▶ **touche** [tuʃ] *f* **1.** *d'un clavier* key; INFORM ***~ de fonction*** function key **2.** ***pierre*** *f* ***de ~*** *de l'orfèvre* touchstone *a fig* **3.** PÊCHE bite; ***je n'ai pas eu une ~*** I haven't had a single bite; *fam*, *fig* ***faire une ~*** to get a bite **4.** PEINT (*coup de pinceau*) stroke; (*style*) touch **5.** *fam* (*allure*) ***avoir une drôle de ~*** to look odd **6.** SPORT (***remise*** *f* ***en***) ***~*** *au rugby* line-out; *au football* throw-in; (***ligne*** *f* ***de***) ***~*** touchline; ***il y a ~*** the ball is out; *fig* ***rester sur la ~*** to stay on the sidelines; *fig* ***être mis sur la ~*** to be sidelined

touche-à-tout *m* ⟨*inv*⟩ **1.** meddler **2.** *fig* ***c'est un ~*** he's into everything; *péj* he's a jack of all trades

▶ **toucher**[1] [tuʃe] **I** *v/t* **1.** to touch; *autre maison* to adjoin; *port* to put in at **2.** (*atteindre*) to hit; ***être touché par une balle*** to be shot **3.** ***~ qn*** *par téléphone*, *lettre* to get in touch with sb **4.** ***~ qn*** (*émouvoir*) to move sb, to touch sb; (*blesser*) to hurt **5.** *argent*, *salaire*, *pension* to receive, to get **6.** (*concerner*) to affect **II** *v/t indir* **1.** ***~ à qc*** to touch sth; *fig* ***il n'a jamais touché à un livre*** he's never opened a book; ***n'y touche pas!*** don't touch it! **2.** *par ext* ***~ à*** *économies* to dip into; *institution*, *coutume* to meddle with; *question*, *sujet* to broach **III** *v/pr* ***se toucher*** to touch; *terrains*, *bâtiments* to adjoin

toucher[2] *m* **1.** *sens* touch **2.** ***être doux, rude au ~*** to be soft, rough **3.** MÉD digital examination

touffe [tuf] *f* tuft; ***~ de cheveux*** tuft of hair

touffu [tufy] *adj* ⟨**~e**⟩ **1.** *haie*, *bois* thick, dense **2.** *fig* dense

touiller [tuje] *v/t fam salade* to toss; *sauce* to stir

▶ **toujours** [tuʒuʀ] *adv* **1.** (*constamment*) always; ***~ moins*** less and less;

c'est un ami de ~ he's a lifelong friend; ***depuis ~*** for a long time; ***pour ~*** for ever **2.** (*encore*) still; ***il l'aime ~*** he still loves her **3.** (*en tout cas*) anyway; *fam* ***c'est ~ ça*** (***de pris, de gagné***) that's something at least; *conj* ***~ est-il que ...*** the fact remains that ...

toundra [tundʀa] *f* tundra

toupet [tupɛ] *m fam* nerve *fam*, cheek *fam*; ***avoir du ~*** to have a nerve *fam*

toupie [tupi] *f* top

► **tour**[1] [tuʀ] *f* **1.** tower; *immeuble* tower block; ***~ de contrôle*** control tower **2.** *aux échecs* rook, castle

► **tour**[2] *m* **1.** (*circonférence*) circumference; COUT measurement; ***~ de poitrine*** chest measurement; ***~ de taille*** waist measurement **2.** (*promenade*) walk; (*excursion, voyage*) trip; ***~ d'honneur*** lap of honor; ***un ~ en vélo, en voiture*** a ride, drive; ***faire un petit ~*** *à pied* to go for a stroll; ***faire le ~ de qc*** to go round sth; ***faire le ~ du monde*** *personne* to go round the world; *chanson* to be known all over the world; *fig* ***faire le ~ de la question*** to look at the issue from every angle; ***faire le ~ de la ville*** *personne* to go round the town; *nouvelle* to spread through the town **3.** (*rotation*) turn; *d'un moteur* revolution; *fig* ***~ de main*** dexterity; ***en un ~ de main*** in a flash; ***fermer*** (***la porte***) ***à double ~*** to double-lock the door **4.** (*technique*) ***~ d'adresse*** feat of skill; ***~ de force*** tour de force; ***avoir plus d'un ~ dans son sac*** to have more than one trick up one's sleeve; ***et voilà, le ~ est joué*** and there you have it **5.** (*farce*) trick; ***faire, jouer un*** (***mauvais***) ***~ à qn*** to play a (dirty) trick on sb **6.** (*tournure*) turn; ***prendre un ~ dramatique*** to take a dramatic turn **7.** *dans un certain ordre* turn; ***à qui le ~?*** whose turn is it?; ***à mon, ton,*** *etc* ***~*** it's my, your, *etc.* turn; ***à ~ de rôle*** in turn; ***~ à ~*** (*alternativement*) by turns; (*à la suite*) in turn; ***attendre son ~*** to wait one's turn; ***c'est mon, ton,*** *etc* ***~*** it's my, your, *etc.* turn; ***~ de chant*** song recital; ***~ de scrutin*** round of voting

tour[3] *m* **1.** TECH lathe **2.** *du potier* potter's wheel

tourbe [tuʀb] *f* peat

tourbière [tuʀbjɛʀ] *f* peat bog

tourbillon [tuʀbijõ] *m* **1.** whirlwind; ***~ de neige*** flurry of snow; ***~ de poussière*** cloud of dust **2.** *dans l'eau* whirlpool **3.** *fig* whirlwind; *plus fort* maelstrom

tourbillonner [tuʀbijɔne] *v/i* **1.** *feuilles, neige, etc* to swirl **2.** *fig idées* ***~ dans la tête de qn*** to swirl around in sb's head

tourelle [tuʀɛl] *f* **1.** ARCH turret **2.** *d'un char* gun turret

► **tourisme** [tuʀism] *m* tourism; ***~ de masse*** mass tourism; ***avion*** *m* ***de ~*** charter plane; ***voiture*** *f* ***de ~*** sedan, *brit* saloon; ***faire du ~*** to do some sightseeing

► **touriste** [tuʀist] *m/f* tourist; *adjt* ***classe*** *f* ***~*** tourist class

touristique [tuʀistik] *adj* tourist *épith*; ***guide*** *m* ***~*** tourist guide; ***menu*** *m* ***~*** set menu

tourment [tuʀmɑ̃] *m litt* torment

tourmente [tuʀmɑ̃t] *f* **1.** *litt* (*tempête*) storm **2.** *fig* turmoil

tourmenté [tuʀmɑ̃te] *adj* ⟨**~e**⟩ *époque, vie* turbulent; *paysage* rugged; *mer* wild

tourmenter [tuʀmɑ̃te] **I** *v/t* to torment **II** *v/pr* ***se tourmenter*** to worry

tournage [tuʀnaʒ] *m* FILM, TV shooting, filming

tournant [tuʀnɑ̃] **I** *adj* ⟨**-ante** [-ɑ̃t]⟩ *siège, mécanisme* swivel *épith*; *chemin* twisting; *poste* rotating; ***grève ~e*** rolling strike **II** *m* **1.** (*virage*) bend; *fam, fig* ***je l'attends, l'aurai au ~*** I'll get my own back on him / her **2.** *fig* turning point

tourné [tuʀne] *adj* ⟨**~e**⟩ **1.** *lait* sour **2.** *lettre, etc* ***bien ~*** nicely phrased; ***avoir l'esprit mal ~*** to have a dirty mind

tournebouler [tuʀnəbule] *v/t fam* ***~ qn*** to upset sb

tournebroche [tuʀnəbʀɔʃ] *m* rotisserie spit

tourne-disque [tuʀnədisk] *m* ⟨**tourne-disques**⟩ record player

tournedos [tuʀnədo] *m* CUIS tournedos

tournée [tuʀne] *f* **1.** *d'un facteur* round (*a* COMM); *d'un gardien* beat; ***~ électorale*** election tour; ***~ théâtrale*** theater tour; THÉ ***être en ~*** to be on tour **2.** *fam au café* round

tournemain [tuʀnəmɛ̃] *adv litt* ***en un ~*** in no time at all

► **tourner** [tuʀne] **I** *v/t* **1.** to turn; *page, clé* to turn; *salade* to toss; *sauce* to stir; *fig* ***tourner et retourner qc dans son esprit*** to mull sth over; *fig* ***tourner la tête à qn*** *vin, réussite* to go to sb's head; *personne* to turn sb's head; *regard, attention* ***tourner vers*** to turn towards

2. (*contourner*) ***tourner qc*** to go round sth; *fig difficulté, loi* to get round sth; ***tourner le coin de la rue*** to go round the corner **3.** TECH *métal* to grind; *bois* to turn **4.** *film, scène* to shoot **5.** *phrase, compliment* to formulate **II** *v/i* **1.** to turn; TECH to rotate; *moteur* to run; *fig entreprise, usine* to run; ***l'heure tourne*** time is moving on; ***j'ai la tête qui tourne*** my head is spinning; ***ça me fait tourner la tête*** it makes my head spin; *représentant* ***tourner sur une région*** to travel round a region **2.** ***tourner autour de qc*** to revolve around sth; *péj* ***tourner autour de qn*** to hang round sb *péj*; *fig* ***tourner autour de dix pour cent*** to stand at around ten percent **3.** (*changer de direction*) to turn; *vent* to turn; *fig chance* to change; ***tourner à droite, à gauche*** to turn right, left; ***tourner dans une rue*** to turn into a road **4.** (*se terminer*) to turn out; (*évoluer*) to turn (***à*** into); ***tourner bien*** to turn out well; ***tourner mal*** to turn out badly; to go wrong; *personne* to turn out badly; *temps* ***tourner à la pluie*** to turn wet **5.** *lait* to go off **6.** FILM to shoot, to film; ***silence, on tourne!*** all quiet on set, and action! **III** *v/pr* ▶ **se tourner** **1.** to turn; ***se tourner et se retourner dans son lit*** to toss and turn in one's bed **2.** *fig* ***se tourner vers qc*** to turn towards sth

tournesol [tuʀnəsɔl] *m* **1.** BOT sunflower **2.** CHIM litmus

tourneur [tuʀnœʀ] **I** *m sur métaux* lathe operator; *sur bois* woodturner **II** *adj* ***derviche*** *m* **~** whirling dervish

tournevis [tuʀnəvis] *m* screwdriver

tournicoter [tuʀnikɔte] *fam v/i* to hang around

tourniquet [tuʀnikɛ] *m* **1.** *pour passer un à un* turnstile **2.** *pour arroser* sprinkler **3.** *pour cartes postales* revolving display stand

tournis [tuʀni] *m fam* ***ça me donne le* ~** it makes me giddy *fam*

tournoi [tuʀnwa] *m* tournament

tournoyer [tuʀnwaje] *v/i* ⟨**-oi-**⟩ to whirl around; ***faire* ~** *lasso* to twirl

tournure [tuʀnyʀ] *f* **1.** **~ (*de phrase*)** turn of phrase **2.** (*apparence*) appearance **3.** (*évolution*) turn; *affaire* ***prendre une bonne, mauvaise* ~** to take a turn for the better, worse **4.** **~ *d'esprit*** frame of mind

tour-opérateur *m* ⟨**tour-opérateurs**⟩ tour operator

tourte [tuʀt] **I** *f* pie **II** *fam adj* stupid

tourteau [tuʀto] *m* ⟨**~x**⟩ **1.** AGR oil cake **2.** ZOOL crab

tourtereaux [tuʀtəʀo] *mpl fig* lovebirds

tourterelle *f* turtle dove

tourtière [tuʀtjɛʀ] *f* pie dish

tous → ***tout***

▶ **Toussaint** [tusɛ̃] *f* ***la* ~** All Saints' Day

▶ **tousser** [tuse] *v/i* **1.** to cough **2.** (*se racler la gorge*) to clear one's throat **3.** *fig moteur* to cough

toussotement [tusɔtmɑ̃] *m* cough

toussoter *v/i* to cough

▶ **tout** [tu, *devant voyelle et h muet* tut] ⟨*f* **toute** [tut], *mpl* **tous** [tu, *comme pr ind* tus], *fpl* **toutes** [tut]⟩ **I** *adj* **1.** *sg* ***tout(e)*** (*entier*) all; (*chaque*) each; ***tout l'argent*** all the money; ***toute la France*** all of France, the whole of France; ***tout un peuple*** a whole people; ***toute la nuit*** all night; ***tout ceci, cela*** (*fam* ***ça***) all of this, that; ***tout ce qui*** *ou* ***que*** everything that; ***à tout âge*** at any age; ***à tout point de vue*** from every point of view; ***de toute espèce*** of every kind; ***il n'a pour tout bagage que …*** his only luggage was …; ***j'ai lu tout Balzac*** I've read the whole of Balzac **2.** *pl* ***tous, toutes*** all; ***tous nos amis*** all our friends; ***tous les autres*** all the others; ***tous les trois*** all three of them; ***tous les deux ans*** every two years; ***tous les dimanches*** every Sunday; ***toutes les questions ne sont pas réglées*** not all the issues have been resolved **II** *pr ind* **1.** *sg* ***tout*** everything; (*n'importe quoi*) anything; ***en tout*** in all; ***il a tout d'un artiste*** he's looks just like an artist; ***c'est tout?*** is that all?; ***ce n'est pas tout de faire qc*** its not enough just to do sth; ***c'est tout ou rien*** it's all or nothing; ***on se fait à tout*** you can get used to anything **2.** *pl* ***tous*** [tus], ***toutes*** [tut] all; ***nous tous*** all of us; ***ils sont tous venus*** they all came **III** *adv* ⟨*devant adj commençant par voyelle ou h aspiré* ***toute, toutes***⟩ (*très*) very; (*entièrement*) all ***une tout autre affaire*** a different matter altogether; ***une voiture toute neuve*** a brand new car; ***la toute première fois*** the very first time; ***tout malin qu'il est*** clever though he may be; ***tout autant*** just as much; ***tout autrement*** quite differently; ***tout comme*** as if; ***tout à***

côté very close; ▶ ***tout à fait*** absolutely, quite; ***tout en marchant*** *il me racontait* while walking; ***tout en étant très connu*** *il vit simplement* although he is very famous **IV** *subst* ***le tout*** (*l'ensemble*) the whole lot; (*l'essentiel*) the main thing; ***un tout*** a whole; ▶ ***pas du tout*** not at all; ***du tout au tout*** completely; ***le tout est de*** *+inf* the main thing is *+inf*; ***risquer le tout pour le tout*** to risk one's all

tout-à-l'égout [tutalegu] *m* ⟨*inv*⟩ mains drainage

toutefois [tutfwa] *adv* however; ***si ~*** if

toute-puissance [tutpɥisɑ̃s] *f* omnipotence

toutou [tutu] *m enf* doggie *enf*

tout-petit *m* ⟨**tout-petits**⟩ baby

tout-puissant **I** *adj* ⟨*f* **toute-puissante**; *mpl* **tout-puissants**⟩ all-powerful **II** *m* ***le Tout-Puissant*** the Almighty

tout-terrain **I** *adj* ⟨*pl* **tout-terrains**⟩ off-road *épith* **II** *m* ***faire du ~*** to go off-road

tout-venant [tuvnɑ̃] *m* ***le ~*** everyday things (+ *v pl*); *personnes* ordinary people (+ *v pl*)

toux [tu] *f* cough

toxicité [tɔksisite] *f* toxicity

toxicomane [tɔksikɔman] *m/f* drug addict **toxicomanie** *f* drug addiction

toxine [tɔksin] *f* toxin

toxique [tɔksik] *adj* toxic; ***gaz m ~*** toxic gas

trac [trak] *m* THÉ stage fright; *avant un examen* nerves (+ *v pl*); ***donner le ~ à qn*** to scare sb

tracas [tʀaka] *m* (*soucis*) worries (+ *v pl*); (*ennuis*) problems (+ *v pl*)

tracasser [tʀakase] **I** *v/t* to bother **II** *v/pr* ***se tracasser*** to worry

tracasseries [tʀakasʀi] *fpl* (*ennuis*) hassle (+ *v sg*) *fam*

▶ **trace** [tʀas] *f* **1.** (*marque*) trace; ***~s de sang*** traces of blood **2.** (*piste*) trail; ***suivre un animal à la ~*** to track an animal; *fig* ***marcher sur les ~s de qn*** to follow in sb's footsteps

tracé [tʀase] *m* **1.** *d'une route*, *etc* route **2.** *d'un dessin* line

tracer [tʀase] ⟨**-ç-**⟩ **I** *v/t* **1.** *ligne*, *cercle*, *plan* to draw *fig* ***~ un tableau de qc*** to paint a picture of sth **2.** *route* to open up; *fig* ***~ le chemin, la voie à qn*** to show sb the way **II** *v/i* to speed along *fam*

traceur [tʀasœʀ] *m* INFORM ***~ de courbes*** graph plotter

trachée [tʀaʃe] *f ou* **trachée-artère** *f* ⟨**trachées-artères**⟩ windpipe, trachea *t/t*

trachéotomie [tʀakeɔtɔmi] *f* tracheotomy

tract [tʀakt] *m* pamphlet, tract

tractations [tʀaktasjõ] *fpl péj* negotiations

tracter [tʀakte] *v/t* to tow

tracteur [tʀaktœʀ] *m* tractor

traction [tʀaksjõ] *f* **1.** TECH traction; *par ext* drive; ***~ avant*** front-wheel drive **2.** SPORT *suspendu* pull-up; (*pompe*) push-up

tradition [tʀadisjõ] *f* tradition

traditionalisme [tʀadisjɔnalism] *m* traditionalism **traditionaliste** *adj* traditionalist

traditionnel [tʀadisjɔnɛl] *adj* ⟨**~le**⟩ traditional

traditionnellement [tʀadisjɔnɛlmɑ̃] *adv* traditionally

traducteur [tʀadyktœʀ] *m*, **traductrice** [-tʀis] *f* translator **traducteur-interprète** *m* ⟨**traducteurs-interprètes**⟩ translator-interpreter

▶ **traduction** [tʀadyksjõ] *f* translation; *action* translating

▶ **traduire** [tʀadɥiʀ] ⟨→ **conduire**⟩ **I** *v/t* **1.** to translate (***de l'anglais en français*** from English into French) **2.** *fig* to convey **3.** ***~ qn en justice*** to prosecute sb **II** *v/pr* ***se ~*** to manifest itself (***par*** by)

traduisible [tʀadɥizibl] *adj* translatable

trafic [tʀafik] *m* **1.** (*circulation*) traffic; ***~ aérien*** air traffic **2.** *péj* trafficking; ***~ d'armes*** arms trafficking; ***~ de drogue*** drug trafficking; JUR ***~ d'influence*** influence peddling; ***faire du ~ de drogue*** to deal in drugs

traficoter [tʀafikɔte] *v/i fam*, *péj* to scheme

trafiquant [tʀafikɑ̃] *m péj* trafficker, dealer; ***~ de drogue*** drug dealer

trafiquer [tʀafike] *v/t* **1.** *denrées* to tamper with; *vin*, *lait* to doctor; *passeport* to tamper with; *moteur* to soup up; *fam compteur* to tamper with **2.** *fam* (*faire*) ***mais qu'est-ce qu'il trafique?*** what's he up to? **3.** COMM to traffic in

tragédie [tʀaʒedi] *f* tragedy

tragédien [tʀaʒedjɛ̃] *m*, **tragédienne** [-jɛn] *f* tragic actor

tragi-comédie [tʀaʒikɔmedi] *f* ⟨**tragi-comédies**⟩ THÉ, *fig* tragicomedy **tragi-comique** *adj* THÉ, *fig* tragicomic

tragique [tʀaʒik] **I** *adj* THÉ, *fig* tragic; ***auteur*** *m* **~** tragedian **II** *m genre* tragedy; ***prendre qc au ~*** to make a drama out of sth

tragiquement [tʀaʒikmɑ̃] *adv* tragically

▶ **trahir** [tʀaiʀ] **I** *v/t* **1.** *secret, patrie, personne, confiance* to betray **2.** (*montrer*) to betray **3.** *forces, nerfs*: *qn* to fail **4.** *fig la pensée de qn* to reveal **II** *v/pr* ***se trahir*** to betray o.s.

trahison [tʀaizõ] *f* betrayal

▶ **train** [tʀɛ̃] *m* **1.** CH DE FER train; ***~ de banlieue*** suburban train; ***~ de marchandises*** goods train; ***~ de voyageurs*** passenger train; *par ext* ***~ de péniches*** barge train **2.** (*allure*) pace; (*vitesse*) speed; ***au ~ où vont les choses*** at the rate things are going; ***aller bon ~*** to make good progress; ***être en ~*** *travail* to be under way; ***il n'est pas en ~*** he's not in good shape; ***mettre qn en ~*** to put sb in good spirits; ***mettre qc en ~*** *travail* to get sth under way; ***être en ~ de lire***, *etc* to be reading; ***une maison*** *f* ***en ~ de brûler*** a burning house **3.** AVIAT ***~ d'atterrissage*** undercarriage; ***~ de pneus*** set of tires **4.** *fig de mesures, réformes* raft **5.** ***~ de vie*** lifestyle; ***mener grand ~*** to live it up *fam*

traînailler [tʀɛnaje] *v/i fam* **1.** (*lambiner*) to dawdle **2.** (*rôder*) to hang around

traînant [tʀɛnɑ̃] *adj* 〈**-ante** [-ɑ̃t]〉 *accent* drawling; ***voix ~e*** drawl

traînard [tʀɛnaʀ] *m* slowpoke *fam*, *brit* slowcoach *fam*

traînasser [tʀɛnase] *v/i* → ***traînailler***

traîne [tʀɛn] *f* **1.** *d'une robe* train **2.** ***être, rester à la ~*** to lag behind

traîneau [tʀɛno] *m* 〈**~x**〉 sled, *brit* sleigh

traînée [tʀene] *f* **1.** streak; ***~ de condensation*** streak of condensation; *nouvelle* ***se répandre comme une ~ de poudre*** to spread like wildfire **2.** *pop* (*prostituée*) slut *pop*

▶ **traîner** [tʀene] **I** *v/t* **1.** ***~ qc*** to drag sth along; ***~ les pieds*** to drag one's feet **2.** (*amener avec soi*) to drag **3.** *fig* ***je traîne cette grippe depuis quinze jours*** I've had this flu for a fortnight and I can't shake it off **II** *v/i* **1.** ***~ par terre*** *robe* to trail on the ground **2.** (*n'être pas rangé*) to be lying around; ***laisser ~ qc*** to leave sth lying around **3.** ***~ (en longueur)*** to drag on **4.** (*lambiner*) to dawdle; (*rester en arrière*) to lag behind; *péj* ***~ dans les rues*** to hang round the streets **III** *v/pr* ***se traîner*** **1.** *personne* to drag o.s.; ***se ~ par terre*** to drag o.s. along the ground **2.** (*durer*) to drag on

training [tʀeniŋ] *m* training

train-train *m fam* ***le ~ quotidien*** the daily round

traire [tʀɛʀ] 〈**je trais, il trait, nous trayons, ils traient; je trayais**; *pas de passé simple*; **je trairai; que je traie; trayant; trait**〉 *v/t* to milk

trait [tʀɛ] *m* **1.** line; *en dessinant* stroke; ***~ d'union*** hyphen; *fig* link; *fig* ***tirer un ~ sur qc*** to make a break with sth **2.** (*caractéristique*) trait; ***~ de caractère*** character trait **3.** *pl* ***~s*** (***du visage***) features **4.** ***~ d'esprit*** witticism; ***~ de génie*** stroke of genius **5.** ***avoir ~ à*** to relate to **6.** *en buvant* draft, gulp; *vider son verre* ***d'un ~*** in one go **7.** ***bête*** *f* ***de ~*** draft animal

traitant [tʀɛtɑ̃] *adj* 〈**-ante** [-ɑ̃t]〉 **1.** *shampooing* medicated **2.** ***médecin ~*** doctor

traite [tʀɛt] *f* **1.** COMM draft; *dans une vente à tempérament* installment **2.** ***d'une seule ~*** in one go; ***faire le trajet d'une seule ~*** to do the journey non-stop **3.** HIST ***la ~ des blanches*** the white slave trade; ***la ~ des noirs*** the slave trade **4.** *des vaches* milking

▶ **traité** [tʀete] *m* **1.** POL treaty **2.** *ouvrage* treatise

▶ **traitement** [tʀɛtmɑ̃] *m* **1.** treatment (*a* MÉD); ***mauvais traitements*** ill-treatment (*+ v sg*) **2.** *d'un fonctionnaire* salary **3.** TECH processing **4.** ***traitement de l'information*** data processing; ▶ ***traitement de texte*** word-processing

traiter [tʀete] **I** *v/t* **1.** ***~ qn*** to treat sb (*a* MÉD) **2.** ***~ qn de menteur***, *etc* to call sb a liar, *etc.* **3.** *sujet, problème* to deal with **4.** *affaire* to handle **5.** TECH to treat; *matières premières, minerai* to process; *fruits* to spray **6.** INFORM to process **II** *v/t indir* ***~ de qc*** *ouvrage* to deal with sth **III** *v/i* to negotiate (***avec qn sur qc*** with sb about sth)

traiteur [tʀɛtœʀ] *m* caterer

traître [tʀɛtʀ], **traîtresse** [tʀɛtʀɛs] **I** *m/f* traitor; ***prendre qn en traître*** to take sb by surprise **II** *adj* treacherous; ***pas un traître mot*** not a single word

traîtreusement [tʀɛtʀøzmɑ̃] *adv* treacherously

traîtrise [tʀɛtʀiz] *f* act of treachery

trajectoire [tʀaʒɛktwaʀ] *f* trajectory; *fig* path

▶ **trajet** [tʀaʒɛ] *m* **1.** (*parcours*) route **2.** *d'un nerf* course

tralala [tʀalala] *m fam* fuss; ***et tout le ~*** the whole works *fam*

▶ **tram** [tʀam] *m* → ***tramway***

trame [tʀam] *f* **1.** TEXT weft, woof; *fig de la vie* fabric **2.** TYPO screen; TV frame **3.** *fig d'une histoire, d'un film* storyline, plot

tramer [tʀame] **I** *v/t complot* to hatch **II** *v/pr* ***il se trame quelque chose*** there's a plot brewing

traminot [tʀamino] *m* streetcar worker, *brit* tram worker

tramontane [tʀamɔ̃tan] *f* tramontane

trampoline [tʀɑ̃pɔlin] *m* trampoline

tramway [tʀamwɛ] *m* streetcar, *brit* tram

tranchant [tʀɑ̃ʃɑ̃] **I** *adj* ⟨**-ante** [-ɑ̃t]⟩ **1.** sharp; ***instrument ~*** cutting implement **2.** *fig ton* curt **II** *m* sharp edge; *fig* ***à double ~*** double-edged

▶ **tranche** [tʀɑ̃ʃ] *f* **1.** slice; ***~ de jambon*** slice of ham; *fam*, *fig* ***s'en payer une ~*** to have a blast *fam* **2.** *par ext de temps* slot (*a* RAD, TV); MATH section; ***~ d'âge*** age bracket **3.** *de crédit* installment; *d'actions* block **4.** *d'un livre* edge; ***doré sur ~(s)*** gilt-edged **5.** BOUCHERIE round, *brit* silverside

tranché [tʀɑ̃ʃe] *adj* ⟨**~e**⟩ *couleur* distinct; *opinion* clear-cut

tranchée [tʀɑ̃ʃe] *f* cutting; MIL trench

trancher [tʀɑ̃ʃe] **I** *v/t* **1.** ***~ qc*** (*couper*) to slice sth; *tête* to cut sth off **2.** *question* to settle; *difficulté* to resolve **II** *v/i* **1.** *fig* ***~ dans le vif*** to take drastic action **2.** (*décider*) to come to a decision **3.** *couleur*, *fig* ***~ sur*** to stand out against

▶ **tranquille** [tʀɑ̃kil] *adj quartier*, *jour*, *voix* quiet; *personne* quiet, placid; ***je suis ~*** (*rassuré*) my mind is at rest; ***avoir la conscience ~*** to have a clear conscience; ***vous pouvez être ~*** don't worry; ***laisse-moi ~!*** leave me alone!; ***rester, se tenir ~*** to keep still

tranquillement [tʀɑ̃kilmɑ̃] *adv* (*sans bruit*) quietly; (*sans inquiétude*) happily; (*sans émotion*) peacefully; (*facilement*) easily

tranquillisant [tʀɑ̃kilizɑ̃] *m* tranquilizer

tranquilliser [tʀɑ̃kilize] **I** *v/t* ***~ qn*** to set sb's mind at rest **II** *v/pr* ***se tranquilliser*** to set one's mind at rest; ***tranquillisez-vous*** calm down

tranquillité [tʀɑ̃kilite] *f* peacefulness, quietness; *d'une personne* calmness; ***~ d'esprit*** peace of mind; ***en toute ~*** without being disturbed

transaction [tʀɑ̃zaksjɔ̃] *f* **1.** COMM transaction **2.** JUR settlement

transalpin [tʀɑ̃zalpɛ̃] *adj* ⟨**-ine** [-in]⟩ HIST ***la Gaule ~e*** Transalpine Gaul

transat [tʀɑ̃zat] **1.** *m* deckchair **2.** *f* transatlantic race

transatlantique [tʀɑ̃zatlɑ̃tik] *m* transatlantic liner

transbahuter [tʀɑ̃zbayte] *v/t fam* to shift *fam*

transborder [tʀɑ̃zbɔʀde] *v/t marchandises* to transship; *personnes* to transport

transcendance [tʀɑ̃sɑ̃dɑ̃s] *f* PHIL transcendence

transcendant [tʀɑ̃sɑ̃dɑ̃] *adj* ⟨**-ante** [-ɑ̃t]⟩ **1.** PHIL transcendent **2.** (*sublime*) wonderful

transcender [tʀɑ̃sɑ̃de] *v/t* PHIL to transcend

transcodage [tʀɑ̃skɔdaʒ] *m* transcoding **transcodeur** *m* transcoder

transcription [tʀɑ̃skʀipsjɔ̃] *f* **1.** JUR registration **2.** ***~ phonétique*** phonetic transcription **3.** MUS transcription

transcrire [tʀɑ̃skʀiʀ] *v/t* ⟨→ **écrire**⟩ **1.** *texte*, JUR to transcribe; (*enregistrer*) to register **2.** LING, PHON to transcribe **3.** MUS to transcribe

transe [tʀɑ̃s] *f* **1.** *fig* ***être dans les ~s*** to be worked up **2.** *en spiritisme* trance; ***entrer en ~*** to go into a trance; *par ext* to see red *fam*

transept [tʀɑ̃sɛpt] *m* ARCH transept

transfèrement [tʀɑ̃sfɛʀmɑ̃] *m d'un prisonnier* transfer

transférer [tʀɑ̃sfeʀe] *v/t* ⟨**-è-**⟩ **1.** *propriété*, *etc*, *fig sentiments* to transfer (***à*** to) **2.** *siège d'une firme* to move, to transfer; *dépouille mortelle* to transfer; *st/s* to translate; *prisonnier* to transfer

transfert [tʀɑ̃sfɛʀ] *m* **1.** PSYCH transference; JUR transfer, conveyance; ÉCON, SPORT transfer **2.** *du siège d'une firme* transfer; *d'une dépouille mortelle* transfer; *st/s* translation; *d'un prisonnier* transfer; ***~ de populations*** resettlement

transfiguration [tʀɑ̃sfigyʀasjɔ̃] *f* transformation **transfigurer** *v/t* to transform

transformable [tʀɑ̃sfɔʀmabl] *adj* convertible

transformateur [tʀɑ̃sfɔʀmatœʀ] *m* transformer

transformation [tʀɑ̃sfɔʀmasjõ] *f* **1.** transformation; TECH conversion; CONSTR **~s** *pl* alterations **2.** ÉLEC transformation; ***station*** *f* ***de ~*** transformer station **3.** *au rugby* conversion

▶ **transformer** [tʀɑ̃sfɔʀme] **I** *v/t* **1.** to change (***en*** into); *maison* to make alterations to; *matières premières* to convert (*a* SPORT) **2.** ÉLEC to transform **II** *v/pr* ***se ~*** to change (***en*** into)

transfuge [tʀɑ̃sfyʒ] *m* POL defector

transfusé(e) [tʀɑ̃sfyze] *m(f)* recipient of a blood transfusion

transfuser [tʀɑ̃sfyze] *v/t sang* transfused; ***~ qn*** to give sb a blood transfusion

transfusion [tʀɑ̃sfyzjõ] *f* ***~*** (***sanguine***) blood transfusion

transgénique [tʀɑ̃sʒenik] *adj* genetically modified, transgenic *t/t*; ***maïs*** *m* ***~*** genetically modified corn

transgresser [tʀɑ̃sgʀese] *v/t tabou*, *règle* to break; *ordre* to contravene

transhumance [tʀɑ̃zymɑ̃s] *f* AGR seasonal migration *of livestock*, transhumance *t/t*

transi [tʀɑ̃zi] *adj* 〈**~e**〉 **1.** ***~*** (***de froid***) chilled to the bone **2.** *amoureux* bashful

transiger [tʀɑ̃ziʒe] *v/i* 〈**-ge-**〉 to compromise; ***ne pas ~ sur qc*** not to compromise on sth

transistor [tʀɑ̃zistɔʀ] *m* ÉLEC, RAD transistor

transit [tʀɑ̃zit] *m* transit; ***passagers*** *mpl* ***en ~*** transit passengers

transitaire [tʀɑ̃zitɛʀ] **I** *adj* transit *épith* **II** *m* forwarding agent

transiter [tʀɑ̃zite] **I** *v/t marchandises* to forward **II** *v/i* ***~ par*** to pass through

transitif [tʀɑ̃zitif] *adj* 〈**-ive** [-iv]〉 transitive

transition [tʀɑ̃zisjõ] *f* transition (*a* LITTÉR, MUS)

transitoire [tʀɑ̃zitwaʀ] *adj* transitional

translation [tʀɑ̃slasjõ] *f* **1.** JUR transference, conveyance **2.** *litt d'une dépouille mortelle* transfer; *st/s* translation **3.** MATH, PHYS ***mouvement*** *m* ***de ~*** translation

translucide [tʀɑ̃slysid] *adj* translucent **translucidité** *f* translucence

transmetteur [tʀɑ̃smɛtœʀ] *m* MAR ***~ d'ordres*** engine room telegraph

transmettre [tʀɑ̃smɛtʀ] 〈→ **mettre**〉 **I** *v/t* ***~ qc à qn*** to pass sth onto sb; ***~ qc*** *message*, *biens*, *ordre*, *droit* to pass sth on; *pouvoirs* to hand sth over; *lettre* to forward sth PHYS, BIOL to transmit sth; RAD, TV to broadcast sth; ***~ une maladie à qn*** to transmit a disease to sb **II** *v/pr* ***se transmettre*** *maladie*, *signal* to be transmitted; *message*, *tradition* to be passed on; ***se ~ héréditairement*** to be hereditary

transmissible [tʀɑ̃smisibl] *adj* transmissible; BIOL transmittable

transmission [tʀɑ̃smisjõ] *f* **1.** transmission (*a* BIOL, PHYS, MÉD); JUR handing down; *d'un message* passing on; *de connaissances* transmission; ***~ de pensée*** telepathy **2.** TECH transmission **3.** MIL ***les ~s*** *pl* ≈ the Signals (Corps)

transmutation [tʀɑ̃smytasjõ] *f* transmutation **transmuter** *litt v/t* to transmute

transocéanique [tʀɑ̃sɔseanik] *adj* transoceanic

transparaître [tʀɑ̃spaʀɛtʀ] *v/i st/s* 〈→ **connaître**〉 **1.** ***~ à travers qc*** to show through sth **2.** *fig* ***laisser ~ qc*** to let sth show through

transparence [tʀɑ̃spaʀɑ̃s] *f* transparency (*a* POL, ÉCON); ***regarder qc par ~*** to look at sth against the light

transparent [tʀɑ̃spaʀɑ̃] **I** *adj* 〈**-ente** [-ɑ̃t]〉 **1.** transparent **2.** *fig intentions*, *etc* obvious **II** *m* transparency

transpercer [tʀɑ̃spɛʀse] *v/t* 〈**-ç-**〉 **1.** (*percer*) to pierce; *fig cœur* to pierce **2.** *froid* ***~ qn*** to cut straight through sb; *pluie* ***~ les vêtements*** to go through one's clothes

transpiration [tʀɑ̃spiʀasjõ] *f* **1.** sweating **2.** (*sueur*) sweat

transpirer [tʀɑ̃spiʀe] *v/i* **1.** PHYSIOL to sweat **2.** *fig secret*, *nouvelle* to leak out

transplant [tʀɑ̃splɑ̃] *m* transplant

transplantation [tʀɑ̃splɑ̃tasjõ] *f* transplantation; MÉD transplant **transplanter** *v/t* **1.** BOT, MÉD to transplant **2.** *personnes* to uproot, to transplant *st/s*

▶ **transport** [tʀɑ̃spɔʀ] *m* **1.** transportation, *brit* transport; ***transport de marchandises, de voyageurs*** transportation of goods, passengers **2.** ***transport*** *pl* transportation (+ *v sg*), *brit* transport (+ *v sg*); ***transports publics*** public transportation (+ *v sg*), *brit* public transport (+ *v sg*); ***transports routiers*** road transportation (+ *v sg*), *brit* road transport (+ *v sg*); COMM road haulage (+ *v sg*); ▶ ***transports en commun*** public transportation (+ *v sg*), *brit* public transport (+ *v sg*) **3.** *litt ou plais* ***transports amoureux*** amorous transport; ***transports de colère*** fits of rage; ***transports de joie*** transports of joy **4.** MÉD ***transport au cerveau*** seizure

transportable [tʀɑ̃spɔʀtabl] *adj* transportable; *malade* who can be moved *épith*

transporté [tʀɑ̃spɔʀte] *adj* ⟨**~e**⟩ ***être ~ d'admiration*** to be full of admiration; ***être ~ de joie*** to be beside o.s.with joy

▶ **transporter** [tʀɑ̃spɔʀte] **I** *v/t* **1.** to transport; *à la main* to carry **2.** *fig* ***~ qn à une autre époque*** to carry sb back to another age **II** *v/pr* JUR ***se ~ sur les lieux*** to visit the scene of the crime

transporteur [tʀɑ̃spɔʀtœʀ] *m* **1.** *entreprise* carrier **2.** TECH conveyor

transposer [tʀɑ̃spoze] *v/t* to transpose (*a* MUS)

transposition [tʀɑ̃spozisjõ] *f* **1.** (*permutation*) transposition **2.** MUS transposition **3.** *fig de la réalité dans la littérature* adaptation

transsexualisme [tʀɑ̃ssɛksɥalism] *m* transsexualism **transsexuel** *adj* ⟨**~le**⟩ transsexual

transsibérien [tʀɑ̃ssibeʀjɛ̃] *m* Trans-Siberian

transvaser [tʀɑ̃svaze] *v/t* to decant

transversal [tʀɑ̃svɛʀsal] **I** *adj* ⟨**~e; aux** [-o]⟩ *axe, moteur* transverse *épith*; *coupe, poutre* cross *épith*; ***rue ~e*** side street **II** *f* SPORT ***~e du but*** crossbar; *passe* cross

transversalement *adv* transversally, crosswise

transverse [tʀɑ̃svɛʀs] *adj* ANAT transverse

transvider [tʀɑ̃svide] *v/t* to transfer

trapèze [tʀapɛz] *m* SPORT **1.** trapeze **2.** MATH trapezoid, *brit* trapezium

trapéziste [tʀapezist] *m/f* trapeze artist

trappe [tʀap] *f* **1.** *dans un plancher* trap door (*a* THÉ) **2.** CH trap

trappeur [tʀapœʀ] *m* trapper

trappiste [tʀapist] *m* REL Trappist

trapu [tʀapy] *adj* ⟨**~e**⟩ **1.** *personne* stocky **2.** *bâtiment* squat

traque [tʀak] *f* CH tracking

traquenard [tʀaknaʀ] *m* CH, *fig* trap

traquer [tʀake] *v/t* **1.** CH *animal* to track **2.** *fig* to hunt down

traumatique [tʀomatik] *adj* traumatic

traumatisant *adj* ⟨**-ante** [-ɑ̃t]⟩ traumatic

traumatiser [tʀomatize] *v/t* to traumatize; ***être traumatisé*** to be traumatized

traumatisme [tʀomatism] *m* **1.** MÉD trauma; ***~ crânien*** head injury **2.** PSYCH trauma

traumatologie [tʀomatɔlɔʒi] *f* traumatology

▶ **travail** [tʀavaj] *m* ⟨**-aux** [-o]⟩ **1.** *sg* work; ***~ à la chaîne*** assembly line work; ***~ à temps partiel, à plein temps*** part-time, full-time work; ***~ au noir*** moonlighting; ***~ des enfants*** child labor; ***~ en équipe*** *ou* ***d'équipe*** teamwork; ***aller au ~*** to go to work; ***demander beaucoup de ~*** to require a lot of work; *iron* ***c'est du beau ~!*** nice one! *iron*; ***se mettre au ~*** to set to work **2.** *pl* ***travaux*** work (+ *v sg*); CONSTR building work; *sur une route* roadworks (+ *v pl*); *à l'université* ***travaux dirigés*** (*abr* ***T.D.***) practical work (+ *v sg*); ***travaux publics*** public works; *fig* ***travaux d'approche*** overtures; *péj* maneuvering (+ *v sg*) **3.** (*déformation*) *du bois, etc* warping **4.** ***le ~ de l'or, du verre*** goldsmithing, glass blowing **5.** MÉD ***salle*** *f* ***de ~*** labor ward; ***femme*** *f* ***en ~*** woman in labor

▶ **travailler** [tʀavaje] **I** *v/t* **1.** *matériau* to work; *pâte* to knead, to work **2.** *style* to polish **3.** MUS *morceau* to practise; SPORT to work on; ***~ ses mathématiques*** to work on one's math **4.** ***~ qn*** (*influencer*) to work on sb; (*tourmenter*) to plague sb; *pensée* to trouble sb **II** *v/t indir* **1.** ***~ à qc*** *à un ouvrage* to work on sth; *pour un résultat* to work towards sth **III** *v/i* **1.** to work; (*exercer un métier*) to work (***chez*** for); *élève* ***il travaille bien*** he works hard **2.** *bois* to warp; *fig imagination* to work; ***je fais ~ mon argent*** I make my money work for me

travailleur [tʀavajœʀ] **I** *m* worker; ***~ indépendant*** self-employed worker, freelancer; ***~ manuel*** manual worker; ***~ social*** social worker **II** *adj* ⟨**-euse** [-øz]⟩ *classes* working *épith*; *élève* hard-working

travailleuse [tʀavajøz] *f* **1.** worker **2.** COUT sewing box

travailliste [tʀavajist] **I** *adj* POL Labour *épith*; ***parti*** *m* ***~*** Labour party **II** *m/f* POL *député* Labour MP; *votant* Labour sup-

porter
travée [tʀave] *f* **1.** ARCH span **2.** (*rangée*) row
traveller's chèque [tʀavlœʀ(s)ʃɛk] *m* traveller's check
travelling [tʀavliŋ] *m plan* tracking shot
travelo [tʀavlo] *m fam* drag queen *fam*
travers [tʀavɛʀ] **I** *prép et adv* **1.** ▶ ***à travers qc*** *ou* ***au travers de qc*** through; *fig* ***passer au travers*** to get away with it **2.** ***de travers*** crooked, askew; *fig* wrong; ***j'ai avalé de travers*** it went down the wrong way; ***comprendre qc de travers*** to misunderstand sth; ***marcher de travers*** to walk sideways; ***regarder qn de travers*** to give sb a funny look; *p/fort* to glare at sb **3.** ***en travers*** crosswise; ***en travers de qc*** across sth; *fig* ***se mettre en travers de qc*** to stand in the way of sth **II** *subst* **1.** *m* (*défaut*) mistake **2.** *mpl* ***travers de porc*** spare rib
traversable [tʀavɛʀsabl] *adj* which can be crossed *épith*
traverse [tʀavɛʀs] *f* **1.** CH DE FER tie, *brit* sleeper **2.** CONSTR crosspiece **3.** ***chemin*** *m* ***de ~*** shortcut
▶ **traversée** [tʀavɛʀse] *f* crossing (***de*** of); *fig* ***~ du désert*** period in the wilderness
▶ **traverser** [tʀavɛʀse] *v/t* **1.** *rue*, *pont*, *rivière*, *frontière* to cross; ***~ la foule*** to make one's way through the crowd **2.** (*transpercer*) to go through **3.** *fig* ***une idée lui traversa l'esprit*** a thought occurred to him **4.** *crise* to go through
traversier [tʀavɛʀsje] *adj* ⟨**-ière** [-jɛʀ]⟩ ***flûte traversière*** flute
traversin [tʀavɛʀsɛ̃] *m* bolster
travesti [tʀavɛsti] *m* transvestite; *dans un spectacle* drag artist
travestir [tʀavɛstiʀ] **I** *v/t vérité*, *etc* to distort **II** *v/pr* ***se ~*** (*se déguiser*) to dress up (***en*** as); PSYCH to cross-dress
travestisme [tʀavɛstism] *m* transvestism, cross-dressing
travestissement [tʀavɛstismɑ̃] *m* **1.** (*action de se déguiser*) dressing-up **2.** PSYCH transvestism, cross-dressing **3.** *de la vérité* distortion
traviole [tʀavjɔl] *fam* ***de ~*** crooked
trayeuse [tʀɛjøz] *f* milking machine
trébuchant [tʀebyʃɑ̃] *adj* ⟨**-ante** [-ɑ̃t]⟩ ***en espèces sonnantes et ~es*** in cash
trébucher [tʀebyʃe] *v/i* to stumble (***sur*** *ou* ***contre*** over *ou* against)
trébuchet [tʀebyʃɛ] *m* assay balance
trèfle [tʀɛfl] *m* **1.** BOT clover; ***~ à quatre feuilles*** four-leaf clover **2.** *aux cartes* clubs (+ *v pl*)
tréfonds [tʀefõ] *m poét* ***le ~ de l'âme*** the very depths of the soul
treillage [tʀɛjaʒ] *m* trellis
treille [tʀɛj] *f* climbing vine; *plais* ***le jus de la ~*** grape juice *plais*, wine
treillis [tʀɛji] *m* **1.** TEXT canvas; *vêtement* combat fatigues (+ *v pl*) **2.** CONSTR trellis; ***~*** (***métallique***) wire grille
▶ **treize** [tʀɛz] **I** *num/c* thirteen; ***Louis XIII*** Louis the thirteenth; ***vendredi ~*** Friday the thirteenth; ***~ à la douzaine*** thirteen for the price of twelve **II** *m* ⟨*inv*⟩ thirteen; ***le ~*** (***du mois***) on the thirteenth
▶ **treizième** [tʀɛzjɛm] *num/o* thirteenth
trekking [tʀekiŋ] *m* trekking
tréma [tʀema] *m* diaeresis + *v sg*
tremblant [tʀɑ̃blɑ̃] *adj* ⟨**-ante** [-ɑ̃t]⟩ trembling; *lumière* flickering
tremble [tʀɑ̃bl] *m* BOT aspen
tremblé [tʀɑ̃ble] *adj* ⟨**~e**⟩ *écriture*, *voix* shaky
tremblement [tʀɑ̃bləmɑ̃] *m* **1.** shaking (+ *v sg*), trembling (+ *v sg*); ▶ ***tremblement de terre*** earthquake **2.** *fam* ***... et tout le tremblement*** ... and the whole caboodle *fam*
▶ **trembler** [tʀɑ̃ble] *v/i* **1.** to tremble; *jambes* to shake; *vitres* to rattle; *terre* to shake; *lumière*, *flamme* to flicker; ***~ de froid*** to shiver with cold; ***~ de peur*** to tremble with fear; ***faire ~ les vitres*** to make the windows rattle **2.** *fig* to tremble (***devant qn*** before sb); ***~ pour qn*** to fear for sb
tremblotant [tʀɑ̃blɔtɑ̃] *adj* ⟨**-ante** [-ɑ̃t]⟩ *voix* quavery; *lumière* flickering
tremblote [tʀɑ̃blɔt] *f fam* ***avoir la ~*** *à cause du froid* to have the shivers; *de peur* to have the jitters *fam*; *personne âgée* to have the shakes
trembloter [tʀɑ̃blɔte] *v/i* to tremble
trémie [tʀemi] *f* TECH hopper
trémière [tʀemjɛʀ] *adj* ***rose*** *f* ***~*** hollyhock
trémolo [tʀemɔlo] *m* MUS tremolo; *fig* ***avec des ~s dans la voix*** in a quavering voice
trémoussement [tʀemusmɑ̃] *m* fidgeting, jiggling around
trémousser [tʀemuse] *v/pr* ***se ~*** to fidget, to jiggle around

trempage [tʀɑ̃paʒ] *m du linge* soaking; *de légumes secs* soaking
trempe [tʀɑ̃p] *f* **1.** *de l'acier* tempering **2.** *fig* ***avoir de la ~*** to be made of stern stuff; ***un dirigeant de votre ~*** a leader of your caliber **3.** *fam* (*volée de coups*) beating; walloping *fam*
trempé [tʀɑ̃pe] *adj* ⟨**~e**⟩ **1.** (*mouillé*) soaked **2.** *st/s* ***avoir un caractère bien ~*** to be resilient
tremper [tʀɑ̃pe] **I** *v/t* **1.** *vêtements, pieds* to soak, *éponge* to immerse; *croissant* to dunk (***dans*** in); ***~ ses lèvres dans le vin*** to have a sip of wine; ***se faire ~*** to get soaked **2.** *acier* to temper **II** *v/i* **1.** ***faire ~*** *linge* to soak; *pain* to dunk; *légumes secs* to soak **2.** *fig personne* ***~ dans qc*** to be mixed up in sth
trempette [tʀɑ̃pɛt] *f* ***faire ~*** to go for a dip
tremplin [tʀɑ̃plɛ̃] *m* springboard; SKI ski jump
trentaine [tʀɑ̃tɛn] *f* **1.** ***une ~ de*** about thirty **2.** ***avoir la ~*** to be in one's thirties
▶ **trente** [tʀɑ̃t] **I** *num/c* thirty; ***le ~ mai*** the thirtieth of May **II** *m* ⟨*inv*⟩ thirty; *fam, fig* ***se mettre sur son ~ et un*** to be dressed up to the nines *fam*
trente-six **I** *num/c* **1.** thirty six **2.** *fam* (*grande quantité*) so many; umpteen *fam* **II** *m fig* ***tous les ~ du mois*** once in a blue moon *fam*
trente-trois *num/c* thirty three; *subst* ***un ~ tours*** an LP
▶ **trentième** [tʀɑ̃tjɛm] **I** *num/o* thirtieth **II** *subst* **1.** ***le, la ~*** the thirtieth **2.** *m* MATH thirtieth
trépaner [tʀepane] *v/t* to trepan (***qn*** sb)
trépas [tʀepɑ] *m litt* passing
trépasser [tʀepɑse] *v/i litt* to pass away
trépassés [tʀepɑse] *mpl litt* ***les ~*** the departed
trépidant [tʀepidɑ̃] *adj* ⟨**-ante** [-ɑ̃t]⟩ vibrating; ***vie*** *f* ***~e*** hectic life
trépidation [tʀepidasjõ] *f souvent pl* ***~s*** **1.** *d'un véhicule, d'un moteur* vibration **2.** *fig* bustle
trépider [tʀepide] *v/i* to vibrate
trépied [tʀepje] *m* tripod
trépignement [tʀepiɲmɑ̃] *m* stamping
trépigner *v/i* to stamp
▶ **très** [tʀɛ] *adv* very; ***~ intéressant*** very interesting; ***être ~ en avance sur son temps*** to be very much ahead of one's time; ***avoir ~ faim*** to be very hungry
Très-Haut [tʀeo] *m* ***le ~*** the Almighty
▶ **trésor** [tʀezɔʀ] *m* **1.** treasure; ***~s artistiques*** artistic treasures **2.** *fig* ***des ~s de patience*** endless patience **3.** (*terme d'affection*) ***mon ~*** my darling **4.** ***Trésor*** (***public***) ≈ Treasury
trésorerie [tʀezɔʀʀi] *f* **1.** ADMIN accounts (+ *v sg*) **2.** *d'une entreprise* accounts department; ***difficultés*** *fpl* ***de ~*** cashflow problems
trésorier [tʀezɔʀje] *m*, **trésorière** [-jɛʀ] *f* treasurer
tressage [tʀɛsaʒ] *m* braiding
tressaillement [tʀesajmɑ̃] *m* jump
tressaillir [tʀesajiʀ] *v/i* ⟨→ **assaillir**⟩ to quiver (***de joie*** with joy)
tressauter [tʀesote] *v/i* **1.** (*sursauter*) to jump **2.** (*être secoué*) to be jolted
tresse [tʀɛs] *f* **1.** (*natte*) braid **2.** (*galon*) braid
tresser [tʀese] *v/t* to braid
tréteau [tʀeto] *m* ⟨**~x**⟩ **1.** TECH trestle **2.** THÉ HIST ***~x*** *pl* the boards
treuil [tʀœj] *m* winch
trêve [tʀɛv] *f* **1.** MIL truce **2.** *fig* break; ***~ de plaisanteries!*** enough of this joking!; ***sans ~*** (***ni repos***) relentlessly
trévise [tʀeviz] *f* radicchio
tri [tʀi] *m* sorting; ***faire un ~*** to choose (***parmi*** between); ***faire le ~ de qc*** to sort sth
triage [tʀijaʒ] *m* ***gare*** *f* ***de ~*** marshaling yard
triangle [tʀijɑ̃gl] *m* **1.** MATH, *fig* triangle; ***en ~*** in a triangle **2.** MUS triangle
triangulaire [tʀijɑ̃gylɛʀ] *adj* **1.** triangular **2.** *fig élection* three-cornered
triathlon [tʀiatlõ] *m* triathlon
tribal [tʀibal] *adj* ⟨**~e; -aux** [-o]⟩ tribal
tribord [tʀibɔʀ] *m* starboard
tribu [tʀiby] *f* **1.** tribe **2.** *iron ou péj* clan
tribulations [tʀibylasjõ] *fpl* tribulations
tribun [tʀibɛ̃, -bœ̃] *m* great orator
▶ **tribunal** [tʀibynal] *m* ⟨**-aux** [-o]⟩ court; ***~ de commerce*** commercial court; ***~ d'instance*** court of first instance, ≈ district court, *brit* ≈ magistrates' court; ***~ de grande instance*** court of second instance, *brit* ≈ Crown Court
tribune [tʀibyn] *f* **1.** stand **2.** *fig* forum; ***~ libre*** opinion column
tribut [tʀiby] *m* HIST, *fig* tribute
tributaire [tʀibytɛʀ] *adj* ***~ de*** dependent on
tricentenaire [tʀisɑ̃tnɛʀ] *m* tricentenary

triche [tʀiʃ] *f fam* cheating
▶ **tricher** [tʀiʃe] **I** *v/i* to cheat **II** *v/t indir* ***~ sur son âge**, etc* to lie about one's age
tricherie [tʀiʃʀi] *f* cheating **tricheur** *m*, **tricheuse** *f* cheat
trichine [tʀiʃin, -k-] *f* BIOL trichina
tricolore [tʀikɔlɔʀ] *adj* **1.** tricolor; ***drapeau** m **tricolore*** the French flag; ***l'équipe** f **tricolore** ou **les tricolores** mpl* the French team (+ *v sg*) **2.** (*de trois couleurs*) three-colored; ▶ ***feux** mpl **tricolores*** traffic lights
tricorne [tʀikɔʀn] *m* three-cornered
tricostéril® [tʀikɔsteʀil] *m* Band-Aid®, *brit* plaster
tricot [tʀiko] *m* **1.** ***en ~*** knitted; ***veste** f **en ~*** knitted jacket **2.** *vêtement* sweater; ***~ de corps*** undershirt, *brit* vest **3.** *action* knitting; ***faire du ~*** to knit
tricotage [tʀikɔtaʒ] *m* knitting
▶ **tricoter** [tʀikɔte] *v/t et v/i* to knit
tricoteuse [tʀikɔtøz] *f* **1.** *personne* knitter **2.** TECH knitting machine
tricycle [tʀisikl] *m* tricycle
trident [tʀidɑ̃] *m* **1.** *symbole* trident **2.** PÊCHE fish spear
tridimensionnel [tʀidimɑ̃sjɔnɛl] *adj* ⟨**~le**⟩ three-dimensional
trièdre [tʀi(j)ɛdʀ] *adj* trihedral
triennal [tʀijenal] *adj* ⟨**~e; -aux** [-o]⟩ **1.** (*tous les trois ans*) triennial **2.** (*pour trois ans*) three-year *épith*
trier [tʀije] *v/t* **1.** (*classer*) *papiers, etc* to sort **2.** (*sélectionner*) to pick through; *lentilles, etc* to pick over; *fig candidats* to select
trieur [tʀijœʀ] *m*, **trieuse** [-øz] *f* **1.** *personne* sorter **2.** *appareil* sorting machine
trifouiller [tʀifuje] *v/i fam* to rummage around
trigonométrie [tʀigɔnɔmetʀi] *f* trigonometry **trigonométrique** *adj* trigonometric
trijumeau [tʀiʒymo] *m* ANAT trigeminal nerve
trilingue [tʀilɛ̃g] *adj* trilingual
trille [tʀij] *m* MUS trill; *d'un rossignol* ***~s*** *pl* trilling (+ *v sg*)
trilobé [tʀilɔbe] *adj* ⟨**~e**⟩ ARCH ***arc ~*** trefoil arch
trilogie [tʀilɔʒi] *f* trilogy
trimaran [tʀimaʀɑ̃] *m* trimaran
trimbal(l)er [tʀɛ̃bale] *fam* **I** *v/t* to lug *fam* **II** *v/pr fam* ***se ~ en bagnole*** to drive around
trimer [tʀime] *v/i fam* to work like a dog *fam*
▶ **trimestre** [tʀimɛstʀ] *m* **1.** quarter; ENSEIGNEMENT term **2.** *somme* quarterly amount
trimestriel [tʀimɛstʀijɛl] *adj* ⟨**~le**⟩ **1.** (*tous les trois mois*) quarterly **2.** (*de trois mois*) three-month *épith*
tringle [tʀɛ̃gl] *f* rod; ***~ à rideaux*** curtain rail
Trinité [tʀinite] *f* Trinity
trinquer [tʀɛ̃ke] *v/i* **1.** to clink glasses; ***~ à qc, qn*** to drink to sth, sb **2.** *fam, fig* (*écoper*) to get the blame
trio [tʀijo] *m* **1.** MUS trio **2.** *personnes* threesome
triomphal [tʀijɔ̃fal] *adj* ⟨**~e; -aux** [-o]⟩ triumphant; ***accueil** m **~*** triumphant welcome; ***élection** f **~e*** election by big majority
triomphalement [tʀijɔ̃falmɑ̃] *adv accueillir* in triumph; *annoncer* triumphantly **triomphalisme** *m* triumphalism
triomphant [tʀijɔ̃fɑ̃] *adj* ⟨**-ante** [-ɑ̃t]⟩ triumphant **triomphateur** *m* victor
triomphe [tʀijɔ̃f] *m* triumph; ***cri** m **de ~*** cry of triumph; ***porter qn en ~*** to carry sb in triumph
triompher [tʀijɔ̃fe] *v/i* **1.** to triumph (**de** over); ***faire ~ qc, qn*** to ensure the victory of sth, sb **2.** *acteur, chanteur* to give a triumphant performance **3.** (*jubiler*) to exult
trip [tʀip] *m fam d'un drogué* trip
tripaille [tʀipɑj] *f fam* guts (+ *v pl*) *fam*
tripartite [tʀipaʀtit] *adj* tripartite; *gouvernement* three-party *épith*
tripatouillages [tʀipatujaʒ] *mpl fam* fiddling *fam* **tripatouiller** *v/t fam texte* to mess about with *fam*; *compte* to fiddle *fam*
tripe [tʀip] *f* ***~s*** *pl* CUIS tripe (+ *v sg*); ZOOL guts (+ *v pl*); *fam, fig* ***avoir la ~ républicaine*** *fam* to be republican to the core; *fam, fig* ***prendre qn aux ~s*** to move sb deeply
triperie [tʀipʀi] *f* tripe butcher's
tripier [tʀipje] *m*, **tripière** [-jɛʀ] *f* tripe butcher
triple [tʀipl] **I** *adj* triple; ***~ saut** m* triple jump **II** *subst* ***le ~*** three times as much
triplé [tʀiple] *m* **1.** SPORT hat trick **2.** TURF treble
triplement [tʀipləmɑ̃] **I** *adv* three times over **II** *m* trebling

tripler [tʀiple] *v/t et v/i* to treble
triplé(e)s [tʀiple] *m(f), pl* triplets
triporteur [tʀipɔʀtœʀ] *m* delivery tricycle
tripot [tʀipo] *m péj* joint *fam*
tripotages [tʀipɔtaʒ] *mpl fam* feeling up *fam*, groping *fam*; **~ électoraux** election rigging (+ *v sg*)
tripotée [tʀipɔte] *f fam* thrashing
tripoter [tʀipɔte] *fam* **I** *v/t* to play around with; *fruits* to handle; *femme* to feel up *fam*, to grope *fam* **II** *v/i* **1.** (*farfouiller*) to rummage around (**dans** in) **2.** (*trafiquer*) to be involved in
triptyque [tʀiptik] *m* **1.** PEINT, SCULP triptych; LITTÉR three-part work **2.** ADMIN triptyque
trique [tʀik] *f* cudgel; *fig* **sec comme un coup de ~** *fam* thin as a rake
▶ **triste** [tʀist] *adj* **1.** *personne, mine* sad **2.** *temps, paysage, etc* dreary; *sort, nouvelle, film* sad; **dans un ~ état** in a sorry state **3.** *péj* (*lamentable*) sad
tristement [tʀistəmɑ̃] *adv* sadly; **se rendre ~ célèbre** to make o.s. notorious
tristesse [tʀistɛs] *f* **1.** sadness **2.** *d'un paysage, etc* dreariness
tristounet [tʀistunɛ] *adj fam* ⟨**-ette** [-ɛt]⟩ gloomy; *chose* dreary
trithérapie [tʀiteʀapi] *f* MÉD combination therapy
triton [tʀitõ] *m* **1.** ZOOL newt **2.** MYTH **Triton** Triton
triturer [tʀityʀe] *v/t* to grind; *muscles* to knead; *mouchoir* to twist; *fam, fig* **se ~ la cervelle** to rack one's brains *fam*
trivial [tʀivjal] *adj* ⟨**~e; -aux** [-o]⟩ **1.** (*grossier*) vulgar **2.** (*commun*) trite
trivialité [tʀivjalite] *f* **1.** vulgarity; *parole(s)* coarse expression **2.** (*banalité*) triteness
troc [tʀɔk] *m* exchange; ÉCON barter; **faire du ~** to barter
troène [tʀɔɛn] *m* privet
troglodyte [tʀɔglɔdit] *m* **1.** troglodyte **2.** ZOOL wren
trogne [tʀɔɲ] *f fam* fat face
trognon [tʀɔɲõ] **I** *m de pomme, de poire* core; *de chou* stalk; *de salade* heart **II** *adj fam* cute *fam*
troïka [tʀɔika] *f* troika
▶ **trois** [tʀwa] **I** *num/c* three; **Henri III** Henry III; **le ~ mai** May third, *brit* the third of May **II** *m* third; **le ~** (**du mois**) the third (of the month)
trois-huit [tʀwaɥit] *mpl* **faire les ~** to work three eight-hour shifts
▶ **troisième** [tʀwazjɛm] **I** *num/o* third **II** *subst* **1. le, la ~** the third **2.** *m étage* **au ~** on the fourth floor, *brit* on the third floor **3.** *f* 8th grade, *brit* Year 9 **4.** *f* AUTO third (gear)
troisièmement [tʀwazjɛmmɑ̃] *adv* thirdly
trois-mâts [tʀwamɑ] *m* three-masted ship
trois-quarts [tʀwakaʀ] *m* SPORT three--quarter
trois-quatre [tʀwakatʀ] *m* ⟨*inv*⟩ MUS three-four time
trolley(bus) [tʀɔlɛ(bys)] *m* trolley(bus)
trombe [tʀõb] *f* **~ d'eau** cloudburst; *fig* **arriver en ~** to roar up; *fig* **passer en ~** to roar past at top speed
trombine [tʀõbin] *f fam* face
trombone [tʀõbɔn] *m* **1.** *agrafe* paper clip **2.** MUS trombone; *joueur* trombonist; **~ à coulisse** slide trombone
trompe [tʀõp] *f* **1.** MUS horn; MAR **~ de brume** fog horn; **~ de chasse** hunting horn **2.** ZOOL trunk; *des insectes* proboscis (+ *v sg*) **3. ~ d'Eustache** Eustachian tube; **~ de Fallope, ~ utérine** Fallopian tube
trompe-l'œil [tʀõplœj] *m* ⟨*inv*⟩ **1. décor** *m* **en ~** trompe-l'œil scenery **2.** *fig* window-dressing *fig*
▶ **tromper** [tʀõpe] **I** *v/t* to deceive; *vigilance de qn* to elude; **ça ne trompe pas** it's an unmistakable sign; *par ext* **tromper la** *ou* **sa faim** to stave off one's hunger **II** *v/pr* ▶ **se tromper** to make a mistake; **se tromper de date** to get the date wrong; **se tromper de vingt euros** to be twenty euros short; TÉL **se tromper de numéro** to get the wrong number; **se tromper de route** to go the wrong way; (*en voiture*) to drive the wrong way; **elle lui ressemble à s'y tromper** she looks so like him you can hardly tell them apart
tromperie [tʀõpʀi] *f* deception
trompette [tʀõpɛt] *f* trumpet; *fig* **nez** *m* **en ~** turned-up nose; **jouer de la ~** to play the trumpet
trompettiste [tʀõpetist] *m* trumpet player
trompeur [tʀõpœʀ] *adj* ⟨**-euse** [-øz]⟩ deceptive; **les apparences sont trompeuses** appearances can be deceptive
▶ **tronc** [tʀõ] *m* **1. ~** (**d'arbre**) (tree) trunk **2.** *partie du corps* trunk **3.** ÉGL

collecting box **4.** ~ ***commun*** common core; ENSEIGNEMENT common-core syllabus

tronche [tʀõʃ] *f fam* (*figure*) mug *fam*

tronçon [tʀõsõ] *m* **1.** *de route* stretch; ~ ***d'autoroute*** section of freeway **2.** *de qc de cylindrique* section

tronçonnage [tʀõsɔnaʒ] *m* cutting into sections **tronçonner** *v/t* to cut into sections **tronçonneuse** *f* chain saw

trône [tʀon] *m* throne

trôner [tʀone] *v/i* to be enthroned

tronqué [tʀõke] *adj* ⟨~**e**⟩ ***colonne*** *f* ~***e*** truncated column; ***cône*** *m* ~ truncated cone

tronquer [tʀõke] *v/t texte* to shorten

▸ **trop** [tʀo] *adv* **1.** too much; *avec adj et adv* too; *avec verbe* too much; ~ ***de*** (+ *subst sg*) too much; (+ *subst pl*) too many; ***bien, beaucoup*** ~ ***difficile*** much too difficult; ~ ***peu*** too little; ***sans*** ~ ***de peine*** without too much trouble; ***j'ai*** ~ ***chaud*** I'm too hot; ***boire*** ~ to drink too much; ***c'est*** ~ that's too much; ***de, en*** ~ too much, too many; ***avoir des kilos en*** ~ to be a few pounds overweight; *fam* ***manger de*** ~ to eat too much; ***se sentir de*** *ou* ***en*** ~ to feel one is in the way **2.** (*très*) very; (*bien*) really; ***ça ne me dit*** ~ ***rien, pas*** ~ I don't really feel like it; ***vous êtes*** ~ ***aimable*** you are too kind; ***je ne sais pas*** ~ I don't really know

trophée [tʀɔfe] *m* trophy; ~ ***de chasse*** hunting trophy

tropical [tʀɔpikal] *adj* ⟨~**e; -aux** [-o]⟩ tropical; ***forêt*** *f* ~***e*** tropical forest

tropique [tʀɔpik] *m* **1.** ~***s*** *pl* tropics; ***sous les*** ~***s*** in the tropics **2.** *cercle* tropic

trop-perçu *m* ⟨**trop-perçus**⟩ overpayment

trop-plein *m* ⟨**trop-pleins**⟩ **1.** ***le*** ~ ***des eaux*** overflow **2.** TECH overflow pipe **3.** *fig* ~ ***d'énergie*** surplus energy; ***épancher le*** ~ ***de son cœur*** to pour one's heart out

troquer [tʀɔke] *v/t* ~ ***qc contre qc*** to barter sth for sth; (*remplacer*) to exchange sth for sth

troquet [tʀɔkɛ] *m fam* café

trot [tʀo] *m* trot; ***course*** *f* ***de*** ~ ***attelé*** trotting race; *fam, fig* ***allez, au*** ~***!*** come on, get going! *fam*

trotte [tʀɔt] *f fam* ***ça fait une*** ~ it's a fair distance *fam*

trotte-bébé *m* ⟨*inv*⟩ baby walker

trotter [tʀɔte] *v/i* **1.** *cheval* to trot **2.** *par ext souris* to scuttle; *enfant* to scamper; *personne* to run around **3.** *fig* ***l'idée lui trotte dans la tête*** he can't get the idea out of his head

trotteur [tʀɔtœʀ] *m* **1.** *cheval* trotter **2.** *chaussure* casual **trotteuse** *f d'une montre* second hand

trottinement [tʀɔtinmɑ̃] *m* scampering **trottiner** *v/i* to scamper **trottinette** *f* scooter

▸ **trottoir** [tʀɔtwaʀ] *m* sidewalk, *brit* pavement; ~ ***roulant*** moving walkway; *fam* ***faire le*** ~ to walk the streets *fam*

▸ **trou** [tʀu] *m* **1.** hole; *d'une aiguille* eye; AVIAT ~ ***d'air*** air pocket; *fam* ~***s*** *mpl* ***de nez*** nostrils; ~ ***du souffleur*** prompt box; *fam, fig* ***être au*** ~ (*en prison*) to be in the clink *fam*; *fam, fig* ***faire son*** ~ to find one's niche **2.** *fig* gap; ~ ***de mémoire*** memory lapse; *dans un alibi* ***il y a un*** ~ ***dans son emploi du temps*** there's a gap in his timetable of events **3.** *fam* ~ (**perdu**) hole *fam*; ***il n'est jamais sorti de son*** ~ he's never been further than his own backyard

troubadour [tʀubaduʀ] *m* troubadour

troublant [tʀublɑ̃] *adj* ⟨**-ante** [-ɑ̃t]⟩ **1.** disturbing; *ressemblance* uncanny; *détail* puzzling **2.** (*sensuel*) provocative

trouble[1] [tʀubl] *adj* **1.** *liquide* cloudy; ***j'ai la vue*** ~***, je vois*** ~ my vision is blurry **2.** *fig* suspicious; *désirs* dark

trouble[2] *m* **1.** (*inquiétude*) agitation **2.** POL ~***s*** *pl* unrest (+ *v sg*) **3.** MÉD disorder; ~***s*** *pl* problems; ~***s respiratoires*** respiratory problems; ~***s de la vue*** sight problems

troublé [tʀuble] *adj* ⟨~**e**⟩ **1.** *personne, esprit* uneasy **2.** *époque* troubled

trouble-fête [tʀubləfɛt] *m* ⟨*inv*⟩ spoilsport

troubler [tʀuble] **I** *v/t* **1.** *eau* to make cloudy **2.** *sommeil, ordre public* to disturb; *raison* to cloud; *personne* to trouble **II** *v/pr* ***se*** ~ *personne* to get flustered

troué [tʀue] *adj* ⟨~**e**⟩ *vêtement* with holes in *épith*

trouée [tʀue] *f* gap; ***la*** ~ ***de Belfort*** the Belfort Gap

trouer [tʀue] **I** *v/t vêtement* to make a hole in **II** *v/pr* ***se*** ~ to get holes

troufion [tʀufjõ] *m fam* soldier

trouillard [tʀujaʀ] *fam* **I** *adj* ⟨**-arde** [-aʀd]⟩ chicken *fam* **II** ~(**e**) *m*(*f*) *fam* coward

trouille [tʀuj] *f fam* ***avoir la ~*** to be scared stiff *fam*
troupe [tʀup] *f* **1.** (*groupe*) troop **2.** ~ (***de comédiens***) company **3.** MIL troop; ***~s*** *pl* troops
▶ **troupeau** [tʀupo] *m* ⟨**~x**⟩ herd
trousse [tʀus] *f* **1.** ~ (***d'écolier***) pencil case; ***~ à couture*** sewing kit; ***~ de médecin*** instrument case; ***~ de toilette, de voyage*** toilet bag **2.** ***être aux ~s de qn*** to be on sb's heels
trousseau [tʀuso] *m* ⟨**~x**⟩ **1.** ***~ de clés*** bunch of keys **2.** *d'une mariée* trousseau; *pour un internat* clothes (+ *v pl*)
trousser [tʀuse] *v/t* **1.** CUIS *volaille* to truss **2.** *compliment* to phrase elegantly
trouvaille [tʀuvaj] *f* **1.** find (*a* COMM) **2.** (*idée originale*) brainwave
trouvé [tʀuve] *adj* ⟨**~e**⟩ **1.** ***enfant ~*** foundling; ***objet ~*** found object; (***bureau*** *m* ***des***) ***objets ~s*** lost property (office) **2.** *formule* ***bien ~e*** clever; *solution, réponse* ***toute ~*** obvious
▶ **trouver** [tʀuve] **I** *v/t* **1.** (*découvrir*) to find; *abs* ***j'ai trouvé!*** I've got it!; ***trouver du travail*** to find work; ***trouver du plaisir à*** *+inf* to take pleasure in (+ *v-ing*); ***aller trouver qn*** to go see sb; ***il n'a pas encore trouvé à se loger*** he hasn't found a place to live yet **2.** (*rencontrer*) to find; ***trouver la mort*** to die (***dans un accident*** in an accident); ***trouver la maison vide*** to find the house empty; ***trouver la porte fermée*** to find the door closed; *fam* ***trouver à qui parler*** to meet one's match **3.** (*juger*) ~ (+ *adj*) to consider; ***trouver que …*** to think that …; ***comment trouvez-vous cela?*** what do you think of that?; ***je ne trouve pas cela très bien de sa part*** I don't think that was very nice of him; ***je ne lui trouve pas bonne mine*** I don't think she's looking too well **II** *v/pr* **1.** (*être*) ▶ ***se trouver*** to be; ***c'est là que se trouve la difficulté*** that's where the difficulty lies; *votre nom* ***ne se trouve pas sur cette liste*** is not on this list **2.** (*se sentir*) ***se trouver bien, mal*** to feel well, ill **3.** (*se croire*) ***se trouver laid***, *etc* to think o.s. ugly, *etc.* **4.** (*arriver*) *st/s* ***il se trouve que …*** it happens that …; *fam* ***si ça se trouve*** quite possibly **5.** ***se trouver*** (+ *pp*) to be; ***se trouver puni*** to be punished; ***se trouver attrapé*** to be caught
trouvère [tʀuvɛʀ] *m* trouvère
truand [tʀyɑ̃] *m* crook
truander [tʀyɑ̃de] *fam* **I** *v/t* to swindle **II** *v/i* to cheat
trublion [tʀyblijõ] *m* agitator
▶ **truc** [tʀyk] *m* **1.** *fam* (*astuce*) trick **2.** FILM effect **3.** *fam* (*chose*) thing; thingy *fam*; *fam* ***c'est pas mon ~*** it's not my thing *fam*
trucage → ***truquage***
truchement [tʀyʃmɑ̃] *m* ***par le ~ de qn*** through sb
trucider [tʀyside] *v/t fam* to kill *fam*
truculent [tʀykylɑ̃] *adj* ⟨**-ente** [-ɑ̃t]⟩ colorful
truelle [tʀyɛl] *f* trowel
truffe [tʀyf] *f* **1.** BOT, CUIS truffle **2.** ~ (***en chocolat***) (chocolate) truffle **3.** *du chien* nose
truffé [tʀyfe] *adj* ⟨**~e**⟩ **1.** CUIS truffled **2.** *fig* riddled (***de*** with)
truffer [tʀyfe] *v/t* **1.** CUIS to garnish with truffle **2.** *fig* to pepper (***de*** with)
truie [tʀɥi] *f* sow
▶ **truite** [tʀɥit] *f* trout
trumeau [tʀymo] *m* ⟨**~x**⟩ **1.** ARCH pier **2.** *d'une cheminée* overmantel
truquage [tʀykaʒ] *m* rigging
truqué [tʀyke] *adj* ⟨**~e**⟩ **1.** FILM, PHOT faked; ***scène ~e*** scene with special effects **2.** (*falsifié*) fixed; *cartes* marked; *élections* rigged; ***match ~*** fixed game
truquer [tʀyke] *v/t* to fix; *cartes* to mark; *élections* to rig
trust [tʀœst] *m* trust
tsar [tsaʀ, dzaʀ] *m* tsar **tsarine** *f* tsarina
tsé-tsé [tsetse] *adjt* ***mouche*** *f* ***~*** tsetse fly
T-shirt [tiʃœʀt] *m* → ***tee-shirt***
tsigane → ***tzigane***
tsunami [tsynami] *m* tsunami
T.T.C. *abr* (= **toutes taxes comprises**) inclusive of all taxes
▶ **tu**[1] [ty] *pr pers* you; ***dire ~ à qn*** to use the familiar tu form with sb; *fig* ***être à ~ et à toi avec qn*** to be on first-name terms with sb
tu[2] *pp* → ***taire***
tuant [tɥɑ̃] *fam adj* ⟨**-ante** [-ɑ̃t]⟩ exhausting; killing *fam*
tub [tœb] *m* tub
tuba [tyba] *m* **1.** MUS tuba **2.** SPORT snorkel
tubage [tybaʒ] *m* MÉD ***~ gastrique*** gastric intubation; ***~ du larynx*** tracheal intubation
tube [tyb] *m* **1.** (*tuyau*) pipe; *fam* ***rouler***

à pleins ~s to barrel along, *brit* to belt along **2.** ÉLEC tube **3.** tube; ***~ de dentifrice*** tube of toothpaste; ***en ~*** in a tube **4.** ***~ digestif*** digestive tract; *fam* (*œsophage*) food pipe **5.** *fam* MUS hit

tubercule [tybɛʀkyl] *m* **1.** BOT tuber **2.** ANAT tubercle **3.** MÉD tubercle

tuberculeux [tybɛʀkylø] **I** *adj* 〈**-euse** [-øz]〉 tubercular **II ~,** ***tuberculeuse*** *m/f* person with TB

tuberculinique [tybɛʀkylinik] *adj* tuberculin **tuberculose** *f* tuberculosis

tubulaire [tybylɛʀ] *adj* **1.** tubular **2.** (*en tubes métalliques*) tubular

tubulure [tybylyʀ] *f* **1.** *orifice* nozzle **2.** *coll* tubing

tudesque [tydɛsk] *litt*, *péj adj* German

tué [tɥe] **I** *adj* 〈**~e**〉 killed; MIL fallen **II** *m* person killed; MIL fallen soldier

tue-mouches [tymuʃ] *adj* **1.** BOT ***amanite*** *f* ***~*** fly agaric **2.** ***papier*** *m* ***~*** flypaper

▶ **tuer** [tɥe] **I** *v/t* **1.** *personne*, *animal* to kill; (*assommer*) to slay; *avec une arme à feu* to shoot; *boucher*: *animal* to slaughter; ***être tué, se faire tuer*** to be killed **2.** *fig sentiments* to destroy; *petit commerce*, *etc* to kill off; ***tuer le temps*** to kill time **3.** *fam*, *fig* (*épuiser*) to exhaust; to kill *fam* **II** *v/pr* ▶ **se tuer 1.** (*se suicider*) to kill o.s. **2.** (*mourir*) to be killed; ***se tuer en voiture*** to be killed in a car accident **3.** *fig* ***se tuer au travail*** to work o.s. to death; *fam* ***je me tue à lui dire que …*** I'm forever telling her that …

tuerie [tyʀi] *f* slaughter

tue-tête [tytɛt] ***à ~*** *crier* one's head off *fam*; *chanter* at the top of one's voice

tueur [tɥœʀ] **I** *m* **1.** killer; ***~*** (***à gages***) (contract) killer **2.** *dans un abattoir* slaughterman **II** *adj* 〈**-euse** [-øz]〉 killer *épith*

tuf [tyf] *m* GÉOL tufa

tuile [tɥil] *f* **1.** tile **2.** *fam*, *fig* piece of bad luck; ***quelle ~!*** what lousy luck! *fam* **3.** CUIS almond cookie

tulipe [tylip] *f* tulip

tulle [tyl] *m* tulle

tuméfié [tymefje] *adj* 〈**~e**〉 swollen

tumeur [tymœʀ] *f* tumor

tumulte [tymylt] *m* uproar

tumultueux [tymyltɥø] *adj* 〈**-euse** [-øz]〉 **1.** *réunion* stormy **2.** *litt flots* thunderous **3.** *fig vie* tumultuous; *passion* raging

tumulus [tymylys] *m* burial mound

tuner [tynɛʀ] *m* tuner

tungstène [tɛ̃kstɛn, tœ̃-] *m* CHIM tungsten

tunique [tynik] *f* **1.** HIST tunic **2.** *corsage long* tunic

Tunis [tynis] Tunis

Tunisie [tynizi] ***la ~*** Tunisia

tunisien [tynizjɛ̃] **I** *adj* 〈**-ienne** [-jɛn]〉 Tunisian **II** ***Tunisien(ne)*** *m(f)* Tunisian

▶ **tunnel** [tynɛl] *m* tunnel; ***~ sous la Manche*** Channel Tunnel; *fig* ***être au bout du ~*** to see light at the end of the tunnel

turban [tyʀbɑ̃] *m* turban

turbin [tyʀbɛ̃] *m arg* (*travail*) work

turbine [tyʀbin] *f* turbine

turbiner [tyʀbine] *v/i arg* (*travailler*) to work

turbocompresseur [tyʀbokɔ̃pʀesœʀ] *m* TECH turbocompressor; AUTO turbocharger **turbopropulseur** *m* turboprop

turbot [tyʀbo] *m* turbot

turbotrain [tyʀbotʀɛ̃] *m* turbotrain

turbulence [tyʀbylɑ̃s] *f* **1.** *d'un enfant* unruliness **2.** PHYS, MÉTÉO turbulence

turbulent [tyʀbylɑ̃] *adj* 〈**-ente** [-ɑ̃t]〉 *enfant* unruly

▶ **turc** [tyʀk] **I** *adj* 〈**turque** [tyʀk]〉 Turkish; ***bain ~*** Turkish bath; ***cabinets*** *mpl* ***à la turque*** hole-in-the-ground toilets **II** *subst* **1.** ***Turc, Turque*** *m/f* Turk; *fig* ***tête*** *f* ***de Turc*** *ridiculisé* butt; *victime* whipping boy; ***fort comme un Turc*** strong as an ox **2.** LING ***le turc*** Turkish

turf [tyʀf, tœʀf] *m* racecourse **turfiste** *m/f* racegoer

turista [tuʀista] *f fam* (*diarrhée*) Montezuma's revenge *fam*, *plais*

turlupiner [tyʀlypine] *v/t fam* ***ça me turlupine*** it bugs me *fam*

turlututu [tyʀlytyty] *int* ***~*** (***chapeau pointu***)***!*** no way! *fam*

turne [tyʀn] *f fam* hovel

turpitude [tyʀpityd] *f st/s* turpitude

▶ **turque** [tyʀk] → ***turc***

▶ **Turquie** [tyʀki] ***la ~*** Turkey

turquoise [tyʀkwaz] **I** *f* turquoise **II** *adj* 〈*inv*〉 turquoise

tussilage [tysilaʒ] *m* BOT coltsfoot

tutelle [tytɛl] *f* **1.** JUR guardianship; ***territoire*** *m* ***sous ~*** trust territory **2.** *péj* (*dépendance*) subjection **3.** *st/s* (*protection*) protection

tuteur [tytœʀ] *m* **1.** JUR guardian **2.** JARD stake

tutoiement [tytwamɑ̃] *m use of the familiar form 'tu'*
tutoyer [tytwaje] ⟨**-oi-**⟩ **I** *v/t to use the familiar 'tu' form with*, ≈ to be on first-name terms with **II** *v/pr* ***se ~*** *to use the familiar 'tu' form with each other*, ≈ to be on first-name terms with each other
tutrice [tytʀis] *f* guardian
tutu [tyty] *m* **1.** tutu **2.** *enf* (*derrière*) botty *fam*
► **tuyau** [tɥijo] *m* ⟨**~x**⟩ **1.** *rigide* pipe; *souple* hose; ***~ d'arrosage*** hosepipe **2.** *fam* (*renseignement*) tip **3.** ***~ d'orgue*** organ pipe
tuyauter [tɥijote] *v/t fam* ***~ qn*** to tip sb off *fam*
tuyauterie [tɥijotʀi] *f* piping
tuyère [tɥijɛʀ] *f* nozzle
► **T.V.A.** [tevea] *f, abr* (= **taxe à la valeur ajoutée**) value added tax (*abr* VAT)
tweed [twid] *m* tweed
twin-set [twinsɛt] *m* ⟨**twin-sets**⟩ twinset
tympan [tɛ̃pɑ̃] *m* **1.** ANAT eardrum **2.** ARCH tympanum
tympanon [tɛ̃panõ] *m* MUS dulcimer
► **type** [tip] *m* **1.** (*genre*) type; ***avoir le ~ nordique*** to look Scandinavian **2.** *fam* (*gars*) guy *fam*; ***un chic ~*** a great guy *fam* **3.** TECH typeface **4.** *adjt* typical
typé [tipe] *adj* ⟨**~e**⟩ ***être très ~*** to be very typical; ***n'être pas très ~*** not to look it
typesse [tipɛs] *f fam, péj* broad
typhique [tifik] **I** *adj* **1.** (*du typhus*) typhus **2.** (*de la typhoïde*) typhoid **II** *m/f* **1.** typhus sufferer **2.** typhoid sufferer
typhoïde [tifɔid] *f* typhoid
typhon [tifõ] *m* typhoon

> **type**
>
> A common informal meaning of **type** is guy, person:
>
> **Il est malade, ce type! Il y a un type bizarre qui rôde dans le quartier.**
>
> He's mad, that guy! There's a weird guy who wanders around the neighborhood.

typhus [tifys] *m* MÉD **~** (***exanthématique***) (exanthematic) typhus
► **typique** [tipik] *adj* typical (***de*** of) **typiquement** *adv* typically
typographe [tipɔgʀaf] *m/f* typographer
typographie *f* typography **typographique** *adj* typographical
typologie [tipɔlɔʒi] *f* typology
tyran [tiʀɑ̃] *m* tyrant
tyrannie [tiʀani] *f* tyranny **tyrannique** *adj* tyrannical
tyranniser [tiʀanize] *v/t* to bully; ***se laisser ~*** to let o.s. be bullied; *de choses, de sentiments* to be oppressed (***par*** by)
Tyrol [tiʀɔl] ***le ~*** the Tyrol
tyrolien [tiʀɔljɛ̃] **I** *adj* ⟨**-ienne** [-jɛn]⟩ Tyrolean; ***chapeau ~*** Tyrolean hat **II** *subst* **1.** ***Tyrolien*(*ne*)** *m(f)* Tyrolese **2.** ***~ne*** *f* MUS yodel
tzigane [dzigan, tsi-] **I** *adj* gipsy **II** ***Tzigane*** *m/f* Gipsy

U

U, u [y] *m* ⟨*inv*⟩ U, u
ubiquité [ybikɥite] *f* ubiquity; ***je n'ai pas le don d'~*** I can't be in two places at once
U.D.F. [ydeɛf] *f, abr* (= **Union pour la démocratie française**) *French center-right party*
U.F.R. [yɛfɛʀ] *f* ⟨*inv*⟩ → ***unité***
U.H.T. [yaʃte] *abr* (= **ultra-haute température**) ***lait*** *m* **~** U.H.T. milk
Ukraine [ykʀɛn] ***l'~*** *f* the Ukraine
ulcération [ylseʀrasjõ] *f* ulceration
ulcère [ylsɛʀ] *m* ulcer
ulcéré [ylseʀe] *adj* ⟨**~e**⟩ embittered
ulcérer [ylseʀe] *v/t* ⟨**-è-**⟩ ***~ qn*** to sicken sb
ulcéreux [ylseʀe] *adj* ⟨**-euse** [-øz]⟩ ulcerated
U.L.M. [yɛlɛm] *m, abr* ⟨*inv*⟩ (= **ultra-léger motorisé**) microlight
ultérieur [ylteʀjœʀ] *adj* ⟨**~e**⟩ later **ultérieurement** *adv* later
ultimatum [yltimatɔm] *m* ultimatum; ***adresser, envoyer un ~*** to issue an ul-

timatum (***à*** to)
ultime [yltim] *adj* final
ultra [yltʀa] *m* right-wing extremist
ultra… [yltʀa] *préfixe* ultra… (*a* POL)
ultra-chic *adj* ultra-chic **ultra-confidentiel** *adj* ⟨**~le**⟩ top-secret **ultra-conservateur** *adj* ⟨**-trice** [-tʀis]⟩ ultra-conservative
ultra-court *adj* ultra-short
ultramoderne *adj* ultra-modern
ultramontain [yltʀamõtɛ̃] ÉGL CATH **I** *adj* ultramontane **II** *m* ultramontanist
ultraperfectionné [yltʀapɛʀfɛksjɔne] *adj* ⟨**~e**⟩ highly developed
ultra-rapide *adj* high-speed
ultrasensible *ou* **ultra-sensible** *adj* hypersensitive
ultrason *ou* **ultra-son** *m* ultrasound
ultraviolet *ou* **ultra-violet I** *adj* ⟨**-ette**⟩ ultraviolet; ***rayons ultraviolets*** *ou* ***ultra-violets*** ultraviolet rays **II** *m* ultraviolet ray
Ulysse [ylis] *m* Ulysses
▶ **un** [ɛ̃, œ̃] *m*, **une** [yn] *f* **I** *num/c emploi isolé*: **un** ⟨*inv*⟩ one; ***le un*** number one; *devant un subst* one (*elliptiquement* one person, one thing); ***pas un mot*** not one word; ***il est une heure*** it's one o'clock; ***trois heures une*** one minute after three; *fam* ***ne faire ni une ni deux*** to lose no time; *journal* ***à la une*** on the front page; TV *fam* ***sur la Une*** on channel one; ***et d'un*** *ou* ***et d'une*** that's one done; ***il était moins une*** it was a close thing; *adjt* one; ***c'est tout un*** it's one and the same; ***ne faire qu'un*** to be inseparable; ***pas un***(***e***) not one; ***comme pas un*** like no other; ***un à un*** *ou* ***un par un*** one by one **II** *article indéfini* a, an(*elliptiquement* one) **III** *pr ind* one; ***l'un d'eux*** one of them; ***de deux choses l'une*** there are two possibilities; ***l'un***(***e***) ***…, l'autre …*** one …, the other…; ***l'un dans l'autre*** all in all; ***l'un et l'autre*** both; ***ni l'un ni l'autre*** neither one nor the other; ***c'est l'un ou l'autre*** it's one or the other; *réciproquement* ***l'un***(***e***) ***l'autre*** *ou* ***les un***(***e***)***s les autres*** each other; ***l'un après, avec, contre, pour l'autre*** one after, with, against, for the other
unanime [ynanim] *adj* unanimous
unanimité [ynanimite] *f* unanimity (*a* POL); ***à l'~*** unanimously; ***faire l'~*** to be accepted unanimously
une → ***un***

uni [yni] *adj* ⟨**~e**⟩ **1.** united; *famille* close-knit **2.** *tissu*, *papier* plain; *surface* smooth
unicellulaire *adj* unicellular
unicité [ynisite] *f* uniqueness
unidirectionnel [ynidiʀɛksjɔnɛl] *adj* ⟨**~le**⟩ RAD unidirectional
unième [ynjɛm] *num/o* ***vingt et ~*** twenty first; ***cent ~*** hundred and first
unificateur [ynifikatœʀ] *adj* ⟨**-trice** [-tʀis]⟩ unifying
unification [ynifikasjõ] *f* **1.** standardization **2.** unification **unifier** *v/t* **1.** *tarifs*, *etc* to standardize **2.** *pays*, *parti* to unite
▶ **uniforme** [ynifɔʀm] **I** *adj* **1.** uniform **2.** (*monotone*) unchanging **II** *m* uniform
uniformément [ynifɔʀmemɑ̃] *adv* uniformly
uniformisation [ynifɔʀmizasjõ] *f* standardization **uniformiser** *v/t* to standardize
uniformité [ynifɔʀmite] *f* **1.** uniformity **2.** (*monotonie*) sameness
unijambiste [yniʒɑ̃bist] *m/f* one-legged person
unilatéral *adj* ⟨**~e; -aux** [-o]⟩ unilateral
unilingue [ynilɛ̃g] *adj* monolingual, unilingual
uninominal *adj* ⟨**~e; -aux** [-o]⟩ ***scrutin ~*** voting for a single candidate
▶ **union** [ynjõ] *f* **1.** union; ***Union européenne*** European Union (*abr* EU) **2.** union; ***~ libre*** cohabitation **3.** unity; *prov* ***l'~ fait la force*** united we stand, divided we fall **4.** combination
▶ **unique** [ynik] *adj* **1.** (*seul*) only; *paiement*, *etc* single; ***enfant*** *m,f* ***unique*** only child; ***parti*** *m* ***unique*** single party; ▶ ***sens*** *m* ***unique*** one way **2.** (*exceptionnel*) unique; ***unique en son genre*** one of a kind
uniquement [ynikmɑ̃] *adv* only
unir [yniʀ] **I** *v/t* to unite (***à*** with); to combine; *couple* to marry **II** *v/pr* ▶ ***s'unir*** to combine; ***s'unir contre qn*** to unite against sb
unisexe *adj vêtement* unisex **unisexué** *adj* ⟨**~e**⟩ unisexual
unisson [ynisõ] *m* ***à l'~*** in unison; *fig* as one
unitaire [ynitɛʀ] *adj* unitary
▶ **unité** [ynite] *f* **1.** unity; ***~ d'action*** united action **2.** unit; ***~ monétaire*** monetary unit **3.** (*ensemble*) unit (*a* MIL) **4.** MATH unit **5.** COMM unit; ***prix*** *m* ***à l'~*** unit price **6.** UNIV ***~ de formation et de re-***

cherche (*abr* ***U.F.R.***) department **7.** INFORM unit; **~ *centrale*** central processing unit
univers [ynivɛʀ] *m* **1.** universe **2.** *fig* world
universalisation [ynivɛʀsalizasjõ] *f* universalization **universaliser** *v/t* to universalize
universalité [ynivɛʀsalite] *f* universality; *d'une loi* universal nature
universel [ynivɛʀsɛl] *adj* ⟨**~le**⟩ **1.** universal; *culture* all-embracing; ***suffrage* ~** universal suffrage **2.** (*mondial*) worldwide
universellement [ynivɛʀsɛlmɑ̃] *adv* universally
universitaire [ynivɛʀsitɛʀ] **I** *adj* university; ***restaurant*** *m* **~** university cafeteria **II** *m/f* academic
▶ **université** [ynivɛʀsite] *f* university; **~ *populaire*** adult education center
Untel [ɛ̃tɛl, œ̃-] ***monsieur, madame* ~** Mr, Mrs such-and-such
uppercut [ypɛʀkyt] *m* SPORT uppercut
uranium [yʀanjɔm] *m* uranium
urbain [yʀbɛ̃] *adj* ⟨**-aine** [-ɛn]⟩ urban; TÉL ***réseau* ~** local exchange area
urbanisation [yʀbanizasjõ] *f* urbanization **urbaniser** *v/pr* ***s'~*** to urbanize **urbanisme** *m* town planning **urbaniste** *m* town planner **urbanistique** *adj* town-planning
urbanité [yʀbanite] *f litt* urbanity
urée [yʀe] *f* CHIM urea
urémie [yʀemi] *f* MÉD uremia
uretère [yʀtɛʀ] *m* ANAT ureter
urètre [yʀɛtʀ] *m* ANAT urethra
urgence [yʀʒɑ̃s] *f* **1.** urgency; ***en cas d'~*** in case of emergency **2.** MÉD emergency; (***service*** *m* ***des***) **~s** emergency department, *brit* casualty
▶ **urgent** [yʀʒɑ̃] *adj* ⟨**-ente** [-ɑ̃t]⟩ urgent
urger [yʀʒe] *fam v/i* ⟨**-ge-**⟩ ***ça urge*** it's urgent
urinaire [yʀinɛʀ] *adj* urinary
urinal [yʀinal] *m* ⟨**-aux** [-o]⟩ urinal
urine [yʀin] *f* urine
uriner [yʀine] *v/i* to urinate **urinoir** *m* urinal
urne [yʀn] *f* **1.** urn; **~ *funéraire*** funeral urn **2.** ballot box; ***aller aux ~s*** to go to the polls
urologie [yʀɔlɔʒi] *f* MÉD urology **urologue** *m* urologist
urticaire [yʀtikɛʀ] *f* nettle rash
Uruguay [yʀygwɛ] ***l'~*** *m* Uruguay
uruguayen [yʀygwɛjɛ̃] **I** *adj* ⟨**-yenne** [-jɛn]⟩ Uruguayan **II** ***Uruguayen(ne)*** *m(f)* Uruguayan
us [ys] *mpl* **~ *et coutumes*** customs
▶ **usage** [yzaʒ] *m* **1.** (*utilisation*) use; ***à l'~*** with use; ***à l'~ de qn*** aimed at sb; ***être encore en ~*** to be still in use; ***'hors d'~*** out of service; *fam* ***faire de l'~*** to wear well; ***faire ~ de qc*** to make use of sth **2.** *de la langue* **~** (***courant***) usage; ***en ~*** in use **3.** (*coutume*) custom; ***d'~*** customary
usagé [yzaʒe] *adj* ⟨**~e**⟩ used; *vêtements* worn
usager [yzaʒe] *m* user; **~ *de la route, du téléphone*** road, telephone user
usant [yzɑ̃] *adj fam* ⟨**-ante** [-ɑ̃t]⟩ wearing
▶ **usé** [yze] *adj* ⟨**~e**⟩ **1.** worn; *vêtements* worn-out; *semelle* worn; *pneus* worn; ***eaux ~es*** waste water **2.** *personne* worn-out; *mains* work-worn **3.** *expression* hackneyed
user [yze] **I** *v/t* **1.** to wear down; *vêtements* to wear out **2.** (*consommer*) to use **3. ~ *qn*** to wear sb out; **~ *ses yeux, s'~ les yeux*** to strain one's eyes **II** *v/t indir* **~ *de qc*** to use sth **III** *v/pr* ***s'~*** to wear out

> **user**
>
> Usually use **utiliser** in French:
>
> **utiliser une toute nouvelle méthode**
>
> to use a completely new method

usinage [yzinaʒ] *m* machining
▶ **usine** [yzin] *f* factory; *fam, fig* ***c'est une véritable ~*** it's just a production line
usiner [yzine] *v/t* to machine
usinier [yzinje] *adj* ⟨**-ière** [-jɛʀ]⟩ industrial
usité [yzite] *adj* ⟨**~e**⟩ *mot* common; ***peu ~*** little-used
ustensile [ystɑ̃sil] *m* tool; **~ *de cuisine*** kitchen utensil
usuel [yzɥɛl] *adj* ⟨**~le**⟩ everyday
usufruit [yzyfʀɥi] *m* JUR usufruct **usufruitier** *m* JUR usufructuary
usuraire [yzyʀɛʀ] *adj* usurious
usure [yzyʀ] *f* **1.** FIN usury **2.** (*détérioration*) wear; *fam, fig* ***je l'aurai à l'~*** I'll wear him down

usurier [yzyʀje] *m* usurer
usurpateur [yzyʀpatœʀ] *m* usurper
usurpation *f* **1.** POL usurpation **2.** *d'un droit* usurpation; **~ d'identité** INFORM identity theft
usurper [yzyʀpe] *v/t* **1.** POL to usurp **2. ~ qc** to usurp sth
ut [yt] *m* ⟨*inv*⟩ MUS C
utérin [yteʀɛ̃] *adj* ⟨**-ine** [-in]⟩ uterine
utérus [yteʀys] *m* uterus
▶ **utile** [ytil] **I** *adj* **1.** useful; **~ à qn** useful to sb; ***en temps ~*** in due course; ***si je peux vous être ~ en qc*** if I can help you in some way; ***se rendre ~*** to make o.s. useful **2.** TECH utilizable **II** *m* ***joindre l'~ à l'agréable*** to combine business with pleasure
utilisable [ytilizabl] *adj* usable **utilisateur** *m*, **utilisatrice** *f* user (*a* INFORM)
▶ **utilisation** [ytilizasjõ] *f* use
▶ **utiliser** [ytilize] *v/t méthode, ressources* to use; *restes* to use up
utilitaire [ytilitɛʀ] *adj* utilitarian; ***véhicule m ~*** utility vehicle
utilitarisme [ytilitaʀism] *m* utilitarianism
utilité [ytilite] *f* usefulness; ***association reconnue d'~ publique*** registered charity
utopie [ytɔpi] *f* utopia **utopique** *adj* utopian **utopiste** *m* utopian

V

V, v [ve] *m* ⟨*inv*⟩ V, v; *fam* ***à la vitesse grand V*** at top speed
va [va] → ***aller***[1]; *fam* ***~ pour 200 euros*** okay, 200 euros; *fam, fig* ***à la ~ comme je te pousse*** any old how; ***à tout ~*** with no restraint
vacance [vakɑ̃s] *f* **1.** (*poste vacant*) opening **2.** POL **~ *du pouvoir*** power vacuum
▶ **vacances** [vakɑ̃s] *fpl* vacation (+ *v sg*), *brit* holiday (+ *v sg*); *des salariés* leave (+ *v sg*); ***grandes ~*** summer vacation; ***~ scolaires*** school vacation; ***~ de Noël, de Pâques*** Christmas, Easter vacation; ***être en ~*** to be on vacation; ***partir en ~*** to go on vacation; ***prendre des ~*** to take a vacation

> **vacances**
>
> Many people in France take their holidays in August. Major highways, such as the main road from Paris to the holiday destinations in the south of France, become very congested with cars, especially in the first weekend of August.

vacancier [vakɑ̃sje] *m*, **vacancière** [-jɛʀ] *f* vacationer, *brit* holidaymaker
vacant [vakɑ̃] *adj* ⟨**-ante** [-ɑ̃t]⟩ *poste* vacant; *appartement* unoccupied
vacarme [vakaʀm] *m* racket
vacataire [vakatɛʀ] *m/f* stand-in **vacation** *f* session
vaccin [vaksɛ̃] *m* vaccine
vaccinable [vaksinabl] *adj* ***être ~*** to be able to be vaccinated
vaccination [vaksinasjõ] *f* vaccination
vacciner [vaksine] *v/t* **1.** MÉD to vaccinate (***contre*** against) **2.** *fam, fig* ***être vacciné*** to be immune (***contre*** to)
▶ **vache** [vaʃ] **I** *f* **1.** ZOOL cow; ***~ sacrée*** sacred cow; *fig* ***~ à lait*** milch cow; ***maladie f de la ~ folle*** mad cow disease; *fig* ***manger de la ~ enragée*** to have a hard time of it; *fam* ***parler français comme une ~ espagnole*** to murder the French language *fam*; *pop* ***il pleut comme ~ qui pisse*** it's pissing down *pop* **2.** *cuir* cowhide **3.** *fam, fig* (***peau f de***) **~** swine *fam*; bastard *pop* **4.** *fam int* ***la ~!*** oh God! *fam* **II** *adj fam* (*méchant*) mean (***avec qn*** to sb)
vachement [vaʃmɑ̃] *adv fam* damn *fam*; ***~ cher*** damn expensive *fam*; ***il est ~ bien*** it's damn good *fam*
vacher [vaʃe] *m*, **vachère** [-ɛʀ] *f* cowherd
vacherie [vaʃʀi] *f fam* dirty trick
vacherin [vaʃʀɛ̃] *m* **1.** *fromage* vacherin cheese **2.** *gâteau* vacherin
vachette [vaʃɛt] *f* heifer
vacillant [vasijɑ̃] *adj* ⟨**-ante** [-ɑ̃t]⟩ **1.** *démarche* unsteady **2.** *flamme* flickering **3.** *fig foi, résolutions* wavering; *raison, mémoire* failing

vacillation [vasijasjõ] *f ou* **vacillement** [-mɑ̃] *m* swaying; *d'une flamme* flickering
vaciller [vasije] *v/i* **1.** to sway **2.** *flamme* to flicker **3.** *fig raison* to fail; *mémoire* to be failing
vacuité [vakɥite] *f st/s* vacuousness *st/s*
vadrouille [vadʀuj] *f fam* ***être en ~*** → ***vadrouiller***
vadrouiller [vadʀuje] *v/i fam* to roam around
vadrouilleur [vadʀujœʀ] *m* ***c'est un ~*** *fam* he's a wanderer
va-et-vient [vaevjɛ̃] *m* ⟨*inv*⟩ **1.** ***un ~ incessant*** constant coming and going **2.** TECH backward and forward motion **3.** ÉLEC two-way wiring
vagabond [vagabõ] *m* tramp; vagabond *st/s*
vagabondage [vagabõdaʒ] *m* wandering
vagabonder [vagabõde] *v/i* to wander *a fig*
vagin [vaʒɛ̃] *m* vagina
vaginal [vaʒinal] *adj* ⟨**~e; -aux** [-o]⟩ vaginal
vagir [vaʒiʀ] *v/i bébé* to wail **vagissement** *m* wail
vague[1] [vag] **I** *adj* **1.** vague; *regard* absent **2.** (*quelconque*) some … or other **3.** (*ample*) loose **4.** ***terrain m ~*** waste ground **II** *m* ***~ à l'âme*** melancholy; ***rester dans le ~*** to be noncommittal
▶ **vague**[2] *f* wave; *st/s* surge; ***~ de chaleur*** heatwave; ***~ de froid*** cold spell; *fig* ***~ de départs*** wave of departures; *fig* ***~ d'enthousiasme*** wave of enthusiasm; *fig* ***faire des ~s*** to make waves
vaguement [vagmɑ̃] *adv* vaguely
vaguer [vage] *v/i litt* ***laisser ~*** *regards* to allow to wander; *imagination* to give rein to
vaillamment [vajamɑ̃] *adv* → ***vaillant*** *1*
vaillance [vajɑ̃s] *f st/s* valor
vaillant [vajɑ̃] *adj* ⟨**-ante** [-ɑ̃t]⟩ **1.** *st/s* (*courageux*) courageous; *plais* gallant **2.** ***il n'est pas encore bien ~*** he's still not a hundred percent *fam* **3.** ***n'avoir pas un sou ~*** not to have a red cent *fam*, *brit* not to have a penny *fam*
vaille [vaj] **1.** → ***valoir*** **2.** ***~ que ~*** come what may
vain [vɛ̃] *adj* ⟨**vaine** [vɛn]⟩ vain; *discussion* fruitless; ▶ ***en vain*** in vain; ***il est vain de*** *+inf* it is pointless *+inf*
▶ **vaincre** [vɛ̃kʀ] *v/t* ⟨**je vaincs, il vainc, nous vainquons; je vainquais; je vainquis; je vaincrai; que je vainque; vainquant; vaincu**⟩ **1.** *abs* to win; ***~ qn*** to defeat sb **2.** *fig* (*surmonter*) to overcome
vaincu [vɛ̃ky] **I** *pp* → ***vaincre*** *et adj* ⟨**~e**⟩ defeated **II** *m* defeated person
vainement [vɛnmɑ̃] *adv* vainly
▶ **vainqueur** [vɛ̃kœʀ] *m* **1.** victor **2.** *fig* winner **3.** *adjt* victorious; ***air m ~*** triumphant air
vairon [vɛʀõ] **I** *adj, m yeux* of different colors **II** *m* ZOOL minnow
vais [vɛ] → ***aller***[1]
vaisseau [vɛso] *m* ⟨**~x**⟩ **1.** BIOL vessel; ***~ (sanguin)*** blood vessel **2.** vessel; ***~ spatial*** spacecraft
vaisselier [vɛsəlje] *m* dresser
▶ **vaisselle** [vɛsɛl] *f* dishes (*+ v pl*); ***faire la ~*** to wash the dishes; *adjt* ***liquide m ~*** dish soap
val [val] *m litt* ⟨**vaux** [vo]⟩ valley
valable [valabl] *adj* **1.** *passeport, etc* valid **2.** *excuse, argument* valid; *solution* reasonable; *collaborateur* competent; *interlocuteur* recognized; ***sans motif ~*** without good reason
Valais [valɛ] ***le ~*** Valais
valdingue [valdɛ̃g] *m fam* ***faire un ~*** → ***valdinguer***
valdinguer [valdɛ̃ge] *v/i fam* to fall flat on one's face *fam*; ***envoyer ~*** to send flying
valence [valɑ̃s] *f* CHIM valence
valériane [valeʀjan] *f* valerian
valet [valɛ] *m* **1.** servant; AGR hand; ***~ de chambre*** manservant **2.** *carte à jouer* jack
▶ **valeur** [valœʀ] *f* **1.** value (*a* MATH, PHIL); ***d'une ~ de*** worth; ***de ~*** valuable; ***sans ~*** worthless; ***la ~ de*** the value of; ***à sa juste ~*** at its true value; ***mettre en ~*** *argent* to put to use; *région* to develop; *sol* to make productive; *fig* to highlight **2.** *d'une personne* worth; ***de ~*** distinguished **3.** BOURSE ***~s*** *pl* securities; ***~s (mobilières)*** stocks and shares
valeureux [valœʀø] *adj st/s* ⟨**-euse** [-øz]⟩ valorous
validation [validasjõ] *f* validation; *d'un titre de transport* stamping
valide [valid] *adj* **1.** *personne* able-bodied **2.** *passeport, etc* valid
valider [valide] *v/t* to validate; *diplômes, etc* to authenticate; *titre de transport* to stamp

validité [validite] *f* validity; ***la durée f de ~ est de deux ans*** it is valid for two years

▶ **valise** [valiz] *f* (suit)case; ***faire sa ~, ses ~s*** to pack

▶ **vallée** [vale] *f* valley

vallon [valõ] *m* small valley

vallonné [valɔne] *adj* ⟨**~e**⟩ undulating **vallonnement** *m* undulation

valoche [valɔʃ] *fam f* (suit)case

▶ **valoir** [valwaʀ] ⟨**je vaux, il vaut, nous valons; je valais; je valus; je vaudrai; que je vaille, que nous valions; valant; valu**⟩ **I** *v/t* **1.** ***~ qc à qn*** to earn sb sth, to bring sb sth **2.** *somme* ***à ~ sur*** to be deducted from **II** *v/i* **1.** ***~ mieux*** to be better (***que*** than); ***il vaut mieux faire qc*** it would be better to do sth (***que de*** + *inf* than + *inf*); ***ça vaut un détour*** it's worth a detour; ***ne rien ~*** *produit, outil, traitement* to be useless; *film, matériau* to be no good; ***ne rien ~ à qn*** not to do sb any good; ***ça ne me dit rien qui vaille*** I don't like the sound of it; ***faire ~*** *droits* to assert; *argument* to put forward; *références, qualités* to highlight; ***faire ~ à qn que ...*** to point out to sb that ... **2.** (*coûter*) to be worth; ***~ cher*** to be worth a lot; *fig* ***ne pas ~ cher*** to be no good **3.** (*concerner*) ***~ pour*** to apply to **III** *v/pr* ***se valoir*** to be the same; *fam* ***ça se vaut*** there's no difference

valorisant [valɔʀizɑ̃] *adj* ⟨**-ante** [-ɑ̃t]⟩ *travail* rewarding, fulfilling; *commentaire* gratifying **valorisation** *f d'un produit, d'un métier* promotion; *d'une région* development **valoriser** *v/t métier, diplôme* to enhance the prestige of; *maison* to increase the value of; *région* to develop

valse [vals] *f* **1.** MUS waltz **2.** *fam, fig* constant changes; ***la ~ des prix*** spiralling prices

valser [valse] *v/i* **1.** to waltz **2.** *fam, fig* ***aller ~*** to be sent flying; *fam, fig* ***envoyer ~ qc*** to send sth flying

valseur [valsœʀ] *m*, **valseuse** [-øz] *f* waltzer

valve [valv] *f* TECH valve

valvule [valvyl] *f* **1.** TECH valve **2.** BOT valvule

vamp [vɑ̃p] *f* vamp

vamper [vɑ̃pe] *v/t fam* to vamp up *fam*

vampire [vɑ̃piʀ] *m* **1.** vampire **2.** *fig* bloodsucker

van [vɑ̃] *m* horse trailer, *brit* horse box

vandale [vɑ̃dal] *m* vandal **vandaliser** *v/t* to vandalize **vandalisme** *m* vandalism

vanesse [vanɛs] *f* ZOOL vanessa

vanille [vanij] *f* vanilla; ***glace f à la ~*** vanilla ice cream

vanillé [vanije] *adj* ⟨**~e**⟩ vanilla-flavored; ***sucre ~*** vanilla-flavored sugar

vanillier [vanije] *m* vanilla plant

vanilline [vanilin] *f* CHIM vanillin

vanité [vanite] *f* **1.** vanity; ***tirer ~ de*** to pride o.s. on **2.** *litt* (*futilité*) futility; *de promesses, richesses* emptiness

vaniteux [vanitø] *adj* ⟨**-euse** [-øz]⟩ vain, conceited

vanne [van] *f* **1.** TECH sluice gate **2.** *fam* (*remarque*) dig *fam*

vanné [vane] *adj fam* ⟨**~e**⟩ dead beat *fam*

vanneau [vano] *m* ⟨**~x**⟩ ZOOL lapwing

vanner [vane] *v/t blé* to winnow

vannerie [vanʀi] *f* **1.** *métier* basketry **2.** *objets* basketwork (+ *v sg*)

vannier [vanje] *m* basket maker

vantail [vɑ̃taj] *m* ⟨**vantaux** [vɑ̃to]⟩ *de porte* leaf; *d'une armoire* door

vantard [vɑ̃taʀ] **I** *adj* ⟨**-arde** [-aʀd]⟩ boastful **II** *m* boaster

vantardise [vɑ̃taʀdiz] *f* boasting (+ *v sg*)

vanter [vɑ̃te] **I** *v/t* to praise; ***~ la marchandise*** to parade one's wares **II** *v/pr* ▶ ***se vanter*** to boast (***de qc*** about sth); ***se vanter de*** +*inf* to pride o.s. on (+ *v-ing*); ***et je m'en vante!*** and I'm proud of it!; *fam* ***il ne s'en est pas vanté*** he kept quiet about it

va-nu-pieds *m/f* ⟨*inv*⟩ bum, *brit* tramp

vapes [vap] *fpl fam* ***être dans les ~*** to be in a daze; *fam* ***tomber dans les ~*** to pass out

▶ **vapeur**[1] [vapœʀ] *f* **1.** steam; (***cuit à la***) ***~*** steamed; ***à toute ~*** at full steam; *fig* ***renverser la ~*** to change tack **2.** *plais* ***avoir ses ~s*** to be feeling a bit low, to have the vapors *vieilli*

vapeur[2] *m* steamer, steamship

vaporeux [vapɔʀø] *adj* ⟨**-euse** [-øz]⟩ hazy; *tissu* diaphanous

vaporisateur [vapɔʀizatœʀ] *m* atomizer

vaporisation [vapɔʀizasjõ] *f* **1.** PHYS vaporization **2.** (*pulvérisation*) spraying

vaporiser [vapɔʀize] *v/t* **1.** PHYS to vaporize **2.** (*pulvériser*) to spray

vaquer [vake] *v/t indir* ***~ à ses occupations*** to go about one's business

varappe [vaʀap] *f* rock-climbing
varech [vaʀɛk] *m* BOT kelp
vareuse [vaʀøz] *f* fisherman's smock
variabilité [vaʀjabilite] *f* variability; *du temps* changeableness **variable** *adj* variable (*a* MATH); *temps* changeable
variante [vaʀjɑ̃t] *f* variant
variateur [vaʀjatœʀ] *m* ÉLEC dimmer switch
variation [vaʀjasjõ] *f* variation (*a* MUS)
varice [vaʀis] *f* varicose vein
varicelle [vaʀisɛl] *f* chickenpox
▶ **varié** [vaʀje] *adj* ⟨**~e**⟩ varied; ***hors-d'œuvre ~s*** a selection of hors-d'œuvres
varier [vaʀje] **I** *v/t* to vary, to change **II** *v/i* **1.** (*changer*) to vary, to change; (*différer*) *opinions*, *prix* to vary, to differ **2.** *personne* to change one's opinion
variété [vaʀjete] *f* **1.** (*choix*) variety **2.** BIOL variety **3.** (***spectacle*** *m* ***de***) ***~s*** *pl* variety show; ***émission*** *f* ***de ~s*** variety show
variole [vaʀjɔl] *f* smallpox
Varsovie [vaʀsɔvi] Warsaw
vasculaire [vaskylɛʀ] *adj* vascular
▶ **vase**[1] [vɑz] *m* vase; (*récipient*) vessel; *fig* ***en ~ clos*** in isolation
vase[2] *f* silt
vaseline [vazlin] *f* petroleum jelly
vaseux [vɑzø] *adj* ⟨**-euse** [-øz]⟩ **1.** (*boueux*) muddy **2.** *fam*, *fig* ***se sentir ~*** to feel dazed **3.** *fam idées* muddled; woolly *fam*
vasistas [vazistas] *m* fanlight
vasouiller [vazuje] *v/i fam personne* to flounder; *affaire* to flounder
vasque [vask] *f* (*bassin*) basin; (*coupe*) bowl
vassal [vasal] *m* ⟨**-aux** [-o]⟩ *hist* vassal
vassalité *f hist* vassalage
vaste [vast] *adj* **1.** *bâtiment*, *pièce* vast, huge **2.** *par ext* enormous; *fam* ***une ~ blague*** a huge joke
va-tout [vatu] *m* ***jouer son ~*** to risk one's all
Vaud [vo] ***le canton de ~*** the canton of Vaud
vaudou [vodu] *m* voodoo
vaudrai [vodʀɛ] → ***valoir***
vau-l'eau [volo] *fig* ***s'en aller à ~*** to go to the dogs *fam*
vaurien [voʀjɛ̃] *m*, **vaurienne** [voʀjɛn] *f* (***petit***) ~ little devil *fam*
vaut [vo] → ***valoir***
vautour [votuʀ] *m* vulture
vautrer [votʀe] *v/pr* ***se ~*** **1.** (*se rouler*) to wallow; *fig*; ***se ~ dans qc*** to wallow in sth **2.** (*s'avachir*) to sprawl
vauvert [vovɛʀ] ***vivre au diable ~*** to live in the back of beyond *fam*
vaux [vo] → ***valoir***, ***val***
va-vite [vavit] ***faire qc à la ~*** to do sth in a rush
▶ **veau** [vo] *m* ⟨**~x**⟩ **1.** ZOOL calf; *fam* ***pleurer comme un ~*** to cry one's eyes out *fam*; *fig* ***tuer le ~ gras*** to kill the fatted calf **2.** CUIS veal **3.** *cuir* calfskin **4.** *fam*, *fig personne* dope *fam*; *voiture* jalopy *fam*, *brit* banger *fam*
vecteur [vɛktœʀ] *m* **1.** MATH vector **2.** MÉD carrier **3.** *fig* medium
vécu [veky] **I** *pp* → ***vivre*** *et adj* ⟨**~e**⟩ real-life *épith* **II** *m* real life
vedettariat [vədɛtaʀja] *m* stardom
▶ **vedette** [vədɛt] *f* **1.** star; ***~ de ou du cinéma*** film star **2.** ***avoir la ~*** to have star billing; *par ext* to be in the spotlight; ***mettre qn en ~*** to give sb star billing; *fig* to put sb in the spotlight; ***voler la ~ à qn*** to steal sb's limelight **3.** *adjt joueur*, *produit* star *épith*; *match* big **4.** MAR launch
végétal [veʒetal] **I** *adj* ⟨**~e; -aux** [-o]⟩ vegetal **II** *m* ⟨**-aux** [-o]⟩ vegetable
végétalien [veʒetaljɛ̃] **I** *adj* ⟨**-ienne** [-jɛn]⟩ vegan **II ~(*ne*)** *m*(*f*) vegan
végétarien [veʒetaʀjɛ̃] **I** *adj* ⟨**-ienne** [-jɛn]⟩ vegetarian **II ~(*ne*)** *m*(*f*) vegetarian
végétarisme [veʒetaʀism] *m* vegetarianism
végétatif [veʒetatif] *adj* ⟨**-ive** [-iv]⟩ vegetative
végétation [veʒetasjõ] *f* **1.** vegetation **2.** MÉD ***opérer un enfant des ~s*** to remove a child's adenoids
végéter [veʒete] *v/i* ⟨**-è-**⟩ *personne* to vegetate; *projet* to stagnate
véhémence [veemɑ̃s] *f* vehemence **véhément** *adj* ⟨**-ente** [-ɑ̃t]⟩ vehement; *discours* passionate
véhiculaire [veikylɛʀ] *adj* ***langue*** *f* ***~*** lingua franca
▶ **véhicule** [veikyl] *m* **1.** vehicle; ***~ utilitaire*** utility vehicle, commercial vehicle **2.** *fig* vehicle **véhiculer** *v/t* to transport
veille [vɛj] *f* **1.** (*jour précédent*) ***la ~*** the day before; ***la ~ au soir*** the evening before; ***la ~ du départ*** the day before my, his, *etc.* departure; *fig* ***à la ~ de*** on the

eve of **2.** (*état*) waking **3.** (*garde*) vigil **4.** MIL watch **5.** INFORM *ordinateur* ***en ~*** in sleep mode

veillée [veje] *f* **1.** *auprès d'un malade* vigil; ***~ funèbre*** wake; *fig* ***~ d'armes*** knightly vigil **2.** (*soirée*) evening

veiller [veje] **I** *v/t* ***~ un malade*** to watch over a sick person **II** *v/t indir* **1.** ***~ à qc*** to look after sth; ***~ à ce que ...*** *+subj* to make sure that ...; ***~ à faire qc*** to be sure to do sth **2.** ***~ sur qn*** to watch over sb **III** *v/i* **1.** (*être de garde*) to be on watch **2.** (*ne pas se coucher*) to stay up

veilleur [vɛjœʀ] *m* look-out; ***~ de nuit*** night watchman

veilleuse [vɛjøz] *f* *lampe* night light; AUTO parking light, *brit* side light; *d'un appareil à gaz* pilot light; ***mettre qc en ~*** *lampe* to dim sth; *flamme* to turn sth down; *télé* to put sth on standby; *fig affaire* to put sth on the back burner

veinard [vɛnaʀ] *m fam*, **veinarde** [-aʀd] *f fam* lucky devil *fam*

veine [vɛn] *f* **1.** ANAT vein **2.** (*chance*) luck **3.** *fig* ***~ poétique*** poetic inspiration; ***être en ~ de générosité*** to be in a generous mood **4.** MIN *de charbon* seam; *de métal* vein **5.** ***~s*** *pl du bois* grain (+ *v sg*); *du marbre* veining (+ *v sg*)

veiné [vene] *adj* ⟨**~e**⟩ *peau, marbre* veined; *bois* grainy

veineux [vɛnø] *adj* ⟨**-euse** [-øz]⟩ *sang* venous

veinule [venyl] *f* venule

vêlage [vɛlaʒ] *m* ZOOL, GÉOG calving

vélaire [velɛʀ] PHON **I** *adj* velar **II** *f* velar consonant

velcro® [vɛlkʀo] *m* (***bande*** *f*) ***~®*** velcro®

vêler [vele] *v/i* *vache* to calve

vélin [velɛ̃] *m* *peau* vellum

véliplanchiste [veliplɑ̃ʃist] *m/f* windsurfer

velléitaire [veleitɛʀ] *adj* indecisive

velléité [veleite] *f* vague desire

► **vélo** [velo] *m* bike; *action* cycling; ***~ d'appartement*** exercise bike; ***~ de course*** racing bike; ***faire du ~*** to cycle, to go cycling

véloce [velɔs] *adj* *litt* swift

vélocipède [velɔsipɛd] *m* *autrefois* velocipede **vélocité** *f* *litt* swiftness

vélocross [velokʀɔs] *m* cyclo-cross **vélodrome** *m* velodrome

► **vélomoteur** *m* moped

velours [v(ə)luʀ] *m* velvet; ***de ~*** velvet *épith*; *peau* velvety; *fig* ***faire des yeux de ~ à qn*** to make eyes at sb; *fig* ***il joue sur le ~*** he's got it made *fam*

velouté [v(ə)lute] **I** *adj* ⟨**~e**⟩ velvety **II** *m* **1.** (*douceur*) softness **2.** ***~ d'asperges*** cream of asparagus soup

velu [vəly] *adj* ⟨**~e**⟩ hairy

venaison [vənɛzõ] *f* venison

vénal [venal] *adj* ⟨**~e; -aux** [-o]⟩ *péj* venal **vénalité** *f* venality

venant [v(ə)nɑ̃] ***à tout ~*** to all and sundry

vendable [vɑ̃dabl] *adj* saleable

vendange [vɑ̃dɑ̃ʒ] *f* grape harvest; ***les ~s*** *pl* the grape harvest; ***faire les ~s*** to harvest the grapes

vendanger [vɑ̃dɑ̃ʒe] ⟨**-ge-**⟩ **I** *v/t raisin* to pick; *vigne* to pick grapes from **II** *v/i* to harvest the grapes

vendangeur [vɑ̃dɑ̃ʒœʀ] *m*, **vendangeuse** [-øz] *f* grape-picker

vendetta [vɑ̃dɛta] *f* vendetta

► **vendeur** [vɑ̃dœʀ] *m*, **vendeuse** [vɑ̃døz] *f* *dans un magasin* sales clerk, *brit* sales assistant; (*marchand*) sales rep, sales representative; ÉCON seller; JUR vendor

► **vendre** [vɑ̃dʀ] ⟨→ **rendre**⟩ **I** *v/t* **1.** to sell; ***~ qc à qn*** to sell sb sth, to sell sth to sb **2.** *fig* ***~ qn*** *complices* to betray sb **II** *v/pr* ***se vendre*** **1.** *marchandise* to sell; ***ne pas se ~*** not to sell **2.** *fig personne* to sell o.s. (***à*** to)

► **vendredi** [vɑ̃dʀədi] *m* Friday; ***Vendredi saint*** Good Friday

vendu [vɑ̃dy] **I** *adj* ⟨**~e**⟩ corrupt **II** *m injure* traitor

vénéneux [venenø] *adj* ⟨**-euse** [-øz]⟩ poisonous

vénérable [veneʀabl] *adj* venerable **vénération** *f* veneration **vénérer** *v/t* ⟨**-è-**⟩ to revere

vénerie [vɛnʀi] *f* hunting

vénérien [veneʀjɛ̃] *adj* ⟨**-ienne** [-jɛn]⟩ ***maladie*** *f* ***~ne*** venereal disease

veneur [vənœʀ] *m* HIST ***grand ~*** master of hounds

Venezuela [venezɥela] ***le ~*** Venezuela

vénézuélien [venezɥeljɛ̃] **I** *adj* ⟨**-ienne** [-jɛn]⟩ Venezuelian **II** ***Vénézuélien(ne)*** *m(f)* Venezuelian

vengeance [vɑ̃ʒɑ̃s] *f* revenge

venger [vɑ̃ʒe] ⟨**-ge-**⟩ **I** *v/t* to avenge (***qn, qc*** sb, sth; ***qn de qc*** sth on sb's behalf) **II** *v/pr* ► ***se venger*** to get one's revenge (***de qn*** on sb; ***de qc*** for sth)

vengeur [vɑ̃ʒœʀ], **vengeresse** [vɑ̃ʒʀɛs]

I *m/f* avenger **II** *adj* vindictive, vengeful
véniel [venjɛl] *adj* ⟨**~le**⟩ *péché* venial
venimeux [v(ə)nimø] *adj* ⟨**-euse** [-øz]⟩ venomous *a fig*
venin [v(ə)nɛ̃] *m* **1.** venom **2.** *fig* venom; ***cracher son ~*** to vent one's spleen
▶ **venir** [v(ə)niʀ] ⟨**je viens, il vient, nous venons, ils viennent; je venais; je vins, nous vînmes; je viendrai; que je vienne, que nous venions; venant; être venu**⟩ **I** *v/i* **1.** to come; ***venir à qn*** to come to sb; *idée* to occur to sb; ***venir de*** to come from; ***venir des États-Unis*** to come from the US; *mot* ***venir du grec*** to come from the Greek; ***venir de ce que …*** to stem from the fact that …; ***en venir à qc*** to come to sth; ***c'est là que je voulais en venir*** that's what I wanted to come to; ***comment en est-on venu là?*** how did it come to this?; ***faire venir qn*** to send for sb; ***faire venir qc*** to send for sth; ***voir venir*** to wait and see; *fig* ***je l'ai vu venir*** I saw it coming a mile off; *fig* ***je la vois venir*** I can see what she's up to; *adjt* ***à venir*** *ou* ***qui vient, qui viennent*** to come *épith* future *épith* **2.** (*atteindre*) to come (***à, jusqu'à*** up to); ***il me vient à l'épaule*** he comes up to my shoulder **II** *v/aux* **1.** *avec inf*: ***venir chercher qn, qc*** to come and fetch sb, sth; ***il est venu nous dire …*** he came to tell us …; ***venir trouver qn*** to come and find sb; ***venir voir qn*** to come and see sb; ***venir voir si …*** to come and see if … **2.** ***si cela venait à se faire*** if that were to happen **3.** *passé récent*: ▶ ***venir de faire qc*** to have just done sth; ***le livre vient de paraître*** the book has just been published

venir de

Venir de = just done something:

Je viens de le lui dire.

I just told her about it.

Venise [vəniz] Venice
vénitien [venisjɛ̃] **I** *adj* ⟨**-ienne** [-jɛn]⟩ Venetian **II** ***Vénitien(ne)*** *m(f)* Venetian
▶ **vent** [vɑ̃] *m* **1.** wind; ***~ du nord*** North wind; ***coup*** *m* ***de ~*** gust of wind; *fig* ***entrer en coup de ~*** to burst in; *fig* ***il est passé en coup de ~*** he rushed through; (***les***) ***cheveux au ~*** hair blowing in the wind; *fig* ***contre ~s et marées*** against all odds; ***en plein ~*** exposed to the wind; *fig* ***quel bon ~ vous amène?*** to what do we owe the pleasure of your visit?; ***il y a, il fait du ~*** it's windy; *fig* ***avoir ~ de qc*** to get wind of sth; *fig* ***avoir le ~ en poupe*** to have the wind in one's sails; *fig* ***être dans le ~*** to be trendy; *fig* ***c'est du ~*** it's just hot air **2.** PHYSIOL wind (+ *v sg*); *euph* ***lâcher un ~*** to break wind *euph* **3.** MUS ***instrument*** *m* ***à ~*** wind instrument
▶ **vente** [vɑ̃t] *f* sale; ***~ au détail*** retail; ***~ de charité*** charity sale, *brit* jumble sale; ***~ par correspondance*** mail order; ***en ~*** on sale (***chez*** at); ***en ~ libre*** freely available; *médicament* available without prescription; ***mettre qc en ~*** *maison* to put sth up for sale; *produit, objet* to put sth on sale
venter [vɑ̃te] *v/imp* ***il vente*** the wind is blowing; ***qu'il pleuve ou qu'il vente*** come rain or shine
venteux [vɑ̃tø] *adj* ⟨**-euse** [-øz]⟩ windy
ventilateur [vɑ̃tilatœʀ] *m* fan **ventilation** *f* **1.** ventilation **2.** FIN *et par ext* breakdown
ventiler [vɑ̃tile] *v/t* **1.** (*aérer*) to ventilate **2.** (*répartir*) to divide
ventouse [vɑ̃tuz] *f* suction cup; ZOOL sucker; *pour canalisations* plunger; ***faire ~*** to hold fast
ventral [vɑ̃tʀal] *adj* ⟨**~e; -aux** [-o]⟩ ventral
▶ **ventre** [vɑ̃tʀ] *m* stomach; ***bas ~*** lower abdomen; ***mal*** *m* ***au ~*** stomach ache; ***à plat ~*** face down; *fig* ***se mettre, être à plat ~ devant qn*** to grovel to sb; ***~ à terre*** at top speed; *fig* ***courir ~ à terre*** to run flat out; ***avoir, prendre du ~*** to have, get a paunch; *fig* ***il n'a rien dans le ~*** he's gutless *fam*
ventricule [vɑ̃tʀikyl] *m* ventricle
ventrière [vɑ̃tʀijɛʀ] *f d'un cheval* girth
ventriloque [vɑ̃tʀilɔk] *m* ventriloquist
ventripotent [vɑ̃tʀipɔtɑ̃] *adj* ⟨**-ente** [-ɑ̃t]⟩ pot-bellied
ventru [vɑ̃tʀy] *adj* ⟨**~e**⟩ *personne* pot-bellied; *chose* bulbous
venu [v(ə)ny] **I** *pp* → ***venir*** *et adj* ⟨**~e**⟩ ***il serait mal ~ de*** *+inf* it would not be appropriate *+inf* **II** *subst* ***nouveau ~*** newcomer; ***le premier ~, la première ~e*** the first person to arrive
venue [v(ə)ny] *f* arrival, coming
Vénus [venys] *f* ASTROL, MYTH Venus

vêpres [vɛpʀ] *fpl* CATH vespers (+ *v sg*)
ver [vɛʀ] *m* worm; (*asticot*) maggot; **~ *luisant*** glow worm; **~ *solitaire*** tapeworm; **~ *à soie*** silkworm; **~ *de terre*** earthworm; ***nu comme un ~*** as naked as the day he / she, *etc*. was born; *fig* ***tirer les ~s du nez à qn*** to worm information out of sb
véracité [veʀasite] *f* veracity
véranda [veʀɑ̃da] *f* veranda
verbal [vɛʀbal] *adj* ⟨**~e; -aux** [-o]⟩ **1.** verbal **2.** LING verbal
verbalement [vɛʀbalmɑ̃] *adv* verbally
verbalisation [vɛʀbalizasjõ] *f* PSYCH verbalization; JUR recording of an offence **verbaliser** *v/i police* to bring a charge (***contre qn*** against sb); JUR to draw up an official report
verbalisme [vɛʀbalism] *m péj* verbalism
▶ **verbe** [vɛʀb] *m* **1.** GRAM verb **2.** REL ***le Verbe*** the Word **3.** ***avoir le ~ 'haut*** to speak arrogantly
verbeux [vɛʀbø] *adj* ⟨**-euse** [-øz]⟩ *péj* verbose
verbiage [vɛʀbjaʒ] *m* verbiage
verbosité [vɛʀbozite] *f* verbosity
verdâtre [vɛʀdɑtʀ] *adj* greenish
verdeur [vɛʀdœʀ] *f* **1. ~ (*de langage*)** forthrightness **2.** *d'une personne* vigor **3.** *d'un vin* acidity
verdict [vɛʀdikt] *m* **1.** JUR verdict **2.** *par ext* judgement, verdict
verdier [vɛʀdje] *m* greenfinch
verdir [vɛʀdiʀ] *v/i* to go green; *de peur* to go pale
verdoré [vɛʀdɔʀe] *adj litt* ⟨**~e**⟩ greenish-gold
verdoyant [vɛʀdwajɑ̃] *adj* ⟨**-ante** [-ɑ̃t]⟩ green; *poét* verdant **verdoyer** *v/i* ⟨**-oi-**⟩ to be green; *poét* to be verdant
verdunisation [vɛʀdynizasjõ] *f* → ***javellisation***
verdure [vɛʀdyʀ] *f* **1.** (*arbres, etc*) greenery **2.** (*légumes verts*) greens (+ *v pl*); (*salade*) salad
véreux [veʀø] *adj* ⟨**-euse** [-øz]⟩ **1.** *fruit* wormy **2.** *fig* shady
verge [vɛʀʒ] *f* **1.** ANAT penis **2.** (*baguette*) rod
vergé [vɛʀʒe] *adj* ⟨**~e**⟩ ***papier** m* **~** laid paper
verger [vɛʀʒe] *m* orchard
vergetures [vɛʀʒətyʀ] *fpl* stretchmarks
verglaçant [vɛʀglasɑ̃] *adj* ⟨**-ante** [-ɑ̃t]⟩ ***pluie** f* **~e** freezing rain
verglacé [vɛʀglase] *adj* ⟨**~e**⟩ icy
▶ **verglas** [vɛʀglɑ] *m* black ice
vergogne [vɛʀgɔɲ] *f* ***sans ~*** *personne* shameless; *agir* shamelessly
vergue [vɛʀg] *f* MAR yard
véridique [veʀidik] *adj* truthful
vérifiable [veʀifjabl] *adj* verifiable
vérificateur [veʀifikatœʀ] *m*, **vérificatrice** [-tʀis] *f* controller
vérificatif [veʀifikatif] *adj* ⟨**-ive** [-iv]⟩ verificatory
vérification [veʀifikasjõ] *f* check
▶ **vérifier** [veʀifje] **I** *v/t* **1.** (*confirmer*) to confirm **2.** (*contrôler*) to check **II** *v/pr* ***se vérifier*** to be confirmed
vérin [veʀɛ̃] *m* TECH jack
▶ **véritable** [veʀitabl] *adj* real
▶ **vérité** [veʀite] *f* **1.** truth; **~ *première*** basic truth; **~ *de La Palice*** truism ***heure** f*, ***minute** f* ***de ~*** moment of truth; ***en ~*** in fact; ***dire*** (***toute***) ***la ~ sur qc*** to tell the whole truth about sth; ***dire à qn ses*** (***quatre***) **~*s*** to tell sb a few home truths **2.** *d'un personnage* sincerity; *d'un portrait* trueness to life, verisimilitude
verlan [vɛʀlɑ̃] *m* backslang
vermeil [vɛʀmɛj] **I** *adj* ⟨**~le**⟩ *teint* rosy; ***lèvres ~les*** ruby-red lips **II** *m* bright red
vermicelle [vɛʀmisɛl] *m* ***des ~s*** vermicelli; ***potage** m* ***au ~*** vermicelli soup
vermiculaire [vɛʀmikylɛʀ] *adj* ANAT ***appendice** m* **~** vermiform appendix
vermifuge [vɛʀmifyʒ] *m* wormer
vermillon [vɛʀmijõ] *m* vermillion
vermine [vɛʀmin] *f* ZOOL vermin (*a fig*)
vermisseau [vɛʀmiso] *m* ⟨**~x**⟩ small worm
vermoulu [vɛʀmuly] *adj* ⟨**~e**⟩ wormy, full of woodworm **vermoulure** *f* woodworm
vermout(h) [vɛʀmut] *m* vermouth
vernaculaire [vɛʀnakylɛʀ] *adj* ***la langue** f* **~** the vernacular
verni [vɛʀni] **I** *adj* ⟨**~e**⟩ *bois* varnished; *poterie* glazed; ***chaussures** fpl* **~*es*** patent leather shoes **II** *subst fam*, *fig* ***c'est un petit ~*** he's a lucky devil *fam*
vernir [vɛʀniʀ] *v/t bois*, *tableau* to varnish
vernis [vɛʀni] *m pour bois, tableaux* varnish; *pour poteries* glaze; **~ *à ongles*** nail polish, *brit* nail varnish
vernissage [vɛʀnisaʒ] *m* **1.** *de bois* varnishing; *de poterie* glazing **2.** (*réception*) private viewing
vernissé [vɛʀnise] *adj* ⟨**~e**⟩ *poterie* glazed **vernisser** *v/t poterie* to glaze

vérole [veʀɔl] *f* **1.** ***petite ~*** smallpox **2.** *fam* (*syphilis*) pox *fam*
vérolé [veʀɔle] *adj fam* ⟨**~e**⟩ **1.** (*mauvais*) lousy **2.** (*syphilitique*) pox-ridden
verrai [vɛʀɛ] → ***voir***
verrat [vɛʀa] *m* ZOOL boar
▶ **verre** [vɛʀ] *m* **1.** *matière, objet* glass; ***~s de lunettes*** lenses; ***~ de montre*** watch glass; ***de** ou **en ~*** glass *épith* **2.** *récipient* glass; *contenu* glass, glassful; ***~ à dents*** tooth mug; ***~ à pied*** stem glass; ***~ à vin*** wine glass; ***~ d'eau*** glass of water; *fig* ***se noyer dans un ~ d'eau*** to make a mountain out of a molehill; *fig* ***avoir un ~ dans le nez*** to have had one too many *fam*
verrerie [vɛʀʀi] *f* **1.** *objets* glassware (+ *v sg*) **2.** *fabrique* glassworks (+ *v pl*)
verrier [vɛʀje] *adjt* ***ouvrier** m **~*** glassmaker
verrière [vɛʀjɛʀ] *f* **1.** (*toit vitré*) glass roof **2.** (*vitrage*) window
verrine [vɛʀin] *f* **1.** (*contenant*) *small glass in which you serve an appetizer or dessert in small portions* **2.** (*contenu*) *the dish thus served*
verroterie [vɛʀɔtʀi] *f* glass jewelry
verrou [vɛʀu] *m* bolt; *fig* ***être sous les ~s*** to be under lock and key
verrouillage [vɛʀujaʒ] *m* **1.** locking **2.** MIL sealing off
verrouiller [vɛʀuje] *v/t* to lock
verrue [vɛʀy] *f* wart
▶ **vers**[1] [vɛʀ] *prép* **1.** *direction* towards, to; ***~ la droite*** right; ***~ le nord*** North; ***~ Paris*** towards Paris; ***aller ~ qn, qc*** to go towards sb, sth **2.** *temps* about, around; ***~ 1900*** around 1900; ***~ la fin*** towards the end; ***~ (les) deux heures*** about two (o'clock) **3.** *fig* ***le premier pas ~ la détente*** the first step towards detente
vers[2] *m* LITTÉR line; ***faire, écrire des vers** mpl* to write verse *ou* poetry; ***vers** mpl **libres*** blank verse (+ *v sg*)
versant [vɛʀsɑ̃] *m* side, slope; ***le ~ nord*** the northern side
versatile [vɛʀsatil] *adj* fickle, changeable **versatilité** *f* fickleness, changeability
verse [vɛʀs] ***il pleut à ~*** it's pouring
versé [vɛʀse] *adj* ⟨**~e**⟩ ***~ dans*** versed in
Verseau [vɛʀso] *m* ASTROL Aquarius
versement [vɛʀsəmɑ̃] *m* payment (***à, sur un compte*** into an account); (*dépôt*) deposit; *de pensions* payment; ***en plusieurs ~s*** in several installments
▶ **verser** [vɛʀse] **I** *v/t* **1.** *liquide, café* to pour; *fig larmes, sang* to shed; *sucre, riz, etc* to pour (***dans*** into); ***~ (à boire)*** to pour a drink **2.** *argent* to pay (***à un compte*** into an account); *cotisations* to make **II** *v/i voiture* to overturn; ***~ dans le fossé*** to topple into the ditch **III** *v/pr* ***se ~ du vin*** to pour o.s. some wine
verset [vɛʀsɛ] *m* BIBL verse
verseur [vɛʀsœʀ] *adj seulement m* ***bec ~*** spout
verseuse [vɛʀsøz] *f* coffeepot
versificateur [vɛʀsifikatœʀ] *m* versifier; *péj* rhymester
versification [vɛʀsifikasjõ] *f* versification
versifier [vɛʀsifje] **I** *v/t* ***~ qc*** to put sth into verse **II** *v/i* to write verse
version [vɛʀsjõ] *f* **1.** translation; ***~ latine*** Latin translation **2.** version; *film* ***en ~ originale*** (*abr* ***V.O.***) in the original language **3.** (*interprétation*) version
verso [vɛʀso] *m* back; ***au ~*** on the reverse side; ***voir au ~*** see overleaf
▶ **vert** [vɛʀ] **I** *adj* ⟨**verte** [vɛʀt]⟩ **1.** green; *fruits* unripe; *vin* young; ***légumes** mpl **~s*** green vegetables; ***salade** f **~e*** green salad; ***être ~ de peur*** to be white with fear; *fig* ***en faire voir des ~es et des pas mûres à qn*** to give sb a hard time **2.** *vieillard* sprightly **3.** *langage* crude; ***langue ~e*** slang; ***en dire des ~es*** to tell risqué stories **4.** ***l'Europe ~e*** the European agricultural community **5.** POL green; *adv* ***voter ~*** to vote for the Green party **II** *m* **1.** green; *fig* ***se mettre au ~*** to take a break in the countryside **2.** POL ***les Verts** pl* the Green party (+ *v sg*)
vert-de-gris [vɛʀdəgʀi] **I** *m* verdigris **II** *adj* ⟨*inv*⟩ gray-green
vert-de-grisé [vɛʀdəgʀize] *adj* ⟨**~e**⟩ covered in verdigris
vertébral [vɛʀtebʀal] *adj* ⟨**~e; -aux** [-o]⟩ vertebral; ▶ ***colonne vertébrale*** spine

versatile
≠ having many talents

Versatile = fickle, changeable:

C'est un enfant à l'humeur versatile.

He was a child whose moods frequently changed.

vertèbre [vɛʀtɛbʀ] *f* ANAT vertebra
vertébrés [vɛʀtebʀe] *mpl* vertebrates
vertement [vɛʀtəmɑ̃] *adv* ***réprimander qn ~*** to reprimand sb sharply
vertical [vɛʀtikal] **I** *adj* ⟨**~e; -aux** [-o]⟩ vertical **II** *f* ***~e*** vertical
verticalement [vɛʀtikalmɑ̃] *adv* vertically **verticalité** *f* verticality
vertige [vɛʀtiʒ] *m* **1.** vertigo *m*; ***avoir le ~*** to suffer from vertigo; ***j'ai un ~, des ~s*** I feel dizzy **2.** *fig* intoxicating effect
vertigineusement [vɛʀtiʒinøzmɑ̃] *adv* at a dizzying rate
vertigineux [vɛʀtiʒinø] *adj* ⟨**-euse** [-øz]⟩ *précipice* vertiginous; *vitesse* breakneck *épith*; *baisse, augmentation* spectacular; ***hauteur** f* ***vertigineuse*** dizzy height
vertu [vɛʀty] *f* **1.** virtue; ***femme** f* ***de petite ~*** woman of easy virtue **2.** (*pouvoir*) property; ***~ thérapeutique*** therapeutic property **3.** (*qualité*) quality **4.** ***en ~ de*** in accordance with; (*a* JUR) by virtue of
vertueux [vɛʀtɥø] *adj* ⟨**-euse** [-øz]⟩ virtuous
verve [vɛʀv] *f* verve
verveine [vɛʀvɛn] *f* verbena
vésicule [vezikyl] *f* **1.** ***~ (biliaire)*** gall bladder **2.** (*cloque*) blister
vespéral [vɛspeʀal] *poét adj* ⟨**~e; -aux** [-o]⟩ evening *épith*
vessie [vesi] *f* bladder; *fig* ***faire prendre des ~s pour des lanternes à qn*** to pull the wool over sb's eyes
► **veste** [vɛst] *f* jacket; *fam, fig* ***prendre une ~*** to come a cropper *fam*; *fam, fig* ***retourner sa ~*** to change sides
vestiaire [vɛstjɛʀ] *m au stade, à la piscine* locker room, *brit* changing room; *au théâtre, etc* cloakroom; ***la dame du ~*** the cloakroom attendant
vestibule [vɛstibyl] *m d'un hôtel* lobby; *d'une maison* hall
vestiges [vɛstiʒ] *mpl* ARCHÉOL remains
vestimentaire [vɛstimɑ̃tɛʀ] *adj allocation, dépenses* clothing *épith*; ***code ~*** dress code; ***tenue** f* ***~*** clothes (+ *v pl*)
veston [vɛstõ] *m* jacket
► **vêtement** [vɛtmɑ̃] *m* item of clothing; ***~s** pl* clothes
vétéran [veteʀɑ̃] *m* veteran (*a* SPORT)
vétérinaire [veteʀinɛʀ] **I** *adj* veterinary **II** *m/f* vet, veterinarian, *brit* veterinary surgeon
vététiste [vetetist] *m* mountain biker
vétille [vetij] *f* trifle

vêtir [vetiʀ] ⟨**je vêts, il vêt, nous vêtons; je vêtais; je vêtis; je vêtirai; que je vête; vêtant; vêtu**⟩ **I** *litt v/t* to dress **II** *v/pr* ***se vêtir*** to dress (o.s.)
veto [veto] *m* veto; ***droit** m* ***de ~*** right of veto; ***mettre, opposer son ~ à qc*** to veto sth
vêtu [vety] *adj* ⟨**~e**⟩ dressed (***de*** in)
vétuste [vetyst] *adj* **1.** (*délabré*) dilapidated **2.** (*obsolète*) obsolete
vétusté [vetyste] *f* **1.** (*délabrement*) dilapidation **2.** (*ancienneté*) obsolescence
► **veuf** [vœf] **I** *adj* ⟨**veuve** [vœv]⟩ widowed **II** ***~, veuve** m/f* widower, widow; ***veuve de guerre*** war widow
veuille [vœj] → ***vouloir***[1]
veule [vøl] *adj* spineless
veulent [vœl] → ***vouloir***[1]
veulerie [vølʀi] *f* spinelessness
veut [vø] → ***vouloir***[1]
veuvage [vœvaʒ] *m* widowhood
► **veuve** [vœv] → ***veuf***
veux [vø] → ***vouloir***[1]
vexant [vɛksɑ̃] *adj* ⟨**-ante** [-ɑ̃t]⟩ **1.** (*blessant*) hurtful **2.** (*contrariant*) tiresome
vexation [vɛksasjõ] *f* humiliation
vexatoire [vɛksatwaʀ] *adj* persecutory; ***mesures** fpl* ***~s*** harassment (+ *v sg*)
vexé [vɛkse] *adj* ⟨**~e**⟩ upset, offended
► **vexer** [vɛkse] **I** *v/t* to offend, to upset **II** *v/pr* ***se vexer*** to take offense
via [vja] *prép* via
viabilisé [vjabilize] *adj* ⟨**~e**⟩ *terrain* with mains services **viabiliser** *v/t terrain* to provide mains services to
viabilité [vjabilite] *f* **1.** CONSTR ***avec, sans ~*** with, without mains services **2.** BIOL, *fig* viability
viable [vjabl] *adj* viable
viaduc [vjadyk] *m* viaduct
viager [vjaʒe] **I** *adj* ⟨**-ère** [-ɛʀ]⟩ ***rente** f* ***viagère*** life annuity **II** *m* life annuity; ***mettre qc en ~*** to sell sth in return for a life annuity
► **viande** [vjɑ̃d] *f* **1.** meat; ***~ froide*** cold meat **2.** *fam, péj* flesh; ***montrer sa ~*** to bare one's flesh
viander [vjɑ̃de] *v/i* CH to graze
vibrage [vibʀaʒ] *m* TECH vibration
vibrant [vibʀɑ̃] *adj* ⟨**-ante** [-ɑ̃t]⟩ **1.** TECH vibrating; *voix* resonant **2.** *fig* emotive
vibraphone [vibʀafɔn] *m* vibraphone **vibraphoniste** *m* vibraphone player
vibrateur [vibʀatœʀ] *m* TECH vibration generator; CONSTR vibrator
vibratile [vibʀatil] *adj* BIOL ***cils** mpl* ***~s***

cilia
vibration [vibʀasjõ] *f* vibration (*a* PHYS); *de l'air* shimmering
vibrato [vibʀato] *m* MUS vibrato
vibratoire [vibʀatwaʀ] *adj* vibratory
vibrer [vibʀe] *v/i* **1.** to vibrate **2.** *fig voix* quiver; ***faire ~ qn*** to stir sb
vibreur [vibʀœʀ] *m* ÉLEC vibrator
vibromasseur [vibʀɔmasœʀ] *m* vibrator
vicaire [vikɛʀ] *m* curate; ***~ apostolique*** vicar apostolic
vicariat [vikaʀja] *m* ÉGL vicariate
vice [vis] *m* **1.** (*débauche*) vice **2.** (*défaut*) fault, defect; JUR ***~ de forme*** technicality
vice-amiral [visamiʀal] *m* ⟨**vice-amiraux** [-o]⟩ ≈ rear-admiral **vice-consul** *m* ⟨**vice-consuls**⟩ vice consul
vicelard [vislaʀ] *adj* ⟨**-arde** [-aʀd]⟩ *fam* → ***vicieux***
vice-présidence [vispʀezidɑ̃s] *f* vice presidency (*a* POL) **vice-président** *m* ⟨**vice-présidents**⟩ vice president (*a* POL) **vice-roi** *m* ⟨**vice-rois**⟩ viceroy
vice versa [vis(ə)vɛʀsa] ***et ~*** and vice versa
vichy® [viʃi] *m* **1.** TEXT gingham **2.** (*eau*) Vichy water®
vicié [visje] *adj* ⟨**~e**⟩ *air* polluted
vicieux [visjø] **I** *adj* ⟨**-euse** [-øz]⟩ **1.** (*dépravé*) lecherous **2.** (*sournois*) *coup*, *regard* sly; ***cercle ~*** vicious circle **II** *m* pervert; ***vieux ~*** old lecher
vicinal [visinal] *adj* ⟨**~e; -aux** [-o]⟩ ***chemin ~*** byroad
vicissitudes [visisityd] *fpl* vicissitudes
vicomte [vikõt] *m* viscount
vicomtesse [vikõtɛs] *f* viscountess
▶ **victime** [viktim] *f* **1.** *de la guerre*, *de l'injustice*, *etc* victim; *d'un accident*, *d'une catastrophe* victim, casualty; ***être ~ d'un accident*** to be the victim of an accident; ***faire de nombreuses ~s*** to claim many lives **2.** RÉL sacrificial victim
▶ **victoire** [viktwaʀ] *f* victory (*a* MIL, SPORT); ***~ électorale*** election victory; ***chanter, crier ~*** to crow
victorien [viktɔʀjɛ̃] *adj* ⟨**-ienne** [-jɛn]⟩ Victorian
victorieux [viktɔʀjø] *adj* ⟨**-euse** [-øz]⟩ victorious
victuailles [viktɥaj] *fpl* food (+ *v sg*)
vidage [vidaʒ] *m* **1.** emptying **2.** *fam de qn* kicking out *fam*
vidange [vidɑ̃ʒ] *f de fosse*, *réservoir* emptying; AUTO oil change; ***faire la ~*** to change the oil
vidanger [vidɑ̃ʒe] *v/t* ⟨**-ge-**⟩ **1.** *réservoir*, *etc* to empty **2.** AUTO ***~ l'huile*** to drain the oil off
vidangeur [vidɑ̃ʒœʀ] *m* septic tank emptier
▶ **vide** [vid] **I** *adj* **1.** empty; *logement* vacant **2.** *fig existence* empty; *paroles* ***~ de sens*** devoid of meaning **II** *m* **1.** PHYS, TECH vacuum; ***emballage*** *m* ***sous ~*** vacuum packing **2.** (*néant*) emptiness; ***à ~*** empty; *moteur* ***tourner à ~*** to idle; *fig* ***laisser un grand ~*** to leave a huge gap; *fig* ***parler dans le ~*** (*tout seul*) to talk to o.s.; ***regarder dans le ~*** to stare into space **3.** (*abîme*) empty space; ***sauter, tomber dans le ~*** to jump, fall into the void **4.** *fig* (*vacuité*) emptiness, void
vidé [vide] *adj fam* ⟨**~e**⟩ ***être ~*** to be dead beat *fam*
▶ **vidéo** [video] **I** *f* video **II** *adj* ⟨*inv*⟩ video *épith*; ***jeu*** *m* ***~*** video game **vidéocassette** *f* video cassette **vidéoclip** *m* video clip **vidéodisque** *m* videodisk **vidéophone** *m* videophone
vide-ordures [vidɔʀdyʀ] *m* ⟨*inv*⟩ garbage chute, *brit* rubbish chute
vidéosurveillance *f* videosurveillance
vidéothèque [videɔtɛk] *f* video library
vide-poches [vidpɔʃ] *m* ⟨*inv*⟩ AUTO storage tray; *dans la porte* door pocket
▶ **vider** [vide] **I** *v/t* **1.** *récipient*, *lieu* to empty **2.** (*boire*: *bouteille*) to empty **3.** *poisson* to gut; *volaille* to clean out **4.** *fam* (*épuiser*) to drain **5.** ***~ une querelle*** to settle a quarrel **II** *v/pr* ***se vider*** *récipient*, *lieu* to empty; ***se ~ de son sang*** to bleed to death
videur [vidœʀ] *m fam* bouncer *fam*
▶ **vie** [vi] *f* **1.** life; *par ext* ***vie culturelle*** cultural life; ***vie de famille*** family life; ***à vie*** for life; ***de*** (***toute***) ***ma vie*** all my life; ***sans vie*** lifeless; ***avoir la vie dure*** *idée* to be ingrained; ***donner la vie à qn*** to give birth to sb; ***être en vie*** to be alive; ***être entre la vie et la mort*** to be hovering between life and death; ***c'est une question de vie ou de mort*** it's a matter of life or death; ***c'est la vie*** that's life; ***ce n'est pas une vie*** that's no way to live; ***c'est la belle vie*** this is the life; *fam* ***faire la vie à qn*** to go on at sb *fam* **2.** (*vitalité*) life; ***plein de vie*** *personne* full of life; *œuvre* lively

3. living; ▶ ***gagner sa vie*** to earn one's living; ***gagner bien sa vie*** to make a good living

vieil [vjɛj] → ***vieux***

vieillard [vjɛjaʀ] *m* old man; ***les ~s*** old people

vieille [vjɛj] → ***vieux***

vieilleries [vjɛjʀi] *fpl* old-fashioned things

▶ **vieillesse** [vjɛjɛs] *f* **1.** old age; *adjt* ***une assurance*** *f* ~ a pension scheme; ***mourir de*** ~ to die of old age **2.** *de choses* age

vieilli [vjeji] *adj* ⟨**~e**⟩ **1.** *personne, visage* old **2.** *mot* dated **3.** *vin* aged

vieillir [vjejiʀ] **I** *v/t* to age **II** *v/i* **1.** *personne* to age; ***en vieillissant*** with age **2.** *mot, etc* to date **3.** *vin* to age

vieillissement [vjejismɑ̃] *m* VIT ageing; *de la population* ageing

vieillot [vjɛjo] *adj* ⟨**-otte** [-ɔt]⟩ old-fashioned

vielle [vjɛl] *f* MUS hurdy-gurdy

vienne [vjɛn] → ***venir***

Vienne [vjɛn] *en Autriche* Vienna

viennois [vjenwa] **I** *adj* ⟨**-oise** [-waz]⟩ *en Autriche* Viennese **II** ***Viennois(e)*** *m(f) autrichien* Viennese

viennoiserie [vjɛnwazʀi] *f* pastry

viens, vient [vjɛ̃] → ***venir***

vierge [vjɛʀʒ] **I** *adj* **1.** *personne* virgin **2.** *papier* blank; *pellicule* unexposed; ***cassette*** *f* ~ blank cassette; ***forêt*** *f* ~ virgin forest **II** *f* **1.** virgin **2.** ***la (Sainte) Vierge*** the Blessed Virgin; ***la ~ Marie*** the Virgin Mary ***une Vierge*** a Madonna **3.** ASTROL ***Vierge*** Virgo

Viêt-nam [vjɛtnam] ***le*** ~ Vietnam

vietnamien [vjɛtnamjɛ̃] **I** *adj* ⟨**-ienne** [-jɛn]⟩ Vietnamese **II** ***Vietnamien(ne)*** *m(f)* Vietnamese

▶ **vieux** [vjø] **I** *adj* ⟨*devant voyelle et h muet* **vieil** [vjɛj]; *f* **vieille** [vjɛj]⟩ old; ***un vieil ami*** an old friend; *adjt* ***vieille France*** *personne* old school; *habitudes, politesse* old world; ***une vieille histoire*** an old story; ~ ***vêtements*** old clothes; ***vin*** ~ aged wine; ***ma vieille voiture*** my old car; ***sur ses ~ jours*** with age; ***devenir ~, se faire ~*** to be getting old **II** *subst* **1.** ~, ***vieille*** *m/f* old man, woman; ***les*** ~ old people; *fam* ***mes*** ~ my mom and dad, *brit* my folks *fam*; *fam* ***allez, mon ~!*** come on, buddy! *fam, brit* come on, mate! *fam*; *fam* ***comment ça va, ma vieille?*** how are you, my dear? *fam*; *fam* ***son*** ~ (*mari*) her husband, her old man *fam*; *fam* ***sa vieille*** (*femme*) his wife; his old woman *fam*; ***un petit*** ~ a little old man; *fam* ***une petite vieille*** a little old lady; *fig* ***un ~ de la vieille*** an old hand **2.** ***le*** ~ old things (+ *v pl*); *fam* ***prendre un coup de*** ~ *personne* to age

> **vieux, vieille**
>
> **Vieux** = old in general. The opposite of **vieux** or **vieille** is usually **neuf** or **neuve** (but **jeune** for people). **Ancien** means old in the sense of former, used before. The opposite of **ancien** is **nouveau**:
>
> **une vieille voiture,**
> BUT **mon ancienne voiture**
>
> an old car, BUT my old car (= the one I used to own)

vif [vif] **I** *adj* ⟨**vive** [viv]⟩ **1.** *personne* vivacious; *curiosité, désir etc* keen; *imagination* lively; *souvenir* vivid **2.** (*emporté*) sharp; *propos* cutting; *discussion* heated **3.** *lumière, couleur* bright; *teint* healthy; *air* biting; *arête* sharp **4.** (*vivant*) alive; ***être brûlé(e) vif (vive)*** to be burned alive **II** *m* **1.** JUR ***donation*** *f* ***entre ~s*** donation inter vivos **2.** ***il a les nerfs à*** ~ he's on edge; ***être piqué au*** ~ to be cut to the quick; ***entrer dans le ~ du sujet*** to get to the heart of the matter; ***une photo prise sur le*** ~ a natural photo; ***une scène prise sur le*** ~ a real-life scene

vif-argent *m* quicksilver

vigie [viʒi] *f* MAR *matelot* lookout; *poste* crow's nest

vigilance [viʒilɑ̃s] *f* vigilance **vigilant** *adj* ⟨**-ante** [-ɑ̃t]⟩ vigilant

vigile [viʒil] *m* security guard

▶ **vigne** [viɲ] *f* **1.** BOT vine; (***cep*** *m*, ***pied*** *m* ***de***) ~ vine stock; ~ ***vierge*** Virginia creeper **2.** (*vignoble*) vineyard; *fig* ***être dans les ~s du Seigneur*** to be drunk

vigneron [viɲ(ə)ʀõ] *m*, **vigneronne** [-ɔn] *f* wine grower

vignette [viɲɛt] *f* **1.** PHARM *price sticker on medication required for reimbursement from Social Security* **2.** AUTO ~ (***automobile***) ≈ license tag, *brit* ≈ tax disc

vignoble [viɲɔbl] *m* vineyard; ***le ~ français*** French vineyards (+ *v pl*)

vigogne [vigɔɲ] *f* ZOOL vicuna

vigoureux [viguʀø] *adj* ⟨**-euse** [-øz]⟩ **1.** (*robuste*) robust **2.** *fig style* robust; *protestation* forthright

vigueur [vigœʀ] *f* **1.** (*force*) strength; (*énergie*) vigor *d'une plante, de la santé* robustness **2.** *d'une protestation* forthrightness; *d'expression* robustness **3.** JUR ***en ~*** in force; ***entrer en ~*** to come into force *ou* effect

Vikings [vikiŋ] *mpl* Vikings

vil [vil] *adj* ⟨**~e**⟩ **1.** *st/s* base **2.** ***à ~ prix*** for next to nothing

vilain [vilɛ̃] **I** *adj* ⟨**-aine** [-ɛn]⟩ **1.** *enfant* naughty **2.** (*laid*) ugly; *blessure* nasty; *temps* bad **II** *m fam* ***il va y avoir du ~*** things are going to get nasty *fam*

vilebrequin [vilbʀəkɛ̃] *m* brace

vilenie [vil(ə)ni] *f litt* baseness

villa [vila] *f* villa

▶ **village** [vilaʒ] *m* village; ***~ de vacances*** vacation village, *brit* holiday village

villageois [vilaʒwa] **I** *adj* ⟨**-oise** [-waz]⟩ village *épith* **II** ***~(e)*** *m(f)* villager

▶ **ville** [vil] *f* town; ***grande ~*** city; ***~ nouvelle*** new town; ***petite ~*** small town; ***la vieille ~*** the old town; ***la ~ de Limoges*** the city of Limoges; ***à la ~*** in town; ***aller en ~*** to go into town; ***dîner en ~*** to eat out

ville-champignon *f* ⟨**villes-champignons**⟩ mushroom town **ville-dortoir** *f* ⟨**villes-dortoirs**⟩ bedroom town, *brit* dormitory town

villégiature [vileʒjatyʀ] *f* vacation, *brit* holiday

ville-satellite *f* ⟨**villes-satellites**⟩ satellite town

villosités [vi(l)lozite] *fpl* ANAT ***~ intestinales*** intestinal villi

▶ **vin** [vɛ̃] *m* wine; ***~ blanc, rouge*** white, red wine; ***~ d'honneur*** reception; ***~ de table*** table wine; *fig* ***il a le ~ triste*** he gets maudlin when he drinks; *fig* ***être entre deux ~s*** to be tipsy *fam*

▶ **vinaigre** [vinɛgʀ] *m* **1.** vinegar; *fig* ***tourner au ~*** to turn sour **2.** *fam* ***faire ~*** to get a move on *fam*

vinaigrer [vinegʀe] *v/t* ***~ qc*** to season sth with vinegar **vinaigrerie** *f* vinegar factory

vinaigrette [vinɛgʀɛt] *f* French dressing, vinaigrette; ***à la, en ~*** in French dressing

vinaigrier [vinɛgʀije] *m flacon* vinegar cruet

vinasse [vinas] *f fam* cheap wine, *brit* plonk

vindicatif [vɛ̃dikatif] *adj* ⟨**-ive** [-iv]⟩ vindictive

vindicte [vɛ̃dikt] *f litt* ***désigner qn à la ~ publique*** to expose sb to public condemnation

vineux [vinø] *adj* ⟨**-euse** [-øz]⟩ ***avoir l'haleine vineuse*** to have wine on one's breath

▶ **vingt** [vɛ̃, *devant voyelle et h muet et avec les numéros 22 à 29*, vɛ̃t] **I** *num/c* twenty; ***le vingt mai*** (on) May twentieth, *brit* (on) the twentieth of May; ***vingt mille*** twenty thousand; ▶ ***vingt et un*** [vɛ̃teɛ̃] twenty-one **II** *m* **1.** twenty; ***le vingt*** (***du mois***) the twentieth **2.** (*meilleure note*) full marks (+ *v pl*)

vingtaine [vɛ̃tɛn] *f* ***une ~ de voitures*** about twenty cars

▶ **vingt-deux** [vɛ̃tdø] *num/c* twenty-two; *fam* ***~!*** watch out!

vingt-deuxième [vɛ̃tdøzjɛm] *num/o* twenty-second

▶ **vingtième** [vɛ̃tjɛm] **I** *num/o* twentieth **II** *subst* **1.** ***le, la ~*** the twentieth **2.** *m* MATH twentieth

vingt-quatre [vɛ̃tkatʀ] *num/c* twenty-four; ***~ heures sur ~*** twenty-four hours a day, round the clock

vinicole [vinikɔl] *adj région* wine-producing *épith*; *matériel* wine-making *épith*; *association* wine producers' *épith* **vinification** *f* wine-making **vinifier** *v/t* ***~ qc*** *les moûts* to convert sth into wine

vins, vint [vɛ̃] → ***venir***

vinyle [vinil] *m* vinyl

vioc [vjɔk] → ***vioque***

viol [vjɔl] *m* **1.** rape **2.** → ***violation***

violacé [vjɔlase] *adj* ⟨**~e**⟩ purplish; ***rouge*** *m* ***~*** purplish red

violateur [vjɔlatœʀ] *m de lois* transgressor; ***~ de tombeau*** desecrator

violation [vjɔlasjõ] *f de la loi, d'un secret* breach; *d'une sépulture* desecration; ***~ de domicile*** forcible entry

viole [vjɔl] *f* MUS viol; ***~ de gambe*** viola da gamba

violemment [vjɔlamɑ̃] *adv* violently

▶ **violence** [vjɔlɑ̃s] *f* **1.** violence; *acte(s)* act of violence; ***~s*** *pl* violence (+ *v sg*); ***par la ~*** through violence; ***faire ~ à qn*** to force sb; ***se faire ~*** to force o.s. **2.** (*intensité*) violence

► **violent** [vjɔlɑ̃] *adj* 〈**-ente** [-ɑ̃t]〉 **1.** *personne, mort, sport* violent **2.** (*intense*) *choc* violent; *effort* strenuous; *poison* powerful; *fam* ***c'est un peu ~*** that's going a bit far *fam*
violenter [vjɔlɑ̃te] *v/t* to sexually assault
violer [vjɔle] *v/t* **1.** *loi, traité* to violate; *promesse* to break; *secret* to betray **2.** *sépulture* to desecrate **3.** *femme* to rape
violet [vjɔlɛ] **I** *adj* 〈**-ette** [-ɛt]〉 violet; *de froid* blue **II** *m* purple, violet
violette [vjɔlɛt] *f* BOT violet
violeur [vjɔlœʀ] *m* rapist
► **violon** [vjɔlõ] *m* **1.** violin; *fig* ***~ d'Ingres*** hobby; *pop, fig* ***c'est comme si on pissait dans un ~!*** it's like pissing in the wind! *pop* **2.** *joueur* violinist **3.** *fam prison* slammer *fam*
violoncelle [vjɔlõsɛl] *m* cello **violoncelliste** *m/f* cellist
violoneux [vjɔlɔnø] *m* fiddler **violoniste** *m/f* violinist
vioque [vjɔk] *arg* **I** *adj* old **II** *m/f* old man, woman
vipère [vipɛʀ] *f* **1.** ZOOL adder, viper **2.** *fig* viper
► **virage** [viʀaʒ] *m* **1.** *d'une route* bend **2.** *action* turning; AVIAT banking **3.** SKI turn **4.** *fig* change of direction; POL ***~ à droite*** shift to the right
virago [viʀago] *f* virago
viral [viʀal] *adj* 〈**~e; -aux** [-o]〉 viral
virée [viʀe] *f fam en voiture* drive; spin *fam*; *à moto* ride
virement [viʀmɑ̃] *m* FIN transfer
virent [viʀ] → ***voir***
virer [viʀe] **I** *v/t* **1.** to transfer (***à un compte*** to an account) **2.** *fam* ***~ qn*** to throw sb out; *employé* to fire sb **II** *v/t indir* ***~ à*** to turn **III** *v/i* to turn; ***~ à droite*** to turn right; ***~ de bord*** MAR to tack; *fig*, POL to take a new line
vireux [viʀø] *adj* 〈**-euse** [-øz]〉 noxious
virevolte [viʀvɔlt] *f* pirouette **virevolter** *v/i* to pirouette
virginal [viʀʒinal] *adj* 〈**~e; -aux** [-o]〉 virginal
virginité [viʀʒinite] *f* virginity; *fig* ***se refaire une ~*** to restore one's image
► **virgule** [viʀgyl] *f* comma
viril [viʀil] *adj* 〈**~e**〉 **1.** (*masculin*) masculine, male **2.** *sexuellement* virile **3.** (*courageux*) manly
virilité [viʀilite] *f* **1.** (*masculinité*) masculinity **2.** (*puissance sexuelle*) virility **3.** *fig* manhood
virole [viʀɔl] *f d'un outil* ferrule
virologie [viʀɔlɔʒi] *f* virology **virologique** *adj* virological **virologiste** *ou* **virologue** *m/f* virologist
virtualité [viʀtɥalite] *f* **1.** potentiality **2.** INFORM virtuality
virtuel [viʀtɥɛl] *adj* 〈**~le**〉 **1.** potential **2.** INFORM virtual
virtuellement [viʀtɥɛlmɑ̃] *adv* (*potentiellement*) potentially; (*pratiquement*) virtually
virtuose [viʀtɥoz] *m/f* virtuoso **virtuosité** *f* virtuosity
virulence [viʀylɑ̃s] *f* virulence **virulent** *adj* 〈**-ente** [-ɑ̃t]〉 virulent
virus [viʀys] *m* BIOL, INFORM virus *a fig*
vis[1] [vi] → ***voir, vivre***
vis[2] [vis] *f* screw; *fig* ***serrer la ~ à qn*** to tighten the screws on sb
► **visa** [viza] *m* visa
► **visage** [vizaʒ] *m* face; HIST, *péj* ***Visage pâle*** paleface *péj*; *fig* ***à ~ humain*** with a human face
visagiste [vizaʒist] *m/f* beautician
vis-à-vis [vizavi] **I** *prép* ***~ de*** (*par rapport à*) in relation to; (*envers*) towards, vis-à-vis **II** *adv* ***en ~*** opposite **III** *m personne* person sitting opposite; (*entretien*) meeting
viscéral [viseral] *adj* 〈**~e; -aux** [-o]〉 **1.** ANAT visceral **2.** *peur* deep-rooted; *haine* visceral
viscères [visɛʀ] *mpl* viscera (*+ v pl*)
viscose [viskoz] *f* CHIM viscose **viscosité** *f* viscosity
visé [vize] *m* aimed shot
visées [vize] *fpl* designs (***sur*** on)
viser [vize] **I** *v/t* **1.** to aim at **2.** *fig but* to aim for **3.** (*concerner*) ***~ qn*** to be aimed at sb; ***se sentir visé*** to feel victimized **4.** *pop* (*regarder*) to get a load of *fam* **5.** ADMIN *document* to stamp; *passeport* to put a visa in **II** *v/t indir* **1.** ***~ à faire qc*** to aim to do sth **2.** *fig* ***~ à qc*** to aim at sth **III** *v/i fig* ***~ 'haut*** to aim high
viseur [vizœʀ] *m* PHOT viewfinder; *d'une arme à feu* sights (*+ v pl*)
visibilité [vizibilite] *f* visibility; ***virage*** *m* ***sans ~*** blind bend
visible [vizibl] *adj* **1.** visible; ***être ~*** to be visible **2.** (*évident*) obvious **3.** *personne* ***n'être pas ~*** not to be available
visiblement [viziblәmɑ̃] *adv* obviously, visibly; ***il grandit ~*** he's visibly growing
visière [vizjɛʀ] *f* **1.** *contre le soleil* eyeshade, sun visor **2.** *d'une casquette*

peak; *d'un casque* visor

vision [vizjõ] *f* **1.** (*vue*) sight **2.** (*idée*) view **3.** *surnaturelle* vision; *fam* ***j'ai des ~s*** I'm seeing things

visionnaire [vizjɔnɛʀ] *adj, m/f* visionary

visionner [vizjɔne] *v/t film* to view **visionneuse** *f pour films, diapos* viewer

visiophone [vizjɔfɔn] *m* videophone

► **visite** [vizit] *f* **1.** *chez qn, touristique* visit; *du médecin à l'hôpital* round, *à domicile* house call; ***visite guidée*** guided tour; ***avoir la visite de qn*** to have a visit from sb; ***être en visite chez qn*** to be visiting sb; ***faire une visite,*** ► ***rendre (une) visite à qn*** to visit sb **2.** (*visiteur*) visitor; ***avoir de la visite*** to have company **3.** (*inspection*) inspection **4.** ***visite médicale*** checkup

► **visiter** [vizite] *v/t personne, pays, etc* to visit

► **visiteur** [vizitœʀ] *m*, **visiteuse** [vizitøz] *f* visitor

vison [vizõ] *m* **1.** *animal, fourrure* mink **2.** *manteau* mink, mink coat

visqueux [viskø] *adj* ⟨**-euse** [-øz]⟩ **1.** *liquide* viscous **2.** *poisson, etc* slimy

vissage [visaʒ] *m* screwing on

vissé [vise] ⟨**~e**⟩ *adj fig* ***être ~ sur sa chaise*** to be glued to one's chair

visser [vise] *v/t* **1.** ***~ qc*** *planche, poignée, bouchon* to screw sth on **2.** *fam, fig* ***~ qn*** to keep sb on a tight rein

visualisation [vizɥalizasjõ] *f* **1.** visualization **2.** INFORM display **visualiser** *v/t* **1.** to visualize **2.** INFORM to display

visuel [vizɥɛl] **I** *adj* ⟨**~le**⟩ visual **II** *subst* **1.** **~(*le*)** *m(f)*: ***être un ~*** to have a strong visual sense **2.** *m* INFORM visual display unit, VDU

vit [vi] → ***voir, vivre***

vital [vital] *adj* ⟨**~e; -aux** [-o]⟩ **1.** BIOL vital **2.** (*essentiel*) vital **vitalité** *f* vitality

vitamine [vitamin] *f* vitamin

vitaminé [vitamine] *adj* ⟨**~e**⟩ fortified with vitamins

► **vite** [vit] *adv* fast, quickly; ***au plus ~*** as fast as possible; ***aller trop ~*** to go too fast; ***on a ~ fait de dire que …*** it's easy to say that …; *fam* ***c'est du ~ fait*** it's a quick job

► **vitesse** [vitɛs] *f* **1.** speed; ***~ moyenne*** average speed; ***~ de croisière*** cruising speed *a fig*; ***à toute ~*** at top speed; *fam* ***en ~*** (*rapidement*) quickly; (*à la hâte*) in a hurry; ***faire de la ~*** to go fast; *en voiture* to drive fast; ***prendre qn de ~*** to beat sb; ***prendre de la ~*** to pick up speed **2.** AUTO gear; *fam, fig* ***en quatrième ~*** in double-quick time *fam*

viticole [vitikɔl] *adj région* wine-producing *épith*

viticulteur [vitikyltœʀ] *m* wine producer **viticulture** *f* wine-making; viticulture *st/s*

vitrage [vitʀaʒ] *m* **1.** (*vitres*) windows (+ *v pl*) **2.** *toit* glass roof **3.** *cloison* glass partition

vitrail [vitʀaj] *m* ⟨**vitraux** [vitʀo]⟩ stained glass window

► **vitre** [vitʀ] *f* window pane; *par ext* window

vitré [vitʀe] *adj* ⟨**~e**⟩ glazed; ***porte ~e*** glazed door

vitrer [vitʀe] *v/t* to glaze

vitrerie [vitʀəʀi] *f* **1.** *industrie* glass industry **2.** *produits* window glass

vitreux [vitʀø] *adj* ⟨**-euse** [-øz]⟩ TECH vitreous; *fig* glassy

vitrier [vitʀije] *m* glazier

vitrification [vitʀifikasjõ] *f* **1.** TECH vitrification **2.** *du parquet* sealing

vitrifier [vitʀifje] *v/t parquet* to seal

► **vitrine** [vitʀin] *f* **1.** store window, *brit* shop window; *fig* ***lécher les ~s*** to window-shop **2.** *meuble* curio cabinet, *brit* display cabinet

vitriol [vitʀijɔl] *m* vitriol; *fig* ***au ~*** vitriolic

vitrioler [vitʀijɔle] *v/t* ***~ qn*** to throw acid at sb

vitrocéramique [vitʀoseʀamik] *f* ceramic

vitupérations [vitypeʀasjõ] *fpl st/s* vituperations *st/s*

vitupérer [vitypeʀe] ⟨**-è-**⟩ *v/t indir st/s* ***~ contre*** to inveigh against *st/s*

vivable [vivabl] *adj* ***pas ~*** unbearable; *personne* impossible

vivace [vivas] *adj* **1.** ***plante*** *f* ***~*** perennial **2.** *haine, etc* enduring

vivacité [vivasite] *f* **1.** liveliness; ***~ d'esprit*** quick-wittedness **2.** (*emportement*) brusqueness **3.** *d'une couleur* vividness

vivandière [vivɑ̃djɛʀ] *f* MIL HIST sutler

► **vivant** [vivɑ̃] **I** *adj* ⟨**-ante** [-ɑ̃t]⟩ **1.** living; ► ***langue vivante*** modern language **2.** *fig personnage* lifelike; *style* vivid; *rue* lively; *enfant* spirited **II** *m* **1.** ***de son vivant*** during his / her lifetime **2.** ***les vivants*** the living **3.** ***bon vivant*** bon vivant

vivat [viva] *m* cheer; **~s** *pl* cheers (+ *v pl*), cheering (+ *v sg*)
vive[1] [viv] *int* **~ ...!** long live ...!; **~ les vacances!** three cheers for the vacation!
vive[2] *f* ZOOL weever
vivement [vivmɑ̃] *adv* **1.** (*vite*) swiftly **2.** *s'intéresser, etc* keenly; *souhaiter* heartily; *regretter* bitterly; *conseiller* strongly **3.** *fam* **~ les vacances!** I can't wait for the vacation!
viveur [vivœʀ] *m* fast-liver
vivier [vivje] *m* **1.** *naturel* fishpond **2.** (*aquarium*) fish tank
vivifiant [vivifjɑ̃] *adj* ⟨**-ante** [-ɑ̃t]⟩ *climat* invigorating; *fig* stimulating
vivifier [vivifje] *v/t* **1.** *climat* to invigorate **2.** *fig* to breathe new life into
vivipare [vivipaʀ] *adj* BOT, ZOOL viviparous
vivisection [vivisɛksjõ] *f* vivisection
vivoter [vivɔte] *v/i personne* to get by; *entreprise* to struggle along
▶ **vivre** [vivʀ] ⟨**je vis, il vit, nous vivons; je vivais; je vécus; je vivrai; que je vive; vivant; vécu**⟩ **I** *v/t* to live; *jours* to spend; **~ sa vie** to live one's life; **~ mal un problème** to have difficulty coping with a problem **II** *v/i* to be alive, to be living; **~ vieux** to live to a great age; *mode* **avoir vécu** to have had its day; *prov* **qui vivra verra** what will be will be; **il a (beaucoup) vécu** he's seen a lot; **~ bien** to live well; **~ avec qn** to live with sb; **~ dans l'angoisse** to lead a troubled life; **~ en paix** to live in peace; **~ de qc** to live on sth; **~ pour soi** to live for oneself; **avoir de quoi ~** to have enough to live on; **faire ~ qn** to support sb; **se laisser ~** to take things easy; **savoir ~** *agréablement* to enjoy life; *selon l'usage* to know how to do things
vivres [vivʀ] *mpl* food (+ *v sg*); *fig* **couper les ~ à qn** to cut off sb's allowance
vivrier [vivʀije] *adj* ⟨**-ière** [-jɛʀ]⟩ *cultures* food *épith*
vizir [viziʀ] *m* vizier
vlan [vlɑ̃] *int* bang!
V.O. *abr* → **version**
vocable [vɔkabl] *m* term
▶ **vocabulaire** [vɔkabylɛʀ] *m* **1.** vocabulary **2.** (*lexique*) lexicon, word list
vocal [vɔkal] *adj* ⟨**~e; -aux** [-o]⟩ vocal (*a* MUS); **cordes** *fpl* **~es** vocal chords
vocalisation [vɔkalizasjõ] *f* PHON vocalization
vocalise [vɔkaliz] *f* MUS vocal exercise
vocaliser [vɔkalize] **I** *v/t* PHON to vocalize **II** *v/i* MUS to do vocal exercises
vocatif [vɔkatif] *m* GRAM vocative
vocation [vɔkasjõ] *f* **1.** REL, *pour une profession* vocation **2.** (*mission*) purpose
vociférations [vɔsifeʀasjõ] *fpl* clamour + *v sg*; vociferations *st/s* **vociférer** *v/i* ⟨**-è-**⟩ to shout; to vociferate *st/s*
vodka [vɔdka] *f* vodka
vœu [vø] *m* ⟨**~x**⟩ **1.** REL vow *a fig*; **j'ai fait le vœu de** *+inf* I have taken a vow *+inf* **2.** (*souhait*) wish; ▶ **meilleurs vœux!** *ou* **tous mes vœux!** best wishes!; **vœux de bonne année** New Year's wishes; **faire un vœu** to make a wish
vogue [vɔg] *f* fashion, vogue; **en ~** in fashion, fashionable
voguer [vɔge] *v/i litt* to sail
voici [vwasi] *prép* **la ~** here she is; **les ~** here they are; **le livre que ~** this book here; → **voilà**
▶ **voie** [vwa] *f* **1.** (*chemin*) way; **~ publique** public highway; **~ romaine** Roman road; **~ d'accès** access road; AUTO slip road; **~s** *fpl* **de communication** transportation links, *brit* transport links **2.** CH DE FER track; **~ de garage** siding; **à plusieurs ~s** multi-track *épith* **3.** *d'une route* lane; **~ réservée aux véhicules lents** slow lane; **à trois ~s** three-lane *épith* **4.** ANAT tract; **~s respiratoires** respiratory tract (+ *v sg*) **5.** *fig* track; **~ royale** fast track; **en ~ de ...** in the process of; **en ~ de guérison** on the road to recovery; **par (la) ~ diplomatique** through diplomatic channels; **être dans la bonne ~** to be on the right track; **être en bonne ~** to be making good progress; **mettre qn sur la ~** to put sb on the right track **6.** JUR **~s** *fpl* **de fait** assault (+ *v sg*) **7.** MAR **~ d'eau** leak
▶ **voilà** [vwala] *prép* **~!** there!; **et ~!** there you are!; **~, ~, j'arrive!** I'm coming, I'm coming!; **~ un an qu'ils sont ensemble** they've been together for a year now; *tu veux des bonbons*, **en ~** here you are; **des abricots en veux-tu en ~** apricots galore; **me ~** here I am; **nous y ~** here we are; **(et) ~ tout** and that's all there is to it; **~ ce que c'est (que) de** *+inf* and that what comes of (+ *v-ing*); **la maison que ~** that house there; **~ comment ...** that's how ...; **~ pourquoi ...** that's why

…; ***mais ~ que, tout à coup, …*** but then, all of a sudden …

voilage [vwalaʒ] *m rideau* sheer curtain, *brit* net curtain

voile[1] [vwal] *m* **1.** veil; ***~ de mariée*** wedding veil; REL ***prendre le ~*** to take the veil **2.** TEXT net, voile **3.** *fig* veil; ***jeter un ~ sur qc*** to draw a veil over sth **4.** ANAT ***~ du palais*** soft palate

▶ **voile**[2] *f* **1.** *toile* sail; ***faire ~ sur*** to sail towards; *fam*, *fig* ***mettre les ~s*** to clear out *fam*, *brit* to clear off *fam* **2.** (*voilier*) sailboat, *brit* sailing boat; ***faire de la ~*** to go sailing **3.** ***vol** m **à ~*** gliding

voilé [vwale] *adj* ⟨**~e**⟩ **1.** *femme* veiled **2.** *regard* misty; *ciel* hazy; *photo* fogged; *voix* with a catch in it; *allusion* veiled; ***en termes ~s*** in veiled terms **3.** *roue* buckled

voiler[1] [vwale] **I** *v/t fait* to conceal; *nudité*, *visage* to cover; *soleil*, *paysage* to veil **II** *v/pr* ***se voiler*** **1.** *femme* to wear a veil **2.** *ciel*, *regard* to cloud over

voiler[2] *v/pr* ***se ~*** *roue* to buckle

voilette [vwalɛt] *f* veil

voilier [vwalje] *m* MAR sailing ship; SPORT sailboat, *brit* sailing boat

voilure [vwalyʀ] *f* **1.** MAR sails (+ *v pl*) **2.** AVIAT wing surface

▶ **voir** [vwaʀ] ⟨**je vois, il voit, nous voyons, ils voient; je voyais; je vis; je verrai; que je voie; voyant; vu**⟩ **I** *v/t* **1.** (*apercevoir*) to see; ***voir un accident*** to see an accident; ***ne pas voir qn, qc*** not to see sb, sth; ***sans être vu*** without being seen; ***je les ai vus mourir*** I saw them die; ▶ ***faire voir qc à qn*** to show sb sth; ***fais voir*** show me; ***se faire voir*** to show oneself; *fam* ***va te faire voir*** (***ailleurs***)***!*** get lost! *fam*; ***ne pas laisser voir son chagrin*** to hide one's sorrow **2.** (*visiter*) to see; ***voir un film*** to see a film; ***être à voir*** to remain to be seen; ▶ ***aller voir qc, qn*** to go and see sth, sb; (***aller***) ***voir le médecin*** to see the doctor, *brit* to go to the doctor's; ***se faire bien, mal voir*** to give a good, bad impression; ***venir voir qn*** to come and see sb **3.** (*se représenter*) to see; ***voir un 'héros en qn*** to see sb as a hero; *fam* ***tu vois ça d'ici*** you can see it coming; ***tu vois ce que je veux dire*** you see what I mean **4.** (*examiner*) to see; ***va voir ce qui se passe*** go and see what's going on; ***c'est à voir*** we'll see **5.** (*vivre qc*) ***elle en a vu dans sa vie*** she's had a hard life; *fam* ***vous allez voir ce que vous allez voir*** *fam* just you wait and see *fam*; ***on aura tout vu*** that beats everything **6.** ***cela n'a rien à voir*** that's got nothing to do with it; ***je n'ai rien à voir là-dedans*** it's got nothing to do with me **II** *v/t indir* **1.** *fam* ***il faudrait voir à ne pas confondre!*** be careful not to get them mixed up! **III** *v/i* **1.** to see; ***ne voir que d'un œil*** to only be able to see out of one eye **2.** *par ext*: ***voir page 20*** see page 20; ***voyons!*** come on!; (***ah!***) ***je vois!*** now I see!; ***on verra bien*** we'll see; ***il faut voir*** we'll have to see; ***il faut voir comment il …*** you should see the way he …; ***essaie*** (***un peu***) ***pour voir*** try it and see; ***viens voir*** come and see **IV** *v/pr* **1.** ***se voir déjà millionnaire*** to be able to see o.s. as a millionaire; ***se voir obligé de faire qc*** to find o.s. forced to do sth **2.** *semi-auxiliaire*: ***il s'est vu décerner le prix*** he was awarded the prize; ***elle s'est vu refuser l'entrée*** she was refused entry **3.** ***se voir*** to see o.s.; *deux personnes* to see each other *fig* ***ils ne peuvent pas se voir*** they can't stand the sight of each other **4.** ***cela se voit*** it shows; ***ça ne s'est jamais vu*** it's unheard of

voire [vwaʀ] *adv* even

voirie [vwaʀi] *f* ADMIN highways department; (*réseau routier*) road network; ***service** m **de ~** nettoyage* street cleaning; *enlèvement des ordures* garbage collection, *brit* refuse collection

▶ **voisin** [vwazɛ̃] **I** *adj* ⟨**-ine** [-in]⟩ **1.** neighboring; ***États ~s*** neighbor states; ***la maison ~e*** the house next door **2.** ***~ de*** (*ressemblant*) akin to **II** ***~*(*e*)** *m*(*f*) neighbor; *en rang* the person next to me, him, *etc.*; ***~ de table*** person sitting next to me, him, *etc.* at table

voisinage [vwazinaʒ] *m* neighborhood; ***relations** fpl **de bon ~*** neighborly relations

voisiner [vwazine] *v/i* ***~ avec*** to be side by side with

▶ **voiture** [vwatyʀ] *f* **1.** automobile, car; ***~ ancienne*** vintage car; ***~ de course*** racing car; ***~ d'occasion*** second-hand car; ***~ de pompiers*** fire truck, *brit* fire engine; ***en ~*** by car **2.** CH DE FER car, *brit* carriage, coach; ***en ~!*** all aboard! **3.** cart; ***~ à bras*** hand-cart; ***~ d'enfant*** baby carriage, *brit* pram

voiture-bar *f* ⟨**voitures-bars**⟩ CH DE FER buffet car **voiture-couchettes** *f* ⟨**voitures-couchettes**⟩ sleeping car, *brit* sleeper **voiture-lit** *f* ⟨**voitures-lits**⟩ sleeping car, *brit* sleeper
voiturer [vwatyʀe] *v/t* ~ ***qc*** to take sth by car; ~ ***qn*** to drive sb
voiture-restaurant *f* ⟨**voitures-restaurants**⟩ dining car
voiturette [vwatyʀɛt] *f* little car
▶ **voix** [vwa, vwɑ] *f* **1.** voice (*a* MUS, *fig*); POL vote; *fig* ~ ***de la raison*** voice of reason; ***à*** ~ ***basse, 'haute*** in a soft, loud voice; ***de vive*** ~ in person; ***par dix*** ~ ***contre trois*** by ten votes to three; ***avoir de la*** ~ to have a loud voice; *fig* ***avoir*** ~ ***au chapitre*** to have a say in the matter; ***entendre des*** ~ to hear voices; ***rester sans*** ~ to be speechless **2.** GRAM ~ ***active*** active voice; ~ ***passive*** passive voice
▶ **vol¹** [vɔl] *m* **1.** flight (*a* AVIAT); ~ ***à voile*** gliding; ***au*** ~ in flight; ***attraper une balle au*** ~ to catch a ball in midair; ***attraper un bus au*** ~ to leap onto a moving bus; ***attraper une remarque au*** ~ to catch a passing remark; ***à*** ~ ***d'oiseau*** *distance* as the crow flies; *photo, vue* bird's eye *épith*; *fig* ***de haut*** ~ high-flying *épith*; *escroc* big-time *épith*; ***en*** (***plein***) ~ in (full) flight **2.** (*nuée*) swarm
vol² *m* theft, robbery; ~ ***à main armée*** armed robbery; ~ ***de voiture*** auto theft, *brit* car theft; *fig* ***c'est du*** ~ (***organisé***) it's a racket *fam*; *au restaurant* it's daylight robbery *fam*
vol. *abr* (= **volume**) vol.
volage [vɔlaʒ] *adj* fickle
volaille [vɔlaj] *f coll* poultry (+ *v sg*); ***une*** ~ a fowl
volailler [vɔlaje] *m* poultry farmer
volant¹ [vɔlɑ̃] *adj* ⟨**-ante** [-ɑ̃t]⟩ **1.** AVIAT ***personnel*** *m* ~ flight crew **2.** (*mobile*) mobile; *feuille* loose *épith*
▶ **volant²** *m* **1.** AUTO steering wheel **2.** SPORT shuttlecock **3.** COUT flounce
volatil [vɔlatil] ⟨~**e**⟩ *adj* CHIM volatile
volatile [vɔlatil] *m* fowl
volatiliser [vɔlatilize] *v/pr* ***se*** ~ CHIM to volatilize; *fig* to vanish into thin air
vol-au-vent [vɔlovɑ̃] *m* ⟨*inv*⟩ vol-au-vent
volcan [vɔlkɑ̃] *m* volcano
volcanique [vɔlkanik] *adj* **1.** volcanic **2.** *fig* explosive
volcanisme [vɔlkanism] *m* volcanism
volcanologie [vɔlkanɔlɔʒi] *f* volcanology **volcanologue** *m* volcanologist
volé [vɔle] *adj* ⟨~**e**⟩ *chose* stolen; *personne* who has been robbed *épith*
volée [vɔle] *f* **1.** *d'oiseaux* flock; *d'enfants* swarm **2.** *de projectiles* volley; ~ (***de coups***) a volley of blows **3.** *au tennis* volley **4.** ***à toute*** ~ with full force
▶ **voler¹** [vɔle] *v/i* **1.** *oiseau, avion, pilote* to fly; ~ ***en éclats*** to smash into pieces; ***faire*** ~ ***la poussière*** to stir up dust **2.** *fig* ~ ***au secours de qn*** to leap to sb's aid
▶ **voler²** *v/t* **1.** to steal; ~ ***qc à qn*** to steal sth from sb **2.** ~ ***qn*** to rob sb; ***se faire*** ~ to be robbed **3.** *clients* to cheated; *au restaurant* to be ripped off *fam* **4.** *fig idée, etc* to steal; *fam* ***il ne l'a pas volé*** it serves him right
▶ **volet** [vɔlɛ] *m* **1.** (*contrevent*) shutter; ~ ***roulant*** roller shutter **2.** ***trier sur le*** ~ to handpick **3.** *d'un dépliant* section; *par ext* part
voleter [vɔlte] *v/i* ⟨**-tt-**⟩ to flutter
▶ **voleur** [vɔlœʀ], **voleuse** [vɔløz] **I** *m/f* **1.** thief; ***voleur de voitures*** auto thief, *brit* car thief; ***au voleur!*** stop thief! **2.** *m fig* crook **II** *adj* thieving; *commerçant* dishonest
volière [vɔljɛʀ] *f* aviary
volige [vɔliʒ] *f* batten
volley-ball [vɔlɛbol] *m* volleyball
volleyeur [vɔlɛjœʀ] *m*, **volleyeuse** [-øz] *f* volleyball player
volontaire [vɔlõtɛʀ] **I** *adj* **1.** (*de plein gré*) voluntary **2.** (*voulu*) intentional; ***incendie*** *m* ~ arson **3.** (*décidé*) headstrong **II** *m/f* volunteer; ***se porter*** ~ to volunteer
volontairement [vɔlõtɛʀmɑ̃] *adv* **1.** (*sans être contraint*) voluntarily **2.** (*exprès*) deliberately
volontariat [vɔlõtaʀja] *m* voluntary service
volontarisme [vɔlõtaʀism] *m* PHIL, PSYCH voluntarism
▶ **volonté** [vɔlõte] *f* **1.** (*désir*) wish; *faculté* will; ***les dernières*** ~***s de qn*** sb's last wishes; ***du vin à*** ~ unlimited wine, as much wine as you like; *fam* ***elle fait ses quatre*** ~***s*** she does just as she pleases **2.** (*disposition*) ***bonne*** ~ goodwill; *par ext* ***les bonnes*** ~***s*** volunteers; ***mauvaise*** ~ lack of good will; ***mettre de la mauvaise*** ~ ***à faire qc*** to do sth grudgingly; ***avec la meilleure*** ~ ***du monde*** with the best will in the world

3. (*caractère*) willpower; ***manque*** *m* ***de ~*** lack of determination; ***sans ~*** weak-willed

▶ **volontiers** [vɔlõtje] *adv* **1.** willingly, gladly; ***acheter, regarder plus ~ qc*** to prefer to buy, watch sth **2.** (*facilement*) easily

volt [vɔlt] *m* volt **voltage** *m* voltage

voltairien [vɔltɛʀjɛ̃] **I** *adj* ⟨**-ienne** [-jɛn]⟩ Voltairean **II** *m* Voltairean

volte [vɔlt] *f* ÉQUITATION volte

volte-face [vɔltəfas] *f* ⟨*inv*⟩ about-face, *brit* about-turn; ***faire ~*** to turn around; *fig* to do a flip-flop, *brit* to do a U-turn

voltige [vɔltiʒ] *f* **1.** ***'haute ~*** acrobatics (+ *v pl*); *fig* delicate operation **2.** *à cheval* vaulting **3.** AVIAT aerobatics (+ *v pl*)

voltiger [vɔltiʒe] *v/i* ⟨**-ge-**⟩ to go flying; *papillons*, *flocons* to flutter around

voltigeur *m* acrobat

volubile [vɔlybil] *adj personne*, *explications* voluble

volubilis [vɔlybilis] *m* BOT morning glory

volubilité [vɔlybilite] *f* volubility

volume [vɔlym] *m* **1.** (*livre*) volume; ***en trois ~s*** in three volumes **2.** MATH volume *a fig* **3.** *de la voix*, *d'un haut-parleur* volume

volumétrique [vɔlymetʀik] *adj* CHIM volumetric

volumineux [vɔlyminø] *adj* ⟨**-euse** [-øz]⟩ voluminous

volupté [vɔlypte] *f* **1.** voluptuousness; *sexuelle* sensual pleasure **2.** (*délice*) exquisite pleasure

voluptueux [vɔlyptɥø] *adj* ⟨**-euse** [-øz]⟩ voluptuous

volute [vɔlyt] *f* ARCH volute; *fig* ***~s*** *fpl* ***de fumée*** curls of smoke

vomi [vɔmi] *m fam* vomit

vomir [vɔmiʀ] *v/t* **1.** ***~ qc*** to bring sth up, to vomit sth; *abs* to vomit; *fig* ***c'est à ~*** it makes you sick **2.** *fig* ***~ qn*** to loathe sb

vomissement [vɔmismɑ̃] *m action* vomiting **vomissure** *f* vomit (+ *v sg*)

vomitif [vɔmitif] *m* emetic

vont [võ] → ***aller¹***

vorace [vɔʀas] *adj* voracious **voracité** *f* voraciousness

vos → ***votre***

▶ **Vosges** [voʒ] ***les ~*** *fpl* the Vosges

vosgien [voʒjɛ̃] **I** *adj* ⟨**-ienne** [-jɛn]⟩ of the Vosges **II** ***Vosgien(ne)*** native of the Vosges

votant [vɔtɑ̃] *m surtout pl* ***~s*** (*qui participent à un vote*) voters; (*qui ont le droit de voter*) electorate (+ *v sg*)

votation [vɔtasjõ] *f Suisse* ***~ populaire*** voting

▶ **vote** [vɔt] *m* **1.** vote; ***~ de confiance*** vote of confidence; ***~ par correspondance*** absentee vote, *brit* postal vote **2.** (*voix*) vote **3.** *d'une loi* voting

▶ **voter** [vɔte] **I** *v/t loi* to pass; ***faire ~ une loi*** to put a law to the vote **II** *v/i* to vote; ***~ oui, non*** to vote yes, no

votif [vɔtif] *adj* ⟨**-ive** [-iv]⟩ votive

▶ **votre** [vɔtʀ] *adj poss* ⟨*pl* **vos** [vo]⟩ your; *pl* ***vos*** your

vôtre [votʀ] **I** *pr poss* **1.** ▶ ***le vôtre, la vôtre*** yours; *pl* ***les vôtres*** yours **2.** *fam* ▶ ***à la vôtre!*** cheers! **II** *subst* ***les vôtres*** *mpl* (*famille*, *amis*, *etc*) your folks, *brit* your family; ***je suis des vôtres*** I'm with you

voudrai(s) [vudʀɛ] → ***vouloir¹***

vouer [vwe] **I** *v/t* **1.** ***~ sa vie à*** to dedicate one's life to **2.** *haine*, *amour*, *etc* to vow **3.** ***être voué à l'échec*** to be doomed to failure **II** *v/pr* ***se ~ à qc*** to dedicate o.s. to

▶ **vouloir¹** [vulwaʀ] ⟨**je veux, il veut, nous voulons, ils veulent; je voulais; je voulus; je voudrai; que je veuille, que nous voulions; voulant; voulu**; *impératif de politesse* **veuillez**⟩ **I** *v/t* **1.** to want; ***vouloir qc*** to want sth (***de qn*** from sb); ***voulez-vous un apéritif?*** would you like a drink?; ▶ ***je voudrais …*** I would like …; ***tu l'as voulu*** it's your own fault; ***que tu le veuilles ou non*** whether you like it or not; ***sans le vouloir*** unintentionally; *résigné* ***qu'est-ce que vous voulez?*** what do you want?; ▶ ***je veux bien*** yes please; ***comme tu voudras*** it's up to you; ***vouloir faire qc*** to want to do sth; ▶ ***vouloir dire*** → ***dire¹***; ***je voudrais vous parler*** I would like to talk to you; ***veux-tu te taire*** will you be quiet; ***veuillez trouver ci-joint …*** please find enclosed …; *fam* ***le moteur ne veut pas démarrer*** the engine won't start; ***que voulez-vous que je vous dise?*** what can I say?; ***le hasard a voulu que …*** *+subj* as luck would have it … **2.** (*prétendre*) ***l'histoire veut que …*** *+subj* the story has it that … **II** *v/t indir* **1.** ***ne pas vouloir de qc, qn*** not to want sth, sb **2.** ▶ ***en vouloir à qn*** to bear a grudge against sb; ***en vouloir à mort à qn*** to be at daggers drawn with sb; ***en vouloir à qn, qc*** to have a grudge against sb, sth; ***en vouloir à la vie de qn*** to want sb dead **III** *v/pr* **1.** ***s'en vouloir de*** *+inf* to regret (+ *v-ing*) **2.** (*vouloir passer pour*) ***se vouloir ...*** to like to think of o.s. as ...

vouloir[2] *m* ***bon ~*** goodwill; ***dépendre du bon ~ de qn*** to depend on sb's goodwill

voulu [vuly] *adj* ⟨**~e**⟩ **1.** (*exigé*) required (***pour*** for); *âge* right ***en temps ~*** in time **2.** (*intentionnel*) deliberate

► **vous** [vu] **I** *pr pers* **1.** *sujet* you; ***~ ~ êtes trompé(e)s*** you are mistaken **2.** *forme de politesse* (*sg et pl*) *sujet* you; *réfléchi* yourself; ***imaginez-~!*** just imagine!; ***de ~ à moi*** between you and me; ***dire ~ à qn*** to address sb formally, *to use the "vous" form to sb* **II** *pr ind* you; ***les gens qui ~ disent que ...*** people who tell you that ...

vous-même [vumɛm] *pr pers accentué, réfléchi* yourself; ***~s*** *pl* yourselves

voûte [vut] *f* vault; *fig* ***la ~ céleste*** the heavens (+ *v pl*)

voûté [vute] ⟨**~e**⟩ *adj dos* bent; *personne* ***être tout ~*** to be stooped over

voûter [vute] *v/pr* ***se ~*** to stoop

vouvoiement [vuvwamɑ̃] *m the use of the polite "vous" form of address*

vouvoyer [vuvwaje] ⟨**-oi-**⟩ **I** *v/t* ***~ qn*** to address sb formally, *to use the "vous" form to sb* **II** *v/pr* ***se vouvoyer*** *to address each other using the "vous" form*

► **voyage** [vwajaʒ] *m* **1.** (*déplacement*) trip, journey; ***bon ~!*** have a good trip!; ***~ éclair*** lightning trip; ***~ à l'étranger*** foreign trip; ***~ d'affaires*** business trip; ***~ de noces*** honeymoon; ***~ en avion*** plane journey; ***~ en bateau*** boat trip ***~ en voiture*** car trip; ***gens*** *mpl* ***du ~*** travelers; ***être en ~*** to be traveling; ***partir en ~*** to set off on a trip **2.** (*trajet*) trip; ***faire plusieurs ~s*** to make several trips

► **voyager** [vwajaʒe] *v/i* ⟨**-ge-**⟩ *personne, marchandises* to travel; ***il a beaucoup voyagé*** he has traveled widely

► **voyageur** [vwajaʒœʀ], **voyageuse** [vwajaʒøz] **1.** *m/f* traveler **2.** ***voyageur*** (***de commerce***) traveling salesman, commercial traveler **3.** *adjt* ***pigeon voyageur*** carrier pigeon

voyagiste [vwajaʒist] *m* tour operator

voyance [vwajɑ̃s] *f* clairvoyance

voyant [vwajɑ̃] **I** *adj* ⟨**-ante** [-ɑ̃t]⟩ showy; *couleur* loud **II** *subst* **1.** ***~(e)*** *m(f)* clairvoyant **2.** (*non aveugle*) ***~(e)*** *m(f)* sighted person **3.** *m* light

voyelle [vwajɛl] *f* vowel

voyeur [vwajœʀ] *m* voyeur **voyeurisme** *m* voyeurism

voyons [vwajõ] → ***voir***

voyou [vwaju] *m* (*délinquant*) hoodlum, lout; ***petit ~*** little rascal

vrac [vʀak] ***en ~*** **1.** *marchandises* loose **2.** *fig* higgledy-piggledy

► **vrai** [vʀɛ] **I** *adj* ⟨**~e**⟩ **1.** (*exact*) true; ***c'est magnifique, pas ~?*** it's marvellous, isn't it?; ***c'est toi qui l'a pris, pas ~?*** you took it, didn't you?; ***c'est ~?*** really?; *fam* ***c'est pas ~!*** I don't believe it!; ***il est ~ que ...*** it is certainly true that ...; *restrictif* admittedly **2.** (*authentique*) genuine; ***~ de ~*** absolutely genuine **II** *adv* ***à ~ dire, à dire ~*** in actual fact, truth be told; ***dire ~*** to tell the truth **III** *m* ***le ~*** truth; *enf* ***pour de ~*** really; ***c'est pour de ~*** it's for real; ***être dans le ~*** to be in the right

► **vraiment** [vʀɛmɑ̃] *adv* really

vraisemblable [vʀɛsɑ̃blabl] *adj* plausible **vraisemblance** *f d'une hypothèse* likelihood; (*crédibilité*) plausibility; LITTÉR verisimilitude

vrille [vʀij] *f* **1.** BOT tendril **2.** TECH drill **3.** AVIAT ***descendre en ~*** to go into a spiral drive

vriller [vʀije] *v/t* TECH to bore

vrombir [vʀõbiʀ] *v/i moteur* to roar; *insecte* to buzz **vrombissement** *m de moteur* roar; *d'un insecte* buzzing

vroum [vʀum] *int* ***~! ~!*** vroom! vroom!

V.R.P. [veɛʀpe] *m, abr* ⟨*inv*⟩ (= **voyageur de commerce, représentant et placier**) sales rep

VTC [vetese] *m, abr* ⟨*inv*⟩ (= **vélo tout chemin**) hybrid bike

VTT [vetete] *m, abr* ⟨*inv*⟩ (= **vélo tout terrain**) mountain bike

vu [vy] **I** *pp* → ***voir*** *et adj* ⟨**~e**⟩ ***ni ~ ni connu*** no one will be any the wiser; ***être bien ~*** *personne* to be well regarded (***de qn*** by sb); *comportement* to be the done thing; ***être mal ~*** *personne* not to be well regarded (***de qn*** by sb); *comportement* to be disapproved of; *fam* ***c'est tout ~!*** end of story! *fam* **II** *prép* in view of, given; ***~ le temps*** in view of the time **III** *m* ***au ~ et au su de tous*** for all to see; ***c'est du déjà ~*** it's old hat *fam*

► **vue** [vy] *f* **1.** *sens* (eye)sight; ***avoir la ~ basse*** to be near-sighted, *brit* to be short-sighted; ***avoir une bonne ~*** to have good eyesight; ***perdre la ~*** to lose one's sight **2.** (*regard*) sight; ***à ~*** AVIAT visually; COMM at sight; ***à première ~*** at first sight; ***à ~ de nez*** roughly; ***à ~ d'œil*** before one's eyes; ***à la ~ de tous*** in front of everybody; ***en ~*** conspicuous; *personne* in the public eye; ***connaître qn de ~*** to know sb by sight; *fam* ***en mettre plein la ~ à qn*** to impress sb; ***perdre qn, qc de ~*** to lose sight of sb, sth **3.** (*spectacle*) sight; ***à la ~ du sang*** at the sight of blood; ***à sa ~*** at the sight of him / her **4.** (*panorama*) view; ***avec ~ sur la mer*** with a sea view **5.** PHOT view; ***~ aérienne*** aerial view; ***~ d'ensemble*** overview **6.** (*idée*) ***~s*** *pl* views; ***une ~ de l'esprit*** a theoretical view **7.** (*intention*) view; ***en ~ de*** (+ *subst*) with a view to (+ *subst*); ***avoir en ~ de*** *+inf* to plan *+inf*; ***avoir qc, qn en ~*** to have sth, sb in mind; ***avoir des ~s sur qc, qn*** to have designs on sth, sb **8.** ***seconde ~*** second sight

vulcanisation [vylkanizasjõ] *f* vulcanization **vulcaniser** *v/t* to vulcanize

vulcanologie [vylkanɔlɔʒi] → ***volcanologie***

vulgaire [vylgɛʀ] *adj* **1.** (*quelconque*) ordinary **2.** (*grossier*) vulgar **3.** (*populaire*) common; ***langue*** *f* ***~*** everyday language

vulgairement [vylgɛʀmɑ̃] *adv* **1.** *péj s'exprimer etc* coarsely **2.** ***appelé ~*** commonly known as

vulgarisation [vylgaʀizasjõ] *f* ***ouvrage de ~*** for the general public

vulgariser [vylgaʀize] *v/t* to popularize

vulgarité [vylgaʀite] *f* vulgarity

vulnérabilité [vylneʀabilite] *f* vulnerability

vulnérable [vylneʀabl] *adj* vulnerable *a fig*; ***point*** *m* ***~*** weak point

vulve [vylv] *f* vulva

Vve *ou* **Vve** *abr* (= **veuve**) Widow

W

W, w [dubləve] *m* ⟨*inv*⟩ W

▶ **wagon** [vagõ] *m* car, *brit* carriage, coach; ***~*** (***de marchandises***) freight car, *brit* goods wagon

wagon-citerne *m* ⟨**wagons-citernes**⟩ tanker **wagon-couchettes** *m* ⟨**wagons-couchettes**⟩ sleeping car, *brit* sleeper

▶ **wagon-lit** *m* ⟨**wagons-lits**⟩ sleeping car, *brit* sleeper

wagonnet [vagɔnɛ] *m* cart, *brit* trolley

wagon-poste *m* ⟨**wagons-poste**⟩ CH DE FER mailcar, *brit* mail van

▶ **wagon-restaurant** *m* ⟨**wagons-restaurants**⟩ dining car

walkman® [wɔkman] *m* walkman®

walkyrie [valkiʀi] *f* Valkyrie

wallon [walõ] **I** *adj* ⟨**-onne** [-ɔn]⟩ Walloon **II** ***Wallon(ne)*** *m(f)* Walloon

Wallonie [walɔni] ***la ~*** Walloon

water-polo [watɛʀpɔlo] *m* water polo

waters [watɛʀ] *mpl* bathroom + *v sg*, toilet + *v sg*; ***aller aux ~*** to go to the bathroom

watt [wat] *m* ÉLEC watt

▶ **W.-C.** [(dublə)vese] *mpl* bathroom, toilet; (*inscription* WC)

Web [wɛb] *m*, *abr* (= **World Wide Web**) INFORM Web; (***naviguer, surfer***) ***sur le ~*** to surf the Web; *adjt* ***page*** *f* ***~*** web page; ***site*** *m* ***~*** website

webcam [wɛbkam] *f* INFORM webcam **webmaster** *m ou* **webmestre** *m* INFORM webmaster

▶ **week-end** [wikɛnd] *m* ⟨**week-ends**⟩ weekend; ***partir en ~*** to go away for the weekend

western [wɛstɛʀn] *m* FILM western **western-spaghetti** *m* ⟨**westerns-spaghettis**⟩ spaghetti western

whisky [wiski] *m* ⟨**whiskies**⟩ whisky

white-spirit [wajtspiʀit] *m* white spirit

wi-fi [wifi] *m* wi-fi

wiki [wiki] *m* INFORM wiki

Wisigoths [vizigo] *mpl* Visigoths

X

X, x [iks] *m* ⟨*inv*⟩ **1.** *lettre* X; ***chromosome*** *m* ***X*** X-chromosome; ***avoir les jambes*** *fpl* ***en X*** to be knock-kneed **2.** MATH x; (***Monsieur***) ***X*** Mr. X; JUR ***plainte*** *f* ***contre X*** action against person or persons unknown **3.** ***rayons*** *mpl* ***X*** X-rays **4.** ***film*** (***classé***) ***X*** adult movie

xénon [ksenõ] *m* CHIM xenon

xénophobe [gzenɔfɔb] *adj* xenophobe

xénophobie *f* xenophobia

xérès [kseʀɛs, gze-] *m* sherry

xylophone [gzilɔfɔn] *m* xylophone

Y

Y, y¹ [igʀɛk] *m* ⟨*inv*⟩ **1.** *lettre* Y **2.** MATH y

► **y²** [i] **I** *adv* there; ***tu ~ vas?*** are you going?; ***j'~ étais aussi*** I was there too; ***j'~ suis, j'~ reste*** I'm here and I'm not shifting; ***on n'~ voit rien*** you can't see a thing **II** *pr* **1.** (*à cela*) it; ***vous m'~ obligez*** you leave me no choice; ***j'~ penserai*** I'll think about it; ***j'~ renonce*** I give up **2.** *fam* (*lui*) ***j'~ ai dit*** I told him

yacht [jɔt] *m* yacht

yachting [jɔtiŋ] *m* yachting

ya(c)k [jak] *m* yak

► **yaourt** [jauʀ(t)] *m* yogurt; ***~ nature, aux fruits*** natural, fruit yogurt

yaourtière [jauʀtjɛʀ] *f* yogurt-maker

yard [jaʀd] *m* yard

Yémen [jemen] ***le ~*** the Yemen

yéménite [jemenit] **I** *adj* Yemeni **II** ***Yéménite*** *m/f* Yemeni

yen [jɛn] *m* yen

yeux [jø] *mpl* → ***œil***

yiddish [jidiʃ] **I** *adj* ⟨*inv*⟩ Yiddish **II** *m* ***le ~*** Yiddish

yoga [jɔga] *m* yoga; ***faire du ~*** to do yoga

yog(h)ourt [jɔguʀt] → ***yaourt***

Yougoslavie [jugɔslavi] HIST ***la ~*** Yugoslavia

youpi [jupi] *int* yippee

youyou [juju] *m* dinghy

yo-yo [jojo] *m* ⟨*inv*⟩ **1.** *jouet* yo-yo **2.** *fig* wild fluctuations (+ *v pl*)

yucca [juka] *m* yucca

yuppie [jupi] *m* yuppy

Z

Z, z [zɛd] *m* ⟨*inv*⟩ Z

Zaïre [zaiʀ] HIST ***le ~*** Zaire

Zambie [zɑ̃bi] ***la ~*** Zambia

zapper [zape] *v/i* to channel-hop

zapping [zapiŋ] *m* channel-hopping

zèbre [zɛbʀ] *m* **1.** ZOOL zebra; ***courir comme un ~*** to run like the wind **2.** *fam, fig* ***un drôle de ~*** an oddball *fam*

zébré [zebʀe] *adj* ⟨**~e**⟩ striped **zébrer** *v/t* ⟨**-è-**⟩ to stripe

zébrure [zebʀyʀ] *f* **1.** stripe **2.** *sur la peau* weal

zébu [zeby] *m* ZOOL zebu

zèle [zɛl] *m* zeal; ***pas de ~!*** don't overdo it!; ***faire du ~*** to be overzealous

zélé [zele] *adj* ⟨**~e**⟩ zealous

zénith [zenit] *m* **1.** ASTROL zenith **2.** *fig* peak

ZEP *f, abr* ⟨*inv*⟩ (= **zone d'éducation prioritaire**) *urban area targeted for special help in education*

zéphyr [zefiʀ] *m* zephyr

zeppelin [zɛplɛ̃] *m* zeppelin

► **zéro** [zeʀo] **I** *m* **1.** MATH zero, *brit* nought **2.** *fig* nothing; *fam* ***les avoir à ~*** to be scared stiff *fam*; ***avoir le moral à ~*** to be down in the dumps *fam*; *fam* ***c'est ~*** it's useless; ***repartir à ~*** to start from scratch again **3.** *fig personne* dead loss *fam* **4.** PHYS, MÉTÉO zero, freezing point; ***dix degrés au-dessus, au-dessous de ~*** ten degrees above, below zero **5.** *à l'école* zero, *brit* nought; ***avoir*** (***un***) ***~ en maths*** to get a zero in math

II *num/c* zero; **~ *degré*** zero degrees, freezing point; **~ *heure*** midnight, zero hour *t/t*

zeste [zɛst] *m* **~ *de citron*** lemon zest

zézaiement [zezɛmɑ̃] *m* lisping

zézayer [zezeje] *v/i* ⟨**-ay-** *ou* **-ai-**⟩ to lisp

Z.I. *abr* (= **zone industrielle**) industrial park, *brit* industrial estate

zibeline [ziblin] *f animal*, *fourrure* sable

zieuter [zjøte] *v/t fam* to eye up *fam*

zigoto [zigɔto] *m fam* **un drôle de ~** a funny guy *fam*

zigouiller [ziguje] *v/t fam* **~ *qn*** to bump sb off *fam*

zigue [zig] *m fam* → ***zigoto***

zigzag [zigzag] *m* zigzag; *chemin* **en ~** winding

zigzaguer [zigzage] *v/i* to zigzag; *ivrogne* to stagger around

Zimbabwe [zimbabwe] **le ~** Zimbabwe

zinc [zɛ̃g] *m* **1.** zinc **2.** *fam* (*comptoir*) bar **3.** *fam* (*avion*) plane

zingage [zɛ̃gaʒ] *m* MÉTALL galvanizing

zinguer [zɛ̃ge] *v/t* **~ *qc*** *toit* to cover sth in zinc

zingueur [zɛ̃gœʀ] *m* ***plombier*** *m* **~** plumber and zinc worker

zinzin [zɛ̃zɛ̃] *adj fam* ⟨*inv*⟩ ***il est un peu ~*** he's a bit crazy *fam*

zip [zip] *m* zip

zizanie [zizani] *f* ***semer la ~*** to stir up trouble

zizi [zizi] *m enf* (*pénis*) wiener *enf*, *brit* willy *enf*

zloty [zlɔti] *m monnaie* zloty

zodiacal [zɔdjakal] *adj* ⟨**~e; -aux** [-o]⟩ ASTROL *signe* of the zodiac *épith*; *lumière* zodiacal *épith*

zodiaque [zɔdjak] *m* ASTROL zodiac; ***signes*** *mpl* ***du ~*** signs of the zodiac

zombi *ou* **zombie** [zõbi] *m* zombie

zona [zona] *m* MÉD shingles (+ *v sg*)

zonage [zonaʒ] *m* zoning

zonard [zonaʀ] *m péj* dropout

► **zone** [zon] *f* **1.** zone (*a* GÉOG, MATH), area; **~ *bleue*** restricted parking zone; **~ *dangereuse*** danger zone; **~ *industrielle*** industrial park, *brit* industrial estate; **~ *sinistrée*** disaster zone; **~ *de basse, haute pression*** area of low, high pressure; ***sur une ~ de 5 km*** over a 5 km radius **2.** *autour d'une grande ville* deprived suburbs (+ *v pl*) **3.** ANAT **~ *érogène*** erogenous zone **4.** *fig* ***de seconde ~*** second-rate

zoner [zone] *v/i arg* to hang around

zoo [zo] *m* zoo

zoologie [zɔɔlɔʒi] *f* zoology

zoologique [zɔɔlɔʒik] *adj* zoological; ***jardin*** *m* **~** zoological gardens (+ *v pl*)

zoologiste [zɔɔlɔʒist] *ou* **zoologue** [-lɔg] *m/f* zoologist

zoom [zum] *m* zoom; *objectif* zoom lens

zouave [zwav] *m* **1.** HIST MIL zouave **2.** *fam*, *fig* ***faire le ~*** to clown around

Zoulou(s) [zulu] *mpl* Zulus

zozo [zozo] *m fam* jerk *fam*

zozoter [zɔzɔte] *fam* → ***zézayer***

ZUP [zyp] *f*, *abr* ⟨*inv*⟩ (= **zone à urbaniser en priorité**) priority development area

► **zut** [zyt] *int fam* **~ (*alors*)!** damn! *fam*

zyeuter [zjøte] → ***zieuter***

zygomatique [zigɔmatik] *m* ANAT zygomatic

Communication guide – Guide de communication

E-mails – Les e-mails

Hotel booking

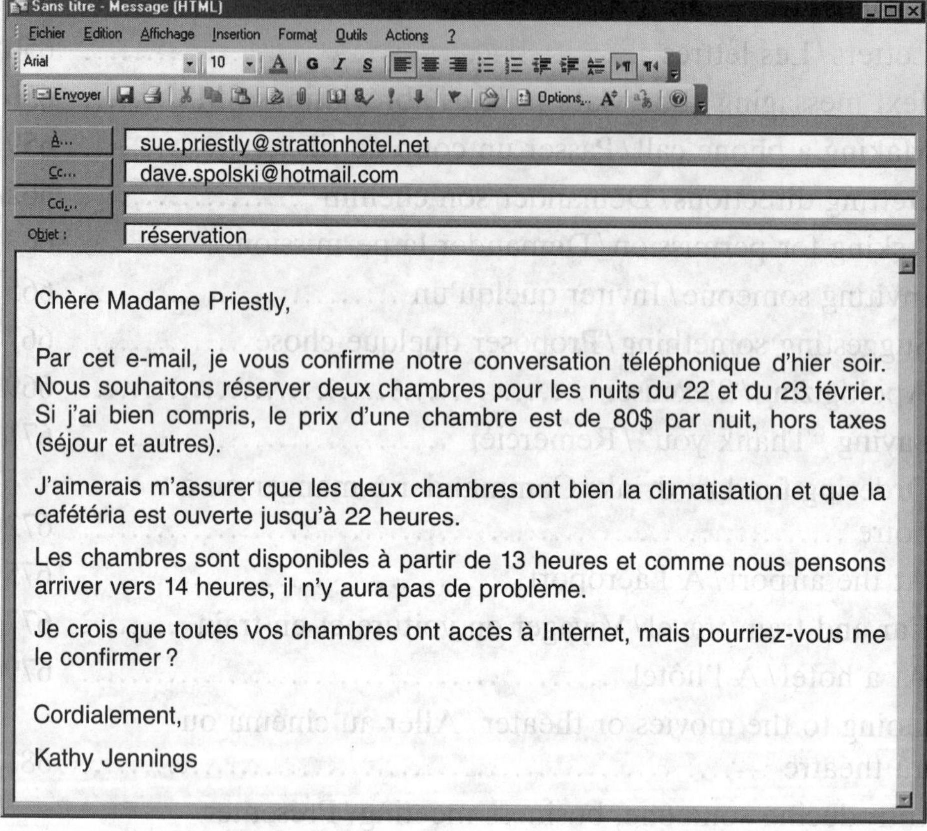

Chère Madame Priestly,

Par cet e-mail, je vous confirme notre conversation téléphonique d'hier soir. Nous souhaitons réserver deux chambres pour les nuits du 22 et du 23 février. Si j'ai bien compris, le prix d'une chambre est de 80$ par nuit, hors taxes (séjour et autres).

J'aimerais m'assurer que les deux chambres ont bien la climatisation et que la cafétéria est ouverte jusqu'à 22 heures.

Les chambres sont disponibles à partir de 13 heures et comme nous pensons arriver vers 14 heures, il n'y aura pas de problème.

Je crois que toutes vos chambres ont accès à Internet, mais pourriez-vous me le confirmer ?

Cordialement,

Kathy Jennings

Réservation d'un hôtel

Sans titre - Message (HTML)

Fichier Edition Affichage Insertion Format Outils Actions ?

À... sue.priestly@strattonhotel.net

Cc... dave.spolski@hotmail.com

Cci...

Objet : reservation

Dear Ms. Priestly,

This is to confirm our phone conversation of last night. We want to reserve two rooms for the nights of 22nd and 23rd February. I understand that the room rate is $80 a night, exclusive of city and other taxes.

Can I check that the rooms both have airconditioning, and that the coffee shop is open until 10 p. m.?

The checkin time is 1 p. m. and we expect to arrive at around 2 p. m., so that's fine.

All your rooms have internet access, I believe, but could you please confirm?

Sincerely:

Kathy Jennings

Reply

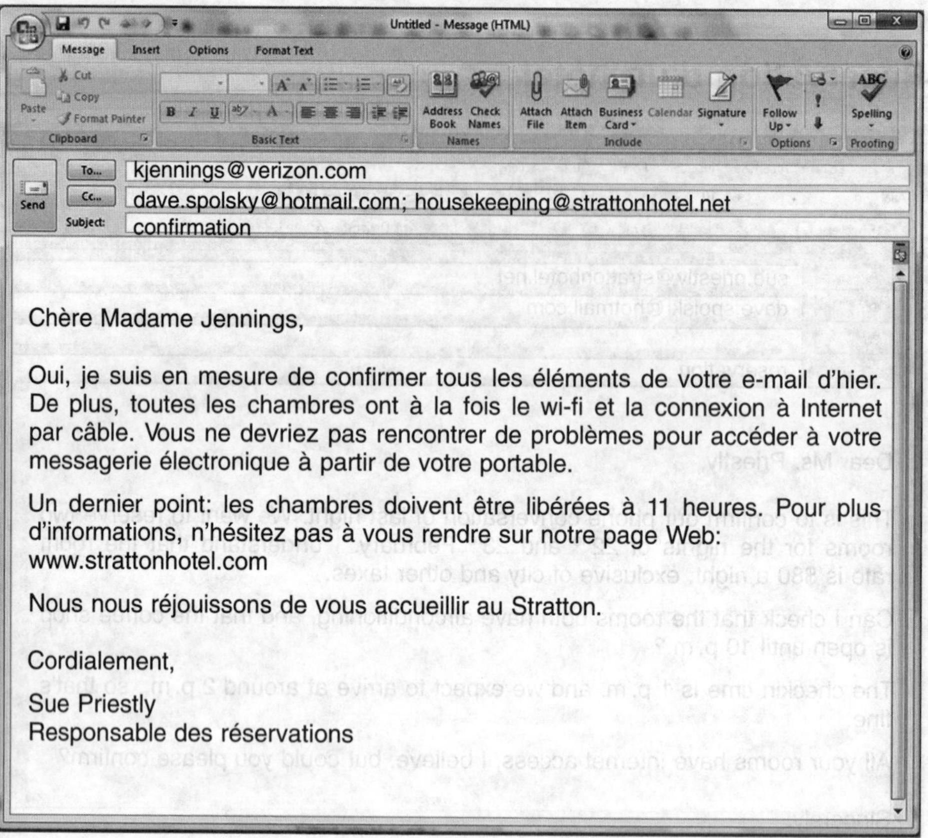

Note	**How to begin an e-mail in French**	**Typical ways to end an e-mail in French**
When you know the person you are sending the e-mail to well	Cher / Chère (*First name*), Bonjour, (*First name*),	À bientôt. (*Your name*) Amicalement. (*Your name*) Bien à vous/toi. (*Your name*) (Grosses) bises/Bisous. (*to close friends and relatives only*)
When you do **not** know the person you are sending the e-mail to well	Monsieur/Madame, Bonjour (*less formal*),	Cordialement, (*Your name*)

Réponse

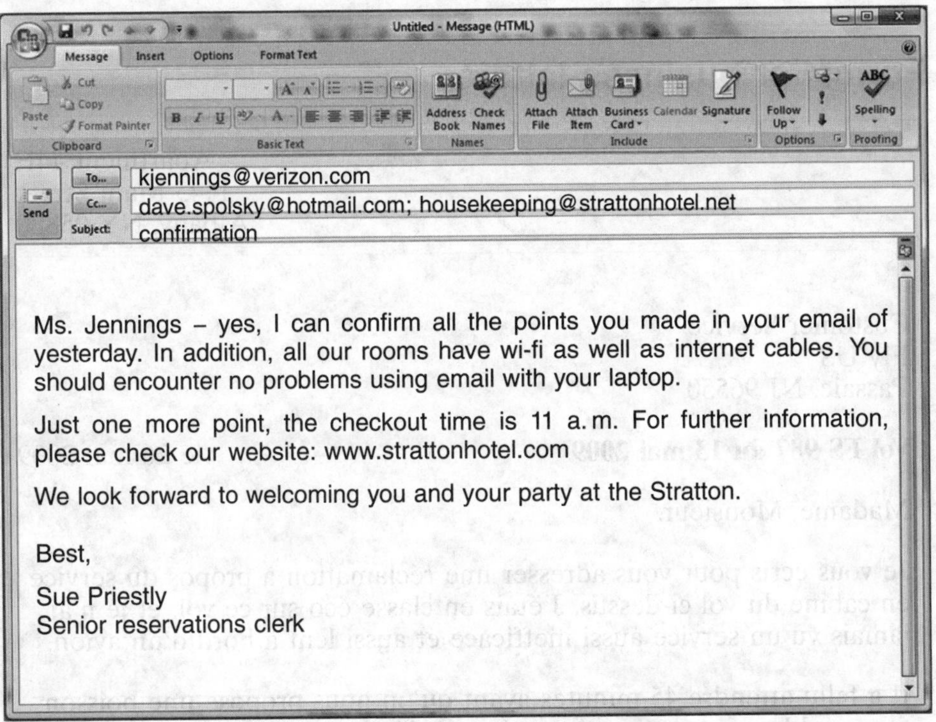

Ms. Jennings – yes, I can confirm all the points you made in your email of yesterday. In addition, all our rooms have wi-fi as well as internet cables. You should encounter no problems using email with your laptop.

Just one more point, the checkout time is 11 a.m. For further information, please check our website: www.strattonhotel.com

We look forward to welcoming you and your party at the Stratton.

Best,
Sue Priestly
Senior reservations clerk

Remarque	Formule d'entrée en matière	Formule de congé
Si vous connaissez bien le destinataire de votre mail	Hi, (*prénom*), Hello, (*prénom*),	Regards, (*Votre nom*) All the best, (*Votre nom*) Best, (*Votre nom*)
Si vous ne connaissez pas bien le destinataire de votre e-mail	Dear Mr./Mrs./Ms./Dr./ XYZ,	Yours,/Yours faithfully,/ Sincerely: (*US*)/Many thanks/ Cordially: (*US*) (*Votre nom*)

NB: En anglais britannique, on ne met habituellement pas de point après Mr. ou Mrs., etc.

Letters – Les lettres

Formal or business letters

Apartment #4E
1445 Main Street
Albany, NY 05880

Customer Service
Fly US
Passaic, NJ 96550

Vol FS 987 du 13 mai 2009 le 26 mai 2009

Madame, Monsieur,

Je vous écris pour vous adresser une réclamation à propos du service en cabine du vol ci-dessus. J'étais en classe éco sur ce vol, et je n'ai jamais vu un service aussi inefficace et aussi lent à bord d'un avion.

Il a fallu attendre 45 minutes avant qu'on nous propose une boisson, et quand la nourriture est arrivée, ce n'était qu'un sandwich peu appétissant. Quand je me suis plaint – comme l'ont fait aussi plusieurs autres passagers – on nous a dit que la compagnie aérienne faisait des économies sur les repas.

J'exige des excuses pour la grossièreté des membres de l'équipage et l'assurance que la restauration sur vos avions va s'améliorer à l'avenir, faute de quoi, je changerai de compagnie aérienne.

J'attends une réponse rapide de votre part.

Salutations distinguées.

Gary Spielmann

Gary T. Spielmann

Note	How to open the letter	How to close the letter before your name or signature
If you do not know the person you are writing the letter to	Madame, Monsieur/ Messieurs, (*to a company rather than an individual*)	Veuillez agréer/Je vous prie d'agréer, Madame, Monsieur/Messieurs, mes salutations distinguées. (*quite formal but still used a lot*) Salutations distinguées. (*more abrupt but becoming increasingly common*)
If you know the person you are writing to	Cher Monsieur/ Chère Madame/Chère Mademoiselle, (*do not use their name*)	Veuillez agréer/Je vous prie d'agréer, Madame, Monsieur/Messieurs, mes salutations distinguées. (*quite formal but still used a lot*) Cordialement. (*more friendly*)

Correspondance officielle ou commerciale

Apartment #4E
1445 Main Street
Albany, NY 05880

Customer Service
Fly US
Passaic, NJ 96550

Flight FS 987 May 13, 2009 May 26, 2009

Dear Sir or Madam:

I am writing to complain about the cabin service on the above flight. I was a passenger in coach on that flight, and have never experienced such inefficient and slow service on board an airplane.

It took 45 minutes after takeoff for us to be offered a drink, then when the food came it was just an unappetizing sandwich. When I complained – as did several other passengers – we were told the airline was economizing on the food service.

I demand an apology for the rudeness of the cabin staff, and your assurance that refreshments on your planes will improve in the future. Or I will take my business to another airline.

I await your prompt response to this letter.

Sincerely:

Gary Spielmann

Gary T. Spielmann

Remarque	Formule d'adresse	Formule de politesse précédant le nom ou la signature
Si vous ne connaissez pas la personne à qui vous écrivez	Sir: Madam: (*US*)	Sincerely:/ Yours faithfully,
	Dear Sir/Madam, (*Br*)	Yours faithfully,
Si vous savez comment s'appelle la personne à qui vous écrivez	Dear Mr./Mrs./Miss/Ms. XYZ: (*US*)	Yours truly,/ Sincerely:
	Dear Mr/Mrs/Miss/M/s XYZ, (*Br*)	Yours sincerely,/
On peut également ajouter en fin de lettre l'une des formules d'amitié ci-contre.		Best wishes,/ With best wishes,/ Best regards,/ Warm regards,/ Cordially (*US*),/ Kind regards,

Personal letters

3450 Melby Avenue
San Francisco, CA 1110
USA

le 4 janvier 2009

Chers Patrice et Jean-Pierre,

Comment allez-vous ? Bien, j'espère. Juste un petit mot pour vous dire à quel point nous avons été contents de vous voir tous les deux à Grenoble le mois dernier. Les montagnes étaient magnifiques, et nous avons vraiment apprécié la nourriture et le vin !

Il faut que vous veniez chez nous en Californie cet été. Nous aimerions tant pouvoir vous rendre votre chaleureuse hospitalité.

Lianne vous envoie à tous deux toutes ses amitiés.

Amicalement,

Peter

PS – Nous avons beaucoup d'espace.

PPS – Vous aurez votre propre salle de bain !

How to open the letter

Cher/Chère (*First name*),/Mon cher/ Ma chère (*First name*),

How to close the letter before your name or signature

Amicalement/Amitiés/ Bien à vous/toi. (*you can always use this*)

Je t'embrasse/Grosses bises/Bisous. (*to close friends and relatives only, quite informal*)

Correspondance personnelle

3450 Melby Avenue
San Francisco, CA 1110
USA

Jan 4, 2009

Dear Patrice and Jean-Pierre,

Hi. How are you? Well, I hope. Just a line to say how much we enjoyed seeing you both in Grenoble last month. The mountains were wonderful, and we really enjoyed the food and wine!

You must come and stay with us in California in the summer. We need to return your warm hospitality.

Lianne sends her love to you both.

All the best,

Peter

PS – We have plenty of room.

PPS – You'd have your own private bathroom!

Formule d'adresse

Dear (*First name*),/
Hi (*First name*),

Formule de politesse précédant le nom ou la signature

All the best,
(*convient en toutes circonstances*)

Best wishes,
(*registre assez soutenu*)

With love,/Love,/Lots of love
(*à réserver aux proches*)

Text messaging abbreviations – Les abréviations SMS

French abbreviation	French meaning	English abbreviation	English meaning
a+, @ +, APLUS	À plus	**L8R, CUL8R**	later, see you later
A12C4	À un de ces quatre	**CU**	See you one of these days
a2m1, @2m1	À demain	**CU2moro**	See you tomorrow
abi1to	À bientôt	**CUSN**	See you soon
ALP	À la prochaine	**TTFN**	Ta ta for now
am	Après-midi		afternoon
AMHA	À mon humble avis	**IMHO**	In my humble opinion
auj	Aujourd'hui	**2DAY**	Today
b1sur	Bien sûr	**ovc, oc**	Of course
bcp	Beaucoup		A lot
biz	bise		kiss
bjr	Bonjour		Hello
bsr	Bonsoir		Good evening
C	C'est		It is
cad	C'est-à-dire		That is, i.e.
cb1	C'est bien		That's good
C cho	C'est chaud		It's hot
ché	Chez	**INO**	At the home of...
ché/chépa	Je sais/je ne sais pas		I know/I don't know
chui	Je suis		I am
C mal1	C'est malin		That's clever, sneaky
C pa 5pa	C'est pas sympa		That's not nice
6né	Ciné		cinema
CPG	C'est pas grave	**INBD**	It's no big deal
Ct	C'était		It was
dac, dak	D'accord	**OK**	OK
dsl	Désolé	**IMS**	I'm sorry
DQP	Dès que possible	**ASAP**	as soon as possible
EDR	Écroulé de rire	**LOL**	lots of laughs
ENTK	En tout cas	**IAC**	in any case
FDS	Fin de semaine	**WE, Wknd**	
G	J'ai		I have
GHT	J'ai acheté		I bought
G la N	J'ai la haine		I hate it
GspR b1	J'espère bien		I hope so
Gt	J'étais		I was
IR	Hier		yesterday
Je c	Je sais		I have
Je le saV	Je le savais		I knew it
Je t'M	Je t'aime	**ILUVU**	I love you
Je vé/Jvé	Je vais		I'm going
jms	Jamais		Never
Kan	Quand		When

French abbreviation	French meaning	English abbreviation	English meaning
kdo	Cadeau		Gift
Ke	Que		What
Kel			
Kelle	Quel		Which
Keske	Qu'est-ce que		What
Kestufé	Qu'est-ce que tu fais ?		What are you doing?
Ki	Qui		Who
Kil	Qu'il		That he
Koi	Quoi		What
Koi29	Quoi de neuf ?		What's new?
LCKC	Elle s'est cassée		She left
Ls tomB	Laisse tomber		Forget it
MDR	Mort de rire	**ROFL**	Rolling on the floor laughing
mnt/now	Maintenant	**ATM**	At the moment
mr6	Merci	**Thx**	Thanks
msg	Message		Message
NRV	Enervé		Upset
NSP	Ne sais pas	**Dunno**	Don't know
o	Au		In the, at the
Ok1	Aucun		None, not one
OQP	Occupé	**BZ**	Busy
Oué	Ouais		Yeah
p2k	Pas de quoi	**URW**	You are welcome
parske	Parce que	**COZ**	Because
p-ê	Peut-être		Maybe
Pkoi	Pourquoi	**Y**	Why
qch	Quelque chose		Something
qq	Quelques		Some
qqn	Quelqu'un		Someone
RAF	Rien à faire		Nothing to do
RAS	Rien à signaler		Nothing to report
rdv	Rendez-vous		Date, appointment
ri1	Rien		Nothing
RSTP	Réponds s'il te plaît		
savapa	Ça va pas ?		Is something wrong?
slt	Salut		Hi
snif	J'ai de la peine		I'm sad
stp/svp	S'il te/vous plaît	**PLS**	please
T	T'es		You are
T1kièt	T'inquiète		Don't worry
tabitou	T'habites où ?		Where do you live?
Ti2	T'es hideux		You're hideous
tjs	Toujours		Always
TLM	Tout le monde		Everyone
TOK	T'es OK ?	**RUOK?**	Are you OK?
TOQP	T'es occupé ?	**RUBZ?**	Are you busy?
tps	temps		Time
vazi	Vas-y		Go
Vi1	Viens		Come
VrMan	Vraiment		Really

French abbreviation	French meaning	English abbreviation	English meaning
X	Crois, croit		believe
XLnt	Excellent	**XLNT**	Excellent
y a, ya	Il y a		There is/are

Abréviation anglaise	Signification anglaise	Abréviation française	Signification française
0	nothing	**ri1**	Rien
ASAP	As soon as possible	**DQP**	Dès que possible
ATM	A the moment	**now**	maintenant
B4	Before		avant
BCNU	Be seeing you	**a Bi1to**	À bientôt
CU	See you one of these days	**A12C4**	À un de ces quatre quatres
CU2moro	See you tomorrow.	**A2m1**	À demain
CUL8R	See you later	**abi1to**	À bientôt
CUSN	See you soon	**a B1to**	À bientôt
Dunno	Don't know	**NSP**	Ne sais pas
fyi	For your information	**pi**	pour info
gd	That's good	**cb1**	C'est bien
g2g	Got to go		Je dois y aller
GR8	Great!	**SupR**	Super !
IAC	In any case	**ENTK**	En tout cas
ILUVU	I love you	**Je t'M**	Je t'aime
IMHO	In my humble opinion	**AMHA**	À mon humble avis
IMS	I'm sorry	**DSL**	Désolé
INBD	It's no big deal	**CPG**	C'est pas grave
INO	I know	**Ché**	Je sais
jfl	Just for laughs	**lol**	Je rigole
L8R, CUL8R	Later, see you later	**a+, @ +, APLUS**	À plus
LOL	lots of laughs	**EDR**	Écroulé de rire
LOL	lots of love	**biz**	bise
NVR	never	**JMS**	Jamais
OMG	Oh, my God		Mon dieu
ovc, oc	of course	**B1 sûr**	Bien sûr
PCM	Please call me		Appelle-moi, s'il te plaît
PLS, plz	Please	**STP/SVP**	S'il te/vous plaît
ROFL	Rolling on the floor laughing	**MDR**	Mort de rire
RU	are you	**T**	T'es?
RUBZ?	Are you busy?	**TOQP**	T'es occupé ?
RUOK?	Are you OK?	**TOK**	T'es OK ?
2DAY	Today	**auj**	Aujourd'hui
tomo	tomorrow		demain
TTFN	Ta ta for now	**ALP**	À la prochaine
UR	You are	**T**	T'es
w/e	Whatever		n'importe
WE, Wknd	Weekend	**FDS**	Fin de semaine
XLNT	Excellent	**XLnt**	Excellent
Y	Why	**Pkoi**	Pourquoi

Making a phone call – Passer un coup de fil

You: Hello. Is Jack Green there?/Could I speak to Jack Green?
or
Good morning. May I speak to Jack Green/Mr. Green? (*more formal*)
***Vous*:** *Bonjour. Est-ce que Jack Green est là ?/Est-ce que je peux parler à Jack Green ?*
ou
Bonjour. Pourrais-je parler à Jack Green/M. Green ? (*plus soutenu*)

Receptionist: Who's calling?
***Réceptionniste*:** *De la part de qui ?*

You: It's a personal call.
***Vous*:** *C'est personnel.*

Receptionist: (I'm afraid) he's in a meeting right now. Shall I put you through to his voicemail?
***Réceptionniste*:** (*Désolé,*) *il est en réunion. Est-ce que vous voulez que je vous dirige sur sa boîte vocale ?*

You: Oh, do you know what time he will be free?
***Vous*:** *Euh, est-ce que vous savez quand il sera disponible ?*

Receptionist: I'll check for you … The meeting is scheduled to finish at noon.
***Réceptionniste*:** *Je regarde … La réunion se termine normalement à midi.*

You: OK. I'll phone back then. Thank you.
***Vous*:** *OK. Je rappellerai à ce moment-là. Merci.*

Receptionist: Goodbye.
***Réceptionniste*:** *Au revoir.*

If you have the party's extension, you may get through to voicemail
Si vous avez le numéro du poste, vous pouvez tomber sur la boîte vocale

Voicemail: Hi. This is Jack Green. I'm not at my desk right now, but leave a message and I'll get back to you as soon as I can.
***Boîte vocale*:** *Bonjour. Vous êtes bien sur le répondeur de Jack Green. Je ne suis pas à mon bureau en ce moment, mais laissez-moi un message et je vous rappellerai dès que possible.*

You: Oh, hi, Jack. You may not remember me, but we met at a conference in Seattle last year. My name is Bruno Séran. You said to look you up if I was ever in New York. Well, I'm in town for a few days, and wondered if you had time to meet up.
My cell number is: 0790 466 9470 (oh-seven-nine-oh, four-six-six, nine-four-seven-oh).

	Give me a call if you have a chance. Hope you get this message!
***Vous*:**	*Euh, bonjour, Jack. Je ne sais pas si vous vous souvenez de moi, on s'est rencontrés à un congrès à Seattle l'an dernier. Je m'appelle Bruno Séran.*
	Vous m'aviez dit de passer vous voir si par hasard je venais à New York. Eh bien, j'y suis pour quelques jours et je me demandais si vous aviez du temps pour qu'on se voie.
	Mon numéro de portable est le 07 90 46 69 470 (zéro-sept, quatre-vingt-dix, quarante-six, soixante-neuf, quatre cent soixante-dix).
	Appelez-moi si vous avez le temps. J'espère que vous aurez ce message.

The person you wanted answers the phone
La personne que vous vouliez joindre répond au téléphone

Jack:	This is Jack Green.
***Jack*:**	*Jack Green à l'appareil.*
You:	Oh, hi, Jack. This is Bruno Séran. You may not remember me, but we met at the CST conference in Seattle last year, and you said to get in touch if I was ever in New York. Well, here I am. Any chance of meeting for a drink or something?
***Vous*:**	*Euh, bonjour, Jack. Je suis Bruno Séran. Vous ne vous souvenez peut-être pas, mais on s'est rencontrés au congrès du CST à Seattle l'an dernier. Vous m'aviez dit de vous appeler si je venais à New York. Eh bien, j'y suis. Vous avez le temps de prendre un verre ou quelque chose ?*
Jack:	Oh sure. I remember you, Bruno. How could I forget? Sure, I'll meet you for a drink. There's a little place just around the corner from my office …
***Jack*:**	*Bien sûr. Je me souviens de vous, Bruno. Comment aurais-je pu oublier ? Bien sûr, on peut se retrouver pour prendre un verre. Il y a un endroit juste à côté de mon bureau …*

Phoning a friend
Appeler un(e) ami(e)

You:	Hi, Pam. This is Suzanne.
***Vous*:**	*Allo, Pam, c'est Suzanne.*
Your friend:	Oh, hi Suzanne. How's things?
***Votre amie*:**	*Salut, Suzanne. Ça va ?*
You:	Everything's fine, thanks. I'm phoning to see if you're free for dinner one night this week?
***Vous*:**	*Tout va bien, merci. Je t'appelle pour savoir si tu serais dispo pour dîner un soir cette semaine ?*
Your friend:	Sure thing. What night did you have in mind?
***Votre amie*:**	*Bien sûr. Tu penses à quel soir ?*

Saying goodbye at the end of the call
Dire au revoir à la fin d'un appel

Bye./Bye now.
Salut. (*familier*)

Goodbye. (*formal*)
Au revoir.

See you. Catch you later. (*informal*)
A bientôt. À plus. (*familier*)

Thanks for your time. Goodbye. (*business call*)
Merci. Au revoir. (*appel pour le travail*)

If the line is bad
Si la ligne est mauvaise

Sorry, I can't hear you./Can't hear you very well.
Désolé(e), je ne vous entends pas./Je ne vous entends pas très bien.

Can you speak up? The line's bad.
Est-ce que vous pouvez parler plus fort ? La ligne est mauvaise.

Are you speaking on a cell phone? Can I call you back on your landline?
Est-ce que vous appelez d'un portable ? Est-ce que je peux vous rappeler sur votre fixe ?

Holding on
Rester en ligne

Just a moment. Can you hold a moment?/hold on for a moment?
Un instant. Ne quittez pas.

Getting directions – Demander son chemin

On foot
À pied

Excuse me. How do I get to ...?
Excusez-moi, comment est-ce qu'on va à ... ?

I'm lost. Can you tell me where the nearest subway is?
Je suis perdu(e). Pouvez-vous me dire où est la station de métro la plus proche ?

Would you show me exactly where I am on this map, please?
Pourriez-vous me montrer sur la carte où je suis exactement, s'il vous plaît ?

Could you show me the way to ..., please?
Pourriez-vous me montrer le chemin pour aller à ..., s'il vous plaît ?

How long would it take to walk there?/to Central Park?
Ça prendrait combien de temps d'y aller à pied ?/d'aller à Central Park à pied ?

In a car
En voiture

Hi there. Could you help me? I need directions to the highway (*Br* motorway).
Bonjour. Est-ce que vous pouvez m'aider ? Je cherche l'autoroute.

Is this the right road for Westchester?
Est-ce que c'est bien la route qui va à Westchester ?

Hi. Which way to the parking lot?
Bonjour. Pour aller au parking ?

Hi. How do I get onto the Interstate from here?
Bonjour. Comment est-ce que je rejoins l'autoroute d'ici ?

Directions the person you ask may give you in response
Réponses possibles

OK. First, go straight, then make a right after two blocks.
D'abord vous allez tout droit, puis vous prenez la deuxième à droite.

OK. You have to cross the street, then when you see Carnegie Hall on the corner, Central Park is just ahead of you.
Vous traversez la rue, et quand vous voyez Carnegie Hall au coin, Central Park est juste en face de vous.

OK. It's just down the street a ways. It will only take 5 or 10 minutes to walk there.
C'est juste en bas de la rue. C'est à 5 ou 10 minutes à pied seulement.

Take the airport intersection from the New Jersey Turnpike. I think it's number 17.
Prenez la bretelle de l'aéroport, sur l'autoroute à péage du New Jersey. Je crois que c'est la numéro 17.

Asking for permission – Demander la permission

When speaking to someone you do not know
En s'adressant à quelqu'un qu'on ne connaît pas

Excuse me. Would you mind if I opened the window? Do you mind if I open the window?
Excusez-moi. Est-ce que ça vous dérange si j'ouvre la fenêtre ?

Pardon me. May we come in?
Excusez-moi. On peut entrer ?

Would it be OK/all right if I sit here?
Est-ce que je peux m'asseoir là ?

When speaking to someone you do know
En s'adressant à quelqu'un qu'on connaît bien

Is it OK/all right if I use your pen?
Tu me prêtes ton stylo ?

Can/Could I borrow your pen?
Je peux t'emprunter ton stylo ?

Note: It is more common to use "may" in formal situations or to people you do not know or know well.
It is OK to use "can" as in "Can I borrow your pen?" nowadays, although it was thought slightly incorrect in the past.
Remarque : *Il est d'usage d'utiliser «may» dans des situations plus officielles ou quand on s'adresse à des personnes que l'on connaît peu ou pas du tout.*
On peut aujourd'hui employer «can», comme dans «Can I borrow your pen?», même si autrefois cela était considéré comme légèrement incorrect.

Answering "Yes" to someone's request
Accepter la demande de quelqu'un

OK. No problem./I don't mind.
D'accord, pas de problème./Ça ne me dérange pas.

Sure. We're ready for you.
Bien sûr. Nous sommes prêts.

Certainly./Go ahead.
Bien sûr./Allez-y.

Of course. Help yourself.
Bien sûr, vas-y.

Yes. Please do./Just take it./Feel free.
Oui, je t'en prie./Prends-le./Vas-y.

Answering "No" to someone's request
Refuser la demande de quelqu'un

Sorry, but I'd prefer you didn't.
Désolé(e), mais je préfère pas.

I'm afraid not. We aren't ready yet.
Désolé(e), nous ne sommes pas encore prêt(e)s.

Sorry, this seat is already taken.
Désolé(e), cette place est déjà prise.

Not really. I'm using it myself.
C'est-à-dire que j'en ai besoin.

No. Get your own. (*impolite*)
Non. Tu n'as qu'à prendre le tien. (*malpoli*)

Note: People often soften their negative replies to requests by giving an explanation for why they decided not to agree.
Remarque : Souvent, on atténue une réponse négative en expliquant pourquoi on a décidé de ne pas accéder à une requête.

Inviting someone – Inviter quelqu'un

For dinner
À dîner

Would you like to go out for dinner?
Tu veux aller au restaurant ce soir ?

Would you like to go out to eat?
Ça te dit d'aller au restau ?

How about eating out tonight?
Si on se faisait un restau ce soir ?

Where do you fancy?
Qu'est-ce qui te dit ?

How about pizza? Or sushi? A family restaurant?
Une pizza ? Des sushis? Un restau familial ?

For lunch
À déjeuner

How about we go to …?
Si on allait chez … ?

Do you want to order in?
Tu veux commander quelque chose ?

The café on Main Street has great sandwiches.
Le café de la rue principale a de très bons sandwichs.

I guess we could get a burger. Would you like that?
On pourrait prendre un hamburger. Ça te dit ?

To your home
Chez vous

We'd love you to come eat with us on Sunday.
Nous aimerions beaucoup vous avoir à déjeuner dimanche.

Why don't you come over some day?
Il faut que vous passiez un de ces jours.

It isn't a mansion, but you'd be very welcome to have dinner with us.
Ce n'est pas un château, mais vous êtes les bienvenus si vous voulez dîner avec nous.

For a drink/coffee/coke®
À boire un verre/un café/un coca®

How about a coffee/coke®/beer/glass of wine?
Tu veux un café/un coca®/une bière/un verre de vin ?

Let's go to that bar on the corner after work.
Retrouvons-nous au bar du coin après le travail.

On a date
À un rendez-vous

I'd sure like to see you again. How about (going to) a movie?
J'aimerais beaucoup te revoir. Si on allait au cinéma ?

Can I get your (phone) number? Maybe I can call you some time.
Est-ce que je peux avoir ton numéro (de téléphone) ? Je pourrais t'appeler un de ces jours.

Yes.
Oui.

Thanks./Great. I'd love to.
Merci./Super. Avec plaisir.

That's so nice/very kind of you. What time?
C'est très gentil de votre part. À quelle heure ?

We'd be delighted.
Nous serions ravis.

No.
Non.

I'm sorry, but I'm busy then/that day/(on) Sunday.
Je suis désolé(e), mais je suis pris(e) à ce moment-là/ce jour-là/dimanche.

I can't. Sorry.
Je ne peux pas. Désolé(e).

I'm busy.
Je suis pris(e).

Unfortunately I'll be out of town that day.
Malheureusement, je suis en déplacement ce jour-là.

Suggesting something – Proposer quelque chose

Would you care for/like a coffee?
Voulez-vous un café ?

How about/What about taking in that movie tonight?
Si on louait ce film ce soir ?

Why don't you/Why don't we go over to Mark's place?
Pourquoi tu n'irais pas chez Mark?/On pourrait aller chez Mark.

Let's get a pizza.
Commandons une pizza.

Do you want to go out tonight?
Tu veux sortir ce soir ?

Should we send her an e-mail?
On lui envoie un e-mail ?

Maybe we could go get a burger instead of fixing dinner here.
Peut-être qu'on pourrait acheter un hamburger au lieu de se faire à dîner.

Saying "Yes"
Accepter

Sure./Sure thing.
Bien sûr./D'accord.

Yes./Yeah./Yep.
Oui./Ouais.

That would be great, if you have time.
Ça serait super, si tu as le temps.

OK. I'd like/love a pizza.
D'accord. Une pizza, ça me dit bien.

Yeah. Where shall we go?
Ouais. Où ça ?

That would be a nice thing to do.
Oui, ça serait sympa.

Good/Great idea. I hate cooking.
Bonne/Très bonne idée. Je déteste faire la cuisine.

Saying "No"
Refuser

No, thanks. I just had one.
Non, merci. Je viens d'en prendre un.

No, I already saw that movie.
Non, je l'ai déjà vu.

Do you mind if I don't? He isn't my favorite person.
Ça te dérange si je ne viens pas ? Je ne l'aime pas beaucoup.

No. thanks. I'm on a diet.
Non, merci. Je suis au régime.

I can't. I have plans for tonight.
Je ne peux pas. Je suis déjà pris(e) ce soir.

I wouldn't bother. Better to keep out of it.
C'est pas la peine. Mieux vaut ne pas s'en mêler.

No. I already got all the groceries.
Non. J'ai déjà fait toutes les courses.

Note: People often soften their negative replies to requests by giving an explanation for why they decided not to agree.
Remarque **:** *Souvent, on atténue une réponse négative en expliquant pourquoi on a décidé de ne pas accepter une proposition.*

Apologizing – S'excuser

Sorry. I'm (so) sorry.
Désolé(e). Je suis (vraiment) désolé(e).

Excuse me.
Excusez-moi.

Excuse me, but I really have to go.
Excusez-moi, mais il faut vraiment que j'y aille.

Pardon me.
Excusez-moi.

I'm really sorry I upset you.
Je suis vraiment désolé(e) de t'avoir fait de la peine.

Did I step on your foot? I'm so sorry.
Je t'ai marché sur le pied ? Je suis désolé(e).

Sorry to say this, but you're just plain wrong.
Désolé(e), mais tu te trompes complètement.

Sorry to interrupt, but Mr Freeman is here.
Excusez-moi de vous interrompre, mais monsieur Freeman est là.

I (really) am (most) (terribly) sorry. I didn't mean to break it. It was (just) an accident.
Je suis (vraiment) (vraiment) désolé(e). Je n'ai pas fait exprès. C'est un accident.

I'm afraid we can't come.
Malheureusement nous ne pourrons pas venir.

Please forgive me, but I won't be able to come to the wedding. (*fml*)
Je suis vraiment navré(e) mais je ne vais pas pouvoir assister au mariage. (*formel*)

Sorry about that.
Désolé(e).

Sorry about losing your book.
Désolé(e) d'avoir perdu ton livre.

I really must apologize. I hope I haven't made a really big problem for you.
Je vous présente mes excuses. J'espère ne pas vous avoir causé de trop gros problèmes.

I do apologize. (*fml*)
Je vous présente mes excuses. (*formel*)

I can't apologize enough (for the trouble I've caused).
Je ne sais pas comment m'excuser (pour les problèmes que j'ai causés).

What to say when someone apologizes to you
Pour répondre à quelqu'un qui s'excuse auprès de vous

That's fine. That's OK.
Ce n'est pas grave.

No problem.
Pas de problème.

Don't mention it. (We can get around this problem some other way.)
Je vous en prie. (*On pourra résoudre ce problème d'une autre manière.*)

Think nothing of it.
Mais je vous en prie.

That's a shame. We hoped you would be able to come to the wedding.
C'est dommage. Nous espérions que vous pourriez venir au mariage.

Don't worry about it.
Ne vous inquiétez pas.

Don't give it a moment's thought.
Ne vous tracassez pas pour ça.

No worries.
Il n'y a pas de souci.

C'est déjà oublié.
It's forgotten.

Note: "Sorry, I'm afraid that …" and other expressions that seem to be apologies are really ways of introducing bad news, such as I'm afraid you will have to get someone else to help you this time.
Remarque : *«Sorry, I'm afraid that …» et d'autres expressions du même genre qui donnent l'impression d'être des excuses servent en fait de préambule à une mauvaise nouvelle, comme dans «I'm afraid you will have to get someone else to help you this time»* (*cette fois-ci vous allez devoir trouver quelqu'un d'autre pour vous aider*).

Saying "Thank you" – Remercier

Thank you./Thank you very much. (*neutral or formal*)
Merci. Je vous remercie.

Thanks. (*slightly informal, acceptable in almost all situations*)
Merci.

Thank you/Thanks very much.
Merci beaucoup.

Thanks a lot.
Merci beaucoup.

Thank you/Thanks for helping us.
Merci de votre aide.

I/We (really) appreciate it/what you have done for us/all your help.
Je vous suis (*vraiment*) *reconnaissant*(*e*)/*Nous vous sommes* (*vraiment*) *reconnaissant*(*e*)*s*/*reconnaissant*(*e*)*s de ce que vous avez fait pour nous*/*de votre aide.*

That's real (*US*)/really/very/extremely nice (or kind) of you.
C'est vraiment/très/extrêmement gentil de votre part.

Thanks for doing that.
Merci.

Thanks a million. (*infml*)
Merci mille fois.

Many thanks (for (doing) sth). (*formal*, *often used at the end of letters or e-mails*)
Merci beaucoup.

What to say when someone thanks you.
Répondre à quelqu'un qui vous remercie.

You're welcome.
Je vous en prie./Je t'en prie/De rien.

No problem.
Pas de problème.

Sure. (*US infml*)
Il n'y a pas de quoi. (*familier*)

Don't mention it.
De rien.

It's my pleasure. It was a pleasure. My pleasure. It was my pleasure (to be able to help).
Je vous en prie. Ça a été un plaisir. Tout le plaisir est pour moi. Ça m'a fait plaisir (*de pouvoir vous aider*).

That's fine/all right/OK.
D'accord./OK.

Ordering food or drink – Commander à manger ou à boire

You can sit down without being seated in a café but often there is a sign that says "Please wait to be seated". In this case, you should wait until the host or the maitre d' come with the menus and shows you to your seats.
Dans un café, vous pouvez vous asseoir sans avoir été placé, mais souvent, il y a un panneau qui dit « attendez pour être placé ». Dans ce cas, vous devez attendre que le patron ou le maître d'hôtel arrive avec les menus et vous indique où vous asseoir.

At a café (go to the counter and order what you want)
Dans un café (vous allez au comptoir pour commander)

You: Hi. A double-shot latte with caramel, please.
***Vous*:** *Bonjour. Un double café latte au caramel, s'il vous plaît.*

Server: What size? Regular, medium, or large?
***Serveur/serveuse*:** *Quelle taille ? Normal, moyen ou grand ?*

You: Regular is pretty big. I'll take that.
***Vous*:** *Normal, c'est déjà grand. C'est ce que je vais prendre.*

Server: Is that to go?
***Serveur/serveuse*:** *Est-ce que c'est à emporter?*

You: No, I'll have it here.
***Vous*:** *Non, c'est pour boire ici.*

At a fast-food restaurant (go to the counter and order what you want)
Dans un fast-food (*vous allez au comptoir pour commander*)

You: Hi. A double de luxe burger with fries, please.
***Vous*:** *Bonjour. Un double hamburger de luxe avec des frites, s'il vous plaît.*

Server: What drink do you want with that? Coke®, coffee or o/j?
***Serveur/serveuse*:** *Qu'est-ce que vous voulez boire avec ? Un Coca®, un café, un « o/j » ?*

You: What is o/j?
***Vous*:** *C'est quoi, un « o/j » ?*

Server: Orange juice.
***Serveur/serveuse*:** *Un jus d'orange.*

You: I'll have a diet coke®, please.
***Vous*:** *Je vais prendre un coca® light, s'il vous plaît.*

Note: You usually have to take your tray and throw away the paper, plastic cups, and any food that is left. You often have to throw the rubbish into different bins, cans in one bin, paper products in another bin, and so on.
Remarque : *Normalement, il faut déposer son plateau et jeter les papiers, les tasses en plastique et les restes de nourriture. Souvent, il y a des poubelles différentes pour les divers types de déchets: une pour les canettes, une pour les papiers, etc.*

At a coffee shop in a hotel, or most other restaurants
À la cafétéria d'un hôtel ou dans la plupart des restaurants

Host: Hi, how are you this evening?
***Patron/maître d'hôtel*:** *Bonjour, comment allez-vous ce soir ?*

You: Fine, thank you. Do you have a table for four?
***Vous*:** *Bien, merci. Est-ce que vous avez une table pour quatre ?*

Host: Yes, we do. Come right this way.
***Patron/maître d'hôtel*:** *Oui. Suivez-moi.*

Ordering
La commande

Server: Hi, I'm Max, and I'll be your server this evening. Let me tell you about the specials today.
***Serveur*:** *Bonsoir. Je m'appelle Max, c'est moi qui vais m'occuper de vous ce soir. Je vais vous dire ce qu'il y a au menu aujourd'hui.*

You: We just want a good steak, I think.
***Vous*:** *En fait, je crois qu'on va prendre simplement un bon steak.*

Server: OK. How do you want that cooked – rare, medium rare, or well done?
***Serveur*:** *D'accord. Vous voulez quelle cuisson ? Saignant, à point, bien cuit ?*

You: Medium rare, please, and a plain green salad on the side.
***Vous*:** *À point, merci, avec une salade verte.*

Server: What dressing would you like with that? We have ranch, blue cheese, Italian, French, thousand island…
***Serveur*:** *Quelle sauce voulez-vous ? Ranch, fromage bleu, italienne, vinaigrette, thousand island ?*

You: French, please. And can we see the wine list?
***Vous*:** *De la vinaigrette, s'il vous plaît. Est-ce qu'on peut avoir la carte des vins ?*

Server: Sure. It's in the back of the menu, which you already have.
***Serveur*:** *Bien sûr. Elle est au dos du menu.*

When you have finished
À la fin du repas

Server: Did you enjoy your meal? Was everything all right?
***Serveur*:** *Ça vous a plu ? Ça a été comme vous vouliez ?*

You: Yes, it was really good, but so big!
***Vous*:** *Oui, c'était vraiment très bon, mais tellement copieux !*

Server: Well, so long as you enjoyed everything, that's what matters.
***Serveur*:** *Du moment que ça vous a plu, c'est l'essentiel.*

You:	Oh, yes, we certainly did. It was great.
***Vous*:**	*Oh, oui, tout à fait. C'était très bien.*
Server:	That's good to hear.
***Seveur*:**	*Je m'en réjouis.*

Note: In France, you can drink a coffee or a glass of wine at the bar in a bar in France and the price is slightly cheaper than if you drank it at a table, but this does not happen in the US or the UK.
***Remarque*:** *En France, dans un bar, si vous buvez un café ou un verre de vin au comptoir, le prix est légèrement moins élevé qu'en salle, mais ce n'est pas le cas aux États-Unis ou au Royaume-Uni.*

At the airport – À l’aéroport

When you arrive at the airport
À l’arrivée à l’aéroport

Arrivals
Arrivées

Departures
Départs

Check-in (desk)
(*Comptoir d’*)*enregistrement*

Bagdrop
Dépose bagages

Online check-in
Enregistrement en ligne

Fast track
Passage prioritaire

On arrival
À l’arrivée

Baggage claim
Livraison des bagages

Carousel
Tapis roulant (*à bagages*)

Lost luggage
Bagages perdus

Help desk/point
Bureau/Point d’information

At the check-in desk
Au comptoir d’enregistrement

Check-in attendant: Hi, there. Your ticket and passport, please.
***Employé(e) de l’enregistrement*:** *Bonjour. Votre billet et vatre passeport, s’il vou plaît.*

Passenger/customer/traveller: Here you are.
***Passager(-ère)/client(e)/voyageur(-euse)*:** *Les voici.*

Check-in attendant : Thank you. Do you have any bags for checking in/for the hold?
***Employé(e) de l’enregistrement*:** *Merci. Est-ce que vous avez des bagages à enregistrer/pour la soute ?*

Passenger/customer/traveller: No. I only have carry-on.
***Passager(-ère)/client(e)/voyageur(-euse)*:** *Non. J’ai seulement un bagage à main.*

Check-in attendant: One bag? Can I see it?
***Employé(e) de l’enregistrement*:** *Un sac ? Je peux le voir ?*

Passenger/customer/traveller: I checked the size was OK already.
***Passager(-ère)/client(e)/voyageur(-euse)*:** *J’ai déjà vérifié qu’il avait les bonnes dimensions.*

Check-in attendant: OK. Here is your boarding pass. Seat 64B on the upper deck. Boarding will be 45 minutes before the flight time. Gate A34.

***Employé(e) de l'enregistrement* :**	*D'accord. Voici votre carte d'embarquement. Siège 64B, à l'étage. L'embarquement aura lieu 45 minutes avant l'heure du vol, à la porte A34.*
Passenger/customer/traveller: ***Passager(-ère)/client(e)/voyageur(-euse)* :**	Thank you. *Merci.*

At passport control
Au contrôle des passeports

Immigration officer (*taking passenger's passport*): ***Agent du service de l'immigration*** (*prenant le passeport de la passagère*):	Good morning, ma'am. How are you today? *Bonjour, Madame. Comment allez-vous ?*
Passenger/customer/traveller: ***Passager(-ère)/client(e)/voyageur(-euse)* :**	Fine, thank you. *Bien, merci.*
Immigration officer: ***Agent du service de l'immigration* :**	OK. Thank you. (*stamps passport and gives it back*) *OK. Merci.* (*tamponne le passeport et le rend*)

At security
À la sécurité

Security officer: ***Agent chargé de la sécurité* :**	Please put your coat and cell phone in a separate box. *Mettez votre manteau et votre téléphone portable dans un panier à part, s'il vous plaît.*
Passenger/customer/traveller: ***Passager(-ère)/client(e)/voyageur(-euse)* :**	What about my belt and shoes? *Ma ceinture et mes chaussures aussi ?*
Security officer: ***Agent chargé de la sécurité* :**	No, that's fine. Our new improved security scanner will take care of them. *Non, c'est bon. Notre nouveau scanner va s'en occuper.*
Passenger/customer/traveller: ***Passager(-ère)/client(e)/voyageur(-euse)* :**	OK. *D'accord.*
Security officer: ***Agent chargé de la sécurité* :**	Do you have your laptop in your carry-on? *Est-ce que vous avez un ordinateur portable dans votre bagage à main ?*
Passenger/customer/traveller: ***Passager(-ère)/client(e)/voyageur(-euse)* :**	Oh, yes, I do. *Euh oui, j'en ai un.*
Security officer: ***Agent chargé de la sécurité* :**	It has to be in a separate box, too. *Il faut qu'il soit dans un panier à part, lui aussi.*

Car and train travel – Voyager en voiture et en train

Car rental
Location de voiture

Driver:	Hi, I've come to pick up our rental car for our vacation.
***Conducteur* :**	*Bonjour, je viens chercher la voiture que nous avons louée pour les vacances.*
Rental clerk:	OK. Can I have your reservation documents and your international driver's license?
***Employé de l'agence de location* :**	*OK. Je peux avoir votre réservation et votre permis de conduire international ?*
Driver:	Here they are. Hope they are all in order.
***Conducteur* :**	*Tenez. J'espère que tout est en règle.*
Rental clerk:	Yes, they seem to be OK. I need your signature on the insurance waiver and rental documents here. And here. I've put a cross by where you have to sign.
***Employé de l'agence de location* :**	*Oui, ça a l'air d'aller. J'ai besoin de votre signature pour l'assurance et sur les documents de location, ici et ici. J'ai mis une croix là où vous devez signer.*
Driver:	OK.
***Conducteur* :**	*D'accord.*
Rental clerk:	So you have a compact car for five days with unlimited mileage. I need your credit card to confirm payment.
***Employé de l'agence de location* :**	*Alors vous avez une compacte pour cinq jours, avec kilométrage illimité. J'ai besoin de votre carte de crédit pour confirmer le paiement.*
Driver:	OK. When will my card be charged?
***Conducteur* :**	*OK. Quand est-ce que ma carte va être débitée ?*
Rental clerk:	Not until you return the car, which you can do at any of our offices nationwide.
***Employé de l'agence de location* :**	*Pas avant que vous rendiez la voiture, ce que vous pouvez faire dans n'importe laquelle de nos agences.*
Driver:	That's very convenient. Thank you.
***Conducteur* :**	*C'est très pratique. Merci.*
Rental clerk:	Here are the keys, and your vehicle is located in row J, bay 34.
***Employé de l'agence de location* :**	*Voici les clés. Votre véhicule est dans la rangée J, place 34.*

Driver: Thank you.
***Conducteur* :** *Merci.*

Train ticket office
Billetterie de la gare

Passenger: Hi. I'd like to go to White Plains, please.
***Passager* :** *Bonjour, un billet pour White Plains, s'il vous plaît.*

Ticket salesperson: Single or round trip? (*Br* One way or return?)
***Vendeur de billets* :** *Aller simple ou aller retour ?*

Passenger: Single, please.
***Passager* :** *Aller simple, s'il vous plaît.*

Ticket salesperson: That'll be 2.50, please.
***Vendeur de billets* :** *2,50, s'il vous plaît.*

Passenger: Thank you.
***Passager* :** *Merci.*

Note: In many train stations you can buy tickets from machines, especially with cash, but more and more ticket machines take credit cards at stations now. You can also buy train tickets online.
Remarque : *Dans de nombreuses gares, on peut acheter des billets à la machine, généralement avec de la monnaie, quoique de plus en plus d'automates acceptent désormais les cartes de crédits.*
On peut également acheter des billets de train sur Internet.

At a hotel – À l'hôtel

At the reception desk
À la réception

Desk clerk: Hi, there. How are you today?
***Réceptionniste*:** *Bonjour. Vous allez bien ?*

Guest: Fine, thank you. How are you?
***Client*:** *Oui, merci. Et vous ?*

Desk clerk: I'm fine, too. How may I help you?
***Réceptionniste*:** *Bien, merci. En quoi puis-je vous être utile ?*

Guest: We have a reservation.
***Client*:** *Nous avons une réservation.*

Desk clerk: OK. What name?
***Réceptionniste*:** *D'accord. À quel nom ?*

Guest: In the name of Gérard.
***Client*:** *Gérard.*

Desk clerk: OK. Let me see. (*looks up name on computer*) Oh yes, here we are. One de luxe room with two queen beds, for 3 nights. Is that correct?
***Réceptionniste*:** *Voyons… Un instant, s'il vous plaît. (Il cherche le nom sur l'ordinateur.)*
Ah oui, voilà! Une chambre catégorie «luxe» avec deux grands lits doubles, pour trois nuits, c'est bien ça ?

Guest: Yes. We made the reservation online.
***Client*:** *Oui. Nous avons réservé par Internet.*

Desk clerk: Very good.
OK, if I can just have your credit card.
***Réceptionniste*:** *Très bien.*
Est-ce que je peux avoir votre carte de crédit ?

Guest: Here it is./Here you are.
***Client*:** *La voici./Tenez.*

Desk clerk: That's fine. I've taken a print of your credit card, so here are your keycards, one for each of you. Room thirteen twenty-four, on the thirteenth floor. The elevators are on the other side of the lobby, and the bellboy will take your bags to your room.
***Réceptionniste*:** *C'est bon. J'ai fait une empreinte de votre carte de crédit, donc voilà vos cartes magnétiques, une pour chacun. Chambre 1324 (mille trois cent vingt-quatre), au treizième étage. L'ascenseur se trouve de l'autre côté du hall, et le groom va porter vos bagages dans votre chambre.*

Guest: What's this card for?
***Client*:** *À quoi sert cette carte ?*

Desk clerk: If you show this card or your keycard, you can charge drinks or food in the coffee shop or the bar to your room.
***Réceptionniste*:** *Si vous montrez cette carte ou votre carte magnétique, vous pouvez faire mettre ce que vous consommez à la cafétéria ou au bar sur la note de votre chambre.*

Guest: You mean we just sign for things and it will all be charged to our room bill.
***Client*:** *Vous voulez dire qu'il suffit de signer et que c'est ajouté sur la note de notre chambre ?*

Desk clerk: Yes, sir. You pay for everything when you check out.
You have a great day now.
***Réceptionniste*:** *C'est ça. Et vous payez tout à la fin, quand vous quittez la chambre.*
Je vous souhaite une bonne journée.

Guest: Thanks. I will.
***Client*:** *Merci.*

Going to the movies or theater – Aller au cinéma ou au théâtre

(*Br* Going to a film, the theatre)

Buying tickets for a film
Acheter des places pour un film

Note: You can often buy tickets by phone or online using a credit card.
Remarque: *On peut souvent acheter des places par téléphone ou par Internet avec une carte de crédit.*

Ticket salesperson: Hi, How may I help you?
***Vendeur de billets*:** *Bonjour, vous désirez ?*

You: Which screen is *Iron Man* showing on?
***Vous*:** *Dans quelle salle passe Iron Man ?*

Ticket salesperson: Screens 4, 7, and 10.
***Vendeur de billets*:** *Dans les salles 4, 7 et 10.*

You: What time is the next performance?
***Vous*:** *À quelle heure est la prochaine séance ?*

Ticket salesperson: That would be Screen 4 at 2.30 p.m.
***Vendeur de billets*:** *À 14 h 30, salle 4.*

You: OK. Can I pay by credit card?
***Vous*:** *OK. Je peux payer par carte de crédit ?*

Ticket salesperson: Sure. How many people?
***Vendeur de billets*:** *Bien sûr. Combien de places ?*

You: There are two of us.
***Vous*:** *Deux.*

Ticket salesperson: OK. That'll be 24.95.
***Vendeur de billets*:** *OK. Ça fait 24,95.*

Going to see a play or a musical
Aller voir une pièce de théâtre ou une comédie musicale

You (*asking someone to let you through to your seats*): Pardon me. We need to get to those seats in the middle of the row.
Vous (demandant à quelqu'un de vous laisser passer): *Excusez-moi. Nos places sont au milieu de la rangée.*

Other playgoer: No problem. We'll get out of the way.
***Autre amateur de théâtre*:** *Pas de problème. Nous allons vous laisser passer.*

You: Thank you. Sorry to disturb you.
***Vous*:** *Merci. Désolé(e) de vous avoir dérangé(e)s.*

Other playgoer: Ouch.
***Autre amateur de théâtre*:** *Aïe.*

You:
***Vous*:**

Sorry. Did I step on your foot? I'm so sorry.
Oh pardon, je vous ai marché sur le pied ? Je suis vraiment désolé(e).

You:
***Vous*:**

They are really good seats, aren't they?
On est vraiment bien placés, non ?

Other playgoer:
***Autre amateur de théâtre*:**

Yes. We have a perfect view of the stage.
Oui. On voit parfaitement la scène.

You:
***Vous*:**

Sorry I trod on your foot.
Désolé(e) de vous avoir marché sur le pied.

Other playgoer:
***Autre amateur de théâtre*:**

Really. It was nothing.
Non non, ce n'est pas grave.

You:

Let's hope we enjoy the play. I sure am looking forward to it.

***Vous*:**

Espérons que la pièce nous plaira. Je suis très impatient de voir ça.

Other playgoer:
***Autre amateur de théâtre*:**

I'm sure we will. It's just about to start.
Je suis sûre qu'elle nous plaira. Ça va commencer.

Introducing someone, business meeting – Présenter quelqu'un, rencontres professionnelles

Informal
Familier

Suzanne: Have you met Steve?/I don't know if you know Steve?/Do you know Steve?
***Suzanne*:** *Tu as déjà rencontré Steve ?/Je ne sais pas si tu connais Steve ?/Tu connais Steve ?*

Pierre: No, I don't think we have ever met before. Hello, Steve.
***Pierre*:** *Non, je ne crois pas qu'on se soit déjà rencontré. Bonjour, Steve.*

Steve: So you're Pierre. Suzanne's told me a lot about you. Great to meet you at last.
***Steve*:** *C'est donc toi Pierre. Suzanne m'a beaucoup parlé de toi. Ravi de te rencontrer enfin.*

or
ou

Suzanne: I don't think you have met Steve, have you, Pierre? Pierre, this is Steve. Steve, this is Pierre.
***Suzanne*:** *Pierre, je ne crois pas que tu connais Steve, si ? Pierre, voici Steve. Steve, voici Pierre.*

Pierre: Nice meeting you at last, Steve.
***Pierre*:** *Ravi de faire enfin ta connaissance, Steve.*

Steve: Likewise./Nice to meet you, too, Pierre. Suzanne's told me a lot about you.
***Steve*:** *Pareillement./Moi de même. Suzanne m'a beaucoup parlé de toi.*

or
ou

Suzanne: Pierre, come and meet Steve.
***Suzanne*:** *Pierre, je te présente Steve.*

Pierre: Hi, Steve.
***Pierre*:** *Salut, Steve.*

Steve: Hi, Pierre. Nice to meet you at last.
***Steve*:** *Salut, Pierre. Ravi de faire enfin ta connaissance.*

Introducing someone in a business context
Présenter quelqu'un de façon plus formelle

Suzanne:	Mr. Schulz, I'd like to introduce you to our CEO, Agnès Mercier. Agnès/Mrs. Mercier, this is Mr. Schulz, from our US office.
***Suzanne* :**	*Monsieur Schulz, permettez-moi de vous présenter à notre DG, Agnès Mercier. Agnès/Madame Mercier, voici monsieur Schulz, de notre bureau aux États-Unis.*
Mr. Schulz:	Very nice to meet you, Agnès./How do you do, Mrs. Mercier? (*very formal*)
***M. Schulz* :**	*Ravi de faire votre connaissance, Agnès./Enchanté, madame Mercier.* (*très formel*)
Agnès Mercier:	Nice to meet you, too, Mr. Schulz. How are the sales figures for the US looking right now? Are you making the budget?
***Agnès Mercier* :**	*Moi aussi je suis ravie de faire votre connaissance, monsieur Schulz. Que donnent les chiffres des ventes des États-Unis en ce moment ? Est-ce que vous êtes en train d'achever le budget ?*

Note: The use of first names in business is the norm nowadays. It is very formal to address someone as Mr. or Mrs. even when you meet them for the first time or if the person is your superior.
***Remarque* :** *L'emploi des prénoms est la norme aujourd'hui dans le monde du travail. S'adresser à quelqu'un en disant monsieur ou madame est très formel, même si c'est la première fois que vous rencontrez cette personne ou qu'elle est votre supérieur hiérarchique.*

Education in France

School in France is compulsory from 6 to 16 years old. In addition, all 3 to 5 year-olds can go to nursery classes (called the école maternelle). Two-year-old children can go to the pré-maternelle as well.

Education in France is highly organized and centralized, and all government schools are lay schools (i.e. not run on specifically religious lines). The curriculum is standardized so that students all over France are often taking the same class, on the same subject at any particular time.

Elementary school – Classes for those from 6 to 11 years of age is called **école élémentaire**. The first year(s) is are called **cours préparatoire** (CP), the next two are the **cours élementaire** (CE_1 and CE_2), and the next stage is **cours moyen** (CM_1 and CM_2), which go up to the end of primary school.

Secondary school – Secondary schooling falls into two **cycles**, beginning with four years of **collège** (roughly equivalent to middle school or junior high school). The grades of collège start at grade 6 (age 11) (called **la sixième**) and go upwards to grade 3 (age 15) (called **la troisième**): *Mon fils est en troisième.* My son is in the third grade.

Lycée – After the third grade, students go on to the **lycée**, roughly equivalent to high school in the US. Lycées may be general (preparing for **le baccalauréat général**), technical (preparing for the **baccalauréat technologique**), or vocational (preparing for the **baccalauréat professionnel**). Students study there from age 15 to 18, preparing for the corresponding **baccalauréat** examinations (often called **le «bac»**), which they normally take at the age of 18. This is the examination that is the entrance exam for university as well as the school-leaving exam. Students who succeed in passing the bac are called **bacheliers**.

The **baccalauréat général** has three streams – literary (**littéraire**), scientific (**scientifique**), and economic and social (**économique et social**). These streams are the ones chosen by students who particularly want to go on to university, although students from the baccalauréat technologique also go on to higher education (**enseignement supérieur**).

Universities and higher education (enseignement supérieur) – after a bac technologique, students can take short courses of two years (to get a D. U. T. (diplôme universitaire de technologie) or a B. T. S. (brevet de technicien supérieur) for work in the hotel industry, agriculture etc. After a **bac géneral**, they take longer courses at a university.

University – Students study for 6 semesters to obtain their first degree (la **licence** or la **licence professionnelle**). Someone who has obtained this degree is a **licencié en lettres** (literature), en **sciences** (science) etc. Further degrees are **le master** and **le doctorat** (PhD).

Grandes Écoles – The Grandes Écoles, such as **l'École normale supérieure,** in Paris or **l'Institut national polytechnique de Toulouse**, are among the most prestigious universities and polytechnics in the French education system, and there are special preparatory classes to try for entrance to them.

Le système scolaire et universitaire aux États-Unis

Aux États-Unis, l'instruction est obligatoire de 6 à 18 ans. Les écoles et les universités peuvent êtres publiques (financées par le gouvernement) ou privées (les parents payent des frais de scolarité).

Après la **nursery school,** également appelée **preschool** ou **playschool** (3 à 5 ans), qui est facultative, la première année de scolarité obligatoire est le **kindergarten**. L'expression **K-12** est souvent utilisée pour désigner l'ensemble du système scolaire avant l'université. Cela renvoie aux **grades** (c'est-à-dire aux années) d'école. Ainsi, la phrase *My son is in the fourth grade* (Mon fils est en quatrième année) signifie que l'enfant en question a 10 ans.

L'**elementary school** (aussi appelée **grade school** ou parfois **grammar school**) est pour les enfants de 5/6 ans à 11 ans.

La **middle school** ou **junior high school** est le nom de l'école pour les 6e, 7e et 8e années (11–14 ans).

La **high school** est l'école secondaire supérieure pour les 9e à 12e années (15–18 ans). Les élèves **sont diplômés** de la high school lorsqu'ils recoivent leur **high school diploma**, examen requis pour entrer à l'université et qui permet de quitter la high school. À la cérémonie de remise des diplômes, les élèves portent souvent **une toge et une toque**. Ils recoivent leur diplômes en présence de leurs parents et amis. Un discours d'adieu est prononcé par le **valedictorian**, qui est généralement le major de la promotion. Dans votre **high school yearbook** se trouvent les photos de toutes les personnes qui étaient dans la même année que vous à la high school. Les **SATs** (Scholastic Aptitude Test) sont des tests de connaissances communs à tous les établissements, destinés à mesurer la réussite scolaire ; ils ont lieu spécifiquement à la fin de la high school. Le **GPA (grade point average**), c'est-à-dire la note moyenne, est également prise en compte pour l'admission à l'université.

Le **bachelor degree** est le premier titre universitaire que l'on peut obtenir dans les universités américaines. Les titres sont décernés dans toutes les matières et nécessitent généralement quatre années d'études à plein temps. Les deux diplômes de bachelor les plus courants sont le **bachelor of science** (B. S.) et le **bachelor of arts** (B. A.). Les étudiants doivent obtenir des unités de valeur ou des **crédits** (heures d'étude) pour avoir leur diplôme.

Les étudiants peuvent faire partie d'une **fraternity** (association d'étudiants) et vivre dans des **fraternity houses,** souvent nommées d'après des lettres grecques telles que *phi beta kappa*. Les étudiantes peuvent appartenir à une **sorority** (association d'étudiantes). Lorsqu'ils sont diplômés, les étudiants deviennent des **alumni** (anciens élèves) de leur université. Les **undergraduates** (étudiants en licence) deviennent des **graduates** (licenciés) après avoir obtenus leur diplôme. Ils peuvent faire un **postgraduate** (troisième cycle) pour obtenir un autre diplôme, tel que le **doctorate** ou **PhD** (doctorat).

French Government and Law

The head of government in France is the President (**le président de la republique**), who is elected every five years directly by the people of France. The president of France can appoint the prime minister (**premier ministre**) and ministers of departments such as law, etc. The executive branch is known collectively as **le gouvernement**. In certain circumstances, the president can call a referendum (**referendum**) directly to the people of France, although this is very rare.

Laws are initiated by the government and debated and enacted by parliament (**parlement**), which consists of two chambers: the national assembly (**assemblée nationale**), comprising 577 members (**députés**), and the Senate (**le senate**), comprising 331 members from the different states (**départements**) of France, including some overseas departments, e.g. Martinique.

For each **department** there is also a **préfecture**, headed by an official called **un prefet**. Such things as the police, driving licenses, and passports are handled by the prefecture. Paris and its surroundings have separate arrangements. Prefectures are divided into **arrondissements**, but the arrondissements of Paris are different, and are most familiar because they appear in postal codes for Paris.

There are many political parties in France, the two largest being **le Parti Socialiste** (**PS**) and **l'Union pour le mouvement populaire** (**UMP**).

The French constitution is the constitution of the **Cinquième république française**, having been revised in 1958, but still retaining the principles of freedom, brotherhood, and equality (**liberté, fraternité, et égalité**) of the French Revolution.

French law

The French word for law is **droit.** The highest court in France is **le cour de cassation**, roughly equivalent to the Supreme Court in the US. It hears its cases in the Palais de Justice in Paris.

Law courts are organized into chambers (**chambres**), covering, among other things, **le droit civil** (civil law – contracts, divorce, property, etc) and **le droit pénal** or **criminel** (criminal law – violent crime, major theft, etc).

Most cases are judged by a panel of three to five judges (**les juges**) with one of them acting as **le président de la cour**. Most cases are brought by the plaintiff (le demandeur) and are based largely on written evidence. The judges are usually involved in the case before it comes to court, but there is less oral cross-examination of witnesses (**les témoins**) than in US or UK court cases, because written evidence is given a more prominent place. The prosecutor is **le procureur** who mainly advises on points of law. The defense lawyer is **l'avocat**.

French lawyers are often addressed as **maître**, as in: *Maitre Jules Marceau.*

The notary (**le notaire**) is a legal officer concerned with transfer of ownership of houses, property, etc.

Gouvernement et système juridique des États-Unis et du Royaume-Uni

Aux États-Unis, le gouvernement agit au niveau **federal** (fédéral – c'est-à-dire tous les États), au niveau **state** (états individuels) et au niveau **local**. La Défense, les Affaires étrangères, les impôts fédéraux, le trafic aérien et certains contrôles financiers relèvent du niveau fédéral. Les prisons, les impôts des États et certaines autres responsabilités sont gérés au niveau de chaque État. Les autorités locales sont responsables, entre autres, des impôts locaux.

Il y a trois formes de pouvoir aux États-Unis: **executive** (le pouvoir exécutif avec le bureau du Président), **legislative** (le pouvoir législatif (**Congress**)) et **judiciary** (le pouvoir judiciaire (tribunaux)).

Executive power (le pouvoir exécutif) est exercé par le Président et toute son équipe. Le siège de la présidence est la **White House** (la Maison-Blanche) à Washington, DC (District de Columbia). En cas de guerre, le Président est aussi commandant en chef (**Commander in Chief**) des forces armées. Les forces armées font partie intégrante du pouvoir exécutif. Le Président ne peut pas appeler aux urnes. C'est le Congrès qui est responsable des lois, bien que ce soit le Président qui les signe pour les rendre officielles et qu'il puisse exercer un droit de veto s'il n'est pas d'accord avec l'une ou l'autre d'entre elles. Le Congrès peut passer outre le veto du Président s'il a une majorité des deux tiers. Les élections présidentielles ont lieu tous les quatre ans.

Le pouvoir législatif – Congress
Le Congrès se compose de deux chambres. Le Sénat (**Senate**), qui est la chambre haute, a 100 membres, appelés **senators,** représentant tous les États fédérés. La chambre haute a moins de pouvoirs que la **House of Representatives**, dont les 435 membres sont appelés **congressmen** ou **congresswomen.** Il y a deux grands partis aux États-Unis, le parti républicain (the **Republican Party**) et le parti démocrate (the **Democratic Party**). Les Républicains (the **republicans**) sont plus à droite, les Démocrates (the **democrats**) sont plus libéraux.

Le pouvoir judiciaire – Judiciary
Le tribunal de plus haute instance aux États-Unis est la cour suprême (**Supreme Court**). Elle s'occupe des cas que lui soumet la **court of appeal**, qui examine elle-même les cas soumis par les tribunaux d'instance (**district courts**). Ce sont tous des tribunaux fédéraux. Il y a aussi des tribunaux au niveau des États fédérés ; ces derniers ont aussi des cours suprêmes d'État (**state supreme courts**), ainsi que des tribunaux de comté qui sont appelés **county courts** et des tribunaux d'instance qui sont appelés **district courts**.

Gouvernement du Royaume-Uni
Au Royaume-Uni, les lois sont votées par le parlement (**Parliament**), qui est composé de deux chambres, la chambre des communes (**House of Commons**) et la chambre des lords (**House of Lords**). La chambre des communes est constituée de 646 **députés** (ou **members of parliament** (abbr. **MPs**)) provenant essentiellement des partis travailliste (**Labour Party**), conservateur (**Conservative Party** ou **Tory Party**) et libéral-démocrate (**Liberal Democrats**). La Chambre des lords est majoritairement composée de **life peers** (pairs nommés à vie = qui ont reçu leur titre et leur siège pour services rendus à la Couronne). Les pairs héréditaires (**hereditary peers**) n'ont plus le pouvoir qu'ils avaient autrefois. Le titre pour une femme est **Lady,** ou parfois **Baroness,** et pour un homme, on dit généralement **Lord**. L'Écosse, le Pays de Galles et l'Irlande du Nord ont chacun leur propre assemblée (**assembly**), grâce à la décentralisation de certains des pouvoirs du parlement, que l'on désigne parfois sous le nom de "**Westminster**".

A

A, a [eɪ] *n* A; (SCHOOL *grade*) *dans la plupart des systèmes scolaires, très bonne note*; MUS la *m* ***A sharp / flat*** la dièse / bémol

A *abbr* = **answer** R, réponse *f*

a [eɪ, ə] *indefinite article* ⟨*before vowel* **an**⟩ **1.** un(e); ***so large a school*** une école tellement grande; ***a young man*** un jeune homme **2.** (*in negative constructions*) ***not a*** pas de; ***he didn't want a present*** il ne voulait pas de cadeau **3.** ***he's a doctor / Frenchman*** il est médecin / français; ***he's a famous doctor / Frenchman*** c'est un médecin / Français célèbre; ***as a young girl*** quand elle était jeune fille; ***to be of an age*** être du même âge **4.** (*per*) le (la); ***50c a kilo*** 50 cents le kilo; ***twice a month*** deux fois par mois; ***50 km an hour*** 50 km à l'heure

AA 1. *abbr* = **Alcoholics Anonymous 2.** *Br abbr* = **Automobile Association** *organisme d'assistance mécanique automobile*

A & E *Br abbr* = **accident and emergency**

AB (*US* UNIV) *abbr* = **BA**

aback [ə'bæk] *adv* ***to be taken ~*** être déconcerté

abandon [ə'bændən] *v/t* (*person, car, project*) abandonner; ***to ~ ship*** abandonner le navire

abandonment [ə'bændənmənt] *n* (*forsaking, desertion, giving-up*) abandon *m*

abase [ə'beɪs] *v/t* ***to ~ oneself*** s'abaisser

abashed [ə'bæʃt] *adj* décontenancé; ***to feel ~*** être décontenancé

abate [ə'beɪt] *v/i* se calmer; (*flood*) reculer

abattoir ['æbətwɑːʳ] *n* abattoir *m*

abbey ['æbɪ] *n* abbaye *f*

abbot ['æbət] *n* père *m* abbé

abbr., abbrev. *abbr* = **abbreviation** abrév. *f*

abbreviate [ə'briːvɪeɪt] *v/t* abréger (***to*** en) **abbreviation** [əˌbriːvɪ'eɪʃən] *n* abréviation *f*

ABC[1] *n* ABC *m*; ***it's as easy as ~*** c'est simple comme bonjour

ABC[2] *abbr* = **American Broadcasting Company** *société de télédiffusion américaine*

abdicate ['æbdɪkeɪt] **I** *v/t* abdiquer **II** *v/i* abdiquer **abdication** [ˌæbdɪ'keɪʃən] *n* abdication *f*

abdomen ['æbdəmən] *n* (*of mammals, insects*) abdomen *m* **abdominal** [æb'dɒmɪnl] *adj* abdominal ***~ pain*** douleur abdominale

abduct [æb'dʌkt] *v/t* enlever **abduction** [æb'dʌkʃən] *n* enlèvement *m* **abductor** [æb'dʌktəʳ] *n* ravisseur(-euse) *m(f)*

aberration [ˌæbə'reɪʃən] *n* aberration *f*; (*from course*) égarement *m*

abet [ə'bet] *v/t* → **aid**

abeyance [ə'beɪəns] *n no pl* ***to be in ~*** (*law*) être inappliqué; (*custom*) être en désuétude (*office*) être vacant

abhor [əb'hɔːʳ] *v/t* abhorrer *liter*

abhorrence [əb'hɒrəns] *n* exécration *f* (***of*** de)

abhorrent [əb'hɒrənt] *adj* exécrable; ***the very idea is ~ to me*** l'idée même me fait horreur

abide [ə'baɪd] *v/t* (*tolerate*) supporter; ***I cannot ~ living here*** je ne supporte pas de vivre ici ◆ **abide by** *v/t insep* respecter; ***I ~ what I said*** je m'en tiens à ce que j'ai dit **abiding** [ə'baɪdɪŋ] *adj liter* respectueux(-euse)

ability [ə'bɪlɪtɪ] *n* capacité *f*; ***~ to say no*** capacité de dire non; ***~ to pay*** solvabilité *f*; ***to the best of my ~*** de mon mieux

abject ['æbdʒekt] *adj state* abject; *poverty* extrême

ablaze [ə'bleɪz] *adv, adj pred* **1.** *lit* en feu, en flammes; ***to be ~*** être en feu; ***to set sth ~*** mettre le feu à qc **2.** *fig* ***to be ~ with light*** être illuminé

able ['eɪbl] *adj* capable; ***to be ~ to do sth*** pouvoir faire qc; ***if you're not ~ to understand that*** si vous ne pouvez pas comprendre cela; ***I'm afraid I am not ~ to give you that information*** je regrette mais je ne peux pas vous donner cette information **able-bodied** [ˌeɪbl'bɒdɪd] *adj* MIL valide **able(-bodied) seaman** *n* ≈ matelot *m* de deuxième classe

ablution [ə'bluːʃən] *n* ablution *f*; ***to perform one's ~s*** *esp hum* faire ses ablutions

ably ['eɪblɪ] *adv* avec compétence

ABM *abbr* = **anti-ballistic missile**

abnormal [æb'nɔːməl] *adj* (*deviant*, MED) anormal **abnormality** [ˌæbnɔː'mælɪtɪ] *n* anormalité *f*; (*deviancy*, MED) anomalie *f* **abnormally** [æb'nɔːməlɪ] *adv* anormalement

aboard [ə'bɔːd] **I** *adv* (*on plane, ship*) à bord; (*on train, bus*) dans; ***all ~!*** tout le monde à bord !; (*on train, bus*) en voiture s'il vous plaît !; ***to go ~*** monter à bord **II** *prep* ***~ the ship / plane*** à bord du bateau / de l'avion; ***~ the train / bus*** dans le train / le bus

abode [ə'bəʊd] *n* (JUR: *a.* **place of abode**) domicile *m*; ***of no fixed ~*** sans domicile fixe

abolish [ə'bɒlɪʃ] *v/t* abolir **abolition** [ˌæbəʊ'lɪʃən] *n* abolition *f*

abominable [ə'bɒmɪnəbl] *adj* abominable; ***~ snowman*** abominable homme des neiges **abominably** [ə'bɒmɪnəblɪ] *adv* de manière abominable; ***~ rude*** épouvantablement grossier **abomination** [əˌbɒmɪ'neɪʃən] *n* abomination *f*

aboriginal [ˌæbə'rɪdʒənl] **I** *adj* aborigène **II** *n* = **aborigine** **aborigine** [ˌæbə'rɪdʒɪnɪ] *n* aborigène *m/f*

abort [ə'bɔːt] **I** *v/i* IT s'arrêter **II** *v/t* MED avorter; IT abandonner; SPACE interrompre; ***an ~ed attempt*** une tentative interrompue **abortion** [ə'bɔːʃən] *n* avortement *m*; ***to get*** *or* ***have an ~*** se faire avorter **abortion pill** *n* pilule *f* abortive **abortive** [ə'bɔːtɪv] *adj plan* avorté

abound [ə'baʊnd] *v/i* (*exist in great numbers*) abonder; (*have in great numbers*) regorger (***in*** de)

about [ə'baʊt] **I** *adv* **1.** ***to be ~ to*** être sur le point de; ***I was ~ to go out*** j'étais sur le point de sortir; ***it's ~ to rain*** il va pleuvoir; ***he's ~ to start school*** il va commencer l'école **2.** (*approximately*) environ; ***he's ~ 40*** il a environ 40 ans; ***he is ~ the same as yesterday, doctor*** il est à peu près dans le même état qu'hier, docteur; ***that's ~ it*** c'est à peu près tout; ***that's ~ right*** ça devrait aller; ***I've had ~ enough of this*** j'en ai vraiment assez *infml* **3.** *Br* ***to run ~*** courir; ***I looked (all) ~*** j'ai regardé autour de moi; ***to leave things (lying) ~*** laisser traîner des affaires; ***to be up and ~ again*** être à nouveau sur pied; ***there's a thief ~*** il y a un voleur qui sévit dans les parages; ***there was nobody ~ who could help us*** il n'y avait personne pour nous aider **II** *prep* **1.** (*concerning*) sur; ***tell me all ~ it*** racontez-moi tout; ***he knows ~ it*** il est au courant; ***what's it all ~?*** à quoi ça rime?; ***he's promised to do something ~ it*** il a promis de s'en occuper; ***how*** *or* ***what ~ me?*** et moi? *infml*; ***how*** *or* ***what ~ it?*** qu'est-ce que tu en penses?; ***how*** *or* ***what ~ going to the movies?*** et si on allait au cinéma? **2.** *esp Br* ***scattered ~ the room*** éparpillés dans la pièce; ***there's something ~ him*** il a quelque chose; ***while you're ~ it*** pendant que vous y êtes; ***and be quick ~ it!*** et dépêche-toi **about-face** [əˌbaʊt'feɪs], *Br* **about-turn** **I** *n* (MIL, *fig*) demi-tour *m*; ***to do an ~*** *fig* faire volte-face **II** *int* ***about face*** *or* ***turn!*** demi-tour !

above [ə'bʌv] **I** *adv* dessus; (*in a higher position*) au-dessus; ***from ~*** d'en haut; ***the apartment ~*** l'appartement du dessus **II** *prep* au-dessus de; ***~ all*** surtout; ***I couldn't hear ~ the din*** je n'entendais rien avec le vacarme; ***he valued money ~ his family*** il faisait passer l'argent avant sa famille; ***he's ~ that sort of thing*** il est au-dessus de ce genre de choses; ***it's ~ my head*** *or* ***me*** ça me dépasse; ***to get ~ oneself*** *infml* avoir la grosse tête *infml* **III** *adj attr* ***the ~ persons*** les personnes susnommées; ***the ~ paragraph*** le paragraphe ci-dessus **IV** *n* ***the ~*** (*statement etc.*) les éléments susmentionnés *form*; (*person*) les personnes susnommées **above-average** *adj* au-dessus de la moyenne **above board** *adj pred*, **aboveboard** *adj attr* correct, réglementaire; ***open and ~*** totalement honnête **above-mentioned** *adj* susmentionné **above-named** *adj* susnommé

abrasion [ə'breɪʒən] *n* MED abrasion *f*

abrasive [ə'breɪsɪv] *adj cleanser, surface* abrasif(-ive); *fig person* caustique

abrasively [ə'breɪsɪvlɪ] *adv say* sur un ton mordant

abreast [ə'brest] *adv* de front; ***to march four ~*** marcher au pas à quatre de front; ***~ of sb / sth*** à la hauteur de qn / qc; ***to keep ~ of the news*** se tenir au courant de l'actualité

abridge [ə'brɪdʒ] *v/t book* abréger **abridgement** [ə'brɪdʒmənt] *n* (*act*) abrègement *m*; (*abridged work*) version *f* abrégée

abroad [ə'brɔːd] *adv* **1.** à l'étranger; ***to go ~*** aller à l'étranger; ***from ~*** de l'étranger **2.** ***there is a rumor*** (*US*) *or* ***rumour*** (*Br*) ***~ that …*** le bruit court que …

abrupt [ə'brʌpt] *adj* **1.** brusque; ***to come to an ~ end*** se terminer brusquement; ***to bring sth to an ~ halt*** *lit, fig* stopper qc brusquement **2.** (*brusque*) abrupt **abruptly** [ə'brʌptlɪ] *adv* brusquement; *reply* avec brusquerie

abs [æbz] *pl infml* abdos *mplinfml*

ABS *abbr* = **anti-lock braking system**; ***~ brakes*** freins ABS

abscess ['æbsɪs] *n* abcès *m*

abscond [əb'skɒnd] *v/i* s'enfuir

abseil ['æbseɪl] *v/i* descendre en rappel

absence ['æbsəns] *n* **1.** absence *f*; ***in the ~ of the chairman*** en l'absence du président; ***~ makes the heart grow fonder*** (*Prov*) l'absence rend plus chers ceux que nous aimons **2.** (*lack*) manque *m*; ***~ of enthusiasm*** manque d'enthousiasme; ***in the ~ of further evidence*** faute de preuves supplémentaires

absent ['æbsənt] **I** *adj* **1.** (*not present*) absent; ***to be ~ from school / work*** être absent de l'école / du travail; ***~!*** SCHOOL absent !; ***to go ~ without leave*** MIL être absent sans permission; ***~ parent*** parent absent; ***to ~ friends!*** aux amis absents ! **2.** (*absent-minded*) absent **3.** (*lacking*) ***to be ~*** faire défaut **II** *v/r* ***to ~ oneself*** (***from***) (*not go, not appear*) ne pas aller (à); (*leave temporarily*) s'absenter (de) **absentee** [ˌæbsən'tiː] *n* absent(e) *m*(*f*); ***there were a lot of ~s*** il y avait beaucoup d'absents **absentee ballot** *n US* vote *m* par correspondance **absenteeism** [ˌæbsən'tiːɪzəm] *n* absentéisme *m* ***the rate of ~ among workers*** le taux d'absentéisme parmi les employés **absently** ['æbsəntlɪ] *adv* d'un air absent **absent-minded** [ˌæbsənt'maɪndɪd] *adj* (*lost in thought*) dans la lune; (*habitually forgetful*) étourdi **absent-mindedly** [ˌæbsənt'maɪndɪdlɪ] *adv behave* distraitement; *look* d'un air absent **absent-mindedness** [ˌæbsənt'maɪndɪdnɪs] *n* (*momentary*) distraction *f*; (*habitual*) étourderie *f*

absolute ['æbsəluːt] *adj* absolu; *idiot* véritable; *lie* pur; ***the divorce was made ~*** le divorce a été prononcé par le tribunal

absolutely [ˌæbsə'luːtlɪ] *adv fantastic, forbidden* absolument; *exhausted* complètement; *prove* de manière absolue; *hate* au plus haut point; ***~!*** absolument !; ***do you agree? — ~*** vous êtes d'accord? – tout à fait; ***you're ~ right*** vous avez tout à fait raison

absolute majority *n* majorité *f* absolue **absolute zero** *n* zéro *m* absolu

absolution [ˌæbsə'luːʃən] *n* ECCL absolution *f* **absolve** [əb'zɒlv] *v/t* (*from responsibility*) décharger (***from*** de); (*from sins*) absoudre (***from*** de)

absorb [əb'sɔːb] *v/t* absorber; *shock* amortir; ***to be ~ed in a book*** *etc.* être absorbé dans un livre *etc*; ***she was completely ~ed in her family*** elle était complètement accaparée par sa famille **absorbent** *adj* absorbant **absorbent cotton** *n US* coton *m* hydrophile **absorbing** *adj* prenant **absorption** [əb'sɔːpʃən] *n* absorption *f*; (*of shock*) amortissement *m*; ***her total ~ in her studies*** sa concentration totale dans ses études

abstain [əb'steɪn] *v/i* **1.** (*from sex, smoking*) s'abstenir (***from*** de); ***to ~ from alcohol*** s'abstenir de boire de l'alcool **2.** (*in voting*) s'abstenir **abstention** [əb'stenʃən] *n* (*in voting*) abstention *f*; ***were you one of the ~s?*** faisiez-vous partie des abstentions? **abstinence** ['æbstɪnəns] *n* abstinence *f* (***from*** de)

abstract[1] ['æbstrækt] **I** *adj* abstrait; ***~ noun*** nom abstrait **II** *n* abstrait *m*; *summary* résumé *m* ***in the ~*** dans l'abstrait

abstract[2] [æb'strækt] *v/t* résumer; *information* extraire (***from*** de)

abstraction [æb'strækʃən] *n* abstraction *f*; (*abstract term also*) idée *f* abstraite

abstruse [æb'struːs] *adj* abstrus

absurd [əb'sɜːd] *adj* absurde; ***don't be ~!*** ne sois pas ridicule!; ***what an ~ waste of time!*** quelle perte de temps ridicule! **absurdity** [əb'sɜːdɪtɪ] *n* absurdité *f* **absurdly** [əb'sɜːdlɪ] *adv behave* de manière ridicule; *expensive* ridiculement

abundance [ə'bʌndəns] *n* abondance *f* (***of*** de); ***in ~*** en abondance; ***a country with an ~ of oil*** un pays riche en pétrole **abundant** [ə'bʌndənt] *adj* abondant; ***apples are in ~ supply*** il y a de grandes quantités de pommes **abundantly** [ə'bʌndəntlɪ] *adv* abondamment; ***to make it ~ clear that …*** faire comprendre de manière absolument claire que …

abuse [ə'bjuːs] **I** *n* **1.** *no pl* (*insults*) injures *fpl*; ***a term of ~*** une injure; ***to shout ~ at sb*** injurier qn **2.** (*misuse*) abus *m*; ***~ of authority*** abus d'autorité; ***the system is open to ~*** le système est ouvert aux abus **3.** (*ill treatment*) sévices *mpl*; (*sexual*) sévices *mpl* sexuels **II** *v/t* **1.** (*revile*) injurier **2.** (*misuse*) abuser de **3.** (*ill treat*) maltraiter; (*sexually*) abuser de **abuser** [ə'bjuːzəʳ] *n* (*of person*) abuseur(-euse) *m(f)* **abusive** [əb'juːsɪv] *adj* grossier(-ière); *relationship* violent; *parent* abusif(-ive); ***~ language*** injures **abusively** [əb'juːsɪvlɪ] *adv refer to* abusivement

abysmal [ə'bɪzməl] *adj fig* épouvantable; *performance etc.* lamentable **abysmally** [ə'bɪzməlɪ] *adv* épouvantablement; *perform etc.* lamentablement

abyss [ə'bɪs] *n* abysse *m*

AC *abbr* = **alternating current** CA *m*

A/C *abbr* = **account** compte *m*

acacia [ə'keɪʃə] *n* acacia *m*

academic [ˌækə'demɪk] **I** *adj* universitaire; *approach*, *interest* intellectuel(le); ***~ advisor*** *US* directrice des études **II** *n* universitaire *m/f* **academically** [ˌækə'demɪkəlɪ] *adv* **1.** intellectuellement; ***to be ~ inclined*** avoir envie de faire des études; ***~ gifted*** intellectuellement doué **2.** ***she is not doing well ~*** SCHOOL, UNIV elle a des difficultés dans ses études **academy** [ə'kædəmɪ] *n* académie *f*

acc. FIN *abbr* = **account** compte *m*

accede [æk'siːd] *v/i* **1.** ***to ~ to the throne*** accéder au trône **2.** (*agree*) accéder (***to*** à)

accelerate [æk'seləreɪt] **I** *v/t* accélérer **II** *v/i* accélérer ***he ~d away*** il est parti à toute vitesse **acceleration** [ækˌselə'reɪʃən] *n* accélération *f* **accelerator** [æk'seləreɪtəʳ] *n* **1.** (*a.* **accelerator pedal**) accélérateur *m*; ***to step on the ~*** accélérer **2.** PHYS accélérateur *m*

accent ['æksənt] *n* accent *m*; ***to speak without / with an ~*** parler avec un / sans accent; ***to put the ~ on sth*** *fig* mettre l'accent sur qc **accentuate** [æk'sentjʊeɪt] *v/t* accentuer

accept [ək'sept] *v/t* **1.** *apology*, *offer*, *gift*, *invitation* accepter; *responsibility* endosser; *story* croire à **2.** *need*, *person*, *duty* accepter; ***it is generally*** *or* ***widely ~ed that …*** il est généralement accepté que …; ***we must ~ the fact that …*** nous devons accepter le fait que …; ***I ~ that it might take a little longer*** je suis d'accord que cela pourrait prendre un peu plus longtemps; ***the company does not ~ responsibility for…*** la société décline toute responsabilité en cas de… **3.** (*put up with*) accepter **4.** COMM *check* accepter **acceptability** [əkˌseptə'bɪlɪtɪ] *n* acceptabilité *f* **acceptable** [ək'septəbl] *adj* acceptable (***to*** à); *behavior* acceptable; *gift* convenable; ***any job would be ~ to him*** il accepterait n'importe quel travail **acceptably** [ək'septəblɪ] *adv* **1.** (*properly*) *behave*, *treat* de manière acceptable **2.** (*sufficiently*) ***~ safe*** raisonnablement sûr **acceptance** [ək'septəns] *n* **1.** (*of responsibility*, *story*) acceptation *f*; ***to find*** *or* ***win*** *or* ***gain ~*** se faire accepter **2.** (*recognition*) approbation *f* **3.** (*toleration*) acceptation *f* **4.** (COMM, *of check*) acceptation *f* **accepted** *adj truth*, *fact* reconnu

access ['ækses] **I** *n* **1.** accès *m* (***to*** à); ***to give sb ~*** donner accès à qn (***to*** à); ***to refuse sb ~*** refuser l'accès à qn (***to*** à); ***to have ~ to sb*** avoir un droit de visite à qn; ***to gain ~ to sb / sth*** accéder à qn / qc; ***"access only"*** "accès réservé aux riverains et livraisons" **2.** IT accès *m* **II** *v/t* IT accéder à **access code** *n* code *m* d'accès **accessibility** [ækˌsesɪ'bɪlɪtɪ] *n* accessibilité *f* **accessible** [æk'sesəbl] *adj* accessible (***to*** à) **accession** [æk'seʃən] *n* **1.** (*a.* **accession to the throne**) accession *f* **2.** (*addition*: *to library*) acquisition *f* **accessory** [æk'sesərɪ] *n* **1.** accessoire *m* **2. accessories** *pl* accessoires *mpl*; ***kitchen accessories*** accessoires de cuisine **3.** JUR complice *m/f* **access road** *n* voie *f* d'accès **access time** *n* temps *m* d'accès

accident ['æksɪdənt] *n* accident *m*; (*mishap*) incident *m*; (*chance occurrence*) hasard *m*; ***~ and emergency department*** *Br* service des urgences; ***she has had an ~*** elle a eu un accident; ***by ~*** (*by chance*) par hasard; (*unintentionally*) sans le faire exprès; ***~s will happen*** (*prov*) ce sont des choses qui arrivent; ***I'm sorry, it was an ~*** je suis désolé, je ne l'ai pas fait exprès **accidental** [ˌæksɪ'dentl] *adj* **1.** *meeting*, *benefit* fortuit; *blow* accidentel(le) **2.** *injury, death* accidentel(le) **accidentally** [ˌæksɪ'dentəlɪ] *adv* (*by chance*) par hasard; (*unintentionally*) sans le faire exprès **accident insurance** *n* assurance *f* accidents **accident prevention** *n* prévention *f* des accidents **accident-prone** *adj* sujet(te) aux accidents

acclaim [ə'kleɪm] **I** *v/t* acclamer (***as*** comme) **II** *n* acclamations *fpl*; (*of critics*) louanges *fpl*

acclimate [ə'klaɪmeɪt] *v/t US* = **acclimatize acclimatization** [əˌklaɪmətaɪ'zeɪʃən], *US* **acclimation** *n* acclimater (***to*** à) **acclimatize** [ə'klaɪmətaɪz], *US* **acclimate I** *v/t* ***to become ~d*** s'acclimater **II** *v/i* (*a. vr*: **acclimatize oneself**) s'acclimater (***to*** à)

accolade ['ækəʊleɪd] *n* (*award*) récompense *f*; (*praise*) honneur *m*

accommodate [ə'kɒmədeɪt] *v/t* **1.** (*provide lodging for*) loger **2.** (*have room for*) pouvoir accueillir **3.** (*form oblige*) satisfaire; ***I think we might be able to ~ you*** je pense que nous devrions pouvoir vous satisfaire **accommodating** [ə'kɒmədeɪtɪŋ] *adj* accommodant

accommodation [əˌkɒmə'deɪʃən] *n* **1.** (*lodging*: *US a.* **accommodations**) hébergement *m*; (*room, apartment*) logement *m* **2.** (*space*: *US a.* **accommodations**) place *f*; ***seating ~*** places assises; ***sleeping ~ for six*** couchage pour six personnes

accommodations

Accommodations = hébergement. **Accommodations** existe seulement en anglais américain ; en anglais britannique **accommodation** s'emploie toujours au singulier.

accompaniment [ə'kʌmpənɪmənt] *n* accompagnement *m* (*also* MUS); ***with piano ~*** avec accompagnement au piano **accompanist** [ə'kʌmpənɪst] *n* accompagnateur(-trice) *m(f)*

accompany [ə'kʌmpənɪ] *v/t* accompagner (*also* MUS); ***~ing letter*** lettre *f* d'accompagnement

accomplice [ə'kʌmplɪs] *n* complice *m/f*; ***to be an ~ to murder*** être complice d'un meurtre

accomplish [ə'kʌmplɪʃ] *v/t* accomplir; ***that didn't ~ anything*** cela n'a rien produit **accomplished** *adj player* accompli; *performance* excellent; *liar* fieffé **accomplishment** *n* **1.** *no pl* (*completion*) accomplissement *m* **2.** (*skill*) talent *m*; (*achievement*) réussite *f*

accord [ə'kɔːd] **I** *n* POL (*agreement*) accord *m*; ***of one's own ~*** de soi-même; ***with one ~*** d'un commun accord; *sing, say etc.* ensemble **II** *v/t* accorder (***sb sth*** qc à qn) **accordance** [ə'kɔːdəns] *n* ***in ~ with*** conformément à **accordingly** [ə'kɔːdɪŋlɪ] *adv* en conséquence

according to [ə'kɔːdɪŋ'tuː] *prep* (*as stated by*) d'après, selon; (*in agreement with*) conformément à; ***~ the map*** d'après la carte; ***~ plan*** comme prévu; ***we did it ~ the rules*** nous l'avons fait conformément aux règles

accordion [ə'kɔːdɪən] *n* accordéon *m*

accost [ə'kɒst] *v/t* accoster

account [ə'kaʊnt] *n* **1.** récit *m*; (*report*) compte rendu *m*; ***to keep an ~ of one's expenses*** noter ses dépenses; ***by*** *or* ***from all ~s*** au dire de tous; ***to give an ~ of sth*** faire le compte rendu de qc; ***to give a good / poor ~ of oneself*** *Br* faire bonne / mauvaise impression; ***to be called to ~ for sth*** devoir s'expliquer sur qc; ***to be held to ~ for sth*** être tenu responsable de qc **2.** (*consideration*) ***to take ~ of sb / sth, to take sb / sth into ~*** prendre qn / qc en compte; ***to take no ~ of sb / sth*** ne tenir aucun compte de qn / qc; ***on no ~*** sous aucun prétexte; ***on this ~*** pour cette raison; ***on ~ of the bad weather*** en raison du mauvais temps; ***on my ~*** exprès pour moi; ***of no ~*** sans importance **3.** FIN, COMM compte *m* (***with*** à); ***to buy sth on ~*** acheter qc à crédit; ***please charge it to my ~*** merci de me le mettre sur mon compte; ***to settle*** *or* ***square ~s*** *or* ***one's ~ with sb*** *fig* régler ses comptes avec qn **4. accounts** *pl* (*of company, club*) comptabilité *f*, comptes *mpl* ***to keep the ~s*** faire la comptabilité ◆ **account for** *v/t insep* **1.** (*explain*) expliquer; *actions, expenditure* justifier ***all the children were accounted for*** tous les enfants ont été retrouvés; ***there's no accounting for taste*** chacun ses goûts **2.** (*be the source of*) représenter; ***this area accounts for most of the country's mineral wealth*** cette région représente l'essentiel de la richesse mi-

nière du pays
accountability [əˌkaʊntə'bɪlɪtɪ] *n* responsabilité *f*; *to sb* obligation *f* redditionnelle **accountable** [ə'kaʊntəbl] *adj* ***to be ~ to sb*** rendre des comptes à qn; ***to hold sb ~*** (***for sth***) tenir qn responsable (de qc)
accountancy [ə'kaʊntənsɪ] *n* comptabilité *f* **accountant** [ə'kaʊntənt] *n* comptable *m/f* **account book** *n* livre *m* de comptes **accounting** [ə'kaʊntɪŋ] *n* comptabilité *f* **accounting department** *n US* service *m* comptable, comptabilité *f* **account number** *n* numéro *m* de compte **accounts department** *n Br* service *m* comptable, comptabilité *f*
accoutrements [ə'kuːtrəmənts], *also US* **accouterments** *pl* équipement *m*
accrue [ə'kruː] *v/i* s'accumuler
accumulate [ə'kjuːmjʊleɪt] **I** *v/t* accumuler **II** *v/i* s'accumuler **accumulation** [əˌkjuːmjʊ'leɪʃən] *n* accumulation *f* **accumulative** [ə'kjuːmjʊlətɪv] *adj* cumulatif(-ive)
accuracy ['ækjʊrəsɪ] *n* exactitude *f*; (*of missile*) précision *f* **accurate** ['ækjʊrɪt] *adj* exact; *missile* précis; ***the clock is ~*** la pendule est exacte; ***the test is 90 per cent ~*** le test est précis à 90 pour cent **accurately** ['ækjʊrɪtlɪ] *adv translate* avec exactitude; *throw* avec précision
accusation [ˌækjʊ'zeɪʃən] *n* JUR accusation *f*
accusative [ə'kjuːzətɪv] **I** *n* accusatif *m*; ***in the ~*** à l'accusatif **II** *adj* de l'accusatif; ***the ~ case*** l'accusatif
accusatory [ə'kjuːzətərɪ] *adj* accusateur(-trice)
accuse [ə'kjuːz] *v/t* **1.** JUR accuser (***of*** de); ***he is ~d of murder*** il est accusé de meurtre **2.** *person* accuser; ***to ~ sb of doing*** *or* ***having done sth*** accuser qn d'avoir fait qc; ***are you accusing me of lying?*** m'accusez-vous de mentir? **accused** *n* ***the ~*** l'accusé(e) *m(f)* **accusing** [ə'kjuːzɪŋ] *adj* accusateur (-trice); ***he had an ~ look on his face*** il avait un regard accusateur **accusingly** [ə'kjuːzɪŋlɪ] *adv* d'un air accusateur
accustom [ə'kʌstəm] *v/t* ***to be ~ed to*** (***doing***) ***sth*** avoir l'habitude de (faire) qc; ***to become*** *or* ***get ~ed to*** (***doing***) ***sth*** s'habituer à (faire) qc
AC/DC *abbr* = **alternating current/direct current** courant *m* alternatif/courant continu, AC/DC; (*infml bisexual*) à voile et à vapeur *infml*, bisexuel(le)
ace [eɪs] **I** *n* as *m*; ***the ~ of clubs*** l'as de trèfle; ***to have an ~ up one's sleeve*** avoir un atout en réserve; ***to hold all the ~s*** *fig* avoir tous les avantages; ***to be an ~ at sth*** être un as de qc; ***to serve an ~*** TENNIS servir un ace **II** *adj attr* (*excellent*) génial *infml*
acerbic [ə'sɜːbɪk] *adj remark*, *style* acerbe
acetate ['æsɪteɪt] *n* CHEM acétate *m* **acetic acid** [əˌsiːtɪk'æsɪd] *n* acide *m* acétique
ache [eɪk] **I** *n* douleur *f* **II** *v/i* **1.** avoir mal; ***my head ~s*** j'ai mal à la tête; ***it makes my head/arms ~*** cela me donne mal à la tête/aux bras; ***I'm aching all over*** j'ai mal partout; ***it makes my heart ~ to see him*** *fig* cela me fait mal au cœur de le voir **2.** (*fig yearn*) ***to ~ to do sth*** brûler de faire qc

> **achieve ≠ tuer**
>
> **Achieve** = le plus souvent remporter un succès :
>
> **What he has achieved in his lifetime is just incredible.**
>
> Ce qu'il a accompli dans sa vie est tout simplement incroyable.

achieve [ə'tʃiːv] *v/t* obtenir; *goal* atteindre; ***she ~d a great deal*** (*did a lot of work*) elle a réalisé beaucoup de choses; (*was quite successful*) elle a eu beaucoup de succès; ***he will never ~ anything*** il n'accomplira jamais rien **achievement** [ə'tʃiːvmənt] *n* réussite *f*, succès *m* **achiever** [ə'tʃiːvəʳ] *n* personne *f* qui réussit *infml*; ***to be an ~*** être qn qui réussit; ***high ~*** SCHOOL élève obtenant d'excellents résultats

> **achievement**
>
> **Achievement** se traduit par réussite, succès.
>
> **impressive academic achievements**
>
> un brillant parcours universitaire

Achilles ['ə'kɪliːz] *n* **~ heel** *fig* talon *m* d'Achille
aching ['eɪkɪŋ] *adj attr* douloureux (-euse) **achy** ['eɪkɪ] *adj infml* patraque; ***I feel ~ all over*** j'ai mal partout
acid ['æsɪd] **I** *adj* **1.** acide **2.** *fig* aigre **II** *n* **1.** CHEM acide *m* **2.** (*infml LSD*) acide *m*
acidic [ə'sɪdɪk] *adj* acide **acidity** [ə'sɪdɪtɪ] *n* **1.** acidité *f* **2.** (*of stomach*) acidité *f* **acid rain** *n* pluie *f* acide **acid test** *n* épreuve *f* de vérité
acknowledge [ək'nɒlɪdʒ] *v/t* reconnaître; *truth*, *defeat* admettre; *letter* accuser réception de ***to ~ sb's presence*** montrer à qn qu'on l'a vu **acknowledgement** *n* reconnaissance *f*; (*of truth*, *defeat*) admission *f*; (*of letter*) accusé *m* de réception; ***he waved at us in ~*** il nous a fait signe pour montrer qu'il nous avait vus; ***in ~ of*** en reconnaissance de
acne ['æknɪ] *n* acné *f*
acorn ['eɪkɔːn] *n* gland *m*
acoustic [ə'kuːstɪk] *adj* acoustique **acoustic guitar** *n* guitare *f* acoustique **acoustics** *n pl* (*of room*) acoustique *f*
acquaint [ə'kweɪnt] *v/t* **1.** faire la connaissance de; ***to be ~ed with sth*** connaître qc; ***to become ~ed with sth*** découvrir qc; *facts*, *truth* se mettre au courant de; ***to ~ oneself*** *or* ***to make oneself ~ed with sth*** se mettre au courant de qc **2.** (*with person*) ***to be ~ed with sb*** connaître qn; ***we're not ~ed*** nous ne nous connaissons pas; ***to become*** *or* ***get ~ed*** faire connaissance **acquaintance** *n* **1.** (*person*) connaissance *f*; ***we're just ~s*** nous nous connaissons de loin; ***a wide circle of ~s*** un large cercle de connaissances **2.** (*with person*) rencontre *f*; (*with subject etc.*) découverte *f* ***to make sb's ~*** faire la connaissance de qn
acquiesce [ˌækwɪ'es] *v/i* acquiescer, donner son accord (***in*** à) **acquiescence** [ˌækwɪ'esns] *n* accord *m* (***in*** à)
acquire [ə'kwaɪəʳ] *v/t* acquérir; (*information*) obtenir; ***where did you ~ that?*** où avez-vous obtenu cela?; ***to ~ a taste*** *or* ***liking for sth*** prendre goût à qc; ***caviar is an ~d taste*** le caviar s'apprécie à la longue **acquisition** [ˌækwɪ'zɪʃən] *n* **1.** (*act*) acquisition *f* **2.** (*thing acquired*) acquisition *f* **acquisitive** [ə'kwɪzɪtɪv] *adj* très attaché aux biens matériels
acquit [ə'kwɪt] **I** *v/t* acquitter; ***to ~ sb of murder*** acquitter qn d'un meurtre **II** *v/r* ***he ~ted himself well*** il s'en est bien tiré **acquittal** [ə'kwɪtl] *n* acquittement *m* (***on*** de)
acre ['eɪkəʳ] *n* acre *m*, ≈ demi-hectare *m*
acrid ['ækrɪd] *adj taste*, *smell*, *smoke* âcre
acrimonious [ˌækrɪ'məʊnɪəs] *adj* acrimonieux(-euse); *divorce* plein de ressentiment **acrimony** ['ækrɪmənɪ] *n* acrimonie *f*
acrobat ['ækrəbæt] *n* acrobate *m/f* **acrobatic** [ˌækrəʊ'bætɪk] *adj* acrobatique **acrobatics** *pl* acrobatie *f*
acronym ['ækrənɪm] *n* acronyme *m*
across [ə'krɒs] **I** *adv* **1.** (*to the other side*) de l'autre côté; ***shall I go ~ first?*** je traverse en premier?; ***~ from your house*** en face de ta maison **2.** (*measurement*) de largeur; (*of round object*) de diamètre **3.** (*in crosswords*) horizontalement **II** *prep* **1.** (*direction*); ***to run ~ the street*** traverser la rue en courant; ***to wade ~ a river*** traverser une rivière à gué; ***a tree fell ~ the path*** un arbre est tombé en travers du chemin; ***~ country*** dans tout le pays **2.** (*position*) en travers; ***a tree lay ~ the path*** il y avait un arbre en travers du chemin; ***he was sprawled ~ the bed*** il était allongé en travers du lit; ***from ~ the ocean*** d'un pays lointain; ***he lives ~ the street from us*** il habite en face de chez nous; ***you could hear him*** (***from***) ***~ the hall*** on l'entendait de l'autre côté de la salle **across-the-board** [ə'krɒsðə'bɔːd] *adj attr* général; → **board**
acrylic [ə'krɪlɪk] **I** *n* acrylique *m* **II** *adj* acrylique; *dress* (en) acrylique
act [ækt] **I** *n* **1.** (*deed*) acte *m*; ***an ~ of mercy*** un acte de clémence; ***an ~ of God*** une catastrophe naturelle; ***an ~ of war*** un acte de guerre; ***an ~ of madness*** un geste de folie; ***to catch sb in the ~ of stealing sth*** prendre qn en flagrant délit de vol de qc **2.** PARL loi *f* **3.** THEAT acte *m*; (*turn*) numéro *m*; ***a one-~ play*** une pièce en un acte; ***to get in on the ~*** *fig*, *infml* prendre le train en marche; ***he's really got his ~ together*** *infml* (*is organized*, *efficient with sth*) il est vraiment au point; ***she'll be a hard*** *or* ***tough ~ to follow*** ce sera difficile de faire aussi bien qu'elle **4.** *fig* comédie *f fig*; ***to put on an ~*** jouer la comédie **II** *v/t* jouer; ***to ~ the innocent*** fai-

re l'innocent(e) **III** *v/i* **1.** THEAT jouer; *fig* faire semblant; ***he's only ~ing*** il fait semblant; ***to ~ innocent*** *etc.* faire l'innocent(e) **2.** (*function: drug*) agir; ***to ~ as ...*** agir en tant que; (*have function*) servir de; ***to ~ on behalf of sb*** agir pour le compte de qn **3.** (*behave*) se comporter; ***she ~ed as if*** *or* ***as though she was surprised*** elle a fait celle qui était surprise **4.** (*take action*) agir; ***the police couldn't ~*** la police ne pouvait pas agir ◆**act on** *v/t insep warning* agir suite à; *advice* suivre; ***acting on an impulse*** agissant sur un coup de tête ◆ **act out** *v/t sep* représenter ◆ **act up** *v/i infml* faire l'idiot(e); (*to attract attention*) faire le pitre; (*machine*) être détraqué, déconner *infml*; ***my back is acting up*** j'ai le dos détraqué ◆ **act upon** *v/t insep* = **act on**

acting ['æktɪŋ] **I** *adj* **1.** intérimaire **2.** *attr* THEAT, *school*, *job* de théâtre **II** *n* (THEAT, *performance*) interprétation *f*; (*activity*) jeu *m*; (*profession*) métier *m* d'acteur; ***he's done some ~*** il a fait du théâtre

action ['ækʃən] *n* **1.** *no pl* (*activity*, *of novel etc.*) action *f* ***a man of ~*** un homme d'action; ***to take ~*** agir; ***course of ~*** ligne de conduite; ***no further ~*** rien d'autre **2.** (*deed*) action *f* **3.** (*operation*) ***in ~*** en action; *machine* en marche; ***out of ~*** immobilisé; *machine* en panne; ***to go into ~*** être lancé; ***to put a plan into ~*** mettre un plan à exécution; ***he's been out of ~ since he broke his leg*** il est immobilisé depuis qu'il s'est cassé la jambe **4.** (*exciting events*) action *f*; ***there's no ~ in this film*** il n'y a pas d'action dans ce film **5.** (MIL *fighting*) action *f*; ***enemy ~*** actions ennemies; ***killed in ~*** tué au combat; ***the first time they went into ~*** la première fois qu'ils sont allés au combat **6.** (*of machine*, *watch*) action *f*; (*of athlete*) mouvement *m* **7.** (*effect*) action *f* (**on** sur) **8.** JUR action *f*, procès *m*; ***to bring an ~*** (***against sb***) intenter un procès (contre qn) **action film** *n esp Br* film *m* d'action **action group** *n* groupe *m* de pression **action movie** *n esp US* film *m* d'action **action-packed** *adj* plein d'action **action replay** *n* répétition *f* d'une séquence **action shot** *n* PHOT photo *f* d'action; FILM scène *f* d'action **action stations** *pl* postes; ***~!*** MIL; *fig* à vos postes!

activate ['æktɪveɪt] *v/t mechanism*, *switch* actionner; *alarm*, *bomb* déclencher; CHEM, PHYS stimuler, déclencher

active ['æktɪv] *adj mind* actif(-ive); *social life* animé; ***to be politically ~*** faire activement de la politique; ***to be sexually ~*** être sexuellement actif; ***on ~ service*** MIL en service actif; ***to be on ~ duty*** (*esp US* MIL) être en service actif; ***he played an ~ part in the plot*** il a joué un rôle actif au complot; ***~ ingredient*** CHEM principe actif **actively** ['æktɪvlɪ] *adv* activement; *dislike* profondément

activist ['æktɪvɪst] *n* militant(e) *m(f)*

activity [æk'tɪvɪtɪ] *n* **1.** *no pl* activité *f* **2.** (*pastime*) activité *f*; ***the church organizes many activities*** l'église organise de nombreuses activités; ***criminal activities*** activités criminelles **activity holiday** *n Br* vacances *fpl* sportives

actor ['æktə[r]] *n* acteur *m*

actress ['æktrɪs] *n* actrice *f*

actual ['æktjʊəl] *adj* réel(le); *result* exact; *case*, *example* même; ***in ~ fact*** en fait; ***what were his ~ words?*** quels ont été ses mots exacts?; ***this is the ~ house*** c'est la maison même; ***~ size*** taille réelle

> **actual ≠ présent**
>
> **Actual** = réel, véritable :
>
> ✓ **We need to establish the actual cost of this project.**
> (✗ **At the actual time, he is on vacation.**
> ✓ **At the present time, he is on vacation.**)
>
> Il nous faut établir le coût réel de ce projet.
> (Il est actuellement en vacances.)

actually ['æktjʊəlɪ] *adv* **1.** (*used as a filler*) ***~ I haven't started yet*** en fait, je n'ai pas encore commencé **2.** (*in actual fact*) en fait; ***as you said before, and ~ you were quite right*** comme vous l'avez dit auparavant, et en fait vous aviez tout à fait raison; ***I'm going soon, tomorrow ~*** je pars prochainement, demain en fait **3.** (*truly*) vraiment; ***if you ~ own an apartment*** si vous êtes vraiment propriétaire d'un appartement; ***oh, you're ~ in / ready!*** ça alors, vous êtes chez vous / prêt!; ***I haven't ~ started yet*** je n'ai pas encore commencé; ***as for ~ doing it*** pour ce qui est de vraiment le faire

actually
≠ au moment présent

Actually = en fait, vraiment :
✓ **I can't believe you actually liked that movie.**
✗ **He was actually in hospital.**
Je ne peux pas croire que ce film t'ait plu.

actuary ['æktjʊərɪ] *n* INSUR actuaire *m*
acumen ['ækjumen] *n* ***business ~*** sens *m* des affaires
acupuncture ['ækjʊˌpʌŋktʃəʳ] *n* acupuncture *f*
acute [ə'kjuːt] *adj* **1.** aigu(ë); *embarrassment* profond **2.** *eyesight* très bon(ne); *hearing* très fin **3.** MATH *angle* aigu(ë) **4.** LING ***~ accent*** accent aigu **acutely** [ə'kjuːtlɪ] *adv ill, sensitive, embarrassed* extrêmement ***to be ~ aware of sth*** être très conscient de qc
A.D. *abbr* = **Anno Domini** de notre ère
ad [æd] *n abbr* = **advertisement** *for product* pub *f infml*, publicité *f*; *for flat, job* annonce *f*
adage ['ædɪdʒ] *n* adage *m*
Adam ['ædəm] *n* ***~'s apple*** pomme *f* d'Adam; ***I don't know him from ~*** *infml* je ne le connais ni d'Ève ni d'Adam *infml*
adamant ['ædəmənt] *adj* catégorique; ***to be ~*** être catégorique; ***he was ~ about going*** il était catégorique sur le fait qu'il voulait partir **adamantly** ['ædəməntlɪ] *adv* catégoriquement; ***to be ~ opposed to sth*** être catégoriquement opposé à qc
adapt [ə'dæpt] **I** *v/t* adapter (***to*** à) (***to, for*** à, pour); ***~ed from the Spanish*** adapté de l'espagnol **II** *v/i* s'adapter (***to*** à) **adaptability** [əˌdæptə'bɪlɪtɪ] *n* adaptabilité *f* **adaptable** [ə'dæptəbl] *adj* adaptable **adaptation** [ˌædæp'teɪʃən] *n* (*of book etc.*) adaptation *f* **adapter** [ə'dæptəʳ] *n* ELEC adaptateur *m* **adaptor** [ə'dæptəʳ] *n* = **adapter**
ADD *abbr* = **attention deficit disorder** trouble *m* déficitaire de l'attention
add [æd] **I** *v/t* **1.** MATH additionner; (*add on*) ajouter (***to*** à); ***to ~ 8 to 5*** additionner 8 à 5 **2.** *ingredients, comment etc.* ajouter (***to*** à); ***~ed to which …*** ce à quoi il faut ajouter …; ***transportation ~s 10% to the cost*** le transport ajoute 10% au coût; ***they ~ 10% for service*** ils ajoutent 10% pour le service; ***to ~ value to sth*** ajouter de la valeur à qc **II** *v/i* **1.** MATH compter; ***she just can't ~*** elle ne sait pas compter **2.** ***to ~ to sth*** ajouter à qc; ***it will ~ to the time the job takes*** cela va ajouter au temps que va prendre le travail ◆ **add on** *v/t sep amount, comments* ajouter; *room* rajouter ◆ **add up** **I** *v/t sep* compter **II** *v/i* (*figures etc.*) s'élever; *fig* s'accorder; ***it all adds up*** *lit* cela finit par chiffrer; *fig* je comprends tout maintenant; ***to ~ to*** (*figures*) s'élever à
added ['ædɪd] *adj attr* ajouté; ***~ value*** valeur *f* ajoutée
adder ['ædəʳ] *n* vipère *f*
addict ['ædɪkt] *n* drogué(e) *m(f)*, toxicomane *m/f*; ***he's a heroin ~*** il est héroïnomane; ***he's a television ~*** il est accro de la télévision *infml* **addicted** [ə'dɪktɪd] *adj* dépendant; ***to be / become ~ to heroin / drugs*** être / devenir dépendant de l'héroïne / des drogues; ***he is ~ to sport*** il est accro de sport *infml* **addiction** [ə'dɪkʃən] *n* addiction *f* (***to*** à); ***~ to drugs / alcohol*** addiction à la drogue/l'alcool **addictive** [ə'dɪktɪv] *adj* ***to be ~*** créer une dépendance; ***this drug / watching TV can become ~*** ce médicament / regarder la télévision peut créer une dépendance; ***~ drug*** drogue entraînant une forte dépendance
addition [ə'dɪʃən] *n* **1.** MATH addition *f* **2.** (*adding, thing added*) addition *f* (***to*** à); (*to list*) ajout *m* (***to*** à); ***in ~*** en plus, en outre; ***in ~ (to this) he said …*** en plus (de cela) il a dit …; ***in ~ to her other hobbies*** en plus de ses autres passions **additional** *adj* supplémentaire, additionnel(le); ***~ charge*** frais supplémentaires **additive** ['ædɪtɪv] *n* additif *m*
add-on ['ædɒn] *n* IT produit *m* supplémentaire
address [ə'dres] **I** *n* **1.** (*on letter*) adresse *f*; ***home ~*** adresse personnelle; ***what's your ~?*** quelle est votre adresse?; ***I've come to the wrong ~*** je me suis trompé d'adresse; ***at this ~*** à cette adresse; ***"not***

known at this ~ "inconnu à cette adresse" **2.** (*speech*) discours *m*; ***form of ~*** titre *m* **3.** IT adresse *f* **II** *v/t* **1.** *letter* adresser (***to*** à) **2.** *complaint* s'occuper de; *article* aborder **3.** *person* s'adresser à; ***to ~ a meeting*** prendre la parole lors d'une réunion ***don't ~ me as "Colonel"*** ne m'appelez pas "Colonel" **4.** *problem etc.* s'attaquer à **III** *v/r* ***to ~ oneself to sb*** (*speak to*) s'adresser à qn **address book** *n* carnet *m* d'adresse **addressee** [ˌædre'siː] *n* destinataire(-trice) *m*(*f*) **address label** *n* étiquette *f* d'adresse
adenoids ['ædɪnɔɪdz] *pl* végétations *fpl*
adept ['ædept] *adj* expert (***in, at*** en)
adequacy ['ædɪkwəsɪ] *n* (*of sum*) caractère *m* adéquat; (*of explanation*) adéquation *f* **adequate** ['ædɪkwɪt] *adj* suffisant, adéquat ***to be ~*** (*sufficient*) être suffisant; (*good enough*) être convenable; ***this is just not ~*** cela ne va pas du tout; ***more than ~*** *sufficient* largement suffisant *good enough* tout à fait convenable **adequately** ['ædɪkwɪtlɪ] *adv* **1.** (*sufficiently*) suffisamment **2.** (*satisfactorily*) convenablement
ADHD *m* TDAH *m* *trouble de déficit de l'attention avec hyperactivité*
◆ **adhere to** *v/t* *insep plan*, *principle* adhérer à; *rule* suivre **adherence** [əd'hɪərəns] *n* adhésion *f* (***to*** à); (*to rule*) respect *m* (***to*** de) **adherent** [əd'hɪərənt] *n* adhérent(e) *m*(*f*) (***to, of*** de)
adhesion [əd'hiːʒən] *n* (*of particles etc.*) adhésion *f*; (*of glue*) adhérence *f* **adhesive** [əd'hiːzɪv] **I** *n* adhésif *m* **II** *adj* adhésif(-ive) **adhesive tape** *n* ruban *m* adhésif, scotch® *m*
ad hoc [ˌæd'hɒk] *adj*, *adv* spécial
ad infinitum [ˌædɪnfɪ'naɪtəm] *adv* à l'infini
adjacent [ə'dʒeɪsənt] *adj* adjacent, contigu(ë); ***to be ~ to sth*** être adjacent à qc; ***the ~ room*** la pièce attenante
adjectival [ˌædʒek'taɪvəl] *adj* adjectival **adjectivally** [ˌædʒek'taɪvəlɪ] *adv* de façon adjectivale **adjective** ['ædʒɪktɪv] *n* adjectif *m*
adjoin [ə'dʒɔɪn] **I** *v/t* être contigu(ë) à **II** *v/i* être contigu(ë) **adjoining** [ə'dʒɔɪnɪŋ] *adj* contigu(ë), attenant; *esp* ARCH attenant; *field* voisin; ***the ~ room*** la pièce attenante; ***in the ~ office*** dans le bureau voisin
adjourn [ə'dʒɜːn] **I** *v/t* **1.** (*to another day*) reporter (***until*** à); ***he ~ed the meeting for three hours*** il a reporté la réunion de trois heures **2.** (*US end*) lever **II** *v/i* **1.** (*to another day*) s'arrêter (***until*** jusqu'à); ***to ~ for lunch / one hour*** s'arrêter pour le déjeuner / pendant une heure **2.** ***to ~ to the living room*** passer dans la salle de séjour **adjournment** *n* (*to another day*) report *m*, ajournement *m* (***until*** jusqu'à)
adjudicate [ə'dʒuːdɪkeɪt] **I** *v/t* *competition* être juge de; *jur* juger, décider **II** *v/i* (*in competition*) être juge; *jur* juger **adjudication** [əˌdʒuːdɪ'keɪʃən] *n* jugement *m*, décision *f* **adjudicator** [ə'dʒuːdɪkeɪtə^r] *n* (*in competition etc.*) juge *m/f*
adjust [ə'dʒʌst] **I** *v/t* **1.** (*set*) ajuster; *knob*, *lever* régler; (*correct*) rectifier; *height*, *speed* régler; *figures* ajuster; *terms* modifier; *hat*, *tie* rajuster; ***do not ~ your set*** ne réglez pas votre téléviseur **2.** ***to ~ oneself to sth*** *to new circumstances etc.* s'adapter à qc **3.** INSUR *claim* régler **II** *v/i* (*to new circumstances etc.*) s'adapter (***to*** à) **adjustable** [ə'dʒʌstəbl] *adj* réglable; *rate* variable **adjustment** [ə'dʒʌstmənt] *n* **1.** (*setting*) réglage *m*; (*of knob*, *lever*) réglage *m*; (*correction*) rectification *f*; (*of height*, *speed*) réglage *m*; (*of terms*) modification *f*; ***to make ~s*** faire des réglages; ***to make ~s to one's plans*** modifier ses projets **2.** (*socially etc.*) adaptation *f* **3.** INSUR règlement *m*
adjutant ['ædʒətənt] *n* MIL adjudant *m*
ad lib [æd'lɪb] *adv* en improvisant **ad-lib** *v/t & v/i* improviser
admin ['ædmɪn] *abbr* = **administration**
administer [əd'mɪnɪstə^r] *v/t* **1.** *institution*, *funds*, *affairs* gérer; *territory* administrer **2.** *punishment* administrer (***to*** à); ***to ~ justice*** rendre la justice **3.** *medicine* administrer (***to sb*** à) **administrate** [æd'mɪnɪstreɪt] *v/t* = **administer** **administration** [ədˌmɪnɪs'treɪʃən] *n* **1.** *no pl* administration *f*; (*of project etc.*) gestion *f*; ***to spend a lot of time on ~*** passer beaucoup de temps à faire du travail administratif **2.** (*government*) administration *f*, gouvernement *m*; ***the Bush ~*** le gouvernement Bush **3.** *no pl* ***the ~ of justice*** l'exercice de la justice **administrative** [əd'mɪnɪstrətɪv] *adj* administratif(-ive) **administrative body** *n* organisme *m* administratif **administrative costs** *pl* frais *mpl* admi-

nistratifs **administrator** [əd'mɪnɪstreɪtəʳ] *n* administrateur(-trice) *m(f)*; JUR administrateur(-trice) judiciaire *m(f)*

admirable ['ædmərəbl] *adj* admirable **admirably** *adv* ['ædmərəblɪ] admirablement

admiral ['ædmərəl] *n* amiral *m* **Admiralty** ['ædmərəltɪ] *n Br* ministère *m* de la Marine; (*department*, *building*) de la Marine

admiration [ˌædmə'reɪʃən] *n* admiration *f*; ***to win the ~ of all / of the world*** (*person*, *object*) gagner l'admiration de tous / du monde entier

admire [əd'maɪəʳ] *v/t* admirer **admirer** [əd'maɪərəʳ] *n* admirateur(-trice) *m(f)* **admiring** *adj* admirateur(-trice) **admiringly** [əd'maɪərɪŋ, -lɪ] *adv* avec admiration

admissible [əd'mɪsɪbl] *adj* recevable **admission** [əd'mɪʃən] *n* **1.** (*entry*) entrée *f*; (*to university*) entrée *f*; (*price*) d'entrée; ***her ~ to hospital*** son hospitalisation ***to gain ~ to a building*** pénétrer dans un bâtiment; ***~ fee*** droit d'entrée **2.** (JUR, *of evidence etc.*) réception *f* **3.** (*confession*) aveu *m*; ***on*** *or* ***by his own ~*** de son propre aveu; ***that would be an ~ of failure*** cela reviendrait à admettre son échec

admit [əd'mɪt] *v/t* **1.** (*let in*) faire entrer; (*permit to join*) laisser entrer (***to*** à); ***children not ~ted*** entrée interdite aux enfants; ***to be ~ted to the hospital*** être hospitalisé; ***this ticket ~s two*** ce billet est valable pour deux personnes **2.** (*acknowledge*) admettre, reconnaître; ***do you ~ (to) stealing his hat?*** reconnaissez-vous avoir volé ce chapeau? ◆ **admit to** *v/t insep* admettre; ***I have to ~ a certain feeling of admiration*** je dois reconnaître un certain degré d'admiration

admittance [əd'mɪtəns] *n* (*to building*, *club*) entrée *f* (***to*** dans); ***I gained ~ to the hall*** j'ai réussi à entrer dans la salle; ***no ~ except on business*** entrée interdite à toute personne étrangère au service **admittedly** [əd'mɪtɪdlɪ] *adv* il est vrai; ***~ this is true*** il faut reconnaître que cela est vrai

admonish [əd'mɒnɪʃ] *v/t* admonester (***for*** pour) **admonishment** [əd'mɒnɪʃmənt], **admonition** *n form* **1.** (*rebuke*) admonition *f* **2.** (*warning*) avertissement *m*

ad nauseam [ˌæd'nɔːzɪæm] *adv* mille fois

ado [ə'duː] *n* ***much ~ about nothing*** beaucoup de bruit pour rien; ***without more*** *or* ***further ~*** sans perdre plus de temps

adolescence [ˌædəʊ'lesns] *n* adolescence *f* **adolescent** [ˌædəʊ'lesnt] **I** *n* adolescent(e) *m(f)* **II** *adj* d'adolescence

adopt [ə'dɒpt] *v/t* **1.** *child* adopter; ***your cat has ~ed me*** *infml* ton chat m'a adopté **2.** *idea*, *method* adopter; *mannerisms* prendre **adopted** *adj* adopté; ***~ child*** enfant adopté; ***her ~ country*** son pays d'adoption **adoption** [ə'dɒpʃən] *n* **1.** (*of child*) adoption *f* **2.** (*of method*, *idea*) adoption *f*; (*of mannerisms*) copie *f* **adoption agency** *n service responsable des questions d'adoption* **adoptive** [ə'dɒptɪv] *adj* adoptif(-ive); ***~ parents*** parents adoptifs; ***~ home / country*** famille / pays d'adoption

adorable [ə'dɔːrəbl] *adj* adorable; ***she is ~*** elle est adorable **adoration** [ˌædə'reɪʃən] *n* **1.** (*of God*) adoration *f* **2.** (*of family*, *wife*) adoration *f* (***of*** de) **adore** [ə'dɔːʳ] *v/t* **1.** *God* adorer **2.** *family*, *wife* adorer **3.** *infml whisky etc.* adorer **adoring** [ə'dɔːrɪŋ] *adj* plein d'adoration **adoringly** [ə'dɔːrɪŋlɪ] *adv* avec adoration

adorn [ə'dɔːn] *v/t* orner

adrenalin(e) [ə'drenəlɪn] *n* MED adrénaline *f*; ***working under pressure gets the ~ going*** le travail sous pression fait monter l'adrénaline

Adriatic (Sea) [ˌeɪdrɪ'ætɪk('siː)] *n* (mer) Adriatique *f*

adrift [ə'drɪft] *adv*, *adj pred* **1.** NAUT à la dérive; ***to be ~*** être à la dérive **2.** *fig* ***to come ~*** (*wire etc.*) se détacher

adroit [ə'drɔɪt] *adj* adroit **adroitly** [ə'drɔɪtlɪ] *adv* adroitement

ADSL TEL *abbr* = **asymmetric digital subscriber line** ADSL *m*

adulation [ˌædjʊ'leɪʃən] *n* adulation *f*

adult ['ædʌlt, (*US*) ə'dʌlt] **I** *n* adulte *m/f*; ***~s only*** réservé aux adultes **II** *adj* **1.** *person*, *animal* adulte; ***he spent his ~ life in New York*** il a passé sa vie d'adulte à New York **2.** *film*, *classes* pour adultes; ***~ education*** enseignement pour adultes

adulterate [ə'dʌltəreɪt] *v/t wine*, *food*

etc. altérer **adulteration** [əˌdʌltə'reɪʃən] *n* (*of wine*, *food*) altération *f* **adulterer** [ə'dʌltərəʳ] *n* homme *m* adultère **adulteress** [ə'dʌltərɪs] *n* femme *f* adultère **adulterous** [ə'dʌltərəs] *adj* adultère **adultery** [ə'dʌltərɪ] *n* adultère *m*; ***to commit ~*** commettre un adultère

adulthood ['ædʌlthʊd, (*US*) ə'dʌlthʊd] *n* âge *m* adulte; ***to reach ~*** atteindre l'âge adulte

advance [əd'vɑːns] **I** *n* **1.** (*progress*) avancée *f* **2.** MIL avancée *f*, progression *f* **3.** (*money*) avance *f*, acompte *m* (***on*** sur) **4. advances** *pl* (*amorous*, *fig*) avances *fpl* **5. *in ~*** à l'avance; ***to send sb on in ~*** envoyer qn à l'avance; ***$100 in ~*** 100$ d'acompte; ***to arrive in ~ of the others*** arriver avant les autres; ***to be (well) in ~ of sb*** être (très) en avance sur qn **II** *v/t* **1.** *date*, *time* avancer **2.** MIL *troops* avancer **3.** faire avancer; *cause*, *career*, *knowledge* faire progresser **4.** (*pay beforehand*) avancer (***sb*** à qn) **III** *v/i* **1.** MIL avancer, progresser **2.** (*move forward*) avancer; ***to ~ toward(s) sb / sth*** avancer vers qn / qc **3.** (*fig progress*) progresser **advance booking** *n* THEAT réservations *fpl* à l'avance **advance booking office** *n* THEAT guichet *m* des réservations **advance copy** *n* exemplaire *m* de lancement **advanced** *adj* **1.** *student*, *level*, *age*, *technology* avancé; *studies* supérieur; *version* sophistiqué; *society* avancé; ***he is very ~ for his age*** il est très précoce pour son âge **2. *in the ~ stages of the disease*** au stade avancé de la maladie **advancement** *n* **1.** (*furtherance*) progression *f* **2.** (*promotion in rank*) avancement *m* **advance notice** *n* préavis *m* ***to be given ~*** recevoir un préavis **advance payment** *n* paiement *m* anticipé **advance warning** *n* = **advance notice**

advantage [əd'vɑːntɪdʒ] *n* avantage *m*; ***to have an ~ (over sb)*** avoir un avantage (par rapport à qn); ***that gives you an ~ over me*** cela vous donne un avantage par rapport à moi; ***to have the ~ of sb*** avoir l'avantage sur qn; ***to take ~ of sb*** (*exploit*) exploiter qn; (*euph*: *sexually*) abuser de qn; ***to take ~ of sth*** profiter de qc; ***he turned the situation to his own ~*** il a retourné la situation à son avantage; ***to use sth to one's ~*** utiliser qc à son avantage **advantageous** [ˌædvən'teɪdʒəs] *adj* avantageux (-euse); ***to be ~ to sb*** être avantageux pour qn

advent ['ædvənt] *n* **1.** (*of age*, *era*, *invention*) apparition *f* **2.** ECCL ***Advent*** Avent *m* **Advent calendar** *n* calendrier *m* de l'Avent

adventure [əd'ventʃəʳ] **I** *n* **1.** aventure *f* **2.** *no pl* ***spirit of ~*** esprit d'aventure; ***to look for ~*** rechercher l'aventure **II** *attr* d'aventure **adventure playground** *n Br* parc *m* de jeux **adventurer** [əd'ventʃərəʳ] *n* aventurier(-ière) *m*(*f*) **adventurous** [əd'ventʃərəs] *adj person* (*wanting adventure*) aventureux(-euse) (*at trying things*) hardi; *journey* aventureux(-euse)

adverb ['ædvɜːb] *n* adverbe *m* **adverbial** [əd'vɜːbɪəl] *adj* adverbial **adverbially** [əd'vɜːbɪəlɪ] *adv* de façon adverbiale

adversary ['ædvəsərɪ] *n* adversaire *m/f* **adverse** ['ædvɜːs] *adj effect*, *publicity* négatif; *reaction* défavorable, indésirable *weather conditions* mauvais **adversely** [əd'vɜːslɪ] *adv* négativement **adversity** [əd'vɜːsɪtɪ] *n no pl* adversité *f*; ***in ~*** dans l'adversité

advert ['ædvɜːt] *n infml abbr* = **advertisement** publicité *f*

advertise ['ædvətaɪz] **I** *v/t* **1.** (*publicize*) faire la publicité de; ***I've seen that soap ~d on television*** j'ai vu la publicité pour ce savon à la télévision **2.** (*in paper*) *apartment etc.* mettre *or* faire passer une annonce pour; *job* passer une annonce pour; ***to ~ sth in a store window*** mettre une annonce dans une vitrine; ***to ~ sth on local radio*** faire passer une annonce sur une radio locale **II** *v/i* **1.** COMM faire de la publicité **2.** (*in paper*) faire passer une annonce; ***to ~ for sb / sth*** faire passer une annonce pour recruter qn / pour qc; ***to ~ for sth on local radio*** faire passer une annonce pour qc sur une radio locale

advertisement [əd'vɜːtɪsmənt, (*US*) ˌædvə'taɪzmənt] *n* **1.** COMM publicité *f* **2.** (*announcement*) annonce *f*; ***to put or place an ~ in the paper*** faire passer *ou* mettre une annonce dans le journal

advertising ['ædvətaɪzɪŋ] *n* publicité *f*; ***he works in ~*** il travaille dans la publicité **advertising agency** *n* agence *f* de publicité **advertising campaign** *n*

campagne *f* de publicité
advice [əd'vaɪs] *n no pl* conseils *mpl*; ***a piece of ~*** un conseil; ***let me give you a piece of ~*** *or* ***some ~*** laissez-moi vous donner un conseil; ***to take sb's ~*** suivre les conseils de qn; ***take my ~*** suivez mon conseil; ***to seek sb's ~*** demander conseil à qn; ***to take legal ~*** se faire conseiller en matière juridique

advice ≠ avis

Advice = conseils. Notez que **advice** est un nom indénombrable que l'on ne peut donc pas mettre au pluriel :

✗ **He gave me some good advices.**

✓ **He gave me some good advice.**

Il m'a donné de bons conseils.

advisability [əd,vaɪzə'bɪlɪtɪ] *n* opportunité *f*, sagesse *f* **advisable** [əd'vaɪzəbl] *adj* conseillé
advise [əd'vaɪz] **I** *v/t person* conseiller *customer service* renseigner; ***I would ~ you to do it / not to do it*** je vous conseillerais de le faire / de ne pas le faire; ***to ~ sb against doing sth*** conseiller à qn de ne pas faire qc; ***what would you ~ me to do?*** que me conseillez-vous de faire? **II** *v/i* **1.** (*give advice*) conseiller; ***I shall do as you ~*** je suivrai vos conseils **2.** *US* ***to ~ with sb*** consulter qn **advisedly** [əd'vaɪzɪdlɪ] *adv* à dessein, délibérément; ***and I use the word ~*** et j'emploie le mot à dessein **adviser** [əd'vaɪzəʳ] *n* conseiller(-ère) *m(f)* ***legal ~*** conseiller juridique **advisory** [əd'vaɪzərɪ] *adj* consultatif(-ive); ***to act in a purely ~ capacity*** intervenir à titre purement consultatif
advocacy ['ædvəkəsɪ] *n* plaidoyer *m* (***of*** en faveur de) **advocate** ['ædvəkɪt] **I** *n* **1.** (*of cause*) défenseur(e) *m(f)* **2.** (*esp Scot*: JUR) avocat(e) *m(f)* **II** *v/t* préconiser
Aegean [iː'dʒiːən] *adj* ***the ~ (Sea)*** la mer Égée
aegis ['iːdʒɪs] *n* ***under the ~ of*** sous l'égide de
aeon ['iːən] *n* éternité *f*
aerate ['ɛəreɪt] *v/t* aérer
aerial ['ɛərɪəl] **I** *n esp Br* antenne *f* **II** *adj* aérien(ne); ***~ photograph*** photographie aérienne
aerobatics [,ɛərəʊ'bætɪks] *pl* acrobaties *fpl* aériennes
aerobics [ɛər'əʊbɪks] *n sg* aérobic *f*
aerodrome ['ɛərədrəʊm] *n Br* aérodrome *m* **aerodynamic** [,ɛərəʊdaɪ'næmɪk] *adj* aérodynamique **aerodynamically** [,ɛərəʊdaɪ'næmɪklɪ] *adv* de façon aérodynamique **aerodynamics** *n* aérodynamique *f* **aeronautic(al)** [,ɛərə'nɔːtɪk(əl)] *adj* aéronautique **aeronautical engineering** *n* génie *m* aéronautique **aeronautics** *n sg* aéronautique *f* **aeroplane** ['ɛərəpleɪn] *n Br* avion *m* **aerosol** ['ɛərəsɒl] *n* (*can*) aérosol *m*, bombe *f*; ***~ paint*** peinture aérosol; ***~ spray*** bombe aérosol **aerospace** ['ɛərəʊspeɪs] *in cpds industry* aérospatial; *worker* de l'aérospatiale
Aesop ['iːsɒp] *n* Ésope; ***~'s fables*** les fables d'Ésope
aesthete, *also US* **esthete** ['iːsθiːt] *n* esthète *m/f* **aesthetic(al)**, *also US* **esthetic(al)** [iːs'θetɪk(əl)] *adj* esthétique **aesthetically**, *also US* **esthetically** [iːs'θetɪkəlɪ] *adv* esthétiquement; ***~ pleasing*** agréable à l'œil **aesthetics**, *also US* **esthetics** [iːs'θetɪks] *n sg* esthétique *f*
afar [ə'fɑːʳ] *adv liter* ***from ~*** de loin
affable ['æfəbl] *adj* affable **affably** ['æfəblɪ] *adv* de affablement
affair [ə'fɛəʳ] *n* **1.** affaire *f*; ***the Watergate ~*** l'affaire du Watergate; ***this is a sorry state of ~s!*** c'est une triste histoire!; ***your private ~s don't concern me*** vos affaires personnelles ne me regardent pas; ***financial ~s have never interested me*** les affaires financières ne m'ont jamais intéressé; ***that's my ~!*** c'est mon affaire **2.** (*love affair*) liaison *f*; *brief* aventure *f*; ***to have an ~ with sb*** avoir une liaison avec qn
affect [ə'fekt] *v/t* **1.** (*have effect on*) affecter, toucher; *health* nuire à **2.** (*concern*) concerner **3.** (*move*) émouvoir **4.** (*diseases*) affecter **5.** (*pretend*) affecter, feindre **affectation** [,æfek'teɪʃən] *n* affectation *f*; ***an ~*** une affectation **affected** [ə'fektɪd] *adj insincere* affecté, feint **affectedly** [ə'fektɪdlɪ] *adv* de manière affectée **affecting** [ə'fektɪŋ] *adj* émouvant **affection** [ə'fekʃən] *n* affection *f* (***for, toward*** pour); ***I have*** *or* ***feel a great ~ for her*** j'ai *or* j'éprouve beau-

coup d'affection pour elle; ***you could show a little more ~ toward(s) me*** tu pourrais être un peu plus affectueux avec moi; ***he has a special place in her ~s*** il a une place spéciale dans son cœur **affectionate** [ə'fekʃənɪt] *adj* affectueux(-euse) **affectionately** *adv* affectueusement; ***yours ~, Wendy*** (*letter-ending*) bien affectueusement, Wendy

affidavit [ˌæfɪ'deɪvɪt] *n* JUR déclaration *f* écrite sous serment

affiliate [ə'fɪlɪeɪt] **I** *v/t* affilier (***to*** à); ***the two banks are ~d*** les deux banques sont affiliées; ***~d company*** filiale *f* **II** *v/i* s'affilier (***with*** à) **affiliation** [əˌfɪlɪ'eɪʃən] *n* affiliation *f* (***to, with*** à); ***what are his political ~s?*** quelles sont ses attaches politiques?

affinity [ə'fɪnɪtɪ] *n* **1.** (*liking*) affinité *f* (***for, to*** avec) **2.** (*resemblance, connection*) lien *m*

affirm [ə'fɜːm] *v/t* affirmer; (*forcefully*) proclamer **affirmation** [ˌæfə'meɪʃən] *n* affirmation *f*; (*forceful*) déclaration *f* **affirmative** [ə'fɜːmətɪv] **I** *n* ***to answer in the ~*** répondre par l'affirmative **II** *adj* affirmatif(-ive); ***the answer is ~*** la réponse est affirmative; ***~ action*** *US mesures de recrutement antidiscriminatoires en faveur des minorités* **III** *int* affirmatif! **affirmatively** [ə'fɜːmətɪvlɪ] *adv* affirmativement

affix [ə'fɪks] *v/t* apposer (***to*** sur)

afflict [ə'flɪkt] *v/t* affecter; (*troubles, injuries*) faire souffrir; ***to be ~ed by a disease*** souffrir d'une maladie **affliction** [ə'flɪkʃən] *n* (*blindness etc.*) affliction *f*; (*illness*) affection *f*

affluence ['æflʊəns] *n* richesse *f* **affluent** *adj* riche

afford [ə'fɔːd] *v/t* **1.** se permettre; ***I can't ~ to buy both of them / to make a mistake*** je ne peux pas me permettre d'acheter les deux / de faire une erreur; ***I can't ~ the time*** je n'ai vraiment pas le temps **2.** (*liter provide*) fournir; *pleasure* procurer (***sb sth*** qc à qn) **affordable** [ə'fɔːdəbl] *adj* (*inexpensive*) *price* abordable (*reasonably priced*) d'un prix abordable

afforestation [æˌfɒrɪs'teɪʃən] *n* boisement *m*

affray [ə'freɪ] *n esp* JUR rixe *f*

affront [ə'frʌnt] *n* affront *m* (***to*** à)

Afghan ['æfgæn] **I** *n* **1.** Afghan(e) *m(f)* **2.** (*language*) pachto *m* **3.** (*a.* **Afghan hound**) lévrier *m* afghan **II** *adj* afghan

Afghanistan [æf'gænɪstæn] *n* Afghanistan *m*

aficionado [əˌfɪʃjə'nɑːdəʊ] *n* ⟨*pl* **-s**⟩ aficionado *m*

afield [ə'fiːld] *adv* ***countries further ~*** des pays plus lointains; ***to venture further ~*** *lit, fig* s'aventurer encore plus loin

aflame [ə'fleɪm] **I** *adj pred* en flammes **II** *adv* ***to set sth ~*** mettre le feu à qc

afloat [ə'fləʊt] *adj pred, adv* **1.** NAUT ***to be ~*** être à flot; ***to stay ~*** surnager; (*thing*) rester à flot; ***at last we were ~ again*** nous avons fini par nous remettre à flot **2.** *fig* ***to get / keep a business ~*** mettre / maintenir une entreprise à flot

afoot [ə'fʊt] *adv* ***there is something ~*** il se trame quelque chose

aforementioned [əˌfɔː'menʃənd] *adj attr form* susmentionné

aforesaid *adj attr form* susdit

afraid [ə'freɪd] *adj pred* **1.** ***to be ~ (of sb / sth)*** avoir peur (de qn / qc); ***don't be ~!*** n'aie pas peur!; ***there's nothing to be ~ of*** il n'y a rien à craindre; ***I am ~ of hurting him*** j'ai peur de lui faire mal; ***to make sb ~*** faire peur à qn; ***I am ~ to leave her alone*** j'ai peur de la laisser seule; ***I was ~ of waking the children*** je craignais de réveiller les enfants; ***he's not ~ to say what he thinks*** il n'a pas peur de dire ce qu'il pense; ***that's what I was ~ of, I was ~ that would happen*** c'est bien ce que je craignais (qu'il arrive); ***to be ~ for sb / sth*** (*worried*) avoir peur pour qn / qc **2.** (*expressing polite regret*) ***I'm ~ I can't do it*** je suis désolé, mais je ne peux pas le faire; ***are you going? — I'm ~ not / I'm ~ so*** tu y vas? -— j'ai bien peur que non / oui

afresh [ə'freʃ] *adv* de nouveau

---

affluence, affluent
≠ beaucoup de gens

Affluence signifie richesse ou aisance financière. L'adjectif signifie riche ou aisé :

People are so much more affluent these days.

Les gens sont beaucoup plus aisés actuellement.

Africa ['æfrɪkə] *n* Afrique *f*
African ['æfrɪkən] **I** *n* Africain(e) *m(f)* **II** *adj* africain **African-American** [ˌæfrɪkənə'merɪkən] **I** *adj* noir américain **II** *n* Noir(e) *m(f)* américain(e)
Afrikaans [ˌæfrɪ'kɑːns] *n* afrikaans *m* **Afrikaner** [ˌæfrɪ'kɑːnəʳ] *n* Afrikaner *m/f*, Afrikaander *m/f*
Afro-American **I** *adj* afro-américain **II** *n* Afro-Américain(e) *m(f)* **Afro-Caribbean** **I** *adj* afro-antillais **II** *n* Afro-Antillais(e) *m(f)*
aft [ɑːft] NAUT *adv sit* à l'arrière; *go* vers l'arrière
after ['ɑːftəʳ] **I** *prep* après; ***~ dinner*** après le dîner; ***~ that*** après ça; ***the day ~ tomorrow*** après-demain; ***the week ~ next*** dans deux semaines; ***ten ~ eight*** *US* huit heures dix; ***~ you*** après vous; ***I was ~ him*** (*in line etc.*) j'étais derrière lui; ***he shut the door ~ him*** il a fermé la porte derrière lui; ***about a kilometer ~ the village*** environ un kilomètre après le village; ***to shout ~ sb*** crier après qn; ***~ what has happened*** après ce qui s'est passé; ***to do sth ~ all*** faire finalement qc; ***~ all I've done for you!*** après tout ce que j'ai fait pour toi!; ***~ all, he is your brother*** après tout, c'est ton frère; ***you tell me lie ~ lie*** tu ne me dis que des mensonges; ***it's just one thing ~ another*** *or* ***the other*** ce sont des problèmes à n'en plus finir; ***one ~ the other*** l'un après l'autre; ***day ~ day*** jour après jour; ***before us lay mile ~ mile of barren desert*** un désert aride s'étendait devant nous sur des kilomètres et des kilomètres; ***~ El Greco*** à la manière de El Greco; ***she takes ~ her mother*** elle tient de sa mère; ***to be ~ sb / sth*** chercher qn / qc; ***she asked ~ you*** elle a demandé de tes nouvelles; ***what are you ~?*** *esp Br* qu'est-ce que tu cherches?; ***he's just ~ a free meal*** *esp Br* tout ce qu'il veut, c'est se faire inviter à manger **II** *adv* (*time*, *order*) après, ensuite; (*place*, *pursuit*) après; ***the week ~*** la semaine d'après; ***soon ~*** peu après **III** *cj* après que; ***~ he had closed the door he began to speak*** après avoir fermé la porte, il a commencé à parler; ***what will you do ~ he's gone?*** que feras-tu après son départ?; ***~ finishing it I will …*** quand j'aurai fini, je… **IV** [ɒn-'ʃɔːʳ] *n* **afters** *pl* (*Br infml*) dessert *m*; ***what's for ~s?*** qu'est-ce qu'il y a comme dessert? **afterbirth** *n* placenta *m* **aftercare** *n* (*of convalescent*) soins *mpl* médicaux **after-dinner** *adj* d'après dîner; ***~ nap*** petit somme après le dîner; ***~ speech*** discours de fin de banquet **aftereffect** *n* répercussion *f*, contrecoup *m* **afterglow** *n fig* sensation *f* de bien-être **after-hours** *adj* (*after work*) d'après le travail; (*after closing time*) d'après la fermeture **afterlife** *n* au-delà *m*, vie *f* après la mort **aftermath** *n* suites *fpl*; ***in the ~ of sth*** à la suite de qc
afternoon [ˌɑːftə'nuːn] **I** *n* après-midi *m inv or f inv*; ***in the ~, ~s*** *esp US* dans l'après-midi; ***at three o'clock in the ~*** à trois heures de l'après-midi; ***on Sunday ~*** dimanche après-midi; ***on Sunday ~s*** le dimanche après-midi; ***on the ~ of December 2nd*** dans l'après-midi du 2 décembre; ***this ~*** cet après-midi; ***tomorrow / yesterday ~*** demain / hier après-midi; ***good ~!*** bonjour!; ***~!*** *infml* bonjour! **II** *adj attr* de l'après-midi; ***~ performance*** matinée *f* **afternoon tea** *n Br thé de l'après-midi* (*avec collation*)
after-sales service *n* service *m* après-vente **aftershave (lotion)** *n* (lotion *f*) après-rasage *m* **aftershock** *n* réplique *f* (d'un séisme) **after-sun** *adj* ***~ lotion*** lotion après-soleil **aftertaste** *n* arrière-goût *m*; ***to leave an unpleasant ~*** laisser un arrière-goût désagréable **afterthought** *n* pensée *f* après coup; ***the window was added as an ~*** la fenêtre a été ajoutée après coup **afterward** ['ɑːftəwəd] *adv US* après, ensuite; (*after that*) après coup; ***this was added ~*** ça a été ajouté après coup
afterwards ['ɑːftəwədz] *adv esp Br* = **afterward**
again [ə'gen] *adv* **1.** de nouveau, encore (une fois); ***~ and ~, time and ~*** à maintes reprises; ***to do sth ~*** refaire qc; ***never*** *or* ***not ever ~*** plus jamais; ***if that happens ~*** si ça se reproduit; ***all over ~*** de nouveau depuis le début; ***I had to write it all over ~*** j'ai dû tout réécrire depuis le début; ***what's his name ~?*** comment s'appelle-t-il, déjà?; ***to begin ~*** recommencer; ***not ~!*** encore!; ***it's me ~*** (*arriving*) me revoici; (*phoning*) c'est encore moi **2.** (*in quantity*) ***as much ~*** encore autant; ***he's as old ~ as Mary*** il est deux fois plus âgé que Mary **3.** (*on the other*

hand) d'un autre côté; (*moreover*) qui plus est; ***but then** or **there ~, it may not be true*** mais après tout, ce n'est peut-être pas vrai

against [ə'genst] **I** *prep* **1.** contre; ***he's ~ her going*** il ne veut pas qu'elle y aille; ***to have nothing ~ sb / sth*** ne rien avoir contre qn / qc; ***~ their wishes*** contre leur volonté; ***push all the chairs right back ~ the wall*** repousse toutes les chaises contre le mur; ***to draw money ~ security*** retirer de l'argent contre garantie **2.** (*in preparation for*) *old age* en vue de; *misfortune* en prévision de **3.** (*compared with*) (***as***) **~** par rapport à; ***she had three prizes (as) ~ his six*** elle a remporté trois prix contre six pour lui; ***the advantages of flying (as) ~ going by boat*** les avantages de l'avion par rapport au bateau **II** *adj pred* (*not in favor*) contre

age [eɪdʒ] **I** *n* **1.** âge *m*; ***what is her ~?, what ~ is she?*** quel âge a-t-elle?; ***he is ten years of ~*** il a dix ans, il est âgé de dix ans; ***at the ~ of 15, at ~ 15*** à l'âge de 15 ans; ***at your ~*** à ton âge; ***but he's twice your ~*** mais il est deux fois plus âgé que toi; ***she doesn't look her ~*** elle ne fait pas son âge; ***be** or **act your ~!*** sois raisonnable! **2.** JUR ***to come of ~*** atteindre sa majorité; *fig* faire son chemin; ***under ~*** mineur; ***~ of consent*** (*for marriage*) majorité *f* sexuelle; ***intercourse with girls under the ~ of consent*** rapports sexuels avec des jeunes filles n'ayant pas atteint l'âge légal **3.** (*period*) époque *f*; âge *m*; ***the ~ of technology*** l'ère de la technologie; ***the Stone ~*** l'âge de la pierre; ***the Edwardian ~*** l'époque d'Edouard VII, ≈ la Belle Epoque; ***down the ~s*** à travers les âges **4.** *infml* ***~s, an ~*** une éternité *infml*; ***I haven't seen him for ~s*** ça fait une éternité que je ne l'ai pas vu *infml*; ***to take ~s*** prendre un temps fou *infml* *infml*; (*person*) mettre un temps fou *infml* **II** *v/i* (*person*, *wine*) vieillir; ***you have ~d*** tu as vieilli **age bracket** *n* tranche *f* d'âge **aged** [eɪdʒd] **I** *adj* **1.** âgé de; ***a boy ~ ten*** un garçon (âgé) de dix ans **2.** *person* âgé **II** *pl* ***the ~*** les personnes âgées **age difference, age gap** *n* différence *f* d'âge **age group** *n* tranche *f* d'âge **ageing** *adj Br* = **aging ageism** ['eɪdʒɪzəm] *n* âgisme *m* **ageless** *adj person* sans âge *charm*, *work of art* intemporel(le) **age limit** *n* limite *f* d'âge

agency ['eɪdʒənsɪ] *n* COMM agence *f*; ***translation ~*** agence de traduction

agenda [ə'dʒendə] *n* ordre *m* du jour; ***they have their own ~*** ils ont leur propre programme; ***on the ~*** à l'ordre du jour

agent ['eɪdʒənt] *n* **1.** (COMM *person*, *organization*) agent *m* **2.** (*literary agent*, *secret agent*) agent *m*; ***business ~*** agent d'affaires **3.** CHEM ***cleansing ~*** agent nettoyant

age-old *adj* séculaire **age range** *n* tranche *f* d'âge **age-related** *adj* en rapport avec l'âge; ***~ allowance*** FIN allocation liée à l'âge

aggravate ['ægrəveɪt] *v/t* **1.** (*make worse*) aggraver **2.** (*annoy*) agacer **aggravating** ['ægrəveɪtɪŋ] *adj* aggravant; *child* agaçant **aggravation** [ˌægrə'veɪʃən] *n* **1.** (*worsening*) aggravation *f* **2.** (*annoyance*) contrariété *f*; ***she was a constant ~ to him*** elle l'exaspérait en permanence

aggregate ['ægrɪgɪt] **I** *n* total *m*, ensemble *m*; ***on ~*** (*Br* SPORTS) *au total des points ou des buts* **II** *adj* global

aggression [ə'greʃən] *n no pl* agression *f*; (*aggressiveness*) agressivité *f*; ***an act of ~*** une agression **aggressive** [ə'gresɪv] *adj* agressif(-ive); *salesman pej* dynamique **aggressively** *adv* agressivement; (*forcefully*) énergiquement **aggressiveness** [ə'gresɪvnɪs] *n* agressivité *f*; (*of salesman*) dynamisme *m* **aggressor** [ə'gresəʳ] *n* agresseur *m*

aggrieved [ə'griːvd] *adj* chagriné (***at, by*** par); (*offended*) fâché (***at, by*** par)

aggro ['ægrəʊ] *n* (*Br infml*) **1.** ***don't give me any ~*** je ne veux pas d'histoires *infml*; ***all the ~ of moving*** tous les embêtements d'un déménagement **2.** (*fight*) grabuge *m*

aghast [ə'gɑːst] *adj pred* horrifié, atterré (***at*** par)

agile ['ædʒaɪl] *adj* agile; ***he has an ~ mind*** il a l'esprit vif **agility** [ə'dʒɪlɪtɪ] *n* agilité *f*

aging ['eɪdʒɪŋ] *adj person*, *population* vieillissant; ***the ~ process*** le processus de vieillissement

agitate ['ædʒɪteɪt] *v/t* **1.** agiter, remuer **2.** (*fig upset*) agiter **agitated** ['ædʒɪteɪtɪd] *adj* agité **agitatedly** ['ædʒɪteɪtɪdlɪ] *adv* de manière agitée **agitation** [ˌædʒɪ'teɪʃən] *n* **1.** (*fig anxiety*) agitation *f* **2.** POL mouvement *m* de contestation **agitator** ['ædʒɪteɪtəʳ] *n* agitateur (-trice) *m*(*f*)

aglow [ə'gləʊ] *adj pred* ***to be ~*** briller *fig* rayonner

AGM *abbr Br* = **annual general meeting** AGA *f*

agnostic [æg'nɒstɪk] **I** *adj* agnostique **II** *n* agnostique *m/f* **agnosticism** [æg'nɒstɪsɪzəm] *n* agnosticisme *m*

ago [ə'gəʊ] *adv* il y a; ***years/a week ~*** il y a des années / une semaine; ***a little while ~*** il y a peu de temps; ***that was years ~*** c'était il y a très longtemps; ***how long ~ is it since you last saw him?*** il y a combien de temps que tu ne l'as pas vu?; ***that was a long time*** *or* ***long ~*** c'était il y a longtemps; ***as long ~ as 1950*** déjà en 1950

agog [ə'gɒg] *adj pred* en émoi; ***the whole village was ~*** (***with curiosity***) tous les villageois brûlaient de curiosité

agonize ['ægənaɪz] *v/i* se tourmenter (***over*** à propos de) **agonized** *adj* angoissé **agonizing** ['ægənaɪzɪŋ] *adj situation* angoissant; *pain* atroce **agonizingly** ['ægənaɪzɪŋlɪ] *adv* atrocement; ***~ slow*** atrocement lent **agony** ['ægənɪ] *n* (*physical*) douleur *f* atroce; (*mental*) angoisse *f*; ***that's ~*** c'est un supplice; ***to be in ~*** souffrir le martyre **agony aunt** *n* (*Br infml*) responsable *f* du courrier du cœur **agony column** *n* (*Br infml*) courrier *m* du cœur

agoraphobia [ˌægərə'fəʊbɪə] *n* MED agoraphobie *f* **agoraphobic** [ˌægərə'fəʊbɪk] MED **I** *adj* agoraphobe *tech* **II** *n* agoraphobe *m/f*

agrarian [ə'grɛərɪən] *adj* agraire

agree [ə'griː] ⟨*past, past part* **agreed**⟩ **I** *v/t* **1.** *price etc.* se mettre d'accord sur, convenir de **2.** (*consent*) ***to ~ to do sth*** accepter de faire qc **3.** (*admit*) reconnaître, admettre **4.** (*come to agreement about*) se mettre d'accord sur; (*be in agreement about*) être d'accord sur ***we all ~ that …*** nous sommes tous d'accord pour dire que…; ***it was ~d that …*** il a été convenu que…; ***we ~d to do it*** nous avons décidé de le faire d'un commun accord; ***we ~ to differ*** nous restons chacun sur nos positions **II** *v/i* **1.** (*hold same opinion*) être d'accord; (*come to an agreement*) se mettre d'accord (***about*** sur); ***to ~ with sb*** être d'accord avec qn; ***I ~!*** je suis d'accord!; ***I couldn't ~ more / less*** je suis entièrement / je ne suis pas du tout d'accord; ***it's too late now, don't*** *or* ***wouldn't you ~?*** c'est trop tard, n'est-ce pas?; ***to ~ with sth*** (*approve of*) être pour qc; ***to ~ with a theory*** *etc.* (*accept*) être d'accord avec une théorie *etc* **2.** *statements*, *figures* concorder GRAM s'accorder **3.** (*food, climate etc.*) ***wine doesn't ~ with me*** le vin ne me réussit pas ◆ **agree on** *v/t insep* convenir de, se mettre d'accord sur ◆ **agree to** *v/t insep* consentir à

agreeable [ə'griːəbl] *adj* **1.** (*pleasant*) agréable **2.** *pred* ***is that ~ to you?*** est-ce que ça vous convient? **agreeably** [ə'griːəblɪ] *adv* agréablement **agreed** *adj* **1.** *pred* (*in agreement*) d'accord; ***to be ~ on sth*** être d'accord sur qc; ***to be ~ on doing sth*** être d'accord pour faire qc; ***are we all ~?*** est-ce que tout le monde est d'accord?; (*on course of action*) d'accord **2.** (*arranged*) convenu; ***it's all ~*** tout a été décidé; ***~?*** d'accord?; ***~!*** (c'est) d'accord!, (c'est) entendu!

agreement [ə'griːmənt] *n* **1.** (*arrangement, contract*) accord *m*; ***to enter into an ~*** conclure *or* passer un accord; ***to reach*** (***an***) ***~*** parvenir à un accord **2.** (*sharing of opinion*) accord *m*; ***by mutual ~*** d'un commun accord; ***to be in ~ with sb / sth*** être d'accord avec qn / qc; ***to be in ~ about sth*** être d'accord au sujet de qc **3.** (*consent*) consentement *m* (***to*** à)

agribusiness ['ægrɪbɪznɪs] *n* agro-industries *fpl* **agricultural** [ˌægrɪ'kʌltʃərəl] *adj land etc.* agricole; *reform* agraire **agricultural college** *n* école *f* d'agriculture **agriculture** ['ægrɪkʌltʃəʳ] *n* agriculture *f*; ***Minister of Agriculture*** *Br* ministre de l'Agriculture

aground [ə'graʊnd] *adv* ***to go*** *or* ***run ~*** s'échouer

ah [ɑː] *int* ah!

ahead [ə'hed] *adv* **1.** ***the mountains lay ~*** les montagnes s'étendaient devant moi / nous / etc; ***the German runner was / drew ~*** le coureur allemand était en tête/s'était détaché; ***he is ~ by about two minutes*** il a environ deux minutes d'avance; ***to stare straight ~*** regarder fixement droit devant soi; ***keep straight ~*** continuez tout droit; ***full speed ~*** (NAUT, *fig*) en avant toute!;

we sent him on ~ nous l'avons envoyé devant; ***in the months ~*** dans les mois à venir; ***we've a busy time ~*** la période qui vient va être chargée; ***to plan ~*** planifier **2.** ***~ of sb/sth*** devant qn/qc; ***walk ~ of me*** marche devant moi; ***we arrived ten minutes ~ of time*** nous sommes arrivés dix minutes avec dix minutes d'avance; ***to be/get ~ of schedule*** être en avance/prendre de l'avance; ***to be ~ of one's time*** *fig* être en avance sur son temps

ahold [ə'həʊld] *n esp US* ***to get ~ of sb*** trouver qn; ***to get ~ of sth*** (*procure*) se procurer qc; ***to get ~ of oneself*** se ressaisir

ahoy [ə'hɔɪ] *int* ***ship ~!*** ohé du navire!

AI *abbr* = **artificial intelligence** IA *f*

aid [eɪd] **I** *n* **1.** *no pl* (*help*) aide *f*; (***foreign***) ~ aide aux pays étrangers; ***with the ~ of a screwdriver*** à l'aide d'un tournevis; ***to come*** *or* ***go to sb's ~*** venir à l'aide de qn; ***in ~ of the blind*** au profit des aveugles; ***what's all this in ~ of?*** *infml* c'est en quel honneur? **2.** (*equipment*, *audio-visual aid etc.*) support *m*, aide *f* **II** *v/t* aider; ***to ~ sb's recovery*** aider qn à se rétablir; ***to ~ and abet sb*** JUR être le complice de qn **aid agency** *n* organisation *f* humanitaire

aide [eɪd] *n* assistant(e) *m*(*f*); (*adviser*) conseiller(-ère) *m*(*f*) **aide-de-camp** ['eɪddə'kɒŋ] *n* ⟨*pl* **aides-de-camp**⟩ **1.** MIL aide *m* de camp **2.** = **aide aide-memoire** ['eɪdmem'wɑːʳ] *n* aide-mémoire *m inv*

aiding and abetting ['eɪdɪŋəndə'betɪŋ] *n* JUR complicité *f*

AIDS, Aids [eɪdz] *abbr* = **acquired immune deficiency syndrome** sida *m*, SIDA *m* **AIDS-infected** *adj* atteint du sida **AIDS-related** *adj* lié au sida **AIDS sufferer, AIDS victim** *n* malade *m*/*f* du sida, sidéen(ne) *m*(*f*) **AIDS test** *n* test *m* de dépistage du sida

ailing ['eɪlɪŋ] *adj lit* souffrant; *fig* mal en point **ailment** ['eɪlmənt] *n* mal *m*; ***minor ~s*** petits maux

aim [eɪm] **I** *n* **1.** (*in shooting*) ***to take ~*** viser (***at sth*** qc); ***his ~ was bad/good*** il a mal/bien visé **2.** (*purpose*) but *m*; ***with the ~ of doing sth*** dans le but de faire qc; ***what is your ~ in life?*** quel est ton but dans la vie?; ***to achieve one's ~*** atteindre son but **II** *v/t* **1.** *missile* pointer (***at*** sur) *camera*, *pistol* braquer (***at*** sur); *stone* lancer (***at*** sur); ***he ~ed a punch at my stomach*** il a tenté de me donner un coup de poing dans l'estomac **2.** *fig remark* destiner (***at*** à); ***this book is ~ed at the general public*** ce livre est destiné au grand public; ***to be ~ed at sth*** (*new law etc.*) viser qc **III** *v/i* **1.** (*with gun etc.*) ***to ~ at*** *or* ***for sth*** viser qc **2.** (*strive for*) ***isn't that ~ing a bit high?*** ce n'est pas viser un peu haut?; ***to ~ at*** *or* ***for sth*** viser qc; ***we're ~ing at a much wider audience*** nous visons un public beaucoup plus large; ***we ~ to please*** notre but, c'est de faire plaisir **3.** (*infml intend*) ***to ~ to do sth*** avoir l'intention de faire qc **aimless** ['eɪmlɪs] *adj* sans but **aimlessly** ['eɪmlɪslɪ] *adv* sans but; *talk*, *act* futilement **aimlessness** ['eɪmlɪsnɪs] *n* absence *f* de but; (*of talk*, *action*) futilité *f*

ain't [eɪnt] = **am not**, **is not**, **are not**, **has not**, **have not**

air [ɛəʳ] **I** *n* **1.** air *m*; ***a change of ~*** un changement d'air; ***to go out for a breath of*** (***fresh***) ***~*** sortir prendre l'air; ***to go by ~*** (*person*, *goods*) voyager par avion **2.** (*fig phrases*) ***there's something in the ~*** il se trame quelque chose; ***it's still all up in the ~*** *infml* tout est encore assez vague; ***to clear the ~*** calmer les tensions; ***to be walking*** *or* ***floating on ~*** être aux anges; ***to pull*** *or* ***pluck sth out of the ~*** *fig* dire qc au hasard; → **thin 3.** RADIO, TV ***to be on*** (***the***) ***~*** (*program*) être en cours de diffusion; (*station*) émettre; ***to go off the ~*** (*broadcaster*) rendre l'antenne; (*station*) cesser d'émettre **4.** (*demeanor*, *expression*) air *m*; ***with an ~ of bewilderment*** l'air perplexe; ***she had an ~ of mystery about her*** elle avait un air mystérieux **5. airs** *pl* ***to put on ~s*** se donner de grands airs; ***~s and graces*** minauderies *fpl* **II** *v/t* **1.** *room*, *bed* aérer **2.** *grievance*, *opinion* exprimer **3.** (*esp US* RADIO, TV) diffuser **III** *v/i* (*clothes etc.*) (*after washing*) faire sécher; (*after storage*) aérer **air ambulance** *n* (*aeroplane*) avion *m* sanitaire; (*helicopter*) hélicoptère *m* sanitaire **air bag** *n* airbag *m* **air base** *n* base *f* aérienne **air bed** *n* matelas *m* pneumatique **airborne** *adj* **1.** ***to be ~*** avoir décollé **2.** MIL ***~ troops*** troupes aéroportées **air brake** *n* (*on truck*) frein *m* à air comprimé **airbrush**

ART *v/t* aérographe *m* **air cargo** *n* fret *m* aérien **air-conditioned** *adj* climatisé **air conditioning** *n* (*process, system*) climatisation *f*

aircraft *n* ⟨*pl* **aircraft**⟩ aéronef *m* **aircraft carrier** *n* porte-avions *m inv* **aircrew** *n* équipage *m* **airer** ['ɛərəʳ] *n* séchoir *m* **airfare** *n* tarif *m* aérien **airfield** *n* terrain *m* d'aviation, aérodrome *m* **air force** *n* armée *f* de l'air **air freight** *n* fret *m* aérien **air gun** *n* pistolet *m or* fusil *m* à air comprimé **airhead** *n pej, infml* écervelé(e) *m(f) infml* **air hole** *n* trou *m* d'aération

air hostess *n obs* hôtesse *f* de l'air **airily** ['ɛərɪlɪ] *adv say etc.* avec désinvolture **airing** ['ɛərɪŋ] *n* (*of linen etc.*) aération *f*; ***to give sth a good ~*** bien aérer qc; ***to give an idea an ~*** *fig, infml* mettre une idée sur le tapis *infml* **airing cupboard** *n Br placard chauffé où l'on range le linge pour finir de le sécher* **airless** *adj room* qui sent le renfermé **air letter** *n* aérogramme *m* **airlift** **I** *n* pont *m* aérien **II** *v/t* ***to ~ sth in*** faire entrer qc par pont aérien

airline *n* compagnie *f* aérienne **airliner** *n* avion *m* de ligne **airlock** *n* (*in pipe*) poche *f* d'air

airmail ['ɛəmeɪl] **I** *n* poste *f* aérienne; ***to send sth (by) ~*** envoyer qc par avion **II** *v/t* envoyer par avion **airmail letter** *n* lettre *f* par avion **airman** *n* aviateur *m*; (*US: in air force*) ≈ aviateur *m* de première classe **air mattress** *n* matelas *m* pneumatique **Air Miles®** *pl programme de fidélisation de voyages aériens* **airplane** *n US* avion *m* **air pocket** *n* trou *m* d'air **air pollution** *n* pollution *f* atmosphérique

airport ['ɛəpɔːt] *n* aéroport *m* **airport bus** *n* bus *m* desservant l'aéroport **airport tax** *n* taxe *f* d'aéroport

air pressure *n* pression *f* atmosphérique **air pump** *n* pompe *f* à air **air rage** *n conduite agressive d'un passager durant un vol* **air raid** *n* attaque *f* aérienne, raid *m* aérien **air-raid shelter** *n* abri *m* antiaérien **air-raid warning** *n* alerte *f* antiaérienne **air rifle** *n* carabine *f* à air comprimé **air-sea rescue** *n* sauvetage *m* air-mer **airship** *n* dirigeable *m* **airshow** *n* (*exhibition*) salon *m* de l'aéronautique (*display*) meeting *m* aérien **airsick** *adj* ***to be*** *or* ***to get ~*** avoir le mal de l'air **airspace** *n* espace *m* aérien **airspeed** *n* vitesse *f* relative **airstrip** *n* piste *f* d'atterrissage **air terminal** *n* aérogare *f* **airtight** *adj lit* hermétique, étanche; *fig case* inattaquable **airtime** *n* RADIO, TV temps *m* d'antenne **air-to-air** *adj* MIL air-air **air traffic** *n* trafic *m* aérien **air-traffic control** *n* contrôle *m* du trafic aérien **air-traffic controller** *n* contrôleur(-euse) *m(f)* aérien(ne) **air vent** *n* **1.** prise *f* d'air **2.** (*shaft*) puits *m* d'aérage **airwaves** *pl* ondes *fpl* (hertziennes) **airway** *n* MED voies *fpl* respiratoires **airworthy** *adj* en état de voler **airy** ['ɛərɪ] *adj* ⟨**+er**⟩ *room* clair et spacieux(-euse) **airy-fairy** ['ɛərɪ'fɛərɪ] *adj* (*Br infml*) farfelu *infml*

aisle [aɪl] *n* allée *f*; (*in church*) bas-côté *m*, nef *f* latérale; (*central aisle*) couloir *m* central; ***~ seat*** siège côté couloir; ***to walk down the ~ with sb*** sortir de l'église avec qn; ***he had them rolling in the ~s*** *infml* il les a fait tordre de rire *infml*

ajar [ə'dʒɑːʳ] *adj, adv* entrouvert

aka *abbr* = **also known as** alias

akin [ə'kɪn] *adj pred* semblable (***to*** à)

à la ['ɑːlɑː] *prep* à la **à la carte** [ɑːlɑː'kɑːt] *adj, adv* à la carte

alacrity [ə'lækrɪtɪ] *n* (*eagerness*) empressement *m*; ***to accept with ~*** accepter avec empressement

à la mode [ɑːlɑː'məʊd] *adj US* (servi) avec de la crème glacée

alarm [ə'lɑːm] **I** *n* **1.** *no pl* (*fear*) inquiétude *f*; ***to be in a state of ~*** (*worried*) s'alarmer; (*frightened*) être effrayé; ***to cause sb ~*** causer de l'inquiétude à qn **2.** (*warning*) alarme *f*; ***to raise*** *or* ***give*** *or* ***sound the ~*** sonner l'alarme **3.** (*device*) alarme *f*; ***~ (clock)*** réveil *m*; ***car ~*** alarme de voiture **II** *v/t* (*worry*) alarmer; (*frighten*) faire peur à; ***don't be ~ed*** ne vous alarmez pas **alarm bell** *n* sonnerie *f* d'alarme; ***to set ~s ringing*** *fig* donner l'alerte

alarm clock *n* réveil *m*, réveille-matin *m inv* **alarming** [ə'lɑːmɪŋ] *adj* (*worrying*) alarmant; (*frightening*) effrayant **alarmingly** [ə'lɑːmɪŋlɪ] *adv* de façon alarmante **alarmist** [ə'lɑːmɪst] **I** *n* alarmiste *m/f* **II** *adj speech, politician* alarmiste

alas [ə'læs] *int obs* hélas!

Alaska [ə'læskə] *n* Alaska *m*

Albania [æl'beɪnɪə] *n* Albanie *f* **Albanian** [æl'beɪnɪən] **I** *adj* albanais **II** *n* **1.** Albanais(e) *m(f)* **2.** (*language*) albanais *m*

albatross ['ælbətrɒs] *n* albatros *m*

albeit [ɔːl'biːɪt] *cj esp liter* quoique (+ *subj*), bien que (+ *subj*)
albino [æl'biːnəʊ] **I** *n* albinos *m/f* **II** *adj* albinos
album ['ælbəm] *n* album *m*
alcohol ['ælkəhɒl] *n* alcool *m* **alcohol-free** [ˌælkəhɒl'friː] *adj* sans alcool **alcoholic** [ˌælkə'hɒlɪk] **I** *adj drink* alcoolisé; *person* alcoolique **II** *n* (*person*) alcoolique *m/f*; ***to be an ~*** être alcoolique; ***Alcoholics Anonymous*** les Alcooliques anonymes **alcoholism** ['ælkəhɒlɪzəm] *n* alcoolisme *m* **alcopop** ['ælkəpɒp] *n Br* alcopop *m*, prémix *m*
alcove ['ælkəʊv] *n in room* alcôve *f*
alder ['ɔːldəʳ] *n* aulne *m*
ale [eɪl] *n* ale *f*, bière *f*
alert [ə'lɜːt] **I** *adj* vigilant; ***to be ~ to sth*** être conscient de qc **II** *v/t* avertir (***to*** de); *troops, fire department etc.* alerter **III** *n* alerte *f*; ***to be on (the) ~*** être sur le qui-vive; (*be on lookout*) être à l'affût (***for*** de) **alertness** *n* vigilance *f*
A level ['eɪˌlevl] *n Br* ≈ baccalauréat *m*; ***to take one's ~s*** ≈ passer son bac; ***3 ~s*** *diplôme niveau bac dans trois matières*
alfresco [æl'freskəʊ] *adj pred, adv* en plein air
algae ['ælgɪ] *pl* algues *fpl*
algebra ['ældʒɪbrə] *n* algèbre *f*
Algeria [æl'dʒɪərɪə] *n* Algérie *f* **Algerian** **I** *n* Algérien(ne) *m(f)* **II** *adj* algérien(ne)
algorithm ['ælgəˌrɪðəm] *n* algorithme *m*
alias ['eɪlɪæs] **I** *adv* alias **II** *n* nom *m* d'emprunt, faux nom *m*
alibi ['ælɪbaɪ] *n* alibi *m*
alien ['eɪlɪən] **I** *n* POL étranger(-ère) *m(f)*; SCIFI extraterrestre *m/f* **II** *adj* **1.** (*foreign*) étranger(-ère); SCIFI extraterrestre **2.** (*different*) étranger(-ère); ***to be ~ to sb / sth*** être étranger à qn / qc
alienate ['eɪlɪəneɪt] *v/t people, public opinion* s'aliéner; ***to ~ oneself from sb / sth*** s'éloigner de qn / qc **alienation** [ˌeɪlɪə'neɪʃən] *n* éloignement *m* (***from*** de)
alight[1] [ə'laɪt] *form v/i* (*person*) descendre (***from*** de); (*bird*) se poser (***on*** sur); ***his eyes ~ed on the ring*** ses yeux tombèrent sur la bague
alight[2] *adj pred* ***to be ~*** être en feu; ***to keep the fire ~*** entretenir le feu; ***to set sth ~*** mettre le feu à qc
align [ə'laɪn] *v/t* ***to ~ sth with sth*** aligner qc sur qc; ***they have ~ed themselves against him*** ils ont fait bloc contre lui **alignment** *n* alignement *m*; ***to be out of ~*** ne pas être dans l'alignement (***with*** de), ne pas être aligné (***with*** sur)
alike [ə'laɪk] **I** *adj pred*, semblable; ***they're*** *or* ***they look very ~*** ils se ressemblent beaucoup **II** *adv* de la même façon; ***they always think ~*** ils sont toujours du même avis; ***winter and summer ~*** hiver comme été
alimentary [ˌælɪ'mentərɪ] *adj* ANAT ***~ canal*** tube *m* digestif
alimony ['ælɪmənɪ] *n* pension *f* alimentaire; ***to pay ~*** verser une pension alimentaire
alive [ə'laɪv] *adj pred* **1.** vivant; ***to be ~*** être vivant *or* en vie; ***the greatest musician ~*** le plus grand musicien au monde; ***to stay ~*** rester en vie; ***to keep sb / sth ~*** *lit, fig* maintenir qn / qc en vie; ***to be ~ and kicking*** *hum, infml* être plein de vie; ***~ and well*** bien vivant; ***to come ~*** (*liven up*) s'animer; ***to bring sth ~*** *story* donner vie à qc **2.** ***~ with*** (*full of*) grouillant de; ***to be ~ with tourists / insects*** *etc.* grouiller de touristes/d'insectes
alkali ['ælkəlaɪ] *n* ⟨*pl* **-(e)s**⟩ alcali *m*; (*metal*, AGR) métal *m* alcalin **alkaline** ['ælkəlaɪn] *adj* alcalin
all [ɔːl] **I** *adj* (*with nouns, plural*) tous (-toutes); (*singular*) tout; ***~ the children*** tous les enfants; ***~ kinds*** *or* ***sorts of people*** toutes sortes de gens; ***~ the tobacco*** tout le tabac; ***~ you boys can come with me*** les garçons, vous pouvez tous venir avec moi; ***~ the time*** tout le temps; ***~ day (long)*** toute la journée; ***to dislike ~ sports*** n'aimer aucun sport; ***in ~ respects*** à tous les égards; ***~ my books*** tous mes livres; ***~ my life*** toute ma vie; ***they ~ came*** ils sont tous venus; ***he took it ~*** il a tout pris; ***he's seen / done it ~*** il a tout vu / fait; ***I don't understand ~ that*** je ne comprends rien à tout ça; ***what's ~ this / that?*** qu'est-ce que c'est que tout ça?; ***what's ~ this I hear about you leaving?*** qu'est-ce que c'est que cette histoire, vous partez?; ***with ~ possible speed*** le plus vite possible; ***with ~ due care*** avec toutes les précautions nécessaires **II** *pron* **1.** (*everything*) tout; ***I'm just curious, that's ~*** je suis juste curieux, c'est tout; ***that's ~ that matters*** c'est tout ce qui compte; ***that is ~ (that) I can tell***

you c'est tout ce que je peux vous dire; ***it was ~ I could do not to laugh*** j'ai eu du mal à m'empêcher de rire; ***~ of Paris*** tout Paris; ***~ of the house*** la maison tout entière; ***~ of it*** la totalité; ***~ of $5*** seulement 5 $; ***ten people in ~*** dix personnes en tout; ***~ or nothing*** tout ou rien; ***the whole family came, children and ~*** la famille au grand complet est venue, enfants et tout **2.** ***at ~*** (*whatsoever*) du tout; ***nothing at ~*** rien du tout; ***I'm not angry at ~*** je ne suis pas du tout fâché; ***it's not bad at ~*** ce n'est pas mal du tout; ***if at ~ possible*** si possible; ***why me of ~ people?*** pourquoi moi en particulier? **3.** ***happiest*** *etc.* ***of ~*** le plus heureux *etc* du monde; ***I like him best of ~*** c'est lui que je préfère; ***most of ~*** surtout; ***~ in ~*** tout compte fait; ***it's ~ one to me*** ça m'est égal; ***for ~ I know she could be ill*** pour autant que je sache, c'est possible qu'elle soit malade **4.** (*everybody*) tous(toutes); ***~ of them*** tous; ***the score was two ~*** le score était de 2 partout **III** *adv* **1.** tout; ***~ excited*** *etc.* tout excité *etc*; ***that's ~ very fine*** *or* ***well*** tout ça c'est bien beau; ***~ over*** partout; ***it was red ~ over*** c'était tout rouge; ***~ down the front of her dress*** partout sur le devant de sa robe; ***~ along the road*** tout le long de la route; ***there were chairs ~ around the room*** il y avait des chaises tout autour de la pièce; ***I'm ~ for it!*** je suis tout à fait pour! **2.** ***~ the happier*** *etc.* d'autant plus heureux *etc*; ***~ the funnier because …*** d'autant plus drôle que…; ***~ the same*** quand même, tout de même; ***~ the same, it's a pity*** c'est quand même dommage; ***it's ~ the same to me*** ça m'est complètement égal; ***he's ~ there / not ~ there*** il a/il n'a pas toute sa tête *infml*; ***it's not ~ that bad*** ce n'est pas si mauvais que ça; ***the party won ~ but six of the seats*** le parti a remporté tous les sièges sauf six **IV** *n* ***one's ~*** tout; ***the horses were giving their ~*** les chevaux se donnaient à fond

Allah ['ælə] *n* Allah *m*

all-American *adj team* 100 % américain; ***an ~ boy*** un jeune Américain type **all-around**, *Br* **all-round** *adj* complet (-ète); ***a good ~ performance*** un bon spectacle sous tous rapports

allay [ə'leɪ] *v/t doubt* dissiper; *fears* apaiser

all clear *n* (signal *m* de) fin *f* d'alerte; ***to sound the ~*** sonner la fin de l'alerte; ***to give the ~*** *fig* donner le feu vert **all-consuming** *adj passion* dévorant **all-day** *adj* qui dure toute la journée; ***it was an ~ meeting*** c'est une réunion qui a duré toute la journée

allegation [ˌælɪ'geɪʃən] *n* allégation *f* **allege** [ə'ledʒ] *v/t* prétendre, alléguer; ***he is ~d to have said that …*** il aurait dit que… **alleged** [ə'ledʒd] *adj* prétendu, allégué **allegedly** *adv* prétendument, paraît-il

allegiance [ə'liːdʒəns] *n* allégeance *f* (***to*** à); ***oath of ~*** serment d'allégeance

allegoric(al) [ˌælɪ'gɒrɪk(əl)] *adj* allégorique **allegorically** *adv* allégoriquement **allegory** ['ælɪgərɪ] *n* allégorie *f*

alleluia [ˌælɪ'luːjə] **I** *int* alléluia! **II** *n* alléluia *m*

all-embracing [ˌɔːlɪm'breɪsɪŋ] *adj* complet(-ète), exhaustif(-ive)

allergic [ə'lɜːdʒɪk] *adj lit*, *fig* allergique (***to*** à) **allergy** ['ælədʒɪ] *n* allergie *f* (***to*** à)

alleviate [ə'liːvɪeɪt] *v/t pain* alléger, soulager *problem*, *effect* réduire, atténuer **alleviation** [əˌliːvɪ'eɪʃən] *n of pain* apaisement *m*, soulagement *m*

alley ['ælɪ] *n* **1.** ruelle *f*, passage *m* **2.** (*bowling alley*) (piste *f* de) bowling *m* **alleyway** ['ælɪweɪ] *n* ruelle *f*, passage *m*

alliance [ə'laɪəns] *n* alliance *f* **allied** ['ælaɪd] *adj* allié; ***the Allied forces*** les forces alliées **Allies** ['ælaɪz] *pl* HIST ***the ~*** les Alliés *mpl*

alligator ['ælɪgeɪtəʳ] *n* alligator *m*

all-important *adj* de la plus haute importance; ***the ~ question*** la question essentielle **all-in** *adj attr*, **all in** *adj pred* (*inclusive*) tout compris; ***~ price*** prix net **all-inclusive** *adj* tout compris **all-in-one** *adj sleepsuit* tout-en-un **all-in wrestling** *n* SPORTS lutte *f* libre, catch *m*

alliteration [əˌlɪtə'reɪʃən] *n* allitération *f*

all-night [ˌɔːl'naɪt] *adj attr café* ouvert toute la nuit; *vigil* de nuit; ***we had an ~ party*** notre fête a duré toute la nuit; ***there is an ~ bus service*** il y a un service de bus de nuit

allocate ['æləʊkeɪt] *v/t* (*allot*) attribuer, affecter (***to sb*** à qn); (*apportion*) distribuer (***to*** à); *tasks* assigner (***to*** à); ***to ~ money to*** *or* ***for a project*** allouer des fonds à un projet **allocation** [ˌæləʊ-

'keɪʃən] *n* (*allotting*) attribution *f*, affectation *f*; (*apportioning*) répartition *f*; (*sum allocated*) part *f*

allot [ə'lɒt] *v/t* assigner, attribuer (***to sb*** / ***sth*** à qn / qc); *time*, *money* allouer, accorder (***to*** à) **allotment** [ə'lɒtmənt] *n* *Br* jardin *m* familial

all out *adv* ***to go ~ to do sth*** tout faire pour faire qc **all-out** *adj strike*, *war*, *attack* total; *effort* maximum

allow [ə'laʊ] **I** *v/t* **1.** (*permit*) permettre, autoriser; *behavior etc.* tolérer; ***to ~ sb sth*** permettre qc à qn; ***to ~ sb to do sth*** permettre à qn de faire qc; ***to be ~ed to do sth*** avoir le droit de faire qc; ***smoking is not ~ed*** il est interdit de fumer; ***"no dogs ~ed"*** "interdit aux chiens"; ***to ~ oneself sth*** s'accorder qc; (*treat oneself*) s'offrir qc; ***to ~ oneself to be waited on / persuaded*** *etc.* se laisser servir / convaincre *etc*; ***~ me!*** vous permettez?; ***to ~ sth to happen*** laisser qc se produire; ***to be ~ed in / out*** avoir le droit d'entrer / de sortir **2.** *claim*, *appeal* admettre **3.** *discount*, *money*, *goal* accorder; *space* prévoir; *time* prévoir, compter; ***~ (yourself) an hour to cross the city*** prévoyez une heure pour traverser la ville; ***~ing or if we ~ that …*** en admettant que… **II** *v/i* ***if time ~s*** s'il reste du temps ◆ **allow for** *v/t insep* tenir compte de; ***allowing for the fact that …*** si l'on tient compte du fait que…; ***after allowing for*** après avoir pris en compte

allowable [ə'laʊəbl] *adj* admissible, permis; (FIN, *in tax*) déductible **allowance** [ə'laʊəns] *n* **1.** allocation *f*; (*paid by state*) pension *f*; (*for working weekends etc.*) indemnité *f*; (*spending money*) argent *m* de poche; ***clothing ~*** indemnité vestimentaire; ***he gave her an ~ of $500 a month*** il lui versait une pension de 500 $ par mois **2.** (FIN *tax allowance*) abattement *m* **3.** ***to make ~(s) for sth*** tenir compte de qc, prendre qc en considération; ***to make ~s for sb*** être indulgent avec qn

alloy ['ælɔɪ] *n* alliage *m*

all-party *adj* POL *où tous les partis sont représentés* **all-powerful** *adj* tout-puissant **all-purpose** *adj* tous usages

all right ['ɔːl'raɪt] **I** *adj pred* (assez) bien, pas mal *infml*; ***it's ~*** (*not too bad*) ce n'est pas mal; (*working properly*) ça ne marche pas mal; ***that's or it's ~*** (*after thanks*) je vous en prie (*after apology*) ce n'est pas grave, il n'y a pas de mal; ***to taste ~*** ne pas être mauvais; ***is it ~ for me to leave early?*** est-ce que ça je peux partir tôt?; ***it's ~ by me*** moi, ça me va; ***it's ~ for you (to talk)*** tu peux parler!; ***he's ~*** (*infml a good guy*) il est sympa *infml*; ***are you ~?*** (*healthy*, *unharmed*) ça va?; ***are you feeling ~?*** est-ce que tu te sens bien? **II** *adv* **1.** bien; ***did I do it ~?*** est-ce que je l'ai bien fait?; ***did you get home ~?*** est-ce que tu es bien rentré?; ***did you find it ~?*** tu l'as trouvé sans problème? **2.** (*certainly*) bien; ***that's the boy ~*** c'est bien l'enfant en question; ***oh yes, we heard you ~*** oui, oui, nous avons très bien compris **III** *int* bon *infml*; (*in agreement*) d'accord; ***may I leave early? — ~*** est-ce que je peux partir tôt? — d'accord; ***~ that's enough!*** ça suffit maintenant!; ***~, ~! I'm coming*** c'est bon, j'arrive!

all-round *adj Br* = **all-around** **all-rounder** *n Br* ***she's a good ~*** elle est bonne en tout; SPORTS c'est une sportive complète **All Saints' Day** *n* (le jour de) la Toussaint **all-seater** *adj* (*Br* SPORTS) *stadium qui a uniquement des places assises* **All Souls' Day** *n* le jour des Morts **allspice** *n* poivre *m* de la Jamaïque **all-star** *adj* avec beaucoup de vedettes; ***~ cast*** distribution prestigieuse **all-terrain bike** *n* vélo *m* tout-terrain **all-terrain vehicle** *n* véhicule *m* tout-terrain **all-time** **I** *adj* absolu; ***the ~ record*** le record absolu; ***unemployment has reached an ~ high / low*** le chômage n'a jamais été aussi élevé / bas **II** *adv* ***~ best*** le niveau le plus élevé jamais atteint

allude [ə'luːd] *v/t insep* ***to ~ to*** faire allusion à

allure [ə'ljʊə^r] *n* attrait *m*, charme *m* **alluring** *adj* attirant, séduisant **alluringly** *adv* de manière attirante

allusion [ə'luːʒən] *n* allusion *f* (***to*** à)

all-weather [ˌɔːl'weðə^r] *adj* tous temps; ***~ pitch*** terrain tous temps **all-wheel drive** *n* quatre-quatre *m*, 4x4 *m*

ally ['ælaɪ] **I** *n* allié(e) *m*(*f*) **II** *v/t* allier (*with*, *to* avec, à); ***to ~ oneself with or to sb*** s'allier avec *or* à qn

almighty [ɔːl'maɪtɪ] **I** *adj* **1.** tout-puissant; ***Almighty God, God Almighty*** ECCL Dieu Tout-Puissant; ***God or Christ Almighty!*** *infml* nom de Dieu!

infml **2.** *infml row* sacré *infml*; ***there was an ~ bang and ...*** il y a eu une explosion du tonnerre de Dieu et… *infml* **II** *n* ***the Almighty*** le Tout-Puissant
almond ['ɑːmənd] *n* amande *f*
almost ['ɔːlməʊst] *adv* presque; ***he ~ fell*** il a failli tomber; ***she'll ~ certainly come*** c'est presque sûr qu'elle viendra
alms [ɑːmz] *pl* aumône *f*
aloe vera ['æləʊ'vɪərə] *n* aloe vera *m*, aloès *m*
aloft [ə'lɒft] *adv* en l'air
alone [ə'ləʊn] **I** *adj pred* seul **II** *adv* seul; ***Simon ~ knew the truth*** seul Simon connaissait la vérité; ***to stand ~*** *fig* se distinguer; ***to go it ~*** (*infml be independent*) faire cavalier seul
along [ə'lɒŋ] **I** *prep* le long de; ***he walked ~ the river*** il a marché le long de la rivière; ***somewhere ~ the way*** quelque part en chemin **II** *adv* **1.** (*onwards*) ***to move ~*** avancer; ***to run ~*** se sauver; ***he'll be ~ soon*** il ne va pas tarder à arriver; ***I'll be ~ in a minute*** j'arrive tout de suite **2.** (*together*) ***~ with*** avec; ***to come ~ with sb*** venir avec qn; ***take an umbrella ~*** emporte un parapluie **alongside** [ə'lɒŋ'saɪd] **I** *prep* à côté de; ***he works ~ me*** (*with me*) il travaille avec moi; (*next to me*) il travaille à côté de moi **II** *adv* à côté; ***a police car drew up ~*** une voiture de police s'est arrêtée à côté
aloof [ə'luːf] **I** *adv* à distance; ***to remain ~*** rester à l'écart **II** *adj* distant
aloud [ə'laʊd] *adv* à haute voix, tout haut
alphabet ['ælfəbet] *n* alphabet *m*; ***does he know the** or **his ~?*** est-ce qu'il connaît les lettres de l'alphabet? **alphabetic(al)** [ˌælfə'betɪk(əl)] *adj* alphabétique; ***in alphabetical order*** par ordre alphabétique **alphabetically** [ˌælfə'betɪkəlɪ] *adv* par ordre alphabétique
alpine ['ælpaɪn] *adj* alpin; ***~ flower*** fleur des Alpes; ***~ scenery*** paysage alpin
Alps [ælps] *pl* Alpes *fpl*
already [ɔːl'redɪ] *adv* déjà; ***I've ~ seen it, I've seen it ~*** je l'ai déjà vu
alright [ˌɔːl'raɪt] *adj, adv* = **all right**
Alsace ['ælsæs] *n* Alsace *f* **Alsace-Lorraine** ['ælsæslə'reɪn] *n* Alsace-Lorraine *f* **Alsatian** [æl'seɪʃən] *n Br* (*German shepherd*) berger *m* allemand
also ['ɔːlsəʊ] *adv* aussi, également; (*moreover*) de plus, en outre; ***her cousin ~ came** or **came ~*** son cousin aussi est venu; ***not only ... but ~*** non seulement… mais aussi; ***~, I must explain that ...*** je dois également expliquer que…
altar ['ɒltəʳ] *n* autel *m* **altar boy** *n* enfant *m* de chœur
alter ['ɒltəʳ] **I** *v/t* changer, modifier; ***to ~ sth completely*** modifier qc radicalement; ***it does not ~ the fact that ...*** ça ne change rien au fait que… **II** *v/i* changer, se modifier **alteration** [ˌɒltə'reɪʃən] *n* (*change*) changement *m*, modification *f*; (*of appearance*) changement *m*; ***to make ~s to sth*** effectuer des modifications à qc; (***this timetable is***) ***subject to ~*** (cet horaire est) susceptible de modifications; ***closed for ~s*** fermé pour travaux
altercation [ˌɒltə'keɪʃən] *n* altercation *f*
alter ego ['æltər'iːgəʊ] *n* alter ego *m*
alternate [ɒl'tɜːnɪt] **I** *adj* **1.** ***on ~ days*** un jour sur deux; ***they put down ~ layers of brick and mortar*** ils alternent les couches de briques et de mortier **2.** (*alternative*) de remplacement, de rechange; ***~ route*** itinéraire bis **II** *v/t* employer tour à tour; ***to ~ one thing with another*** alterner une chose et une autre **III** *v/i* alterner; ELEC changer de sens périodiquement **alternately** [ɒl'tɜːnɪtlɪ] *adv* **1.** (*in turn*) tour à tour, en alternance **2.** = **alternatively** **alternating** ['ɒltɜːneɪtɪŋ] *adj* alterné; ***~ current*** courant alternatif **alternation** [ˌɒltɜː'neɪʃən] *n* alternance *f*
alternative [ɒl'tɜːnətɪv] **I** *adj* de remplacement, de rechange; ***~ route*** itinéraire bis **II** *n* solution *f*, choix *m*; ***I had no ~*** (***but ...***) je ne pouvais pas faire autrement (que…) **alternatively** [ɒl'tɜːnətɪvlɪ] *adv* autrement; ***or ~, he could come with us*** autrement, il pourrait venir avec nous; ***a prison sentence of three months or ~ a fine of $5000*** une peine de prison de trois mois ou bien une amende de 5000 $ **alternative medicine** *n* médecines *fpl* parallèles
alternator ['ɒltɜːneɪtəʳ] *n* ELEC, AUTO alternateur *m*
although [ɔːl'ðəʊ] *cj* bien que (+ *subj*), quoique (+ *subj*); ***the house, ~ small ...*** la maison, bien que petite, …
altimeter ['æltɪmiːtəʳ] *n* altimètre *m*

altitude ['æltɪtjuːd] *n* altitude *f*; ***what is our ~?*** à quelle altitude sommes-nous?; ***we are flying at an ~ of …*** nous volons à une altitude de…
alt key ['ɒltkiː] *n* IT touche *f* Alt
alto ['æltəʊ] **I** *n* (*female voice*) contralto *m* (*female singer*) contralto *f*; (*male voice*) haute-contre *f*; (*male singer*) haute-contre *m*; (*instrument*) alto *m* **II** *adj female voice* de contralto; *male voice* de haute-contre; *instrument* alto **III** *adv* ***to sing ~*** (*woman*) être contralto; (*man*) être haute-contre
altogether [ˌɔːltə'geðəʳ] *adv* **1.** (*including everything*) tout compte fait; ***~ it was very pleasant*** tout compte fait, c'était très agréable **2.** (*wholly*) tout à fait, entièrement; ***he wasn't ~ surprised*** il n'était pas vraiment surpris; ***it was ~ a waste of time*** c'était une perte de temps totale; ***that is another matter ~*** c'est un tout autre problème
altruism ['æltruɪzəm] *n* altruisme *m* **altruistic** [ˌæltrʊ'ɪstɪk] *adj* altruiste **altruistically** [ˌæltrʊ'ɪstɪkəlɪ] *adv* de façon altruiste
aluminum [ə'luːmɪnəm], *Br* **aluminium** [ˌæljʊ'mɪnɪəm] *n* aluminium *m*; ***~ foil*** papier (d')aluminium
alumna [ə'lʌmnə] *n* ⟨*pl* **-e**⟩ *US* ancienne élève *f* **alumnus** [ə'lʌmnəs] *n* ⟨*pl* **alumni**⟩ *US* ancien élève *m*
always ['ɔːlweɪz] *adv* toujours; ***we could ~ go by train*** on pourrait toujours y aller en train
Alzheimer's (disease) ['æltsˌhaɪməz(dɪˌziːz)] *n* maladie *f* d'Alzheimer
AM 1. RADIO *abbr* = **amplitude modulation** AM **2.** (*Br* POL) *abbr* = **Assembly Member** *membre de l'Assemblée galloise*
am [æm] *1st person sg pres* = **be**
a. m. *abbr* = **ante meridiem**; ***2 a. m.*** 2 heures du matin; ***12 a. m.*** minuit
amalgam [ə'mælgəm] *n* amalgame *m*
amalgamate [ə'mælgəmeɪt] **I** *v/t companies* fusionner; *ideas*, *metals* amalgamer **II** *v/i companies* fusionner; *metals* s'amalgamer **amalgamation** [əˌmælgə'meɪʃən] *n of companies* fusion *f*; *of metals* amalgamation *f*
amass [ə'mæs] *v/t* amasser
amateur ['æmətəʳ] **I** *n* **1.** amateur(-trice) *m*(*f*) **2.** *pej* amateur(-trice) *m*(*f*) **II** *adj* **1.** *attr* amateur(-trice); ***~ painter*** peintre amateur **2.** *pej* = **amateurish amateur dramatics** [ˌæmətədrə'mætɪks] *pl* théâtre *m* amateur **amateurish** *adj pej* d'amateur **amateurishly** *adv pej* en amateur
amaze [ə'meɪz] *v/t* stupéfier; ***I was ~d to learn that …*** j'ai appris avec stupéfaction que…; ***to be ~d at sth*** être stupéfait par qc; ***it ~s me that …*** je suis vraiment étonné que… (+ *subj*) **amazement** *n* stupéfaction *f*; ***much to my ~*** à ma grande stupéfaction
amazing [ə'meɪzɪŋ] *adj* stupéfiant
amazingly [ə'meɪzɪŋlɪ] *adv* étonnamment; ***~ (enough), he got it right first time*** aussi étonnant que ça puisse paraître, il a réussi du premier coup
Amazon ['æməzən] *n river* Amazone *f*; *region*; Amazonie *f* (MYTH, *fig*) Amazone *f*
ambassador [æm'bæsədəʳ] *n* ambassadeur(-drice) *m*(*f*)
amber ['æmbəʳ] **I** *n* (*resin*, *color*) ambre *m*; (*Br*: *in traffic lights*) orange *m* **II** *adj* d'ambre (*amber-colored*) ambré; *Br traffic light* à l'orange
ambidextrous [ˌæmbɪ'dekstrəs] *adj* ambidextre
ambience ['æmbɪəns] *n* ambiance *f*
ambiguity [ˌæmbɪ'gjʊɪtɪ] *n* ambiguïté *f*; (*with many possible meanings*) expression *f* ambiguë **ambiguous** [æm'bɪgjʊəs] *adj* ambigu(ë) **ambiguously** [æm'bɪgjʊəslɪ] *adv* de façon ambiguë
ambition [æm'bɪʃən] *n* (*desire*, *ambitious nature*) ambition *f*; ***she has ~s in that direction / for her son*** elle a des ambitions dans ce sens / pour son fils; ***my ~ is to become prime minister*** mon ambition est de devenir Premier ministre **ambitious** [æm'bɪʃəs] *adj*; *undertaking*, *etc.* ambitieux(-euse) **ambitiously** [æm'bɪʃəslɪ] *adv* ambitieusement; ***rather ~, we set out to prove the following*** assez ambitieusement, nous avons entrepris de prouver la chose suivante
ambivalence [æm'bɪvələns] *n* ambivalence *f* **ambivalent** [æm'bɪvələnt] *adj* ambivalent
amble ['æmbl] *v/i* marcher d'un pas tranquille
ambulance ['æmbjʊləns] *n* ambulance *f* **ambulance driver** *n* ambulancier (-ière) *m*(*f*) **ambulanceman** *n* ambulancier *m* **ambulance service** *n* ambu-

lanciers *mpl*; (*system*) service *m* d'ambulances

ambush ['æmbʊʃ] **I** *n* embuscade *f*; ***to lie in ~ for sb*** (MIL) se tenir en embuscade pour surprendre qn; *fig* épier qn **II** *v/t* tendre une embuscade à

ameba, *Br* **amoeba** *n* amibe *f*

amen [ˌɑːˈmen] *int* amen!; ***~ to that!*** *fig*, *infml* bien dit! *hum*

amenable [əˈmiːnəbl] *adj* accommodant; ***~ to*** sensible à, disposé à

amend [əˈmend] *v/t law* amender; *text* rectifier; (*by addition*) amender; *habits*, *behavior* réformer **amendment** *n* (*to law*) amendement *m* (***to*** à); *in text* rectification *f*; (*addition*) amendement *m* (***to*** à); ***the First / Second*** *etc*. ***Amendment*** (*US* POL) le premier / deuxième amendement

amends [əˈmendz] *pl* ***to make ~ for sth*** faire amende honorable pour qc; ***to make ~ to sb for sth*** se racheter de qc envers qn

amenity [əˈmiːnɪtɪ] *n* (***public***) ***~*** équipements *mpl* collectifs; ***close to all amenities*** ≈ proximité tous commerces

Amerasian [æmeˈreɪʃn] *n* améra-sien(ne) *m(f)*

America [əˈmerɪkə] *n* Amérique *f*

American [əˈmerɪkən] **I** *adj* américain; ***~ English*** anglais d'Amérique; ***the ~ Dream*** le rêve américain **II** *n* **1.** Américain(e) *m(f)* **2.** LING américain *m*

American Indian *n* Amérindien(ne) *m(f)*, Indien(ne) *m(f)* d'Amérique

Americanism [əˈmerɪkənɪzəm] *n* LING américanisme *m* **Americanization** [əˌmerɪkənaɪˈzeɪʃən] *n* américanisation *f*

Americanize [əˈmerɪkənaɪz] *v/t* américaniser **American plan** *n* pension *f* complète **Amerindian** [æməˈrɪndɪən] **I** *n* Amérindien(ne) *m(f)*, Indien(ne) *m(f)* d'Amérique **II** *adj* amérindien(ne)

amethyst [ˈæmɪθɪst] *n* améthyste *f*

Amex [ˈæmeks] *n US abbr* = **American Stock Exchange** *deuxième place boursière des Etats-Unis*

amiable [ˈeɪmɪəbl] *adj* aimable **amiably** [ˈeɪmɪəblɪ] *adv* aimablement

amicable [ˈæmɪkəbl] *adj person*, *discussion* amical; *relations* d'amitié; JUR *settlement* à l'amiable; ***to be on ~ terms*** avoir des rapports amicaux **amicably** [ˈæmɪkəblɪ] *adv discuss*, *etc*. amicalement; JUR *settle* à l'amiable

amid(st) [əˈmɪd(st)] *prep* au milieu de, parmi

amino acid [əˈmiːnəʊˈæsɪd] *n* acide *m* aminé

amiss [əˈmɪs] **I** *adj pred* ***there's something ~*** il y a quelque chose qui ne va pas **II** *adv* ***to take sth ~*** *Br* mal prendre qc; ***a cup of tea would not go ~*** une tasse de thé serait la bienvenue

ammo [ˈæməʊ] *n infml* munitions *fpl*

ammonia [əˈməʊnɪə] *n* **1.** (*gas*) ammoniac *m* **2.** (*liquid*) ammoniaque *f*

ammunition [ˌæmjʊˈnɪʃən] *n* munitions *fpl* **ammunition belt** *n* bande de munitions *f* **ammunition dump** *n* dépôt *m* de munitions

amnesia [æmˈniːzɪə] *n* amnésie *f*

amnesty [ˈæmnɪstɪ] *n* amnistie *f*

amniocentesis [ˌæmnɪəʊsenˈtiːsɪs] *n* MED amniocentèse *f*

amoeba, *also US* **ameba** [əˈmiːbə] *n* amibe *f*

amok [əˈmɒk] *adv* = **amuck**

among(st) [əˈmʌŋ(st)] *prep* parmi; ***~ other things*** entre autres (choses); ***she had sung with Madonna ~ others*** elle avait chanté avec Madonna, entre autres; ***to stand ~ the crowd*** être au milieu de la foule; ***they shared the money out ~ themselves*** ils ont partagé l'argent entre eux; ***talk ~ yourselves*** parlez entre vous; ***he's ~ our best players*** il fait partie de nos meilleurs joueurs; ***to count sb ~ one's friends*** compter qn au nombre de ses amis; ***this habit is widespread ~ the French*** cette habitude est répandue chez les Français

amoral [eɪˈmɒrəl] *adj* amoral

amorous [ˈæmərəs] *adj* amoureux (-euse)

amorphous [əˈmɔːfəs] *adj* amorphe; *style*, *ideas* informe; *novel* sans structure

amount [əˈmaʊnt] **I** *n* **1.** (*of money*) somme *f*; ***total ~*** somme totale; ***debts in*** (*US*) *or* ***to*** (*Br*) ***the ~ of $2000*** 2 000 dollars de dettes; ***in 12 equal ~s*** en 12 montants égaux; ***a small ~ of money*** une petite somme d'argent; ***large ~s of money*** de grosses sommes d'argent **2.** (*quantity*) quantité *f*; ***an enormous ~ of work*** énormément de travail; ***any ~ of time / food*** énormément de temps / de nourriture; ***no ~ of talking would persuade him*** rien ne pourrait le persuader **II** *v/i* **1.** (*total*) s'élever (***to*** à) **2.**

(*be equivalent*) équivaloir (**to** à); ***it ~s to the same thing*** cela revient au même; ***he will never ~ to much*** il ne fera jamais grand-chose

amp(ère) ['æmp(ɛəʳ)] *n* ampère *m*

ampersand ['æmpəsænd] *n* esperluette *f*

amphetamine [æm'fetəmiːn] *n* amphétamine *f*

amphibian [æm'fɪbɪən] *n* amphibien *m* **amphibious** [æm'fɪbɪəs] *adj* amphibie; ***~ vehicle / aircraft*** véhicule / avion amphibie

amphitheater, *Br* **amphitheatre** ['æmfɪˌθɪətəʳ] *n* amphithéâtre *m*

ample ['æmpl] *adj* ⟨**+er**⟩ **1.** (*plentiful*) largement suffisant **2.** *garment* ample; *bosom* opulent

amplification [ˌæmplɪfɪ'keɪʃən] *n* RADIO amplification *f* **amplifier** ['æmplɪfaɪəʳ] *n* RADIO amplificateur *m*, ampli *m infml* **amplify** ['æmplɪfaɪ] *v/t* RADIO amplifier

amply ['æmplɪ] *adv* amplement

amputate ['æmpjʊteɪt] *v/t & v/i* amputer **amputation** [ˌæmpjʊ'teɪʃən] *n* amputation *f* **amputee** [ˌæmpjʊ'tiː] *n* amputé(e) *m(f)*

amuck [ə'mʌk] *adv* ***to run ~*** *lit*, *fig* être pris de folie

amuse [ə'mjuːz] **I** *v/t* amuser; (*entertain*) distraire; ***let the children do it if it ~s them*** laisse les enfants faire si ça les amuse **II** *v/r* ***to ~ oneself*** (***by***) ***doing sth*** s'amuser à faire qc; ***the children can ~ themselves for a while*** les enfants peuvent s'occuper tout seuls un moment; ***how do you ~ yourself now you're retired?*** comment occupez-vous votre temps, maintenant que vous êtes à la retraite? **amused** *adj* amusé; ***she seemed ~ at my suggestion*** ma suggestion a eu l'air de l'amuser; ***to keep sb ~*** occuper qn; ***to keep oneself ~*** s'occuper; ***give him his toys, that'll keep him ~*** donne-lui ses jouets, ça l'occupera

amusement [ə'mjuːzmənt] *n* **1.** (*enjoyment*) amusement *m*; ***to do sth for one's own ~*** faire qc pour se distraire **2. amusements** *pl* (*at fair*) attractions *fpl*; (*at seaside*) *machines à sous* **amusement arcade** *n Br* salle *f* de jeux d'arcade **amusement park** *n* parc *m* d'attractions **amusing** [ə'mjuːzɪŋ] *adj* amusant; ***how ~*** comme c'est amusant!; ***I don't find that very ~*** je ne trouve pas ça très drôle **amusingly** [ə'mjuːzɪŋlɪ] *adv* de façon amusante

an [æn, ən, n] *indefinite article* → **a**

anabolic steroid [ˌænə'bɒlɪk'stɪərɔɪd] *n* anabolisant *m*, stéroïde *m* anabolisant

anachronism [ə'nækrənɪzəm] *n* anachronisme *m* **anachronistic** [əˌnækrə'nɪstɪk] *adj* anachronique

anaemia *n Br* = **anemia** **anaemic** *adj Br* = **anemic**

anaesthesia *etc. Br* = **anesthesia** *etc.*

anagram ['ænəgræm] *n* anagramme *f*

anal ['eɪnəl] *adj* anal; ***~ intercourse*** coït *m* anal

analgesic [ˌænæl'dʒiːsɪk] *n* analgésique *m*

analog(ue) ['ænəlɒg] *adj* TECH analogique

analogy [ə'nælədʒɪ] *n* analogie *f*

analyse *v/t Br* = **analyze** **analysis** [ə'næləsɪs] *n* ⟨*pl* **analyses**⟩ analyse *f*; ***what's your ~ of the situation?*** quelle est votre analyse de la situation?; ***on*** (***closer***) ***~*** en regardant de plus près **analyst** ['ænəlɪst] *n* analyste *m/f* **analytical** [ˌænə'lɪtɪkəl] *adj* analytique **analytically** [ˌænə'lɪtɪkəlɪ] *adv* analytiquement **analyze**, *Br* **analyse** ['ænəlaɪz] *v/t* analyser

anarchic(al) [æ'nɑːkɪk(əl)] *adj* anarchique **anarchism** ['ænəkɪzəm] *n* anarchisme *m* **anarchist** ['ænəkɪst] *n* anarchiste *m/f* **anarchy** ['ænəkɪ] *n* anarchie *f*

anathema [ə'næθɪmə] *n* anathème *m*; ***voting Republican was ~ to them*** voter Républicain était une abomination pour eux

anatomical [ˌænə'tɒmɪkəl] *adj* anatomique **anatomically** [ˌænə'tɒmɪkəlɪ] *adv* anatomiquement **anatomy** [ə'nætəmɪ] *n* anatomie *f*

ANC *abbr* = **African National Congress** ANC (*Congrès national africain*)

ancestor ['ænsɪstəʳ] *n* ancêtre *m/f* **ancestral** [æn'sestrəl] *adj* ancestral; ***her ~ home*** la demeure de ses ancêtres **ancestry** ['ænsɪstrɪ] *n* (*descent*) ascendance *f*; (*ancestors*) ancêtres *mpl*; ***to trace one's ~*** faire des recherches généalogique

anchor ['æŋkəʳ] **I** *n* **1.** NAUT ancre *f*; ***to drop ~*** jeter l'ancre; ***to weigh ~*** lever l'ancre **2.** (*esp US* TV) présentateur (-trice) *m(f)* **II** *v/t* (NAUT, *fig*) ancrer

III *v/i* NAUT jeter l'ancre **anchorage** ['æŋkərɪdʒ] *n* NAUT mouillage *m* **anchorman** ['æŋkəmæn] *n* ⟨*pl* **-men**⟩ (*esp US* TV) présentateur *m* **anchorwoman** ['æŋkəwʊmən] *n* ⟨*pl* **-women**⟩ (*esp US* TV) présentatrice *f*

anchovy ['æntʃəvɪ] *n* anchois *m*

ancient ['eɪnʃənt] **I** *adj* **1.** antique; ***in ~ times*** dans les temps anciens; ***~ Rome*** la Rome antique; ***the ~ Romans*** les Romains de l'Antiquité; ***~ monument*** *Br* monument historique **2.** *infml person etc.* très vieux(vieille) **II** *n* ***the ~s*** les anciens *mpl* **ancient history** *n lit* histoire *f* ancienne; ***that's ~*** *fig* c'est de l'histoire ancienne *fig*

ancillary [æn'sɪlərɪ] *adj* (*subordinate*) subordonné; (*auxiliary*) auxiliaire; ***~ course*** UNIV cours *m* annexe; ***~ staff/workers*** agents *mpl*

and [ænd, ənd, nd, ən] *cj* **1.** et; ***nice ~ early*** de bonne heure; ***try ~ come*** essaie de venir; ***wait ~ see!*** attends de voir!; ***don't go ~ spoil it!*** ne va pas tout gâcher; ***one more ~ I'm finished*** encore un et j'ai fini; ***~ so on ~ so forth*** et ainsi de suite **2.** (*in repetition*) ***better ~ better*** de mieux en mieux; ***for days ~ days*** pendant des jours (et des jours); ***for miles ~ miles*** pendant des miles **3.** ***three hundred ~ ten*** trois cent dix; ***one ~ a half*** un et demi

Andes ['ændiːz] *pl* Andes *fpl*

Andorra *n* Andorre *f*

androgynous [æn'drɒdʒɪnəs] *adj* androgyne

android ['ændrɔɪd] *n* androïde *m*

anecdotal [ˌænɪk'dəʊtəl] *adj* anecdotique **anecdote** ['ænɪkdəʊt] *n* anecdote *f*

anemia, *Br* **anaemia** [ə'niːmɪə] *n* anémie *f* **anemic**, *Br* **anaemic** [ə'niːmɪk] *adj* anémique

anemone [ə'nemənɪ] *n* BOT anémone *f*

anesthesia [ˌænɪs'θiːʒə], *Br* **anaesthesia** [ˌænɪs'θiːziə] *n* anesthésie *f* **anesthetic**, *Br* **anaesthetic** [ˌænɪs'θetɪk] *n* anesthésique *m*; ***general ~*** anesthésie générale; ***local ~*** anesthésie locale; ***the nurse gave him a local ~*** l'infirmière lui a fait une anesthésie locale

anesthetist, *Br* **anaesthetist** [æ'niːsθɪtɪst] *n* anesthésiste *m/f* **anesthetize**, *Br* **anaesthetize** [æ'niːsθɪtaɪz] *v/t* anesthésier

anew [ə'njuː] *adv* **1.** (*again*) de nouveau; ***let's start ~*** recommençons **2.** (*in a new way*) différemment

angel ['eɪndʒəl] *n* ange *m* **angelic** [æn'dʒelɪk] *adj* angélique

anger ['æŋgə^r] **I** *n* colère *f*; ***a fit of ~*** un accès de colère; ***public ~*** colère publique; ***to speak in ~*** parler sous le coup de la colère; ***to be filled with ~*** être rempli de colère **II** *v/t* mettre en colère

angina (pectoris) [æn'dʒaɪnə ('pektərɪs)] *n* angine *f* de poitrine

angle[1] ['æŋgl] **I** *n* **1.** angle *m*; ***at an ~ of 40°*** à un angle de 40°; ***at an ~*** en biais; ***he was wearing his hat at an ~*** son chapeau était en biais **2.** (*projecting corner*) coin *m* **3.** (*aspect*) aspect *m* **4.** (*point of view*) point *m* de vue **II** *v/t lamp etc.* orienter; *shot* envoyer la balle en diagonale

angle[2] *v/i fish* pêcher à la ligne ◆ **angle for** *v/t insep fig* chercher à obtenir; ***to ~ sth*** chercher à obtenir qc

Anglepoise (lamp)® ['æŋglpɔɪz ('læmp)] *n* lampe *f* d'architecte

angler ['æŋglə^r] *n* pêcheur(-euse) *m(f)* à la ligne

Anglican ['æŋglɪkən] **I** *n* anglican(e) *m(f)* **II** *adj* anglican **Anglicanism** ['æŋglɪkənɪzəm] *n* anglicanisme *m*

anglicism ['æŋglɪsɪzəm] *n* anglicisme *m*

anglicize ['æŋglɪsaɪz] *v/t* angliciser

angling ['æŋglɪŋ] *n* pêche *f* à la ligne

Anglo-American **I** *n* Anglo-Américain(e) *m(f)* **II** *adj* anglo-américain **Anglo-Indian** **I** *n* (*of British origin*) Anglo-Indien(ne) *m(f)*; (*Eurasian*) métis(se) *m(f)* d'origine anglaise et indienne **II** *adj* anglo-indien(ne) **Anglo-Irish** **I** *pl* ***the ~*** les Anglo-Irlandais **II** *adj* anglo-irlandais **anglophile** ['æŋgləʊfaɪl] *n* anglophile *m/f* **Anglo-Saxon** ['æŋgləʊ'sæksən] **I** *n* **1.** (*person*) Anglo-Saxon(ne) *m(f)* **2.** LING anglo-saxon *m* **II** *adj* anglo-saxon(ne)

angora [æŋ'gɔːrə] **I** *adj* angora; ***~ wool*** laine angora **II** *n* angora *m*

angrily ['æŋgrɪlɪ] *adv* avec colère

angry ['æŋgrɪ] *adj* ⟨**+er**⟩ en colère; *letter, look* irrité; ***to be ~*** être en colère; ***to be ~ with*** *or* ***at sb*** être en colère contre qn; ***to be ~ at/about sth*** être en colère à cause de qc/à propos de qc; ***to get ~*** (***with*** *or* ***at sb/about sth***) se mettre en colère contre qn/à propos de qc; ***you're not ~ (with me), are you?*** tu n'es pas fâché (contre moi), j'espère?;

to be ~ with oneself s'en vouloir; ***to make sb ~*** exaspérer qn **anguish** ['æŋgwɪʃ] *n* souffrance *f*; ***to be in ~*** souffrir; ***he wrung his hands in ~*** il se tordait les mains de désespoir; ***the news caused her great ~*** la nouvelle l'a beaucoup fait souffrir; ***the decision caused her great ~*** la décision lui causa une grande souffrance **anguished** *adj* tourmenté, plein de souffrance

angular ['æŋgjʊləʳ] *adj shape*, *features* anguleux(-euse); *movement* saccadé

animal ['ænɪməl] **I** *n* animal *m*; (*brutal person*) brute *f*; ***man is a social ~*** l'homme est un animal social **II** *adj attr* animal; ***~ experiments*** expériences sur les animaux; ***~ magnetism*** magnétisme animal **Animal Liberation Front** *n Br* Front *m* de libération des animaux **animal lover** *n* ami(e) *m(f)* des bêtes **animal rights** *pl* droits *mpl* des animaux; ***~ activist*** activiste qui se bat pour les droits des animaux **animal welfare** *n* bien-être *m* des animaux

animate ['ænɪmɪt] *adj* animé; *creatures* vivant **animated** *adj* animé; ***~ cartoon*** dessin animé **animatedly** *adv* avec animation; *talk* d'un ton animé **animation** [ˌænɪ'meɪʃən] *n* entrain *m*; FILM animation *f*

animosity [ˌænɪ'mɒsɪtɪ] *n* animosité *f* (***toward*** envers)

aniseed ['ænɪsiːd] *n* (*flavoring*) anis *m*

ankle ['æŋkl] *n* cheville *f* **anklebone** *n* astragale *m* **ankle bracelet** *n* bracelet *m* de cheville **ankle-deep I** *adj* ***the water was ~*** l'eau arrivait jusqu'aux chevilles **II** *adv* ***he was ~ in water*** il avait de l'eau jusqu'aux chevilles **ankle sock** *n* socquette *f*

annals ['ænəlz] *pl* annales *fpl*

annex [ə'neks] **I** *v/t* annexer **II** *n* (*to document*, *building etc.*) annexe *f* **annexation** [ˌænek'seɪʃən] *n* annexion *f* **annexe** *n Br* = **annex** *II*

annihilate [ə'naɪəleɪt] *v/t* anéantir **annihilation** [əˌnaɪə'leɪʃən] *n* anéantissement *m*

anniversary [ˌænɪ'vɜːsərɪ] *n* anniversaire *m*, commémoration *f*; ***~ gift*** cadeau d'anniversaire de mariage; ***the ~ of his death*** l'anniversaire de sa mort

annotate ['ænəʊteɪt] *v/t* annoter

announce [ə'naʊns] *v/t* annoncer; *radio program* présenter; (*over intercom*) annoncer; *marriage etc.* faire part de; ***to ~ sb*** annoncer qn; ***the arrival of flight AF 742 has just been ~d*** l'arrivée du vol AF 742 vient juste d'être annoncée **announcement** *n* annonce *f*; (*of speaker*) déclaration *f*; (*over intercom etc.*) annonce *f*; (*on radio etc.*) présentation *f*; (*of marriage etc.*) faire-part *m* **announcer** [ə'naʊnsəʳ] *n* RADIO, TV présentateur(-trice) *m(f)*

annoy [ə'nɔɪ] *v/t* (*irritate*) agacer; (*upset*) énerver; (*pester*) importuner; ***to be ~ed that …*** être agacé que …; ***to be ~ed with sb*** être en colère contre qn; ***to be ~ed about sth*** être contrarié par qc; ***to get ~ed*** s'énerver **annoyance** [ə'nɔɪəns] *n no pl* (*irritation*) agacement *m*; ***to his ~*** à son déplaisir **annoying** [ə'nɔɪɪŋ] *adj* ennuyeux(-euse); *habit* agaçant; ***the ~ thing (about it) is that …*** ce qui est ennuyeux (dans cette histoire), c'est que … **annoyingly** [ə'nɔɪɪŋlɪ] *adv* de façon agaçante; ***~, the bus didn't turn up*** le bus n'est pas arrivé, ce qui était agaçant

annual ['ænjʊəl] **I** *n* **1.** BOT plante *f* annuelle **2.** (*book*) publication *f* annuelle **II** *adj* annuel(le); (*of or for the year*) de l'année; ***~ accounts*** bilan annuel **annual general meeting** *n* assemblée *f* générale annuelle **annually** ['ænjʊəlɪ] *adv* annuellement **annual report** *n* rapport *m* annuel **annuity** [ə'njuːɪtɪ] *n* rente *f* (annuelle)

annul [ə'nʌl] *v/t* annuler; *contract* résilier; *marriage* annuler **annulment** [ə'nʌlmənt] *n* annulation *f*; (*of contract*) résiliation *f*; (*of marriage*) annulation *f*

Annunciation [əˌnʌnsɪ'eɪʃən] *n* BIBLE

anniversary ≠ date de naissance

Anniversary = anniversaire de mariage ou anniversaire d'une date importante :

We went out for dinner last night, as it was our tenth wedding anniversary. It was the anniversary of the Battle of Gettysburg.

Nous sommes allés au restaurant hier soir pour fêter notre dixième anniversaire de mariage. C'était l'anniversaire de la bataille de Gettysburg.

Annonciation *f*
anoint [ə'nɔɪnt] *v/t* oindre; ***to ~ sb king*** sacrer qn roi
anomaly [ə'nɒməlɪ] *n* anomalie *f*
anon[1] [ə'nɒn] *adv* ***see you ~*** *hum* à bientôt
anon[2] *adj abbr* = **anonymous anonymity** [ˌænə'nɪmɪtɪ] *n* anonymat *m* **anonymous** [ə'nɒnɪməs] *adj* anonyme **anonymously** [ə'nɒnɪməslɪ] *adv* anonymement
anorak ['ænəræk] *n Br* anorak *m*
anorexia (nervosa) [ænə'reksɪə(nɜː'vəʊsə)] *n* anorexie *f* (mentale) **anorexic** [ænə'reksɪk] *adj* anorexique
another [ə'nʌðər] **I** *adj* **1.** (*additional*) encore un(e); ***~ one*** un(e) autre; ***take ~ ten*** prends-en encore dix; ***I don't want ~ drink!*** je ne veux plus boire!; ***without ~ word*** sans un mot de plus **2.** (*similar, fig second*) ***there is not ~ man like him*** il n'y en a pas deux comme lui **3.** (*different*) un(e) autre; ***that's quite ~ matter*** c'est un tout autre problème; ***~ time*** une autre fois **II** *pron* un(e) autre; ***have ~!*** prends-en un autre!; ***they help one ~*** ils s'entraident; ***at one time or ~*** à un moment ou à un autre; ***what with one thing and ~*** avec tout ça
Ansaphone® ['ɑːnsəfəʊn] *n* répondeur-enregistreur *m*
ANSI *abbr* = **American National Standards Institute** ANSI
answer ['ɑːnsər] **I** *n* **1.** réponse *f* (***to*** à); ***to get an / no ~*** obtenir une / ne pas obtenir de réponse; ***there was no ~*** (*to telephone*) ça ne répondait pas; (*to doorbell*) il n'y avait personne; ***in ~ to my question*** en réponse à ma question **2.** (*solution*) solution *f* (***to*** à); ***there's no easy ~*** il n'y a pas de solution miracle **II** *v/t* **1.** répondre à; ***to ~ the telephone*** répondre au téléphone; ***to ~ the bell*** *or* ***door*** aller ouvrir; ***shall I ~ it?*** (*phone*) est-ce que je réponds?; (*door*) est-ce que je vais ouvrir?; ***to ~ the call of nature*** *hum* répondre à l'appel de la nature *hum* **2.** (*fulfill*) *hope, expectation* exaucer; *need* répondre à; ***people who ~ that description*** les personnes qui correspondent à cette description **III** *v/i* répondre; ***if the phone rings, don't ~*** si le téléphone sonne, ne réponds pas ◆ **answer back I** *v/i* répondre; ***don't ~!*** ne réponds pas! **II** *v/t sep* ***to answer sb back*** répondre à qn ◆ **answer for** *v/t insep* répondre de; ***he has a lot to ~*** il a bien des comptes à rendre ◆ **answer to** *v/t insep* **1.** ***to ~ sb for sth*** être responsable de qc envers qn **2.** ***to ~ a description*** correspondre à une description **3.** ***to ~ the name of …*** répondre au nom de …
answerable ['ɑːnsərəbl] *adj* (*responsible*) garant; ***to be ~ to sb*** (***for sth***) être responsable (de qc) envers qn **answering machine** ['ɑːnsərɪŋmə'ʃiːn] *n* répondeur *m*
answerphone ['ɑːnsəfəʊn] *n Br* répondeur *m*; ***~ message*** message sur le répondeur
ant [ænt] *n* fourmi *f*
antacid [ænt'æsɪd] *n* antiacide *m*
antagonism [æn'tægənɪzəm] *n* antagonisme *m* (***to***(***wards***) envers) **antagonist** [æn'tægənɪst] *n* antagoniste *m/f* **antagonistic** [ænˌtægə'nɪstɪk] *adj* hostile; ***to be ~ to*** *or* ***toward***(***s***) ***sb/sth*** être hostile envers qn/à qc **antagonize** [æn'tægənaɪz] *v/t* contrarier
Antarctic [ænt'ɑːktɪk] *n* ***the ~*** l'Antarctique *m* **Antarctica** [ænt'ɑːktɪkə] *n* Antarctique *m* **Antarctic Circle** *n* le cercle *m* polaire antarctique **Antarctic Ocean** *n* l'océan *m* Antarctique
anteater ['æntˌiːtər] *n* fourmilier *m*
antecedents [ˌæntɪ'siːdənts] *pl* antécédents *mpl*
antelope ['æntɪləʊp] *n* antilope *f*
antenatal ['æntɪ'neɪtl] *adj* prénatal; ***~ care*** soins prénatals; ***~ clinic*** centre de consultation prénatale
antenna [æn'tenə] *n* **1.** ⟨*pl* **-e**⟩ ZOOL antenne *f* **2.** ⟨*pl* **-e** *or* **-s**⟩ RADIO, TV antenne *f*
anteroom ['æntɪruːm] *n* antichambre *f*
anthem ['ænθəm] *n* hymne *m*
ant hill *n* fourmilière *f*
anthology [æn'θɒlədʒɪ] *n* anthologie *f*
anthrax ['ænθræks] *n disease* charbon *m*
anthropological [ˌænθrəpə'lɒdʒɪkəl] *adj* anthropologique **anthropologist** [ˌænθrə'pɒlədʒɪst] *n* anthropologue *m/f* **anthropology** [ˌænθrə'pɒlədʒɪ] *n* anthropologie *f*
anti ['æntɪ] *infml* **I** *adj pred* anti *infml* **II** *prep* anti-
anti-abortionist *n* adversaire *m/f* de l'avortement **anti-aircraft** *adj* antiaérien(ne) **anti-American** *adj* anti-américain **antiballistic missile** [ˌæntɪbə-

'lɪstɪk-] *n* missile *m* antibalistique **antibiotic** [ˌæntɪbaɪ'ɒtɪk] *n* antibiotique *m* **antibody** *n* anticorps *m*

anticipate [æn'tɪsɪpeɪt] *v/t* (*expect*) anticiper; (*see in advance*) prévoir; ***as ~d*** comme prévu **anticipation** [ænˌtɪsɪ'peɪʃən] *n* **1.** (*expectation*) anticipation *f*; ***to wait in ~*** attendre avec impatience **2.** (*seeing in advance*) prévision *f*

anticlimax *n* déception *f* **anticlockwise** *adv esp Br* dans le sens inverse des aiguilles d'une montre

antics ['æntɪks] *pl* singeries *fpl*; (*tricks*) bouffonneries *fpl*; ***he's up to his old ~ again*** il fait encore des siennes *infml*

anticyclone *n* anticyclone *m* **anti-dandruff** *adj* antipelliculaire **antidepressant** *n* antidépresseur *m* **antidote** ['æntɪdəʊt] *n* antidote *m* (***against, to, for*** contre) **antifreeze** *n* antigel *m* **antiglare** *adj US* antireflet **anti-globalist** **I** *n* altermondialiste *m/f*, antimondialiste *m/f* **II** *adj attr* altermondialiste, antimondialiste **anti-globalization** *adj* antimondialisation; ***~ protesters*** des manifestants antimondialistes **antihistamine** *n* antihistaminique *m* **anti-lock** *adj* ***~ braking system*** (système) ABS **antimatter** *n* antimatière *f* **antinuclear** *adj* antinucléaire; ***~ protesters*** des manifestants antinucléaires

antipathy [æn'tɪpəθɪ] *n* antipathie *f* (***toward*** envers)

antipersonnel *adj* antipersonnel; ***~ mine*** mine antipersonnel **antiperspirant** *n* déodorant *m*

antipodean [ænˌtɪpə'diːən] *adj Br d'Australie / de Nouvelle-Zélande* **Antipodes** [æn'tɪpədiːz] *pl Br l'Australie et / ou la Nouvelle-Zélande*

antiquarian [ˌæntɪ'kweərɪən] *adj books* ancien(ne); ***~ bookstore*** librairie spécialisée dans les livres anciens **antiquated** ['æntɪkweɪtɪd] *adj* archaïque **antique** [æn'tiːk] **I** *adj* antique; ***~ pine*** pin ancien **II** *n* antiquité *f* **antique dealer** *n* antiquaire *m/f* **antique shop** *n* magasin *m* d'antiquités **antiquity** [æn'tɪkwɪtɪ] *n* **1.** (*ancient times*) Antiquité *f*; ***in ~*** pendant l'Antiquité **2.** **antiquities** *pl* (*old things*) antiquités *fpl*

antiriot *adj* ***~ police*** police anti-émeute **anti-Semite** *n* antisémite *m/f* **anti-Semitic** *adj* antisémite **anti-Semitism** *n* antisémitisme *m* **antiseptic** **I** *n* antiseptique *m* **II** *adj* antiseptique **anti-smoking** *adj campaign* antitabac **antisocial** *adj* antisocial; ***I work ~ hours*** je travaille à des heures indues **antiterrorist** *adj* antiterroriste **antitheft device** *n* antivol *m*

antithesis [æn'tɪθɪsɪs] *n* ⟨*pl* **antitheses**⟩ antithèse *f* (***to, of*** de)

anti-virus software *n* IT antivirus *m*

antivivisectionist *n* antivivisectionniste *m/f* **anti-wrinkle** *adj* antirides ***~ cream*** crème antirides

antler ['æntləʳ] *n* (***set*** *or* ***pair of***) ***~s*** bois *mpl* (*de cerf ou de renne*)

antonym ['æntənɪm] *n* antonyme *m*

anus ['eɪnəs] *n* anus *m*

anvil ['ænvɪl] *n* enclume *f* (*also* ANAT)

anxiety [æŋ'zaɪətɪ] *n* inquiétude *f*; ***to cause sb ~*** donner du souci à qn; ***in his ~ to get away*** dans son souci de partir vite

anxious ['æŋkʃəs] *adj* **1.** soucieux (-euse); *person, thoughts* inquiet(-iète); ***to be ~ about sb / sth*** être inquiet au sujet de qn / qc; ***to be ~ about doing sth*** être inquiet de faire qc **2.** *moment, wait* inquiétant; ***it's been an ~ time for us all*** ça a été une période de grande inquiétude pour nous tous **3.** ***to be ~ to do sth*** désirer vivement faire qc; ***I am ~ that he should do it*** *or* ***for him to do it*** je souhaite vraiment qu'il le fasse **anxiously** ['æŋkʃəslɪ] *adv* **1.** anxieusement **2.** (*keenly*) avec impatience

any ['enɪ] **I** *adj* **1.** (*in interrog, conditional, neg sentences any at all*) (*with sing n*) n'importe quel(le); (*with pl n*) un(e) quelconque; ***not ~*** ne … aucun(e); ***if I had ~ plan / money*** (***at all***) si j'avais un plan / un peu d'argent; ***if it's ~ help*** (***at all***) si ça peut aider; ***it won't do ~ good*** ça ne servira à rien; ***without ~ difficulty*** sans aucune difficulté **2.** (*no matter which*) n'importe quel(le); (*with pl or uncountable n*) tous / toutes; ***~ one will do*** n'importe lequel fera l'affaire; ***take ~ one you like*** prends-en un qui qui te plaît(, n'importe lequel); ***you can come at ~ time*** tu peux venir à n'importe quelle heure; ***thank you — ~ time*** merci — je t'en prie; ***~ old …*** *infml* n'importe quel(le) **II** *pron* **1.** (*in interrog, conditional, neg sentences*) un(e); ***I want to see a psychologist, do you know ~?*** je veux aller voir un psychologue, tu en connais un?; ***I need some butter / stamps, do you have ~?***

j'ai besoin de beurre / timbres, vous en avez?; ***have you seen ~ of my ties?*** tu as vu une de mes cravates?; ***don't you have ~ (at all)?*** tu n'en as (absolument) aucun(e)?; ***he wasn't having ~ (of it / that)*** *infml* il ne voulait pas en entendre parler; ***few, if ~, will come*** il n'y aura pas grand-monde (qui viendra); ***if ~ of you can sing*** si l'un d'entre vous sait chanter **2.** (*no matter which*) n'importe lequel / laquelle; ***~ who do come …*** tous ceux qui viennent **III** *adv colder etc.* encore; ***not ~ bigger*** *etc.* pas plus grand *etc*; ***we can't go ~ further*** on ne peut pas aller plus loin; ***are you feeling ~ better?*** vous vous sentez un peu mieux?; ***do you want ~ more soup?*** vous voulez encore de la soupe?; ***don't you want ~ more tea?*** vous ne voulez plus de thé?; ***~ more offers?*** d'autres propositions?; ***I don't want ~ more (at all)*** je ne veux plus rien (du tout)

anybody ['enɪbɒdɪ] **I** *pron* **1.** quelqu'un; ***not … ~*** personne; ***(does) ~ want my book?*** est-ce que quelqu'un veut mon livre?; ***I can't see ~*** je ne vois personne **2.** (*no matter who*) n'importe qui; ***it's ~'s game*** n'importe qui peut gagner; ***is there ~ else I can talk to?*** y a-t-il quelqu'un d'autre à qui je puisse parler?; ***I don't want to see ~ else*** je ne veux voir personne d'autre **II** *n* (*person of importance*) quelqu'un; ***he's not just ~*** ce n'est pas n'importe qui; ***everybody who is ~ was there*** la fine fleur était là

anyhow ['enɪhaʊ] *adv* (*at any rate*) = **anyway**

anymore [ˌenɪ'mɔːʳ] *adv* (*+vb*) plus; → **any**

anyone ['enɪwʌn] *pron, n* = **anybody**

anyplace ['enɪpleɪs] *adv* (*US infml*) = **anywhere**

anything ['enɪθɪŋ] **I** *pron* **1.** quelque chose; ***not ~*** rien; ***is it worth ~?*** cela vaut quelque chose?; ***isn't it worth ~?*** cela ne vaut rien?; ***did he say ~ else?*** il a dit quelque chose d'autre?; ***didn't he say ~ else?*** il n'a rien dit d'autre?; ***did they give you ~ at all?*** ils vous ont bien donné quelque chose?; ***didn't they give you ~ at all?*** ils ne vous ont rien donné du tout?; ***are you doing ~ tonight?*** tu as quelque chose de prévu ce soir?; ***he's as smart as ~*** *infml* il est très très intelligent *infml* **2.** (*no matter what*) n'importe quoi; ***~ you like*** tout ce que tu veux; ***I wouldn't do it for ~*** je ne le ferais pas pour tout l'or du monde; ***~ else is impossible*** il n'y a pas d'autre possibilité; ***~ but that!*** tout sauf ça!; ***~ but!*** bien au contraire! **II** *adv infml* ***it isn't ~ like him*** cela ne lui ressemble pas du tout; ***it didn't cost ~ like $100*** ça a coûté bien moins de 100 dollars

anyway ['enɪweɪ] *adv* en tout cas; (*regardless*) quand même; ***~, that's what I think*** quoi qu'il en soit, c'est ce que je pense; ***I told him not to, but he did it ~*** je lui ai dit de ne pas le faire, mais il l'a fait quand même; ***who cares, ~?*** qu'est-ce que ça peut bien faire, de toute façon?

anyways ['enɪweɪz] *adv* (*US dial*) = **anyway**

anywhere ['enɪwεəʳ] *adv* **1.** quelque part; ***not ~*** nulle part; ***he'll never get ~*** il n'arrivera jamais à rien; ***I wasn't getting ~*** cela ne me menait à rien; ***I haven't found ~ to live yet*** je n'ai pas encore trouvé à me loger; ***the cottage was miles from ~*** le cottage était loin de tout; ***there could be ~ between 50 and 100 people*** il pourrait y avoir entre 50 et 100 personnes **2.** (*no matter where*) n'importe où; ***they could be ~*** ils pouvaient être n'importe où; ***~ you like*** où tu veux

apart [ə'pɑːt] *adv* **1.** séparément; ***I can't tell them ~*** je n'arrive pas à les distinguer; ***to live ~*** vivre séparément; ***to come*** *or* ***fall ~*** s'effondrer; ***her marriage is falling ~*** son mariage est en train de sombrer; ***to take sth ~*** démonter qc **2.** (*to one side*) de côté; (*on one side*) à l'écart (***from*** de); ***he stood ~ from the group*** il se tenait à l'écart du groupe **3.** (*excepted*) à part; ***~ from that, the transmission is faulty*** en plus, la boîte de vitesse est défectueuse

apartheid [ə'pɑːteɪt] *n* apartheid *m*

apartment [ə'pɑːtmənt] *n esp US* appartement *m*; ***~ house*** *or* ***block*** *or* ***building*** immeuble *m* d'habitation

apathetic [ˌæpə'θetɪk] *adj* apathique

apathy ['æpəθɪ] *n* apathie *f*

ape [eɪp] *n* singe *m*

apéritif [əˌperɪ'tiːf] *n* apéritif *m*

aperture ['æpətʃjʊəʳ] *n* orifice *m*; PHOT ouverture *f*

apex ['eɪpeks] *n* ⟨*pl* **-es** *or* **apices**⟩ sommet *m*; *fig* apogée *m*

APEX *Br* RAIL, AVIAT *abbr of* **advance**

purchase excursion fare I *adj attr* APEX **II** *n* APEX *m*

aphrodisiac [ˌæfrəʊ'dɪzɪæk] *n* aphrodisiaque *m*

apices ['eɪpɪsiːz] *pl* = **apex**

apiece [ə'piːs] *adv* chacun; (*per person*) par personne; ***I gave them two ~*** je leur en ai donné deux chacun; ***they had two cakes ~*** ils ont eu deux gâteaux chacun

aplomb [ə'plɒm] *n* aplomb *m*; ***with ~*** avec aplomb

Apocalypse [ə'pɒkəlɪps] *n* Apocalypse *f* **apocalyptic** [əˌpɒkə'lɪptɪk] *adj* apocalyptique

apolitical [ˌeɪpə'lɪtɪkəl] *adj* apolitique

apologetic [əˌpɒlə'dʒetɪk] *adj* (*making an apology*) désolé; (*regretful*) contrit; ***she wrote me an ~ letter*** elle m'a écrit une lettre d'excuse; ***he was most ~*** (***about it***) il était vraiment désolé (de ça) **apologetically** [əˌpɒlə'dʒetɪkəlɪ] *adv* pour s'excuser

apologize [ə'pɒlədʒaɪz] *v/i* s'excuser (***to*** auprès de); ***to ~ for sb*** demander d'excuser la conduite de qn; ***to ~ for sth*** s'excuser de qc **apology** [ə'pɒlədʒɪ] *n* excuses *fpl*; ***to make*** *or* ***offer sb an ~*** présenter ses excuses à qn; ***Mr. Jones sends his apologies*** M. Jones envoie un mot d'excuse; ***I owe you an ~*** je vous dois des excuses; ***I make no ~*** *or* ***apologies for the fact that …*** j'assume pleinement le fait que …

apoplectic [ˌæpə'plektɪk] *adj* apoplectique; ***~ fit*** MED crise d'apoplexie **apoplexy** ['æpəpleksɪ] *n* apoplexie *f*

apostle [ə'pɒsl] *n lit*, *fig* apôtre *m*

apostrophe [ə'pɒstrəfɪ] *n* GRAM apostrophe *f*

appall, *Br* **appal** [ə'pɔːl] *v/t* scandaliser; ***to be ~ed*** (***at*** *or* ***by sth***) être scandalisé (par qc) **appalling** [ə'pɔːlɪŋ] *adj* scandaleux(-euse) **appallingly** [ə'pɔːlɪŋlɪ] *adv* scandaleusement

apparatus [ˌæpə'reɪtəs] *n* appareils *mpl*; (*in gym*) agrès *mpl*; ***a piece of ~*** un agrès

apparel [ə'pærəl] *n no pl* (*liter*, *US* COMM) habillement *m*

apparent [ə'pærənt] *adj* **1.** (*obvious*) évident; ***to be ~ to sb*** être évident pour qn; ***to become ~*** apparaître; ***for no ~ reason*** sans raison apparente **2.** (*seeming*) apparent **apparently** [ə'pærəntlɪ] *adv* apparemment

apparition [ˌæpə'rɪʃən] *n* apparition *f*

appeal [ə'piːl] **I** *n* **1.** (*request*) appel *m* (***for*** à); ***~ for funds*** appel de fonds; ***to make an ~ to sb*** (***for sth***) lancer un appel auprès de qn (pour qc) **2.** JUR appel *m*; ***he lost his ~*** il a perdu en appel; ***Court of Appeal*** cour d'appel **3.** (*power of attraction*) attrait *m* (***to*** pour); ***his music has*** (***a***) ***wide ~*** sa musique plaît à toute sorte de gens **II** *v/i* **1.** (*make request*) lancer un appel; ***to ~ to sb for sth*** demander qc à qn; ***to ~ to the public to do sth*** demander au public de faire qc **2.** JUR faire appel (***to*** de) **3.** (*for support*, *decision*) en appeler (***to*** à); SPORTS faire une réclamation **4.** (*be attractive*) attirer (***to sb*** qn); (*candidate*, *idea*) plaire (***to sb*** à qn) **appealing** [ə'piːlɪŋ] *adj* **1.** (*attractive*) attrayant **2.** *look*, *voice* séduisant

appear [ə'pɪə^r] *v/i* **1.** (*emerge*) apparaître; ***to ~ from behind sth*** surgir de derrière qc; ***to ~ in public*** se montrer en public; ***to ~ in court*** comparaître; ***to ~ as a witness*** comparaître comme témoin **2.** (*seem*) sembler; ***he ~ed*** (***to be***) ***drunk*** il avait l'air saoul; ***it ~s that …*** il semble que …; ***it ~s not*** il ne semble pas; ***there ~s to be a mistake*** il semble qu'il y ait une erreur; ***it ~s to me that …*** il me semble que …

appearance [ə'pɪərəns] *n* **1.** (*emergence*) apparition *f*; (*unexpected*) arrivée *f*; THEAT entrée *f* en scène; ***to make an ~*** faire une apparition; ***to put in an ~*** faire acte de présence **2.** (*look*) aspect *m*; (*esp of person*) apparence *f*; ***for the sake of ~s*** pour garder les apparences; ***to keep up ~s*** sauver les apparences

appease [ə'piːz] *v/t* apaiser **appeasement** [ə'piːzmənt] *n* apaisement *m*

append [ə'pend] *v/t notes etc.* joindre (***to*** à) (*also* IT) **appendage** [ə'pendɪdʒ] *n fig* appendice *m* **appendectomy** [ˌæpen'dektəmɪ] *n* appendicectomie *f* **appendicitis** [əˌpendɪ'saɪtɪs] *n* appendicite *f* **appendix** [ə'pendɪks] *n* ⟨*pl* **appendices** *or* **-es**⟩ **1.** ANAT appendice *m*; ***to have one's ~ out*** se faire opérer de l'appendicite **2.** (*to book etc.*) appendice *m*

appetite ['æpɪtaɪt] *n* appétit *m*; *fig* soif *f*; ***to have an ~ for sth*** avoir de l'appétit pour qc; *fig* avoir soif de qc; ***to have no ~ for sth*** ne pas avoir d'appétit pour qc; *fig* ne pas avoir soif de qc; ***I hope you've got an ~*** j'espère que vous avez faim; ***to***

spoil one's ~ se couper l'appétit **appetizer** ['æpɪtaɪzəʳ] *n* (*food*) amuse-gueule *m*; (*hors d'oeuvre*) entrée *f*; (*drink*) apéritif *m* **appetizing** ['æpɪtaɪzɪŋ] *adj* appétissant; *smell* alléchant

applaud [ə'plɔːd] **I** *v/t* applaudir; *efforts, courage* louer; *decision* saluer **II** *v/i* applaudir **applause** [ə'plɔːz] *n no pl* applaudissements *mpl*

apple ['æpl] *n* pomme *f*; ***to be the ~ of sb's eye*** être la prunelle des yeux de qn **apple-green** *adj* vert pomme **apple pie** *n* ≈ tarte *f* aux pommes **apple sauce** *n* COOK compote *f* de pommes

applet [æplɪt] *n* IT appliquette *f*

appliance [ə'plaɪəns] *n* appareil *m*

applicable [ə'plɪkəbl] *adj* applicable (***to*** à); (*on forms*) correspondant (***to*** à); ***that isn't ~ to you*** cela ne s'applique pas à toi **applicant** ['æplɪkənt] *n* (*for job*) candidat(e) *m*(*f*) (***for*** à); (*for loan*) demandeur(-euse) *m*(*f*) (***for*** de)

application [ˌæplɪ'keɪʃən] *n* **1.** (*for job etc.*) candidature *f* (***for*** pour); (*for loan*) demande *f* (***for*** de) **2.** (*of paint, ointment*) application *f*; (*of rules, knowledge*) application *f*; ***"for external ~ only"*** MED pour usage externe seulement **3.** (*diligence*) assiduité *f*, application *f* **application form** *n* formulaire *m* de demande; (*for job*) formulaire *m* de candidature **application program** *n* IT application *f* **application software** *n* IT logiciel *m* d'application **applicator** ['æplɪkeɪtəʳ] *n* applicateur *m*

applied [ə'plaɪd] *adj attr math etc.* appliqué

appliqué [æ'pliːkeɪ] SEWING **I** *n* application *f* **II** *adj attr* ***~ work*** travail d'application

apply [ə'plaɪ] **I** *v/t paint, ointment, dressing* appliquer (***to*** sur); *rules, knowledge* appliquer (***to*** à); *brakes* actionner; ***to ~ a pressure*** exercer une pression; ***to ~ oneself (to sth)*** s'appliquer (à qc); ***that term can be applied to many things*** ce terme peut s'appliquer à de nombreuses choses **II** *v/i* **1.** (*make an application*) faire une demande (***for*** de); ***to ~ to sb for sth*** (*for job*) poser sa candidature auprès de qn pour qc; (*for grant*) faire une demande de qc auprès de qn; ***~ within*** s'adresser à l'intérieur; ***she has applied to college*** elle a fait une demande pour entrer à l'université **2.** (*be applicable*) s'appliquer (***to*** à)

appoint [ə'pɔɪnt] *v/t* (*to a job, a post*) nommer; ***to ~ sb to an office*** nommer qn à une charge; ***to ~ sb sth*** nommer qn qc; ***to ~ sb to do sth*** désigner qn pour faire qc **appointed** [ə'pɔɪntɪd] *adj hour, place* convenu; *task* fixé; *representative* nommé **appointee** [əpɔɪn'tiː] *n* personne *f* nommée

appointment [ə'pɔɪntmənt] *n* **1.** (*business appointment, with doctor etc.*) rendez-vous *m* (***with*** avec); ***to make an ~ with sb*** prendre rendez-vous avec qn; ***I made an ~ to see the doctor*** j'ai pris rendez-vous pour voir le médecin; ***do you have an ~?*** vous avez un rendez-vous?; ***to keep an ~*** se rendre à un rendez-vous; ***by ~*** sur rendez-vous **2.** (*to a job*) embauche *f*; (*to a post*) nomination *f* **appointment(s) book** *n* carnet *m* de rendez-vous

apportion [ə'pɔːʃən] *v/t* partager; *duties* répartir; ***to ~ sth to sb*** assigner qc à qn

appraisal [ə'preɪzəl] *n* (*of value, damage*) estimation *f*; (*of ability*) évaluation *f* **appraise** [ə'preɪz] *v/t value, damage* estimer; *ability* évaluer

appreciable [ə'priːʃəbl] *adj* considérable **appreciably** [ə'priːʃəblɪ] *adv* considérablement **appreciate** [ə'priːʃɪeɪt] **I** *v/t* **1.** *dangers, problems etc.* se rendre compte de; *sb's wishes etc.* être conscient de; ***I ~ that you cannot come*** je comprends que vous ne puissiez pas venir **2.** (*be grateful for*) être reconnaissant; ***thank you, I ~ it*** merci, je vous en suis reconnaissant; ***I would ~ it if you could do this by tomorrow*** je vous serais reconnaissant de faire ceci pour demain **3.** *art, music* apprécier **II** *v/i* FIN ***to ~ (in value)*** prendre de la valeur **appreciation** [əˌpriːʃɪ'eɪʃən] *n* **1.** (*of problems, dangers*) évaluation *f* **2.** (*respect*) reconnaissance *f*; (*of person*) estime *f*; ***in ~ of sth*** en remerciement de qc; ***to show one's ~*** pour montrer sa gratitude **3.** (*enjoyment, understanding*) appréciation *f*; (*of art*) critique *f* (***of*** de); ***to write an ~ of sb / sth*** faire la critique de qn / qc **4.** (*increase*) accroissement (***in*** en) **appreciative** [ə'priːʃɪətɪv] *adj* favorable; (*grateful*) reconnaissant

apprehend [ˌæprɪ'hend] *v/t* appréhender **apprehension** [ˌæprɪ'henʃən] *n* (*fear*) appréhension *f*; ***a feeling of ~*** un sentiment d'appréhension **appre-**

hensive [ˌæprɪˈhensɪv] *adj* inquiet (-iète); ***to be ~ of sth*** appréhender qc; ***he was ~ about the future*** il était inquiet pour le futur **apprehensively** [ˌæprɪˈhensɪvlɪ] *adv* avec appréhension

apprentice [əˈprentɪs] **I** *n* apprenti(e) *m(f)*; ***~ electrician*** apprenti électricien **II** *v/t* ***to be ~d to sb*** être placé en apprentissage chez qn **apprenticeship** [əˈprentɪʃɪp] *n* apprentissage *m*; ***to serve one's ~*** faire son apprentissage; *fig* faire ses débuts

approach [əˈprəʊtʃ] **I** *v/i* (*physically*) s'approcher; (*date etc.*) approcher **II** *v/t* **1.** (*come near*) approcher; AVIAT effectuer son approche; *fig* approcher de; ***to ~ thirty*** approcher de la trentaine; ***the train is now ~ing platform 3*** le train arrive voie 3; ***something ~ing a festive atmosphere*** une atmosphère à presque festive **2.** *person*, *organization* approcher (***about*** au sujet de) **3.** *problem*, *task* aborder **III** *n* **1.** (*drawing near*) approche *f*; (*of troops*) arrivée *f*; AVIAT approche *f* (***to*** de) **2.** (*to person*, *organization*) démarche *f* **3.** (*attitude*) approche *f* (***to*** de); méthode *f* (***to*** pour); ***a positive ~ to teaching*** une approche positive de l'enseignement; ***his ~ to the problem*** la manière dont il aborde le problème; ***try a different ~*** essaye une autre méthode **approachable** [əˈprəʊtʃəbl] *adj person* abordable **approach path** *n* AVIAT trajectoire *f* d'accès **approach road** *n Br* (*to city etc.*) voie *f* d'accès; (*to freeway*) bretelle *f* d'accès

approbation [ˌæprəˈbeɪʃən] *n* approbation *f*

appropriate[1] [əˈprəʊprɪɪt] *adj* **1.** (*fitting*) approprié (***for, to*** à); (*to a situation*, *occasion*) opportun (***to*** pour); *name*, *remark* juste; ***to be ~ for doing sth*** convenir pour faire qc **2.** (*relevant*) adapté; *authority* compétent; ***put a tick where ~*** cocher la case correspondante; ***delete as ~*** rayer les mentions inutiles

appropriate[2] [əˈprəʊprɪeɪt] *v/t* s'approprier

appropriately [əˈprəʊprɪɪtlɪ] *adv* de manière appropriée; *dressed* convenablement (***for, to*** pour) **appropriateness** [əˈprəʊprɪɪtnɪs] *n* (*suitability*, *fittingness*) correction *f*; (*of dress*) caractère *m* approprié; (*of remark*, *name*) justesse *f*

appropriation [əˌprəʊprɪˈeɪʃən] *n* appropriation *f*

approval [əˈpruːvəl] *n* **1.** approbation *f*; (*consent*) assentiment *m* (***of*** pour); ***to win sb's ~ (for sth)*** obtenir l'approbation de qn (pour qc); ***to give one's ~ for sth*** donner son approbation à qc; ***to meet with / have sb's ~*** avoir l'approbation de qn; ***to show one's ~ of sth*** montrer son approbation pour qc **2.** COMM ***on ~*** à l'essai

approve [əˈpruːv] **I** *v/t decision* approuver; *project* accepter **II** *v/i* ***to ~ of sb / sth*** apprécier qn / qc; ***I don't ~ of him*** il ne me plaît pas; ***I don't ~ of it*** je n'approuve pas cela; ***I don't ~ of people smoking*** ça ne me plaît pas que les gens fument **approving** *adj* approbateur(-trice); (*consenting*) favorable **approvingly** *adv* d'un air approbateur

approx. *abbr* = **approximately** env. (*environ*) **approximate** [əˈprɒksɪmɪt] **I** *adj* approximatif(-ive); ***these figures are only ~*** ces chiffres sont seulement approximatifs; ***three hours is the ~ time needed*** il faut à peu près trois heures **II** *v/i* ***to ~ to sth*** se rapprocher de qc **III** *v/t* ***to ~ sth*** se rapprocher de qc **approximately** [əˈprɒksɪmətlɪ] *adv* approximativement **approximation** [əˌprɒksɪˈmeɪʃən] *n* approximation *f* (***of, to*** de); (*figure*) valeur *f* approchée; ***his story was an ~ of the truth*** son histoire ne correspondait que de loin à la vérité

APR *abbr* = **annual percentage rate** TEG (*taux effectif global*)

après-ski [ˌæpreɪˈskiː] **I** *n* activités *fpl* après le ski **II** *adj attr* pour après le ski

apricot [ˈeɪprɪkɒt] **I** *n* abricot *m* **II** *adj* (*a.* **apricot-coloured**) abricot

April [ˈeɪprəl] *n* avril *m*; ***~ shower*** ≈ giboulées de mars; → **September April fool** *n* ***~!*** poisson d'avril!; ***to play an ~ on sb*** faire un poisson d'avril à qn **April Fools' Day** *n* le 1er avril

apron [ˈeɪprən] *n* tablier *m* **apron strings** *pl* ***to be tied to sb's ~*** *fig* être pendu aux jupes de qn *infml*

apropos [ˌæprəˈpəʊ] *prep* (*a.* **apropos of**) à propos de

apt [æpt] *adj* ⟨+er⟩ **1.** (*fitting*) pertinent **2.** ***to be ~ to do sth*** avoir tendance à faire qc

Apt. *abbr* = **apartment** appt (*appartement*)

aptitude ['æptɪtjuːd] *n* aptitude *f* **aptitude test** *n* test *m* d'aptitude
aptly ['æptlɪ] *adv* avec justesse
aquajogging ['ækwədʒɒgɪŋ] *n* jogging *m* aquatique **aqualung** ['ækwəlʌŋ] *n* scaphandre *m* autonome **aquamarine** [ˌækwəmə'riːn] **I** *n* aigue-marine *f*; (*color*) bleu vert *m* **II** *adj* bleu-vert **aquaplane** ['ækwəpleɪn] *v/i* (*car etc.*) faire de l'aquaplaning **aquaplaning** ['ækwəpleɪnɪŋ] *n* aquaplaning *m*, aquaplanage *m*; ***in order to prevent the car from ~*** pour empêcher la voiture de faire de l'aquaplaning **aquarium** [ə'kwɛərɪəm] *n* aquarium *m* **Aquarius** [ə'kwɛərɪəs] *n* Verseau *m* **aquarobics** [ækwər'əʊbɪks] *n sg* aquagym® *f* **aquatic** [ə'kwætɪk] *adj* aquatique; ***~ sports*** sports aquatiques **aqueduct** ['ækwɪdʌkt] *n* aqueduc *m*
Arab ['ærəb] **I** *n* Arabe *m/f*; ***the ~s*** les Arabes **II** *adj attr* arabe; ***~ horse*** cheval *m* arabe **Arabia** [ə'reɪbɪə] *n* Arabie *f* **Arabian** *adj* arabe **Arabic** ['ærəbɪk] **I** *n* arabe *m* **II** *adj* arabe
arable ['ærəbl] *adj* arable; ***~ farming*** culture; ***~ land*** terre arable
arbitrarily ['ɑːbɪtrərəlɪ] *adv* arbitrairement **arbitrary** ['ɑːbɪtrərɪ] *adj* arbitraire
arbitrate ['ɑːbɪtreɪt] **I** *v/t* juger **II** *v/i* arbitrer **arbitration** [ˌɑːbɪ'treɪʃən] *n* arbitrage *m*; ***to go to ~*** recourir à l'arbitrage **arbitrator** ['ɑːbɪtreɪtəʳ] *n* arbitre *m/f*; *esp* IND médiateur(-trice) *m*(*f*)
arc [ɑːk] *n* arc *m*
arcade [ɑː'keɪd] *n* ARCH arcade *f*; (*row of stores*) galerie *f* marchande
arcane [ɑː'keɪn] *adj* ésotérique
arch¹ [ɑːtʃ] **I** *n* **1.** voûte *f*, arche *f* **2.** (*of foot*) voûte *f* plantaire **II** *v/t back* courber; *eyebrows* froncer; ***the cat ~ed its back*** le chat a fait le gros dos
arch² *adj attr* grand; ***~ enemy*** ennemi numéro un
archaeological *etc. Br* = **archeological** *etc.*
archaic [ɑː'keɪɪk] *adj* archaïque **archaism** ['ɑːkeɪɪzəm] *n* archaïsme *m*
archangel ['ɑːkˌeɪndʒl] *n* archange *m* **archbishop** *n* archevêque *m* **archdeacon** *n* archidiacre *m*
arched [ɑːtʃt] *adj* voûté; ***~ window*** fenêtre cintrée
archeological, *Br* **archaeological** [ˌɑːkɪə'lɒdʒɪkəl] *adj* archéologique **archeologist**, *Br* **archaeologist** [ˌɑːkɪ'ɒlədʒɪst] *n* archéologue *m/f* **archeology**, *Br* **archaeology** [ˌɑːkɪ'ɒlədʒɪ] *n* archéologie *f*
archer ['ɑːtʃəʳ] *n* archer *m* **archery** ['ɑːtʃərɪ] *n* tir *m* à l'arc
archetypal ['ɑːkɪtaɪpəl] *adj* archétypique; (*typical*) typique; ***he is the ~ millionaire*** c'est l'archétype du millionnaire **archetype** ['ɑːkɪtaɪp] *n* archétype *m*
archipelago [ˌɑːkɪ'pelɪgəʊ] *n* ⟨*pl* **-(e)s**⟩ archipel *m*
architect ['ɑːkɪtekt] *n* architecte *m/f*; ***he was the ~ of his own downfall*** il fut l'artisan de sa propre ruine **architectural** [ˌɑːkɪ'tektʃərəl] *adj* architectural **architecturally** [ˌɑːkɪ'tektʃərəlɪ] *adv* architecturalement **architecture** ['ɑːkɪtektʃəʳ] *n* architecture *f*
archive ['ɑːkaɪv] *n* archive *f* (*also* IT); ***~ material*** archives **archives** *pl* archives *fpl* **archivist** ['ɑːkɪvɪst] *n* archiviste *m/f*
arch-rival [ˌɑːtʃ'raɪvəl] *n* adversaire *m* acharné
archway ['ɑːtʃweɪ] *n* arche *f*
arctic ['ɑːktɪk] **I** *adj* arctique **II** *n* ***the Arctic*** l'Arctique *m* **Arctic Circle** *n* le cercle *m* polaire arctique **Arctic Ocean** *n* l'océan *m* Arctique
ardent ['ɑːdənt] *adj* passionné, fervent **ardently** ['ɑːdəntlɪ] *adv* passionnément; *desire*, *admire* ardemment
arduous ['ɑːdjʊəs] *adj* ardu; *work* difficile; *task* pénible
are [ɑːʳ] *2nd person sg, 1st, 2nd, 3rd person pl pres* = **be**
area ['ɛərɪə] *n* **1.** (*measure*) superficie *f*; ***20 sq meters*** (*US*) *or* ***metres*** (*Br*) ***in ~*** d'une superficie de 20 mètres carrés **2.** (*region*) territoire *m*; (*neighborhood*) région *f*; (*piece of ground*) terrain *m*; (*on diagram etc.*) secteur *m*; ***in the ~*** à proximité; ***do you live in the ~?*** vous vivez dans le coin?; ***in the New York ~*** dans la région de New York; ***protected ~*** site protégé; ***dining / sleeping ~*** coin salle à manger / chambre; ***no smoking ~*** zone non-fumeur; ***the*** (***penalty***) ***~*** (*esp Br* FTBL) la surface de réparation; ***a mountainous ~*** une région montagneuse; ***a wooded ~*** une région boisée; ***the infected ~s of the lungs*** les zones infectées des poumons **3.** *fig* domaine *m*; ***his ~ of responsibility*** son domaine de responsabilité; ***~ of interest*** domai-

ne d'intérêt **area code** *n* TEL indicatif *m* de zone **area manager** *n* directeur (-trice) *m*(*f*) régional(e) **area office** *n* agence *f* régionale

arena [ə'riːnə] *n* arène *f*

aren't [ɑːnt] = **are not**, **am not**; → **be**

Argentina [ˌɑːdʒən'tiːnə] *n* Argentine *f* **Argentine** ['ɑːdʒəntaɪn] *n* ***the ~*** l'Argentine *f* **Argentinian** [ˌɑːdʒən'tɪnɪən] **I** *n* Argentin(e) *m*(*f*) **II** *adj* argentin

arguable ['ɑːgjʊəbl] *adj* discutable; ***it is ~ that …*** on peut soutenir que …; (*open to discussion*) ***it is ~ whether …*** on peut se demander si … **arguably** ['ɑːgjʊəblɪ] *adv* ***this is ~ his best book*** on peut dire que c'est son meilleur livre

argue ['ɑːgjuː] **I** *v/i* **1.** (*dispute*) discuter; (*quarrel*) se quereller; (*about trivial things*) se chamailler; ***there's no arguing with him*** on ne peut pas discuter avec lui; ***don't ~ with your mother!*** ne discute pas avec ta mère!; ***there is no point in arguing*** ça ne sert à rien de discuter **2.** ***to ~ for*** *or* ***in favor*** (*US*) *or* ***favour*** (*Br*) ***of / against sth*** plaider pour *or* en faveur de / contre qc; ***this ~s in his favor*** (*US*) *or* ***favour*** *Br* cela plaide en sa faveur **II** *v/t* **1.** *case, matter* débattre; ***a well ~d case*** une argumentation solide **2.** (*maintain*) soutenir; ***he ~s that …*** il soutient que … ◆ **argue out** *v/t sep problem* résoudre par le débat; ***to argue sth out with sb*** résoudre qc avec qn

argument ['ɑːgjʊmənt] *n* **1.** (*discussion*) discussion *f*; ***for the sake of ~*** à titre d'exemple **2.** (*quarrel*) dispute *f*; ***to have an ~*** se disputer; (*over sth trivial*) se chamailler **3.** (*reason*) argument *m*; ***Professor Ayer's ~ is that …*** l'argument du Professeur Ayer est que … **argumentative** [ˌɑːgjʊ'mentətɪv] *adj* ergoteur(-euse)

aria ['ɑːrɪə] *n* aria *f*

arid ['ærɪd] *adj* aride

Aries ['ɛəriːz] *n* ASTROL Bélier *m*; ***she is*** (***an***) ***~*** elle est Bélier

arise [ə'raɪz] ⟨*past* **arose**⟩ ⟨*past part* **arisen**⟩ *v/i* **1.** se produire; (*question, problem*) se poser; ***should the need ~*** si le besoin s'en fait sentir **2.** (*result*) ***to ~ out of*** *or* ***from sth*** résulter de qc

aristocracy [ˌærɪs'tɒkrəsɪ] *n* aristocratie *f* **aristocrat** ['ærɪstəkræt] *n* aristocrate *m/f* **aristocratic** [ˌærɪstə'krætɪk] *adj* aristocratique

arithmetic [ə'rɪθmətɪk] *n* arithmétique *m*

ark [ɑːk] *n* ***Noah's ~*** l'Arche *f* de Noé

arm¹ [ɑːm] *n* **1.** ANAT bras *m*; ***in one's ~s*** dans ses bras; ***to give sb one's ~*** *Br* donner le bras à qn; ***to take sb in one's ~s*** prendre qn dans ses bras; ***to hold sb in one's ~s*** tenir qn dans ses bras; ***to put*** *or* ***throw one's ~s around sb*** passer son bras autour des épaules de qn; ***~ in ~*** bras dessus bras dessous; ***to welcome sb with open ~s*** accueillir qn à bras ouverts; ***within ~'s reach*** à portée de main; ***it cost him an ~ and a leg*** *infml* ça lui a coûté les yeux de la tête *infml* **2.** (*sleeve*) manche *f*; (*of river*) bras *m*; (*of armchair*) accoudoir *m*

arm² **I** *v/t* armer; ***to ~ sth with sth*** équiper qc avec qc; ***to ~ oneself with sth*** s'armer de qc **II** *v/i* prendre les armes **armaments** ['ɑːməmənts] *pl* armement *m*

armband ['ɑːmbænd] *n* brassard *m*

armchair ['ɑːmtʃɛəʳ] *n* fauteuil *m*

armed [ɑːmd] *adj* armé **armed forces** *pl* forces *fpl* armées **armed robbery** *n* attaque *f* à main armée

Armenia [ɑː'miːnɪə] *n* Arménie *f* **Armenian** [ɑː'miːnɪən] **I** *adj* arménien(ne) **II** *n* **1.** (*person*) Arménien(ne) *m*(*f*) **2.** LING arménien *m*

armful *n* brassée *f* **armhole** *n* emmanchure *f*

armistice ['ɑːmɪstɪs] *n* armistice *m* **Armistice Day** *n* l'Armistice *m*

armor, *Br* **armour** ['ɑːməʳ] *n* armure *f*; ***suit of ~*** armure complète **armored**, *Br* **armoured** ['ɑːməd] *adj* blindé; ***~ car*** voiture blindée; ***~ personnel carrier*** véhicule blindé de transport de troupes **armor-plated**, *Br* **armour-plated** *adj* blindé **armor plating**, *Br* **armour plating** *n* blindage *m* **armory**, *Br* **armoury** ['ɑːmərɪ] *n* **1.** arsenal *m* **2.** (*US factory*) usine *f* d'armes

armpit *n* aisselle *f* **armrest** *n* accoudoir *m*

arms [ɑːmz] *pl* **1.** (*weapons*) armes *fpl*; ***to take up ~*** (***against sb / sth***) prendre les armes (contre qn / qc); *fig* s'insurger (contre qn / qc); ***to be up in ~*** (***about sth***) *fig, infml* être en guerre (contre qc) **2.** HERALDRY armoiries *fpl* **arms race** *n* course *f* aux armements

army ['ɑːmɪ] **I** *n* **1.** armée *f*; ***~ of occupation*** armée *f* d'occupation; ***to be in the***

~ être dans l'armée; ***to join the ~*** s'engager **2.** *fig* armée *f*, foule *f* **II** *attr* militaire; ***~ life*** vie militaire; ***~ officer*** officier de l'armée de terre

A-road ['eɪrəʊd] *n Br route nationale*

aroma [ə'rəʊmə] *n* arôme *m* **aromatherapy** [əˌrəʊmə'θerəpɪ] *n* aromathérapie *f* **aromatic** [ˌærəʊ'mætɪk] *adj* aromatique

arose [ə'rəʊz] *past* = **arise**

around [ə'raʊnd] **I** *adv* autour; ***I looked all ~*** j'ai regardé tout autour; ***they came from all ~*** ils venaient de partout; ***he turned ~*** il se retourna; ***for miles ~*** de très loin; ***to travel ~*** voyager; ***is he ~?*** il est dans les parages?; ***see you ~!*** *infml* à bientôt! **II** *prep* **1.** autour de **2.** (*in, through*) ***to wander ~ the city*** flâner dans la ville; ***to travel ~ Scotland*** voyager en Écosse; ***the church must be ~ here somewhere*** l'église doit être quelque part dans le coin **3.** (*with time of day*) vers; (*with weight, price*) environ; → **round**

arouse [ə'raʊz] *v/t* (*waken*) réveiller

arr *abbr* = **arrival**, **arrives** arr. (*arrivée, arrive*)

arrange [ə'reɪndʒ] *v/t* **1.** (*order*) mettre en ordre; *objects* disposer; *books in library etc.* ranger; *flowers* arranger **2.** (*see to, decide on*) convenir; *party* arranger; ***I'll ~ for you to meet him*** je vais vous organiser un rendez-vous avec lui; ***an ~d marriage*** un mariage arrangé; ***if you could ~ to be there at five*** si vous pouviez faire en sorte d'être là à cinq heures; ***a meeting has been ~d for next month*** une réunion a été fixée le mois prochain **3.** MUS arranger **arrangement** *n* **1.** disposition *f*; ***a flower ~*** une composition florale **2.** (*agreement*) accord *m*; (*to meet*) arrangement *m*; ***a special ~*** un accord spécial; ***to have / come to an ~ with sb*** parvenir à un accord avec qn **3.** (*usu pl*) (*plans*) dispositions *fpl*; (*preparations*) préparatifs *mpl*; ***to make ~s for sb / sth*** faire des préparatifs pour qn / qc; ***to make ~s for sth to be done*** prendre des dispositions pour que qc soit fait; ***to make one's own ~s*** prendre ses propres dispositions; ***seating ~s*** le placement des gens

array [ə'reɪ] *n* **1.** (*collection*) collection *f*; (*of objects*) étalage *m* **2.** IT tableau *m*

arrears [ə'rɪəz] *pl* arriéré *m*; ***to get or fall into ~*** accumuler des arriérés; ***to have ~ of $5000*** avoir 5 000 dollars d'arriérés; ***to be paid in ~*** être payé à terme échu

arrest [ə'rest] **I** *v/t* arrêter **II** *n* arrestation *f*; ***to be under ~*** être en état d'arrestation **arrest warrant** *n* mandat *m* d'arrêt

arrival [ə'raɪvəl] *n* **1.** arrivée *f*; (*of goods, news*) arrivage *m*; ***on ~*** à l'arrivée; ***he was dead on ~*** il était mort à l'arrivée; ***~ time*** heure d'arrivée; ***~s*** RAIL, AVIAT arrivées **2.** (*person*) arrivant(e) *m*(*f*); ***new ~*** nouveau venu **arrivals lounge** [ə'raɪvəlzˌlaʊndʒ] *n* salon *m* des arrivées

arrive [ə'raɪv] *v/i* arriver; ***to ~ home*** arriver chez soi; ***to ~ at a town / the airport*** arriver dans une ville/l'aéroport; ***the train will ~ at platform 10*** le train arrivera quai n°10; ***to ~ at a decision / result*** parvenir à une décision / un résultat

arrogance ['ærəgəns] *n* arrogance *f* **arrogant** *adj* arrogant **arrogantly** *adv* avec arrogance

arrow ['ærəʊ] *n* flèche *f* **arrow key** *n* IT touche *f* fléchée

arse [ɑːs] (*Br vulg*) **I** *n* cul *m vulg*; ***get your ~ in gear!*** bouge-toi le cul! *vulg*; ***tell him to get his ~ into my office*** dis lui de se ramener dans mon bureau *infml* **II** *v/t* ***I can't be ~d*** ça me fait chier *vulg* ◆ **arse about** *or* **around** *v/i* (*Br infml*) faire le con *infml*

arsehole ['ɑːshəʊl] *n* (*Br vulg*) trou du cul *m vulg*

arsenal ['ɑːsɪnl] *n* MIL *fig* arsenal *m*

arsenic ['ɑːsnɪk] *n* arsenic *m*; ***~ poisoning*** empoisonnement à l'arsenic

arson ['ɑːsn] *n* incendie *m* criminel **arsonist** *n* pyromane *m/f*

art [ɑːt] **I** *n* **1.** art *m*; ***the ~s*** les arts; ***there's an ~ to it*** c'est tout un art; ***~s and crafts*** artisanat d'art **2.** ***~s*** UNIV lettres *fpl*; ***~s minister*** ≈ ministre de la culture **II** *adj attr* d'art **art college** *n école des beaux-arts*

artefact *Br n* = **artifact**

arterial [ɑː'tɪərɪəl] *adj* ANAT artériel(le) ***~ road*** AUTO *Br* route à grande circulation **artery** ['ɑːtərɪ] *n* ANAT **1.** ANAT artère *f* **2.** (*a.* **traffic artery**) route *f* à grande circulation

art gallery *n* galerie *f* d'art **art-house** *adj attr* d'art et d'essai ***~ film*** film d'art et d'essai; ***~ cinema*** cinéma

d'art et d'essai
arthritic [ɑːˈθrɪtɪk] *adj* arthritique; ***she is ~*** elle a de l'arthrose **arthritis** [ɑːˈθraɪtɪs] *n* arthrite *f*
artichoke [ˈɑːtɪtʃəʊk] *n* artichaut *m*
article [ˈɑːtɪkl] *n* (*in list, newspaper, constitution*; *a.* COMM, GRAM) article *m* ***~ of furniture*** meuble; ***~s of clothing*** vêtements
articulate [ɑːˈtɪkjʊlɪt] **I** *adj person, speech* clair ***to be ~*** savoir s'exprimer **II** *v/t* **1.** (*pronounce*) articuler **2.** (*state*) exprimer clairement **III** *v/i* (*pronounce*) articuler (*to be jointed*) s'articuler **articulated truck**, *Br* **articulated lorry** [ɑːˈtɪkjʊleɪtɪd-] *n* semi-remorque *m* **articulately** [ɑːˈtɪkjʊlɪtlɪ] *adv pronounce* intelligiblement; *express oneself* clairement
artifact [ˈɑːtɪfækt] *n* objet *m* fabriqué
artificial [ˌɑːtɪˈfɪʃəl] *adj* (*a. pej smile, manner*) artificiel(le) ***~ leather*** imitation cuir ***~ silk*** soie artificielle; membre artificiel; ***you're so ~*** tu es tellement artificiel **artificial insemination** *n* insémination *f* artificielle **artificial intelligence** *n* intelligence *f* artificielle **artificially** [ˌɑːtɪˈfɪʃəlɪ] *adv* artificiellement **artificial respiration** *n* respiration *f* artificielle
artillery [ɑːˈtɪlərɪ] *n* artillerie *f*
artisan [ˈɑːtɪzæn] *n* artisan *m*
artist [ˈɑːtɪst] *n* artiste *m/f*; ***~'s impression*** vision d'artiste **artiste** [ɑːˈtiːst] *n* (*a. circus*) artiste *m/f* **artistic** [ɑːˈtɪstɪk] *adj* artistique; (*tasteful*) de bon goût; (*appreciative of art*) artiste; ***she's very ~*** elle a un tempérament d'artiste **artistically** [ɑːˈtɪstɪkəlɪ] *adv* artistiquement; (*tastefully*) avec art **artistic director** *n* directeur(-trice) *m(f)* artistique **artistry** [ˈɑːtɪstrɪ] *n* talent *m* artistique **Art Nouveau** [ˈɑːnuːˈvəʊ] *n* Art *m* nouveau **art school** *n* école *f* des beaux-arts **arts degree** *n* ≈ licence *f* de lettres **Arts Faculty, Faculty of Arts** *n* ≈ faculté *f* des Lettres et Sciences humaines **artsy** *adj* ⟨**+er**⟩ *US infml person* artiste, bohème; *pej movie* soi-disant artistique **artsy-fartsy** *adj US pej, infml* = **arty artwork** [ˈɑːtwɜːk] *n* **1.** (*in book*) iconographie *f* **2.** (*for advert etc., material ready for printing*) illustrations *fpl* **3.** (*painting etc.*) œuvre *f* d'art **arty** [ˈɑːtɪ] *adj* ⟨**+er**⟩ *Br infml* = **artsy arty-farty** [ˈɑːtɪˈfɑːtɪ] *adj Br pej, infml* = **artsy-fartsy**
Aryan [ˈɛərɪən] **I** *n* Aryen(ne) **II** *adj* aryen(ne)
as [æz, əz] **I** *cj* **1.** (*when, while*) alors que, au moment où ***the first door as you go in*** la première porte en entrant **2.** (*since*) puisque **3.** (*although*) *form* ***rich as he is I won't marry him*** aussi riche qu'il soit, je ne l'épouserai pas; ***much as I admire her, …*** quelle que soit mon admiration pour elle,…; ***be that as it may*** quoi qu'il en soit **4.** (*manner*) comme; ***do as you like*** fais comme tu voudras; ***leave it as it is*** laisse cela comme tel quel; ***knowing him as I do*** le connaissant comme je le connais; ***it is bad enough as it is*** c'est déjà assez difficile comme ça; ***late as usual!*** en retard, comme d'habitude! **5.** (*phrases*) ***as if*** *or* ***though*** comme si; ***it isn't as if he didn't see me*** ce n'est pas comme s'il ne m'avait pas vue; ***as for him*** quant à lui; ***as it were*** pour ainsi dire; ***as from now*** à partir de maintenant; ***so as to*** (*in order to*) de façon à; (*in such a way*) de telle sorte que (*+ subj*); ***he's not so silly as to do that*** il n'est pas bête au point de faire ça **II** *adv* ***as … as*** aussi … que; ***twice as old*** deux fois plus âgé; ***just as nice*** tout aussi agréable!; ***as recently as yesterday*** pas plus tard qu'hier; ***she is very clever, as is her brother*** elle est très intelligente, comme son frère; ***as many / much as I could*** autant que je pouvais; ***there were as many as 100 people there*** il y avait peut-être cent personnes; ***the same man as was here yesterday*** le même homme que celui qui est venu hier **III** *prep* **1.** (*in the capacity of*) en tant que, comme; ***to treat sb as a child*** traiter qn comme un enfant **2.** (*esp such as*) comme
asap [ˈeɪsæp] *abbr* = **as soon as possible** dès que possible
asbestos [æzˈbestəs] *n* amiante *m*
ascend [əˈsend] **I** *v/i* monter; ***in ~ing order*** par ordre croissant **II** *v/t stairs* monter; *mountain* gravir *lofty* **ascendancy, ascendency** [əˈsendənsɪ] *n* ascendant *m*; ***to gain (the) ~ over sb*** prendre l'ascendant sur qn **Ascension** [əˈsenʃən] *n* REL ***the ~*** l'Ascension *f* **Ascension Day** *n* l'Ascension *f* **ascent** [əˈsent] *n* ascension *f*; ***the ~ of Ben Nevis*** l'ascension du Ben Nevis

ascertain [ˌæsə'teɪn] *v/t* établir, constater

ascetic [ə'setɪk] **I** *adj* ascétique **II** *n* ascète *m/f*

ASCII ['æskɪ] *abbr* = **American Standard Code for Information Interchange**; **~ *file*** fichier ASCII

ascorbic acid [ə'skɔːbɪk'æsɪd] *n* acide *m* ascorbique

ascribe [ə'skraɪb] *v/t* attribuer (***sth to sb*** qc à qn)

asexual [eɪ'seksjʊəl] *adj reproduction* asexué

ash[1] [æʃ] *n* (*a.* **ash tree**) frêne *m*

ash[2] *n* cendre *f*; ***~es*** cendres; ***to reduce sth to ~es*** réduire qc en cendres; ***to rise from the ~es*** *fig* renaître de ses cendres

ashamed [ə'ʃeɪmd] *adj* honteux(-euse); ***to be** or **feel ~*** (***of sb / sth***) avoir honte (de qn / qc); ***it's nothing to be ~ of*** il n'y a pas de raison d'avoir honte; ***you ought to be ~*** (***of yourself***) tu devrais avoir honte

ashen-faced [ˌæʃn'feɪst] *adj* blême

ashore [ə'ʃɔːʳ] *adv* à terre; ***to run ~*** s'échouer; ***to put ~*** débarquer

ashtray *n* cendrier *m* **Ash Wednesday** *n* mercredi *m* des Cendres

Asia ['eɪʃə] *n* Asie *f* **Asia Minor** *n* Asie *f* mineure

Asian ['eɪʃn], **Asiatic I** *adj* **1.** asiatique **2.** *Br* originaire du sous-continent indien **II** *n* **1.** Asiatique *m/f* **2.** *Br* personne *f* originaire indo-pakistanaise **Asian-American** [ˌeɪʃnə'merɪkən] **I** *adj* américain d'origine asiatique **II** *n* Américain(e) *m(f)* d'origine asiatique

aside [ə'saɪd] *adv* **1.** de côté, à part; ***to set sth ~ for sb*** mettre qc de côté pour qn; ***to turn ~*** se tourner sur le côté **2.** *esp US* ***~ from*** en plus de; ***~ from being chairman of this committee he is ...*** en plus de directeur de ce comité, il est…

A-side ['eɪsaɪd] *n* (*of record*) face *f* A (*d'un disque*)

ask [ɑːsk] **I** *v/t* **1.** demander; *question* poser; ***to ~ sb the way*** demander son chemin à qn; ***don't ~ me!*** *infml* est-ce que je sais, moi! *infml* **2.** (*invite*) inviter **3.** (*request*) demander (***sb for sth*** qc à qn); (*demand*) exiger (***sth of sb*** qc de qn); ***to ~ sb to do sth*** demander à qn de faire qc; ***that's ~ing too much*** c'est trop demander **4.** COMM (*price*) demander **II** *v/i* **1.** (*inquire*) se renseigner sur; ***to ~ about sb / sth*** se renseigner sur qn / qc **2.** (*request*) demander (***for sth*** qc); ***there's no harm in ~ing*** il suffit de demander; ***that's ~ing for trouble*** c'est chercher les ennuis; ***to ~ for Mr. X*** demander Mr. X ◆ **ask after** *v/t insep* demander des nouvelles de; ***tell her I was asking after her*** dites-lui que j'ai demandé de ses nouvelles ◆ **ask around** *v/i* se renseigner ◆ **ask back** *v/t sep* **1.** (*invite back*) inviter, rendre une invitation à **2.** (*invite again*) réinviter ***they never asked me back again*** ils ne m'ont jamais réinvitée ◆ **ask in** *v/t sep* (*to house*) faire entrer ◆ **ask out** *v/t sep* inviter à sortir ◆ **ask over** *v/t sep* inviter (à venir) ◆ **ask round** *v/t sep Br* = **ask over**

askance [ə'skɑːns] *adv* MIS! ***to look ~ at sb*** regarder qn d'un air méfiant; ***to look ~ at a suggestion** etc.* accueillir une suggestion *etc* d'un air dubitatif

askew [ə'skjuː] *adj*, *adv* de travers

asking ['ɑːskɪŋ] *n no pl* ***he could have had it for the ~*** il lui suffisait de demander **asking price** ['ɑːskɪŋˌpraɪs] *n* prix *m* demandé

asleep [ə'sliːp] *adj pred* **1.** endormi; ***to be*** (***fast** or **sound***) ***~*** dormir profondément; ***to fall ~*** s'endormir **2.** (*infml numb*) engourdi

A/S level ['eɪ'esˌlevl] *n* (*Br* SCHOOL) *abbr* = **Advanced Supplementary level** *examen complémentaire facultatif du A-level*

asocial [eɪ'səʊʃəl] *adj* asocial

asparagus [əs'pærəgəs] *n no pl* asperge *f*

aspect ['æspekt] *n* **1.** (*of thing*, *subject*) aspect *m* ***what about the security ~?*** et en ce qui concerne la sécurité? **2.** (*of building*) orientation *f* ***to have a southerly ~*** être orienté au sud

asphalt ['æsfælt] *n* asphalte *f*

asphyxiate [æs'fɪksɪeɪt] **I** *v/t* asphyxier; ***to be ~d*** être asphyxié **II** *v/i* s'asphyxier **asphyxiation** [æsˌfɪksɪ'eɪʃən] *n* asphyxie *f*

aspic ['æspɪk] *n* COOK gelée *f*

aspirate ['æspəreɪt] *v/t* PHON aspirer **aspiration** [ˌæspə'reɪʃən] *n* aspiration *f*

aspire [ə'spaɪəʳ] *v/i* ***to ~ to sth*** aspirer à qc; ***to ~ to do sth*** aspirer à faire qc

aspirin ['æsprɪn] *n* aspirine *f*

aspiring [ə'spaɪərɪŋ] *adj* ambitieux (-euse)

ass[1] [æs] *n donkey* âne *m*; *fig*, *infml* âne *m infml* ***to make an ~ of oneself*** se ridiculiser

ass[2] *n* (*US sl*) cul *m vulg*; ***to kick ~*** assurer *infml*, être à la hauteur; ***to work one's ~ off*** se casser le cul *vulg*; ***kiss my ~!*** va te faire foutre! *vulg*

assail [ə'seɪl] *v/t* attaquer, assaillir; ***to be ~ed by doubts*** être assailli de doutes

assailant [ə'seɪlənt] *n* assaillant(e) *m(f)*

assassin [ə'sæsɪn] *n* assassin *m* **assassinate** [ə'sæsɪneɪt] *v/t* assassiner; ***Kennedy was ~d in Dallas*** Kennedy a été assassiné à Dallas **assassination** [əˌsæsɪ'neɪʃən] *n* assassinat *m* (**of** de); ***~ attempt*** tentative d'assassinat

assault [ə'sɔːlt] **I** *n* **1.** MIL assaut *m* (***on*** sur); *fig* attaque *f* (***on*** contre) **2.** JUR agression *f*; ***sexual ~*** agression *f* sexuelle **II** *v/t* **1.** JUR agresser; (*sexually*) agresser; (*rape*) violer **2.** MIL attaquer, se lance à l'assaut de **assault course** *n* parcours *m* du combattant **assault rifle** *n* fusil *m* d'assaut **assault troops** *pl* troupes *fpl* d'assaut

assemble [ə'sembl] **I** *v/t facts*, *team* rassembler **II** *v/i* se réunir **assembly** [ə'semblɪ] *n* **1.** assemblée *f*; ***the Welsh Assembly*** l'Assemblée galloise **2.** SCHOOL *rassemblement de tous le élèves* **3.** (*putting together*) rassemblement *m*; (*of machine*) assemblage *m* **assembly hall** *n* SCHOOL hall *m* (*utilisé pour les rassemblements*) **assembly line** *n* chaîne *f* de montage **Assembly Member** *n* membre *m* de l'Assemblée **assembly point** *n* point *m* de rassemblement **assembly worker** *n* monteur(-euse) *m(f)*

assent [ə'sent] **I** *n* consentement *m* **II** *v/i* consentir; ***to ~ to sth*** consentir à qc

assert [ə'sɜːt] *v/t* affirmer; *one's innocence* protester de; ***to ~ one's authority*** affirmer son autorité; ***to ~ one's rights*** faire valoir ses droits; ***to ~ oneself*** s'affirmer (***over*** face à) **assertion** [ə'sɜːʃən] *n* affirmation *f*, assertion *f*; ***to make an ~*** avancer une assertion **assertive** [ə'sɜːtɪv] *adj* assuré, plein d'assurance **assertively** [ə'sɜːtɪvlɪ] *adv* fermement, de façon péremptoire **assertiveness** *n* assurance *f*

assess [ə'ses] *v/t proposal*, *damage*, *property* évaluer **assessment** *n* (*of damage*, *property*) évaluation *f*; ***what's your ~ of the situation?*** comment évaluez-vous la situation? **assessor** [ə'sesəʳ] *n* INSUR expert *m*; UNIV assesseur *m*

asset ['æset] *n* **1.** (*usu pl*) bien *m*; (*on balance sheet*) actif *m*; ***~s*** biens; (*on balance sheet*) actif; ***personal ~s*** biens personnels **2.** *fig* atout *m* ***he is one of our great ~s*** il est l'un de nos grands atouts

asshole ['æshəʊl] *n* (*US sl*, *fig*) connard (-asse) *m(f) vulg*

assiduous [ə'sɪdjʊəs] *adj* assidu **assiduously** [ə'sɪdjʊəslɪ] *adv* assidûment

assign [ə'saɪn] *v/t* **1.** (*allot*) assigner (***to sb*** à qn) **2.** (*appoint to task etc.*) nommer ***she was ~ed to this school*** elle a été nommée dans cette école **assignment** *n* **1.** (*task*) tâche *f*; (*mission*) mission *f*; ***to be on (an) ~*** être en mission **2.** (*appointment to task etc.*) affectation *f* (***to*** à) **3.** (*allocation*) part *f*

assimilate [ə'sɪmɪleɪt] *v/t* assimiler **assimilation** [əˌsɪmɪ'leɪʃən] *n* assimilation *f*

assist [ə'sɪst] **I** *v/t* aider; (*act as an assistant to*) assister; ***to ~ sb with sth*** aider qn à qc; ***to ~ sb in doing sth*** aider qn à faire qc **II** *v/i* (*help*) aider; ***to ~ with sth*** aider à qc; ***to ~ in doing sth*** aider à faire qc **assistance** [ə'sɪstəns] *n* aide *f*; ***to come to sb's ~*** venir en aide à qn; ***can I be of any ~?*** puis-je vous aider? **assistant** [ə'sɪstənt] **I** *n Br* assistant(e) *m(f)*; (*in store*) vendeur(-euse) *m(f)* **II** *adj attr* adjoint **assistant professor** *n US* ≈ maître-assistant *m* **assistant referee** *n* FTBL assistant-arbitre *m*

> **assist ≠ assister à**
>
> **Assist** = aider :
>
> ✓ **He assisted the surgeon during the operation.**
> (✗ **to assist to a football game**
> ✓ **to attend a football game**)
>
> Il a aidé le chirurgien pendant l'opération.
> (assister à un match de foot)

associate [ə'səʊʃɪɪt] **I** *n* (*colleague*) associé(e) *m(f)*; (COMM *partner*) partenaire *m/f* **II** *v/t* associer; ***to ~ oneself with sb/sth*** s'associer à qn/qc **III** *v/i* ***to ~ with*** s'associer à **associate director**

n FILM assistant-réalisateur (assistante-réalisatrice) *m(f)* **associate member** *n* membre *m* associé **associate professor** *n US* ≈ maître *m* de conférence
association [əˌsəʊsɪ'eɪʃən] *n* **1.** *no pl* (*associating, cooperation*) association *f* **2.** (*organization*) association *f* **3.** (*in mind*) association *f* (***with*** de)
assorted [ə'sɔːtɪd] *adj* varié, divers **assortment** [ə'sɔːtmənt] *n* assortiment *m* (***of*** de)
asst *abbr* = **assistant**
assume [ə'sjuːm] *v/t* **1.** (*presuppose*) supposer; ***let us ~ that you are right*** supposons que vous ayez raison; ***assuming (that) …*** en supposant que… **2.** (*take on*) assumer; ***to ~ office*** prendre ses fonctions; ***to ~ a look of innocence*** prendre un air innocent **3.** *control* s'approprier **assumed** *adj* ***~ name*** nom *m* d'emprunt **assumption** [ə'sʌmpʃən] *n* **1.** (*presupposition*) supposition *f*, hypothèse *f*; ***to go on the ~ that …*** partir de l'hypothèse selon laquelle… **2.** (*of power*) appropriation *f* **3.** ECCL ***the Assumption*** REL l'Assomption *f*

assume ≠ assumer

Le mot français est d'un emploi plus limité que le mot anglais **assume**.

He will assume the position of president of the company. I assume he is right.

Il va assumer la fonction de président de la société. Je suppose qu'il a raison.

assurance [ə'ʃʊərəns] *n* **1.** (*promise*) assurance *f*, promesse *f* **2.** (*self-confidence*) assurance *f* **3.** *Br insur* assurance *f* **assure** [ə'ʃʊəʳ] *v/t* **1.** ***to ~ sb of sth*** (*of willingness, support*) assurer qn de qc; ***to ~ sb that …*** assurer qn que… **2.** *success* assurer; ***he is ~d of a warm welcome wherever he goes*** partout où il va, il est assuré de recevoir un accueil chaleureux **3.** *Br* (*life*) assurer **assured** [ə'ʃʊəd] *adj* assuré, certain; ***to rest ~ that …*** soyez certain que… **assuredly** [ə'ʃʊərɪdlɪ] *adv* assurément, sûrement
asterisk ['æstərɪsk] *n* astérisque *m*
astern [ə'stɜːn] *adv* NAUT à l'arrière, en poupe
asteroid ['æstərɔɪd] *n* astéroïde *m*
asthma ['æsmə] *n* asthme *m* **asthmatic** [æs'mætɪk] **I** *n* asthmatique *m/f* **II** *adj* asthmatique
astonish [ə'stɒnɪʃ] *v/t* étonner, stupéfier; ***to be ~ed*** être stupéfié **astonishing** [ə'stɒnɪʃɪŋ] *adj* étonnant, stupéfiant **astonishingly** [ə'stɒnɪʃɪŋlɪ] *adv* curieusement **astonishment** *n* étonnement *m* (***at*** devant); ***she looked at me in ~*** elle me regarda avec étonnement
astound [ə'staʊnd] *v/t* abasourdir; ***to be ~ed*** (***at*** *or* ***by***) être abasourdi (par) **astounding** [ə'staʊndɪŋ] *adj* stupéfiant **astoundingly** [ə'staʊndɪŋlɪ] *adv* incroyablement
astray [ə'streɪ] *adj* ***to go ~*** s'égarer; ***to lead sb ~*** *fig* entraîner qn sur la mauvaise pente
astride [ə'straɪd] *prep* à califourchon sur
astringent [əs'trɪndʒənt] *adj remark, humor* acerbe
astrologer [əs'trɒlədʒəʳ] *n* astrologue *m/f* **astrological** [ˌæstrə'lɒdʒɪkəl] *adj* astrologique **astrology** [əs'trɒlədʒɪ] *n* astrologie *f*
astronaut ['æstrənɔːt] *n* astronaute *m/f*
astronomer [əs'trɒnəməʳ] *n* astronome *m/f* **astronomical** [ˌæstrə'nɒmɪkəl] *adj* astronomique **astronomically** [ˌæstrə'nɒmɪkəlɪ] *adv fig* effroyablement **astronomy** [əs'trɒnəmɪ] *n* astronomie *f*
astrophysics [ˌæstrəʊ'fɪzɪks] *n sg* astrophysique *f*
astute [ə'stjuːt] *adj* astucieux(-euse); *mind* perspicace **astutely** [ə'stjuːtlɪ] *adv* astucieusement **astuteness** *n* finesse *f*, astuce *f*
asunder [ə'sʌndəʳ] *adv liter* (*apart*) à distance l'un de l'autre; (*in pieces*) en pièces
asylum [ə'saɪləm] *n* **1.** asile *m*; ***to ask for (political) ~*** demander l'asile politique **2.** (*lunatic asylum*) asile *m* (d'aliénés) **asylum seeker** [ə'saɪləmˌsiːkəʳ] *n* demandeur(-euse) *m(f)* d'asile
asymmetric(al) [ˌeɪsɪ'metrɪk(əl)] *adj* asymétrique **asymmetry** [æ'sɪmɪtrɪ] *n* asymétrie *f*
at [æt] *prep* **1.** (*position*) à; ***at a table*** à une table; ***at the top*** au sommet; ***at home*** à la maison; ***at the university***,

Br **at university** à l'université; **at school** à l'école; **at the hotel** à l'hôtel; **at my brother's** chez mon frère; **at a party** à une soirée; **at the station** à la gare **2.** (*direction*) **to point at sb / sth** montrer qn / qc du doigt; **to look at sb / sth** regarder qn / qc **3.** (*time*, *order*) **at ten o'clock** à dix heures; **at night** la nuit; **at Christmas / Easter** *etc.* à Noël / Pâques *etc*; **at your age / 16** (**years of age**) à votre âge / seize ans; **three at a time** par trois; **at the start** au début; **at the end** à la fin **4.** (*activity*) **at play** en train de s'amuser; **at work** au travail; **good at sth** bon en qc; **while we are at it** *infml* pendant qu'on y est **5.** (*state*) **to be at an advantage** avoir l'avantage; **at a profit** à profit; **I'd leave it at that** je m'en tiendrais là **6.** (*as a result of*, *upon*) à; **at his request** à sa demande; **at that he left the room** sur ce, il quitta la pièce **7.** *angry at etc.* contre **8.** (*rate*, *degree*) **at 50 km/h** à 50 km/h; **at 50c a kilo** à 50 cents le kilo; **at 5% interest** à 5% d'intérêt; **at a high price** à un prix élevé; **when the temperature is at 90°** quand la température est de 90°

ate [eɪt, et] *past* = **eat**

atheism ['eɪθɪɪzəm] *n* athéisme *m* **atheist** ['eɪθɪɪst] *n* athée *m/f*

Athens ['æθɪnz] *n* Athènes

athlete ['æθliːt] *n* sportif(-ive) *m*(*f*); (*specialist in track and field*) athlète *m/f* **athlete's foot** [ˌæθliːtz'fʊt] *n* mycose *f* **athletic** [æθ'letɪk] *adj* athlétique; *build* d'athlète **athletics** *n sg or pl* athlétisme *m*; **~ meeting** rencontre d'athlétisme

Atlantic [ət'læntɪk] **I** *n* (*a.* **Atlantic Ocean**) Atlantique *m* **II** *adj attr* atlantique

atlas ['ætləs] *n* atlas *m*

atmosphere ['ætməsfɪəʳ] *n* atmosphère *f* **atmospheric** [ˌætməs'ferɪk] *adj* atmosphérique **atmospheric pressure** *n* pression *f* atmosphérique

atom ['ætəm] *n* atome *m* **atom bomb** *n* bombe *f* atomique **atomic** [ə'tɒmɪk] *adj* atomique **atomic bomb** *n* bombe *f* atomique **atomic energy** *n* énergie *f* atomique **Atomic Energy Commission** *n US*, **Atomic Energy Authority** *n Br* ≈ Commissariat *m* à l'énergie atomique **atomic power** *n* **1.** puissance *f* nucléaire **2.** (*propulsion*) énergie *f* atomique **atomic structure** *n* structure *f* atomique

atomizer ['ætəmaɪzəʳ] *n* atomiseur *m*

atone [ə'təʊn] *v/i* **to ~ for sth** expier qc **atonement** *n* expiation *f*; **in ~ for sth** en réparation de qc

A to Z® *n Br* plan *m* de ville

atrocious [ə'trəʊʃəs] *adj* atroce **atrociously** [ə'trəʊʃəslɪ] *adv* atrocement **atrocity** [ə'trɒsɪtɪ] *n* atrocité *f*

atrophy ['ætrəfɪ] **I** *n* atrophie *f* **II** *v/i* s'atrophier

att *abbr* = **attorney**

attach [ə'tætʃ] *v/t* **1.** (*join*) attacher (**to** à); *to letter* joindre; **please find ~ed ...** veuillez trouver ci-joint…; **to ~ conditions to sth** assortir qc de conditions **2. to be ~ed to sb / sth** (*be fond of*) être attaché à qn / qc **3.** *importance* attacher (**to** à)

attaché [ə'tæʃeɪ] *n* attaché(e) *m*(*f*) **attaché case** *n* attaché-case *m*

attachment [ə'tætʃmənt] *n* **1.** (*for tool etc.*) accessoire *m* **2.** (*affection*) attachement *m* (**to** à) **3.** IT pièce *f* jointe

attack [ə'tæk] **I** *n* **1.** attaque *f* (**on** contre); **to be under ~** être attaqué; **to go on to the ~** passer à l'attaque **2.** MED *etc.* accès *m*, crise *f*; **to have an ~ of nerves** avoir une crise de nerfs **II** *v/t* **1.** (*in robbery etc.*) attaquer **2.** *problem* s'attaquer à **III** *v/i* s'attaquer à; **an ~ing side** un côté attaquant **attacker** [ə'tækəʳ] *n* agresseur *m*; SPORTS attaquant *m*

attain [ə'teɪn] *v/t aim*, *rank* atteindre; *hopes* réaliser; *happiness* parvenir à **attainable** [ə'teɪnəbl] *adj* réalisable; *happiness*, *power* accessible **attainment** [ə'teɪnmənt] *n* (*of happiness*, *power*) obtention *f*

attempt [ə'tempt] **I** *v/t* tenter, essayer; *task* entreprendre; **~ed murder** tentative de meurtre **II** *n* **1.** essai *m*, tentative *f*; **an ~ on the record** une tentative de battre le record; **to make an ~ at doing sth** *or* **to do sth** tenter de faire qc; **at the first ~** à la première tentative **2.** (*on sb's life*) attentat *m* (**on** contre)

attend [ə'tend] **I** *v/t* assister à; *wedding* aller à; **the disco was well ~ed** il y a eu beaucoup de monde à la soirée disco **II** *v/i* être présent; **are you going to ~?** viendrez-vous? ◆ **attend to** *v/t insep* (*see to*) prêter attention à; *work etc.* s'occuper de; *teacher*, *sb's remark* faire attention à; *customers etc.* servir; **are**

attend

Notez qu'en anglais, ce verbe est transitif, c'est-à-dire qu'il n'est suivi d'aucune préposition (**to attend sth**), alors qu'il est intransitif en français (assister à) :

✓ **to attend a football game**
× **to attend to a football game**

assister à un match de foot

you being attended to? on s'occupe de vous?; ***that's being attended to*** on s'en occupe

attendance [ə'tendəns] *n* **1.** (*being present*) présence *f* (***at*** à); ***to be in ~ at sth*** être présent quelque part **2.** (*number present*) assistance *f* **attendance record** *n* ***he doesn't have a very good ~*** il est souvent absent **attendant** [ə'tendənt] **I** *n* (*in museum*) gardien(ne) **II** *adj problems etc.* annexe

attention [ə'tenʃən] *n* **1.** *no pl* attention *f*; ***to call*** *or* ***draw sb's ~ to sth, to call*** *or* ***draw sth to sb's ~*** attirer l'attention de qn sur qc; ***to turn one's ~ to sb / sth*** tourner son attention sur qn / qc; ***to pay ~ / no ~ to sb / sth*** prêter / ne pas prêter attention à qn / qc; ***to pay ~ to the teacher*** écouter le professeur; ***to hold sb's ~*** retenir l'attention de qn; (***your***) ***~, please*** (*official announcement*) votre attention, s'il vous plaît!; ***it has come to my ~ that ...*** j'ai appris que…; ***for the ~ of Miss Smith*** à l'attention de Mlle Smith **2.** MIL ***to stand to ~*** être au garde-à-vous; ***~!*** garde-à-vous! **Attention Deficit Disorder** *n* MED trouble *m* de déficit d'attention **attention span** *n* capacité *f* d'attention **attentive** [ə'tentɪv] *adj* attentif(-ive); ***to be ~ to sb*** être prévenant envers qn; ***to be ~ to sb's needs*** être attentif aux besoins de qn **attentively** [ə'tentɪvlɪ] *adv* attentivement

attenuate [ə'tenjʊeɪt] *v/t* atténuer; ***attenuating circumstances*** circonstances atténuantes

attest [ə'test] *v/t* (*testify to*) attester; (*on oath*) affirmer sous serment ◆ **attest to** *v/t insep* témoigner de

attestation [ˌætes'teɪʃən] *n* (*document*) attestation *f*

attic ['ætɪk] *n* grenier *m*; (*lived-in*) mansarde *f*; ***in the ~*** au grenier

attire [ə'taɪəʳ] **I** *v/t* vêtir (***in*** de) **II** *n no pl* vêtements *mpl*; ***ceremonial ~*** tenue *f* de cérémonie

attitude ['ætɪtjuːd] *n* (*way of thinking*) attitude *f*, disposition *f* (***to, toward*** envers); (*way of acting*) attitude *f*, manière *f* (***to, toward*** envers); ***women with ~*** des femmes (un peu trop) sûres d'elles

attn *abbr* = **attention** attention *f*

attorney [ə'tɜːnɪ] *n* **1.** (*representative*) mandataire *m/f*, représentant(e) *m*(*f*); ***letter of ~*** procuration *f*, pouvoir *m* **2.** (*US lawyer*) avocat(e) *m*(*f*) **Attorney General** *n* ⟨*pl* **Attorneys General** *or* **Attorney Generals**⟩ *US* ≈ ministre *m/f* de la Justice; *Br principal avocat de la Couronne*

attract [ə'trækt] *v/t* **1.** attirer; (*idea etc.*) séduire; ***she feels ~ed to him*** il l'attire **2.** *attention etc.* attirer; *new members etc.* attirer; ***to ~ publicity*** s'attirer de la publicité **attraction** [ə'trækʃən] *n* **1.** (PHYS, *fig*) attirance *f*; (*of big city etc.*) attrait *m* **2.** (*attractive thing*) attraction *f*

attractive [ə'træktɪv] *adj* attrayant; *smile* séduisant; *house*, *dress* beau (belle) **attractively** [ə'træktɪvlɪ] *adv* de manière attrayante; *dress*, *furnish* joliment; ***~ priced*** à un prix intéressant (***at*** de) **attractiveness** [ə'træktɪvnɪs] *n* charme *m*; (*of view etc.*) beauté *f*

attributable [ə'trɪbjʊtəbl] *adj* ***to be ~ to sb / sth*** être imputable à qn / qc **attribute** [ə'trɪbjuːt] **I** *v/t* ***to ~ sth to sb*** attribuer qc à qn; ***to ~ sth to sth*** *importance etc.* attribuer qc à qc **II** *n* attribut *m*

attrition [ə'trɪʃən] *n fig* usure *f*

attune [ə'tjuːn] *v/t fig* accorder (***to*** à); ***to become ~d to sth*** s'accoutumer à qc

atypical [ˌeɪ'tɪpɪkəl] *adj* atypique

aubergine ['əʊbəʒiːn] *n* aubergine *f*

auburn ['ɔːbən] *adj hair* auburn *inv*

auction ['ɔːkʃən] **I** *n* vente *f* aux enchères; ***to sell sth by ~*** vendre qc aux enchères; ***to put sth up for ~*** mettre qc en vente aux enchères **II** *v/t* (*a.* **auction off**) vendre aux enchères **auctioneer** [ˌɔːkʃə'nɪəʳ] *n* commissaire-priseur *m* **auction room(s)** *n pl* salle *f* des ventes

audacious [ɔː'deɪʃəs] *adj* **1.** (*impudent*) impudent **2.** (*bold*) audacieux(-euse) **audaciously** [ɔː'deɪʃəslɪ] *adv* **1.** (*impudently*) impudemment **2.** (*boldly*) audacieusement **audacity** [ɔː'dæsɪtɪ],

audaciousness *n* **1.** (*impudence*) impudence *f*; ***to have the ~ to do sth*** avoir l'impudence de faire qc **2.** (*boldness*) audace *f*
audible ['ɔːdɪbl] *adj* audible **audibly** ['ɔːdɪblɪ] *adv* distinctement
audience ['ɔːdɪəns] *n* **1.** spectateurs *mpl*, public *m*; RADIO auditeurs *mpl* **2.** (*formal interview*) audience *f* (***with*** avec)
audio book *n* livre *m* audio **audio cassette** *n* cassette *f* audio **audio equipment** *n* (*in recording studio*) équipement *m* acoustique; (*hi-fi*) chaîne *f* hi-fi **audioguide** *n* audioguide *m*
audiomotive *adj attr* de l'automobile; (*self-propelled*) automoteur(-trice)
audiotape I *n* **1.** bande *f* magnétique **2.** *US* cassette *f* audio **II** *v/t* enregistrer en acoustique **audio typist** *n* audiotypiste *m/f* **audiovisual** *adj* audiovisuel(le)
audit ['ɔːdɪt] **I** *n* audit *m* **II** *v/t accounts* vérifier, apurer
audition [ɔː'dɪʃən] **I** *n* (*of actor*, *musician*, *singer*) audition *f* **II** *v/t* auditionner **III** *v/i* passer une audition
auditor ['ɔːdɪtə^r] *n* COMM commissaire *m/f* aux comptes
auditorium [ˌɔːdɪ'tɔːrɪəm] *n* salle *f*
au fait [ˌəʊ'feɪ] *adj* ***to be ~ with sth*** être au courant de qc
Aug *abbr* = **August** août *m*
augment [ɔːg'ment] **I** *v/t* augmenter **II** *v/i* augmenter **augmentation** [ˌɔːgmən'teɪʃən] *n* augmentation *f*; (*in numbers*) accroissement *m*; MUS augmentation *f*; ***breast ~*** plastie *f* mammaire d'augmentation
augur ['ɔːgə^r] *v/i* ***to ~ well / ill*** bien / mal augurer
August ['ɔːgəst] *n* août *m*; → **September**
auld [ɔːld] *adj* ⟨**+er**⟩ *Scot* ***Auld lang syne*** *chanson, sur l'air de "ce n'est qu'un au revoir", que l'on chante à minuit le 31 décembre surtout en Écosse*
aunt [ɑːnt] *n* tante *f* **auntie, aunty** ['ɑːntɪ] *n infml* tante *f*, tatie *f infml*; ***~!*** tatie!
au pair [ˌəʊ'peə] *n* ⟨*pl* **- -s**⟩ jeune fille *f* au pair
aura ['ɔːrə] *n* aura *f lofty*
aural ['ɔːrəl] *adj* auditif(-ive); ***~ examination*** examen oral
auspices ['ɔːspɪsɪz] *pl* ***under the ~ of*** sous les auspices de **auspicious** [ɔːs'pɪʃəs] *adj start*, *sign* de bon augure **auspiciously** [ɔːs'pɪʃəslɪ] *adv* favorablement
Aussie ['ɒzɪ] *infml* **I** *n* Australien(ne) *m*(*f*) **II** *adj* australien(ne)
austere [ɒs'tɪə^r] *adj room*, *person* austère **austerely** [ɒs'tɪəlɪ] *adv furnish*, *live* austèrement, de façon austère **austerity** [ɒs'terɪtɪ] *n* **1.** (*severity*, *simplicity*) austérité *f* **2.** (*hardship*, *shortage*) ***~ budget*** budget d'austérité; ***~ measures*** mesures d'austérité
Australasia [ˌɔːstrə'leɪsjə] *n* Australasie *f* **Australasian** **I** *n* natif(-ive) *m*(*f*) de l'Australasie **II** *adj* de l'Australasie
Australia [ɒs'treɪlɪə] *n* Australie *f*
Australian [ɒs'treɪlɪən] **I** *n* Australien(ne) *m*(*f*) **II** *adj* australien(ne)
Austria ['ɒstrɪə] *n* Autriche *f*
Austrian ['ɒstrɪən] **I** *n* Autrichien(ne) *m*(*f*) **II** *adj* autrichien(ne)
authentic [ɔː'θentɪk] *adj antique*, *tears* authentique **authentically** [ɔː'θentɪkəlɪ] *adv* authentiquement; *restored* avec authenticité **authenticate** [ɔː'θentɪkeɪt] *v/t* établir l'authenticité de; *document* légaliser **authentication** [ɔː'θentɪ'keɪʃən] *n* authentification *f*; (*of document*) certification *f* **authenticity** [ˌɔːθen'tɪsɪtɪ] *n* authenticité *f*
author ['ɔːθə^r] *n* auteur(e) *m*(*f*); (*of report*) auteur *m*
authoritarian [ˌɔːθɒrɪ'tɛərɪən] **I** *adj* autoritaire **II** *n* personne *f* autoritaire ***to be an ~*** être autoritaire **authoritarianism** [ˌɔːθɒrɪ'tɛərɪənɪzəm] *n* autoritarisme *m* **authoritative** [ɔː'θɒrɪtətɪv] *adj* **1.** *person*, *manner* autoritaire **2.** (*reliable*) qui fait autorité **authoritatively** [ɔː'θɒrɪtətɪvlɪ] *adv* (*with authority*) de façon ferme; (*reliably*) avec autorité
authority [ɔː'θɒrɪtɪ] *n* **1.** (*power*) autorité *f*; (*right*) autorisation *f*; (*specifically delegated power*) autorité *f*; ***who's in ~ here?*** qui est responsable ici?; ***parental ~*** autorité des parents; JUR autorité parentale; ***to be in*** *or* ***have ~ over sb*** avoir autorité sur *form*; ***on one's own ~*** de sa propre autorité; ***to have the ~ to do sth*** être habilité à faire qc; ***to give sb the ~ to do sth*** donner autorité à qn pour faire qc **2.** (*also pl ruling body*) autorités *fpl*; (*body of people*) administration *f*; (*power of ruler*) autorité *f*; ***the local ~*** *or* ***authorities*** les autorités locales; ***you must have re-***

spect for ~ il faut respecter l'autorité **3.** (*expert etc.*) autorité *f*; ***to have sth on good ~*** tenir qc de bonne source **authorization** [ˌɔːθəraɪ'zeɪʃən] *n* autorisation *f*, permission *f*; (*right*) autorisation *f* **authorize** ['ɔːθəraɪz] *v/t* **1.** (*empower*) autoriser; ***to be ~d to do sth*** être autorisé à faire qc **2.** (*permit*) autoriser, permettre **authorized** *adj person, bank* habilité; *biography* autorisé; ***"authorized personnel only"*** "réservé au personnel habilité"; ***~ signature*** signature autorisée
autism ['ɔːtɪzəm] *n* autisme *m* **autistic** [ɔː'tɪstɪk] *adj* autiste
auto ['ɔːtəʊ] *n US* voiture *f*, auto *f*
autobiographical ['ɔːtəʊˌbaɪəʊ'græfɪkəl] *adj* autobiographique **autobiography** [ˌɔːtəʊbaɪ'ɒgrəfɪ] *n* autobiographie *f*
autocrat ['ɔːtəʊkræt] *n* autocrate *m* **autocratic** [ˌɔːtəʊ'krætɪk] *adj* autocratique
Autocue® ['ɔːtəʊkjuː] *n* (*Br* TV) téléprompteur *m*
autofocus ['ɔːtəʊfəʊkəs] *n* PHOT autofocus *m*
autograph ['ɔːtəgrɑːf] **I** *n* autographe *m* **II** *v/t on paper* signer (*book*) dédicacer
automat ['ɔːtəmæt] *n US* distributeur *m* automatique (*de nourriture*) **automate** ['ɔːtəmeɪt] *v/t* automatiser **automatic** [ˌɔːtə'mætɪk] **I** *adj* automatique; ***~ weapon*** arme automatique **II** *n* **1.** (*car*) voiture *f* (à transmission) automatique **2.** (*gun*) automatique *m* **3.** (*washing machine*) machine *f* à laver **automatically** [ˌɔːtə'mætɪkəlɪ] *adv* automatiquement **automation** [ˌɔːtə'meɪʃən] *n* automatisation *f* **automaton** [ɔː'tɒmətən] *n* ⟨*pl* **-s** *or* **automata**⟩ automate *m*
automobile ['ɔːtəməbiːl] *n* voiture *f*
autonomous [ɔː'tɒnəməs] *adj* autonome **autonomously** [ɔː'tɒnəməslɪ] *adv* de façon autonome **autonomy** [ɔː'tɒnəmɪ] *n* autonomie *f*
autopilot [ˌɔːtəʊ'paɪlət] *n* pilote *m* automatique; ***on ~*** *lit* en pilotage automatique; ***he was on ~*** *fig* il avait mis le pilote automatique *infml*
autopsy ['ɔːtɒpsɪ] *n* autopsie *f*
autumn ['ɔːtəm] *esp Br* **I** *n* automne *m*; ***in (the) ~*** à l'automne **II** *adj attr* d'automne; ***~ leaves*** les feuilles d'automne
autumnal [ɔː'tʌmnəl] *adj* automnal
auxiliary [ɔːg'zɪlɪərɪ] **I** *adj* (*additional*) auxiliaire ***~ nurse*** aide-soignant(e); ***~ verb*** GRAM verbe auxiliaire **II** *n* (*assistant*) auxiliaire *m/f*; ***nursing ~*** aide-soignant(e)
Av *abbr* = **avenue**
avail [ə'veɪl] **I** *v/r* ***to ~ oneself of sth*** profiter de qc **II** *n* ***to no ~*** en vain
availability [əˌveɪlə'bɪlɪtɪ] *n* (*of object, stock, resources*) disponibilité *f*; ***offer subject to ~*** dans la limite des stocks disponibles; ***because of the limited ~ of seats*** en raison du faible nombre de places disponibles
available [ə'veɪləbl] *adj object, seats, resource, information, time* disponible; ***to be ~*** être disponible; ***to make sth ~ to sb*** mettre qc à la disposition de qc; ***the best dictionary ~*** le meilleur dictionnaire disponible; ***when will you be ~ to start?*** quand pouvez-vous commencer?
avalanche ['ævəlɑːnʃ] *n lit, fig* avalanche *f*
avant-garde ['ævɒŋ'gɑːd] **I** *n* avant-garde *f* **II** *adj* d'avant-garde *inv*
Ave *abbr* = **avenue**
avenge [ə'vendʒ] *v/t* venger; ***to ~ oneself on sb (for sth)*** se venger (de qc) sur qn
avenue ['ævənjuː] *n* avenue *f*
average ['ævərɪdʒ] **I** *n* moyenne *f*; ***to do an ~ of 50 kilometers a day/3% a week*** faire en moyenne 50 km par jour/3% par semaine; ***on ~*** en moyenne; ***above ~*** au-dessus de la moyenne; ***below ~*** au-dessous de la moyenne; ***by the law of ~s*** selon la loi des probabilités **II** *adj* moyen(ne); (*not good or bad*) moyen(ne); ***above/below ~*** au-dessus/au-dessous de la moyenne; ***the ~ man*** l'homme de la rue; ***of ~ height*** de taille moyenne **III** *v/t* (*do etc. on average*) faire une moyenne de; ***we ~d 80 km/h*** nous avons fait une moyenne de 80 km/h ◆ **average out I** *v/t sep* ***if you average it out*** si l'on fait la moyenne; ***it'll average itself out*** cela s'équilibrera **II** *v/i* **1.** s'élever (***at, to*** à) **2.** (*balance out*) s'équilibrer
averse [ə'vɜːs] *adj pred*; ***I am not ~ to a glass of wine*** je ne suis pas contre un verre de vin de temps en temps **aversion** [ə'vɜːʃən] *n* aversion (***to*** pour); ***he has an ~ to getting wet*** il a horreur

de se faire mouiller
avert [ə'vɜːt] *v/t accident, blow* prévenir, éviter
avian influenza *n* grippe *f* aviaire
aviary ['eɪvɪərɪ] *n* volière *f*
aviation [ˌeɪvɪ'eɪʃən] *n* aviation *f*
avid ['ævɪd] *adj* (*keen*) passionné; ***I am an ~ reader*** je suis passionné de lecture
avocado [ˌævə'kɑːdəʊ] *n* ⟨*pl* **-s**⟩ (*a.* **avocado pear**) avocat *m*
avoid [ə'vɔɪd] *v/t* éviter; *person, obstacle, duty* éviter; ***in order to ~ being seen*** pour éviter d'être vu; ***I'm not going if I can possibly ~ it*** si je peux éviter d'y aller, je n'irai pas **avoidable** [ə'vɔɪdəbl] *adj* évitable
await [ə'weɪt] *v/t* attendre; ***the long ~ed day*** le jour tant attendu; ***he is ~ing trial*** il attend son procès
awake [ə'weɪk] ⟨*past* **awoke**⟩ ⟨*past part* **awoken** *or* **awaked**⟩ **I** *v/i* se réveiller **II** *v/t* réveiller **III** *adj pred* réveillé; ***to be / stay ~*** être / rester éveillé; ***to keep sb ~*** empêcher qn de dormir; ***wide ~*** bien réveillé **awaken** [ə'weɪkən] *v/t & v/i* = **awake** **awakening** [ə'weɪknɪŋ] *n* réveillé; ***a rude ~*** *lit, fig* un réveil brutal
award [ə'wɔːd] **I** *v/t prize etc.* attribuer *penalty* infliger (***to sb*** à qn); *prize, degree etc.* décerner (***to sb*** à qn); ***to be ~ed damages*** obtenir des dommages-intérêts **II** *n* (*prize*) prix *m*; (*for bravery etc.*) médaille *f*; ***to make an ~*** (***to sb***) décerner un prix (à qn) **award(s) ceremony** *n* FILM, THEAT, TV cérémonie *f* de remise des récompenses **award-winning** *adj* primé
aware [ə'wɛəʳ] *adj esp, pred* conscient; ***to be ~ of sth*** être conscient de qc; ***I was not ~ that ...*** je ne savais pas que…; ***not that I am ~*** (***of***) pas que je sache; ***as far as I am ~*** autant que je sache; ***to make sb ~ of sth*** faire prendre conscience à qn de qc **awareness** *n* conscience *f*
away [ə'weɪ] **I** *adv* **1.**; ***three kilometers ~*** (***from here***) à trois kilomètres d'ici; ***lunch seemed a long time ~*** le déjeuner semblait loin; ***but he was ~ before I could say a word*** mais il était parti avant que j'aie pu dire un mot; ***to look ~*** détourner le regard; ***~ we go!*** on est partis!; ***they're ~!*** (*horses, runners etc.*) il sont partis!; ***to give ~*** donner; ***to gamble ~*** perdre au jeu **2.** (*absent*); ***he's ~ in Paris*** il est parti à Paris **3.** SPORTS ***to play ~*** jouer à l'extérieur **4.** (*continuously*) sans relâche ***to work ~*** travailler sans relâche **5.** ***ask ~!*** pose(-moi) toutes les questions que tu veux!; ***right*** *or* ***straight ~*** tout de suite **II** *adj attr* SPORTS ***~ goal*** goal de l'équipe en déplacement; ***~ match*** match à l'extérieur; ***~ team*** équipe en déplacement
awe [ɔː] *n* effroi *m* (*mêlé*) *d'admiration*, respect *m*; ***to be in ~ of sb*** être impressionné par qn **awe-inspiring** ['ɔːɪnˌspaɪərɪŋ] *adj* impressionnant, terrifiant **awesome** ['ɔːsəm] *adj* impressionnant, terrifiant; (*esp US infml excellent*) génial *infml* **awe-stricken** ['ɔːˌstrɪkən], **awe-struck** *adj* impressionné
awful ['ɔːfəl] *adj* affreux(-euse), horrible; ***an ~ lot of money*** *infml* une énorme somme d'argent **awfully** ['ɔːflɪ] *adv infml* terriblement **awfulness** ['ɔːfʊlnɪs] *n* horreur *f*
awhile [ə'waɪl] *adv liter* un instant
awkward ['ɔːkwəd] *adj* **1.** (*difficult*) délicat, difficile ***to make things ~ for sb*** rendre les choses difficiles pour qn; ***an ~ customer*** une personne pas facile *infml* **2.** (*embarrassing*) gênant; (*embarrassed*); *silence* gêné; ***I feel ~ about doing that*** cela me gêne de faire ça; ***to feel ~ in sb's company*** être mal à l'aise avec qn **3.** (*clumsy*) maladroit **awkwardly** ['ɔːkwədlɪ] *adv* **1.** (*clumsily*) maladroitement **2.** (*embarrassingly*) de façon gênante; (*embarrassedly*) avec gêne **awkwardness** *n* **1.** (*difficulty*) caractère *m* difficile **2.** (*discomfort*) malaise *m* **3.** (*embarrassment*) embarras *m* **4.** (*clumsiness*) maladresse *f*
awning ['ɔːnɪŋ] *n* (*of store*) banne *f*; (*caravan awning*) auvent *m*
awoke [ə'wəʊk] *past* = **awake** **awoken** [ə'wəʊkən] *past part* = **awake**
AWOL ['eɪwɒl] MIL *abbr* = **absent without leave**
awry [ə'raɪ] *adj pred adv* ***to go ~*** mal tourner
ax, *Br* **axe** [æks] **I** *n* hache *f*; ***to get*** *or* ***be given the ~*** (*employee*) être licencié; (*project*) être supprimé **II** *v/t* couper; *person* licencier
axis ['æksɪs] *n* ⟨*pl* **axes**⟩ axe *m*
axle ['æksl] *n* essieu *m*
aye [aɪ] *int* (*esp Scot dial*) oui; ***~, ~, Sir*** NAUT ≈ à vos ordres
azalea [ə'zeɪlɪə] *n* azalée *f*

Azores [ə'zɔːz] *pl* les Açores *fpl*
Aztec ['æztek] **I** *n* Aztèque *m* **II** *adj* aztèque
azure ['æʒəʳ] *adj* azuré; **~ *blue*** azur

B

B, b [biː] *n* B, b *m*; SCHOOL B (*note équivalente à bien*) *m*; MUS si *m*; ***B flat*** si bémol
b *abbr* = **born** né
B.A. *abbr* = **Bachelor of Arts**
babble ['bæbl] **I** *n*; (*excited*) murmure *m* **~ (*of voices*)** brouhaha *m* **II** *v/i* (*excitedly*) papoter *infml*; (*quickly*) bredouiller
babe [beɪb] *n* **1.** (*esp US infml*) mon chou *m infml* **2.** (*infml girl*) belle gosse *f infml*; (*as address*) ma belle *infml*
baboon [bə'buːn] *n* babouin *m*
baby ['beɪbɪ] **I** *n* **1.** bébé *m*; (*of animal*) petit *m*; ***to have a ~*** avoir un bébé; ***since she was a ~*** depuis qu'elle est toute petite; ***don't be such a ~!*** ne fais pas l'enfant! *infml*; ***to be left holding the ~*** (*Br infml*) s'être fait refiler le bébé *infml*; ***to throw out the ~ with the bathwater*** jeter le bébé avec l'eau du bain **2.** (*esp US infml, as address*) mon chou *infml* **II** *v/t infml* dorloter **baby blue** *n* bleu *m* layette **baby-blue** *adj infml* bleu ciel **baby boom** *n* baby boom *m* **baby boy** *n* petit garçon *m* **baby brother** *n* petit frère *m* **baby carriage** *n US* poussette *f* **baby clothes** *pl* vêtements *mpl* de bébé **baby-faced** *adj* poupin **baby food** *n* aliments *mpl* pour bébé **baby girl** *n* petite fille *f* **babyish** ['beɪbɪɪʃ] *adj* enfantin **baby seat** *n* siège *m* pour bébé **baby shower** *n esp US réunion d'amies qui offrent des cadeaux pour son bébé à une femme enceinte* **baby sister** *n* petite sœur *f* **baby-sit** ⟨*past, past part* **baby-sat**⟩ *v/i* faire du baby-sitting, garder des enfants; ***she ~s for them*** elle fait du baby-sitting chez eux **baby-sitter** *n* baby-sitter *m/f* **baby-sitting** *n* baby-sitting *m* **baby-talk** *n* langage *m* de bébé **baby tooth** *n* dent *f* de lait **baby-walker** *n* trotteur *m*
bachelor ['bætʃələʳ] *n* **1.** célibataire *m* **2.** UNIV ***Bachelor of Arts / Science / Education*** ≈ licence de lettres / sciences / sciences de l'éducation = **Bachelor of Engineering / Medicine** *diplôme d'ingénieur / de médecin* **bachelor pad** *n*, *Br* **bachelor flat** garçonnière *f* **bachelor party** *n US* enterrement *m* de vie de garçon

bachelor ≠ personne qui a obtenu son baccalauréat

Le mot anglais **bachelor** signifie homme non-marié ; il est légèrement démodé.

bacillus [bə'sɪləs] *n* ⟨*pl* **bacilli**⟩ bacille *m*
back [bæk] **I** *n* **1.** (*of person, animal, book*) dos *m*; (*of chair*) dossier *m*; ***to break one's ~*** *lit* se casser les reins; *fig* s'échiner; ***behind sb's ~*** *fig* derrière le dos de qn; ***to put one's ~ into sth*** (*Br fig*) mettre toute son énergie dans qc; ***to put** or **get sb's ~ up*** *Br* énerver qn; ***to turn one's ~ on sb*** *lit, fig* tourner le dos à qn; ***get off my ~!*** *infml* fiche-moi la paix! *infml*; ***he's got the boss on his ~*** il a le patron sur le dos; ***to have one's ~ to the wall*** *fig* avoir le dos au mur; ***I was pleased to see the ~ of them*** *infml* j'étais content de les voir partir *infml* **2.** (*not front*) dos *m*, arrière *m*; (*of hand, dress*) dos *m*; (*of material*) envers *m*; ***I know Manhattan like the ~ of my hand*** je connais Manhattan comme ma poche; ***at the ~ of the cupboard*** au fond du placard; ***he drove into the ~ of me*** il a embouti ma voiture *infml*; ***at / on the ~ of the bus*** à l'arrière du bus; ***in the ~ (of a car)*** à l'arrière (d'une voiture); ***it's been at the ~ of my mind*** j'y pense depuis un moment; ***right at the ~ of the cupboard*** tout au fond du placard; ***at the ~ of beyond*** dans un trou perdu **II** *adj* arrière **III** *adv* **1.**; (***stand***) **~!** écartez-vous!; ***to go ~ and forth*** faire des allées et venues; ***to pay sth ~*** rembourser qc; ***to come ~*** revenir; ***the journey there and ~*** le voyage aller et retour

2. (*again*) de nouveau; ***I'll never go ~*** je n'y retournerai jamais; ***~ in Detroit*** de retour à Detroit **3.** (*ago*) ***a week ~*** il y a une semaine; ***as far ~ as the 18th century*** (*dating back*) jusqu'au 18ème siècle; (*point in time*) dès le 18ème siècle; ***~ in March, 1997*** en mars 1997 **IV** *v/t* **1.** (*support*) soutenir **2.** BETTING parier sur **3.** *car* reculer; ***he ~ed his car into the garage*** il est entré dans le garage en marche arrière; ***he ~ed his car into the tree*** il est rentré dans l'arbre en faisant marche arrière **V** *v/i* (*car*) reculer, faire marche arrière; ***she ~ed into me*** elle m'est rentrée dedans en marche arrière ◆ **back away** *v/i* reculer (***from*** devant) ◆ **back down** *v/i fig* céder ◆ **back off** *v/i* **1.** (*step back*) reculer **2.** (*stop harassing*) laisser tranquille; ***~!*** laisse-moi tranquille! ◆ **back on to** *v/t insep* donner sur ◆ **back out** *v/i* **1.** (*car etc.*) sortir en marche arrière **2.** (*fig: of deal etc.*) se retirer (***of, from*** de) ◆ **back up I** *v/i* **1.** (*car etc.*) faire marche arrière **2.** (*traffic*) se bloquer **II** *v/t sep* **1.** (*support*) soutenir; (*confirm*) *story* confirmer; ***he can back me up in this*** il peut m'appuyer sur ce point **2.** *car etc.* faire reculer **3.** IT sauvegarder

backache *n* mal *m* de dos **back alley** *n* ruelle *f* **back bench** *n Br* ***the ~es*** *bancs des députés non ministres* **backbencher** *n Br* député *m* non ministre **backbiting** *n* médisance *f* **backbone** *n* colonne *f* vertébrale **backbreaking** ['bækbreɪkɪŋ] *adj* éreintant **back burner** *n* ***to put sth on the ~*** *fig*, *infml* mettre qc en veilleuse **back catalog**, *Br* **back catalogue** *n* MUS catalogue *m* de vieux titres **backchat** *n no pl Br infml* = **back talk** **back copy** *n* vieux numéro *m* **back cover** *n* quatrième *f* de couverture **backdate** *v/t* antidater; ***salary increase ~d to May*** augmentation de salaire rétroactive à compter de mai **back door** *n* porte *f* arrière; ***by the ~*** *fig* par des moyens détournés **backdrop** *n* toile *f* de fond **back end** *n* (*rear*) arrière *m*; ***at the ~ of the year*** à la fin de l'année

backer ['bækəʳ] *n* **1.** (*supporter*) ***his ~s*** ses partisans **2.** COMM commanditaire *m/f*

backfire *v/i* **1.** AUTO pétarader **2.** (*infml, plan etc.*) avoir l'effet opposé à celui prévu; ***it ~d on us*** cela s'est retourné contre nous **backgammon** *n* backgammon *m*, trictrac *m* **back garden** *n Br* = **back yard**

background ['bækgraʊnd] **I** *n* **1.** fond *m*, arrière-plan *m* **2.** (*educational etc.*) formation *f*; (*social*) milieu *m*; (*family background*) origines *fpl* ***children from all ~s*** des enfants de tous les milieux **II** *adj* de fond, de base; *reading* de référence; ***~ music*** musique d'ambiance; ***~ information*** éléments de référence

backhand I *n* SPORTS revers *m* **II** *adj* ***~ stroke*** revers **III** *adv* en revers **backhanded** *adj stroke* en revers; *compliment* équivoque **backhander** *n Br* **1.** SPORTS revers *m* **2.** (*infml bribe*) dessous de table *m*; ***to give sb a ~*** donner un dessous-de-table à qn

backing ['bækɪŋ] *n* **1.** (*support*) soutien *m* **2.** *esp Br* MUS accompagnement *m*; ***~ singer*** choriste; ***~ vocals*** chœurs

backlash *n fig* réaction *f* **backless** *adj dress* dos nu *inv* **backlog** *n* retard *m* accumulé arriéré *m*; ***I have a ~ of work*** j'ai du travail en retard **backpacker** *n* routard(e) *m(f) infml* **backpacking** *n* ***to go ~*** voyager sac au dos **back pain** *n* mal *m* de dos **back pay** *n* rappel *m* de salaire **back-pedal** *v/i lit* rétropédaler; *fig*, *infml* faire marche arrière *infml* (***on*** à propos de) **back pocket** *n* poche *f* arrière **back rest** *n* dossier *m* **back road** *n* route *f* secondaire **back seat** *n* siège *m* arrière **back-seat driver** *n* ***she is a terrible ~*** c'est une infernale donneuse de leçons **backside** *n infml* derrière *m infml* **backslash** *n* IT barre *f* oblique inversée **backslide** *v/i fig* retomber, récidiver **backspace** *v/t & v/i* TYPO faire un retour arrière **backspace key** *n* touche *f* de retour arrière **backstage** *adv*, *adj* coulisses *fpl* **backstreet** *n* petite rue **backstreet abortion** *n* avortement *m* illégal **backstroke** *n* dos *m* crawlé; ***can you do the ~?*** savez-vous nager le dos crawlé? **back talk** *n no pl US infml* impertinence *f* **back to back** *adv lit*, *fig* dos à dos **back-to-back** *adj lit*, *fig* dos à dos **back to front** *adv* sens devant derrière **back tooth** *n* molaire *f* **backtrack** *v/i* (*over ground*) revenir sur ses pas; (*on policy etc.*) revenir (***on sth*** sur qc) **backup I** *n* **1.** soutien *m* **2.** IT sauvegarde *f* **II** *adj* **1.** de secours; ***~ plan*** plan de secours **2.** IT de sauvegarde; ***~ copy*** copie *f* de

sauvegarde
backward ['bækwəd] **I** *adj* **1.** ***a ~ glance*** un regard en arrière; ***a ~ step*** *fig* un pas en arrière **2.** *fig*, *pej* arriéré **II** *adv* en arrière; ***to fall ~*** tomber en arrière; ***to walk ~ and forward*** aller et venir; ***to bend over ~ to do sth*** *infml* se mettre en quatre pour faire qc *infml*; ***I know it ~ and forward*** (*US*) *or* ***~s*** *Br* je le connais par cœur **backwardness** ['bækwədnɪs] *n* (*mental*) arriération *f*; (*of region*) retard *m*
backwards ['bækwədz] *adv esp Br* = **backward**
back yard *n* jardin *m* (*à l'arrière d'une maison*); ***in one's own ~*** *fig* chez soi
bacon ['beɪkən] *n* bacon *m*; ***~ and eggs*** des œufs au bacon; ***to bring home the ~*** (*infml earn a living*) faire bouillir la marmite *infml*
bacteria [bæk'tɪərɪə] *pl* = **bacterium** **bacterial** [bæk'tɪərɪəl] *adj* bactérien(ne) **bacterium** [bæk'tɪərɪəm] *n* ⟨*pl* **bacteria**⟩ bactérie *f*
bad[1] [bæd] *adj* ⟨*comp* **worse**⟩ ⟨*sup* **worst**⟩ **1.** mauvais; *smell* mauvais, désagréable; (*immoral*) moche *infml*; ***it was a ~ thing to do*** c'était vraiment moche de faire ça; ***he went through a ~ time*** il a eu un mauvais passage; ***I've had a really ~ day*** j'ai passé une très mauvaise journée; ***to go ~*** (*milk*) tourner; ***he's ~ at French*** il est mauvais en français; ***that's not a ~ idea!*** ce n'est pas une mauvaise idée!; ***too ~ you couldn't make it*** dommage que tu n'aies pas pu; ***I feel really ~ about not having told him*** je m'en veux vraiment de ne pas lui avoir dit; ***don't feel ~ about it*** ne t'en fais pas pour ça **2.** (*severe*) grave, sérieux; *accident*, *mistake*, *cold* gros; *headache* violent; ***he's got it ~*** *infml* il est vraiment mordu *infml* **3.** (*unfavorable*) *time* mauvais **4.** *stomach* malade; *leg* mauvais; ***the economy is in a ~ way*** *Br* la situation économique est mauvaise; ***I feel ~*** je me sens mal; ***how is he? — he's not so ~*** comment va-t-il? — pas trop mal
bad[2] *past* = **bid**
bad blood *n* ressentiment *m*; ***there is ~ between them*** il y a du ressentiment entre eux **bad check**, *Br* **bad cheque** *n* (*not covered by funds*) chèque *m* en bois
baddie ['bædɪ] *n infml* méchant(e) *m*(*f*)
bade [beɪd] *past* = **bid**
badge [bædʒ] *n* (*metal*, *sticker*) badge *m*; (*on car etc.*) écusson
badger ['bædʒə^r] **I** *n* blaireau *m* **II** *v/t* harceler; ***to ~ sb for sth*** harceler qn pour qu'il obtenir qc
bad hair day *n infml* mauvais jour *m*
badly ['bædlɪ] *adv* **1.** mal; ***to do ~*** (*in exam etc.*) ne pas obtenir de bons résultats; FIN; COMM mal se porter; ***to go ~*** aller mal; ***to be ~ off*** *esp Br* être dans la misère; ***to think ~ of sb*** en vouloir à qn **2.** *wounded*, *mistaken* gravement **3.** (*very much*) énormément; ***to want sth ~*** avoir très envie de qc; ***I need it ~*** j'en ai absolument besoin
bad-mannered [ˌbæd'mænəd] *adj* mal élevé
badminton ['bædmɪntən] *n* badminton *m*
bad-tempered [ˌbæd'tempəd] *adj* de mauvaise humeur; ***to be ~*** être de mauvaise humeur; (*as characteristic*) être irritable
baffle ['bæfl] *v/t* (*confound*) déjouer; (*cause incomprehension*) dérouter; ***it really ~s me how …*** je ne comprends vraiment pas comment… **baffling** ['bæflɪŋ] *adj case* déroutant; ***I find it ~*** je trouve ça incompréhensible
bag [bæg] **I** *n* **1.** (*made of paper*, *plastic*) sac *m*; (*for school*) cartable *m*; (*sack*) grand sac *m*; (*suitcase*) valise *f*; ***~s*** bagages *mpl*; ***to pack one's ~s*** faire ses bagages; ***it's in the ~*** *fig*, *infml* l'affaire est dans le sac *infml*; ***to have ~s under the eyes*** (*black*) avoir les yeux cernés; (*of skin*) avoir des poches sous les yeux **2.** *infml* ***~s of*** *Br infml* plein de **3.** *pej*, *infml* (***old***) ***~*** vieille peau *f pej*, *infml*; ***ugly old ~*** vieille moche *pej*, *infml* **II** *v/t* mettre dans un sac
bagel ['beɪgəl] *n* bagel *m* (*petit pain en couronne*)
bagful ['bægfʊl] *n* ***a ~ of groceries*** un sac de provisions
baggage ['bægɪdʒ] *n* (*luggage*) bagages *mpl* **baggage allowance** *n* poids *m* de bagages autorisé **baggage car** *n* fourgon *m* **baggage check** *n* bulletin *m* de consigne **baggage claim** *n* retrait *m* des bagages **baggage handler** *n* bagagiste *m*/*f* **baggage locker** *n* consigne *f* automatique **baggage reclaim** *n Br* retrait *m* des bagages
baggy ['bægɪ] *adj* ⟨**+er**⟩ (*ill-fitting*) trop

grand; (*out of shape*) *trousers*, *jumper* déformé
bag lady *n* clocharde *f*
bagpipe(s) ['bægpaɪp(s)] *n pl* cornemuse *f*
bag-snatcher ['bægˌsnætʃər] *n* voleur (-euse) *m*(*f*) à l'arraché
baguette [bæ'get] *n* baguette *f*
Bahamas [bə'hɑːməz] *pl* ***the ~*** les Bahamas *fpl*
bail[1] [beɪl] *n* JUR caution *f*; ***to stand ~ for sb*** se porter garant de qn ◆ **bail out** *v/t sep* **1.** *fig* tirer d'affaire *infml* **2.** *boat* = **bale out**
bail[2] *v/i* = **bale**[2]
bailiff ['beɪlɪf] *n US* huissier(-ière) *m*(*f*) audiencier(-ière); (JUR, *Br*: *a.* **sheriff's bailiff**) huissier *m*; (*Br*: *for property*) régisseur(-euse) *m*(*f*)
bait [beɪt] **I** *n* appât *m*; ***to take the ~*** mordre à l'hameçon **II** *v/t* **1.** *hook* appâter **2.** (*torment*) *person* tourmenter
bake [beɪk] **I** *v/t* COOK faire cuire au four; ***~d apples*** *pl* des pommes cuites au four; ***~d potatoes*** *pl* des pommes de terre cuites au four **II** *v/i* COOK cuire (au four)
baker ['beɪkər] *n* boulanger(-ère) *m*/*f*; ***~'s*** boulangerie *f* **baker's dozen** ['beɪkəz'dʌzn] *n* treize à la douzaine **bakery** ['beɪkərɪ] *n* boulangerie *f* **baking** ['beɪkɪŋ] **I** *n* (*act*) COOK cuisson *f* au four **II** *adj infml* ***I'm ~*** je cuis; ***it's ~*** (***hot***) ***today*** on cuit aujourd'hui *infml* **baking dish** *n* plat *m* allant au four **baking mitt** *n US* gant *m* de four **baking pan** *n US* moule *m* à gâteau **baking powder** *n* levure *f* chimique **baking sheet** *n* plaque *f* de four **baking soda** *n* bicarbonate *m* de soude **baking tin** *n Br* moule *m* à gâteau **baking tray** *n Br* plaque *f* de four
Balaclava [ˌbælə'klɑːvə] *n* cagoule *f*, passe-montagne *m*
balance ['bæləns] **I** *n* **1.** (*apparatus*) balance *f*; ***to be*** *or* ***hang in the ~*** *fig* être en jeu **2.** (*counterpoise*) contrepoids *m*; *fig* poids *m* **3.** (*equilibrium*) équilibre *m*; ***to keep*** / ***lose one's ~*** garder / perdre l'équilibre; ***to throw sb off*** (***his***) ***~*** faire perdre l'équilibre à qn; ***the right ~ of personalities in the team*** un bon équilibre des personnalités de l'équipe; ***the ~ of power*** l'équilibre des forces; ***on ~*** *fig* tout compte fait **4.** COMM, FIN solde *m*; (*with bank*) solde *m*; (*of company*) bilan *m*; ***~ in hand*** COMM solde en caisse; ***~ carried forward*** solde à reporter; ***~ of trade*** balance commerciale; ***~ of payments*** balance des paiements; ***~ of trade surplus*** / ***deficit*** déficit / excédent de la balance des paiements **5.** (*remainder*) reste *m*; ***to pay off the ~*** régler la différence; ***my father has promised to make up the ~*** mon père m'a promis de me donner la différence **II** *v/t* **1.** (*keep in equilibrium*) tenir en équilibre; (*bring into equilibrium*) mettre en équilibre; ***the seal ~s a ball on its nose*** le phoque tient un ballon équilibre sur son nez **2.** *needs* contrebalancer (***against*** contre); ***to ~ sth against sth*** trouver le juste milieu entre qc et qc **3.** (*make up for*) compenser **4.** COMM, FIN *account*, *budget* équilibrer; ***to ~ the books*** établir le bilan **III** *v/i* **1.** (*be in equilibrium*) être en équilibre; ***he ~d on one foot*** il était en équilibre sur un pied **2.** COMM, FIN être équilibré; ***the books don't ~*** les comptes ne sont pas équilibrés; ***to make the books ~*** équilibrer les comptes ◆ **balance out I** *v/t sep* se compléter; ***they balance each other out*** ils se complètent bien **II** *v/i* s'équilibrer

> **balance ≠ balance**
>
> Le mot anglais **balance** a un sens plus figuré (équilibre) que le mot français balance, qui se traduit le plus souvent par **scales**.
>
> **He needed a sense of balance in his life. On balance, I prefer the blue one over the red.**
>
> Il avait besoin de trouver un équilibre dans sa vie. Tout bien pesé, je préfère la bleue à la rouge.

balanced *adj* équilibré; ***~ budget*** budget équilibré **balance sheet** *n* FIN bilan *m* **balancing act** ['bælənsɪŋækt] *n* numéro *m* d'équilibriste
balcony ['bælkənɪ] *n* **1.** balcon *m* **2.** THEAT deuxième balcon *m*
bald [bɔːld] *adj* ⟨**+er**⟩ **1.** chauve; ***he is ~*** il est chauve; ***to go ~*** devenir chauve; ***~ patch*** début *m* de calvitie **2.** *tire* lisse **bald eagle** *n* pygargue *m* à tête blanche **bald-faced** *adj esp US lie* flagrant

baldheaded *adj* chauve **balding** ['bɔːldiŋ] *adj* ***he is ~*** il devient chauve **baldly** ['bɔːldlɪ] *adv fig* (*bluntly*) sans détours; (*roughly*) brutalement **baldness** ['bɔːldnɪs] *n* **1.** (*of person*) calvitie *f* **2.** (*of statement*) brutalité *f* **baldy** ['bɔːldɪ] *n infml* chauve *m*
bale¹ [beɪl] *n* (*of hay etc.*) balle *f*
bale² *v/i* NAUT écoper ◆ **bale out I** *v/i* **1.** AVIAT sauter en parachute (***of*** de) **2.** NAUT écoper **II** *v/t sep* NAUT *water* vider; *ship* écoper
Balearic [ˌbælɪ'ærɪk] *adj* ***the ~ Islands*** les îles *fpl* Baléares
baleful ['beɪlfʊl] *adj* (*evil*) mauvais
balk, baulk [bɔːk] *v/i* reculer (***at*** devant)
Balkan ['bɔːlkən] **I** *adj* balkanique, des Balkans **II** *n* ***the ~s*** les Balkans *mpl*
ball¹ [bɔːl] *n* **1.** ballon *m*; (*sphere*) boule *f*; (*of wool*) pelote *f*; (*billiards*) bille *f*, boule *f*; ***to play ~*** jouer au ballon; ***the cat lay curled up in a ~*** le chat est roulé en boule; ***to keep the ~ rolling*** faire marcher les choses; ***to start the ~ rolling*** faire démarrer les choses; ***the ~ is in your court*** la balle est dans votre camp *infml*; ***to be on the ~*** *infml* être efficace; ***to run with the ~*** (*US infml*) saisir sa chance **2.** ANAT ***~ of the foot*** avant-pied **3.** *sl* (*testicle*) couille *f sl*; ***to have ~s*** (*infml courage*) en avoir *infml*
ball² *n* **1.** (*dance*) bal *m* **2.** (*infml good time*) ***to have a ~*** s'amuser comme un(e) fou(folle) *infml*
ballad ['bæləd] *n* MUS, LIT ballade *f*
ball-and-socket joint [ˌbɔːlən'sɒkɪtdʒɔɪnt] *n* joint *m* à rotule
ballast ['bæləst] *n* (NAUT, AVIAT, *fig*) lest *m*
ball bearing *n* roulement *m* à billes; (*ball*) bille *f* de roulement **ball boy** *n* ramasseur *m* de balles
ballerina [ˌbælə'riːnə] *n* ballerine *f*; (*principal*) danseuse *f* étoile
ballet ['bæleɪ] *n* ballet *m* **ballet dancer** *n* danseur(-euse) *m*(*f*) classique **ballet shoe** *n* chausson *m* de danse
ball game *n* jeu *m* de ballon; ***it's a whole new ~*** *fig, infml* c'est une tout autre histoire *fig, infml* **ball girl** *n* ramasseuse *f* de balles
ballistic [bə'lɪstɪk] *adj* balistique; ***to go ~*** *infml* piquer une crise *infml* **ballistic missile** *n* missile *m* balistique **ballistics** [bə'lɪstɪks] *n sg* balistique *f*
balloon [bə'luːn] **I** *n* AVIAT ballon *m*, aérostat *m*; (*toy*) ballon *m* en baudruche; ***that went down like a lead ~*** *infml* c'est tombé à plat **II** *v/i* (*swell out*) se gonfler
ballot ['bælət] **I** *n* (*vote*) vote *m*; (*election*) scrutin *m*; ***first / second ~*** premier / deuxième tour de scrutin; ***to hold a ~*** organiser un scrutin **II** *v/t members* consulter par vote **ballot box** *n* urne *f* **ballot paper** *n* bulletin *m* de vote **ballot rigging** *n* fraude *f* électorale
ballpark *n* **1.** *US* stade *m* de base-ball **2.** ***~ figure*** chiffre *m* approximatif
ballpoint (pen) *n* stylo *m* à bille
ballroom *n* salle *f* de bal **ballroom dancing** *n* danse *f* de salon
balls-up ['bɔːlzʌp] *n Br sl* ratage *m*; ***he made a complete ~ of the job*** il a tout fait rater *infml* ◆ **balls up** *v/t sep Br sl* faire rater *infml*
balm [bɑːm] *n* baume *m* **balmy** ['bɑːmɪ] *adj* ⟨**+er**⟩ doux(douce)
baloney [bə'ləʊnɪ] *n* **1.** *infml* idioties *fpl infml* **2.** (*US sausage*) saucisse *f*
Baltic ['bɔːltɪk] **I** *adj*; (*of Baltic States*) balte; ***the ~ States*** les États baltes **II** *n* ***the ~*** la Baltique **Baltic Sea** *n* la mer *f* Baltique
balustrade [ˌbælə'streɪd] *n* balustrade *f*
bamboo [bæm'buː] **I** *n* bambou *m* **II** *attr* ***~ shoots*** *pl* pousses *fpl* de bambou
ban [bæn] **I** *n* interdiction *f*; COMM embargo *m*; ***to put a ~ on sth*** interdire qc; ***a ~ on smoking*** l'interdiction de fumer **II** *v/t* interdire; *player etc.* suspendre; ***to ~ sb from doing sth*** interdire à qn de faire qc; ***she was ~ned from driving*** on lui a retiré son permis de conduire
banal [bə'nɑːl] *adj* banal
banana [bə'nɑːnə] *n* banane *f* **banana peel** *n* peau *f* de banane **bananas** *adj pred* (*infml crazy*) dingue *infml*; ***to go ~*** devenir dingue *infml* **banana skin** *n* peau *f* de banane; ***to slip on a ~*** *fig* glisser sur une peau de banane **banana split** *n* COOK banana split *m*
band¹ [bænd] *n* **1.** (*of cloth, iron*) ruban *m*; (*on machine*) courroie *f* **2.** (*stripe*) bande *f*
band² *n* **1.** groupe *m*; (*of robbers etc.*) bande *f* **2.** MUS orchestre *m*; (*dance band*) groupe *m*; (*brass band*) fanfare *f* ◆ **band together** *v/i* former une bande
bandage ['bændɪdʒ] **I** *n* bandage *m* **II** *v/t*

(*a.* **bandage up**) bander
Band-Aid® ['bændeɪd] *US n* sparadrap *m*
bandan(n)a [bæn'dænə] *n* bandana *m*
B & B [ˌbiːən'biː] *n abbr* = **bed and breakfast**
bandit ['bændɪt] *n* bandit *m*
band leader *n* chef *m* d'orchestre **bandmaster** *n* chef *m* de fanfare **bandsman** ['bændzmən] *n* ⟨*pl* **-men**⟩ membre *m* d'une fanfare; ***military ~*** membre *m* d'une clique **bandstand** *n* kiosque *m* à musique **bandwagon** *n* ***to jump*** *or* ***climb on the ~*** *fig*, *infml* prendre le train en marche *fig* **bandwidth** *n* RADIO, IT largeur *f* de bande
bandy ['bændɪ] *adj* ***~ legs*** jambes arquées
◆ **bandy around**, *Br* **bandy about** *v/t sep sb's name*, *ideas* faire circuler; *figures*, *words* avancer
bane [beɪn] *n* fléau *m*; ***it's the ~ of my life*** ça m'empoisonne la vie *infml*
bang¹ [bæŋ] **I** *n* **1.** (*noise*) détonation *f*; (*of sth falling*) bruit *m* de chute; ***there was a ~ outside*** on a entendu une détonation **2.** (*violent blow*) coup *m* **II** *adv* **1.** ***to go ~*** faire un bruit; (*balloon*) éclater **2.** *infml* ***his answer was ~ on*** il a répondu pile poil *infml*; ***she came ~ on time*** elle est arrivée pile à l'heure *infml*; ***~ up to date*** dernier cri *infml* **III** *int* ***~ goes my chance of promotion*** *infml* je peux dire adieu à ma possibilité de promotion *infml* **IV** *v/t* **1.** (*thump*) cogner; ***he ~ed his fist on the table*** il cogna du poing sur la table **2.** *door* claquer **3.** *head*, *shin* se cogner (***on*** sur); ***to ~ one's head*** *etc.* ***on sth*** se cogner la tête *etc* sur qc *infml* **V** *v/i* (*door*) claquer; (*fireworks*, *gun*) détoner; ***to ~ on*** *or* ***at sth*** donner de grands coups dans qc ◆ **bang around**, *Br* **bang about I** *v/i* faire du bruit **II** *v/t sep* cogner ◆ **bang down** *v/t sep* poser brutalement *infml*; ***to ~ the receiver*** raccrocher brutalement *infml* ◆ **bang into** *v/t insep* se cogner contre ◆ **bang on about** *v/t insep* (*Br infml*) rabâcher *infml* ◆ **bang out** *v/t sep* ***to ~ a tune on the piano*** jouer fort et mal une mélodie sur le piano ◆ **bang up** *v/t sep infml* **I** *US car* bousiller **II** *Br prisoner* boucler
bang² *n* (*US fringe*) ***~s*** frange *f*
banger ['bæŋəʳ] *n* (*Br infml*) **1.** *sausage* saucisse *f* **2.** *old car* guimbarde *f infml* **3.** *firework* pétard *m*
Bangladesh [ˌbæŋglə'deʃ] *n* Bangladesh *m* **Bangladeshi** [ˌbæŋglə'deʃɪ] **I** *n* Bangladais(e) *m(f)*, Bangladeshi(e) *m(f)* **II** *adj* bangladais, bangladeshi
bangle ['bæŋgl] *n* bracelet *m*
banish ['bænɪʃ] *v/t person* bannir; *thought* chasser **banishment** *n* bannissement *m*
banister, bannister ['bænɪstəʳ] *n* (*a.* **banisters**) rampe *f* (d'escalier)
banjo ['bændʒəʊ] *n* ⟨*pl* **-es**⟩ *or* (*US*) **-s** banjo *m*
bank¹ [bæŋk] **I** *n* **1.** (*of earth*) talus *m*; (*slope*) pente *f*; ***~ of snow*** congère *f* **2.** (*of river*, *lake*) berge *f*; ***we sat on the ~s of a river*** nous sommes restés assis sur les bords d'une rivière **II** *v/i* AVIAT s'incliner sur l'aile
bank² **I** *n* banque *f*; ***to keep*** *or* ***be the ~*** tenir la banque **II** *v/t* déposer à la banque **III** *v/i* ***where do you ~?*** dans quelle banque avez-vous votre compte ? ◆ **bank on** *v/t insep* compter sur; ***I was banking on you coming*** je comptais sur ta venue

> **bank**
>
> **Bank** est la traduction anglaise de banque (au sens financier), rive (d'un fleuve), et banc (de sable) :
>
> **First National Bank/the Left Bank/un banc de sable**
>
> Première banque nationale/la rive gauche/a sand bank

bank account *n* compte *m* en banque **bank balance** *n* solde *m* bancaire **bankbook** *n* livret *m* bancaire **bank card** *n* carte *f* de garantie bancaire **bank charge** *n* frais *mpl* bancaires **bank clerk** *n* employé(e) *m(f)* de banque **bank draft** *n* traite *f* bancaire **banker** ['bæŋkəʳ] *n* FIN banquier(-ière) *m(f)*; (*Gambling*) banquier *m* **banker's card** *n* carte *f* de garantie bancaire **banker's draft** *US*, **banker's checque** *Br n* traite *f* bancaire **banker's order** *n* ordre *m* de virement bancaire **bank giro** *n* virement *m* bancaire **bank holiday** *n US* jour *m* de fermeture des banques; *Br* jour *m* férié **banking** ['bæŋkɪŋ] **I** *n* la banque *f*; ***he wants to go into***

~ il veut travailler dans la banque **II** *attr* bancaire **bank loan** *n* prêt *m* bancaire **bank manager** *n* directeur(-trice) *m(f)* d'agence bancaire; ***my ~*** le directeur de mon agence bancaire
banknote *n* billet *m* de banque **bank rate** *n Br* taux *m* bancaire **bank robber** *n* cambrioleur(-euse) *m(f)* (de banque) **bank robbery** *n* cambriolage *m* de banque
bankrupt ['bæŋkrʌpt] **I** *n* failli(e) *m(f)* **II** *adj* failli; ***to go ~*** faire faillite **III** *v/t* mettre en faillite **bankruptcy** ['bæŋkrəptsɪ] *n* faillite *f* **bankruptcy proceedings** *pl* procédure *f* de faillite
bank sort code *n* code *m* guichet **bank statement** *n* relevé *m* de compte **bank transfer** *n* virement *m* bancaire
banned substance *n* SPORTS substance *f* prohibée
banner ['bænəʳ] *n* bannière *f*; (*in processions*) banderole *f* **banner headlines** ['bænə'hedlaɪnz] *n* gros titres *mpl*
banning ['bænɪŋ] *n* interdiction *f*; ***the ~ of cars from city centers*** (*US*) *or* ***centres*** *Br* l'interdiction de la circulation dans le centre des villes
bannister ['bænɪstəʳ] *n* = **banister**
banns [bænz] *pl* ECCL bans *mpl*; ***to read the ~*** faire la lecture des bans
banquet ['bæŋkwɪt] *n* banquet *m*
banter ['bæntəʳ] *n* plaisanteries *fpl*
bap [bæp] *n Br* petit pain *m* rond
baptism ['bæptɪzəm] *n* baptême *m*; ***~ of fire*** *fig* baptême du feu **Baptist** ['bæptɪst] **I** *n* baptiste *m/f* **II** *adj* baptiste; ***the ~ Church*** (*people*) les baptistes; (*teaching*) l'église baptiste **baptize** [bæp'taɪz] *v/t* baptiser
bar[1] [bɑːʳ] **I** *n* **1.** (*of metal, wood*) barre *f*; (*of toffee etc.*) morceau *m*; ***~ of gold*** lingot d'or; ***a ~ of chocolate, a chocolate ~*** (*slab*) une plaquette de chocolat; (*candy bar*) une barre chocolatée; ***a ~ of soap*** une savonnette; ***a two-~ electric fire*** un radiateur électrique avec deux résistances; (*of cage*) barreau *m*; ***the window has ~s*** la fenêtre a des barreaux; ***to put sb behind ~s*** mettre qn en prison **2.** (SPORTS, *horizontal*) barre *f*; ***~s*** *pl* (*parallel*) barres parallèles; (***wall***) ***~s*** barres murales **3.** *fig* ***to be a ~ to sth*** être un obstacle à qc **4.** JUR ***the Bar*** le Barreau; ***to be admitted*** *or* (*Br*) ***called to the Bar*** s'inscrire au Barreau **5.** (*for drinks*) bar *m*; (*counter*) comptoir *m*, bar *m* **6.** MUS mesure *f*; (*bar line*) barre *f* de mesure **II** *v/t* **1.** (*obstruct*) faire obstacle à; ***to ~ sb's way*** empêcher qn de passer **2.** *window, door* barrer **3.** *person* exclure; *action, thing* interdire; ***they've been ~red from the club*** ils ont été exclus du club
bar[2] *prep* ***~ none*** sans exception; ***~ one*** sauf un
barb [bɑːb] *n* (*of hook*) barbillon *m*
Barbados [bɑː'beɪdɒs] *n* la Barbade *f*
barbarian [bɑː'bɛərɪən] **I** *n* barbare *m/f* **II** *adj* barbare **barbaric** [bɑː'bærɪk] *adj* barbare **barbarism** ['bɑːbərɪzəm] *n* barbarie *f* **barbarity** [bɑː'bærɪtɪ] *n* **1.** *brutality* barbarie *f* **2.** *brutal action* atrocité *f* **barbarous** ['bɑːbərəs] *adj* (HIST, *fig*) barbare
barbecue ['bɑːbɪkjuː] **I** *n* COOK barbecue *m*; (*occasion*) (repas) barbecue *m* **II** *v/t* faire cuire au barbecue
barbed [bɑːbd] *adj fig remark* acerbe **barbed wire** *n* fil *m* de fer barbelé **barbed-wire fence** *n* barbelés *mpl*
barber ['bɑːbəʳ] *n* coiffeur(-euse) *m(f)* pour hommes; ***at / to the ~'s*** chez le coiffeur (pour hommes) **barbershop** ['bɑːbəʃɒp] **I** *n US* salon *m* de coiffure (pour hommes) **II** *adj* ***~ quartet*** quatuor *m* vocal masculin
barbiturate [bɑː'bɪtjʊrɪt] *n* barbiturique *m*
bar chart *n* histogramme *m* **bar code** *n* code-barres *m* **bar code reader** *n* lecteur *m* de codes-barres
bare [bɛəʳ] **I** *adj* ⟨**+er**⟩ **1.** (*naked*) nu; *room* vide; ***~ patch*** une zone nue; ***the ~ facts*** les faits bruts; ***with his ~ hands*** à mains nues **2.** (*mere*) à peine; ***the ~ minimum*** le strict minimum **II** *v/t breast, leg* se découvrir; (*at doctor's*) découvrir; *teeth* montrer; ***to ~ one's soul*** mettre son âme à nu **bareback I** *adj* qui monte à cru **II** *adv* à cru **barefaced** *adj fig* éhonté **barefoot(ed) I** *adv* pieds nus **II** *adj* aux pieds nus **bareheaded** *adj, adv* tête nue **barelegged** *adj* jambes nues **barely** ['bɛəlɪ] *adv* (*scarcely*) à peine **bareness** *n* (*of trees*) nudité *f*; (*of room*) dénuement *m*
bargain ['bɑːgɪn] **I** *n* **1.** (*transaction*) marché *m*; ***to make*** *or* ***strike a ~*** conclure un marché; ***I'll make a ~ with you*** je vais conclure un marché avec toi; ***to keep one's side of the ~*** respecter ses engagements; ***you drive a hard ~***

vous êtes un dur en négociation; ***into the ~*** par-dessus le marché **2.** (*cheap offer*) occasion *f*; (*thing bought*) (bonne) affaire *f*; ***what a ~!*** quelle bonne affaire! **II** *v/i* marchander (***for*** pour); (*in negotiations*) négocier ◆ **bargain for** *v/t insep* ***I got more than I bargained for*** je ne m'attendais pas à ça *infml* ◆ **bargain on** *v/t insep* compter sur

bargain hunter *n* ***the ~s*** les personnes *fpl* l'affût des bonnes affaires **bargain-hunting** *n* ***to go ~*** aller à la chasse aux bonnes occasions **bargaining** ['bɑːgɪnɪŋ] *n* marchandage *m*; (*negotiating*) négociations *fpl*; ***~ position*** position de négociation **bargain offer** *n* promotion *f* **bargain price** *n* prix *m* avantageux; ***at a ~*** à un prix avantageux **bargain sale** *n* vente *f* promotionnelle

barge [bɑːdʒ] **I** *n* (*for freight*) chaland *m*; (*houseboat*) péniche *f* **II** *v/t* ***he ~d his way into the room*** il fit irruption dans la pièce en bousculant tout sur son passage; ***he ~d his way through the crowd*** il se fraya un chemin à travers la foule en bousculant tout le monde **III** *v/i* ***to ~ into a room*** faire irruption dans une pièce; ***to ~ out of a room*** sortir en trombe; ***he ~d through the crowd*** il fonça à travers la foule ◆ **barge in** *v/i infml* **1.** (*enter suddenly*) faire irruption **2.** (*interrupt*) interrompre ◆ **barge into** *v/t insep person* bousculer; *thing* rentrer dans

bargepole ['bɑːdʒpəʊl] *n* ***I wouldn't touch him with a ~*** (*Br infml*) je ne le toucherais pas avec des pincettes *infml*

bar graph *n* IT histogramme *m*

baritone ['bærɪtəʊn] **I** *n* baryton *m* **II** *adj* de baryton

bark¹ [bɑːk] *n* (*of tree*) écorce *f*

bark² **I** *n* (*of dog*) aboiement *m*; ***his ~ is worse than his bite*** (*Prov*) il fait plus de bruit que de mal *prov* **II** *v/i* aboyer; ***to ~ at sb*** aboyer après qn; (*person*) aboyer; ***to be ~ing up the wrong tree*** *fig, infml* faire fausse route ◆ **bark out** *v/t sep orders* aboyer

barkeep(er) ['bɑːkiːp(əʳ)] *n US* barman *m*, serveur(-euse) *m(f)* de bar

barking (mad) ['bɑːkɪŋ('mæd)] *adj Br infml* complètement cinglé *infml*

barley ['bɑːlɪ] *n* orge *m* **barley sugar** *n* (*sweet*) sucre *m* d'orge **barley water** *n* ≈ sirop *m* d'orgeat; ***lemon ~*** sirop d'orgeat au citron

barmaid *n* barmaid *f* **barman** *n* barman *m*

barmy ['bɑːmɪ] *adj* ⟨**+er**⟩ (*Br infml*) dingue *infml*; *idea etc.* loufoque *infml*

barn [bɑːn] *n* **1.** grange *f* **2.** (*US, for trucks*) dépôt *m* **barn dance** *n* ≈ bal *m* folk **barn owl** *n* effraie *f* **barnyard** *n* basse-cour *f*

barometer [bə'rɒmɪtəʳ] *n* baromètre *m*

barometric pressure [ˌbærəʊmetrɪk'preʃəʳ] *n* pression *f* atmosphérique

baron ['bærən] *n* **1.** *noble* baron *m* **2.** *magnate* magnat *m* ***oil ~*** magnat du pétrole; ***press ~*** magnat de la presse **baroness** ['bærənɪs] *n* baronne *f*

baroque [bə'rɒk] **I** *adj* baroque **II** *n* baroque *m*

barracks ['bærəks] *pl often with sg vb* MIL caserne *f*; ***to live in ~*** vivre en caserne

barrage ['bærɑːʒ] *n* **1.** (*across river*) barrage *m* **2.** MIL tir *m* de barrage **3.** *fig* flot *m*; ***he faced a ~ of questions*** il se trouvait confronté à un flot de questions

barred [bɑːd] *adj* ***~ window*** une fenêtre à barreaux

barrel ['bærəl] *n* **1.** tonneau *m*; (*for oil*) baril *m*; ***they've got us over a ~*** *infml* nous sommes à leur merci; ***it wasn't exactly a ~ of laughs*** *infml* ça n'a pas été très amusant; ***he's a ~ of laughs*** *infml* il est franchement marrant *infml* **2.** (*of handgun*) barillet *m* **barrel organ** *n* orgue *m* de Barbarie

barren ['bærən] *adj* stérile **barrenness** *n* stérilité *f*

barrette [bə'ret] *n US* barrette *f*

barricade [ˌbærɪ'keɪd] **I** *n* barricade *f* **II** *v/t* barricader

barrier ['bærɪəʳ] *n* **1.** (*natural*) obstacle *m*; (*railing etc.*) barrière *f*; (*crash barrier*) glissière *f* de sécurité **2.** (*fig obstacle*) obstacle *m*; (*between people*) barrière *f*; ***trade ~s*** barrières douanières; ***language ~*** barrière linguistique; ***a ~ to success*** *etc.* un obstacle au succès *etc*; ***to break down ~s*** supprimer les barrières **barrier contraceptive** *n* contraceptif *m* local **barrier cream** *n* crème *f* protectrice

barring ['bɑːrɪŋ] *prep* ***~ accidents*** sauf accident; ***~ one*** sauf un

barrister ['bærɪstəʳ] *n Br* avocat(e) *m(f)*

barrow ['bærəʊ] *n* brouette *f*

bar stool *n* tabouret *m* de bar **bartender**

['bɑːtendəʳ] *n US* barman(-maid) *m(f)*; *~!* s'il vous plaît!

barter ['bɑːtəʳ] *v/t & v/i* troquer (***for*** contre)

base[1] [beɪs] **I** *n* **1.** (*lowest part*) base *f*; (*for statue etc.*) piédestal *m*; (*of lamp, mountain*) pied *m*; ***at the ~*** (***of***) au pied (de) **2.** (MIL, *for holidays*) base *f*; ***to return to ~*** rentrer à sa base **3.** BASEBALL base *f*; ***at*** *or* ***on second ~*** à la deuxième base; ***to touch ~*** (*US infml*) garder le contact (***with*** avec); ***to touch*** *or* ***cover all the ~s*** *fig* penser à tout **II** *v/t* **1.** *fig hopes, theory* baser (***on*** sur); *relationship* fonder (***on*** sur); ***to be ~d on sth*** reposer sur qc; ***to ~ one's technique on sth*** baser sa technique sur qc **2.** baser; ***the company is ~d in Austin*** la société est basée à Austin; ***my job is ~d in Chicago*** mon travail est basé à Chicago

base[2] *adj* ⟨**+er**⟩ *metal* vil

baseball ['beɪsbɔːl] *n* baseball *m* **baseball cap** *n* casquette *f* de baseball

base camp *n* camp *m* de base **-based** [-beɪst] *adj suf* ***Seattle-based*** basé à Seattle; ***computer-based training*** formation assistée par ordinateur **baseless** *adj* sans fondement **baseline** ['beɪslaɪn] *n* TENNIS ligne *f* de fond

basement ['beɪsmənt] *n* sous-sol *m*; ***~ apartment*** *or* (*Br*) ***flat*** appartement en sous-sol

base rate *n* taux *m* de base

bash [bæʃ] *infml* **I** *n* **1.** *blow* coup *m* **2.** ***I'll have a ~*** (***at it***) *Br infml* je vais tenter le coup **II** *v/t car* défoncer *infml*; ***to ~ one's head*** (***against sth***) se cogner la tête (contre qc); ***to ~ sb on*** *or* ***over the head with sth*** taper sur la tête de qn avec qc ◆ **bash in** *v/t sep infml door* enfoncer; *hat, car* cabosser *infml*; ***to bash sb's head in*** tabasser qn *infml* ◆ **bash up** *v/t sep* (*esp Br infml*) *car* bousiller *infml*

bashful ['bæʃfʊl] *adj* timide **bashfully** *adv* timidement

Basic ['beɪsɪk] IT *abbr* = **beginner's all-purpose symbolic instruction code** Basic *m*

basic ['beɪsɪk] **I** *adj* **1.** (*fundamental*) fondamental; *reason, issue* essentiel(le); *points* principal; ***there's no ~ difference*** il n'y a pas de différence fondamentale; ***the ~ thing to remember is ...*** la chose fondamentale à garder en mémoire est...; ***his knowledge is rather ~*** ses connaissances sont assez rudimentaires; ***the furniture is rather ~*** le mobilier est très rudimentaire; ***~ salary*** salaire de base; ***~ vocabulary*** vocabulaire de base **2.** (*essential*) de base **II** *pl* ***the ~s*** l'essentiel; ***to get down to*** (***the***) ***~s*** en venir à l'essentiel; ***to get back to ~s*** revenir aux choses essentielles **basically** ['beɪsɪkəlɪ] *adv* fondamentalement; (*mainly*) en gros; ***is that correct? — ~ yes*** est-ce juste? en gros, oui; ***that's ~ it*** en gros, c'est ça **basic English** *n* anglais *m* fondamental **basic rate** *n* (*of tax*) taux *m* de base; ***the ~ of income tax*** taux *m* de base d'imposition

basil ['bæzl] *n* BOT basilic *m*

basin ['beɪsn] *n* **1.** (*for food*) bol *m*; (*larger*) jatte *f* **2.**; (*wash basin*) lavabo *m* **3.** GEOG bassin *m*

basis ['beɪsɪs] *n* ⟨*pl* **bases**⟩ base *f*; ***we're working on the ~ that ...*** nous prenons pour point de départ le fait que...; ***to be on a sound ~*** reposer sur des bases solides; ***on the ~ of this evidence*** sur la base de ces preuves

bask [bɑːsk] *v/i* (*in sun*) se prélasser; (*in sb's favor etc.*) jouir (***in*** de)

basket ['bɑːskɪt] *n* panier *m*; (*for bread etc.*) corbeille *f* **basketball** *n* basket *m* **basket case** *n sl* cas *m* désespéré **basket chair** *n* fauteuil *m* en osier

Basle [bɑːl] *n* Bâle

Basque [bæsk] **I** *n* **1.** (*person*) Basque *m/f* **2.** (*language*) basque *m* **II** *adj* basque

bass [beɪs] MUS **I** *n* basse *f* **II** *adj* bas(se) **bass clef** *n* clef *f* de fa **bass drum** *n* grosse caisse *f*

bassoon [bə'suːn] *n* basson *m*

bastard ['bɑːstəd] *n* **1.** *lit* bâtard(e) *m(f)* **2.** (*sl person*) salaud *m infml*; ***poor ~*** pauvre type *infml*; ***this question is a real ~*** cette question est une vacherie *infml* **bastardize** ['bɑːstədaɪz] *v/t fig* abâtardir

baste [beɪst] *v/t* COOK arroser

bastion ['bæstɪən] *n* bastion *m*

bat[1] [bæt] *n* ZOOL chauve-souris *f*; ***he drove like a ~ out of hell*** il conduisait comme s'il avait le diable à ses trousses; (***as***) ***blind as a ~*** myope comme une taupe *infml*

bat[2] SPORTS **I** *n* BASEBALL, CRICKET batte *f*; TABLE TENNIS raquette *f*; ***off one's own ~*** (*Br infml*) de sa propre initiative;

right off the ~ *US* sans délai **II** *v/t & v/i* BASEBALL, CRICKET être à la batte

bat³ *v/t* ***not to ~ an eye*** (*US*) *or* ***eyelid*** ne pas sourciller

batch [bætʃ] *n* (*of people*) groupe *m*; (*of things dispatched, work*) lot *m*; (*of letters*) paquet *m* **batch command** *n* commande *f* séquentielle **batch file** *n* IT fichier *m* séquentiel **batch job** *n* traitement *m* séquentiel **batch processing** *n* IT traitement *m* par lots

bated ['beɪtɪd] *adj* ***with ~ breath*** en retenant son souffle

bath [bɑːθ] **I** *n* **1.** (*wash*) bain *m*; ***to have*** *or* ***take a ~*** prendre un bain; ***to give sb a ~*** donner un bain à qn **2.** (*bathtub*) baignoire *f* **3.** (***swimming***) ***~s*** *pl* piscine *f*; (***public***) ***~s*** *pl* bains publics **II** *v/t Br* baigner **III** *v/i Br* prendre un bain **bathe** [beɪð] **I** *v/t* **1.** baigner; (*with cotton etc.*) nettoyer; ***to ~ one's eyes*** se baigner les yeux; ***~d in tears*** baigné de larmes; ***to be ~d in sweat*** être en nage **2.** *US* baigner **II** *v/i* prendre un bain **III** *n* bain *m*; ***to have*** *or* ***take a ~*** prendre un bain **bather** ['beɪðəʳ] *n* baigneur(-euse) *m(f)* **bathing cap** *n* bonnet *m* de bain **bathing suit** *US*, **bathing costume** *Br n* maillot *m* de bain **bathing trunks** *pl* slip *m* de bain **bathmat** ['bɑːθmæt] *n* tapis *m* de bain **bathrobe** ['bɑːθrəʊb] *n* peignoir *m* de bain

bathroom ['bɑːθruːm] *n* salle *f* de bains; (*euph lavatory*) toilettes *fpl* **bathroom cabinet** *n* armoire *f* de salle de bains **bathroom scales** *pl* pèse-personne *m* **bath salts** *pl* sels *mpl* de bain **bath-towel** *n* serviette *f* de bain **bathtub** *n* baignoire *f*

baton ['bætən, (*US*) bæ'ton] *n* **1.** MUS baguette *f* **2.** (*of policeman*) matraque *f* **3.** (*in relay race*) témoin *m* **baton charge** *n* charge *f* à la matraque; ***to make a ~*** charger à la matraque

batsman ['bætsmən] *n* ⟨*pl* **-men**⟩ SPORTS batteur *m*

battalion [bə'tælɪən] *n* (MIL, *fig*) bataillon *m*

batten ['bætn] *n* latte *f* ◆ **batten down** *v/t sep* ***to ~ the hatches*** (*fig close doors*) fermer les écoutilles; (*prepare oneself*) se préparer au pire

batter¹ ['bætəʳ] *n* COOK pâte (liquide)

batter² *n* SPORTS batteur(-euse) *m(f)*

batter³ **I** *v/t* (*hit*) frapper; (*repeatedly*) rouer de coups **II** *v/i* tambouriner; ***to ~ at the door*** tambouriner à la porte *infml* ◆ **batter down** *v/t sep door* enfoncer

battered ['bætəd] *adj*; *woman, child* battu; *hat, car* cabossé; *furniture, reputation* endommagé *infml* **batterer** ['bætərəʳ] *n* ***wife-~*** mari violent; ***child-~*** père violent **battering** ['bætərɪŋ] *n lit* correction *f*; ***he / it got*** *or* ***took a real ~*** il a reçu une bonne raclée *infml*

battery ['bætərɪ] *n* (*in clock, toy*) pile *f*; (*in car*) batterie *f* **battery charger** *n* chargeur *m* de piles **battery farm** *n* batterie *f* d'élevage **battery farming** *n* élevage *m* en batterie **battery hen** *n* AGR poulet *m* de batterie **battery-operated** *adj* à piles **battery-powered** *adj* à piles

battle ['bætl] **I** *n lit* bataille *f*; *fig* lutte *f*; ***to fight a ~*** combattre; *fig* lutter; ***to do ~ for sb / sth*** se battre pour qc; ***killed in ~*** tué au combat; ***to have a ~ of wits*** jouer au plus fin; ***~ of words*** lutte verbale; ***~ of wills*** bras de fer; ***that's half the ~*** c'est déjà un grand pas en avant; ***getting an interview is only half the ~*** réussir à avoir un entretien ne signifie pas que c'est gagné **II** *v/i* combattre; *fig* lutter **III** *v/t fig* ***to ~ one's way through four qualifying matches*** remporter quatre matchs de qualification ◆ **battle out** *v/t sep* ***to battle it out*** lutter avec acharnement

battle-ax, *Br* **battle-axe** *n* (*infml woman*) virago *f infml* **battle cry** *n* cri *m* de ralliement **battlefield** *n* champ *m* de bataille **battleground** *n* champ *m* de bataille **battlements** ['bætlmənts] *pl* remparts *mpl* **battleship** *n* cuirassé *m*

batty ['bætɪ] *adj* ⟨**+er**⟩ (*Br infml*) toqué *infml*

bauble ['bɔːbl] *n* colifichet *m*; ***~s*** des colifichets

baud [bɔːd] *n* IT baud *m*

baulk [bɔːk] *v/i* = **balk**

Bavaria [bə'vɛərɪə] *n* Bavière *f* **Bavarian** [bə'vɛərɪən] **I** *n* **1.** (*person*) Bavarois(e) *m(f)* **2.** (*dialect*) bavarois *m* **II** *adj* bavarois

bawdy ['bɔːdɪ] *adj* ⟨**+er**⟩ grivois

bawl [bɔːl] **I** *v/i* (*shout*) gueuler; (*infml weep*) brailler *infml* **II** *v/t order* hurler ◆ **bawl out** *v/t sep order* hurler

bay¹ [beɪ] *n* baie *f*; ***Hudson Bay*** baie d'Hudson

bay² *n* **1.** (*loading bay*) aire *f* de chargement **2.** (*parking bay*) aire *f* de stationnement

bay[3] *n* ***to keep*** *or* ***hold sb / sth at ~*** tenir qn / qc à distance

bay[4] **I** *adj horse* bai **II** *n* (*horse*) cheval *m* bai

bay leaf *n* feuille *f* de laurier

bayonet ['beɪənɪt] *n* baïonnette *f* **bayonet fitting** *n* ELEC fixation *f* à baïonnette

bay window *n* bow-window *m*

bazaar [bə'zɑːʳ] *n* bazar *m*

BBC *abbr* = **British Broadcasting Corporation** BBC *f*

BBQ *abbr* = **barbecue**

BC *abbr* = **before Christ** av. J.-C.

be [biː] ⟨*pres* **am, is, are**⟩ ⟨*past* **was, were**⟩ ⟨*past part* **been**⟩ **I** *copula* **1.** être; ***be sensible!*** sois raisonnable!; ***who's that? — it's me / that's Mary*** qui est-ce? — c'est moi/c'est Mary; ***he is a soldier / a German*** il est soldat / allemand; ***he wants to be a doctor*** il veut être médecin; ***he's a good student*** c'est un bon étudiant; ***he's five*** il a cinq ans; ***two times two is four*** deux fois deux font quatre **2.** (*referring to physical, mental state*) ***how are you?*** comment allez-vous; ***she's not at all well*** elle ne va pas bien du tout; ***to be hungry*** avoir faim; ***I am hot*** j'ai chaud **3.** (*cost*) coûter; ***how much is that?*** combien coûte ceci? **4.** (*with possessive*) être; ***that book is his*** ce livre est à lui **II** *v/aux* **1.** (*in continuous tenses*) ***what are you doing?*** que fais-tu?; ***they're coming tomorrow*** ils viennent demain; ***I have been waiting for you for half an hour*** je t'attends depuis une demi-heure; ***will you be seeing her tomorrow?*** la verrez-vous demain?; ***I was packing my suitcase when…*** j'étais en train de faire mes bagages quand … **2.** (*in passive constructions*) être; ***he was run over*** il a été renversé; ***it is being repaired*** on est en train de le réparer; ***I will not be intimidated*** je ne me laisserai pas intimider; ***they are to be married*** ils doivent se marier; ***the car is to be sold*** la voiture va être vendue; ***what is to be done?*** que peut-on faire? **3.** (*with obligation, command*) ***I am to look after her*** je dois m'occuper d'elle; ***I am not to be disturbed*** je ne veux pas être dérangé; ***I wasn't to tell you his name*** (*but I did*) je n'étais pas censé te dire son nom **4.** (*be destined*) ***she was never to return*** et elle n'est jamais revenue **5.** (*with possibilities*) ***he was not to be persuaded*** il ne s'est pas laissé convaincre; ***if it were*** *or* ***was to snow*** s'il neigeait; ***and if I were to tell him?*** si je lui disais? **6.** (*in tag questions / short answers*) ***he's always late, isn't he? — yes he is*** il est toujours en retard, non? — oui; ***he's never late, is he? — yes he is*** il n'est jamais en retard? — non; ***it's all done, is it? — yes it is / no it isn't*** c'est fini? — oui / non **III** *v/i* être; (*remain*) rester; ***we've been here a long time*** nous sommes ici depuis longtemps; ***let me be*** laisse-moi tranquille; ***be that as it may*** quoi qu'il en soit; ***I've been to Paris*** je suis allée à Paris; ***the milkman has already been*** le laitier est déjà passé; ***he has been and gone*** il est venu et il est reparti; ***here is a book / are two books*** voilà un livre / deux livres; ***here / there you are*** (*you've arrived*) vous voilà; (*take this*) voilà; ***there he was sitting at the table*** il était assis à la table; ***nearby there are two churches*** il y a deux églises à côté **IV** *vb impersonal*; ***it is dark*** il fait sombre; ***tomorrow is Friday*** demain c'est vendredi; ***it is 5 km to the nearest town*** la ville la plus proche est à 5 km; ***it was us*** *or* ***we*** (*form*) ***who found it*** c'est nous qui l'avons trouvé; ***were it not for the fact that I am a teacher, I would do…*** si je n'étais pas enseignant, je ferais …; ***were it not for him, if it weren't*** *or* ***wasn't for him*** s'il n'était pas là; ***had it not been*** *or* ***if it hadn't been for him*** s'il n'avait pas été là

beach [biːtʃ] *n* plage *f*; ***on the ~*** sur la plage **beach ball** *n* ballon *m* de plage **beach buggy** *n* buggy *m* **beach towel** *n* serviette *f* de plage **beach volleyball** *n* beach volley *m*

beacon ['biːkən] *n* phare *m*; (*radio beacon*) radiobalise *f*

bead [biːd] *n* **1.** perle *f*; **(*string of*) *~s*** collier *m* **2.** (*of sweat*) goutte *f* **beady** ['biːdɪ] *adj* ***I've got my ~ eye on you*** *infml* je t'ai à l'œil

beagle ['biːgl] *n* beagle *m*

beak [biːk] *n* bec *m*

beaker ['biːkəʳ] *n* gobelet *m*; CHEM *etc.* vase *m* à bec

be-all and end-all ['biːɔːlənd'endɔːl] *n* ***the ~*** le but suprême; ***it's not the ~*** ce n'est pas le but suprême

beam [biːm] **I** *n* **1.** (BUILD, *of scales*) fléau *m* **2.** (*of light etc.*) rayon *m*; ***to be on full*** *or* ***high ~*** être en (pleins) phares **II** *v/i* rayonner; ***to ~ down*** (*sun*) rayonner; ***she was ~ing with joy*** elle rayonnait de joie **III** *v/t* RADIO, TV transmettre **beaming** ['biːmɪŋ] *adj* rayonnant

bean [biːn] *n* **1.** haricot *m*; ***he hasn't*** (***got***) ***a ~*** (*Br infml*) il n'a pas un radis *infml* **2.** *fig* ***to be full of ~s*** *Br infml* être en pleine forme *infml* **beanbag** *n* (*seat*) fauteuil *m* poire **beanburger** *n* steak *m* végétarien **beanfeast** *n infml* gueuleton *m infml* **beanpole** *n* perche *f* **bean sprout** *n* germe *m* de soja

bear[1] [bɛəʳ] ⟨*past* **bore**⟩ ⟨*past part* **borne**⟩ **I** *v/t* **1.** porter; *gift*, *message* apporter; *mark*, *likeness* porter; ***he was borne along by the crowd*** il était entraîné par la foule **2.** *love*, *grudge* éprouver **3.** (*endure*) supporter; ***she can't ~ being laughed at*** elle ne supporte pas qu'on rit d'elle; ***it doesn't ~ thinking about*** c'est une pensée insupportable **4.** (*give birth to*) donner naissance à; → **born II** *v/i* ***to ~ left*** / ***north*** prendre à gauche / la direction du nord **III** *v/r* se comporter ◆ **bear away** *v/t sep* **1.** emporter **2.** *victory etc.* enlever ◆ **bear down** *v/i* venir (***on*** sur) ◆ **bear on** *v/t insep* = **bear (up)on** ◆ **bear out** *v/t sep* confirmer; ***to bear sb out in sth*** appuyer qn pour qc ◆ **bear up** *v/i* tenir le coup; ***how are you? — bearing up!*** comment ça va? — on fait aller! ◆ **bear (up)on** *v/t insep* (*relate to*) avoir un effet sur ◆ **bear with** *v/t insep* ***if you would just ~ me for a couple of minutes*** patientez deux minutes s'il vous plaît

bear[2] *n* **1.** ours *m*; ***he is like a ~ with a sore head*** être d'une humeur massacrante *infml* **2.** ASTRON ***the Great*** / ***Little Bear*** la Grande / Petite Ourse **3.** ST EX baissier *m*

bearable ['bɛərəbl] *adj* supportable

beard [bɪəd] *n* barbe *f* **bearded** *adj* barbu

bearer ['bɛərəʳ] *n* (*carrier*) porteur (-euse) *m*(*f*); (*of news*, *check*, *name*) porteur *m*; (*of passport*) titulaire *m*/*f*

bear hug *n* embrassade *f*

bearing ['bɛərɪŋ] *n* **1.** (*posture*) allure *f* **2.** (*influence*) influence *f* (***on*** sur); (*connection*) rapport *m* (***on*** avec); ***to have some ~ on sth*** avoir un rapport avec qc; ***to have no ~ on sth*** n'avoir aucun rapport avec qc **3.** ***to get*** *or* ***find one's ~s*** se repérer; ***to lose one's ~s*** être désorienté

bear market *n* ST EX marché *m* baissier

beast [biːst] *n* **1.** bête *f* **2.** (*infml person*) brute *f* **beastly** ['biːstlɪ] *infml adj* ignoble

beat [biːt] *vb* ⟨*past* **beat**⟩ ⟨*past part* **beaten**⟩ **I** *n* **1.** battement *m*; (*repeated*) pulsation *f*; ***to the ~ of the drum*** au son du tambour **2.** (*of policeman*) ronde *f*; (*district*) secteur *m*; ***to be on the ~*** être îlotier **3.** MUS, POETRY rythme *m*; (*of baton*) battement *m* **II** *v/t* **1.** ***to ~ a/one's way through sth*** se frayer un chemin à travers qc; ***to ~ a/the drum*** battre le tambour; ***~ it!*** *fig*, *infml* fiche le camp *infml*; ***the bird ~s its wings*** l'oiseau bat des ailes; ***to ~ time*** (***to the music***) battre la mesure **2.** (*defeat*) vaincre; *record* battre; ***to ~ sb into second place*** l'emporter sur qn; ***you can't ~ real wool*** rien ne vaut la vraie laine; ***if you can't ~ them, join them*** *infml* il faut savoir hurler avec les loups; ***coffee ~s tea any day*** le café surclasse toujours le thé; ***it ~s me*** (***how*** / ***why …***) *infml* je n'arrive pas à comprendre (comment / pourquoi …) **3.** *crowds* éviter; ***I'll ~ you down to the beach*** j'arriverai à la plage avant toi; ***to ~ the deadline*** respecter la date butoir; ***to ~ sb to it*** être plus rapide que qn **III** *v/i* battre; (*rain*) fouetter; ***to ~ on the door*** (***with one's fists***) tambouriner à la porte (avec les poings) **IV** *adj* **1.** (*infml exhausted*) ***to be*** (***dead***) ***~*** claqué *infml* **2.** (*infml defeated*) ***to be ~(en)*** être battu; ***he doesn't know when he's ~(en)*** il ne s'avoue jamais vaincu; ***this problem's got me ~*** ce problème me dépasse *infml* ◆ **beat back** *v/t sep* repousser ◆ **beat down I** *v/i* (*rain*) coucher; (*sun*) taper sur **II** *v/t sep* **1.** ***I managed to beat him down*** (***on the price***) j'ai réussi à lui faire baisser le prix **2.** *door* enfoncer ◆ **beat in** *v/t sep* **1.** *door* défoncer **2.** COOK *eggs etc.* ajouter en battant ◆ **beat off** *v/t sep* repousser ◆ **beat out** *v/t sep fire* étouffer; *rhythm* battre la mesure; (*on drum*) marquer le rythme; ***to beat sb's brains out*** *infml* défoncer le crâne à qn *infml* ◆ **beat up** *v/t sep person* tabasser ◆ **beat up**

on *v/t insep* (*US infml*) (*hit*) tabasser *infml*; (*bully*) maltraiter

beaten ['bi:tn] **I** *past part* = **beat II** *adj earth* battu; ***to be off the ~ track*** *fig* sortir des sentiers battus **beating** ['bi:tɪŋ] *n* **1.** *thrashing* correction *f*; ***to give sb a ~*** donner une correction à qn; ***to get a ~*** recevoir une correction **2.** (*of drums, heart, wings*) battement *m* **3.** (*defeat*) défaite *f*; ***to take a ~*** (***at the hands of sb***) se faire battre à plate couture (par qn) **4.** ***to take some ~*** se faire battre **beat-up** ['bi:t'ʌp] *adj infml* déglingué *infml*

beautician [bju:'tɪʃən] *n* esthéticien(ne) *m(f)*

beautiful ['bju:tɪfʊl] *adj* beau (belle); *idea, meal* bon(ne); *swimmer, piece of work* superbe **beautifully** ['bju:tɪfəlɪ] *adv* remarquablement; *prepared, simple* à la perfection; *swim* admirablement bien **beautify** ['bju:tɪfaɪ] *v/t* embellir

beauty ['bju:tɪ] *n* **1.** beauté *f*; ***~ is in the eye of the beholder*** (*Prov*) il n'est rien de laid pour celui qui aime; ***the ~ of it is that ...*** ce qui est bien, c'est que… **2.** (*good example*) merveille *f* **beauty contest**, *also US* **beauty pageant** *n* concours *m* de beauté **beauty parlor**, *Br* **beauty parlour** *n* institut *m* de beauté **beauty queen** *n* reine *f* de beauté **beauty salon** *n* salon *m* de beauté **beauty sleep** *n hum* sommeil *m* réparateur **beauty spot** *n* **1.** (*on skin*) grain *m* de beauté **2.** (*place*) site *m* touristique **beauty treatment** *n* soins *mpl* de beauté

beaver ['bi:vəʳ] *n* castor *m* ◆ **beaver away** *v/i infml* travailler d'arrache-pied *infml* (**at** à)

became [bɪ'keɪm] *past* = **become**

because [bɪ'kɒz] **I** *cj* parce que; (*since also*) puisque; ***it was the more surprising ~ we were not expecting it*** c'était d'autant plus surprenant qu'on ne s'y attendait pas; ***why did you do it? — just ~*** *infml* pourquoi as-tu fait ça? — parce que **II** *prep* ***~ of*** à cause de; ***I only did it ~ of you*** je l'ai fait à cause de toi

beck [bek] *n* ***to be at sb's ~ and call*** être à la disposition de qn

beckon ['bekən] *v/t & v/i* faire signe; ***he ~ed to her to follow*** (***him***) il lui fit signe de le suivre

become [bɪ'kʌm] ⟨*past* **became**⟩ ⟨*past part* **become**⟩ *v/i* devenir; ***it has ~ a rule*** c'est devenu la règle; ***it has ~ a nuisance / habit*** c'est devenu gênant / une habitude; ***to ~ interested in sb / sth*** commencer à s'intéresser à qn / qc; ***to ~ king / a doctor*** devenir roi / médecin; ***what has ~ of him?*** qu'est-ce qu'il est devenu?; ***what's to ~ of him?*** que va-t-il devenir?

B. Ed. *abbr* = **Bachelor of Education**

bed [bed] *n* **1.** lit *m*; ***to go to ~*** aller au lit; ***to put sb to ~*** mettre qn au lit; ***to get into ~*** se mettre au lit; ***to get into ~ with sb*** coucher avec qn *infml*; ***he must have got out of ~ on the wrong side*** *infml* il a dû se lever du pied gauche; ***to be in ~*** être au lit; ***to make the ~*** faire le lit; ***can I have a ~ for the night?*** je voudrais un lit pour la nuit **2.** (*of ore, coal*) couche *f*; ***a ~ of clay*** une couche d'argile **3.** (*sea bed*) fond *m*; (*river bed*) lit *m* **4.** (*flower bed*) parterre *m* ◆ **bed down** *v/i* se coucher; ***to ~ for the night*** se mettre au lit pour la nuit

bed and breakfast *n* chambre *f* d'hôte; (*a.* **bed and breakfast place**) chambres *f* d'hôte; ***"bed and breakfast"*** "chambres d'hôtes" **bedbug** *n* punaise *f* des lits **bedclothes** *pl Br draps et couvertures* **bedcover** *n* (*bedspread*) dessus *m* de lit; ***~s*** *pl* (*bedclothes*) *draps et couvertures* **bedding** ['bedɪŋ] *n* literie *f* **bedding plant** *n* plantes *f* à repiquer

bedevil [bɪ'devl] *v/t* déranger

bedhead *n* tête *f* de lit

bedlam ['bedləm] *n fig* chahut *m*

bed linen *n* draps *mpl* **bedpan** *n* bassin *m*

bedraggled [bɪ'drægld] *adj* **1.** (*wet*) trempé **2.** (*dirty*) dépenaillé **3.** (*untidy*) ébouriffé

bed rest *n* alitement *m*; ***to follow / keep ~*** garder le lit **bedridden** ['bedrɪdn] *adj* alité

bedroom ['bedru:m] *n* chambre *f* **bedside** ['bedsaɪd] *n* ***to be at sb's ~*** être au chevet de qn **bedside lamp** *n* lampe *f* de chevet **bedside table** *n* table *f* de chevet **bedsit(ter)** ['bedsɪt(əʳ)] *infml*, **bedsitting room** *n Br* chambre *f* meublée **bedsore** *n* escarre *f*; ***to get ~s*** prendre des escarres **bedspread** *n* dessus-de-lit *m* **bedstead** *n* bois *m* de lit **bedtime** *n* heure *f* du coucher; ***it's ~*** il est l'heure d'aller au lit; ***his ~ is 10 o'clock*** il se couche à 10 heures; ***it's***

past your ~ tu devrais être au lit **bedtime story** *n* histoire *f* (*qu'on lit à un enfant avant qu'il s'endorme*) **bed-wetting** *n* incontinence *f* nocturne

bee [biː] *n* abeille *f*; ***to have a ~ in one's bonnet*** *infml* avoir une idée fixe

beech [biːtʃ] *n* **1.** (*tree*) hêtre *m* **2.** (*wood*) (bois *m* de) hêtre

beef [biːf] **I** *n* bœuf *m* **II** *v/i infml* râler *infml* (**about** contre) ◆ **beef up** *v/t sep* renforcer

beefburger *n Br* hamburger *m* **beefeater** *n gardien de la tour de Londres* **beefsteak** *n* steak *m* **beefy** ['biːfɪ] *adj* ⟨**+er**⟩ costaud

beehive *n* ruche *f* **beekeeper** *n* apiculteur(-trice) *m*(*f*) **beeline** *n* ***to make a ~ for sb / sth*** se diriger droit vers qn / qc

been [biːn] *past part* = **be**

beep [biːp] *infml* **I** *n* signal *m* sonore; ***leave your name and number after the ~*** laissez votre nom et votre numéro après le signal sonore **II** *v/t* ***to ~ the*** *or* ***one's horn*** klaxonner **III** *v/i* faire bip *infml*; ***~ ~!*** bip bip! *infml* **beeper** ['biːpəʳ] *n* bip(-bip) *m infml*

beer [bɪəʳ] *n* bière *f*; ***two ~s, please*** deux bières, s'il vous plaît **beer belly** *n infml* ventre *m* de buveur de bière **beer bottle** *n* canette *f* de bière **beer garden** *n Br* jardin *m* (de pub) **beer glass** *n* bock *m* **beer mat** *n Br* sous-bock *m*

beer

Il existe de nombreuses variétés de bière aux États-Unis et au Royaume-Uni. Aux États-Unis, la plupart d'entre elles ressemblent à la bière française. Elles sont de couleur claire et souvent servies en bouteilles plutôt qu'à la pression. Au Royaume-Uni, ce genre de bière est appelée **lager** et se distingue des bières britanniques traditionnelles, qui sont moins gazeuses et de couleur plus foncée. On les appelle de manière générale **bitter**, mais il en existe de nombreuses variétés qui peuvent prendre des noms différents. Les bières britanniques traditionnelles sont souvent vendues à la pression (**on draught**) dans les **pubs**. La **Guinness** est une bière irlandaise presque noire dont la mousse (**head**) est très caractéristique. Le mot **ale** n'est pas très couramment employé, sauf pour les bières artisanales.

bee sting *n* piqûre *f* d'abeille **beeswax** ['biːzwæks] *n* cire *f* d'abeille

beet [biːt] *n* betterave *f*

beetle ['biːtl] *n* scarabée *m*

beetroot [biːtruːt] *n Br* betterave *f*

befit [bɪ'fɪt] *v/t form sb* seoir *lofty*; *occasion* convenir

before [bɪ'fɔːʳ] **I** *prep* avant; ***the year ~ last*** il y a deux ans; ***the day ~ yesterday*** avant-hier; ***the day ~ that*** le jour précédent; ***~ then*** auparavant; ***you should have done it ~ now*** tu aurais dû faire ça avant; ***~ long*** sous peu; ***~ everything else*** avant tout; ***to come ~ sb / sth*** venir avant qn / qc; ***ladies ~ gentlemen*** les femmes d'abord; ***~ my (very) eyes*** sous mes (propres) yeux; ***the task ~ us*** la tâche qui nous attend **II** *adv* (*before that*) avant; (*before now*) déjà; ***have you been to Scotland ~?*** êtes-vous déjà allé en Écosse?; ***I have seen*** *etc.* ***this ~*** j'ai déjà vu *etc* ça; ***never ~*** encore jamais; **(*on*) *the day ~*** la veille; **(*on*) *the evening ~*** la veille au soir; **(*in*) *the year ~*** l'année précédente; ***two hours ~*** deux heures plus tôt; ***two days ~*** deux jours avant; ***things continued as ~*** tout a continué comme avant; ***life went on as ~*** la vie a continué comme avant; ***that chapter and the one ~*** ce chapitre et celui d'avant **III** *cj* avant; ***~ doing sth*** avant de faire qc; ***you can't go ~ this is done*** tu ne peux pas partir avant que ce soit fini; ***it will be a long time ~ he comes back*** il ne reviendra pas avant longtemps **beforehand** [bɪ'fɔːhænd] *adv* à l'avance; ***you must tell me ~*** tu dois me prévenir **before-tax** [bɪ'fɔːtæks] *adj* brut

befriend [bɪ'frend] *v/t* se lier d'amitié avec

beg [beg] **I** *v/t* **1.** *money* mendier **2.** *forgiveness* demander; ***to ~ sth of sb*** demander qc à qn; ***he ~ged to be allowed to …*** il a supplié pour qu'on l'autorise à; ***I ~ to differ*** permettez-moi de ne pas être de votre avis **3.** (*entreat*) *sb* supplier; ***I ~ you!*** je vous en supplie **4.** ***to ~ the question*** éluder la question **II**

v/i **1.** (*beggar*) mendier; (*dog*) faire le beau **2.** ***to beg for*** (*for help etc.*) mendier; ***I ~ of you*** je vous en supplie **3.** ***to go ~ging*** *infml*; (*be unwanted*) ne pas trouver d'amateur

began [bɪ'gæn] *past* = **begin**

beggar ['begəʳ] **I** *n* **1.** mendiant(e) *m*(*f*); ***~s can't be choosers*** (*prov*) nécessité fait loi *prov* **2.** (*Br infml*) type *m infml*; ***poor ~!*** pauvre type! *infml*; ***a lucky ~*** un veinard *infml* **II** *v/t fig* ***to ~ belief*** défier la raison

begin [bɪ'gɪn] ⟨*past* **began**⟩ ⟨*past part* **begun**⟩ **I** *v/t* **1.** commencer; *work*, *task* entreprendre; ***to ~ to do sth*** *or* ***doing sth*** commencer à faire qc; ***to ~ working on sth*** commencer à travailler sur qc; ***she ~s the job next week*** elle commence la semaine prochaine; ***to ~ school*** commencer l'école; ***she began to feel tired*** elle commençait à se sentir fatiguée; ***she's ~ning to understand*** elle commence à comprendre; ***I'd begun to think you weren't coming*** je commençais à penser que tu ne viendrais pas **2.** (*initiate*) commencer; *custom* lancer; *firm*, *movement* créer; *war* déclarer **II** *v/i* commencer; (*new play etc.*) débuter; ***to ~ by doing sth*** commencer par faire qc; ***he began by saying that …*** il a commencer par dire que …; ***~ning from Monday*** à partir de lundi; ***~ning from page 10*** à partir de la page 10; ***it all began when …*** tout a commencé quand …; ***to ~ with there were only three*** au début ils n'y en avait que trois; ***to ~ with, this is wrong, and …*** pour commencer, c'est faux, et …; ***to ~ on sth*** attaquer

beginner [bɪ'gɪnəʳ] *n* débutant(-e) *m*(*f*); ***~'s luck*** la chance des débutants

beginning [bɪ'gɪnɪŋ] *n* début *m*, commencement *m*; ***at the ~*** au début; ***at the ~ of sth*** au commencement de qc; ***at the ~ of July*** début juillet; ***from the ~*** dès le début; ***from the ~ of the week / poem*** dès le début de la semaine / du poème; ***read the paragraph from the ~*** lire le paragraphe à partir du début; ***from ~ to end*** du début à la fin; ***to start again at*** *or* ***from the ~*** recommencer depuis le début; ***to begin at the ~*** commencer par le commencement; ***it was the ~ of the end for him*** cela a été le commencement de la fin pour lui; ***his humble ~s*** ses modestes débuts

begonia [bɪ'gəʊnɪə] *n* bégonia *m*

begrudge [bɪ'grʌdʒ] *v/t* **1.** (*be reluctant*) ***to ~ doing sth*** rechigner à faire qc **2.** (*envy*) envier (***sb sth*** qc à qn) **begrudgingly** [bɪ'grʌdʒɪŋlɪ] *adv* à contrecœur

beguiling [bɪ'gaɪlɪŋ] *adj eyes*, *book* captivant; *idea* attrayant

begun [bɪ'gʌn] *past part* = **begin**

behalf [bɪ'hɑːf] *n* ***on or in*** (*US*) ***~ of*** au nom de, pour; (*as authorized representative*) pour le compte de

behave [bɪ'heɪv] **I** *v/i* se comporter; se conduire; (*be good*) bien se tenir, être sage; ***to ~ well / badly*** bien / mal se tenir; ***what a way to ~!*** quelle manière de se conduire!; ***to ~ badly / well toward(s) sb*** mal / bien se conduire envers qn; ***~!*** tenez-vous tranquilles! **II** *v/r* ***to ~ oneself*** bien se tenir; ***~ yourself!*** sois sage! **behavior**, *Br* **behaviour** [bɪ'heɪvjəʳ] *n* **1.** comportement *m*, conduite *f*; ***to be on one's best ~*** bien se tenir **2.** (*toward others*) comportement *m* (***to***(***ward***) envers)

behead [bɪ'hed] *v/t* décapiter

beheld [bɪ'held] *past*, *past part* = **behold**

behind [bɪ'haɪnd] **I** *prep* derrière ***come out from ~ the door*** sortir de derrière la porte; ***he came up ~ me*** il est arrivé derrière moi; ***walk close ~ me*** suivez-moi de près; ***put it ~ the books*** mettez-le derrière les livres; ***what is ~ this incident?*** qu'est-ce qui est à l'origine de cet incident?; ***to be ~ sb*** être derrière qn; *support* soutenir qn; ***to be ~ schedule*** être en retard sur le calendrier; ***to be ~ the times*** *fig* être en retard sur son temps; ***you must put the past ~ you*** il faut oublier le passé **II** *adv* **1.** (*at rear*) à l'arrière; *car* de derrière; (*behind this, sb etc.*) derrière; ***from ~*** de dos; ***to look ~*** regarder derrière **2.** ***to be ~ with one's studies*** être en retard dans ses études **III** *n infml* derrière *m infml*

behold [bɪ'həʊld] ⟨*past*, *past part* **beheld**⟩ *v/t liter* voir

beige [beɪʒ] **I** *adj* beige **II** *n* beige *m*

being ['biːɪŋ] *n* **1.** (*existence*) existence *f*; ***to come into ~*** voir le jour; ***to bring into ~*** faire naître **2.** (*that which exists*) être *m*; ***~s from outer space*** des êtres d'une autre planète

Belarus ['belərʊs] *n* GEOG Biélorussie *f*

belated [bɪ'leɪtɪd] *adj* tardif(-ive) **belat-**

edly [bɪ'leɪtɪdlɪ] *adv* tardivement

belch [beltʃ] **I** *v/i* (*person*) éructer, avoir un renvoi **II** *v/t* (*a.* **belch forth** *or* **out**) *smoke* cracher **III** *n* renvoi *m*

beleaguered [bɪ'liːgəd] *adj fig* en butte aux critiques

belfry ['belfrɪ] *n* beffroi *m*

Belgian ['beldʒən] **I** *n* Belge *m/f* **II** *adj* belge **Belgium** ['beldʒəm] *n* Belgique *f*

Belgrade [bel'greɪd] *n* Belgrade

belie [bɪ'laɪ] *v/t* **1.** (*prove false*) démentir **2.** (*give false impression of*) donner une fausse idée de

belief [bɪ'liːf] *n* croyance *f* (**in** en); *stronger, political* conviction *f*; ***to be beyond ~*** être incroyable; ***stupid beyond ~*** incroyablement stupide; ***in the ~ that ...*** convaincu que ...; ***it is my ~ that ...*** je suis convaincu que … **believable** [bɪ'liːvəbl] *adj* croyable

believe [bɪ'liːv] **I** *v/t* croire; ***I don't ~ you*** je ne te crois pas; ***don't you ~ it*** n'allez pas croire ça; ***~ you me!*** *infml* croyez--moi; ***~ it or not*** vous le croirez si vous voulez; ***would you ~ it!*** *infml* tu te rends compte! *infml*; ***I would never have ~d it of him*** je n'aurais jamais cru cela de lui; ***he could hardly ~ his eyes*** il n'en croyait pas ses yeux; ***he is ~d to be sick*** on pense qu'il est malade; ***I ~ so*** je crois; ***I ~ not*** je ne crois pas **II** *v/i* croire ◆ **believe in** *v/t insep* **1.** avoir confiance en; ***he doesn't ~ doctors*** il n'a pas confiance en la médecine **2.** (*support idea of*) ***to ~ sth*** être partisan de qc; ***he believes in getting up early*** il pense qu'il est bon de se lever tôt; ***he believes in giving people a second chance*** il pense que les gens ont droit à une deuxième chance; ***I don't ~ compromises*** je ne crois pas aux compromis

believer [bɪ'liːvəʳ] *n* **1.** REL croyant(e) *m(f)* **2.** ***to be a*** (***firm***) ***~ in sth*** croire fermement aux vertus de qc

Belisha beacon [bɪˌliːʃə'biːkən] *n Br poteau de signalisation clignotant signalant un passage pour piétons*

bell [bel] *n* **1.** cloche *f*; (*small*) clochette *f*; (*school bell, doorbell, of bicycle*) sonnerie *f*; ***as clear as a ~*** *voice* cristallin; *sound* très clair **2.** (*sound of bell*) ***there's the ~*** on sonne **bellboy** *n esp US* groom *m* **bellhop** *n US* = **bellboy**

belligerence [bɪ'lɪdʒərəns] *n* (*of nation*) belligérance *f*; (*of person*) agressivité *f* **belligerent** *adj nation* belligérant; *person, speech* belliqueux(-euse) **belligerently** *adv* agressivement

bellow ['beləʊ] **I** *v/t & v/i* hurler, brailler; ***to ~ at sb*** crier après qn **II** *n* hurlement *m*

bellows ['beləʊz] *pl* soufflet *m*; ***a pair of ~*** un soufflet

bell pull *n* sonnette *f* **bell push** *n* (bouton *m* de) sonnette *f* **bell-ringer** *n* sonneur(-euse), carillonneur(-euse) **bell-ringing** *n* art *m* de carillonner

belly ['belɪ] *n* ventre *m* **bellyache** *infml* **I** *n* mal *m* de ventre; ***to have a ~*** avoir mal au ventre **II** *v/i* râler (***about*** à propos de) **bellybutton** *n infml* nombril *m* **belly dance** *n* danse *f* du ventre **belly dancer** *n* danseuse *f* du ventre **bellyflop** *n* plat *m infml*; ***to do a ~*** faire un plat *infml* **bellyful** ['belɪfʊl] *n infml* ***I've had a ~ of writing these letters*** j'en ai par-dessus la tête d'écrire ces lettres *infml* **belly laugh** *n* gros rire *m*; ***he gave a great ~*** il est parti d'un gros rire **belly up** *adv* ***to go ~*** (*infml, company*) faire faillite

belong [bɪ'lɒŋ] *v/i* appartenir (***to sb*** à qn); ***to ~ to sth*** faire partie de qc ***who does it ~ to?*** à qui cela appartient--il?; ***to ~ together*** aller ensemble; ***to ~ to a club*** faire partie d'un club; ***to feel that one doesn't ~*** avoir le sentiment qu'on ne s'intègre pas; ***it ~s under the heading of ...*** cela va sous la rubrique ... **belongings** [bɪ'lɒŋɪŋz] *pl* affaires *fpl*; ***personal ~*** effets personnels; ***all his ~*** toutes ses affaires

Belorussia [ˌbjeləʊ'rʌʃə] *n* GEOG Biélorussie *f*

beloved [bɪ'lʌvɪd] **I** *adj* bien-aimé **II** *n* ***dearly ~*** REL bien chers fidèles

below [bɪ'ləʊ] **I** *prep* au-dessous de, en dessous de ***her skirt comes well ~ her knees*** *or* ***the knee*** sa jupe arrive bien en dessous du genou; ***to be ~ sb*** (*in rank*) être au-dessous de qn **II** *adv* **1.** (*lower down*) en dessous; ***in the valley ~*** en bas dans la vallée; ***one floor ~*** un étage en dessous; ***the apartment ~*** l'appartement du dessous; (*below us*) l'appartement en dessous; ***down ~*** plus bas; ***see ~*** voir ci-dessous **2.** ***15 degrees ~*** moins 15 degrés

belt [belt] **I** *n* **1.** (*on clothes, of land, seat belt*) ceinture *f* ***that was below the ~*** c'était en dessous de la ceinture; ***to tighten one's ~*** *fig* se serrer la ceinture;

industrial ~ ceinture industrielle **2.** TECH courroie *f*; (*conveyor belt*) tapis roulant **II** *v/t infml* frapper; ***she ~ed him one in the eye*** elle lui a flanqué une beigne dans l'œil *infml* **III** *v/i* (*Br infml rush*) foncer *infml* ◆ **belt out** *v/t sep infml tune* brailler *infml* ◆ **belt up** *v/i* (*Br infml*) la fermer *infml*

bemoan [bɪ'məʊn] *v/t* déplorer

bemused [bɪ'mjuːzd] *adj* dérouté; ***to be ~ by sth*** être dérouté par qc

bench [bentʃ] *n* **1.** (*seat*) banc *m* **2.** (*workbench*) banc *m* **3.** SPORTS ***on the ~*** sur le banc de touche **benchmark** ['bentʃmɑːk] *n fig* (point *m* de) référence *f* **bench press** *n* SPORTS développé *m* couché

bend [bend] *vb* ⟨*past, past part* **bent**⟩ **I** *n* coude *m*; (*in road*) virage *m*; ***there is a ~ in the road*** la route fait un virage; ***to go / be round the ~*** (*Br infml*) devenir / être dingue *infml*; ***to drive sb round the ~*** (*Br infml*) rendre qn dingue *infml* **II** *v/t* **1.** plier; *head* incliner; ***to ~ sth out of shape*** tordre qc **2.** *fig rules* contourner; *truth* déformer **III** *v/i* **1.** se plier; (*person*) se courber; ***this metal ~s easily*** ce métal se plie facilement; ***my arm won't ~*** je ne peux pas plier le bras **2.** (*river*) former une courbe; (*road*) tourner ◆ **bend back I** *v/i* faire demi-tour; (*over backward*) se pencher en arrière **II** *v/t sep* replier ◆ **bend down I** *v/i* (*person*) se pencher, se courber; ***she bent down to look at the baby*** elle s'est penchée pour regarder le bébé **II** *v/t sep edges* replier ◆ **bend over I** *v/i* (*person*) se pencher, se courber; ***to ~ to look at sth*** se pencher pour regarder qc **II** *v/t sep* plier

beneath [bɪ'niːθ] **I** *prep* **1.** sous, en dessous de **2.** (*unworthy of*) ***it is ~ him*** ce n'est pas digne de lui **II** *adv* en dessous

benefactor ['benɪfæktəʳ] *n* bienfaiteur (-trice) *m*(*f*) **beneficial** [ˌbenɪ'fɪʃəl] *adj* bon(ne), bénéfique (***to*** pour); *effect* positif(-ive); (*advantageous*) avantageux(-euse) **beneficiary** [ˌbenɪ'fɪʃərɪ] *n* bénéficiaire *m*/*f*; (*of will etc.*) légataire *m*/*f*, bénéficiaire *m*/*f*

benefit ['benɪfɪt] **I** *n* **1.** (*advantage*) avantage *m*; (*profit*) bénéfice *m*; ***to derive or get ~ from sth*** tirer un avantage de qc; ***for the ~ of the poor*** pour les pauvres; ***for your ~*** pour toi; ***we should give him the ~ of the doubt*** nous devrions lui accorder le bénéfice du doute **2.** (*allowance*) allocation *f*; ***to be on ~(s)*** *Br* toucher les allocations **II** *v/t* être bon pour **III** *v/i* tirer profit (***from, by*** de); ***he would ~ from a week off*** une semaine de congé lui ferait du bien; ***I think you'll ~ from the experience*** je pense que vous tirerez profit de l'expérience **benefit concert** *n* concert *m* de charité

Benelux ['benɪlʌks] *n* Benelux *m* ***~ countries*** pays du Benelux

benevolence [bɪ'nevələns] *n* bienveillance *f* **benevolent** [bɪ'nevələnt] *adj* bienveillant

B.Eng. *abbr* = **Bachelor of Engineering**

Bengali [beŋ'gɔːlɪ] **I** *n* (*language*) bengali *m*; (*person*) Bengali(e) *m*(*f*) **II** *adj* bengali

benign [bɪ'naɪn] *adj* **1.** bienveillant **2.** MED *tumor* bénin(-igne)

bent [bent] **I** *past, past part* = **bend II** *adj* **1.** plié; (*out of shape*) tordu **2.** ***to be ~ on sth / doing sth*** vouloir à tout prix qc / faire qc **III** *n* dispositions *fpl* (***for*** pour); ***people with*** *or* ***of a musical ~*** les gens qui ont des dispositions pour la musique

benzene ['benziːn] *n* benzène *m*

bequeath [bɪ'kwiːð] *v/t* léguer (***to sb*** à q) **bequest** [bɪ'kwest] *n* legs *m* (***to*** à)

berate [bɪ'reɪt] *v/t liter* semoncer

bereaved [bɪ'riːvd] *adj* en deuil, endeuillé; ***the ~*** les personnes endeuillées **bereavement** *n* deuil *m*

bereft [bɪ'reft] *adj* ***to be ~ of sth*** être privé de qc

beret ['bereɪ] *n* béret *m*

Bering Sea ['berɪŋ-] *n* mer *f* de Bering **Bering Strait** ['berɪŋ-] *n* détroit *m* de Bering

berk [bɜːk] *n* (*Br infml*) berk, beurk *infml*

Berlin [bɜː'lɪn] *n* Berlin; ***the ~ Wall*** le mur de Berlin

Bermuda shorts [bɜː'mjuːdə-] *pl* bermuda *m*

Bern [bɜːn] *n* Berne

berry ['berɪ] *n* baie *f*; ***mixed berries*** assortiment de fruits rouges

berserk [bə'sɜːk] *adj* ***to go ~*** piquer une crise; (*audience*) être pris de délire; (*go mad*) être pris de folie furieuse *infml*

berth [bɜːθ] **I** *n* **1.** (*on ship, train*) couchette *f* **2.** (NAUT, *for ship*) mouillage *m* **3.** ***to give sb / sth a wide ~*** *fig* éviter qn / qc **II** *v/i* mouiller **III** *v/t* ***where is***

she ~ed? où avez-vous mouillé l'ancre?

beseech [bɪ'siːtʃ] *liter v/t person* supplier

beset [bɪ'set] ⟨*past, past part* **beset**⟩ *v/t* ***to be ~ with difficulties*** être assailli de difficultés; ***~ by doubts*** assailli de doutes

beside [bɪ'saɪd] *prep* **1.** à côté de; *road, river* le long de; ***~ the road*** le long de la route **2.** ***to be ~ the point*** n'avoir rien à voir; ***to be ~ oneself with rage*** être fou de rage; ***she was ~ herself with excitement*** elle était complètement surexcitée

besides [bɪ'saɪdz] **I** *adv* (*in addition*) en plus; (*furthermore*) d'ailleurs ***many more ~*** un grand nombre en plus; ***have you got any others ~?*** en avez-vous en plus? **II** *prep* en plus de; ***others ~ ourselves*** d'autres en plus de nous; ***there were three of us ~ Mary*** nous étions trois en plus de Mary; ***~ which he was unwell*** en plus de quoi, il ne se sentait pas bien

besiege [bɪ'siːdʒ] *v/t* assiéger

besotted [bɪ'sɒtɪd] *adj* follement amoureux(-euse) (***with*** de)

bespoke [bɪ'spəʊk] *adj Br* ***a ~ tailor*** un tailleur à façon

best [best] **I** *adj sup* = **good** meilleur; ***to be ~*** être le meilleur; ***to be ~ of all*** être le meilleur de tous; ***that was the ~ thing about her*** c'est ce qu'elle avait de mieux; ***it's ~ to wait*** il vaut mieux attendre; ***may the ~ man win!*** que le meilleur gagne!; ***the ~ part of the year / my money*** la plus grande partie de l'année / de mon argent **II** *adv sup* = **well** le mieux; ***the ~ fitting dress*** la robe qui va le mieux; ***her ~ known novel*** son roman le plus connu; ***he was ~ known for …*** il était surtout connu pour …; ***~ of all*** surtout; ***as ~ I could*** de mon mieux; ***I thought it ~ to go*** j'ai pensé qu'il valait mieux partir; ***do as you think ~*** fais pour le mieux; ***you know ~*** vous savez ce que vous avez à faire; ***you had ~ go now*** vous feriez mieux de partir **III** *n* ***the ~*** le(la) meilleur(e); ***his last book was his ~*** son dernier roman a été son meilleur; ***they are the ~ of friends*** ils sont très amis; ***to do one's ~*** faire de son mieux; ***do the ~ you can!*** faites de votre mieux!; ***it's the ~ I can do*** je ne peux pas faire mieux; ***to get the ~ out of sb / sth*** tirer le meilleur de qn / qc; ***to play the ~ of three*** jouer en trois manches pour déterminer le gagnant; ***to make the ~ of it / a bad job*** faire contre mauvaise fortune bon cœur; ***to make the ~ of one's opportunities*** profiter au maximum de ses possibilités; ***it's all for the ~*** c'est mieux comme ça; ***it was for the ~ that she left him*** le quitter était ce qu'elle avait de mieux à faire; ***to the ~ of my ability*** de mon mieux; ***to the ~ of my knowledge*** à ma connaissance; ***to look one's ~*** être sur son trente et un; ***it's not enough (even) at the ~ of times*** même en temps ordinaire, ce n'est pas suffisant; ***at ~*** au mieux; ***all the ~*** amitiés

best-before date *n* date *f* limite de consommation **best-dressed** *adj* mieux habillé

bestial ['bestɪəl] *adj* bestial **bestiality** [ˌbestɪ'ælɪtɪ] *n* bestialité *f*

best man *n* témoin *m*

bestow [bɪ'stəʊ] *v/t gift, honor* accorder ((***up***)***on sb*** à qn); *title, medal* conférer

bestseller *n* article *m* très demandé; (*book*) bestseller *m*, succès *m* de librairie **bestselling** *adj article* très demandé; *author* de bestseller; ***a ~ novel*** un roman bestseller

bet [bet] *vb* ⟨*past, past part* **bet**⟩ **I** *n* pari *m* (***on*** sur); ***to make*** *or* ***have a ~ with sb*** faire un pari avec qn **II** *v/t* **1.** (*Gambling*) miser; ***I ~ him $5*** je lui ai parié 5$ **2.** (*infml wager*) parier; ***I ~ he'll come!*** je parie qu'il viendra! *infml*; ***~ you I can!*** *infml* je parie que je peux le faire **III** *v/i* faire un pari, parier; ***to ~ on a horse*** parier sur un cheval; ***don't ~ on it*** n'y compte pas; ***you ~!*** *infml* il y a intérêt! *infml*; ***want to ~?*** on parie?

beta-blocker ['biːtəˌblɒkəʳ] *n* bêtabloquant *m*

betray [bɪ'treɪ] *v/t* trahir, être traître à; *trust* trahir **betrayal** [bɪ'treɪəl] *n* trahison *f* (***of*** de); ***a ~ of trust*** un abus de confiance

better **I** *adj comp* = **good** mieux; ***he's ~*** (*recovered*) il va mieux; ***his foot is getting ~*** son pied va mieux; ***I hope you get ~ soon*** j'espère que vous vous remettrez vite; ***~ and ~*** de mieux en mieux; ***that's ~!*** (*approval*) voilà qui est mieux!; (*relief etc.*) c'est mieux!; ***it couldn't be ~*** tout va pour le mieux; ***the ~ part of an hour / my money*** presque une heure / tout mon argent; ***it would be ~ to go early*** il vaudrait mieux y aller tôt; ***you would do ~ to go early*** tu ferais mieux d'y aller tôt; ***to go one ~*** faire encore mieux; (*in offer*) surenchérir; ***this hat has seen ~ days*** ce chapeau a connu des jours meilleurs **II** *adv comp* = **well** mieux; ***they are ~ off than we are*** ils ont plus d'argent que nous; ***he is ~ off where he is*** il est mieux là où il se trouve; ***I had ~ go*** il faut que j'y aille; ***you'd ~ do what he says*** tu as intérêt à faire ce qu'il dit; ***I won't touch it — you'd ~ not!*** je n'y toucherai pas—tu n'as pas intérêt! **III** *n* ***all the ~, so much the ~*** c'est encore mieux; ***the sooner the ~*** le plus tôt sera le mieux; ***to get the ~ of sb*** vaincre qn; ***to get the better of a problem*** venir à bout d'un problème **IV** *v/r* (*in social scale*) améliorer sa condition

betting ['betɪŋ] *n* paris *mpl* **betting shop** *n Br* bureau *m* de paris *m* **betting slip** *n* ticket *m* de pari

between [bɪ'twiːn] **I** *prep* **1.** entre; ***I was sitting ~ them*** j'étais assis entre eux; ***sit down ~ those two boys*** assieds-toi entre ces deux garçons; ***in ~*** entre *in time* entre-temps; ***~ now and next week we must ...*** d'ici la semaine prochaine nous devons ...; ***there's nothing ~ them*** (*no relationship*) il n'y a rien entre eux **2.** (*amongst*) entre; ***divide the sweets ~ the children*** partage les bonbons entre les enfants; ***we shared an apple ~ us*** nous avons partagé une pomme entre nous; ***that's just ~ ourselves*** c'est entre nous **3.** (*jointly*) ***~ us / them*** à nous / eux tous; ***we have a car ~ the three of us*** nous avons une voiture pour trois **II** *adv* entre; ***in ~*** entre; ***in ~ the time*** entre-temps

beverage ['bevərɪdʒ] *n* boisson *f*

beware [bɪ'weəʳ] *v/i imperative and infinitive only* ***to ~ of sb / sth*** se méfier de qn / qc, faire attention à qn / qc; ***to ~ of doing sth*** faire attention de ne pas faire qc; ***"beware of the dog"*** "attention au chien"; ***"beware of pickpockets"*** "attention aux pickpockets"

bewilder [bɪ'wɪldəʳ] *v/t* dérouter **bewildered** [bɪ'wɪldəd] *adj* dérouté *look* perplexe **bewildering** [bɪ'wɪldərɪŋ] *adj* déroutant **bewilderment** [bɪ'wɪldəmənt] *n* (*confusion*) perplexité; ***in ~*** dérouté

bewitch [bɪ'wɪtʃ] *v/t fig* envoûter **bewitching** [bɪ'wɪtʃɪŋ] *adj* envoûtant

beyond [bɪ'jɒnd] **I** *prep* **1.** (*on the other side of*) de l'autre côté de; (*further than*) au-delà de; ***~ the Alps*** de l'autre côté des Alpes **2.** (*in time*) après ***~ 6 o'clock*** après 6 heures; ***~ the middle of June / due date*** passé la mi-juin / date d'échéance **3.** (*surpassing*) ***a task ~ her abilities*** une tâche au-delà de ses capacités; ***that is ~ human understanding*** cela dépasse l'entendement; ***~ repair*** irréparable; ***that's ~ me*** ça me dépasse **4.** (*with neg, interrog*) hormis; ***have you any money ~ what you have in the bank?*** est-ce que tu as de l'argent hormis ce que tu as à la banque?; ***~ this / that*** hormis ceci / cela **II** *adv* (*on the other side of, after that*) au-delà ***India and the lands ~*** l'Inde et les contrées au-delà; ***... a river, and ~ is a small field*** ... une rivière, et au-delà il y a un petit champ

biannual [baɪ'ænjʊəl] *adj* bisannuel(le) **biannually** [baɪ'ænjʊəlɪ] *adv* deux fois par an

bias ['baɪəs] *n* (*of newspaper, person*) préjugé (***toward*** contre); ***to have a ~ against sth*** avoir un préjugé contre qc; ***to have a left- / right-wing ~*** avoir une tendance de gauche / droite **biased**, *US also* **biassed** ['baɪəst] *adj* partial; ***racially biased attitudes*** des attitudes pleines de préjugés raciaux ***to be ~ in favor*** (*US*) *or* ***favour*** (*Br*) ***of / against*** avoir un parti pris en faveur de / contre

bib [bɪb] *n* (*for baby*) bavoir *m*, bavette *f*

Bible ['baɪbl] *n* Bible *f* **Bible-basher** *n infml* évangéliste *m/f* pur et dur **Bible story** *n* histoire *f* de la Bible **biblical** ['bɪblɪkəl] *adj* biblique

bibliography [ˌbɪblɪ'ɒgrəfɪ] *n* bibliographie *f*

bicarbonate of soda [baɪˌkɑːbənɪtəv'səʊdə] *n esp Br* COOK bicarbonate *m* de soude

bicentennial [ˌbaɪsen'tenɪəl], **bicentenary** *Br* [ˌbaɪsen'tiːnərɪ] **I** *n* bicentenaire *m* **II** *adj* du bicentenaire

biceps ['baɪseps] *pl* biceps *mpl*

bicker ['bɪkəʳ] *v/i* se chamailler; ***they are always ~ing*** ils sont sans arrêt en train de se chamailler **bickering** ['bɪkərɪŋ] *n* chamailleries *fpl*

bicycle ['baɪsɪkl] *n* vélo *m*, bicyclette *f*;

to ride a ~ faire du vélo; → **cycle**

bid [bɪd] **I** *v/t* **1.** ⟨*past*, *past part* **bid**⟩ (*at auction*) offrir, proposer (***for*** pour) **2.** ⟨*past*, *past part* **bid**⟩ CARD annoncer **3.** ⟨*past* **bade** *or* **bad**⟩ ⟨*past part* **bidden**⟩ (*say*) ***to ~ sb farewell*** dire adieu à qn **II** *v/i* **1.** ⟨*past*, *past part* **bid**⟩ (*at auction*) faire une enchère **2.** ⟨*past*, *past part* **bid**⟩ CARD faire une annonce **III** *n* **1.** (*at auction*) enchère *f* (***for*** pour); COMM soumission *f* (***for*** pour) **2.** CARD annonce *f* **3.** (*attempt*) tentative *f*; ***to make a ~ for freedom*** faire une tentative d'évasion; ***in a ~ to stop smoking*** pour essayer d'arrêter de fumer **bidden** ['bɪdn] *past part* = **bid bidder** ['bɪdəʳ] *n* ***to sell to the highest ~*** vendre au plus offrant **bidding** ['bɪdɪŋ] *n* **1.** (*at auction*) enchères *fpl* **2.** CARD annonces *fpl*

bide [baɪd] *v/t* ***to ~ one's time*** attendre le bon moment

bidet ['biːdeɪ] *n* bidet *m*

biennial [baɪ'enɪəl] *adj* biennal

bifocal [baɪ'fəʊkəl] **I** *adj* bifocal **II** *n* **bifocals** *pl* lunettes à double foyer

big [bɪg] **I** *adj* **1.** grand; ***a ~ man*** un homme grand; ***my ~ brother*** mon grand frère **2.** (*important*) important; ***to be ~ in publishing*** être un éditeur important; ***to be onto something ~*** *infml* être sur un gros coup *infml* **3.** (*conceited*) ***~ talk*** fanfaronnades *infml*; ***he's getting too ~ for his britches*** (*US*) *or* ***boots*** *Br* (*infml*) il prend la grosse tête *infml*; ***to have a ~ head*** *infml* avoir la grosse tête **4.** (*generous*, *iron*) généreux (-euse); ***he was ~ enough to admit he was wrong*** il a eu le courage de reconnaître qu'il avait tort **5.** (*infml fashionable*) tendance *infml* **6.** (*fig phrases*) ***to earn ~ money*** gagner beaucoup d'argent; ***to have ~ ideas*** avoir de grandes idées; ***to have a ~ mouth*** *infml* avoir une grande gueule *infml*; ***to do things in a ~ way*** faire les choses en grand; ***it's no ~ deal*** (*infml*) ce n'est pas la peine d'en faire un plat *infml*; ***~ deal!*** *iron*, *infml* la belle affaire! *infml*; ***what's the ~ idea?*** *infml* qu'est-ce qui te prend? *infml*; ***our company is ~ on service*** *infml* notre société privilégie le service **II** *adv* ***to talk ~*** se vanter *infml*; ***to think ~*** avoir de l'ambition; ***to make it ~*** (***as a singer***) avoir beaucoup de succès (comme chanteur)

bigamist ['bɪgəmɪst] *n* bigame *m/f* **bigamy** ['bɪgəmɪ] *n* bigamie *f*

Big Apple *n* ***the ~*** *infml* New York **big bang** *n* ASTRON big bang *m* **big business** *n* grandes entreprises *fpl*; ***to be ~*** rapporter gros **big cat** *n* fauve m **big dipper** *n* **1.** *Br* montagnes *fpl* russes **2.** (*US* ASTRON) ***Big Dipper*** Grande Ourse, Grand Chariot **big game** *n* HUNT gros gibier *m* **bighead** *n infml* grosse tête *f infml* **bigheaded** *adj infml* crâneur(-euse) *infml* **bigmouth** *n infml* bavard(e) *m*(*f*); (*blabbermouth*) grande gueule *f infml*, *pej* **big name** *n* (*infml person*) grand nom *m* (***in*** de); ***all the ~s were at the charity concert*** toutes les grandes stars étaient au concert de bienfaisance

bigoted ['bɪgətɪd] *adj* intolérant; REL bigot **bigotry** ['bɪgətrɪ] *n* intolérance *f*; REL bigoterie *f*

big shot *n* grosse légume *f infml* **big time** *n infml* ***to make*** *or* ***hit the ~*** connaître la gloire **big-time** *adv infml* ***they lost ~*** ils n'ont pas fait semblant de perdre **big toe** *n* gros orteil *m* **big top** *n* (*tent*) chapiteau *m* **big wheel** *n Br* grande roue *f* **bigwig** *n infml* huile *f infml*; ***the local ~s*** le gratin local *infml*

bike [baɪk] *infml* **I** *n* vélo *m*; (*motorbike*) moto *f*; ***on your ~!*** *Br* du vent! *infml* **II** *v/i* aller à vélo *infml* **biker** ['baɪkəʳ] *n infml* motard(e) *m*(*f*)

bikini [bɪ'kiːnɪ] *n* bikini® *m* **bikini line** *n* haut *m* des jambes

bilateral [baɪ'lætərəl] *adj* bilatéral **bilaterally** [baɪ'lætərəlɪ] *adv* bilatéralement

bilberry ['bɪlbərɪ] *n* myrtille *f*

bile [baɪl] *n* **1.** MED bile *f* **2.** (*fig anger*) rage *f*

bilingual [baɪ'lɪŋgwəl] *adj* bilingue; ***~ secretary*** secrétaire bilingue **bilingually** [baɪ'lɪŋgwəlɪ] *adv* ***to raise children ~*** élever des enfants pour qu'ils soient bilingues

bill[1] [bɪl] *n* (*of bird*, *turtle*) bec *m*

bill[2] **I** *n* **1.** (*for telephone*, *gas*) facture *f*, note *f*; (*esp Br charge in café*, *restaurant*) addition *f*, note *f* ***could we have the ~ please?*** l'addition, s'il vous plaît! **2.** (*US banknote*) billet *m* (de banque); ***five-dollar ~*** billet de cinq dollars **3.** THEAT affiche *f*; ***to head*** *or* ***top the ~***, ***to be top of the ~*** tenir le haut de l'affiche **4.** PARL projet *m* de loi; ***the ~ was passed*** le projet de loi a été adopté **5.**

esp COMM, FIN **~ *of exchange*** lettre *f* de change; **~ *of sale*** acte *m* de vente; ***to give sb a clean ~ of health*** déclarer qn en bonne santé; ***to fill the ~, to fit the ~*** *fig* faire l'affaire **II** *v/t* facturer; ***we won't ~ you for that, sir*** ceci ne vous sera pas facturé, monsieur
billboard ['bɪlbɔːd] *n* panneau *m* publicitaire
billet ['bɪlɪt] *v/t* MIL cantonnement *m* (***on sb*** chez qn)
billiards ['bɪljədz] *n* billard *m*
billion ['bɪljən] *n* milliard; (*obs Br*) billion *m*; **~*s of ...*** *infml* des milliards de ... **billionaire** [bɪljə'neəʳ] *n* milliardaire *m/f* **billionth** ['bɪljənθ] **I** *adj* (*obs Br*) billionième **II** *n* (*obs Br*) billionième *m*
Bill of Rights *n les dix premiers amendements à la Constitution des États-Unis*

Bill of Rights

Les 10 premiers amendements à la Constitution américaine, ratifiés en 1791, 4 ans après cette dernière. Le **Bill of Rights** pose plusieurs droits importants tels que la liberté d'expression et de religion, ainsi que le droit pour chacun d'être armé.

billow ['bɪləʊ] *v/i* (*sail*) se gonfler; (*dress etc.*) flotter; (*smoke*) s'échapper en volutes
billposter ['bɪlpəʊstəʳ], **billsticker** *n* colleur(-euse) *m*(*f*) d'affiches
billy goat ['bɪlɪgəʊt] *n* bouc *m*
bimbo ['bɪmbəʊ] *n pej*, *infml* bimbo *f infml*
bin [bɪn] *n Br* (*for garbage*) poubelle *f*; (*for waste paper*) corbeille *f* à papier
binary ['baɪnərɪ] *adj* binaire **binary code** *n* IT code *m* binaire **binary number** *n* MATH nombre *m* binaire **binary system** *n* MATH système *m* binaire
bind [baɪnd] *vb* ⟨*past, past part* **bound**⟩ **I** *v/t* **1.** attacher (***to*** à); *person* ligoter; *fig* lier (***to*** à); ***bound hand and foot*** pieds et poings liés **2.** *wound, arm etc.* panser **3.** (*by contract*) ***to ~ sb to sth*** contraindre qn à qc; ***to ~ sb to do sth*** contraindre qn à faire qc **II** *n infml* ***to be*** (***a bit of***) ***a ~*** *Br* être une corvée ◆ **bind together** *v/t sep lit* coller; *fig* souder ◆ **bind up** *v/t sep* **1.** *wound* bander **2.** *fig* ***to be bound up with*** *or* ***in sth*** être étroitement lié à qc
binder ['baɪndəʳ] *n* (*for papers*) classeur *m* **binding** ['baɪndɪŋ] **I** *n* **1.** (*of book*) reliure *f* **2.** (*on skis*) fixation *f* **II** *adj clause* ayant force obligatoire; ***the contract is binding on the parties*** le contrat a force obligatoire entre les parties
binge [bɪndʒ] *infml* **I** *n* ***to go on a ~*** (*drinking*) prendre une cuite *infml*; (*eating*) se bourrer de nourriture *infml* **II** *v/i* se bourrer de nourriture *infml*
bingo ['bɪŋgəʊ] *n* bingo *m*
bin liner *n Br* sac *m* poubelle
binoculars [bɪ'nɒkjʊləz] *pl* jumelles *fpl*; ***a pair of ~*** une paire de jumelles
biochemical *adj* biochimique **biochemist** *n* biochimiste *m/f* **biochemistry** *n* biochimie *f* **biodegradable** *adj* biodégradable **biodiesel** *n* biodiesel *m* **biodiversity** *n* biodiversité *f* **biodynamic** *adj* biodynamique
biofuel *n* biocarburant *m*
biographer [baɪ'ɒgrəfəʳ] *n* biographe *m/f* **biographic(al)** [ˌbaɪəʊ'græfɪk(əl)] *adj* biographique **biography** [baɪ'ɒgrəfɪ] *n* biographie *f*
biological [ˌbaɪə'lɒdʒɪkəl] *adj* biologique; **~ *detergent*** détergent biologique; **~ *waste*** déchets biologiques **biologist** [baɪ'ɒlədʒɪst] *n* biologiste *m/f*
biology [baɪ'ɒlədʒɪ] *n* biologie *f*
biomass *n* biomasse *f*
bionic [baɪ'ɒnɪk] *adj* bionique
biopsy ['baɪɒpsɪ] *n* biopsie *f*
biosphere *n* biosphère *f* **biotechnology** [ˌbaɪəʊtek'nɒlədʒɪ] *n* biotechnologie *f* **bioterrorism** *n* bioterrorisme *m* **bioweapon** *n* arme *f* biologique
birch [bɜːtʃ] *n* **1.** bouleau *m* **2.** (*for whipping*) verge *f*, fouet *m*
bird [bɜːd] *n* **1.** oiseau *m*; ***to tell sb about the ~s and the bees*** faire l'éducation sexuelle de qn **2.** (*Br infml girl*) nana *f* **birdbath** *n* vasque *f* pour les oiseaux **bird box** *n* nichoir *m* **bird brain** *n infml* ***to be a ~*** avoir une cervelle d'oiseau **birdcage** *n* cage *f* à oiseaux **bird flu** *n* grippe *f* aviaire **bird sanctuary** *n* réserve *f* d'oiseaux **birdseed** *n* graines *fpl* pour les oiseaux **bird's-eye view** *n* vue *f* plongeante; ***to get a ~ of the town*** avoir une vue d'ensemble de la ville **bird's nest** *n* nid *m* d'oiseau **birdsong** *n* chant *m* d'oiseau **bird table** *n* mangeoire *f* (pour oiseaux) **bird-watcher** *n* ornithologue *m/f* amateur

Biro® ['baɪərəʊ] *n Br* stylo *m* à bille
birth [bɜːθ] *n* naissance *f*; (*of movement, era etc.*) apparition *f*; ***the country of his ~*** son pays de naissance; ***blind from*** *or* ***since ~*** aveugle de naissance; ***to give ~ to*** donner naissance à; ***to give ~*** accoucher; (*animal*) mettre bas; ***Scottish by ~*** Écossais de naissance; ***of low*** *or* ***humble ~*** d'origine modeste **birth certificate** *n* extrait *m* de naissance **birth control** *n* contrôle *m* des naissances **birthdate** *n* date *f* de naissance
birthday ['bɜːθdeɪ] *n* anniversaire *m*; ***what did you get for your ~?*** qu'est-ce que tu as eu pour ton anniversaire? **birthday cake** *n* gâteau *m* d'anniversaire **birthday card** *n* carte *f* d'anniversaire **birthday party** *n* (fête *f* d')anniversaire *m* ***to have a ~*** faire une fête pour son anniversaire **birthday suit** *n infml* ***in one's ~*** tout nu *infml* **birthmark** *n* tache *f or* marque *f* de naissance **birthplace** *n* lieu *m* de naissance **birth plan** *n* projet *m* de naissance **birthrate** *n* taux *m* de natalité **birthright** *n* droit *m* acquis à la naissance
Biscay ['bɪskeɪ] *n* ***the Bay of ~*** le golfe de Gascogne
biscuit ['bɪskɪt] *n* **1.** *Br* biscuit *m*, petit gâteau *m*; (*dog biscuit*) biscuit *m* pour chien; ***that takes the ~!*** (*Br infml*) ça, c'est la meilleure! **2.** *US* petit pain *m* rond
bisect [baɪ'sekt] *v/t* MATH diviser en deux parties égales
bisexual [ˌbaɪ'seksjʊəl] **I** *adj* bisexuel(le) **II** *n* bisexuel(le) *m(f)*
bishop ['bɪʃəp] *n* **1.** ECCL évêque *m* **2.** CHESS fou *m* **bishopric** ['bɪʃəprɪk] *n* (*diocese*) évêché *m*
bison ['baɪsn] *n* bison *m*
bistro ['biːstrəʊ] *n* bistro *m*
bit[1] [bɪt] *n* **1.** (*for horse*) mors *m* **2.** (*of drill*) mèche *f*
bit[2] **I** *n* **1.** *esp Br* (*piece*) morceau *m*, bout *m*; (*of glass*) éclat *m*; (*section: of book etc.*) partie *f*; (*place in book etc.*) passage *m*; ***a few ~s of furniture*** quelques meubles; ***a ~ of bread*** un morceau *or* un bout de pain; ***I gave my ~ to my sister*** j'ai donné mon morceau à ma sœur; ***a ~*** (*small amount*) un peu; ***a ~ of advice*** un petit conseil; ***we had a ~ of trouble*** nous avons quelques petits problèmes; ***it wasn't a ~ of help*** ça n'a pas été du tout utile; ***there's quite a ~ of bread left*** il reste pas mal de pain; ***in ~s and pieces*** (*broken*) en morceaux; ***bring all your ~s and pieces*** apporte toutes vos affaires; ***to pull*** *or* ***tear sth to ~s*** *lit* déchirer qc en morceaux; *fig* démolir; ***~ by ~*** petit à petit; ***it / he is every ~ as good as ...*** c'est / il est aussi bon que ...; ***to do one's ~*** faire sa part (de travail); ***a ~ of a bruise*** un gros bleu; ***he's a ~ of a rogue*** il est un peu fripouille; ***she's a ~ of a connoisseur*** elle s'y connaît pas mal; ***it's a ~ of a nuisance*** c'est un peu pénible **2.** *esp Br* (*with time*) ***a ~*** un moment; ***he's gone out for a ~*** il est sorti un moment **3.** *esp Br* (*with cost*) ***a ~*** un peu; ***it cost quite a ~*** ça a coûté bonbon *infml* **II** *adv esp Br* ***a ~*** légèrement; ***wasn't she a little ~ surprised?*** elle n'a pas été un peu surprise?; ***I'm not a*** (***little***) ***~ surprised*** cela ne me surprend pas du tout; ***quite a ~*** pas mal *infml*
bit[3] *n* IT bit *m*
bit[4] *past* = **bite**
bitch [bɪtʃ] **I** *n* **1.** (*of dog*) chienne *f* **2.** (*sl woman*) salope *f sl*; (*spiteful*) vache *f sl*; ***silly ~*** conasse *sl* **3.** *infml* ***to have a ~*** (***about sb / sth***) dire des vacheries (à propos de qn / qc) *infml* **II** *v/i infml* dire du mal *infml* (***about*** de) **bitchiness** ['bɪtʃɪnɪs] *n* garcerie *f infml* **bitchy** ['bɪtʃɪ] *adj infml* vache
bite [baɪt] *vb* ⟨*past* **bit**⟩ ⟨*past part* **bitten**⟩ **I** *n* **1.** morsure *f*; (*insect bite*) piqûre *f*; ***he took a ~*** (***out***) ***of the apple*** il a mordu dans la pomme **2.** FISH touche *f* ***I've got a ~*** j'ai une touche **3.** (*of food*) bouchée *f*; ***do you fancy a ~*** (***to eat***)***?*** cela vous dit de manger un morceau? **II** *v/t* mordre; (*insect*) piquer; ***to ~ one's nails*** se ronger les ongles; ***to ~ one's tongue / lip*** se mordre la langue / la lèvre; ***he won't ~ you*** *fig, infml* il ne va pas te mordre *infml*; ***to ~ the dust*** *infml* mordre la poussière *infml*; ***he had been bitten by the travel bug*** il avait attrapé le virus des voyages *infml*; ***once bitten twice shy*** (*prov*) chat échaudé craint l'eau froide **III** *v/i* **1.** mordre; (*insects*) piquer **2.** (*fish, fig, infml*) mordre
◆ **bite into** *v/t insep* mordre dans
◆ **bite off** *v/t sep* déchirer avec les dents; ***he won't bite your head off*** *infml* il ne va pas te manger; ***to ~ more than one can chew*** (*prov*) être trop ambitieux

bite-size(d) ['baɪtsaɪz(d)] *adj* mini **biting** ['baɪtɪŋ] *adj* mordant; *wind* cinglant

bitmap *n* IT **1.** *no pl* (*mode*) bitmap *m* **2.** (*a.* **bitmapped image**) image *f* bitmap **bitmapped** *adj* IT bitmap; **~ graphics** créations graphiques bitmap **bit part** *n* petit rôle *m*

bitten ['bɪtn] *past part* = **bite**

bitter ['bɪtəʳ] **I** *adj* amer(-ère); *wind* cinglant; *enemy, struggle* farouche; (*embittered*) *person* amer(-ère); *defeat* cuisant ***it's ~ today*** il fait un froid glacial aujourd'hui; ***to the ~ end*** jusqu'au bout **II** *n Br* bière *f* (*à haute fermentation*) **bitterly** ['bɪtəlɪ] *adv* **1.** *disappointed, complain, weep* amèrement; *oppose* farouchement ***it's ~ cold*** il fait un froid glacial **2.** (*showing embittered feelings*) amèrement **bitterness** *n* amertume *f*; (*of wind*) froid *m* cinglant; (*of struggle*) âpreté *f* **bittersweet** ['bɪtəˌswiːt] *adj* aigre-doux(douce)

biweekly [ˌbaɪ'wiːklɪ] **I** *adj* **1.** (*twice a week*) bihebdomadaire ***~ meetings*** réunions bihebdomadaires **2.** (*fortnightly*) tous les quinze jours **II** *adv* **1.** (*twice a week*) deux fois par semaine **2.** (*fortnightly*) tous les quinze jours

bizarre [bɪ'zɑːʳ] *adj* bizarre

blab [blæb] **I** *v/i* parler; (*tell secret*) vendre la mèche *infml* **II** *v/t* (*a.* **blab out**) *secret* aller raconter

black [blæk] **I** *adj* **1.** noir; ***a ~ man, a Black man*** un Noir; une Noire; ***~ and blue*** couverts de bleus; ***~ and white photography*** photographie noir et blanc; ***the situation isn't so ~ and white*** la situation n'est pas aussi tranchée **2.** *prospects, mood* sombre; ***maybe things aren't as ~ as they seem*** les choses ne sont peut-être pas aussi sombres qu'elles ne paraissent; ***this was a ~ day for …*** ce fut une mauvaise journée pour … **3.** (*fig angry*) *mood* massacrant **II** *n* **1.** noir *m*; ***he is dressed in ~*** il est habillé en noir; ***it's written down in ~ and white*** c'est écrit noir sur blanc; ***in the ~*** FIN créditeur(-trice) **2.** (*neg! person*) Noir ◆ **black out I** *v/i* s'évanouir **II** *v/t sep window* faire l'obscurité complète sur

black-and-white *adj* TV, PRINT noir et blanc **blackberry** *n* mûre *f* **blackbird** *n* merle *m* **blackboard** *n* tableau *m* (noir); ***to write sth on the ~*** écrire qc au tableau **black book** *n* ***to be in sb's ~s*** ne pas avoir la cote auprès de qn *infml* **black box** *n* AVIAT boîte *f* noire **black comedy** *n* comédie *f* noire **blackcurrant** *n* cassis *m* **black economy** *n* économie *f* parallèle **blacken** *v/t* **1.** noircir; (COOK) faire griller; ***the walls were ~ed by the fire*** les murs étaient noircis par l'incendie **2.** *fig* ***to ~ sb's name*** *or* ***reputation*** ternir le nom *or* la réputation de qn **black eye** *n* œil *m* au beurre noir; ***to give sb a ~*** faire un œil au beurre noir à qn **Black Forest** *n* Forêt *f* noire **Black Forest gateau** *n esp Br* forêt *f* noire **blackhead** *n* point *m* noir **black hole** *n* (ASTRON, *fig*) trou *m* noir **black humor**, *Br* **black humour** *n* humour *m* noir **black ice** *n* verglas *m* **black list** *n* liste *f* noire **blacklist** *v/t* exclure **black magic** *n* magie *f* noire **blackmail I** *n* chantage *m* **II** *v/t* faire chanter; ***to ~ sb into doing sth*** forcer qn à faire qc par du chantage **blackmailer** *n* maître-chanteur *m* **black market I** *n* marché *m* noir **II** *adj attr* du marché noir **black marketeer** *n* personne *f* qui vend au marché noir **blackout** *n* **1.** MED évanouissement *m*, perte *f* de connaissance; ***I must have had a ~*** j'ai dû m'évanouir *or* perdre connaissance **2.** (*light failure*) panne *f* de courant **3.** (*news blackout*) black-out *m* **black pepper** *n* poivre *m* noir **black pudding** *n* boudin *m* noir **Black Sea** *n* mer *f* Noire **black sheep** *n fig* brebis *f* galeuse **blacksmith** *n* forgeron *m* **black spot** *n Br* (*a.* **accident black spot**) endroit *m* où il y a beaucoup d'accidents **black tie I** *n* (*on invitation*) tenue *f* de soirée **II** *adj* en tenue de soirée

bladder ['blædəʳ] *n* ANAT, BOT vessie *f*

blade [bleɪd] *n* **1.** (*of knife, tool*) lame *f* **2.** (*propeller*) pale *f* **3.** (*of grass*) brin *m*

blame [bleɪm] **I** *v/t* accuser; ***to ~ sb for sth / sth on sb*** accuser qn de qc; ***the crash was ~d on human error*** l'accident a été imputé à une erreur humaine; ***you only have yourself to ~*** vous ne pouvez vous en prendre qu'à vous-même; ***who / what is to ~ for this accident?*** qui / qu'est-ce qui a provoqué l'accident?; ***to ~ oneself for sth*** s'en vouloir pour qc; ***well, I don't ~ him*** alors ça, je le comprends **II** *n* responsabilité *f*; ***to put the ~ for sth on sb***

tenir qn responsable de qc; ***to take the ~*** assumer la responsabilité **blameless** *adj* irréprochable

blanch [blɑːntʃ] **I** *v/t* COOK *vegetables, almonds* faire blanchir **II** *v/i* (*person*) pâlir (***with*** de)

blancmange [blə'mɒnʒ] *n* blanc-manger *m*

bland [blænd] *adj food* fade

blank [blæŋk] **I** *adj* **1.** *page, wall* blanc(he); ***a ~ page*** une page vierge; ***use ~ space provided*** utilisez l'espace prévu à cet effet; ***please leave ~*** veuillez laisser un blanc **2.** (*expressionless*) vide; (*uncomprehending*) ahuri; ***to look ~*** (*uncomprehending*) avoir un air ahuri; ***my mind*** *or* ***I went ~*** j'ai eu un trou de mémoire **II** *n* **1.** (*void*) ***my mind was a complete ~*** je ne me souvenais de rien *infml*; ***to draw a ~*** *fig* faire chou blanc **2.** (*cartridge*) balle *f* à blanc ◆ **blank out** *v/t sep thought etc.* effacer

blank check, *Br* **blank cheque** *n* chèque *m* en blanc; ***to give sb a ~*** *fig* donner carte blanche à qn

blanket ['blæŋkɪt] **I** *n* couverture *f*; ***a ~ of snow*** un manteau de neige **II** *adj attr ban* général ***~ statement*** généralisation

blankly ['blæŋklɪ] *adv* (*expressionlessly*) d'un air absent; (*uncomprehendingly*) d'un air ahuri; ***she just looked at me ~*** elle m'a simplement regardé d'un air ahuri *infml*

blare [bleəʳ] **I** *n* beuglement *m*; (*of trumpets*) tonnerre *m* **II** *v/i* beugler; (*trumpets*) sonner ◆ **blare out** *v/i* hurler; (*trumpets*) retentir

blasé ['blɑːzeɪ] *adj* (*indifferent*) blasé

blaspheme [blæs'fiːm] *v/i* blasphémer; ***to ~ against sb / sth*** *lit, fig* blasphémer contre qn / qc *lofty* **blasphemous** ['blæsfɪməs] *adj lit, fig person* blasphémateur(-trice) *book* blasphématoire **blasphemy** ['blæsfɪmɪ] *n* blasphème *m*

blast [blɑːst] **I** *n* **1.** souffle *m* ***a ~ of wind*** un coup de vent; ***an icy ~*** un souffle glacial; ***a ~ from the past*** *infml* un flot de souvenirs **2.** (*sound*) ***the ship gave a long ~ on its foghorn*** le bateau fit longuement sonner sa corne de brume **3.** (*explosion*) explosion *f*; ***with the heating on*** (***at***) ***full ~*** avec le chauffage à fond **II** *v/t* **1.** (*with powder*) faire sauter **2.** *rocket* faire décoller; *air* souffler **III** *int Br infml* ***~*** (***it***)***!*** zut alors! *infml*; ***~ this car!*** maudite voiture! *infml* ◆ **blast off** *v/i* (*rocket*) décoller ◆ **blast out** *v/i* (*music*) hurler

blasted *adj infml* maudit, satané *infml*

blast furnace *n* haut-fourneau *m*

blastoff ['blɑːstɒf] *n* lancement *m*

blatant ['bleɪtənt] *adj* manifeste; *discrimination* flagrant **blatantly** ['bleɪtəntlɪ] *adv* de façon flagrante; (*openly*) ouvertement; ***he ~ ignored it*** il s'en est ouvertement désintéressé

blaze[1] [bleɪz] **I** *n* **1.** (*fire*) incendie *m act of burning* flammes *fpl*; ***six people died in the ~*** six personnes sont mortes dans l'incendie **2.** ***a ~ of lights*** une lumière aveuglante; ***a ~ of color*** (*US*) *or* ***colour*** *Br* un flamboiement de couleurs **II** *v/i* **1.** (*sun, fire*) flamboyer; ***to ~ with anger*** fumer de rage **2.** (*guns*) retentir; ***with all guns blazing*** en tirant constamment

blaze[2] *v/t* ***to ~ a trail*** *fig* ouvrir la voie

blazer ['bleɪzəʳ] *n* veste *f*, blazer *m* (*also* SCHOOL)

blazing ['bleɪzɪŋ] *adj* **1.** en flammes; *fire* ardent; *sun* éclatant **2.** *fig row* violent

bleach [bliːtʃ] **I** *n* agent *m* de blanchiment; (*household bleach*) (eau *f* de) Javel *f* **II** *v/t* passer à la Javel

bleak [bliːk] *adj* **1.** *landscape, place* morne **2.** *weather* maussade **3.** *fig* sombre **bleakness** ['bliːknɪs] *n* **1.** (*of landscape*) tristesse *f* **2.** *fig* noirceur *f*; (*of prospects*) caractère *m* maussade

bleary ['blɪərɪ] *adj eyes* brouillé; (*after sleep*) ensommeillé **bleary-eyed** ['blɪərɪˌaɪd] *adj* (*after sleep*) ensommeillé

bleat [bliːt] *v/i* (*sheep, goat*) bêler; (*calf*) meugler

bleed [bliːd] ⟨*past, past part* **bled**⟩ **I** *v/i* saigner; ***to ~ to death*** perdre tout son sang **II** *v/t* saigner; *radiator* purger; ***to ~ sb dry*** saigner qn à blanc *infml* **bleeding** ['bliːdɪŋ] **I** *n* saignement *m*, hémorragie *f*; ***internal ~*** hémorragie interne **II** *adj* **1.** saignant **2.** (*Br infml*) maudit, sacré *infml* **III** *adv* (*Br infml*) sacrément *infml*

bleep [bliːp] **I** *n* RADIO, TV bip *m* sonore **II** *v/i* faire bip **III** *v/t doctor* biper **bleeper** ['bliːpəʳ] *n* bipeur *m infml*

blemish ['blemɪʃ] **I** *n on skin* impureté *f* **II** *v/t reputation* ternir; ***~ed skin*** peau abîmée

blend [blend] **I** *n* mélange *m*; ***a ~ of tea*** un mélange de thé **II** *v/t* **1.** mélanger **2.** (COOK *stir*) mélanger; (*in blender*) mixer **III** *v/i* **1.** (*voices, colors*) se fondre **2.** (*a.* **blend in** *harmonize*) s'harmoniser

◆ **blend in I** *v/t sep flavoring, color, tea* mélanger **II** *v/i* = **blend** *III*

blender ['blendəʳ] *n* mixeur *m*

bless [bles] *v/t* bénir; ***God ~*** (***you***) que Dieu vous bénisse; ***~ you!*** (*to sneezer*) à vos souhaits; ***to be ~ed with*** jouir de **blessed** ['blesɪd] *adj* **1.** REL béni; ***the Blessed X*** le bienheureux X **2.** (*euph, infml cursed*) fichu *infml* **Blessed Virgin** *n* Sainte Vierge **blessing** ['blesɪŋ] *n* bénédiction *f*; ***he can count his ~s*** il ne sait pas la chance qu'il a; ***it was a ~ in disguise*** cela finalement été pour le mieux

blew [bluː] *past* = **blow²**

blight [blaɪt] **I** *n fig* plaie *f* ***these slums are a ~ upon the city*** ces bidonvilles sont la plaie de cette ville **II** *v/t fig hopes* briser; ***to ~ sb's life*** empoisonner la vie de qn

blimey ['blaɪmɪ] *int* (*Br infml*) bon sang *infml*

blind [blaɪnd] **I** *adj* **1.** aveugle; ***to go ~*** devenir aveugle; ***a ~ man/woman*** un/une aveugle; ***~ in one eye*** aveugle d'un œil; ***to be ~ to sth*** *fig* ne pas voir qc; ***to turn a ~ eye to sth*** faire semblant de ne pas voir qc; ***~ faith*** (***in sth***) foi aveugle (en qc) **2.** *corner* sans visibilité, mort **II** *v/t* **1.** (*light, sun*) aveugler; ***the explosion ~ed him*** l'explosion l'a rendu aveugle **2.** (*fig, love etc.*) aveugler ***to ~ sb to sth*** faire oublier qc à qn **III** *n* **1.** ***the ~*** les aveugles **2.** (*window shade, cloth, slats*) store *m* **IV** *adv* **1.** AVIAT *fly* aux instruments **2.** COOK ***to bake sth ~*** faire cuire qc à blanc **3.** ***~ drunk*** *infml* ivre mort **blind alley** *n* voie *f* sans issue **blind date** *n* rendez-vous *m* surprise **blinder** ['blaɪndəʳ] *n US* **blinders** *pl* œillères *fpl* **blindfold** ['blaɪndfəʊld] **I** *v/t* bander les yeux à **II** *n* bandeau *m* **III** *adj* ***I could do it ~*** *infml* je pourrais le faire les yeux fermés *infml* **blinding** ['blaɪndɪŋ] *adj light* aveuglant; *headache* atroce **blindingly** ['blaɪndɪŋlɪ] *adv* ***it is ~ obvious*** ça crève les yeux *infml* **blindly** ['blaɪndlɪ] *adv* aveuglément **blind man's buff** *n* colin-maillard *m* **blindness** *n* MED cécité *f fig* aveuglement *m* (***to*** vis-à-vis de) **blind spot** *n* AUTO, AVIAT angle *m* mort; ***to have a ~ about sth*** ne rien comprendre à qc **blind summit** *n* AUTO sommet *m* sans visibilité

blink [blɪŋk] **I** *n* battement *m* de paupière; ***in the ~ of an eye*** en un clin d'œil; ***to be on the ~*** *infml* être détraqué **II** *v/i* **1.** (*person*) ciller **2.** (*light*) clignoter **III** *v/t* ***to ~ one's eyes*** cligner des yeux **blinker** ['blɪŋkəʳ] *n Br* **blinkers** *pl* œillères *fpl* **blinkered** *adj* **1.** *fig* borné **2.** *horse* avec des œillères **blinking** ['blɪŋkɪŋ] (*Br infml*) *adj* satané *infml*

blip [blɪp] *n* bip *m*; *fig* fléchissement *m*

bliss [blɪs] *n* béatitude *f*; ***this is ~!*** quel bonheur! **blissful** *adj time, feeling* merveilleux(-euse); *smile* béat; ***in ~ ignorance of the fact that …*** *iron* dans la plus parfaite ignorance du fait que … **blissfully** *adv peaceful* béatement; ***~ happy*** au comble du bonheur; ***he remained ~ ignorant of what was going on*** il est resté totalement ignorant de ce qui se passait

blister ['blɪstəʳ] **I** *n on hand, foot* ampoule *f elsewhere on skin* cloque *f* **II** *v/i* (*skin, paintwork*) cloquer **blistered** ['blɪstəd] *adj* ***to have ~ skin*** avoir des cloques sur la peau; ***to have ~ hands*** avoir des ampoules aux mains **blistering** ['blɪstərɪŋ] *adj* **1.** *heat, sun* torride; *pace* infernal **2.** (*scathing*) féroce **blister pack** *n* blister *m*

blithely ['blaɪðlɪ] *adv carry on, say* allègrement

blizzard ['blɪzəd] *n* blizzard *m*

bloated ['bləʊtɪd] *adj* **1.** ballonné; ***I feel absolutely ~*** *infml* je me sens tout ballonné **2.** (*fig: with pride*) gonflé (***with*** de)

blob [blɒb] *n* (*of ink, paint*) tache *f*

bloc [blɒk] *n* POL bloc *m*

block [blɒk] **I** *n* **1.** bloc *m*; (*executioner's block*) billot *m*; ***~s*** (*toys*) cubes; ***to put one's head on the ~*** *fig* donner sa tête à couper; ***~ of flats*** *Br* immeuble; ***a few ~s from here*** *esp US* à quelques rues d'ici **2.** (MED) bloc *m*, blocage *m*; ***there's a ~ in the pipe*** le tuyau est bouché ***I've a mental ~ about it*** je fais un blocage sur ça *infml* **3.** (*infml head*) tronche *f infml* ***to knock sb's ~ off*** casser la figure à qn *infml* **4.** (*usu pl*: *a.* **starting block**) starting-block *m* **II** *v/t* **1.** bloquer; *traffic, progress* gêner; *pipe* boucher; ***to ~ sb's way*** bloquer le passage à qn **2.** IT bloc *m* ◆ **block in** *v/t sep* (*hem in*) bloquer ◆ **block off** *v/t sep street* barrer ◆ **block out** *v/t sep* **1.** *light* boucher; ***the trees are blocking out all the light*** les arbres bouchent toute la lumière **2.** *pain*, *past* refouler; *noise* supprimer ◆ **block up** *v/t sep* **1.** *gangway* barrer; *pipe* boucher; ***my nose is*** *or* ***I'm all blocked up*** j'ai le nez complètement bouché **2.** (*fill in*) *hole* boucher

blockade [blɒ'keɪd] **I** *n* MIL blocus *m* **II** *v/t* bloquer **blockage** ['blɒkɪdʒ] *n* blocage *m* ***there's a ~ in the pipe*** le tuyau est bouché **blockbuster** *n infml* superproduction *f*, film *m* à gros succès **blockhead** *n infml* patate *f infml*, idiot(e) *m(f) infml* **block letters** *pl* majuscules *fpl* **block vote** *n* vote *m* groupé

blog [blɒg] *n* INTERNET blog *m*

blogger ['blɒgəʳ] *n* INTERNET blogueur (-euse) *m(f)*

bloke [bləʊk] *n* (*Br infml*) type *m infml*, mec *m infml*

blond [blɒnd] *adj* blond **blonde** [blɒnd] **I** *adj* blond **II** *n* (*woman*) blonde *f*

blood [blʌd] *n* **1.** sang *m*; ***to give ~*** donner son sang; ***to shed ~*** perdre du sang; ***it makes my ~ boil*** ça me rend dingue; ***his ~ ran cold*** son sang s'est figé; ***this firm needs new ~*** cette entreprise a besoin de sang frais; ***it is like trying to get ~ from a stone*** (*prov*) autant s'adresser à un mur **2.** *fig* ***it's in his ~*** il a ça dans le sang **blood bank** *n* banque *f* du sang **blood bath** *n* bain *m* de sang **blood clot** *n* caillot *m* (de sang) **bloodcurdling** *adj* effroyable; ***they heard a ~ cry*** ils ont entendu un cri à vous glacer le sang **blood donor** *n* donneur(-euse) *m(f)* de sang **blood group** *n* groupe *m* sanguin **bloodless** *adj* sans effusion de sang **blood poisoning** *n* septicémie *f* **blood pressure** *n* tension *f* artérielle; ***to have high ~*** avoir de la tension **blood-red** *adj* rouge sang **blood relation** *n* parent(e) *m(f)* par le sang **blood sample** *n* MED prélèvement *m* de sang **bloodshed** *n* effusion *f* de sang **bloodshot** *adj* injecté de sang **blood sports** *pl* sports *mpl* sanguinaires **bloodstain** *n* tache *f* de sang **bloodstained** *adj* taché de sang **bloodstream** *n* sang *m* **blood sugar** *n* glycémie *f*; ***~ level*** taux de glycémie **blood test** *n* analyse *f* de sang **bloodthirsty** *adj* assoiffé de sang **blood transfusion** *n* transfusion *f* (sanguine) **blood vessel** *n* vaisseau *m* sanguin **bloody** ['blʌdɪ] **I** *adj* **1.** *lit* ensanglanté **2.** (*Br infml*) *genius*, *wonder* sacré *infml*; *machine* saloperie de *infml* ***~ hell!*** merde! *infml* **II** *adv* (*Br infml*) sacrément *infml*; *brilliant* carrément; ***not ~ likely*** certainement pas; ***he can ~ well do it himself*** il n'a qu'à le faire lui-même **bloody-minded** ['blʌdɪ'maɪndɪd] *adj* (*Br infml*) tête de mule

bloom [bluːm] **I** *n* fleur *f*; ***to be in (full) ~*** être (complètement) en fleur; ***to come into ~*** fleurir **II** *v/i* fleurir

blooming ['bluːmɪŋ] *adj Br infml* foutu *infml* ***~ ridiculous!*** carrément ridicule!

blooper ['bluːpəʳ] *n* (*US infml*) gaffe *f infml*

blossom ['blɒsəm] **I** *n* fleurs *fpl*; ***in ~*** en fleurs **II** *v/i* fleurir

blot [blɒt] **I** *n* **1.** (*of ink*) tache *f* **2.** (*fig: on reputation*) tache *f* (**on** sur); ***a ~ on the landscape*** une tache dans le paysage **II** *v/t ink* sécher au buvard ◆ **blot out** *v/t sep fig landscape*, *sun* boucher; *memories* bloquer

blotch [blɒtʃ] *n* rougeur *f* **blotchy** *adj skin* plein de rougeurs; *paint* tacheté

blotting paper ['blɒtɪŋ-] *n* papier *m* buvard

blouse [blaʊz] *n* chemisier *m*

blow[1] [bləʊ] *n* coup *m*; ***to come to ~s*** en venir aux mains; ***at a (single)*** *or* ***one ~*** *fig* d'un seul coup; ***to deal sb / sth a ~*** *fig* donner un coup à qn / qc; ***to strike a ~ for sth*** *fig* marquer la fin de qc

blow[2] *vb* ⟨*past* **blew**⟩ ⟨*past part* **blown**⟩ **I** *v/i* **1.** (*wind*) souffler; ***there was a draft*** (*US*) *or* ***draught*** (*Br*) ***~ing in from the window*** il y avait un courant d'air au niveau de la fenêtre; ***the door blew open / shut*** le vent a ouvert / fermé la porte **2.** (*person*) souffler; (*horn*) retentir; ***then the whistle blew*** SPORTS et l'on entendit un coup de sifflet **3.** (*fuse*) sauter **II** *v/t* **1.** (*breeze*) souffler; (*strong wind*, *draft*, *person*) souffler très fort; (*gale etc.*) souffler en tempête; ***the wind blew the ship off course*** le vent a dérouté le navire; ***to ~ sb a kiss*** envoyer un baiser à qn **2.** ***to ~ one's nose*** se moucher **3.** *trumpet* jouer de; *bubbles* faire; ***the referee blew his whistle*** l'arbitre a sifflé; ***to ~ one's own horn*** (*US*) *or* ***trumpet*** *Br fig* chanter ses propres louanges **4.** *valve*, *gasket* faire sauter;

I've ~n a fuse j'ai fait sauter un fusible; ***to be ~n to pieces*** (*bridge, car*) être réduit en morceaux; (*person*) être déchiqueté **5.** (*infml spend extravagantly*) claquer *infml* **6.** (*Br infml*) ***~!*** merde! *infml*; ***~ the expense!*** au diable l'avarice! *infml* **7.** *infml* ***to ~ one's chances of doing sth*** réduire à zéro ses chances de faire qc *infml*; ***I think I've ~n it*** je pense que j'ai tout fichu en l'air *infml* ◆ **blow away I** *v/i* s'envoler **II** *v/t sep* emporter ◆ **blow down** *v/t sep lit* abattre ◆ **blow in** *v/t sep window etc.* enfoncer ◆ **blow off I** *v/i* s'envoler **II** *v/t sep* arracher; ***to blow sb's head off*** faire sauter la cervelle de qn *infml* ◆ **blow out I** *v/t sep* **1.** *candle* souffler **2.** ***to blow one's brains out*** se faire sauter la cervelle *infml* ***to blow sb's brains out*** faire sauter la cervelle de qn *infml* **II** *v/r* (*storm*) se calmer ◆ **blow over I** *v/i* se renverser **II** *v/t sep tree etc.* renverser ◆ **blow up I** *v/i* **1.** sauter; (*bomb*) exploser **2.** (*storm, row*) éclater **II** *v/t sep* **1.** *bridge, person* faire sauter **2.** *tire, balloon* gonfler **3.** *photo* agrandir **4.** (*fig exaggerate*) exagérer (***into*** en)

blow-dry ['bləʊdrɒɪ] **I** *n* ***to have a cut and ~*** se faire faire une coupe et un brushing **II** *v/t* sécher (au sèche-cheveux) **blow dryer** *n* sèche-cheveux *m* **blowlamp** ['bləʊlæmp] *n Br* chalumeau *m* **blown** *past part* = **blow²** **blowtorch** *n* chalumeau *m* **blowy** ['bləʊɪ] *adj* ⟨**+er**⟩ venteux(-euse), de grand vent

BLT *n abbr* = **bacon, lettuce and tomato** *sandwich au bacon, à la salade et aux tomates*

blubber ['blʌbəʳ] **I** *n* graisse *f* (de baleine) **II** *v/i infml* chialer *infml*

bludgeon ['blʌdʒən] *v/t* matraquer; ***to ~ sb to death*** matraquer à mort qn

blue [bluː] **I** *adj* ⟨**+er**⟩ **1.** bleu; ***~ with cold*** bleu de froid; ***until you're ~ in the face*** *infml* à n'en plus pouvoir *infml*; ***once in a ~ moon*** tous les trente-six du mois **2.** (*infml miserable*) triste; ***to feel ~*** avoir le cafard *infml* **3.** *infml language* grivois; *joke* paillard; *Film* porno **II** *n* **1.** bleu *m*; ***out of the ~*** *fig, infml* à l'improviste, sans préavis; ***to have the ~s*** *infml* avoir le cafard *infml* **2.** MUS **the blues** *pl* le blues **bluebell** *n* jacinthe *f* sauvage **Blue Berets** *n* Casques *mpl* bleus **blueberry** *n* myrtille *f* **blue-blooded** *adj* de sang bleu **bluebottle** *n* mouche *f* bleue **blue cheese** *n* bleu *m* **blue-chip** *adj company* de premier ordre; *shares* de père de famille **blue-collar** *adj* ***~ worker*** col *m* bleu **blue-eyed** *adj* aux yeux bleus; ***sb's ~ boy*** *fig* le chouchou de qn **blue jeans** *pl* jeans *m* **blueprint** *n* plan *m*; *fig* projet *m* **bluetit** *n* mésange *f* bleue

bluff I *v/t & v/i* bluffer; ***he ~ed his way through it*** il y est allé au culot *infml* **II** *n* bluff *m*; ***to call sb's ~*** *fig* prendre qn au mot ◆ **bluff out** *v/t sep* ***to bluff one's way out of sth*** se sortir de qc en bluffant *infml*

bluish ['bluːɪʃ] *adj* bleuâtre

blunder ['blʌndəʳ] **I** *n* bévue *f*, gaffe *f infml*; ***to make a ~*** faire une gaffe *infml*; (*socially*) commettre un impair **II** *v/i* **1.** (*make a blunder*) faire une gaffe *infml*; (*socially*) commettre un impair **2.** (*move clumsily*) avancer maladroitement; ***to ~ into sth*** se cogner dans qc

blunt [blʌnt] **I** *adj* ⟨**+er**⟩ **1.** *knife* émoussé **2.** *person* franc(he); *message* direct; ***he was very ~ about it*** il a été très direct à ce sujet **II** *v/t* émousser **bluntly** ['blʌntlɪ] *adv speak* sans détour; ***he told us quite ~ what he thought*** il nous a dit sans ménagement ce qu'il pensait **bluntness** *n* (*outspokenness*) franc-parler *m*

blur [blɜːʳ] **I** *n* masse *f* confuse; ***the trees became a ~*** les arbre formaient une masse informe; ***a ~ of colors*** (*US*) *or* ***colours*** *Br* une masse confuse de couleurs **II** *v/t* **1.** *outline, photograph* rendre flou; ***to have ~red vision*** avoir la vue trouble; ***to be / become ~red*** être / devenir flou **2.** *fig senses, judgement* brouiller; *meaning* estomper **III** *v/i* s'estomper

blurb [blɜːb] *n* notice *f* publicitaire; (*on book cover*) texte *m* de présentation

blurt (**out**) [blɜːt('aʊt)] *v/t sep* lâcher *infml*

blush [blʌʃ] **I** *v/i* rougir (***with*** de) **II** *n* rougeur *f* **blusher** ['blʌʃəʳ] *n* rouge *m*, blusher *m*

bluster ['blʌstəʳ] **I** *v/i* (*person*) faire le fanfaron **II** *v/t* ***to ~ one's way out of sth*** se sortir de qc en fanfaronnant

blustery ['blʌstərɪ] *adj* de tempête

Blu-Tack® ['bluːtæk] *n* pâte *f* adhésive

Blvd. *abbr* = **boulevard**

BMA *abbr* = **British Medical Association** ≈ ordre des médecins

B-movie ['biːˌmuːvɪ] *n* film *m* de série B
BMX *abbr* = **bicycle motocross** (*sport*) bicross *m*; (*bicycle*) vélo *m* de bicross
B.O. *infml abbr* = **body odor**
boa ['bəʊə] *n* boa *m*; **~ *constrictor*** boa constricteur
boar [bɔːʳ] *n* (*male pig*) verrat *m*; (*wild*) sanglier *m*
board [bɔːd] **I** *n* **1.** planche *f*; (*blackboard*) tableau *m*; (*notice board*) panneau *m* d'affichage; (*signboard*) panneau *m* publicitaire; (*floorboard*) lame *f* (de parquet) **2.** (*provision of meals*) pension *f*; ***~ and lodging*** le gîte et le couvert; ***full ~*** pension complète; ***half ~*** demi-pension **3.** (*group of officials*) commission *f*; (*board of trustees*) comité *m*; (*utilities company*) compagnie *f*; (*of company*: *a.* **board of directors**) comité *m* directeur; (*of British / American company*) conseil *m* d'administration; (*including shareholders, advisers*) conseil *m* de surveillance; ***to have a seat on the ~*** avoir un siège au comité; ***~ of governors*** (*Br* SCHOOL) conseil d'établissement; ***Board of Trade*** *US* chambre de commerce; *Br* ministère du Commerce **4.** NAUT, AVIAT ***on ~*** à bord; ***to go on ~*** monter à bord, embarquer; ***on ~ the ship / plane*** à bord du bateau / de l'avion; ***on ~ the bus*** dans le bus **5.** (*fig phrases*) ***across the ~*** systématiquement, partout; *agree, reject* en bloc; ***to go by the ~*** *Br* (*work, ideas*) être abandonné; ***to take sth on ~*** prendre qc en compte **II** *v/t ship, plane* monter à bord de; *train, bus* monter dans **III** *v/i* **1.** *lodge* être en pension (***with*** chez) **2.** AVIAT embarquer; ***flight ZA173 now ~ing at gate 13*** embarquement immédiat pour le vol ZA173 porte 13 ◆ **board up** *v/t sep window* condamner
boarder ['bɔːdəʳ] *n* **1.** pensionnaire *m/f* **2.** SCHOOL interne *m/f* **board game** *n* jeu *m* de société, jeu *m* de plateau **boarding card** ['bɔːdɪŋ-] *n* carte *f* d'embarquement **boarding house** *n* pension *f* (de famille) **boarding kennel** *n* pension *f* pour chiens **boarding pass** *n* carte *f* d'embarquement **boarding school** *n* école *f* privée (avec internat) **board meeting** *n* réunion *f* du conseil d'administration **boardroom** *n* salle *f* du conseil **boardwalk** *n US* passage *m* en bois; (*on beach*) promenade *f* (en planches)
boast [bəʊst] **I** *n* vantardise *f* **II** *v/i* se vanter (***about, of*** de) **III** *v/t* **1.** (*possess*) se targuer de **2.** (*say boastfully*) fanfaronner **boastful** *adj* vantard **boastfully** *adv* en se vantant **boasting** ['bəʊstɪŋ] *n* vantardise *f* (***about, of*** à propos de)
boat [bəʊt] *n* bateau *m*; ***by ~*** en bateau; ***to miss the ~*** *fig, infml* rater le coche; ***to push the ~ out*** (*fig, infml celebrate*) s'éclater *infml*; ***we're all in the same ~*** *fig, infml* on est tous dans le même cas **boat hire** *n* location *f* de bateaux **boathouse** *n* hangar *m* à bateaux **boating** ['bəʊtɪŋ] *n* canotage *m*; ***to go ~*** faire du canotage; ***~ holiday / trip*** vacances / voyage en bateau **boatload** *n* cargaison *f* **boat race** *n* régate *f* **boat train** *n train qui assure la correspondance avec un bateau* **boatyard** *n* chantier *m* naval
bob[1] [bɒb] **I** *v/i* s'agiter; ***to ~*** (***up and down***) ***in*** *or* ***on the water*** (*cork etc.*) danser dans *or* sur l'eau; ***he ~bed out of sight*** il a disparu derrière les vagues **II** *v/t* ***to ~ one's head*** opiner (du chef) **III** *n* (*of head*) signe *m* ◆ **bob down I** *v/i* se baisser brusquement **II** *v/t sep* ***to ~ one's head down*** baisser la tête ◆ **bob up I** *v/i* remonter brusquement **II** *v/t sep* ***he bobbed his head up*** il redressa brusquement la tête
bob[2] *n* **1.** (*haircut*) coupe *f* au carré **2.** ***a few bits and ~s*** des petites affaires
bobbin ['bɒbɪn] *n* bobine *f*
bobble hat *n Br* bonnet *m* à pompon
bobsled, *Br* **bobsleigh I** *n* bobsleigh *m*, bob *m infml* **II** *v/i* faire du bobsleigh, faire du bob *infml*
bode [bəʊd] *v/i* ***to ~ well / ill*** être de bon / mauvais augure
bodge [bɒdʒ] *v/t Br* = **botch**
bodice ['bɒdɪs] *n* corsage *m*
bodily ['bɒdɪlɪ] **I** *adj* (*physical*) corporel(le); ***~ needs*** besoins physiologiques; ***~ functions*** fonctions physiologiques **II** *adv* (*forcibly*) à bras-le-corps
body ['bɒdɪ] *n* **1.** corps *m*; ***the ~ of Christ*** le corps du Christ; ***just enough to keep ~ and soul together*** juste assez pour vivre **2.** (*corpse*) cadavre *m* **3.** (*main part*) partie *f* principale; (*of church*) nef *f*; ***the main ~ of the army*** le gros de l'armée; ***the main ~ of the students*** la majeure partie des étudiants **4.** (*group of people*) corps *m*; ***the student ~*** le corps étu-

diant; ***a large ~ of people*** une foule nombreuse; ***in a ~*** en masse **5.** (*organization*) organisme *m*; (*committee*) comité *m*; (*corporation*) corporation *f* **6.** (*quantity*) ***a ~ of evidence*** une accumulation de preuves **7.** (*a.* **body stocking**) body *m* **body blow** *n fig* coup *m* dur (***to, for*** pour) **body builder** *n* culturiste *m/f* **body building** *n* culturisme *m* **body clock** *n* horloge *f* biologique **bodyguard** *n* garde *m/f* du corps **body language** *n* langage *m* corporel **body lotion** *n* lait *m* pour le corps **body odor**, *Br* **body odour** *n* odeur *f* corporelle **body piercing** *n* piercing *m* **body (repair) shop** *n* atelier *m* de carrosserie **body search** *n* fouille *f* corporelle **body stocking** *n* body *m* **body warmer** *n Br* gilet *m* matelassé **bodywork** *n* AUTO carrosserie *f*

bog [bɒg] *n* **1.** marécage *m* **2.** (*Br infml toilet*) toilettes *fpl*, W.-C. *mpl* ◆ **bog down** *v/t sep* ***to get bogged down*** s'embourber; (*in details*) s'enliser

bogey, bogy ['bəʊgɪ] *n* ⟨*pl* **bogeys, bogies**⟩ **1.** (*fig bugbear*) bête *f* noire **2.** (*Br infml*) crotte *f* de nez *infml* **bogeyman** ['bəʊgɪmæn] ⟨*pl* **bogeymen**⟩ père *m* fouettard

boggle ['bɒgl] *v/i* ***the mind ~s*** ça laisse rêveur

boggy ['bɒgɪ] *adj* ⟨**+er**⟩ marécageux (-euse)

bog-standard [ˌbɒg'stændəd] *adj* (*Br infml*) ordinaire, lambda *infml*

bogus ['bəʊgəs] *adj name*, *document*, *claim* faux(fausse); *company* fantôme

Bohemia [bəʊ'hiːmɪə] *n* **1.** GEOG Bohême *f* **2.** *fig* bohème *f* **bohemian** [bəʊ'hiːmɪən] **I** *n* bohème *m/f* **II** *adj lifestyle* de bohème

boil¹ [bɔɪl] *n* MED furoncle *m*

boil² **I** *v/i* **1.** *lit* bouillir; ***the kettle was ~ing*** l'eau était en train de bouillir (dans la bouilloire) **2.** *fig*, *infml* ***~ing hot water*** de l'eau très chaude; ***it was ~ing (hot) in the office*** il faisait une chaleur à crever au bureau *infml*; ***I was ~ing (hot)*** je mourrais de chaud **II** *v/t* faire bouillir; ***~ed / hard ~ed egg*** œuf à la coque / dur; ***~ed potatoes*** des pommes de terre à l'eau **III** *n* ***to bring sth to a*** (*US*) *or* ***the*** (*Br*) ***~*** faire bouillir qc; ***to come to a ~*** arriver à ébullition; ***to go off the ~*** *Br* cesser de bouillir ◆ **boil down** *fig* ***to ~ to sth*** se réduire à qc; ***what it boils down to is that ...*** cela se résume à ... ◆ **boil over** *v/i lit* déborder

boiled sweet *n* bonbon *m* à sucer **boiler** ['bɔɪləʳ] *n* (*domestic*) chauffe-eau *m*; (*in ship*) chaudière *f* **boiler room** *n* chaufferie *f* **boiler suit** *n Br* bleu *m* de travail **boiling point** ['bɔɪlɪŋpɔɪnt] *n* point *m* d'ébullition; ***at ~*** au point d'ébullition; ***to reach ~*** *fig* atteindre un point de non-retour

boisterous ['bɔɪstərəs] *adj* bruyant

bok choy [bɒk'tʃɔɪ] *n esp US* pak-choï *m*

bold [bəʊld] *adj* ⟨**+er**⟩ **1.** (*brave*) hardi **2.** (*impudent*) effronté **3.** *colors*, *pattern* soutenu; *style* vigoureux(-euse) **4.** TYPO (en caractères) gras; (*secondary bold*) demi-gras; ***~ type*** caractères gras **boldly** ['bəʊldlɪ] *adv* **1.** (*bravely*) hardiment **2.** (*forthrightly*) effrontément **3.** (*strikingly*) avec vigueur **boldness** *n* **1.** (*bravery*) hardiesse *f* **2.** (*impudence*) effronterie *f* **3.** (*of colors*, *pattern*) caractère *m* soutenu; (*of style*) vigueur *f*

Bolivia [bə'lɪvɪə] *n* Bolivie *f*

bollard ['bɒləd] *n* bitte *f* (d'amarrage)

bollocking ['bɒləkɪŋ] *n* (*Br sl*) engueulade *f infml*; ***to give sb a ~*** engueuler qn *infml*

bollocks ['bɒləks] *pl* (*Br sl*) **1.** couilles *fpl sl* **2.** (*nonsense*) **(that's) ~!** c'est des conneries! *infml*

Bolshevik ['bɒlʃəvɪk] **I** *n* Bolchevique *m/f* **II** *adj* bolchevique

bolster ['bəʊlstəʳ] **I** *n* (*on bed*) traversin *m* **II** *v/t* (*a.* **bolster up**: *fig*) *economy* soutenir

bolt [bəʊlt] **I** *n* **1.** (*on door etc.*) verrou *m* **2.** TECH boulon *m* **3.** (*of lightning*) éclair *m*; ***it was a ~ from the blue*** *fig* ce fut comme un coup de tonnerre **4.** (*dash*) ***he made a ~ for the door*** il se précipita vers la porte; ***to make a ~ for it*** décamper **II** *adv* ***~ upright*** droit comme un i **III** *v/i* **1.** (*horse*) s'emballer; (*person*) décamper *infml* **2.** (*move quickly*) se précipiter **IV** *v/t* **1.** *door* verrouiller **2.** TECH boulonner (***to*** à); ***to ~ together*** fixer (ensemble) par des boulons **3.** (*a.* **bolt down**) *one's food* avaler

bomb [bɒm] **I** *n* **1.** bombe *f* **2.** (*Br infml*) ***the car goes like a ~*** la voiture est un véritable bolide *infml*; ***the car cost a ~*** la voiture a coûté les yeux de la tête *infml*; ***to make a ~*** se faire un fric fou *infml*; ***to go down a ~*** faire un tabac (**with** avec) *infml* **II** *v/t* bombarder **III** *v/i* **1.** (*infml go fast*) foncer *infml* **2.** (*US infml fail*) être un bide *infml* ◆ **bomb along** *v/i infml* foncer *infml*

bombard [bɒm'bɑːd] *v/t* (MIL, *fig*) bombarder **bombardment** *n* (MIL, *fig*) bombardement *m*

bombastic [bɒm'bæstɪk] *adj* pompeux (-euse)

bomb attack *n* attentat *m* à la bombe **bomb disposal** *n* déminage *m* **bomb disposal squad** *n* équipe *f* de déminage **bomber** ['bɒməʳ] *n* **1.** (*aircraft*) bombardier *m* **2.** (*terrorist*) poseur *m* de bombes **bomber jacket** *n* blouson *m* d'aviateur **bombing** ['bɒmɪŋ] **I** *n* bombardement *m* (**of** de) **II** *adj raid* de bombardement **bomb scare** *n* alerte *f* à la bombe **bombshell** *n fig* ***this news was a ~*** la nouvelle fit l'effet d'une bombe; ***to drop a*** *or* ***the ~, to drop a ~*** lâcher une bombe **bomb shelter** *n* abri *m* antiaérien **bomb site** *n* zone *m* bombardée

bona fide ['bəʊnə'faɪdɪ] *adj* valable; *traveler, word, antique* authentique; ***it's a ~ offer*** c'est une offre sérieuse

bonanza [bə'nænzə] *n fig* aubaine *f*; ***the oil ~*** la manne pétrolière

bond [bɒnd] **I** *n* **1.** (*fig link*) lien *m* **2. bonds** *pl lit* fers *mpl*; (*fig ties*) liens *mpl* **3.** COMM, FIN bon *m*, obligation *f*; ***government ~*** obligation d'état **II** *v/i* **1.** (*glue*) coller **2.** ***to ~ with one's baby*** s'attacher à son bébé; ***they ~ed immediately*** ils ont tout de suite sympathisé

bondage ['bɒndɪdʒ] *n* **1.** *fig, liter* ***to be in ~ to sth*** être l'esclave de qn **2.** (*sexual*) bondage *m*; ***~ gear*** matériel de bondage

bonded warehouse *n* entrepôt *m* des douanes

bone [bəʊn] **I** *n* os *m*; (*of fish*) arête *f*; ***~s*** *pl* (*of the dead*) ossements *mpl*; ***chilled to the ~*** gelé jusqu'aux os; ***to work one's fingers to the ~*** se tuer au travail; ***~ of contention*** pomme *f* de discorde; ***to have a ~ to pick with sb*** *infml* avoir un compte à régler avec qn *infml*; ***I'll make no ~s about it, you're …*** *infml* je n'y irai pas par quatre chemins, tu es …; ***I can feel it in my ~s*** je le sens dans tout mon être **II** *v/t* désosser; *fish* enlever les arêtes de ◆ **bone up on** *v/t insep infml* potasser *infml* **bone china** *n* porcelaine *f* fine **bone dry** *adj pred*, **bone-dry** *adj attr infml* archi-sec(sèche) *infml* **bone idle** *adj* (*Br infml*) paresseux(-euse) comme une couleuvre **bone structure** *n* (*of face*) ossature *f*

bonfire ['bɒnfaɪəʳ] *n* feu *m* de jardin; (*for celebration*) feu *m* de joie **Bonfire night** *n le 5 novembre* (*anniversaire de la Conspiration des poudres*)

bonk [bɒŋk] *infml v/t & v/i* baiser *infml*

bonkers ['bɒŋkəz] *adj* (*esp Br infml*) cinglé *infml*; ***to be ~*** être cinglé *infml*

bonnet ['bɒnɪt] *n* **1.** (*woman's, baby's*) bonnet *m* **2.** (*Br* AUTO) capot *m*

bonny ['bɒnɪ] *adj esp Scot* joli; *baby* beau(belle)

bonsai ['bɒnsaɪ] *n* ⟨*pl* **-**⟩ bonsaï *m*

bonus ['bəʊnəs] *n* **1.** bonus *m*; (*Christmas bonus*) prime *f*; ***~ scheme*** système de prime; ***~ point*** point de bonus **2.** (*infml sth extra*) cadeau *m* en bonus

bony ['bəʊnɪ] *adj* ⟨**+er**⟩ osseux(-euse)

boo[1] [buː] **I** *int* hou!; ***not to say boo*** *US infml* ne pas piper mot; ***he wouldn't say ~ to a goose*** *Br infml* c'est un timide **II** *v/t & v/i* huer **III** *n* huée *f*

boo[2] *n* (*US infml*) copain(copine) *m*(*f*)

boob [buːb] **I** *n* **1.** (*infml breast*) nichon *m infml*; ***big ~s*** gros nichons *infml* **2.** (*Br infml mistake*) gaffe *f infml* **II** *v/i* (*Br infml*) faire une gaffe *infml*

booby prize *n* prix *m* de consolation **booby trap** **I** *n* MIL *etc.* piège *m* **II** *v/t* ***the suitcase was booby-trapped*** la valise était piégée

booing ['buːɪŋ] *n* huées *fpl*

book [bʊk] **I** *n* **1.** livre *m*; (*exercise book*) cahier *m*; ***the Book of Genesis*** le livre de la Genèse; ***to bring sb to ~*** *Br* demander des comptes à qn; ***to throw the ~ at sb*** *infml* passer un savon à qn *infml*; ***to go by the ~*** appliquer les règles; ***to be in sb's good / bad ~s*** être bien / mal vu de qn *infml*; ***I can read him like a ~*** je peux lire en lui à livre ouvert; ***he'll use every trick in the ~*** *infml* il utilisera tous les moyens possibles; ***that counts as cheating in my ~*** *infml* à mon avis, c'est tricher **2.** (*of tickets*) carnet *m*; ***~ of stamps*** carnet de timbres **3. books** *pl* COMM, FIN comptes *mpl*; ***to do the ~s for sb*** faire la comptabilité de qn **II** *v/t* **1.** (*reserve*) réserver; *artiste* engager; ***fully ~ed*** (*performance, flight, hotel*) complet; ***to ~ sb through to Paris*** RAIL assurer une réservation à qn jus-

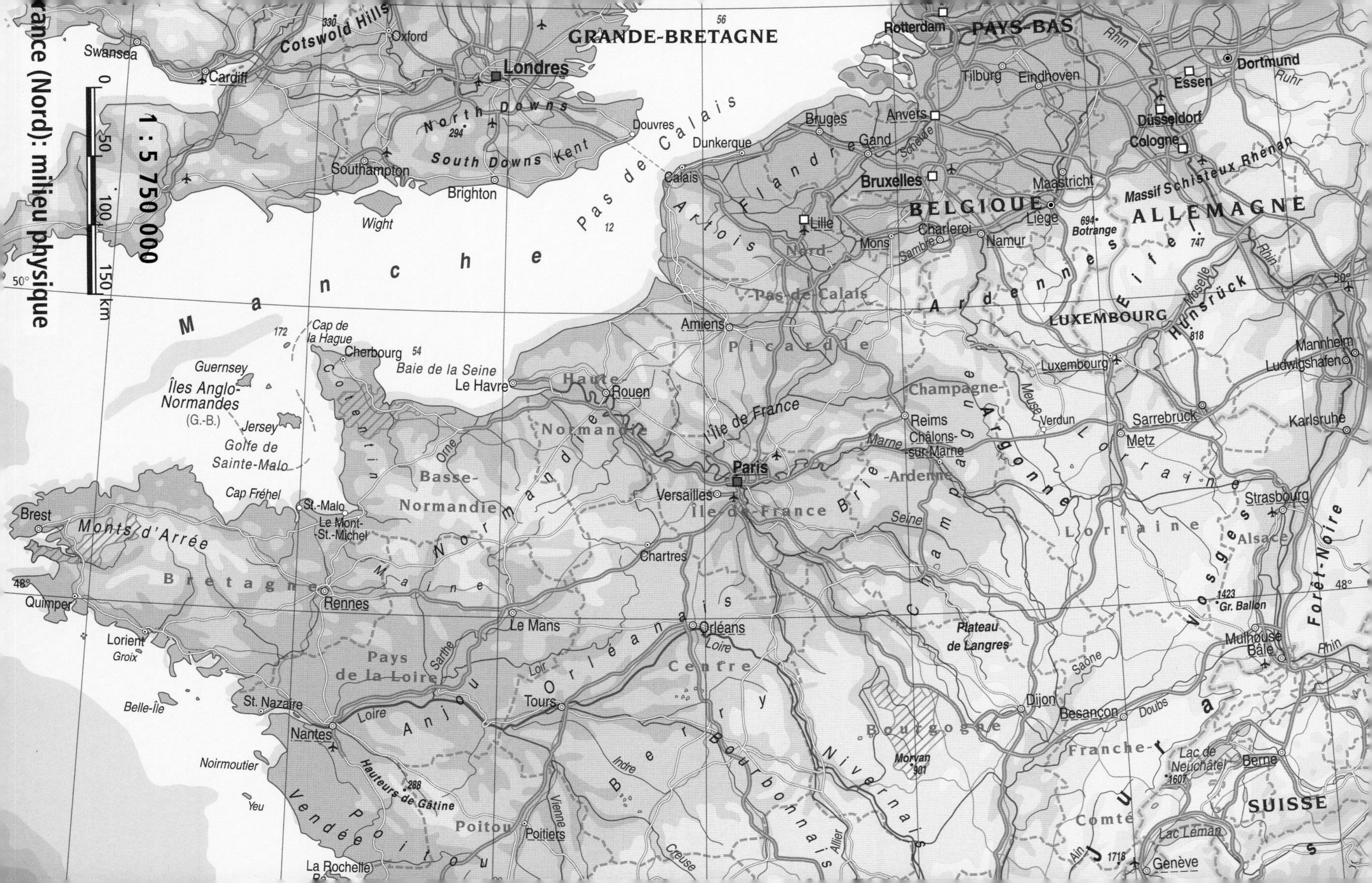

rance (Nord): milieu physique

110°
100°
90°
70°
60°
40°
Lac Garry
Back
Barrengrounds
Nunavut
Bassin de Foxe
Lac Amadjuak
Île Southampton
Coral Harbour
Cape Dorset
Détroit
Baker Lake
Reliance
Lac Dubawnt
Île Nottingham
Île Coats
Ivujivik
Rankin Inlet
Péninsule d'Ungava
Kazan
Île Mansel
Dubawnt
Eskimo Point
Baie d'Hudson
Lac Nueltin
240
Lac Athabasca
Inukjuak
Churchill
Wollaston Lake
Lac Reindeer
Churchill
York Factory
C A N A D A
Lynn Lake
Lac Sud des Indiens
Nelson
Gillam
Fort Severn
Îles Belcher
Southend
Thompson
Winisk
La Ronge
Manitoba
Winisk
Fort George
Flin Flon
Gods Lake
Saskatchewan
Snow Lake
Cross Lake
Severn
Baie
Saskatchewan
Prince Albert
Norway House
Île Akimiski
Le Pas
Nipawin
Attawapiskat
Lac Winnipeg
James
Hudson Bay
Swan River
217
Sandy Lake
Fort Albany
Landsdowne House
Moosonee
Fort
Lac Winnipegosis
Albany
Yorkton
Gypsumville
Ontario
Clay Belt
Dauphin
Red Lake
Lac Manitoba
Regina
Selkirk
Matag
Brandon
Portage-la-Prairie
Winnipeg
Kenora
Lac Nipigon
Hearst
Kapuskasing
Estevan
Dryden
Marathon
Cochrane
Lac des Bois
Fort Frances
Thunder Bay
Williston
Minot
International Falls
183
Timmins
Lac Sakakawea
Grand Forks
701
Lac Supérieur
Cobalt
Crookston
Bemidji
Sudbury
Dakota du Nord
Minnesota
Duluth
Houghton
Blind River
Sault-Sainte-Marie
Dickinson
Bismarck
Fargo
Superior
Marquette
Jamestown
Moorhead
Ashland
ETATS-UNIS D'AMERIQUE
Mississippi
Baie Géorgienne
Buffalo
Aberdeen
Escanaba
Lac Michigan
Petoskey
Lac Huron
177
Lac Oahe
Wisconsin
Alpena
Owen Sound
Dakota du Sud
Minneapolis
Saint Paul
Green Bay
Michigan
Toron
Pierre
James
Appleton
Saginaw
Hamilton
2207
Rapid City
Winona
Grand Rapids
Flint
Parc National des Badlands
Sioux Falls
Madison
Mason City
Milwaukee
Lac Michigan
176
Lansing
Windsor
Valentine
Yankton
Sioux City
Cedar Rapids
Detroit
174
Lac Érié
Nebraska
Missouri
Dubuque
Rockford
Iowa
Platte du Nord
North Platte
Grand Island
Columbus
Omaha
Ohio
Lincoln
Des Moines
Illinois
Indiana
Platte du Sud
Springfield
Dayton
Columbus
Saint Joseph
Quincy
Decatur
Indianapolis
Cincinnati

Québec: milieu physique
Mer du Labrador
Bassin de Terre-Neuve
Île Resolution
Cap Chidley
Port Burwell
Baie Ungava
Mts Torngat
1595
Hebron
Nutak
Nain
Kuujjuaq
Hopedale
Rigolet
Cartwright
Terre-Neuve
Goose Bay
Réservoir Smallwood
Schefferville
Churchill
Labrador City
Monts Otish
1135
Gagnon
Harrington Harbour
Havre-Saint-Pierre
Détroit de Belle-Isle
St. Anthony
Port Saunders
Gander
Saint-Jean
Corner Brook
Cap Race
Channel-Port-aux-Basques
Saint-Pierre-et-Miquelon
(France)
Sept-Îles
Port-Cartier
Île d'Anticosti
Port-Menier
Golfe du Saint-Laurent
Détroit de Cabot
Baie-Comeau
Gaspé
Cap North
Mistassini
Auterive
Rimouski
Île du Prince-Édouard
Sydney
Île du Cap-Breton
Chicoutimi
Campbellton
Newcastle
Charlottetown
Jonquière
Rivière-du-Loup
Edmundston
Nouveau-Brunswick
Fredericton
Moncton
Truro
Nouvelle-Écosse
Île de Sable
Québec
Houlton
Shawinigan
Trois-Rivières
Lac Moosehead
Saint John
Halifax
Sherbrooke
Maine
Bangor
Baie de Fundy
Yarmouth
Cap Sable
Montréal
Granby
Augusta
1917
Mont Washington
Portland
Montpelier
Vermont
New Hampshire
OCÉAN ATLANTIQUE
New York
Concord
Boston
Albany
Providence
New Bedford
Massachusetts
Hartford
Connecticut
Rhode Island
Allegheny
New Haven
Long Island
New York
Appalaches
Washington D.C.
1 : 20 000 000
0 200 400 600 km
60°
50°
40°
70°
3100
4025
69
20

Grande Bretagne et Irlande: milieu physique
1 : 4 500 000
0 50 100 150 km
Îles Shetland
Yell Sound
Mainland
117
Île Fair
Îles Orcades
269
Détroit de Pentland
Rona
1088
Îles Flannan
Minch du Nord
Wester Ross
Ben More
998
Highlands
Lewis
St Kilda
Harris
Île Uist Nord
Île Uist Sud
Petit Minch
Portree
1009
Skye
Barra
Rhum
Hébrides
Moray Firth
Inverness
Loch Ness
Glen More
Monts Grampian
1309
Ben Macdui
Aberdeen
Ben Nevis
1343
Coll
Tiree
Mull
Ecosse
Dundee
Perth
Loch Lomond
Stirling
Kirkcaldy
Firth of Lorne
Firth of Forth
Colonsay
Islay
Jura
Glasgow
Edimbourg
Kintyre
Arran
Clyde
Tweed
816
140
238
106
Mer du Nord
OCÉAN
ATLANTIQUE

Baie de Sligo
Sligo
Benbulben
Lough Erne
Upper Lough Erne
Île de Man
(Br.)
Douglas
Bangor
Nephin
Monts Mourne
Dundalk
Baie de Clew
Westport
Lough Mask
Roscommon
Connacht
Clifden
Connemara
Lough Corrib
Lough Ree
TARA
Dublin
Galway
Baie de Galway
Leinster
Tullamore
Îles d'Aran
IRLANDE
GLENDALOUGH
Lough Derg
Wicklow
Shannon
Limerick
Kilkenny
Suir
Barrow
Tralee
Munster
Blackwater
Wexford
Waterford
Baie de Dingle
Kerry
Cork
Baie de Bantry
Canal St George
Mer Celtique
Îles Scilly
Land's End
Mer
d'Irlande
Yorkshire et Humber
Scarborough
York
Harrogate
Lancaster
Baie de Morecambe
Blackpool
Bradford
Leeds
Kingston-upon-Hull
Humber
Baie de Nord Ouest
Liverpool
Manchester
Sheffield
Trent
Midlands de l'Est
Anglesey
Holyhead
Chester
Stoke-on-Trent
Derby
Nottingham
The Wash
Caernarfon
Snowdon
Angleterre
Les Fens
Norfolk
Norwich
Walsall
Leicester
Wolverhampton
Birmingham
East Anglia
Suffolk
Ouse
Baie de Cardigan
Monts Cambrien
Coventry
Pays de Galles
Midlands de l'Ouest
Northampton
Aberystwyth
Cambridge
Ipswich
Cardigan
Worcester
Colchester
Severn
Cotswold Hills
Oxford
Tamise
Watford
Londres
Swansea
Reading
Windsor
Greenwich
Bristol
Cardiff
Bath
Canterbury
Canal de Bristol
Downs du Nord
STONEHENGE
Sud Est
Douvres
Dunkerque
Exmoor
Détroit de Couvres
Calais
Taunton
Downs du Sud
Kent
Devon
Sud Ouest
Avon
Southampton
Hastings
Portsmouth
Brighton
Boulogne-sur-Mer
St.-Omer
Dartmoor
Exeter
Bournemouth
Eastbourne
Nord-Pas-de-Calais
Cornouailles
Wight
Baie de Lyme
Plymouth
Manche
Picardie
Amiens
Dieppe
Aurigny
Cherbourg
Le Havre
Rouen
Guernesey
Baie de la Seine
Haute Normandie
Îles Anglo-Normandes
(R.-U.)
Caen
Jersey
FRANCE
Évreux
Golfe de Saint-Malo
Ouest 0° Est
54°
52°
50°
10°
8°
6°
4°
2°

Amérique du Nord et Centrale: milieu physique

RCTIQUE
Cap Morris Jesup
Terre de Knud Rasmussen
Île d'Ellesmere
Détroit de Nares
Terre de Frédéric VIII
Thule/Qaanaaq
Groenland
Détroit de Jones
Île Devon
Détroit de Lancaster
Baie de Baffin
Île Bylot
Île Baffin
Gulf of Boothia
Godhavn/Qeqertarsuaq
Disko
Détroit de Davis
Péninsule de Melville
Île du Prince-Charles
Bassin de Foxe
Terre Christian IX
Cercle Polaire Arctique
Détroit du Danemark
Islande
Reykjavík
Île Southampton
Iqaluit
Détroit d'Hudson
Côte de Frédéric VI
limite extrême des glaces flottantes
Baie d'Hudson
Péninsule d'Ungava
Baie d'Hungava
Julianehåb/Qaqortoq
Uummannarsuaq/Cap Farvel
Mer du Labrador
Îles Belcher
Péninsule du Labrador
Baie James
Akimiski
Bouclier Canadien
Île d'Anticosti
Golfe du Saint-Laurent
Saint-Laurent
Terre-Neuve
Lac Supérieur
Ottawa
Montréal
Lac Michigan
Lac Huron
Nouvelle-Écosse
Détroit de Cabot
Lac Ontario
Baie de Fundy
Détroit
Chicago
Chutes du Niagara
Lac Érié
Boston
Cap Cod
OCÉAN
New York
St. Louis
Ohio
Pittsburgh
Philadelphie
Ozark
Washington
Appalaches
Açores
Mississippi
Mont Mitchell
Bassin d'Amérique du Nord
Atlanta
Bermudes
ATLANTIQUE
La Nouvelle-Orléans
Dorsale Médio-Atlantique
Cap Canaveral
Floride
Îles des Bahamas
Golfe du Mexique
Miami
Détroit de Floride
Andros
Nassau
Îles Turks et Caicos
Tropique du Cancer
La Havane
Cuba
Haïti
Saint-Dominique
Péninsule de Yucatán
Îles Cayman
Grandes Antilles
Porto Rico
Îles Vierges
Anguilla
Kingston
San Juan
Belmopan
Jamaïque
Guadeloupe
Dominique
Martinique
Îles du Cap Vert
Guatemala
Mer des Antilles
Tegucigalpa
Barbade
Pointe Gallinas
Petites Antilles
Salvador
Managua
Lac de Nicaragua
San José
Chirripó
Panamá
Caracas
Trinité
AMÉRIQUE DU SUD
Georgetown
80° Ouest
60°
40°
20°
80°
2900
2470
2591
240
1300
69
2037
4755
6690
1708
2005
3175
3820

France (Sud): milieu physique
1 : 5 750 000
0
50
100
150 km
FRANCE
ITALIE
ESPAGNE
ANDORRE
MONACO
OCÉAN ATLANTIQUE
Golfe de Gascogne
Golfe du Lion
Mer Méditerranée
Mer Tyrrhénienne
Costa Brava
Bouches de Bonifacio
Massif Central
Pyrénées
Chaînes Ibériques
Limousin
Auvergne
Guyenne
Gascogne
Aquitaine
Landes
Saintonge
Médoc
Armagnac
Béarn
Midi-Pyrénées
Languedoc
Languedoc-Roussillon
Cévennes
Dauphiné
Rhône-Alpes
Provence
Alpes
Provence-Alpes-Côte-d'Azur
Camargue
Corse
Corse (Fr.)
Sardaigne
Elbe (Italie)
Oléron
Pointe de Grave
Cap Ferret
Cap Corse
C. Tortosa
Bordeaux
Angoulême
Limoges
Clermont-Ferrand
Saint-Étienne
Lyon
Villeurbanne
Grenoble
Turin
Montélimar
Avignon
Nîmes
Montpellier
Aix-en-Provence
Marseille
Toulon
Cannes
Nice
Toulouse
Carcassonne
Perpignan
Biarritz
Bilbao
St-Sébastien
Vitoria
Pampelune
Logroño
Pau
Tarbes
Lourdes
Andorre-la-Vieille
Saragosse
Barcelone
Reus
Tarragone
Bastia
Ajaccio
Montblanc 4807
Val-d'Aoste
Col du Gd.-St-Bernard
Ecrins 4102
Col du Montgenèvre
Col d'Izoard
Monviso 3841
Col de Larche
Col de Tende
Puy de Dôme 1465
Monts Dore 1885
Monts du Forez 1634
Cantal 1787
Pilat 1432
Lozère 1699
P. N. des Cévennes
Montagne Noire 1211
Vignemale 3303
Mt Perdu 3355
Pic d'Aneto 3404
Col de Puymorens
Col du Perthus
Sierra de Moncayo 2313
Mte. Cinto 2710
Charente
Gironde
Dordogne
Garonne
Lot
Aveyron
Tarn
Agout
Adour
Gers
Ariège
Loire
Rhône
Isère
Drac
Durance
Var
Po
Èbre
Gállego
Duero

qu'à Paris **2.** *infml driver etc.* verbaliser *infml*; *footballer* donner un avertissement à; ***to be ~ed for speeding*** avoir une contravention pour excès de vitesse **III** *v/i* réserver; ***to ~ through to Paris*** réserver jusqu'à Paris ◆ **book in I** *v/i* (*in hotel etc.*) réserver; ***we booked in at** or **into the Hilton*** nous avons réservé au Hilton **II** *v/t sep* ***to book sb into a hotel*** réserver une chambre d'hôtel pour qn; ***we're booked in at** or **into the Hilton*** nous avons réservé une chambre au Hilton ◆ **book up** *v/t sep* ***to be (fully) booked up*** être (absolument) complet

bookable ['bʊkəbl] *adj* **1.** qui peut être réservé à l'avance **2.** SPORTS ***a ~ offense*** (*US*) *or* ***offence*** *Br* une faute sanctionnée par un carton

bookcase *n* bibliothèque *f* **book club** *n* cercle *m* de lecture **book end** *n* serre-livres *m* **bookie** ['bʊkɪ] *n infml* bookmaker *m* **booking** ['bʊkɪŋ] *n* réservation *f*; *of a performer* engagement *m* ***to make a ~*** faire une réservation; ***to cancel a ~*** annuler une réservation **booking clerk** *n Br* préposé(e) *m(f)* aux réservations **booking fee** *n* frais *mpl* de réservation **booking office** *n Br* RAIL, THEAT bureau *m* de location **book-keeper** *n* comptable *m/f* **book-keeping** *n* comptabilité *f* **booklet** *n* brochure *f* **book lover** *n* bibliophile *m/f* **bookmaker** *n* bookmaker *m* **bookmark I** *n* marque-page *m*, signet *m*; IT signet *m*, favori *m* **II** *v/t* IT ajouter aux favoris **bookseller** *n* libraire *m/f* **bookshelf** *n* étagère (à livres) *f* **bookshelves** *pl* étagères *fpl* **bookstore** *US*, **bookshop** *esp Br n* librairie *f* **bookstall** *n* kiosque *m* à journaux **bookstand** *n US* **1.** (*bookrest*) lutrin *m* **2.** (*bookcase*) bibliothèque *f* **3.** (*bookstall*: *in station*, *airport*) kiosque *m* à journaux **book token** *n* chèque-livre *m* **bookworm** *n fig* rat *m* de bibliothèque

boom¹ [buːm] *n* NAUT bôme *f*

boom² I *n* (*of guns*) grondement *m*; (*of voice*) rugissement *m* **II** *v/i* (*voice*: *a.* **boom out**) retentir; (*guns*) gronder **III** *int* boum!

boom³ I *v/i* (*trade*) être florissant; ***business is ~ing*** les affaires vont bien **II** *n* (*of business*, *fig*) boom *m*

boomerang ['buːməræŋ] *n* boomerang *m*

booming¹ ['buːmɪŋ] *adj sound* retentissant

booming² *adj economy*, *business* en plein essor

boon [buːn] *n* avantage *m*

boor [bʊəʳ] *n* rustre *m* **boorish** ['bʊərɪʃ] *adj* rustre **boorishly** ['bʊərɪʃlɪ] *adv* en rustre

boost [buːst] **I** *n* impulsion *f*; ELEC, AUTO survoltage *m*; ***to give sb / sth a ~*** stimuler qn / qc; ***to give a ~ to sb's morale*** remonter le moral de qn **II** *v/t production*, *sales*, *economy* stimuler; *profits*, *income* augmenter; *confidence* accroître; *morale* renforcer **booster** ['buːstəʳ] *n* (MED: *a.* **booster shot**) piqûre *f* de rappel

boot [buːt] **I** *n* **1.** botte *f*; ***the ~ is on the other foot*** *Br fig* les rôles sont inversés; ***to give sb the ~*** *Br infml* flanquer qn à la porte *infml*; ***to get the ~*** *Br infml* se faire virer *infml*; ***to put the ~ into sb / sth*** (*Br fig*, *infml*) éreinter qn / qc **2.** (*Br*, *of car etc.*) coffre *m* **II** *v/t* **1.** (*infml kick*) flanquer des coups de pieds à **2.** IT amorcer **III** *v/i* IT s'amorcer ◆ **boot out** *v/t sep infml* virer *infml* ◆ **boot up** IT *v/t & v/i sep* s'amorcer, démarrer

boot camp *n* (*US* MIL *infml*) camp *m* d'entraînement

bootee [buːˈtiː] *n* chausson *m*

booth [buːð] *n* **1.** (*at fair*) baraque *f*; (*at show*) stand *m* **2.** (*telephone booth*) cabine *f*; (*polling booth*) isoloir *m*; (*in restaurant*) alcôve *f*

bootlace *n* lacet *m* (de chaussures) **bootleg** *adj whiskey etc.* de contrebande; *goods* illicite **bootlicker** *n pej*, *infml* lèche-bottes *m pej*, *infml* **boot polish** *n* cirage *m* **bootstrap** *n* ***to pull oneself up by one's (own) ~s*** *infml* se faire tout seul

booty ['buːtɪ] *n* butin *m*

booze [buːz] *infml* **I** *n* boisson *f* (alcoolisée); ***keep off the ~*** évite de boire *infml*; ***bring some ~*** apporte à boire *infml* **II** *v/i* picoler *infml*; ***to go out boozing*** aller picoler *infml* **boozer** ['buːzəʳ] *n Br* **1.** (*pej*, *infml drinker*) poivrot(e) *m(f) pej*, *infml* **2.** (*infml pub*) pub *m infml* **booze-up** ['buːzʌp] *n infml* bringue *f infml* **boozy** ['buːzɪ] *adj* ⟨**+er**⟩ *infml look*, *face* aviné *infml*; ***~ party*** soirée picole *infml*; ***~ lunch*** déjeuner bien arrosé

bop [bɒp] **I** *n* **1.** (*infml dance*) danse *f*

infml **2.** *infml* ***to give sb a ~ on the nose*** donner un léger coup à qn sur le nez **II** *v/i* (*infml dance*) danser *infml* **III** *v/t infml* ***to ~ sb on the head*** donner un léger coup à qn sur la tête

border ['bɔːdər] **I** *n* **1.** (*edge*) bordure *f* **2.** (*frontier*) frontière *f*; ***on the French ~*** à la frontière française; ***north / south of the ~*** *US* aux USA / au Mexique *Br* en Écosse / en Angleterre **3.** (*containing flowers*) plate-bande *f* **4.** (*on dress*) bordure *f* **II** *v/t* **1.** *path* border; *estate etc.* avoir une frontière commune avec; (*on all sides*) entourer **2.** (*border on*) être limitrophe de ◆ **border on** *or* **upon** *v/t insep* être limitrophe de

border dispute *n* conflit *m* frontalier **border guard** *n* garde-frontière *m/f* **bordering** *adj* limitrophe **borderline** **I** *n* ligne *f* de démarcation; ***to be on the ~*** être à la limite **II** *adj fig* ***a ~ case*** un cas limite; ***a ~ pass*** un examen réussi avec tout juste la moyenne **border town** *n* ville *f* frontalière

bore¹ [bɔːr] **I** *v/t hole* creuser **II** *v/i* forer (***for*** pour) **III** *n Br* calibre *m*; ***a 12 ~ shotgun*** un fusil de calibre 12

bore² **I** *n* **1.** (*person*) raseur(-euse) *m(f)* **2.** (*situation etc.*) ***to be a ~*** être une corvée; ***it's such a ~ having to go*** quelle corvée de devoir y aller! **II** *v/t* ennuyer; ***to ~ sb stiff*** *or* ***to tears*** *infml* ennuyer qn à mourir *infml*; ***to be / get ~d*** s'ennuyer; ***he is ~d with his job*** il en a assez de son travail

bore³ *past* = **bear¹**

boredom ['bɔːdəm] *n* ennui *m*

boring ['bɔːrɪŋ] *adj* ennuyeux(-euse)

born [bɔːn] **I** *past part* = **bear¹**; ***to be ~*** naître; ***I was ~ in 1990*** je suis né en 1990; ***when were you ~?*** quand est-ce que tu es né?; ***he was ~ into a rich family*** il est issu d'une famille riche; ***to be ~ deaf*** être sourd de naissance; ***the baby was ~ dead*** l'enfant était mort-né; ***I wasn't ~ yesterday*** *infml* je ne suis pas né de la dernière pluie *infml*; ***there's one ~ every minute!*** *fig*, *infml* quelle andouille *infml* **II** *adj suf* (*native of*) ***he is Chicago-~*** il est né à Chicago; ***his French-~ wife*** sa femme qui est française de naissance **III** *adj* né; ***he is a ~ teacher*** c'est un professeur né; ***an Englishman ~ and bred*** un Anglais de pure souche **born-again** ['bɔːnəˌgen] *adj Christian etc.* régénéré

borne [bɔːn] *past part* = **bear¹**

borough ['bʌrə] *n* ≈ municipalité *f*

borrow ['bɒrəʊ] **I** *v/t amount from bank, car, library book, idea* emprunter (***from*** à); ***to ~ money from the bank*** emprunter de l'argent à la banque **II** *v/i* emprunter; (*from bank*) faire un emprunt **borrower** ['bɒrəʊər] *n* (*of capital etc.*) emprunteur(-euse) *m(f)* **borrowing** ['bɒrəʊɪŋ] *n* ***government ~*** emprunt de l'État; ***consumer ~*** emprunt des ménages; ***~ requirements*** besoins de crédit

Bosnia ['bɒznɪə] *n* Bosnie *f* **Bosnia-Herzegovina** ['bɒznɪəˌhɜːtsəgəʊ'viːnə] *n* Bosnie-Herzégovine *f* **Bosnian** **I** *adj* bosniaque **II** *n* Bosniaque *m/f*

bosom ['bʊzəm] **I** *n* **1.** poitrine *f* **2.** *fig* ***in the ~ of his family*** au sein de sa famille **II** *adj attr friend* intime

boss [bɒs] *n* patron(ne) *m(f)*, chef *m*; ***his wife is the ~*** c'est sa femme qui porte la culotte; ***OK, you're the ~*** bon, c'est toi qui décides ◆ **boss around** *v/t sep infml* mener par le bout du nez *infml*

bossy ['bɒsɪ] *adj* ⟨**+er**⟩ autoritaire

botanic(al) [bə'tænɪk(əl)] *adj* botanique **botanist** ['bɒtənɪst] *n* botaniste *m/f* **botany** ['bɒtənɪ] *n* botanique *f*

botch [bɒtʃ] *v/t* (*infml*: *a.* **botch up**) bâcler *infml*; *plans etc.* rater; ***a ~ed job*** un travail bâclé *infml* **botch-up** ['bɒtʃʌp] *n infml* travail *m* bâclé *infml*

both [bəʊθ] **I** *adj* les deux; ***~ (the) boys*** les deux garçons **II** *pron* les deux, tous les deux; ***~ of them were there, they were ~ there*** ils étaient là tous les deux; ***~ of these answers are wrong*** les deux réponses sont fausses **III** *adv* ***~ you and I*** vous et moi; ***John and I ~ came*** John et moi sommes venus tous les deux; ***is it black or white? — ~*** est-ce que c'est noir ou blanc? — les deux; ***you and me ~*** *infml* nous deux

bother ['bɒðər] **I** *v/t* **1.** déranger; (*annoy*) ennuyer; (*worry*) gêner; (*problem, question*) obséder; ***I'm sorry to ~ you but …*** excusez-moi de vous déranger, mais …; ***don't ~ your head about that*** ne vous inquiétez pas pour ça; ***I wouldn't let it ~ you*** ne vous inquiétez pas **2.** (*Br infml*) ***I can't be ~ed*** je n'ai pas envie; ***I can't be ~ed with people like him*** je n'ai pas de temps à perdre avec des gens comme lui; ***I can't be***

~ed to do that je n'ai pas le courage de faire ça; ***do you want to stay or go? — I'm not ~ed*** tu veux rester ou partir? — ça m'est égal; ***I'm not ~ed about him / the money*** je ne m'inquiète pas pour lui / pour l'argent **3.** ***don't ~ to do it again*** la prochaine fois, ne vous donnez pas la peine de le faire; ***she didn't even ~ to ask*** elle n'a même pas demandé avant; ***please don't ~ to get up*** s'il vous plaît, restez assis **II** *v/i* s'inquiéter (***about*** de); (*get worried*) se faire du souci (***about*** pour); ***don't ~ about me!*** ne vous inquiétez pas pour moi!; (*sarcastic*) ne vous en faites pas pour moi, surtout!; ***it is not worth ~ing about*** ce n'est pas la peine d'en parler; ***I'm not going to ~ with that*** je ne vais pas m'embêter avec ça; ***don't ~!*** te fatigue pas! *infml*; ***you needn't have ~ed!*** ce n'était pas nécessaire! **III** *n* **1.** (*nuisance*) plaie *f*; ***I know it's an awful ~ for you but ...*** je sais que cela vous dérange vraiment, mais ... **2.** (*trouble*) ennui *m*; (*difficulties*) problèmes *mpl*; ***we had a spot*** *or* ***bit of ~ with the car*** on a eu quelques ennuis avec la voiture; ***I didn't have any ~ getting the visa*** je n'ai pas eu de problèmes pour obtenir le visa; ***it wasn't any ~*** (*don't mention it*) je vous en prie; (*not difficult*) c'était tout simple; ***the children were no ~ at all*** les enfants ne nous ont pas du tout dérangés; ***to go to a lot of ~ to do sth*** se donner beaucoup de mal pour faire qc

bottle ['bɒtl] **I** *n* bouteille *f*; ***a ~ of wine*** une bouteille de vin **II** *v/t* mettre en bouteille(s) ◆ **bottle out** *v/i* (*Br infml*) se dégonfler *infml* ◆ **bottle up** *v/t sep emotion* réprimer

bottle bank *n Br* conteneur *m* à verre **bottled** *adj beer*, *gas* en bouteille **bottle-feed** *v/t* nourrir au biberon **bottleneck** *n in road* rétrécissement *m*; *in production* goulet *m* d'étranglement **bottle-opener** *n* ouvre-bouteilles *m*

bottom ['bɒtəm] **I** *n* **1.** (*lowest part of box*, *glass*) fond *m*; (*of mountain*, *pillar*, *page*, *screen*) bas *m*; (*of list*, *road*) fin *f*; ***which end is the ~?*** où est le bas?; ***at the ~ of the page / hill*** *etc*. en bas de la page / de la colline *etc*; ***at the ~ of the mountain*** au pied de la montagne; ***to be*** (***at the***) ***~ of the class*** être le dernier de la classe; ***at the ~ of the garden*** au fond du jardin; ***~s up!*** cul sec!; ***from the ~ of my heart*** du fond du cœur; ***at ~*** *fig* au fond; ***the ~ dropped*** *or* ***fell out of the market*** le marché s'est effondré **2.** (*underside*) dessous *m*; ***on the ~ of the tin*** sous la boîte de conserve **3.** (*of sea*, *river*) fond *m*; ***at the ~ of the sea*** au fond de la mer **4.** (*of person*) derrière *m infml* **5.** (*fig*, *causally*) ***to be at the ~ of sth*** être à l'origine de qc; ***to get to the ~ of sth*** aller au fond de qc **6.** (*Br* AUTO) ***~*** (***gear***) première *f*; ***in ~*** (***gear***) en première **7.** ***tracksuit ~s*** pantalon *m* de survêtement; ***bikini ~***(***s***) bas *m* (de maillot de bain) **II** *adj attr* (*lower*) inférieur; (*lowest*) du bas; ***~ half*** (*of box*) partie inférieure; (*of list*, *class*) deuxième moitié **bottomless** *adj* ***a ~ pit*** *fig* un gouffre **bottom line** *n fig* ***that's the ~*** (*decisive factor*) c'est l'élément décisif; (*what it amounts to*) et c'est tout

bough [baʊ] *n* branche *f*

bought [bɔːt] *past*, *past part* = **buy**

bouillon ['buːjɒŋ] *n* bouillon *m* **bouillon cube** *n US* cube *m* de bouillon

boulder ['bəʊldəʳ] *n* rocher *m*

boulevard ['buːləvɑːʳ] *n* boulevard *m*

bounce [baʊns] **I** *v/i* **1.** (*ball etc.*) rebondir; ***the child ~d up and down on the bed*** l'enfant sautait sur le lit **2.** (*infml*, *check*) être refusé **3.** IT = **bounce back II** *v/t* **1.** *ball* faire rebondir; ***he ~d the ball against the wall*** il a fait rebondir la balle contre le mur; ***he ~d the baby on his knee*** il a fait sauter l'enfant sur ses genoux **2.** IT = **bounce back** ◆ **bounce back I** *v/i* **1.** (IT: *e-mail*) retourner à l'expéditeur **2.** *fig*, *infml* se remettre *infml* **II** *v/t* IT *e-mail* retourner à l'expéditeur ◆ **bounce off I** *v/t always separate* ***to bounce sth off sth*** faire rebondir qc sur qc; ***to bounce an idea off sb*** *fig*, *infml* tester une idée auprès de qn **II** *v/i* rebondir

bouncer ['baʊnsəʳ] *n infml* videur *m infml* **bouncy** ['baʊnsɪ] *adj* ⟨**+er**⟩ *mattress* élastique **bouncy castle®** *n Br* château *m* gonflable

bound[1] [baʊnd] *n usu pl* limite *f*; ***within the ~s of probability*** dans les limites du raisonnable; ***his ambition knows no ~s*** son ambition est sans bornes; ***the bar is out of ~s*** le bar est interdit; ***this part of town is out of ~s*** cette partie de cette ville est interdite

bound[2] **I** *n* bond *m* **II** *v/i* bondir; ***the dog***

came ~ing up le chien est arrivé en bondissant

bound[3] **I** *past, past part* = **bind II** *adj* **1.** attaché; ***~ hand and foot*** pieds et poings liés **2.** ***to be ~ to do sth*** aller forcément faire qc; ***it's ~ to happen*** cela risque fort de se produire **3.** (*obliged*) ***but I'm ~ to say …*** *infml* mais je dois dire …

bound[4] *adj pred* ***to be ~ for London*** (*heading for*) être en route pour Londres; (*about to start*) être à destination de Londres; ***all passengers ~ for London …*** tous les passagers à destination de Londres …

boundary ['baʊndərɪ] *n* limite *f*, frontière *f* **boundary line** *n* limite *f*; SPORTS limites *fpl* du terrain **boundless** *adj* infini

bountiful ['baʊntɪfʊl] *adj* bienfaisant; *harvest, gifts* abondant

bouquet ['bʊkeɪ] *n* (*of flowers, of wine*) bouquet *m* **bouquet garni** ['bʊkeɪgɑː'niː] *n* COOK bouquet *m* garni

bourbon ['bɜːbən] *n* bourbon *m*

bourgeois ['bʊəʒwɑː] **I** *n* bourgeois(e) *m(f)* **II** *adj* bourgeois **bourgeoisie** [ˌbʊəʒwɑː'ziː] *n* bourgeoisie *f*

bout [baʊt] *n* **1.** (*of flu etc.*) accès *m*; ***a ~ of fever*** une poussée de fièvre; ***a drinking ~*** une beuverie **2.** BOXING combat *m*

boutique [buː'tiːk] *n* boutique *f* de mode

bow[1] [bəʊ] *n* **1.** (*weapon*) arc *m*; ***a ~ and arrow*** un arc et des flèches **2.** (*for violin etc.*) archet *m* **3.** (*knot*) nœud *m*

bow[2] [baʊ] **I** *n* salut *m*; ***to take a ~*** saluer **II** *v/i* **1.** saluer (***to sb*** qn) **2.** *fig* s'incliner (*before, to* devant, *under* sous); ***to ~ to the inevitable*** s'incliner devant l'inévitable **III** *v/t* ***to ~ one's head*** courber la tête; (*in prayer*) baisser la tête ◆ **bow down** *v/i lit* s'incliner; ***to ~ to*** *or* ***before sb*** *fig* s'incliner devant qn ◆ **bow out** *v/i fig* tirer sa révérence; ***to ~ of sth*** se retirer de qc

bow[3] [baʊ] *n often pl* proue *f*; ***on the port ~*** par bâbord devant

bowed[1] [bəʊd] *adj legs* arqué

bowed[2] [baʊd] *adj person* abattu; *shoulders* affaissé

bowel ['baʊəl] *n usu pl* **1.** ANAT intestin *m*; ***to have a ~ movement*** aller à la selle *fpl* **2.** *fig* ***the ~s of the earth*** les entrailles de la terre

bowl[1] [bəʊl] *n* **1.** bol *m*, saladier *m*; (*for fruit*) coupe *f*; (*for sugar etc.*) coupelle *f*; ***a ~ of milk*** un bol de lait **2.** (*of toilet*) cuvette *f*

bowl[2] **I** *v/i* **1.** BOWLS jouer aux boules; TENPIN jouer au bowling **2.** CRICKET lancer la balle **II** *v/t* **1.** (*roll*) *ball* faire rouler **2.** CRICKET *ball* lancer ◆ **bowl over** *v/t sep fig* renverser; ***he was bowled over by the news*** la nouvelle l'a renversé

bow-legged [ˌbəʊ'legɪd] *adj* aux jambes arquées

bowler[1] ['bəʊlər] *n* CRICKET lanceur (-euse) *m(f)*

bowler[2] *n* (*Br: a.* **bowler hat**) chapeau *m* melon

bowling ['bəʊlɪŋ] *n* **1.** (*tenpin bowling*) bowling *m*; ***to go ~*** aller jouer au bowling **2.** CRICKET boule *f* **bowling alley** *n* bowling *m* **bowling green** *n* terrain *m* de boules (*sur gazon*) **bowls** [bəʊlz] *n Br* boules *fpl*

bow tie [bəʊ-] *n* nœud *m* papillon

box[1] [bɒks] **I** *v/t & v/i* SPORTS boxer; ***to ~ sb's ears*** gifler qn **II** *n* ***a ~ on the ears*** une gifle

box[2] *n* **1.** (*of wood*) caisse *f*; (*cardboard box*) carton *m*; (*of light cardboard, matchbox*) boîte *f*; (*of chocolates etc.*) ballotin *m* **2.** (*on form*) case *f* **3.** THEAT loge *f* **4.** (*esp Br infml TV*) télé *f infml*; ***what's on the ~?*** qu'est-ce qu'il y a à la télé?; ***I was watching the ~*** j'étais en train de regarder la télé *infml* ◆ **box in** *v/t sep parked car* coincer

boxcar ['bɒkskɑːr] *n* (*US* RAIL) wagon *m*

boxer ['bɒksər] *n* **1.** SPORTS boxeur (-euse) *m(f)* **2.** (*dog*) boxer *m* **boxer briefs** *pl* shorty *m* **boxer shorts** *pl* caleçon *m*, boxer-short *m* **boxing** ['bɒksɪŋ] *n* boxe *f* **Boxing Day** *n Br lendemain de Noël* **boxing gloves** *pl* gants *mpl* de boxe **boxing match** *n* match *m* de boxe **boxing ring** *n* ring *m* de boxe

box junction *n Br* AUTO carrefour *m* (*matérialisé par des hachures jaunes*) **box number** *n* (*at post office*) boîte *f* postale **box office I** *n* bureau *m* de location **II** *attr* ***~ success / hit*** gros succès *m*; (*movie*) succès *m* au box office **boxroom** *n Br* petite pièce *f*

boy [bɔɪ] *n* **1.** garçon *m*; ***the Jones ~*** le petit Jones; ***~s will be ~s!*** les garçons sont comme ça! **2.** (*infml fellow*) ***the old ~*** *Br* (*boss*) le patron *infml*; (*father*) le paternel *m infml* **3.** (*friend*) ***the ~s*** les copains; ***our ~s*** (*Br team*) les nôtres **4.** ***oh ~!*** *infml* dis donc! *infml* **boy band** *n* MUS boys band *m*

boycott ['bɔɪkɒt] **I** *n* boycott *m* **II** *v/t* boycotter

boyfriend *n* petit ami *m* **boyhood** *n* enfance *f*; (*as teenager*) adolescence *f* **boyish** ['bɔɪɪʃ] *adj* de garçon **boy scout** *n* scout *m* **Boy Scouts** *n sg* scouts *mpl*

bpi, BPI IT *abbr* = **bits per inch** bpi

bps, BPS IT *abbr* = **bits per second** bps

bra [brɑː] *n abbr* = **brassière** soutien-gorge *m*

brace [breɪs] **I** *n* **1.** MED appareil *m* orthopédique **2.** *Br* = **braces II** *v/r* se tenir prêt; ***to ~ oneself for sth*** se préparer pour qc; ***~ yourself, I've got bad news for you*** sois courageux, j'ai de mauvaises nouvelles pour toi

bracelet ['breɪslɪt] *n* bracelet *m*

braces ['breɪsɪz] *pl* **1.** (*US on teeth*) appareil *m* (dentaire) **2.** *Br* bretelles *fpl*; ***a pair of ~*** une paire de bretelles

bracing ['breɪsɪŋ] *adj* stimulant; *climate* vivifiant

bracken ['brækən] *n* fougère *f*

bracket ['brækɪt] **I** *n* **1.** (*angle bracket*) équerre *f*; (*for shelf*) support *m* **2.** TYPO; parenthèse *f*; (*square*) crochet *m* ***in ~s*** entre parenthèses **3.** (*group*) fourchette *f* **II** *v/t* (*a.* **bracket together**) *fig* associer; *candidates* classer ex aequo

brag [bræg] **I** *v/i* se vanter (***about, of*** de) **II** *v/t* ***to ~ that*** se vanter de **bragging** ['brægɪŋ] *n* vantardise *f*

braid [breɪd] **I** *n* **1.** (*of hair*) tresse *f* **2.** (*trimming*) galon *m* **II** *v/t* (*plait*) tresser

Braille [breɪl] **I** *n* braille *m* **II** *adj* braille

brain [breɪn] *n* **1.** ANAT cerveau *m*; ***he's got sex on the ~*** *infml* il ne pense qu'au sexe **2. brains** *pl* ANAT, COOK cervelle *f* **3.** (*mind*) esprit *m*; ***~s*** *pl* (*intelligence*) intelligence *f*; ***he has ~s*** il est intelligent; ***use your ~s*** fais marcher ton cerveau **brainbox** *n Br hum, infml* tête *f infml* **brainchild** *n* trouvaille *f*; (*idea*) idée *f* personnelle **brain-damaged** *adj* atteint de lésions cérébrales **braindead** *adj* en coma dépassé **brain drain** *n fig* fuite *f* des cerveaux **brain hemorrhage**, *Br* **brain haemorrhage** *n* hémorragie *f* cérébrale **brainless** *adj* écervelé **brain scan** *n* scanner *m* cérébral **brainstorm** *n US* inspiration *f* **brainstorming** *n* brainstorming *m*, remue-méninges *m*; ***to have a ~ session*** faire un brainstorming **brain surgeon** *n* neurochirurgien(ne) *m*(*f*) **brain tumor**, *Br* **brain tumour** *n* tumeur *f* au cerveau **brainwash** *v/t* conditionner; ***to ~ sb into believing that …*** essayer de faire croire à qn que … **brainwashing** *n* lavage *m* de cerveau **brainwave** *n Br* inspiration *f* **brainy** ['breɪnɪ] *adj* ⟨**+er**⟩ *infml* intelligent

braise [breɪz] *v/t* COOK braiser

brake [breɪk] **I** *n* TECH frein; ***to put the ~s on*** freiner **II** *v/i* freiner **brake disc** *n* disque *m* de frein **brake fluid** *n* liquide *m* de freins **brake light** *n* feu *m* de stop **brake lining** *n* garniture *f* de frein **brake pad** *n* plaquette *f* de frein **brake pedal** *n* pédale *f* de frein **brake shoe** *n* mâchoire *f* de frein **braking** *n* freinage *m* **braking distance** *n* distance *f* de freinage

bramble ['bræmbl] *n* (*bush*) ronce *f*, mûrier *m* sauvage

bran [bræn] *n* son *m*

branch [brɑːntʃ] **I** *n* **1.** BOT branche *f* **2.** (*of river*) bras *m*; (*of road, railway*) embranchement *m*; (*of family*) branche *f* **3.** COMM filiale *f*; ***main ~*** maison *f* mère; (*of store*) magasin *m* principal **4.** (*of subject etc.*) branche *f* **II** *v/i* (*river, road etc.*) se diviser; (*in more than two*) se ramifier ◆ **branch off** *v/i* (*road*) bifurquer ◆ **branch out** *v/i fig* se diversifier (***into*** dans); ***to ~ on one's own*** se mettre à son compte

branch line *n* RAIL ligne *f* secondaire **branch manager** *n* directeur(-trice) *m*(*f*) de succursale **branch office** *n* succursale *f*

brand [brænd] **I** *n* **1.** (*make*) marque *f* (de propriété) **2.** (*on cattle*) marque *f* (au fer rouge) **II** *v/t* **1.** *goods* marquer; ***~ed goods*** produits de marque **2.** *cattle* marquer au fer rouge **3.** (*stigmatize*) cataloguer **branding** ['brændɪŋ] *n* marquage *m*

brandish ['brændɪʃ] *v/t* brandir

brand leader *n* marque *f* dominante **brand name** *n* marque *f* (de fabrique) **brand-new** *adj* flambant neuf(neuve)

brandy ['brændɪ] *n* cognac *m*

brash [bræʃ] *adj* ⟨**+er**⟩ effronté

brass [brɑːs] **I** *n* **1.** laiton *m* **2.** ***the ~*** MUS les cuivres **3.** *infml* ***the top ~*** les huiles *infml* **II** *adj* (*made of brass*) en laiton,

de laiton; MUS de cuivres; **~ *player*** cuivre; **~ *section*** cuivres **brass band** *n* fanfare *f*
brassière ['bræsɪəʳ] *n obs*, *form* soutien-gorge *m*
brass plaque, brass plate *n* plaque *f* de cuivre
brat [bræt] *n pej*, *infml* garnement *m*
bravado [brə'vɑːdəʊ] *n* bravade *f*
brave [breɪv] **I** *adj* 〈**+er**〉 courageux (-euse); ***be ~!*** sois courageux!; **~ *new world*** le meilleur des mondes **II** *v/t* défier; *elements* braver **bravely** ['breɪvlɪ] *adv* courageusement **bravery** ['breɪvərɪ] *n* courage *m*
bravo [brɑː'vəʊ] *int* bravo!
brawl [brɔːl] **I** *v/i* se bagarrer **II** *n* bagarre *f* **brawling** ['brɔːlɪŋ] *n* bagarres *fpl*
brawn [brɔːn] *n* muscles *mpl*; ***he's all ~ and no brains*** *hum* tout dans les muscles, rien dans la tête **brawny** ['brɔːnɪ] *adj* 〈**+er**〉 musclé
bray [breɪ] *v/i* (*ass*) braire
brazen ['breɪzn] *adj* effronté; *lie* éhonté ◆ **brazen out** *v/t sep* ***to brazen it out*** payer d'audace; (*by lying*) s'en tirer au culot *infml*
brazenly ['breɪznlɪ] *adv* effrontément; *lie* de manière éhontée
Brazil [brə'zɪl] *n* Brésil *m* **brazil** *n* (*a.* **brazil nut**) noix *f* du Brésil **Brazilian** [brə'zɪlɪən] **I** *n* Brésilien(ne) *m(f)* **II** *adj* brésilien(ne)
breach [briːtʃ] **I** *n* **1.** non-respect *m*, violation *f* (***of*** de); ***a ~ of contract*** une rupture de contrat; **~ *of the peace*** JUR atteinte à l'ordre public; ***a ~ of security*** un manquement aux règles de sécurité; **~ *of trust*** FIN abus de confiance **2.** (*in wall etc.*, *in security*) brèche *f* **II** *v/t* **1.** *wall* ouvrir une brèche dans; *defenses*, *security* forcer **2.** *contract* rompre
bread [bred] *n* **1.** pain *m*; ***a piece of ~ and butter*** une tartine de beurre; ***he knows which side his ~ is buttered*** (***on***) il sait où est son intérêt **2.** (*livelihood*) ***writing is his ~ and butter*** écrire est son gagne-pain **3.** (*infml money*) blé *m infml* **breadbin** *n esp Br* boîte *f* à pain **breadboard** *n* planche *f* à pain **breadbox** *n US* boîte *f* à pain **breadcrumbs** *pl* COOK chapelure *f*; ***in ~*** pané **breadknife** *n* couteau *m* à pain **breadline** *n* ***to be on the ~*** *fig* ne pas avoir assez pour vivre **bread roll** *n* petit pain *m* **breadstick** *n* longuet *m*
breadth [bretθ] *n* largeur *f*; ***a hundred meters*** (*US*) *or* ***metres*** (*Br*) ***in ~*** large de cent mètres
breadwinner ['bredwɪnəʳ] *n* soutien *m* de famille
break [breɪk] *vb* 〈*past* **broke**〉 〈*past part* **broken**〉 **I** *n* **1.** (*fracture*) fracture *f* **2.** (*gap*) interruption *f*; ***row upon row of houses without a ~*** des rangées et des rangées de maisons sans interruption **3.** (*pause*) pause *f*; ***without a ~*** sans interruption; ***to take*** *or* ***have a ~*** faire une pause; ***give me a ~!*** *infml* fiche--moi la paix! *infml* **4.** (SCHOOL; *Br*) récréation *f*; ***at ~*** à la récréation **5.** (*change*) changement *m*; **~ *in the weather*** changement de temps **6.** (*respite*) repos *m* **7.** (*vacation*) vacances *fpl* **8.** ***at ~ of day*** à l'aube **9.** *infml* ***they made a ~ for it*** ils ont pris la fuite; ***we had a few lucky ~s*** nous avons eu de la chance à plusieurs reprises; ***she had her first big ~ in a Broadway play*** elle eu son premier succès dans une pièce à Broadway **II** *v/t* **1.** *bone*, *stick*, *window*, *egg* casser; (*smash*) briser; ***to ~ one's leg*** se casser la jambe **2.** *toy*, *chair* casser, briser **3.** *promise* manquer à; *record* battre *spell* rompre; *law*, *rule* violer **4.** *journey* interrompre; *silence* rompre **5.** *skin* écorcher **6.** (*destroy*) *person* détruire; *strike* briser; *code* déchiffrer; ***to ~ sb*** (***financially***) ruiner qn; ***50 cents, well that won't exactly ~ the bank*** 50 cents, ça ne va pas vraiment faire sauter la banque **7.** *fall* amortir **8.** *news* annoncer; ***how can I ~ it to her?*** comment est-ce que je vais lui annoncer? **III** *v/i* **1.** (*bone*, *voice*) se casser; (*rope*) se rompre; (*glass*) se briser; ***his voice is beginning to ~*** (*boy*) il commence à muer **2.** (*watch*, *chair*) se casser **3.** (*pause*) faire une pause; ***to ~ for lunch*** faire une pause pour déjeuner **4.** (*weather*) se gâter **5.** (*wave*) déferler **6.** (*day*) se lever; (*dawn*) poindre; (*storm*) éclater **7.** (*story*, *news*) se répandre **8.** (*company*) ***to ~ even*** rentrer dans ses fonds ◆ **break away** *v/i* **1.** (*dash away*) se détacher; (*prisoner*) s'échapper; ***he broke away from the rest of the field*** il s'est détaché des autres joueurs **2.** (*cut ties*) rompre ◆ **break down I** *v/i* **1.** s'effondrer; (*negotiations*, *marriage*) échouer **2.** (*vehicle*, *machine*) tomber en panne **3.** (*ex-

penditure) se répartir; (CHEM: *substance*) se décomposer (***into*** en) **II** *v/t sep* **1.** *door* enfoncer; *wall* abattre **2.** *expenditure* ventiler; (*change composition of*) décomposer ◆ **break in I** *v/i* **1.** (*interrupt*) interrompre (***on sb/ sth*** qn/qc) **2.** (*enter illegally*) entrer par effraction **II** *v/t sep door* enfoncer ◆ **break into** *v/t insep* **1.** *house* entrer par effraction; *safe*, *car* forcer **2.** *savings* entamer **3.** ***to ~ song*** se mettre à chanter ◆ **break off I** *v/i* casser net **II** *v/t sep* casser; *engagement* rompre ◆ **break open** *v/t sep* forcer ◆ **break out** *v/i* **1.** (*fire*, *war*) éclater **2.** ***to ~ in a rash*** se couvrir de boutons; ***he broke out in a sweat*** il se mit à transpirer **3.** (*escape*) s'échapper (***from, of*** de) ◆ **break through I** *v/i* percer **II** *v/t insep* enfoncer ◆ **break up I** *v/i* **1.** (*ice*) craquer; (*road*) être défoncé **2.** (*crowd*) se disperser; (*meeting*, *partnership*) se terminer; (*marriage*) se briser; (*friends*) se disperser; ***to ~ with sb*** se séparer **3.** (*Br* SCHOOL) finir les cours; ***when do you ~?*** quand est-ce que tu es en vacances? **4.** (*on cell phone*) ***you're breaking up*** je ne vous entends pas **II** *v/t sep* **1.** *ground* morceler **2.** *marriage*, *home* détruire; *meeting* (*by the police etc.*) mettre fin à; ***he broke up the fight*** il sépara les combattants; ***break it up!*** la paix! *infml*

breakable ['breɪkəbl] *adj* cassable **breakage** ['breɪkɪdʒ] *n* ***to pay for ~s*** payer la casse **breakaway** ['breɪkə,weɪ] *adj group* séparatiste **break command** *n* IT fonction *f* break **break dance** *v/i* faire de la breakdance

breakdown ['breɪkdaʊn] *n* **1.** (*of machine*, *vehicle*) panne *f* **2.** (MED) dépression *m* **3.** (*of figures etc.*) décomposition *f* **breakdown service** *n* service *m* de dépannage **breakdown truck** *n* dépanneuse *f*

breaker ['breɪkəʳ] *n* **1.** (*wave*) déferlante *f* **2.** (*a.* **breaker's (yard)**) ***to send a vehicle to the ~'s (yard)*** envoyer une voiture à la casse

breakeven point [breɪk'iːvən,pɔɪnt] *n* seuil *m* de rentabilité

breakfast ['brekfəst] **I** *n* petit déjeuner *m*; ***to have ~*** prendre le petit déjeuner; ***for ~*** pour le petit déjeuner **II** *v/i* prendre le petit déjeuner, petit-déjeuner *infml*; ***he ~ed on bacon and eggs*** il a pris du bacon et des œufs au petit déjeuner **breakfast cereal** *n* céréales *fpl* **breakfast television** *n esp Br* télévision *f* du matin **breakfast time** *n* petit déjeuner *m*

break-in ['breɪkɪn] *n* cambriolage *m*; ***we've had a ~*** on a été cambriolé **breaking point** *n fig* point *m* de rupture; ***she is at*** *or* ***has reached ~*** elle n'en peut plus **breakneck** *adj* ***at ~ speed*** *Br* à tombeau ouvert **break-out** *n* évasion *f* **breakthrough** *n* (MIL, *fig*) percée *f* **break-up** *n* (*of friendship*) rupture *f*; (*of marriage*) échec *m*; (*of partnership*) séparation *f* **breakwater** *n* brise-lames *m*

breast [brest] *n* sein *m* **breastbone** *n* sternum *m* **breast cancer** *n* cancer *m* du sein **-breasted** [-'brestɪd] *adj suf* ***a double-/ single-breasted jacket*** une veste croisée / droite **breast-fed** *adj* ***to be ~*** être nourri au sein **breast-feed** *v/t & v/i* nourrir au sein, allaiter **breast-feeding** *n* allaitement *m* maternel **breast milk** *n* lait *m* maternel **breast pocket** *n* poche *f* de poitrine **breaststroke** *n* brasse *f*; ***to swim*** *or* ***do the ~*** nager la brasse

breath [breθ] *n* **1.** souffle *m*; ***to take a deep ~*** respirer profondément; ***to have bad ~*** avoir mauvaise haleine; ***out of ~*** hors d'haleine; ***short of ~*** essoufflé; ***to get one's ~ back*** reprendre haleine; ***in the same ~*** d'un seul trait; ***to take sb's ~ away*** couper le souffle à qn; ***to say sth under one's ~*** dire qc à voix basse; ***you're wasting your ~*** tu uses ta salive pour rien **2.** ***a ~ of wind*** un souffle de vent **breathable** ['briːðəbl] *adj fabric*, *garment* respirant **breathalyze** ['breθəlaɪz] *v/t* faire souffler dans le ballon **Breathalyzer®** ['breθəlaɪzəʳ] *n* alcootest® *m*, éthylotest *m*

breathe [briːð] **I** *v/i* respirer; ***now we can ~ again*** maintenant, on peut respirer de nouveau; ***I don't want him breathing down my neck*** je ne veux pas l'avoir sur le dos *infml* **II** *v/t* **1.** *air* respirer; ***to ~ one's last*** rendre le dernier soupir **2.** (*exhale*) exhaler, souffler (***into*** dans); ***he ~d garlic all over me*** il me soufflait des relents d'ail à la figure; ***he ~d new life into the company*** il insuffla une force nouvelle à l'entreprise **3.** ***to ~ a sigh of relief*** pousser un soupir de soulagement; ***don't ~ a word of it!*** ne dis rien à personne! ◆ **breathe in** *v/i*, *v/t sep* inspirer ◆ **breathe out** *v/i*, *v/t sep* expirer

breather ['briːðəʳ] *n* pause *f*; ***to take** or **have a ~*** faire une pause **breathing** ['briːðɪŋ] *n* respiration *f* **breathing apparatus** *n* masque *m* à oxygène **breathing space** *n fig* moment *m* de répit **breathless** ['breθlɪs] *adj* à bout de souffle; ***we were ~ with excitement*** l'excitation nous avait coupé le souffle **breathtaking** ['breθteɪkɪŋ] *adj* époustouflant **breath test** *n* alcootest® *m*

bred [bred] *past*, *past part* = **breed**

-bred *adj suf* élevé

breeches ['brɪtʃɪz] *pl* culotte *f*; (*riding breeches*) culotte *f* de cheval

breed [briːd] *vb* ⟨*past*, *past part* **bred**⟩ **I** *n* race *f* **II** *v/t animals* élever **III** *v/i* (*animals*) se reproduire **breeder** ['briːdəʳ] *n* (*person*) éleveur(-euse) *m*(*f*) **breeding** ['briːdɪŋ] *n* **1.** (*reproduction*) reproduction *f* **2.** (*rearing*) élevage *m* **3.** (*upbringing*: *a.* **good breeding**) éducation *f*

breeze [briːz] *n* brise *f* ◆ **breeze in** *v/i* ***he breezed into the room*** il entra en coup de vent dans la pièce

breeze block *n* (*Br* BUILD) parpaing *m* **breezily** ['briːzɪlɪ] *adv fig* jovialement **breezy** ['briːzɪ] *adj* ⟨**+er**⟩ **1.** *day*, *spot* venteux(-euse), de grand vent **2.** *manner* jovial

brevity ['brevɪtɪ] *n* brièveté *f*

brew [bruː] **I** *n* **1.** (*beer*) cuvée *f* **2.** *Br* (*tea*) thé *m* **II** *v/t beer* brasser; *tea* faire infuser **III** *v/i* **1.** (*beer*) fermenter; (*tea*) infuser **2.** *fig* ***there's trouble ~ing*** il va y avoir du grabuge **brewer** ['bruːəʳ] *n* brasseur(-euse) *m*(*f*) **brewery** ['bruːərɪ] *n* brasserie *f*

bribe [braɪb] **I** *n* pot-de-vin *m*; ***to take a ~*** accepter un pot-de-vin; ***to offer sb a ~*** essayer d'acheter qn **II** *v/t* soudoyer, acheter; ***to ~ sb to do sth*** soudoyer qn pour qu'il fasse qc **bribery** ['braɪbərɪ] *n* corruption *f*

bribe ≠ bout, fragment
Bribe = pot-de-vin

bric-a-brac ['brɪkəbræk] *n* bric-à -brac *m*

brick [brɪk] *n* **1.** BUILD brique *f*; ***he came** or **was down on me like a ton of ~s*** *infml* il m'a passé un savon *infml* **2.** (*toy*) cube *m* (de construction); ***box of** (**building**) **~s*** jeu de construction ◆ **brick up** *v/t sep window* murer

bricklayer *n* maçon *m* **brick-red** *adj* rouge brique **brick wall** *n fig*, *infml* ***I might as well be talking to a ~*** c'est comme si je parlais à un mur; ***it's like banging one's head against a ~*** c'est peine perdue; ***to come up against** or **hit a ~*** se heurter à un mur **brickwork** *n* briquetage *m*

bridal ['braɪdl] *adj* nuptial; ***~ gown*** robe de mariée **bridal suite** *n* suite *f* nuptiale

bride [braɪd] *n* (*about to be married*) future mariée *f*; (*married*) jeune mariée *f*

bridegroom ['braɪdgruːm] *n* (*about to be married*) futur marié *m*; (*married*) jeune marié *m*

bridesmaid ['braɪdzmeɪd] *n* demoiselle *f* d'honneur

bridge[1] [brɪdʒ] **I** *n* pont *m*; (*of nose*) arête *f*; ***to build ~s between ...*** *fig* faire des efforts de rapprochement entre ... **II** *v/t fig* construire un pont sur; ***to ~ the gap*** *fig* réduire l'écart

bridge[2] *n* CARD bridge *m*

bridging loan ['brɪdʒɪŋləʊn] *n* prêt-relais *m*

bridle ['braɪdl] **I** *n* (*of horse*) bride *f* **II** *v/i* s'indigner (***at*** de) **bridle path** *n* allée *f* cavalière

brief [briːf] **I** *adj* ⟨**+er**⟩ bref(brève); ***in ~*** en bref; ***the news in ~*** les actualités en bref; ***to be ~, ...*** bref, ... **II** *n* **1.** JUR dossier *m*, affaire *f* **2.** (*instructions*, *report*) briefing *m* **III** *v/t* JUR confier une cause à **briefcase** ['briːfkeɪs] *n* serviette *f*, attaché-case *m* **briefing** ['briːfɪŋ] *n* (*a.* **briefing session**) séance *f* d'information **briefly** ['briːflɪ] *adv* brièvement

briefs [briːfs] *pl* slip *m*; ***a pair of ~*** un slip

brigade [brɪ'geɪd] *n* MIL brigade *f*

bright [braɪt] *adj* ⟨**+er**⟩ **1.** *light* brillant; *color* vif(vive); *star*, *eyes* lumineux (-euse); *day* clair; ***~ red*** rouge vif; ***it was really ~ outside*** il faisait vraiment clair dehors; ***~ intervals*** METEO éclaircies **2.** (*cheerful*) animé; ***I wasn't feeling too ~*** je ne me sentais pas très bien; ***~ and early*** de bonne heure **3.** (*intelligent*) intelligent; *child* vif(vive); *idea* lumineux(-euse) **4.** *prospects* prometteur(-euse); ***things aren't look-***

ing too ~ cela ne s'annonce pas très bien **brighten (up)** ['braɪtn(ʌp)] **I** *v/t sep* **1.** (*make cheerful*) égayer **2.** (*make bright*) faire briller **II** *v/i* **1.** (*weather*) s'éclaircir **2.** (*person*) s'animer **brightly** ['braɪtlɪ] *adv* **1.** *shine*, *burn* vivement; ***~ lit*** brillamment éclairé **2.** (*cheerfully*) gaiement **brightness** *n* (*of light*) intensité *f*; (*of color*) vivacité *f*; (*of star*, *eyes*) éclat *m*

brilliance ['brɪljəns] *n* **1.** (*brightness*) éclat *m* **2.** (*fig intelligence*) intelligence *f* exceptionnelle **brilliant** ['brɪljənt] **I** *adj* **1.** *fig* brillant *also iron*; *scientist*, *wit* remarquable; *student* excellent; ***he is ~ with my children*** il est super avec mes enfants; ***to be ~ at sth/doing sth*** être très doué pour qc/pour faire qc **2.** *sunshine*, *color* éclatant **II** *int infml* super! *infml* **brilliantly** ['brɪljəntlɪ] *adv* **1.** *shine* d'un vif éclat; ***~ colored*** (*US*) *or* ***coloured*** *Br* de couleur vive; ***~ lit*** brillamment éclairé **2.** (*superbly*) magnifiquement; *perform* brillamment; *funny*, *simple* remarquablement

brim [brɪm] **I** *n* bord *m*; ***full to the ~*** (***with sth***) plein à ras bord (de qc) **II** *v/i* déborder (***with*** de); ***her eyes were ~ming with tears*** ses yeux étaient noyés de larmes ◆ **brim over** *v/i* déborder (***with*** de)

brimful ['brɪm'fʊl] *adj lit* plein à ras bord; *fig* débordant (***of, with*** de)

brine [braɪn] *n* eau *f* salée; (*for pickling*) saumure *f*

bring [brɪŋ] ⟨*past*, *past part* **brought**⟩ *v/t object* apporter; *person* amener; ***did you ~ the car?*** vous êtes venus en voiture?; ***to ~ sb inside*** faire entrer qn; ***to ~ tears to sb's eyes*** faire venir les larmes aux yeux de qc; ***I cannot ~ myself to speak to him*** je n'arrive pas à me décider à lui parler; ***to ~ sth to a close or an end*** mettre fin à qc; ***to ~ sth to sb's attention*** porter qc à l'attention de qn ◆ **bring about** *v/t sep* provoquer ◆ bring along *v/t sep object* apporter; *person* amener ◆ **bring around** (*Br a.* **bring round**) *v/t sep* **1.** (*to house*) amener, faire venir **2.** *discussion* amener (***to*** à) **3.** *unconscious person* ranimer **4.** (*convert*) convaincre ◆ **bring back** *v/t sep* **1.** *object* rapporter; *person* ramener **2.** *custom* rétablir; ***to bring sb back to life*** ramener qn à la vie ◆ **bring down** *v/t sep* **1.** (*shoot down*) abattre; (*land*) faire atterrir; ***you'll bring the boss down on us*** tu vas attirer l'attention du chef sur nous **2.** *government* faire tomber **3.** (*reduce*) faire baisser; *swelling* réduire ◆ **bring forward** *v/t sep* **1.** *person* faire avancer; *chair* avancer **2.** *meeting* avancer **3.** COMM ***amount brought forward*** somme reportée ◆ **bring in** *v/t sep* **1.** *lit* faire entrer; *harvest* rentrer; *income* rapporter **2.** *fig fashion* lancer; PARL *bill* introduire; ***to bring sth into fashion*** lancer la mode de qc **3.** (*involve*) *police etc.* faire intervenir (**on** pour); ***don't bring him into it*** ne le mêle pas à ça; ***why bring that in?*** qu'est-ce que cela a à voir? ◆ **bring off** *v/t sep* mener à bien; ***he brought it off!*** il a réussi! ◆ **bring on** *v/t sep* **1.** (*cause*) provoquer **2.** SPORTS *player* faire entrer **3.** ***you brought it*** (***up***)***on yourself*** c'est entièrement ta faute ◆ **bring out** *v/t sep* **1.** *lit*; *object* sortir; *person* faire sortir (***of*** de) **2.** (*draw out*) *person* mettre en valeur **3.** ***to ~ the best in sb*** faire ressortir le meilleur de qn **4.** *Br* (*a.* **bring out on strike**) faire descendre dans la rue **5.** *book* publier; *new product* lancer **6.** (*emphasize*) souligner **7.** ***to bring sb out in a rash*** donner de l'urticaire à qn ◆ **bring over** *v/t sep lit object* apporter; *person* amener ◆ **bring to** *v/t always separate* ***to bring sb to*** ranimer qn ◆ **bring together** *v/t sep* rapprocher ◆ **bring up** *v/t sep* **1.** (*to a higher place*) faire monter; (*to the front*) envoyer **2.** *amount* augmenter (***to*** de); *level*, *standards* rehausser; ***to bring sb up to a certain standard*** amener qn à un certain niveau **3.** *child* élever; (*educate*) éduquer; ***to bring sb up to do sth*** apprendre à qn à faire qc **4.** (*vomit up*) vomir **5.** (*mention*) mentionner **6.** ***to bring sb up short*** arrêter net qn ◆ **bring upon** *v/t sep* = **bring on** *3*

bring-and-buy (sale) ['brɪŋən'baɪ (ˌseɪl)] *n Br* vente *f* de charité

brink [brɪŋk] *n* bord *m*; ***on the ~ of sth*** au bord de qc; ***on the ~ of doing sth*** sur le point de faire qc

brisk [brɪsk] *adj* ⟨**+er**⟩ **1.** *person* vif (vive); *pace* rapide; ***to go for a ~ walk*** aller faire un tour d'un bon pas **2.** *fig trade* florissant **briskly** ['brɪsklɪ] *adv speak*, *act* brusquement; *walk* d'un bon pas

bristle ['brɪsl] **I** *n* soie *f*; (*of beard*) poil *m* **II** *v/i* (*fig*, *person*) s'irriter; ***to ~ with anger*** se hérisser **bristly** ['brɪslɪ] *adj* ⟨**+er**⟩ *beard* aux poils raides; *chin* mal rasé; *hair* raide

Brit [brɪt] *n infml* Britannique *m/f*

Britain ['brɪtən] *n* Grande-Bretagne *f*

British ['brɪtɪʃ] **I** *adj* britannique; *infml* anglais; ***I'm ~*** je suis Britannique; ***~ English*** l'anglais britannique **II** *n* ***the ~ pl*** les Britanniques; *infml* les Anglais **British-Asian** [ˌbrɪtɪʃ'eɪʃn] **I** *adj* britannique d'origine indo-pakistanaise **II** *n* Britannique *m/f* d'origine indo-pakistanaise **British Council** *n* British Council *m* **British Isles** *pl* ***the ~*** les îles *fpl* Britanniques **Briton** ['brɪtən] *n* Britannique *m/f*

Brittany ['brɪtənɪ] *n* Bretagne *f*

brittle ['brɪtl] *adj* cassant; ***~ bones*** maladie *f* des os de verre, ostéogenèse *f* imparfaite

broach [brəʊtʃ] *v/t subject* aborder

B-road ['biːrəʊd] *n Br* route *f* secondaire

broad [brɔːd] **I** *adj* ⟨**+er**⟩ **1.** (*wide*) large; ***to make ~er*** élargir **2.** *theory* large; (*general*) général **3.** *distinction*, *outline* grossier(-ière); *sense* large **4.** *accent* prononcé **II** *n* (*US infml woman*) nana *f pej* **broadband** IT **I** *adj* à large bande **II** *n* transmission *f* à large bande ***broadband internet*** Internet haut débit **broad bean** *n Br* fève *f*

broadcast ['brɔːdkɑːst] *vb* ⟨*past*, *past part* **broadcast**⟩ **I** *n* RADIO, TV émission *f*; (*of game etc.*) retransmission *f* **II** *v/t* **1.** RADIO, TV émettre; *event* retransmettre **2.** *fig rumor* répandre **III** *v/i* (RADIO, TV, *station*) émettre **broadcaster** ['brɔːdkɑːstəʳ] *n* (RADIO *announcer*) animateur(-trice) *m*(*f*) de radio; (TV *announcer*) animateur(-trice) *m*(*f*) de télévision; (*personality*) personnalité *f* **broadcasting** ['brɔːdkɑːstɪŋ] **I** *n* RADIO radio(diffusion) *f*; TV télévision *f*; (*of event*) retransmission *f*; ***to work in ~*** travailler à la radio *or* la télévision **II** *attr* RADIO de radio; TV de télévision

broaden (out) ['brɔːdn(aʊt)] **I** *v/t sep fig attitudes* élargir; ***to broaden one's horizons*** *fig* élargir ses horizons **II** *v/i* s'élargir **broad jump** *n* (*US* SPORTS) saut *m* en longueur **broadly** ['brɔːdlɪ] *adv* généralement; *describe* grossièrement; *agree* sur les grandes lignes; ***~ speaking*** d'une façon générale **broad-minded** *adj* large d'esprit **broadsheet** *n* PRESS journal *m* grand format, journal *m* de qualité **Broadway** *n* Broadway *m*

brocade [brəʊ'keɪd] **I** *n* brocart *m* **II** *attr* en brocart

broccoli ['brɒkəlɪ] *n* brocoli *m*

brochure ['brəʊʃjʊəʳ] *n* brochure *f*

broil [brɔɪl] *v/t & v/i* COOK griller

broke [brəʊk] **I** *past* = **break II** *adj pred infml* fauché *infml*; ***to go ~*** faire faillite; ***to go for ~*** jouer le tout pour le tout

broken ['brəʊkən] **I** *past part* = **break II** *adj* **1.** cassé; *bone* fracturé; *glass etc.* brisé **2.** *fig heart*, *man*, *marriage* brisé; *promise* rompu; *English* mauvais; ***from a ~ home*** d'un foyer désuni **broken-down** ['brəʊkən'daʊn] *adj* détraqué *infml* **brokenhearted** ['brəʊkən'hɑːtɪd] *adj* au cœur brisé

broker ['brəʊkəʳ] **I** *n* ST EX, FIN courtier (-ière) *m*(*f*) **II** *v/t* négocier

brolly ['brɒlɪ] *n* (*Br infml*) pépin *m infml*, parapluie *m*

bronchitis [brɒŋ'kaɪtɪs] *n* bronchite *f*

bronze [brɒnz] **I** *n* bronze *m* **II** *adj* de bronze, en bronze **Bronze Age** *n* l'âge du bronze **bronzed** *adj face*, *person* bronzé **bronzing** *adj* bronzage *m*

brooch [brəʊtʃ] *n* broche *f*

brood [bruːd] **I** *n* couvée *f* **II** *v/i fig* broyer du noir ◆ **brood over** *or* **(up)-on** *v/t insep* ruminer

broody ['bruːdɪ] *adj* **1.** ***to be feeling ~*** *hum*, *infml* avoir envie d'avoir un enfant **2.** *person* songeur(-euse); (*sad*, *moody*) mélancolique

brook [brʊk] *n* ruisseau *m*

broom [bruːm] *n* balai *m* **broom cupboard** *n* placard *m* à balais **broomstick** *n* manche *m* à balai; ***a witch on her ~*** une sorcière sur son balai

Bros *pl* COMM *abbr* = **Brothers** Frères

broth [brɒθ] *n* bouillon *m*; (*thickened soup*) potage *m*

brothel ['brɒθl] *n* maison *f* close

brother ['brʌðəʳ] *n* ⟨*pl* **-s**⟩ *or* (*obs*, *Eccl*) **brethren** frère *m*; ***they are ~ and sister*** ils sont frère et sœur; ***my ~s and sisters*** mes frères et sœurs; ***the Clarke ~s*** les frères Clarke; COMM Clarke Frères; ***oh ~!*** (*esp US infml*) bon sang! *infml*; ***his ~ officers*** ses compagnons d'armes **brotherhood** *n* (*organization*) confrérie *f*

brother-in-law *n* ⟨*pl* **brothers-in-law**⟩

beau-frère *m* **brotherly** ['brʌðəlɪ] *adj* fraternel(le)

brought [brɔːt] *past, past part* = **bring**

brow [braʊ] *n* **1.** (*eyebrow*) sourcil *m* **2.** (*forehead*) front *m* **3.** (*of hill*) sommet *m*

browbeat ['braʊbiːt] ⟨*past* **browbeat**⟩ ⟨*past part* **browbeaten**⟩ *v/t* intimider; ***to ~ sb into doing sth*** forcer qn à faire qc

brown [braʊn] **I** *adj* ⟨**+er**⟩ marron; *hair* brun, châtain **II** *n* marron *m* **III** *v/t* brunir; *meat* faire dorer **IV** *v/i* brunir; *meat* dorer ◆ **brown off** *v/t* ***to be browned off with sb/sth*** (*Br infml*) en avoir marre de qn/qc *infml*

brown ale *n Br* bière *f* brune **brown bear** *n* ours *m* brun **brown bread** *n* (*whole wheat*) pain *m* complet **brownfield** ['braʊnfiːld] *adj site* à bâtir **brownie** ['braʊnɪ] *n* **1.** (*cake*) brownie *m* **2.** ***Brownie*** (*in Guide Movement*) ≈ louvette *f*, ≈ jeannette *f* **Brownie points** *pl* bon point *m*; ***to score ~ with sb*** se faire bien voir auprès de qn **brownish** *adj* brunâtre **brown paper** *n* papier *m* d'emballage **brown rice** *n* riz *m* complet **brown sauce** *n* (*Br* COOK) *sauce brune épicée* **brown sugar** *n* sucre *m* roux

browse [braʊz] **I** *v/i* **1.** ***to ~ through a book*** feuilleter un livre; ***to ~ (around)*** regarder sans acheter **2.** IT surfer sur Internet **II** *v/t* IT surfer sur **III** *n* ***to have a ~ (around)*** regarder seulement; ***to have a ~ through the books*** jeter un coup d'œil aux livres **browser** ['braʊzəʳ] *n* IT navigateur *m*

bruise [bruːz] **I** *n* bleu *m*; (*on fruit*) meurtrissure *f* **II** *v/t* faire un bleu à; *fruit* abîmer; ***to ~ one's elbow*** se faire un bleu au coude **bruised** *adj* **1.** ***to be ~*** être contusionné; (*fruit*) être abîmé; ***she had a ~ shoulder, her shoulder was ~*** son épaule était meurtrie **2.** *fig ego* blessé **bruising** ['bruːzɪŋ] *n* bleus *mpl*

brunch [brʌntʃ] *n* brunch *m*

brunette [bruː'net] **I** *n* brune *f* **II** *adj* brun

brunt [brʌnt] *n* ***to bear the ~ of the attack*** essuyer le plus fort de l'attaque; ***to bear the ~ of the costs*** supporter la plus grande partie des coûts; ***to bear the ~*** supporter le plus gros

brush [brʌʃ] **I** *n* **1.** brosse *f*; (*paintbrush, pastry brush*) pinceau *m*; (*shaving brush*) blaireau *m*; (*for sweeping*) balai *m*; (*with dustpan*) balayette *f*; ***to give sth a ~*** donner un coup de brosse à qc; ***to give one's hair a ~*** se donner un coup de brosse **2.** (*undergrowth*) broussailles *fpl* **3.** (*quarrel, incident*) accrochage *m* ***to have a ~ with sb*** s'accrocher avec qn **II** *v/t* **1.** (*clean*) brosser; (*with hand*) donner un coup de brosse à; ***to ~ one's teeth*** se brosser les dents; ***to ~ one's hair*** se brosser les cheveux **2.** (*sweep*) balayer **3.** (*touch lightly*) effleurer ◆ **brush against** *v/t insep* effleurer ◆ **brush aside** *v/t sep obstacle, person* écarter ◆ **brush away** *v/t sep* chasser ◆ **brush off** *v/t sep* **1.** *mud* brosser **2.** *infml person* envoyer promener *infml*; *suggestion, criticism* rejeter ◆ **brush past** *v/i* passer tout près ◆ **brush up** *v/t sep* (*fig*: *a.* **brush up on**) *subject* réviser

brush-off *n infml* ***to give sb the ~*** envoyer balader qn *infml* **brushstroke** *n* coup *m* de pinceau

brusque [bruːsk] *adj* ⟨**+er**⟩ brusque; *reply* rude **brusquely** [bruːsklɪ] *adv* avec brusquerie; *reply* avec rudesse

Brussels ['brʌslz] *n* Bruxelles **Brussels sprouts** *pl* choux *mpl* de Bruxelles

brutal ['bruːtl] *adj* brutal **brutality** [bruː'tælɪtɪ] *n* brutalité *f* **brutalize** ['bruːtəlaɪz] *v/t* brutaliser **brutally** ['bruːtəlɪ] *adv* brutalement **brute** [bruːt] **I** *n* brute *f* **II** *adj attr* brut; ***by ~ force*** par la force **brutish** ['bruːtɪʃ] *adj* brutal

B.S. *US abbr* = **Bachelor of Science**

BSc *Br* = **B.S.**

BSE *abbr* = **bovine spongiform encephalopathy** ESB *f* (*encéphalopathie spongiforme bovine*)

B-side ['biːsaɪd] *n* (*of record*) face *f* B

BST *abbr* = **British Summer Time, British Standard Time**

BT *abbr* = **British Telecom** *société britannique de télécommunications*

bubble ['bʌbl] **I** *n* bulle *f*; ***to blow ~s*** faire des bulles; ***the ~ has burst*** *fig* le rêve s'est envolé **II** *v/i* **1.** (*liquid*) bouillonner; (*wine*) pétiller **2.** (*make bubbling noise*) gargouiller *infml*; (*cooking liquid etc.*) bouillir; (*stream*) glouglouter **3.** *fig* ***to ~ with enthusiasm*** déborder d'enthousiasme ◆ **bubble over** *v/i* *lit*, *fig* déborder (***with*** de)

bubble bath *n* bain *m* moussant **bubble gum** *n* chewing-gum *m* **bubble-jet printer** *n* IT imprimante *f* à bulles d'encre **bubble memory** *n* IT mémoire *f* à bulles **bubble pack** *n* blister *m*; *for pills* plaquette *f*; (*a.* **bubble wrap**) film *m* d'emballage à bulles **bubbly** ['bʌblɪ] **I** *adj* ⟨**+er**⟩ **1.** *lit* plein de bulles **2.** *fig*, *infml personality* pétillant **II** *n infml* champagne *m*; *wine* mousseux *m*

Bucharest [ˌbjuːkə'rest] *n* Bucarest

buck [bʌk] **I** *n* **1.** (*deer, rabbit, etc.*) mâle *m* **2.** (*US infml dollar*) dollar *m*; ***20 ~s*** 20 dollars; ***to make a ~*** se faire du fric *infml*; ***to make a fast** or **quick ~** also Br* gagner du fric rapidement *infml* **3.** ***to pass the ~*** faire porter le chapeau à quelqu'un d'autre **II** *v/i* (*horse*) décocher une ruade **III** *v/t* ***you can't ~ the market*** tu ne peux rien faire contre le marché; ***to ~ the trend*** aller à l'encontre d'une tendance ◆ **buck up** *infml* **I** *v/i* **1.** (*hurry up*) se grouiller *infml* **2.** (*cheer up*) reprendre courage; ***~!*** courage! **II** *v/t sep* **1.** (*make cheerful*) remonter le moral à **2.** ***to buck one's ideas up*** se ressaisir

bucket ['bʌkɪt] **I** *n* seau *m*; ***a ~ of water*** un seau d'eau **II** *v/i* (*Br infml*) ***it's ~ing*** (***down***)***!*** il pleut à verse **bucketful** *n* plein seau *m*; ***by the ~*** *fig*, *infml* en masse *infml* **bucket shop** *n Br* FIN bureau *m* de contrepartie, bureau *m* de courtier marron; (*travel agency*) *organisme qui vend des billets d'avion à prix réduit*

Buckingham Palace ['bʌkɪŋəm'pælɪs] *n* le palais *m* de Buckingham

buckle ['bʌkl] **I** *n* boucle *f* **II** *v/t* **1.** *belt* boucler; *shoes* attacher **2.** *wheel etc.* voiler; (*dent*) déformer **III** *v/i* **1.** *belt* se boucler; *shoes* s'attacher **2.** *wheel etc.* se voiler; (*dent*) se déformer ◆ **buckle down** *v/i infml* se mettre au boulot *infml*; ***to ~ to a task*** s'atteler à une tâche *infml*

buckskin *n* daim *m*

buckwheat *n* sarrasin *m*, blé *m* noir

bud [bʌd] **I** *n* bourgeon *m*; ***to be in ~*** bourgeonner **II** *v/i* bourgeonner; (*tree also*) faire des feuilles

Budapest [ˌbjuːdə'pest] *n* Budapest

Buddha ['bʊdə] *n* Bouddha *m* **Buddhism** ['bʊdɪzəm] *n* bouddhisme *m* **Buddhist** ['bʊdɪst] **I** *n* bouddhiste *m/f* **II** *adj* bouddhiste

budding ['bʌdɪŋ] *adj fig poet etc.* en herbe

buddy ['bʌdɪ] *n* (*US infml*) copain *m*

budge [bʌdʒ] **I** *v/i* **1.** bouger; ***~ up** or **over!*** *Br* pousse-toi! **2.** (*fig give way*) céder; ***I will not ~ an inch*** je ne céderai pas **II** *v/t* (*move*) faire bouger

budgerigar ['bʌdʒərɪgɑːʳ] *n* perruche *f*

budget ['bʌdʒɪt] **I** *n* budget *m* **II** *v/i* dresser le budget **III** *v/t money*, *time* prévoir; *costs* programmer ◆ **budget for** *v/t insep* budgétiser

-budget *suf* ***low-budget*** à petit budget; ***big-budget*** à gros budget **budget account** *n* compte-crédit *m* **budget day** *n* PARL jour *m* de la présentation du budget **budget deficit** *n* déficit *m* budgétaire **budget holiday** *n* vacances *fpl* pas chères **budgeting** ['bʌdʒɪtɪŋ] *n* budgétisation *f* **budget speech** *n* PARL discours *m* de présentation du budget

budgie ['bʌdʒɪ] *n infml abbr* = **budgerigar** perruche *f*

buff[1] [bʌf] **I** *n* **1.** ***in the ~*** tout nu **2.** (*color*) couleur *f* chamois **II** *adj* de couleur chamois **III** *v/t metal* lustrer

buff[2] *n* (*infml movie etc. buff*) fan *m/f infml*

buffalo ['bʌfələʊ] *n* ⟨*pl* **-es**⟩ ⟨*collective pl* **-**⟩ buffle *m*

buffer ['bʌfəʳ] *n also* IT mémoire *f* tampon; RAIL butoir *m* **buffering** ['bʌfərɪŋ] *n* IT stockage *m* en mémoire tampon **buffer state** *n* POL état *m* tampon **buffer zone** *n* zone *f* tampon

buffet[1] ['bʌfɪt] *v/t* frapper; ***~ed by the wind*** secoué par le vent

buffet[2] ['bʊfeɪ] *n* buffet *m*; (*Br* RAIL) wagon-restaurant *m*; (*meal*) buffet *m*; (*cold buffet*) viandes *fpl* froides; ***~ lunch*** buffet *m* déjeunatoire **buffet car** *n* (*Br* RAIL) wagon-restaurant *m*

bug [bʌg] **I** *n* **1.** (*infml any insect*) insecte *m*, bête *f*; (*a.* **bedbug**) punaise *f*; ***~s*** *pl* bestioles *fpl* **2.** IT bogue *f*, bug *m* **3.** (*infml virus*) microbe *m*; ***he picked up a ~*** il a attrapé un microbe; ***there must be a ~ going around*** il doit y avoir un virus qui traîne **4.** *infml* ***she's got the travel ~*** elle a attrapé le virus des voyages **II** *v/t* **1.** *room* installer des micros dans; ***this room is ~ged*** il y a des micros cachés dans cette pièce *infml* **2.** (*infml worry*) embêter *infml*; (*annoy*) casser les pieds à *infml* **bugbear** ['bʌgbɛəʳ] *n* bête *f* noire **bug-free**

[bʌg'friː] *adj* IT sans bug
bugger ['bʌgəʳ] (*Br sl*) **I** *n* salaud *m* *infml*; ***you lucky ~!*** tu es sacrément veinard! *infml* **II** *int* **~ (*it*)*!*** merde! *infml*; **~ *this car!*** quelle bagnole de merde! *infml*; **~ *him*** ce (sale) con *infml*; (*he can get lost*) il peut aller se faire voir *infml* ◆ **bugger about** *or* **around** (*Br sl*) **I** *v/i* (*laze around etc.*) déconner *infml*; ***to ~ with sth*** s'amuser avec qc *infml* **II** *v/t sep* emmerder *infml* ◆ **bugger off** *v/i* (*Br sl*) foutre le camp *infml* ◆ **bugger up** *v/t sep* (*Br sl*) bousiller *infml*
bugger all [ˌbʌgər'ɔːl] *n* (*Br sl*) que dalle **buggered** *adj* (*Br sl*) (*broken*) foutu *sl*; ***I'm ~ if I'll do it*** je préfère crever plutôt que de le faire
bugging device ['bʌgɪŋdɪˌvaɪs] *n* appareil *m* d'écoute (clandestine)
buggy ['bʌgɪ] *n* (*a.* **baby buggy**) ® *US* landau *m*; *Br* poussette *f*
bugle ['bjuːgl] *n* clairon *m*
build [bɪld] *vb* ⟨*past, past part* **built**⟩ **I** *n* carrure *f* **II** *v/t* **1.** construire; ***the house is being built*** la maison est en construction **2.** *fig career etc.* bâtir; *future* construire **III** *v/i* construire ◆ **build in** *v/t sep lit* encastrer; *fig* intégrer ◆ **build on I** *v/t sep* ajouter; ***to build sth onto sth*** ajouter qc à qc **II** *v/t insep* construire sur ◆ **build up I** *v/i* (*business*) se développer; (*residue*) s'accumuler; (*increase*) augmenter; ***the music builds up to a huge crescendo*** la musique s'amplifie en un immense crescendo; (*traffic*) augmenter; (*queue*) se former **II** *v/t sep* développer (***into*** en); *pressure* augmenter; *sb's confidence* renforcer; ***oatmeal builds you up*** le porridge, ça fait grandir; ***to ~ sb's hopes*** donner espoir à qn; ***to ~ a reputation*** se faire une réputation
builder ['bɪldəʳ] *n* (*worker*) ouvrier (-ière) *m(f)* du bâtiment; (*contractor*) entrepreneur (-euse) *m(f)* du bâtiment; ***~'s merchant*** *Br* vendeur(-euse) *m(f)* de matériaux de construction
building ['bɪldɪŋ] *n* **1.** bâtiment *m*; ***it's the next ~ but one*** c'est le deuxième bâtiment **2.** (*constructing*) construction *f* **building block** *n* cube *m*; *fig* composante *f* **building contractor** *n* entrepreneur (-euse) *m(f)* du bâtiment **building materials** *pl* matériaux *mpl* de construction **building site** *n* chantier *m* (de construction) **building society** *n Br société de crédit immobilier* **building trade** *n* industrie *f* du bâtiment **build-up** *n* **1.** *infml* battage *m* *infml*; ***the chairman gave the speaker a tremendous ~*** le président a annoncé l'orateur en lui faisant une publicité considérable **2.** (*of pressure*) accumulation *f*; ***a ~ of traffic*** une intensification du trafic **built** [bɪlt] **I** *past, past part* = **build II** *adj* bâti; ***heavily / slightly ~*** costaud / fluet(-ète) **built-in** *adj closet etc.* encastré **built-up** *adj* **~ *area*** agglomération *f*
bulb [bʌlb] *n* **1.** bulbe *m* **2.** ELEC ampoule *f* **bulbous** ['bʌlbəs] *adj* bulbeux (-euse); **~ *nose*** gros nez
Bulgaria [bʌl'gɛərɪə] *n* Bulgarie *f* **Bulgarian I** *adj* bulgare **II** *n* **1.** Bulgare *m/f* **2.** LING bulgare *m*
bulge [bʌldʒ] **I** *n* bombement *m*; (*irregular*) aspérité *f*; ***what's that ~ in your pocket?*** c'est quoi cette bosse, dans ta poche? **II** *v/i* **1.** (*a.* **bulge out** *swell*) avoir un renflement; (*metal, sides of box*) bomber; (*stick out*) faire saillie; ***his eyes were bulging*** *fig* il avait les yeux exorbités *infml* **2.** (*pocket, sack, cheek*) être gonflé **bulging** ['bʌldʒɪŋ] *adj stomach* protubérant; *pockets* plein à craquer
bulimia [bə'lɪmɪə] *n* boulimie *f* **bulimic** [bə'lɪmɪk] **I** *adj* boulimique **II** *n* boulimique *m/f*
bulk [bʌlk] *n* **1.** (*size*) grosseur *f*, grandeur *f*; (*large shape*) volume *m*; (*of person*) corpulence *f* **2.** (*a.* **great bulk**) la plupart **3.** COMM ***in ~*** en gros **bulk buying** *n* achat *m* en gros **bulky** ['bʌlkɪ] *adj* ⟨**+er**⟩ **1.** *object* encombrant; **~ *goods*** marchandises *fpl* encombrantes **2.** *person* corpulent
bull [bʊl] *n* **1.** taureau *m*; ***to take the ~ by the horns*** *fig* prendre le taureau par les cornes; ***like a ~ in a china shop*** comme un éléphant dans un magasin de porcelaine **2.** (*elephant, whale etc.*) mâle *m*; ***a ~ elephant*** un éléphant mâle **3.** ST EX spéculateur(-trice) *m(f)* à la hausse **4.** (*infml nonsense*) conneries *fpl infml* **bull bars** *pl* AUTO pare-buffles *m* **bulldog** ['bʊldɒg] *n* bouledogue *m* **bulldog clip** *n Br* pince *f* à dessin **bulldozer** ['bʊldəʊzəʳ] *n* bulldozer *m*
bullet ['bʊlɪt] *n* balle *f*; ***to bite the ~*** prendre le taureau par les cornes **bullet**

hole *n* impact *m* de balle
bulletin ['bʊlɪtɪn] *n* bulletin *m* **bulletin board** *n* (*US notice board*, IT) panneau *m* d'affichage
bulletproof *adj* à l'épreuve des balles **bullet wound** *n* blessure *f* par balles
bullfighting *n* tauromachie *f*
bullion ['bʊljən] *n no pl gold* or *m* en barres; *silver* argent *m* en barres
bullish ['bʊlɪʃ] *adj* ***to be ~ about sth*** être optimiste à propos de qc
bull market *n* ST EX marché *m* à la hausse
bullock ['bʊlək] *n* bœuf *m*
bullring *n* arène *f* **bull's-eye** *n* mille *m*, centre *m*; ***to hit the ~*** mettre dans le mille, faire mouche **bullshit** *sl* **I** *n fig* conneries *fpl infml* **II** *int* foutaises! *infml* **III** *v/i* raconter des conneries *infml* **IV** *v/t* ***to ~ sb*** raconter des conneries à qn *infml*
bully ['bʊlɪ] **I** *n* brute *f*; ***you great big ~*** espèce de grosse brute **II** *v/t* tyranniser; (*using violence*) brutaliser; ***to ~ sb into doing sth*** contraindre qn par la menace à faire qc; ***to ~ one's way into sth*** forcer l'accès de qc **bully-boy** ['bʊlɪbɔɪ] *adj attr* ***~ tactics*** manœuvres *fpl* d'intimidation **bullying** ['bʊlɪɪŋ] **I** *adj* brutal **II** *n* brimades *fpl*; (*with violence*) brutalités *fpl*; (*coercion*) coercition *f* (***of*** sur)
bulwark ['bʊlwək] *n lit*, *fig* rempart *m*
bum[1] [bʌm] *n* (*esp Br infml*) derrière *m infml*
bum[2] *infml* **I** *n* (*esp US good-for-nothing*) bon(ne) *m*(*f*) à rien *infml*; (*down-and-out*) clochard(e) *m*(*f*) *infml* **II** *adj* (*bad*) minable *infml* **III** *v/t money*, *food* taxer *infml* (***sth off sb*** qc à qn); ***could I ~ a lift into town?*** tu peux me déposer en ville? ◆ **bum around** *infml* **I** *v/i* glander *infml* **II** *v/t insep* vadrouiller *infml*
bum bag *n Br* banane *f*
bumblebee ['bʌmblbiː] *n* bourdon *m*
bumbling ['bʌmblɪŋ] *adj* (*clumsy*) empoté *infml*; ***some ~ idiot*** un crétin *infml*
bumf [bʌmf] *n Br* = **bumph**
bummer ['bʌmər] *n infml* ***what a ~!*** quelle poisse! *infml*
bump [bʌmp] **I** *n* **1.** (*blow*, *noise*) choc *m*; ***to get a ~ on the head*** se cogner la tête; ***the car has had a few ~s*** la voiture a eu chocs *infml* **2.** (*on any surface*) bosse *f* **II** *v/t* cogner; *one's own car* faire une bosse à; *another car* rentrer dans; ***to ~ one's head*** se cogner la tête (***on, against*** sur, contre) ◆ **bump into** *v/t insep* **1.** (*knock into*) butter contre; (*driver*, *car*) rentrer dans; *another car* entrer en collision avec **2.** (*infml meet*) tomber sur ◆ **bump off** *v/t sep infml* liquider *infml* ◆ **bump up** *v/t sep infml prices*, *total* gonfler; *salary* augmenter
bumper ['bʌmpər] **I** *n* (*of car*) pare-chocs *m* **II** *adj* ***~ crop*** récolte exceptionnelle; ***a special ~ edition*** une édition exceptionnelle **bumper car** *n* auto *f* tamponneuse **bumper sticker** *n* AUTO autocollant *m* (*pour voiture*)
bumph [bʌmf] *n* (*Br infml*) paperasse *f infml*
bumpkin ['bʌmpkɪn] *n* (*a.* **country bumpkin**) *infml* péquenaud(e) *m*(*f*) *infml*
bumpy ['bʌmpɪ] *adj* ⟨**+er**⟩ *surface* bosselé; *road*, *drive* défoncé; *flight* mouvementé
bun [bʌn] *n* **1.** (*bread*) petit pain *m* au lait; (*cake*) ≈ brioche *f* **2.** (*hairstyle*) chignon *m*
bunch [bʌntʃ] *n* **1.** (*of flowers*) bouquet *m*; (*of bananas*) régime *m*; ***a ~ of roses*** un bouquet de roses; ***a ~ of grapes*** une grappe de raisin; ***a ~ of keys*** un trousseau de clé; ***the best of the ~*** le meilleur du lot **2.** (*of people*) groupe *m*; ***a small ~ of tourists*** un petit groupe de touriste **3.** *infml* ***thanks a ~*** *esp iron* merci beaucoup ◆ **bunch together** *or* **up** *v/i* (*people*) s'entasser
bundle ['bʌndl] **I** *n* **1.** tas *m*; ***to tie sth in a ~*** faire un paquet avec qc **2.** *fig* ***a ~ of*** un paquet de; ***he is a ~ of nerves*** c'est un paquet de nerfs; ***it costs a ~*** *infml* ça coûte bonbon *infml* **II** *v/t* **1.** (*tie in a bundle*) mettre en paquet; ***~d software*** IT progiciel *m* **2.** (*hastily*) *things* fourrer; *people* embarquer ◆ **bundle off** *v/t sep person* expédier ◆ **bundle up** *v/t sep* mettre en paquet
bung [bʌŋ] **I** *n* (*of cask*) bonde *f* **II** *v/t* (*Br infml throw*) balancer *infml* ◆ **bung up** *v/t sep infml pipe* boucher; ***I'm all bunged up*** *Br* j'ai le nez bouché
bungalow ['bʌŋgələʊ] *n* maison *f* de plain-pied
bungee jumping ['bʌndʒiː'dʒʌmpɪŋ] *n* saut *m* à l'élastique
bungle ['bʌŋgl] gâchis *m*
bunion ['bʌnjən] *n* oignon *m*
bunk[1] [bʌŋk] *n* ***to do a ~*** (*Br infml*) dé-

guerpir *infml* ◆ **bunk off** *v/i* (*Br* SCHOOL *infml*) sécher *infml*

bunk[2] *n* (*in ship*) couchette *f*; (*in dormitory*) lit *m* superposé **bunk beds** *pl* lits *mpl* superposés

bunker ['bʌŋkəʳ] *n* GOLF, MIL bunker *m*

bunny ['bʌnɪ] *n* (*a.* **bunny rabbit**) lapin *m*

Bunsen (burner) ['bʌnsn('bɜːnəʳ)] *n* bec *m* Bunsen

bunting ['bʌntɪŋ] *n* guirlandes *fpl*

buoy [bɔɪ] *n* bouée *f* ◆ **buoy up** *v/t sep* (*fig*, FIN) maintenir; *sb's hopes* soutenir

buoyant ['bɔɪənt] *adj* **1.** *ship* qui flotte **2.** *fig mood* plein d'entrain **3.** FIN *market* soutenu; *trading* actif(-ive)

burble ['bɜːbl] *v/i* **1.** (*stream*) murmurer **2.** (*fig*, *person*) marmonner; (*baby*) gazouiller; ***what's he burbling (on) about?*** *infml* mais qu'est-ce qu'il raconte? *infml*

burden ['bɜːdn] **I** *n lit*, *fig* charge *f*, fardeau *m* (**on, to** pour); ***I don't want to be a ~ to you*** je ne veux pas être un fardeau pour vous; ***the ~ of proof is on him*** charge à lui de fournir des preuves **II** *v/t* accabler

bureau [bjʊə'rəʊ] *n* **1.** (*US chest of drawers*) commode *f* **2.** (*Br desk*) secrétaire *m* **3.** (*office*) bureau *m* **4.** (*government department*) service *m*

bureaucracy [bjʊə'rɒkrəsɪ] *n* bureaucratie *f* **bureaucrat** ['bjʊərəʊkræt] *n* bureaucrate *m/f* **bureaucratic** [ˌbjʊərəʊ'krætɪk] *adj* bureaucratique

bureau de change [ˌbjʊərəʊdɪ'ʃɒndʒ] *n* ⟨*pl* **bureaux de change**⟩ bureau *m* de change

burgeoning ['bɜːdʒənɪŋ] *adj career*, *demand*, *industry*, *market* en plein essor

burger ['bɜːgəʳ] *n infml* hamburger *m* **burger bar** *n* fast-food *m*

burglar ['bɜːgləʳ] *n* cambrioleur(-euse) *m(f)* **burglar alarm** *n* système *m* d'alarme **burglarize** ['bɜːgləraɪz] *v/t US* cambrioler; ***the house was ~d*** la maison a été cambriolée; ***he was ~d*** il s'est fait cambrioler **burglarproof** ['bɜːgləpruːf] *adj* inviolable **burglary** ['bɜːglərɪ] *n* cambriolage *m* **burgle** ['bɜːgl] *v/t Br* cambrioler; ***the house was ~d*** la maison a été cambriolée; ***he was ~d*** il s'est fait cambrioler

burial ['berɪəl] *n* enterrement *m*; ***Christian ~*** enterrement *m* chrétien **burial ground** *n* cimetière *m*

burly ['bɜːlɪ] *adj* ⟨**+er**⟩ costaud

Burma ['bɜːmə] *n* Birmanie *f*

burn [bɜːn] *vb* ⟨*past*, *past part* **burned**⟩ *or* **burnt** *Br* **I** *n* (*on skin*) brûlure *f*; (*on material*) trace *f* de brûlure; ***severe ~s*** brûlures graves **II** *v/t* **1.** brûler; *building* incendier; ***to ~ oneself*** se brûler; ***to be ~ed to death*** être brûlé vif; (*in accident*) mourir carbonisé; ***to ~ a hole in sth*** faire un trou dans qc; ***to ~ one's fingers*** se brûler les doigts; ***he's got money to ~*** *fig* il a de l'argent à ne plus savoir quoi en faire; ***to ~ one's bridges*** (*fig*) brûler ses vaisseaux **2.** *toast etc.* laisser brûler; (*sun*) *person*, *skin* brûler **3.** IT *CD*, *DVD* graver **III** *v/i* **1.** brûler; ***to ~ to death*** brûler vif(-ive) **2.** (*pastry etc.*) brûler; ***she ~s easily*** elle attrape facilement des coups de soleil ◆ **burn down I** *v/i* (*house etc.*) être réduit en cendres; (*candle*) baisser **II** *v/t sep* brûler ◆ **burn out I** *v/i* (*fire*, *candle*) s'éteindre **II** *v/r* **1.** (*candle*) brûler jusqu'au bout; (*fire*) s'éteindre **2.** *fig*, *infml* ***to burn oneself out*** se bousiller *infml* **III** *v/t* ***burned out cars*** des voitures entièrement calcinées; ***he is burned out*** *infml* il est lessivé *infml* ◆ **burn up** *v/t sep fuel*, *energy* brûler

burner ['bɜːnəʳ] *n* (*of gas cooker*) brûleur *m*; (*of gas lamp*) bec *m* **burning** ['bɜːnɪŋ] **I** *adj* brûlant; *ambition* ardent **II** *n* ***I can smell ~*** ça sent le brûlé **burnt** [bɜːnt] *adj Br* brûlé

burp [bɜːp] *infml* **I** *v/i* roter *infml*; (*baby*) faire son rot **II** *n* rot *m infml*

burrow ['bʌrəʊ] **I** *n* (*of rabbit etc.*) terrier *m* **II** *v/i* creuser

bursary ['bɜːsərɪ] *n Br* bourse *f* (d'études)

burst [bɜːst] *vb* ⟨*past*, *past part* **burst**⟩ **I** *n* **1.** (*of shell etc.*) explosion *f* **2.** (*in pipe etc.*) jaillissement *m* **3.** (*of activity etc.*) poussée *f*; ***~ of laughter*** éclat de rire; ***~ of applause*** salve d'applaudissement; ***~ of speed*** accélération; ***a ~ of automatic gunfire*** une rafale de mitraillette **II** *v/i* **1.** éclater; ***to ~ open*** s'ouvrir brusquement; ***to be full to ~ing*** être plein à craquer; ***to be ~ing with health*** déborder de santé; ***to be ~ing with pride*** déborder d'orgueil; ***if I eat any more, I'll ~*** *infml* je vais éclater si je mange davantage *infml*; ***I'm ~ing*** (*infml need the bathroom*) je meurs d'envie de faire pipi *infml* **2.** ***to ~ into***

tears éclater en sanglots; ***to ~ into flames*** s'enflammer brusquement; ***he ~ into the room*** il fit irruption dans la pièce; ***to ~ into song*** se mettre à chanter **III** *v/t balloon, bubble* crever; *tire, pipe* faire éclater; (*person*) bousiller *infml*; ***the river has ~ its banks*** la rivière est sortie de son lit ◆ **burst in** *v/i* entrer en trombe; ***he ~ on us*** il a fait irruption chez nous ◆ **burst out** *v/i* **1.** ***to ~ of a room*** se précipiter hors d'une pièce **2.** ***to ~ laughing*** éclater de rire

bury ['berɪ] *v/t* **1.** enterrer, inhumer; *treasure* enfouir; ***where is he buried?*** où est-ce qu'il est enterré?; ***that's all dead and buried*** *fig* c'est mort et enterré *infml*; ***buried by an avalanche*** enseveli par une avalanche; ***to ~ one's head in the sand*** *fig* faire la politique de l'autruche **2.** *fingers* plonger (**in** dans); *claws, teeth* enfoncer (**in** dans); ***to ~ one's face in one's hands*** se cacher le visage dans les mains

bus[1] [bʌs] **I** *n* ⟨*pl* **-es**⟩ *or* (*US*) **-ses** bus *m*; ***by ~*** en bus **II** *v/t esp US* transporter en bus

bus[2] *n* IT bus *m*

bus boy *n US* aide-serveur *m*

bus conductor *n* receveur(-euse) *m(f)* de bus **bus driver** *n* conducteur(-trice) *m(f)* de bus

bush [bʊʃ] *n* **1.** (*shrub*) buisson *m*; (*a.* **bushes**) buissons *mpl*; ***to beat around the ~*** *fig* tourner autour du pot **2.** (*in Africa, Australia*) brousse *f* **bushfire** *n* feu *m* de brousse **bushy** ['bʊʃɪ] *adj* ⟨**+er**⟩ broussailleux(-euse)

busily ['bɪzɪlɪ] *adv* (*actively, eagerly*) activement

business ['bɪznɪs] *n* **1.** *no pl* affaires *fpl*; (*line of business*) branche *f*; ***a small ~*** une petite affaire; ***a family ~*** une entreprise familiale; ***to set up in ~ with sb*** fonder une société avec qn; ***what line of ~ is she in?*** qu'est-ce qu'elle fait (dans la vie)?; ***to be in the publishing/ insurance ~*** travailler dans l'édition/l'assurance; ***to go out of ~*** fermer; ***to do ~ with sb*** faire des affaires avec qn; ***"business as usual"*** "ouvert pendant les travaux"; ***it's ~ as usual*** la vie continue; ***how's ~?*** comment vont les affaires?; ***~ is good*** les affaires vont bien; ***on ~*** pour affaires; ***to know one's ~*** s'y connaître; ***to get down to ~*** passer aux choses sérieuses; ***you shouldn't mix ~ with pleasure*** il ne faut pas mélanger le travail et l'agrément **2.** *fig, infml* ***to mean ~*** ne pas plaisanter **3.** (*concern*) affaire *m*; ***that's my ~*** ça me regarde; ***that's no ~ of yours, that's none of your ~*** ce n'est pas tes affaires; ***to make it one's ~ to do sth*** se charger de faire qc; ***you've no ~ doing that*** vous ne devriez pas faire cela; ***moving house can be a stressful ~*** déménager peut être stressant **business activity** *n* activité *f* industrielle et commerciale **business address** *n* adresse *f* professionnelle **business associate** *n* associé(e) *m(f)* **business card** *n* carte *f* de visite **business center**, *Br* **business centre** *n* centre *m* d'affaires **business class** *n* classe *f* affaires **business expenses** *pl* frais *mpl* professionnels **business hours** *pl* heures *fpl* d'ouverture **business letter** *n* lettre *f* commerciale **businesslike** *adj manner* sérieux (-euse); (*efficient*) *person* professionnel(le) **business lunch** *n* déjeuner *m* d'affaires

businessman *n* homme *m* d'affaires **business management** *n* gestion *f* d'entreprise **business park** *n* parc *m* d'activités **business people** *pl* hommes et femmes d'affaires **business practice** *n* pratique *f* des affaires **business proposition** *n* (*proposal*) proposition *f* commerciale; (*idea*) projet *m* d'entreprise **business school** *n* école *f* de commerce **business sector** *n* secteur *m* des affaires **business sense** *n* sens *m* des affaires **business studies** *pl* études *fpl* de commerce **business suit** *n* complet *m* **business trip** *n* voyage *m* d'affaires

businesswoman *n* femme *f* d'affaires

busk [bʌsk] *v/i* jouer *or* chanter dans la rue **busker** ['bʌskəʳ] *n* musicien(ne) *m(f)* ambulant(e)

bus lane *n* couloir *m* de bus **busload** *n* ***a ~ of children*** un autocar d'enfants **bus pass** *n* carte *f* de bus **bus route** *n* trajet *m* de bus; ***we're not on a ~*** il n'y a pas de bus qui passe près de chez nous **bus service** *n* service *m* de bus; (*network*) réseau *m* de bus **bus shelter** *n* abri *m* de bus, abribus® *m* **bus station** *n* gare *f* routière

bus stop *n* arrêt *m* de bus

bust[1] [bʌst] *n* buste *m*; ANAT poitrine *f*; ~

measurement tour *m* de poitrine
bust² *vb* ⟨*past, past part* **bust**⟩ *infml* **I** *adj* **1.** (*broken*) foutu *infml* **2.** (*bankrupt*) fauché **II** *adv* ***to go ~*** faire faillite **III** *v/t* (*break*) casser *infml* **IV** *v/i* (*break*) casser *infml* **-buster** *suf infml* ***crime-buster*** superpolicier *infml*
bus ticket *n* ticket *m* de bus
bustle ['bʌsl] **I** *n* agitation *f* (***of*** de) **II** *v/i* ***to ~ around*** s'activer *infml*; ***the marketplace was bustling with activity*** la place du marché grouillait d'activité
bust-up ['bʌstʌp] *n infml* engueulade *f infml*; ***they had a ~*** ils se sont engueulés *infml*
busway ['bʌsweɪ] *n US* couloir *m* de bus
busy ['bɪzɪ] **I** *adj* ⟨**+er**⟩ **1.** *person* occupé; ***are you ~?*** tu es pris?; ***I'll come back when you're less ~*** je reviendrai quand tu seras moins pris; ***to keep oneself ~*** s'occuper; ***to keep sb ~*** occuper qn; ***I was ~ studying*** j'étais en train d'étudier **2.** *life, time* chargé; *place* animé; (*with traffic*) *street* passant; ***it's been a ~ day/ week*** on a eu une journée / semaine chargée; ***have you had a ~ day?*** vous avez eu une journée chargée?; ***he leads a very ~ life*** il a une vie très occupée **3.** *esp US telephone line* occupé **II** *v/r* ***to ~ oneself doing sth*** s'occuper en faisant qc; ***to ~ oneself with sth*** s'occuper à qc **busybody** ['bɪzɪ'bɒdɪ] *n* curieux(-euse) **busy signal** *n* (*esp US* TEL) tonalité *f* "occupé"
but [bʌt] **I** *cj* **1.** mais; ***~ you must know that…*** mais il faut que tu saches que …; ***they all went, ~ I didn't*** ils y sont tous allés sauf moi; ***~ then he couldn't have known that*** mais il ne pouvait pas être au courant; ***~ then you must be her brother!*** mais alors tu dois être son frère!; ***~ then it is well paid*** mais en revanche c'est bien payé **2.** ***not X ~ Y*** pas X mais Y **II** *adv* ***I cannot*** (***help***) ***~ think that …*** je ne peux pas m'empêcher de penser que …; ***one cannot*** (***help***) ***~ admire him*** on ne peut que l'admirer; ***you can ~ try*** tu ne peux qu'essayer; ***I had no alternative ~ to leave*** je n'avais pas d'autre possibilité que de partir **III** *prep* ***no one ~ me could do it*** personne ne pouvait le faire sauf moi; ***anything ~ that!*** tout sauf ça!; ***it was anything ~ simple*** c'était tout sauf simple; ***he was nothing ~ trouble*** il ne posait que des problèmes; ***the last house ~ one*** l'avant-dernière maison; ***the next street ~ one*** la deuxième rue; ***~ for you I would be dead*** sans vous, je serais mort; ***I could live in Scotland, ~ for the weather*** je pourrais vivre en Écosse, s'il n'y avait pas le temps
butane ['bjuːteɪn] *n* butane *m*
butcher ['bʊtʃəʳ] **I** *n* boucher(-ère) *m*(*f*); ***~'s*** (***shop***) boucherie *f*; ***at the ~'s*** chez le boucher **II** *v/t* abattre; *people* massacrer
butler ['bʌtləʳ] *n* majordome *m*
butt¹ [bʌt] *n* (*a.* **butt end**) gros bout *m*; (*of rifle*) crosse *f*; (*of cigarette*) mégot *m*
butt² *n* (*infml cigarette*) clope *f infml*
butt³ *n fig* ***she's always the ~ of his jokes*** elle est toujours la cible de ses plaisanteries
butt⁴ *v/t* donner un coup de tête à ◆ **butt in** *v/i* s'immiscer (***on*** dans)
butt⁵ *n* (*US infml backside*) derrière *m infml*; ***get up off your ~*** remue-toi un peu *infml*
butter ['bʌtəʳ] **I** *n* beurre *f*; ***she looks as if ~ wouldn't melt in her mouth*** on lui donnerait le bon Dieu sans confession **II** *v/t bread etc.* beurrer ◆ **butter up** *v/t sep infml* passer de la pommade à *infml* **butter bean** *n* haricot *m* blanc **buttercup** *n* bouton *m* d'or **butter dish** *n* beurrier *m* **butterfingered** ['bʌtəˌfɪŋgəd] *adj infml* empoté *infml*
butterfly ['bʌtəflaɪ] *n* **1.** papillon *m*; ***I have butterflies*** (***in my stomach***) j'ai le trac **2.** SWIMMING papillon *m*
buttermilk *n* babeurre *m* **butterscotch** *adj* caramel *m* dur
buttock ['bʌtək] *n* fesse *f*; ***the ~s*** *pl* les fesses
button ['bʌtn] **I** *n* bouton *m*; ***his answer was right on the ~*** *infml* sa réponse a tapé dans le mille *infml* **II** *v/t* boutonner **III** *v/i* (*garment*) se boutonner ◆ **button up** *v/t sep* boutonner
button-down ['bʌtndaʊn] *adj* ***~ collar*** col *m* boutonné **buttonhole I** *n* **1.** boutonnière *f* **2.** (*flower*) fleur *f* à la boutonnière **II** *v/t fig* coincer **button mushroom** *n* champignon *m* de Paris
buxom ['bʌksəm] *adj* à forte poitrine
buy [baɪ] *vb* ⟨*past, past part* **bought**⟩ **I** *v/t* **1.** acheter; ***to ~ and sell goods*** acheter et vendre des marchandises **2.** *fig time* gagner **3.** (*infml accept, believe*) accepter **II** *v/i* acheter **III** *n infml* affaire *f*; ***to be a good ~*** être une bonne affaire

◆ **buy back** *v/t sep* racheter ◆ **buy in** *v/t sep goods* s'approvisionner en ◆ **buy into** *v/t insep* COMM acheter des parts de ◆ **buy off** *v/t sep* (*infml bribe*) acheter *infml* ◆ **buy out** *v/t sep stockholders etc.* racheter la part de; *firm* racheter ◆ **buy up** *v/t sep* rafler

buyer ['baɪəʳ] *n* acheteur(-euse) *m*(*f*); (*agent*) responsable *m*(*f*) des achats

buyout ['baɪaʊt] *n* rachat *m*

buzz [bʌz] **I** *v/i* **1.** (*insect*) bourdonner; (*device*) vrombir **2.** ***my ears are ~ing*** mes oreilles bourdonnent; ***my head is ~ing*** (*with ideas etc.*) j'ai la tête qui bourdonne; ***the city was ~ing with excitement*** la ville était en pleine agitation **II** *v/t* (*call*) donner un coup de fil à **III** *n* **1.** (*of conversation*) bourdonnement *m*; ***~ of anticipation*** atmosphère de plaisir anticipé **2.** (*infml telephone call*) ***to give sb a ~*** donner un coup de fil à qn **3.** (*infml thrill*) ***I get a ~ from driving fast*** j'adore conduire vite, ça me donne des pures sensations*infml* ◆ **buzz off** *v/i* (*Br infml*) décamper *infml*

buzzard ['bʌzəd] *n* buse *f*

buzzer ['bʌzəʳ] *n* sonnerie *f*

buzz word *n* mot *m* à la mode

b/w *abbr* = **black and white**

by [baɪ] **I** *prep* **1.** (*close to*) près de; (*next to*) à côté de; ***by the window*** à côté de la fenêtre; ***by the sea*** au bord de la mer; ***come and sit by me*** viens t'asseoir à côté de moi **2.** (*via*) par **3.** (*past*) à côté de; ***to rush*** *etc.* ***by sb / sth*** passer rapidement *etc* à côté de qn / qc **4.** ***by day / night*** de jour / nuit **5.** (*not later than*); ***can you do it by tomorrow?*** tu peux le faire d'ici demain?; ***by tomorrow I'll be in France*** demain, je serai en France; ***by the time I got there, he had gone*** le temps que j'arrive, il était parti; ***but by that time*** *or* ***by then it will be too late*** alors il sera trop tard; ***by now*** à l'heure qu'il est **6.** ***by the hour*** à l'heure; ***one by one*** un par un; ***two by two*** deux par deux; ***letters came in by the hundred*** des centaines de lettres sont arrivées **7.** (*indicating cause*) par; ***killed by a bullet*** tué par une balle **8.** ***by bus / car*** en bus / voiture; ***by bicycle*** à bicyclette; ***to pay by check*** (*US*) *or* ***cheque*** *Br* payer par chèque; ***made by hand*** fait (à la) main; ***to know sb by name / sight*** connaître qn de nom / de vue; ***to lead sb by the hand*** conduire qn par la main; ***by herself*** toute seule **9.** ***by saving hard he managed to ...*** en économisant beaucoup, il a réussi à ...; ***by turning this knob*** en tournant ce bouton **10.** (*according to*) d'après; ***by my watch*** à ma montre; ***to call sb / sth by his / its proper name*** appeler qn / qc par son nom; ***if it's OK by you*** *etc.* si ça vous *etc* va; ***it's all right by me*** ça me va **11.** (*measuring difference*) de; ***broader by a foot*** plus large d'un pied; ***it missed me by inches*** il m'a raté de peu **12.** ***to divide / multiply by*** diviser / multiplier par; ***20 feet by 30*** 20 pieds sur 30; ***"I swear by Almighty God"*** "je jure devant Dieu"; ***by the way*** au fait **II** *adv* **1.** ***to pass by*** *etc.* passer **2.** (*in reserve*) ***to put by*** mettre de côté **3.** ***by and large*** d'une façon générale

bye [baɪ] *int infml* au revoir!, salut! *infml*; ***~ for now!*** à bientôt!

bye-bye ['baɪ'baɪ] *int infml* au revoir!

by(e)-election [baɪɪ'lekʃən] *n esp Br* élection *f* partielle

Byelorussia [ˌbjeləʊ'rʌʃə] *n* Biélorussie *f*

bylaw, bye-law ['baɪlɔː] *n* arrêté *m* municipal; **bylaws** *pl* (*US*, *of company*) règlement *m* intérieur **bypass** ['baɪpɑːs] **I** *n* (*road*) rocade *f*; MED pontage *m* **II** *v/t* contourner **bypass operation** *n* pontage *m* **bypass surgery** *n* pontage *m* **by-product** ['baɪprɒdʌkt] *n* sous-produit *m* **byroad** *n* route *f* secondaire **bystander** ['baɪstændəʳ] *n* spectateur (-trice) *m*(*f*); ***innocent ~*** spectateur qui n'est pas impliqué

byte [baɪt] *n* IT octet *m*

byword ['baɪwɜːd] *n* ***to become a ~ for sth*** devenir synonyme de qc

C

C, c [siː] C, c *m*; ***C sharp*** do dièse; ***C flat*** do bémol
C *abbr* = **centigrade** C
c. *abbr* = **cent** c
CA 1. *abbr* = **California 2.** *abbr* = **Central America**
c/a *Br abbr* = **current account**
cab [kæb] *n* **1.** (*taxi*) taxi *m* **2.** (*of truck*) cabine *f*
cabaret ['kæbəreɪ] *n* spectacle *m* de variété, spectacle *m* de cabaret; (*satirical*) spectacle *m* satirique
cabbage ['kæbɪdʒ] *n* chou *m*
cabbie, cabby ['kæbɪ] *n infml* chauffeur *m* de taxi **cab driver** *n* chauffeur *m* de taxi
cabin ['kæbɪn] *n* **1.** (*hut*) cabane *f* **2.** AVIAT, NAUT cabine *f* **cabin attendant** *n* AVIAT (*male*) steward *m*; (*female*) hôtesse *f* de l'air **cabin crew** *n* AVIAT personnel *m* navigant commercial
cabinet ['kæbɪnɪt] *n* **1.** meuble *m* de rangement; (*for display*) vitrine *f* **2.** PARL cabinet *m*, ministère *m* **cabinet minister** *n Br* ministre *m* (qui siège au cabinet) **cabinet reshuffle** *n* (*Br* POL) remaniement *m* ministériel
cable ['keɪbl] *n* (ELEC; *a. cable television, cablegram*); câble *m* **cable car** *n* téléphérique *m*; (*on rail*) funiculaire *m* **cable channel** *n* chaîne *f* câblée **cable railway** *n* funiculaire *m* **cable television** *n* télévision *f* par câble
caboodle [kə'buːdl] *n infml* ***the whole*** (***kit and***) ***~*** tout le tintouin *infml*, tout le bazar *infml*
cacao [kə'kɑːəʊ] *n* cacao *m*
cache [kæʃ] *n* **1.** cache *f*, cachette *f* **2.** (IT: *a.* **cache memory**) mémoire *f* cache
cackle ['kækl] **I** *n* **1.** (*of hens*) caquet *m* **2.** (*laughter*) gloussement *m* **II** *v/i* (*hens*) caqueter; (*laugh*) glousser
cactus ['kæktəs] *n* ⟨*pl* **-es** *or* **cacti**⟩ cactus *m*
CAD [kæd] *abbr* = **computer-aided design** CAO *f* (*conception assistée par ordinateur*)
cadaver [kə'dævəʳ] *n* cadavre *m*
CAD / CAM ['kæd'kæm] *abbr* = **computer-aided design / computer-aided manufacture** CFAO *f* (*conception et fabrication assistées par ordinateur*)
caddy ['kædɪ] **I** *n* **1.** GOLF caddie *m* **2.** (*tea caddy*) boîte *f* à thé **3.** (*US shopping trolley*) caddie® *m* **II** *v/i* être le caddie (***for*** de)
cadence ['keɪdəns] *n* MUS cadence *f*
cadet [kə'det] *n* MIL *etc.* élève *m* officier
cadge [kædʒ] *v/t & v/i* (*Br infml*) taxer *infml* (***sth from sb*** qc à qn); ***could I ~ a lift with you?*** tu peux m'emmener (en voiture)?
Caesar ['siːzəʳ] *n* César *m*
Caesarean *n Br* = **Cesarean**
café ['kæfeɪ] *n* ≈ snack-bar *m*
cafeteria [ˌkæfɪ'tɪərɪə] *n* cafétéria *f*
cafetière [ˌkæfə'tjɛəʳ] *n* cafetière *f* à piston
caff [kæf] *n* (*Br infml*) = **café** ≈ snack-bar *m*
caffein(e) ['kæfiːn] *n* caféine *f*
cage [keɪdʒ] *n* cage *f*
cagey ['keɪdʒɪ] *adj infml* méfiant; (*evasive*) évasif(-ive)
cagoule [kə'guːl] *n Br* anorak *m*, coupe-vent *m*
cahoots [kə'huːts] *n infml* ***to be in ~ with sb*** être de mèche avec qn *infml*
cairn [kɛən] *n* cairn *m*
Cairo ['kaɪərəʊ] *n* Le Caire
cajole [kə'dʒəʊl] *v/t* cajoler; ***to ~ sb into doing sth*** persuader qn de faire qc
cake [keɪk] **I** *n* gâteau *m*; (*fruit*) cake *m*; (*individual cake*) petit gâteau *m*; ***a piece of ~*** *fig, infml* du gâteau *fig, infml*; ***to sell like hot ~s*** se vendre comme des petits pains *infml*; ***you can't have your ~ and eat it*** (*prov*) on ne peut pas avoir le beurre et l'argent du beurre **II** *v/t* ***my shoes are ~d with*** *or* ***in mud*** mes chaussures sont couvertes de boues **cake mix** *n* préparation *f* pour gâteau **cake mixture** *n* pâte *f* à gâteau **cake pan** *n US* moule *m* à gâteau **cake shop** *n* pâtisserie *f* **cake tin** *n* (*for storage*) boîte *f* à gâteaux; (*Br, for baking*) moule *m* à gâteau
calamity [kə'læmɪtɪ] *n* calamité *f*
calcium ['kælsɪəm] *n* calcium *m*
calculate ['kælkjʊleɪt] *v/t* **1.** calculer **2.** (*fig estimate*) estimer **calculated** *adj* (*deliberate*) délibéré; ***a ~ risk*** un risque calculé **calculating** *adj* calculateur (-trice) **calculation** [ˌkælkjʊ'leɪʃən] *n*

calcul *m*; (*critical estimation*) estimation *f*; ***you're out in your ~s*** tu t'es trompé dans tes estimations **calculator** ['kælkjʊleɪtəʳ] *n* calculatrice *f* **calculus** ['kælkjʊləs] *n* MATH calcul *m*
Caledonia [ˌkælə'dəʊnɪə] *n* Calédonie *f*
calendar ['kæləndəʳ] *n* **1.** agenda *m* **2.** (*schedule*) calendrier *m*; ***~ of events*** calendrier des manifestations **calendar month** *n* mois *m* calendaire
calf¹ [kɑːf] *n* ⟨*pl* **calves**⟩ **1.** veau *m* **2.** (*of animal*) petit *m*; (*elephant*) éléphanteau *m*; (*seal*) bébé *m* phoque
calf² *n* ⟨*pl* **calves**⟩ ANAT mollet *m*
calfskin ['kɑːfskɪn] *n* vachette *f*
caliber, *Br* **calibre** ['kælɪbəʳ] *n lit*, *fig* calibre *m*
California [kælɪ'fɔːnɪə] *n* Californie *f* **Californian** *adj* californien(ne)
call [kɔːl] **I** *n* **1.** (*cry*) appel *m*; ***to give sb a ~*** appeler qn; (*wake sb*) réveiller qn; ***a ~ for help*** un appel au secours **2.** (*telephone call*) appel *m* (téléphonique); ***to give sb a ~*** téléphoner à qn; ***to take a ~*** prendre un appel **3.** (*summons*) convocation *f*; (*fig lure*) attrait *m*; ***to be on ~*** être de garde; ***he acted above and beyond the ~ of duty*** il a fait beaucoup plus que ne l'exigeait son devoir **4.** (*visit*) visite *f*; ***I have several ~s to make*** j'ai plusieurs visites à faire **5.** (*demand*) demande *f* (**for** de); ***to have many ~s on one's time*** être très occupé **6.** (*need*) besoin *m*; ***there is no ~ for you to worry*** il n'y a pas de raison de vous inquiéter **II** *v/t* **1.** (*shout out*, *summon*) appeler; *meeting* convoquer; *elections* provoquer; *strike* appeler à; JUR *witness* citer; ***the landlord ~ed time*** *Br* le patron a annoncé que le pub allait fermer; ***the ball was ~ed out*** la balle a été déclarée "out" **2.** (*name*, *consider*) appeler; ***to be ~ed*** s'appeler; ***what's he ~ed?*** comment s'appelle-t-il?; ***what do you ~ your cat?*** comment s'appelle ton chat?; ***she ~s me lazy*** elle me traite de paresseux; ***what's this ~ed in French?*** comment ça se dit en français?; ***let's ~ it a day*** ça suffira pour aujourd'hui; ***~ it $5*** disons 5 dollars **3.** (*telephone*) appeler; (*contact by radio*) appeler **III** *v/i* **1.** (*shout*) appeler, crier; ***to ~ for help*** appeler au secours; ***to ~ to sb*** appeler qn **2.** (*visit*) passer; ***she ~ed to see her mother*** elle est passée voir sa mère; ***the mailman ~ed*** le facteur est passé **3.** TEL appeler, téléphoner à; (*by radio*) appeler; ***who's ~ing, please?*** c'est de la part de qui, s'il vous plaît?; ***thanks for ~ing*** merci de votre appel ◆ **call around** *v/i infml* passer voir ◆ **call at** *v/t insep* (*person*) s'arrêter chez; RAIL s'arrêter à; ***a train for Lisbon calling at …*** un train pour Lisbonne qui dessert … ◆ **call away** *v/t sep*; ***I was called away on business*** j'ai été obligée de m'absenter pour affaires; ***he was called away from the meeting*** il a dû quitter la réunion ◆ **call back** *v/t & v/i sep* rappeler ◆ **call for** *v/t insep* **1.** (*send for*) appeler; *food* commander **2.** (*ask for*) demander; *courage* exiger; ***that calls for a drink!*** il faut boire un verre pour ça!; ***that calls for a celebration!*** il faut fêter ça! **3.** (*collect*) passer chercher ◆ **call in** *v/i* passer (***at, on*** chez) ◆ **call off** *v/t sep appointment*, *strike* annuler; *deal* résilier; (*end*) mettre fin à; *engagement* rompre ◆ **call on** *v/t insep* **1.** (*visit*) rendre visite à **2.** = **call upon** ◆ **call out I** *v/i* crier **II** *v/t sep* **1.** *names* faire l'appel de **2.** *doctor* appeler; *fire department* faire appel à ◆ **call out for** *v/t insep food* commander; *help* demander ◆ **call over** *v/t sep* appeler ◆ **call up I** *v/t sep* **1.** (*Br* MIL) *reservist* rappeler; *reinforcements* appeler **2.** SPORTS nommer (***to*** à) **3.** TEL téléphoner à **4.** *fig memories* évoquer **II** *v/i* TEL appeler ◆ **call upon** *v/t insep* ***to ~ sb to do sth*** prier qn de faire qc; ***to ~ sb's generosity*** faire appel à la générosité de qn
call box *n Br* cabine *f* téléphonique **call centre** *n Br* centre *m* d'appel **caller** ['kɔːləʳ] *n* **1.** (*visitor*) visiteur(-euse) *m(f)* **2.** TEL demandeur(-euse) *m(f)* **caller ID** *US*, **caller display** *Br n* TEL présentation *f* du numéro **call forwarding** *n* TEL transfert *m* d'appel **call-girl** ['kɔːlgɜːl] *n* call-girl *f*
calligraphy [kə'lɪgrəfɪ] *n* calligraphie *f*
calling ['kɔːlɪŋ] *n occupation* métier *m* **calling card** *n* carte *f* de visite
calisthenics, *Br* **callisthenics** [ˌkælɪs'θenɪks] *n sg or pl* gymnastique *f* suédoise
callous ['kæləs] *adj* dur, sans cœur **callously** ['kæləslɪ] *adv* durement **callousness** *n* dureté *f*
call-out charge *Br*, **call-out fee** ['kɔːlaʊt-] *Br n* frais *mpl* de déplacement

call screening *n* TEL filtrage *m* des appels **call-up** *n Br* MIL convocation *f*; SPORTS appel (***to*** à) **call-up papers** *pl* (*Br* MIL) ordre *m* d'incorporation
callus ['kæləs] *n* MED durillon *m*
call waiting *n* TEL signal *m* d'appel
calm [kɑːm] **I** *adj* ⟨**+er**⟩ calme; ***keep ~!*** du calme!; ***to remain*** **(*cool,*)** ***~ and collected*** garder son sang-froid **II** *n* calme *m*; ***the ~ before the storm*** le calme avant la tempête **III** *v/t* calmer, apaiser; ***to ~ sb's fears*** apaiser les craintes de qn ◆ **calm down I** *v/t sep* calmer **II** *v/i* (*wind*) se calmer
calming *adj* calmant **calmly** ['kɑːmlɪ] *adv* calmement **calmness** *n* (*of person*) calme *m*
calorie ['kælərɪ] *n* calorie *f*; ***low in ~s*** pauvre en calories
calorie-conscious *adj* attentif(-ive) à ses apports en calories
calves [kɑːvz] *pl* = **calf**[1, 2]
CAM [kæm] *abbr* = **computer-aided manufacture** PAO *f*
camaraderie [ˌkæmə'rɑːdərɪ] *n* camaraderie *f*
Cambodia [kæm'bəʊdɪə] *n* Cambodge *m*
camcorder ['kæmkɔːdəʳ] *n* caméscope®
came [keɪm] *past* = **come**
camel ['kæməl] **I** *n* chameau *m* **II** *attr coat* en poil de chameau
cameo ['kæmɪəʊ] *n* **1.** (*jewelry*) camée *m* **2.** (*a.* **cameo part**) petit rôle *m* (*joué par un acteur connu*)
camera ['kæmərə] *n* caméra *f*; (*for stills also*) appareil photo *m* **camera crew** *n* FILM équipe *f* de tournage **cameraman** *n* cameraman *m*, cadreur *m* **camera phone** *n* téléphone *m* avec caméra, caméraphone *m* **camera-shy** *adj* qui n'aime pas être photographié **camerawoman** *n* cadreuse *f* **camerawork** *n* prise *f* de vues

camera
Notez que appareil photo et caméra vidéo se traduisent tous deux par le mot anglais **camera**.

camisole ['kæmɪsəʊl] *n* caraco *m*
camomile ['kæməʊmaɪl] *n* camomille *f*; ***~ tea*** infusion de camomille
camouflage ['kæməflɑːʒ] **I** *n* camouflage *m* **II** *v/t* camoufler
camp[1] [kæmp] **I** *n* camp *m*; ***to pitch ~*** établir un camp; ***to strike*** *or* ***break ~*** lever le camp; ***to have a foot in both ~s*** avoir un pied dans chaque camp **II** *v/i* (*a.* MIL) camper; ***to go ~ing*** camper, faire du camping ◆ **camp out** *v/i* camper, vivre sous la tente
camp[2] *adj* (*effeminate*) efféminé *infml*
campaign [kæm'peɪn] **I** *n* **1.** MIL; *fig* campagne *f* **II** *v/i* **1.** MIL faire campagne **2.** *fig* faire campagne (*for* pour, *against* contre) **campaigner** [kæm'peɪnəʳ] *n* militant *m* (*for sth* pro qc, *against sth* anti qc)
camp bed *n Br* lit *m* de camp **camper** ['kæmpəʳ] *n* campeur(-euse) *m(f)* **camper van** *n Br* camping-car *m* **campfire** *n* feu *m* de camp **campground** *n US* terrain *m* de camping
camping ['kæmpɪŋ] *n* camping *m* **camping gas** *n US* camping-gaz *m inv* **camping site, camp site** *n* terrain *m* camping
campus ['kæmpəs] *n* campus *m*
can[1] [kæn] ⟨*past* **could**⟩ *v/mod* pouvoir, être en mesure de; (*may*) pouvoir; ***~ you come tomorrow?*** peux-tu venir demain?; ***I ~'t*** *or* ***~not go to the theater*** je ne peux pas aller au théâtre; ***he'll help you all he ~*** il vous aidera autant qu'il le pourra; ***as soon as it ~ be arranged*** dès que possible; ***could you tell me ...*** pourriez-vous me dire...; ***~ you speak French?*** savez-vous parler français?; ***~ I come too?*** puis-je venir aussi?; ***~*** *or* ***could I take some more?*** puis-je *or* pourrais-je en reprendre?; ***how ~/could you say such a thing!*** comment pouvez-vous dire une chose pareille!; ***where ~ it be?*** où peut-il bien être?; ***you ~'t be serious*** vous n'êtes pas sérieux; ***it could be that he's got lost*** il s'est peut-être perdu; ***you could try telephoning him*** vous pourriez essayer de lui téléphoner; ***you could have told me*** vous auriez pu me le dire; ***we could do with some new furniture*** il faudrait qu'on rachète des meubles; ***I could do with a drink now*** je prendrais bien un verre; ***this room could do with a coat of paint*** cette pièce aurait bien besoin d'être repeinte; ***he looks as though he could do with a haircut*** un passage chez le coiffeur ne lui ferait pas de mal

can² *n* **1.** (*large container*) bidon *m*; (*esp US garbage can*) poubelle *f* **2.** (*tin*) boîte *f* de conserve; ***a ~ of beer***; ***a beer ~*** une canette de bière
Canada ['kænədə] *n* Canada *m*
Canadian [kə'neɪdɪən] **I** *adj* canadien (ne) **II** *n* Canadien(ne) *m*(*f*)
canal [kə'næl] *n* canal *m*
canapé ['kænəpeɪ] *n* canapé *m*
Canaries [kə'nɛərɪz] *pl* = **Canary Isles**
canary [kə'nɛərɪ] *n* canari *m* **Canary Isles** [kə'nɛərɪ'aɪlz] *pl* îles *fpl* Canaries
cancel ['kænsəl] **I** *v/t* **1.** (*officially*) annuler, abroger (*call off*); *plans, train* annuler; ***the train has been ~ed*** (*US*) *or* ***~led*** *Br* le train a été supprimé **2.** (*revoke*); *order* révoquer; *subscription* résilier **3.** *ticket* oblitérer **II** *v/i* annuler
◆ **cancel out** *v/t sep* MATH, *fig* neutraliser, compenser; ***to cancel each other out*** MATH, *fig* s'annuler
cancellation [ˌkænsə'leɪʃən] *n* **1.** (*calling off*: *of plans, train*) annulation *f*; (*official*) résiliation *f*, annulation *f* **2.** (*annulment*) abrogation *f* annulation *f*; (*of order*) révocation *f*; (*of subscription*) résiliation *f*
cancer ['kænsər] *n* **1.** MED cancer *m*; ***~ of the throat*** cancer de la gorge **2.** ASTROL ***Cancer*** Cancer *m*; ***he's (a) Cancer*** il est Cancer **cancerous** ['kænsərəs] *adj* cancéreux(-euse)
candelabra [ˌkændɪ'lɑːbrə] *n* candélabre *m*
candid ['kændɪd] *adj* franc(he), sincère

candid ≠ **ingénieux, confiant**
Candid = franc ou sincère :
He spoke very candidly.
Il a parlé très franchement.

candidacy ['kændɪdəsɪ] *n* candidature *f*
candidate ['kændɪdeɪt] *n* candidat(e) *m*(*f*); ***to stand as (a) ~*** être candidat; ***the obese are prime ~s for heart disease*** les personnes obèses sont les plus exposées aux maladies cardiaques
candidly ['kændɪdlɪ] *adv* franchement; ***to speak ~*** parler franchement
candied ['kændɪd] *adj* COOK confit; ***~ peel*** (*of lemon, orange*) écorce confite
candle ['kændl] *n* bougie *f*, chandelle *f*
candlelight *n* lueur *f* d'une bougie; ***by ~*** à la lueur d'une bougie; ***a ~ dinner*** un dîner aux chandelles **candlestick** *n* bougeoir *m*
candor, *Br* **candour** ['kændər] *n* franchise *f*
candy ['kændɪ] *n US* (*one piece*) bonbon *m*; (*sweet food*) sucreries *fpl* **candy bar** *n US* barre *f* sucrée **candyfloss** *n Br* barbe *f* à papa **candy store** *n US* confiserie *f*
cane [keɪn] **I** *n* **1.** (*of bamboo*) canne *f* **2.** (*walking stick*) canne *f*; (*for punishing*) baguette *f*, verge *f*; ***to get the ~*** recevoir une punition corporelle **II** *v/t* fouetter
cane sugar *n* sucre *m* de canne
canine ['keɪnaɪn] **I** *n* (*a.* **canine tooth**) canine *f* **II** *adj* canin
canister ['kænɪstər] *n* boîte *f* (métallique) *f* bombe *f*, spray *m*
cannabis ['kænəbɪs] *n* cannabis *m*
canned [kænd] *adj* **1.** en boîte, en conserve; ***~ beer*** bière *f* en boîte; ***~ goods*** conserves **2.** *infml* ***~ music*** musique enregistrée; ***~ laughter*** rires préenregistrés
cannibal ['kænɪbəl] *n* cannibale *m*/*f* **cannibalism** ['kænɪbəlɪzəm] *n* cannibalisme *m*
cannibalization [ˌkænɪbəlaɪ'zeɪʃən] *n* ECON cannibalisation *f*
cannon ['kænən] *n* MIL canon *m* **cannonball** *n* boulet *m* de canon
cannot ['kænɒt] *neg* = **can¹**
canny ['kænɪ] *adj* ⟨**+er**⟩ rusé
canoe [kə'nuː] **I** *n* canoë *m* **II** *v/i* faire du canoë **canoeing** [kə'nuːɪŋ] *n* canoë *m*
canon *n* (*priest*) chanoine *m*
canonize ['kænənaɪz] *v/t* ECCL canoniser
canon law *n* ECCL droit *m* canon
can-opener ['kænˌəʊpnər] *n* ouvre-boîte *m*
canopy ['kænəpɪ] *n* auvent *m*; (*of bed*) baldaquin *m*
can't [kɑːnt] *contr* = **can not**
cantaloup(e) ['kæntəluːp] *n* cantaloup *m*
cantankerous [kæn'tæŋkərəs] *adj* grincheux(-euse)
canteen [kæn'tiːn] *n* **I** (*water container*) gourde *f* **II** *esp Br* (*restaurant*) cantine *f*; (*in university*) restaurant *m* universitaire
canter ['kæntər] *v/i* aller au petit galop *m*
canton ['kæntɒn] *n* canton *m*
Cantonese [ˌkæntə'niːz] **I** *adj* cantonais

II *n* **1.** Cantonais(e) *m*(*f*) **2.** LING cantonais *m*
canvas ['kænvəs] *n* toile *f*; (*for tent*) toile *f* de tente; ***under ~*** sous la tente; ***~ shoes*** chaussures en toile
canvass ['kænvəs] **I** *v/t* **1.** POL *district* faire du démarchage électoral dans; *person* solliciter le suffrage de **2.** *customers* démarcher; *opinions* sonder **II** *v/i* **1.** POL faire campagne **2.** COMM faire du démarchage **canvasser** ['kænvəsər] *n* **1.** POL agent *m* électoral **2.** COMM démarcheur(-euse) *m*(*f*) **canvassing** ['kænvəsɪŋ] *n* **1.** POL démarchage *m* électoral **2.** COMM démarchage *m*, porte-à-porte *m*
canyon ['kænjən] *n* canyon *m* **canyoning** ['kænjənɪŋ] *n* SPORTS canyoning *m*
CAP *abbr* = **Common Agricultural Policy** PAC, Politique *f* agricole commune
cap [kæp] **I** *n* **1.** (*hat*) casquette *f*; (*for swimming*) bonnet *m* de bain; ***if the ~ fits*(, *wear it*)** (*Br prov*) qui se sent morveux se mouche *prov* **2.** (*Br* SPORTS) ***he has won 50 ~s for Scotland*** il a 50 sélections dans l'équipe écossaise **3.** (*lid*); (*of pen*) capuchon *m*; (*of valve*) bouchon *m* **4.** (*contraceptive*) diaphragme *m* **II** *v/t* **1.** SPORTS ***~ped player*** joueur sélectionné (*en équipe nationale*) **2.** ***and then to ~ it all …*** et pour couronner le tout…; ***they ~ped spending at $50,000*** ils ont établi le plafond des dépenses à 50 000$
capability [ˌkeɪpə'bɪlɪtɪ] *n* **1.** capacité *f*; ***within her capabilities*** dans ses capacités; ***it is beyond his capabilities*** c'est au-dessus de ses capacités **2.** MIL potentiel *m* **capable** ['keɪpəbl] *adj* **1.** capable **2.** ***to be ~ of doing sth*** être capable de faire qc; ***to be ~ of sth*** être capable de qc; ***it's ~ of speeds of up to …*** elle peut atteindre des vitesses allant jusqu'à… **capably** ['keɪpəblɪ] *adv* avec compétence
capacity [kə'pæsɪtɪ] *n* **1.** (*cubic content etc.*) contenance *f*, capacité *f*; (*maximum output*) capacité *f*; ***seating ~ of 400*** capacité de 400 places; ***working at full ~*** travailler au maximum de ses capacités; ***the Stones played to ~ audiences*** les Stones ont joué à guichets fermés **2.** (*ability*) capacité *f*, aptitude *f*; ***his ~ for learning*** son aptitude à apprendre **3.** (*role*) qualité *f*; ***speaking in his official ~ as mayor, he said …*** en sa qualité de maire, il a déclaré…
cape[1] [keɪp] *n* cape *f*
cape[2] *n* GEOG cap *m* **Cape gooseberry** *n* coqueret *m* du Pérou, physalis *m* **Cape Horn** *n* cap Horn *m* **Cape of Good Hope** *n* cap de Bonne-Espérance *m*
caper[1] ['keɪpər] **I** *v/i* gambader **II** *n* (*prank*) farce *f*
caper[2] *n* BOT, COOK câpre *m*
Cape Town *n* Le Cap
capful ['kæpfʊl] *n* ***one ~ to one liter of water*** un bouchon pour un litre d'eau
capillary [kə'pɪlərɪ] *n* capillaire *m*
capital ['kæpɪtl] **I** *n* **1.** (*a.* **capital city**) capitale; (*fig center*) centre *m* **2.** (*a.* **capital letter**) majuscule *f*, capitale *f*; ***small ~s*** petites capitales *tech*; ***please write in ~s*** écrivez en majuscules **3.** *no pl* (FIN, *fig*) capital *m*; ***to make ~ out of sth*** *fig* tirer profit de qc **II** *adj letter* majuscule; ***love with a ~ L*** l'amour avec un grand A **capital assets** *pl* immobilisations *fpl* **capital expenditure** *n* dépenses *fpl* d'investissement **capital gains tax** *n* impôt *m* sur les plus-values **capital investment** *n* mise *f* de fonds **capitalism** ['kæpɪtəlɪzəm] *n* capitalisme *m* **capitalist** ['kæpɪtəlɪst] **I** *n* capitaliste *m/f* **II** *adj* capitaliste ◆ **capitalize on** *v/i +prep fig* tirer parti de qc
capital offence *n* crime *m* passible de la peine capitale **capital punishment** *n* peine *f* capitale
Capitol ['kæpɪtl] *n* Capitole *m*
capitulate [kə'pɪtjʊleɪt] *v/i* capituler (**to** devant) **capitulation** [kəˌpɪtjʊ'leɪʃən] *n* capitulation *f*
cappuccino [ˌkæpʊ'tʃiːnəʊ] *n* cappuccino *m*
caprice [kə'priːs] *n* caprice *m* **capricious** [kə'prɪʃəs] *adj* capricieux(-euse)
Capricorn ['kæprɪkɔːn] *n* Capricorne; ***I'm* (*a*) *~*** je suis Capricorne
capsicum ['kæpsɪkəm] *n* poivron *m*
capsize [kæp'saɪz] **I** *v/i* chavirer **II** *v/t* faire chavirer
capsule ['kæpsjuːl] *n* capsule *f*
captain ['kæptɪn] **I** *n* MIL, NAUT, AVIAT, SPORTS capitaine *m*; ***yes, ~!*** oui, mon capitaine!; ***~ of industry*** capitaine d'industrie **II** *v/t team* être le capitaine de; *ship* commander **captaincy** ['kæptənsɪ] *n* grade *m* de capitaine; SPORTS poste *m* de capitaine; ***under his ~*** lorsqu'il était capitaine
caption ['kæpʃən] **I** *n* légende *f*, sous-ti-

tre *m*; (*under cartoon*) légende *f* **II** *v/t* légender

captivate ['kæptɪveɪt] *v/t* captiver **captivating** ['kæptɪveɪtɪŋ] *adj* captivant

captive ['kæptɪv] **I** *n* captif(-tive) *m*(*f*), prisonnier(-ière) *m*(*f*); ***to take sb ~*** faire qn prisonnier; ***to hold sb ~*** retenir qn prisonnier **II** *adj* ***a ~ audience*** un public captif **captive market** *n* marché *m* captif **captivity** [kæp'tɪvɪtɪ] *n* captivité *f*

captor ['kæptəʳ] *n* ravisseur(-euse) *m*(*f*) ***his ~s treated him kindly*** ses ravisseurs l'ont bien traité **capture** ['kæptʃəʳ] **I** *v/t* **1.** *town* prendre, s'emparer de; *treasure* s'emparer de; *person animal* capturer **2.** *fig attention* captiver **3.** IT *data* saisir **II** *n* (*of escapee*, *animal*) capture *f*; (*of data*) saisie *f*

car [kɑːʳ] *n* **1.** voiture *f*; ***by ~*** en voiture; ***~ ride*** promenade en voiture **2.** (*tram car*) tramway *m*, tram *m* **car accident** *n* accident *m* de voiture

carafe [kə'ræf] *n* carafe *f*

car alarm *n* alarme *f* de voiture

caramel ['kærəməl] *n* (*substance*, *sweet*) caramel *m*

carat ['kærət] *n* carat *m*; ***nine ~ gold*** or neuf carats

caravan ['kærəvæn] *n* **1.** (*Br* AUTO); caravane *f*; (*circus caravan*) roulotte *f* **2.** (*group of travellers*) caravane *f*

caraway seeds ['kærəweɪsiːdz] *pl* graines *fpl* de carvi

carbohydrate ['kɑːbəʊ'haɪdreɪt] *n* hydrate *m* de carbone, glucide *m*

car bomb *n* voiture *f* piégée

carbon ['kɑːbən] *n* CHEM carbone *m* **carbonated** ['kɑːbəˌneɪtəd] *adj* gazéifié; (*drinks*) gazeux(-euse) **carbon copy** *n* carbone *m*; ***to be a ~ of sth*** être la copie conforme de qc **carbon dating** *n* datation *f* au carbone 14 **carbon dioxide** *n* dioxyde *m* de carbone **carbon emissions** *n* émissions *fpl* de CO2 **carbon footprint***n* empreinte *f* carbone **carbon monoxide** *n* monoxyde *m* de carbone

carbon offsetting compensation *f* carbone

carbon-neutral *adj* neutre en carbone

carburetor, *Br* **carburettor** [ˌkɑːbə'retəʳ] *n* carburateur *m*

carcass ['kɑːkəs] *n* (*corpse*) cadavre *m*; (*of animal*) carcasse *f*

car chase *n* course-poursuite *f*

carcinogen [kɑː'sɪnədʒen] *n* cancérigène **carcinogenic** [ˌkɑːsɪnə'dʒenɪk] *adj* cancérigène

car crash *n* accident *m* de voiture

card [kɑːd] *n* **1.** *no pl* (*cardboard*) carton *m* **2.** (*greetings*, *business*, *credit card etc.*) carte *f* **3.** (*playing card*) carte *f*; ***to play ~s*** jouer aux cartes; ***to lose money at ~s*** perdre de l'argent aux cartes; ***game of ~s*** jeu de cartes **4.** *fig* ***to put*** *or* ***lay one's ~s on the table*** jouer cartes sur table; ***to play one's ~s right*** bien mener son jeu; ***to hold all the ~s*** avoir tous les atouts en main; ***to play*** *or* ***keep one's ~s close to one's chest*** *or* (*US*) ***close to the vest*** cacher son jeu; ***it's on the ~s*** c'est bien possible

cardamom ['kɑːdəməm] *n* cardamome *f*

cardboard I *n* carton *m* **II** *attr* en carton **cardboard box** *n* boîte *f* en carton; (*larger*) carton *m* **card game** *n* jeu *m* de cartes

cardiac arrest *n* arrêt *m* cardiaque

cardigan ['kɑːdɪgən] *n* cardigan *m*

cardinal ['kɑːdɪnl] **I** *n* ECCL cardinal *m* **II** *adj* (*chief*) cardinal **cardinal number** *n* nombre *m* cardinal **cardinal sin** *n* péché *m* capital

card index *n* fichier *m*

cardio- ['kɑːdɪəʊ-] *pref* cardio-; ***cardiogram*** cardiogramme *m* **cardiologist** [ˌkɑːdɪ'ɒlɪdʒɪst] *n* cardiologue *m/f* **cardiology** [ˌkɑːdɪ'ɒlədʒɪ] *n* cardiologie *f* **cardiovascular** [ˌkɑːdɪəʊ'væskjʊləʳ] *adj* cardio-vasculaire

cardphone *n* téléphone *m* à carte **card player** *n* joueur(-euse) *m*(*f*) de cartes *m* **card trick** *n* tour *m* de cartes

care [kɛəʳ] **I** *n* **1.** (*worry*) souci *m* (***of*** pour); ***he hasn't a ~ in the world*** il n'a pas le moindre souci **2.** (*carefulness*) attention *f*, soin *m*; ***this word should be used with ~*** il faut employer ce mot avec prudence; ***paint strippers need to be used with ~*** il faut utiliser les décapants avec prudence; ***"handle with ~"*** "fragile"; ***to take ~*** (*be careful*) faire attention; ***take ~ he doesn't cheat you*** attention qu'il ne t'escroque pas; ***bye-bye, take ~*** au revoir, à bientôt; ***to take ~ to do sth*** avoir soin de faire; ***to take ~ over*** *or* ***with sth / in doing sth*** apporter du soin à faire qc **3.** (*of teeth etc.*) prendre soin de; ***to take ~ of sth*** (*maintain*) prendre soin de qc; *one's appearance*, soigner; *car* prendre soin de;

to take ~ of oneself se débrouiller tout seul; (*as regards health*) prendre soin de soi **4.** (*of old people*) prendre en charge; ***medical ~*** soins *mpl* médicaux; ***to take ~ of sb*** s'occuper de qn **5.** (*protection*) soin; ***in ~ of*** *US*, ***~ of*** *Br* aux bons soins de; ***in*** *or* ***under sb's ~*** sous la surveillance de qn; ***to take a child into ~*** *Br* ≈ mettre un enfant à l'assistance publique; ***to take ~ of sth*** *valuables*, *animals* s'occuper de qc; ***that takes ~ of him*** cela règle les choses en ce qui le concerne; ***let me take ~ of that*** laissez-moi m'en charger; ***that can take ~ of itself*** cela peut s'arranger tout seul **II** *v/i* ***I don't ~*** ça m'est égal; ***for all I ~*** pour ce que ça peut me faire; ***who ~s?*** qu'est-ce que ça peut faire?; ***to ~ about sth*** se soucier de qc; ***that's all he ~s about*** c'est tout ce qui l'intéresse; ***he ~s deeply about her*** il l'aime vraiment; ***he doesn't ~ about her*** elle lui est indifférente **III** *v/t* **1.** ***I don't ~ what people say*** je me moque de ce que les gens disent; ***what do I ~?*** qu'est-ce que j'en ai à faire?; ***I couldn't ~ less*** ça m'est complètement indifférent **2.** ***to ~ to do sth*** aimer faire qc; ***I wouldn't ~ to meet him*** je n'aimerais pas le rencontrer ◆ **care for** *v/t insep* **1.** (*look after*) s'occuper de; *furniture etc.* entretenir; ***well cared-for*** soigné, bien entretenu **2.** ***I don't ~ that suggestion*** cette suggestion ne me plaît pas; ***I don't ~ him*** je ne l'aime pas; ***I've never much cared for his films*** je n'ai jamais beaucoup aimé ses films; ***but you know I do ~ you*** mais tu sais que je tiens à toi

career [kə'rɪəʳ] **I** *n profession*, *job*; (*working life*) carrière *f*, profession *f* ***to make a ~ for oneself*** faire carrière **II** *attr soldier* de carrière ***a good / bad ~ move*** une bonne / mauvaise décision sur le plan professionnel **III** *v/i* aller à toute vitesse **Careers Adviser** *n Br* conseiller(-ère) *m*(*f*) d'orientation professionnelle **Careers Officer** *n Br* → **Careers Adviser** **career woman** *n* femme *f* ambitieuse (*professionnellement*)

carefree ['kɛəfriː] *adj* insouciant

careful ['kɛəfʊl] *adj* consciencieux (-euse); (*cautious*) prudent; (*with money etc.*) parcimonieux; ***~!*** attention!; ***to be ~*** faire attention (***of*** à); ***be ~ with the glasses*** attention avec les verres; ***she's very ~ about what she eats*** elle fait très attention à ce qu'elle mange; ***to be ~ about doing sth*** faire attention en faisant qc; ***be ~*** (***that***) ***they don't hear you*** (faites) attention qu'ils ne vous entendent pas; ***be ~ not to drop it*** (fais) attention de ne pas le laisser tomber; ***he is very ~ with his money*** il surveille ses dépenses de près **carefully** ['kɛəfəlɪ] *adv* consciencieusement, avec soin; (*cautiously*) prudemment; *consider* avec attention; *listen* attentivement; *explain* soigneusement **carefulness** *n* soin *m*; (*caution*) prudence *f* **care home** *n* maison *f* d'accueil **care label** *n* étiquette *f* d'entretien

careless ['kɛəlɪs] *adj person*, *driving* négligent; *work* peu soigné; *remark* inconsidéré; ***~ mistake*** faute d'inattention; ***how ~ of me!*** quelle négligence de ma part!; (*clumsy*) quelle maladresse de ma part **carelessly** ['kɛəlɪslɪ] *adv* **1.** (*negligently*) sans faire attention **2.** *say*, *throw* sans réfléchir **carelessness** *n* (*of person*) négligence *f*; *work* manque *m* de soin

carer ['kɛərəʳ] *n personne qui s'occupe d'un proche malade ou handicapé*; ***the elderly and their ~s*** les personnes âgées et ceux qui s'occupent d'elles

caress [kə'res] **I** *n* caresse *f* **II** *v/t* caresser

caretaker *n* gardien(ne) *m*(*f*) **care worker** *n* travailleur(-euse) *m*/*f* social(e) **careworn** *adj* accablé de soucis

car ferry *n* ferry(-boat) *m*

cargo ['kɑːgəʊ] *n* cargaison *f*

car hire *n* location *f* de voiture

Caribbean [ˌkærɪ'biːən, (*US*) kæ'rɪbiːən] **I** *adj* des Caraïbes; ***~ Sea*** mer des Caraïbes; ***a ~ island*** une île des Caraïbes **II** *n* habitant(e) *m*(*f*) des Caraïbes

caricature ['kærɪkətjʊəʳ] **I** *n* caricature *f* **II** *v/t* caricaturer

caring ['kɛərɪŋ] *adj attitude*, *husband* attentionné; *society* chaleureux(-euse); ***~ professions*** professions à vocation sociale

car insurance *n* assurance *f* auto

car jack *n* vol *m* de voiture à main armée **carjacking** ['kɑːˌdʒækɪŋ] *n* vol *m* de voiture à main armée **car keys** *pl* clés *fpl* de voiture **carload** *n* **1.** AUTO (pleine) voiture *f* **2.** (*US* RAIL) (plein) wagon *m*

carnage ['kɑːnɪdʒ] *n* carnage *m*
carnal ['kɑːnl] *adj* charnel(le); **~ *desires*** désirs charnels
carnation [kɑː'neɪʃən] *n* œillet *m*
carnival ['kɑːnɪvəl] **I** *n* fête *f* foraine; (*based on religion*) carnaval *m* **II** *attr* de carnaval
carnivore ['kɑːnɪvɔːʳ] *n* carnivore *m* **carnivorous** [kɑː'nɪvərəs] *adj* carnivore
carol ['kærəl] *n* chant *m* (*de Noël*) **carol singers** *pl* chanteurs *mpl* de Noël **carol singing** *n* coutume *f* des chants de Noël
carousel [ˌkæruː'sel] *n* **1.** (*merry-go--round*) manège *m* de chevaux de bois **2.** (*moving belt*) tapis *m* roulant
car owner *n* automobiliste *m/f*
carp[1] [kɑːp] *n* (*fish*) carpe *f*
carp[2] *v/i* critiquer
car park *n Br* (*parking lot*) parc *m* de stationnement *m*, parking *m*
carpenter ['kɑːpɪntəʳ] *n* charpentier *m*; (*for furniture*) menuisier *m* **carpentry** ['kɑːpɪntrɪ] *n* charpenterie *f*; (*as hobby*) menuiserie *f*
carpet ['kɑːpɪt] **I** *n* tapis *m*; (*fitted*) moquette *f* **II** *v/t* moquetter **carpet--sweeper** *n* balai *m* mécanique **carpet tile** *n* carreau *m* de moquette
car phone *n* téléphone *m* de voiture **carpool** *n* **1.** (*people*) *groupe de personnes s'organisant en covoiturage* **2.** (*vehicles*) flotte *f* de véhicules **carport** *n* auvent *m* pour voiture **car radio** *n* autoradio *m* **car rental** *n US* location *f* de voiture
carriage ['kærɪdʒ] *n* **1.** (*horse-drawn*) attelage *m* **2.** (*Br* RAIL) voiture *f*, wagon *m* **3.** (*Br* COMM *conveyance*) transport *m*, fret *m* **carriageway** ['kærɪdʒweɪ] *n Br* chaussée *f*
carrier ['kærɪəʳ] *n* **1.** (*haulier*) transporteur *m* **2.** (*of disease*) porteur(-euse) *m(f)* **3.** (*aircraft carrier*) transporteur *m* aérien **4.** *US* (*telephone / TV provider*) fournisseur *m* **5.** (*Br: a.* **carrier bag**) sac *m* (*en papier ou en plastique*) **carrier pigeon** *n* pigeon *m* voyageur
carrion ['kærɪən] *n* charogne *f*
carrot ['kærət] *n* (*a. fig*) carotte *f* **carrot--and-stick** *adj* **~ *policy*** la méthode de la carotte et du bâton **carrot cake** *n* gâteau *m* aux carottes
carry ['kærɪ] **I** *v/t* **1.** porter, transporter; *money* transporter; ***to ~ sth about*** *or* ***around with one*** porter qc sur soi **2.** (*vehicle*) transporter; ***this bus carries 30 people*** ce bus peut transporter trente personnes; ***the current carried them along*** le courant les a transportés **3.** *fig* ***this job carries a lot of responsibility*** ce poste comporte de nombreuses responsabilités; ***the offense carries a penalty of $50*** cette infraction entraîne une amende de 50$ **4.** COMM *stock* vendre, stocker **5.** (TECH, *pipe*) acheminer; (*wire*) transmettre **6.** ***the motion was carried unanimously*** la motion a été votée à l'unanimité **7.** ***he carries himself well*** il se tient bien **8.** MED ***people ~ing the AIDS virus*** les personnes porteuses du virus du SIDA; ***to be ~ing a child*** attendre un enfant **9.** MATH ***... and ~ 2*** ...et je retiens 2 **II** *v/i* (*sound*) porter; ***the sound of the alphorn carried for miles*** le son du cor des Alpes portait très loin ◆ **carry away** *v/t sep* **1.** *lit* emporter **2.** *fig* ***to get carried away*** se laisser emporter, s'emballer *infml*; ***don't get carried away!*** ne t'emballe pas! *infml*; ***to be carried away by one's feelings*** se laisser emporter par ses sentiments ◆ **carry forward** *v/t sep* FIN reporter ◆ **carry off** *v/t sep* **1.** (*seize*) enlever **2.** *prizes* remporter **3.** ***to carry it off*** bien s'en tirer *infml* ◆ **carry on I** *v/i* **1.** (*continue*) continuer **2.** (*infml talk*) continuer, poursuivre; (*make a scene*) faire une histoire *infml*; ***to ~ about sth*** faire un histoire à propos de qc **3.** (*have an affair*) *infml* avoir une liaison **II** *v/t sep* **1.** *tradition*, *business* entretenir, poursuivre **2.** *conversation* poursuivre ◆ **carry out** *v/t sep* **1.** *lit* emporter **2.** *fig order*, *job* exécuter; *promises* tenir; *search* mener; *plan*, *threats* mettre à exécution ◆ **carry over** *v/t sep* FIN reporter ◆ **carry through** *v/t sep* mener à bien
carryall *n US* fourre-tout *m inv* **carrycot** *n Br* porte-bébé *m* **carry-on** *adj US* **~ *bag*** bagage *m* à main **carry-out** *US*, *Scot n* (*meal*, *drink*) à emporter; ***let's get a ~*** prenons un plat à emporter
carsick ['kɑːsɪk] *adj **I used to get ~*** avant j'étais malade en voiture
cart [kɑːt] **I** *n* charrette **II** *v/t fig*, *infml* trimballer *infml* ◆ **cart away** *or* **off** *v/t sep* emporter
carte blanche ['kɑːt'blɑːnʃ] *n no pl* ***to give sb ~*** donner carte blanche à qn
cartel [kɑː'tel] *n* cartel *m*

carthorse ['kɑːthɔːs] *n* cheval *m* de trait
cartilage ['kɑːtɪlɪdʒ] *n* cartilage *m*
cartload ['kɑːtləʊd] *n* charretée *f*
carton ['kɑːtən] *n* boîte *f* carton *m*; (*of cigarettes*) cartouche *f*; (*of milk*) brique *f*
cartoon [kɑː'tuːn] *n* **1.** bande *f* dessinée; (*single picture*) dessin *m* **2.** FILM, TV dessin *m* animé **cartoon character** *n* personnage *m* de dessin animé **cartoonist** [ˌkɑː'tuːnɪst] *n* **1.** dessinateur(-trice) *m(f)* **2.** FILM, TV dessinateur(-trice) *m(f)* de dessins animés **cartoon strip** *n esp Br* bande *f* dessinée, BD *f*
cartridge ['kɑːtrɪdʒ] *n* (*for rifle*, *pen*) cartouche *f*; PHOT chargeur *m* **cartridge belt** *n* cartouchière *f*
cartwheel ['kɑːtwiːl] *n lit* roue *f* de charrette; SPORTS roue *f*; ***to turn** or **do ~s*** faire la roue
carve [kɑːv] **I** *v/t* **1.** *wood* sculpter; *stone etc.* tailler; ***~d in(to) the wood / the stone*** sculpté dans le bois / la pierre **2.** COOK découper **II** *v/i* COOK découper ◆ **carve out** *v/t sep* ***to ~ a career for oneself*** se construire une carrière ◆ **carve up** *v/t sep* **1.** *meat* découper **2.** *fig inheritance* se partager; *country* démembrer
carvery ['kɑːvərɪ] *n* ≈ grill **carving** ['kɑːvɪŋ] *n* ART sculpture *f* **carving knife** *n* couteau *m* à viande
carwash ['kɑːwɒʃ] *n* station *f* de lavage automatique
cascade [kæs'keɪd] **I** *n* cascade *f* **II** *v/i* (*a.* **cascade down**) (***onto*** sur) tomber en cascade
case¹ [keɪs] *n* **1.** cas *m*; ***is that the ~ with you?*** est-ce votre cas?; ***as the ~ may be*** comme c'est peut-être le cas; ***in most ~s*** dans la plupart des cas; ***in ~*** au cas où; (***just***) ***in ~*** (juste) au cas où; ***in ~ of emergency*** en cas d'urgence; ***in any ~*** quoi qu'il en soit; ***in that ~*** dans ce cas; ***to win one's ~*** JUR gagner son procès; ***the ~ for the defense*** la défense; ***in the ~ Higgins v Schwarz*** dans le procès Higgins contre Schwarz; ***the ~ for / against capital punishment*** les arguments en faveur de / contre la peine de mort; ***to have a good ~*** JUR avoir de bons arguments; ***there's a very good ~ for adopting this method*** les arguments en faveur de cette méthode sont nombreux; ***to put one's ~*** exposer son cas; ***to put the ~ for sth*** exposer le cas de qc; ***to be on the ~*** s'occuper de la question **2.** GRAM cas *m*; ***in the genitive ~*** au génitif **3.** (*infml person*) cas *m infml*; ***a hopeless ~*** un cas désespéré
case² *n* **1.** (*packing case*) caisse *f*; (*display case*) coffret *m* **2.** (*for spectacles*) étui *m*; (*for CD*) boîte *f*; (*for musical instrument*) étui; housse *f esp Br* (*suitcase*) valise *f* **3.** TYPO ***upper / lower ~*** haut / bas de casse
case history *n* MED, SOCIOL, PSYCH antécédents *mpl*
casement ['keɪsmənt] *n* (*window*) croisée *f*
case study *n* étude *f* de cas
cash [kæʃ] **I** *n* **1.** espèces *fpl*; argent *m* liquide; ***~ in hand*** argent en caisse; ***to pay (in) ~*** payer en liquide; ***how much do you have in ready ~?*** combien avez-vous en liquide?; ***~ in advance*** paiement *m* à l'avance; ***~ on delivery*** paiement *m* à la livraison **2.** (*money*) argent *m*; ***to be short of ~*** être à court d'argent; ***I'm out of ~*** *infml* je suis fauché *infml* **II** *v/t check* encaisser ◆ **cash in I** *v/t sep* se faire rembourser **II** *v/i* ***to ~ on sth*** tirer profit de qc
cash-and-carry *n* (*for retailers*, *public*) grossiste *m*; magasin *m* de gros **cashback** *n* retrait *m*; ***I'd like £20 ~, please*** je voudrais faire un retrait de 20 livres, s'il vous plaît **cashbook** *n* livre *m* de caisse **cash box** *n* caisse *f* **cash card** *n* carte *f* de retrait **cash desk** *n Br* caisse *f* **cash discount** *n* remise *f* au comptant **cash dispenser** *n Br* distributeur *m* automatique de billets
cashew [kæ'ʃuː] *n* noix *f* de cajou
cash flow I *n* cash flow *m*, trésorerie *f* **II** *attr **cash-flow problems*** problèmes de trésorerie **cashier** [kæ'ʃɪəʳ] *n* caissier (-ière) *m(f)* **cashier's check** *n US* chèque *m* de banque **cashless** ['kæʃləs] *adj* sans argent **cash machine** *n* distributeur *m* de billets
cashmere ['kæʃmɪəʳ] *n* cachemire *m*
cash payment *n* paiement *m* comptant **cash point** *n Br* distributeur *m* de billets **cash price** *n* prix *m* comptant **cash register** *n* caisse *f* enregistreuse **cash transaction** *n* transaction *f* en liquide
casing ['keɪsɪŋ] *n* TECH revêtement *m*
casino [kə'siːnəʊ] *n* casino *m*
cask [kɑːsk] *n* tonneau *m*
casket ['kɑːskɪt] *n* **1.** coffret *m* **2.** (*US*

coffin) cercueil *m*
Caspian Sea ['kæspɪən'siː] *n* mer *f* Caspienne
casserole ['kæsərəʊl] *n* COOK ragoût *m*; ***a lamb ~*** ragoût *m* d'agneau
cassette [kæ'set] *n* cassette *f* **cassette deck** *n* lecteur *m* de cassettes
cassette player, cassette recorder *n* magnétophone *m* à cassettes **cassette radio** *n* radio *f* cassette
cassock ['kæsək] *n* soutane *f*
cast [kɑːst] *vb* ⟨*past, past part* **cast**⟩ **I** *n* **1.** (*plaster cast*) plâtre *m* **2.** THEAT distribution *f* **II** *v/t* **1.** (*throw*) jeter, lancer; *net* lancer; ***to ~ one's vote*** voter; ***to ~ one's eyes over sth*** jeter un regard à qc; ***to ~ a shadow*** jeter une ombre (***on*** sur) **2.** TECH, ART mouler **3.** THEAT ***they ~ him as the villain*** on lui a donné le rôle du méchant **III** *v/i* FISH pêcher au lancer ◆ **cast around for** *v/t insep* chercher; ***he was casting around for something to say*** il cherchait qc à dire ◆ cast aside *v/t sep cares* mettre de côté; *person* écarter ◆ **cast back** *v/t sep* ***to cast one's thoughts*** *or* ***mind back*** se remémorer ◆ **cast off** *v/t & v/i sep* **1.** NAUT larguer les amarres **2.** KNITTING rabattre ◆ **cast on** *v/t & v/i sep* KNITTING monter des mailles ◆ **cast out** *v/t sep liter* renvoyer; *demons* chasser
castaway ['kɑːstəweɪ] *n* naufragé(e) *m(f)*
caste [kɑːst] **I** *n* caste *f* **II** *adj attr* de caste
caster ['kɑːstə^r] *n* = **castor caster sugar** *n Br* sucre *m* en poudre
castigate ['kæstɪgeɪt] *v/t* châtier
casting vote *n* voix *f* prépondérante
cast iron I *n* fonte *f* **II** *adj* **cast-iron 1.** *lit* en fonte **2.** *fig constitution* de fer; *alibi* inattaquable
castle ['kɑːsl] *n* **1.** château *m*; (*medieval fortress*) château-fort *m* **2.** CHESS tour *f*
castoffs ['kɑːstɒfs] *pl* (*Br infml*) laissé(e)-pour-compte *m(f)*; ***she's one of his ~*** *fig, infml* c'est une ancienne petite amie qu'il a larguée *infml*
castor ['kɑːstə^r] *n* (*wheel*) roulette *f*
castor oil *n* huile *f* de ricin
castrate [kæs'treɪt] *v/t* castrer **castration** [kæs'treɪʃən] *n* castration *f*
casual ['kæʒjʊl] *adj* **1.** (*not planned*) de hasard; superficiel(le) ***he's just a ~ acquaintance*** c'est juste une connaissance; *glance* rapide **2.** (*careless*), *attitude* désinvolte, décontracté; ***it was just a ~ remark*** c'était une remarque en passant; ***he was very ~ about it*** il était très décontracté sur le sujet; (*in reaction*) il prenait cela avec décontraction *infml*; ***the ~ observer*** l'observateur superficiel **3.** (*informal*), *clothes* sport, décontracté ***a ~ shirt*** une chemise sport; ***he was wearing ~ clothes*** il était habillé très décontracté **4.** *work* temporaire; *affair* passager(-ère) **casually** ['kæʒjʊlɪ] *adv* **1.** (*without emotion*) nonchalamment **2.** (*incidentally*) par hasard; (*without seriousness*) avec désinvolture; *dressed* de façon décontractée
casualty ['kæʒjʊltɪ] *n* **1.** victime *f* **2.** (*a.* **casualty unit**) service *m* des urgences; ***to go to ~*** aller aux urgences; ***to be in ~*** être aux urgences **casualty ward** *n* service *m* des urgences
cat [kæt] *n* **1.** chat *m*; ***when*** *or* ***while the ~'s away the mice will play*** *prov* quand le chat n'est pas là, les souris dansent *prov*; ***has the ~ got your tongue?*** *infml* tu as perdu ta langue? **2.** ***to be the ~'s pajamas*** *US infml* être vraiment top *infml*; ***to let the ~ out of the bag*** vendre la mèche; ***to play a ~-and-mouse game with sb*** jouer au chat et à la souris avec qn; ***there isn't room to swing a ~*** *infml* il n'y a même pas la place de se retourner; ***to be like a ~ on hot bricks*** *or* ***on a hot tin roof*** être sur des charbons ardents; ***that's put the ~ among the pigeons!*** *esp Br* ça a jeté un pavé dans la mare; ***he doesn't have a ~ in hell's chance of winning*** il n'a pas la moindre chance de gagner
catacombs ['kætəkuːmz] *pl* catacombes *fpl*
catalog, *Br* **catalogue** ['kætəlɒg] **I** *n* **1.** catalogue **2.** ***a ~ of errors*** une série d'erreurs **II** *v/t* cataloguer
catalyst ['kætəlɪst] *n* catalyseur *m*
catalytic converter [ˌkætəlɪtɪkkən'vɜːtə^r] *n* AUTO pot *m* catalytique
catamaran [ˌkætəmə'ræn] *n* catamaran *m*
catapult ['kætəpʌlt] **I** *n* catapulte *f* **II** *v/t* catapulter
cataract ['kætərækt] *n* MED cataracte *f*
catarrhe [kə'tɑː^r] *n* catarrhe *f*
catastrophe [kə'tæstrəfɪ] *n* catastrophe *f*; ***to end in ~*** se terminer de façon catastrophique **catastrophic** [ˌkætə'strɒfɪk] *adj* catastrophique

catcall *n* THEAT **~s** *pl* sifflets *mpl*
catch [kætʃ] *vb* ⟨*past, past part* **caught**⟩ **I** *n* **1.** (*of ball etc.*) ***to make a (good) ~*** bien rattraper la balle; ***he missed an easy ~*** il a raté une passe facile **2.** FISH prise *f* **3.** (*snag*) piège *m*; ***there's a ~!*** il y a un piège! **4.** (*for fastening*) loquet *m* **II** *v/t* **1.** attraper; *thief* attraper, prendre; (*infml manage to see*) prendre, surprendre; ***to ~ sb's arm, to ~ sb by the arm*** attraper qn par le bras; ***glass which ~es the light*** du verre qui reflète la lumière; ***to ~ sight/a glimpse of sb/sth*** apercevoir qn / qc; ***to ~ sb's attention/eye*** attirer l'attention / le regard de qn **2.** (*take by surprise*) prendre, surprendre; ***to ~ sb by surprise*** prendre qn par surprise; ***to be caught unprepared*** être pris au dépourvu; ***to ~ sb at a bad time*** prendre qn au mauvais moment; ***I caught him flirting with my wife*** je l'ai surpris en train de flirter avec ma femme; ***you won't ~ me signing any contract*** *infml* aucun danger que je signe quelque contrat que ce soit; ***caught in the act*** pris sur le fait; ***we were caught in a storm*** nous avons été surpris par l'orage; ***to ~ sb on the wrong foot*** *or* ***off balance*** *fig* déstabiliser qn **3.** (*take*) *bus etc.* prendre, attraper **4.** (*be in time for*) *bus* avoir; ***if I hurry I'll ~ the end of the film*** si je fais vite, j'aurai la fin du film *infml* **5.** ***I caught my finger in the car door*** je me suis coincé le doigt dans la portière; ***he caught his foot in the grating*** il s'est pris le pied dans la grille **6.** (*hear*) saisir **7.** ***to ~ an illness*** attraper une maladie; ***he's always ~ing cold(s)*** il attrape toujours des rhumes; ***you'll ~ your death (of cold)!*** tu vas attraper la mort! *infml*; ***to ~ one's breath*** reprendre son souffle; ***the blow caught him on the arm*** le coup l'atteignit au bras; ***you'll ~ it!*** (*Br infml*) tu vas en prendre une bonne *infml* **III** *v/i* (*get stuck*) se prendre; (*get entangled*) rester coincé; ***her dress caught in the door*** sa robe s'est prise dans la porte ◆ **catch on** *v/i infml* **1.** (*become popular*) prendre **2.** (*understand*) piger *infml* ◆ **catch out** *v/t sep Br fig* (*with trick question etc.*) prendre en défaut ◆ **catch up I** *v/i* rattraper; ***to ~ on one's sleep*** rattraper du sommeil en retard; ***to ~ on*** *or* ***with one's work*** se mettre à jour dans son travail; ***to ~ with sb*** rattraper qn **II** *v/t sep* **1.** ***to catch sb up*** rattraper qn **2.** ***to get caught up in sth*** (*entangled*) *in traffic* être pris dans qc
catch-22 [ˌkætʃtwentɪ'tuː] *n* ***a ~ situation*** *infml* une situation sans issue
catchall ['kætʃɔːl] *n* fourre-tout *m inv* **catcher** ['kætʃəʳ] *n* attrapeur *m* **catching** *adj* (MED, *fig*) contagieux (-euse) **catchment area** ['kætʃmənt-'ɛərɪə] *n* bassin *m* hydrographique **catch phrase** *n* formule *f* toute faite **catchword** ['kætʃwɜːd] *n* slogan *m* **catchy** ['kætʃɪ] *adj* ⟨**+er**⟩ *tune* qui trotte dans la tête; *title* facile à retenir
catechism ['kætɪkɪzəm] *n* catéchisme *m*
categorical [ˌkætɪ'gɒrɪkəl] *adj* catégorique; ***he was quite ~ about it*** il a été très catégorique à ce sujet **categorically** [ˌkætɪ'gɒrɪkəlɪ] *adv say, state, deny* catégoriquement **categorize** ['kætɪgəraɪz] *v/t* catégoriser **category** ['kætɪgərɪ] *n* catégorie *f*
◆ **cater to** *v/t insep* **1.** (*serve with food*) fournir des repas à **2.** (*provide for*) répondre à, (*a. Br* **cater for**) *needs, tastes* satisfaire, répondre à
caterer ['keɪtərəʳ] *n* (*for parties etc.*) traiteur *m* **catering** *n* restauration *f* (*for*); ***who's doing the ~?*** qui fournit les repas?; ***~ trade*** restauration **catering service** ['keɪtərɪŋˌsɜːvɪs] *n* service *m* de traiteur
caterpillar ['kætəpɪləʳ] *n* ZOOL chenille *f*
catfish *n* poisson-chat *m* **cat flap** *n* chatière *f*
cathartic [kə'θɑːtɪk] *adj* LIT, PHIL cathartique
cathedral [kə'θiːdrəl] *n* cathédrale *f*; ***~ town/city*** siège *m* d'un évêché
catheter ['kæθɪtəʳ] *n* cathéter *m*
cathode-ray tube [ˌkæθəʊd'reɪtjuːb] *n* tube *m* cathodique
Catholic ['kæθəlɪk] **I** *adj* ECCL catholique; ***the ~ Church*** l'Église catholique **II** *n* catholique *m(f)* **Catholicism** [kə'θɒlɪsɪzəm] *n* catholicisme *m*
catkin *n* BOT chaton *m* **cat litter** *n* litière *f* (*pour chat*) **catnap I** *n* ***to have a ~*** faire un petit somme **II** *v/i* faire un petit somme
CAT scan ['kætˌskæn] *n* scanner *m*, scanographie *f*
Catseye® ['kætsˌaɪ] *n* (*Br* AUTO) catadioptre *m*
catsup ['kætsəp] *n US* = **ketchup**

cattle ['kætl] *pl* bétail *m*; ***500 head of ~*** 500 têtes de bétail **cattle-grid**, *US* **cattle guard** *n* passage *m* canadien **cattle market** *n* marché *m* aux bestiaux **cattle shed** *n* étable *f* **cattle truck** *n* RAIL fourgon *m* à bestiaux
catty ['kætɪ] *adj* ⟨**+er**⟩ méchant
catwalk ['kætwɔːk] *n* passerelle *f*
Caucasian [kɔː'keɪzɪən] **I** *adj* blanc(he) **II** *n* Blanc(he) *m(f)*
caucus ['kɔːkəs] *n US* caucus *m*
caught [kɔːt] *past*, *past part* = **catch**
cauldron ['kɔːldrən] *n* chaudron *m*
cauliflower ['kɒlɪflaʊəʳ] *n* chou-fleur *m*
cause [kɔːz] **I** *n* **1.** *origin* cause *f* (***of*** de); ***the relation of ~ and effect*** la relation de cause à effet; ***what was the ~ of the fire?*** quelle était la cause de l'incendie? **2.** (*reason*) cause *f*, raison *f* ***the ~ of his failure*** la cause de son échec; ***with*** (***good***) ***~*** à juste titre; ***there's no ~ for alarm*** il n'y a aucune raison de s'inquiéter; ***you have every ~ to be worried*** vous avez toutes les raisons d'être inquiet **3.** (*purpose*) cause *f*; ***to work for*** *or* ***in a good ~*** travailler pour une bonne cause; ***he died for the ~ of peace*** il est mort pour la paix; ***it's all in a good ~*** c'est pour la bonne cause **II** *v/t* causer; ***to ~ sb grief*** causer du chagrin à qn; ***to ~ sb to do sth*** *form* pousser qn à faire qc
causeway ['kɔːzweɪ] *n* chaussée *f*
caustic ['kɔːstɪk] *adj* (CHEM, *fig remark*) caustique **caustic soda** *n* soude *f* caustique
caution ['kɔːʃən] **I** *n* **1.** prudence *f*, circonspection *f* **"*caution!*"** "attention!"; ***to act with ~*** agir avec prudence **2.** (*warning*) mise en garde *f*; (*official*) avertissement *m* **II** *v/t* ***to ~ sb*** mettre qn en garde (***against*** contre); (*officially*) avertir; ***to ~ sb against doing sth*** déconseiller à qn de faire qc **cautious** ['kɔːʃəs] *adj* prudent, réservé; ***to give sth a ~ welcome*** réserver un accueil prudent à qc **cautiously** ['kɔːʃəslɪ] *adv* avec prudence, prudemment; ***~ optimistic*** d'un optimisme prudent
cavalcade [ˌkævəl'keɪd] *n* cavalcade *f*
cavalier [ˌkævə'lɪəʳ] *adj* cavalier *m*
cavalry ['kævəlrɪ] *n* cavalerie *f* **cavalry officer** *n* officier *m* de cavalerie
cave [keɪv] *n* grotte *f* ◆ **cave in** *v/i* **1.** (*collapse*) s'écrouler **2.** (*infml yield*) céder
caveman *n* homme *m* des cavernes **cave painting** *n* peinture *f* rupestre
cavern ['kævən] *n* caverne *f* **cavernous** ['kævənəs] *adj building* énorme, vaste
caviar(e) ['kævɪɑːʳ] *n* caviar *m*
cavity ['kævɪtɪ] *n* cavité *f*; ***nasal ~*** fosse nasale **cavity wall** *n* mur *m* creux; ***~ insulation*** isolation des murs creux
cavort [kə'vɔːt] *v/i* cabrioler
cayenne pepper ['keɪen'pepəʳ] *n* poivre *m* de cayenne
CB *abbr* = **Citizens' Band** CB *f*; ***CB radio*** CB
CBE *Br abbr* = **Commander of the Order of the British Empire** *commandeur de l'ordre de l'empire britannique*
CBI *Br abbr* = **Confederation of British Industry** *conseil du patronat britannique*
CBS *abbr* = **Columbia Broadcasting System** *réseau de TV américaine*
cc¹ *abbr* = **cubic centimetre** cm3
cc² *abbr* = **carbon copy** *n* cc
CCTV *n*, *abbr* = **closed-circuit television** télévision *f* en circuit fermé
CD *abbr* = **compact disc** CD *m*; ***CD player*** lecteur *m* CD; ***CD writer*** graveur *m* de CD
CD-R *n* IT *abbr* = **compact disk - recordable** CD-R *m*
CD-ROM ['siːdiː'rɒm] *abbr* = **compact disk - read only memory** CD-ROM *m*; ***~ drive*** lecteur *m* de CD-ROM
CD-RW *n* IT *abbr* = **compact disk - rewritable** CD-RW *m*
CDT *US abbr* = **Central Daylight Time**
cease [siːs] **I** *v/i* (*noise etc*) cesser **II** *v/t fire*, *trading* cesser ***to ~ doing sth*** cesser de faire qc **cease-fire** [siːs'faɪəʳ] *n* cessez-le-feu *m inv*; (*longer*) trêve *f* **ceaseless** *adj* continu **ceaselessly** *adv* sans cesse, continuellement
cedar ['siːdəʳ] *n* **1.** cèdre *m* **2.** (*a.* **cedarwood**) bois *m* de cèdre
cede [siːd] *v/t territory* céder (***to*** à)
Ceefax® ['siːfæks] *n Br télétexte de la*

cave ≠ cellier

Cave = grotte :

Carlsbad Caverns is probably the most famous cave in the US.

Carlsbad Caverns sont probablement les grottes les plus célèbres des États-Unis.

BBC
ceiling ['siːlɪŋ] *n lit et fig* plafond *m*
celebrate ['selɪbreɪt] **I** *v/t* **1.** fêter **2.** *mass*, *communion* célébrer **II** *v/i* faire la fête **celebrated** *adj* célèbre (***for*** pour) **celebration** [ˌselɪ'breɪʃən] *n* **1.** (*party*) fête *f*; (*act of celebrating*) célébration *f*, fête; ***in ~ of*** pour fêter… **2.** (*of mass*, *communion*) célébration *f* **celebratory** [ˌselɪ'breɪtəri] *adj meal* de fête; *drink* pour fêter l'occasion **celebrity** [sɪ'lebrɪtɪ] *n fame*, *person*, célébrité *f*
celeriac [sə'lerɪæk] *n* céleri-rave *m*
celery ['selərɪ] *n* céleri *m*; ***three stalks of ~*** trois branches de céleri
celestial [sɪ'lestɪəl] *adj* ASTRON céleste
celibacy ['selɪbəsɪ] *n* chasteté *f* **celibate** ['selɪbɪt] *adj* REL chaste
cell [sel] *n* **1.** cellule *f*; ***~ wall*** paroi *f* cellulaire **2.** (*US infml*) = **cellphone**
cellar ['selər] *n* cave *f*
cellist ['tʃelɪst] *n* violoncelliste *m(f)* **cello, 'cello** ['tʃeləʊ] *n* violoncelle *m*
Cellophane® ['seləfeɪn] *n* cellophane® *f*
cellphone ['selfəʊn] *n esp US* téléphone *m* portable **cellular** ['seljʊlər] *adj* cellulaire **cellular phone** *n* téléphone *m* portable
cellulite ['seljʊˌlaɪt] *n* cellulite *f*
celluloid ['seljʊlɔɪd] *n* celluloïd® *m*
cellulose ['seljʊləʊs] *n* cellulose *f*
Celsius ['selsɪəs] *adj* Celsius; ***30 degrees ~*** 30 degrés Celsius
Celt [kelt, selt] *n* Celte *m/f* **Celtic** ['keltɪk, 'seltɪk] *adj* celtique
cement [sə'ment] **I** *n* ciment *m* **II** *v/t lit*, *fig* cimenter **cement mixer** *n* bétonnière *f*
cemetery ['semɪtrɪ] *n* cimetière *m*
cenotaph ['senətɑːf] *n* cénotaphe *m*
censor ['sensər] **I** *n* censeur *m* **II** *v/t* censurer **censorship** *n* censure *f*; ***press ~, ~ of the press*** censure de la presse
census ['sensəs] *n* recensement *m*
cent [sent] *n* cent; ***I haven't a ~*** *US* je n'ai pas un sou
centennial *n* centenaire *m* **centenary** *n esp Br* centenaire *m*
center, *Br* **centre** ['sentər] **I** *n* **1.** *place*, *building* centre *m* **2.** (*middle*; (*of circle*); *town or city center*) centre *m*); ***~ of gravity*** centre de gravité; ***she always wants to be the ~ of attention*** elle veut toujours être au centre de l'attention générale; ***the man at the ~ of the controversy*** l'homme au centre de la controverse; ***left of ~*** à gauche du centre; ***party of the ~*** parti du centre **II** *v/t* **1.** centrer **2.** ***to be ~ed on sth*** être centré sur qc ◆ **centre (up)on** *v/t insep* se concentrer sur
center back, *Br* **centre back** *n* SPORTS arrière *m* central **centerfold**, *Br* **centrefold** *n* **1.** (*in magazine*) feuillet *m* central **2.** (*picture*) photo *f* de pin-up **center forward**, *Br* **centre forward** *n* SPORTS avant-centre *m* **center half**, *Br* **centre half** *n* SPORTS demi-centre *m* **center party**, *Br* **centre party** *n* parti *m* du centre **centerpiece**, *Br* **centrepiece** *n fig* (*of meeting*, *novel*, *work*) élément *m* central; (*of show*) clou *m*
centigrade ['sentɪgreɪd] *adj* centigrade; ***one degree ~*** un degré centigrade **centilitre**, *US* **centiliter** ['sentɪˌliːtər] *n* centilitre *m*
centimetre, *US* **centimeter** ['sentɪˌmiːtər] *n* centimètre *m* **centipede** ['sentɪpiːd] *n* mille-pattes *m inv*
central ['sentrəl] *adj* **1.** central; (*main*) principal; ***the ~ area of the city*** les quartiers du centre; ***~ London*** le centre de Londres **2.** *fig* central; *importance*, *issue* essentiel(le); ***to be ~ to sth*** être essentiel à qc **Central America** *n* Amérique *f* centrale **Central American** *adj* centraméricain **central bank** *n* FIN banque *f* centrale **Central Europe** *n* Europe *f* centrale **Central European** *adj* d'Europe centrale **Central European Time** *n* heure *f* des pays d'Europe centrale **central government** *n* gouvernement *m* central **central heating** *n* chauffage *m* central **centralization** [ˌsentrəlaɪ'zeɪʃən] *n* centralisation *f* **centralize** ['sentrəlaɪz] *v/t* centraliser **central locking** [ˌsentrəl'lɒkɪŋ] *n* verrouillage *m* centralisé **centrally** ['sentrəlɪ] *adv* de façon centralisée; ***~ heated*** avec le chauffage central **central nervous system** *n* système *m* nerveux central **central processing unit** *n* IT unité *f* centrale **central reservation** *n* terre-plein m central **Central Standard Time** *n* heure *f* d'hiver du centre des États-Unis
centre *n Br* = **center**
centrifugal [ˌsentrɪ'fjʊgəl] *adj* ***~ force*** force *f* centrifuge
century ['sentjʊrɪ] *n* siècle *m*; ***in the twentieth ~*** au XXe siècle; (*written*)

au vingtième siècle

CEO *abbr* = **chief executive officer**

ceramic [sɪ'ræmɪk] *adj* en céramique *f* **ceramics** *n* **1.** *sg* (*art*) céramique *f* **2.** *pl* (*articles*) objets *mpl* en céramique

cereal ['sɪərɪəl] *n* **1.** (*crop*) céréale *f* **2.** (*food*) céréales *fpl*

cerebral ['serɪbrəl] *adj* **~ *palsy*** paralysie *f* cérébrale

ceremonial [ˌserɪ'məʊnɪəl] *adj* cérémoniel(le), de cérémonie **ceremoniously** [ˌserɪ'məʊnɪəslɪ] *adv* solennel(le) **ceremony** ['serɪmənɪ] *n* **1.** cérémonie *f* **2.** (*formality*) cérémonie *f*, solennité *f*; ***to stand on ~*** faire des cérémonies

cert[1] [sɜːt] *abbr* = **certificate**

cert[2] [sɜːt] *n* (*Br infml*) ***it's a*** (***dead***) **~** ça ne fait pas un pli *infml*

certain ['sɜːtən] **I** *adj* **1.** certain; (*inevitable*) sûr, inévitable; ***are you ~ of*** *or* ***about that?*** en êtes-vous certaine?; ***is he ~?*** en est-il certain?; ***I don't know for ~, but ...*** je n'en suis pas certain, mais...; ***I can't say for ~*** je ne peux l'affirmer avec certitude mais...; ***he is ~ to come*** il est certain qu'il viendra; ***to make ~ of sth*** vérifier qc; ***be ~ to tell him*** ne manquez pas de le lui dire **2.** *attr* certain; *conditions* certain; ***a ~ gentleman*** un certain monsieur; ***to a ~ extent*** *or* ***degree*** jusqu'à un certain point; ***of a ~ age*** d'un certain âge **II** *pron* certains (certaines) *pl*; ***~ of you*** certains d'entre vous

certainly ['sɜːtənlɪ] *adv* (*admittedly*) certainement, bien sûr; (*without doubt*) certainement; ***~ not!*** certainement pas!; ***I ~ will not!*** je ne ferai certainement pas cela!; ***~!*** (mais) certainement! **certainty** ['sɜːtəntɪ] *n* certitude *f*; ***his success is a ~*** son succès ne fait un doute; ***it's a ~ that ...*** il ne fait aucun doute que...

certifiable [ˌsɜːtɪ'faɪəbl] *adj infml* bon à enfermer *infml* **certificate** [sə'tɪfɪkɪt] *n* certificat *m* **certified mail** *n US* courrier *m* recommandé **certify** ['sɜːtɪfaɪ] *v/t* attester; JUR certifier; ***this is to ~ that ...*** pour attester que...; ***she was certified dead*** le décès a été constaté; ***the painting has been certified*** (***as***) ***genuine*** ce tableau a été certifié comme étant un original

cervical cancer ['sɜːvɪkəl-, sə'vaɪkəl-] *n* cancer *m* du col de l'utérus **cervical smear** *n* frottis *m* vaginal

Cesarean, Cesarian [siː'zɛərɪən] *n US* césarienne *f* ***to have a ~*** avoir une césarienne

cessation [se'seɪʃən] *n* cessation *f*; (*of hostilities*) suspension *f*

cesspit ['sespɪt], **cesspool** *n* fosse *f* d'aisances

CET *abbr* = **Central European Time** heure *f* des pays d'Europe centrale

cf *abbr* = **confer** cf

CFC *abbr* = **chlorofluorocarbon** CFC

chafe [tʃeɪf] **I** *v/t* frotter; irriter ***his shirt ~d his neck*** sa chemise frottait au niveau du cou **II** *v/i* **1.** s'user **2.** *fig* s'irriter (***at, against*** de)

chaffinch ['tʃæfɪntʃ] *n* pinson *m*

chain [tʃeɪn] **I** *n* chaîne *f*; ***~ of stores*** chaîne de magasins; ***~ of events*** suite d'événements; ***~ of command*** MIL hiérarchie militaire; (*in management*) voie hiérarchique **II** *v/t* enchaîner; ***to ~ sb/sth to sth*** enchaîner qn/qc à qc ◆ **chain up** *v/t sep prisoner* enchaîner; *dog* attacher

chain letter *n* lettre-chaîne *f* **chain mail** *n* cotte *f* de mailles **chain reaction** *n* réaction *f* en chaîne **chain saw** *n* tronçonneuse *f* **chain-smoke** *v/i* fumer cigarette sur cigarette **chain smoker** *n* gros(se) fumeur(-euse) *m*(*f*) **chain store** *n* magasin *m* faisant partie d'une chaîne

chair [tʃɛəʳ] **I** *n* **1.** chaise *f* (*armchair*) fauteuil *m*; ***please take a ~*** asseyez-vous, je vous en prie **2.** (*in committees etc.*) présidence *m*; ***to be in ~*** assurer la présidence; prendre la présidence **3.** (*professorship*) chaire *f* (**of** de) **II** *v/t* présider **chairlift** *n* télésiège *m*

chairman *n* président (*d'un comité*) *m*; ***Mr Chairman*** monsieur le Président; ***Madam Chairman*** madame la Présidente **chairmanship** *n* présidence *f* (*d'un comité*)

chairperson *n* président(e) *m*(*f*) (*d'un comité*)

chairwoman *n* présidente *f*

chalet ['ʃæleɪ] *n* chalet *m*

chalk [tʃɔːk] *n* craie *f*; ***not by a long ~*** (*Br infml*) loin de là; ***they're as different as ~ and cheese*** *Br* côté caractère, c'est le jour et la nuit

challenge ['tʃælɪndʒ] **I** *n* **1.** défi *m* (**to** à); (*fig demands*) défi *m* ***to issue a ~ to sb*** lancer un défi à qn; ***this job is a ~*** ce poste donne l'occasion de se mesurer à soi-même; ***I see this task as a ~*** je prends ce travail comme un défi; ***those who rose to the ~*** ceux qui ont relevé le défi **2.** (*for leadership etc.*) mise *f* en question (***for*** de); ***a direct ~ to his authority*** une mise en question directe de son autorité **II** *v/t* **1.** (*to race etc.*) défier; ***to ~ sb to do sth*** défier qn de faire qc; ***to ~ sb to a duel*** provoquer qn en duel; ***to ~ sb to a game*** défier qn à un jeu **2.** (*fig make demands on*) beaucoup exiger de **3.** *fig sb's authority* mettre en cause **-challenged** [-ˈtʃælɪndʒd] *adj*, *suf usu hum* ***vertically-challenged*** de petite taille *hum*; ***intellectually-challenged*** intellectuellement limité **challenger** [ˈtʃælɪndʒəʳ] *n* challenger *m* **challenging** [ˈtʃælɪndʒɪŋ] *adj* **1.** (*provocative*) stimulant, provocateur(-trice) **2.** (*demanding*) stimulant, exigeant

chamber [ˈtʃeɪmbəʳ] *n* **1.** *obs* chambre *f* **2.** ***Chamber of Commerce*** chambre *f* de commerce; ***the Upper / Lower Chamber*** PARL la Chambre haute / basse **chambermaid** *n* femme *f* de chambre **chamber music** *n* musique *f* de chambre **chamber orchestra** *n* orchestre *m* de chambre **chamber pot** *n* pot *m* de chambre

chameleon [kəˈmiːlɪən] *n* (ZOOL, *fig*) caméléon *m*

champagne [ʃæmˈpeɪn] *n* vin *m* mousseux; (*French champagne*) champagne *m*; ***~ glass*** flûte *f* à champagne

champion [ˈtʃæmpjən] **I** *n* **1.** SPORTS champion(ne) *m(f)*; ***~s*** (*team*) champions; ***world ~*** champion du monde; ***heavyweight ~ of the world*** champion du monde des poids lourds **2.** (*of a cause*) défenseur(e) *m(f)* **II** *v/t* défendre, prendre fait et cause pour **championship** [ˈtʃæmpjənʃɪp] *n* SPORTS championnat *m*

chance [tʃɑːns] **I** *n* **1.** (*coincidence*) hasard *m*; (*luck*) chance *f*; ***by ~*** par hasard; ***would you by any ~ be able to help?*** pourriez-vous nous aider par hasard? **2.** (*possibility*) possibilité *f*, occasion *f*; (*probability*) probabilité *f*; chance *f*; ***(the) ~s are that …*** il y a de grandes chances que…; ***what are the ~s of his coming?*** y a-t-il des chances qu'il vienne?; ***is there any ~ of us meeting again?*** y a-t-il des chances que nous nous revoyions?; ***he doesn't stand*** *or* ***hasn't got a ~*** il n'a aucune chance; ***he has a good ~ of winning*** il a de bonnes chances de gagner; ***to be in with a ~*** avoir une chance; ***no ~!*** *infml* pas question! *infml*; ***you won't get another ~*** vous n'aurez pas d'autre chance; ***I had the ~ to go*** *or* ***of going*** j'ai eu la chance d'y aller; ***now's your ~!*** à vous de jouer maintenant **3.** (*risk*) risque *m*; ***to take a ~*** prendre un risque; ***he's not taking any ~s*** il ne prend aucun risque **II** *attr* de hasard; ***~ meeting*** rencontre de hasard **III** *v/t* ***I'll ~ it!*** *infml* je risque le coup! *infml* ◆ **chance (up)on** *v/t insep person* rencontrer par hasard; *thing* trouver par hasard

> **chance ≠ sort favorable**
>
> Le mot anglais **chance** se traduit mieux par occasion :
>
> ✓ **I didn't have a chance to speak to her yet.**
>
> ✗ **You have the good chance to meet such a famous person.**
>
> ✓ Je n'ai pas encore eu l'occasion de lui parler.
>
> ✗ Vous avez de la chance d'avoir rencontré quelqu'un de si célèbre.

chancellor [ˈtʃɑːnsələʳ] *n* chancelier (-ière) *m(f)*; ***Chancellor (of the Exchequer)*** *Br* Chancelier de l'Échiquier

chandelier [ˌʃændəˈlɪəʳ] *n* lustre *m*

change [tʃeɪndʒ] **I** *n* **1.** (*alteration*) changement *m*, altération *f*; (*modification also*) changement *m*, modification *f* (***to*** de); ***a ~ for the better / worse*** une amélioration / dégradation; ***~ of address*** changement d'adresse; ***a ~ in the weather*** changement de temps; ***no ~*** aucun changement; ***I need a ~ of scene*** j'ai besoin de changer d'air; ***to make ~s (to sth)*** apporter des changements (à qc); ***I didn't have a ~ of clothes with me*** je n'avais pas emporté de vêtements de rechange **2.** (*variety*) changement *m*; ***(just) for a ~*** (juste) pour changer; ***that makes a ~*** ça change **3.** (*of one thing for another*) changement *m*; ***a ~ of government*** un changement de gouvernement **4.** *no pl* (*money*) change *m*; (*small change*) monnaie *f*; ***can you give me ~ for a dollar*** pouvez-vous me faire la monnaie d'un dollar?; ***I haven't got any ~*** je n'ai pas de monnaie; ***you won't get much ~ out of £5*** sur 5£, il ne restera pas grand-chose; ***keep the ~*** gardez la monnaie **II** *v/t* **1.** changer; *address, name* changer de; ***to ~ trains*** *etc.* changer de train; ***to ~ one's clothes*** se changer; ***to ~ a wheel*** changer une roue; ***to ~ the oil*** faire la vidange; ***to ~ a baby's diaper*** (*US*) *or* **nappy** *Br* changer la couche d'un bébé; ***to ~ the sheets*** *or* ***the bed*** changer les draps; ***to ~ hands*** changer de mains; ***she ~d places with him*** elle a changé de place avec lui **2.** (*alter*); *person, ideas* modifier; (*transform*) transformer; ***to ~ sb / sth into sth*** transformer qn / qc en qc **3.** (*exchange*) changer; ***she ~d the dress for one of a different color*** elle a changé sa robe pour prendre une couleur différente **4.** (AUTO) ***to ~ gears*** changer de vitesse **III** *v/i* **1.** (*alter*) changer; (*traffic lights*) changer de couleur; ***to ~ from sth into …*** se transformer de qc en… **2.** (*change clothes*) se changer; ***she ~d into an old skirt*** elle s'est changée et a passé une vieille jupe; ***I'll just ~ out of these old clothes*** je vais me changer, enlever ces vieux vêtements **3.** (*change trains etc.*) faire une correspondance; ***all ~!*** tout le monde descend! **4.** ***to ~ to a different system*** changer de système; ***I ~d to philosophy from chemistry*** de chimie, j'ai changé pour philo ◆ **change around** *v/t sep* = **change round** *II* ◆ **change down** *v/i* (*Br* AUTO) rétrograder ◆ **change over** **I** *v/i* **1.** (*to sth different*) passer (***to*** à); ***we have just changed over from gas to electricity*** nous venons de passer du gaz à l'électricité **2.** (*exchange activities etc.*) changer, permuter **II** *v/t sep* changer ◆ **change round** *esp Br* **I** *v/i* = **change over** *I* **II** *v/t sep room* changer; *furniture* déplacer ◆ **change up** *v/i* (*Br* AUTO) passer la vitesse supérieure

changeable ['tʃeɪndʒəbl] *adj character, weather, mood* changeant **change machine** *n* distributeur *m* de monnaie **changeover** ['tʃeɪndʒəʊvəʳ] *n* passage *m* (***to*** à) **changing** ['tʃeɪndʒɪŋ] *adj* changeant **changing room** *n* (*in store*) cabine *f* d'essayage; SPORTS vestiaire *m*

channel ['tʃænl] **I** *n* **1.** *strait* détroit *m*; TV, RADIO chaîne *f*; ***the*** (***English***) ***Channel*** la Manche **2.** (*fig, usu pl*) (*of bureaucracy, information etc.*) voie *f* ***to go through the official ~s*** suivre la voie officielle **3.** (*groove*) sillon *m* **II** *v/t* **1.** *water* acheminer **2.** *fig* canaliser (***into*** vers) **Channel ferry** *n Br* ferry *m* (*traversant la Manche*) **channel-hopping** *n* (TV *infml*) = **channel-surfing** **Channel Islands** *pl* îles *fpl* Anglo-Normandes **channel-surfing** *n* (TV *infml*) zapping *m infml* **Channel Tunnel** *n* tunnel *m* sous la Manche

chant [tʃɑːnt] **I** *n* mélopée *f*; (*of sports fans etc.*) chant *m* scandé **II** *v/t* scander; ECCL psalmodier **III** *v/i* chanter; ECCL psalmodier

chaos ['keɪɒs] *n* chaos *m*; ***complete ~*** un chaos total **chaotic** [keɪ'ɒtɪk] *adj* chaotique

chap[1] [tʃæp] *v/t* gercer; ***~ped lips*** des lèvres gercées

chap[2] *n* (*Br infml man*) type *m infml*

chapel ['tʃæpəl] *n* chapelle *f*

chaperon(e) ['ʃæpərəʊn] **I** *n* chaperon *m* **II** *v/t* chaperonner

chaplain ['tʃæplɪn] *n* aumônier *m* **chaplaincy** ['tʃæplənsɪ] *n* aumônerie *f*

chapter ['tʃæptəʳ] *n* chapitre *m*

char[1] [tʃɑːʳ] *v/t* carboniser

char[2] (*Br infml*) *n* (*a.* **charwoman, charlady**) femme *f* de ménage

character ['kærɪktəʳ] *n* **1.** (*of people*) caractère *m* ***it's out of ~ for him to do that*** cela ne lui ressemble pas du tout de faire ça; ***to be of good / bad ~*** avoir bon / mauvais caractère; ***she has no ~*** elle manque de caractère **2.** (*in novel, play*) personnage *m* **3.** (*original person*) personnage *m*; (*infml person*) individu *m* **4.** TYPO, IT caractère *m* **characteristic** [ˌkærɪktə'rɪstɪk] **I** *adj* caractéristique (***of*** de) **II** *n* caractéristique *f* **characterization** [ˌkærɪktəraɪ'zeɪʃən] *n* (*in a novel etc.*) représentation *f* des personnages **characterize** ['kærɪktəraɪz] *v/t* caractériser **character set** *n* IT jeu *m* de caractères **character space** *n* IT espace *f*

charade [ʃə'rɑːd] *n* charade *f* mimée; *fig* mascarade *f*

char-broiled ['tʃɑːˌbrɔɪld] *adj US* grillé au barbecue

charcoal ['tʃɑːkəʊl] *n* charbon *m* de bois

charge [tʃɑːdʒ] **I** *n* **1.** JUR chef *m* d'accusation (***of*** de); ***convicted on all three ~s*** reconnu coupable des trois chefs d'accusation; ***on a ~ of murder*** sous l'inculpation de meurtre **2.** (*attack*) charge *f* **3.** (*fee*) frais *mpl*; ***what's the ~?*** combien cela coûte-t il?; ***to make a ~ (of $5) for sth*** faire payer (5$) pour qc; ***there's an extra ~ for delivery*** il y a un supplément pour la livraison; ***free of ~*** gratuitement; ***delivered free of ~*** livraison gratuite **4.** (*explosive charge*), ELEC, PHYS charge *f* **5.** ***to be in ~*** être responsable; ***who is in ~ here?*** qui est responsable ici?; ***to be in ~ of sth*** s'occuper de qc; (*of department*) diriger qc; ***to put sb in ~ of sth*** confier la responsabilité de qc à qn; (*of department*) donner à qn la direction de qc; ***the children were placed in their aunt's ~*** les enfants ont été confiés à la garde de leur tante; ***to take ~ of sth*** assumer la charge de qc; ***he took ~ of the situation*** il a pris la situation en main **II** *v/t* **1.** JUR inculper; *fig* accuser; ***to ~ sb with doing sth*** accuser qn d'avoir fait qc **2.** (*attack*) charger **3.** *fee* faire payer; ***I won't ~ you for that*** je ne vous le ferai pas payer **4.** (*record as debt*) ***please ~ all these purchases to my account*** mettez tous ces achats sur mon compte **5.** *battery* charger **6.** (*form give as responsibility*) ***to ~ sb with sth*** charger qn de qc **III** *v/i* **1.** (*attack*) charger (***at sb*** qn); ***~!*** chargez! **2.** (*infml rush*) se précipiter; ***he ~d into the room*** il se rua dans la pièce **chargeable** ['tʃɑːdʒəbl] *adj* ***to be ~ to sb*** être à la charge de qn **charge account** *n* compte *m* **charge card** *n* carte *f* de paiement **charged** [tʃɑːdʒd] *adj* chargé **chargé d'affaires** ['ʃɑːʒeɪdæ'fɛəʳ] *n* chargé(e) *m(f)* d'affaires **charger** ['tʃɑːdʒəʳ] *n* (*battery charger*) chargeur *m*

char-grilled ['tʃɑːˌgrɪld] *adj Br* = **char-broiled**

chariot ['tʃærɪət] *n* char *m*

charisma [kæ'rɪzmə] *n* charisme *m*

charismatic [ˌkærɪz'mætɪk] *adj* charismatique

charitable ['tʃærɪtəbl] *adj* charitable; *organization* de bienfaisance; ***to have ~ status*** avoir le statut d'organisme de bienfaisance **charity** ['tʃærɪtɪ] *n* **1.** (*kindness*) charité *f* **2.** ***to live on ~*** vivre de la charité **3.** (*charitable society*) organisation *f* caritative; ***to work for ~*** travailler comme bénévole; ***a collection for ~*** une collecte pour les bonnes œuvres

charlady ['tʃɑːˌleɪdɪ] *n Br* femme *f* de ménage

charlatan ['ʃɑːlətən] *n* charlatan *m*

charm [tʃɑːm] **I** *n* **1.** (*attractiveness*) charme *m*; ***feminine ~s*** charmes féminins; ***to turn on the ~*** faire du charme **2.** (*spell*) charme *m* **3.** (*amulet*) amulette *f*, breloque *f* **II** *v/t* charmer; ***to ~ one's way out of sth*** se sortir de qc en faisant du charme

charming ['tʃɑːmɪŋ] *adj* charmant; ***~!*** *iron* (c'est) charmant! *iron*

chart [tʃɑːt] **I** *n* **1.** (*graph*) courbe *f*; (*map, weather chart*) carte *f*; ***on a ~*** sur une carte **2. charts** *pl* (*top twenty*) hit-parade *m* **II** *v/t progress* tracer

charter ['tʃɑːtəʳ] **I** *n* (*town charter*) charte *f* **II** *v/t plane* affréter **chartered accountant** [ˌtʃɑːtədə'kaʊntənt] *n Br* ≈ expert-comptable *m* **charter flight** *n* vol *m* charter **charter plane** *n* charter *m*

charwoman ['tʃɑːˌwʊmən] *n Br* = **charlady**

chase [tʃeɪs] **I** *n* poursuite *f*; ***a car ~*** une course-poursuite en voiture; ***to give ~ to sb*** se lancer à la poursuite de qn; ***to cut to the ~*** (*esp US infml*) aller droit au but **II** *v/t* chasser; (*follow*) poursuivre **III** *v/i* ***to ~ after sb*** courir après qn *infml*; (*in vehicle*) poursuivre; ***to ~ around*** courir partout *hum* ◆ **chase away** *or* **off** *v/t sep* chasser ◆ **chase down** *v/t sep* (*US catch*) attraper ◆ **chase up** *v/t sep person* relancer; *information etc.* rechercher

chaser ['tʃeɪsəʳ] *n* ***have a whisky ~*** prenez un verre de whisky pour faire passer le précédent

chasm ['kæzəm] *n* abîme *m*

chassis ['ʃæsɪ] *n* châssis *m*

chaste [tʃeɪst] *adj* ⟨**+er**⟩ chaste **chasten** ['tʃeɪsn] *v/t* ***~ed by …*** abattu par…

chastise [tʃæs'taɪz] *v/t* (*verbally*) fustiger

chastity ['tʃæstɪtɪ] *n* chasteté *f*

chat [tʃæt] **I** *n* discussion *f*; ***could we have a ~ about it?*** pourrait-on en discuter? **II** *v/i* bavarder ◆ **chat up** *v/t sep* (*Br infml*) *person* baratiner *infml*; *prospective girl- / boyfriend* draguer *infml* **chat line** *n Br* TEL réseau *m* payant **chat room** *n* IT forum *m* de discussion **chat show** *n Br* causerie *f* télévisée **chatter** ['tʃætəʳ] **I** *n* (*of person*) bavardage *m* **II** *v/i* (*person*) bavarder; (*teeth*) claquer

chatterbox ['tʃætəbɒks] *n* moulin *m* à paroles *infml* **chattering** ['tʃætərɪŋ] **I** *n* bavardage *m* **II** *adj* ***the ~ classes*** (*Br pej, infml*) ≈ les intellos *infml* **chatty** ['tʃætɪ] *adj* ⟨**+er**⟩ bavard; ***written in a ~ style*** écrit dans un style verbeux

chauffeur ['ʃəʊfəʳ] *n* chauffeur *m*

chauvinism ['ʃəʊvɪnɪzəm] *n* chauvinisme *m* **chauvinist** ['ʃəʊvɪnɪst] **I** *n* chauvin(e) *m(f)* **II** *adj* (***male***) ***~ pig*** *infml* phallocrate **chauvinistic** [ˌʃəʊvɪ'nɪstɪk] *adj* chauvin

cheap [tʃiːp] **I** *adj* ⟨**+er**⟩ *also adv* bon marché; ***to feel ~*** avoir honte; ***it doesn't come ~*** ça revient cher; ***it's ~ at the price*** c'est une occasion, à ce prix-là **II** *n* ***to buy sth on the ~*** *infml* acheter qc pour pas cher *infml*; ***to make sth on the ~*** *infml* faire qc au rabais **cheapen** ['tʃiːpən] *v/t fig* déprécier **cheaply** ['tʃiːplɪ] *adv make, live* à bon marché **cheapness** *n* (*inexpensiveness*) prix *m* bas **cheapskate** ['tʃiːpskeɪt] *n infml* radin(e) *m(f) infml*

cheat [tʃiːt] **I** *v/t* escroquer; ***to ~ sb out of sth*** escroquer qc à qn **II** *v/i* (*in exam etc.*) tricher **III** *n* (*in exam etc.*) tricheur (-euse) *m(f)* **IV** ◆ **cheat on** *v/t insep* tricher sur

cheating ['tʃiːtɪŋ] *n* (*in exam etc.*) tricherie *f*

Chechenia [tʃe'tʃɛnɪə], **Chechnya** *n* Tchétchénie *f*

check [tʃek] **I** *n* **1.** (*examination*) contrôle *m*; ***to keep a ~ on sb / sth*** surveiller qn / qc **2.** ***to hold*** *or* ***keep sb in ~*** maîtriser qn; ***to keep one's temper in ~*** se contenir **3.** (*pattern*) carreaux *mpl* **4.** *US* (*for payment*) chèque *m*; ***a ~ for $100*** un chèque de 100$; ***to pay by ~*** payer par chèque **5.** *US* (*in restaurant*) addition *f*; ***~, please!*** l'addition, s'il vous plaît! **6.** *US* (*mark*) coche *f*, marque *f* **II** *v/t* **1.** (*examine*) vérifier; ***to ~ whether*** *or* ***if …*** vérifier si… **2.** (*control*) contrôler; (*stop*) enrayer **3.** AVIAT *luggage* enregistrer; *US coat etc.* mettre au vestiaire **III** *v/i* (*make sure*) vérifier (**with** auprès de); (*have a look*) inspecter; ***I was just ~ing*** je vérifiais juste ◆ **check in I** *v/i* (*at airport*) se présenter à l'enregistrement; (*at hotel*) se présenter à la réception; ***what time do you have to ~?*** à quelle heure est l'enregistrement? **II** *v/t sep* (*at airport*) *luggage* faire enregistrer; (*at hotel*) se présenter à la réception ◆ **check off** *v/t sep esp US* cocher ◆ check out **I** *v/i* (*leave hotel*) partir; (*sign out*) régler sa note **II** *v/t sep facts* vérifier; ***check it out with the boss*** vois ça avec le patron ◆ **check over** *v/t sep* examiner, vérifier ◆ **check through** *v/t sep* **1.** *account* évaluer **2.** ***they checked my bags through to Berlin*** mes bagages ont été enregistrés jusqu'à Berlin ◆ **check up** *v/i* vérifier ◆ **check up on** *v/t insep* vérifier; *sb* se renseigner sur

checkbook ['tʃekbʊk] *n US* carnet *m* de chèques **check card** *n US* carte *f* de paiement

checked [tʃekt] *adj* (*in pattern*) à carreaux; ***~ pattern*** motif à carreaux

checker ['tʃekəʳ] *n US* **1.** *in supermarket* caissier(-ière) *m(f)* **2.** *for coats etc.* préposé(e) *m(f)* au vestiaire

checkered, *Br* **chequered** ['tʃekəd] *adj fig history* mouvementé

checkers ['tʃekəz] *n US* jeu *m* de dames; ***to play ~*** jouer aux dames

check-in (desk) ['tʃekɪn(ˌdesk)] *n* AVIAT comptoir *m* d'enregistrement; (*US, in hotel*) réception *f* **checking** ['tʃekɪŋ] *n* enregistrement *m* **checking account** *n US* compte *m* courant **check list** *n* liste *f* de vérification, check-list *m* **checkmate I** *n* échec et mat; ***~!*** échec et mat! **II** *v/t* faire échec et mat à **checkout** *n* caisse *f* **checkpoint** *n* poste *m* de contrôle **checkroom** *n* (*US* THEAT) vestiaire *m*; RAIL consigne *f* **checkup** *n* MED bilan *m* de santé; ***to have a ~/go for a ~*** faire / passer un bilan de santé

cheddar ['tʃedəʳ] *n* cheddar *m*

cheek [tʃiːk] *n* **1.** joue *f*; ***to turn the other ~*** tendre l'autre joue **2.** (*Br impudence*) culot; ***to have the ~ to do sth*** avoir le culot de faire qc; ***enough of your ~!*** assez d'insolence! **cheekbone** ['tʃiːkbəʊn] *n* pommette *f* **cheekily** ['tʃiːkɪlɪ] *adv Br* effrontément **cheeky** ['tʃiːkɪ] *adj* ⟨**+er**⟩ *Br* insolent, effronté; ***it's a bit ~ asking for another pay rise so soon*** c'est un peu culotté de demander si vite une autre augmentation

cheep [tʃiːp] **I** *n* pépiement *m* **II** *v/i* pépier

cheer [tʃɪəʳ] **I** *n* **1.** hourra *m*, bravo *m*; (*cheering*) acclamation *f*; ***three ~s for Mike!*** un ban pour Mike!; ***~s!*** (*infml your health*) santé! *infml* **2.** (*comfort*) bonne humeur *f* **II** *v/t person* réconforter; *event* acclamer **III** *v/i* pousser des hourras ◆ **cheer on** *v/t sep* encourager par des acclamations ◆ **cheer up I** *v/t sep* remonter le moral à; *place* égayer **II** *v/i* (*person*) reprendre courage; (*things*) s'arranger; *~!* allez, courage!

cheerful ['tʃɪəfʊl] *adj place, color, news, tune etc.* joyeux(-euse), gai; ***to be ~ about sth*** être tout content de qc **cheerfully** ['tʃɪəfʊlɪ] *adv* joyeusement, avec entrain **cheering** ['tʃɪərɪŋ] **I** *n* acclamations *fpl* **II** *adj* encourageant, réconfortant **cheerio** ['tʃɪərɪ'əʊ] *int* (*esp Br infml*) à la vôtre *infml*; (*to friends*) salut, tchao *infml* **cheerleader** ['tʃɪəliːdə^r] *n* majorette *f* (*qui met de l'entrain parmi les supporters des équipes sportives*) **cheers** [tʃɪərz] *int* → **cheer** *I* **cheery** ['tʃɪərɪ] *adj* ⟨**+er**⟩ de bonne humeur

cheese [tʃiːz] *n* fromage *m*; ***say ~!*** PHOT dites "cheese"! **cheeseboard** *n* planche *f* à fromage; (*course*) plateau *m* de fromages **cheeseburger** *n* cheeseburger *m* **cheesecake** *n* COOK cheesecake *m*, gâteau *m* au fromage blanc **cheesecloth** *n* étamine *m* **cheesed off** [tʃiːzd'ɒf] *adj* (*Br infml*) dégoûté, écœuré

cheetah ['tʃiːtə] *n* guépard *f*

chef [ʃef] *n* chef *m* (cuisinier); (*as profession*) cuisinier(-ière) *m*(*f*)

chemical ['kemɪkəl] **I** *adj* chimique **II** *n* produit *m* chimique **chemical engineering** *n* génie *m* chimique **chemical toilet** *n* toilettes *f* chimiques

chemist ['kemɪst] *n* **1.** chimiste *m/f* **2.** *Br* (*person in store*) préparateur(-trice) *m*(*f*); (*dispensing*) pharmacien(ne) *m*(*f*); ***~'s shop*** pharmacie *f*

chemistry ['kemɪstrɪ] *n* chimie *f*; ***the ~ between us was perfect*** l'entente entre nous était parfaite

chemo ['kiːməʊ] *n infml* chimio *f infml* **chemotherapy** [ˌkiːməʊ'θerəpɪ] *n* chimiothérapie *f*

cheque *n Br* chèque *m* **cheque account** *n Br* compte *m* courant **chequebook** *n Br* carnet *m* de chèques **cheque card** *n Br* carte *f* bancaire

cherish ['tʃerɪʃ] *v/t feelings, hope* nourrir; *idea* chérir; ***to ~ sb's memory*** chérir le souvenir de qn **cherished** *adj belief* cher(chère); ***her most ~ possessions*** ce qu'elle avait de plus cher

cherry ['tʃerɪ] **I** *n* cerise *f* **II** *adj* (*color*) rouge (cerise); COOK aux cerises **cherry blossom** *n* fleur *f* de cerisier **cherry-pick** *fig, infml* **I** *v/t* trier sur le volet **II** *v/i* se réserver le meilleur **cherry picker** *n* (*vehicle*) nacelle *f* élévatrice **cherry tomato** *n* tomate *f* cerise

cherub ['tʃerəb] *n* **1.** ⟨*pl* **-im**⟩ ECCL ange *m* **2.** ⟨*pl* **-s**⟩ ART chérubin *m*

chess [tʃes] *n* échecs *mpl* **chessboard** *n* échiquier *m* **chessman, chesspiece** *n* pièce *f* (*de jeu d'échecs*) **chess set** *n* jeu *m* d'échecs

chest[1] [tʃest] *n* (*for tools etc.*) caisse *f*; (*piece of furniture*) coffre *m*; ***~ of drawers*** commode

chest[2] *n* ANAT poitrine *f*; ***to get things off one's ~*** *fig, infml* dire ce qu'on a sur le cœur; ***~ muscle*** pectoraux; ***~ pains*** douleurs de poitrine **chest infection** *n* infection *f* des voies respiratoires

chestnut ['tʃesnʌt] **I** *n* **1.** (*nut*) châtaigne *f* **2.** (*tree*) châtaignier *m* **3.** (*color*) châtain *m* **4.** (*horse*) alezan *m* **II** *adj* châtain *inv*

chesty ['tʃestɪ] *adj* ⟨**+er**⟩ (*Br infml*) *cough* de poitrine

chew [tʃuː] *v/t* mâcher; ***don't ~ your fingernails*** ne te ronge pas les ongles ◆ **chew on** *v/t insep* **1.** *lit* mâcher, mastiquer **2.** (*a.* **chew over**: *infml*) *problem* ruminer

chewing gum ['tʃuːɪŋgʌm] *n* chewing-gum *m* **chewy** ['tʃuːɪ] *adj meat* caoutchouteux(-euse); *sweets* mou (molle)

chic [ʃiːk] *adj* ⟨**+er**⟩ chic *inv*

Chicago *n* Chicago *inv*

chick [tʃɪk] *n* **1.** (*of chicken*) poussin *m*; (*young bird*) oisillon *m* **2.** (*infml girl*) nana *f infml*

chicken ['tʃɪkɪn] **I** *n* (*for roasting*) poulet *m*; ***~ liver*** foie de poulet; ***to run around like a ~ with its head cut off*** courir comme un dératé; ***don't count your ~s*** (***before they're hatched***) *prov* ne vendez pas la peau de l'ours (avant de l'avoir tué) *prov* **II** *adj infml* jeunot(te); ***he's ~*** c'est un jeunot ◆ **chicken out** *v/i infml* se dégonfler *infml*

chicken farmer *n* aviculteur(-trice) *m*(*f*) **chicken feed** *n* (*infml insignificant sum*) bagatelle *f* **chickenpox** *n* varicelle *f* **chickenshit** (*US sl*) **I** *n* **1.** (*coward*) dégonflé(e) *m*(*f*) *infml* **2.** *no*

pl ***to be ~*** (*be worthless*) être nul(le) *infml* **II** *adj* **1.** (*cowardly*) dégonflé **2.** (*worthless*) nul(le) *infml* **chicken wire** *n* grillage *m*
chickpea ['tʃɪkpiː] *n* pois *m* chiche
chicory ['tʃɪkərɪ] *n* chicorée *f*
chief [tʃiːf] **I** *n* ⟨*pl* **-s**⟩ (*of organization, tribe*) chef *m*; (*infml boss*) boss *m infml*; ***~ of police*** ≈ préfet *m* de police; ***~ of staff*** MIL chef d'état major **II** *adj* **1.** (*most important*) principal **2.** (*most senior*) supérieur; ***~ executive*** directeur général; ***~ executive officer*** président directeur général **chief constable** *n Br* ≈ commissaire *m* divisionnaire
chiefly ['tʃiːflɪ] *adv* principalement
chiffon ['ʃɪfɒn] **I** *n* mousseline *f* de soie **II** *adj* en mousseline de soie
child [tʃaɪld] *n* ⟨*pl* **children**⟩ enfant *m/f*; ***when I was a ~*** quand j'étais enfant **child abuse** *n* mauvais traitements *mpl* à enfant; (*sexually*) sévices *mpl* sexuels sur enfant **child-bearing I** *n* maternité *f* **II** *adj* ***of ~ age*** en âge de procréer **child benefit** *n Br* ≈ allocations *fpl* familiales **childbirth** *n* accouchement *m*; ***to die in ~*** mourir en couches **childcare** *n* garde *f* des enfants
childhood *n* enfance *f* **childish** ['tʃaɪldɪʃ] *adj* enfantin; *pej* puéril **childishly** ['tʃaɪldɪʃlɪ] *adv* comme un enfant; *pej* de façon puérile **childishness** *n pej* puérilité *f* **childless** *adj* sans enfants **childlike** *adj* d'enfant **child lock** *n* serrure *f* de sécurité enfant **childminder** *n Br* nourrice *f*, gardienne *f* d'enfants **childminding** *n Br* garde *f* d'enfants **child molester** *n* auteur *m* de sévices sexuels sur enfants **child prodigy** *n* enfant *m/f* prodige **childproof** *adj* à l'épreuve des enfants **children** ['tʃɪldrən] *pl* = **child child seat** *n* siège *m* enfant **child's play** *n* jeu *m* d'enfant
Chile ['tʃɪlɪ] *n* Chili *m* **Chilean** ['tʃɪlɪən] **I** *adj* chilien(ne) **II** *n* Chilien(ne) *m(f)*
chili, *Br* **chilli** ['tʃɪlɪ] *n* (*pod, spice*) chili *m*; (*meal*) chili *m* con carne
chill [tʃɪl] **I** *n* **1.** fraîcheur *f*; ***there's quite a ~ in the air*** il fait plutôt frais **2.** MED refroidissement *m*, coup *m* de froid; ***to catch a ~*** attraper un coup de froid **II** *adj* frais(fraîche) **III** *v/t* **1.** transir; ***I was ~ed to the bone*** j'étais transi jusqu'aux os **2.** *fig blood* glacer **IV** *v/i infml* décompresser *infml* ◆ **chill out** *v/i infml* décompresser *infml*
chilling ['tʃɪlɪŋ] *adj* frais(fraîche)
chilly ['tʃɪlɪ] *adj* ⟨**+er**⟩ frais(fraîche); ***I feel ~*** j'ai un peu froid
chime [tʃaɪm] **I** *n* (*of church, doorbell*) carillon *m* **II** *v/i* carillonner ◆ **chime in** *v/i infml* faire chorus
chimney ['tʃɪmnɪ] *n* cheminée *f* **chimneypot** *n* tuyau *m* de cheminée **chimney sweep** *n* ramoneur *m*
chimp [tʃɪmp] *infml*, **chimpanzee** *n* chimpanzé *m*
chin [tʃɪn] *n* menton *m*; ***keep your ~ up!*** allez, du cran!; ***he took it on the ~*** *fig, infml* il a encaissé sans broncher *infml*
China ['tʃaɪnə] *n* Chine *f*
china ['tʃaɪnə] **I** *n* porcelaine *f* **II** *adj* en porcelaine
china clay *n* kaolin *m*
Chinatown *n* quartier *m* chinois
Chinese [tʃaɪ'niːz] **I** *n* **1.** (*person*) Chinois(e) *m(f)* **2.** (*language*) chinois *m* **II** *adj* chinois; ***~ restaurant*** restaurant chinois **Chinese leaves** *n* chou *m* chinois
chink[1] [tʃɪŋk] *n* fente *f*; (*in door*) entrebâillement *m*; ***a ~ of light*** un rayon de lumière
chink[2] *v/i* (*coins etc*) tinter
chinos ['tʃiːnəʊz] *pl* FASHION pantalon *m* en coton, chinos *m*
chin strap *n* jugulaire *f*
chip [tʃɪp] **I** *n* **1.** fragment *m*, éclat *m*; (*of wood*) copeau *m*; ***chocolate ~s*** pépites de chocolat; ***he's a ~ off the old block*** c'est bien le fils de son père / sa mère; ***to have a ~ on one's shoulder*** en vouloir à tout le monde (***about*** à propos de) **2.** (*US potato slice*) chips *f*; (*Br potato stick*) frite *f* **3.** (*in crockery etc.*) ébréchure *f*; ***this cup has a ~*** cette tasse est ébréchée **4.** (*in poker,*) jeton *m*; ***when the ~s are down*** dans les moments cruciaux **5.** IT puce *f* **II** *v/t* **1.** *cup* ébrécher; *stone* écorner; *paint* écailler; *wood* tailler **2.** SPORTS *ball* cocher ◆ **chip away at** *v/t insep authority, system, debts* réduire petit à petit ◆ **chip in** *v/i infml* **1.** (*interrupt*) placer son mot **2.** ***he chipped in with $3*** il y est allé de ses 3$ ◆ **chip off** *v/t sep paint etc.* faire sauter
chipboard ['tʃɪpbɔːd] *n* aggloméré *m*
chipmunk ['tʃɪpmʌŋk] *n* tamia *m*
chip pan *n Br* friteuse *f* **chipped** [tʃɪpt] *adj* **1.** *cup* ébréché; *paint* écaillé **2.** (*US* COOK) ***~ beef*** émincé de bœuf **3.** (*Br*

COOK) **~ *potatoes*** pommes de terre frites **chippings** ['tʃɪpɪŋz] *pl* (*of wood*) fragments *m*; (*road chippings*) gravillons *mpl* **chippy** ['tʃɪpɪ] *n* (*Br infml*) friterie *f* **chip shop** *n Br* marchand *m* de frites **chip shot** *n* GOLF coup *m* coché; TENNIS coup *m* sec
chiropodist [kɪ'rɒpədɪst] *n* podologue *m/f* **chiropody** [kɪ'rɒpədɪ] *n* podologie *f* **chiropractor** ['kaɪərəʊˌpræktəʳ] *n* chiropraticien(ne) *m(f)*
chirp [tʃɜːp] *v/i* (*birds*) pépier; (*crickets*) striduler **chirpy** ['tʃɜːpɪ] *adj* ⟨**+er**⟩ *infml* plein d'entrain
chisel ['tʃɪzl] **I** *n* burin *m*; (*for wood*) ciseau *m* **II** *v/t* buriner; (*in wood*) tailler
chit [tʃɪt] *n* (*a.* **chit of paper**) reçu *m*
chitchat ['tʃɪttʃæt] *n infml* bavardage *m*
chivalrous ['ʃɪvəlrəs] *adj* chevaleresque, galant **chivalrously** ['ʃɪvəlrəslɪ] *adv* de façon chevaleresque, galamment **chivalry** ['ʃɪvəlrɪ] *n* manières *fpl* chevaleresques *f*, galanterie *f*
chives [tʃaɪvz] *n* ciboulette *f*
chlorine ['klɔːriːn] *n* chlore *m*
chlorofluorocarbon [ˌklɒrəʊfluərə'kɑːbən] *n* chlorofluorocarbure *m*, CFC *m*
chloroform ['klɒrəfɔːm] *n* chloroforme *m*
chlorophyll ['klɒrəfɪl] *n* chlorophylle *f*
choc-ice ['tʃɒkaɪs] *n* esquimau® *m*
chock-a-block ['tʃɒkəblɒk] *adj* (*infml*), **chock-full** *adj infml* plein à craquer *infml*
chocoholic [ˌtʃɒkə'hɒlɪk] *n infml* accro *m/f* du chocolat *infml*; ***to be a ~*** être accro au chocolat
chocolate ['tʃɒklɪt] **I** *n* chocolat *m*; (***hot***) **~** chocolat chaud; ***a ~*** un chocolat **II** *adj* au chocolat, chocolaté **chocolate bar** *n* (*slab*) tablette de chocolat; (*Mars® bar etc.*) barre chocolatée **chocolate biscuit** *n* biscuit *m* au chocolat **chocolate cake** *n* gâteau *m* au chocolat
choice [tʃɔɪs] **I** *n* **1.** choix *m*, décision *f*; ***it's your ~*** c'est à toi de choisir; ***to make a ~*** faire un choix; ***I didn't do it from ~*** je n'ai pas fait cela par choix; ***he had no*** *or* ***little ~ but to obey*** il ne pouvait qu'obéir; ***it was your ~*** c'était ton choix; ***the drug/ weapon of ~*** la drogue/l'arme de prédilection **2.** (*variety*) choix *m*, variété *f* (***of*** de) **II** *adj* COMM de choix
choir ['kwaɪəʳ] *n* chœur *m* **choirboy** *n* enfant *m* de chœur **choir master** *n* chef *m* de chœur
choke [tʃəʊk] **I** *v/t person* étouffer; (*throttle*) étrangler; ***in a voice ~d with tears/ emotion*** d'une voix étranglée par les larmes/l'émotion **II** *v/i* étouffer, s'étrangler (***on*** sur) **III** *n* AUTO starter *m* ◆ **choke back** *v/t sep tears* refouler
choking ['tʃəʊkɪŋ] *adj smoke* suffocant
cholera ['kɒlərə] *n* choléra *m*
cholesterol [kɒ'lestərəl] *n* cholestérol *m*
chomp [tʃɒmp] *v/t* mastiquer; (*person*) mastiquer bruyamment *minfml*
choose [tʃuːz] ⟨*past* **chose**⟩ ⟨*past part* **chosen**⟩ **I** *v/t* **1.** choisir; ***to ~ a team*** choisir une équipe; ***they chose him as their leader*** *or* ***to be their leader*** ils l'ont choisi comme chef **2.** ***to ~ to do sth*** choisir de faire qc **II** *v/i* ***to ~*** (***between*** *or* ***among/ from***) choisir (entre *or* parmi); ***there is nothing*** *or* ***little to ~ between them*** ils se valent **choos(e)y** ['tʃuːzɪ] *adj* ⟨**+er**⟩ difficile
chop[1] [tʃɒp] **I** *n* **1.** COOK côtelette *f* **2.** *infml* ***to get the ~*** (*be axed*) être supprimé; (*be fired*) être viré *infml* **II** *v/t* couper; *meat etc.* hacher ◆ **chop down** *v/t sep tree* abattre ◆ **chop off** *v/t sep* trancher, couper ◆ **chop up** *v/t sep* hacher
chop[2] *v/i* ***to ~ and change*** (***one's mind***) *Br* changer d'avis à tout bout de champ
chopper ['tʃɒpəʳ] *n* **1.** (*ax*) petite hache *f* **2.** (*infml helicopter*) hélico *m infml* **chopping block** ['tʃɒpɪŋ-] *n* (*for wood, executions etc.*) billot **chopping board** *n Br* planche *f* à découper **chopping knife** *n Br* couperet *m*; (*with rounded blade*) hachoir *m* **choppy** ['tʃɒpɪ] *adj* ⟨**+er**⟩ *sea* agité
chopstick *n* baguette *f* (*pour manger*)
choral ['kɔːrəl] *adj* choral; **~ *society*** chorale
chord [kɔːd] *n* MUS accord *m*; ***to strike the right ~*** *fig* toucher la corde sensible
chore [tʃɔːʳ] *n* tâche *f* de routine; ***~s*** *pl* travaux domestiques; ***to do the ~s*** faire le ménage
choreographer [ˌkɒrɪ'ɒgrəfəʳ] *n* chorégraphe *m/f* **choreography** [ˌkɒrɪ'ɒgrəfɪ] *n* chorégraphie *f*
chorister ['kɒrɪstəʳ] *n* choriste *m/f*
chortle ['tʃɔːtl] *v/i* glousser, rire
chorus ['kɔːrəs] *n* **1.** (*refrain*) refrain *m* **2.** (*singers*) chœur *m*; (*dancers*) troupe *f*

chorus line *n* troupe *f*
chose [tʃəʊz] *past* = **choose chosen** ['tʃəʊzn] **I** *past part* = **choose II** *adj* ***the ~ few*** un petit groupe de privilégiés
choux pastry ['ʃuː'peɪstrɪ] *n* pâte *f* à choux
chowder ['tʃaʊdəʳ] *n* soupe *f* de poisson
Christ [kraɪst] **I** *n* le Christ *m* **II** *int sl* Bon Dieu (de Bon Dieu) *infml* **christen** ['krɪsn] *v/t* baptiser; ***to ~ sb after sb*** baptiser qn du nom de qn **christening** ['krɪsnɪŋ] *n* baptême *m*
Christian ['krɪstɪən] **I** *n* chrétien(ne) *m/f* **II** *adj* chrétien(ne) **Christianity** [ˌkrɪstɪ'ænɪtɪ] *n* chrétienté **Christian name** *n* prénom *m*
Christmas ['krɪsməs] *n* Noël *m*; ***are you going home for ~?*** allez-vous passer Noël dans votre famille?; ***what did you get for ~?*** qu'avez-vous eu à Noël?; ***merry*** *or* ***happy ~!*** joyeux Noël **Christmas cake** *n* gâteau *m* de Noël **Christmas card** *n* carte *f* de Noël **Christmas carol** *n* chant *m* de Noël **Christmas Day** *n* jour *m* de de Noël; ***on ~*** le jour de Noël **Christmas Eve** *n* veillée *f* de Noël; ***on ~*** la veille de Noël **Christmas present** *n* cadeau *m* de Noël **Christmas pudding** *n Br* pudding *m* de Noël **Christmastide, Christmas time** *n* période *f* de Noël **Christmas tree** *n* sapin *m* de Noël
chrome [krəʊm] *n* chrome *m*
chromosome ['krəʊməsəʊm] *n* chromosome *m*
chronic ['krɒnɪk] *adj* **1.** chronique; ***Chronic Fatigue Syndrome*** Syndrome de fatigue chronique **2.** (*infml terrible*) (*person*) terrible *infml*, affreux(-euse) **chronically** ['krɒnɪklɪ] *adv* chroniquement
chronicle ['krɒnɪkl] **I** *n* chronique *f* **II** *v/t* faire la chronique de
chronological [ˌkrɒnə'lɒdʒɪkəl] *adj* chronologique; ***in ~ order*** dans l'ordre chronologique **chronologically** [ˌkrɒnə'lɒdʒɪkəlɪ] *adv* chronologiquement; ***~ arranged*** présentés par ordre chronologique **chronology** [krə'nɒlədʒɪ] *n* chronologie *f*
chrysanthemum [krɪ'sænθəməm] *n* chrysanthème *m*
chubby ['tʃʌbɪ] *adj* ⟨**+er**⟩ *person* potelé; *face* joufflu; ***~ cheeks*** joues rebondies
chuck [tʃʌk] *v/t infml* **1.** (*throw*) jeter, balancer *infml* **2.** *Br infml girlfriend, job etc.* laisser tomber *infml* ◆ **chuck away** *v/t sep* (*infml throw out*) balancer *infml*; *money* jeter par les fenêtres *infml* ◆ **chuck in** *v/t sep* (*Br infml*) *job* lâcher *infml*; ***to chuck it (all) in*** tout laisser tomber *infml* ◆ **chuck out** *v/t sep infml* virer *infml*; ***to be chucked out*** se faire vider (***of*** de) *infml*
chuckle ['tʃʌkl] *v/i* glousser, rire tout bas
chuffed [tʃʌft] *adj* (*Br infml*) content, ravi
chug [tʃʌg] *v/i* haleter ◆ **chug along** *v/i* avancer en haletant; *fig*, *infml* s'essouffler
chum [tʃʌm] *n infml* copain(copine) *m(f)*, pote *m/f infml* **chummy** ['tʃʌmɪ] *adj* ⟨**+er**⟩ *infml* sociable; ***to be ~ with sb*** être très copain avec qn *infml*
chunk [tʃʌŋk] *n* (*of meat, stone*) gros morceau *m* **chunky** ['tʃʌŋkɪ] *adj* ⟨**+er**⟩ *infml* trapu; *knitwear* en grosse laine
Chunnel ['tʃʌnəl] *n infml* tunnel *m* sous la Manche
church [tʃɜːtʃ] *n* église *f*; ***to go to ~*** aller à l'église; ***the Church of England*** l'Église anglicane **churchgoer** ['tʃɜːtʃgəʊəʳ] *n* pratiquant(e) *m(f)* **church hall** *n* salle *f* paroissiale **church service** *n* service *m* religieux **churchyard** *n* cimetière *m*
churlish ['tʃɜːlɪʃ] *adj* grossier **churlishly** ['tʃɜːlɪʃlɪ] *adv* grossièrement
churn [tʃɜːn] **I** *n* (*for butter*) baratte *f* **II** *v/t mud etc.* remuer **III** *v/i* ***his stomach was ~ing*** il avait l'estomac noué ◆ **churn out** *v/t sep* produire rapidement ◆ **churn up** *v/t sep* faire bouillonner
chute [ʃuːt] *n* glissière *f*; (*garbage chute*) gaine *f* à ordures
chutney ['tʃʌtnɪ] *n* chutney *m* (*condiment aigre-doux*)
CIA *abbr* = **Central Intelligence Agency** CIA *f*
CID *Br abbr* = **Criminal Investigation Department** ≈ P.J. *f*
cider ['saɪdəʳ] *n* cidre *m*
cig [sɪg] *n* (*infml cigarette*) clope *f infml*
cigar [sɪ'gɑːʳ] *n* cigare *m*
cigarette [ˌsɪgə'ret] *n* cigarette *f* **cigarette case** *n* étui *m* à cigarettes **cigarette end** *n* mégot *m* **cigarette holder** *n* fume-cigarettes *m* **cigarette lighter** *n* briquet *m* **cigarette machine** *n* rou-

leuse *f* à cigarettes **cigarette paper** *n* papier *m* à cigarettes
cinch [sɪntʃ] *n infml* ***it's a ~*** *(easy)* c'est du gâteau *infml*
cinder ['sɪndəʳ] *n* ***~s*** *pl* cendres *fpl*; ***burnt to a ~*** réduit en cendres **Cinderella** [ˌsɪndə'relə] *n lit*, *fig* Cendrillon *f*
cine camera ['sɪnɪ-] *n Br* caméra *f* **cine film** *n Br* film *m*
cinema ['sɪnəmə] *n esp Br* cinéma *m*; ***at the ~*** au cinéma **cinemagoer** ['sɪnəmə-gəʊəʳ] *n* cinéphile *m/f*
cinnamon ['sɪnəmən] **I** *n* cannelle *f* **II** *adj attr* à la cannelle
cipher ['saɪfəʳ] *n* *(code)* code *m* secret; ***in ~*** en code
circa ['sɜːkə] *prep* environ
circle ['sɜːkl] **I** *n* **1.** cercle *m*; ***to stand in a ~*** former un cercle; ***to have come full ~*** *fig* revenir au point de départ; ***we're just going around in ~s*** *fig* nous tournons en rond; ***a close ~ of friends*** un cercle d'amis proches; ***in political ~s*** dans les milieux politiques; ***he's moving in different ~s now*** il fréquente d'autres milieux à présent **2.** (*Br* THEAT) balcon *m* **II** *v/t* **1.** *(move around)* tourner autour de; ***the enemy ~d the town*** l'ennemi encercla la ville **2.** *(draw a circle around)* entourer d'un cercle; ***~d in red*** entouré en rouge **III** *v/i* *(fly in a circle)* décrire des cercles ◆ **circle around** *v/i* *(birds*, *plane)* décrire des cercles
circuit ['sɜːkɪt] *n* **1.** *(journey around etc.)* tour *m* (**of** de); ***to make a ~ of sth*** parcourir le circuit de qc; ***three ~s of the racetrack*** trois tours de piste **2.** ELEC circuit *m* **circuit board** *n* TECH plaquette *f* **circuit breaker** *n* disjoncteur *m* **circuit diagram** *n* schéma *m* électrique **circuitous** [sɜː'kjʊɪtəs] *adj* indirect **circuitry** ['sɜːkətrɪ] *n* ensemble *m* de circuits **circuit training** *n* SPORTS entraînement *m*
circular ['sɜːkjʊləʳ] **I** *adj* circulaire; ***~ motion*** mouvement circulaire **II** *n* *(in firm)* circulaire *f*; *(advertisement)* prospectus *m* **circulate** ['sɜːkjʊleɪt] **I** *v/i* **1.** *(traffic*, *rumor etc)* circuler **2.** *(at party)* circuler **II** *v/t rumor* propager; *memo etc.* faire circuler **circulation** [ˌsɜːkjʊ-'leɪʃən] *n* **1.** MED circulation *f*; ***to have poor ~*** avoir une mauvaise circulation; ***this coin was withdrawn from*** *or* ***taken out of ~*** cette pièce a été retirée de la circulation; ***to be out of ~*** *infml* *(person*, *politician)* avoir disparu de la circulation; *criminal* être hors circuit **2.** *(of newspaper etc.)* tirage *m* **circulatory** [ˌsɜːkjʊ'leɪtərɪ] *adj* circulatoire; ***~ system*** appareil circulatoire
circumcise ['sɜːkəmsaɪz] *v/t* circoncire **circumcision** [ˌsɜːkəm'sɪʒən] *n* circoncision *f*
circumference [sə'kʌmfərəns] *n* circonférence *f*; ***the tree is 10 ft in ~*** le tronc fait environ 3 mètres de circonférence
circumnavigate [ˌsɜːkəm'nævɪgeɪt] *v/t* contourner **circumnavigation** ['sɜːkəmˌnævɪ'geɪʃən] *n* circumnavigation *f* (**of** de); ***~ of the globe*** tour du monde en bateau
circumscribe ['sɜːkəmskraɪb] *v/t* *(restrict)* circonscrire
circumspect ['sɜːkəmspekt] *adj* circonspect
circumstance ['sɜːkəmstəns] *n* circonstance *f*; ***in*** *or* ***under the ~s*** étant donné les circonstances; ***in*** *or* ***under no ~s*** en aucun cas; ***in certain ~s*** dans certains cas **circumstantial** [ˌsɜːkəm'stænʃəl] *adj* JUR ***~ evidence*** preuves indirectes; ***the case against him is purely ~*** les faits qui lui sont reprochés relèvent de la pure présomption
circumvent [ˌsɜːkəm'vent] *v/t* contourner
circus ['sɜːkəs] *n* cirque *m*
cirrhosis [sɪ'rəʊsɪs] *n* cirrhose *f*
CIS *abbr* = **Commonwealth of Independent States** CEI *f*, Communauté *f* des États indépendants
cissy ['sɪsɪ] *n* = **sissy**
cistern ['sɪstən] *n* citerne *f*; *(Br of WC)* réservoir *m* de chasse d'eau
cite [saɪt] *v/t* *(quote)* citer
citizen ['sɪtɪzn] *n* **1.** habitant(e) *m(f)* **2.** *(of a state)* citoyen(ne) *m(f)*; ***French ~*** citoyen(ne) français(e) **Citizens' Advice Bureau** *n Br bureau d'aide juridique gratuite* **citizenship** *n* citoyenneté *f*
citric acid ['sɪtrɪk'æsɪd] *n* acide *m* citrique **citrus** ['sɪtrəs] *n* ***~ fruits*** agrumes
city ['sɪtɪ] *n* **1.** (grande) ville *f*; ***the ~ of Glasgow*** la ville de Glasgow **2.** *(in London)* ***the City*** la City **city centre** *n Br* centre-ville *m* **city dweller** *n* citadin(e) *m(f)* **city father** *n* édile *m*
city hall *n* mairie *f*, hôtel *m* de ville; *(US municipal government)* administration

f municipale **city life** *n* la vie *f* urbaine **cityscape** *n* paysage *m* urbain
civic ['sɪvɪk] *adj duties* civique; *authorities* municipal
civil ['sɪvl] *adj* **1.** (*of society*) civil **2.** (*polite*) poli, aimable; ***to be ~ to sb*** être poli *or* aimable envers qn **3.** JUR civil**civil ceremony** *n célébration d'une union civile homosexuelle* **civil defense**, *Br* **civil defence** *n* défense *f* civile **civil disobedience** *n* désobéissance *f* civile **civil engineer** *n* ingénieur *m* des travaux publics **civil engineering** *n* génie *m* civil **civilian** [sɪ'vɪlɪən] **I** *n* civil(e) *m(f)* **II** *adj* civil; ***in ~ clothes*** en civil; ***~ casualties*** victimes civiles **civilization** [ˌsɪvɪlaɪ'zeɪʃən] *n* **1.** (*civilized world*) civilisation *f* **2.** (*of Greeks etc.*) civilisation *f* **civilize** ['sɪvɪlaɪz] *v/t* civiliser **civilized** *adj* **1.** civilisé; ***all ~ nations*** tous les peuples civilisés **2.** *conditions, hour* décent **civil law** *n* droit *m* civil **civil liberty** *n* liberté *f* civique **civil marriage** *n* mariage *m* civil **civil partner** *n* ≈ pacsé(e) *m(f)* homosexuel(le) **civil partnership** *n union civile homosexuelle m* **civil rights** *pl* droits *mpl* civils **civil servant** *n* fonctionnaire *m* **civil service** *n* administration *f*; (*civil servants collectively*) fonction *f* publique **civil war** *n* guerre *f* civile
CJD *abbr* = **Creutzfeldt-Jakob disease** maladie *f* de Creutzfeldt-Jakob
cl *abbr* = **centiliter(s)** cl
clad [klæd] *adj liter* vêtu
claim [kleɪm] **I** *v/t* **1.** (*demand*) réclamer; *benefits* (*apply for*) faire une demande de; (*draw*) solliciter; ***to ~ sth as one's own*** revendiquer qc comme étant à soi; ***the fighting ~ed many lives*** les combats ont fait de nombreuses victimes **2.** (*assert*) déclarer, prétendre **II** *v/i* **1.** INSUR demander un paiement **2.** ***to ~ for sth*** demander le paiement de qc; ***you can ~ for your travel expenses*** vous pouvez demander le remboursement de vos frais de déplacement **III** *n* **1.** (*demand*) réclamation *f*, revendication *f*; (*pay claim*) demande *f* d'augmentation; ***his ~ to the property*** sa revendication de ce bien comme lui appartenant; ***to lay ~ to sth*** prétendre à qc; ***to put in a ~*** (***for sth***) faire une réclamation (à propos de qc); ***~ for damages*** demande de dommages et intérêts **2.** (*assertion*) affirmation *f*, prétention *f*; ***to make a ~*** afficher une prétention; ***I make no ~ to be a genius*** je ne prétends pas être un génie ◆ **claim back** *v/t sep* demander un remboursement; ***to claim sth back*** (***as expenses***) demander le remboursement de qc (à titre de frais)
claimant ['kleɪmənt] *n* (*for social security etc.*) demandeur(-euse) *m(f)*; JUR requérant(e) *m(f)*
clairvoyant [klɛə'vɔɪənt] *n* voyant(e) *m(f)* extra-lucide
clam [klæm] *n* palourde *f* ◆ **clam up** *v/i infml* ne plus piper mot *infml*
clamber ['klæmbəʳ] *v/i* grimper; ***to ~ up a hill*** gravir péniblement une colline
clammy ['klæmɪ] *adj* ⟨**+er**⟩ moite
clamor, *Br* **clamour** ['klæməʳ] **I** *n* clameur *f*, cris *mpl* **II** *v/i* ***to ~ for sth*** réclamer qc à grands cris; ***the men were ~ing to go home*** les hommes réclamaient à grands cris de rentrer chez eux
clamp [klæmp] **I** *n* attache *f*; MED, ELEC clamp *m*; (*for car*) sabot *m* **II** *v/t* serrer, cramponner; *car* poser un sabot sur ◆ **clamp down** *v/i fig* donner un coup de frein ◆ **clamp down on** *v/t insep person* serrer la vis à; *activities* mettre un frein à
clampdown ['klæmpdaʊn] *n* répression *f* (**on** contre)
clandestine [klæn'destɪn] *adj meeting etc* clandestin
clang [klæŋ] **I** *n* bruit *m* métallique **II** *v/i* produire un bruit métallique **III** *v/t* faire résonner **clanger** ['klæŋəʳ] *n* (*Br infml*) gaffe *f infml*; ***to drop a ~*** faire une gaffe *infml*
clank [klæŋk] **I** *n* cliquetis *m*, bruit *m* métallique **II** *v/t* faire cliqueter **III** *v/i* cliqueter, produire un son métallique
clap [klæp] **I** *n* claquement, bruit *m* sec; ***a ~ of thunder*** un coup de tonnerre; ***give him a ~!*** applaudis-le!; ***a ~ on the back*** une tape dans le dos **II** *v/t* battre, frapper; ***to ~ one's hands*** taper dans ses mains; ***to ~ sb on the back*** donner une tape dans le dos de qn; ***he ~ped his hand over my mouth*** il a plaqué sa main sur ma bouche; ***to ~ eyes on sb/sth*** *infml* poser les yeux sur qn/qc **III** *v/i* claquer **clapped-out** ['klæptaʊt] *adj attr*, **clapped out** *adj pred Br infml* pourri *infml*; ***a ~ old car*** une vieille voiture déglinguée

infml **clapping** *n* applaudissements *mpl* **claptrap** ['klæptræp] *n infml* bêtises *fpl*

claret ['klærət] *n* Bordeaux *m* (*rouge*)

clarification [ˌklærɪfɪ'keɪʃən] *n* clarification *f*, éclaircissement *m*; ***I'd like a little ~ on this point*** j'aimerais quelques éclaircissements sur ce point **clarify** ['klærɪfaɪ] *v/t* clarifier, éclaircir; *text, statement* clarifier

clarinet [ˌklærɪ'net] *n* clarinette *f*

clarity ['klærɪtɪ] *n* clarté *f*, précision *f*

clash [klæʃ] **I** *v/i* **1.** (*demonstrators*) s'affronter **2.** (*colors*) jurer; (*events*) tomber en même temps, coïncider; ***we ~ too much*** nous sommes trop en désaccord **II** *n* **1.** (*of demonstrators, between people*) affrontement *m* **2.** (*of personalities*) incompatibilité; ***a ~ of interests*** un conflit d'intérêts

clasp [klɑːsp] **I** *n* (*on brooch etc.*) fermoir *m* **II** *v/t* serrer; ***to ~ sb's hand*** serrer la main de qn; ***to ~ one's hands*** (***together***) joindre les mains; ***to ~ sb in one's arms*** serrer qn dans ses bras

class [klɑːs] **I** *n* **1.** (*group, also* SCHOOL) classe *f*; ***they're just not in the same ~*** il n'y a pas de comparaison entre eux; ***to be in a ~ of one's own*** être unique; ***I don't like her ~es*** je n'aime pas ses cours; ***the French ~*** (*lesson*) le cours de français; (*people*) les élèves du cours de français; ***the ~ of 2005*** la promotion de 2005 **2.** (*social rank*) classe *f*; ***the ruling ~*** la classe dirigeante **3.** (*Br* UNIV, *of degree*) mention *f*; ***a first-~ degree*** un diplôme avec mention très bien; ***second-~ degree*** mention bien **4.** (*infml quality*) classe *f*; ***to have ~*** (*person*) avoir de la classe **II** *adj infml* classe *inv infml* **III** *v/t* classer, classifier **class-conscious** *adj* conscient de la différence des classes **class distinction** *n* distinction *f* sociale

classic ['klæsɪk] **I** *adj* classique; ***a ~ example of sth*** un exemple classique de qc **II** *n* classique *m*

classical ['klæsɪkəl] *adj architecture, education* classique; ***~ music*** musique classique; ***the ~ world*** le monde de l'antiquité **classics** ['klæsɪks] *n sg* UNIV lettres *fpl* classiques

classification [ˌklæsɪfɪ'keɪʃən] *n* classification *f* **classified** ['klæsɪfaɪd] *adj* classé; ***~ ad***(***vertisement***) petite annonce; ***~ information*** MIL informations classées secrètes; POL documents classés secrets **classify** ['klæsɪfaɪ] *v/t* classer, classifier

classless *adj society* sans classes **classmate** *n* camarade *m/f* de classe **class reunion** *n* retrouvailles *fpl* de classe **classroom** *n* salle *f* de classe **classroom assistant** *n* assistant(e) *m(f)* d'éducation **class system** *n* système *m* de classes

classy ['klɑːsɪ] *adj* ⟨**+er**⟩ *infml* classe *inv infml*

clatter ['klætəʳ] **I** *n* cliquetis *m*, (*louder*) fracas *m* **II** *v/i* cliqueter, (*louder*) s'entrechoquer bruyamment

clause [klɔːz] *n* **1.** GRAM proposition *f* **2.** JUR *etc.* clause *f*

claustrophobia [ˌklɔːstrə'fəʊbɪə] *n* claustrophobie *f* **claustrophobic** [ˌklɔːstrə'fəʊbɪk] *adj* (*person*) claustrophobe; (*atmosphere*) oppressant ***it's so ~ in here*** c'est vraiment oppressant ici

claw [klɔː] **I** *n* griffe *f*; (*of lobster etc.*) pince *f* **II** *v/t* griffer, déchirer (avec ses griffes); ***they ~ed their way out from under the rubble*** il se sont frayé un chemin hors des décombres à main nue; ***he ~ed his way to the top*** *fig* il a travaillé dur pour arriver au sommet **III** *v/i* ***to ~ at sth*** essayer de s'agripper à qc

clay [kleɪ] *n* argile *f* **clay court** *n* TENNIS court *m* en terre battue **clay pigeon shooting** *n* ball-trap *m*

clean [kliːn] **I** *adj* ⟨**+er**⟩ **1.** propre; ***to wash sth ~*** laver qc; ***to wipe sth ~*** bien essuyer qc; ***to make a ~ start*** tout recommencer (*also in life*); ***he has a ~ record*** son casier (judiciaire) est vierge; ***to have a ~ driving licence*** *Br* avoir tous ses points (sur son permis de conduire); ***a ~ break*** *fig* une coupure nette **2.** *joke* qui n'a rien de choquant **3.** ***to make a ~ breast of sth*** décharger sa conscience de qc **II** *adv* complètement, carrément; ***I ~ forgot*** j'ai complètement oublié; ***he got ~ away*** il a décampé sans laisser de traces *infml*; ***to cut ~ through sth*** couper qc de part en part; ***to come ~*** *infml* tout avouer; ***to come ~ about sth*** tout avouer sur qc **III** *v/t nails, shoes, paintbrush, fish* nettoyer; *window, wound, vegetables* laver; (*wash*) laver; (*wipe*) essuyer; ***to ~ one's hands*** (*wash*) se laver les mains; ***to ~ one's teeth*** se laver les dents; ***~ the dirt off your face*** lave-toi le visage **IV** *v/i* nettoyer, faire le ménage **V** *n* ***to give sth a ~***; → *vt* ◆ **clean off** *v/t sep* (*wash*) laver; (*wipe*) essuyer; *dirt* nettoyer ◆ **clean out** *v/t sep lit* nettoyer à fond ◆ **clean up I** *v/t sep* **1.** *lit building* nettoyer à fond; *mess* ranger **2.** *fig* ***the new mayor cleaned up the city*** le nouveau maire a épuré la ville; ***to ~ television*** épurer la télévision **II** *v/i lit* faire le ménage; mettre de l'ordre

clean-cut ['kliːn'kʌt] *adj person* soigné; ***~ features*** des traits bien nets **cleaner** ['kliːnəʳ] *n* **1.** (*substance*) produit *m* d'entretien, nettoyant *m* ***floor ~*** nettoyant pour les sols **2.** ***the ~s*** le teinturier (*store*) teinturerie **3.** (*esp Br person*) femme *f* de ménage; agent *m* de service **cleaning** ['kliːnɪŋ] *n* ***the people who do the ~*** le personnel de ménage; ***~ fluid*** détachant **cleaning lady** *n* femme *f* de ménage **cleanliness** ['klenlɪnɪs] *n* propreté *f* **clean-living** ['kliːn'lɪvɪŋ] *adj* qui mène une vie saine **cleanly** ['kliːnlɪ] *adv* net; ***the bone broke ~*** l'os s'est cassé net **cleanness** *n* propreté *f* **clean-out** ['kliːnaʊt] *n* ***to give sth a ~*** bien nettoyer qc **cleanse** [klenz] *v/t* nettoyer **cleanser** ['klenzəʳ] *n* (*detergent*) détergent *m*; (*for skin*) démaquillant *m* **clean-shaven** ['kliːn'ʃeɪvn] *adj* rasé de près **cleansing** ['klenzɪŋ] *adj* nettoyant **cleansing department** *n* entretien *m*, service *m* du nettoyage

clear [klɪəʳ] **I** *adj* ⟨**+er**⟩ **1.** limpide; *complexion* clair; *photograph* net(te); ***on a ~ day*** par temps clair; ***it's ~ to me*** pour moi c'est clair; ***you weren't very ~*** vous n'avez pas été très clair; ***is that ~?*** est-ce clair?; ***let's get this ~, I'm the boss*** que les choses soient bien claires, c'est moi le patron; ***to be ~ on*** *or* ***about sth*** bien comprendre qc; ***to make oneself ~*** bien se faire comprendre; ***to make it ~ to sb that …*** bien faire comprendre à qn que…; ***a ~ profit*** un bénéfice net; ***to have a ~ lead*** mener largement **2.** (*free*) libre, dégagé; ***to be ~ of sth*** être débarrassé de qc; ***we're now ~ of debts*** nous sommes maintenant libérés de nos dettes; ***the bottom of the door should be about 3 mm ~ of the floor*** entre le bas de la porte et le sol, il devrait y avoir environ 3 mm; ***at last we were/got ~ of the prison walls*** nous étions enfin sortis de la prison **3.** (*ahead*, *Br*) ***Rangers are now three points ~ of Celtic*** les Rangers mènent à présent par trois points devant les Celtic **II** *n* ***to be in the ~*** (*free from suspicion*) être au-dessus de tout soupçon; ***we're not in the ~ yet*** (*not out of difficulties*) nous ne sommes pas encore tirés d'affaire **III** *adv* **1.** ***loud and ~*** très distinctement **2.** (*completely*) ***he got ~ away*** il a disparu sans laisser de traces **3.** ***he jumped ~ of the burning car*** il s'est échappé de la voiture en flammes; ***to steer*** *or* ***keep ~ of sb/sth*** éviter qn/qc; ***to steer*** *or* ***keep ~ of a place*** éviter un endroit; ***exit, keep ~*** sortie, ne pas encombrer; ***stand ~ of the doors!*** éloignez-vous des portes! **IV** *v/t* **1.** *pipe* déboucher; *blockage* dégager; *land*, *road* déblayer; IT *screen* nettoyer; ***to ~ the table*** débarrasser la table; ***to ~ a space for sth*** faire de la place pour qc; ***to ~ the way for sb/sth*** dégager le passage pour qn/qc; ***to ~ a way through the crowd*** se frayer un passage dans la foule; ***to ~ a room*** (*of people*) évacuer une salle; (*of things*) débarrasser une pièce; ***to ~ one's head*** se remettre les idées au clair **2.** *snow*, *rubbish* dégager **3.** JUR *person* disculper ***to clear one's name*** se disculper **4.** ***he ~ed the bar easily*** il est passé au-dessus de la barre sans la toucher; ***raise the car till the wheel ~s the ground*** soulevez la voiture jusqu'à ce que la roue ne touche plus terre **5.** *debt* s'acquitter de **6.** *stock* liquider **7.** (*approve*) accepter; ***to ~ a check*** compenser un chèque; ***you'll have to ~ that with the boss*** il faudra demander l'accord du patron; ***~ed by security*** approuvé par le service de sécurité **V** *v/i* (*weather*) s'éclaircir; (*mist*, *smoke*) se dissiper ◆ **clear away I** *v/t sep* enlever **II** *v/i* **1.** (*mist etc.*) se dissiper **2.** (*clear away the dishes*) débarrasser ◆ **clear off** *v/i* (*Br infml*) filer, dégager *infml* ◆ **clear out I** *v/t sep* débarrasser **II** *v/i* (*infml leave*) filer, dégager *infml* ◆ **clear up I** *v/t sep* **1.** *matter* résoudre; *mystery* éclaircir, résoudre **2.** (*tidy*) nettoyer; *litter* débarrasser **II** *v/i* **1.** (*weather*) s'éclaircir **2.** (*tidy up*) faire du rangement

clearance ['klɪərəns] *n* **1.** (*act of clearing*) liquidation *f* **2.** (*by customs*) dédouanement *m*; (*by security*) autorisation *f* **clearance sale** *n* COMM liquidation *f* **clear-cut** ['klɪə'kʌt] *adj* net(te);

issue tranché **clear-headed** ['klɪə'hedɪd] *adj person, decision* lucide **clearing** *n* (*in forest*) clairière *f* **clearing house** *n* chambre *f* de compensation **clearly** ['klɪəlɪ] *adv* **1.** (*distinctly*) clairement; **~ *visible*** clairement visible **2.** (*obviously*) manifestement; ***~ we cannot allow ...*** il est clair que nous ne pouvons pas permettre ...; ***this ~ can't be true*** il est clair que cela ne peut pas être vrai **clearness** *n* transparence *f*; (*of complexion*) uniformité *f* **clear-sighted** ['klɪə'saɪtɪd] *adj fig* lucide

cleavage ['kliːvɪdʒ] *n* décolleté *m*

cleaver ['kliːvər] *n* couperet *m*

clef [klef] *n* clé *f*

cleft [kleft] **I** *adj* fendu; ***he had a ~ chin*** il avait une fossette au menton **II** *n* fente *f*; (*in chin*) fossette *f* **cleft palate** *n* bec *m* de lièvre

clematis ['klemətɪs] *n* clématite *f*

clemency ['klemənsɪ] *n* clémence *f* (***towards sb*** envers qn); ***the prisoner was shown ~ by the authorities*** les autorités se sont montrées clémentes envers le prisonnier

clementine ['kleməntaɪn] *n* clémentine *f*

clench [klentʃ] *v/t fist, teeth* serrer; (*grasp firmly*) agripper

clergy ['klɜːdʒɪ] *pl* clergé *m* **clergyman** ['klɜːdʒɪmən] *n* ⟨*pl* **-men**⟩ ecclésiastique *m* **clergywoman** ['klɜːdʒɪˌwʊmən] **-women** *pl n* ecclésiastique *f*

cleric ['klerɪk] *n* ecclésiastique *m/f*

clerical ['klerɪkəl] *adj* **1.** ***~ work / job*** travail / emploi de bureau; ***~ worker*** employé de bureau; ***~ staff*** personnel de bureau; ***~ error*** erreur administrative **2.** ECCL clérical

clerk [klɑːk, (*US*) klɜːrk] *n* **1.** employé(e) *m(f)* de bureau **2.** (*secretary*) secrétaire *m/f* **3.** (*US in store*) vendeur(-euse) *m(f)* **4.** (*US, in hotel*) réceptionniste *m/f*

clever ['klevər] *adj* **1.** intelligent **2.** (*ingenious, skillful, witty*) malin; *device* astucieux(-euse); ***to be ~ at sth*** être doué pour qc; ***he is ~ at raising money*** il est doué pour lever des fonds **cleverly** ['klevəlɪ] *adv* intelligemment; (*wittily*) astucieusement **cleverness** *n* **1.** (*intelligence*) intelligence *f* **2.** (*skill, ingenuity*) habileté *f* **3.** (*cunning*) astuce *f*

cliché ['kliːʃeɪ] *n* cliché *m* **clichéd** *adj* plein de clichés

click [klɪk] **I** *n* clic *m*; (*of camera*) déclic *m*; (*of fingers*) claquement *m* **II** *v/i* **1.** faire clic; (*knitting needles*) cliqueter; (*fingers*) claquer **2.** *infml* ***suddenly it all ~ed (into place)*** soudain tout devint clair *infml*; ***some people you ~ with straight away*** il y a des gens avec qui l'on accroche tout de suite **III** *v/t fingers* faire claquer; ***to ~ sth into place*** emboîter qc ◆ **click on** *v/i* IT ***to ~ the mouse*** cliquer avec la souris; ***to ~ an icon*** cliquer sur une icône

clickable ['klɪkəbl] *adj* IT cliquable

client ['klaɪənt] *n* client(e) *m(f)* **clientele** [ˌkliːɒn'tel] *n* clientèle *f*

cliff [klɪf] *n* falaise *f* **cliffhanger** *n* film *m* à suspense **clifftop** *n* sommet *m* d'une falaise ***a house on a ~*** une maison au sommet d'une falaise

climactic [klaɪ'mæktɪk] *adj* décisif(-ive) ***a ~ scene*** une scène décisive

climate ['klaɪmɪt] *n* climat *m*; ***to move to a warmer ~*** aller vivre sous un climat plus chaud; ***~ change*** changement climatique; ***~ conference*** conférence sur le climat **climatic** [klaɪ'mætɪk] *adj* climatique **climatologist** *n* climatologue *m/f*, climatologiste *m/f* **climatology** *n* climatologie *f*

climax ['klaɪmæks] *n* point *m* culminant

climb [klaɪm] **I** *v/t* **1.** (*a.* **climb up**) escalader; *hill* faire l'ascension de, grimper sur; *ladder, steps* monter à; *cliffs* escalader; ***my car can't ~ that hill*** ma voiture ne peut pas grimper cette côte; ***to ~ a rope*** monter à une corde **2.** (*a.* **climb over**) *wall etc.* escalader **II** *v/i* monter, grimper; (*as mountaineer*) faire de l'escalade; (*into train, car etc.*) monter (***into*** dans); (*prices*) monter; (*aircraft*) prendre de la hauteur **III** *n* **1.** ***we're going out for a ~*** nous allons faire de l'escalade **2.** (*of aircraft*) ascension *f*; ***the plane went into a steep ~*** l'avion a pris de la hauteur rapidement ◆ **climb down I** *v/i* (*from tree, ladder*) descendre **II** *v/t insep tree, ladder* descendre de ◆ **climb in** *v/i* monter ◆ **climb up I** *v/i* = **climb** *II* **II** *v/t insep ladder, tree etc.* monter à

climb-down ['klaɪmdaʊn] *n fig* descente *f* **climber** ['klaɪmər] *n* (*mountaineer*) alpiniste *m/f*; (*rock climber*) varappeur (-euse) *m(f)* **climbing** ['klaɪmɪŋ] **I** *adj* **1.** *accident* d'escalade **2.** *plant* grimpant **II** *n* (*rock-climbing*) escalade *f*, varappe

f ***to go ~*** faire de l'escalade
clinch [klɪntʃ] *v/t argument* résoudre; ***to ~ the deal*** conclure l'affaire; ***that ~es it*** affaire conclue **clincher** ['klɪntʃər] *n infml* ***that was the ~*** c'est ce qui a fait la différence
cling [klɪŋ] ⟨*past*, *past part* **clung**⟩ *v/i* (*hold on*) s'accrocher, se cramponner (***to*** à); (*clothes*) mouler; (*wet shirt*) coller ***to cling to the body*** mouler le corps (*wet shirt*) coller à le peau; ***to ~ together*** rester ensemble; (*lovers*) être collés l'un à l'autre; ***she clung around her father's neck*** elle se cramponnait au cou de son père **clingfilm** ['klɪŋfɪlm] *n Br* film *m* alimentaire **clinging** ['klɪŋɪŋ] *adj garment* moulant; ***she's the ~ sort*** elle est du genre collant *infml*
clinic ['klɪnɪk] *n* clinique *f* **clinical** ['klɪnɪkəl] *adj* **1.** MED clinique **2.** *fig* froid **clinical depression** *n* dépression *f* clinique **clinically** ['klɪnɪkəlɪ] *adv* cliniquement; ***he is ~ depressed*** il souffre de dépression clinique
clink [klɪŋk] **I** *v/t* faire tinter; ***to ~ glasses with sb*** trinquer avec qn **II** *v/i* s'entrechoquer
clip¹ [klɪp] **I** *n* (*fastener*) clip *m* **II** *v/t* ***to ~ sth onto sth*** accrocher qc sur qc **III** *v/i* ***to ~ on*** (***to sth***) s'accrocher (sur qc); ***to ~ together*** s'attacher ensemble
clip² **I** *v/t* **1.** (*trim*) *hedge* tailler; *fingernails* couper **2.** (*a.* **clip out**) *article* découper; (*a.* **clip off**) *hair* couper **3.** (*car*, *bullet*) heurter **II** *n* **1.** ***to give the hedge a ~*** tailler la haie **2.** (*from film*) clip *m*
clip art *n* IT clipart *m* **clipboard** *n* porte-bloc *m* à pince **clip-on** *adj tie* à clip; ***~ earrings*** boucles *fpl* d'oreille, clips; ***~ sunglasses*** clips *mpl* solaires **clippers** ['klɪpəz] *pl* (*a.* **pair of clippers**) sécateur *m*; (*for hair*) tondeuse *f*; (*for fingernails*) coupe-ongles *m* **clipping** *n* (*newspaper clipping*) coupure *f* de journal
clique [kliːk] *n* clique *f*
clitoris ['klɪtərɪs] *n* clitoris *m*
cloak [kləʊk] **I** *n lit* cape *f*; *fig* couverture *f*; ***under the ~ of darkness*** sous le couvert de l'obscurité **II** *v/t fig* recouvrir **cloak-and-dagger** *adj* d'espionnage **cloakroom** *n* **1.** (*Br*: *for coats*) vestiaire *m* **2.** (*Br euph*) toilettes *fpl*
clobber ['klɒbər] *infml* **I** *n Br belongings*, *clothes* affaires *fpl* **II** *v/t* (*hit*, *defeat*) ***to get ~ed*** se faire démolir
clock [klɒk] *n* **1.** pendule *f*; *bigger* horloge *f*; *alarm* réveil *m* ***round the ~*** jour et nuit; ***against the ~*** SPORTS contre la montre; ***to work against the ~*** travailler sous pression; ***to beat the ~*** battre un record; ***to put the ~ back/ forward*** retarder / avancer sa montre; ***to turn the ~ back*** *fig* revenir en arrière; ***to watch the ~*** *infml* surveiller l'heure **2.** *infml* compteur *m* ***it's got 100,000 miles on the ~*** elle a 100 000 miles au compteur ◆ **clock in** *or* **on** *v/i* pointer (en entrant) ◆ **clock off** *or* **out** *v/i* pointer (en sortant) ◆ **clock up** *v/t sep speed* faire
clock face *n* cadran *m* **clockmaker** *n* horloger(-ère) *m*(*f*) **clock radio** *n* radio-réveil *m* **clock tower** *n* beffroi *m* **clock-watching** *n* vérification *f* constante de l'heure par ennui **clockwise** *adj*, *adv* dans le sens des aiguilles d'une montre **clockwork** **I** *n* (*of toy*) mécanique; ***like ~*** comme sur des roulettes; ***to run like ~*** être réglé comme une horloge **II** *attr* **1.** *train*, *car* mécanique **2.** ***with ~ regularity*** avec une exactitude d'horloge
clod [klɒd] *n* (*of earth*) motte *f*
clog [klɒg] **I** *n* (*shoe*) sabot *m* **II** *v/t* (*a.* **clog up**) *pipe etc.* boucher; ***~ged with traffic*** encombré par la circulation **III** *v/i* (*a.* **clog up**, *pipe etc.*) se boucher
cloister ['klɔɪstər] *n* **1.** (*covered walk*) cloître *m* **2.** (*monastery*) monastère *m* **cloistered** *adj fig* cloîtré
clone [kləʊn] **I** *n* clone *m* **II** *v/t* cloner
close¹ [kləʊs] **I** *adj* **1.** (*near*) proche (***to*** de); ***is Austin ~ to Fort Worth?*** est-ce qu'Austin est proche de Fort Worth?; ***you're very ~*** (*in guessing etc.*) tu brûles; ***at ~ quarters*** de près; ***we use this bar because it's the ~st*** nous allons dans ce bar parce que c'est le plus proche **2.** (*in time*) proche **3.** *fig friend*, *connection*, *relative* proche; *resemblance* grand; ***they were very ~*** (***to each other***) ils étaient très proches **4.** *examination* attentif(-ive); ***now pay ~ attention to me*** maintenant faites bien attention à ce que je vais dire; ***you have to pay very ~ attention to the traffic signs*** il faut faire très attention aux panneaux de circulation **5.** (*stuffy*) lourd, étouffant **6.** *fight*, *result* serré; ***a ~(-fought) match*** un match serré; ***a ~ finish*** une

arrivée disputée; ***it was a ~ thing*** *or* ***call*** il était moins une; ***the vote was too ~ to call*** l'élection était trop serrée **II** *adv* près; ***~ by*** non loin de là; ***stay ~ to me*** reste près de moi; ***~ to the ground*** près du sol; ***he followed ~ behind me*** il me suivait de près; ***don't stand too ~ to the fire*** ne restez pas trop près du feu; ***to be ~ to tears*** être au bord des larmes; ***~ together*** près l'un de l'autre; ***this pattern comes ~st to the sort of thing we wanted*** ce motif s'approche vraiment de ce que nous recherchons; **(*from*) *~ up*** de près

close² [kləʊz] **I** *v/t* **1.** (*shut*) fermer; ***to ~ one's eyes to sth*** fermer les yeux sur qc; ***to close one's ears to sth*** refuser d'entendre qc; ***to ~ ranks*** (MIL, *fig*) serrer les rangs **2.** *meeting*, *bank account etc.* clore; ***the matter is ~d*** l'affaire est classée **II** *v/i* **1.** (*shut*) se fermer; (*store*, *factory*) fermer; (*factory*: *permanently*) fermer; ***his eyes ~d*** ses yeux se sont fermés **2.** ST EX clore **III** *n* fin *f*; ***to come to a ~*** se terminer; ***to draw to a ~*** tirer à sa fin; ***to bring sth to a ~*** mettre fin à qc ◆ **close down I** *v/i* (*business*, *factory etc.*) fermer **II** *v/t sep business*, *etc.* fermer; *factory* (*permanently*) fermer (définitivement) ◆ **close in** *v/i* (*night*) venir; (*days*) raccourcir; (*enemy etc.*) s'approcher; ***to ~ on sb*** s'approcher de qn; ***the police are closing in on him*** la police se rapproche de lui ◆ **close off** *v/t sep* barrer ◆ **close on** *v/t insep* se rapprocher de ◆ **close up** *v/t sep house*, *store* fermer

closed *adj* fermé; *road* barré; ***behind ~ doors*** à huis clos; ***"closed"*** "fermé"; ***sorry, we're ~*** désolé, nous sommes fermés; ***~ circuit*** ELEC circuit fermé

closed-circuit television [ˌkləʊzdˌsɜːkɪt'telɪvɪʒən] *n* télévision *f* en circuit fermé; (*for supervision*) caméra *f* de vidéosurveillance **closed shop** *n entreprise où tous les employés doivent appartenir au même syndicat*

close-fitting [kləʊs-] *adj* moulant **close-knit** [kləʊs-] *adj* ⟨*comp* **closer-knit**⟩ *community* uni **closely** ['kləʊslɪ] *adv* **1.** étroitement; *related* étroitement; *follow* (*in time*) de près; ***he was ~ followed by a police officer*** il était suivi de près par un agent de police; ***the game was ~ contested*** la partie a été très disputée; ***to work ~ with sb*** travailler en étroite collaboration avec qn **2.** *listen etc.* bien; ***a ~-guarded secret*** un secret bien gardé **closeness** ['kləʊsnɪs] *n* **1.** proximité *f* **2.** (*fig*, *of friendship*) intimité *f* **close-run** *adj* ⟨*comp* **closer-run**⟩ ***it was a ~ thing*** cela a été très serré **close season** *n* **1.** FTBL intersaison *f* **2.** HUNT, FISH fermeture *f* **close-set** *adj* ⟨*comp* **closer-set**⟩ *eyes* rapproché

closet ['klɒzɪt] *n US* armoire *f*, penderie *f*; ***to come out of the ~*** *fig* faire son coming-out

close-up ['kləʊsʌp] *n* gros plan *m*; ***in ~*** en gros plan

closing ['kləʊzɪŋ] **I** *n* fermeture *f*; (*of factory*: *permanently*) fermeture *f* définitive **II** *adj* **1.** *remarks etc.* de clôture *f*; ***~ arguments*** JUR plaidoirie finale **2.** ST EX ***~ prices*** cours de clôture **closing date** *n* date *f* limite **closing-down sale** [ˌkləʊzɪŋ'daʊnseɪl] *n* COMM soldes *mpl* avant liquidation **closing time** *n* heure *f* de fermeture

closure ['kləʊʒəʳ] *n* fermeture *f*

clot [klɒt] **I** *n* (*of blood*) caillot *m* **II** *v/i* (*blood*) coaguler

cloth [klɒθ] *n* **1.** tissu *m* **2.** (*dishcloth etc.*) chiffon *m*; (*for floor*) serpillière *f* **3.** (*tablecloth*) nappe *f*

clothe [kləʊð] ⟨*past*, *past part* **clothed**⟩ *v/t* habiller, vêtir

clothes [kləʊðz] *pl* vêtements *mpl*; ***his mother still washes his ~*** sa mère lui lave encore son linge; ***with one's ~ on / off*** habillé / déshabillé; ***to take off one's ~*** se déshabiller; ***to put on one's ~*** s'habiller **clothes basket** *n esp Br* corbeille *f* à linge **clothes brush** *n* brosse *f* à habits **clothes hanger** *n* cintre *m* **clothes horse** *n* séchoir *m* à linge **clothes line** *n* corde *f* à linge **clothes pin**, *Br* **clothes peg** *n* pince *f* à linge **clothes store** *n* magasin *m* de vêtements **clothing** ['kləʊðɪŋ] *n* habillement *m*; *item* vêtement *m*; ***outdoor ~*** vêtements d'extérieur

clotted cream ['klɒtɪd'kriːm] *n* ≈ crème *f* fraîche épaisse

cloud [klaʊd] **I** *n* nuage *m*; ***to have one's head in the ~s*** être dans les nuages; ***to be on ~ nine*** *infml* être sur un petit nuage; ***every ~ has a silver lining*** *prov* à quelque chose malheur est bon *prov* **II** *v/t fig* brouiller; ***to ~ the issue*** brouiller les cartes ◆ **cloud over** *v/i* (*sky*) de-

venir nuageux
cloudburst *n* averse *f* **cloud-cuckoo-land** *n* ***you're living in ~*** tu vis sur une autre planète *infml* **cloudless** *adj* sans nuage **cloudy** ['klaʊdɪ] *adj* **1.** *sky* nuageux(-euse); ***it's getting ~*** le temps se couvre **2.** *liquid etc.* trouble
clout [klaʊt] **I** *n* **1.** (*infml blow*) baffe *f*; ***to give sb a ~*** donner une baffe à qn *infml* **2.** (*political*) influence *f* **II** *v/t infml* baffer *infml*
clove [kləʊv] *n* **1.** clou *m* de girofle **2.** gousse *f* **~ *of garlic*** une gousse d'ail
clover ['kləʊvəʳ] *n* trèfle *m*
clown [klaʊn] **I** *n* clown *m*; *pej, infml* charlot *m infml*; ***to act the ~*** faire le clown **II** *v/i* (*a.* **clown around**) faire le clown *infml*
club [klʌb] **I** *n* **1.** (*weapon*) massue *f* **2.** (*golf club*) club *m* **3. clubs** *pl* CARD trèfle *m*; ***the nine of ~s*** le neuf de trèfle **4.** (*society*) club *m*; (*night club*) boîte *f* de nuit; FTBL club *m*; ***join the ~!*** *infml* bienvenue au club! *infml*; ***the New York ~ scene*** les boîtes de nuit new-yorkaises **II** *v/t* matraquer **III** *v/i* ***to go clubbing*** aller en boîte (de nuit) ◆ **club together** *v/i Br* se cotiser
clubhouse *n* pavillon *m*, club-house *f* **club member** *n* membre *m/f* (d'un club)
cluck [klʌk] *v/i* glousser
clue [kluː] *n* indice *m*; (*in crosswords*) définition *f*; ***to find a/the ~ to sth*** comprendre qc; ***I'll give you a ~*** je vous donne un indice; ***I haven't a ~!*** je n'en ai pas la moindre idée! ◆ **clue up** *v/t sep infml* ***to be clued up on*** *or* ***about sth*** être calé sur qc **clueless** *adj infml* nul(le)
clump [klʌmp] **I** *n* (*of trees*) bosquet *m*; (*of earth*) motte *f* **II** *v/i* marcher lourdement
clumsily ['klʌmzɪlɪ] *adv* maladroitement; *walk* lourdement **clumsiness** *n* maladresse *f*; (*ungainliness*) lourdeur *f* **clumsy** ['klʌmzɪ] *adj* **1.** maladroit; (*inelegant*) lourdaud **2. *~ mistake*** maladresse
clung [klʌŋ] *past, past part* = **cling**
clunk [klʌŋk] *n* bruit *m* sourd
cluster ['klʌstəʳ] **I** *n* grappe *f*; *of buildings* groupe *m* **II** *v/i* (*people*) se rassembler **cluster bomb** *n* bombe *f* à fragmentation
clutch [klʌtʃ] **I** *n* **1.** AUTO embrayage *m*; ***to let in/out the ~*** débrayer/embrayer **2.** *fig* ***to fall into sb's ~es*** tomber dans les griffes de qn **II** *v/t* (*grab*) saisir; (*hold tightly*) se cramponner à ◆ **clutch at** *v/t insep lit* se cramponner à; *fig* se raccrocher à
clutter ['klʌtəʳ] **I** *n* fourbi *m* **II** *v/t* (*a.* **clutter up**) encombrer; ***to be ~ed with sth*** (*mind, room, drawer etc.*) être encombré de qc; (*floor, desk etc.*) être couvert de qc
cm. *abbr* = **centimeter** cm
C.O. *abbr* = **Commanding Officer**
Co. 1. *abbr* = **company *and ~*** et Cie **2.** *abbr* = **county**
co- [kəʊ-] *pref* co(-)
c/o *abbr* = **care of** chez
coach [kəʊtʃ] **I** *n* **1.** (*horsedrawn*) diligence *f* **2.** RAIL wagon *m*, voiture *f* **3.** (*Br motor coach*) car *m*, autocar *m*; ***by ~*** en car; ***~ travel/journeys*** les voyages en car; ***~ driver*** chauffeur de car **4.** SPORTS entraîneur(-euse) *m(f)* **II** *v/t* **1.** SPORTS entraîner, coacher **2. *to ~ sb for an exam*** préparer qn pour un examen **coaching** ['kəʊtʃɪŋ] *n* SPORTS entraînement *m*; (*tutoring*) cours *mpl* particuliers **coachload** *n Br* = **busload** **coach party** *n Br* groupe *m* voyageant en car **coach station** *n Br* gare *f* routière **coach trip** *n Br* voyage *m* en car
coagulate [kəʊ'ægjʊleɪt] *v/i* (*blood*) coaguler; (*milk*) cailler
coal [kəʊl] *n* charbon *m*
coalesce [ˌkəʊə'les] *v/i fig* fusionner, se mélanger
coalface *n Br* front *m* de taille **coal fire** *n* cheminée *f* (où l'on brûle du charbon) **coal-fired** *adj* à charbon; ***~ power plant*** centrale à charbon
coalition [ˌkəʊə'lɪʃən] *n* coalition *f*; ***~ agreement*** accord de coalition; ***~ government*** gouvernement de coalition
coal mine *n* mine *f* de charbon **coal miner** *n* mineur *m* **coal-mining** *n* extraction *f* du charbon
coarse [kɔːs] *adj* **1.** rugueux **2.** (*uncouth*) grossier(-ière); *joke* grivois **coarsen** ['kɔːsn] *v/t skin* épaissir **coarseness** ['kɔːsnɪs] *n* **1.** (*of texture*) rudesse *f* **2.** (*fig vulgarity*) vulgarité *f*; (*of manners also*) rudesse *f*; (*of joke, of sb's language*) grossièreté *f*
coast [kəʊst] **I** *n* côte *f*; ***on the ~*** sur la côte; ***we're going to the ~*** on va sur la côte; ***the ~ is clear*** *fig* la voie est libre **II**

v/i **1.** (*car, cyclist, in neutral*) avancer (en roue libre) **2.** *fig* ***to be ~ing along at school*** ne pas avoir de difficultés à l'école **coastal** ['kəʊstəl] *adj* côtier (-ière); ***~ traffic*** circulation côtière

coaster ['kəʊstə^r] *n* (*mat*) dessous *m* de verre

coastguard *n* garde-côte *m* **coastline** *n* littoral *m*

coat [kəʊt] **I** *n* **1.** manteau *m*; (*doctor's coat etc. also*) blouse *f* **2.** HERALDRY ***~ of arms*** armoiries **3.** (*of animal*) fourrure *f* **4.** (*of paint etc.*) couche *f*; ***give it a second ~*** (*of paint*) passe une deuxième couche **II** *v/t* (*with paint etc.*) couvrir; ***to be ~ed with mud*** être couvert de boue **coat check** *n US* vestiaire *m* **coat hanger** *n* cintre *m* **coat hook** *n* portemanteau *m* **coating** ['kəʊtɪŋ] *n of dust* couche *f waterproof* revêtement *m* **coat stand** *n* portemanteau *m*

co-author ['kəʊˌɔːθə^r] *n* coauteur(e) *m*(*f*)

coax [kəʊks] *v/t* amadouer; ***to ~ sb into doing sth*** amadouer qn pour qu'il fasse qc; ***to ~ sth out of sb*** obtenir qc de qn en l'amadouant

cob [kɒb] *n* ***corn on the ~*** épi de maïs

cobble ['kɒbl] **I** *n* (*a.* **cobblestone**) pavé *m* **II** *v/t* ***a ~d street*** une rue pavée ◆ **cobble together** *v/t sep infml* bricoler *infml*

cobbler ['kɒblə^r] *n* cordonnier(-ière) *m*(*f*)

cobblestone ['kɒblstəʊn] *n* pavé *m*

COBOL ['kəʊbɒl] *abbr* = **common business oriented language** COBOL *m*

cobweb ['kɒbweb] *n* toile *f* d'araignée; ***a brisk walk will blow away the ~s*** *fig* une bonne marche va remettre les idées en place

cocaine [kə'keɪn] *n* cocaïne *f*

cochineal ['kɒtʃɪniːl] *n* carmin *m* (de cochenille)

cock [kɒk] **I** *n* **1.** (*Br rooster*) coq *m* **2.** (*male bird*) mâle *m* **3.** (*sl penis*) bitte *f sl* **II** *v/t ears* tendre ◆ **cock up** *v/t sep* (*Br infml*) faire capoter *infml*

cock-a-doodle-doo *n* cocorico *m* **cock-a-hoop** *adj Br* très fier(fière) **cock-a-leekie (soup)** *n* soupe *f* (*de légumes, poulet et poireaux*)

cockatiel [ˌkɒkə'tiːl] *n* perruche *f* calopsitte, cockatiel *m*

cockatoo [ˌkɒkə'tuː] *n* cacatoès *m*

cockerel ['kɒkərəl] *n* coq *m*

cockeyed ['kɒkaɪd] *adj* (*infml crooked*) absurde **cockily** ['kɒkɪlɪ] *adv infml* en fanfaronnant

cockle ['kɒkl] *n* coque *f*

cockney ['kɒknɪ] **I** *n* **1.** (*dialect*) cockney *m* **2.** (*person*) cockney *m/f* **II** *adj* cockney

cockpit ['kɒkpɪt] *n* cockpit *m*

cockroach ['kɒkrəʊtʃ] *n* blatte *f*, cafard *m*

cocktail ['kɒkteɪl] *n* cocktail *m* **cocktail bar** *n* bar *m* à cocktail **cocktail cabinet** *n* meuble *m* bar **cocktail lounge** *n* bar *m* **cocktail stick** *n* agitateur *m* à cocktail **cocktail waiter** *n esp US* serveur *m* **cocktail waitress** *n esp US* serveuse *f*

cockup ['kɒkʌp] *n* (*Br infml*) ***to be a ~*** être un cafouillage *infml*; ***to make a ~ of sth*** faire cafouiller qc *infml* **cocky** ['kɒkɪ] *adj infml* fanfaron(ne)

cocoa ['kəʊkəʊ] *n* cacao *m*

coconut ['kəʊkənʌt] **I** *n* noix *f* de coco **II** *attr* à la noix de coco **coconut oil** *n* huile *f* de coco

cocoon [kə'kuːn] **I** *n* cocon *m* **II** *v/t* dorloter

C.O.D. *abbr* = **cash on delivery**

cod [kɒd] *n* cabillaud *m*; (*dry*) morue *f*

code [kəʊd] **I** *n* **1.** (*cipher*, IT) code *m*; ***in ~*** codé; ***to put into ~*** coder **2.** (*rules*) code *m*; ***~ of conduct*** code de conduite; ***~ of practice*** code de déontologie **3.** TEL indicatif *m* **4.** ***zip or post*** (*Br*) ***~*** code postal **II** *v/t* coder, chiffrer; IT coder **coded** ['kəʊdɪd] *adj* **1.** codé **2.** *reference* codé; ***in ~ language*** en langage codé

codeine ['kəʊdiːn] *n* codéine *f*

code name *n* nom *m* de code **code number** *n* (numéro *m* de) code *m* **co-determination** [ˌkəʊdɪtɜːmɪ'neɪʃən] *n* IND participation *f* **code word** *n* nom *m* de code **coding** ['kəʊdɪŋ] *n* **1.** codage *m*; ***a new ~ system*** un nouveau système de codage **2.** (IT *codes*) codes *mpl*

cod-liver oil ['kɒdlɪvərˌɔɪl] *n* huile *f* de foie de morue

co-ed, coed ['kəʊ'ed] **I** *n* (*infml, school*) étudiante *f* **II** *adj* mixte **coeducational** ['kəʊˌedjʊ'keɪʃənl] *adj school* mixte

coerce [kəʊ'ɜːs] *v/t* forcer; ***to ~ sb into doing sth*** forcer qn à faire qc **coercion** [kəʊ'ɜːʃən] *n* coercition *f*

coexist [ˌkəʊɪg'zɪst] *v/i* coexister; ***to ~***

with or **alongside sth** coexister avec qc
coexistence [ˌkəʊɪg'zɪstəns] *n* coexistence *f*
C of E *abbr* = **Church of England**
coffee ['kɒfɪ] *n* café *m*; ***two ~s, please*** deux cafés s'il vous plaît **coffee bar** *n* café *m* **coffee bean** *n* grain *m* de café **coffee break** *n* pause *f* café **coffee cup** *n* tasse *f* à café **coffee filter** *n* filtre *m* à café **coffee grinder** *n* moulin *m* à café **coffee grounds** *pl* marc *m* de café **coffee machine** *n* (*coffee maker*) machine *f* à café **coffee maker** *n* cafetière *f* **coffee mill** *n* moulin *m* à café **coffeepot** *n* cafetière *f* **coffee shop** *n* café *m* **coffee table** *n* table *f* basse **coffee-table** *adj* ***~ book*** *beau livre de grand format*

coffee
Il existe beaucoup de variétés de café aux États-Unis. L'**americano** est un express allongé d'eau chaude. Un **latte** est une tasse de lait chaud à laquelle on ajoute une dose (**single shot**) ou deux doses (**a double-shot latte**) d'express.

coffer ['kɒfəʳ] *n fig* ***the ~s*** les coffres
coffin ['kɒfɪn] *n* cercueil *m*
cog [kɒg] *n* TECH dent *f*; (*cogwheel*) roue *f* dentée, rouage *m*; ***he's only a ~ in the machine*** *fig* il n'est qu'un rouage de la machine
cognac ['kɒnjæk] *n* cognac *m*
cognate ['kɒgneɪt] *adj* apparenté
cognitive ['kɒgnɪtɪv] *adj* cognitif(-ive)
cognoscenti [ˌkɒgnəʊ'ʃentiː] *pl* connaisseurs(-euses) *m(f)pl*
cogwheel *n* roue *f* dentée, rouage *m*
cohabit [kəʊ'hæbɪt] *v/i* cohabiter
cohere [kəʊ'hɪəʳ] *v/i* **1.** *lit* adhérer **2.** (*fig, community*) être uni; (*reasoning etc.*) être cohérent **coherence** [kəʊ'hɪərəns] *n* (*of argument*) cohérence *f*; ***his speech lacked ~*** son discours manquait de cohérence **coherent** [kəʊ'hɪərənt] *adj* **1.** (*comprehensible*) cohérent **2.** (*cohesive*) *logic, reasoning etc.* cohérent, logique **coherently** [kəʊ'hɪərəntlɪ] *adv* **1.** (*comprehensibly*) clairement **2.** (*cohesively*) de façon cohérente **cohesion** [kəʊ'hiːʒən] *n* (*of group*) cohésion *f*
coiffure [kwɒ'fjʊəʳ] *n* coiffure *f*
coil [kɔɪl] **I** *n* **1.** (*of rope etc.*) rouleau *m*; (*of smoke*) volute *f*; (*of hair*) boucle *f* **2.** ELEC serpentin *m* **3.** (*contraceptive*) stérilet *m* **II** *v/t* enrouler; ***to ~ sth around sth*** enrouler qc autour de qc
coin [kɔɪn] **I** *n* pièce *f* (de monnaie); ***the other side of the ~*** *fig* le revers de la médaille; *if positive* le bon côté de la chose; ***they are two sides of the same ~*** ce sont deux choses qui vont ensemble **II** *v/t phrase* inventer; ***..., to ~ a phrase*** ..., si vous me permettez l'expression **coinage** ['kɔɪnɪdʒ] *n* (*system*) monnaie *f* **coin box** *n* (*telephone*) téléphone *m* à pièces
coincide [ˌkəʊɪn'saɪd] *v/i* **1.** (*in time, place*) coïncider; ***the two concerts ~*** les deux concerts tombent en même temps **2.** (*agree*) concorder **coincidence** [kəʊ'ɪnsɪdəns] *n* coïncidence *f*; ***what a ~!*** quelle coïncidence! **coincidental** [kəʊˌɪnsɪ'dentl] *adj* fortuit; ***the two events are ~*** les deux événements se sont produits au même moment par hasard **coincidentally** [kəʊˌɪnsɪ'dentəlɪ] *adv* par hasard
coin-operated ['kɔɪn'ɒpəreɪtɪd] *adj* à pièces; ***~ machine*** machine à pièces
Coke® [kəʊk] *n infml* coca *m infml*
coke *n* (*infml cocaine*) coke *f infml*
Col. *abbr* = **Colonel**
col. *abbr* = **column** colonne *f*
colander ['kʌləndəʳ] *n* passoire *f*
cold [kəʊld] **I** *adj* **1.** froid; ***~ meats*** viande de froide; ***I am ~*** j'ai froid; ***my hands are ~*** j'ai les mains froides; ***if you get ~*** si tu as froid; ***in ~ blood*** de sang froid; ***to get ~ feet*** *fig, infml* se dégonfler *infml*; ***that brought him out in a ~ sweat*** ça lui a donné des sueurs froides; ***to throw ~ water on sb's plans*** *infml* démolir les projets de qn **2.** *fig* froid; *reception* glacial; (*dispassionate*) froid; ***to be ~ to sb*** être froid avec qn; ***that leaves me ~*** ça me laisse froid **3.** *infml* ***to be out ~*** (*knocked out*) être sans connaissance **II** *n* **1.** froid *m*; ***to feel the ~*** *in general* être frileux; *in specific situation* sentir le froid; ***to be left out in the ~*** *fig* être mis sur la touche **2.** MED rhume *m*; ***to have a ~*** avoir un rhume; ***to catch (a) ~*** attraper un rhume **cold-blooded** *adj* ZOOL à sang froid, *fig murder* de sang froid; *murderer* implacable **cold calling** *n* COMM (*on phone*) démarchage *m* téléphonique **cold case** affaire *f*

classée **cold cuts** *pl US* charcuterie *f* **cold-hearted** *adj* sans cœur **coldly** ['kəʊldlɪ] *adv* froidement; *answer, receive* froidement, sèchement **coldness** *n* froid *m*; (*of answer, reception*) froideur *f* **cold room** *n* chambre *f* froide **cold shoulder** *n infml* ***to give sb the ~*** battre froid à qn **cold sore** *n* MED bouton *m* de fièvre **cold start** *n* AUTO, IT démarrage *m* à froid **cold storage** *n* chambre *f* froide **cold turkey** *infml* **I** *adj* ***a ~ cure*** un sevrage **II** *adv* ***to come off drugs ~*** arrêter la drogue d'un coup **cold war** *n* guerre *f* froide

coleslaw ['kəʊlslɔː] *n* salade *f* à base de chou cru émincé

colic ['kɒlɪk] *n* coliques *fpl*

collaborate [kə'læbəreɪt] *v/i* **1.** collaborer ***to ~ with sb on*** *or* ***in sth*** collaborer avec qn à qc **2.** (*with enemy*) collaborer **collaboration** [kəˌlæbə'reɪʃən] *n* **1.** (*working together*) collaboration *f*, coopération *f* **2.** (*with enemy*) collaboration *f* **collaborative** [kə'læbərətɪv] *adj* de collaboration **collaborator** [kə'læbəreɪtəʳ] *n* **1.** collaborateur(-trice) *m(f)* **2.** (*with enemy*) collaborateur (-trice) *m(f)*, collabo *m/f infml*

collage [kɒ'lɑːʒ] *n* collage *m*

collapse [kə'læps] **I** *v/i* **1.** s'effondrer; (*unconscious*) s'évanouir; (*negotiations*) capoter; (*prices, government*) chuter; ***they all ~d with laughter*** ils se sont tous écroulés de rire; ***she ~d onto her bed, exhausted*** elle s'est écroulée sur son lit, épuisée **2.** (*table etc.*) s'écrouler **II** *n* effondrement *m*; (*being unconscious*) évanouissement *m*; (*of negotiations*) échec *m*; (*of government*) chute *f* **collapsible** [kə'læpsəbl] *adj table* pliant; ***~ umbrella*** parapluie télescopique

collar ['kɒləʳ] **I** *n* **1.** col *m*; ***he got hold of him by the ~*** il l'a saisi par le collet **2.** (*for dogs*) collier *m* **II** *v/t infml* (*capture*) cravater *infml* **collarbone** ['kɒləʳbəʊn] *n* clavicule *f* **collar size** *n* tour *m* de cou

collate [kɒ'leɪt] *v/t* collationner

collateral [kɒ'lætərəl] *n* FIN garantie *f*; nantissement *m* **collateral damage** *n* MIL, POL dommages *mpl* collatéraux

colleague ['kɒliːg] *n* collègue *m/f*

collect [kə'lekt] **I** *v/t* **1.** collectionner; *information, signature, money* recueillir; *empty glasses* récupérer; *garbage, belongings* ramasser; *prize* recevoir; *taxes* percevoir; *fares, rent* encaisser; *dust* prendre **2.** (*fetch*) aller chercher (***from*** à) **II** *v/i* **1.** (*gather*) se rassembler; (*dust*) s'accumuler **2.** (*collect money*) faire une collecte; (*for charity*) recueillir des dons **III** *adv US* ***to call ~*** appeler en PCV ◆ **collect up** *v/t sep garbage, belongings* ramasser

collect call *n US* appel *m* en PCV **collected** *adj* **1.** ***the ~ works of Oscar Wilde*** les œuvres complètes d'Oscar Wilde **2.** (*calm*) posé

collection [kə'lekʃən] *n* **1.** (*group of objects*) collection *f*; (*of people*) groupe *m*; (*of stamps etc.*) collection *f* **2.** (*from mailbox*) levée *f*; (*for charity*) collecte *f*; (*in church*) quête *f*; ***to hold a ~ for sb/sth*** faire une quête pour qn / qc **collective** [kə'lektɪv] *adj* collectif(-ive) **collective bargaining** *n* négociation *f* collective **collectively** [kə'lektɪvlɪ] *adv* collectivement **collective noun** *n* GRAM collectif *m* **collector** [kə'lektəʳ] *n* (*of stamps etc.*) collectionneur(-euse) *m(f)*; ***~'s item*** de collection

college ['kɒlɪdʒ] *n* **1.** université *f*; ***to go to ~*** faire des études supérieures; ***to start ~*** commencer l'université; ***we met at ~*** nous nous sommes rencontrés quand nous étions à l'université **2.** (*of music etc.*) école *f*; ***College of Art*** École des beaux-arts **collegiate** [kə'liːdʒɪɪt] *adj* universitaire; ***~ life*** vie universitaire

> **college ≠ établissement d'enseignement secondaire**
>
> **College** = université :
>
> **You go to college after you graduate from high school.**
>
> On va à l'université après avoir obtenu son baccalauréat.

collide [kə'laɪd] *v/i lit* entrer en collision; ***to ~ with sb*** entrer en collision avec qn; ***to ~ with sth*** se heurter à qc

colliery ['kɒlɪərɪ] *n* mine *f* de charbon

collision [kə'lɪʒən] *n lit* collision *f*; *fig* accrochage *m*; NAUT abordage *m*; ***to be on a ~ course*** *asteroid* risquer de percuter; *fig* aller droit vers une confrontation

colloquial [kə'ləʊkwɪəl] *adj* familier

(-ière) **colloquialism** [kə'ləʊkwɪəlɪzəm] *n* expression *f* familière **collude** [kə'lu:d] *v/i* comploter **collusion** [kə'lu:ʒən] *n* complicité *f*; ***they're acting in ~*** ils sont complices
Cologne [kə'ləʊn] *n* Cologne
cologne [kə'ləʊn] *n* eau *f* de Cologne
colon[1] ['kəʊlən] *n* ANAT côlon *m*
colon[2] *n* GRAM deux-points *mpl*
colonel ['kɜ:nl] *n* colonel *m*
colonial [kə'ləʊnɪəl] *adj* colonial **colonialism** [kə'ləʊnɪəlɪzəm] *n* colonialisme *m* **colonialist** [kə'ləʊnɪəlɪst] **I** *adj* colonialiste **II** *n* colonialiste *m/f*
colonist ['kɒlənɪst] *n* colon *m* **colonization** [ˌkɒlənaɪ'zeɪʃən] *n* colonisation *f* **colonize** ['kɒlənaɪz] *v/t* coloniser
colonnade [ˌkɒlə'neɪd] *n* colonnade *f*
colony ['kɒlənɪ] *n* colonie *f*
color, *Br* **colour** ['kʌlə'] **I** *n* **1.** couleur *f*; ***what ~ is it?*** il est de quelle couleur?; ***red in ~*** de couleur rouge; ***the film was in ~*** le film était en couleurs; ***~ illustration*** illustrations en couleurs **2.** (*complexion*) teint *m*; ***to bring the ~ back to sb's cheeks*** redonner des couleurs à qn; ***he had gone a funny ~*** il avait changé de couleur **3.** (*racial*) couleur *f*; ***to add ~ to a story*** ajouter de la couleur à une histoire **4. colours** *pl* SPORTS *Br* couleurs *fpl*; ***to show one's true ~s*** *fig* se montrer sous son vrai jour **II** *v/t* **1.** *lit* colorer; ART colorier; (*dye*) teindre; ***I ~ my hair*** je me teins les cheveux **2.** *fig* fausser **III** *v/i* (*person*: *a.* **color up**) rougir ◆ **color in** *v/t sep* ART colorier
colorant, *Br* **colourant** ['kʌlərənt] *n* colorant *m* **color-blind**, *Br* **colour-blind** *adj* daltonien(ne) **color-code**, *Br* **colour-code** *v/t* identifier par des couleurs **colored**, *Br* **coloured** ['kʌləd] *adj* **1.** coloré **2.** *person neg!* de couleur **-colored**, *Br* **-coloured** *adj suf* ***yellow-colored*** de couleur jaune; ***straw-colored*** couleur paille **colorfast**, *Br* **colourfast** ['kʌləfɑ:st] *adj* grand teint **colorful**, *Br* **colourful** *adj* **1.** *lit* coloré; *spectacle* haut en couleur **2.** *fig account etc.* coloré; *life* riche; *personality* pittoresque; ***his ~ past*** son riche passé **3.** *euph language* imagé **colorfully**, *Br* **colourfully** *adv* de façon colorée **coloring**, *Br* **colouring** ['kʌlərɪŋ] *n* **1.** (*substance*) colorant *m* **2.** (*colors*) coloriage *m* **coloring book**, *Br* **colouring book** *n* album *m* de coloriage **colorless**, *Br* **colourless** ['kʌləlɪs] *adj* incolore **color photograph**, *Br* **colour photograph** *n* photographie *f* en couleur **color printer**, *Br* **colour printer** *n* imprimante *f* couleur **color scheme**, *Br* **colour scheme** *n* gamme *f* de couleurs **colour supplement** *n Br* supplément *m* illustré **color television**, *Br* **colour television** *n* télévision *f* (en) couleur
colossal [kə'lɒsl] *adj* colossal; *mistake* monstrueux(-euse); *man*, *city* immense
colostomy [kə'lɒstəmɪ] *n* MED colostomie *f*; ***~ bag*** poche (pour colostomie)
colour *etc. Br* = **color** *etc.*
colt [kəʊlt] *n* poulain *m*
Co. Ltd. *abbr* = **company limited** ≈ S.A.R.L.
Columbus Day *n US jour férié en l'honneur de Christophe Colomb*
column ['kɒləm] *n* **1.** (ARCH, *of smoke*) colonne *f* **2.** (*of vehicles*) file *f*; (*on page*) colonne *f*; (*newspaper article*) colonne *f* **columnist** ['kɒləmnɪst] *n* chroniqueur (-euse) *m(f)*
coma ['kəʊmə] *n* coma *m*; ***to be in a ~*** être dans le coma; ***to fall into a ~*** tomber dans le coma
comb [kəʊm] **I** *n* **1.** peigne *m* **2.** ***to give one's hair a ~*** se donner un coup de peigne **II** *v/t* **1.** *hair* peigner; ***to ~ one's hair*** se peigner **2.** (*search*) ratisser; *newspapers* éplucher ◆ **comb out** *v/t sep hair* peigner ◆ **comb through** *v/t insep files, stores etc.* passer au peigne fin
combat ['kɒmbæt] **I** *n* combat *m* **II** *v/t* combattre **combatant** ['kɒmbətənt] *n* combattant(e) *m(f)* **combative** ['kɒmbətɪv] *adj* combatif(-ive) **combat jacket** *n* veste *f* de treillis **combat pants**, *Br* **combat trousers** *n pl* pantalon *m* de treillis **combat troops** *n pl* troupes *fpl* de combat
combination [ˌkɒmbɪ'neɪʃən] *n* mélange *m*; (*combining*) association *f*; (*of events*) concours *m*; ***taken in ~*** pris ensemble; ***an unusual color ~*** un mélange de couleurs étonnant **combination lock** *n* serrure *f* à combinaison **combination sandwich** *n US* sandwich *m* varié
combine [kəm'baɪn] **I** *v/t* combiner **II** *v/i* se combiner **III** *n* **1.** ECON cartel *m* **2.** (AGR: *a.* **combine harvester**) moissonneuse-batteuse *f* **combined** [kəm'baɪnd] *adj* associé; *talents*, *efforts* conjugué; *forces* associé; ***~ with*** associé à

combustible [kəm'bʌstɪbl] *adj* combustible *m* **combustion** [kəm'bʌstʃən] *n* combustion *f*

come [kʌm] ⟨*past* **came**⟩ ⟨*past part* **come**⟩ **I** *v/i* **1.** venir; (*extend*) arriver (**to** à); ***they came to a town/castle*** ils sont arrivés dans une ville/à un château; ***~ and get it!*** viens le chercher!; ***I don't know whether I'm coming or going*** je ne sais plus où j'en suis *infml*; ***~ and see me soon*** viens me voir bientôt; ***he has ~ a long way*** il vient de loin; *fig* il a fait beaucoup de progrès; ***he came running into the room*** il est arrivé dans la pièce en courant; ***he came hurrying/laughing into the room*** il est entré dans la pièce en se pressant/en riant; ***coming!*** j'arrive!; ***Christmas is coming*** Noël approche; ***May ~s before June*** le mois de mai vient avant le mois de juin; ***the adjective must ~ before the noun*** l'adjectif se met avant le nom; ***the weeks to ~*** les semaines à venir; ***that must ~ first*** cela doit passer en premier **2.** (*happen*) arriver; ***~ what may*** advienne que pourra; ***you could see it coming*** je savais que ça allait arriver; ***she had it coming to her*** *infml* c'est bien fait pour elle **3.** ***how ~?*** *infml* comment ça se fait?; ***how ~ you're so late?*** comment ça se fait que tu sois aussi en retard? **4.** (*be*, *become*); ***his dreams came true*** ses rêves se sont réalisés; ***the handle has ~ loose*** la poignée s'est desserrée **5.** (COMM *be available*) exister; ***milk now ~s in plastic bottles*** maintenant le lait se vend en bouteilles de plastique; ***does it come in blue?*** est-ce qu'elle existe en bleu? **6.** (*+infin*) ***I have ~ to believe him*** j'ai fini par le croire; (***now I***) ***~ to think of it*** maintenant que j'y repense **7.** *infml* ***I've known him for three years ~ January*** ça fera trois ans en janvier que je le connais; ***~ again?*** pardon?; ***she is as vain as they ~*** on ne fait pas plus vaniteuse qu'elle **8.** (*infml have orgasm*) jouir **II** *v/t* (*Br infml act*) faire; ***don't ~ the innocent with me*** ne fais pas l'innocent avec moi ◆ **come about** *v/i impersonal* (*happen*) arriver; ***this is why it came about*** c'est pour cette raison que c'est arrivé ◆ **come across I** *v/i* **1.** (*cross*) rencontrer par hasard **2.** (*be understood*) passer **3.** (*make an impression*) passer pour; ***he wants to ~ as a tough guy*** il veut se faire passer pour un dur *infml* **II** *v/t insep* trouver; ***if you ~ my watch ...*** si tu trouves ma montre ... ◆ **come after I** *v/t insep* **1.** (*in sequence*) venir après; ***the noun comes after the verb*** le nom vient après le verbe **2.** (*pursue*) poursuivre **3.** (*follow later*) venir après **II** *v/i* (*follow later*) venir après ◆ **come along** *v/i* **1.** (*hurry up*, *make effort*: *a.* **come on**) se dépêcher **2.** (*attend*, *accompany*) venir; ***~ with me*** venez avec moi **3.** (*develop*: *a.* **come on**) ***to be coming along*** progresser; ***how is your broken arm? — it's coming along nicely*** comment va votre bras cassé?—il va de mieux en mieux **4.** (*turn up*) venir; (*chance etc.*) se présenter ◆ **come apart** *v/i* (*fall to pieces*) se casser; (*be able to be taken apart*) se démonter ◆ **come around** *v/i* **1.** ***the road was blocked and we had to ~ by the farm*** la route était bloquée et nous avons dû faire le tour par la ferme **2.** (*call*) passer **3.** (*change one's opinions*) changer d'avis; ***eventually he came around to our way of thinking*** finalement, il s'est rallié à notre avis **4.** (*regain consciousness*) reprendre connaissance ◆ **come at** *v/t insep* (*attack*) *sb* attaquer ◆ **come away** *v/i* **1.** (*leave*) partir; ***~ with me for a few days*** partez avec moi quelques jours; ***~ from there!*** éloignez-vous de là! **2.** (*become detached*) se détacher ◆ **come back** *v/i* **1.** (*return*) revenir; (*drive back*) rentrer; ***can I ~ to you on that one?*** est-ce que je peux vous en reparler plus tard?; ***the color is coming back to her cheeks*** elle reprend des couleurs **2.** ***his name is coming back to me*** son nom me revient; ***ah yes, it's all coming back*** ah oui, ça me revient; ***they came back into the game with a superb goal*** ils sont revenus dans le match avec un superbe but ◆ **come before** *v/t* (JUR, *person*) passer devant ◆ **come between** *v/t insep lovers* s'interposer entre; ***we mustn't let this ~ us*** il ne faut pas que cela crée des problèmes entre nous ◆ **come by I** *v/t insep* (*obtain*) trouver **II** *v/i* (*visit*) passer ◆ **come close to** *v/t insep* = **come near to** ◆ **come down** *v/i* **1.** (*from ladder, stairs*) descendre; (*rain*) tomber; ***~ from there at once!*** descends d'ici tout de suite! **2.** (*prices*) baisser **3.** (*be a question of*) se ramener (***to*** à); ***when it comes down to it*** au bout du compte **4.** ***you've ~ in the world a bit*** tu es tombé bien bas **5.** (*reach*) arriver (***to*** à); ***her hair comes down to her shoulders*** elle a les cheveux aux épaules **6.** (*tradition, story etc.*) passer ◆ **come down on** *v/t insep* ***you've got to ~ one side or the other*** il faut que tu choisisses un côté ou l'autre ◆ **come down with** *v/t insep illness* attraper ◆ **come for** *v/t insep* venir pour ◆ **come forward** *v/i* **1.** (*make oneself known*) se présenter **2.** ***to ~ with help*** proposer son aide; ***to ~ with a good suggestion*** faire une bonne suggestion ◆ **come from** *v/t insep* venir de; ***where does he / it ~?*** il / ça vient d'où?; ***I know where you're coming from*** *infml* je comprends ton raisonnement ◆ **come in** *v/i* **1.** (*enter*) entrer; ***~!*** entrez! **2.** (*arrive*) arriver **3.** (*tide*) monter **4.** (*report etc.*) arriver; ***a report has just ~ of ...*** un communiqué vient d'arriver sur ... **5.** ***he came in fourth*** il est arrivé quatrième **6.** ***he has $90,000 coming in every year*** il gagne 90 000 $ par an **7.** ***where do I ~?*** quand est-ce que j'interviens?; ***that will ~ handy*** (*infml*) *or* ***useful*** ça sera utile ◆ **come in for** *v/t insep attention, criticism* faire l'objet de ◆ **come in on** *v/t insep venture etc.* s'associer à ◆ **come into** *v/t insep* **1.** (*inherit*) hériter de **2.** ***I don't see where I ~ all this*** je ne vois pas quel est mon rôle là-dedans; ***to ~ one's own*** être très utile; ***to ~ being*** venir au monde; ***to ~ sb's possession*** devenir la propriété de qn ◆ **come near to** *v/t insep* faillir; ***to ~ doing sth*** faillir faire qc; ***he came near to committing suicide*** il a failli se suicider ◆ **come of** *v/t insep* ***nothing came of it*** ça n'a rien donné; ***that's what comes of disobeying!*** voilà ce qui arrive quand on désobéit! ◆ **come off I** *v/i* **1.** (*off bicycle etc.*) tomber **2.** (*button*) tomber; (*paint*) s'en aller **3.** (*stains*) partir **4.** (*take place*) avoir lieu **5.** (*attempts etc.*) aboutir **6.** (*acquit oneself*) s'en tirer; ***he came off well in comparison to his brother*** il s'en est bien tiré comparé à son frère **II** *v/t insep* **1.** *bicycle etc.* tomber de **2.** (*button*) s'enlever de; (*paint, stain*) s'en aller de, partir de **3.** *drugs* arrêter de prendre **4.** *infml* ***~ it!*** arrête tes conneries! *infml* ◆ **come on I** *v/i* **1.** = **come along** *1*; ***~!*** dépêche-toi! **2.** (*Br progress*) = **come along** *3* **3.** ***I have a cold coming on*** je suis en train de m'enrhumer **4.** (SPORTS: *player*) entrer; (THEAT, *actor*) entrer en scène **II** *v/t insep* = **come (up)on** ◆ **come on to** *v/t insep* (*esp US infml make advances to*) draguer *infml* ◆ **come out** *v/i* **1.** sortir; ***to ~ of a room*** *etc.* sortir d'une pièce *etc.*; ***to ~ fighting*** *fig* être près à se battre; ***he came out in a rash*** il était couvert de boutons; ***to ~ in favor of / against sth*** se prononcer en faveur de / contre qc; ***to ~ of sth badly / well*** bien / mal se tirer de qc; ***to ~ on top*** gagner **2.** (*book*) paraître; (*new product, film*) sortir; (*become known*) devenir célèbre **3.** IND ***to ~ (on strike)*** se mettre en grève **4.** PHOT ***the photo of the hills hasn't ~ very well*** la photo des montagnes n'est pas très réussie **5.** (*splinter, stains etc.*) partir **6.** (*total*) s'élever à; ***the total comes out at $500*** le total s'élève à 500 $, au total ça fait 500 $ *infml* **7.** (*homosexual*) faire son coming-out *infml* ◆ **come out with** *v/t insep remarks* sortir *infml* ◆ **come over I** *v/i* **1.** *lit* venir; ***he came over to the States*** il est venu aux États-Unis **2.** (*change allegiance*) ***he came over to our side*** il est passé dans notre camp **3.** (*Br infml become suddenly*) se sentir; ***I came over (all) queer*** je me suis senti mal *infml* **II** *v/t insep* (*feelings*) envahir; ***what's ~ you?*** qu'est-ce qui te prend? ◆ **come round** *Br v/i* **1.** (*call round*) passer **2.** (*recur*) ***Christmas has ~ again*** c'est à nouveau Noël **3.** (*change one's opinions*) changer d'avis; (*throw off bad mood*) arrêter de faire la tête **4.** (*regain consciousness*) reprendre connaissance ◆ **come through I** *v/i* arriver; ***your papers haven't ~ yet*** vos papiers ne sont pas encore arrivés; ***his divorce has ~*** son divorce a été prononcé **II** *v/t insep illness, danger* se sortir de ◆ **come to I** *v/i* (*a.* **come to oneself**) se ressaisir **II** *v/t insep* **1.** ***that didn't ~ anything*** cela n'a rien donné **2.** *impersonal* ***when it comes to mathematics ...*** pour ce qui est des mathématiques ...; ***let's hope it never comes to a court case*** *or* ***to court*** espérons que ça ne finira pas au tribunal; ***it***

comes to the same thing ça revient au même **3.** (*price*, *bill*) ***how much does it ~?*** ça fait combien?; ***it comes to $20*** ça fait 20$ **4.** ***to ~ a decision*** parvenir à une décision; ***what is the world coming to!*** où va-t-on? ◆ **come together** *v/i* se rencontrer ◆ **come under** *v/t insep category* être classé sous ◆ **come up** *v/i* **1.** *lit* s'élever; (*sun*, *moon*) se lever; ***do you ~ to town often?*** tu viens souvent en ville?; ***he came up to me with a smile*** il s'est approché de moi en souriant **2.** (*plants*) sortir **3.** (*for discussion*) être soulevé; (*name*) être mentionné; ***I'm afraid something has ~*** je suis désolé mais il y a un contretemps **4.** (*number in lottery etc.*) sortir; ***to ~ for sale*** être à vendre; ***my contract will soon ~ for renewal*** mon contrat doit être renégocié bientôt **5.** (*post*, *job*) se libérer **6.** (*exams*, *election*) approcher ◆ **come up against** *v/t insep* se heurter à; *opposing team* affronter ◆ **come (up)on** *v/t insep* (*find*) trouver ◆ **come up to** *v/t insep* **1.** (*reach up to*) atteindre **2.** *expectations* correspondre à **3.** (*infml approach*) approcher ***she's coming up to thirty*** elle approche la trentaine; ***it's just coming up to 10 o'clock*** il est presque 10 heures ◆ **come up with** *v/t insep answer*, *idea*, *plan* trouver; *suggestion* proposer; ***let me know if you ~ anything*** prévenez-moi si vous trouvez quelque chose

comeback ['kʌmbæk] *n* (THEAT *etc.*, *fig*) come-back *m*; ***to make*** *or* ***stage a ~*** faire un come-back

comedian [kə'miːdɪən] *n* artiste *m/f* comique **comedienne** [kəˌmiːdɪ'en] *n* artiste *f* comique

comedown ['kʌmdaʊn] *n infml* déception *f*

comedy ['kɒmɪdɪ] *n* comédie *f*

come-on ['kʌmɒn] *n* (*infml lure*) attitude *f* provocante *fig*; ***to give sb the ~*** draguer qn *infml*

comer ['kʌməʳ] *n* ***this competition is open to all ~s*** la course est ouverte à tout le monde

comet ['kɒmɪt] *n* comète *f*

comeuppance [ˌkʌm'ʌpəns] *n infml* ***to get one's ~*** avoir ce qu'on mérite

comfort ['kʌmfət] **I** *n* **1.** confort *m*; ***to live in ~*** vivre dans le confort; ***with all modern ~s*** avec toutes les commodités **2.** (*consolation*) consolation *f*; ***to take ~ from the fact that…*** trouver consolation dans le fait que …; ***you are a great ~ to me*** tu m'es d'un grand réconfort; ***it is no ~*** *or* ***of little ~ to know that …*** ce n'est pas une consolation de savoir que …; ***too close for ~*** perturbant **II** *v/t* consoler; réconforter

comfortable ['kʌmfətəbl] *adj* **1.** *room*, *apartment* confortable; *temperature* agréable; ***to make sb / oneself ~*** se mettre à l'aise; ***the patient is ~*** le patient est stable **2.** *fig life* aisé; *victory* confortable; ***it gave the team a ~ lead*** cela a permis à l'équipe de l'emporter facilement; ***to feel ~ with sb / sth*** être à l'aise avec qn / qc; ***I'm not very ~ about it*** ça ne me plaît pas beaucoup **comfortably** ['kʌmfətəblɪ] *adv* **1.** confortablement, agréablement; *furnished* confortablement **2.** *fig win* facilement; *live* de façon aisée; *afford* facilement; ***they are ~ off*** ils sont très aisés **comfort eating** *n* nourriture *f* qui réconforte **comforter** ['kʌmfətəʳ] *n* (*US quilt*) couette *f* **comforting** ['kʌmfətɪŋ] *adj* réconfortant **comfort station** *n US* toilettes *fpl* **comfort zone** *n* ***move outside your ~*** sortez de votre petite bulle confortable **comfy** ['kʌmfɪ] *adj infml chair*, *room* confortable; ***are you ~?*** tu es confortablement installé?

comic ['kɒmɪk] **I** *adj* comique; ***~ actor*** acteur comique; ***~ verse*** poésie *f* comique **II** *n* **1.** (*person*) artiste *m/f* comique **2.** (*magazine*) bande *f* dessinée **3.** *US* ***~s*** bandes *fpl* dessinées **comical** ['kɒmɪkəl] *adj* comique **comically**, ['kɒmɪkəlɪ] *adv* de façon comique **comic book** *n* bande *f* dessinée, BD *f* **comic strip** *n* bande *f* dessinée

coming ['kʌmɪŋ] **I** *n* aller *m*; ***~(s) and going(s)*** allées et venues; ***~ of age*** majorité **II** *adj lit*, *fig* prochain; ***the ~ election*** les prochaines élections

comma ['kɒmə] *n* virgule *f*

command [kə'mɑːnd] **I** *v/t* **1.** (*order*) ordonner **2.** *army*, *ship* commander **3.** ***to ~ sb's respect*** inspirer le respect à qn **II** *n* **1.** (*order*) ordre *m*; IT commande *f* ***at / by the ~ of*** sur ordre de; ***on ~*** sur ordre; ***I am at your ~*** je suis à vos ordres **2.** (MIL *authority*) commandement *m*; ***to be in ~ of sth*** commander qc; ***to take ~*** prendre le commandement (***of*** de); ***under his ~*** sous son commandement; ***to be second in ~*** être commandant en second **3.** (*fig mastery*) maîtrise; ***his ~ of English is excellent*** sa maîtrise de l'anglais est excellente **commandant** [ˌkɒmən'dænt] *n* MIL commandant(e) *m(f)* **commandeer** [ˌkɒmən'dɪəʳ] *v/t* (MIL, *fig*) réquisitionner **commander** [kə'mɑːndəʳ] *n* MIL, AVIAT commandant(e) *m(f)*; NAUT capitaine *m* de frégate **commander in chief** *n* ⟨*pl* **commanders in chief**⟩ commandant(e) *m(f)* en chef **commanding** [kə'mɑːndɪŋ] *adj position* de commandement; *voice* imposant *pej*; ***to have a ~ lead*** caracoler en tête **commanding officer** *n* MIL commandant(e) *m(f)* **commandment** [kə'mɑːndmənt] *n* BIBLE commandement *m* **commando** [kə'mɑːndəʊ] *n* ⟨*pl* **-s**⟩ MIL (*soldier*) membre *m* d'un commando *m*; (*unit*) commando *m*

command ≠ commander
Command = ordonner :
He commanded me to sit down.
Il m'a ordonné de m'asseoir.

commemorate [kə'meməreɪt] *v/t* commémorer **commemoration** [kəˌmemə'reɪʃən] *n* commémoration *f*; ***in ~ of*** en commémoration de **commemorative** [kə'memərətɪv] *adj* commémoratif(-ive)

commence [kə'mens] *form* **I** *v/i* commencer **II** *v/t* commencer; ***to ~ doing sth*** commencer de faire qc

commend [kə'mend] *v/t* (*praise*) faire l'éloge de **commendable** [kə'mendəbl] *adj* méritoire **commendation** [ˌkɒmen'deɪʃən] *n* (*award*) citation *f*

commensurate [kə'menʃərɪt] *adj* à la mesure (***with*** de); ***to be ~ with sth*** être proportionnel à qc

comment ['kɒment] **I** *n* commentaire *m* (***on, about*** sur); (*official*) déclaration *f* (***on*** sur); (*textual note etc.*) note *f*; ***no ~*** pas de commentaire; ***to make a ~*** faire une déclaration **II** *v/i* faire un commentaire (***on*** sur) **III** *v/t* commenter **commentary** ['kɒməntərɪ] *n* commentaire *m* (***on*** sur) **commentate** ['kɒmenteɪt] *v/i* RADIO, TV commenter (***on sth*** qc) **commentator** ['kɒmenteɪtəʳ] *n* RADIO, TV commentateur(-trice) *m(f)*

commerce ['kɒmɜːs] *n* commerce *m*

commercial [kə'mɜːʃəl] **I** *adj premises, vehicle, radio, success* commercial; *value* marchand *pej music etc.* commercial; ***of no ~ value*** sans valeur marchande; ***it makes good ~ sense*** c'est du bon sens commercial **II** *n* RADIO, TV publicité *f*; ***during the ~s*** pendant la publicité **commercial bank** *n* banque *f* commerciale **commercial break** *n* pause *f* publicitaire **commercialism** [kə'mɜːʃəlɪzəm] *n* mercantilisme *m* **commercialization** [kəˌmɜːʃəlaɪ'zeɪʃən] *n* commercialisation *f* **commercialize** [kə'mɜːʃəlaɪz] *v/t* commercialiser **commercially** [kə'mɜːʃəlɪ] *adv* commercialement; *succeed* dans le commerce

commiserate [kə'mɪzəreɪt] *v/i* compatir (***with*** à) **commiseration** [kəˌmɪzə'reɪʃən] *n* ***my ~s*** je vous adresse toute ma sympathie (***on*** à propos de)

commission [kə'mɪʃən] **I** *n* **1.** (*for painting etc.*) commande *f* **2.** COMM commission *f*; ***on ~*** à la commission; ***to charge ~*** prendre une commission **3.** (*committee*) commission *f*; ***the European Commission*** la Commission européenne **II** *v/t painting* commander; ***to ~ sb to do sth*** commander qc à qn **commissioned officer** *n* officier *m* **commissioner** [kə'mɪʃənəʳ] *n* commissaire *m/f*

commit [kə'mɪt] **I** *v/t* **1.** (*perpetrate*) commettre **2.** ***to ~ sb*** (***to prison***) mettre qn en prison; ***to have sb ~ted*** (***to an asylum***) faire interner qn (dans un asile); ***to ~ sb for trial*** faire passer qn en jugement; ***to ~ sb / sth to sb's care*** confier qn / qc à la garde de qn **3.** (*involve, obligate*) engager (***to*** pour); ***to ~ resources to a project*** engager des ressources dans un projet; ***that doesn't ~ you to buying the book*** cela ne vous engage pas à acheter le livre **II** *v/i* ***to ~ to sth*** s'engager sur qc **III** *v/r* s'engager (***to*** à); ***you have to ~ yourself totally to the cause*** vous devez vous engager totalement pour de la cause; ***the government has ~ted itself to reforms*** le gouvernement s'est engagé à faire des réformes **commitment** *n* (*obligation*) engagement *m*; (*dedication*) investissement *m*; ***his family ~s*** ses obligations familiales; ***his teaching ~s*** ses obligations de professeur; ***to make a ~ to***

do sth s'engager à faire qc; ***he is frightened of ~*** il a peur de s'engager **committed** *adj* (*dedicated*) engagé; ***he is so ~ to his work that …*** il s'investit tellement dans son travail que …; ***all his life he has been ~ to this cause*** il s'est investi toute sa vie dans cette cause
committee [kə'mɪtɪ] *n* comité *m*; ***to be*** *or* ***sit on a ~*** siéger à un comité; ***~ meeting*** réunion de comité; ***~ member*** membre de comité
commode [kə'məʊd] *n* **1.** (*chest of drawers*) commode *f* **2.** (*night-commode*) chaise *f* percée
commodity [kə'mɒdɪtɪ] *n* marchandise *f*; (*agricultural*) denrée *f*
common ['kɒmən] **I** *adj* **1.** (*shared*) commun; ***~ land*** terrain en commun; ***it is ~ knowledge that …*** tout le monde sait que …; ***to find ~ ground*** trouver un terrain d'entente; ***sth is ~ to everyone / sth*** qc est commun à tout le monde / qc **2.** (*frequently seen etc.*) courant; *bird* commun; *belief*, *custom* fréquent **3.** (*usual*) courant; ***it's quite a ~ sight*** ça se voit souvent; ***it's ~ for visitors to feel ill here*** les visiteurs se sentent souvent mal ici **4.** (*ordinary*) du peuple; ***the ~ man*** l'homme de la rue; ***the ~ people*** les gens ordinaires **II** *n* **1.** (*land*) terrain *m* communal **2.** ***to have sth in ~ (with sb / sth)*** avoir qc en commun (avec qn / qc); ***to have a lot in ~*** avoir beaucoup de choses en commun; ***to have nothing in ~*** n'avoir rien en commun; ***in ~ with many other people …*** comme beaucoup de gens … **Common Agricultural Policy** *n* Politique agricole commune **common cold** *n* rhume *m* **common denominator** *n* ***lowest ~*** (MAT, *fig*) plus petit dénominateur commun **commoner** ['kɒmənər] *n* roturier (-ière) **common factor** *n* facteur *m* commun **common law** *n* droit *m* coutumier **common-law** *adj* ***she is his ~ wife*** c'est sa concubine **commonly** ['kɒmənlɪ] *adv* (*often*) communément; (*widely*) largement; ***a ~ held belief*** une croyance largement répandue; ***(more) ~ known as …*** plus connu sous le nom de … **Common Market** *n* Marché *m* commun **common-or-garden** *adj Br* commun **commonplace I** *adj* banal **II** *n* fait *m* courant **common room** *n* salle *f* commune **Commons** ['kɒmənz] *pl* ***the ~*** PARL les Communes **common sense** *n* bon sens *m* **common-sense** *adj* plein de bon sens **commonwealth** ['kɒmənwelθ] *n* ***the (British) Commonwealth*** le Commonwealth
commotion [kə'məʊʃən] *n* agitation *f*; (*noise*) vacarme *m*; ***to cause a ~*** causer un grand émoi
communal ['kɒmjuːnl] *adj* **1.** (*of a community*) en commun; ***~ life*** vie collective **2.** (*owned, used in common*) commun **communally** ['kɒmjuːnəlɪ] *adv* en commun; ***to be ~ owned*** être la propriété de la communauté **commune** ['kɒmjuːn] *n* communauté *f*
communicate [kə'mjuːnɪkeɪt] **I** *v/t* *piece of news etc.* communiquer; *ideas, feelings* transmettre **II** *v/i* **1.** (*be in communication*) être en contact **2.** (*exchange thoughts*) communiquer **communication** [kəˌmjuːnɪ'keɪʃən] *n* **1.** (*communicating*) communication *f*; (*of ideas, information*) transmission *f*; ***means of ~*** moyens de communication; ***to be in ~ with sb*** être en contact avec qn (***about*** au sujet de); ***~s breakdown*** rupture *f* de communications **2.** (*exchanging of ideas*) communication *f* **3.** (*message*) communication *f*, message *m* **4. ~s** (*roads, tel etc.*) communications *fpl*; ***they're trying to restore ~s*** ils essayent de rétablir les moyens de communications **communication cord** *n* (*Br* RAIL) sonnette *f* d'alarme **communication skills** *pl* techniques *fpl* de communication **communications satellite** *n* satellite *m* de communication **communications software** *n* logiciel *m* de communication **communicative** [kə'mjuːnɪkətɪv] *adj* communicatif(-ive)
communion [kə'mjuːnɪən] *n* **1.** (*intercourse etc.*) communion *f* **2.** (ECCL: *a.* **Communion**) (*Catholic*, *Protestant*) communion *f*; ***to take ~*** communier
communiqué [kə'mjuːnɪkeɪ] *n* communiqué *m*
communism ['kɒmjʊnɪzəm] *n* communisme *m* **communist** ['kɒmjʊnɪst] **I** *n* communiste *m/f* **II** *adj* communiste **Communist Party** *n* parti *m* communiste
community [kə'mjuːnɪtɪ] *n* communauté *f*; ***the ~ at large*** la communauté dans son ensemble; ***a sense of ~*** un esprit de groupe; ***to work in the ~*** travailler dans le social **community center**, *Br* **com-**

munity centre *n* centre *m* social **community chest** *n US* fonds *m* commun **community college** *n US établissement universitaire de premier cycle* **community service** *n* JUR ≈ travail *m* d'intérêt général

commute [kə'mjuːt] **I** *v/t* commuer **II** *v/i* faire la navette (pour aller travailler) **III** *n* trajet *m* quotidien (*entre le domicile et le lieu de travail*) **commuter** [kə'mjuːtər] *n* travailleur(-euse) *m(f)* pendulaire, navetteur(-euse) *m(f)*; ***the ~ belt*** la grande banlieue; ***~ train*** train de banlieue **commuting** *n* migrations *fpl* pendulaires; ***within ~ distance*** assez proche pour pouvoir faire la navette

compact¹ [kəm'pækt] **I** *adj* ⟨**+er**⟩ compact **II** *v/t snow, soil* tasser, compacter

compact² ['kɒmpækt] *n* (*powder compact*) poudrier *m*

compact disc *n* CD *m*; ***~ player*** lecteur de CD

companion [kəm'pænjən] *n* (*male*) compagnon *m*, (*female*) compagne *f*; ***traveling ~*** compagnon de voyage; ***drinking ~*** compagnon de boisson **companionship** *n* compagnie *f*

company ['kʌmpənɪ] **I** *n* **1.** compagnie *f*; ***to keep sb ~*** tenir compagnie à qn; ***I enjoy his ~*** j'apprécie sa compagnie; ***he's good ~*** sa compagnie est agréable; ***she has a cat, it's ~ for her*** elle a un chat, ça lui fait de la compagnie; ***you'll be in good ~ if ...*** tu seras en bonne compagnie si ... **2.** (*guests*) invités *mpl* **3.** COMM société *f*; ***Smith & Company, Smith & Co.*** Smith et Cie; ***publishing ~*** maison d'édition; ***a clothes ~*** entreprise du secteur de l'habillement **4.** THEAT troupe *f* **5.** MIL compagnie *f* **II** *attr* de société, d'entreprise **company car** *n* voiture *f* de fonction **company director** *n* directeur(-trice) *m(f)* général(e) **company law** *n* droit *m* des sociétés **company pension** *n* retraite *f* d'entreprise **company policy** *n* politique *f* de l'entreprise

comparable ['kɒmpərəbl] *adj* comparable (***with, to*** à) **comparably** ['kɒmpərəblɪ] *adv* de manière comparable **comparative** [kəm'pærətɪv] **I** *adj* **1.** *study* comparatif(-ive) *religion* comparé **2.** (*relative*) relatif(-ive); ***to live in ~ luxury*** vivre dans un luxe relatif **II** *n* GRAM comparatif *m* **comparatively** [kəm'pærətɪvlɪ] *adv* comparativement

compare [kəm'pɛər] **I** *v/t* comparer (***with, to*** à); ***~d with*** or ***to*** comparé à; ***to ~ notes*** échanger ses impressions **II** *v/i* être comparable (***with*** à); ***it ~s badly*** ça ne supporte pas la comparaison; ***it ~s well*** ça supporte bien la comparaison; ***how do the two cars ~ in terms of speed?*** quelles sont les différences entre les voitures en terme de vitesse? **comparison** [kəm'pærɪsn] *n* comparaison *f* (***to*** à); ***in*** or ***by ~*** en comparaison; ***in*** or ***by ~ with*** comparé à; ***to make*** or ***draw a ~*** faire une comparaison; ***there's no ~*** ce n'est pas comparable

compartment [kəm'pɑːtmənt] *n* (*in desk etc.*) casier *m*, compartiment *m*; RAIL compartiment *m* **compartmentalize** [ˌkɒmpɑːt'mentəlaɪz] *v/t* compartimenter

compass ['kʌmpəs] *n* **1.** boussole *f*; NAUT compas *m* **2. compasses** *pl* (*a.* **pair of compasses**) compas *m* **compass bearing** *n* relèvement *m* au compas

compassion [kəm'pæʃən] *n* compassion *f* (***for*** pour) **compassionate** [kəm'pæʃənɪt] *adj* compatissant; ***on ~ grounds*** pour raisons familiales **compassionate leave** *n* congé *m* exceptionnel (*pour raisons familiales*)

compatibility [kəmˌpætə'bɪlɪtɪ] *n* (*a.* MED, IT) compatibilité *f* **compatible** [kəm'pætɪbl] *adj* (*a.* MED, IT) compatible; ***to be ~*** (*people*) être fait pour s'entendre

compatriot [kəm'pætrɪət] *n* compatriote *m/f*

compel [kəm'pel] *v/t* (*force*) obliger **compelling** [kəm'pelɪŋ] *adj* irréfutable; *performance* captivant; ***to make a ~ case for sth*** réunir des arguments irréfutables en faveur de qc

compendium [kəm'pendɪəm] *n* abrégé *m*; ***~ of games*** boîte *f* de jeux

compensate ['kɒmpənseɪt] *v/t* dédommager; MECH compenser ◆ **compensate for** *v/t indir* (*in money etc.*) dédommager; (*make up for*) compenser **compensation** [ˌkɒmpən'seɪʃən] *n* dédommagement *m*; MECH compensation *f*; ***in ~*** en dédommagement **compensatory** [kəm'pensətərɪ] *adj* compensatoire

compère ['kɒmpɛər] *Br* **I** *n* animateur (-trice) *m(f)* **II** *v/t* ***to ~ a show*** animer un show

compete [kəm'piːt] *v/i* **1.** rivaliser; ***to ~ with each other*** se faire concurrence; ***to ~ for sth*** être en compétition pour qc; ***his poetry can't ~ with Eliot's*** ses poèmes ne peuvent rivaliser avec ceux d'Eliot **2.** SPORTS concourir; ***to ~ with/against sb*** concourir avec qn

competence ['kɒmpɪtəns], **competency** *n* compétences *fpl*; ***his ~ in handling money*** ses capacités à manier de l'argent **competent** ['kɒmpɪtənt] *adj* compétent, capable; (*in a particular field*) qualifié; (*adequate*) adapté; ***to be ~ to do sth*** être capable de faire qc **competently** ['kɒmpɪtəntlɪ] *adv* de façon compétente

competition [ˌkɒmpɪ'tɪʃən] *n* **1.** *no pl* concurrence *f* (***for*** pour); ***unfair ~*** concurrence déloyale; ***to be in ~ with sb*** être en concurrence avec qn **2.** (*contest*) compétition *f*; (*in newspapers etc.*) concours *m* **competitive** [kəm'petɪtɪv] *adj* **1.** *attitude* qui a l'esprit de compétition; *sport* de compétition; ***~ spirit*** esprit de compétition; (*of team*) esprit d'équipe; ***he's very ~*** (*in job etc.*) il a un esprit de compétition très développé **2.** COMM concurrentiel(le); ***a highly ~ market*** un marché très concurrentiel **competitively** [kəm'petɪtɪvlɪ] *adv* **1.** ***to be ~ priced*** être à un prix compétitif **2.** *swim etc.* en compétition **competitiveness** *n* (*competitive spirit*) compétitivité *f*

competitor [kəm'petɪtə^r] *n* **1.** (SPORTS, *in contest*) concurrent(e) *m*(*f*); ***to be a ~*** prendre part à une compétition **2.** COMM concurrent(e) *m*(*f*); ***our ~s*** nos concurrents

compilation [ˌkɒmpɪ'leɪʃən] *n* (*a. of material*) compilation *f* **compile** [kəm'paɪl] *v/t* (*a. material*, IT) compiler; *list* dresser **compiler** [kəm'paɪlə^r] *n* **1.** compilateur(-trice) *m*(*f*); (*of dictionary*) rédacteur(-trice) *m*(*f*) **2.** IT compilateur *m*

complacency [kəm'pleɪsnsɪ] *n* suffisance *f*, autosatisfaction *f* **complacent** [kəm'pleɪsənt] *adj* content de soi, suffisant **complacently** [kəm'pleɪsəntlɪ] *adv* avec suffisance

complain [kəm'pleɪn] *v/i* se plaindre (***about*** de); (*to make a formal complaint*) faire une réclamation (*about* au sujet de, *to* auprès de); (***I***) ***can't ~*** *infml* je n'ai pas à me plaindre; ***to ~ of sth*** se plaindre de qc; ***she's always ~ing*** elle se plaint tout le temps

complaint [kəm'pleɪnt] *n* **1.** plainte *f*; (*formal complaint*) réclamation *f* (***to*** auprès de); ***I have no cause for ~*** je n'ai aucune raison de me plaindre; ***~s department*** COMM service des réclamations **2.** (*illness*) maladie *f*, affection *f*; ***a very rare ~*** une maladie très rare

complaint ≠ chanson triste

Complaint = plainte ou réclamation :

I want to make a complaint. Delivery of this package took 10 days!

Je veux faire une réclamation. La livraison de ce colis a pris 10 jours !

complement ['kɒmplɪmənt] **I** *n* (*full number*) effectif *m*; ***we've got our full ~ in the office now*** notre effectif est désormais au complet au bureau **II** *v/t* (*add to*) compléter; (*make perfect*) parfaire; ***to ~ each other*** se compléter **complementary** [ˌkɒmplɪ'mentərɪ] *adj* complémentaire

complete [kəm'pliːt] **I** *adj* **1.** (*entire*) entier(-ière); (*having the required numbers*) complet(-ète); ***my happiness was ~*** mon bonheur était complet; ***the ~ works of Shakespeare*** les œuvres complètes de Shakespeare; ***~ with*** avec qc **2.** *attr* (*absolute*) total; *beginner, disaster, surprise* complet(-ète); ***we were ~ strangers*** nous ne nous connaissions pas du tout **II** *v/t* **1.** (*team*) compléter; *education* parachever; ***that ~s my collection*** cela complète ma collection **2.** (*finish*) achever; *construction, work* terminer; *prison sentence* purger; ***~ this phrase*** complétez cette expression; ***it's not ~d yet*** ce n'est pas encore fini **3.** *form* remplir

completely [kəm'pliːtlɪ] *adv* complètement, totalement; ***he's ~ wrong*** il a complètement tort **completeness** [kəm'pliːtnɪs] *n* état *m* complet **completion** [kəm'pliːʃən] *n* (*finishing*) achèvement *m*; (*of project, course*) fin *f*; ***to be near ~*** être presque terminé; ***to bring sth to ~*** achever qc; ***on ~ of the course*** une fois le cours terminé

complex ['kɒmpleks] **I** *adj* complexe; *pattern, paragraph* compliqué **II** *n* complexe *m*; ***industrial ~*** complexe industriel; ***he has a ~ about his ears*** il fait un complexe sur ses oreilles **complexion** [kəm'plekʃən] *n* **1.** (*skin color*) teint *m* **2.** (*fig aspect*) aspect *m*; ***to put a new*** *etc.* ***~ on sth*** apporter une nouvelle *etc.* lumière sur qc **complexity** [kəm'pleksɪtɪ] *n* complexité *f*

compliance [kəm'plaɪəns] *n* conformité *f*; (*with rules etc.*) respect *m*; ***in ~ with the law*** conformément à la loi **compliant** *adj* conforme; (*submissive*) conciliant

complicate ['kɒmplɪkeɪt] *v/t* compliquer **complicated** *adj* compliqué **complication** [ˌkɒmplɪ'keɪʃən] *n* complication *f*

complicity [kəm'plɪsɪtɪ] *n* complicité *f* (***in*** dans)

compliment ['kɒmplɪmənt] **I** *n* **1.** compliment *m* (***on*** sur); ***to pay sb a ~*** adresser un compliment à qn; ***my ~s to the chef*** mes compliments au chef **2. compliments** *pl form* respects *mpl*; **"*with the ~s of Mr. X/the management*"** "avec les compliments de M. X/de la direction" **II** *v/t* féliciter (***on*** de) **complimentary** [ˌkɒmplɪ'mentərɪ] *adj* **1.** (*praising*) élogieux(-euse), flatteur (-euse); ***to be ~ about sb/sth*** être élogieux(-euse) à l'égard de qn/à propos de qc **2.** (*free*) gratuit; ***~ copy*** exemplaire gratuit **compliments slip** *n* COMM papillon *m* avec les compliments de l'expéditeur

comply [kəm'plaɪ] *v/i* (*person*) obtempérer; (*object, system etc.*) remplir les conditions; ***to ~ with sth*** se conformer à qc; (*system*) être conforme à; ***to ~ with a request*** accéder à une demande; ***to ~ with the rules*** observer le règlement

component [kəm'pəʊnənt] **I** *n* composant *m* **II** *adj* ***a ~ part*** un élément; ***the ~ parts of a machine*** les éléments d'une machine

compose [kəm'pəʊz] *v/t* **1.** *music* composer; *letter, poem* rédiger **2.** (*constitute*) constituer; ***to be ~d of*** se composer de; ***water is ~d of …*** l'eau est composée de … **3.** ***to ~ oneself*** se calmer; ***to ~ one's thoughts*** mettre de l'ordre dans ses pensées **composed** *adj* (*calm*) calme

composer [kəm'pəʊzəʳ] *n* MUS compositeur(-trice) *m(f)*

composite ['kɒmpəzɪt] *adj* composite

composition [ˌkɒmpə'zɪʃən] *n* **1.** (*arrangement*, MUS, ART) composition *f* **2.** (SCHOOL *essay*) rédaction *f* **3.** (*constitution*) constitution *f*

compost ['kɒmpɒst] *n* compost *m*; ***~ heap*** tas de compost

composure [kəm'pəʊʒəʳ] *n* calme *m*, sang-froid *m*; ***to lose one's ~*** perdre son sang-froid; ***to regain one's ~*** se calmer

compound[1] ['kɒmpaʊnd] **I** *n* CHEM, GRAM composé *m* **II** *adj* CHEM, GRAM composé **III** *v/t* composer; *problem* aggraver

compound[2] ['kɒmpaʊnd] *n* (*enclosed area*) enceinte *f*; (*living quarters*) quartier *m*; (*in zoo*) enclos *m*

compound fracture *n* MED fracture *f* ouverte **compound interest** *n* FIN intérêts *mpl* composés

comprehend [ˌkɒmprɪ'hend] *v/t* comprendre **comprehensible** [ˌkɒmprɪ'hensəbl] *adj* compréhensible **comprehension** [ˌkɒmprɪ'henʃən] *n* **1.** (*understanding*) compréhension *f*; (*ability to understand*) entendement *m*, capacités *fpl* intellectuelles; ***that is beyond my ~*** cela dépasse mon entendement; (*behavior*) cela me dépasse **2.** (*school exercise*) exercice *m* de compréhension **comprehensive** [ˌkɒmprɪ'hensɪv] **I** *adj* complet(-ète); **(*fully*) *~ insurance*** assurance *f* tous risques **II** *n Br* = **comprehensive school comprehensively** [ˌkɒmprɪ'hensɪvlɪ] *adv* complètement **comprehensive school** *n Br* établissement *m* secondaire d'enseignement général

comprehensive ≠ qui fait preuve de compréhension

Comprehensive = complet :

The government ordered a comprehensive review of farming policy.

Le gouvernement a demandé un bilan complet des politiques agricoles.

compress [kəm'pres] *v/t* comprimer; (*to condense*) condenser **compressed air** [kəmˌprest'ɛəʳ] *n* air *m* comprimé

comprise [kəm'praɪz] *v/t* comprendre, être composé de

compromise ['kɒmprəmaɪz] **I** *n* compromis *m*; ***to reach a ~*** aboutir à un compromis **II** *adj attr* de compromis **III** *v/i* aboutir à un compromis (***about*** sur); ***we agreed to ~*** nous avons accepté un compromis **IV** *v/t sb* compromettre; ***to ~ oneself*** se compromettre; ***to ~ one's reputation*** compromettre sa réputation; ***to ~ one's principles*** transiger avec ses principes **compromising** *adj* compromettant

compulsion [kəm'pʌlʃən] *n* contrainte *f*; PSYCH compulsion *f*; ***you are under no ~*** vous n'êtes pas obligé **compulsive** [kəm'pʌlsɪv] *adj* compulsif(-ive); ***he is a ~ eater*** il est boulimique; ***he is a ~ liar*** il ne peut pas s'empêcher de mentir; ***it makes ~ reading*** c'est captivant **compulsively** [kəm'pʌlsɪvlɪ] *adv* de façon compulsive **compulsory** [kəm'pʌlsərɪ] *adj subject* obligatoire; *measures* coercitif(-ive)

computation [ˌkɒmpjʊ'teɪʃən] *n* calcul *m* **computational** *adj* quantitatif, statistique **compute** [kəm'pjuːt] *v/t* évaluer (***at*** à), calculer

computer [kəm'pjuːtə^r] *n* ordinateur *m*; ***to put / have sth on ~*** mettre / avoir qc sur ordinateur; ***it's all done by ~*** tout est fait par ordinateur; ***~ skills*** compétences *fpl* en informatique **computer-aided design** *n* conception *f* assistée par ordinateur **computer-aided manufacturing** *n* fabrication *f* assistée par ordinateur **computer-based** *adj* par ordinateur **computer-controlled** *adj* contrôlé par ordinateur **computer dating** *n* rencontres *fpl* sélectionnées par ordinateur; ***~ agency*** *or* ***bureau*** agence *f* de rencontres en ligne **computer-designed** *adj* conçu par ordinateur **computer error** *n* erreur *f* informatique **computer freak** *n infml* passionné(e) *m(f)* d'informatique **computer game** *n* jeu *m* informatique **computer-generated** *adj* généré par ordinateur **computer graphics** *n pl* infographie *f* **computerization** [kəmˌpjuːtəraɪ'zeɪʃən] *n* (*of information etc.*) informatisation *f*; ***the ~ of the factory*** le passage de l'usine à l'informatique **computerize** [kəm'pjuːtəraɪz] *v/t information, company, methods* informatiser **computer language** *n* langage *m* de programmation **computer literate** *adj* ***to be ~*** avoir des compétences en informatique **computer model** *n* modèle *m* informatique **computer network** *n* réseau *m* informatique **computer-operated** *adj* actionné par ordinateur **computer operator** *n* opérateur(-trice) *m(f)* **computer printout** *n* sortie *f* sur imprimante **computer program** *n* programme *m* informatique **computer programmer** *n* programmeur(-euse) *m(f)* (informatique) **computer-readable** *adj* lisible par un système informatique **computer science** *n* informatique *f* **computer studies** *pl* informatique *f* **computer virus** *n* virus *m* informatique **computing** [kəm'pjuːtɪŋ] *n* (*subject*) informatique *f*; ***she's in ~*** elle travaille dans l'informatique

comrade ['kɒmrɪd] *n* camarade *m(f)* **comradeship** *n* camaraderie *f*

con[1] [kɒn] *adv, n* → **pro**[2]

con[2] *infml* **I** *n* arnaque *f infml*; ***it's a ~!*** c'est de l'arnaque! *infml* **II** *v/t* arnaquer *infml*; ***to ~ sb out of sth*** arnaquer qn de qc; ***to ~ sb into doing sth*** inciter qn à faire qc en profitant de sa crédulité **con artist** *n infml* arnaqueur(-euse) *m(f) infml*

concave ['kɒnkeɪv] *adj* concave

conceal [kən'siːl] *v/t* cacher, dissimuler; ***why did they ~ this information from us?*** pourquoi nous ont-ils caché cette information? **concealed** *adj* dérobé; *entrance* secret(-ète) **concealment** [kən'siːlmənt] *n* (*of facts*) dissimulation *f*; (*of evidence*) occultation *f*

concede [kən'siːd] *v/t* **1.** *lands* concéder (***to*** à); ***to ~ victory to sb*** capituler devant qn; ***to ~ a match*** concéder un match; ***to ~ a penalty*** concéder un penalty; ***to ~ a point to sb*** SPORTS concéder un point à qn **2.** (*admit, grant*) concéder; *right* accorder (***to sb*** à qn); ***to ~ defeat*** s'avouer vaincu

conceit [kən'siːt] *n* vanité *f* **conceited** *adj* vaniteux(-euse)

conceivable [kən'siːvəbl] *adj* concevable; ***it is hardly ~ that …*** il n'est guère concevable que … **conceivably** [kən'siːvəblɪ] *adv* ***she may ~ be right*** il se peut qu'elle ait raison **conceive** [kən'siːv] **I** *v/t* **1.** *child* concevoir **2.** (*imagine*) imaginer; *idea* concevoir **II** *v/i* (*woman*) concevoir

◆ **conceive of** *v/t indir* concevoir
concentrate ['kɒnsəntreɪt] **I** *v/t* concentrer (***on*** sur); ***to ~ all one's energies on sth*** consacrer toute son énergie à qc; ***to ~ one's mind on sth*** se concentrer sur qc **II** *v/i* se concentrer; ***to ~ on doing sth*** s'appliquer à faire qc **concentrated** *adj* concentré; ***~ orange juice*** jus d'orange concentré **concentration** [ˌkɒnsən'treɪʃən] *n* **1.** concentration *f*; ***powers of ~*** capacité *f* de concentration **2.** (*gathering*) concentration *f*, accumulation *f* **concentration camp** *n* camp *m* de concentration
concentric [kən'sentrɪk] *adj* concentrique
concept ['kɒnsept] *n* concept *m*; (*conception*) idée *f*; ***our ~ of the world*** notre vision du monde; ***his ~ of marriage*** l'idée qu'il se fait du mariage **conception** [kən'sepʃən] *n* **1.** (*idea*) idée *f*; (*way sth is conceived*) conception *f*; ***he has no ~ of how difficult it is*** il n'a pas idée de la difficulté **2.** (*of child*) conception *f* **conceptual** [kən'septjʊəl] *adj thinking* conceptuel(le) **conceptualize** [kən'septjʊəlaɪz] *v/t* conceptualiser
concern [kən'sɜːn] **I** *n* **1.** (*business*) responsabilité *f*; (*matter of importance*) affaire *f*; ***the day-to-day ~s of government*** les affaires courantes du gouvernement; ***it's no ~ of his*** cela ne le regarde pas **2.** COMM entreprise *f*, affaire *f* **3.** (*anxiety*) inquiétude *f*; ***the situation is causing ~*** la situation est préoccupante; ***there's some / no cause for ~*** il y a lieu / il n'y a pas lieu de s'inquiéter; ***to do sth out of ~ for sb*** faire qc par égard pour qn; ***he showed great ~ for your safety*** il était très inquiet pour vous **4.** (*importance*) importance *f*; ***issues of national ~*** des questions d'intérêt national; ***to be of little / great ~ to sb*** peu / beaucoup préoccuper qn **II** *v/t* **1.** (*be about*) se rapporter à, concerner; ***it ~s the following issue*** cela concerne le point suivant; ***the last chapter is ~ed with …*** le dernier chapitre traite de … **2.** (*affect*) concerner; ***that doesn't ~ you*** cela ne te concerne pas; (*as snub*) ce ne sont pas tes affaires; ***where money is ~ed*** en ce qui concerne l'argent; ***as far as the money is ~ed*** quant à l'argent; ***as far as he is ~ed it's just another job, but …*** en ce qui le concerne, c'est juste un autre travail, mais …; ***as far as I'm ~ed you can do what you like*** en ce qui me concerne, tu peux faire ce que tu veux; ***the department ~ed*** (*involved*) le service en question; ***the persons ~ed*** les intéressés **3.** (*interest*) intéresser ***he is only ~ed with facts*** il ne s'occupe que des faits; ***we should be ~ed more with*** *or* ***about quality*** nous devrions accorder plus d'importance à la qualité; ***there's no need for you to ~ yourself about that*** tu n'as pas besoin de t'occuper de ça **4.** (*worry*) inquiéter; ***to be ~ed about sth*** s'inquiéter de qc; ***I was very ~ed to hear about your illness*** j'ai appris avec inquiétude que vous étiez malade; ***I am ~ed to hear that …*** je suis inquiet d'apprendre que …; ***~ed parents*** des parents inquiets **concerning** *prep* concernant, au sujet de
concert ['kɒnsət] *n* MUS concert *m*; ***were you at the ~?*** vous étiez au concert?; ***Madonna in ~*** Madonna en concert **concerted** [kən'sɜːtɪd] *adj* concerté **concertgoer** *n* habitué(e) *m* (f) des salles de concert **concert hall** *n* salle *f* de concert **concertina** [ˌkɒnsə'tiːnə] *n* concertina *m* **concerto** [kən'tʃɜːtəʊ] *n* concerto *m* **concert pianist** *n* pianiste *m*/*f* de concert
concession [kən'seʃən] *n* concession *f* (***to*** à); COMM réduction *f*; ***to make ~s to sb*** faire des concessions à qn **concessionary** [kən'seʃənərɪ] *adj rates, fares* à prix réduit
conciliation [kənˌsɪlɪ'eɪʃən] *n* conciliation *f* **conciliatory** [kən'sɪlɪətərɪ] *adj* conciliant
concise [kən'saɪs] *adj* concis **concisely** [kən'saɪslɪ] *adv* de façon concise, avec concision
conclude [kən'kluːd] **I** *v/t* **1.** (*end*) conclure, terminer **2.** *deal* conclure **3.** (*infer*) déduire (***from*** de) **4.** (*decide*) décider **II** *v/i* conclure; ***I would like to ~ by saying …*** je voudrais conclure en disant que … **concluding** [kən'kluːdɪŋ] *adj remarks* final **conclusion** [kən'kluːʒən] *n* **1.** (*end*) fin *f*; (*of essay etc.*) conclusion *f*; ***in ~*** pour conclure **2.** conclusion *f*; ***what ~ do you draw*** *or* ***reach from all this?*** quelle conclusion tirez-vous de tout ceci? **conclusive** [kən'kluːsɪv] *adj* (*convincing*) concluant; JUR *evidence* convaincant

conclusively [kən'klu:sɪvlɪ] *adv prove* de façon concluante
concoct [kən'kɒkt] *v/t* COOK *etc.* concocter **concoction** [kən'kɒkʃən] *n* (*food, drink*) mélange *m*
concourse ['kɒŋkɔ:s] *n* (*place*) hall *m*; (*US, in park*) carrefour *m*
concrete[1] ['kɒŋkri:t] *adj measures* concret(-ète)
concrete[2] **I** *n* béton *m* **II** *adj* en béton, de béton **concrete mixer** *n* bétonnière *f*
concur [kən'kɜ:ʳ] *v/i* être d'accord **concurrent** [kən'kʌrənt] *adj* simultané; ***to be ~ with sth*** coïncider avec **concurrently** [kən'kʌrəntlɪ] *adv* simultanément
concuss [kən'kʌs] *v/t* ***to be ~ed*** être commotionné **concussion** [kən'kʌʃən] *n* commotion *f* cérébrale
condemn [kən'dem] *v/t* **1.** condamner; ***to ~ sb to death*** condamner qn à mort **2.** *fig* condamner (***to*** à) **3.** *building* déclarer inhabitable **condemnation** [ˌkɒndem'neɪʃən] *n* condamnation *f*
condensation [ˌkɒnden'seɪʃən] *n* (*on window panes etc.*) condensation *f*; ***the windows are covered with ~*** les fenêtres sont couvertes de buée **condense** [kən'dens] **I** *v/t* **1.** concentrer **2.** (*shorten*) condenser **II** *v/i* (*gas*) se condenser **condensed milk** [kənˌdenst'mɪlk] *n* lait *m* concentré
condescend [ˌkɒndɪ'send] *v/i* daigner; ***to ~ to do sth*** daigner faire qc **condescending** *adj pej* condescendant; ***to be ~ to*** *or* ***toward sb*** être condescendant envers qn **condescendingly** *adv pej* avec condescendance **condescension** [ˌkɒndɪ'senʃən] *n pej* condescendance *f*
condiment ['kɒndɪmənt] *n* condiment *m*
condition [kən'dɪʃən] **I** *n* **1.** (*determining factor, prerequisite*) condition *f*; ***on ~ that …*** à condition que …; ***on no ~*** en aucun cas; ***he made it a ~ that …*** il a stipulé que … **2. conditions** *pl* (*circumstances*) conditions *fpl*; ***working ~s*** conditions de travail; ***living ~s*** conditions de vie; ***weather ~s*** conditions météorologiques **3.** *no pl* (*state*) état *m*; ***it is in bad ~*** elle est en mauvais état; ***he is in a critical ~*** il est dans un état critique; ***you're in no ~ to drive*** tu n'es pas en état de conduire; ***to be out of ~*** ne pas être en forme; ***to keep in ~*** entretenir sa forme; ***to get into ~*** acquérir une bonne forme **4.** MED maladie *f*; ***heart ~*** maladie *f* de cœur; ***he has a heart ~*** il est cardiaque **II** *v/t* **1.** (*determine*) déterminer; ***to be ~ed by*** dépendre de **2.** (PSYCH *etc. train*) conditionner
conditional [kən'dɪʃənl] **I** *adj* **1.** conditionnel(le) **2.** GRAM conditionnel(le); ***the ~ tense*** le conditionnel **II** *n* GRAM conditionnel *m* **conditioner** [kən'dɪʃənəʳ] *n* (*for hair*) après-shampoing *m*; (*for washing*) adoucissant *m* **conditioning shampoo** [kən'dɪʃənɪŋʃæm'pu:] *n* shampoing *m* traitant
condolence [kən'dəʊləns] *n* **~s** condoléances *fpl*; ***please accept my ~s on the death of your mother*** veuillez accepter mes condoléances pour le décès de votre mère
condom ['kɒndɒm] *n* préservatif *m*
condominium [ˌkɒndə'mɪnɪəm] *n US* **1.** (*house*) immeuble *f* en copropriété **2.** (*apartment*) appartement *m* (dans un immeuble en copropriété)
condone [kən'dəʊn] *v/t* excuser
conducive [kən'dju:sɪv] *adj* favorable (***to*** à)
conduct ['kɒndʌkt] **I** *n* (*behavior*) comportement *m* (***toward*** envers) **II** *v/t* **1.** conduire; *investigation* mener; ***~ed tour*** (***of***) visite *f* guidée (de); ***he ~ed his own defense*** il a assuré lui-même sa défense **2.** MUS diriger **3.** PHYS être conducteur(-trice) de; *lightning* conduire **III** *v/i* MUS diriger **IV** *v/r* se conduire
conductor [kən'dʌktəʳ] *n* **1.** MUS chef *m* d'orchestre **2.** (*bus conductor*) receveur *m*; (*US* RAIL) chef *m* de train **3.** PHYS

---

conductor
≠ conducteur d'un véhicule

Conductor = chef d'orchestre :

✓ He was a famous conductor with the New York Philharmonic.
(✗ Conductors of cars must hold a valid driving licence.
✓ Car drivers must hold a valid driving licence.)

C'était un célèbre chef d'orchestre du New York Philharmonic.
(Les automobilistes doivent avoir un permis de conduire en cours de validité.)

---

conducteur *m* **conductress** [kən'dʌktrɪs] *n* (*on bus etc.*) receveuse *f*
conduit ['kɒndɪt] *n* canalisation *f*; ELEC gaine *f*
cone [kəʊn] *n* **1.** cône *m*; (*traffic cone*) balise *f* de signalisation **2.** BOT cône *m* **3.** (*ice-cream cone*) cornet *m*
confectionery [kən'fekʃənərɪ] *n* confiserie *f*
confederacy [kən'fedərəsɪ] *n* POL confédération *f* **confederate** [kən'fedərɪt] *adj* confédéré **confederation** [kən,fedə'reɪʃən] *n* confédération *f*; ***the Swiss Confederation*** la Confédération suisse
confer [kən'fɜːr] **I** *v/t* conférer (***on, upon sb*** à qn) **II** *v/i* s'entretenir **conference** ['kɒnfərəns] *n* conférence *f*; (*more informal*) réunion *f* **conference call** *n* TEL téléconférence *f* **conference room** *n* salle *f* de conférences
confess [kən'fes] **I** *v/t* **1.** avouer, confesser **2.** ECCL *sins* confesser; (*to priest*) se confesser de **II** *v/i* **1.** avouer, confesser; ***to ~ to sth*** confesser qc **2.** ECCL se confesser **confession** [kən'feʃən] *n* **1.** confession *f*; (*of guilt, crime etc.*) aveu *m*; ***I have a ~ to make*** j'ai un aveu à faire **2.** ECCL confesser; ***to hear ~*** confesser **confessional** [kən'feʃənl] *n* confessionnal *m*
confetti [kən'fetiː] *n no pl* confettis *mpl*
confidant [,kɒnfɪ'dænt] *n* confident(e) *m(f)* **confidante** [,kɒnfɪ'dænt] *n* confidente *f*
confide [kən'faɪd] *v/t* confier (***to sb*** à qn) ◆ **confide in** *v/t indir* se confier à; ***to ~ sb about sth*** confier qc à qn
confidence ['kɒnfɪdəns] *n* **1.** (*trust*) confiance *f* (***in*** en); ***to have (every) ~ in sb/sth*** avoir (toute) confiance en qn / qc; ***to have no ~ in sb/sth*** n'avoir aucune confiance en qn / qc; ***I have every ~ that ...*** je suis sûr que ...; ***to put one's ~ in sb/sth*** faire confiance à qn / qc; ***motion of no ~*** motion *f* de censure **2.** (*self-confidence*) assurance *f*, confiance *f* en soi **3.** ***in (strict) ~*** de façon (strictement) confidentielle; ***to take sb into one's ~*** se confier à qn **confidence trick** *n* abus *m* de confiance **confidence trickster** *n* = **con man confident** ['kɒnfɪdənt] *adj* **1.** (*sure*) sûr; *look etc.* confiant; ***to be ~ of success*** être sûr de réussir; ***to be/feel ~ about sth*** avoir confiance en qc **2.** (*self-assured*) sûr de soi **confidential** [,kɒnfɪ'denʃəl] *adj* confidentiel(le); ***to treat sth as ~*** considérer qc comme confidentiel **confidentiality** [,kɒnfɪ,denʃɪ'ælɪtɪ] *n* confidentiellement **confidently** ['kɒnfɪdəntlɪ] *adv* **1.** avec confiance **2.** (*self-confidently*) avec assurance

> **confidence**
>
> **Confidence** = confiance (en soi) ou assurance :
>
> **She was full of confidence after her latest win.**
>
> Elle était pleine d'assurance après sa dernière victoire.

configure [kən'fɪgər] *v/t* IT configurer
confine [kən'faɪn] **I** *v/t* **1.** *person* enfermer; ***to be ~d to the house*** être obligé de rester chez soi; ***to be ~d to barracks*** être consigné **2.** *remarks* limiter (***to*** à); ***to ~ oneself to doing sth*** se limiter à faire qc **II confines** ['kɒnfaɪnz] *pl* limites *fpl* **confined** *adj space* confiné **confinement** [kən'faɪnmənt] *n* (*act*) emprisonnement *m*; (*state*) réclusion *f*
confirm [kən'fɜːm] *v/t* **1.** confirmer **2.** ECCL confirmer **confirmation** [,kɒnfə'meɪʃən] *n* **1.** confirmation *f* **2.** ECCL confirmation *f* **confirmed** *adj* **1.** *atheist* convaincu; *bachelor* endurci **2.** *booking* confirmé
confiscate ['kɒnfɪskeɪt] *v/t* confisquer; ***to ~ sth from sb*** confisquer qc à qn **confiscation** [,kɒnfɪs'keɪʃən] *n* confiscation *f*
conflate [kən'fleɪt] *v/t* regrouper
conflict ['kɒnflɪkt] **I** *n* conflit *m*; (*fighting*) lutte *f*; ***to be in ~ with sb/sth*** être en conflit avec qn / qc; ***to come into ~ with sb/sth*** entrer en conflit avec qn / qc; ***~ of interests*** conflit d'intérêts **II** *v/i* être en conflit (***with*** avec); (*of dates*) coïncider **conflicting** [kən'flɪktɪŋ] *adj opinions* contradictoire
conform [kən'fɔːm] *v/i* être en conformité (***to*** avec); (*people*) se conformer (***to*** à) **conformist** [kən'fɔːmɪst] **I** *adj* conformiste **II** *n* conformiste *m/f* **conformity** [kən'fɔːmɪtɪ] *n* **1.** (*uniformity*) conformisme *m* **2.** (*compliance*) conformité *f*; (*socially*) conformisme *f* (***with*** à)
confound [kən'faʊnd] *v/t* confondre

confounded *adj infml* sacré *infml*
confront [kən'frʌnt] *v/t* **1.** (*face*) confronter; (*problems, decisions*) affronter **2.** ***to ~ sb with sb/sth*** confronter qn avec qn/qc; ***to be ~ed with sth*** être confronté à qc **confrontation** [ˌkɒnfrən'teɪʃən] *n* confrontation *f*
confuse [kən'fjuːz] *v/t* **1.** *people* déconcerter; *situation* embrouiller; ***don't ~ the issue!*** ne complique pas les choses! **2.** (*mix up*) confondre **confused** *adj* embrouillé **confusing** [kən'fjuːzɪŋ] *adj* déroutant **confusion** [kən'fjuːʒən] *n* **1.** (*disorder*) confusion *f*, désordre *m*; ***to be in ~*** être en désordre; ***to throw everything into ~*** tout jeter en désordre **2.** (*perplexity*) confusion *f*
congeal [kən'dʒiːl] *v/i* se figer; (*blood*) se coaguler
congenial [kən'dʒiːnɪəl] *adj* sympathique; *atmosphere* agréable
congenital [kən'dʒenɪtl] *adj* congénital
congested [kən'dʒestɪd] *adj* congestionné; (*with traffic*) encombré **congestion** [kən'dʒestʃən] *n* encombrement *m*; ***the ~ in the city center is getting so bad ...*** les embouteillages dans le centre s'aggravent tellement ... **congestion charge** *n* taxe *f* d'embouteillage
conglomerate [kən'glɒmərɪt] *n* conglomérat *m*
congratulate [kən'grætjʊleɪt] *v/t* féliciter
congratulations [kənˌgrætjʊ'leɪʃənz] **I** *pl* félicitations *fpl*; ***to offer one's ~*** présenter ses félicitations **II** *int* félicitations!; ***~ on ...!*** félicitations pour ... **congratulatory** [kən'grætjʊlətərɪ] *adj* de félicitations
congregate ['kɒŋgrɪgeɪt] *v/i* se rassembler **congregation** [ˌkɒŋgrɪ'geɪʃən] *n* ECCL assemblée *f*
congress ['kɒŋgres] *n* **1.** (*meeting*) congrès *m* **2.** ***Congress*** (*US* POL) le Congrès **congressional** [kɒŋ'greʃənl] *adj* (*US* POL) du Congrès **Congressman** ['kɒŋgresmən] *n* ⟨*pl* **-men**⟩ membre *m* du Congrès **Congresswoman** ['kɒŋgresˌwʊmən] *n* ⟨*pl* **-women**⟩ membre *m* du Congrès
conifer ['kɒnɪfəʳ] *n* conifère *m*; ***~s*** les conifères **coniferous** [kə'nɪfərəs] *adj tree* conifère; *forest* de conifères
conjecture [kən'dʒektʃəʳ] **I** *v/t* conjecturer **II** *v/i* faire des conjectures **III** *n* conjecture *f*, hypothèse *f*
conjugal ['kɒndʒʊgəl] *adj* conjugal
conjugate ['kɒndʒʊgeɪt] *v/t* GRAM conjuguer **conjugation** [ˌkɒndʒʊ'geɪʃən] *n* GRAM conjugaison *f*
conjunction [kən'dʒʌŋkʃən] *n* **1.** GRAM conjonction *f* **2.** ***in ~ with the new evidence*** conjointement avec le nouveau témoignage; ***the program was produced in ~ with NBC*** le programme a été produit conjointement avec la NBC
conjunctivitis [kənˌdʒʌŋktɪ'vaɪtɪs] *n* MED conjonctivite *f*
conjure ['kʌndʒəʳ] **I** *v/t* faire apparaître; ***to ~ something out of nothing*** faire apparaître qc comme par enchantement **II** *v/i* faire des tours de magie ◆ **conjure up** *v/t sep memories etc.* évoquer
conjurer ['kʌndʒərəʳ] *n* prestidigitateur (-trice) *m(f)* **conjuring** ['kʌndʒərɪŋ] *n* prestidigitation *f*; ***~ trick*** tour de prestidigitation **conjuror** ['kʌndʒərəʳ] *n* = **conjurer**
◆ **conk out** *v/i infml* (*die*) clamser *infml*
conker ['kɒŋkəʳ] *n* (*Br infml*) marron *m*
con man *n* ⟨*pl* **con men**⟩ *infml* arnaqueur *m infml*
connect [kə'nekt] **I** *v/t* **1.** raccorder, relier (***to, with*** à, avec); IT connecter; (ELEC *etc*: *a.* **connect up**) brancher (***to*** sur); ***I'll ~ you*** TEL je vous mets en communication; ***to be ~ed*** être en relation; ***to be ~ed with*** (*of ideas*) se rapporter à; ***he's ~ed with the university*** il a des liens avec l'université **2.** (*fig associate*) associer; ***I always ~ Paris with springtime*** j'associe toujours Paris au printemps **II** *v/i* **1.** (*join, two parts etc.*) communiquer; ***~ing rooms*** des pièces qui communiquent **2.** RAIL, AVIAT *etc.* assurer la correspondance (***with*** avec); ***~ing flight*** correspondance *f* ◆ **connect up** *v/t sep* ELEC *etc.* brancher (***to, with*** à, avec)
connection [kə'nekʃən] *n* **1.** liaison *f* (***to, with*** à, avec); (*to mains*) raccordement *m* (***to*** à); ***~ charge*** TEL frais *mpl* de raccordement **2.** *fig* rapport *m*, lien *m*; ***in ~ with*** à propos de **3.** (*business connection*) relations *fpl* (***with*** avec); ***to have ~s*** avoir des relations **4.** RAIL *etc.* correspondance *f* **connector** [kə'nektəʳ] *n* (*device*) raccord *m*; ELEC connecteur *m*
connive [kə'naɪv] *v/i* (*conspire*) être de connivence

connoisseur [ˌkɒnə'sɜːʳ] *n* connaisseur (-euse) *m(f)*
connotation [ˌkɒnəʊ'teɪʃən] *n* connotation *f*
conquer ['kɒŋkəʳ] *v/t* **1.** *lit country* conquérir; *enemy* vaincre **2.** *fig* vaincre
conqueror ['kɒŋkərəʳ] *n* conquérant *m* **conquest** ['kɒŋkwest] *n* conquête *f*; (*of enemy etc.*) victoire *f* (***of*** sur)
conscience ['kɒnʃəns] *n* conscience *f*; ***to have a clear / guilty ~*** avoir bonne / mauvaise conscience (***about*** au sujet de); ***with an easy ~*** la conscience tranquille; ***she / it is on my ~*** elle / cela me reste sur la conscience **conscientious** [ˌkɒnʃɪ'enʃəs] *adj* consciencieux(-euse) **conscientiously** [ˌkɒnʃɪ'enʃəslɪ] *adv* consciencieusement **conscientious objector** *n* MIL objecteur *m* de conscience
conscious ['kɒnʃəs] *adj* **1.** MED conscient **2.** (*aware*) conscient; ***to be ~ of sth*** être conscient de qc; ***I was ~ that*** j'étais conscient que; ***environmentally ~*** sensibilisé aux problèmes de l'environnement **-conscious** *adj suf* conscient de **consciously** ['kɒnʃəslɪ] *adv* consciemment **consciousness** *n* conscience *f*; ***to lose ~*** perdre connaissance
conscript [kən'skrɪpt] **I** *v/t* appeler sous les drapeaux, enrôler **II** *n Br* conscrit *m* **conscripted** [kən'skrɪptɪd] *adj soldier* appelé (sous les drapeaux); *troops* enrôlé **conscription** [kən'skrɪpʃən] *n* conscription *f*
consecrate ['kɒnsɪkreɪt] *v/t* consacrer **consecration** [ˌkɒnsɪ'kreɪʃən] *n* consécration *f*
consecutive [kən'sekjʊtɪv] *adj* consécutif(-ive); ***on four ~ days*** quatre jours de suite, quatre jours consécutifs **consecutively** [kən'sekjʊtɪvlɪ] *adv* consécutivement
consensus [kən'sensəs] *n* consensus *m*; ***what's the ~?*** quelle est l'opinion générale?; ***the ~ is that …*** l'opinion générale est que …; ***there was no ~ (among them)*** ils n'étaient pas d'accord
consent [kən'sent] **I** *v/i* consentir (***to*** à); ***to ~ to do sth*** consentir à faire qc; ***to ~ to sb doing sth*** consentir à ce que qn fasse qc **II** *n* consentement *m*, accord *m* (***to*** à); ***he is by general ~ …*** tout le monde dit qu'il est …
consequence ['kɒnsɪkwəns] *n* **1.** (*result*) conséquence *f*; ***in ~*** par conséquent; ***as a ~ of …*** en conséquence de …; ***to face the ~s*** assumer les conséquences **2.** (*importance*) importance *f*; ***it's of no ~*** cela n'a pas d'importance
consequent ['kɒnsɪkwənt] *adj attr* résultant **consequently** ['kɒnsɪkwəntlɪ] *adv* par conséquent
conservation [ˌkɒnsə'veɪʃən] *n* sauvegarde *f*, protection *f* **conservation area** *n* zone *f* protégée; (*in town*) ≈ zone *f* classée monument historique **conservationist** *n* écologiste *m/f*; (*as regards old buildings etc.*) défenseur(e) *m(f)* du patrimoine
conservatism [kən'sɜːvətɪzəm] *n* conservatisme *m* **conservative** [kən'sɜːvətɪv] **I** *adj* conservateur(-trice); (*cautious*) prudent; ***the Conservative Party*** *Br* le parti conservateur **II** *n* (POL: *a.* **Conservative**) conservateur (-trice) *m(f)* **conservatively** [kən'sɜːvətɪvlɪ] *adv* d'une manière conventionnelle; *estimate*, *invest* prudemment
conservatory [kən'sɜːvətrɪ] *n* véranda *f*
conserve [kən'sɜːv] *v/t* préserver; *strength* ménager; *energy* économiser
consider [kən'sɪdəʳ] *v/t* **1.** *idea*, *offer* considérer; *possibilities* examiner **2.** (*have in mind*) réfléchir à; ***I'm ~ing going abroad*** je songe à partir à l'étranger **3.** (*entertain*) envisager; ***I won't even ~ it!*** je ne l'envisage même pas!; ***I'm sure he would never ~ doing anything criminal*** je suis sûr qu'il n'aurait jamais envisagé de faire quelque chose d'illégal **4.** (*take into account*) prendre en considération; *cost*, *difficulties*, *facts* tenir compte de; ***when one ~s that …*** quand on considère que …; ***all things ~ed*** tout bien considéré; ***~ my position*** mets-toi à ma place; ***~ this case, for example*** prenez ce cas, par exemple; ***have you ~ed going by train?*** avez-vous envisagé de prendre le train? **5.** (*regard as*) considérer; *person* considérer comme; ***to ~ sb to be …*** considérer qn comme …; ***to ~ oneself lucky*** s'estimer heureux(-euse); ***~ it done!*** considérez que c'est chose faite! **6.** (*look at*) examiner
considerable [kən'sɪdərəbl] *adj number*, *achievement etc.* considérable; *interest*, *income* important; ***to a ~ extent or degree*** dans une large mesure; ***for***

some ~ time depuis longtemps **considerably** [kən'sɪdərəblɪ] *adv older* considérablement **considerate** [kən'sɪdərɪt] *adj* prévenant (***to(wards)*** envers); (*kind*) attentionné **considerately** [kən'sɪdərɪtlɪ] *adv* aimablement **consideration** [kənˌsɪdə'reɪʃən] *n* **1.** *no pl* (*careful thought*) considération *f*; ***I'll give it my ~*** je vais y faire attention **2.** *no pl* ***to take sth into ~*** prendre qc en considération; ***taking everything into ~*** tout bien considéré; ***the matter is under ~*** l'affaire est à l'étude; ***in ~ of*** (*in view of*) eu égard à **3.** *no pl* (*thoughtfulness*) considération *f*, égard *m* (***for*** pour); ***to show / to have ~ for sb*** montrer / avoir de la considération pour qn; ***his lack of ~*** (***for others***) son manque d'égards (pour les autres) **4.** (*factor*) préoccupation *f*; ***money is not a ~*** l'argent ne rentre pas en compte **considered** *adj opinion* sérieux(-euse) **considering** **I** *prep* vu, étant donné **II** *cj* vu que, étant donné que **III** *adv* ***it's not too bad ~*** ce n'est pas si mauvais, finalement

consign [kən'saɪn] *v/t* (*commit*) expédier (***to*** à); ***it was ~ed to the trash heap*** ça a été mis à la décharge **consignment** [kən'saɪnmənt] *n* expédition *f*

consignment note *n* COMM bordereau *m* d'expédition

consist [kən'sɪst] *v/i* ***to ~ of*** consister en, se composer de; ***his happiness ~s in helping others*** son bonheur consiste à aider les autres

consistency [kən'sɪstənsɪ] *n* **1.** *no pl* cohérence *f*; ***his statements lack ~*** ses déclarations manquent de cohérence **2.** *no pl* (*of performance*) constance *f*; (*of style*) uniformité *f* **3.** (*of substance*) consistance *f* **consistent** [kən'sɪstənt] *adj* **1.** cohérent **2.** *performance* constant; *style* uniforme **3.** (*in agreement*) ***to be ~ with sth*** être en accord avec qc **consistently** [kən'sɪstəntlɪ] *adv* **1.** *behave* de façon cohérente; *fail* invariablement; *reject* obstinément **2.** (*uniformly*) uniformément

consolation [ˌkɒnsə'leɪʃən] *n* consolation *f*; ***it is some ~ to know that …*** c'est réconfortant de savoir que …; ***old age has its ~s*** la vieillesse a ses consolations **consolation prize** *n* prix *m* de consolation

console¹ [kən'səʊl] *v/t* consoler

console² ['kɒnsəʊl] *n* console *f*

consolidate [kən'sɒlɪdeɪt] *v/t* **1.** (*confirm*) consolider **2.** (*combine*) réunir; *companies* renforcer **consolidation** [kənˌsɒlɪ'deɪʃən] *n* (*strengthening*) consolidation *f*

consommé [kɒn'sɒmeɪ] *n* consommé *m*

consonant ['kɒnsənənt] *n* PHON consonne *f*

consortium [kən'sɔːtɪəm] *n* consortium *m*

conspicuous [kən'spɪkjʊəs] *adj* voyant; *lack of sympathy etc.* manifeste; ***to be / make oneself ~*** se faire remarquer; ***he was ~ by his absence*** il a brillé par son absence **conspicuously** [kən'spɪkjʊəslɪ] *adv* manifestement

conspiracy [kən'spɪrəsɪ] *n* conspiration *f*, complot *m*; ***a ~ of silence*** une conspiration du silence **conspirator** [kən'spɪrətər] *n* conspirateur(-trice) *m*(*f*) **conspiratorial** [kənˌspɪrə'tɔːrɪəl] *adj* de conspirateur(s) **conspire** [kən'spaɪər] *v/i* (*people*) conspirer, comploter (***against*** contre); ***to ~*** (***together***) ***to do sth*** comploter de faire qc

constable ['kʌnstəbl] *n* (*Br police constable*) agent *m* de police **constabulary** [kən'stæbjʊlərɪ] *n Br* police *f*

constancy ['kɒnstənsɪ] *n* (*of support*) constance *f*; (*of friend, lover*) fidélité *f* **constant** ['kɒnstənt] **I** *adj* **1.** *interruptions* continuel(le) **2.** *temperature* constant **3.** *affection* fidèle **II** *n* constance *f* **constantly** ['kɒnstəntlɪ] *adv* constamment, continuellement

constellation [ˌkɒnstə'leɪʃən] *n* constellation *f*

consternation [ˌkɒnstə'neɪʃən] *n* (*dismay*) consternation *f*; (*worry*) souci *m*; ***in ~*** atterré; ***to cause ~*** provoquer la consternation; (*news*) atterrer

constipated ['kɒnstɪpeɪtɪd] *adj* constipé ***he is ~*** il est constipé **constipation** [ˌkɒnstɪ'peɪʃən] *n no pl* constipation *f*

constituency [kən'stɪtjʊənsɪ] *n* POL circonscription *f* électorale **constituent** [kən'stɪtjʊənt] **I** *adj* constitutif(-ive); ***~ part*** élément constitutif **II** *n* **1.** POL électeur(-trice) *m*(*f*) **2.** (*part*) composant *m*

constitute ['kɒnstɪtjuːt] *v/t* **1.** (*make up*) constituer **2.** (*amount to*) faire; ***that ~s a lie*** c'est un mensonge

constitution [ˌkɒnstɪ'tjuːʃən] *n* **1.** POL

constitution *f*; (*of club etc.*) statuts *mpl* **2.** (*of person*) constitution *f*; ***to have a strong ~*** avoir une bonne constitution **constitutional** [ˌkɒnstɪ'tjuːʃənl] *adj* POL constitutionnel(le)

constrained [kən'streɪnd] *adj* contraint; ***to feel ~ by sth*** se sentir limité par qc **constraint** *n* **1.** (*compulsion*) contrainte *f* **2.** (*restriction*) restriction *f*

constrict [kən'strɪkt] *v/t* **1.** (*compress*) serrer **2.** (*hamper*) gêner **constriction** [kən'strɪkʃən] *n* (*of movements*) gêne *f*

construct [kən'strʌkt] *v/t*; *sentence*, *novel etc.* construire; *theory* bâtir **construction** [kən'strʌkʃən] *n* **1.** (*of building*, *road*) construction *f*; ***under ~*** en construction; ***sentence ~*** construction de phrase **2.** (*sth constructed*) bâtiment *m*; (*bridge*, *also* GRAM) construction *f* **construction industry** *n* bâtiment *m*, industrie *f* du bâtiment **construction site** *n* chantier *m* **construction worker** *n* ouvrier(-ière) *m*(*f*) du bâtiment **constructive** [kən'strʌktɪv] *adj* constructif(-ive) **constructively** [kən'strʌktɪvlɪ] *adv* d'une manière constructive

consul ['kɒnsəl] *n* consul(e) *m*(*f*) **consulate** ['kɒnsjʊlɪt] *n* consulat *m*

consult [kən'sʌlt] **I** *v/t person*, *dictionary* consulter; *map* regarder; ***he did it without ~ing anyone*** il l'a fait sans consulter personne **II** *v/i* (*confer*) se consulter **consultancy** [kən'sʌltənsɪ] *n* (*business*) cabinet *m* de conseil **consultant** [kən'sʌltənt] **I** *n* **1.** (*Br* MED) spécialiste *m*/*f* **2.** (*other professions*) consultant(e) *m*(*f*); ***~s*** (*business*) cabinet *m* de conseil **II** *adj attr* consultant **consultation** [ˌkɒnsəl'teɪʃən] *n* consultation *f*; (*of doctor*, *lawyer*) consultation *f* (***of*** de); ***in ~ with*** en concertation avec **consulting hours** *pl Br* MED heures *fpl* de consultation **consulting room** *n Br* MED cabinet *m*

consumable [kən'sjuːməbl] *n* bien *m* de consommation; ***~s*** IT consommables *mpl* **consume** [kən'sjuːm] *v/t* **1.** *food*, *drink* consommer; ECON consommer **2.** (*fire*) consumer; *fuel* brûler; *energy* consommer **consumer** [kən'sjuːmə^r^] *n* consommateur(-trice) *m*(*f*) **consumer borrowing** *n* crédit *m* à la consommation **consumer demand** *n* demande *f* des consommateurs **consumer goods** *pl* biens *mpl* de consommation **consumer group** *n* association *f* de consommateurs **consumerism** [kən'sjuːmərɪzəm] *n* consumérisme *m* **consumer profile** *n* profil *m* du consommateur **consumer protection** *n* défense *f* du consommateur **consumer society** *n* société *f* de consommation **consumer spending** *n* dépenses *fpl* de consommation **consuming** [kən'sjuːmɪŋ] *adj ambition* dévorant

consummate [kən'sʌmɪt] **I** *adj skill* achevé **II** *v/t marriage* consommer

consumption [kən'sʌmpʃən] *n* consommation *f*; ***not fit for human ~*** impropre à la consommation; ***world ~ of oil*** consommation mondiale de pétrole

contact ['kɒntækt] **I** *n* **1.** contact *m*; ***to be in ~ with sb / sth*** (*in communication*) être en contact avec qn / qc; ***to keep in ~ with sb*** rester en contact avec qn; ***to come into ~ with sb / sth*** entrer en contact avec qn / qc; ***he has no ~ with his family*** il n'a pas de contacts avec sa famille; ***I'll get in ~*** je me mettrai en rapport; ***how can we get in(to) ~ with him?*** comment pouvons-nous nous mettre en rapport avec lui?; ***to make ~*** (*get in touch*) prendre contact; ***to lose ~*** (***with sb / sth***) perdre contact (avec qn / qc) **2.** (*person*) contact *m*; ***~s*** *pl* relations *fpl* **II** *v/t person* contacter; *police* se mettre en rapport avec; ***I've been trying to ~ you for hours*** ça fait des heures que j'essaye de te joindre **contact lens** *n* lentille *f* de contact

contagious [kən'teɪdʒəs] *adj* (MED, *fig*) contagieux(-euse)

contain [kən'teɪn] *v/t* **1.** (*hold within itself*) contenir **2.** (*box*, *room*) renfermer **3.** *emotions*, *oneself* contenir, maîtriser; *disease*, *inflation* endiguer; ***he could hardly ~ himself*** il n'arrivait pas à se contenir

container [kən'teɪnə^r^] **I** *n* **1.** récipient *m* **2.** (COMM, *for transport*) conteneur *m* **II** *adj attr* ***~ ship*** porte-conteneurs *m*

contaminate [kən'tæmɪneɪt] *v/t* contaminer; (*poison*) empoisonner; (*radioactivity*) contaminer **contamination** [kənˌtæmɪ'neɪʃən] *n no pl* contamination *f*; (*by poison*) empoisonnement *m*; (*by radioactivity*) contamination *f*

contd *abbr* = **continued**

contemplate ['kɒntempleɪt] *v/t* **1.** (*look at*) contempler **2.** (*reflect upon*) réfléchir à; (*consider*) envisager; ***he would never ~ violence*** le recours à la violence ne lui viendrait pas à l'esprit; ***to ~ doing sth*** envisager de faire qc **contemplation** [ˌkɒntem'pleɪʃən] *n no pl* (*deep thought*) contemplation *f*

contemporary [kən'tempərərɪ] **I** *adj* **1.** (*of the same time*) *events* de la même époque; *literature* contemporain **2.** (*present*) *life* actuel(le); *art* moderne **II** *n* contemporain(e) *m(f)*

contempt [kən'tempt] *n* **1.** mépris *m*; ***to hold in ~*** mépriser; ***beneath ~*** au-dessous de tout **2.** JUR **~** (***of court***) outrage à magistrat **contemptible** *adj* méprisable **contemptuous** [kən'temptjʊəs] *adj* méprisant; *person* dédaigneux (-euse)

contend [kən'tend] **I** *v/i* **1.** (*compete*) combattre; ***then you'll have me to ~ with*** vous aurez alors affaire à moi **2.** ***to ~ with sb / sth*** lutter contre qn / qc **II** *v/t* prétendre **contender** [kən'tendəʳ] *n* prétendant(e) *m(f)*; SPORTS concurrent(e) *m(f)* (***for*** pour)

content[1] [kən'tent] **I** *adj pred* content; ***to be / feel ~*** être content; ***she's quite ~ to stay at home*** elle ne demande pas mieux que de rester à la maison **II** *v/t* contenter; ***to ~ oneself with*** se contenter de; ***to ~ oneself with doing sth*** se contenter de faire qc

content[2] ['kɒntent] *n* **1. contents** *pl* (*of room, book etc.*) contenu *m*; (***table of***) ***~s*** table des matières **2.** *no pl* (*component*) teneur *f*

contented [kən'tentɪd] *adj* content, satisfait **contentedly** [kən'tentɪdlɪ] *adv* avec contentement

contention [kən'tenʃən] *n* **1.** ***that is no longer in ~*** ce n'est plus actuel **2.** (*argument*) dispute *f* **3.** (*in contest*) ***to be in ~*** (***for sth***) être en compétition (pour qc) **contentious** [kən'tenʃəs] *adj* controversé

contentment [kən'tentmənt] *n* contentement *m*, satisfaction *f*

contest ['kɒntest] **I** *n* combat *m* (***for*** pour); (*beauty contest etc.*) concours *m*; ***it's no ~*** c'est couru d'avance **II** *v/t* **1.** (*fight over*) contester **2.** (*dispute*) discuter; JUR *will* attaquer **contestant** [kən'testənt] *n* adversaire *m/f*; (*in quiz*) concurrent(e) *m(f)*

context ['kɒntekst] *n* contexte *m*; ***out of ~*** hors contexte; ***taken out of ~*** sorti de son contexte

continent ['kɒntɪnənt] *n* GEOG continent *m*; ***the Continent*** (***of Europe***) *Br* l'Europe *f* continentale; ***on the Continent*** en Europe (continentale) **continental** [ˌkɒntɪ'nentl] *adj* **1.** GEOG continental **2.** *Br* européen(ne); *vacation* en Europe (continentale) **continental breakfast** *n* petit déjeuner *m* **continental quilt** *n Br* couette *f*

contingency [kən'tɪndʒənsɪ] *n* éventualité *f*; ***a ~ plan*** un plan d'urgence

contingent [kən'tɪndʒənt] *n* contingent *m*

continual [kən'tɪnjʊəl] *adj* (*frequent*) continuel(le); (*unceasing*) incessant **continually** [kən'tɪnjʊəlɪ] [kən'tɪnjʊəl, -ɪ] *adv* (*frequent*) continuellement; (*unceasing*) sans cesse **continuation** [kənˌtɪnjʊ'eɪʃən] *n* **1.** continuation *f* **2.** (*resumption*) reprise *f*

continue [kən'tɪnjuː] **I** *v/t* continuer; ***to ~ doing*** *or* ***to do sth*** continuer à faire qc; ***to ~ to read, to ~ reading*** continuer à lire; ***to be ~d*** à suivre; ***~d on p. 10*** suite p. 10 **II** *v/i* (*person*) continuer; (*crisis*) se poursuivre; (*weather*) se maintenir; (*road, concert etc.*) continuer; ***to ~ on one's way*** continuer son chemin; ***he ~d after a short pause*** il reprit après une courte pause; ***to ~ with one's work*** continuer son travail; ***please ~*** continuez, s'il vous plaît; (*in talking*) poursuivez, s'il vous plaît; ***he ~s to be optimistic*** il demeure optimiste; ***to ~ at college*** poursuivre ses études à l'université; ***to ~ with a company*** continuer à travailler dans une entreprise; ***to ~ as sb's secretary*** rester la secrétaire de qn

continuity [ˌkɒntɪ'njuːɪtɪ] *n* continuité *f* **continuous** [kən'tɪnjʊəs] *adj line* continu; *rise, movement etc.* ininterrompu; ***to be in ~ use*** être constamment utilisé; ***~ assessment*** contrôle *m* continu des connaissances; ***~ tense*** GRAM forme *f* progressive **continuously** [kən'tɪnjʊəslɪ] *adv* (*repeatedly*) continuellement; (*ceaselessly*) sans arrêt; *rise, move* sans interruption

contort [kən'tɔːt] *v/t* tordre (***into*** en); ***a face ~ed with pain*** un visage déformé par la douleur **contortion** [kən'tɔːʃən] *n* (*esp of acrobat*) contorsion *f*; (*of features*) torsion *f* **contortionist** [kən'tɔːʃənɪst] *n* contorsionniste *m/f*

contour ['kɒntʊəʳ] *n* **1.** contour *m* **2.**

GEOG courbe *f* de niveau **contour line** *n* courbe *f* de niveau **contour map** *n* carte *f* avec courbes de niveau

contra- ['kɒntrə-] *pref* contre-, contra

contraband ['kɒntrəbænd] *n no pl* contrebande *f*

contraception [ˌkɒntrə'sepʃən] *n* contraception *f* **contraceptive** [ˌkɒntrə'septɪv] **I** *n* contraceptif *m* **II** *adj* contraceptif(-ive)

contract¹ ['kɒntrækt] **I** *n* (*agreement*) contrat *m*; (COMM *order*) commande *f*; ***to enter into** or **make a ~*** passer un contrat; ***to be under ~*** être sous contrat (***to*** avec) **II** *v/t debts*, *illness* contracter **III** *v/i* COMM ***to ~ to do sth*** s'engager (par contrat) à faire qc ◆ **contract out I** *v/i* se dégager (***of*** de) **II** *v/t sep* COMM sous-traiter (***to*** à)

contract² [kən'trækt] *v/i* (*muscle*, *metal etc.*) se contracter

contract bridge ['kɒntrækt-] *n* bridge *m* contrat

contraction [kən'trækʃən] *n* **1.** (*of metal*, *muscles*) contraction *f* **2.** (*in childbirth*) ***~s*** contractions *fpl*

contractor [kən'træktəʳ] *n* (*individual*) entrepreneur(-euse) *m(f)*; (*building contractor*) entrepreneur(-euse) *m(f)* en bâtiment; ***that is done by outside ~s*** c'est fait par des entreprises extérieures

contractual [kən'træktʃʊəl] *adj* contractuel(le)

contradict [ˌkɒntrə'dɪkt] *v/t* (*person*) contredire; ***to ~ oneself*** se contredire **contradiction** [ˌkɒntrə'dɪkʃən] *n* contradiction *f* (***of*** de); ***full of ~s*** plein de contradictions **contradictory** [ˌkɒntrə'dɪktərɪ] *adj* contradictoire

contraflow ['kɒntrəfləʊ] *n Br* AUTO circulation *f* à contresens

contralto [kən'træltəʊ] **I** *n* contralto *m* **II** *adj voice* de contralto

contraption [kən'træpʃən] *n infml* engin *m infml*

contrary ['kɒntrərɪ] **I** *adj* (*opposite*) opposé; (*conflicting*) contraire; ***sth is ~ to sth*** qc est contraire à qc; ***~ to what I expected*** contrairement à ce que j'attendais **II** *n* contraire *m*; ***on the ~*** au contraire; ***unless you hear to the ~*** sauf contrordre; ***quite the ~*** bien au contraire

contrast ['kɒntrɑːst] **I** *n* contraste *m* (*with*, *to* avec, *between* entre); (*striking difference*, *a.* TV) contraste *m* (***with, to*** avec); ***by** or **in ~*** en revanche; ***to be in ~ with** or **to sth*** se démarquer de qc **II** *v/t* faire contraster (***with*** avec) **III** *v/i* contraster (***with*** avec) **contrasting** [kən'trɑːstɪŋ] *adj opinions etc.* opposé; *colors* contrasté

contravene [ˌkɒntrə'viːn] *v/t* enfreindre **contravention** [ˌkɒntrə'venʃən] *n* infraction *f*; ***to be in ~ of sth*** enfreindre qc

contribute [kən'trɪbjuːt] **I** *v/t money* verser (***to*** à); *supplies* donner (***to*** à); (*to charity*) donner (***to*** à) **II** *v/i* contribuer (***to*** à); (*to pension*) cotiser (***to*** à); (*to newspaper*) écrire (***to*** pour); (*to present*) participer (***to*** à); (*to charity*) faire un don (***to*** à) **contribution** [ˌkɒntrɪ'bjuːʃən] *n* contribution *f* (***to*** à); ***to make a ~ to sth*** contribuer à qc **contributor** [kən'trɪbjʊtəʳ] *n* (*to magazine etc.*) collaborateur(-trice) *m(f)* (***to*** de); (*of goods*, *money*) donateur (-trice) *m(f)* **contributory** [kən'trɪbjʊtərɪ] *adj* **1.** accessoire; ***it's certainly a ~ factor*** c'est certainement un facteur qui a joué **2.** *pension* contributif(-ive)

con trick *n infml* escroquerie *f infml*

contrive [kən'traɪv] *v/t* **1.** (*devise*) inventer; (*make*) fabriquer; ***to ~ a means of doing sth*** trouver un moyen de faire qc **2.** (*manage*, *arrange*) réussir; ***to ~ to do sth*** réussir à faire qc **contrived** *adj* forcé

control [kən'trəʊl] **I** *n* **1.** *no pl* (*management*, *supervision*) direction *f* (***of*** de); (*of money*) gestion *m* (***of*** de); (*of situation*, *emotion*) maîtrise *f* (***of*** de); (*self-control*) maîtrise *m* de soi; (*over territory*) contrôle *m* (***over*** de); (*of prices*, *disease*) contrôle *m* (***of*** de); ***his ~ of the ball*** son contrôle du ballon; ***to be in ~ of sth, to have ~ of sth*** *business*, *office* être le responsable de qc; *money* gérer qc; ***to be in ~ of sth, to have sth under ~*** maîtriser qc; *car*, *pollution* réglementer qc; ***to have no ~ over sb / sth*** n'avoir aucun contrôle sur qn / qc; ***to lose ~ (of sth)*** perdre le contrôle (de qc); *of car* ne plus être maître de qc; ***to lose ~ of oneself*** perdre le contrôle de soi; ***to be out of ~*** (*child*, *class*) être incontrôlable; (*situation*, *car*) ne pas être maîtrisé; (*prices*) s'emballer; (*disease*, *pollution*) ne pas être enrayé; ***to be under ~*** être sous contrôle; (*children, class*) être bien géré; ***everything is under ~*** tout est en ordre *infml*; ***circumstances beyond our ~*** des circonstances indépendantes de notre volonté **2.** (*knob, switch*) bouton *m*; (*of vehicle, machine*) commande *f*; ***to be at the ~s*** (*of airliner*) être aux commandes **II** *v/t* commander; *business* diriger; *organization* être à la tête de; *animal, child* se faire obéir de; *traffic* réglementer; *emotions, movements* maîtriser; *temperature, speed* régler; ***to ~ oneself*** se contrôler **control center**, *Br* **control centre** *n* centre *m* de contrôle **control desk** *n* pupitre *m* de commande; TV, RADIO panneau *m* de contrôle **control freak** *n infml* ***most men are total ~s*** la plupart des hommes veulent tout contrôler **control key** *n* IT touche *f* contrôle **controlled** [kən'trəʊld] *adj* ***~ drugs*** *or* ***substances*** médicaments *mpl* délivrés sur ordonnance **controller** [kən'trəʊləʳ] *n* **1.** (*director*: RADIO) directeur(-trice) *m(f)* **2.** (*financial head*) contrôleur(-euse) **controlling** *adj attr body* de contrôle **control panel** *n* (*on computer, TV*) panneau *m* de configuration; (*on aircraft*) tableau *m* de bord **control room** *n* salle *f* de contrôle; MIL salle *f* de commande; (*of police*) central *m* **control tower** *n* AVIAT tour *f* de contrôle

controversial [ˌkɒntrə'vɜːʃəl] *adj* controversé **controversy** ['kɒntrəvɜːsɪ, kən'trɒvəsɪ] *n* controverse *f*

conundrum [kə'nʌndrəm] *n* devinette *f*

conurbation [ˌkɒnɜː'beɪʃən] *n* conurbation *f*

convalesce [ˌkɒnvə'les] *v/i* se remettre (***from, after*** de, après) **convalescence** [ˌkɒnvə'lesəns] *n* (*period*) convalescence *f*

convection oven *n US* four *m* à chaleur tournante

convene [kən'viːn] **I** *v/t meeting* convoquer **II** *v/i* se rassembler; (*parliament, court*) se réunir

convenience [kən'viːnɪəns] *n* **1.** *no pl* (*amenity*) commodité *f*; ***for the sake of ~*** par commodité; ***with all modern ~s*** avec tout le confort moderne **2.** *no pl* ***at your own ~*** à votre convenance *infml*; ***at your earliest ~*** COMM dans les meilleurs délais **convenience foods** *pl* plats *mpl* cuisinés **convenience store** *n* commerce *m* de proximité

convenient [kən'viːnɪənt] *adj* (*useful*) pratique; *area* bien situé; *time* qui convient; ***if it is ~*** si cela vous convient; ***is tomorrow ~ (for you)?*** est-ce que demain vous conviendrait?; ***the trams are very ~*** les tramways sont très pratiques **conveniently** [kən'viːnɪəntlɪ] *adv* commodément; *situated* bien; ***he ~ forgot*** comme par hasard, il a oublié

convent ['kɒnvənt] *n* couvent *m*

convention [kən'venʃən] *n* **1.** conventions *fpl*; (*social rule*) convention *f* **2.** (*agreement*) accord *m* **3.** POL (*conference*) convention *f*, congrès *m* **conventional** [kən'venʃənl] *adj* conventionnel(le); ***~ medicine*** médecine traditionnelle **conventionally** [kən'venʃnəlɪ] *adv* de manière conventionnelle

converge [kən'vɜːdʒ] *v/i* (*lines*) converger (***at*** à); MATH, PHYS converger (***at*** à); ***to ~ on sb / sth / New York*** se rassembler vers qn / qc/à New York **convergence** [kən'vɜːdʒəns] *n* (*fig, of views etc.*) convergence *f*; ***~ criteria*** (*in EU*) critères de convergence

conversation [ˌkɒnvə'seɪʃən] *n* (*a.* SCHOOL) conversation *f*; ***to make ~*** faire la conversation; ***to get into / be in ~ with sb*** entrer en / être en conversation avec qn; ***to have a ~ with sb*** (***about sth***) avoir une conversation avec qn (à propos de qc) **conversational** [ˌkɒnvə'seɪʃənl] *adj* de conversation; ***a course in ~ English*** un cours de conversation anglaise **conversationally** [ˌkɒnvə'seɪʃnəlɪ] *adv write* sur le ton de la conversation **conversationalist** [ˌkɒnvə'seɪʃnəlɪst] *n* causeur(-euse) *m(f)*; ***he's not much of a ~*** il n'a pas beaucoup de conversation

converse[1] [kən'vɜːs] *v/i form* converser

converse[2] ['kɒnvɜːs] *n* (*opposite*) opposé *m* **conversely** [kɒn'vɜːslɪ] *adv* inversement

conversion [kən'vɜːʃən] *n* **1.** conversion *f* (***into*** en); (*of vehicle etc.*) transformation *f*; (*of building*) aménagement *m* (***into*** en); ***~ table*** table de conversion **2.** (REL, *fig*) conversion *f* **convert** ['kɒnvɜːt] **I** *n* converti(e) *m(f)*; ***to become a ~ to sth*** *lit, fig* se convertir à qc **II** *v/t* **1.** (*transform*) transformer (***into*** en); *attic* aménager (***into*** en); *vehicle, building* transformer (***into*** en) **2.**

(REL, *fig*) convertir (***to*** à) **III** *v/i* se convertir (***into*** à) **converted** *adj* converti; *loft* aménagé **convertible** [kən'vɜːtəbl] **I** *adj* convertible; (*car*) décapotable **II** *n* (*car*) cabriolet *m*

convex [kɒn'veks] *adj* convexe

convey [kən'veɪ] *v/t* **1.** (*transport*) transporter **2.** *opinion, idea* communiquer; *meaning* rendre; *message, best wishes* transmettre **conveyancing** [kən'veɪənsɪŋ] *n* JUR rédaction *f* des actes de propriété **conveyor belt** [kən'veɪəbelt] *n* tapis *m* roulant; (*for transport, supply*) convoyeur *m* à bande

convict ['kɒnvɪkt] **I** *n* détenu(e) *m*(*f*) **II** *v/t* JUR déclarer coupable (***of*** de); ***a ~ed criminal*** un(e) condamné(e) **conviction** [kən'vɪkʃən] *n* **1.** JUR condamnation *f*; ***previous ~s*** condamnations antérieures **2.** (*belief*) conviction *f*; ***his speech lacked ~*** son discours manquait de conviction; ***his fundamental political ~s*** ses convictions politiques fondamentales

convince [kən'vɪns] *v/t* convaincre; ***I'm trying to ~ him that ...*** j'essaie de le convaincre que ... **convinced** *adj* convaincu **convincing** [kən'vɪnsɪŋ] *adj* convainquant **convincingly** [kən'vɪnsɪŋlɪ] *adv* de façon convaincante

convivial [kən'vɪvɪəl] *adj* **1.** convivial **2.** (*sociable*) chaleureux

convoluted [ˌkɒnvə'luːtɪd] *adj* tarabiscoté

convoy ['kɒnvɔɪ] *n fig* convoi *m*; ***in ~*** en convoi

convulsion [kən'vʌlʃən] *n* MED convulsion *f*

coo [kuː] *v/i* roucouler

cook [kʊk] **I** *n* cuisinier(-ière); ***she is a good ~*** elle cuisine bien; ***too many ~s*** (***spoil the broth***) *prov* trop de cuisiniers gâtent la sauce **II** *v/t food* préparer; (*in water, fat etc.*) faire cuire; ***a ~ed meal*** un repas cuisiné; ***a ~ed breakfast*** petit déjeuner *m* anglais, ≈ œufs au bacon **III** *v/i* cuire; ***the pie takes half an hour to ~*** il faut une demi-heure pour faire cuire la tourte **cookbook** ['kʊkbʊk] *n* livre *m* de cuisine

cooker ['kʊkə^r] *n Br* cuisinière *f* **cooker hood** *n Br* hotte *f* aspirante **cookery** ['kʊkərɪ] *n* cuisine *f*; ***French ~*** la cuisine française **cookery book** *n* livre *m* de cuisine

cookie ['kʊkɪ] *n* **1.** *esp US* biscuit *m*, petit gâteau *m*; ***Christmas ~*** *biscuit de Noël* **2.** IT cookie *m*, mouchard *m*

cooking ['kʊkɪŋ] *n* cuisine *f*; (*food*) cuisine *f*; ***French ~*** la cuisine française; ***his ~ is atrocious*** il est très mauvais cuisinier **cooking apple** *n* pomme *f* à cuire

cool [kuːl] **I** *adj* **1.** frais(fraîche); ***serve ~*** servir frais; ***"keep in a ~ place"*** "à conserver au frais" **2.** (*calm*) calme; ***to keep ~*** rester calme; ***keep ~!*** restez calmes! **3.** (*audacious*) osé; ***a ~ customer*** *infml* une personne pleine de sang-froid **4.** (*infml great*) cool *infml*; ***to act ~*** jouer les décontractés **II** *n* **1.** fraîcheur *f* **2.** *infml* sang-froid *m* ***keep your ~!*** garde ton sang-froid; ***to lose one's ~*** perdre son sang-froid **III** *v/t* **1.** rafraîchir **2.** *infml* ***~ it!*** on se calme! *infml* **IV** *v/i* se rafraîchir; *food* refroidir; ***allow to ~*** laisser refroidir ◆ **cool down I** *v/i* **1.** *lit* se rafraîchir **2.** (*calm down*) se calmer; ***to let things ~*** laisser les choses se calmer **II** *v/t sep* rafraîchir ◆ **cool off** *v/i* se rafraîchir; *fig* se calmer

cool bag *n Br* sac *m* isotherme **cool box** *n Br* glacière *f* **cooler** *n US* glacière *f*

cooling ['kuːlɪŋ] *adj drink, shower* rafraîchissant; *effect* refroidissant; *affection, enthusiasm, interest* en baisse

coolly ['kuːlɪ] *adv* **1.** (*calmly*) calmement **2.** (*in an unfriendly way*) froidement **3.** (*audaciously*) de façon osée

coolness *n* **1.** froideur *f* **2.** (*calmness*) calme *m* **3.** (*audacity*) audace *f*

coop [kuːp] *n* (*a.* **hen coop**) cage *f* à poules ◆ **coop up** *v/t sep person* enfermer; *several people* parquer

co-op ['kəʊ'ɒp] *n* (*store*) coopérative *f*

cooperate [kəʊ'ɒpəreɪt] *v/i* coopérer

cooperation [kəʊˌɒpə'reɪʃən] *n* coopération *f* **cooperative** [kəʊ'ɒpərətɪv] **I** *adj* **1.** coopératif(-ive) **2.** *firm* collectif (-ive); ***~ farm*** exploitation agricole collective **II** *n* coopérative *f* **cooperative bank** *n US* banque *f* coopérative

coopt [kəʊ'ɒpt] *v/t* coopter; ***he was ~ed onto the committee*** il a été coopté membre du comité

coordinate [kəʊ'ɔːdnɪt] **I** *n* coordonnée *f*; ***~s*** (*clothes*) ensemble(s) **II** *v/t* coordonner; ***to ~ one thing with another*** assortir une chose avec une autre **coordinated** *adj* coordonné **coordination** [kəʊˌɔːdɪ'neɪʃən] *n* coordination *f* **coordinator** [kəʊ'ɔːdɪneɪtə^r] *n* coordinateur(-trice)

cop [kɒp] **I** *n infml* flic *m pej, infml* **II** *v/t infml* ***you're going to ~ it*** c'est toi qui vas prendre *infml* ◆ **cop out** *v/i infml* se dégonfler *infml*; ***to ~ of sth*** se défiler pour ne pas faire qc
cope [kəʊp] *v/i* s'en sortir, s'en tirer; ***to ~ with*** s'en sortir avec; ***I can't ~ with all this work*** je n'arrive pas à faire tout ce travail
Copenhagen [ˌkəʊpn'heɪgən] *n* Copenhague
copier ['kɒpɪəʳ] *n* photocopieuse *f*
co-pilot ['kəʊpaɪlət] *n* copilote *m/f*
copious ['kəʊpɪəs] *adj* copieux(-euse); ***~ amounts of sth*** de grandes quantités de qc
cop-out ['kɒpaʊt] *n infml* prétexte *m* bidon *infml*; ***this solution is just a ~*** cette solution n'est qu'une façon d'éviter le problème
copper ['kɒpəʳ] *n* **1.** (*metal*) cuivre *m* **2.** (*color*) roux(rousse) **3.** (*esp Br infml coin*) ***~s*** pièces jaunes **4.** (*infml policeman*) flic *m pej, infml*
co-produce [ˌkəʊprə'djuːs] *v/t* coproduire
copse [kɒps] *n* boqueteau *m*
copulate ['kɒpjʊleɪt] *v/i* copuler **copulation** [ˌkɒpjʊ'leɪʃən] *n* copulation *f*
copy ['kɒpɪ] **I** *n* **1.** copie *f*, reproduction *f*; PHOT copie *f*; ***to take** or **make a ~ of sth*** faire une copie de qc; ***to write out a fair ~*** recopier au propre; ***to make a ~ of a file*** IT faire une copie d'un fichier **2.** (*of book etc.*) exemplaire *m*; ***a ~ of today's "Times"*** un exemplaire du "Times" d'aujourd'hui **3.** PRESS *etc.* copie *f* **II** *v/i* (*imitate*) copier; SCHOOL *etc.* copier **III** *v/t* **1.** copier; (*make a copy of*) photocopier; (*write out again*) recopier; ***to ~ sth to a disk*** copier qc sur disque **2.** (*imitate*) copier, imiter **3.** SCHOOL *etc. sb else's work* copier, plagier; ***to ~ Scorsese*** copier Scorsese **copycat I** *n infml* copieur(-ieuse) *m(f)* **II** *adj attr* ***his was a ~ crime*** son crime était inspiré d'un autre **copy editor** *n* PRESS correcteur (-trice) **copying machine** ['kɒpɪɪŋ-] *n* photocopieuse *f* **copy-protected** *adj* IT protégé contre la copie **copyright** ['kɒpɪraɪt] *n* droit *m* d'auteur, copyright **copywriter** ['kɒpɪraɪtəʳ] *n* rédacteur(-trice) *m(f)* publicitaire
coral ['kɒrəl] *n* corail *m* **coral reef** *n* barrière *f* de corail, récif *m* corallien
cord [kɔːd] **I** *n* **1.** cordon *m*, câble *m*; (*for clothes*) cordon *m* **2. cords** *pl* (*a.* **a pair of cords**) un pantalon en velours côtelé **II** *attr Br* en velours côtelé
cordial ['kɔːdɪəl] **I** *adj* cordial **II** *n* (*drink*) sirop *m*; ***mint ~*** du sirop de menthe
cordless ['kɔːdlɪs] *adj* sans fil
cordon ['kɔːdn] *n* cordon *m* ◆ **cordon off** *v/t sep* boucler
cordon bleu [ˌkɔːdɒn'blɜː] *adj* ***a ~ chef*** un cordon-bleu; *recipe, dish* sophistiqué
corduroy ['kɔːdərɔɪ] *n* pantalon *m* de velours côtelé
core [kɔːʳ] **I** *n* cœur *m*; (*of apple*) trognon *m*; (*of rock*) cœur *m*; ***rotten to the ~*** *fig* pourri jusqu'à l'os; ***shaken to the ~*** ébranlé au plus profond de son être **II** *adj attr issue* clé, central; *subject* essentiel(le); ***~ activity** or **business*** COMM activité principale **III** *v/t fruit* évider **corer** ['kɔːrəʳ] *n* COOK vide-pomme
Corfu [kɔː'fuː] *n* Corfou *f*
coriander [ˌkɒrɪ'ændəʳ] *n Br* coriandre *f*
cork [kɔːk] **I** *n* **1.** *no pl* (*substance*) liège *m* **2.** (*stopper*) bouchon *m* en liège **II** *v/t* boucher **III** *adj* en liège **corked** *adj* bouchonné ***the wine is ~*** le vin est bouchonné **corkscrew** ['kɔːkskruː] *n* tire-bouchon *m*
corn¹ [kɔːn] *n* **1.** *no pl* (*esp US maize*) maïs *m* **2.** *no pl* (*Br cereal*) blé *m* **3.** (*seed of corn*) grain *m* de blé
corn² *n* (*on foot*) cor *m*; ***~ plaster*** pansement *m* adhésif pour cor
corn bread *n US* pain *m* de maïs **corncob** *n* épi *m* de maïs
cornea ['kɔːnɪə] *n* cornée *f*
corned beef ['kɔːnd'biːf] *n* corned-beef *m*, bœuf *m* en boîte
corner ['kɔːnəʳ] **I** *n* coin *m*; *more specifically* angle *m*; SPORTS *also* corner *m*; (*of mouth place*) coin; (*in road*) virage *m*; ***at** or **on the ~*** à l'angle; ***it's just around the ~*** (*near*) c'est tout à côté; (*infml about to happen*) cela sera vite là; ***to turn the ~*** *lit* tourner au coin de la rue; ***we've turned the ~ now*** *fig* nous avons passé le stade critique maintenant; ***out of the ~ of one's eye*** du coin de l'œil; ***to cut ~s*** *fig* faire des compromis sur la qualité; ***to drive** or **force sb into a ~*** *fig* acculer qn; ***to fight one's ~*** (*Br fig*) défendre ses intérêts; ***in every ~ of Europe / the globe*** dans tous les coins d'Europe / de la planète; ***an at-***

tractive ~ of America une belle région d'Amérique; ***to take a ~*** SPORTS tirer un corner **II** *v/t* **1.** acculer **2.** COMM *the market* accaparer **III** *v/i* ***this car ~s well*** cette voiture prend bien les virages **-cornered** *adj suf* à angle; ***three-cornered*** à trois angles **corner seat** *n* RAIL siège *m* de coin **corner shop** *n Br* = **corner store** **cornerstone** *n* pierre *f* angulaire **corner store** *n* épicerie *f* de quartier

cornet ['kɔːnɪt] *n* **1.** MUS cornet **2.** (*Br ice-cream cornet*) cornet *m*

cornfield *n US* champ *m* de maïs; *Br* champ *m* de blé **cornflakes** *pl* corn flakes *mpl* **cornflour** *n Br* fécule *f* de maïs, maïzena® **cornflower** *n* bleuet *m*

cornice ['kɔːnɪs] *n* ARCH corniche *f*

Cornish ['kɔːnɪʃ] *adj* cornique, de la Cornouailles **Cornish pasty** *n Br chausson à la viande et à la pomme de terre*

cornmeal *n US* farine *f* de maïs **cornstarch** *n US* fécule *f* de maïs, maïzena®

cornucopia [kɔːnjʊ'kəʊpɪə] *n fig* corne *f* d'abondance

corny ['kɔːnɪ] *adj infml* **1.** *joke* éculé *infml* **2.** (*sentimental*) mièvre

coronary ['kɒrənərɪ] **I** *adj* MED; *artery* coronaire; *sclerosis* coronarien(ne); ***~ failure*** insuffisance coronarienne **II** *n* thrombose *f* coronaire

coronation [ˌkɒrə'neɪʃən] *n* couronnement *m*

coroner ['kɒrənəʳ] *n* coroner *m*

coronet ['kɒrənɪt] *n* petite couronne *f*

corp. *abbr* = **corporation**

corporal ['kɔːpərəl] *n* MIL caporal *m*

corporal punishment *n* châtiment *m* corporel

corporate ['kɔːpərɪt] *adj* **1.** (*of a group*) de groupe **2.** (*of a corporation*) de société; (*of a company*) d'entreprise; JUR des sociétés; ***~ finance*** opérations sur capital des sociétés; ***~ identity*** identité visuelle d'une société; ***~ image*** image de marque d'une société; ***to move up the ~ ladder*** gravir les échelons hiérarchiques d'une société **corporate hospitality** *n* opérations *fpl* événementielles et de relations publiques **corporate law** *n* droit *m* des sociétés **corporation** [ˌkɔːpə'reɪʃən] *n* **1.** (*municipal corporation*) municipalité *f* **2.** (*US* COMM) grande société *f*; (*Br* COMM) société *f*; ***joint-stock ~*** *US* société anonyme; ***private ~*** société *f* privée; ***public ~*** organisme *m* public **corporation tax** *n* impôt *m* sur les sociétés

corps [kɔːʳ] *n* ⟨*pl* **-**⟩ MIL corps *m* **corps de ballet** *n* corps *m* de ballet

corpse [kɔːps] *n* corps *m*, cadavre *m*

corpulent ['kɔːpjʊlənt] *adj* corpulent

corpus ['kɔːpəs] *n* **1.** (*collection*) recueil *m* **2.** (*main body*) corpus *m*; ***the main ~ of his work*** le corpus principal de son œuvre **Corpus Christi** ['kɔːpəs'krɪstɪ] *n* ECCL la Fête-Dieu

corpuscle ['kɔːpʌsl] *n* globule *m* ***blood ~*** globule sanguin

corral [kə'rɑːl] *n* corral *m*

correct [kə'rekt] **I** *adj* **1.** (*right*) correct, exact; ***to be ~*** (*person*) avoir raison; ***am I ~ in thinking that ...?*** ai-je raison de penser que ...?; ***~ change only*** faites l'appoint **2.** (*proper*) bon(ne); ***it's the ~ thing to do*** c'est ce qu'il faut faire; ***she was ~ to reject the offer*** elle a eu raison de rejeter l'offre **II** *v/t* corriger; ***~ me if I'm wrong*** si je ne me trompe; ***I stand ~ed*** au temps pour moi **correcting fluid** [kə'rektɪŋˌfluːɪd] *n* correcteur *m* liquide

correction [kə'rekʃən] *n* correction *f*; ***to do one's ~s*** SCHOOL faire ses corrections **correctional** *adj US* pénitentiaire ***the ~ system*** le système pénitentiaire; ***~ education*** éducation surveillée **corrective** [kə'rektɪv] **I** *adj* correctif (-ive); ***to take ~ action*** prendre des mesures correctives; ***to have ~ surgery*** se faire faire de la chirurgie correctrice **II** *n* correctif *m* **correctly** [kə'rektlɪ] *adv* **1.** (*accurately*) correctement; ***if I remember ~*** si je me souviens bien **2.** *behave* de façon correcte **correctness** *n* (*of behavior etc.*) correction *f*

correlate ['kɒrɪleɪt] **I** *v/t* mettre en corrélation **II** *v/i* aller de pair; ***to ~ with sth*** aller de pair avec qc **correlation** [ˌkɒrɪ'leɪʃən] *n* corrélation *f*

correspond [ˌkɒrɪs'pɒnd] *v/i* **1.** (*be equivalent*) correspondre (*to* à; *with* à); (*to one another*) correspondre **2.** (*exchange letters*) correspondre (***with*** avec) **correspondence** *n* **1.** (*equivalence*) correspondance *f* **2.** (*letter-writing*) correspondance *f*; (*in newspaper*) courrier *m*; ***to be in ~ with sb*** être en relations épistolaires avec qn **correspondence course** *n* cours *m* par correspondance **correspondent** *n* PRESS correspondant(e) *m(f)* **correspond-**

ing [ˌkɒrɪsˈpɒndɪŋ] *adj* correspondant **correspondingly** [ˌkɒrɪsˈpɒndɪŋlɪ] *adv* proportionnellement

corridor [ˈkɒrɪdɔːʳ] *n* (*in house, train, bus*) couloir *m* ***in the ~s of power*** dans les allées du pouvoir

corroborate [kəˈrɒbəreɪt] *v/t* corroborer **corroboration** [kəˌrɒbəˈreɪʃən] *n* corroboration *f*; ***in ~ of*** en corroboration de **corroborative** [kəˈrɒbərətɪv] *adj* corroborant

corrode [kəˈrəʊd] **I** *v/t* corroder; *fig* miner **II** *v/i* se corroder **corroded** *adj* corrodé **corrosion** [kəˈrəʊʒən] *n* corrosion *f* **corrosive** [kəˈrəʊzɪv] *adj* corrosif(-ive)

corrugated [ˈkɒrəgeɪtɪd] *adj* ondulé; ***~ cardboard*** carton ondulé **corrugated iron** *n* tôle *f* ondulée

corrupt [kəˈrʌpt] **I** *adj* corrompu, dépravé; (*open to bribery*) corrompu, malhonnête; IT *disk* endommagé **II** *v/t* corrompre; (*form bribe*) corrompre; IT *data* corrompre; ***to become ~ed*** (*text*) être corrompu; *disk* être endommagé **corruptible** [kəˈrʌptəbl] *adj* corruptible **corruption** [kəˈrʌpʃən] *n* **1.** (*act*) corruption *f*; (IT, *of data*) altération *f*, corruption *f* **2.** (*corrupt nature*) corruption *f* **corruptly** [kəˈrʌptlɪ] *adv* de façon corrompue

corset [ˈkɔːsɪt] *n*, **corsets** *pl* corset *m*

Corsica [ˈkɔːsɪkə] *n* Corse *f*

cortège [kɔːˈteɪʒ] *n* (*procession*) cortège *m*; (*funeral cortège*) cortège *m* funèbre

cortisone [ˈkɔːtɪzəʊn] *n* cortisone *f*

cos[1] [kɒz] *abbr* = **cosine** cos *m*

cos[2] [kɒs] *n* (*a.* **cos lettuce**) *Br* (laitue *f*) romaine *f*

cos[3] [kəz] *cj Br infml* = **because**

cosine [ˈkəʊsaɪn] *n* cosinus *m*

cosmetic [kɒzˈmetɪk] **I** *adj* cosmétique; *fig* esthétique, superficiel(le) **II** *n* cosmétique *m* **cosmetic surgery** *n* chirurgie *f* esthétique; ***she's had ~*** elle s'est fait faire de la chirurgie esthétique

cosmic [ˈkɒzmɪk] *adj* cosmique **cosmology** [kɒzˈmɒlədʒɪ] *n* cosmologie *f*

cosmopolitan [ˌkɒzməˈpɒlɪtən] *adj* cosmopolite

cosmos [ˈkɒzmɒs] *n* cosmos *m*

cosset [ˈkɒsɪt] *v/t* dorloter

cost [kɒst] *vb* ⟨*past, past part* **cost**⟩ **I** *v/t* **1.** coûter; ***how much does it ~?*** ça coûte combien?; ***how much will it ~ to have it repaired?*** combien la réparation va-t-elle coûter?; ***it ~ him a lot of time*** cela lui a pris beaucoup de temps; ***that mistake could ~ you your life*** cette erreur pourrait te coûter la vie; ***it'll ~ you*** *infml* ça va te coûter bonbon *infml* **2.** ⟨*past, past part* **costed**⟩ (*work out cost of*) chiffrer **II** *n* **1.** *lit* coût (**of** de); ***to bear the ~ of sth*** prendre en charge les frais de qc; ***the ~ of gas these days*** le prix du gaz de nos jours; ***at little ~*** à moindres frais; ***to buy / sell at ~*** acheter / vendre à prix coûtant **2.** *fig* prix *m*; ***at all ~s*** à tout prix; ***at any ~*** à n'importe quel prix; ***at the ~ of one's health*** *etc.* au prix de sa santé; ***at great personal ~*** en faisant un gros sacrifice personnel; ***he found out to his ~ that ...*** *esp Br* il a découvert à ses dépens que ... **3. costs** *pl* JUR frais *mpl* de justice; ***to be ordered to pay ~s*** être condamné aux dépens

co-star [ˈkəʊstɑːʳ] **I** *n* covedette *f*; ***Burton and Taylor were ~s*** Burton et Taylor étaient covedettes **II** *v/t* ***the film ~s R. Burton*** le film est avec R. Burton **III** *v/i* partager la vedette

Costa Rica [ˈkɒstəˈriːkə] *n* Costa Rica *m*

cost-cutting I *n* compression *f* des coûts **II** *adj attr* ***~ exercise*** exercice de compression des coûts **cost-effective** *adj* rentable **cost-effectiveness** *n* rentabilité *f* **costing** [ˈkɒstɪŋ] *n* évaluation *f* des coûts **costly** [ˈkɒstlɪ] *adj* coûteux (-euse) **cost of living** *n* coût *m* de la vie **cost price** *n* prix *m* coûtant, prix *m* de revient **cost-saving** *adj measure* d'économie

costume [ˈkɒstjuːm] *n* costume *m*; (*bathing costume*) maillot *m* de bain **costume drama** *n* (*film*) film *m* d'époque; (TV *series*) téléfilm *m* en costume d'époque **costume jewellery** *n* bijoux *mpl* fantaisie

cosy *adj Br* = **cozy**

cot [kɒt] *n* **1.** (*US camp bed*) lit *m* de camp **2.** (*esp Br child's bed*) lit *m* de bébé **cot death** *n Br* mort *f* subite du nourrisson

cottage [ˈkɒtɪdʒ] *n* cottage *m* **cottage cheese** *n* cottage cheese *m*, ≈ fromage *m* frais égoutté **cottage industry** *n* artisanat *m* **cottage pie** *n Br* ≈ hachis *m* parmentier

cotton [ˈkɒtn] **I** *n* (*fabric*) coton *m*; (*thread*) fil *m* **II** *adj* en coton ◆ **cotton**

on *v/i* (*Br infml*) piger *infml*; ***to ~ to sth*** piger qc *infml*

cotton bud *n Br* coton-tige® **cotton candy** *n US* barbe *f* à papa **cotton pad** *n* disque *m* démaquillant **cotton-picking** *adj* (*US infml*) satané *infml* **cotton wool** *n Br* coton *m* (hydrophile)

couch [kaʊtʃ] *n* canapé *m*; (*doctor's couch*) table *f* d'examen; (*psychiatrist's couch*) divan *m* **couchette** [kuːˈʃet] *n* RAIL couchette *f* **couch potato** *n infml* téléspectateur(-trice) avachi(e) et passif(-ive) *m(f) infml*

cough [kɒf] **I** *n* toux *f*; ***he has a slight ~*** il tousse un peu; ***a smoker's ~*** une toux de fumeur **II** *v/t & v/i* tousser ◆ **cough up I** *v/t sep lit* cracher **II** *v/t insep fig, infml money* cracher *infml* **III** *v/i fig, infml* cracher au bassinet *infml*

cough drop *n* pastille *f* pour la toux **cough mixture** *n Br* sirop *m* (contre la toux) **cough syrup** *n* sirop *m* (contre la toux)

could [kʊd] *past* = **can¹**

couldn't [ˈkʊdnt] *contr* = **could not**

council [ˈkaʊnsl] **I** *n* conseil *m*; ***city/town ~*** conseil municipal; ***to be on the ~*** faire partie du conseil; ***Council of Europe*** Conseil de l'Europe; ***Council of Ministers*** POL Conseil des ministres **II** *adj attr* ***~ meeting*** réunion de conseil **council estate** *n Br* lotissement *m* de logements sociaux **council flat** *n Br* ≈ HLM *m* **council house** *n Br* maison *f* à loyer modéré **council housing** *n* logements *mpl* sociaux **councilor**, *Br* **councillor** [ˈkaʊnsələʳ] *n* membre *m/f* d'un conseil; (*town councilor*) conseiller(-ère) *m(f)* municipal(e); ***~ Smith*** le conseiller Smith **council tax** *n Br* ≈ taxe *f* d'habitation

counsel [ˈkaʊnsəl] **I** *n* **1.** (*form advice*) conseil *m*; ***to keep one's own ~*** garder ses opinions pour soi **2.** ⟨*pl* -⟩ JUR avocat(e) *m(f)*; ***~ for the defense/prosecution*** avocat de la défense/de l'accusation **II** *v/t person*, *action* conseiller; ***to ~ sb to do sth*** conseiller à qn de faire qc **counseling**, *Br* **counselling** [ˈkaʊnsəlɪŋ] *n* assistance *f*; (*by therapist*) accompagnement *m* psychologique; ***to need ~*** avoir besoin d'accompagnement psychologique; ***to go for*** *or* ***have ~*** recevoir un accompagnement psychologique **counselor**, *Br* **counsellor** [ˈkaʊnsələʳ] *n* **1.** (*adviser*) conseiller(-ère) **2.** (*US*, *Ir lawyer*) avocat(e) *m(f)*

count¹ [kaʊnt] **I** *n* **1.** (*with numbers*) compte *m*, décompte *m*; ***she lost ~ when she was interrupted*** elle s'est perdue dans ses comptes lorsqu'elle a été interrompue; ***I've lost all ~ of her boyfriends*** je ne compte plus le nombre de petits amis qu'elle a eus; ***to keep ~ (of sth)*** comptabiliser (qc); ***at the last ~*** au dernier décompte; ***on the ~ of three, go!*** à trois, partez! **2.** (JUR *charge*) chef *m* d'accusation; ***you're wrong on both ~s*** *fig* vous avez tort sur les deux points **II** *v/t* **1.** (*with numbers*) compter; *votes* comptabiliser; ***I only ~ed ten people*** il n'y avait que dix personnes d'après ce que j'ai compté **2.** (*consider*) considérer; (*include*) compter; ***to ~ sb (as) a friend*** considérer qn comme un ami; ***you should ~ yourself lucky to be alive*** tu devrais t'estimer heureux d'être en vie; ***not ~ing the children*** sans compter les enfants **III** *v/i* **1.** (*with numbers*) compter; ***to ~ to ten*** compter jusqu'à dix; ***~ing from today*** à compter d'aujourd'hui **2.** (*be considered*, *included*, *important*) compter; ***the children don't ~*** les enfants ne comptent pas; ***that doesn't ~*** cela ne compte pas; ***every minute/it all ~s*** chaque minute / tout compte; ***to ~ against sb*** compter en la défaveur de qn ◆ **count down** *v/i* déclencher le compte à rebours ◆ **count for** *v/t insep* compter ***to ~ a lot*** compter beaucoup; ***to ~ nothing*** compter pour rien ◆ **count in** *v/t sep* inclure; ***to count sb in on sth*** inclure qn dans qc; ***you can count me in!*** je suis avec vous! ◆ **count on** *v/t insep* compter sur; ***to ~ doing sth*** compter faire qc; ***you can ~ him to help you*** tu peux être sûr qu'il t'aidera ◆ **count out** *v/t sep* **1.** *money etc.* compter **2.** *infml* (***you can***) ***count me out!*** ce sera sans moi! ◆ **count up** *v/t sep* compter

count² *n* comte *m*

countable [ˈkaʊntəbl] *adj* comptable GRAM **countdown** [ˈkaʊntdaʊn] *n* compte *m* à rebours

countenance [ˈkaʊntɪnəns] *n* expression *f*

counter [ˈkaʊntəʳ] **I** *n* **1.** (*in store*, *café*) comptoir *m*; (*in bank*) guichet *m*; ***med-***

icines which can be bought over the ~ les médicaments sans ordonnance **2.** (*disc*) jeton *m*; *in game* pion *m* **3.** TECH compteur **II** *v/t & v/i* contrer (*also* SPORTS) **III** *adv* **~ to** contrairement à; ***the results are ~ to expectations*** les résultats sont contraires à nos attentes **counteract** *v/t* contrecarrer **counter-argument** *n* contre-argument *m* **counterattack I** *n* contre-attaque *f* **II** *v/t & v/i* contre-attaquer **counterbalance I** *n* contrepoids *m* **II** *v/t* contrebalancer, compenser **counterclaim** *n* JUR demande *f* reconventionnelle **counter clerk** *n* (*in bank etc.*) caissier(-ière) *m(f)*; (*in post office etc.*) guichetier (-ière) *m(f)* **counterclockwise** *adj, adv US* dans le sens contraire des aiguilles d'une montre **counterespionage** *n* contre-espionnage *m* **counterfeit** ['kaʊntəfiːt] **I** *adj* faux(fausse); **~ *money*** fausse monnaie **II** *n* contrefaçon *f* **III** *v/t* contrefaire **counterfoil** ['kaʊntəfɔɪl] *n* talon *m*, souche *f* **counterintelligence** *n* = **counterespionage** **countermand** ['kaʊntəmɑːnd] *v/t* annuler **countermeasure** *n* contre-mesure *f* **counteroffensive** *n* MIL contre-offensive *f* **counterpart** *n* homologue *m/f* **counterpoint** *n* (MUS, *fig*) contrepoint *m* **counterproductive** *adj* contre-productif(-ive) **counter-revolution** *n* contre-révolution *f* **counter-revolutionary** *adj* contre-révolutionnaire **countersign** *v/t* contresigner **counter staff** *pl* (*in store*) personnel *m* de caisse **counterweight** *n* contrepoids *m*

countess ['kaʊntɪs] *n* comtesse *f*

countless ['kaʊntlɪs] *adj* innombrable

country ['kʌntrɪ] *n* **1.** (*state*) pays *m*; ***his own ~*** son pays; *Br* ***to go to the ~*** consulter le corps électoral; **~ *of origin*** COMM pays d'origine **2.** *no pl* (*area*) région *f*; (*countryside also*) campagne; ***in / to the ~*** à la campagne; ***this is good fishing ~*** c'est une bonne région pour la pêche; ***this is mining ~*** c'est une région minière **country and western** *n* country *m* **country-and-western** *adj* country **country club** *n* club *m* de loisirs **country code** *n* **1.** TEL indicatif *m* national **2.** (*Br set of rules*) *commandements du promeneur* **country dancing** *n* danse *f* folklorique **country dweller** *n* habitant(e) *m(f)* de la campagne **country house** *n* manoir *m* **country life** *n* vie *f* à la campagne **countryman** *n* **1.** (*compatriot*) compatriote *m*; ***his fellow countrymen*** ses compatriotes **2.** (*country dweller*) habitant *m* de la campagne **country music** *n* musique *f* country **country people** *pl* gens *mpl* de la campagne **country road** *n* route *f* de campagne **countryside** *n* (*scenery*) paysage *m*; (*rural area*) campagne *f* **country-wide** *adj* dans tout le pays **countrywoman** *n* **1.** (*compatriot*) compatriote *f* **2.** (*country dweller*) habitante *f* de la campagne

county ['kaʊntɪ] *n* (*US and Br*) comté *m* **county council** *n Br* ≈ conseil *m* général **county seat** *n US* chef-lieu *m* de comté **county town** *n Br* chef-lieu *m* de comté

coup [kuː] *n* (*successful action*) joli coup *m*; (*coup d'état*) coup *m* d'État **coup de grâce** [ˌkuːdə'grɑːs] *n* coup *m* de grâce **coup d'état** ['kuːdeɪ'tɑː] *n* coup *m* d'État

couple ['kʌpl] **I** *n* **1.** (*pair*) paire *f*; (*married couple*) couple *m*; ***in ~s*** en couples **2.** *infml* ***a ~*** (*two*) deux; (*several*) quelques; ***a ~ of letters*** *etc.* deux lettres; ***a ~ of times*** plusieurs fois; ***a ~ of hours*** quelques heures **II** *v/t* (*link*) coupler *m*; *train cars etc.* atteler *m*; ***smoking ~d with poor diet ...*** le tabagisme associé à une alimentation médiocre ... **coupler** ['kʌplə^r] *n* IT coupleur *m* **couplet** ['kʌplɪt] *n* couplet *m* **coupling** *n* **1.** (*linking*) couplage *m*; (*of train cars etc.*) attelage *m* **2.** (*linking device*) coupleur *m*

coupon ['kuːpɒn] *n* coupon *m*, bon *m*

courage ['kʌrɪdʒ] *n* courage *m*; ***to have the ~ of one's convictions*** avoir le courage de ses convictions; ***to take one's ~ in both hands*** prendre son courage à deux mains **courageous** [kə'reɪdʒəs] *adj* courageux(-euse) **courageously** [kə'reɪdʒəslɪ] *adv fight, criticize* courageusement

courgette [kʊə'ʒet] *n Br* courgette *f*

courier ['kʊrɪə^r] *n* **1.** (*messenger*) coursier *m*; ***by ~*** par messagerie rapide **2.** (*tourist guide*) guide *m/f*

course [kɔːs] *n* **1.** (*of plane*) cap *m*; (*race course*) champ *m*; (*of river, history*) cours *m*; (*golf course*) parcours *m*; (*fig, of relationship*) cours *m*; (*of action*) mode *m* ***to change*** *or* ***alter ~*** changer de cap; ***to be on/off ~*** tenir le/dévier de son cap; ***to be on ~ for sth*** *fig* être dans les temps pour qc; ***to let things take*** *or* ***run their ~*** laisser faire le temps; ***the affair has run its ~*** la liaison a fini d'elle-même; ***which ~ of action did you take?*** quelle plan avez--vous adopté?; ***the best ~ of action would be …*** la meilleure marche à suivre serait de …; ***in the ~ of the meeting*** au cours de la réunion; ***in the ~ of time*** au fil du temps **2.** ***of ~*** bien sûr, évidemment; ***of ~!*** évidemment!; ***don't you like me? — of ~ I do*** tu ne m'aimes pas? — bien sûr que si; ***he's rather young, of ~, but …*** c'est sûr qu'il est un peu jeune, mais … **3.** SCHOOL, UNIV cours *m*; (*summer course etc.*) cours *m*; ***to go on a French ~*** suivre des cours de français; ***a ~ in first aid*** un cours de secourisme; ***a ~ of lectures*** une série de cours magistraux; ***a lecture ~*** un cours magistral **4.** COOK plat *m*; ***a three-~ meal*** un repas avec entrée, plat principal et dessert

court [kɔːt] **I** *n* **1.** JUR tribunal *m*, cour *f*; (*room*) salle *f* d'audience; ***to appear in ~*** passer au tribunal; ***to take sb to ~*** poursuivre qn en justice; ***to go to ~ over a matter*** saisir la justice d'une affaire **2.** (*royal*) cour *f* **3.** SPORTS (*for squash, tennis*) court *m* **II** *v/t favor* courtiser; *danger* flirter avec **III** *v/i obs* ***they were ~ing at the time*** ils fréquentaient à l'époque **court appearance** *n* comparution *f* **court case** *n* JUR procès *m*

courteous ['kɜːtɪəs] *adj* courtois **courteously** *adv* ['kɜːtɪəslɪ] courtoisement **courtesy** ['kɜːtɪsɪ] *n* courtoisie *f*; ***~ of*** grâce à la générosité de **courtesy bus** *n* navette *f* gratuite

court fine *n* JUR amende *f* du tribunal **court hearing** *n* JUR audience *f* du tribunal **courthouse** *n* JUR tribunal *m*, palais *m* de justice **court martial** *n* ⟨*pl* **court martials** *or* **courts martial**⟩ MIL cour *f* martiale **court-martial** *v/t* faire passer en cour martiale (***for*** pour) **court order** *n* JUR ordonnance *f* judiciaire **courtroom** *n* JUR salle *f* d'audience **courtship** ['kɔːtʃɪp] *n obs* cour *f obs* (***of*** de); ***during their ~*** avant leur mariage **court shoe** *n* escarpin *m* **courtyard** *n* cour *f*

couscous ['kuːskuːs] *n* couscous *m*

cousin ['kʌzn] *n* cousin(e) *m*(*f*); ***Kevin and Susan are ~s*** Kevin et Susan sont cousins

cove [kəʊv] *n* GEOG crique *f*

covenant ['kʌvɪnənt] *n* convention *f*; BIBLE alliance *f*; JUR engagement *m* formel

Coventry ['kɒvəntrɪ] *n* ***to send sb to ~*** (*Br infml*) mettre qn en quarantaine

cover ['kʌvəʳ] **I** *n* **1.** (*lid*) couvercle *m*; (*for typewriter etc.*) housse *f*; (*on lorries*) bâche *f*; (*blanket*) couverture *f*; ***he put a ~ over it*** il a mis un couvercle dessus; ***she pulled the ~s up to her chin*** elle a tiré les couvertures jusqu'à son menton **2.** (*of book, magazine*) couverture *f*; (*dust cover*) jaquette *f*; ***to read a book from ~ to ~*** lire un livre de bout en bout; ***on the ~*** sur la couverture; (*of magazine*) en couverture **3.** *no pl* (*protection*) protection *f* (***from*** de); MIL couverture *f* (***from*** de); ***to take ~*** (*from rain*) se mettre à l'abri; MIL s'abriter (***from*** de); ***the car should be kept under ~*** la voiture devrait être mise sous abri; ***under ~ of darkness*** sous le couvert de l'obscurité **4.** *Br* COMM, FIN couverture *f*; (*insurance cover*) couverture *f*; ***to take out ~ for a car*** prendre une assurance pour une voiture; ***to take out ~ against fire*** se couvrir contre l'incendie; ***to get ~ for sth*** prendre une assurance pour qc; ***do you have adequate ~?*** êtes-vous bien assuré? **5.** (*assumed identity*) couverture *f*; ***to operate under ~*** agir secrètement **II** *v/t* **1.** (*put cover on*) reboucher; (*cover over*) couvrir; (*with loose cover*) *chair etc.* recouvrir; ***a ~ed way*** un passage couvert; ***the mountain was ~ed with*** *or* ***in snow*** la montagne était recouverte de neige; ***you're all ~ed with dog hairs*** tu es couvert de poils de chien **2.** *mistake*, *tracks* couvrir; ***to ~ one's face with one's hands*** se couvrir le visage avec les mains **3.** (*protect, also* FIN, INSUR) couvrir; ***will $30 ~ the drinks?*** est-ce que 30$ suffiront pour payer les boissons?; ***he gave me $30 to ~ the drinks*** il m'a donné 30$ pour payer les boissons; ***he only said that to ~ himself*** il a dit cela uniquement pour se couvrir **4.** (*point a gun at etc.*) couvrir; ***to keep sb ~ed*** couvrir qn **5.** (*include*) couvrir; *eventualities* parer; ***what does your travel insurance ~ you for?*** votre assurance vous couvre pour quoi? **6.** (PRESS *report on*) couvrir

7. *distance* parcourir **8.** MUS *song* faire une reprise de ◆ **cover for** *v/t insep absent person* remplacer ◆ **cover over** *v/t sep* couvrir; (*for protection*) recouvrir ◆ **cover up I** *v/i* ***to ~ for sb*** couvrir qn **II** *v/t sep* **1.** *story* étouffer **2.** *facts* camoufler

coverage ['kʌvərɪdʒ] *n no pl* (*in media*) couverture *f* (***of*** de); ***the games got excellent TV ~*** les jeux ont été très bien représentés à la télévision **coverall** *n usu pl US* bleu *m* de travail **cover charge** *n* couvert *m* **covered market** [ˌkʌvəd 'mɑːkɪt] *n* marché *m* couvert **cover girl** *n* cover-girl *f* **cover letter**, *Br* **covering letter** *n* lettre *f* d'accompagnement **covering** ['kʌvərɪŋ] *n* couche *f*; ***a ~ of snow*** une couche de neige **cover note** *n* attestation *f* d'assurance **cover price** *n* prix *m* affiché **cover story** *n* article *m* annoncé en couverture

covert ['kʌvət] *adj* secret **covertly** ['kʌvətlɪ] *adv* secrètement

cover-up ['kʌvərʌp] *n* opération *f* de camouflage **cover version** *n* MUS reprise *f*

covet ['kʌvɪt] *v/t* convoiter

cow[1] [kaʊ] *n* **1.** vache *f*; ***till the ~s come home*** *fig*, *infml* jusqu'à plus soif *infml* **2.** (*Br*: *pej*, *infml woman*, *stupid*) mégère *f infml*; (*nasty*) vache *f infml*; ***cheeky ~!*** quel culot! *infml*

cow[2] *v/t* intimider

coward ['kaʊəd] *n* lâche **cowardice** ['kaʊədɪs], **cowardliness** *n* lâcheté *f* **cowardly** ['kaʊədlɪ] *adj* lâchement

cowbell *n* clarine *f* **cowboy** *n* **1.** cow-boy *m*; ***to play ~s and Indians*** jouer aux cow-boys et aux indiens **2.** (*Br*: *fig*, *infml*, *dishonest*) charlot *m infml*, fumiste *m infml* **cowboy hat** *n* chapeau *m* de cow-boy

cower ['kaʊəʳ] *v/i* se recroqueviller; (*squatting*) s'accroupir; ***he stood ~ing in a corner*** il était recroquevillé dans un coin

cowgirl *n* vachère *f* **cowhand** *n* vacher (-ère) *m*(*f*) **cowhide** *n* **1.** (*untanned*) peau *f* de vache **2.** (*no pl leather*) cuir *m* de vache **3.** (*US whip*) fouet *m* à lanières

cowl [kaʊl] *n* capuchon *m*

cowpie, *Br* **cowpat** *n infml* bouse *f* de vache **cowshed** *n* étable *f*

cox [kɒks] *n* barreur(-euse)

coy [kɔɪ] *adj* (*shy*) timide; (*coquettish*) faussement timide; ***to be ~ about sth*** (*shy*) être réservé à propos de qc **coyly** ['kɔɪlɪ] *adv* (*shyly*) timidement

coyote [kɔɪ'əʊtɪ] *n* coyote *m*

cozily, *Br* **cosily** ['kəʊzɪlɪ] *adv* douillettement

coziness, *Br* **cosiness** ['kəʊzɪnɪs] *n* confort *m* douillet; (*warmth*) chaleur *f*

cozy, *Br* **cosy** ['kəʊzɪ] **I** *adj* douillet; (*warm*) chaleureux(-euse); *fig chat* décontracté **II** *n* (*tea cozy*) couvre-théière *m*

C/P COMM *abbr* = **carriage paid** port payé

CPU *abbr* = **central processing unit** unité *f* centrale

crab [kræb] *n* crabe *m* **crab apple** *n* **1.** (*fruit*) pomme *f* sauvage **2.** (*tree*) pommier *m* sauvage **crabby** ['kræbɪ] *adj* grognon(ne) **crabmeat** ['kræbmiːt] *n* chair *f* de crabe

crack [kræk] **I** *n* **1.** fissure *f*; (*between floorboards etc.*) fente *f*; (*wider hole in wall*) lézarde *f*; (*in pottery etc.*) fêlure *f*, craquelure *f*; ***leave the window open a ~*** laissez la fenêtre entrebâillée; ***at the ~ of dawn*** dès l'aube; ***to fall*** *or* ***slip through the ~s*** (*fig*) passer à travers les mailles du filet **2.** (*sharp noise*) craquement *m*; (*of gun*, *whip*) claquement *m* (***of*** de) **3.** (*sharp blow*) coup *m*; ***to give oneself a ~ on the head*** se cogner la tête **4.** (*infml joke*) vanne *f infml*; ***to make a ~ about sb / sth*** faire une vanne sur qn / qc **5.** *infml* ***to have a ~ at sth*** essayer qc **6.** DRUGS crack *m* **II** *adj attr* de première; MIL d'élite; ***~ shot*** tireur (-euse) d'élite **III** *v/t* **1.** *pottery* fêler; *ice* casser **2.** *nuts*, *safe* casser; *fig*, *infml code* déchiffrer; *case*, *problem* résoudre; ***I've ~ed it*** (*solved it*) j'ai trouvé la solution **3.** *joke* lancer **4.** *whip*, *finger* faire claquer; ***to ~ the whip*** *fig* taper le poing sur la table **5.** ***he ~ed his head against the pavement*** il s'est cogné la tête contre le trottoir **IV** *v/i* **1.** (*pottery*) se fêler; (*ice*) se fendre; (*lips*) se craqueler **2.** (*break*) se casser **3.** (*make a cracking sound*) craquer; (*whip*, *gun*) claquer **4.** *infml* ***to get ~ing*** s'y mettre; *get moving* y aller; ***to get ~ing with*** *or* ***on sth*** se mettre à qc *infml*; ***get ~ing!*** au boulot! **5.** = **crack up** *I*; ***he ~ed under the strain*** il a craqué sous la pression ◆ **crack down** *v/i* sévir; ***to ~ on violence*** sévir contre la violence ◆ **crack on** *v/i* (*Br infml*) s'y mettre

◆ **crack open** *v/t sep* casser; ***to ~ the champagne*** ouvrir une bouteille de champagne ◆ **crack up I** *v/i* (*fig, infml, person*) éclater de rire *infml*; (*under strain*) craquer; ***he must be cracking up*** *hum* il perd la boule *infml* **II** *v/t sep infml* ***it's not all it's cracked up to be*** ce n'est pas si bien que ça

crackdown ['krækdaʊn] *n infml* répression *f* **cracked** *adj plate* fêlé; *ice* fendu; *bone* fêlé; (*broken*) cassé; *surface* fendillé; *lips* craquelé **cracker** ['krækəʳ] *n* **1.** (*biscuit*) cracker *m*, biscuit *m* salé **2.** *Br* (*Christmas cracker*) ≈ diablotin *m* **crackers** ['krækəz] *adj pred* (*Br infml*) fêlé *infml* **cracking** ['krækɪŋ] *adj infml pace* d'enfer *infml*

crackle ['krækl] **I** *v/i* (*fire*) crépiter; (*telephone line*) grésiller **II** *n* crépitement *m*; *of telephone line* grésillement *m* **crackling** ['kræklɪŋ] *n no pl* **1.** = **crackle 2.** COOK couenne *f* grillée *m*

crackpot ['krækpɒt] *infml* **I** *n* dingue *m/f infml* **II** *adj* fêlé

cradle ['kreɪdl] **I** *n* berceau *m*; (*of phone*) appui *m*; ***from the ~ to the grave*** du berceau à la tombe **II** *v/t* bercer; ***he was cradling his injured arm*** il tenait délicatement son bras cassé; ***to ~ sb/sth in one's arms*** tenir qn / qc dans ses bras

craft [krɑːft] *n* **1.** (*handicraft*) artisanat *m* **2.** *no pl* (*skill*) métier *m*, art *m* **3.** ⟨*pl* **craft**⟩ (*boat*) embarcation *f* **craft fair** *n* foire *f* artisanale **craftily** ['krɑːftɪlɪ] *adv* de façon rusée **craftiness** ['krɑːftɪnɪs] *n* ruse *f* **craftsman** ['krɑːftsmən] *n* ⟨*pl* **-men**⟩ artisan *m* **craftsmanship** ['krɑːftsmənʃɪp] *n* art *m* **craftswoman** ['krɑːftswʊmən] *n* **-women** *pl* artisane *f* **crafty** ['krɑːftɪ] *adj* malin(-igne), rusé; ***he's a ~ one*** *infml* c'est un malin

crag [kræg] *n* rocher *m* escarpé **craggy** ['krægɪ] *adj* escarpé; *face* ridé

cram [kræm] **I** *v/t* (*fill*) bourrer; (*stuff in*) entasser (**in**(**to**) dans); ***the room was ~med*** (***with furniture***) la pièce était bourrée de meubles; ***we were all ~med into one room*** nous étions tous entassés dans une seule pièce **II** *v/i* (*Br infml*) (*swot*) bachoter *infml* ◆ **cram in** *v/i* (*people*) s'entasser (**-to** pour)

cram-full [ˌkræm'fʊl] *adj infml* bourré (**of** de)

cramp [kræmp] **I** *n* MED crampe *f*; ***to have ~ in one's leg*** avoir une crampe dans une jambe **II** *v/t fig* ***to ~ sb's style*** faire de l'ombre à qn **cramped** *adj space* réduit; *room* exigu(ë); ***we are very ~*** (***for space***) nous manquons vraiment de place

crampon ['kræmpən] *n* crampon *m*

cranberry ['krænbərɪ] *n* canneberge *f*; ***~ sauce*** sauce à la canneberge

crane [kreɪn] **I** *n* **1.** grue *f*; ***~ driver*** grutier(-ière) *m*(*f*) **2.** ORN grue *f* **II** *v/t* ***to ~ one's neck*** tendre le cou **III** *v/i* (*a.* **crane forward**) tendre le cou

cranefly ['kreɪnflaɪ] *n* tipule *f*

cranium ['kreɪnɪəm] *n* ⟨*pl* **crania**⟩ ANAT boîte *f* crânienne

crank[1] [kræŋk] *n* (*US cross person*) ronchon(ne) *m*(*f*); (*Br eccentric person*) allumé(e) *m*(*f*) *infml*

crank[2] **I** *n* MECH manivelle *f* **II** *v/t* (*a.* **crank up**) démarrer à la manivelle **crankshaft** ['kræŋkʃɑːft] *n* AUTO vilebrequin *m*

cranky ['kræŋkɪ] *adj* **1.** (*esp US bad-tempered*) ronchon(ne) **2.** (*esp Br eccentric*) allumé

cranny ['krænɪ] *n* petit trou *m*

crap [kræp] **I** *n* **1.** *sl* merde *f vulg* **2.** (*infml nonsense*) conneries *fpl infml*; ***a load of ~*** des conneries *infml* **II** *v/i sl* chier *vulg* **III** *adj attr infml* de merde *vulg*

crap game *n US jeu de dés*

crappy ['kræpɪ] *adj infml* merdique *infml*

crash [kræʃ] **I** *n* **1.** (*noise*) fracas *m* (**of** de) *m no pl*; ***there was a ~ upstairs*** il y a eu un grand bruit à l'étage; ***with a ~*** avec fracas **2.** (*accident*) accident *m*; (*with several cars*) carambolage *m*; (*plane crash*) accident *m* d'avion; ***to be in a*** (***car***) ***~*** avoir un accident de voiture; ***to have a ~*** avoir un accident **3.** FIN faillite *f*; ST EX krach *m* **4.** IT plantage *m infml* **II** *adv* ***he went ~ into a tree*** il a percuté un arbre **III** *v/t* **1.** *car* percuter; *plane* s'écraser sur; ***to ~ one's car into sth*** percuter qc en voiture **2.** IT *program, system* planter **3.** *infml* ***to ~ a party*** aller à une fête sans être invité **IV** *v/i* **1.** avoir un accident; *plane* s'écraser; IT planter; ***to ~ into sth*** percuter qc; ***the two cars ~ed*** les deux voitures se sont percutées **2.** (*move with a crash*) s'écraser; ***to ~ to the ground*** s'écraser au sol; ***the whole roof came ~ing down*** (***on him***) le toit s'est effondré sur lui **3.**

FIN s'effondrer **4.** (*infml*: *a.* **crash out**) (*sleep*) roupiller *infml* **crash barrier** *n* barrière *f* de sécurité **crash course** *n* cours *m* accéléré **crash diet** *n* régime *m* intensif

crash helmet *n* casque *m* **crash-land** **I** *v/i* faire un atterrissage en catastrophe **II** *v/t* poser en catastrophe **crash-landing** *n* atterrissage *m* en catastrophe **crash test** *n* AUTO essai *m* de choc

crass [krɑːs] *adj ignorance* crasse; (*coarse*) grossier(-ière) **crassly** ['krɑːslɪ] *adv* grossièrement; *behave* de façon grossière **crassness** ['krɑːsnɪs] *n* (*insensitivity*) impolitesse *f*; (*coarseness*) grossièreté *f*

crate [kreɪt] *n* caisse *f*; (*for fruit*,) cageot *m*

crater ['kreɪtəʳ] *n* crater *m*

cravat(te) [krə'væt] *n* lavallière *f*

crave [kreɪv] *v/t* (*desire*) avoir une envie irrésistible de ◆ **crave for** *v/t insep* avoir une envie irrésistible de

craving ['kreɪvɪŋ] *n* envie *f*; ***to have a ~ for sth*** avoir une envie irrésistible de qc

crawl [krɔːl] **I** *n* **1.** ***we could only go at a ~*** nous avancions au pas **2.** (*swimming stroke*) crawl *m*; ***to do the ~*** nager le crawl **II** *v/i* **1.** (*traffic*) aller au pas; (*person*) ramper; (*baby*) marcher à quatre pattes; ***he tried to ~ away*** il a essayé de se sauver en rampant **2.** (*be infested*) grouiller (**with** de); ***the street was ~ing with police*** les rues grouillaient de policiers **3.** ***he makes my skin ~*** il me donne la chair de poule **4.** (*infml suck up*) fayoter (**to** avec); ***he went ~ing to the teacher*** il est allé fayoter avec le professeur **crawler lane** ['krɔːləleɪn] *n* (*Br* AUTO) voie *f* lente

crayfish ['kreɪfɪʃ] *n* **1.** (*freshwater*) écrevisse *f* **2.** (*saltwater*) langouste *f*

crayon ['kreɪən] **I** *n* (*pencil*) crayon *m* de couleur; (*wax crayon*) craie *f* de coloriage; (*chalk crayon*) craie *f* grasse **II** *v/t* & *v/i* dessiner en couleur

craze [kreɪz] **I** *n* mode *f infml*; ***there's a ~ for collecting old things just now*** aujourd'hui, c'est la mode de collectionner les vieilleries **II** *v/t* ***a ~d gunman*** un forcené; ***he had a ~d look on his face*** il avait un regard de fou **crazily** ['kreɪzɪlɪ] *adv* **1.** *skid*, *whirl* dangereusement **2.** (*madly*) comme un(e) fou (folle) **craziness** ['kreɪzɪnɪs] *n* folie *f*

crazy ['kreɪzɪ] *adj* fou(folle) (**with** de); ***to drive sb ~*** rendre qn fou; ***to go ~*** devenir fou; ***like ~*** *infml* comme un fou; ***to be ~ about sb / sth*** être fou de qn / qc *infml*; ***football-~*** dingue de football *infml* **crazy golf** *n Br* minigolf *m* **crazy paving** *n* pavage *m* irrégulier

creak [kriːk] **I** *n* craquement *m*; (*of hinges, bed springs*) grincement *m* **II** *v/i* craquer; (*hinges, bed springs*) grincer **creaky** ['kriːkɪ] *adj lit* qui craque; *hinges, bed springs* grinçant

cream [kriːm] **I** *n* **1.** crème *f*; (*artificial cream, lotion*) crème *f*; ***~ of asparagus / chicken soup*** velouté d'asperge / de poulet **2.** (*color*) crème *m* **3.** (*fig best*) crème *f*; ***the ~ of the crop*** (*people*) la fine fleur; (*things*) le haut du panier **II** *adj* **1.** (*color*) crème **2.** (*made with cream*) à la crème **III** *v/t butter* travailler ◆ **cream off** *v/t sep fig* écrémer

cream cake *n* gâteau *m* à la crème **cream cheese** *n* fromage *m* à tartiner **creamer** ['kriːməʳ] *n* (*US jug*) pot *m* à crème **cream puff** *n* chou *m* à la crème **cream tea** *n Br thé servi avec des scones, de la confiture et de la crème* **creamy** ['kriːmɪ] *adj* (*tasting of cream*) crémeux(-euse); (*smooth*) onctueux (-euse)

crease [kriːs] **I** *n* (*unintentional*) faux pli *m*; (*deliberate fold, in material, ironed, in pants etc.*) pli *m*; ***full of ~s*** tout froissé **II** *v/t* (*deliberately*) *clothes* plisser; *material*, *paper* plier; (*unintentionally*) froisser **crease-proof** ['kriːspruːf], **crease-resistant** *adj* infroissable

create [kriː'eɪt] *v/t* **1**:; *the world*, *man* créer *draft*, *noise* faire; *impression*, *problems* (*person*) créer **2.** IT *file* créer **creation** [kriː'eɪʃən] *n* **1.** *no pl* création *f* **2.** *no pl* ***the Creation*** la Création; ***the whole of ~*** toute la création **3.** (*created object*, ART) création *f* **creative** [kriː'eɪtɪv] *adj power etc.* créateur(-trice); *approach*, *person* créatif(-ive); ***the ~ use of language*** l'usage créatif de la langue **creative accounting** *n* comptabilité *f* créative **creatively** [kriː'eɪtɪvlɪ] *adv* de façon créative **creative writing** *n* création *f* littéraire **creativity** [ˌkriːeɪ'tɪvɪtɪ] *n* créativité *f*; (*of approach*) inventivité *f* **creator** [kriː'eɪtəʳ] *n* créateur(-trice)

creature ['kriːtʃəʳ] *n* créature *f* **creature comforts** *pl* confort *m*

crèche [kreʃ] *n Br* (*daycare*) crèche *f*, garderie *f*

credence ['kriːdəns] *n no pl* ***to lend ~ to sth*** accréditer qc; ***to give*** *or* ***attach ~ to sth*** donner du crédit à qc **credentials** [krɪ'denʃəlz] *pl* (*references*) références *fpl*; (*identity papers*) papiers *mpl* d'identité; ***to present one's ~*** présenter ses papiers

credibility [ˌkredə'bɪlɪtɪ] *n* crédibilité *f* **credible** ['kredɪbl] *adj* crédible **credibly** ['kredɪblɪ] *adv* de façon crédible

credit ['kredɪt] **I** *n* **1.** *no pl* FIN crédit *m*; ***the bank will let me have $5,000 ~*** la banque va me faire un crédit de 5000$; ***to buy on ~*** acheter à crédit; ***his ~ is good*** ses antécédents de crédit sont bons; (*in small store*) ardoise *f*; ***to give sb (unlimited) ~*** accorder à qn un crédit (illimité) **2.** (FIN *money possessed*) crédit *m*; (COMM *sum of money*) crédit *m*; ***to be in ~*** être créditeur; ***to keep one's account in ~*** rester créditeur; ***the ~s and debits*** les crédits et débits; ***how much have we got to our ~?*** de combien sommes-nous créditeurs? **3.** *no pl* (*honor*) honneur; (*recognition*) mérite; ***he's a ~ to his family*** il fait honneur à sa famille; ***that's to his ~*** c'est tout à son honneur; ***her generosity does her ~*** sa générosité est tout à son honneur; ***to come out of sth with ~*** sortir de qc avec du mérite; ***to get all the ~*** se voir attribuer tout le mérite; ***to take the ~ for sth*** s'attribuer le mérite de qc; ***~ where ~ is due*** *prov* il faut reconnaître le mérite de chacun **4.** *no pl* (*belief*) crédit *m*; ***to give ~ to sth*** donner du crédit à qc **5.** (*esp US* UNIV) ≈ unité *f* de valeur **6. credits** *pl* FILM *etc* générique *m* **II** *v/t* **1.** (*believe*) croire; ***would you ~ it!*** vous vous rendez compte! **2.** (*attribute*) attribuer; ***I ~ed him with more sense*** je pensais qu'il avait plus de bon sens; ***he was ~ed with having invented it*** c'est à lui qu'on a attribué l'invention **3.** FIN créditer; ***to ~ a sum to sb's account*** créditer une somme au compte de qn **creditable** ['kredɪtəbl] *adj* honorable **creditably** ['kredɪtəblɪ] *adv* honorablement **credit account** *n* compte *m* client **credit balance** *n* solde *m* créditeur **credit card** *n* carte *f* de crédit **credit check** *n* contrôle *m* de solvabilité; ***to run a ~ on sb*** faire un contrôle de solvabilité sur qn **credit crunch** *n* resserrement *m* du crédit **credit facilities** *pl* facilités *fpl* de crédit **credit limit** *n* limite *f* de crédit **credit note** *n* avoir *m* **creditor** ['kredɪtəʳ] *n* créditeur(-trice) *m(f)* **credit rating** *n* solvabilité *f* **credit risk** *n* ***to be a good / poor ~*** représenter un risque de crédit faible / élevé **credit side** *n* crédit *m*; *fig* ***on the ~ he's young*** côté plus, il est jeune **credit status** *n* solvabilité *f* **credit union** *n* coopérative *f* de crédit mutuel **creditworthiness** *n* solvabilité *f* **creditworthy** *adj* solvable

credo ['kreɪdəʊ] *n* credo *m* **credulity** [krɪ'djuːlɪtɪ] *n no pl* crédulité *f* **credulous** ['kredjʊləs] *adj* crédule **creed** [kriːd] *n fig* credo *m*

creek [kriːk] *n* (*US brook*) ruisseau *m*; (*esp Br inlet*) bras *m* de mer; ***to be up the ~ (without a paddle)*** *infml* être dans le pétrin *infml*

creep [kriːp] *vb* ⟨*past, past part* **crept**⟩ **I** *v/i* se glisser en silence; (*move slowly*) avancer lentement; ***the water level crept higher*** le niveau de l'eau montait doucement; ***the story made my flesh ~*** l'histoire m'a donné la chair de poule **II** *n* **1.** (*infml unpleasant person*) sale type *m infml* **2.** *infml* ***he / this old house gives me the ~s*** il / cette vieille maison me donne la chair de poule *infml* ◆ **creep in** *v/i* (*mistakes, doubts*) apparaître (**-to** dans) ◆ **creep up** *v/i* grimper (**on** sur); (*prices*) monter

creepy ['kriːpɪ] *adj* qui donne la chair de poule **creepy-crawly** ['kriːpɪ'krɔːlɪ] *infml n* petite bête *f*, bestiole *f*

cremate [krɪ'meɪt] *v/t* incinérer **cremation** [krɪ'meɪʃən] *n* crémation *f*, incinération *f* **crematorium** [ˌkremə'tɔːrɪəm] *n* crématorium *m*

crème de la crème ['kremdəlæ'krem] *n* crème *f* de la crème

Creole ['kriːəʊl] **I** *n* LING créole *m*; *person* Créole *m/f* **II** *adj* créole; ***he is ~*** il est créole

creosote ['krɪəsəʊt] **I** *n* créosote *f* **II** *v/t* créosoter

crêpe [kreɪp] **I** *n* **1.** TEX crêpe *m* **2.** COOK crêpe *f* **II** *adj* en crêpe **crêpe paper** *n* papier *m* crépon

crept [krept] *past, past part* = **creep**

crescendo [krɪ'ʃendəʊ] *n* (MUS, *afig*) crescendo

crescent ['kresnt] *n* croissant *m*; (*in*

street names) rue *f* (*en arc de cercle*)
cress [kres] *n* cresson *m*
crest [krest] *n* **1.** (*of bird, rooster, wave, hill*) crête *f*; ***he's riding on the ~ of a wave*** *fig* il surfe sur la crête d'une vague **2.** HERALDRY timbre *m*; (*coat of arms*) armoiries *fpl* **crestfallen** ['krestˌfɔːlən] *adj* déconfit, penaud
Crete [kriːt] *n* Crète *f*
cretin ['kretɪn] *n infml* crétin(e) *m(f)* *infml* **cretinous** ['kretɪnəs] *adj infml* crétin
Creutzfeldt-Jakob disease [ˌkrɔɪtsfelt'jækɒbdɪˌziːz] *n no pl* maladie *f* de Creutzfeldt-Jakob
crevasse [krɪ'væs] *n* crevasse *f*
crevice ['krevɪs] *n* fissure *f*
crew [kruː] *n* **1.** équipage *m*; ***50 passengers and 20 ~*** 50 passagers et 20 membres de l'équipage **2.** (*Br infml gang*) bande *f* **crew cut** *n* coupe *f* en brosse **crew member** *n* membre *m* d'un équipage **crew neck** *n* encolure *f* ras du cou; (*a.* **crew-neck pullover** *or* **sweater**) pull *m* à encolure ras du cou, ras-du--cou *m*
crib [krɪb] *n* **1.** (*US cot*) lit *m* d'enfant **2.** (*manger*) râtelier *m* **crib death** *n US* mort *f* subite du nourrisson
crick [krɪk] **I** *n* ***a ~ in one's neck*** un torticolis **II** *v/t* ***to ~ one's back*** se faire un tour de reins
cricket[1] ['krɪkɪt] *n* (*insect*) criquet *m*
cricket[2] *n* SPORTS cricket *m*; ***that's not ~*** *Br fig, infml* ce n'est pas juste **cricket bat** *n* batte *f* de cricket **cricketer** ['krɪkɪtə^r] *n* joueur *m* de cricket **cricket match** *n* match *m* de cricket **cricket pitch** *n* terrain *m* de cricket
crime [kraɪm] *n activity* criminalité *f*; *offence* délit *m*; (*serious crime also, fig*) crime *m*; ***it's a ~ to throw away all that good food*** c'est criminel de jeter toute cette bonne nourriture; ***~ is on the increase*** la criminalité est en hausse
Crimea [kraɪ'mɪə] *n* GEOG Crimée *f* **Crimean** [kraɪ'mɪən] *adj* de Crimée
crime prevention *n* prévention *f* des crimes et délits **crime rate** *n* taux *m* de criminalité **crime scene** *n* scène *f* de crime **crime wave** *n* vague *f* de criminalité
criminal ['krɪmɪnl] **I** *n* malfaiteur *m*; (*guilty of serious crimes*) criminel(le) *m(f)*; ***habitual ~*** récidiviste **II** *adj* **1.** pénal; ***~ law*** droit pénal; ***to have a ~ record*** avoir un casier judiciaire **2.** *fig* ***it's ~ to ...*** c'est un crime de ... **criminal charge** *n* ***she faces ~s*** elle risque d'être inculpée **criminal code** *n* code *m* pénal **criminal court** *n* ≈ cour *f* d'assises **criminality** [ˌkrɪmɪ'nælɪtɪ] *n* criminalité *f* **criminalize** ['krɪmɪnəlaɪz] *v/t* criminaliser **criminal lawyer** *n* avocat(e) *m(f)* (spécialisé(e) dans les affaires pénales **criminally** ['krɪmɪnəlɪ] *adv* pénalement ***~ responsible*** pénalement responsable **criminal offense**, *Br* **criminal offence** *n* infraction *f* pénale **criminologist** [ˌkrɪmɪ'nɒlədʒɪst] *n* criminologue *m/f* **criminology** [ˌkrɪmɪ'nɒlədʒɪ] *n* criminologie *f*
crimp [krɪmp] *v/t* gaufrer
crimson ['krɪmzn] **I** *adj* cramoisi; ***to turn*** *or* ***go ~*** devenir cramoisi *infml* **II** *n* pourpre *m*
cringe [krɪndʒ] *v/i* frémir (***at*** de); *fig* tressaillir; ***he ~d at the thought*** l'idée le faisait frémir; ***he ~d when she mispronounced his name*** il a frémi quand elle a écorché son nom
crinkle ['krɪŋkl] **I** *n* ride *f* **II** *v/t* froisser **III** *v/i* se froisser **crinkled** *adj* froissé **crinkly** ['krɪŋklɪ] *adj paper etc.* gauffré; *edges* écorné
cripple ['krɪpl] **I** *n* infirme *m/f* **II** *v/t person* estropier; *ship* désemparer; *plane* mettre hors d'action; *fig* paralyser; ***~d with rheumatism*** perclus de rhumatismes **crippling** ['krɪplɪŋ] *adj* handicapant; *taxes* exorbitant; ***a ~ disease*** une maladie handicapante; ***a ~ blow*** *fig* un sale coup
crisis ['kraɪsɪs] *n* ⟨*pl* **crises**⟩ crise *f*; ***to reach ~ point*** atteindre un point critique; ***in times of ~*** en période de crise **crisis centre** *n* cellule *f* de crise **crisis management** *n* gestion *f* de crise
crisp [krɪsp] **I** *adj* ⟨**+er**⟩ *apple* croquant; *biscuits* croustillant; *snow* crissant; *manner* brusque; *air* vif(vive); *ten-dollar bill* craquant **II** *n* (*Br potato crisp*) chips *f*; ***burned to a ~*** carbonisé **crispbread** ['krɪspbred] *n Br* pain *m* suédois **crisply** ['krɪsplɪ] *adv*; *write* avec concision; *speak* d'un ton cassant; ***~ fried*** croustillant **crispy** ['krɪspɪ] *adj* ⟨**+er**⟩ *infml*; *biscuit* croustillant
crisscross ['krɪskrɒs] *adj pattern* entrecroisé
criterion [kraɪ'tɪərɪən] *n* ⟨*pl* **criteria**⟩ critère *m*

critic ['krɪtɪk] *n* critique *m/f*; ***literary ~*** critique littéraire; ***he's his own worst ~*** il est très critique envers lui-même; ***she is a constant ~ of the government*** elle critique constamment le gouvernement **critical** ['krɪtɪkəl] *adj* critique; MED *person* dans un état critique; ***the book was a ~ success*** le livre a été acclamé par la critique; ***to cast a ~ eye over sth*** regarder qc d'un œil critique; ***to be ~ of sb / sth*** être critique à l'égard de qn / qc; ***it is ~ (for us) to understand what is happening*** il est crucial que nous comprenions ce qui se passe; ***of ~ importance*** d'une importance cruciale **critically** ['krɪtɪkəlɪ] *adv* **1.** (*finding fault*) d'un œil critique **2.** *ill* gravement **3.** ***to be ~ important*** être d'une importance cruciale **4.** ***~ acclaimed*** acclamé par la critique

criticism ['krɪtɪsɪzəm] *n* critique *f*; ***literary ~*** critique littéraire; ***to come in for a lot of ~*** se faire sévèrement critiquer

criticize ['krɪtɪsaɪz] *v/t & v/i* critiquer; ***to ~ sb for sth*** critiquer qn pour qc; ***I ~d her for always being late*** je l'ai critiquée d'être toujours en retard **critique** [krɪ'tiːk] *n* critique *f*

critter ['krɪtər] *n* (*US dial*) = **creature**

croak [krəʊk] *v/t & v/i* (*frog*) coasser; (*raven*) croasser; (*person*) parler d'une voix rauque

Croat ['krəʊæt] *n* **1.** (*person*) Croate *m/f* **2.** LING croate *m* **Croatia** [krəʊ'eɪʃɪə] *n* Croatie *f* **Croatian** **I** *n* = **Croat** **II** *adj* croate; ***she is ~*** elle est croate

crochet ['krəʊʃeɪ] **I** *n* (*a.* **crochet work**) (travail *m* au) crochet *m*; ***~ hook*** crochet **II** *v/t* crocheter **III** *v/i* faire du crochet

crockery ['krɒkərɪ] *n Br* vaisselle *f*

crocodile ['krɒkədaɪl] *n* crocodile *m* **crocodile tears** *pl* larmes *fpl* de crocodile; ***to shed ~*** verser des larmes de crocodile

crocus ['krəʊkəs] *n* crocus *m*

croissant ['krwɑːsɒŋ] *n* croissant *m*

crony ['krəʊnɪ] *n* pote *m*, copain(copine) *m(f)*

crook [krʊk] **I** *n* **1.** (*dishonest person*) filou *m*, escroc *m* **2.** (*of shepherd*) houlette *f* **II** *v/t finger* recourber; *arm* plier **crooked** ['krʊkɪd] *adj* courbé, tordu; *smile* en coin; *person* malhonnête **crookedly** ['krʊkɪdlɪ] *adv* de travers

croon [kruːn] *v/t & v/i* chantonner, fredonner **crooner** ['kruːnər] *n* chanteur (-euse) *m(f)* de charme

crop [krɒp] **I** *n* **1.** (*produce*) récolte *f*; (*species grown*) culture *f* (*fig large number*) tonne *f*; ***a good ~ of potatoes*** une bonne récolte de pommes de terre; ***to bring the ~s in*** rentrer les récoltes; ***a ~ of problems*** *infml* une tonne de problèmes **2.** (*of bird*) jabot *m* **3.** (*hunting crop*) cravache *f* **II** *v/t hair* couper ras; ***the goat ~ped the grass*** la chèvre a brouté l'herbe; ***~ped hair*** des cheveux coupés court ◆ **crop up** *v/i* survenir, surgir; ***something's cropped up*** il y a un contretemps

cropper ['krɒpər] *n* (*Br infml*) ***to come a ~*** (*lit fall*) se casser la figure *infml*; (*fig fail*) se planter *infml*

crop top *n* FASHION top *m* court, brassière *f*

croquet ['krəʊkeɪ] *n* croquet *m*

croquette [krəʊ'ket] *n* croquette *f*

cross¹ [krɒs] **I** *n* **1.** croix *f*; ***to make the sign of the Cross*** faire le signe de (la) croix; ***we all have our ~ to bear*** chacun porte sa croix **2.** (*hybrid*) croisement *m*; *fig* mélange *m*; ***a ~ between a laugh and a bark*** quelque chose entre un rire et un aboiement **3.** FTBL centre *m*; *in boxing* coup *m* croisé **II** *attr street, line etc.* transversal **III** *v/t* **1.** *road, river, mountains, country, room* traverser; *picket line etc.* franchir; ***to ~ sb's path*** *fig* croiser le chemin de qn; ***it ~ed my mind that …*** il m'est venu à l'esprit que…; ***we'll ~ that bridge when we come to it*** nous nous occuperons de ce problème en temps voulu **2.** (*intersect, create hybrids of*) croiser; ***to ~ one's legs*** croiser les jambes; ***to ~ one's arms*** croiser les bras; ***I'm keeping my fingers ~ed (for you)*** *infml* je croise les doigts (pour toi) **3.** *letter, t* mettre une barre à; ***a ~ed cheque*** *Br* un chèque barré; ***to ~ sth through*** barrer qc **4.** ***to ~ oneself*** se signer **5.** (*go against*) ***to ~ sb*** contrarier qn, contrecarrer qn **IV** *v/i* **1.** (*across road*) traverser; (*across ocean*) faire la traversée **2.** (*paths, letters*) se croiser; ***our paths have ~ed several times*** *fig* nos chemins se sont croisés plusieurs fois ◆ **cross off** *v/t sep item* barrer, rayer ◆ **cross out** *v/t sep* barrer, rayer ◆ **cross over** *v/i* **1.** (*cross the road*) traverser **2.** (*change sides*) passer (***to*** à)

cross² *adj* ⟨**+er**⟩ en colère; ***to be ~ with sb*** être fâché contre qn
crossbar *n* (*of bicycle*) barre *f*; SPORTS barre *f* transversale **cross-border** *adj* COMM transfrontalier(-ière) **crossbow** *n* arbalète *f* **crossbreed** **I** *n* hybride *m* **II** *v/t* croiser **cross-Channel** *adj attr* transmanche **crosscheck** *v/t* vérifier par recoupement **cross-country** **I** *adj* ***~ skiing*** ski de fond **II** *adv* à travers champs **III** *n* (*race*) cross-country *m*, cross *m* **cross-dress** *v/i* se travestir **cross-dresser** *n* travesti(e) *m*(*f*) **cross-dressing** *n* travestisme *m*, transvestisme *m* **cross-examination** *n* contre-interrogatoire *m* (***of*** de) **cross-examine** *v/t* faire subir un contre-interrogatoire à **cross-eyed** *adj* qui louche; ***to be ~*** loucher **cross-fertilization** *n no pl* BOT croisement *m* **cross-fertilize** *v/t* BOT croiser **crossfire** *n* feux *mpl* croisés; ***to be caught in the ~*** être pris entre deux feux
crossing [ˈkrɒsɪŋ] *n* **1.** (*act*) franchissement *m*; (*ocean crossing*) traversée *f* **2.** (*crossing place*) passage *m* pour piétons; (*crossroads*) carrefour *m*
cross-legged [ˌkrɒsˈleg(ɪ)d] *adj*, *adv* (*on ground*) en tailleur **crossly** [ˈkrɒslɪ] *adv* d'un air fâché **cross-party** *adj* POL *talks* entre partis; *support* au-delà des clivages politiques **cross-purposes** *pl* ***to be*** *or* ***talk at ~*** ne pas parler de la même chose **cross-refer** *v/t* renvoyer (***to*** à) **cross-reference** *n* renvoi *m* (***to*** à)
crossroads *n sg or pl lit* carrefour *m*; *fig* tournant *m* décisif **cross section** *n* échantillon *m*; ***a ~ of the population*** un échantillon de la population **cross-stitch** *n* SEWING point *m* de croix **cross-town** *adj US* qui traverse la ville **crosswalk** *n US* passage *m* pour piétons **crossways, crosswise** *adv* *shaped like a cross* en croix; *across, diagonally* en travers **crossword (puzzle)** *n* mots *mpl* croisés
crotch [krɒtʃ] *n* (*of trousers*) ANAT entrejambe *m*
crotchet [ˈkrɒtʃɪt] *n* (*Br* MUS) noire *f*; ***~ rest*** soupir
crotchety [ˈkrɒtʃɪtɪ] *adj infml* grognon(ne) *infml*
crouch [kraʊtʃ] *v/i* s'accroupir; ***to ~ down*** s'accroupir
croupier [ˈkruːpɪeɪ] *n* croupier *m*
crouton [ˈkruːtɒn] *n* croûton *m*
crow¹ [krəʊ] *n* ORN corbeau *m*; ***as the ~ flies*** à vol d'oiseau
crow² **I** *n* (*of rooster*) chant *m* du coq **II** *v/i* **1.** (*rooster*) chanter **2.** (*fig boast*) se vanter; (*exult*) exulter
crowbar [ˈkrəʊbɑːʳ] *n* pied-de-biche *m*
crowd [kraʊd] **I** *n* **1.** foule *f*; SPORTS, THEAT public *m*; ***to get lost in the ~(s)*** se perdre dans la foule; ***~s of people*** une foule de gens; ***there was quite a ~*** il y avait beaucoup de monde; ***there was a whole ~ of us*** nous étions toute une bande *infml* **2.** (*clique*) bande *f*; ***the university ~*** la bande de la fac; ***the usual ~*** la bande habituelle **3.** *no pl* ***to follow the ~*** suivre le mouvement; ***she hates to be just one of the ~*** elle déteste faire simplement comme tout le monde **II** *v/i* se presser; ***to ~ around*** s'attrouper; ***to ~ around sb / sth*** se presser autour de qn / qc **III** *v/t* ***to ~ the streets*** se presser dans les rues
◆ **crowd out** *v/t sep* ***the bar was crowded out*** le bar était bondé
crowded [ˈkraʊdɪd] *adj* **1.** *train etc.* bondé; ***the streets / stores are ~*** il y a un monde fou dans les rues / les magasins; ***~ with people*** plein de monde **2.** *city* surpeuplé **crowd pleaser** [ˈkraʊdpliːzəʳ] *n* ***to be a ~*** plaire aux foules **crowd puller** [ˈkraʊdpʊləʳ] *n* ***to be a ~*** attirer les foules
crown [kraʊn] **I** *n* **1.** couronne *f*; ***to be heir to the ~*** être l'héritier du trône **2.** (*of head, hill*) sommet *m* **II** *v/t* couronner; ***he was ~ed king*** il a été couronné roi **crown court** *n* ≈ Cour *f* d'assises **crowning** [ˈkraʊnɪŋ] *adj* ***that symphony was his ~ glory*** cette symphonie fut son plus grand triomphe **crown jewels** *pl* joyaux *mpl* de la Couronne **crown prince** *n* prince *m* héritier **crown princess** *n heir to throne* princesse *f* héritière; *wife of crown prince* princesse *f* royale
crow's feet *pl* pattes *fpl* d'oie **crow's nest** *n* NAUT nid-de-pie *m*
crucial [ˈkruːʃəl] *adj* (*decisive*) crucial (***to*** pour) **crucially** [ˈkruːʃəlɪ] *adv* fondamentalement; ***~ important*** d'une importance cruciale
crucible [ˈkruːsɪbl] *n* creuset *m*
crucifix [ˈkruːsɪfɪks] *n* crucifix *m* **crucifixion** [ˌkruːsɪˈfɪkʃən] *n* crucifixion *f*
crucify [ˈkruːsɪfaɪ] *v/t* **1.** *lit* crucifier

2. *fig*, *infml person* descendre en flammes *infml*, démolir

crude [kruːd] **I** *adj* ⟨**+er**⟩ **1.** (*unprocessed*) brut **2.** (*vulgar*) grossier(-ière) **3.** (*unsophisticated*) rudimentaire; *sketch*, *attempt* grossier(-ière) **II** *n* brut *m* **crudely** [ˈkruːdlɪ] *adv* **1.** (*vulgarly*) grossièrement **2.** (*unsophisticatedly*) sommairement; *behave* grossièrement; ***to put it ~*** pour être tout à fait franc **crudeness** [ˈkruːdnɪs], **crudity** *n* **1.** (*vulgarity*) grossièreté *f* **2.** (*lack of sophistication*) caractère *m* rudimentaire **crude oil** *n* brut *m*

crudités [ˈkruːdɪteɪz] *pl* crudités *fpl*

cruel [ˈkrʊəl] *adj* cruel(le) (***to*** avec); ***to be ~ to animals*** être cruel avec les animaux; ***to be ~ to one's dog*** être cruel avec son chien; ***don't be ~!*** ne sois pas cruel! **cruelly** [ˈkrʊəlɪ] *adv* cruellement **cruelty** [ˈkrʊəltɪ] *n* cruauté *f* (***to*** envers); ***~ to children*** sévices *mpl* sur enfants; ***~ to animals*** la cruauté envers les animaux **cruelty-free** *adj cosmetics* non testé sur les animaux

cruet [ˈkruːɪt] *n* service *m* à condiments

cruise [kruːz] **I** *v/i* **1.** (*car*) rouler; ***we were cruising along the road*** nous roulions tranquillement; ***we are now cruising at a height of …*** nous volons maintenant à notre vitesse de croisière à une altitude de… **2.** *fig* ***to ~ to victory*** voler vers la victoire **II** *v/t* (*ship*) croiser dans; (*car*) *streets*, *area* rouler dans **III** *n* croisière *f*; ***to go on a ~*** faire une croisière **cruise missile** *n* missile *m* de croisière **cruiser** [ˈkruːzəʳ] *n* NAUT croiseur *m*; (*pleasure cruiser*) petit bateau *m* de croisière

crumb [krʌm] *n* miette *f*; ***that's one ~ of comfort*** une petite consolation **crumble** [ˈkrʌmbl] **I** *v/t* émietter; ***to ~ sth into / onto sth*** émietter qc dans / sur qc **II** *v/i* (*brick*, *cake etc.*) s'effriter; (*earth*) s'ébouler; (*building*) tomber en ruines; (*fig: resistance*) s'effriter **III** *n* (*Br* COOK) crumble *m*; ***rhubarb ~*** crumble à la rhubarbe **crumbly** [ˈkrʌmblɪ] *adj* ⟨**+er**⟩ *stone*, *earth*, *cake* friable

crummy [ˈkrʌmɪ] *adj* ⟨**+er**⟩ *infml* minable *infml*

crumpet [ˈkrʌmpɪt] *n* COOK petite crêpe *f* épaisse (*qui se mange chaude avec du beurre*)

crumple [ˈkrʌmpl] **I** *v/t* (*a.* **crumple up** *crease*) chiffonner, froisser; (*screw up*) faire une boule de; *metal* froisser **II** *v/i* (*person*) s'écrouler; (*metal*) se froisser

crunch [krʌntʃ] **I** *v/t* **1.** *cookie etc.* croquer *infml*; ***he ~ed the snow underfoot*** il faisait crisser la neige sous ses pas; ***to ~ the gears*** AUTO faire craquer les vitesses *infml* **2.** IT traiter à grande vitesse **II** *v/i* (*gravel etc.*) crisser; ***he ~ed across the gravel*** le gravier crissait sous ses pas; ***he was ~ing on a carrot*** il croquait une carotte *infml* **III** *n* **1.** (*sound*) craquement *m*; (*of gravel etc.*) crissement *m* **2.** *infml* ***the ~*** le moment critique; ***when it comes to the ~*** au moment critique **3.** SPORTS ***~ machine*** appareil pour abdominaux; **crunches** *pl* abdominaux *mpl* **crunchy** [ˈkrʌntʃɪ] *adj* ⟨**+er**⟩ *apple*, *biscuit* croquant

crusade [kruːˈseɪd] **I** *n* croisade *f* **II** *v/i* partir en croisade **crusader** [kruːˈseɪdəʳ] *n* HIST croisé *m*; *fig* militant(e) *m*(*f*)

crush [krʌʃ] **I** *n* **1.** (*crowd*) foule *f*, cohue *f*; ***it'll be a bit of a ~*** ça va être la cohue **2.** *infml* ***to have a ~ on sb*** craquer pour qn *infml*; **schoolgirl ~** passade d'adolescente **3.** (*drink*) jus *m* de fruits (*pressé*) **II** *v/t* **1.**; (*damage*, *kill*) écraser; *garlic* presser; *ice* piler; *metal*, *clothes*, *paper* froisser; ***I was ~ed between two enormous men in the plane*** dans l'avion, j'étais assise entre deux hommes énormes qui m'écrasaient; ***to ~ sb into sth*** tasser qn dans qc; ***to ~ sth into sth*** entasser qc dans qc **2.** *fig*; *enemy*, *opposition* écraser **crushing** [ˈkrʌʃɪŋ] *adj defeat* écrasant; *blow* terrible

crust [krʌst] *n* croûte *f*; ***the earth's ~*** l'écorce *f* terrestre; ***to earn a ~*** *Br infml* gagner sa croûte *infml*

crustacean [krʌsˈteɪʃən] *n* crustacé *m*

crusty [ˈkrʌstɪ] *adj* ⟨**+er**⟩ *bread* croustillant

crutch [krʌtʃ] *n* **1.** (*for walking*) béquille *f* **2.** = **crotch**

crux [krʌks] *n* point *m* essentiel

cry [kraɪ] **I** *n* **1.** (*call*, *etc.*) cri *m*; ***to give a ~*** pousser un cri; ***a ~ of pain*** un cri de douleur; ***a ~ for help*** un appel au secours; ***he gave a ~ for help*** il a crié au secours **2.** (*weep*) ***to have a good ~*** pleurer un bon coup **II** *v/i* **1.** (*weep*) pleurer; ***she was ~ing for her teddy bear*** elle pleurait parce qu'elle voulait son nounours **2.** (*call*) crier, pousser un cri; ***to ~ for help*** lancer un appel au secours **III** *v/t* **1.** (*shout out*) crier **2.** (*weep*) pleurer; ***to ~ one's eyes out*** pleurer toutes les larmes de son corps; ***to ~ oneself to sleep*** s'endormir en pleurant ◆ **cry off** *v/i Br* se décommander ◆ **cry out** *v/i* **1.** pousser un cri; ***to ~ to sb*** appeler qn; ***well, for crying out loud!*** *infml* c'est pas possible! *infml* **2.** *fig* ***to be crying out for sth*** réclamer qc

> **cry**
>
> **Cry** = pleurer. Le sens de pousser un cri est légèrement vieilli en anglais, sauf dans les verbes à particule comme **cry out** :
>
> **I cried for days when John Lennon was killed. She cried out in pain when she twisted her ankle.**
>
> J'ai pleuré pendant des journées entières quand John Lennon est mort. Elle a poussé un cri de douleur en se tordant la cheville.

crybaby ['kraɪbeɪbɪ] *n infml* pleurnichard(e) *m(f) infml* **crying** ['kraɪɪŋ] **I** *adj fig* ***it is a ~ shame*** c'est un scandale **II** *n* (*weeping*) pleurs *mpl*

crypt [krɪpt] *n* (*a. burial crypt*) crypte *f*

cryptic ['krɪptɪk] *adj remark etc* énigmatique; *clue etc* crypté **cryptically** ['krɪptɪkəlɪ] *adv* de manière énigmatique

crystal ['krɪstl] **I** *n* cristal *m* **II** *adj* de cristal **crystal ball** *n* boule *f* de cristal **crystal-clear** *adj* clair comme de l'eau de roche **crystallize** ['krɪstəlaɪz] *v/i lit, fig* (se) cristalliser **crystallized** *adj fruit* confit

CS gas *n* gaz *m* lacrymogène

CST *abbr* = **Central Standard Time**

ct 1. *abbr* = **cent 2.** *abbr* = **carat**

cub [kʌb] *n* **1.** (*of animal*) petit *m* **2. *Cub*** (*Cub Scout*) louveteau *m*

Cuba ['kju:bə] *n* Cuba *f* **Cuban I** *adj* cubain **II** *n* Cubain(e) *m(f)*

cubbyhole ['kʌbɪhəʊl] *n* cagibi *m infml*

cube [kju:b] **I** *n* **1.** *also* MATH cube *m* **II** *v/t* MATH élever au cube; ***four ~d*** quatre puissance trois **cube root** *n* racine *f* cubique **cube sugar** *n* sucre *m* en morceaux **cubic** ['kju:bɪk] *adj* cubique; ***~ meter*** mètre cube **cubic capacity** *n* volume *m*; (*of engine*) cylindrée *f*

cubicle ['kju:bɪkəl] *n* (*in hospital, dormitory*) box *m*; (*changing room*) cabine *f*

cubism ['kju:bɪzəm] *n* cubisme *m* **cubist** ['kju:bɪst] **I** *n* cubiste *m/f* **II** *adj* cubiste

Cub Scout *n* louveteau *m*

cuckoo ['kʊku:] *n* coucou *m* **cuckoo clock** *n* coucou *m*

cucumber ['kju:kʌmbəʳ] *n* concombre *m*; ***as cool as a ~*** parfaitement calme

cud [kʌd] *n* ***to chew the ~*** *lit* ruminer

cuddle ['kʌdl] **I** *n* câlin *m*; ***to give sb a ~*** faire un câlin à qn; ***to have a ~*** se faire un câlin **II** *v/t* câliner **III** *v/i* se faire un câlin ◆ **cuddle up** *v/i* se pelotonner, se blottir (***to, against*** contre); ***to ~ in bed*** se blottir dans son lit

cuddly ['kʌdlɪ] *adj* ⟨**+er**⟩ mignon(ne) à croquer *infml* **cuddly toy** *n* peluche *f infml*

cudgel ['kʌdʒəl] *n* gourdin *m*

cue [kju:] *n* **1.** THEAT réplique *f*; (FILM, TV, *fig*) signal *m*; MUS signal *m* d'entrée; ***to take one's ~ from sb*** prendre exemple sur qn **2.** BILLIARDS queue *f* **cue ball** *n* bille *f* de joueur

cuff[1] [kʌf] *n* **1.** poignet *m* (*d'un vêtement*); ***off the ~*** au pied levé **2.** (*US: of pants*) revers *m*

cuff[2] *v/t* (*strike*) donner une petite tape à

cuff link *n* bouton *m* de manchette

cuisine [kwɪ'zi:n] *n* cuisine *f*

cul-de-sac ['kʌldəsæk] *n* cul-de-sac *m*, impasse *f*

culinary ['kʌlɪnərɪ] *adj* culinaire

cull [kʌl] **I** *n* abattage *m* (*d'animaux d'un troupeau*) **II** *v/t* (*kill as surplus*) abattre (*une partie d'un troupeau pour en réduire la taille*)

culminate ['kʌlmɪneɪt] *v/i fig* (*climax*) aboutir (***in*** à); (*end*) se terminer (***in*** en) **culmination** [ˌkʌlmɪ'neɪʃən] *n fig* (*high point*) point *m* culminant

culottes [kju:'lɒts] *pl* jupe-culotte *f*; ***a pair of ~*** une jupe-culotte

culpability [ˌkʌlpə'bɪlɪtɪ] *n form* culpabilité *f* **culpable** ['kʌlpəbl] *adj form* coupable **culprit** ['kʌlprɪt] *n* (*a.* JUR) coupable *m(f)*; *infml* (*person causing trouble*) responsable *m/f*

cult [kʌlt] **I** *n* (REL, *fig*) culte *m* **II** *attr* culte

cultivate ['kʌltɪveɪt] *v/t lit, fig* cultiver

cultivated *adj* (AGR, *fig*) cultivé **cultivation** [ˌkʌltɪˈveɪʃən] *n* **1.** *lit* (*of crop etc.*) culture *f* **2.** (*fig: of links etc.*) entretien *m* (**of** de) **cultivator** [ˈkʌltɪveɪtəʳ] *n* (*machine*) motoculteur *m*

cult movie *n* film *m* culte

cultural [ˈkʌltʃərəl] *adj similarities, events, etc.* culturel(le); **~ *differences*** différences culturelles **culturally** [ˈkʌltʃərəlɪ] *adv* culturellement

culture [ˈkʌltʃəʳ] *n* culture *f*; (*of animals*) élevage *m*; ***a man of ~/of no ~*** un homme cultivé / inculte; ***to study French ~*** étudier la culture française **cultured** *adj* cultivé **culture shock** *n* choc *m* culturel

cum [kʌm] *prep* avec; ***a sort of sofa-~-bed*** une sorte de canapé-lit

cumbersome [ˈkʌmbəsəm] *adj clothing* encombrant; *style, procedure* lourd

cumin [ˈkʌmɪn] *n* cumin *m*

cumulative [ˈkjuːmjʊlətɪv] *adj* cumulatif(-ive) **cumulative interest** *n* FIN intérêts *mpl* cumulés **cumulatively** [ˈkjuːmjʊlətɪvlɪ] *adv* de façon cumulée

cunnilingus [ˌkʌnɪˈlɪŋgəs] *n* cunnilingus *m*

cunning [ˈkʌnɪŋ] **I** *n* ruse *f* **II** *adj plan, person* rusé; *expression* fourbe **cunningly** [ˈkʌnɪŋlɪ] *adv* avec ruse; ***a ~ designed little gadget*** un petit gadget astucieusement conçu

cunt [kʌnt] *n vulg* (*vagina*) con *m vulg*; (*term of abuse*) enculé *m vulg*, salope *f vulg*

cup [kʌp] **I** *n* tasse *f*; (*goblet, sports cup*) coupe *f*; (*mug*) grande tasse *f*; (COOK, *standard measure*) tasse *f*; ***a ~ of tea*** une tasse de thé; ***that's not my ~ of tea*** *fig, infml* ce n'est pas ma tasse de thé; ***they're out of the Cup*** ils se sont fait sortir de la Coupe **II** *v/t hands* mettre en cornet; ***to ~ one's hand to one's ear*** mettre sa main en cornet

cupboard [ˈkʌbəd] *n* placard *m* **cupcake** *n* petit cake *m* individuel **Cup Final** *n* finale *f* de la Coupe **cupful** *n* ⟨*pl* **cupsful, cupfuls**⟩ tasse *f*

cupid [ˈkjuːpɪd] *n* chérubin *m*; ***Cupid*** Cupidon *m*

cupola [ˈkjuːpələ] *n* ARCH coupole *f*, dôme *m*

cuppa [ˈkʌpə] *n* (*Br infml*) tasse *f* de thé

cup size *n* (*of bra*) profondeur *f* de bonnet **cup tie** *n Br* match *m* de Coupe

curable [ˈkjʊərəbl] *adj* guérissable

curate [ˈkjʊərɪt] *n* vicaire *m*

curator [kjʊəˈreɪtəʳ] *n* (*of museum etc.*) conservateur(-trice) *m(f)*

curb [kɜːb] **I** *n* **1.** *fig* frein *m*; ***to put a ~ on sth*** mettre un frein à qc **2.** (*esp US edge of sidewalk*) bord *m* du trottoir **II** *v/t fig* freiner; *spending, immigration* restreindre **curb crawler** *n personne qui conduit lentement à la recherche de prostituées* **curb crawling** *n fait de conduire lentement à la recherche de prostituées* **curbside** *adj US* en bord du trottoir; ***~ parking*** (*short-term parking*) stationnement de courte durée

curd [kɜːd] *n* (*often pl*) lait *m* caillé **curd cheese** *n* fromage *m* blanc égoutté

curdle [ˈkɜːdl] **I** *v/t milk* faire cailler; *sauce* faire tourner **II** *v/i milk* cailler; *sauce* tourner; ***his blood ~d*** ça lui a glacé le sang

cure [kjʊəʳ] **I** *v/t* **1.** MED guérir; ***to be ~d*** (***of sth***) être guéri de qc **2.** *fig inflation etc.* éliminer, remédier à; ***to ~ sb of sth*** guérir qn de qc **3.** (*salt*) saler; (*smoke*) fumer; (*dry*) sécher **II** *v/i* (*food*) ***it is left to ~*** (*to salt*) on le sale; (*to smoke*) on le fume; (*to dry*) on le sèche **III** *n* MED (*remedy*) remède *m* (**for** contre); (*treatment*) traitement *m* (**for sth** contre qc); (*health cure*) cure *f*; (*fig remedy*) remède *m* (**for** à); ***there's no ~ for that*** *lit* il n'y a pas de remède (contre ça); *fig* il n'y a pas de solution (à ça) **cure-all** [ˈkjʊərɔːl] *n* panacée *f*

curfew [ˈkɜːfjuː] *n* couvre-feu *m*; ***to be under ~*** *fig* avoir une permission de sortie limitée (*jusqu'à une certaine heure*)

curio [ˈkjʊərɪəʊ] *n* curiosité *f* **curiosity** [ˌkjʊərɪˈɒsɪtɪ] *n no pl* (*inquisitiveness, for knowledge*) curiosité *f*; ***out of*** *or* ***from ~*** par curiosité

curious [ˈkjʊərɪəs] *adj* **1.** (*inquisitive*) curieux(-euse); ***I'm ~ to know what he'll do*** je suis curieux de savoir ce qu'il va faire; ***I'm ~ to know how he did it*** je serais curieux de savoir comment il a fait; ***why do you ask? — I'm just ~*** pourquoi me demandes-tu ça? — par simple curiosité **2.** (*odd*) curieux(-euse), étrange; ***how ~!*** c'est vraiment curieux! **curiously** [ˈkjʊərɪəslɪ] *adv* **1.** (*inquisitively*) avec curiosité **2.** (*oddly*) curieusement; ***~ (enough), he didn't object*** curieusement, il n'a pas fait d'objection

curl [kɜːl] **I** *n* (*of hair*) boucle *f* (de cheveux) **II** *v/t hair* (faire) boucler; (*in tight curls*) friser; *edges* recourber **III** *v/i* (*hair*) boucler; (*tightly*) friser; (*paper*) se recroqueviller, se recourber ◆ **curl up I** *v/i* (*animal, person*) se pelotonner; (*paper*) se recourber, se recroqueviller; ***to ~ in bed*** se pelotonner dans son lit; ***to ~ with a good book*** se pelotonner avec un bon livre **II** *v/t sep* enrouler; *edges* recourber; ***to curl oneself / itself up*** se pelotonner

curler ['kɜːləʳ] *n* (*hair curler*) bigoudi *m*; ***to put one's ~s in*** se mettre des bigoudis; ***my hair was in ~s*** j'étais en bigoudis

curlew ['kɜːljuː] *n* courlis *m*

curling ['kɜːlɪŋ] *n* SPORTS curling *m* **curling iron**, *Br* **curling tongs** *pl* fer *m* à friser **curly** ['kɜːlɪ] *adj* ⟨**+er**⟩ *hair* bouclé; (*tighter*) frisé; *tail* en tire-bouchon **curly-haired** ['kɜːlɪ'hɛəd] *adj* aux cheveux bouclés; (*tighter*) aux cheveux frisés

currant ['kʌrənt] *n* **1.** (*dried fruit*) raisin *m* de Corinthe **2.** BOT groseille *f*; ***~ bush*** groseillier **currant bun** *n* petit pain *m* aux raisins

currency ['kʌrənsɪ] *n* **1.** FIN monnaie *f*; ***foreign ~*** devise **2.** ***to gain ~*** se répandre **currency market** *n* marché *m* monétaire

current ['kʌrənt] **I** *adj* (*present*) *policy* actuel(le); *price* courant; *research, month etc.* en cours; *edition* dernier (-ière); *opinion* courant; ***~ affairs*** l'actualité; ***in ~ use*** d'usage courant **II** *n* **1.** (*of water, air*) courant *m* ***with the ~*** en suivant le courant; ***against the ~*** à contre-courant **2.** ELEC courant *m* **3.** (*fig: of events etc.*) courant *m*, tendance *f* **current account** *n* compte *m* courant **current assets** *pl* actif *m* de roulement **current capital** *n US* fonds *m* de roulement **current expenses** *pl* dépenses *fpl* courantes **currently** ['kʌrəntlɪ] *adv* actuellement

curricula [kə'rɪkjʊlə] *pl* = **curriculum** **curricular** [kə'rɪkjʊləʳ] *adj* au programme **curriculum** [kə'rɪkjʊləm] *n* ⟨*pl* **curricula**⟩ programme *m*; ***to be on the ~*** être au programme **curriculum vitae** [kə'rɪkjʊləm'viːtaɪ] *n Br* curriculum *m* vitae

curry[1] ['kʌrɪ] COOK *n* (*spice, dish*) curry *m*; ***~ sauce*** sauce au curry

curry[2] *v/t* ***to ~ favor*** (***with sb***) s'insinuer dans les bonnes grâces (de qn)

curry powder *n* curry *m*

curse [kɜːs] **I** *n* malédiction *f*; (*infml nuisance*) fléau *m*; ***the ~ of drunkenness*** le fléau de l'alcoolisme; ***to be under a ~*** être victime d'une malédiction; ***to put sb under a ~*** jeter un sort à qn **II** *v/t* **1.** (*put a curse on*) maudire; ***~ you / it!*** *infml* saleté! *infml*; ***where is he now, ~ him!*** *infml* où est-il passé, ce salaud! *infml* **2.** (*swear at or about*) injurier **3.** *fig* ***to be ~d with sb / sth*** être affligé de qn / qc **III** *v/i* jurer **cursed** ['kɜːsɪd] *adj infml* sacré *infml*, fichu *infml*

cursor ['kɜːsəʳ] *n* IT curseur *m*

cursorily ['kɜːsərɪlɪ] *adv* superficiellement **cursory** ['kɜːsərɪ] *adj* superficiel(le)

curt [kɜːt] *adj* ⟨**+er**⟩ *person, letter, refusal* sec(sèche), abrupt; ***to be ~ with sb*** se montrer sec envers qn

curtail [kɜː'teɪl] *v/t* écourter

curtain ['kɜːtn] *n* rideau *m*; (*net curtain*) voilage *m*; ***to draw** or **pull the ~s*** (*open*) ouvrir les rideaux; (*close*) fermer les rideaux; ***the ~ rises / falls*** le rideau se lève / tombe ◆ **curtain off** *v/t sep* séparer par un rideau

curtain call *n* THEAT rappel *m*; ***to take a ~*** être rappelé **curtain hook** *n* crochet *m* de rideau **curtain pole** *n* tringle *f* à rideaux **curtain rail** *n* tringle *f* à rideaux **curtain ring** *n* anneau *m* de rideau

curtly ['kɜːtlɪ] *adv reply, refuse* sèchement

curtsy, curtsey ['kɜːtsɪ] **I** *n* révérence *f* **II** *v/i* faire la révérence (**to** à)

curvaceous [kɜː'veɪʃəs] *adj* pulpeux (-euse) **curvature** ['kɜːvətʃəʳ] *n* courbure *f*; (*misshapen*) déviation *f*; ***~ of the spine*** (*normal*) courbure de la colonne vertébrale; (*abnormal*) déviation de la colonne vertébrale **curve** [kɜːv] **I** *n* (*of body, vase, river, etc.*) courbe *f*; ***there's a ~ in the road*** la route fait un virage **II** *v/t* courber **III** *v/i* **1.** (*line, road*) s'incurver; (*river*) serpenter **2.** (*be curved*) se courber **curved** [kɜːvd] *adj line, surface* courbe

cushion ['kʊʃən] **I** *n* coussin *m*; (*pad, fig buffer*) tampon *m*; ***~ cover*** housse de coussin **II** *v/t fall, blow* amortir

cushy ['kʊʃɪ] *adj* ⟨**+er**⟩ *infml* peinard; ***a ~ job*** un boulot peinard

cusp [kʌsp] *n* ***on the ~ of*** *fig* à la frontière de

cussword ['kʌswɜːd] *n* (*US infml*) juron *m*

custard ['kʌstəd] *n* (*firm custard*) crème *f* renversée; (*esp Br sauce*) crème *f* anglaise

custodial [kʌs'təʊdɪəl] *adj form* ***~ sentence*** peine de prison **custodian** [kʌs'təʊdɪən] *n* (*of museum*) conservateur (-trice) *m*(*f*); (*of treasure*) gardien(ne) *m*(*f*) **custody** ['kʌstədɪ] *n* **1.** (*keeping*) garde *f*; (JUR, *of children*) garde *f* (**of** de); (*guardianship*) tutelle *f* (**of** de); ***to put*** *or* ***place sth in sb's ~*** confier la garde de qc à qn; ***the mother was awarded ~ of the children after the divorce*** après le divorce, la mère a obtenu la garde des enfants **2.** (*police detention*) garde *f* à vue; ***to take sb into ~*** placer qn en garde à vue

custom ['kʌstəm] **I** *n* **1.** (*convention*) usage *m* **2.** (*habit*) coutume *f*; ***it was his ~ to rest each afternoon*** il avait coutume de se reposer l'après-midi **3.** *no pl* COMM clientèle *f*; ***to take one's ~ elsewhere*** aller se fournir ailleurs **4. customs** *pl* douane *f*; ***to go through ~s*** passer la douane **II** *adj US suit* sur mesure; *carpenter* qui travaille sur mesure **customarily** ['kʌstəmərəlɪ] *adv* d'habitude **customary** ['kʌstəmərɪ] *adj* (*conventional*) coutumier(-ière); (*habitual*) habituel(le); ***it's ~ to wear a tie*** il est d'usage de porter une cravate

custom-built ['kʌstəm'bɪlt] *adj* fabriqué sur commande

customer ['kʌstəmə^r] *n* **1.** COMM client(e) *m*(*f*); ***our ~s*** nos clients, notre clientèle **2.** *infml* (*male*) type *m infml*; (*female*) nana *f infml* **customer service(s)** *n* service *m* clientèle; ***~ department*** service clientèle

customize ['kʌstəmaɪz] *v/t* personnaliser **custom-made** ['kʌstəmmeɪd] *adj clothes* sur mesure; *furniture*, *car* fabriqué sur commande

customs authorities *pl* autorités *fpl* douanières **customs declaration** *n* déclaration *f* en douane **customs officer** *n* douanier(-ière) *m*(*f*)

cut [kʌt] *vb* ⟨*past*, *past part* **cut**⟩ **I** *n* **1.** coupure *f*; (*wound*) entaille *f*; ***to make a ~ in sth*** faire une entaille dans qc; ***his hair could do with a ~*** ses cheveux auraient besoin d'être coupés; ***it's a ~ above the rest*** c'est nettement mieux que le reste; ***the ~ and thrust of politics*** *Br* la politique et ses luttes féroces **2.** (*in prices*, *salaries*, *expenditure*) réduction *f*; (*in text*, *film etc.*) coupure *f*; (*in working hours*, *production*) diminution *f*; ***a ~ in taxes*** une réduction des impôts; ***a 1% ~ in interest rates*** une réduction de 1 % des taux d'intérêt; ***he had to take a ~ in salary*** il a dû subir une diminution de salaire **3.** (*of meat*) morceau *m* **4.** (*share*, *infml*) part *f*; ***to take one's ~*** prendre sa part **5.** ELEC ***power/ electricity ~*** coupure de courant **II** *adj* coupé; ***to have a ~ lip*** avoir la lèvre fendue; ***~ flowers*** fleurs coupées **III** *v/t* **1.** (*make cut in*) *cake*, *rope*, *grass* couper; ***to ~ one's finger/nails*** se couper le doigt/les ongles; ***to ~ oneself*** (***shaving***) se couper (en se rasant); ***to ~ sth in half/three*** couper qc en deux/trois; ***to ~ a hole in sth*** creuser un trou dans qc; ***to ~ to pieces*** couper en morceaux; ***to ~ open*** ouvrir; ***he ~ his head open*** il s'est ouvert la tête; ***to have*** *or* ***get one's hair ~*** se faire couper les cheveux; ***to ~ sb loose*** libérer qn **2.** (*shape*) *glass*, *diamond*, *key* tailler; *fabric* couper **3.** *ties*, *links* couper **4.** *prices* réduire, baisser; *working hours*, *expenses*, *salary*, *production* diminuer, réduire; *film* raccourcir **5.** *part of text*, *film* couper, supprimer; ***to ~ and paste text*** IT couper-coller du texte **6.** CARD ***to ~ the cards/the pack*** couper les cartes/le jeu **7.** *engine* couper **8.** (*set structures*) ***to ~ sb short*** couper la parole à qn; ***to ~ sth short*** écourter qc; ***to ~ a long story short*** bref, en deux mots; ***to ~ sb dead*** faire semblant de ne pas voir qn; ***to ~ a tooth*** percer une dent; ***aren't you ~ting it a bit close?*** vous ne pensez pas que ça fait un peu juste?; ***to ~ one's losses*** sauver les meubles **IV** *v/i* **1.** (*knife*, *scissors*) couper; ***to ~ loose*** *fig* se libérer; ***to ~ both ways*** *fig* être à double tranchant; ***to ~ and run*** se défiler *infml* **2.** (*stop filming*) couper; ***~!*** coupez! ◆ **cut across** *v/t insep* **1.** *lit* traverser; ***if you ~ the fields*** si tu coupes à travers champs **2.** *fig* ***this problem cuts across all ages*** c'est un problème qui concerne toutes les générations ◆ **cut back I** *v/i* **1.** (*go back*) rebrousser chemin; FILM revenir en arrière **2.** (*reduce expenditure etc.*) réduire les dépenses, faire des économies; ***to ~ on expenses*** *etc.* réduire les dépenses *etc.*; ***to ~ on smoking*** réduire sa consommation de cigarettes, fumer moins; ***to ~ on candy*** manger moins de bonbons **II** *v/t sep* **1.** *plants* tailler **2.** *production, outgoings* réduire ◆ **cut down I** *v/t sep* **1.** *tree* abattre **2.** *number, expenses* réduire; *text* réduire (***to*** à); ***to cut sb down to size*** remettre qn à sa place **II** *v/i* ***to ~ on sth*** réduire qc; ***to ~ on candy*** manger moins de bonbons ◆ **cut in** *v/i* **1.** (*interrupt*) intervenir (***on*** dans); ***to ~ on sb*** couper la parole à qn **2.** AUTO faire une queue de poisson; ***to ~ in front of sb*** faire une queue de poisson à qn ◆ **cut into** *v/t insep* **1.** *cake* entamer **2.** *fig savings* entamer; *holidays* empiéter sur ◆ **cut off** *v/t sep* **1.** isoler; ***we're very ~ out here*** nous sommes très isolés par ici; ***to cut sb off in the middle of a sentence*** interrompre qn au milieu d'une phrase **2.** (*disinherit*) déshériter **3.** *gas etc.* couper; ***we've been ~*** TEL nous avons été coupés ◆ **cut out I** *v/i* (*engine*) caler **II** *v/t sep* **1.** *dress* couper, tailler **2.** (*delete*) supprimer; *smoking etc.* arrêter de fumer; ***double glazing cuts out the noise*** le double vitrage élimine le bruit; ***cut it out!*** *infml* ça suffit maintenant! *infml*; ***and you can ~ the self-pity for a start!*** et pour commencer, arrête de t'apitoyer sur ton sort! **3.** *fig* ***to be ~ for sth*** être fait pour qc; ***he's not ~ to be a doctor*** il n'est pas fait pour être médecin **4.** ***to have one's work ~*** avoir du pain sur la planche ◆ **cut through** *v/t sep* ***we ~ the housing estate*** nous avons coupé par le lotissement ◆ **cut up** *v/t sep* **1.** *meat* découper; *wood* couper **2.** AUTO ***to cut sb up*** faire une queue de poisson à qn

cut-and-dried [ˌkʌtən'draɪd] *adj fig* déjà décidé; ***as far as he's concerned the whole issue is now ~*** en ce qui le concerne, l'affaire est réglée **cut-and-paste** [ˌkʌtən'peɪst] *adj* ***a ~ job*** un montage de citations (*destiné à désinformer*) *usu pej* **cutback** ['kʌtbæk] *n* réduction *f*

cute [kjuːt] *adj* ⟨**+er**⟩ **1.** (*infml sweet*) mignon(ne) **2.** (*esp US infml clever*) futé *infml*; (*shrewd*) perspicace *infml*

cut glass *n* cristal *m* taillé **cut-glass** ['kʌtglɑːs] *adj lit* en cristal taillé

cuticle ['kjuːtɪkl] *n* (*of nail*) cuticule *f*

cutlery ['kʌtlərɪ] *n no pl esp Br* couverts *mpl*

cutlet ['kʌtlɪt] *n* côtelette *f*

cutoff *n* **1.** (TECH, *device*) coupe-circuit *m* **2.** (*a.* **cutoff point**) limite *f* **cutout I** *n* **1.** (*model*) découpage *m* **2.** ELEC coupe--circuit *m* **II** *adj model etc.* à découper

cut-price *adj* à prix réduit; ***~ offer*** offre à prix réduit **cut-rate** *adj* à prix réduit

cutter ['kʌtə^r] *n* ***a pair of (wire) ~s*** une pince coupante **cut-throat** ['kʌtθrəʊt] *adj competition* acharné **cutting** ['kʌtɪŋ] **I** *n* **1.** (*of cake, etc.*) découpage *m* **2.** (*of glass, jewel, key*) taille *f* **3.** (*of prices, working hours, expenses, salary*) réduction *f*; (*of*) de **4.** (*editing*, FILM) montage *m*; (*of part of text*) suppression *f* **5.** (*Br railway cutting*) tranchée *f* **6.** (*Br: from newspaper*) coupure *f* **7.** HORT bouture *f*; ***to take a ~*** faire une bouture **II** *adj* **1.** coupant **2.** *fig remark* cinglant **cutting board** *n US* planche *f* à découper **cutting edge** *n* **1.** (*blade*) tranchant *m* **2.** *no pl* (*most advanced stage*) avant--garde *f*, pointe *f*; ***to be at the ~ edge of sth*** être à la pointe de qc **cutting room** *n* FILM salle *f* de montage; ***to end up on the ~ floor*** *fig* être coupé au montage

cuttlefish ['kʌtlfɪʃ] *n* seiche *f*

cut up *adj infml* ***he was very ~ about it*** ça l'a beaucoup affecté

CV *abbr* = **curriculum vitae**

cwt *abbr* = **hundredweight**

cyanide ['saɪənaɪd] *n* cyanure *m*

cybercafé ['saɪbə-] *n* cybercafé *m* **cybernetics** *n sg* cybernétique *f* **cybersex** *n* cybersexe *m* **cyberspace** *n* cyberespace *m*

cycle ['saɪkl] **I** *n* **1.** (*of events*) cycle *m* **2.** (*bicycle*) vélo *m* **II** *v/i esp Br* faire du vélo **cycle lane** *n Br* piste *f* cyclable **cycle path** *n Br* piste *f* cyclable **cycler** ['saɪklə^r] *n US* cycliste *m/f* **cycle race** *n* course *f* cycliste **cycle rack** *n* parking *m* à vélos **cycle shed** *n* hangar *m* à vélos **cycle track** *n* (*path*) piste *f* cyclable; (*for racing*) vélodrome *m* **cyclic(al)** ['saɪklɪk(əl)] *adj* cyclique; ECON conjoncturel(le) **cycling** ['saɪklɪŋ] *n esp Br* cyclisme *m*; ***I enjoy ~*** j'aime bien faire du vélo **cycling holiday** *n* vacances *fpl* à bicyclette **cycling shorts** *pl* cuissard *m* **cycling tour** *n* circuit *m* à vélo **cyclist** ['saɪklɪst] *n esp Br* cycliste *m/f*

cyclone ['saɪkləʊn] *n* cyclone *m*; ***~ cellar***

US abri anticyclone
cygnet ['sɪgnɪt] *n* jeune cygne *m*
cylinder ['sɪlɪndəʳ] *n* MATH, AUTO cylindre *m*; ***a four-~ car*** une quatre-cylindres; ***to be firing on all ~s*** *fig* fonctionner à plein régime **cylinder capacity** *n* AUTO cylindrée *f* **cylinder head** *n* AUTO culasse *f* **cylindrical** [sɪ'lɪndrɪkəl] *adj* cylindrique
cymbal ['sɪmbəl] *n* cymbale *f*; ***~s*** cymbales
cynic ['sɪnɪk] *n* cynique *m/f* **cynical** ['sɪnɪkəl] *adj* cynique; ***he was very ~ about it*** il était très cynique à ce sujet **cynically** ['sɪnɪklɪ] *adv* cyniquement **cynicism** ['sɪnɪsɪzəm] *n* cynisme *m*
cypher *n* = **cipher**
Cypriot ['sɪprɪət] **I** *adj* chypriote, cypriote **II** *n* Chypriote *m/f*, Cypriote *m/f* **Cyprus** ['saɪprəs] *n* Chypre *f*
Cyrillic ['sɪrɪlɪk] *adj* cyrillique
cyst [sɪst] *n* kyste *m* **cystic fibrosis** [ˌsɪstɪkfaɪ'brəʊsɪs] *n* mucoviscidose *f*
czar [zɑːʳ] *n* tsar *m*
Czech [tʃek] **I** *adj* tchèque **II** *n* **1.** Tchèque *m/f* **2.** LING tchèque *m* **Czechoslovakia** [tʃekəʊslə'vækɪə] *n* HIST Tchécoslovaquie *f* **Czech Republic** *n* République *f* tchèque

D

D, d [diː] *n* **1.** D, d *m inv*; SCHOOL *note comprise entre 7 et 9 sur 20* **2.** MUS ré *m* ***D sharp*** ré dièse; ***D flat*** ré bémol
d 1. (*Br obs*) *abbr* = **pence 2.** *abbr* = **died** mort
'd = **had, would**
D.A. *US abbr* = **District Attorney**
dab[1] [dæb] **I** *n*; (*of cream, powder etc.*) touche *f*; (*of liquid, glue etc.*) goutte *f*; ***a ~ of ointment*** *etc.* une petite quantité de pommade; ***to give sth a ~ of paint*** donner un coup de peinture à qc **II** *v/t* (*with towel*) tamponner; ***to ~ one's eyes*** se tamponner les yeux; ***she ~bed ointment on the wound*** elle a appliqué de la pommade sur la blessure par petites touches
dab[2] *adj Br infml* ***to be a ~ hand at sth*** être doué pour qc; ***to be a ~ hand at doing sth*** être doué pour faire qc
dabble ['dæbl] *v/i fig* ***to ~ in*** *or* ***at sth*** faire un peu de qc; ***he ~s in stocks and shares*** il boursicote
dacha ['dætʃə] *n* datcha *f*
dachshund ['dækshʊnd] *n* teckel *m*
dad [dæd], **daddy** *n infml* papa *m* **daddy-longlegs** [ˌdædɪ'lɒŋlegz] *n* ⟨*pl* **-**⟩ *US* faucheux *m*; (*Br crane fly*) tipule *f*
daffodil ['dæfədɪl] *n* jonquille *f*
daft [dɑːft] *adj* ⟨**+er**⟩ *esp Br* idiot, bête; ***what a ~ thing to do*** c'est idiot de faire ça; ***he's ~ about football*** *infml* il est dingue de foot *infml*
dagger ['dægəʳ] *n* poignard *m*; ***to be at ~s drawn with sb*** *Br fig* être à couteaux tirés avec qn; ***to look ~s at sb*** foudroyer qn du regard
dahlia ['deɪlɪə] *n* dahlia *m*
daily ['deɪlɪ] **I** *adv* quotidiennement, tous les jours **II** *adj* quotidien(ne); ***~ newspaper*** quotidien; ***~ wage*** salaire journalier; ***~ grind*** train-train quotidien *infml*; ***~ life*** vie quotidienne; ***he is employed on a ~ basis*** il est employé à la journée **III** *n* (*newspaper*) quotidien *m* **daily bread** *n fig* ***to earn one's ~*** gagner son pain quotidien
daintily ['deɪntɪlɪ] *adv* délicatement; *move* avec grâce **dainty** ['deɪntɪ] *adj* ⟨**+er**⟩ *food* délicat; *movement* gracieux
dairy ['dɛərɪ] *n* laiterie *f* **dairy cattle** *pl* vaches *fpl* laitières **dairy cow** *n* vache *f* laitière **dairy farm** *n* exploitation *f* laitière **dairy farming** *n* élevage *m* de vaches laitières **dairy produce** *n*, **dairy products** *pl* produits *mpl* laitiers
dais ['deɪɪs] *n* estrade *f*
daisy ['deɪzɪ] *n* pâquerette *f*; (*garden*) marguerite *f*; ***to be pushing up the daisies*** *infml* manger les pissenlits par la racine *infml* **daisywheel** ['deɪzɪwiːl] *n* TYPO, IT marguerite *f* **daisywheel printer** *n* imprimante *f* à marguerite
dale [deɪl] *n* (*N Engl liter*) vallée *f*
Dalmatian [dæl'meɪʃən] *n* (*dog*) dalmatien *m*
dam [dæm] **I** *n* barrage *m* **II** *v/t* (*a.* **dam up**) construire un barrage sur; *valley* construire un barrage dans
damage ['dæmɪdʒ] **I** *n* **1.** dégâts *mpl*,

dommages *mpl*; ***to do a lot of ~*** causer des dégâts importants; ***to do sb / sth a lot of ~*** nuire gravement à qn / qc; ***it did no ~ to his reputation*** ça n'a pas porté préjudice à sa réputation; ***the ~ is done*** *fig* le mal est fait **2. damages** *pl* JUR dommages et intérêts *mpl* **3.** (*infml cost*) ***what's the ~?*** ça fait combien? *infml* **II** *v/t machine, furniture, tree, etc* endommager, abîmer; ***to ~ one's eyesight*** s'abîmer la vue; ***to ~ one's chances*** compromettre ses chances **damage limitation** *n* mesures *fpl* pour limiter les dégâts **damaging** ['dæmɪdʒɪŋ] *adj* préjudiciable; *remarks* nuisible; ***to be ~ to sb / sth*** être préjudiciable à qn / qc

dame [deɪm] *n* **1.** (*US infml woman*) gonzesse *f* **2. *Dame*** *Br* Dame *f* (*titre donné à une femme ayant reçu une distinction honorifique*) **3.** THEAT *personnage comique de femme tenu par un homme*

dammit ['dæmɪt] *int infml* mince! *infml*; ***it weighs 2 kilos as near as ~*** il pèse deux kilos, à un poil près *infml*

damn [dæm] **I** *int infml* mince! *infml* **II** *n infml* ***he doesn't give a ~*** il s'en balance *infml*; ***I don't give a ~*** j'en n'ai rien à cirer *infml* **III** *adj attr infml* fichu, sacré; ***it's a ~ nuisance*** qu'est-ce que c'est casse-pieds! *infml*; ***a ~ sight better*** sacrément mieux *infml*; ***I can't see a ~ thing*** j'y vois que dalle! *infml* **IV** *adv infml* vachement *infml*; ***I should ~ well think so*** y a intérêt!; ***pretty ~ good / quick*** hyper bon / rapide *infml*; ***you're ~ right*** tu as parfaitement raison **V** *v/t* **1.** REL damner **2.** (*judge and condemn*) condamner; *book etc.* éreinter **3.** *infml* ***~ him / you!*** (*annoyed*) qu'il aille se faire / va te faire voir! *infml*; ***~ it!*** zut alors! *infml*; ***well, I'll be ~ed!*** ben mince alors! *infml*; ***I'll be ~ed if I'll go there*** aller là-bas? hors de question!; ***I'll be ~ed if I know*** aucune idée! **damnation** [dæm'neɪʃən] **I** *n* ECCL (*act, state of damnation*) damnation *f* **II** *int infml* merde! *infml*

damned [dæmd] **I** *adj* **1.** *soul* damné **2.** *infml* = **damn** *III* **II** *adv* = **damn** *IV* **III** *n* (ECCL, *liter*) ***the ~*** *pl* les damnés *mpl* **damnedest** ['dæmdɪst] *n* ***to do*** *or* ***try one's ~*** *infml* faire tout son possible

damning ['dæmɪŋ] *adj evidence* accablant

damp [dæmp] **I** *adj* ⟨**+er**⟩ humide **II** *n* humidité *f* **III** *v/t* **1.** humecter **2.** *sounds* amortir; *enthusiasm* refroidir; (*a.* **damp down**) *fire* couvrir **dampen** ['dæmpən] *v/t* = **damp** *III* **damper** ['dæmpəʳ] *n* ***to put a ~ on sth*** jeter un froid sur qc **dampness** *n* humidité *f* **damp-proof** ['dæmppruːf] *adj* ***~ course*** revêtement d'étanchéité

damson ['dæmzən] *n* (*fruit*) prune *f* (de Damas)

dance [dɑːns] **I** *n* danse *f*; ***~ class*** cours de danse; ***may I have the next ~?*** voulez-vous m'accorder la prochaine danse?; ***to go to a ~*** aller à une soirée dansante **II** *v/t* danser **III** *v/i* **1.** danser; ***would you like to ~?*** vous dansez? **2.** (*move here and there*) ***to ~ up and down*** sautiller sur place; ***to ~ for joy*** danser de joie **dance band** *n* orchestre *m* de danse **dance floor** *n* piste *f* de danse **dance hall** *n* salle *f* de bal **dance music** *n* musique *f* de danse **dancer** ['dɑːnsəʳ] *n* danseur(-euse) *m(f)* **dancing** ['dɑːnsɪŋ] **I** *n* danse *f* **II** *attr* de danse **dancing girl** *n* danseuse *f*

dandelion ['dændɪlaɪən] *n* pissenlit *m*

dandruff ['dændrəf] *n* pellicules *fpl*

Dane [deɪn] *n* Danois(e) *m(f)*

danger ['deɪndʒəʳ] *n* **1.** danger *m*; ***the ~s of smoking*** les dangers du tabac; ***to put sb / sth in ~*** mettre qn / qc en danger; ***to be in ~ of doing sth*** courir le risque de faire qc; ***the species is in ~ of extinction*** l'espèce est menacée d'extinction; ***out of ~*** hors de danger; ***there is a ~ of fire*** il y a un risque d'incendie; ***there is a ~ of his getting lost*** il y a un risque qu'il se perde; ***to be a ~ to sb / sth*** être un danger pour qn / qc; ***he's a ~ to himself*** il est un danger pour lui-même **2.** *a.* MOT danger *m*; ***"danger"*** "danger"; ***"danger, keep out"*** "danger, entrée interdite" **danger money** *n* prime *f* de risque

dangerous ['deɪndʒrəs] *adj driving etc.* dangereux(-euse); ***the city can be a ~ place*** la ville peut être dangereuse; ***this is a ~ game we're playing*** nous jouons là un jeu dangereux **dangerously** ['deɪndʒrəslɪ] *adv low, high, drive etc.* dangereusement; ***the deadline is getting ~ close*** l'échéance se rapproche dangereusement; ***she was ~ ill*** elle était gravement malade; ***let's live ~ for once*** pour une fois, soyons fous

danger signal *n* signal *m* d'alarme
dangle ['dæŋgl] **I** *v/t* balancer **II** *v/i* pendre
Danish ['deɪnɪʃ] **I** *adj* danois **II** *n* (*language*) danois *m* **Danish blue (cheese)** *n* bleu *m* du Danemark **Danish pastry** *n* feuilleté *m* aux abricots
dank [dæŋk] *adj* humide et froid
Danube ['dænjuːb] *n* Danube *m*
dappled ['dæpld] *adj* **1.** *light* tacheté **2.** *horse* pommelé
dare [dɛəʳ] **I** *v/i*; (*be bold enough*, *have the confidence*) oser; ***he wouldn't ~!*** il n'oserait pas!; ***you ~!*** tu n'as pas intérêt!; ***how ~ you!*** comment oses-tu! **II** *v/t* **1.** ***to ~*** (***to***) ***do sth*** oser faire qc; ***he wouldn't ~ say anything bad about his boss*** il n'oserait pas dire du mal de son patron; ***how ~ you say such things?*** comment oses-tu dire des choses pareilles? **2.** (*challenge*) ***go on, I ~ you!*** vas-y, chiche!; ***are you daring me?*** tu paries?; (***I***) ***~ you to jump off*** je parie que tu n'es pas chiche de sauter **III** *n* défi *m*; ***to do sth for a ~*** faire qc pour répondre à un défi **daredevil** ['dɛəˌdevl] **I** *n* casse-cou *m/f* **II** *adj* téméraire **daring I** *adj* **1.** *attempt*, *escape* audacieux(-euse), hardi **2.** *writer*, *book* audacieux(-euse) **II** *n* audace *f*, hardiesse *f* **daringly** ['dɛərɪŋlɪ] *adv* audacieusement
dark [dɑːk] **I** *adj* ⟨+er⟩ *room*, *night* sombre; *hair* foncé, brun; *eyes*, *color*, *clothes* sombre, foncé; ***it's getting ~*** il commence à faire nuit; ***a ~ blue*** un bleu foncé **II** *n* **1.** ***the ~*** le noir, l'obscurité *f*; ***they aren't afraid of the ~*** ils n'ont pas peur du noir; ***after / before ~*** après / avant la tombée de la nuit; ***we'll be back after ~*** nous serons de retour à la nuit **2.** *fig* ***to be in the ~*** (***about sth***) ne pas être au courant (de qc); ***to keep sb in the ~*** (***about sth***) laisser qn dans l'ignorance (au sujet de qc) **dark age** *n* ***the Dark Ages*** le Haut Moyen Âge; ***to be living in the ~s*** *pej* être encore au Moyen Âge **dark chocolate** *n* chocolat *m* noir **darken** ['dɑːkən] **I** *v/t lit* assombrir **II** *v/i lit* (*sky*) s'assombrir **dark-eyed** *adj* aux yeux foncés *or* sombres **dark glasses** *pl* lunettes *fpl* noires **dark horse** *n fig* personne *f* très secrète **darkness** *n lit* obscurité *f*; ***in total ~*** dans l'obscurité la plus totale; ***the house was in ~*** la maison était plongée dans l'obscurité **darkroom** *n* PHOT chambre *f* noire **dark-skinned** *adj* à la peau mate
darling ['dɑːlɪŋ] *n* **1.** (*esp child*) amour *m*; ***he is the ~ of the crowds*** c'est la coqueluche des foules; ***be a ~ and …*** sois gentil et… **2.** (*form of address*) chéri(e) *m*(*f*)
darn[1] [dɑːn] SEWING *v/t* repriser
darn[2] (*a.* **darned**) *infml* **I** *adj* sacré *infml*; ***a ~ sight better*** sacrément mieux *infml* **II** *adv* sacrément *infml*; ***we'll do as we ~ well please*** on fera ce qu'on voudra; ***~ near impossible*** presque impossible **III** *v/t* ***~ it!*** bon sang! *infml* **darned** [dɑːnd] *adj*, *adv infml* = **darn**[2]
dart [dɑːt] **I** *n* **1.** (*movement*) mouvement *m* précipité **2.** SPORTS fléchette *f* **II** *v/i* se précipiter, foncer; ***to ~ out*** (*person*) sortir comme une flèche; (*fish*, *tongue*) jaillir; ***to ~ in*** (*person*) entrer en trombe; ***he ~ed behind a bush*** il s'est précipité derrière un buisson **III** *v/t look* lancer, jeter; ***to ~ a glance at sb*** lancer un regard à qn **dart board** *n* cible *f* (*de jeu de fléchettes*) **darts** [dɑːts] *n sg* fléchettes *fpl*
dash [dæʃ] **I** *n* **1.** mouvement *m* précipité; ***he made a ~ for the door*** il s'est précipité vers la porte; ***she made a ~ for it*** elle s'est enfuie; ***to make a ~ for freedom*** s'enfuir vers la liberté; ***it was a mad ~ to the hospital*** ça a été une course folle jusqu'à l'hôpital **2.** (*small amount*) ***a ~ of*** un peu de; ***a ~ of color*** une pointe de couleur **3.** TYPO tiret *m* **II** *v/t* **1.** (*throw*) jeter violemment; ***to ~ sth to pieces*** fracasser qc **2.** *sb's hopes* anéantir **3.** *infml* = **darn**[2] *III* **III** *v/i* **1.** se précipiter; ***to ~ into a room*** entrer précipitamment dans une pièce; ***to ~ away / back / up*** partir / reculer / monter en vitesse **2.** (*knock*) se heurter; (*waves*) se fracasser ◆ **dash off I** *v/i* partir précipitamment; ***sorry to have to ~ like this*** désolé, je dois me sauver **II** *v/t sep letter* écrire en vitesse
dashboard ['dæʃbɔːd] *n* tableau *m* de bord
dashing ['dæʃɪŋ] *obs adj* (*spirited*, *dynamic*) *person* fringant; ***a ~ young officer*** un jeune officier fringant
DAT *n abbr* = **digital audio tape** DAT *m*
data ['deɪtə] *pl* données *fpl*, informations *fpl* **data analysis** *n* analyse *f* de données **data bank** *n* banque *f* de don-

nées **database** *n* base *f* de données; **~ *manager*** gestionnaire de base de données **data capture** *n* saisie *f* de données **data carrier** *n* support *m* de données **data file** *n* fichier *m* informatique **data mining** *n* ECD *f* (*extraction de connaissances à partir de données*), data mining *m* **data processing** *n* traitement *m* de l'information **data projector** *n* vidéoprojecteur *m* **data protection** *n* protection *f* de l'information **data retrieval** *n* recherche *f* d'information **data transfer** *n* transfert *m* de données **data transmission** *n* transmission *f* de données

date¹ [deɪt] *n* (*fruit*) datte *f*

date² **I** *n* **1.** date *f*; ***~ of birth*** date de naissance; ***what's the ~ today?*** quelle est la date d'aujourd'hui?; ***to ~*** à ce jour **2.** (*appointment*, *with girlfriend*, *etc.*) rendez-vous *m*; ***who's his ~?*** il sort avec qui?; ***his ~ didn't show up*** on lui a posé un lapin *infml*; ***to make a ~ with sb*** prendre rendez-vous avec qn; ***I've got a lunch ~ today*** je déjeune avec quelqu'un aujourd'hui **II** *v/t* **1.** *letter etc.* dater; ***a letter ~d the seventh of August*** une lettre datée du 7 août **2.** (*establish age of*) *work of art etc.* dater **3.** *girlfriend etc.* sortir avec *infml* **III** *v/i* **1.** ***to ~ back to*** dater de; ***to ~ from*** (*antique etc.*) dater de **2.** (*couple*) sortir ensemble **dated** ['deɪtɪd] *adj* démodé **date rape** *n* viol *m* (*commis par une connaissance de la victime*) **date-rape drug** *n* drogue *f* du viol **dating agency** ['deɪtɪŋ-] *n* agence *f* matrimoniale

dative ['deɪtɪv] **I** *n* datif *m*; ***in the ~*** au datif **II** *adj* datif(-ive); ***the ~ case*** le datif

daub [dɔːb] *v/t walls* barbouiller, couvrir; *paint*, *grease*, *mud* barbouiller

daughter ['dɔːtəʳ] *n* fille *f*

daughter-in-law ['dɔːtərɪnlɔː] *n* ⟨*pl* **daughters-in-law**⟩ belle-fille *f*, bru *f*

daunt [dɔːnt] *v/t* intimider ***to be ~ed by sth*** être intimidé par qc **daunting** ['dɔːntɪŋ] *adj* intimidant

dawdle ['dɔːdl] *v/i* traîner **dawdler** ['dɔːdləʳ] *n* traînard(e) *m*(*f*)

dawn [dɔːn] **I** *n* (*no art*: *time of day*) aube *f*; ***at ~*** à l'aube; ***it's almost ~*** le jour va bientôt se lever; ***from ~ to dusk*** du lever au coucher du soleil **II** *v/i* **1.** ***day was already ~ing*** le jour se levait déjà **2.** (*fig*, *new age etc.*) naître **3.** *infml* ***to ~ (up)on sb*** apparaître à qn; ***it ~ed on him that …*** il s'est rendu compte que… **dawn chorus** *n* concert *m* matinal des oiseaux **dawn raid** *n* (*by police*) descente *f* à l'aube

day [deɪ] *n* **1.** jour *m*, journée *f*; ***it will arrive any ~ now*** il devrait arriver d'un jour à l'autre; ***what ~ is it today?*** quel jour sommes-nous aujourd'hui?; ***twice a ~*** deux fois par jour; ***the ~ before yesterday*** avant-hier; ***the ~ after, the following ~*** le lendemain, le jour suivant; ***the ~ before, the previous ~*** la veille, le jour précédent; ***the ~ after tomorrow*** après-demain; ***from that ~ on(wards)*** depuis ce jour-là; ***two years ago to the ~*** il y a deux ans jour pour jour; ***one ~*** un jour; ***one of these ~s*** un de ces jours; ***~ in, ~ out*** jour après jour; ***they went out for the ~*** ils sont partis pour journée; ***for ~s*** pendant des jours; ***~ after ~*** jour après jour; ***~ by ~*** de jour en jour; ***the other ~*** l'autre jour; ***at the end of the ~*** *fig* en fin de compte; ***to live from ~ to ~*** vivre au jour le jour; ***today of all ~s*** justement aujourd'hui; ***some ~ soon*** bientôt; ***I remember it to this ~*** je m'en souviens encore aujourd'hui; ***all ~*** toute la journée; ***to travel during the ~*** *or* ***by ~*** voyager de jour; ***at that time of ~*** à cette heure-ci de la journée; ***to be paid by the ~*** être payé à la journée; ***let's call it a ~*** arrêtons-nous là pour aujourd'hui; ***to have a nice ~*** passer une bonne journée; ***to have a lazy ~*** passer la journée à paresser; ***have a nice ~!*** (*esp US*, *said by storekeeper etc.*) bonne journée!; ***did you have a nice ~?*** est-ce que tu as passé une bonne journée?; ***did you have a good ~ at the office?*** ta journée s'est bien passée au travail?; ***what a ~!*** (*terrible*) quelle journée!; ***that'll be the ~*** ce n'est pas demain la veille **2.** (*period of time*: *often pl*) ***these ~s*** de nos jours; ***what are you doing these ~s?*** qu'est-ce que tu fais de beau ces temps-ci?; ***in this ~ and age*** de nos jours; ***in ~s to come*** à l'avenir; ***in his younger ~s*** dans sa jeunesse; ***the happiest ~s of my life*** les plus beaux jours de ma vie; ***those were the ~s*** c'était le bon temps; ***in the old ~s*** dans le temps; ***in the good old ~s*** au bon vieux temps; ***it's early ~s yet*** il est trop tôt pour se prononcer; ***this car has seen better ~s*** cette voiture a connu des jours meilleurs; ***famous in her ~*** célèbre à son époque **3.** *no pl* (*contest*) ***to win*** *or* ***carry the~*** l'emporter; ***to save the~*** sauver la mise **daybreak** *n* point *m* du jour; ***at ~*** au point du jour **daycare** *n* ***to be in ~*** (*child*) être à la garderie **day(care) center**, *Br* **day(care) centre** *n* (*for children*) garderie *f*; (*for old people*) centre *m* d'accueil (pour personnes âgées) **daydream I** *n* rêverie *f* **II** *v/i* rêvasser **daydreamer** *n* rêveur(-euse) *m(f)* **day laborer**, *Br* **day labourer** *n* journalier(-ière) *m(f)* **daylight** ['deɪlaɪt] *n* lumière *f* du jour; ***in broad ~*** en plein jour; ***to scare the living ~s out of sb*** *infml* flanquer une peur bleue à qn *infml* **daylight robbery** *n* (*Br infml*) ***it's ~*** c'est du vol pur et simple **daylight saving time** *n esp US* heure *f* d'été **day nursery** *n* crèche *f*, garderie *f* **day-old** *adj strike, ceasefire* d'un jour; *food, newspaper* de la veille **day pupil** *n* SCHOOL externe *m/f* **day release** *n Br* formation *f* continue en alternance **day return (ticket)** *n* (*Br* RAIL) aller-retour *m* (*valable pour la journée*) **daytime** ['deɪtaɪm] **I** *n* journée *f*; ***in the ~*** pendant la journée **II** *attr* de jour; ***what's your ~ phone number?*** quel est votre numéro de téléphone dans la journée?; ***~ television*** émissions de télévision diffusées dans la journée **day-to-day** *adj* quotidien(ne); ***on a ~ basis*** au jour le jour **day trader** *n* ST EX *courtier réalisant ses opérations sur une journée* **day trip** *n* excursion *f* d'une journée **day-tripper** *n* touriste *m/f* (*qui fait une excursion d'une journée*)

daze [deɪz] *n* stupéfaction *f*, ahurissement *m*; ***in a ~*** hébété **dazed** *adj* (*by news*) hébété; (*by blow*) étourdi

dazzle ['dæzl] *v/t* éblouir **dazzling** ['dæzlɪŋ] *adj lit* éblouissant

DC *abbr* = **direct current**

D.C. *abbr* = **District of Columbia**

D/D *abbr* = **direct debit**

D-day ['diːdeɪ] *n* HIST *6 mai 1944*; *fig* jour J *m*

deactivate [diː'æktɪˌveɪt] *v/t* désactiver

dead [ded] **I** *adj* **1.** mort; ***he has been ~ for two years*** il est mort depuis deux ans; ***to shoot sb ~*** tuer qn (par balle); ***over my ~ body*** *infml* il faudra me passer sur le corps **2.** *limbs* engourdi; ***my hand's gone ~*** j'ai la main tout engourdie; ***to be ~ to the world*** dormir comme une souche **3.** TEL coupé; ***to go ~*** être coupé **4.** (*absolute*) total; ***~ silence*** silence total; ***to come to a ~ stop*** s'arrêter net **5.** (*infml exhausted*) crevé *infml*; claqué *infml*; ***she looked half ~*** elle avait l'air crevé *infml*; ***I'm ~ on my feet*** je suis complètement crevé *infml* **II** *adv* **1.** (*exactly*) exactement; ***~ straight*** absolument droit; ***to be ~ on time*** être juste à l'heure **2.** (*Br infml very*) très; ***~ tired*** claqué *infml*; ***you're ~ right*** tu as tout à fait raison; ***he was ~ lucky*** il a eu une sacrée chance; ***~ slow!*** AUTO rouler au pas!; ***to be ~ certain about sth*** *infml* être sûr et certain de qc; ***he's ~ against it*** il est absolument contre **3.** ***to stop ~*** s'arrêter net **III** *n* **1.** ***the ~*** *pl* les morts *mpl* **2.** ***in the*** *or* ***at ~ of night*** au milieu de la nuit **dead center**, *Br* **dead centre** *n* point *m* mort; ***to hit sth ~*** frapper qc en plein milieu **deaden** ['dedn] *v/t pain* calmer; *sound* étouffer; *feeling* émousser **dead end** *n* impasse *f*; ***to come to a ~*** (*lit*, *road*) aboutir à une impasse; (*driver*) arriver dans une impasse; *fig* être dans l'impasse **dead-end** *adj attr* ***~ street*** *esp US* voie *f* sans issue *f*; ***a ~ job*** un travail sans aucune perspective **dead heat** *n* arrivée *f* ex aequo **deadline** *n* date *f* limite; ***to fix*** *or* ***set a ~*** fixer une date limite; ***to work to a ~*** avoir un délai à respecter **deadlock** *n* ***to reach (a) ~*** arriver à une impasse; ***to end in ~*** se terminer dans l'impasse **deadlocked** ['dedlɒkt] *adj negotiations*, *talks* dans l'impasse **deadly** ['dedlɪ] **I** *adj* ⟨**+er**⟩ mortel(le); ***their ~ enemy*** leur ennemi mortel **II** *adv* ***~ dull*** mortellement ennuyeux *infml*; ***he was ~ serious*** il était tout ce qu'il y a de plus sérieux; ***~ poisonous*** mortel **deadpan** *adj face* impassible; *style*, *humor* pince-sans-rire; ***with a ~ expression*** d'un air impassible **Dead Sea** *n* mer *f* Morte **dead weight** *n* TECH poids *m* mort

deaf [def] **I** *adj* ⟨**+er**⟩ sourd; ***as ~ as a (door)post*** sourd comme un pot **II** *n* ***the ~*** *pl* les sourds **deaf aid** *n* prothèse *f* auditive **deaf-and-dumb** [ˌdefən'dʌm] *adj* sourd-muet(te) **deafen** *v/t lit* assourdir **deafening** ['defnɪŋ] *adj noise* assourdissant; ***a ~ silence*** un silence impressionnant **deaf-mute** ['def'mjuːt] *n* sourd(e)-muet(te) *m(f)* **deafness** *n* surdité *f* (***to*** à)

deal[1] [diːl] **I** *n* (*amount*) quantité *f*; ***a***

good *or* ***great ~ of*** beaucoup de; ***not a great ~ of*** pas beaucoup de; ***and that's saying a great ~*** et ce n'est pas peu dire; ***to mean a great ~ to sb*** signifier beaucoup pour qn **II** *adv* ***a good*** *or* ***great ~*** beaucoup
deal[2] ⟨*past*, *past part* **dealt**⟩ **I** *n* **1.** (*a.* **business deal**) affaire *f*, marché *m*; (*arrangement*) arrangement *m*; ***to do*** *or* ***make a ~ with sb*** passer *or* conclure un marché avec qn; ***it's a ~*** marché conclu **2.** *infml* ***to give sb a fair ~*** agir loyalement avec qn **II** *v/t* **1.** (*a.* **deal out**) *cards* donner, distribuer **2.** *drugs* revendre **III** *v/i* **1.** CARD donner **2.** (*in drugs*) trafiquer *infml* ◆ **deal in** *v/t insep* COMM faire commerce de ◆ **deal out** *v/t sep* distribuer (***to*** à); *cards* donner (***to*** à); ***to ~ punishment*** distribuer les punitions ◆ **deal with** *v/t insep* **1.** (*do business with*) traiter **2.** (*handle*) s'occuper de; *emotions* contrôler; COMM *orders* traiter; ***let's ~ the adjectives first*** occupons-nous des adjectifs en premier; ***I'll ~ you later*** *infml* je m'occuperai de toi plus tard *infml* **3.** (*book etc.*) traiter de; (*author*) parler de
dealer ['diːləʳ] *n* **1.** COMM marchand(e) *m*(*f*), négociant(e) *m*(*f*); (*wholesaler*) fournisseur *m* **2.** (*in drugs*) dealer *m* *infml*, revendeur *m* **3.** CARD donneur (-euse) *m*(*f*) **dealing** ['diːlɪŋ] *n* **1.** (*trading*) transaction *f*; (*in drugs*) trafic *m* **2. dealings** *pl* COMM transactions *fpl*; (*generally*) relations *fpl*; ***to have ~s with sb*** traiter avec qn **dealt** [delt] *past*, *past part* = **deal**[2]
dean [diːn] *n* ECCL, UNIV doyen(ne) *m*(*f*)
dear [dɪəʳ] **I** *adj* ⟨**+er**⟩ **1.** cher(chère); ***she is a ~ friend of mine*** c'est une très bonne amie à moi; ***that is my ~est wish*** c'est mon vœu le plus cher; ***these memories are very ~ to him*** ces souvenirs lui sont très chers **2.** (*lovable*, *sweet*) adorable **3.** (*in letter etc.*) ***~ John*** cher John; ***~ Sir*** Monsieur; ***~ Madam*** Madame; ***~ Sir or Madam*** Madame, Monsieur; ***~ Mr Kemp*** Monsieur; (*less formal*) cher Monsieur **4.** (*expensive*) cher(chère) **II** *int* ***oh ~!*** mon Dieu! **III** *n Br* ***hello/thank you ~*** bonjour / merci; ***Robert ~*** mon cher Robert; ***yes, ~*** (*husband to wife etc.*) oui, ma chérie **IV** *adv* cher; ***this will cost them ~*** ça va leur coûter cher **dearly** ['dɪəlɪ] *adv* **1.** *love* tendrement, beaucoup; ***I would ~ love to marry*** j'aimerais beaucoup me marier **2.** *fig* ***he paid ~*** (***for it***) il l'a chèrement payé
death [deθ] *n* mort *f*; ***~ by drowning*** noyade; ***to be burned to ~*** mourir carbonisé; (*at stake*) être brûlé sur le bûcher; ***to starve to ~*** mourir de faim; ***to bleed to ~*** perdre tout son sang; ***to freeze to ~*** mourir de froid; ***a fight to the ~*** une lutte à mort; ***to put sb to ~*** mettre qn à mort; ***to drink oneself to ~*** se détruire à force de boire; ***to be at ~'s door*** être à l'article de la mort; ***it will be the ~ of you*** *infml* vous allez attraper la mort *infml*; ***he will be the ~ of me*** *infml* il me fera mourir; ***to catch one's ~*** (***of cold***) *infml* attraper la mort *infml*; ***I am sick to ~ of all this*** *infml* j'en ai vraiment marre de tout ça *infml*; ***he looked like ~ warmed over*** (*US infml*) *or* ***up*** (*Br infml*) il avait une mine de déterré *infml* **deathbed** *n* lit *m* de mort; ***to be on one's ~*** être sur son lit de mort **deathblow** *n* coup *m* fatal **death camp** *n* camp *m* de la mort **death certificate** *n* certificat *m* de décès **death duties** *pl Br* droits *mpl* de succession **deathly** ['deθlɪ] **I** *adj* ***~ hush*** *or* ***silence*** de mort **II** *adv* ***~ pale*** pâle comme la mort; ***~ quiet*** plongé dans un silence de mort **death penalty** *n* peine *f* de mort **death row** *n* quartier *m* des condamnés à mort **death sentence** *n* condamnation *f* à mort **death threat** *n* menace *f* de mort **death toll** *n* nombre *m* de morts, bilan *m* **deathtrap** *n* endroit *m* dangereux **death warrant** *n* ***to sign one's own ~*** *fig* signer son propre arrêt de mort
débâcle [de'bɑːkl] *n* débâcle *f* (***over*** de)
debase [dɪ'beɪs] *v/t* **1.** *person* rabaisser **2.** *virtues*, *qualities* dévaloriser
debatable [dɪ'beɪtəbl] *adj* discutable **debate** [dɪ'beɪt] **I** *v/t & v/i* débattre (*with* avec, *about* sur); ***he was debating whether or not to go*** il se demandait s'il irait ou non **II** *n* discussion *f*, débat *m*
debauchery [dɪ'bɔːtʃərɪ] *n* débauche *f*; ***a life of ~*** une vie de débauche
debilitate [dɪ'bɪlɪteɪt] *v/t* débiliter **debilitating** [dɪ'bɪlɪteɪtɪŋ] *adj* débilitant; *lack of funds etc.* handicapant
debit ['debɪt] **I** *n* débit *m*; ***~ account*** compte débiteur **II** *v/t* ***to ~ sb / sb's account*** (***with a sum***) débiter le compte de qn (d'une somme) **debit card** *n* car-

te *f* de paiement (à débit immédiat)
debrief [ˌdiːˈbriːf] *v/t* demander un compte rendu oral (*de mission*); ***to be ~ed*** fournir un compte rendu oral
debris [ˈdebriː] *n* débris *mpl*, décombres *mpl*; GEOL roches *fpl* détritiques
debt [det] *n* (*money owed*, *obligation*) dette *f* ***to be in ~*** avoir des dettes (***to*** envers); ***to be $5 in ~*** devoir 5 dollars (***to*** à); ***he is in my ~*** (*for money*) il me doit de l'argent; (*for help etc.*) il m'est redevable; ***to run*** *or* ***get into ~*** s'endetter; ***to get out of ~*** régler ses dettes; ***to repay a ~*** rembourser une dette **debtor** [ˈdetəʳ] *n* débiteur(-trice) *m/f* **debt relief** *n* allégement *m* de la dette
debug [ˌdiːˈbʌg] *v/t* IT déboguer; ***~ging program*** programme de débogage **debugger** [ˌdiːˈbʌgəʳ] *n* IT programme *m* de débogage
début [ˈdeɪbjuː] *n* débuts *mpl*; ***to make one's ~*** THEAT faire ses débuts; ***~ album*** premier album **débutant**, *US* **debutant** [ˈdebjʊtɑːnt] *n* débutant *m* **débutante**, *US* **debutante** [ˈdebjʊtɑːnt] *n* débutante *f*
Dec *abbr* = **December** décembre
decade [ˈdekeɪd] *n* décennie *f*
decadence [ˈdekədəns] *n* décadence *f* **decadent** *adj* decadent
decaff [ˈdiːkæf] *n abbr* = **decaffeinated** *infml* déca *infml* **decaffeinated** [ˌdiːˈkæfɪneɪtɪd] *adj* décaféiné
decanter [dɪˈkæntəʳ] *n* carafe *f*
decapitate [dɪˈkæpɪteɪt] *v/t* décapiter
decathlete [dɪˈkæθliːt] *n* décathlonien(ne) *m/f* **decathlon** [dɪˈkæθlən] *n* décathlon *m*
decay [dɪˈkeɪ] **I** *v/i flesh* se flétrir; *vegetable matter* pourrir; *tooth* se carier **II** *n* (*of flesh*) flétrissement *m*; (*of vegetable matter*) pourrissement *m* ***tooth ~*** caries *fpl*; ***to fall into ~*** se délabrer **decayed** [dɪˈkeɪd] *adj tooth* carié; *body* flétri; *vegetable matter* pourri
deceased [dɪˈsiːst] (JUR, *form*) **I** *adj* décédé **II** *n* ***the ~*** le(la) défunt(e) *m(f)*; (*pl*) les défunts *mpl*
deceit [dɪˈsiːt] *n* tromperie *f* **deceitful** *adj* trompeur(-euse) **deceitfully** [dɪˈsiːtfəlɪ] *adv* trompeusement; *behave* de façon trompeuse **deceitfulness** *n* fausseté *f*; duplicité *f* **deceive** [dɪˈsiːv] *v/t* tromper; *wife* tromper; ***to ~ oneself*** se mentir à soi-même
decelerate [diːˈseləreɪt] *v/i* (*car*, *train*; *driver*) ralentir
December [dɪˈsembəʳ] *n* décembre *m*; → **September**
decency [ˈdiːsənsɪ] *n* politesse *f*; ***it's only common ~ to ...*** cela relève du simple savoir-vivre de…; ***he could have had the ~ to tell me*** il aurait pu avoir la politesse de me le dire **decent** [ˈdiːsənt] *adj* décent; ***are you ~?*** *infml* est-ce que tu es visible? *infml*; ***to do the ~ thing*** se comporter honorablement **decently** [ˈdiːsəntlɪ] *adv* décemment; convenablement
decentralization [ˈdiːˌsentrəlaɪˈzeɪʃən] *n* décentralisation *f* **decentralize** [diːˈsentrəlaɪz] *v/t & v/i* décentraliser **decentralized** *adj* décentralisé
deception [dɪˈsepʃən] *n* (*act of deceiving*) tromperie *f* **deceptive** [dɪˈseptɪv] *adj* trompeur(-euse); ***to be ~*** être trompeur; ***appearances can be ~*** les apparences sont parfois trompeuses **deceptively** [dɪˈseptɪvlɪ] *adv* ***it looks ~ simple*** c'est plus compliqué qu'il n'y paraît
decide [dɪˈsaɪd] **I** *v/t* décider; ***what did you ~?*** (*yes or no*) quelle décision avez-vous prise?; (*what measures*) qu'avez-vous décidé?; ***did you ~ anything?*** avez-vous décidé quelque chose?; ***I have ~d we are making a mistake*** finalement, je pense que nous faisons fausse route; ***I'll ~ what we do!*** c'est moi qui déciderai de ce que nous ferons! **II** *v/i* se décider; ***to ~ for/against sth*** se décider en faveur de/contre qc ◆ **decide on** *v/t insep* se décider pour
decided [dɪˈsaɪdɪd] *adj improvement*, *advantage* incontestable **decidedly** [dɪˈsaɪdɪdlɪ] *adv* incontestablement; ***he's ~ uncomfortable about it*** il est incontestablement très mal à l'aise sur le sujet; ***~ dangerous*** incontestablement dangereux **decider** [dɪˈsaɪdəʳ] *n* (*game*) la belle *f*; (*goal*, *shot*) but *m* décisif **deciding** [dɪˈsaɪdɪŋ] *adj* décisif (-ive)
deciduous [dɪˈsɪdjʊəs] *adj* ***~ tree*** arbre à feuilles caduques
decimal [ˈdesɪməl] **I** *adj* décimal **II** *n* décimale *f* **decimal point** *n* virgule *f* décimale
decimate [ˈdesɪmeɪt] *v/t* décimer
decipher [dɪˈsaɪfəʳ] *v/t* déchiffrer
decision [dɪˈsɪʒən] *n* decision *f* (***on*** concernant), résolution *f*; (*esp of commit-*

tee etc.) décision *f*; ***to make a ~*** prendre une décision; ***it's your ~*** c'est à vous de décider; ***to come to a ~*** parvenir à une décision; ***I've come to the ~ that it's a waste of time*** j'ai décidé que c'est une perte de temps; ***~s, ~s!*** c'est dur de décider! **decision-making** *adj attr* ***~ skills*** des compétences décisionnelles; ***the ~ process*** la prise de décision **decisive** [dɪ'saɪsɪv] *adj* **1.** (*crucial*) décisif (-ive) **2.** *manner, person* décidé **decisively** [dɪ'saɪsɪvlɪ] *adv change* résolument; *defeat* de façon décisive **decisiveness** *n* caractère *m* décisif

deck [dek] *n* **1.** (*of ship*) pont *m*; ***on ~*** sur le pont; ***to go up on ~*** monter sur le pont; ***upper ~*** *of bus* impériale **2.** ***a ~ of cards*** un jeu *m* de cartes **deck chair** *n* chaise *f* longue, transat *m* **decking** ['dekɪŋ] *n esp Br* (*wooden floor*) terrasse *f* en bois

declaration [ˌdeklə'reɪʃən] *n a.* CUSTOMS déclaration *f*; ***~ of love*** déclaration d'amour; ***~ of bankruptcy*** déclaration de faillite; ***to make a ~*** faire une déclaration; ***~ of war*** déclaration de guerre

declare [dɪ'klɛəʳ] *v/t intentions, goods* déclarer; *results* annoncer; ***have you anything to ~?*** avez-vous quelque chose à déclarer?; ***to ~ one's support*** affirmer son soutien; ***to ~ war*** (***on sb***) déclarer la guerre (à qn); ***to ~ a state of emergency*** déclarer l'état d'urgence; ***to ~ independence*** déclarer son indépendance; ***to ~ sb bankrupt*** déclarer qn en faillite; ***to ~ sb the winner*** déclarer qn vainqueur **declared** *adj* déclaré

declension [dɪ'klenʃən] *n* GRAM déclinaison *f* **decline** [dɪ'klaɪn] **I** *n* baisse *f*; (*of empire*) déclin *m*; ***to be on the*** *or* ***in ~, to go*** *or* ***fall into ~*** (*business*) être en déclin; (*empire*) être sur le déclin **II** *v/t* **1.** *invitation* décliner, refuser **2.** GRAM décliner **III** *v/i* **1.** (*business*) décliner; (*value*) diminuer; (*popularity, influence*) être en baisse **2.** GRAM se décliner

decode [ˌdiː'kəʊd] *v/t* décoder **decoder** [ˌdiː'kəʊdəʳ] *n* décodeur *m*

décolletage [deɪ'kɒltɑːʒ] *n* décolleté *m*

decompose [ˌdiːkəm'pəʊz] *v/i* se décomposer **decomposition** [ˌdiːkɒmpə'zɪʃən] *n* décomposition *f*

decongestant [ˌdiːkən'dʒestənt] *n* décongestionnant *m*

decontaminate [ˌdiːkən'tæmɪneɪt] *v/t* décontaminer

décor ['deɪkɔːʳ] *n* décor *m*

decorate ['dekəreɪt] *v/t* (*cake, Christmas tree, room, street*) décorer; (*paint*) peindre **decorating** ['dekəreɪtɪŋ] *n* décoration *f*; (*painting*) peinture *f* **decoration** [ˌdekə'reɪʃən] *n* (*on cake, Christmas tree, in street*) décoration *f*; ***Christmas ~s*** décorations de Noël; ***interior ~*** décoration d'intérieur **decorative** ['dekərətɪv] *adj* décoratif(-ive) **decorator** ['dekəreɪtəʳ] *n* (*US interior designer*) décorateur(-trice) *m*(*f*) d'intérieur (*Br house painter*) peintre-décorateur *m*

decorum [dɪ'kɔːrəm] *n* décorum *m*, bienséance *f*

decoy ['diːkɔɪ] *n* appeau *m*; (*person*) appât *m*; ***police ~*** policier en civil (*faisant partie d'un piège*); ***~ maneuver*** (*US*) *or* ***manoeuvre*** *Br* piège

decrease [diː'kriːs] **I** *v/i* diminuer, décroître; (*strength*) s'affaiblir **II** *v/t* diminuer, réduire **III** *n* diminution *f*; (*in figures, production*) baisse *f*; (*in strength*) affaiblissement *m* **decreasingly** [diː'kriːsɪŋlɪ] *adv* de moins en moins

decree [dɪ'kriː] **I** *n* décret *m*; (POL: *of king etc.*) décret *m*; JUR arrêt *m*; (*of court*) jugement *m* **II** *v/t* décréter; ***he ~d an annual holiday on 1st April*** il décréta le 1er avril jour férié **decree absolute** *n* JUR jugement *m* définitif (*de divorce*) **decree nisi** [dɪˌkriː'naɪsaɪ] *n* JUR jugement *m* provisoire (*de divorce*)

decrepit [dɪ'krepɪt] *adj* décrépit; *building* décrépit, délabré

dedicate ['dedɪkeɪt] *v/t* consacrer (***to sb*** à qn); ***to ~ oneself*** *or* ***one's life to sb / sth*** se consacrer *or* consacrer sa vie à qn / qc **dedicated** *adj* **1.** *attitude, service, fans* dévoué; (*in one's work*) consciencieux(-euse); ***a ~ nurse*** une infirmière dévouée; ***she's ~ to her students*** elle est toute dévouée à ses étudiants **2.** IT dédié **dedication** [ˌdedɪ'keɪʃən] *n* **1.** (*quality*) dévouement *m* (***to*** à) **2.** (*in book*) dédicace *f*

deduce [dɪ'djuːs] *v/t* déduire, conclure (***from*** de)

deduct [dɪ'dʌkt] *v/t* déduire, retrancher (***from*** de); ***to ~ sth from the price*** déduire qc du prix; ***after ~ing 5%*** après déduction de 5% **deductible** [dɪ'dʌktəbl] *adj* (*also tax deductible*) déductible **deduction** [dɪ'dʌkʃən] *n* **1.** retenue *f*; (*from price*) déduction *f* (***from*** de) **2.** ***by a process of*** **~** par déduction

deed [diːd] *n* **1.** acte *m*, action *f*; ***good*** **~** bonne action; ***evil*** **~** mauvaise action; ***in*** **~** de fait **2.** JUR acte *m* de propriété; **~** ***of covenant*** donation *f*

deem [diːm] *v/t* ***to*** **~** ***sb*** **/** ***sth*** **(*to be*)** ***sth*** estimer qn / qc comme étant qc; ***it was*** **~*ed necessary*** cela fut jugé nécessaire

deep [diːp] **I** *adj* ⟨**+er**⟩ profond; (*wide*) large; *colour* sombre; *concern* vif(vive); ***the pond*** **/** ***snow was 4 feet*** **~** la mare faisait 4 pieds de profondeur; ***two feet*** **~** ***in snow*** recouvert de deux pieds de neige; ***two feet*** **~** ***in water*** sous deux pieds d'eau; ***the*** **~** ***end*** (*of pool*) la partie profonde; ***to go off*** **(*at*)** ***the*** **~** ***end*** *fig*, *infml* se mettre dans tous ses états *infml*; ***to be thrown in at the*** **~** ***end*** *fig* recevoir le baptême du feu *infml*; ***the spectators stood ten*** **~** il y avait des spectateurs sur une dizaine de rangées; **~*est sympathy*** sincères condoléances; **~** ***down, she knew he was right*** au fond d'elle-même, elle savait qu'il avait raison; **~** ***in conversation*** en pleine conversation; ***to be in*** **~** ***trouble*** être dans de sales draps **II** *adv* ⟨**+er**⟩ profondément; **~** ***into the night*** tard dans la nuit

deepen ['diːpən] **I** *v/t* approfondir; *crisis* aggraver **II** *v/i* s'approfondir; (*sorrow*, *concern*) augmenter; (*mystery*) s'épaissir; (*divisions*, *crisis*) s'aggraver

deepening ['diːpənɪŋ] *adj sorrow*, *concern etc.* qui augmente; *crisis* qui s'aggrave; *mystery* qui s'épaissit **deep-fat fryer** *n* friteuse *f* **deepfreeze** *n* congélateur-coffre *m*; (*upright*) congélateur-armoire *m* **deep-fry** *v/t* faire cuire à la friture **deeply** ['diːplɪ] *adv* profondément; **~** ***committed*** profondément engagé; ***they are*** **~** ***embarrassed by it*** cela les gêne profondément; ***to fall*** **~** ***in love*** tomber profondément amoureux **deep-pan pizza** *n* pizza *f* (à pâte épaisse) **deep-rooted** *adj* ⟨*comp* **deeper-rooted**⟩ *fig* profondément enraciné **deep-sea** *adj* des grands fonds **deep-seated** *adj* ⟨*comp* **deeper-seated**⟩ profondément enraciné **deep-set** *adj* ⟨*comp* **deeper-set**⟩ enfoncé **deep space** *n* espace *m* lointain **deep vein thrombosis** *n* MED thrombose *f* veineuse profonde

deer [dɪəʳ] *n* ⟨*pl* **-**⟩ (*roe deer*) chevreuil *m*; (*stag*) cerf *m*; (*collectively*) cervidés *mpl*

de-escalate [ˌdiːˈeskəleɪt] *v/t* faire baisser

deface [dɪˈfeɪs] *v/t* dégrader

defamatory [dɪˈfæmətərɪ] *adj* diffamatoire

default [dɪˈfɔːlt] **I** *n* **1.** ***to win by*** **~** SPORT gagner par forfait **2.** IT sélection *f* par défaut **II** *attr* IT *parameter* par défaut; **~** ***drive*** lecteur par défaut **III** *v/i* (*not perform duty*) manquer à ses obligations

defeat [dɪˈfiːt] **I** *n* défaite *f*; (*of bill*) échec *m*; ***their*** **~** ***of the enemy*** leur victoire sur l'ennemi; ***to suffer a*** **~** subir une défaite **II** *v/t army*, *team* vaincre; *bill* rejeter; ***that would be*** **~*ing the purpose of the exercise*** ce serait aller contre les objectifs de cet exercice

defect¹ [ˈdiːfekt] *n* défaut *m*

defect² [dɪˈfekt] *v/i* POL faire défection; ***to*** **~** ***to the enemy*** passer à l'ennemi **defection** [dɪˈfekʃən] *n* POL défection *f*

defective [dɪˈfektɪv] *adj machine* défectueux(-euse); *gene* déficient

defence *etc. Br* = **defense** *etc.*

defend [dɪˈfend] *v/t* défendre (***against*** contre) **defendant** *n* défendeur (-deresse); (*in civil cases*) prévenu(e) *m*/*f* **defender** [dɪˈfendəʳ] *n* défenseur(e) *m*(*f*) **defending** *adj* ***the*** **~** ***champions*** les champions en titre

defense, *Br* **defence** [dɪˈfens] *n* **1.** *no pl* défense *f*; ***in his*** **~** pour sa défense; ***to come to sb's*** **~** venir à la défense de qn; ***his only*** **~** ***was ...*** sa seule défense a été de ... **2.** (*form of protection*) défense *f*; (MIL *fortification etc.*) défenses *fpl*, fortifications *fpl*; ***as a*** **~** ***against*** comme protection contre; ***his*** **~*s were down*** il n'avait plus de défenses **defense counsel**, *Br* **defence counsel** *n* avocat *m* de la défense **defenseless**, *Br* **defenceless** *adj* sans défense **defense mechanism**, *Br* **defence mechanism** *n* PHYSIOL, PSYCH mécanisme *m* de défense **defense minister**, *Br* **defence minister** *n* ministre *m* de la Défense **defensive** [dɪˈfensɪv] **I** *adj* défensif(-ive) **II** *n* ***to be on the*** **~** (MIL, *fig*) être sur la défensive **defensively** [dɪˈfensɪvlɪ] *adv also* SPORTS défensivement

defer [dɪˈfɜːʳ] *v/t* reporter; ***to*** **~** ***doing sth*** différer de faire qc

deference [ˈdefərəns] *n* respect *m*, déférence *f*; ***out of*** *or* ***in ~ to*** par égard pour **deferential** [ˌdefəˈrenʃəl] *adj* respectueux(-euse), déférent **deferred payment** *n* paiement *m* différé; (*US*: *by installments*) paiement *m* par versements échelonnés **defiance** [dɪˈfaɪəns] *n* défi *m* (***of sb*** à qn); (*of order*, *law*) mépris *m* (***of*** de); ***an act of ~*** un acte de défi; ***in ~ of sb / sth*** au mépris de qn / qc **defiant** *adj* de défi; (*rebellious*) rebelle; (*challenging*) provocant **defiantly** *adv* d'un air défiant; *resist* dans un esprit de défi **deficiency** [dɪˈfɪʃənsɪ] *n* insuffisance *f*; FIN déficit *m*; (*in character*, *system*) carence *f*; ***iron ~*** carence en fer **deficient** *adj* insuffisant; ***sb / sth is ~ in sth*** qn / qc manque de qc **deficit** [ˈdefɪsɪt] *n* déficit *m* **definable** [dɪˈfaɪnəbl] *adj boundaries*, *duties* définissable **define** [dɪˈfaɪn] *v/t* définir; *duties etc.* définir, déterminer **definite** [ˈdefɪnɪt] *adj* **1.** *answer*, *decision* catégorique; *agreement*, *date*, *plan* certain; ***is that ~?*** est-ce certain?; ***for ~*** de façon certaine **2.** *mark* bien visible; *advantage*, *improvement*, *possibility* manifeste **3.** *manner* ferme, catégorique; ***she was very ~ about it*** elle s'est montrée très catégorique là-dessus **definite article** *n* GRAM article *m* défini **definitely** [ˈdefɪnɪtlɪ] *adv* **1.** *decide*, *say* catégoriquement; ***it's not ~ agreed yet*** l'accord n'est pas encore certain **2.** (*clearly*) manifestement; (*certainly*) certainement; (*whatever happens*) absolument; ***~ not*** absolument pas; ***he ~ wanted to come*** il avait la ferme intention de venir **definition** [ˌdefɪˈnɪʃən] *n* **1.** (*of word*, *concept*) définition *f*; ***by ~*** par définition **2.** (*of duties*, *boundaries*) définition *f*, détermination *f* **3.** PHOT, TV définition *f* **definitive** [dɪˈfɪnɪtɪv] *adj victory*, *answer* définitif(-ive); *book* de référence (***on*** sur) **deflate** [ˌdiːˈfleɪt] *v/t* dégonfler; ***he felt a bit ~d when …*** il s'est senti un peu décontenancé quand… **deflation** [ˌdiːˈfleɪʃən] *n* FIN déflation *f* **deflect** [dɪˈflekt] *v/t* détourner; *ball* faire dévier; PHYS *light* dévier **deflection** [dɪˈflekʃən] *n* (*of ball*) déviation *f*; (PHYS, *of light*) déflexion *f* **deforestation** [diːˌfɒrɪˈsteɪʃən] *n* déforestation *f*

deformed [dɪˈfɔːmd] *adj* difforme; TECH déformé **deformity** [dɪˈfɔːmɪtɪ] *n* difformité *f* **defraud** [dɪˈfrɔːd] *v/t* ***to ~ sb of sth*** escroquer qn de qc **defrost** [ˌdiːˈfrɒst] **I** *v/t fridge* faire dégivrer; *food* faire décongeler **II** *US car windows* faire dégivrer **III** *v/i* (*fridge*) dégivrer; (*food*) décongeler **deft** [deft] *adj* ⟨**+er**⟩ habile **deftly** [ˈdeftlɪ] *adv* habilement **defunct** [dɪˈfʌŋkt] *adj fig institution etc.* défunt; *law* révolu **defuse** [ˌdiːˈfjuːz] *v/t* désamorcer **defy** [dɪˈfaɪ] *v/t* **1.** *person*, *orders*, *law*, *danger* défier **2.** *fig* défier; ***to ~ description*** défier toute description; ***that defies belief!*** c'est absolument incroyable!; ***to ~ gravity*** défier la gravité **degenerate** [dɪˈdʒenəreɪt] *v/i* dégénérer; (*people*, *morals*) se dégrader; ***the demonstration ~d into violence*** la manifestation a dégénéré en actes de violence **degeneration** [dɪˌdʒenəˈreɪʃən] *n* dégénérescence *f* **degradation** [ˌdegrəˈdeɪʃən] *n* déchéance *f*; GEOL, CHEM dégradation *f* **degrade** [dɪˈgreɪd] **I** *v/t* dégrader; CHEM dégrader; ***to ~ oneself*** s'avilir **II** *v/i* CHEM se dégrader **degrading** [dɪˈgreɪdɪŋ] *adj* dégradant **degree** [dɪˈgriː] *n* **1.** degré *m*; ***an angle of 90~s*** un angle de 90 degrés; ***first ~ murder*** ≈ homicide *m* volontaire avec préméditation; ***second ~ murder*** meurtre *m* **2.** (*of risk etc.*) degré; ***some*** *or* ***a certain ~ of*** un certain degré de; ***to some ~, to a (certain) ~*** jusqu'à un certain point; ***to such a ~ that …*** à tel point que… **3.** UNIV diplôme *m*; ***to get one's ~*** obtenir son diplôme; ***to do a ~*** préparer un diplôme; ***when did you do your ~?*** quand avez-vous passé votre diplôme?; ***I'm doing a ~ in languages*** je prépare un diplôme de langues; ***I've got a ~ in Business Studies*** j'ai un diplôme de gestion **degree course** *n* cursus *m* universitaire **dehumanize** [ˌdiːˈhjuːmənaɪz] *v/t* déshumaniser **dehydrated** [ˌdiːhaɪˈdreɪtɪd] *adj milk* en poudre; *person*, *skin*, *foods* déshydraté **dehydration** [ˌdiːhaɪˈdreɪʃən] *n* déshydratation *f* **de-icer** [ˌdiːˈaɪsəʳ] *n* dégivreur *m*; (*spray for cars*) dégivrant *m*

deign [deɪn] *v/t* ***to ~ to do sth*** daigner faire qc
deity ['diːɪtɪ] *n* divinité *f*
déjà vu ['deɪʒɑː'vuː] *n* déjà-vu *m*; ***a feeling*** *or* ***sense of ~*** une impression de déjà-vu
dejected [dɪ'dʒektɪd] *adj* découragé **dejectedly** [dɪ'dʒektɪdlɪ] *adv* avec découragement **dejection** [dɪ'dʒekʃən] *n* découragement *m*
delay [dɪ'leɪ] **I** *v/t* **1.** (*postpone*) retarder; ***to ~ doing sth*** attendre pour faire qc; ***he ~ed paying until …*** il a repoussé le paiement jusqu'à ce que…; ***rain ~ed play*** le match a été retardé à cause de la pluie **2.** *person* retarder; *traffic* ralentir **II** *v/i* tarder; ***to ~ in doing sth*** attendre pour faire qc; ***he ~ed in paying the bill*** il a attendu avant de payer la facture **III** *n* (*to traffic*; *to train*, *plane*) retard *m*; (*time lapse*) délai *m*; ***road repairs are causing ~s of up to 1 hour*** en raison de travaux sur les routes, on observe des ralentissements pouvant entraîner des retards d'une heure; ***"delays possible (until …)"*** "perturbations de la circulation possibles (jusqu'à…)"; ***there are ~s to all flights*** tous les vols sont en retard; ***without ~*** sans tarder; ***without further ~*** sans plus tarder **delaying** [dɪ'leɪɪŋ] *adj* dilatoire; ***~ tactics*** manœuvres dilatoires
delegate ['delɪgeɪt] **I** *v/t authority* déléguer (***to sb*** à qn); ***to ~ sb to do sth*** désigner qn pour faire qc **II** *v/i* déléguer **III** *n* délégué(e) *m(f)* **delegation** [ˌdelɪ'geɪʃən] *n* délégation *f*
delete [dɪ'liːt] *v/t* supprimer; IT effacer; ***"delete where applicable"*** "rayer les mentions inutiles" **delete key** *n* IT touche *f* d'effacement **deletion** [dɪ'liːʃən] *n* suppression *f*; IT effacement *m*; ***to make a ~*** supprimer quelque chose
deli ['delɪ] *n infml* = **delicatessen**
deliberate [dɪ'lɪbərɪt] **I** *adj* **1.** (*intentional*) délibéré, intentionnel(le) **2.** (*thoughtful*) réfléchi **II** *v/i* (*ponder*) délibérer (**on, upon** sur), réfléchir (**on, upon** à); (*discuss*) délibérer, discuter (**on, upon** sur) **III** *v/t* (*ponder*) examiner; (*discuss*) débattre **deliberately** [dɪ'lɪbərɪtlɪ] *adv* **1.** (*intentionally*) exprès, à dessein; ***the blaze was started ~*** l'incendie a été allumé intentionnellement **2.** (*thoughtfully*) posément **deliberation** [dɪˌlɪbə'reɪʃən] *n* **1.** (*consideration*) considération *f*, réflexion *f* (**on** à propos de) **2. deliberations** *pl* (*discussions*) délibérations *fpl* (**of, on** sur)
delicacy ['delɪkəsɪ] *n* **1.** = **delicateness 2.** (*food*) mets *m* raffiné **delicate** ['delɪkɪt] **I** *adj* **1.** *health* délicat; *person*, *china* délicat, fin; *stomach* fragile, délicat; ***she's feeling a bit ~ after the party*** elle se sent un peu barbouillée après la fête *infml* **2.** *operation*, *subject*, *situation* délicat **II delicates** *pl* (*fabrics*) linge *m* délicat **delicately** ['delɪkɪtlɪ] *adv* **1.** *move* délicatement, avec délicatesse **2.** *scented* délicatement; ***~ flavored*** délicatement parfumé **3.** (*tactfully*) avec délicatesse, avec tact **delicateness** *n* délicatesse *f*
delicatessen [ˌdelɪkə'tesn] *n* (*shop*) traiteur *m* (*food*) plats *mpl* cuisinés
delicious [dɪ'lɪʃəs] *adj* **1.** *food etc.* délicieux(-euse) **2.** (*delightful*) exquis **deliciously** [dɪ'lɪʃəslɪ] *adv tender*, *creamy*, *warm*, *fragrant* délicieusement
delight [dɪ'laɪt] **I** *n* joie *f*; (grand) plaisir *m* ***to my ~*** à ma grande joie; ***he takes great ~ in doing that*** il prend grand plaisir à faire cela; ***he's a ~ to watch*** c'est un vrai plaisir de l'observer **II** *v/i* prendre plaisir (**in** à)
delighted [dɪ'laɪtɪd] *adj* ravi (*with*, *at* de; *that* que); ***to be ~*** être ravi; ***absolutely ~*** absolument ravi; ***~ to meet you!*** enchanté de vous faire votre connaissance; ***I'd be ~ to help you*** je serais ravi de vous aider
delightful [dɪ'laɪtfʊl] *adj weather*, *party* charmant, délicieux(-euse) **delightfully** [dɪ'laɪtfəlɪ] *adv* délicieusement
delinquency [dɪ'lɪŋkwənsɪ] *n* délinquance *f* **delinquent** [dɪ'lɪŋkwənt] **I** *adj* délinquant **II** *n* délinquant(e) *m/f*
delirious [dɪ'lɪrɪəs] *adj* MED atteint de délire; *fig* délirant; ***to be ~ with joy*** être fou de joie **deliriously** [dɪ'lɪrɪəslɪ] *adv* ***~ happy*** follement heureux **delirium** [dɪ'lɪrɪəm] *n* MED, *fig* délire *m*
deliver [dɪ'lɪvər] **I** *v/t* **1.** *goods* livrer; *message* délivrer; ***to ~ sth to sb*** livrer qc à qn; ***he ~ed the goods to the door*** il a livré les marchandises à la porte; ***~ed free of charge*** livraison gratuite; ***to ~ the goods*** *fig*, *infml* tenir parole **2.** *speech*, *verdict* prononcer; *ultimatum* lancer **3.** MED *baby* mettre au monde **II** *v/i lit* tenir parole **delivery** [dɪ'lɪvərɪ] *n* **1.** (*of goods*) livraison *f*; (*of parcels*, *let-*

ters) distribution *f*; ***please allow 28 days for ~*** compter 28 jours pour la livraison **2.** MED accouchement *m* **3.** (*of speaker*) débit *m* **delivery boy** *n* livreur *m* **delivery charge** *n* frais *mpl* de port **delivery costs** *pl* frais *mpl* de livraison **delivery date** *n* date *f* de livraison **delivery man** *n* livreur *m* **delivery note** *n* bon *m* de livraison **delivery room** *n* salle *f* d'accouchement **delivery service** *n* service *m* de livraison **delivery van** *n* camionnette *f* de livraison

delta ['deltə] *n* delta *m*

delude [dɪ'luːd] *v/t* tromper; ***to ~ oneself*** se faire des illusions; ***stop deluding yourself that …*** arrêtez de vous imaginer que… **deluded** *adj* victime d'illusions

deluge ['deljuːdʒ] *n* déluge *m*

delusion [dɪ'luːʒən] *n* illusion *f*; PSYCH délire *m*; ***to be under a ~*** se faire des illusions; ***to have ~s of grandeur*** avoir des la folie des grandeurs

de luxe [dɪ'lʌks] *adj* de luxe; ***~ model*** modèle de luxe; ***~ version*** version de luxe

delve [delv] *v/i* (*into book*) rechercher (***into*** dans); ***to ~ in(to) one's pocket*** fouiller dans sa poche; ***to ~ into the past*** fouiller le passé

demand [dɪ'mɑːnd] **I** *v/t* exiger, réclamer; *time* exiger; ***he ~ed money*** il exigea de l'argent; ***he ~ed to know what had happened*** il exigea de savoir ce qui s'était passé; ***he ~ed to see my passport*** il exigea de voir mon passeport **II** *n* **1.** exigence *f*, demande *f* (***for*** de); ***by popular ~*** à la demande générale; ***to be available on ~*** être disponible sur demande; ***to make ~s on sb*** beaucoup exiger de qn **2.** *no pl* COMM demande *f*; ***there's no ~ for it*** il n'y a pas beaucoup de demande pour cela; ***to be in (great) ~*** être très demandé **demanding** [dɪ'mɑːndɪŋ] *adj child*, *job*, *teacher*, *boss* exigeant

> **demand**
> **≠ demander, demande**
>
> Le verbe anglais se traduit par réclamer, exiger ; le nom se traduit par exigence :
>
> **✓ She demanded a refund.**
> **(✗ He demanded her a question.**
> **✓ He asked her a question.)**
>
> Elle a exigé qu'on la rembourse.
> (Il lui a posé une question.)

demarcate ['diːmɑːkeɪt] *v/t* délimiter

demean [dɪ'miːn] **I** *v/r* s'abaisser; ***I will not ~ myself by doing that*** je ne m'abaisserai pas en faisant ça **II** *v/t* abaisser **demeaning** [dɪ'miːnɪŋ] *adj* humiliant

demeanor, *Br* **demeanour** [dɪ'miːnər] *n* (*behavior*) comportement *m*; (*bearing*) allure *f*

demented [dɪ'mentɪd] *adj* dément **dementia** [dɪ'menʃɪə] *n* démence *f*

demerara (sugar) [ˌdemə'rɛərə ('ʃʊgər)] *n* cassonade *f*

demerge [ˌdiː'mɜːdʒ] *v/t company* scinder

demi ['demɪ] *pref* demi **demigod** ['demɪgɒd] *n* demi-dieu *m*

demilitarization ['diːˌmɪlɪtəraɪ'zeɪʃən] *n* démilitarisation *f* **demilitarize** [ˌdiː'mɪlɪtəraɪz] *v/t* démilitariser; ***~d zone*** zone démilitarisée

demise [dɪ'maɪz] *n* (*death*) disparition *f*, mort *f*; *fig* fin *f*, mort *f*

demister [ˌdiː'mɪstər] *n* dispositif *m* anti-buée

demo ['deməʊ] **I** *n abbr* = **demonstration** manif *f* **II** *adj attr* ***~ tape*** bande *f* de démonstration

demobilize [diː'məʊbɪlaɪz] *v/t* démobiliser

democracy [dɪ'mɒkrəsɪ] *n* démocratie *f* **democrat** ['deməkræt] *n* démocrate *m/f* **democratic** [ˌdemə'krætɪk] *adj* **1.** démocratique **2.** POL ***Democratic*** (*US*) démocrate; ***the Democratic Party*** le parti démocrate; ***the Social Democratic Party*** le parti social-démocrate; ***the Christian Democratic Party*** le parti des démocrates chrétiens **democratically** [ˌdemə'krætɪkəlɪ] *adv* démocratiquement

demolish [dɪ'mɒlɪʃ] *v/t building* démolir; *fig opponent* anéantir; *hum cake etc.* liquider *infml* **demolition** [ˌdemə'lɪʃən] *n* démolition *f* **demolition squad** *n* équipe *f* de démolition

demon ['diːmən] *n* démon *m*; (*infml child*) diable *m* **demonic** [dɪ'mɒnɪk] *adj* démoniaque **demonize** ['diːmənaɪz] *v/t* diaboliser

demonstrate ['demənstreɪt] **I** *v/t* démontrer; (*by example*) démontrer, prouver; *operation* montrer; *appliance* faire la démonstration de **II** *v/i* manifester **demonstration** [ˌdemən'streɪʃən] *n* (*by example*) démonstration *f*; POL *etc.* manifestation *f*; (*of appliance, operation*) démonstration *f*; ***he gave us a ~*** il nous a fait une démonstration **demonstration model** *n* modèle *m* de démonstration **demonstrative** [dɪ'mɒnstrətɪv] *adj* démonstratif(-ive) **demonstrator** ['demənstreɪtə^r] *n* **1.** COMM démonstrateur(-trice) *m(f)* **2.** POL manifestant(e) *m(f)*

demoralize [dɪ'mɒrəlaɪz] *v/t* démoraliser **demoralizing** *adj* démoralisant

demote [dɪ'məʊt] *v/t* MIL rétrograder (***to*** à); ***to be ~d*** SPORTS être relégué **demotion** [dɪ'məʊʃən] *n* MIL rétrogradation *f*; SPORTS relégation *f*

demotivate [ˌdiː'məʊtɪveɪt] *v/t* démotiver

den [den] *n* **1.** (*of lion etc.*) repaire *m*; (*of fox*) terrier *m* **2.** (*room*) petite pièce *f* privée

denationalize [ˌdiː'næʃnəlaɪz] *v/t* dénationaliser

denial [dɪ'naɪəl] *n* **1.** (*of guilt*) dénégation *f* **2.** (*refusal*) refus *m*; (*of rights*) déni *m*

denim ['denɪm] **I** *n* **1.** (*cloth*) jean *m*, denim *m* **2. denims** *pl* (*trousers*) jeans *m* **II** *adj attr* en jean

Denmark ['denmɑːk] *n* Danemark *m*

denomination [dɪˌnɒmɪ'neɪʃən] *n* **1.** ECCL confession *f*, culte *m* **2.** (*name, naming*) dénomination *f* **3.** (*of money*) valeur *f*

denote [dɪ'nəʊt] *v/t* dénoter; (*symbol, word*) signifier

denounce [dɪ'naʊns] *v/t* **1.** (*inform against*) dénoncer (***sb to sb*** qn à qn) **2.** (*accuse*) accuser

dense [dens] *adj* ⟨**+er**⟩ **1.** *fog, forest, crowd* dense **2.** (*infml slow*) bouché *infml* **densely** ['denslɪ] *adv populated, wooded* densément **density** ['densɪtɪ] *n* densité *f*; ***population ~*** densité de population

dent [dent] **I** *n* (*in metal*) bosse *f*; (*in wood*) entaille *f* **II** *v/t car* cabosser; *wood* entailler; *infml pride* froisser

dental ['dentl] *adj* dentaire **dental floss** *n* fil *m* dentaire **dental hygiene** *n* hygiène *f* dentaire **dental nurse** *n* assistante *f* dentaire **dental surgeon** *n* chirurgien(ne) *m(f)* dentiste

dentist ['dentɪst] *n* dentiste *m/f*; ***at the ~('s)*** chez le dentiste **dentistry** ['dentɪstrɪ] *n* dentisterie *f* **dentures** ['dentʃəz] *pl* prothèse *f* dentaire; (*full*) dentier *m*

denunciation [dɪˌnʌnsɪ'eɪʃən] *n* dénonciation *f*

deny [dɪ'naɪ] *v/t* **1.** *accusation etc., existence of God* nier (*officially*) démentir; ***do you ~ having said that?*** démentez-vous avoir dit cela?; ***there's no ~ing it*** inutile de nier **2. *to ~ sb's request*** rejeter la demande de qn; ***to ~ sb his rights*** priver qn de ses droits; ***to ~ sb access*** (***to sth***) refuser à qn l'accès (à qc); ***to ~ sb credit*** refuser un crédit à qn; ***I can't ~ her anything*** je ne peux rien lui refuser; ***why should I ~ myself these little comforts?*** pourquoi me refuserais-je ces petits luxes?

deodorant [diː'əʊdərənt] *n* déodorant *m*

dep. *abbr* = **departs**, **departure** départ *m*

depart [dɪ'pɑːt] *v/i* partir; ***the train at platform 6 ~ing for …*** quai n°6, le train en partance pour…; ***to be ready to ~*** (*person*) être prêt à partir; ***the visitors were about to ~*** les visiteurs étaient sur le départ **departed** [dɪ'pɑːtɪd] **I** *adj* (*dead*) décédé **II** *n* ***the*** (***dear***) ***~*** nos chers disparus

department [dɪ'pɑːtmənt] *n* **1.** ministère *m*; (*in civil service*) département *m*; ***Department of Transportation*** *or* ***Transport*** *Br* ministère des Transports **2.** SCHOOL, UNIV département *m* **departmental** [ˌdiːpɑːt'mentl] *adj* SCHOOL, UNIV de département; (*in civil service*) de ministère

department store *n* grand magasin *m*

departure [dɪ'pɑːtʃə^r] *n* **1.** (*of person, vehicle*) départ *m* (**from** de); **"departures"** "départs"; (*at airport*) hall *m* d'embarquement **2.** (*fig change*) rupture *f* **departure board** *n* RAIL, AVIAT horaires *mpl* des départs **departure gate** *n* porte *f* d'embarquement **departure lounge** *n* hall *m* d'embarquement; (*for single flight*) salle *f* d'embarquement **departure time** *n* AVIAT, RAIL, BUS heure *f* de départ

depend [dɪ'pend] *v/i* **1.** dépendre (***on sb/sth*** de qn/qc); ***it ~s on what you mean by reasonable*** cela dépend de ce que vous entendez par raisonnable; ***how long are you staying? — it ~s*** combien de temps restez-vous? — cela dépend; ***it all ~s on …*** tout dépend de…; ***~ing on his mood*** selon son humeur; ***~ing on how late we arrive*** selon l'heure à laquelle nous arriverons **2.** (*rely*) compter (**on, upon** sur); ***you can ~ (up)on it!*** vous pouvez y compter **3.** (*person be dependent on*) ***to ~ on*** vivre à la charge de **dependable** [dɪ'pendəbl] *adj* fiable **dependence** *n* dépendance *f* (**on, upon** à); ***drug/alcohol ~*** dépendance à la drogue/l'alcool

dependency [dɪ'pendənsɪ] *n* = **dependence dependent** [dɪ'pendənt] **I** *adj* dépendant; ***~ on insulin*** insulinodépendant; ***to be ~ on*** *or* ***upon sb/sth*** être dépendant de qn / qc; ***to be ~ on sb's goodwill*** dépendre de la bonne volonté de qn; ***to be ~ on*** *or* ***upon sb/sth for sth*** dépendre de qn / qc pour qc **II** *n* personne *f* à charge; ***do you have ~s?*** avez-vous des personnes à charge?

depict [dɪ'pɪkt] *v/t* dépeindre **depiction** [dɪ'pɪkʃən] *n* description *f*

depilatory [dɪ'pɪlətərɪ] **I** *adj* dépilatoire; ***~ cream*** crème dépilatoire **II** *n* dépilatoire *m*

deplete [dɪ'pliːt] *v/t* **1.** (*exhaust*) épuiser **2.** (*reduce*) réduire **depletion** [dɪ'pliːʃən] *n* **1.** (*exhausting*) épuisement *m* **2.** (*reduction*) réduction *f*; (*of stock, membership*) diminution *f*

deplorable [dɪ'plɔːrəbl] *adj* (*dreadful*) déplorable; (*disgraceful*) lamentable; ***it is ~ that …*** il est déplorable que… **deplore** [dɪ'plɔːʳ] *v/t* **1.** (*regret*) déplorer, regretter **2.** (*disapprove of*) déplorer

deploy [dɪ'plɔɪ] *v/t* (*mil, fig*) déployer **deployment** [dɪ'plɔɪmənt] *n* (MIL, *fig*) déploiement *m*

deport [dɪ'pɔːt] *v/t prisoner* déporter; *foreign national* expulser **deportation** [ˌdiːpɔː'teɪʃən] *n* (*of prisoner*) déportation *f*; (*of foreign national*) expulsion *f*

depose [dɪ'pəʊz] *v/t* déposer

deposit [dɪ'pɒzɪt] **I** *v/t* **1.** (*put down*) déposer; (*upright*) poser **2.** *money* déposer (**in or with** à); ***I ~ed $500 in my account*** j'ai déposé 500 dollars sur mon compte **II** *n* **1.** (COMM *part payment*) acompte *m*; (*returnable security*) arrhes *fpl*; (*for bottle*) consigne *f*; ***to put down a ~ of $1000 on a car*** verser 1000 dollars d'acompte sur une voiture **2.** (*in wine*, GEOL) dépôt *m*; (*of ore*) gisement *m* **deposit account** *n* compte *m* de dépôt

depot ['depəʊ] *n* **1.** (*store*) dépôt *m* **2.** (*US* RAIL) dépôt *m* **3.** (*Br bus garage*) dépôt *m*

depraved [dɪ'preɪvd] *adj* dépravé **depravity** [dɪ'prævɪtɪ] *n* dépravation *f*

deprecating ['deprɪkeɪtɪŋ] *adj* désapprobateur(-trice) **deprecatingly** ['deprɪkeɪtɪŋlɪ] *adv* d'un air désapprobateur

depreciate [dɪ'priːʃɪeɪt] *v/i* déprécier

depress [dɪ'pres] *v/t person* déprimer; *market* faire chuter **depressed** *adj* **1.** déprimé, abattu (***about*** à cause de); MED déprimé; ***to look ~*** avoir l'air déprimé **2.** ECON *market* déprimé, en baisse; *economy* déprimé **depressing** *adj* déprimant; ***these figures make ~ reading*** ces chiffres sont déprimants à lire **depressingly** *adv* ***it all sounded ~ familiar*** tout cela semblait familier et déprimant **depression** [dɪ'preʃən] *n* **1.** MED dépression *f* **2.** METEO dépression *f* **3.** ECON dépression *f*; ***the Depression*** la grande dépression

deprivation [ˌdeprɪ'veɪʃən] *n* **1.** (*depriving*) privation *f*; (*loss*) perte *f* **2.** (*state*) privation *f* **deprive** [dɪ'praɪv] *v/t* ***to ~ sb of sth*** priver qn de qc; ***the team was ~d of the injured Owen*** l'équipe fut privée d'Owen, blessé; ***she was ~d of sleep*** elle ne dormait pas assez **deprived** *adj person, childhood, background* défavorisé ***the ~ areas of the city*** les quartiers défavorisés de la ville

dept *abbr* = **department** ministère *m*

depth [depθ] *n* profondeur *f*; ***at a ~ of 3 feet*** à 3 pieds de profondeur; ***to be out of one's ~*** *lit, fig* perdre pied; ***in ~*** en profondeur; ***~(s)*** fond *m*; ***in the ~s of despair*** le fond du désespoir; ***in the ~s of winter*** en plein hiver; ***in the ~s of the forest*** en pleine forêt; ***in the ~s of the countryside*** en pleine campagne; ***to sink to new ~s*** tomber encore plus bas

deputize ['depjʊtaɪz] *v/i* assurer l'intérim (**for sb** de qn) **deputy** ['depjʊtɪ] **I** *n* **1.** adjoint *m* **2.** (*a.* **deputy sheriff**) shérif *m* adjoint **II** *adj attr* adjoint

derail [dɪ'reɪl] *v/t lit, fig* dérailler ***to be ~ed*** dérailler **derailment** *n* déraillement *m*

deranged [dɪ'reɪndʒd] *adj mind, person*

dérangé
deregulate [diː'regjʊleɪt] *v/t* déréguler **deregulation** [ˌdiːregjʊ'leɪʃən] *n* dérégulation *f* (**of** de)
derelict ['derɪlɪkt] *adj* abandonné
deride [dɪ'raɪd] *v/t* railler, tourner en ridicule **derision** [dɪ'rɪʒən] *n* dérision *f*; ***to be greeted with ~*** provoquer la risée **derisive** [dɪ'raɪsɪv] *adj* moqueur (-euse) **derisory** [dɪ'raɪsərɪ] *adj* **1.** *amount* dérisoire **2.** = **derisive**
derivation [ˌderɪ'veɪʃən] *n* dérivation *f* **derivative** [dɪ'rɪvətɪv] **I** *adj* dérivé; *fig* peu original **II** *n* dérivé *m* **derive** [dɪ'raɪv] **I** *v/t idea, name, origins* tenir (***from*** de); *profit, satisfaction* tirer (***from*** de) **II** *v/i* ***to ~ from*** provenir de
dermatitis [ˌdɜːmə'taɪtɪs] *n* dermatite *f* **dermatologist** [ˌdɜːmə'tɒlədʒɪst] *n* dermatologue *m/f* **dermatology** [ˌdɜːmə'tɒlədʒɪ] *n* dermatologie *f*
derogatory [dɪ'rɒgətərɪ] *adj* désobligeant, péjoratif
descend [dɪ'send] **I** *v/i* **1.** (*person, lift, vehicle, road, hill*) descendre **2.** (*have as ancestor*) descendre (***from*** de) **3.** (*attack*) faire une descente (***on, upon*** sur); (*sadness, silence etc.*) s'abattre (***on, upon sb*** sur qn) **4.** (*infml visit*) ***to ~ (up)on sb*** débarquer chez qn *infml*; ***thousands of fans are expected to ~ on the city*** des milliers de fans sont attendus dans la ville **5.** ***to ~ into chaos*** sombrer dans le chaos **II** *v/t* **1.** *stairs* descendre **2.** ***to be ~ed from*** descendre de **descendant** *n* descendant(e) *m(f)* **descent** [dɪ'sent] *n* **1.** (*of person*) descente *f*; ***~ by parachute*** descente en parachute **2.** (*ancestry*) ascendance *f*; ***of noble ~*** d'ascendance noble **3.** (*fig, into crime etc.*) descente *f* (***into*** dans); (*into chaos, madness*) chute *f* (***into*** dans)
descramble [diː'skræmbl] *v/t* TEL décoder
describe [dɪ'skraɪb] *v/t* décrire; ***~ him for us*** décrivez-le nous; ***to ~ oneself/ sb as …*** se présenter comme…; ***the police ~ him as dangerous*** selon la police, il s'agit d'un individu dangereux; ***he is ~d as being tall with short fair hair*** son signalement: grand et blond, cheveux courts
description [dɪ'skrɪpʃən] *n* **1.** description *f*; ***she gave a detailed ~ of what had happened*** elle donna une description détaillée de ce qui s'était passé; ***to answer (to) or fit the ~ of …*** répondre au signalement de; ***do you know anyone of this ~?*** connaissez-vous quelqu'un répondant à ce signalement? **2.** (*sort*) sorte *f*; genre *m* ***vehicles of every ~ or of all ~s*** des véhicules en tous genres **descriptive** [dɪ'skrɪptɪv] *adj* descriptif(-ive)
desecrate ['desɪkreɪt] *v/t* profaner **desecration** [ˌdesɪ'kreɪʃən] *n* profanation *f*
desegregation ['diːˌsegrɪ'geɪʃən] *n* déségrégation *f* (***of*** de)
desensitize [ˌdiː'sensɪtaɪz] *v/t* MED désensibiliser; ***to become ~d to sth*** *fig* se désensibiliser à qc
desert[1] ['dezət] **I** *n* désert *m* **II** *adj attr* désert
desert[2] [dɪ'zɜːt] **I** *v/t* (*leave*) déserter; (*abandon*) abandonner; ***by the time the police arrived the place was ~ed*** lorsque la police arriva, il n'y avait plus personne; ***in winter the place is ~ed*** en hiver, l'endroit est désert **II** *v/i* (MIL, *fig*) déserter **deserted** [dɪ'zɜːtɪd] *adj* (*abandoned*) abandonné; *place* désert **deserter** [dɪ'zɜːtər] *n* (MIL, *fig*) déserteur *m* **desertion** [dɪ'zɜːʃən] *n lit* abandon *m*; MIL désertion *f*
desert island ['dezət-] *n* île *f* déserte
deserve [dɪ'zɜːv] *v/t* mériter; ***he ~s to win*** il mérite de gagner; ***he ~s to be punished*** il mérite d'être puni; ***she ~s better*** elle mérite mieux **deservedly** [dɪ'zɜːvɪdlɪ] *adv* à raison; à juste titre **deserving** [dɪ'zɜːvɪŋ] *adj* méritant
desiccated ['desɪkeɪtɪd] *adj* séché, desséché
design [dɪ'zaɪn] **I** *n* **1.** (*of building, car, machine*) plan *m*, conception *f*; *dress* croquis *m* ***it was a good/faulty ~*** la conception était bonne/mauvaise **2.** *no pl* (*as subject*) design *m* **3.** (*pattern*) motif *m* **4.** (*intention*) dessein *m*; ***by ~*** à dessein; ***to have ~s on sb/sth*** avoir des visées sur qn/qc **II** *v/t* **1.** (*draw*) dessiner; *machine* concevoir; ***a well ~ed machine*** une machine bien conçue **2.** ***to be ~ed for sb/sth*** être conçu pour qn/qc; ***this magazine is ~ed to appeal to young people*** ce magazine est conçu pour attirer un lectorat jeune
designate ['dezɪgneɪt] *v/t* **1.** (*appoint*) désigner; ***to ~ sb as sth*** nommer qn qc **2.** (*specify*) indiquer; ***smoking is permitted in ~d areas*** il est permis

de fumer dans les zones spécifiées; ***to be the ~d driver*** ≈ être le capitaine de soirée
designer [dɪ'zaɪnəʳ] **I** *n* **1.** dessinateur (-trice) *m*(*f*) **2.** (*fashion designer*) styliste *m*/*f* **3.** (*of machines etc.*) concepteur (-trice) *m*(*f*) **II** *adj attr* haute couture; ***~ clothes*** vêtements de haute couture; ***~ stubble*** barbe de deux jours **design fault** *n* erreur *f* de conception
desirability [dɪˌzaɪərə'bɪlɪtɪ] *n* avantages *mpl* intérêt *m* **desirable** [dɪ'zaɪərəbl] *adj* **1.** souhaitable; *action* désirable, souhaitable; *goal* à atteindre **2.** *position*, *offer* tentant **3.** *woman* désirable, séduisant **desire** [dɪ'zaɪəʳ] **I** *n* désir *m* (***for*** de); (*longing*) désir *m* (***for*** de); (*sexual*) désir *m* (***for*** de); ***a ~ for peace*** un désir de paix; ***heart's ~*** aspirations; ***I have no ~ to see him*** je n'ai aucune envie de le voir; ***I have no ~ to cause you any trouble*** je n'ai aucune envie de vous causer des ennuis **II** *v*/*t* souhaiter; *object* désire, convoiter; *woman* désirer; *peace* désirer, souhaiter; ***if ~d*** si vous le désirez; ***to have the ~d effect*** avoir l'effet désiré; ***it leaves much*** *or* ***a lot to be ~d*** cela laisse beaucoup à désirer; ***it leaves something to be ~d*** cela laisse à désirer
desk [desk] *n* bureau *m*; (*for students*) pupitre *m*; (*in store*) caisse *f*; (*in hotel*) réception *f* **desk calendar** *n US* calendrier *m* de bureau **desk clerk** *n US* employé(e) *m*(*f*) de bureau **desk job** *n* travail *m* de bureau **desk lamp** *n* lampe *f* de bureau **desktop computer** *n* ordinateur *m* de bureau **desktop publishing** *n* publication *f* assistée par ordinateur
desolate ['desəlɪt] *adj* désolé; *place* morne; *feeling*, *cry* de désolation **desolation** [ˌdesə'leɪʃən] *n* **1.** (*by war*) dévastation *f* **2.** (*grief*) désolation *f*
despair [dɪ'speəʳ] **I** *n* désespoir *m* (***about, at*** à propos de); ***he was filled with ~*** il était désespéré; ***to be in ~*** être au désespoir **II** *v*/*i* désespérer; ***to ~ of doing sth*** désespérer de faire qc **despairing** [dɪs'peərɪŋ] *adj* désespéré **despairingly** [dɪs'peərɪŋlɪ] *adv* d'un air désespéré
despatch [dɪ'spætʃ] *v*/*t*, *n esp Br* = **dispatch**
desperate ['despərɪt] *adj* **1.** désespéré; *criminal* prêt à tout; *solution* désespéré; ***to get*** *or* ***grow ~*** se désespérer; ***things are ~*** la situation est désespérée; ***the ~ plight of the refugees*** la situation désespérée des réfugiés; ***to be ~ to do sth*** avoir très envie de faire qc; ***to be ~ for sth*** avoir très envie de qc; ***are you going out with Jim? you must be ~!*** *infml*, *hum* tu sors avec Jim? c'est vraiment la dèche! *infml*, *hum*; ***I'm not that ~!*** je n'en suis quand même pas là! **2.** *need*, *shortage* désespéré; ***to be in ~ need of sth*** avoir terriblement besoin de qc; ***a building in ~ need of repair*** un bâtiment ayant grandement besoin d'être réparé **desperately** ['despərɪtlɪ] *adv* **1.** *fight*, *look for*, *try*, *need*, *want* désespérément **2.** *important*, *sad* terriblement; ***~ ill*** très gravement malade; ***to be ~ worried*** (***about sth***) être terriblement inquiet (au sujet de qc); ***I'm not ~ worried*** je ne m'en fais pas outre-mesure; ***to be ~ keen to do sth*** désirer éperdument faire qc; ***I'm not ~ keen on ...*** je ne raffole pas de ...; ***~ unhappy*** terriblement malheureux; ***to try ~ hard to do sth*** tenter désespérément de faire qc **desperation** [ˌdespə'reɪʃən] *n* désespoir *m*
despicable [dɪ'spɪkəbl] *adj act*, *person* méprisable **despicably** [dɪ'spɪkəblɪ] *adv* de façon méprisable, bassement
despise [dɪ'spaɪz] *v*/*t* mépriser; ***to ~ oneself*** (***for sth***) se mépriser (pour qc)
despite [dɪ'spaɪt] *prep* malgré; ***~ his warnings*** malgré ses mises en garde; ***~ what she says*** malgré ce qu'elle dit
despondent [dɪ'spɒndənt] *adj* abattu
despot ['despɒt] *n* despote *m*/*f*
dessert [dɪ'zɜːt] *n* dessert *m*; ***for ~*** pour le dessert **dessertspoon** [dɪ'zɜːtspuːn] *n* cuiller *f* à dessert
destabilization [ˌdiːsteɪbɪlaɪ'zeɪʃən] *n* déstabilisation *f* **destabilize** [diː'steɪbɪlaɪz] *v*/*t* déstabiliser
destination [ˌdestɪ'neɪʃən] *n* (*of person*, *goods*) destination *f* **destine** ['destɪn] *v*/*t* (*set apart*, *predestine*) destiner; ***to be ~d to do sth*** être destiné à faire qc; ***we were ~d to meet*** nous étions destinés à nous rencontrer; ***I was ~d never to see them again*** je ne devais jamais plus les revoir **destined** *adj* ***~ for*** destiné à **destiny** ['destɪnɪ] *n* destin *m*; ***to control one's own ~*** maîtriser sa destinée
destitute ['destɪtjuːt] *adj* sans ressour-

ces
destroy [dɪ'strɔɪ] *v/t documents, trace* détruire; *person, animal* exterminer; *watch etc.* démolir; détruire; *hopes, chances* anéantir; ***to be ~ed by fire*** être détruit par le feu **destroyer** [dɪ'strɔɪəʳ] *n* NAUT contre-torpilleur *m*, destroyer *m*
destruction [dɪ'strʌkʃən] *n* **1.** *of documents* destruction *f*; (*of people*) extermination *f* **2.** (*damage*) ruine *f* **destructive** [dɪ'strʌktɪv] *adj power, nature* destructeur(-trice) **destructiveness** [dɪ'strʌktɪvnɪs] *n* caractère *m* destructeur; (*of fire, war*) effet *m* destructeur; (*of weapon*) pouvoir *m* destructeur
detach [dɪ'tætʃ] *v/t* détacher (***from*** de) **detachable** [dɪ'tætʃəbl] *adj part of machine, collar* amovible; *section of document* détachable (***from*** de) **detached** *adj* **1.** *manner* détaché **2.** *Br* ***~ house*** maison *f* individuelle
detail ['diːteɪl] *n* détail *m*; (*particular*) détail *m*, renseignement *m*; ***in ~*** en détail; ***in great ~*** dans les moindres détails; ***please send me further ~s*** veuillez m'envoyer des renseignements; ***to go into ~s*** entrer dans les détails; ***his attention to ~*** sa minutie **detailed** *adj knowledge, results, picture* détaillé; *work, analysis* minutieux(-euse)
detain [dɪ'teɪn] *v/t* (*police*) détenir; ***to be ~ed*** (*be arrested*) être en garde-à-vue; (*be in detention*) être en détention; ***to ~ sb for questioning*** placer qn en garde-à-vue
detect [dɪ'tekt] *v/t* détecter, déceler; (*make out*) distinguer; *crime* découvrir; *movement, noise* percevoir **detection** [dɪ'tekʃən] *n* **1.** (*of crime, fault*) découverte *f*; ***to avoid*** *or* ***escape ~*** ne pas être découvert **2.** (*of gases, mines*) détection *f* **detective** [dɪ'tektɪv] *n* détective *m/f*; (*police detective*) inspecteur(-trice *m(f)* de police **detective agency** *n* agence *f* de détectives privés **detective constable** *n Br* ≈ inspecteur(-trice) *m(f)* de police **detective inspector** *n* ≈ inspecteur(-trice) *m(f)* de police principal(e) **detective sergeant** *n* ≈ inspecteur(-trice)-chef *m(f)* de police **detective story** *n* roman *m* policier **detective work** *n* enquêtes *fpl* **detector** [dɪ'tektəʳ] *n* TECH détecteur *m*
detention [dɪ'tenʃən] *n* (*captivity*) détention *f*; (*act*) detention *f*, possession *f*; SCHOOL retenue *f*; ***he's in ~*** SCHOOL il est en retenue **detention center**, *Br* **detention centre** *n* centre *m* de détention
deter [dɪ'tɜːʳ] *v/t* dissuader, décourager; ***to ~ sb from*** (***doing***) ***sth*** dissuader qn de (faire) qc
detergent [dɪ'tɜːdʒənt] *n* détergent *m*; (*soap powder etc.*) poudre *f* à laver
deteriorate [dɪ'tɪərɪəreɪt] *v/i* se détériorer; (*materials*) s'abîmer; (*profits*) baisser **deterioration** [dɪˌtɪərɪə'reɪʃən] *n* détérioration *f*; (*of materials*) dégradation *f*
determinate [dɪ'tɜːmɪnɪt] *adj number, direction* déterminé; *concept* précis **determination** [dɪˌtɜːmɪ'neɪʃən] *n* détermination *f*; ***he has great ~*** il est très déterminé **determine** [dɪ'tɜːmɪn] *v/t* déterminer; *conditions, price* définir
determined [dɪ'tɜːmɪnd] *adj* déterminé; ***to make a ~ effort*** *or* ***attempt to do sth*** faire tout son possible pour faire qc; ***he is ~ that …*** il est résolu à ce que …; ***to be ~ to do sth*** être résolu à faire qc; ***he's ~ to make me lose my temper*** il fait exprès de me faire sortir de mes gonds
deterrent [dɪ'terənt] **I** *n* moyen *m* de dissuasion; ***to be a ~*** être un moyen de dissuasion **II** *adj* de dissuasion
detest [dɪ'test] *v/t* détester; ***I ~ having to get up early*** je déteste devoir me lever tôt **detestable** [dɪ'testəbl] *adj* détestable
detonate ['detəneɪt] **I** *v/i* (*bomb*) détoner **II** *v/t* faire exploser **detonator** ['detəneɪtəʳ] *n* détonateur *m*
detour ['diːtʊəʳ] *n* **1.** détour *m*; ***to make a ~*** faire un détour **2.** (*for traffic*) déviation *f*
detox ['diːtɒks] *n infml for drugs, alcohol* désintoxication *f infml*; *diet* cure *f* détox **detoxification** [ˌdiːtɒksɪfɪ'keɪʃən] *n* désintoxication *f*
detract [dɪ'trækt] *v/i* ***to ~ from sth*** diminuer qc
detriment ['detrɪmənt] *n* détriment *m*; ***to the ~ of sth*** au détriment de qc **detrimental** [ˌdetrɪ'mentl] *adj* néfaste; (*to case, cause*) préjudiciable (***to*** à); ***to be ~ to sb/sth*** porter préjudice à qn/qc
devaluation [ˌdɪvæljʊ'eɪʃən] *n* dévaluation *f* **devalue** [diː'væljuː] *v/t* dévaluer
devastate ['devəsteɪt] *v/t* **1.** *town, land* dévaster; *economy* ruiner **2.** (*infml overwhelm*) catastropher; ***I was ~d***

j'étais effondré *infml*; ***they were ~d by the news*** la nouvelle les a catastrophés **devastating** ['devəsteɪtɪŋ] *adj* **1.** (*destructive*) dévastateur(-trice); ***to be ~ to*** *or* ***for sth, to have a ~ effect on sth*** avoir un effet dévastateur sur qc **2.** *fig effect, news, attack* dévastateur (-trice); *performance* lamentable; *defeat, blow* écrasant; ***a ~ loss*** une perte accablante; ***to be ~ for sb*** être une catastrophe pour qn **devastation** [ˌdevəˈsteɪʃən] *n* dévastation *f*

develop [dɪ'veləp] **I** *v/t* **1.** développer **2.** *region* développer; *ground* exploiter; *old part of a town* aménager; ***to ~ a cold*** attraper un rhume **II** *v/i* se développer; (*talent, plot etc.*) évoluer; ***to ~ into sth*** se transformer en qc **developer** [dɪ'veləpəʳ] *n* **1.** *of property* promoteur (-trice) *m(f)* **2.** *software writer* développeur(-euse) *m(f)* **3.** ***late ~*** enfant *m/f* au développement tardif **developing** [dɪ'veləpɪŋ] *adj crisis* qui se développe; *economy* en développement; ***the ~ world*** les pays en voie de développement **developing country** *n* pays *m* en voie de développement

development [dɪ'veləpmənt] *n* **1.** développement *m*; ***to await*** (***further***) ***~s*** attendre la suite des événements **2.** (*of area, new town*) construction *f*; (*of old part of town*) aménagement *m*; ***industrial ~*** développement industriel; ***office ~*** création de bureaux; ***we live in a new ~*** nous habitons dans un nouveau complexe **3.** *of drug, software* développement *m*, mise *f* au point **developmental** [dɪveləp'mentl] *adj* du développement; ***~ aid*** *or* ***assistance*** POL aide au développement; ***~ stage*** étape du développement **development grant** *n* prime *f* d'aide au développement

deviate ['diːvɪeɪt] *v/i* dévier (***from*** de)

deviation [ˌdiːvɪ'eɪʃən] *n* déviation *f*

device [dɪ'vaɪs] *n* **1.** appareil *m*; TECH dispositif *m* (***explosive***) ***~*** engin explosif **2.** ***to leave sb to his own ~s*** laisser qn se débrouiller tout seul

devil ['devl] *n* **1.** diable *m*; ***you little ~!*** espèce de petite canaille!; ***go on, be a ~*** allez, laisse-toi tenter *infml* **2.** *infml* ***I had a ~ of a job getting here*** j'en ai bavé pour arriver jusqu'ici *infml*; ***who the ~ …?*** qui diable …? **3.** ***to be between the Devil and the deep blue sea*** être pris entre deux feux; ***go to the ~!*** *infml* allez au diable! *infml*; ***speak of the ~!*** quand on parle du loup…; ***better the ~ you know*** (***than the ~ you don't***) (*prov*) on sait ce que l'on perd, on ne sait pas ce que l'on trouve **devilish** ['devlɪʃ] *adj* diabolique **devil's advocate** *n* ***to be ~*** se faire l'avocat du diable

devious ['diːvɪəs] *adj person* retors; *means* détourné; *plan, game, attempt* tortueux(-euse); ***by ~ means*** par des moyens détournés *infml*; ***to have a ~ mind*** avoir l'esprit tordu **deviously** ['diːvɪəslɪ] *adv* (*+vb*) de manière sournoise **deviousness** ['diːvɪəsnɪs] *n* caractère *m* retors

devise [dɪ'vaɪz] *v/t scheme, style* concevoir; *means* inventer, imaginer; *plan, strategy* élaborer

devoid [dɪ'vɔɪd] *adj* ***~ of*** dépourvu de

devolution [ˌdiːvə'luːʃən] *n* (*of power*) dévolution *f* des pouvoirs (***from … to*** de … vers) **devolve** [dɪ'vɒlv] *v/t* décentraliser; (***on, upon*** vers) ***a ~d government*** un gouvernement décentralisé

devote [dɪ'vəʊt] *v/t* consacrer (***to*** à) **devoted** *adj wife, father, servant* dévoué; *fan, admirer* inconditionnel(le) ***to be ~ to sb*** être dévoué à qn; ***to be ~ to one's family*** se consacrer à sa famille **devotedly** [dɪ'vəʊtɪdlɪ] *adv* avec dévouement; *follow, support* de manière assidue **devotion** [dɪ'vəʊʃən] *n* (*to friend, wife, work etc.*) dévouement *m* (***to*** à); ***~ to duty*** attachement au devoir

devour [dɪ'vaʊəʳ] *v/t* dévorer

devout [dɪ'vaʊt] *adj person* pieux (-euse); *follower* fervent **devoutly** [dɪ'vaʊtlɪ] *adv* (REL, *+adj*) profondément; (*+vb*) pieusement

dew [djuː] *n* rosée *f*

dexterity [deks'terɪtɪ] *n* dextérité *f*

DfEE *Br abbr* = **Department for Education and Employment** *ministère de l'Éducation et de l'emploi*

diabesity [ˌdaɪə'biːsɪtɪ] *n* diabésité *f* **diabetes** [ˌdaɪə'biːtiːz] *n* diabète *m* **diabetic** [ˌdaɪə'betɪk] **I** *adj* **1.** diabétique **2.** *chocolate, drugs* pour diabétiques **II** *n* diabétique *m/f*

diabolic [ˌdaɪə'bɒlɪk], **diabolical** *adj infml* atroce; ***diabolical weather*** temps atroce

diagnose ['daɪəgnəʊz] *v/t* diagnostiquer **diagnosis** [ˌdaɪəg'nəʊsɪs] *n* ⟨*pl* **diagnoses**⟩ diagnostic *m*; ***to make a***

~ établir un diagnostic **diagnostic** [ˌdaɪəgˈnɒstɪk] *adj* de diagnostic **diagnostics** *n sg or pl* diagnostic *m*

diagonal [daɪˈægənl] **I** *adj* diagonal **II** *n* diagonale *f* **diagonally** [daɪˈægənəlɪ] *adv* en diagonale; ***he crossed the street ~*** il a traversé la rue en diagonale; ***~ opposite sb / sth*** à la diagonale de qn / qc

diagram [ˈdaɪəgræm] *n* diagramme *m*, schéma *m*; (*chart*) graphe *m*; ***as shown in the ~*** comme indiqué sur le schéma

dial [ˈdaɪəl] **I** *n* (*of clock, gage, on radio*) cadran *m* **II** *v/t & v/i* TEL composer; ***to ~ direct*** passer un appel en ligne directe; ***you can ~ Paris direct*** vous pouvez appeler Paris directement; ***to ~ 911*** composer le 911

dialect [ˈdaɪəlekt] **I** *n* dialecte *m*; ***the country people spoke in ~*** les gens de la campagne parlaient en dialecte **II** *attr* dialectal

dialling code [ˈdaɪəlɪŋ-] *n* (*Br* TEL) indicatif *m* **dialling tone** *n* (*Br* TEL) tonalité *f*

dialog, *Br* **dialogue** [ˈdaɪəlɒg] *n* dialogue *m*; ***~ box*** IT boîte *f* de dialogue

dial tone *n* (*US* TEL) tonalité *f* **dial-up** [ˈdaɪəlˈʌp] *adj attr* IT commuté; ***~ link*** lien commuté; ***~ modem*** modem commuté

dialysis [daɪˈæləsɪs] *n* dialyse *f*

diameter [daɪˈæmɪtəʳ] *n* diamètre *m*; ***to be one meter in ~*** faire un mètre de diamètre

diamond [ˈdaɪəmənd] *n* **1.** diamant *m*; ***~ bracelet*** bracelet de diamants **2. diamonds** *pl* CARD carreau; ***the seven of ~s*** le sept de carreau **diamond jubilee** *n* soixantième anniversaire *m* **diamond-shaped** *adj* en losange **diamond wedding** *n* noces *fpl* de diamant

diaper [ˈdaɪəpəʳ] *n US* couche *f* ***to change the baby's ~*** changer la couche du bébé

diaphragm [ˈdaɪəfræm] *n* ANAT, MED, PHYS, PHOT diaphragme *m*

diarrhea, *Br* **diarrhoea** [ˌdaɪəˈriːə] *n* diarrhée *f*

diary [ˈdaɪərɪ] *n* **1.** (*for noting dates*) agenda *m*; ***desk / pocket ~*** agenda de bureau / poche; ***I've got it in my ~*** je l'ai noté dans mon agenda **2.** (*of personal experience*) journal *m* (intime); ***to keep a ~*** tenir un journal

dice [daɪs] **I** *n* ⟨*pl* -⟩ dé *m*; ***to roll the ~*** lancer les dés **II** *v/t* COOK couper en dés *or* en cubes

dick [dɪk] *n* (*sl penis*) queue *f sl* **dickhead** [ˈdɪkhed] *n pej, infml* connard *m pej, infml*

dicky bow [ˈdɪkɪˌbəʊ] *n* (*Br bow tie*) nœud *m* papillon

dictate [dɪkˈteɪt] *v/t* dicter ◆ **dictate to** *v/t insep* imposer sa volonté à; ***I won't be dictated to*** je n'ai d'ordres à recevoir de personne

dictation [dɪkˈteɪʃən] *n* dictée *f*

dictator [dɪkˈteɪtəʳ] *n* dictateur *m* **dictatorial** [ˌdɪktəˈtɔːrɪəl] *adj* dictatorial; *attitude* de dictateur **dictatorially** [ˌdɪktəˈtɔːrɪəlɪ] *adv* (+*vb*) comme un dictateur **dictatorship** [dɪkˈteɪtəʃɪp] *n* (POL, *fig*) dictature *f*

diction [ˈdɪkʃən] *n* (*way of speaking*) diction *f*

dictionary [ˈdɪkʃənrɪ] *n* dictionnaire *m*

did [dɪd] *past* = **do**

didactic [dɪˈdæktɪk] *adj* didactique

didn't [ˈdɪdənt] = **did not**; → **do**

die [daɪ] **I** *v/i* **1.** *lit* mourir; *admin* décéder ***to ~ of*** *or* ***from hunger / pneumonia*** mourir de faim / pneumonie; ***he ~d from his injuries*** il est décédé des suites de ses blessures; ***he ~d a hero*** il est mort en héros; ***to be dying*** mourir; ***never say ~!*** il faut y croire!; ***to ~ laughing*** *infml* mourir de rire *infml*; ***I'd rather ~!*** *infml* plutôt mourir! **2.** *fig, infml* ***to be dying to do sth*** mourir d'envie de faire qc; ***I'm dying to know what happened*** je meurs d'envie de savoir ce qui s'est passé; ***I'm dying for a cigarette*** je meurs d'envie de fumer une cigarette; ***I'm dying of thirst*** je meurs de soif; ***I'm dying for him to visit*** je meurs d'envie qu'il vienne me voir **II** *v/t* ***to ~ a hero's / a violent death*** mourir en héros / d'une mort violente ◆ **die away** *v/i* (*sound*) diminuer; (*wind*) se calmer ◆ **die down** *v/i* diminuer; (*fire*) s'éteindre; (*noise*) se calmer ◆ **die off** *v/i* être décimé ◆ **die out** *v/i* disparaître

die-hard [ˈdaɪhɑːd] *adj* irréductible; *pej* réactionnaire

diesel [ˈdiːzəl] *n* diesel *m* **diesel oil** *n* gasoil *m*

diet [ˈdaɪət] **I** *n* alimentation *f*; *special diet* régime *m*; *to lose weight* régime *m* (amaigrissant); ***poor ~*** alimentation médiocre; ***to put sb on a ~*** mettre qn au régime; ***to be / go on a ~*** être / se mettre au régime **II** *v/i* faire un régime **dietician** [ˌdaɪə'tɪʃən] *n* diététicien(ne) *m(f)*

differ ['dɪfəʳ] *v/i* **1.** (*be different*) différer (***from*** de) **2.** ***to ~ with sb over sth*** ne pas être d'accord avec qn sur qc

difference ['dɪfrəns] *n* **1.** différence *f* (***in, between*** entre); ***that makes a big ~ to me*** cela fait une grosse différence pour moi; ***to make a ~ to sth*** changer qc; ***that makes a big*** *or* ***a lot of ~, that makes all the ~*** cela change beaucoup de choses / tout; ***what ~ does it make if …?*** qu'est-ce que ça change si …?; ***it makes no ~, it doesn't make any ~*** cela ne change rien; ***it makes no ~ to me*** cela m'est égal; ***for all the ~ it makes*** pour ce que ça change; ***I can't tell the ~*** je ne vois pas la différence; ***a job with a ~*** *infml* un emploi pas comme les autres **2.** (*between amounts*) différence *f* **3.** (*quarrel*) différend *m*; ***a ~ of opinion*** une différence d'opinion; ***to settle one's ~s*** faire la paix

different ['dɪfrənt] **I** *adj* différent (***from*** de); *two people, things* (*various*) différent; ***completely ~*** complètement différent; (*changed*) complètement transformé; ***that's ~!*** c'est différent!; ***~ people react in ~ ways*** chacun réagit à sa façon; ***to feel*** (***like***) ***a ~ person*** se sentir transformé; ***to do something ~*** faire quelque chose d'original; ***that's quite a ~ matter*** c'est autre chose; ***he wants to be ~*** il veut se distinguer **II** *adv*; ***he doesn't know any ~*** (*with behavior*) il connaît rien d'autre **differential** [ˌdɪfə'renʃəl] *n* écart *m* (***between*** entre) **differentiate** [ˌdɪfə'renʃɪeɪt] *v/t & v/i* différencier **differently** ['dɪfrəntlɪ] *adv* différemment (***from*** de)

difficult ['dɪfɪkəlt] *adj person, situation, book* difficile; ***the ~ thing is that …*** ce qui est difficile c'est que …; ***it was a ~ decision to make*** cela a été une décision difficile à prendre; ***it was ~ for him to leave her*** il a eu du mal à la quitter; ***it's ~ for youngsters*** *or* ***youngsters find it ~ to get a job*** les jeunes ont des difficultés à trouver un travail; ***he's ~ to get on with*** ce n'est pas quelqu'un de facile; ***to make it ~ for sb*** rendre la tâche difficile à qn; ***to have a ~ time*** (***doing sth***) avoir des difficultés (à faire qc); ***to put sb in a ~ position*** mettre qn dans une position difficile; ***to be ~*** (***about sth***) mettre de la mauvaise volonté (dans qc)

difficulty ['dɪfɪkəltɪ] *n* difficulté *f*; ***with ~*** avec difficulté; ***without ~*** sans difficultés; ***he had ~*** (***in***) ***setting up in business*** il a eu des difficultés à s'installer; ***she had great ~*** (***in***) ***breathing*** elle avait beaucoup de mal à respirer; ***in ~*** *or* ***difficulties*** en difficulté; ***to get into difficulties*** avoir des ennuis

diffident ['dɪfɪdənt] *adj* hésitant; *smile* timide

diffuse [dɪ'fjuːz] *v/t tension* diffuser

dig [dɪg] *vb* ⟨*past, past part* **dug**⟩ **I** *v/t* **1.** creuser; *garden* bêcher; *grave* creuser **2.** (*poke, thrust*) planter (***sth into sth*** qc dans qc); ***to ~ sb in the ribs*** donner un coup à qn dans les côtes **II** *v/i* creuser; TECH faire des fouilles; ***to ~ for minerals*** creuser pour chercher des minéraux **III** *n Br* coup *m*; ***to give sb a ~ in the ribs*** donner un coup à qn dans les côtes ◆ **dig around** *v/i infml* fouiller ◆ **dig in I** *v/i* (*infml eat*) attaquer *infml* **II** *v/t sep* ***to dig one's heels in*** *fig* s'entêter *infml* ◆ **dig into** *v/t insep* ***to dig*** (***deep***) ***into one's pockets*** *fig* piocher dans ses économies ◆ **dig out** *v/t sep* dégager (***of*** de) ◆ **dig up** *v/t sep* déterrer; *earth* creuser; *garden* bêcher; ***where did you dig her up?*** *infml* où est-ce que tu l'as dénichée *infml*

digest [daɪ'dʒest] *v/t & v/i* digérer **digestible** [dɪ'dʒestɪbl] *adj* digeste **digestion** [dɪ'dʒestʃən] *n* digestion *f* **digestive** [dɪ'dʒestɪv] **I** *adj* digestif(-ive) **II** *n* **1.** (*US aperitif*) apéritif *m* **2.** (*Br, a.* **digestive biscuit**) ≈ biscuit *m* sablé **digestive system** [dɪ'dʒestɪvsɪstəm] *n* système *m* digestif

digger ['dɪgəʳ] *n* (TECH *excavator*) pelleteuse *f*

digicam ['dɪdʒɪkæm] *n* IT appareil *m* photo numérique

digit ['dɪdʒɪt] *n* **1.** (*finger*) doigt *m* **2.** (*toe*) orteil *m* **3.** MATH chiffre *m*; ***a four-~ number*** un nombre à quatre chiffres

digital ['dɪdʒɪtəl] *adj* numérique; ***~ display*** affichage numérique; ***~ technology*** technologie numérique **digital audio tape** *n* cassette audionumérique **digital camera** *n* appareil *m* photo numérique **digitally** ['dɪdʒɪtəlɪ] *adv* en numérique; ***~ remastered version*** version numérique remastérisée; ***~ recorded*** enregistré en numérique **digital**

radio *n* radio *f* numérique **digital recording** *n* enregistrement *m* numérique **digital television, digital TV** *n* télévision *f* numérique
digitize ['dɪdʒɪtaɪz] *v/t* IT numériser
dignified ['dɪgnɪfaɪd] *adj person, manner, face* digne **dignitary** ['dɪgnɪtərɪ] *n* dignitaire *m/f* **dignity** ['dɪgnɪtɪ] *n* dignité *f*; ***to die with ~*** mourir dans la dignité; ***to lose one's ~*** perdre sa dignité
digress [daɪ'gres] *v/i* faire une digression
dike [daɪk] *n* = **dyke**
dilapidated [dɪ'læpɪdeɪtɪd] *adj* délabré
dilate [daɪ'leɪt] *v/i* (*pupils*) se dilater
dildo ['dɪldəʊ] *n* godemiché *m*
dilemma [daɪ'lemə] *n* dilemme *m*; ***to be in a ~*** avoir un dilemme; ***to place sb in a ~*** mettre qn dans l'embarras
diligence ['dɪlɪdʒəns] *n* diligence *f* **diligent** ['dɪlɪdʒənt] *adj person* consciencieux(-euse); *search, work* appliqué **diligently** ['dɪlɪdʒəntlɪ] *adv* consciencieusement; (*carefully*) soigneusement
dill [dɪl] *n* aneth *m* **dill pickle** *n* concombre *m* au vinaigre et à l'aneth
dilute [daɪ'luːt] **I** *v/t* diluer; ***~ to taste*** diluez selon votre goût **II** *adj* dilué
dim [dɪm] **I** *adj* **1.** *light* faible; *room* sombre; ***the room grew ~*** la pièce est devenue sombre **2.** (*vague*) vague; *memory* vague; ***I have a ~ recollection of it*** je m'en souviens vaguement **3.** (*infml stupid*) bête *infml* **II** *v/t light* baisser; ***to ~ the lights*** THEAT baisser l'éclairage **III** *v/i* (*light*) baisser
dime [daɪm] *n US* pièce *f* dix cents
dimension [daɪ'menʃən] *n* dimension *f*
-dimensional [-daɪ'menʃənl] *adj suf* ***two-~*** bidimensionnel; ***three-~*** tridimensionnel
diminish [dɪ'mɪnɪʃ] **I** *v/t* diminuer **II** *v/i* s'affaiblir; ***to ~ in size*** devenir plus petit; ***to ~ in value*** perdre de la valeur
diminutive [dɪ'mɪnjʊtɪv] **I** *adj* petit; GRAM diminutif(-ive) **II** *n* GRAM diminutif *m*
dimly ['dɪmlɪ] *adv* **1.** *shine* faiblement **2.** (*vaguely*) vaguement; *see* à peine; ***I was ~ aware that ...*** j'avais vaguement conscience que ... **dimmer** ['dɪmər] *n* ELEC variateur *m* d'éclairage; ***~s*** *pl* (*US* AUTO) codes *mpl*, feux *mpl* de croisement; (*sidelights*) feux *mpl* de position **dimmer switch** *n* variateur *m* d'éclairage **dimness** *n* **1.** (*of light*) faiblesse *f*; ***the ~ of the room*** la pénombre de la pièce **2.** (*of shape*) contour *m* vague
dimple ['dɪmpl] *n* (*on cheek, chin*) fossette *f*
din [dɪn] *n* vacarme *m*; ***an infernal ~*** un vacarme infernal
dine [daɪn] *v/i* dîner (**on** de); ***they ~d on caviar every night*** ils mangeaient du caviar tous les soirs **diner** ['daɪnər] *n* **1.** (*person*) client *m* (d'un restaurant) **2.** (*café etc.*) café-restaurant *m*
dinghy ['dɪŋgɪ] *n* dériveur *m*; (*collapsible*) canot *m* pneumatique
dinginess ['dɪndʒɪnɪs] *n* atmosphère *f* glauque **dingy** ['dɪndʒɪ] *adj* glauque
dining car *n* wagon-restaurant *m* **dining hall** *n* réfectoire *m*
dining room *n* salle *f* à manger; (*in hotel*) salle *f* de restaurant **dining table** *n* table *f* (de salle à manger)
dinky ['dɪŋkɪ] *adj* **1.** (*US infml small*) minuscule **2.** (*Br infml cute*) mignon(ne)
dinner ['dɪnər] *n* (*evening meal*) dîner *m*; (*lunch*) déjeuner *m*; ***to be eating*** *or* ***having one's ~*** prendre son dîner; ***we're having people to ~*** nous recevons des gens pour dîner; ***~'s ready*** à table; ***to finish one's ~*** finir de manger; ***to go out to ~*** (*in restaurant*) dîner en ville **dinner-dance** *n* dîner *m* dansant **dinner jacket** *n* smoking *m* **dinner money** *n* (*Br* SCHOOL) argent *m* pour la cantine scolaire **dinner party** *n* dîner *m*; ***to have*** *or* ***give a small ~*** inviter quelques personnes à dîner **dinner plate** *n* assiette *f* plate **dinner service** *n* service *m* de table **dinner table** *n* table *f* de salle à manger **dinnertime** *n* heure *f* du dîner
dinosaur ['daɪnəsɔːr] *n* dinosaure *m*
diocese ['daɪəsɪs] *n* diocèse *m*
diode ['daɪəʊd] *n* diode *f*
dioxide [daɪ'ɒksaɪd] *n* dioxyde *m*
Dip *abbr* = **diploma**
dip [dɪp] **I** *v/t* **1.** (**in**(**to**) tremper) (*into liquid*) plonger; *bread* tremper; ***to ~ sth in egg*** tremper qc dans de l'œuf; ***to ~ sth in flour*** passer qc dans la farine **2.** (*into bag*) *hand* plonger **3.** (*Br* AUTO) *headlights* baisser; ***~ped headlights*** codes, feux de croisement **II** *v/i* (*ground*) s'incliner; (*temperature, prices*) baisser **III** *n* **1.** baignade *f* ***to go for a*** *or* ***to have a ~*** aller se baigner **2.** (*hollow*) creux *m*; (*slope*) inclinaison *f* **3.** (*in prices etc.*)

baisse *f* **4.** COOK sauce *f* (*dans laquelle on trempe des aliments*); ***aubergine ~*** caviar d'aubergine ◆ **dip into** *v/t insep* **1.** *fig* ***to ~ one's pocket*** mettre la main à la poche; ***to ~ one's savings*** piocher dans ses économies **2.** *book* parcourir
diphtheria [dɪf'θɪərɪə] *n* diphtérie *f*
diphthong ['dɪfθɒŋ] *n* diphtongue *f*
diploma [dɪ'pləʊmə] *n* diplôme *m*
diplomacy [dɪ'pləʊməsɪ] *n* diplomatie *f*; ***to use ~*** faire preuve de diplomatie
diplomat ['dɪpləmæt] *n* diplomate *m/f* **diplomatic** [ˌdɪplə'mætɪk] *adj* diplomatique **diplomatic bag** *n Br* valise *f* diplomatique **diplomatic immunity** *n* immunité *f* diplomatique **diplomatic pouch** *n US* valise *f* diplomatique **diplomatic service** *n* service *m* diplomatique
dipper ['dɪpə^r] *n* (*US* ASTRON) ***the Big*** *or* ***Great / Little Dipper*** la Grande / Petite Ourse
dippy ['dɪpɪ] *adj infml* loufoque *infml*
dip rod *n US* = **dipstick** **dipstick** ['dɪpstɪk] *n* jauge *f*
DIP switch ['dɪpswɪtʃ] *n* IT commutateur *m* DIP
dip switch *n Br* AUTO interrupteur *m* de codes
dire [daɪə^r] *adj* **1.** *consequences*, *warning*, *effects* terrible; *situation* désespéré; ***in ~ poverty*** dans une pauvreté extrême; ***to be in ~ need of sth*** avoir un besoin urgent de qc; ***to be in ~ straits*** être aux abois **2.** (*infml awful*) affreux (-euse) *infml*
direct [daɪ'rekt] **I** *adj* direct; *responsibility*, *cause*, *train* direct ***to be a ~ descendant of sb*** être un descendant direct de qn; ***to pay by ~ deposit*** (*US*) *or* ***debit*** *Br* payer par prélèvement automatique; ***avoid ~ sunlight*** éviter la lumière du soleil; ***to take a ~ hit*** être frappé en plein cœur **II** *v/t* **1.** *remark*, *letter* adresser (***to*** à); *efforts*, *look*, *anger* diriger (***toward*** vers); ***the violence was ~ed against the police*** la violence était dirigée contre la police; ***to ~ sb's attention to sb / sth*** diriger l'attention de qn vers qn / qc; ***can you ~ me to the town hall?*** pouvez-vous me dire comment aller à la mairie? **2.** *business* diriger ***to ~ traffic*** faire la circulation **3.** (*order*) ordonner (***sb to do sth*** à qn de faire qc) **4.** *play* mettre en scène; *film* mettre en scène, réaliser; *radio / TV program* réaliser **III** *adv* directement **direct access** *n* IT accès *m* direct **direct action** *n* action *f* directe; ***to take ~*** prendre des actions directes **direct current** *n* ELEC courant *m* continu **direct flight** *n* vol *m* direct
direction [dɪ'rekʃən] *n* **1.** direction *f*; ***in the wrong / right ~*** dans la mauvaise / bonne direction; ***in the ~ of Chicago / the hotel*** dans la direction de Chicago / de l'hôtel; ***a sense of ~*** *lit* le sens de l'orientation **2.** (*of company etc.*) direction *f* **3.** (*of play*) mise *f* en scène; (*of film*) mise *f* en scène, réalisation *f*; (*of radio / TV program*) réalisation *f* **4. directions** *pl* (*instructions*) instructions *fpl*; (*to a place*) indications *fpl*; ***~s for use*** mode d'emploi **directive** [dɪ'rektɪv] *n* directive *f* **directly** [dɪ'rektlɪ] *adv* directement; (*at once*) immédiatement; (*shortly*) d'ici peu; ***he is ~ descended from X*** il descend directement de X; ***~ responsible*** directement responsable; ***~ opposite*** juste en face **direct object** *n* GRAM objet *m* direct **director** [dɪ'rektə^r] *n manager* directeur (-trice) *m(f)*; *on a Board* administrateur(-trice) *m(f)*; THEAT metteur(-euse) *m(f)* en scène; FILM metteur(-euse) *m(f)* en scène, réalisateur(-trice) *m(f)* **director's chair** *n* FILM fauteuil *m* de metteur en scène **director's cut** *n* FILM version *f* réalisateur **directory** [dɪ'rektərɪ] *n* **1.** répertoire *m*; (*telephone*, *trade directory*) annuaire *m*; ***~ assistance*** (*US*) *or* ***enquiries*** *Br* TEL renseignements téléphoniques **2.** IT répertoire *m*
dirt [dɜːt] *n* saleté *f*; (*soil*) terre *f*; (*excrement*) crotte *f*; ***to be covered in ~*** être sale de la tête aux pieds; ***to treat sb like ~*** traiter qn comme un chien *infml* **dirt-cheap** *adj*, *adv infml* donné *infml* **dirt track** *n* chemin *m* de terre, piste; SPORTS piste *f* de motocross
dirty ['dɜːtɪ] **I** *adj* sale; *player* mauvais; *word* grossier(-ière) *book*, *film* cochon; ***to get sth ~*** salir qc; ***to do the ~ deed*** (*Br usu hum*) faire crac-crac *hum*; ***a ~ mind*** l'esprit mal placé; ***~ old man*** *pej*, *hum* vieux cochon *infml*; ***to give sb a ~ look*** *infml* lancer un regard noir à qn *infml* **II** *v/t* salir **dirty bomb** *n* (MIL *sl*) bombe *f* sale **dirty trick** *n* sale tour *m* **dirty weekend** *n hum*, *infml* week-end *m* coquin *hum* **dirty work** *n* ***to***

do sb's ~ *fig* faire le sale boulot de qn

disability [ˌdɪsə'bɪlɪtɪ] *n* handicap *m*, invalidité *f* **disable** [dɪs'eɪbl] *v/t* **1.** *person* handicaper **2.** *gun* mettre hors d'action **3.** IT désactiver **disabled I** *adj* handicapé; ***severely / partially ~*** gravement / partiellement handicapé; ***physically ~*** handicapé physique *or* moteur; ***mentally ~*** handicapé mental; ***~ toilet*** toilettes pour handicapés **II** *pl* ***the ~*** les personnes handicapées, les handicapés

disadvantage [ˌdɪsəd'vɑːntɪdʒ] *n* inconvénient *m*; ***to be at a ~*** être désavantagé; ***to put sb at a ~*** désavantager qn **disadvantaged** *adj* désavantagé **disadvantageous** [ˌdɪsædvɑːn'teɪdʒəs] *adj* désavantageux(-euse) **disadvantageously** [ˌdɪsædvɑːn'teɪdʒəslɪ] *adv* de façon désavantageuse

disaffected [ˌdɪsə'fektɪd] *adj* mécontent; ***to become ~*** devenir mécontent

disagree [ˌdɪsə'griː] *v/i* **1.** (*with person*) ne pas être d'accord; *views*, *suggestion* s'opposer; *reports* être contradictoire **2.** (*quarrel*) se disputer **3.** (*climate*) ***to ~ with sb*** ne pas convenir à qn; ***garlic ~s with me*** je ne digère pas l'ail **disagreeable** [ˌdɪsə'griːəbl] *adj* désagréable **disagreement** *n* **1.** (*with opinion*, *between opinions*) désaccord *m* **2.** (*quarrel*) dispute *f*

disallow [ˌdɪsə'laʊ] *v/t* refuser

disappear [ˌdɪsə'pɪəʳ] *v/i* disparaître; ***he ~ed from sight*** il a disparu de notre champ de vision; ***to ~ into thin air*** se volatiliser **disappearance** [ˌdɪsə'pɪərəns] *n* disparition *f*

disappoint [ˌdɪsə'pɔɪnt] *v/t* décevoir **disappointed** *adj* déçu; ***she was ~ to learn that …*** elle a été déçue d'apprendre que …; ***to be ~ that …*** être déçu que …; ***I am ~ in*** *or* ***with*** *or* ***by her / it*** elle / ça me déçoit **disappointing** [ˌdɪsə'pɔɪntɪŋ] *adj* décevant; ***how ~!*** c'est vraiment décevant! **disappointment** *n* déception *f*

disapproval [ˌdɪsə'pruːvl] *n* désapprobation *f* **disapprove** [ˌdɪsə'pruːv] *v/i* désapprouver; ***to ~ of sb*** ne pas aimer qn; ***to ~ of sth*** être contre qc **disapproving** [ˌdɪsə'pruːvɪŋ] *adj* désapprobateur(-trice) **disapprovingly** [ˌdɪsə'pruːvɪŋlɪ] *adv look* d'un air désapprobateur

disarm [dɪs'ɑːm] **I** *v/t* désarmer **II** *v/i* MIL désarmer **disarmament** [dɪs'ɑːməmənt] *n* désarmement *m*

disarray [ˌdɪsə'reɪ] *n* déroute *f*, débandade *f*; ***to be in ~*** (*thoughts*, *organization*) être en déroute

disassemble ['dɪsə'sembl] *v/t* démonter

disassociate ['dɪsə'səʊʃɪeɪt] *v/t* = **dissociate**

disaster [dɪ'zɑːstəʳ] *n* catastrophe *f*; (*fiasco*) désastre *m* **disaster area** *n* zone *f* sinistrée **disaster movie** *n* film *m* catastrophe **disastrous** [dɪ'zɑːstrəs] *adj* désastreux(-euse); ***to be ~ for sb / sth*** être une catastrophe pour qn / qc **disastrously** [dɪ'zɑːstrəslɪ] *adv* de façon catastrophique; ***it all went ~ wrong*** cela a été la catastrophe complète

disband [dɪs'bænd] **I** *v/t* démanteler **II** *v/i* (*army*, *club*) se disperser

disbelief ['dɪsbə'liːf] *n* incrédulité *f*; ***in ~*** avec incrédulité **disbelieve** ['dɪsbə'liːv] *v/t* ne pas croire

disc, *esp US* **disk** [dɪsk] *n* **1.** disque *m*; ANAT disque *m* **2.** (*record*, IT) disque *m*; (*CD*) CD *m*

discard [dɪ'skɑːd] *v/t* se débarrasser de; *idea*, *plan* abandonner

discerning [dɪ'sɜːnɪŋ] *adj clientele*, *reader* avisé; *eye*, *ear* averti

discharge [dɪs'tʃɑːdʒ] **I** *v/t* **1.** *prisoner*, *patient* faire sortir; ***he ~d himself (from hospital)*** il a quitté l'hôpital de lui-même **2.** (*emit*, ELEC) libérer; *liquid*, *gas* dégager; ***the factory was discharging toxic gas into the atmosphere*** l'usine dégageait des gaz toxiques dans l'atmosphère; ***to ~ effluents into a river*** rejeter des effluents dans une rivière **II** *n* **1.** (*of patient*) sortie *f* (*of soldier*) libération *f* **2.** ELEC décharge *f*; (*of gas*) dégagement *m*; (*of liquid*) rejet *m*; (*of pus*) écoulement *m*

disciple [dɪ'saɪpl] *n lit* disciple *m/f*; *fig* adepte *m/f*

disciplinary [ˌdɪsɪ'plɪnərɪ] *adj* disciplinaire; *matters* de discipline; ***~ proceedings*** *or* ***procedures*** procédure disciplinaire **discipline** ['dɪsɪplɪn] **I** *n* discipline *f*; ***to maintain ~*** maintenir la discipline **II** *v/t* discipliner **disciplined** *adj* discipliné

disc jockey *n* disc-jockey *m*

disclaimer [dɪs'kleɪməʳ] *n* démenti *m*; ***to issue a ~*** publier un démenti

disclose [dɪs'kləʊz] *v/t secret* révéler, divulguer; *news*, *identity*, *income* révéler

disclosure [dɪs'kləʊʒəʳ] *n* **1.** (*of secret*) révélation *f*, divulgation *f*; (*of news*, *identity*) révélation *f* **2.** (*fact etc. revealed*) révélation *f*

disco ['dɪskəʊ] *n* discothèque *f*; ***school ~*** soirée de l'école

discolor, *Br* **discolour** [dɪs'kʌləʳ] **I** *v/t* décolorer **II** *v/i* se décolorer **discolored**, *Br* **discoloured** [dɪs'kʌləd] *adj* décoloré

discomfort [dɪs'kʌmfət] *n lit* gêne *f*, inconfort *m*; (*fig uneasiness*) gêne *f*

disconcert [ˌdɪskən'sɜːt] *v/t* déconcerter **disconcerting** *adj* déconcertant

disconnect ['dɪskə'nekt] *v/t pipe etc.* déconnecter; *TV*, *iron* débrancher; *gas*, *electricity* couper

discontent ['dɪskən'tent] *n* mécontentement *m* **discontented** [ˌdɪskən'tentɪd] *adj* mécontent **discontentedly** [ˌdɪskən'tentɪdlɪ] *adv look* d'un air mécontent

discontinue ['dɪskən'tɪnjuː] *v/t conversation*, *treatment*, *project* arrêter; *use* stopper; COMM *line* supprimer; *production* cesser; ***a ~d line*** COMM une fin de série

discord ['dɪskɔːd] *n* discorde *f*

discotheque ['dɪskəʊtek] *n* discothèque *f*

discount ['dɪskaʊnt] *n* rabais *m*, remise *f*; (*for cash*) escompte *m*; ***to give a ~ on sth*** accorder une remise sur qc; ***to give sb a 5% ~*** faire une remise de 5% à qn; ***at a ~*** au rabais **discount rate** *n* FIN taux *m* d'escompte **discount store** *n* magasin *m* discount

discourage [dɪs'kʌrɪdʒ] *v/t* **1.** (*dishearten*) décourager **2.** ***to ~ sb from doing sth*** décourager qn de faire qc; (*successfully*) dissuader qn de faire qc **3.** (*deter*) *advances*, *speculation* décourager; ***measures to ~ smoking*** des mesures pour décourager le tabagisme **discouraging** [dɪs'kʌrɪdʒɪŋ] *adj* décourageant **discouragingly** [dɪs'kʌrɪdʒɪŋlɪ] *adv look* d'un air réprobateur

discover [dɪs'kʌvəʳ] *v/t* découvrir; *culprit* trouver; *secret*, *truth*, *cause*, *mistake* découvrir

discovery [dɪs'kʌvərɪ] *n* découverte *f*

discredit [dɪs'kredɪt] **I** *v/t* (*cast slur / doubt on*) discréditer **II** *n no pl* discrédit *m* **discredited** *adj* discrédité

discreet [dɪ'skriːt] *adj* discret(-ète); *tie* sobre; ***at a ~ distance*** à une distance respectable; ***to maintain a ~ presence*** maintenir une présence discrète; ***to be ~ about sth*** être discret à propos de qc **discreetly** [dɪ'skriːtlɪ] *adv* discrètement; *dressed*, *decorated* sobrement

discrepancy [dɪ'skrepənsɪ] *n* divergence *f*, décalage *m* (***between*** entre)

discretion [dɪ'skreʃən] *n* **1.** discrétion *f* **2.** (*freedom of decision*) discrétion *f*; ***to leave sth to sb's ~*** laisser qc à la discrétion de qn; ***use your own ~*** jugez par vous-même

discriminate [dɪ'skrɪmɪneɪt] *v/i* **1.** faire une distinction (***between*** entre) **2.** (*make unfair distinction*) faire de la discrimination (***between*** entre); ***to ~ in favor*** (*US*) *or* ***favour*** (*Br*) ***of*** favoriser qn; ***to ~ against sb*** avoir un parti pris contre qn ◆ **discriminate against** *v/t insep* défavoriser; ***they were discriminated against*** ils ont été victimes de discrimination

discriminating [dɪ'skrɪmɪneɪtɪŋ] *adj person* avisé; *eye* exercé **discrimination** [dɪˌskrɪmɪ'neɪʃən] *n* **1.** discrimination *f*; ***racial ~*** discrimination raciale; ***sex***(***ual***) ***~*** discrimination sexuelle **2.** (*differentiation*) différentiation (***between*** entre) **discriminatory** [dɪ'skrɪmɪnətərɪ] *adj* discriminatoire

discus ['dɪskəs] *n* disque *m*; ***in the ~*** SPORTS au lancer du disque

discuss [dɪ'skʌs] *v/t* discuter de; *politics*, *theory* traiter de

discussion [dɪ'skʌʃən] *n* discussion *f*; *more formal* débat *m* (***of, about*** sur); (*meeting*) entretien; ***after much*** *or* ***a lot of ~*** après une longue discussion; ***to be under ~*** être en cours de discussion; ***that is still under ~*** c'est toujours en train d'être débattu; ***open to ~*** ouvert au débat; ***a subject for ~*** un sujet à débattre; ***to come up for ~*** être débattu

disdain [dɪs'deɪn] **I** *v/t* dédaigner **II** *n* dédain *m* **disdainful** [dɪs'deɪnfʊl] *adj* dédaigneux(-euse) **disdainfully** *adv* dédaigneusement; *look* d'un air dédaigneux

disease [dɪ'ziːz] *n* maladie *f* **diseased** *adj* malade; *tissue* atteint

disembark [ˌdɪsɪm'bɑːk] *v/i* débarquer

disembarkation [ˌdɪsembɑː'keɪʃən] *n* débarquement *m*

disenfranchise ['dɪsɪn'fræntʃaɪz] *v/t person* priver des droits civiques

disengage [ˌdɪsɪn'geɪdʒ] *v/t* **1.** dégager (***from*** de) **2.** ***to ~ the clutch*** AUTO débrayer

disentangle ['dɪsɪn'tæŋgl] *v/t* démêler; ***to ~ oneself*** (***from sth***) *lit* se libérer de qc; *fig* se démêler de qc

disfavor, *Br* **disfavour** [dɪs'feɪvəʳ] *n* (*displeasure*) défaveur *f* ***to fall into ~*** (***with sb***) tomber en défaveur (auprès de qn); ***to be looked upon with ~*** être mal vu

disfigure [dɪs'fɪgəʳ] *v/t person*, *landscape* défigurer

disgrace [dɪs'greɪs] **I** *n* honte *f*; ***to be a ~ to*** faire honte à; ***you're a complete ~!*** tu nous fais vraiment honte!; ***the cost of renting an apartment is a ~*** le coût du logement est honteux; ***in ~*** en disgrâce; ***to bring ~ (up)on sb*** déshonorer qn; ***to be in ~*** connaître la disgrâce **II** *v/t* faire honte à; *family* déshonorer; ***to ~ oneself*** se ridiculiser **disgraceful** *adj* honteux(-euse); *behavior*, *scenes* scandaleux(-euse); ***it's quite ~ how …*** c'est vraiment scandaleux la façon dont … **disgracefully** *adv* scandaleusement

disgruntled [dɪs'grʌntld] *adj* mécontent

disguise [dɪs'gaɪz] **I** *v/t* déguiser; *voice* masquer, déguiser; *dislike* dissimuler; *taste* masquer; *facts* camoufler; ***to ~ oneself as*** se déguiser en; ***to disguise sb as*** déguiser qn en **II** *n lit* déguisement *m*; ***in ~*** déguisé

disgust [dɪs'gʌst] **I** *n* dégoût *m*; ***in ~*** dégoûté; ***much to his ~ they left*** ils sont partis, ce qui l'a vraiment dégoûté **II** *v/t* (*person*, *sight*, *actions*) dégoûter **disgusted** *adj* dégoûté; ***to be ~ with sb*** être dégoûté par qn; ***to be ~ with sth*** être dégoûté par qc; ***I was ~ with myself*** je me dégoûtais **disgusting** [dɪs'gʌstɪŋ] *adj* **1.** *behavior* dégoûtant; (*nauseating*) écœurant **2.** (*obscene*) *book*, *film* répugnant, dégoûtant; ***don't be ~*** arrête, tu es répugnant **3.** (*disgraceful*) dégoûtant **disgustingly** [dɪs'gʌstɪŋlɪ] *adv* d'une manière dégoûtante

dish [dɪʃ] *n* **1.** plat *m* **2. dishes** *pl* (*crockery*) la vaisselle; ***to do the ~es*** faire la vaisselle **3.** (*food*) plat *m*; ***pasta ~es*** les plats de pâtes **4.** (*a.* **dish antenna** (*US*) *or* **aerial** (*Br*)) antenne *f* parabolique ◆ **dish out** *v/t sep infml* distribuer ◆ **dish up I** *v/t sep lit* servir **II** *v/i* servir

disharmony ['dɪs'hɑːmənɪ] *n* désaccord *m*

dishcloth ['dɪʃklɒθ] *n* (*for washing*) lavette *f*

dishearten [dɪs'hɑːtn] *v/t* décourager **disheartening** *adj*, **dishearteningly** *adv* [dɪs'hɑːtnɪŋ, -lɪ] décourageant

disheveled, *Br* **dishevelled** [dɪ'ʃevəld] *adj hair* ébouriffé; *person* débraillé

dishonest [dɪs'ɒnɪst] *adj scheme* malhonnête; (*lying*) mensonger(-ère) **dishonestly** [dɪs'ɒnɪstlɪ] *adv* **1.** malhonnêtement; *pretend*, *claim* de façon mensongère **2.** (*deceitfully*) malhonnêtement **dishonesty** [dɪs'ɒnɪstɪ] *n* malhonnêteté *f*; (*lying*) mensonge *m*

dishonor, *Br* **dishonour** [dɪs'ɒnəʳ] **I** *n* déshonneur *m*; ***to bring ~ (up)on sb*** déshonorer qn **II** *v/t* déshonorer **dishonorable**, *Br* **dishonourable** [dɪs'ɒnərəbl] *adj* déshonorant **dishonorably**, *Br* **dishonourably** [dɪs'ɒnərəblɪ] *adv* de façon déshonorante

dishtowel *n US*, *Scot* torchon *m* à vaisselle

dishwasher *n* (*machine*) lave-vaisselle *m* **dishwasher-proof** *adj* résistant au lave-vaisselle **dishwater** *n* eau *f* de vaisselle

dishy ['dɪʃɪ] *adj infml woman*, *man* séduisant, craquant *infml*

disillusion [ˌdɪsɪ'luːʒən] *v/t* désillusion *f*

disincentive [ˌdɪsɪn'sentɪv] *n* facteur *m* de démotivation

disinclination [ˌdɪsɪnklɪ'neɪʃən] *n* manque *m* d'enthousiasme **disinclined** ['dɪsɪn'klaɪnd] *adj* peu disposé

disinfect [ˌdɪsɪn'fekt] *v/t* désinfecter **disinfectant** [ˌdɪsɪn'fektənt] *n* désinfectant *m*

disinherit ['dɪsɪn'herɪt] *v/t* déshériter

disintegrate [dɪs'ɪntɪgreɪt] *v/i* se désintégrer; (*rock*) se désagréger; (*group*) se dissoudre; (*marriage*, *society*) se désintégrer **disintegration** [dɪsˌɪntɪ'greɪʃən] *n* désintégration *f*; (*of rock*) désagrégation *f*; (*of group*) dissolution *f*; (*of marriage*, *society*) désintégration *f*

disinterest [dɪs'ɪntrəst] *n* désintérêt *m* (***in*** pour) **disinterested** [dɪs'ɪntrɪstɪd] *adj* impartial

disjointed [dɪs'dʒɔɪntɪd] *adj* décousu, incohérent

disk [dɪsk] *n* IT disque *m*; (*floppy disk*) disquette *f*; ***on ~*** sur disque **disk drive**

n lecteur *m* de disque; (*hard disk drive*) unité *f* de disque **diskette** [dɪs'ket] *n* disquette *f* **disk operating system** *n* système *m* d'exploitation **disk space** *n* espace *m* disque

dislike [dɪs'laɪk] **I** *v/t* ne pas aimer; ***to ~ doing sth*** ne pas aimer faire qc; ***I ~ him*** il me déplaît; ***I ~ it intently*** je déteste ça; ***I don't ~ it*** ça ne me déplaît pas **II** *n* aversion *f* (***of*** pour); ***to take a ~ to sb / sth*** prendre qn / qc en aversion

dislocate ['dɪsləʊkeɪt] *v/t* MED déboîter; MED luxer ***to ~ one's shoulder*** se luxer l'épaule

dislodge [dɪs'lɒdʒ] *v/t obstruction* déplacer; (*with stick etc.*) faire sortir

disloyal [dɪs'lɔɪəl] *adj* déloyal; ***to be ~ to sb*** être déloyal envers qn **disloyalty** [dɪs'lɔɪəltɪ] *n* déloyauté *f* (***to*** envers)

dismal ['dɪzməl] *adj place, prospect* lugubre; *weather* atroce; *performance* lamentable **dismally** ['dɪzməlɪ] *adv fail* lamentablement

dismantle [dɪs'mæntl] *v/t* démonter; *organization* démanteler

dismay [dɪs'meɪ] **I** *n* consternation *f*; ***in ~*** consterné **II** *v/t* consterner

dismember [dɪs'membəʳ] *v/t* démembrer

dismiss [dɪs'mɪs] *v/t* **1.** (*from presence*) faire sortir; (*from job*) renvoyer; *assembly* congédier; ***~!*** rompez les rangs!; ***"class ~ed"*** "vous pouvez sortir" **2.** *speculation, claims* rejeter; ***to ~ sth from one's mind*** écarter qc de son esprit **3.** JUR *appeal* rejeter **dismissal** [dɪs'mɪsəl] *n* **1.** renvoi *m* **2.** JUR rejet *m* **dismissive** [dɪs'mɪsɪv] *adj remark* désobligeant; *gesture* de rejet **dismissively** [dɪs'mɪsɪvlɪ] *adv* de manière désobligeante

dismount [dɪs'maʊnt] *v/i* mettre pied à terre

disobedience [ˌdɪsə'biːdɪəns] *n* désobéissance *f* (***to*** à) **disobedient** [ˌdɪsə'biːdɪənt] *adj* désobéissant **disobey** [ˌdɪsə'beɪ] *v/t* désobéir à; *law* enfreindre

disorder [dɪs'ɔːdəʳ] *n* **1.** désordre *m*; ***in ~*** dans le désordre **2.** (POL *rioting*) troubles *mpl* **3.** MED trouble *m*; ***eating ~*** trouble de l'alimentation **disorderly** [dɪs'ɔːdəlɪ] *adj* **1.** (*untidy*) en désordre; *queue* désordonnée **2.** (*unruly*) *person* indiscipliné; *crowd, conduct* désordonné

disorganized [dɪs'ɔːgənaɪzd] *adj life, person* désorganisé; ***he is completely ~*** il est totalement désorganisé

disorient [dɪs'ɔːrɪent], **disorientate** *v/t* désorienter

disown [dɪs'əʊn] *v/t* renier

disparaging [dɪ'spærɪdʒɪŋ] *adj* désobligeant **disparagingly** [dɪ'spærɪdʒɪŋlɪ] *adv* de manière désobligeante

dispatch [dɪ'spætʃ] **I** *v/t letter, goods etc.* envoyer; *person, troops etc.* envoyer **II** *n* (*report*) dépêche *f* **dispatch note** *n* (*with goods*) bordereau *m* d'envoi **dispatch rider** *n* coursier(-ière) *m(f)*; MIL estafette *f*

dispel [dɪ'spel] *v/t doubts, fears* chasser, écarter; *myth* détruire

dispensable [dɪ'spensəbl] *adj* dont on peut se passer **dispense** [dɪ'spens] *v/t* distribuer (***to*** à); (*machine*) distribuer; ***to ~ justice*** dispenser la justice ◆ **dispense with** *v/t insep* se passer de

dispenser [dɪ'spensəʳ] *n* distributeur *m*

dispensing [dɪ'spensɪŋ] *adj* ***~ chemist*** *Br* pharmacien(ne) *m(f)*

dispersal [dɪ'spɜːsəl] *n* dispersion *f* **disperse** [dɪ'spɜːs] **I** *v/t* disperser; BOT *seed* semer; *crowd* disperser; *fig knowledge etc.* disséminer **II** *v/i* se disperser

dispirited [dɪ'spɪrɪtɪd] *adj* abattu

displace [dɪs'pleɪs] *v/t* supplanter; (*move*) *people* déplacer **displaced person** [dɪsˌpleɪst'pɜːsn] *n* personne *f* déplacée **displacement** *n* (*of people*) déplacement *m*; (*replacement*) remplacement *m*

display [dɪ'spleɪ] **I** *v/t* **1.** (*show*) *object* exposer; *feelings* montrer; *power* faire preuve de; (*on screen*) afficher **2.** *goods* présenter **II** *n* **1.** (*of object*) exposition *f*; (*of feelings, power*) étalage *m*; ***to make a great ~ of sth*** faire étalage de qc; ***to be / go on ~*** être exposé; ***these are only for ~*** ceux-ci ne sont pas à vendre **2.** (*of paintings etc.*) exposition *f*; (*dancing display etc.*) démonstration *f*; (*military display*) parade *f*; ***firework ~*** feu d'artifice **3.** COMM étalage *m* **display cabinet** *n* vitrine *f* **display case** *n* vitrine *f* **display unit** *n* IT écran *m* (d'affichage)

displease [dɪs'pliːz] *v/t* déplaire à **displeasure** [dɪs'pleʒəʳ] *n* mécontentement *m*; ***their ~ at being ignored*** leur mécontentement d'être laissés pour compte

disposable [dɪ'spəʊzəbl] *adj* **1.** (*throw-*

away) jetable; **~ *razor*** rasoir jetable; **~ *diaper*** (*US*) *or* ***nappy*** *Br* couche jetable; **~ *needle* / *gloves*** aiguille / gants à usage unique; **~ *contact lenses*** lentilles jetables **2.** (*available*) disponible; **~ *income*** revenu disponible **disposal** [dɪ'spəʊzəl] *n* **1.** (*of litter, body*) élimination *f* **2.** (*for using*) disposition *f* ***the means at sb's ~*** les moyens à la disposition de qn; ***to put sth at sb's ~*** mettre qc à la disposition de qn; ***to be at sb's ~*** être à la disposition de qn ◆ **dispose of** *v/t insep* **1.** *toxic waste* éliminer; *body* se débarrasser de; *litter* jeter; (*kill*) tuer **2.** (*to sell*) JUR vendre, céder

disposed [dɪ'spəʊzd] *adj form* ***to be ~ to do sth*** être disposé à faire qc; ***to be well ~ to*(*wards*) *sth*** être bien disposé à l'égard de qc **disposition** [ˌdɪspə'zɪʃən] *n* **1.** (*temperament*) tempérament *m*, nature *f*; ***her cheerful ~*** son tempérament enjoué **2.** (*tendency*) disposition *f*

dispossess [ˌdɪspə'zes] *v/t* déposséder

disproportionate [ˌdɪsprə'pɔːʃnɪt] *adj* disproportionné ***to be ~* (*to sth*)** être disproportionné (par rapport à qc); ***a ~ amount of money*** une somme d'argent disproportionnée **disproportionately** [ˌdɪsprə'pɔːʃnɪtlɪ] *adv* (*+adj*); ***~ large numbers of …*** un nombre disproportionné de …

disprove [dɪs'pruːv] *v/t* réfuter

dispute [dɪ'spjuːt] **I** *v/t* **1.** *statement, claim, will* contester **2.** *subject* débattre de; ***the issue was hotly ~d*** la question a été passionnément débattue **3.** (*contest*) disputer; *territory* se disputer **II** *n* **1.** *no pl* (*controversy*) contestation *f*; ***to be beyond ~*** être indiscutable; ***there is some ~ about which horse won*** le cheval gagnant fait l'objet d'une controverse **2.** (*quarrel*) litige *m* **3.** IND conflit *m*

disqualification [dɪsˌkwɒlɪfɪ'keɪʃən] *n* interdiction *f*; SPORTS disqualification *f*; **~ (*from driving*)** retrait du permis de conduire **disqualify** [dɪs'kwɒlɪfaɪ] *v/t* exclure (***from*** de); SPORTS *etc.* disqualifier; ***to ~ sb from driving*** retirer à qn son permis de conduire

disquiet [dɪs'kwaɪət] **I** *v/t* troubler **II** *n* inquiétude *f*

disregard ['dɪsrɪ'gɑːd] **I** *v/t* ignorer, ne pas tenir compte de **II** *n* mépris *m* (***for*** de); ***to show complete ~ for sth*** montrer un complet mépris pour qc

disrepair ['dɪsrɪ'pɛəʳ] *n* délabrement *m*; ***in a state of ~*** dans un état de délabrement; ***to fall into ~*** se délabrer

disreputable [dɪs'repjʊtəbl] *adj person* peu recommandable; *hotel, bar* mal famé; *conduct* déshonorant **disrepute** ['dɪsrɪ'pjuːt] *n* discrédit *m*; ***to bring sth into ~*** jeter le discrédit sur qc

disrespect [ˌdɪsrɪs'pekt] *n* manque *m* de respect (***for sb*** envers qn); ***to show ~ for sth*** manquer de respect envers qc; ***no ~ to you, but …*** avec tout le respect que je vous dois… **disrespectful** *adj* irrespectueux(-euse) **disrespectfully** *adv* de manière irrespectueuse

disrupt [dɪs'rʌpt] *v/t* perturber **disruption** [dɪs'rʌpʃən] *n* perturbation *f* **disruptive** [dɪs'rʌptɪv] *adj* perturbateur (-trice); *effect* néfaste

dissatisfaction ['dɪsˌsætɪs'fækʃən] *n* mécontentement *m* **dissatisfactory** [ˌdɪssætɪs'fæktərɪ] *adj* insatisfaisant (***to*** pour) **dissatisfied** [dɪs'sætɪsfaɪd] *adj* mécontent

dissect [dɪ'sekt] *v/t animal* disséquer; *fig report, theory also* éplucher

dissent [dɪ'sent] *n* contestation *f* **dissenting** [dɪ'sentɪŋ] *adj attr* contestataire

dissertation [ˌdɪsə'teɪʃən] *n* mémoire *m*; (*for Ph.D.*) thèse *f*

disservice [dɪs'sɜːvɪs] *n* ***to do sb a ~*** rendre un mauvais service à qn; ***to do oneself a ~*** se nuire

dissident ['dɪsɪdənt] **I** *n* dissident(e) *m*(*f*) **II** *adj* dissident

dissimilar [dɪ'sɪmɪləʳ] *adj* dissemblable (***to*** à); *two things* différent; ***not ~* (*to sb* / *sth*)** assez ressemblant (à qn / qc)

dissipate ['dɪsɪpeɪt] *v/t* (*dispel*) *fog, heat* dissiper; *doubts, fears* faire disparaître; *tension* effacer

dissociate [dɪ'səʊʃɪeɪt] *v/t* dissocier (***from*** de); ***to ~ oneself from sb* / *sth*** se dissocier de qn / qc

dissolute ['dɪsəluːt] *adj person* débauché; *way of life* dissolu

dissolve [dɪ'zɒlv] **I** *v/t* dissoudre **II** *v/i* se dissoudre; ***the tablet ~s in water*** le comprimé se dissout dans l'eau

dissuade [dɪ'sweɪd] *v/t* dissuader; ***to ~ sb from doing sth*** dissuader qn de faire qc

distance ['dɪstəns] **I** *n* distance *f*; (*gap*) écart *m*; (*distance covered*) distance *f*; ***at a ~ of two feet*** à une distance de deux pieds; ***what's the ~ between Washington and Baltimore?*** quelle est la distance entre Washington et Baltimore?; ***in the ~*** au loin; ***to gaze into the ~*** regarder dans le vague; ***he admired her from a ~*** *fig* il l'admirait de loin; ***it's within walking ~*** on peut y aller à pied; ***a short ~ away*** pas loin de là; ***it's quite a ~ (away)*** c'est assez loin; ***the race is over a ~ of 3 miles*** la course se fait sur une distance de 3 miles; ***to keep one's ~*** garder ses distances **II** *v/t* ***to ~ oneself from sb / sth*** prendre ses distances par rapport à qn / qc

distant ['dɪstənt] *adj* (*in space, time*) distant; *sound, relative, memory* lointain; ***the ~ mountains*** les montagnes au loin; ***in the not too ~ future*** dans un avenir assez proche **distantly** ['dɪstəntlɪ] *adv* ***~ related (to sb)*** apparenté de loin (à qn)

distaste [dɪs'teɪst] *n* dégoût *m* (***for*** pour) **distasteful** [dɪs'teɪstfʊl] *adj* répugnant, de mauvais goût

distill, *Br* **distil** *v/t* CHEM distiller; *whisky etc.* distiller **distillery** [dɪ'stɪlərɪ] *n* distillerie *f*

distinct [dɪ'stɪŋkt] *adj* **1.** *parts, types* distinct, différent; ***as ~ from*** ce qui est différent de **2.** (*definite*) précis; *flavor* caractéristique; ***to have ~ memories of sb / sth*** avoir des souvenirs précis de qn / qc; ***to get the ~ idea** or **impression that …*** avoir la nette impression que …; ***to have the ~ feeling that …*** avoir le sentiment net que …; ***to have a ~ advantage (over sb)*** avoir un avantage marqué (sur qn); ***there is a ~ possibility that …*** il y a de grandes chances que … **distinction** [dɪ'stɪŋkʃən] *n* **1.** (*difference*) distinction *f*; ***to make** or **draw a ~ (between two things)*** faire *or* établir une distinction (entre deux choses) **2.** SCHOOL, UNIV mention *f* très bien; ***he got a ~ in French*** il a eu mention très bien en français **distinctive** [dɪ'stɪŋktɪv] *adj* distinctif(-ive); *feature, sound* particulier(-ière); *voice, dress* (*characteristic*) caractéristique ***~ features*** (*of person*) traits caractéristiques **distinctly** [dɪ'stɪŋktlɪ] *adv* **1.** (*clearly*) distinctement **2.** (*decidedly*) vraiment

distinguish [dɪ'stɪŋgwɪʃ] **I** *v/t* **1.** distinguer **2.** *shape* distinguer **II** *v/i* ***to ~ between*** faire la distinction entre **III** *v/r* ***to ~ oneself*** se distinguer **distinguishable** [dɪ'stɪŋgwɪʃəbl] *adj* perceptible; ***it is (barely) ~ from the original*** il se distingue à peine de l'original; ***to be ~ by sth*** se distinguer par qc **distinguished** *adj guest* distingué; *scholar, writer* éminent; *career* brillant **distinguishing** *adj* caractéristique; ***he has no ~ features*** il n'a pas de traits caractéristiques

distort [dɪ'stɔːt] *v/t* déformer; *facts* dénaturer **distorted** *adj* déformé **distortion** [dɪ'stɔːʃən] *n* déformation *f*; (*of facts*) altération *f*

distract [dɪ'strækt] *v/t* distraire; ***to ~ sb's attention*** détourner l'attention de qn **distracted** *adj* **1.** (*preoccupied*) préoccupé **2.** (*worried*) inquiet(-ète) **distraction** [dɪ'strækʃən] *n* **1.** *no pl* (*lack of attention*) distraction *f* **2.** (*interruption*) égarement *m* **3.** ***to drive sb to ~*** rendre qn fou

distraught [dɪ'strɔːt] *adj* bouleversé ***~ with grief*** fou de chagrin

distress [dɪ'stres] **I** *n* **1.** détresse *f* **2.** (*danger*) détresse *f*; ***to be in ~*** (*ship, plane*) être en détresse; ***~ call*** appel de détresse **II** *v/t* affliger; ***don't ~ yourself*** ne vous inquiétez pas **distressed** *adj* éprouvé; (*grief-stricken*) bouleversé (***about*** par) **distressing** [dɪ'stresɪŋ] *adj* pénible **distress signal** *n* signal *m* de détresse

distribute [dɪ'strɪbjuːt] *v/t* distribuer (***to*** à); COMM *goods* distribuer (***to, among*** à, entre); ***to ~ fairly*** répartir équitablement **distribution** [ˌdɪstrɪ'bjuːʃən] *n* (*act*) distribution *f*; (*spread*) répartition *f*; (COMM: *of goods*) distribution *f*; ***~ network*** réseau de distribution; ***~ system*** système de distribution **distributor** [dɪ'strɪbjʊtər] *n* distributeur *m*; (COMM *wholesaler*) grossiste *m/f*; (*retailer*) distributeur *m*

district ['dɪstrɪkt] *n* (*of country*) région *f*; (*of town*) quartier *m*; (*geographical area*) arrondissement *m*; (*administrative area*) circonscription *f*; ***shopping / business ~*** quartier commerçant/d'affaires **district attorney** *n US* procureur *m* d'arrondissement **district council** *n Br* ≈ conseil *m* général **district court** *n* (*US* JUR) tribunal *m* d'arrondissement

distrust [dɪs'trʌst] **I** *v/t* se méfier de **II** *n* méfiance *f* (***of*** envers) **distrustful** [dɪs'trʌstfʊl] *adj* méfiant (***of*** envers)

disturb [dɪ'stɜːb] **I** *v/t* déranger; (*stronger*) gêner; (*alarm*) inquiéter; ***sorry to ~ you*** désolé de vous déranger; ***to ~ the peace*** troubler la tranquillité **II** *v/i* déranger; ***"please do not ~"*** "prière de ne pas déranger" **disturbance** *n* **1.** (*social*) agitation *f*; (*in street*) troubles *mpl*; ***to cause*** *or* ***create a ~*** provoquer des troubles **2.** (*interruption*) perturbation *f* **disturbed** *adj* **1.** PSYCH dérangé **2.** (*worried*) perturbé (*about*, *at* à propos de; *by* par) **disturbing** [dɪ'stɜːbɪŋ] *adj* perturbant; ***some viewers may find these scenes ~*** les scènes que vous allez voir risquent de choquer certains téléspectateurs

disunite ['dɪsjuː'naɪt] *v/t* désunir **disunity** [ˌdɪs'juːnɪtɪ] *n* manque *m* d'unité

disuse ['dɪs'juːs] *n* ***to fall into ~*** être laissé à l'abandon **disused** ['dɪs'juːzd] *adj building*, *mine* désaffecté

ditch [dɪtʃ] **I** *n* fossé *m* **II** *v/t infml person*, *plan* laisser tomber *infml*; *boyfriend* larguer *infml*

dither ['dɪðəʳ] *v/i* tergiverser; ***to ~ over sth*** tergiverser à propos de qc; ***to ~ over how / whether ...*** tergiverser pour savoir comment / si ...

ditto ['dɪtəʊ] *n* ***I'd like coffee — ~*** (***for me***) *infml* je voudrais un café — la même chose (pour moi

divan [dɪ'væn] *n* divan *m*; ***~ bed*** lit *m*

dive [daɪv] *vb* ⟨*past* **dived**⟩ *or* (*US*) **dove** ⟨*past part* **dived**⟩ **I** *n* **1.** plongeon *m*; (*by plane*) (vol *m*) piqué *m*; ***to make a ~ for sth*** *fig*, *infml* se précipiter vers qc **2.** (*pej*, *infml club etc.*) boui-boui *m infml* **II** *v/i* **1.** plonger; (*under water*) faire de la plongée (sous-marine); (*submarine*) plonger; (*plane*) piquer; ***the goalkeeper ~d for the ball*** le gardien de but a plongé pour attraper le ballon **2.** *infml* ***he dove under the table*** il s'est précipité sous la table; ***to ~ for cover*** se précipiter pour se mettre à l'abri; ***he ~d into a taxi*** il a sauté dans un taxi ◆ **dive in** *v/i* **1.** (*swimmer*) plonger **2.** (*infml start to eat*) ***~!*** attaquez! *infml*

diver ['daɪvəʳ] *n* plongeur(-euse) *m*(*f*)

diverge [daɪ'vɜːdʒ] *v/i* diverger (***from*** de)

diverse [daɪ'vɜːs] *adj* **1.** (*with singular noun*) varié, pluriel; *range* varié **2.** (*with plural noun*) divers; *interests* divers, variés **diversification** [daɪˌvɜːsɪfɪ'keɪʃən] *n* diversification *f* **diversify** [daɪ'vɜːsɪfaɪ] **I** *v/t* diversifier **II** *v/i* COMM se diversifier

diversion [daɪ'vɜːʃən] *n* **1.** (*of traffic*, *stream*) déviation *f* **2.** (*relaxation*) diversion *f* **3.** (MIL, *fig*) diversion *f*; ***to create a ~*** faire diversion; ***as a ~*** pour faire diversion

diversity [daɪ'vɜːsɪtɪ] *n* diversité *f*

divert [daɪ'vɜːt] *v/t traffic*, *stream*, *blow* dévier; *attention*, *investment* détourner; *phone calls* transférer

divide [dɪ'vaɪd] **I** *v/t* **1.** (*separate*) diviser **2.** (*split into parts*, MATH) diviser (***into*** en); (*in order to distribute*) répartir; ***the river ~s the city into two*** la rivière coupe la ville en deux; ***to ~ 6 into 36, to ~ 36 by 6*** diviser 36 par 6 **3.** (*share out*) partager **4.** (*cause disagreement among*) diviser **II** *v/i* se diviser; ***to ~ into groups*** se répartir en groupes **III** *n* clivage *m* ***the cultural ~*** le clivage culturel ◆ **divide off I** *v/i* se séparer **II** *v/t sep* séparer ◆ **divide out** *v/t sep* répartir (***among*** entre) ◆ **divide up I** *v/i* = **divide** *II* **II** *v/t sep* = **divide** *I 2, 3*

divided [dɪ'vaɪdɪd] *adj* divisé; *ideas*, *opinion* partagé; ***to have ~ loyalties*** être écartelé; ***to be ~ on*** *or* ***over sth*** être divisé à propos de qc **divided highway** *n US* route *f* à quatre voies, route *f* pour automobiles

dividend ['dɪvɪdend] *n* FIN dividende *m*; ***to pay ~s*** *fig* porter ses fruits

dividing [dɪ'vaɪdɪŋ] *adj between two properties* mitoyen(ne); ***to put a ~ wall in a room*** séparer une pièce par une cloison **dividing line** *n* démarcation *f*

divine [dɪ'vaɪn] *adj* (REL, *fig*, *infml*) divin

diving ['daɪvɪŋ] *n* (*under water*) plongée *f*; (*into water*) plongeon *m*; SPORTS plongeon *m* **diving board** *n* plongeoir *m* **diving suit** *n* combinaison *f* de plongée

divinity [dɪ'vɪnɪtɪ] *n* **1.** (*divine quality*) divinité *f* **2.** (*theology*) théologie *f*

division [dɪ'vɪʒən] *n* **1.** MATH division *f* **2.** (*in administration*) service *m*; (*in company*) division *f* **3.** (*fig: between classes etc.*) division *f* **4.** (*fig discord*) division *f*, désaccord *m* **5.** SPORTS division *f*

divorce [dɪ'vɔːs] **I** *n* JUR divorce *m* (***from*** d'avec); ***he wants a ~*** il veut divorcer; ***to get a ~*** (***from sb***) divorcer (d'avec qn) **II** *v/t* divorcer d'avec; ***to get ~d*** divorcer **III** *v/i* divorcer

divorced [dɪ'vɔːst] *adj* JUR divorcé

(***from*** d'avec) **divorcee** [dɪˌvɔːˈsiː] *n* divorcé(e) *m*(*f*); ***she is a ~*** elle est divorcée

DIY [diːaɪˈwaɪ] *Br abbr* = **do-it-yourself** *n* bricolage *m*; ***she was doing some ~*** elle faisait du bricolage **DIY shop, DIY store** *n* magasin *m* de bricolage

dizziness [ˈdɪzɪnɪs] *n* étourdissements *mpl* **dizzy** [ˈdɪzɪ] *adj* pris de vertige; ***I'm*** (***feeling***) ***~*** j'ai la tête qui tourne (***from*** à cause de); ***~ spell*** étourdissement *m*

DJ *abbr* = **disc jockey**

DNA *abbr* = **de(s)oxyribonucleic acid** ADN **DNA profiling** *n* identification *f* ADN **DNA test** *n* test *m* ADN

do [duː] *vb* ⟨*past* **did**⟩ ⟨*past part* **done**⟩ **I** *v/aux* **1.** (*interrogative, negative*) ***do you understand?*** vous comprenez?; ***I don't*** *or* ***do not understand*** je ne comprends pas; ***what did he say?*** qu'est-ce qu'il a dit; ***didn't you*** *or* ***did you not know?*** vous ne saviez pas?; ***don't be silly!*** ne dites pas de bêtises! **2.** (*in question tags*); ***you know him, don't you?*** vous le connaissez, n'est-ce pas?; ***you don't know him, do you?*** vous ne le connaissez pas par hasard?; ***so you know them, do you?*** (*in surprise*) alors comme ça vous les connaissez?; ***he does understand, doesn't he?*** il comprend, n'est-ce pas? **3.** (*substitute for another verb*) ***you speak better Spanish than I do*** tu parles mieux espagnol que moi; ***so do I*** moi aussi; ***neither do I*** moi non plus; ***I don't like cheese but he does*** je n'aime pas le fromage mais lui oui; ***they said he would go and he did*** ils ont dit qu'il irait et il y est allé **4.** (*in tag responses*) ***do you see them often? — yes, I do / no, I don't*** vous les voyez souvent? — oui / non; ***you didn't go, did you? — yes, I did*** tu n'y es pas allé? — si; ***they speak French — oh, do they?*** ils parlent français — ah bon?; ***they speak English — do they really?*** ils parlent anglais — vraiment?; ***may I come in? — do!*** est-ce que je peux entrer? — faites!; ***shall I open the window? — no, don't!*** est-ce que je peux ouvrir la fenêtre? — non, n'ouvre pas!; ***who broke the window? — I did*** qui a cassé le carreau? — c'est moi **5.** (*for emphasis*) ***DO come!*** *esp Br* venez, je vous en prie!; ***DO shut up!*** *esp Br* taisez-vous!; ***it's very expensive, but I DO like it*** il est cher, mais je l'aime vraiment; ***so you DO know them!*** tu vois que tu les connais! **II** *v/t* **1.** faire; ***I've done a stupid thing*** j'ai fait une bêtise; ***it can't be done*** c'est impossible à faire; ***can you do it by yourself?*** est-ce que tu peux le faire tout seul?; ***to do the housework / one's homework*** faire le ménage / ses devoirs; ***could you do this letter please*** pouvez-vous me taper cette lettre s'il vous plaît?; ***you do the painting and I'll do the papering*** tu fais la peinture et je poserai le papier peint; ***to do one's make-up*** se maquiller; ***to do one's hair*** se coiffer; ***to do one's teeth*** *Br* se brosser les dents; ***to do the dishes*** faire la vaisselle; ***to do the washing*** faire la lessive; ***to do the ironing*** faire le repassage; ***he can't do anything about it*** il ne peut rien y faire; ***are you doing anything this evening?*** tu fais quelque chose ce soir?; ***we'll have to do something about this*** il faudra qu'on s'en occupe; ***does that do anything for you?*** est-ce que ça te plaît? *infml*; ***jazz doesn't do anything for me*** le jazz me laisse froid; ***I've done everything I can*** j'ai fait tout ce que je pouvais; ***I've got nothing to do*** je n'ai rien à faire; ***I shall do nothing of the sort*** je ne le ferai certainement pas; ***he does nothing but complain*** il n'arrête pas de se plaindre; ***what's to be done?*** que faut-il faire?; ***but what can you do?*** mais qu'est-ce qu'on peut faire?; ***what do you want me to do*** (***about it***)***?*** que je veux-tu que j'y fasse?; ***well, do what you can*** faites de votre mieux; ***what have you done to him?*** qu'est-ce que tu lui as fait?; ***now what have you done!*** mais regarde-moi ce travail!; ***what are you doing on Saturday?*** qu'est-ce que vous faites samedi?; ***how do you do it?*** (*in amazement*) comment faites-vous?; ***what does your sister do?*** qu'est-ce que fait ta sœur comme travail?; ***that's done it*** *infml* eh ben voilà! *infml*; ***that does it!*** ça suffit! **2.** (*provide*) ***what can I do for you?*** je peux vous aider?; ***sorry, we don't do lunches*** désolé, nous ne servons pas à manger à midi; ***we do a wide range of herbal teas*** nous avons une grande variété de tisanes; ***who did the food for your reception?*** qui était le traiteur pour ta réception?

3. (*finish*, *in past*, *past part only*) ***the work's done now*** le travail est terminé; ***I haven't done*** (*Br*) *or* ***I'm not done telling you what I think of you*** je n'ai pas fini de te dire ce que je pense de toi; ***done!*** (*agreed*) tope-là!; ***are you done?*** *infml* tu as fini?; ***it's all over and done with*** (*is finished*) c'est fini; (*has happened*) c'est passé **4.** (*study*) faire; ***I've never done any French*** je n'ai jamais fais de français **5.** COOK faire *infml*; ***to do the cooking*** faire la cuisine; ***well done*** bien cuit; ***is the meat done?*** la viande est-elle cuite? **6.** ***to do a play*** jouer dans une pièce de théâtre; ***to do a movie*** faire un film **7.** (*mimic*) imiter **8.** (*see sights of*) faire **9.** AUTO *etc.* faire; ***this car can do 100 mph*** cette voiture peut faire du 100 miles à l'heure **10.** (*be suitable for*, *infml*) convenir à; (*be sufficient for*) être suffisant à; ***that will do me nicely*** ça me conviendra très bien **11.** (*infml*, *in prison*) *6 years etc.* faire **III** *v/i* **1.** (*act*) ***do as I do*** fais comme moi; ***he did well to take advice*** il a bien fait de demander conseil; ***he did right*** il a bien fait; ***he did right / well to go*** il a bien fait de partir **2.** (*get on*, *fare*) ***how are you doing?*** comment allez-vous?; ***I'm not doing so badly*** je vais plutôt bien; ***he's doing well at school*** il a de bons résultats à l'école; ***his business is doing well*** son entreprise marche bien; ***how do you do?*** enchanté **3.** (*be suitable*) convenir; ***that will never do!*** ça n'ira pas!; ***this room will do*** cette pièce conviendra **4.** (*be sufficient*) être suffisant; ***will $10 do?*** est-ce que 10 dollars suffiront?; ***you'll have to make do with $10*** il faudra te contenter de 10 dollars; ***that'll do!*** c'est bon! **IV** *n* (*Br infml event*) réception *f*; (*party*) fête *f* ◆ **do away with** *v/t insep* se débarrasser de ◆ **do for** *v/t insep* (*infml finish off*) *person* achever; *project* mettre fin à; ***to be done for*** (*person*, *project*) être foutu *infml* ◆ **do in** *v/t sep infml* **1.** (*kill*) tuer, descendre *infml* **2.** ***to be*** *or* ***feel done in*** être crevé *infml* ◆ **do up** *v/t sep* **1.** (*fasten*) boutonner; *zip* fermer **2.** *house* rénover, refaire ◆ **do with** *v/t insep* **1.**; ***I could ~ a cup of tea*** je boirais bien un thé *infml*; ***it could ~ a clean*** il aurait besoin d'être nettoyé **2.** ***what has that got to ~ it?*** qu'est-ce que cela à voir?; ***that has*** *or* ***is nothing to ~ you!*** ça ne te regarde absolument pas!; ***it has something to ~ her being adopted*** ça vient du fait qu'elle a été adoptée; ***it has to ~ ...*** ça vient du fait que ...; ***money has a lot to ~ it*** l'argent joue un grand rôle là-dedans **3.** ***what have you done with my gloves / your hair?*** qu'as-tu fait de mes gants/à tes cheveux?; ***he doesn't know what to ~ himself*** il ne sait pas comment s'occuper **4.** ***to be done with sb / sth*** en avoir marre de qn / qc ◆ **do without** *v/t insep* se passer de; ***I can ~ your advice*** je me passe de tes conseils; ***I could have done without that!*** je m'en serais bien passé!

d.o.b. *abbr* = **date of birth**

doc [dɒk] *n infml abbr* = **doctor**

docile ['dəʊsaɪl] *adj* docile

dock¹ [dɒk] *n* dock *m*; ***~s*** *pl* docks

dock² *n* JUR banc *m* des accusés; ***to stand in the ~*** être au banc des accusés

dock³ *v/t wages* faire une retenue sur; *points* enlever; ***to ~ $100 off sb's wages*** retenir 100 dollars sur le salaire de qn

dockland *n* quartier *m* des docks **dockyard** *n* chantier *m* naval

doctor ['dɒktəʳ] *n* **1.** MED médecin *m*, docteur *m*; ***at the ~'s*** (*surgery*) chez le médecin; ***to go to the ~*** aller chez le médecin; ***to send for the ~*** faire venir le médecin; ***she is a ~*** elle est médecin; ***to be under ~'s orders*** être sous traitement; ***it's just what the ~ ordered*** *fig*, *infml* c'est exactement ce qu'il fallait **2.** UNIV *etc.* docteur *m*; ***to get one's ~'s degree*** obtenir son doctorat; ***Dear Doctor Smith*** (*in letters*) ≈ cher Monsieur, ≈ chère Madame **doctorate** ['dɒktərɪt] *n* doctorat *m*; ***she's still doing her ~*** elle est toujours en train de faire sa thèse

doctrine ['dɒktrɪn] *n* doctrine *f*

document ['dɒkjʊmənt] **I** *n* document *m* **II** *v/t* documenter; *case* authentifier

documentary [ˌdɒkjʊ'mentərɪ] **I** *adj* documentaire **II** *n* FILM, TV documentaire *m* **documentation** [ˌdɒkjʊmen'teɪʃən] *n* documentation *f*

docusoap ['dɒkjʊsəʊp] *n Br* TV feuilleton-documentaire *m*

doddle ['dɒdl] *n* (*Br infml*) ***it was a ~*** c'était du gâteau *infml*

dodge [dɒdʒ] **I** *v/t* esquiver; *military service* échapper à; *question* éluder **II** *v/i*

faire un saut de côté; ***to ~ out of the way*** s'esquiver; ***to ~ behind a tree*** se glisser derrière un arbre **dodgem®** ['dɒdʒəm] *n Br* auto *f* tamponneuse
dodgy ['dɒdʒɪ] *adj* (*Br infml*) **1.** *person*, *business* douteux(-euse); *area* peu sûr; *plan* risqué; *situation* louche; ***there's something ~ about him*** il n'est pas très réglo *infml*; ***he's on ~ ground*** il se trouve sur un terrain mouvant **2.** *back*, *heart* fragile; *part* défectueux(-euse)
doe [dəʊ] *n* (*roe deer*) chèvre *f*; (*red deer*) biche *f*
does [dʌz] *3rd person sg* = **do doesn't** ['dʌznt] *contr* = **does not**
dog [dɒg] **I** *n* **1.** chien *m* **2.** *fig* ***it's ~ eat ~*** les loups se mangent entre eux; ***to work like a ~*** *infml* travailler comme un fou *infml* **II** *v/t* poursuivre; ***~ged by controversy*** poursuivi par la polémique **dog biscuit** *n* biscuit *m* pour chien **dog collar** *n lit* collier *m* de chien; (*vicar's*) col *m* romain **dog-eared** ['dɒgɪəd] *adj* écorné **dog food** *n* nourriture *f* pour chien
dogged ['dɒgɪd] *adj* tenace; *determination* obstiné; *resistance*, *pursuit* acharné **doggedly** ['dɒgɪdlɪ] *adv* avec ténacité
doggie, doggy ['dɒgɪ] *n infml* toutou *m infml* **dog license**, *Br* **dog licence** *n permis de posséder un chien*
dogma ['dɒgmə] *n* dogme *m* **dogmatic** [dɒg'mætɪk] *adj* dogmatique; ***to be very ~ about sth*** être très dogmatique sur qc
do-gooder ['duː'gʊdəʳ] *n pej* âme *f* charitable *pej*
dogsbody ['dɒgzbɒdɪ] *n Br* ***she's/he's the general ~*** c'est la bonne à tout faire **dog show** *n* exposition *f* canine **dog-tired** *adj* crevé *infml*
doily ['dɔɪlɪ] *n* napperon *m*
doing ['duːɪŋ] *n* **1.** ***this is your ~*** c'est vous qui avez fait cela; ***it was none of my ~*** ce n'est pas moi qui l'ai fait; ***that takes some ~*** ça ne se fait pas tout seul **2. doings** *pl infml* faits *mpl* et gestes *mpl* **do-it-yourself** ['duːɪtjə'self] *adj*, *n* = **DIY**
doldrums ['dɒldrəmz] *pl* ***to be in the ~*** (*people*) avoir le cafard; (*business etc.*) être dans le marasme
dole [dəʊl] *n* (*Br infml*) allocation *f* de chômage *infml*; ***to go / be on the ~*** s'inscrire / être au chômage ◆ **dole out** *v/t sep* distribuer
dole money *n* (*Br infml*) allocation *f* de chômage
doll [dɒl] *n* poupée *f*
dollar ['dɒləʳ] *n* dollar *m* ***five ~s*** cinq dollars **dollar bill** *n* billet *m* d'un dollar **dollar sign** *n* symbole *m* du dollar
dollop ['dɒləp] *n infml* (*of cream*) bonne cuillerée *f*
doll house, *Br* **doll's house** *n* maison *f* de poupée **dolly** ['dɒlɪ] *n infml* poupée *f*
dolomite ['dɒləmaɪt] *n* MINER dolomite *f*; *rock* dolomie *f*; ***the Dolomites*** les Dolomites
dolphin ['dɒlfɪn] *n* dauphin *m*
domain [dəʊ'meɪn] *n* (*fig*, *a.* IT) domaine *m* **domain name** *n* IT nom *m* de domaine
dome [dəʊm] *n* ARCH dôme *m*
domestic [də'mestɪk] *adj* **1.** domestique; ***~ quarrel*** scène *f* de ménage; ***~ appliances*** appareils *mpl* ménagers; ***for ~ use*** à usage domestique **2.** *esp* POL, COMM intérieur; *issues* national; ***~ trade*** commerce *m* intérieur **domesticated** [də'mestɪkeɪtɪd] *adj* domestiqué ***to be domesticated*** (*of person*) aimer les travaux ménagers **domestic economy** *n* POL économie *f* nationale **domestic flight** *n* vol *m* intérieur **domestic market** *n* POL, COMM marché *m* intérieur **domestic policy, domestic politics** *n* politique *f* intérieure **domestic servant** *n* employé(e) *m*(*f*) de maison **domestic violence** *n* violence *f* familiale
dominance ['dɒmɪnəns] *n* dominance *f* (***over*** sur) **dominant** ['dɒmɪnənt] *adj a.* *gene* dominant; ***to be ~ or the ~ force in sth*** dominer qc **dominate** ['dɒmɪneɪt] *v/t & v/i* dominer **domination** [ˌdɒmɪ'neɪʃən] *n* domination *f* **domineering** [ˌdɒmɪ'nɪərɪŋ] *adj* dominateur(-trice)
Dominican Republic *n* République *f* dominicaine
dominion [də'mɪnɪən] *n* **1.** *no pl* domination *f* (***over*** sur) **2.** (*territory*) territoire *m*
domino ['dɒmɪnəʊ] *n* ⟨*pl* **-es**⟩ domino *m*; ***a game of ~es*** un jeu de dominos
don [dɒn] *n* (*esp Br* UNIV) professeur *m* d'université
donate [dəʊ'neɪt] **I** *v/t* faire don de, donner **II** *v/i* faire un don **donation** [dəʊ'neɪʃən] *n* (*act*) donation *f*, don *m*; (*gift*) don *m*; ***to make a ~ of $10,000*** faire un

don de 10 000 dollars
done [dʌn] **I** *past part* = **do II** *adj* **1.** *work* terminé; *vegetables, meat, cake* cuit; ***to get sth ~*** finir qc; ***is it ~ yet?*** est-ce que c'est fini?; COOK est-ce que c'est cuit?; ***the butter is (all) ~*** il n'y a plus de beurre **2.** ***it's not the ~ thing*** ça ne se fait pas
donkey ['dɒŋkɪ] *n* âne *m* **donkey's years** *pl Br infml* ***she's been here for ~*** *infml* ça fait une éternité qu'elle est ici **donkey-work** ['dɒŋkɪwɜːk] *n Br* gros *m* du travail
donor ['dəʊnər] *n* (*of money*) donateur (-trice) *m(f)*; MED donneur(-euse) *m(f)* **donor card** *n* carte *f* de donneur d'organes
don't [dəʊnt] *contr* = **do not**
donut ['dəʊnʌt] *n esp US* = **doughnut**
doodah ['duːdɑː], **doodad** *US n infml* petit truc *m infml*
doodle ['duːdl] **I** *v/i, v/t* griffonner (distraitement) **II** *n* griffonnage *m*
doom [duːm] **I** *n* **1.** (*fate*) destin *m* **2.** (*ruin*) ruine *f*; ***it's not all gloom and ~*** tout ne va pas si mal **II** *v/t* condamner; ***to be ~ed*** être voué à l'échec; ***~ed to failure*** voué à l'échec **doomsday** ['duːmzdeɪ] *n* jour *m* du Jugement dernier
door [dɔːr] *n* **1.** porte *f*; (*of car*) portière *f*; (*entrance: to theater etc.*) entrée *f*; ***there's someone at the ~*** il y a quelqu'un à la porte; ***was that the ~?*** on a sonné / frappé à la porte?; ***to answer the ~*** aller ouvrir la porte; ***to see sb to the ~*** raccompagner qn à la porte; ***to pay at the ~*** payer à l'entrée; ***three ~s away*** trois maisons plus loin **2.** (*phrases*) ***by*** *or* ***through the back ~*** par des moyens détournés; ***to have a foot*** *or* ***toe in the ~*** avoir un pied dans la place; ***to be at death's ~*** être à l'article de la mort; ***to show sb the ~*** mettre qn à la porte; ***to shut*** *or* ***slam the ~ in sb's face*** fermer *or* claquer la porte au nez de qn; ***out of ~s*** (au-)dehors; ***behind closed ~s*** à huis clos **doorbell** *n* sonnette *f*; ***there's the ~*** on sonne (à la porte) **door chain** *n* chaîne *f* de sûreté **doorframe** *n* chambranle *m*, encadrement *m* de porte **doorhandle** *n* poignée *f* de porte; (*knob*) bouton *m* de porte **doorknob** *n* bouton *m* de porte **doorknocker** *n* heurtoir *m* **doorman** *n* (*of hotel*) portier *m*; (*of nightclub etc.*) videur *m* **doormat** *n* paillasson *m*; *fig* carpette *f* **doorstep** *n* pas *m* de porte; ***the bus stop is just on my ~*** *fig* l'arrêt de bus est juste devant ma porte **doorstop** *n*, **doorstopper** *n* butoir *m* de porte **door-to-door** *adj attr*, **door to door** *adj pred* **1.** à domicile ***~ salesman*** vendeur *m* à domicile **2.** *delivery* à domicile; ***police are carrying out ~ inquiries*** la police fait du porte à porte pour mener son enquête **doorway** *n* (*of room*) embrasure *f* de la porte; (*of building*) entrée *f*
dope [dəʊp] **I** *n no pl* SPORTS drogue *f* **II** *v/t* doper **dope test** *n* (SPORTS *infml*) test *m* antidopage **dopey, dopy** ['dəʊpɪ] *adj* ⟨+er⟩ (*infml stupid*) abruti *infml*; (*sleepy*) à moitié endormi
dorm [dɔːm] *infml abbr* = **dormitory**
dormant ['dɔːmənt] *adj volcano* endormi; *plant* dormant; *bank account* sans mouvement; ***~ state*** état inactif; ***to remain ~*** rester inactif; (*virus*) être latent
dormer (window) ['dɔːmə('wɪndəʊ)] *n* lucarne *f*
dormitory ['dɔːmɪtrɪ] *n* dortoir *m*; (*US building*) résidence *f* universitaire; ***~ suburb*** *or* ***town*** banlieue *or* ville dortoir
DOS [dɒs] IT *abbr* = **disk operating system** DOS *m*
dosage ['dəʊsɪdʒ] *n* dosage *m* **dose** [dəʊs] **I** *n* **1.** MED dose *f*; *fig* ration *f*; ***he needs a ~ of his own medicine*** *fig* il faut lui rendre la monnaie de sa pièce; ***in small / large ~s*** *fig* à faibles / hautes doses; ***she's all right in small ~s*** elle est supportable à petite dose **2.** (*infml of illness*) attaque *f*; ***she's just had a ~ of the flu*** elle vient d'avoir une bonne grippe **II** *v/t person* administrer un médicament à
doss [dɒs] (*Br infml*) **I** *n* (*bed*) pieu *m infml*, lit *m* **II** *v/i* (*a.* **doss down**) pioncer *infml*
dossier ['dɒsɪeɪ] *n* dossier *m*
dot [dɒt] **I** *n* **1.** point *m* **2.** ***to arrive on the ~*** arriver pile à l'heure; ***at 3 o'clock on the ~*** à trois heures pile **II** *v/t* **1.** ***~ted line*** ligne *f* pointillée; ***to tear along the ~ted line*** détacher suivant les pointillés; ***to sign on the ~ted line*** *fig* donner son consentement en bonne et due forme **2.** (*sprinkle*) disséminer; ***pictures ~ted around the room*** des tableaux disséminés dans toute la pièce **dotcom, dot.com** [dɒt'kɒm] *n* (*a.* **dot-**

com company) start-up *f*
dote on ['dəʊtɒn] *v/t insep* adorer **doting** ['dəʊtɪŋ] *adj* ***her ~ parents*** ses parents qui sont gâteux avec elle
dot matrix (printer) *n* imprimante *f* matricielle
dotty ['dɒtɪ] *adj* ⟨+er⟩ (*Br infml*) toqué *infml*
double ['dʌbl] **I** *adv* **1.** deux fois (plus); *count* deux fois; ***~ the size*** (***of***) deux fois plus grand (que); ***~ the amount*** deux fois plus; ***we paid her ~ what she was getting before*** nous l'avons payée deux fois plus que ce qu'elle gagnait avant **2.** ***to bend ~*** se plier en deux; ***to fold sth ~*** plier qc en deux **II** *adj* **1.** (*twice as much*) double **2.** (*in pairs*) double; ***it is spelled with a ~ p*** ça s'écrit avec deux p; ***my phone number is 9, ~ 3, 2, 4, 5*** mon numéro de téléphone est le 93 32 45 (*quatre-vingt-treize trente-deux quarante-cinq*) **III** *n* **1.** (*twice*) double *m* **2.** (*person*) double *m*, sosie *m*; FILM, THEAT doublure *f* **3.** ***at the ~*** *also* MIL au pas de gymnastique; *fig* au pas de course; ***on the ~*** *fig* au pas de course **IV** *v/t* doubler **V** *v/i* **1.** doubler **2.** ***this bedroom ~s as a study*** cette chambre sert aussi de bureau ◆ **double back** *v/i* revenir sur ses pas ◆ **double over** *v/i* = **double up** ◆ **double up** *v/i* (*bend over*) se plier
double act *n Br esp* THEAT duo *m* **double agent** *n* agent *m* double **double-barreled name**, *Br* **double-barrelled name** *n* nom *m* à rallonge **double-barreled shotgun**, *Br* **double-barrelled shotgun** *n* fusil *m* à deux coups **double bass** *n* contrebasse *f* **double bed** *n* lit *m* à deux places, grand lit *m* **double-book** *v/t room, seat* réserver pour deux personnes différentes; *flight* faire du surbooking **double-check** *v/t & v/i* revérifier **double chin** *n* double menton *m* **double-click** IT *v/t & v/i* cliquer deux fois, double-cliquer (**on** sur) **double cream** *n* crème *f* fraîche épaisse **double-cross** *infml v/t* trahir **double-dealing I** *n* double-jeu *m* **II** *adj* hypocrite **double-decker** *n* autobus *m* à impériale **double density** *adj* IT double densité **double doors** *pl* porte *f* à deux battants **double Dutch** *n* **I** (*US skipping game*) double dutch *m* **II** *esp Br* charabia *m infml*; ***it was ~ to me*** pour moi, c'était du chinois **double entendre** ['duːblɒn'tɒndrə] *n esp Br* expression *f* à double sens **double figures** *pl* à deux chiffres **double glazing** *n Br* double vitrage *m* **double knot** *n* double nœud *m* **double life** *n* double vie *f* **double meaning** *n* ***it has a ~*** c'est à double sens **double-park** *v/i* se garer en double file **double-quick** *Br infml* **I** *adv* en deux temps trois mouvements *infml* **II** *adj* ***in ~ time*** en deux temps trois mouvements *infml*
double room *n* chambre *f* double **doubles** ['dʌblz] *n sg or pl* SPORTS double *m*; ***to play ~*** jouer des doubles **double-sided** *adj* IT double face **double-space** *v/t* TYPO taper en double interligne **double spacing** *n* interligne *m* double **double take** *n* ***he did a ~*** il a dû y regarder à deux fois **double vision** *n* MED vision *f* double; ***he suffered from ~*** il voyait double **double whammy** *n* double coup *m* de malchance **double yellow lines** *pl* double bande *f* jaune **doubly** ['dʌblɪ] *adv* doublement; ***to make ~ sure*** (***that …***) bien s'assurer (que …)
doubt [daʊt] **I** *n* doute *m*; ***to have one's ~s about sth*** avoir des doutes sur qc; ***I have my ~s about her*** j'ai des doutes à son égard; ***I have no ~s about taking the job*** j'accepte ce travail en toute confiance; ***there's no ~ about it*** il n'y a pas de doute; ***I have no ~ about it*** je n'en doute pas; ***to cast ~ on sth*** mettre qc en doute; ***I am in no ~ as to what*** *or* ***about what he means*** je n'ai aucun doute sur ce qu'il veut dire; ***the outcome is still in ~*** l'issue est encore indécise; ***when in ~*** en cas de doute; ***no ~ he will come tomorrow*** il viendra certainement demain; ***without*** (***a***) ***~*** sans aucun doute **II** *v/t* douter de; *honesty, truth* mettre en doute; ***I'm sorry I ~ed you*** (*your loyalty etc*) je regrette d'avoir douté de toi; ***I don't ~ it*** je n'en doute pas; ***I ~ whether he will come*** je doute qu'il vienne **doubtful** ['daʊtfʊl] *adj* **1.** (*usu pred unconvinced*) peu convaincu; ***I'm still ~*** j'ai toujours quelques doutes; ***to be ~ about sth*** douter de qc; ***to be ~ about doing sth*** hésiter à faire qc; ***I was ~ whether I could manage it*** je doutais d'y arriver **2.** (*unlikely*) douteux(-euse); ***it is ~ that…*** il est douteux que … **3.** *reputation, outcome, taste, quality* douteux(-euse); ***it is ~***

whether … il est douteux que …

dough [dəʊ] *n* **1.** pâte *f* **2.** (*infml money*) fric *m infml* **doughnut** ['dəʊnʌt] *n Br* beignet *m*

dour ['dʊəʳ] *adj* sévère

douse [daʊs] *v/t* inonder; ***to ~ sb / sth in*** *or* ***with gasoline*** arroser qn / qc d'essence

dove¹ [dʌv] *n* colombe *f*

dove² [dəʊv] *US past* = **dive**

Dover *n* Douvre

dowdy ['daʊdɪ] *adj* ⟨**+er**⟩ peu élégant

down [daʊn] **I** *adv* **1.** (*indicating movement, toward speaker*) vers le bas; (*downstairs*) en bas; ***to jump ~*** descendre d'un bond; ***on his way ~ from the summit*** en redescendant du sommet; ***on the way ~ to London*** en descendant à Londres *infml*; ***all the way ~ to the bottom*** tout le chemin jusqu'en bas; ***~ with …!*** à bas …! **2.** (*indicating position*) en bas; ***~ there*** (là-bas) en bas; ***~ here*** ici; ***head ~*** tête baissée; ***I'll be ~ in a minute*** je descends dans une minute; ***I've been ~ with flu*** j'ai eu la grippe **3.** ***he came ~ from New York yesterday*** il est arrivé de New York hier; ***he's ~ at his brother's*** il est chez son frère; ***he lives ~ South*** il habite dans le Sud; ***his temperature is ~*** sa température a baissé; ***interest rates are ~ to / by 3%*** les taux d'intérêts ont diminué à/de 3 %; ***he's ~ to his last $10*** il ne lui reste plus que 10 dollars; ***they're still three goals ~*** ils ont encore trois buts de retard; ***I've got it ~ in my diary*** je l'ai noté dans mon agenda; ***let's get it ~ on paper*** notons-le par écrit; ***to be ~ for the next race*** être inscrit dans la prochaine course; ***from the biggest ~*** du plus grand; ***~ through the ages*** de tout temps; ***~ to*** (*until*) jusqu'à; ***from 1700 ~ to the present*** de 1700 à nos jours; ***to be ~ to sb / sth*** être imputable à qn / qc; ***it's ~ to you to decide*** c'est à toi de décider; ***I've put ~ a deposit on a new bike*** j'ai versé un acompte pour un nouveau vélo **II** *prep* **1.** ***to go ~ the hill*** *etc.* descendre la colline.; ***he ran his finger ~ the list*** il a parcouru la liste du doigt; ***he's already halfway ~ the hill*** il est déjà à mi-pente; ***the other skiers were further ~ the slope*** les autres skieurs étaient déjà descendus plus bas; ***she lives ~ the street*** elle habite en bas de la rue; ***he was walking ~ the street*** il descendait la rue; ***if you look ~ this road*** si vous regardez le long de cette rue **2.** *Br infml* ***he's gone ~ the pub*** il est allé au pub; ***she's ~ the shops*** elle est allée faire des courses **III** *adj infml* **1.** ***he was (feeling) a bit ~*** il avait un peu le cafard *infml* **2.** (*not working*) ***to be ~*** être en panne; IT être planté*infml* **IV** *v/t beer etc.* descendre *infml*; ***to ~ tools*** cesser le travail **down-and-out** *n* clochard(e) *m(f) infml* **down arrow** *n* IT flèche *f* de déplacement vers le bas **downcast** *adj* abattu **downfall** *n* **1.** chute *f* **2.** (*cause of ruin*) ruine *f* **downgrade** *v/t hotel* déclasser; *job* dévaloriser; *person* rétrograder **down-hearted** *adj* déprimé **downhill** **I** *adv* en descente; ***to go ~*** descendre; (*road*) aller en descendant; ***the economy is going ~*** l'économie se dégrade; ***things just went steadily ~*** les choses n'ont fait qu'empirer régulièrement **II** *adj* **1.** ***~ slope*** pente abrupte; ***the path is ~ for two miles*** le chemin descend pendant deux miles; ***it was ~ all the way after that*** après ça, il n'y avait que de la descente **2.** SKI ***~ skiing*** ski *m* alpin **III** *n* SKI descente *f*

Downing Street ['daʊnɪŋˌstriːt] *n* Downing Street; (*British Prime Minister*) le Premier ministre (britannique)

download IT **I** *v/t* télécharger **II** *v/i* ***it won't ~*** ce n'est pas téléchargeable **III** *attr* téléchargeable **downloadable** *adj* IT téléchargeable **down-market** **I** *adj product* bas de gamme; ***this restaurant is more ~*** ce restaurant est plus populaire **II** *adv* ***to go ~*** se tourner vers le bas de gamme **down payment** *n* FIN acompte *m* **downplay** *v/t* minimiser *infml* **downpour** *n* averse *f* **downright** **I** *adv* franchement; *rude*, *disgusting* carrément **II** *adj* parfait; ***a ~ lie*** un mensonge éhonté **downriver** *adv* en aval (***from*** de); ***~ from Paris*** en aval de Paris **downshift** *v/i* rétrograder **downside** *n* inconvénient *m* **downsize** ['daʊnsaɪz] *v/t car etc* réduire la taille de; *company* réduire les effectifs de **downsizing** *n* COMM réduction *f* des effectifs; IT réduction *f* de la taille

Down's syndrome ['daʊnz'sɪndrəʊm] MED **I** *n* trisomie *f* **II** *attr* ***a ~ baby*** un bébé trisomique

downstairs [ˌdaʊn'stɛəz] **I** *adv be*, *come*, *go*, *sleep etc.* en bas **II** *adj* ***the***

~ ***phone*** le téléphone d'en bas; ~ ***apartment*** l'appartement du dessous; ***our ~ neighbors*** (*US*) *or* ***neighbours*** *Br* nos voisins du dessous; ***the woman ~*** la femme du dessous **III** *n* ***the ~*** le rez-de-chaussée **downstate** *US adj* ***in ~ Illinois*** dans le sud de l'Illinois **downstream** *adv* en aval **down-to-earth** *adj* pratique; ***he's very ~*** il a bien les pieds sur terre **downtown** *esp US* **I** *adv go* en ville; *live, be situated* dans le centre **II** *adj* ~ ***Chicago*** le centre de Chicago **downtrodden** *adj* opprimé **downturn** *n* (*in business*) baisse *f*; ***to take a ~*** baisser; ***his fortunes took a ~*** sa chance a tourné **down under** *infml* **I** *n* (*Australia*) Australie *f*; (*New Zealand*) Nouvelle-Zélande *f* **II** *adv be, live, go* (*Australia*) en Australie; (*New Zealand*) en Nouvelle-Zélande *f* **downward** ['daʊnwəd] **I** *adv* (*a.* **downwards**) vers le bas; ***to work ~(s)*** procéder de haut en bas; ***to slope ~(s)*** descendre; ***face ~(s)*** (*person*) face contre terre; (*book*) ouvert et posé à l'envers; ***everyone from the Queen ~(s)*** tout le monde, de la Reine au plus humble de ses sujets **II** *adj stroke* vers le bas; ~ ***movement*** mouvement vers le bas; ~ ***slope*** pente raide; ~ ***trend*** tendance à la baisse; ***to take a ~ turn*** baisser **downwind** ['daʊnwɪnd] *adv* sous le vent (***of, from*** par rapport à)

dowry ['daʊrɪ] *n* dot *f*

dowse [daʊs] *v/t* = **douse**

doz *abbr* = **dozen**

doze [dəʊz] **I** *n* petit somme *m*; ***to have a ~*** faire un petit somme **II** *v/i* sommeiller ◆ **doze off** *v/i* s'assoupir

dozen ['dʌzn] *n* douzaine *f*; ***80p a ~*** 80 pence la douzaine; ***two ~ eggs*** deux douzaines d'œufs; ***half a ~*** une demi-douzaine; ***~s*** des douzaines; *fig, infml* des tas *infml*, des dizaines; ***~s of times*** *infml* des dizaines de fois *infml*; ***there were ~s of incidents like this one*** *infml* il y a des dizaines d'incidents de ce genre; ***~s of people came*** *infml* des dizaines de personnes sont venues

dpi IT *abbr* = **dots per inch** dpi

dpt *abbr* = **department** dpt (*département*)

Dr *abbr* = **doctor** Dr

drab [dræb] *adj* ⟨**+er**⟩ terne; *life, activities* morne **drably** ['dræblɪ] *adv dressed* de manière terne; *painted* dans des couleurs ternes

draft, *Br* **draught** [drɑːft] *n* **I 1.** courant *m* d'air; ***there's a terrible ~ in here*** il y a un terrible courant d'air ici **2.** (*US* MIL) détachement *m* **3.** (*draft beer*) bière *f* (à la) pression; ***on ~*** à la pression **4.** (*rough sketch*) = **draft II** *v/t* **1.** faire le brouillon de; (*write*) rédiger **2.** (*US* MIL) appeler sous les drapeaux **3.** ***he was draughted into the England squad*** il a rejoint l'équipe d'Angleterre **III** *attr* IT ~ ***mode*** mode *m* brouillon **draft beer**, *Br* **draught beer** *n* bière *f* pression **draft letter** *n* projet *m* de lettre **draftsman**, *Br* **draughtsman** ['drɑːftsmən] *n* ⟨*pl* **-men**⟩ (*of plans, of documents, etc.*) dessinateur(-trice) *m*(*f*) **draft version** *n* brouillon *m* **drafty**, *Br* **draughty** ['drɑːftɪ] *adj* ⟨**+er**⟩ plein de courants d'air; ***it's ~ in here*** il y a plein de courants d'air ici

drag [dræg] **I** *n* **1.** ***it was a long ~ up to the top of the hill*** la montée au sommet ne fut pas une partie de plaisir **2.** *infml* ***what a ~!*** (*boring*) quelle barbe! *infml*; (*nuisance*) quelle corvée! *infml* **3.** (*infml on cigarette*) taffe *f infml* (***on, at*** de); ***give me a ~*** donne-moi une taffe *infml* **4.** *infml* ***in ~*** en femme **II** *v/t* **1.** traîner; ***he ~ged her out of the car*** il l'a tirée de la voiture, ***he ~ged her into the car*** il l'a entraînée dans la voiture; ***she ~ged me to the library every Friday*** elle me traînait à la bibliothèque tous les vendredis; ***to ~ one's feet*** *or* ***heels*** *fig* traîner les pieds **2.** (IT, *with mouse*) *text, window* faire glisser **III** *v/i* **1.** (*trail along*) traîner **2.** (*fig, time, work*) traîner; (*book*) traîner en longueur; (*conversation*) se traîner ◆ **drag along** *v/t sep* traîner ◆ **drag apart** *v/t sep* séparer ◆ **drag away** *v/t sep* arracher de; ***if you can drag yourself away from the television for a second ...*** si tu peux t'arracher de devant la télé une seconde ... ◆ **drag behind I** *v/t insep* ***to drag sb / sth behind one*** traîner qn / qc derrière soi **II** *v/i fig* être à la traîne ◆ **drag down** *v/t sep lit* entraîner (en bas); *fig* entraîner ◆ **drag in** *v/t sep lit* traîner; ***look what the cat dragged in*** *fig, infml* regarde qui arrive ◆ drag off *v/t sep lit* arracher de; *fig* traîner; ***to drag sb off to a concert*** traîner qn à un concert ◆ **drag on** *v/i* s'éterniser; (*conversation*) traîner en longueur ◆ **drag out** *v/t sep* **1.** *meeting etc.* faire durer **2.** ***eventually I had to drag it out of him*** *infml* finalement, j'ai dû lui faire cracher le morceau *infml*

drag and drop *n* IT glisser-déposer *m*

drag lift *n* SKI tire-fesses *m*

dragon ['drægən] *n* dragon *m* **dragonfly** ['drægən,flaɪ] *n* libellule *f*

drag queen *n infml* travesti *m*, drag-queen *f infml*

drain [dreɪn] **I** *n* **1.** (*pipe*) tuyau *m*; (*under sink etc.*) tuyau *m* d'écoulement; (*under the ground*) canalisation *f*; (*drain cover*) bouche *f* d'égout; ***to pour money down the ~*** *fig*, *infml* jeter l'argent par les fenêtres; ***I had to watch all our efforts go down the ~*** j'ai dû voir tout notre travail tomber à l'eau **2.** (*on resources etc.*) ponction *f* (***on*** sur, dans) **II** *v/t* **1.** *lit* drainer; *land* assécher; *vegetables* égoutter; (*let drain*) laisser égoutter **2.** *fig* ***to feel ~ed*** être épuisé **3.** *glass* vider **III** *v/i* **1.** (*vegetables, dishes*) égoutter **2.** *fig* ***the blood ~ed from his face*** il est devenu blême ◆ **drain away** *v/i* (*liquid*) s'écouler; (*strength*) s'épuiser ◆ **drain off** *v/t sep* évacuer; (*let drain*) faire couler

drainage ['dreɪnɪdʒ] *n* **1.** (*draining*) drainage *m*; (*of land*) assèchement *m* **2.** (*system*) système *m* de tuyaux de drainage; (*in house*) système *m* d'écoulement des eaux; (*in town*) système *m* d'égouts **drain board**, *Br* **draining board** *n* égouttoir *m* **drainpipe** *n* tuyau *m* d'écoulement

dram [dræm] *n* (*Br small drink*) petit verre *m*

drama ['drɑːmə] *n* **1.** (*excitement, play*) drame *m*; ***to make a ~ out of a minor crisis*** faire tout un drame d'un petit problème **2.** (*art form*) art *m* dramatique **drama queen** *n pej*, *infml* comédienne *f pej*, *infml* **dramatic** [drə'mætɪk] *adj* dramatique **dramatist** ['dræmətɪst] *n* dramaturge *m/f* **dramatize** ['dræmətaɪz] *v/t* dramatiser

drank [dræŋk] *past* = **drink**

drape [dreɪp] **I** *v/t* draper; ***to ~ sth over sth*** draper qc sur qc **II** *n* **drapes** *pl US* doubles rideaux *mpl*

drastic ['dræstɪk] *adj* drastique; *change* radical; ***to take ~ action*** prendre des mesures drastiques **drastically** ['dræstɪkəlɪ] *adv* considérablement; *change*, *different* radicalement

draught *n Br* **1.** = **draft** **2.** **draughts** *pl* (*Br game*) dames *fpl*; (*+pl vb pieces*) pions *mpl* **draughtboard** ['drɑːftbɔːd] *n Br* damier *m*

draw¹ [drɔː] ⟨*past* **drew**⟩ ⟨*past part* **drawn**⟩ **I** *v/t* dessiner; *line* tracer; ***we must ~ the line somewhere*** *fig* nous devons fixer des limites; ***I ~ the line at cheating*** (*personally*) pour moi tricher est inacceptable **II** *v/i* dessiner

draw² [drɔː] *vb* ⟨*past* **drew**⟩ ⟨*past part* **drawn**⟩ **I** *v/t* **1.** tirer; *curtains* (*open*) ouvrir; (*shut*) fermer; ***he drew his chair nearer the fire*** il a rapproché sa chaise du feu **2.** (*take*) tirer, puiser; ***to ~ inspiration from sb / sth*** tirer son inspiration de qn / qc; ***to ~ strength from sth*** puiser ses forces dans qc; ***to ~ comfort from sth*** trouver un réconfort dans qc; ***to ~ money from the bank*** retirer de l'argent à la banque; ***to ~ dole*** toucher le chômage; ***to ~ one's pension*** toucher sa pension **3.** ***the play has ~n a lot of criticism*** la pièce a été très critiquée; ***he refuses to be ~n*** il refuse de réagir **4.** *interest* susciter; *customer, crowd* attirer; ***to feel ~n toward sb*** se sentir attiré par qn **5.** *conclusion* tirer; *comparison, distinction* établir, faire **6.** (*choose*) tirer (au sort); ***we've been ~n (to play) away*** d'après le tirage au sort, nous jouons à l'extérieur **7.** *Br* SPORTS ***to ~ a match*** faire match nul **II** *v/i* **1.** ***he drew to one side*** il s'écarta; ***to ~ to an end** or **to a close*** toucher à sa fin; ***the two horses drew level*** les deux chevaux étaient à la même hauteur; ***to ~ near*** s'approcher (***to*** de); ***he drew nearer** or **closer (to it)*** il s'(en) approcha encore un peu; ***Christmas is ~ing nearer*** Noël approche **2.** *Br* SPORTS faire match nul; ***they drew 2-2*** ils ont fait match nul 2-2 **III** *n* **1.** (*lottery*) loterie *f*; (*for sports competitions*) tirage *m* au sort **2.** *esp Br* SPORTS match *m* nul; ***the match ended in a ~*** ils ont fait match nul ◆ **draw alongside** *v/i* se ranger à côté ◆ **draw apart** *v/i* (*move away*) s'éloigner ◆ **draw aside** *v/t sep person* prendre à part ◆ **draw away** *v/i* **1.** (*move off, car etc.*) démarrer **2.** (*runner etc.*) se détacher (***from sb*** de qn) **3.** (*move away: person*) s'écarter; ***she drew away from him when he put his arm around her*** elle s'écarta de lui quand il l'enlaça ◆ **draw back I** *v/i* s'écarter **II** *v/t sep* retirer; *curtains* ouvrir ◆ **draw in I** *v/i* (*train*) entrer en gare; (*car*) arriver **II** *v/t sep crowds* attirer ◆ **draw into** *v/t sep* (*involve*) mêler ◆ **draw off** *v/i* (*car*) partir ◆ **draw on I** *v/i* avancer; ***as the night drew on*** alors que le jour approchait **II** *v/t insep* (*a.* **draw upon**) faire appel à; ***the author draws on his experiences in the desert*** l'auteur s'inspire de ce qu'il a vécu dans le désert ◆ **draw out I** *v/i* (*car, train*) partir (**of** de) **II** *v/t sep* **1.** (*take out*) sortir; *money* retirer **2.** (*prolong*) prolonger ◆ **draw together** *v/t sep lit, fig* réunir ◆ **draw up I** *v/i* (*stop*) s'arrêter **II** *v/t sep* **1.** (*formulate*) rédiger, faire; *will* rédiger; *list* dresser **2.** *chair* approcher ◆ **draw upon** *v/t insep* = **draw on** *II*

drawback ['drɔːbæk] *n* inconvénient *m*

drawbridge ['drɔːbrɪdʒ] *n* pont-levis *m*

drawer [drɔːʳ] *n* (*in desk etc.*) tiroir *m*

drawing ['drɔːɪŋ] *n* dessin *m*; ***I'm no good at ~*** je ne suis pas bon en dessin **drawing board** *n* planche *f* à dessin; ***it's back to the ~*** *fig* et il faut tout recommencer **drawing paper** *n* papier *m* à dessin **drawing pin** *n Br* punaise *f* **drawing room** *n* salon *m*; (*in mansion*) salle *f* de réception

drawl [drɔːl] **I** *v/t* dire d'une voix traînante **II** *n* voix *f* traînante; ***a southern ~*** avec l'accent traînant des gens du Sud

drawn [drɔːn] **I** *past part* = **draw** [1,2] **II** *adj* **1.** *curtains* tiré; *blinds* baissé **2.** (*from worry*) défait **3.** *match* nul **drawstring** ['drɔːstrɪŋ] *n* cordon *m*

dread [dred] **I** *v/t* redouter; ***I'm ~ing Christmas this year*** je redoute Noël cette année; ***I ~ to think what may happen*** je n'ose pas penser ce qui pourrait arriver; ***I'm ~ing seeing her again*** je redoute de la revoir; ***he ~s going to the dentist*** il redoute d'aller chez le dentiste **II** *n* terreur *f*; ***a sense of ~*** un sentiment de terreur; ***the thought filled me with ~*** cette pensée me remplit d'effroi; ***to live in ~ of being found out*** vivre dans la crainte d'être démasqué **dreadful** *adj* épouvantable; *weather* affreux; ***what a ~ thing to happen!*** quelle horreur!; ***to feel ~*** (*ill*) ne pas se sentir bien du tout; ***I feel ~ about it*** (*mortified*) je m'en veux **dreadfully** *adv* affreusement

dreadlocks ['dredlɒks] *pl* dreadlocks *fpl*

dream [driːm] *vb* ⟨*past, past part* **dreamed** *or* **dreamt**⟩ *Br* **I** *n* rêve; ***to have a bad ~*** faire un cauchemar; ***the whole business was like a bad ~*** c'était un vrai cauchemar; ***sweet ~s!*** fais de beaux rêves!; ***to have a ~ about sb / sth*** rêver de qn / qc; ***it worked like a ~*** *infml* ça a marché comme sur des roulettes *infml*; ***she goes round in a ~*** elle vit un rêve; ***the woman of his ~s*** la femme de ses rêves; ***never in my wildest ~s did I think I'd win*** jamais, même dans mes rêves les plus fous, je n'aurais penser que j'allais gagner; ***all his ~s came true*** tous ses rêves se sont réalisés; ***it was a ~ come true*** c'était un rêve devenu réalité **II** *v/i* rêver (**about, of** de) **III** *v/t* rêver; ***he ~s of being free one day*** il rêve d'être libre un jour; ***I would never have ~ed of doing such a thing*** je n'aurais jamais envisagé de faire une chose pareille; ***I wouldn't ~ of it*** je n'y songerais même pas!; ***I never ~ed*** (**that**) **...** je n'ai jamais envisagé (que) ... **IV** *adj attr* de rêve ◆ **dream up** *v/t sep infml* imaginer; ***where did you dream that up?*** où est-ce que tu es allé pêcher ça? *infml*

dreamer ['driːməʳ] *n* rêveur(-euse) *m*(*f*) **dreamily** ['driːmɪlɪ] *adv* d'un air rêveur **dreamt** [dremt] *Br past, past part* = **dream dreamy** ['driːmɪ] *adj* ⟨**+er**⟩ rêveur(-euse)

dreariness ['drɪərɪnɪs] *n* grisaille *f*; (*of job, life*) monotonie *f* **dreary** ['drɪərɪ] *adj* ⟨**+er**⟩ morne; *job* monotone; *book* ennuyeux(-euse)

dredge [dredʒ] *v/t river, canal* draguer

drench [drentʃ] *v/t* tremper; ***I'm absolutely ~ed*** je suis complètement trempé; ***to be ~ed in sweat*** être en nage

dress [dres] **I** *n* robe *f* **II** *v/t* **1.** habiller; ***to get ~ed*** s'habiller; ***to ~ sb in sth*** mettre qc à qn; ***~ed in black*** vêtu de noir; ***he was ~ed in a suit*** il portait un costume **2.** COOK *salad* assaisonner; *chicken* préparer; ***~ed crab*** crabe *m* (*déjà préparé*) **3.** *wound* panser **III** *v/i* s'habiller; ***to ~ in black*** s'habiller en noir; ***to ~ for dinner*** se mettre en tenue de soirée pour le dîner ◆ **dress down I** *v/t sep* ***to dress sb down*** passer un savon à qn *infml* **II** *v/i* s'habiller de manière décontractée ◆ **dress up** *v/i* **1.** (*in smart clothes*) s'habiller, se mettre sur son trente et un **2.** (*in fancy dress*) se déguiser; ***he came dressed up as Santa Claus*** il est arrivé déguisé en père Noël

dress circle *n* premier balcon *m* **dresser** ['dresəʳ] *n* **1.** buffet *m* **2.** (*US dressing table*) coiffeuse *f* **dressing** ['dresɪŋ] *n* **1.** MED pansement *m* **2.** COOK (*for dish*) assaisonnement *m*; (*for salad*) sauce *f* **dressing-down** *n infml* savon *m infml*; ***to give sb a ~*** passer un savon à qn *infml* **dressing gown** *n* robe *f* de chambre; (*in toweling*) peignoir *m* **dressing room** *n* THEAT loge *f*; SPORTS vestiaire *m* **dressing table** *n* coiffeuse *f* **dressmaker** *n* couturière *f* **dress rehearsal** *n* répétition *f* générale **dress sense** *n* ***her ~ is appalling*** elle s'habille de manière épouvantable

drew [druː] *past* = **draw**[1, 2]

dribble ['drɪbl] **I** *v/i* **1.** (*liquids*) tomber goutte à goutte **2.** (*person*) baver **3.** SPORTS dribbler **II** *v/t* **1.** SPORTS ***to ~ the ball*** dribbler le ballon **2.** (*baby etc.*); ***he ~d milk down his chin*** il avait du lait qui lui dégoulinait sur le menton **III** *n* **1.** (*of water*) filet *m* **2.** (*of saliva*) bave *f*

dried [draɪd] **I** *past, past part* = **dry** **II** *adj* sec(sèche); *blood* séché; ***~ yeast*** levure *f* de bière **dried flowers** *pl* fleurs *fpl* séchées **dried fruit** *n* fruits *mpl* secs **drier** *n* = **dryer**

drift [drɪft] **I** *v/i* **1.** dériver; (*sand*) s'amonceler **2.** (*fig, person*) se laisser aller; ***to let things ~*** laisser les choses aller à vau-l'eau; ***he was ~ing aimlessly along*** (*in life etc.*) il vivait au jour le jour, sans but; ***young people are ~ing away from the villages*** les jeunes quittent les villages; ***the audience started ~ing away*** le public commença à se disperser **II** *n* **1.** (*of sand*) amoncellement *m*; (*of snow*) congère *f* **2.** (*meaning*) ***I caught the ~ of what he said*** j'ai compris où il voulait en venir; ***if you get my ~*** si tu vois ce que je veux dire ◆ **drift off** *v/i* ***to ~*** (***to sleep***) se laisser gagner par le sommeil

drifter ['drɪftəʳ] *n* (*person*) personne *f* qui se laisse aller; ***he's a bit of a ~*** il n'est pas très stable **driftwood** *n* bois *m* flotté

drill [drɪl] **I** *n* perceuse *f* **II** *v/t* percer; *teeth* fraiser **III** *v/i* forer; ***to ~ for oil*** forer pour trouver du pétrole

drink [drɪŋk] *vb* ⟨*past* **drank**⟩ ⟨*past part* **drunk**⟩ **I** *n* **1.** boisson *f*; ***food and ~*** de la nourriture et des boissons; ***may I have a ~?*** est-ce que je pourrais avoir quelque chose à boire?; ***would you like a ~ of water?*** est-ce que vous voulez un verre d'eau? **2.** (*alcoholic*) verre *m*; ***have a ~!*** vous prendrez bien un verre!; ***can I get you a ~?*** je peux vous offrir quelque chose à boire?; ***I need a ~!*** j'ai besoin de boire un verre!; ***he likes a ~*** il aime bien boire un verre; ***the ~s are on me*** c'est ma tournée; ***the ~s are on the house*** c'est la tournée du patron **3.** *no pl* (*alcohol*) alcool *m*; ***he has a ~ problem*** il a un problème d'alcoolisme; ***to be the worse for ~*** avoir un coup dans le nez *infml*; ***to take to ~*** se mettre à boire; ***his worries drove him to ~*** ses soucis l'ont poussé à boire **II** *v/t* boire; ***is the water fit to ~?*** est-ce que l'eau est potable? **III** *v/i* boire; ***he doesn't ~*** il ne boit pas; ***his father drank*** son père buvait; ***to go out ~ing*** sortir boire un verre; ***to ~ to sb/ sth*** boire au succès de qn/à qc; ***I'll ~ to that*** je lève mon verre en signe de soutien ◆ **drink up** *v/i, v/t sep* vider son verre; ***~!*** finis ton verre!

drinkable ['drɪŋkəbl] *adj* potable **drink-driver** *n Br* conducteur(-trice) *m*(*f*) en état d'ébriété **drink-driving** *Br n* conduite *f* en état d'ébriété **drinker** ['drɪŋkəʳ] *n* buveur(-euse) *m*(*f*); ***he's a heavy ~*** c'est un gros buveur **drinking** ['drɪŋkɪŋ] **I** *n* boisson *f*; ***his ~ caused his marriage to break up*** son alcoolisme a détruit son couple; ***underage ~*** consommation *f* d'alcool par les mineurs **II** *adj* ***~ spree*** beuverie *f infml* **drinking chocolate** *n* chocolat *m* (en poudre) **drinking fountain** *n* fontaine *f* **drinking problem** *n* penchant *m* pour la boisson **drinking water** *n* eau *f* potable **drinks machine** *n* distributeur *m* de boissons

drip [drɪp] **I** *v/i* dégouliner; ***to be ~ping with sweat*** dégouliner de sueur; ***to be ~ping with blood*** ruisseler de sang **II** *v/t* faire tomber goutte à goutte **III** *n* **1.** (*sound*) bruit *m* de goutte **2.** (*drop*) goutte *f* **3.** MED perfusion *f*; ***to be on a ~*** être sous perfusion **4.** (*infml: person*) lavette *f infml* **drip-dry** **I** *adj shirt* qui ne se repasse pas **II** *v/t* étendre sans essorer **dripping** ['drɪpɪŋ] **I** *adj* **1.** ***~*** (***wet***) trempé **2.** *tap* qui goutte **II** *n* égouttement *m*

drive [draɪv] *vb* ⟨*past* **drove**⟩ ⟨*past part* **driven**⟩ **I** *n* **1.** AUTO trajet *m* en voiture, promenade *f* en voiture; ***to go for a ~*** faire une promenade en voiture; ***he took her for a ~*** il l'a emmenée faire un tour (en voiture); ***it's about one hour's ~*** c'est à environ une heure de voiture **2.** (*a.* **driveway**) allée *f* **3.** PSYCH *etc.* pulsions *fpl*; ***sex ~*** pulsions *fpl* sexuelles **4.** (*energy*) dynamisme *m* **5.** COMM, POL *etc.* campagne *f* **6.** MECH ***front-wheel / rear-wheel ~*** traction *f* avant / arrière; ***left-hand ~*** conduite *f* à gauche **7.** IT lecteur *m* **II** *v/t* **1.** conduire; ***to ~ sb out of the country*** expulser qn du pays; ***to ~ sb mad*** rendre fou qn; ***to ~ sb to murder*** pousser qn au meurtre **2.** *vehicle*, *passenger* emmener; ***I'll ~ you home*** je vais vous reconduire chez vous **3.** *motor* (*belt*, *shaft*) entraîner; (*electricity*) faire fonctionner **4.** (*force to work hard*) pousser **III** *v/i* **1.** conduire; ***can you ~?*** est-ce que vous savez conduire?; ***do you ~?*** est-ce vous conduisez?; ***he's learning to ~*** il apprend à conduire; ***did you come by train? — no, we drove*** vous êtes venus en train? – non, en voiture; ***it's cheaper to ~*** la voiture revient moins cher **2.** (*rain*) fouetter ◆ **drive along** *v/i* (*vehicle*, *person*) rouler ◆ **drive at** *v/t insep* (*fig mean*) vouloir dire ◆ **drive away I** *v/i* démarrer **II** *v/t sep person*, *cares* chasser ◆ **drive back I** *v/i* revenir **II** *v/t sep* **1.** (*cause to retreat*) repousser **2.** (*in vehicle*) ramener (en voiture) ◆ **drive home** *v/t sep nail* enfoncer; *argument* rabâcher ◆ **drive in I** *v/i* entrer **II** *v/t sep nail* enfoncer ◆ **drive off I** *v/i* démarrer **II** *v/t sep* **1.** *enemy* chasser **2.** ***he was driven off in an ambulance*** il a été emmené en ambulance ◆ **drive on** *v/i* poursuivre sa route ◆ **drive out** *v/t sep person* chasser ◆ **drive over I** *v/i* aller en voiture **II** *v/t always separate* (*in car*) conduire en voiture ◆ **drive up I** *v/i* arriver **II** *v/t prices* faire monter

drive-by *adj shooting*, *crime* d'une voiture en marche **drive-in I** *adj* ***~ movie theater*** drive-in *m*; ***~ restaurant*** drive-in *m* **II** *n* (*restaurant*) drive-in *m*

drivel ['drɪvl] *n pej* bêtises *fpl*

driven ['drɪvn] *past part* = **drive -driven** ['drɪvn] *adj suf*; ***battery-driven*** fonctionnant avec des piles

driver ['draɪvəʳ] *n* **1.** conducteur(-trice) *m*(*f*); ***~'s seat*** *lit* place *f* du conducteur **2.** IT pilote *m*

driver's license *n US* permis *m* de conduire **drive-through**, *esp US* **drive--thru I** *n* drive-in *m* **II** *adj* ***~ restaurant*** drive-in *m* **driveway** *n* allée *f* **driving** ['draɪvɪŋ] **I** *n* conduite *f*; ***I don't like ~*** je n'aime pas conduire **II** *adj* **1.** ***the ~ force behind sth*** le moteur de qc **2.** ***~ rain*** pluie *f* battante; ***~ snow*** neige *f* en rafales **driving conditions** *pl* conditions *fpl* de circulation **driving instructor** *n* moniteur(-trice) *m*(*f*) d'auto-école **driving lesson** *n* leçon *f* de conduite

driving license, driving licence *Br n* permis *m* de conduire **driving mirror** *n* rétroviseur *m* **driving offense**, *Br* **driving offence** *n* infraction *f* au code de la route **driving school** *n* auto-école *f* **driving seat** *n* place *f* du conducteur; ***to be in the ~*** *fig* être aux commandes **driving test** *n* examen *m* du permis de conduire

drizzle ['drɪzl] **I** *n* bruine *f* **II** *v/i* bruiner **III** *v/t* (*pour over*) verser sur **drizzly** ['drɪzlɪ] *adj* ***it's ~*** il bruine

drone [drəʊn] **I** *n* (*of bees*) bourdonnement *m*; (*of engine*) ronronnement *m* **II** *v/i* **1.** (*bee*) bourdonner; (*engine*) ronronner **2.** (*a.* **drone on**) faire de longs discours; ***he ~d on and on for hours*** il a parlé pendant des heures et des heures

drool [druːl] *v/i* baver ◆ **drool over** *v/t insep* baver devant

droop [druːp] *v/i* **1.** (*lit*, *shoulders*) s'affaisser; (*head*) pencher; (*eyelids*) tomber; (*with sleepiness*) se fermer; (*flowers*) baisser la tête **2.** *fig* languir **droopy** ['druːpɪ] *adj mustache*, *tail* pendant; *eyelids* tombant

drop [drɒp] **I** *n* **1.** (*of liquid*) goutte *f*; ***a ~ of blood*** une goutte de sang; ***a ~ of wine?*** une goutte de vin? **2.** (*in temperature*, *prices*) baisse *f* (**in** de); (*sudden*) chute *f* (**in** de); ***a ~ in prices*** une baisse des prix **3.** (*in level*) dénivellation *f*; ***there's a ~ of ten feet down to the ledge*** la corniche est dix pieds plus bas; ***a sheer ~*** un à-pic **II** *v/t* **1.** (*allow to fall*) laisser tomber; *bomb* larguer; ***I ~ped my watch*** j'ai fait tomber ma montre; ***don't ~ it!*** ne le fais pas tomber!; ***he ~ped his heavy cases on the floor*** il posa ses lourdes valises sur le sol **2.** (*from car*) *person* déposer

3. *remark*, *name* laisser tomber; *hint* faire **4.** ***to ~ sb a note*** *or* ***a line*** écrire un mot à qn **5.** (*omit*) omettre (***from*** de); (*deliberately*) laisser tomber; ***the paper refused to ~ the story*** le journal a refusé de laisser tomber l'histoire **6.** (*abandon*) abandonner; *idea*, *friend* laisser tomber; JUR *case* abandonner; ***you'd better ~ the idea*** tu ferais mieux de laisser tomber l'idée; ***to ~ sb from a team*** éliminer qn d'une équipe; ***let's ~ the subject*** n'en parlons plus; ***~ it!*** *infml* laisse tomber! *infml*; ***~ everything!*** *infml* laisse tomber tout ça! *infml* **III** *v/i* **1.** (*fall*, *object*) tomber; (*temperature etc.*) baisser; (*wind*) se calmer **2.** (*to the ground*) se laisser tomber; ***to ~ to the ground*** se laisser tomber au sol; ***I'm ready to ~*** *infml* je suis claqué *infml*; ***she danced till she ~ped*** *infml* elle a dansé jusqu'à l'épuisement *infml*; ***to ~ dead*** tomber raide mort; ***~ dead!*** *infml* va te faire voir! *infml* **3.** (*end*, *conversation etc.*) cesser; ***to let sth ~*** laisser tomber qc; ***shall we let it ~?*** on laisse tomber? ◆ **drop back** *v/i* rester en arrière ◆ **drop behind** *v/i* rester en arrière; ***to ~ sb*** se laisser distancer par qn ◆ **drop by** *v/i infml* passer, faire un saut *infml* ◆ **drop down I** *v/i* tomber par terre; ***he dropped down behind the hedge*** il est tombé derrière la haie; ***to ~ dead*** tomber raide mort; ***he has dropped down to eighth*** il est redescendu à la huitième place **II** *v/t sep* laisser tomber ◆ **drop in** *v/i infml* passer, faire un saut *infml*; ***I've just dropped in for a minute*** je ne fais que passer ◆ **drop off I** *v/i* **1.** (*fall down*) tomber; (*come off*, *handle etc.*) se détacher **2.** (*fall asleep*) s'endormir **II** *v/t sep parcel*, *person* laisser, déposer ◆ **drop out** *v/i* **1.** (*of box etc.*) tomber (***of*** de) **2.** (*from competition etc.*) se retirer (***of*** de); ***to ~ of a race*** (*before it*) se retirer d'une course; (*during it*) abandonner une course; ***he dropped out of the course*** il a abandonné les cours; ***to ~ of society*** vivre en marge de la société; ***to ~ of school*** abandonner ses études

drop-down menu *n* IT menu *m* déroulant **drop-in centre** *n Br* centre *m* d'accueil **droplet** ['drɒplɪt] *n* gouttelette *f* **dropout** *n* (*from society*) marginal(e) *m(f) infml*; (*university dropout*) étudiant(e) *m(f)* qui abandonne ses études

droppings ['drɒpɪŋz] *pl* crottes *fpl*

drought [draʊt] *n* sécheresse *f*

drove¹ [drəʊv] *n* troupeau *m*; ***they came in ~s*** ils arrivèrent en foule

drove² *past* = **drive**

drown [draʊn] **I** *v/i* se noyer **II** *v/t* **1.** noyer; ***to be ~ed*** se noyer; ***to ~ one's sorrows*** noyer son chagrin **2.** (*a.* **drown out**) *noise*, *voice* couvrir

drowse [draʊz] *v/i* somnoler **drowsiness** ['draʊzɪnɪs] *n* somnolence *f* (*also after sleep*); ***to cause ~*** entraîner une somnolence **drowsy** ['draʊzɪ] *adj* ⟨**+er**⟩ somnolent; (*after sleep*) à moitié endormi

drudgery ['drʌdʒərɪ] *n* corvée *f*

drug [drʌg] **I** *n* **1.** MED, PHARM médicament *m*; (*inducing unconsciousness*) anesthésique *m*; SPORTS produit *m* dopant; ***he's on ~s*** MED il est sous médicaments **2.** (*addictive substance*) drogue *f*; ADMIN stupéfiant *m* ***to be on ~s*** se droguer; ***to take ~s*** se droguer **II** *v/t* (*render unconscious*) droguer **drug abuse** *n* toxicomanie *f*; ***~ prevention*** prévention *f* de la toxicomanie **drug addict** *n* drogué(e) *m(f)*, toxicomane *m/f* **drug addiction** *n* toxicomanie *f* **drug dealer** *n* revendeur(-euse) *m(f)* de drogue, dealer *m infml* **drugged** [drʌgd] *adj* drogué; ***to be ~*** être drogué; ***he seemed ~*** il avait l'air drogué **druggist** ['drʌgɪst] *n US* pharmacien(ne) *m(f)* **drug pusher** *n* revendeur(-euse) *m(f)* de drogue, dealer *m infml* **drugs raid** *n* opération *f* antidrogue **drugs test** *n* contrôle *m* antidopage

drugstore *n US* drugstore *m* **drug taking** *n* usage *m* de stupéfiants **drug traffic, drug trafficking** *n* trafic *m* de drogue **drug trafficker** *n* trafiquant(e) *m(f)* de drogue **drug user** *n* toxicomane *m/f*

drum [drʌm] **I** *n* **1.** MUS tambour *m*; ***the ~s*** (*pop*, *jazz*) la batterie **2.** (*for oil*) bidon *m* **II** *v/i* MUS jouer du tambour; *fig* tambouriner **III** *v/t* ***to ~ one's fingers on the table*** pianoter des doigts sur la table ◆ **drum into** *v/t always separate* ***to drum sth into sb*** seriner qc à qn *infml* ◆ **drum up** *v/t sep enthusiasm* susciter; *support* rassembler

drumbeat *n* battement *m* de tambour **drummer** ['drʌmər] *n* (*in band*) batteur (-euse) *m(f)* **drumstick** ['drʌmstɪk] *n* **1.** MUS baguette *f* de tambour **2.** (*on*

chicken etc.) pilon *m*
drunk [drʌŋk] **I** *past part* = **drink II** *adj* ⟨+er⟩ **1.** ivre, soûl; ***he was slightly ~*** il était légèrement ivre; ***to get ~*** être soûl (***on*** à cause de); (*on purpose*) se soûler (***on*** à); ***to be as ~ as a lord*** *or* ***skunk*** *infml* être soûl comme une grive *infml* **2.** *fig* ***to be ~ with*** *or* ***on success*** être enivré par le succès; ***to be ~ with*** *or* ***on power*** être ivre de puissance **III** *n* homme *m* soûl, femme *f* soûle; (*habitual*) ivrogne *m/f* **drunkard** ['drʌŋkəd] *n* ivre, soûl **drunk driver** *n esp US* conducteur(-trice) *m(f)* en état d'ébriété *or* d'ivresse **drunk driving, drunken driving** *n esp US* conduite *f* en état d'ébriété *or* d'ivresse **drunken** *adj* ivre; *evening* arrosé; ***in a ~ rage*** dans un état de fureur lié à l'alcool; ***in a ~ stupor*** hébété par l'alcool **drunkenly** ['drʌŋkənlɪ] *adv* d'une voix d'ivrogne; *behave* comme un ivrogne **drunkenness** *n* (*state*) ébriété *f*, ivresse *f*; (*habit*) ivrognerie *f*
dry [draɪ] ⟨*past, past part* **dried**⟩ **I** *v/t* sécher; ***to ~ oneself*** s'essuyer; ***he dried his hands*** il s'essuya les mains; ***to ~ the dishes*** essuyer la vaisselle; ***to ~ one's eyes*** sécher ses larmes **II** *v/i* **1.** (*become dry*) sécher **2.** (*dry dishes*) essuyer la vaisselle **III** *adj* sec(sèche); ***to run ~*** (*river*) tarir; ***~ spell*** période de sécheresse; ***the ~ season*** la saison sèche; ***to rub oneself ~*** se frictionner pour se sécher; ***~ bread*** pain sec **IV** *n* ***to give sth a ~*** sécher qc ◆ **dry off I** *v/i* sécher **II** *v/t sep* sécher ◆ **dry out I** *v/i* (*clothes*, *ground*) sécher; (*skin etc.*) se dessécher **II** *v/t sep clothes*, *ground* sécher; *skin* dessécher ◆ **dry up I** *v/i* **1.** (*stream*) se tarir; (*moisture*) s'évaporer; (*inspiration*, *income*) se tarir **2.** (*dry dishes*) essuyer la vaisselle **II** *v/t sep dishes* essuyer; *river bed* sécher
dry-clean *v/t* nettoyer à sec; ***to have a dress ~ed*** faire nettoyer une robe chez le teinturier **dry-cleaner's** *n* teinturerie *f*, pressing *m* **dry-cleaning** *n* nettoyage *m* à sec, pressing *m* **dryer** ['draɪə[r]] *n* **1.** (*for hands, hair*) séchoir *m* **2.** (*for clothes*) sèche-linge *m* **dry ice** *n* neige *f* carbonique **drying-up** *n*; ***to do the ~*** essuyer la vaisselle **dryness** *n* sécheresse *f* **dry-roasted** *adj* grillé à sec **dry rot** *n* pourriture *f* sèche **dry run** *n* galop *m* d'essai
DSL *abbr* = **digital subscriber line** DSL; ***~ connection*** connexion *f* DSL
D.S.T. *esp US abbr* = **daylight saving time**
DTI *Br abbr* = **Department of Trade and Industry** ≈ ministère *m* du Commerce et de l'Industrie
DTP *abbr* = **desktop publishing** PAO *f*, publication *f* assistée par ordinateur
dual ['djʊəl] *adj* **1.** (*double*) double **2.** (*two kinds of*) deux sortes de **dual carriageway** *n Br* route *f* pour automobiles, quatre voies *f* **dual nationality** *n* double nationalité *f* **dual-purpose** *adj* à double usage
dub [dʌb] *v/t film* doubler; ***the film was ~bed into French*** le film a été doublé en français **dubbing** ['dʌbɪŋ] *n* FILM doublage *m*
dubious ['djuːbɪəs] *adj* **1.** (*questionable*) discutable; *idea*, *claim*, *basis* douteux (-euse); ***it sounds ~ to me*** cela me paraît discutable **2.** (*uncertain*) incertain; ***I was ~ at first, but he convinced me*** au début, j'avais des doutes, mais il m'a convaincu; ***to be ~ about sth*** avoir des doutes à propos de qc
duchess ['dʌtʃɪs] *n* duchesse *f* **duchy** ['dʌtʃɪ] *n* duché *m*
duck [dʌk] **I** *n* canard *m*; (*female*) cane *f*; ***to take to sth like a ~ to water*** se mettre à qc comme si on avait fait ça toute sa vie; ***it's (like) water off a ~'s back to him*** ça glisse sur lui comme de l'eau sur les plumes d'un canard **II** *v/i* **1.** (*a.* **duck down**) se baisser vivement **2.** ***he ~ed out of the room*** il disparut de la pièce **III** *v/t* **1.** (*under water*) faire boire la tasse à qn *infml* **2.** *question*, *blow* esquiver **duckling** ['dʌklɪŋ] *n* caneton *m*
duct [dʌkt] *n* **1.** ANAT canal *m* **2.** (*for liquid, gas*) canalisation *f*; ELEC conduite *f*
dud [dʌd] *infml* **I** *adj* **1.** pourri *infml*; ***~ batteries*** des piles à plat *infml* **2.** (*counterfeit*) faux(fausse) **II** *n* (*bomb*) bombe *f* non éclatée; (*coin*) fausse pièce *f*; (*person*) raté(e) *m(f)* *infml*; ***this battery is a ~*** cette pile est à plat *infml*
dude [duːd] *n* (*US infml*) type *m* *infml*
due [djuː] **I** *adj* **1.** (*expected*) attendu; ***to be ~*** (*plane, train, bus*) devoir arriver; (*elections, results*) être prévu; ***the train was ~ ten minutes ago*** le train devait arriver il y a dix minutes; ***when is the***

baby ~? quand doit naître le bébé?; **the results are ~ at the end of the month** les résultats sont prévus pour la fin du mois; **he is ~ back tomorrow** il doit être de retour demain; **to be ~ out** devoir être publié; **he is ~ to speak about now** il devrait faire son discours maintenant; **the building is ~ to be demolished** l'immeuble doit être rasé; **he is ~ for a raise** (*US*) *or* **rise** *Br* il devrait avoir une augmentation; **she is ~ for promotion** elle devrait avoir une promotion; **the prisoner is ~ for release** *or* **~ to be released** le prisonnier devrait être libéré; **the car is ~ for a service** le moment de faire réviser la voiture est arrivé; **~ date** FIN échéance **2.** *attention, care* requis; **in ~ course** en temps utile; **with (all) ~ respect (to you)** avec tout le respect que je vous dois **3.** (*owed*) **to be ~** (*money*) être exigible; **to be ~ to sb** (*money, leave*) être dû à qn; **to be ~ a couple of days off** avoir deux ou trois jours de vacances à prendre **4. ~ to** (*owing to*) en raison de; (*caused by*) à cause de; **his death was ~ to natural causes** il est mort de causes naturelles **II** *n* **1. dues** *pl* (*subscription*) cotisation *f* **2. to give him his ~, he did at least try** il faut être juste et reconnaître qu'au moins il a essayé **III** *adv* **~ north** plein nord; **~ east of the village** plein est par rapport au village

duel ['djʊəl] **I** *n* duel *m* **II** *v/i* se battre en duel

duet [djuː'et] *n* duo *m*

duffel bag *n* sac *m* marin **duffel coat** *n* duffel-coat *m*

dug *past, past part* = **dig**

duke [djuːk] *n* duc *m* **dukedom** ['djuːkdəm] *n* (*territory*) duché *m*; (*title*) titre *m* de duc

dull [dʌl] **I** *adj* **1.** *light, glow* faible; *weather* maussade; *eyes* morne; **~ brown** marron terne; **it will be ~ at first** (*weather forecast*) le temps sera maussade pour commencer **2.** (*boring*) ennuyeux(-euse); **there's never a ~ moment** on ne s'ennuie jamais **3.** *sound, ache* sourd **II** *v/t* **1.** *pain* endormir; *senses* engourdir **2.** *sound* étouffer **dullness** *n* **1.** (*of light, sky*) aspect *m* sombre; (*of colors, eyes, hair, paintwork, metal*) manque *m* d'éclat; (*of weather, day*) grisaille *f* **2.** (*boring nature*) ennui *m* **3.** (*listlessness*, ST EX, COMM, *of market*) engourdissement *m* **dully** ['dʌllɪ] *adv* **1.** (*dimly*) faiblement **2.** *throb, ache* d'une manière sourde

duly ['djuːlɪ] *adv* **1.** *elect, sign* dûment; **to be ~ impressed** être impressionné à juste titre **2.** (*as expected*) comme il se doit; **he ~ obliged** il s'est exécuté, comme il se doit

dumb [dʌm] *adj* **1.** (*silent*) muet(te); **she was struck ~ with fear** la peur la rendit muette **2.** (*esp US infml*) bête; **that was a ~ thing to do** c'était vraiment une bêtise de faire ça; **to play ~** jouer les imbéciles ◆ **dumb down** *v/t sep* abaisser le niveau de

dumbbell ['dʌmbel] *n* SPORTS haltère *m*

dumbfound ['dʌmfaʊnd] *v/t* abasourdir **dumbing down** [ˌdʌmɪŋ'daʊn] *n* abêtissement *m* **dumb waiter** *n* monte-plats *m*

dummy ['dʌmɪ] **I** *n* **1.** (*for clothes*) mannequin *m*; (*sham*) imitation *f*, objet *m* factice **2.** (*Br baby's pacifier*) tétine *f*; sucette *f* **3.** (*infml fool*) andouille *f* *infml*, imbécile *m/f* **II** *adj attr* factice; **a ~ bomb** une fausse bombe **dummy run** *n* essai *m* à blanc, entraînement *m*

dump [dʌmp] **I** *n* **1.** *for garbage* décharge *f* **2.** MIL dépôt *m* **3.** *pej, infml* (*town*) trou *m* *infml*; (*building*) taudis *m* *infml* **4.** *infml* **to be down in the ~s** avoir le moral à zéro *infml* **II** *v/t* **1.** (*get rid of*) jeter; *bags etc.* (*drop*) déposer; (*leave*) plaquer *infml*; *boyfriend* larguer *infml*; *car* abandonner; **to ~ sb on sb** imposer qn à qn; **to ~ one's troubles on sb** déverser ses problèmes sur qn **2.** IT vider

dumper ['dʌmpəʳ] *n* (*dump truck*) camion *m* à benne (basculante), dumper *m* **dumping** *n* (*of load, rubbish*) dépôt *m*; décharge *f*; **"no ~"** *Br* "décharge interdite" **dumping ground** *n* *fig* décharge *f*; poubelle *f*

dumpling ['dʌmplɪŋ] *n* COOK (*savoury*) ≈ quenelle *f*; (*sweet*) ≈ chausson *m*

Dumpster® ['dʌmpstəʳ] *n* *US* benne *f* à ordures **dump truck** *n* camion *m* à benne, dumper *m*

dumpy ['dʌmpɪ] *adj infml* rondouillard *infml*

dunce [dʌns] *n* cancre *m*

dune [djuːn] *n* dune *f*

dung [dʌŋ] *n* crotte *f*; (*of cow*) bouse *f*; (*of horse*) crottin *m* (AGR *manure*) fumier *m*

dungarees [ˌdʌŋgəˈriːz] *Br pl* salopette *f*; ***a pair of ~*** une salopette
dungeon [ˈdʌndʒən] *n* cachot *m*
dunk [dʌŋk] *v/t* tremper
dunno [ˈdʌnəʊ] = **(I) don't know**
duo [ˈdjuːəʊ] *n* duo *m*
dupe [djuːp] *v/t* duper; ***he was ~d into believing it*** on lui a fait croire ça
duplex [ˈdjuːpleks] *n esp US* = **duplex apartment / house duplex apartment** *n esp US* duplex *m* **duplex house** *n US* maison *f* jumelée
duplicate [ˈdjuːplɪkeɪt] **I** *v/t* **1.** (*on machine*) reproduire **2.** *success etc.* reproduire; (*wastefully*) reproduire inutilement **II** *n* copie *m*; (*of official document*) duplicata *m*; (*of key*) double *m*; ***in ~*** en double exemplaire **III** *adj* ***a ~ copy*** un duplicata; ***a ~ key*** un double de clé **duplication** [ˌdjuːplɪˈkeɪʃən] *n* (*of documents*) reproduction *f*; (*of efforts*, *work*) duplication *f*
duplicity [djuːˈplɪsɪtɪ] *n* duplicité *f*
durability [ˌdjʊərəˈbɪlɪtɪ] *n* **1.** (*of product*, *material*) durabilité *f* **2.** (*of peace*, *relationship*) longévité *f* **durable** [ˈdjʊərəbl] *adj* **1.** *material* durable, résistant; ***CDs are more ~ than tapes*** les CD durent plus longtemps que les cassettes **2.** *peace*, *relationship* durable **duration** [djʊəˈreɪʃən] *n* durée *f*; ***for the ~ of*** pendant la durée de
duress [djʊəˈres] *n* ***under ~*** sous la contrainte
Durex® [ˈdjʊəreks] *n* préservatif *m*
during [ˈdjʊərɪŋ] *prep* durant; pendant; au cours de
dusk [dʌsk] *n* (*twilight*) crépuscule *m*; ***at ~*** au crépuscule **dusky** [ˈdʌskɪ] *adj liter skin*, *color* mat; *person* à la peau mate; ***~ pink*** vieux rose
dust [dʌst] **I** *n no pl* poussière *f*; ***covered in ~*** couvert de poussière; ***to gather ~*** prendre la poussière; ***to give sth a ~*** épousseter qc **II** *v/t* **1.** *furniture* épousseter; *room* faire la poussière de; ***it's (all) done and ~ed*** (*Br fig*, *infml*) tout est en ordre **2.** COOK saupoudrer **III** *v/i* faire la poussière ◆ **dust down** *v/t sep* (*with brush*) brosser; (*with hand*) épousseter; ***to dust oneself down*** *fig* s'épousseter ◆ **dust off** *v/t sep dirt* brosser; ***to dust oneself off*** *fig* se relever
dustbin *n Br* poubelle *f* **dustbin man** *n Br* = **dustman dust cover** *n* (*on book*) jaquette *f*; (*on furniture*) housse *f* (de protection) **duster** [ˈdʌstər] *n* chiffon *m* à poussière; SCHOOL brosse *f* **dusting** [ˈdʌstɪŋ] *n* **1.** époussetage *m*; ***to do the ~*** faire la poussière **2.** ***a ~ of snow*** une fine couche de neige **dust jacket** *n* jaquette *f* **dustman** *n Br* éboueur *m* **dustpan** *n* pelle *f* (à poussière) **dusty** [ˈdʌstɪ] *adj* poussiéreux(-euse)
Dutch [dʌtʃ] **I** *adj* néerlandais, hollandais; ***a ~ man*** un Néerlandais, un Hollandais; ***a ~ woman*** une Néerlandaise, une Hollandaise; ***he is ~*** il est néerlandais **II** *n* **1.** (*people*) ***the ~*** les Néerlandais **2.** (*language*) néerlandais *m* **III** *adv* ***to go ~ (with sb)*** *infml* partager les frais (avec qn) **Dutch cap** *n Br* (*diaphragm*) diaphragme *m* **Dutch courage** *n infml* ***to give oneself ~*** boire un verre pour se donner du courage
Dutchman *n* Néerlandais *m*, Hollandais *m*
Dutchwoman *n* Néerlandaise *f*, Hollandaise *f*
dutiful [ˈdjuːtɪfʊl] *adj* consciencieux (-euse)
duty [ˈdjuːtɪ] *n* **1.** devoir *m*; ***to do one's ~ (by sb)*** faire son devoir (envers qn); ***to report for ~*** prendre son service; ***to be on ~*** (*doctor etc.*) être de service; SCHOOL *etc.* être de surveillance; ***who's on ~ tomorrow?*** qui est de surveillance demain?; ***he went on ~ at 9*** il a pris son service à 9 heures; ***to be off ~*** ne pas

during

Le mot anglais **during** ne se traduit pas forcément par pendant en français. Il s'utilise pour des périodes de temps assez longues. La traduction de pendant est **for** quand le mot désigne une période courte ou bien délimitée :

✓ **The war lasted for 5 years.**
✗ **We waited for 30 minutes.**
(✗ The war lasted during 5 years./ We waited during 30 minutes.)
✓ **during the last century/during the day/during the 1970s.**

La guerre a duré 5 ans./Nous avons attendu pendant 30 minutes.
au cours du siècle dernier/pendant la journée/dans les années 1970

être de service; ***he comes off ~ at 9*** il finit son service à 9 heures **2.** FIN droit *m*, taxe *f*; ***to pay ~ on sth*** payer un droit sur qc **duty-free** [djuːtɪ'friː] *adj*, *adv* hors taxes **duty-free allowance** *n quantité autorisée de marchandises hors taxe* **duty-free store** *n* magasin *m* hors taxes **duty officer** *n* officier *m* de service **duty roster** *n* tableau *m* de service

duvet ['djuːveɪ] *n* couette *f*

DV cam [diː'viːkæm] *n* caméscope® *m* numérique

DVD *n*, *abbr* = **digital versatile** *or* **video disc** DVD *m* **DVD player** *n* lecteur *m* de DVD **DVD-R** *n* DVD-R *m* **DVD recorder** *n* graveur *m* DVD **DVD-Rom** *n* DVD-ROM *m* **DVD-RW** *n* DVD-RW *m*

DVT *abbr* = **deep vein thrombosis**

dwarf [dwɔːf] **I** *n* ⟨*pl* **dwarves**⟩ nain(e) *m(f)* **II** *adj* ***~ shrubs*** arbustes nains **III** *v/t* ***to be ~ed by sb / sth*** être écrasé par qn / qc

dwell [dwel] ⟨*past*, *past part* **dwelt**⟩ *v/i liter* habiter ◆ **dwell (up)on** *v/t insep* s'étendre sur; ***to ~ the past*** ressasser le passé; ***let's not ~ it*** ne nous attardons pas là-dessus

dwelling ['dwelɪŋ] *n form* habitation *f*; ***~ house*** maison d'habitation **dwelt** [dwelt] *past*, *past part* = **dwell**

dwindle ['dwɪndl] *v/i* (*numbers*) diminuer; (*supplies*) s'amenuiser **dwindling** ['dwɪndlɪŋ] *adj numbers* en baisse; *supplies* qui s'amenuisent

dye [daɪ] **I** *n* teinture *f*; ***hair ~*** teinture pour les cheveux; ***food ~*** colorant alimentaire **II** *v/t* teindre; ***~d blonde hair*** cheveux teints en blond

dying ['daɪɪŋ] **I** *pp* = **die II** *adj* **1.** *lit* mourant; *plant* en voie de disparition; *words* dernier(-ière) **2.** *fig industry*, *art* moribond; *minutes* dernier(-ière) **III** *n* ***the ~ pl*** les mourants

dyke, *US* **dike** [daɪk] *n* **1.** digue *f* **2.** (*sl lesbian*) gouine *f sl*, *pej*

dynamic [daɪ'næmɪk] **I** *adj* dynamique **II** *n* dynamique *f* **dynamics** *n sg or pl* dynamique *f* **dynamism** ['daɪnəmɪzəm] *n* dynamisme *m*

dynamite ['daɪnəmaɪt] *n lit*, *fig* dynamite *f*

dynamo ['daɪnəməʊ] *n* dynamo *f*

dynasty ['dɪnəstɪ] *n* dynastie *f*

dysentery ['dɪsɪntrɪ] *n* dysenterie *f*

dysfunctional [dɪs'fʌnkʃənəl] *adj* dysfonctionnel(le)

dyslexia [dɪs'leksɪə] *n* dyslexie *f* **dyslexic** [dɪs'leksɪk] **I** *adj* dyslexique; ***she is ~*** elle est dyslexique **II** *n* dyslexique *m/f*

E

E, e [iː] *n* mi *m*; ***E flat*** mi bémol; ***E sharp*** mi dièse

E *abbr* = **east** E

e- [iː] *pref* (*electronic*) e-

each [iːtʃ] **I** *adj* chaque; ***~ one of us*** chacun de nous; ***~ and every one of us*** chacun d'entre nous **II** *pron* **1.** chacun; ***~ of them gave their*** *or* ***his opinion*** chacun d'eux a donné son avis **2. *~ other*** l'un(e) l'autre; ***they haven't seen ~ other for a long time*** ils ne se sont pas vus depuis longtemps; ***you must help ~ other*** vous devez vous entraider; ***on top of ~ other*** l'un sur l'autre; ***next to ~ other*** l'un à côté de l'autre; ***they went to ~ other's house(s)*** ils allaient l'un chez l'autre **III** *adv* chacun; ***we gave them one apple ~*** nous leur avons donné une pomme chacun; ***the books are $10 ~*** les livres sont 10 dollar pièce; ***carnations at 50c ~*** des œillets à 50 cents l'un

eager ['iːgəʳ] *adj* désireux(-euse); *response* enthousiaste; ***to be ~ to do sth*** désirer vivement faire qc **eagerly** ['iːgəlɪ] *adv* vivement; *await*, *anticipate* avec impatience; *accept* avec empressement; ***~ awaited*** attendu avec impatience **eagerness** ['iːgənɪs] *n* empressement *m*

eagle ['iːgl] *n* aigle *m*

ear[1] [ɪəʳ] *n* **1.** oreille *f*; ***to keep one's ~s open*** ouvrir l'oreille; ***to be all ~s*** être tout ouïe; ***to lend an ~*** prêter l'oreille; ***it goes in one ~ and out the other*** ça rentre par une oreille et ça ressort par l'autre; ***to be up to one's ~s in work*** avoir du travail par-dessus la tête; ***he's got money*** *etc.* ***coming out of his ~s***

infml il est plein au as *infml* **2.** ***to have a good ~ for music*** avoir l'oreille musicale; ***we'll play it by ~*** *fig* on avisera le moment venu

ear² *n* (*of grain*) épi *m*

earache *n* mal *m* d'oreille **eardrum** *n* tympan *m* **earful** *n infml* ***to get an ~*** en prendre plein les oreilles *infml*; ***to give sb an ~*** enguirlander qn *infml* **earhole** *n* (*Br infml*) esgourde *f infml*

earl [ɜːl] *n* comte *m*

earlier [ˈɜːlɪə] **I** *adj comp* = **early** plus tôt; ***at an ~ date*** à une date antérieure **II** *adv* **~ (*on*)** auparavant; **~ (*on*)** ***in the novel*** au début du roman; **~ (*on*)** ***today*** (*this morning*) ce matin; (*this afternoon*) cet après-midi; **~ (*on*)** ***this year*** au début de l'année; ***I cannot do it ~ than Thursday*** je ne peux pas le faire avant jeudi

ear lobe *n* lobe *m* de l'oreille

early [ˈɜːlɪ] **I** *adv* **1.** **~ (*on*)** tôt; ***~ in 1915/in February*** début 1915/février; **~ (*on*)** ***in the year*** au début de l'année; **~ (*on*)** ***in his/ her/*** *etc.* ***life*** durant une période antérieure de sa vie; **~ (*on*)** ***in the race*** au début de la course; **~ (*on*)** ***in the evening*** au début de la soirée; ***as ~ as*** (*already*) dès; ***~ this month / year*** au début de ce mois / cette année; ***~ this morning*** tôt ce matin; ***the earliest he can come is tomorrow*** le plus tôt qu'il puisse venir est demain **2.** (*before the expected time*) tôt; (*too early*) en avance; ***she left ten minutes ~*** elle est parti dix minutes à l'avance; ***to be five minutes ~*** avoir cinq minutes d'avance; ***he left school ~*** (*went home*) il a quitté l'école avant l'heure; (*finished education*) il a quitté l'école jeune; ***to get up / go to bed ~*** se lever / aller se coucher tôt **II** *adj* **1.** *potato* précoce; *death* prématuré; ***an ~ morning drive*** une promenade en voiture tôt le matin; ***we had an ~ lunch*** nous avons déjeuné tôt; ***in ~ winter*** au début de l'hiver; ***the ~ days*** autrefois; ***~ January*** début janvier; ***in the ~ 1980s*** au début des années 1980; ***to have an ~ night*** aller se coucher tôt; ***until*** *or* ***into the ~ hours*** jusqu'au petit matin; ***her ~ life*** sa jeunesse; ***she started at an ~ age*** elle a commencé quand elle était jeune; ***he showed signs from an ~ age*** il a montré des signes dès qu'il était petit; ***to be in one's ~ thirties*** avoir une petite trentaine; ***it's ~ in the day*** *US*, ***it's ~ days*** *Br* ce n'est que le début **2.** *man* premier(-ière); **~ *baroque*** baroque ancien **3.** (*soon*) ***at the earliest possible moment*** dès que possible **early bird** *n* (*in morning*) lève-tôt *m/f* **early closing** *n* ***it's ~ today*** le magasin ferme tôt aujourd'hui **early retirement** *n* retraite *f* anticipée ***to take ~*** partir en retraite anticipée **early riser** *n* lève-tôt *m/f* **early warning system** *n* système *m* d'alerte rapide

earmark *v/t fig* affecter **earmuffs** *pl* cache-oreilles *m*

earn [ɜːn] *v/t* gagner; FIN *interest* rapporter; ***to ~ a living*** gagner sa vie; ***this ~ed him a lot of respect*** cela lui a attiré beaucoup de respect; ***he's ~ed it*** il l'a mérité

earnest [ˈɜːnɪst] **I** *adj person* sérieux (-euse); *discussion* sincère **II** *n* ***in ~*** (*for real*) pour de bon; ***to be in ~ about sth*** être sérieux à propos de qc **earnestly** [ˈɜːnɪstli] *adv say, ask, try, explain* sérieusement; *hope* sincèrement

earnings [ˈɜːnɪŋz] *pl* (*of person*) revenus *mpl*; (*of a business*) recettes *fpl*, gains *mpl*

ear, nose and throat *adj attr* O.R.L.; ***~, nose and throat specialist*** oto-rhino-laryngologiste **earphones** *pl* écouteurs *mpl* **earpiece** *n* oreillette *f*, écouteur *m* **ear piercing** *n* strident **earplug** *n* bouchon *m* d'oreille **earring** *n* boucle *f* d'oreille **earset** *n* écouteur *m* **earshot** *n* ***out of / within ~*** hors de/à portée de voix **ear-splitting** *adj* assourdissant

earth [ɜːθ] **I** *n* **1.** terre; ***the ~, Earth*** la Terre; ***on ~*** sur Terre; ***to the ends of the ~*** au bout de la Terre; ***where / who*** *etc.* ***on ~ …?*** où / qui diable …?; ***what on ~ …?*** que diable …?; ***nothing on ~ will stop me now*** rien ne pourra m'arrêter désormais; ***there's no reason on ~ why …*** il n'y a absolument aucune raison pour que…; ***it cost the ~*** (*Br infml*) ça a coûté les yeux de la tête *infml*; ***to come back down to ~*** *fig* revenir sur terre; ***to bring sb down to ~ (with a bump)*** *fig* ramener qn sur terre (brutalement) **2.** (*of fox etc.*) terrier *m* **II** *v/t* (*Br* ELEC) mettre à la terre **earthenware** [ˈɜːθənwɛəʳ] **I** *n* **1.** (*material*) faïence *f* **2.** (*dishes etc.*) faïences *fpl* **II** *adj* en faïence **earthly** [ˈɜːθlɪ] *adj* **1.** terrestre **2.** ***there's no ~ reason why he***

shouldn't come il n'y a absolument aucune raison pour qu'il ne vienne pas **earthquake** *n* tremblement *m* de terre **earth-shattering** *adj fig* bouleversant **earth tremor** *n* secousse *f* (tellurique) **earthworm** *n* lombric *m*, ver *m* de terre **earthy** ['ɜːθɪ] *adj* **1.** *smell* de terre **2.** *fig person* jovial; *humor, language* truculent

earwax *n* cérumen *m* **earwig** *n* perce--oreille *m*

ease [iːz] **I** *n* **1.** ***I am never at ~ in his company*** je ne suis jamais à l'aise en sa compagnie; ***to be*** *or* ***feel at ~ with oneself*** se sentir bien dans sa peau; ***to put sb at*** (***his / her***) ***~*** mettre qn à l'aise; ***to put*** *or* ***set sb's mind at ~*** tranquilliser qn; (***stand***) ***at ~!*** MIL repos! **2.** (*absence of difficulty*) facilité *f*, aisance *f*; ***with*** (***the greatest of***) ***~*** avec la plus grande facilité; ***for ~ of use*** pour faciliter l'utilisation **II** *v/t* **1.** *pain* soulager; ***to ~ the burden on sb*** soulager le fardeau de qn **2.** *rope* relâcher; *pressure, tension* détendre; *situation* arranger; ***he ~d the lid off*** il a ôté délicatement le couvercle; ***he ~d his way through the hole*** il s'est glissé dans le trou **III** *v/i* s'atténuer, diminuer ◆ **ease off** *or* **up** *v/i* **1.** (*slow down*) ralentir; ***the doctor told him to ease up a bit at work*** le médecin lui a dit de lever un peu le pied au travail **2.** (*pain, rain*) se calmer

easel ['iːzl] *n* chevalet *m*

easily ['iːzɪlɪ] *adv* **1.** facilement; ***~ accessible*** (*place*) facile d'accès; ***he learnt to swim ~*** il a appris à nager facilement; ***it could just as ~ happen here*** ça pourrait tout aussi bien se produire ici **2.** ***it's ~ 25 miles*** il y a facilement 25 miles; ***they are ~ the best*** ils sont de loin les meilleurs **3.** *talk, breathe* facilement

east [iːst] **I** *n* est *m* ***the ~*** (*of one country*) l'est; (*countries in Europe*) l'Est; (*countries in Asia*) l'Orient; ***in the ~*** à l'est; ***to the ~*** à l'est; ***to the ~ of*** à l'est de; ***the wind is coming from the ~*** le vent vient de l'est; ***the ~ of France*** l'est de la France; ***East-West relations*** les relations Est-Ouest **II** *adv* (*eastward*) à l'est; ***the kitchen faces ~*** la cuisine est orientée à l'est; ***~ of Paris / the river*** à l'est de Paris / du cours d'eau **III** *adj* est; ***~ coast*** côte est **eastbound** *adj* en direction de l'est; ***an eastbound train*** un train en direction de l'est

Easter ['iːstəʳ] **I** *n* Pâques *fpl*; ***at ~*** à Pâques **II** *adj attr* de Pâques **Easter bunny** *n* lapin *m* de Pâques (*censé apporter des œufs en chocolat aux enfants*) **Easter egg** *n* œuf *m* de Pâques

easterly ['iːstəlɪ] *adj* d'est; ***an ~ wind*** un vent d'est; ***in an ~ direction*** vers l'est

Easter Monday *n* lundi *m* de Pâques

eastern ['iːstən] *adj* de l'Est; ***Eastern Europe*** Europe de l'Est **easterner** ['iːstənəʳ] *n esp US* habitant(e) *m*(*f*) de l'Est des États-Unis; ***he's an ~*** il vient de l'Est (des États-Unis) **easternmost** ['iːstənməʊst] *adj* le(la) plus à l'est

Easter Sunday *n* dimanche *m* de Pâques

East European **I** *adj* d'Europe de l'Est **II** *n* Européen(ne) *m*(*f*) de l'Est **eastward** **I** *adv* (*a.* **eastwards**) vers l'est **II** *adj* ***~ direction*** vers l'est **eastwardly** *adv, adj* = **eastward**

easy ['iːzɪ] **I** *adj* facile; *option, solution* facile, de facilité; ***it's ~ to forget that …*** on oublie facilement que …; ***it's ~ for her*** c'est facile pour elle; ***that's ~ for you to say*** c'est facile pour toi de dire ça; ***he was an ~ winner*** il a gagné haut la main; ***that's the ~ part*** ça, c'est la partie facile; ***it's an ~ mistake to make*** c'est une erreur facile à commettre; ***to be within ~ reach of sth*** être à proximité de qc; ***as ~ as pie*** simple comme bonjour; ***easier said than done*** facile à dire; ***to take the ~ way out*** choisir la solution de facilité; ***she is ~ to get on with*** elle est facile à vivre; ***to have it ~, to have an ~ time*** (***of it***) avoir la belle vie; ***~ prey*** proie facile; ***to be ~ on the eye / ear*** être agréable à l'œil/ l'oreille; ***at an ~ pace*** à une allure tranquille; ***I don't feel ~ about it*** je ne me sens pas à l'aise à ce propos **II** *adv infml* ***to go ~ on sb*** ménager qn; ***to go ~ on sth*** y aller doucement avec qc; ***to take it ~, to take things ~*** (*rest*) ne pas se fatiguer; ***take it ~!*** (*calm down*) calme-toi!; ***~ does it*** doucement **easy chair** *n* fauteuil *m* **easy-going** *adj* d'un caractère facile **easy listening** *n* musique *f* légère **easy money** *n* argent *m* facile; ***you can make ~*** c'est facile de se faire de l'argent **easy touch** *n* ***to be an ~*** *infml* être un pigeon *infml*

eat [iːt] *vb* ⟨*past* **ate**⟩ ⟨*past part* **eaten**⟩

v/t & v/i (*person, animal*) manger; ***to ~ one's breakfast*** prendre son petit déjeuner; ***to ~ one's lunch/dinner*** déjeuner/dîner; ***he was forced to ~ his words*** il a dû admettre qu'il avait tort; ***he won't ~ you*** *infml* il ne va pas te manger *infml*; ***what's ~ing you?*** *infml* qu'est-ce qui ne va pas? ◆ **eat away at** *v/t insep* **1.** (*acid, rust*) ronger **2.** *fig finances* grignoter ◆ **eat into** *v/t insep metal* attaquer; *capital* entamer; *time* empiéter sur ◆ **eat out I** *v/i* manger au restaurant **II** *v/t sep* ***Elvis Presley, eat your heart out*** Elvis Presley, tant pis pour toi! ◆ **eat up I** *v/t sep* **1.** *lit* finir **2.** *fig* consommer **II** *v/i* finir de manger

eaten ['iːtn] *past part* = **eat** **eater** ['iːtəʳ] *n* mangeur(-euse) *m(f)* **eating** ['iːtɪŋ] *n* alimentation *f* **eating disorder** *n* trouble *m* alimentaire

eau de Cologne ['əʊdəkə'ləʊn] *n* eau *f* de Cologne

eaves ['iːvz] *pl* avant-toit *m*

eavesdrop ['iːvzdrɒp] *v/i* écouter aux portes; ***to ~ on a conversation*** écouter une conversation de façon indiscrète

ebb [eb] **I** *n* reflux *m*; ***~ and flow*** *fig* flux et reflux; ***at a low ~*** *fig* au plus bas **II** *v/i* **1.** (*tide*) descendre **2.** (*fig*: *a.* **ebb away**, *enthusiasm etc.*) décliner; (*life*) s'en aller **ebb tide** *n* marée *f* descendante

e-book ['iːbʊk] *n* e-livre *m*, livre *m* électronique

ebullient [ɪ'bʌlɪənt] *adj person* exubérant; *spirits, mood* joyeux(-euse)

e-business [ˌiː'bɪznɪs] *n* **1.** (*company*) entreprise *f* en ligne **2.** (*commerce*) e-commerce *m*, e-business *m*

EC *abbr* = **European Community** CE

e-card ['iːkɑːd] *n* e-carte *f*, carte *f* virtuelle

e-cash ['iːkæʃ] *n* argent *m* électronique

ECB *abbr* = **European Central Bank** BCE

eccentric [ik'sentrik] **I** *adj* excentrique **II** *n* excentrique *m/f* **eccentricity** [ˌeksən'trɪsɪtɪ] *n* excentricité *f*

ecclesiastical [ɪˌkliːzɪ'æstɪkəl] *adj* ecclésiastique

ECG *abbr esp Br* = **EKG**

echo ['ekəʊ] **I** *n* (*afig*) écho *m* (**of** de) **II** *v/t fig* répercuter **III** *v/i* (*sounds*) faire écho; (*room, footsteps*) résonner; ***her words ~ed in my ears*** ses mots résonnaient dans mes oreilles

éclair [eɪ'kleəʳ] *n* (*cake*) éclair *m*

eclectic [ɪ'klektɪk] *adj* éclectique

eclipse [ɪ'klɪps] **I** *n* ASTRON éclipse *f*; ***~ of the sun/moon*** éclipse de Soleil/de Lune **II** *v/t fig* éclipser

e-coli *n* bactérie *f* E. coli

eco- ['iːkəʊ-] *pref* éco **ecofriendly** [ˌiːkəʊ'frendlɪ] *adj Br* respectueux (-euse) de l'environnement **ecological** [ˌiːkəʊ'lɒdʒɪkəl] *adj* écologique; ***~ disaster*** catastrophe écologique; ***~ damage*** dégâts écologiques **ecologist** [ɪ'kɒlədʒɪst] *n* écologiste *m/f*, spécialiste *m/f* de l'écologie **ecology** [ɪ'kɒlədʒɪ] *n* écologie *f*

e-commerce ['iː'kɒmɜːs] *n* e-commerce *m*, commerce *m* électronique

economic [ˌiːkə'nɒmɪk] *adj* **1.** économique; ***~ growth*** croissance économique **2.** (*cost-effective*) *price, rent* économique **economical** [ˌiːkə'nɒmɪkəl] *adj* économique; ***they were ~ with the truth*** ils n'ont pas dit toute la vérité; ***an ~ style*** LIT un style concis **economically** [ˌiːkə'nɒmɪkəlɪ] *adv* **1.** économiquement; ***after the war, the country suffered ~*** après la guerre, le pays a souffert sur le plan économique **2.** (*thriftily*) de façon économique; ***to use sth ~*** utiliser qc en l'économisant **economic migrant, economic refugee** *n* migrant(e) *m(f)*/réfugié(e) *m(f)* économique **economics** *n* **1.** *sg or pl* économie *f* **2.** *pl* ***the ~ of the situation*** l'aspect économique de la situation **economist** [ɪ'kɒnəmɪst] *n* économiste *m/f*

economize [ɪ'kɒnəmaɪz] *v/i* économiser ◆ **economize on** *v/t insep* économiser sur

economy [ɪ'kɒnəmɪ] *n* **1.** (*system*) économie *f* **2.** (*saving*) économie *f*; ***a false ~*** une fausse économie **economy class** *n* classe *f* économique **economy drive** *n* plan *m* d'économies **economy size** *n* taille *f* économique

ecosystem *n* écosystème *m* **ecotourism** *n* écotourisme *m* **eco-warrior** *n infml* éco-guerrier(-ière) *m/f*

ecstasy ['ekstəsɪ] *n* **1.** extase *f*; ***to be in ~*** connaître l'extase **2.** (*drug*) ectasy *f* **ecstatic** [eks'tætɪk] *adj* extatique; ***to be ~*** être au comble du bonheur

ecumenical [ˌiːkjʊ'menɪkəl] *adj form* œcuménique

eczema ['eksɪmə] *n* eczéma *m*

ed 1. *abbr* = **editor** (*of book*) rédacteur

(-trice) *m(f)*; (*of film*) réalisateur (-trice) *m(f)* **2.** *abbr* = **edition** édition *f*

eddy ['edɪ] *n* tourbillon *m*

Eden ['iːdn] *n also fig* ***Garden of ~*** jardin d'Éden

edge [edʒ] **I** *n* **1.** (*of knife*) fil *m*, tranchant *m*; ***to take the ~ off sth*** *fig sensation*, *pain* atténuer qc; ***the noise sets my teeth on ~*** ce bruit me fait grincer des dents; ***to be on ~*** être à cran; ***there was an ~ to his voice*** à sa voix, on sentait qu'il était tendu; ***to have the ~ on sb / sth*** avoir l'avantage sur qn / qc; ***it gives them / it that extra ~*** ça leur / lui donne un avantage supplémentaire **2.** (*outer limit*) bord *m*; (*of lawn*) bordure *f*; (*of lake*, *river*, *ocean*) rive *f*; ***at the ~ of the road*** sur le bord de la rouge; ***the movie had us on the ~ of our seats*** le film nous a tenus en haleine **II** *v/t* **1.** (*put a border on*) border; ***~d in black*** avec une bordure noire **2.** ***to ~ one's way toward sth*** (*slowly*) s'approcher lentement de qc; ***she ~d her way through the crowd*** elle réussit à se faufiler à travers la foule **III** *v/i* s'approcher lentement; ***to ~ toward the door*** s'approcher lentement de la porte; ***he ~d past me*** il m'est passé devant en se faufilant ◆ **edge out** *v/t sep* évincer; ***England edged France out of the final*** l'Angleterre a éliminé la France de la finale

edgeways ['edʒweɪz], **edgewise** *adv* de biais; ***I couldn't get a word in ~*** je n'ai pas réussi à placer un mot **edgy** ['edʒɪ] *adj* anxieux(-euse)

EDI *abbr* = **electronic data interchange**

edible ['edɪbl] *adj* comestible

edict ['iːdɪkt] *n* édit *m*

edifice ['edɪfɪs] *n* édifice *m*

Edinburgh ['edɪnbərə] *n* Édimbourg

edit ['edɪt] *v/t newspaper*, *magazine* diriger; *book*, *text* préparer pour la publication; *film* réaliser; IT réviser ◆ **edit out** *v/t sep* supprimer; (*from film*, *tape*) couper au montage; *character* (*from story*) supprimer

editable ['edɪtəbl] *adj* IT *file* révisable

editing ['edɪtɪŋ] *n* (*of newspaper*, *magazine*) rédaction *f*; (*of book*, *text*) préparation *f* pour publication; (*of film*) montage *m*; IT édition *f* **edition** [ɪ'dɪʃən] *n* édition *f*; (*impression*) édition *f* **editor** ['edɪtər] *n* rédacteur(-trice) *m(f)*; (*of newspaper*) rédacteur(-trice) *m(f)* en chef; (*publisher's*) correcteur (-trice); FILM monteur(-euse) *m(f)*; ***sports ~*** rédacteur chroniqueur sportif **editorial** [ˌedɪ'tɔːrɪəl] **I** *adj* éditorial **II** *n* éditorial *m*

editor ≠ éditeur

Editor = rédacteur :

✗ You should send your manuscript to a good editor.

✓ You should send your manuscript to a good publisher.

Vous devriez envoyer votre manuscrit à un bon éditeur.

EDP *abbr* = **electronic data processing** TED

educate ['edjʊkeɪt] *v/t* **1.** SCHOOL, UNIV instruire; ***he was ~d at Princeton*** il a fait ses études à Princeton **2.** *public* éduquer; ***we need to ~ our children about drugs*** il faut que nous informions nos enfants des dangers de la drogue **educated** *adj* instruit; ***to make an ~ guess*** faire une hypothèse en connaissance de cause

education [ˌedjʊ'keɪʃən] *n* éducation *f*, enseignement *m*; (*studies*, *training*) études *f pl*; (*knowledge*) instruction *f*; ***College of Education*** établissement m de formation des enseignants; ***(local) ~ authority*** administration (locale) en charge des affaires scolaires, ≈ rectorat; ***to get an ~*** faire des études; ***she had a university ~*** elle a fait des études universitaires; ***she had little ~*** elle n'a pas fait beaucoup d'études **educational** *adj* **1.** (*at school level*) scolaire; (*academic*) universitaire; ***~ system*** système éducatif **2.** (*teaching*) *issue* éducatif

education

Education = enseignement, depuis l'école maternelle jusqu'à l'université :

debates about the quality of education in US schools and colleges

des débats sur la qualité de l'enseignement dans les écoles et universités américaines

(-ive) **3.** *experience, video* pédagogique; **~ *film*** film éducatif; **~ *toy*** jouet éducatif **educationally** [ˌedjʊˈkeɪʃnəlɪ] *adv* **~ *subnormal*** scolairement en dessous de la moyenne

edutainment [ˌedjʊˈteɪnmənt] *n* matériel *m* ludo-éducatif

Edwardian [edˈwɔːdɪən] *adj* de l'époque d'Édouard VII; **~ *England*** l'Angleterre sous Édouard VII

EEC *n obs abbr* = **European Economic Community** CEE *obs*

EEG *abbr* = **electroencephalogram** EEG *m*

eel [iːl] *n* anguille *f*

eerie, eery [ˈɪərɪ] *adj* inquiétant **eerily** [ˈɪərɪlɪ] *adv* (*+vb*) de manière inquiétante; (*+adj*) étrangement; ***the whole town was ~ quiet*** toute la ville était étrangement silencieuse

effect [ɪˈfekt] *n* **1.** effet *m*; (*repercussion*) impact *m*; ***alcohol has the ~ of dulling your senses*** l'alcool a pour effet d'endormir les sens; ***the ~ of this is that …*** cela a pour effet que …; ***to feel the ~s of the drugs*** ressentir l'effet des médicaments; ***to no ~*** sans effet; ***to have an ~ on sb / sth*** avoir un effet sur qn / qc; ***to have no ~*** n'avoir aucun effet; ***to take ~*** (*drug*) faire effet; ***with immediate ~*** avec effet immédiat; ***with ~ from 3 March*** effectif à compter du 3 mars; ***to create an ~*** créer un effet; ***only for ~*** seulement pour faire de l'effet; ***we received a letter to the ~ that …*** nous avons reçu une lettre qui signifie que …; ***… or words to that ~*** … ou quelque chose dans ce genre **2.** (*reality*) ***in ~*** en réalité, de fait **3.** (*of laws*) ***to come into*** *or* ***take ~*** prendre effet **effective** [ɪˈfektɪv] *adj* **1.** *way, measures, treatment, deterrent* efficace; ***to be ~ in doing sth*** être efficace pour faire qc; ***to be ~ against sth*** (*drug*) être efficace contre qc **2.** (*operative*) effectif(-ive); ***a new law, ~ from*** *or* ***becoming ~ on 2 August*** une nouvelle loi, effective à compter du 2 août **effectively** [ɪˈfektɪvlɪ] *adv* **1.** (*successfully*) efficacement **2.** (*in effect*) de fait **effectiveness** *n* efficacité *f*

effeminate [ɪˈfemɪnɪt] *adj* efféminé

effervescent [ˌefəˈvesnt] *adj liquid* gazeux(-euse); *personality* exubérant

efficacy [ˈefɪkəsɪ] *n* efficacité *f*

efficiency [ɪˈfɪʃənsɪ] *n* (*of person, method*) efficacité *f*; (*of machine, organization*) efficience *f*; (*of engine*) rendement *m* **efficient** *adj person, service, method* efficace; *machine, organization* efficient; *engine* performant; ***to be ~ at (doing) sth*** être efficace pour faire qc **efficiently** *adv* efficacement; ***to work more ~*** travailler plus efficacement

effigy [ˈefɪdʒɪ] *n* effigie *f*

effluent [ˈeflʊənt] *n* effluents *mpl*

effort [ˈefət] *n* **1.** (*attempt*) effort *m*; (*hard work*) efforts *mpl*; ***to make an ~ to do sth*** faire un effort pour faire qc; ***to make the ~ to do sth*** faire l'effort de faire qc; ***to make every ~*** *or* ***a great ~ to do sth*** faire tous ses efforts pour faire qc; ***he made no ~ to be polite*** il n'a fait aucun effort de politesse; ***it's an ~*** ça demande un effort; ***come on, make an ~*** allez, faites un effort; ***it's worth the ~*** ça vaut la peine de faire un effort **2.** (*campaign*) initiative *f* **3.** *infml* tentative *f*; ***it was a pretty poor ~*** la tentative était plutôt médiocre; ***it's not bad for a first ~*** ce n'est pas mal pour une première tentative **effortless** *adj* aisé **effortlessly** *adv* aisément

effusive [ɪˈfjuːsɪv] *adj* démonstratif (-ive); (*gushing*) très expansif(-ive)

E-fit [ˈiːfɪt] *n* portrait-robot *m* électronique

EFL *abbr* = **English as a Foreign Language** anglais *m* langue étrangère

e.g. *abbr* = **exempli gratia** (*for example*) par ex

EGA IT *abbr* = **enhanced graphics adapter** EGA

egalitarian [ɪˌgælɪˈtɛərɪən] *adj* égalitaire **egalitarianism** [ɪˌgælɪˈtɛərɪənɪzəm] *n* égalitarisme *m*

egg [eg] *n* œuf; *ovum* ovule *m* ***to put all one's ~s in one basket*** (*prov*) mettre tous ses œufs dans le même panier *prov*
◆ egg on *v/t sep* pousser

egg cup *n* coquetier *m* **eggplant** *n US* aubergine *f* **eggshell** *n* coquille *f* d'œuf **egg timer** *n* minuteur *m* **egg whisk** *n* fouet *m* à œufs **egg white** *n* blanc *m* d'œuf **egg yolk** *n* jaune *m* d'œuf

ego [ˈiːgəʊ] *n* PSYCH moi *m*, ego *m*; (*conceit*) orgueil *m*; ***his ~ won't allow him to admit he is wrong*** il a trop d'orgueil pour reconnaître qu'il s'est trompé **egocentric** [ˌegəʊˈsentrɪk] *adj* égocentrique **egoism** [ˈegəʊɪzəm] *n* égoïsme *m* **egoistic(al)** [ˌegəʊ'ɪstɪk(əl)] *adj* égoïste **egotism** ['egəʊtɪzəm] *n* égotisme *m* **egotist** ['egəʊtɪst] *n* égotiste *m/f* **egotistic(al)** [ˌegəʊ'tɪstɪk(əl)] *adj* égotiste **ego trip** *n infml* ***to be on an ~*** vouloir se faire voir *infml*

Egypt ['iːdʒɪpt] *n* Égypte *f* **Egyptian** [ɪ'dʒɪpʃən] **I** *adj* égyptien(ne) **II** *n* Égyptien(ne) *m(f)*

EIB *abbr* = **European Investment Bank** BEI *f*

eiderdown ['aɪdədaʊn] *n esp Br* (*quilt*) édredon *m*

eight [eɪt] **I** *adj* huit **II** *n* huit *m*; → **six**

eight *adj*, *n* huit

eighteen ['eɪ'tiːn] **I** *adj* dix-huit **II** *n* dix-huit *m*

eighteenth ['eɪ'tiːnθ] **I** *adj* dix-huitième **II** *n* **1.** (*fraction*) dix-huitième *m* **2.** (*of series*) dix-huitième *m/f*; → **sixteenth**

eighth [eɪtθ] **I** *adj* huitième **II** *n* **1.** (*fraction*) huitième *m* **2.** (*of series*) huitième *m/f*; → **sixth** **eighth note** *n* (*US* MUS) croche *f*

eightieth ['eɪtɪəθ] **I** *adj* quatre-vingtième **II** *n* **1.** (*fraction*) quatre-vingtième *m* **2.** (*of series*) quatre-vingtième *m/f*; → **sixtieth**

eighty ['eɪtɪ] **I** *adj* quatre-vingt **II** *n* quatre-vingt *m*; → **sixty**

Eire ['ɛərə] *n* République *f* d'Irlande

either ['aɪðəʳ, 'iːðəʳ] **I** *adj, pron* **1.** (*one or other*) l'un(l'une) ou l'autre; ***there are two boxes on the table, take ~*** (***of them***) il y a deux boîtes sur la table, prends l'une ou l'autre **2.** (*each, both*) ***~ day would suit me*** les deux jours me conviennent; ***which bus will you take? — ~*** (***will do***) quel bus allez vous prendre? — n'importe lequel (des deux); ***on ~ side of the street*** des deux côtés de la rue; ***it wasn't in ~*** (***box***) il n'était dans aucune des boîtes **II** *adv, cj* **1.** (*after neg statement*) non plus; ***I haven't ~*** moi non plus **2.** ***~ … or*** soit … soit; (*after a negative*) ni … ni; ***he must be ~ lazy or stupid*** il est soit fainéant soit stupide; ***I have never been to ~ Paris or Rome*** je ne suis jamais allé à Paris ni à Rome **3.** ***she inherited some money and not an insignificant amount ~*** elle a fait un héritage d'une somme plutôt rondelette; ***it's far away and not cheap ~*** c'est loin et en plus ce n'est pas donné

ejaculate [ɪ'dʒækjʊleɪt] *v/i* PHYSIOL éjaculer **ejaculation** [ɪˌdʒækjʊ'leɪʃən] *n* PHYSIOL éjaculation *f*

eject [ɪ'dʒekt] **I** *v/t* **1.** *tenant* expulser **2.** *cartridge* éjecter **II** *v/i* (*pilot*) s'éjecter **ejection seat**, *Br* **ejector seat** [ɪ'dʒektəsiːt] *n* AVIAT siège *m* éjectable

eke out ['iːkaʊt] *v/t sep supplies, money* faire durer; ***to ~ a living*** vivoter

EKG *n US abbr of* **electrocardiogram** ECG *m*

elaborate [ɪ'læbərɪt] **I** *adj* **1.** (*complex*) compliqué; (*sophisticated*) recherché; *scheme, precautions, plans* élaboré; *preparations* soigné; *design* travaillé **2.** (*lavish, ornate*) ouvragé **II** *v/i* ***would you care to or could you ~ on that?*** pourriez-vous en dire davantage **elaborately** [ɪ'læbərɪtlɪ] *adv* **1.** (*in detail*) minutieusement; (*complexly*) de façon complexe; ***an ~ staged press conference*** une conférence de presse minutieusement orchestrée **2.** (*ornately, lavishly*) richement

élan [eɪ'læn] *n* allant *m*, vigueur *f*

elapse [ɪ'læps] *v/i* passer, s'écouler

elastic [ɪ'læstɪk] **I** *adj* élastique; ***~ waist*** ceinture élastique **II** *n* élastique *m*; ***a piece of ~*** un morceau d'élastique **elasticated** [ɪ'læstɪkeɪtɪd] *adj* élastiqué; ***~ waist*** ceinture élastiquée **elastic band** *n esp Br* élastique *m* **elasticity** [ˌiːlæs'tɪsɪtɪ] *n* élasticité *f* **Elastoplast®** [ɪ'læstəʊplɑːst] *n Br* sparadrap *m*

elated [ɪ'leɪtɪd] *adj* euphorique **elation** [ɪ'leɪʃən] *n* euphorie *f* (***at*** à propos de)

elbow ['elbəʊ] **I** *n* coude *m* **II** *v/t* ***he ~ed his way through the crowd*** il s'est faufilé à travers la foule en jouant des coudes; ***to ~ sb aside*** écarter qn du coude; ***he ~ed me in the stomach*** il m'a donné un coup de coude dans l'estomac **elbow grease** *n infml* huile *f* de coude *hum* **elbowroom** *n infml* place *f*

elder[1] ['eldəʳ] **I** *adj attr comp* = **old** **1.** *brother etc.* aîné **2.** (*senior*) ***Pliny the ~*** Pline l'Ancien **II** *n* **1.** ***respect your ~s*** respectez vos aînés **2.** (*of tribe, Church*) ancien(ne) *m(f)*

elder[2] *n* BOT sureau *m* **elderberry** ['eldəˌberɪ] *n* baie *f* de sureau *m*; ***~ wine*** vin de sureau

elderly ['eldəlɪ] *adj* âgé **elder statesman** *n* doyen *m* **eldest** ['eldɪst] **I** *adj attr, sup* = **old** aîné **II** *n* aîné(e) *m(f)* ***the ~*** l'aîné; (*pl*) les aînés; ***the ~ of four***

children l'aîné de quatre enfants; ***my ~*** *infml* mon aîné

elect [ɪ'lekt] **I** *v/t* **1.** élire; ***he was ~ed chairman*** il a été élu président; ***to ~ sb to the Senate*** élire qn au Sénat **2.** (*choose*) choisir; ***to ~ to do sth*** choisir de faire qc **II** *adj* ***the president ~*** le président élu (*avant sa prise de fonctions*)

election [ɪ'lekʃən] *n* élection *f* **election campaign** *n* campagne *f* électorale **electioneering** [ɪˌlekʃə'nɪərɪŋ] *n* (*campaign*) campagne *f* électorale; (*propaganda*) électoralisme *m* **elective** [ɪ'lektɪv] *n* (*US*: SCHOOL, UNIV) facultatif(-ive) **electoral** [ɪ'lektərəl] *adj* électoral; ***~ process*** processus électoral; ***~ system*** système électoral **electoral register, electoral roll** *n* listes *fpl* électorales **electorate** [ɪ'lektərɪt] *n* électorat *m*

electric [ɪ'lektrɪk] **I** *adj* électrique; ***~ car / vehicle*** voiture / véhicule électrique; ***~ razor*** rasoir électrique; ***~ kettle*** bouilloire électrique **II** *n* **1.** (*infml electricity*) électricité *f* **2. electrics** *pl* AUTO circuits *mpl* électriques

electrical [ɪ'lektrɪkəl] *adj* électrique; ***~ appliance*** appareil électrique **electrical engineer** *n* électrotechnicien(ne) *m*(*f*); (*with degree*) ingénieur(e) *m*/*f* électricien(ne) **electrical engineering** *n* électrotechnique *f* **electrically** [ɪ'lektrɪkəlɪ] *adv* à l'électricité; ***an ~ powered car*** une voiture électrique **electric bill** *n infml* facture *f* d'électricité **electric blanket** *n* couverture *f* électrique **electric chair** *n* chaise *f* électrique **electric fence** *n* clôture *f* électrique **electric fire** *n* radiateur *m* électrique **electric guitar** *n* guitare *f* électrique **electric heater** *n* radiateur *m* électrique

electrician [ɪlek'trɪʃən] *n* électricien(ne) *m*(*f*)

electricity [ɪlek'trɪsɪtɪ] *n* électricité *f*; (*electric power for use*) courant *m*; ***~ price*** prix de l'électricité; ***~ production*** production d'électricité **electricity meter** *n* compteur *m* électrique **electric light** *n* lumière *f* électrique **electric organ** *n* orgue *m* électrique **electric oven** *n* four *m* électrique **electric shock** *n* décharge *f* (d'électricité); MED électrochoc *m* **electric toothbrush** *n* brosse *f* à dents électrique **electrify** [ɪ'lektrɪfaɪ] *v/t* **1.** RAIL électrifier **2.** *fig* électriser **electrocardiogram** [ɪˌlektrəʊ'kɑːdɪəʊgræm] *n* électrocardiogramme *m* **electrocute** [ɪ'lektrəkjuːt] *v/t* électrocuter **electrode** [ɪ'lektrəʊd] *n* électrode *f* **electrolysis** [ɪlek'trɒlɪsɪs] *n* électrolyse *f* **electromagnetic** [ɪˌlektrəʊmæg'netɪk] *adj* électromagnétique **electron** [ɪ'lektrɒn] *n* électron *m*

electronic [ɪlek'trɒnɪk] *adj* électronique **electronically** [ɪlek'trɒnɪkəlɪ] *adv* électroniquement **electronic banking** *n* opérations *fpl* bancaires électroniques **electronic data interchange** *n* IT échange *m* de données informatisé **electronic data processing** *n* IT traitement *m* électronique des données **electronic engineering** *n* électronique *f* **electronic mail** *n* courrier *m* électronique **electronics** *n* **1.** *sg* (*subject*) électronique *f* **2.** *pl* (*of machine etc.*) circuits *mpl* électroniques **electronic surveillance** *n* surveillance *f* électronique **electronic tagging** *n* bracelet *m* électronique **electroplated** [ɪ'lektrəʊpleɪtɪd] *adj* plaqué par dépôt galvanique **electroshock therapy** [ɪ'lektrəʊʃɒk'θerəpɪ] *n* traitement *m* par électrochocs, MED électroconvulsothérapie *f*

elegance ['elɪgəns] *n* élégance *f* **elegant** *adj* élégant **elegantly** *adv* élégamment

elegy ['elɪdʒɪ] *n* élégie *f*

element ['elɪmənt] *n* élément *m*; ***one of the key ~s of the peace plan*** l'un des éléments clés du processus du paix; ***an ~ of danger*** une part de danger; ***an ~ of truth*** un fonds de vérité; ***a criminal ~*** un élément criminel; ***to be in one's ~*** être dans son élément **elemental** [ˌelɪ'mentl] *adj liter* élémentaire; ***~ force*** force élémentaire **elementary** [ˌelɪ'mentərɪ] *adj* **1.** *fact* élémentaire; ***~ mistake*** faute élémentaire **2.** SCHOOL *level* élémentaire; ***~ maths*** mathématiques élémentaires **elementary school** *n US* école *f* primaire; ***to be in ~*** être à l'école primaire

elephant ['elɪfənt] *n* éléphant *m*

elevate ['elɪveɪt] *v/t* **1.** élever; *blood pressure etc.* faire augmenter **2.** *fig mind* élever **3.** ***to ~ sb to a more senior position*** promouvoir qn **elevated** *adj* **1.** (*raised*) élevé; ***~ railroad*** (*US*) *or* ***railway*** *Br* chemin de fer aérien; ***the ~ sec-***

tion of the freeway la partie surélevée de l'autoroute **2.** *status, style, language* relevé **elevation** [ˌelɪ'veɪʃən] *n* (*above sea level*) altitude *f* **elevator** ['elɪveɪtəʳ] *n US* ascenseur *m*; ***to take the ~*** prendre l'ascenseur

eleven [ɪ'levn] **I** *n* onze *m* **II** *adj* onze; → **six elevenses** [ɪ'levnzɪz] *n sg or pl Br* pause-café *f* (*de milieu de matinée*)

eleventh [ɪ'levnθ] **I** *adj* onzième; ***at the ~ hour*** *fig* à la dernière minute **II** *n* **1.** (*fraction*) onzième *m* **2.** (*of series*) onzième *m*/*f*; → **sixth**

elf [elf] *n* ⟨*pl* **elves**⟩ lutin *m*

elicit [ɪ'lɪsɪt] *v/t* tirer (***from sb*** de qn); *support* obtenir (***from sb*** de qn)

eligibility [ˌelɪdʒə'bɪlɪtɪ] *n* admissibilité *f*; (*for election*) éligibilité *f* **eligible** ['elɪdʒəbl] *adj*; (*for competition etc.*) admissible ***to be ~ for a grant / pension*** avoir droit à une bourse / retraite; ***to be ~ for membership*** avoir le droit de devenir membre; ***to be ~ for a job*** avoir le droit de se présenter à un emploi; ***an ~ bachelor*** un bon parti

eliminate [ɪ'lɪmɪneɪt] *v/t* **1.** *poverty, waste* éliminer; *problem* faire disparaître; ***our team was ~d*** notre équipe a été éliminée **2.** (*kill*) supprimer, éliminer **elimination** [ɪˌlɪmɪ'neɪʃən] *n* **1.** (*of competitor, poverty, waste, problem*) élimination *f*; ***by (a) process of ~*** en procédant par élimination **2.** (*killing*) suppression *f*, élimination *f*

elite [eɪ'liːt] **I** *n often pej* élite *f* **II** *adj* d'élite; ***~ group*** groupe d'élite **elitism** [eɪ'liːtɪzəm] *n* élitisme *m* **elitist** [eɪ'liːtɪst] **I** *adj* élitiste **II** *n* élitiste *m*/*f*; ***he's an ~*** il est élitiste

Elizabethan [ɪˌlɪzə'biːθən] **I** *adj* élisabéthain **II** *n* élisabéthain(e) *m*(*f*)

elk [elk] *n* élan *m*

elliptic(al) [ɪ'lɪptɪk(əl)] *adj* MATH *etc.* elliptique

elm [elm] *n* orme *m*

elocution [ˌelə'kjuːʃən] *n* élocution *f*; ***~ lessons*** cours de diction *or* d'élocution

elongate ['iːlɒŋgeɪt] *v/t* allonger; (*stretch out*) étirer **elongated** *adj* allongé; (*stretched*) étiré; *shape* allongé

elope [ɪ'ləʊp] *v/i* s'enfuir de chez soi pour se marier

eloquence ['eləkwəns] *n* éloquence *f* **eloquent** *adj speech, words, person* éloquent **eloquently** *adv express, demonstrate* avec éloquence

else [els] *adv* **1.** (*after pron*) d'autre; ***anybody ~ would have done it*** n'importe qui d'autre l'aurait fait; ***is there anybody ~ there?*** (*in addition*) y a-t-il quelqu'un d'autre?; ***does anybody ~ want it?*** est-ce que quelqu'un d'autre le veut?; ***somebody ~*** quelqu'un d'autre; ***I'd prefer something ~*** je préférerais quelque chose d'autre; ***have you anything ~ to say?*** avez-vous quelque chose à ajouter?; ***do you find this species anywhere ~?*** trouve-t-on cette espèce ailleurs?; ***they haven't got anywhere ~ to go*** il n'ont nulle part ailleurs où aller; ***this is somebody ~'s umbrella*** c'est le parapluie de quelqu'un d'autre; ***something ~*** autre chose; ***that car is something ~*** *infml* cette voiture est unique *infml*; ***if all ~ fails*** en dernier recours; ***above all ~*** par-dessus tout; ***anything ~?*** (*in store*) il vous fallait autre chose?; ***everyone ~*** tous les autres; ***everything ~*** tout le reste; ***everywhere ~*** partout ailleurs; ***somewhere*** *or* ***someplace*** (*esp US*) ***~*** ailleurs; ***from somewhere ~*** d'ailleurs **2.** (*after pron, neg*) ***nobody ~, no one ~*** personne d'autre; ***nothing ~*** rien d'autre; ***what do you want? — nothing ~, thank you*** que voulez-vous? — rien d'autre, merci; ***if nothing ~, you'll enjoy it*** à défaut d'autre chose, vous l'aimerez; ***there's nothing ~ for it but to …*** la seule chose qui marche c'est de …; ***nowhere ~*** nulle part ailleurs; ***there's not much ~ we can do*** on ne peut pas faire grand-chose d'autre **3.** (*after interrog*) ***who / what ~?*** qui / quoi d'autre?; ***where ~ can we go?*** dans quel autre endroit peut-on aller?; ***who ~ but John?*** qui d'autre que John?; ***how ~ can I do it?*** comment puis-je faire autrement?; ***what ~ could I have done?*** qu'est-ce que j'aurais pu faire d'autre? **4.** (*otherwise, if not*) sinon; ***do it now (or) ~ you'll be punished*** fais-le maintenant sinon tu seras puni; ***do it or ~ …!*** fais-le sinon gare à toi!; ***he's either a genius or ~ he's mad*** soit c'est un génie soit c'est un fou **elsewhere** [ˌels'wɛəʳ] *adv* ailleurs; ***to go ~*** aller ailleurs; ***her thoughts were ~*** ses pensées étaient ailleurs

ELT *abbr* = **English Language Teaching**

elucidate [ɪ'luːsɪdeɪt] *v/t text* expliquer; *situation* élucider

elude [ɪ'luːd] *v/t police, enemy* échapper

à; ***to ~ capture*** parvenir à ne pas se faire prendre; ***sleep ~d her*** elle n'arrivait pas à dormir; ***the name ~s me*** le nom m'échappe **elusive** [ɪ'luːsɪv] *adj* **1.** *target*, *success* insaisissable; (*unattainable*) inaccessible; ***financial success proved ~*** la réussite financière s'est avérée difficile à atteindre **2.** *person*, *prey* insaisissable

elves [elvz] *pl* = **elf**

emaciated [ɪ'meɪsɪeɪtɪd] *adj* émacié

e-mail, email ['iːmeɪl] **I** *n* courriel *m* e-mail *m* **II** *v/t* ***to ~ sb*** envoyer un courriel à qn; ***to ~ sth*** envoyer qc par courriel

emanate ['emәneɪt] *v/i* émaner (***from*** de); (*odor*) se dégager (***from*** de)

emancipate [ɪ'mænsɪpeɪt] *v/t women* libérer; *slaves*, *people* émanciper **emancipated** [ɪ'mænsɪpeɪtɪd] *adj woman*, *outlook* émancipé **emancipation** [ɪˌmænsɪ'peɪʃәn] *n* émancipation *f*

emasculate [ɪ'mæskjʊleɪt] *v/t* (*weaken*) émasculer

embalm [ɪm'bɑːm] *v/t* embaumer

embankment [ɪm'bæŋkmәnt] *n* talus *m*; (*for railway*) remblai *m*; (*dam*) digue *f*

embargo [ɪm'bɑːgәʊ] *n* ⟨*pl* **-es**⟩ embargo *m*; ***trade ~*** embargo commercial; ***to place / lift an ~ on sth*** mettre / lever l'embargo sur qc

embark [ɪm'bɑːk] *v/i* **1.** NAUT embarquer **2.** *fig* ***to ~ up(on) sth*** se lancer dans qc **embarkation** [ˌembɑː'keɪʃәn] *n* embarcation *f* **embarkation papers** *pl* papiers *mpl* d'embarquement

embarrass [ɪm'bærәs] *v/t* gêner; (*generosity etc.*) embarrasser, mettre dans l'embarras; ***she was ~ed by the question*** la question l'a gênée **embarrassed** *adj* gêné; ***I am ~ (about it)*** ça me gêne; ***I'm so ~ (about it)*** j'ai vraiment honte; ***she was ~ to be seen with him*** *or* ***about being seen with him*** elle avait honte d'être vue avec lui **embarrassing** *adj* gênant **embarrassingly** *adv* de façon gênante; (*introducing sentence*) chose embarrassante; ***it was ~ bad*** c'était mauvais au point d'en être gênant **embarrassment** *n* gêne *f*, embarras *m*; ***to cause ~ to sb*** causer de la gêne à qn; ***to my great ~ she …*** à ma grande honte, elle …; ***she's an ~ to her family*** elle fait honte à sa famille

embassy ['embәsɪ] *n* ambassade *f*

embattled [ɪm'bætld] *adj fig government* assailli

embed [ɪm'bed] *v/t* **1.** encastrer; ***the car was firmly ~ded in the mud*** la voiture était complètement embourbée; ***the bullet ~ded itself in the wall*** la balle est allée s'encastrer dans le mur **2.** IT ***~ded commands*** commandes intégrées

embellish [ɪm'belɪʃ] *v/t* embellir; *fig account*, *truth* enjoliver

embers ['embәz] *pl* braise *f*

embezzle [ɪm'bezl] *v/t* détourner **embezzlement** *n* détournement *m* de fonds

embitter [ɪm'bɪtәʳ] *v/t* aigrir

emblazon [ɪm'bleɪzәn] *v/t* ***the name "Jones" was ~ed on the cover*** le nom "Jones" était imprimé sur la couverture

emblem ['emblәm] *n* emblème *m* **emblematic** [ˌemblә'mætɪk] *adj* emblématique (***of*** de)

embodiment [ɪm'bɒdɪmәnt] *n* incarnation *f*; ***to be the ~ of evil*** être l'incarnation du mal **embody** [ɪm'bɒdɪ] *v/t* **1.** *ideal etc.* incarner **2.** (*include*) englober

embossed [ɪm'bɒst] *adj* estampé; *design* en relief

embrace [ɪm'breɪs] **I** *v/t* **1.** serrer dans ses bras, étreindre; ***they ~d each other*** ils se sont étreints **2.** *religion*, *cause* embrasser **3.** (*include*) englober **II** *v/i* se serrer dans les bras, s'étreindre **III** *n* étreinte *f*

embroider [ɪm'brɔɪdәʳ] **I** *v/t cloth*, *pattern* broder **II** *v/i* faire de la broderie **embroidered** *adj material*, *design etc.* brodé (***on*** sur) **embroidery** [ɪm'brɔɪdәrɪ] *n* broderie *f*

embroil [ɪm'brɔɪl] *v/t* ***to become ~ed in a dispute*** se retrouver mêlé à une dispute

embryo ['embrɪәʊ] *n* embryon *m* **embryonic** [ˌembrɪ'ɒnɪk] *adj esp fig* embryonnaire

emcee ['em'siː] *n* animateur(-trice) *m*(*f*); (*at private functions*) maître *m* de cérémonies

emerald ['emәrәld] **I** *n* **1.** (*stone*) émeraude *f* **2.** (*color*) vert *m* émeraude **II** *adj* en émeraude; ***~ ring*** bague en émeraude **Emerald Isle** *n* ***the ~*** l'île d'Émeraude, l'Irlande

emerge [ɪ'mɜːdʒ] *v/i* **1.** émerger; ***one arm ~d from beneath the blanket*** un bras apparut de dessous les couvertures; ***he ~d from the house*** il est sorti de la maison; ***he ~d (as) the winner*** il est ressorti vainqueur **2.** (*life*, *new nation*) apparaître **3.** (*truth etc.*) se faire jour **emergence** [ɪ'mɜːdʒəns] *n* (*of new nation etc.*) émergence *f*; (*of theory*) apparition *f*

emergency [ɪ'mɜːdʒənsɪ] **I** *n* urgence *f*; (*particular situation*) cas *m* d'urgence; ***in an ~, in case of ~*** en cas d'urgence; ***to declare a state of ~*** déclarer l'état d'urgence; ***the doctor's been called out on an ~*** le médecin a été appelé pour une urgence **II** *adj* **1.** (*in / for an emergency*) d'urgence; *meeting* extraordinaire; *repair* d'urgence; ***~ regulations*** réglementations d'urgence; ***to undergo ~ surgery*** se faire opérer en urgence; ***~ plan / procedure*** plan / procédure d'urgence; ***for ~ use only*** à utiliser en cas d'urgence uniquement **2.** (*for a disaster*) d'urgence; ***~ relief*** secours d'urgence **3.** (*for state of emergency*) d'exception; ***~ powers*** pouvoirs d'exception **emergency brake** *n* frein *m* de secours **emergency call** *n* appel *m* d'urgence **emergency cord** *n* RAIL sonnette *f* d'alarme **emergency exit** *n* sortie *f* de secours **emergency landing** *n* atterrissage *m* forcé **emergency room** *n US* salle *f* des urgences **emergency services** *pl* services *mpl* d'urgence **emergency stop** *n* AUTO arrêt *m* d'urgence **emergency ward** *n* service *m* des urgences

emergent [ɪ'mɜːdʒənt] *adj form nation etc.* émergent

emeritus [ɪ'merɪtəs] *adj* émérite; ***~ professor, professor ~*** professeur émérite

emigrant ['emɪgrənt] *n* émigrant(e) *m(f)*; (*esp for political reasons*) émigré(e) *m(f)* **emigrate** ['emɪgreɪt] *v/i* émigrer **emigration** [ˌemɪ'greɪʃən] *n* émigration *f* **émigré** ['emɪgreɪ] *n* émigré(e) *m(f)*

eminence ['emɪnəns] *n* (*distinction*) renommée *f* **eminent** *adj person* éminent, renommé **eminently** *adv sensible* totalement; *desirable* hautement; ***~ suitable*** qui convient parfaitement; ***to be ~ capable of sth*** être tout à fait capable de qc

emir [e'mɪəʳ] *n* émir *m* **emirate** ['emɪrɪt] *n* émirat *m*

emissary ['emɪsərɪ] *n* émissaire *m*

emission [ɪ'mɪʃən] *n* émission *f*; (*of fumes*, *gas*) émissions *fpl*; (*of vapor*, *smoke*: *continuous*) rejet *m* **emission-free** *adj* AUTO sans émission **emit** [ɪ'mɪt] *v/t light* produire; *radiation*, *sound*, *gas* émettre; *vapor*, *smoke* rejeter

emoticon [ɪ'məʊtɪkən] *n* IT frimousse *f*, smiley *m* **emotion** [ɪ'məʊʃən] *n* **1.** sentiment *m* **2.** *no pl* (*state*) émotion *f*; ***to show no ~*** ne manifester aucune émotion **emotional** *adj* émotif(-ive); *problem*, *trauma* émotionnel(le); *support*, *development* affectif(-ive); *farewell* émouvant; ***to become*** *or* ***get ~*** être très ému; ***~ outburst*** réaction passionnée; ***~ state*** état émotionnel **emotional blackmail** *n* chantage *m* affectif **emotionally** [ɪ'məʊʃnəlɪ] *adv* **1.** (*psychologically*) sur le plan affectif; ***I don't want to get ~ involved*** je ne veux pas m'attacher; ***~ disturbed*** qui souffre de troubles affectifs **2.** (*in emotional manner*) avec émotion; ***~ charged*** chargé d'émotion **emotionless** *adj voice etc.* impassible **emotive** [ɪ'məʊtɪv] *adj issue* qui déchaîne les passions; *word* connoté

empathize ['empəθaɪz] *v/i* compatir (***with*** à) **empathy** ['empəθɪ] *n* empathie *f*

emperor ['empərəʳ] *n* empereur *m*

emphasis ['emfəsɪs] *n* accent *m*; ***to put ~ on a word*** accentuer un mot; ***to say sth with ~*** dire qc avec insistance; ***to put the ~ on sth*** mettre l'accent sur qc; ***to put the ~ on doing sth*** mettre l'accent sur le fait de faire qc; ***there is too much ~ on research*** on met trop l'accent sur la recherche **emphasize** ['emfəsaɪz] *v/t* accentuer **emphatic** [ɪm'fætɪk] *adj* **1.** (*forceful*) catégorique; *denial* énergique; ***to be ~ (that …)*** (*person*) affirmer catégoriquement (que …); ***to be ~ about sth*** insister sur qc **2.** *victory*, *defeat* écrasant **emphatically** [ɪm'fætɪkəlɪ] *adv* **1.** *say* énergiquement; *reject*, *deny* catégoriquement **2.** (*definitely*) clairement

empire ['empaɪəʳ] *n* **1.** empire *m*; ***the British Empire*** l'Empire britannique; ***the Holy Roman Empire*** le Saint Empire romain (germanique) **2.** (*fig*, *esp* COMM) empire *m*; ***his business ~*** son empire commercial

empirical [em'pɪrɪkəl] *adj* empirique

employ [ɪm'plɔɪ] *v/t* **1.** *person* employer;

(*take on*) embaucher; *private detective* faire appel à; ***he has been ~ed with us for 15 years*** cela fait déjà 15 ans qu'il travaille dans notre société; ***to be ~ed in doing sth*** être occupé à faire qc **2.** *method, skill etc.* utiliser; ***they ~ed the services of a chemist to help them*** ils ont fait appel aux services d'un chimiste pour les aider **employable** [ɪm'plɔɪəbl] *adj person* employable

employee [ˌɪmplɔɪ'iː] *n* salarié(e) *m(f)*; ***~s and employers*** les salariés et le patronat; ***the ~s*** (*of one firm*) le personnel

employer [ɪm'plɔɪəʳ] *n* employeur (-euse) *m(f)*; ***~s' federation*** syndicat patronal

employment [ɪm'plɔɪmənt] *n* **1.** travail *m*; ***to seek ~*** chercher un travail; ***how long is it since you were last in ~?*** ça fait combien de temps que vous êtes sans emploi?; ***conditions of ~*** conditions d'emploi; ***contract of ~*** contrat de travail **2.** (*act of employing*) emploi *m*; (*taking on*) embauche *f* **3.** (*of method, skill*) utilisation *f* **employment agency** *n* agence *f* de placement

emporium [em'pɔːrɪəm] *n* grand *m* magasin

empower [ɪm'paʊəʳ] *v/t* **1.** ***to ~ sb to do sth*** autoriser qn à faire qc **2.** *minorities etc.* donner du pouvoir à

empress ['emprɪs] *n* impératrice *f*

emptiness ['emptɪnɪs] *n* vide *m*

empty ['emptɪ] **I** *adj* ⟨**+er**⟩ vide; *house, expression* vide; *seat* libre; ***to feel ~*** *fig* avoir un sentiment de vide; ***there were no ~ seats*** il n'y avait pas de sièges libres; ***on an ~ stomach*** à jeun **II** *n usu pl* ***empties*** bouteilles *fpl* vides **III** *v/t* **1.** vider; *box, room* vider; *tank* vidanger; *lorry* décharger **2.** *contents* vider **IV** *v/i* (*rivers*) se jeter (***into*** dans) ◆ **empty out** *v/t sep* vider

empty-handed *adj* les mains vides; ***to return ~*** revenir bredouille, revenir les mains vides **empty-headed** *adj* sans cervelle **empty nesters** *pl parents dont les grands enfants ont quitté la maison*

EMS *abbr* = **European Monetary System** SME *m* (*système monétaire européen*)

EMU *abbr* = **European Monetary Union** UME *f* (*union monétaire européenne*)

emulate ['emjʊleɪt] *v/t* **1.** imiter; ***I tried to ~ his success*** j'ai essayé d'égaler son succès **2.** IT émuler

emulsion [ɪ'mʌlʃən] *n* (*a.* **emulsion paint**) peinture *f* acrylique

enable [ɪ'neɪbl] *v/t* permettre; ***to ~ sb to do sth*** permettre à qn de faire qc

enact [ɪ'nækt] *v/t* POL *law* promulguer

enamel [ɪ'næməl] **I** *n* émail *m*; (*of teeth, paint*) émail *m* **II** *adj* en émail; ***~ paint*** peinture *f* laquée

enamor, *Br* **enamour** [ɪ'næməʳ] *v/t* ***to be ~ed of sth*** être enchanté de qc; ***she was not exactly ~ed of the idea*** l'idée ne l'enchantait pas vraiment

encapsulate [ɪn'kæpsjʊleɪt] *v/t fig* résumer

encase [ɪn'keɪs] *v/t* enfermer (***in*** dans); *wires* envelopper (***in*** dans)

enchant [ɪn'tʃɑːnt] *v/t* enchanter; ***to be ~ed by sth*** être enchanté de qc **enchanting** [ɪn'tʃɑːntɪŋ] *adj* ravissant

encircle [ɪn'sɜːkl] *v/t* entourer; (*troops*) encercler; *building* encercler

enc(l) *abbr* = **enclosure(s)** PJ (*pièces jointes*)

enclave ['enkleɪv] *n* enclave *f*

enclose [ɪn'kləʊz] *v/t* **1.** (*surround*) entourer; (*with fence etc.*) clôturer **2.** (*in envelope*) joindre; ***I am enclosing the original with the translation*** je joins l'original à la traduction **enclosed** *adj* **1.** *area* fermé **2.** (*in letter*) joint; ***a photo was ~ in the letter*** une photo était jointe à la lettre; ***please find ~ …*** veuillez trouver ci-joint … **enclosure** [ɪn'kləʊʒəʳ] *n* **1.** (*ground enclosed*) enceinte *f*; (*for animals*) enclos *m* **2.** (*document etc. enclosed*) pièce *f* jointe

encode [ɪn'kəʊd] *v/t* coder; IT coder

encompass [ɪn'kʌmpəs] *v/t* couvrir, englober

encore ['ɒŋkɔːʳ] **I** *int* bis! **II** *n* bis *m*

encounter [ɪn'kaʊntəʳ] **I** *v/t enemy, opposition* rencontrer; *difficulties, resistance* se heurter à; *liter person* rencontrer (à l'improviste) **II** *n* rencontre *f*; ***sexual ~*** expérience sexuelle

encourage [ɪn'kʌrɪdʒ] *v/t person* encourager; (*motivate*) motiver; *projects, investments* favoriser; *team* encourager; ***to be ~d by sth*** être encouragé par qc; ***to ~ sb to do sth*** inciter qn à faire qc **encouragement** *n* encouragement *m*; (*motivation*) motivation *f*; (*support*) appui *m*; ***to give sb*** (***a lot of***) ***~*** (beaucoup) encourager qn **encouraging** [ɪn-

'kʌrɪdʒɪŋ] *adj* encourageant; ***I found him very ~*** je l'ai trouvé très encourageant **encouragingly** [ɪn'kʌrɪdʒɪŋlɪ] *adv* de manière encourageante; (*introducing sentence*) observation encourageante

encroach [ɪn'krəʊtʃ] *v/i* ***to ~ (up)on*** *land, rights* empiéter sur; *time* accaparer **encroachment** [ɪn'krəʊtʃmənt] *n* (*on land, rights*) empiètement *m*; (*on time*) accaparement *m*

encrust [ɪn'krʌst] *v/t* ***~ed with earth*** recouvert de terre; ***a jewel-~ed brooch*** une broche incrustée de pierres précieuses

encryption [ɪn'krɪpʃən] *n* IT, TEL, TV cryptage *m*

encumbrance [ɪn'kʌmbrəns] *n* fardeau *m*; (*person*) charge *f*

encyclopedia, *Br* **encyclopaedia** [ɪn,saɪkləʊ'piːdɪə] *n* encyclopédie *f* **encyclopedic**, *Br* **encyclopaedic** [ɪn,saɪkləʊ'piːdɪk] *adj* encyclopédique

end [end] **I** *n* **1.** fin *f*; (*of finger*) bout *m*; ***our house is the fourth from the ~*** notre maison est la quatrième en partant du bout; ***to the ~s of the earth*** jusqu'au bout du monde; ***from ~ to ~*** d'un bout à l'autre; ***who'll meet you at the other ~?*** qui vient te chercher à l'arrivée?; ***Lisa's on the other ~ (of the phone)*** Lisa est au bout du fil; ***for hours on ~*** pendant des heures; ***~ to ~*** bout à bout; ***to change ~s*** SPORTS changer de côté; ***to make ~s meet*** *fig* joindre les deux bouts; ***to see no further than the ~ of one's nose*** ne pas voir plus loin que le bout de son nez; ***at our / your ~*** de notre / votre côté; ***how are things at your ~?*** comment vont les choses de votre côté?; ***at the ~*** (*to conclude*) finalement; ***at / toward the ~ of December*** à/vers la fin du mois de décembre; ***at the ~ of the war*** à la fin de la guerre; ***at the ~ of the book*** à la fin du livre; ***at the ~ of the day*** *fig* en fin de compte; ***as far as I'm concerned, that's the ~ of the matter!*** en ce qui me concerne, on n'en parle plus!; ***we shall never hear the ~ of it*** on n'a pas fini d'en entendre parler; ***to be at an ~*** être à bout; ***to be at the ~ of one's patience / strength*** être à bout de patience / forces; ***to watch a film to the ~*** regarder un film jusqu'au bout; ***that's the ~ of him*** pour lui, c'est la fin; ***that's the ~ of that*** voilà une chose réglée; ***to bring to an ~*** terminer, conclure; ***to come to an ~*** se terminer, finir; ***to get to the ~ of the road / book*** arriver à la fin de la route / du livre; ***in the ~*** à la fin; ***to put an ~ to sth*** mettre fin à qc; ***he met a violent ~*** il a eu une mort violente **2.** (*of candle*) lumignon *m*; (*of cigarette*) mégot *m* **3.** ***we met no ~ of famous people*** nous avons rencontré une foule de gens célèbres; ***it pleased her no ~*** ça lui a fait un plaisir fou **4.** (*purpose*) but *m*; ***to what ~?*** *form* dans quel but?; ***an ~ in itself*** une fin en soi **II** *adj attr* dernier (-ière); ***the ~ house*** la dernière maison **III** *v/t* terminer, finir; ***to ~ it all*** (*commit suicide*) en finir **IV** *v/i* se terminer, finir; ***we ~ed with a song*** on a chanté une chanson à la fin; ***to be ~ing*** toucher à sa fin; ***to ~ by doing sth*** finir par faire qc; ***to ~ in an "s"*** se terminer par un "s"; ***an argument which ~ed in a fight*** une discussion qui a fini en bagarre ◆ **end up** *v/i* se terminer, finir; ***to ~ doing sth*** finir par faire qc; ***to ~ (as) a lawyer*** finir par devenir avocat; ***to ~ (as) an alcoholic*** finir alcoolique; ***we ended up at Joe's*** finalement on a atterri chez Joe *infml*; ***you'll ~ in trouble*** tu vas avoir des ennuis

endanger [ɪn'deɪndʒə^r] *v/t* mettre en danger **endangered** *adj* en voie de disparition

endear [ɪn'dɪə^r] *v/t* faire aimer (***to*** de); ***to ~ oneself to sb*** gagner l'affection de qn **endearing** [ɪn'dɪərɪŋ] *adj* attachant **endearment** *n* ***term of ~*** terme *m* d'affection

endeavor, *Br* **endeavour** [ɪn'devə^r] **I** *n* effort *m*, tentative *f*; ***in an ~ to please her*** en tentant de lui faire plaisir **II** *v/t* tenter

endemic [en'demɪk] *adj* endémique; ***~ to*** endémique à

endgame ['endgeɪm] *n* fin *f* de partie

ending ['endɪŋ] *n* (*of story*) fin *f*; (*last part*) dénouement *m*; (*of word*) terminaison *f*; ***a happy ~*** un dénouement heureux, un happy end

endive ['endaɪv] *n US* endive *f*

endless ['endlɪs] *adj* **1.** sans fin; *variety* infini; *supply* inépuisable; ***the list is ~*** la liste est sans fin **2.** (*countless*) innombrable; ***the possibilities are ~*** les possibilités sont innombrables **3.** *queue, road* interminable **endlessly** *adv* continuellement

endorse [ɪn'dɔːs] *v/t* **1.** *check* endosser **2.** (*Br* JUR) ***I had my licence ~d*** ≈ on m'a retiré des points sur mon permis **3.** (*approve*) appuyer; *product*, *company* recommander **endorsement** *n* (*of opinion*) adhésion *f*; (*for product*, *company*) recommandation *f*

endow [ɪn'daʊ] *v/t* **1.** *institution* doter **2.** *fig* ***to be ~ed with a natural talent for singing*** être naturellement doué pour le chant; ***he's well ~ed*** *hum* il a tout ce qu'il faut *hum* **endowment** *n* dotation *f* **endowment mortgage** *n* ≈ prêt-logement *m* lié à une assurance-vie **endowment policy** *n* assurance *f* à capital différé

end product *n* produit *m* fini; *fig* résultat *m* **end result** *n* résultat *m* final

endurance [ɪn'djʊərəns] *n* endurance *f* **endurance test** *n* épreuve *f* d'endurance **endure** [ɪn'djʊəʳ] **I** *v/t* **1.** *pain* endurer **2.** (*put up with*) supporter; ***she can't ~ being laughed at*** elle ne supporte pas qu'on se moque d'elle **II** *v/i* durer **enduring** [ɪn'djʊərɪŋ] *adj* durable; *love*, *belief*, *popularity* qui dure

end user *n* utilisateur(-trice) *m*(*f*) final(e) **endways** ['endweɪz], **endwise** *adv* par la fin; (*end to end*) bout à bout

enema ['enɪmə] *n* lavement *m*

enemy ['enəmɪ] **I** *n* **1.** (*at war*) ennemi *m* **2.** (*person*) ennemi(e) *m*(*f*); ***to make enemies*** se faire des ennemis; ***he is his own worst ~*** il est son pire ennemi **II** *adj attr* ennemi; *position* de l'ennemi

energetic [ˌenə'dʒetɪk] *adj* énergique; (*active*) actif(-ive); (*strenuous*) fatiguant; ***to be very ~*** être plein d'énergie **energetically** [ˌenə'dʒetɪkəlɪ] *adv protest*, *work* énergiquement; *dance* avec énergie **energize** ['enədʒaɪz] *v/t fig person* donner de l'énergie à

energy ['enədʒɪ] *n* énergie *f*; ***chocolate gives you ~*** le chocolat donne de l'énergie; ***to save one's ~ for sth*** économiser ses forces pour qc **energy conservation** *n* maîtrise *f* de l'énergie **energy-efficient** *adj* économe en énergie **energy-saving** *adj* anti-gaspillage d'énergie; ***~ measures*** mesures d'économies d'énergie **energy tax** *n* taxe *f* sur l'énergie

enforce [ɪn'fɔːs] *v/t* faire respecter, appliquer; *discipline* imposer; *decision*, *ban* mettre en application; ***the police ~ the law*** la police fait respecter la loi **enforcement** *n* application *f*

Eng. 1. *abbr* = **England 2.** *abbr* = **English**

engage [ɪn'geɪdʒ] **I** *v/t* **1.** *worker* embaucher; *performer* engager; *lawyer* prendre; ***to ~ the services of sb*** employer les services de qn; *of lawyer* faire appel à qn **2.** *attention* éveiller; ***to ~ sb in conversation*** engager la conversation avec qn **3.** AUTO ***to ~ the clutch*** embrayer **II** *v/i* ***to ~ in sth*** s'engager dans qc; ***to ~ in conversation*** engager la conversation; ***to ~ with the enemy*** MIL attaquer l'ennemi

engaged [ɪn'geɪdʒd] *adj* **1.** ~ (***to be married***) fiancé (***to*** à); ***to get*** *or* ***become ~*** (***to sb***) se fiancer (avec qn) **2.** *bathroom* occupé **3.** *form* ***to be otherwise ~*** (*at present*) être déjà pris; ***to be ~ in sth*** être occupé à qc; ***to be ~ in doing sth*** être occupé à faire qc **engaged tone** *n* TEL tonalité *f* "occupé" **engagement** *n* **1.** (*appointment*) rendez-vous *m*; ***a dinner ~*** un dîner **2.** (*betrothal*) fiançailles *fpl* **engagement ring** *n* bague *f* de fiançailles **engaging** [ɪn'geɪdʒɪŋ] *adj person* engageant; *character* charmant

engender [ɪn'dʒendəʳ] *v/t fig* occasionner

engine ['endʒɪn] *n* **1.** machine *f*; (*of car*, *plane etc.*) moteur *m* **2.** RAIL locomotive *f* **-engined** [-'endʒɪnd] *adj suf* -moteur; ***twin-engined*** bimoteur **engine driver** *n Br* mécanicien(ne) *m*(*f*)

engineer [ˌendʒɪ'nɪəʳ] **I** *n* **1.** TECH mécanicien(ne) *m*(*f*); (*with degree*) ingénieur(e) *m*(*f*) **2.** (*US* RAIL) mécanicien(ne) *m*(*f*) **II** *v/t* **1.** TECH réaliser **2.** *fig campaign* organiser; *downfall* manigancer

engineering [ˌendʒɪ'nɪərɪŋ] *n* TECH science *f* de l'ingénieur; (*mechanical engineering*) technique *f*; (*engineering profession*) ingénierie *f*; ***a brilliant piece of ~*** une merveille de technique

England ['ɪŋglənd] **I** *n* Angleterre *f* **II** *adj attr* ***the ~ team*** l'équipe d'Angleterre

English ['ɪŋglɪʃ] **I** *adj* anglais; ***he is ~*** il est anglais; ***he's an ~ teacher*** il est professeur d'anglais; (***full***) ***~ breakfast*** petit déjeuner *m* anglais **II** *n* **1.** ***the ~*** *pl* les Anglais *mpl* **2.** LING anglais *m*; ***can you speak ~?*** pouvez-vous parler anglais?;

he doesn't speak ~ il ne parle pas anglais; ***"English spoken"*** "ici on parle anglais"; ***they were speaking ~*** ils parlaient en anglais; ***he speaks very good ~*** il parle très bien anglais; ***in ~*** en anglais; ***to translate sth into / from ~*** traduire qc en anglais / de l'anglais **English Channel** *n* Manche *f*

Englishman *n* Anglais *m* **English muffin** *n* (*US* COOK) muffin *m* **English speaker** *n* anglophone *m/f* **English-speaking** *adj* anglophone

Englishwoman *n* Anglaise *f*

engrave [ɪn'greɪv] *v/t design, metal etc.* graver **engraved** *adj design, letter, glass, metal* gravé **engraving** *n* gravure *f*

engross [ɪn'grəʊs] *v/t*, absorber ***to become ~ed in one's work*** être absorbé par son travail; ***to be ~ed in conversation*** être absorbé par la conversation **engrossing** [ɪn'grəʊsɪŋ] *adj* absorbant

engulf [ɪn'gʌlf] *v/t* engloutir; ***to be ~ed by flames*** être englouti par les flammes

enhance [ɪn'hɑːns] *v/t* rehausser; *price, value, chances* augmenter

enigma [ɪ'nɪgmə] *n* énigme *f* **enigmatic** [ˌenɪg'mætɪk] *adj* énigmatique **enigmatically** [ˌenɪg'mætɪkəlɪ] *adv* de façon énigmatique

enjoy [ɪn'dʒɔɪ] **I** *v/t* aimer; *success* apprécier; *good health* jouir de; ***he ~s swimming*** il aime nager; ***he ~ed writing the book*** il a aimé écrire le livre; ***I ~ed the concert*** le concert m'a plu; ***he ~ed the meal*** il s'est régalé; ***I didn't ~ it at all*** je n'ai pas apprécié du tout; ***to ~ life*** profiter de la vie; ***did you ~ your meal?*** le repas vous a plu? **II** *v/r* ***to ~ oneself*** s'amuser; ***~ yourself!*** amuse-toi bien! **enjoyable** [ɪn'dʒɔɪəbl] *adj evening* agréable; *film, book* bon **enjoyment** *n* plaisir *m*; ***she gets a lot of ~ from reading*** la lecture lui procure beaucoup de plaisir

> **enjoy**
>
> **Enjoy** se construit avec un gérondif – **enjoy doing something** – et non pas **enjoy to do something** :
>
> ✓ **I enjoy meeting new people.**
> ✗ **I enjoy to meet new people.**
>
> J'aime rencontrer des gens.

enlarge [ɪn'lɑːdʒ] **I** *v/t* agrandir; *hole* élargir **II** *v/i* ***to ~ (up)on sth*** donner des détails sur qc **enlargement** *n* PHOT agrandissement *m*

enlighten [ɪn'laɪtn] *v/t* éclairer (***on, as to, about*** sur) **enlightened** *adj* éclairé **enlightening** *adj* instructif(-ive) **enlightenment** *n* ***the Enlightenment*** les Lumières

enlist [ɪn'lɪst] **I** *v/i* s'enrôler (***in*** dans) **II** *v/t recruits* enrôler; *support* recruter; ***I had to ~ his help*** j'ai dû l'enrôler pour qu'il m'aide

enliven [ɪn'laɪvn] *v/t* animer

en masse [ˌɑ̃'mæs] *adv* en masse

enmity ['enmɪtɪ] *n* inimitié *f*

enormity [ɪ'nɔːmɪtɪ] *n* **1.** *no pl* (*of action*) énormité *f* **2.** (*of crime*) atrocité *f* **enormous** [ɪ'nɔːməs] *adj* énorme; *person* (*fat*) énorme; (*tall*) immense; *quantity* prodigieux(-euse); *effort, relief* immense; ***he has ~ talent*** il a un immense talent; ***~ amounts of money*** des sommes colossales; ***an ~ amount of work*** une quantité énorme de travail **enormously** [ɪ'nɔːməslɪ] *adv* (+*vb*) énormément; (+*adj*) infiniment

enough [ɪ'nʌf] **I** *adj* assez de; ***~ sugar / apples*** assez de sucre / de pommes; ***~ trouble / problems*** assez d'ennuis / de problèmes; ***proof ~*** preuve suffisante **II** *pron* assez (***of*** de); ***I had not seen ~ of his work*** je n'avais pas assez vu son travail; ***I hope it's ~*** j'espère que ça suffit; ***two years was ~*** deux années ont suffi; ***this noise is ~ to drive me mad*** ce bruit suffit à me rendre fou; ***one song was ~ to show he couldn't sing*** une seule chanson a suffi pour montrer qu'il ne savait pas chanter; ***I've got ~ to worry about*** j'ai assez de soucis comme ça; ***~ is ~*** trop, c'est trop!; ***~ said*** assez parlé; ***I've had ~*** j'en ai assez; ***that's ~!*** ça suffit! **III** *adv* **1.** (*sufficiently*) assez; ***to be punished ~*** être suffisamment puni; ***he knows well ~ what I said*** il sait très bien ce que j'ai dit **2.** ***to be happy ~*** être suffisamment content; ***to be happy ~ to do sth*** être très content de faire qc; ***she sounded sincere ~*** elle avait l'air plutôt sincère; ***it is easy ~ to make them yourself*** c'est assez facile de les faire vous-même; ***easily ~*** assez facilement **3.** ***oddly*** *or* ***funnily*** **~** curieusement

enquire *etc.* [ɪn'kwaɪəʳ] = **inquire** *etc.*

enrage [ɪn'reɪdʒ] *v/t* mettre en rage

enrapture [ɪn'ræptʃəʳ] *v/t* ravir

enrich [ɪn'rɪtʃ] *v/t food* enrichir; *soil* fertiliser **enriched** [ɪn'rɪtʃt] *adj* **~ *with vitamins*** enrichi en vitamines

enroll, *Br* **enrol** [ɪn'rəʊl] **I** *v/t* embaucher; *members* inscrire; *schoolchild* (*parents*) inscrire **II** *v/i* s'engager; (*for course*, *at school*) s'inscrire **enrollment**, *Br* **enrolment** [ɪn'rəʊlmənt] *n* embauche *f*; (*for course*, *at school*) inscription *f*; UNIV immatriculation *f*

en route [ɒŋ'ruːt] *adv* en route; **~ *to*** *or* ***for*** en route pour

ensemble [ɑ̃ːn'sɑ̃ːmbl] *n* **1.** ensemble *m* **2.** (*collection*) ensemble *m*

enshrine [ɪn'ʃraɪn] *v/t fig* sauvegarder

ensign ['ensaɪn] *n* **1.** (*flag*) drapeau *m* **2.** (*US* NAUT) enseigne *m* de vaisseau de deuxième classe

enslave [ɪn'sleɪv] *v/t* asservir

ensnare [ɪn'snɛəʳ] *v/t* (*lit*, *fig*) prendre au piège

ensue [ɪn'sjuː] *v/i* résulter (***from*** de) **ensuing** [ɪn'sjuːɪŋ] *adj* qui en résulte

en suite ['ɒn'swiːt] *adj* **~ *room*** chambre *f* avec salle de bains

ensure [ɪn'ʃʊəʳ] *v/t* assurer; (*secure*) garantir; ***will you ~ that I get a seat?*** vous pouvez vous faire en sorte que j'aie une place?

ENT *abbr* = **ear, nose and throat**; **~ *department*** service *m* ORL

entail [ɪn'teɪl] *v/t* entraîner; *work* occasionner; ***what is ~ed in buying a house?*** qu'est-ce cela implique d'acheter une maison?; ***this will ~ (my) buying a new car*** ceci entraînera l'achat d'une nouvelle voiture

entangle [ɪn'tæŋgl] *v/t* **1.** ***to become ~d in sth*** s'empêtrer dans qc **2.** (*get into a tangle*) ***to become ~d*** s'emmêler **3.** (*fig*, *in affair etc.*) entraîner (***in*** dans)

enter ['entəʳ] **I** *v/t* **1.** *building etc.* entrer dans; (*drive into*) *parking garage etc.* entrer (en voiture) dans; *country* entrer en; ***the dispute is ~ing its fifth year*** le conflit entre dans sa cinquième année; ***the thought never ~ed my head*** *or* ***mind*** la pensée ne m'est jamais venue à l'esprit **2.** (*become a member of*) entrer dans; ***to ~ the Church*** entrer dans les ordres; ***to ~ a profession*** choisir une profession **3.** (*record*) inscrire (***in*** dans); IT saisir; ***to ~ sb's/one's name*** inscrire qn/s'inscrire **4.** (*enroll*, *for exam etc.*) inscrire **5.** (*go in for*) *race* inscrire **II** *v/i* **1.** (*walk in*) entrer; (*drive in*) entrer (en voiture) **2.** THEAT entrer **3.** (*for race*, *exam etc.*) s'inscrire (***for*** pour) **III** *n* IT ***hit ~*** appuyez sur (la touche) entrée ◆ **enter into** *v/t insep* **1.** *relations*, *negotiations* entamer; *alliance* conclure; ***to ~ conversation with sb*** engager une conversation avec qn; ***to ~ correspondence with sb*** commencer une correspondance avec qn **2.** (*figure in*) enter dans

enter key *n* IT touche *f* entrée

enterprise ['entəpraɪz] *n* **1.** *no pl* (*initiative*) esprit *m* d'entreprise **2.** (*undertaking*, *firm*) entreprise *f*; ***private ~*** entreprise privée **enterprising** ['entəpraɪzɪŋ] *adj person* entreprenant

entertain [ˌentə'teɪn] **I** *v/t* **1.** (*to meal*) recevoir **2.** (*amuse*) amuser; (*humorously*) divertir **3.** *thought* envisager; *hope*, *suspicion* nourrir **II** *v/i* divertir **entertainer** [ˌentə'teɪnəʳ] *n* artiste *m/f* de variété

entertaining [ˌentə'teɪnɪŋ] **I** *adj* (*fun*) divertissant; (*amusing*) amusant **II** *n* réception *f*; ***she does a lot of ~*** elle reçoit beaucoup

entertainment [ˌentə'teɪnmənt] *n* (*amusement*) divertissement *m*; (*professional*) réception *f* **entertainment industry** *n* industrie *f* du spectacle

enthrall, *Br* **enthral** [ɪn'θrɔːl] *v/t* captiver **enthralling** *adj* captivant

enthuse [ɪn'θjuːz] *v/i* s'enthousiasmer (***over*** pour) **enthusiasm** [ɪn'θjuːzɪæzəm] *n* **1.** enthousiasme *m*; ***she showed little ~ for the scheme*** elle a manifesté peu d'enthousiasme pour le projet; ***I can't work up any ~ for the idea*** je n'arrive pas à m'enthousiasmer pour cette idée **2.** (*passion*) passion *f* **enthusiast** [ɪn'θjuːzɪæst] *n* enthousiaste *m/f*; ***he's a rock-and-roll ~*** il est passionné de rock and roll **enthusiastic** [ɪnˌθjuːzɪ'æstɪk] *adj* enthousiaste; ***he was very ~ about the plan*** le projet l'a beaucoup enthousiasmé; ***to be ~ about doing sth*** être enthousiaste à l'idée de faire qc **enthusiastically** [ɪnˌθjuːzɪ'æstɪkəlɪ] *adv* avec enthousiasme

entice [ɪn'taɪs] *v/t* attirer; ***to ~ sb to do***

sth** or **into doing sth persuader qn de faire qc; ***to ~ sb away*** éloigner qn **enticing** [ɪn'taɪsɪŋ] *adj* séduisant

entire [ɪn'taɪəʳ] *adj* entier(-ière), tout **entirely** [ɪn'taɪəlɪ] *adv* **1.** entièrement; ***the accident was ~ the fault of the other driver*** l'accident était entièrement de la faute de l'autre conducteur **2.** (*emph totally*) tout à fait; ***I agree ~*** je suis tout à fait d'accord; ***to be another matter ~** or **an ~ different matter*** être une tout autre affaire **entirety** [ɪn'taɪərətɪ] *n* intégralité *f*; ***in its ~*** intégralement

entitle [ɪn'taɪtl] *v/t* **1.** intituler; ***it is ~d …*** cela s'intitule … **2.** ***to ~ sb to sth*** donner à qn droit à qc; ***to ~ sb to do sth*** donner à qn le droit de faire qc; ***to be ~d to sth*** avoir droit à qc; ***to be ~d to do sth*** avoir le droit de faire qc; ***I'm ~d to my own opinion*** j'ai bien le droit d'avoir ma propre opinion **entitlement** *n* droit *m* (***to*** à); ***what is your holiday ~?*** *Br* tu as droit à combien de jours de congés par an?

entity ['entɪtɪ] *n* entité *f*

entourage [ˌɒntʊ'rɑːʒ] *n* entourage *m*

entrails ['entreɪlz] *pl lit* entrailles *fpl*

entrance¹ [ɪn'trɑːns] *v/t* enchanter; ***to be ~d*** être enchanté; ***to be ~d by/with sth*** être enchanté par / de qc

entrance² ['entrəns] *n* **1.** (*way in*) entrée *f* **2.** (*entering, admission*) entrée *f* (***to*** à); THEAT entrée *f*; (*to club etc.*) admission *f* (*to* à, dans); ***to make one's ~*** faire son entrée; ***to gain ~ to a university*** être admis à l'université **entrance examination** *n* examen *m* d'entrée **entrance fee** *n* (*for museum etc.*) droit *m* d'entrée **entrance hall** *n* hall *m* (d'entrée) **entrance qualifications** *pl* qualifications *fpl* exigées à l'entrée **entrant** *n* (*in contest*) inscrit(e) *m(f)*; (*in exam*) candidat(e) *m(f)*

entreat [ɪn'triːt] *v/t* supplier **entreaty** [ɪn'triːtɪ] *n* supplication *f*

entrée ['ɒntreɪ] *n* (*esp US main course*) plat *m* principal; (*Br starter*) entrée *f*

entrenched [ɪn'trentʃd] *adj position* arrêté; *belief, attitude* enraciné

entrepreneur [ˌɒntrəprə'nɜːʳ] *n* entrepreneur(-euse) *m(f)* **entrepreneurial** [ˌɒntrəprə'nɜːrɪəl] *adj* d'entrepreneur

entrust [ɪn'trʌst] *v/t* confier (***to sb*** à qn); ***to ~ a child to sb's care*** confier un enfant aux soins de qn; ***to ~ sb with a task*** confier une tâche à qn; ***to ~ sb with a secret*** confier un secret à qn

entry ['entrɪ] *n* **1.** entrée *f* (***into*** dans); (*by car etc.*) entrée *f*; (*into country*) entrée *f*; ***"no ~"*** (*on door etc.*) "défense d'entrer"; (*on street*) "sens interdit" **2.** (*way in*) entrée *f* **3.** (*in diary*) inscription *f*; (*in dictionary*) article *m*; ***the dictionary has 30,000 entries*** le dictionnaire possède 30 000 entrées **4.** (*of competitor*) inscription *f*; ***the closing date for entries is Friday*** la date limite pour les inscriptions est vendredi **entry form** *n* formulaire *f* d'inscription **entry permit** *n* laissez-passer *m*; (*into country*) visa *m* d'entrée **entry phone** *n* interphone® *m* **entry visa** *n* visa *m* d'entrée **entryway** *n US* entrée *f*

entwine [ɪn'twaɪn] *v/t* entrelacer

E number *n* additif *m* alimentaire (*commençant par un E*)

enumerate [ɪ'njuːməreɪt] *v/t* énumérer

envelop [ɪn'veləp] *v/t* envelopper; ***flames ~ed the house*** les flammes enveloppaient la maison

envelope ['envələʊp] *n* enveloppe *f*

enviable ['envɪəbl] *adj* enviable **envious** ['envɪəs] *adj* envieux(-euse); ***to be ~ of sb / sth*** envier qn / qc **enviously** ['envɪəslɪ] *adv* avec envie

environment [ɪn'vaɪərənmənt] *n* environnement *m*; (*of town etc., physical surroundings*) cadre *m*; (*cultural surroundings*) milieu *m* **Environment Agency** *n Br* agence *f* de protection de l'environnement **environmental** [ɪnˌvaɪərən'mentl] *adj* **1.** écologique; ***~ disaster*** catastrophe écologique; ***~ expert*** expert(e) *m(f)* de l'environnement; ***~ impact*** impact sur l'environnement **2.** (*protecting the environment*) écologiste; ***~ group*** groupe écologiste **3.** (*relating to surroundings*) lié à l'environnement **environmentalism** [ɪnˌvaɪərən'mentəlɪzəm] *n* écologie *f* **environmentalist** [ɪnˌvaɪərən'mentəlɪst] *n* écologiste *m/f* **environmentally** [ɪnˌvaɪərən'mentəlɪ] *adv* écologiquement; ***~ correct*** adapté pour l'environnement; ***~ conscious** or **aware*** sensibilisé aux problèmes de l'environnement; ***~ friendly / unfriendly*** qui respecte / qui ne respecte pas l'environnement **Environmental Protection Agency** *n* (*US* ADMIN) ≈ ministère *m*

de l'Environnement **environs** [ɪn'vaɪərənz] *pl* environs *mpl*
envisage [ɪn'vɪzɪdʒ] *v/t* envisager
envoy ['envɔɪ] *n* envoyé(e) *m(f)*
envy ['envɪ] **I** *n* envie *f* **II** *v/t* envier; ***to ~ sb sth*** envier qc à qn
enzyme ['enzaɪm] *n* enzyme *f*
ephemeral [ɪ'femərəl] *adj* éphémère
epic ['epɪk] **I** *adj poetry, novel, journey* épique; *performance, struggle* héroïque; ***~ film*** film à grand spectacle **II** *n* épopée *f*
epicenter, *Br* **epicentre** ['epɪsentə^r] *n* épicentre *m*
epidemic [ˌepɪ'demɪk] *n* épidémie *f also fig*
epidural [ˌepɪ'djʊərəl] *n* péridurale *f*
epilepsy ['epɪlepsɪ] *n* épilepsie *f* **epileptic** [ˌepɪ'leptɪk] **I** *adj* épileptique; ***~ fit*** crise d'épilepsie; ***he is ~*** il est épileptique **II** *n* épileptique *m/f*
epilog, *Br* **epilogue** ['epɪlɒg] *n* épilogue *m*
Epiphany [ɪ'pɪfənɪ] *n* Épiphanie *f*
episcopal [ɪ'pɪskəpəl] *adj* épiscopal
episode ['epɪsəʊd] *n* **1.** épisode *m*; (*of story*, TV, RADIO) épisode *m* **2.** (*incident*) incident *m* **episodic** [ˌepɪ'sɒdɪk] *adj* épisodique
epistle [ɪ'pɪsl] *n* BIBLE épître (***to*** à)
epitaph ['epɪtɑːf] *n* épitaphe *f*
epithet ['epɪθet] *n* épithète *f*
epitome [ɪ'pɪtəmɪ] *n* quintessence *f* (***of*** de) **epitomize** [ɪ'pɪtəmaɪz] *v/t* incarner
epoch ['iːpɒk] *n* époque *f*
equal ['iːkwəl] **I** *adj* égal; ***~ numbers of men and women*** un nombre égal d'hommes et de femmes; ***a is ~ to b*** a est égal à b; ***an amount ~ to the purchase price*** une somme égale au prix d'achat; ***an ~ amount of land*** autant de terrain; ***to be ~ in size*** (***to***) être de la même taille (que); ***other things being ~*** s'il n'y a pas d'imprévu; ***~ opportunities*** égalité des chances; ***~ rights for women*** égalité des droits pour les femmes; ***to be on ~ terms*** (***with sb***) être sur un pied d'égalité (avec qn); ***to be ~ to the task*** être à la hauteur de la tâche; ***to feel ~ to sth*** se sentir à la hauteur de qc **II** *n* (*in rank*) égal *m*; ***she is his ~*** elle est son égale; ***to treat sb as an ~*** traiter qn d'égal à égal; ***to have no ~*** être sans égal; (*be unsurpassed*) ne pas être égalé **III** *v/t* **1.** MATH égaler; ***three times three ~s nine*** trois fois trois (égale) neuf; ***let x ~ 3*** soit x égal 3 **2.** (*match, rival*) égaler **equality** [ɪ'kwɒlɪtɪ] *n* égalité *f* **equalize** ['iːkwəlaɪz] *v/i* SPORTS égaliser **equalizer** ['iːkwəlaɪzə^r] *n* **1.** (*Br* SPORTS) but *m* égalisateur; ***to score*** *or* ***get the ~*** égaliser **2.** (*US hum, infml gun*) flingue *m sl* **equally** ['iːkwəlɪ] *adv* **1.** *divide* en parts égales; ***~ spaced*** à intervalles réguliers **2.** (*in the same way*) de la même manière; ***all candidates should be treated ~*** tous les candidats devraient être traités de la même manière **equal(s) sign** ['iːkwəlz'saɪn] *n* signe *m* égal
equate [ɪ'kweɪt] *v/t* **1.** (*identify*) assimiler **2.** (*treat as same*) mettre sur le même pied **equation** [ɪ'kweɪʒən] *n* (MATH, *fig*) équation *f*; ***that doesn't even enter the ~*** cela n'entre même pas en ligne de compte
equator [ɪ'kweɪtə^r] *n* équateur *m*; ***at the ~*** sous l'équateur **equatorial** [ˌekwə'tɔːrɪəl] *adj* équatorial
equestrian [ɪ'kwestrɪən] *adj* équestre; ***~ events*** concours hippiques; (*tournament*) tournois équestre
equidistant ['iːkwɪ'dɪstənt] *adj* équidistant (***from*** de)
equilateral ['iːkwɪ'lætərəl] *adj* équilatéral
equilibrium [ˌiːkwɪ'lɪbrɪəm] *n* équilibre *m*; ***to keep / lose one's ~*** garder / perdre l'équilibre
equinox ['iːkwɪnɒks] *n* équinoxe *m*; ***the spring ~*** l'équinoxe de printemps
equip [ɪ'kwɪp] *v/t army, person* équiper; *kitchen* équiper; ***he is well ~ped for the job*** *fig* il a tout ce qu'il faut pour l'emploi **equipment** *n no pl* (*of person*) équipement *m*; ***laboratory ~*** matériel de laboratoire; ***office ~*** matériel de bureau; ***electrical ~*** appareils électriques; ***kitchen ~*** appareils ménagers
equitable ['ekwɪtəbl] *adj* équitable **equitably** ['ekwɪtəblɪ] *adv* équitablement **equities** ['ekwɪtiːz] *pl* FIN actions *fpl* ordinaires
equivalent [ɪ'kwɪvələnt] **I** *adj* **1.** (*equal*) équivalent; ***that's ~ to saying …*** cela équivaut à dire que … **2.** (*corresponding*) correspondant; ***it is ~ to $30*** cela correspond à 30 dollars **II** *n* équivalent *m*; (*counterpart*) homologue *m*; ***that is the ~ of …*** c'est l'équivalent de …; ***what is the ~ in euros?*** quel est l'équivalent en euros?; ***the American ~ of …*** l'équi-

valent américain de …
equivocal [ɪ'kwɪvəkəl] *adj form* **1.** *response* équivoque; *position, results* confus **2.** *attitude* ambigu(-guë); *person* ambivalent **equivocate** [ɪ'kwɪvəkeɪt] *v/i* chercher des faux-fuyants, tergiverser
ER *US abbr* = **emergency room**
era ['ɪərə] *n* ère *f*; ***the Christian ~*** l'ère chrétienne
eradicate [ɪ'rædɪkeɪt] *v/t* éradiquer **eradication** [ɪˌrædɪ'keɪʃən] *n* éradication *f*
erase [ɪ'reɪz] *v/t* effacer, gommer; (*from tape*, IT) effacer **eraser** [ɪ'reɪzəʳ] *n* gomme *f*
erect [ɪ'rekt] **I** *v/t building* construire; *statue, memorial* ériger (***to sb*** en l'honneur de qn); *scaffolding, tent* monter; *fig barrier* élever **II** *adj* **1.** (en se tenant) droit; ***to stand ~*** se tenir droit **2.** PHYSIOL *penis, nipples* en érection **erection** [ɪ'rekʃən] *n* **1.** (*of building*) construction *f*; (*of statue, memorial*) érection *f*; (*of barrier*) édification *f* **2.** PHYSIOL érection *f*
ergonomic [ˌɜːgəʊ'nɒmɪk] *adj* ergonomique
ERM *n abbr* = **Exchange Rate Mechanism**
ermine ['ɜːmɪn] *n* hermine *f*
erode [ɪ'rəʊd] *v/t* éroder; *fig confidence, beliefs* saper; *authority* miner
erogenous [ɪ'rɒdʒənəs] *adj* érogène
erosion [ɪ'rəʊʒən] *n* érosion *f*; (*fig, of authority*) érosion *f*
erotic [ɪ'rɒtɪk] *adj* érotique **erotically** [ɪ'rɒtɪkəlɪ] *adv* érotiquement **eroticism** [ɪ'rɒtɪsɪzəm] *n* érotisme *m*
err [ɜːʳ] *v/i* se tromper; ***to ~ in one's judgement*** faire une erreur de jugement; ***it is better to ~ on the side of caution*** il vaut mieux pécher par excès de prudence
errand ['erənd] *n* (*shopping etc.*) course *f*; (*to give a message etc.*) commission *f*; ***to send sb on an ~*** envoyer qn faire une commission
errant ['erənt] *adj ways* dévoyé; *husband etc.* infidèle
erratic [ɪ'rætɪk] *adj* imprévisible; *progress, rhythm, performance, movement* irrégulier(-ière); ***to be*** (***very***) ***~*** (*figures*) être (très) irrégulier; ***~ mood swings*** de brusques sautes d'humeur; ***his ~ driving*** sa conduite imprévisible
erroneous [ɪ'rəʊnɪəs] *adj* erroné; *assumption, belief* faux(fausse) **erroneously** [ɪ'rəʊnɪəslɪ] *adv* à tort
error ['erəʳ] *n* **1.** (*mistake*) erreur *f* **2.** (*wrongness*) faute *f*; ***in ~*** par erreur; ***to see the ~ of one's ways*** revenir de ses erreurs **error message** *n* IT message *m* d'erreur
erudite ['erʊdaɪt] *adj* érudit **erudition** [ˌerʊ'dɪʃən] *n* érudition *f*
erupt [ɪ'rʌpt] *v/i* entrer en éruption; *fig* éclater; ***her face had ~ed in spots*** son visage s'était couvert de boutons **eruption** [ɪ'rʌpʃən] *n* (*of volcano*) éruption *f*; (*of violence*) explosion *f*
escalate ['eskəleɪt] **I** *v/t war* intensifier **II** *v/i* s'intensifier; (*costs*) monter en flèche **escalation** [ˌeskə'leɪʃən] *n* intensification *f* **escalator** ['eskəleɪtəʳ] *n* escalier *m* mécanique, escalator® *m*
escalope [ɪ'skæləp] *n* escalope *f*
escapade [ˌeskə'peɪd] *n* **1.** (*misdeed*) aventure *f* **2.** (*prank*) frasque *f*
escape [ɪ'skeɪp] **I** *v/i* **1.** s'échapper (***from*** de); (*from pursuers, captivity*) échapper (***from*** à); (*from prison, cage etc.*) s'évader (***from*** de); (*water*) fuir (***from*** de); (*gas*) s'échapper (***from*** de); ***an ~d prisoner*** un évadé; ***an ~d tiger*** un tigre échappé; ***he ~d from the fire*** il a échappé à l'incendie; ***to ~ from poverty*** échapper à la pauvreté **2.** (*be spared*) être épargné **II** *v/t* **1.** *pursuers* échapper à **2.** *consequences, disaster, detection* éviter; ***no department will ~ these cuts*** aucun service ne sera épargné par ces réductions budgétaires; ***he narrowly ~d injury*** il a failli être blessé; ***he narrowly ~d being run over*** il a failli se faire écraser; ***but you can't ~ the fact that …*** mais tu ne peux pas nier que … **3.** ***his name ~s me*** son nom m'échappe; ***nothing ~s him*** rien ne lui échappe **III** *n* **1.** (*from prison etc.*) évasion *f*; (*from a country*) fuite *f* (***from*** de); *fig* fuite *f* (***from*** devant); ***to make one's ~*** s'échapper; ***to have a miraculous ~*** s'en sortir miraculeusement; ***there's no ~*** *fig* il n'y a pas d'échappatoire **2.** (*of gas*) fuite *m*; ***due to an ~ of gas*** à cause d'une fuite de gaz **3.** IT touche *f* "échappement"; ***hit ~*** appuyez sur la touche "échappement" **escape attempt, escape bid** *n* tentative *f* d'évasion **escape chute** *n* (*on plane*) toboggan *m* de secours **escape clause** *n* JUR

clause *f* échappatoire **escape key** *n* IT touche *f* "échappement" **escape route** *n* chemin *m* emprunté pour prendre la fuite **escapism** [ɪ'skeɪpɪzəm] *n* fuite *f* du réel **escapist** [ɪ'skeɪpɪst] *adj* d'évasion **escapologist** [ˌeskə'pɒlədʒɪst] *n* prestidigitateur(-trice) *m/f* spécialiste de l'évasion

eschew [ɪs'tʃuː] *v/t obs*, *liter* éviter

escort ['eskɔːt] **I** *n* **1.** escorte *f*; (*vehicles etc.*) escorte *f*; ***under ~*** sous escorte; ***motorcycle ~*** escorte à moto **2.** (*male companion*) cavalier *m*; (*hired female*) hôtesse *f* **II** *v/t* accompagner **escort agency** *n* agence *f* de rencontres

Eskimo ['eskɪməʊ] *pej* **I** *adj* eskimo **II** *n* Eskimo *m(f)*

ESL *abbr* = **English as a Second Language**

esophagus [iː'sɒfəgəs] *n esp US* œsophage *m*

esoteric [ˌesəʊ'terɪk] *adj* ésotérique

esp. *abbr* = **especially** spécialt

especial [ɪ'speʃəl] *adj* particulier(-ière), spécial

especially [ɪ'speʃəlɪ] *adv* **1.** (*particularly*) particulièrement, surtout; ***not ~*** pas particulièrement; (***more***) ***~ as …*** d'autant plus que …; ***~ in summer*** surtout en été; ***why Jim ~?*** pourquoi Jim en particulier? **2.** (*specifically*) spécialement; ***I came ~ to see you*** je suis venu spécialement pour vous voir; ***to do sth ~ for sb / sth*** faire qc spécialement pour qn / qc

espionage [ˌespɪə'nɑːʒ] *n* espionnage *m*

esplanade [ˌesplə'neɪd] *n* esplanade *f*

espresso [e'spresəʊ] *n* **~** (**coffee**) express(o) *m*

esquire [ɪ'skwaɪəʳ] *n Br* ***James Jones, Esq*** M. James Jones

essay ['eseɪ] *n* essai *m*; *esp* SCHOOL rédaction *f*

essence ['esəns] *n* **1.** essence *f*; ***in ~*** essentiellement; ***time is of the ~*** le temps est essentiel; ***the novel captures the ~ of life in the city*** le roman saisit l'essence de la vie dans la ville **2.** CHEM, COOK essence *f*, extrait *m* **essential** [ɪ'senʃəl] **I** *adj* **1.** (*vital*) essentiel(le); *services*, *supplies* indispensable; ***it is ~ to act quickly*** il est essentiel d'agir vite; ***it is ~ that you understand this*** il est essentiel que vous compreniez ceci; ***~ for good health*** indispensable pour être en bonne santé **2.** (*basic*) essentiel(le); *question*, *role* fondamental; ***I don't doubt his ~ goodness*** je ne mets pas en doute sa bonté fondamentale **II** *n* ***just bring the ~s*** apporte seulement l'essentiel; ***with only the bare ~s*** avec seulement le strict nécessaire; ***the ~s of French grammar*** les bases de la grammaire française **essentially** [ɪ'senʃəlɪ] *adv* (*fundamentally*) fondamentalement; (*basically*) essentiellement

est. **1.** *abbr* = **established** fondé **2.** *abbr* = **estimated**

establish [ɪ'stæblɪʃ] **I** *v/t* **1.** (*found*) fonder; *relations* nouer; *links* créer; *order*, *peace* faire régner; *reputation* établir **2.** (*prove*) montrer; ***we have ~ed that …*** nous avons montré que… **3.** *identity*, *facts* établir **II** *v/r* s'établir; ***he has now firmly ~ed himself in the company*** il s'est maintenant bien imposé dans la société **established** *adj* établi; ***it's an ~ practice*** *or* ***custom*** c'est une pratique *or* habitude courante; ***well ~ as sth*** (*recognized*) bien établi en tant que qc; ***it's an ~ fact that …*** c'est un fait reconnu que …; ***~ 1950*** COMM *etc.* fondé en 1950 **establishment** *n* **1.** (*of relations*, *links*) établissement *m*; (*of company*) création *f* **2.** (*institution etc.*) établissement *m*; ***commercial ~*** établissement *m* commercial **3.** ***the Establishment*** l'establishment *m*

estate [ɪ'steɪt] *n* **1.** (*land*) propriété *f*, domaine *m*; ***country ~*** terre(s); ***family ~*** propriété de famille **2.** (JUR *possessions of deceased*) biens *mpl*; ***to leave one's ~ to sb*** laisser ses biens (en héritage) à qn **3.** (*esp Br housing estate*) lotissement *m*; (*trading estate*) zone *f* commerciale **estate agent** *n Br* agent *m* immobilier **estate car** *n Br* break *m*

esteem [ɪ'stiːm] **I** *v/t person* avoir de l'estime pour **II** *n* estime *f*; ***to hold sb / sth in*** (***high***) ***~*** tenir qn / qc en (haute) estime; ***to be held in great ~*** être tenu en grande estime; ***he went down in my ~*** il a baissé dans mon estime

esthete *esp US n* = **aesthete** *etc.*

estimable ['estɪməbl] *adj* estimable

estimate ['estɪmɪt] **I** *n* **1.** estimation *f*; ***it is just an ~*** c'est juste une estimation; ***at a rough ~*** approximativement **2.** (COMM, *of cost*) devis *m*; ***to get an ~*** faire faire un devis **II** *v/t* estimer; ***his wealth***

is ~d at ... on évalue sa fortune à ...; ***I ~ she must be 40*** à mon avis, elle doit avoir 40 ans **estimation** [ˌestɪ'meɪʃən] *n* **1.** opinion *f* **2.** (*esteem*) estime *f*; ***he went up / down in my ~*** il est monté/a baissé dans mon estime

Estonia [e'stəʊnɪə] *n* Estonie *f* **Estonian** **I** *adj* estonien(ne) **II** *n* **1.** Estonien(ne) **2.** LING estonien *m*

estrange [ɪ'streɪndʒ] *v/t* ***they are ~d*** (*married couple*) ils sont séparés; ***his ~d wife*** sa femme, dont il est séparé

estrogen ['iːstrəʊdʒən] *n US* œstrogène *m*

estuary ['estjʊərɪ] *n* estuaire *m*

ET *US abbr* = **Eastern Time** heure *f* sur la côte est

ETA *abbr* = **estimated time of arrival** heure *f* d'arrivée prévue

e-tailer ['iːteɪlə^r] *n* détaillant *m* en ligne

etc. *abbr* = **et cetera** etc. **etcetera** [ɪt'setərə] *adv* et caetera

etch [etʃ] **I** *v/i* graver à l'eau-forte **II** *v/t* faire de la gravure à l'eau-forte; ***the event was ~ed on her mind*** l'événement était gravé dans sa mémoire **etching** ['etʃɪŋ] *n* eau-forte *f*, gravure *f* à l'eau-forte

eternal [ɪ'tɜːnl] *adj* **1.** (*everlasting*) éternel(le) **2.** (*incessant*) sans fin **eternally** [ɪ'tɜːnəlɪ] *adv* éternellement; ***to be ~ grateful*** (***to sb / for sth***) être éternellement reconnaissant (à qn / pour qc)

eternity [ɪ'tɜːnɪtɪ] *n* éternité *f*; REL vie éternelle

ether ['iːθə^r] *n* (CHEM, *poet*) éther *m* **ethereal** [ɪ'θɪərɪəl] *adj* éthéré

ethic ['eθɪk] *n* éthique *f* **ethical** ['eθɪkəl] *adj* (*morally right*) moral; (*of ethics*) éthique; ***it is not ~ to ...*** c'est contraire à l'éthique de ... **ethically** ['eθɪkəlɪ] *adv* d'un point de vue éthique; (*with correct ethics*) conformément à l'éthique **ethics** ['eθɪks] *n* **1.** *sg* (*system*) éthique *f* **2.** *pl* (*morality*) morale *f*

Ethiopia [ˌiːθɪ'əʊpɪə] *n* Éthiopie *f*

ethnic ['eθnɪk] *adj* **1.** (*racial*) ethnique; ***~ violence*** violences ethniques **2.** *clothes* (d'inspiration) ethnique; ***~ music*** musique ethnique **ethnically** ['eθnɪklɪ] *adv* sur le plan ethnique **ethnic cleansing** *n euph* purification *f* ethnique

ethos ['iːθɒs] *n* philosophie *f*

e-ticket *n* billet *m* électronique

etiquette ['etɪket] *n* étiquette *f*, protocole *m*

etymological [ˌetɪmə'lɒdʒɪkəl] *adj* étymologique **etymologically** [ˌetɪmə'lɒdʒɪkəlɪ] *adv* étymologiquement **etymology** [ˌetɪ'mɒlədʒɪ] *n* étymologie *f*

EU *abbr* = **European Union** UE *f* (*Union européenne*)

eucalyptus [ˌjuːkə'lɪptəs] *n* eucalyptus *m*

Eucharist ['juːkərɪst] *n* ECCL eucharistie *f*; ***the ~*** l'eucharistie

eulogy ['juːlədʒɪ] *n* panégyrique *m*; (*at funeral service*) éloge *m* funèbre

eunuch ['juːnək] *n* eunuque *m*

euphemism ['juːfəmɪzəm] *n* euphémisme *m* **euphemistic** [ˌjuːfə'mɪstɪk] *adj* euphémique **euphemistically** [ˌjuːfə'mɪstɪkəlɪ] *adv* par euphémisme; ***to be ~ described / known as ...*** être décrit / connu par euphémisme comme ...

euphoria [juː'fɔːrɪə] *n* euphorie *f* **euphoric** [juː'fɒrɪk] *adj* euphorique

Eurasian [jʊə'reɪʃn] **I** *adj* eurasien(ne) **II** *n* Eurasien(ne) *m(f)*

euro ['jʊərəʊ] *n* euro *m* **eurocentric** *adj* eurocentrique **Eurocheque**, *US* **Eurocheck** ['jʊərəʊtʃek] *n* eurochèque *m* **Eurocrat** ['jʊərəʊkræt] *n* eurocrate *m/f* **Euro MP** *n infml* député(e) *m(f)* européen(ne)

Europe ['jʊərəp] *n* Europe *f*

European [ˌjʊərə'piːən] **I** *adj* européen(ne) **II** *n* Européen(ne) *m(f)* **European Central Bank** *n* Banque *f* centrale européenne **European Commission** *n* Commission *f* européenne **European Community** *n* Communauté *f* européenne **European Convention** *n* Convention *f* européenne **European Council** *n* Conseil *m* de l'Europe **European Court of Justice** *n* Cour *f* européenne de justice **European Economic Community** *n* Communauté *f* économique européenne **European Investment Bank** *n* Banque *m* européenne d'investissement **European Monetary System** *n* Système *m* monétaire européen **European Monetary Union** *n* Union *f* monétaire européenne **European Parliament** *n* Par-

etiquette ≠ marque

Etiquette = protocole. Il n'a jamais le sens de marque sur un produit ou un vêtement.

lement *m* européen
European Union *n* Union *f* européenne
Euro-sceptic [ˈjʊərəʊˌskeptɪk] *n* eurosceptique *m/f* **euro zone** *n* zone *f* euro
euthanasia [ˌjuːθəˈneɪzɪə] *n* euthanasie *f*
evacuate [ɪˈvækjʊeɪt] *v/t* évacuer; *women*, *children* évacuer (*from* de, *to* vers) **evacuation** [ɪˌvækjʊˈeɪʃən] *n* évacuation *f* **evacuee** [ɪˌvækjʊˈiː] *n* évacué(e) *m(f)*
evade [ɪˈveɪd] *v/t blow*, *question* esquiver; *pursuit*, *pursuers* échapper à; *capture* éviter; *justice* se soustraire à; ***to ~ taxes*** frauder le fisc
evaluate [ɪˈvæljʊeɪt] *v/t house*, *worth etc.* estimer (***at*** à); *damages* déterminer le montant (***at*** de); *chances*, *performance*, *evidence*, *results* évaluer **evaluation** [ɪˌvæljʊˈeɪʃən] *n* (*of house*, *worth etc.*) estimation *f*; (*of chances*, *performance*, *evidence*, *results*) évaluation *f*
evangelic(al) [ˌiːvænˈdʒelɪk(əl)] *adj* évangélique **evangelist** [ɪˈvændʒəlɪst] *n* (*preacher*) évangélisateur(-trice) *m(f)*
evaporate [ɪˈvæpəreɪt] *v/i* **1.** (*liquid*) s'évaporer **2.** *fig* se dissiper; (*hopes*) s'envoler **evaporated milk** [ɪˈvæpəreɪtɪdˈmɪlk] *n* lait *m* condensé (non sucré)
evasion [ɪˈveɪʒən] *n* (*of question etc.*) dérobade *f* (***of*** à); (*of tax*) fraude *f* **evasive** [ɪˈveɪzɪv] *adj* évasif(-ive); ***they were ~ about it*** ils ont été évasifs à ce propos; ***to take ~ action*** prendre des mesures pour éviter un obstacle **evasively** [ɪˈveɪzɪvlɪ] *adv* évasivement
eve [iːv] *n* veille *f*; ***on the ~ of*** à la veille de
even [ˈiːvən] **I** *adj* **1.** *surface* plan **2.** (*regular*) régulier(-ière) **3.** *quantities*, *values* égal; ***they are an ~ match*** ils se valent; ***I will get ~ with you for that*** je te revaudrai ça; ***that makes us ~*** *fig* comme ça nous sommes quittes; ***he has an ~ chance of winning*** il a une chance sur deux de gagner; ***to break ~*** rentrer dans ses fonds **4.** *number* pair **II** *adv* **1.** même; ***it'll be difficult, impossible ~*** ce sera difficile, impossible même **2.** (*with comp adj*) encore; ***that's ~ better*** c'est encore mieux **3.** (*with neg*) ***not ~*** même pas; ***without ~ a smile*** sans même un sourire **4.** ***~ if*** même si; ***~ though*** bien que; ***but ~ then*** mais malgré tout; ***~ so*** quand même ◆ **even out I** *v/i* (*prices*) égaliser **II** *v/t sep* ***that should even things out a bit*** ça devrait équilibrer un peu les choses ◆ **even up I** *v/t sep* ***that will even things up*** cela équilibrera les choses **II** *v/i* ***can we ~ later?*** est-ce que l'on peut régler ça plus tard?
even-handed [ˌivnˈhændɪd] *adj* équitable **even-handedly** [ˌivnˈhændɪdlɪ] *adv* équitablement
evening [ˈiːvnɪŋ] *n* soir *m*; ***in the ~*** le soir; ***this / tomorrow / yesterday ~*** ce / demain / hier soir; ***that ~*** ce soir-là; ***on the ~ of the twenty-ninth*** le soir du 29; ***one ~ as I ...*** un soir où je ...; ***every Monday ~*** tous les lundis soir; ***all ~*** toute la soirée **evening class** *n* cours *m* du soir; ***to go to*** *or* ***take ~es*** *or* ***an ~ in French*** suivre des cours du soir de français **evening dress** *n* (*men's*) tenue *f* de soirée; (*women's*) robe *f* du soir **evening gown** *n* robe *f* de soirée **evening paper** *n* journal *m* du soir **evening wear** *n* (*men's*) tenue *f* de soirée; (*women's*) robe *f* du soir
evenly [ˈiːvənlɪ] *adv* de manière égale; *divide* en parts égales; ***the contestants were ~ matched*** les adversaires étaient de même valeur; ***your weight should be ~ balanced (between your two feet)*** votre poids devrait être réparti de manière égale (entre vos deux pieds); ***public opinion seems to be ~ divided*** l'opinion publique semble divisée en deux groupes de même importance **evenness** *n* (*of ground*) uniformité *f*
evensong [ˈiːvənsɒŋ] *n* office *m* du soir
event [ɪˈvent] *n* **1.** (*happening*) événement *m*; ***in the normal course of ~s*** normalement **2.** (*organized function*) manifestation *f*; SPORTS épreuve *f* **3.** ***in the ~ of her death*** au cas où elle décéderait; ***in the ~ of fire*** en cas d'incendie; ***in the unlikely ~ that ...*** dans le cas improbable où ...; ***in any ~ I can't give you my permission*** de toute façon, je ne peux pas vous donner ma permission; ***at all ~s*** en tout cas **eventful** [ɪˈventfʊl] *adj* mouvementé
eventual [ɪˈventʃʊəl] *adj* final; ***he predicted the ~ fall of the government*** il a prédit que le gouvernement finirait par tomber; ***the ~ success of the project is not in doubt*** le projet, sans nul doute, se soldera par un succès; ***he lost***

to the ~ winner il a perdu contre le futur vainqueur **eventuality** [ɪˌventʃʊ'ælɪtɪ] *n* éventualité *f*; ***be ready for any ~*** être paré à toute éventualité **eventually** [ɪ'ventʃʊəlɪ] *adv* finalement; (*one day*) un jour; (*in the long term*) à long terme

eventual ≠ eventuel

Eventual = final :

✓ **The eventual result will not be known until tomorrow.**

✗ **We must allow for eventual delays.**

✓ Le résultat final ne sera connu que demain.

✗ Nous devons prévoir d'éventuels retards.

ever ['evəʳ] *adv* **1.** jamais; ***not ~*** jamais; ***nothing ~ happens*** il ne se passe jamais rien; ***it hardly ~ snows here*** il ne neige presque jamais ici; ***if I ~ catch you doing that again*** si jamais je te reprends à faire ça; ***seldom, if ~*** rarement, pour ne pas dire jamais; ***he's a rascal if ~ there was one*** c'est le dernier des vauriens; ***don't you ~ say that again!*** ne redis jamais ça!; ***have you ~ been to Glasgow?*** est-ce que tu es déjà allé à Glasgow?; ***did you ~ see*** *or* ***have you ~ seen anything so strange?*** avez-vous déjà vu quelque chose d'aussi étrange?; ***more beautiful than ~*** (***before***) plus beau que jamais; ***the first … ~*** le tout premier …; ***I'll never, ~ forgive myself*** jamais au grand jamais je ne me le pardonnerai **2.** ***~ since I was a boy*** depuis mon enfance; ***~ since I have lived here …*** depuis que j'habite ici; ***~ since*** (***then***) depuis (lors); ***for ~*** pour toujours; ***it seemed to go on for ~*** cela a semblé durer éternellement; ***~ increasing power*** une puissance toujours croissante; ***an ~ present feeling*** un sentiment toujours présent; ***all she ~ does is complain*** elle ne fait que se plaindre **3.** ***she's the best grandmother ~*** c'est la meilleure grand-mère du monde; ***what ~ shall we do?*** qu'est-ce qu'on va bien pouvoir faire?; ***why ~ not?*** mais enfin, pourquoi pas? **4.** *infml* ***~ so / such*** *Br* vraiment; ***he's ~ such a nice man*** *Br* c'est vraiment quelqu'un de très gentil; ***I am ~ so sorry*** *Br* je suis vraiment désolé

Everest ['evərest] *n* (***Mount***) **~** (mont *m*) Everest *m*

evergreen ['evəgriːn] **I** *adj* à feuilles persistantes **II** *n tree* arbre *m* à feuilles persistantes; *plant* plante *f* à feuilles persistantes **everlasting** [ˌevə'lɑːstɪŋ] *adj* éternel(le); ***to his ~ shame*** à sa plus grande honte **evermore** [ˌevə'mɔːʳ] *adv liter* toujours; ***for ~*** à tout jamais

every ['evrɪ] *adj* **1.** chaque, tous (toutes) les; ***you must examine ~ one*** il faut que vous les examiniez tous; ***~ man for himself*** chacun pour soi; ***in ~ way*** (*in all respects*) à tous les égards; ***he is ~ bit as clever as his brother*** il est tout aussi intelligent que son frère; ***~ single time I …*** chaque fois que je …; ***~ fifth day, ~ five days*** un jour sur cinq, tous les cinq jours; ***write on ~ other page*** écrivez en sautant une page sur deux; ***one in ~ twenty people*** une personne sur vingt; ***~ so often, ~ once in a while, ~ now and then*** *or* ***again*** de temps en temps; ***his ~ word*** chacun de ses mots **2.** ***I have ~ confidence in him*** j'ai toute confiance en lui; ***I have / there is ~ hope that …*** j'ai / il y a bon espoir que …; ***there was ~ prospect of success*** tout laissait présager un succès

everybody ['evrɪbɒdɪ] *pron* tout le monde; ***~ has finished*** tout le monde a fini; ***it's not ~ who can afford a big house*** tout le monde n'a pas les moyens d'avoir une grande maison

everyday ['evrɪdeɪ] *adj* de tous les jours; ***~ clothes*** des habits de tous les jours; ***to be an ~ occurrence*** arriver tous les jours; ***for ~ use*** pour usage quotidien; ***~ life*** la vie de tous les jours

everyone ['evrɪwʌn] *pron* = **everybody**

everything ['evrɪθɪŋ] *n* tout; ***~ possible*** tout ce qui est possible; ***~ you have*** tout ce que tu as; ***is ~ all right?*** est-ce que tout va bien?; ***money isn't ~*** l'argent ne fait pas tout

everywhere ['evrɪweəʳ] *adv* partout; ***from ~*** de partout; ***~ you look there's a mistake*** où que tu regardes, il y a toujours des erreurs

evict [ɪ'vɪkt] *v/t* expulser, chasser (***from*** de); ***they were ~ed*** ils ont été expulsés

eviction [ɪ'vɪkʃən] *n* expulsion *f* **eviction order** *n* ordre *m* d'expulsion

evidence ['evɪdəns] *n* **1.** preuve *f*; ***there is no ~ that ...*** il n'y a aucune preuve que… **2.** JUR preuves *fpl*; (*object etc.*) preuve *f*; (*testimony*) témoignage *m*; ***we haven't got any ~*** nous n'avons aucune preuve; ***for lack of ~*** faute de preuves; ***all the ~ was against him*** toutes les preuves étaient contre lui; ***to give ~*** témoigner **3.** ***to be in ~*** être en évidence **evident** ['evɪdənt] *adj* évident **evidently** ['evɪdəntlɪ] *adv* (*clearly*) à l'évidence; (*apparently*) apparemment

evil ['iːvl] **I** *n* **1.** mal *m* **2.** (*bad thing or activity*) fléau *m*; ***the lesser / greater of two ~s*** le moindre / pire mal **II** *adj person* malveillant, méchant; *spell* maléfique; *influence* néfaste; *reputation* mauvais; *place* mal famé; ***~ deed*** mauvaise action; ***with ~ intent*** dans une mauvaise intention

evocative [ɪ'vɒkətɪv] *adj* évocateur (-trice); ***to be ~ of sth*** évoquer qc **evoke** [ɪ'vəʊk] *v/t* évoquer; *response* susciter

evolution [ˌiːvə'luːʃən] *n* évolution *f* **evolutionary** [ˌiːvə'luːʃnərɪ] *adj* évolutionniste; ***~ theory*** théorie de l'évolution **evolve** [ɪ'vɒlv] **I** *v/t* élaborer, développer **II** *v/i* évoluer

ewe [juː] *n* brebis *f*

ex [eks] *n infml* ex *m/f infml* **ex-** [eks-] *pref* ex-, ancien(ne); ***~wife*** ex-femme

exacerbate [ek'sæsəbeɪt] *v/t pain* exacerber; *problem*, *situation* aggraver

exact [ɪg'zækt] **I** *adj* exact; ***to be ~ about sth*** être précis au sujet de qc; ***do you have the ~ amount?*** avez-vous la somme exacte?; ***until this ~ moment*** jusqu'à ce moment précis; ***the ~ same thing*** exactement la même chose; ***he's 47 to be ~*** il a 47 ans, pour être précis **II** *v/t form money* extorquer; *payment*, *revenge* exiger **exacting** [ɪg'zæktɪŋ] *adj person*, *task* exigeant; *standards* strict **exactly** [ɪg'zæktlɪ] *adv* exactement; ***I wanted to know ~ where my mother was buried*** je voulais savoir précisément où était enterrée ma mère; ***that's ~ what I was thinking*** c'est exactement ce que je pensais; ***at ~ five o'clock*** à cinq heures précises; ***at ~ 9.43 a. m.*** exactement à 9 h 43; ***at ~ the right time*** pile au bon moment; ***I want to get things ~ right*** je veux faire les choses comme il faut; ***who ~ will be in charge?*** qui exactement sera le responsable?; ***you mean we are stuck?— ~*** tu veux dire que nous sommes coincés? – exactement; ***is she sick?— not ~*** est-ce qu'elle est malade? – pas vraiment; ***not ~*** (*iron hardly*) pas exactement **exactness** [ɪg'zæktnɪs] *n* exactitude *f*

exaggerate [ɪg'zædʒəreɪt] **I** *v/t* **1.** exagérer; ***he ~d what really happened*** il a exagéré ce qui s'est réellement passé **2.** *effect* accentuer **II** *v/i* exagérer **exaggerated** *adj* exagéré **exaggeration** [ɪgˌzædʒə'reɪʃən] *n* exagération *f*; ***it's a bit of an ~*** c'est un peu exagéré

exaltation [ˌegzɔːl'teɪʃən] *n* (*feeling*) exaltation *f* **exalted** [ɪg'zɔːltɪd] *adj position*, *style* élevé *mood* exalté

exam [ɪg'zæm] *n* **I** SCHOOL, UNIV examen *m* **II** (*US medical*) examen *m* médical **examination** [ɪgˌzæmɪ'neɪʃən] *n* **1.** SCHOOL, UNIV *etc.* examen *m*; ***geography ~*** examen de géographie **2.** (*inspection*) examen *m*; (*of machine*, *premises*) inspection *f*; (*of passports*) contrôle *m*; ***the matter is still under ~*** la question est encore à l'étude; ***she underwent a thorough ~*** elle a subi un examen médical approfondi **3.** (JUR, *of witness*) audition *f*; (*of case*, *documents*) examen *m* **examine** [ɪg'zæmɪn] *v/t* **1.** examiner (***for*** à la recherche de); *documents*, *accounts* étudier; *machine*, *luggage* inspecter; *passports* contrôler; ***you need (to have) your head ~d*** *infml* faut te faire soigner *infml* **2.** *student*, *candidate* faire passer un examen à (*in* de, *on* sur) **3.** JUR *witness* entendre **examiner** [ɪg'zæmɪnər] *n* SCHOOL, UNIV examinateur(-trice) *m*(*f*)

example [ɪg'zɑːmpl] *n* exemple *m*; ***for ~*** par exemple; ***to set a good ~*** montrer le bon exemple; ***to follow sb's ~*** suivre l'exemple de qn; ***to take sth as an ~*** prendre qc comme exemple; ***to make an ~ of sb*** punir qn pour l'exemple

exasperate [ɪg'zɑːspəreɪt] *v/t* exaspérer; ***to become*** *or* ***get ~d*** s'irriter (***with*** contre) **exasperating** [ɪg'zɑːspəreɪtɪŋ] *adj*; *person*, *delay* exaspérant; *job* horripilant; ***it's so ~ not to be able to buy a newspaper*** c'est horripilant de ne même pas pouvoir acheter un journal **exasperation** [ɪgˌzɑːspə'reɪʃən] *n* exaspération *f* (***with*** contre)

excavate ['ekskəveɪt] *v/t ground* creuser; ARCHEOL: *site* fouiller; *object* exhumer **excavation** [ˌekskəˈveɪʃən] *n* **1.** ARCHEOL mise *f* au jour; ***~s*** (*site*) fouilles **2.** (*of tunnel etc.*) creusement *m* **excavator** [ˈekskəveɪtəʳ] *n* (*machine*) excavateur *m*, excavatrice *f*

exceed [ɪkˈsiːd] *v/t* **1.** (*in value*, *amount*) dépasser (***by*** de); ***to ~ 5 kilos in weight*** peser plus de cinq kilos; ***a fine not ~ing $500*** une amende ne dépassant pas 500 dollars **2.** (*go beyond*) *expectations*, *limits* dépasser; *powers* outrepasser **exceedingly** [ɪkˈsiːdɪŋlɪ] *adv* (*+adj*, *adv*) excessivement

excel [ɪkˈsel] **I** *v/i* exceller **II** *v/t* ***to ~ oneself*** *often iron* se surpasser **excellence** [ˈeksələns] *n* excellence *f*; ***academic ~*** excellence de l'enseignement **Excellency** [ˈeksələnsɪ] *n* ***Your / His ~*** Votre / Son Excellence

excellent [ˈeksələnt] *adj* excellent **excellently** [ˈeksələntlɪ] *adv* superbement

except [ɪkˈsept] **I** *prep* à part, excepté; ***what can they do ~ wait?*** que peuvent-ils faire à part attendre?; ***~ for*** à l'exception de; ***~ that …*** excepté que…; ***~ for the fact that*** si ce n'est le fait que…; ***~ if*** sauf si; ***~ when*** sauf quand **II** *cj* (*only*) seulement, mais **III** *v/t* excepter **excepting** [ɪkˈseptɪŋ] *prep* excepté, sauf; ***not ~ X*** y compris X

exception [ɪkˈsepʃən] *n* **1.** exception *f*; ***to make an ~*** faire une exception; ***with the ~ of*** à l'exception de; ***this case is an ~ to the rule*** ce cas est une exception à la règle; ***the ~ proves the rule*** *prov* l'exception confirme la règle *prov*; ***sb / sth is no ~*** cela concerne aussi qn / qc **2.** ***to take ~ to sth*** s'offenser de qc **exceptional** [ɪkˈsepʃənl] *adj* exceptionnel(le); ***of ~ quality*** d'une qualité exceptionnelle; ***~ case*** cas exceptionnel; ***in ~ cases*** dans des cas exceptionnels; ***in*** *or* ***under ~ circumstances*** dans des circonstances exceptionnelles **exceptionally** [ɪkˈsepʃənəlɪ] *adv* exceptionnellement

excerpt [ˈeksɜːpt] *n* extrait *m*

excess [ɪkˈses] **I** *n* **1.** excès *m* (***of*** de); ***to drink to ~*** boire à l'excès; ***he does everything to ~*** il est excessif en tout; ***to be in ~ of*** dépasser; ***a figure in ~ of …*** un chiffre au-dessus de… **2. excesses** *pl* excès *mpl*; (*drinking, sex etc.*) abus *m* **3.** (*amount left over*) surplus *m* **II** *adj* en trop, excédentaire; ***remove ~ fat*** dégraisser **excess baggage** *n* excédent *m* de bagages **excessive** [ɪkˈsesɪv] *adj*; *price*, *profits*, *speed*, *demands* excessif(-ive); ***~ amounts of*** quantités excessives de; ***~ drinking*** excès de boisson **excessively** [ɪkˈsesɪvlɪ] *adv* (*+vb*) à l'excès; (*+adj*) excessivement **excess weight** *n* surpoids *m*

exchange [ɪksˈtʃeɪndʒ] **I** *v/t* *books*, *glances*, *seats*, *information* échanger; *foreign currency* changer (***for*** contre); ***to ~ words*** se disputer; ***to ~ letters*** échanger des lettres; ***to ~ greetings*** se saluer; ***to ~ insults*** s'insulter; ***to ~ one thing for another*** échanger une chose contre une autre **II** *n* **1.** (*of prisoners*, *views*, *one bought item for another*) échange *m*; ***in ~*** en échange; ***in ~ for money*** pour de l'argent; ***in ~ for lending me your car*** pour te remercier de m'avoir prêté ta voiture **2.** ST EX Bourse *f* **3.** (***telephone***) ~ central *m* téléphonique **exchange rate** *n* taux *m* de change **Exchange Rate Mechanism** *n* FIN mécanisme *m* de change (du SME) **exchange student** *n* étudiant(e) *m(f)* (*qui participe à un échange avec l'étranger*)

exchequer [ɪksˈtʃekəʳ] *n Br* ministère *m* des Finances

excise tax *n US*, **excise duties** [ˈeksaɪz-] *pl Br* contributions *fpl* indirectes

excitable [ɪkˈsaɪtəbl] *adj* excitable **excite** [ɪkˈsaɪt] *v/t* **1.** exciter; (*rouse enthusiasm in*) enthousiasmer; ***the whole village was ~d by the news*** la nouvelle avait rempli d'enthousiasme tous les villageois **2.** *passion*, *desire*, *interest*, *curiosity* susciter

excited [ɪkˈsaɪtɪd] *adj*; (*agitated*) excité; (*enthusiastic*) enthousiaste; ***to be ~ that…*** être excité à l'idée que…; ***to be ~ about sth*** être excité par qc; (*looking forward*) être excité à l'idée de qc; ***to become*** *or* ***get ~*** (***about sth***) s'emballer (à l'idée de qc); ***to get ~*** (*sexually*) être excité; ***it was nothing to get ~ about*** ça n'avait rien d'excitant **excitedly** [ɪkˈsaɪtɪdlɪ] *adv* avec excitation **excitement** *n* excitation *f*, agitation *f*; ***there was great ~ when …*** il y a eu une grande effervescence quand…; ***what's all the ~ about?*** qu'est-ce que c'est que toute cette agitation?; ***his novel has caused great ~*** son roman a fait sensation

exciting [ɪk'saɪtɪŋ] *adj* passionnant; *player* sensationnel(le); *prospect* enthousiasmant; (*full of suspense*) palpitant

excl 1. *abbr* = **excluding 2.** *abbr* = **exclusive** non compris

exclaim [ɪk'skleɪm] **I** *v/i* ***he ~ed in surprise when he saw it*** quand il l'a vu, il a poussé un cri de surprise **II** *v/t* s'écrier

exclamation [ˌekskləˈmeɪʃən] *n* exclamation *f* **exclamation point**, *Br* **exclamation mark** *n* point *m* d'exclamation

exclude [ɪk'skluːd] *v/t* exclure; ***to ~ sb from the team*** exclure qn de l'équipe; ***to ~ a child from school*** exclure un enfant de l'école; ***to ~ sb from doing sth*** empêcher qn de faire qc; ***$200 excluding taxes*** 200 dollars hors taxes; ***everything excluding the house*** tout sauf la maison **exclusion** [ɪk'skluːʒən] *n* exclusion *f* (***from*** de); ***she thought about her job to the ~ of everything else*** elle pensait à son travail à l'exclusion de toute autre chose **exclusive** [ɪk'skluːsɪv] **I** *adj* **1.** *use* exclusif(-ive); ***~ interview*** interview exclusive; ***~ offer*** offre exclusive; ***~ rights to sth*** les droits exclusifs à qc; PRESS l'exclusivité de qc **2.** (*not inclusive*) ***they are mutually ~*** ils s'excluent mutuellement **II** *n* (PRESS *story*) exclusivité *f*; (*interview*) interview *f* exclusive **exclusively** [ɪk'skluːsɪvlɪ] *adv* exclusivement; PRESS en exclusivité

excommunicate [ˌekskəˈmjuːnɪkeɪt] *v/t* excommunier

excrement ['ekskrɪmənt] *n* excréments *mpl* **excrete** [ɪk'skriːt] *v/t* excréter

excruciating [ɪk'skruːʃɪeɪtɪŋ] *adj sight*, *experience* atroce; ***I was in ~ pain*** je souffrais atrocement

excursion [ɪk'skɜːʃən] *n* excursion *f*; ***to go on an ~*** faire une excursion

excusable [ɪk'skjuːzəbl] *adj* excusable

excuse [ɪk'skjuːz] **I** *v/t* **1.** (*seek to justify*) excuser; ***he ~d himself for being late*** il s'est excusé d'être en retard **2.** (*pardon*) ***to ~ sb*** excuser qn; ***to ~ sb for having done sth*** excuser qn d'avoir fait qc; ***~ me for interrupting*** excusez-moi de vous interrompre; ***~ me!*** excusez-moi!; (*indignant*) pardon? **3.** ***to ~ sb from (doing) sth*** dispenser qn de (faire) qc; ***you are ~d*** (*to children*) vous pouvez sortir de table; ***can I be ~d?*** est-ce que je peux aller aux toilettes?; ***and now if you will ~ me I have work to do*** et maintenant, si vous voulez bien m'excuser, j'ai du travail **II** *n* **1.** (*justification*) excuse *f*; ***they had no ~ for attacking him*** ils n'avaient aucune raison de l'attaquer; ***to give sth as an ~*** donner qc comme excuse **2.** (*pretext*) excuse *f*, prétexte *m*; ***to make ~s for sb / sth*** trouver des excuses à qn / qc; ***I have a good ~ for not going*** j'ai une bonne excuse pour ne pas y aller; ***he's only making ~s*** c'est juste un prétexte (qu'il a trouvé); ***a good ~ for a party*** un bon prétexte pour faire la fête

ex-directory [ˌeksdaɪ'rektərɪ] *adj Br* ***to be ~*** être sur liste rouge

executable ['eksɪkjuːtəbl] *adj* ***~ file*** IT fichier exécutable **execute** ['eksɪkjuːt] *v/t* **1.** *order*, *movement*, *criminal* exécuter **2.** IT exécuter **execution** [ˌeksɪ'kjuːʃən] *n* exécution *f*; ***in the ~ of his duties*** dans l'exercice de ses fonctions **executioner** [ˌeksɪ'kjuːʃnə^r] *n* bourreau *m*

executive [ɪg'zekjʊtɪv] **I** *n* **1.** (*person*) cadre *m*; ***senior ~*** cadre supérieur **2.** COMM, POL bureau *m*; ***to be on the ~*** faire partie du bureau **3.** ***the ~*** (POL, *part of government*) l'exécutif *m* **II** *adj* **1.** *position* exécutif(-ive); ***~ power*** pouvoir exécutif; ***~ decision*** décision importante **2.** (*luxury*) de luxe **executive board** *n* directoire *m*, conseil *m* d'administration **executive committee** *n* comité *m* exécutif **executor** [ɪg'zekjʊtə^r] *n* (*of will*) exécuteur(-trice) *m*(*f*) testamentaire

exemplary [ɪg'zemplərɪ] *adj* exemplaire (***in sth*** en matière de qc) **exemplify** [ɪg'zemplɪfaɪ] *v/t* illustrer

exempt [ɪg'zempt] **I** *adj* exempté, dispensé (***from*** de); ***diplomats are ~*** les diplomates en sont exemptés **II** *v/t person* exempter; ***to ~ sb from doing sth*** dispenser qn de faire qc; ***to ~ sth from a ban*** exempter qc d'une interdiction **exemption** [ɪg'zempʃən] *n* exemption *f*; ***~ from taxes*** exonération fiscale

exercise ['eksəsaɪz] **I** *n* **1.** exercice *m*; ***to do one's ~s in the morning*** faire ses exercices le matin; ***to go on ~s*** MIL aller à l'exercice **2.** *no pl* (*physical*) exercice *m*; ***physical ~*** exercice physique **3.** ***it was a pointless ~*** ça n'a servi à rien; ***it was a useful ~ in public relations*** ça a été une opération utile du point des relations publiques **II** *v/t body, mind* faire travailler; *power, right* exercer **III** *v/i* ***if you ~ regularly ...*** si vous faites régulièrement de l'exercice...; ***you don't ~ enough*** vous ne faites pas assez d'exercice **exercise bike** *n* vélo *m* d'appartement **exercise book** *n* cahier *m* d'exercices

exert [ɪg'zɜːt] **I** *v/t pressure, power, force* exercer (***on*** sur) **II** *v/r* se donner du mal **exertion** [ɪg'zɜːʃən] *n* (*effort*) effort *m*; ***rowing requires strenuous physical ~*** l'aviron demande un effort physique considérable; ***after the day's ~s*** après les efforts de la journée

exhale [eks'heɪl] *v/i* expirer

exhaust [ɪg'zɔːst] **I** *v/t* épuiser; ***we have ~ed the subject*** nous avons épuisé le sujet **II** *n* (*esp Br* AUTO: *fumes*) gaz *mpl* d'échappement; (*pipe*) pot *m* d'échappement **exhausted** *adj* épuisé; ***she was ~ from digging the garden*** elle était épuisée d'avoir bêché le jardin; ***his patience was ~*** sa patience était à bout **exhaust fumes** *pl* gaz *mpl* d'échappement **exhausting** [ɪg'zɔːstɪŋ] *adj* épuisant **exhaustion** [ɪg'zɔːstʃən] *n* épuisement *m* **exhaustive** [ɪg'zɔːstɪv] *adj list* exhaustif(-ive); *search* approfondi **exhaust pipe** *n* pot *m* d'échappement

exhibit [ɪg'zɪbɪt] **I** *v/t* **1.** *paintings etc.* exposer **2.** *skill* faire preuve de **II** *v/i* exposer **III** *n* **1.** (*part of exhibition*) objet *m* exposé **2.** (*US exhibition*) exposition *f* **3.** JUR pièce *f* à conviction

exhibition [ˌeksɪ'bɪʃən] *n* **1.** (*of paintings etc.*) exposition *f* **2.** ***to make an ~ of oneself*** se donner en spectacle **exhibition center**, *Br* **exhibition centre** *n* centre *m* d'expositions **exhibitionist** [ˌeksɪ'bɪʃənɪst] *n* exhibitionniste *m/f* **exhibitor** [ɪg'zɪbɪtəʳ] *n* exposant(e) *m(f)*

exhilarated [ɪg'zɪləreɪtɪd] *adj* exalté ***to feel ~*** être euphorique **exhilarating** *adj experience* exaltant; *feeling* grisant **exhilaration** [ɪgˌzɪlə'reɪʃən] *n* euphorie *f*

exhort [ɪg'zɔːt] *v/t* exhorter

exhume [eks'hjuːm] *v/t* exhumer

exile ['eksaɪl] **I** *n* **1.** (*person*) exilé(e) *m(f)* **2.** (*banishment*) exil *m*; ***to go into ~*** partir en exil; ***in ~*** en exil **II** *v/t* exiler (***from*** de)

exist [ɪg'zɪst] *v/i* exister; ***it doesn't ~*** ça n'existe pas; ***doubts still ~*** des doutes subsistent; ***the understanding which ~s between the two countries*** l'accord qui existe entre les deux pays; ***the possibility ~s that ...*** il y a une possibilité que...; ***she ~s on very little*** elle vit avec très peu

existence [ɪg'zɪstəns] *n* **1.** existence *f*; ***to be in ~*** exister; ***to come into ~*** être créé, naître; ***the only one in ~*** le seul qui existe **2.** (*life*) existence *f*; ***means of ~*** ressources **existent** *adj* existant **existentialism** [ˌegzɪs'tenʃəlɪzəm] *n* existentialisme *m* **existing** [ɪg'zɪstɪŋ] *adj* existant; *circumstances* actuel(le)

exit ['eksɪt] **I** *n* **1.** (*from stage*) sortie *f*; (*from competition*) retrait *m*; ***to make an / one's ~*** (*from stage*) faire sa sortie; (*from room*) sortir **2.** (*way out, for vehicles*) sortie *f* **II** *v/i* sortir **III** *v/t* sortir de **exit poll** *n sondage effectué auprès des électeurs à la sortie des bureaux de vote* **exit visa** *n* visa *m* de sortie

exodus ['eksədəs] *n* (*from country*), *also fig* exode *m*; BIBLE Exode *m*; ***general ~*** exode massif

exonerate [ɪg'zɒnəreɪt] *v/t* disculper (***from*** de)

exorbitant [ɪg'zɔːbɪtənt] *adj* exorbitant **exorbitantly** [ɪg'zɔːbɪtəntlɪ] *adv* excessivement, démesurément; ***~ priced*** *or* ***expensive*** excessivement cher

exorcism ['eksɔːsɪzəm] *n* exorcisme *m* **exorcize** ['eksɔːsaɪz] *v/t* exorciser

exotic [ɪg'zɒtɪk] *adj* exotique; ***~ dancer*** (*male*) strip-teaseur; (*female*) strip-teaseuse; ***~ vacation*** (*US*) *or* ***holiday*** *Br* vacances exotiques

expand [ɪk'spænd] **I** *v/t* agrandir; *business, production* développer; *knowledge* élargir **II** *v/i* CHEM, PHYS se dilater; (*business, economy, trade*) se développer; (*knowledge, horizons*) s'élargir; (*production*) augmenter; ***we want to ~*** nous voulons nous agrandir; ***the market is ~ing*** le marché est en expansion

◆ **expand (up)on** *v/t subject* développer

expanse [ɪk'spæns] *n* (*of ocean etc.*) étendue *f*; ***a vast ~ of grass*** une vaste étendue de pelouse; ***an ~ of woodland*** une zone boisée **expansion** [ɪk'spænʃən] *n* (*of business, trade*) développement *m*; (*of production*) augmentation *f*; (*territorial, economic*) expansion *f* **expansion board** *n* IT carte *f*

d'extension **expansion card** *n* IT carte *f* d'extension **expansion slot** *n* IT emplacement *m* pour carte d'extension
expansive [ɪk'spænsɪv] *adj person* expansif(-ive); ***to be in an ~ mood*** être d'humeur bavarde
expat ['eksˌpæt] *n*, *adj* = **expatriate expatriate** [eks'pætrɪət] **I** *n* expatrié(e) *m(f)*; ***American ~s*** expatriés américains **II** *adj* expatrié; ***~ community*** communauté d'expatriés
expect [ɪk'spekt] **I** *v/t* **1.** *esp sth bad* s'attendre à; ***that was to be ~ed*** il fallait s'y attendre; ***I know what to ~*** je sais à quoi m'attendre; ***I ~ed as much*** je m'y attendais; ***he failed as*** (***we had***) ***~ed*** comme on s'y attendait, il a échoué; ***to ~ to do sth*** espérer faire qc; ***it is hardly to be ~ed that …*** il y a peu de chances que…; ***the talks are ~ed to last two days*** les négociations sont censées durer deux jours; ***she is ~ed to resign tomorrow*** elle doit donner sa démission demain; ***you can't ~ me to agree to that!*** tu ne t'attends tout de même pas à ce que j'accepte ça!; ***to ~ sth of*** *or* ***from sb*** attendre qc de qn; ***to ~ sb to do sth*** s'attendre à ce que qn fasse qc; ***what do you ~ me to do about it?*** qu'attendez-vous de moi à ce sujet?; ***are we ~ed to tip the waiter?*** sommes-nous censés laisser un pourboire au serveur?; ***I will be ~ing you tomorrow*** je t'attends demain; ***we'll ~ you when we see you*** *infml* bon, vous rentrerez quand vous rentrerez **2.** (*suppose*) penser, supposer; ***yes, I ~ so*** je pense que oui; ***no, I ~ not*** non, je ne pense pas; ***I ~ it will rain*** je crois qu'il va pleuvoir; ***I ~ you're tired*** vous devez être fatigués; ***I ~ he turned it down*** je suppose qu'il a refusé **II** *v/i* ***she's ~ing*** elle est enceinte, elle attend un bébé **expectancy** [ɪk'spektənsɪ] *n* attente *f* **expectant** [ɪk'spektənt] *adj* (*eagerly waiting*) impatient **expectantly** [ɪk'spektəntlɪ] *adv* avec l'air d'attendre quelque chose; *wait* impatiemment **expectation** [ˌekspek'teɪʃən] *n* attente *f*, espérance *f*; ***against all ~(s)*** contre toute attente; ***to exceed all ~(s)*** dépasser toutes les espérances **expected** *adj* attendu
expedient [ɪk'spiːdɪənt] *adj* (*politic*) opportun; (*advisable*) indiqué
expedite ['ekspɪdaɪt] *v/t* accélérer
expedition [ˌekspɪ'dɪʃən] *n* expédition *f*; ***shopping ~*** expédition dans les magasins; ***to go on an ~*** partir en expédition; ***to go on a shopping ~*** aller faire des courses
expel [ɪk'spel] *v/t* **1.** (*officially*, *from country*) expulser (***from*** de); (*from school*) renvoyer (***from*** de) **2.** *gas*, *liquid* expulser
expend [ɪk'spend] *v/t* consacrer (*on* à, *on doing sth* à faire qc) **expendable** [ɪk'spendəbl] *adj form* pas indispensable **expenditure** [ɪk'spendɪtʃə^r] *n* (*money spent*) dépenses *fpl* **expense** [ɪk'spens] *n* **1.** dépense *f*; ***at my ~*** à mes frais; ***at great ~*** à grands frais; ***they went to the ~ of installing a lift*** ils ont dépensé de l'argent pour faire installer un ascenseur; ***at sb's ~, at the ~ of sb*** aux dépens de qn **2.** (COMM, *usu pl*) frais *mpl* **expense account** *n* frais *mpl* de représentation **expenses-paid** *adj* ***an all-~ vacation*** des vacances tous frais payés
expensive [ɪk'spensɪv] *adj* cher(chère); ***they were too ~ for most people*** ils étaient trop chers pour la plupart des gens **expensively** [ɪk'spensɪvlɪ] *adv* à grands frais
experience [ɪk'spɪərɪəns] **I** *n* **1.** expérience *f*; ***to know sth from ~*** savoir qc par expérience; ***to speak from ~*** parler en connaissance de cause; ***he has no ~ of living in the country*** il n'a aucune expérience de la vie à la campagne; ***I gained a lot of useful ~*** j'ai acquis une grande expérience qui me sera utile; ***have you had any ~ of driving a bus?*** avez-vous déjà conduit un bus?; ***~ in a job/in business*** expérience d'un travail/des affaires; ***to have a lot of teaching ~*** avoir une grande expérience de l'enseignement; ***he is working in a factory to gain ~*** il travaille dans une usine pour acquérir de l'expérience **2.** (*event experienced*) expérience *f*; ***I had a nasty ~*** j'ai eu une mauvaise expérience; ***it was a new ~ for me*** c'était une expérience nouvelle pour moi **II** *v/t* **1.** *pain* éprouver; *hunger*, *difficult times* connaître; *problems* avoir **2.** (*feel*) ressentir **experienced** *adj* expérimenté; ***we need someone more ~*** nous avons besoin d'une personne plus expérimentée; ***to be ~ in sth*** avoir de l'expérience en qc
experiment [ɪk'sperɪmənt] **I** *n* expérien-

ce *f*; ***to do an ~*** faire une expérience; ***as an ~*** à titre d'expérience **II** *v/i* faire des expériences (***on*** sur) ***to ~ with sth*** expérimenter qc **experimental** [ɪkˌsperɪ'mentl] *adj* expérimental; ***to be at an*** *or* ***in the ~ stage*** en être à la phase expérimentale **experimentation** [ɪkˌsperɪmen'teɪʃən] *n* expérimentation *f*

expert ['ekspɜːt] **I** *n a.* JUR expert(e) *m(f)*; ***he is an ~ on the subject*** c'est un expert en la matière **II** *adj* **1.** *driver etc.* expert; ***to be ~ at doing sth*** savoir parfaitement faire qc **2.** *advice, help* d'expert; ***an ~ opinion*** une opinion d'expert **expertise** [ˌekspə'tiːz] *n* compétence *f* (***in*** en) **expertly** ['ekspɜːtlɪ] *adv* de manière experte **expert witness** *n* expert(e) *m(f)* cité(e) comme témoin

expire [ɪk'spaɪər] *v/i* (*lease etc.*) expirer **expiry** [ɪk'spaɪərɪ] *n* expiration *f*; ***~ date*** date d'expiration

explain [ɪk'spleɪn] **I** *v/t* expliquer (***to sb*** à qn); ***that is easy to ~, that is easily ~ed*** cela s'explique facilement; ***he wanted to see me but wouldn't ~ why*** il voulait me voir mais ne voulait pas dire pourquoi **II** *v/r* s'expliquer; ***~ yourself!*** explique-toi! **III** *v/i* expliquer; ***please ~*** peux-tu m'expliquer? ◆ **explain away** *v/t sep* justifier

> **explain**
>
> On ne dit pas **explain me the problem**, mais **explain the problem to me**.

explanation [ˌeksplə'neɪʃən] *n* explication *f*; ***it needs some ~*** ça nécessite une explication **explanatory** [ɪk'splænətərɪ] *adj* explicatif(-ive)

expletive [ɪk'spliːtɪv] *n* juron *m*

explicit [ɪk'splɪsɪt] *adj statement, description, reference* explicite; ***sexually ~*** sexuellement explicite **explicitly** [ɪk'splɪsɪtlɪ] *adv state, forbid, mention* explicitement

explode [ɪk'spləʊd] **I** *v/i* exploser; ***to ~ with anger*** exploser de colère **II** *v/t* **1.** faire exploser **2.** *fig theory* faire voler en éclats

exploit ['eksplɔɪt] **I** *n* (*heroic*) exploit *m* **II** *v/t workers, friend, weakness, resources* exploiter **exploitation** [ˌeksplɔɪ'teɪʃən] *n* (*of workers, friend, weakness*) exploitation *m*

exploration [ˌeksplɔː'reɪʃən] *n* (*of country, area, town*) exploration *f* **exploratory** [ɪk'splɒrətərɪ] *adj* d'exploration; ***~ talks*** discussions exploratoires; ***~ trip / expedition*** voyage / expédition d'exploration; ***an ~ operation*** MED une chirurgie exploratoire **explore** [ɪk'splɔːr] **I** *v/t country, unknown territory, options* explorer; *question, prospects* examiner; MED explorer **II** *v/i* ***to go exploring*** partir en exploration; ***he went off into the village to ~*** il est parti explorer le village **explorer** [ɪk'splɔːrər] *n* explorateur(-trice) *m(f)*

explosion [ɪk'spləʊʒən] *n* explosion *f* **explosive** [ɪk'spləʊzɪv] **I** *n* explosif *m* **II** *adj* explosif(-ive); ***~ device*** engin explosif; ***~ charge*** charge explosive

exponent [ɪk'spəʊnənt] *n* (*of theory*) défenseur *m*

export [ɪk'spɔːt] **I** *v/t & v/i* exporter **II** *n* exportation *f* **III** *adj attr* d'exportation **export duty** ['ekspɔːt-] *n* droits *mpl* d'exportation **exporter** [ɪk'spɔːtər] *n* exportateur(-trice) *m(f)* (***of*** de) **export license**, *Br* **export licence** *n* permis *m* d'exportation **export trade** *n* commerce *m* d'exportation

expose [ɪk'spəʊz] *v/t* **1.** *rocks* découvrir; *wire* dénuder **2.** (*to danger etc.*) exposer (***to*** à) **3.** *one's ignorance* montrer; ***to ~ oneself*** (*indecently*) s'exhiber **4.** *abuse, scandal, plot* dévoiler; *person* démasquer **5.** PHOT exposer **exposed** *adj position, part of body* exposé; *wiring* à nu; *fig* vulnérable; ***to feel ~*** se sentir vulnérable; ***to be ~ to sth*** (*person*) être exposé à qc **exposure** [ɪk'spəʊʒər] *n* **1.** (*to sunlight, air*) exposition *f* (***to*** à); ***to be suffering from ~*** MED souffrir des effets d'une exposition au froid; ***to die of ~*** MED mourir de froid **2.** (*of person*) dénonciation *f*; (*of crime*) révélation *f* **3.** PHOT pose *f* **4.** MEDIA couverture *f*

expound [ɪk'spaʊnd] *v/t theory* exposer

express [ɪk'spres] **I** *v/t* exprimer; ***to ~ oneself*** s'exprimer; ***if I may ~ my opinion*** si je puis donner mon opinion; ***the feeling which is ~ed here*** le sentiment exprimé ici **II** *adj* **1.** *order, permission, purpose* exprès(-esse) **2.** ***by ~ mail*** par courrier exprès; ***~ service*** ≈ Chronopost **III** *adv* ***to send a letter ~*** envoyer une lettre par exprès **IV** *n* (*train, bus*)

express *m* **express delivery** *n* livraison *f* exprès
expression [ɪk'spreʃən] *n* expression *f*; ***as an ~ of our gratitude*** en témoignage de notre reconnaissance; ***to give ~ to sth*** exprimer qc **expressionism** [ɪk'spreʃənɪzəm] *n* expressionnisme *m* **expressionist** [ɪk'spreʃənɪst] **I** *n* expressionniste *m/f* **II** *adj* expressionniste **expressionless** *adj* sans expression **expressive** [ɪk'spresɪv] *adj* expressif (-ive) **expressly** [ɪk'spreslɪ] *adv* **1.** *forbid*, *state* expressément **2.** ***he did it ~ to annoy me*** il l'a fait exprès pour m'ennuyer
express train *n* (train *m*) express *m* **expressway** *n* autoroute *f*
expropriate [eks'prəʊprɪeɪt] *v/t* exproprier
expulsion [ɪk'spʌlʃən] *n* (*from a country*) expulsion *f* (***from*** de); (*from school*) renvoi *m*
exquisite [ɪk'skwɪzɪt] *adj food*, *features*, *view* exquis **exquisitely** [ɪk'skwɪzɪtlɪ] *adv dress*, *crafted* avec raffinement
ex-serviceman [eks'sɜːvɪsmən] *n* ⟨*pl* **-men**⟩ retraité *m* de l'armée **ex-servicewoman** [eks'sɜːvɪswʊmən] *n* ⟨*pl* **-women**⟩ retraitée *f* de l'armée
ext *abbr* = **extension** poste *m*
extend [ɪk'stend] **I** *v/t* **1.** *arms* allonger **2.** *visit*, *deadline* prolonger **3.** *powers* accroître, étendre; *house* agrandir; *property* accroître; ***to ~ one's lead*** augmenter son avance **4.** *hospitality* offrir; *invitation* faire; *thanks etc.* présenter (***to sb*** à); ***to ~ a welcome to sb*** souhaiter la bienvenue à qn **II** *v/i* (*wall*, *garden*) s'étendre (***to, as far as*** jusqu'à); (*ladder*) se déplier; (*meetings etc.*) se prolonger **extended family** [ɪk'stendɪd-] *n* famille *f* élargie **extended memory** *n* IT mémoire *f* étendue **extension** [ɪk'stenʃən] *n* **1.** prolongation *f*; (*of house*) agrandissement *m* **2.** TEL poste *m*; ***~ 3714*** poste 3714 **extension cable** *n* rallonge *f* **extension lead** *n* rallonge *f* **extensive** [ɪk'stensɪv] *adj area*, *plans*, *experience*, *collection* vaste; *tour* grand; *powers*, *burns* étendu; *research* approfondi; *damage*, *repairs* important; *network*, *knowledge* vaste, étendu; ***the facilities available are very ~*** les moyens à notre disposition sont considérables; ***we had fairly ~ discussions*** nous avons eu des discussions assez approfondies **extensively** [ɪk'stensɪvlɪ] *adv travel*, *write*, *use* beaucoup; *research*, *report*, *discuss* de façon approfondie; *alter* considérablement; ***the clubhouse was ~ damaged*** le pavillon a été considérablement endommagé; ***this edition has been ~ revised*** cette édition a été revue en profondeur
extent [ɪk'stent] *n* **1.** (*length*) longueur *f*; (*size*) étendue *f* **2.** (*of knowledge*, *power*) étendue *f*; (*of damage*, *alterations*) ampleur *f* **3.** (*degree*) degré *m*; ***to some ~, to a certain ~*** jusqu'à un certain point, dans une certaine mesure; ***to what ~*** dans quelle mesure; ***to a large / lesser ~*** dans une large / moindre mesure; ***to such an ~ that …*** à tel point que…
extenuate [ɪk'stenjʊeɪt] *v/t* atténuer **extenuating circumstances** circonstances atténuantes
exterior [ɪk'stɪərɪəʳ] **I** *n* extérieur *m*; ***on the ~*** à l'extérieur **II** *adj* extérieur; ***~ wall*** mur extérieur; ***~ paintwork*** peinture extérieure
exterminate [ɪk'stɜːmɪneɪt] *v/t* exterminer **extermination** [ɪkˌstɜːmɪ'neɪʃən] *n* extermination *f*
external [ek'stɜːnl] *adj* **1.** extérieur; ***the ~ walls of the house*** murs extérieurs de la maison; ***~ appearance*** apparence extérieure; ***for ~ use*** PHARM à usage externe; ***~ call*** TEL appel externe **2.** *affairs*, *policy* extérieur **3.** *examiner* externe **external borders** *pl* (*of country*) frontières *fpl* extérieures **externalize** [ek'stɜːnəlaɪz] *v/t* extérioriser **externally** [ek'stɜːnəlɪ] *adv* **1.** *use* de manière externe; ***he remained ~ calm*** il est resté calme en apparence **2.** POL à l'extérieur **external trade** *n* commerce *m* extérieur
extinct [ɪk'stɪŋkt] *adj a. fig* disparu; *volcano* éteint; ***to become ~*** disparaître **extinction** [ɪk'stɪŋkʃən] *n* extinction *f*; ***this animal was hunted to ~*** cet animal a été chassé jusqu'à extinction de l'espèce
extinguish [ɪk'stɪŋgwɪʃ] *v/t fire*, *cigarette*, *light* éteindre **extinguisher** [ɪk'stɪŋgwɪʃəʳ] *n* extincteur *m*
extol [ɪk'stəʊl] *v/t* faire l'éloge de
extort [ɪk'stɔːt] *v/t money* extorquer (***from*** à) **extortion** [ɪk'stɔːʃən] *n* (*of money*) extorsion *f*; ***this is sheer ~!*** *infml* c'est tout simplement du vol! **ex-**

tortionate [ɪk'stɔːʃənɪt] *adj rate*, *rent*, *bill* exorbitant; **~ *prices*** prix exorbitants **extortionist** [ɪk'stɔːʃənɪst] *n* (*blackmailer*) maître chanteur *m*; (*profiteer*) escroc *m*

extra ['ekstrə] **I** *adj* supplémentaire; ***we need an ~ chair*** il nous faut une chaise supplémentaire; ***to work ~ hours*** faire des heures en plus; ***to make an ~ effort*** faire un effort supplémentaire; **~ *troops were called in*** on a fait venir des renforts; ***take ~ care!*** fais très attention!; ***an ~ $30 a week*** 30 dollars de plus par semaine; ***send 75c ~ for postage and packing*** envoyez un supplément de 75 cents pour les frais de port et d'emballage; ***there is no ~ charge for breakfast*** il n'y a pas de supplément pour le petit déjeuner; ***available at no ~ cost*** disponible sans frais supplémentaires **II** *adv* **1.** *pay*, *cost* en supplément; ***breakfast costs ~*** le petit déjeuner est en supplément; ***post and packing ~*** frais de port et d'emballage en supplément **2.** (*especially*) particulièrement **III** *n* **1. extras** *pl* (*extra expenses*) suppléments *mpl*; (*for car*, *machine*) accessoires *mpl* en option **2.** FILM, THEAT figurant(e) *m*(*f*) **extra-** *pref* **1.** (*outside*) extra- **2.** (*especially*) très; ***~large** eggs* très gros; *T-shirt* XL

extract [ɪk'strækt] **I** *v/t* **1.** *cork etc.* enlever (***from*** de); *juice*, *oil*, *DNA*, *bullet* extraire (***from*** de); *tooth* arracher **2.** *fig information* arracher, soutirer **II** *n* **1.** (*from book etc.*) extrait *m* **2.** MED extrait *m*; COOK concentré *m* **extraction** [ɪk'strækʃən] *n* **1.** extraction *f*; ***he had to have an ~*** il a fallu lui arracher une dent **2.** (*descent*) origine *f* **extractor** [ɪk'stræktəʳ] *n* (*for juice*) presse-fruits *m inv* **extractor fan** *n* extracteur *m* d'air, ventilateur *m*

extracurricular ['ekstrəkə'rɪkjʊləʳ] *adj* parascolaire; ***~ activity*** *esp hum* fredaines *hum*

extradite ['ekstrədaɪt] *v/t* extrader **extradition** [ˌekstrə'dɪʃən] *n* extradition *f*

extramarital ['ekstrə'mærɪtl] *adj* extraconjugal

extraneous [ɪk'streɪnɪəs] *adj form* sans rapport (avec le sujet)

extraordinarily [ɪk'strɔːdnrɪlɪ] *adv* extraordinairement; *high*, *good etc.* incroyablement

extraordinary [ɪk'strɔːdnrɪ] *adj* **1.** *person*, *career*, *courage* extraordinaire; *behavior*, *appearance* bizarre; *tale*, *adventure* incroyable; ***it's ~ to think that …*** c'est incroyable de penser que…; ***what an ~ thing to say!*** c'est surprenant!; ***it's ~ how much he resembles his brother*** c'est incroyable comme il ressemble à son frère **2.** (*Br form*) *measure* extraordinaire; **~ *meeting*** assemblée extraordinaire **extraordinary general meeting** *n* assemblée *f* générale extraordinaire

extrapolate [ek'stræpəleɪt] *v/t & v/i* extrapoler (***from*** à partir de)

extrasensory ['ekstrə'sensərɪ] *adj* extrasensoriel(le); **~ *perception*** perception extrasensorielle

extra-special ['ekstrə'speʃəl] *adj* particulier; ***to take ~ care over sth*** faire particulièrement attention à qc

extraterrestrial ['ekstrətɪ'restrɪəl] **I** *adj* extraterrestre **II** *n* extraterrestre *m/f*

extra time *n* SPORTS prolongations *fpl*; ***we had to play ~*** nous avons dû jouer les prolongations

extravagance [ɪk'strævəgəns] *n* prodigalité *f*; (*wastefulness*) gaspillage *m*; ***if you can't forgive her little ~s*** si tu ne peux pas lui pardonner ses petites folies **extravagant** *adj* **1.** (*wasteful*) *person* dépensier(-ère); *taste*, *habit* de luxe; ***your ~ spending habits*** ton habitude de jeter l'argent par les fenêtres **2.** *gift* hors de prix; *lifestyle* dispendieux (-euse) **3.** *behavior* extravagant; *praise* exagéré; *claim* excessif(-ive) **extravaganza** [ɪkˌstrævə'gænzə] *n* grand spectacle *m*

extreme [ɪk'striːm] **I** *adj danger*, *conditions*, *poverty* extrême; ***of ~ importance*** d'une extrême importance; **~ *case*** cas extrême; ***the ~ right*** l'extrême droite; ***at the ~ left of the picture*** à l'extrême gauche du tableau **II** *n* extrême *m*; ***~s of temperature*** extrêmes de température; ***in the ~*** à l'extrême; ***to go from one ~ to the other*** passer d'un extrême à l'autre; ***to go to ~s*** pousser les choses à l'extrême; ***to take*** *or* ***carry sth to ~s*** pousser qc à l'extrême **extremely** [ɪk'striːmlɪ] *adv* extrêmement, très; ***was it difficult? — ~!*** est-ce que c'était difficile? — très! **extremism** [ɪk'striːmɪzəm] *n* extrémisme *m* **extremist** [ɪk'striːmɪst] **I** *n* extrémiste *m/f* **II** *adj* extrémiste; **~ *group*** groupe extrémiste **extremity** [ɪk'stremɪtɪ] *n* **1.** extrémité *f* **2. extremities** *pl* (*hands and feet*) extrémités *fpl*

extricate ['ekstrɪkeɪt] *v/t a. fig* dégager; ***to ~ oneself from sth*** se sortir de qc

extrovert ['ekstrəʊvɜːt] **I** *adj* extraverti **II** *n* extraverti(e) *m*(*f*) **extroverted** ['ekstrəʊˌvɜːtɪd] *adj esp US* extraverti

exuberance [ɪg'zuːbərəns] *n* (*of person, style*) exubérance *f* **exuberant** [ɪg'zuːbərənt] *adj person, style* exubérant; *mood* expansif(-ive) **exuberantly** [ɪg'zjuːbərəntlɪ] *adv* avec exubérance

exude [ɪg'zjuːd] *v/t* **1.** *liquid* exsuder; *smell* dégager **2.** *fig confidence* déborder de

exult [ɪg'zʌlt] *v/i* exulter; ***~ing in his freedom*** exultant d'être libre **exultant** *adj expression, cry* d'allégresse; ***he was ~*** il exultait; ***~ mood*** humeur joyeuse

eye [aɪ] **I** *n* œil *m*; (*of needle*) chas *m*; ***with tears in her ~s*** les larmes aux yeux; ***with one's ~s closed*** les yeux fermés; ***as far as the ~ can see*** à perte de vue; ***that's one in the ~ for him*** *Br infml* ça lui fera les pieds! *infml*; ***to cast*** *or* ***run one's ~ over sth*** jeter un coup d'œil à qc; ***to look sb (straight) in the ~*** regarder qn droit dans les yeux; ***to set ~s on sb / sth*** poser les yeux sur qn / qc; ***a strange sight met our ~s*** un spectacle étrange s'offrait à nos yeux; ***use your ~s!*** ouvre l'œil!; ***with one's own ~s*** de ses propres yeux; ***before my very ~s*** sous mes yeux; ***it was there all the time right in front of my ~s*** il était là, devant moi et je ne l'avais pas vu; ***I don't have ~s in the back of my head*** je n'ai pas les yeux derrière la tête; ***to keep an ~ on sb / sth*** (*look after*) surveiller qn / qc; ***the police are keeping an ~ on him*** (*have him under surveillance*) la police l'a à l'œil; ***to take one's ~s off sb / sth*** quitter qn / qc des yeux; ***to keep one's ~s open*** *or* ***peeled*** *infml* ouvrir l'œil (et le bon); ***to keep an ~ open*** *or* ***out for sth*** essayer de repérer qc; ***to keep an ~ on expenditure*** suivre de près les dépenses; ***to open sb's ~s to sb / sth*** ouvrir les yeux à qn sur qn / qc; ***to close*** *or* ***shut one's ~s to sth*** fermer les yeux sur qc; ***to see ~ to ~ with sb*** voir les choses du même œil que qn; ***to make ~s at sb*** faire de l'œil à qn; ***to catch sb's ~*** capter le regard de qn; ***the dress caught my ~*** la robe a attiré mon regard; ***in the ~s of the law*** aux yeux de la loi; ***with a critical ~*** d'un œil critique; ***with an ~ to the future*** en prévision de l'avenir; ***with an ~ to buying sth*** en vue d'acheter qc; ***I've got my ~ on you*** je t'ai à l'œil; ***to have one's ~ on sth*** (*want*) viser qc; ***to have a keen ~ for sth*** avoir le coup d'œil pour qc; ***he has a good ~ for color*** il a l'œil pour les couleurs; ***an ~ for detail*** l'œil pour les détails; ***to be up to one's ~s in work*** (*infml*) être débordé de travail; ***to be up to one's ~s in debt*** (*infml*) être endetté jusqu'au cou **II** *v/t* regarder ◆ **eye up** *v/t sep* reluquer

eyeball *n* globe *m* oculaire; ***to be ~ to ~*** être nez à nez; ***drugged up to the ~s*** (*esp Br infml*) drogué à mort *infml* **eyebath** *n* œillère *f* **eyebrow** *n* sourcil *m*; ***that will raise a few ~s*** cela en fera tiquer quelques-uns **eyebrow pencil** *n* crayon *m* à sourcils **eye candy** *n infml* beau(belle) gosse *m*(*f*) **eye-catching** *adj* attrayant; *poster* accrocheur(-euse) **eye contact** *n* ***to make ~ with sb*** croiser le regard de qn **-eyed** [-aɪd] *adj suf* aux yeux…; ***green-eyed*** aux yeux verts **eyedrops** ['aɪdrɒps] *pl* collyre *m* **eyeful** ['aɪfʊl] *n* ***he got an ~ of soda water*** il a reçu de l'eau gazeuse plein les yeux; ***I opened the bathroom door and got quite an ~*** j'ai ouvert la porte de la salle de bains et je me suis rincé l'œil *infml* **eyeglasses** *pl US* lunettes *fpl* **eyelash** *n* cil *m* **eyelet** ['aɪlɪt] *n* œillet *m* **eyelevel** *adj attr grill* surélevé

eyelid ['aɪlɪd] *n* paupière *f* **eyeliner** ['aɪlaɪnəʳ] *n* eye-liner *m* **eye-opener** *n* révélation *f*; ***that was a real ~ to me*** ça m'a ouvert les yeux **eye patch** *n* pansement *m* (sur l'œil), bandeau *m* **eyepiece** *n* oculaire *m* **eye shadow** *n* fard *m or* ombre *f* à paupières **eyesight** *n* vue *f*; ***to have good / poor ~*** avoir une bonne / mauvaise vue; ***his ~ is failing*** sa vue baisse **eyesore** *n* horreur *f* **eyestrain** *n* fatigue *f* oculaire **eye test** *n* examen *m* de la vue **eyewash** *n Br infml nonsense* sornettes *fpl* **eyewear** *n* lunettes *fpl* **eyewitness** *n* témoin *m* oculaire

e-zine ['iːziːn] *n* IT webzine *m*, magazine *m* électronique

F

F, f [ef] *n* F, f *m inv*; ***F sharp*** fa dièse; ***F flat*** fa bémol
F *abbr* = **Fahrenheit** F
f *abbr* = **feminine** f
FA *Br abbr* = **Football Association** *Fédération d'Angleterre de football*
fab [fæb] *adj infml abbr* = **fabulous** génial *infml*
fable ['feɪbl] *n* fable *f*
fabric ['fæbrɪk] *n* **1.** TEX tissu *m*, étoffe *f* **2.** (*fig: of society etc.*) structure *f*
fabricate ['fæbrɪkeɪt] *v/t story*, *evidence* fabriquer **fabrication** [ˌfæbrɪ'keɪʃən] *n* histoire *f*, mensonge *m*; ***it's (a) pure ~*** c'est de la pure invention
fabulous ['fæbjʊləs] *adj* fabuleux (-euse) **fabulously** ['fæbjʊləslɪ] *adv wealthy* fabuleusement; *expensive* incroyablement; (*infml wonderfully*) super bien *infml*
façade [fə'sɑːd] *n* façade *f*
face [feɪs] **I** *n* **1.** visage *m*, figure *f*; (*of clock*) cadran *m*; (*rock face*) paroi *f*; ***we were standing ~ to ~*** nous étions face à face; ***to come ~ to ~ with sb*** se trouver face à face avec qn; ***he told him so to his ~*** il le lui a dit en face; ***he shut the door in my ~*** il m'a fermé la porte au nez; ***he laughed in my ~*** il m'a ri au nez; ***to be able to look sb in the ~*** pouvoir regarder qn en face; ***to throw sth back in sb's ~*** renvoyer qc à la figure de qn; ***in the ~ of great difficulties*** *etc.* face à de grandes difficultés *etc.*; ***to save / lose ~*** sauver / perdre la face; ***to put sth ~ up(wards)/down(wards)*** poser qc à l'endroit/à l'envers; ***to be ~ up(wards)/down(wards)*** (*person*) être sur le dos/à plat ventre; (*thing*) être à l'endroit/à l'envers; ***the changing ~ of politics*** le visage changeant de la politique; ***he / it vanished off the ~ of the earth*** *infml* il / ça a complètement disparu de la circulation; ***on the ~ of it*** à première vue **2.** (*expression*) mine *f*; ***to make** or **pull a ~*** faire une grimace; ***to make** or **pull ~s*** faire des grimaces (***at sb*** à qn) ***to make** or **pull a funny ~*** faire le singe; ***to put a brave ~ on it*** faire bonne contenance **II** *v/t* **1.** faire face à; (*window*, *building*, *room*) *north* être orienté au; *garden etc.* donner sur; ***to ~ the light*** (*person*) se tourner vers la lumière; ***~ the front!*** regarde devant toi!; ***~ this way!*** regarde par ici!; ***the wall facing you*** le mur en face de vous **2.** *fig possibility* être face à; ***to ~ death*** risquer la mort; ***to ~ financial ruin*** être au bord de la ruine; ***to be ~d with sth*** être confronté à qc; ***the problem facing us*** le problème qui se pose à nous; ***to be ~d with a bill for $ 100*** se retrouver avec une facture de 100 dollars **3.** *situation*, *danger*, *criticism* faire face à, affronter; *enemy* affronter; ***to ~ (the) facts*** regarder les choses en face; ***let's ~ it*** soyons réalistes **4.** (*infml put up with*) faire avec *infml*; ***I can't ~ seeing anyone*** je n'ai pas le courage de voir quiconque; ***I can't ~ it*** *infml* je n'en ai pas le courage **III** *v/i* (*house*, *room*, *window*) donner (**toward, onto** sur); ***he was facing away from me*** il me tournait le dos; ***they were all facing toward the window*** ils étaient tous tournés vers la fenêtre; ***the house ~s south / toward the sea*** la maison est orientée au sud / donne sur la mer ◆ **face up to** *v/t insep fact*, *reality*, *problems* faire face à, affronter; ***he won't ~ the fact that ...*** il ne veut pas admettre que…
face cloth *n* ≈ gant *m* de toilette **face cream** *n* crème *f* pour le visage **faceless** *adj fig* anonyme **face-lift** *n lit* lifting *m*; ***to have a ~*** se faire faire un lifting **face mask** *n* COSMETICS masque *m* (de beauté) **face pack** *n* masque *m* (de beauté) **face powder** *n* poudre *f* **face-saving** *adj* ***a ~ measure*** une mesure qui permet de sauver la face
facet ['fæsɪt] *n lit*, *fig* facette *f*
facetious [fə'siːʃəs] *adj* facétieux (-euse)
face-to-face *adj contact etc.* face à face **face value** *n* ***to take sth at ~*** *fig* prendre qc au pied de la lettre **facial** ['feɪʃəl] *adj* facial; ***~ expression*** expression du visage
facile ['fæsaɪl] *adj pej solution*, *remark* facile **facilitate** [fə'sɪlɪteɪt] *v/t* faciliter
facility [fə'sɪlɪtɪ] *n* équipement *m*, installations *fpl*; ***we have no facilities for disposing of toxic waste*** nous n'avons pas d'installations pour l'élimi-

nation des déchets toxiques; ***a hotel with all facilities*** un hôtel avec tout ce qu'il faut; ***facilities for the disabled*** aménagements spéciaux pour les handicapés; ***cooking facilities*** coin cuisine; ***toilet facilities*** toilettes; ***credit ~*** facilités de paiement

facing ['feɪsɪŋ] *adj* ***on the ~ page*** sur la page ci-contre

facsimile [fæk'sɪmɪlɪ] *n* fac-similé *m*

fact [fækt] *n* **1.** (*historical etc.*) fait *m*; ***hard ~s*** faits concrets; ***~s and figures*** tous les détails; ***despite the ~ that …*** malgré le fait que…; ***to know for a ~ that …*** savoir de source sûre que…; ***the ~*** (***of the matter***) ***is that …*** le fait est que…; ***… and that's a ~…*** c'est vrai; ***is that a ~?*** c'est vrai? **2.** *no pl* (*reality*) faits *mpl*; ***~ and fiction*** la réalité et la fiction; ***based on ~*** basé sur des faits réels **3.** ***in*** (***actual***) ***~*** en fait; ***as a matter of ~*** en fait; ***I don't suppose you know him?— in*** (***actual***) ***~*** *or* ***as a matter of ~ I do*** je ne pense pas que tu le connaisses? — en fait si; ***do you know him?— in*** (***actual***) ***~*** *or* ***as a matter of ~ I do*** est-ce que tu le connais? — en fait oui; ***it won't be easy, in ~*** *or* ***as a matter of ~ it'll be very difficult*** à vrai dire ce sera très difficile; ***as a matter of ~ we were just talking about you*** justement, nous parlions de vous **fact-finding** ['fækt-faɪndɪŋ] *adj* ***~ mission*** mission d'information

faction ['fækʃən] *n* POL faction *f*

fact of life *n* **1.** ***that's just a ~*** c'est simplement une réalité **2. facts of life** *pl* (*sexual*) ***to tell sb the facts of life*** expliquer à qn comment on fait les bébés; ***to know the facts of life*** savoir comment on fait les bébés

factor ['fæktəʳ] *n* facteur *m*; ***to be a ~ in determining sth*** être un facteur déterminant de qc; ***by a ~ of three*** *etc.* par un facteur de trois *etc.*

factory ['fæktərɪ] *n* usine *f* **factory farming** *n* élevage *m* industriel **factory floor** *n* (*area*) ateliers *mpl*; (*workers*) ouvriers *mpl*

factsheet ['fæktʃiːt] *n* fiche *f* d'informations **factual** ['fæktjʊəl] *adj evidence* factuel(le); *account* basé sur les faits; ***~ information*** informations factuelles; ***~ error*** erreur factuelle; ***the book is largely ~*** le livre est en grande partie basé sur des faits réels

faculty ['fækəltɪ] *n* **1.** (*power of mind*) faculté *f*; ***mental faculties*** facultés mentales; ***~ of hearing*** ouïe; ***~ of sight*** vue; ***to be in*** (***full***) ***possession of*** (***all***) ***one's faculties*** être en (pleine) possession de (toutes) ses facultés **2.** UNIV faculté *f*; ***the medical ~, the ~ of medicine*** la faculté de médecine

fad [fæd] *n* lubie *infml*; (*fashion*) mode *f*; ***it's just a ~*** ce n'est qu'une lubie

fade [feɪd] **I** *v/i* **1.** passer; (*flower, beauty*) se faner; (*sight*) baisser; (*feeling, radio signal*) diminuer; (*hopes*) s'amenuiser; (*sound*) s'atténuer; ***hopes are fading of finding any more survivors*** l'espoir de retrouver d'autres survivants s'amenuise; ***to ~ into the background*** (*person*) se fondre dans le décor **2.** RADIO, TV, FILM ***to ~ to another scene*** faire un fondu enchaîné avec la scène suivante **II** *v/t* décolorer ◆ **fade away** *v/i* (*sound*) s'atténuer ◆ **fade in** *v/t sep* TV, FILM faire apparaître en fondu; RADIO monter ◆ **fade out** *v/t sep* TV, FILM faire disparaître en fondu; RADIO couper par un fondu sonore

faded ['feɪdɪd] *adj* décoloré; *flowers, beauty* fané; ***a pair of ~ jeans*** un jeans délavé

faeces *pl Br* = **feces**

[fæg] *n* **1.** (*esp US sl homosexual*) pédé *m sl neg!* **2.** (*Br infml cigarette*) clope *f infml* **fag end** *n* (*Br infml cigarette end*) mégot *m* **faggot** ['fægət] *n* (*esp US sl homosexual*) pédé *m sl neg!*

Fahrenheit ['færənhaɪt] *n* Fahrenheit

fail [feɪl] **I** *v/i* **1.** (*plan, experiment, candidate*) échouer; (*business*) faire faillite; ***he ~ed in his attempt to take control of the company*** il n'a pas réussi à prendre le contrôle de la compagnie; ***to ~ in one's duty*** manquer à son devoir; ***if all else ~s*** en désespoir de cause; ***to ~ miserably*** échouer lamentablement **2.** (*health*) faiblir; (*eyesight*) baisser **3.** (*battery*) être à plat; (*engine*) caler; (*brakes*) lâcher; (*heart*) s'arrêter; ***the crops ~ed*** les récoltes ont été mauvaises **II** *v/t* **1.** *candidate* refuser; *subject* échouer en; ***to ~ an exam*** échouer à un examen **2.** (*let down*) faire défaut à; ***words ~ me*** les mots me manquent **3.** ***to ~ to do sth*** ne pas faire qc; ***she ~ed to lose weight*** elle n'est pas arrivée à perdre du poids; ***she never ~s to amaze me*** elle m'étonnera toujours;

I ~ to see why je ne vois pas bien pourquoi; (*indignantly*) je ne vois vraiment pas pourquoi **III** *n* ***without ~*** sans faute; (*inevitably*) immanquablement **failed** *adj* qui n'a pas réussi; *company* qui a fait faillite; *writer* raté **failing I** *n* défaut *m* **II** *prep* ***~ this / that*** à défaut; ***~ which*** faute de quoi **fail-safe** ['feɪlseɪf] *adj method* infaillible; *mechanism, system* à sûreté intégrée

failure ['feɪljəʳ] *n* **1.** (*of plan, experiment, attempt*) échec *m*; (*of business*) faillite *f*; (*unsuccessful person*) nul(le) *m(f)* (***at*** en), raté(e) *m(f)*; ***because of his ~ to act*** en raison de son incapacité à agir **2.** (*of generator, brakes*) panne *f*; ***liver ~*** insuffisance hépatique

faint [feɪnt] **I** *adj* ⟨**+er**⟩ **1.** faible, léger (-ère); *tracks, line, mark* à peine visible; *color* pâle; *sound, hope* faible; *smile* faible, vague; ***your voice is very ~*** (*on telephone*) je t'entends à peine; ***I have a ~ memory of that day*** j'ai un souvenir vague de cette journée; ***I haven't the ~est idea*** *emph* je n'en ai pas la moindre idée **2.** *pred* MED ***she was** or **felt ~*** elle s'est sentie mal **II** *v/i* MED s'évanouir (***with, from*** de) **III** *n* MED ***she fell to the ground in a ~*** elle est tombée par terre sans connaissance **faint-hearted** [feɪnt'hɑːtɪd] *adj* timoré; ***it's not for the ~*** ce n'est pas pour les âmes sensibles **faintly** ['feɪntlɪ] *adv shine, smile* faiblement; *smell* légèrement; *absurd* quelque peu; ***the words are just ~ visible*** les mots sont à peine visible; ***I could hear the siren ~*** j'entendais vaguement la sirène

fair¹ [fɛəʳ] **I** *adj* ⟨**+er**⟩ **1.** juste (***to** or **on sb*** envers qn); ***he tried to be ~ to everybody*** il a essayé d'être équitable envers tout le monde; ***~ point** or **comment*** c'est juste, c'est une remarque pertinente; ***it is ~ to say that …*** on peut dire que…; ***to be ~, …*** pour être tout à fait honnête,…; ***it's only ~ to ask him*** ce n'est que justice de lui demander; ***~ enough!*** d'accord! **2.** *sum* assez important; ***a ~ amount of money*** pas mal d'argent; ***it's a ~ way*** c'est un assez bon moyen; ***a ~ number of students*** un assez grand nombre d'étudiants; ***a ~ chance of success*** d'assez bonnes chances de succès **3.** *assessment, idea* assez bon(ne); ***I've a ~ idea that he's going to resign*** je crois bien qu'il va démissionner **4.** *person, hair* blond **5.** (*fair-skinned*) *person* à la peau claire; *skin* clair **6.** *weather* beau(belle) **II** *adv* ***to play ~*** jouer franc jeu; SPORTS jouer fair-play; ***they beat us ~ and square*** ils nous ont battus indiscutablement

fair² *n* (*funfair*) foire *f*, fête *f* foraine; COMM foire *f*, salon *m*

fair copy *n* copie *f* au propre; ***to write out a ~ of sth*** recopier qc au propre **fair game** *n fig* proie *f* idéale **fairground** *n* champ *m* de foire **fair-haired** *adj* blond **fairly** ['fɛəlɪ] *adv* **1.** (*moderately*) assez; ***~ recently*** assez récemment **2.** *treat* équitablement **3.** (*really*) vraiment; ***we ~ flew along*** nous allions à toute vitesse **fair-minded** ['fɛəmaɪndɪd] *adj* équitable **fairness** ['fɛənɪs] *n* équité *f*; ***in all ~*** en toute justice **fair play** *n* (SPORTS, *fig*) fair-play *m inv* **fair trade** *n* commerce *m* équitable **fairway** *n* GOLF fairway *m* **fair-weather** *adj* ***a ~ friend*** un ami qui n'est là que dans les bons moments

fairy ['fɛərɪ] *n* fée *f* **fairy godmother** *n* bonne fée *f* **fairy lights** *pl* guirlande *f* électrique **fairy story, fairy tale** *n* conte *m* de fées **fairy-tale** *adj fig* digne d'un conte de fées

fait accompli [ˌfetə'kɒmpliː] *n* fait *m* accompli

faith [feɪθ] *n* **1.** (*trust*) confiance *f* (*in* en, dans); (*in human nature, religious faith*) foi *f* (***in*** en); ***to have ~ in sb / sth*** faire confiance à qn / qc; ***to act in good / bad ~*** agir en toute bonne foi / de mauvaise foi **2.** (*religion*) religion *f* **3.** (*promise*) ***to keep ~ with sb*** tenir ses engagements envers qn

faithful ['feɪθfʊl] *adj* **1.** fidèle; ***to be ~ to sb / sth*** être fidèle à qn / qc **2.** *copy* conforme **faithfully** ['feɪθfəlɪ] *adv* **1.** ***Yours ~*** (*esp Br: on letter*) veuillez agréer mes salutations distinguées **2.** *restore, reproduce* fidèlement **faith healer** *n* guérisseur(-euse) *m(f)* (*par la prière*)

fake [feɪk] **I** *adj banknote, painting etc.* faux(fausse); ***~ fur*** fausse fourrure; ***a ~ suntan*** un faux bronzage **II** *n* (*object*) faux *m*; (*jewelry*) faux bijou *m*; (*person*) imposteur *m*; ***the painting was a ~*** le tableau était un faux **III** *v/t* falsifier; *results etc.* truquer; *burglary, crash* simuler

falcon ['fɔːlkən] *n* faucon *m*

Falkland Islands ['fɔːklənd͵aɪləndz], **Falklands** *pl*, les (îles) Malouines *fpl*

fall [fɔːl] *vb* ⟨*past* **fell**⟩⟨*past part* **fallen**⟩ **I** *n* **1.** chute *f*; ***to break sb's ~*** amortir la chute de qn; ***she had a bad ~*** elle a fait une mauvaise chute; ***~ of rain*** chute de pluie; ***there was another heavy ~ (of snow)*** il y a encore eu une forte chute de neige **2.** (*of government*, *town etc.*) chute *f* **3.** (*in temperature*, *membership*) baisse *f*; (*sudden*) chute *f* **4.** (*waterfall*: *a.* **falls**) chute *f* d'eau, cascade *f*; ***Niagara Falls*** les chutes du Niagara **5.** (*US autumn*) automne *m*; ***in the ~*** en automne **II** *v/i* **1.** (*object*) tomber; (*membership etc.*) baisser; ***to ~ to one's death*** faire une chute mortelle; ***to ~ into a trap*** tomber dans un piège; ***his face fell*** son visage s'est assombri; ***to ~ in battle*** tomber au champ d'honneur; ***her eyes fell on a strange object*** *fig* son regard est tombé sur un objet étrange **2.** (*city*, *government*, *night*) tomber **3.** (*Easter etc.*) ***to fall on*** tomber le **4.** (*be classified*) entrer (***under*** dans); ***that ~s within / outside the scope of …*** ceci entre/n'entre pas dans le cadre de… **5.** (*be divisible*) se diviser (***into*** en); ***to ~ into categories*** se diviser en catégories **6.** (*become*) tomber; ***to ~ asleep*** s'endormir; ***to ~ sick*** tomber malade; ***to ~ in love with sb*** tomber amoureux de qn **7.** ***to ~ into decline*** (*building*) se détériorer; ***to ~ into a deep sleep*** tomber dans un profond sommeil; ***to ~ into bad habits*** prendre de mauvaises habitudes; ***to ~ apart*** *or* ***to pieces*** tomber en morceaux; (*company*, *sb's life*) s'effondrer; ***I fell apart when he left me*** j'ai craqué quand il m'a quittée ◆ **fall about** (*a.* **fall about laughing**) *v/i* (*Br infml*) se tordre de rire *infml* ◆ **fall away** *v/i* **1.** (*ground*) s'affaisser **2.** = **fall off** ◆ **fall back** *v/i* reculer ◆ **fall back (up)on** *v/t insep* avoir recours à ◆ **fall behind** *v/i* **1.** (*in race*) se laisser distancer; (*at school etc.*) prendre du retard **2.** (*with rent*, *work etc.*) être en retard ◆ **fall down** *v/i* **1.** (*person*, *object*) tomber (par terre); (*house etc.*) s'écrouler **2.** (*down stairs*, *cliff*) tomber (de) ◆ **fall for** *v/t insep* **1.** tomber amoureux (-euse) de; ***I really fell for him*** je suis tombée folle amoureuse de lui **2.** *sales talk* se laisser avoir par ◆ **fall in** *v/i* **1.** (*into water etc.*) tomber **2.** (*collapse*) s'écrouler **3.** MIL ***~!*** formez les rangs! ◆ **fall in with** *v/t insep* (*meet*) se conformer à; *bad company* se mettre à fréquenter ◆ **fall off** *v/i* **1.** *lit* tomber (de) **2.** (*decrease*) diminuer ◆ **fall on** *v/t insep* **1.** (*trip on*) tomber sur **2.** (*duty*, *decision*, *blame*) revenir à, incomber à; ***the responsibility falls on your shoulders*** c'est à toi que revient la responsabilité **3.** (*attack*) se jeter sur ◆ **fall out** *v/i* **1.** tomber; ***to ~ of sth*** tomber de qc **2.** (*quarrel*) se brouiller **3.** MIL rompre les rangs ◆ **fall over I** *v/i* (*person*, *object*) tomber (par terre) **II** *v/t insep* **1.** (*trip over*) trébucher sur; ***they were falling over each other to get the book*** ils rivalisaient pour se procurer le livre **2.** ***to ~ oneself to do sth*** faire des pieds et des mains pour faire qc ◆ **fall through** *v/i* tomber à l'eau ◆ **fall to** *v/i* (*be responsibility of*) incomber à, revenir à

fallacy ['fæləsɪ] *n* idée *f* fausse

fallen ['fɔːlən] *past part* = **fall** **fall guy** *n* (*esp US infml*) bouc *m* émissaire

fallibility [͵fælɪ'bɪlɪtɪ] *n* caractère *m* faillible **fallible** ['fæləbl] *adj* faillible

falling ['fɔːlɪŋ] *adj* en baisse; *membership* en déclin **falling-off** *n* = **fall-off** **falling-out** *n* (*quarrel*) brouille *f* **falling star** *n* étoile *f* filante **fall-off** *n* diminution *f* **fallout** ['fɔːlaʊt] *n* retombées *fpl*

fallow ['fæləʊ] *adj* AGR en jachère; ***most of the fields are (lying) ~*** la plupart des terres sont laissées en jachère

false [fɔːls] *adj* faux(fausse); *eyelashes*, *papers* faux(fausse); ***that's a ~ economy*** c'est une fausse économie; ***~ imprisonment*** détention arbitraire; ***under*** *or* ***by ~ pretenses*** (*US*) *or* ***pretences*** *Br* par des moyens frauduleux; ***to ring ~*** sonner faux **false alarm** *n* fausse alerte *f* **false friend** *n* LING faux ami *m* **falsehood** ['fɔːlshʊd] *n* mensonge *m* **falsely** ['fɔːlslɪ] *adv* faussement *accused*, *convicted*, *report* à tort **false move** *n* ***one ~, and …*** *fig* un seul faux mouvement et … **false start** *n* faux départ *m* **false teeth** *pl* fausses dents *fpl* **falsification** [͵fɔːlsɪfɪ'keɪʃən] *n* falsification *f* **falsify** ['fɔːlsɪfaɪ] *v/t* falsifier

falter ['fɔːltər] *v/i* (*speaker*) bafouiller; *voice* s'altérer; (*steps*) hésiter **faltering** *adj voice* défaillant; (*hesitating*) hésitant; *economy* chancelant

fame [feɪm] *n* célébrité *f*; ***~ and fortune*** la gloire et la fortune
familial [fə'mɪlɪəl] *adj* familial
familiar [fə'mɪljəʳ] *adj* **1.** *surroundings, sight* familier(-ière); *figure, voice, person, feeling* familier(-ière); *title, song* connu; *complaint* courant; ***his face is ~*** sa tête me dit quelque chose; ***the situation is ~ to him*** il connaît bien la situation; ***it looks very ~*** ça me dit quelque chose; ***that sounds ~*** ça me rappelle quelque chose; ***I am ~ with the word*** je connais le mot; ***are you ~ with these modern techniques?*** connaissez-vous ces techniques modernes? **2.** *tone* familier(-ière); (*overfriendly*) cavalier(-ière); ***to be on ~ terms with sb*** être assez intime avec qn **familiarity** [fəˌmɪlɪ'ærɪtɪ] *n no pl* familiarité *f* **familiarize** [fə'mɪlɪəraɪz] *v/t* familiariser ***to ~ sb with sth*** familiariser qn avec qc; ***to ~ oneself with sth*** se familiariser avec qc
family ['fæmɪlɪ] **I** *n* famille *f*; (*including cousins etc.*) famille *f*; ***to start a ~*** avoir des enfants; ***has he any ~?*** est-ce qu'il a de la famille?; ***it runs in the ~*** c'est de famille; ***he's one of the ~*** il fait partie de la famille **II** *attr* de famille; *home, solidarity* familial; ***a ~ friend*** un ami de la famille **family business** *n* entreprise *f* familiale **family circle** *n* cercle *m* familial **family company** *n* société *f* familiale **family doctor** *n* médecin *m* de famille **family man** *n* homme *m* dévoué à sa famille
family name *n* nom *m* de famille **family planning** *n* planning *m* familial **family planning clinic** *n* centre *m* de planning familial **family room** *n* **1.** (*esp US*: *in house*) salle *f* de jeu **2.** (*Br*: *in pub*) salle *f* réservée aux familles **family-size** *adj packet* familial **family tree** *n* arbre *m* généalogique **family values** *pl* valeurs *fpl* familiales
famine ['fæmɪn] *n* famine *f* **famished** ['fæmɪʃt] *adj infml* affamé; ***I'm ~*** je meurs de faim *infml*
famous ['feɪməs] *adj* célèbre (***for*** pour) **famously** ['feɪməslɪ] *adv* (*observed*) si bien; (*to get on*) à merveille
fan¹ [fæn] **I** *n* **1.** (*hand-held*) éventail *m* **2.** (*mechanical*) ventilateur *m* **II** *v/t* éventer ***to ~ oneself*** s'éventer; ***to ~ the flames*** *fig* attiser le feu ◆ **fan out** *v/i* (*searchers etc.*) se déployer
fan² *n* (*supporter*) fan *m/f*; ***I'm a big ~ of yours*** je vous admire beaucoup
fan-assisted ['fænəˌsɪstɪd] *adj* ***~ oven*** four *m* à chaleur tournante
fanatic [fə'nætɪk] *n* fanatique *m/f* **fanatical** *adj* fanatique; ***to be ~ about sth*** être fanatique de qc; ***I'm ~ about music*** je suis fanatique de musique **fanaticism** [fə'nætɪsɪzəm] *n* fanatisme *m*
fan belt *n* courroie *f* de ventilateur
fanciful ['fænsɪfʊl] *adj* **1.** *idea* farfelu **2.** (*unrealistic*) fantaisiste; ***I think you're being somewhat ~*** je crois que tu te fais des illusions
fan club *n* fan-club *m*
fancy ['fænsɪ] **I** *v/t* **1.** *esp Br* (*like*) ***I ~ that car*** cette voiture me plaît; ***he fancies a house on Crete*** il a envie d'une maison en Crète; ***I didn't ~ that job*** ce travail ne m'attirait pas; ***do you ~ a walk / beer?*** cela vous dit d'aller faire un tour / boire une bière?; ***she fancies doing that*** (*would like to*) elle aimerait faire ça; (*feels like it*) elle a envie de faire ça; ***I don't ~ him*** *Br* il ne me plaît pas; ***I don't ~ my chances of getting that job*** je ne mise pas cher sur mes chances d'avoir ce travail **2.** (*imagine*) imaginer; (*think*) penser **3.** ***~ doing that!*** quelle idée de faire ça!; ***~ that!*** *infml* pas possible! *infml*; ***~ him winning!*** figurez-vous qu'il a gagné! **II** *v/r Br* se prendre; ***he fancies himself as an expert*** il se prend pour un expert **III** *n* ***a passing ~*** un caprice; ***he's taken a ~ to her*** il s'est pris d'affection pour elle; ***to take or catch sb's ~*** plaire à qn **IV** *adj* **1.** *infml clothes* chic; *hairdo, maneuver* compliqué; *food* sophistiqué; ***nothing ~*** rien de compliqué **2.** *often pej, infml house, car* tape-à-l'œil *infml*; *restaurant* rupin *infml* **fancy dress** *n* déguisement *m*; ***is it ~?*** c'est déguisé?; ***they came in ~*** ils sont venus déguisés; **fancy-dress party** *Br* fête déguisée **fancy goods** *pl* articles *mpl* fantaisie
fanfare ['fænfɛəʳ] *n* fanfare *f*; ***trumpet ~*** fanfare de trompettes
fang [fæŋ] *n* (*of snake*) crochet *m*; (*of wolf*) croc *m*
fan heater *n* radiateur *m* soufflant
fan mail *n* courrier *m* des fans
fanny ['fænɪ] *n* **1.** (*esp US infml*) fesses *fpl* **2.** (*Br sl*) chatte *f sl* **fanny pack** *n US* FASHION sac *m* banane
fantasize ['fæntəsaɪz] *v/i* fantasmer

(**about** sur); (*dream*) rêver (**about** de)

fantastic [fæn'tæstɪk] **I** *int infml* super *infml* **II** *adj infml* fantastique; ***a ~ amount of, ~ amounts of*** une quantité incroyable de **fantastically** [fæn-'tæstɪkəlɪ] *adv infml* de manière fantastique **fantasy** ['fæntəsɪ] *n* fantasme *m*

fanzine ['fænziːn] *n* fanzine *m*

FAQ *n* IT *abbr* = **frequently asked questions** FAQ (*foire aux questions*)

far [fɑːʳ] ⟨*comp* **further, farther**⟩ ⟨*sup* **furthest, farthest**⟩ **I** *adv* **1.** loin; ***we don't live ~*** *or* ***we live not ~ from here*** nous n'habitons pas loin d'ici; ***I'll go with you as ~ as the gate*** je vous accompagne jusqu'au portail; ***~ and wide*** partout; ***from ~ and near*** *or* ***wide*** de partout; ***~ away*** loin; ***I won't be ~ off*** *or* ***away*** je ne serai pas loin; ***have you come ~?*** vous venez de loin?; ***how ~ have you got with your plans?*** où en êtes-vous de vos projets?; ***~ better*** beaucoup mieux **2.** (*in time*) ***as ~ back as 1945*** dès 1945; ***~ into the night*** tard dans la nuit **3.** ***as*** *or* ***so ~ as I'm concerned*** en ce qui me concerne; ***it's all right as ~ as it goes*** ça va dans une certaine limite; ***in so ~ as*** dans la mesure où; ***by ~ the best, the best by ~*** de loin le meilleur; ***~ from satisfactory*** loin d'être satisfaisant; ***~ from liking him I find him quite unpleasant*** non seulement je ne l'aime pas mais je le trouve plutôt déplaisant; ***~ from it!*** pas du tout!; ***~ be it from me to …*** je ne voudrais pas …; ***so ~*** (*up to now*) jusqu'à présent; (*up to this point*) jusqu'ici; ***so ~ so good*** jusqu'ici tout va bien; ***to go ~*** (*supplies etc.*) durer longtemps; (*person succeed*) aller loin; ***I would go so ~ as to say …*** j'irais jusqu'à dire …; ***that's going too ~*** cela va trop loin; ***not ~ off*** (*in space, guess, aim*) pas loin; ***the weekend isn't ~ off now*** le week-end sera vite là **II** *adj* éloigné ***the ~ end of the room*** le bout de la pièce; ***the ~ door*** la porte la plus éloignée; ***on the ~ side of*** de l'autre côté de; ***in the ~ distance*** au loin; ***it's a ~ cry from …*** *fig* c'est très différent de … **faraway, far-away** ['fɑːrəweɪ] *adj* **1.** *place* éloigné; *country, sound* lointain **2.** *look* éloigné

farce [fɑːs] *n* THEAT farce *f*; *fig* mascarade *f* **farcical** ['fɑːsɪkl] *adj fig* burlesque

fare [fɛəʳ] **I** *n* **1.** prix *m* du ticket, tarif *m*; (*on plane, boat*) prix *m* du billet; (*of taxi*) prix *m* de la course; (*money*) argent **2.** (*obs, form food*) nourriture *f*; ***traditional Christmas ~*** les mets de Noël traditionnels **II** *v/i* ***he ~d well*** il s'en est bien sorti; ***the dollar ~d well on the stock exchange*** le dollar s'est bien comporté à la Bourse

Far East *n* ***the ~*** l'Extrême-Orient

fare-dodger *n* resquilleur(-euse) *m(f)* **fare stage** *n* limite *f* tarifaire

farewell [fɛə'wel] *n* adieu *m*; ***to say*** *or* ***make one's ~s*** faire ses adieux; ***to bid sb ~*** dire adieu à qn; ***~ speech*** discours d'adieu

far-fetched *adj* tiré par les cheveux **far--flung** *adj* (*distant*) lointain

farm [fɑːm] **I** *n* ferme *f*, exploitation *f* agricole; (*raising animals*) élevage *m*; ***chicken ~*** élevage de poulets **II** *attr* agricole; ***~ laborer*** (*US*) *or* ***labourer*** *Br* ouvrier(-ière) *m(f)* agricole; ***~ animals*** les animaux de la ferme **III** *v/t* *land* exploiter; *livestock* élever; *mink etc.* élever **IV** *v/i* avoir une ferme ◆ **farm out** *v/t sep work* sous-traiter (**on, to** à)

farmer ['fɑːməʳ] *n* agriculteur(-trice), exploitant(e) *m(f)* agricole; ***pig ~*** éleveur de porcs; ***~'s wife*** fermière **farmers' market** *n* marché *m* de producteurs **farmhand** *n* ouvrier(-ière) *m(f)* agricole **farmhouse** *n* ferme *f* **farming** ['fɑːmɪŋ] *n* agriculture *f* **farmland** *n* terres *fpl* agricoles **farm produce** *n* produits *mpl* de la ferme **farmyard** *n* cour *f* de ferme

far-off ['fɑːrɒf] *adj* **1.** (*in the past or future*) lointain **2.** *place* lointain, éloigné **far-reaching** *adj* vaste **far-sighted** *adj fig* prévoyant

fart [fɑːt] *infml* **I** *n* **1.** pet *infml* **2.** ***he's a boring old ~*** c'est un vieux schnoque *infml* **II** *v/i* péter *infml*

farther ['fɑːðəʳ] *comp of* **far I** *adv* = **further I II** *adj* autre; ***at the ~ end*** à l'autre bout **farthest** ['fɑːðɪst] *adj, adv sup* = **far**; ***the ~ point of the island*** le point le plus éloigné de l'île

fascia ['feɪʃɪə] *n* (*for cellphone*) façade *f*, coque *f*

fascinate ['fæsɪneɪt] *v/t* fasciner **fascinating** ['fæsɪneɪtɪŋ] *adj* fascinant **fascination** [ˌfæsɪ'neɪʃən] *n* fascination *f*; ***to watch in ~*** regarder avec fascination;

his ~ with the movies sa fascination pour le cinéma
fascism ['fæʃɪzəm] *n* fascisme *m* **fascist** ['fæʃɪst] **I** *n* fasciste *m/f* **II** *adj* fasciste
fashion ['fæʃən] **I** *n* **1.** *no pl* (*manner*) façon *f*; (***in the***) ***Indian ~*** à l'indienne; ***in the usual ~*** de la façon habituelle; ***in a similar ~*** de la même façon; ***to do sth after a ~*** faire qc plus ou moins bien **2.** (*in clothing*) mode *f*; (***back***) ***in ~*** (de nouveau) à la mode; ***it's all the ~*** c'est la grande mode; ***to come into/go out of ~*** devenir/n'être plus à la mode; ***she always wears the latest ~s*** elle s'habille toujours à la dernière mode **II** *v/t* confectionner **fashionable** ['fæʃnəbl] *adj clothes, look* à la mode; *restaurant, area* tendance; ***to become ~*** devenir la mode **fashionably** ['fæʃnəblɪ] *adv* à la mode **fashion-conscious** *adj* au courant de la mode **fashion designer** *n* créateur(-trice) *m(f)* de mode **fashion magazine** *n* magazine *m* de mode **fashion parade** *n* défilé *m* de mode **fashion show** *n* défilé *m* de mode **fashion victim** *n pej, infml* victime *f* de la mode
fast¹ [fɑːst] *adj adv* rapide; ***she's a ~ runner*** elle court vite; ***to pull a ~ one*** (***on sb***) *infml* rouler qn dans la farine *infml*; ***to be ~*** (*clock*) avancer; ***to be five minutes ~*** avancer de cinq minutes
fast² **I** *adj* **1.** (*secure*) solide **2.** *dye* grand teint **II** *adv* **1.** (*securely*) solidement; ***to stick ~*** (*with glue*) bien coller **2.** ***to be ~ asleep*** dormir profondément
fast³ **I** *v/i* (*not eat*) jeûner **II** *n* jeûne *m*
fast-breeder reactor *n* surgénérateur *m*
fasten ['fɑːsn] **I** *v/t* (*attach*) attacher (***to, onto*** à); (*do up*) *buttons* boutonner; *dress* attacher; (*lock*) *door* fermer; ***to ~ one's seat belt*** attacher sa ceinture; ***to ~ two things together*** attacher deux choses ensemble **II** *v/i* s'attacher; (*with buttons*) se boutonner; ***the dress ~s at the back*** la robe s'attache dans le dos; ***these two pieces ~ together*** ces deux pièces s'attachent ensemble ◆ **fasten on** *v/t sep* s'accrocher (***-to*** à) ◆ **fasten up** *v/t sep dress etc.* s'attacher; (*with buttons*) se boutonner; ***could you fasten me up?*** *infml* tu peux m'aider avec ma fermeture?
fastener ['fɑːsnəʳ], **fastening** *n* fermeture *f*
fast food *n* restauration *f* rapide, fast-food *m* **fast-food restaurant** *n* fast-food *m* **fast-forward** **I** *v/t* mettre en avance rapide **II** *v/i* avancer rapidement
fastidious [fæs'tɪdɪəs] *adj* méticuleux (-euse) (***about*** en matière de)
fast lane *n* voie *f* rapide; ***life in the ~*** *fig* la grande vie **fast-track** *v/t process, procedure* accélérer
fat [fæt] **I** *adj* **1.** gros(grosse); *infml profit* gros(grosse); ***to get*** *or* ***become ~*** grossir **2.** *iron, infml* ***that's a ~ lot of good*** merci du cadeau; ***~ lot of help she was*** tu parles d'un service *iron, infml*; ***~ chance!*** sûrement pas! **II** *n* ANAT, COOK, CHEM graisse *f*; (*on meat, while cooking*) gras *m*; ***reduce the ~ in your diet*** réduire les graisses dans votre alimentation
fatal ['feɪtl] *adj* **1.** fatal (***to, for*** à); ***he had a ~ accident*** il a eu un accident mortel **2.** *mistake* fatal; ***to be*** *or* ***prove ~ to*** *or* ***for sb/sth*** s'avérer fatal à qn/qc; ***it would be ~ to do that*** cela serait une erreur fatale de faire cela **fatalistic** [ˌfeɪtə'lɪstɪk] *adj* fataliste **fatality** [fə'tælɪtɪ] *n* fatalité *f*; (*in accident, war etc.*) victime *f*; ***there were no fatalities*** aucune victime n'est à déplorer **fatally** ['feɪtəlɪ] *adv* **1.** *injured* mortellement **2.** *damage* irrémédiablement; ***to be ~ flawed*** comporter un vice irrémédiable
fate [feɪt] *n* destin *m*; ***to leave sth to ~*** laisser qc au destin; ***to leave sb to their ~*** abandonner qn à son sort **fated** *adj* ***to be ~ to be unsuccessful*** être voué à l'échec; ***they were ~ never to meet again*** le destin a fait qu'ils ne se sont jamais rencontrés à nouveau **fateful** ['feɪtfʊl] *adj day* fatidique; *decision* fatal
fat-free ['fætfriː] *adj food etc.* sans matières grasses
father ['fɑːðəʳ] **I** *n* **1.** père *m* (***to sb*** de qn); (*priest*) père *m*; ***like ~ like son*** tel père tel fils; (***our***) ***Father*** notre Père **2.** ***~s*** *pl* (*ancestors*) pères **II** *v/t child etc.* engendrer **Father Christmas** *n Br* père *m* Noël **father figure** *n* image *f* du père; ***he was a ~ to her*** il incarnait pour elle tout ce qu'un père peut être **fatherhood** *n* paternité *f*
father-in-law *n* ⟨*pl* **fathers-in-law**⟩ beau-père *m* **fatherland** *n* patrie *f* **fatherly** ['fɑːðəlɪ] *adj* paternel(le) **Fa-**

ther's Day *n* fête *f* des pères
fathom ['fæðəm] **I** *n* brasse *f* anglaise (= *1,83 m*) **II** *v/t* (*infml*: *a.* **fathom out**) comprendre; ***I just can't ~ him*** (***out***) je n'arrive pas à le cerner; ***I couldn't ~ it*** (***out***) je n'arrivais pas le comprendre
fatigue [fə'tiːg] *n* **1.** épuisement *m* **2.** (TECH *metal fatigue*) fatigue *f* **3. fatigues** *pl* MIL treillis *m*
fatten ['fætn] *v/t* (*a.* **fatten up**) *animals* engraisser; *people* faire grossir **fattening** ['fætnɪŋ] *adj* qui fait grossir; ***chocolate is ~*** le chocolat fait grossir **fatty** ['fætɪ] **I** *adj* de graisse; (*greasy*) gras (grasse) **II** *n infml* gros (grosse) *m*(*f*) *infml*
fatuous ['fætjʊəs] *adj* stupide
faucet ['fɔːsɪt] *n US* robinet *m*
fault [fɔːlt] **I** *n* **1.** défaut *m*; TECH vice *m*; ***to find ~ with sb / sth*** trouver à redire à qn / qc; ***he was at ~*** il était fautif **2.** *no pl* faute *f* ***it won't be my ~ if …*** ce ne sera pas ma faute si …; ***whose ~ is it?*** à qui la faute? **3.** GEOL faille *f* **II** *v/t* ***I can't ~ it / him*** je n'ai rien à redire à ce sujet / son propos **fault-finding** ['fɔːltˌfaɪndɪŋ] **I** *adj* négatif(-ive) **II** *n* détection *f* des pannes **faultless** *adj* impeccable; *English* sans fautes **fault line** *n* GEOL ligne *f* de faille **faulty** ['fɔːltɪ] *adj* TECH *engine* défaillant; COMM défectueux(-euse); *logic* erroné
fauna ['fɔːnə] *n* faune *f*
faux pas [fəʊ'pɑː] *n* faux pas *m*
fava bean ['fɑːvəbiːn] *n US* fève *f*
favor, *Br* **favour** ['feɪvər] **I** *n* **1.** *no pl* (*goodwill*) faveur *f*; ***to find ~ with sb*** gagner l'approbation de qn; ***to be in ~ with sb*** être bien vu par qn; ***to be / fall out of ~*** être / ne plus être en vogue **2.** ***to be in ~ of sth*** être en faveur de qc; ***to be in ~ of doing sth*** être pour faire qc; ***a point in his ~*** un point en sa faveur; ***the judge ruled in his ~*** le juge a statué en sa faveur; ***all those in ~ raise their hands*** que tous ceux qui sont pour lèvent la main; ***he rejected socialism in ~ of the market economy*** il a rejeté le socialisme en faveur de l'économie de marché **3.** (*partiality*) ***to show ~ to sb*** accorder un traitement de faveur à qn **4.** (*act of kindness*) service *m*; ***to ask a ~ of sb*** demander un service à qn; ***to do sb a ~*** rendre un service à qn; ***would you do me the ~ of returning my library books?*** pourrais-tu me faire la gentillesse de rendre mes livres à la bibliothèque?; ***as a ~ to him*** pour lui rendre service **II** *v/t* **1.** *idea* privilégier; (*prefer*) préférer **2.** (*US resemble*) ressembler à **favorable**, *Br* **favourable** ['feɪvərəbl] *adj* **1.** (*positive*) favorable; ***her request met with a ~ response*** sa demande a été favorablement accueillie **2.** (*beneficial*) avantageux(-euse) (**to** à); *comparison* flatteur(-euse); ***to show sth in a ~ light*** montrer qc sous un jour flatteur; ***on ~ terms*** dans des conditions intéressantes; ***conditions are ~ for development*** les conditions sont propices au développement **favorably**, *Br* **favourably** ['feɪvərəblɪ] *adv* **1.** *respond* favorablement; *receive*, *think* positivement; ***he was ~ impressed by it*** il en a retiré une impression favorable; ***to be ~ disposed*** *or* ***inclined to(ward) sb / sth*** être bien disposé envers qn / qc **2.** (*advantageously*); ***to compare ~*** soutenir la comparaison
favorite, *Br* **favourite** ['feɪvərɪt] **I** *n* **1.** (*person*) préféré(e) *m*(*f*); (HIST, *pej*) favori(te) *m*(*f*) **2.** (*thing*) ***this one is my ~*** celui-ci est mon préféré; ***this book is my ~*** c'est mon livre préféré **3.** SPORTS favori(te) *m*(*f*); ***U.S.A. are the ~s*** les États-Unis partent favoris **II** *adj attr* préféré; ***my ~ movie*** mon film préféré **favoritism**, *Br* **favouritism** ['feɪvərɪtɪzəm] *n* favoritisme *m*
fawn[1] [fɔːn] **I** *n* **1.** faon *m* **2.** (*color*) fauve *m* **II** *adj* (*color*) fauve
fawn[2] *v/i fig* flagorner; ***to ~ upon*** *or* ***over sb*** flagorner qn
fax [fæks] **I** *n* **1.** (*machine*) télécopieur *m*, fax *m*; ***to send sth by ~*** faxer qc **2.** (*document*) télécopie *f*, fax *m* **II** *v/t* télécopier, faxer **fax machine** *n* = **fax fax number** *n* numéro *m* de fax
faze [feɪz] *v/t infml* dérouter *infml*; ***the question didn't ~ me at all*** la question ne m'a du tout dérouté
FBI *US abbr* = **Federal Bureau of Investigation** FBI
fear [fɪər] **I** *n* **1.** peur *f* (**of** de); ***~ of failure / flying*** peur d'échouer / prendre l'avion; ***there are ~s that …*** on craint que …; ***to be in ~ of sb / sth*** avoir peur de qn / qc; ***she talked quietly for ~ of waking the baby*** elle parlait doucement de peur de réveiller le bébé **2.** *no pl* ***no ~!*** *Br infml* pas de danger!

infml; ***there's no ~ of that happening again*** il n'y a pas de danger que cela se reproduise **II** *v/t* avoir peur de; ***he's a man to be ~ed*** c'est un homme dont il faut se méfier; ***many women ~ to go out at night*** beaucoup de femmes ont peur de sortir le soir **III** *v/i* ***to ~ for*** craindre pour; ***never ~!*** ne vous inquiétez pas! **fearful** *adj* **1.** (*apprehensive*) peureux(-euse); ***to be ~ of sb/sth*** avoir peur de qn / qc; ***I was ~ of waking her*** j'avais peur de la réveiller **2.** (*frightening*) effrayant **fearless** *adj* intrépide, sans peur **fearlessly** *adv* sans peur **fearsome** ['fɪəsəm] *adj* effrayant

feasibility [ˌfiːzə'bɪlɪtɪ] *n* (*of plan etc.*) faisabilité *f* **feasibility study** *n* étude *f* de faisabilité **feasible** ['fiːzəbl] *adj* **1.** (*practicable*) faisable; *plan* réalisable **2.** (*plausible*) plausible

feast [fiːst] **I** *n* **1.** (*banquet*) festin *m*; ***a ~ for the eyes*** un régal pour les yeux **2.** ECCL, REL fête *f*; ***~ day*** jour de fête **II** *v/i lit* festoyer; ***to ~ on sth*** se régaler de qc **III** *v/t* ***to ~ one's eyes on sb/sth*** se régaler en regardant qn / qc

feat [fiːt] *n* prouesse *f*; (*heroic etc.*) exploit *m*

feather ['feðər] *n* plume *f*; ***~s*** (*plumage*) les plumes; ***as light as a ~*** léger comme une plume; ***they are birds of a ~*** ils se ressemblent beaucoup **feather bed** *n* lit *m* de plumes **featherbrained** *adj* écervelé **feather duster** *n* plumeau *m*

feature ['fiːtʃər] **I** *n* **1.** (*facial*) trait *m* **2.** (*characteristic*) caractéristique *f*; ***special ~*** particularité *f* **3.** (*of room etc.*) atout *m*; ***to make a ~ of sth*** mettre qc en valeur; ***the main ~*** l'atout principal **4.** PRESS, RADIO, TV reportage *m* **II** *v/t* **1.** PRESS *story* présenter **2.** ***this movie ~s an English actress*** ce film fait intervenir une actrice anglaise; ***the album ~s their latest hit*** l'album comprend leur dernier tube **III** *v/i* (*occur*) figurer; ***the story ~d on all today's front pages*** l'histoire est sur toutes les unes d'aujourd'hui **feature film** *n* long métrage *m* **feature-length** *adj film* long métrage

Feb *abbr* = **February** février *m*

February ['febrʊərɪ] *n* février *m*; → **September**

feces, *Br* **faeces** ['fiːsiːz] *pl* selles *fpl*

Fed *n US* réserve *f* fédérale

fed[1] [fed] *past*, *past part* = **feed**

fed[2] *n* (*US infml*) agent *m* du FBI

federal ['fedərəl] *adj* fédéral (*also US* HIST); ***~ state*** État fédéral; ***Federal Reserve*** (***Bank***) *US* (banque *f* de) réserve *f* fédérale **federalism** ['fedərəlɪzəm] *n* fédéralisme *m* **federation** [ˌfedə'reɪʃən] *n* fédération *f*

fed up *adj infml* ***I'm ~*** j'en ai marre *infml*; ***I'm ~ with him*** j'en ai marre de lui; ***I'm ~ waiting for him*** j'en ai marre de l'attendre

fee [fiː] *n* frais *mpl*; (*of doctor*, *lawyer*) honoraires *mpl*; (*membership fee*) cotisation *f*; (***school***) ***~s*** frais de scolarité

feeble ['fiːbl] *adj* faible; *attempt* timide; *excuse* mou(molle) *infml* **feeble-minded** [ˌfiːbl'maɪndɪd] *adj* débile **feebly** ['fiːblɪ] *adv smile* faiblement; *say* mollement

feed [fiːd] *vb* ⟨*past*, *past part* **fed**⟩ **I** *n* **1.** (*meal*, *of animals*) ration (de nourriture) *f*; (*of baby*, *on breast*) tétée *f*; (*of baby*, *on bottle*) biberon *m* ***when is the baby's next ~?*** *Br* à quelle heure est la prochaine tétée / le prochaine biberon? **2.** (*food*, *of animals*) aliments *mpl* **3.** (TECH, *to computer*) alimentation *f* (***into*** dans) **II** *v/t* **1.** (*provide food for*) *person*, *army* ravitailler; (*family*) nourrir **2.** (*give food to*) *baby*, *animal* donner à manger à; *plant* donner de l'engrais à; ***to ~ sth to sb*** donner qc à manger à qn **3.** *machine* alimenter; *fire* entretenir; *fig imagination* nourrir; ***he steals to ~ his heroin habit*** il vole pour se procurer de l'héroïne; ***to ~ sth into a machine*** introduire qc dans une machine; ***to ~ information*** (***in***)***to a computer*** rentrer des données dans un ordinateur **4.** (TECH *insert*) insérer **III** *v/i* (*animal*) manger; (*baby*) téter ◆ **feed in** *v/t sep wire etc.* insérer; *information* rentrer ◆ **feed on I** *v/t insep* se nourrir de; *fig* se repaître de **II** *v/t insep sep* ***to feed sb on sth*** *animal*, *baby*, *person* nourrir qn de qc

feedback *n fig* feed-back *m*, commentaires *mpl*; ***to provide more ~ on sth*** fournir davantage de commentaires sur qc **feeder** ['fiːdər] **I** *n* **1.** (*for birds*) mangeoire *f* **2.** (*road*) bretelle *f* de raccordement; (*rail*) embranchement *m*; (*air transport service*) service *m* de desserte **II** *attr* alimentaire **feeding bottle** *n esp Br* biberon *m* **feeding time** *n* (*for animal*) heure *f* de nourrir les animaux;

(*for baby*) heure *f* de tétée

feel [fiːl] *vb* ⟨*past*, *past part* **felt**⟩ **I** *v/t* **1.** (*touch*) toucher; (*examining*) palper; ***to ~ one's way*** marcher à tâtons; ***I'm still ~ing my way*** (***in my new job***) je suis encore en train de prendre mes marques (dans mon nouveau travail) **2.** *prick*, *sun etc.* sentir; ***I can't ~ anything in my left leg*** je ne sens plus rien dans la jambe gauche; ***I felt it move*** je l'ai senti bouger **3.** *joy*, *fear*, *effects etc.* ressentir **4.** (*be affected by*) *heat*, *loss* sentir; ***I felt that!*** (*pain*) je l'ai senti passer! **5.** (*think*) penser; ***what do you ~ about him / it?*** que penses-tu de lui / cela?; ***it was felt that …*** il a été estimé que; ***he felt it necessary*** il a estimé que c'était nécessaire **II** *v/i* **1.** (*person*) se sentir; ***I ~ sick*** j'ai envie de vomir; ***to ~ certain*** être certain; ***I ~ cold / hot*** j'ai froid / chaud; ***I felt sad*** j'ai été triste; ***I felt as though I'd never been away*** j'ai eu l'impression de ne jamais être parti; ***I felt as if I was going to be sick*** j'ai cru que j'allais vomir; ***how do you ~ about him?*** (*emotionally*) qu'est-ce que tu éprouves pour lui?; ***you can imagine what I felt like*** *or* ***how I felt*** vous imaginez ce que j'ai pu ressentir; ***what does it ~ like*** *or* ***how does it ~ to be all alone?*** qu'est-ce que ça fait d'être tout seul?; ***what does it ~ like*** *or* ***how does it ~ to be the boss?*** qu'est-ce que ça fait d'être le patron? **2.** (*feel to the touch*) ***the room ~s warm*** la pièce est bien chauffée **3.** (*think*) penser; ***how do you ~ about him / going for a walk?*** que pensez-vous de lui/d'aller faire un tour à pied?; ***that's just how I ~*** c'est exactement mon point de vue **4.** ***to ~ like*** (*have desire for*) avoir envie de; ***I ~ like something to eat*** j'ai envie de manger quelque chose; ***I ~ like going for a walk*** j'ai envie d'aller faire un tour à pied; ***I felt like screaming*** j'avais envie de hurler **III** *n no pl* ***let me have a ~!*** laissez-moi toucher!; ***it has a papery ~*** au toucher, on dirait du papier; ***the room has a cozy ~*** la pièce a une atmosphère douillette; *fig* ***to get a ~ for sth*** s'essayer à qc ◆ **feel for** *v/t insep* **1.** (*sympathize with*) compatir; ***I ~ you*** je te plains **2.** (*search for*) chercher ◆ **feel up to** *v/t insep* se sentir prêt pour

feel-bad [ˈfiːlbæd] *adj* ***~ factor*** sentiment de malaise **feeler** [ˈfiːləʳ] *n* **1.** ZOOL antenne *f*; (*of snail*) corne *f* **2.** *fig* ***to put out ~s*** tâter le terrain **feel-good** [ˈfiːlgʊd] *adj* positif(-ive); ***~ factor*** *esp Br* sentiment *m* de bien-être

feeling [ˈfiːlɪŋ] *n* **1.** sensation *f*; ***I've lost all ~ in my right arm*** j'ai complètement perdu la sensation dans le bras droit; ***I know the ~*** je connais ça **2.** (*presentiment*) sentiment *m*; ***I've a funny ~ she won't come*** je sens qu'elle ne viendra pas **3.** (*opinion*: *a.* **feelings**) sentiment *m* (**on** sur); ***there was a general ~ that …*** le sentiment général était que …; ***there's been a lot of bad ~ about this decision*** il y a eu beaucoup de ressentiment par rapport à cette décision **4.** ***~s*** sentiments; ***to have ~s for sb*** avoir des sentiments pour qn; ***you've hurt his ~s*** vous l'avez blessé; ***no hard ~s?*** sans rancune?

fee-paying [ˈfiːpeɪɪŋ] *adj school* payant; *student* qui paye sa scolarité

feet [fiːt] *pl* = **foot**

feign [feɪn] *v/t* simuler; ***to ~ illness*** faire semblant d'être malade **feigned** [feɪnd] *adj* feint

feint [feɪnt] **I** *n* SPORTS feinte *f* **II** *v/i* SPORTS faire une feinte, feinter *also fig*

feisty [ˈfaɪstɪ] *adj* fougueux(-euse)

feline [ˈfiːlaɪn] *adj lit*, *fig* félin

fell[1] [fel] *past* = **fall**

fell[2] *n* (*skin*) peau *f*

fell[3] *v/t tree* abattre; *person* faire tomber

fellatio [fɪˈleɪʃɪəʊ] *n* fellation *f*

fellow[1] [ˈfeləʊ] *n* **1.** type *infml*; ***poor ~!*** pauvre vieux!; ***this journalist ~*** ce type journaliste **2.** (*comrade*) camarade *m/f* **3.** UNIV *universitaire titulaire d'une bourse de recherche*; ***research ~*** chargé de recherche **4.** (*of a society*) membre *m*

fellow[2] *adj* ***our ~ bankers / doctors*** nos confrères banquiers / médecins; ***a ~ student*** un camarade étudiant; ***~ member*** (*in club*, *party*) autre membre; ***~ sufferer*** autre victime; ***~ worker*** collègue; ***he is a ~ lexicographer*** c'est un collègue lexicographe; ***"my ~ Americans…"*** "mes chers compatriotes …" **fellow citizen** *n* concitoyen(ne) *m(f)* **fellow countrymen** *pl* compatriote *m/f* **fellow men** *pl* semblables *mpl* **fellowship** [ˈfeləʊʃɪp] *n* **1.** *no pl* fraternité *f* **2.** (UNIV *scholarship*) bourse *f* d'études; (*job*) poste *m* de recherche **fellow traveler**, *Br* **fellow traveller** *n lit* compagnon(-gne) *m(f)* de voyage

felon ['felən] *n* criminel(le) *m(f)* **felony** ['felənɪ] *n* crime *m*

felt[1] [felt] *past, past part* = **feel**

felt[2] **I** *n* feutre *m* **II** *adj attr* en feutre **felt-tip (pen)** ['felttɪp('pen)] *n* (stylo *m*) feutre *m*

female ['fiːmeɪl] **I** *adj* féminin; *rights* de la femme; ***a ~ doctor*** une femme médecin; ***a ~ companion*** une compagne; ***a ~ soccer team*** une équipe de football féminin **II** *n* **1.** (*animal*) femelle *f* **2.** (*infml woman*) femme *f*, nana *f infml*

feminine ['femɪnɪn] **I** *adj* féminin; *beauty, qualities* féminin, de femme **II** *n* GRAM féminin *m* **feminine hygiene** *n* hygiène *f* féminine; ***~ products*** produits d'hygiène féminine **femininity** [ˌfemɪ'nɪnɪtɪ] *n* féminité *f* **feminism** ['femɪnɪzəm] *n* féminisme *m* **feminist** ['femɪnɪst] **I** *n* féministe *m/f* **II** *adj* féministe; ***the ~ movement*** le mouvement féministe

femur ['fiːməʳ] *n* fémur *m*

fen [fen] *n* marais *m*; ***the Fens*** *région plate de l'Est de l'Angleterre*

fence [fens] **I** *n* clôture *f*; (*in garden*) palissade *f*; SPORTS obstacle *m*; ***to sit on the ~*** *fig* ne pas se prendre position **II** *v/i* SPORTS faire de l'escrime ◆ **fence in** *v/t sep lit* clôturer ◆ **fence off** *v/t sep* séparer par une clôture

fencing ['fensɪŋ] *n* **1.** SPORTS escrime *f* **2.** (*fences*) clôtures *fpl*

fend [fend] *v/i* ***to ~ for oneself*** se débrouiller ◆ **fend off** *v/t sep* contrer

fender ['fendəʳ] *n* **1.** (*in front of fire*) pare-feu *m* **2.** *US* (*on car*) aile *f*; (*on bicycle etc.*) garde-boue *m*

fennel ['fenl] *n* BOT fenouil *m*

feral ['ferəl] *adj attr* sauvage; ***~ cat*** chat sauvage

ferment ['fɜːment] **I** *n fig* effervescence *f*; ***the city was in ~*** la ville était en ébullition **II** *v/i* fermenter **III** *v/t lit* faire fermenter **fermentation** [ˌfɜːmen'teɪʃən] *n* fermentation *f*

fern [fɜːn] *n* fougère *f*

ferocious [fə'rəʊʃəs] *adj* féroce; *dog* méchant; *look* foudroyant; *battle* acharné; *argument* terrible; *attack* féroce **ferociously** [fə'rəʊʃəslɪ] *adv fight, argue* avec acharnement; *attack* férocement; *glare* de manière foudroyante; *bark* avec férocité **ferocity** [fə'rɒsɪtɪ] *n* (*of animal*) férocité *f*; (*of battle, argument*) férocité *f*; (*of attack*) virulence *f*

ferret ['ferɪt] **I** *n* furet *m* **II** *v/i* (*a.* **ferret around**) fureter ◆ **ferret out** *v/t sep* (*Br infml*) dégoter *infml*

Ferris wheel ['ferɪsˌwiːl] *n* grande roue *f*

ferrous ['ferəs] *adj* ferreux(-euse)

ferry ['ferɪ] **I** *n* ferry *m* **II** *v/t* (*a.* **ferry across** *or* **over**) (*by boat, car etc.*) faire traverser ***to ~ sb across a river*** faire traverser une rivière à qn; ***to ~ sb/sth back and forth*** faire des allers et retours pour transporter qn / qc **ferry service** *n* service *m* de ferry

fertile ['fɜːtaɪl] *adj* fertile; ***this is ~ ground for racists*** c'est un terrain qui est propice au racisme **fertility** [fə'tɪlɪtɪ] *n* fertilité *f*; ***~ clinic*** centre de traitement de la stérilité; ***~ treatment*** traitement de la stérilité **fertilization** [ˌfɜːtɪlaɪ'zeɪʃən] *n* (*of plants*) fertilisation *f*; (*of ovum*) fécondation *f* **fertilize** ['fɜːtɪlaɪz] *v/t* féconder; *soil* fertiliser **fertilizer** ['fɜːtɪlaɪzəʳ] *n* engrais *m*

fervent ['fɜːvənt] *adj* fervent; *hope* ardent **fervently** ['fɜːvəntlɪ] *adv* avec ferveur **fervor**, *Br* **fervor** ['fɜːvəʳ] *n* ferveur *f*

fester ['festəʳ] *v/i* suppurer; (*fig, resentment etc.*) s'envenimer

festival ['festɪvəl] *n* **1.** ECCL *etc.* fête *f* **2.** (*cultural*) festival *m* **festive** ['festɪv] *adj* festif(-ive); ***the ~ season*** les fêtes **festivity** [fe'stɪvɪtɪ] *n* (*celebration*) fête *f*; ***festivities*** *pl* festivités

festoon [fe'stuːn] *v/t* ***to ~ sth with sth*** décorer qc avec qc; ***to be ~ed with sth*** être orné de qc

feta (cheese) ['fetə('tʃiːz)] *n* feta *f*

fetal, *Br* **foetal** ['fiːtl] *adj* fœtal

fetch [fetʃ] **I** *v/t* **1.** (*bring*) apporter; (*collect*) récupérer; ***would you ~ a handkerchief for me*** *or* ***~ me a handkerchief?*** pourrais-tu m'apporter un mouchoir?; ***she ~ed in the washing*** elle a ramassé le linge; ***~!*** va chercher! **2.** (*bring in*) *$10 etc.* rapporter **II** *v/i* ***to ~ and carry for sb*** faire les quatre volontés de qn **fetching** ['fetʃɪŋ] *adj* ravissant

fête [feɪt] **I** *n* fête *f* **II** *v/t* fêter

fetid ['fetɪd] *adj* fétide

fetish ['fetɪʃ] *n* fétiche *m*; ***to have a ~ for leather*** adorer le cuir *infml*; ***to have a ~ for cleanliness*** être maniaque de la propreté

fetters ['fetəz] *pl fig* chaînes *fpl*

fettle ['fetl] *n* ***to be in fine ~*** être en pleine forme
fetus, *Br* **foetus** ['fi:təs] *n* fœtus *m*
feud [fju:d] *lit*, *fig* **I** *n* querelle *f* **II** *v/i* se quereller
feudal ['fju:dl] *adj* féodal; ***~ system*** système féodal **feudalism** ['fju:dəlɪzəm] *n* féodalisme *m*
fever ['fi:vər] *n* **1.** fièvre *f*; ***to have a ~*** avoir de la fièvre **2.** *fig* fièvre *f*; ***election ~*** fièvre électorale; ***in a ~ of excitement*** en ébullition **feverish** ['fi:vərɪʃ] *adj* **1.** (*frantic*) frénétique **2.** MED ***to be ~*** avoir de la fièvre **feverishly** ['fi:vərɪʃlɪ] *adv work*, *try* frénétiquement **fever pitch** *n* ***to reach ~*** être à son comble
few [fju:] *adj pron* **1.** (*not many*) peu de; ***~ people come to see him*** peu de gens viennent le voir; ***~ and far between*** très rare; ***as ~ as ten cigarettes a day*** pas plus de dix cigarettes par jour; ***there were 3 too ~*** il en manquait 3; ***he is one of the ~ people who …*** c'est l'une des rares personnes qui …; ***~ of them came*** peu d'entre eux sont venus; ***there are too ~ of you*** vous n'êtes pas assez nombreux **2.** ***a ~*** quelques; ***a ~ more days*** quelques jours de plus; ***a ~ times*** une ou deux fois; ***there were quite a ~ waiting*** il y avait pas mal de gens qui attendaient; ***he's had a ~*** (***too many***) il a bu quelques verres (de trop); ***quite a ~ books*** pas mal de livres; ***in the next ~ days*** dans les jours qui viennent; ***every ~ days*** tous les deux ou trois jours; ***a ~ more*** quelques-uns de plus; ***quite a ~*** pas mal; ***the ~ who knew him*** les quelques personnes qui le connaissaient **fewer** ['fju:ər] *adj*, *pron comp* = **few** moins de; ***no ~ than*** pas moins de **fewest** ['fju:ɪst] *supof* **few** **I** *adj* le moins de **II** *pron* le moins
fiancé [fɪ'ɑ̃:ŋseɪ] *n* fiancé *m* **fiancée** [fɪ'ɑ̃:ŋseɪ] *n* fiancée *f*
fiasco [fɪ'æskəʊ] *n* ⟨*pl* **-s**⟩, (*US also*) **-es** fiasco *m*
fib [fɪb] *infml* **I** *n* bobard *infml*; ***don't tell ~s*** ne raconte pas de bobards *infml* **II** *v/i* raconter des bobards *infml*
fiber, *Br* **fibre** ['faɪbər] *n* **1.** fibre *f* **2.** (*roughage*) fibres *fpl* **3.** *fig* ***moral ~*** courage moral **fiberglass**, *Br* **fibreglass** **I** *n* fibre *f* de verre **II** *adj* en fibre de verre **fiber optics**, *Br* **fibre optics** *n sg* fibre *f* optique
fickle ['fɪkl] *adj* inconstant
fiction ['fɪkʃən] *n* **1.** *no pl* LIT roman *m*; ***you'll find that under ~*** vous trouverez dans les romans; ***work of ~*** une fiction; (*book*) un roman **2.** (*invention*) invention *f*; ***that's pure ~*** c'est de la pure invention **fictional** ['fɪkʃənl] *adj* **1.** (*invented*) inventé; *drama* inventé **2.** (*relating to fiction*) romanesque; ***his ~ writing*** l'écriture romanesque **fictitious** [fɪk'tɪʃəs] *adj* **1.** *name* inventé **2.** LIT *character* fictif(-ive)
fiddle ['fɪdl] **I** *n* **1.** (MUS *infml*) violon *m infml*; ***to play second ~ to sb*** *fig* être le sous-fifre de qn *infml*; ***to be as fit as a ~*** se porter comme un charme **2.** (*Br infml swindle*) combine *f infml*; (*with money*) magouille *f infml*; ***tax ~*** magouille fiscale; ***to be on the ~*** magouiller *infml* **II** *v/t* (*Br infml*) *accounts* trafiquer *infml*; ***he ~d it so that …*** il l'a truqué de façon à … ◆ **fiddle around** *or* **about** (*Brit*) *v/i* ***to fiddle around with sth*** tripoter qc; (*fidget with*) triturer qc
fiddler ['fɪdlər] *n* (MUS *infml*) violoniste *m/f* **fiddly** ['fɪdlɪ] *adj Br job* délicat; *controls etc.* difficile à manipuler
fidelity [fɪ'delɪtɪ] *n* fidélité *f* (*to sb* envers qn, *to sth* à qc)
fidget ['fɪdʒɪt] **I** *v/i* (*a.* **fidget around**) gigoter **II** *n* (*person*) agité(e) *m*(*f*) **fidgety** ['fɪdʒɪtɪ] *adj* remuant; *audience* agité; ***to get ~*** ne plus tenir en place
field [fi:ld] **I** *n* **1.** champ *m*; (*area of grass*) pré *m*; ***corn ~*** champ de maïs; ***potato ~*** champ de pommes de terre; ***in the ~s*** dans les champs; ***~ of battle*** champ de bataille; ***~ of vision*** champ de vision **2.** (*for football etc.*) terrain *m*; ***sports or games ~*** terrain de sport **3.** (*of study etc.*) domaine *m*; (*of industry*) filière *f*; ***what ~ are you in?*** dans quel domaine travaillez-vous? **4.** (*practical operation*) terrain *m*; ***work in the ~*** travailler sur le terrain **5.** IT champ *m* **II** *v/t* **1.** *ball* attraper; *fig question etc.* répondre à; ***he had to ~ calls from customers*** il devait répondre aux appels de clients *infml* **2.** *team* faire jouer **3.** POL *candidate* présenter **III** *v/i* BASEBALL *etc.* être dans l'équipe qui attrape la balle **field day** *n fig* ***I had a ~*** je m'en suis donné à cœur joie **fielder** ['fi:ldər] *n* BASEBALL *etc.* joueur *m* de champ, défenseur *m*
field event *n* ATHLETICS épreuves *fpl*

de saut et de lancer **field hockey** *n US* hockey *m* sur gazon **field sports** *pl* sports *mpl* de plein air (*pêche ou chasse*) **field study** *n* étude *f* de terrain **field test** *n* essai *m* sur le terrain **field-test** *v/t* soumettre à des essais **field work** *n* (*of surveyor etc.*) travail *m* de terrain; (*of sociologist etc.*) recherche *f* de terrain

fiend [fiːnd] *n* **1.** (*evil spirit*) démon *m*; (*person*) monstre *m* **2.** (*infml addict*) accro *m/f infml*; ***tennis ~*** un accro de tennis **fiendish** *adj* **1.** (*cruel*) cruel(le); ***he took a ~ delight in doing it*** il a pris un malin plaisir à le faire **2.** *infml plan* diabolique **3.** *infml problem* costaud *infml* **fiendishly** *adv infml difficult* diablement

fierce [fɪəs] *adj animal* féroce; *person*, *look* méchant; *fighting*, *resistance* farouche; *debate* acharné; *attack*, *competition* farouche; *heat* torride; ***he has a ~ temper*** il a un sale caractère **fiercely** ['fɪəslɪ] *adv oppose*, *fight* farouchement; *criticize* âprement; *defend*, *argue* avec acharnement; *competitive*, *loyal* farouchement; ***the fire was burning ~*** le feu brûlait ardemment

fiery ['faɪərɪ] *adj inferno*, *heat* ardent; *temperament* fougueux(-euse); *speech* enflammé; ***to have a ~ temper*** avoir un tempérament fougueux

FIFA ['fiːfə] *abbr* = **Federation of International Football Associations** FIFA *f*

fifteen ['fɪf'tiːn] **I** *adj* quinze **II** *n* quinze *m*

fifteenth ['fɪf'tiːnθ] **I** *adj* quinzième **II** *n* **1.** quinzième *m/f* **2.** (*part*, *fraction*) quinzième *m*; → **sixteenth**

fifth [fɪfθ] **I** *adj* cinquième **II** *n* **1.** cinquième *m/f* **2.** (*part*, *fraction*) cinquième *m*; → **sixth 3.** MUS quinte *f* **4.** ***to take the ~*** (*US infml*) invoquer le cinquième amendement (*pour ne pas répondre à une question*)

fiftieth ['fɪftɪɪθ] **I** *adj* cinquantième **II** *n* **1.** cinquantième *m/f* **2.** (*part*, *fraction*) cinquantième *m*; → **sixth**

fifty ['fɪftɪ] **I** *adj* cinquante **II** *n* cinquante *m*; → **sixty fifty-fifty** ['fɪftɪ'fɪftɪ] **I** *adv* moitié moitié *infml*; ***to go ~*** (***with sb***) faire moitié moitié (avec qn) *infml* **II** *adj* ***he has a ~ chance of survival*** il a une chance sur deux de s'en sortir

fig [fɪg] *n* figue *f*

fig. *abbr* = **figure**(**s**) fig.

fight [faɪt] *vb* ⟨*past*, *past part* **fought**⟩ **I** *n* **1.** combat *m*, lutte *f*; (*fist fight*) bagarre *f*; (*argument*) dispute *f*; ***to have a ~ with sb*** se battre avec qn; (*argue*) se disputer avec qn; ***to put up a good ~*** bien se défendre; ***do you want a ~?*** tu veux te battre?; ***he won't give in without a ~*** il ne lâchera pas facilement; ***the ~ for survival*** la lutte pour la survie **2.** (*fighting spirit*) envie *f* de se battre; ***there was no ~ left in him*** il n'avait plus envie de se battre **II** *v/i* lutter; (*have punch-up etc.*) se battre; (*argue*) se disputer; ***to ~ against disease*** lutter contre la maladie; ***to ~ for sb / sth*** se battre pour qn / qc; ***to ~ for breath*** suffoquer **III** *v/t person* combattre; (*have punch-up with*) se battre avec; *fire*, *disease*, *crime*, *inflation* combattre, lutter contre; ***to ~ a duel*** se battre en duel; ***to ~ one's way through the crowd*** se faufiler à travers la foule avec difficulté ◆ **fight back I** *v/i* (*in fight*) riposter; MIL se défendre; SPORTS riposter **II** *v/t sep tears etc.* retenir ◆ **fight off** *v/t sep* repousser; ***I'm still trying to ~ this cold*** j'essaie toujours de lutter contre ce rhume ◆ **fight out** *v/t sep* ***leave them fight it out*** laissez-les régler ça entre eux

fighter ['faɪtə[r]] *n* **1.** combattant(e) *m*(*f*); BOXING boxeur(-euse) *m*(*f*); ***he's a ~*** *fig* c'est un battant **2.** (AVIAT *plane*) avion *m* de chasse **fighter pilot** *n* pilote *m* de chasse **fighting** ['faɪtɪŋ] *n* MIL combats *mpl*; (*punch-ups etc.*) bagarre *f*; (*argument*) dispute *f*; ***~ broke out*** une bagarre a éclaté **fighting chance** *n* ***he's in with a ~*** il a de bonnes chances **fighting fit** *adj* (*Br infml*) en pleine forme *infml* **fighting spirit** *n* combativité *f*

fig leaf *n* feuille *f* de vigne

figment ['fɪgmənt] *n* ***it's all a ~ of his imagination*** tout est le produit de son imagination

figurative ['fɪgjʊrətɪv] *adj painting* figuratif(-ive); *sense* figuré **figuratively** ['fɪgjʊrətɪvlɪ] *adv* de manière figurée

figure ['fɪgə[r]] **I** *n* **1.** (*number*) nombre *m*; (*digit*) chiffre *m*; (*sum*) somme *f*; ***he didn't want to put a ~ on it*** il ne voulait pas le chiffrer; ***he's good at ~s*** il est doué pour les chiffres; ***to reach double ~s*** atteindre les nombres à deux chiffres; ***a three-~ sum*** une somme à trois chiffres **2.** (*in geometry shapeliness*) figure *f*; **~ (*of*) *eight*** un huit; ***to lose one's ~*** perdre la ligne; ***she's a fine ~ of a woman*** c'est une belle femme; ***he's a fine ~ of a man*** c'est un bel homme **3.** (*human form*) figure *f* **4.** (*personality*) personnage *m*; ***the great ~s of history*** les grands personnages de l'histoire; ***a key public ~*** une personnalité clé; ***to be a ~ of fun*** faire l'objet de plaisanteries **5.** LIT ***~ of speech*** figure *f* de rhétorique; ***it's just a ~ of speech*** c'est juste une façon de parler **6.** (*drawing*) figure *f* **II** *v/t* **1.** (*esp US infml think*) penser **2.** (*US infml figure out*) comprendre **III** *v/i* **1.** (*appear*) figurer; ***he ~d prominently in my plans*** il occupait une place prépondérante dans mes projets **2.** *infml* ***that ~s*** c'est logique ◆ **figure on** *v/t insep esp US* penser ◆ **figure out** *v/t sep* **1.** (*understand*) comprendre **2.** (*work out*) trouver; *how to do sth* arriver à comprendre

figurehead *n* (NAUT, *fig*) figure *f* de proue **figure skating** *n* patinage *m* artistique **figurine** [fɪɡəˈriːn] *n* figurine *f*

Fiji [ˈfiːdʒiː] *n* Fidji *fpl*

filament [ˈfɪləmənt] *n* ELEC filament *m*

file[1] [faɪl] **I** *n* lime *f* **II** *v/t* limer; ***to ~ one's nails*** se limer les ongles

file[2] **I** *n* **1.** (*holder*) dossier *m*; ***it's in the ~s somewhere*** c'est quelque part dans les dossiers **2.** (*documents*) dossier *m* (*on sb* sur qn, *on sth* sur qc); ***have we got that on ~?*** est-ce qu'on a cela dans nos fichiers?; ***to open*** *or* ***start a ~ on sb/sth*** ouvrir un dossier sur qn/qc; ***to keep sb/sth on ~*** ficher qn/qc; ***the Kowalski ~*** le dossier Kowalski **3.** IT fichier *m*; ***to have sth on ~*** avoir qc sur fichier **II** *v/t* **1.** *documents* classer **2.** PRESS *report* envoyer **3.** JUR *complaint* déposer; (*law*)*suit* intenter **III** *v/i* ***to ~ for divorce*** demander le divorce; ***to ~ for bankruptcy*** déposer le bilan

file[3] **I** *n* (*row*) file *f*; ***in single ~*** en file indienne **II** *v/i* ***to ~ in*** se mettre en file; ***they ~d out of the classroom*** ils sont sortis de la classe l'un derrière l'autre; ***the troops ~d past the general*** les troupes ont défilé devant le général

file cabinet *n US* (meuble *m*) classeur *m*

file management *n* IT gestion *f* de fichiers **file manager** *n* IT gestionnaire *m* de fichier **filename** *n* IT nom *m* de fichier

filet [fɪˈleɪ] *n US* = **fillet**

filial [ˈfɪlɪəl] *adj duties* filial

filing [ˈfaɪlɪŋ] *n* (*of documents*) classement *m*; ***have you done the ~?*** avez-vous fait le classement? **filing cabinet** *n* (meuble *m*) classeur *m* **filings** [ˈfaɪlɪŋz] *pl* limaille *f* **filing system** *n* système *m* de classement **filing tray** *n* corbeille *f* de classement

fill [fɪl] **I** *v/t* **1.** remplir; *teeth* obturer; *fig* remplir; ***I had three teeth ~ed*** le dentiste m'a fait trois obturations **2.** (*permeate*) remplir; ***~ed with admiration*** rempli d'admiration; ***~ed with emotion*** plein d'émotion **3.** *position* (*employer*) pourvoir; *role* remplir; ***the position is already ~ed*** le poste est déjà pourvu **II** *v/i* se remplir **III** *n* ***to drink one's ~*** boire tout son soûl; ***to eat one's ~*** manger à sa faim; ***I've had my ~ of him*** *infml* j'en ai ma dose de lui *infml* ◆ **fill in I** *v/i* ***to ~ for sb*** remplacer qn **II** *v/t sep* **1.** *hole* boucher; ***he's just filling in time*** il ne fait que passer le temps **2.** *form* remplir; *name*, *word* inscrire **3.** ***to fill sb in*** (***on sth***) mettre qn au courant (de qc) ◆ **fill out I** *v/i* (*person*) s'envelopper; (*face*) s'arrondir **II** *v/t sep form* compléter, remplir ◆ **fill up I** *v/i* **1.** AUTO faire le plein d'essence **2.** (*hall etc.*) se remplir **II** *v/t sep tank*, *cup* remplir; (*driver*) faire le plein de; *hole* boucher; ***that pie has really filled me up*** cette tarte m'a vraiment rassasié; ***you need something to fill you up*** il faut que tu manges quelque chose pour te remplir l'estomac

filler [ˈfɪləʳ] *n* **1.** BUILD enduit *m* **2.** PRESS, TV bouche-trou *m*

fillet [ˈfɪlɪt] **I** *n* COOK filet *m*; ***~ of beef*** filet de bœuf **II** *v/t* COOK, *fish* lever **fillet steak** *n* steak *m* dans le filet

filling [ˈfɪlɪŋ] **I** *n* obturation *m*; ***I had to have three ~s*** j'ai dû me faire faire trois obturations **II** *adj food* nourrissant

filling station *n* station-service *f*

filly [ˈfɪlɪ] *n* pouliche *f*

film [fɪlm] **I** *n* film *m*; (*of dust*) pellicule *f*; ***to make*** *or* ***shoot a ~*** faire *or* tourner un film; ***to make a ~*** (*actor*) tourner dans un film; ***to go to*** (***see***) ***a ~*** aller voir un film **II** *v/t play* jouer; *scene* tourner; *people* filmer **III** *v/i* tourner, filmer; ***we start ~ing*** *or* ***~ing starts tomorrow*** on commence à filmer demain **film clip** *n Br* extrait *m* de film **film festival** *n* festival *m* de cinéma **film industry** *n Br* industrie *f* cinématographique **film maker** *n* réalisateur(-trice) *m(f)* **film script** *n Br* scénario *m* **film star** *n Br* vedette *f* de cinéma **film studio** *n Br* studio *m* de cinéma **film version** *n* version *f* filmée

Filofax® ['faɪləʊfæks] *n* organiseur *m*, agenda *m*

filter ['fɪltəʳ] **I** *n* filtre *m* **II** *v/t* filtrer **III** *v/i* (*light*) filtrer; (*liquid*, *sound*) s'infiltrer ◆ **filter in** *v/i* (*people*) entrer (petit à petit) ◆ **filter out I** *v/i* (*people*) sortir **II** *v/t sep lit* filtrer

filter coffee *n* café *m* filtre **filter lane** *n Br* voie *f* de stockage **filter paper** *n* papier *m* filtre **filter tip** *n* bout *m* filtre *m* **filter-tipped** *adj* **~ *cigarette*** cigarette avec filtre

filth [fɪlθ] *n lit* crasse *f*; *fig* cochonneries *fpl infml* **filthy** ['fɪlθɪ] *adj* crasseux (-euse); *habit* dégoûtant; *magazine* pornographique; ***to live in ~ conditions*** vivre dans des conditions immondes; ***you've got a ~ mind!*** tu as l'esprit mal tourné!

fin [fɪn] *n* **1.** (*of fish*) nageoire *f*; (*of shark*) aileron *m* **2.** AVIAT aileron *m*

final ['faɪnl] **I** *adj* **1.** (*last*) dernier(-ière); **~ *round*** (*in a tournament*) dernier tour; **~ *stage(s)*** les dernières étapes; **~ *chapter*** dernier chapitre **2.** *result*, *version* final; **~ *score*** résultat final; ***that's my ~ offer*** c'est ma dernière offre; ***the judges' decision is ~*** la décision des juges est irrévocable; ***… and that's ~!*** … un point c'est tout! *infml* **II** *n* **1.** *esp* SPORTS finale *f*; (*of quiz*, *game*, *race*) finale *f*; ***to get to the ~*** arriver en finale; ***World Cup Final*** FTBL finale de la coupe du monde; ***the ~s*** la phase finale **2. finals** *pl* (*Br* UNIV) examens *mpl* de fin d'études universitaires **final demand** *n* dernier rappel *m* **finale** [fɪ'nɑːlɪ] *n* finale *m* **finalist** ['faɪnəlɪst] *n* SPORTS finaliste *m/f* **finality** [faɪ'nælɪtɪ] *n* (*of decision etc.*) caractère *m* final **finalize** ['faɪnəlaɪz] *v/t arrangements*, *details* finaliser; *deal* conclure

finally ['faɪnəlɪ] *adv* **1.** (*eventually*) finalement; (*at last*) enfin **2.** (*lastly*) pour finir **3.** *decide* finalement **final whistle** *n* FTBL coup *m* de sifflet final; ***to blow the ~*** donner le coup de sifflet final

finance [faɪ'næns] **I** *n* **1.** finance *f*; ***high ~*** haute finance **2.** (*money*) financement *m*; ***it's a question of ~*** c'est une question de financement; ***~s*** finances **II** *v/t* financer **finance director** *n* directeur(-trice) *m(f)* financier **financial** [faɪ'nænʃəl] *adj* **1.** *problems* financier (-ière), d'argent; **~ *resources*** ressources financières **2.** ST EX, ECON financier (-ière); ***on the ~ markets*** sur les marchés financiers; **~ *investment*** investissement financier **financial adviser, financial consultant** *n* conseiller(-ère) *m(f)* financier **financial director** *n* COMM directeur(-trice) *m(f)* financier (-ière) **financially** [faɪ'nænʃəlɪ] *adv* financièrement; ***the company is ~ sound*** la société a des finances saines; **~ *viable*** financièrement viable **financial services** *pl* services *mpl* financiers **financial year** *n Br* année *f* fiscale **financier** [faɪ'nænsɪəʳ] *n* financier (-ière) *m(f)*

finch [fɪntʃ] *n* pinson *m*

find [faɪnd] *vb* ⟨*past*, *past part* **found**⟩ **I** *v/t* **1.** trouver; ***it's nowhere to be found*** il est introuvable; ***to ~ pleasure in sth*** trouver du plaisir à qc; ***he was found dead in bed*** on l'a trouvé mort dans son lit; ***where am I going to ~ the time?*** où vais-je trouver le temps?; ***I don't ~ it easy to tell you this*** ça ne m'est pas facile de te dire ça; ***he always found languages easy*** il a toujours trouvé les langues faciles à apprendre; ***I ~ it impossible to understand him*** il m'est impossible de le comprendre; ***I found myself smiling*** j'ai souri malgré moi; ***I ~ myself in an impossible situation*** je me trouve dans une situation impossible; ***one day he suddenly found himself out of a job*** un jour il s'est soudain retrouvé sans travail; ***this flower is found all over New England*** on trouve cette fleur dans toute la Nouvelle-Angleterre **2.** (*supply*) chercher (***sb sth*** qc à qn); ***go ~ me a needle*** va me chercher une aiguille; ***we'll have to ~ him a desk*** il va falloir qu'on lui trouve un bureau **3.** (*discover*) découvrir; *cause* trouver; ***we found the car wouldn't start*** nous avons constaté que la voiture ne démarrait pas; ***you will ~ that I am right*** tu verras que j'ai raison **4.** JUR ***to ~ sb guilty/not guilty*** déclarer qn coupable / non coupable; ***how do you ~ the accused?*** quel est votre verdict? **5.** IT rechercher; **~ *and replace*** rechercher et remplacer

II *v/i* JUR ***to ~ for/against the accused*** émettre un jugement en faveur de/contre l'accusé **III** *n* découverte *f* ◆ **find out I** *v/t sep* apprendre; (*discover misdeeds of*) découvrir; (*come to know about*) savoir; ***you've been found out*** vous êtes démasqué **II** *v/i* se renseigner; ***to ~ about sb/sth*** (*discover existence of*) découvrir l'existence de qn/qc; ***to help children ~ about other countries*** aider les enfants à découvrir des choses sur d'autres pays

finder ['faındəʳ] *n* personne *f* qui trouve

finding ['faındıŋ] *n* **~s** *pl* conclusions; (*medical*) résultats

fine¹ [faın] **I** *n* JUR amende *f*; (*driving*) contravention *f* **II** *v/t* JUR condamner; ***he was ~d $1000*** il a été condamné à une amende de 1000 dollars; ***he was ~d for speeding*** il a eu une contravention pour excès de vitesse

fine² **I** *adj* **1.** (*excellent*) bon(bonne); *building*, *view* beau(belle); *performance*, *player* excellent; ***you're doing a ~ job*** vous faites du bon travail; ***she's a ~ woman*** c'est une femme remarquable; (*in stature*) c'est une belle femme **2.** (*acceptable*) bon(bonne); ***any more?—no, that's ~*** vous en voulez encore? —non merci, ça va; ***everything's going to be just ~*** tout va bien se passer; ***these apples are ~ for cooking*** ces pommes sont parfaite pour faire cuire; ***the doctor said it was ~ for me to play*** le médecin a dit que je pouvais jouer; ***you look ~*** (***to me***) tu m'as l'air en forme; ***your idea sounds ~*** votre idée me semble bonne; ***she is ~*** (*in good health*) elle se porte bien; (*things are going well*) elle va bien; ***how are you?—~, thanks*** comment allez-vous?—bien, merci; ***a glass of water and I'll be ~*** je vais prendre un verre d'eau et ça ira mieux; ***that's ~ with*** *or* ***by me*** je suis d'accord **3.** (*high-quality*, *delicate*) fin; *wine*, *china* fin; *clothes* raffiné; *house* joli; *features* fin; ***the ~st ingredients*** les meilleurs ingrédients; ***a ~ rain*** une pluie fine; ***to read the ~ print*** lire les mentions en petits caractères; ***not to put too ~ a point on it*** à franchement parler **4.** *weather*, *day* beau(belle); ***when it is/was ~*** quand il fait/faisait beau; ***one ~ day*** un beau jour **5.** *iron friend etc.* sacré *iron*; ***you're a ~ one to talk!*** tu peux parler! **II** *adv* **1.** (*well*) bien; ***you're doing ~*** vous vous en sortez bien; (*healthwise*) vous allez bien; ***we get on ~*** on s'entend bien **2.** *slice* finement **fine art** *n* **1.** *usu pl* beaux arts *mpl* **2.** ***he's got it down to a ~*** il est devenu virtuose **finely** ['faınlı] *adv* délicatement; *slice* finement; ***the case is ~ balanced*** l'affaire est très partagée; ***~ tuned*** *engine* finement réglé **finery** ['faınərı] *n* ***wedding guests in all their ~*** les invités du mariage dans leurs beaux atours

finesse [fı'nes] *n* finesse *f*

fine-tooth comb *n* ***to go over sth with a ~*** passer qc au peigne fin **fine-tune** *v/t lit* régler avec précision; *fig* peaufiner **fine-tuning** *n lit* réglages *mpl* de précision; *fig* peaufinage *m*

finger ['fıŋgəʳ] **I** *n* doigt *m*; ***she can twist him around her little ~*** elle le mène par le bout du nez; ***I didn't lay a ~ on her*** je ne l'ai pas touchée; ***he wouldn't lift a ~ to help me*** il ne lèverait pas le petit doigt pour m'aider; ***I can't put my ~ on it, but …*** je n'arrive pas à dire exactement quoi, mais …; ***you've put your ~ on it there*** tu as mis le doigt dessus en disant cela; ***pull your ~ out!*** (*Br infml*) au boulot! *infml*; ***to give sb the ~*** (*esp US infml*) faire un geste obscène à qn avec le doigt *infml* **II** *v/t* (*touch*) toucher, tripoter *infml* **finger buffet** *n* buffet *m* sans couverts **fingermark** *n* trace *f* de doigts **fingernail** *n* ongle *m* (de la main) **finger-pointing** *n* accusations *fpl* **fingerprint** *n* empreinte *f* digitale; ***to take sb's ~s*** prendre les empreintes digitales de qn **fingertip** *n* bout *m* du doigt; ***to have sth at one's ~s*** connaître qc sur le bout des doigts *infml*

finicky ['fınıkı] *adj* tatillon(ne) *infml*; (*about food etc.*) difficile

finish ['fınıʃ] **I** *n* **1.** (*end*) fin *f*; (*of race*) arrivée *f*; (*finishing line*) ligne *f* d'arrivée; ***from start to ~*** du début à la fin **2.** (*of industrial products*) finition *f* **II** *v/t* **1.** finir, terminer; *education*, *course*, *piece of work* finir; ***he's ~ed the painting*** il a terminé le tableau; ***to have ~ed doing sth*** avoir fini de faire qc; ***when I ~ eating …*** quand j'aurai fini de manger …; ***to ~ writing sth*** finir d'écrire qc; ***when do you ~ work?*** à quelle heure tu finis ton travail?; ***she never lets him ~*** (***what he's saying***) elle ne le laisse jamais finir (ce qu'il a à dire); ***give me time to ~ my drink*** laisse-moi le temps de finir mon verre; ***~ what you're doing*** terminez ce que vous êtes en train de faire **2.** (*ruin*) détruire; (*kill*, *infml exhaust*) achever *infml*; ***another strike could ~ the firm*** une nouvelle grève pourrait achever la société **3.** *surface*, *product* faire la finition de **III** *v/i* **1.** finir; (*person*: *with task etc.*) finir; (*come to an end*, *finish work*) se terminer; (*piece of music etc.*) se conclure; ***my course ~es this week*** mon cours se termine cette semaine; ***we'll ~ by singing a song*** nous allons terminer en chantant une chanson; ***I've ~ed*** j'ai fini **2.** SPORTS finir; ***to ~ first*** finir premier ◆ **finish off** *v/t sep* **1.** *piece of work*, *job* terminer; ***to ~ a letter*** terminer une lettre **2.** *food*, *drink* finir **3.** (*kill*) achever **4.** (*do for*) *person* terminer ◆ **finish up** *v/i* (*in a place*) finir *infml*; ***he finished up a nervous wreck*** à la fin, il était à bout de nerfs; ***you'll ~ wishing you'd never started*** tu vas finir par regretter d'avoir commencé ◆ **finish with** *v/t insep* **1.** (*no longer need*) ne plus avoir besoin de; ***I've finished with the paper*** j'ai fini de lire le journal **2.** ***I've finished with him*** (*with boyfriend*) j'ai rompu avec lui

finished ['fɪnɪʃt] *adj* **1.** fini, terminé; ***I'm nearly ~*** j'ai presque fini; ***to be ~ doing sth*** *US* avoir fini de faire qc; ***to be ~ with sb / sth*** en avoir fini avec qn / qc; (*fed up*) en avoir assez de qn / qc; ***I'm ~ with politics*** j'en ai assez de la politique; ***~ goods*** produits finis; ***the ~ article*** (*object*) le produit fini; (*piece of writing*, *work of art*) l'œuvre finie **2.** (*used up*) *things* fini, terminé; (*over*) fini; ***the wine is ~*** il n'y a plus de vin **3.** *infml* ***to be ~*** (*politician etc.*) être fini *infml* (***as*** en tant que); ***we're ~, it's ~ between us*** c'est fini entre nous **4.** (*treated*) *product* fini **finishing line** ['fɪnɪʃɪŋ] *n* ligne *f* d'arrivée

finite ['faɪnaɪt] *adj* fini; ***a ~ number*** un nombre fini; ***coal and oil are ~ resources*** le charbon et le pétrole sont des ressources limitées

Finland ['fɪnlənd] *n* Finlande *f* **Finn** [fɪn] *n* Finlandais(e) *m*(*f*) **Finnish** ['fɪnɪʃ] **I** *adj* finlandais; ***he is ~*** il est finlandais; ***she is ~*** elle est finlandaise **II** *n* LING finnois *m*

fiord [fjɔːd] *n* fjord *m*

fir [fɜːʳ] *n* sapin *m* **fir cone** *n* pomme *f* de pin

fire [faɪəʳ] **I** *n* **1.** feu *m*; ***the house was on ~*** la maison brûlait; ***to set ~ to sth, to set sth on ~*** mettre le feu à qc; (*so as to destroy*) incendier qc; ***to catch ~*** prendre feu; ***you're playing with ~*** *fig* tu joues avec le feu; ***to open ~ on sb*** ouvrir le feu sur qn; ***cannon ~*** coups *mpl* de canon; ***to come under ~*** recevoir des coups de feu; *fig* être sévèrement critiqué **2.** (*house fire etc.*) incendie *m*; ***there was a ~ next door*** il y a eu un incendie dans la maison d'à côté; ***fire!*** au feu! **3.** (*in grate*) feu *m* (dans la cheminée); *Br* ***gas / electric ~*** radiateur *m* à gaz / électrique **II** *v/t* **1.** *pottery* cuire **2.** *fig imagination* enflammer; ***to ~ sb with enthusiasm*** remplir qn d'enthousiasme **3.** *arrow*, *shot* tirer; *rocket* lancer; ***to ~ a gun*** tirer un coup de fusil; ***to ~ a gun at sb*** tirer sur qn; ***to ~ questions at sb*** bombarder qn de questions **4.** (*infml dismiss*) licencier, virer *infml* **III** *v/i* **1.** (*shoot*) tirer (***at*** sur); ***~!*** feu! **2.** (*engine*) démarrer; ***the engine is only firing on three cylinders*** le moteur ne tourne que sur trois cylindres ◆ **fire away** *v/i infml* ***~*** allez-y ◆ **fire off** *v/t sep barrel* décharger; *letter* expédier; ***to ~ a gun*** tirer un coup de pistolet ◆ **fire up** *v/t sep fig* exciter

fire alarm *n* sirène *f* d'alarme; (*apparatus*) alarme *f* incendie **firearm** *n* arme *f* à feu **fireball** *n* **1.** (*of explosion etc.*) boule *f* de feu **2.** (*fig*, *infml person*) personne *f* dynamique, pile *f* électrique *infml* **fire brigade** *n Br* sapeurs-pompiers *mpl* **firecracker** *n* pétard *m* **fire department** *n US* sapeurs-pompiers *mpl* **fire door** *n* porte *f* coupe-feu **fire drill** *n* exercice *m* d'incendie **fire-eater** *n* cracheur(-euse) *m*(*f*) de feu **fire engine** *n* camion *m* de pompiers, autopompe *f* **fire escape** *n* (*staircase*) escalier *m* de secours; (*ladder*) échelle *f* de secours **fire exit** *n* issue *f* de secours **fire-extinguisher** *n* extincteur *m* (d'incendie) **firefighter** *n* pompier *m* **firefighting** *adj attr techniques*, *team* de lutte *f* contre les incendies; ***~ equipment*** matériel de lutte contre les incendies **fire hazard** *n* ***to be a ~*** présenter un risque d'incendie **firehouse** *n US* caserne *f* de sapeurs-pompiers **fire hy-**

drant *n* bouche *f* d'incendie **firelight** *n* lueur *f* du feu **firelighter** *n Br* allume-feu *m* **fireman** *n* pompier *m* **fireplace** *n* cheminée *f* **firepower** *n* puissance *f* de feu **fire prevention** *n* prévention *f* des incendies **fireproof** *adj* ignifugé **fire raising** *n esp Br* pyromanie *f* **fire regulations** *pl* normes *fpl* de protection contre les incendie **fire retardant** *adj* ignifuge **fireside** *n* ***to sit by the ~*** s'asseoir près de la cheminée **fire station** *n* caserne *f* de pompiers **fire truck** *n US* camion *m* de pompiers **firewall** *n* IT pare-feu *m* **firewoman** *n* femme *f* pompier **firewood** *n* bois *m* à brûler **fireworks** *pl* **1.** pièce *f* d'artifice **2.** (*display*) feu *m* d'artifice **firing** ['faɪrɪŋ] *n* MIL tirs *mpl*; (*of gun*) tir *m* **firing line** *n* (MIL, *fig*) ligne *f* de tir; ***to be in the ~*** être dans la ligne de tir **firing squad** *n* peloton *m* d'exécution

firm¹ [fɜːm] *n* entreprise *f*; ***~ of lawyers*** un cabinet d'avocats

firm² **I** *adj* ferme; *stomach* musclé; *hold*, *decision*, *measure* ferme; *manner*, *action* énergique; ***to get*** *or* ***take a ~ hold on sth*** attraper ou tenir fermement qc; ***to have a ~ understanding of sth*** bien comprendre qc; ***to set a ~ date for sth*** fixer une date ferme pour qc; ***to be ~ about sth*** être ferme à propos de qc; ***to be ~ with sb*** être ferme avec qn; ***she's ~ with the children*** elle est stricte avec les enfants; ***to take a ~ stand*** *or* ***line against sth*** s'opposer fermement à qc; ***they are ~ friends*** ils sont très bons amis; ***to be a ~ favorite*** *or* ***favourite*** (*Br*) (***with sb***) être le grand favori (de qn) **II** *adv* ***to hold sth ~*** tenir fermement qc; ***to stand*** *or* ***hold ~*** tenir bon
◆ **firm up** *v/t sep muscles* se développer; *thighs* se muscler

firmly ['fɜːmlɪ] *adv* **1.** (*securely*) fermement; *fix* solidement; ***it was held ~ in place with a pin*** il était solidement retenu avec une épingle; ***to be ~ committed to sth*** être fermement engagé vis-à-vis de qc **2.** *say* fermement; ***I shall tell her quite ~ that …*** je lui dirai sans détour que … **firmness** *n* (*of person*, *manner*) fermeté *f*; (*strictness*) sévérité *f*

first [fɜːst] **I** *adj* premier(-ière); ***his ~ novel*** son premier roman; ***he was ~ in line*** (*US*) *or* ***in the queue*** *Br* il était le premier dans la file d'attente; ***he was ~ in Latin*** il était premier en latin; ***who's ~?*** c'est à qui?; ***the ~ time I saw her …*** la première fois que je l'ai vue…; ***in ~ place*** SPORTS *etc.*. à la première place; ***in the ~ place*** en premier lieu; ***why didn't you say so in the ~ place?*** pourquoi ne l'avez-vous pas dit tout de suite? **II** *adv* **1.** *arrive*, *leave* le premier(la première); ***~ come ~ served*** *prov* les premiers arrivés seront les premiers servis; ***tickets will be allocated on a ~ come ~ served basis*** les billets seront attribués dans l'ordre d'arrivée des demandes; ***you*** (***go***) ***~*** vas-y le premier; ***he says ~ one thing then another*** il commence par dire une chose suivie par son contraire; ***he always puts his job ~*** il met toujours son travail avant tout le reste **2.** (*before all else*) d'abord; (*in listing*) en premier; ***~ of all*** tout d'abord; ***~ and foremost*** d'abord et surtout **3.** (*for the first time*) pour la première fois; ***when this model was ~ introduced*** lorsque ce modèle a été lancé pour la première fois; ***when it ~ became known that …*** quand on a commencé à savoir que …; ***this work was ~ performed in 1997*** cette œuvre a été jouée pour la première fois en 1997 **4.** (*before*: *in time*) avant; ***I must finish this ~*** je dois finir cela avant **5.** ***I'd die ~!*** plutôt mourir! **III** *n* **1.** ***the ~*** le premier; ***he was the ~ to finish*** il a été le premier à terminer; (*in race*) il a terminé premier; ***this is the ~ I've heard of it*** c'est la première fois que j'en entends parler; ***the ~ he knew about it was when he saw it in the paper*** il l'a découvert en lisant le journal; ***at ~*** tout d'abord; ***from the ~*** dès le début **2.** (*Br* UNIV) ≈ mention très bien; ***he got a ~*** il a eu sa licence avec mention très bien **3.** AUTO ***~ gear*** première; ***in ~*** en première **first aid** *n* secourisme *m* **first-aid kit** *n* trousse *f* de secourisme **first-born** **I** *adj* premier(-ière) né(e) **II** *n* aîné(e) *m*(*f*)

first class **I** *n* première classe *f* **II** *adj pred* ***that's absolutely ~!*** c'est vraiment excellent! **first-class** **I** *adj attr* **1.** (*excellent*) excellent; ***he's a ~ cook*** c'est un excellent cuisinier **2.** *ticket* de première classe; ***a ~ compartment*** un compartiment de première classe; ***~ passengers*** les passagers qui voyagent en première classe **3.** POST ***~ stamp*** timbre au tarif rapide; ~ ***letter*** lettre au tarif rapide **4.** (*Br* UNIV) ~ (***honours***) ***degree*** ≈ licence avec mention très bien; ***he graduated with ~ honours*** il a eu sa licence avec mention très bien **II** *adv* **1.** *travel* en première classe **2.** POST ***to send sth ~*** envoyer qc au tarif rapide **first cousin** *n* cousin(e) *m*(*f*) germain(e) **first-degree** *adj US murder* avec préméditation *burns etc.* au premier degré **first edition** *n* première édition *f* **first form** *n* (*Br* SCHOOL) ≈ classe de sixième **first-former** *n* (*Br* SCHOOL) ≈ élève de sixième **first-hand I** *adj* direct, de première main; ***to have ~ knowledge of sth*** avoir une connaissance directe de qc; ***they have ~ experience of charitable organizations*** ils ont une expérience directe des associations caritatives **II** *adv hear, experience* directement **First Lady** *n* première dame *f* des États-Unis **first language** *n* langue *f* maternelle **firstly** [ˈfɜːstlɪ] *adv* premièrement; ***~ it's not yours and secondly …*** premièrement il n'est pas à toi et deuxièmement … **First Minister** *n* (*Br* POL) Premier Ministre *m*

first name *n* prénom *m*; ***they're on ~ terms*** ils s'appellent par leur prénom **first night** *n* THEAT première *f* **first person** *n* ***the ~ plural*** la première personne du pluriel; ***the story is in the ~*** l'histoire est racontée à la première personne **first-rate** *adj* hors pair **first thing I** *n* ***she just says the ~ that comes into her head*** elle dit la première chose qui lui passe par la tête; ***the ~*** (***to do***) ***is to …*** la première chose à faire est de …; ***the ~ to remember is that she hates formality*** la première chose qu'il il faut se rappeler est qu'elle déteste la cérémonie; ***~s first*** procédons par ordre; (*most important first*) il faut traiter ce qui est important en premier; ***he doesn't know the ~ about cars*** il ne connaît absolument rien aux voitures **II** *adv* à la première heure; ***I'll go ~ in the morning*** j'irai à la première heure; ***I'm not at my best ~*** (***in the morning***) je ne suis pas à mon avantage tôt le matin **first-time buyer** *n usu Br* primo accédant(e) *m*(*f*) **First World War** *n usu Br* ***the ~*** la Première Guerre mondiale

firth [fɜːθ] *n Scot* estuaire *m*

fir tree *n* sapin *m*

fiscal [ˈfɪskəl] *adj* fiscal; ***~ policy*** politique fiscale

fish [fɪʃ] **I** *n* ⟨*pl* -⟩ *or* **-es** poisson *m*; ***to drink like a ~*** *infml* boire comme un trou *infml*; ***like a ~ out of water*** comme un poisson sorti de l'eau; ***there are plenty more ~ in the sea*** *fig*, *infml* un de perdu, dix de retrouvé *infml* **II** *v/i* pêcher; ***to go ~ing*** aller à la pêche ◆ **fish for** *v/t insep* **1.** *lit* pêcher **2.** *fig compliments* rechercher; ***they were fishing for information*** ils essayaient d'obtenir des informations ◆ **fish out** *v/t sep* repêcher (***of or from sth*** de qc)

fish and chips *n Br* poisson *m* frit avec des frites **fishbone** *n* arête *f* **fish cake** *n* croquette *f* de poisson (à base de pommes de terre) **fisherman** [ˈfɪʃəmən] *n* ⟨*pl* **-men**⟩ pêcheur(-euse) *m*(*f*) **fish farm** *n* pisciculture *f* **fishfinger** *n Br* = **fish stick fish-hook** *n* hameçon *m* **fishing** [ˈfɪʃɪŋ] *n* pêche *f* **fishing boat** *n* bateau *m* de pêche **fishing line** *n* ligne *f* de pêche **fishing net** *n* filet *m* de pêche **fishing rod** *n* canne *f* à pêche **fishing tackle** *n* (*for sport*) matériel *m* de pêche **fishing village** *n* village *m* de pêcheur **fishmonger** [ˈfɪʃmʌŋgəʳ] *n Br* poissonnier(-ière) *m*(*f*) **fishmonger's** *n Br* poissonnerie *f* **fish pond** *n* (*in garden*) bassin *m* **fish slice** *n Br* (*for serving*) truelle *f* (à poisson) **fish stick** *n US* poisson *m* pané **fish tank** *n* aquarium *m* **fishy** [ˈfɪʃɪ] *adj* **1.** ***~ smell*** odeur de poisson **2.** *infml* louche; ***something ~ is going on*** il se passe quelque chose de louche *infml*

fissure [ˈfɪʃəʳ] *n* fissure *f*; (*deep*) crevasse *f*; (*narrow*) fente *f*

fist [fɪst] *n* poing *m* **fistful** [ˈfɪstfʊl] *n* poignée *f*; ***a ~ of dollar bills*** une poignée de dollars

fit[1] [fɪt] **I** *adj* **1.** (*suitable*) apte; ***~ to eat*** mangeable; ***~ to drink*** buvable; ***~ for consumption*** propre à la consommation ***she's not ~ to be a mother*** elle n'est pas apte à être mère **2.** (*right and proper*) convenable; ***I'll do as I think*** *or* ***see ~*** je ferai ce que je jugerai convenable; ***to see ~ to do sth*** décider de faire qc **3.** (*in health*) en forme; *sportsman etc.* en forme physique; ***she is not yet ~ to travel*** elle n'est pas encore assez rétablie pour pouvoir voyager **4.** ***to be ~ to drop*** *Br* être épuisé **II** *n* (*of clothes*); ***it is a very good/***

bad ~ il est bien / mal taillé; ***it's a tight ~*** (*clothes*) il serre un peu; (*parking*) la place est petite **III** *v/t* **1.** (*cover etc.*) aller sur; (*key etc.*) rentrer; (*clothes etc.*) aller à; ***"one size ~s all"*** "taille unique"; ***that part won't ~ this machine*** cette pièce ne convient pas à cette machine; ***she was ~ted for her wedding dress*** elle a fait l'essayage de sa robe de mariée **2.** (*attach*) fixer (***to*** sur); (*put in*) poser (***in*** dans); *Br* (*furnish with*) équiper; ***to ~ a car with an alarm*** équiper la voiture d'une alarme; ***to have a new kitchen ~ted*** faire installer une nouvelle cuisine; ***to be ~ted with a hearing aid*** porter une prothèse auditive **3.** *facts* correspondre à, concorder avec **IV** *v/i* **1.** (*dress etc., key*) aller **2.** (*correspond*) correspondre; ***the facts don't ~*** les faits ne concordent pas; ***it all ~s*** tout concorde ◆ **fit in I** *v/t sep* **1.** (*find space for*) faire tenir; ***you can fit five people into this car*** on peut faire tenir cinq personnes dans cette voiture **2.** (*find time for*) *person* trouver un créneau pour; *meeting* placer; (*squeeze in*) caser; ***Mr. Charles could fit you in at 3 o'clock*** M. Charles pourrait vous recevoir à 3 heures **II** *v/i* (*go into place*) tenir; ***the clothes won't ~ (to) the suitcase*** les vêtements ne tiennent pas dans la valise; ***how does this ~?*** est-ce que cela vous convient?; ***to ~ with sth*** (*plans*) s'accorder avec qc; ***he doesn't ~ here*** il n'est pas intégré ici ◆ **fit on I** *v/i* **1.** (*be right size, shape*) s'adapter **2.** (*be fixed*) se fixer **II** *v/t sep* (*put in place, fix on*) fixer ◆ **fit out** *v/t sep ship, person* équiper; ***they've fitted one room out as an office*** ils ont fait un bureau de l'une des pièces ◆ **fit up** *v/t Br sep* ***to fit sth up with sth*** équiper qc de qc; ***to fit sb up with sth*** mettre qc à qn

fit[2] *n* (MED, *fig*) crise *f*; ***~ of coughing*** quinte de toue; ***in a ~ of anger*** dans un accès de colère; ***in ~s and starts*** par à-coups; ***to be in ~s (of laughter)*** avoir le fou rire *infml*; ***he'd have a ~*** *fig, infml* il piquerait une crise *infml*

fitful ['fɪtfʊl] *adj* entrecoupé; *progress* irrégulier(-ière); *sleep* agité **fitfully** ['fɪtfəlɪ] *adv sleep* d'un sommeil agité; *work* par à-coups

fitness ['fɪtnɪs] *n* (*condition*) bonne forme *f* **fitness instructor** *n* moniteur (-trice) *m*(*f*) de fitness

fitted ['fɪtɪd] *adj* **1.** ***to be ~ with sth*** être équipé de qc **2.** (*built-in*) *Br* équipé; ***~ wardrobe*** armoire intégrée; ***~ units*** éléments encastrés; ***~ kitchen*** cuisine intégrée **3.** *jacket* cintré; ***~ carpet*** *Br* moquette; ***~ sheet*** drap-housse **4.** (*Br form suited*) ***to be ~ to do sth*** avoir les compétences pour faire qc **fitter** ['fɪtəʳ] *n* (*Br* TECH, *for machines*) monteur(-euse) *m*(*f*) **fitting** ['fɪtɪŋ] **I** *adj* approprié; *punishment* mérité **II** *n* **1.** (*of clothes*) essayage *m* **2.** (*part*) élément *m*; ***~s*** les installations; ***bathroom ~s*** équipement de salle de bain; ***electrical ~s*** équipement électrique **fittingly** ['fɪtɪŋlɪ] *adv* (*+adj*) de manière adéquate **fitting room** *n* salon *m* d'essayage; (*cubicle*) cabine *f* d'essayage

five [faɪv] **I** *adj* cinq **II** *n* cinq *m*; → **six five-a-side** *adj US* football *m* à cinq **fivefold I** *adj* quintuple **II** *adv* cinq fois plus **fiver** ['faɪvəʳ] *n infml US* billet *m* de cinq dollars; *Br* billet *m* de cinq livres **five-star hotel** *n* hôtel *m* cinq étoiles

fix [fɪks] **I** *v/t* **1.** (*make firm*) fixer (***sth to sth*** qc à qc); *fig images* graver; ***to ~ sth in one's mind*** graver qc dans sa mémoire **2.** *eyes, attention* fixer (***on, upon*** sur); *camera* pointer (***on*** sur); ***everybody's attention was ~ed on her*** toute l'attention était fixée sur elle **3.** *date, price* fixer, arrêter; (*agree on*) convenir de; ***nothing has been ~ed yet*** rien n'a encore été fixé **4.** (*arrange*) arranger; *tickets etc.* se charger de *infml*; ***is everything ~ed for tonight?*** est-ce que tout est arrangé pour ce soir? **5.** (*infml get even with*) ***I'll ~ him*** je vais lui régler son compte *infml* **6.** (*repair*) réparer **7.** *meal, drink* préparer; ***to ~ one's hair*** se coiffer **8.** *infml race, fight, prices* truquer *infml*; ***the whole thing was ~ed*** c'était truqué d'un bout à l'autre *infml* **II** *n* **1.** *infml* ***to be in a ~*** être dans le pétrin *infml* **2.** (*infml: of drugs*) fixe *m sl*; ***I need my daily ~ of chocolate*** *infml* j'ai besoin de ma dose quotidienne de chocolat *hum* **3.** *infml* ***the fight was a ~*** le combat était truqué *infml* ◆ **fix on** *v/t sep* fixer; (*fit on*) installer ◆ **fix together** *v/t sep present* arranger; (*stick together*) coller ◆ **fix up** *v/t sep* **1.** (*arrange*) organiser; *vacations etc.* prévoir; ***do you have anything fixed up for this evening?*** est-ce que tu as quelque cho-

se de prévu ce soir? **2.** ***to fix sb up with sth*** trouver qc pour qn **3.** *house* réparer
fixation [fɪk'seɪʃən] *n* PSYCH fixation *f*; ***she has a ~ about*** *or* ***on cleanliness*** elle fait une fixation sur la propreté **fixative** ['fɪksətɪv] *n* fixateur *m* **fixed** [fɪkst] *adj* **1.** *amount*, *time* fixe; *position* fixe; ***there's no ~ agenda*** l'ordre du jour n'est pas déterminé; ***of no ~ abode*** *or* ***address*** *Br* JUR sans domicile fixe; ***~ assets*** ECON actif immobilisé; ***~ price*** prix fixe; ***~ rate*** FIN taux fixe; ***~ penalty*** amende fixe **2.** *idea* fixe; *smile*, *grin* figé **3.** *election*, *game* truqué; ***the whole thing was ~*** c'était truqué d'un bout à l'autre *infml* **4.** *infml* ***how are we ~ for time?*** est-ce qu'on a le temps?; ***how are you ~ for money*** *etc.?* est-ce que tu as de l'argent *etc?* **fixed assets** *pl* COMM actif *m* immobilisé **fixed-interest** *adj* ***~ loan*** emprunt à taux fixe **fixedly** ['fɪksɪdlɪ] *adv* fixement **fixed-rate** ['fɪkstreɪt] *adj* à taux fixe; ***~ mortgage*** emprunt hypothécaire à taux fixe **fixed-term contract** *n* contrat *m* à durée déterminée **fixings** ['fɪksɪŋz] *pl* (*US* COOK) garniture *f* **fixture** ['fɪkstʃər] *n* **1.** ***~s*** éléments *mpl*; ***~s and fittings*** équipements *form* **2.** (*Br* SPORTS) rencontre *f*
fizz [fɪz] *v/i* pétiller
fizzle ['fɪzl] *v/i* crépiter ◆ **fizzle out** *v/i* (*firework*, *enthusiasm*) retomber; (*plan*) s'effilocher
fizzy ['fɪzɪ] *adj* pétillant; ***to be ~*** pétiller; ***a ~ drink*** une boisson pétillante
fjord [fjɔːd] *n* fjord *m*
F key *n* IT touche *f* de fonction
fl. *abbr* = **floor** étage *m*
flab [flæb] *n infml* graisse *f*; ***to fight the ~*** *hum* lutter contre les bourrelets
flabbergast ['flæbəgɑːst] *v/t infml* estomaquer; ***I was ~ed to see him*** j'ai été estomaqué de le voir *infml*
flabby ['flæbɪ] *adj* flasque; ***he's getting ~*** il devient bedonnant *infml*
flaccid ['flæksɪd] *adj liter* mou(molle)
flag[1] [flæg] *n* drapeau *m*; NAUT pavillon *m*; ***to fly the ~ for France*** *fig* défendre les couleurs de la France ◆ **flag down** *v/t sep taxi*, *person* héler
flag[2] *v/i* faiblir; ***he's ~ging*** il faiblit
flag[3] *n* (*a.* **flagstone**) dalle *f*
flag day *n* **1.** ***Flag Day*** *US* le 14 juin (*commémoration de la date d'adoption du drapeau américain*) **2.** *Br* journée *f* de collecte **flagged** [flægd] *adj floor* dallé
flagon ['flægən] *n* (*bottle*) flacon *m*; (*jug*) cruche *f*
flagpole ['flægpəʊl] *n* mât *m*
flagrant ['fleɪgrənt] *adj* flagrant; *disregard* criant
flagship **I** *n* vaisseau *m* amiral **II** *adj attr* phare; ***~ store*** magasin vedette **flagstone** *n* dalle *f*
flail [fleɪl] **I** *v/t* ***he ~ed his arms around wildly*** il agitait les bras dans tous les sens **II** *v/i* ***to ~*** se débattre
flair [flɛər] *n* (*talent*) don *m*; (*stylishness*) talent *m*
flak [flæk] *n fig* ***he's been getting a lot of ~ (for it)*** il a été très critiqué (pour cela)
flake [fleɪk] **I** *n* (*of snow*) flocon *m*; (*of soap*, *chocolate*) copeau *m*; (*of paint*) écaille *f*; (*of skin*) bout *m* **II** *v/i* (*stone etc.*) s'effriter; (*paint*) s'écailler ◆ **flake off** *v/i* (*plaster*) s'enlever; (*paint etc.*) s'écailler; (*skin*) desquamer ◆ **flake out** *v/i* (*infml become exhausted*) être crevé *infml*; (*fall asleep*) s'écrouler *infml*
flak jacket *n* gilet *m* pare-balles
flaky ['fleɪkɪ] *adj* **1.** *paint* écaillé; *crust* friable; *skin* squameux(-euse) **2.** (*esp US crazy*) loufoque *infml* **flaky pastry** *n* pâte *f* feuilletée
flamboyance [flæm'bɔɪəns] *n* flamboyance *f* **flamboyant** [flæm'bɔɪənt] *adj* flamboyant; *gesture* expansif(-ive); (*person*) haut en couleur
flame [fleɪm] **I** *n* **1.** flamme *f*; ***the house was in ~s*** la maison était en flammes **2.** IT *mail* courriel *m* incendiaire **II** *v/t* IT ***to ~ sb*** envoyer un message incendiaire à qn **flame retardant** ['fleɪmrɪ'tɑːdənt] *adj* ignifuge **flaming** ['fleɪmɪŋ] *adj* **1.** flamboyant; ***~ red hair*** des cheveux roux flamboyant; ***to have a ~ row (with sb)*** avoir une violente dispute avec qn **2.** (*Br infml bloody*) sacré *infml*; ***it's a ~ nuisance*** c'est sacrément agaçant *infml*
flamingo [flə'mɪŋgəʊ] *n* ⟨*pl* **-(e)s**⟩ flamant *m* rose
flammable ['flæməbl] *adj* inflammable
flan [flæn] *n US* flan *m*, crème *f* caramel; ***fruit ~*** *Br* tarte aux fruits **flan case** *n* moule *m* à tarte
flank [flæŋk] **I** *n* (*of animal*, MIL) flanc *m* **II** *v/t person* flanquer; *mountain* border

flannel ['flænl] **I** *n* **1.** flanelle *f* **2.** (*Br face flannel*) ≈ gant *m* de toilette **II** *adj* de flanelle **flannelette** [ˌflænə'let] *n Br* pilou *m*; **~ *sheet*** drap en pilou
flap [flæp] **I** *n* **1.** (*of pocket*, *tent*) rabat *m* **2.** (*Br infml*) ***to get in*(*to*) *a* ~** s'affoler **II** *v/i* **1.** (*wings*) battre; (*sails etc.*) claquer; ***his coat ~ped around his legs*** son manteau claquait contre ses jambes **2.** (*Br infml*) s'affoler; ***don't ~*** ne t'affole pas **III** *v/t* ***to ~ its wings*** battre des ailes; ***to ~ one's arms*** battre l'air des bras
flapjack ['flæpdʒæk] *n US* crêpe *f*; *Br* barre *f* de céréales
flare [flɛəʳ] **I** *n* **1.** (*signal*) fusée *f* (éclairante) **2.** FASHION ***(a pair of) ~s*** (*Br infml*) un pantalon à pattes d'éléphant **II** *v/i* **1.** (*match*) craquer **2.** (*pants*) s'évaser **3.** (*fig*, *trouble*) éclater; ***tempers ~d*** les esprits se sont échauffés ◆ **flare up** *v/i* (*situation*) empirer; ***his acne flared up*** il a fait une poussée d'acné; ***she flared up at me*** elle s'est déchaînée sur moi
flared [flɛəd] *adj pants* à pattes d'éléphant
flash [flæʃ] **I** *n* **1.** (*of light*) éclair *m*; (*very bright*) flash *m*; (*of metal*, *jewels etc.*) éclat *m*; ***there was a sudden ~ of light*** il y a eu un soudain éclair de lumière; ***~ of lightning*** un éclair **2.** *fig* ***~ of color*** (*US*) *or* ***colour*** *Br* symphonie de couleurs; ***~ of inspiration*** éclair de génie; ***in a ~*** tout de suite; ***as quick as a ~*** rapide comme l'éclair **3.** PHOT flash *m*; ***to use a ~*** utiliser un flash **II** *v/i* **1.** (*light*) briller; (*very brightly*) étinceler; (*repeatedly*) clignoter; (*metal*, *jewels*) étinceler; ***to ~ on and off*** clignoter **2.** ***to ~ past*** *or* ***by*** passer comme un éclair; (*vacations etc.*) passer vite; ***the thought ~ed through my mind that …*** l'idée m'a traversé l'esprit que … **III** *v/t* **1.** ***to ~ a light at sb*** diriger le faisceau d'une lampe sur qn; ***to ~ one's headlights at sb*** faire un appel de phares à qn; ***she ~ed him a look of contempt / gratitude*** elle lui a lancé un regard plein de mépris / gratitude **2.** (*infml show*: *a.* **flash around**) exhiber; *identity card* montrer; ***don't ~ all that money around*** arrête d'étaler tout cet argent *infml* **IV** *adj* (*infml showy*) frimeur(-euse) *pej*; (*smart*) luxueux (-euse) ◆ **flash back** *v/i* MOVIES faire un retour en arrière (***to*** à); ***his mind flashed back to the events of the last year*** il fit un retour en arrière sur les événements de l'année précédente
flashback *n* MOVIES flash-back *m*, retour *m* en arrière **flash card** *n* SCHOOL fiche *f*, carte *f* **flasher** ['flæʃəʳ] *n infml* (*on car*) signal *m* de détresse; *person* exhibitionniste *m/f* **flash flood** *n* crue *f* soudaine **flashlight** *n esp US* lampe *f* de poche, torche *f* électrique **flashy** ['flæʃɪ] *adj* tape-à-l'œil
flask [flɑːsk] *n* **1.** flacon *m*; CHEM ballon *m* **2.** (*hip flask*) flasque *f* **3.** *Br* (*vacuum flask*) Thermos® *f*
flat¹ [flæt] **I** *adj* **1.** plat; *tire* à plat; *surface* plane; ***he stood ~ against the wall*** il se tenait plaqué contre le mur; ***as ~ as a pancake*** (*infml*, *tire*) complètement à plat; (*countryside*) complètement plat; ***to fall ~ on one's face*** se casser la figure *infml*; ***to lie ~*** se coucher sur le ventre **2.** *fig trade* stagnant; *Br battery* à plat; *beer* éventé; ***to fall ~*** (*joke*) tomber à plat **3.** *refusal* catégorique **4.** MUS *instrument*, *voice* faux(fausse) **5.** COMM forfaitaire; ***~ rate*** taux forfaitaire **II** *adv* **1.** *turn down* catégoriquement; ***he told me ~ (out) that …*** il m'a dit carrément que …; ***in ten seconds ~*** en dix secondes pile; ***~ broke*** *infml* complètement fauché *infml*; ***to go ~ out*** aller à sa vitesse maximum; ***to work ~ out*** travailler sans relâche **2.** MUS ***to sing / play ~*** chanter / jouer faux **III** *n* **1.** (*of hand*, *blade*) plat *m* **2.** MUS bémol **3.** AUTO pneu *m* à plat *infml*
flat² *n esp Br* appartement *m*
flat bench *n* SPORTS banc *m* de musculation **flat-chested** *adj* plat **flat feet** *pl* pieds *mpl* plats **flat-hunting** *n Br* recherche *f* d'appartement; ***to go / be ~*** rechercher un appartement **flatly** ['flætlɪ] *adv refuse*, *deny* catégoriquement; *contradict* formellement; ***to be ~ opposed to sth*** être catégoriquement opposé à qc **flatmate** ['flætmeɪt] *n Br* colocataire *m/f* **flatness** *n* (*of surface*) planéité *f* **flat-pack** *adj* en kit; ***~ furniture*** meuble en kit **flat racing** *n* course *f* de plat **flat screen** *n*, **flat-screen monitor** *n* IT écran *m* plat
flatten ['flætn] **I** *v/t* **1.** *path*, *field* aplanir; (*storm etc.*) *crops* coucher; *town* raser **2.** (*fig knock down*) écraser **II** *v/r* ***to ~ oneself against sth*** s'aplatir contre qc ◆ **flatten out** **I** *v/i* (*countryside*) de-

venir plat **II** *v/t sep path* aplanir; *dough* aplatir; *paper* mettre à plat
flatter ['flætəʳ] *v/t* flatter; ***I was very ~ed by his remark*** sa remarque m'a flatté; ***don't ~ yourself!*** tu rêves! **flatterer** ['flætərəʳ] *n* flatteur(-euse) *m*(*f*) **flattering** ['flætərɪŋ] *adj* flatteur(-euse); *color* avantageux(-euse) **flattery** ['flætərɪ] *n* flatterie *f*
flatulence ['flætjʊləns] *n* flatulence *f*
flatware ['flætwɛəʳ] *n US* couverts *mpl*
flaunt [flɔːnt] *v/t* étaler; ***to ~ oneself*** s'exhiber
flautist ['flɔːtɪst] *n Br* = **flutist**
flavor, *Br* **flavour** ['fleɪvəʳ] **I** *n* (*taste*) goût *m*; (*flavoring*) parfum *m*, arôme *m*; *fig* goût *m*; ***strawberry-~ ice cream*** de la glace parfumée à la fraise; ***he is ~ of the month*** *infml* il est la coqueluche du moment *infml* **II** *v/t* parfumer; ***pineapple-~ed*** parfumé à l'ananas **flavoring**, *Br* **flavouring** ['fleɪvərɪŋ] *n* COOK arôme *m*; ***rum ~*** arôme de rhum **flavorless**, *Br* **flavourless** ['fleɪvəlɪs] *adj* insipide
flaw [flɔː] *n lit* défaut *m* **flawed** *adj* défectueux(-euse); ***his logic was ~*** il y avait une faille dans sa logique **flawless** *adj performance* irréprochable; *complexion* parfait; ***~ English*** un anglais impeccable
flax [flæks] *n* BOT lin *m*
flay [fleɪ] *v/t* (*skin*) dépecer
flea [fliː] *n* puce *f* **flea market** *n* marché *m* aux puces
fleck [flek] **I** *n* (*of red etc.*) touche *f*; (*of mud*, *paint*) (*blotch*) tache *f*; (*speckle*) moucheture *f*; (*of dust*) grain *m* **II** *v/t* ***~ed wool*** laine mouchetée; ***blue ~ed with white*** moucheté bleu et blanc
fled [fled] *past*, *past part* = **flee**
fledg(e)ling ['fledʒlɪŋ] **I** *n* ORN oisillon *m* **II** *adj democracy* naissant
flee [fliː] ⟨*past*, *past part* **fled**⟩ **I** *v/i* s'enfuir (***from*** de) **II** *v/t town*, *country*, *danger* fuir
fleece [fliːs] **I** *n* toison *f*; (*fabric*) laine *f* polaire **II** *v/t fig*, *infml* ***to ~ sb*** arnaquer qn *infml* **fleecy** ['fliːsɪ] *adj* laineux (-euse)
fleet [fliːt] *n* **1.** NAUT flotte *f* **2.** (*of cars etc.*) parc *m*; ***he owns a ~ of trucks*** il a un parc de camions
fleeting ['fliːtɪŋ] *adj* fugace, bref(brève); ***a ~ visit*** une visite éclair; ***to catch a ~ glimpse of sb / sth*** apercevoir qn / qc en coup de vent
Flemish ['flemɪʃ] **I** *adj* flamand **II** *n* LING flamand *m*
flesh [fleʃ] *n* chair *f*; (*of fruit*) pulpe *f*; (*of vegetable*) chair *f*; ***one's own ~ and blood*** la chair de sa chair; ***I'm only ~ and blood*** je ne suis pas un pur esprit; ***in the ~*** en chair et en os ◆ **flesh out** *v/t sep* étoffer; *details* étayer
flesh-colored, *Br* **flesh-coloured** *adj* chair **flesh wound** *n* blessure *f* superficielle **fleshy** ['fleʃɪ] *adj* charnu
flew [fluː] *past* = **fly²**
flex [fleks] **I** *n Br* fil *m* (électrique), cordon *m* **II** *v/t arm etc.* fléchir; ***to ~ one's muscles*** faire jouer ses muscles; *fig* faire étalage de sa force **flexibility** [ˌfleksɪ'bɪlɪtɪ] *n* **1.** *lit* flexibilité *f* **2.** *fig* polyvalence *f* **flexible** ['fleksəbl] *adj* **1.** *lit* flexible **2.** *fig* souple; ***to work ~ hours*** avoir des horaires flexibles; ***to be ~ about sth*** être souple à propos de qc **flex(i)time** ['fleks(ɪ)taɪm] *n* horaires *mpl* flexibles
flick [flɪk] **I** *n* (*with finger*) chiquenaude *f*; ***with a ~ of the whip*** d'un coup de fouet; ***a ~ of the wrist*** un petit coup du poignet **II** *v/t whip* faire claquer; *fingers* donner une chiquenaude à; (*with fingers*) *switch* appuyer sur; *dust* faire partir d'une chiquenaude; ***she ~ed her hair out of her eyes*** elle a dégagé ses cheveux de ses yeux d'un petit coup; ***he ~ed the piece of paper onto the floor*** il a fait tomber le papier par terre d'une chiquenaude ◆ **flick through** *v/t insep book* feuilleter; *pages* parcourir; ***to ~ TV channels*** zapper
flicker ['flɪkəʳ] **I** *v/i* (*flame*, *light*) vaciller; (*TV*) papilloter; ***a smile ~ed across his face*** un petit sourire apparut sur son visage **II** *n* (*of flame*, *light*) vacillement *m*; (*of TV*) papillotement *m*
flick knife *n Br* couteau *m* à cran d'arrêt
flicks [flɪks] *pl* (*Br infml*) ciné *m infml*; ***to / at the ~*** au ciné *infml*
flier ['flaɪəʳ] *n* **1.** (AVIAT *pilot*) pilote *m*/*f*; ***to be a good / bad ~*** (*person*) être bon / mauvais pilote **2.** (*leaflet*) prospectus *m*
flies [flaɪz] *pl* (*Br*: *on trousers*) braguette *f*
flight¹ [flaɪt] *n* **1.** vol; ***in ~*** (*bird*, *plane*) en vol **2.** (*group*) ***to be in the top ~*** *fig* faire partie des meilleurs **3.** ***a ~ of fancy*** une idée fantaisiste **4.** ***a ~ (of stairs)*** une vo-

lée d'escalier
flight[2] *n* fuite *f*; ***to put the enemy to ~*** mettre l'ennemi en fuite; ***to take ~*** prendre la fuite
flight attendant *n* (*male*) steward *m*; (*female*) hôtesse *f* de l'air **flight bag** *n* bagage *m* à main **flight deck** *n* **1.** NAUT pont *m* d'envol **2.** AVIAT poste *m* de pilotage **flight number** *n* numéro *m* de vol **flight path** *n* route *f* de vol **flight recorder** *n* enregistreur *m* de bord **flight simulator** *n* simulateur *m* de vol **flighty** ['flaɪtɪ] *adj* (*fickle*) frivole; (*empty-headed*) écervelé
flimsy ['flɪmzɪ] *adj* **1.** *structure* précaire; *material* léger(ère); *box* fragile **2.** *fig evidence* léger(ère); *excuse* faible
flinch [flɪntʃ] *v/i* **1.** tressaillir; ***without ~ing*** sans broncher **2.** *fig* ***to ~ from sth*** reculer devant qc
fling [flɪŋ] *vb* ⟨*past, past part* **flung**⟩ **I** *n* **1.** *fig, infml* fantaisie *f* ***to have a final ~*** se payer une dernière fantaisie **2.** (*infml relationship*) aventure *f* ***to have a ~*** (***with sb***) avoir une aventure (avec qn) **II** *v/t* jeter; ***to ~ the window open*** ouvrir brusquement la fenêtre; ***the door was flung open*** la porte s'ouvrit brusquement; ***to ~ one's arms around sb's neck*** se jeter au cou de qn; ***to ~ oneself into a chair/ to the ground*** se jeter dans un fauteuil/à terre ◆ **fling off** *v/t sep lit coat* se débarrasser de ◆ **fling out** *v/t sep object* jeter; *person* expédier ◆ **fling up** *v/t sep* ***to fling one's arms up in horror*** lever les bras au ciel, horrifié
flint [flɪnt] *n* silex *m*
flip [flɪp] **I** *n* chiquenaude *f* ***by the ~ of a coin*** en jouant à pile ou face **II** *v/t* faire sauter; *switch* actionner; ***to ~ a coin*** jouer à pile ou face **III** *v/i infml* craquer *infml* ◆ **flip over I** *v/t sep* retourner **II** *v/i* (*plane*) se retourner ◆ **flip through** *v/t insep book* feuilleter; *pages* parcourir
flip chart *n* tableau *m* de conférence **flip-flop** *n Br* tong *f*
flippant ['flɪpənt] *adj* cavalier(-ière)
flipper ['flɪpəʳ] *n* nageoire *f*; (*for swimmer*) palme *f*
flip phone *n* TEL téléphone *m* à rabat
flipping ['flɪpɪŋ] *adj, adv* (*Br infml, emph*) sacré *infml*; ***it's ~ cold*** il fait un froid de canard *infml*
flip side *n* (*of record*) face *f* B
flirt [flɜːt] **I** *v/i* flirter; ***to ~ with an idea*** caresser une idée; ***to ~ with danger*** flirter avec le danger **II** *n* dragueur(-euse) *m*(*f*) ***he is just a ~*** c'est un dragueur **flirtation** [flɜː'teɪʃən] *n* engouement *m*; (*flirting*) flirt **flirtatious** [flɜː'teɪʃəs] *adj* dragueur(-euse) **flirty** ['flɜːtɪ] *adj* aguichant
flit [flɪt] **I** *v/i* (*bats, butterflies etc.*) voleter; (*person, image*) passer rapidement; ***to ~ in and out*** (*person*) aller et venir **II** *n Br* ***to do a*** (***moonlight***) ***~*** déménager à la cloche de bois
float [fləʊt] **I** *n* **1.** (*on fishing line, in cistern*) flotteur *m* **2.** (*vehicle*) char *m* **II** *v/i* (*on water*) flotter; *oil* surnager; (*in air*) planer; ***the body ~ed*** (***up***) ***to the surface*** le corps est remonté à la surface **III** *v/t* COMM, FIN *company* introduire en Bourse; *fig ideas* lancer **floating voter** [ˌfləʊtɪŋ'vəʊtəʳ] *n fig* indécis(e) *m*(*f*)
flock [flɒk] **I** *n* **1.** (*of sheep, also* ECCL) troupeau *m*; (*of birds*) volée *f* **2.** (*of people*) foule *f* **II** *v/i* venir en masse; ***to ~ around sb*** se presser en masse autour de qn
flog [flɒg] *v/t* **1.** fouetter; ***you're ~ging a dead horse*** (*esp Br infml*) tu perds ton temps **2.** (*Br infml sell*) fourguer *infml* **flogging** ['flɒgɪŋ] *n* flagellation *f*; JUR supplice *m* du fouet
flood [flʌd] **I** *n* inondation *f*, crue *f*; ***~s*** inondations; ***the river is in ~*** la rivière est en crue; ***she was in ~s of tears*** *Br* elle pleurait à chaudes larmes **II** *v/t* inonder; ***the cellar was ~ed*** la cave a été inondée; ***to ~ the engine*** noyer le moteur *infml*; ***we were ~ed with complaints*** nous avons été submergés de réclamations; ***~ed with light*** inondé de lumière **III** *v/i* **1.** (*river, bathtub etc.*) déborder; (*cellar, land*) être inondé **2.** (*people*) arriver en masse ◆ **flood back** *v/i* (*memories*) revenir ◆ **flood in** *v/i* ***the letters just flooded in*** il y a eu une avalanche de courrier
floodgate ['flʌdgeɪt] *n* vanne *f* de décharge; ***to open the ~s*** *fig* créer un précédent; ***it will open the ~s to others*** cela va ouvrir la voie à d'autres **flooding** ['flʌdɪŋ] *n* inondations *fpl* **floodlight** *n* projecteur *m* **floodlighting** *n* éclairage *m* par projecteur **floodlit** *adj* ***~ soccer match*** match de football éclairé par des projecteurs **flood protection** *n* protec-

tion *f* contre les crues **flood tide** *n* marée *f* haute

floor [flɔːʳ] **I** *n* **1.** sol; (*dance floor*) piste *f*; ***ocean ~*** fonds marin; ***stone/tiled ~*** sol en pierre/carrelé; ***wooden ~*** plancher; ***to take to the ~*** (*dance*) se mettre à danser; ***to hold*** *or* ***have the ~*** (*speaker*) avoir la parole **2.** (*story*) étage *m*; ***first ~*** *US* rez-de-chaussée *m*; *Br* premier étage *m*; ***on the second ~*** *US* au troisième étage; *Br* au deuxième étage **3.** (*main part of chamber*) auditoire *m*; (*of stock exchange*) parquet *m* **II** *v/t* **1.** (*knock down*) mettre à terre **2.** (*bewilder*) décontenancer **floor area** *n* surface *f* au sol **floorboard** *n* lame *f* de plancher **floor cloth** *n* serpillière *f* **floor exercise** *n* exercice *m* au sol **flooring** ['flɔːrɪŋ] *n* **1.** (*floor*) sols *mpl* **2.** (*material*) revêtement *m* **floor plan** *n* plan *m* **floor polish** *n* encaustique *m* **floor space** *n* surface *f* utile; ***if you have a sleeping bag we have plenty of ~*** si tu as un sac de couchage il y a de la place pour dormir par terre **floor trading** *n* ST EX négociation *f* de parquet **floorwalker** *n* (*US* COMM) chef *m/f* de rayon

floozie, floozy ['fluːzɪ] *n infml* femme *f* de mauvaise vie

flop [flɒp] **I** *v/i* **1.** (*person*) se laisser tomber **2.** (*thing*) pendre **3.** *infml* (*scheme*) tomber à l'eau *infml*; (*play*) faire un flop *infml* **II** *n infml* flop *m infml* **floppy** ['flɒpɪ] **I** *adj* mou(molle); ***~ hat*** chapeau mou; ***a dog with ~ ears*** un chien aux oreilles tombantes **II** *n* (*disk*) disquette *f*

floppy disk *n* IT disquette *f*; ***~ drive*** lecteur de disquette

flora ['flɔːrə] *n* flore *f* **floral** ['flɔːrəl] *adj* **1.** *wallpaper etc.* à fleurs; ***~ design*** *or* ***pattern*** motif à fleurs **2.** (*made of flowers*) floral **florid** ['flɒrɪd] *adj usu pej language* fleuri **florist** ['flɒrɪst] *n* fleuriste *m/f*; ***~'s*** fleuriste *m*

floss [flɒs] **I** *n* fil *m* dentaire **II** *v/t* nettoyer avec du fil dentaire **III** *v/i* utiliser du fil dentaire

flotation [fləʊ'teɪʃən] *n* (COMM: *of firm*) lancement *m*; ST EX introduction *f* en Bourse

flotilla [fləʊ'tɪlə] *n* flottille *f*

flotsam ['flɒtsəm] *n* ***~ and jetsam*** (*floating*) épaves *fpl* flottantes; (*washed ashore*) épaves *fpl* rejetées par la mer

flounce [flaʊns] *v/i* passer en trombe; ***to ~ out*** sortir en trombe

flounder[1] ['flaʊndəʳ] *n* (*fish*) flet *m*

flounder[2] *v/i* se débattre; ***we ~ed around in the mud*** nous pataugions dans la boue; ***the economy was ~ing*** l'économie piétinait

flour ['flaʊəʳ] *n* farine *f*

flourish ['flʌrɪʃ] **I** *v/i* (*plants etc.*) fleurir; (*person, business*) prospérer; ***crime ~ed in poor areas*** la criminalité prospérait dans les quartiers pauvres **II** *v/t stick etc.* orner **III** *n* **1.** (*decoration etc.*) fioriture *f* **2.** (*movement*) geste *m* théâtral

flourishing ['flʌrɪʃɪŋ] *adj* florissant; *career* prospère; *plant* à fleurs

floury ['flaʊərɪ] *adj* farineux(-euse)

flout [flaʊt] *v/t* faire fi de

flow [fləʊ] **I** *v/i* **1.** couler; ***where the river ~s into the ocean*** à l'endroit où le fleuve se jette dans l'océan; ***to keep the traffic ~ing*** garder la circulation fluide **2.** (*hair etc.*) tomber gracieusement **II** *n* (*of water*) débit *m*; (*of blood*) flux *m*; ***the ~ of traffic*** le flux de la circulation; ***to go with the ~*** *fig* suivre le courant; ***he was in full ~*** il était en plein discours

flow chart, flow diagram *n* organigramme *m*

flower ['flaʊəʳ] **I** *n* fleur *f*; ***to be in ~*** être en fleurs **II** *v/i* fleurir **flower arrangement** *n* composition *f* florale **flower arranging** *n* composition *f* florale **flowerbed** *n* parterre *m* **flowering** ['flaʊərɪŋ] *adj* à fleur; ***~ plant*** plante à fleur; ***~ shrub*** arbuste florifère **flowerpot** *n* pot *m* de fleur **flower shop** *n Br* fleuriste *m*, magasin *m* de fleurs **flowery** ['flaʊərɪ] *adj* **1.** *wallpaper etc.* à fleurs **2.** *fig* fleuri

flowing ['fləʊɪŋ] *adj* aisé; *gown* flottant; *style* fluide

flown [fləʊn] *past part* = **fly**[2]

fl. oz. *abbr* = **fluid ounce(s)**

flu [fluː] *n* grippe *f*; ***to get*** *or* ***catch/have (the) ~*** attraper/avoir la grippe

fluctuate ['flʌktjʊeɪt] *v/i* fluctuer **fluctuation** [ˌflʌktjʊ'eɪʃən] *n* fluctuation *f*

flue [fluː] *n* conduit *m* de cheminée

fluency ['fluːənsɪ] *n* **1.** (*in a foreign language*) maîtrise *f*; ***this job requires ~ in Spanish*** le poste exige une maîtrise parfaite de l'espagnol; ***~ in two foreign languages is a requirement*** la maîtrise de deux langues étrangères est exigée **2.** (*in native language*) aisance *f* **flu-**

ent ['fluːənt] *adj* **1.** (*in a foreign language*) ***to be ~*** parler couramment; ***to be ~ in Spanish, to speak ~ Spanish*** parler l'espagnol couramment; ***she is ~ in six languages*** elle parle couramment six langues **2.** (*in native language*) éloquent **3.** *action* fluide **fluently** ['fluːəntlɪ] *adv speak, write* (*in a foreign language*) couramment; (*in native language*) de façon éloquente

fluff [flʌf] **I** *n no pl* (*on animals*) duvet *m*; (*on cuddly toy*) peluche *f*; (*from fabric*) bourre *f*; (*under furniture*) mouton *m*; ***a bit of ~*** *Br* une gonzesse *infml* **II** *v/t* **1.** *pillow* remettre en forme **2.** *entrance* rater ◆ **fluff up** *v/t sep pillow etc.* remettre en forme

fluffy ['flʌfɪ] *adj* **1.** *slippers* duveteux (-euse); *rabbit* tout(e) doux(douce); ***~ white clouds*** des nuages blancs floconneux; ***a ~ toy*** une peluche **2.** *rice* moelleux(-euse); *cake mixture* mousseux(-euse)

fluid ['fluːɪd] **I** *n* fluide *m*, liquide *m*; ***body ~s*** fluides organiques **II** *adj* fluide; *shape* fluide **fluid ounce** *n* once *f* liquide

fluke [fluːk] *n infml* ***it was a (pure) ~*** c'était un vrai coup de chance *infml*

flummox ['flʌməks] *v/t infml* déconcerter; ***to be ~ed by sth*** être scotché par qc *infml*

flung [flʌŋ] *past, past part* = **fling**

flunk [flʌŋk] *v/t infml test* se ramasser en *infml*; ***to ~ English / an exam*** se ramasser en anglais/à un examen *infml*

fluorescent [fluə'resənt] *adj color, paint* fluorescent **fluorescent light** *n* lampe *f* fluorescente **fluorescent lighting** *n* éclairage *m* fluorescent

fluoride ['fluəraɪd] *n* fluor *m*; ***~ toothpaste*** dentifrice au fluor

flurry ['flʌrɪ] *n* **1.** (*of snow*) rafale *f* **2.** *fig* ***a ~ of activity*** un regain d'activité; ***a ~ of excitement*** un vent d'excitation

flush[1] [flʌʃ] **I** *n* **1.** (*in toilet*) chasse *f* d'eau **2.** (*blush*) rougeur *f* **II** *v/i* **1.** (*face*) rougir (**with** de) **2.** (*in toilet*) tirer la chasse (d'eau) **III** *v/t* ***to ~ the lavatory*** *or* ***toilet*** tirer la chasse (d'eau); ***to ~ sth down the toilet*** jeter qc dans les toilettes ◆ **flush away** *v/t sep* jeter dans les toilettes ◆ **flush out** *v/t sep* **1.** *radiators* purger **2.** *spies* déloger

flush[2] *adj pred* au même niveau que; ***doors ~ with the wall*** des portes sur le même plan que les murs

flushed ['flʌʃt] *adj* (*red*) rouge; ***to be ~ with success / happiness*** être comblé par la réussite / de bonheur

fluster ['flʌstər] *v/t* perturber; (*confuse*) troubler; ***to be ~ed*** être perturbé; (*confused*) être troublé

flute [fluːt] *n* MUS flûte *f* **flutist** ['fluːtɪst] *n US* flûtiste *m/f*

flutter ['flʌtər] **I** *v/i* (*flag*) flotter; (*bird*) voleter **II** *v/t fan* agiter; *wings* battre; ***to ~ one's eyelashes*** battre des cils *hum* **III** *n* **1.** ***all of a ~*** tout en émoi **2.** (*Br infml*) ***to have a ~*** (*gamble*) parier

flux [flʌks] *n* changement *m* constant; ***in a state of ~*** en état de changement perpétuel

fly[1] [flaɪ] *n* mouche *f*; ***he wouldn't hurt a ~*** il ne ferait pas de mal à une mouche; ***that's the only ~ in the ointment*** *infml* c'est la seule ombre au tableau

fly[2] *vb* ⟨*past* **flew**⟩ ⟨*past part* **flown**⟩ **I** *v/i* voler; (*time*) passer vite; (*flag*) hisser; ***are you ~ing or driving?*** vous y allez en avion ou en voiture?; ***time flies!*** le temps passe vite!; ***the door flew open*** la porte s'est ouverte brusquement; ***to ~ into a rage*** s'emporter; ***to ~ at sb*** *infml* sauter sur qn; ***he really let ~*** il s'est vraiment déchaîné; ***to send sb / sth ~ing*** jeter qn / qc par terre *infml*; ***to go ~ing*** (*person*) valdinguer *infml*; ***to ~ in the face of authority / tradition*** se moquer de l'autorité / la tradition **II** *v/t* piloter; *kite* faire voler; *flag* hisser; ***who did you ~ with?*** avec quelle compagnie aérienne avez-vous voyagé? ◆ **fly away** *v/i* (*bird*) s'envoler ◆ **fly in** *v/t & v/i* arriver en avion; ***she flew in this morning*** elle est arrivée ce matin (en avion) ◆ **fly off** *v/i* **1.** (*plane, person, bird*) s'envoler; ***to ~ to the south*** s'envoler pour le sud **2.** (*hat*) s'envoler; (*lid etc.*) sauter ◆ **fly out** **I** *v/i* partir en avion; ***I ~ tomorrow*** je pars en avion demain **II** *v/t sep* (*to an area*) partir pour; (*out of an area*) quitter ◆ **fly past** **I** *v/i* **1.** passer dans le ciel **2.** (*time*) filer **II** *v/t insep* ***to ~ sth*** passer devant qc en volant

fly[3] *n* (*on pants*) braguette *f*

fly-by-night *adj* FIN, COMM *operation* douteux(-euse) *infml* **fly-fishing** *n* pêche *f* à la mouche

flying ['flaɪɪŋ] **I** *adj glass* qui vole **II** *n* avion *m*; ***he likes ~*** il aime prendre l'avion; ***he's afraid of ~*** il a peur en avion **flying boat** *n* hydravion *m* **flying colors**, *Br* **flying colours** *pl* ***to pass with ~*** réussir haut la main **flying leap** *n* saut *m* avec élan; ***to take a ~*** sauter avec élan **flying saucer** *n* soucoupe *f* volante **flying start** *n* ***to get off to a ~*** SPORTS démarrer en trombe *infml*; *fig* faire un départ foudroyant **flying visit** *n* visite *f* éclair

flyleaf *n* feuillet *m* de garde **flyover** *n* **1.** (*US fly-past*) défilé *m* aérien **2.** *Br* pont *m* routier **flypaper** *n* papier *m* tue-mouches **fly-past** *n* *Br* défilé *m* aérien **fly sheet** *n* double-toit *m* **fly spray** *n* bombe *f* insecticide **fly swat(ter)** *n* tapette *f* à mouches **fly-tipping** *n* dépôt *m* d'ordures non autorisé **flywheel** *n* volant *m* d'inertie

FM *abbr* = **frequency modulation** FM

foal [fəʊl] **I** *n* poulain *m* **II** *v/i* pouliner

foam [fəʊm] **I** *n* (*of soap*) mousse *f*; (*on sea*) écume *f* **II** *v/i* écumer; ***to ~ at the mouth*** *lit*, *fig* avoir l'écume aux lèvres **foam rubber** *n* mousse *f* **foamy** ['fəʊmɪ] *adj* écumeux(-euse)

fob [fɒb] *v/t esp Br* ***to ~ sb off*** se débarrasser de qn; ***to ~ sth off on sb*** fourguer qc à qn

focal point ['fəʊkəlpɔɪnt] *n* point *m* central; ***his family is the ~ of his life*** sa famille est le centre de sa vie **focus** ['fəʊkəs] **I** *n* ⟨*pl* **foci**⟩ foyer *m*; *fig* centre *m*; ***in ~*** *camera* au point; *photo* nette; ***to be out of ~*** *camera* ne pas être au point; *photo* être flou; ***to keep sth in ~*** *fig* garder qc au centre de ses préoccupations; ***he was the ~ of attention*** il était le centre d'intérêt **II** *v/t instrument* régler (***on*** sur); *light* diriger; *fig efforts* concentrer (***on*** sur); ***to ~ one's mind*** se concentrer; ***I should like to ~ your attention on a new problem*** j'aimerais attirer votre attention sur un nouveau problème **III** *v/i* ***to ~ on sth*** faire la mise au point sur qc; *fig* se concentrer sur qc; ***I can't ~ properly*** je n'arrive pas à me concentrer correctement **focus(s)ed** ['fəʊkəst] *adj fig* concentré

fodder ['fɒdəʳ] *n* fourrage *m*

foe [fəʊ] *n liter* ennemi(e) *m(f)*

foetal *adj* = **fetal** **foetus** *n* = **fetus**

fog [fɒg] **I** *n* brouillard *m* **II** *v/t & v/i* (*a.* **fog up** *or* **over**) s'embrumer **fogbound** ['fɒgbaʊnd] *adj ship*, *plane* bloqué par le brouillard; *airport* paralysé par le brouillard; ***the main road to Chicago is ~*** la route principale qui mène à Chicago est impraticable en raison du brouillard

fogey ['fəʊgɪ] *n infml* ***old ~*** vieux machin *m infml*

foggy ['fɒgɪ] *adj* **1.** brumeux(-euse) **2.** *fig* ***I haven't the foggiest*** (***idea***) *infml* je n'en ai pas la moindre idée **foghorn** *n* NAUT corne *f* de brume **fog lamp, fog light** *n* AUTO feu *m* de brouillard

fogy *n* = **fogey**

foible ['fɔɪbl] *n* travers *m*

foil[1] [fɔɪl] *n* (*metal sheet*) feuille *f* d'aluminium

foil[2] *v/t plans* faire échouer; *attempts* déjouer

foist [fɔɪst] *v/t* ***to ~ sth*** (***off***) ***on sb*** *goods* imposer qc à qn; *task* repasser qc à qn

fold [fəʊld] **I** *n* pli *m*; ***~s of skin*** plis de la peau; ***~s of fat*** bourrelets de graisse **II** *v/t* **1.** *paper, blanket* plier; ***to ~ a newspaper in two*** plier un journal en deux; ***to ~ one's arms*** croiser les bras; ***with her hands ~ed in her lap*** les mains croisées sur les genoux **2.** (*wrap up*) envelopper (***in*** dans) **3.** COOK incorporer ***to ~ sth into sth*** incorporer qc à qc **III** *v/i* **1.** (*table*) se plier **2.** (*business*) fermer définitivement ◆ **fold away** *v/i* (*table*) se plier ◆ **fold back** *v/t sep bedclothes* rabattre ◆ **fold down** *v/t sep corner* replier ◆ **fold up** *v/t sep paper* plier

folder ['fəʊldəʳ] *n* **1.** (*for papers*) chemise *f* **2.** IT dossier *m* **folding** ['fəʊldɪŋ] *adj attr* pliant; ***~ chair*** chaise pliante **folding doors** *pl* portes *fpl* pliantes

foliage ['fəʊlɪɪdʒ] *n* feuillage *m*

folk [fəʊk] *pl* (*a.* **folks**: *infml people*) gens *mpl*; ***a lot of ~(s) believe ...*** beaucoup de gens pensent ...; ***old ~*** les vieux; ***my ~s*** mes parents **folk dance** *n* danse *f* folklorique **folklore** *n* folklore *m* **folk music** *n* (musique *f*) folk *m* **folk singer** *n* chanteur(-euse) *m(f)* folk **folk song** *n* chanson *f* folklorique; (*modern*) chanson *f* folk **folksy** ['fəʊksɪ] *adj US manner* campagnard **folk tale** *n* légende *f*, conte *m* populaire

follicle ['fɒlɪkl] *n* follicule *m*

follow ['fɒləʊ] **I** *v/t course, career, news, fashion, advice* suivre; *athletics etc.* suivre; *speech* écouter; ***he ~ed me around*** il m'a suivi partout; ***he ~ed me out*** il m'a suivi dehors; ***we're being ~ed*** nous sommes suivis; ***he arrived first, ~ed by the ambassador*** il est arrivé en premier, suivi de l'ambassadeur; ***the dinner will be ~ed by a concert*** le dîner sera suivi par un concert; ***how do you ~ that?*** est-ce que vous comprenez cela?; ***I love lasagna ~ed by ice cream*** j'adore les lasagnes suivies d'une glace; ***do you ~ me?*** vous me suivez?; ***to ~ one's heart*** écouter son cœur; ***which team do you ~?*** quelle équipe est-ce que tu suis? **II** *v/i* suivre; ***his argument was as ~s*** son argument était le suivant; ***to ~ in sb's footsteps*** *fig* suivre les traces de qn; ***it doesn't ~ that …*** cela ne veut pas forcément dire que …; ***that doesn't ~*** ce n'est pas évident; ***I don't ~*** je ne comprends pas ◆ **follow on** *v/i* faire suite ◆ **follow through** *v/i* ***to ~ with sth*** (*with plan*) mener qc à terme; (*with threat*) mettre qc à exécution ◆ **follow up** *v/t sep* **1.** *request* faire suite à; *offer* examiner **2.** (*investigate further*) donner suite à; *matter* suivre **3.** *success* confirmer

follower ['fɒləʊəʳ] *n* adepte *m/f*; ***to be a ~ of fashion*** suivre la mode; ***he's a ~ of sb*** c'est un partisan de qn **following I** *adj* **1.** suivant; ***the ~ day*** le lendemain **2.** ***a ~ wind*** un vent arrière **II** *n* **1.** (*followers*) partisans *mpl* **2.** ***he said the ~*** il a dit la chose suivante **III** *prep* suite à **follow-up** ['fɒləʊˌʌp] *n* suivi *m* (**to** de)

folly ['fɒlɪ] *n* folie *f*; ***it is sheer ~*** c'est de la pure folie

fond [fɒnd] *adj* ⟨**+er**⟩ **1.** ***to be ~ of sb / sth*** beaucoup aimer qn / qc; ***she is very ~ of animals*** elle aime beaucoup les animaux; ***to become*** *or* ***grow ~ of sb*** s'attacher à qn; ***to become*** *or* ***grow ~ of sth*** se mettre à aimer à qc; ***to be ~ of doing sth*** *Br* aimer beaucoup faire qc **2.** *parent* aimant; *look* tendre; ***to have ~ memories of sth*** avoir de très bons souvenirs de qc **3.** (*foolish, vain*) ***in the ~ hope / belief that …*** dans le fol espoir que …/dans la naïve croyance que …

fondant ['fɒndənt] *n* fondant *m*

fondle ['fɒndl] *v/t* caresser **fondly** ['fɒndlɪ] *adv* **1.** avec tendresse; ***to remember sb ~*** se souvenir avec tendresse de qn; ***to remember sth ~*** se souvenir avec affection de qc **2.** (*naively*) naïvement **fondness** *n* (*for people*) tendresse *f* (**for** pour); (*for food, place etc.*) penchant *m* (**for** pour)

fondue ['fɒnduː] *n* fondue *f*; ***~ set*** appareil à fondue

font [fɒnt] *n* TYPO police *f* (de caractères)

food [fuːd] *n* (*for humans, animals*) nourriture *f*; (*nourishment*) aliments *mpl*; (*foodstuff*) denrées *fpl*; (*groceries*) provisions *fpl*; ***dog and cat ~*** de la nourriture pour chiens et pour chats; ***~ and drink*** la nourriture et les boissons; ***I don't have any ~*** je n'ai rien à manger; ***~ for thought*** matière à réflexion **food additives** *pl* additif *m* alimentaire **food chain** *n* chaîne *f* alimentaire **food combining** *n* combinaisons *fpl* alimentaires **food industry** *n* industrie *f* alimentaire **food miles** *n* kilomètres *mpl* alimentaires **food parcel** *n* colis *m* de vivres **food poisoning** *n* intoxication *f* alimentaire **food processor** *n* robot *m* de cuisine **food stamp** *n US* bon *m* d'achat de nourriture (*pour personnes sans ressources*) **foodstuff** *n* denrée *f* alimentaire **food technology** *n also* BRIT SCHOOL technologie *f* alimentaire

fool [fuːl] **I** *n* idiot(e) *m*(*f*); ***don't be a ~!*** ne sois pas idiot!; ***he was a ~ not to accept*** il a été stupide de ne pas accepter; ***to be ~ enough to …*** être assez idiot pour …; ***to play*** *or* ***act the ~*** faire l'idiot; ***to make a ~ of sb*** ridiculiser qn; ***he made a ~ of himself*** il s'est ridiculisé **II** *v/i* faire l'idiot; ***to ~ with sb / sth*** jouer avec qn / qc; ***stop ~ing (around)!*** arrête de faire l'idiot! **III** *v/t* duper; (*trick*) rouler *infml*; (*disguise etc.*) berner; ***I was completely ~ed*** je me suis fait complètement avoir; ***you had me ~ed*** tu m'as bien eu; ***they ~ed him into believing that …*** ils lui ont fait croire que … ◆ **fool around** *or* **fool about** *Br v/i* **1.** (*waste time*) traîner **2.** (*play the fool*) faire l'imbécile; ***to fool around with sth*** *or Br* ***about with sth*** faire des bêtises avec qc **3.** (*sexually*) ***he's fooling around with my wife*** il a une aventure avec ma femme

foolhardy ['fuːlˌhɑːdɪ] *adj* téméraire **foolish** ['fuːlɪʃ] *adj* idiot, bête; ***don't do anything ~*** ne faites pas de bêtises; ***what a ~ thing to do*** quelle bêtise!; ***it made him look ~*** ça l'a ridiculisé **foolishly** ['fuːlɪʃlɪ] *adv act, say* bêtement **foolishness** *n* bêtise *f* **foolproof** ['fuːlpruːf] *adj method* infaillible; *reci-*

pe qui marche à tous les coups

foot [fʊt] **I** *n* ⟨*pl* **feet**⟩ pied *m*; (*of bed*) pied *m*; (*of animal*) patte *f*; ***to be on one's feet*** être debout; *fig* être sur pied; ***to get back on one's feet*** être à nouveau sur pied; ***on ~*** à pied; ***I'll never set ~ here again!*** je ne remettrai jamais les pieds ici; ***the first time he set ~ in the office*** la première fois qu'il est venu au bureau; ***to get to one's feet*** se lever; ***to jump to one's feet*** bondir; ***to put one's feet up*** *lit* mettre les pieds en l'air; *fig* se reposer; ***he never puts a ~ wrong*** *fig* il ne commet jamais d'erreur; ***3 ~*** *or* ***feet long*** 3 pieds de long; ***he's 6 ~ 3*** il fait 6 pieds 3 pouces, ≈ il fait 1,90 *m*; ***to put one's ~ down*** (*act with authority*) faire acte d'autorité; (*Br* AUTO) appuyer sur le champignon; ***to put one's ~ in it*** faire une gaffe; ***to find one's feet*** s'adapter; ***to get / be under sb's feet*** venir / être dans les jambes de qn; ***to get off on the wrong ~*** être mal parti; ***to stand on one's own two feet*** se débrouiller tout seul; ***a nice area, my ~!*** *infml* un endroit sympa, mon œil! *infml* **II** *v/t bill* payer **footage** ['fʊtɪdʒ] *n* **1.** (*length*) longueur *f* (*en pieds*) **2.** (*of movie*) séquences *fpl* **foot-and-mouth (disease)** ['fʊtən-'maʊθ(dɪˌziːz)] *n* fièvre *f* aphteuse

football ['fʊtbɔːl] *n* **1.** football *m* américain **2.** (*soccer*) football *m* **football boot** *n Br* chaussure *f* de football **footballer** ['fʊtbɔːlər] *n* **1.** (*in American football*) joueur(-euse) *m*(*f*) de football américain **2.** (*in soccer*) *Br* footballeur (-euse) *m*(*f*) **football hooligan** *n Br* hooligan *m* **football pools** *pl Br* ≈ loto *m* sportif

> **football**
>
> Le football américain est assez différent du football tel qu'il se pratique en Europe. Aux États-Unis on appelle ce dernier **soccer** pour le distinguer de la variante américaine, qui est comparable au **rugby**. Les joueurs de football américain portent des casques, des protège-épaules, des genouillères etc. Le foot qui se joue au Canada est très proche de celui qui se joue aux États-Unis.

footbridge *n* passerelle *f* **-footed** [-fʊtɪd] *adj suf* ***four-footed*** à quatre pattes **footer** ['fʊtər] *n* IT pied *m* de page **foothills** *pl* contreforts *mpl* **foothold** *n* prise *f* (de pied); ***to gain a ~*** *fig* prendre pied **footing** ['fʊtɪŋ] *n* **1.** *lit* ***to lose one's ~*** perdre l'équilibre **2.** *fig* (*foundation*) condition *f*; (*relationship*) position *f*; ***on an equal ~*** sur un pied d'égalité **footlights** *pl* THEAT rampe *f* **footman** *n* valet *m* de pied **footnote** *n* note *f* de bas de page; *fig* remarque *f* **foot passenger** *n* passager *m* sans véhicule **footpath** *n* sentier *m* **footprint** *n* empreinte *f* de pas **footprints** *pl* traces *fpl* de pas **footrest** *n* repose-pieds *m* **footsore** *adj* ***to be ~*** avoir mal aux pieds **footstep** *n* pas *m* **footstool** *n* tabouret *m* (pour les pieds) **footwear** *n* chaussures *fpl* **footwork** *n no pl* SPORTS jeu *m* de jambes

for [fɔːr] **I** *prep* **1.** pour; (*purpose, destination*) pour; ***a letter ~ me*** une lettre pour moi; ***destined ~ greatness*** promis à un grand avenir; ***what ~?*** pourquoi?; ***what is this knife ~?*** à quoi sert ce couteau?; ***he does it ~ pleasure*** il le fait pour le plaisir; ***what did you do that ~?*** pourquoi avez-vous fait ça?; ***a bag ~ carrying books (in)*** un sac pour transporter des livres; ***to go to Spain ~ a vacation*** aller en Espagne en vacances; ***the train ~ Nice*** le train pour Nice; ***to leave ~ the U.S.A*** partir pour les États-Unis; ***it's not ~ me to say*** ce n'est pas à moi de le dire; ***I'll speak to her ~ you if you like*** je lui parlerai à ta place si tu veux; ***D ~ Daniel*** D comme Daniel; ***are you ~ or against it?*** est-ce que tu es pour ou contre?; ***I'm all ~ helping him*** je suis tout à fait partisan de l'aider; ***~ my part*** pour ma part; ***as ~ him*** quant à lui; ***what do you want ~ your birthday?*** qu'est-ce que tu veux pour ton anniversaire?; ***it's all very well ~ you to talk*** vous pouvez parler; ***~ further information see page 77*** pour plus d'informations, voir page 77; ***his knack ~ saying the wrong thing*** son talent pour dire ce qu'il ne faut pas **2.** (*because of*) pour; ***~ this reason*** pour cette raison; ***to go to prison ~ murder*** aller en prison pour meurtre; ***to choose sb ~ his ability*** choisir qn pour son talent; ***if it were not ~ him*** sans lui **3.** (*in spite of*) malgré **4.** (*in* *time*) pendant; ***he walked ~ two hours*** il a marché pendant deux heures; ***I am going away ~ a few days*** je pars (pendant) quelques jours; ***I shall be away ~ a month*** je serai absente pendant un mois; ***he won't be back ~ a week*** il ne sera pas de retour avant une semaine; ***I have not seen her ~ two years*** je ne l'ai pas vu depuis deux ans; ***can you get it done ~ Monday?*** tu peux le faire pour lundi?; ***~ a while / time*** (pendant) un moment; ***the meeting was scheduled ~ 9 o'clock*** la réunion était prévue à 9 heures **5.** (*distance*) ***we walked ~ two miles*** nous avons marché deux miles; ***there are roadworks on the freeway ~ two miles*** il y a deux miles de travaux sur l'autoroute; ***~ miles*** pendant des kilomètres **6.** ***it's easy ~ him to do it*** c'est facile pour lui de le faire; ***I brought it ~ you to see*** je l'ai apporté pour que tu puisses le voir; ***the best thing would be ~ you to leave*** le mieux serait que vous partiez; ***there's still time ~ him to come*** il a encore le temps d'arriver; ***you're (in) ~ it!*** *infml* c'est va être ta fête! *infml* **II** *cj* car **III** *adj pred* (*in favor*) pour

forage ['fɒrɪdʒ] *v/i* fourrager; (*fig rummage*) fouiller (***for*** pour trouver)

foray ['fɒreɪ] *n* raid *m*; *fig* incursion *f* (***into*** dans)

forbad(e) [fə'bæd] *past* = **forbid**

forbid [fə'bɪd] 〈*past* **forbad(e)**〉 〈*past part* **forbidden**〉 *v/t* interdire; ***to ~ sb to do sth*** interdire à qn de faire qc; ***God*** *or* ***Heaven ~!*** grands dieux non! **forbidden** *adj* interdit; ***they are ~ to enter*** ils n'ont pas le droit d'entrer; ***smoking is (strictly) ~*** il est (strictement) interdit de fumer; ***~ subject*** sujet tabou **forbidding** [fə'bɪdɪŋ] *adj person* peu avenant; *place* inhospitalier(-ière); *prospect* sinistre

force [fɔːs] **I** *n* **1.** *no pl* (*physical strength, power*) force *f*; (*of impact*) violence *f*; (*physical coercion*) violence *f*; ***by*** *or* ***through sheer ~ of numbers*** par la simple force du nombre; ***there is a ~ 5 wind blowing*** il souffle un vent de force 5; ***they were there in ~*** ils étaient là en force; ***to come into / be in ~*** entrer / être en vigueur **2.** *no pl fig* (*of argument*) force *f*; ***by ~ of habit*** par la force de l'habitude; ***the ~ of circumstances*** par la force des choses **3.** (*powerful thing, person*) force *f*; ***there are various ~s at work here*** il y a différentes forces à l'œuvre ici; ***he is a powerful ~ in the reform movement*** il exerce un grand pouvoir dans le mouvement de réforme **4.** ***the ~s*** (*Br* MIL) les forces armées; ***the (police) ~*** la police; ***to join ~s*** *Br* unir ses forces **II** *v/t* **1.** (*compel*) forcer; ***to ~ sb to do sth*** forcer qn à faire qc; ***to ~ oneself to do sth*** se forcer à faire qc; ***he was ~d to conclude that ...*** il a été forcé de conclure que ...; ***to ~ sth (up)on sb*** imposer qc à qn; ***he ~d himself on her*** (*sexually*) il l'a agressée; ***to ~ a smile*** se forcer à sourire **2.** (*obtain by force*) extorquer; ***he ~d a confession out of me*** il m'a extorqué une confession; ***to ~ an error*** SPORTS faire passer une erreur **3.** (*break open*) forcer, fracturer **4.** (*push*) ***to ~ books into a box*** faire entrer des livres dans une boîte; ***if it won't open / go in, don't ~ it*** si ça n'ouvre pas / ne rentre pas, ne force pas; ***to ~ one's way into sth*** entrer de force dans qc; ***to ~ a car off the road*** obliger une voiture à quitter la route ◆ **force back** *v/t sep tears* réprimer ◆ **force down** *v/t sep food* se forcer à manger ◆ **force off** *v/t sep lid* ouvrir en forçant

forced [fɔːst] *adj* **1.** (*imposed*) forcé **2.** *smile*, *conversation* forcé **forced labor**, *Br* **forced labour** *n* travaux *mpl* forcés **force-feed** ['fɔːsfiːd] *vb* 〈*past, past part* **force-fed**〉 *v/t* nourrir de force, gaver **forceful** *adj* **1.** *blow* violent **2.** *manner*, *character* énergique; *style*, *reminder* vigoureux(-euse); *argument* puissant **forcefully** *adv* **1.** *remove* violemment **2.** *act* énergiquement; *argue* avec force **forcefulness** ['fɔːsfʊlnɪs] *n* (*of person*) détermination *f*; (*of manner*, *action*) violence *f*; (*of character*, *personality*, *conviction*) force *f*

forceps ['fɔːseps] *pl* (*a.* **pair of forceps**) forceps *m*

forcible ['fɔːsəbl] *adj* (*entry*) de force **forcibly** ['fɔːsəblɪ] *adv* de force, par la force

ford [fɔːd] **I** *n* gué *m* **II** *v/t* passer à gué

fore [fɔːʳ] **I** *n* ***to come to the ~*** *person* se faire remarquer; *theory* être mis en évidence **II** *adj attr* antérieur **forearm** ['fɔːrɑːm] *n* avant-bras *m* **forebear** ['fɔːbɛəʳ] *n form* ***~s*** aïeux *mpl* **foreboding** [fɔː'bəʊdɪŋ] *n* (*presentiment*) pressentiment *m*; (*disquiet*) appréhension *f* **forecast** ['fɔːkɑːst] **I** *v/t* prévoir **II** *n* prévisions *fpl* **forecaster** ['fɔːkɑːstəʳ] *n* METEO météorologue *m/f* **forecourt** ['fɔːkɔːt] *n* cour *f* de devant **forefather** ['fɔːˌfɑːðəʳ] *n* **~s** aïeux *mpl* **forefinger** ['fɔːˌfɪŋgəʳ] *n* index *m* **forefront** ['fɔːfrʌnt] *n* ***at the ~ of*** au premier plan de **forego** [fɔː'gəʊ] ⟨*past* **forewent**⟩ ⟨*past part* **foregone**⟩ *v/t* renoncer à **foregone** [fɔː'gɒn] **I** *past part* = **forego II** *adj* ***it was a ~ conclusion*** c'était couru d'avance **foreground** ['fɔːgraʊnd] *n* premier plan *m*; ***in the ~*** au premier plan **forehand** ['fɔːhænd] SPORTS **I** *n* coup *m* droit **II** *attr* de coup droit

forehead ['fɔːhed, 'fɒrɪd] *n* front *m*

foreign ['fɒrən] *adj* **1.** *person* étranger (-ère); *food, customs* de l'étranger; ***to be ~*** (*person*) être étranger; ***~ countries*** l'étranger; ***~ travel*** voyage à l'étranger; ***~ news*** nouvelles du monde **2.** (*alien*) étranger(-ère); ***~ body*** corps étranger; ***to be ~ to sb*** être étranger à qn **foreign affairs** *pl* affaires *fpl* étrangères **foreign aid** *n* aide *f* aux pays étrangers **foreign correspondent** *n* correspondant(e) *m(f)* à l'étranger **foreign currency** *n* devises *fpl* étrangères

foreigner ['fɒrənəʳ] *n* étranger(-ère) *m(f)* **foreign exchange** *n* ***on the ~s*** sur le marché des devises **foreign language I** *n* langue *f* étrangère **II** *attr movie* en langue étrangère; ***~ assistant*** assistant(e) *m(f)* de langue étrangère **Foreign Minister** *n Br* ministre *m/f* des Affaires étrangères **Foreign Office** *n Br* ministère *m* des Affaires étrangères **foreign policy** *n* POL politique *f* étrangère **Foreign Secretary** *n Br* ministre *m/f* des Affaires étrangères **foreign trade** *n* commerce *m* extérieur

foreleg ['fɔːleg] *n* patte *f* de devant; *horse* jambe *f* antérieure **foreman** ['fɔːmən] *n* ⟨*pl* **-men**⟩ (*in factory*) chef *m* d'équipe; (*on building site*) contremaître *m* **foremost** ['fɔːməʊst] **I** *adj* le(la) plus important(e); ***~ among them was John*** John était le premier d'entre eux **II** *adv* tout d'abord **forename** ['fɔːneɪm] *n* prénom *m*

forensic [fə'rensɪk] *adj* judiciaire; *Med* médico-légal **forensic medicine** *n* médecine *f* légale **forensic science** *n* expertise *f* médico-légale

foreplay ['fɔːpleɪ] *n* préliminaires *mpl* **forerunner** ['fɔːˌrʌnəʳ] *n person* précurseur *m*; *thing* ancêtre *m/f* **foresee** [fɔː'siː] ⟨*past* **foresaw**⟩ ⟨*past part* **foreseen**⟩ *v/t* prévoir, anticiper **foreseeable** [fɔː'siːəbl] *adj* prévisible; ***in the ~ future*** dans un avenir prévisible **foreshadow** [fɔː'ʃædəʊ] *v/t* présager, annoncer **foresight** ['fɔːsaɪt] *n* prévoyance *f* **foreskin** ['fɔːskɪn] *n* prépuce *m*

forest ['fɒrɪst] *n* forêt *f*

forestall [fɔː'stɔːl] *v/t sb* empêcher

forester ['fɒrɪstəʳ] *n* forestier(-ière) *m(f)* **forest ranger** *n US* forestier (-ière) *m(f)* **forestry** ['fɒrɪstrɪ] *n* sylviculture *f*

foretaste ['fɔːteɪst] *n* avant-goût *m*; ***to give sb a ~ of sth*** donner à qn un avant-goût de qc **foretell** [fɔː'tel] ⟨*past, past part* **foretold**⟩ *v/t* prédire

forever [fər'evəʳ] *adv* **1.** toujours; *remember, go on* à jamais; ***U.C.L.A ~!*** vive U.C.L.A.!; ***it takes ~*** *infml* ça n'en finit pas *infml*; ***these slate roofs last ~*** *infml* ces toits en ardoise durent une éternité **2.** *change* définitivement; ***the old social order was gone ~*** l'ancien ordre social avait disparu pour toujours; ***to be ~ doing sth*** *infml* être sans arrêt en train de faire qc

forewarn [fɔː'wɔːn] *v/t* prévenir **forewent** [fɔː'went] *past* = **forego foreword** ['fɔːwɜːd] *n* avant-propos *m*

forfeit ['fɔːfɪt] **I** *v/t* **1.** *esp* JUR perdre (par confiscation) **2.** *fig one's life* payer de; *right, place* perdre **II** *n esp* JUR dédit *m*; *fig* amende *f*; (*in game*) gage *m* **forfeiture** ['fɔːfɪtʃəʳ] *n* perte *f* (par confiscation); (*of claim*) déchéance *f*

forgave [fə'geɪv] *past* = **forgive**

forge [fɔːdʒ] **I** *n* forge *f* **II** *v/t* **1.** *metal, plan, alliance* forger **2.** *signature* contrefaire **III** *v/i* ***to ~ ahead*** aller de l'avant

forger ['fɔːdʒəʳ] *n* faussaire *m/f* **forgery** ['fɔːdʒərɪ] *n* faux *m*; ***the signature was a ~*** la signature était fausse

forget [fə'get] ⟨*past* **forgot**⟩ ⟨*past part* **forgotten**⟩ **I** *v/t* oublier; *ability, language* oublier; ***and don't you ~ it!*** et ne l'oublie pas, surtout!; ***to ~ to do sth*** oublier de faire qc; ***I ~ his name*** j'ai oublié son nom; ***not ~ting …*** *Br* sans oublier …; ***~ it!*** laisse tomber!; ***you might as well ~ it*** *infml* ça, tu peux oublier! *infml* **II** *v/i* oublier; ***don't ~!*** n'oublie pas!; ***I never ~*** je n'oublie jamais rien **III** *v/r* s'oublier ◆ **forget about** *v/t insep* oublier

forgetful [fə'getfʊl] *adj* distrait **forgetfulness** [fə'getfʊlnɪs] *n* manque *m* de mémoire **forget-me-not** [fə'getmɪnɒt] *n* BOT myosotis *m* **forgettable** [fə'getəbl] *adj* ***it was an instantly ~ game*** c'était un match que l'on pouvait oublier aussitôt

forgivable [fə'gɪvəbl] *adj* pardonnable

forgive [fə'gɪv] ⟨*past* **forgave**⟩ ⟨*past part* **forgiven**⟩ *v/t* pardonner; *sin* pardonner; ***to ~ sb for sth*** pardonner qc à qn; ***to ~ sb for doing sth*** pardonner à qn d'avoir fait qc **forgiveness** *n no pl* pardon *m*; ***to ask / beg (sb's) ~*** demander pardon à qn **forgiving** [fə'gɪvɪŋ] *adj* indulgent

forgo [fɔː'gəʊ] ⟨*past* **forwent**⟩ ⟨*past part* **forgone**⟩ *v/t* = **forego**

forgot [fə'gɒt] *past* = **forget** **forgotten** [fə'gɒtn] *past part* = **forget**

fork [fɔːk] **I** *n* **1.** fourchette *f* **2.** (*in road*) embranchement *m*; ***take the left ~*** prenez la route de gauche **II** *v/i* (*road, branch*) bifurquer; ***to ~ (to the) right*** (*road*) bifurquer à droite ◆ **fork out** *infml v/i, v/t sep* casquer *infml*

forked [fɔːkt] *adj* fourchu **fork-lift (truck)** ['fɔːklɪft('trʌk)] *infml n* chariot *m* élévateur (à fourche)

forlorn [fə'lɔːn] *adj* **1.** (*desolate*) désolé; (*miserable*) malheureux(-euse) **2.** *attempt* désespéré; ***in the ~ hope of finding a better life*** dans le fol espoir d'une vie meilleure **forlornly** [fə'lɔːnlɪ] *adv* **1.** *stand, wait, stare* tristement **2.** *hope, try* désespérément; (*vainly*) en vain

form [fɔːm] **I** *n* **1.** forme *f*; (*of person*) silhouette *f*; ***~ of address*** formule de politesse; ***a ~ of apology*** une sorte d'excuse; ***in the ~ of*** sous forme de; ***in liquid ~*** (sous forme) liquide; ***to be in fine ~*** être en pleine forme; ***to be on ~*** être en forme; ***to be off ~*** ne pas être en forme; ***he was in great ~ that evening*** *Br* il était en pleine forme ce soir-là **2.** (*document*) formulaire *m* **3.** (*Br* SCHOOL) classe *f* **II** *v/t* **1.** *object, character* former (**into** en) **2.** *liking, idea* prendre forme; *friendship* développer; *opinion* se faire; *plan* élaborer **3.** *government, part, circle* former; *company* créer; ***to ~ a line*** (*US*) *or* ***queue*** (*Br*) former une file d'attente **III** *v/i* (*take shape*) se former

formal ['fɔːməl] *adj* **1.** *person* cérémonieux(-euse); *language* soutenu; *talks, statement etc.* officiel(le); *occasion* solennel(le); ***to make a ~ apology*** présenter des excuses en bonne et due forme; ***~ dress*** tenue *f* de cérémonie **2.** *style* soutenu **3.** *education* conventionnel(le) **formality** [fɔː'mælɪtɪ] *n* **1.** *no pl* (*of person, ceremony etc.*) formes *fpl* **2.** (*matter of form*) formalité *f* **formalize** ['fɔːməlaɪz] *v/t rules* donner une forme officielle à; *agreement* officialiser **formally** ['fɔːməlɪ] *adv behave, dress* cérémonieusement; *announce etc.* officiellement; *apologize* en bonne et due forme; ***~ charged*** JUR mis en examen

format ['fɔːmæt] **I** *n* (*as regards size*) format *m*; (*as regards content*) présentation *f*; RADIO, TV format *m* **II** *v/t* IT formater **formation** [fɔː'meɪʃən] *n* **1.** (*act of forming*) formation *f*; (*of government*) formation *f*; (*of committee, company*) création *f* **2.** (*of aircraft*) formation *f*; ***battle ~*** formation de combat **formative** ['fɔːmətɪv] *adj* formateur (-trice); ***her ~ years*** les années formatrices de sa vie

former ['fɔːməʳ] **I** *adj* **1.** *president, employee, hospital* ancien(ne); *place, authority etc.* d'autrefois; ***his ~ wife*** son ex-femme; ***in ~ times*** *or* ***days*** autrefois **2.** ***the ~ alternative*** la première solution **II** *n* ***the ~*** celui-là, celle-là; (*more than one*) ceux-là, celles-là

-former [-ˌfɔːməʳ] *n suf* (*Br* SCHOOL) élève *m/f* de ...; ***fifth-former*** ≈ élève de première

formerly ['fɔːməlɪ] *adv* autrefois; ***the ~ communist countries*** les pays de l'ancien bloc communiste; ***we had ~ agreed that ...*** on s'était mis d'accord à l'époque sur le fait que ...

form feed *n* IT avancement *m* du papier

Formica® [fɔː'maɪkə] *n* Formica® *m*

formidable ['fɔːmɪdəbl] *adj challenge, achievement, strength* redoutable; *person, reputation* impressionnant; *opponent* terrible; *talents* phénoménal **formidably** ['fɔːmɪdəblɪ] *adv* terriblement; ***~ gifted / talented*** extraordinairement doué / talentueux

form letter *n* IT lettre *f* type

formula ['fɔːmjʊlə] *n* ⟨*pl* **-s** *or* **-e**⟩ **1.** formule *f*; ***there's no sure ~ for success*** il n'y a pas de recette miracle pour réus-

sir; ***all his books follow the same ~*** tous ses livres sont écrits selon la même formule **2.** *no pl* (*a.* **formula milk**) lait *m* maternisé **Formula One** *n* MOTORING RACING formule *f* un **formulate** ['fɔːmjʊleɪt] *v/t* formuler **formulation** [ˌfɔːmjʊ'leɪʃən] *n* élaboration *f*
forsake [fə'seɪk] ⟨*past* **forsook**⟩ ⟨*past part* **forsaken**⟩ *v/t* quitter
forswear [fɔː'sweəʳ] ⟨*past* **forswore**⟩ ⟨*past part* **forsworn**⟩ *v/t* abjurer
fort [fɔːt] *n* MIL fort *m*; ***to hold the ~*** *fig* assurer la permanence
forte ['fɔːteɪ] *n* (*strong point*) point *m* fort
forth [fɔːθ] *adv form*, *obs* **1.** (*out*) de l'avant; (*forward*) vers l'avant; ***to come ~*** s'avancer **2.** ***and so ~*** et ainsi de suite **forthcoming** [fɔːθ'kʌmɪŋ] *adj form* **1.** *attr event* futur; *album*, *movie* qui va sortir **2.** ***to be ~*** (*money*, *aid*) être disponible **3.** ***to be ~ about sth*** être arrangeant à propos de qc; ***not to be ~ on*** *or* ***about sth*** ne pas être arrangeant sur *or* à propos de qc **forthright** ['fɔːθraɪt] *adj* (*direct*) direct; (*frank*) franc(he)
fortieth ['fɔːtɪɪθ] **I** *adj* quarantième **II** *n* **1.** (*fraction*) quarantième *m* **2.** (*in series*) quarantième *m/f*; → **sixth**
fortifications [ˌfɔːtɪfɪ'keɪʃənz] *pl* MIL fortifications *fpl* **fortified wine** [ˌfɔːtɪfaɪd'waɪn] *n* vin *m* doux **fortify** ['fɔːtɪfaɪ] *v/t* MIL *town* fortifier; *person* réconforter
fortitude ['fɔːtɪtjuːd] *n* courage *m*
fortnight ['fɔːtnaɪt] *n esp Br* quinze jours *mpl*, quinzaine *f* **fortnightly** ['fɔːtnaɪtlɪ] *esp Br* **I** *adj* bimensuel(le); ***~ visits*** des visites bimensuelles **II** *adv* tous les quinze jours
fortress ['fɔːtrɪs] *n* forteresse *f*
fortuitous [fɔː'tjuːɪtəs] *adj* fortuit **fortuitously** [fɔː'tjuːɪtəslɪ] *adv* fortuitement
fortunate ['fɔːtʃənɪt] *adj* heureux (-euse); ***we are ~ that …*** nous avons de la chance que …; ***it is ~ that …*** c'est une chance que …; ***it was ~ for him/ Mr Fox that…*** heureusement pour lui/M. Fox que …
fortunately ['fɔːtʃənɪtlɪ] *adv* heureusement; ***~ for me, my friend noticed it*** heureusement pour moi, mon ami l'a remarqué **fortune** ['fɔːtʃuːn] *n* **1.** (*fate*) destin *m*; ***she followed his ~s with interest*** elle a suivi ses aventures avec intérêt; ***he had the good ~ to have rich parents*** il a eu la chance d'avoir des parents riches; ***to tell sb's ~*** dire la bonne aventure à qn **2.** (*money*) fortune *f*; ***to make a ~*** gagner beaucoup d'argent; ***to make one's ~*** faire fortune; ***it costs a ~*** ça coûte une fortune **fortune-teller** ['fɔːtʃuːntelәʳ] *n* diseur(-euse) *m*(*f*) de bonne aventure
forty ['fɔːtɪ] **I** *adj* quarante; ***to have ~ winks*** *infml* faire une petite sieste **II** *n* quarante *m*; → **sixty**
forum ['fɔːrəm] *n* forum *m*
forward ['fɔːwəd] **I** *adv* **1.** (*a. esp Br* **forwards** *onwards*) en avant; (*to the front*) vers l'avant; ***to take two steps ~*** avancer de deux pas; ***to rush ~*** se précipiter; ***to go straight ~*** aller droit devant soi; ***he drove backward and ~ between the station and the house*** il a fait la navette en voiture entre la gare et la maison **2.** (*in time*) ***from this time ~*** (*from then*) depuis; (*from now*) à partir de maintenant **3.** ***to come ~*** se présenter; ***to bring ~ new evidence*** produire de nouvelles preuves **II** *adj* **1.** (*in place*) en avant; (*in direction*) vers l'avant; ***this seat is too far ~*** ce siège est trop en avant **2.** *planning* à l'avance **3.** (*presumptuous*) effronté **III** *n* SPORTS avant *m* **IV** *v/t* **1.** *career* faire avancer **2.** *letter* faire suivre; *information*, *e-mail* faire suivre, transférer **forwarding address** [ˌfɔːwədɪŋə'dres] *n* adresse *f* de réexpédition **forward-looking** ['fɔːwədlʊkɪŋ] *adj* tourné vers l'avenir **forwards** ['fɔːwədz] *adv esp Br* = **forward** *I1* **forward slash** *n* TYPO barre *f* oblique
forwent [fɔː'went] *past* = **forgo**
fossil ['fɒsl] *n lit* fossile *m* **fossil fuel** *n* combustible *m* fossile **fossilized** ['fɒsɪlaɪzd] *adj* fossilisé
foster ['fɒstəʳ] **I** *adj attr* ADMIN ***their children are in ~ care*** leurs enfants sont placés **II** *v/t* **1.** *child* placer **2.** *development* encourager **foster child** *n* enfant *m/f* placé(e) **foster family** *n* famille *f* d'accueil **foster home** *n* famille *f* d'accueil **foster parents** *pl* parents *mpl* de la famille d'accueil
fought [fɔːt] *past*, *past part* = **fight**
foul [faʊl] **I** *adj* **1.** *place* immonde; *taste* infect; *water* croupi; *air* vicié; *smell* infect **2.** *behavior* odieux; *day* épouvantable; ***he was really ~ to her*** *Br* il a été vraiment odieux avec elle; ***she has a***

~ temper elle a un sale caractère; ***to be in a ~ mood*** *or* ***temper*** être d'une humeur massacrante; ***~ weather*** temps affreux **3.** (*offensive*) grossier(-ière); ***~ language*** langage grossier **4.** ***to fall ~ of the law*** avoir maille à partir avec la justice; ***to fall ~ of sb*** se mettre à dos qn **II** *v/t* **1.** *air* polluer; *pavement* souiller **2.** SPORTS commettre une faute contre **III** *n* SPORTS faute *f* **foul-mouthed** *adj* grossier(-ière) **foul play** *n* **1.** SPORTS jeu *m* irrégulier **2.** *fig* ***the police do not suspect ~*** la police écarte l'hypothèse d'un acte criminel

found[1] [faʊnd] *past, past part* = **find**

found[2] *v/t* (*set up*) fonder; ***to ~ sth* (*up*)*on sth*** *opinion* fonder qc sur qc; ***our society is ~ed on this*** notre société est fondée là-dessus; ***the novel is ~ed on fact*** le roman est basé sur des faits réels

foundation [faʊn'deɪʃən] *n* **1.** (*institution*) fondation *f*; ***research ~*** fondation consacrée à la recherche **2.** ***~s*** *pl* (*of house etc.*) fondations *fpl* **3.** (*fig basis*) fondement *m*; ***to be without ~*** (*rumors*) être sans fondement **4.** (*make-up*) fond *m* de teint **foundation stone** *n* première pierre *f*

founder[1] ['faʊndəʳ] *n* fondateur(-trice) *m*(*f*)

founder[2] *v/i* **1.** (*ship*) sombrer **2.** (*fig: project*) échouer

founder member *n* membre *m/f* fondateur **Founding Fathers** ['faʊndɪŋ'fɑːðəz] *pl US* pères *mpl* fondateurs

foundry ['faʊndrɪ] *n* fonderie *f*

fount [faʊnt] *n* **1.** (*fig source*) source *f* **2.** TYPO fonte *f*

fountain ['faʊntɪn] *n* fontaine *f* **fountain pen** *n* stylo *m* (à encre)

four [fɔːʳ] **I** *adj* quatre **II** *n* quatre *m*; ***on all ~s*** à quatre pattes; → **six four-door** *adj attr* à quatre portes **four-figure** *adj attr* à quatre chiffres **fourfold I** *adj* quadruple **II** *adv* au quadruple **four-leaf clover** *n* trèfle *m* à quatre feuilles **four-legged** *adj* à quatre pattes **four-letter word** *n* gros mot *m* **four-part** *adj attr series, tv show* en quatre épisodes; *plan* en quatre parties; MUS pour quatre pupitres; *harmony, choir* à quatre voix **four-poster (bed)** *n* lit *m* à baldaquin **four-seater I** *adj* à quatre places **II** *n* voiture *f* à quatre places **foursome** *n* partie *f* à quatre **four-star** *adj* quatre étoiles; ***~ hotel / restaurant*** hôtel / restaurant quatre étoiles **four-star petrol** *n Br* super(carburant) *m*

fourteen ['fɔː'tiːn] **I** *adj* quatorze **II** *n* quatorze *m*

fourteenth ['fɔː'tiːnθ] **I** *adj* quatorzième **II** *n* **1.** (*fraction*) quatorzième *m* **2.** (*of series*) quatorzième *m/f*; → **sixteenth**

fourth [fɔːθ] **I** *adj* quatrième **II** *n* **1.** (*fraction*) quart *m* **2.** (*in series*) quatrième *m/f*; ***in ~*** (*Br* AUTO) en quatrième; → **sixth fourthly** ['fɔːθlɪ] *adv* quatrièmement **four-wheel drive** *n* quatre-quatre *m* **four-wheeler** *n US* véhicule *m* à quatre roues

fowl [faʊl] *n* (*poultry*) volaille *f*; (*one bird*) volaille *f*

fox [fɒks] **I** *n* renard *m* **II** *v/t* mystifier

foxglove *n* BOT digitale *f* (pourprée)

fox-hunting *n* chasse *f* au renard; ***to go ~*** aller à la chasse au renard

foyer ['fɔɪeɪ] *n* (*esp US, in house*) vestibule *m*; (*in theater*) foyer *m*

Fr. 1. *abbr* = **Father 2.** *abbr* = **Friar**

fracas ['frækɑː] *n* rixe *f*

fraction ['frækʃən] *n* **1.** MATH fraction *f* **2.** *fig* fraction *f*; ***move it just a ~*** déplace-le un tout petit peu; ***for a ~ of a second*** pendant une fraction de seconde **fractional** ['frækʃənl] *adj* MATH fractionnaire; *fig* infime; ***~ part*** fraction *f* **fractionally** ['frækʃənəlɪ] *adv less, slower* très légèrement; *rise* imperceptiblement

fractious ['frækʃəs] *adj* grincheux (-euse); *child* grognon

fracture ['fræktʃəʳ] **I** *n* fracture *f* **II** *v/t & v/i* fracturer; ***he ~d his shoulder*** il s'est fracturé l'épaule; ***~d skull*** fracture du crâne

fragile ['frædʒaɪl] *adj object, structure* fragile; ***"fragile (handle) with care"*** "fragile"; ***to feel ~*** (*Br infml*) être patraque **fragility** [frə'dʒɪlɪtɪ] *n* (*of glass, china, object*) fragilité *f*; (*of fabric*) finesse *f*; (*of health*) délicatesse *f*; (*of peace, ceasefire, mental state, economy*) fragilité *f*

fragment ['frægmənt] **I** *n* fragment *m*; (*of glass*) petit morceau *m*; (*of program etc.*) fragment *m* **II** *v/i* (*fig, society*) se fragmenter **fragmentary** ['frægməntərɪ] *adj lit, fig* fragmentaire **fragmentation** [ˌfrægmen'teɪʃən] *n* (*of society*) fragmentation *f* **fragmented** [fræg'mentɪd] *adj* fragmenté; (*broken up*) éclaté

fragrance ['freɪgrəns] *n* parfum *m* **fra-**

grant ['freɪgrənt] *adj* parfumé, odorant; **~ *smell*** odeur agréable

frail [freɪl] *adj* ⟨**+er**⟩ *person* frêle; *health* fragile; *structure* peu solide; ***to look ~*** (*of person*) avoir l'air fragile **frailty** ['freɪltɪ] *n* (*of person*) fragilité *f*

frame [freɪm] **I** *n* **1.** cadre *m*; (*of building*) charpente *f*; (*of ship*) membrure *f*; (*of spectacles*: *a.* **frames**) monture *f* **2. *~ of mind*** (*mental state*) état d'esprit; (*mood*) humeur; ***in a cheerful ~ of mind*** de joyeuse humeur **3.** FILM, PHOT image *f* **II** *v/t* **1.** *picture* encadrer; *fig face etc.* encadrer, entourer **2.** *answer, question* formuler **3.** *infml* ***he said he had been ~d*** il a dit qu'il avait été victime d'un coup monté **framework** *n lit* structure *f*; (*fig, of written document etc.*) charpente *f*; (*of society etc.*) cadre *m*; ***within the ~ of…*** dans le cadre de…

France [frɑːns] *n* France *f*

franchise ['fræntʃaɪz] *n* **1.** POL droit *m* de vote **2.** COMM franchise *f*

Franco- ['fræŋkəʊ-] *in cpds* franco-

frank¹ [fræŋk] *adj* ⟨**+er**⟩ franc(he); ***to be ~ with sb*** être franc avec qn; ***to be*** (***perfectly***) ***~*** (***with you***) pour être (tout à fait) franc (avec vous)

frank² *v/t letter* affranchir; (*postmark*) oblitérer

frankfurter ['fræŋkˌfɜːtəʳ] *n* saucisse *f* de Francfort

frankincense ['fræŋkɪnsens] *n* encens *m*

franking machine ['fræŋkɪŋməˌʃiːn] *n esp Br* machine *f* à affranchir

frankly ['fræŋklɪ] *adv* **1.** *talk* ouvertement **2.** (*to be frank*) franchement; ***quite ~, I don't care*** très franchement, ça m'est égal **frankness** ['fræŋknɪs] *n* franchise *f*

frantic ['fræntɪk] *adj* **1.** *person* dans tous ses états; *search* frénétique; ***I was ~*** j'étais dans tous mes états; ***to drive sb ~*** rendre dingue qn **2.** *day* fou(folle); ***~ activity*** (*generally*) activité folle; (*particular instance*) activité fébrile **frantically** ['fræntɪkəlɪ] *adv* **1.** *try, search* désespérément **2.** *work, run around* comme un(e) forcené(e); *wave, scribble* frénétiquement

fraternal [frə'tɜːnl] *adj* fraternel(le) **fraternity** [frə'tɜːnɪtɪ] *n* (*US* UNIV) association *f* d'étudiant; (*community*) confrérie *f*; ***the legal ~*** les juristes; ***the criminal ~*** la pègre **fraternize** ['frætənaɪz] *v/i* fraterniser (***with*** avec)

fraud [frɔːd] *n* **1.** (*no pl*) fraude *f*; (*trick*) supercherie *f* **2.** (*person*) imposteur *m*, fraudeur(-euse) *m*(*f*); (*feigning illness*) simulateur(-trice) *m*(*f*) **fraudulent** ['frɔːdjʊlənt] *adj* frauduleux(-euse) **fraudulently** ['frɔːdjʊləntlɪ] *adv act* frauduleusement; *obtain* de manière frauduleuse

fraught [frɔːt] *adj* **1. *~ with difficulty*** présentant de multiples difficultés; ***~ with danger*** plein de dangers **2.** *esp Br atmosphere* tendu; *person* angoissé

fray¹ [freɪ] *n* bagarre *f*; ***to enter the ~*** *fig* descendre dans l'arène

fray² *v/i* (*cloth*) s'effilocher; (*rope*) s'user; ***tempers began to ~*** on commençait à s'énerver **frayed** *adj jeans etc.* usé; ***tempers were ~*** les esprits étaient échauffés

frazzle ['fræzl] **I** *n infml* ***worn to a ~*** (*exhausted*) crevé *infml*; ***burnt to a ~*** *Br* complètement carbonisé **II** *v/t* (*US infml fray*) crever *infml*

freak [friːk] **I** *n* **1.** (*person, animal*) monstre *m*; ***~ of nature*** bizarrerie *f* de la nature **2.** *infml* ***health ~*** *personne obsédée par sa santé infml* **3.** (*infml weird person*) original(e) *m*(*f*) **II** *adj weather, conditions* exceptionnel(le); *storm* anormalement violent; *accident* bizarre ◆ **freak out** *infml* **I** *v/i* piquer une crise *infml* **II** *v/t sep* ***it freaked me out*** ça m'a fait flipper *infml*

freakish ['friːkɪʃ] *adj weather* anormal

freckle ['frekl] *n* tache *f* de rousseur **freckled** ['frekld], **freckly** *adj* plein de taches de rousseur

free [friː] **I** *adj* ⟨**+er**⟩ **1.** libre; ***as ~ as a bird*** libre comme l'air; ***to go ~*** être relâché; ***you're ~ to choose*** vous êtes libre de choisir; ***you're ~ to go now*** vous pouvez partir maintenant; **(*do*) *feel ~ to ask questions*** n'hésitez pas à poser des questions; ***feel ~!*** *infml* je vous en prie; ***his arms were left ~*** (*not tied*) ses bras n'étaient pas attachés; ***~ elections*** élections libres; ***~ from worry*** sans souci; ***~ from blame*** dégagé de toute responsabilité; ***~ of sth*** débarrassé de qc; ***~ of fear*** délivré de toute crainte; ***at last I was ~ of her*** j'étais enfin débarrassé d'elle; ***I wasn't ~ earlier*** (*was occupied*) je n'étais pas libre plus tôt **2.** (*costing nothing*) gratuit; COMM gratuit; ***it's ~*** c'est gratuit; ***admission ~*** entrée gratuite; ***to get sth ~*** avoir gratuitement qc; ***we got in ~*** *or* ***for ~*** *infml* on est entré gratuitement; ***~ delivery*** livraison gratuite **3.** *Br* ***to be ~ with one's money*** dépenser son argent sans compter; ***to be ~ with one's advice*** prodiguer des conseils **II** *v/t* (*release*) libérer; (*help escape*) délivrer; (*untie*) détacher ◆ **free up** *v/t person, time* libérer; *money* dégager

-free *adj suf* sans **free-and-easy** ['friːən'iːzɪ] *adj attr,* **free and easy** *adj pred* décontracté; (*morally*) désinvolte **freebie, freebee** ['friːbiː] *n infml* cadeau *m*

freedom ['friːdəm] *n* liberté *f*; ***~ of speech*** liberté d'expression; ***to give sb* (*the*) *~ to do sth*** laisser les mains libres à qn pour faire qc **freedom fighter** *n* révolutionnaire *m*/*f* **free enterprise** *n* libre entreprise *f* **Freefone®** ['friːfəʊn] *n Br* ***call ~ 0800 …*** ≈ appelez le numéro vert 0800 …; ***~ number*** ≈ numéro *m* vert **free-for-all** *n* (*fight*) mêlée *f* générale **free gift** *n* cadeau *m* (gratuit) **freehand** *adv* à main levée **freehold** *Br* **I** *n* propriété *f* foncière perpétuelle et libre **II** *adj* ***~ property*** propriété foncière perpétuelle et libre **free house** *n Br pub indépendant* **free kick** *n* SPORTS coup *m* franc **freelance I** *adj journalist* indépendant, free-lance; *work* en indépendant, en free-lance **II** *adv* en indépendant, en free-lance **III** *n* (*a.* **freelancer**) free-lance *m*/*f*, travailleur (-euse) *m*(*f*) indépendant(e); (*with particular firm*) collaborateur(-trice) *m*(*f*) extérieur(e) **freeloader** *n infml* parasite *m*, pique-assiette *m*/*f* **freely** ['friːlɪ] *adv* **1.** (*liberally*) généreusement; ***to use sth ~*** utiliser abondamment qc; ***I ~ admit that …*** j'admets volontiers que … **2.** *move, talk* librement; *flow* sans encombre; ***to be ~ available*** être facile à trouver **free-market economy** *n* économie *f* de marché **Freemason** *n* franc-maçon(ne) *m*(*f*) **freemasonry** *n* franc-maçonnerie *f* **Freepost®** *n Br* ***"Freepost"*** "port payé" **free-range** *adj hen, pig* élevé en plein air; ***~ eggs*** œufs *mpl* de poules élevées en plein air **free sample** *n* échantillon *m* gratuit **free speech** *n* liberté *f* de parole **free-standing** *adj* non encastré **freestyle** *n* SWIMMING nage *f* libre **free time** *n* temps *m* libre; (*leisure*) loisirs *mpl* **free-to-air** *adj* (*Br* TV) *tv program, channel* gratuit **free trade** *n* libre-échange *m* **freeview, free-to-view** *n* ≈ TNT *f* gratuite **freeware** *n* IT logiciel *m* gratuit

freeway *n US* autoroute *f* (gratuite) **freewheel** *v/i* être en roue libre **free will** *n* libre arbitre *m*; ***he did it of his own ~*** il l'a fait de son plein gré

freeze [friːz] *vb* ⟨*past* **froze**⟩ ⟨*past part* **frozen**⟩ **I** *v/i* **1.** METEO geler; (*liquids, pipes*) geler; ***to ~ to death*** *lit* mourir de froid; ***meat ~s well*** la viande se congèle bien **2.** (*fig: smile*) se figer **3.** (*keep still*) se figer; ***~!*** pas un geste! **II** *v/t* **1.** *water* geler; COOK congeler **2.** ECON *assets* geler; *credit, account* bloquer; (*stop*) *movie* arrêter **III** *n* **1.** METEO gel *m* **2.** ECON blocage *m*, gel *m*; ***a wage*(*s*) *~, a ~ on wages*** un blocage des salaires, un gel des salaires ◆ **freeze over** *v/i* (*lake, river*) geler ◆ **freeze up** *v/i* geler

freeze-dry ['friːzdraɪ] *v/t* lyophiliser

freezer ['friːzəʳ] *n* congélateur *m*; (*upright*) congélateur *m* (*armoire*); (*Br fridge compartment*) freezer *m* **freezing** ['friːzɪŋ] **I** *adj* **1.** *lit temperature* glacial; ***~ weather*** temps glacial **2.** (*extremely cold*) glacial; ***in the ~ cold*** dans le froid glacial; ***it's ~* (*cold*)** il fait un froid glacial; ***I'm ~*** je gèle; ***my hands/feet are ~*** j'ai les mains/pieds gelés **II** *n* **1.** COOK congélation *f* **2.** (*freezing point*) ***above/below ~*** au-dessus/au-dessous de zéro **freezing point** *n* point *m* de congélation; ***below ~*** au-dessous du point de congélation

freight [freɪt] *n* fret *m* **freight depot** *n US* dépôt *m* de marchandises **freighter** ['freɪtəʳ] *n* NAUT cargo *m* **freight train** *n* train *m* de marchandises

French [frentʃ] **I** *adj* français; ***he is ~*** il est français **II** *n* **1.** LING français *m*; ***in ~*** en français **2.** ***the ~*** *pl* les Français *mpl* **French bean** *n* haricot *m* vert **French bread** *n* baguette *f* **French doors** *pl* porte-fenêtre *f* **French dressing** *n* COOK **1.** (*US tomato dressing*) sauce *f* à salade **2.** (*Br oil and vinegar*) vinaigrette *f* **French fries** *pl* frites *fpl* **French horn** *n* MUS cor *m* d'harmonie **French kiss** *n* baiser *m* avec la langue **French loaf** *n Br* baguette *f* **Frenchman** *n* Français *m* **French stick** *n* baguette *f* **French toast** *n* pain *m* per-

du **French windows** *pl* porte-fenêtre *f*
Frenchwoman *n* Française *f*
frenetic [frəˈnetɪk] *adj* très agité; *dancing* frénétique **frenetically** [frəˈnetɪklɪ] *adv work, dance* frénétiquement
frenzied [ˈfrenzɪd] *adj activity* frénétique; *efforts* désespéré; *attack* sauvage **frenzy** [ˈfrenzɪ] *n* frénésie *f*; ***in a ~*** au comble de l'excitation; ***he worked himself up into a ~*** il s'est mis dans tous ses états; ***~ of activity*** activité folle; ***~ of excitement*** accès d'excitation
frequency [ˈfriːkwənsɪ] *n* PHYS fréquence *f*; ***high / low ~*** haute / basse fréquence
frequent [ˈfriːkwənt] **I** *adj* fréquent; *reports* nombreux(-euse); ***there are ~ trains*** il y a souvent des trains; ***violent clashes were a ~ occurrence*** il y avait souvent des conflits violents **II** *v/t form place* fréquenter **frequently** [ˈfriːkwəntlɪ] *adv* fréquemment
fresco [ˈfreskəʊ] *n* fresque *f*
fresh [freʃ] **I** *adj* frais(fraîche); *instructions* nouveau(-elle); *allegations, reports* récent; *attack* nouveau(-elle); *approach* nouveau(-elle); ***~ supplies*** de la nourriture fraîche; ***to make a ~ start*** prendre un nouveau départ; ***as ~ as a daisy*** frais comme un gardon **II** *adv* **1.** (*straight*) ***young men ~ out of university*** des jeunes gens qui viennent tout juste de finir l'université; ***cakes ~ from the oven*** des gâteaux qui sortent à l'instant du four **2.** *infml* ***we're ~ out of cheese*** on vient de finir le fromage; ***they are ~ out of ideas*** ils sont en panne d'idées **fresh air** *n* air *m* frais; ***to go out into the ~*** sortir prendre l'air; ***to go for a breath of ~*** aller prendre l'air; ***to be (like) a breath of ~*** *fig* être une bouffée d'air frais **freshen** [ˈfreʃn] **I** *v/i* (*wind*) fraîchir; (*air*) se rafraîchir **II** *v/t* ***chewing gum to ~ the breath*** du chewing-gum pour rafraîchir l'haleine ◆ **freshen up I** *v/i, v/r* (*person*) se rafraîchir **II** *v/t sep room etc.* rafraîchir; *image* retoucher
fresher [ˈfreʃəʳ] *n* (*Br* UNIV *infml*) étudiant(e) *m(f)* de première année
freshly [ˈfreʃlɪ] *adv* fraîchement; ***a ~ baked cake*** un gâteau qui sort du four
freshman [ˈfreʃmən] *n* ⟨*pl* **-men**⟩ (*US* UNIV) étudiant(e) *m(f)* de première année **freshness** *n* fraîcheur *f* **freshwater** [ˈfreʃwɔːtəʳ] *adj attr* ***~ fish*** poisson *m* d'eau douce
fret[1] [fret] *v/i* s'inquiéter (***about*** de); ***don't ~*** ne t'inquiète pas
fret[2] *n* (*on guitar etc.*) frette *f*
fretful [ˈfretfʊl] *adj child* grognon; *adult* irritable
fret saw *n* scie *f* à chantourner
Freudian slip *n* (*spoken*) lapsus *m* (révélateur)
Fri. *abbr* = **Friday**
friar [ˈfraɪəʳ] *n* moine *m*, frère *m*; ***Friar John*** frère John
fricassee [ˈfrɪkəsiː] **I** *n* fricassée *f* **II** *v/t* fricasser
friction [ˈfrɪkʃən] *n* **1.** friction *f* **2.** *fig* frictions *fpl*; ***there is constant ~ between them*** il y a toujours des frictions entre eux
Friday [ˈfraɪdɪ] *n* vendredi *m*; → **Tuesday**
fridge [frɪdʒ] *n* réfrigérateur *m*, frigo *m* *infml* **fridge-freezer** [ˈfrɪdʒˈfriːzəʳ] *n* *Br* réfrigérateur *m* avec congélateur, frigo *m* avec congélateur *infml*
fried [fraɪd] **I** *past, past part* = **fry II** *adj* frit; ***~ egg*** œufs sur le plat; ***~ potatoes*** pommes de terre sautées
friend [frend] *n* ami(e) *m(f)*; (*less intimate*) copain(copine) *m(f)*; ***to become** or **make ~s with sb*** devenir ami avec qn; ***he makes ~s easily*** il se lie facilement; ***he's no ~ of mine*** il ne fait pas partie de mes amis; ***to be ~s with sb*** être ami avec qn; ***we're just (good) ~s*** on est simplement amis **friendliness** [ˈfrendlɪnɪs] *n* gentillesse *f*; (*of relations, advice*) amabilité *f*
friendly [ˈfrendlɪ] **I** *adj* ⟨**+er**⟩ **1.** *person* gentil(le); *argument* amical; *advice* d'ami; *dog* affectueux(-euse); ***to be ~ to sb*** être gentil avec qn; ***to be ~ (with sb)*** être ami (avec qn); ***~ relations*** relations amicales; ***to be on ~ terms with sb*** être en bons termes avec qn; ***to become** or **get ~ with sb*** se lier d'amitié avec qn **2.** POL *nation, government* ami (***to*** de) **II** *n* (*Br* SPORTS *match*) match *m* amical
friendship [ˈfrendʃɪp] *n* amitié *f*
frier [fraɪəʳ] *n* COOK sauteuse *f* **fries** [fraɪz] *pl* (*esp US infml*) frites *fpl*
Friesian [ˈfriːʒən] (*cow*) vache *f* frisonne
frieze [friːz] *n* frise *f*
frigate [ˈfrɪgɪt] *n* NAUT frégate *f*
fright [fraɪt] *n* peur *f*; ***to get a ~*** avoir

peur; ***to give sb a ~*** faire peur à qn
frighten ['fraɪtn] *v/t* (*give a sudden fright*) faire peur à; (*make scared*) effrayer; ***to be ~ed by sth*** avoir peur de qc; ***to ~ the life out of sb*** faire une peur bleue à qn ◆ **frighten away** *or* **off** *v/t sep* faire fuir; (*deliberately*) chasser
frightened ['fraɪtnd] *adj person* effrayé; *look* empli de crainte; ***to be ~ (of sb/sth)*** avoir peur (de qn/qc); ***don't be ~*** n'aie pas peur; ***they were ~ (that) there would be another earthquake*** ils avaient peur qu'il n'y ait un autre tremblement de terre **frightening** ['fraɪtnɪŋ] *adj experience* effrayant; *situation, sight, thought, story* terrifiant; ***to look ~*** avoir l'air effrayant; ***it is ~ to think what could happen*** ça fait peur de penser à ce qui pourrait arriver **frightful** ['fraɪtfʊl] *adj infml* affreux (-euse)
frigid ['frɪdʒɪd] *adj* (*sexually*) frigide
frill [frɪl] *n* **1.** (*on shirt*) volant *m* **2.** *fig* ***with all the ~s*** avec des chichis *infml*; ***a simple meal without ~s*** un repas simple, sans fioritures **frilly** ['frɪlɪ] *adj* ⟨**+er**⟩ *clothing* à volants; ***to be ~*** avoir des volants; ***~ dress*** robe à volants
fringe [frɪndʒ] *n* **1.** (*on shawl*) frange *f* **2.** (*Br hair*) frange *f* **3.** (*fig periphery*) périphérie *f*; ***on the ~ of the forest*** à la lisière de la forêt; ***the ~s of a city*** la périphérie d'une ville **fringe benefits** *pl* avantages *mpl* annexes **fringed** [frɪndʒd] *adj skirt, shawl, lampshade* à franges **fringe group** *n* frange *f* **fringe theater**, *Br* **fringe theatre** *n* théâtre *m* expérimental
Frisbee® ['frɪzbɪ] *n* Frisbee® *m*
frisk [frɪsk] *v/t suspect etc.* fouiller *infml*
frisky ['frɪskɪ] *adj* ⟨**+er**⟩ vif(vive)
fritter¹ ['frɪtəʳ] *v/t* (*Br: a.* **fritter away**) gaspiller
fritter² *n* COOK beignet *m*
frivolity [frɪ'vɒlɪtɪ] *n* frivolité *f* **frivolous** ['frɪvələs] *adj attitude, remark* frivole; *activity* futile
frizzy ['frɪzɪ] *adj* ⟨**+er**⟩ *hair* crépu
fro [frəʊ] *adv* → **to**; → **to-ing and fro-ing**
frock [frɒk] *n* robe *f*
frog [frɒg] *n* grenouille *f*; ***to have a ~ in one's throat*** avoir un chat dans la gorge **frogman** *n* homme-grenouille *m* **frogmarch** *v/t Br* emmener de force **frogspawn** *n Br* frai *m* de grenouille **frog suit** *n* combinaison *f* d'homme-grenouille
frolic ['frɒlɪk] *vb* ⟨*past, past part* **frolicked**⟩ *v/i* (*a.* **frolic around** *or* **about** *Br*) batifoler
from [frɒm] *prep* **1.** (*indicating starting place, source, removal*) de; ***he has come ~ London*** il est venu de Londres; ***he comes or is ~ France*** il vient de France; ***where does he come ~?, where is he ~?*** d'où vient-il?, d'où est-il originaire?; ***the flight ~ Chicago*** le vol (en provenance) de Chicago; ***the subway ~ Brooklyn to Times Square*** le métro de Brooklyn à Times Square; ***~ house to house*** de maison en maison; ***a representative ~ the company*** un représentant de l'entreprise; ***to take sth ~ sb*** prendre qc à qn; ***to steal sth ~ sb*** dérober qc à qn; ***where did you get that ~?*** où est-ce que tu as trouvé ça?; ***I got it ~ the drugstore*** je l'ai trouvé à la pharmacie; ***I got it ~ Kathy*** c'est Kathy qui me l'a donné; ***quotation ~ "Hamlet"/the Bible/Shakespeare*** citation de "Hamlet"/de la Bible/de Shakespeare; ***translated ~ the English*** traduit de l'anglais; ***made ~ …*** fait avec …; ***he ran away ~ home*** il a fait une fugue; ***he escaped ~ prison*** il s'est échappé de prison; ***~ inside*** de l'intérieur; ***~ experience*** par expérience; ***to stop sb ~ doing sth*** empêcher qn de faire qc **2.** (*indicating time, in past, in future*) à partir de; ***~ last week until or to yesterday*** de la semaine dernière jusqu'à hier; ***~ now on*** à partir de maintenant; ***~ then on*** à partir de là; ***~ time to time*** de temps en temps; ***as ~ May 6th*** à partir du 6 mai; ***5 years ~ now*** dans cinq ans **3.** (*indicating distance*) de; ***to work away ~ home*** travailler loin de chez soi **4.** (*indicating lowest amount*) à partir de; ***~ $2 (upward)*** à partir de 2 $; ***dresses (ranging) ~ $20 to $400*** des robes de 20 $ à 400 $ **5.** (*indicating change*) ***things went ~ bad to worse*** les choses allèrent de mal en pis; ***he went ~ office boy to director*** il est passé de garçon de bureau à directeur; ***a price increase ~ $1 to $1.50*** une augmentation de prix de 1 $ à 1,50 $ **6.** (*indicating difference*) ***he is quite different ~ the others*** il est très différent des autres; ***to tell black ~ white*** distinguer le bien du mal **7.** (*due to*) ***weak ~ hunger*** affaibli par la faim;

to suffer ~ sth souffrir de qc; ***to shelter ~ the rain*** se mettre à l'abri de la pluie; ***to protect sb ~ sth*** protéger qn de qc; ***to judge ~ recent reports …*** juger d'après des rapports récents …; ***~ the look of things …*** à en juger par les apparences … **8.** MATH ***3 ~ 8 leaves 5*** 8 moins 3 égalent 5; ***take 12 ~ 18*** soustraire 12 de 18; ***$ 10 will be deducted ~ your account*** 10 $ seront déduits de votre compte **9.** *+prep* ***~ over / across sth*** depuis l'autre côté de qc; ***~ beneath sth*** de dessous qc; ***~ among the trees*** d'entre les arbres; ***~ inside the house*** de l'intérieur de la maison

fromage frais [ˌfrɒmɑːʒ'freɪ] *n* fromage *m* frais

frond [frɒnd] *n* **1.** (*of fern*) fronde *f* **2.** (*of palm*) feuille *f*

front [frʌnt] **I** *n* **1.** (*forward side, exterior*) devant *m*; (*forward part*) avant *m*; (*façade*) façade *f*; ***in ~*** devant; ***in ~ of sb / sth*** devant qn / qc; ***at the ~ of*** (*inside*) à l'avant de; (*outside*) devant; (*at the head of*) à la tête de; ***look in ~ of you*** regarde devant toi; ***the ~ of the line*** (*US*) *or* ***queue*** (*Br*) la début de la file d'attente; ***she spilled coffee down the ~ of her dress*** elle a renversé du café sur le devant de sa robe **2.** MIL, POL, METEO front *m*; ***on the wages ~*** pour ce qui est des salaires **3.** (*Br: of sea*) bord *m* de mer **4.** (*outward appearance*) façade *f*; ***to put on a bold ~*** faire bonne contenance; ***it's just a ~*** c'est juste une façade **II** *adv* ***up ~*** d'avance; ***50% up ~*** 50 % payés d'avance **III** *v/t organization* être à la tête de **IV** *adj* de devant; *page* premier(-ière); ***~ tooth*** dent de devant; ***~ wheel*** roue avant; ***~ row*** première rangée **frontal** ['frʌntl] *adj attr* frontal; ***~ attack*** attaque *f* frontale **front bench** *n* (*Br* PARL) les ministres *mpl* **frontbencher** *n* (*Br* PARL) ministre *m/f* **front door** *n* porte *f* d'entrée **front garden** *n Br* jardin *m* de devant

frontier [frʌn'tɪəʳ] *n* frontière *f*

front line *n* front *m* **frontline** *adj* MIL en première ligne **front man** *n pej* prête-nom *m* **front page** *n* une *f* **front-page** *adj attr news* première page *f*, une *f*; ***to be*** *or* ***make ~ news*** faire la une des journaux **frontrunner** *n fig* favori(te) *m(f)* **front seat** *n* place *f* au premier rang; AUTO siège *m* avant **front-seat passenger** *n* AUTO passager(-ère) *m(f)* avant **front-wheel drive** *n* traction *f* avant

frost [frɒst] **I** *n* gel *m*, gelée *f*; (*on leaves etc.*) givre *m* **II** *v/t esp US cake* glacer **frostbite** *n* engelures *fpl*; (*more serious*) gelure *f* **frosted** ['frɒstɪd] *adj* (*esp US iced*) couvert de givre **frosted glass** *n* verre *m* dépoli **frosting** ['frɒstɪŋ] *n esp US* glaçage *m* **frosty** ['frɒstɪ] *adj* ⟨**+er**⟩ glacial; *ground* couvert de givre; *look* froid; ***~ weather*** temps glacial

froth [frɒθ] **I** *n on liquids* mousse *f*; MED écume *f* **II** *v/i* mousser, écumer; ***the dog was ~ing at the mouth*** le chien avait de l'écume à la gueule; ***he was ~ing at the mouth*** (***with rage***) il écumait (de rage) **frothy** ['frɒθɪ] *adj* ⟨**+er**⟩ écumeux (-euse); *mixture* mousseux(-euse)

frown [fraʊn] **I** *n* froncement *m* de sourcils; ***to give a ~*** froncer les sourcils **II** *v/i* froncer les sourcils (**at** à propos de)

◆ **frown (up)on** *v/t insep fig* désapprouver; ***this practice is frowned (up)on*** cette pratique est mal vue

froze [frəʊz] *past* = **freeze** **frozen** ['frəʊzn] **I** *past part* = **freeze** **II** *adj* **1.** *ground*, *pipe* gelé; ***~ hard*** complètement gelé; ***~ (over)*** *lake* gelé; ***~ solid*** complètement gelé **2.** *meat* surgelé; ***~ peas*** petits pois surgelés **3.** *infml person* gelé; ***I'm ~*** je suis gelé; ***to be ~ stiff*** être complètement gelé **4.** (*rigid*) figé; ***~ in horror*** glacé d'horreur **frozen food** *n* surgelés *mpl*

frugal ['fruːgəl] *adj person* économe; *meal* frugal

fruit [fruːt] *n* (*as collective*) fruits *mpl*; (BOT, *fig*) fruit *m*; ***would you like some or a piece of ~?*** vous voulez un fruit? **fruitcake** *n* cake *m* **fruit cocktail** *n* macédoine *f* de fruits **fruitful** *adj meeting* utile; *attempt* fructueux(-euse) **fruition** [fruː'ɪʃən] *n* réalisation *f*; ***to come to ~*** se réaliser **fruitless** *adj* stérile; *attempt* infructueux(-euse) **fruit machine** *n Br* machine *f* à sous **fruit salad** *n* salade *f* de fruits **fruit tree** *n* arbre *m* fruitier **fruity** ['fruːtɪ] *adj* ⟨**+er**⟩ **1.** *taste* fruité **2.** *voice* bien timbré

frump [frʌmp] *n pej* femme *f* mal fagotée **frumpy** ['frʌmpɪ] *adj pej* mal fagoté

frustrate [frʌ'streɪt] *v/t person* énerver, frustrer; *plans* contrarier; ***he was ~d in his efforts*** ses efforts étaient vains **frustrated** *adj* énervé, frustré; ***I get ~ when …*** ça m'énerve quand …; ***he's***

a ~ poet c'est un poète manqué **frustrating** [frʌ'streɪtɪŋ] *adj* énervant, frustrant **frustration** [frʌ'streɪʃən] *n* frustration *f*

fry [fraɪ] **I** *v/t meat etc.* faire frire, faire cuire (à la poêle); ***to ~ an egg*** faire un œuf au plat **II** *v/i* frire **III** *n US* repas *m* (*autour de mets frits*) **fryer** [fraɪəʳ] *n* COOK friteuse *f* **frying pan** ['fraɪɪŋ-ˌpæn] *n* poêle *f* à frire; ***to jump out of the ~ into the fire*** *prov* tomber de Charybde en Scylla *prov* **fry-up** ['fraɪʌp] *n Br plat composé de bacon, d'œufs, de saucisses, de tomates, cuits à la poêle*

FT *abbr* = **Financial Times**

ft. *abbr* = **foot / feet**

fuchsia ['fjuːʃə] *n* fuchsia *m*

fuck [fʌk] *vulg* **I** *v/t* **1.** *lit* baiser *vulg* **2.** ***~ you!*** va te faire foutre! *vulg*; ***~ him!*** qu'il aille se faire foutre! *vulg* **II** *v/i* baiser *vulg* **III** *n* **1.** *lit* baise *f vulg* **2.** ***I don't give a ~*** j'en ai rien à foutre *infml*; ***who the ~ is that?*** putain, c'est qui? *infml* **IV** *int* putain! *infml* ◆ **fuck off** *v/i vulg* foutre le camp *sl*; ***~!*** va te faire foutre! *sl* ◆ **fuck up** *vulg* **I** *v/t sep* foutre en l'air *infml*; *piece of work* niquer *infml*; ***she is really fucked up*** elle est complètement à la masse *infml*; ***heroin will really fuck you up*** l'héroïne va vraiment te foutre en l'air *infml* **II** *v/i* déconner *infml*

fuck all ['fʌkɔːl] *vulg n* que dalle *sl*; ***he knows ~ about it*** il en sait que dalle *infml*; ***I've done ~ all day*** j'ai rien glandé de la journée *sl* **fucker** ['fʌkəʳ] *n vulg* enfoiré(e) *m(f) vulg*, connard (-asse) *m(f) vulg* **fucking** ['fʌkɪŋ] *vulg* **I** *adj* putain de *infml*; ***this ~ machine*** cette putain de machine *infml*; ***~ hell!*** putain de merde! *infml* **II** *adv* ***it's ~ cold*** il fait un putain de froid *infml*; ***a ~ terrible movie*** un putain de mauvais film *infml*

fuddy-duddy ['fʌdɪˌdʌdɪ] *n infml* ***an old ~*** un vieux schnock

fudge [fʌdʒ] **I** *n* COOK caramel *s mpl* mous **II** *v/t issue* éluder

fuel [fjʊəl] **I** *n* combustible *m*; (*for vehicle*) carburant *m*; (*gasoline*) essence *f*; AVIAT kérosène *m*; ***to add ~ to the flames*** *or* ***fire*** *fig* jeter de l'huile sur le feu **II** *v/t* (*drive*) ravitailler en carburant; *fig conflict* attiser; *speculation* nourrir; ***power stations fueled*** (*US*) *or* ***fuelled*** (*Br*) ***by oil*** centrales à mazout **fuel gauge** *n* jauge *f* de carburant **fueling station** ['fjʊəlɪŋˌsteɪʃən] *n US* station *f* d'essence **fuel-injected** *adj* à injection, ***~ engine*** moteur *m* à injection **fuel injection** *n* injection *f* (de carburant) **fuel pump** *n* pompe *f* d'alimentation **fuel tank** *n* réservoir *m* de carburant

fugitive ['fjuːdʒɪtɪv] **I** *n* fugitif(-ive) *m(f)* (***from*** recherché(e) par) **II** *adj* en fuite

fulfill, *Br* **fulfil** [fʊl'fɪl] *v/t* remplir; *task* accomplir; *ambition* réaliser; ***to be*** *or* ***feel ~ed*** être épanoui **fulfilling** [fʊl-'fɪlɪŋ] *adj* épanouissant, ***a ~ job*** un travail épanouissant **fulfillment**, *Br* **fulfilment** *n* épanouissement *m*

full [fʊl] **I** *adj* ⟨**+er**⟩ plein; *figure* corpulent; *skirt* ample; *report* complet(-ète); ***to be ~ of …*** être rempli de; ***don't talk with your mouth ~*** on ne parle pas la bouche pleine; ***with his arms ~*** les bras chargés; ***I have a ~ day ahead of me*** j'ai une journée chargée qui m'attend; ***I am ~*** (***up***) *infml* j'ai très bien mangé; ***we are ~ up for July*** nous sommes complets pour juillet; ***at ~ speed*** à toute vitesse; ***to make ~ use of sth*** utiliser complètement qc; ***that's a ~ day's work*** c'est un travail qui prend toute une journée; ***I waited two ~ hours*** j'ai attendu deux bonnes heures; ***the ~ details*** tous les détails; ***to be ~ of oneself*** être imbu de soi-même; ***she was ~ of it*** elle n'arrêtait pas d'en parler **II** *adv* ***it is a ~ five miles from here*** c'est à bien 5 miles d'ici; ***I know ~ well that …*** je sais parfaitement que … **III** *n* ***in ~*** en entier; ***to write one's name in ~*** écrire son nom complet (*nom et prénoms*); ***to pay in ~*** payer intégralement **fullback** *n* SPORTS arrière *m* **full beam** *n* (*Br* AUTO) pleins phares *mpl*; ***to drive*** (***with one's headlights***) ***on ~*** rouler en pleins phares **full-blooded** [fʊl'blʌdɪd] *adj* (*vigorous*) vigoureux(-euse); ***he's a ~ Scot*** c'était un Écossais pure souche **full-blown** *adj affair, war, heart attack* généralisé; ***~ Aids*** sida déclaré **full-bodied** ['fʊl'bɒdɪd] *adj wine* qui a du corps **full-cream milk** *n Br* lait *m* entier **full employment** *n* plein emploi *m* **full-face** *adj portrait* de face; ***~ photograph*** photographie de face **full-fledged** *adj US* = **fully fledged** **full-frontal** *adj* nu de face; *fig assault* direct; ***the ~ nudity in this play*** la nudité intégrale des acteurs dans cette pièce **full-grown** *adj* adulte **full house** *n* THEAT *etc.* ***they played to a ~*** ils ont joué à guichets fermés **full-length** *adj* **1.** *movie* long métrage; *novel* vrai **2.** *dress* long(ue); *boots* haut; *curtains* tombant jusqu'au sol; ***~ mirror*** miroir dans lequel on peut se voir en entier; ***~ portrait*** portrait en pied **full member** *n* membre *m* à part entière **full moon** *n* pleine lune *f* **full name** *n* nom *m* complet (*nom et prénoms*) **full-page** *adj* pleine page **full professor** *n* UNIV professeur *m* (titulaire) **full-scale** *adj* **1.** *war, riot* généralisé; *investigation, search* de grande envergure **2.** *drawing* grandeur nature **full-size(d)** *adj bicycle etc.* taille adulte **full-sized** *adj model* grandeur nature **full stop** *n* (*esp Br* GRAM) point *m*; ***to come to a ~*** être au point mort; ***I'm not going, ~!*** (*Br infml*) je n'y vais pas, un point c'est tout! **full time I** *n* (*Br* SPORTS) fin *f* de match; ***at ~*** à la fin du match; ***the whistle blew for ~*** l'arbitre a sifflé la fin du match **II** *adv work* à plein temps **full-time** *adj* **1.** *worker* à plein temps; ***~ job*** un travail à plein temps; ***it's a ~ job*** *fig, infml* c'est un travail à plein temps *infml*; ***~ work*** le travail à plein temps; ***~ student*** étudiant à plein temps **2.** (*Br* SPORTS) ***the ~ score*** le score final **fully** ['fʊlɪ] *adv fit, conscious* parfaitement; *operational, qualified* tout à fait; *understand, recover* très bien; ***~ automatic*** complètement automatique; ***~ booked*** complet; ***~ clothed*** tout habillé; ***a ~-equipped kitchen*** une cuisine entièrement équipée **fully fledged** *adj member* à part entière; *doctor etc.* de plein droit **fully qualified** *adj* en possession de tous les diplômes nécessaires

fumble ['fʌmbl] **I** *v/i* (*a.* **fumble around** *or* **about**) tâtonner; ***to ~ (around) for sth*** chercher qc à tâtons; (*in pocket, drawer*) fouiller **II** *v/t* mal attraper; ***to ~ the ball*** mal attraper la balle

fume [fjuːm] *v/i* (*fig, infml, person*) être furieux(-euse) **fumes** [fjuːmz] *pl* vapeurs *fpl*; (*of car*) émanations *fpl*; ***gas*** (*US*) *or* ***petrol*** (*Br*) ***~*** gaz d'échappement **fumigate** ['fjuːmɪgeɪt] *v/t* désinfecter par fumigation

fun [fʌn] **I** *n* amusement *m*; ***to have great ~ doing sth*** bien s'amuser à faire qc; ***this is ~!*** on s'amuse bien!; ***we just did it for ~*** on a fait ça pour rire; ***to spoil the ~*** gâcher le plaisir; ***it's ~ doing this*** on s'amuse bien en faisant ça; ***it's no ~ living on your own*** ce n'est pas drôle de vivre tout seul; ***he is great ~*** il est très drôle; ***the party was good ~*** on s'est bien amusé à la soirée; ***that sounds like ~*** ça a l'air sympa; ***I was just having ~*** c'était pour rire; ***to make ~ of sb / sth*** se moquer de qn / qc **II** *adj attr infml* ***squash is a ~ game*** jouer au squash, c'est amusant; ***he's a real ~ guy*** il est vraiment marrant *infml*

function ['fʌŋkʃən] **I** *n* **1.** (*of heart, tool etc.*) fonction *f* (*also* MATH) **2.** (*meeting*) réception *f*; (*official ceremony*) cérémonie *f* (officielle) **II** *v/i* fonctionner; ***to ~ as*** faire fonction de **functional** *adj* **1.** (*able to operate*) en état de marche **2.** (*utilitarian*) fonctionnel(le); ***~ food*** aliments fonctionnels **functionary** ['fʌŋkʃənərɪ] *n* fonctionnaire *m/f* **function key** *n* IT touche *f* fonction

fund [fʌnd] **I** *n* **1.** FIN caisse *f* **2. funds** *pl* fonds *mpl*; ***public ~s*** fonds publics; ***to be short of ~s*** manquer d'argent **II** *v/t* financer

fundamental [ˌfʌndə'mentl] **I** *adj* **1.** *issue* fondamental; *reason, part* essentiel(le); *point* central; ***~ principle*** principe essentiel; ***of ~ importance*** d'une importance fondamentale **2.** *problem, difference* capital; *change* essentiel(le); *mistake* fondamental; ***~ structure*** structure essentielle **II** *pl* ***~s*** (*of subject*) fondamentaux *mpl* **fundamentalism** [ˌfʌndə'mentəlɪzəm] *n* intégrisme *m*, fondamentalisme *m* **fundamentalist** [ˌfʌndə'mentəlɪst] **I** *adj* intégriste, fondamentaliste **II** *n* intégriste *m/f*, fondamentaliste *m/f* **fundamentally** [ˌfʌndə'mentəlɪ] *adv* fondamentalement; *different, wrong* radicalement; *disagree* fondamentalement; ***the treaty is ~ flawed*** le traité est vicié à la base

funding ['fʌndɪŋ] *n* financement *m* **fundraiser** *n* collecteur(-trice) *m(f)* de fonds **fundraising** *n* collecte *f* des fonds; ***~ campaign*** campagne de collecte; (*for donations*) campagne de dons

funeral ['fjuːnərəl] *n* enterrement *m*, obsèques *fpl*; ***were you at his ~?*** tu es allé à son enterrement? **funeral di-**

rector *n* entrepreneur(-euse) *m(f)* de pompes funèbres **funeral home** *n US* funérarium *m* **funeral parlor**, *Br* **funeral parlour** *n* funérarium *m* **funeral service** *n* service *m* funèbre
funfair ['fʌnfɛəʳ] *n Br* fête *f* (foraine)
fungal ['fʌŋgəl] *adj* fongique; ***~ infection*** infection fongique **fungi** ['fʌŋgaɪ] *pl* = **fungus** **fungicide** ['fʌŋgɪsaɪd] *n* fongicide *m* **fungus** ['fʌŋgəs] *n* 〈*pl* **fungi**〉 BOT, MED champignon *m*
fun-loving ['fʌnlʌvɪŋ] *adj* qui aime s'amuser
funnel ['fʌnl] **I** *n* **1.** (*for pouring*) entonnoir *m* **2.** NAUT, RAIL cheminée *f* **II** *v/t fig* canaliser
funnily ['fʌnɪlɪ] *adv* **1.** (*strangely*) bizarrement **2.** (*amusingly*) comiquement
funny ['fʌnɪ] **I** *adj* 〈**+er**〉 **1.** (*comical*) drôle (*odd*) bizarre, drôle; (*witty*) spirituel(le); ***don't try to be ~*** *infml* n'essaie pas d'être drôle; ***to see the ~ side of sth*** voir le côté amusant de qc; ***it's not ~!*** ça n'a rien de drôle; ***there's something ~ about that place*** ce lieu a quelque chose d'étrange; ***(it's) ~ (that) you should say that*** c'est bizarre que vous disiez cela; ***I just feel ~*** *infml* je ne me sens pas dans mon assiette; ***I feel ~ about seeing her again*** *infml* ça me fait bizarre de la revoir; ***she's a bit ~ (in the head)*** elle est un peu folle **2.** *infml* ***~ business*** magouilles *infml*; ***there's something ~ going on here*** il y a quelque chose de louche ici *infml*; ***don't try anything ~*** ne fais pas le(la) malin(-ligne) *infml* **II** *pl* ***the funnies*** (*US* PRESS *infml*) pages *fpl* drôles **funny bone** *n* petit juif *m* **fun run** *n* course *f* de fond pour amateurs
fur [fɜːʳ] **I** *n* **1.** (*on animal*) fourrure *f*; (*for clothing*) fourrure *f*; ***the cat has beautiful ~*** le chat a un beau pelage; ***a ~-lined coat*** un manteau doublé de fourrure **2. furs** *pl* fourrure(s) *fpl* **II** *attr* de fourrure; ***~ coat / collar*** manteau de fourrure / col en fourrure ◆ **fur up** *v/i* (*kettle*) s'entartrer
furious ['fjʊərɪəs] *adj* **1.** furieux(-euse); *debate*, *attack* véhément; ***he was ~ that they had ignored him*** il était furieux qu'ils l'aient ignoré; ***to be ~ about sth*** être furieux à pros de qc; ***to be ~ at*** *or* ***with sb (for doing sth)*** être furieux contre qn (parce ce qu'il a fait qc) **2.** *pace* effréné; ***at a ~ pace*** à une allure folle; ***the jokes came fast and ~*** les plaisanteries fusaient **furiously** ['fjʊərɪəslɪ] *adv* **1.** *react* furieusement **2.** *scribble*, *search* comme un forcené
furl [fɜːl] *v/t sail*, *flag* ferler, rouler; *umbrella* rouler
furlong ['fɜːlɒŋ] *n* furlong (= *201 m*) *m*
furnace ['fɜːnɪs] *n* four *m*; METAL fourneau *m*
furnish ['fɜːnɪʃ] *v/t* **1.** *house* meubler; ***~ed room*** pièce meublée **2.** ***to ~ sb with sth*** pourvoir qn de qc **furnishings** ['fɜːnɪʃɪŋz] *pl* mobilier *m*; (*with carpets etc.*) ameublement *m*; ***with ~ and fittings*** avec les meubles
furniture ['fɜːnɪtʃəʳ] *n* meubles *mpl*; ***a piece of ~*** un meuble; ***I must buy some ~*** il faut que j'achète des meubles
furor ['fjʊrɔːʳ], *Br* **furore** [fjʊə'rɔːrɪ] *n* scandale *m*; ***to cause a ~*** faire scandale
furred [fɜːd] *adj tongue* chargé
furrow ['fʌrəʊ] **I** *n* AGR sillon *m*; (*on brow*) ride *f* **II** *v/t brow* rider
furry ['fɜːrɪ] *adj* 〈**+er**〉 **1.** *body*, *tail* poilu; ***~ animal*** animal à poil; ***the kitten is so soft and ~*** le chaton est tout doux **2.** *fabric* en fausse fourrure; ***~ toy*** peluche *f*
further ['fɜːðəʳ] **I** *adv comp* = **far** plus éloigné; ***~ on*** plus loin; ***~ back*** (*in place*) plus en arrière; (*in time*) à une époque plus reculée; (*in the past*) autrefois; ***nothing could be ~ from the truth*** rien ne pourrait être plus éloigné de la vérité; ***he has decided not to take the matter any ~*** il a décidé d'en rester là; ***in order to make the soup go ~*** pour allonger la soupe; ***~, I would like to say that …*** de plus, je voudrais dire … **II** *adj* **1.** = **farther** **2.** (*additional*) supplémentaire; ***will there be anything ~?*** est-ce qu'il y a quelque chose d'autre que je puisse faire pour vous?; ***~ details*** de plus amples détails **III** *v/t interests*, *cause* faire avancer; ***to ~ one's education*** compléter sa formation; ***to ~ one's career*** servir sa carrière **further education** *n Br* enseignement *m* postscolaire **furthermore** ['fɜːðəmɔːʳ] *adv* de plus, en outre **furthermost** ['fɜːðəməʊst] *adj* le plus lointain **furthest** ['fɜːðɪst] **I** *adv* le plus loin; ***these fields are ~ (away) from his farm*** ces champs sont les plus éloignés de sa ferme; ***this is the ~ north you can go*** c'est le point le plus au nord où l'on puisse aller; ***it***

was the ~ the Irish team had ever got l'équipe d'Irlande n'avait jamais été aussi loin **II** *adj* le plus éloigné; ***the ~ of the three villages*** le plus éloigné des trois villages; ***5 miles at the ~*** 5 miles au maximum

furtive ['fɜːtɪv] *adj* sournois; *look* furtif (-ive)

fury ['fjʊərɪ] *n* fureur *f*; ***in a ~*** dans une rage folle

fuse, *US* **fuze** [fjuːz] **I** *v/t* **1.** *metals* fondre **2.** (*Br* ELEC) ***to ~ the lights*** faire sauter les plombs **3.** *fig* faire fusionner **II** *v/i* **1.** (*metals*) fondre; (*bones*) se souder **2.** (*Br* ELEC) sauter; ***the lights ~d*** les plombs ont sauté **3.** (*fig*: *a.* **fuse together**) fusionner **III** *n* **1.** ELEC fusible *m*, plomb *m*; ***to blow the ~s*** faire sauter les plombs **2.** (*in bombs etc.*) mèche *f*; ***to light the ~*** allumer la mèche; ***she has got a short ~*** *fig*, *infml* elle se met facilement en rogne **fuse box** *n* boîte *f* à fusibles **fused** *adj plug etc.* avec fusible incorporé

fuselage ['fjuːzəlɑːʒ] *n* fuselage *m*

fusillade [ˌfjuːzɪ'leɪd] *n* fusillade *f*

fusion ['fjuːʒən] *n fig*, PHYS fusion *f*

fuss [fʌs] **I** *n* agitation *f*; ***I don't know what all the ~ is about*** je ne sais pas pourquoi on fait tant d'histoires; ***without (any) ~*** simplement; ***to cause a ~*** provoquer des remous; ***to kick up a ~*** faire un tas d'histoires; ***to make a ~ about sth*** faire des histoires pour qc; ***to make a ~ of sb*** être aux petits soins pour qn **II** *v/i* se tracasser; ***don't ~, mother!*** arrête de t'agiter, maman! ◆ **fuss over** *v/t insep details* faire des tas d'histoire pour; *guests* se donner beaucoup de mal pour

fussed [fʌst] *adj* (*Br infml*) ***I'm not ~ (about it)*** ça m'est égal **fusspot** ['fʌspɒt] *n* (*Br infml*) maniaque *m/f*, coupeur(-euse) *m(f)* de cheveux en quatre **fussy** ['fʌsɪ] *adj* ⟨**+er**⟩ (*choosy*) difficile; (*petty*) mesquin; (*precise*) tatillon(ne); ***to be ~ about one's appearance*** attacher beaucoup d'importance à son apparence; ***she is not ~ about her food*** elle n'est pas difficile sur la nourriture; ***the child is a ~ eater*** l'enfant est difficile (sur la nourriture); ***I'm not ~*** *infml* ça m'est égal

fusty ['fʌstɪ] *adj* ⟨**+er**⟩ qui sent le renfermé

futile ['fjuːtaɪl] *adj* vain, futile **futility** [fjuː'tɪlɪtɪ] *n* caractère *m* vain

futon ['fuːtɒn] *n* futon *m*

future ['fjuːtʃəʳ] **I** *n* **1.** avenir *m*; ***in ~*** à l'avenir; ***in the foreseeable ~*** dans un avenir prévisible; ***what plans do you have for the ~?*** quels projets avez-vous pour l'avenir?; ***the ~*** GRAM le futur **2.** ST EX **futures** *pl* opérations *fpl* à terme **II** *adj attr* **1.** futur; ***at a*** *or* ***some ~ date*** à une date ultérieure; ***his ~ plans*** ses projets futurs; ***in ~ years*** dans les années à venir; ***you can keep it for ~ reference*** vous pouvez le garder pour vous y référer plus tard **2.** GRAM ***the ~ tense*** le futur

futuristic [ˌfjuːtʃə'rɪstɪk] *adj* futuriste

fuze *n*, *v/t & v/i US* = **fuse**

fuzz [fʌz] *n* duvet *m* **fuzzy** ['fʌzɪ] *adj* ⟨**+er**⟩ **1.** *fabric* duveteux(-euse) **2.** *picture*, *memory* flou

fwd *abbr* = **forward**

f-word ['efˌwɜːd] *n infml* gros mot *m* ***I try not to use the ~ in front of the children*** j'essaye de ne pas utiliser de gros mots devant les enfants

FYI *abbr* = **for your information** à titre indicatif

G

G, g [dʒiː] *n* G, g *m*; ***G sharp*** sol *m* dièse; ***G flat*** sol *m* bémol

G. *US abbr* = **general audience** MOVIES tout public

g. *abbr* = **gram(s)**, **gramme(s)** g

gab [gæb] *infml* **I** *n* ***to have the gift of the ~*** avoir du bagout **II** *v/i* papoter *infml*

gabble ['gæbl] *Br* **I** *v/i* bredouiller *infml* **II** *v/t prayer* baragouiner *infml*; *excuse* bafouiller *infml*

gable ['geɪbl] *n* pignon *m* **gabled** ['geɪbld] *adj* ***~ house/roof*** maison / toit à pignons

gadget ['gædʒɪt] *n* gadget *m*; ***the latest electronic ~*** le dernier gadget électronique **gadgetry** ['gædʒɪtrɪ] *n* gadgets *mpl*

Gaelic ['geɪlɪk] **I** *adj* gaélique **II** *n* LING gaélique *m*
gaffe [gæf] *n* impair *m*; (*verbal*) gaffe *f infml*; ***to make a ~*** commettre un impair; (*by saying sth*) faire une gaffe *infml*
gag [gæg] **I** *n* **1.** bâillon *m* **2.** *Br* (*joke*) gag *m* **II** *v/t* bâillonner **III** *v/i* **1.** (*retch*) avoir des haut-le-cœur **2.** ***to be ~ging for sth*** (*Br infml*) avoir vachement envie de qc *infml*
gaga ['gɑːgɑː] *adj* (*Br infml*) gaga *infml*; *old person* gâteux(-euse) *infml*
gage *n*, *v/t US* = **gauge**
gaggle ['gægl] *n* (*of geese*) troupeau *m*
gaily ['geɪlɪ] *adv* (*happily*) gaiement; *painted* avec des couleurs vives
gain [geɪn] **I** *n* **1.** *no pl* (*advantage*) gain *m*; (*profit*) profit *m*; ***his loss is our ~*** là où il perd, nous gagnons **2.** **gains** *pl* (*winnings*) gains *mpl*; (*profits*) bénéfices *mpl* **3.** (*increase*) augmentation *f* (**in** de); ***~ in weight, weight ~*** gain de poids **II** *v/t* gagner; *knowledge* acquérir; *advantage*, *respect*, *access* obtenir; *control*, *the lead* prendre; (*achieve*) *nothing etc.* obtenir; ***what does he hope to ~ by it?*** qu'est-ce qu'il espère bien obtenir avec ça?; ***to ~ independence*** acquérir de l'indépendance; ***to ~ sb's confidence*** gagner la confiance de qn; ***to ~ experience*** acquérir de l'expérience; ***to ~ ground*** gagner du terrain; (*rumors*) progresser; ***to ~ time*** gagner du temps; ***he ~ed a reputation as ...*** il s'est fait une une réputation de ...; ***to ~ speed*** prendre de la vitesse; ***she has ~ed weight*** elle a pris du poids; ***to ~ popularity*** gagner en popularité; ***my watch ~s five minutes each day*** ma montre avance de cinq minutes par jour **III** *v/i* **1.** (*watch*) avancer **2.** (*close gap*) rattraper **3.** (*profit*) gagner (**by** à); ***society would ~ from that*** la société y gagnerait; ***we stood to ~ from the decision*** la décision était à notre avantage **4.** ***to ~ in confidence*** avoir plus de confiance en soi; ***to ~ in popularity*** gagner en popularité ◆ **gain on** *v/t insep* rattraper
gainful ['geɪnfʊl] *adj* rémunérateur; ***to be in ~ employment*** avoir un emploi rémunéré **gainfully** ['geɪnfʊlɪ] *adv* ***to be ~ employed*** avoir un emploi rémunéré
gait [geɪt] *n* démarche *f*; (*of horse*) allure *f*
gala ['gɑːlə] *n* fête *f*; THEAT, FILM gala *m*; ***swimming/ sports ~*** *Br* gala de natation/d'athlétisme
galaxy ['gæləksɪ] *n* ASTRON galaxie *f*; ***the Galaxy*** la Galaxie
gale [geɪl] *n* **1.** coup *m* de vent; ***it was blowing a ~*** le vent soufflait très fort; ***~ force 8*** vent force 8 **2.** *fig* ***~s of laughter*** grands éclats *mpl* de rire **gale-force winds** *pl* vent *m* soufflant en tempête **gale warning** *n* avis *m* de tempête
gall [gɔːl] **I** *n infml* ***to have the ~ to do sth*** avoir le culot de faire qc **II** *v/t fig* irriter
gallant ['gælənt] *adj* **1.** (*courageous*) brave **2.** (*chivalrous*) galant **gallantly** ['gæləntlɪ] *adv* **1.** (*courageously*) bravement **2.** (*chivalrously*) galamment **gallantry** ['gæləntrɪ] *n* **1.** (*bravery*) bravoure *f* **2.** (*attentiveness to women*) galanterie *f*
gall bladder *n* vésicule *f* biliaire
galleon ['gælɪən] *n* galion *m*
gallery ['gælərɪ] *n* **1.** (*balcony*, *corridor*) galerie *f*; THEAT dernier balcon *m* **2.** ART musée *m*, galerie *f*
galley ['gælɪ] *n* NAUT **1.** (*ship*) galère *f* **2.** (*kitchen*) cuisine *f*
Gallic ['gælɪk] *adj* gaulois
galling ['gɔːlɪŋ] *adj* irritant
gallivant [ˌgælɪ'vænt] *v/i* ***to ~ around*** *or Br* ***about*** vadrouiller *infml*
gallon ['gælən] *n* gallon *m*
gallop ['gæləp] **I** *n* galop *m*; ***at a ~*** au galop; ***at full ~*** au grand galop **II** *v/i* galoper
gallows ['gæləʊz] *n* potence *f*; ***to send sb to the ~*** envoyer qn à la potence
gallstone ['gɔːlstəʊn] *n* calcul *m* biliaire
galore [gə'lɔːʳ] *adv* à gogo
galvanize ['gælvənaɪz] *v/t fig* galvaniser; ***to ~ sb into doing*** *or* ***to do sth*** pousser qn à faire qc **galvanized** *adj steel* galvanisé
gamble ['gæmbl] **I** *n fig* risque *m*; ***it's a ~*** c'est risqué; ***I'll take a ~ on it*** je prendrai le risque **II** *v/i* **1.** *lit* jouer (**with** avec); (*on horses etc.*) parier **2.** *fig* ***to ~ on sth*** miser sur qc **III** *v/t* **1.** *money* miser; ***to ~ sth on sth*** miser qc sur qc **2.** *fig* mettre en jeu ◆ **gamble away** *v/t sep* perdre au jeu
gambler ['gæmbləʳ] *n* joueur(-euse) *m(f)* **gambling** *n* jeu *m* (d'argent); (*on horses etc.*) pari *m*

gambol ['gæmbəl] *v/i* gambader; (*lambs*) cabrioler
game[1] [geɪm] *n* **1.** jeu *m*; (*sport*) match *m*; (*scheme*) plan *m*; (*of pool, board games etc.*) partie *f*; ***to have*** *or* ***play a ~ of basketball / chess*** *etc.* faire un match de basket / une partie d'échecs; ***how about a quick ~ of chess?*** si on faisait une petite partie d'échecs?; ***he had a good ~*** il a bien joué; ***~ of chance*** jeu de hasard; ***~ set and match to X*** jeu set et match X; ***one ~ all*** un jeu partout; ***to play ~s with sb*** *fig* se moquer de qn; ***the ~ is up*** tout est fichu *infml*; ***two can play at that ~*** à bon chat, bon rat; ***to beat sb at his own ~*** battre qn sur son propre terrain; ***to give the ~ away*** vendre la mèche; ***I wonder what his ~ is?*** je me demande ce qu'il mijote; ***to be ahead of the ~*** *fig* avoir une longueur d'avance **2. games** *pl* (*sports event*) matchs *mpl* **3. games** *sg* (*Br* SCHOOL) sport *m*, ≈ EPS *f* (*éducation physique et sportive*) **4.** *infml* branche *f*; ***how long have you been in this ~?*** ça fait combien de temps que tu es dans cette branche? **5.** HUNT, COOK gibier *m*
game[2] *adj* (*brave*) courageux(-euse); ***to be ~*** (*willing*) être partant; ***to be ~ for anything*** être toujours partant; ***to be ~ for a laugh*** être toujours partant pour rire
game bird *n* gibier *m* à plume **gamekeeper** ['geɪmkiːpəʳ] *n* garde-chasse *m* **gamely** ['geɪmlɪ] *adv* (*bravely*) hardiment **game reserve** *n* réserve *f* naturelle **game show** *n* TV jeu *m* télévisé **gamesmanship** ['geɪmzmənʃɪp] *n* manœuvre *f* de diversion **games software** *n* logiciel *m* de jeux vidéo **game warden** *n* garde-chasse *m* **gaming** ['geɪmɪŋ] *n* = **gambling**
gammon ['gæmən] *n Br* (*bacon*) quartier *m* de lard; (*ham*) jambon *m*; ***~ steak*** escalope *f* de jambon
gammy ['gæmɪ] *adj* (*Br infml*) estropié
gamut ['gæmət] *n fig* gamme *f*
gander ['gændəʳ] *n* jars *m*
gang [gæŋ] *n* équipe *f*; (*of criminals, youths*) gang *m*; (*of friends etc.*) bande *f*; ***there was a whole ~ of them*** ils étaient toute une bande ◆ **gang up** *v/i* se mettre à plusieurs; ***to ~ against*** *or* ***on sb*** se mettre à plusieurs contre qn
gangland ['gæŋlænd] *adj* de gang
gangling ['gæŋglɪŋ] *adj* dégingandé
gangplank ['gæŋplæŋk] *n* passerelle *f* (de débarquement)
gangrene ['gæŋgriːn] *n* gangrène *f*
gangster ['gæŋstəʳ] *n* gangster *m*
gangway ['gæŋweɪ] *n* **1.** NAUT passerelle *f* **2.** (*passage*) passage *m*
gantry ['gæntrɪ] *n* (*for crane*) pont *m* roulant; *Br* (*on motorway*) portique *m*; RAIL portique *m*
gaol [dʒeɪl] *n*, *v/t Br* = **jail**
gap [gæp] *n* fossé *m*; (*chink*) fente *f*; (*in surface*) trou *m*; (*fig, in conversation*) interruption *f*; (*gulf*) faille *f*; ***to close the ~*** (*in race*) revenir; ***a ~ in one's knowledge*** une lacune dans ses connaissances; ***a four-year ~*** quatre ans d'écart
gape [geɪp] *v/i* **1.** (*chasm etc.*) être béant **2.** (*stare*) rester bouche bée; ***to ~ at sb / sth*** rester bouche bée devant qn / qc
gaping ['geɪpɪŋ] *adj hole, chasm* béant
gap year *n* (*Br* SCHOOL) année *f* de césure
garage ['gærɑːʒ, (*US*) gə'rɑːʒ] *n* **1.** (*for parking*) garage *m* **2.** (*for repairs etc.*) garage *m*; *Br* (*for petrol*) station-service *f* **garage sale** *n* ≈ vide-grenier *m* (*chez un particulier*)
garbage ['gɑːbɪdʒ] *n* (*lit: esp US*) ordures *fpl*; (*fig useless things*) cochonneries *fpl infml*; (*nonsense*) bêtises *fpl infml*; IT données *fpl* incorrectes **garbage can** *n US* poubelle *f* **garbage collector** *n US* éboueur *m*; ***the ~s*** les éboueurs **garbage disposal unit** *n esp US* broyeur *m* d'ordures **garbage man** *n US* = **garbage collector**
garble ['gɑːbl] *v/t* embrouiller; ***to ~ one's words*** s'embrouiller **garbled** ['gɑːbld] *adj message, instructions* confus; *account* faussé
garden ['gɑːdn] **I** *n* jardin *m*; ***the Garden of Eden*** le jardin d'Éden **II** *v/i* jardiner **garden apartment** *n US* rez-de-jardin *m* **garden center**, *Br* **garden centre** *n* jardinerie® *f* **gardener** ['gɑːdnəʳ] *n* jardinier(-ière) *m*(*f*) **garden flat** *n Br* rez-de-jardin *m* **gardening** ['gɑːdnɪŋ] *n* jardinage *m*; ***she loves ~*** elle adore jardiner; ***~ tools*** outils de jardinage **garden party** *n* garden-party *f* **garden path** *n* ***to lead sb up the ~*** *fig* mener qn en bateau
gargantuan [gɑː'gæntjʊən] *adj* gargantuesque

gargle ['gɑːgl] **I** *v/i* se gargariser **II** *n* (*liquid*) gargarisme *m*
gargoyle ['gɑːgɔɪl] *n* gargouille *f*
garish ['gɛərɪʃ] *adj pej colors, neon sign* criard; *clothes* aux couleurs criardes
garland ['gɑːlənd] *n* guirlande *f*
garlic ['gɑːlɪk] *n* ail *m* **garlic bread** *n* pain *m* (chaud) à l'ail **garlic crusher** *n* presse-ail *m* **garlic mushrooms** *pl* champignons *mpl* à l'ail **garlic press** *n* presse-ail *m*
garment ['gɑːmənt] *n* vêtement *m*
garner ['gɑːnəʳ] *v/t* rentrer; *support* recueillir
garnet ['gɑːnɪt] *n* grenat *m*
garnish ['gɑːnɪʃ] **I** *v/t* garnir **II** *n* garniture *f*
garret ['gærət] *n* mansarde *f*
garrison ['gærɪsən] **I** *n* garnison *f* **II** *v/t troops* mettre en garnison; ***to be ~ed*** être en garnison
garrulous ['gærʊləs] *adj* loquace
garter ['gɑːtəʳ] *n* jarretière *f*; *US* jarretelle *f* **garter belt** *n US* porte-jarretelles *m*
gas [gæs] **I** *n* **1.** (*US gasoline*) essence *f*; ***to step on the ~*** appuyer sur le champignon **2.** gaz *m*; ***to cook with ~*** cuisiner au gaz **3.** (*anesthetic*) anesthésique *m* **4.** MIL gaz *m* (asphyxiant) **II** *v/t* gazer; ***to ~ oneself*** s'asphyxier; (*suicide*) se suicider au gaz **gasbag** *n infml* moulin *m* à paroles *infml* **gas chamber** *n* chambre *f* à gaz **gas cooker** *n* cuisinière *f* à gaz **gaseous** ['gæsɪəs] *adj* gazeux (-euse) **gas fire** *n* appareil *m* de chauffage à gaz
gash [gæʃ] **I** *n* (*wound*) entaille *f*; (*slash*) balafre *f* **II** *v/t* entailler; ***he fell and ~ed his knee*** il est tombé et s'est entaillé le genou
gas heater *n* appareil *m* de chauffage à gaz **gas jet** *n* brûleur *m* à gaz
gasket ['gæskɪt] *n* TECH joint *m* d'étanchéité
gas main *n* canalisation *f* de gaz **gasman** *n* employé *m* du gaz **gas mask** *n* masque *m* à gaz **gas meter** *n* compteur *m* à gaz **gasoline** ['gæsəʊliːn] *n US* essence *f* **gas oven** *n* four *m* à gaz
gasp [gɑːsp] **I** *n* (*for breath*) halètement *m*; ***to give a ~*** (***of surprise / fear*** *etc.*) avoir le souffle coupé (par la surprise / peur *etc.*) **II** *v/i* (*continually*) haleter; (*once*) respirer profondément; (*with surprise etc.*) avoir le souffle coupé; ***to ~ for breath*** *or* ***air*** suffoquer; ***he ~ed with astonishment*** il avait le souffle coupé par l'étonnement; ***I'm ~ing for a cup of tea*** (*Br infml*) je meurs d'envie de boire une tasse de thé
gas pipe *n* tuyau *m* à gaz **gas pump** *n US* pompe *f* à essence **gas ring** *n Br* brûleur *m* à gaz; (*portable*) réchaud *m* à gaz **gas station** *n US* station-service *f* **gas stove** *n* cuisinière *f* à gaz; (*portable*) réchaud *m* à gaz **gas tank** *n US* réservoir *m* à essence **gas tap** *n* robinet *m* (du gaz)
gastric ['gæstrɪk] *adj* gastrique *tech* **gastric bypass** *n* bypass *m* gastrique **gastric flu** *n* grippe *f* gastro-intestinale **gastric juices** *pl* sucs *mpl* gastriques **gastric ulcer** *n* ulcère *m* à l'estomac **gastroenteritis** [ˌgæstrəʊˌentə'raɪtɪs] *n* gastro-entérite *f* **gastronomic** [ˌgæstrə'nɒmɪk] *adj* gastronomique **gastronomy** [gæs'trɒnəmɪ] *n* gastronomie *f*
gasworks ['gæswɜːks] *n sg or pl* usine *f* à gaz
gate [geɪt] *n* porte *f*; (*small garden gate*) portillon *m*; (*in airport*) porte *f*
gateau ['gætəʊ] *n* ⟨*pl* **gateaux**⟩ *esp Br gros gâteau à la crème*
gate-crash *v/t infml* ***to ~ a party*** s'incruster à une soirée *infml* **gate-crasher** *n* pique-assiette *m/f* **gatehouse** *n* maison *f* de gardien **gate money** *n* SPORTS recette *f* **gatepost** *n* montant *m* (de porte) **gateway** *n* porte *f* (***to*** de)
gather ['gæðəʳ] **I** *v/t* **1.** (*collect*) recueillir; *people* rassembler; *flowers* cueillir; *harvest* rentrer; *support* obtenir; (*collect up*) *broken glass etc.* ramasser; *one's belongings* rassembler; ***to ~ one's strength*** rassembler ses forces; ***to ~ one's thoughts*** rassembler ses idées; ***it just sat there ~ing dust*** c'était juste là à prendre la poussière **2.** ***to ~ speed*** prendre de la vitesse; ***to ~ strength*** prendre des forces **3.** (*infer*) déduire (***from*** de); ***I ~ed that*** je déduis que; ***from what*** *or* ***as far as I can ~*** à ce que je comprends; ***I ~ she won't be coming*** d'après ce que j'ai compris, elle ne viendra pas; ***as you might have ~ed ...*** comme vous l'avez sans doute compris **4.** SEWING froncer; (*at seam*) froncer **II** *v/i* (*people*) se rassembler; (*objects, dust etc.*) s'accumuler; (*clouds*) s'amonceler ◆ **gather around** *or*

round *Br v/i* faire cercle; ***come on, children, ~!*** venez, les enfants, approchez-vous! ◆ **gather together** *v/t sep* ramasser; *one's belongings* rassembler; *people* réunir ◆ **gather up** *v/t sep* ramasser; *one's belongings* ramasser; *skirts* relever

gathering ['gæðərɪŋ] **I** *n* réunion *f*; ***family ~*** réunion de famille; ***a social ~*** une réunion entre amis **II** *adj storm* qui se prépare

GATT [gæt] HIST *abbr* = **General Agreement on Tariffs and Trade** GATT *m*

gauche [gəʊʃ] *adj* (*socially*) maladroit

gaudily ['gɔːdɪlɪ] *adv* de manière criarde

gaudy ['gɔːdɪ] *adj* ⟨**+er**⟩ voyant, criard

gauge [geɪdʒ] **I** *n* **1.** (*instrument*) jauge *f*; ***pressure ~*** manomètre *m* **2.** RAIL écartement *m* **3.** *fig* indicateur *m* (**of** de) **II** *v/t fig character, progress* juger; *reaction* prévoir; *mood* évaluer; (*guess*) deviner; ***I tried to ~ whether she was pleased or not*** j'ai essayé de deviner si elle était contente ou pas

gaunt [gɔːnt] *adj* (*haggard*) défait; (*emaciated*) émacié

gauntlet[1] ['gɔːntlɪt] *n* ***to throw down the ~*** *fig* lancer un défi

gauntlet[2] *n* ***to*** (***have to***) ***run the ~ of sth*** s'exposer à qc

gauze [gɔːz] *n* gaze *f*

gave [geɪv] *past* = **give**

gawk [gɔːk] *infml v/i* = **gawp**

gawky ['gɔːkɪ] *adj* gauche

gawp [gɔːp] *v/i* (*Br infml*) rester bouche bée; ***to ~ at sb/sth*** rester bouche bée devant qn / qc

gay [geɪ] **I** *adj* ⟨**+er**⟩ *person* homosexuel(le), gay; ***~ bar*** bar homosexuel; ***the ~ community*** la communauté homosexuelle **II** *n* homosexuel(le) *m*(*f*), gay *m*/*f*

gaze [geɪz] **I** *n* regard *m* fixe; ***in the public ~*** sous le regard public **II** *v/i* regarder fixement; ***to ~ at sb/sth*** regarder fixement qn / qc; ***they ~d into each other's eyes*** ils se regardaient les yeux dans les yeux

gazebo [gə'ziːbəʊ] *n* belvédère *m*

gazelle [gə'zel] *n* gazelle *f*

gazette [gə'zet] *n* (*magazine*) gazette *f*; (*government publication*) *Br* journal *m* officiel

G.B. *abbr* = **Great Britain** GB (*Grande-Bretagne*)

gbh *abbr Br* = **grievous bodily harm**

GCSE *Br abbr* = **General Certificate of Secondary Education**

GDP *abbr* = **gross domestic product** PIB *m*

gear [gɪəʳ] **I** *n* **1.** AUTO *etc.* vitesse *f*; ***~s*** *pl* boîte *f* de vitesses; (*on bicycle*) vitesse *f*; ***a bicycle with three ~s*** un vélo à trois vitesses; ***the car is in ~*** la voiture est en prise; ***the car is / you're not in ~*** la voiture est / tu es au point mort; ***to shift*** (*esp US*) *or* ***change*** (*Br*) ***~*** changer de vitesse; ***to shift*** (*esp US*) *or* ***change*** (*Br*) ***into third ~*** passer en troisième; ***to get one's brain in***(***to***) ***~*** *infml* faire travailler ses méninges *infml* **2.** (*infml equipment*) équipement *m*; (*belongings*) affaires *fpl*; (*clothing*) vêtements *mpl* **II** *v/t fig* adapter (**to** à); ***to be ~ed to***(***ward***) ***sb/sth*** être destiné à qn / qc ◆ **gear up** *v/t sep* ***to gear oneself up for sth*** *fig* se préparer pour qc

gearbox *n* boîte *f* de vitesses **gear shift**, *Br* **gear lever, gear stick** *n* levier *m* de vitesse

gee [dʒiː] *int* **1.** (*esp US infml*) ça alors! **2.** *Br* ***~ up!*** hue!

geek [giːk] *n* (*esp US infml*) allumé(e) *m*/*f* *infml* **geek-speak** ['giːkspiːk] *n* (*esp US infml*) jargon *m* d'informaticien *infml*

geese [giːs] *pl* = **goose**

geezer ['giːzəʳ] *n* (*Br infml*) type *m* *infml*; ***old ~*** vieux schnock *infml*

Geiger counter ['gaɪgəˌkaʊntəʳ] *n* compteur *m* Geiger

gel [dʒel] **I** *n* gel *m* **II** *v/i* prendre forme; (*fig, people*) former un groupe

gelatin *or* **gelatine** *Br* ['dʒelətiːn] *n* gélatine *f* **gelatinous** [dʒɪ'lætɪnəs] *adj* gélatineux(-euse)

gelignite ['dʒelɪgnaɪt] *n* gélignite *f*

gem [dʒem] *n* pierre *f* précieuse, gemme *f*; (*fig person*) perle *f*; (*of collection etc.*) joyau *m*; ***thanks Pat, you're a ~*** merci Pat, tu es une perle

Gemini ['dʒemɪnaɪ] *n* Gémeaux *mpl*; ***he's*** (***a***) ***~*** il est Gémeaux

gemstone ['dʒemstəʊn] *n* gemme *f*

gen [dʒen] *n* (*Br infml*) tuyaux *mpl* ◆ **gen up** *v/i* (*Br infml*) ***to ~ on sth*** se rencarder sur qc *infml*

gen. *abbr* = **general**(**ly**)

gender ['dʒendəʳ] *n* genre *m*; ***what ~ is this word?*** quel est le genre de ce mot?; ***the feminine / masculine / neuter ~*** le féminin / masculin / neutre

gene [dʒiːn] *n* gène *m*
genealogy [ˌdʒiːnɪ'ælədʒɪ] *n* généalogie *f*
genera ['dʒenərə] *pl* = **genus**
general ['dʒenərəl] **I** *adj* général(e); ***to be ~*** (*wording*) être général; (*vague*) être vague; ***his ~ appearance*** son apparence générale; ***there was ~ agreement among the two groups*** il y a eu un consensus entre les deux groupes; ***I have the ~ idea*** j'ai l'idée générale; ***in ~ terms*** d'une manière générale; ***in the ~ direction of the village*** dans la direction approximative du village; ***as a ~ rule*** en règle générale **II** *n* **1.** ***in ~*** en général **2.** MIL général(e) *m(f)* **general anesthetic**, *Br* **general anaesthetic** *n* anesthésie *f* générale **General Certificate of Secondary Education** *n Br* ≈ brevet des collèges **general dealer** *n US* = **general store general delivery** *adv US*, *Can* poste *f* restante **general election** *n* élections *fpl* législatives **general headquarters** *n sg or pl* MIL quartier *m* général **generality** [ˌdʒenə'rælɪtɪ] *n* ***to talk in generalities*** dire des généralités **generalization** [ˌdʒenərəlaɪ'zeɪʃən] *n* généralisation *f* **generalize** ['dʒenərəlaɪz] *v/t & v/i* généraliser; ***to ~ about sth*** faire des généralisations à propos de qc **general knowledge** *n* culture *f* générale; ***it's general knowledge that...*** tout le monde sait que...
generally ['dʒenərəlɪ] *adv* **1.** (*on the whole*) en général, généralement **2.** (*usually*) d'une manière générale; ***they are ~ cheapest*** en général, ce sont les moins chers; ***~ speaking*** en règle générale **3.** *accepted* communément; *available* partout **general manager** *n* directeur(-trice) *m(f)* général(e) **general meeting** *n* assemblée *f* générale **general practice** *n* (MED) médecine *f* générale; ***to be in ~*** faire de la médecine générale **general practitioner** *n* médecin *m* généraliste **general public** *n* grand public *m* **general-purpose** *adj* universel(le); ***~ cleaner*** nettoyant universel **General Secretary** *n* secrétaire *m/f* général(e) **general store** *n* épicerie *f* générale **general strike** *n* grève *f* générale
generate ['dʒenəreɪt] *v/t* produire; *income* générer; *excitement* susciter **generation** [ˌdʒenə'reɪʃən] *n* **1.** génération *f* **2.** (*act of generating*) production *f* **generation gap** *n* ***the ~*** le fossé des générations **generator** ['dʒenəreɪtə^r] *n* ELEC groupe *m* électrogène
generic [dʒɪ'nerɪk] *adj* générique; ***~ name/term*** nom/terme générique; ***~ brand*** *US* marque générique **generic drug** *n* médicament *m* générique
generosity [ˌdʒenə'rɒsɪtɪ] *n* générosité *f*
generous ['dʒenərəs] *adj* **1.** *portion* généreux(-euse), copieux(-euse); *terms* généreux(-euse); ***to be ~ in one's praise*** ne pas tarir d'éloges; ***with the ~ support of ...*** avec le généreux soutien de ... **2.** (*kind*) généreux(-euse) **generously** ['dʒenərəslɪ] *adv* **1.** *give*, *reward* généreusement; ***please give ~ (to ...)*** s'il vous plaît, donnez généreusement (à ...) **2.** *offer*, *agree* généreusement
genesis ['dʒenɪsɪs] *n* ⟨*pl* **geneses**⟩ genèse *f*
gene therapy *n* génothérapie *f*
genetic [dʒɪ'netɪk] *adj* génétique **genetic code** *n* code *m* génétique **genetically** [dʒɪ'netɪkəlɪ] *adv* génétiquement; ***~ engineered*** obtenu par manipulation génétique; ***~ modified*** génétiquement modifié, transgénique **genetic engineering** *n* génie *m* génétique **geneticist** [dʒɪ'netɪsɪst] *n* généticien(ne) *m(f)* **genetics** *n sg* génétique *f*
Geneva [dʒɪ'niːvə] *n* Genève; ***Lake ~*** le lac Léman
genial ['dʒiːnɪəl] *adj person* plein de bienveillance; *atmosphere* cordial; ***a ~ host*** un hôte sympathique
genie ['dʒiːnɪ] *n* génie *m*, djinn *m*
genii ['dʒiːnɪaɪ] *pl* = **genius**
genital ['dʒenɪtl] *adj* génital; ***~ organs*** organes génitaux **genitals** ['dʒenɪtlz] *pl* organes *mpl* génitaux
genitive ['dʒenɪtɪv] **I** *n* GRAM génitif *m*; ***in the ~*** au génitif **II** *adj* génitif; ***~ case*** génitif *m*
genius ['dʒiːnɪəs] *n* ⟨*pl* **-es** *or* **genii**⟩ (*prodigy*) génie *m*; (*mental capacity*) génie *m*; ***a man of ~*** un homme de génie; ***to have a ~ for sth/doing sth*** (*talent*) avoir le génie de qc/pour faire qc
genocide ['dʒenəʊsaɪd] *n* génocide *m*
genome ['dʒiːnəʊm] *n* génome *m*
genre ['ʒɑ̃ːŋrə] *n* genre *m*
gent [dʒent] *n infml abbr* = **gentleman** monsieur *m*; ***where is the ~s?*** (*Br lav-*

atory) où sont les toilettes pour hommes?

genteel [dʒen'tiːl] *adj* distingué **gentility** [dʒen'tɪlɪtɪ] *n* distinction *f*

gentle ['dʒentl] *adj* ⟨**+er**⟩ **1.** doux (douce); *pressure*, *breeze* léger(-ère); *pace*, *exercise* modéré; ***cook over a ~ heat*** cuire à feu doux; ***to be ~ with sb*** être doux avec qn; ***to be ~ with sth*** être doux avec qc **2.** (*mild*) doux (douce); ***a ~ hint*** une allusion discrète; ***a ~ reminder*** un rappel discret

> **gentle ≠ gentil**
>
> **Gentle** = doux :
>
> **We had to be very gentle with the book, as it was very old and fragile.**
>
> Nous avons dû manipuler le livre avec beaucoup de précaution car il était très ancien et très fragile.

gentleman ['dʒentlmən] *n* ⟨*pl* **-men**⟩ **1.** (*well-mannered*, *well-born*) homme *m* bien élevé, gentleman *m* **2.** (*man*) monsieur *m*; ***gentlemen!*** messieurs! **gentlemanly** ['dʒentlmənlɪ] *adj* bien élevé; ***that is hardly ~ conduct*** ce comportement n'est pas celui d'un gentleman **gentlemen's agreement** ['dʒentlmənzə'griːmənt] *n* accord *m* fondé sur l'honneur; (*esp in business*) gentleman's agreement *m* **gentleness** *n* douceur *m* **gently** ['dʒentlɪ] *adv* doucement; *cook* à feu doux; *treat* avec douceur; ***she needs to be handled ~*** elle a besoin d'être ménagée; ***~ does it!*** doucement!

gentry ['dʒentrɪ] *pl* gentry *f*

genuine ['dʒenjʊɪn] *adj* **1.** (*not fake*) authentique; ***the picture is ~*** le tableau est authentique; ***the picture is the ~ article*** le tableau est un vrai **2.** (*sincere*) sincère; *concern* véritable; *interest*, *offer* sincère; *mistake* réelle; ***she looked at me in ~ astonishment*** elle me regarda avec un étonnement sincère **3.** (*not affected*) *person* sincère **genuinely** ['dʒenjʊɪnlɪ] *adv* sincèrement; ***they are ~ concerned*** il sont réellement inquiets **genuineness** ['dʒenjʊɪnnɪs] *n* **1.** (*authenticity*) authenticité *f* **2.** (*honesty, sincerity*) sincérité *f*

genus ['dʒenəs] *n* ⟨*pl* **genera**⟩ BIOL genre *m*

geographic(al) [dʒɪə'græfɪk(əl)] *adj* géographique

geography [dʒɪ'ɒgrəfɪ] *n* géographie *f*

geological [dʒɪəʊ'lɒdʒɪkəl] *adj* géologique **geologist** [dʒɪ'ɒlədʒɪst] *n* géologue *m/f* **geology** [dʒɪ'ɒlədʒɪ] *n* géologie *f*

geometric(al) [dʒɪəʊ'metrɪk(əl)] *adj* géométrique **geometry** [dʒɪ'ɒmɪtrɪ] *n* MATH géométrie *f*; ***~ set*** nécessaire *m* de géométrie (*rapporteur*, *équerre et compas*)

Georgia ['dʒɔːdʒɪə] *n* Géorgie *f* **Georgian** ['dʒɔːdʒɪən] *adj* géorgien(ne)

geranium [dʒɪ'reɪnɪəm] *n* géranium *m*

gerbil ['dʒɜːbɪl] *n* gerbille *f*

geriatric [ˌdʒerɪ'ætrɪk] *adj* **1.** MED gériatrique **2.** *pej*, *infml* gaga **geriatric care** *n* soins *mpl* pour les personnes âgées **geriatrics** [ˌdʒerɪ'ætrɪks] *n sg* gériatrie *f*

germ [dʒɜːm] *n* microbe *m*, germe *m*

German ['dʒɜːmən] **I** *adj* allemand **II** *n* **1.** (*person*) Allemand(e) *m(f)*; ***the ~s*** les Allemands **2.** LING allemand *m* **Germanic** [dʒɜː'mænɪk] *adj* HIST, LING germanique **German measles** *n sg* rubéole *f* **German shepherd (dog)**, *US* **German sheep dog** *n* berger *m* allemand **German-speaking** *adj* germanophone; ***~ Switzerland*** Suisse *f* allemande

Germany ['dʒɜːmənɪ] *n* Allemagne *f*

germ-free *adj* stérile

germinate ['dʒɜːmɪneɪt] *v/i* germer **germination** [ˌdʒɜːmɪ'neɪʃən] *n lit* germination *f*

germ warfare *n* guerre *f* bactériologique

gerund ['dʒerənd] *n* gérondif *m*

gestation [dʒe'steɪʃən] *n* (*lit*, *of animals*) gestation *f*; (*of humans*) grossesse *f*; *fig* gestation *f*

gesticulate [dʒe'stɪkjʊleɪt] *v/i* gesticuler; ***to ~ at sb / sth*** faire de grands gestes pour attirer l'attention de qn / qc

gesture ['dʒestʃər] **I** *n* geste *m*; ***to make a ~*** faire un geste; ***a ~ of defiance*** un geste de défi; ***as a ~ of goodwill*** comme un geste de bonne volonté **II** *v/i* faire un geste; ***to ~ at sb / sth*** désigner qn / qc d'un geste; ***he ~d with his head toward the safe*** il a indiqué le coffre d'un signe de la tête

get [get] ⟨*past* **got**⟩ ⟨*past part* **gotten**⟩ *or* (*Br*) **got I** *v/t* **1.** (*receive*) avoir; *sun*, *wound* recevoir; *time*, *characteristics* avoir (***from*** de); (*take*) *bus* prendre; ***where did you ~ it (from)?*** où tu as eu ça?; ***he got the idea for his book while he was abroad*** il a eu l'idée pour son livre pendant qu'il était à l'étranger; ***I got quite a surprise*** j'ai été plutôt surpris; ***I ~ the feeling that …*** j'ai l'impression que …; ***to ~ sb by the leg*** saisir qn à la jambe; (***I've***) ***got him!*** *infml* je le tiens!; (***I've***) ***got it!*** *infml* je l'ai!; ***I'll ~ you for that!*** *infml* je vais te le faire payer!; ***you've got me there!*** *infml* tu m'en demandes trop!; ***what do you ~ from it?*** qu'est-ce que tu en retires? **2.** (*obtain*) *object* obtenir; *finance*, *job* trouver; (*buy*) acheter; *car*, *cat* s'acheter; ***can I ~ a bottle of water?*** je peux avoir une bouteille d'eau?; ***I need to ~ a manicure*** il faut que je me fasse faire une manicure; ***to ~ sb sth, to ~ sth for sb*** acheter qc à qn; ***to ~ oneself sth, to ~ sth for oneself*** s'acheter qc; ***to need to ~ sth*** avoir besoin de se procurer qc; ***to ~ a glimpse of sb / sth*** entrevoir qn / qc; ***we could ~ a taxi*** on pourrait prendre un taxi; ***could you ~ me a taxi?*** tu peux me trouver un taxi?; ***~ a load of that!*** *infml* vise un peu ça! *infml* **3.** (*fetch*) aller chercher; ***to ~ sb from the station*** aller chercher qn à la gare; ***can I ~ you a drink?*** est-ce que je peux vous offrir quelque chose à boire?; ***I got him a drink*** je lui ai offert un verre **4.** (*hit*) atteindre **5.** (TEL *contact*) appeler; ***you've got the wrong number*** vous avez fait un faux numéro **6.** *meal* préparer; ***I'll ~ you some breakfast*** je vais te préparer le petit déjeuner **7.** (*eat*) prendre; ***to ~ breakfast*** prendre le petit déjeuner; ***to ~ lunch*** déjeuner; ***to ~ a snack*** manger un petit quelque chose **8.** (*take*) emmener; ***to ~ sb to the hospital*** emmener qn à l'hôpital; ***they managed to ~ him home*** ils ont réussi à le ramener chez lui; ***where does that ~ us?*** *infml* où est-ce que ça nous mène?; ***this discussion isn't ~ting us anywhere*** cette discussion ne nous mène nulle part; ***to ~ sth to sb*** apporter qc à qn **9.** (*understand*) comprendre; (*make a note of*) noter; ***I don't ~ it*** *infml* je ne pige pas *infml*; ***I don't ~ you*** je ne vous suis pas; ***~ it?*** *infml* pigé? *infml* **10.** (*to form passive*) être; ***when did it last ~ painted?*** quand est-ce que ça a été repeint la dernière fois?; ***I got paid*** j'ai été payé **11.** ***to ~ sb to do sth*** (*have sth done by sb*) faire faire qc à qn; (*persuade sb*) convaincre qn de faire qc; ***I'll ~ him to call you back*** je lui dirai de vous rappeler; ***you'll never ~ him to understand*** tu n'arriveras jamais à lui faire comprendre; ***you'll ~ yourself thrown out*** tu vas te faire renvoyer; ***has she got the baby dressed yet?*** est-ce qu'elle a habillé le bébé?; ***to ~ the washing done*** faire la lessive; ***to ~ some work done*** travailler un peu; ***to ~ things done*** faire avancer les choses; ***to ~ sth made for sb*** faire faire qc pour qn; ***to ~ sth made for oneself*** se faire faire qc; ***I'll ~ the house painted soon*** (*by sb else*) je ferai repeindre la maison bientôt; ***did you ~ your expenses paid?*** est-ce que tu t'es fait rembourser tes frais?; ***to ~ sb / sth ready*** préparer qn / qc; ***to ~ sth clean*** nettoyer qc; ***to ~ sth open*** ouvrir qc; ***to ~ sb drunk*** soûler qn; ***to ~ one's hands dirty*** *lit*, *fig* se salir les mains; ***he can't ~ the lid to stay open*** il n'arrive pas à garder le couvercle ouvert; ***can you ~ these two pieces to fit together?*** est-ce que vous arrivez à faire aller ces deux morceaux ensemble?; ***to ~ sth going*** *machine* réussir à faire marcher; *party* lancer; ***to ~ sb talking*** faire parler qn; ***to have got sth*** avoir qc **II** *v/i* **1.** (*arrive*) ***to ~ home*** rentrer à la maison; ***to ~ here*** arriver ici; ***can you ~ to work by bus?*** est-ce que vous pouvez aller travailler en bus?; ***I've got as far as page 16*** j'en suis à la page 16; ***to ~ there*** (*fig*, *infml succeed*) avancer *infml*; ***how's the work going? — we're ~ting there!*** alors, le boulot, ça en est où? — ça avance! *infml*; ***to ~ somewhere / nowhere*** (*with work*, *in discussion etc.*) avancer / ne pas avancer; ***to ~ somewhere*** (***with sb***) arriver à quelque chose (avec qn); ***to ~ nowhere*** (***with sb***) n'arriver à rien (avec qn); ***you won't ~ far on 50 cents*** tu n'iras pas loin avec 50 cents **2.** (*become*) ***I'm ~ting cold*** je commence à avoir froid; ***to ~ dressed*** s'habiller; ***to ~ married*** se marier; ***I'm ~ting bored*** je commence à m'ennuyer; ***how stupid can you ~?*** comment est-ce que tu peux être aussi stupide?; ***to ~ started*** commencer; ***to ~ to know sb / sth*** apprendre à connaître qn / qc; ***how***

did you ~ to know about that? comment tu as été au courant de cela?; ***to ~ to like sb/sth*** finir par apprécier qn/qc; ***to ~ to do sth*** pouvoir faire qc; ***to ~ to see sb/sth*** réussir à voir qn/qc; ***to ~ to work*** se mettre au travail; ***to ~ working*** *etc.* commencer à travailler *etc.*; ***I got talking to him*** j'ai parlé avec lui; ***to ~ going*** (*person leave*) se mettre en route; (*party etc.*) être lancé; ***to have got to do sth*** être obligé de faire qc; ***I've got to*** je suis obligé **III** *v/r* (*convey oneself*) aller; ***I had to ~ myself to the hospital*** j'ai dû aller à l'hôpital; ***to ~ oneself pregnant*** tomber enceinte; ***to ~ oneself washed*** se laver; ***you'll ~ yourself killed if you go on driving like that*** tu vas te tuer si tu continues à conduire comme ça ◆ **get about** *v/i Br* **1.** (*person*) se déplacer; (*to different places*) voyager **2.** (*news*) se répandre; (*rumor*) se propager ◆ **get across I** *v/i* **1.** (*cross*) traverser **2.** (*meaning*) passer (***to*** à) **II** *v/t always separate* **1.** (*transport*) faire traverser **2.** *one's ideas* communiquer (***to sb*** à qn) ◆ **get ahead** *v/i* prendre de l'avance (***in*** dans); ***to ~ of sb*** (*in race overtake*) dépasser qn ◆ **get along** *v/i* **1.** (*go*) aller; ***I must be getting along*** il faut que je m'en aille **2.** (*manage*) se débrouiller **3.** (*progress*) avancer **4.** (*be on good terms*) bien s'entendre (***with*** avec); ***they ~ quite well*** ils s'entendent assez bien ◆ **get around I** *v/i* = **get about II** *v/t insep always separate* ***I still can't get my head around it*** *infml* je n'arrive toujours pas à comprendre ◆ **get around to** *v/t insep infml* ***to ~ sth*** trouver le temps de s'occuper de qc; ***to ~ doing sth*** trouver le temps de faire qc ◆ **get at** *v/t insep* **1.** (*gain access to*) atteindre; *food*, *money* toucher à; ***don't let him ~ the wine*** ne le laisse pas boire le vin **2.** *truth* découvrir **3.** (*infml mean*) vouloir dire; ***what are you getting at?*** où voulez-vous en venir? **4.** *Br* ***to ~ sb*** *infml* s'en prendre à qn *infml* ◆ **get away I** *v/i* s'en aller; (*prisoner*) échapper (***from sb*** à qn); ***I'd like to ~ early today*** j'aimerais partir plus tôt aujourd'hui; ***you can't ~*** *or* ***there's no getting away from the fact that ...*** on ne peut pas échapper au fait que ...; ***to ~ from it all*** s'évader loin de tous ses problèmes **II** *v/t always separate* ***get her away from here*** éloigne-là d'ici; ***get him/that dog away from me*** débarrasse-moi de lui/de ce chien ◆ **get away with** *v/t insep infml* ***he'll never ~ that*** il ne pourra pas s'en tirer comme ça *infml*; ***he got away with it*** il s'en est sorti sans problème ◆ **get back I** *v/i* (*come back*) revenir; (*go back*) retourner; ***to ~ (home)*** rentrer chez soi; ***to ~ to bed*** se recoucher; ***to ~ to work*** (*after interruption etc.*) reprendre le travail; (*after break*) se remettre au travail; ***~!*** reculez! **II** *v/t sep* **1.** (*recover*) récupérer **2.** (*bring back*) rendre **3.** ***I'll get you back for that*** je te revaudrai ça ◆ **get back at** *v/t insep infml* prendre sa revanche sur; ***to ~ sb for sth*** faire payer qc à qn *infml* ◆ **get back to** *v/t insep* (*contact again*) recontacter; ***I'll ~ you on that*** je vous en reparlerai ◆ **get behind** *v/i* **1.** *tree* se mettre derrière; ***to ~ the wheel*** se mettre au volant **2.** (*fig, with schedule*) prendre du retard ◆ **get by** *v/i* **1.** ***to let sb ~*** laisser qn passer **2.** *infml* ***she could just about ~ in English*** elle arrivait tout juste à s'en sortir en anglais *infml* **3.** (*infml manage*) se débrouiller *infml*; ***she gets by on very little money*** elle se débrouille avec très peu d'argent ◆ **get down I** *v/i* **1.** (*descend*) descendre (***from*** de); (*manage to get down, in commands*) descendre (***from*** de); ***to ~ the stairs*** descendre les escaliers **2.** (*bend down*) se pencher; (*to hide*) se baisser; ***to ~ on all fours*** se mettre à quatre pattes **II** *v/t sep* **1.** (*take down*) descendre; (*carry down*) descendre **2.** (*swallow*) *food* avaler **3.** (*infml depress*) déprimer ◆ **get down to** *v/t insep* se mettre à; ***to ~ business*** passer aux choses sérieuses ◆ **get in I** *v/i* **1.** (*enter*) entrer (***-to*** dans); (*into car etc.*) monter (***-to*** dans); ***the smoke got in(to) my eyes*** j'ai eu de la fumée dans les yeux **2.** (*train, bus*) arriver (***-to*** à); (*plane*) atterrir **3.** (*get home*) rentrer **II** *v/t sep* **1.** (*bring in*) faire entrer (***-to*** dans) **2.** (*fit*) glisser (***-to*** dans); *fig request* adresser **3.** *Br groceries* acheter; ***to ~ supplies*** s'approvisionner **4.** *Br plumber* faire venir ◆ **get in on** *v/t insep infml* se joindre à; ***to ~ the act*** s'imposer ◆ **get into I** *v/t insep*; → **get in** *II* **1.** *debt*, *trouble etc.* se retrouver dans; *fight* être impliqué dans; ***to ~ bed*** se mettre au lit; ***what's got into him?***

infml qu'est-ce qui lui a pris? **2.** *book* rentrer dans; *work* s'absorber dans **3.** (*put on*) mettre; (*fit into*) entrer dans **II** *v/t always separate debt etc.* se mettre dans; ***to get oneself into trouble*** se mettre dans une situation difficile ◆ **get in with** *v/t insep* **1.** (*associate with*) s'associer à **2.** *esp Br* (*ingratiate oneself with*) se faire bien voir de ◆ **get off I** *v/i* **1.** (*from bus*, *bicycle*, *horse.*) descendre de; ***to tell sb where to ~*** *infml* envoyer qn sur les roses *infml* **2.** (*from ladder*, *furniture*) descendre de; ***~!*** (*let me go*) lâche-moi! **3.** (*depart*) partir; ***it's time you got off to school*** il est temps de partir à l'école; ***I'll see if I can ~ (work) early*** je vais voir si je peux me libérer plus tôt *infml*; ***what time do you ~ work?*** tu finis de travailler à quelle heure? **4.** (*be excused*) *homework*, *task etc.* se faire dispenser de; ***he got off tidying up his room*** il a réussi à ne pas ranger sa chambre **5.** (*fig be let off*) s'en tirer *infml* **II** *v/t* **1.** *sep* (*remove*) enlever; *clothes* enlever, retirer; *lid* retirer; (*take away from*) retirer, soustraire; ***get your dirty hands off my clean shirt*** enlève tes mains sales de ma chemise propre; ***get him off my property!*** faites-le sortir de ma chez moi! **2.** *always separate* (*infml obtain*) recevoir de; ***I got that idea off John*** c'est John qui m'a donné cette idée **3.** *sep mail* envoyer; ***to get sb off to school*** envoyer qn à l'école **4.** *sep day* avoir un congé ◆ **get off with** *v/t insep* (*Br infml*) draguer *infml* ◆ **get on I** *v/i* **1.** (*climb on*) monter; (*on train etc.*) monter (***-to*** dans); (*on bicycle*, *horse etc.*) monter (***-to*** sur) **2.** *Br* (*continue*) avancer **3.** ***time is getting on*** *Br* il se fait tard; ***he is getting on*** il vieillit tout doucement **4.** *Br* (*progress*) progresser; (*patient*, *pupil*) faire des progrès; ***to ~ in the world*** faire son chemin dans la vie **5.** *Br* (*fare*) s'en sortir; ***how did you ~ in the exam?*** comment tu t'en es sorti à l'examen?; ***how are you getting on?*** comment ça marche? **6.** *Br* (*have a good relationship*) s'entendre **II** *v/t sep clothes*, *lid* mettre ◆ **get on for** *v/t insep* (*time*, *person in age*) approcher de; ***he's getting on for 40*** il approche de la quarantaine; ***there were getting on for 60 people there*** il n'y avait pas loin de 60 personnes ◆ **get on to** *v/t insep* (*Br infml contact*) se mettre en rapport avec; ***I'll ~ him about it*** je me mettrai en rapport avec lui à ce sujet ◆ **get onto** *v/t insep*; → **get on** *I1* ◆ **get on with** *v/t insep* (*continue*) continuer; (*manage to get on with*) réussir à continuer; ***~ it!*** allez, au travail! *infml*; ***to let sb ~ sth*** faire faire qc à qn; ***this will do to be getting on with*** ça ira pour le début ◆ **get out I** *v/i* **1.** sortir (***of*** de); (*climb out*) descendre (***of*** de); (*of bus*, *car*) descendre (***of*** de) **2.** (*leave*) partir (***of*** de); (*animal*, *prisoner*) s'échapper; (*news*) se répandre; ***he has to ~ of the country*** il faut qu'il quitte le pays; ***~!*** sortez!; ***~ of my house!*** sortez de chez moi!; ***to ~ of bed*** se lever **3.** (*go walking etc.*) sortir; ***you ought to ~ more*** vous devriez sortir plus; ***to ~ and about*** sortir **II** *v/t sep* **1.** (*remove*) enlever (***of*** de); *people* faire sortir; (*manage to get out*) réussir à faire sortir; ***I couldn't get it out of my head*** *or* ***mind*** je n'arrivais pas à me le sortir de la tête **2.** (*take out*) faire sortir (***of*** de) **3.** (*withdraw*) *money* retirer (***of*** de) ◆ **get out of I** *v/t insep*; → **get out** *I obligation*, *punishment* échapper à; ***you can't ~ it now*** tu ne peux pas y échapper maintenant; ***I'll ~ practice*** je vais me rouiller; ***to ~ the habit of doing sth*** perdre l'habitude de faire qc **II** *v/t always separate confession*, *truth* parvenir à obtenir; *money* extorquer; *pleasure* retirer; ***to get the best / most out of sb / sth*** obtenir le meilleur / le maximum de qn / qc; → **get out** *II* ◆ **get over I** *v/t insep* **1.** (*cross*) traverser; (*climb over*) escalader; franchir **2.** *v/t insep disappointment*, *experience*, *shock*, *illness* se remettre de; ***I can't ~ it*** *infml* je n'en reviens pas **II** *v/t sep Br ideas etc.* communiquer (***to*** à) ◆ **get over with** *v/t always separate* en finir; ***let's get it over with*** finissons-en ◆ **get past** *v/i* = **get by** *1* ◆ **get round** *esp Br* **I** *v/i* = **get around** **II** *v/t insep* = **get around** ◆ **get round to** *v/t insep esp Br* = **get around to** ◆ **get through I** *v/i* **1.** (*through gap etc.*) passer par **2.** ***to ~ to the final*** se qualifier pour la finale **3.** TEL obtenir la communication (*to sb* avec qn, *to France* avec la France) **4.** (*be understood*) ***he has finally got through to her*** il a finalement réussi à se faire comprendre (d'elle) **5.** *work* faire; *Br bottle* boire; *days*, *time* utiliser; *Br* (*consume*) consommer; *Br food* manger **II** *v/t always separate* **1.** *proposal* faire adopter; ***to get sb through a test*** (*teacher*) préparer qn avec succès à un examen **2.** *message* communiquer (***to*** à); *supplies* utiliser **3.** (*make understand*) ***to get sth through*** (***to sb***) faire comprendre qc (à qn) ◆ **get to** *v/t insep* **1.** (*arrive at*) arriver à; *hotel*, *town etc.* arriver à; ***where did you ~ last night?*** tu étais où la nuit dernière? **2.** *infml* ***I got to thinking*** j'ai réfléchi **3.** (*infml annoy*) énerver; ***don't let them ~ you*** ne t'énerve pas à cause d'eux ◆ **get together I** *v/i* se retrouver; (*combine forces*) s'associer; ***why don't we ~ later?*** pourquoi ne pas se retrouver plus tard? **II** *v/t sep people*, *collection* rassembler; *money* réunir; ***to get one's things together*** rassembler ses affaires ◆ **get under** *v/i* passer par-dessous; (*under umbrella etc.*) se mettre dessous ◆ get up **I** *v/i* **1.** (*stand up*, *get out of bed*) se lever **2.** (*climb up*) monter; (*vehicle*) monter; ***he couldn't ~ the stairs*** il ne pouvait pas monter les marches **II** *v/t* **1.** *always separate* (*out of bed*) faire lever; (*help to stand up*) aider à se mettre debout **2.** *sep* ***to ~ speed*** prendre de la vitesse; ***to get one's strength up*** rassembler ses forces; ***to ~ an appetite*** *infml* commencer à avoir faim ◆ **get up to** *v/t insep* **1.** (*reach*) arriver à; *page* en être à; ***as soon as he got up to me*** dès qu'il arriva près de moi **2.** (*be involved in*) faire des siennes; ***what have you been getting up to?*** qu'est-ce que tu as trouvé le moyen de faire?

getaway I *n* fuite *f*; ***to make one's ~*** se tirer *infml* **II** *adj attr* ***~ car*** voiture *f* (*dans laquelle des gangsters prennent la fuite*) **get-together** *n infml* petite réunion *f*; ***family ~*** réunion de famille

get-up *n* tenue *f*, accoutrement *m*

get-well card *n* carte *f* (*pour souhaiter un prompt rétablissement*)

geyser ['giːzəʳ] *n* GEOL geyser *m*

ghastly ['gɑːstlɪ] *adj* ⟨**+er**⟩ **1.** (*infml dreadful*) atroce, épouvantable **2.** *crime* épouvantable

gherkin ['gɜːkɪn] *n* cornichon *m*

ghetto ['getəʊ] *n* ghetto *m* **ghetto blaster** ['getəʊblɑːstəʳ] *n infml* radiocassette *f* portable

ghost [gəʊst] *n* **1.** fantôme *m*, spectre *m* **2.** *fig* ***I don't have*** *or* ***stand the ~ of a chance*** je n'ai pas l'ombre d'une chance; ***to give up the ~*** *obs*, *infml* rendre l'âme **ghostly** ['gəʊstlɪ] *adj* ⟨**+er**⟩ fantomatique **ghost story** *n* histoire *f* de fantômes **ghost town** *n* ville *f* fantôme **ghost train** *n* (*Br*, *at funfair*) train *m* fantôme

ghoul [guːl] *n* personne *f* morbide

G.H.Q *abbr* = **General Headquarters**

GHz *abbr* = **gigahertz** GHz *m*

GI *US abbr* = **government issue** *n* soldat *m* de l'armée américaine

giant ['dʒaɪənt] **I** *n* géant(e) *m*(*f*); *fig* (*company*) géant *m* ***a ~ of a man*** un véritable géant; ***a publishing ~*** un géant de l'édition **II** *adj* géant; ***~ panda*** *n* panda géant

gibber ['dʒɪbəʳ] *v/i* (*ape*) crier; ***a ~ing idiot*** un vrai crétin **gibberish** ['dʒɪbərɪʃ] *n* charabia *m infml*; (*foreign language*) galimatias *m*

gibe [dʒaɪb] *n* raillerie *f*

giblets ['dʒɪblɪts] *pl* abats *mpl* de volaille

Gibraltar [dʒɪ'brɔːltəʳ] *n* Gibraltar *m*

giddiness ['gɪdɪnɪs] *n* étourdissements *mpl* **giddy** ['gɪdɪ] *adj* ⟨**+er**⟩ **1.** *lit* pris de vertige; ***I feel ~*** j'ai la tête qui tourne **2.** *heights* vertigineux(-euse) **3.** (*fig excited*) euphorique

gift [gɪft] *n* **1.** cadeau *m*; ***that question was a ~*** *infml* cette question, c'était du gâteau *infml* **2.** (*talent*) talent *m*, don *m*; ***to have a ~ for sth*** avoir un don pour qc; ***she has a ~ for teaching*** elle a un don pour l'enseignement; ***he has a ~ for music*** il a un don pour la musique **gift certificate** *n US* chèque-cadeau *m* **gifted** ['gɪftɪd] *adj* doué (***in*** en) **gift token, gift voucher** *n Br* chèque-cadeau *m* **giftwrap I** *v/t* faire un paquet-cadeau de **II** *n* papier-cadeau *m*

gig [gɪg] *n* (*infml concert*) concert *m infml*; ***to do a ~*** donner un concert

gigabyte ['dʒɪgəbaɪt] *n* IT gigaoctet *m*

gigantic [dʒaɪ'gæntɪk] *adj* gigantesque

giggle ['gɪgl] **I** *n* rire *m* nerveux; ***to get the ~s*** prendre le fou rire **II** *v/i* pouffer, rire bêtement **giggly** ['gɪglɪ] *adj* ⟨**+er**⟩ qui rit bêtement

gill [gɪl] *n* (*of fish*) branchie *f*

gilt [gɪlt] **I** *n* (*material*) dorure *f* **II** *adj* doré

gimmick ['gɪmɪk] *n* astuce *f*; (*gadget*)

gadget *m*; COMM truc, trouvaille *f* **gimmickry** ['gɪmɪkrɪ] *n* trucs et astuces *mpl*; (*in advertising*) (recherche d')astuces *fpl*; (*gadgetry*) trucs *mpl* **gimmicky** ['gɪmɪkɪ] *adj* qui recourt aux trucs et astuces

gin [dʒɪn] *n (drink)* gin *m*; ***~ and tonic*** gin-tonic *m*

ginger ['dʒɪndʒəʳ] **I** *n* gingembre *m* **II** *adj* **1.** COOK au gingembre **2.** *hair*, *cat* roux(rousse) **ginger ale** *n boisson gazeuse au gingembre* **ginger beer** *n boisson au gingembre fermenté* (*peu alcoolisée*) **gingerbread I** *n* ≈ pain *m* d'épices **II** *adj attr* en pain d'épices **gingerly** ['dʒɪndʒəlɪ] *adv* avec précaution

gingham ['gɪŋəm] *n* TEX vichy *m*

gipsy ['dʒɪpsɪ] *n*, *adj Br* = **gypsy**

giraffe [dʒɪ'rɑːf] *n* girafe *f*

girder ['gɜːdəʳ] *n* poutre *f*, poutrelle *f*

girdle ['gɜːdl] *nlit*, *fig* ceinture *f*

girl [gɜːl] *n* (jeune) fille *f*; (*daughter*) fille *f*; (*girlfriend*) petite amie; ***an English ~*** une jeune Anglaise; ***I'm going out with the ~s tonight*** je sors avec les filles ce soir **girl Friday** *n* employée *f* de bureau (*chargée de tâches diverses*)

girlfriend *n* petite amie *f* **Girl Guide** *n Br* guide *f*, éclaireuse *f* **girlhood** *n* enfance *f*, adolescence *f*; ***in her ~*** lorsqu'elle était enfant **girlie, girly** ['gɜːlɪ] *adj attr infml* gamine *f*; *magazine* magazine *m* érotique **girlish** ['gɜːlɪʃ] *adj* de petite fille (*boy*) efféminé **Girl Scout** *n US* éclaireuse *f*, scoute *f*

giro ['dʒaɪrəʊ] *n Br* (*bank giro*) virement *m* bancaire; (*post-office giro*) virement *m* postal; ***~ (cheque)*** SOCIAL SECURITY (chèque d')allocations chômage; ***to pay a bill by ~*** régler une facture par virement

girth [gɜːθ] *n* tour *m* de taille

gismo *n infml* = **gizmo**

gist [dʒɪst] *n no pl* essentiel *m*; ***I got the ~ of it*** j'ai compris l'essentiel

git [gɪt] *n* (*Br infml*) petit(e) con(ne) *m*(*f*) *sl*

give [gɪv] *vb* ⟨*past* **gave**⟩ ⟨*past part* **given**⟩ **I** *v/t* **1.** donner; ***to ~ sb sth*** *or* ***sth to sb*** donner qc à qn; ***the teacher gave us three exercises*** le professeur nous a donné trois exercices; ***to ~ sb one's cold*** *infml* passer son rhume à qn; ***to ~ sth for sth*** (*pay*) payer qc qc; (*exchange*) donner qc en échange de qc; ***what will you ~ me for it?*** combien m'en donnez-vous?; ***how much did you ~ for it?*** combien l'avez-vous payé?; ***six foot, ~ or take a few inches*** six pieds, à peu de choses près **2.** (*as gift*) offrir; (*donate*) faire don de; ***to ~ sb sth*** *or* ***sth to sb*** donner qc à qn; ***it was ~n to me by my uncle*** c'est un cadeau de mon oncle **3.** *trouble*, *pleasure* apporter; ***to ~ sb support*** apporter son soutien à qn; ***to be ~n a choice*** avoir un choix à faire; ***to ~ sb a smile*** sourire à qn; ***to ~ sb a push*** pousser qn; ***to ~ one's hair a brush*** se donner un coup de brosse; ***who gave you that idea?*** qui vous a donné cette idée?; ***what ~s you that idea?*** qu'est-ce qui vous fait penser cela?; ***it ~s me great pleasure to…*** c'est un grand plaisir pour moi de…; ***to ~ sb a shock*** causer un choc à qn; ***to ~ a cry*** faire pleurer qn; ***to ~ way*** (*yield*) céder (*to*); ***~ way to oncoming traffic*** *Br* céder le passage; **"*give way*"** (*Br* AUTO) "cédez le passage" **4.** (*punish with*) donner, infliger; ***he gave the child a slap*** il donna une claque à l'enfant; ***to ~ sb five years*** condamner qn à cinq ans de prison; ***~ yourself time to recover*** prenez le temps de vous remettre; ***it's an improvement, I'll ~ you that*** c'est un progrès, je vous l'accorde; ***he's a good worker, I'll ~ him that*** il travaille bien, cela, je le lui reconnais **5.** *information*, *answer*, *advice* donner, fournir; *one's name*, *opinion*, *results* donner; *decision* rendre; ***~ him my regards*** donnez-lui mon bon souvenir; ***to ~ sb a warning*** lancer un avertissement à qn **6.** *party* faire; *speech* faire; *toast* porter (***to sb*** à qn); ***~ us a song*** chante-nous une chanson; ***the child gave a little jump of excitement*** l'enfant eut un sursaut d'excitation; ***he gave a shrug*** il haussa les épaules **II** *v/i* **1.** (*collapse*, *yield*) céder **2.** (*give money etc.*) donner; ***you have to be prepared to ~ and take*** *fig* il faut savoir faire des concessions **III** *n* souplesse *f*

◆ **give away** *v/t sep* **1.** *gift*, *advantage* offrir **2.** *bride* mener à l'autel **3.** *prizes etc.* distribuer **4.** (*fig betray*) révéler (***to sb*** à qn); ***to give the game away*** *infml* vendre la mèche ◆ **give back** *v/t sep* rendre ◆ **give in I** *v/i* (*surrender*) céder (***to sb*** à qn); (*in game*) s'incliner; (*back down*) céder ***to ~ to temptation*** céder à la tentation **II** *v/t sep essay* rendre

◆ **give off** *v/t insep heat* émettre; *smell* dégager ◆ **give out I** *v/i* (*supplies, strength*) s'épuiser; (*engine*) s'essouffler; ***my voice gave out*** je n'ai plus de voix **II** *v/t sep* **1.** (*distribute*) distribuer **2.** (*announce*) annoncer **III** *v/t insep* = **give off** ◆ **give over I** *v/t sep* (*hand over*) donner, confier à **II** *v/i* (*Br dial, infml stop*) arrêter **III** *v/t insep Br* arrêter; ***~ tickling me!*** arrête de me chatouiller! ◆ **give up I** *v/i* renoncer **II** *v/t sep* **1.** renoncer à; ***to ~ doing sth*** renoncer à faire qc; ***I'm trying to ~ smoking*** j'essaie d'arrêter de fumer; ***to give sb/sth up as lost*** donner qn/qc comme perdu **2.** *seat* céder, laisser (***to*** à); ***to give oneself up*** se rendre ◆ **give up on** *v/i* ne plus attendre

give-and-take *n* concessions *fpl* de part et d'autre **giveaway** *n* ***it was a real ~ when he said…*** ça a été une révélation lorsqu'il a dit… **given I** *past part* = **give II** *adj* **1.** donné, précis; ***in a ~ period*** à une période donnée; ***within the ~ period*** durant la période indiquée **2.** ***~ name*** *esp US* prénom *m* **3.** ***to be ~ to sth*** être enclin à qc; ***I'm not ~ to drinking on my own*** je ne suis pas enclin à boire seul **III** *cj* ***~ that he…*** étant donné qu'il; ***~ time, we can do it*** avec du temps, on peut y arriver; ***~ the chance, I would…*** si j'en avais l'occasion, je… **giver** ['gɪvəʳ] *n* donateur(-trice) *m(f)*

gizmo ['gɪzməʊ] *n infml* gadget *m*

glacé ['glæseɪ] *adj* glacé

glacier ['glæsɪəʳ] *n* glacier *m*

glad [glæd] *adj* (+*er*), *pred* content, heureux(-euse); ***to be ~ about sth*** être content de qc; ***I'm ~ (about that)*** j'en suis ravi; ***to be ~ of sth*** apprécier qc; ***we'd be ~ of your help*** nous apprécierions votre aide; ***I'd be ~ of your opinion on this*** j'apprécierais votre opinion sur la question; ***I'm ~ you like it*** je suis content que cela vous plaise; ***I'll be ~ to show you everything*** je vous montrerai tout avec plaisir **gladden** *v/t* rendre heureux

glade [gleɪd] *n* clairière *f*

gladiator ['glædɪeɪtəʳ] *n* gladiateur *m*

gladly ['glædlɪ] *adv* avec joie, avec plaisir

glamor, *Br* **glamour** ['glæməʳ] *n* séduction *f*, charme *m*; (*of occasion*) éclat *m* **glamorize** ['glæməraɪz] *v/t* présenter sous un jour séduisant; *violence* idéaliser **glamorous** ['glæmərəs] *adj* séduisant; *occasion* éblouissant **glamour** *n Br* = **glamor**

glance [glɑːns] **I** *n* regard *m*, coup *m* d'œil; ***at first ~*** au premier regard; ***to take a quick ~ at sth*** jeter un coup d'œil à qc; ***we exchanged ~s*** nous avons échangé un regard **II** *v/i* jeter un coup d'œil; ***to ~ at sb/sth*** jeter un coup d'œil à qn/qc; ***to ~ at*** *or* ***through a report*** jeter un coup d'œil à *or* sur un rapport ◆ **glance off** *v/i* (*bullet etc.*) ricocher

gland [glænd] *n* glande *f* **glandular** ['glændjʊləʳ] *adj* ***~ fever*** *Br* mononucléose *f* infectieuse

glare [glɛəʳ] **I** *n* **1.** éclat, lumière *m* éblouissant(e); ***the ~ of the sun*** la lumière éblouissante du soleil **2.** (*stare*) regard *m* furieux **II** *v/i* **1.** (*light, sun*) briller d'un éclat éblouissant **2.** (*stare*) lancer un regard furieux; ***to ~ at sb/sth*** lancer un regard furieux à qn/qc **glaring** ['glɛərɪŋ] *adj* **1.** *sun, light* éblouissant, aveuglant **2.** *example, omission* flagrant **glaringly** ['glɛərɪŋlɪ] *adv* ***~ obvious*** *fact, statement* qui saute aux yeux; ***it was ~ obvious that he had no idea*** il n'en savait rien, cela sautait aux yeux

glass [glɑːs] **I** *n* **1.** (*substance*) verre *m*; ***a pane of ~*** une vitre **2.** (*for drinking*) verre *m* ***a ~ of wine*** un verre de vin **3.** (*spectacles*) ***~es*** *pl*, ***pair of ~es*** lunettes *fpl* **II** *adj attr* en de verre, de verre **glass ceiling** *n fig plafond virtuel empêchant de progresser dans la hiérarchie*; ***she hit the ~*** sa progression dans la hiérarchie s'est trouvée bloquée **glass fiber**, *Br* **glass fibre** *n* fibre *f* de verre **glassful** *n* (contenu d'un) verre *m* **glasshouse** *n* (*Br* HORT) serre *f* **glassy** ['glɑːsɪ] *adj* ⟨+*er*⟩ *surface, sea etc.* lisse; ***~-eyed*** *look* au regard vitreux

glaucoma [glɔː'kəʊmə] *n* glaucome *m*

glaze [gleɪz] **I** *n* vernis *m* **II** *v/t* **1.** *window* vitrer **2.** *pottery, cake* vernir **III** *v/i* (*eyes*: *a.* **glaze over**) devenir vitreux, terne; ***she had a ~d look in her eyes*** son regard s'est terni **glazier** ['gleɪzɪəʳ] *n* vitrier *m* **glazing** ['gleɪzɪŋ] *n* vitrerie *f*

gleam [gliːm] **I** *n* lueur *f*; (*of metal, water*) reflet *m*; ***a ~ of light*** un rayon de lumière; ***he had a ~ in his eye*** une lueur brillait dans son regard **II** *v/i* luire; (*eyes*) luire, briller **gleaming** ['gliːmɪŋ] *adj* luisant; *eyes* brillant; ***~ white*** blanc étincelant

glean [gliːn] *v/t fig* glaner; ***to ~ sth from sb / sth*** glaner qc de qn / qc

glee [gliː] *n* joie *f* profonde, allégresse *f*; (*malicious*) jubilation *f*; ***he shouted with ~*** il eut un cri d'allégresse **gleeful** *adj* joyeux(-euse); (*maliciously*) jubilant

glen [glen] *n Br* vallée *f* encaissée (*en Écosse ou en Irlande*)

glib [glɪb] *adj* ⟨**+er**⟩ *person* qui a du bagou; *reply* désinvolte

glide [glaɪd] *v/i* glisser; (*through the air*) glisser, passer sans bruit; (*plane*) planer **glider** ['glaɪdəʳ] *n* AVIAT planeur *m* **gliding** ['glaɪdɪŋ] *n* AVIAT vol *m* à voile

glimmer I *n* **1.** (*of light etc.*) petite lueur *f* **2.** *fig* = **gleam** *I* **II** *v/i* (*light*, *fire*) luire faiblement

glimpse [glɪmps] **I** *n* aperçu *m*; ***to catch a ~ of sb / sth*** entrevoir qn / qc **II** *v/t* entrevoir

glint [glɪnt] **I** *n* reflet *m*, lueur *f*; ***a ~ of light*** un reflet de lumière; ***he has a wicked ~ in his eyes*** il a une lueur méchante dans le regard **II** *v/i* luire; (*eyes*) luire, briller

glisten ['glɪsn] *v/i* miroiter, chatoyer; (*dewdrops*) scintiller

glitch [glɪtʃ] *n* IT problème *m*; ***a technical ~*** problème *m* technique

glitter ['glɪtəʳ] **I** *n* (*for decoration*) paillettes *fpl* **II** *v/i* (*eyes*, *diamonds*) scintiller **glittering** ['glɪtərɪŋ] *adj eyes*, *diamonds* scintillant; *occasion* magnifique

glitzy ['glɪtsɪ] *adj* ⟨**+er**⟩ *infml occasion* magnifique

gloat [gləʊt] *v/i* (*with pride*) se réjouir (***over, about*** de); (*over sb's misfortune*) se réjouir avec malveillance (***over, about*** de); ***there's no need to ~ (over me)!*** inutile de vous réjouir (à mes dépens)!

global ['gləʊbl] *adj* mondial; *recession* mondial; ***~ peace*** la paix mondiale **global economy** *n* économie *f* mondiale **globalization** [ˌgləʊbəlaɪ'zeɪʃən] *n* mondialisation *f* **globalize** ['gləʊbəlaɪz] *v/t* & *v/i* mondialiser **globally** ['gləʊbəlɪ] *adv* **1.** (*worldwide*) mondialement **2.** (*universally*) globalement **global trade** *n* commerce *m* mondial **global village** *n* village *m* planétaire **global warming** *n* réchauffement *m* de la planète **globe** [gləʊb] *n* (*sphere*) globe *m*, sphère *f*; (*map*) mappemonde *f*; ***all over the ~*** sur la terre entière **globe artichoke** *n* artichaut *m* **globetrotter** *n* globe-trotteur(-euse) *m*(*f*) **globetrotting I** *n* voyages autour du monde **II** *attr* de globe-trotteur(-euse)

globule ['glɒbjuːl] *n* globule *m*; (*of oil*, *water*) gouttelette *f*

gloom [gluːm] *n* **1.** (*darkness*) obscurité *m* **2.** (*sadness*) tristesse *f*, mélancolie *f* **gloomily** ['gluːmɪlɪ] *adv* tristement, d'un air sombre (*pessimistically*) lugubrement **gloomy** ['gluːmɪ] *adj* ⟨**+er**⟩ triste, mélancolique; *weather*, *light* lugubre; *person* triste (***about*** à propos de); *outlook* sombre; ***he is very ~ about his chances of success*** il est toujours très pessimiste sur ses chances de réussite

glorification [ˌglɔːrɪfɪ'keɪʃən] *n* glorification *f* **glorified** *adj* ***I'm just a ~ secretary*** je ne suis en fait qu'une simple secrétaire **glorify** ['glɔːrɪfaɪ] *v/t* exalter **glorious** ['glɔːrɪəs] *adj* **1.** (*splendid*) superbe **2.** *career* magnifique; *victory* sensationnel(le) **gloriously** ['glɔːrɪəslɪ] *adv* glorieusement; ***~ happy*** merveilleusement heureux **glory** ['glɔːrɪ] **I** *n* **1.** (*honor*) gloire *f*; ***moment of ~*** heure de gloire **2.** (*magnificence*) splendeur *f*; ***they restored the car to its former ~*** la voiture a retrouvé sa splendeur passée **II** *v/i* ***to ~ in one's/sb's success*** être très fier de sa propre réussite / de la réussite de qn

gloss[1] [glɒs] *n* vernis *m*, brillant *m*; ***~ finish*** (PHOT: *on paper*) brillant *m*; (*of paint*) brillant *m* ◆ **gloss over** *v/t sep* **1.** (*conceal*) dissimuler **2.**, atténuer

gloss[2] *n* (*explanation*) glose *f*, commentaire *m* ***to put a ~ on sth*** présenter qc sous un jour favorable

glossary ['glɒsərɪ] *n* glossaire *m*

gloss (paint) *n* peinture *f* brillante, laque *f* **glossy** ['glɒsɪ] *adj* ⟨**+er**⟩ lustré, glacé; ***~ magazine*** magazine sur papier glacé; ***~ paper*** papier glacé; ***glossy print*** PHOT tirage sur papier brillant; ***~ paint*** peinture brillante

glove [glʌv] *n* gant *m*; ***to fit (sb) like a ~*** aller (à qn) comme un gant **glove compartment** *n* AUTO boîte *f* à gants **glove puppet** *n Br* marionnette *f* à gaine

glow [gləʊ] **I** *v/i* rougeoyer, flamboyer; (*hands of clock*) briller; (*lamp*) luire;

she ~ed with health elle était resplendissante de santé; ***to ~ with pride*** resplendir de fierté **II** *n* (*of lamp*, *fire*) lueur *f*; ***her face had a healthy ~*** elle avait une mine resplendissante

glower ['glaʊəʳ] *v/i* ***to ~ at sb*** lancer des regards noirs à qn

glowing ['gləʊɪŋ] *adj account* reluisant; ***to speak of sb / sth in ~ terms*** parler de qn / qc en des termes reluisants

glow-worm ['gləʊˌwɜːm] *n* ver *m* luisant

glucose ['gluːkəʊs] *n* glucose *m*

glue [gluː] **I** *n* colle *f* **II** *v/t* coller; ***to ~ sth down / on*** coller qc / sur; ***to ~ sth to sth*** coller qc sur qc; ***to keep one's eyes ~d to sb / sth*** garder les yeux rivés sur qn / qc; ***he's been ~d to the T.V. all evening*** il n'a pas décollé de devant la télé de toute la soirée; ***we were ~d to our seats*** nous étions rivés à nos sièges

glue-sniffing ['gluːsnɪfɪŋ] *n* inhalation *f* de colle

glum [glʌm] *adj* ⟨**+er**⟩ mélancolique, morose **glumly** ['glʌmlɪ] *adv* d'un air morose

glut [glʌt] *n* surabondance *f*

glute ['gluːt] *n usu pl infml* fessiers *mpl*

gluten ['gluːtən] *n* gluten *m*

glutinous ['gluːtɪnəs] *adj* gluant

glutton ['glʌtn] *n* glouton(ne) *m*(*f*); ***she's a ~ for punishment*** être maso *infml* **gluttonous** ['glʌtənəs] *adj lit*, *fig* glouton(ne) **gluttony** ['glʌtənɪ] *n* gloutonnerie *f*

glycerin(e) ['glɪsəriːn] *n* glycérine *f*

GM *abbr* = **genetically modified**

gm. *abbr* = **gram(s)**, **gramme(s)** g

GMO *n*, *abbr* = **genetically modified organism** OGM *m*

GMT *abbr* = **Greenwich Mean Time** GMT

gnarled [nɑːld] *adj tree*, *fingers* noueux (-euse)

gnash [næʃ] *v/t* ***to ~ one's teeth*** grincer des dents

gnat [næt] *n* moucheron *m*

gnaw [nɔː] **I** *v/t* ronger; *hole* creuser en rongeant **II** *v/i* ronger; ***to ~ at*** *or* ***on sth*** ronger qc; ***to ~ at sb*** *fig* tenailler qn **gnawing** ['nɔːɪŋ] *adj doubt*, *pain* lancinant; *fear* tenaillant

gnome [nəʊm] *n* gnome *m*; (*in garden*) nain *m*

GNP *abbr* = **gross national product** PNB *m*

GNVQ (*Br* SCHOOL) *abbr* = **General National Vocational Qualification** ≈ baccalauréat professionnel

go [gəʊ] *vb* ⟨*past* **went**⟩ ⟨*past part* **gone**⟩ **I** *v/i* **1.** aller; (*vehicle*) rouler; (*plane*) voler; (*travel*) aller, voyager; (*road*) aller; ***the doll goes everywhere with her*** sa poupée l'accompagne partout; ***you go first*** passez d'abord; ***you go next*** passez après; ***there you go*** (*giving sth*) tenez; (*I told you so*) je vous l'avais bien dit; ***here we go again!*** *infml* ça y est, ça recommence! *infml*; ***where do we go from here?*** *lit* où va-t-on à présent?; *fig* et maintenant, qu'est-ce qu'on fait?; ***to go to church*** aller à l'église; ***to go to evening classes*** suivre des cours du soir; ***to go to work*** aller au travail; ***what shall I go in?*** qu'est-ce que je mets pour y aller?; ***the garden goes down to the river*** le jardin mène à la rivière; ***to go to France*** aller en France; ***I have to go to the doctor*** je dois aller chez le médecin; ***to go to war*** partir en guerre (***over*** contre); ***to go to sb for sth*** (*ask sb*) aller demander qc à qn; (*fetch from sb*) aller chercher qc auprès de qn; ***to go on a trip*** partir en voyage; ***to go on a course*** suivre un cours; ***to go on vacation*** (*US*) *or* ***holiday*** *Br* partir en vacances; ***to go for a walk*** aller se promener; ***to go for a newspaper*** aller acheter un journal; ***go shut the door*** allez fermer la porte; ***he's gone and lost his new watch*** *infml* il a fallu qu'il perde sa nouvelle montre; ***now you've gone and done it!*** *infml* il a fallu que tu le fasses; ***to go shopping*** aller faire des courses; ***to go looking for sb / sth*** partir à la recherche de qn / qc **2.** (*depart*) partir; (*vehicle*) démarrer; (*plane*) décoller; ***has he gone yet?*** est-il déjà parti?; ***we must go*** *or* ***be going*** *infml* il faut y aller; ***go!*** SPORTS partez!; ***here goes!*** allons-y! **3.** (*vanish*) disparaître; (*be used up*) s'épuiser; (*time*) passer; ***it is*** *or* ***has gone*** (*disappeared*) il a disparu; ***where has it gone?*** où est-il passé?; ***all his money goes on computer games*** tout son argent passe en jeux électroniques; ***$ 100 a week goes on rent*** 100$ partent toutes les semaines pour le loyer; ***it's just gone three*** il est trois heures passées; ***two days to go till …*** plus que deux jours jusqu'à…; ***two tests down and one to go*** deux examens de passés, il n'en reste plus qu'un **4.** (*be got rid of*) être débarrassé; (*be abolished*) être supprimé; ***that cat will have to go*** il faut se débarrasser de ce chat; ***hundreds of jobs will go*** des centaines de postes seront supprimés **5.** (*be sold*) ***the hats aren't going very well*** les chapeaux ne se vendent pas tellement; ***it went for $50*** il s'est vendu 50 dollars; ***how much did the house go for?*** combien s'est vendue la maison?; ***going, going, gone!*** une fois, deux fois, adjugé!; ***he has gone so far as to accuse me*** il est allé jusqu'à m'accuser **6.** (*prize etc.*) aller, revenir (***to*** à) **7.** (*watch*, *car*, *machine*) fonctionner; ***to make sth go*** faire marcher qc; ***to get going*** se mettre à; ***to get sth going*** mettre qc en marche; ***to keep going*** (*person*) se maintenir, continuer; (*machine*, *car etc.*) tenir le coup; ***keep going!*** continuez!; ***to keep the fire going*** entretenir le feu; ***this prospect kept her going*** cette perspective lui faisait tenir le coup; ***here's $50 to keep you going*** tiens, voilà 50 dollars pour t'aider à tenir le coup **8.** (*event*, *evening*) se passer; ***how does the story go?*** comment est-ce, cette histoire?; ***we'll see how things go*** *infml* on verra comment ça se passe *infml*; ***the way things are going I'll ...*** vu comment vont les choses, je…; ***she has a lot going for her*** elle a beaucoup pour elle; ***how's it going?*** comment ça va? *infml*; ***how did it go?*** comment ça s'est passé; ***how's the decorating going?*** où en sont les travaux de peinture?; ***everything is going well*** tout se passe bien; ***if everything goes well*** si tout se passe bien **9.** (*strength*) diminuer; (*eyesight*) baisser; (*brakes*) lâcher; ***his mind is going*** il perd la tête **10.** (*become*) devenir; ***to go deaf*** devenir sourd; ***to go hungry*** ne pas avoir assez à manger; ***I went cold*** je eu refroidi; ***to go to sleep*** s'endormir **11.** (*fit*) aller; (*belong*) aller; (*match*) aller; ***4 into 12 goes 3*** 12 divisé par 4 égale 3; ***4 into 3 won't go*** on ne peut pas diviser 3 par 4 **12.** (*make a sound*); ***to go bang*** faire "boum", détoner; ***there goes the bell*** voilà la cloche qui sonne **13.** ***anything goes!*** tout est permis!; ***that goes for me too*** (*I agree with that*) je suis aussi de cet avis; ***there are several jobs going*** il y a plusieurs postes disponibles; ***large fries to go*** *US* une grande portion de frites à emporter; ***the money goes to help the poor*** l'argent va aux pauvres; ***the money will go toward a new car*** l'argent servira à acheter une nouvelle voiture; ***he's not bad as bosses go*** il n'est pas mal pour un patron **II** *v/aux* ***I'm/I was going to do it*** je vais/j'allais le faire; ***I had been going to do it*** j'allais le faire; ***it's going to rain*** il va pleuvoir **III** *v/t* **1.** *route* aller; (*vehicle*) aller; ***to go it alone*** se débrouiller seul; ***my mind went a complete blank*** j'ai eu un trou complet **2.** (*say*, *infml*) dire **IV** *n* 〈*pl* **goes**〉 **1.** (*energy*, *infml*) dynamisme *m*; ***to be on the go*** être plein d'énergie *infml*; ***he's got two women on the go*** il est avec deux femmes en même temps; ***it's all go*** ça n'arrête pas *infml* **2.** (*attempt*) coup *m*, essai *m*; ***at the first go*** du premier coup *infml*; ***at the second go*** au second coup; ***at or in one go*** en une fois, d'un seul coup *infml*; (*drink*) coup *m* *infml*; ***to have a go*** *Br* tenter le coup; ***to have a go at doing sth*** essayer de faire qc; ***have a go!*** essayez!, tentez le coup!; ***to have a go at sb*** (*infml criticize*) dire ses quatre vérités à qn *infml* **3.** (*turn*) ***it's your go*** à toi de jouer; ***miss one go*** *Br* passez un tour; ***can I have a go?*** puis-je essayer? **4.** ***to make a go of sth*** réussir qc; ***from the word go*** dès le départ ◆ **go about I** *v/i* **1.** *Br* circuler; ***to ~ with sb*** fréquenter qn **2.** *Br* (*flu etc.*) se répandre **II** *v/t insep* **1.** *task* se mettre à; ***how does one ~ finding a job?*** comment s'y prend-on pour trouver du travail? **2.** *work* s'occuper de; ***to ~ one's business*** vaquer à ses occupations ◆ **go across I** *v/t insep* traverser **II** *v/i* traverser ◆ **go after** *v/t insep* **1.** (*follow*) suivre; (*in vehicle*) poursuivre; ***the police went after the escaped criminal*** la police a poursuivi le criminel en fuite **2.** (*try to obtain*) essayer d'obtenir ◆ **go against** *v/t insep* **1.** (*luck*, *events*) être contraire à; ***the verdict / vote went against her*** le verdict / vote lui a été défavorable **2.** (*be contrary to*) aller à l'encontre de (*oppose*) aller contre, contrarier ◆ **go ahead** *v/i* **1.** (*go in front*) aller devant; (*in race*) passer en tête; (*go earlier*) partir devant; ***to ~ of sb*** partir avant qn **2.** (*proceed*), (*person*, *project*, *event*) avancer, progresser ***~!*** allez-y!; ***to ~ with sth*** mettre qc en route ◆ **go along** *v/i* **1.** (*walk along*) aller, avancer; (*to an event*) ***to ~ to sth*** approcher de qc; ***as one goes along*** au fur et à mesure qu'on avance; ***I made the story up as I went along*** j'ai inventé l'histoire au fur et à mesure **2.** (*accompany*) aller (***with*** avec) **3.** (*agree*) être d'accord (***with*** avec) ◆ **go around** *v/i* **1.** (*spin*) tourner **2.** (*make a detour*) ***to ~ sth*** contourner qc; ***to ~ the long way*** prendre le chemin le plus long en faisant le tour **3.** (*visit*) rendre visite (***to*** à) **4.** (*tour, around museum etc.*) circuler **5.** (*be sufficient*) être suffisant; ***there's enough food to ~*** il y a suffisamment à manger (pour tout le monde) **6.** (*encircle*) entourer **7.** = **go about** *I* ◆ **go away** *v/i* partir; (*for a vacation*) partir en vacances ◆ **go back** *v/i* **1.** (*return*) rentrer; (*revert*) retourner (***to*** en); ***they have to ~ to France/school*** ils doivent rentrer en France/à l'école; ***when do the schools ~?*** quand l'école reprend-elle?; ***to ~ to the beginning*** reprendre au début; ***there's no going back*** impossible de revenir en arrière **2.** (*date back*) dater (***to*** de); ***we ~ a long way*** nous nous connaissons depuis longtemps **3.** (*clock*) retarder ◆ **go back on** *v/t insep* rompre; *decision* revenir sur; ***I never ~ my word*** je ne reviens jamais sur ma parole ◆ **go before I** *v/i* (*happen before*) précéder; ***everything that had gone before*** tout ce qui avait précédé **II** *v/t insep* ***to ~ the court*** aller devant les tribunaux ◆ **go beyond** *v/t insep* aller au-delà (de) ◆ **go by I** *v/i* passer, s'écouler; ***as time went by*** au fur et à mesure que le temps passait; ***in days gone by*** jadis **II** *v/t insep* **1.** (*base decision on*) se fonder sur; *rules* agir selon; ***if that's anything to ~*** si l'on peut s'y fier; ***going by what he said*** à en juger par ce qu'il a dit **2.** ***to ~ the name of Smith*** répondre au nom de Smith ◆ **go down** *v/i* **1.** descendre; (*by vehicle, lift*) descendre; *sun* se coucher; *ship* couler; *plane* s'écraser; ***to ~ on one's knees*** tomber à genoux; (*to apologize*) demander pardon **2.** (*be accepted*) être accepté (***with*** par); ***that won't ~ well with him*** il n'acceptera pas **3.** *floods, swelling* diminuer; *prices* baisser; ***he has gone down in my estimation*** il a baissé dans mon estime; ***to ~ in history*** entrer dans l'histoire; ***to ~ with a cold*** attraper un rhume **4.** (*go as far as*) aller (***to*** jusqu'à); ***I'll ~ to the bottom of the page*** je finis la page **5.** IT tomber en panne **6.** (SPORTS *be relegated*) descendre; (*be defeated*) être battu; ***they went down 2-1 to Rangers*** *Br* ils ont été battus 2 à 1 par les Rangers ◆ **go for** *v/t insep* **1.** (*infml attack*) attaquer, tomber sur *infml* **2.** (*infml like*) aimer, en pincer pour *infml*; (*choose*) choisir ◆ **go in** *v/i* **1.** (*enter*) entrer **2.** (*sun*) se cacher **3.** (*fit in*) entrer ◆ **go in for** *v/t insep* **1.** *competition* s'inscrire à **2.** ***to ~ sports*** aimer le sport ◆ **go into** *v/t insep* **1.** *building, politics* se lancer dans; *army etc.* entrer dans; ***to ~ teaching*** se lancer dans l'enseignement **2.** (*crash into*) rentrer dans **3.** *trance* entrer en; ***to ~ hysterics*** avoir une crise de nerfs **4.** (*look into*) examiner; (*treat*) traiter; ***to ~ detail*** entrer dans les détails; ***a lot of effort has gone into it*** cela a demandé de gros efforts ◆ **go off I** *v/i* **1.** (*leave*) s'en aller, partir; (*by vehicle*) partir (***on*** en); ***he went off to the States*** il est parti aux États-Unis; ***to ~ with sb/sth*** (*illicitly*) partir avec qn/qc **2.** (*light*) s'éteindre; (*electricity*) être coupé **3.** (*gun etc.*) partir; (*alarm clock*) sonner **4.** (*Br, food*) se gâter; (*milk*) tourner **5.** (*take place*) se passer; ***to ~ well/badly*** bien/mal se passer **II** *v/t insep Br* se détacher de; ***I've gone off him*** il ne m'intéresse plus ◆ **go on I** *v/i* **1.** (*fit*) aller **2.** (*light*) s'allumer **3.** (*keep on*) continuer ***to ~ with sth*** continuer qc; ***to ~ trying*** continuer d'essayer; ***~ with your work*** continuez votre travail; ***to ~ speaking*** continuer à parler; ***~, tell me!*** allez-y, dites-moi; ***to have enough to be going on with*** avoir suffisamment de quoi faire; ***he went on to say that ...*** il a ensuite dit que…; ***I can't ~*** je ne peux pas continuer **4.** (*talk incessantly*) s'étendre; ***don't ~*** (***about it***) allez, on a compris; ***to ~ about sb/sth*** parler sans cesse de qn/qc **5.** (*happen*) avoir lieu ***this has been going on for a long time*** cela dure depuis longtemps; ***what's going on here?*** qu'est-ce qui se passe ici? **6.** (*time*) passer, s'écouler; ***as time goes on*** à mesure que le temps passe **7.** THEAT entrer en scène **II** *v/t insep* **1.** *bus, bike etc.* prendre; *tour* participer à; ***to ~ the***

swings faire de la balançoire **2.** (*be guided by*) se fonder sur; ***we've got nothing to ~*** nous n'avons aucun indice **3.** ***to ~ the dole*** *Br* s'inscrire au chômage; ***to ~ a diet*** se mettre au régime; ***to ~ the pill*** prendre la pilule; ***to ~ television*** passer à la télévision **4.** (*approach*) *fifty etc.* approcher ◆ **go on for** *v/t insep fifty* approcher; ***there were going on for twenty people there*** il devait y avoir près d'une vingtaine de personnes ◆ **go out** *v/i* **1.** (*leave*) sortir; ***to ~ of a room*** sortir d'une pièce **2.** (*shopping, to theater etc.* sortir; (*be extinguished*) s'éteindre; (*with girl- / boyfriend*) sortir; ***to ~ for a meal*** aller au restaurant; ***to ~ to work*** partir travailler; ***to ~ on strike*** se mettre en grève **3.** (*tide*) descendre **4.** ***my heart went out to him*** j'étais de tout cœur avec lui; ***the fun had gone out of it*** il n'y avait plus rien d'amusant **5.** (SPORTS *be defeated*) être battu **6.** (*strive*) ***to go all out*** faire tout son possible (***for*** pour) **7.** (RADIO, TV: *tv program*) être diffusé ◆ **go over I** *v/i* **1.** (*cross*) traverser **2.** (*change allegiance, diet etc.*) passer (***to*** à) **3.** (TV, RADIO, *to another studio etc.*) passer l'antenne **II** *v/t insep* examiner; ***to ~ sth in one's mind*** repasser qc dans son esprit ◆ **go past** *v/i* passer devant; (*vehicle*) dépasser; (*time*) passer ◆ **go round** *v/i* = **go about** *I*, **go around** ◆ **go through I** *v/i* passer, être accepté; (*bill*) passer; (*deal*) être conclu; (*divorce*) être prononcé; SPORTS passer (***to*** en) **II** *v/t insep* **1.** *customs etc.* passer; *hole* passer à travers **2.** *formalities* remplir **3.** *list* éplucher; *lesson* revoir **4.** *pocket* fouiller **5.** (*use up*) épuiser; *money* dépenser ◆ **go through with** *v/t insep crime* accomplir, exécuter; ***she couldn't ~ it*** elle n'a pas pu aller jusqu'au bout ◆ **go together** *v/i* (*harmonize*) bien aller ensemble ◆ **go under I** *v/i* (*ship, person*) couler; (*company*) faire faillite **II** *v/t insep* **1.** (*pass under*) passer sous; (*fit under*) aller sous **2.** ***to ~ the name of Jones*** répondre au nom de Jones ◆ **go up** *v/i* **1.** (*price etc.*) augmenter **2.** (*climb*) monter; ***to ~ to bed*** monter se coucher **3.** (*lift travel north*) monter; (THEAT: *curtain*) se lever; (*be built*) être construit **4.** ***to ~ in flames*** prendre feu subitement **5.** (*cheer*) applaudir ◆ **go with** *v/t insep* **1.** *sb* accompagner **2.** (*harmonize with*) aller avec ◆ **go without I** *v/t insep* se passer de; ***to ~ food*** se passer de manger; ***to ~ breakfast*** se passer de petit déjeuner; ***to have to ~ sth*** devoir se passer de qc **II** *v/i* faire sans *infml*

goad [gəʊd] *v/t* aiguillonner; ***to ~ sb into sth*** pousser qn à faire qc

go-ahead ['gəʊəhed] **I** *adj* dynamique **II** *n* ***to give sb / sth the ~*** donner le feu vert à qn / qc

goal [gəʊl] *n* **1.** SPORTS but *m*; ***to score a ~*** marquer un but **2.** (*aim*) but *m*, objectif *m*; ***to set (oneself) a ~*** se fixer un objectif **goal area** *n* surface *f* de but **goal difference** *n* difference *f* de buts **goalie** ['gəʊlɪ] *n infml* goal *m*, gardien(ne) *m(f)* de but **goalkeeper** *n* gardien(ne) *m(f)* de but, goal *m* **goal kick** *n* dégagement *m* (aux six mètres) **goal line** *n* ligne *f* de but **goalmouth** *n* poteaux *mpl* **goalpost** *n* poteau *m* de but; ***to move the ~s*** *fig, infml* modifier les règles du jeu

goat [gəʊt] *n* chèvre *f*; ***to get sb's ~*** *fig infml* taper sur les nerfs de qn *infml* **goatee (beard)** [gəʊ'tiː(ˌbɪəd)] *n* bouc *m*, barbiche *f* **goat's cheese** *n* fromage *m* de chèvre

gob[1] [gɒb] *v/i* (*Br infml*) cracher, mollarder *infml*; ***to ~ at sb*** cracher sur qn

gob[2] *n* (*Br infml mouth*) gueule *f infml*; ***shut your ~!*** ferme ta gueule! *infml*

gobble ['gɒbl] *v/t* engloutir ◆ **gobble down** *v/t sep* engloutir ◆ **gobble up** *v/t sep* engloutir

gobbledegook, gobbledygook ['gɒbldɪˌguːk] *n infml* charabia *m*

go-between ['gəʊbɪˌtwiːn] *n* ⟨*pl* **-s**⟩ intermédiaire *m/f*

goblet ['gɒblɪt] *n* verre *m* à pied

goblin ['gɒblɪn] *n* lutin *m*

gobsmacked ['gɒbsmækt] *adj* (*Br infml*) baba *infml*

go-cart ['gəʊkaːt] *n* (*child's cart*) chariot *m*; SPORTS kart *m*

god [gɒd] *n* dieu; ***God willing*** si Dieu veut; ***God (only) knows*** *infml* Dieu seul le sait; ***for God's sake!*** *infml* pour l'amour de Dieu!; ***why in God's name …?*** mais bon sang, pourquoi …? **god-awful** *adj infml* affreux(-euse) *infml* **godchild** *n* filleul(e) *m(f)* **goddammit** [ˌgɒd'dæmɪt] *int* bon sang *infml* **goddamn, goddam** *adj* (*esp US infml*) sacré, fichu *infml*; ***it's no ~ use!*** ça ne sert fichtrement à rien *infml* **goddamned** *adj* = **goddamn** **goddaughter** *n* filleule *f* **goddess** ['gɒdɪs] *n* déesse *f* **godfather** *n* parrain *m*; ***my ~*** mon parrain **godforsaken** *adj infml* paumé *infml* **godless** *adj* impie **godmother** *n* marraine *f*; ***my ~*** ma marraine **godparent** *n male* parrain *m*, marraine *f* **godsend** *n* don *m* du ciel **godson** *n* filleul *m*

-goer *n suf* personne *f* qui fréquente …; ***movie-goer*** adepte *m/f* des salles de cinéma

goes [gəʊz] *3rd person sg pres* = **go**

go-getter ['gəʊgetəʳ] *n infml* battant(e) *m(f)*

goggle ['gɒgl] *v/i* rouler des yeux ronds; ***to ~ at sb / sth*** regarder qn / qc avec des yeux ronds **goggles** ['gɒglz] *pl* lunettes *fpl* de protection

going ['gəʊɪŋ] **I** *pp* = **go II** *n* **1.** (*departure*) départ *m* **2.** ***it's slow ~*** on n'avance pas; ***that's good ~*** c'est rapide; ***it's heavy ~ talking to him*** la conversation se traîne avec lui; ***while the ~ is good*** tant que tout marche bien **III** *adj* **1.** *rate* actuel(le) **2.** (*after superl: infml*) ***the best thing ~*** ce qui se fait de mieux **3.** ***to sell a business as a ~ concern*** vendre une affaire en fonctionnement **going-over** [ˌgəʊɪŋ'əʊvəʳ] *n* vérification *f*; ***to give sth a good ~*** *contract* vérifier soigneusement qc **goings-on** [ˌgəʊɪŋ'zɒn] *pl infml* événements *mpl*

go-kart ['gəʊˌkɑːt] *n* kart *m*

gold [gəʊld] **I** *n* **1.** or *m* **2.** (*infml gold medal*) médaille *f* d'or **II** *adj* en or; ***~ jewelry*** (*US*) *or* ***jewellery*** *Br* bijoux en or; ***~ coin*** pièce d'or **gold disc** *n* disque *m* d'or **gold dust** *n* ***to be (like) ~*** *fig* être rare **golden** ['gəʊldən] *adj* doré; *hair* blond doré; ***fry until ~*** faites dorer à la poêle; ***a ~ opportunity*** une occasion en or **golden age** *n fig* âge *m* d'or **golden eagle** *n* aigle *m* royal **golden goal** *n* FTBL but *m* en or **golden jubilee** *n Br* jubilé *m*, noces *fpl* d'or **golden rule** *n* règle *f* d'or; ***my ~ is never to …*** j'ai pour règle absolue de ne jamais… **golden syrup** *n Br* mélasse *f* raffinée **golden wedding (anniversary)** *n Br* noces *fpl* d'or **goldfish** *n* poisson *m* rouge **goldfish bowl** *n* bocal *m* (à poissons rouges) **gold leaf** *n* feuille *f* d'or **gold medal** *n* médaille *f* d'or **gold mine** *n* mine *f* d'or **gold-plate** *v/t* plaquer or **gold rush** *n* ruée *f* vers l'or **goldsmith** *n* orfèvre *m*

golf [gɒlf] *n* golf *m* **golf bag** *n* sac *m* de golf **golf ball** *n* balle *f* de golf **golf club** *n* **1.** (*instrument*) club *m* de golf **2.** (*association*) club *m* de golf **golf course** *n* terrain *m* de golf **golfer** ['gɒlfəʳ] *n* golfeur(-euse) *m(f)*, joueur(-euse) *m(f)* de golf

gondola ['gɒndələ] *n* gondole *f*

gone [gɒn] **I** *past part* = **go II** *adj pred* (*Br infml pregnant*) ***she was 6 months ~*** elle était enceinte de six mois **III** *prep Br* ***it's just ~ three*** il est trois heures passées

gong [gɒŋ] *n* **1.** gong *m* **2.** (*Br infml medal*) médaille *f*

gonna ['gɒnə] (*incorrect*) = **going to**

gonorrhea, *Br* **gonorrhoea** [ˌgɒnə'rɪə] *n* blénnorragie *f*

goo [guː] *n infml* sentimentalisme *m*

good [gʊd] **I** *adj* ⟨*comp* **better**⟩ ⟨*sup* **best**⟩ **1.** bon(ne); ***that's a ~ one!*** (*joke*) elle est bien bonne!; (*usu iron: excuse*) à d'autres! *infml*; ***you've done a ~ day's work*** vous avez accompli une bonne journée de travail; ***a ~ meal*** un bon repas; ***to be ~ with people*** savoir se comporter avec les autres; ***it's too ~ to be true*** c'est trop beau pour être vrai; ***to be ~ for sb*** être bon pour qn; ***it's a ~ thing*** *or* ***job I was there*** *Br* heureusement que j'étais là; ***~ nature*** bon caractère; ***to be ~ to sb*** être gentil avec qn; ***that's very ~ of you*** c'est très gentil de votre part; ***(it was) ~ of you to come*** c'est très aimable à vous d'être venu; ***would you be ~ enough to tell me …*** auriez-vous la gentillesse de me dire… *also iron*; ***~ old Charles!*** brave Charles!; ***the car is ~ for another few years*** la voiture est encore bonne pour quelques années; ***she's ~ for nothing*** elle n'est bonne à rien; ***that's always ~ for a laugh*** ça fait toujours rire; ***to have a ~ cry*** pleurer un bon coup *infml*; ***to have a ~ laugh*** bien rigoler *infml*; ***to take a ~ look at sth*** bien examiner qc; ***it's a ~ 8 miles*** il y a bien 8 miles; ***a ~ many people*** beaucoup de gens; ***~ morning*** bonjour; ***to be ~ at sth*** être bon en qc; ***to be ~ at sport / languages*** être bon en sport / langues; ***to be ~ at sewing*** être bon en couture; ***I'm not very ~ at it*** je ne suis pas très doué pour ça; ***that's ~ enough*** c'est très bien comme ça; ***if he gives his word, that's ~***

enough for me s'il donne sa parole, cela me suffit; ***it's just not ~ enough!*** ça ne va pas du tout!; ***to feel ~*** se sentir bien; ***I don't feel too ~ about it*** ça m'inquiète un peu; ***to make ~*** *mistake* réparer; *threat* mettre à exécution; ***to make ~ one's losses*** compenser ses pertes; ***as ~ as new*** comme neuf; ***he as ~ as called me a liar*** il m'a pratiquement traité de menteur **2.** *vacation*, *evening* bon(ne), agréable; ***did you have a ~ day?*** avez-vous eu de la chance aujourd'hui?; ***to have a ~ time*** bien s'amuser; ***have a ~ time!*** amusez-vous bien! **3.** (*well-behaved*) sage, gentil(le); **(*as*) *~ as gold*** sage comme une image; ***be a ~ girl/boy and …*** sois gentil/gentille, …; ***~ girl/boy!*** (*well done*) bravo!, c'est bien!; ***that's a ~ dog!*** bon chien! **4.** *eye*, *leg* bon(ne), valide **5.** (*in exclamations*) **(*it's*) *~ to see you*** ça fait plaisir de vous voir; ***~ grief*** *or* ***gracious!*** bonté divine!; ***~ for you*** *Br etc.!* bravo! **6.** (*emphatic use*) bon(ne); ***a ~ strong stick*** une bon bâton bien solide; ***~ and hard*** *infml* sérieusement *infml*; ***~ and proper*** *infml* dans les règles **II** *adv* bien; ***how are you? — I'm ~!*** comment ça va? — bien! **III** *n* **1.** bien *m*; ***~ and evil*** le bien et le mal; ***to do ~*** faire le *or* du bien; ***to be up to no ~*** *infml* mijoter un mauvais coup *infml* **2.** (*benefit*) bien *m*, bienfait *m*; ***for the ~ of the nation*** pour le bien du pays; ***I did it for your own ~*** je l'ai fait pour ton bien; ***for the ~ of one's health*** *etc.* pour sa propre santé; ***he'll come to no ~*** il finira mal; ***what's the ~ of hurrying?*** à quoi bon se dépêcher?; ***if that is any ~ to you*** si cela peut vous être utile; ***to do*** **(*some*)** ***~*** faire du bien; ***to do sb ~*** (*rest*, *medicine etc.*) faire du bien à qn; ***what ~ will that do you?*** qu'est-ce que cela vous apportera?; ***that's no ~*** ça ne sert à rien; ***he's no ~ to us*** il ne nous est d'aucune utilité; ***it's no ~ doing it like that*** ça ne marche pas comme ça; ***he's no ~ at it*** il n'est pas doué pour ça **3.** ***for ~*** pour de bon

goodbye [gʊd'baɪ] **I** *n* au revoir *m*; ***to say ~*** dire au revoir; ***to wish sb ~, to say ~ to sb*** dire au revoir à qn; ***to say ~ to sth*** dire au revoir à qc **II** *int* au revoir! **III** *adj attr* d'adieu **good-for-nothing** *n* bon(ne) *m(f)* à rien **Good Friday** *n* vendredi *m* saint

good-humored, *Br* **good-humoured** *adj person* (*by nature*) agréable; (*on a certain occasion*) de bonne humeur; *event* sympathique

good-looking *adj* beau(belle) **good-natured** *adj person* agréable; *demonstration*, *fun* bon enfant **goodness** ['gʊdnɪs] *n* bonté *f*; ***out of the ~ of his/her heart*** par pure bonté; ***~ knows*** Dieu sait; ***for ~' sake*** par pitié; **(*my*) *~!*** mon Dieu! **goodnight** [gʊd'naɪt] *adj attr* ***to give a child a ~ kiss*** embrasser un enfant avant qu'il aille se coucher **goods** [gʊdz] *pl* marchandises *fpl*; ***leather ~*** maroquinerie; ***stolen ~*** marchandises volées; ***~ train*** train de marchandises; ***if we don't come up with the ~ on time*** *infml* si nous ne tenons pas parole **good-sized** *adj* de bonne taille **good-tempered** *adj person*, *animal* qui a bon caractère, facile; *behavior* amical **goodwill** *n* bonne volonté *f*; (*between nations*) bienveillance *f*; ***a gesture of ~*** un geste de bonne volonté **goody** ['gʊdɪ] *infml n* (*delicacy*) mets *m* fin; (*sweet*) douceur *f* **goody-goody** *infml n* âme *f* vertueuse *iron*

gooey ['guːɪ] *adj* ⟨**+er**⟩ (*infml sticky*) poisseux(-euse)

goof [guːf] *infml v/i* **1.** (*blunder*) gaffe *f infml* **2.** (*US loiter*: *a.* **goof around**) faire l'idiot; ***to ~ off*** tirer au flanc *infml* **goofy** ['guːfɪ] *adj* ⟨**+er**⟩ *infml* maboul *infml*

goose [guːs] *n* ⟨*pl* **geese**⟩ oie *f* **gooseberry** ['gʊzbərɪ] *n* groseille *f* à maquereau **goose bumps** *pl*, **goose flesh** *n* chair *f* de poule **goose pimples** *pl Br* chair *f* de poule **goose-step** *v/i* pas *m* de l'oie

gopher ['gəʊfə^r] *n* spermophile *m*

gore[1] [gɔːʳ] *n liter* sang *m*

gore[2] *v/t* encorner

gorge [gɔːdʒ] **I** *n* GEOG gorge *f* **II** *v/r* ***to ~ (oneself) on sth*** se gaver de qc

gorgeous ['gɔːdʒəs] *adj* **1.** (*lovely*) magnifique **2.** (*infml beautiful*) canon *infml*; *present* somptueux(-euse)

gorilla [gə'rɪlə] *n* gorille *m*

gormless ['gɔːmlɪs] *adj* (*Br infml*) abruti

gory ['gɔːrɪ] *adj murder*, *detail* sanglant

gosh [gɒʃ] *int* mince (alors) *infml*

gospel ['gɒspəl] *n* BIBLE l'Évangile *m*; ***the Gospels*** les Évangiles **gospel truth** *n infml* la vérité vraie

gossip ['gɒsɪp] **I** *n* **1.** commérage *m*; (*chat*) papotage *m*; ***to have a ~ with sb*** papoter avec qn *infml* **2.** (*person*) commère *f* **II** *v/i* papoter; (*maliciously*) cancaner *infml* **gossip column** *n* échos *mpl*

got [gɒt] *past* = **get**

Gothic ['gɒθɪk] *adj* gothique

gotta ['gɒtə] *contr* = **got to**; ***I ~ go*** je dois y aller

gotten ['gɒtn] *esp US past part* = **get**

gouge [gaʊdʒ] *v/t* creuser; ***the river ~d a channel in the mountainside*** la rivière a creusé son lit dans la montagne ◆ **gouge out** *v/t sep* évider; ***to gouge sb's eyes out*** arracher les yeux à qn

goulash ['guːlæʃ] *n* goulache *f or m*

gourd [gʊəd] *n* gourde *f*, calebasse *f*; (*dried*) calebasse *f*

gourmet ['gʊəmeɪ] *n* gourmet *m*

gout [gaʊt] *n* MED goutte *f*

Gov. *abbr* = **governor**

govern ['gʌvən] **I** *v/t* **1.** *country* gouverner; *province* administrer; *school etc.* diriger **2.** (*laws etc.*) régir; *decision* déterminer; *actions* décider **II** *v/i* POL gouverner **governess** ['gʌvənɪs] *n* gouvernante *f* **governing body** *n* instances *fpl* dirigeantes

government ['gʌvənmənt] **I** *n* **1.** gouvernement *m* **2.** (*system*) gouvernement *m* **II** *attr* du gouvernement; gouvernemental **~ *official*** représentant du gouvernement; **~ *backing*** soutien gouvernemental; **~ *intervention*** intervention gouvernementale **governmental** [ˌgʌvən'mentl] *adj* gouvernemental **government department** *n* ministère *m* **government-funded** *adj* subventionné par l'État **government spending** *n* dépenses *fpl* publiques **governor** ['gʌvənəʳ] *n* **1.** (*of state etc.*) gouverneur *m* **2.** (*esp Br*, *of prison*) directeur(-trice) *m*(*f*); (*of school*) membre *m* du conseil d'établissement; ***the*** (***board of***) **~*s*** conseil *m* d'administration; (*of school*) ≈ conseil *m* d'établissement **governor general** *n* gouverneur *m* général

govt. *abbr* = **government**

gown [gaʊn] *n* robe *f*; (*evening gown*) robe *f* de soirée; (*in hospital*) chemise *f* d'hôpital; (*of judge*) toge *f*; ***wedding ~*** robe *f* de mariée

G.P. *Br abbr* = **general practitioner**; ***to go to one's G.P.*** aller chez le médecin

GPS *n abbr* = **global positioning system** GPS *m*

grab [græb] **I** *n* ***to make a ~ at*** *or* ***for sth*** essayer d'attraper qc d'un geste vif; ***to be up for ~s*** *infml* être dispo *infml* **II** *v/t* **1.** saisir; (*take*) mettre la main sur *infml*; (*infml catch*) *person* mettre la main au collet de *infml*; *chance* saisir; ***he ~bed*** (***hold of***) ***my sleeve*** il m'a attrapé par la manche; ***I'll just ~ a sandwich*** *infml* je vais prendre un sandwich vite fait *infml* **2.** *infml* ***how does that ~ you?*** ça te dit? **III** *v/i* ***to ~ at*** essayer d'attraper; ***he ~bed at the chance of promotion*** il s'est jeté sur cette possibilité de promotion

grace [greɪs] **I** *n* **1.** *no pl* grâce *f*; ***to do sth with*** (***a***) ***good / bad ~*** faire qc de bonne / mauvaise grâce **2.** (*respite*) grâce *f*; répit *m* ***to give sb a few days' ~*** donner un répit de quelques jours à qn **3.** (*prayer*) ***to say ~*** dire le bénédicité **4.** (*mercy*) grâce *f*; pitié *f* ***by the ~ of God*** par la grâce de Dieu; ***to fall from ~*** tomber en disgrâce **II** *v/t* (*honor*) honorer (***with*** de) **graceful** *adj* gracieux (-euse); *bow*, *manner* élégant **gracefully** *adv* **1.** avec grâce, gracieusement **2.** *accept*, *withdraw* gracieusement; ***to grow old ~*** en beauté **gracious** ['greɪʃəs] **I** *adj* (*form courteous*) gracieux (-euse), courtois **II** *int obs* ***good*** *or* ***goodness ~*** (***me***)***!*** bonté divine! *obs*

gradation [grə'deɪʃən] *n* gradation *f*

grade [greɪd] **I** *n* **1.** (SCHOOL *score*) note *f*; (*esp US class*) classe *f*; ***to get good / poor ~s*** avoir de bonnes / mauvaises notes **2.** (*level*) niveau *m*; (*of goods*) qualité *f*; ***to make the ~*** *fig*, *infml* être à la hauteur *infml* **3.** (*job grade*) catégorie *f*; (*salary grade*) échelon *m* **II** *v/t* **1.** *goods*, *students* classer **2.** (*US* SCHOOL *mark*) noter **grade crossing** *n US* passage *m* à niveau **-grader** [-greɪdəʳ] *n suf* (*US* SCHOOL) élève; ***sixth-grader*** élève de 6e année (*classe de sixième*) **grade school** *n US* école *f* primaire

gradient ['greɪdɪənt] *n esp Br* déclivité *f*; ***a ~ of 1 in 10*** une pente de 10%

gradual ['grædjʊəl] *adj* graduel(le); *progress* progressif(-ive); *slope* doux (-douce) **gradually** ['grædjʊəlɪ] *adv* graduellement; *slope* progressivement

graduate ['grædjʊɪt] **I** *n* (*US* SCHOOL) diplômé(e) *m*(*f*); ***high-school ~*** *US* ≈ bachelier(-ière) *m*(*f*) (*Br* UNIV) étudiant(e) diplômé(e) *m*(*f*); (*person with* *degree*) diplômé(e) *m*(*f*) **II** *v/i* UNIV obtenir son diplôme; (*US* SCHOOL) obtenir son diplôme de fin d'études secondaires (***from*** à); ***to ~ in English*** obtenir son diplôme d'anglais; ***she ~d to television from radio*** elle est passée de la radio à la télé **graduate** ['grædʊɪt-] *in cpds Br* pour diplômé(s) **graduate school** ['grædʊɪt] *n US établissement de troisième cycle* **graduate student** ['grædʊɪt] *n US* étudiant(e) *m*(*f*) (*de deuxième ou troisième cycle*) **graduation** [ˌgrædjʊ'eɪʃən] *n* (UNIV, *US* SCHOOL) remise *f* des diplômes

graffiti [grə'fiːtɪ] *pl* graffiti *m*, graff *m* **graffiti artist** *n* graffeur(-euse) *m*(*f*)

graft [grɑːft] **I** *n* **1.** MED greffe *f* **2.** (*esp US infml corruption*) corruption *f* **3.** (*Br infml hard work*) dur labeur *m hum*, boulot *m infml* **II** *v/t* MED greffer (***on*** sur)

grail [greɪl] *n* Graal *m*

grain [greɪn] *n* **1.** *no pl* céréales *fpl* **2.** (*of corn etc.*) grain *m*; (*fig*: *of truth*) miette *f* **3.** (*of wood*) grain *m*; ***it goes against my*** (*US*) ***or the*** (*Br*) ***~*** *fig* cela va à l'encontre de mes idées **grainy** ['greɪnɪ] *adj* ⟨**+er**⟩ *photograph* qui a du grain

gram, gramme [græm] *n* gramme *m*

grammar ['græməʳ] *n* grammaire *f*; ***that is bad ~*** ce n'est pas correct grammaticalement **grammar school** *n Br* ≈ lycée *m*; *US* école *f* primaire **grammatical** [grə'mætɪkəl] *adj* **1.** grammatical; ***~ error*** erreur grammaticale **2.** (*correct*) correct; ***his English is not ~*** son anglais n'est pas correct **grammatically** [grə'mætɪkəlɪ] *adv* ***~ correct*** grammaticalement correct

gramme *n* = **gram**

gramophone ['græməfəʊn] *n* (*Br obs*) gramophone *m*; ***~ record*** (disque) 78 tours *m*

gran [græn] *n* (*Br infml*) mamie *f infml*

granary ['grænərɪ] *n Br* grenier *m*

grand [grænd] **I** *adj* ⟨**+er**⟩ (*imposing*) impressionnant; *building*, *manner* imposant; *gesture* magnifique; *ideas* grandiose; ***on a ~ scale*** en grand; ***~ occasion*** grande occasion; ***the ~ opening*** la grande première **II** *n* (FIN *infml*) *US* mille dollars; *Br* mille livres sterling; ***ten ~*** *US* dix mille dollars; *Br* dix mille livres sterling

grandchild *n* petit-enfant *m*

grand(d)ad *n* (*Br infml*) papy *m infml*

granddaughter *n* petite-fille *f*

grandfather ['grændfɑːðəʳ] *n* grand-père *m* **grandfather clock** *n* horloge *f* de parquet **grand finale** *n* apothéose *f*

grandiose ['grændɪəʊz] *adj pej style*, *idea* grandiose **grand jury** *n* (*US* JUR) jury *m* d'accusation **grandly** ['grændlɪ] *adv* **1.** (*impressively*) de façon impressionnante; *named* de façon grandiose; ***it is ~ described as / called / titled …*** de façon grandiose, il est décrit / appelé / intitulé … **2.** (*pompously*); *say* pompeusement

grandma *n infml* mamie *f infml*

grandmother *n* grand-mère *f*

grandpa *n infml* papy *m infml*

grandparent *n* grand-parent *m*

grandparents *pl* grand-parents *mpl* **grand piano** *n* piano *m* à queue **grand slam** *n* ***to win the ~*** SPORTS remporter le grand chelem

grandson *n* petit-fils *m* **grandstand** *n* tribune *f* **grand total** *n* somme *f* totale; ***a ~ of $50*** une somme totale de 50 dollars

granite ['grænɪt] *n* granit *m*

granny, grannie ['grænɪ] *n infml* mamie *f infml*

grant [grɑːnt] **I** *v/t* **1.** *permission*, *wish* accorder (***sb*** à qn); *visa* délivrer (***sb*** à qn); *request* accéder à *form*; ***to ~ an amnesty to sb*** amnistier qn **2.** (*admit*) admettre; ***to take sb for ~ed*** considérer que qn est à son service; ***to take sth for ~ed*** considérer qc comme allant de soi; ***to take it for ~ed that …*** tenir pour certain que… **II** *n* (*of money*) allocation *f*; (*for studying etc.*) bourse *f* **grant-maintained** *adj Br* subventionné par l'État

granulated sugar ['grænjʊleɪtɪd'ʃʊgəʳ] *n* sucre *m* cristallisé **granule** ['grænjuːl] *n* granule *m*

grape [greɪp] *n* grain *m* de raisin; ***a bunch of ~s*** une grappe de raisin **grapefruit** *n* pamplemousse *m* **grapevine** *n* vigne *f*; ***I heard it on*** *or* ***through the ~*** je l'ai appris par le téléphone arabe

graph [grɑːf] *n* graphique *m* **graphic** ['græfɪk] *adj* **1.** *account* pittoresque, vivant; (*unpleasant*) cru; ***to describe sth in ~ detail*** décrire qc dans les moindres détails **2.** ART graphique **graphically** ['græfɪkəlɪ] *adv* de façon pittoresque; (*unpleasantly*) crûment **graphical us-**

er interface *n* IT interface *f* utilisateur graphique **graphic artist** *n* graphiste *m/f* **graphic arts** *pl*, **graphic design** *n* arts *mpl* graphiques **graphic designer** *n* graphiste *m/f*, maquettiste *m/f* **graphic equalizer** *n* égaliseur *m* graphique **graphics** ['græfɪks] **I** *pl* **1.** (*drawings*) représentations *fpl* graphiques **2.** IT infographie *f* **II** *adj attr* IT graphique **graphics card** *n* IT carte *f* graphique

graphite ['græfaɪt] *n* graphite *m*

graph paper *n* papier *m* millimétré

grapple ['græpl] *v/i lit* en venir aux mains; ***to ~ with a problem*** s'attaquer à un problème

grasp [grɑːsp] **I** *n* **1.** (*hold*) prise *f*; ***the knife slipped from her ~*** le couteau lui a glissé des mains; ***when fame was within their ~*** lorsque la célébrité était à leur portée **2.** (*fig understanding*) compréhension *f*; ***to have a good ~ of sth*** bien maîtriser qc **II** *v/t* **1.** (*catch hold of*) saisir; (*hold tightly*) tenir fermement; ***he ~ed the bundle in his arms*** il prit le paquet dans ses bras **2.** (*fig understand*) comprendre **III** *v/i* ***to ~ at sth*** *lit* s'accrocher à qc; *fig* se raccrocher à qc **grasping** *adj fig* cupide, âpre au gain

grass [grɑːs] **I** *n* **1.** herbe *f*; ***blade of ~*** brin d'herbe **2.** *no pl* (*lawn*) pelouse *f*; (*pasture*) pré *m* **3.** (*infml marijuana*) herbe *f infml* **II** *v/i* (*Br infml*) balancer *infml* (**to** à); ***to ~ on sb*** balancer qn *infml* **grasshopper** *n* sauterelle *f* **grassland** *n* pâturage *m* **grass roots** *pl* base *f* **grass-roots** *adj attr* de base; ***at ~ level*** au niveau de la base; ***a ~ movement*** un mouvement parti de la base **grass snake** *n* couleuvre *f* **grassy** ['grɑːsɪ] *adj* herbeux(-euse); ***~ slope*** une pente herbeuse

grate[1] [greɪt] *n* (*grid*) râpe *f*; (*in fire*) grille *f*

grate[2] **I** *v/t* COOK râper **II** *v/i fig* agacer (***on sb*** qn); ***to ~ on sb's nerves*** porter sur les nerfs de qn

grateful ['greɪtfʊl] *adj* reconnaissant; ***I'm ~ to you for buying the tickets*** je vous suis reconnaissant d'avoir acheté les billets **gratefully** ['greɪtfəlɪ] *adv* avec reconnaissance; ***donations will be ~ received*** les dons seront accueillis avec reconnaissance

grater ['greɪtəʳ] *n* râpe *f*

gratification [ˌgrætɪfɪ'keɪʃən] *n* gratification *f* **gratify** ['grætɪfaɪ] *v/t* **1.** (*give pleasure*) ravir; ***I was gratified to hear that ...*** j'ai été ravi d'apprendre que ... **2.** (*satisfy*) gratifier **gratifying** ['grætɪfaɪɪŋ] *adj* gratifiant; ***it is ~ to learn that ...*** cela fait plaisir d'entendre que ...

grating[1] ['greɪtɪŋ] *n* grille *f*

grating[2] *adj* grinçant; *sound* grinçant, discordant; *voice* discordant

gratitude ['grætɪtjuːd] *n* gratitude *f* (**to** envers)

gratuitous [grə'tjuːɪtəs] *adj* gratuit **gratuity** [grə'tjuːɪtɪ] *n* indemnité *f*; (*form tip*) pourboire *m*

> **gratuity ≠ quelque chose de gratuit**
>
> **Gratuity** = pourboire. Noter qu'il existe un mot plus fréquent qui est **tip**.
>
> **Do we need to leave a gratuity, or is it included in the bill?**
>
> Est-ce que nous devons laisser un pourboire, ou est-ce qu'il est inclus dans l'addition?

grave[1] [greɪv] *n* tombe *f*; ***to turn in one's ~*** se retourner dans sa tombe; ***to dig one's own ~*** *fig* creuser sa propre tombe

grave[2] *adj danger*, *difficulty* grave; *situation*, *person* grave; *mistake*, *illness* grave; *doubt* sérieux(-euse)

grave[3] *adj* LING grave; ***e grave*** e accent grave; ***~ accent*** accent grave

grave digger *n* fossoyeur(-euse) *m*(*f*)

gravel ['grævəl] **I** *n* gravier *m*; (*fine*) gravillon *m* **II** *adj attr* gravillonné

gravely ['greɪvlɪ] *adv* **1.** *ill*, *wounded* gravement; ***~ concerned*** très inquiet **2.** *say* gravement

gravestone *n* pierre *f* tombale **graveyard** *n* cimetière *m*

gravitate ['grævɪteɪt] *v/i lit* graviter (**to**(**wards**) vers); *fig* graviter (**to**(**wards**) autour de) **gravitational** [ˌgrævɪ'teɪʃənl] *adj* gravitationnel(le) **gravity** ['grævɪtɪ] *n* **1.** PHYS pesanteur *f*; ***center*** (*US*) *or* ***centre*** (*Br*) ***of ~*** centre de gravité **2.** (*of person*, *situation*), *mistake* gravité *f*; ***the ~ of the news*** la gravité de l'information

gravy ['greɪvɪ] *n* (COOK *juice*) jus *m* de viande; (*sauce*) sauce *f* **gravy boat** *n* saucière *f*

gray, *Br* **grey** [greɪ] **I** *adj* **1.** gris; *sky* gris; ***to go*** *or* ***turn ~*** (*person*) prendre des cheveux blancs; (*hair*) blanchir **2.** *vote* des personnes âgées **II** *n* (*color*) gris *m* **gray area** *n fig* zone *f* floue **gray-haired** *adj* grisonnant **grayish**, *Br* **greyish** ['greɪɪʃ] *adj* grisâtre **gray matter** *n* (MED *infml*) matière *f* grise **gray squirrel** *n* écureuil *m* gris

graze¹ [greɪz] **I** *v/i* (*cattle etc.*) paître **II** *v/t cattle* faire paître

graze² **I** *v/t* (*touch lightly*) égratigner; (*deeper*) écorcher; ***to ~ one's knees*** s'égratigner les genoux; ***to ~ oneself*** s'égratigner **II** *n* égratignure *f*; (*deeper*) écorchure *f*

GRE (*US* UNIV) *abbr* = **Graduate Record Examination** *examen d'évaluation des connaissances exigé pour faire un troisième cycle*

grease [griːs] **I** *n* graisse *f*; (*lubricant*) huile *f* **II** *v/t* graisser; AUTO, TECH huiler **greasepaint** *n* THEAT fard *m* gras **greaseproof** *adj* ***~ paper*** papier sulfurisé **greasy** ['griːsɪ] *adj food, hair, skin* gras(se); *surface* graisseux(-euse)

great [greɪt] **I** *adj* **1.** grand; ***there is a ~ need for economic development*** il y a un grand besoin de développement économique; ***of no ~ importance*** sans grande importance; ***in ~ detail*** minutieusement; ***to take a ~ interest in sth*** s'intéresser de près à qc; ***he did not live to a ~ age*** il n'a pas vécu vieux; ***with ~ difficulty*** avec de grandes difficultés; ***to a ~ extent*** dans une large mesure; ***it was ~ fun*** c'était très amusant; ***a ~ many, a ~ number of*** un grand nombre de; ***his ~est work*** sa plus grande œuvre; ***he was a ~ friend of my father*** c'était un grand ami de mon père; ***to be a ~ believer in sth*** croire aux vertus de qc; ***to be a ~ believer in doing sth*** être tout a fait partisan de faire qc **2.** (*infml terrific*) super *infml*; ***this whisk is ~ for sauces*** ce fouet est super pour faire les sauces; ***to be ~ at football*** être super bon en football; ***to feel ~*** se sentir très bien; ***my wife isn't feeling so ~*** ma femme ne se sent pas très bien **3.** (*excellent*) génial; ***one of the ~ football players of our generation*** l'un des joueurs de foot les plus géniaux de notre génération **II** *int infml* super *infml*; ***oh ~*** *iron* ah oui, super **III** *adv* **1.** (*infml well*) ***she's doing ~*** (*in job*) elle s'en sort très bien; (*healthwise*) elle va très bien; ***everything's going ~*** tout va bien **2.** ***~ big*** *emph, infml* gros **IV** *n usu pl* (*person*) grand(e) *m*(*f*) **great ape** *n* grand singe *m* **great-aunt** *n* grand-tante *f*

Great Britain *n* Grande-Bretagne *f* **Great Dane** *n* danois *m*, dogue *m* allemand **greater** ['greɪtəʳ] *adj comp* = **great** plus grand; MATH supérieur; ***of ~ importance is ...*** plus important, ...; ***~ than sign*** signe supérieur à **Greater London** *n* l'agglomération londonienne **greatest** ['greɪtɪst] **I** *adj sup* = **great** le plus grand; ***with the ~*** (***of***) ***pleasure*** avec le plus grand plaisir **II** *n* le(la) plus grand(e) *m*(*f*) ***he's the ~*** *infml* il est le plus grand

great-grandchild *n* (*boy*) arrière-petit-fils *m*; (*girl*) arrière-petite-fille *f*; ***her ~ren*** ses arrière-petits-enfants **great-granddaughter** *n* arrière-petite-fille *f* **great-grandfather** *n* arrière-grand-père *m* **great-grandmother** *n* arrière-grand-mère *f*

great-grandparents *pl* arrière-grands-parents *mpl* **great-grandson** *n* arrière-petit-fils *m* **Great Lakes** *pl* ***the ~*** les Grands Lacs **greatly** ['greɪtlɪ] *adv increase, exaggerated, surprise* beaucoup, considérablement; *admire* énormément; ***he was not ~ surprised*** il n'a pas été très surpris **great-nephew** ['greɪtˌnefjuː] *n* petit-neveu *m* **great-niece** *n* petite-nièce *f* **great-uncle** *n* grand-oncle *m*

Greece [griːs] *n* Grèce *f*

greed [griːd] *n* avidité *f* (***for*** de); (*gluttony*) gourmandise *f*; ***~ for money*** la cupidité; ***~ for money/ power*** la soif de pouvoir **greedily** ['griːdɪlɪ] *adv* avidement **greediness** ['griːdɪnɪs] *n* avidité *f*; (*gluttony*) gourmandise *f* **greedy** ['griːdɪ] *adj* avide (***for*** de); (*gluttonous*) gourmand; ***~ for power*** avide de pouvoir; ***don't be so ~!*** ne sois pas si gourmand!

Greek [griːk] **I** *adj* grec(que); ***she is ~*** elle est grecque **II** *n* **1.** LING grec *m*; ***Ancient ~*** grec ancien; ***it's all ~ to me*** *infml* c'est du chinois pour moi *infml* **2.** (*person*) Grec(que) *m*(*f*)

green [griːn] **I** *adj car* vert; *consumer* soucieux(-euse) de l'environnement;

product, *technology* écologique; ***to be ~ with envy*** être vert de jalousie **II** *n* **1.** (*color*) vert *m* **2.** (*putting green*) green *m* **3.** (*area of grass*) espace *m* vert; *Br* (***village***) **~** terrain communal **4. greens** *pl* (*vegetables*) légumes *mpl* **5.** POL ***the Greens*** les Verts **III** *adv* POL écologiste, vert **greenback** *n* (*US infml*) billet *m* vert, dollar *m* **green bean** *n* haricot *m* vert **green belt** *n esp Br* ceinture *f* verte **green card** *n* **1.** (*US residence permit*) ≈ carte *f* de séjour **2.** (*Br* INSUR) carte *f* verte **greenery** ['griːnərɪ] *n* verdure *f*; (*foliage*) feuillage *m* **greenfield** *adj Br* **~ *site*** terrain vierge **green fingers** *pl Br* = **green thumb greenfly** *n* puceron *m* **greengrocer** *n esp Br* marchand(e) *m(f)* de primeurs; ***at the ~'s*** (***shop***) au magasin de primeurs **greenhorn** *n* (*infml*, *inexperienced*) blanc-bec *m*; (*gullible*) gogo *m infml* **greenhouse** *n* serre *f* **greenhouse effect** *n* effet *m* de serre **greenhouse gas** *n* gaz *m* à effet de serre **greenish** ['griːnɪʃ] *adj* verdâtre; (*dress*) tirant sur le vert **green light** *n* feu *m* vert; ***to give sb / sth the ~*** donner le feu vert à qn / qc **green man** *n Br* (*at street crossing*) feu *m* vert pour les piétons; (*as said to children*) bonhomme *m* vert **green onion** *n US* ciboule *f* **Green Party** *n* **the ~** les Verts, le parti écologiste **green pepper** *n* poivron *m* vert **greenroom** *n* THEAT foyer *m* des artistes **green thumb** *n US* ***to have a ~*** avoir la main verte

green card

La **green card** est un visa d'immigration qui autorise son titulaire à vivre et travailler de façon permanente aux États-Unis. Elle n'a pas de date de péremption du moment que la personne réside en permanence dans le pays. La **green card** autorise son titulaire à travailler aux États-Unis, à y acheter un logement, tenir un commerce, détenir des investissements, se déplacer, obtenir un crédit, un permis de conduire etc.

Greenwich (Mean) Time ['grenɪtʃ ('miːn),taɪm] *n* temps *m* universel

greet [griːt] *v/t* (*welcome*) accueillir; (*receive*) recevoir; (*say hello to*) souhaiter la bienvenue à; *news* accueillir **greeting** ['griːtɪŋ] *n* salut *m*; ***~s*** vœux; ***to send ~s to sb*** envoyer des vœux à qn; (*through sb else*) transmettre ses salutations à qn **greetings card** *n* carte *f* de vœux

gregarious [grɪ'gɛərɪəs] *adj* (*person*) sociable; TECH grégaire

grenade [grɪ'neɪd] *n* grenade *f*

grew [gruː] *past* = **grow**

grey *n*, *adj*, *v/i Br* = **gray greyhound** ['greɪhaʊnd] *n* lévrier *m*

grid [grɪd] *n* **1.** (*grating*, *on map*) quadrillage *m* **2. *the*** (***national***) **~** ELEC le réseau électrique (national) **3.** (*metal*) grille *f*

griddle ['grɪdl] *n* COOK gril *m* en fonte

gridiron ['grɪd,aɪən] *n* **1.** COOK grille *f* de cuisson, gril *m* **2.** (*US* FTBL) terrain *m* de football américain **gridlock** ['grɪdlɒk] *n* AUTO embouteillage *m*; ***total ~*** AUTO embouteillage total **gridlocked** *adj road* bloqué par un embouteillage **grid reference** *n* coordonnées *fpl*

grief [griːf] *n* peine *f*; (*because of loss*) chagrin *m*; ***to come to ~*** avoir un accident; (*fail*) échouer **grief-stricken** ['griːf,strɪkən] *adj* rongé par le chagrin **grievance** ['griːvəns] *n* grief *m*; (*resentment*) rancune *f*; ***to have a ~ against sb for sth*** en vouloir à qn pour qc **grieve** [griːv] **I** *v/t* peiner; ***it ~s me to see that…*** cela me peine de voir que… **II** *v/i* être affligé (***at, about*** par); ***to ~ for sb / sth*** pleurer qn / qc **grievous** ['griːvəs] *adj form* grave; *error* grave; (*Br* JUR) **~ *bodily harm*** coups et blessures graves

grill [grɪl] **I** *n* **1.** (COOK, *on cooker etc.*) gril *m*; (*gridiron*) grille *f* de cuisson; (*food*) grillades *fpl* **2.** = **grille II** *v/t* **1.** COOK faire griller **2.** *infml* ***to ~ sb about sth*** cuisiner qn à propos de qc *infml*

grille [grɪl] *n* grille *f*; (*on window*) barreaux *mpl*; (*on car*) calandre *f*; (*to speak through*) grille *f*

grilling ['grɪlɪŋ] *n* **1.** COOK grillades *fpl* **2.** (*interrogation*) interrogatoire *m* poussé

grill pan *n Br* gril *m* (en fonte)

grim [grɪm] *adj* **1.** (*terrible*) sombre; *reminder* douloureux(-euse); *reality* dur; (*depressing*) sinistre; (*stern*) grave; ***to look ~*** (*situation*, *future*) être sombre; (*person*) avoir l'air grave; ***the Grim Reaper*** la Camarde **2.** (*infml lousy*) pourri *infml*; ***to feel ~*** (*unwell*) se sentir patraque *infml*

grimace ['grɪməs] **I** *n* grimace *f* **II** *v/i* grimacer

grime [graɪm] *n* crasse *f*

grimly ['grɪmlɪ] *adv* **1.** *hold on* fermement **2.** (*sternly*) sinistrement

grimy ['graɪmɪ] *adj* crasseux(-euse)

grin [grɪn] **I** *n* (*showing pleasure*) grand sourire *m*; (*showing scorn*) rictus *m*; (*showing stupidity*) sourire *m* niais **II** *v/i* (*with pleasure*) sourire; (*in scorn*) avoir un rictus; (*stupidly*) avoir un sourire niais; ***to ~ and bear it*** supporter sans rien dire; ***to ~ at sb*** faire un grand sourire à qn

grind [graɪnd] *vb* ⟨*past, past part* **ground**⟩ **I** *v/t* **1.** (*crush*) écraser; *coffee, flour* moudre; ***to ~ one's teeth*** grincer des dents **2.** *lens, knife* affûter **II** *v/i* ***to ~ to a halt*** *or* ***standstill*** *lit* s'immobiliser; *fig* être stoppé; (*production etc.*) s'arrêter **III** *n* (*fig, infml drudgery*) corvée *f*; (*US infml swot*) bûcheur(-euse) *m*(*f*) *infml*; ***the daily ~*** le train-train quotidien *infml*; ***it's a real ~*** c'est une vraie corvée ◆ **grind down** *v/t sep fig* écraser ◆ **grind up** *v/t sep* pulvériser

grinder ['graɪndəʳ] *n* **1.** (*meat grinder*) hachoir *m* **2.** (*coffee grinder*) moulin *m* à café; (*for peppercorn*) moulin *m* à poivre **grinding** ['graɪndɪŋ] *adj* **1.** ***to come to a ~ halt*** (*train*) s'arrêter; *fig* être paralysé **2.** *poverty* affligeant **grindstone** ['graɪndstəʊn] *n* meule *f*; ***to keep one's nose to the ~*** travailler sans lever le nez; ***back to the ~*** on reprend le collier *hum*

grip [grɪp] **I** *n* **1.** prise *f*; (*on rope*) prise *f*; (*on road*) adhérence *f*; ***to get a ~ on the rope*** bien serrer la corde; ***these shoes have a good ~*** ces chaussures ont une bonne adhérence; ***to get a ~ on sth*** (*on situation etc.*) saisir qc; ***to get a ~ on oneself*** *infml* se ressaisir; ***to let go*** *or* ***release one's ~*** lâcher prise (***on sth*** sur qc); ***to lose one's ~*** *lit* lâcher prise; *fig* ne plus y arriver; ***to lose one's ~ on reality*** perdre pied avec la réalité; ***the country is in the ~ of a general strike*** le pays est en proie à une grève générale; ***to get*** *or* ***come to ~s with sth*** venir à bout de qc **2.** (*esp Br hair grip*) pince *f* à cheveux **II** *v/t* saisir; ***the tire*** (*US*) *or* ***tyre*** (*Br*) ***~s the road well*** le pneu a une bonne adhérence sur la route **III** *v/i* adhérer

gripe [graɪp] **I** *v/i infml* rouspéter *infml* **II** *n infml* motif *m* de plainte

gripping ['grɪpɪŋ] *adj* poignant

grisly ['grɪzlɪ] *adj* effroyable

grist [grɪst] *n* ***it's all ~ to his / the mill*** cela apporte de l'eau à son moulin

gristle ['grɪsl] *n* cartilage *m* **gristly** ['grɪslɪ] *adj* cartilagineux(-euse)

grit [grɪt] **I** *n* (*dust*) poussière *f*; (*gravel*) gravillons *mpl*; (*for roads*) sable *m* **II** *v/t* **1.** *road etc.* saler, sabler **2.** ***to ~ one's teeth*** serrer les dents **gritty** ['grɪtɪ] *adj* **1.** *fig determination* farouche **2.** *fig drama* réaliste; *portrayal* sans concession

grizzly ['grɪzlɪ] *n* (*a.* **grizzly bear**) grizzli *m*

groan [grəʊn] **I** *n* grognement *m*; ***to let out*** *or* ***give a ~*** pousser un grognement **II** *v/i* grogner (***with*** de); (*planks*) grincer (***with*** de); ***the table ~ed under the weight*** la table grinçait sous le poids

grocer ['grəʊsəʳ] *n* épicier(-ière); *Br* ***at the ~'s*** à l'épicerie **grocery** ['grəʊsərɪ] *n* **1.** (*trade*) épicerie *f* **2. groceries** *pl* courses *fpl*

groggy ['grɒgɪ] *adj infml* groggy

groin [grɔɪn] *n* ANAT aine *f*; ***to kick sb in the ~*** donner un coup à l'entrejambe à qn

groom [gruːm] **I** *n* **1.** (*in stables*) palefrenier(-ière) *m*(*f*) **2.** (*bridegroom*) (jeune) marié *m* **II** *v/t* **1.** *horse* panser; ***to ~ oneself*** *cat* faire sa toilette; ***well ~ed*** soigné **2.** ***he's being ~ed for the Presidency*** on le prépare pour la présidence

groove [gruːv] *n* rainure *f*

groovy ['gruːvɪ] *adj infml* génial *infml*

grope [grəʊp] **I** *v/i* (*a.* **grope around** *or Br* **about**) tâtonner (***for*** à la recherche de); ***to ~ for words*** chercher ses mots; ***to be groping in the dark*** tâtonner dans l'obscurité; (*try things at random*) tâtonner **II** *v/t infml girlfriend* peloter *infml*; ***to ~ one's way*** avancer à tâtons **III** *n infml* ***to have a ~*** se peloter *infml*

gross[1] [grəʊs] *n no pl* grosse *f*

gross[2] **I** *adj* **1.** *exaggeration, error* grossier(-ière); ***that is a ~ understatement*** c'est le moins qu'on puisse dire **2.** (*fat*) gros(se) **3.** (*infml disgusting*) dégoûtant **4.** (*total*) total; (*before deductions*) brut; ***~ amount*** montant brut; ***~ income*** revenu brut **II** *v/t* faire un bé-

néfice brut de **gross domestic product** *n* ECON produit *m* intérieur brut
grossly ['grəʊslɪ] *adv unfair, irresponsible* complètement; *exaggerate* vraiment **gross national product** *n* ECON produit *m* national brut
grotesque [grəʊ'tesk] *adj* grotesque **grotesquely** [grəʊ'tesklɪ] *adv* de manière grotesque; *swollen* incroyablement
grotto ['grɒtəʊ] *n* ⟨*pl* **-(e)s**⟩ grotte *f*
grotty ['grɒtɪ] *adj infml* **1.** (*foul*) répugnant *infml*; (*filthy*) cracra *infml* **2.** (*lousy*) patraque *infml*
grouch [graʊtʃ] *n* **1.** (*complaint*) réclamation *f*; ***to have a ~*** râler (***about*** à propos de) **2.** (*infml person*) râleur(-euse) *m(f)* **grouchy** ['graʊtʃɪ] *adj* ronchon(ne)
ground[1] [graʊnd] **I** *n* **1.** terre *f*; ***on the ~*** à terre, au sol; ***hilly ~*** terrain vallonné; ***there is common ~ between us*** nous avons des choses en commun; ***to be on dangerous ~*** *fig* être sur un terrain dangereux; ***to be on familiar ~*** être en terrain familier; ***to gain/lose ~*** gagner/perdre du terrain; ***to lose ~ to sb/sth*** se laisser distancer par qn/qc; ***to give ~ to sb/sth*** céder à qn/qc; ***to break new ~*** innover; ***to prepare the ~ for sth*** préparer le terrain pour qc; ***to cover a lot of ~*** *fig* avancer beaucoup; ***to stand one's ~*** *lit* ne pas bouger; *fig* tenir bon; ***above/below ~*** au-dessus/en dessous du sol; ***to fall to the ~*** *lit* tomber par terre; ***to burn sth to the ~*** détruire qc par le feu; ***it suits me down to the ~*** cela me convient parfaitement; ***to get off the ~*** (*plane etc.*) décoller; (*fig: project etc.*) démarrer; ***to go to ~*** se planquer *infml* **2.** (*pitch*) terrain *m* **3. grounds** *pl* (*premises*) locaux *mpl*; (*gardens*) parc *m* **4. grounds** *pl* (*sediment*) fonds *mpl* **5.** (*US* ELEC) terre *f* **6.** (*reason*) raison *f*, motif *m*; ***to have ~(s) for sth*** avoir un motif de qc; ***~s for dismissal*** motif de renvoi; ***on the ~s of...*** au motif de ...; ***on the ~s that ...*** au motif que ...; ***on health ~s*** pour des raisons de santé **II** *v/t* **1.** AVIAT *plane* immobiliser; ***to be ~ed by bad weather*** être immobilisé au sol pour cause de mauvais temps **2.** *child* priver de sortie; ***she was ~ed for a week*** elle a été privée de sortie pendant une semaine **3.** (*US* ELEC) mettre à la terre **4.** ***to be ~ed on sth*** être fondé sur qc
ground[2] **I** *past, past part* = **grind II** *adj coffee* moulu; ***freshly ~ black pepper*** du poivre noir fraîchement moulu; ***~ meat*** *US* viande hachée
ground-breaking *adj news* sensationnel(le); *research etc.* de pointe **ground control** *n* AVIAT contrôle *m* au sol **ground crew** *n* personnel *m* au sol **ground floor** *n Br* rez-de-chaussée *m* **ground frost** *n* gel *m* au sol **grounding** *n* bases *fpl*; ***to give sb a ~ in English*** donner des bases d'anglais à qn **groundkeeper** *n US* agent *m* chargé de l'entretien d'un terrain de sport **groundless** *adj* sans fondements **ground level** *n* rez-de-chaussée *m*; (*of land*) niveau *m* du sol ***below ~*** en dessous du niveau du sol **groundnut** *n* arachide *f*, cacahuète *f*; ***~ oil*** huile d'arachide **ground plan** *n* plan *m* **ground rules** *pl* règles *fpl* de base **groundsheet** *n Br* tapis *m* de sol **groundsman** ['graʊndzmən] *n* ⟨*pl* **-men**⟩ *esp Br* = **groundkeeper ground staff** *n* AVIAT personnel *m* au sol; (*Br* SPORTS) personnel *m* chargé de l'entretien des terrains de sport **ground water** *n* nappe *f* phréatique **groundwork** *n* travail *m* préparatoire; ***to do the ~ for sth*** déblayer le terrain pour qc **ground zero** *n* **1.** (*of nuclear explosion*) point *m* zéro **2.** HIST ***Ground Zero*** Ground Zero
group [gruːp] **I** *n* groupe *m*; ***a ~ of people*** un groupe de personnes; ***a ~ of trees*** un groupe d'arbres **II** *attr* de groupe; ***group activities*** activités de groupe **III** *v/t* grouper; ***to ~ together*** regrouper **group booking** *n* réservation *f* de groupe **grouping** ['gruːpɪŋ] *n* regroupement *m*
grouse[1] [graʊs] *n* ⟨*pl* **-**⟩ coq *m* de bruyère; (*red grouse*) lagopède *m* d'Écosse, grouse *f*
grouse[2] (*Br infml*) *v/i* rouspéter *infml* (***about*** à propos de)
grove [grəʊv] *n* bosquet *m*
grovel ['grɒvl] *v/i* ramper; ***to ~ to*** *or* ***before sb*** *fig* ramper devant qn **groveling**, *Br* **grovelling** ['grɒvəlɪŋ] *n* obséquieux *m*
grow [grəʊ] ⟨*past* **grew**⟩ ⟨*past part* **grown**⟩ **I** *v/t* **1.** *plants* faire pousser; (*commercially*) cultiver **2.** ***to ~ a beard*** se laisser pousser la barbe **II** *v/i* **1.** mon-

ter; (*in numbers*) s'accroître; (*in size*) grandir; ***to ~ in popularity*** devenir plus célèbre; ***fears were ~ing for her safety*** les craintes concernant sa sécurité grandissaient; ***the economy is ~ing by 2% a year*** l'économie a une croissance de 2% par an; ***pressure is ~ing for him to resign*** la pression monte pour qu'il démissionne **2.** (*become*) devenir; ***to ~ to be sth*** devenir qc; ***to ~ to hate sb*** finir par détester qn; ***I've ~n to like him*** je commence à l'apprécier; ***to ~ used to sth*** s'habituer à qc ◆ **grow apart** *v/i fig* s'éloigner l'un de l'autre ◆ **grow from** *v/t insep* (*arise from*) avoir pour origine ◆ **grow into** *v/t insep* **1.** *job* s'habituer à **2.** (*become*) devenir; ***to ~ a man / woman*** devenir un homme / une femme ◆ **grow on** *v/t insep* ***it'll ~ you*** tu finiras par l'aimer ◆ grow out *v/i* ***her perm / color has grown out*** ses cheveux ont repoussé depuis sa permanente / teinture ◆ **grow out of** *v/t insep* **1.** ***he's grown out of all his trousers*** tous ses pantalons lui sont trop petits; ***to ~ a habit*** perdre une habitude avec le temps **2.** (*arise from*) naître ◆ **grow up** *v/i* (*spend childhood*) grandir; (*become adult*) devenir adulte; (*fig, city*) se développer; ***what are you going to do when you ~?*** qu'est-ce que tu veux faire quand tu seras grand?; ***~!, when are you going to ~?*** cesse de faire l'enfant!

grower ['grəʊəʳ] *n* (*of fruit, vegetables, flowers*) producteur(-trice) *m(f)*; ***wine ~*** viticulteur **growing** ['grəʊɪŋ] *adj child* en pleine croissance; *importance, number etc.* croissant

growl [graʊl] **I** *n* grognement *m* **II** *v/i* grogner; ***to ~ at sb*** crier après qn **III** *v/t answer* grogner

grown [grəʊn] **I** *past part* = **grow II** *adj* adulte; ***fully ~*** adulte **grown-up** ['grəʊnʌp] **I** *adj* adulte; ***they have a ~ family*** leurs enfants sont adultes **II** *n* adulte *m/f*

growth [grəʊθ] *n* **1.** croissance; (*in quantity, fig: of interest etc.*) augmentation *f*; (*in size*) agrandissement *m*; (*of capital etc.*) élargissement *m*; ***~ industry*** industrie de croissance; ***~ rate*** ECON taux de croissance **2.** (*plants*) pousse *f*, croissance *f* **3.** MED tumeur *f*

grub [grʌb] **I** *n* **1.** (*larva*) asticot *m*, ver *m* **2.** (*infml food*) bouffe *f infml* **II** *v/i* (*a.* **grub around** *or* **about** *Br*) farfouiller (*in* dans, *for* pour chercher)

grubby ['grʌbɪ] *adj* sale; *person, clothes* crasseux(-euse)

grudge [grʌdʒ] **I** *n* rancune *f* (***against*** contre); ***to bear sb a ~, to have a ~ against sb*** avoir de la rancune contre qn; ***I bear him no ~*** je ne lui en veux pas **II** *v/t* ***to ~ sb sth*** reprocher qc à qn; ***I don't ~ you your success*** je ne te reproche pas ta réussite **grudging** ['grʌdʒɪŋ] *adj apology* fait à contrecœur

grueling, *Br* **gruelling** ['grʊəlɪŋ] *adj schedule, trip* épuisant; *pace* effréné; *race* épuisant

gruesome ['gruːsəm] *adj* horrible, *detail* morbide

gruff [grʌf] *adj* bourru **gruffly** ['grʌflɪ] *adv infml* de manière bourrue

grumble ['grʌmbl] *v/i* ronchonner (***about, over*** à propos de)

grumpily ['grʌmpɪlɪ] *adv infml* en bougonnant **grumpy** ['grʌmpɪ] *adj infml* grincheux(-euse), grognon

grunge [grʌndʒ] *n* grunge *m* **grungy** ['grʌndʒɪ] *adj infml* grunge *infml*

grunt [grʌnt] **I** *n* grognement *m*; (*of pain, in exertion*) gémissement *m* **II** *v/i* grogner; (*with pain, exertion*) gémir **III** *v/t* grogner

G-string ['dʒiːstrɪŋ] *n* string *m*

guarantee [ˌgærən'tiː] **I** *n* garantie *f* (***of*** de); ***to have*** *or* ***carry a 6-month ~*** être garanti six mois; ***there is a year's ~ on this watch*** la montre est garantie un an; ***while it is still under ~*** pendant qu'il est encore sous garantie; ***that's no ~ that …*** il n'y aucune garantie que … **II** *v/t* garantir (***sb sth*** qc à qn); ***I can't ~ (that) he will be any good*** je ne garantis pas qu'il sera bon **guaranteed** *adj* garanti; ***to be ~ for three months*** (*goods*) être garanti trois mois **guarantor** [ˌgærən'tɔːʳ] *n* garant(e) *m(f)*, caution *f*; JUR *also* garant(e) *m(f)*

guard [gɑːd] **I** *n* **1.** (*soldier*) garde *m*; ***to change ~*** relever la garde; ***to be under ~*** être sous bonne garde; ***to keep sb / sth under ~*** placer / mettre qn sous bonne garde; ***to be on ~, to stand ~*** être de garde; ***to stand ~ over sth*** monter la garde auprès de qc **2.** (*security guard*) vigile *m*; (*in park etc.*) gardien(ne) *m(f)*; (*esp US prison guard*) gardien(ne) *m(f)*; (*Br* RAIL) chef *m* de train

3. to drop *or* ***lower one's ~*** *lit, fig* baisser sa garde; ***the invitation caught me off ~*** l'invitation m'a pris au dépourvu; ***to be on one's ~*** être sur ses gardes; ***to be on one's ~*** (***against sth***) *fig* se méfier (de qc); ***to put sb on his ~*** (***against sth***) mettre qn en garde (contre qc) **4.** (*safety device*) dispositif *m* de sécurité (***against*** contre); (*on machinery*) carter *m* **II** *v/t prisoner, place, valuables* surveiller; *treasure* garder (***from, against*** contre); ***a closely ~ed secret*** un secret jalousement gardé ◆ **guard against** *v/t insep being cheated etc.* se prémunir contre; *illness, attack* se protéger de; ***you must ~ catching cold*** vous devez vous protéger des rhumes

guard dog *n* chien *m* de garde **guard duty** *n* ***to be on ~*** être de garde **guarded** *adj response etc.* prudent; *welcome* réservé **guardian** ['gɑːdɪən] *n* gardien(ne) *m(f)*; JUR tuteur(-trice) *m(f)* **guardrail** ['gɑːdreɪl] *n* garde-fou *m*; AUTO glissière *f* de sécurité **guardsman** ['gɑːdzmən] *n* ⟨*pl* **-men**⟩ soldat *m* membre de la garde nationale **guard's van** ['gɑːdzvæn] *n* (*Br* RAIL) wagon *m* occupé par le chef de train

Guernsey ['gɜːnzɪ] *n* Guernsey *f*

guer(r)illa [gə'rɪlə] **I** *n* guérillero *m* **II** *attr* **guer(r)illa war, guer(r)illa warfare** *n* guérilla *f*

guess [ges] **I** *n* supposition *f*; (*estimate*) estimation *f*; ***to have*** *or* ***make a ~*** (***at sth***) essayer de deviner (qc); (*estimate*) essayer de faire une estimation (de qc); ***it's a good ~*** vous avez vu juste; ***it was just a lucky ~*** c'était un coup de chance; ***I'll give you three ~es*** tu as droit à trois réponses; ***at a rough ~*** très approximativement; ***your ~ is as good as mine!*** *infml* je n'en sais pas plus que vous!; ***it's anybody's ~*** *infml* personne ne sait **II** *v/i* **1.** deviner; ***to keep sb ~ing*** tenir qn en haleine; ***you'll never ~!*** tu ne devineras jamais! **2.** *esp US* ***I ~ not*** eh bien non; ***he's right, I ~*** il doit avoir raison; ***I think he's right — I ~ so*** je crois qu'il a raison — oui, effectivement **III** *v/t* **1.** (*surmise*) deviner; (*surmise correctly*) deviner juste; (*estimate*) estimer; ***I ~ed as much*** c'est ce que je pensais; ***you'll never ~ who …*** vous ne devinerez jamais qui …; ***~ what!*** *infml* tu sais quoi! *infml* **2.** (*esp US suppose*) ***I ~ we'll just have to wait and see*** je suppose qu'il ne nous reste plus qu'à attendre **guesswork** ['geswɜːk] *n* conjecture *f*

guest [gest] *n* invité(e) *m(f)*; *in hotel* hôte *m/f* ***~ of honor*** (*US*) *or* ***honour*** *Br* invité d'honneur; ***be my ~*** *infml* fais comme chez toi *infml* **guest appearance** *n* ***to make a ~*** venir comme invité d'honneur **guesthouse** *n* pension *f* de famille **guest list** *n* liste *f* des invités **guest room** *n* chambre *f* d'amis **guest speaker** *n* invité(e) *m(f)* d'honneur (*à une conférence*)

guffaw [gʌ'fɔː] **I** *n* gros éclat *m* de rire **II** *v/i* s'esclaffer

GUI *abbr* = **graphical user interface**

guidance ['gaɪdəns] *n* (*direction*) recommandations *fpl*; (*counseling*) conseils *mpl* (***on*** sur); (*from superior etc.*) assistance *f*; ***to give sb ~ on sth*** donner des conseils à qn sur qc; ***~ counselor*** conseiller d'orientation

guide [gaɪd] **I** *n* **1.** guide *m/f*; (*fig pointer*) guide *m* (***to*** pour); (*model*) modèle *m* **2.** (*Br Girl Guide*) guide *f*, scoute *f* **3.** (*instructions*) guide *m* (***to*** de); ***as a rough ~*** à titre indicatif **II** *v/t people* guider; ***to be ~d by sb / sth*** (*person*) être guidé par qn / qc **guidebook** ['gaɪdbʊk] *n* guide *m* touristique (***to*** de) **guided missile** [ˌgaɪdɪd'mɪsaɪl] *n* missile *m* guidé **guide dog** *n Br* chien *m* d'aveugle **guided tour** [ˌgaɪdɪd'tʊəʳ] *n* visite *f* guidée (***of*** de) **guideline** ['gaɪdlaɪn] *n* recommandations *fpl*; ***European ~s*** directives européennes; ***safety ~s*** consignes de sécurité; ***I gave her a few ~s on looking after a kitten*** je lui ai donné quelques conseils sur la façon de s'occuper d'un chaton **guiding** *attr* ***~ force*** force maîtresse; ***~ principle*** principe directeur; ***my ~ star*** mon guide

guild [gɪld] *n* HIST guilde *f*; (*association*) corporation *f*

guile [gaɪl] *n* ruse *f*

guillotine [ˌgɪlə'tiːn] **I** *n* **1.** guillotine *f* **2.** (*for paper*) massicot *m* **II** *v/t* massicoter

guilt [gɪlt] *n* culpabilité *f* (***for, of*** de); ***feelings of ~*** sentiments de culpabilité; ***~ complex*** complexe de culpabilité **guiltily** ['gɪltɪlɪ] *adv* d'un air coupable

guilty ['gɪltɪ] *adj* **1.** *smile, silence, pleasure* coupable; ***to have a ~ conscience*** ne pas avoir la conscience tranquille; ***~ feelings*** sentiments de culpabilité; ***to feel ~*** (***about doing sth***) se sentir coupable (d'avoir fait qc); ***to make sb feel ~*** culpabiliser qn **2.** (*to blame*) responsable (***of sth*** de qc); ***the ~ person*** la personne coupable; ***the ~ party*** le coupable; ***to find sb ~/not ~ (of sth)*** juger qn coupable / non coupable (de qc); ***to plead (not) ~ to a crime*** plaider (non) coupable pour un délit; ***a ~ verdict, a verdict of ~*** un verdict de culpabilité; ***a not ~ verdict, a verdict of not ~*** un verdict de non-culpabilité; ***their parents are ~ of gross neglect*** leurs parents sont coupables de manque de soins grave; ***we're all ~ of neglecting the problem*** nous sommes tous coupables d'avoir négligé le problème

guinea pig *n* cochon *m* d'inde, cobaye *m*; *fig* cobaye *m*

guise [gaɪz] *n* (*disguise*) déguisement *m*; (*pretense*) apparence *f*; ***in the ~ of a clown*** déguisé en clown; ***under the ~ of doing sth*** sous couvert de faire qc

guitar [gɪ'tɑːʳ] *n* guitare *f* **guitarist** [gɪ'tɑːrɪst] *n* guitariste *m/f*

gulch [gʌlʃ] *n US* ravin *m*

gulf [gʌlf] *n* **1.** (*bay*) golfe *m*; ***the Gulf of Mexico*** le Golfe du Mexique **2.** (*chasm*) gouffre *m* **Gulf States** *pl* ***the ~*** les États du Golfe **Gulf Stream** *n* Gulf Stream *m* **Gulf War** *n* guerre *f* du Golfe

gull [gʌl] *n* mouette *f*; (*bigger*) goéland *m*

gullible ['gʌlɪbl] *adj* crédule

gully ['gʌlɪ] *n* **1.** (*ravine*) ravine *f* **2.** (*narrow channel*) goulet *m*

gulp [gʌlp] **I** *n* gorgée *f*; ***in one ~*** d'un trait **II** *v/t* (*a.* **gulp down**) *drink* boire à grandes gorgées; *food* engloutir **III** *v/i* (*try to swallow*) avaler sa salive

gum[1] [gʌm] *n* ANAT gencive *f*

gum[2] **I** *n* **1.** gomme *f* **2.** (*chewing gum*) chewing-gum *m* **3.** (*Br glue*) gomme *f* adhésive **II** *v/t Br* coller **gummy** ['gʌmɪ] *adj smile* édenté; *eyes* collé

gumption ['gʌmpʃən] *n infml* jugeote *f infml*

gumshield *n* protège-dents *m*

gun [gʌn] **I** *n* (*cannon etc.*) canon *m*; (*rifle*) fusil *m*; (*pistol*) pistolet *m*, revolver *m*; ***to carry a ~*** porter une arme à feu; ***to draw a ~ on sb*** sortir un pistolet et le braquer sur qn; ***big ~*** *fig, infml* gros bonnet *infml* (***in*** de); ***to stick to one's ~s*** camper sur ses positions; ***to jump the ~*** *fig* brûler les étapes; ***to be going great ~s*** (*Br infml, team, person, business*) marcher très fort *infml*; (*car*) marcher du feu de Dieu *infml* **II** *v/t* (*kill*: *a.* **gun down**) *person* abattre **III** *v/i infml* ***to be ~ning for sb*** *fig* chercher des crosses àqn *infml* **gunboat** *n* canonnière *f* **gunfight** *n* échange *m* de coups de feu **gunfighter** *n* combattant(e) *m(f)* **gunfire** *n* coups *mpl* de feu, fusillade *f*; MIL tirs *mpl* de fusil

gunge [gʌndʒ] *n* (*Br infml*) saletés *fpl* (visqueuses)

gunk [gʌŋk] *n* (*esp US infml*) = **gunge**

gunman ['gʌnmən] *n* tireur *m*; ***they saw the ~*** ils ont vu l'homme qui a tiré **gunner** ['gʌnəʳ] *n* MIL (*with canon*) canonnier *m*; (*in artillery*) artilleur *m*; (*with machine gun*) mitrailleur *m* **gunpoint** *n* ***to hold sb at ~*** menacer qn d'une arme **gunpowder** *n* poudre *f* (à canon) **gunrunner** *n* trafiquant(e) *m(f)* d'armes **gunrunning** *n* trafic *m* d'armes **gunshot** *n* coup *m* de feu; ***~ wound*** blessure par arme à feu

gurgle ['gɜːgl] **I** *n* (*of liquid*) gargouillement *m*; (*of baby*) gazouillis *m* **II** *v/i* (*liquid*) gargouiller; (*person*) se gargariser (***with*** avec)

gurney ['gɜːnɪ] *n US* chariot *m* brancard

gush [gʌʃ] **I** *n* (*of liquid*) jet *m*; (*of words*) jaillissement *m*; (*of emotion*) élan *m* **II** *v/i* **1.** (*a.* **gush out**) jaillir **2.** (*infml talk*) s'exclamer *infml* (***about, over*** à propos de) **gushing** *adj* **1.** *water* jaillissant **2.** *fig* dithyrambique

gusset ['gʌsɪt] *n* soufflet *m*

gust [gʌst] **I** *n* (*of wind*) bourrasque *f*, rafale *f*; ***a ~ of cold air*** un courant d'air froid; ***~s of up to 100 miles per hour*** des rafales de vent de plus de 100 miles à l'heure **II** *v/i* souffler en rafales

gusto ['gʌstəʊ] *n* entrain *m*; ***to do sth with ~*** faire qc avec entrain

gusty ['gʌstɪ] *adj weather* venteux (-euse); ***~ wind*** vent soufflant en rafales

gut [gʌt] **I** *n* **1.** (*alimentary canal in humans*) intestin *m*; (*of animals*) boyau *m* **2.** (*paunch*) panse *f* **3.** *usu pl* (*infml stomach*) ventre; ***to slog*** *or* ***work one's ~s out*** *infml* travailler comme un dingue *infml*; ***to hate sb's ~s*** *infml* ne pas pouvoir voir qn en peinture *infml*; ***~ reaction*** réaction épidermique; ***my ~ feeling is that …*** ma réaction instinctive est que … **4. guts** *pl* (*infml courage*) cran *m infml* **II** *v/t* **1.** *animal, fish* vider

2. (*fire*) détruire; (*remove contents*) vider; ***it was completely ~ted by the fire*** il a été complètement détruit par l'incendie **gutless** *adj fig*, *infml* mou (molle) **gutsy** ['gʌtsɪ] *adj infml person* gonflé *infml*; *performance* courageux (-euse) **gutted** *adj* (*Br infml*) ***I was ~*** ça m'a fichu un coup *infml*; ***he was ~ by the news*** la nouvelle lui a fichu un coup *infml*

gutter ['gʌtər] **I** *n* (*on roof*) chéneau *m*, gouttière *f*; (*in street*) caniveau *m* **II** *v/i* (*flame*) vaciller **guttering** ['gʌtərɪŋ] *n* chéneaux *mpl*, gouttières *fpl* **gutter press** *n* (*Br pej*) presse *f* à scandale

guttural ['gʌtərəl] *adj* guttural

guy[1] [gaɪ] *n infml* type *m infml*; ***hey, you ~s*** hé, vous *infml*; ***are you ~s ready?*** vous êtes prêts?

> **guy**
>
> **Guy** = type :
>
> **There were a few suspicious guys hanging around in street doorways.**
>
> Il y avait des types suspects qui traînaient sur le pas des portes.

guy[2] *n* (*a.* **guy-rope**) hauban *m*; (*for tent*) tendeur *m*

guzzle ['gʌzl] *infml* **I** *v/i* (*eat*) bouffer *infml*; (*drink*) picoler *infml* **II** *v/t* (*eat*) engloutir *infml*; (*drink*) ingurgiter; *fuel* bouffer *infml*

gym [dʒɪm] *n* **1.** (*gymnasium*) gymnase *m* **2.** (*for working out*) salle *f* de gym **3.** (*gymnastics*) gymnastique *f* **gymnasium** [dʒɪm'neɪzɪəm] *n* ⟨*pl* **-s**⟩ *or* (*form*) **gymnasia** gymnase *m* **gymnast** ['dʒɪmnæst] *n* gymnaste *m/f* **gymnastic** [dʒɪm'næstɪk] *adj* de gymnastique; ***~ exercises*** exercices de gymnastique **gymnastics** [dʒɪm'næstɪks] *n* **1.** *sg* (*discipline*) gymnastique *f* **2.** *pl* (*exercises*) gymnastique *f* **gym shoe** *n Br* chausson *m* de gym **gym teacher** *n Br* professeur *m* de gymnastique **gym trainer** *n Br* entraîneur(-euse) *m*(*f*) de gymnastique

gynecological, *Br* **gynaecological** [ˌgaɪnɪkə'lɒdʒɪkəl] *adj* gynécologique **gynecologist**, *Br* **gynaecologist** [ˌgaɪnɪ'kɒlədʒɪst] *n* gynécologue *m/f* **gynecology**, *Br* **gynaecology** [ˌgaɪnɪ'kɒlədʒɪ] *n* gynécologie *f*

gypsy ['dʒɪpsɪ] **I** *n* tsigane *m/f*; ***gypsies*** les tsiganes **II** *adj* tsigane

gyrate [ˌdʒaɪə'reɪt] *v/i* (*whirl*) tournoyer; (*rotate*) tourner; (*dancer*) virevolter

gyroscope ['dʒaɪərəˌskəʊp] *n* gyroscope *m*

H

H, h [eɪtʃ] *n* H, h

h. *abbr* = **hour(s)** h

haberdashery [ˌhæbə'dæʃərɪ] *n Br* mercerie; (*US articles*) magasin *m* de vêtements masculins

habit ['hæbɪt] *n* **1.** habitude *f*; (*esp undesirable*) manie *f*; ***to be in the ~ of doing sth*** avoir l'habitude de faire qc; ***it became a ~*** c'est devenu une habitude; ***from*** (***force of***) ***~*** par habitude; ***I don't make a ~ of inviting strangers in*** je n'ai pas l'habitude de faire entrer des personnes inconnues chez moi; ***to get into / to get sb into the ~ of doing sth*** prendre / faire prendre à qn l'habitude de faire qc; ***to get into bad ~s*** prendre de mauvaises habitudes; ***to get out of the ~ of doing sth*** perdre l'habitude de faire qc; ***to get sb out of the ~ of doing sth*** faire perdre à qn l'habitude de faire qc; ***to have a ~ of doing sth*** avoir

> **habit ≠ vêtement**
>
> **Habit** = habitude ou manie :
>
> **She was in the habit of getting a latte on the way to work. He had got into some bad habits.**
>
> Elle avait l'habitude d'acheter un café au lait à emporter sur le chemin du travail. Il avait pris de mauvaises habitudes.

la manie de faire qc **2.** (*addiction*) dépendance *f*; ***to have a cocaine ~*** être cocaïnomane **3.** (*costume, esp monk's*) habit *m*

habitable ['hæbɪtəbl] *adj* habitable **habitat** ['hæbɪtæt] *n* habitat *m* **habitation** [ˌhæbɪ'teɪʃən] *n* ***unfit for human ~*** insalubre

habitual [hə'bɪtjʊəl] *adj* **1.** (*customary*) habituel(le) **2.** (*regular*) régulier(-ière); ***~ criminal*** récidiviste **habitually** [hə'bɪtjʊəlɪ] *adv* habituellement; (*regularly*) régulièrement

hack¹ [hæk] **I** *v/t* **1.** (*cut*) tailler; ***to ~ sb / sth to pieces*** *lit* tailler qn / qc en pièces **2.** (*infml cope*) ***I can't ~ it*** je ne supporte pas **II** *v/i* taillader; IT pirater; ***he ~ed at the branch*** il a tailladé la branche; ***to ~ into the system*** s'introduire dans le système par effraction

hack² *n* **1.** (*pej literary hack*) écrivailleur (-euse) *m(f)* **2.** (*US taxi*) taxi *m*

hacker ['hækəʳ] *n* IT pirate *m* informatique, hacker *m* **hacking** ['hækɪŋ] **I** *adj* ***~ cough*** toux *f* quinteuse **II** *n* IT piratage *m* informatique

hackles ['hæklz] *pl* ***to get sb's ~ up*** hérisser qn *infml*

hackneyed ['hæknɪd] *adj Br* rebattu

hacksaw ['hæksɔː] *n* scie *f* à métaux

had [hæd] *past, past part* = **have**

haddock ['hædək] *n* aiglefin *m*; ***smoked ~*** haddock

hadn't ['hædnt] *contr* = **had not**

haemo- *in cpds Br* = **hemo-**

hag [hæg] *n* mégère *f*

haggard ['hægəd] *adj* hagard; (*from tiredness*) exténué

haggis ['hægɪs] *n* haggis *m*

haggle ['hægl] *v/i* marchander (***about or over*** à propos de) **haggling** *n* marchandage *m*

Hague [heɪg] *n* ***the ~*** la Haye

hail¹ [heɪl] **I** *n* grêle *f*; ***a ~ of blows*** une volée de coups; ***in a ~ of bullets*** dans une grêle de balles **II** *v/i* grêler

hail² **I** *v/t* **1.** ***to ~ sb / sth as sth*** saluer qn / qc comme qc **2.** (*call loudly*) héler; *taxi* héler; ***within ~ing distance*** à portée de voix **II** *v/i* ***they ~ from ...*** ils viennent de ... **III** *int* ***the Hail Mary*** le 'Je vous salue Marie'

hailstone *n* grêlon *m* **hailstorm** *n* orage *m* de grêle

hair [hɛəʳ] **I** *n* **1.** (*collective*) cheveux *mpl*; (*total body hair*) poils *mpl*; ***body ~*** poils; ***to do one's ~*** se coiffer; ***to have one's ~ cut*** se faire couper les cheveux; ***to let one's ~ down*** *fig* se défouler; ***keep your ~ on!*** (*Br infml*) ne t'excite pas! **2.** (*single hair, of animal*) poil; ***not a ~ out of place*** *fig* pas un cheveu qui dépasse; ***I'm allergic to cat ~*** je suis allergique au poil de chat **II** *attr* à cheveux **hairband** *n* serre-tête *m* **hairbrush** *n* brosse *f* à cheveux **hair clip** *n* barrette *f*

haircut *n* coupe *f* de cheveux; ***to have or get a ~*** se faire couper les cheveux

hairdo *n infml* coiffure *f*

hairdresser *n* coiffeur(-euse) *m(f)*; ***the ~'s*** le salon de coiffure **hairdressing** *n* coiffure *f* **hairdressing salon** *n* salon *m* de coiffure **hairdrier** *n* (*handheld*) sèche-cheveux; (*in salon*) casque *m* **-haired** ['hɛəd] *adj suf* aux cheveux; ***long-haired*** aux cheveux longs **hair gel** *n* gel *m* coiffant **hairgrip** *n Br* pince *f* à cheveux **hairline** *n* implantation *f*; ***receding ~*** le front dégarni **hairline crack** *n* fêlure *f* **hairline fracture** *n* fêlure *f* **hairnet** *n* résille *f* **hairpiece** *n* postiche *m* **hairpin** *n* épingle *f* à cheveux **hairpin (bend)** *n* virage *m* en épingle à cheveux **hair-raising** *adj* à vous faire dresser les cheveux sur la tête **hair remover** *n* crème *f* dépilatoire **hair restorer** *n* régénérateur *m* de cheveux **hair's breadth** *n* ***he was within a ~ of winning*** il était à un cheveu de la victoire **hair slide** *n Br* barrette *f* **hair-splitting** *n* ergotage *m* **hairspray** *n* laque *f*, spray *m* coiffant **hairstyle** *n* coiffure *f* **hair stylist** *n* coiffeur(-euse) *m(f)* styliste **hairy** ['hɛərɪ] *adj person, chest* poilu; *spider* velu

hake [heɪk] *n* ZOOL merlu *m*; COOK colin *m*

half [hɑːf] **I** *n* ⟨*pl* **halves**⟩ **1.** moitié *f*; ***the first ~ of the year*** le premier semestre; ***to cut sth in ~*** couper qc en deux; ***to tear sth in ~*** déchirer qc en deux; ***~ of it / them*** la moitié; ***~ the money*** la moitié de l'argent; ***~ a million dollars*** 500 000 dollars; ***he gave me ~*** il m'en a donné la moitié; ***~ an hour*** une demi-heure; ***he's not ~ the man he used to be*** il a vraiment perdu de ses capacités; ***to go halves (with sb on sth)*** faire moitié-moitié avec qn *infml*; ***bigger by ~*** moitié plus grand; ***to increase sth by ~*** augmenter qc de moitié; ***he is too***

clever by ~ (*Br infml*) il est un peu trop malin; ***one and a ~*** un et demi; ***an hour and a ~*** une heure et demie; ***he's two and a ~*** il a deux ans et demi; ***he doesn't do things by halves*** il ne fait pas les choses à moitié; ***~ and ~*** moitié-moitié; ***my better*** (*hum*) *or* ***other ~*** ma moitié **2.** (SPORTS, *of game*) mi-temps *f*; ***first / second ~*** la première / deuxième mi-temps **3.** (*travel*, *admission fee child's ticket*) *infml* ***two and a ~*** (***to London***) deux billets plein tarif et un billet demi-tarif (pour Londres) **4.** (*Br beer*) demi-pinte *f* **II** *adj* moitié; ***at*** *or* ***for ~ price*** à moitié prix; ***~ man ~ beast*** mi-homme, mi-bête **III** *adv* **1.** à moitié; ***I ~ thought …*** j'ai vaguement pensé …; ***the work is only ~ done*** il n'y a que la moitié du travail de faite; ***to be ~ asleep*** être à moitié endormi; ***she was ~ laughing, ~ crying*** elle riait et pleurait en même temps; ***he only ~ understands*** il comprend les choses à moitié; ***she's ~ French*** elle est moitié française; ***it's ~ past three*** *or* ***~ three*** il est trois heures et demie; ***he is ~ as big as his sister*** il fait la moitié de la taille de sa sœur; ***~ as big again*** moitié plus grand; ***he earns ~ as much as you*** il gagne moitié moins d'argent que toi **2.** (*Br infml*) ***he's not ~ stupid*** ce n'est pas la moitié d'un idiot; ***it didn't ~ rain*** il n'a pas fait semblant de pleuvoir; ***not ~!*** pas qu'un peu! *infml* **half-a-dozen** *n* demi-douzaine *f* **half-baked** *adj fig* bancal **half board** *n* demi-pension *f* **half bottle** *n* ***a ~ of wine*** une demi-bouteille de vin **half-breed** *n* **1.** (*obs person*) métis(se) **2.** (*horse*) demi-sang **half-brother** *n* demi-frère *m* **half-caste** *n obs*, *pej* métis(se) **half-circle** *n* demi-cercle *m* **half-day** *n* (*holiday*) demi-journée *f*; ***we've got a ~*** nous avons une demi-journée **half-dead** *adj lit*, *fig* à moitié mort (***with*** de) **half-dozen** *n* demi-douzaine *f* **half-dressed** *adj* à moitié nu **half-empty** *adj* à moitié vide **half-fare** *n* demi-tarif *m* **half-full** *adj* à moitié plein **half-hearted** *adj* tiède; *manner* hésitant; ***he was rather ~ about accepting*** il a vraiment hésité à accepter **half-heartedly** *adv* sans conviction; ***to do sth ~*** faire qc sans conviction **half-hour** *n* demi-heure *f* **half-hourly** *adv*, *adj* toutes les demi-heures **half-mast** *n* ***at ~*** en berne **half measure** *n* demi-mesure *f* **half-moon** *n* demi-lune *f* **half-note** *n* (*US* MUS) blanche *f* **half-pay** *n* demi-solde *m*; (*of salaried employee*) demi-salaire *m* **half-pint** *n* **1.** demi-pinte *f* **2.** (*of beer*) demi-pinte *f* **half-pipe** *n* SPORTS rampe *f* de skateboard **half-price** *adj*, *adv* à moitié prix; ***to be ~*** être à moitié prix **half-sister** *n* demi-sœur *f* **half term** *n Br* petites vacances *fpl* de demi-trimestre **half-time I** *n* SPORTS mi-temps *f*; ***at ~*** à la mi-temps **II** *attr* de mi-temps; ***~ score*** le score de mi-temps **half-truth** *n* demi-vérité *f* **half volley** *n* TENNIS demi-volée *f* **halfway** [ˈhɑːfˌweɪ] **I** *adj attr* ***when we reached the ~ stage*** *or* ***point on our trip*** quand nous sommes arrivés à la moitié de notre voyage; ***we're past the ~ stage*** nous avons dépassé le cap de la moitié **II** *adv* ***~ to*** à mi-chemin de; ***we drove ~ to Los Angeles*** nous avons fait la moitié de la route jusqu'à Los Angeles en voiture; ***~ between …*** à mi-chemin entre …; ***I live ~ up the hill*** j'habite à mi-hauteur de la colline; ***~ through a book*** au milieu d'un livre; ***she dropped out ~ through the race*** elle a abandonné au milieu de la course; ***to meet sb ~*** *fig* couper la poire en deux **halfway house** *n fig* compromis *m* **halfwit** *n fig* débile *m/f* **half-yearly** *adv* tous les six mois

halibut [ˈhælɪbət] *n* flétan *m*

halitosis [ˌhælɪˈtəʊsɪs] *n* mauvaise haleine *f*, halitose *f*

hall [hɔːl] *n* **1.** (*entrance hall*) entrée *f* **2.** (*large building*) hall *m*; (*large room*) salle *f*; (*village hall*) salle *f* communale; (*school hall*) salle *f* de réunion **3.** (*mansion*) manoir *m*; (*Br*: *a.* **hall of residence**) résidence *f* universitaire **4.** (*US corridor*) couloir *m*

hallelujah [ˌhælɪˈluːjə] **I** *int* alléluia **II** *n* alléluia *m*

hallmark [ˌhɔːlmɑːk] *n* **1.** poinçon *m* **2.** *fig* marque *f* (***of*** de)

hallo [həˈləʊ] *int*, *n Br* = **hello**

hallowed [ˈhæləʊd] *adj* vénéré; ***on ~ ground*** en terre sacrée

Halloween, Hallowe'en [ˌhæləʊˈiːn] *n* Halloween

hallucinate [həˈluːsɪneɪt] *v/i* avoir des hallucinations **hallucination** [həˌluːsɪˈneɪʃən] *n* hallucination *f* **hallucinatory** [həˈluːsɪnətərɪ] *adj drug* hallucinogène *tech*; *state*, *effect* hallucinatoire

hallway ['hɔːlweɪ] *n* couloir *m*
halo ['heɪləʊ] *n* ⟨*pl* **-(e)s**⟩ halo *m*
halt [hɔːlt] **I** *n* arrêt *m*; ***to come to a ~*** s'arrêter; ***to bring sth to a ~*** paralyser qc; ***to call a ~ to sth*** demander l'arrêt de qc; ***the government called for a ~ to the fighting*** le gouvernement a demandé l'arrêt des hostilités **II** *v/i* s'arrêter; MIL faire halte **III** *v/t* stopper; *fighting* faire cesser **IV** *int* halte
halter ['hɔːltəʳ] *n* (*horse's*) licol *m* **halterneck** ['hɒltənek] *adj* dos nu
halting ['hɔːltɪŋ] *adj voice* hésitant; *speech* haché; *French* laborieux(-euse)
halt sign *n* AUTO panneau *m* de stop
halve [hɑːv] *v/t* **1.** (*separate*) couper en deux **2.** (*reduce by half*) diminuer de moitié **halves** [hɑːvz] *pl* = **half**
ham [hæm] *n* COOK jambon *m*; ***~ sandwich*** sandwich au jambon ◆ **ham up** *v/t sep infml* ***to ham it up*** en faire trop
hamburger ['hæmˌbɜːgəʳ] *n* steak *m* haché, hamburger *m* **ham-fisted** [ˌhæm'fɪstɪd] *adj* maladroit
hamlet ['hæmlɪt] *n* hameau *m*
hammer ['hæməʳ] **I** *n* marteau *m*; ***to go at it ~ and tongs*** *Br infml* y aller de bon cœur *infml*; (*quarrel*) se disputer comme des chiffonniers *infml*; ***to go / come under the ~*** être vendu aux enchères **II** *v/t* **1.** enfoncer (au marteau); ***to ~ a nail into a wall*** enfoncer un clou dans un mur **2.** (*infml defeat badly*) rétamer *infml* **III** *v/i* marteler; ***to ~ on the door*** tambouriner à la porte ◆ **hammer home** *v/t sep* bien faire comprendre; ***he tried to hammer it home to the pupils that …*** il a essayé de mettre dans la tête des élèves que … ◆ **hammer out** *v/t sep fig agreement* parvenir péniblement à; *tune* marteler
hammering ['hæmərɪŋ] *n* (*esp Br infml defeat*) dérouillée *f infml*; ***our team took a ~*** notre équipe a pris une dérouillée *infml*
hammock ['hæmək] *n* hamac *m*
hamper¹ ['hæmpəʳ] *n esp Br* (*basket*) panier *m*; (*as present*) panier *m* gourmand
hamper² *v/t* entraver, gêner; ***to be ~ed (by sth)*** être gêné (par qc); ***the police were ~ed in their search by the shortage of clues*** la police a été gênée dans son enquête par le manque d'indices
hamster ['hæmstəʳ] *n* hamster *m*
hamstring ['hæmstrɪŋ] *n* ANAT tendon *m* du jarret
hand [hænd] **I** *n* **1.** main *f*; (*of clock*) aiguille *f*; ***on (one's) ~s and knees*** à quatre pattes; ***to take sb by the ~*** prendre qn par la main; ***~ in ~*** main dans la main; ***to go ~ in ~ with sth*** aller de pair avec qc; ***~s up!*** les mains en l'air!; ***~s up who knows the answer*** que ceux qui connaissent la réponse lèvent la main; ***~s off!*** *infml* bas les pattes; ***made by ~*** fait main; ***to deliver a letter by ~*** remettre une lettre en mains propres; ***to live (from) ~ to mouth*** avoir tout juste de quoi manger; ***with a heavy / firm ~*** *fig* de manière autoritaire / ferme; ***to get one's ~s dirty*** *fig* se salir les mains **2.** (*side*) côté *m*; ***on my right ~*** à ma droite; ***on the one ~ … on the other ~ …*** d'un côté … de l'autre … **3.** ***your future is in your own ~s*** votre avenir est entre vos mains; ***he put the matter in the ~s of his lawyer*** il a mis l'affaire entre les mains d'un avocat; ***to put oneself in(to) sb's ~s*** s'en remettre à qn; ***to fall into the ~s of sb*** tomber entre les mains de qn; ***to fall into the wrong ~s*** tomber entre de mauvaises mains; ***to be in good ~s*** être en bonnes mains; ***to change ~s*** changer de propriétaire; ***he suffered terribly at the ~s of the enemy*** il a énormément souffert aux mains de l'ennemi; ***he has too much time on his ~s*** il a trop de temps libre; ***he has five children on his ~s*** il a cinq enfants sur les bras *infml*; ***everything she could get her ~s on*** tout ce qui passait à sa portée; ***just wait till I get my ~s on him!*** attends un peu que je l'attrape! *infml*; ***I'll take the kids off your ~s*** je vais te décharger en m'occupant des enfants **4.** (*worker*) ouvrier (-ière); ***all ~s on deck!*** tout le monde sur le pont! **5.** (*handwriting*) écriture *f* **6.** (*of horse*) 10,16 cm **7.** CARD jeu *m*; (*game*) partie *f* **8.** ***to ask for a lady's ~ (in marriage)*** demander la main d'une femme (en mariage); ***to have one's ~s full with sb / sth*** être très occupé avec qn / qc; ***to wait on sb ~ and foot*** tout faire pour qn; ***to have a ~ in sth*** avoir quelque chose à voir dans qc; ***I had no ~ in it*** je n'y suis pour rien; ***to keep one's ~ in*** garder la main; ***to lend*** *or* ***give sb a ~*** donner un coup de main à qn; ***give me a ~!*** aide-moi!; ***to force sb's ~*** forcer la main à qn;

to be ~ in glove with sb être de mèche avec qn; ***to win ~s down*** gagner la haut main; ***to have the upper ~*** avoir le dessus; ***to get** or **gain the upper ~*** (***of sb***) prendre le dessus (sur qn); ***they gave him a big ~*** ils l'ont applaudi très fort; ***let's give our guest a big ~*** applaudissons très fort notre invité; ***to be an old ~*** (***at sth***) s'y connaître (en qc); ***to keep sth at ~*** garder qc à portée de la main; ***at first ~*** directement; ***he had the situation well in ~*** il avait la situation bien en main; ***to take sb in ~*** (*discipline*) prendre qn en main; (*look after*) s'occuper de qn; ***he still had $600 in ~*** il lui restait encore 600 dollars; ***the matter in ~*** l'affaire en cours; ***we still have a game in ~*** *Br* nous avons encore un atout; ***there were no experts on ~*** il n'y avait aucun expert disponible; ***to eat out of sb's ~*** faire les quatre volontés de qn; ***things got out of ~*** les choses ont dégénéré; ***I dismissed the idea out of ~*** j'ai tout de suite rejeté l'idée; ***I don't have the letter to ~*** *Br* je n'ai pas la lettre sous les yeux **II** *v/t* donner (***sth to sb, sb sth*** qc à qn); ***you've got to ~ it to him*** *fig, infml* il faut que tu lui rendes justice ◆ **hand around** *or* **hand round** *Br v/t sep* distribuer; (*distribute*) faire circuler ◆ **hand back** *v/t sep* rendre ◆ **hand down** *v/t sep* **1.** *fig* faire passer; *tradition* transmettre; *heirloom etc.* transmettre (***to*** à); ***the farm's been handed down from generation to generation*** la ferme s'est transmise de génération en génération **2.** JUR *sentence* rendre ◆ **hand in** *v/t sep* remettre; *resignation* donner ◆ **hand on** *v/t sep Br* passer (***to*** à) ◆ **hand out** *v/t sep* distribuer (***to sb*** à qn); *advice* donner (***to sb*** à qn) ◆ **hand over** *v/t sep* (*pass over*) remettre (***to*** à); (*hand on*) passer (***to*** à); *prisoner* livrer (***to*** à); (*to another state*) extrader; *powers* remettre (***to*** à); *controls, property* céder (***to*** à); ***I now hand you over to our correspondent*** je vous passe maintenant notre correspondant ◆ **hand up** *v/t sep* passer

handbag *n* sac *m* à main **hand baggage** *n* bagage *m* à main **handball I** *n* **1.** (*game*) handball *m* **2.** (FTBL *foul*) faute *f* de main **II** *int* FTBL main! **hand basin** *n* lavabo *m* **handbill** *n* tract *m* **handbook** *n* manuel *m* **handbrake** *n esp Br* frein *m* à main **hand-carved** *adj* sculpté à la main **hand cream** *n* crème *f* pour les mains **handcuff** *v/t* menotter **handcuffs** *pl* menottes *fpl* **handdrier** *n* sèche-mains *m* **handful** ['hændfʊl] *n* **1.** petit nombre *m*; (*of hair*) poignée *f* **2.** *fig* ***those children are a ~*** ces enfants sont très remuants **hand grenade** *n* grenade *f* à main **handgun** *n* arme *f* de poing **hand-held** *adj computer* de poche

handicap ['hændɪkæp] **I** *n* **1.** SPORTS handicap *m* **2.** (*disadvantage*) handicap *m* ***physical / mental handicap*** handicap physique / mental **II** *v/t* ***to be*** (***physically / mentally***) ***~ped*** être handicapé (physique / mental); ***~ped children*** des enfants handicapés

handicraft ['hændɪkrɑːft] *n* (*work*) artisanat *m*; ***~s*** (*products*) objets artisanaux

handily ['hændɪlɪ] *adv situated* commodément

handiwork ['hændɪwɜːk] *n no pl* **1.** *lit* œuvre *f*; (*needlework etc.*) ouvrage *m*; ***examples of the children's ~*** des exemples du travail des enfants **2.** *fig* œuvre *f*; *pej* œuvre *f*

handkerchief ['hæŋkətʃɪf] *n* mouchoir *m*

handle ['hændl] **I** *n* (*of door*) poignée *f*; (*of broom, saucepan*) manche *m*; (*of basket, cup*) anse *f*; ***to fly off the ~*** *infml* sortir de ses gonds *infml*; ***to have / get a ~ on sth*** *infml* comprendre qc **II** *v/t* **1.** (*touch*) manipuler, manier; ***be careful how you ~ that*** fais attention en le manipulant; ***"handle with care"*** "attention fragile" **2.** (*deal with*) s'occuper de; *matter, problem* gérer; (*succeed in coping with*) gérer; (*resolve*) traiter; *vehicle* conduire; ***how would you ~ the situation?*** comment est-ce que vous géreriez la situation?; ***I can't ~ pressure*** je ne supporte pas la pression; ***you keep quiet, I'll ~ this*** restez tranquille, je vais m'en occuper **3.** COMM *goods* manipuler; *orders* gérer **III** *v/i* (*ship, car*) manœuvrer; (*plane*) se piloter **handlebar(s)** ['hændlbɑːʳ, -bɑːz] *n pl* guidon *m* **handler** ['hændləʳ] *n* (*dog-handler*) maître-chien *m*; ***baggage ~*** bagagiste **handling** ['hændlɪŋ] *n* manœuvre *f* (***of*** de); (*of matter, problem*) gestion *f* (***of*** de); (*official handling of matters*) traitement *m*; ***her adroit ~ of the economy*** l'habileté avec laquelle

elle gère l'économie; ***his ~ of the matter*** sa façon de gérer le problème; ***his successful ~ of the crisis*** sa bonne gestion de la crise **handling charge** *n* frais *mpl* de manutention; (*in banking*) frais *mpl* de traitement

hand lotion *n* lotion *f* pour les mains **hand luggage** *n Br* bagage *m* à main **handmade** *adj* fait à la main; ***this is ~*** c'est fait à la main **hand mirror** *n* miroir *m* de poche **hand-operated** *adj* manuel(le) **hand-out** *n* **1.** (*money*) aide *f* **2.** (*food*) *nourriture distribuée aux pauvres*; (*in school*) polycopié *m* **handover** *n* POL passation *f*; ***~ of power*** passation de pouvoir **hand-picked** *adj fig* trié sur le volet **hand puppet** *n US* marionnette *f* à gaine **handrail** *n* (*of stairs etc.*) rampe *f*; (*of ship*) rambarde *f* **handset** *n* TEL combiné *m* **hands-free** ['hændz'fri:] *adj* mains libres; ***~ kit*** kit mains libres **handshake** ['hændʃeɪk] *n* poignée *f* de main **hands-off** ['hændz-'ɒf] *adj approach* théorique; *manager* non-interventionniste

handsome ['hænsəm] *adj* **1.** (*good-looking*) beau(belle); (*elegant*) élégant; ***he is ~*** il est beau **2.** *profit* coquet(te); *reward* généreux(-euse); *victory* beau (belle) **handsomely** ['hænsəmlɪ] *adv pay*, *reward* généreusement; *win* haut la main

hands-on ['hændz'ɒn] *adj* pratique **handstand** *n* appui *m* tendu renversé **hand-to-hand** *adj* ***~ fighting*** combat corps à corps **hand-to-mouth** *adj* misérable **hand towel** *n* essuie-mains *m* **handwriting** *n* écriture *f* **handwritten** *adj* manuscrit **handy** ['hændɪ] *adj* ⟨**+er**⟩ **1.** *device*, *hint*, *size* pratique; ***to come in ~*** être bien utile; ***my experience as a teacher comes in ~*** mon expérience de professeur est bien utile **2.** (*skillful*) adroit; ***to be ~ with a tool*** savoir bien se servir d'un outil **3.** (*conveniently close*) pratique; ***the house is (very) ~ for the airport*** la maison est (très) bien située à proximité l'aéroport; ***to keep or have sth ~*** avoir qc à portée de main **handyman** ['hændɪmæn] *n* ⟨*pl* **-men**⟩ bricoleur *m*; (*as job*) homme *m* à tout faire

hang [hæŋ] *vb* ⟨*past*, *past part* **hung**⟩ **I** *v/t* **1.** pendre, accrocher; *painting*, *drapes*, *clothes* accrocher; ***to ~ wallpaper*** poser du papier peint; ***to ~ sth from sth*** suspendre qc à qc; ***to ~ one's head*** baisser la tête **2.** ⟨*past*, *past part* **hanged**⟩ *criminal* pendre; ***to ~ oneself*** se pendre **3.** *infml* ***~ the cost!*** tant pis pour la dépense! *infml* **II** *v/i* **1.** (*drapes*, *painting*, *clothes*) être accroché (*on* à, *from* de); (*hair*) tomber, pendre **2.** (*gloom etc.*) peser (***over*** sur) **3.** (*criminal*) être pendu; ***to be sentenced to ~*** être condamné à la pendaison **III** *n no pl infml* ***to get the ~ of sth*** piger qc *infml* ◆ **hang around** *or* **round** *Br* **I** *v/i infml* poireauter *infml*; (*loiter*) traîner *infml*, ***to keep sb hanging around*** faire poireauter qn *infml*; ***to hang around with sb*** traîner avec qn; ***hang about, I'm just coming*** *Br* attends--moi, j'arrive tout de suite; ***he doesn't hang around*** (*move quickly*) il ne traîne pas *infml* **II** *v/t insep* ***to hang around a place*** traîner quelque part *infml* ◆ **hang back** *v/i lit* rester en arrière ◆ **hang down** *v/i* pendre ◆ **hang in** *v/i infml* ***just ~ there!*** accroche-toi! *infml* ◆ **hang on I** *v/i* **1.** (*hold*) s'accrocher (***to sth*** à qc) **2.** (*hold out*) tenir bon; (*infml wait*) attendre; ***~ (a minute)*** attendez (une minute) **II** *v/t insep* ***he hangs on her every word*** il est suspendu à ses lèvres; ***everything hangs on his decision*** tout dépend de sa décision ◆ **hang on to** *v/t insep* **1.** (*lit hold on to*) s'accrocher à; *fig hope* garder **2.** (*keep*) garder; ***to ~ power*** s'accrocher au pouvoir ◆ **hang out I** *v/i* **1.** (*tongue etc.*) pendre **2.** *infml* crécher *infml* **II** *v/t sep washing* étendre ◆ **hang together** *v/i* (*argument*, *ideas*) se tenir; (*alibi*) tenir la route; (*story*, *report etc.*) tenir debout ◆ **hang up I** *v/i* TEL raccrocher; ***he hung up on me*** il m'a raccroché au nez **II** *v/t sep picture* accrocher; *receiver* raccrocher ◆ **hang upon** *v/t insep* = **hang on** *II*

hangar ['hæŋəʳ] *n* hangar *m*

hanger ['hæŋəʳ] *n* (*for clothes*) cintre *m* **hanger-on** [ˌhæŋər'ɒn] *n* ⟨*pl* **hangers--on**⟩ parasite *m* **hang-glider** *n* (*device*) deltaplane *m*; (*person*) libériste *m/f* **hang-gliding** *n* deltaplane *m* **hanging** ['hæŋɪŋ] *n* **1.** (*of criminal*) pendaison *m* **2. hangings** *pl* (*tapestry*) tentures *fpl* **hanging basket** *n* suspension *f* florale **hangman** *n* bourreau *m*; (*game*) pendu *m* **hang-out** *n infml* lieu *m* de prédilection; (*of group*) lieu *m* de rendez-vous habituel **hangover** *n* gueule *f* de bois *infml* **hang-up** *n infml* complexe *m* (***about*** à cause de)

hanker ['hæŋkəʳ] *v/i* rêver (***for or after sth*** de qc) **hankering** ['hæŋkərɪŋ] *n* rêve *m*; ***to have a ~ for sth*** rêver de qc

hankie, hanky ['hæŋkɪ] *n infml* mouchoir *m*

hanky-panky ['hæŋkɪ'pæŋkɪ] *n* (*infml, esp Br*) entourloupes *fpl infml*

Hanover ['hænəʊvəʳ] *n* Hanovre

haphazard [ˌhæp'hæzəd] *adj* désordonné; ***in a ~ way*** de manière désordonnée

happen ['hæpən] *v/i* **1.** (*occur*) se passer, arriver; (*special event*) se passer; (*unexpected or unpleasant event*) se produire; ***it ~ed like this ...*** ça c'est passé comme ça ...; ***what's ~ing?*** qu'est-ce qui se passe?; ***it just ~ed*** c'est arrivé comme ça; ***as if nothing had ~ed*** comme s'il ne s'était rien passé; ***don't let it ~ again*** que cela ne se reproduise pas; ***what has ~ed to him?*** qu'est-ce qui lui est arrivé?; (*what has become of him*) qu'est-ce qu'il est devenu?; ***if anything should ~ to me*** s'il m'arrivait quelque chose; ***it all ~ed so quickly*** tout s'est passé si vite **2.** ***do you ~ to know whether ...?*** est-ce que tu sais par hasard si ...?; ***I picked up the nearest paper, which ~ed to be the New York Times*** j'ai ramassé le premier journal qui traînait; il s'est trouvé que c'était le New York Times; ***as it ~s I don't like that kind of thing*** il se trouve que je n'aime pas ce genre de chose **happening** ['hæpnɪŋ] *n* événement *m*; (*not planned*) incident *m*; ***there have been some strange ~s in that house*** il s'est passé des choses étranges dans cette maison

happily ['hæpɪlɪ] *adv* **1.** d'un air heureux; *say, play* gaiement; ***it all ended ~*** tout s'est bien terminé; ***they lived ~ ever after*** (*in fairy tales*) ils vécurent heureux **2.** (*harmoniously*) *live together, combine* sans problème **3.** (*gladly*) volontiers; ***I would ~ have lent her the money*** je lui aurais volontiers prêté l'argent **4.** (*fortunately*) heureusement

happiness ['hæpɪnɪs] *n* bonheur *m*

happy ['hæpɪ] *adj* ⟨**+er**⟩ **1.** heureux (-euse); ***the ~ couple*** les jeunes mariés; ***a ~ ending*** un happy end; ***~ birthday*** (***to you***) joyeux anniversaire; ***Happy Easter*** joyeuses Pâques; ***Happy Christmas*** joyeux Noël **2.** (*content*) content; (***not***) ***to be ~ about*** *or* ***with sth*** (ne pas) être content de qc; ***to be ~ to do sth*** (*willing*) bien vouloir faire qc; (*relieved*) être content de faire qc; ***I was ~ to hear that you passed your exam*** j'étais content d'apprendre que tu as réussi ton examen **happy-go-lucky** *adj* insouciant **happy hour** *n* happy hour *m*

harangue [hə'ræŋ] *v/t* haranguer

harass ['hærəs] *v/t* harceler; ***don't ~ me*** arrête de me harceler **harassed** *adj* stressé; ***a ~ father*** un père stressé **harassment** *n* (*act*) harcèlement *m*; ***racial ~*** harcèlement racial; ***sexual ~*** harcèlement sexuel

> **harass, harassed**
>
> Le mot anglais n'a rien a voir avec la fatigue mais avec harceler.

harbor, *Br* **harbour** ['hɑːbəʳ] **I** *n* port *m* **II** *v/t* **1.** *criminal etc.* héberger **2.** *doubts, resentment* nourrir

hard [hɑːd] **I** *adj* ⟨**+er**⟩ **1.** dur; *frost* fort; *winter* rude; ***as ~ as rocks / iron*** dur comme de la pierre / du fer; ***he leaves all the ~ work to me*** il me laisse tout le travail pénible; ***to be a ~ worker*** être travailleur; ***it was ~ going*** c'était difficile; ***to be ~ on sb*** (*person*) être dur avec qn; ***to be ~ on sth*** (*cause strain*) être difficile pour qc; ***to have a ~ time*** traverser une période difficile; ***I had a ~ time finding a job*** j'ai eu du mal à trouver du travail; ***to give sb a ~ time*** en faire voir de toutes les couleurs à qn; ***there are no ~ feelings between them*** il n'y a pas de rancune entre eux; ***no ~ feelings?*** sans rancune?; ***to be as ~ as nails*** être coriace **2.** (*difficult*) difficile; ***~ to understand*** difficile à comprendre; ***that is a very ~ question to answer*** c'est une question à laquelle il est difficile de répondre; ***she is ~ to please*** elle est difficile à contenter; ***it's ~ to tell*** c'est difficile à dire; ***I find it ~ to believe*** j'ai du mal à le croire; ***she found it ~ to make friends*** elle a eu du mal à se faire des amis; ***to play ~ to get*** se faire désirer **3.** *blow, kick* violent; *tug* sec(sèche); ***to give sb / sth a ~ push*** pousser fort qn / qc; ***it was a ~ blow*** (***for them***) *fig* ça a été un coup dur (pour eux) **4.** *facts* concret(-ète); **~ evidence** une preuve tangible **II** *adv work* dur; *run* de toutes ses forces; *breathe* avec peine; *study* assidûment; *listen* attentivement; *think* bien; *push, pull, rain* fort; ***I've been ~ at work since this morning*** je bosse dur depuis ce matin; ***she works ~ at keeping herself fit*** elle fait beaucoup d'efforts pour rester en forme; ***to try ~*** faire beaucoup d'efforts; ***no matter how ~ I try …*** j'ai beau essayer, …; ***to be ~ pushed*** *or* ***put to do sth*** avoir beaucoup de mal à faire qc; ***to be ~ done by*** être brimé par; ***they are ~ hit by the cuts*** ils sont durement touchés par les compressions budgétaires; ***~ left*** à fond à gauche; ***to follow ~ upon sth*** suivre qc de très près **hard and fast** *adj* strict **hardback I** *adj* (*a.* **hardbacked**) *book* cartonné **II** *n* livre *m* cartonné **hardboard** *n* carton *m* dur **hard-boiled** *adj egg* dur **hard cash** *n* argent *m* liquide **hard copy** *n* sortie *f* papier **hard core** *n fig* noyau *m* dur **hard-core** *adj* **1.** *pornography* hard; ***~ movie*** film *m* porno hard **2.** *members* irrécupérable **hardcover** *adj, n US* = **hardback hard currency** *n* devise *f* forte

hard disk *n* IT disque *m* dur **hard disk drive** *n* disque *m* dur **hard drug** *n* drogue *f* dure **hard-earned** *adj cash* durement gagné; *victory* bien mérité **hard-edged** *adj fig* sans compromis; *reality* dur **harden** ['hɑːdn] **I** *v/t steel* tremper; ***this ~ed his attitude*** ça a durci son attitude; ***to ~ oneself to sth*** (*physically*) s'aguerrir à qc; (*emotionally*) s'endurcir à qc **II** *v/i* (*substance*) durcir; (*fig, attitude*) se durcir; ***his face ~ed*** son visage se durcit **hardened** *adj steel* trempé; *troops* endurci; *arteries* sclérosé; ***~ criminal*** criminel endurci; ***you become ~ to it after a while*** tu t'endurcis au bout d'un moment **hard-fought** *adj battle* acharné; *victory* obtenu de haute lutte; *game* âprement disputé **hard hat** *n* casque *m*; (*construction worker*) ouvrier *m* du bâtiment **hardhearted** *adj* au cœur de pierre **hard-hitting** *adj report* sans complaisance **hard labor**, *Br* **hard labour** *n* travaux *mpl* forcés **hard left** *n* POL ***the ~*** la gauche dure **hard line** *n* ***to take a ~*** être intransigeant **hardline** *adj* pur et dur **hardliner** *n* pur(e) et dur(e) *m(f)* (*esp* POL) **hard luck** *n* (*Br infml*) poisse *f infml* (**on** pour); ***~!*** pas de chance!

hardly ['hɑːdlɪ] *adv* **1.** (*barely*) à peine; ***~ ever*** presque jamais; ***~ any money*** presque pas d'argent; ***it's worth ~ anything*** cela ne vaut presque rien; ***you've ~ eaten anything*** tu n'as presque rien mangé; ***there was ~ anywhere to go*** on ne pouvait aller presque nulle part **2.** *Br* (*certainly not*) certainement pas

hardness ['hɑːdnɪs] *n* **1.** dureté *f* **2.** (*difficulty*) difficulté *f* **hard-nosed** *adj infml person* intraitable; *attitude* dur **hard on** *n sl* gaule *f sl*; ***to have a ~*** bander *sl* **hard-pressed** *adj* sous pression; ***to be ~ to do sth*** avoir beaucoup de mal à faire qc **hard right** *n* POL ***the ~*** la droite dure **hard sell** *n* vente *f* agressive

hardship ['hɑːdʃɪp] *n* (*condition*) épreuves *fpl*; (*deprivation*) privation *f*

hard shoulder *n Br* bande *f* d'arrêt d'urgence

hardware ['hɑːdwɛəʳ] **I** *n* **1.** quincaillerie *f*; (*household goods*) ustensiles *mpl* **2.** IT hardware *m*, matériel *m* **II** *attr* **1.** ***~ store*** *or* ***shop*** *Br* quincaillerie *f* **2.** IT de hardware **hard-wearing** *adj Br* solide; *clothes* résistant **hard-won** *adj* durement gagné **hardwood** *n* feuillu *m* **hard-working** *adj* travailleur(-euse)

hardy ['hɑːdɪ] *adj* ⟨**+er**⟩ *person, animal* robuste; *plant* résistant

hare [hɛəʳ] **I** *n* lièvre *m* **II** *v/i* (*Br infml*) partir en trombe *infml* **harebrained** ['hɛəbreɪnd] *adj* écervelé **harelip** *n* bec-de-lièvre *m*

harem [hɑːˈriːm] *n* harem *m*

haricot ['hærɪkəʊ] *n Br* **~ (bean)** haricot *m* blanc

◆ **hark back to** [hɑːk] *v/t insep* ***this custom harks back to the days when …*** cette habitude remonte aux jours où …

harm [hɑːm] **I** *n* (*bodily*) mal *m*; (*material, psychological*) mal *m*, tort *m*; ***to do ~ to sb*** faire du mal à qn; ***to do ~ to sth*** nuire à qc; ***you could do somebody/yourself ~ with that knife*** tu pourrais blesser qn / te blesser avec ce couteau; ***he never did anyone any ~*** il n'a jamais fait de mal à personne; ***you will come to no ~*** il ne t'arrivera rien; ***it will do more ~ than good*** ça fera plus de mal que de bien; ***it won't do you any ~*** ça ne te fera pas de mal; ***to mean no ~*** ne pas avoir de mauvaises intentions; ***no ~ done*** il n'y a pas de mal;

there's no ~ in asking on peut toujours demander; ***where's*** *or* ***what's the ~ in that?*** qu'est-ce qu'il y a de mal à cela?; ***to keep*** *or* ***stay out of ~'s way*** se mettre à l'abri du danger; ***I've put those pills away out of ~'s way*** j'ai mis ces pilules en lieu sûr **II** *v/t person* faire du mal à; *thing*, *environment* nuire à **harmful** *adj* nuisible (***to*** pour) **harmless** *adj* inoffensif(-ive) **harmlessly** ['hɑːmlɪslɪ] *adv* sans dommages; ***the missile exploded ~ outside the town*** le missile a explosé sans faire de dégâts, en dehors de la ville

harmonic [hɑː'mɒnɪk] *adj* harmonique **harmonica** [hɑː'mɒnɪkə] *n* harmonica *m* **harmonious** [hɑː'məʊnɪəs] *adj* harmonieux(-euse) **harmoniously** [hɑː'məʊnɪəslɪ] *adv* harmonieusement **harmonize** ['hɑːmənaɪz] **I** *v/t* harmoniser; *ideas etc.* harmoniser **II** *v/i* **1.** (*colors etc.*) s'harmoniser **2.** MUS chanter en harmonie **harmony** ['hɑːmənɪ] *n* harmonie *f*; ***to live in perfect ~ with sb*** vivre en parfaite harmonie avec qn

harness ['hɑːnɪs] **I** *n* **1.** (*of parachute*, *for baby*) harnais *m* **2.** harnais *m*; ***to work in ~*** (*Br fig*) travailler en équipe **II** *v/t* **1.** *horse* harnacher; ***to ~ a horse to a carriage*** atteler un cheval à une voiture **2.** (*utilize*) exploiter

harp [hɑːp] *n* harpe *f* ◆ **harp on** *v/i infml* ***to ~ sth US*** rabâcher qc; ***he's always harping on about …*** *Br* il nous rebat les oreilles avec …

harpoon [hɑː'puːn] **I** *n* harpon *m* **II** *v/t* harponner

harpsichord ['hɑːpsɪkɔːd] *n* clavecin *m*

harrowing ['hærəʊɪŋ] *adj story* poignant; *experience* extrêmement pénible

harry ['hærɪ] *v/t* (*hassle*) harceler

harsh [hɑːʃ] *adj* ⟨**+er**⟩ *climate*, *winter* rude, rigoureux(-euse); *environment*, *conditions*, *criticism*, *reality*, *treatment* dur; *sound* discordant; *light* cru; ***to be ~ with sb*** être dur avec qn; ***don't be too ~ with him*** ne sois pas trop dur avec lui **harshly** ['hɑːʃlɪ] *adv* **1.** *judge*, *treat* sévèrement; *criticize* durement **2.** *say* rudement; ***he never once spoke ~ to her*** (*unkindly*) il ne lui a jamais parlé méchamment **harshness** ['hɑːʃnɪs] *n* rudesse *f*; (*of climate*) rigueur *m*; (*of criticism*, *environment*) dureté *f*

harvest ['hɑːvɪst] **I** *n* moisson *f*; ***a bumper potato ~*** une récolte de pommes de terre exceptionnelle **II** *v/t* (*reap*) récolter **harvest festival** *n esp Br* fête *f* de la moisson

has [hæz] *3rd person sg pres* = **have has-been** ['hæzbiːn] *n pej* has been *m/f*

hash [hæʃ] *n* **1.** *fig* ***to make a ~ of sth*** faire un beau gâchis de qc *infml* **2.** (*Br* TEL) touche *f* dièse **3.** (*infml hashish*) hasch *m infml* **hash browns** [hæʃ'braʊnz] *pl* ≈ pommes *fpl* de terre sautées

hashish ['hæʃɪʃ] *n* haschisch *m*

hasn't ['hæznt] *contr* = **has not**

hassle ['hæsl] *infml* **I** *n* **1.** histoire *f* **2.** (*bother*) galère *f infml*; ***we had a real ~ getting these tickets*** on a vraiment galéré pour avoir ces billets; ***getting there is such a ~*** c'est vraiment la galère pour arriver ici **II** *v/t* embêter; ***stop hassling me*** arrête de m'embêter; ***I'm feeling a bit ~d*** je me sens un peu harcelé

haste [heɪst] *n* hâte *f*; (*nervous*) précipitation *f*; ***to do sth in ~*** faire qc à la hâte; ***to make ~ to do sth*** se hâter de faire qc **hasten** ['heɪsn] **I** *v/i* se hâter; ***I ~ to add that …*** je m'empresse d'ajouter que … **II** *v/t* hâter **hastily** ['heɪstɪlɪ] *adv* **1.** *arranged* à la hâte; *dress*, *eat* précipitamment; *add* à la hâte **2.** (*too quickly*) précipitamment **hasty** ['heɪstɪ] *adj* ⟨**+er**⟩ **1.** hâtif(-ive); *departure* précipité; ***to beat a ~ retreat*** se retirer précipitamment **2.** (*too quick*) précipité; ***don't be ~!*** pas de précipitation!; ***I had been too ~*** j'avais agi avec trop de précipitation

hat [hæt] *n* **1.** chapeau *m*; ***to put on one's ~*** mettre son chapeau; ***to take one's ~ off*** retirer son chapeau **2.** *fig* ***I'll eat my ~ if …*** je mange mon chapeau si …; ***I take my ~ off to him*** je lui tire son chapeau; ***to keep sth under one's ~*** *infml* garder qc pour soi; ***at the drop of a ~*** au pied levé; ***that's old ~*** *infml* ça ne date pas d'hier *infml* **hatbox** *n* carton *m* à chapeaux

hatch[1] [hætʃ] **I** *v/t* (*a.* **hatch out**) faire éclore **II** *v/i* (*a.* **hatch out**: *bird*) éclore; ***when will the eggs ~?*** quand est-ce que les œufs vont éclore?

hatch[2] *n* **1.** NAUT écoutille *f*; (*in floor*, *ceiling*) trappe *f* **2.** (***service***) **~** passe-plats *m* **3.** ***down the ~!*** *infml* cul sec!

infml **hatchback** ['hætʃbæk] *n* voiture *f* à hayon

hatchet ['hætʃɪt] *n* hachette *f*; ***to bury the ~*** *fig* enterrer la hache de guerre **hatchet job** *n* (*Br infml*) ***to do a ~ on sb*** démolir qn *infml*

hatchway ['hætʃweɪ] *n* = **hatch²** *1*

hate [heɪt] **I** *v/t* détester, haïr; ***to ~ to do sth*** *or* ***doing sth*** détester faire qc; ***I ~ seeing*** *or* ***to see her in pain*** je ne supporte pas de la voir souffrir; ***I ~ it when …*** je déteste que …; ***I ~ to bother you*** ça m'embête de vous déranger; ***I ~ to admit it but …*** ça m'ennuit de le reconnaître, mais …; ***she ~s me having any fun*** elle ne supporte pas que je m'amuse; ***I'd ~ to think I'd never see him again*** l'idée que je ne puisse jamais le revoir me serait insupportable **II** *n* haine *f* (***for, of*** pour, de); ***one of his pet ~s is plastic cutlery / having to wait*** les couverts en plastique / devoir attendre, c'est une de ses bêtes noires **hate campaign** *n* campagne *f* de dénigrement **hated** ['heɪtɪd] *adj* détesté **hateful** *adj* odieux(-euse); *person* haineux (-euse) **hate mail** *n* lettres *fpl* d'injures

hatpin ['hætpɪn] *n* épingle *f* à chapeau

hatred ['heɪtrɪd] *n* haine *f* (***for, of*** pour, de); ***racial ~*** haine raciale

hat stand, *US* **hat tree** *n* portemanteau *m* **hat trick** *n* coup *m* du chapeau; ***to score a ~*** marquer trois buts (*au cours du même match*)

haughty ['hɔːtɪ] *adj* ⟨**+er**⟩ arrogant; *look* hautain

haul [hɔːl] **I** *n* **1.** (*journey*) ***it's a long ~*** c'est un long voyage; ***short / long / medium ~ aircraft*** court-courrier / long-courrier / moyen-courrier; ***over the long ~*** *esp US* sur le long terme **2.** (*fig booty*) butin *m*; (*of cocaine etc.*) saisie *f* **II** *v/t* **1.** (*pull*) tirer, traîner; ***he ~ed himself to his feet*** il s'est péniblement levé **2.** (*transport*) camionner ◆ **haul in** *v/t sep* amener; *rope* tirer

haulage ['hɔːlɪdʒ] *n Br* transport *m* routier **haulage business** *n esp Br* (*firm*) entreprise *f* de transports (routiers); (*trade*) secteur *m* des transports routiers **hauler** *US*, *Br* **hauler** *n* (*company*) entreprise *f* de transports (routiers)

haunch [hɔːntʃ] *n* ***~es*** hanches *fpl*; (*of animal*) arrière-train *m*; ***to squat on one's ~es*** s'accroupir

haunt [hɔːnt] **I** *v/t* **1.** (*ghost*) hanter **2.** *person* hanter; (*memory*) hanter, tourmenter **II** *n* (*of person bar etc.*) repaire *m*; (*favorite resort*) lieu *m* de prédilection; ***her usual childhood ~s*** les lieux de prédilection de son enfance **haunted** *adj* **1.** hanté; ***~ castle*** château hanté; ***this place is ~*** ce lieu est hanté; ***is it ~?*** est-ce que c'est hanté? **2.** *look* hagard **haunting** ['hɔːntɪŋ] *adj* obsédant; *music* lancinant

have [hæv] ⟨*past, past part* **had**⟩ ⟨*3rd person sg pres* **has**⟩ **I** *v/aux* **1.** avoir; ***I ~/had seen*** j'ai / avais vu; ***had I seen him, if I had seen him*** si je l'avais vu; ***having seen him*** (*after I had*) l'ayant vu; ***having realized this*** (*since I had*) m'en étant rendu compte de ça; ***you HAVE grown!*** comme tu as grandis!; ***to ~ been*** avoir été; ***I ~ lived*** *or* ***~ been living here for 10 years*** j'habite ici depuis 10 ans **2.** être; ***to ~ gone*** être allé; ***she has already left*** elle est déjà partie **3.** (*in tag questions etc.*) ***you've seen her, ~n't you?*** tu l'as vue, n'est-ce pas; ***you ~n't seen her, ~ you?*** tu ne l'as pas vue, n'est-ce pas?; ***you ~n't seen her — yes, I ~*** tu ne l'as pas vu – (mais) si; ***you've made a mistake — no, I ~n't*** tu as fait une erreur – (mais) non; ***I ~ seen a ghost — ~ you?*** j'ai vu un fantôme – vraiment? **II** *v/mod* ***to ~ to do sth*** devoir; ***I ~*** (***got*** *esp Brit*) ***to do it*** je dois le faire; ***she was having to get up at 6 o'clock*** elle devait se lever à 6 heures; ***you didn't ~ to tell her*** tu n'avais pas besoin de lui dire **III** *v/t* **1.** avoir; ***~ you*** (***got*** *esp Brit*) *or* ***do you ~ a car?*** as-tu une voiture?; ***I ~n't*** (***got*** *esp Brit*) *or* ***I don't ~ a pen*** je n'ai pas de stylo; ***I ~*** (***got*** *esp Brit*) ***work / a translation to do*** j'ai du travail / une traduction à faire; ***I must ~ more time*** il me faut plus de temps; ***I must ~ something to eat*** il faut que je mange quelque chose; ***thanks for having me*** merci pour votre hospitalité; ***he has diabetes*** il est diabétique; ***to ~ a heart attack*** avoir une crise cardiaque; ***I've*** (***got*** *esp Br*) ***a headache*** j'ai mal à la tête; ***to ~ a pleasant evening*** passer une bonne soirée; ***to ~ a good time*** bien s'amuser; ***~ a good time!*** amusez-vous bien!; ***to ~ a walk*** aller se promener; ***to ~ a swim*** aller se baigner; ***to ~ a baby*** avoir un bébé; ***he had the audience in hysterics*** il a fait rire aux larmes le public; ***he had the police baffled*** la police était déconcertée par ses actions; ***as rumor*** (*US*) *or* ***rumour*** (*Br*) ***has it*** d'après la rumeur; ***I won't ~ this sort of rudeness!*** je ne tolérerai pas ce genre de grossièreté; ***I won't ~ him insulted*** je ne le laisserai pas se faire insulter; ***to let sb ~ sth*** donner qc à qn **2.** ***to ~ breakfast*** prendre le petit déjeuner; ***to ~ lunch*** déjeuner; ***to ~ tea with sb*** prendre le thé avec qn; ***will you ~ tea or coffee?*** vous prendrez du thé ou du café?; ***will you ~ a drink / cigarette?*** vous voulez un verre / une cigarette?; ***what will you ~? — I'll ~ the steak*** qu'est-ce que tu prends? — je prends le steak; ***he had a cigarette*** il a fumé une cigarette **3.** (*hold*) ***he had*** (***got*** *esp Br*) ***me by the throat*** il me tenait à la gorge; ***you ~ me there*** là, tu me poses une colle **4.** *party* donner; *meeting* organiser **5.** (*wish*) vouloir; ***which one will you ~?*** lequel veux-tu? **6.** ***to ~ sth done*** faire faire qc; ***to ~ one's hair cut*** se faire couper les cheveux; ***he had his car stolen*** il s'est fait voler sa voiture; ***I've had three windows broken*** j'ai eu trois fenêtres cassées; ***to ~ sb do sth*** faire faire qc à qn; ***I had my friends turn against me*** j'avais monté mes amis contre moi; ***that coat has had it*** *infml* ce manteau est foutu *infml*; ***if I miss the bus, I've had it*** *infml* si je rate le bus, je suis foutu *infml*; ***let him ~ it!*** *infml* règle-lui son compte! *infml*; ***~ it your own way*** fais-le à ta manière; ***you've been had!*** *infml* tu t'es fait avoir! *infml* ◆ **have around** *v/t always separate* ***he's a useful man to ~*** c'est utile d'avoir quelqu'un comme lui dans les parages ◆ **have back** *v/t sep* récupérer ◆ have in *v/t always separate* **1.** (*in the house*) faire venir **2.** ***to have it in for sb*** *infml* avoir une dent contre qn *infml* **3.** ***I didn't know he had it in him*** je ne savais pas qu'il en était capable ◆ **have off** *v/t always separate* ***to have it off with sb*** (*Br infml*) s'envoyer en l'air avec qn *infml* ◆ **have on I** *v/t sep* (*wear*) porter **II** *v/t always separate* **1.** (*have arranged*) avoir prévu; (*be busy with*) être occupé par **2.** *Br* (*infml trick*) jouer un tour à *infml*; (*tease*) faire marcher *infml* ◆ **have out** *v/t always separate* **1.** *esp Br* (*have taken out*) se faire arracher; ***he had his tonsils out*** il a été opéré des amygdales **2.** (*discuss*) ***I'll have it out with him*** je vais m'expliquer avec lui ◆ **have over** *or* (*Brit*) **round** *v/t always separate* avoir la visite de; (*invite*) inviter

haven ['heɪvən] *n fig* havre *m*

haven't ['hævnt] *contr* = **have not**

haves [hævz] *pl infml* ***the ~ and the have-nots*** les riches *mpl* et les pauvres *mpl*

havoc ['hævək] *n* dégâts *mpl*; (*chaos*) ravages *mpl*; ***to cause*** *or* ***create ~*** faire des dégâts; ***to wreak ~ in / on / with sth, to play ~ with sth*** bouleverser qc; ***this wreaked ~ with their plans*** cela a bouleversé tous leurs projets

Hawaii [hə'waɪiː] *n* Hawaï *m*

hawk¹ [hɔːk] *n* **1.** ORN faucon *m*; ***to watch sb like a ~*** ne pas quitter qn du regard **2.** (*fig politician*) faucon *m*

hawk² *v/t* colporter; (*in street*) vendre

hawker ['hɔːkəʳ] *n* colporteur(-euse) *m(f)*; (*in street*) marchand(e) *m(f)* ambulant(e)

hawk-eyed ['hɔːkaɪd] *adj* aux yeux de lynx

hawthorn ['hɔːθɔːn] *n* (*a.* **hawthorn bush / tree**) aubépine *f*

hay [heɪ] *n* foin *m*; ***to make ~ while the sun shines*** *prov* battre le fer pendant qu'il est chaud *prov* **hay fever** *n* rhume *m* des foins **hayrick, haystack** *n* meule *f* de foin **haywire** ['heɪwaɪəʳ] *adj pred infml* ***to go ~*** perdre la boule *infml*; (*plans*) être perturbé; (*machinery*) se détraquer

hazard ['hæzəd] **I** *n* **1.** danger *m*; (*risk*) risque *m*; ***it's a fire ~*** ça pourrait provoquer un incendie; ***to pose a ~*** (***to sb / sth***) présenter un risque (pour qn / qc) **2. hazards** *pl* (AUTO: *a.* **hazard (warning) lights**) feux *mpl* de détresse **II** *v/t* hasarder; ***if I might ~ a suggestion*** si je peux hasarder une proposition; ***to ~ a guess*** hasarder une hypothèse **hazardous** ['hæzədəs] *adj* dangereux (-euse); (*risky*) risqué; ***such jobs are***

hazard ≠ sort

Hazard = danger ou risque :

× **I met him purely by hasard.**
✓ **I met him purely by chance.**

Je l'ai rencontré par pur hasard.

~ *to one's health* de tels métiers sont dangereux pour la santé **hazardous waste** *n* déchets *mpl* dangereux
haze [heɪz] *n* **1.** brume *f* **2.** *fig* ***he was in a ~*** il était dans le coaltar
hazel ['heɪzl] *adj* (*color*) noisette **hazelnut** ['heɪzlnʌt] *n* noisette *f*
hazy ['heɪzɪ] *adj* ⟨**+er**⟩ *weather* brumeux (-euse); *sunshine* voilé; *outline* flou; *details* vague; ***I'm a bit ~ about that*** je n'en ai qu'une vague idée
H-bomb ['eɪtʃbɒm] *n* bombe *f* H
he [hiː] **I** *pers pr* il; ***Harry Rigg? who's he?*** Harry Rigg? qui est-ce? **II** *n* ***it's a he*** *infml* c'est un garçon **III** *pref* mâle
head [hed] **I** *n* **1.** tête *f*; (*of arrow*) pointe *f*; (*of bed*) chevet *m*; (*on beer*) mousse *f*; ***from ~ to foot*** de la tête aux pieds; ***he can hold his ~ high*** il peut garder la tête haute; ***~s or tails?*** *Br* pile ou face?; ***~s you win*** face tu gagnes; ***to keep one's ~ above water*** *fig* se maintenir à flot; ***to go to one's ~*** monter à la tête de qn; ***I can't make ~ nor tail of it*** ça n'a ni queue ni tête; ***use your ~*** utilise ton cerveau; ***it never entered his ~ that …*** il ne lui est jamais venu à l'esprit que …; ***we put our ~s together*** nous y avons réfléchi ensemble; ***the joke went over his ~*** il n'a pas compris la plaisanterie; ***to keep one's ~*** garder son sang-froid; ***to lose one's ~*** perdre la tête; ***~ of steam*** pression *f*; ***at the ~ of the page / stairs*** en haut de la page / des escaliers; ***at the ~ of the table*** au bout de la table; ***at the ~ of the queue*** *Br* au début de la queue; ***a*** *or* ***per ~*** par tête; ***to be ~ and shoulders above sb*** *fig* surpasser qn; ***to fall ~ over heels in love with sb*** tomber éperdument amoureux de qn; ***to fall ~ over heels down the stairs*** tomber la tête la première dans les escaliers; ***to stand on one's ~*** faire le poirier; ***to turn sth on its ~*** *fig* prendre le contre-pied de qc; ***to laugh one's ~ off*** *infml* rire à gorge déployée *infml*; ***to shout one's ~ off*** *infml* crier à tue-tête *infml*; ***to scream one's ~ off*** *infml* hurler à plein poumons; ***he can't get it into his ~ that …*** il n'arrive pas à se mettre dans la tête que …; ***I can't get it into his ~ that …*** je n'arrive pas à lui mettre dans la tête que …; ***to take it into one's ~ to do sth*** se mettre en tête de faire qc; ***don't put ideas into his ~*** ne lui mets pas des idées dans la tête; ***to get sb / sth out of one's ~*** se sortir qn / qc de la tête; ***he is off his ~*** (*Br infml*) il a perdu la boule *infml*; ***he has a good ~ for figures*** il est à l'aise avec les chiffres; ***you need a good ~ for heights*** il ne faut pas avoir le vertige; ***to come to a ~*** s'aggraver; ***to bring matters to a ~*** précipiter les choses **2.** ***twenty ~ of cattle*** vingt têtes de bétail **3.** (*of family, organization*) chef *m/f*; (*Br* SCHOOL) directeur(-trice) *m(f)*; ***~ of department*** (*in business*) directeur de département; SCHOOL professeur coordinateur; UNIV ≈ directeur d'UFR (*unité de formation et de recherche*); ***~ of state*** chef *m* d'État **II** *v/t* **1.** (*be at the head of*) être à la tête de; (*be in charge of*) mener; *team* diriger; ***a coalition government ~ed by …*** un gouvernement de coalition dirigé par … **2.** ***in the chapter ~ed …*** dans le chapitre intitulé … **3.** FTBL ***to head the ball*** faire une tête **III** *v/i* aller; (*vehicle*) se diriger; ***the tornado was ~ing our way*** la tornade nous arrivait dessus ◆ **head back** *v/i* rentrer; ***it's time we were heading back now*** il est temps pour nous de rentrer ◆ **head for** *v/t insep* **1.** *place, person* se diriger vers; *town, direction* aller vers; *door, pub* se diriger vers; ***where are you heading*** *or* ***headed for?*** où allez-vous? **2.** *fig* courir à; ***you're heading for trouble*** tu vas avoir des ennuis; ***to ~ victory*** être bien parti pour gagner; ***to ~ defeat*** être parti pour perdre ◆ **head off I** *v/t sep* **1.** (*divert*) barrer la route à **2.** *war, strike* stopper **II** *v/i* (*set off*) partir
headache *n* mal *m* de tête; (*infml problem*) problème *m*; ***to have a ~*** avoir mal à la tête; ***this is a bit of a ~ (for us)*** ça (nous) pose un problème **headband** *n* bandeau *m* **headboard** *n* tête *f* de lit **head boy** *n Br élève de terminale chargé de certaines responsabilités* **headbutt** *v/t* coup *m* de tête **head cold** *n* rhume *m* de cerveau **headcount** *n* ***to have*** *or* ***take a ~*** compter **headdress** *n* coiffure *f* **headed notepaper** *n* papier *m* à lettres à en-tête **header** ['hedəʳ] *n* FTBL tête *f*; IT en-tête *m* **headfirst** *adv* la tête la première **headgear** *n* couvre-chef *m* **head girl** *n Br élève de terminale chargée de certaines responsabilités* **head-hunt** *v/t* recruter; ***to be head-hunted*** être recruté (par un

chasseur de tête) **head-hunter** *n fig* chasseur(-euse) *m(f)* de têtes **heading** *n* titre *m* **headlamp** *n Br* = **headlight** **headland** *n* promontoire *m* **headlight**, *Br* **headlight** *n* phare *m*

headline *n* PRESS (gros) titre *m*; ***he is always in the ~s*** il fait toujours les gros titres; ***to hit*** *or* ***make the ~s*** faire la une *infml*; ***the news ~s*** les titres de l'actualité **headline news** *n no pl* ***to be ~*** faire les gros titres **headlong** *adv* tête baissée; *fall* la tête la première; ***he ran ~ down the stairs*** il est tombé la tête la première dans les escaliers

headmaster *n Br* directeur *m*

headmistress *n Br* directrice *f* **head office** *n esp Br* siège *m* central **head-on I** *adv* **1.** *collide* de front **2.** *fig tackle* de front; ***to confront sb / sth ~*** attaquer qn / qc de front **II** *adj* ***~ collision*** collision *f* frontale **headphones** *pl* écouteurs *mpl* **headquarters** *n sg or pl* MIL quartier *m* général; (*of business*) siège *m* **headrest** *n* appui-tête *m* **headroom** *n* hauteur *f* limite; (*in car*) hauteur *f* au plafond **headscarf** *n* foulard *m* **headset** *n* écouteurs *mpl* **head start** *n* avance *f* (***on sb*** sur qn) **headstone** *n* pierre *f* tombale **headstrong** *adj* obstiné **heads-up** *n* ***can you give us a ~ on when the new car will be launched?*** pouvez-vous déjà nous donner une idée de la date de lancement de la nouvelle voiture? **head teacher** *n Br* = **headmaster**, **headmistress** **head waiter** *n* maître *m* d'hôtel **headway** *n* ***to make ~*** faire des progrès **headwind** *n* vent *m* contraire **headword** *n* (*in dictionary*) entrée *f* **heady** ['hedɪ] *adj* ⟨**+er**⟩ capiteux(-euse)

heal [hiːl] **I** *v/i* guérir **II** *v/t* **1.** MED guérir **2.** *fig differences etc.* régler ◆ **heal up** *v/i* se guérir

healer ['hiːləʳ] *n* guérisseur(-euse) *m(f)*

healing ['hiːlɪŋ] **I** *n* guérison *f*; (*of wound*) cicatrisation *f* **II** *adj* MED de guérison; ***~ process*** processus *m* de guérison

health [helθ] *n* santé *f*; ***in good ~*** en bonne santé; ***to suffer from poor*** *or* ***bad ~*** être en mauvaise santé; ***to be good / bad for one's ~*** être bon / mauvais pour la santé; ***~ and safety regulations*** la réglementation sur l'hygiène et la sécurité; ***to drink (to) sb's ~*** boire à la santé de qn; ***your ~!*** à votre santé! **health authority** *n Br administration régionale de la santé publique* **health care** *n* soins *mpl* médicaux **health centre** *n* (*Br* MED) ≈ centre *m* médico-social **health club** *n* club *m* de remise en forme **health-conscious** *adj* attentif (-ive) à sa santé **health farm** *n* établissement *m* de remise en forme **health food** *n* aliments *mpl* diététiques **health food store** *esp US*, **health food shop** *Br n* magasin *m* d'aliments diététiques

healthily ['helθɪlɪ] *adv eat*, *live*, *grow* sainement **health insurance** *n* assurance *f* maladie **health problem** *n* ***to have ~s*** avoir des problèmes de santé **health resort** *n* station *f* thermale **Health Service** *n Br* ***the ~*** ≈ la Sécurité sociale **health spa** *n* ville *f* thermale, (*facility*) bains *mpl* **health warning** *n* (*on cigarette packet*) ≈ mise en garde du ministère de la Santé

healthy ['helθɪ] *adj* ⟨**+er**⟩ en bonne santé; ***to earn a ~ profit*** faire un bénéfice substantiel

heap [hiːp] **I** *n* tas *m*; ***he fell in a ~ on the floor*** il s'est écroulé comme une masse; ***at the bottom / top of the ~*** *fig* en bas / haut de l'échelle; ***~s of*** *infml* des tas de *infml*; ***~s of times*** des tas de fois *infml*; ***~s of enthusiasm*** un enthousiasme débordant **II** *v/t* couvrir; ***to ~ praise on sb / sth*** couvrir qn / qc d'éloges; ***a ~ed spoonful*** *Br* une cuillerée bombée ◆ **heap up** *v/t sep* entasser

hear [hɪəʳ] ⟨*past*, *past part* **heard**⟩ **I** *v/t* entendre; ***I ~d him say that …*** je l'ai entendu dire que …; ***there wasn't a sound to be ~d*** il n'y avait pas un bruit; ***to make oneself ~d*** se faire entendre; ***you're not going, do you ~ me!*** tu n'iras pas, tu m'entends?; ***I ~ you play chess*** on m'a dit que vous jouiez aux échecs; ***I've ~d it all before*** j'ai déjà entendu ça quelque part; ***I must be ~ing things*** je dois entendre des voix; ***to ~ a case*** JUR entendre une cause; ***to ~ evidence*** JUR entendre des témoignages **II** *v/i* entendre; ***he cannot ~ very well*** il n'entend pas très bien; ***~, ~!*** très bien!; PARL bravo!; ***he's left his wife — yes, so I ~*** il a quitté sa femme — oui, c'est ce que j'ai entendu dire; ***to ~ about sth*** entendre parler de qc; ***never ~d of him / it*** jamais entendu parler de lui / ça; ***he was never ~d of again*** on n'a plus jamais entendu parler de lui; ***I've never***

~d of such a thing! c'est inimaginable! ◆ **hear of** *v/t insep fig* ***I won't ~ it*** je ne veux pas en entendre parler ◆ **hear out** *v/t sep person* écouter jusqu'au bout

heard [hɜːd] *past, past part* = **hear** **hearing** ['hɪərɪŋ] *n* **1.** ouïe *f*; ***to have a keen sense of ~*** avoir l'ouïe fine **2.** ***within ~*** à portée de voix; ***out of ~*** hors de portée de voix **3.** POL séance *f*; JUR audience *f*; ***disciplinary ~*** conseil de discipline **hearing aid** *n* appareil *m*, prothèse *f* auditive **hearsay** ['hɪəseɪ] *n* ouï-dire *m*; ***to know sth from*** *or* ***by ~*** savoir qc par ouï-dire

hearse [hɜːs] *n* corbillard *m*

heart [hɑːt] *n* **1.** cœur *m*; ***to break sb's ~*** briser le cœur de qn; ***to have a change of ~*** changer d'avis; ***to be close*** *or* ***dear to one's ~*** tenir à cœur à qn; ***to learn sth*** (***off***) ***by ~*** apprendre qc par cœur; ***he knew in his ~ she was right*** il savait au fond de lui qu'elle avait raison; ***with all my ~*** de tout mon cœur; ***from the bottom of one's ~*** du fond du cœur; ***to put*** (***one's***) ***~ and soul into sth*** se consacrer corps et âme à qc; ***to take sth to ~*** prendre qc à cœur; ***we*** (***only***) ***have your interests at ~*** ce sont (uniquement) vos intérêts qui nous tiennent à cœur; ***to set one's ~ on sth*** vouloir à tout prix qc; ***to one's ~'s content*** tout son soûl; ***most men are boys at ~*** la plupart des hommes sont au fond des petits garçons; ***his ~ isn't in it*** le cœur n'y est pas; ***to give sb ~*** donner du courage à qn; ***to lose ~*** perdre courage; ***to take ~*** prendre courage; ***her ~ is in the right place*** *infml* il a bon cœur; ***to have a ~ of stone*** avoir un cœur de pierre; ***my ~ was in my mouth*** *infml* mon cœur battait la chamade; ***I didn't have the ~ to say no*** je n'ai pas eu le cœur de dire non; ***she has a ~ of gold*** elle a un cœur d'or; ***my ~ sank*** le découragement s'empara de moi; (*with apprehension*) mon cœur se serra; ***in the ~ of the forest*** au cœur de la forêt; ***the ~ of the matter*** le fond du problème **2.** **hearts** *pl* CARD, BRIDGE cœur *m*; ***queen of ~s*** reine de cœur **heartache** *n* chagrin *m* **heart attack** *n* crise *f* cardiaque; (*thrombosis*) thrombose *f*; ***I nearly had a ~*** *fig, infml* j'ai failli avoir une attaque *infml* **heartbeat** *n* battement *m* de cœur **heartbreak** *n* immense chagrin *m* **heartbreaking** *adj* déchirant **heartbroken** *adj* qui a le cœur brisé **heartburn** *n* brûlures *fpl* d'estomac **heart condition** *n* maladie *f* de cœur; ***he has a ~*** il est cardiaque **heart disease** *n* maladie *f* de cœur **hearten** ['hɑːtn] *v/t* encourager **heartening** ['hɑːtnɪŋ] *adj* encourageant **heart failure** *n* arrêt *f* cardiaque; ***he suffered ~*** son cœur s'est arrêté **heartfelt** *adj thanks, apology* sincère; *tribute, appeal* du fond du cœur

hearth [hɑːθ] *n* foyer *m*; (*whole fireplace*) âtre *m*

heartily ['hɑːtɪlɪ] *adv* **1.** *laugh, say* de bon cœur; *eat* avec appétit **2.** *recommend, welcome* chaleureusement; *agree* cordialement; ***to be ~ sick of sth*** être profondément dégoûté de qc **heartless** *adj* sans cœur; (*cruel also*) cruel(le) **heartlessly** *adv* sans pitié, cruellement **heart-rending** *adj* déchirant **heartstrings** *pl* ***to pull*** *or* ***tug at sb's ~*** faire vibrer corde sensible de qn **heart-throb** *n infml* idole *f* **heart-to-heart** **I** *adj* à cœur ouvert; ***to have a ~ talk with sb*** avoir une discussion à cœur ouvert avec qn **II** *n* conversation *f* à cœur ouvert; ***it's time we had a ~*** il est temps que nous ayons une conversation à cœur ouvert **heart transplant** *n* greffe *f* du cœur **heart trouble** *n* problème *m* cardiaque **heart-warming** *adj* réconfortant **hearty** ['hɑːtɪ] *adj* ⟨**+er**⟩ **1.** *laugh* jovial; *greeting, manner* chaleureux(-euse) **2.** *endorsement* sans réserves; *dislike* cordial; ***~ welcome*** accueil chaleureux **3.** *meal* copieux (-euse); *appetite* gros; ***to be a ~ eater*** être un gros mangeur

heat [hiːt] **I** *n* **1.** chaleur *f*; (*pleasant*, PHYS) chaleur *f*; ***on*** *or* ***over*** (***a***) ***low ~*** à feu doux; ***in the ~ of the moment*** dans le feu de l'action; (*when upset*) dans l'émotion **2.** SPORTS épreuve *f* éliminatoire; BOXING *etc.* combat *m* éliminatoire **3.** ***on*** (*Br*) *or* ***in*** (*esp US*) ***~*** en rut; (*dog, cat*) en chaleur **II** *v/t* chauffer; *house, room, pool* chauffer **III** *v/i* chauffer ◆ **heat up** **I** *v/i* chauffer **II** *v/t sep* réchauffer

heated ['hiːtɪd] *adj* **1.** *lit swimming pool, room etc.* chauffé; *towel rail* chauffant **2.** *fig debate* passionné; *exchange* vif (vive) **heatedly** ['hiːtɪdlɪ] *adv* avec emportement; *argue* avec feu **heater** ['hiːtə^r] *n* radiateur *m*; (*in car*) chauffa-

ge *m*
heath [hiːθ] *n* bruyère *f*
heathen ['hiːðən] **I** *adj* païen(ne) **II** *n* païen(ne) *m(f)*
heather ['heðə^r] *n* bruyère *f*
heating ['hiːtɪŋ] *n* chauffage *m* **heating engineer** *n Br* chauffagiste *m* **heat-proof** *adj* résistant à la chaleur **heat rash** *n* inflammation *f* cutanée (due à la chaleur) **heat recovery** *n* récupération *f* de chaleur **heat-resistant** *adj* résistant à la chaleur **heatstroke** *n* coup *m* de chaleur **heat wave** *n* vague *f* de chaleur
heave [hiːv] **I** *v/t* **1.** (*lift*) soulever (***onto*** dans); (*drag*) traîner **2.** (*throw*) lancer **3.** *sigh* pousser **II** *v/i* **1.** (*pull*) tirer **2.** (*waves*, *bosom*) se soulever; (*stomach*) avoir un haut-le-cœur
heaven ['hevn] *n* ciel *m*; ***the ~s*** *liter* le ciel; ***in ~*** au ciel; ***to go to ~*** aller au paradis; ***he is in seventh ~*** il est au septième ciel; ***it was ~*** c'était divin; (***good***) ***~s!*** mon Dieu! *infml*; ***would you like to? — (good) ~s no!*** tu voudrais? — grands dieux non! *infml*; ***~ knows what …*** Dieu sait ce que …; ***~ forbid!*** grands dieux non! *infml*; ***for ~'s sake!*** pour l'amour du ciel *infml*; ***what in ~'s name …?*** mais enfin qu'est-ce que …? *infml*
heavenly ['hevnlɪ] *adj* **1.** céleste; ***~ body*** corps céleste **2.** (*infml delightful*) divin
heavily ['hevɪlɪ] *adv armed*, *guarded* fortement; *breathe* bruyamment; *fall*, *lean*, *move* lourdement; *populated* densément; ***~ disguised*** déguisé de manière élaborée; ***to lose ~*** subir une défaite écrasante; ***to be ~ involved in*** *or* ***with sth*** être fortement impliqué dans qc; ***to be ~ into sth*** *infml* être un mordu de qc *infml*; ***to be ~ outnumbered*** être très inférieur en nombre; ***to be ~ defeated*** subir une défaite écrasante; ***~ laden*** lourdement chargé; ***~ built*** solidement bâti
heavy ['hevɪ] *adj* ⟨**+er**⟩ **1.** lourd; *rain*, *drinker* fort, gros(se); *traffic* dense; *periods* abondant; *fall* violent; ***with a ~ heart*** le cœur gros; ***~ breathing*** respiration bruyante; ***the conversation was ~ going*** la conversation était difficile; ***this book is very ~ going*** ce livre est très indigeste **2.** *silence* pesant; *sky* couvert **heavy-duty** *adj* très résistant **heavy goods vehicle** *n Br* poids *m* lourd **heavy-handed** *adj* dur **heavy industry** *n* industrie *f* lourde **heavy metal** *n* MUS heavy metal *m* **heavyweight** ['hevɪweɪt] *n* **1.** SPORTS poids *m* lourd **2.** *fig*, *infml* personne *f* influente *infml*; ***the literary ~s*** les grands de la littérature
Hebrew ['hiːbruː] **I** *adj* hébreu *m*, hébraïque **II** *n* **1.** Hébreu *m* **2.** LING hébreu *m*
Hebrides ['hebrɪdiːz] *pl* Hébrides *fpl*
heck [hek] *int infml* ***oh ~!*** oh, flûte! *infml*; ***ah, what the ~!*** ah, et puis flûte! *infml*; ***what the ~ do you mean?*** qu'est-ce que tu veux dire? *infml*; ***I've a ~ of a lot to do*** j'ai tout un tas de choses à faire *infml*
heckle ['hekl] **I** *v/t* interpeller **II** *v/i* chahuter **heckler** ['heklə^r] *n* élément *m* perturbateur **heckling** ['heklɪŋ] *n* chahut *m*
hectare ['hektɑː^r] *n* hectare *m*
hectic ['hektɪk] *adj* agité
he'd [hiːd] *contr* = **he would, he had**
hedge [hedʒ] **I** *n* haie *f* **II** *v/i* éviter de se compromettre **III** *v/t* ***to ~ one's bets*** se couvrir **hedgehog** *n* hérisson *m* **hedgerow** *n* haies *fpl* **hedge trimmer** *n* taille-haie *m*
hedonism ['hiːdənɪzəm] *n* hédonisme *m*
heed [hiːd] **I** *n* ***to pay ~ to sb / sth*** faire attention à qn / qc; ***to take ~ of sb / sth*** prendre garde à qn / qc **II** *v/t* faire attention à; ***he never ~s my advice*** il ne tient jamais compte de mes conseils **heedless** *adj* ***to be ~ of sth*** être attentif à qc
heel [hiːl] **I** *n* talon *m*; (*of shoe*) talon *m*; ***to be on sb's ~s*** talonner qn; ***the police were hot on our ~s*** la police nous talonnait de près; ***to be down at ~*** avoir l'air miteux; ***to take to one's ~s*** prendre ses jambes à son cou; ***~!*** (*to dog*) au pied!; ***to bring sb to ~*** rappeler qn à l'ordre **II** *v/t* ***these shoes need ~ing*** le talon de ces chaussures a besoin d'être refait
hefty ['heftɪ] *adj* ⟨**+er**⟩ *infml person* costaud; *object* de taille; *fine* salé *infml*; *punch* formidable
heifer ['hefə^r] *n* génisse *f*
height [haɪt] *n* **1.** hauteur *f*; (*of person*) taille *f*; ***to be six feet in ~*** mesurer six pieds de haut; ***what ~ are you?*** tu mesures combien?; ***you can raise the ~ of the saddle*** tu peux monter la selle;

at shoulder ~ à hauteur des épaules; ***at the ~ of his power*** au summum de sa puissance; ***the ~ of luxury*** le comble du luxe; ***at the ~ of the season*** au plus fort de la saison; ***at the ~ of summer*** au cœur de l'été; ***at its ~ the company employed 12,000 people*** à son apogée, l'entreprise employait 12 000 personnes; ***during the war emigration was at its ~*** l'émigration a atteint son apogée pendant la guerre; ***to be the ~ of fashion*** être la toute dernière mode **2. heights** *pl* sommets *mpl*; ***to be afraid of ~s*** avoir le vertige **heighten** ['haɪtn] **I** *v/t* (*raise*) augmenter; (*emphasize*) accentuer; *feelings* exacerber; *tension* accroître; ***~ed awareness*** conscience accrue **II** *v/i fig* augmenter

heinous ['heɪnəs] *adj* odieux(-euse)

heir [ɛəʳ] *n* héritier *m* (**to** de); ***~ to the throne*** héritier du trône **heiress** ['ɛəres] *n* héritière *f* **heirloom** ['ɛəluːm] *n* héritage *m*

heist [haɪst] *n* (*esp US infml*) hold-up *m*

held [held] *past*, *past part* = **hold**

helicopter ['helɪkɒptəʳ] *n* hélicoptère *m* **helipad** ['helɪpæd] *n* aire *f* d'atterrissage pour hélicoptères **heliport** ['helɪpɔːt] *n* héliport *m* **heliskiing** ['helɪˌskiːɪŋ] *n* héliski *m* (*ski avec dépose en hélicoptère*)

helium ['hiːlɪəm] *n* hélium *m*

hell [hel] *n* **1.** enfer *m*; ***to go to ~*** *lit* aller en enfer; ***all ~ broke loose*** ça a été une énorme pagaille; ***it's ~ working there*** travailler ici, c'est l'enfer; ***a living ~*** un véritable enfer; ***to go through ~*** vivre un enfer; ***she made his life ~*** elle lui a rendu la vie infernale; ***to give sb ~*** (*infml tell off*) faire sa fête à qn; ***there'll be ~ to pay when he finds out*** ça va barder quand il l'apprendra *infml*; ***to play ~ with sth*** être très mauvais pour qc; ***I did it*** (***just***) ***for the ~ of it*** *infml* je l'ai fait (juste) pour le plaisir *infml*; ***~ for leather*** au triple galop; ***the mother-in-law from ~*** la pire des belles-mères; ***the vacation from ~*** des vacances pourries **2.** *infml* ***a ~ of a noise*** un boucan du diable *infml*; ***I was angry as ~*** j'étais vraiment en pétard *infml*; ***to work like ~*** travailler comme un forçat; ***to run like ~*** courir comme un dératé; ***it hurts like ~*** ça fait vachement mal *infml*; ***we had a*** *or* ***one ~ of a time*** (*bad*, *difficult*) on en a bavé; (*good*) on s'est vachement marrés *infml*; ***a ~ of a lot*** tout un tas *infml*; ***she's a*** *or* ***one ~ of a girl*** c'est une fille au poil *infml*; ***that's one*** *or* ***a ~ of a climb*** c'est une côte de malade *infml*; ***to ~ with you*** va te faire voir! *infml*; ***to ~ with it!*** la barbe! *infml*; ***go to ~!*** va te faire voir! *infml*; ***where the ~ is it?*** mais où est-ce que c'est, bon sang? *infml*; ***you scared the ~ out of me*** tu m'as fait une peur bleue; ***like ~ he will!*** tu parles! *infml*; ***what the ~!*** tant pis!

he'll [hiːl] *contr* = **he shall, he will**

hellbent [ˌhel'bent] *adj* ***to be ~ on doing sth*** mourir d'envie de faire qc **hellish** ['helɪʃ] *adj fig*, *infml* cauchemardesque; *traffic*, *cold* épouvantable; ***it's ~*** c'est épouvantable **hellishly** ['helɪʃlɪ] *adv infml difficult*, *hot* horriblement

hello [hə'ləʊ] **I** *int* **1.** bonjour; ***say ~ to your aunt*** dire bonjour à ta tante!; ***say ~ to your parents*** (***from me***) donne le bonjour à tes parents (de ma part) **2.** (*on phone*) allô **II** *n* bonjour *m*

hell-raiser ['helreɪzəʳ] *n infml* fêtard(e) *m*(*f*)

helm [helm] *n* NAUT barre *f*

helmet ['helmɪt] *n* casque *m*

help [help] **I** *n no pl* aide *f*; ***with his brother's ~*** avec l'aide de son frère; ***his ~ with the project*** son aide pour le projet; ***to ask sb for ~*** demander de l'aide à qn; ***to be of ~ to sb*** rendre service à qn; ***he isn't much ~ to me*** il ne m'est pas d'un grand secours **II** *v/t* **1.** aider; ***to ~ sb*** (***to***) ***do sth*** aider qn à faire qc; ***to ~ sb with the cooking*** aider qn à faire la cuisine; ***to ~ sb with his bags*** aider qn à porter ses bagages; ***~!*** au secours!, à l'aide!; ***can I ~ you?*** est-ce que je peux vous aider?; ***that won't ~ you*** cela ne vous servira à rien; ***to ~ sb on/off with his/her*** *etc.* ***coat*** aider qn à mettre/enlever son manteau; ***to ~ sb up*** (*from floor etc.*) aider qn à se relever **2.** ***to ~ oneself to sth*** se servir de qc; (*infml steal*) piquer *infml*; ***~ yourself!*** servez-vous! **3.** ***he can't ~ it*** il n'y peut rien; ***not if I can ~ it*** sûrement pas!; ***I couldn't ~ laughing*** je ne pouvais pas m'empêcher de rire; ***I couldn't ~ thinking …*** je ne pouvais pas m'empêcher de penser …; ***it can't be ~ed*** on n'y peut rien **III** *v/i* aider; ***and your attitude didn't ~ either*** et ton attitude n'a pas aidé non plus ◆ **help out I** *v/i* aider

(***with*** pour) **II** *v/t sep* aider
help desk *n* service *m* d'assistance **helper** ['helpəʳ] *n* auxiliaire *m/f*; (*assistant*) aide *m/f* **helpful** *adj* **1.** (*willing to help, giving help*) serviable **2.** *advice, tool* utile **helpfully** *adv* **1.** (*willing to help, giving help*) avec obligeance **2.** (*thoughtfully*) avec prévenance **helping** ['helpɪŋ] **I** *n* portion *f*; ***to take a second ~ of sth*** se resservir de qc **II** *adj attr* ***to give*** *or* ***lend a ~ hand to sb*** donner un coup de main à qn **helpless** *adj* impuissant; ***he was ~ to prevent it*** il n'a pu l'empêcher; ***she was ~ with laughter*** elle était morte de rire **helplessly** *adv* en vain; *watch* sans pouvoir rien faire **helplessness** ['helplɪsnɪs] *n* incapacité *f* à agir *f*; (*powerlessness*) impuissance *f* **helpline** *n Br* assistance *f* téléphonique
help screen *n* IT écran *m* d'aide
helter-skelter ['heltə'skeltəʳ] *adv* pêle-mêle
hem [hem] **I** *n* ourlet *m* **II** *v/t* ourler
◆ **hem in** *v/t sep* cerner; *fig* entraver
he-man ['hiːmæn] *n* ⟨*pl* **-men**⟩ *infml* vrai mâle *m infml*
hemisphere ['hemɪsfɪəʳ] *n* hémisphère *m*; ***in the northern ~*** dans l'hémisphère nord
hemline ['hemlaɪn] *n* bas *m* de l'ourlet
hemoglobin, *Br* **haemoglobin** [ˌhiːməʊ'gləʊbɪn] *n* hémoglobine *f* **hemophilia**, *Br* **haemophilia** [ˌhiːməʊ'fɪlɪə] *n* hémophilie *f* **hemophiliac**, *Br* **haemophiliac** [ˌhiːməʊ'fɪlɪæk] *n* hémophile *m/f* **hemorrhage**, *Br* **haemorrhage** ['hemərɪdʒ] **I** *n* hémorragie *f* **II** *v/i* faire une hémorragie **hemorrhoids**, *Br* **haemorrhoids** ['hemərɔɪdz] *pl* hémorroïdes *fpl*
hemp [hemp] *n* BOT chanvre *m*
hen [hen] *n* **1.** poule *f* **2.** (*female bird*) femelle *f*
hence [hens] *adv* **1.** (*for this reason*) donc, d'où; ***~ the name*** d'où son nom **2.** ***two years ~*** d'ici deux ans **henceforth** [ˌhens'fɔːθ] *adv* désormais
henchman ['hentʃmən] *n* ⟨*pl* **-men**⟩ *pej* homme *m* de main
henna ['henə] **I** *n* henné *m* **II** *v/t* teindre au henné
hen night *n Br* soirée *f* entre filles **hen party** *n Br* fête *f* entre filles; (*before wedding*) enterrement *m* de vie de jeune fille **henpeck** *v/t* ***he is ~ed*** c'est sa femme qui le mène *infml*
hepatitis [ˌhepə'taɪtɪs] *n* hépatite *f*
her [hɜːʳ] **I** *pers pr* (*dir obj*) la; (*indir obj*) lui; ***it's ~*** c'est elle **II** *poss adj* son, sa, ses; → **my**
herald ['herəld] **I** *n fig lofty* messager *m* **II** *v/t* annoncer; ***tonight's game is being ~ed as the game of the season*** le match de ce soir est annoncé comme le match de la saison **heraldry** ['herəldrɪ] *n* héraldique *f*
herb [hɜːb] *n* herbe *f*; COOK herbe *f* aromatique **herbaceous** [hɜː'beɪʃəs] *adj* herbacé **herbaceous border** *n* bordure *f* de plantes herbacées **herbal** ['hɜːbəl] *adj* à base de plantes; ***~ tea*** tisane **herb garden** *n* jardin *m* d'herbes aromatiques **herbicide** ['hɜːbɪsaɪd] *n* herbicide *m* **herbivorous** [hɜː'bɪvərəs] *adj form* herbivore
herd [hɜːd] **I** *n* (*of cattle etc.*) troupeau *m*; (*of deer*) harde *f* **II** *v/t* rassembler **herdsman** ['hɜːdzmən] *n* gardien *m* de troupeau
here [hɪəʳ] *adv* ici; ***come ~!*** venez ici!; ***~ I am*** me voici; ***~'s the taxi*** voilà le taxi; ***~ he comes*** le voilà; ***this one ~*** celui-ci; ***~ and now*** immédiatement; ***I won't be ~ for lunch*** je ne serai pas là pour le déjeuner; ***~ and there*** çà et là; ***near ~*** près d'ici; ***I've read down to ~*** j'ai lu jusqu'ci; ***it's in ~*** c'est ici; ***it's over ~*** c'est ici; ***put it in ~*** posez-le ici; ***~ you are*** (*giving sb sth*) tenez; (*on finding sb*) vous voici; ***~ we are, home again*** et nous voilà de retour à la maison; ***~ we go again, another crisis*** et c'est reparti pour une autre crise; ***~ goes!*** allons-y!; ***~, let me do that*** attendez, laissez-moi faire; ***~'s to you!*** à votre santé, à la vôtre; ***it's neither ~ nor there*** ça n'est pas ça le problème; ***I've had it up to ~ (with him / it)*** *infml* j'en ai par-dessus la tête (de lui / ça) *infml* **hereabouts** ['hɪərəbaʊts] *adv* dans les parages **hereby** *adv form* par la présente
hereditary [hɪ'redɪtərɪ] *adj* héréditaire; ***~ disease*** maladie héréditaire; ***~ peer*** pair héréditaire **heredity** [hɪ'redɪtɪ] *n* hérédité *f*
heresy ['herəsɪ] *n* hérésie *f* **heretic** ['herətɪk] *n* hérétique *m/f*
herewith [ˌhɪə'wɪð] *adv form* ci-joint
heritage ['herɪtɪdʒ] *n* héritage *m*
hermaphrodite [hɜː'mæfrədaɪt] *n* hermaphrodite *m/f*
hermetically [hɜː'metɪkəlɪ] *adv* hermé-

tiquement; ~ ***sealed*** hermétiquement fermé
hermit ['hɜːmɪt] *n* ermite *m*
hernia ['hɜːnɪə] *n* hernie *f*
hero ['hɪərəʊ] *n* ⟨*pl* **-es**⟩ héros *m* **heroic** [hɪ'rəʊɪk] **I** *adj* **1.** héroïque; *person, action* héroïque ~ ***action*** *or* ***deed*** acte héroïque; ~ ***attempt*** tentative héroïque **2.** LIT épique **II** *n* **heroics** *pl* mélodrame *m*
heroin ['herəʊɪn] *n* héroïne *f*; ~ ***addict*** héroïnomane *m/f*
heroine ['herəʊɪn] *n* héroïne *f* **heroism** ['herəʊɪzəm] *n* héroïsme *m*
heron ['herən] *n* héron *m*
hero worship *n* adulation *f* (***of*** de); (*of pop star etc.*) idolâtrie (***of*** de)
herpes ['hɜːpiːz] *n* MED herpès *m*
herring ['herɪŋ] *n* hareng *m* **herringbone** ['herɪŋbəʊn] *adj attr* ~ ***pattern*** chevrons
hers [hɜːz] *poss pr* le sien, la sienne → **mine**[1]
herself [hɜː'self] *pers pr* **1.** (*dir and indir obj, with prep*) elle-même; → **myself 2.** *emph* elle-même
he's [hiːz] *contr* = **he is, he has**
hesitancy ['hezɪtənsɪ] *n* hésitation *f*, réticence *f*; (*indecision*) hésitation *f* **hesitant** ['hezɪtənt] *adj* hésitant, réticent; (*undecided*) hésitant
hesitate ['hezɪteɪt] *v/i* hésiter; (*in speech*) hésiter; ***I am still hesitating about what I should do*** j'hésite toujours quant à ce que je devrais faire; ***don't ~ to contact me*** n'hésitez pas à me contacter **hesitation** [ˌhezɪ'teɪʃən] *n* hésitation *f*; ***after some ~*** après un instant d'hésitation
heterogeneous [ˌhetərəʊ'dʒiːnɪəs] *adj* hétérogène
heterosexual [ˌhetərəʊ'seksjʊəl] **I** *adj* hétérosexuel(le) **II** *n* hétérosexuel(le) *m(f)* **heterosexuality** [ˌhetərəʊˌseksjʊ'ælɪtɪ] *n* hétérosexualité *f*
het up [ˌhet'ʌp] *adj* (*Br infml*) survolté, excité; ***to get ~ about / over sth*** se mettre dans tous ses états à propos de qc
hew [hjuː] ⟨*past* **hewed**⟩ ⟨*past part* **hewn** *or* **hewed**⟩ *v/t* tailler, couper
hexagon ['heksəgən] *n* hexagone *m* **hexagonal** [hek'sægənəl] *adj* hexagonal
heyday ['heɪdeɪ] *n* âge *m* d'or
HGV *Br abbr* = **heavy goods vehicle** PL *m*
hi [haɪ] *int* salut *infml*
hiatus [haɪ'eɪtəs] *n* hiatus *m*
hibernate ['haɪbəneɪt] *v/i* hiberner **hibernation** [ˌhaɪbə'neɪʃən] *n lit, fig* hibernation *f*
hiccough, hiccup ['hɪkʌp] **I** *n* hoquet *m*; (*fig, infml problem*) contretemps *m*; ***to have the ~s*** avoir le hoquet; ***without any ~s*** sans aucun problème **II** *v/i* hoqueter *dial*; ***he started ~ing*** il se mit à hoqueter
hick [hɪk] *n* (*US infml*) bouseux(-euse) *infml, pej*
hide[1] [haɪd] *vb* ⟨*past* **hid**⟩ ⟨*past part* **hid** *or* **hidden**⟩ **I** *v/t* cacher (***from*** à); *truth, feelings* cacher, dissimuler (***from*** à); *moon, rust* cacher; ***hidden from view*** dérobé aux regards; ***there is a hidden agenda*** il y a des intentions cachées **II** *v/i* se cacher (***from sb*** de qn); ***he was hiding in the closet*** il se cachait dans le placard **III** *n* cachette *f* ◆ **hide away I** *v/i* se cacher **II** *v/t sep* cacher ◆ **hide out** *v/i* rester caché
hide[2] *n* (*of animal*) peau *f*; (*on furry animal*) fourrure *f*
hide-and-go-seek, *Br* **hide-and-seek** *n* cache-cache *m*; ***to play ~*** jouer à cache-cache **hideaway** *n* cachette *f*; (*refuge*) refuge *m*
hideous ['hɪdɪəs] *adj* hideux(-euse) **hideously** ['hɪdɪəslɪ] *adv* hideusement; *emph expensive* affreusement; ~ ***ugly*** affreusement laid
hideout ['haɪdaʊt] *n* cachette *f*
hiding[1] ['haɪdɪŋ] *n* ***to be in ~*** se tenir caché; ***to go into ~*** se cacher
hiding[2] *n* **1.** (*beating*) correction *f*; ***to give sb a good ~*** donner une bonne correction à qn **2.** *infml* raclée *f*; ***the team got a real ~*** l'équipe a pris une bonne raclée *infml*
hiding place *n* cachette *f*
hierarchic(al) [ˌhaɪə'rɑːkɪk(əl)] *adj* hiérarchique **hierarchy** ['haɪərɑːkɪ] *n* hiérarchie *f*
hieroglyphics [ˌhaɪərə'glɪfɪks] *pl* hiéroglyphes *mpl*
higgledy-piggledy ['hɪgldɪ'pɪgldɪ] *adj, adv* pêle-mêle, n'importe comment
high [haɪ] **I** *adj* ⟨**+er**⟩ **1.** haut; *altitude* élevé; *wind* fort; ***a building 80 meters*** (*US*) *or* ***metres*** (*Br*) ***~, an 80-meter*** (*US*) *or* ***80-metre*** (*Br*) ***~ building*** un immeuble de 80 m de haut; ***on one of the ~er floors*** à l'un des étages supérieurs; ***the river is quite ~*** le niveau de

la rivière est assez haut; ***to be left ~ and dry*** rester en plan *infml*; ***I have it on the ~est authority*** je le tiens des autorités les plus haut placées; ***to be ~ and mighty*** se donner de grands airs; ***of the ~est caliber*** (*US*) *or* ***calibre*** *Br*/***quality*** de qualité supérieure; ***casualties were ~*** le nombre de victimes était élevé; MIL les pertes étaient élevées; ***the temperature was in the ~ twenties*** la température avoisinait les 30°; ***to pay a ~ price for sth*** payer qc cher; ***to the ~est degree*** au plus haut degré; ***in ~ spirits*** plein d'allant; ***~ in fat*** riche en graisses; ***it's ~ time you went home*** il est grand temps que tu rentres **2.** (*infml*, *on drugs*) défoncé *infml*; ***to get ~ on cocaine*** se défoncer à la cocaïne *sl* **II** *adv* ⟨**+er**⟩ haut, en haut; ***~ up*** (*position*) en haut; (*motion*) vers le haut; ***~er up the hill was a small farm*** une petite ferme se tenait plus haut sur la colline; ***~ up in the organization*** au plus haut niveau de l'organisation; ***one floor ~er*** à l'étage supérieur; ***to go as ~ as $200*** monter jusqu'à 200 dollars; ***feelings ran ~*** les esprits étaient échauffés; ***to search ~ and low*** retourner ciel et terre **III** *n* **1.** ***the dollar has reached a new ~*** le dollar a atteint un nouveau sommet; ***sales have reached an all-time ~*** le chiffre d'affaires a atteint un record; ***the ~s and lows of my career*** les hauts et les bas de ma vie professionnelle **2.** METEO anticyclone *m* **high altar** *n* maître-autel *m* **high beam** *n US* AUTO pleins phares *mpl* **highbrow** *adj interests*, *tastes* intellectuel(le); *music* pour intellectuels **highchair** *n* chaise *f* haute **High Church** *n* Haute Église *f* **high-class** *adj* de grand standing, de luxe; *person* du grand monde **high court** *n* cour *f* suprême **high-density** *adj* IT *disk* haute densité **high-energy** *adj* de haute énergie **higher** ['haɪəʳ] **I** *adj comp* = **high II** *n* ***Higher*** *Scot* ≈ baccalauréat *m*; ***to take one's Highers*** ≈ passer son bac; ***three Highers*** trois matières (*au niveau bac*) **higher education** *n* enseignement *m* supérieur **Higher National Certificate** *n Br* ≈ BTS *m* **Higher National Diploma** *n Br* ≈ DUT *m* **high explosive** *n* (puissant) explosif *m* **high-fiber**, *Br* **high-fibre** *adj* riche en fibres **high-flier, high-flyer** *n infml* jeune loup *m infml* **high-flying** *adj fig infml businessman etc.* qui a les dents longues *infml*; *lifestyle* extravagant **high ground** *n* **1.** terrain *m* surélevé **2.** *fig* ***to claim the moral ~*** prendre une position moraliste **high-handed** *adj* autoritaire; *treatment* cavalier (-ière) **high-heeled** *adj* à hauts talons **high heels** *pl* hauts talons *mpl* **high-interest** *adj* FIN à intérêt élevé **high jinks** *pl infml* bon temps *m* **high jump** *n* SPORTS saut *m* en hauteur **highland** *adj* des montagnes **Highlands** *pl* Highlands *mpl* **high-level** *adj talks* à très haut niveau; IT *language* évolué **highlight I** *n* **1.** ***~s*** (*in hair*) reflets *mpl* **2.** *fig* grands moments *mpl* à ne pas manquer, résumé *m* **II** *v/t* **1.** *problem* souligner **2.** (*with highlighter*) surligner; (*on computer*) mettre en surbrillance **highlighter** *n* surligneur *m* **highly** ['haɪlɪ] *adv* **1.** (*extremely*) très, extrêmement; *inflammable* très; *unusual*, *significant* extrêmement; ***to be ~ critical of sb/sth*** se montrer extrêmement critique envers qn/qc; ***~ trained*** très compétent; *skilled worker* très qualifié; ***~ skilled*** hautement qualifié; *worker*, *workforce* hautement qualifié; ***~ respected*** très respecté; ***~ intelligent*** extrêmement intelligent; ***~ unlikely*** *or* ***improbable*** fort peu probable **2.** *regard* beaucoup; ***to speak ~ of sb/sth*** parler en bien de qn/qc; ***to think ~ of sb/sth*** dire beaucoup de bien de qn/qc; ***~ recommended*** vivement recommandé **highly strung** *adj Br* très nerveux (-euse) **High Mass** *n* grand-messe *f* **high-minded** *adj ideals* noble, plein de noblesse **highness** *n* ***Her/Your Highness*** Son/Votre Altesse **high-performance** *adj* performant **high-pitched** *adj* aigu, haut; *scream* aigu **high point** *n* point *m* culminant **high-powered** *adj* **1.** *machine*, *computer*, *gun* très puissant **2.** *job* important **high-pressure** *adj* METEO ***~ area*** anticyclone *m* **high priest** *n* grand prêtre *m* **high priestess** *n* grande prêtresse *f* **high-profile** *adj* très en vue **high-quality** *adj* de qualité supérieure **high-ranking** *adj* haut placé, de haut rang **high-resolution** *adj* à haute résolution **high-rise** *adj* ***~ building*** tour; ***~ office*** (***block***) immeuble de bureaux; ***~ flats*** *Br* tour (d'habitation) **high-risk**

adj à haut risque; ~ ***group*** groupe à haut risque
high school *n US* ≈ lycée *m*; *Br* établissement d'enseignement secondaire
high-scoring *adj game* au score élevé
high seas *pl **the** ~* la haute mer; ***on the** ~* en haute mer **high season** *n* haute saison *f* **high-security** *adj* ~ ***prison*** prison de haute sécurité **high-sided** *adj* ~ ***vehicle*** véhicule haut (*qui offre prise au vent*) **high society** *n* haute société *f* **high-speed** *adj* ultra-rapide; ~ ***car chase*** course poursuite (à grande vitesse); ~ ***train*** train à grande vitesse; ~ ***film*** pellicule haute sensibilité **high spirits** *pl* entrain *m*, vitalité *f*; ***youthful*** ~ vitalité de la jeunesse **high street** *n Br* rue *f* principale; ~ ***banks*** grandes banques; ~ ***shops*** petits commerces **high-strung** *adj US* très nerveux(-euse) **high tea** *n Br* thé *m* dînatoire **hightech** *n, adj* = **hi tech, hi-tech high technology** *n* haute technologie *f*
high tide *n* marée *f* haute **high treason** *n* haute trahison *f* **high-up** *adj person* haut placé **highway** *n* **1.** *US* route *f* nationale **2.** *Br* route *f*; ***public*** ~ voie publique **Highway Code** *n Br* code *m* de la route **high wire** *n* corde *f* raide
hijack ['haɪdʒæk] **I** *v/t* détourner; *fig* détourner **II** *n* détournement *m* **hijacker** ['haɪdʒækəʳ] *n* malfaiteur *m*; (*of plane*) pirate *m* de l'air **hijacking** ['haɪdʒækɪŋ] *n* détournement *m*
hike [haɪk] **I** *v/i* randonner **II** *n* **1.** *lit* randonnée *f* **2.** (*fig*: *in rates*) hausse *f* ◆ **hike up** *v/t sep prices* augmenter
hiker ['haɪkəʳ] *n* randonneur(-euse) *m(f)* **hiking** ['haɪkɪŋ] *n* randonnée *f* **hiking boots** *pl* chaussures *fpl* de marche
hilarious [hɪ'lɛərɪəs] *adj* hilarant **hilariously** [hɪ'lɛərɪəslɪ] *adv* comiquement **hilarity** [hɪ'lærɪtɪ] *n* (*gaiety*) hilarité *f*; (*laughter*) rires *mpl*
hill [hɪl] *n* colline *f*; (*higher*) montagne *f*; (*incline*) côte *f*; ***to park on a** ~* se garer dans une côte; ***to be over the** ~ fig, infml* se faire vieux *infml* **hillbilly** ['hɪlbɪlɪ] (*US infml*) *n* rustaud(e) *m(f) pej* **hillock** ['hɪlək] *n* coteau *m* **hillside** *n* flanc *m* de coteau **hilltop** *n* sommet *m* de colline **hill-walker** *n* randonneur (-euse) *m(f)* **hill-walking** *n* randonnée *f* **hilly** ['hɪlɪ] *adj* ⟨**+er**⟩ vallonné
hilt [hɪlt] *n* manche *m*, garde *f*; **(*up*) *to the*** ~ *fig* jusqu'au cou
him [hɪm] *pers pr* **1.** (*dir obj, with prep*) le; (*indir obj, with prep*) lui **2.** *emph* lui; ***it's*** ~ c'est lui
himself [hɪm'self] *pers pr* **1.** (*dir and indir obj, with prep*) se, lui; → **myself 2.** *emph* lui-même
hind[1] [haɪnd] *n* ZOOL biche *f*
hind[2] *adj* de derrière; ~ ***legs*** pattes de derrière
hinder ['hɪndəʳ] *v/t* (*impede*) empêcher; ***to** ~ **sb from doing sth*** empêcher qn de faire qc
Hindi ['hɪndiː] *n* hindi *m*
hindquarters ['haɪndkwɔːtəz] *pl* arrière-train *m*; (*of horse*) jambes *fpl* postérieures
hindrance ['hɪndrəns] *n* gêne *f*, entrave *f*; (*obstacle*) obstacle *m* (***to*** à); ***the children are a*** ~ les enfants sont une gêne
hindsight ['haɪndsaɪt] *n **with** ~ **it's easy to criticize*** après coup, il est facile de critiquer; ***it was, in** ~, **a mistaken judgement*** rétrospectivement, c'était une erreur de jugement
Hindu ['hɪnduː] **I** *adj* hindou **II** *n* Hindou(e) *m(f)* **Hinduism** ['hɪnduːɪzəm] *n* hindouisme *m*
hinge [hɪndʒ] **I** *n* (*of door*) gond *m*, charnière *f*; (*of box etc.*) charnière *f* **II** *v/i fig* dépendre (***on*** de)
hint [hɪnt] **I** *n* **1.** (*suggestion*) indication *f*, indice *m*; ***to give a/no** ~ **of sth*** donner une / ne donner aucune indication à propos de qc; ***to drop sb a*** ~ donner un indice à qn; ***OK, I can take a*** ~ d'accord, j'ai compris **2.** (*trace*) pointe *f*, touche *f*; ***a** ~ **of garlic*** une pointe d'ail; ***a** ~ **of irony*** une touche d'ironie; ***with just a** ~ **of sadness in his smile*** avec un sourire un rien mélancolique; ***at the first** ~ **of trouble*** au moindre de trouble **3.** (*tip*) truc *m*, conseil *m* **II** *v/t* laisser entendre, suggérer (***to*** à) ◆ **hint at** *v/t insep **he hinted at changes in the board room*** il a suggéré des changements au sein du conseil d'administration; ***he hinted at my involvement in the affair*** il a fait allusion à ma participation dans cette affaire
hinterland ['hɪntəlænd] *n* arrière-pays *m*
hip[1] [hɪp] *n* hanche *f*; ***with one's hands on one's** ~**s*** les mains sur les hanches
hip[2] *int* ~**!** ~**!, *hurrah!*** hip hip hip hourra!
hip[3] *adj infml* branché *infml*

hipbone *n* ANAT os *m* iliaque **hip flask** *n* flasque *f* **hip hop** *n* MUS hip-hop *m*
hippie *n* = **hippy**
hippo ['hɪpəʊ] *n infml* hippopotame *m*
hip pocket *n* poche *f* revolver
hippopotamus [ˌhɪpə'pɒtəməs] *n* ⟨*pl* **-es** *or* **hippopotami**⟩ hippopotame *m*
hippy, hippie ['hɪpɪ] *n* hippie *m/f*
hip replacement *n* pose *f* d'une prothèse de la hanche **hipsters** ['hɪpstəz] *pl* branchés *mpl*
hire [haɪəʳ] *esp Br* **I** *n* (*rental*) location *f*; (*employment*) embauche *f*; ***the hall is available for ~*** la salle est disponible à la location; ***for ~*** (*taxi*) libre **II** *v/t* **1.** (*rent*) louer; ***~d car*** voiture de location **2.** (*employ*) embaucher ◆ **hire out** *v/t sep esp Br* louer (*proposer*)
hire-purchase [ˌhaɪə'pɜːtʃəs] *n Br* location-vente *f*; ***on ~*** en location-vente; ***~ agreement*** contrat de crédit
his [hɪz] **I** *poss adj* son, sa, ses; → **my II** *poss pr* le(la) sien(ne) → **mine¹**
Hispanic [hɪs'pænɪk] **I** *adj* hispanique **II** *n* Hispano-Américain(e)
hiss [hɪs] **I** *v/i* siffler; (*cat*) cracher **II** *v/t* siffler **III** *n* sifflement *m*
historian [hɪs'tɔːrɪən] *n* historien(ne) *m(f)* **historic** [hɪs'tɒrɪk] *adj* historique **historical** [hɪs'tɒrɪkəl] *adj* historique; ***~ research*** recherche *f* historique **historically** [hɪs'tɒrɪkəlɪ] *adv* **1.** (*traditionally*) traditionnellement **2.** *important* historiquement
history ['hɪstərɪ] *n* histoire *f*; ***that's all ~ now*** *fig* tout ça, c'est du passé; ***he's ~*** il est fini; ***he has a ~ of violence*** il a un passé de violence; ***he has a ~ of heart disease*** il a des antécédents de maladie cardiaque
histrionics [ˌhɪstrɪ'ɒnɪks] *pl* comédie *f*, simagrées *fpl*
hit [hɪt] *vb* ⟨*past, past part* **hit**⟩ **I** *n* **1.** (*blow*) coup *m*; (*on target*) tir *m* réussi **2.** (*success*) succès *m*; (*song*) tube *m*, hit *m*; ***to be a ~ with sb*** avoir un énorme succès auprès de qn **3.** (IT *visit to website*) visite *f* **II** *v/t* **1.** (*strike*) frapper; IT *key* appuyer sur; ***to ~ one's head against sth*** se cogner la tête contre qc; ***he ~ his head on the table*** il s'est cogné la tête contre la table; ***the car ~ a tree*** la voiture a heurté un arbre; ***he was ~ by a stone*** il a été atteint par une pierre; ***the tree was ~ by lightning*** l'arbre a été frappé par la foudre; ***you won't know what has ~ you*** *infml* tu seras sidéré *infml* **2.** *target* atteindre, toucher; *speed, level* atteindre; ***you've ~ it (on the head)*** *fig* tu as mis le doigt dessus; ***he's been ~ in the leg*** (*wounded*) il a été blessé à la jambe **3.** (*affect adversely*) affecter; ***to be hard ~ by sth*** être durement éprouvé par qc **4.** (*come to*) *beaches etc.* arriver à, sur; ***to ~ the rush hour*** tomber en pleine heure de pointe; ***to ~ a problem*** tomber sur un problème **5.** *fig, infml* ***to ~ the bottle*** se mettre à boire; ***to ~ the roof*** sortir de ses gonds; ***to ~ the road*** mettre les voiles *infml* **III** *v/i* (*strike*) se faire sentir ◆ **hit back** *v/i, v/t sep* riposter; ***he ~ at his critics*** il répondit à ses détracteurs ◆ **hit off** *v/t sep* ***to hit it off with sb*** *infml* bien accrocher avec qn *infml* ◆ **hit on** *v/t insep* **1.** trouver **2.** (*esp US infml chat up*) draguer *infml* ◆ **hit out** *v/i* **1.** *lit* envoyer un coup (***at sb*** à qn) **2.** *fig* ***to ~ at sb / sth*** s'en prendre à qn / qc ◆ **hit upon** *v/t insep* = **hit on** *1*
hit-and-miss *adj* = **hit-or-miss** **hit-and-run** *adj* ***~ accident*** accident de la route (*où un chauffard prend la fuite*); ***~ driver*** conducteur coupable d'un délit de fuite
hitch [hɪtʃ] **I** *n* obstacle *m*, contretemps *m*; (*in plan*) anicroche *f*; ***a technical ~*** un problème technique; ***without a ~*** comme sur des roulettes; ***there's been a ~*** il y a eu un contretemps **II** *v/t* **1.** (*fasten*) attacher (***sth to sth*** qc à qc) **2.** *infml* ***to get ~ed*** se faire passer la bague au doigt *infml* **3.** ***to ~ a ride*** *US or* ***lift*** *Br* faire du stop; ***she ~ed a ride with a truck driver*** elle s'est fait prendre en stop par un chauffeur de poids lourd **III** *v/i esp Br* faire du stop *infml* ◆ **hitch up** *v/t sep* **1.** *trailer etc.* atteler **2.** *skirt* remonter
hitcher ['hɪtʃəʳ] *n* (*esp Br infml*) stoppeur(-euse) *m(f) infml*
hitchhike *v/i* faire du stop *infml* **hitchhiker** *n* auto-stoppeur(-euse) *m(f)* **hitchhiking** *n* auto-stop *m*
hi tech ['haɪˌtek] *n* technologie *f* de pointe **hi-tech** ['haɪˌtek] *adj* high-tech
hither ['hɪðəʳ] *adv* ***~ and thither*** *liter* çà et là **hitherto** [ˌhɪðə'tuː] *adv* jusqu'ici
hit list *n* liste *f* noire **hitman** *n infml* tueur *m* **hit-or-miss** *adj* n'importe comment **hit parade** *n* hit parade *m*

hit record *n* disque *m* à succès **hits counter** *n* INTERNET compteur *m* (de visites) **hit squad** *n* commando *m* de tueurs
HIV *abbr* = **human immunodeficiency virus** VIH; ***~ positive*** séropositif
hive [haɪv] *n* **1.** (*beehive*) ruche *f* **2.** *fig* ***the office was a ~ of activity*** le bureau ressemblait littéralement à une ruche
HM *abbr* = **His / Her Majesty** Sa Majesté
HMS *Br abbr* = **His / Her Majesty's Ship** *titre précédant le nom des navires de guerre de la marine britannique*
HNC *Br abbr* = **Higher National Certificate**
HND *Br abbr* = **Higher National Diploma**
hoard [hɔːd] **I** *n* réserve *f*; ***a ~ of weapons*** une réserve d'armes; ***~ of money*** une réserve d'argent **II** *v/t* (*a.* **hoard up**) *food, supplies, weapons etc.* stocker **hoarder** ['hɔːdəʳ] *n personne qui ne sait pas jeter*
hoarding[1] ['hɔːdɪŋ] *n* (*of food etc.*) accumulation *f*
hoarding[2] *n Br* (**advertising**) **~** panneau *m* d'affichage
hoarfrost ['hɔː'frɒst] *n* givre *m*
hoarse [hɔːs] *adj* ⟨**+er**⟩ enroué; ***you sound rather ~*** tu as l'air bien enroué
hoax [həʊks] *n* (*joke*) canular *m*; (*false alarm*) fausse alerte *f* **hoax call** *n* ***a ~*** une farce au téléphone
hob [hɒb] *n Br* (*on cooker*) table *f* de cuisson
hobble ['hɒbl] **I** *v/i* clopiner **II** *v/t fig* entraver
hobby ['hɒbɪ] *n* passe-temps *m* favori, hobby *m* **hobbyhorse** ['hɒbɪhɔːs] *n* cheval *m* bâton
hobnob ['hɒbnɒb] *v/i* ***she's been seen hobnobbing with the chairman*** elle a frayé avec le directeur
hobo ['həʊbəʊ] *n* (*US tramp*) clodo *m infml*
Hobson's choice ['hɒbsəns'tʃɔɪs] *n* ***it's ~*** il n'y a pas vraiment le choix
hockey ['hɒkɪ] *n US* hockey *m* sur glace; *Br* hockey *m* sur gazon **hockey player** *n US* joueur *m* de hockey sur glace; *Br* joueur *m* de hockey sur gazon **hockey stick** *n* crosse *f*
hodgepodge ['hɒdʒpɒdʒ] *n US* fatras *m*
hoe [həʊ] **I** *n* houe *f* **II** *v/t & v/i* biner
hog [hɒg] **I** *n* (*US pig*) porc *m*; *Br* porc *m* châtré **II** *v/t infml* monopoliser; ***a lot of drivers ~ the middle of the road*** beaucoup de conducteurs monopolisent le milieu de la route; ***to ~ the limelight*** monopoliser l'attention
Hogmanay [ˌhɒgmə'neɪ] *n Scot* ≈ Saint-Sylvestre *f*
hogwash *n* (*infml nonsense*) insanités *fpl*
hoist [hɔɪst] **I** *v/t* hisser; (*pull up*) remonter; *flag, sails* hisser **II** *n* palan *m*
hold [həʊld] *vb* ⟨*past, past part* **held**⟩ **I** *n* **1.** (*grip*) prise *f*; ***to have / catch ~ of sth*** *lit* tenir / saisir qc; ***to keep ~ of sth*** tenir fermement qc; (*keep*) prendre qc; ***to grab ~ of sb / sth*** attraper qn / qc; ***grab ~ of my hand*** prends ma main; ***to get ~ of sth*** saisir qc; (*fig obtain*) obtenir qc; *drugs* se procurer qc; *story* s'emparer de qc; ***to get ~ of sb*** *fig* dénicher qn *infml*; (*on phone etc.*) joindre qn; ***to lose one's ~*** lâcher prise; ***to take ~*** (*idea*) se répandre; (*fire*) prendre; ***to be on ~*** *lit, fig* être en attente; ***to put sb on ~*** TEL mettre qn en attente; ***to put sth on ~*** *fig* mettre qc en attente; ***when those two have a fight, there are no ~s barred*** *fig* quand ils se battent tous les deux, tous les coups sont permis **2.** (*influence*) influence *f* (**over** sur); ***to have a ~ over*** *or* ***on sb*** avoir une influence sur qn; ***he has no ~ on*** *or* ***over me*** il n'a aucune influence sur moi; ***the president has consolidated his ~ on power*** le président a raffermi son emprise sur le pouvoir **3.** NAUT cale *f*; AVIAT soute *f* **II** *v/t* **1.** (*grasp*) tenir; ***to ~ sb / sth tight*** tenir fermement qn / qc; ***this car ~s the road well*** cette voiture tient bien la route; ***to ~ sth in place*** maintenir qc en place; ***to ~ hands*** se donner la main; (*lovers, children etc.*) se tenir (par) la main **2.** (*contain*) contenir; (*bottle, bus, hall etc.*) contenir; ***this room ~s twenty people*** cette pièce peut accueillir vingt personnes; ***what does the future ~?*** que nous réserve l'avenir? **3.** (*believe*) croire; (*maintain*) maintenir; ***I have always held that …*** j'ai toujours considéré que…; ***to ~ the view*** *or* ***opinion that …*** considérer que…; ***to ~ sb responsible*** (***for sth***) considérer qn comme responsable (de qc) **4.** *hostages etc.* retenir; ***to ~ sb*** (***prisoner***) retenir qn (prisonnier); ***to ~ sb hostage*** retenir qn en otage; ***there's no ~ing him*** impossible de le retenir;

~ the line! ne quittez pas!; ***she can/can't ~ her drink*** *esp Br* elle tient bien / ne tient pas l'alcool; ***to ~ one's fire*** temporiser; ***to ~ one's breath*** *lit* retenir son souffle; ***don't ~ your breath!*** *iron* ce n'est pas pour tout de suite!; ***~ it!*** *infml* attendez!, ne bougez plus!; ***~ it there!*** arrêtez-vous! **5.** *post* garder; *passport*, *permit* avoir; *power*, *shares* détenir; SPORTS *record* détenir; MIL *position* tenir; ***to ~ office*** être en fonction; ***to ~ one's own*** tenir bon; ***to ~ sb's attention*** retenir l'attention de qn; ***I'll ~ you to that!*** je vous prends au mot! **6.** *meeting*, *election* tenir; *talks* organiser; *party* donner; ECCL *service* célébrer; ***to ~ a conversation*** tenir une conversation **III** *v/i* **1.** (*rope*, *nail etc.*) tenir, être solide; ***to ~ firm*** *or* ***fast*** bien tenir; ***to ~ still*** ne pas bouger; ***to ~ tight*** s'accrocher; ***will the weather ~?*** est-ce que le temps va se maintenir?; ***if his luck ~s*** si sa chance se maintient **2.** TEL ***please ~!*** ne quittez pas, je vous prie **3.** (*be valid*) tenir; ***to ~ good*** (*rule*, *promise etc.*) valoir ◆ **hold against** *v/t always separate* ***to hold sth against sb*** en vouloir à qn à propos de qc ◆ **hold back I** *v/i* rester en arrière; (*fail to act*) se retenir **II** *v/t sep* **1.** *crowd*, *floods*, *emotions* contenir; ***to hold sb back from doing sth*** retenir qn de faire qc **2.** (*hinder*) retarder **3.** (*withhold*) taire ◆ **hold down** *v/t sep* **1.** (*on ground*, *in place*)) maintenir **2.** *job* garder; ***he can't hold any job down for long*** il est incapable de garder un travail très longtemps ◆ **hold in** *v/t sep stomach* rentrer ◆ **hold off I** *v/i* **1.** (*not act*) se retenir; (*enemy*) se tenir éloigné; ***they held off eating until she arrived*** ils l'ont attendue pour manger **2.** (*rain*) ne pas se tomber; ***I hope the rain holds off*** j'espère qu'il ne pleuvra pas **II** *v/t sep attack* repousser ◆ **hold on I** *v/i* **1.** (*lit maintain grip*) tenir **2.** (*endure*) tenir bon **3.** (*wait*) attendre; ***~ (a minute)!*** attends!; ***now ~ a minute!*** mais attends! **II** *v/t sep* maintenir en place; ***to be held on by sth*** être maintenu par qc ◆ **hold on to** *v/t insep* **1.** *lit* s'accrocher à; ***they held on to each other*** ils se cramponnèrent l'un à l'autre **2.** *fig hope* se raccrocher à **3.** (*keep*) s'accrocher à; ***to ~ the lead*** bien tenir la laisse; ***to ~ power*** s'accrocher au pouvoir ◆ **hold out I** *v/i* **1.** (*supplies etc.*) durer **2.** (*endure*) tenir le coup; (*refuse to yield*) tenir bon; ***to ~ for sth*** tenir bon pour obtenir qc **II** *v/t sep* **1.** *lit* présenter, offrir; ***to ~ sth to sb*** offrir qc à qn; ***hold your hand out*** tendez votre main; ***she held out her arms*** elle tendit les bras **2.** *fig* ***I held out little hope of seeing him again*** j'avais peu d'espoir de le revoir ◆ **hold to** *v/t insep* s'en tenir à; ***I ~ my belief that …*** je reste fidèle à mon idée que… ◆ **hold together** *v/i*, *v/t sep* tenir ensemble ◆ **hold up I** *v/i* (*theory*) tenir **II** *v/t sep* **1.** (*raise*) lever; ***~ your hand*** levez la main; ***to hold sth up to the light*** lever qc vers la lumière **2.** (*support*) soutenir; (*from beneath*) soutenir **3.** ***to hold sb up as an example*** présenter qn en exemple **4.** (*stop*) arrêter; (*delay*) retarder **5.** *bank* cambrioler ◆ **hold with** *v/t insep infml* ***I don't ~ that*** je ne suis pas d'accord avec ça

holdall ['həʊldɔːl] *n Br* sac *m* **holder** ['həʊldəʳ] *n* **1.** (*person*) détenteur (-trice) *m(f)*; (*of title*, *passport*) titulaire *m/f* **2.** (*object*) support *m*; (*cigarette-holder*) fume-cigarette *m* **holding** ['həʊldɪŋ] *n* **1.** (FIN, *of shares*) portefeuille *m* (***in*** de) **2.** (*of land*) propriété *f* **holding company** *n* holding *f* **hold-up** *n* **1.** (*delay*) retard *m*; (*of traffic*) bouchon *m*; ***what's the ~?*** qu'est-ce qui bloque? **2.** (*robbery*) hold-up *m*

hole [həʊl] *n* **1.** trou *m*; (*fox's*) terrier *m*; ***to be full of ~s*** (*fig*, *plot*, *story*) être truffé d'erreurs; (*argument*, *theory*) ne pas tenir **2.** (*infml awkward situation*) ***to be in a ~*** être dans le pétrin *infml*; ***to get sb out of a ~*** sortir qn du pétrin *infml* **3.** *pej*, *infml* trou *m* perdu *infml*; (*town*) bled *m infml* ◆ **hole up** *v/i infml* se terrer *infml*

hole puncher *n* perforatrice *f*

holiday ['hɒlədɪ] **I** *n* **1.** (*day off*) jour *m* de congé; (*public holiday*) jour *m* férié; ***to take a ~*** prendre des congés **2.** (*Br period*) *often pl* vacances *fpl* (*esp* SCHOOL), vacances *fpl* scolaires; ***the Christmas ~s*** les vacances de Noël; ***on ~*** en vacances; ***to go on ~*** partir en vacances; ***to take a month's ~*** prendre un mois de vacances **II** *v/i Br* passer les vacances **holiday camp** *n Br* camp *m* de vacances **holiday entitlement** *n Br nombre de jours de congés auxquels une personne a droit* **holiday home** *n*

Br résidence *f* secondaire **holiday-maker** *n Br* vacancier(-ière) *m*(*f*) **holiday resort** *n Br* lieu *m* de villégiature **holiday season** *n Br* saison *m* des vacances

holiness ['həʊlɪnɪs] *n* sainteté *f*; ***His/Your Holiness*** ECCL Sa / Votre Sainteté

holistic [həʊ'lɪstɪk] *adj* holistique

Holland ['hɒlənd] *n* Hollande *f*

holler ['hɒləʳ] *v/t & v/i* (*infml*: *a.* **holler out**) crier, brailler *infml*

hollow ['hɒləʊ] **I** *adj* creux(-euse); (*meaningless*) creux(-euse), vain; *victory* dérisoire; (*insincere*) faux(fausse) **II** *n* **1.** (*cavity*) creux *m* **2.** (*depression*) creux *m*; (*valley*) cuvette *f* ◆ **hollow out** *v/t sep* creuser

holly ['hɒlɪ] *n* houx *m*

holocaust ['hɒləkɔːst] *n* **1.** holocauste *m* **2.** (*in Third Reich*) l'Holocauste *m*

hologram ['hɒləgræm] *n* hologramme *m*

hols [hɒlz] (*Br infml*) *abbr* = **holidays**

holster ['həʊlstəʳ] *n* étui *m* de revolver

holy ['həʊlɪ] *adj* REL saint; *ground* saint **Holy Bible** *n* ***the*** ~ la Sainte Bible *f* **Holy Communion** *n* la Sainte Communion *f* **Holy Father** *n* ***the*** ~ (*the Pope*) le saint-père *m* **Holy Ghost** *n* = **Holy Spirit** **Holy Land** *n* ***the*** ~ la Terre sainte *f* **Holy Spirit** *n* ***the*** ~ le Saint-Esprit *m* **holy water** *n* eau *f* bénite **Holy Week** *n* Semaine *f* sainte

homage ['hɒmɪdʒ] *n* hommage *m*; ***to pay ~ to sb*** rendre hommage à qn

home [həʊm] **I** *n* **1.** (*where one lives*) logement *m*; (*house*) maison *f*; (*country, area etc.*) pays *m*, région *f*; ***his ~ is in Brussels*** il habite Bruxelles; ***Washington is his second ~*** Washington est sa seconde patrie; ***he invited us over to his ~*** il nous a invités chez lui; ***away from ~*** loin de chez soi; ***he worked away from ~*** il travaillait loin de chez lui; ***at ~*** chez soi, à la maison; SPORTS à domicile; ***to be*** *or* ***feel at ~ with sb*** se sentir à l'aise avec qn; ***he doesn't feel at ~ with English*** il est mal à l'aise en anglais; ***to make oneself at ~*** faire comme chez soi; ***to make sb feel at ~*** faire en sorte que qn se sente à l'aise; ***to leave ~*** quitter sa famille; ***Scotland is the ~ of the haggis*** l'Écosse est le pays du haggis; ***the city is ~ to some 1,500 students*** la ville abrite quelque 1 500 étudiants **2.** (*institution*) institution *f*; (*for orphans*) foyer *m* **II** *adv* **1.** (*to or at one's house*) à la maison, chez soi ***to come ~*** rentrer chez soi; ***to go ~*** (*to house*) aller chez soi; (*to country*) rentrer chez soi *or* au pays; ***to get ~*** rentrer chez soi; ***I have to get ~ before ten*** je dois rentrer chez moi avant 22h; ***to return ~ from abroad*** revenir de l'étranger **2.** ***to bring sth ~ to sb*** faire comprendre qc à qn ◆ **home in** *v/i* (*missiles*) se diriger (automatiquement) (**on sth** sur qc); ***to ~ on a target*** se diriger (automatiquement) sur une cible; ***he homed in on the essential point*** il a mis l'accent sur le point essentiel

home address *n* adresse *f* personnelle **home-baked** *adj* fait maison **home banking** *n* banque *f* par Internet **home-brew** *n* bière *f* maison **home-coming** *n* retour *m* à la maison **home computer** *n* ordinateur *m* personnel **home cooking** *n* cuisine *f* maison **Home Counties** *pl les comtés autour de Londres* **home economics** *n sg* économie *f* domestique **home entertainment system** *n* home entertainment system *m* **home game** *n* SPORTS match *m* à domicile **home ground** *n* (*Br* SPORTS) terrain *m* de l'équipe qui reçoit; ***to be on ~*** *fig* être sur son terrain **home-grown** *adj vegetables* du jardin; *fig talent* national **home help** *n Br* aide *f* ménagère **home key** *n* IT clé *f* de la maison **homeland** *n* pays *m* natal **homeless** **I** *adj* sans abri **II** *pl* ***the ~*** les sans-abri *mpl* **homelessness** *n* absence *f* de logement **home life** *n* vie *f* de famille **homely** ['həʊmlɪ] *adj* ⟨**+er**⟩ **1.** *US person* sans charme **2.** (*Br atmosphere*) accueillant **3.** (*Br food*) ordinaire **home-made** *adj* (fait) maison **homemaker** *n* femme *f* au foyer **home movie** *n* film *m* d'amateur **home news** *n* nouvelles *fpl* de l'intérieur **Home Office** *n Br* ≈ ministère *m* de l'Intérieur

homeopath, *Br* **homoeopath** ['həʊmɪəʊpæθ] *n* homéopathe *m/f* **homeopathic**, *Br* **homoeopathic** [ˌhəʊmɪəʊ'pæθɪk] *adj* homéopathique **homeopathy**, *Br* **homoeopathy** [ˌhəʊmɪ'ɒpəθɪ] *n* homéopathie *f*

homeowner *n* (*of house, flat*) propriétaire *m/f* **home page** *n* IT page *f* d'accueil **home rule** *n* autonomie *f* **home run** *n* BASEBALL coup *m* de circuit; ***to hit a ~*** frapper un coup de circuit **Home**

Secretary *n Br* ≈ ministre *m* de l'Intérieur **home shopping** *n* achat *s mpl* par correspondance **homesick** *adj* ***to be ~*** avoir la nostalgie (***for*** de) **homestead** *n* **1.** propriété *f* **2.** *US* lieu *m* de naissance, maison *f* ancestrale **home stretch, home straight** *Br n* SPORTS dernière ligne *f* droite; ***we're in the ~ now*** *fig, infml* on commence à voir le bout du tunnel **home team** *n* SPORTS équipe *f* qui reçoit **home town, hometown** *n* ville *f* natale **home truth** *n esp Br* vérité *f* bien sentie; ***to tell sb a few ~s*** dire à qn quelques vérités bien senties **home video** *n* vidéo *f* d'amateur **homeward** ['həʊmwəd] *adj* ***~ journey*** voyage de retour; ***we are ~ bound*** nous sommes sur le chemin du retour **homeward**, *Br* **homewards** ['həʊmwəd(z)] *adv* vers la maison

homework *n* SCHOOL devoirs *mpl*; ***to give sb sth as ~*** donner qc à faire comme devoir à qn **homeworker** *n* travailleur(-euse) *m(f)* à domicile **homeworking** *n* travail *m* à domicile **homey** ['həʊmɪ] *adj* ⟨**+er**⟩ (*US infml*) accueillant

homicidal [ˌhɒmɪ'saɪdl] *adj* homicide; ***that man is a ~ maniac*** cet homme est un maniaque à tendances homicides **homicide** ['hɒmɪsaɪd] *n* homicide *m*

homily ['hɒmɪlɪ] *n* homélie *f*

homing pigeon *n* pigeon *m* voyageur

homoeopath *etc. Br* = **homeopath** *etc.*

homogeneous [ˌhɒmə'dʒiːnɪəs] *adj* homogène **homogenize** [hə'mɒdʒənaɪz] *v/t* homogénéiser **homogenous** [hə'mɒdʒɪnəs] *adj* homogène

homophobia [ˌhəʊməʊ'fəʊbɪə] *n* homophobie *f* **homophobic** [ˌhəʊməʊ'fəʊbɪk] *adj* homophobe

homosexual [ˌhɒməʊ'seksjʊəl] **I** *adj* homosexuel(le) **II** *n* homosexuel(le) *m(f)* **homosexuality** [ˌhɒməʊseksjʊ'ælɪtɪ] *n* homosexualité *f*

homy *adj* ⟨**+er**⟩ (*US infml*) = **homey**

Hon. 1. *abbr* = **honorary 2.** *abbr* = **Honourable**

hone [həʊn] *v/t blade* aiguiser; *fig skills* affiner

honest ['ɒnɪst] **I** *adj* **1.** honnête, sincère; ***to be ~ with sb*** être honnête avec qn; ***to be ~ about sth*** être honnête à propos de qc; ***to be perfectly ~ (with you) ...*** pour être honnête..., à dire vrai...; ***the ~ truth*** la pure vérité **2.** (*law-abiding, decent*) *person* honnête, intègre; ***to make an ~ living*** gagner honnêtement sa vie **3.** *mistake* de bonne foi **II** *adv infml* ***it's true, ~ it is*** c'est la vérité, je le jure **honestly** ['ɒnɪstlɪ] *adv* honnêtement, franchement; *expect* honnêtement; ***I don't mind, ~*** ça ne me gêne pas, franchement; ***quite ~ I don't remember it*** très franchement, je ne me souviens pas; ***~!*** (*showing exasperation*) vraiment! **honesty** ['ɒnɪstɪ] *n* honnêteté *f*; (*being law-abiding, decent*) intégrité *f*; ***in all ~*** en toute sincérité

honey ['hʌnɪ] *n* **1.** miel *m* **2.** (*infml dear*) chéri(e) *m(f)*, mon chou **honeybee** *n* abeille *f* **honeycomb** *n* rayon *m* de miel **honeydew melon** *n* melon *m* d'Espagne **honeymoon** ['hʌnɪmuːn] **I** *n* lune *f* de miel; (*trip*) voyage *m* de noces; ***to be on one's ~*** être en voyage de noces **II** *v/i* être en voyage de noces; ***they are ~ing in Spain*** ils passent leur lune de miel en Espagne **honeysuckle** ['hʌnɪsʌkəl] *n* chèvrefeuille *m*

honk [hɒŋk] **I** *v/i* **1.** (*car*) klaxonner **2.** (*geese*) cacarder **II** *v/t horn* klaxonner

honor, *Br* **honour** ['ɒnəʳ] **I** *n* **1.** honneur *m*; ***sense of ~*** sens de l'honneur; ***man of ~*** homme d'honneur; ***in ~ of sb / sth*** en l'honneur de qn / qc; ***if you would do me the ~ of accepting*** *form* si vous me faisiez l'honneur d'accepter *lofty* **2.** ***Your Honor*** Votre Honneur; ***His Honor*** Son Honneur **3.** (*distinction*) ***~s*** les honneurs **4.** ***to do the ~s*** *infml* faire les présentations **5.** (*US* HIGH SCHOOL) ***finish high school with ~s*** être diplômé avec mention **6.** (*Br* UNIV) ***~s*** (*a.* **honors degree**) ≈ licence *f*; ***to get first-class ~s*** ≈ obtenir la mention très bien **II** *v/t* **1.** *person* honorer; ***I would be ~ed*** je serais honoré; ***I should be ~ed if you ...*** je serais honoré si vous... **2.** *check, debt* honorer; *promise* tenir; *agreement* remplir **honorable**, *Br* **honourable** ['ɒnərəbl] *adj* **1.** honorable, honnête; *discharge* honorable **2.** (*Br* PARL) ***the Honourable member for X*** Monsieur le député de X **honorably**, *Br* **honourably** ['ɒnərəblɪ] *adv behave* honorablement **honorary** ['ɒnərərɪ] *adj* honoraire **honorary degree** *n* diplôme *m* honoris causa

honour *etc. Br* = **honor** *etc.* **honours**

degree ['ɒnəz-] *n Br* = **honour** *I5* **honours list** *n Br liste de distinctions honorifiques distribuées deux fois par an par le souverain*
hooch [huːtʃ] *n (esp US infml)* gnôle *f sl*
hood [hʊd] *n* **1.** capuchon *m*, capuche *f* **2.** (AUTO *roof*) capote *f*; (*US cover for car engine*) capot *m*; (*on stove*) hotte *f*
hoodlum ['huːdləm] *n* loubard(e) *m(f)*; (*gangster*) truand *m infml*
hoodwink ['hʊdwɪŋk] *v/t infml* duper; ***to ~ sb into doing sth*** duper qn pour lui faire faire qc
hoof [huːf] *n* ⟨*pl* **-s** *or* **hooves**⟩ sabot (*d'un animal*) *m*
hook [hʊk] **I** *n* crochet *m*; ***he fell for it ~, line and sinker*** il a tout gobé du début à la fin; ***by ~ or by crook*** coûte que coûte; ***that lets me off the ~*** *infml* ça me libère de mes responsabilités; ***to leave the phone off the ~*** décrocher le téléphone; (*unintentionally*) mal raccrocher; ***the phone was ringing off the ~*** (*US infml*) ça sonnait toujours occupé **II** *v/t* **1.** ***to be / get ~ed on sth*** *infml on drugs* être / devenir accro à qc *infml*; *on film, place etc.* être accroché par qc *infml*; ***he's ~ed on the idea*** il est très accroché à cette idée ◆ **hook on I** *v/i* s'accrocher (***to*** à) **II** *v/t sep* accrocher (***to*** à) ◆ **hook up I** *v/i* ***to ~ with sb*** sortir avec qn **II** *v/t sep* **1.** *dress etc.* agrafer **2.** *trailer* accrocher **3.** *computer etc.* brancher (***to*** à); RADIO, TV faire un duplex (***with*** entre)
hook and eye *n* agrafe *f* **hooked** [hʊkt] *adj* ***~ nose*** nez crochu
hooker ['hʊkəʳ] *n (esp US infml)* prostituée *f*
hooky ['hʊkɪ] *n (US infml)* ***to play ~*** sécher les cours *infml*
hooligan ['huːlɪgən] *n* hooligan *m* **hooliganism** ['huːlɪgənɪzəm] *n* hooliganisme *m*
hoop [huːp] *n* cerceau *m*; (*in basketball*) panier *m*
hooray [huː'reɪ] *int* = **hurrah**
hoot [huːt] **I** *n* **1.** (*of owl*) hululement *m*; ***~s of laughter*** éclats de rire; ***I don't care*** *or* ***give a ~*** *or* ***two ~s*** *infml* je m'en fiche comme de ma première chemise *infml*; ***to be a ~*** *infml* être marrant *infml* **2.** AUTO coup *m* d'avertisseur sonore **II** *v/i* **1.** (*owl*) hululer; ***to ~ with laughter*** rire aux éclats **2.** AUTO klaxonner **III** *v/t* (*esp Br* AUTO) ***to ~ one's/the horn*** donner un coup de klaxon® **hooter** ['huːtəʳ] *n Br* **1.** AUTO klaxon® *m*; (*at factory*) sirène *f* **2.** (*infml nose*) pif *m infml*
Hoover® ['huːvəʳ] *n Br* aspirateur *m*
hoover ['huːvəʳ] *Br* **I** *v/i* passer l'aspirateur **II** *v/t room* passer l'aspirateur dans; *chair* passer l'aspirateur sur ◆ **hoover up** *v/t insep* passer l'aspirateur sur
hoovering ['huːvərɪŋ] *n Br* ***to do the ~*** passer l'aspirateur
hooves [huːvz] *pl* = **hoof**
hop¹ [hɒp] **I** *n* **1.** saut *m* à cloche-pied, (*of rabbit*) saut *m* ***to catch sb on the ~*** *fig, infml* prendre qn au dépourvu **2.** (AVIAT *infml*) ***a short ~*** une courte étape **II** *v/i* (*animal*) sauter, sautiller; (*rabbit*) sauter; (*person*) sauter, sauter à cloche pied; ***to ~ on*** sauter dans; ***to ~ on a train*** sauter dans un train; ***he ~ped on his bicycle*** il sauta sur son vélo; ***he ~ped over the wall*** il sauta par-dessus le mur **III** *v/t* (*Br infml*) ***~ it!*** dégage! *infml*
hop² *n* BOT houblon *m*
hope [həʊp] **I** *n* espoir *m*; ***beyond ~*** sans espoir; ***in the ~ of doing sth*** dans l'espoir de faire qc; ***to have*** (***high*** *or* ***great***) ***~s of doing sth*** avoir grand espoir de faire qc; ***don't get your ~s up*** n'y comptez pas!; ***there's no ~ of that*** c'est hors de question; ***to give up ~ of doing sth*** abandonner tout espoir de faire qc; ***some ~!*** *infml* tu parles! *infml*; ***she hasn't got a ~ in hell of getting into college*** *infml* elle n'a aucune chance d'aller à l'université **II** *v/i* espérer (***for sth*** qc); ***to ~ for the best*** être optimiste; ***a pay raise would be too much to ~ for*** une augmentation de salaire, ce serait trop en demander; ***I ~ so*** je l'espère; ***I ~ not*** j'espère que non **III** *v/t* espérer; ***I ~ to see you*** j'espère vous voir; ***the party cannot ~ to win*** le parti ne peut espérer gagner; ***to ~ against ~ that ...*** espérer contre toute attente que…
hopeful I *adj* **1.** plein d'espoir; ***he was still ~*** (***that ...***) il espérait encore que…; ***they weren't very ~*** ils n'étaient pas très optimistes; ***he was feeling more ~*** il se sentait plus optimiste **2.** ***it is not a ~ sign*** ce n'est pas bon signe **II** *n* ***presidential ~s*** présidentiables *mpl* **hopefully** *adv* **1.** avec optimisme **2.** (*infml with any luck*) avec un peu de chance

hopeless ['həʊplɪs] *adj attempt* désespéré; *task* sans espoir; *drunk*, *romantic* incorrigible; ***she's a ~ manager*** comme directrice, elle est nulle; ***I'm ~ at math*** je suis nul en maths; ***to be ~ at doing sth*** être incapable de faire qc **hopelessly** ['həʊplɪslɪ] *adv* ***~ confused*** désespérément confus; ***I feel ~ inadequate*** je ne me sens pas du tout à la hauteur; ***he got ~ lost*** il s'est complètement perdu **hopelessness** *n* (*of situation*) caractère *m* désespéré

hopping mad ['hɒpɪŋ'mæd] *adj infml* fou(folle) furieux(-euse) *infml* **hopscotch** *n* marelle *f* **hop, skip and jump** *n*, **hop, step and jump** *n* triple saut *m*; ***it's a ~, skip and jump from here*** c'est à un saut de puce d'ici

horde [hɔːd] *n infml* (*of children etc.*) horde *f*

horizon [hə'raɪzn] *n* horizon *m*; ***on the ~*** à l'horizon; ***below the ~*** sous la ligne d'horizon **horizontal** [ˌhɒrɪ'zɒntl] *adj* horizontal; ***~ line*** ligne horizontale **horizontal bar** *n* barre *f* fixe **horizontally** [ˌhɒrɪ'zɒntəlɪ] *adv* horizontalement

hormone ['hɔːməʊn] *n* hormone *f* **hormone replacement therapy** *n* traitement *m* hormonal substitutif

horn [hɔːn] *n* **1.** corne *f*; ***to lock ~s*** *fig* s'affronter **2.** AUTO klaxon® *m*; NAUT sirène *f*; ***to sound*** *or* ***blow the ~*** AUTO klaxonner; NAUT donner un coup de sirène **3.** MUS cor *m*

hornet ['hɔːnɪt] *n* frelon *m*

horn-rimmed ['hɔːnrɪmd] *adj* ***~ glasses*** lunettes à montures d'écaille **horny** ['hɔːnɪ] *adj* ⟨**+er**⟩ **1.** *infml* (*sexually aroused*) excité **2.** (*like horn*) corné; *hands etc.* calleux(-euse)

horoscope ['hɒrəskəʊp] *n* horoscope *m*

horrendous [hɒ'rendəs] *adj* **1.** *accident*, *experience* terrible; *crime*, *attack* horrible **2.** *infml conditions*, *price* affreux (-euse); *loss* horrible; ***children's shoes are a ~ price*** les chaussures pour enfants sont affreusement chères **horrendously** [hɒ'rendəslɪ] *adv infml expensive* affreusement

horrible ['hɒrɪbl] *adj* **1.** *infml* horrible, épouvantable; *food*, *person* infect; *clothes*, *color*, *taste* horrible; ***to be ~ to sb*** être horrible avec qn **2.** *death*, *accident* horrible **horribly** ['hɒrɪblɪ] *adv* **1.** horriblement; ***they died ~*** ils ont eu une mort horrible **2.** *infml drunk*, *expensive* affreusement **horrid** ['hɒrɪd] *adj* méchant; ***don't be so ~*** ne sois pas si méchant **horrific** [hɒ'rɪfɪk] *adj* horrible **horrifically** [hɒ'rɪfɪkəlɪ] *adv* horriblement **horrify** ['hɒrɪfaɪ] *v/t* horrifier; ***it horrifies me to think what ...*** ça m'horrifie de penser à ce qui… **horrifying** ['hɒrɪfaɪɪŋ] *adj* horrifiant **horror** ['hɒrə[r]] **I** *n* **1.** horreur *f*; (*dislike*) horreur, aversion *f* (**of** de); ***to have a ~ of sth*** avoir horreur de qc; ***to have a ~ of doing sth*** avoir horreur de faire qc; ***they watched in ~*** ils regardaient, horrifiés **2.** *usu pl* (*of war etc.*) horreurs *fpl* **3.** *infml* ***you little ~!*** espèce de petit monstre! **II** *attr* d'horreur; ***~ movie/story*** film / histoire d'horreur **horror-stricken** ['hɒrəˌstrɪkən], **horror-struck** *adj* frappé d'horreur

hors d'œuvre [ɔː'dɜːv] *n* hors d'œuvre *m*

horse [hɔːs] *n* cheval; ***to eat like a ~*** manger comme quatre *infml*; ***I could eat a ~*** j'ai une faim de loup; ***straight from the ~'s mouth*** de source sûre ◆ **horse around** *or Br* **about** *v/i infml* chahuter

horseback *n* ***on ~*** à cheval **horsebox** *n* (*van*) van *m* **horse chestnut** *n* marronnier *m* **horse-drawn** *adj* ***~ cart*** carriole tirée par des chevaux; ***~ carriage*** voiture tirée par des chevaux **horseman** *n* cavalier *m* **horseplay** *n* chahut *m* **horsepower** *n* puissance *f* en chevaux; ***a 200 ~ engine*** un moteur de 200 chevaux **horse race** *n* course *f* hippique **horse racing** *n* (*races*) courses *fpl* **horseradish** *n* raifort *m* **horse-riding** *n Br* équitation *f* **horseshoe** *n* fer *m* à cheval **horse trading** *n fig* maquignonnage *m* **horsewoman** *n* cavalière *f*

horticultural [ˌhɔːtɪ'kʌltʃərəl] *adj* horticole; ***~ show*** exposition horticole **horticulture** ['hɔːtɪkʌltʃə[r]] *n* horticulture *f*

hose [həʊz] **I** *n* tuyau *m* **II** *v/t* (*a.* **hose down**) laver au jet **hosepipe** ['həʊzpaɪp] *n esp Br* tuyau *m*

hosiery ['həʊʒərɪ] *n* bonneterie *f*

hospice ['hɒspɪs] *n* établissement *m* de soins palliatifs

hospitable [hɒs'pɪtəbl] *adj* **1.** *person* hospitalier(-ière); ***to be ~ to sb*** être hospitalier envers qn **2.** *place*, *climate* hospitalier(-ière), accueillant

hospital ['hɒspɪtl] *n* hôpital *m*; ***in the ~*** *or* (*Br*) ***in ~*** à l'hôpital
hospitality [ˌhɒspɪ'tælɪtɪ] *n* hospitalité *f*
hospitalize ['hɒspɪtəlaɪz] *v/t* hospitaliser; ***he was ~d for three months*** il a été hospitalisé trois mois
Host [həʊst] *n* ECCL hostie *f*
host[1] [həʊst] **I** *n* hôte *m* (*qui reçoit*); ***to be*** *or* ***play ~ to sb*** recevoir qn **II** *v/t TV show* recevoir; (*country, city*) *event* accueillir; IT héberger
host[2] *n* multitude *f*; ***he has a ~ of friends*** il a une kyrielle d'amis
hostage ['hɒstɪdʒ] *n* otage *m/f*; ***to take/hold sb ~*** prendre/tenir qn en otage **-taker** *n* preneur(-euse) *m(f)* d'otages
hostel ['hɒstəl] *n* **1.** (*for migrants, workers*) foyer *m* **2.** (*hotel*) auberge *f* de jeunesse
hostess ['həʊstes] *n* **1.** hôtesse *f*, maîtresse *f* de maison; ***to be*** *or* ***play ~ to sb*** recevoir qn **2.** (*in nightclub etc.*) entraîneuse *f* **3.** (*air hostess*) hôtesse *f* (de l'air)
hostile ['hɒstaɪl] *adj forces, press, bid* hostile; ***to be ~ to sb*** avoir de l'animosité vis-à-vis de qn; ***to be ~ to*** *or* ***toward sth*** être hostile à qc **hostility** [hɒs'tɪlɪtɪ] *n* **1.** hostilité *f*; (*between people*) animosité *f*; ***he feels no ~ toward anybody*** il ne ressent d'animosité envers personne; ***~ to foreigners*** l'hostilité vis-à-vis des étrangers **2. hostilities** *pl* hostilités *fpl*
hot [hɒt] **I** *adj* **1.** chaud; *meal, drink* chaud; ***~ faucet*** robinet d'eau chaude; ***I am*** *or* ***feel ~*** j'ai chaud; ***with ~ and cold water*** avec eau chaude et froide; ***the room was ~*** il faisait chaud dans la pièce; ***I'm getting ~*** je commence à avoir chaud **2.** *curry etc.* épicé **3.** (*infml good*) bon(bonne); ***he's pretty ~ at math*** il est super bon en maths *infml* **4.** *fig* ***to be (a) ~ favorite*** (*US*) *or* ***favourite*** *Br* être grand favori; ***~ tip*** bon tuyau; ***~ news*** nouvelles fraîches; ***~ off the press*** tout chaud sorti; ***to get into ~ water*** *fig* avoir des ennuis; ***to get (all) ~ and bothered*** *infml* stresser *infml* (***about*** à propos de); ***to get ~ under the collar about sth*** monter sur ses grands chevaux à propos de qc **II** *adv* ***he keeps blowing ~ and cold*** il n'arrête pas de changer d'avis **III** *n* ***to have the ~s for sb*** *infml* en pincer pour qn *infml* ◆ **hot up** *v/i infml* ***things are hotting up in the Middle East*** la situation est en train de s'envenimer au Moyen-Orient; ***things are hotting up*** ça va chauffer *infml*
hot air *n fig* vent *m* **hot-air balloon** *n* montgolfière *f* **hotbed** *n fig* terreau *m* (***of*** de) **hot-blooded** *adj* passionné
hotchpotch ['hɒtʃpɒtʃ] *n Br* = **hodgepodge**
hot dog *n* hot-dog *m*
hotel [həʊ'tel] *n* hôtel *m* **hotelier** [həʊ'telɪəʳ] *n* hôtelier(-ière) *m(f)* **hotel manager** *n* gérant(e) *m(f)* d'hôtel **hotel room** *n* chambre *f* d'hôtel
hot flushes *pl* MED bouffées *fpl* de chaleur **hothead** *n* tête *f* brûlée **hot-headed** *adj* impétueux(-euse) **hothouse I** *n* serre *f* chaude **II** *adj attr lit* de serre chaude **hot key** *n* IT raccourci *m* clavier **hot line** *n* POL téléphone *m* rouge; TV permanence *f* téléphonique IT *etc.* aide *f* en ligne, hot-line *f* **hotly** ['hɒtlɪ] *adv* **1.** *debate, deny* catégoriquement; *contest, dispute* vivement **2.** ***he was ~ pursued by two police officers*** il avait deux officiers de police à ses trousses *infml* **hotplate** *n* (*of stove*) plaque *f* chauffante **hot potato** *n fig, infml* patate *f* chaude *infml* **hot seat** *n* ***to be in the ~*** être sur la sellette **hotshot** *infml n* caïd *m infml* **hot spot** *n* **1.** POL point *m* chaud; (*infml club etc.*) lieu *m* branché *infml* **2.** IT point *m* d'accès Internet sans fil, hot spot *m* **hot spring** *n* source *f* chaude **hot stuff** *n infml* ***this is ~*** (*very good*) c'est génial *infml*; (*provocative*) c'est dérangeant; ***she's ~*** (*very good*) elle est super bonne *infml*; (*very sexy*) elle est super sexy *infml* **hot-tempered** *adj* colérique **hot-water** *adj attr* d'eau chaude **hot-water bottle** *n* bouillotte *f*
hoummos, houm(o)us ['huːməs] *n* houmous *m*
hound [haʊnd] **I** *n* HUNT chien *m* courant **II** *v/t* traquer; ***to be ~ed by the press*** être traqué par la presse ◆ **hound out** *v/t sep* chasser
hour ['aʊəʳ] *n* **1.** heure; ***half an ~,*** *US* ***a half ~*** une demi-heure; ***three-quarters of an ~*** trois quarts d'heure; ***a quarter of an ~*** un quart d'heure; ***an ~ and a half*** une heure et demie; ***it's two ~s' walk*** il faut deux heures à pied; ***at fifteen hundred ~s*** (*spoken*) à quinze heures; ***~ after ~*** des heures durant;

on the ~ à l'heure pleine; ***every ~ on the ~*** toutes les heures à l'heure pleine; ***20 minutes past the ~*** l'heure passée de 20 minutes; ***at all ~s*** (***of the day and night***) à n'importe quelle heure (du jour ou de la nuit); ***what! at this ~ of the night!*** quoi! à cette heure-ci!; ***to drive at 50 miles an ~*** rouler à 50 miles à l'heure; ***to be paid by the ~*** être payé à l'heure; ***for ~s*** pendant des heures; ***he took ~s to do it*** il lui a fallu des heures pour le faire; ***the man / hero of the ~*** l'homme / le héros du moment **2. hours** *pl* (*of stores, doctor etc.*) horaires *mpl*; (*of bars etc.*) heures *fpl* d'ouverture et de fermeture; (*office hours*) heures *fpl* de bureau; (*working hours etc.*) horaires *mpl*; ***out of ~s*** *Br* (*in pubs*) en dehors des heures d'ouverture; (*in office etc.*) en dehors des heures de bureau; ***after ~s*** (*in pubs*) après la fermeture; (*in office etc.*) après les heures de bureau; ***to work long ~s*** faire beaucoup d'heures **hourglass** *n* sablier *m* **hour hand** *n* aiguille *f* des heures **hourly** ['aʊəlɪ] **I** *adj* **1.** horaire; ***an ~ bus service*** un service de bus toutes les heures; ***at ~ intervals*** à intervalles d'une heure; ***at two-~ intervals*** toutes les deux heures **2.** *earnings* horaire; ***~ wage*** *or* ***pay*** salaire horaire; ***~ rate*** tarif horaire; ***on an ~ basis*** à l'heure **II** *adv* **1.** *lit* toutes les heures **2.** *pay* à l'heure

house [haʊs] **I** *n* ⟨*pl* **houses**⟩ **1.** maison *f*; ***at / to my ~*** chez moi; ***to keep ~*** (***for sb***) s'occuper d'une maison (pour qn); ***they set up ~ together*** ils se sont mis en ménage; ***to put*** *or* ***set one's ~ in order*** *fig* balayer devant sa porte; ***they get on like a ~ on fire*** (*Br infml*) ils s'entendent comme larrons en foire; ***as safe as ~s*** *Br* en toute sécurité *infml*; ***the upper / lower ~*** POL la Chambre haute/basse; ***House of Representatives*** *US* Chambre des Représentants; ***House of Commons / Lords*** *Br* Chambre des Communes/des Lords; ***the Houses of Parliament*** *Br* le Parlement; ***on the ~*** offert par la maison; ***we ordered a bottle of ~ red*** nous avons commandé une bouteille de vin rouge de la cuvée maison; ***to bring the ~ down*** *infml* faire rire la salle entière **2.** *Br* (*in boarding school*) groupe *m* **3.** *Br* ***full ~*** CARD full *m*; THEAT salle *f* comble **II** *v/t* *people* héberger; *collection* contenir; ***this building ~s ten families*** ce bâtiment héberge dix familles **house arrest** *n* assignation *f* à résidence **housebound** *adj* bloqué chez soi **housebreaking** *n* cambriolage *m* **house-broken** *adj* *US* propre **housecoat** *n* blouse *f* **houseguest** *n* invité(e) *m(f)*

household ['haʊshəʊld] **I** *n* maison *f*; ECON ménage *m* **II** *attr* ménager(-ère); ***~ appliance*** appareil ménager; ***~ chores*** tâches ménagères **householder** ['haʊsˌhəʊldəʳ] *n* propriétaire *m/f* d'une maison **household name** *n* ***to be a ~*** être une marque connue de tous; ***to become a ~*** être connu par tout le monde **household waste** *n* déchets *mpl* ménagers **house-hunt** *v/i* chercher une maison; ***they have started ~ing*** ils ont commencé à chercher une maison **househusband** *n* homme *m* au foyer **housekeeper** *n* économe *m/f* **housekeeping** *n* **1.** ménage *m* **2.** (*Br*: *a.* **housekeeping money**) argent *m* du ménage **housemate** *n* *Br* colocataire *m/f* ***my ~s*** mes colocataires **House music** *n* house *f* (music) **house plant** *n* plante *f* d'intérieur **house-proud** *adj* ***she is ~*** c'est toujours impeccable chez elle **house rules** *pl* règlement *m* interne **house-to-house** *adj* ***to conduct ~ inquiries*** faire des enquêtes porte-à-porte **house-trained** *adj* propre **house-warming** (**party**) *n* crémaillère *f*; ***to have a ~*** pendre la crémaillère

housewife *n* femme *f* au foyer **house wine** *n* cuvée *f* maison **housework** *n* ménage *m* **housing** ['haʊzɪŋ] *n* **1.** (*act*) logement *m* **2.** (*houses*) logements *mpl* **3.** TECH boîtier *m* **housing association** *n* association *f* de construction et de gestion de logements sociaux **housing benefit** *n* *Br* ≈ allocation *f* logement **housing development**, *also* *Br* **housing estate** *n* lotissement *m*

hovel ['hɒvəl] *n* taudis *m*

hover ['hɒvəʳ] *v/i* **1.** planer; *helicopter* faire du sur-place; ***he was ~ing between life and death*** il était entre la vie et la mort; ***the exchange rate is ~ing around 110 yen to the dollar*** le taux de change tourne autour de 110 yen pour un dollar **2.** (*fig stand around*) rester planté; ***don't ~ over me*** arrête de me coller ◆ **hover around** *or* **round** *Br* *v/i* faire le planton; ***he was hover-***

ing around, waiting to speak to us il faisait le planton, attendant de pouvoir nous parler
hovercraft *n* aéroglisseur *m*
how [haʊ] *adv* **1.** comment; ***~ come?*** *infml* comment ça se fait?; ***~ do you mean?*** *infml* qu'est-ce que tu veux dire?; ***~ is it that we*** *or* ***~ come*** (*infml*) ***we earn less?*** comment ça se fait que l'on gagne moins; ***~ do you know that?*** comment est-ce que vous le savez?; ***I'd like to learn ~ to swim*** j'aimerais apprendre à nager; ***~ nice!*** comme c'est gentil!; ***~ much*** combien; ***~ many*** combien; ***~ would you like to ...?*** est-ce que ça vous dirait de ...?; ***~ do you do?*** enchanté; ***~ are you?*** comment vas-tu?; ***~'s work?*** comment va ton travail?; ***~ are things at school?*** comment ça va à l'école?; ***~ did the job interview go?*** comment s'est passé ton entretien d'embauche?; ***~ about ...?*** et si ...?; ***~ about it?*** (*about suggestion*) qu'est-ce que tu en penses?; ***~ about going for a walk?*** et si on allait faire un tour?; ***I've had enough, ~ about you?*** j'en ai assez, pas toi?; ***and ~!*** et comment!; ***~ he's grown!*** comme il a grandi! **2.** (*that*) que
however [haʊ'evəʳ] **I** *cj* cependant **II** *adv* **1.** (*no matter how*) ***~ you do it*** quelle que soit la façon dont vous le faites; ***~ much you cry*** tu auras beau pleurer; ***wait 30 minutes or ~ long it takes*** attendez 30 minutes ou autant de temps que cela prendra **2.** (*in question*) comment; ***~ did you manage it?*** comment est-ce que tu as réussi?
howl [haʊl] **I** *n* hurlement *m*; (*of animal, wind*) hurlement *m*; ***~s of laughter*** éclats de rire; ***~s (of protest)*** hurlements de protestation **II** *v/i* (*person, animal, wind*) hurler; (*baby*) crier; ***to ~ with laughter*** hurler de rire **III** *v/t* hurler **howler** ['haʊləʳ] *n* (*Br infml*) perle *f* *infml*; ***he made a real ~*** il a fait une sacrée bourde *infml*
HP, hp 1. *abbr* = **horse power** CV **2.** *abbr Br* = **hire purchase**
HQ *abbr* = **headquarters** QG *m*
hr. *abbr* = **hour** h
H.R.H. *abbr* = **His / Her Royal Highness** Son Altesse Royale
HRT *abbr* = **hormone replacement therapy** THS *f*
HST *US abbr* = **Hawaiian Standard Time** heure *f* de Hawaï
ht. *abbr* = **height**
HTML IT *abbr* = **hypertext mark-up language** HTML *m*
hub [hʌb] *n* **1.** (*of wheel*) moyeu *m* **2.** *fig* cœur *m*, point *m* central **3.** IT hub *m*
hubbub ['hʌbʌb] *n* brouhaha *m*; ***a ~ of voices*** un brouhaha de conversations
hubcap ['hʌbkæp] *n* enjoliveur *m*
huddle ['hʌdl] **I** *n* groupe *m*; (*of people*) attroupement *m*; ***in a ~*** regroupés **II** *v/i* (*a.* **to be huddled**) être blottis; ***they ~d under the umbrella*** ils se sont blottis sous le parapluie; ***we ~d around the fire*** nous nous sommes pressés autour du feu ◆ **huddle together** *v/i* se serrer les uns contre les autres; ***to be huddled together*** être blottis les uns contre les autres
hue [hjuː] *n* (*color*) couleur *f*; (*shade*) nuance *f*
huff [hʌf] *n* ***to be / go off in a ~*** être / partir vexé **huffy** ['hʌfɪ] *adj* (*in a huff*) vexé; (*touchy*) susceptible; ***to get / be ~ about sth*** se vexer à propos de qc
hug [hʌg] **I** *n* accolade *f*; ***to give sb a ~*** serrer qn dans ses bras **II** *v/t* **1.** (*hold close*) serrer, étreindre **2.** (*keep close to*) suivre, raser; ***to ~ a bend*** prendre un virage à la corde **III** *v/i* serrer
huge [hjuːdʒ] *adj* immense, gigantesque; *appetite, disappointment, deficit, difference* énorme; *effort* colossal; ***a ~ job*** un travail énorme; ***~ numbers of these children*** un nombre incroyable de ces enfants **hugely** ['hjuːdʒlɪ] *adv emph* immensément; ***the whole thing is ~ enjoyable*** l'ensemble est extrêmement agréable **hugeness** ['hjuːdʒnɪs] *n* énormité *f*
hulk [hʌlk] *n* **1.** NAUT épave *f* **2.** (*infml person*) mastodonte *m* **hulking** ['hʌlkɪŋ] *adj* ***~ great, great ~*** grand costaud
hull[1] [hʌl] *n* NAUT coque *f*
hull[2] **I** *n* (*of grain, rice*) balle *f*; (*of pea*) cosse *f* **II** *v/t peas* écosser; *grain* décortiquer
hullabaloo [ˌhʌləbə'luː] *n* (*infml*) vacarme *m*
hullo [hʌ'ləʊ] *int Br* = **hello**
hum [hʌm] **I** *n* (*of insect, engine*) bourdonnement *m*; (*of person*) fredonnement *m*; (*of small machine etc.*) ronron *m*; (*of voices*) murmure *m* **II** *v/i* **1.** (*insect*) bruire; (*person*) fredonner; (*engine*) bourdonner; (*small machine*) ro-

nronner **2.** *fig*, *infml* bourdonner; ***the headquarters was ~ming with activity*** le quartier général bourdonnait d'activité **3.** ***to ~ and haw*** *infml* tergiverser *infml* (***over, about*** à propos de) **III** *v/t* fredonner

human ['hjuːmən] **I** *adj* humain; *health* de l'homme; ***~ error*** erreur humaine; ***~ shield*** bouclier humain; ***I'm only ~*** je ne suis pas parfait **II** *n* humain(e) *m(f)* **human being** *n* être *m* humain **humane** [hjuː'meɪn] *adj* sans cruauté **humanely** [hjuː'meɪnlɪ] *adv treat* humainement; *kill* sans cruauté **human interest** *n* (*in newspaper story etc.*) vécu *m*; ***a ~ story*** une histoire vraie **humanism** ['hjuːmənɪzəm] *n* humanisme *m* **humanitarian** [hjuːˌmænɪ'tɛərɪən] **I** *n* humanitaire *m* **II** *adj* humanitaire **humanitarianism** [ˌhjuːmænɪ'tɛərɪənɪzəm] *n* humanitarisme *m* **humanity** [hjuː'mænɪtɪ] *n* **1.** (*mankind*) humanité *f* **2.** (*humaneness*) humanité *f* **3. humanities** *pl* lettres *fpl* **humanize** ['hjuːmənaɪz] *v/t* humaniser **humankind** [ˌhjuːmən'kaɪnd] *n* genre *m* humain **humanly** ['hjuːmənlɪ] *adv* humainement; ***as far as ~ possible*** aussi humainement que possible; ***to do all that is ~ possible*** faire tout ce qui est humainement possible **human nature** *n* nature *f* humaine; ***it's ~ to do that*** c'est la nature humaine de faire ça **human race** *n* ***the ~*** l'espèce humaine **human resources** *pl* ECON ressources *fpl* humaines **human resources department** *n* service *m* des ressources humaines **human rights** *pl* droits *mpl* de l'Homme, droits *mpl* humains; ***~ organization*** organisation de défense des droits de l'Homme

humble ['hʌmbl] **I** *adj* humble; *clerk* simple; *origins* modeste; ***my ~ apologies!*** toutes mes excuses! **II** *v/t* humilier; ***to be / feel ~d*** être / se sentir humilié

humbug ['hʌmbʌg] *n* **1.** (*Br sweet*) bonbon *m* à la menthe **2.** (*infml talk*) balivernes *fpl infml*

humdrum ['hʌmdrʌm] *adj* monotone

humid ['hjuːmɪd] *adj* humide; ***it's ~ today*** il fait humide aujourd'hui **humidifier** [hjuː'mɪdɪfaɪəʳ] *n* humidificateur *m* **humidity** [hjuː'mɪdɪtɪ] *n* humidity *f*

humiliate [hjuː'mɪlɪeɪt] *v/t* humilier **humiliating** [hjuː'mɪlɪeɪtɪŋ] *adj defeat* humiliant **humiliation** [hjuːˌmɪlɪ'eɪʃən] *n* humiliation *f* **humility** [hjuː'mɪlɪtɪ] *n* humilité *f*; (*unassumingness*) modestie *f*

humming ['hʌmɪŋ] *n* fredonnement *m*; (*of wings, insect*) bruissement *m* **hummingbird** ['hʌmɪŋbɜːd] *n* colibri *m*

hummus ['hʊməs] *n* = **hoummos**

humor, *Br* **humour** ['hjuːməʳ] **I** *n* **1.** humour *m*; ***a sense of ~*** le sens de l'humour **2.** (*mood*) humeur *f*; ***to be in a good ~*** être de bonne humeur; ***with good ~*** avec bonne humeur **II** *v/t* ***to ~ sb*** amadouer qn; ***do it just to ~ him*** fais-le pour l'amadouer **humorless**, *Br* **humourless** *adj* sans humour **humorous** ['hjuːmərəs] *adj* drôle, humoristique; *situation* comique; *idea* comique **humorously** ['hjuːmərəslɪ] *adv* de façon humoristique; *reflect, say* avec humour **humour** *etc. Br* = **humor** *etc.*

hump [hʌmp] **I** *n* **1.** ANAT bosse *f*; (*of camel*) bosse *f* **2.** (*hillock*) dos *m* d'âne **3.** (*Br infml*) ***he's got the ~*** il fait la tête *infml* **II** *v/t* (*infml carry*) trimballer *infml* **humpbacked** ['hʌmpbækt] *adj Br bridge* en dos d'âne

hunch [hʌntʃ] **I** *n* intuition *f*, pressentiment *m*; ***to act on a ~*** agir en suivant son intuition; ***your ~ paid off*** ton intuition s'est avérée correcte **II** *v/t* (*a.* **hunch up**) ***to ~ one's shoulders*** rentrer la tête dans les épaules; ***he was ~ed over his desk*** il était penché au-dessus de son bureau **hunchback** *n* bossu(e) *m(f)* **hunchbacked** *adj* bossu

hundred ['hʌndrɪd] **I** *adj* cent; ***a*** *or* ***one ~ years*** cent ans; ***two ~ years*** deux cents ans; ***several ~ years*** plusieurs centaines d'années; ***a*** *or* ***one ~ and one*** *lit* cent un; *fig* mille; **(*one*) *~ and first*** cent unième; ***a*** *or* ***one ~ thousand*** cent mille; ***a*** *or* ***one ~ per cent*** cent pour cent; ***a*** **(*one*)** ***~ per cent increase*** une augmentation de cent pour cent; ***I'm not a*** *or* ***one ~ per cent sure*** je ne suis pas sûr à cent pour cent **II** *n* cent *m*; ***~s*** des centaines; ***one in a ~*** un sur cent; ***eighty out of a ~*** quatre-vingt sur cent; ***~s of times*** des centaines de fois; ***~s and ~s*** des centaines et des centaines; ***~s of*** *or* ***and thousands*** des centaines de milliers; ***he earns nine ~ a month*** il gagne neuf cents par mois; ***to live to be a ~*** vivre jusqu'à cent ans; ***they came in their ~s*** *or* ***by the ~*** ils sont venus par centaines **hundredfold** ['hʌndrɪdfəʊld] **I** *adj* multiplié par cent **II** *adv* par cent; ***to increase a ~*** multiplier par cent

hundredth ['hʌndrɪdθ] **I** *adj* **1.** (*in series*) centième **2.** (*of fraction*) centième **II** *n* **1.** centième *m/f* **2.** (*fraction*) centième *m*; → **sixth hundredweight** ['hʌndrɪdweɪt] *n* quintal *m*; *US* 45,3 kg; *Br* 50,8 kg

hung [hʌŋ] *past, past part* = **hang**

Hungarian [hʌŋ'gɛərɪən] **I** *adj* hongrois **II** *n* **1.** Hongrois(e) *m(f)* **2.** LING hongrois *m*

Hungary ['hʌŋgərɪ] *n* Hongrie *f*

hunger ['hʌŋgəʳ] *n* faim *f* (***for*** de); ***to die of ~*** mourir de faim ◆ **hunger after** *or* **for** *v/t insep liter* avoir soif de

hunger
On ne dit jamais **have hunger** mais **be hungry**: **I'm so hungry I could eat a horse.** J'ai une faim de loup.

hunger strike *n* grève *f* de la faim ***to be on (a) ~*** faire la grève de la faim; ***to go on (a) ~*** entamer une grève de la faim

hung over *adj* ***to be ~*** avoir la gueule de bois *infml* **hung parliament** *n Br parlement sans majorité politique*; ***the election resulted in a ~*** les élections ont produit un parlement sans majorité

hungrily ['hʌŋgrɪlɪ] *adv lit, fig* avidement

hungry ['hʌŋgrɪ] *adj* affamé; ***to be*** *or* ***feel / get ~*** avoir faim; ***to go ~*** ne pas manger à sa faim; ***~ for power*** soif de pouvoir; ***to be ~ for news*** avoir soif d'informations

hung up *adj infml* ***to be / get ~ about sth*** avoir un complexe à propos de qc; ***he's ~ on her*** *infml* il est dingue d'elle *infml*

hunk [hʌŋk] *n* **1.** gros morceau *m* **2.** (*fig, infml man*) ***a gorgeous ~*** un super beau mec *infml*

hunky-dory ['hʌŋkɪ'dɔːrɪ] *adj infml* au poil *infml*; ***that's ~*** c'est au poil

hunt [hʌnt] **I** *n* chasse *f*; (*fig search*) recherche *f*; ***the ~ is on*** la traque a commencé; ***to have a ~ for sth*** chercher qc **II** *v/t* HUNT chasser; *criminal* traquer; *missing person, article etc.* rechercher **III** *v/i* **1.** HUNT chasser; ***to go ~ing*** aller à la chasse **2.** (*search*) chercher; ***he is ~ing for a job*** il cherche un travail ◆ **hunt down** *v/t sep* rechercher; (*capture*) traquer ◆ **hunt out** *v/t sep* faire la chasse à

hunter ['hʌntəʳ] *n* chasseur(-euse) *m(f)*

hunting ['hʌntɪŋ] *n* chasse *f*

hurdle ['hɜːdl] *n* (SPORTS) haie; *fig* obstacle *m*; ***~s*** *sg* (*race*) course de haies; ***the 100m ~s*** le 100 mètres haies; ***to fall at the first ~*** *fig* chuter au premier obstacle **hurdler** ['hɜːdləʳ] *n* SPORTS coureur (-euse) *m(f)* de haies

hurl [hɜːl] *v/t* lancer; ***to ~ insults at sb*** lancer des insultes à la tête de qn

hurly-burly ['hɜːlɪ'bɜːlɪ] *n* tohu-bohu *m infml*; ***the ~ of politics*** le tumulte de la politique

hurrah [hə'rɑː], **hurray** *int* hourra; ***~ for the king!*** vive le roi!

hurricane ['hʌrɪkən] *n* ouragan *m*; (*tropical*) cyclone *m*

hurried ['hʌrɪd] *adj* précipité; *ceremony* bousculé; *departure* brusqué **hurriedly** ['hʌrɪdlɪ] *adv* précipitamment; *say* hâtivement; *leave* précipitamment

hurry ['hʌrɪ] **I** *n* hâte *f*, précipitation *f*; ***in my ~ to get it finished …*** dans ma précipitation pour le terminer …; ***to do sth in a ~*** faire qc à la hâte; ***I need it in a ~*** j'en ai besoin de toute urgence; ***to be in a ~*** être pressé; ***I won't do that again in a ~!*** *infml* je ne suis pas prêt de recommencer!; ***what's the ~?*** qu'est-ce qui presse?; ***there's no ~*** ça ne presse pas **II** *v/i* se presser, se dépêcher; (*run / go quickly*) courir; ***there's no need to ~*** ce n'est pas la peine de se presser; ***don't ~!*** prends ton temps! **III** *v/t person* (*make act quickly*) presser, bousculer; (*make move quickly*) faire dépêcher; *work etc.* accélérer; (*do too quickly*) bâcler; ***don't ~ me*** ne me bouscule pas ◆ **hurry along** *Br* **I** *v/i* se presser; ***~ there, please!*** pressons, s'il vous plaît! **II** *v/t sep person* presser; (*with work etc.*) bousculer; *things, work etc.* accélérer ◆ **hurry up I** *v/i* se dépêcher; ***~!*** dépêche-toi!; ***~ and put your coat on!*** dépêche-toi de mettre ton manteau! **II** *v/t sep person* presser; *work* accélérer

hurt [hɜːt] *vb* ⟨*past, past part* **hurt**⟩ **I** *v/t* **1.** (*cause pain*) faire mal à; (*injure*) blesser; ***to ~ oneself*** se faire mal; ***to ~ one's arm*** se faire mal au bras; (*injure*) se blesser le bras; ***my arm is ~ing me*** j'ai mal au bras; ***if you go on like that someone is bound to get ~*** si vous continuez comme ça il va y avoir un accident **2.** (*harm*) faire du tort à; ***it won't ~ him to wait*** il peut bien attendre **II** *v/i* **1.** (*be painful*, *fig*) faire mal; ***that~s!*** ça fait mal! **2.** (*do harm*) faire mal **III** *n* blessure *f*; (*to feelings*) blessure *f* (***to*** à) **IV** *adj limb*, *feelings* blessé; *look* peiné **hurtful** *adj* blessant

hurt ≠ cogner ou offenser
Hurt = blesser

hurtle ['hɜːtl] *v/i* débouler; ***the car was hurtling along*** la voiture roulait à vive allure; ***he came hurtling around the corner*** il a déboulé au coin de la rue
husband ['hʌzbənd] **I** *n* mari *m*; ***my ~*** mon mari; ***they are ~ and wife*** ils sont mari et femme **II** *v/t resources* ménager, économiser **husbandry** ['hʌzbəndrɪ] *n* (*farming*) agriculture *f*
hush [hʌʃ] **I** *v/t person* faire taire **II** *v/i* se taire **III** *n* silence *m*; ***a ~ fell over the crowd*** le silence se fit dans la foule **IV** *int* chut; ***~, ~, it's all right*** là, là, c'est fini ◆ **hush up** *v/t sep* étouffer
hushed [hʌʃt] *adj voices* feutré; *crowd*, *courtroom* silencieux(-euse); ***in ~ tones*** d'une voix feutrée **hush-hush** ['hʌʃ-'hʌʃ] *adj infml* confidentiel(le)
husk [hʌsk] *n* cosse *f*; (*of wheat*) balle *f*
husky[1] ['hʌskɪ] *adj* enroué; (*hoarse*) rauque
husky[2] *n* (*dog*) chien *m* de traîneau, husky *m*
hussy ['hʌsɪ] *n* **1.** (*pert girl*) dévergondée *f* **2.** (*whorish woman*) gourgandine *f pej*
hustings ['hʌstɪŋz] *pl Br* (*campaign*) campagne *f* électorale; (*meeting*) réunion *f* électorale
hustle ['hʌsl] **I** *n* ***~ and bustle*** effervescence *f* **II** *v/t* ***to ~ sb out of a building*** faire sortir qn d'un immeuble
hut [hʌt] *n* cabane *f*; ***beach ~*** cabine de plage
hutch [hʌtʃ] *n* cage *f*, clapier *m*; *Br* vaisselier *m*
hyacinth ['haɪəsɪnθ] *n* jacinthe *f*
hyaena *n Br* = **hyena**
hybrid ['haɪbrɪd] **I** *n* BOT, ZOOL hybride *m*; *fig* mélange *m* **II** *adj* BOT, ZOOL hybride; ***~ vehicle*** véhicule hybride
hydrant ['haɪdrənt] *n* bouche *f* d'incendie
hydrate [haɪ'dreɪt] *v/t* hydrater
hydraulic [haɪ'drɒlɪk] *adj* hydraulique **hydraulics** *n sg* hydraulique *f*
hydrocarbon *n* hydrocarbure *m* **hydrochloric acid** *n* acide *m* chlorhydrique **hydroelectric power** *n* énergie *f* hydroélectrique **hydroelectric power station** *n* centrale *f* hydroélectrique **hydrofoil** *n* (*boat*) navire *m* à plans porteurs **hydrogen** ['haɪdrɪdʒən] *n* hydrogène *m* **hydrogen bomb** *n* bombe *f* à hydrogène **hydrotherapy** *n* hydrothérapie *f*
hyena *or Br* **hyaena** [haɪ'iːnə] *n* hyène *f*
hygiene ['haɪdʒiːn] *n* hygiène *f*; ***personal ~*** hygiène intime **hygienic** [haɪ-'dʒiːnɪk] *adj* hygiène *f*
hymn [hɪm] *n* cantique *m* **hymn book** *n* livre *m* de cantiques
hype [haɪp] *infml* **I** *n* tapage *m*; ***media ~*** tapage médiatique; ***all this ~ about ...*** tout ce tapage à propos de ... **II** *v/t* (*a.* **hype up**) faire du tapage à propos de; ***the movie was ~d up too much*** il y a eu trop de tapage à propos du film **hyped up** ['haɪpt'ʌp] *adj infml* gonflé; (*excited*) excité
hyperactive *adj* hyperactif(-ive); ***a ~ thyroid*** une hyperthyroïdie **hypercritical** ['haɪpə'krɪtɪkəl] *adj* extrêmement critique **hyperlink** IT **I** *n* hyperlien *m* **II** *v/t* créer un hyperlien avec **hypermarket** *n Br* hypermarché *m* **hypersensitive** *adj* hypersensible **hypertension** *n* hypertension *f* **hypertext** *n* IT hypertexte *m* **hyperventilate** [ˌhaɪpə'ventɪleɪt] *v/i* être en hyperventilation
hyphen ['haɪfən] *n* trait *m* d'union; (*at end of line*) tiret *m* (de césure) **hyphenate** ['haɪfəneɪt] *v/t* mettre un trait d'union à; ***~d word*** mot avec un trait d'union **hyphenation** [ˌhaɪfə'neɪʃən] *n* césure *f*
hypnosis [hɪp'nəʊsɪs] *n* hypnose *f*; ***under ~*** sous hypnose **hypnotherapy** [ˌhɪpnəʊ'θerəpɪ] *n* hypnothérapie *f* **hypnotic** [hɪp'nɒtɪk] *adj* **1.** *trance* hypnotique; ***~ state*** état d'hypnose **2.** *music*, *eyes* hypnotique **hypnotism** ['hɪpnətɪzəm] *n* hypnotisme *m* **hypnotist** ['hɪpnətɪst] *n* hypnotiseur(-euse) *m(f)* **hypnotize** ['hɪpnətaɪz] *v/t* hypno-

tiser; ***to be ~d by sb/sth*** (*fascinated*) être complètement fasciné par qn/qc
hypo- [haɪpəʊ-] *pref* hypo-; ***hypoallergenic*** hypoallergénique
hypochondria [ˌhaɪpəʊ'kɒndrɪə] *n* hypocondrie *f* **hypochondriac** [ˌhaɪpəʊ'kɒndrɪæk] *n* hypocondriaque *m/f*
hypocrisy [hɪ'pɒkrɪsɪ] *n* hypocrisie *f* **hypocrite** ['hɪpəkrɪt] *n* hypocrite *m/f* **hypocritical** [ˌhɪpə'krɪtɪkəl] *adj* hypocrite
hypodermic needle *n* aiguille *f* hypodermique **hypodermic syringe** *n* seringue *f* hypodermique
hypothermia [ˌhaɪpəʊ'θɜːmɪə] *n* hypothermie *f*
hypothesis [haɪ'pɒθɪsɪs] *n* 〈*pl* **hypotheses**〉 hypothèse *f* **hypothetical** [ˌhaɪpəʊ'θetɪkəl] *adj* hypothétique **hypothetically** [ˌhaɪpəʊ'θetɪkəlɪ] *adv* hypothétiquement
hysterectomy [ˌhɪstə'rektəmɪ] *n* hystérectomie *f tech*
hysteria [hɪ'stɪərɪə] *n* hystérie *f* **hysterical** [hɪ'sterɪkəl] *adj* **1.** hystérique **2.** (*infml hilarious*) à mourir de rire *infml* **hysterically** [hɪ'sterɪkəlɪ] *adv* **1.** de façon hystérique **2.** *infml* ***~ funny*** drôle à mourir de rire *infml* **hysterics** *pl* crise *f* de nerfs; ***to have ~*** avoir une crise de nerfs; (*fig*, *infml laugh*) être écroulé de rire
Hz *abbr* = **hertz** Hz

I

I¹, i [aɪ] *n* I, i *m*
I² *pers pr* je, j'; ***you and ~*** toi et moi
ibid *abbr* = **ibidem** ibid
ice [aɪs] **I** *n* **1.** glace *f*; (*on roads*) verglas *m*; ***to be as cold as ~*** être gelé; ***my hands are like ~*** j'ai les mains gelées; ***to put sth on ~*** *fig* mettre qc en attente; ***to break the ~*** *fig* rompre la glace; ***to be skating on thin ~*** *fig* prendre des risques; ***that cuts no ~ with me*** *infml* pour moi cela n'a aucun poids **2.** (*Br ice cream*) glace *f*, crème *f* glacée **II** *v/t esp Br cake* glacer ◆ **ice over** *v/i* se couvrir de verglas; (*windscreen*) givrer ◆ ice up *v/i* (*windscreen etc.*) givrer; (*pipes etc.*) se couvrir de glace
ice age *n* période *f* glaciaire, glaciation *f* **ice ax**, *Br* **ice axe** *n* pic *m* à glace, piolet *m* **iceberg** *n* iceberg *m* **iceberg lettuce** *n* laitue *f* iceberg **icebound** *adj port*, pris par les glaces; *ship* bloqué par les glaces **icebox** *n*; *US* réfrigérateur *m*; (*Br*: *in refrigerator*) freezer *m* **icebreaker** *n* brise-glace *m* **ice bucket** *n* seau *m* à glace **icecap** *n* (*polar*) calotte *f* glaciaire **ice-cold** *adj* glacé **ice-cool** *adj fig person* glacial
ice cream *n* glace *f* **ice-cream cone** *or* **ice-cream cornet** *Br n* cornet de glace **ice-cream parlor** *US n* glacier *m* **ice cube** *n* glaçon *m* **iced** [aɪst] *adj* **1.** *drink* glacé; ***~ tea*** thé glacé **2.** *Br bun* glacé, couvert de glaçage **ice dancing** *n* danse *f* sur glace **ice floe** *n* banquise *f* **ice hockey** *n* hockey *m* sur glace **Iceland** ['aɪslənd] *n* Islande *f* **Icelandic** [aɪs'lændɪk] **I** *adj* islandais **II** *n* LING islandais *m* **ice lolly** *n Br* sucette *f* glacée **ice pack** *n* (*on head*) poche *f* de glace **ice pick** *n* pic *m* à glace **ice rink** *n* patinoire *f* **ice-skate** *v/i* faire du patin à glace **ice skate** *n* patin *m* à glace **ice-skater** *n* patineur(-euse) *m*(*f*) (sur glace); (*figure-skater*) patineur(-euse) *m*(*f*) artistique **ice-skating** *n* patin *m* à glace, patinage *m* sur glace; (*figure-skating*) patinage *m* artistique **ice storm** *n US* tempête *f* de glace **ice water** *n* eau *f* glacée **icicle** ['aɪsɪkl] *n* glaçon *m* **icily** ['aɪsɪlɪ] *adv fig* froidement; *smile* de manière glaciale **icing** ['aɪsɪŋ] *n* COOK glaçage *m*; ***this is the ~ on the cake*** *fig* c'est la cerise sur le gâteau **icing sugar** *n Br* sucre *m* glace
icon ['aɪkɒn] *n* **1.** icône *f* **2.** IT icône *f* **iconic** [aɪ'kɒnɪk] *adj* (*culturally*) ***an ~ figure*** une figure emblématique
ICU *abbr* = **intensive care unit**
icy ['aɪsɪ] *adj* **1.** *road* verglacé; ***the ~ conditions on the roads*** le verglas sur les routes; ***when it's ~*** quand il y a du verglas **2.** *wind*, *hands* glacial; ***~ cold*** glacial **3.** *fig stare* glacial; *reception* glacial
ID *n abbr* = **identification**, **identity** papiers *mpl* d'identité; ***I don't have any ID on me*** je n'ai pas mes papiers d'iden-

tité sur moi

I'd [aɪd] *contr* = **I would**, **I had**

ID card [aɪ'diːkɑːd] *n* carte *f* d'identité

idea [aɪ'dɪə] *n* **1.** idée *f*; ***good ~!*** bonne idée!; ***that's not a bad ~*** ce n'est pas une mauvaise idée; ***the very ~!*** rien que d'y penser!; ***the very ~ of eating horse meat revolts me*** l'idée même de manger de la viande de cheval me révulse; ***he is full of (bright) ~s*** il est plein de bonnes idées; ***to hit upon the ~ of doing sth*** avoir l'idée de faire qc; ***that gives me an ~, we could ...*** cela me donne une idée, on pourrait ...; ***he got the ~ for his novel while taking a bath*** il a eu l'idée de son roman pendant qu'il était dans son bain; ***he's gotten the ~ into his head that ...*** il s'est mis dans la tête que ...; ***where did you get the ~ that I was sick?*** où est-ce que tu as pris que j'étais malade?; ***don't you go getting ~s about promotion*** ne va pas te faire des idées sur une éventuelle promotion; ***to put ~s into sb's head*** mettre une idée dans la tête de qn; ***the ~ was to meet at 6*** il était prévu de se rencontrer à 6 heures; ***what's the big ~?*** *infml* qu'est-ce qui te prend?; ***the ~ is to reduce expenditure*** le but est de réduire les dépenses; ***that's the ~*** c'est le but; ***you're getting the ~*** tu commences à voir ce que je veux dire **2.** (*opinion*) opinion *f*; (*conception*) conception *f*; ***if that's your ~ of fun*** si c'est comme ça que tu conçois l'amusement; ***this isn't my ~ of a vacation*** ce n'est pas comme ça que j'envisage des vacances **3.** (*knowledge*) idée *f*; ***you've no ~ how worried I've been*** tu ne peux pas savoir comme je me suis inquiété; ***(I've) no ~*** je n'en ai pas la moindre idée; ***I have some ~ (of) what this is all about*** je crois savoir de quoi il retourne; ***I have an ~ that ...*** j'ai dans l'idée que ...; ***could you give me an ~ of how long ...?*** est-ce que vous pouvez me dire approximativement combien de temps ...?; ***to give you an ~ of how difficult it is*** pour vous donner une idée de la difficulté

ideal [aɪ'dɪəl] **I** *n* idéal *m* (**of** de) **II** *adj* idéal; ***~ solution*** solution idéale; ***he is ~*** *or* ***the ~ person for the job*** il est la personne idéale pour ce travail; ***in an ~ world*** idéalement **idealism** [aɪ'dɪəlɪzəm] *n* idéalisme *m* **idealist** [aɪ'dɪəlɪst] *n* idéaliste *m/f* **idealistic** [aɪˌdɪə'lɪstɪk] *adj* idéaliste **idealize** [aɪ'dɪəlaɪz] *v/t* idéaliser **ideally** [aɪ'dɪəlɪ] *adv* **1.** (*introducing sentence*) idéalement **2.** *suited* parfaitement

identical [aɪ'dentɪkəl] *adj* (*exactly alike*) identique; (*same*) pareil(le); ***~ twins*** vrais jumeaux; ***we have ~ views*** nous avons des points de vue identiques

identifiable [aɪ'dentɪˌfaɪəbl] *adj* identifiable; ***he is ~ by his red hair*** on le reconnaît à ses cheveux roux **identification** [aɪˌdentɪfɪ'keɪʃən] *n* **1.** (*of criminal etc.*) identification *f*; (*fig*, *of problems*) repérage *m* **2.** (*papers*) papiers *mpl* d'identité **3.** (*sympathy*) identification *f* **identification parade** *n Br* séance *f* d'identification **identifier** [aɪ'dentɪfaɪəʳ] *n* IT identifiant *m* **identify** [aɪ'dentɪfaɪ] **I** *v/t* identifier; *plant etc.* identifier; (*recognize*) reconnaître; ***to ~ one's goals*** identifier ses objectifs; ***to ~ sb/sth by sth*** identifier qn/qc par qc **II** *v/r* **1.** ***to ~ oneself*** s'identifier **2.** ***to ~ oneself with sb/sth*** s'identifier à qn/qc **III** *v/i* (*with movie hero etc.*) s'identifier **Identikit®** [aɪ'dentɪkɪt] *n* ~ (***picture***) portrait-robot *m* **identity** [aɪ'dentɪtɪ] *n Br* identité *f*; ***to prove one's ~*** prouver son identité; ***proof of ~*** pièce d'identité **identity card** *n* carte *f* d'identité **identity crisis** *n* crise *f* d'identité **identity papers** *pl* papiers *mpl* d'identité **identity parade** *n Br* séance *f* d'identification, tapissage *m* **identity theft** usurpation *f* d'identité

ideological [ˌaɪdɪə'lɒdʒɪkəl] *adj* idéologique **ideology** [ˌaɪdɪ'ɒlədʒɪ] *n* idéologie *f*

idiom ['ɪdɪəm] *n* **1.** (*phrase*) idiome *m* **2.** (*language*) langue *f* **idiomatic** [ˌɪdɪə'mætɪk] *adj* idiomatique; ***to speak ~ French*** parler un français idiomatique; ***an ~ expression*** une expression idiomatique

idiosyncrasy [ˌɪdɪə'sɪŋkrəsɪ] *n* particularité *f* **idiosyncratic** [ˌɪdɪəsɪŋ'krætɪk] *adj* particulier(-ière)

idiot ['ɪdɪət] *n* idiot(e) *m(f)*; ***what an ~!*** quel idiot!; ***what an ~ I am!*** quel idiot je fais!; ***to feel like an ~*** se sentir idiot **idiotic** [ˌɪdɪ'ɒtɪk] *adj* idiot

idle ['aɪdl] **I** *adj* **1.** (*not working*) *person* inactif(-ive); *moment* d'oisiveté; ***his car was lying ~*** sa voiture ne servait à personne **2.** (*lazy*) oisif(-ive) **3.** (*in indus-

try) *person* improductif(-ive); *machine* inutilisé; ***the machine stood ~*** la machine était inutilisée **4.** *promise*, *threat* à la légère; *speculation* oiseux(-euse); ***~ curiosity*** curiosité pure **II** *v/i* (*person*) flâner; (*engine*) tourner au ralenti ***a day spent idling on the river*** une journée à flâner sur la rivière ◆ **idle away** *v/t sep* ***to ~ one's time away*** passer son temps à ne rien faire

idleness ['aɪdlnɪs] *n* **1.** (*state of not working*) inactivité *f*; (*pleasurable*) oisiveté *f liter m* **2.** (*laziness*) paresse *f* **idler** ['aɪdləʳ] *n* oisif(-ive) *m*(*f*) **idly** ['aɪdlɪ] *adv* **1.** (*without working*) sans rien faire; ***to stand ~ by*** rester sans rien faire **2.** (*lazily*) paresseusement **3.** *watch* pour passer le temps

idol ['aɪdl] *n lit* idole *f*; (*fig*, FILM, TV *etc.*) star *f* **idolatry** [aɪ'dɒlətrɪ] *n lit* idolâtrie *f*; *fig* starisation *f* **idolize** ['aɪdəlaɪz] *v/t* idolâtrer; ***to ~ sth*** idolâtrer qc

I'd've ['aɪdəv] *contr* = **I would have**

idyll ['ɪdɪl] *n* **1.** LIT idylle *f* **2.** *fig* idylle *f* **idyllic** [ɪ'dɪlɪk] *adj* idyllique

i. e. *abbr* = **id est** c-à-d.

if [ɪf] **I** *cj* si, s'; (*in case also*) si; ***I would be really pleased if you could do it*** ça me ferait vraiment plaisir si tu pouvais le faire; ***I wonder if he'll come*** je me demande s'il viendra; ***what if ...?*** et si ...?; ***I'll let you know if and when I come to a decision*** je vous préviendrai si j'arrive à me décider et à ce moment seulement; ***(even) if*** (même) si; ***even if they are poor, at least they are happy*** même s'ils sont pauvres, au moins ils sont heureux; ***if only I had known!*** si j'avais su!; ***he acts as if he were*** *or* ***was*** (*infml*) ***rich*** il se comporte comme s'il était riche; ***it's not as if I meant to hurt her*** je ne l'ai tout de même pas fait exprès; ***if necessary*** si nécessaire; ***if so*** si tel est le cas; ***if not*** sinon; ***this is difficult, if not impossible*** c'est difficile, voire impossible; ***if I were you*** si j'étais vous, à votre place; ***if anything this one is bigger*** s'il y a une différence quelconque, celui-ci est plus grand; ***if I know Pete, he'll ...*** comme je connais Pete, il va ...; ***well, if it isn't old Jim!*** *infml* tiens donc, ce brave Jim! *infml* **II** *n* ***no ifs and buts*** il n'y a pas de mais

igloo ['ɪgluː] *n* igloo *m*

ignite [ɪg'naɪt] **I** *v/t* mettre le feu à; *fig* enflammer **II** *v/i* s'enflammer **ignition** [ɪg'nɪʃən] *n* AUTO allumage *m*, contact *m* **ignition key** *n* clé *f* de contact

ignominious [ˌɪgnə'mɪnɪəs] *adj* ignominieux(-euse)

ignoramus [ˌɪgnə'reɪməs] *n* ignare *m*/*f* **ignorance** ['ɪgnərəns] *n* ignorance *f*; (*of subject*) méconnaissance *f*; ***to keep sb in ~ of sth*** laisser qn dans l'ignorance de qc **ignorant** ['ɪgnərənt] *adj* **1.** ignorant; ***to be ~ of the facts*** ne pas connaître les faits **2.** (*ill-mannered*) grossier(-ière) **ignore** [ɪg'nɔːʳ] *v/t* ignorer; *red light* brûler; *remark* ne pas tenir compte de; ***I'll ~ that*** (*remark*) je ferai comme si je n'avais pas entendu

ikon ['aɪkɒn] *n* = **icon**

ilk [ɪlk] *n* ***people of that ~*** les gens de cet acabit

ill [ɪl] **I** *adj* **1.** *pred* (*sick*) malade; ***to fall*** *or* ***be taken ~*** tomber malade; ***I feel ~*** je ne me sens pas bien; ***he is ~ with fever*** il est malade et a de la fièvre; ***to be ~ with chicken pox*** avoir la varicelle **2.** ⟨*comp* **worse**⟩ ⟨*sup* **worst**⟩ *effects* néfaste; ***~ will*** rancune; ***I don't bear them any ~ will*** je ne leur garde pas de rancune; ***to suffer ~ health*** avoir une mauvaise santé; ***due to ~ health*** pour raisons de santé **II** *n* **1.** *liter* ***to bode ~*** être de mauvais augure; ***to speak ~ of sb*** dire du mal de qn **2. ills** *pl* (*misfortunes*) maux *mpl* **III** *adv* ***thy can ~ afford this*** ils ne peuvent pas vraiment se le permettre; ***to speak/ think ~ of sb*** dire / penser du mal de qn

ill. *abbr* = **illustrated**, **illustration**

I'll [aɪl] *contr* = **I will**, **I shall**

ill-advised *adj* malavisé; ***you would be ~ to trust her*** tu serais malavisé de lui faire confiance **ill-at-ease** *adj* mal à l'aise **ill-conceived** *adj plan* mal conçu **ill--disposed** *adj* mal disposé ***to be ~ toward sb*** être mal disposé envers qn

illegal [ɪ'liːgəl] *adj* illégal; *immigration*, *organization* clandestin; *trade* illicite; *substance*, *drugs* illégal **illegality** [ˌɪliː'gælɪtɪ] *n* illégalité *f*; (*of organization*) clandestinité *f* **illegally** [ɪ'liːgəlɪ] *adv* (*against the law*) illégalement; ***~ imported*** illégalement importé; ***they were convicted of ~ possessing a handgun*** ils ont été condamnés pour possession illégale d'arme à feu

illegible [ɪ'ledʒəbl] *adj* illisible **illegibly** [ɪ'ledʒəblɪ] *adv* de façon illisible

illegitimacy [ˌɪlɪ'dʒɪtɪməsɪ] *n* (*of child*)

illégitimité *f* **illegitimate** [ˌɪlɪ'dʒɪtɪmɪt] *adj* **1.** *child* illégitime **2.** *argument* illégitime, injustifié
ill-fated *adj* malheureux(-euse) **ill-fitting** *adj clothes*, *dentures* mal ajusté; *shoes* qui ne va pas **ill-gotten gains** *pl* biens *mpl* mal acquis
illicit [ɪ'lɪsɪt] *adj* illicite; *affair* illégitime; **~ trade** commerce illicite
ill-informed ['ɪlɪnˌfɔːmd] *adj person* mal renseigné (**about** à propos de)
illiteracy [ɪ'lɪtərəsɪ] *n* illettrisme *m* **illiterate** [ɪ'lɪtərət] **I** *adj* illettré, analphabète; *population* analphabète; **he's ~** il est illettré; **many people are computer-~** un grand nombre de gens ne savent pas se servir d'un ordinateur **II** *n* illettré(e) *m(f)*, analphabète *m/f*
ill-judged *adj* peu judicieux(-euse) **ill-mannered** *adj* mal élevé **ill-matched** *adj* mal assorti; **they're ~** ils sont mal assortis **ill-natured** *adj* acariâtre
illness ['ɪlnɪs] *n* maladie *f*
illogical [ɪ'lɒdʒɪkəl] *adj* illogique
ill-tempered *adj* (*habitually*) acariâtre; (*on particular occasion*) de mauvaise humeur **ill-timed** *adj* inopportun **ill-treat** *v/t* maltraiter **ill-treatment** *n* mauvais traitements *mpl*
illuminate [ɪ'luːmɪneɪt] *v/t* **1.** *room*, *building* illuminer; **~d sign** enseigne lumineuse **2.** *fig subject* mettre en lumière **illuminating** [ɪ'luːmɪneɪtɪŋ] *adj* (*instructive*) instructif(-ive) **illumination** [ɪˌluːmɪ'neɪʃən] *n* (*of room*, *building*) éclairage *m*; **illuminations** *pl Br* illuminations *fpl*
illusion [ɪ'luːʒən] *n* illusion *f*; (*misconception*) impression *f* erronée; **to be under the ~ that ...** avoir l'impression erronée que ...; **to be under** *or* **have no ~s** ne se faire aucune illusion; **it gives the ~ of space** cela donne une illusion d'espace **illusionist** [ɪ'luːʒənɪst] *n* illusionniste *m/f* **illusory** [ɪ'luːsərɪ] *adj* illusoire
illustrate ['ɪləstreɪt] *v/t* illustrer; **his lecture was ~d by colored slides** son cours était illustré de diapositives couleur; **~d (magazine)** un illustré **illustration** [ˌɪləs'treɪʃən] *n* **1.** (*picture*) illustration *f* **2.** *fig* (*example*) exemple *m* **illustrative** ['ɪləstrətɪv] *adj* illustratif (-ive); **it is ~ of ...** cela illustre ... **illustrator** ['ɪləstreɪtə[r]] *n* illustrateur (-trice) *m(f)*
illustrious [ɪ'lʌstrɪəs] *adj* illustre, glorieux(-euse); *person* illustre
I'm [aɪm] *contr* = **I am**
image ['ɪmɪdʒ] *n* **1.** image *f*; (*mental picture also*) image *f* **2.** (*likeness*) portrait *m*; **he is the ~ of his father** c'est le portrait de son père **3.** (*public face*) image *f*; **brand ~** image de marque **imagery** ['ɪmɪdʒərɪ] *n* imagerie *f*; **visual ~** imagerie visuelle **imaginable** [ɪ'mædʒɪnəbl] *adj* imaginable; **the easiest / fastest way ~** de la façon la plus facile / rapide qu'on puisse imaginer **imaginary** [ɪ'mædʒɪnərɪ] *adj danger*, *friend* imaginaire; **~ world** monde imaginaire
imagination [ɪˌmædʒɪ'neɪʃən] *n* (*creative*) imagination *f*; (*self-deceptive*) imagination *f*; **to have (a lively** *or* **vivid) ~** avoir une imagination débordante; **use your ~** fais appel à ton imagination; **to lack ~** manquer d'imagination; **it's just your ~!** ton imagination te joue des tours!; **to capture sb's ~** frapper l'imagination de qn **imaginative** [ɪ'mædʒɪnətɪv] *adj* imaginatif(-ive) **imaginatively** [ɪ'mædʒɪnətɪvlɪ] *adv* de façon imaginative
imagine [ɪ'mædʒɪn] *v/t* **1.** imaginer; **~ you're rich** imaginez que vous êtes riche; **you can ~ how I felt** tu peux imaginer ce que j'ai ressenti; **I can't ~ living there** je ne me vois pas vivant ici **2.** (*be under the illusion that*) s'imaginer; **don't ~ that ...** ne va pas t'imaginer que ...; **you're (just) imagining things** *infml* tu te fais des idées **3.** (*suppose*) imaginer; **is that her father? — I would ~ so** c'est son père? — oui, j'imagine; **I would never have ~d he could have done that** je n'aurais jamais cru qu'il aurait pu faire ça
imbalance [ɪm'bæləns] *n* déséquilibre *m*
imbecile ['ɪmbəsiːl] *n* imbécile *m/f*
imbue [ɪm'bjuː] *v/t fig* imprégner
IMF *abbr* = **International Monetary Fund** FMI
imitate ['ɪmɪteɪt] *v/t* imiter **imitation** [ˌɪmɪ'teɪʃən] **I** *n* imitation *f*; **to do an ~ of sb** faire une imitation de qn **II** *adj diamond*, *fur* faux(fausse); **~ leather** skaï; **~ jewelry** bijoux fantaisie **imitative** ['ɪmɪtətɪv] *adj* imitateur(-trice) **imitator** ['ɪmɪteɪtə[r]] *n* imitateur(-trice) *m(f)*

immaculate [ɪ'mækjʊlɪt] *adj* impeccable
immaterial [ˌɪmə'tɪərɪəl] *adj* immatériel(le); ***that's ~*** c'est sans importance
immature [ˌɪmə'tjʊə^r] *adj* immature **immaturity** [ˌɪmə'tjʊərɪtɪ] *n* immaturité *f*
immeasurable [ɪ'meʒərəbl] *adj* incommensurable
immediacy [ɪ'miːdɪəsɪ] *n* **1.** immédiateté *f* **2.** (*urgency*) urgence *f* **immediate** [ɪ'miːdɪət] *adj* **1.** immédiat; *impact, successor* immédiat; *reaction* instinctif(-ive); ***the ~ family*** la famille proche; ***our ~ plan is to go to France*** notre projet immédiat est d'aller en France; ***to take ~ action*** prendre des mesures immédiates; ***with ~ effect*** avec entrée en vigueur immédiate; ***the matter requires your ~ attention*** la question exige votre attention immédiate **2.** *problem, concern* premier(-ière); ***my ~ concern was for the children*** ma préoccupation première concernait les enfants
immediately [ɪ'miːdɪətlɪ] **I** *adv* **1.** (*at once*) immédiatement; *return, depart* tout de suite; ***~ before that*** juste avant cela **2.** (*directly*) directement **II** *cj Br* dès que
immemorial [ˌɪmɪ'mɔːrɪəl] *adj* immémorial; ***from time ~*** de temps immémorial
immense [ɪ'mens] *adj* immense; *ocean* immense; *achievement* énorme **immensely** [ɪ'menslɪ] *adv grateful* infiniment; (*like*) énormément
immerse [ɪ'mɜːs] *v/t* **1.** *lit* immerger; plonger (***in*** dans); ***to ~ sth in water*** plonger qc dans l'eau; ***to be ~d in water*** être immergé **2.** *fig* ***to ~ oneself in one's work*** se plonger dans son travail
immersion heater *n Br* chauffe-eau *m* électrique
immigrant ['ɪmɪgrənt] **I** *n* (*new*) immigrant(e) *m(f)*; (*established*) immigré(e) *m(f)* **II** *attr* ***the ~ community*** la communauté immigrée **immigrant workers** *pl* travailleurs *mpl* immigrés **immigrate** ['ɪmɪgreɪt] *v/i* immigrer (***to*** en)
immigration [ˌɪmɪ'greɪʃən] *n* immigration *f*; (*a.* **immigration control**) contrôle *m* de l'immigration **immigration authorities** *pl*, **immigration department** *n* service *m* de l'immigration **immigration officer** *n* (*at customs*) fonctionnaire *m/f* du service de l'immigration
imminent ['ɪmɪnənt] *adj* imminent; ***to be ~*** être imminent
immobile [ɪ'məʊbaɪl] *adj* immobile; (*not able to move*) paralysé **immobilize** [ɪ'məʊbɪlaɪz] *v/t car, broken limb, army* immobiliser; ***to be ~d by fear/pain*** être paralysé par la peur/la douleur
immobilizer [ɪ'məʊbɪlaɪzə^r] *n* AUTO système *m* antidémarrage
immoderate [ɪ'mɒdərɪt] *adj desire* immodéré; *views* excessif(-ive)
immodest [ɪ'mɒdɪst] *adj* **1.** impudique **2.** (*indecent*) indécent
immoral [ɪ'mɒrəl] *adj* immoral **immorality** [ˌɪmə'rælɪtɪ] *n* immoralité *f* **immorally** [ɪ'mɒrəlɪ] *adv* de façon immorale
immortal [ɪ'mɔːtl] **I** *adj* immortel(le); *life* éternel(le) **II** *n* immortel(le) *m(f)* **immortality** [ˌɪmɔː'tælɪtɪ] *n* immortalité *f* **immortalize** [ɪ'mɔːtəlaɪz] *v/t* immortaliser
immovable [ɪ'muːvəbl] *adj lit* fixe; *fig obstacle* immuable
immune [ɪ'mjuːn] *adj* **1.** MED immunisé (***from, to*** contre) **2.** *fig* réfractaire (***from, to*** à); (*to criticism etc.*) insensible (***to*** à); ***~ from prosecution*** être protégé contre les poursuites judiciaires **immune system** *n* système *m* immunitaire **immunity** [ɪ'mjuːnɪtɪ] *n* immunité *f* (***to, against*** contre); ***~ from prosecution*** immunité judiciaire **immunization** [ˌɪmjʊnaɪ'zeɪʃən] *n* (*scheme*) vaccination *f*; (*vaccines*) vaccins *mpl* **immunize** ['ɪmjʊnaɪz] *v/t* vacciner
imp [ɪmp] *n* lutin *m*; (*infml child*) petit diable *m*
impact ['ɪmpækt] *n* impact *m* (***on, against*** sur); (*force*) choc *m*; *fig* effet *m*, impact *m* (***on*** sur); ***on ~*** (***with***) lors du choc (avec); ***his speech had a great ~ on his audience*** son discours a eu un impact important sur son public
impair [ɪm'pɛə^r] *v/t* altérer; *health* détériorer; *ability* diminuer **impairment** *n* altération *f*; ***visual ~*** troubles de la vue
impale [ɪm'peɪl] *v/t* empaler (***on*** sur)
impart [ɪm'pɑːt] *v/t* **1.** *information* communiquer; *knowledge* transmettre **2.** (*bestow*) prodiguer
impartial [ɪm'pɑːʃəl] *adj* impartial **impartiality** [ɪmˌpɑːʃɪ'ælɪtɪ] *n* impartialité *f* **impartially** [ɪm'pɑːʃəlɪ] *adv act* en toute impartialité; *judge* impartialement

impassable [ɪm'pɑːsəbl] *adj* infranchissable

impasse [ɪm'pɑːs] *n fig* impasse *f*; ***to have reached an ~*** être dans l'impasse

impassioned [ɪm'pæʃnd] *adj* vibrant, passionné

impassive [ɪm'pæsɪv] *adj* impassible **impassively** [ɪm'pæsɪvlɪ] *adv* impassiblement

impatience [ɪm'peɪʃəns] *n* impatience *f* **impatient** [ɪm'peɪʃənt] *adj* impatient; ***to be ~ to do sth*** être impatient de faire qc **impatiently** [ɪm'peɪʃəntlɪ] *adv* impatiemment

impeach [ɪm'piːtʃ] *v/t* JUR attaquer la crédibilité de; *US president* mettre en accusation **impeachment** [ɪm'piːtʃmənt] *n* JUR contestation *f*; (*US: of president*) mise *f* en accusation, impeachment *m*

impeccable [ɪm'pekəbl] *adj* impeccable **impeccably** [ɪm'pekəblɪ] *adv* impeccablement

impede [ɪm'piːd] *v/t person* gêner; *traffic, process* freiner **impediment** [ɪm'pedɪmənt] *n* **1.** obstacle *m*; (*to a marriage*) empêchement *m* **2.** MED défaut *m*; ***speech ~*** défaut d'élocution

impel [ɪm'pel] *v/t* ***to ~ sb to do sth*** pousser qn à faire qc

impending [ɪm'pendɪŋ] *adj* imminent; ***to have a sense of ~ doom*** avoir de sombres pressentiments

impenetrable [ɪm'penɪtrəbl] *adj* impénétrable; *fortress* imprenable; *mystery* insondable

imperative [ɪm'perətɪv] **I** *adj need* impératif(-ive) **II** *n* **1.** impératif *m* **2.** GRAM impératif *m*; ***in the ~*** à l'impératif

imperceptible [ˌɪmpə'septəbl] *adj* imperceptible (***to sb*** à qn) **imperceptibly** [ˌɪmpə'septəblɪ] *adv* imperceptiblement

imperfect [ɪm'pɜːfɪkt] **I** *adj* imparfait; *goods* comportant un défaut de fabrication **II** *n* GRAM imparfait *m* **imperfection** [ˌɪmpə'fekʃən] *n* imperfection *f* **imperfectly** [ɪm'pɜːfɪktlɪ] *adv* imparfaitement; (*incompletely*) insuffisamment

imperial [ɪm'pɪərɪəl] *adj* **1.** (*of empire*) impérial **2.** (*of emperor*) impérial **3.** *weights hist relevant du système britannique de poids et mesures* **imperialism** [ɪm'pɪərɪəlɪzəm] *n* impérialisme *m often pej*

imperil [ɪm'perɪl] *v/t* mettre en péril

impermanent [ɪm'pɜːmənənt] *adj* temporaire

impermeable [ɪm'pɜːmɪəbl] *adj* imperméable

impersonal [ɪm'pɜːsənl] *adj* impersonnel(le) (*also* GRAM) **impersonally** [ɪm'pɜːsənəlɪ] *adv* de façon impersonnelle

impersonate [ɪm'pɜːsəneɪt] *v/t* **1.** (*pretend to be*) se faire passer pour **2.** (*to make people laugh*) faire une imitation de **impersonation** [ɪmˌpɜːsə'neɪʃən] *n* imitation *f*; ***he does ~s of politicians*** il fait des imitations des personnages politiques; ***his Elvis ~*** son imitation d'Elvis **impersonator** [ɪm'pɜːsəneɪtə[r]] *n* imitateur(-trice) *m(f)*

impertinence [ɪm'pɜːtɪnəns] *n* impertinence *f* **impertinent** *adj* impertinent (***to*** envers)

imperturbable [ˌɪmpə'tɜːbəbl] *adj* imperturbable; ***he is completely ~*** il est totalement imperturbable

impervious [ɪm'pɜːvɪəs] *adj* **1.** imperméable; ***~ to water*** imperméable à l'eau **2.** *fig* indifférent (***to*** à); (*to criticism*) insensible (***to*** à)

impetuous [ɪm'petjʊəs] *adj* impétueux (-euse)

impetus ['ɪmpɪtəs] *n* impulsion *f*; (*momentum*) élan *m*

impinge [ɪm'pɪndʒ] *v/i* (*on sb's life*) affecter; (*on sb's rights etc.*) empiéter (***on*** sur)

impish ['ɪmpɪʃ] *adj* espiègle

implacable [ɪm'plækəbl] *adj* implacable **implacably** [ɪm'plækəblɪ] *adv* implacablement

implant [ɪm'plɑːnt] **I** *v/t* **1.** *fig* inculquer (***in sb*** à qn) **2.** MED implanter **II** *n* MED implant *m*

implausible [ɪm'plɔːzəbl] *adj* peu vraisemblable

implement ['ɪmplɪmənt] **I** *n* instrument *m*; (*tool*) outil *m* **II** *v/t law* faire appliquer; *measure etc.* mettre en application **implementation** [ˌɪmplɪmen'teɪʃən] *n* (*of law*) application *f*; (*of plan etc.*) exécution *f*

implicate ['ɪmplɪkeɪt] *v/t* impliquer; ***to ~ sb in sth*** impliquer qn dans qc **implication** [ˌɪmplɪ'keɪʃən] *n* implication *f*; ***by ~*** par implication **implicit** [ɪm'plɪsɪt] *adj* **1.** implicite; *threat* implicite; ***to be ~ in sth*** être en filigrane de qc; *in contract etc.* être implicite à qc **2.** *belief* absolu **implicitly** [ɪm'plɪsɪtlɪ] *adv* **1.** implicitement **2.** ***to trust sb ~*** faire totalement confiance à qn **implied** [ɪm'plaɪd] *adj* implicite

implode [ɪm'pləʊd] *v/i* imploser

implore [ɪm'plɔːʳ] *v/t* implorer **imploring** [ɪm'plɔːrɪŋ] *adj* implorant **imploringly** [ɪm'plɔːrɪŋlɪ] *adv* d'un ton implorant

imply [ɪm'plaɪ] *v/t* **1.** (*suggest*) insinuer; ***are you ~ing*** *or* ***do you mean to ~ that …?*** est-ce que tu insinues que …? **2.** (*lead to conclusion*) impliquer **3.** (*involve*) impliquer

impolite [ˌɪmpə'laɪt] *adj* impoli (***to sb*** envers qn)

import ['ɪmpɔːt] **I** *n* **1.** COMM importation *f* **2.** (*of speech etc.*) signification *f* **II** *v/t* importer

importance [ɪm'pɔːtəns] *n* importance *f*; ***to be of great ~*** être très important; ***to attach the greatest ~ to sth*** attacher la plus haute importance à qc

important [ɪm'pɔːtənt] *adj* important; (*influential*) influent; ***that's not ~*** ça n'a pas d'importance; ***it's not ~*** (*doesn't matter*) ce n'est pas grave; ***the ~ thing / the most important thing is to stay fit*** l'important / le plus important, c'est de rester en forme; ***he's trying to sound ~*** il fait l'important; ***to make sb feel ~*** donner à qn un sentiment d'importance **importantly** [ɪm'pɔːtəntlɪ] *adv* **1.** (*usu pej self-importantly*) d'un air important *pej* **2.** ***… and, more ~, …*** … et, plus important encore, …

> **important**
>
> Attention à l'emploi de ce mot. Lorsque le mot français a un sens quantitatif, il se traduit souvent en anglais par **big** ou **large** :
>
> ✗ **US funds were surprisingly important.**
> ✓ **US funds were surprisingly large.**
>
> L'importance des fonds américains était étonnante.

importation [ˌɪmpɔː'teɪʃən] *n* importation *f* **import duty** *n* taxe *f* à l'importation **imported** [ɪm'pɔːtɪd] *adj* importé; ***~ goods / cars*** des biens / voitures d'importation **importer** [ɪm'pɔːtəʳ] *n* importateur(-trice) *m(f)* (***of*** de)

impose [ɪm'pəʊz] **I** *v/t* **1.** *conditions, opinions* imposer (***on sb*** à qn); *fine* donner (***on sb*** à qn); *sentence* prononcer (***on sb*** contre qn); ***to ~ a tax on sth*** imposer qc **2.** ***to ~ oneself on sb*** s'imposer à qn; ***he ~d himself on them for three months*** il s'est imposé chez eux pendant trois mois **II** *v/i* abuser (***on sb*** de qn) **imposing** [ɪm'pəʊzɪŋ] *adj* imposant **imposition** [ˌɪmpə'zɪʃən] *n* ***I'd love to stay if it's not too much of an ~*** (***on you***) j'aimerais beaucoup rester mais je ne voudrais pas abuser de votre gentillesse

impossibility [ɪmˌpɒsə'bɪlɪtɪ] *n* impossibilité *f*

impossible [ɪm'pɒsəbl] **I** *adj* **1.** impossible; ***~!*** impossible!; ***it is ~ for him to leave*** il est dans l'impossibilité de partir; ***this stove is ~ to clean*** cette cuisinière est impossible à nettoyer; ***to make it ~ for sb to do sth*** empêcher qn de faire qc **2.** *situation* impossible; ***an ~ choice*** un dilemme; ***you put me in an ~ position*** vous me mettez dans une position impossible **3.** *infml person* impossible *infml* **II** *n* impossible *m*; ***to do the ~*** faire l'impossible **impossibly** [ɪm'pɒsəblɪ] *adv* incroyablement; ***an ~ high standard*** un niveau impossible à atteindre

imposter, impostor [ɪm'pɒstəʳ] *n* imposteur *m*

impotence ['ɪmpətəns] *n* **1.** (*sexual*) impuissance *f* **2.** *fig* faiblesse *f* **impotent** ['ɪmpətənt] *adj* **1.** (*sexually*) impuissant **2.** *fig* faible

impound [ɪm'paʊnd] *v/t* **1.** *assets* confisquer **2.** *car* mettre en fourrière

impoverish [ɪm'pɒvərɪʃ] *v/t* appauvrir **impoverished** [ɪm'pɒvərɪʃt] *adj* pauvre

impracticable [ɪm'præktɪkəbl] *adj* irréalisable **impractical** [ɪm'præktɪkəl] *adj person* dénué de sens pratique; *suggestion* peu réaliste **impracticality** [ɪmˌpræktɪ'kælɪtɪ] *n person* manque *m* de sens pratique; *suggestion* caractère *m* peu réaliste

imprecise [ˌɪmprɪ'saɪs] *adj* imprécis **imprecisely** [ˌɪmprɪ'saɪslɪ] *adv* d'une manière imprécise **imprecision** [ˌɪmprɪ'sɪʒən] *n* imprécision *f*

impregnable [ɪm'pregnəbl] *adj* MIL *fortress* imprenable; *fig position* inattaquable
impregnate ['ɪmpregneɪt] *v/t* BIOL féconder
impress [ɪm'pres] **I** *v/t* **1.** *person* impressionner; ***he doesn't ~ me as a politician*** en tant qu'homme politique, il ne m'impressionne pas **2.** (*fix in mind*) faire bien comprendre (**on sb** à qn); *idea* inculquer (**on sb** à qn) **II** *v/i* être impressionnant; (*deliberately*) faire bonne impression
impression [ɪm'preʃən] *n* **1.** impression *f*; (*feeling*) sentiment *m*; ***the theater made a lasting ~ on me*** le théâtre m'a laissé une impression durable; ***his words made an ~*** ses paroles ont fait effet; ***to give sb the ~ that ...*** donner à qn l'impression que …; ***he gave the ~ of being unhappy*** il donnait l'impression d'être malheureux; ***I was under the ~ that ...*** j'avais l'impression que … **2.** (*take-off*) imitation *f*; ***to do an ~ of sb*** faire une imitation de qn **impressionable** [ɪm'preʃnəbl] *adj* influençable; ***at an ~ age*** à un âge où l'on est influençable **impressionism** [ɪm'preʃənɪzəm] *n* impressionnisme *m* **impressionist** [ɪm'preʃənɪst] *n* **1.** impressionniste *m/f* **2.** (*impersonator*) imitateur(-trice) *m(f)* **impressive** [ɪm'presɪv] *adj* impressionnant **impressively** [ɪm'presɪvlɪ] *adv* d'une manière impressionnante
imprint [ɪm'prɪnt] *v/t fig* graver (**on sb** dans l'esprit de qn); ***to be ~ed on sb's mind*** être gravé dans l'esprit de qn
imprison [ɪm'prɪzn] *v/t* emprisonner, mettre en prison; ***to be ~ed*** être emprisonné **imprisonment** *n* (*action*) incarcération *f*; (*state*) emprisonnement *m*; ***to sentence sb to life ~*** condamner qn à la prison à perpétuité
improbability [ɪm,prɒbə'bɪlɪtɪ] *n* improbabilité *f* **improbable** [ɪm'prɒbəbl] *adj* improbable; (*strange*) étrange
impromptu [ɪm'prɒmptjuː] *adj* impromptu; ***an ~ speech*** un discours au pied levé
improper [ɪm'prɒpəʳ] *adj* (*unsuitable*) déplacé; (*indecent*) indécent; *use* abusif (-ive); ***~ use of drugs / one's position*** usage abusif de drogue / de sa position
improperly [ɪm'prɒpəlɪ] *adv act* de manière déplacée; *use* de manière abusive; (*indecently*) de manière indécente
impropriety [,ɪmprə'praɪətɪ] *n* inconvenance *f*; ***financial ~*** irrégularités financières
improve [ɪm'pruːv] **I** *v/t* améliorer; *knowledge* perfectionner; *appearance* embellir; *production* accroître; ***to ~ one's mind*** se cultiver (l'esprit) **II** *v/i* s'améliorer; (*appearance*) s'embellir; (*production*) s'accroître; ***the invalid is improving*** le malade va mieux; ***things are improving*** la situation s'améliore **III** *v/r* ***to ~ oneself*** s'améliorer ◆ **improve (up)on** *v/t insep* **1.** améliorer; *performance* augmenter **2.** *offer* enchérir sur
improved *adj* meilleur **improvement** *n* amélioration *f*; (*of appearance*) embellissement *m*; (*in production*) accroissement *m*; (*in health*) amélioration *f*; ***an ~ on the previous one*** une amélioration par rapport au précédent; ***to carry out ~s to a house*** faire des travaux d'aménagement dans une maison
improvisation [,ɪmprəvaɪ'zeɪʃən] *n* improvisation *f* **improvise** ['ɪmprəvaɪz] *v/t & v/i* improviser
imprudent [ɪm'pruːdənt] *adj* imprudent
imprudently [ɪm'pruːdəntlɪ] *adv* imprudemment
impudence ['ɪmpjʊdəns] *n* impudence *f*
impudent ['ɪmpjʊdənt] *adj* impudent
impudently ['ɪmpjʊdəntlɪ] *adv* impudemment
impulse ['ɪmpʌls] *n* impulsion *f*; (*driving force*) impulsion *f*; ***on ~*** sur un coup de tête; ***an ~ buy*** un achat impulsif **impulse buying** *n* achat *m* impulsif **impulsive** [ɪm'pʌlsɪv] *adj* impulsif(-ive)
impunity [ɪm'pjuːnɪtɪ] *n* impunité *f*; ***with ~*** impunément
impure [ɪm'pjʊəʳ] *adj* impur **impurity** [ɪm'pjʊərɪtɪ] *n* impureté *f*
in [ɪn] **I** *prep* **1.** dans; ***it was in the bag*** c'était dans le sac; ***he put it in the bag*** il le mit dans le sac; ***in here / there*** ici / là; (*with motion*) ici / là; ***in the street*** dans la rue; ***in (the) church*** à l'église; ***in France / Switzerland*** en France / Suisse; ***in the United States*** aux États-Unis; ***the highest mountain in Scotland*** la plus haute montagne d'Écosse; ***the best in the class*** le meilleur de la classe; ***he doesn't have it in him to ...*** il n'est pas capable de … **2.** (*dates, seasons, time of day*) en; ***in***

2008 en 2008; ***in May 2008*** en mai 2008; ***in the sixties*** dans les années soixante; ***in (the) spring*** au printemps; ***in the morning(s)*** le matin; ***in the afternoon*** l'après-midi; ***in the daytime*** pendant la journée; ***in those days*** à l'époque; ***she is in her thirties*** elle est trentenaire; ***in old age*** avec l'âge; ***in my childhood*** dans mon enfance; ***she did it in three hours*** elle l'a fait en trois heures; ***in a week('s time)*** en une semaine; ***I haven't seen him in years*** je ne l'ai pas vu depuis des années; ***in a moment*** *or* ***minute*** dans un instant / une minute **3.** (*quantities*) ***to walk in twos*** marcher par deux; ***in small quantities*** en petites quantités **4.** (*ratios*) sur; ***he has a one in 500 chance of winning*** il a une chance sur 500 de gagner; ***one (man) in ten*** un (homme) sur dix; ***one book in ten*** un livre sur dix; ***one in five children*** un enfant sur cinq; ***a tax of twenty cents in the dollar*** une taxe de vingt cents par dollar; ***there are 12 inches in a foot*** un pied fait 12 pouces **5.** (*manner, state*) ***to speak in a loud voice*** parler fort; ***to speak in French*** parler en français; ***to pay in dollars*** payer en dollars; ***to stand in a row / in groups*** être en rang / groupes; ***in this way*** de cette façon; ***she squealed in delight*** elle cria de joie; ***in surprise*** de surprise; ***to live in luxury*** vivre dans le luxe; ***in his shirt*** en chemise; ***dressed in white*** habillé en blanc; ***to write in ink*** écrire à l'encre; ***in marble*** en marbre; ***a rise in prices*** une augmentation des prix; ***ten feet in height*** dix pieds de haut; ***the latest thing in hats*** le dernier cri en matière de chapeaux **6.** (*occupation*) ***he is in the army*** il est dans l'armée; ***he is in banking*** il travaille dans le secteur bancaire **7.** ***in saying this, I ...*** en disant ceci, je ...; ***in trying to save him she fell into the water herself*** en essayant de le sauver, elle est tombée à l'eau elle aussi; ***in that*** (*seeing that*) dans la mesure où; ***the plan was unrealistic in that it didn't take account of the fact that ...*** le projet était irréaliste dans la mesure où il ne prenait pas en compte le fait que ... **II** *adv* là; ***there is nobody in*** il n'y a personne; ***the tide is in*** c'est marée haute; ***he's in for a surprise*** il va avoir une surprise; ***we are in for rain*** on va avoir de la pluie; ***to have it in for sb*** *infml* avoir qn dans le collimateur *infml*; ***to be in on sth*** participer à qc; *on secret etc.* être au courant de qc; ***to be (well) in with sb*** être bien avec qn **III** *adj infml* à la mode, in *infml*; ***long skirts are in*** les jupes longues sont à la mode; ***the in thing is to ...*** ce qui est in, c'est de ... *infml* **IV** *n* **1.** ***the ins and outs*** les tenants et les aboutissants; ***to know the ins and outs of sth*** connaître les tenants et les aboutissants de qc **2.** (*US* POL) ***the ins*** le parti au pouvoir

inability [ˌɪnəˈbɪlɪtɪ] *n* incapacité *f*; ***~ to pay*** incapacité de paiement

inaccessible [ˌɪnækˈsesəbl] *adj* **1.** inaccessible (***to sb / sth*** pour qn / qc); ***to be ~ by land / sea*** être inaccessible par voie terrestre / maritime **2.** *fig music, novel* incompréhensible

inaccuracy [ɪnˈækjʊrəsɪ] *n* inexactitude *f*; (*incorrectness*) incorrection *f* **inaccurate** [ɪnˈækjʊrɪt] *adj* inexact; (*not correct*) incorrect; ***she was ~ in her judgement of the situation*** elle a fait une erreur de jugement; ***it is ~ to say that ...*** il est inexact de dire que ... **inaccurately** [ɪnˈækjʊrɪtlɪ] *adv* avec inexactitude; (*incorrectly*) incorrectement

inaction [ɪnˈækʃən] *n* inertie *f* **inactive** [ɪnˈæktɪv] *adj* inactif(-ive); *mind* inerte

inactivity [ˌɪnækˈtɪvɪtɪ] *n* inactivité *f*

inadequacy [ɪnˈædɪkwəsɪ] *n* incapacité *f*; (*of measures*) insuffisance *f* **inadequate** [ɪnˈædɪkwɪt] *adj* insuffisant; ***she makes him feel ~*** elle lui donne l'impression qu'il n'est pas à la hauteur

inadmissible [ˌɪnədˈmɪsəbl] *adj* inadmissible

inadvertently [ˌɪnədˈvɜːtəntlɪ] *adv* par inadvertance

inadvisable [ˌɪnədˈvaɪzəbl] *adj* peu recommandé

inalienable [ɪnˈeɪlɪənəbl] *adj rights* inaliénable

inane [ɪˈneɪn] *adj* inepte

inanimate [ɪnˈænɪmɪt] *adj* inanimé

inapplicable [ɪnˈæplɪkəbl] *adj answer* sans objet; *rules* inapplicable (***to sb*** à qn)

inappropriate [ˌɪnəˈprəʊprɪɪt] *adj* peu approprié; *time* mal choisi; *behaviour* inconvenant; ***you have come at a most ~ time*** vous êtes venu à un moment très mal choisi **inappropriately** [ˌɪnəˈprəʊprɪɪtlɪ] *adv* mal à propos

inapt [ɪnˈæpt] *adj* inconvenant

inarticulate [ˌɪnɑːˈtɪkjʊlɪt] *adj* incapable de s'exprimer; ***she's very ~*** elle s'exprime vraiment mal
inasmuch [ɪnəzˈmʌtʃ] *adv* **~ *as*** vu que; (*to the extent that*) dans la mesure où
inattention [ˌɪnəˈtenʃən] *n* manque *m* d'attention; ***~ to detail*** manque d'attention pour les détails **inattentive** [ˌɪnəˈtentɪv] *adj* inattentif
inaudible [ɪnˈɔːdəbl] *adj* inaudible (***to*** pour) **inaudibly** [ɪnˈɔːdəblɪ] *adv* de manière inaudible (***to*** pour)
inaugural [ɪˈnɔːgjʊrəl] *adj lecture* inaugural; *meeting, speech* d'ouverture **inaugurate** [ɪˈnɔːgjʊreɪt] *v/t* **1.** *president etc.* investir dans ses fonctions **2.** *building* inaugurer **inauguration** [ɪˌnɔːgjʊˈreɪʃən] *n* **1.** (*of president etc.*) investiture *f* **2.** (*of building*) inauguration *f*
inauspicious [ˌɪnɔːsˈpɪʃəs] *adj* de mauvais augure; ***to get off to an ~ start*** (*campaign*) prendre un mauvais départ
in-between [ɪnbɪˈtwiːn] *adj infml* intermédiaire; ***it is sort of ~*** c'est une sorte d'entre deux; **~ *stage*** stade intermédiaire
inborn [ˈɪnˈbɔːn] *adj* inné
inbound [ˈɪnˌbaʊnd] *adj flight* à l'arrivée
inbox [ˈɪnbɒks] *n* EMAIL boîte *f* de réception
inbred [ˈɪnˈbred] *adj* inné (***in sb*** chez qn) **inbreeding** [ˈɪnˈbriːdɪŋ] *n* consanguinité *f*
inbuilt [ˈɪnbɪlt] *adj safety features etc.* intégré; *dislike* inné
Inc. *US abbr* = **Incorporated** SA
incalculable [ɪnˈkælkjʊləbl] *adj* incalculable
incandescent [ˌɪnkænˈdesnt] *adj lit* incandescent
incantation [ˌɪnkænˈteɪʃən] *n* incantation *f*
incapability [ɪnˌkeɪpəˈbɪlɪtɪ] *n* incapacité *f* **incapable** [ɪnˈkeɪpəbl] *adj* incapable; ***to be ~ of doing sth*** être incapable de faire qc; ***she is physically ~ of lifting it*** elle est physiquement incapable de le soulever; **~ *of working*** inapte au travail
incapacitate [ˌɪnkəˈpæsɪteɪt] *v/t* handicaper (***from doing sth*** pour faire qc); ***~d by his broken ankle*** handicapé par sa cheville cassée **incapacity** [ˌɪnkəˈpæsɪtɪ] *n* incapacité *f* (***for*** en matière de) **incapacity benefit** *n Br* allocation *f* d'invalidité
in-car [ˈɪnkɑːʳ] *adj attr* en voiture; **~ *stereo*** autoradio; **~ *computer*** ordinateur de bord
incarcerate [ɪnˈkɑːsəreɪt] *v/t* incarcérer **incarceration** [ˌɪnkɑːsəˈreɪʃən] *n* (*act, period*) incarcération *f*
incarnate [ɪnˈkɑːnɪt] *adj* incarné; ***he's the devil ~*** c'est le diable incarné
incautious [ɪnˈkɔːʃəs] *adj* imprudent **incautiously** [ɪnˈkɔːʃəslɪ] *adv* imprudemment
incendiary [ɪnˈsendɪərɪ] *adj* incendiaire **incendiary device** *n* engin *m* incendiaire
incense¹ [ɪnˈsens] *v/t* rendre furieux (-euse); ***~d*** furieux(-euse) (***at, by*** de, par)
incense² [ˈɪnsens] *n* ECCL encens *m*
incentive [ɪnˈsentɪv] *n* encouragement *m*; **~ *scheme*** IND système de primes
inception [ɪnˈsepʃən] *n* commencement *m*
incessant [ɪnˈsesnt] *adj* incessant
incest [ˈɪnsest] *n* inceste *m* **incestuous** [ɪnˈsestjʊəs] *adj* incestueux(-euse)
inch [ɪntʃ] **I** *n* pouce *m* (= *2,54 cm*); ***3.5 ~ disk*** disquette 3 pouces et demi; ***he came within an ~ of being killed*** il était à deux doigts de se faire tuer; ***they beat him*** (***to***) ***within an ~ of his life*** ils l'ont battu et laissé pour mort; ***the truck missed me by ~es*** la camion m'a manqué de peu; ***he knows every ~ of the area*** il connaît le quartier comme sa poche; ***he is every ~ a soldier*** il est soldat jusqu'au bout des ongles; ***they searched every ~ of the room*** ils ont passé la pièce au peigne fin **II** *v/i* **~ *to forward*** avancer petit à petit **III** *v/t* faire avancer petit à petit; ***he ~ed his way through*** il s'est frayé un passage
incidence [ˈɪnsɪdəns] *n* fréquence *f*; ***a high ~ of crime*** un taux de criminalité élevé **incident** [ˈɪnsɪdənt] *n* **1.** incident *m*; ***a day full of ~*** une journée mouvementée; ***an ~ from his childhood*** un événement qui remonte à son enfance **2.** (*diplomatic etc.*) incident *m*; (*disturbance etc.*) incident *m*; ***without ~*** sans incident **incidental** [ˌɪnsɪˈdentl] *adj* fortuit; *remark* secondaire **incidentally** [ˌɪnsɪˈdentəlɪ] *adv* soit dit en passant **incidental music** *n* musique *f* de film
incinerate [ɪnˈsɪnəreɪt] *v/t* incinérer **incineration** [ɪnsɪnəˈreɪʃən] *n* incinération *f* **incinerator** [ɪnˈsɪnəreɪtəʳ] *n* inci-

nérateur *m*
incision [ɪn'sɪʒən] *n* entaille *f*; MED incision *f* **incisive** [ɪn'saɪsɪv] *adj style, tone* incisif(-ive); *person* qui a l'esprit vif **incisively** [ɪn'saɪsɪvlɪ] *adv speak* sur un ton incisif; *argue* avec sagacité **incisor** [ɪn'saɪzəʳ] *n* incisive *f*
incite [ɪn'saɪt] *v/t violence* pousser à, inciter à; ***to ~ sb to do sth*** inciter qn à faire qc **incitement** *n no pl* incitation *f*
incl. *abbr* = **inclusive**, **including**
inclement [ɪn'klemənt] *adj weather* inclément
inclination [ˌɪnklɪ'neɪʃən] *n* penchant *m*; ***my** (**natural**) **~ is to carry on*** je pencherais pour continuer; ***I have no ~ to see him again*** je n'ai aucune envie de le revoir; ***he showed no ~ to leave*** il semblait ne pas vouloir partir **incline** [ɪn'klaɪn] **I** *v/t* **1.** *head* incliner **2.** (*dispose*) inciter; ***this ~s me to think that he must be lying*** ceci m'amène à penser qu'il ment très probablement **II** *v/i* **1.** (*slope*) s'incliner; (*ground*) pencher **2.** (*tend toward*) avoir tendance à **III** *n* inclinaison *f*; (*of hill*) pente *f* **incline bench** *n* SPORTS banc *m* de musculation **inclined** [ɪn'klaɪnd] *adj* ***to be ~ to do sth*** (*wish to*) avoir envie de faire qc; (*have tendency to*) avoir tendance à faire qc; ***I am ~ to think that …*** j'ai tendance à croire que …; ***I'm ~ to disagree*** j'ai tendance à ne pas être d'accord; ***it's ~ to break*** cela a tendance à casser; ***if you feel ~*** si le cœur vous en dit; ***if you're that way ~*** si cela vous dit; ***to be artistically ~*** avoir des dispositions pour l'art
include [ɪn'kluːd] *v/t* inclure, comprendre; (*on list, in group etc.*) inclure; ***your name is not ~d on the list*** votre nom ne figure pas sur la liste; ***service not ~d*** service non compris; ***everyone, children ~d*** tout le monde, y compris les enfants; ***does that ~ me?*** est-ce que ça me concerne aussi? **including** *prep* y compris; ***that makes seven ~ you*** ça fait sept avec toi; ***many people, ~ my father, had been invited*** de nombreuses personnes, dont mon père, avaient été invitées; ***~ the service charge, ~ service*** service compris; ***up to and ~ March 4th*** jusqu'au 4 mars inclus **inclusion** [ɪn'kluːʒən] *n* inclusion *f* **inclusive** [ɪn'kluːsɪv] *adj* tout compris; ***~ price*** prix tout compris; ***from 2nd to 6th May ~*** du 2 au 6 mai inclus
incognito [ˌɪnkɒg'niːtəʊ] *adv* incognito
incoherent [ˌɪnkəʊ'hɪərənt] *adj style, speech* incohérent; *person, drunk etc.* qui tient des propos incohérents **incoherently** [ˌɪnkəʊ'hɪərəntlɪ] *adv* de façon incohérente
income ['ɪnkʌm] *n* revenu *m*; ***low-~ families*** familles à faible revenu **income bracket** *n* tranche *f* de revenus **income support** *n Br* ≈ revenu *m* minimum d'insertion **income tax** *n* impôt *m* sur le revenu
incoming ['ɪnˌkʌmɪŋ] *adj* **1.** reçu; *mail* entrant; ***~ tide*** marée montante; ***to receive ~ (phone) calls*** recevoir des appels de l'extérieur **2.** *president etc.* nouveau(-elle)
incommunicado [ˌɪnkəmjʊnɪ'kɑːdəʊ] *adj pred* injoignable; ***to be ~*** *fig* être injoignable
incomparable [ɪn'kɒmpərəbl] *adj* incomparable; *beauty, skill* sans pareil
incompatibility ['ɪnkəmˌpætə'bɪlɪtɪ] *n* (*of characters, ideas, drugs, systems*) incompatibilité *f*; ***divorce on grounds of ~*** divorce pour incompatibilité d'humeur **incompatible** [ˌɪnkəm'pætəbl] *adj characters, ideas, drugs, systems* incompatible; ***we are ~, she said*** nous ne sommes pas faits pour nous entendre, dit-elle; ***to be ~ with sb*** ne pas être fait pour s'entendre avec qn; ***to be ~ with sth*** être incompatible avec qc
incompetence [ɪn'kɒmpɪtəns] *n* incompétence *f* **incompetent** *adj* incapable; *management* incompétent; *piece of work* insuffisant **incompetently** *adv* de façon incompétente
incomplete [ˌɪnkəm'pliːt] *adj collection* incomplet(-ète); *information* lacunaire
incomprehensible [ɪnˌkɒmprɪ'hensəbl] *adj* incompréhensible (***to sb*** pour qn)
incomprehension [ˌɪnkɒmprɪ'henʃən] *n* incompréhension *f*
inconceivable [ˌɪnkən'siːvəbl] *adj* inconcevable
inconclusive [ˌɪnkən'kluːsɪv] *adj result, discussion, investigation* peu concluant; *evidence* peu probant **inconclusively** [ˌɪnkən'kluːsɪvlɪ] *adv* d'une manière peu concluante
incongruity [ˌɪnkɒŋ'gruːɪtɪ] *n no pl* (*of remark, presence*) incongruité *f*; (*of situation*) absurdité *f*; (*of behavior*) incon-

venance *f* **incongruous** [ɪn'kɒŋgrʊəs] *adj couple*, *mixture*, *remark* incongru; *thing to do* absurde; *behavior* déplacé
inconsequential [ɪnˌkɒnsɪ'kwenʃəl] *adj* sans importance
inconsiderable [ˌɪnkən'sɪdərəbl] *adj* insignifiant
inconsiderate [ˌɪnkən'sɪdərɪt] *adj* maladroit, peu délicat; ***to be ~*** (*of person*) manquer d'égards **inconsiderately** [ˌɪnkən'sɪdərɪtlɪ] *adv* sans aucune considération
inconsistency [ˌɪnkən'sɪstənsɪ] *n* **1.** (*contradictoriness*) incohérence *f* **2.** (*of work etc.*) manque *m* de constance
inconsistent *adj* **1.** (*contradictory*) incohérent; ***to be ~ with sth*** être en contradiction avec qc **2.** *work* inégal; *person* inconstant **inconsistently** *adv* **1.** *argue*, *behave* de manière incohérente **2.** *work* de manière inégale
inconsolable [ˌɪnkən'səʊləbl] *adj* inconsolable
inconspicuous [ˌɪnkən'spɪkjʊəs] *adj* discret(-ète); ***to make oneself ~*** ne pas se faire remarquer
incontestable [ˌɪnkən'testəbl] *adj* incontestable
incontinence [ɪn'kɒntɪnəns] *n* MED incontinence *f* **incontinent** [ɪn'kɒntɪnənt] *adj* MED incontinent
incontrovertible [ɪnˌkɒntrə'vɜːtəbl] *adj* indéniable; *evidence* irréfutable
inconvenience [ˌɪnkən'viːnɪəns] **I** *n* dérangement *m* (**to sb** pour qn); ***it was something of an ~ not having a car*** c'était assez gênant de ne pas avoir de voiture; ***I don't want to cause you any ~*** je ne veux surtout pas vous déranger **II** *v/t* déranger; ***don't ~ yourself*** ne vous dérangez pas **inconvenient** *adj* inopportun; ***if it's ~, I can come later*** si j'arrive au mauvais moment, je peux repasser plus tard; ***it is ~ to have to wait*** ce n'est pas pratique de devoir attendre **inconveniently** *adv* malencontreusement
incorporate [ɪn'kɔːpəreɪt] *v/t* **1.** (*integrate*) incorporation *f* (**into** dans) **2.** (*contain*) contenir **3.** ***~d company*** *US* société *f* par actions **incorporation** [ɪnˌkɔːpə'reɪʃən] *n* incorporation *f* (***into, in*** dans)
incorrect [ˌɪnkə'rekt] *adj* **1.** incorrect; ***that is ~*** c'est incorrect; ***you are ~*** tu te trompes **2.** *behavior* incorrect **incorrectly** [ˌɪnkə'rektlɪ] *adv* (*wrongly*) mal; (*improperly*) incorrectement; ***I had ~ assumed that ...*** j'ai supposé à tort que ...
incorrigible [ɪn'kɒrɪdʒəbl] *adj* incorrigible
incorruptible [ˌɪnkə'rʌptəbl] *adj person* incorruptible
increase [ɪn'kriːs] **I** *v/i* augmenter; (*taxes*, *price*, *sales*, *demand*) augmenter; (*strength*) s'accroître; ***to ~ in breadth/size/number*** s'élargir/s'agrandir/augmenter; ***industrial output ~d by 2% last year*** la production industrielle a augmenté de 2 % l'an dernier **II** *v/t* augmenter; *noise*, *effort* intensifier; *trade*, *sales*, *taxes*, *price*, augmenter; *demand*, *speed* accroître; *chances* augmenter; ***he ~d his efforts*** il a intensifié ses efforts; ***they ~d her salary by $2,000*** ils ont augmenté son salaire de 2 000 dollars **III** *n* augmentation *f*; (*in size*, *sales*) augmentation *f*; (*in speed*) accroissement *m* (**in** de); (*of demand*) accroissement *m*; (*of salary*) augmentation *f*; ***to get an ~ of $5 per week*** avoir une augmentation de 5 dollars par semaine; ***to be on the ~*** être en augmentation; ***~ in value*** plus-value; ***rent ~*** augmentation de loyer **increasing** [ɪn'kriːsɪŋ] *adj* croissant; ***an ~ number of people*** un nombre croissant de personnes; ***there are ~ signs that ...*** il semble de plus en plus que ... **increasingly** [ɪn'kriːsɪŋlɪ] *adv* de plus en plus; ***~, people are finding that ...*** de plus en plus, les gens trouvent que ...
incredible [ɪn'kredəbl] *adj* incroyable; *scenery*, *music* fabuleux(-euse); ***it seems ~ to me that ...*** cela me semble incroyable que ...; ***you're ~*** *infml* tu es incroyable **incredibly** [ɪn'kredəblɪ] *adv* incroyablement; ***~, he wasn't there*** chose incroyable, il n'était pas là
incredulity [ˌɪnkrɪ'djuːlɪtɪ] *n* incrédulité *f* **incredulous** [ɪn'kredjʊləs] *adj* incrédule **incredulously** [ɪn'kredjʊləslɪ] *adv* (*watch*) d'un air incrédule
increment ['ɪnkrɪmənt] *n* échelon *m* **incremental** [ˌɪnkrɪ'mentl] *adj* supplémentaire; ***~ costs*** coûts marginaux
incriminate [ɪn'krɪmɪneɪt] *v/t* incriminer **incriminating** [ɪn'krɪmɪneɪtɪŋ], **incriminatory** *adj* compromettant
in-crowd ['ɪnkraʊd] *n infml* gratin *m infml*

incubate ['ɪnkjʊbeɪt] **I** *v/t egg* couver; *bacteria* incuber **II** *v/i* être en incubation **incubation** [ˌɪnkjʊ'beɪʃən] *n (of egg, bacteria)* incubation *f* **incubator** ['ɪnkjʊbeɪtəʳ] *n (for babies)* couveuse *f*

incumbent [ɪn'kʌmbənt] *form* **I** *adj* ***to be ~ upon sb*** incomber à qn de faire qc *form* **II** *n* titulaire *m*

incur [ɪn'kɜːʳ] *v/t* **1.** ***to ~ the wrath of sb*** s'attirer la colère de qn **2.** FIN *loss* subir; *expenses* encourir

incurable [ɪn'kjʊərəbl] *adj* MED incurable; *fig* incorrigible

incursion [ɪn'kɜːʃən] *n* incursion *f* (***into*** dans)

indebted [ɪn'detɪd] *adj* **1.** *fig* reconnaissant; ***to be ~ to sb for sth*** être redevable à qn de qc **2.** FIN endetté; ***to be ~ to sb for sth*** être redevable à qn de qc **indebtedness** *n fig* dette *f* (***to*** envers); FIN dettes *fpl*

indecency [ɪn'diːsnsɪ] *n* indécence *f* **indecent** [ɪn'diːsnt] *adj* indécent; *joke* grivois; *amount* scandaleux(-euse); ***with ~ haste*** avec une précipitation malséante **indecent assault** *n* attentat *m* à la pudeur **indecently** [ɪn'diːsntlɪ] *adv* de façon indécente; ***to be ~ assaulted*** être victime d'un attentat à la pudeur

indecipherable [ˌɪndɪ'saɪfərəbl] *adj* indéchiffrable

indecision [ˌɪndɪ'sɪʒən] *n* indécision *f* **indecisive** [ˌɪndɪ'saɪsɪv] *adj* **1.** *person* indécis (***in or about or over sth*** à propos de qc) **2.** *vote* peu probant; *result* peu concluant

indeed [ɪn'diːd] *adv* **1.** en effet; ***I feel, ~ I know he is right*** je sens, en fait, je sais qu'il a raison; ***isn't that strange? — ~ (it is)*** est-ce que ce n'est pas étrange? — si, en effet; ***are you coming? — ~ I am!*** est-ce que vous venez? — mais bien sûr!; ***are you pleased? — yes, ~!*** êtes-vous content? — oui, tout à fait!; ***did you / is it / has she*** *etc.* ***~?*** *Br* vraiment?; ***~?*** c'est vrai?; ***where ~?*** oui, où?; ***if ~ …*** s'il est vrai que … **2.** *esp Br (as intensifier)* vraiment; ***very … ~*** vraiment très …; ***thank you very much ~*** je vous remercie infiniment

indefatigable [ˌɪndɪ'fætɪgəbl] *adj* infatigable **indefatigably** [ˌɪndɪ'fætɪgəblɪ] *adv* inlassablement

indefensible [ˌɪndɪ'fensəbl] *adj behavior etc.* inexcusable; *policy* indéfendable; ***morally ~*** inexcusable moralement

indefinable [ˌɪndɪ'faɪnəbl] *adj color* indéfinissable; *feeling* vague

indefinite [ɪn'defɪnɪt] *adj* indéfini **indefinite article** *n* GRAM article *m* indéfini **indefinitely** [ɪn'defɪnɪtlɪ] *adv wait etc.* indéfiniment; *close* pour une durée indéterminée; *postpone* à une date indéterminée; ***we can't go on like this ~*** on ne peut pas continuer comme ça indéfiniment

indelible [ɪn'deləbl] *adj fig impression* indélébile

indelicate [ɪn'delɪkət] *adj person* indélicat

indent [ɪn'dent] *v/t* TYPO mettre en retrait **indentation** [ˌɪnden'teɪʃən] *n (in edge)* découpage *m*; TYPO alinéa *m*

independence [ˌɪndɪ'pendəns] *n* indépendance *f* (***of*** de); ***to gain*** *or* ***achieve / declare ~*** obtenir / déclarer l'indépendance **Independence Day** *n US* fête *f* de l'Indépendance

independent [ˌɪndɪ'pendənt] **I** *adj* indépendant (***of sb / sth*** de qn / qc); ***a man of ~ means*** un homme qui a une fortune personnelle; ***to become ~*** *(country)* devenir indépendant; ***~ retailer*** *US* détaillant indépendant **II** *n* POL indépendant(e) *m(f)* **independently** [ˌɪndɪ'pendəntlɪ] *adv* indépendamment (***of sb / sth*** de qn / qc); *live* séparément; *work* de façon autonome; ***they each came ~ to the same conclusion*** ils sont arrivés à la même conclusion chacun de leur côté **independent school** *n Br* établissement *m* d'enseignement privé

in-depth ['ɪndepθ] *adj* en profondeur; *interview* détaillé

indescribable [ˌɪndɪ'skraɪbəbl] *adj* indescriptible; *(infml terrible)* affreux (-euse)

indestructible [ˌɪndɪ'strʌktəbl] *adj* indestructible

indeterminate [ˌɪndɪ'tɜːmɪnɪt] *adj* indéterminé; ***of ~ sex*** de sexe indéterminé

index ['ɪndeks] *n* **1.** ⟨*pl* **-es**⟩ *(in book)* index *m*; *(in library)* catalogue *m*; *(card index)* fichier *m* **2.** ⟨*pl* **-es** *or* **indices**⟩ *(number showing ratio)* indice *m*; ***cost-of-living ~*** indice du coût de la vie **index card** *n* fiche *f* **index finger** *n* index *m* **index-linked** *adj rate, pensions* indexé

India ['ɪndɪə] *n* Inde *f* **India ink** *n US* en-

cre *f* de Chine
Indian ['ɪndɪən] **I** *adj* **1.** indien(ne) **2.** (*American Indian*) indien(ne), amérindien(ne) **II** *n* **1.** indien(ne) **2.** (*American Indian*) Indien(ne) *m*(*f*), Amérindien(ne) *m*(*f*) **Indian ink** *n* encre *f* de Chine **Indian Ocean** *n* océan *m* Indien **Indian summer** *n* été *m* indien
indicate ['ɪndɪkeɪt] **I** *v/t* **1.** indiquer; (*point to*) montrer; ***large towns are ~d in red*** les grandes villes sont indiquées en rouge; ***to ~ one's intention to do sth*** faire connaître son intention de faire qc **2.** (*suggest*) indiquer, suggérer; ***opinion polls ~ that …*** les sondages indiquent que … **3.** *temperature* indiquer **II** *v/i* (*Br* AUTO) mettre son clignotant **indication** [ˌɪndɪ'keɪʃən] *n* indication *f* (**of** de); ***he gave a clear ~ of his intentions*** il a clairement fait part de ses intentions; ***he gave no ~ that he was ready*** il n'a aucunement laissé entendre qu'il était prêt; ***that is some ~ of what we can expect*** ça nous donne un avant-goût de ce à quoi on peut s'attendre **indicative** [ɪn'dɪkətɪv] **I** *adj* **1.** révélateur(-trice) (***of*** de); ***to be ~ of sth*** être révélateur de qc **2.** GRAM ***~ mood*** indicatif **II** *n* GRAM indicatif *m*; ***in the ~*** à l'indicatif **indicator** ['ɪndɪkeɪtəʳ] *n* (*instrument*) indicateur *m*; (*needle*) aiguille *f*; (*Br* AUTO) clignotant *m*; *fig* indicateur *m*; ***pressure ~*** indicateur de pression; ***this is an ~ of economic recovery*** c'est un indicateur de reprise économique
indices ['ɪndɪsiːz] *pl* = **index**
indict [ɪn'daɪt] *v/t* accuser (***on a charge of sth*** de qc); (*US* JUR) mettre en examen (***for*** pour) **indictment** [ɪn'daɪtmənt] *n* (*of person*) mise *f* en examen; ***to be an ~ of sth*** *fig* en dire long sur qc
indifference [ɪn'dɪfrəns] *n* indifférence *f* (***to, toward*** à, envers); ***it's a matter of complete ~ to me*** cela m'est complètement égal **indifferent** [ɪn'dɪfrənt] *adj* **1.** indifférent (***to, toward*** à, envers); ***he is quite ~ about it*** ça lui est complètement indifférent; ***he is quite ~ to her*** il est insensible à son charme **2.** (*mediocre*) médiocre
indigenous [ɪn'dɪdʒɪnəs] *adj* indigène (***to*** à); ***plants ~ to Canada*** des plantes indigènes au Canada
indigestible [ˌɪndɪ'dʒestəbl] *adj* MED indigeste **indigestion** [ˌɪndɪ'dʒestʃən] *n* indigestion *f*
indignant [ɪn'dɪgnənt] *adj* indigné (***at, about, with*** de, contre) **indignantly** [ɪn'dɪgnəntlɪ] *adv* avec indignation **indignation** [ˌɪndɪg'neɪʃən] *n* indignation *f* (***at, about, with*** devant, contre)
indignity [ɪn'dɪgnɪtɪ] *n* outrage *m*
indigo ['ɪndɪgəʊ] *adj* indigo
indirect [ˌɪndɪ'rekt] *adj* indirect; ***by an ~ route*** par des voies détournées; ***to make an ~ reference to sb / sth*** faire une allusion indirecte à qn / qc **indirectly** [ˌɪndɪ'rektlɪ] *adv* indirectement **indirect object** *n* GRAM complément *m* d'objet indirect **indirect speech** *n* (*Br* GRAM) discourt *m* indirect
indiscernible [ˌɪndɪ'sɜːnəbl] *adj* indiscernable; *noise* imperceptible
indiscipline [ɪn'dɪsɪplɪn] *n* indiscipline *f*
indiscreet [ˌɪndɪ'skriːt] *adj* imprudent; (*tactless*) indiscret(-ète); ***to be ~ about sth*** être indiscret à propos de qc **indiscreetly** [ˌɪndɪ'skriːtlɪ] *adv* imprudemment; (*tactlessly*) indiscrètement **indiscretion** [ˌɪndɪ'skreʃən] *n* **1.** imprudence *f*; (*tactlessness*) indiscrétion *f* **2.** (*affair*) écart *m* de conduite
indiscriminate [ˌɪndɪ'skrɪmɪnɪt] *adj* aveugle; *choice* au hasard **indiscriminately** [ˌɪndɪ'skrɪmɪnɪtlɪ] *adv* sans discernement; *choose* au hasard
indispensable [ˌɪndɪ'spensəbl] *adj* indispensable
indisposed [ˌɪndɪ'spəʊzd] *adj* (*unwell*) indisposé
indisputable [ˌɪndɪ'spjuːtəbl] *adj* incontestable; *evidence* indiscutable
indistinct [ˌɪndɪ'stɪŋkt] *adj* indistinct; *noise* vague **indistinctly** [ˌɪndɪ'stɪŋktlɪ] *adv* *see* indistinctement; *speak* de manière indistincte; *remember* vaguement
indistinguishable [ˌɪndɪ'stɪŋgwɪʃəbl] *adj* impossible à distinguer; ***the twins are ~*** (***from one another***) on ne peut pas distinguer les jumeaux entre eux
individual [ˌɪndɪ'vɪdjʊəl] **I** *adj* **1.** (*separate*) particulier(-ière); ***~ cases*** cas particuliers **2.** (*own*) individuel(le); ***~ portion*** portion individuelle **3.** (*distinctive*) distinct **II** *n* individu *m* **individualistic** [ˌɪndɪ'vɪdjʊəlɪstɪk] *adj* individualiste **individuality** ['ɪndɪˌvɪdjʊ'ælɪtɪ] *n* individualité *f* **individually** [ˌɪndɪ'vɪdjʊəlɪ] *adv* individuellement; (*separately*) sé-

parément
indivisible [ˌɪndɪˈvɪzəbl] *adj* indivisible
Indo- [ˈɪndəʊ-] *pref* indo-, Indo-
indoctrinate [ɪnˈdɒktrɪneɪt] *v/t* endoctriner **indoctrination** [ɪnˌdɒktrɪˈneɪʃən] *n* endoctrinement *m*
indolence [ˈɪndələns] *n* indolence *f* **indolent** [ˈɪndələnt] *adj* indolent
indomitable [ɪnˈdɒmɪtəbl] *adj person, courage* indomptable; *will* de fer
Indonesia [ˌɪndəʊˈniːzɪə] *n* Indonésie *f*
Indonesian [ˌɪndəʊˈniːzɪən] **I** *adj* indonésien(ne) **II** *n* Indonésien(ne) *m(f)*
indoor [ˈɪndɔːʳ] *adj* d'intérieur; ***~ market*** marché couvert; ***~ plant*** plante d'intérieur; ***~ swimming pool*** (*public*) piscine couverte
indoors [ɪnˈdɔːz] *adv* à l'intérieur; (*at home*) à la maison; (*into house*) dans la maison; ***to stay ~*** rester à l'intérieur; ***go and play ~*** rentrez jouer à l'intérieur
indorse *etc.* = **endorse**
induce [ɪnˈdjuːs] *v/t* **1.** ***to ~ sb to do sth*** persuader qn de faire qc **2.** *reaction, sleep, vomiting* provoquer; *labor* déclencher; ***a stress-/ drug-~d condition*** un état provoqué par le stress / la drogue
induction [ɪnˈdʌkʃən] *n* **1.** (*of bishop etc.*) installation *f*; (*of employee*) intégration *f*; (*US* MIL) incorporation *f* **2.** (*of labor*) déclenchement *m* **induction course** *n* stage *m* d'intégration
indulge [ɪnˈdʌldʒ] **I** *v/t* céder à; (*overindulge*) *children* gâter; ***he ~s her every whim*** il cède à tous ses caprices; ***she ~d herself with a glass of wine*** elle s'est laissée tenter par un verre de vin **II** *v/i* ***to ~ in sth*** se permettre qc; *in vice, daydreams* s'adonner qc; ***dessert came, but I didn't ~*** *infml* le dessert est arrivé, mais j'ai résisté **indulgence** [ɪnˈdʌldʒəns] *n* **1.** indulgence *f*; (*overindulgence*) indulgence *f* excessive **2.** (*thing indulged in*) luxe *m*; (*food, pleasure*) gâterie *f* **indulgent** [ɪnˈdʌldʒənt] *adj* indulgent (***to*** envers, pour) **indulgently** [ɪnˈdʌldʒəntlɪ] *adv* avec indulgence (***to*** envers, pour)
industrial [ɪnˈdʌstrɪəl] *adj* industriel(le); ***~ nation*** pays industriel; ***the Industrial Revolution*** la révolution industrielle **industrial action** *n Br* action *f* revendicative; ***to take ~*** lancer une action revendicative **industrial dispute** *n* conflit *m* social; (*about pay also*) conflit *m* lors des négociations salariales; (*strike*) grève *f* **industrial estate** *n Br* zone *f* industrielle **industrialist** [ɪnˈdʌstrɪəlɪst] *n* industriel(le) *m(f)* **industrialization** [ɪnˌdʌstrɪəlaɪˈzeɪʃən] *n* industrialisation *f* **industrialize** [ɪnˈdʌstrɪəlaɪz] **I** *v/t* industrialiser; ***~d nation*** pays industrialisé **II** *v/i* s'industrialiser **industrial park** *n US* zone *f* industrielle **industrial relations** *pl* relations *fpl* entre le patronat et les travailleurs **industrial site** *n* site *m* industriel **industrial tribunal** *n Br* ≈ conseil *m* de prud'hommes **industrial unrest** *n* agitation *f* ouvrière **industrial waste** *n* déchets *mpl* industriels **industrious** [ɪnˈdʌstrɪəs] *adj* travailleur(-euse) **industriously** [ɪnˈdʌstrɪəslɪ] *adv* assidûment
industry [ˈɪndəstrɪ] *n* industrie *f*; ***heavy ~*** industrie lourde
inebriated [ɪˈniːbrɪeɪtɪd] *adj form* ivre
inedible [ɪnˈedɪbl] *adj* non comestible; (*unpleasant*) immangeable
ineffable [ɪnˈefəbl] *adj form* indicible
ineffective [ˌɪnɪˈfektɪv] *adj* inefficace; *person, management* inefficace, incapable; ***to be ~ against sth*** être inefficace contre qc **ineffectively** [ˌɪnɪˈfektɪvlɪ] *adv* inefficacement **ineffectiveness** *n* inefficacité *f* **ineffectual** [ˌɪnɪˈfektjʊəl] *adj* inefficace
inefficiency [ˌɪnɪˈfɪʃənsɪ] *n* (*of person*) incompétence *f*; (*of machine, company*) manque *m* de performance **inefficient** [ˌɪnɪˈfɪʃənt] *adj person* incompétent; *machine, company* peu performant; *method* inefficace; ***to be ~ at doing sth*** être incompétent pour faire qc **inefficiently** [ˌɪnɪˈfɪʃəntlɪ] *adv* inefficacement; ***to work ~*** (*person*) travailler de façon inefficace; (*machine*) ne pas être performant
inelegant [ɪnˈelɪgənt] *adj* peu élégant **inelegantly** [ɪnˈelɪgəntlɪ] *adv* inélégamment
ineligible [ɪnˈelɪdʒəbl] *adj* (*for job, office*) inapte; ***~ for military service*** inapte au service militaire; ***to be ~ for unemployment benefit*** ne pas avoir droit aux allocations chômage; ***to be ~ for a pension*** ne pas avoir le droit à une retraite
inept [ɪˈnept] *adj* incompétent **ineptitude** [ɪˈneptɪtjuːd], **ineptness** *n* incompétence *f*
inequality [ˌɪnɪˈkwɒlɪtɪ] *n* inégalité *f*

inert [ɪ'nɜːt] *adj* inerte **inert gas** *n* CHEM gaz *m* inerte **inertia** [ɪ'nɜːʃə] *n* inertie *f*
inescapable [ˌɪnɪs'keɪpəbl] *adj* inévitable; *fact* inéluctable
inessential [ˌɪnɪ'senʃəl] *adj* superflu
inestimable [ɪn'estɪməbl] *adj* inestimable
inevitability [ɪnˌevɪtə'bɪlɪtɪ] *n* caractère *m* inévitable **inevitable** [ɪn'evɪtəbl] **I** *adj* inévitable; ***defeat seemed ~*** la défaite semblait inéluctable **II** *n* ***the ~*** l'inévitable *m* **inevitably** [ɪn'evɪtəblɪ] *adv* inévitablement; ***one question ~ leads to another*** une question en entraîne inévitablement une autre; ***~, he got drunk*** forcément, il s'est soûlé; ***as ~ happens on these occasions*** comme il arrive immanquablement dans ce genre d'occasions
inexact [ˌɪnɪg'zækt] *adj* inexact
inexcusable [ˌɪnɪks'kjuːzəbl] *adj* inexcusable
inexhaustible [ˌɪnɪg'zɔːstəbl] *adj* inépuisable
inexorable [ɪn'eksərəbl] *adj* inexorable
inexpensive [ˌɪnɪk'spensɪv] *adj* bon marché, pas cher(-ère) **inexpensively** [ˌɪnɪk'spensɪvlɪ] *adv* à bon marché
inexperience [ˌɪnɪk'spɪərɪəns] *n* manque *m* d'expérience **inexperienced** *adj* inexpérimenté; *skier etc.* débutant; ***to be ~ in doing sth*** manquer d'expérience pour faire qc
inexpertly [ɪn'ekspɜːtlɪ] *adv* maladroitement
inexplicable [ˌɪnɪk'splɪkəbl] *adj* inexplicable **inexplicably** [ˌɪnɪk'splɪkəblɪ] *adv* (*+adj*) inexplicablement; (*+vb*) de manière inexplicable
inexpressible [ˌɪnɪk'spresəbl] *adj* inexprimable
inextricable [ˌɪnɪk'strɪkəbl] *adj tangle* inextricable; *link* inséparable **inextricably** [ˌɪnɪk'strɪkəblɪ] *adv entangled* inextricablement; *linked* de manière inséparable
infallibility [ɪnˌfælə'bɪlɪtɪ] *n* infaillibilité *f* **infallible** [ɪn'fæləbl] *adj* infaillible
infamous ['ɪnfəməs] *adj* tristement célèbre (***for*** pour) **infamy** ['ɪnfəmɪ] *n* infamie *f*
infancy ['ɪnfənsɪ] *n* petite enfance *f*; *fig* débuts *mpl*; ***in early ~*** pendant la toute petite enfance; ***when radio was still in its ~*** quand la radio en était encore à ses débuts **infant** ['ɪnfənt] *n* (*baby*) bébé *m*; (*young child*) très jeune enfant *m/f*; ***she teaches ~s*** elle enseigne en maternelle **infantile** ['ɪnfəntaɪl] *adj* (*childish*) infantile **infant mortality** *n* mortalité *f* infantile
infantry ['ɪnfəntrɪ] *n* MIL infanterie *f* **infantryman** ['ɪnfəntrɪmən] *n* ⟨*pl* **-men**⟩ fantassin *m*
infant school *n Br* école *f* maternelle (*pour enfant de 4 à 7 ans*)
infatuated [ɪn'fætjʊeɪtɪd] *adj* entiché (***with*** de); ***to become ~ with sb*** s'enticher de qn **infatuation** [ɪnˌfætjʊ'eɪʃən] *n* engouement *m* (***with*** pour)
infect [ɪn'fekt] *v/t blood* contaminer; *wound*, *person* infecter; ***to be ~ed with sth*** être contaminé par qc; ***his wound became ~ed*** sa blessure s'est infectée
infected [ɪn'fɛktɪd] *adj* contaminé
infection [ɪn'fekʃən] *n* contamination *f*; *of wound* infection *f*
infectious [ɪn'fekʃəs] *adj disease* infectieux(-euse); *laughter* contagieux (-euse)
infer [ɪn'fɜːʳ] *v/t* **1.** (*deduce*) déduire (***from*** de) **2.** (*imply*) laisser entendre **inference** ['ɪnfərəns] *n* déduction *f*
inferior [ɪn'fɪərɪəʳ] **I** *adj* (*in quality*) de qualité inférieure; *person* inférieur; (*in rank*) subalterne; ***an ~ workman*** un travailleur subalterne; ***to be ~ to sth*** (*in quality*) être inférieure à qc; ***to be ~ to sb*** être inférieur à qn; (*in rank*) être le subalterne de qn; ***he feels ~*** il a un sentiment d'infériorité **II** *n* ***one's ~s*** (*in rank*) les subalternes de qn **inferiority** [ɪnˌfɪərɪ'ɒrɪtɪ] *n* infériorité *f* (***to*** par rapport à) **inferiority complex** *n* complexe *m* d'infériorité
infernal [ɪn'fɜːnl] *adj infml nuisance* terrible; *noise* infernal **inferno** [ɪn'fɜːnəʊ] *n* enfer *m*; ***a blazing ~*** un brasier
infertile [ɪn'fɜːtaɪl] *adj soil*, *person*, *animal* stérile **infertility** [ˌɪnfɜː'tɪlɪtɪ] *n* (*of person*) stérilité *f* **infertility treatment** *n* traitement *m* de la stérilité
infest [ɪn'fest] *v/t* (*rats*, *lice*) infester; ***to be ~ed with rats*** être infesté de rats
infidel ['ɪnfɪdəl] *n* HIST, REL infidèle *m/f*
infidelity [ˌɪnfɪ'delɪtɪ] *n* infidélité *f*
in-fighting ['ɪnfaɪtɪŋ] *n fig* querelles *fpl* internes
infiltrate ['ɪnfɪltreɪt] *v/t* POL *organization* noyauter; *spies* infiltrer **infiltration** [ˌɪnfɪl'treɪʃən] *n* POL infiltration *f*
infiltrator ['ɪnfɪlˌtreɪtəʳ] *n* POL agent

m infiltré

infinite ['ɪnfɪnɪt] *adj lit* infini; *possibilities* illimité **infinitely** ['ɪnfɪnɪtlɪ] *adv* infiniment **infinitesimal** [ˌɪnfɪnɪ'tesɪməl] *adj* infinitésimal

infinitive [ɪn'fɪnɪtɪv] *n* GRAM infinitif *m*; ***in the ~*** à l'infinitif

infinity [ɪn'fɪnɪtɪ] *n lit* infinité *f*; MATH infini *m*; ***to ~*** à l'infini

infirm [ɪn'fɜːm] *adj* infirme **infirmary** [ɪn'fɜːmərɪ] *n* (*hospital*) hôpital *m*; (*in school, prison etc.*) infirmerie *f* **infirmity** [ɪn'fɜːmɪtɪ] *n* infirmité *f*; ***the infirmities of old age*** les infirmités de la vieillesse

inflame [ɪn'fleɪm] *v/t* **1.** MED enflammer; ***to become ~d*** s'enflammer **2.** *situation* attiser **inflammable** [ɪn'flæməbl] *adj lit* inflammable; ***"highly ~"*** "facilement inflammable" **inflammation** [ˌɪnflə'meɪʃən] *n* MED inflammation *f* **inflammatory** [ɪn'flæmətərɪ] *adj rhetoric* incendiaire; ***~ speech*** discours incendiaire

inflatable [ɪn'fleɪtɪbl] **I** *adj* gonflable; ***~ dinghy*** canot pneumatique **II** *n* (*boat*) canot *m* pneumatique **inflate** [ɪn'fleɪt] **I** *v/t* **1.** *lit* gonfler **2.** ECON *prices* faire monter **II** *v/i lit* se gonfler **inflated** *adj price* excessif; *ego* surdimensionné **inflation** [ɪn'fleɪʃən] *n* ECON inflation *f*; ***~ rate*** taux d'inflation **inflationary** [ɪn'fleɪʃənərɪ] *adj* inflationniste; ***~ pressures / politics*** pression / politique inflationniste

inflected [ɪn'flektɪd] *adj* GRAM *form, ending* fléchi; *language* à flexions **inflection** [ɪn'flekʃən] *n* = **inflexion**

inflexibility [ɪnˌfleksɪ'bɪlɪtɪ] *n fig* rigidité *f* **inflexible** [ɪn'fleksəbl] *adj lit* inflexible; *fig* rigide

inflexion [ɪn'flekʃən] *n* **1.** (GRAM, *of word*) flexion *f* **2.** (*of voice*) inflexion *f*

inflict [ɪn'flɪkt] *v/t punishment* infliger (***on, upon*** à); *suffering, damage* faire subir (***on or upon sb*** à qn); *defeat* infliger (***on or upon sb*** à qn) **infliction** [ɪn'flɪkʃən] *n* (*of suffering*) action *f* d'infliger

in-flight ['ɪnflaɪt] *adj* en vol; *service* à bord; ***~ magazine*** magazine distribué à bord

inflow ['ɪnfləʊ] *n* **1.** (*of water, air*) (*action*) arrivée *f*; ***~ pipe*** tuyau *m* d'arrivée **2.** *fig* (*of people, goods*) afflux *m*; (*of ideas etc.*) flux *m*

influence ['ɪnflʊəns] **I** *n* influence *f* (***over*** sur); ***to have an ~ on sb / sth*** (*person*) avoir de l'influence sur qn / qc; ***the book had*** *or* ***was a great ~ on him*** le livre l'a beaucoup influencé; ***he was a great ~ in ...*** il a eu une grande influence dans ...; ***to use one's ~*** user de son influence; ***a man of ~*** un homme influent; ***under the ~ of sb / sth*** sous l'influence de qn / qc; ***under the ~ of drink*** sous l'effet de la boisson; ***under the ~*** *infml* ivre; ***one of my early ~s was Beckett*** Beckett est l'un des écrivains qui m'a très tôt influencé **II** *v/t* influencer; ***to be easily ~d*** être très influençable **influential** [ˌɪnflʊ'enʃəl] *adj* influent

influenza [ˌɪnflʊ'enzə] *n* grippe *f*

influx ['ɪnflʌks] *n* (*of capital, goods*) afflux *m*; (*of people*) flux *m*

info ['ɪnfəʊ] *n infml* = **information**

inform [ɪn'fɔːm] **I** *v/t* informer (***about*** de); ***to ~ sb of sth*** informer qn de qc; ***I am pleased to ~ you that ...*** je suis heureux de vous annoncer que ...; ***to ~ the police*** avertir la police; ***to keep sb ~ed*** tenir qn informé (***of*** de) **II** *v/i* ***to ~ against*** *or* ***on sb*** dénoncer qn

informal [ɪn'fɔːməl] *adj* **1.** *esp* POL *meeting* non officiel(le); *visit* simple **2.** *atmosphere, manner* décontracté; *language* familier(-ière) **informality** [ˌɪnfɔː'mælɪtɪ] *n* **1.** (*esp* POL, *of meeting*) caractère *m* non officiel; (*of visit*) simplicité *f* **2.** (*of atmosphere, manner*) simplicité *f*; (*of language*) familiarité *f* **informally** [ɪn'fɔːməlɪ] *adv* **1.** (*unofficially*) à titre non officiel **2.** (*casually*) simplement

informant [ɪn'fɔːmənt] *n* **1.** informateur (-trice) *m(f)*; ***according to my ~ the book is out of print*** d'après ce qu'on m'a dit, ce livre est épuisé **2.** (***police***) ***~*** indicateur *m* (de la police)

information [ˌɪnfə'meɪʃən] *n* **1.** renseignements *mpl*; ***a piece of ~*** une information; ***for your ~*** à titre d'information; (*indignantly*) pour information; ***to give sb ~ about*** *or* ***on sb / sth*** renseigner qn sur qn / qc; ***to get ~ about*** *or* ***on sb / sth*** se renseigner sur qn / qc; ***"information"*** "information"; ***we have no ~ about that*** nous n'avons aucune information à ce sujet; ***for further ~ please contact this number ...*** pour de plus amples renseignements, veuillez contacter le numéro suivant … **2.** (*US tel*) renseignements *mpl* **information desk** *n* accueil *m* **information pack** *n* documentation *f* **information superhighway** *n* autoroute *f* de l'information **information technology** *n* informatique *f* **informative** [ɪn'fɔːmətɪv] *adj* instructif(-ive) **informed** [ɪn'fɔːmd] *adj observer* informé; *guess* fondé **informer** [ɪn'fɔːmə^r] *n* délateur (-trice) *m(f)*; ***police ~*** indicateur de la police

information

Information ne s'emploie jamais au pluriel. **Information** est un nom indénombrable :

× Thanks for your informations.
✓ Thank you for your information.

Merci pour ces renseignements.

infotainment [ˌɪnfəʊ'teɪnmənt] *n* TV info-divertissement *m*
infrared ['ɪnfrə'red] *adj* infrarouge
infrastructure ['ɪnfrəˌstrʌktʃə^r] *n* infrastructure *f*
infrequency [ɪn'friːkwənsɪ] *n* rareté *f* **infrequent** [ɪn'friːkwənt] *adj* peu fréquent; ***at ~ intervals*** à des intervalles peu fréquents **infrequently** [ɪn'friːkwəntlɪ] *adv* peu fréquemment
infringe [ɪn'frɪndʒ] **I** *v/t* enfreindre; *rights* léser **II** *v/i* ***to ~ (up)on sb's rights*** léser les droits de qn **infringement** *n* ***an ~ (of a rule)*** une infraction (à une règle); ***the ~ of sb's rights*** l'atteinte aux droits de qn
infuriate [ɪn'fjʊərɪeɪt] *v/t* rendre furieux (-euse) **infuriating** [ɪn'fjʊərɪeɪtɪŋ] *adj* exaspérant; ***an ~ person*** une personne exaspérante
infuse [ɪn'fjuːz] **I** *v/t courage etc.* insuffler (***into sb*** à qn) **II** *v/i* infuser **infusion** [ɪn'fjuːʒən] *n* (*tea-like*) infusion *f*
ingenious [ɪn'dʒiːnɪəs] *adj* ingénieux (-euse) **ingeniously** [ɪn'dʒiːnɪəslɪ] *adv* ingénieusement **ingenuity** [ˌɪndʒɪ'njuːɪtɪ] *n* ingéniosité *f*
ingenuous [ɪn'dʒenjʊəs] *adj* **1.** franc(he) **2.** (*naive*) ingénu
ingot ['ɪŋgət] *n* lingot *m*
ingrained [ˌɪn'greɪnd] *adj* **1.** *fig habit* invétéré; *prejudice* enraciné; ***to be (deeply) ~*** être (profondément) enraciné **2.** *dirt* incrusté
ingratiate [ɪn'greɪʃɪeɪt] *v/r* ***to ~ oneself with sb*** se faire bien voir de qn
ingratitude [ɪn'grætɪtjuːd] *n* ingratitude *f*; ***sb's ~*** l'ingratitude de qn
ingredient [ɪn'griːdɪənt] *n* élément *m*; (*for recipe*) ingrédient *m*; ***all the ~s for success*** tous les ingrédients du succès
ingrowing ['ɪngrəʊɪŋ] *adj* MED incarné
inhabit [ɪn'hæbɪt] *v/t* habiter; (*animals*) vivre **inhabitable** [ɪn'hæbɪtəbl] *adj* habitable **inhabitant** [ɪn'hæbɪtənt] *n* habitant(e) *m(f)*
inhale [ɪn'heɪl] **I** *v/t* respirer; MED inhaler **II** *v/i* (*in smoking*) avaler la fumée; ***do you ~?*** est-ce que tu avales la fumée? **inhaler** [ɪn'heɪlə^r] *n* inhalateur *m*
inherent [ɪn'hɪərənt] *adj* inhérent (***to, in*** à) **inherently** [ɪn'hɪərəntlɪ] *adv* par nature
inherit [ɪn'herɪt] *v/t & v/i* hériter; ***the problems which we ~ed from the last president*** les problèmes que nous a laissés le président précédent **inheritance** [ɪn'herɪtəns] *n* héritage *m* **inherited** [ɪn'herɪtɪd] *adj* héréditaire
inhibit [ɪn'hɪbɪt] *v/t* empêcher; *ability* entraver **inhibited** *adj* inhibé **inhibition** [ˌɪnhɪ'bɪʃən] *n* inhibition *f*; ***he has no ~s about speaking French*** il n'a pas de complexe à parler français
inhospitable [ˌɪnhɒ'spɪtəbl] *adj* peu accueillant; *climate, terrain* inhospitalier (-ière)
in-house ['ɪnhaʊs] **I** *adj* sur place; *staff* interne **II** *adv* sur place
inhuman [ɪn'hjuːmən] *adj* inhumain **inhumane** [ˌɪnhjuː'meɪn] *adj* inhumain; *treatment* inhumain **inhumanity** [ˌɪnhjuː'mænɪtɪ] *n* inhumanité *f*
inimitable [ɪ'nɪmɪtəbl] *adj* inimitable
iniquitous [ɪ'nɪkwɪtəs] *adj* inique
initial [ɪ'nɪʃəl] **I** *adj* initial; ***my ~ reaction*** ma première réaction; ***in the ~ stages*** au début **II** *n* initiale *f* **III** *v/t document* parapher **initially** [ɪ'nɪʃəlɪ] *adv* au début **initiate** [ɪ'nɪʃɪeɪt] *v/t* **1.** (*set in motion*) lancer; *discussion* engager **2.** (*into club etc.*) initier **3.** (*instruct*) initier; ***to ~ sb into sth*** initier qn à qc **initiation** [ɪˌnɪʃɪ'eɪʃən] *n* (*into society*) initiation *f* **initiation ceremony** *n* cérémonie *f* d'initiation **initiative** [ɪ'nɪʃətɪv] *n* initiative *f*; ***to take the ~*** prendre l'initia-

tive; ***on one's own ~*** de sa propre initiative; ***to have the ~*** avoir l'initiative; ***to lose the ~*** perdre l'initiative **initiator** [ɪ'nɪʃɪetəʳ] *n* initiateur(-trice) *m(f)*

inject [ɪn'dʒekt] *v/t* injecter; ***to inject drugs*** se piquer; ***to ~ sb with sth*** MED faire une piqûre de qc à qn; ***he ~ed new life into the team*** il a introduit de la nouveauté dans l'équipe **injection** [ɪn'dʒekʃən] *n* injection *f*; ***to give sb an ~*** faire une piqûre à qn; ***a $250 million cash ~*** un apport de 250 millions de dollars

injudicious [ˌɪndʒʊ'dɪʃəs] *adj* peu judicieux(-euse) **injudiciously** [ˌɪndʒʊ'dɪʃəslɪ] *adv* peu judicieusement

injunction [ɪn'dʒʌŋkʃən] *n* JUR injonction *f*; ***to take out a court ~*** faire une demande d'injonction

injure ['ɪndʒəʳ] *v/t* blesser; *reputation* nuire à; ***to ~ one's leg*** se blesser à la jambe; ***how many were ~d?, how many ~d were there?*** combien y a-t-il eu de blessés?; ***the ~d*** les blessés *mpl*; ***the ~d party*** JUR la partie lésée **injurious** [ɪn'dʒʊərɪəs] *adj* préjudiciable

injury ['ɪndʒərɪ] *n* blessure *f* (***to*** à); ***to do oneself an ~*** se blesser; ***to do sb an ~*** blesser qn; ***to play ~ overtime*** (*US* SPORTS) *or* ***~ time*** (*Br* SPORTS) jouer les arrêts de jeu

injustice [ɪn'dʒʌstɪs] *n* injustice *f*; ***to do sb an ~*** être injuste envers qn

ink [ɪŋk] *n* encre *f* **ink drawing** *n* dessin *m* à l'encre **ink-jet printer** *n* imprimante *f* à jet d'encre

inkling ['ɪŋklɪŋ] *n* vague idée *f*; ***he didn't have an ~*** il n'en avait pas la moindre idée

ink pad *n* tampon *m* encreur **inkstain** *n* tache *f* d'encre **inky** ['ɪŋkɪ] *adj* ⟨**+er**⟩ *lit* plein d'encre; ***~ fingers*** des doigts plein d'encre

inlaid [ɪn'leɪd] *adj* incrusté

inland ['ɪnlænd] **I** *adj* intérieur; ***~ town*** ville à l'intérieur du pays; ***~ waterway*** canaux et rivières **II** *adv* à l'intérieur **inland lake** *n* lac *m* intérieur **Inland Revenue** *n Br* ≈ fisc *m* **inland sea** *n* mer *f* intérieure

inlaw ['ɪnlɔː] *n* parent *m* par alliance; ***~s*** (*parents-in-law*) beaux-parents *mpl*

inlay ['ɪnleɪ] *n* incrustation *f*

inlet ['ɪnlet] *n* **1.** (*of sea*) crique *f*; (*of river*) bras *m* **2.** TECH arrivée *f*

in-line skates ['ɪnlaɪnˌskeɪts] *pl* rollers *mpl* en ligne

inmate ['ɪnmeɪt] *n* détenu(e) *m(f)*

inmost ['ɪnməʊst] *adj* = **innermost**

inn [ɪn] *n* auberge *f*

innards ['ɪnədz] *pl* entrailles *fpl*

innate [ɪ'neɪt] *adj* inné **innately** [ɪ'neɪtlɪ] *adv* naturellement

inner ['ɪnəʳ] *adj* intérieur; ***~ city*** quartiers défavorisés (*situés au milieu d'une grande ville*) **inner-city** *adj attr* des quartiers défavorisés; (*of cities generally*) du centre-ville; *problem* des centres-villes **innermost** *adj* le plus intime **inner tube** *n* chambre *f* à air

innings ['ɪnɪŋz] *n* BASEBALL tour *m* de batte; ***he has had a good ~*** *Br* il a bien profité de la vie

innkeeper ['ɪnˌkiːpəʳ] *n* aubergiste *m/f*

innocence ['ɪnəsəns] *n* innocence *f* **innocent** ['ɪnəsənt] **I** *adj* **1.** innocent; ***she is ~ of the crime*** elle n'a pas commis le crime **2.** *question* innocent; *remark* innocent **II** *n* innocent(e) *m(f)* **innocently** ['ɪnəsəntlɪ] *adv* innocemment; ***the argument began ~ enough*** la dispute commença de manière bénigne

innocuous [ɪ'nɒkjʊəs] *adj* inoffensif (-ive) **innocuously** [ɪ'nɒkjʊəslɪ] *adv* de façon inoffensive

innovate ['ɪnəʊveɪt] *v/i* innover **innovation** [ˌɪnəʊ'veɪʃən] *n* innovation *f* **innovative** [ɪnə'veɪtɪv] *adj* innovant; *idea* novateur(-trice) **innovator** ['ɪnəʊveɪtəʳ] *n* innovateur(-trice) *m(f)*

innuendo [ˌɪnjʊ'endəʊ] *n* ⟨*pl* **-es**⟩ insinuation *f*; ***sexual ~*** allusions grivoises

innumerable [ɪ'njuːmərəbl] *adj* innombrable

inoculate [ɪ'nɒkjʊleɪt] *v/t* vacciner (***against*** contre) **inoculation** [ɪˌnɒkjʊ'leɪʃən] *n* inoculation *f*

inoffensive [ˌɪnə'fensɪv] *adj* inoffensif (-ive)

inoperable [ɪn'ɒpərəbl] *adj* inopérable

inoperative [ɪn'ɒpərətɪv] *adj* **1.** *law* inopérant **2.** ***to be ~*** (*machine*) ne pas fonctionner

inopportune [ɪn'ɒpətjuːn] *adj* inopportun; ***to be ~*** être inopportun

inordinate [ɪ'nɔːdɪnɪt] *adj* extrême; *number, sum* démesuré; *demand* extravagant **inordinately** [ɪ'nɔːdɪnɪtlɪ] *adv* infiniment; *large* excessivement

inorganic [ˌɪnɔː'gænɪk] *adj* inorganique

inpatient ['ɪnpeɪʃnt] *n* patient(e) *m(f)* hospitalisé(e)
input ['ɪnpʊt] **I** *n* **1.** (*into computer*) entrée *f*, introduction *f*; (*of capital*) apport *m*; (*into project etc.*) contribution *f* **2.** (*input terminal*) terminal *m* d'entrée **II** *v/t* IT entrer
inquest ['ɪnkwest] *n* JUR enquête *f*; *fig* analyse *f*
inquire [ɪn'kwaɪəʳ] **I** *v/t* demander; ***he ~d whether ...*** il a demandé si… **II** *v/i* se renseigner (***about*** sur); ***"inquire within"*** "s'adresser ici" ◆ **inquire about** *v/t insep* se renseigner sur ◆ **inquire after** *v/t insep* demander des nouvelles de ◆ **inquire into** *v/t insep* faire des recherches sur
inquiring [ɪn'kwaɪərɪŋ] *adj* interrogateur(-trice); *mind* curieux (-euse)
inquiry [ɪn'kwaɪrɪ, (*US*) 'ɪnkwɪrɪ] *n* **1.** (*question*) demande *f* de renseignements (***about*** au sujet de); ***to make inquiries*** se renseigner; (*police etc.*) enquêter (***about sb / sth*** sur qn / qc); ***he is helping the police with their inquiries*** *euph* la police est en train de l'interroger **2.** (*investigation*) enquête *f*; ***to hold an ~ into the cause of the accident*** faire une enquête sur les causes de l'accident
inquisitive [ɪn'kwɪzɪtɪv] *adj* curieux (-euse)
inroad ['ɪnrəʊd] *n fig* ***the Japanese are making ~s into the British market*** les Japonais sont en train de pénétrer le marché britannique
insane [ɪn'seɪn] **I** *adj infml* fou(folle); JUR aliéné; ***to drive sb ~*** *infml* rendre qn fou **II** *pl* ***the ~*** les malades mentaux
insanely [ɪn'seɪnlɪ] *adv* follement
insanitary [ɪn'sænɪtərɪ] *adj* insalubre
insanity [ɪn'sænɪtɪ] *n* folie *f*
insatiable [ɪn'seɪʃəbl] *adj* insatiable
inscribe [ɪn'skraɪb] *v/t* **1.** inscrire (***sth on sth*** qc sur qc); (*on stone, wood*) graver **2.** *book* dédicacer; ***a watch, ~d ...*** une montre, portant l'inscription… **inscription** [ɪn'skrɪpʃən] *n* **1.** (*on coin etc.*) inscription *f* **2.** (*in book*) dédicace *f*
inscrutable [ɪn'skruːtəbl] *adj* impénétrable (***to*** pour)
insect ['ɪnsekt] *n* insecte *m* **insect bite** *n* piqûre *f* d'insecte **insecticide** [ɪn'sektɪsaɪd] *n* insecticide *m* **insect repellent** *n* insectifuge *m*
insecure [ˌɪnsɪ'kjʊəʳ] *adj* **1.** peu sûr de soi; ***if they feel ~ in their jobs*** s'ils se sentent en situation de précarité dans leur travail **2.** *load* mal fixé **insecurity** [ˌɪnsɪ'kjʊərɪtɪ] *n* manque *m* d'assurance
inseminate [ɪn'semɪneɪt] *v/t* inséminer **insemination** [ɪnˌsemɪ'neɪʃən] *n* insémination *f*
insensitive [ɪn'sensɪtɪv] *adj* **1.** (*uncaring*) insensible; *remark* indélicat; ***to be ~ to*** *or* ***about sb's feelings*** être insensible à ce que qn ressent **2.** (*unappreciative*) indifférent **3.** (*physically*) insensible (***to*** à); ***~ to pain*** insensible à la douleur **insensitivity** [ɪnˌsensɪ'tɪvɪtɪ] *n* (*uncaring attitude*) insensibilité *f* (***towards*** à); (*of remark*) indélicatesse *f*
inseparable [ɪn'sepərəbl] *adj* inséparable; ***these two issues are ~*** ces deux questions sont indissociables **inseparably** [ɪn'sepərəblɪ] *adv* inséparablement
insert [ɪn'sɜːt] **I** *v/t* (*place in, between*) insérer; ***to ~ sth in(to) sth*** insérer qc dans qc **II** *n* (*advertisement, in book*) encart *m* **insertion** [ɪn'sɜːʃən] *n* insertion *f*
in-service ['ɪnˌsɜːvɪs] *adj attr* ***~ training*** formation continue
inset ['ɪnset] *n* (*a.* **inset map**) carte *f* en encadré
inshore ['ɪn'ʃɔːʳ] **I** *adj* côtier(-ière) **II** *adv* près de la côte
inside ['ɪn'saɪd] **I** *n* **1.** intérieur *m*; (*of sidewalk*) partie *f* éloignée du bord; ***you'll have to ask someone on the ~*** il vous faudra demander à quelqu'un de la maison; ***locked from*** *or* ***on the ~*** fermé de l'intérieur; ***the wind blew the umbrella ~ out*** le vent a retourné le parapluie; ***your sweater's ~ out*** ton pull est à l'envers; ***to turn sth ~ out*** retourner qc; ***to know sth ~ out*** connaître parfaitement qc **2.** (*infml stomach*: *a.* **insides**) boyaux *mpl infml* **II** *adj* interne, intérieur; ***~ leg measurement*** hauteur de l'entrejambe; ***~ pocket*** poche intérieure **III** *adv* dedans, à l'intérieur; (*indoors, direction*) à l'intérieur; ***look ~*** regarde à l'intérieur; ***come ~!*** entrez!; ***let's go ~*** entrons; ***I heard music coming from ~*** j'ai entendu de la musique à l'intérieur; ***to be ~*** (*infml in prison*) être en taule

infml **IV** *prep* (*esp US*: *a.* **inside of**) **1.** (*place, direction*) à l'intérieur de; ***don't let him come ~ the house*** ne le laisse pas entrer dans la maison; ***he was waiting ~ the house*** il attendait à l'intérieur de la maison **2.** (*time*) en moins de; ***~ of 2 hours*** en moins de 2 heures **inside information** *n* informations *fpl* internes **inside lane** *n* SPORTS couloir *m* intérieur; AUTO (*in France*) voie *f* de droite; (*in Britain*) voie *f* de gauche **insider** [ɪn'saɪdəʳ] *n* initié(e) *m(f)* **insider dealing, insider trading** *n* FIN délit *m* d'initié

insidious [ɪn'sɪdɪəs] *adj* insidieux (-euse) **insidiously** [ɪn'sɪdɪəslɪ] *adv* insidieusement

insight ['ɪnsaɪt] *n* **1.** *no pl* perspicacité *f*; ***his ~ into my problems*** sa compréhension de mes problèmes **2.** aperçu *m* (***into*** de); ***to gain*** (***an***) ***~ into sth*** se faire une idée de qc

insignia [ɪn'sɪgnɪə] *pl* insigne *m*, insignes *mpl*

insignificance [ˌɪnsɪg'nɪfɪkəns] *n* insignifiance *f* **insignificant** *adj* insignifiant

insincere [ˌɪnsɪn'sɪəʳ] *adj* peu sincère **insincerity** [ˌɪnsɪn'serɪtɪ] *n* manque *m* de sincérité

insinuate [ɪn'sɪnjʊeɪt] *v/t* insinuer (***sth to sb*** qc à qn); ***what are you insinuating?*** qu'est-ce que vous insinuez? **insinuation** [ɪnˌsɪnjʊ'eɪʃən] *n* insinuation *f* (***about*** au sujet de); ***he objected strongly to any ~ that …*** il s'est élevé contre tous ceux qui tenteraient d'insinuer que…

insipid [ɪn'sɪpɪd] *adj* insipide; *color* fade

insist [ɪn'sɪst] **I** *v/i* insister; ***I ~!*** j'insiste!; ***if you ~*** si vous insistez; ***he ~s on his innocence*** il maintient qu'il est innocent; ***to ~ on a point*** insister sur un point; ***to ~ on doing sth*** tenir à faire qc; ***he will ~ on calling her by the wrong name*** il ne peut pas s'empêcher de l'appeler par un autre nom **II** *v/t* ***to ~ that …*** maintenir que…; ***he ~s that he is innocent*** il maintient qu'il est innocent **insistence** [ɪn'sɪstəns] *n* insistance *f* (***on*** à); ***I did it at his ~*** je l'ai fait parce qu'il insistait **insistent** [ɪn'sɪstənt] *adj* **1.** *person* insistant; ***he was most ~ about it*** il a beaucoup insisté là-dessus **2.** *demand* pressant **insistently** [ɪn'sɪstəntlɪ] *adv* avec insistance

insofar [ˌɪnsəʊ'fɑːʳ] *adv* ***~ as*** dans la mesure où

insole ['ɪnsəʊl] *n* semelle *f* intérieure

insolence ['ɪnsələns] *n* insolence *f* **insolent** ['ɪnsələnt] *adj* insolent **insolently** ['ɪnsələntlɪ] *adv* avec insolence

insoluble [ɪn'sɒljʊbl] *adj substance, problem* insoluble

insolvency [ɪn'sɒlvənsɪ] *n* insolvabilité *f* **insolvent** [ɪn'sɒlvənt] *adj* insolvable

insomnia [ɪn'sɒmnɪə] *n* insomnie *f* **insomniac** [ɪn'sɒmnɪæk] *n* insomniaque *m/f*; ***to be an ~*** être insomniaque

insomuch [ˌɪnsəʊ'mʌtʃ] *adv* = **inasmuch**

inspect [ɪn'spekt] *v/t* contrôler; *school etc.* inspecter; ***to ~ sth for sth*** examiner qc pour détecter qc **inspection** [ɪn'spekʃən] *n* contrôle *m*; (*of school etc.*) inspection *f*; ***to make an ~ of sth*** examiner de près qc; *of school etc.* inspecter qc; ***on ~*** sur examen **inspector** [ɪn'spektəʳ] *n* (*on buses*) contrôleur (-euse) *m(f)*; (*of schools*) inspecteur (-trice) *m(f)*; (*of police*) inspecteur (-trice) *m(f)* de police

inspiration [ˌɪnspə'reɪʃən] *n* source *f* d'inspiration (***for*** de); ***he gets his ~ from …*** il s'inspire de …; ***his courage has been an ~ to us all*** son courage a été une source d'inspiration pour nous tous **inspirational** [ˌɪnspə'reɪʃənl] *adj* qui inspire **inspire** [ɪn'spaɪəʳ] *v/t* **1.** *respect* inspirer (***in sb*** chez qn); *hope, hate etc.* susciter (***in*** chez) **2.** *person* inspirer; ***the book was ~d by a real person*** le livre est inspiré d'un personne ayant réellement existé **inspired** [ɪn'spaɪəd] *adj performer etc.* inspiré; ***it was an ~ choice*** c'était un choix heureux **inspiring** [ɪn'spaɪərɪŋ] *adj* stimulant, exaltant

instability [ˌɪnstə'bɪlɪtɪ] *n* instabilité *f*

install [ɪn'stɔːl] *v/t bathroom etc.* installer; *person* installer dans ses fonctions; ***to have electricity ~ed*** faire installer l'électricité **installation** [ˌɪnstə'leɪʃən] *n* (*action, machine*) installation *f*; ***~ program*** IT programme d'installation **installment plan** *n US* système *m* de paiements échelonnés; ***to buy on the ~*** acheter à crédit **installment**, *Br* **instalment** [ɪn'stɔːlmənt] *n* **1.** (*of story, serial*) épisode *m*; RADIO, TV volet *m* **2.** FIN, COMM versement *m*; ***monthly ~***

mensualité; ***to pay in** or **by ~s*** payer par versements échelonnés

instance ['ɪnstəns] *n* (*example*) exemple *m*; (*case*) cas *m*; ***for ~*** par exemple; ***in the first ~*** en premier lieu

instant ['ɪnstənt] **I** *adj* **1.** immédiat **2.** COOK instantané; ***~ soup*** soupe instantanée **II** *n* instant *m*; ***this ~*** tout de suite, immédiatement; ***it was all over in an ~*** en un instant ça a été fini; ***he left the ~ he heard the news*** il est parti dès qu'il a appris la nouvelle **instant access** *n* FIN, IT accès *m* immédiat (***to*** à) **instantaneous** [ˌɪnstən'teɪnɪəs] *adj* instantané; ***death was ~*** la mort a été instantanée **instantaneously** [ˌɪnstən'teɪnɪəslɪ] *adv* instantanément **instant camera** *n* appareil *m* photo instantané **instant coffee** *n* café *m* soluble **instantly** ['ɪnstəntlɪ] *adv* instantanément **instant messaging** *n* INTERNET messagerie *f* instantanée **instant replay** *n* TV répétition *f* immédiate d'une séquence

instead [ɪn'sted] **I** *prep* ***~ of*** au lieu de; ***~ of going to school*** au lieu d'aller à l'école; ***~ of that*** à la place; ***his brother came ~ of him*** son frère est venu à sa place **II** *adv* au lieu de cela, à la place; ***if he doesn't want to go, I'll go ~*** s'il ne veut pas y aller, j'irai à sa place

instep ['ɪnstep] *n* ANAT cou-de-pied *m*; *of shoe* cambrure *f*

instigate ['ɪnstɪgeɪt] *v/t* être à l'origine de; *violence* être l'instigateur(-trice) de; *reform etc.* promouvoir **instigation** [ˌɪnstɪ'geɪʃən] *n* ***at sb's ~*** à l'instigation de qn **instigator** ['ɪnstɪgeɪtəʳ] *n* (*of crime, reform etc.*) instigateur(-trice) *m(f)*

instill, *Br* **instil** [ɪn'stɪl] *v/t* insuffler (***into sb*** à qn); *knowledge, discipline* inculquer (***into sb*** à qn)

instinct ['ɪnstɪŋkt] *n* instinct *m*; ***the survival ~*** l'instinct de survie; ***by** or **from ~*** d'instinct; ***to follow one's ~s*** suivre son instinct **instinctive** [ɪn'stɪŋktɪv] *adj* instinctif(-ive) **instinctively** [ɪn'stɪŋktɪvlɪ] *adv* instinctivement

institute ['ɪnstɪtjuːt] **I** *v/t* **1.** *reforms etc.* instituer; *search* engager, lancer **2.** JUR *inquiry* ouvrir; *proceedings* engager, entamer (***against*** contre) **II** *n* institut *m*; ***Institute of Technology*** institut de technologie; ***women's ~*** *association britannique de femmes, très active en milieu rural* **institution** [ˌɪnstɪ'tjuːʃən] *n* institution *f*; (*building*) établissement *m* spécialisé **institutional** [ˌɪnstɪ'tjuːʃənl] *adj* institutionnel(le); ***~ care*** soins en établissement spécialisé **institutionalized** [ˌɪnstɪ'tjuːʃənəlaɪzd] *adj* institutionnalisé

in-store ['ɪnstɔːʳ] *adj attr* dans le magasin, sur place

instruct [ɪn'strʌkt] *v/t* **1.** (*teach*) former **2.** (*tell*) informer; (*command*) ordonner à **instruction** [ɪn'strʌkʃən] *n* (*teaching, order, command*) instruction *f*; ***what were your ~s?*** quelles étaient vos instructions?; ***~s for use*** mode d'emploi; ***~ manual*** TECH manuel d'utilisation **instructive** [ɪn'strʌktɪv] *adj* instructif(-ive) **instructor** [ɪn'strʌktəʳ] *n* moniteur(-trice) *m(f)*; *US* ≈ assistant(e) *m(f)* **instructress** [ɪn'strʌktrɪs] *n* monitrice *f*; *US* ≈ assistante *f*

instrument ['ɪnstrʊmənt] *n* instrument *m* **instrumental** [ˌɪnstrʊ'mentl] *adj* **1.** *role* décisif(-ive); ***to be ~ in sth*** jouer un rôle déterminant dans qc **2.** MUS instrumental; ***~ music / version*** musique / version instrumentale **instrumentalist** [ˌɪnstrʊ'mentəlɪst] *n* instrumentiste *m/f* **instrumentation** [ˌɪnstrʊmen'teɪʃən] *n* instrumentation *f* **instrument panel** *n* AVIAT, AUTO tableau *m* de bord

insubordinate [ˌɪnsə'bɔːdənɪt] *adj* insubordonné **insubordination** ['ɪnsəˌbɔːdɪ'neɪʃən] *n* insubordination *f*

insubstantial [ˌɪnsəb'stænʃəl] *adj* peu solide; *accusation* sans fondement; *amount* faible; *meal* léger(-ère), frugal

insufferable [ɪn'sʌfərəbl] *adj* insupportable **insufferably** [ɪn'sʌfərəblɪ] *adv* insupportablement

insufficient [ˌɪnsə'fɪʃənt] *adj* insuffisant; ***~ evidence*** preuves insuffisantes; ***~ funds*** FIN provision insuffisante **insufficiently** [ˌɪnsə'fɪʃəntlɪ] *adv* insuffisamment

insular ['ɪnsjələʳ] *adj* (*narrow-minded*) borné

insulate ['ɪnsjʊleɪt] *v/t lit* isoler **insulating material** ['ɪnsjʊleɪtɪŋ] *n* isolant *m* **insulating tape** *n* ruban *m* isolant **insulation** [ˌɪnsjʊ'leɪʃən] *n lit* isolation *f*; (*material*) isolant *m*

insulin ['ɪnsjʊlɪn] *n* insuline *f*

insult [ɪn'sʌlt] **I** *v/t* insulter **II** *n* insulte *f*;

an ~ to my intelligence une insulte à mon intelligence; ***to add ~ to injury*** pour couronner le tout **insulting** [ɪn'sʌltɪŋ] *adj* insultant; ***he was very ~ to her*** il a été particulièrement insultant à son égard **insultingly** [ɪn'sʌltɪŋlɪ] *adv* de manière insultante

insuperable [ɪn'suːpərəbl] *adj* insurmontable

insurance [ɪn'ʃʊərəns] *n* assurance *f*; ***to take out ~*** prendre une assurance (***against*** contre) **insurance broker** *n* courtier(-ière) *m(f)* d'assurances **insurance company** *n* compagnie *f* d'assurances **insurance policy** *n* police *f* d'assurance; ***to take out an ~*** prendre une assurance

insure [ɪn'ʃʊəʳ] *v/t* assurer (***against*** contre); ***he ~d his house contents for $100,000*** il a assuré le contenu de sa maison pour 100 000 dollars; ***to ~ one's life*** prendre une assurance-vie **insured** *adj* assuré (**by, with** par); ***~ against fire*** assuré contre l'incendie **insurer** [ɪn'ʃʊərəʳ] *n* assureur *m*

insurmountable [ˌɪnsə'maʊntəbl] *adj* insurmontable

insurrection [ˌɪnsə'rekʃən] *n* insurrection *f*

intact [ɪn'tækt] *adj* intact; ***not one window was left ~*** il ne restait pas une vitre entière; ***his confidence remained ~*** sa confiance est restée intacte

intake ['ɪnteɪk] *n* **1.** ***food ~*** consommation *f* alimentaire; (***sharp***) ***~ of breath*** inspiration *f* **2.** SCHOOL admissions *fpl*; *of immigrants* contingent *m*

intangible [ɪn'tændʒəbl] *adj* intangible

integer ['ɪntɪdʒəʳ] *n* nombre *m* entier

integral ['ɪntɪgrəl] *adj* essentiel(le); ***to be ~ to sth*** faire partie intégrante de qc

integrate ['ɪntɪgreɪt] *v/t* intégrer; ***to ~ sb / sth into*** *or* ***with sth*** intégrer qn / qc dans *or* à qc; ***to ~ sth with sth*** fusionner qc avec qc **integrated** *adj plan etc.* intégré; *school* mixte, qui pratique l'intégration raciale **integration** [ˌɪntɪ'greɪʃən] *n* intégration *f* (***into*** dans *or* à); (***racial***) ***~*** intégration (raciale)

integrity [ɪn'tegrɪtɪ] *n* (*honesty*, *wholeness*) intégrité *f*

intellect ['ɪntɪlekt] *n* intellect *m* **intellectual** [ɪntɪ'lektjʊəl] **I** *adj freedom*, *property* intellectuel(le) **II** *n* intellectuel(le) *m(f)*

intelligence [ɪn'telɪdʒəns] *n* **1.** intelligence *f* **2.** (*information*) renseignements *mpl* **3.** MIL *etc.* service *m* de renseignements **intelligence service** *n* POL services *mpl* de renseignements

intelligent [ɪn'telɪdʒənt] *adj* intelligent **intelligently** [ɪn'telɪdʒəntlɪ] *adv* intelligemment **intelligentsia** [ɪnˌtelɪ'dʒentsɪə] *n* intelligentsia *f* **intelligible** [ɪn'telɪdʒəbl] *adj* intelligible (***to sb*** à qn)

intend [ɪn'tend] *v/t* avoir l'intention, projeter; ***I ~ed no harm*** je n'avais pas de mauvaise intention; ***it was ~ed as a compliment*** c'était censé être un compliment; ***I wondered what he ~ed by that remark*** je me suis demandé ce qu'il voulait dire par cette remarque; ***this park is ~ed for the general public*** ce parc est ouvert à tous; ***I ~ to leave next year*** j'ai l'intention de partir l'année prochaine; ***what do you ~ to do about it?*** qu'est-ce que vous comptez faire à ce sujet?; ***this is ~ed to help me*** c'est censé m'aider; ***did you ~ that to happen?*** était-ce intentionnel de votre part? **intended** **I** *adj effect* voulu, escompté; *victim*, *target* visé **II** *n* ***my ~*** *infml* (*male*) mon futur *infml*, (*female*) ma promise *infml*

intense [ɪn'tens] *adj disappointment* vif (vive), profond; *pressure*, *joy*, *heat*, *desire* intense; *competition*, *fighting*, *speculation* acharné; *hatred* profond; *person* passionné **intensely** [ɪn'tenslɪ] *adv* **1.** (*extremely*) extrêmement; ***I dislike it ~*** je déteste ça **2.** *stare*, *study* intensément **intensification** [ɪnˌtensɪfɪ'keɪʃən] *n* intensification *f* **intensify** [ɪn'tensɪfaɪ] **I** *v/t conflict* intensifier; *fears* accroître **II** *v/i* s'intensifier **intensity** [ɪn'tensɪtɪ] *n* intensité *f* **intensive** [ɪn'tensɪv] *adj* intensif(-ive); ***to be in ~ care*** MED être en soins intensifs; ***~ care unit*** unité de soins intensifs; ***~ farming*** culture intensive **intensively** [ɪn'tensɪvlɪ] *adv* intensivement

intent [ɪn'tent] **I** *n* intention *f*; ***to all ~s and purposes*** pratiquement **II** *adj* **1.** *look* attentif(-ive) **2.** ***to be ~ on achieving sth*** être résolu à accomplir qc; ***they were ~ on winning*** ils étaient bien décidés à gagner **intention** [ɪn'tenʃən] *n* intention *f*; ***what was your ~ in publishing the article?*** quelle était votre intention quand vous avez publié cet article?; ***it is my ~ to punish you se-***

verely j'ai l'intention de te punir sévèrement; ***I have every ~ of doing it*** j'ai bien l'intention de le faire; ***to have no ~ of doing sth*** ne pas avoir l'intention de faire qc; ***with the best of ~s*** avec les meilleures intentions du monde; ***with the ~ of …*** dans l'intention de… **intentional** [ɪnˈtenʃənl] *adj* intentionnel(le) **intentionally** [ɪnˈtenʃnəlɪ] *adv* intentionnellement

intently [ɪnˈtentlɪ] *adv* attentivement

inter [ɪnˈtɜːʳ] *v/t form* inhumer

inter- [ˈɪntəʳ-] *pref* inter(-); ***interpersonal*** interpersonnel(le)

interact [ˌɪntərˈækt] *v/i* PSYCH, SOCIOL interagir **interaction** [ˌɪntərˈækʃən] *n a.* PSYCH, SOCIOL interaction *f* **interactive** [ˌɪntərˈæktɪv] *adj* interactif(-ive)

interbreed [ˈɪntəˈbriːd] *v/i* se croiser

intercede [ˌɪntəˈsiːd] *v/i* intercéder (*with* auprès de, *for*, *on behalf of* en faveur de)

intercept [ˌɪntəˈsept] *v/t* intercepter; ***they ~ed the enemy*** ils ont intercepté l'ennemi

intercession [ˌɪntəˈseʃən] *n* intercession *f*

interchange [ˈɪntəˌtʃeɪndʒ] *n* **1.** (*of roads*, *freeways*) échangeur *m* **2.** (*exchange*) échange *m* **interchangeable** [ˌɪntəˈtʃeɪndʒəbl] *adj* interchangeable **interchangeably** [ˌɪntəˈtʃeɪndʒəblɪ] *adv* indifféremment; ***they are used ~*** ils sont interchangeables

intercity [ˌɪntəˈsɪtɪ] *adj* interurbain

intercom [ˈɪntəkɒm] *n* interphone® *m*; (*in ship*, *plane*) interphone® *m* de bord

interconnect [ˌɪntəkəˈnekt] **I** *v/t* ***~ed events*** événements étroitement liés **II** *v/i* communiquer

intercontinental [ˈɪntəˌkɒntɪˈnentl] *adj* intercontinental

intercourse [ˈɪntəkɔːs] *n* rapports *mpl*; (***sexual***) ~ rapports (sexuels)

intercultural [ˌɪntəˈkʌltʃərəl] *adj* interculturel(le)

interdepartmental [ˈɪntəˌdiːpɑːtˈmentl] *adj relations* entre services; *committee* interdépartemental

interdependent [ˌɪntədɪˈpendənt] *adj* interdépendant

interest [ˈɪntrɪst] **I** *n* **1.** intérêt *m* (***in*** pour); ***do you have any ~ in chess?*** vous intéressez-vous aux échecs?; ***to take an ~ in sb / sth*** s'intéresser à qn / qc; ***to show (an) ~ in sb / sth*** manifester de l'intérêt pour qn / qc; ***is it of any ~ to you?*** (*do you want it?*) est-ce que ça t'intéresse?; ***he has lost ~*** il a décroché; ***his ~s are …*** ses centres d'intérêt sont…; ***in the ~(s) of sth*** dans l'intérêt de qc **2.** FIN intérêts *mpl* **3.** (COMM *stake*) intérêts *mpl*; ***French ~s in Africa*** les intérêts français en Afrique **II** *v/t* intéresser (***in*** à); ***to ~ sb in doing sth*** convaincre qn de faire qc; ***can I ~ you in a drink?*** puis-je vous offrir un verre?

interested [ˈɪntrɪstɪd] *adj* **1.** intéressé (***in*** par); ***I'm not ~*** ça ne m'intéresse pas; ***to be ~ in sb / sth*** s'intéresser à qn / qc; ***I'm going to the cinema, are you ~*** (***in coming***)***?*** je vais au cinéma, tu veux venir avec moi?; ***I'm selling my car, are you ~?*** je vends ma voiture, tu es intéressé?; ***the company is ~ in expanding its sales*** la compagnie veut augmenter ses ventes; ***to get sb ~*** (***in sth***) susciter l'intérêt de qn (pour qc) **2.** ***he is an ~ party*** il fait partie des intéressés

interest-free *adj*, *adv* sans intérêt

interest group *n* groupe *m* d'intérêt

interesting [ˈɪntrɪstɪŋ] *adj* intéressant; ***the ~ thing about it is that …*** ce qui est intéressant, c'est que… **interestingly** [ˈɪntrɪstɪŋlɪ] *adv* de façon intéressante; ***~ enough, I saw him yesterday*** chose intéressante, je l'ai vu hier

interesting ≠ avantageux

× They concluded a very interesting deal.

✓ They concluded an advantageous deal.

Ils ont conclu un marché très intéressant.

interest rate *n* FIN taux *m* d'intérêt

interface [ˈɪntəfeɪs] *n a.* IT interface *f*

interfere [ˌɪntəˈfɪəʳ] *v/i* se mêler (***in*** de); (*with machinery*, *property*) toucher (***with*** à); (*euph: sexually*) se livrer à des attouchements (***with*** sur); ***don't ~ with the machine*** ne touche pas à la machine; ***to ~ with sth*** (*disrupt*) entraver qc; *with work* gêner dans qc; ***to ~ with sb's plans*** déranger les plans de qn **interference** [ˌɪntəˈfɪərəns] *n* **1.** (*meddling*) ingérence *f* **2.** (*disruption*) perturbation *f*; RADIO, TV parasites *mpl* **interfering** [ˌɪntəˈfɪərɪŋ] *adj per-*

son importun, envahissant
intergovernmental [ˌɪntəgʌvən'mentl] *adj* intergouvernemental
interim ['ɪntərɪm] **I** *n* intérim *m*; ***in the ~*** entre-temps **II** *adj measure* provisoire; *post* intérimaire; ***~ agreement*** accord provisoire; ***~ report*** rapport intérimaire; ***~ government*** gouvernement provisoire
interior [ɪn'tɪərɪəʳ] **I** *adj* intérieur; ***~ minister*** ministre de l'Intérieur; ***~ ministry*** ministère de l'Intérieur **II** *n* (*of country, house*) intérieur *m*; ***Department of the Interior*** *US* ≈ ministère de l'environnement (*chargé de la protection des ressources naturelles aux États-Unis*); ***the ~ of the house has been newly decorated*** l'intérieur de la maison vient d'être refait **interior decoration** *n* décoration *f* d'intérieurs **interior decorator** *n* décorateur(-trice) *m(f)* d'intérieurs **interior design** *n* architecture *f* d'intérieur **interior designer** *n* architecte *m/f* d'intérieur
interject [ˌɪntə'dʒekt] *v/t* couper, interrompre **interjection** [ˌɪntə'dʒekʃən] *n* (*exclamation*) interjection *f*; (*remark*) interruption *f*
interlink [ˌɪntə'lɪŋk] *v/i* lier; (*fig: theories etc.*) relier
interlock [ˌɪntə'lɒk] *v/i* s'emboîter
interlocutor [ˌɪntə'lɒkjʊtəʳ] *n* interlocuteur(-trice) *m(f)*
interloper ['ɪntələʊpəʳ] *n* intrus(e) *m(f)*
interlude ['ɪntəluːd] *n* intermède *m*; THEAT (*interval*) entracte *m*; (*performance*) intermède *m*; MUS interlude *m*
intermarry [ˌɪntə'mærɪ] *v/i* (*within family*) se marier (*entre membres de la même famille*)
intermediary [ˌɪntə'miːdɪərɪ] **I** *n* intermédiaire *m/f* **II** *adj* **1.** (*intermediate, mediating*) intermédiaire
intermediate [ˌɪntə'miːdɪət] *adj* intermédiaire; *French etc.* de niveau moyen *or* intermédiaire; ***~ stage*** stade intermédiaire; ***the ~ stations*** les gares intermédiaires; ***an ~ student*** un étudiant de niveau moyen
interminable [ɪn'tɜːmɪnəbl] *adj* interminable
intermingle [ˌɪntə'mɪŋgl] *v/i* se mêler (***with*** à)
intermission [ˌɪntə'mɪʃən] *n* THEAT, FILM entracte *m*
intermittent [ˌɪntə'mɪtənt] *adj* intermittent **intermittently** [ˌɪntə'mɪtəntlɪ] *adv* par intermittence
intern¹ [ɪn'tɜːn] *v/t person* interner
intern² ['ɪntɜːn] *n US* **1.** (*junior doctor*) interne *m/f* **2.** (*trainee*) stagiaire *m/f*
internal [ɪn'tɜːnl] *adj* interne; (*within country*) intérieur; (*within organization*) interne; ***~ call*** appel interne; ***~ flight*** vol intérieur; ***Internal Revenue Service*** *US* ≈ Direction générale des Impôts; ***~ wall*** mur intérieur **internal affairs** *pl* affaires *fpl* intérieures **internal bleeding** *n* hémorragie *f* interne **internal combustion engine** *n* moteur *m* à combustion interne **internalize** [ɪn'tɜːnəlaɪz] *v/t* intérioriser **internally** [ɪn'tɜːnəlɪ] *adv* intérieurement; (*in body, country*) à l'intérieur; (*in organization*) en interne; ***"not to be taken ~"*** "à usage externe" **internal market** *n* ECON marché *m* interne
international [ˌɪntə'næʃnəl] **I** *adj* international; ***~ code*** TEL code international; ***~ money order*** mandat international **II** *n* SPORTS **1.** (*game*) match *m* international **2.** (*player*) international(e) *m(f)* **International Court of Justice** *n* Cour *f* internationale de justice **International Date Line** *n* ligne *f* de changement de date **internationalize** [ˌɪntə'næʃnəlaɪz] *v/t* internationaliser **international law** *n* droit *m* international **internationally** [ˌɪntə'næʃnəlɪ] *adv* internationalement; *compete* au niveau international **International Monetary Fund** *n* ECON Fonds *m* monétaire international **International Phonetic Alphabet** *n* alphabet *m* phonétique international
internee [ˌɪntɜː'niː] *n* interné(e) *m(f)* (politique)
Internet ['ɪntəˌnet] *n* ***the ~*** Internet *m*; ***to surf the ~*** naviguer sur Internet **Internet banking** *n* opérations *fpl* bancaires par Internet **Internet café** *n* cybercafé *m* **Internet connection** *n* connexion *f* (à) Internet **Internet service provider** *n* fournisseur *m* d'accès à Internet
internment [ɪn'tɜːnmənt] *n* internement *m*
internship ['ɪntɜːnʃɪp] *n US* **1.** MED internat *m* **2.** (*as trainee*) stage *m*
interplay ['ɪntəpleɪ] *n* interaction *f*
interpose [ˌɪntə'pəʊz] *v/t* **1.** *object* interposer; ***to ~ oneself between ...*** s'interposer entre… **2.** *remark* placer

interpret [ɪn'tɜːprɪt] **I** *v/t* **1.** (*translate orally*) interpréter **2.** (*explain*) interpréter; ***how would you ~ what he said?*** comment interpréteriez-vous ce qu'il a dit? **II** *v/i* servir d'interprète **interpretation** [ɪnˌtɜːprɪ'teɪʃən] *n* (*explanation*) interprétation *f*
interpreter [ɪn'tɜːprɪtəʳ] *n* **1.** interprète *m/f* **2.** IT interpréteur *m* **interpreting** [ɪn'tɜːprɪtɪŋ] *n* (*profession*) interprétation *f*, interprétariat *m*
interrelate [ˌɪntərɪ'leɪt] **I** *v/t* ***to be ~d*** être lié **II** *v/i* être interdépendant
interrogate [ɪn'terəgeɪt] *v/t* interroger, soumettre à un interrogatoire **interrogation** [ɪnˌterə'geɪʃən] *n* interrogation *f* **interrogative** [ˌɪntə'rɒgətɪv] **I** *adj* GRAM interrogatif(-ive); ***~ pronoun*** pronom interrogatif; ***~ clause*** proposition interrogative **II** *n* (GRAM *pronoun*) interrogatif *m*; (*mood*) forme *f* interrogative; ***in the ~*** à la forme interrogative **interrogator** [ɪn'terəgeɪtəʳ] *n* interrogateur(-trice) *m(f)*; ***my ~s*** les personnes qui m'ont interrogé
interrupt [ˌɪntə'rʌpt] **I** *v/t* interrompre **II** *v/i* interrompre; ***stop ~ing!*** cesse de m'interrompre! **interruption** [ˌɪntə'rʌpʃən] *n* interruption *f*
intersect [ˌɪntə'sekt] *v/i* se couper, se croiser; GEOMETRY se couper **intersection** [ˌɪntə'sekʃən] *n* (*crossroads*) croisement *m*; GEOMETRY intersection *f*; ***point of ~*** point d'intersection
intersperse [ˌɪntə'spɜːs] *v/t* parsemer; ***~d with sth*** parsemé de qc; ***a speech ~d with quotations*** un discours émaillé de citations; ***periods of sunshine ~d with showers*** des périodes ensoleillées entrecoupées d'averses
interstate [ˌɪntə'steɪt] **I** *adj US* entre États; ***~ highway*** autoroute (inter-États) **II** *n US* autoroute *f* (inter-États)
intertwine [ˌɪntə'twaɪn] *v/i* s'entrelacer
interval ['ɪntəvəl] *n* **1.** (*in space*, *time*) intervalle *m*; ***at ~s*** avec des intervalles; ***at two-weekly ~s*** à deux semaines d'intervalle, toutes les deux semaines; ***sunny ~s*** METEO éclaircies **2.** (*Br* THEAT *etc.*) entracte *m*
intervene [ˌɪntə'viːn] *v/i* (*person*) intervenir; (*event*) survenir; (*fate*) s'en mêler **intervening** [ˌɪntə'viːnɪŋ] *adj* intermédiaire; ***in the ~ period*** dans l'intervalle **intervention** [ˌɪntə'venʃən] *n* intervention *f*
interview ['ɪntəvjuː] **I** *n* **1.** (*for job*) entrevue *f*, entretien *m*; *esp Br* (*with authorities etc.*) interrogatoire *m* **2.** PRESS, TV *etc.* interview *f* **II** *v/t* **1.** *job applicant* faire passer un entretien à **2.** PRESS, TV *etc.* interviewer **interviewee** [ˌɪntəvjuː'iː] *n* (*for job*) candidat(e) *m(f)* (qui passe un entretien); PRESS, TV *etc.* personne *f* interviewée **interviewer** ['ɪntəvjuːəʳ] *n* (*for job*) *personne qui fait passer un entretien*; PRESS, TV *etc.* intervieweur(-euse) *m(f)*
interwar ['ɪntə'wɔːʳ] *adj* de l'entre-deux-guerres
interweave [ˌɪntə'wiːv] **I** *v/t* entrelacer **II** *v/i* s'entrelacer
intestate [ɪn'testɪt] *adj* JUR ***to die ~*** décéder intestat
intestinal [ɪn'testɪnl] *adj* intestinal **intestine** [ɪn'testɪn] *n* intestin *m*; ***small ~*** intestin grêle; ***large ~*** gros intestin
intimacy ['ɪntɪməsɪ] *n* intimité *f*
intimate[1] ['ɪntɪmɪt] *adj* intime; ***to be on ~ terms with sb*** être l'ami intime de qn; ***to be / become ~ with sb*** être / devenir très intime avec qn; (*sexually*) avoir / commencer à avoir des rapports intimes avec qn; ***to have an ~ knowledge of sth*** connaître qc à fond
intimate[2] ['ɪntɪmeɪt] *v/t* laisser entendre; ***he ~d to them that they should stop*** il leur a fait comprendre qu'ils devaient arrêter
intimately ['ɪntɪmɪtlɪ] *adv related*, *acquainted* intimement; *know* à fond
intimidate [ɪn'tɪmɪdeɪt] *v/t* intimider; ***they ~d him into not telling the police*** ils ont fait pression pour qu'il ne parle pas à la police **intimidation** [ɪnˌtɪmɪ'deɪʃən] *n* intimidation *f*
into ['ɪntʊ] *prep* **1.** dans; ***to translate sth ~ French*** traduire qc en français; ***to change dollars ~ euros*** changer des dollars en euros; ***to divide 3 ~ 9*** diviser 9 par 3; ***3 ~ 9 goes 3*** 9 divisé par 3 égale 3; ***he's well ~ his sixties*** il a largement dépassé la soixantaine; ***research ~ cancer*** recherches sur le cancer **2.** *infml* ***to be ~ sb*** (*like*) en pincer pour qn *infml*; ***to be ~ sth*** (*like*) être fana de qc *infml*; (*use*) *drugs etc.* consommer qc; ***he's ~ wine*** (*likes*, *is expert*) le vin, c'est son truc *infml*; ***he's ~ computers*** il est branché informatique *infml*
intolerable [ɪn'tɒlərəbl] *adj* intolérable
intolerably [ɪn'tɒlərəblɪ] *adv* intoléra-

blement **intolerance** [ɪn'tɒlərəns] *n* intolérance *f* (**of** à l'égard de) **intolerant** [ɪn'tɒlərənt] *adj* intolérant (**of** à l'égard de)

intonation [ˌɪntəʊ'neɪʃən] *n* intonation *f*

intoxicated [ɪn'tɒksɪkeɪtɪd] *adj* ivre; ***to become ~*** se laisser griser (***by, with*** par); ***~ by*** *or* ***with success*** grisé par le succès **intoxication** [ɪnˌtɒksɪ'keɪʃən] *n* ivresse *f*; ***in a state of ~*** *form* en état d'ébriété

intractable [ɪn'træktəbl] *adj problem* insoluble

intranet ['ɪntrənɛt] *n* IT Intranet *m*

intransigence [ɪn'trænsɪdʒəns] *n* intransigeance *f* **intransigent** [ɪn'trænsɪdʒənt] *adj* intransigeant

intransitive [ɪn'trænsɪtɪv] *adj* intransitif (-ive)

intrastate [ˌɪntrə'steɪt] *adj US* à l'intérieur d'un même État

intrauterine device [ˌɪntrə'juːtəraɪndɪˌvaɪs] *n* stérilet *m*

intravenous [ˌɪntrə'viːnəs] *adj* intraveineux(-euse); ***~ drug user*** toxicomane par voie intraveineuse

in-tray ['ɪntreɪ] *n esp Br* corbeille *f* du courrier à traiter

intrepid [ɪn'trepɪd] *adj* intrépide

intricacy ['ɪntrɪkəsɪ] *n* complexité *f* **intricate** ['ɪntrɪkɪt] *adj* complexe, compliqué **intricately** ['ɪntrɪkɪtlɪ] *adv* de façon complexe

intrigue [ɪn'triːg] **I** *v/i* intriguer **II** *v/t* (*arouse interest, curiosity of*) intriguer; ***to be ~d with*** *or* ***by sth*** être intrigué par qc; ***I would be ~d to know why ...*** je serais curieux de savoir pourquoi... **III** *n* (*plot*) intrigue *f* **intriguing** [ɪn'triːgɪŋ] *adj* curieux(-euse)

intrinsic [ɪn'trɪnsɪk] *adj* (*essential*) intrinsèque **intrinsically** [ɪn'trɪnsɪkəlɪ] *adv* intrinsèquement

intro ['ɪntrəʊ] *n infml abbr* = **introduction** intro *f infml*

introduce [ˌɪntrə'djuːs] *v/t* **1.** (*to person*) présenter (***to sb*** à qn); (*to subject*) initier (***to*** à); ***I don't think we've been ~d*** je crois que nous n'avons pas été présentés; ***allow me to*** *or* ***let me ~ myself*** permettez-moi de me présenter **2.** *practice, reform* introduire; *Br* PARL *bill* déposer, présenter; *subject* introduire; *speaker* présenter; ***to ~ sth onto the market*** introduire qc sur le marché

introduction [ˌɪntrə'dʌkʃən] *n* **1.** (*to person*) présentation *f*; ***to make the ~s*** faire les présentations; ***letter of ~*** lettre de recommandation **2.** (*to book, music*) introduction *f* (***to*** de) **3.** (*of practice, reform etc.*) introduction *f*; (*of bill*) présentation *f*; ***an ~ to French*** (*elementary course*) une introduction au français **introductory** [ˌɪntrə'dʌktərɪ] *adj paragraph, course* d'introduction; *remarks* préliminaire; *offer* de lancement

introspection [ˌɪntrəʊ'spekʃən] *n* introspection *f* **introspective** [ˌɪntrəʊ'spektɪv] *adj* introverti

introvert ['ɪntrəʊvɜːt] *n* PSYCH introverti(e) *m(f)*; ***to be an ~*** être introverti **introverted** ['ɪntrəʊvɜːtɪd] *adj* introverti

intrude [ɪn'truːd] *v/i* s'imposer; ***to ~ on sb*** déranger qn; ***to ~ on sb's privacy*** s'immiscer dans la vie privée de qn **intruder** [ɪn'truːdər] *n* intrus(e) *m(f)* **intrusion** [ɪn'truːʒən] *n* intrusion *f*; ***forgive the ~, I just wanted to ask ...*** excusez mon intrusion, je voulais juste demander... **intrusive** [ɪn'truːsɪv] *adj person, presence* envahissant

intuition [ˌɪntjuː'ɪʃən] *n* intuition *f* **intuitive** [ɪn'tjuːɪtɪv] *adj* intuitif(-ive)

inundate ['ɪnʌndeɪt] *v/t* inonder; (*with work*) submerger; ***have you a lot of work on? — I'm ~d*** est-ce que tu as beaucoup de travail? — je suis débordé

invade [ɪn'veɪd] *v/t* envahir **invader** [ɪn'veɪdər] *n* MIL envahisseur(-euse) *m(f)* **invading** [ɪn'veɪdɪŋ] *adj* d'invasion; ***~ army*** armée d'invasion

invalid[1] ['ɪnvəlɪd] **I** *adj* **1.** invalide; (*disabled*) infirme **2.** (*for invalids*) d'infirme **II** *n* invalide *m/f*; (*disabled person*) infirme *m/f*

invalid[2] [ɪn'vælɪd] *adj esp* JUR non valide; ***to declare sth ~*** invalider qc **invalidate** [ɪn'vælɪdeɪt] *v/t* invalider

invaluable [ɪn'væljʊəbl] *adj help, contribution* inestimable; *advice* précieux (-euse); ***to be ~*** (***to sb***) être précieux (pour qn)

invariable [ɪn'vɛərɪəbl] *adj* invariable **invariably** [ɪn'vɛərɪəblɪ] *adv* invariablement

invasion [ɪn'veɪʒən] *n* invasion *f*; (*of privacy etc.*) intrusion *f* (***of*** dans); ***the German ~ of Poland*** l'invasion de la Pologne par les Allemands **invasive** [ɪn'veɪsɪv] *adj* MED invasif(-ive)

invective [ɪn'vektɪv] *n* invectives *fpl* (***against*** contre)

invent [ɪn'vent] *v/t* inventer
invention [ɪn'venʃən] *n* **1.** invention *f* **2.** (*inventiveness*) inventivité *f* **inventive** [ɪn'ventɪv] *adj* **1.** *powers* d'invention; *design*, *menu* inventif(-ive) **2.** (*resourceful*) ingénieux(-euse) **inventiveness** [ɪn'ventɪvnɪs] *n* inventivité *f* **inventor** [ɪn'ventəʳ] *n* inventeur(-trice) *m(f)*
inventory ['ɪnvəntrɪ] *n* **1.** *US* stock *m* **2.** inventaire *m*; ***to make*** *or* ***take an ~ of sth*** dresser l'inventaire de qc
inverse ['ɪnvɜːs] **I** *adj* inverse **II** *n* inverse *m* **inversion** [ɪn'vɜːʃən] *n fig* inversion *f* **invert** [ɪn'vɜːt] *v/t* inverser
invertebrate [ɪn'vɜːtɪbrɪt] *n* invertébré *m*
inverted commas *pl Br* guillemets *mpl*; ***his new job, in ~*** son nouveau travail, entre guillemets
invest [ɪn'vest] **I** *v/t* **1.** FIN investir (***in*** dans) **2.** *form* ***to ~ sb / sth with sth*** investir qn / qc de qc, conférer qc à qn / qc **II** *v/i* investir (***in, with*** dans); ***to ~ in a new car*** s'offrir une nouvelle voiture
investigate [ɪn'vestɪgeɪt] **I** *v/t* examiner, étudier; ***to ~ a case*** enquêter sur une affaire **II** *v/i* enquêter; (*police*) mener une enquête **investigation** [ɪnˌvestɪ'geɪʃən] *n* **1.** enquête *f* (***into*** sur); ***to order an ~ into*** *or* ***of sth*** ordonner une enquête sur qc; ***on ~ it turned out that …*** l'enquête a révélé que…; ***to be under ~*** faire l'objet d'une enquête; ***he is under ~*** (*by police*) il fait l'objet d'une enquête **2.** (*scientific research*) étude *f* **investigative** [ɪn'vestɪgətɪv] *adj* d'investigation; ***~ journalism*** journalisme d'investigation **investigator** [ɪn'vestɪgeɪtəʳ] *n* enquêteur(-euse) *m(f)*; (*private investigator*) détective *m/f* privé(e)
investiture [ɪn'vestɪtʃəʳ] *n* (*of president etc.*) investiture *f*; (*of royalty*) intronisation *f*
investment [ɪn'vestmənt] *n* FIN investissement *m*; ***we need more ~ in industry*** nous devons investir plus dans l'industrie; ***foreign ~*** investissement étranger; ***this company is a good ~*** cette société représente un bon placement; ***a sofa bed is a good ~*** un canapé-lit est un bon investissement **investment grant** *n* ECON subvention *f* d'investissement **investment trust** *n* société *f* de placement **investor** [ɪn'vestəʳ] *n* investisseur(-euse) *m(f)*
inveterate [ɪn'vetərɪt] *adj hatred* invétéré; *liar* impénitent, incorrigible; ***~ criminal*** criminel endurci
invigilate [ɪn'vɪdʒɪleɪt] *Br* **I** *v/t* surveiller **II** *v/i* surveiller les candidats (*pendant un examen*) **invigilator** [ɪn'vɪdʒɪleɪtəʳ] *n Br* surveillant(e) *m(f)* (*d'examen*)
invigorate [ɪn'vɪgəreɪt] *v/t* revigorer **invigorating** [ɪn'vɪgəreɪtɪŋ] *adj climate*, *ocean air* vivifiant
invincible [ɪn'vɪnsəbl] *adj* invincible
inviolable [ɪn'vaɪələbl] *adj law*, *oath* inviolable
invisible [ɪn'vɪzəbl] *adj* invisible; ***~ to the naked eye*** invisible à l'œil nu **invisible earnings** *pl* ECON revenus *mpl* invisibles
invitation [ˌɪnvɪ'teɪʃən] *n* invitation *f*; ***by ~*** (***only***) sur invitation seulement; ***at sb's ~*** sur l'invitation de qn; ***~ to tender*** appel d'offres
invite [ɪn'vaɪt] **I** *v/t* **1.** *person* inviter; ***to ~ sb to do sth*** prier qn de faire qc **2.** *suggestions* solliciter; *ridicule* s'exposer à **II** *n infml* invitation *f* ◆ **invite around** *or Br* **round** *v/t sep* inviter chez soi ◆ **invite in** *v/t sep* inviter à entrer; ***could I invite you in for*** (***a***) ***coffee?*** puis-je vous inviter (à entrer) prendre un café? ◆ **invite out** *v/t sep* inviter (à sortir); ***I invited her out*** je l'ai invitée à sortir; ***to invite sb out for a meal*** inviter qn au restaurant
inviting [ɪn'vaɪtɪŋ] *adj* attrayant, engageant; *prospect*, *meal* alléchant
in vitro [ɪn'viːtrəʊ] *adj* BIOL in vitro; ***~ fertilization*** fécondation in vitro
invoice ['ɪnvɔɪs] **I** *n* facture *f* **II** *v/t goods* facturer; ***to ~ sb for sth*** facturer qc à qn; ***we'll ~ you*** nous vous enverrons la facture
invoke [ɪn'vəʊk] *v/t God*, *the law*, *treaty etc.* invoquer
involuntarily [ɪn'vɒləntərɪlɪ] *adv* involontairement **involuntary** [ɪn'vɒləntərɪ] *adj* involontaire; *repatriation* forcé
involve [ɪn'vɒlv] *v/t* **1.** (*entangle*) impliquer (***sb in sth*** qn dans qc); (*include*) associer, faire participer (***sb in sth*** qn à qc); (*concern*) concerner; ***the book doesn't ~ the reader*** le lecteur ne se sent pas impliqué dans le livre; ***it wouldn't ~ you at all*** tu ne serais pas

impliqué du tout; ***to be ~d in sth*** être occupé à qc; ***to get ~d in sth*** s'engager dans qc; ***to ~ oneself in sth*** s'impliquer dans qc; ***I didn't want to get ~d*** je ne voulais pas m'impliquer; ***the person ~d*** la personne concernée; ***to be/get ~d with sth*** (*have part in*) participer à qc; ***to be ~d with sb*** (*sexually*) avoir une liaison avec qn; ***to get ~d with sb*** s'engager avec qn; ***he got ~d with a girl*** il a commencé à sortir avec une fille **2.** (*entail*) entraîner; (*encompass*) comporter; (*mean*) impliquer; ***what does the job ~?*** en quoi consiste le travail?; ***will the post ~ much foreign travel?*** ce poste implique-t-il beaucoup de voyages à l'étranger?; ***he doesn't understand what's ~d*** il ne comprend pas ce qui est en jeu; ***around $1,000 was ~d*** la somme en cause tournait autour de 1000 dollars; ***it would ~ moving to France*** ça impliquerait de *or* ça voudrait dire déménager en France **involved** *adj* compliqué **involvement** [ɪn'vɒlvmənt] *n* participation *f* (***in*** à); (*in crime etc.*) implication *f* (***in*** dans); ***she denied any ~ in or with drugs*** elle a nié avoir touché à la drogue

invulnerable [ɪn'vʌlnərəbl] *adj* invulnérable; *fortress, position* inattaquable

inward ['ɪnwəd] **I** *adj* **1.** (*inner*) intime **2.** (*incoming*) vers l'intérieur **II** *adv* vers l'intérieur **inward-looking** ['ɪnwəd,lʊkɪŋ] *adj* tourné vers soi-même **inwardly** ['ɪnwədlɪ] *adv* intérieurement, secrètement **inwards** ['ɪnwədz] *adv esp Br* = **inward**

in-your-face, in-yer-face [,ɪnjə'feɪs] *Br adj infml attitude etc.* agressif(-ive)

iodine ['aɪədiːn] *n* (*element*) iode *m*; (*antiseptic*) teinture *f* d'iode

ion ['aɪən] *n* ion *m*

iota [aɪ'əʊtə] *n* ***not one ~*** pas un brin, pas une once

IOU *abbr* = **I owe you** reconnaissance *f* de dette

IPA *abbr* = **International Phonetic Alphabet** API *m*

iPod iPod *m*

IQ *abbr* = **intelligence quotient** QI *m*; ***IQ test*** test de QI

IRA *abbr* = **Irish Republican Army** IRA *f*

Iran [ɪ'rɑːn] *n* Iran *m* **Iranian** [ɪ'reɪnɪən] **I** *adj* iranien **II** *n* Iranien(ne) *m(f)*

Iraq [ɪ'rɑːk] *n* Iraq *m* **Iraqi** [ɪ'rɑːkɪ] **I** *adj* iraquien, irakien **II** *n* Iraquien(ne) *m(f)*

irascible [ɪ'ræsɪbl] *adj* irascible

irate [aɪ'reɪt] *adj* furieux(-euse); *crowd* en colère

Ireland ['aɪələnd] *n* Irlande *f*; ***Northern ~*** Irlande du Nord; ***Republic of ~*** République d'Irlande

iris ['aɪərɪs] *n* iris *m*

Irish ['aɪərɪʃ] **I** *adj* irlandais; ***~man*** Irlandais; ***~woman*** Irlandaise **II** *n* **1.** *pl* ***the ~*** les Irlandais *mpl* **2.** LING irlandais *m*

Irish Sea *n* mer *f* d'Irlande

irksome ['ɜːksəm] *adj* ennuyeux(-euse)

iron ['aɪən] **I** *n* **1.** fer *m*; ***to pump ~*** *infml* faire de la gonflette *infml* **2.** (*electric iron*) fer *m* (à repasser); ***he has too many ~s in the fire*** il a trop d'affaires en train; ***to strike while the ~ is hot*** *prov* battre le fer pendant qu'il est chaud *prov* **II** *adj* **1.** (*made of iron*) de *or* en fer **2.** *fig* de fer **III** *v/t & v/i* repasser ◆ **iron out** *v/t sep* résoudre

Iron Age *n* âge *m* de fer **Iron Curtain** *n* rideau *m* de fer

ironic(al) [aɪ'rɒnɪk(əl)] *adj* ironique; ***it's really ~*** quelle ironie du sort! **ironically** [aɪ'rɒnɪkəlɪ] *adv* ironiquement; ***and then, ~, it was he himself who had to do it*** et alors, comble d'ironie, c'est lui-même qui a dû le faire

ironing ['aɪənɪŋ] *n* (*process, clothes*) repassage *m*; ***to do the ~*** faire le repassage, repasser **ironing board** *n* planche *f* à repasser

ironmonger's (shop) *n Br* quincaillerie *f*

irony ['aɪrənɪ] *n* ironie *f*; ***the ~ of it is that ...*** ce qu'il y a d'ironique, c'est que…

irrational [ɪ'ræʃənl] *adj* irrationnel(le)

irreconcilable [ɪ,rekən'saɪləbl] *adj* inconciliable

irredeemable [,ɪrɪ'diːməbl] *adj loss* irréparable, irrémédiable **irredeemably** [,ɪrɪ'diːməblɪ] *adv lost* irrémédiablement; ***democracy was ~ damaged*** une atteinte irrémédiable a été portée à la démocratie

irrefutable [,ɪrɪ'fjuːtəbl] *adj* irréfutable

irregular [ɪ'regjʊləʳ] *adj* **1.** (*uneven*, GRAM) irrégulier(-ière); ***he's been a bit ~ recently*** *infml* il a été un peu constipé ces derniers temps **2.** (*contrary to rules*) irrégulier(-ière); ***well, it's a bit ~, but I'll ...*** eh bien, ce n'est pas très régulier, mais je… **irregularity** [ɪ,regjʊ'lærɪtɪ] *n* **1.** (*unevenness*) irrégu-

larité *f* **2.** (*non-observation of rules*) irrégularité *f* **irregularly** [ɪ'regjʊləlɪ] *adv* (*unevenly*) irrégulièrement; *shaped, occur etc.* de façon irrégulière
irrelevance [ɪ'reləvəns] *n* inutilité *f*; ***it's become something of an ~*** il a un peu perdu sa raison d'être **irrelevant** [ɪ'reləvənt] *adj* hors de propos; *information* non pertinent; ***these issues are ~ to the younger generation*** ces questions sont sans importance pour la jeune génération
irreparable [ɪ'repərəbl] *adj* irréparable **irreparably** [ɪ'repərəblɪ] *adv* irréparablement; ***his reputation was ~ damaged*** sa réputation a été compromise de façon irréparable
irreplaceable [ˌɪrɪ'pleɪsəbl] *adj* irremplaçable
irrepressible [ˌɪrɪ'presəbl] *adj urge, energy* irrépressible; *person* débordant de vie
irreproachable [ˌɪrɪ'prəʊtʃəbl] *adj* irréprochable
irresistible [ˌɪrɪ'zɪstəbl] *adj* irrésistible (***to*** pour)
irresolute [ɪ'rezəluːt] *adj* irrésolu, indécis
irrespective [ˌɪrɪ'spektɪv] *adj* ***~ of*** sans tenir compte de; ***~ of whether they want to or not*** qu'ils le veuillent ou non
irresponsibility ['ɪrɪˌspɒnsə'bɪlɪtɪ] *n* (*of action*) caractère *m* irresponsable; (*of person*) irresponsabilité *f* **irresponsible** [ˌɪrɪ'spɒnsəbl] *adj action, person* irresponsable **irresponsibly** [ˌɪrɪ'spɒnsəblɪ] *adv* de manière irresponsable
irretrievable [ˌɪrɪ'triːvəbl] *adj* irrémédiable; *loss* irréparable; ***the information is ~*** les informations sont irrécupérables **irretrievably** [ˌɪrɪ'triːvəblɪ] *adv* irrémédiablement; ***~ lost*** perdu à tout jamais; ***~ damaged*** qui a subi des dommages irréparables
irreverent [ɪ'revərənt] *adj behavior, remark, book* irrévérencieux(-euse)
irreversible [ˌɪrɪ'vɜːsəbl] *adj decision, damage etc.* irréversible **irreversibly** [ˌɪrɪ'vɜːsəblɪ] *adv* irréversiblement; ***the peace process has been ~ damaged*** le processus de paix a été compromis à tout jamais
irrevocable [ɪ'revəkəbl] *adj* irrévocable **irrevocably** [ɪ'revəkəblɪ] *adv* irrévocablement
irrigate ['ɪrɪgeɪt] *v/t* irriguer **irrigation** [ˌɪrɪ'geɪʃən] *n* AGR irrigation *f*
irritable ['ɪrɪtəbl] *adj* irritable **irritant** ['ɪrɪtənt] *n* MED substance *f* irritante; (*noise etc.*) source *f* d'irritation **irritate** ['ɪrɪteɪt] *v/t* (*annoy*) contrarier; (*deliberately*) agacer; (*get on nerves of*, MED) irriter; ***to get ~d*** s'énerver; ***I get ~d with him*** il m'énerve **irritating** ['ɪrɪteɪtɪŋ] *adj* irritant, agaçant; *cough* irritatif(-ive); ***I find his jokes ~*** je trouve ses plaisanteries agaçantes; ***the ~ thing is that ...*** ce qui est agaçant, c'est que… **irritation** [ˌɪrɪ'teɪʃən] *n* **1.** (*state*) agacement *m*; (*thing that irritates*) source *f* d'agacement **2.** MED irritation *f*
IRS *abbr* = **Internal Revenue Service**
is [ɪz] *3rd person sg pres* = **be**
ISA ['aɪsə] *n, abbr* = **Individual Savings Account** (*Br* FIN) ≈ *PEA m*
ISDN *abbr* = **Integrated Services Digital Network** RNIS *m*
Islam ['ɪzlɑːm] *n* (*religion*) islam *m* **Islamic** [ɪz'læmɪk] *adj* islamique
island ['aɪlənd] *n* île *f* **islander** ['aɪləndər] *n* insulaire *m/f* **isle** [aɪl] *n* ***the British Isles*** les îles *fpl* Britanniques
isn't ['ɪznt] *contr* = **is not**
isobar ['aɪsəʊbɑːr] *n* isobare *f*
isolate ['aɪsəʊleɪt] *v/t* **1.** (*separate*) isoler; ***to ~ oneself from other people*** s'isoler des autres **2.** (*pinpoint*) isoler **isolated** *adj* **1.** (*remote*) isolé; ***the islanders feel ~*** les habitants de l'île se sentent isolés **2.** (*single*) isolé **isolation** [ˌaɪsəʊ'leɪʃən] *n* (*state, remoteness*) isolement *m*; ***he was in ~ for three months*** (*in hospital*) il a été en isolement pendant trois mois; ***to live in ~*** vivre dans l'isolement; ***to consider sth in ~*** considérer qc isolément **isolation ward** *n* service *m* des contagieux
isosceles [aɪ'sɒsɪliːz] *adj* ***~ triangle*** triangle isocèle
ISP IT *abbr* = **Internet service provider** FAI *m*, fournisseur *m* d'accès à Internet
Israel ['ɪzreɪl] *n* Israël **Israeli** [ɪz'reɪlɪ] **I** *adj* israélien **II** *n* Israélien(ne) *m*(*f*)
issue ['ɪʃuː] **I** *v/t documents, tickets etc.* délivrer; *ammunition* fournir; *banknotes, stamps* émettre; *order* donner (***to*** à); *declaration* faire; *warning, ultimatum* lancer; ***to ~ sth to sb/ sb with sth*** fournir qc à qn; ***all troops are ~d***

with ... toutes les troupes reçoivent... **II** *v/i* (*liquid, gas*) sortir, s'échapper (***from*** de) **III** *n* **1.** (*question, matter*) question *f*; (*problematic*) problème *m*; ***she raised the ~ of human rights*** elle a soulevé la question des droits de l'homme; ***the whole future of the country is at ~*** tout l'avenir du pays est en question; ***this matter is not at ~*** là n'est pas la question; ***to take ~ with sb over sth*** être en désaccord avec qn sur qc; ***to make an ~ of sth*** monter qc en épingle; ***to avoid the ~*** esquiver la question **2.** ***to force the ~*** forcer la décision **3.** (*of banknotes etc.*) émission *f* **4.** (*magazine etc.*) numéro *m*

IT *abbr* = **information technology**

it [ɪt] **I** *pron* **1.** (*subj*) il, elle; (*dir obj*) le, la; (*indir obj*) lui; ***under*** *etc.* ***it*** dessous; ***who is it? — it's me*** *or* (*form*) ***I*** qui est-ce? — c'est moi; ***what is it?*** qu'est-ce que c'est?; (*what's the matter?*) qu'est-ce qu'il y a?; ***that's not it*** (*not the trouble*) ce n'est pas le problème; (*not the point*) ce n'est pas la question; ***the audacity of it!*** quelle audace!; ***I like it here*** je me plais bien ici **2.** (*indef subject*) ***it's raining*** il pleut; ***yes, it is a problem*** oui, c'est un problème; ***it seems simple to me*** ça me paraît simple; ***if it hadn't been for her, we would have come*** sans elle, nous serions venus; ***it wasn't me*** ce n'était pas moi; ***I don't think it (is) wise of you ...*** cela ne me semble pas prudent que tu...; ***it is said that ...*** on dit que...; ***it was him*** *or* ***he*** (*form*) ***who asked her*** c'est lui qui lui a demandé; ***it's his appearance I object to*** c'est son apparence qui me déplaît **3.** (*inf phrases*) ***that's it!*** (*agreement*) c'est ça!; (*annoyed*) c'est tout!; ***this is it!*** (*before action*) nous y voilà! **II** *n infml* **1.** (*in games*) ***you're it!*** c'est toi le chat! **2.** ***he thinks he's it*** il s'y croit *infml*

Italian [ɪ'tæljən] **I** *adj* italien **II** *n* **1.** Italien(ne) *m(f)* **2.** LING italien *m*

italic [ɪ'tælɪk] **I** *adj* italique **II** *n* **italics** *pl* italique *m*; ***in ~s*** en italique

Italy ['ɪtəlɪ] *n* Italie *f*

itch [ɪtʃ] **I** *n lit* démangeaison *f*; ***I have an ~*** ça me démange; ***I have the ~ to do sth*** *infml* ça me démange de faire qc *infml* **II** *v/i* **1.** *lit* avoir des démangeaisons; ***my back is ~ing*** j'ai le dos qui me démange **2.** *fig, infml* ***he is ~ing to ...*** ça le démange de... **itchy** ['ɪtʃɪ] *adj* ⟨**+er**⟩ **1.** (*itching*) qui démange; ***my back is ~*** j'ai le dos qui me démange; ***I have an ~ leg*** ma jambe me démange; ***I have ~ feet*** *infml* j'ai la bougeotte *infml* **2.** *cloth* qui gratte

it'd ['ɪtəd] *contr* = **it would**, **it had**

item ['aɪtəm] *n* **1.** (*on agenda etc.*) point *m*, question *f*; (COMM: *in account book*) écriture *f*; (*article*) article *m* ***~s of clothing*** vêtements **2.** (*of news*) article *m*; (*short:* RADIO, TV) information *f* **3.** *infml* ***Anne and Jean are an ~*** Anne et Jean sortent ensemble *infml* **itemize** ['aɪtəmaɪz] *v/t* détailler

itinerant [ɪ'tɪnərənt] *adj* itinérant, nomade; ***an ~ lifestyle*** un mode de vie itinérant; ***~ worker*** travailleur itinérant

itinerary [aɪ'tɪnərərɪ] *n* (*route, map*) itinéraire *m*

it'll ['ɪtl] *contr* = **it will**, **it shall**

its [ɪts] *poss adj* son, sa; (*plural*) ses

it's [ɪts] *contr* = **it is**, **it has**

itself [ɪt'self] *pron* **1.** (*reflexive*) se **2.** *emph* lui-même, elle-même; ***and now we come to the text ~*** et maintenant nous en venons au texte lui-même; ***the frame ~ is worth $1,000*** le cadre seul vaut 1000 dollars; ***she has been kindness ~*** elle a été la gentillesse même; ***in ~, the amount is not important*** en soi, le montant n'est pas important **3.** ***by ~*** (*alone*) en soi; (*automatically*) tout seul; ***seen by ~*** considéré en soi; ***the bomb went off by ~*** la bombe a explosé toute seule

ITV *Br abbr* = **Independent Television** *chaînes de télévision privées britanniques*

IUD *abbr* = **intrauterine device** stérilet *m*

I've [aɪv] *contr* = **I have**

IVF *abbr* = **in vitro fertilization** FIV *f*

ivory ['aɪvərɪ] **I** *n* ivoire *m* **II** *adj* **1.** en ivoire, d'ivoire **2.** (*color*) ivoire **ivory tower** *n fig* tour *f* d'ivoire

ivy ['aɪvɪ] *n* lierre *m* **Ivy League** *n US ensemble des huit universités les plus prestigieuses du nord-est des États-Unis*

J

J, j [dʒeɪ] *n* J, j *m inv*
jab [dʒæb] **I** *v/t* (*with elbow*) donner un coup de coude à; (*with knife*) donner un coup de couteau à; ***she ~bed the jellyfish with a stick*** elle a enfoncé un bâton dans la méduse *infml*; ***he ~bed his finger at the map*** il a pointé son doigt sur la carte **II** *v/i* donner un coup (***at sb*** à qn), piquer (***at sb*** qn) **III** *n* **1.** (*with elbow*) coup *m*; (*with needle*) piqûre *f* **2.** (*Br infml injection*) piqûre *f*
jabber ['dʒæbəʳ] *v/i* (*a.* **jabber away**) jacasser
jack [dʒæk] *n* **1.** AUTO cric *m* **2.** CARD valet *m*
jackdaw ['dʒækdɔː] *n* choucas *m*
jacket ['dʒækɪt] *n* **1.** blouson *m*; (*tailored jacket*) veste *f* **2.** (*of book*) jaquette *f*; (*US: of record*) pochette *f* **3.** *Br* ***~ potatoes*** pomme de terre en robe des champs (cuite au four)
jack-in-the-box *n* diable *m* (à ressort)
jackknife ['dʒæknaɪf] *v/i* ***the truck ~d*** le camion s'est mis en portefeuille
jack of all trades [ˌdʒækəvɔːl'treɪdz] *n* ***to be (a) ~*** être un touche-à-tout **jackpot** ['dʒækpɒt] *n* pot *m*; (*in lottery etc.*) gros lot *m*; ***to hit the ~*** (*in lottery*) gagner le gros lot; *fig* faire un malheur
Jacuzzi® [dʒə'kuːzɪ] *n* jacuzzi® *m*
jade [dʒeɪd] **I** *n* (*stone*) jade *m*; (*color*) vert *m* jade **II** *adj* de *or* en jade; (*color*) vert jade
jaded ['dʒeɪdɪd] *adj* (*mentally dulled*) las(se); (*from overindulgence etc.*) blasé
jagged ['dʒægɪd] *adj*; *tear* irrégulier (-ière); *rocks* dentelé; *mountains* découpé
jail [dʒeɪl] **I** *n* prison *f*; ***in ~*** en prison; ***to go to ~*** aller en prison **II** *v/t* mettre en prison, incarcérer **jailbreak** *n* évasion *f* **jailhouse** *n US* prison *f* **jail sentence** *n* peine *f* de prison
jam¹ [dʒæm] *n Br* confiture *f*
jam² **I** *n* **1.** (*traffic jam*) embouteillage *m*, bouchon *m* **2.** (*blockage*) blocage *m* **3.** (*infml tight spot*) pétrin *m*; ***to be in a ~*** être dans le pétrin *infml*; ***to get sb/oneself out of a ~*** sortir qn / se sortir du pétrin *infml* **II** *v/t* **1.** (*wedge*) bloquer; (*between two things*) coincer; ***they had him ~med up against the wall*** ils l'ont coincé contre le mur; ***it's ~med*** c'est bloqué; ***he ~med his finger in the door*** il s'est coincé le doigt dans la porte **2.** (*cram*) *things* fourrer (***into*** dans); *people* entasser; ***to be ~med together*** (*things*) être entassés; (*people*) être serrés les uns contre les autres **3.** *street etc.* encombrer, obstruer; *phone lines* encombrer, saturer **4.** ***to ~ one's foot on the brake*** écraser la pédale de frein **III** *v/i* (*brake*) se bloquer; (*gun*) s'enrayer; (*window etc.*) se coincer, se bloquer; ***the key ~med in the lock*** la clé s'est coincée dans la serrure ◆ **jam in** *v/t sep* coincer; ***he was jammed in by the crowd*** il était coincé par la foule ◆ **jam on** *v/t sep* **1.** ***to ~ the brakes*** écraser la pédale de frein **2.** ***to ~ one's hat*** enfoncer son chapeau
Jamaica [dʒə'meɪkə] *n* Jamaïque *f*
jamb [dʒæm] *n* (*of door / window*) jambage *m*
jam jar *n Br* pot *m* à confiture
jammy ['dʒæmɪ] *adj* ⟨**+er**⟩ (*Br infml*) verni *infml*, veinard *infml*; ***a ~ shot*** un coup de pot *infml*
jam-packed *adj* plein à craquer; ***~ with tourists*** bondé de touristes **jam tart** *n* tarte *f* à la confiture
Jan *abbr* = **January** janvier
jangle ['dʒæŋgl] **I** *v/i* (*bells*) tinter, retentir **II** *v/t money* faire sonner; *keys* faire cliqueter
janitor ['dʒænɪtəʳ] *n* gardien(ne) *m(f)*, concierge *m/f*
January ['dʒænjʊərɪ] *n* janvier *m*; → **September**
Japan [dʒə'pæn] *n* Japon *m*
Japanese [ˌdʒæpə'niːz] **I** *adj* japonais **II** *n* **1.** Japonais(e) *m(f)* **2.** LING japonais *m*
jar¹ [dʒɑːʳ] *n* (*for preserves etc.*) pot *m*
jar² **I** *n* (*jolt*) secousse *f* **II** *v/i* (*note*) écorcher les oreilles; (*colors*) jurer **III** *v/t* **1.** *knee* se cogner à **2.** (*jolt continuously*) secouer ◆ **jar on** *v/t insep* irriter
jargon ['dʒɑːgən] *n* jargon *m*
jasmin(e) ['dʒæzmɪn] *n* jasmin *m*
jaundice ['dʒɔːndɪs] *n* jaunisse *f*
jaunt [dʒɔːnt] *n* excursion *f*; ***to go for a ~*** partir en excursion
jauntily ['dʒɔːntɪlɪ] *adv* de manière enjouée; ***with his hat perched ~ over***

one ear son chapeau gaiement penché sur une oreille **jaunty** ['dʒɔːntɪ] *adj* enjoué

javelin ['dʒævlɪn] *n* javelot *m*; ***in the ~*** SPORTS au lancer du javelot

jaw [dʒɔː] *n* mâchoire *f*; ***the lion opened its ~s*** le lion a ouvert la gueule; ***his ~ dropped*** il en est resté bouche bée **jawbone** ['dʒɔːbəʊn] *n* mâchoire *f*, maxillaire *m*

jay [dʒeɪ] *n* geai *m*

jaywalking *n* traversée *f* d'une rue en dehors des passages pour piétons

jazz [dʒæz] **I** *n* MUS jazz *m* **II** *attr* de jazz ◆ **jazz up** *v/t sep* égayer *infml*

jazzy ['dʒæzɪ] *adj* **1.** *color, dress, tie* bariolé; *pattern* bigarré **2.** *music* jazzy

JCB® *n Br* tractopelle *f*

jealous ['dʒeləs] *adj* jaloux(-ouse); ***to be ~ of sb*** être jaloux de qn **jealously** ['dʒeləslɪ] *adv* **1.** jalousement **2.** (*enviously*) avec envie **jealousy** *n* **1.** jalousie *f* (**of** de) **2.** (*envy*) envie *f*

jeans [dʒiːnz] *pl* jeans *m*; ***a pair of ~*** un jeans

Jeep® [dʒiːp] *n* jeep® *f*

jeer [dʒɪəʳ] **I** *n* ***~s*** huées *fpl* **II** *v/i* se moquer; (*boo*) huer; ***to ~ at sb*** se moquer de qn **III** *v/t* se moquer de **jeering** ['dʒɪərɪŋ] *n* railleries *fpl*; (*booing*) huées *fpl*

Jehovah's Witness *n* Témoin *m* de Jéhovah

Jell-O® ['dʒeləʊ] *n US* gelée *f* (parfumée aux fruits) **jelly** ['dʒelɪ] *n* gelée *f* de fruits; (*esp US preserve*) confiture *f*; (*esp Br dessert*) gelée *f* (parfumée aux fruits); (*around meat etc.*) gelée *f*; ***my legs were like ~*** j'avais les jambes en coton *infml* **jelly baby** *n Br* bonbon *m* (mou) **jellyfish** *n* méduse *f* **jelly jar** *n US* pot *m* de confiture

jeopardize ['dʒepədaɪz] *v/t* menacer, *chance* compromettre **jeopardy** ['dʒepədɪ] *n* danger *m*; ***in ~*** menacé; ***to put sb / sth in ~*** menacer qn / qc

jerk [dʒɜːk] **I** *n* **1.** mouvement *m* brusque, secousse *f*; (*twitch*) soubresaut *m*; ***to give sth a ~*** donner un coup sec à qc; *rope* tirer qc d'un coup sec; ***the train stopped with a ~*** le train s'est arrêté avec une secousse **2.** (*infml person*) couillon *m infml* **II** *v/t* donner un coup de; ***the impact ~ed his head forward / back*** le choc a projeté sa tête vers l'avant/l'arrière; ***he ~ed his head back*** il a rejeté la tête en arrière **III** *v/i* ***the car ~ed forward*** la voiture avança par secousses; ***the car ~ed to a stop*** la voiture s'est arrêtée avec une secousse ◆ **jerk off** *v/i sl* se branler *sl*

jerky ['dʒɜːkɪ] *adj* saccadé

Jersey ['dʒɜːzɪ] *n* **1.** Jersey *f* **2.** (*cow*) vache *f* de race jersiaise

jersey ['dʒɜːzɪ] *n* FTBL *etc.* maillot *m*; *Br* pull-over *m*

Jerusalem [dʒə'ruːsələm] *n* Jérusalem **Jerusalem artichoke** *n* topinambour *m*

jest [dʒest] *n* plaisanterie *f*; ***in ~*** pour plaisanter **jester** ['dʒestəʳ] *n* HIST bouffon *m*

Jesuit ['dʒezjʊɪt] *n* jésuite *m*

Jesus ['dʒiːzəs] **I** *n* Jésus *m*; ***~ Christ*** Jésus-Christ **II** *int sl* bon sang *infml*; ***~ Christ!*** nom de Dieu! *sl*

jet [dʒet] **I** *n* **1.** (*of water*) jet *m*; ***a thin ~ of water*** un fin jet d'eau **2.** (*nozzle*) bec *m*; IT buse *f* **3.** (*a.* **jet plane**) avion *m* à réaction, jet *m* **II** *attr* AVIAT à réaction ◆ **jet off** *v/i* s'envoler *infml* (**to** pour)

jet-black [ˌdʒet'blæk] *adj* de jais

jet engine *n* moteur *m* à réaction **jet fighter** *n* chasseur *m* à réaction **jet foil** *n* hydroglisseur *m* **jet lag** *n* décalage *m* horaire; ***he's suffering from ~*** il souffre du décalage horaire **jetlagged** *adj* ***to be ~*** souffrir du décalage horaire **jet plane** *n* avion *m* à réaction **jet propulsion** *n* propulsion *f* à réaction **jet-propelled** *adj* à réaction **jet set** *n* jet-set *m* **jet-setter** *n* membre *m* du jet-set **jet ski** *n* jet-ski® *m*

jettison ['dʒetɪsn] *v/t* **1.** NAUT, AVIAT jeter par-dessus bord **2.** *fig plan* abandonner; *articles* rejeter

jetty ['dʒetɪ] *n* jetée *f*

Jew [dʒuː] *n* juif(-ive) *m*(*f*)

jewel ['dʒuːəl] *n* pierre *f* précieuse; (*piece of jewelry*) bijou *m* **jeweler**, *Br* **jeweller** ['dʒuːələʳ] *n* bijoutier(-ière) *m*(*f*); (*making jewelry*) fabricant(e) *m*(*f*) de bijou; ***at the ~'s (shop)*** *Br* à la bijouterie

jewelry, *Br* **jewellery** ['dʒuːəlrɪ] *n* bijoux *mpl*; ***a piece of ~*** un bijou

Jewish ['dʒuːɪʃ] *adj* juif(-ive) *m*(*f*)

jibe [dʒaɪb] *n* = **gibe**

jiffy ['dʒɪfɪ], **jiff** *n infml* seconde *f infml*; ***I won't be a ~*** j'en ai pour une seconde; (*back soon*) je reviens tout de suite; ***in a ~*** en un clin d'œil **Jiffy bag®** *n Br* enveloppe *f* matelassée

jig [dʒɪg] **I** *n* gigue *f* **II** *v/i* (*fig*: *a.* **jig around**) danser; ***to ~ up and down*** sautiller

jiggle ['dʒɪgl] **I** *v/t* remuer; *handle* agiter **II** *v/i* (*a.* **jiggle around**) s'agiter

jigsaw ['dʒɪgsɔː] *n* **1.** TECH scie *f* sauteuse **2.** (*a.* **jigsaw puzzle**) puzzle *m*

jilt [dʒɪlt] *v/t lover* éconduire; ***~ed*** éconduit

jingle ['dʒɪŋgl] **I** *n* (***advertising***) **~** jingle *m* publicitaire **II** *v/i* (*keys etc.*) cliqueter; (*bells*) tinter **III** *v/t keys* faire cliqueter; *bells* faire tinter

jingoism ['dʒɪŋgəʊɪzəm] *n* chauvinisme *m*

jinx [dʒɪŋks] *n* ***there must be*** *or* ***there's a ~ on it*** il doit y avoir un mauvais sort sur lui; ***to put a ~ on sth*** porter malheur à qc **jinxed** [dʒɪŋkst] *adj* qui a la guigne *infml*

jitters ['dʒɪtəz] *pl infml* ***he had the ~*** il a eu la frousse *infml*; ***to give sb the ~*** rendre qn nerveux *infml* **jittery** ['dʒɪtərɪ] *adj infml* nerveux(-euse)

jive [dʒaɪv] *v/i* danser le rock

Jnr. *abbr* = **junior** junior

job [dʒɒb] *n* **1.** (*piece of work*) travail *m*; ***I have a ~ to do*** j'ai un travail à faire; ***I have a little ~ for you*** j'ai un petit travail pour toi; ***to make a good ~ of sth*** faire du beau travail avec qc; ***we could do a better ~ of running the company*** nous nous en sortirions mieux si nous dirigions l'entreprise; ***I had a ~ convincing him*** *Br* il m'a fallu du temps pour le convaincre **2.** (*employment*) emploi *m*; travail *m*; ***to look for / get / have a ~*** rechercher / trouver / avoir un emploi; ***to lose one's ~*** perdre son travail; ***500 ~s lost*** 500 suppressions d'emploi **3.** (*duty*) rôle *m*; ***that's not my ~*** ce n'est pas mon rôle; ***it's not my ~ to tell him*** ce n'est pas à moi de lui dire; ***I had the ~ of breaking the news to her*** c'est moi qui ai dû lui apprendre la nouvelle; ***he's not doing his ~*** il ne fait pas son travail; ***I'm only doing my ~*** je ne fais que mon travail **4.** ***that's a good ~!*** bravo!; ***it's a good ~ I brought my check book*** heureusement que j'ai apporté mon carnet de chèques; ***to give sb / sth up as a bad ~*** laisser tomber qn / qc; ***to make the best of a bad ~*** faire contre mauvaise fortune bon cœur; ***that should do the ~*** cela devrait faire l'affaire *infml*; ***this is just the ~*** *Br* ça ira parfaitement **5.** (*infml operation*) ***to have a nose ~*** se faire refaire le nez **job advertisement** *n* offre *f* d'emploi **jobbing** ['dʒɒbɪŋ] *adj Br* à la tâche **Jobcentre** *n Br* agence *f* pour l'emploi **job creation** *n* création *f* d'emplois; ***~ scheme*** programme de création d'emploi **job cuts** *pl* suppression *f* d'emplois **job description** *n* descriptif *m* de poste **job-hunting** *n* recherche *f* d'emploi; ***to be ~*** être en recherche d'emploi **job interview** *n* entretien *m* d'embauche **jobless** *adj* sans emploi **job loss** *n* suppression *f* d'emploi ***there were 1,000 ~es*** il y a eu 1000 suppressions d'emplois **job lot** *n* (*Br* COMM) lot *m* d'articles dépareillés **job satisfaction** *n* satisfaction *f* professionnelle **job security** *n* sécurité *f* de l'emploi **jobseeker** *n Br* demandeur(-euse) *m*(*f*) d'emploi; ***~'s allowance*** allocation *f* de demandeur d'emploi **job sharing** *n* emploi *m* partagé

jockey ['dʒɒkɪ] **I** *n* jockey *m* **II** *v/i* ***to ~ for position*** *fig* lutter pour la première place **jockey shorts** *pl* slip *m* (d'homme)

jockstrap ['dʒɒkstræp] *n* suspensoir *m*

jocular ['dʒɒkjʊləʳ] *adj* enjoué, badin

jodhpurs ['dʒɒdpəz] *pl* jodhpurs *mpl*

jog [dʒɒg] **I** *v/t* heurter; *person* heurter; ***to ~ sb's memory*** rafraîchir la mémoire de qn **II** *v/i* (*horse*) trottiner; SPORTS faire du jogging, courir **III** *n* SPORTS jogging *m*; ***to go for a ~*** SPORTS aller courir ◆ **jog along** *v/i* **1.** (*go along*: *person*, *vehicle*) avancer **2.** *fig* aller son petit bonhomme de chemin *infml*

jogger ['dʒɒgəʳ] *n* joggeur(-euse) *m*(*f*) **jogging** ['dʒɒgɪŋ] *n* jogging *m* **jogging pants** *pl* pantalon *m* de survêtement

john [dʒɒn] *n* (*esp US infml*) (*toilet*) petit coin *m infml*, toilettes *fpl*

John Bull *n Br* John Bull *m* (*l'Anglais caricatural*)

John Doe *n US* monsieur *m* X

John Hancock [ˌdʒɒn'hæŋkɒk] *n* (*infml signature*) signature *f*

join [dʒɔɪn] **I** *v/t* **1.** (*unite*) joindre (***to*** à); ***to ~ two things together*** réunir deux choses; ***to ~ hands*** se donner la main **2.** *army* s'engager dans; *the EU* rejoindre; *political party*, *club* devenir membre de; *firm* entrer dans; *group* arriver dans; ***to ~ the line*** se mettre dans la file d'attente; ***he ~ed us in France*** il nous a rejoint en France; ***I'll ~ you in five minutes*** je vous rejoins dans cinq minutes; ***may I ~ you?*** puis-je me joindre à vous?; (*sit with you*) puis-je m'asseoir avec vous?; (*in game etc.*) puis-je jouer avec vous?; ***will you ~ us?*** voulez-vous vous joindre à nous?; (*sit with us*) voulez-vous vous asseoir avec nous?; (*come with us*) voulez-vous venir avec nous?; ***will you ~ me in a drink?*** vous prendrez un verre avec moi? **3.** (*river, road*) relier **II** *v/i* **1.** (*a.* **join together**) (*be attached*) être attaché; (*be attachable*) s'attacher; (*rivers*) confluer; (*roads*) se rejoindre; ***to ~ together in doing sth*** s'associer pour faire qc **2.** (*club member*) devenir membre **III** *n* raccord *m* ◆ **join in** *v/i* participer; (*in activity*) participer à; (*in protest*) se rallier à; (*in conversation*) prendre part à; ***everybody joined in the chorus*** tout le monde a chanté le refrain; ***he didn't want to ~ the fun*** il n'a pas voulu faire la fête avec les autres ◆ join up **I** *v/i* **1.** (*Br* MIL) s'engager **2.** (*roads etc.*) se rejoindre **II** *v/t sep* relier

joiner ['dʒɔɪnəʳ] *n* menuisier(-ière) *m(f)*

joint [dʒɔɪnt] **I** *n* **1.** ANAT articulation *f*; ***ankle ~*** l'articulation de la cheville **2.** (*in woodwork*) joint *m*; (*in pipe etc.*) raccord *m* **3.** (*Br* COOK) rôti *m*; ***a ~ of beef*** un rôti de bœuf **4.** *infml* (*place*) bouiboui *m infml* **5.** (*infml: of marijuana*) joint *m infml* **II** *adj attr* commun; *strength* conjoint; ***he finished ~ second*** *or* ***in ~ second place*** *Br* il a terminé deuxième ex æquo; ***it was a ~ effort*** c'est le fruit d'une collaboration **joint account** *n* compte *m* joint **jointed** *adj* articulé **jointly** ['dʒɔɪntlɪ] *adv* conjointement; ***to be ~ owned by ...*** appartenir en copropriété à ... **joint owner** *n* copropriétaire *m/f* **joint ownership** *n* copropriété *f* **joint stock** *n* capital-actions *m* **joint stock company** *n* société *f* par actions **joint venture** *n* coentreprise *f*, joint-venture *f* COMM

joist [dʒɔɪst] *n* poutre *f*, solive *f*; (*of metal, concrete*) poutre *f*

joke [dʒəʊk] **I** *n* plaisanterie *f*; (*hoax*) farce *f*; (*prank*) blague *f*; ***for a ~*** pour plaisanter; ***I don't see the ~*** je ne vois pas ce qu'il y a de drôle; ***he can't take a ~*** il ne comprend pas la plaisanterie; ***what a ~!*** quelle mascarade!; ***it's no ~*** c'est sérieux; ***this is getting beyond a ~*** *Br* la plaisanterie a assez duré; ***to play a ~ on sb*** faire une blague à qn; ***to make a ~ of sth*** tourner qc à la plaisanterie; ***to make ~s about sb / sth*** plaisanter sur qn / qc **II** *v/i* plaisanter (***about*** sur); (*pull sb's leg*) blaguer; ***I'm not joking*** je t'assure; ***you must be joking!*** tu plaisantes!; ***you're joking!*** tu veux rire! **joker** ['dʒəʊkəʳ] *n* **1.** (*person*) farceur(-euse) *m(f)* **2.** CARD joker *m* **joking** ['dʒəʊkɪŋ] **I** *adj tone* de la plaisanterie; ***it's no ~ matter*** on ne plaisante pas avec ça **II** *n* plaisanterie *f*; ***~ apart*** *or* ***aside*** *Br* toute plaisanterie mise à part **jokingly** ['dʒəʊkɪŋlɪ] *adv* en plaisantant **joky** ['dʒəʊkɪ] *adj* marrant

jolly ['dʒɒlɪ] **I** *adj esp Br* joyeux(-euse) **II** *adv* (*obs Br infml*) fichtrement *infml*; *nice* bigrement *infml*; ***~ good*** formidable *infml*; ***I should ~ well hope / think so!*** j'espère bien!

jolt [dʒəʊlt] **I** *v/i* (*vehicle*) brinquebaler; (*give one jolt*) faire un à-coup **II** *v/t lit* (*shake*) secouer; (*once*) donner une secousse; *fig* ***she was ~ed awake*** elle a été réveillée en sursaut **III** *n* **1.** (*jerk*) secousse *f* **2.** *fig, infml* sursaut *m*

jostle ['dʒɒsl] **I** *v/i* se bousculer **II** *v/t* bousculer

jot [dʒɒt] *n infml* ***it won't do a ~ of good*** ça ne donnera rien de bon; ***this won't affect my decision one ~*** cela ne changera pas ma décision d'un iota ◆ **jot down** *v/t sep* noter; ***to ~ notes*** prendre des notes

jotter ['dʒɒtəʳ] *n Br* bloc-notes *m*

journal ['dʒɜːnl] *n* **1.** (*magazine*) revue *f* **2.** (*diary*) journal *m*; ***to keep a ~*** tenir son journal **journalese** [ˌdʒɜːnə'liːz] *n* jargon *m* journalistique **journalism** ['dʒɜːnəlɪzəm] *n* journalisme *m* **journalist** ['dʒɜːnəlɪst] *n* journaliste *m/f*

journey ['dʒɜːnɪ] **I** *n* voyage *m*; ***to go on a ~*** partir en voyage; ***it's a ~ of 50 miles*** c'est un voyage de 50 miles; ***it's a two-day ~ to get to ... from here*** d'ici, il faut deux jours pour aller à ...; ***a train ~*** un voyage en train; ***the ~ home*** le (voyage de) retour; ***he has quite a ~ to get to work*** il a de longs trajets pour aller au travail; ***a ~ of discovery*** un voyage de découverte **II** *v/i* voyager

jovial ['dʒəʊvɪəl] *adj* jovial

jowl [dʒaʊl] *n* (*often pl*) bajoue *f*

joy [dʒɔɪ] *n* **1.** joie *f*; ***to my great ~*** à ma grande joie; ***this car is a ~ to drive*** cette voiture est très agréable à conduire; ***one of the ~s of this job is ...*** l'une des plaisirs de ce travail c'est ... **2.** *no pl* (*Br infml success*) ***any ~?*** ça a donné quelque chose? *infml*; ***no joy*** ça n'a rien donné; ***you won't get any ~ out of him*** tu ne vas rien tirer de lui **joyful** ['dʒɔɪfʊl] *adj* joyeux(-euse) **joyous** ['dʒɔɪəs] *adj liter* joyeux(-euse) **joy-rider** *n* chauffard *m* faisant du rodéo avec une voiture volée **joyriding** *n* rodéo *m* avec une voiture volée **joystick** *n* AVIAT manche *m* à balai; IT manette *f* de jeu, joystick *m*

JPEG ['dʒeɪpeg] *n abbr* = **Joint Photographic Experts Group** JPEG

Jr. *abbr* = **junior** Jr

jubilant ['dʒuːbɪlənt] *adj* débordant de joie **jubilation** [ˌdʒuːbɪ'leɪʃən] *n* jubilation *f* **jubilee** ['dʒuːbɪliː] *n* jubilé *m*

Judaism ['dʒuːdeɪɪzəm] *n* judaïsme *m*

judder ['dʒʌdər] *v/i* être secoué; (*brakes, clutch etc.*) brouter; ***the train ~ed to a halt*** le train s'est immobilisé en faisant un à-coup

judge [dʒʌdʒ] **I** *n* **1.** JUR juge *m/f*; (*of competition*) juge *m/f* **2.** *fig* juge *m/f*; ***to be a good ~ of character*** savoir bien cerner les gens; ***I'll be the ~ of that*** c'est moi qui jugerai **II** *v/t* **1.** JUR *case* juger **2.** *competition* juger **3.** (*fig pass judgement on*) juger; ***you shouldn't ~ people by appearances*** il ne faut pas juger les gens sur leur mine; ***you can ~ for yourself*** jugez vous-même; ***how would you ~ him?*** comment le trouvez-vous? **4.** *speed etc.* estimer **III** *v/i* **1.** (*at competition*) faire parti du jury **2.** *fig* (*pass judgement*) juger; (*form an opinion*) juger; ***as*** *or* ***so far as one can ~*** autant qu'on puisse en juger; ***judging by sth*** à en croire qc; ***to ~ by appearances*** en juger par l'apparence; ***he let me ~ for myself*** il m'a laissé juger par moi--même

judg(e)ment ['dʒʌdʒmənt] *n* **1.** JUR jugement *m*; ***to pass*** *or* ***give ~*** prononcer *or* rendre un jugement (***on*** sur) **2.** (*opinion*) avis *m*; (*of speed etc.*) estimation *f*; ***in my ~*** à mon avis; ***against one's better ~*** en étant conscient de commettre une erreur **3.** (*discernment*) discernement *m* **judg(e)mental** [dʒʌdʒ'mentl] *adj* critique **Judg(e)ment Day** *n* le Jugement dernier

judicial [dʒuː'dɪʃəl] *adj* JUR judiciaire; ***~ system*** système judiciaire **judiciary** [dʒuː'dɪʃɪərɪ] *n* (*system*) système *m* judiciaire; (*judges*) magistrature *f*

judo ['dʒuːdəʊ] *n* judo *m*

jug [dʒʌg] *n* pichet *m*

juggernaut ['dʒʌgənɔːt] *n Br* poids *m* lourd

juggle ['dʒʌgl] **I** *v/i* jongler **II** *v/t balls* jongler avec; *figures* jongler avec; ***many women have to ~ (the demands of) family and career*** beaucoup de femmes doivent jongler entre (les exigences de) leur famille et leur carrière **juggler** ['dʒʌglər] *n lit* jongleur(-euse) *m(f)*

jugular ['dʒʌgjʊlər] *n* **~ (*vein*)** (veine *f*) jugulaire *f*

juice [dʒuːs] *n lit, fig, infml* jus *m* **juicy** ['dʒuːsɪ] *adj* juteux(-euse); *story* croustillant

jukebox ['dʒuːkbɒks] *n* juke-box *m*

Jul. *abbr* = **July**

July [dʒuː'laɪ] *n* juillet *m*; → **September**

> **Fourth of July**
>
> Fête nationale de l'indépendance des États-Unis, qui s'affranchirent de la Grande-Bretagne en 1776. Les réjouissances sont souvent marquées par des feux d'artifice, des défilés, des pique-niques et des matches de base-ball. On retrouve partout le drapeau américain en guise de décoration: sur les chapeaux, les assiettes en carton etc.

jumble ['dʒʌmbl] **I** *v/t* (*a.* **jumble up**) **1.** *lit* mélanger; ***~d up*** mélangé; ***a ~d mass of wires*** une masse de fils entremêlés; ***his clothes are ~d together on the bed*** ses vêtements sont en pagaille sur le lit **2.** *fig facts* mélanger **II** *n* **1.** (*of objects*) méli-mélo *m*; (*of words*) mélange *m* **2.** *no pl Br* = **rummage jumble sale** *n Br* = **rummage sale**

jumbo ['dʒʌmbəʊ] *n* (*jumbo jet*) gros--porteur *m* **jumbo-sized** ['dʒʌmbəʊˌsaɪzd] *adj* géant

jump [dʒʌmp] **I** *n* **1.** saut *m*; (*on race--course*) obstacle *m*; (*of prices*) augmentation *f* **2.** (*start*) ***to give a ~*** sursauter **II** *v/i* **1.** sauter; (*prices*) grimper; ***to ~ for joy*** sauter de joie; ***to ~ to one's feet*** se lever d'un bond; ***to ~ to conclusions***

tirer des conclusions hâtives; ***~ to it!*** et que ça saute!; ***the movie suddenly ~s from the 18th into the 20th century*** le film saute brusquement du XXVIIIe au XXe siècle; ***if you keep ~ing from one thing to another*** si tu n'arrêtes pas de passer d'une chose à l'autre **2.** (*start*) sursauter; ***you made me ~*** tu m'as fait sursauter **III** *v/t fence etc.* sauter; ***to ~ the lights*** brûler un feu rouge; ***to ~ the queue*** *Br* passer avant son tour dans une file d'attente ◆ **jump at** *v/t insep chance* sauter sur ◆ **jump down** *v/i* sauter (***from*** de); ***to ~ sb's throat*** sauter à la gorge de qn ◆ **jump in** *v/i* monter dans; ***~!*** (*to car*) allez, montez! ◆ **jump off** *v/i* sauter; (*from train, bus*) sauter de ◆ **jump on** *v/i* (*lit, onto vehicle*) monter dans ***to ~ (to) sb / sth*** se défouler sur qn / qc ◆ **jump out** *v/i* sauter; (*from vehicle*) descendre (***of*** de); (*when moving*) sauter (***of*** de); ***to ~ of the window*** sauter par la fenêtre ◆ **jump up** *v/i* sauter; (*onto sth*) sauter (***onto*** sur)

jumper ['dʒʌmpəʳ] *n* **1.** (*US dress*) robe *f* chasuble **2.** *Br* pull-over *m* **jumper cables** *n* (*US* AUTO) câbles *mpl* (de démarrage) **jump leads** *pl* (*Br* AUTO) = **jumper cables** **jump rope** *n US* corde *f* à sauter **jump suit** *n* combinaison *f* **jumpy** ['dʒʌmpɪ] *adj infml person* nerveux(-euse)

Jun. *abbr* = **June**

junction ['dʒʌŋkʃən] *n* RAIL embranchement *m*; (*of roads*) croisement *m* **junction box** *n* ELEC boîte *f* de dérivation

juncture ['dʒʌŋktʃəʳ] *n* ***at this ~*** au point où nous en sommes

June [dʒuːn] *n* juin *m*; → **September**

jungle ['dʒʌŋgl] *n* jungle *f*

junior ['dʒuːnɪəʳ] **I** *adj* **1.** (*younger*) fils; ***Hiram Schwarz, ~*** Hiram Schwarz fils **2.** *employee* débutant; *officer* subalterne; ***to be ~ to sb*** être au-dessous de qn **3.** SPORTS junior **II** *n* **1.** ***he is two years my ~*** il est mon cadet de deux ans **2.** (*US* UNIV) ≈ étudiant(e) *m(f)* de premier cycle **3.** (*Br* SCHOOL) ≈ élève *m/f* de primaire **junior high (school)** *n US* ≈ collège *m* **junior minister** *n* secrétaire *m* d'État **junior partner** *n* simple associé(e) *m(f)* **junior school** *n Br* ≈ école *f* primaire

junk [dʒʌŋk] *n* **1.** (*discarded objects*) rebut *m* **2.** (*infml trash*) camelote *f infml* **junk car** *n* épave *f infml* **junk food** *n* aliments *mpl* industriels trop riches en graisse; ***to eat ~*** mal s'alimenter **junkie** ['dʒʌŋkɪ] *n infml* junkie *m/f infml* **junk mail** *n* pub *f infml* **junk shop** *n* magasin *m* d'occasion

Jupiter ['dʒuːpɪtəʳ] *n* Jupiter

jurisdiction [ˌdʒʊərɪs'dɪkʃən] *n* juridiction *f*; (*range of authority*) compétence *f*

juror ['dʒʊərəʳ] *n* juré(e) *m(f)* **jury** ['dʒʊərɪ] *n* **1.** JUR ***the ~*** le jury; ***to sit*** *or* ***be on the ~*** faire partie du jury **2.** (*for competition*) jury *m* **jury duty**, *Br* **jury service** *n* participation *f* à un jury

just[1] [dʒʌst] *adv* **1.** (*with time*) juste; ***they have ~ left*** ils viennent juste de partir; ***she left ~ before I came*** elle est partie juste avant que j'arrive; ***~ after lunch*** tout de suite après le déjeuner; ***he's ~ coming*** il arrive; ***I'm ~ coming*** j'arrive; ***I was ~ going to …*** j'allais juste …; ***~ as I was going*** juste au moment où je partais; ***~ now*** (*in past*) tout à l'heure; ***not ~ now*** pas maintenant; ***~ now?*** maintenant? **2.** (*barely*) juste; ***it ~ missed*** c'est passé à côté; ***I have ~ enough to live on*** j'ai juste assez pour vivre; ***I arrived ~ in time*** je suis arrivé juste à temps **3.** (*exactly*) tout à fait, exactement; ***that's ~ like you*** c'est tout à fait toi; ***that's ~ it!*** c'est exactement ça; ***that's ~ what I was going to say*** c'est exactement ce que j'allais dire **4.** (*only*) juste; ***~ you and me*** juste toi et moi; ***he's ~ a boy*** il est encore jeune; ***I ~ don't like it*** c'est juste que ça ne me plaît pas; ***~ like that*** comme ça; ***you can't ~ assume …*** tu ne peux pas partir du principe …; ***it's ~ not good enough*** ce n'est pas suffisant **5.** (*with position*) juste; ***~ above the trees*** juste au-dessus des arbres; ***put it ~ over there*** mets-le là-bas; ***~ here*** ici **6.** (*absolutely*) vraiment; ***it's ~ terrible*** c'est vraiment terrible **7.** ***the blue hat is ~ as nice as the red one*** le chapeau bleu est tout aussi joli que le rouge; ***it's ~ as well …*** tant mieux …; ***~ as I thought!*** c'est ce que je pensais!; ***~ about*** presque; ***I am ~ about ready*** je suis presque prêt; ***did he make it in time? — ~ about*** il est arrivé à temps? – presque; ***I am ~ about fed up with it!*** *infml* je commence à en avoir marre de ça!

infml; **~ listen** écoutez; **~ shut up!** taisez-vous!; **~ wait here a moment** attendez ici un moment; **~ a moment!** attendez voir!; **I can ~ see him as a soldier** je l'imagine tout à fait en soldat; **can I ~ finish this?** est-ce que je peux finir ceci?

just² *adj* juste (**for** pour); **I had ~ cause to be alarmed** j'avais raison de m'inquiéter

justice ['dʒʌstɪs] *n* **1.** justice *f*; (*system*) justice *f*; **to bring sb to ~** traduire qn en justice; **to do him ~** lui rendre justice; **this photograph doesn't do her ~** cette photo ne la montre pas à son avantage; **you didn't do yourself ~ in the game** vous ne vous êtes pas montré à votre juste valeur dans ce match; **Department of ~** *US*, **Ministry of Justice** *Br* ministère de la Justice **2.** (*judge*) juge *m/f*; **Justice of the Peace** ≈ juge *m/f* de paix

justifiable [ˌdʒʌstɪ'faɪəbl] *adj* justifiable **justifiably** [ˌdʒʌstɪ'faɪəblɪ] *adv* de manière justifiable **justification** [ˌdʒʌstɪfɪ'keɪʃən] *n* justification *f* (*of, for* de); **as (a) ~ for his action** pour justifier son acte **justify** ['dʒʌstɪfaɪ] *v/t* **1.** justifier (**sth to sb** qc à qn); **he was justified in doing that** il a eu raison de faire cela **2.** TYPO, IT justifier **justly** ['dʒʌstlɪ] *adv* à juste titre; *treat* justement

jut [dʒʌt] *v/i* (*a.* **jut out**) pointer; **the peninsula ~s out into the sea** la presqu'île s'avance dans la mer; **to ~ out over the street** dépasser au-dessus de la rue

juvenile ['dʒuːvənaɪl] **I** *n* ADMIN juvénile **II** *adj* pour enfants; **~ crime** criminalité *f* juvénile **juvenile delinquency** *n* délinquance *f* juvénile **juvenile delinquent** *n* délinquant(e) *m(f)* juvénile

juxtapose ['dʒʌkstəˌpəʊz] *v/t* juxtaposer

K

K, k [keɪ] *n* K, k

K *abbr* (*in salaries etc.*) K; **15 K** 15 K

k *n* IT *abbr* = **kilobyte** Ko

kaleidoscope [kə'laɪdəskəʊp] *n* kaléidoscope *m*

kangaroo [ˌkæŋgə'ruː] *n* kangourou *m*

karaoke [ˌkærə'əʊkɪ] *n* karaoké *m*

karate [kə'rɑːtɪ] *n* karaté *m*

kayak ['kaɪæk] *n* kayak *m*

kcal ['keɪkæl] *abbr* = **kilocalorie** kcal

kebab [kə'bæb] *n* (chiche-)kébab *m*

keel [kiːl] *n* NAUT quille *f*; **he put the business back on an even ~** il a remis l'entreprise à flot *infml* ◆ **keel over** *v/i fig, infml* (*of structure*) se renverser; (*of person*) s'écrouler

keen [kiːn] *adj* **1.** *interest* profond; *intelligence* vif(vive); *sight* excellent; *supporter* fervent **2.** *wind* vif(vive); *blade* acéré **3.** *esp Br* (*enthusiastic*) enthousiaste; (*interested*) intéressé; **~ to learn** désireux d'apprendre; **to be ~ on sb** bien aimer qn; (*sexually*) désirer qn; **to be ~ on sth** être emballé par qc *infml*; (*on band*) être fan de qc *infml*; **to be ~ to do sth** tenir à faire qc; **he's not ~ on her coming** il ne tient pas à ce qu'elle vienne; **he's very ~ for us to go** il a vraiment envie que nous y allions **keenly** ['kiːnlɪ] *adv* **1.** *feel* avec acuité; *interested* vivement **2.** (*enthusiastically*) avec enthousiasme; **~ awaited** très attendu **keenness** ['kiːnnɪs] *n* (*enthusiasm*) enthousiasme *m*; (*of applicant, learner*) ardeur *f*

keep [kiːp] *vb* ⟨*past, past part* **kept**⟩ **I** *v/t* **1.** (*retain*) garder; **you can ~ this book** vous pouvez garder ce livre; **to ~ a place for sb** garder une place pour qn; **to ~ a note of sth** noter qc **2.** (*maintain*) garder, laisser; **he kept his hands in his pockets** il a gardé ses mains dans ses poches; **the garden was well kept** le jardin était bien entretenu; **to ~ sb waiting** faire attendre qn; **can't you ~ him talking?** est-ce que tu peux continuer de le faire parler?; **to ~ the traffic moving** garder la circulation fluide; **to ~ the conversation going** entretenir la conversation; **to ~ one's dress clean** réussir à ne pas salir sa robe; **to ~ sb quiet** (*from talking*) faire taire qn; (*from messing*) faire tenir qn tranquille; **just to ~ her happy** juste pour ne pas la contrarier; **to ~ sb alive** maintenir qn en vie; **to ~ oneself busy** s'occuper; **to ~**

oneself warm se protéger du froid **3.** (*have in certain place*) ranger; ***where do you ~ your spoons?*** où est-ce que tu ranges tes cuillères? **4.** (*put aside*) garder, mettre de côté; ***I've been ~ing it for you*** je te l'ai gardé **5.** (*detain*) retenir; ***I mustn't ~ you*** il ne faut pas que je vous retienne; ***what kept you?*** pourquoi es-tu en retard?; ***what's ~ing him?*** pourquoi est-il en retard?; ***to ~ sb prisoner*** garder qn prisonnier; ***they kept him in the hospital*** ils l'ont gardé à l'hôpital **6.** *store* tenir; *pigs* élever **7.** (*support*) subvenir aux besoins de; ***I earn enough to ~ myself*** je gagne suffisamment pour subvenir à mes besoins; ***I have six children to ~*** j'ai six enfants à élever **8.** *promise* tenir; *rule* observer; *appointment* honorer **9.** *diary etc.* tenir (**of** de) **II** *v/i* **1.** ***to ~ to the left*** rester à gauche; AUTO tenir sa gauche **2.** (*remain*) rester; ***how are you ~ing?*** comment allez-vous?; ***to ~ fit*** garder la forme; ***to ~ quiet*** se taire; ***to ~ silent*** ne rien dire; ***to ~ calm*** rester calme; ***to ~ doing sth*** (*not stop*) continuer de faire qc; (*constantly*) ne pas arrêter de faire qc; ***to ~ walking*** continuer de marcher; ***~ going*** continue; ***I ~ hoping she's still alive*** je continue d'espérer qu'elle est encore vivante; ***I ~ thinking ...*** je n'arrête pas de penser ... **3.** (*food etc.*) se conserver **III** *n* (*livelihood*, *food*) pension *f*; ***I earned $200 a week and my ~*** je gagnais 200 dollars par semaine logé et nourri; ***to earn one's ~*** gagner de quoi vivre; ***for ~s*** *infml* pour toujours ◆ **keep at I** *v/t insep* continuer; ***~ it*** continue **II** *v/t insep* ***to keep sb*** (***hard***) ***at it*** faire travailler qn durement ◆ **keep away I** *v/i lit* s'écarter; ***~!*** écartez-vous!; ***~ from that place*** ne vous approchez pas de cet endroit; ***I just can't ~*** je n'arrive pas à m'éloigner; ***~ from him*** méfie-toi de lui **II** *v/t always separate* écarter (**from** de); ***to keep sth away from sth*** écarter qc de qc; ***to keep sb away from school*** ne pas envoyer qn à l'école ◆ **keep back I** *v/i* s'écarter; ***~!*** écartez-vous!; ***please ~ from the edge*** prière de ne pas s'approcher du bord **II** *v/t sep* **1.** *person*, *hair*, *tears* retenir; ***to keep sb back from sb*** cacher l'existence de qn à qn; ***to keep sth back from sb*** cacher qc à qn **2.** *information* cacher; *Br money* garder (***from sb*** de qn) ◆ **keep down I** *v/i* rester allongé **II** *v/t sep* **1.** *head* baisser; ***keep your voices down*** parlez doucement **2.** *weeds etc.* maîtriser; *taxes*, *costs*, *prices* limiter; ***to keep numbers down*** limiter les effectifs; ***to keep one's weight down*** éviter de prendre du poids **3.** *food* garder ◆ **keep from** *v/t insep* **1.** *sb* empêcher; ***I couldn't keep him from doing it*** je n'ai pas pu l'empêcher de le faire; ***the bells keep me from sleeping*** les cloches m'empêchent de dormir; ***keep them from getting wet*** empêche-les de se mouiller; ***to keep sb from harm*** protéger qn **2.** ***to keep sth from sb*** cacher qc à qn; ***can you keep this from your mother?*** est-ce que tu peux éviter de le dire à ta mère? ◆ **keep in** *v/t sep schoolboy* garder à la maison; ***his parents have kept him in*** ses parents l'ont gardé à la maison ◆ **keep in with** *v/t insep* rester en bons termes avec; ***he's just trying to ~ her*** il essaie simplement de rester en bons termes avec elle ◆ **keep off I** *v/i* (*person*) s'écarter; ***if the rain keeps off*** s'il ne pleut pas; ***"keep off!"*** "n'avancez pas!" **II** *v/t sep person* éloigner; *one's hands* enlever; ***to keep one's mind off sth*** ne plus penser à qc; ***keep your hands off*** pas touche **III** *v/t insep* ne pas marcher sur; ***"keep off the grass"*** "pelouse interdite" ◆ **keep on I** *v/i* **1.** (*continue*) continuer; ***to ~ doing sth*** continuer de faire qc; (*incessantly*) ne pas arrêter de faire qc; ***I ~ telling you*** je n'arrête pas de te le répéter; ***to ~ at sb*** *infml* être sans arrêt derrière qn; ***they kept on at him until he agreed*** ils l'ont harcelé jusqu'à ce qu'il accepte; ***to ~ about sth*** *infml* ne pas arrêter de parler de qc; ***there's no need to ~ about it*** *infml* ce n'est pas la peine d'en rajouter *infml* **2.** (*keep going*) continuer; ***keep straight on*** continuez tout droit **II** *v/t sep* **1.** *employee* garder **2.** *coat*, *hat etc.* garder ◆ **keep out I** *v/i* (*of room*, *building*) ne pas entrer dans; (*of area*) rester à l'écart; ***"keep out"*** "entrée interdite"; ***to ~ of the sun*** ne pas rester au soleil; ***to ~ of sight*** ne pas se montrer; ***you ~ of this!*** ne te mêle pas de ça! **II** *v/t sep person* protéger (**of** de); *light*, *rain* protéger; ***this screen keeps the sun out of your eyes*** cet écran vous empêche d'avoir le soleil dans les yeux ◆ **keep to I** *v/t insep* **~ *the main road*** rester sur la route principale; ***to ~ the schedule / plan*** s'en tenir au programme / plan; ***to ~ the speed limit*** respecter la limite de vitesse; ***to ~ the subject*** rester dans le sujet; ***to keep (oneself) to oneself*** être très discret; ***they keep (themselves) to themselves*** (*as a group*) ils ne sont pas très coopératifs **II** *v/t insep* ***to keep sb to his promise*** faire tenir sa promesse à qn; ***to keep sth to a minimum*** limiter qc le plus possible; ***to keep sth to oneself*** garder qc pour soi; ***keep your hands to yourself!*** pas touche! ◆ **keep together** *v/t sep* rassembler, réunir; (*unite*) *things, people* rassembler; ***~!*** restez groupés! ◆ **keep up I** *v/i* **1.** (*rain*) continuer; (*strength*) se maintenir **2.** ***to ~*** (***with sb***) aller au même rythme (que qn); ***to ~*** (***with sth***); (*in comprehension*) se tenir à la pointe (de qc); ***to ~ with the news*** se tenir au courant de l'information **II** *v/t sep* **1.** *tent* faire tenir; ***to keep his pants up*** pour faire tenir son pantalon **2.** (*not stop*) continuer; *study etc.* entretenir; *quality, prices, speed* garder; ***I try to ~ my Spanish*** j'essaie d'entretenir mon espagnol; ***to keep one's morale up*** garder le moral; ***keep it up!*** continuez comme ça!; ***he couldn't keep it up*** il n'a pas tenu le coup *infml* **3.** (*from bed*) empêcher de dormir; ***that child kept me up all night*** cet enfant m'a empêchée de dormir toute la nuit

keeper ['kiːpəʳ] *n* (*in zoo*) gardien(ne) *m*(*f*); (*Br infml goalkeeper*) gardien(ne) *m*(*f*) (de but) **keep fit** *n Br* gymnastique *f* d'entretien **keeping** ['kiːpɪŋ] *n* ***in ~ with*** en accord avec **keepsake** ['kiːpseɪk] *n* souvenir *m*

keg [keg] *n* **1.** tonnelet *m* **2.** (*a.* **keg beer**) bière *f* pression

kennel ['kenl] *n* **1.** niche *f* **2.** ***~s*** (*boarding*) chenil *m*; ***to put a dog in ~s*** mettre un chien dans un chenil

Kenya ['kenjə] *n* Kenya *m*

kept [kept] *past, past part* = **keep**

kerb [kɜːb] *n Br* = **curb kerb crawler** *n Br* = **curb crawler** *infml* **kerb crawling** *n Br* = **curb crawling**

kernel ['kɜːnl] *n* amande *f*; (*of pine*) pignon *m*

kerosene ['kerəsiːn] *n* kérosène *m*

kestrel ['kestrəl] *n* faucon *m* crécerelle

ketchup ['ketʃəp] *n* ketchup *m*

kettle ['ketl] *n* bouilloire *f*; ***the ~'s boiling*** l'eau bout; ***I'll put the ~ on*** *Br* je vais mettre chauffer la bouilloire

key [kiː] **I** *n* **1.** clé *f* **2.** (*answers*) solution *f*; SCHOOL liste *f*; (*for maps etc.*) légende **3.** (*of piano*, IT) touche *f* **4.** MUS ton *m*; tonalité *f*; ***to sing off ~*** chanter faux **II** *adj attr* clé, essentiel(le); *witness* clé **III** *v/t* IT *text* saisir ◆ **key in** *v/t sep* IT saisir ◆ **key up** *v/t sep* ***to be keyed up about sth*** être excité à propos de qc *infml*

keyboard ['kiːbɔːd] *n* (*of piano*, IT) clavier *m*; ***~ skills*** IT compétences dactylographiques **key card** *n* carte *f* magnétique **keyhole** *n* trou *m* de la serrure **keynote** *adj attr* ***~ speech*** allocution principale **keypad** *n* IT pavé *m* numérique **keyring** *n* porte-clés *m* **keyword** *n* mot-clé *m*

kg *abbr* = **kilogramme(s), kilogram(s)** kg *m*

khaki ['kɑːkɪ] **I** *n* kaki *m* **II** *adj* kaki

kick [kɪk] **I** *n* **1.** coup *m* de pied; ***to give sth a ~*** donner un coup de pied dans qc; ***what he needs is a good ~ in the pants*** *infml* ce qu'il lui faut, c'est d'un bon coup de pied aux fesses *infml* **2.** *infml* ***she gets a ~ out of it*** elle y prend du plaisir; ***to do sth for ~s*** faire qc pour le plaisir; ***how do you get your ~s?*** comment est-ce que tu prends ton pied? *infml* **II** *v/i* (*person*) donner un coup de pied; (*animal*) donner un coup de patte; (*cheval*) ruer **III** *v/t* **1.** donner un coup de pied à; *football* shooter dans *infml*; ***to ~ sb in the stomach*** donner un coup de pied dans le ventre à qn; ***to ~ the bucket*** *infml* casser sa pipe *infml*; ***I could have ~ed myself*** *infml* je m'en suis vraiment voulu **2.** *infml* ***to ~ the habit*** décrocher *infml* ◆ **kick around** *or* **about** *Br* **I** *v/i infml* (*person*) bourlinguer *infml*; (*thing*) traîner *infml* **II** *v/t sep* ***to kick a ball around*** *or* ***about*** taper dans un ballon *infml* ◆ **kick down** *v/t sep door* enfoncer d'un coup de pied ◆ **kick in I** *v/t sep door* enfoncer d'un coup de pied; ***to kick sb's teeth in*** casser la figure à qn **II** *v/i* (*drug etc.*) faire effet ◆ **kick off I** *v/i* FTBL donner le coup d'envoi; *fig, infml* démarrer; ***who's going to ~?*** *fig, infml* qui veut commencer? **II** *v/t sep* exclure; *shoes* quitter avec désinvolture; ***they kicked him off the committee*** *infml*

ils l'ont exclu du comité ◆ **kick out** *v/t sep* mettre à la porte (***of*** de) ◆ **kick up** *v/t sep fig*, *infml* ***to ~ a fuss*** piquer une crise *infml*
kickboxing *n* kickboxing *m* **kickoff** *n* SPORTS coup *m* d'envoi
kid [kɪd] **I** *n* **1.** (*goat*) cabri *m* **2.** (*infml child*) gamin(e) *m*(*f*), môme *m*/*f*; ***when I was a ~*** quand j'étais môme; ***to get the ~s to bed*** coucher les enfants; ***it's ~'s stuff*** (*for children*) c'est pour les enfants; (*easy*) c'est un jeu d'enfant **II** *adj attr infml* ***~ sister*** petite sœur **III** *v/t infml* ***to ~ sb*** (*tease*) taquiner qn; (*deceive*) charrier qn *infml*; ***don't ~ yourself!*** ne te raconte pas d'histoires!; ***who is she trying to ~?, who is she ~ding?*** de qui se moque-t-elle? **IV** *v/i infml* plaisanter; ***no ~ding*** sans blague; ***you've got to be ~ding!*** tu plaisantes!
kid gloves [kɪd'glʌvz] *pl* gants *mpl* en chevreau; ***to handle*** *or* ***treat sb with ~*** *fig* prendre des gants avec qn
kidnap ['kɪdnæp] *v/t* kidnapper **kidnapper** ['kɪdnæpəʳ] *n* ravisseur(-euse) *m*(*f*) **kidnapping** ['kɪdnæpɪŋ] *n* kidnapping *m*
kidney ['kɪdnɪ] *n* rein *m* **kidney bean** *n* haricot *m* **kidney stone** *n* MED calcul *m* rénal
kill [kɪl] **I** *v/t* **1.** tuer; *pain* supprimer; *weeds* éliminer; ***to be ~ed in action*** tomber au champ d'honneur; ***to be ~ed in battle / in the war*** mourir au champ d'honneur/à la guerre; ***to be ~ed in a car accident*** être tué dans un accident de voiture; ***she ~ed herself*** elle s'est suicidée; ***many people were ~ed by the plague*** beaucoup de gens sont morts de la peste; ***to ~ time*** tuer le temps; ***we have two hours to ~*** nous avons deux heures à tuer; ***to ~ two birds with one stone*** *prov* faire d'une pierre deux coups *prov*; ***she was ~ing herself*** (***laughing***) *infml* elle était morte de rire *infml*; ***a few more weeks won't ~ you*** *infml* quelques semaines de plus ne vont pas te faire mourir; ***my feet are ~ing me*** *infml* j'ai super mal aux pieds *infml*; ***I'll do it*** (***even***) ***if it ~s me*** *infml* je le ferai coûte que coûte **2.** TECH *engine etc.* couper **II** *v/i* tuer; ***cigarettes can ~*** fumer tue **III** *n* ***to move in for the ~*** *fig* s'apprêter à donner le coup fatal ◆ **kill off** *v/t sep* **1.** détruire **2.** *fig speculation* anéantir
killer ['kɪləʳ] *n* tueur(-euse) *m*(*f*), meurtrier(-ière) *m*(*f*); ***the ~ is still at large*** le meurtrier court toujours; ***this disease is a ~*** cette maladie tue; ***it's a ~*** (*infml*, *race*, *job etc.*) ça me tue *infml* **killer whale** *n* orque *f* **killing** ['kɪlɪŋ] *n* **1.** meurtre *m*; ***three more ~s in Belfast*** trois autres meurtres à Belfast **2.** *fig* ***to make a ~*** réaliser un profit énorme **killjoy** ['kɪldʒɔɪ] *n* rabat-joie *m*/*f*
kiln [kɪln] *n* four *m* (à poterie)
kilo ['kiːləʊ] *n* kilo *m* **kilobyte** ['kiːləʊbaɪt] *n* kilo-octet *m*
kilogram, *Br also* **kilogramme** ['kɪləʊgræm] *n* kilogramme *m* **kilohertz** ['kɪləʊhɜːts] *n* kilohertz *m*
kilometer, *Br* **kilometre** [kɪ'lɒmɪtəʳ] *n* kilomètre *m* **kilowatt** ['kɪləʊwɒt] *n* kilowatt *m*; ***~-hour*** kilowattheure *m*
kilt [kɪlt] *n* kilt *m*
kin [kɪn] *n* famille *f*
kind¹ [kaɪnd] *n* sorte *f*, genre *m*; (*of coffee*, *fruit etc.*) variété *f*; ***several ~s of flour*** plusieurs sortes de farine; ***this ~ of book*** ce genre de livre; ***all ~s of …*** toutes sortes de …; ***what ~ of …?*** quel genre de …?; ***the only one of its ~*** le seul en son genre; ***a funny ~ of name*** un drôle de nom; ***he's not that ~ of person*** ce n'est pas le genre; ***they're two of a ~*** ils sont semblables; (*people*) les deux font la paire; ***this ~ of thing*** ce genre de choses; ***you know the ~ of thing I mean*** tu vois le genre de choses que je veux dire; ***… of all ~s*** … de toutes sortes; ***something of the ~*** quelque chose du genre; ***you'll do nothing of the ~*** tu n'en feras rien; ***it's not my ~ of vacation*** ce n'est pas comme ça que je conçois les vacances; ***a ~ of …*** une sorte de …; ***he was ~ of worried-looking*** *infml* il avait l'air un peu inquiet; ***are you nervous? — ~ of*** *infml* vous êtes anxieux? — un peu *infml*; ***payment in ~*** paiement en nature
kind² *adj person* bon(ne), gentil(le) (***to*** avec); *face*, *words* gentil(le); ***he's ~ to animals*** il est gentil avec les animaux; ***would you be ~ enough to open the door*** auriez-vous l'amabilité d'ouvrir la porte; ***it was very ~ of you*** c'est très gentil à vous
kindergarten ['kɪndəˌgɑːtn] *n* **1.** *US* ≈ cours *m* préparatoire **2.** *Br* ≈ maternelle *f*
kind-hearted [ˌkaɪnd'hɑːtɪd] *adj* bien-

veillant, bon(ne)
kindle ['kɪndl] *v/t* attiser
kindliness ['kaɪndlɪnɪs] *n* gentillesse *f*
kindly ['kaɪndlɪ] **I** *adv* **1.** *act, treat* gentiment; *give* aimablement; ***I don't take ~ to not being asked*** je n'ai pas apprécié qu'on ne me demande pas **2.** ***~ shut the door*** vous êtes priés de fermer la porte **II** *adj* gentil(le), bon(ne) **kindness** ['kaɪndnɪs] *n* **1.** *no pl* gentillesse *f* (***toward*** envers); ***out of the ~ of one's heart*** par pure gentillesse **2.** (*act of kindness*) acte *m* bienveillant
kindred ['kɪndrɪd] **I** *n no pl* famille *f* **II** *adj* apparenté; ***~ spirit*** âme *f* sœur
kinetic [kɪ'netɪk] *adj* cinétique
king [kɪŋ] *n* roi *m*; ***to live like a ~*** vivre comme un prince
kingdom ['kɪŋdəm] *n* **1.** *lit* royaume *m* **2.** REL ***~ of heaven*** royaume du ciel; ***to blow sb to ~ come*** *infml* envoyer qn ad patres *infml*; ***you can go on doing that till ~ come*** *infml* tu peux continuer à faire ça ad vitam æternam **3.** ***the animal ~*** le monde animal **kingpin** *n* (*fig person*) baron *m* **king prawn** *n* grosse crevette *f* **king-size(d)** *adj infml* très grand; *cigarettes* long; *bed* ≈ en 180
kink [kɪŋk] *n* (*in hair, rope etc.*) nœud *m*
kinky ['kɪŋkɪ] *adj infml* bizarre; *underwear, leather gear* sexy
kinship ['kɪnʃɪp] *n* affinité *f*
kiosk ['kiːɒsk] *n* **1.** kiosque *m* **2.** (*Br* TEL) cabine *f* téléphonique
kip [kɪp] (*Br infml*) **I** *n* somme *m*, roupillon *m infml*; ***I've got to get some ~*** il faut que je fasse un petit somme **II** *v/i* (*a.* **kip down**) faire un somme
kipper ['kɪpə^r] *n* hareng *m* fumé
kirk [kɜːk] *n Scot* église *f*
kiss [kɪs] **I** *n* baiser *m*; ***~ of life*** bouche-à-bouche; ***that will be the ~ of death for them*** cela va les achever **II** *v/t* embrasser, donner un baiser à; ***to ~ sb's cheek*** faire la bise à qn; ***to ~ sb good night*** embrasser qn avant d'aller dormir; ***to ~ sth goodbye*** *fig, infml* dire adieu à qc **III** *v/i* (*kiss each other*) s'embrasser; ***to ~ and make up*** se faire la bise pour se réconcilier
kit [kɪt] *n* **1.** (*equipment*) matériel *m* **2.** (*belongings*) affaires *fpl* **3.** (*for self-assembly*) kit *m* **4.** *Br* (*clothes*) vêtements *mpl*; ***gym ~*** vêtements de gym; ***get your ~ off!*** *infml* déshabille-toi! ◆ **kit out** *or* **up** *v/t sep Br* équiper; (*clothes*) habiller
kitbag ['kitbæg] *n* sac *m* de matelot
kitchen ['kɪtʃɪn] *n* cuisine *f* **kitchenette** [ˌkɪtʃɪ'net] *n* kitchenette *f* **kitchen foil** *n* papier *m* d'aluminium **kitchen garden** *n Br* jardin *m* potager **kitchen knife** *n* couteau *m* de cuisine **kitchen roll** *n Br* essuie-tout *m* **kitchen scales** *pl* balance *f* de cuisine **kitchen sink** *n* évier *m* ***I've packed everything but the ~*** *infml* j'ai absolument tout pris, sauf les murs **kitchen unit** *n* élément *m* de cuisine
kite [kaɪt] *n* cerf-volant *m*; ***to fly a ~*** *lit* faire voler un cerf-volant
Kite mark *n Br label de qualité*
kitschy ['kɪtʃɪ] *adj* kitsch
kitten ['kɪtn] *n* chaton(ne) *m*(*f*); ***to have ~s*** *fig, infml* avoir les foies *infml*
kitty ['kɪtɪ] *n* caisse *f* commune
kiwi ['kiːwiː] *n* **1.** (*bird*) kiwi *m* **2.** (*a.* **kiwi fruit**) kiwi *m* **3.** (*infml New Zealander*) Néo-Zélandais(e) *m*(*f*)
Kleenex® ['kliːneks] *n* kleenex® *m*, mouchoir *m* en papier
km *abbr* = **kilometer(s)** km *m*
km/h, kmph *abbr* = **kilometers per hour** km/h *m*
knack [næk] *n* chic *m*; (*talent*) art *m*; ***there's a (special) ~ to opening it*** il y a un truc pour l'ouvrir; ***you'll soon get the ~ of it*** tu prendras vite le coup
knackered ['nækəd] *adj* (*Br infml*) **1.** (*exhausted*) crevé *infml*, claqué *infml* **2.** (*broken*) foutu *infml*
knapsack ['næpsæk] *n* petit sac *m* à dos
knead [niːd] *v/t dough* pétrir; *muscles* masser
knee [niː] **I** *n* genou *m*; ***to be on one's ~s*** être à genoux; ***to go (down) on one's ~s*** *lit* se mettre à genoux **II** *v/t* ***to ~ sb in the groin*** donner un coup de genou à qn dans le bas-ventre **kneecap** *n* rotule *f* **knee-deep** *adj* ***~ in the snow*** dans la neige jusqu'aux genoux **knee-high** *adj* ***~ grass*** de l'herbe haute
kneel [niːl] ⟨*past, past part* **knelt** *or* **kneeled**⟩ *v/i* (*a.* **kneel down**) se mettre à genoux, s'agenouiller (***before*** devant)
knee-length ['niːleŋθ] *adj skirt* qui arrive aux genoux; ***~ boots*** des bottes hautes; ***~ socks*** des chaussettes **kneepad** *n* genouillère *f* **knelt** [nelt] *past, past part* = **kneel**
knew [njuː] *past* = **know**
knickers ['nɪkəz] *pl Br* petite culotte *f*,

slip *m*; ***don't get your ~ in a twist!*** *infml* ne t'excite pas! *infml*

knick-knack ['nɪknæk] *n* ***~s*** bibelots *mpl*

knife [naɪf] **I** *n* ⟨*pl* **knives**⟩ couteau *m*; ***~, fork and spoon*** couteau, fourchette et cuillère; ***you could have cut the atmosphere with a ~*** l'atmosphère était extrêmement tendue **II** *v/t* poignarder **knife edge** *n* ***to be balanced on a ~*** *fig* ne tenir qu'à un fil **knife-point** *n* ***to hold sb at ~*** menacer quelqu'un avec un couteau

knight [naɪt] **I** *n* chevalier *m*; CHESS cavalier *m* **II** *v/t* faire chevalier, adouber **knighthood** ['naɪthʊd] *n* titre *m* de chevalier; ***to receive a ~*** être fait chevalier

knit [nɪt] ⟨*past, past part* **knitted** *or* **knit**⟩ **I** *v/t* tricoter; ***~ three, purl two*** faire trois mailles à l'endroit, deux mailles à l'envers **II** *v/i* **1.** tricoter **2.** (*bones*: *a.* **knit together**) se ressouder **knitted** *adj* tricoté; *dress etc.* en maille **knitting** *n* tricot *m*; (*something being knitted*) ouvrage *m*, tricot *m* **knitting machine** *n* machine *f* à tricoter **knitting needle** *n* aiguille *f* à tricoter **knitwear** ['nɪtwɛəʳ] *n* tricot *m*

knives [naɪvz] *pl* = **knife**

knob [nɒb] *n* **1.** (*on door*) bouton *m* de porte; (*on instrument etc.*) bouton *m*, molette *f* **2.** *Br* ***a ~ of butter*** une noix de beurre **3.** *Br* (*sl penis*) zob *m sl* **knobby** ['nɒbɪ] *adj surface* noueux(-euse); ***~ knees*** genoux cagneux *infml*

knock [nɒk] **I** *n* **1.** *esp Br* (*blow*) coup *m*; ***I got a ~ on the head*** j'ai reçu un coup sur la tête; ***the car took a few ~s*** la voiture a été un peu cabossée *infml* **2.** ***there was a ~ at the door*** on a frappé à la porte; ***I heard a ~*** j'ai entendu frapper **3.** *esp Br* (*fig setback*) mauvais coup *m* **II** *v/t* **1.** heurter; (*with hand, tool etc.*) taper; *one's head etc.* se cogner (***on*** contre); (*nudge, jolt*) cogner; ***to ~ one's head*** *etc.* se cogner la tête; ***he ~ed his foot against the table*** son pied a heurté la table; ***to ~ sb to the ground*** étaler qn d'un coup de poing; ***to ~ sb unconscious*** assommer qn; (*person*) assommer qn; ***he ~ed some holes in the side of the box*** il a fait des trous sur les côtés du carton; ***she ~ed the glass to the ground*** elle a fait tomber le verre par terre **2.** (*infml criticize*) critiquer, casser *infml* **III** *v/i* **1.** frapper; ***to ~ at*** *or* ***on the door*** frapper à la porte; ***to ~ at*** *or* ***on the window*** frapper au carreau **2.** (*bump*) se heurter; ***he ~ed into the gatepost*** il a heurté le poteau du portail; ***his knees were ~ing*** il avait les genoux qui tremblaient ◆ **knock around** *or* **about** *Br* **I** *v/t sep* **1.** (*ill-treat*) maltraiter **2.** (*damage*) endommager **3.** ***to knock a ball around*** *or* ***about*** taper dans un ballon **II** *v/i Br infml* **1.** (*person*) traîner **2.** (*object*) traîner ◆ **knock back** *v/t sep infml* ***he knocked back his whisky*** il a descendu son whisky *infml* ◆ **knock down** *v/t sep* **1.** jeter à terre; *opponent* terrasser; (*car*) renverser; *building* démolir; ***she was knocked down and killed*** *Br* elle a été tuée par une voiture qui l'a renversée **2.** *price* (*buyer*) faire baisser (***to*** à) ◆ **knock off I** *v/i infml* arrêter le travail **II** *v/t sep* **1.** *lit vase, person etc.* renverser **2.** (*infml reduce price by*) faire une réduction de (***for sb*** à qn) **3.** *infml report* ficeler *infml* **4.** *infml* ***to ~ work*** arrêter le travail; ***knock it off!*** arrête! ◆ **knock on** *v/i* (*Br infml*) ***he's knocking on for fifty*** il approche de la cinquantaine ◆ **knock out** *v/t sep* **1.** *tooth* casser **2.** (*stun*) assommer; (*by hitting*) mettre au tapis **3.** (*from competition*) éliminer (***of*** de); ***to be knocked out*** être éliminé (***of*** de) ◆ **knock over** *v/t sep* (*car*) renverser ◆ **knock up** *v/t sep meal* préparer vite fait *infml*; *shelter* bricoler

knockdown ['nɒkdaʊn] *adj attr* ***~ price*** prix sacrifié **knocker** ['nɒkəʳ] *n* **1.** (*door knocker*) heurtoir *m* **2.** *infml* ***~s*** nibards *mpl sl* **knock-kneed** *adj* ***to be ~*** avoir les genoux cagneux **knock-on effect** *n Br* répercussion *f* (***on*** sur) **knockout** ['nɒkaʊt] **I** *n* **1.** BOXING knock-out *m* **2.** (*infml person*) sublime **II** *attr* ***~ competition*** concours avec tours éliminatoires

knot [nɒt] **I** *n* **1.** nœud *m*; ***to tie / untie a ~*** faire / défaire un nœud; ***to tie the ~*** *fig* se marier **2.** (*in wood*) nœud *m* **II** *v/t* nouer; (*knot together*) nouer ensemble

know [nəʊ] *vb* ⟨*past* **knew**⟩ ⟨*past part* **known**⟩ **I** *v/t* **1.** (*have knowledge about*) savoir; *answer, facts* connaître; ***to know what one is talking about*** savoir de quoi quelqu'un parle; ***he might even be dead for all I know*** si ça trouve il est mort; ***that's worth knowing*** c'est bon à savoir; ***before you know where you are*** avant de pouvoir dire ouf; ***she's angry! — don't I know it!*** *infml* elle est en colère! — comme si je ne le savais pas! **2.** (*be acquainted with*) connaître; ***if I know John, he'll already be there*** connaissant John, il sera déjà là-bas; ***he didn't want to know me*** il a fait semblant de ne pas me reconnaître **3.** (*recognize*) reconnaître ***to know sb by his voice*** reconnaître qn à sa voix; ***the world as we know it*** le monde tel que nous le connaissons **4.** (*be able to distinguish*) savoir; ***do you know the difference between…?*** est-ce que vous savez la différence qu'il y a entre …? **5.** (*experience*) connaître; ***I've never known it to rain so heavily*** je n'ai jamais vu une pluie aussi battante; ***to know that …*** savoir que …; ***to know how to do sth*** savoir comment faire qc; ***I don't know how you can say that!*** je ne sais pas comment tu peux dire ça!; ***to get to know sb*** apprendre à mieux connaître qn; ***to get to know sth*** *methods etc* se familiariser avec qc; *habits etc* s'habituer à qc; ***to get to know a place*** se familiariser avec un lieu; ***to let sb know sth*** faire savoir qc à qn; (***if you***) ***know what I mean*** (si) tu vois ce que je veux dire; ***there's no knowing what he'll do*** on ne peut pas savoir ce qu'il va faire; ***what do you know!*** *infml* qu'est-ce que tu en sais!; ***to be known*** (***to sb***) être connu (de qn); ***it is*** (***well***) ***known that…*** chacun sait que …; ***to be known for sth*** être connu pour qc; ***he is known as Mr. Smith*** il est connu comme M. Smith; ***she wishes to be known as Mrs. White*** elle souhaite qu'on l'appelle Mme White; ***to make sth known*** révéler qc; ***to make oneself known*** se présenter; ***to become known*** commencer à être connu; ***to let it be known that …*** faire savoir que **II** *v/i* savoir; ***who knows?*** qui sait?; ***I know!*** je sais!; ***I don't know*** je ne sais pas; ***as far as I know*** pour autant que je sache; ***he just didn't want to know*** *Br* il n'a rien voulu savoir; ***I wouldn't know*** *infml* je ne saurais pas vous dire; ***how should I know?*** comment veux-tu que je le sache?; ***I know better than that*** j'ai mieux à faire que ça; ***I know better than to say something like that*** je me garde bien de dire une chose pareille; ***he/you ought to have known better*** il n'aurait / tu n'aurais pas dû; ***they don't know any better*** ils n'ont jamais appris; ***OK, you know best*** d'accord, tu es meilleur juge; ***you know, we could …*** vous savez, nous pourrions …; ***it's raining, you know*** tu sais qu'il pleut; ***wear the black dress, you know, the one with the red belt*** mets la robe noire, tu sais, celle avec une ceinture rouge; ***you never know*** on ne sait jamais **III** *n* ***to be in the know*** *infml* être bien informé ◆ **know about I** *v/t insep history* s'y connaître en; *horses* connaître; (*have been told about*) avoir entendu parler de; ***I ~ that*** j'en ai entendu parler; ***did you ~ Tom?*** est-ce que tu es au courant pour Tom?; ***to get to ~ sb*** faire la connaissance de qn; ***to get to ~ sth*** se familiariser avec qc; ***I don't ~ that*** je ne suis pas au courant; (*don't agree*) je ne suis pas tellement d'accord; ***I don't ~ you, but I'm hungry*** je ne sais pas vous, mais moi, j'ai faim **II** *v/t insep sep* (*in history etc.*) avoir des connaissances en; ***to know a lot about sth*** avoir de grandes connaissances sur qc; (*about cars, horses etc.*) bien s'y connaître sur qc; ***I know all about that***; (*I'm aware of that*) je connais bien ça; (*I've been told about it*) je suis au courant de tout ça ◆ **know of** *v/t insep café, method* connaître; *sb* avoir entendu parler de; ***not that I ~*** pas que je sache

know-all *n* (*Br infml*) = **know-it-all** **know-how** *n* savoir-faire *m* **knowing** ['nəʊɪŋ] *adj smile* de connivence **knowingly** ['nəʊɪŋlɪ] *adv* **1.** (*consciously*) sciemment **2.** *smile* d'un air entendu **know-it-all** ['nəʊɪtɔːl] *n infml* je-sais-tout *m/f*

knowledge ['nɒlɪdʒ] *n* **1.** (*understanding*) connaissances *fpl*; ***to have ~ of*** avoir connaissance de; ***to have no ~ of*** n'avoir aucune connaissances de; ***to my ~*** à ma connaissance; ***not to my ~*** pas à ma connaissance **2.** (*facts learned*) savoir *m*, connaissances *fpl*; ***my ~ of English*** mes connaissances en anglais; ***my ~ of D.H. Lawrence*** mes connaissances sur D.H. Lawrence; ***the police have no ~ of him*** il n'est pas connu de la police **knowledgeable** ['nɒlɪdʒəbl] *adj* savant; ***to be ~*** posséder un grand savoir (***about*** sur) **known** **I** *past part* = **know** **II** *adj* connu

knuckle ['nʌkl] *n* articulation *f* des doigts; (*of meat*) jarret *m* ◆ **knuckle down** *v/i infml* s'y mettre sérieusement ◆ **knuckle under** *v/i infml* se plier malgré soi à; (*to demands*) céder à
Koran [kɒ'rɑːn] *n* Coran *m*
Korea [kə'rɪə] *n* Corée *f* **Korean** [kə'rɪən] **I** *adj* coréen(ne); ~ ***war*** la guerre de Corée **II** *n* **1.** (*person*) Coréen(ne) *m*(*f*) **2.** LING coréen *m*
kosher ['kəʊʃəʳ] *adj* **1.** casher **2.** *infml* clean *infml*
kph *abbr* = **kilometers per hour** km/h *m*
Kremlin ['kremlɪn] *n* ***the*** ~ le Kremlin
kumquat ['kʌmkwɒt] *n* kumquat *m*
kw *abbr* = **kilowatt(s)** kw *m*

L

L, l [el] *n* L, l
L **1.** *abbr* = **large** **2.** (*Br* AUTO) *abbr* = **Learner**
l. **1.** *abbr* = **liters**) l *m* **2.** *abbr* = **left** gauche
lab [læb] *abbr* = **laboratory**
label ['leɪbl] **I** *n* **1.** *lit* étiquette *f* **2.** (*of record company*) label *m* **II** *v/t* **1.** *lit* étiquetter; (*write on*) marquer; ***the bottle was labeled*** (*US*) *or* ***labelled*** (*Br*) ***"poison"*** la bouteille portait une étiquette marquée "poison" **2.** *fig*, *pej* traiter de
labor, *Br* **labour** ['leɪbəʳ] **I** *n* **1.** (*work*) travail *m*; ***it was a*** ~ ***of love*** c'est un travail dans lequel j'ai mis tout mon cœur **2.** (*persons*) main *f* d'œuvre **3.** MED travail *m*; ***to be in*** ~ être en train d'accoucher; ***to go into*** ~ commencer à avoir des contractions; ~ ***ward*** salle de travail *or* d'accouchement **II** *v/t point* insister sur **III** *v/i* **1.** (*in fields etc.*) travailler **2.** (*move etc. with effort*) peiner; ***to*** ~ ***up a hill*** monter une colline avec peine **labor camp** *n* camp *m* de travail **Labor Day** *n* fête *f* du travail **labored** *adj* laborieux(-euse); *breathing* difficile **laborer** ['leɪbərəʳ] *n* travailleur(-euse) *m*(*f*) de force; (*farm laborer*) ouvrier (-ière) *m*(*f*) agricole **labor force** *n* force *f* de travail **labor-intensive** *adj* à forte intensité de main d'œuvre **labor market** *n* marché *m* du travail **labor pains** *pl* contractions *fpl* **labor-saving** ['leɪbəseɪvɪŋ] *adj* qui fait économiser de la main d'œuvre **labor union** *n* syndicat *m*

Labor Day

Jour férié dans tous les États-Unis, **Labor Day** est célébré chaque année le premier lundi de septembre. Des défilés, des feux d'artifice et des barbecues marquent la fin de l'été ainsi que le dernier week-end avant la rentrée des classes.

laboratory [lə'bɒrətərɪ, (*US*) 'læbrəˌtɔːrɪ] *n* laboratoire *m*; ~ ***assistant*** laborantin(e) *m*(*f*)
laborious [lə'bɔːrɪəs] *adj* laborieux (-euse)
labour *etc. Br* = **labor** *etc.*
Labour *n* (*Br* POL) travailliste *m/f* **Labour Party** *n* (*Br* POL) parti *m* travailliste
Labrador ['læbrədɔːʳ] (*dog*) *n* labrador *m*
labyrinth ['læbɪrɪnθ] *n* labyrinthe *m*
lace [leɪs] **I** *n* **1.** (*fabric*) dentelle *f* **2.** (*of shoe*) lacet *m* **II** *v/t* **1.** *shoe* lacer **2.** ***to*** ~ ***a drink with drugs / poison*** mettre de la drogue / du poison dans un verre; ~***d with brandy*** arrosé de cognac ◆ **lace up** *v/t sep* lacer
laceration [ˌlæsə'reɪʃən] *n* lacération *f*; (*tear*) déchirure *f*
lace-up (shoe) ['leɪsʌp(ʃuː)] *n* chaussure *f* à lacets
lack [læk] **I** *n* manque *m*; ***for*** *or* ***through*** ~ ***of sth*** par manque de qc; ***though it wasn't for*** ~ ***of trying*** pourtant ce n'était pas faute d'avoir essayé; ***there was a complete*** ~ ***of interest*** il y avait un manque total d'intérêt; ~ ***of time*** manque de temps; ***there was no*** ~ ***of applicants*** ce n'était pas les candidats qui manquaient **II** *v/t* manquer de; ***they*** ~ ***talent*** ils manquent de talent **III** *v/i* ***to be*** ~***ing*** manquer; ***he is*** ~***ing in confidence*** il manque de confiance; ***he is completely*** ~***ing in any sort of decency*** il n'a aucun sens des convenances
lackadaisical [ˌlækə'deɪzɪkəl] *adj* non-

chalant, apathique

lackey ['lækɪ] *n lit, fig* laquais *m*

lacking ['lækɪŋ] *adj* simplet(-ète); ***to be found ~*** ne pas avoir fait ses preuves

lackluster, *Br* **lacklustre** ['læk,lʌstəʳ] *adj* terne

lacquer ['lækəʳ] **I** *n* **1.** laque *f* **2.** *Br* (*hair lacquer*) laque *f* **II** *v/t* laquer; *Br hair* mettre de la laque sur

lactose ['læktəʊs] *n* lactose *m*

lacy ['leɪsɪ] *adj* ⟨**+er**⟩ en dentelle; ***~ underwear*** sous-vêtements en dentelle

lad [læd] *n Br* garçon *m*; (*in stable etc.*) lad *m*; ***young ~*** jeune gars; ***he's a bit of a ~*** *infml* c'est un vrai mec *infml*; ***he likes a night out with the ~s*** *infml* il aime sortir le soir avec ses potes *infml*

ladder ['lædəʳ] **I** *n* **1.** échelle *f*; ***to be at the top of the ~*** être en haut de l'échelle; ***to move up the social ~*** monter dans l'échelle sociale; ***to move up the career ~*** monter dans la hiérarchie **2.** (*Br: in stocking*) maille *f* filée **II** *v/t Br* filer; ***I've ~ed my tights*** j'ail filé mes collants **III** *v/i* (*Br: stocking*) filer

laden ['leɪdn] *adj* chargé (**with** de)

ladle ['leɪdl] **I** *n* louche *f* **II** *v/t* servir (à la louche) ◆ **ladle out** *v/t sep fig* prodiguer

lady ['leɪdɪ] *n* **1.** dame *f*; ***"Ladies"*** "dames"; ***where is the ladies?*** *Br* où sont les toilettes (des dames)?; ***ladies and gentlemen!*** mesdames, mesdemoiselles, messieurs!; ***ladies' bicycle*** vélo (pour) dame **2.** (*noble*) noble *f*; ***Lady*** (*as a title*) lady **ladybug**, *Br* **ladybird** *n* coccinelle *f* **lady doctor** *n* femme *f* médecin **lady-in-waiting** *n* dame *f* d'honneur **lady-killer** *n infml* bourreau *m* des cœurs *infml* **ladylike** *adj* distingué

lag[1] [læg] **I** *n* (*time-lag*) retard *m* **II** *v/i* (*in pace*) traîner ◆ **lag behind** *v/i* être en retard, être à la traîne; ***the government is lagging behind in the polls*** le gouvernement est à la traîne dans les sondages

lag[2] *v/t Br pipe* isoler, calorifuger

lager ['lɑːgəʳ] *n* bière *f* blonde; ***a glass of ~*** un verre de bière blonde

lagging ['lægɪŋ] *n Br* calorifugeage *m*; (*material*) revêtement *m* calorifuge

lagoon [lə'guːn] *n* lagune *f*; *small* lagon *m*

laid [leɪd] *past, past part* = **lay**[3] **laid-back** [,leɪd'bæk] *adj infml* relax *infml*

lain [leɪn] *past part* = **lie**[2]

lair [lɛəʳ] *n* tanière *f*; (*den*) antre *f*

laity ['leɪɪtɪ] *n* laïcs *mpl*

lake [leɪk] *n* lac *m* **Lake District** *n* région *f* des lacs (*dans le nord-ouest de l'Angleterre*)

lamb [læm] *n* **1.** (*young sheep*) agneau *m* **2.** (*meat*) agneau *m* **3.** ***you poor ~!*** *Br* pauvre petit!; ***like a ~ to the slaughter*** comme un agneau qu'on mène à l'abattoir **lamb chop** *n Br* côtelette *f* d'agneau **lambswool** *n* laine *f* d'agneau, lambswool *m*

lame [leɪm] *adj* ⟨**+er**⟩ **1.** boiteux(-euse); ***to be ~ in one leg*** boiter d'une jambe; ***the animal was ~*** l'animal boitait **2.** *fig excuse* mauvais

lament [lə'ment] **I** *n* **1.** lamentation *f* **2.** LIT, MUS complainte *f* **II** *v/t* regretter; ***to ~ the fact that ...*** regretter que ... **lamentable** ['læməntəbl] *adj* lamentable

laminated ['læmɪneɪtɪd] *adj* laminé; *card* plastifié; ***~ glass*** verre feuilleté; ***~ plastic*** plastique stratifié

lamp [læmp] *n* lampe *f*; (*in street*) réverbère *m* **lamplight** ['læmplaɪt] *n* **by ~** à la lampe; ***in the ~*** à la lumière de la lampe

lampoon [læm'puːn] *v/t* railler

lamppost *n* réverbère *m* **lampshade** *n* abat-jour *m*

LAN [læn] IT *abbr* = **local area network** LAN *m*

lance [lɑːns] **I** *n* lance *f* **II** *v/t* MED ouvrir

lance corporal *n* ≈ soldat *m* de première classe

land [lænd] **I** *n* **1.** pays *m*; (*soil*) terre *f*; ***by ~*** par voie terrestre; ***to see how the ~ lies*** *fig* tâter le terrain; ***to work on the ~*** travailler la terre; ***to live off the ~*** vivre de la terre **2.** (*as property*) terre(s) *f(pl)*; (*estates*) domaine *m*; ***to own ~*** posséder des terres; ***a piece of ~*** un terrain; (*for building*) un terrain à bâtir **II** *v/t* **1.** *passengers, troops* débarquer; *goods* (*from boat*) décharger; *fish on hook* prendre; ***to ~ a plane*** faire atterrir un avion **2.** (*infml obtain*) rafler *infml*; *job* se dégoter *infml* **3.** (*Br infml*) *blow* frapper *infml*; ***he ~ed him one, he ~ed him a punch on the jaw*** il l'a frappé à la mâchoire **4.** (*infml place*) mettre; ***behavior*** (*US*) *or* ***behaviour*** (*Br*) ***like that will ~ you in jail*** avec un comportement pareil, tu vas finir en prison; ***it ~ed me in a mess*** ça m'a mis dans le pétrin *infml*; ***I've ~ed myself in a real mess*** je me suis vraiment mis dans le pétrin *infml* **5.** *infml* ***to ~ sb with sth*** coller qc à qn *infml*; ***I got ~ed with him for two hours*** je me le suis coltiné pendant deux heures **III** *v/i* atterrir; (*from ship*) débarquer; ***we're coming in to ~*** nous allons atterrir; ***the bomb ~ed on the building*** la bombe est tombée sur l'immeuble; ***to ~ on one's feet*** *lit*, *fig* retomber sur ses pieds; ***to ~ on one's head*** tomber sur la tête ◆ **land up** *v/i infml* atterrir *infml*; ***you'll ~ in trouble*** tu vas finir par avoir des ennuis; ***I landed up with nothing*** je me suis retrouvé sans rien

landed ['lændɪd] *adj* foncier(-ière); ***~ gentry*** aristocratie terrienne **landing** ['lændɪŋ] *n* **1.** AVIAT atterrissage *m* **2.** (*on stairs*) palier *m* **landing card** *n* carte *f* de débarquement **landing gear** *n* train *m* d'atterrissage **landing strip** *n* piste *f* d'atterrissage **landlady** *n* (*of flat etc.*) propriétaire *f*; *Br* (*of pub*) patronne *f* **land line** *n* TEL ligne *f* fixe **landlocked** *adj* sans accès à la mer **landlord** *n m* (*of flat etc.*) propriétaire *m*; *Br* (*of pub*) patron *m* **landmark I** *n* **1.** NAUT point *m* de repère **2.** (*well-known thing*) emblème *m*; *fig* jalon *m* **II** *adj ruling* historique **land mine** *n* mine *f* terrestre **landowner** *n* propriétaire *m* foncier, propriétaire *m* terrien **land register** *n Br* cadastre *m* **landscape** ['lændskeɪp] **I** *n* paysage *m* **II** *v/t garden* dessiner **landscape gardening** *n Br* paysagisme *m* **landslide** *n* glissement *m* de terrain; ***~ victory*** victoire écrasante

lane [leɪn] *n* (*in country*) petite route *f*; (*in town*) ruelle *f*; SPORTS couloir *m*; (*on road*) voie *f*; (*shipping lane*) couloir *m*; ***"get in ~"*** "mettez-vous sur la bonne file"

language ['læŋgwɪdʒ] *n* langue *f*; *style, code etc* langage *m*; ***your ~ is terrible*** tu parles très mal; ***bad ~*** gros mots; ***strong ~*** grossièretés **language barrier** *n* barrière *f* de la langue **language course** *n* cours *m* de langue **language lab (-oratory)** *n* labo(ratoire) *m* de langues **language school** *n* école *f* de langues

languid ['læŋgwɪd] *adj* languissant

languish ['læŋgwɪʃ] *v/i* se languir

lank [læŋk] *adj hair* plat

lanky ['læŋkɪ] *adj* ⟨**+er**⟩ dégingandé

lantern ['læntən] *n* lanterne *f*

lap¹ [læp] *n* genoux *mpl*; ***in*** *or* ***on her ~*** sur ses genoux; ***to live in the ~ of luxury*** vivre dans le luxe

lap² SPORTS **I** *n* (*round*) tour *m* de piste; (*fig stage*) étape *f* **II** *v/t* prendre un tour d'avance sur

lap³ *v/i* (*waves*) clapoter (***against*** contre) ◆ **lap up** *v/t sep* **1.** *liquid* laper **2.** *praise* se délecter de

lapel [lə'pel] *n* revers *m*

lapse [læps] **I** *n* **1.** (*error*) erreur *f*; (*moral*) faute *f*; ***he had a ~ of concentration*** il a eu un moment d'inattention; ***memory ~s*** trous de mémoire; ***a serious security ~*** une grave défaillance de la sécurité **2.** (*of time*) intervalle *m*; ***time ~*** laps de temps; ***a ~ in the conversation*** un blanc dans la conversation **II** *v/i* **1.** (*decline*) sombrer (***into*** dans); ***he ~d into silence*** il s'est tu; ***he ~d into a coma*** il est tombé dans le coma **2.** (*expire*) expirer; ***after two months have ~d*** au bout de deux mois **lapsed** [læpst] *adj Catholic* qui ne pratique plus

laptop ['læptɒp] IT **I** *n* (ordinateur) portable *m* **II** *attr* portable

larch [lɑːtʃ] *n* (*a.* **larch tree**) mélèze *m*

lard [lɑːd] *n* saindoux *m*

larder ['lɑːdə[r]] *n esp Br* (*room*) cellier *m*; (*closet*) garde-manger *m*

large [lɑːdʒ] **I** *adj* ⟨**+er**⟩ grand; *person* gros(se); *meal* copieux(-euse); ***~ print*** gros caractères; ***a ~r size*** un grand modèle; ***as ~ as life*** bien vivant **II** *n* **1.** ***the world at ~*** tout le monde **2.** ***to be at ~*** (*free*) être libre

largely ['lɑːdʒlɪ] *adv* en grande partie **large-print** *adj book* en gros caractères

> **language**
>
> **Language** peut signifier soit le parler (d'un pays, par exemple), soit le vocabulaire technique propre à un domaine particulier :
>
> **How many languages do you speak? Try to avoid too much technical language. A computer language.**
>
> Combien de langues parlez-vous ? Essayez de ne pas employer trop de termes techniques. Un langage informatique.

large ≠ de grande largeur
Large = grand:
✗ **a large river**
✓ **a broad/wide river**
une rivière large

large-scale *adj* grand; *changes* important; *map* à grande échelle **largesse** [lɑːˈʒes] *n* largesse *f*
lark¹ [lɑːk] *n* ORN alouette *f*
lark² *n* (*infml*, *Br fun*) blague *f infml*; ***to do sth for a ~*** faire qc pour rigoler *infml* ◆ **lark about** *or* **around** *v/i* (*Br infml*) faire l'idiot(e) *infml*
larva [ˈlɑːvə] *n* ⟨*pl* **-e**⟩ larve *f*
laryngitis [ˌlærɪnˈdʒaɪtɪs] *n* laryngite *f*
larynx [ˈlærɪŋks] *n* larynx *m*
lascivious [ləˈsɪvɪəs] *adj* lascif(-ive)
laser [ˈleɪzər] *n* laser *m* **laser disc** *n* disque *m* laser **laser printer** *n* imprimante *f* laser **laser surgery** *n* chirurgie *f* laser
lash¹ [læʃ] *n* (*eyelash*) cil *m*
lash² **I** *n* (*as punishment*) coup *m* de fouet **II** *v/t* **1.** (*beat*) fouetter; (*rain*) cingler **2.** (*tie*) attacher (*to* à); ***to ~ sth together*** attacher qc ensemble **III** *v/i* ***to ~ against*** fouetter ◆ **lash out** *v/i* **1.** (*physically*) donner des coups; ***to ~ at sb*** donner des coups à qn **2.** (*in words*) se répandre en invectives; ***to ~ at sb*** se répandre en invectives contre qn
lass [læs] *n Br infml* jeune fille *f*
lasso [læˈsuː] **I** *n* ⟨*pl* **-(e)s**⟩ lasso *m* **II** *v/t* prendre au lasso
last¹ [lɑːst] **I** *adj* dernier(-ière); ***he was ~ to arrive*** il est arrivé en dernier; ***the ~ person*** la dernière personne; ***the ~ but one, the second ~*** l'avant-dernier; ***~ Monday*** lundi dernier; ***~ year*** l'année dernière; ***~ but not least*** enfin et surtout; ***the ~ thing*** le bouquet; ***that was the ~ thing I expected*** je m'attendais à tout sauf ça **II** *n* le(la) dernier (-ière); ***he was the ~ to leave*** il était le dernier à partir; ***I'm always the ~ to know*** je suis toujours à la dernière au courant; ***the ~ of his money*** ses derniers centimes; ***the ~ of the cake*** la fin du gâteau; ***that was the ~ we saw of him*** nous ne l'avons pas revu depuis; ***the ~ I heard, they were getting married*** aux dernières nouvelles, ils allaient se marier; ***we shall never hear the ~ of it*** on n'a pas fini d'en entendre parler; ***at ~*** enfin; ***at long ~*** à la fin, enfin **III** *adv* ***when did you ~ have a bath?*** c'est quand la dernière fois que tu as pris un bain?; ***he spoke ~*** il a parlé le dernier; ***the horse came in ~*** le cheval est arrivé dernier
last² **I** *v/t* ***the car has ~ed me eight years*** la voiture a tenu huit ans; ***these cigarettes will ~ me a week*** ces cigarettes me feront la semaine; ***he won't ~ the week*** il ne tiendra pas la semaine **II** *v/i* (*continue*) durer; (*remain intact*) tenir; ***it can't ~*** ça ne peut pas durer; ***it won't ~*** ça ne durera pas; ***it's too good to ~*** c'est trop beau pour durer; ***he won't ~ long in this job*** il ne tiendra pas longtemps dans ce travail; ***the boss only ~ed a week*** le chef n'est resté qu'une semaine
last-ditch [ˈlɑːstdɪtʃ] *adj* de dernière minute; *attempt* ultime
lasting [ˈlɑːstɪŋ] *adj relationship* durable; *shame etc.* plus grand
lastly [ˈlɑːstlɪ] *adv* pour finir **last-minute** *adj* de dernière minute **last rites** *pl* derniers sacrements *mpl*
Las Vegas *n* Las Vegas
latch [lætʃ] *n* clenche *f*; ***to be on the ~*** *Br* ne pas être fermé à clé; ***to leave the door on the ~*** *Br* fermer la porte sans la verrouiller ◆ **latch on** *v/i infml* **1.** (*attach o.s.*) s'accrocher (***to*** à) **2.** (*understand*) piger *infml*
late [leɪt] **I** *adj* ⟨**+er**⟩ **1.** en retard; ***to be ~ (for sth)*** arriver en retard (pour qc); ***the bus is ~*** le bus est en retard; ***the train is five minutes ~*** le train a cinq minutes de retard; ***he is ~ with his payment*** il a du retard dans ses paiements; ***that made me ~ for work*** ça m'a mis en retard au travail; ***due to the ~ arrival of …*** à cause du retard de …; ***it's too ~ in the day (for you) to do that*** c'est trop tard (pour vous) pour faire ça; ***it's getting ~*** il se fait tard; ***~ train*** train en retard; ***they work ~ hours*** ils travaillent tard le soir; ***they had a ~ dinner yesterday*** ils ont dîner tard hier; ***"late opening until 7pm"*** "nocturne jusqu'à 19 heures"; ***he's a ~ developer*** il n'est pas précoce; ***they scored two ~ goals*** ils ont marqué deux buts en fin de match; ***in the ~ eighties*** à la fin des années quatre-vingts; ***a man in his ~ eighties*** un homme qui approche des quatre-

vingt-dix ans; ***in the ~ morning*** en fin de matinée; ***in ~ June*** fin juin **2.** (*deceased*) feu; ***the ~ John F. Kennedy*** feu John F. Kennedy **II** *adv* tard; ***to arrive ~*** (*person, train*) arriver en retard; ***I'll be home ~ today*** je rentrerai tard aujourd'hui; ***the train was running ~*** le train était en retard; ***the baby was born two weeks ~*** le bébé est né avec deux semaines de retard; ***we're running ~*** nous sommes en retard; ***better ~ than never*** mieux vaut tard que jamais; ***to stay up ~*** se coucher tard; ***the drugstore is open ~*** le drugstore est ouvert tard; ***to work ~ at the office*** travailler tard au bureau; ***~ at night*** tard dans la nuit; ***~ last night*** tard hier soir; ***~ into the night*** tard dans la nuit; ***~ in the afternoon*** en fin d'après-midi; ***~ in the year*** en fin d'année; ***they scored ~ in the second half*** ils ont marqué à la fin de la seconde mi-temps; ***we decided rather ~ in the day to come too*** nous avons décidé assez tard de venir aussi; ***of ~*** dernièrement; ***it was as ~ as 1900 before child labor*** (*US*) *or* ***labour*** (*Br*) ***was abolished*** le travail des enfants n'a été interdit qu'en 1900 **latecomer** ['leɪtkʌmər] *n* retardataire *m/f*

lately ['leɪtlɪ] *adv* récemment **late-night** ['leɪtˌnaɪt] *adj* ***~ movie*** séance *f* de minuit; ***~ shopping*** nocturne *f*

latent ['leɪtənt] *adj* latent; *energy* en réserve

later ['leɪtər] **I** *adj* ultérieur; ***at a ~ time*** ultérieurement **II** *adv* plus tard; ***the weather cleared up ~ (on) in the day*** le temps s'est éclairci en fin de journée; ***~ (on) in the play*** plus loin dans la pièce; ***I'll tell you ~ (on)*** je te raconterai plus tard; ***see you ~!*** à plus tard!; ***no ~ than Monday*** lundi au plus tard

lateral ['lætərəl] *adj* latéral **laterally** ['lætərəlɪ] *adv* latéralement

latest ['leɪtɪst] **I** *adj* **1.** *fashion* dernier (-ière); *technology* tout(e) dernier (-ière); ***the ~ news*** les dernières nouvelles; ***the ~ attempt*** la dernière tentative **2.** limite; ***what is the ~ date you can come?*** quelle est la dernière date à laquelle vous pouvez venir? **II** *n* ***the ~ in a series*** le dernier modèle d'une série; ***what's the ~ (about John)?*** quelles sont les nouvelles (de John)?; ***wait till you hear the ~!*** attends d'apprendre la dernière!; ***at the ~*** au plus tard

latex ['leɪteks] *n* latex *m*

lathe [leɪð] *n* tour *m*

lather ['lɑːðər] *n* mousse *f*; ***to work oneself up into a ~ (about sth)*** *infml* se mettre dans tous ses états (à propos de qc)

Latin ['lætɪn] **I** *adj charm* latin **II** *n* LING latin *m* **Latin America** *n* Amérique *f* latine **Latin American I** *adj* latino-américain **II** *n* Latino-Américain(e) *m(f)*

latitude ['lætɪtjuːd] *n* latitude *f* (*also fig*)

latrine [lə'triːn] *n* latrines *fpl*

latter ['lætər] **I** *adj* **1.** (*second*) dernier (-ière), second **2.** ***the ~ part of the book/story is better*** la seconde partie du livre/de l'histoire est mieux; ***the ~ half of the week*** la seconde moitié de la semaine **II** *n* ***the ~*** ce(tte) dernier (-ière), le(la) second(e) **latter-day** ['lætə'deɪ] *adj* moderne **latterly** ['lætəlɪ] *adv* (*recently*) récemment

lattice ['lætɪs] *n* treillage *m*

Latvia ['lætvɪə] *n* Lettonie *f*

Latvian I *adj* letton(ne) **II** *n* **1.** (*person*) Letton(ne) *m(f)* **2.** LING letton *m*

laudable ['lɔːdəbl] *adj* louable

laugh [lɑːf] **I** *n* **1.** rire *m*; ***with a ~*** en riant; ***she gave a loud ~*** elle a ri très fort; ***to have a good ~ about sth*** bien rire de qc; ***it'll give us a ~*** *infml* ça nous fera rire; ***to have the last ~*** être celui qui rit le dernier; ***to get a ~*** faire rire **2.** (*infml fun*) ***what a ~!*** ça, c'est marrant! *infml*; ***for ~s*** *US or* ***for a laugh*** *Br* pour rire; ***it'll be a ~*** ça va être drôle; ***he's a (good) ~*** *Br* on rigole bien avec lui *infml* **II** *v/i* rire (***about, at*** de); ***to ~ at sb*** se moquer de qn; ***you'll be ~ing on the other side of your mouth*** (*US*) *or* ***face*** (*Br*) ***soon*** tu auras bientôt moins envie de rire; ***to ~ out loud*** rire aux éclats; ***to ~ in sb's face*** rire au nez de qn; ***don't make me ~!*** *iron, infml* laisse-moi rire! ◆ **laugh off** *v/t* **1.** *always separate* ***to laugh one's head off*** rire comme une baleine *infml* **2.** *sep* (*dismiss*) écarter d'une boutade

laughable ['lɑːfəbl] *adj* ridicule **laughing** ['lɑːfɪŋ] **I** *adj* ***it's no ~ matter*** il n'y a pas de quoi rire **II** *n* rires *mpl* **laughing gas** *n* gaz *m* hilarant **laughing stock** *n* risée *f*

laughter ['lɑːftər] *n* rires *mpl*

launch [lɔːntʃ] **I** *n* **1.** (*vessel*) vedette *f* **2.** (*of rocket, movie, company, product*) lancement *m* **II** *v/t* **1.** *vessel* mettre à la mer; *lifeboat* faire sortir; *rocket* lancer **2.**; *company*, *product*, *movie*, *book*, *career* lancer; *investigation* ouvrir; ***the attack was ~ed at 15.00 hours*** l'attaque a été déclenchée à 15:00heures; ***to ~ a takeover bid*** COMM lancer une OPA ◆ **launch into** *v/t insep* se lancer dans; ***he launched into a description of his house*** il s'est lancé dans une description de sa maison

launch(ing) pad *n* rampe *f* de lancement

launder ['lɔːndəʳ] *v/t* laver; *fig money* blanchir **Launderette®** [ˌlɔːndə'ret], **laundrette** *n Br* laverie *f* automatique, lavomatic® *m* **Laundromat®** ['lɔːndrəʊmæt] *n US* laverie *f* automatique, lavomatic® *m*

laundry ['lɔːndrɪ] *n* **1.** (*establishment*) blanchisserie *f* **2.** (*clothes*) lessive *f*; ***to do the ~*** faire la lessive **laundry basket** *n* panier *m* à linge

laurel ['lɒrəl] *n* laurier *m*; ***to rest on one's ~s*** se reposer sur ses lauriers

lava ['lɑːvə] *n* lave *f*

lavatory ['lævətrɪ] *n* **1.** *US* toilettes *fpl* **2.** *Br object* WC *m* **lavatory attendant** *n Br* dame *f* pipi **lavatory paper** *n Br* papier *m* toilette **lavatory seat** *n Br* siège *m* des toilettes

lavender ['lævɪndəʳ] *n* lavande *f*

lavish ['lævɪʃ] **I** *adj gifts* somptueux (-euse); *praise* dithyrambique; *banquet* copieux(-euse); ***to be ~ with sth*** être généreux de qc **II** *v/t* prodiguer; ***to ~ sth on sb*** prodiguer qc à qn **lavishly** ['lævɪʃlɪ] *adv equipped* luxueusement; *praise* de manière dithyrambique; *entertain* somptueusement; ***~ furnished*** luxueusement meublé

law [lɔː] *n* **1.** loi *f*; (*system*) droit *m*; ***it's the ~*** c'est la loi; ***to become ~*** (*bill*) être voté; ***is there a ~ against it?*** est-ce que c'est interdit par la loi?; ***under French ~*** selon la législation française; ***he is above the ~*** il est au-dessus des lois; ***to keep within the ~*** rester dans les limites de la légalité; ***in ~*** devant la loi; ***civil / criminal ~*** droit civil / criminel; ***to practice*** (*US*) *or* ***practise*** (*Br*) ***~*** être avocat; ***to take the ~ into one's own hands*** faire justice soi-même; ***~ and order*** l'ordre public **2.** (*as study*) droit *m* **3.** ***the ~*** *infml* les flics *infml* **law-abiding** *adj* respectueux(-euse) des lois **law court** *n* tribunal *m* **lawful** ['lɔːfʊl] *adj* légal; *wife*, *child* légitime **lawfully** ['lɔːfəlɪ] *adv* légalement; ***he is ~ entitled to compensation*** légalement, il a le droit à un dédommagement **lawless** ['lɔːlɪs] *adj act* anarchiste; *society* sans loi **lawlessness** ['lɔːlɪsnɪs] *n* anarchie *f*

lawn [lɔːn] *n* pelouse *f* **lawn mower** *n* tondeuse *m* (à gazon) **lawn tennis** *n* tennis *m* sur gazon

law school *n* faculté *f* de droit **lawsuit** *n* procès *m*; ***to bring a ~ against sb*** intenter un procès à qn

lawyer ['lɔːjəʳ] *n* avocat *m*

lax [læks] *adj* ⟨**+er**⟩ laxiste; *morals* relâché; ***to be ~ about sth*** négliger qc

laxative ['læksətɪv] **I** *adj* laxatif(-ive) **II** *n* laxatif *m*

laxity ['læksɪtɪ] *n* laxisme *m*

lay[1] [leɪ] *adj* laïque

lay[2] *past* = **lie**[2]

lay[3] *vb* ⟨*past*, *past part* **laid**⟩ **I** *v/t* **1.** mettre (***sth on sth*** qc sur qc); *wreath* déposer; *cable*, *carpet* poser; ***to ~ (one's) hands on*** (*get hold of*) poser la main sur; (*find*) mettre la main sur **2.** *plans* élaborer; *esp Br table* mettre; ***to ~ a trap for sb*** tendre un piège à qn; ***to ~ the blame for sth on sb / sth*** rejeter la responsabilité de qc sur qn / qc; ***to ~ waste*** ravager **3.** *eggs* (*hen*, *fish*, *insects*) pondre; ***to ~ bets on sth*** parier sur qc **II** *v/i* (*hen*) pondre ◆ **lay about I** *v/i* frapper de tous les côtés **II** *v/t sep* rouer de coups ◆ **lay aside** *v/t sep work etc.* poser de côté; (*save*) mettre de côté ◆ **lay down** *v/t sep* **1.** *book etc.* poser; ***he laid his bag down on the table*** il a posé son sac sur la table **2.** ***to ~ one's arms*** déposer les armes; ***to ~ one's life*** sacrifier sa vie **3.** *rules* établir; ***to ~ the law*** *infml* dicter sa loi (***to sb*** à qn) ◆ **lay into** *v/t insep infml* ***to ~ sb*** rosser qn *infml*; (*verbally*) passer un savon à qn *infml* ◆ **lay off I** *v/i infml* s'abstenir de; ***you'll have to ~ smoking*** tu vas devoir arrêter la cigarette *infml*; ***~ my little brother, will you!*** tu vas ficher la paix à mon petit frère! *infml* **II** *v/t sep workers* mettre au chômage technique; ***to be laid off*** être mis au chômage technique; (*permanently*) être licencié ◆ **lay on** *v/t sep Br entertainment* fournir; *extra buses* mettre en place ◆ **lay out** *v/t sep* **1.** (*spread out*) étaler **2.** (*present*) disposer

3. *clothes* préparer; *corpse* faire la toilette mortuaire de **4.** (*arrange*) arranger ◆ **lay over** *v/i US* faire une halte ◆ **lay up** *v/t sep* ***to be laid up in bed*** être au lit

layabout *n Br infml* fainéant(e) *m(f) infml* **lay-by** *n Br* (*in town*) place *f* de stationnement; (*in country*) aire *f* de stationnement

layer ['leɪəʳ] **I** *n* couche *f*; ***to arrange sth in ~s*** disposer qc en couches; ***several ~s of clothing*** plusieurs épaisseurs de vêtements **II** *v/t* **1.** *hair* couper en dégradé **2.** *vegetables etc.* marcotter

layman *n* laïc *m* **lay-off** *n* licenciement *m*; ***further ~s were unavoidable*** d'autres licenciements étaient inévitables **layout** *n* disposition *f*; TYPO mise *f* en page; ***we have changed the ~ of this office*** nous avons changé la disposition de ce bureau **layover** *n US* halte *f* **layperson** *n* laïc(-ïque) *m(f)*

laze [leɪz] *v/i* (*a.* **laze around** *also* **laze about** *Br*) paresser **lazily** ['leɪzɪlɪ] *adv* paresseusement; (*languidly*) avec indolence **laziness** ['leɪzɪnɪs] *n* paresse *f*

lazy ['leɪzɪ] *adj* ⟨**+er**⟩ **1.** paresseux (-euse); ***to be ~ about doing sth*** être trop paresseux pour faire qc **2.** (*slow-moving*) indolent; *evening* tranquille **lazybones** ['leɪzɪˌbəʊnz] *n sg infml* fainéant(e) *m(f) infml*

lb. *n* (*weight*) livre *f*

LCD *abbr* = **liquid crystal display** LCD *m*

lead¹ [led] *n* **1.** (*metal*) plomb *m* **2.** (*in pencil*) mine *f*

lead² [liːd] *vb* ⟨*past, past part* **led**⟩ **I** *n* **1.** (*leading position*) tête *f*; ***to be in the ~*** être en tête; ***to take the ~, to move into the ~*** prendre la tête; (*in league*) mener **2.** (*distance, time ahead*) avance *f*; ***to have two minutes' ~ over sb*** avoir deux minutes d'avance sur qn **3.** (*example*) initiative *f* ***to take the ~*** être le premier à faire qc **4.** (*clue*) piste *f*; ***the police have a ~*** la police a une piste **5.** THEAT (*part*) rôle *m* principal; (*person*) premier rôle masculin / féminin **6.** *esp Br* (*leash*) laisse *f*; ***on a ~*** en laisse **7.** *Br* ELEC fil *m* **II** *v/t* **1.** conduire; ***to ~ sb in*** faire entrer qn; ***that road will ~ you back to the hotel*** cette route vous ramènera à votre hôtel; ***to ~ the way*** montrer le chemin; ***all this talk is ~ing us nowhere*** toute cette conversation ne mène à rien; ***to ~ sb to do sth*** amener qn à faire qc; ***what led him to change his mind?*** qu'est-ce qui l'a amené à changer d'avis?; ***I am led to believe that ...*** je suis amené à croire que ...; ***to ~ sb into trouble*** attirer des ennuis à qn **2.** (*be leader of*) être à la tête de; *team* diriger; ***to ~ a party*** diriger un parti **3.** (*be first in*) être en tête de; ***they led us by 30 seconds*** ils avaient 30 secondes d'avance sur nous; ***Britain ~s the world in textiles*** la Grande-Bretagne est le leader mondial du textile **III** *v/i* **1.** mener; ***it ~s into that room*** ça mène dans cette pièce; ***all this talk is ~ing nowhere*** toute cette conversation ne mène à rien; ***remarks like that could ~ to trouble*** de telles remarques pourraient entraîner des ennuis **2.** (*go in front*) mener; (*in race*) être en tête ◆ **lead away** *v/t sep* emmener ◆ **lead off** *v/i* (*street*) partir de; ***several streets led off the square*** plusieurs rues partent de la place ◆ **lead on** *v/t sep* (*deceive*) tromper ◆ **lead on to** *v/t insep* amener à ◆ **lead up I** *v/t sep* conduire (**to** à); ***to lead sb up the garden path*** *fig* mener qn en bateau **II** *v/i* ***the events that led up to the war*** les événements qui ont conduit à la guerre; ***what are you leading up to?*** où voulez-vous en venir?; ***what's all this leading up to?*** qu'est-ce que ça signifie?

leaded ['ledɪd] *adj petrol* au plomb **leaden** ['ledn] *adj* de plomb; *steps* lourd

leader ['liːdəʳ] *n* **1.** dirigeant *m*; (*of party, gang, project*) chef *m*; (*military*) commandant *m*; (SPORTS, *in league*) leader *m*; (*in race*) coureur *m* de tête; (*horse*) cheval *m* de tête; (*of orchestra*) premier violon *m*; ***to be the ~*** (*in race*) être en tête; ***the ~s*** (*in race*) les premiers; ***~ of the opposition*** *Br* chef de l'opposition **2.** (*Br* PRESS) éditorial *m* **leadership** ['liːdəʃɪp] *n* direction *f*; (*office*) dirigeants *mpl*; ***under the ~ of*** sous la conduite de qn

lead-free ['ledfriː] **I** *adj* sans plomb **II** *n* sans plomb *m*

leading ['liːdɪŋ] *adj* **1.** (*first*) en tête **2.** *person, writer, politician, company* important, principal; ***~ product*** produit leader; ***~ sportsman*** sportif de premier plan; ***~ role*** THEAT rôle principal; *fig* rôle essentiel (**in** dans) **leading article** *n*

éditorial *m* **leading lady** *n* actrice *f* principale **leading light** *n* étoile *f* **leading man** *n* acteur *m* principal **leading question** *n* question *f* tendancieuse
lead singer ['liːd-] *n* soliste *m/f* **lead story** ['liːd-] *n* gros titres *mpl*
leaf [liːf] **I** *n* ⟨*pl* **leaves**⟩ **1.** feuille *f*; ***he swept the leaves into a pile*** il a balayé les feuilles et en a fait un tas **2.** (*of paper*) page *f*; ***to take a ~ out of*** *or* ***from sb's book*** prendre exemple sur qn; ***to turn over a new ~*** s'acheter une conduite **II** *v/i* ***to ~ through a book*** feuilleter un livre **leaflet** ['liːflət] *n* prospectus *m*; (*handout*) mode *m* d'emploi **leafy** ['liːfɪ] *adj tree* touffu; *lane* bordé d'arbres
league [liːg] *n* ligue *f*; ***League of Nations*** Société des Nations; ***to be in ~ with sb*** être de connivence avec qn; ***the team is top of the ~*** l'équipe est en tête du championnat; ***he was not in the same ~*** *fig* il n'était pas du même niveau; ***this is way out of your ~!*** tu ne fais pas le poids! **league table** *n* classement *m* (du championnat); (*esp Br*, *of schools etc.*) palmarès *m*
leak [liːk] **I** *n* fuite *f*; (*in container*) trou *m*; (*escape of liquid*) voie *f* d'eau; ***to have a ~*** avoir une fuite; (*pipe etc.*) fuir **II** *v/t* **1.** *lit* faire couler; *fuel* répandre; ***that tank is ~ing acid*** ce réservoir répand de l'acide **2.** *fig information etc.* divulguer (***to sb*** à qn) **III** *v/i* (*ship*) faire eau; (*roof*) ne pas être étanche; (*pen*, *liquid*, *receptacle*) fuir; (*gas*) s'échapper; ***water is ~ing*** (***in***) ***through the roof*** l'eau s'infiltre par le toit ◆ **leak out** *v/i* **1.** (*liquid*) fuir **2.** (*news*) filtrer
leakage ['liːkɪdʒ] *n* (*act*) fuite *f* **leaky** ['liːkɪ] *adj* ⟨**+er**⟩ qui fuit; *boat also* qui fait eau
lean[1] [liːn] *adj* ⟨**+er**⟩ maigre; *person* mince; ***to go through a ~ patch*** traverser une période difficile
lean[2] ⟨*past*, *past part* **leant**⟩ (*Br*) *or* **leaned I** *v/t* **1.** appuyer (***against*** contre); ***to ~ one's head on sb's shoulder*** poser la tête sur l'épaule de qn **2.** (*rest*) poser (***on*** sur); ***to ~ one's elbow on sth*** poser les coudes sur qc **II** *v/i* **1.** (*be off vertical*) pencher (***to*** vers); ***he ~ed across the counter*** il se pencha sur le comptoir **2.** (*rest*) s'appuyer; ***she ~ed on my arm*** elle s'appuya sur mon bras; ***to ~ on one's elbow*** s'accouder **3.** ***to ~ toward socialism*** pencher vers le socialisme ◆ **lean back** *v/i* se pencher en arrière ◆ **lean forward** *v/i* se pencher en avant ◆ **lean on** *v/i* (*depend on*) ***to ~ sb*** s'appuyer sur qn; (*infml put pressure on*) faire pression sur qn ◆ **lean out** *v/i* se pencher au dehors; ***to ~ of the window*** se pencher par la fenêtre
leaning ['liːnɪŋ] **I** *adj* penché **II** *n* penchant *m* **leant** [lent] *Br past*, *past part* = **lean**[2]
leap [liːp] *vb* ⟨*past*, *past part* **leapt**⟩ (*Br*) *or* **leaped I** *n* saut *m*; (*fig*: *in profits etc.*) bond *m*; ***a great ~ forward*** *fig* un grand bond en avant; ***a ~ into the unknown, a ~ in the dark*** *fig* un saut dans l'inconnu; ***by ~s and bounds*** *fig* à pas de géant **II** *v/i* sauter; ***to ~ to one's feet*** se lever d'un bond; ***the stocks ~t by 21 cents*** les actions ont fait un bond de 21 centimes ◆ **leap at** *v/t insep* ***to ~ a chance*** sauter sur l'occasion ◆ **leap out** *v/i* sortir d'un bond (**of** de); ***he leaped out of the car*** il a sauté de la voiture ◆ **leap up** *v/i* (*prices*) faire un bond
leapfrog ['liːpfrɒg] *n* saute-mouton *m*; ***to play ~*** jouer à saute-mouton **leapt** [lept] *esp Br past*, *past part* = **leap leap year** *n* année *f* bissextile
learn [lɜːn] ⟨*past*, *past part* **learnt**⟩ (*Br*) *or* **learned I** *v/t* **1.** apprendre; *poem etc.* apprendre; ***I ~ed*** (***how***) ***to swim*** j'ai appris à nager **2.** (*be informed*) apprendre **II** *v/i* **1.** apprendre; ***to ~ from experience*** apprendre par l'expérience **2.** (*find out*) apprendre (***about, of sth*** qc) **learned** ['lɜːnɪd] *adj* savant; ***a ~ man*** un savant **learner** ['lɜːnə^r] *n* **1.** apprenant(e) *m*(*f*) **2.** (*learner driver*) apprenti(e) *m*(*f*) conducteur(-trice) **learning** ['lɜːnɪŋ] *n* (*act*) apprentissage *m*; ***a man of ~*** un érudit **learning curve** *n* ***to be on a steep ~*** avoir beaucoup à apprendre **learnt** [lɜːnt] *Br past*, *past part* = **learn**
lease [liːs] **I** *n* bail *m*; (*contract*) (contrat *m* de) bail *m*; (*of apartment*) bail *m* (à louer); (*of equipment*) location *f*; ***a new ~ of life*** un second souffle **II** *v/t* (*take*) louer à bail (**from** à); *apartment*, *equipment* louer (**from** à); (*give*: *a.* **lease out**) louer (**to** à); *apartment*, *equipment* louer (**to** à) **leasehold** *esp Br* **I** *n* propriété *f* louée à bail; (*contract*) bail *m* de longue durée, ≈ bail *m* emphytéotique **II** *adj* loué à bail; ***~ prop-***

erty propriété louée à bail **leaseholder** *n* ≈ locataire *m/f* emphytéotique

leash [liːʃ] *n* laisse *f*; ***on a ~*** en laisse

leasing ['liːsɪŋ] *n* crédit-bail *m*

least [liːst] **I** *adj* **1.** le moindre, la moindre **2.** (*with uncountable nouns*) le moins de; ***he has the ~ money*** c'est lui qui a le moins d'argent **II** *adv* **1.** (*+vb*) le moins; ***~ of all would I wish to offend him*** je ne voudrais surtout pas le froisser **2.** (*+adj*) le moins, la moins; ***the ~ expensive car*** la voiture la moins chère; ***the ~ talented player*** le joueur le moins doué; ***the ~ known*** le moins connu; ***not the ~ bit*** pas le moins du monde **III** *n* ***the ~*** le moins; ***it's the ~ I can do*** c'est le moins que je puisse faire; ***at ~*** au moins; ***there were at ~ eight*** ils étaient au moins huit; ***that's the ~ of my worries*** c'est le cadet de mes soucis; ***we need three at the very ~*** il en faut trois au minimum; ***all nations love football, not ~ the British*** toutes les nations adorent le football, et en particulier les Anglais; ***he was not in the ~ upset*** il n'était pas le moins du monde fatigué; ***to say the ~*** c'est le moins qu'on puisse dire

leather ['leðəʳ] **I** *n* cuir *m* **II** *adj* en cuir; ***~ jacket / shoes*** blouson / chaussures en cuir **leathery** ['leðərɪ] *adj skin* parcheminé

leave [liːv] *vb* ⟨*past, past part* **left**⟩ **I** *n* **1.** (*permission*) permission *f*; ***to ask sb's ~ to do sth*** demander à qn la permission de faire qc **2.** (*time off*) congé *m*; ***to be on ~*** être en congé; ***I have ~ to attend the conference*** j'ai eu un congé pour participer à la conférence; ***~ of absence*** congé exceptionnel **3.** ***to take ~ of sb*** prendre congé de qn; ***to take ~ of one's senses*** perdre la tête **II** *v/t* **1.** *place, person* quitter; ***the train left the station*** le train a quitté la gare; ***when the plane left Rome*** quand l'avion quitta Rome; ***when he left Rome*** quand il quitta Rome; ***to ~ the country*** quitter le pays; (*permanently*) émigrer; ***to ~ home*** quitter la maison; ***to ~ school*** arrêter ses études; ***to ~ the table*** se lever de table; ***to ~ one's job*** quitter son travail; ***to ~ the road*** (*crash*) sortir de la route; (*turn off*) quitter la route; ***I'll ~ you at the station*** (*in car*) je te dépose à la gare **2.** (*cause to remain*) laisser; ***I'll ~ my address with you*** je vous laisse mon adresse; ***to ~ one's supper*** ne pas manger son dîner; ***this ~s me free for the afternoon*** ça me laisse l'après-midi de libre; ***~ the dog alone*** laisse le chien tranquille; ***to ~ sb to do sth*** laisser qn faire qc; ***I'll ~ you to it*** je vous laisse; ***let's ~ it at that*** restons-en là; ***to ~ sth to the last minute*** attendre le dernier moment pour qc; ***let's ~ this now*** (*stop*) arrêtons-là **3.** (*forget*) laisser, oublier **4.** (*after death*) *money* léguer **5.** ***to be left*** (*remain*) rester; ***all I have left*** tout ce qu'il me reste; ***I have $6 left*** il me reste 6 dollars; ***how many are there left?*** combien en reste-t-il?; ***3 from 10 ~s 7*** 3 ôté de 10 il reste 7; ***there was nothing left for me to do but to sell it*** il ne me restait rien d'autre à faire que de l vendre **6.** (*entrust*) confier (***up to sb*** à qn); ***~ it to me*** confie-le moi; ***to ~ sth to chance*** laisser qc au hasard **III** *v/i* (*person*) partir, s'en aller; (*in vehicle, plane*) partir; ***we ~ for Sweden tomorrow*** nous partons pour la Suède demain ◆ **leave behind** *v/t sep* **1.** *car* distancer; *chaos* laisser; *the past* oublier; ***we've left all that behind us*** tout ça, c'est derrière nous; ***he left all his fellow students behind*** il a dépassé tous ses condisciples **2.** (*forget*) oublier ◆ **leave off I** *v/t sep lid* ne pas remettre; *lights* laisser éteint; ***you left her name off the list*** vous avez omis son nom dans la liste **II** *v/t insep Br infml* arrêter; ***~!*** arrête!; ***he picked up where he left off*** il reprit là où il en était ◆ **leave on** *v/t sep clothes* garder; *lights* laisser allumé ◆ **leave out** *v/t sep* **1.** (*not bring in*) laisser dehors **2.** (*omit*) omettre; (*exclude*) *people* exclure (**of** de); ***you leave me out of this*** vous me laissez en dehors de ça; ***he got left out of things*** il a été tenu à l'écart **3.** (*not put away*) laisser ◆ **leave over** *v/t sep* ***to be left over*** rester

leaves [liːvz] *pl* = **leaf**

leaving party ['liːvɪŋ] *n* soirée *f* d'adieu

lecher ['letʃəʳ] *n* coureur *m* de jupons **lecherous** ['letʃərəs] *adj* lubrique

lectern ['lektɜːn] *n* lutrin *m*

lecture ['lektʃəʳ] **I** *n* **1.** conférence *f*; UNIV cours *m* (magistral); ***to give a ~*** faire un cours (*to* pour, *on sth* sur qc) **2.** (*scolding*) sermon *m pej* **II** *v/t* **1.** ***to ~ sb on sth*** faire un cours à qn sur qc; ***he ~s us in French*** il nous donne

un cours de français **2.** (*scold*) ***to ~ sb*** sermonner qn (***on*** pour) **III** *v/i* donner une conférence; UNIV faire un cours; ***he ~s in English*** il est professeur d'anglais à l'université; ***he ~s at Princeton*** il est professeur à Princeton **lecture hall** *n* amphithéâtre *m* **lecture notes** *pl* notes *fpl* de cours; (*handout*) polycopié *m*
lecturer ['lektʃərər] *n* (*speaker*) conférencier(-ière) *m(f)*; UNIV professeur *m* d'université; ***assistant ~*** ≈ maître-assistant; ***senior ~*** ≈ maître de conférences **lectureship** ['lektʃəʃɪp] *n* poste *m* de professeur d'université **lecture theater**, *Br* **lecture theatre** *n* amphithéâtre *m*
led [led] *past, past part* = **lead²**
ledge [ledʒ] *n* rebord *m*; (*of window*) rebord *m*; (*mountain ledge*) saillie *f*
ledger ['ledʒər] *n* grand livre *m*
leech [liːtʃ] *n* sangsue *f*
leek [liːk] *n* poireau *m*
leer [lɪər] **I** *n* regard *m* vicieux **II** *v/i* jeter des regards libidineux; ***he ~ed at her*** il lui jetait des regards libidineux
leeway ['liːweɪ] *n fig* liberté *f*; (*in a decision*) latitude *f*; ***he has given them too much ~*** il leur a laissé trop de liberté
left¹ [left] *past, past part* = **leave**
left² **I** *adj* gauche; ***no ~ turn*** interdiction de tourner à gauche; ***he has two ~ feet*** *infml* il est très maladroit **II** *adv* à gauche (***of*** de); ***keep ~*** serrez à gauche **III** *n* **1.** gauche *f*; ***on the ~*** à gauche (***of*** de); ***on*** *or* ***to sb's ~*** à la gauche de qn; ***take the first*** (***on the***) ***~ after the church*** prenez la première à gauche après l'église; ***the third*** *etc.* ***… from the ~*** la troisième *etc.* … en partant de la gauche; ***to keep to the ~*** tenir sa gauche **2.** POL gauche *f*; ***to move to the ~*** passer à gauche **left back** *n* arrière *m* gauche **left-click** IT **I** *v/i* faire un clic gauche **II** *v/t* faire un clic gauche sur **left-hand** *adj* ***~ drive*** conduite *f* à gauche; ***~ side*** côté gauche; ***he stood on the ~ side of the king*** il se tenait à gauche du roi; ***take the ~ turn*** tourner à gauche **left-handed** **I** *adj* gaucher(-ère); *tool* pour gaucher; ***both the children are ~*** les enfants sont tous les deux gauchers **II** *adv* avec la main gauche **left-hander** *n* gaucher(-ère) *m(f)* **leftist** ['leftɪst] *adj* de gauche
left-luggage locker *n Br* consigne *f* automatique **left-luggage (office)** *n Br* consigne *f*
left-of-center, *Br* **left-of-centre** *adj politician* de centre gauche; ***~ party*** parti de centre gauche
leftover **I** *adj* restant **II** *n* **1.** ***~s*** restes *mpl* **2.** *fig* ***to be a ~ from the past*** être un vestige du passé
left wing *n* gauche *f*; SPORTS aile *f* gauche; ***on the ~*** POL à gauche; SPORTS sur l'aile gauche **left-wing** *adj* de gauche **left-winger** *n* POL homme / femme *m/f* de gauche; SPORTS ailier *m* gauche
leg [leg] *n* **1.** *of person, horse* jambe *f*; *of animal* patte *f*; ***to be on one's last ~s*** être à bout; ***he doesn't have a ~ to stand on*** (*fig no excuse*) il ne trouve pas d'excuses; (*no proof*) il ne peut s'appuyer sur rien **2.** (*as food*) cuisse *f*; ***~ of lamb*** gigot d'agneau **3.** *Br* (*stage*) étape *f*
legacy ['legəsɪ] *n* legs *m*; *fig, pej* héritage *m*
legal ['liːgl] *adj* **1.** (*lawful*) légal; *obligation, limit* légal; ***to make sth ~*** légaliser qc; ***it is not ~ to sell drink to children*** la vente d'alcool aux mineurs est illégale; ***~ limit*** (*of alcohol*) taux d'alcoolémie autorisé; ***foreigners had no ~ status*** les étrangers n'avaient pas de statut légal **2.** (*relating to the law*) légal; *matters, advice* juridique; *inquiry* judiciaire; ***for ~ reasons*** pour des raisons légales; ***~ charges*** *or* ***fees*** *or* ***costs*** (*lawyer's*) frais d'avocat; (*court's*) frais de justice; ***the British ~ system*** le système juridique anglais; ***the ~ profession*** les gens de loi **legal action** *n* procès *m*; ***to take ~ against sb*** intenter un procès à qn **legal adviser** *n* conseiller(-ère) *m(f)* juridique **legal aid** *n* aide *f* juridique **legality** [liː'gælɪtɪ] *n* légalité *f*; (*of claim*) légitimité *f*; (*of contract, decision*) validité *f* **legalize** ['liːgəlaɪz] *v/t* légaliser **legally** ['liːgəlɪ] *adv acquire* légalement; *married, obliged* légalement; ***~ responsible*** responsable en droit; ***to be ~ entitled to sth*** avoir légalement droit à qc; ***~ binding*** juridiquement contraignant **legal tender** *n* monnaie *f* légale
legend ['ledʒənd] *n* légende *f*; (*fictitious*) mythe *m*; ***to become a ~ in one's lifetime*** devenir une légende de son vivant **legendary** ['ledʒəndərɪ] *adj* **1.** légendaire **2.** (*famous*) célèbre

-legged [-'legd, -'legɪd] *adj suf* ***bare--legged*** aux jambes nues **leggings** ['legɪŋz] *pl* caleçons *mpl*
legible ['ledʒɪbl] *adj* lisible **legibly** ['ledʒɪblɪ] *adv* de façon lisible; *write* lisiblement
legion ['liːdʒən] *n* légion *f* **legionary** ['liːdʒənərɪ] *n* légionnaire *m*
legislate ['ledʒɪsleɪt] *v/i* légiférer **legislation** ['ledʒɪs'leɪʃən] *n* (*laws*) législation *f* **legislative** ['ledʒɪslətɪv] *adj* législatif(-ive) **legitimacy** [lɪ'dʒɪtɪməsɪ] *n* légitimité *f* **legitimate** [lɪ'dʒɪtɪmət] *adj* **1.** légitime; *excuse* valable **2.** *child* légitime **legitimately** [lɪ'dʒɪtɪmətlɪ] *adv* en toute légalité; (*with reason*) légitimement **legitimize** [lɪ'dʒɪtɪmaɪz] *v/t* légitimer
legless *adj* (*Br infml*) bourré *infml* **leg press** *n* SPORTS appareil *m* de musculation des jambes et des fessiers **legroom** *n* place *f* pour les jambes **leg-up** *n* ***to give sb a ~*** faire la courte échelle à qn
leisure ['leʒəʳ] *n* loisir *m*, temps *m* libre; ***do it at your ~*** prenez tout votre temps **leisure activities** *pl* activités *fpl* de loisir **leisure centre** *n Br* centre *m* de loisirs **leisure hours** *pl* heures *fpl* de loisir **leisurely** ['leʒəlɪ] *adj* tranquille; ***to go at a ~ pace*** (*person*) marcher tranquillement; ***to have a ~ breakfast*** prendre le petit déjeuner tranquillement **leisure time** *n* loisirs *mpl*, temps *m* libre **leisurewear** *n* vêtements *mpl* décontractés
lemma ['lemə] ⟨*pl* **-s** *or* **-ta**⟩ *n* LING lemme *m*
lemon ['lemən] **I** *n* citron *m* **II** *adj* citron **lemonade** [ˌlemə'neɪd] *n* (*with lemon flavor*) limonade *f*; *Br* citronnade *f* **lemon grass** *n* BOT, COOK citronnelle *f* **lemon juice** *n* jus *m* de citron **lemon sole** *n* limande-sole *f* **lemon squeezer** *n* presse-citron *m*
lend [lend] ⟨*past, past part* **lent**⟩ **I** *v/t* **1.** prêter (***to sb*** à qn); (*banks*) *money* prêter (***to*** à) **2.** (*fig give*) donner (***to*** à); ***to ~ (one's) support to sb / sth*** prêter son appui à qn / qc; ***to ~ a hand*** donner un coup de main **II** *v/r* ***to ~ oneself to sth*** (*be suitable*) se prêter à qc ◆ **lend out** *v/t sep* prêter
lender ['lendəʳ] *n* (*professional*) prêteur (-euse) *m(f)* **lending library** *n* bibliothèque *f* de prêt **lending rate** *n* taux *m* de prêt
length [leŋθ] *n* **1.** longueur *f*; ***to be 4 feet in ~*** mesurer 4 pieds de long; ***what ~ is it?*** combien mesure-t-il en longueur?; ***along the whole ~ of the river*** tout le long de la rivière **2.** (*of rope*) morceau *m*; (*of pool*) longueur *f* **3.** (*of time*) longueur *f*; ***for any ~ of time*** pendant un certain temps; ***at ~*** enfin **4.** ***to go to any ~s to do sth*** ne reculer devant rien pour faire qc; ***to go to great ~s to do sth*** se donner beaucoup de mal pour faire qc **lengthen** ['leŋθən] **I** *v/t* allonger; *clothes* rallonger; ***to ~ one's stride*** allonger le pas **II** *v/i* s'allonger **lengthways** ['leŋθweɪz], **lengthwise I** *adj* longitudinal **II** *adv* dans le sens de la longueur **lengthy** ['leŋθɪ] *adj* ⟨**+er**⟩ très long(ue); (*dragging on*) qui traîne en longueur; *speech* plein de longueurs *pej*; *meeting* qui s'éternise
lenience ['liːnɪəns], **leniency** *n* indulgence *f* (***toward*** envers); (*of judge, sentence*) clémence *f* **lenient** ['liːnɪənt] *adj* indulgent (***toward*** envers); *judge, sentence* clément; ***to be ~ with sb*** être indulgent envers qn **leniently** ['liːnɪəntlɪ] *adv* avec indulgence; *judge* avec clémence
lens [lenz] *n* lentille *f*; (*in spectacles*) verre *m*; (*camera part*) objectif *m* **lens cap** *n* bouchon *m* d'objectif
Lent [lent] *n* Carême *m*
lent [lent] *past, past part* = **lend**
lentil ['lentl] *n* lentille *f*
Leo ['liːəʊ] *n* ASTROL Lion *m*; ***he's (a) ~*** il est Lion
leopard ['lepəd] *n* léopard *m*
leotard ['liːətɑːd] *n* maillot *m*; GYMNASTICS justaucorps *m*
leper ['lepəʳ] *n* lépreux(-euse) **leprosy** ['leprəsɪ] *n* lèpre *f*
lesbian ['lezbɪən] **I** *adj* lesbien(ne); ***~ and gay rights*** droits des lesbiennes et des gays **II** *n* lesbienne *f*
lesion ['liːʒən] *n* lésion *f*
less [les] **I** *adj, adv, n* moins; ***~ noise, please!*** moins de bruit, s'il vous plaît!; ***to grow ~*** baisser; (*decrease*) diminuer; ***~ and ~*** de moins en moins; ***she saw him ~ and ~ (often)*** elle le voyait de moins en moins (souvent); ***a sum ~ than $1*** une somme inférieure à 1 dollar; ***it's nothing ~ than disgraceful*** le moins qu'on puisse dire, c'est que c'est une honte; ***~ beautiful*** moins beau; ***~ quickly*** moins rapidement;

none the ~ ne … pas moins; ***can't you let me have it for ~?*** vous ne pouvez pas me faire un prix?; ***~ of that!*** ça suffit! **II** *prep* moins; COMM déduction faite de; ***6 ~ 4 is 2*** 6 moins 4 égale 2 **lessen** ['lesn] **I** *v/t* réduire; *impact* diminuer; *pain* atténuer **II** *v/i* diminuer **lesser** ['lesə^r] *adj* moindre; ***to a ~ extent*** dans une moindre mesure; ***a ~ amount*** une moindre somme

lesson ['lesn] *n* **1.** SCHOOL *etc.* cours *m*; (*unit of study*) leçon *f*; ***~s*** des leçons; ***a French ~*** un cours de français; ***to give*** *or* ***teach a ~*** donner une leçon **2.** *fig* leçon *f*; ***he has learned his ~*** il a compris la leçon; ***to teach sb a ~*** servir de leçon à qn

lest [lest] *cj* (*form in order that … not*) de crainte que … ne

let ⟨*past*, *past part* **let**⟩ *v/t* **1.** laisser; ***to ~ sb do sth*** laisser qn faire qc; ***she ~ me borrow the car*** elle m'a prêté la voiture; ***we can't ~ that happen*** nous devons empêcher cela; ***he wants to but I won't ~ him*** il aimerait bien mais je ne le laisserai pas faire; ***~ me know what you think*** faites-moi savoir ce que vous en pensez; ***to ~ sb be*** laisser qn tranquille; ***to ~ sb / sth go, to ~ go of sb / sth*** lâcher qn / qc; ***to ~ oneself go*** (*neglect oneself*) se laisser aller; ***we'll ~ it pass*** *or* ***go this once*** (*disregard*) *error* nous allons fermer les yeux pour cette fois **2.** ***~ alone*** (*much less*) encore moins **3.** ***~'s go!*** allons-y; ***yes, ~'s*** oh oui; ***~'s not*** oh non; ***don't ~'s*** *or* ***~'s not fight*** ne nous disputons pas; ***~'s be friends*** soyons amis; ***~ him try*** (***it***)***!*** qu'il essaye!; ***~ me think*** *or* ***see, where did I put it?*** laissez-moi réfléchir, où est-ce que je l'ai mis?; ***~ us pray*** prions; ***~ us suppose …*** supposons … **4.** (*esp Br hire out*) louer, mettre en location; ***"to ~"*** "à louer"; ***we can't find a house to ~*** on n'arrive pas à trouver une maison à louer ◆ **let down** *v/t sep* **1.** (*lower*) baisser; ***I tried to let him down gently*** *fig* j'ai essayé de le ménager **2.** *dress* rallonger; *hem* défaire **3.** *Br* ***to let a tyre down*** dégonfler un pneu **4.** (*fail to help*) ***to let sb down*** faire faux bond à qn (***over*** pour); ***the weather let us down*** le temps n'a pas été de la partie **5.** (*disappoint*) décevoir; ***to feel ~*** être déçu; ***to let oneself down*** se faire du tort à soi-même ◆ **let in** *v/t sep* **1.** *water* laisser passer **2.** *air*, *visitor* faire entrer; (*to club etc.*) introduire (***to*** dans); ***he let himself in*** (***with his key***) il est entré (avec sa clé); ***to let oneself in for sth*** se laisser entraîner dans qc; ***to let sb in on sth*** mettre qn au courant de qc ◆ **let off I** *v/t sep* **1.** *gun* faire partir **2.** *firework* tirer **3.** *gases*, *smell* dégager; ***to ~ steam*** dégager de la vapeur; *fig* se défouler **II** *v/t always separate* **1.** ***to let sb off*** ne pas punir qn; ***I'll let you off this time*** je ferme les yeux pour cette fois; ***to let sb off with a warning*** se contenter de donner un avertissement **2.** (*allow to go*) laisser partir qn; ***we were ~ early*** on nous a laissé partir de bonne heure ◆ **let on** *v/i infml* dire; ***don't ~ you know*** n'allez pas dire que vous le savez ◆ **let out** *v/t sep* **1.** *cat* laisser sortir; *air* laisser échapper; ***I'll let myself out*** ce n'est pas la peine de me reconduire; ***to ~ a groan*** laisser échapper un gémissement **2.** *prisoner* relâcher ◆ **let through** *v/t sep* laisser passer ◆ **let up** *v/i* (*ease up*) diminuer

letdown ['letdaʊn] *n infml* déception *f*

lethal ['liːθəl] *adj* **1.** mortel; ***~ injection*** injection mortelle **2.** *fig opponent* extrêmement dangereux(-euse)

lethargic [lɪ'θɑːdʒɪk] *adj* léthargique **lethargy** ['leθədʒɪ] *n* léthargie *f*

let's [lets] *contr* = **let us**

letter ['letə^r] *n* **1.** (*of alphabet*) lettre *f*; ***to the ~*** au pied de la lettre **2.** (*message*) lettre *f*; COMM *etc.* courrier *m form* (***to*** à); ***by ~*** par écrit; ***to write a ~ of complaint / apology*** écrire une lettre de réclamation/d'excuse; ***~ of recommendation*** *US* lettre de recommandation **3.** LIT ***~s*** lettres *fpl* **letter bomb** *n* lettre *f* piégée

letter box *n Br* boîte *f* aux lettres **letterhead** *n* en-tête *m* **lettering** ['letərɪŋ] *n* gravure *f* **letters page** ['letəz'peɪdʒ] *n* PRESS courrier *m* des lecteurs

lettuce ['letɪs] *n* laitue *f*

let-up ['letʌp] *n infml* diminution *f*; (*easing up*) relâchement *m*

leukemia, *Br* **leukaemia** [luː'kiːmɪə] *n* leucémie *f*

level ['levl] **I** *adj* **1.** *surface* plat; *spoonful* ras **2.** (*at the same height*) à la même hauteur (***with*** que); (*parallel*) parallèle (***with*** à); ***the bedroom is ~ with the ground*** la chambre à coucher est de plain-pied **3.** (*equal*) à égalité; *fig* au même niveau; ***Jones was almost ~ with the winner*** Jones était au coude à coude avec le vainqueur **4.** (*steady*) *tone of voice* calme; (*well-balanced*) équilibré; ***to have a ~ head*** avoir la tête froide **II** *adv* **~ *with*** à la hauteur de; ***it should lie ~ with ...*** ça devrait être à la même hauteur que ...; ***to draw ~ with sb*** arriver au même niveau que qn **III** *n* **1.** (*altitude*) niveau *m*; ***on a ~*** **(*with*)** au niveau (de); ***at eye ~*** au niveau des yeux; ***the trees were very tall, almost at roof ~*** les arbres étaient très hauts, presque au niveau du toit **2.** (*story*) étage *m* **3.** (*position on scale*) échelon *m*; (*social etc.*) niveau *m*; ***to raise the ~ of the conversation*** élever le niveau de la conversation; ***if profit stays at the same ~*** si les bénéfices restent au même niveau; ***the ~ of inflation*** le taux d'inflation; ***a high ~ of interest*** un taux d'intérêt élevé; ***a high ~ of support*** beaucoup de soutien; ***the talks were held at a very high ~*** les discussions ont eu lieu à très haut niveau; ***on a purely personal ~*** sur un plan purement personnel **4.** (*amount*) ***a high ~ of hydrogen*** une quantité importante d'hydrogène; ***the ~ of alcohol in the blood*** le taux d'alcoolémie; ***cholesterol ~*** taux de cholestérol; ***the ~ of violence*** le niveau de violence **IV** *v/t* **1.** *ground* niveler; *town* raser **2.** *weapon* braquer (**at** sur); *accusation* porter (**at** contre) **3.** SPORTS ***to ~ the game*** égaliser; ***to ~ the score*** égaliser ◆ **level out** *v/i* (*a.* **level off**, *ground*) s'aplanir; *fig* se stabiliser

level crossing *n Br* passage *m* à niveau **level-headed** *adj* pondéré

lever ['liːvəʳ, (*US*) 'levəʳ] **I** *n* levier *m*; *fig* levier *m* **II** *v/t* déplacer en faisant levier; ***he ~ed the machine-part into place*** il mit la pièce de la machine en place (avec un levier); ***he ~ed the box open*** il a utilisé une levier pour ouvrir la caisse **leverage** ['liːvərɪdʒ, (*US*) 'levərɪdʒ] *n* effet *m* de levier; *fig* appui *m*; ***to use sth as ~*** *fig* se servir de qc pour faire pression

levy ['levɪ] **I** *n* (*act*) contribution *f*; (*tax*) impôt *m*, droit *m* **II** *v/t tax* percevoir

lewd [luːd] *adj gesture* obscène; *remark* lubrique

lexicon ['leksɪkən] *n* lexique *m*, vocabulaire *m*; (*in linguistics*) lexique *m*

liability [ˌlaɪə'bɪlɪtɪ] *n* **1.** (*burden*) poids *m*, charge *f* **2.** (*responsibility*) responsabilité *f*; ***we accept no ~ for ...*** nous déclinons toute responsabilité pour ... **3.** FIN ***liabilities*** dettes *fpl*, passif *m* **liable** ['laɪəbl] *adj* **1.** ***to be ~ for*** *or* ***to sth*** être assujetti à qc; ***to be ~ for tax*** être assujetti à l'impôt; ***to be ~ to prosecution*** être passible de poursuites **2.** (*prone to*) susceptible **3.** (*responsible*) ***to be ~ for sth*** être responsable de qc **4.** ***to be ~ to do sth*** (*in future*) être susceptible de faire qc; (*habitually*) être enclin à faire qc; ***we are ~ to get shot here*** nous risquons de nous faire tirer dessus ici; ***if you don't write it down I'm ~ to forget it*** si tu ne l'écris pas je suis capable de l'oublier; ***the car is ~ to run out of gas*** (*US*) *or* ***petrol*** (*Br*) ***any minute*** la voiture risque de tomber en panne d'essence à tout moment

liaise [liː'eɪz] *v/i* (*be the contact person*) assurer la liaison; (*be in contact*) être en relation; ***social services and health workers ~ closely*** les services sociaux et les personnels de santé travaillent en étroite relation **liaison** [liː'eɪzɒn] *n* **1.** (*coordination*) coordination *f* **2.** (*affair*) liaison *f*

liar ['laɪəʳ] *n* menteur(-euse) *m*(*f*)

lib. [lɪb] *n abbr* = **liberation**

Lib. Dem. [ˌlɪb'dem] (*Br* POL) *abbr* = **Liberal Democrat**

libel ['laɪbəl] **I** *n* diffamation *f*; ***to sue sb for ~*** attaquer qn en diffamation **II** *v/t* diffamer **libelous**, *Br* **libellous** ['laɪbələs] *adj* diffamatoire

liberal ['lɪbərəl] **I** *adj* **1.** *offer, helping* généreux(-euse); ***to be ~ with one's praise / comments*** ne pas être avare d'éloges / de commentaires **2.** (*broad-minded*, POL) libéral **II** *n* POL libéral(e) *m*(*f*) **liberal arts** *pl* ***the ~*** *esp US* les études littéraires **Liberal Democrat** (*Br* POL) **I** *n* libéral-démocrate *m/f* **II** *adj* libéral-démocrate **liberalism** ['lɪbərəlɪzəm] *n* libéralisme; ***Liberalism*** POL libéralisme *m* **liberalization** [ˌlɪbərəlaɪ'zeɪʃən] *n* libéralisation *f* **liberalize** ['lɪbərəlaɪz] *v/t* libéraliser **liberally** ['lɪbərəlɪ] *adv* (*generously*) libéralement; (*in large quantities*) généreusement **liberal-minded** [ˌlɪbərəl'maɪndɪd] *adj* à l'esprit ouvert

liberate ['lɪbəreɪt] *v/t* libérer **liberated** ['lɪbəreɪtɪd] *adj women* libéré **libera-**

tion [ˌlɪbəˈreɪʃən] *n* libération *f* **liberty** [ˈlɪbətɪ] *n* **1.** liberté *f*; ***to be at ~ to do sth*** (*be permitted*) être libre de faire qc **2.** ***I have taken the ~ of giving your name*** je me suis permis de donner ton nom

libido [lɪˈbiːdəʊ] *n* libido *f*

Libra [ˈliːbrə] *n* balance *f*; ***she's* (*a*) *~*** elle est balance

librarian [laɪˈbrɛərɪən] *n* bibliothécaire *m/f*

library [ˈlaɪbrərɪ] *n* **1.** bibliothèque *f* **2.** (*collection of books*) bibliothèque *f* **library book** *n* livre *m* de bibliothèque **library ticket** *n* carte *f* de bibliothèque

> **library ≠ librairie**
>
> **Library** = bibliothèque. La traduction de librairie est **bookstore**.
>
> **× There are lots of wonderful libraries in New York, where you can buy any book.**
> **✓ Kids still go to the library to study, but they mostly use computers.**
>
> À New York il y a des tas de librairies formidables où on peut acheter n'importe quel livre.
> Les enfants vont encore étudier en bibliothèque, mais ils utilisent surtout l'ordinateur.

lice [laɪs] *pl* = **louse**

license *n Br* **licence** [ˈlaɪsəns] **I** *n* **1.** autorisation *f*; COMM licence *f*; (*driver's license*) permis *m*; (*hunting license*) permis *m*; ***you have to have a* (*television*) *~*** *Br* vous devez payer la redevance (télévisuelle); ***a ~ to practice medicine*** *US*, ***a licence to practise medicine*** *Br* l'autorisation de pratiquer la médecine; ***the restaurant has lost its ~*** le restaurant a perdu sa licence **2.** (*freedom*) licence *f* **II** *v/t* autoriser sous licence; ***to be ~d to do sth*** avoir une licence d'autorisation pour faire qc; ***we are not ~d to sell alcohol*** nous n'avons pas la licence nous permettant de vendre de l'alcool **license number**, *Br* **licence number** *n* AUTO **1.** (*of driver*) numéro *m* de permis de conduire **2.** (*of car*) numéro *m* d'immatriculation **license plate**, *Br* **licence plate** *n* AUTO plaque *f* minéralogique **licensed** *adj* **1.** *pilot* breveté; *physician* autorisé **2.** *Br* ***~ bar*** bar possédant une licence pour servir de l'alcool; ***fully ~*** pleinement autorisé **licensee** [ˌlaɪsənˈsiː] *n* titulaire *m/f* d'une licence ou d'un permis **licensing** [ˈlaɪsənsɪŋ] *adj Br* ***~ hours*** heures d'ouverture des débits de boisson; ***~ laws*** lois sur l'ouverture des débits de boisson

lichen [ˈlaɪkən] *n* lichen *m*

lick [lɪk] **I** *n* **1.** ***to give sth a ~*** lécher qc **2.** *infml* ***a ~ of paint*** un coup de pinceau **II** *v/t* **1.** lécher; ***he ~ed the ice cream*** il léchait la glace; ***to ~ one's lips*** se passer la langue sur les lèvres; *fig* se lécher les babines; ***to ~ sb's boots*** *fig* faire du lèche-bottes à qn *infml* **2.** (*flames*) lécher **3.** (*infml defeat*) battre; ***I think we have it ~ed*** je crois qu'on a réglé le problème

licorice, liquorice *Br* [ˈlɪkərɪs] *n* réglisse *m*

lid [lɪd] *n* couvercle *m*; ***to keep a ~ on sth*** couvrir qc avec un couvercle; *on information* ne pas ébruiter qc

lie[1] [laɪ] **I** *n* mensonge *m*; ***to tell a ~*** dire un mensonge; ***I tell a ~, it's tomorrow*** je dis une bêtise, c'est demain **II** *v/i* mentir; ***to ~ to sb*** mentir à qn

lie[2] *vb* ⟨*past* **lay**⟩ ⟨*past part* **lain**⟩ **I** *n* (*position*) position *f* **II** *v/i* être allongé; (*lie down*) s'allonger; ***~ on your back*** allongez-vous sur le dos; ***the runner lying third*** *esp Br* le coureur qui se trouve en troisième position; ***our road lay along the river*** notre route longeait la rivière; ***to ~ asleep*** dormir; ***to ~ dying*** être sur son lit de mort; ***to ~ low*** adopter un profil bas; ***that responsibility ~s with your department*** cette responsabilité incombe à votre service ◆ **lie around** *or* **about** *Br v/i* traîner ◆ **lie ahead** *v/i* ***what lies ahead of us*** ce qui nous attend ◆ **lie back** *v/i* (*recline*) s'adosser; ***~ and enjoy yourself*** installez-vous confortablement et passez un bon moment ◆ **lie behind** *v/t insep decision* se cacher derrière ◆ **lie down** *v/i* **1.** *lit* se coucher, s'allonger; ***he lay down on the bed*** il s'est allongé sur le lit **2.** *fig* ***he won't take that lying down!*** il ne va pas se laisser faire! ◆ **lie in** *v/i Br* (*stay in bed*) faire la grasse matinée

lie detector *n* détecteur *m* de mensonge

lie-down [ˌlaɪˈdaʊn] *n* (*Br infml*) **to**

have a ~ s'allonger un moment **lie-in** [ˌlaɪ'ɪn] *n* (*Br infml*) ***to have a ~*** faire la grasse matinée

lieu [luː] *n form* ***money in ~*** de l'argent en compensation; ***in ~ of X*** tenant lieu de X; ***I work weekends and get time off in ~*** *esp Br* je travaille les week-ends et j'ai du temps libre pour compenser

lieutenant [lef'tenənt, (*US*) luː'tenənt] *n* lieutenant *m*

life [laɪf] *n* ⟨*pl* **lives**⟩ **1.** vie *f*; ***plant ~*** la vie végétale; ***this is a matter of ~ and death*** c'est une question de vie ou de mort; ***to bring sb back to ~*** ramener qn à la vie; ***his book brings history to ~*** son livre fait revivre l'histoire; ***to come to ~*** *fig* s'animer; ***at my time of ~*** à mon âge; ***a job for ~*** un travail à vie; ***he's doing ~*** (***for murder***) *infml* il est en prison à perpétuité (pour meurtre); ***he got ~*** *infml* il a été condamné à perpète *infml*; ***how many lives were lost?*** combien ont perdu la vie?; ***to take one's own ~*** se suicider; ***to save sb's ~*** *lit*, *fig* sauver la vie à qn; ***I couldn't do it to save my ~*** je serais incapable de le faire même si ma vie en dépendait; ***early in ~, in early ~ he …*** tôt dans la vie, il …; ***later in ~, in later ~ she …*** plus tard dans sa vie, elle …; ***she leads a busy ~*** elle a une vie très remplie; ***all his ~*** toute sa vie; ***I've never been to London in my ~*** je ne suis jamais allé à Londres de ma vie; ***to fight for one's ~*** être entre la vie et la mort; ***run for your lives!*** sauve qui peut!; ***I can't for the ~ of me …*** *infml* cela m'est impossible; ***never in my ~ have I heard such nonsense*** je n'ai jamais rien entendu d'aussi stupide; ***not on your ~!*** *infml* certainement pas! *infml*; ***get a ~!*** *infml* arrête, va voir ailleurs! *infml*; ***it seemed to have a ~ of its own*** il semblait être animé; ***full of ~*** plein de vie; ***the city center*** (*US*) *or* ***centre*** (*Br*) ***was full of ~*** le centre-ville était très animé; ***he is the ~*** (*US*) *or* ***~ and soul*** (*Br*) ***of every party*** c'est un vrai boute-en-train; ***village ~*** la vie de village; ***this is the ~!*** c'est la belle vie!; ***that's ~*** c'est la vie; ***the good ~*** la grande vie **2.** (*biography*) vie *f* **life assurance** *n Br* = **life insurance** **lifebelt** *n* bouée *f* de sauvetage **lifeboat** *n* canot *m* de sauvetage **lifebuoy** *n* bouée *f* de sauvetage **life cycle** *n* cycle *m* de vie **life expectancy** *n* espérance *f* de vie **lifeguard** *n* (*on beach*) surveillant(e) *m*(*f*) de baignade; (*at pool*) maître-nageur *m* **life imprisonment** *n* emprisonnement *m* à vie, réclusion *f* à perpétuité **life insurance** *n* assurance-vie *f* **life jacket** *n* gilet *m* de sauvetage **lifeless** ['laɪflɪs] *adj* sans vie, inanimé **lifelike** *adj* aussi vrai que nature **lifeline** *n fig* planche *f* de salut; ***the telephone is a ~ for many old people*** le téléphone est un lien vital pour un grand nombre de personnes âgées **lifelong** *adj* de toujours; ***they are ~ friends*** ils sont amis de toujours; ***his ~ devotion to the cause*** son dévouement à vie pour la cause **life membership** *n* adhésion *f* à vie **life-or--death** *adj* ***~ struggle*** lutte sauvage **life peer** *n Br* pair *m* à vie **life preserver** *n US* bouée *f* de sauvetage **life raft** *n* canot *m* de sauvetage **life-saver** *n fig* sauveteur *m*; ***it was a real ~!*** ça nous a sauvé la vie! **life-saving** **I** *n* sauvetage *m* **II** *adj apparatus* de sauvetage; *drug* d'importance vitale **life sentence** *n* condamnation *f* à vie **life-size(d)** *adj* grandeur nature **lifespan** *n* (*of people*) durée *f* de vie **life story** *n* vie *f* **lifestyle** *n* mode *m* de vie **life support machine** *n* appareil *m* de ventilation artificielle **life support system** *n* équipement *m* de vie **life-threatening** *adj* mortel(le); MED menaçant le pronostic vital **lifetime** *n* **1.** vie *f*; (*of battery*, *animal*) durée *f* de vie; ***once in a ~*** une fois dans une vie; ***during*** *or* ***in my ~*** de mon vivant; ***the chance of a ~*** une occasion unique **2.** *fig* éternité *f*

lift [lɪft] **I** *n* **1.** (*lifting*) ***give me a ~ up*** aide-moi à monter **2.** (*emotional*) ***to give sb a ~*** remonter le moral à qn **3.** (*in car etc.*) ***to give sb a ~*** emmener qn en voiture; ***want a ~?*** je vous emmène? **4.** (*Br elevator*) ascenseur *m*; (*for goods*) monte-charge *m*; ***he took the ~*** il a pris l'ascenseur **II** *v/t* **1.** (*a.* **lift up**) soulever; *head* relever **2.** (*fig*: *a.* **lift up**) ***to ~ the spirits*** remonter le moral; ***the news ~ed him out of his depression*** la nouvelle l'a fait sortir de sa déprime **3.** *restrictions etc.* lever **4.** (*infml steal*) faucher *infml*; (*plagiarize*) pomper *infml* **III** *v/i* (*mist*) se lever; (*mood*) se dissiper **liftoff** ['lɪftɒf] *n* SPACE décollage *m*; ***we have ~*** lancement effectué

ligament ['lɪgəmənt] *n* ligament *m*; ***he's***

torn a ~ in his shoulder il s'est déchiré un ligament à l'épaule

light[1] [laɪt] *vb* ⟨*past, past part* **lit**⟩ **I** *n* **1.** lumière *f*; (*lamp*) lampe *f*; ***by the ~ of a candle*** à la lumière d'une bougie; ***at first ~*** à l'aube; ***to shed ~ on sth*** *fig* faire la lumière sur qc; ***to see sb / sth in a different ~*** voir qn / qc sous un jour différent; ***to see sth in a new ~*** voir qc sous un nouveau jour; ***in ~ of*** (*US*) ***in the light of*** (*Br*) à la lumière de; ***to bring sth to ~*** faire éclater qc au grand jour; ***to come to ~*** se faire jour; ***finally I saw the ~*** *infml* j'ai enfin compris; ***to see the ~ of day*** (*report*) voir le jour; (*project*) se concrétiser; ***turn off the ~s*** éteindre les lumières; **(*traffic*) *~s*** feux tricolores; ***the ~s*** (*of a car*) les phares; ***~s out!*** extinction des feux! **2.** ***do you have a ~?*** vous avez du feu?; ***to set ~ to sth*** mettre feu à qc **II** *adj* clair; ***~ green*** vert clair; ***it's getting ~*** le jour se lève **III** *v/t* **1.** (*illuminate*) illuminer; *lamp* éclairer **2.** (*ignite*) allumer **IV** *v/i* ***this fire won't ~*** le feu ne veut pas prendre ◆ **light up I** *v/i* **1.** (*be lit, eyes*) briller; (*face*) s'illuminer **2.** ***he took out his pipe and lit up*** il sortit sa pipe et l'alluma **II** *v/t sep* **1.** éclairer; ***a smile lit up his face*** un sourire illumina son visage; ***Times Square was all lit up*** Times Square était illuminé; ***flames lit up the night sky*** les flammes illuminaient le ciel dans la nuit **2.** *cigarette etc.* allumer

light[2] **I** *adj* léger(-ère); ***~ industry*** industrie légère; ***~ opera*** opérette; ***~ reading*** lecture facile; ***with a ~ heart*** le cœur léger; ***as ~ as a feather*** léger comme une plume; ***to make ~ of one's difficulties*** tourner ses problèmes en dérision; ***you shouldn't make ~ of her problems*** tu ne devrais pas tourner ses problèmes en dérision; ***to make ~ work of sth*** rendre qc facile **II** *adv* ***to travel ~*** voyager léger ◆ **light (up)on** *v/t insep infml* tomber sur

light bulb *n* ampoule *f*

light-colored, *Br* **light-coloured** *adj* ⟨*comp* **lighter-colo(u)red**⟩ ⟨*sup* **lightest-colo(u)red**⟩ de couleur claire **light cream** *n US* crème *f* allégée

lighten[1] ['laɪtn] **I** *v/t* éclaircir **II** *v/i* s'éclaircir; (*mood*) se détendre

lighten[2] *v/t load* alléger; ***to ~ sb's workload*** alléger la charge de travail de qn ◆ **lighten up** *v/i infml* décrisper; ***~!*** décrispe-toi!

lighter ['laɪtər] *n* briquet *m* **lighter fuel** *n* (*gas*) gaz *m* à briquet; (*liquid*) essence *f* à briquet

light-fingered [ˌlaɪt'fɪŋgəd] *adj* ⟨*comp* **lighter-fingered**⟩ ⟨*sup* **lightest-fingered**⟩ chapardeur **light fitting, light fixture** *n* (*lightbulb holder*) douille *f*; (*bracket*) applique *f* **light-headed** *adj* ⟨*comp* **lighter-headed**⟩ ⟨*sup* **lightest-headed**⟩ étourdi **light-hearted** *adj* enjoué; *comedy* léger(-ère) **light-heartedly** *adv* de façon enjouée; (*jokingly*) allègrement **lighthouse** *n* phare *m* **lighting** ['laɪtɪŋ] *n* éclairage *m* **lightish** ['laɪtɪʃ] *adj color* clair **lightly** ['laɪtlɪ] *adv* **1.** légèrement; *tread* d'un pas léger; ***to sleep ~*** dormir d'un sommeil léger; ***to get off ~*** s'en tirer à bon compte; ***to touch ~ on a subject*** aborder un sujet de façon légère **2.** ***to speak ~ of sb / sth*** parler de qn / qc avec légèreté; ***to treat sth too ~*** traiter qc trop à la légère; ***a responsibility not to be ~ undertaken*** une responsabilité qui ne peut pas être prise à la légère **light meter** *n* posemètre *m* **lightness** ['laɪtnɪs] *n* légèreté *f*

lightning ['laɪtnɪŋ] **I** *n* éclairs *mpl*; ***a flash of ~*** un éclair; (*doing damage*) la foudre; ***struck by ~*** frappé par la foudre; ***we had some ~ an hour ago*** nous avons eu des éclairs il y a une heure; ***like (greased) ~*** à la vitesse de l'éclair **II** *attr* éclair; ***~ strike*** grève éclair; ***with ~ speed*** à la vitesse de l'éclair; ***~ visit*** visite éclair **lightning rod**, *Br* **lightning conductor** *n* paratonnerre *m*

light pen *n* IT crayon *m* optique **light show** *n* spectacle *m* de lumière **light switch** *n* interrupteur *m* **lightweight I** *adj* léger(-ère); *fig* léger(-ère) **II** *n* poids *m* plume **light year** *n* année-lumière *f*

likable *adj* = **likeable**

like[1] [laɪk] **I** *adj* (*similar*) semblable **II** *prep* comme; ***to be ~ sb*** être comme qn; ***they are very ~ each other*** ils sont très semblables; ***to look ~ sb*** ressembler à qn; ***what's he ~?*** comment est-il?; ***he's bought a car - what is it ~?*** il s'est acheté une voiture - comment est-elle?; ***she was ~ a sister to me*** elle était comme une sœur pour moi; ***that's just ~ him!*** cela lui ressemble tout à fait!; ***it's not ~ him*** cela ne lui ressemble pas; ***I never saw anything ~ it*** je n'ai jamais rien vu de pareil; ***that's more ~ it!*** *Br* voilà qui est mieux!; ***that hat's nothing ~ as nice as this one*** *Br* ce chapeau n'est pas aussi joli que celui--ci; ***there's nothing ~ a nice cup of coffee!*** rien ne vaut une bonne tasse de café!; ***is this what you had in mind? — it's nothing ~ it*** c'est ce que tu imaginais? — cela n'a absolument rien à voir; ***they are ~ that*** ils sont comme ça; ***people ~ that*** les gens comme ça; ***a car ~ that*** une voiture comme ça; ***I found one ~ it*** j'en ai trouvé un pareil; ***it will cost something ~ $10*** cela coûtera environ 10 dollars; ***that sounds ~ a good idea*** cela semble être une bonne idée; ***he ran ~ mad*** (*Br infml*), ***~ anything*** *infml* il a couru comme un dératé *infml*; ***it wasn't ~ that at all*** cela ne s'est pas du tout passé comme ça **III** *cj* (*strictly incorrect*) ***~ I said*** comme je disais **IV** *n* ***we shall not see his ~ again*** on ne reverra jamais un homme comme lui; ***artists, musicians and the ~*** *or* ***such ~*** les artistes, les musiciens et les personnes de ce genre; ***I've no time for the ~s of him*** *infml* je ne veux pas perdre mon temps avec les types de son genre *infml*

like² **I** *v/t* **1.** *person* (bien) aimer; ***how do you ~ him?*** comment tu le trouves?; ***I don't ~ him*** je ne l'aime pas; ***he is well ~d here*** il est très apprécié ici **2.** ***I ~ black shoes*** j'aime les chaussures noires; ***I ~ it*** j'aime bien; ***I ~ football*** (*playing*) j'aime jouer au football; (*watching*) j'aime le football; ***I ~ dancing*** j'aime danser; ***we ~ it here*** nous nous plaisons ici; ***that's one of the things I ~ about you*** cela fait partie des choses qui me plaisent chez toi; ***how do you ~ London?*** comment trouvez-vous Londres?; ***how would you ~ to go for a walk?*** cela vous dirait d'aller faire un tour à pied? **3.** ***I'd ~ an explanation*** je souhaite avoir une explication; ***I should ~ more time*** j'aimerais avoir plus de temps; ***they would have ~d to come*** ils auraient aimé venir; ***I should ~ you to do it*** j'aimerais bien que tu le fasses; ***whether he ~s it or not*** que cela lui plaise ou non; ***I didn't ~ to disturb him*** je ne voulais pas le déranger; ***what would you ~?*** qu'est-ce qui te fait envie?; ***would you ~ a drink?*** voulez-vous boire quelque chose? **II** *v/i* ***as you ~*** comme vous voudrez; ***if you ~*** *Br* si vous voulez **-like** *adj suf* ***child-like*** enfantin; ***lady-like*** distingué **like** *adv* genre; ***she was ~ "no way"*** elle était genre "pas question" **likeable, likable** ['laɪkəbl] *adj* agréable, plaisant

likelihood ['laɪklɪhʊd] *n* chances *fpl*; ***the ~ is that ...*** il est probable que ...; ***is there any ~ of him coming?*** y a-t-il des chances qu'il vienne? **likely** ['laɪklɪ] **I** *adj* **1.** probable; ***he is not ~ to come*** il est peu probable qu'il vienne; ***they are ~ to refuse*** ils sont susceptibles de refuser; ***a ~ story!*** *iron* une histoire peu vraisemblable! **2.** (*infml suitable*) potentiel; ***he is a ~ person for the job*** il est un bon candidat pour le poste; ***~ candidates*** les candidats potentiels **II** *adv* vraisemblablement; ***it's more ~ to be early than late*** il a plus de chances d'être en avance qu'en retard; ***not ~!*** (*Br iron*, *infml*) il n'y a pas de risques!

like-minded ['laɪk'maɪndɪd] *adj* d'opinion similaire; ***~ people*** les gens qui ont des opinions similaires **liken** ['laɪkən] *v/t* comparer (***to*** à) **likeness** ['laɪknɪs] *n* ressemblance *f*; ***the painting is a good ~ of him*** le tableau lui ressemble beaucoup **likewise** ['laɪkwaɪz] *adv* de même; ***he did ~*** il a fait de même; ***enjoy your vacation — ~*** passez de bonnes vacances – pareillement **liking** ['laɪkɪŋ] *n* (*for sb*) affection *f*; (*for sth*) goût *m*; ***to have a ~ for sb*** avoir de l'affection pour qn; ***she took a ~ to him*** elle s'est prise d'affection pour lui; ***to have a ~ for sth*** avoir un faible pour qc; ***to be to sb's ~*** être du goût de qn

lilac ['laɪlək] **I** *n* **1.** (*plant*) lilas *m* **2.** (*color*) lilas *m* **II** *adj* lilas

Lilo® ['laɪˌləʊ] *n Br* matelas *m* pneumatique

lilt [lɪlt] *n* intonations *fpl* **lilting** ['lɪltɪŋ] *adj accent* chantant; *tune* plein d'intonations

lily ['lɪlɪ] *n* lis *m*

limb [lɪm] *n* **1.** ANAT membre *m*; ***~s*** *pl* les membres; ***to tear sb ~ from ~*** attaquer qn très violemment; ***to risk life and ~*** risquer sa vie **2.** ***to be out on a ~*** *fig* se retrouver isolé; ***to go out on a ~*** *fig* prendre des risques ◆ **limber up** *v/i* s'échauffer

limbo ['lɪmbəʊ] *n fig* limbes *mpl*; ***our plans are in ~*** nos projets sont en atten-

te; ***I'm in a sort of ~*** je suis en attente
lime¹ [laɪm] *n* GEOL chaux *f*
lime² *n* (*Br* BOT *linden*, *a.* **lime tree**) tilleul *m*
lime³ *n* (BOT *citrus fruit*) citron *m* vert
limelight ['laɪmlaɪt] *n* ***to be in the ~*** être sur le devant de la scène; ***to stay out ot the ~*** rester dans l'ombre
limerick ['lɪmərɪk] *n* limerick *m*
limestone ['laɪmstəʊn] *n* calcaire *m*
limit ['lɪmɪt] **I** *n* **1.** (*limitation*) limitation *f*; COMM limite *f*; ***the city ~s*** les limites de la ville; ***a 40-mile ~*** une limitation de vitesse à 40 miles; ***the 50 mph ~*** la limitation à 50 miles à l'heure; ***is there any ~ on the size?*** y a-t-il une limite de taille?; ***to put a ~ on sth*** mettre une limite à qc; ***there is a ~ to what one person can do*** il y a des limites sur ce qu'une personne peut faire; ***off ~s to military personnel*** interdit au personnel militaire; ***over the ~*** au-dessus de la limite imposée; ***your baggage is over the ~*** vos bagages dépassent le poids réglementaire; ***you shouldn't drive, you're over the ~*** vous ne devriez pas conduire, vous avez bu plus que la limite imposée; ***he was three times over the ~*** son taux d'alcool dans le sang était trois fois supérieur à la limite imposée; ***50 pages is my ~*** mon maximum est de 50 pages **2.** *infml* ***that's the ~!*** ça dépasse les bornes! *infml*; ***that child is the ~!*** cet enfant dépasse les bornes! *infml* **II** *v/t* limiter; *freedom*, *spending* restreindre; ***to ~ sb/ sth to sth*** limiter qn / qc à qc **limitation** [ˌlɪmɪ'teɪʃən] *n* limitation *f*; (*of freedom*, *spending*) restriction *f*; ***damage ~*** limitation des dégâts; ***there is no ~ on exports of coal*** il n'y a aucune limitation sur les exportations de charbon; ***to have one's/its ~s*** être limité **limited** ['lɪmɪtɪd] *adj* **1.** limité; ***this offer is for a ~ period only*** cette offre est valable pendant une durée limitée seulement; ***this is only true to a ~ extent*** c'est vrai uniquement dans une certaine mesure **2.** (*Br* COMM) *liability* limité **limited company** *n* (*esp Br* COMM) ≈ société *f* à responsabilité limitée **limited edition** *n* tirage *m* limité **limited liability company** *n* (*esp Br* COMM) = **limited company limitless** *adj* illimité
limo ['lɪməʊ] *n* *infml* limousine *f*; ***stretch ~*** limousine à l'américaine **limousine** ['lɪməziːn] *n* limousine *f*
limp¹ [lɪmp] **I** *n* claudication *f*; ***to walk with a ~*** marcher en boitant **II** *v/i* boiter
limp² *adj* mou(molle); *flowers* flétri
limpet ['lɪmpɪt] *n* bernique *f*, patelle *f*; ***to stick to sb like a ~*** *infml* coller qn comme une sangsue *infml*
limply ['lɪmplɪ] *adv* mollement
linchpin ['lɪntʃpɪn] *n* *fig* pilier *m*
linden ['lɪndən] *n* (*a.* **linden tree**) tilleul *m*
line¹ [laɪn] **I** *n* **1.** (*for washing*) fil *m*; (*for fishing*) ligne *f* **2.** (*on paper etc.*) ligne *f* **3.** (*wrinkle*) ride *f* **4.** (*boundary*) distinction *f*; ***the*** (***fine*** *or* ***thin***) ***~ between right and wrong*** la (fine) distinction entre le bien et le mal; ***to draw a ~ between*** *fig* faire une distinction entre **5.** (*row*, *of people*, *cars*) (*side by side*) file *f*; (*US of people*: *behind one another*) file *f* (d'attente); (*of trees*) rangée *f*; SPORTS ligne *f*; ***in*** (***a***) ***~*** en rang, en file; ***in a straight ~*** en rang d'oignons; ***a ~ of traffic*** une file de voitures; ***to stand in ~*** faire la queue; ***to be in ~*** (*buildings etc.*) être aligné; ***to be in ~*** (***with***) *fig* correspondre à (qc); ***to keep sb in ~*** *fig* garder qn dans le rang; ***to bring sth into ~*** (***with sth***) *fig* aligner qc (sur qc); ***to fall*** *or* ***get into ~*** (*abreast*) s'aligner; (*behind one another*) se mettre en file; ***to be out of ~*** être décalé; ***to step out of ~*** *fig* s'écarter du droit chemin; ***he was descended from a long ~ of farmers*** il est issu d'une longue lignée d'agriculteurs; ***it's the latest in a long ~ of tragedies*** c'est la dernière d'une longue liste de tragédies; ***I am next in ~*** après, c'est mon tour; ***to draw up the battle ~s*** *or* ***the ~s of battle*** *fig* établir la stratégie de combat; ***enemy ~s*** lignes ennemies; ***~s of communication*** lignes de communication **6.** (*shipping company*, *of aircraft etc.*) compagnie *f* **7.** RAIL ligne *f*; ***~s*** *pl* voies; ***to reach the end of the ~*** *fig* parvenir à son terme **8.** TEL ligne *f*; ***this is a very bad ~*** la ligne est très mauvaise; ***to be on the ~ to sb*** être en communication *or* en ligne avec qn; ***hold the ~*** ne quittez pas **9.** (*written*) ligne *f*; ***the teacher gave me 200 ~s*** le professeur m'a donné 200 lignes à faire; ***to learn one's ~s*** apprendre son texte; ***to drop sb a ~*** écrire un mot à qn **10.** (*direction*) ***~ of attack*** *fig* ligne d'attaque; ***~ of thought*** façon de penser; ***to***

be on the right* ~*s *fig* être sur la bonne voie; ***he took the* ~ *that …*** il a pris le parti que … **11.** (*field*) domaine *m*; ***what's his* ~ (*of work*)?** dans quel domaine travaille-t-il?; ***it's all in the* ~ *of duty*** cela fait partie de la fonction **12.** (*in store range*) série *f*, gamme *f* **13. *somewhere along the* ~** quelque part; ***all along the* ~** *fig* sur toute la ligne; ***to be along the* ~*s of …*** être du genre …; ***something along these* ~*s*** quelque chose dans ce genre; ***I was thinking along the same* ~*s*** je pensais à peu près la même chose; ***to put one's life*** *etc.* ***on the* ~** *infml* risquer sa vie *etc.* **II** *v/t* (*border*) border; ***the streets were* ~*d with cheering crowds*** les rues étaient bordées d'une foule enthousiaste; ***portraits* ~*d the walls*** des portraits étaient alignés sur les murs ◆ **line up I** *v/i* (*stand in line*) se mettre en file; (*school children, soldiers*) se mettre en rang **II** *v/t sep* **1.** *prisoners* faire mettre en rang; *books* aligner **2.** *entertainment* prévoir; ***what do you have lined up for me today?*** qu'est-ce que tu as de prévu pour moi aujourd'hui?; ***I've lined up a meeting with Mr. Morgan*** j'ai organisé une réunion avec M. Morgan

line² *v/t clothes* doubler; *pipe* chemiser; ~ ***the box with paper*** tapissez le fond de la boîte avec du papier; ***the membranes which* ~ *the stomach*** les membranes qui tapissent l'estomac; ***to* ~ *one's pockets*** *fig* se remplir les poches

lineage ['lɪnɪɪdʒ] *n* lignée *f*

linear ['lɪnɪəʳ] *adj* linéaire

lined [laɪnd] *adj face* ridé; *paper* ligné **line dancing** *n* danse *f* en ligne **line drawing** *n* dessin *m* au trait **line manager** *n Br* supérieur(e) *m*(*f*) hiérarchique

linen ['lɪnɪn] **I** *n* linge *m*; (*sheets etc.*) linge *m* de maison **II** *adj* à linge **linen basket** *n esp Br* corbeille *f* à linge **linen closet**, *Br* **linen cupboard** *n* armoire *f* à linge

line printer *n* IT imprimante *f* ligne à ligne

liner ['laɪnəʳ] *n* (*ship*) paquebot *m*

linesman ['laɪnzmən] *n* ⟨*pl* **-men**⟩ SPORTS juge *m*/*f* de ligne **line spacing** *n* interlignage *m* **line-up** *n* SPORTS composition *f*; ***she picked the thief out of the* ~** elle a reconnu le voleur lors du tapissage

linger ['lɪŋgəʳ] *v/i* **1.** (*a.* **linger on**) rester *liter*; (*doubts*) persister; (*scent*) s'attarder; ***many of the guests* ~*ed in the hallway*** un grand nombre d'invités s'attardaient dans le hall; ***to* ~ *over a meal*** s'attarder autour d'un repas **2.** (*delay*) traîner

lingerie ['lænʒəriː] *n* lingerie *f*

lingering ['lɪŋgərɪŋ] *adj doubt* persistant; *kiss* prolongé

lingo ['lɪŋgəʊ] *n infml* langue *f*; (*jargon*) jargon *m* **linguist** ['lɪŋgwɪst] *n* **1.** (*specialist in linguistics*) linguiste *m*/*f* **2.** (*speaker of languages*) personne *f* douée pour les langues **linguistic** [lɪŋ'gwɪstɪk] *adj* **1.** (*of language*) linguistique; ~ ***competence*** *or* ***ability*** compétences linguistiques **2.** (*of linguistics*) linguistique **linguistics** [lɪŋ'gwɪstɪks] *n sg* linguistique *f*

lining ['laɪnɪŋ] *n* **1.** (*of clothes etc.*) doublure *f* **2.** (*of brake*) garniture *f* **3. *the* ~ *of the stomach*** la muqueuse gastrique

link [lɪŋk] **I** *n* **1.** (*of chain, fig*) chaînon *m*, maillon *m*; (*person*) lien *m* **2.** (*connection*) liaison *f*, lien *m*; ***a rail* ~** une liaison ferroviaire; ***cultural* ~*s*** les liens culturels; ***the strong* ~*s between Britain and the U.S.*** les liens solides qui unissent la Grande-Bretagne et les États-Unis **3.** IT lien **II** *v/t* **1.** lier; ***to* ~ *arms*** donner le bras (***with*** à); ***do you think these murders are* ~*ed?*** pensez-vous qu'il y ait un lien entre ces meurtres; ***his name has been* ~*ed with several famous women*** son nom est associé à plusieurs femmes célèbres **2.** IT connecter **III** *v/i* **1. *to* ~ (*together*)** (*parts of story*) être lié; (*parts of machine*) être relié **2.** IT ***to* ~ *to a site*** se connecter à un site ◆ **link up I** *v/i* s'associer **II** *v/t sep* s'associer avec

link road *n Br* raccordement *m* **linkup** *n* lien *m*

linoleum [lɪ'nəʊlɪəm], *also* **lino** ['laɪnəʊ] *Br n* linoléum *m*

linseed ['lɪnsiːd] *n* graine *f* de lin **linseed oil** *n* huile *f* de lin

lintel ['lɪntl] *n* ARCH linteau *m*

lion ['laɪən] *n* lion *m*; ***the* ~*'s share*** la part du lion **lioness** ['laɪənɪs] *n* lionne *f*

lip [lɪp] *n* **1.** ANAT lèvre *f*; ***to keep a stiff upper* ~** ne pas se laisser abattre; ***to lick one's* ~*s*** se passer la langue sur les lèvres; ***the question on everyone's* ~*s*** la

question sur toutes les lèvres **2.** (*of cup*) bord *m* **3.** (*infml cheek*) insolence *f*; ***none of your ~!*** ne sois pas insolent!
lip gloss *n* brillant *m* à lèvres
liposuction ['lɪpəʊˌsʌkʃən] *n* liposuccion *f*
lip-read *v/i* lire sur les lèvres **lip ring** *n* anneau *m* de lèvre, lipring *m* **lip salve** *n Br* pommade *f* pour les lèvres **lip service** *n* ***to pay ~ to an idea*** manifester un intérêt de pure forme en faveur d'une idée **lipstick** *n* rouge *m* à lèvres
liquefy ['lɪkwɪfaɪ] **I** *v/t* liquéfier **II** *v/i* se liquéfier
liqueur [lɪ'kjʊəʳ] *n* liqueur *f*
liquid ['lɪkwɪd] **I** *adj* liquide **II** *n* liquide *m* **liquid assets** *n* liquidités *fpl* **liquidate** ['lɪkwɪdeɪt] *v/t* liquider **liquidation** [ˌlɪkwɪ'deɪʃən] *n* COMM liquidation *f*; ***to go into ~*** être mis en liquidation **liquid-crystal** ['lɪkwɪd'krɪstəl] *adj* ***~ display*** écran à cristaux liquides **liquidize** ['lɪkwɪdaɪz] *v/t* mixer **liquidizer** ['lɪkwɪdaɪzəʳ] *n Br* mixeur *m*
liquor ['lɪkəʳ] *n* (*whiskey etc.*) spiritueux *m*, alcool *m* fort; (*alcohol*) boisson *f* alcoolisée
liquorice *n Br* = **licorice**
liquor store *n US* magasin *m* de vins et spiritueux
Lisbon ['lɪzbən] *n* Lisbonne
lisp [lɪsp] **I** *n* zézaiement *m*; ***to speak with a ~*** zézayer **II** *v/i* zézayer **III** *v/t* dire en zézayant
list[1] [lɪst] **I** *n* liste *f*; (*shopping list*) liste *f*; ***it's not on the ~*** ce n'est pas dans la liste; ***~ of names*** liste de noms; (*esp in book*) liste nominale **II** *v/t* répertorier; (*verbally*) énumérer; ***it is not ~ed*** ce n'est pas dans la liste; ***to ~ the contents of sth*** inventorier le contenu de qc
list[2] NAUT *v/i* gîter
listed ['lɪstɪd] *adj Br building* classé; ***it's a ~ building*** c'est un immeuble classé
listen ['lɪsn] *v/i* **1.** (*hear*) écouter (***to sth*** qc); ***to ~ to the radio*** écouter la radio; ***if you ~ hard, you can hear the ocean*** si tu écoutes bien, tu entendras l'océan; ***she ~ed carefully to everything he said*** elle a écouté attentivement tout ce qu'il disait; ***to ~ for sth / sb*** guetter qc / qn **2.** (*heed*) écouter; ***~ to me!*** écoutez moi bien!; ***~, I know what we'll do*** écoute, je sais ce qu'on va faire; ***don't ~ to him*** ne l'écoute pas ◆ **listen in** *v/i* écouter (***on sth*** qc); ***I'd like to ~ on or to your discussion*** j'aimerais écouter votre discussion

> **listen**
>
> Noter que le verbe **listen** se construit obligatoirement avec la préposition **to** :
>
> ✗ **They listened the lesson with great concentration.**
> ✓ **They listened to the lesson with great concentration.**
>
> Ils ont écouté le cours avec beaucoup d'attention.

listener ['lɪsnəʳ] *n* personne *f* qui écoute; RADIO auditeur(-trice) *m(f)*; ***to be a good ~*** savoir écouter les gens
listing ['lɪstɪŋ] *n* **1.** liste *f* **2. listings** TV, RADIO, FILM programme *m*
listless ['lɪstlɪs] *adj* mou(molle)
lit [lɪt] *past, past part* = **light**[1]
litany ['lɪtənɪ] *n* litanie *f*
liter *n US* = **litre**
literacy ['lɪtərəsɪ] *n* aptitude *f* à la lecture et à l'écriture; ***~ test*** test de lecture et d'écriture; ***~ campaign*** campagne d'alphabétisation
literal ['lɪtərəl] *adj* **1.** *translation* littéral; ***in the ~ sense (of the word)*** littéralement **2. *that is the ~ truth*** c'est la vérité
literally ['lɪtərəlɪ] *adv* **1.** (*word for word*) littéralement; ***to take sb / sth ~*** prendre qn / qc au premier degré **2.** (*really*) littéralement; ***I was ~ shaking with fear*** je tremblais littéralement de peur
literary ['lɪtərərɪ] *adj* littéraire; ***the ~ scene*** la scène littéraire **literary critic** *n* critique *m/f* littéraire **literary criticism** *n* critique *f* littéraire **literate** ['lɪtərɪt] *adj* **1. *to be ~*** savoir lire et écrire **2.** (*well-educated*) lettré
literature ['lɪtərɪtʃəʳ] *n* littérature *f*; (*infml brochures etc.*) documentation *f*
lithe [laɪð] *adj* souple
lithograph ['lɪθəʊgrɑːf] *n* lithographie *f*
Lithuania [ˌlɪθjʊ'eɪnɪə] *n* Lituanie *f*
Lithuanian **I** *adj* lituanien(ne) **II** *n* **1.** (*person*) Lituanien(ne) *m(f)* **2.** LING lituanien *m*
litigation [ˌlɪtɪ'geɪʃən] *n* contentieux *m*
litmus paper *n* papier *m* tournesol **litmus test** *n fig* mise *m* f l'épreuve
liter, *Br* **litre** ['liːtəʳ] *n* litre *m*

litter ['lɪtəʳ] **I** *n* **1.** détritus *mpl*; (*papers, wrappings*) papiers *mpl*; ***the park was strewn with ~*** le parc était jonché de papiers **2.** ZOOL portée *f* **3.** (*cat litter*) litière *f* **II** *v/t* ***to be ~ed with sth*** être jonché de qc; ***glass ~ed the streets*** les rues étaient couvertes de verre **litter bin** *n Br* boîte *f* à ordure; (*bigger*) poubelle *f* **litter bug** *n infml personne qui jette des détritus dans les lieux publics*

little ['lɪtl] **I** *adj* petit; ***a ~ house*** une petite maison; ***the ~ ones*** les petits; ***a nice ~ profit*** un joli petit bénéfice; ***he will have his ~ joke*** il faut toujours qu'il raconte sa petite blague; ***a ~ while ago*** il y a peu de temps; ***in a ~ while*** dans un petit moment **II** *adv*, *n* **1.** ***of ~ importance*** sans importance; ***~ better than*** à peine mieux que; ***~ more than a month ago*** il n'y a pas plus d'un mois; ***~ did I think that …*** j'étais loin de penser que …; ***~ does he know that …*** le pauvre ne sait pas que …; ***as ~ as possible*** le moins possible; ***to spend ~ or nothing*** ne dépenser pratiquement rien; ***every ~ helps*** il n'y a pas de petites économies; ***he had ~ to say*** il n'avait pas grand-chose à dire; ***I see very ~ of her nowadays*** je la vois très peu ces jours-ci; ***there was ~ we could do*** nous n'avons pas pu faire grand-chose; ***~ by ~*** petit à petit **2.** ***a ~*** un peu; ***a ~ hot*** un peu chaud; ***with a ~ effort*** avec un peu d'effort; ***I'll give you a ~ advice*** je vais te donner quelques conseils; ***a ~ after five*** peu après cinq heures; ***we walked on for a ~*** nous avons continué à marcher un peu; ***for a ~*** pendant un petit moment

liturgy ['lɪtədʒɪ] *n* liturgie *f*

live[1] [lɪv] **I** *v/t life* vivre; ***to ~ one's own life*** vivre sa vie **II** *v/i* **1.** vivre; ***long ~ Queen Anne!*** longue vie à la reine Anne!; ***to ~ and let ~*** être tolérant; ***to ~ like a king*** vivre comme un prince; ***not many people ~ to be a hundred*** peu de gens vivent jusqu'à cent ans; ***to ~ to great age*** vivre jusqu'à un grand âge; ***his name will ~ for ever*** son nom restera dans les mémoires; ***his music will ~ for ever*** sa musique vivra éternellement; ***he ~d through two wars*** il vécu deux guerres; ***to ~ through an experience*** faire une expérience; ***you'll ~ to regret it*** tu le regretteras toute ta vie **2.** (*reside*) habiter, vivre; (*animals*) vivre; ***he ~s at 101 Remsen St.*** il habite 101 Remsen St.; ***he ~s with his parents*** il habite chez ses parents; ***a house not fit to ~ in*** une maison insalubre ◆ **live down** *v/t sep* ***he'll never live it down*** il n'a pas fini d'en entendre parler ◆ **live in** *v/i Br* habiter sur place ◆ **live off** *v/t insep* **1.** ***to ~ one's relations*** exploiter ses relations **2.** = **live on** *II* ◆ **live on I** *v/i* (*continue*) survivre **II** *v/t insep* ***to ~ eggs*** se nourrir d'œufs; ***to earn enough to ~*** gagner suffisamment pour vivre ◆ **live out** *v/t sep life* passer ◆ **live together** *v/i* vivre ensemble ◆ **live up** *v/t always separate* ***to live it up*** *infml* s'éclater *infml* ◆ **live up to** *v/t insep* ***to ~ expectations*** répondre aux attentes; ***to ~ one's reputation*** être à la hauteur de sa réputation; ***he has a lot to ~*** on attend beaucoup de lui

live[2] [laɪv] **I** *adj* **1.** (*alive*) vivant; ***a real ~ duke*** un duc en chair et en os **2.** *shell* vivant; ELEC sous tension **3.** RADIO, TV en direct, live; ***a ~ program*** (*US*) *or* ***programme*** *Br* une émission en direct *or* live **II** *adv* RADIO, TV en direct, en live

live-in ['lɪvɪn] *adj cook* à demeure

livelihood ['laɪvlɪhʊd] *n* gagne-pain *m*; ***fishing is their ~*** ils vivent de la pêche; ***to earn a ~*** gagner sa vie **liveliness** ['laɪvlɪnɪs] *n* vivacité *f* **lively** ['laɪvlɪ] *adj* animé; *account*, *imagination* vif (vive); *tune* entraînant; ***things are getting ~*** ça commence à swinguer *infml*; ***step ~!*** (*US*) *or* ***look lively!*** (*Br*) dépêche-toi! **liven up** ['laɪvən'ʌp] **I** *v/t sep* animer **II** *v/i* s'animer; (*person*) s'égayer

liver ['lɪvəʳ] *n* foie *m* **liverwurst** ['lɪvəwɜːst] *US*, **liver sausage** *Br n* ≈ pâté *m* de foie

lives [laɪvz] *pl* = **life**

livestock ['laɪvstɒk] *n* bétail *m*

livid ['lɪvɪd] *adj* (*infml furious*) furieux (-euse) (**about, at** à propos de, contre)

living ['lɪvɪŋ] **I** *adj example* vivant; ***the greatest ~ playwright*** le plus grand dramaturge vivant; ***I have no ~ relatives*** je n'ai plus un seul membre de ma famille encore en vie; ***a ~ creature*** une créature vivante; (***with***)***in ~ memory*** de mémoire d'homme **II** *n* **1. the living** *pl* les vivants **2.** ***healthy ~*** une vie saine **3.** (*livelihood*) vie *f*; ***to earn*** *or* ***make a ~*** gagner sa vie; ***what does***

he do for a ~? qu'est-ce qu'il fait pour gagner sa vie?; ***to work for one's ~*** vivre de son travail **living conditions** *pl* conditions *fpl* de vie **living expenses** *pl* frais *mpl* de séjour **living quarters** *pl* hébergement *m*; (*for soldiers, sailors*) quartiers *mpl*

living room *n* salle *f* de séjour

lizard ['lɪzəd] *n* lézard *m*

llama ['lɑːmə] *n* lama *m*

load [ləʊd] **I** *n* **1.** charge *f*; (*on girder etc.*) poids *m*; (*cargo*) chargement *m*; (**work**) ~ charge de travail; ***I put a ~ in the washing machine*** j'ai mis une machine à tourner; ***that's a ~ off my mind!*** je me sens soulagé d'un poids! **2.** (ELEC, *supplied, carried*) charge *f* **3.** *infml* ***~s of, a ~ of*** beaucoup de; ***we have ~s*** on en a plein *infml*; ***it's a ~ of old rubbish*** *Br* ce sont des conneries *infml*; ***get a ~ of this!*** (*listen*) écoute un peu!; (*look*) regarde un peu! *infml* **II** *v/t truck etc.* charger; ***the ship was ~ed with bananas*** le navire était chargé de bananes; ***to ~ a camera*** charger un appareil photo **III** *v/i* charger ◆ **load up I** *v/i* charger **II** *v/t sep* **1.** *truck* charger; *goods* charger **2.** IT charger

loaded ['ləʊdɪd] *adj* chargé; *dice* pipé; *gun, software* chargé; ***a ~ question*** une question tendancieuse; ***he's ~*** *infml* (*rich*) il est plein aux as *infml*

loading bay ['ləʊdɪŋbeɪ] *n* aire *f* de chargement

loaf [ləʊf] *n* ⟨*pl* **loaves**⟩ pain *m*; ***a ~ of bread*** un pain; ***a small white ~*** un petit pain ◆ **loaf around** *also* **about** *Br v/i infml* buller *infml*

loafer ['ləʊfəʳ] *n* (*shoe*) mocassin *m*

loan [ləʊn] **I** *n* **1.** (*thing lent*) emprunt *m*; (*from bank etc.*) prêt *m*; ***my friend let me have the money as a ~*** mon ami m'a prêté l'argent **2.** ***he gave me the ~ of his bicycle*** il m'a prêté son vélo; ***it's on ~*** (*book*) il est sorti; (*painting*) il a été prêté; ***to have sth on ~*** avoir emprunté qc (***from*** à) **II** *v/t* prêter (***to sb*** à qn) **loan shark** *n infml* usurier(-ière) *m*(*f*)

loath, loth [ləʊθ] *adj* réticent ***to be ~ to do sth*** être réticent à faire qc; ***he was ~ for us to go*** il n'avait pas envie que nous partions

loathe [ləʊð] *v/t* détester; *spinach, jazz etc.* avoir en horreur; ***I ~ doing it*** je déteste le faire **loathing** ['ləʊðɪŋ] *n* dégoût *m*

loaves [ləʊvz] *pl* = **loaf**

lob [lɒb] **I** *n* TENNIS lob *m* **II** *v/t ball* lober; (*throw*) lancer; ***he ~bed the grenade over the wall*** il a lancé la grenade par-dessus le mur

lobby ['lɒbɪ] **I** *n* entrée *f*; (*of hotel, theater*) hall *m*; POL lobby *m*, groupe *m* de pression **II** *v/t* faire pression sur; ***to ~ Congress*** faire pression sur le Congrès **III** *v/i* faire du lobbying; ***they are lobbying for less defence spending.*** ils font du lobbying pour faire baisser les dépenses en matière de défense

lobe [ləʊb] *n* ANAT (*of ear*) lobe *m*

lobster ['lɒbstəʳ] *n* homard *m*

local ['ləʊkəl] **I** *adj* local; ***~ radio station*** radio locale; ***~ newspaper*** journal local; ***the ~ residents*** les résidents du quartier; ***~ community*** la population locale; ***at ~ level*** au niveau local; ***~ train*** omnibus *m*; ***~ time*** heure locale; ***go into your ~ branch*** demandez dans votre agence locale; ***~ anesthetic*** (*US*) *or* ***anaesthetic*** *Br* anesthésie locale **II** *n* **1.** (*Br infml pub*) ***the ~*** le pub du coin **2.** (*born in*) natif(-ive) *m*(*f*) de la localité; (*living in*) habitant(e) *m*(*f*) de la localité **local area network** *n* IT réseau *m* local **local authority** *n* administration *f* locale

local call *n* TEL appel *m* local

local education authority *n Br* direction *f* régionale de l'enseignement **local government** *n* collectivité *f* territoriale; ***~ elections*** élections municipales et régionales **locality** [ləʊ'kælɪtɪ] *n* localité *f* **localize** ['ləʊkəlaɪz] *v/t* ***this custom is very ~d*** cette coutume est très localisée **locally** ['ləʊkəlɪ] *adv* localement; ***I prefer to shop ~*** je préfère faire mes courses dans les magasins de proximité; ***was she well-known ~?*** était-elle très connue dans le quartier?; ***~ grown*** provenant de la région

lo-carb [ləʊ'kɑːb] *adj* = **low-carb**

locate [ləʊ'keɪt] *v/t* **1.** situer; ***to be ~d at or in*** être situé à; ***the hotel is centrally ~d*** l'hôtel est situé dans le centre-ville **2.** (*find*) trouver **location** [ləʊ'keɪʃən] *n* **1.** (*position*) situation *f*; (*of building*) site *m*; ***this would be an ideal ~ for the airport*** ce serait un site idéal pour l'aéroport **2.** (*positioning, siting*) localisation *f*; ***they discussed the ~ of the proposed airport*** ils ont discuté de la localisation du projet d'aéroport **3.** FILM extérieur *m*; ***to be on ~ in Mexico*** (*person*) être en tournage au Mexique; ***part of the movie was shot on ~ in Mexico*** une partie du film a été tournée en extérieur au Mexique

location ≠ location de voitures, vélos

Location = emplacement. La traduction du mot français location est **rental, hire**.

loch [lɒx] *n Scot* loch *m*
lock¹ [lɒk] *n* (*of hair*) boucle *f*
lock² **I** *n* **1.** (*on door*) verrou *m*; ***to put sth under ~ and key*** mettre qc sous clé **2.** (*canal lock*) écluse *f* **II** *v/t door etc.* fermer à clé; ***to ~ sb in a room*** enfermer qn à clé dans une pièce; ***~ed in combat*** engagé dans un combat; ***they were ~ed in each other's arms*** ils étaient enlacés; ***this bar ~s the wheel in position*** cette barre bloque le volant **III** *v/i* fermer à clé; (*wheel*) se bloquer ◆ **lock away** *v/t sep* enfermer; *person* mettre sous les verrous ◆ **lock in** *v/t sep* enfermer; ***to be locked in*** être enfermé à l'intérieur ◆ **lock on** *v/i* ***the missile locks onto its target*** le missile se verrouille sur sa cible ◆ **lock out** *v/t sep workers* fermer une usine à; ***I've locked myself out*** je me suis fermé dehors ◆ **lock up** **I** *v/t sep* enfermer; *person* mettre sous les verrous; ***to lock sth up in sth*** mettre qc sous clé dans qc **II** *v/i* fermer
locker ['lɒkəʳ] *n* casier *m*; NAUT, MIL armoire-vestiaire *f* **locker room** *n* vestiaire *m*
locket ['lɒkɪt] *n* médaillon *m*
lockout *n* lock-out *m* **locksmith** *n* serrurier(-ière) *m(f)*
locomotive [ˌləʊkə'məʊtɪv] *n* locomotive *f*
locum (tenens) ['ləʊkəm('tenenz)] *n Br* remplaçant(e) *m(f)*
locust ['ləʊkəst] *n* sauterelle *f*
lodge [lɒdʒ] **I** *n* (*in grounds*) maison *f* du gardien; (*shooting lodge etc.*) pavillon *f* **II** *v/t* **1.** *Br person* loger **2.** *Br complaint* déposer (**with** auprès); ***to ~ an appeal*** faire appel; JUR interjeter appel **3.** (*insert*) ***to be ~d*** être coincé **III** *v/i* **1.** (*Br live*) loger (***with sb, at sb's*** avec qn, chez qn) **2.** (*object*) se loger **lodger** ['lɒdʒəʳ] *n Br* locataire *m/f*; (*taking meals*) pensionnaire *m/f* **lodging** ['lɒdʒɪŋ] *n* **1.** hébergement *m* **2. lodgings** *pl* meublé *m*
loft [lɒft] *n* **1.** *US* loft *m* **2.** grenier *m*; ***in the ~*** au grenier **loft conversion** *n Br* grenier *m* aménagé
loftily ['lɒftɪlɪ] *adv* avec hauteur **lofty** ['lɒftɪ] *adj* **1.** *ambitions* grand **2.** (*haughty*) méprisant
log¹ [lɒg] *n* rondin *m*; (*for a fire*) bûche *f*; ***to sleep like a ~*** dormir comme une souche
log² **I** *n* (*record*) registre *m*, journal *m*; NAUT carnet *m*; ***to keep a ~ of sth*** tenir un registre de qc **II** *v/t* enregistrer; NAUT avoir une vitesse de; ***details are ~ged in the computer*** les renseignements sont enregistrés sur l'ordinateur ◆ **log in** *v/i* IT se connecter ◆ **log off** IT *v/i* se déconnecter ◆ **log on** IT *v/i* se connecter ◆ log out *v/i* IT se déconnecter
logarithm ['lɒgərɪθəm] *n* logarithme *m*
logbook *n* NAUT journal *m* de bord; AVIAT livre *m* de bord; (*of lorries*) mouchard *m* **log cabin** *n* cabane *m* en bois
loggerheads ['lɒgəhedz] *pl* ***to be at ~ (with sb)*** être à couteaux tirés avec qn
logic ['lɒdʒɪk] *n* logique *f*; ***there's no ~ in that*** ça n'est absolument pas logique
logical ['lɒdʒɪkəl] *adj* logique
logistic [lɒ'dʒɪstɪk] *adj* logistique **logistics** *n sg* logistique *f*
logo ['ləʊgəʊ] *n* logo *m*
loiter ['lɔɪtəʳ] *v/i* traîner
loll [lɒl] *v/i* **1.** se prélasser **2.** (*head*) s'incliner; (*tongue*) pendre ◆ **loll around** *also* **about** *Br v/i* se prélasser
lollipop ['lɒlɪpɒp] *n* sucette *f* **lollipop lady** *n* (*Br infml*) femme *f* qui aide les enfants à traverser la rue **lollipop man** *n* (*Br infml*) homme *m* qui aide les enfants à traverser la rue **lolly** ['lɒlɪ] *n* (*Br infml lollipop*) sucette *f*; ***an ice ~*** une glace à l'eau
London ['lʌndən] **I** *n* Londres **II** *adj* londonien(ne) **Londoner** ['lʌndənəʳ] *n* Londonien(ne) *m(f)*
lone [ləʊn] *adj* (*single*) solitaire; (*isolated*) isolé; ***~ parent*** *Br* parent isolé; ***~ parent family*** *Br* famille monoparentale **loneliness** ['ləʊnlɪnɪs] *n* solitude *f*
lonely ['ləʊnlɪ] *adj* seul, solitaire; ***~ hearts column*** rubrique des rencon-

tres; **~ hearts club** club *m* de rencontres
loner ['ləʊnəʳ] *n* solitaire *m/f* **lonesome** ['ləʊnsəm] *adj US* solitaire
long[1] [lɒŋ] **I** *adj* long(ue); *journey* long(ue); ***it is 6 feet ~*** il mesure 6 pieds de long; ***to pull a ~ face*** faire la tête; ***it's a ~ way*** c'est loin; ***to have a ~ memory*** avoir bonne mémoire; ***it's a ~ time since I saw her*** cela fait longtemps que je ne l'ai pas vue; ***he's been here (for) a ~ time*** cela fait longtemps qu'il est ici; ***she was overseas for a ~ time*** elle a vécu à l'étranger pendant longtemps; ***to take a ~ look at sth*** bien regarder qc; ***how ~ is the movie?*** combien de temps dure le film? **II** *adv* longtemps; ***don't be ~!*** dépêche-toi!; ***don't be too ~ about it*** faites vite; ***I shan't be ~*** je n'en ai pas pour longtemps; ***all night ~*** toute la nuit; ***~ ago*** il y a longtemps; ***not ~ ago*** il n'y a pas longtemps; ***not ~ before I met you*** peu de temps avant que je ne te rencontre; ***as ~ as, so ~ as*** (*provided that*) du moment que; ***I can't wait any ~er*** je ne peux pas attendre plus longtemps; ***if that noise goes on any ~er*** si ce bruit continue; ***no ~er*** (*not any more*) plus; ***so ~!*** *infml* au revoir!, salut! *infml* **III** *n* ***before ~*** très vite; ***are you going for ~?*** vous partez longtemps?; ***it won't take ~*** ça ne prendra pas longtemps; ***I won't take ~*** je n'en ai pas pour longtemps
long[2] *v/i* attendre avec impatience (***for sth*** qc); ***he ~ed for his wife to return*** il attendait avec impatience que sa femme revienne; ***he is ~ing for me to make a mistake*** il attend avec impatience que je fasse une erreur; ***I am ~ing to go overseas*** j'ai très envie d'aller à l'étranger; ***I'm ~ing to see that movie*** j'attends avec impatience de voir ce film
long-distance I *adj* ***~ call*** appel longue distance; ***~ lorry driver*** *Br* routier; ***~ flight*** vol long courrier; ***~ runner*** coureur de fond; ***~ travel*** voyages longue distance **II** *adv* ***to call ~*** passer un appel longue distance **long division** *n* division *f* écrite complète **long-drawn-out** *adj speech, process* interminable
longed-for ['lɒŋdfɔːʳ] *adj* tant attendu
long-grain *adj* ***~ rice*** riz long **long-haired** *adj* aux cheveux longs **longhand** *adv* à la main **long-haul** *adj* ***~ truck driver*** routier *m*
longing ['lɒŋɪŋ] **I** *adj* plein de désir **II** *n* désir *m*, envie *f* (***for*** de) **longingly** ['lɒŋɪŋlɪ] *adv* avec envie
longish ['lɒŋɪʃ] *adj* plutôt long
longitude ['lɒŋgɪtjuːd] *n* longitude *f*
long johns *pl infml* caleçon *m* long **long jump** *n* saut *m* en longueur **long-life** *adj battery etc.* longue durée *f* **long-life milk** *n Br* lait *m* longue conservation **long-lived** ['lɒŋlɪvd] *adj* d'une grande longévité; *success* long **long-lost** *adj person* perdu de vue **long-playing** *adj* ***~ record*** 33 tours **long-range** *adj gun* longue portée; *forecast* à long terme; ***~ missile*** missile longue portée **long-running** *adj series, feud* qui dure depuis longtemps **longshoreman** *n US* docker *m* **long shot** *n infml* ***it's a ~, but ...*** c'est peu probable, mais ...; ***not by a ~*** tant s'en faut **long-sighted** *adj Br* hypermétrope; (*with age*) presbyte **long-standing** *adj* vieux(vieille); *friendship* de longue date **long-stay** *adj Br car park* longue durée **long-suffering** *adj* d'une patience à toute épreuve **long term** *n* ***in the ~*** à long terme **long-term** *adj* à long terme; ***~ memory*** mémoire à long terme; ***the ~ unemployed*** les chômeurs de longue durée **long vacation** *n Br* UNIV vacances *fpl* d'été; SCHOOL grandes vacances **long wave** *n* grandes ondes *fpl* **long-winded** *adj* tarabiscoté; *speech* alambiqué
loo [luː] *n* (*Br infml*) petit coin *m infml*, WC *m*; ***to go to the ~*** aller au petit coin *infml*; ***in the ~*** au petit coin *infml*
look [lʊk] **I** *n* **1.** (*glance*) regard *m*, coup *m* d'œil; ***she gave me a dirty ~*** elle m'a jeté un regard mauvais; ***she gave me a ~ of disbelief*** elle m'a jeté un regard incrédule; ***to have*** *or* ***take a ~ at sth*** jeter un coup d'œil sur qc, regarder qc; ***can I have a ~?*** je peux regarder?; ***to take a good ~ at sth*** bien regarder qc; ***to have a ~ for sth*** chercher qc; ***to have a ~ around*** jeter un coup d'œil; ***shall we have a ~ around the town?*** on va faire un tour dans la ville? **2.** (*appearance*) air *m*; ***there was a ~ of despair in his eyes*** il avait un regard désespéré; ***I don't like the ~ of him*** son allure ne me plaît pas; ***by the ~ of him*** à le voir **3. looks** *pl* (***good***) ***~s*** beauté *f* **II** *v/t* ***he ~s his age*** il fait son âge; ***he's not ~ing himself these days*** il n'a pas l'air dans son

assiette en ce moment; ***I want to ~ my best tonight*** je veux être à mon avantage ce soir; ***~ what you've done!*** regarde ce que tu as fait!; ***~ where you're going!*** regarde un peu où tu vas!; ***~ who's here!*** regarde qui est là! **III** *v/i* **1.** (*see*) regarder; ***to ~ around*** regarder (autour de soi); ***to ~ carefully*** regarder attentivement; ***to ~ and see*** regarder; ***~ here!*** dites donc!; ***~, I know you're tired, but ...*** écoute, je sais que tu es fatigué, mais…; ***~, there's a better solution*** attends, il y a une meilleure solution; ***~ before you leap*** *prov* il faut réfléchir avant d'agir **2.** (*search*) chercher **3.** (*seem*) avoir l'air; ***it ~s all right to me*** ça l'air d'aller; ***how does it ~ to you?*** qu'en penses-tu?; ***the car ~s around 10 years old*** cette voiture doit avoir environ dix ans; ***to ~ like*** ressembler à; ***the picture doesn't ~ like him*** la photo ne lui ressemble pas; ***it ~s like rain*** on dirait qu'il va pleuvoir; ***it ~s as if we'll be late*** il me semble que nous allons être en retard ◆ **look after** *v/t insep esp Br* **1.** s'occuper de; ***to ~ oneself*** prendre soin de soi **2.** (*temporarily*) surveiller; *children* garder ◆ **look ahead** *v/i fig* regarder vers l'avenir ◆ **look around** *v/i* essayer de trouver (***for sth*** qc) ◆ **look at** *v/t insep* **1.** (*observe*) regarder; ***~ him!*** regarde-le!; ***~ the time*** tu as vu l'heure?; ***he looked at his watch*** il a regardé sa montre **2.** (*examine*) regarder, examiner **3.** (*view*) considérer; *possibilities* envisager ◆ **look away** *v/i* détourner les yeux ◆ **look back** *v/i* regarder derrière soi; *fig* revenir (*on sth* sur qc, *to sth* à qc), regarder en arrière; ***he's never looked back*** *fig, infml* après tout s'est très bien passé pour lui ◆ **look down** *v/i* regarder en bas, baisser les yeux ◆ **look down on** *v/t insep* mépriser ◆ **look for** *v/t insep* chercher; ***he's looking for trouble*** il cherche les ennuis; (*actively*) il recherche les ennuis ◆ **look forward to** *v/t insep* attendre avec impatience ◆ **look in** *v/i* (*visit*) passer (***on sb*** voir qn) ◆ **look into** *v/t insep* **1.** ***to ~ sb's face*** scruter le visage de qn; ***to ~ the future*** examiner l'avenir **2.** (*investigate*) enquêter sur; *matter* se pencher sur ◆ **look on** *v/i* **1.** regarder **2.** ***to ~ to*** (*window, building*) donner sur **3.** (*a.* **look upon**) considérer ◆ **look out** *v/i* **1.** (*of window etc.*) regarder dehors; ***to ~ (of) the window*** regarder par la fenêtre **2.** (*take care*) faire attention; ***~!*** attention! ◆ **look out for** *v/t insep* **1.** (*try to find*) essayer de trouver, chercher **2.** ***~ pickpockets*** faites attention aux des pickpockets ◆ **look over** *v/t sep notes* examiner ◆ **look round** *v/i Br* = **look around** ◆ **look through I** *v/t insep* ***he looked through the window*** il a regardé par la fenêtre **II** *v/t sep* (*examine*) regarder; (*read*) parcourir ◆ **look to** *v/t insep* **1.** (*rely on*) compter sur; ***they looked to him to solve the problem*** ils ont eu recours à lui pour résoudre le problème; ***we ~ you for support*** nous comptons sur votre soutien **2.** ***to ~ the future*** penser à l'avenir ◆ **look toward** *also* **look towards** *Br v/t insep* (*room*) donner sur ◆ **look up I** *v/i* **1.** *lit* lever les yeux **2.** (*improve*) s'améliorer; ***things are looking up*** la situation s'améliore **II** *v/t sep* **1.** (*visit*) ***to look sb up*** passer voir qn **2.** *word, phone number* chercher ◆ **look upon** *v/t insep* = **look on** ◆ **look up to** *v/t insep* ***to ~ sb*** respecter qn

look at

Notez que le verbe **look** se construit obligatoirement avec la préposition **at** :

× **They looked the old photos for hours.**

✓ **They looked at the old photos for hours.**

Ils on regardé les vieilles photos pendant des heures.

lookalike *n* sosie *m*; ***an Elvis Presley ~*** un sosie d'Elvis Presley **look-in** ['lʊkɪn] *n* (*Br infml*) chance *f* **lookout** *n* **1.** ***~ tower*** tour *f* de guet **2.** (MIL *person*) sentinelle *f* **3.** ***to be on the ~ for, to keep a ~ for*** = **look out for**

loom¹ [luːm] *n* métier *m* à tisser

loom² *v/i* (*a.* **loom ahead** *or* **up**) surgir; (*deadline*) approcher; ***to ~ up out of the mist*** surgir de la brume; ***to ~ large*** peser lourd

loony ['luːnɪ] *infml* **I** *adj* ⟨**+er**⟩ dingue *infml* **II** *n* dingue *m/f infml* **loony bin** *n infml* asile *m*

loop [luːp] **I** *n* **1.** boucle *f* **2.** AVIAT ***to ~ the ~*** faire un looping **3.** IT boucle *f* **II** *v/t rope etc.* faire une boucle à **loophole** ['luːphəʊl] *n fig* lacune *f*; ***a ~ in the law*** un vide juridique

loose [luːs] **I** *adj* ⟨**+er**⟩ **1.** lâche; *morals* relâché, léger(-ère); *arrangement* informel(le); *dress* ample; *tooth* qui bouge; *screw* desserré; *translation* approximatif(-ive); ***a ~ connection*** ELEC un mauvais contact; ***to come ~*** (*screw etc.*) se desserrer; (*cover etc.*) se défaire, se détacher; (*button*) se découdre; ***~ talk*** des propos irréfléchis **2.** ***to break*** *or* ***get ~*** (*person*, *animal*) s'échapper (***from*** de); (*break out*) s'évader; ***to turn ~*** *animal* lâcher; *prisoner* relâcher; ***to be at a ~ end*** *fig* n'avoir rien à faire; ***to tie up the ~ ends*** *fig* régler les derniers détails **II** *n infml* ***to be on the ~*** s'être échappé **III** *v/t* **1.** (*untie*) défaire, détacher **2.** (*slacken*) desserrer

loose change *n* petite monnaie *f*

loose-fitting *adj* ample, large **loose-leaf** *n* ***~ binder*** classeur à feuilles mobiles; ***~ pad*** bloc de feuillets mobiles

loosely ['luːslɪ] *adv* **1.** sans serrer, de manière lâche **2.** ***~ based on Shakespeare*** librement adapté de Shakespeare

loosen ['luːsn] **I** *v/t* **1.** relâcher **2.** (*slacken*) *belt*, *collar* desserrer; ***to ~ one's grip on sth*** *lit* relâcher son étreinte sur qc; *fig on the party*, *on power* relâcher son emprise sur qc **II** *v/i* se desserrer

◆ **loosen up I** *v/t sep muscles* détendre; *soil* ameublir **II** *v/i* (*muscles*) se détendre; (*athlete*) s'échauffer

loot [luːt] **I** *n* butin *m* **II** *v/t & v/i* piller

looter ['luːtəʳ] *n* pilleur(-euse) *m*(*f*)

lop [lɒp] *v/t* (*a.* **lop off**) couper, tailler

lopsided ['lɒp'saɪdɪd] *adj* de travers; (*uneven*) disproportionné

lord [lɔːd] **I** *n* **1.** (*master*) seigneur *m* **2.** (*Br nobleman*) lord *m*; ***the*** (***House of***) ***Lords*** la Chambre des lords **3.** REL ***Lord*** Seigneur *m*; ***the Lord*** (***our***) ***God*** le Seigneur (notre) Dieu; (***good***) ***Lord!*** *infml* Seigneur!; ***Lord knows*** *infml* Dieu seul le sait **II** *v/t* ***to ~ it over sb*** prendre des airs supérieurs avec qn

Lord Chancellor *n Br* Lord *m* Chancelier, ≈ ministre *m* de la Justice **Lord Mayor** *n Br* lord-maire *m* (*maire de certaines grandes villes britanniques*)

Lordship ['lɔːdʃɪp] *n Br* ***His*** / ***Your ~*** (*judge*) monsieur le juge; (*to noble*) monsieur **Lord's Prayer** ['lɔːdz'prɛəʳ] *n* REL ***the ~*** le Notre Père

lore [lɔːʳ] *n* traditions *fpl*

Lorraine [lɒ'reɪn] *n* GEOG Lorraine *f*

lorry ['lɒrɪ] *n Br* camion *m* **lorry driver** *n Br* chauffeur *m* de poids lourd

lose [luːz] ⟨*past*, *past part* **lost**⟩ **I** *v/t* **1.** perdre; *pursuer* semer; ***to ~ one's job*** perdre son emploi; ***many men ~ their hair*** beaucoup d'hommes perdent leurs cheveux; ***to ~ one's way*** *lit* se perdre; *fig* s'égarer; ***that mistake lost him the game*** cette faute lui a coûté la partie; ***she lost her brother in the war*** elle a perdu son frère à la guerre; ***he lost the use of his legs in the accident*** il a perdu l'usage de ses jambes dans l'accident; ***to ~ no time in doing sth*** ne pas perdre de temps pour faire qc; ***my watch lost three hours*** ma montre a pris trois heures de retard **2.** *opportunity* perdre **3.** ***to be lost*** (*things*) avoir disparu; (*people*) être perdu; ***I can't follow the reasoning, I'm lost*** je n'arrive pas à suivre le raisonnement, je suis perdu; ***he was soon lost in the crowd*** il s'est vite perdu dans la foule; ***to be lost at sea*** périr en mer; ***all is*** (***not***) ***lost!*** tout (n')est (pas) perdu!; ***to get lost*** se perdre; ***get lost!*** *infml* va te faire voir! *infml*; ***to give sth up for lost*** considérer que qc est perdu; ***I'm lost without my watch*** sans ma montre, je suis perdu; ***classical music is lost on him*** il ne comprend rien à la musique classique; ***the joke was lost on her*** elle n'a pas saisi la plaisanterie; ***to be lost for words*** ne pas savoir quoi dire; ***to be lost in thought*** être perdu dans ses pensées **II** *v/i* perdre; (*watch*) retarder; ***you can't ~*** tu ne peux pas perdre

◆ **lose out** *v/i infml* être perdant; ***to ~ to sb*** / ***sth*** perdre au profit de qn / qc

loser ['luːzəʳ] *n* perdant(e) *m*(*f*); ***what a ~!*** *infml* quel raté! *infml* **losing** ['luːzɪŋ] *adj* ***the ~ team*** l'équipe perdante; ***to fight a ~ battle*** livrer une bataille perdue d'avance; ***to be on the ~ side*** être dans le camp des vaincus

loss [lɒs] *n* **1.** perte *f*; ***hair ~*** chute de(s) cheveux; ***weight ~*** perte de poids; ***memory ~*** perte de mémoire; ***the factory closed with the ~ of 300 jobs*** l'usine a fermé, entraînant la disparition de 300 emplois; ***he felt her ~ very deeply*** il a été très affecté par sa disparition; ***there was a heavy ~ of life*** il y a eu de lourdes pertes en vies humaines; ***job ~es*** suppressions d'emplois; ***his business is running at a ~*** son entreprise tourne à perte; ***to sell sth at a ~*** vendre qc à perte; ***it's your ~*** tant pis pour toi; ***a dead ~*** (*Br infml*) une perte sèche; (*person*) un bon à rien *infml*; ***to cut one's ~es*** *fig* sauver les meubles **2.** ***to be at a ~*** être désemparé; ***we are at a ~ for what to do*** nous ne savons pas quoi faire; ***to be at a ~ to explain sth*** être incapable d'expliquer qc; ***to be at a ~ for words*** ne pas savoir quoi dire

lost [lɒst] **I** *past*, *past part* = **lose** **II** *adj attr cause*, *person*, *dog*, *glasses etc.* perdu **lost-and-found (department)** *n US* (bureau *m* des) objets *mpl* trouvés **lost property** *n Br* **1.** (*items*) objets *mpl* trouvés **2.** = **lost property office** **lost property office** *n Br* (bureau *m* des) objets *mpl* trouvés

lot¹ [lɒt] *n* **1.** ***to draw ~s*** tirer au sort; ***they drew ~s to see who would begin*** ils ont tiré au sort pour savoir qui allait commencer **2.** (*at auction*) lot *m*; (*destiny*) sort *m*; ***to throw in one's ~ with sb*** lier son destin à celui de qn; ***to improve one's ~*** améliorer son sort **3.** (*plot*) terrain *m*; ***building ~*** terrain à bâtir; ***parking ~*** *US* parking **4.** ***Br where shall I put this ~?*** où est-ce que je mets tout ça?; ***can you carry that ~ by yourself?*** peux-tu porter ça tout seul?; ***divide the books up into three ~s*** partage les livres en trois lots; ***he is a bad ~*** *infml* c'est un vaurien **5.** (*Br infml group*) bande *f*; ***are you ~ coming to the pub?*** eh vous autres, vous venez au pub? **6.** ***the ~*** (*Br infml*) (le) tout; ***that's the ~*** tout est là

lot² *n*, *adv* ***a ~***, ***~s*** beaucoup; ***a ~ of*** beaucoup de; ***a ~ of money*** beaucoup d'argent; ***a ~ of books***, ***~s of books*** beaucoup de livres; ***such a ~*** tellement; ***what a ~!*** quelle quantité!; ***such a ~ of books*** tant de livres; ***~s and ~s of mistakes*** des quantités de fautes; ***we see a ~ of John*** nous voyons beaucoup John; ***things have changed a ~*** les choses ont beaucoup changé; ***I like him a ~*** je l'aime beaucoup; ***I feel ~s*** *or* ***a ~ better*** je me sens beaucoup mieux

lotion ['ləʊʃən] *n* lotion *f*

lottery ['lɒtərɪ] *n* loterie *f*

loud [laʊd] **I** *adj* ⟨**+er**⟩ **1.** *sound* fort; *protest* vif(vive) **2.** *tie* voyant **II** *adv* fort; ***~ and clear*** parfaitement; ***to say sth out ~*** dire qc tout haut **loud-hailer** [ˌlaʊd'heɪləʳ] *n Br* porte-voix *m*, mégaphone *m* **loudly** ['laʊdlɪ] *adv* fort; *criticize* vigoureusement **loudmouth** *n infml* grande gueule *f infml* **loudness** *n* intensité *f* (sonore) **loudspeaker** [ˌlaʊd'spiːkəʳ] *n* haut-parleur *m*

lounge [laʊndʒ] **I** *n* (*in hotel*) salon *m*; (*at airport*) salle *f*, salon *m*; *Br* (*in house*) salon *m* **II** *v/i* se prélasser; ***to ~ around*** *or* ***about*** *Br* paresser; ***to ~ against a wall*** être appuyé nonchalamment contre un mur **lounge bar** *n Br* salon *m* (*dans un pub ou un hôtel, salon plus confortable et plus cher*)

louse [laʊs] *n* ⟨*pl* **lice**⟩ ZOOL pou *m* **lousy** ['laʊzɪ] *adj infml* minable *infml*; *trick etc.* sale, vache *infml*; ***I'm ~ at math*** je suis nul en maths; ***he is a ~ golfer*** il joue au golf comme un pied *infml*; ***to feel ~*** être mal fichu *infml*; ***a ~ $3*** trois malheureux dollars

lout [laʊt] *n* rustre *m* **loutish** ['laʊtɪʃ] *adj* rustre

louver, *Br* **louvre** ['luːvəʳ] *n* persienne *f*

lovable, loveable ['lʌvəbl] *adj* adorable

love [lʌv] **I** *n* **1.** amour *m*; ***to have a ~ for or of sth*** aimer qc; ***~ of learning*** amour du savoir; ***~ of adventure*** amour de l'aventure; ***~ of books*** amour des livres; ***for the ~ of*** pour l'amour de; ***to be in ~ (with sb)*** être amoureux (de qn); ***to fall in ~ (with sb)*** tomber amoureux (de qn); ***to make ~*** faire l'amour; ***to make ~ to sb*** faire l'amour à qn; ***yes, (my) ~*** oui, mon amour; ***the ~ of my life*** l'amour de ma vie **2.** (*greetings*) ***with all my ~*** affectueusement; ***~ from Anna*** affectueusement, Anna; ***give him my ~*** embrasse-le pour moi; ***he sends his ~*** il vous embrasse **3.** (*Br infml*: *form of address*) ≈ jeune fille / jeune homme **4.** TENNIS zéro *m* **II** *v/t* aimer; (*like*) adorer; ***they ~ each other*** ils s'aiment; ***I ~ tennis*** j'adore le tennis; ***I'd ~ a cup of tea*** je prendrais volontiers une tasse de thé; ***I'd ~ to come*** je viendrais avec grand plaisir; ***we'd ~ you to come*** nous serions ravis que vous puissiez venir; ***I ~ the way she smiles*** j'adore son sourire **III** *v/i* aimer **loveable** *adj* = **lovable** **love affair** *n* liaison *f* amoureuse **lovebite** *n Br* suçon *m infml*

love-hate relationship *n* relation *f* amour-haine; ***they have a ~*** leur relation est faite d'amour et de haine **loveless** *adj marriage* sans amour **love letter** *n* lettre *f* d'amour **love life** *n* vie *f* amoureuse

lovely ['lʌvlɪ] *adj* ⟨**+er**⟩ (*beautiful*) joli, beau(belle); *esp Br baby* mignon(ne); *Br* (*likeable*) charmant; ***that dress looks ~ on you*** cette robe te va à ravir; ***we had a ~ time*** nous avons passé un très bon moment; ***it's ~ and warm*** *Br* il fait bon; ***have a ~ vacation*** (*US*) *or* ***holiday*** *Br* bonnes vacances; ***it's been ~ to see you*** ça a été un plaisir de vous voir **lovemaking** ['lʌvmeɪkɪŋ] *n* (*sexual*) rapports *mpl* sexuels **lover** ['lʌvəʳ] *n* **1.** (*male*) amant *m*, (*female*) maîtresse *f*; ***the ~s*** les amants **2.** ***a ~ of books*** un amoureux des livres; ***a ~ of good food*** un amateur de bonne chère; ***music-~*** mélomane **lovesick** *adj* languissant d'amour; ***to be ~*** languir d'amour **love song** *n* chanson *f* d'amour **love story** *n* histoire *f* d'amour **loving** ['lʌvɪŋ] *adj* affectueux(-euse); *relationship* tendre; ***your ~ son …*** ton fils qui t'aime… **lovingly** ['lʌvɪŋlɪ] *adv* avec amour

low [ləʊ] **I** *adj* ⟨**+er**⟩ *note* bas(se); *bow* profond; *density* faible; *quality* mauvais; *food supplies* maigre; ***the sun was ~ in the sky*** le soleil était bas dans le ciel; ***the river is ~*** la rivière est basse; ***a ridge of ~ pressure*** un creux barométrique; ***to speak in a ~ voice*** parler à voix basse; ***how ~ can you get!*** qu'est-ce que tu peux être grossier!; ***to feel ~*** être déprimé **II** *adv aim*, *speak* bas; *fly* à basse altitude; *bow* profondément; ***he's been laid ~ with the flu*** *Br* la grippe l'a immobilisé; ***to run*** *or* ***get ~*** s'amenuiser; ***we are getting ~ on gas*** (*US*) *or* ***petrol*** *Br* nous n'avons plus beaucoup d'essence **III** *n* METEO dépression *f*; *fig* niveau *m* bas; ***to reach a new ~*** atteindre son niveau le plus bas **low-alcohol** *adj* à faible teneur en alcool **lowbrow** *adj* peu intellectuel(le) **low-cal** *adj infml*, **low-calorie** *adj* basses calories **low-carb** [ləʊ'kɑːb] *adj infml* à faible teneur en glucides **low-cost** *adj* à bas prix; *airline* low cost **Low Countries** *pl* ***the ~*** les Pays-Bas *mpl* **low-cut** *adj dress* décolleté **lowdown** *n infml* infos *fpl infml*; ***what's the ~ on Kowalski?*** on a des infos sur Kowalski? *infml*; ***he gave me the ~ on it*** il m'a mis au courant de l'essentiel **low-emission** *adj car* à faible émission

lower ['ləʊəʳ] **I** *adj* **1.** (*in height*) plus bas(se); *part*, *limb* inférieur; *note* plus bas(se); GEOG bas(se); ***the Lower Rhine*** le bas Rhin; ***~ leg*** partie inférieure de la jambe; ***the ~ of the two holes*** le plus bas des deux trous; ***the ~ deck*** (*of bus*) l'étage inférieur; (*of ship*) le pont inférieur **2.** *rank*, *level*, *animals* inférieur; ***the ~ classes*** SOCIOL les classes populaires; ***a ~ middle-class family*** une famille de la classe moyenne; ***the ~ school*** *Br* les petites classes **II** *adv* plus bas; ***~ down the mountain*** plus bas dans la montagne; ***~ down the list*** plus bas dans la liste **III** *v/t* **1.** *boat* mettre à la mer; *load*, *flag* descendre; *eyes*, *gun* baisser; ***he ~ed himself into an armchair*** il s'assit dans un fauteuil **2.** *pressure*, *risk* diminuer; *price* baisser; *temperature* abaisser; ***~ your voice*** baissez la voix; ***to ~ oneself*** s'abaisser **lower case I** *n* minuscule *f*, bas *m* de casse **II** *adj* minuscule **Lower Chamber** *n* Chambre *f* basse, Chambre *f* des communes **lower-class** *adj* populaire **lower-income** *adj* à faibles revenus **lower sixth (form)** *n* (*Br* SCHOOL) ≈ (classe *f* de) première *f* **low-fat** *adj milk* écrémé; *cheese* allégé **low-flying** *adj* ***~ plane*** avion qui vole à basse altitude **low-heeled** *adj* à talons plats **low-income** *adj* économiquement faible **low-key** *adj approach* discret(-ète); *reception* sobre **lowland I** *n* ***the Lowlands of Scotland*** les Lowlands *fpl*, les Basses-Terres *fpl* d'Écosse; ***the ~s of Central Europe*** les plaines *fpl* d'Europe centrale **II** *adj* de(s) plaines; (*of Scotland*) des Lowlands **low-level** *adj radiation* de faible intensité **lowlife** *n* pègre *f* **lowly** ['ləʊlɪ] *adj* ⟨**+er**⟩ modeste, humble **low-lying** *adj* bas(se) **low-necked** *adj* décolleté **low-pitched** *adj* bas(se), grave **low-profile** *adj* discret(-ète) **low-rise** *attr* bas(se) **low season** *n Br* basse saison *f* **low-tar** *adj* à faible teneur en goudron **low-tech** *adj* rudimentaire; ***it's pretty ~*** c'est plutôt rudimentaire

low tide, low water *n* marée *f* basse; ***at ~*** à marée basse **low-wage** *adj attr* de bas salaires

loyal ['lɔɪəl] *adj* ⟨**+er**⟩ **1.** loyal, fidèle; ***he was very ~ to his friends*** il a été très loyal envers ses amis; ***he remained ~ to his wife / the king*** il est resté fidèle à sa femme / au roi **2.** (*to party etc.*) fidèle (***to*** à) **loyalist I** *n* loyaliste *m/f* **II** *adj troops* loyaliste **loyally** ['lɔɪəlɪ] *adv* loyalement, fidèlement **loyalty** ['lɔɪəltɪ] *n* **1.** loyauté *f* **2.** (*to party etc.*) fidélité *f* **loyalty card** *n* (*Br* COMM) carte *f* de fidélité

lozenge ['lɒzɪndʒ] *n* **1.** MED pastille *f* **2.** (*shape*) losange *m*

Los Angeles *n* Los Angeles

LP *abbr* = **long player, long-playing record** 33 tours *m*

LPG *abbr* = **liquefied petroleum gas** GPL *m*

L-plate ['elpleɪt] *n Br* plaque *f* d'apprenti conducteur (*L comme Learner*)

LSD *abbr* = **lysergic acid diethylamide** LSD *m*

Ltd. *abbr* = **Limited** ≈ SARL

lubricant ['luːbrɪkənt] *n* lubrifiant *m* **lubricate** ['luːbrɪkeɪt] *v/t* lubrifier

lucid ['luːsɪd] *adj* ⟨**+er**⟩ **1.** clair **2.** (*sane*) lucide; ***he was ~ for a few minutes*** il a eu quelques minutes de lucidité **lucidly** ['luːsɪdlɪ] *adv* lucidement; *explain, write* clairement

luck [lʌk] *n* chance *f*; ***by ~*** par chance; ***bad ~*** malchance; ***bad ~!*** *esp Br* pas de chance!; ***good ~*** chance; ***good ~!*** bonne chance!; ***no such ~!*** ç'aurait été trop beau!; ***just my ~!*** c'est bien ma veine! *infml*; ***with any ~*** avec un peu de chance; ***any ~?*** (*did it work?*) ça a marché?; (*did you find it?*) alors?; ***worse ~!*** *Br* manque de bol! *infml*; ***to be in ~*** avoir de la chance; ***to be out of ~*** ne pas avoir de chance; ***he was down on his ~*** il était dans une mauvaise passe; ***to bring sb good / bad ~*** porter bonheur / malheur à qn; ***as ~ would have it*** et comme par hasard; ***Bernstein kisses his cuff links for ~*** Bernstein embrasse ses boutons de manchette pour qu'ils lui portent chance; ***to try one's ~*** tenter sa chance **luckily** ['lʌkɪlɪ] *adv* par chance; ***~ for me*** heureusement pour moi

lucky ['lʌkɪ] *adj* ⟨**+er**⟩ chanceux(-euse); *coincidence, winner* heureux(-euse); ***you ~ thing!, ~ you!*** tu en as de la chance!; ***the ~ winner*** l'heureux gagnant; ***to be ~*** avoir de la chance; ***I was ~ enough to meet him*** j'ai eu la chance de le rencontrer; ***you are ~ to be alive*** tu as de la chance d'être encore en vie; ***you were ~ to catch him*** c'est une chance que tu aies pu le voir; ***you'll be ~ to make it in time*** ce serait un coup de chance que tu arrives à l'heure; ***I want another $500 — you'll be ~!*** je veux 500 dollars de plus — tu peux toujours courir!; ***to be ~ that …*** s'estimer heureux que…; ***~ charm*** porte-bonheur; ***it must be my ~ day*** ça doit être mon jour de chance; ***to be ~*** (*number etc.*) porter bonheur; ***it was ~ I stopped him*** heureusement que j'ai réussi à l'arrêter; ***that was a ~ escape*** on l'a échappé belle **lucky dip** *n Br* pêche *f* miraculeuse

lucrative ['luːkrətɪv] *adj* lucratif(-ive)

ludicrous ['luːdɪkrəs] *adj idea* absurde; *prices* ridicule **ludicrously** ['luːdɪkrəslɪ] *adv small, high* ridiculement; ***~ expensive*** à un prix ridiculement élevé

lug [lʌg] *v/t* traîner

luggage ['lʌgɪdʒ] *n* bagages *mpl* **luggage allowance** *n* (*esp Br* AVIAT) bagages *mpl* en franchise **luggage locker** *n esp Br* consigne *f* automatique **luggage rack** *n* **1.** RAIL *etc.* porte-bagages *m inv* **2.** (*US on car*) galerie *f* (de toit) **luggage trolley** *n esp Br* chariot *m* à bagages **luggage van** *n* (*Br* RAIL) fourgon *m* (à bagages)

lukewarm ['luːkwɔːm] *adj* tiède; ***he's ~ about*** *or* ***on the idea / about her*** il n'est pas enthousiasmé par l'idée / par elle

lull [lʌl] **I** *n* pause *f*; ***a ~ in the fighting*** une accalmie dans les combats **II** *v/t* ***to ~ a baby to sleep*** endormir un bébé en le berçant; ***he ~ed them into a false sense of security*** il les a bercés de propos rassurants

lullaby ['lʌləbaɪ] *n* berceuse *f*

lumbago [lʌm'beɪgəʊ] *n* lumbago *m*

lumber[1] ['lʌmbəʳ] **I** *n US* bois *m* de construction **II** *v/t* (*Br infml*) ***to ~ sb with sth*** coller qc à qn *infml*; ***I got ~ed with her for the evening*** je l'ai eue sur le dos toute la soirée *infml*

lumber[2] *v/i* (*cart*) avancer lentement; (*elephant, person*) marcher d'un pas lourd

lumberjack *n* bûcheron(ne) *m(f)* **lumber room** *n Br* débarras *m* **lumberyard** *n US* dépôt *m* de bois

luminary ['luːmɪnərɪ] *n fig* sommité *f* **luminous** ['luːmɪnəs] *adj* lumineux

(-euse); ~ ***paint*** peinture luminescente

lump [lʌmp] **I** *n* **1.** (*of sugar*) morceau *m* **2.** (*swelling*) bosse *f*; (*inside the body*) grosseur *f*; ***with a ~ in one's throat*** *fig* la gorge serrée; ***it brings a ~ to my throat*** ma gorge se serre **II** *v/t* (*esp Br infml*) ***if he doesn't like it he can ~ it*** si ça ne lui plaît pas, tant pis pour lui ◆ **lump together** *v/t sep* **1.** (*put together*) regrouper, réunir **2.** (*judge together*) mettre dans le même panier

lump sum *n* somme *f* forfaitaire; ***to pay sth in a ~*** payer qc en une seule fois

lumpy ['lʌmpɪ] *adj* ⟨+er⟩ *liquid* plein de grumeaux; *mattress* bosselé; ***to go ~*** (*sauce, rice*) faire des grumeaux

lunacy ['luːnəsɪ] *n* folie *f*

lunar ['luːnəʳ] *adj* lunaire **lunar eclipse** *n* éclipse *f* de Lune

lunatic ['luːnətɪk] **I** *adj* fou(folle) **II** *n* dément(e) *m(f)* **lunatic asylum** *n* asile *m* d'aliénés

lunch [lʌntʃ] **I** *n* déjeuner *m*; ***to have ~*** déjeuner; ***let's do ~*** *infml* on va déjeuner?; ***how long do you get for ~?*** combien de temps avez-vous pour le déjeuner?; ***he's at ~*** il est en train de déjeuner **II** *v/i* déjeuner **lunchbox** *n* ≈ boîte *f* à sandwichs **lunch break** *n* pause *f* déjeuner **luncheon** ['lʌntʃən] *n form* déjeuner *m* **luncheon meat** *n* viande *f* en conserve **luncheon voucher** *n Br* ≈ Ticket-Restaurant® *m inv* **lunch hour** *n* heure *f* du déjeuner; (*lunch break*) pause *f* déjeuner **lunchpail** *n US* gamelle *f* (*dans laquelle on transporte son déjeuner*) **lunchtime** *n* heure *f* du déjeuner; ***they arrived at ~*** ils sont arrivés à l'heure du déjeuner

lung [lʌŋ] *n* poumon *m* **lung cancer** *n* cancer *m* du poumon

lunge [lʌndʒ] **I** *n* mouvement *m* brusque en avant **II** *v/i* faire un mouvement brusque en avant; ***to ~ at sb*** se précipiter sur qn

lurch[1] [lɜːtʃ] *n* ***to leave sb in the ~*** *infml* laisser qn en plan *infml*

lurch[2] **I** *n* ***to give a ~*** faire une embardée **II** *v/i* **1.** tituber **2.** (*move with lurches*) avancer par à-coups; ***the train ~ed to a standstill*** après quelques à-coups le train s'est immobilisé

lure [ljʊəʳ] **I** *n* attrait *m*; (*fig: of ocean etc.*) charme *m* **II** *v/t* attirer; ***to ~ sb away from sth*** éloigner qn de qc; ***to ~ sb into a trap*** attirer qn dans un piège

lurid ['ljʊərɪd] *adj* **1.** *color* criard **2.** *fig description, detail* horrible

lurk [lɜːk] *v/i* se cacher; ***a slight suspicion ~ed at the back of his mind*** un léger soupçon persistait dans son esprit ◆ **lurk around** *or* **about** *Br v/i* être tapi

lurking ['lɜːkɪŋ] *adj* menaçant; *doubt* vague

luscious ['lʌʃəs] *adj* **1.** (*delicious*) succulent **2.** *girl* pulpeux(-euse); *figure* séduisant

lush [lʌʃ] *adj* **1.** *grass* gras(se); *vegetation* luxuriant **2.** *infml hotel* luxueux(-euse)

lust [lʌst] **I** *n* désir *m* sexuel; (*greed*) soif *f* (***for*** de); ***~ for power*** soif de pouvoir **II** *v/i* ***to ~ after*** (*sexually*) désirer; (*greedily*) convoiter **lustful** *adj* concupiscent

lustily ['lʌstɪlɪ] *adv eat* avec appétit; *sing, cry* à pleins poumons; *cheer* vigoureusement

luster, *Br* **lustre** ['lʌstəʳ] *n* **1.** lustre *m*, brillant *m* **2.** *fig* éclat *m*

lute [luːt] *n* luth *m*

Luxembourg ['lʌksəmbɜːg] *n* Luxembourg *m*

luxuriant [lʌg'zjʊərɪənt] *adj* luxuriant **luxuriate** [lʌg'zjʊərɪeɪt] *v/i* ***to ~ in sth*** (*people*) se délecter de qc **luxurious** [lʌg'zjʊərɪəs] *adj* luxueux(-euse); ***a ~ hotel*** un hôtel luxueux **luxury** ['lʌkʃərɪ] **I** *n* luxe *m*; ***to live a life of ~*** vivre dans le luxe **II** *adj attr* de luxe

LW *abbr* = **long wave** GO *fpl*

lychee ['laɪtʃiː] *n* litchi *m*

Lycra® ['laɪkrə] *n* Lycra® *m*

lying ['laɪɪŋ] **I** *adj* menteur(-euse) **II** *n* mensonge(s) *m(pl)*; ***that would be ~*** ce serait un mensonge

lynch [lɪntʃ] *v/t* lyncher

lyric ['lɪrɪk] **I** *adj* lyrique **II** *n* (*often pl: of pop song*) paroles *fpl* **lyrical** ['lɪrɪkəl] *adj* lyrique; ***to wax ~ about sth*** disserter avec enthousiasme sur qc **lyricist** ['lɪrɪsɪst] *n* MUS parolier(-ière) *m(f)*

M

M, m [em] *n* M, m *m inv*
M *abbr* = **medium**
m 1. *abbr* = **million(s)** M **2.** *abbr* = **meter(s)** m **3.** *abbr* = **mile(s) 4.** *abbr* = **masculine** M
M.A. *abbr* = **Master of Arts** maîtrise *f* de lettres
ma [mɑː] *n infml* maman *f*
ma'am [mæm] *n* madame *f*; → **madam**
mac [mæk] *n* (*Br infml*) imper *m infml*
macabre [mə'kɑːbrə] *adj* macabre
macaroni [ˌmækə'rəʊnɪ] *n* macaronis *mpl*
macaroon [ˌmækə'ruːn] *n* macaron *m*
mace [meɪs] *n* (*official's*) masse *f*
Macedonia [ˌmæsɪ'dəʊnɪə] *n* Macédoine *f*
machete [mə'tʃeɪtɪ] *n* machette *f*
machination [ˌmækɪ'neɪʃən] *n usu pl* machinations *fpl*
machine [mə'ʃiːn] **I** *n* machine *f*; (*vending machine*) distributeur *m* (automatique) **II** *v/t* TECH usiner **machine gun** *n* mitrailleuse *f* **machine language** *n* IT langage *m* machine **machine operator** *n* opérateur(-trice) *m(f)* sur machine **machine-readable** *adj* IT lisible par ordinateur **machinery** [mə'ʃiːnərɪ] *n* machines *fpl*; ***the ~ of government*** les rouages du gouvernement **machine tool** *n* machine-outil *f* **machine-washable** *adj* lavable en machine **machinist** [mə'ʃiːnɪst] *n* TECH opérateur(-trice) *m(f)* sur machine; SEWING mécanicien(ne) *m(f)*
macho ['mætʃəʊ] *adj* macho *infml*
mackerel ['mækrəl] *n* maquereau *m*
mackintosh ['mækɪntɒʃ] *n Br* imperméable *m*
macro ['mækrəʊ] *n* IT macro *f* **macro-** *pref* macro- **macrobiotic** ['mækrəʊbaɪ'ɒtɪk] *adj* macrobiotique **macrocosm** ['mækrəʊˌkɒzəm] *n* macrocosme *m*
mad [mæd] **I** *adj* ⟨**+er**⟩ **1.** (*infml angry*) furieux(-euse); ***to be ~ at sb*** être furieux contre qn; ***to be ~ about sth*** être furieux à propos de qc; ***this makes me ~*** ça m'énerve **2.** fou(folle) (***with*** de); (*infml esp Br crazy*) cinglé *infml*; ***to go ~*** devenir fou; ***to drive sb ~*** rendre qn fou; ***it's enough to drive you ~*** il y a de quoi devenir fou; ***you must be ~!*** *Br* tu es complètement fou!; ***I must have been ~ to believe him*** *Br* j'étais folle de le croire; ***they made a ~ rush or dash for the door*** ils se sont rués vers la porte comme des malades; ***why the ~ rush?*** pourquoi tant de précipitation? **3.** (*esp Br infml keen*) ***to be ~ about or on sth*** être fou de qc; ***I'm not exactly ~ about this job*** je ne peux pas dire que ce travail m'emballe; ***I'm (just) ~ about you*** je suis fou de toi; ***don't go ~!*** (*don't overdo it*) n'en fais pas trop! **II** *adv infml* ***like ~*** comme un fou; ***he ran like ~*** il a couru comme un dératé
madam ['mædəm] *n* madame *f*; ***can I help you, ~?*** (*in shop*) vous désirez, madame?; ***Dear Madam*** *esp Br* Madame
madcap ['mædkæp] *adj idea* fou(folle) **mad cow disease** *n* maladie *f* de la vache folle **madden** ['mædn] *v/t* rendre fou(folle) **maddening** ['mædnɪŋ] *adj habit* exaspérant **maddeningly** ['mædnɪŋlɪ] *adv* de façon exaspérante; ***the train ride was ~ slow*** le voyage en train a été d'une lenteur exaspérante
made [meɪd] *past, past part* = **make**
made-to-measure ['meɪdtə'meʒər] *adj curtains* sur mesure; ***~ suit*** costume sur mesure **made-up** ['meɪd'ʌp] *adj* **1.** (*invented*) inventé **2.** (*wearing make-up*) maquillé
madhouse ['mædhaʊs] *n* maison *f* de fous **madly** ['mædlɪ] *adv* **1.** comme un fou(une folle) **2.** (*infml extremely*) follement; ***to be ~ in love (with sb)*** être follement amoureux (de qn) **madman** ['mædmən] *n* ⟨*pl* **-men**⟩ fou *m* **madness** *n* folie *f* **madwoman** ['mædwʊmən] *n* folle *f*
Mafia ['mæfɪə] *n* Mafia *f*
mag [mæg] *n infml* magazine *m*; ***porn ~*** revue porno
magazine [ˌmægə'ziːn] *n* **1.** magazine *m*, revue *f* **2.** (MIL *store*) dépôt *m* d'armes et de munitions **magazine rack** *n* porte-revues *m inv*
maggot ['mægət] *n* asticot *m*
Magi ['meɪdʒaɪ] *pl* ***the ~*** les Rois *mpl* mages
magic ['mædʒɪk] **I** *n* **1.** magie *f*; ***a dis-***

play of ~ une démonstration de magie; ***he made the spoon disappear by ~*** il a fait disparaître la cuillère par un tour de magie; ***as if by ~*** comme par enchantement; ***it worked like ~*** *infml* ça a fait merveille **2.** (*charm*) magie *f* **II** *adj* **1.** *powers* magique **2.** (*infml fantastic*) génial *infml* **magical** *adj powers*, *atmosphere* magique **magically** *adv* magiquement; ***~ transformed*** transformé comme par magie **magic carpet** *n* tapis *m* volant **magician** [mə'dʒɪʃən] *n* magicien(ne) *m(f)*; (*conjuror*) prestidigitateur(-trice) *m(f)*; ***I'm not a ~!*** je ne suis pas magicien! **magic spell** *n* sortilège *m*; (*words*) formule *f* magique; ***to cast a ~ on sb*** jeter un sort à qn **magic wand** *n* baguette *f* magique; ***to wave a ~*** donner un coup de baguette magique

magistrate ['mædʒɪstreɪt] *n* magistrat(e) *m(f)* **magistrates' court** *n Br* ≈ tribunal *m* d'instance

magnanimity [ˌmægnə'nɪmɪtɪ] *n* magnanimité *f* **magnanimous** [mæg'nænɪməs] *adj* magnanime

magnate ['mægneɪt] *n* magnat *m*

magnesium [mæg'niːzɪəm] *n* magnésium *m*

magnet ['mægnɪt] *n* aimant *m* **magnetic** [mæg'netɪk] *adj lit* magnétique; ***he has a ~ personality*** il a une personnalité charismatique **magnetic disk** *n* IT disque *m* magnétique **magnetic field** *n* champ *m* magnétique **magnetic strip, magnetic stripe** *n* piste *f* magnétique **magnetism** ['mægnɪtɪzəm] *n fig* magnétisme *m*

magnification [ˌmægnɪfɪ'keɪʃən] *n* grossissement *m*; ***high/low ~*** fort/faible grossissement

magnificence [mæg'nɪfɪsəns] *n* **1.** magnificence *f* **2.** (*appearance*) splendeur *f* **magnificent** [mæg'nɪfɪsənt] *adj* **1.** magnifique; ***he has done a ~ job*** il a fait un travail magnifique **2.** (*in appearance*) splendide **magnificently** [mæg'nɪfɪsəntlɪ] *adv* magnifiquement

magnify ['mægnɪfaɪ] *v/t* **1.** grossir **2.** (*exaggerate*) exagérer **magnifying glass** ['mægnɪfaɪɪŋ'glɑːs] *n* loupe *f*

magnitude ['mægnɪtjuːd] *n* ampleur *f*; (*importance*) importance *f*; ***operations of this ~*** des opérations de cette envergure

magnolia [mæg'nəʊlɪə] *n* magnolia *m*

magpie ['mægpaɪ] *n* pie *f*

mahogany [mə'hɒgənɪ] **I** *n* acajou *m* **II** *adj* (*colour*) acajou; (*furniture*) en acajou

maid [meɪd] *n* (*servant*) employée *f* de maison; (*in hotel*) femme *f* de chambre

maiden ['meɪdn] **I** *n liter* jeune fille *f* **II** *adj attr* inaugural; ***~ voyage*** voyage inaugural **maiden name** *n* nom *m* de jeune fille

maid of honor, *Br* **maid of honour** *n* demoiselle *f* d'honneur **maidservant** *n* servante *f*

mail [meɪl] **I** *n* courrier *m*; INTERNET courriel *m*; ***to send sth by ~*** envoyer qc par la poste; ***is there any ~ for me?*** est-ce qu'il y a du courrier pour moi? **II** *v/t* **1.** (*put in mail box*) poster; (*send by mail*) envoyer par la poste **2.** (*send by e-mail*) envoyer par courrier électronique; ***to ~ sb*** envoyer un e-mail à qn **mailbag** *n* sac *m* postal **mailbox** *n US* & IT boîte *f* aux lettres **mailing address** *n US* adresse *f* postale **mailing list** *n* liste *f* de publipostage; IT liste *f* de diffusion

mailman *n US* facteur *m* **mail merge** *n* IT publipostage *m* **mail order** *n* vente *f* par correspondance **mail-order** *adj* ***~ catalog*** (*US*) *or* ***catalogue*** *Br* catalogue de vente par correspondance; ***~ firm*** société de vente par correspondance **mailroom** *n esp US* service *m* du courrier **mailshot** *n Br* mailing *m*, publipostage *m* **mail van** *n* (*on roads*) camionnette *f* des postes; (*Br* RAIL) voiture-poste *f* **mailwoman** *n US* factrice *f*

maim [meɪm] *v/t* (*mutilate*) mutiler; (*cripple*) estropier; ***to be ~ed for life*** être marqué à vie

main [meɪn] **I** *adj attr* principal; ***the ~ thing is to ...*** le principal *or* l'essentiel, c'est de...; ***the ~ thing is you're still alive*** tu es toujours en vie, c'est le principal **II** *n* **1.** (*pipe*) conduite *f* principale; ***the ~s*** *Br* (*of town*) le réseau de distribution; (*of house*) conduite principale; (*for electricity*) le secteur; ***the water/electricity was switched off at the ~s*** *Br* l'eau/l'électricité a été coupée au compteur **2.** ***in the ~*** dans l'ensemble, principalement **main clause** *n* GRAM proposition *f* principale **main course** *n* plat *m* principal **mainframe (computer)** *n* ordinateur *m* central **mainframe network** *n* IT réseau *m* de gros ordinateurs **mainland** *n* continent *m*; ***on the ~ of Europe*** en Europe continentale **main line** *n* RAIL grande ligne *f* **mainly** ['meɪnlɪ] *adv* principalement, surtout **main office** *n* siège *m* **main road** *n* grande route *f* **mains-operated** ['meɪnzˌɒpəreɪtɪd], **mains-powered** *adj* fonctionnant sur secteur **mainstay** *n fig* pilier *m* **mainstream** ['meɪnstriːm] **I** *n* courant *m* dominant **II** *adj* **1.** *politician* appartenant au courant dominant; *opinion* communément répandu; *education* traditionnel(le); ***~ society*** la société en général **2.** ***~ cinema*** cinéma grand public **main street** *n* rue *f* principale

maintain [meɪn'teɪn] *v/t* **1.** *peace*, *speed* maintenir; ***to ~ sth at a constant temperature*** maintenir qc à une température constante **2.** *family* entretenir **3.** *machine*, *roads* entretenir; ***products which help to ~ healthy skin*** produits qui aident à garder une peau saine **4.** (*claim*) soutenir; ***he still ~ed his innocence*** il continuait d'affirmer qu'il était innocent **maintenance** ['meɪntɪnəns] *n* **1.** (*of peace*) maintien *m* **2.** *Br* (*of family*) entretien *m*; (*social security*) pension *f* alimentaire; ***he has to pay ~*** il doit verser une pension alimentaire **3.** (*of machine*, *road*, *gardens*) entretien *m*; (*cost*) frais *mpl* d'entretien **maintenance costs** *pl* frais *mpl* d'entretien **maintenance payments** *pl Br* pension *f* alimentaire

maisonette [ˌmeɪzə'net] *n Br* duplex *m*

maître d' [ˌmetrə'diː] *n* maître *m* d'hôtel

maize [meɪz] *n Br* maïs *m*

majestic [mə'dʒestɪk] *adj* majestueux (-euse) **majesty** ['mædʒɪstɪ] *n* majesté *f*; ***His / Her Majesty*** Sa Majesté; ***Your Majesty*** Votre Majesté

major ['meɪdʒər] **I** *adj* **1.** majeur, grave; (*important*) majeur; (*extensive*) considérable; *role* grand, essentiel(le); ***a ~ road*** une route principale; ***a ~ operation*** une grosse opération **2.** MUS majeur; ***~ key*** mode majeur; ***A ~*** la majeur **II** *n* **1.** MIL commandant *m* **2.** (*US subject*) matière *f* principale; ***he's a psychology ~*** il fait des études de psychologie **III** *v/i US* ***to ~ in French*** faire des études de français

Majorca [mə'jɔːkə] *n* Majorque *f*

majorette [ˌmeɪdʒə'ret] *n* majorette *f*

majority [mə'dʒɒrɪtɪ] *n* **1.** majorité *f*; ***to be in a or the ~*** être majoritaire; ***to be in a ~ of 3*** être majoritaire de trois voix; ***to have / get a ~*** avoir / obtenir la majorité **2.** JUR majorité *f* **majority decision** *n* décision *f* prise à la majorité

make [meɪk] *vb* ⟨*past*, *past part* **made**⟩ **I** *v/t* **1.** *coffee*, *dress*, *peace*, *choice* faire; *cars* fabriquer; *decision* prendre; ***she made it into a suit*** elle l'a transformé en tailleur; ***to ~ a guess*** deviner; ***made in France*** fabriqué en France; ***it's made of gold*** c'est en or; ***to show what one is made of*** montrer ce dont est capable; ***the job is made for him*** ce travail est fait pour lui; ***they're made for each other*** ils sont faits l'un pour l'autre; ***to ~ sb happy*** rendre qn heureux; ***he was made a judge*** il a été nommé juge; ***Shearer made it 1-0*** *Br* Shearer a porté le score à 1-0; ***we decided to ~ a day / night of it*** nous avons décidé d'y consacrer la journée / la nuit; ***to ~ something of oneself*** faire quelque chose de sa vie; ***he has it made*** *infml* il n'a pas de souci à se faire *infml*; ***you've made my day*** tu m'as fait très plaisir **2.** ***to ~ sb do sth*** (*cause to do*) faire faire qc à qn; (*compel to do*) obliger qn à faire qc; ***what made you come to this town?*** qu'est-ce qui vous a fait venir dans cette ville?; ***what ~s you say that?*** qu'est-ce qui te fait dire ça?; ***what ~s you think you can do it?*** qu'est-ce qui te fait penser que tu peux le faire?; ***you can't ~ me!*** tu ne peux pas m'y obliger!; ***what made it explode?*** qu'est-ce qui l'a fait exploser?; ***it ~s the room look smaller*** ça fait paraître la pièce plus petite; ***the chemical ~s the plant grow faster*** le produit chimique accélère la croissance de la plante; ***that made the cloth shrink*** ça a fait rétrécir le tissu; ***to ~ do with sth*** se contenter de qc; ***to ~ do with less money*** se débrouiller avec moins d'argent **3.** *money*, *fortune* gagner; *profit* faire (**on** en vendant) **4.** (*reach*, *achieve*) atteindre; ***we made good time*** nous avons bien roulé; ***sorry I couldn't ~ your party*** désolé de n'avoir pas pu venir à votre fête; ***we'll never ~ the airport in time*** nous n'arriverons jamais à l'heure à l'aéroport; ***to ~ it*** (*succeed*) réussir; ***he just made it*** il a réussi de justesse; ***he'll never ~ it through the winter*** il ne passera pas l'hiver **5.** (*be*) faire; ***he made a good fa-***

ther il a été un bon père; ***he'll never ~ a soldier*** il ne fera jamais à un bon soldat; ***he'd ~ a good teacher*** il ferait un bon enseignant; ***they ~ a good couple*** ils forment un couple solide **6.** (*equal*) faire; ***2 plus 2 ~s 4*** 2 et 2 font 4; ***that ~s $55 you owe me*** vous me devez maintenant 55 dollars; ***how much does that ~ altogether?*** ça fait combien en tout? **7.** (*reckon*) estimer être; ***I ~ the total 107*** d'après moi, ça fait un total de 107; ***what time do you ~ it?*** *Br* quelle heure avez-vous?; ***I ~ it 3.15*** *Br* il est 3 h 15 à ma montre; ***I ~ it 3 miles*** je dirais qu'il y a 3 miles; ***shall we ~ it 7 o'clock?*** disons 7 heures? **II** *v/i* ***to ~ as if to do sth*** faire mine de faire qc; ***to ~ like…*** *infml* faire semblant de… **III** *v/r* ***to ~ oneself comfortable*** se mettre à l'aise; ***you'll ~ yourself sick!*** tu vas te rendre malade!; ***to ~ oneself heard*** se faire entendre; ***to ~ oneself understood*** se faire comprendre; ***to ~ oneself sth*** gagner qc; ***she made herself a lot of money on the deal*** elle a gagné beaucoup d'argent dans cette affaire; ***to ~ oneself do sth*** se forcer à faire qc; ***he's just made himself look ridiculous*** il s'est tout simplement ridiculisé **IV** *n* (*brand*) marque *f*; ***what ~ of car do you have?*** quelle est la marque de votre voiture? ◆ **make for** *v/t insep* **1.** (*head for*) se diriger vers; (*vehicle*) rouler vers; ***we are making for London*** nous nous dirigeons vers Londres; (*by vehicle*) nous roulons vers Londres **2.** (*promote*) aboutir à, donner ◆ **make of** *v/t insep* ***don't make too much of it*** n'y attache pas trop d'importance ◆ **make off** *v/i* s'enfuir ◆ **make out** *v/t sep* **1.** *check* faire (***to*** à l'ordre de); *list* faire **2.** (*see*) distinguer; (*decipher*) déchiffrer; (*understand*) comprendre; ***I can't ~ what he wants*** je ne comprends pas ce qu'il veut **3.** (*claim*) prétendre **4.** ***to ~ that …*** prétendre que…; ***he made out that he was hurt*** il a fait semblant d'être blessé; ***to make sb out to be clever*** prétendre que qn est intelligent; ***to make sb out to be a genius*** faire passer qn pour un génie **5.** *US infml* se peloter *infml* ◆ **make up I** *v/t sep* **1.** (*constitute*) composer, constituer; ***to be made up of*** être constitué de **2.** *bed, list* faire; *food, package* faire, préparer; *team* composer **3.** ***to make it up*** (***with sb***) se réconcilier (avec qn) **4.** *face* maquiller; ***to make sb up*** maquiller qn; ***to make oneself up*** se maquiller **5.** ***to ~ one's mind*** (***to do sth***) se décider (à faire qc); ***my mind is made up*** ma décision est prise; ***to ~ one's mind about sth*** prendre une décision à propos de qc; ***to ~ one's mind about sb*** se faire une opinion de qn; ***I can't ~ my mind about him*** je n'arrive pas à me faire une opinion à son sujet **6.** (*invent*) inventer; ***you're making that up!*** tu racontes des histoires! **7.** (*complete*) compléter; ***I'll ~ the other $20*** je mettrai les 20 dollars qui manquent **8.** *loss* compenser; *time* rattraper; ***to make it up to sb*** (***for sth***) revaloir à qn (qc) **II** *v/i* (*after quarrel*) se réconcilier ◆ **make up for** *v/t insep* ***to ~ sth*** compenser qc; ***to ~ lost time*** rattraper le temps perdu; ***that still doesn't ~ the fact that you were very rude*** ça ne suffit pour te faire pardonner ta grossièreté

make-believe I *adj attr* imaginaire **II** *n* fantaisie *f* **make-or-break** *adj attr infml* décisif(-ive) **makeover** *n* (*beauty treatment*) séance *f* de maquillage; (*of building*) transformation *f* **maker** ['meɪkəʳ] *n* (*manufacturer*) fabricant(e) *m*(*f*) **makeshift** ['meɪkʃɪft] *adj tool* de fortune, improvisé; ***~ accommodation*** logement de fortune

make-up ['meɪkʌp] *n* **1.** THEAT maquillage *m*; ***she spends hours on her ~*** elle passe des heures à se maquiller **2.** (*of team etc.*) constitution *f*; (*character*) nature *f* **make-up bag** *n* trousse *f* de maquillage **making** ['meɪkɪŋ] *n* **1.** (*production*) fabrication *f*; ***the movie was three months in the ~*** le tournage du film était commencé depuis trois mois; ***a star in the ~*** une star en herbe; ***it's a disaster in the ~*** un désastre se prépare; ***her problems are of her own ~*** elle se crée elle-même ses problèmes; ***it was the ~ of him*** c'est ce qui l'a lancé **2. makings** *pl* ingrédients *mpl* (***of*** de); ***he has the ~s of an actor*** il a tout pour devenir acteur; ***the situation has all the ~s of a strike*** il y a dans cette situation de quoi déclencher une grève

maladjusted [ˌmælə'dʒʌstɪd] *adj* inadapté

malady ['mælədɪ] *n* mal *m*

malaise [mæ'leɪz] *n fig* malaise *m*

malaria [mə'lɛərɪə] *n* paludisme *m*
malcontent ['mælkən,tent] *n* mécontent(e) *m(f)*
male [meɪl] **I** *adj* mâle; *choir, voice* masculin; ***a ~ doctor*** un médecin (homme); ***~ nurse*** infirmier; ***~ crocodile*** crocodile mâle **II** *n* (*animal*) mâle *m*; (*infml man*) homme *m* **male chauvinism** *n* machisme *m* **male chauvinist** *n* machiste *m*
malevolence [mə'levələns] *n* malveillance *f* **malevolent** *adj* malveillant
malformed [mæl'fɔːmd] *adj* difforme
malfunction [,mæl'fʌŋkʃən] **I** *n* (*of liver etc.*) dysfonctionnement *m*; (*of machine*) mauvais fonctionnement *m* **II** *v/i* (*liver, machine etc.*) mal fonctionner
malice ['mælɪs] *n* méchanceté *f*, malveillance *f* **malicious** [mə'lɪʃəs] *adj* méchant; *action* mauvais; *phone call* malveillant **maliciously** [mə'lɪʃəslɪ] *adv act* avec l'intention de nuire; *say* méchamment
malign [mə'laɪn] **I** *adj liter influence* nuisible **II** *v/t* (*run down*) calomnier, diffamer
malignant [mə'lɪgnənt] *adj* MED malin (-igne)
malingerer [mə'lɪŋgərər] *n* simulateur (-trice) *m(f)*, faux(fausse) malade *m/f*
mall [mɔːl, mæl] *n* (*US*: *a.* **shopping mall**) centre *m* commercial
mallard ['mælɑːd] *n* colvert *m*
malleable ['mælɪəbl] *adj* malléable
mallet ['mælɪt] *n* maillet *m*
malnourished [,mæl'nʌrɪʃt] *adj form* sous-alimenté **malnutrition** [,mælnjʊ'trɪʃən] *n* malnutrition *f*
malpractice [,mæl'præktɪs] *n* faute *f* professionnelle
malt [mɔːlt] *n* malt *m*
Malta [mɔːltə] *n* Malte *f*
maltreat [,mæl'triːt] *v/t* maltraiter **maltreatment** *n* mauvais traitements *mpl*
malt whiskey *n* whisky *m* de malt
mam(m)a [mə'mɑː] *n infml* maman *f*
mammal ['mæməl] *n* mammifère
mammary ['mæmərɪ] *adj* mammaire; ***~ gland*** glande mammaire
mammoth ['mæməθ] **I** *n* mammouth *m* **II** *adj* colossal; *proportions* gigantesque
man [mæn] **I** *n* ⟨*pl* **men**⟩ **1.** homme *m*; ***to make a ~ out of sb*** faire un homme de qn; ***he took it like a ~*** il a pris ça courageusement; ***~ and wife*** mari et femme; ***the ~ in the street*** l'homme de la rue; ***~ of God*** homme d'église; ***~ of letters*** (*writer*) un homme de lettres; (*scholar*) un lettré; ***~ of property*** un homme qui a une fortune personnelle; ***a ~ of the world*** un homme d'expérience; ***to be ~ enough*** avoir du courage; ***~'s bicycle*** bicyclette d'homme; ***the right ~*** l'homme qu'il faut; ***you've come to the right ~*** vous avez trouvé l'homme qu'il vous fallait; ***he's not the ~ for the job*** il n'est pas fait pour ce travail; ***he's not a ~ to ...*** il n'est pas homme à...; ***he's a family ~*** c'est un bon père de famille; ***it has to be a local ~*** il faut que ce soit un homme du pays; ***follow me, men!*** allez, suivez-moi! **2.** (*human race*: *a.* **Man**) l'humanité *f* **3.** (*person*) homme *m*; ***no ~*** aucun homme; ***any ~*** n'importe quel homme; ***that ~!*** lui!; ***they are communists to a ~*** ils sont tous communistes sans exception **II** *v/t* tenir; *ship*, *pump* armer; *barricades* défendre; *telephone* répondre à; ***the ship is ~ned by a crew of 30*** le bateau a un équipage de 30 personnes
manacle ['mænəkl] *n usu pl* menottes *fpl*
manage ['mænɪdʒ] **I** *v/t* **1.** *company* diriger; *affairs*, *resources* gérer; *pop group* être le manager de **2.** (*handle*) *person*, *animal* savoir s'y prendre avec **3.** *task* faire; ***two hours is the most I can ~*** je ne peux pas aller au-delà de deux heures; ***I'll ~ it*** je vais me débrouiller; ***he ~d it very well*** il s'en est très bien sorti; ***can you ~ the cases?*** pouvez-vous porter les valises?; ***thanks, I can ~ them*** merci, je peux les porter; ***she can't ~ the stairs*** elle ne peut pas monter les escaliers; ***can you ~ two more in the car?*** peux-tu prendre deux personnes de plus dans la voiture?; ***can you ~ 8 o'clock?*** pouvez-vous venir à 8 heures?; ***can you ~ another cup?*** voulez-vous en reprendre une tasse?; ***I could ~ another piece of cake*** je reprendrais volontiers une tranche de gâteau; ***she ~d a weak smile*** elle a réussi à sourire faiblement; ***to ~ to do sth*** parvenir à faire qc; ***we have ~d to reduce our costs*** nous sommes arrivés à réduire nos frais; ***he ~d to control himself*** il a réussi à se contrôler **II** *v/i* se débrouiller; ***can you ~?*** tu vas y arriver?; ***thanks, I can ~*** merci, je peux me dé-

brouiller; ***how do you ~?*** comment est-ce que tu t'en sors?; ***to ~ without sth*** se passer de qc; ***I can ~ by myself*** je peux me débrouiller tout seul; ***how do you ~ on $100 a week?*** comment vous en sortez-vous avec 100 dollars par semaine?
manageable ['mænɪdʒəbl] *adj amount*, *number* raisonnable, *task* faisable; *hair* facile à coiffer; ***the situation is ~*** la situation est gérable; ***pieces of a more ~ size*** des morceaux plus maniables
management ['mænɪdʒmənt] *n* **1.** (*act*) gestion *f*, direction *f*; (*of money*, *affairs*) gestion *f*; ***time ~*** gestion du temps de travail **2.** (*persons*) direction *f*; ***"under new ~"*** "changement de direction" **management consultant** *n* conseiller (-ère) *m*(*f*) en gestion **management team** *n* équipe *f* dirigeante
manager ['mænɪdʒəʳ] *n* (*of small firm*, *bank*, *chain store*) directeur(-trice) *m*(*f*); (*of department*) responsable *m*/*f*; (*of hotel*) gérant(e) *m*(*f*); (*of pop group*, *sports team etc.*) manager *m*; ***sales ~*** directeur commercial **manageress** [ˌmænɪdʒə'res] *n* (*of chain store*) directrice *f*; (*of hotel*) gérante *f* **managerial** [ˌmænə'dʒɪərɪəl] *adj* d'encadrement (*executive*) directorial; ***~ staff*** cadres; ***at ~ level*** au niveau de la direction; ***proven ~ skills*** des qualités éprouvées de gestionnaire **managing director** ['mænɪdʒɪŋdɪ'rektəʳ] *n* directeur(-trice) *m*(*f*) général(e)
mandarin ['mændərɪn] *n* **1.** (*official*) mandarin *m* **2.** LING ***Mandarin*** mandarin *m* **3.** (*fruit*) mandarine *f*
mandate ['mændeɪt] *n* POL mandat *m* **mandatory** ['mændətərɪ] *adj* JUR *sentence etc.* obligatoire
mandolin(e) ['mændəlɪn] *n* mandoline *f*
mane [meɪn] *n* crinière *f*
man-eating ['mænˌiːtɪŋ] *adj animal* mangeur(-euse) d'hommes, *person* cannibale
maneuver, *Br* **manœuvre** [mə'nuːvəʳ] **I** *n* **1. maneuvers** *pl* MIL manœuvres *fpl* **2.** (*plan*) manœuvre *f* **II** *v/t* & *v/i* manœuvrer; ***to ~ a gun into position*** manœuvrer un canon pour l'installer en position; ***to ~ for position*** manœuvrer pour se placer en bonne position; ***room to ~*** marge de manœuvre **maneuverable**, *Br* **manœuvrable** [mə'nuːvrəbl] *adj* maniable; ***easily ~*** facile à manier

manfully ['mænfəlɪ] *adv* vaillamment
manger ['meɪndʒəʳ] *n* mangeoire *f*
mangetout ['mɑ̃ːʒ'tuː] *n Br* pois *mpl* gourmands
mangle *v/t* (*a.* **mangle up**) mutiler
mango ['mæŋgəʊ] *n* **1.** (*fruit*) mangue *f* **2.** (*tree*) manguier *m*
mangy ['meɪndʒɪ] *adj* ⟨**+er**⟩ *dog* galeux (-euse)
manhandle ['mænhændl] *v/t* **1.** *person* maltraiter; ***he was ~d into the back of the van*** on le fit monter sans ménagement à l'arrière de la camionnette **2.** *piano etc.* porter, transporter **manhole** ['mænhəʊl] *n* regard *m* **manhood** ['mænhʊd] *n* **1.** (*state*) âge *m* d'homme **2.** (*manliness*) virilité *f* **man-hour** *n* heure-personne *f*, heure *f* de travail
mania ['meɪnɪə] *n* manie *f*; ***he has a ~ for collecting things*** il a la manie de collectionner **maniac** ['meɪnɪæk] *n* **1.** fou (folle) *m*(*f*) **2.** *fig* ***sports ~s*** les fanas de sport *infml*; ***you ~*** espèce de dingue *infml*

> **maniac ≠ personne qui fait des histoires**
>
> **Maniac** = fou :
>
> **Did you see that? He was driving like a maniac.**
>
> Tu as vu ça? Il conduisait comme un fou.

manic ['mænɪk] *adj* **1.** *activity*, *person* fou(folle) **2.** PSYCH maniaque **manic-depressive** ['mænɪkdɪ'presɪv] **I** *adj* maniaco-dépressif(-ive) **II** *n* maniaco-dépressif(-ive) *m*(*f*)
manicure ['mænɪˌkjʊəʳ] **I** *n* manucure *f*; ***to have a ~*** se faire faire une manucure **II** *v/t* manucurer **manicured** *adj nails* manucuré; *lawn* bien entretenu
manifest ['mænɪfest] **I** *adj* manifeste **II** *v/t* manifester **III** *v/r* se présenter; SCI, PSYCH *etc.* se manifester **manifestation** [ˌmænɪfe'steɪʃən] *n* manifestation *f* **manifestly** ['mænɪfestlɪ] *adv* manifestement **manifesto** [ˌmænɪ'festəʊ] *n* ⟨*pl* **-(e)s**⟩ manifeste *m*
manifold ['mænɪfəʊld] *adj* divers
manila, manilla [mə'nɪlə] *n* ***~ envelopes*** enveloppes en papier kraft
manipulate [mə'nɪpjʊleɪt] *v/t* **1.** mani-

puler; ***to ~ sb into doing sth*** manipuler qn pour lui faire faire qc **2.** *machine etc.* manipuler **manipulation** [məˌnɪpjʊˈleɪʃən] *n* manipulation *f* **manipulative** [məˈnɪpjʊlətɪv] *adj pej* manipulateur (-trice); ***he was very ~*** il était très manipulateur

mankind [mænˈkaɪnd] *n* espèce *f* humaine **manly** [ˈmænlɪ] *adj* ⟨**+er**⟩ viril

man-made [ˈmænˈmeɪd] *adj* **1.** (*artificial*) artificiel(le); ***~ fibers*** (*US*) *or* ***fibres*** *Br* fibres synthétiques **2.** *disaster* provoqué par l'homme **manned** *adj satellite etc.* habité

manner [ˈmænəʳ] *n* **1.** manière *f*, façon *f*; ***in this ~*** de cette manière; ***in the Spanish ~*** dans le style espagnol; ***in such a ~ that …*** de telle manière que…; ***in a ~ of speaking*** pour ainsi dire; ***all ~ of birds*** toutes sortes d'oiseaux; ***we saw all ~ of interesting things*** nous avons vu toute sortes de choses intéressantes **2. manners** *pl* (*good etc.*) manières; ***it's bad ~s to …*** il est impoli de …; ***he has no ~s*** il n'a aucun savoir-vivre **mannerism** [ˈmænərɪzəm] *n* (*in behavior*) tic *m*, manie *f*

mannish [ˈmænɪʃ] *adj* masculin

manoeuvre *n*, *v/t & v/i Br* = **maneuver**

manor [ˈmænəʳ] *n* manoir *m* **manor house** *n* manoir *m*

manpower [ˈmænˌpaʊəʳ] *n* main-d'œuvre *f*; MIL effectifs *mpl* **manservant** [ˈmænsɜːvənt] *n* ⟨*pl* **menservants**⟩ domestique *m*

mansion [ˈmænʃən] *n* hôtel *m* particulier; (*of ancient family*) château *m*, manoir *m*

manslaughter [ˈmænslɔːtəʳ] *n* homicide *m* involontaire

mantelpiece [ˈmæntlpiːs] *n* (manteau de) cheminée *f*

man-to-man [ˌmæntəˈmæn] *adj*, *adv* d'homme à homme

manual [ˈmænjʊəl] **I** *adj* manuel(le); *labor* manuel(le); ***~ laborer*** (*US*) *or* ***labourer*** *Br* travailleur manuel; ***~ worker*** travailleur manuel **II** *n* (*book*) manuel *m* **manual gearbox** *n Br* boîte (de vitesses) *f* manuelle **manually** [ˈmænjʊəlɪ] *adv* manuellement; ***~ operated*** à commandes manuelles **manual transmission** *n* transmission *f* manuelle

manufacture [ˌmænjʊˈfæktʃəʳ] **I** *n* fabrication *f* **II** *v/t lit* fabriquer; ***~d goods*** produits manufacturés **manufacturer** [ˌmænjʊˈfæktʃərəʳ] *n* fabricant *m* **manufacturing** [ˌmænjʊˈfæktʃərɪŋ] **I** *adj* industriel(le); *industry* de transformation; ***~ company*** compagnie *or* société manufacturière **II** *n* fabrication *f*

manure [məˈnjʊəʳ] *n* fumier *m*; (*esp artificial*) engrais *m*

manuscript [ˈmænjʊskrɪpt] *n* manuscrit *m*

Manx [mæŋks] *adj* de l'île de Man, mannois

many [ˈmenɪ] *adj*, *pron* beaucoup (de); ***she has ~*** elle en a beaucoup; ***as ~ again*** encore autant; ***there's one too ~*** il y en a un de trop; ***he's had one too ~*** *infml* il a trop picolé *infml*; ***a good / great ~ houses*** de nombreuses maisons; ***~ a time*** bien des fois **many-colored**, *Br* **many-coloured** *adj* multicolore **many-sided** *adj* à multiples facettes

map [mæp] *n* carte *f*; (*of town*) plan *m*; ***this will put our town on the ~*** *fig* cela fera connaître notre ville ◆ **map out** *v/t sep* (*fig plan*) tracer les grandes lignes de

maple [ˈmeɪpl] *n* érable *m* **maple syrup** *n* sirop *m* d'érable

Mar. *abbr* = **March** mars

mar [mɑːʳ] *v/t* gâter; *beauty* gâcher

marathon [ˈmærəθən] **I** *n lit* marathon *m*; ***~ runner*** marathonien(ne) *m(f)* **II** *adj* marathon

marauder [məˈrɔːdəʳ] *n* maraudeur (-euse) *m(f)*

marble [ˈmɑːbl] **I** *n* **1.** marbre *m* **2.** (*glass ball*) bille *f*; ***he's lost his ~s*** *infml* il a perdu la boule *infml* **II** *adj* de *or* en marbre **marbled** [ˈmɑːbld] *adj* marbré; ***~ effect*** effet marbré

March [mɑːtʃ] *n* mars *m*; → **September**

march [mɑːtʃ] **I** *n* **1.** MIL, MUS marche *f*; (*demonstration*) marche *f* **2.** (*of time*) marche *f* **II** *v/t & v/i* marcher; ***to ~ sb off*** embarquer qn; ***forward ~!*** *or* ***quick ~!*** en avant, marche!; ***she ~ed straight up to him*** elle fonça droit sur lui

marcher [ˈmɑːtʃə] *n* (*in demo*) manifestant(e) *m(f)* **marching orders** [ˈmɑːtʃɪŋɔːdəz] *pl* ***the new manager got his ~*** le nouveau directeur s'est fait renvoyer; ***she gave him his ~*** elle l'a mis à la porte

marchioness [ˈmɑːʃənɪs] *n* marquise *f*

Mardi Gras [ˈmɑːdɪˈgrɑː] *n* Mardi *m* gras

mare [mɛəʳ] *n* jument *f*
margarine [ˌmɑːdʒəˈriːn], (*Br infml*) **marge** *n* margarine *f*
margin [ˈmɑːdʒɪn] *n* **1.** (*on page*) marge *f*; ***a note (written) in the ~*** une note dans la marge **2.** (*extra amount*) marge *f*; ***to allow for a ~ of error*** prévoir une marge d'erreur; ***by a narrow ~*** de peu **3.** (COMM: *a.* **profit margin**) marge *f* **marginal** [ˈmɑːdʒɪnl] *adj* **1.** *difference* minime **2.** SOCIOL *groups* marginal **3.** (*Br* PARL) *seat siège de circonscription obtenu à une faible majorité* **marginalize** [ˈmɑːdʒɪnəlaɪz] *v/t* marginaliser **marginally** [ˈmɑːdʒɪnəlɪ] *adv faster etc.* légèrement
marigold [ˈmærɪgəʊld] *n* BOT souci *m*
marihuana, marijuana [ˌmærɪˈhwɑːnə] *n* marijuana *f*
marina [məˈriːnə] *n* marina *f*
marinade [ˌmærɪˈneɪd] *n* marinade *f* **marinate** [ˈmærɪneɪt] *v/t* mariner
marine [məˈriːn] **I** *adj* marin **II** *n* marine *m*; ***the ~s*** les marines **mariner** [ˈmærɪnəʳ] *n* marin *m*
marionette [ˌmærɪəˈnet] *n* marionnette *f*
marital [ˈmærɪtl] *adj* conjugal **marital status** *n* situation *f* de famille
maritime [ˈmærɪtaɪm] *adj* maritime; ***~ regions*** régions maritimes
marjoram [ˈmɑːdʒərəm] *n* marjolaine *f*
mark [mɑːk] **I** *n* **1.** (*stain*) tache *f*; (*scratch*) éraflure *f*; (*on skin*) marque *f*; ***to make a ~ on sth*** faire une marque sur qc; ***dirty ~s*** traces de saleté **2.** *esp Br* (*in test*) note *f*; ***high*** *or* ***good ~s*** bonnes notes; ***there are no ~s for guessing*** *fig* pas sorcier à deviner; ***he gets full ~s for punctuality*** *fig* il faut le féliciter pour sa ponctualité **3.** (*sign*) marque *f*, signe *m*; ***the ~s of genius*** la marque du génie **4.** ***the temperature reached the 35° ~*** la température atteignit les 35° **5.** ***to be quick off the ~*** SPORTS prendre un départ rapide; *fig* être rapide (au démarrage), ne pas perdre de temps; ***to be slow off the ~*** SPORTS ne pas être rapide; *fig* être long à la détente; ***to be up to the ~*** *Br* être à la hauteur; ***to leave one's ~ (on sth)*** laisser sa marque (sur qc); ***to make one's ~*** s'imposer; ***on your ~s!*** à vos marques!; ***to be wide of the ~*** *fig* être loin de la vérité; ***to hit the ~*** toucher au but **II** *v/t* **1.** (*adversely*) marquer; (*stain*) tacher; (*scratch*) érafler **2.** (*for recognition*) marquer; ***the bottle was ~ed "poison"*** la bouteille portait l'inscription "poison"; ***~ where you have stopped in your reading*** marquez l'endroit où vous vous êtes arrêtés de lire; ***to ~ sth with an asterisk*** marquer qc d'un astérisque; ***the teacher ~ed him absent*** le professeur l'a noté absent; ***it's not ~ed on the map*** cela ne figure pas sur la carte; ***it's ~ed with a blue dot*** c'est marqué d'un point bleu **3.** (*characterize*) marquer, caractériser; ***a decade ~ed by violence*** une décennie marquée par la violence; ***to ~ a change of policy*** marquer un changement de politique; ***it ~ed the end of an era*** cela marqua la fin d'une époque **4.** *Br test* noter; ***to ~ sth wrong*** marquer qc comme faux **5.** ***~ my words*** faites bien attention à ce que je dis **6.** SPORTS *opponent* marquer ◆ **mark down** *v/t sep price* baisser ◆ **mark off** *v/t sep danger area etc.* délimiter ◆ **mark out** *v/t sep* **1.** *tennis court* tracer les lignes de **2.** (*note*) distinguer (***for*** pour); ***he's been marked out for promotion*** il a été désigné pour l'avancement ◆ **mark up** *v/t sep price* marquer
marked [mɑːkt] *adj* **1.** *contrast* marqué; *improvement* notable; ***in ~ contrast (to sb / sth)*** en contraste évident (avec qn / qc) **2.** ***he's a ~ man*** c'est l'homme à abattre **markedly** [ˈmɑːkɪdlɪ] *adv improve* sensiblement; *quicker, more* de façon marquée **marker** [ˈmɑːkəʳ] *n* **1.** marqueur *m* **2.** *esp Br* (*for tests*) correcteur(-trice) *m*(*f*) **3.** FTBL marqueur *m* **4.** (*pen*) marqueur *m*
market [ˈmɑːkɪt] **I** *n* **1.** marché *m*; ***at the ~*** au marché; ***to go to ~*** aller au marché; ***to be in the ~ for sth*** être acheteur de qc; ***to be on the ~*** être sur le marché; ***to come on(to) the ~*** arriver sur le marché; ***to put on the ~*** *house* mettre en vente **2.** (*stock market*) marché *m* **II** *v/t* commercialiser; ***to ~ a product*** commercialiser un produit **marketable** [ˈmɑːkɪtəbl] *adj* commercialisable **market day** *n Br* jour *m* de marché **market economy** *n* économie *f* de marché **market forces** *pl* les forces *fpl* du marché **market garden** *n Br* jardin *m* maraîcher **marketing** [ˈmɑːkɪtɪŋ] *n* commercialisation *f*, marketing *m* **market leader** *n* leader *m* du marché **marketplace** *n* **1.** place *f* du marché **2.**

(*world of trade*) marché *m* **market price** *n* prix *m* courant; ***at~s*** à prix courants **market research** *n* étude *f* de marché **market sector** *n* secteur *m* commercial **market share** *n* part *m* de marché **market town** *n Br* bourg *m* **market trader** *n Br* vendeur(-euse) sur les marchés **market value** *n* valeur *f* marchande

marking ['mɑːkɪŋ] *n* **1.** marque *f*; (*on animal*) tache *f* **2.** *esp Br* (*correcting*) correction *f*; (*grading*) notation *f* **3.** (*esp Br* SPORTS) marquage *m*

marksman ['mɑːksmən] *n* ⟨*pl* **-men**⟩ bon tireur *m*; (*police etc.*) tireur *m* d'élite

markup ['mɑːkʌp] *n* hausse *f*; (*amount added*) majoration *f*; ***~ price*** prix majoré

marmalade ['mɑːməleɪd] *n* confiture *f*; (***orange***) ~ confiture *f* d'oranges

maroon¹ [mə'ruːn] *adj* bordeaux

maroon² *v/t* ***~ed*** abandonné; ***~ed by floods*** isolé par les inondations

marquee [mɑː'kiː] *n US* (*on theater*) fronton *m*, *Br* (*tent*) grande tente *f*

marquess, marquis ['mɑːkwɪs] *n* marquis *m*

marriage ['mærɪdʒ] *n* mariage *m*; ***~ of convenience*** mariage de convenance; ***to be related by ~*** être parents par alliance; ***an offer of ~*** une proposition de mariage **marriage ceremony** *n* cérémonie *f* de mariage **marriage certificate** *n esp Br* extrait *m* d'acte de mariage **marriage guidance counselor**, *Br* **marriage guidance counsellor** *n* conseiller(-ère) *m(f)* conjugal(e) **marriage license**, *Br* **marriage licence** *n* certificat *m* de publication des bans **marriage vow** *n* vœux *mpl* du mariage

married ['mærɪd] *adj* marié (***to sb*** à qn); ***just*** *or* ***newly ~*** jeune marié(e); ***~ couple*** couple marié; ***~ couple's allowance*** *Br* allocation de couple marié; ***~ life*** vie conjugale; ***he is a ~ man*** c'est un homme marié **married name** *n* nom *m* d'épouse

marrow ['mærəʊ] *n* **1.** ANAT moelle *f*; ***to be frozen to the ~*** être glacé jusqu'à la moelle **2.** (*Br* BOT) courge *f* **marrowbone** ['mærəʊbəʊn] *n* os *m* à moelle

marry ['mærɪ] **I** *v/t* **1.** (*get married to*) épouser; ***will you ~ me?*** veux-tu m'épouser? **2.** (*priest*) marier **II** *v/i* (*a.* **get married**) se marier; ***to ~ into a rich family*** épouser un beau parti ◆ **marry off** *v/t sep* marier; ***he has married off his daughter to a rich young lawyer*** il a marié sa fille à un riche et jeune avocat

Mars [mɑːz] *n* Mars *m*

marsh [mɑːʃ] *n* marais *m*

marshal ['mɑːʃəl] **I** *n* (*at demo etc.*) membre *m* du service d'ordre **II** *v/t* (*lead*) canaliser

marshland *n* terrain *m* marécageux **marshmallow** *n* (*sweet*) guimauve *f* **marshy** ['mɑːʃɪ] *adj* ⟨**+er**⟩ marécageux (-euse)

marsupial [mɑː'suːpɪəl] *n* marsupial *m*

martial ['mɑːʃəl] *adj music* militaire **martial art** *n* ***the ~s*** arts martiaux **martial law** *n* loi *f* martiale

Martian ['mɑːʃɪən] *n* martien(ne) *m(f)*

martyr ['mɑːtəʳ] **I** *n* martyr(e) *m(f)* **II** *v/t* martyriser **martyrdom** ['mɑːtədəm] *n* (*suffering*) martyre *m*, supplice *m*; (*death*) martyre *m*

marvel ['mɑːvəl] **I** *n* merveille *f*, prodige *m*; ***it's a ~ to me how he does it*** *infml* je ne sais vraiment pas comment il fait **II** *v/i* s'émerveiller (***at*** de) **marvelous**, *Br* **marvellous** ['mɑːvələs] *adj* merveilleux(-euse), extraordinaire; ***isn't it ~?*** n'est-ce pas extraordinaire?; ***they've done a ~ job*** ils ont fait un travail extraordinaire **marvelously**, *Br* **marvellously** ['mɑːvələslɪ] *adv* merveilleusement

Marxism ['mɑːksɪzəm] *n* marxisme *m* **Marxist** ['mɑːksɪst] **I** *adj* marxiste **II** *n* marxiste *m/f*

marzipan [ˌmɑːzɪ'pæn] *n* pâte *f* d'amandes

mascara [mæ'skɑːrə] *n* mascara *m*

mascot ['mæskət] *n* mascotte *f*

masculine ['mæskjʊlɪn] **I** *adj* masculin, d'homme; GRAM masculin **II** *n* GRAM masculin **masculinity** [ˌmæskjʊ'lɪnɪtɪ] *n* masculinité *f*

mash [mæʃ] **I** *n* pâtée *f*; *Br* (*potatoes*) purée *f* **II** *v/t* écraser, broyer **mashed** *adj* ***~ potatoes*** purée de pommes de terre **masher** ['mæʃəʳ] *n* (*for potatoes*) presse-purée *m*

mask [mɑːsk] **I** *n* masque *m*; ***surgeon's ~*** masque de chirurgien **II** *v/t* masquer **masked** *adj* masqué **masked ball** *n* bal *m* masqué

masochism ['mæsəʊkɪzəm] *n* masochisme *m* **masochist** ['mæsəʊkɪst] *n*

masochiste *m/f* **masochistic** [ˌmæsəʊ'kɪstɪk] *adj* masochiste
mason ['meɪsn] *n* **1.** maçon *m* **2.** (*freemason*) (franc-)maçon(ne) *m(f)* **masonic** [mə'sɒnɪk] *adj* maçonnique **masonry** ['meɪsnrɪ] *n* franc-maçonnerie *f*
masquerade [ˌmæskə'reɪd] **I** *n* mascarade *f* **II** *v/i* ***to ~ as …*** *fig* se faire passer pour
mass[1] [mæs] *n* ECCL messe *f*; ***to go to ~*** aller à la messe
mass[2] **I** *n* **1.** masse *f*; (*of people*) multitude *f*; ***a ~ of snow*** des masses de neige; ***a ~ of rubble*** un tas de décombres; ***the ~es*** les masses populaires; ***the great ~ of the population*** la grande majorité de la population **2. masses** *pl* (*Br infml*) des masses *fpl*; ***he has ~es of money*** il a des tonnes de fric *infml*; ***the factory is producing ~es of cars*** l'usine produit une quantité incroyable de voitures; ***I've got ~es to do*** j'ai des tonnes de travail *infml* **II** *v/i* MIL se masser; (*demonstrators etc.*) se masser, se regrouper; ***they're ~ing for an attack*** ils se regroupent en vue d'une attaque
massacre ['mæsəkər] **I** *n* massacre *m* **II** *v/t* massacrer
massage ['mæsɑːʒ] **I** *n* massage *m* **II** *v/t* masser **massage parlor**, *Br* **massage parlour** *n* institut *m* de massage
mass destruction *n* ***weapons of ~*** armes de destruction massive **massed** *adj troops*, *people* massé; ***~ ranks*** rangs serrés
masseur [mæ'sɜːr] *n* masseur *m* **masseuse** [mæ'sɜːz] *n* masseuse *f*
mass grave *n* charnier *m* **mass hysteria** *n* hystérie *f* collective
massive ['mæsɪv] *adj* massif(-ive); *task* énorme; *attack*, *support* massif(-ive); *heart attack* grave; ***on a ~ scale*** à très grande échelle **massively** ['mæsɪvlɪ] *adv* massivement
mass market *n* marché *m* grand public **mass media** *pl* mass média *mpl* **mass meeting** *n* meeting *m*, grand rassemblement *m* **mass murderer** *n* boucher *m*, auteur *m* d'un massacre **mass-produce** *v/t* fabriquer en série **mass production** *n* fabrication *f* en série **mass protests** *pl* protestations *fpl* de masse **mass tourism** *n* tourisme *m* de masse **mass unemployment** *n* chômage *m* de masse
mast [mɑːst] *n* NAUT mât *m*; RADIO *etc.* pylône *m*
mastectomy [mæ'stektəmɪ] *n* mastectomie *f*
master ['mɑːstər] **I** *n* **1.** (*of house etc.*) maître *m*; ***to be ~ of the situation*** maîtriser la situation **2.** NAUT capitaine *m* **3.** (*musician etc.*) maître *m*, professeur *m* **4.** *Br* (*teacher*) maître *m* **II** *v/t emotions*, *technique* maîtriser **master bedroom** *n* chambre *f* principale **master copy** *n* original *m* **master craftsman** *n* maître *m* artisan **master disk** *n* disque *m* d'exploitation **master file** *n* IT fichier *m* maître **masterful** *adj* magistral **master key** *n* passe-partout *m* **masterly** ['mɑːstəlɪ] *adj* magistral **mastermind** **I** *n* cerveau *m* **II** *v/t* ***who ~ed the robbery?*** qui est le cerveau du cambriolage? **Master of Arts / Science** *n* ≈ maîtrise *f* de Lettres / Sciences **master of ceremonies** *n* (*at function*) maître *m* de cérémonie; (*on stage*) présentateur *m* **masterpiece** *n* chef-d'œuvre *m* **master plan** *n* plan *m* directeur **masterstroke** *n* coup *m* de maître **master tape** *n* bande *f* maîtresse **masterwork** *n* chef-d'œuvre *m* **mastery** ['mɑːstərɪ] *n* (*of language etc.*) connaissance *f*, maîtrise *f*; (*skill*) maîtrise *f*
masturbate ['mæstəbeɪt] *v/i* se masturber **masturbation** [ˌmæstə'beɪʃən] *n* masturbation *f*
mat [mæt] *n* petit tapis *m*; (*door mat*) paillasson *m*; (*on table*) set *m* de table
match[1] [mætʃ] *n* allumette *f*
match[2] **I** *n* **1.** ***to be*** *or* ***make a good ~*** bien aller ensemble; ***I want a ~ for this yellow paint*** je voudrais quelque chose qui aille (bien) avec cette peinture jaune; ***to be a/no ~ for sb*** être / ne pas être de taille face à qn; ***to meet one's ~*** trouver à qui parler **2.** (*marriage*) ***she made a good ~*** elle a fait un beau mariage **3.** SPORTS match *m*; ***athletics ~*** rencontre d'athlétisme; ***we must have another ~ some time*** il faudra refaire un match un de ces jours **II** *v/t* **1.** (*pair off*) assortir **2.** (*equal*) égaler (***in*** en); ***a quality that has never been ~ed since*** une qualité inégalée depuis **3.** (*correspond to*) aller avec **4.** (*clothes*, *colors*) bien aller avec; ***to ~ textures and fabrics so that …*** assortir textures et tissus de sorte que… **5.** ***to be ~ed against sb*** être opposé à qn; ***to ~ one's strength against sb*** opposer sa force à qn **III**

v/i être (bien) assorti; ***with a skirt to ~*** avec une jupe assortie ◆ **match up I** *v/i* bien aller ensemble **II** *v/t sep colors* assortir; ***I matched the lampshade up with the wallpaper*** j'ai assorti l'abat-jour au papier peint

matchbook *n esp US* pochette *f* d'allumettes **matchbox** *n* boîte *f* d'allumettes

matched *adj* assorti; ***they're well ~*** (*couple*) ils vont bien ensemble; ***the boxers were well ~*** les boxeurs étaient de la même force **matching** ['mætʃɪŋ] *adj* assorti; ***they form a ~ pair*** ils vont bien ensemble; ***a ~ set of wine glasses*** un service de verres à vin assorti **matchmaker** *n* entremetteur(-euse) *m(f) pej*

match point *n* TENNIS balle *f* de match

matchstick *n* allumette *f*

mate I *n* **1.** (*helper*) aide *m(f)* **2.** NAUT maître *m* **3.** (*of animal*) (*male*) mâle *m*; (*female*) femelle *f*; ***his ~*** sa femelle **4.** (*Br infml friend*) pote *m infml*; ***listen, ~*** écoute, mon pote *infml* **II** *v/i* ZOOL s'accoupler

material [mə'tɪərɪəl] **I** *adj* **1.** matériel(le); ***~ damage*** dégâts matériels **2.** *esp* JUR matériel(le); ***~ witness*** témoin de fait **II** *n* (*a.* **materials**) *pl* matière *f*, substance *f*; (*for report etc.*) matériel *m*, (*cloth*) tissu *m*; ***raw ~s*** matières premières; ***writing ~s*** matériel pour écrire **materialism** [mə'tɪərɪəlɪzəm] *n* matérialisme *m* **materialistic** [məˌtɪərɪə'lɪstɪk] *adj* matérialiste **materialize** [mə'tɪərɪəlaɪz] *v/i* se matérialiser; ***the meeting never ~d*** le meeting n'a jamais eu lieu; ***the money never ~d*** on n'a jamais vu la couleur de cet argent

maternal [mə'tɜːnl] *adj* maternel(le); ***~ grandfather*** grand-père maternel; ***~ affection*** *or* ***love*** amour maternel **maternity allowance, maternity benefit** [mə'tɜːnɪtɪ] *n Br* ≈ allocation *f* de maternité **maternity dress** *n* robe *f* de maternité **maternity leave** *n* congé *m* de maternité **maternity pay** *n Br* allocation *f* de maternité **maternity rights** *pl* droits *mpl* de la femme enceinte **maternity ward** *n* service *m* de maternité

math [mæθ] *n* (*US infml*) maths *fpl infml*

mathematical [ˌmæθə'mætɪkəl] *adj* mathématique **mathematician** [ˌmæθəmə'tɪʃən] *n* mathématicien(ne) *m(f)*

mathematics [ˌmæθə'mætɪks] *n sg* mathématiques *fpl* **maths** [mæθs] *n sg* (*Br infml*) maths *fpl infml*

matinée ['mætɪneɪ] *n* matinée *f*

mating ['meɪtɪŋ] *n* accouplement *m* **mating call** *n* chant *m* nuptial **mating season** *n* saison *f* des amours

matriarch ['meɪtrɪɑːk] *n* matrone *f* (*chef de famille ou de tribu*) **matriarchal** [ˌmeɪtrɪ'ɑːkl] *adj* matriarcal **matriarchy** ['meɪtrɪɑːkɪ] *n* matriarcat *m*

matriculate [mə'trɪkjʊleɪt] *v/i* s'inscrire **matriculation** [məˌtrɪkjʊ'leɪʃən] *n* inscription *f*, immatriculation *f*

matrimonial [ˌmætrɪ'məʊnɪəl] *adj* matrimonial **matrimony** ['mætrɪmənɪ] *n form* mariage *m*

matron ['meɪtrən] *n* (*in hospital*) infirmière *f* en chef; *Br* (*in school*) directrice *f* **matronly** ['meɪtrənlɪ] *adj* corpulent, de matrone

matt [mæt] *adj* mat; ***a paint with a ~ finish*** peinture mate

matted ['mætɪd] *adj* enchevêtré; ***hair ~ with blood / mud*** cheveux collés par le sang / la boue

matter ['mætə^r] **I** *n* **1.** (*substance*) matière *f*, substance *f* **2.** (*particular kind*) matière *f*; ***vegetable ~*** matière végétale **3.** (*question*) question *f*, affaire *f*; (*topic*) sujet *m*; ***a ~ of great urgency*** une affaire très urgente; ***there's the ~ of my expenses*** il y a la question de mes frais; ***that's quite another ~*** c'est une autre affaire; ***it will be no easy ~ (to) ...*** ce ne sera pas facile (de); ***the ~ is closed*** l'affaire est réglée; ***for that ~*** d'ailleurs; ***it's a ~ of time*** ce n'est qu'une question de temps; ***it's a ~ of opinion*** c'est une question d'opinion; ***it's a ~ of adjusting this part exactly*** il s'agit simplement d'ajuster cette pièce avec précision; ***it's a ~ of life and death*** c'est une question de vie ou de mort; ***it will be a ~ of a few weeks*** ce sera l'affaire de quelques semaines; ***in a ~ of minutes*** en quelques minutes; ***it's not just a ~ of increasing the money supply*** il ne s'agit pas seulement d'augmenter la masse monétaire; ***as a ~ of course*** tout naturellement; ***no ~!*** peu importe!; ***no ~ how*** *etc.* **...** peu importe comment…; ***no ~ how you do it*** peu importe comment vous vous y prenez…; ***no ~ how hard he tried*** malgré tous ses efforts; ***something is the ~ with sb*** il y a quelque chose qui ne va pas pour qn; (*ill*) qn ne va pas bien; ***what's the ~?*** qu'est-ce qu'il y a?; ***what's the ~ with you this morning? — nothing's the ~*** qu'est--ce qui ne va pas, ce matin? —rien du tout; ***something's the ~ with the lights*** il y a quelque chose qui cloche dans l'éclairage **4. matters** *pl* situation *f*; ***to make ~s worse*** aggraver les choses **II** *v/i* ***it doesn't ~*** ça ne fait rien; ***I forgot it, does it ~? — yes, it does ~*** j'ai oublié, c'est important?— oui, très; ***why should it ~ to me?*** pourquoi cela me ferait-il quelque chose?; ***it doesn't ~ to me what you do*** peu m'importe ce que tu fais; ***the things which ~ in life*** ce qui compte dans la vie **matter-of--fact** [ˌmætərəv'fækt] *adj* détaché; ***he was very ~ about it*** il s'est montré très neutre là-dessus

matting ['mætɪŋ] *n* nattes *fpl*, tapis *mpl*

mattress ['mætrɪs] *n* matelas *m*

mature [mə'tjʊə^r] **I** *adj* ⟨**+er**⟩ mûr, mature; *wine* arrivé à maturité **II** *v/i* **1.** (*person*) mûrir **2.** (*wine*) arriver à maturité, (*cheese*) s'affiner **3.** COMM arriver à échéance **maturely** [mə'tjʊəlɪ] *adv behave* avec maturité **mature student** *n Br* étudiant(e) *m*(*f*) adulte **maturity** [mə'tjʊərɪtɪ] *n* **1.** maturité *f*; ***to reach ~*** (*person*) atteindre la maturité; (*legally*) atteindre la majorité **2.** COMM arriver à échéance

maudlin ['mɔːdlɪn] *adj* larmoyant

maul [mɔːl] *v/t* mettre en pièces

mausoleum [ˌmɔːsə'lɪəm] *n* mausolée *m*

mauve [məʊv] **I** *adj* mauve **II** *n* mauve *m*

maverick ['mævərɪk] *n* non-conformiste *m/f*

mawkish ['mɔːkɪʃ] *adj* mièvre

max. *n abbr* = **maximum** max *m*

maxim ['mæksɪm] *n* maxime *f*

maximize ['mæksɪmaɪz] *v/t* maximiser

maximum ['mæksɪməm] **I** *adj attr* maximum; ***~ penalty*** peine maximale; ***~ fine*** amende maximum; ***for ~ effect*** pour un effet maximum; ***he scored ~ points*** il a marqué le nombre de points maximum; ***~ security prison*** prison de haute sécurité **II** *n* ⟨*pl* **-s** *or* **maxima**⟩ maximum *m*; ***up to a ~ of $8*** jusqu'à 8 dollars maximum; ***temperatures reached a ~ of 34°*** les températures sont montées jusqu'à 34° **III** *adv* (*at the most*) maximum; ***drink two cups of coffee a day ~*** buvez deux tasses de café par jour maximum

May [meɪ] *n* mai *m* → **September**

may [meɪ] *v/i* ⟨*past* **might**⟩; → **might**[1] **1.** (*possibility*: *a.* **might**) ***it ~ rain*** il se peut qu'il pleuve; ***it ~ be that …*** il se peut que…; ***although it ~ have been useful*** bien que cela ait pu être utile; ***he ~ not be hungry*** il n'a peut-être pas faim; ***they ~ be brothers*** ils sont peut-être frères; ***that's as ~ be*** (*not might*) c'est possible; ***you ~ well ask*** bonne question **2.** (*permission*) pouvoir; ***~ I go now?*** puis-je partir maintenant? **3.** ***I had hoped he might succeed this time*** j'avais espéré que cette fois il réussirait; ***we ~*** *or* ***might as well go*** on ferait aussi bien d'y aller; ***~ you be very happy together*** puissiez-vous être très heureux ensemble *lofty*; ***~ the Lord have mercy on your soul*** que le Seigneur ait pitié de votre âme; ***who ~*** *or* ***might you be?*** qui pouvez-vous bien être?

maybe ['meɪbiː] *adv* peut-être; ***that's as ~*** c'est bien possible; ***~, ~ not*** peut-être que oui, peut-être que non

May Day *n* le Premier Mai **Mayday** *n* SOS *m*; (*said*) mayday *m*

mayhem ['meɪhem] *n* désordre *m*

mayo ['meɪəʊ] *n* (*US infml*) mayonnaise *f*, mayo *f infml* **mayonnaise** [ˌmeɪə'neɪz] *n* mayonnaise *f*

mayor [mɛə^r] *n* maire *m/f* **mayoress** ['mɛəres] *n* femme *f* du maire; (*lady mayor*) maire *f*

maypole *n* mât *m* enrubanné

maze [meɪz] *n* labyrinthe *m*, dédale *m*; (*puzzle*) casse-tête *m*; *fig* mystère *m m*

MB[1] *abbr* = **Bachelor of Medicine**

MB[2] *abbr* = **megabyte** MO *m*

M.B.A. *abbr* = **Master of Business Administration** ≈ maîtrise *f* de gestion; ***he's doing an ~*** il prépare un MBA

MBE *abbr* = **Member of the Order of the British Empire** membre de l'ordre de l'Empire britannique

MC *abbr* = **Master of Ceremonies**

M.D. 1. *abbr* = **Doctor of Medicine** ≈ docteur *m* en médecine **2.** *abbr* = **managing director**

me [miː] *pron* **1.** (*dir obj*) me, m'; (*indir obj, with prep*) moi; ***he's older than me*** il est plus âgé que moi **2.** *emph* moi; ***it's me*** c'est moi

meadow ['medəʊ] *n* pré *m*, prairie *f*; ***in***

the ~ dans le pré

meager, *Br* **meagre** ['miːgəʳ] *adj* maigre, piètre; *amount* maigre; ***he earns a ~ $500 a month*** il gagne un maigre salaire de 500 dollars par mois

meal[1] [miːl] *n* farine *f*

meal[2] *n* repas *m*; ***come over for a ~*** viens manger avec nous; ***to go for a ~*** aller manger; ***to have a (good) ~*** (bien) manger; ***to make a ~ of sth*** *infml* faire tout un plat de qc *infml* **mealtime** *n* heure *f* du repas; ***at ~s*** aux heures de repas

mean[1] [miːn] *adj* ⟨**+er**⟩ **1.** (*unkind*) désagréable; ***you ~ thing!*** espèce de chameau! *infml* **2.** ***of ~ birth*** de basse extraction **3.** (*vicious*) méchant **4.** ***he is no ~ player*** c'est un excellent joueur; ***he plays a ~ game of poker*** c'est une bête au poker *infml*; ***that's no ~ feat*** ce n'est pas un mince exploit **5.** (*esp Br miserly*) mesquin, radin *infml*; ***you ~ thing!*** espèce de radin!

mean[2] *n* MATH moyenne *f*

mean[3] ⟨*past, past part* **meant**⟩ [ment] *v/t* **1.** signifier; (*person refer to*) vouloir dire; ***what do you ~ by that?*** que voulez-vous dire par là?; ***the name ~s nothing to me*** ce nom ne me dit rien; ***it ~s starting all over again*** cela veut dire tout recommencer; ***he ~s a lot to me*** il représente beaucoup pour moi **2.** (*intend*) avoir l'intention; ***to ~ to do sth*** avoir l'intention de faire qc; (*do deliberately*) faire exprès de faire qc; ***to be ~t for sb / sth*** être destiné à qn / qc; ***sth is ~t to be sth*** qc est destiné à être qc; ***of course it hurt, I ~t it to*** *or* ***it was ~t to*** bien sûr que ça fait mal, je l'ai fait exprès; ***I ~t it as a joke*** je plaisantais; ***I was ~t to do that*** j'étais fait pour ça; ***I thought it was ~t to be hot in the south*** je croyais qu'il devait faire chaud dans le sud; ***this pad is ~t for drawing*** ce carnet est fait pour dessiner; ***he ~s well / no harm*** il est bien intentionné; ***to ~ sb no harm*** ne pas vouloir de mal à qn; (*physically*) ne pas vouloir faire mal à qn; ***I ~t no harm by what I said*** je n'ai pas dit cela méchamment **3.** (*be serious about*) parler sérieusement; ***I ~ it!*** je ne plaisante pas!; ***do you ~ to say you're not coming?*** tu veux dire que tu ne viens pas?; ***I ~ what I say*** je parle sérieusement

meander [mɪ'ændəʳ] *v/i* (*river*) faire des méandres *m*; (*person, walking*) errer

meaning ['miːnɪŋ] *n* sens *m*, signification *m*; ***what's the ~ of (the word) "hick"?*** que signifie (le mot) "hick"?; ***you don't know the ~ of love*** tu ne sais pas ce qu'aimer veut dire; ***what's the ~ of this?*** qu'est-ce que cela signifie?

meaningful *adj* **1.** *statement, poem, look* éloquent; ***to be ~*** être significatif **2.** (*purposeful*) constructif(-ive); *relationship* profond **meaningfully** ['miːnɪŋfʊlɪ] *adv* **1.** *look* de façon éloquente; *say, add* de façon significative **2.** *spend one's time, participate, negotiate* de façon significative **meaningless** *adj* dénué de sens; ***my life is ~*** ma vie n'a aucun sens

meanly ['miːnlɪ] *adv behave* méchamment **meanness** ['miːnnɪs] *n* **1.** (*unkindness*) attitude *f* désagréable **2.** (*viciousness*) méchanceté *f* **3.** (*esp Br miserliness*) avarice *f*, mesquinerie *f*

means [miːnz] *n* **1.** *sg* (*method, instrument*) moyen; ***a ~ of transport*** un moyen de transport; ***a ~ of escape*** un moyen d'évasion; ***a ~ to an end*** un moyen vers un but; ***there is no ~ of doing it*** il n'y a pas moyen de le faire; ***is there any ~ of doing it?*** y a-t-il moyen de le faire?; ***we've no ~ of knowing*** nous n'avons aucun moyen de savoir; ***by ~ of sth*** au moyen de qc; ***by ~ of doing sth*** en faisant qc **2.** *sg* ***by all ~!*** mais bien sûr!; ***by no ~*** pas le moins du monde **3.** *pl* (*wherewithal*) moyens; ***a man of ~*** un homme fortuné; ***to live beyond one's ~*** vivre au-dessus de ses moyens

means test *n* examen *m* de ressources

meant [ment] *past, past part* = **mean**[3]

meantime ['miːntaɪm] **I** *adv* en attendant, pendant ce temps **II** *n* ***in the ~*** pendant ce temps

meanwhile ['miːnwaɪl] *adv* en attendant, pendant ce temps

measles ['miːzlz] *n sg* rougeole *f*

measly ['miːzlɪ] *adj* ⟨**+er**⟩ *infml* misérable, minable

measurably ['meʒərəblɪ] *adv* notablement

measure ['meʒəʳ] **I** *n* **1.** mesure *f*; *fig* mesure *f* (***of*** de); ***a ~ of length*** une mesure de longueur; ***to have sth made to ~*** se faire faire qc sur mesure; ***the furniture has been made to ~*** les meubles ont été fabriqués sur mesure; ***beyond ~*** sans bornes; ***some ~ of*** un certain **2.** (*amount measured*) mesure *f*; ***a small ~ of flour*** une petite mesure de farine;

for good ~ pour faire bonne mesure; ***to get the ~ of sb / sth*** se faire une opinion de qn / qc **3.** (*step*) mesure *f*; ***to take ~s to do sth*** prendre des mesures pour faire qc **II** *v/t* mesurer; *fig* mesurer, évaluer **III** *v/i* mesurer; ***what does it ~?*** combien ça mesure? ◆ **measure out** *v/t sep* mesurer; *weights* répartir ◆ **measure up** *v/i* ***he didn't ~*** il s'est montré décevant; ***to ~ to sth*** être à la hauteur de qc

measured ['meʒəd] *adj response* mesuré, modéré; ***at a ~ pace*** à un rythme modéré **measurement** ['meʒəmənt] *n* **1.** (*act*) mesure *f* **2.** (*measure*) mesure *f*; (*figure*) mensurations *fpl*; *fig* mesure; ***to take sb's ~s*** prendre les mensurations de qn **measuring cup**, *Br* **measuring jug** *n* doseur *m*

meat [miːt] *n* viande *f*; ***assorted cold ~s*** assortiment de viandes froides **meatball** *n* boulette *f* de viande **meat loaf** *n* pain *m* de viande **meaty** ['miːtɪ] *adj* ⟨**+er**⟩ **1.** de viande; ***~ chunks*** morceaux de viande **2.** *hands* charnu **3.** *fig role* substantiel(le)

Mecca ['mekə] *n* la Mecque *f*

mechanic [mɪ'kænɪk] *n* mécanicien(ne) *m(f)*

mechanical [mɪ'kænɪkəl] *adj* mécanique; ***a ~ device*** un appareil mécanique **mechanical engineer** *n* ingénieur(e) *m(f)* mécanicien(ne) **mechanical engineering** *n* construction *f* mécanique **mechanics** [mɪ'kænɪks] *n* **1.** *sg* mécanique *f* **2.** *pl* (*fig: of writing etc.*) mécanique *m*, mécanisme *m* **mechanism** ['mekənɪzəm] *n* mécanisme **mechanization** [ˌmekənaɪ'zeɪʃən] *n* mécanisation *f* **mechanize** ['mekənaɪz] *v/t* mécaniser

medal ['medl] *n* (*a. decoration*) médaille *f* **medallion** [mɪ'dæljən] *n* médaillon *m* **medalist**, *Br* **medallist** ['medəlɪst] *n* médaillé(e) *m(f)*

meddle ['medl] *v/i* (*interfere*) se mêler (***in*** de); (*tamper*) toucher (***with*** à); ***to ~ with sth*** toucher à qc **meddlesome** ['medlsəm] *adj*, **meddling** *adj attr* ***she's a ~ old busybody*** c'est une insupportable fouineuse

media ['miːdɪə] *n pl* = **medium** média*s mpl*; ***he works in the ~*** il travaille dans les médias; ***to get ~ coverage*** avoir une couverture médiatique

mediaeval *adj* = **medieval**

media event *n* événement *m* médiatique

median ['miːdɪən] *adj* médian **median strip** *n US* terre-plein *m* central

media studies *pl* études *fpl* de communication

mediate ['miːdɪeɪt] *v/i* servir de médiateur **mediation** [ˌmiːdɪ'eɪʃən] *n* médiation *f* **mediator** ['miːdɪeɪtə^r] *n* médiateur(-trice) *m(f)*

medic ['medɪk] *n* (*US infml*) toubib *m* (*Br infml*) étudiant(e) *m(f)* en médecine **Medicaid** ['medɪˌkeɪd] *n US* assistance *f* médicale (*pour les personnes économiquement faibles*)

medical ['medɪkəl] **I** *adj treatment*, *staff* médical; ***the ~ profession*** le corps médical; ***~ condition*** condition médicale **II** *n* visite *f* médicale **medical assistant** *n* (secrétaire)-assistante médicale *f* **medical certificate** *n esp Br* certificat *m* médical **medical history** *n* ***her ~*** ses antécédents médicaux **medical insurance** *n* assurance *f* maladie **medical officer** *n* **1.** MIL médecin *m* militaire **2.** (*official*) médecin *m* du travail **medical practice** *n* (*business*) médecine *f* générale **medical practitioner** *n esp Br* médecin *m* généraliste **medical school** *n* faculté *f* de médecine **medical science** *n* sciences *fpl* médicales **medical student** *n* étudiant(e) *m(f)* en médecine **Medicare** ['medɪˌkeə^r] *n US* assistance *f* médicale (*pour les personnes âgées*) **medicated** ['medɪkeɪtɪd] *adj* traitant **medication** [ˌmedɪ'keɪʃən] *n* médication *f* **medicinal** [me'dɪsɪnl] *adj* médicinal; ***for ~ purposes*** à des fins thérapeutiques; ***the ~ properties of various herbs*** les propriétés médicinales de diverses plantes

medicine ['medsɪn, 'medɪsɪn] *n* **1.** médicament *m*; (*single preparation*) remède *m*; ***to take one's ~*** prendre son médicament; ***to give sb a taste of his own ~*** *fig* rendre à qn la monnaie de sa pièce **2.** (*science*) médecine *f*; ***to practice*** (*US*) *or* ***practise*** (*Br*) ***~*** pratiquer la médecine

medieval [ˌmedɪ'iːvəl] *adj* médiéval; ***in ~ times*** au Moyen Âge

mediocre [ˌmiːdɪ'əʊkə^r] *adj* médiocre **mediocrity** [ˌmiːdɪ'ɒkrɪtɪ] *n* médiocrité

meditate ['medɪteɪt] *v/i* réfléchir (***upon***, ***on*** à); REL, PHIL méditer **meditation**

[ˌmedɪˈteɪʃən] *n* réflexion *f*, méditation *f*; REL, PHIL méditation *f*
Mediterranean [ˌmedɪtəˈreɪnɪən] **I** *n* Méditerranée *f*; ***in the ~*** (*in region*) en Méditerranée **II** *adj* méditerranéen(ne); *character* méditerranéen(ne); ***~ cruise*** croisière en Méditerranée **Mediterranean Sea** *n* ***the ~*** la (mer) Méditerranée
medium [ˈmiːdɪəm] **I** *adj* moyen(ne); *steak* à point; (*medium-sized*) moyen(ne); ***of ~ height / size*** de taille moyenne; ***cook over a ~ heat*** cuire à feu moyen; ***in / over the ~ term*** à moyen terme **II** *n* ⟨*pl* **media** *or* **-s**⟩ **1.** (*means*) moyen *m m*; TV, RADIO, PRESS média *m*, moyen *m* de communication; ART moyen *m* d'expression; ***advertising ~*** support publicitaire **2.** ***to strike a happy ~*** trouver un juste milieu **3.** (*spiritualist*) médium *m* **medium-dry** *adj* demi-sec **medium-range** *adj* ***~ aircraft*** avion *m* moyen courrier **medium-rare** *adj* entre saignant et à point **medium-sized** *adj* de taille moyenne **medium wave** *n* ondes *fpl* moyennes
medley [ˈmedlɪ] *n* mélange; MUS pot-pourri *m*
meek [miːk] *adj* ⟨**+er**⟩ doux(douce); *pej* (trop) docile **meekly** [ˈmiːklɪ] *adv agree* docilement, *submit*, *accept* humblement
meet [miːt] *vb* ⟨*past*, *past part* **met**⟩ **I** *v/t* **1.** rencontrer; ***to arrange to ~ sb*** donner un rendez-vous à qn; ***to ~ a challenge*** relever un défi; ***there's more to it than ~s the eye*** c'est moins simple que ça en a l'air **2.** (*get to know*) rencontrer; (*be introduced to*) faire la connaissance de; ***pleased to ~ you!*** ravi de faire votre connaissance **3.** (*collect*) venir chercher (***at*** à) **4.** *target* atteindre; *requirement* correspondre à; *needs* satisfaire **II** *v/i* **1.** (*encounter*) (*people*) se rencontrer; (*by arrangement*) se retrouver; (*committee etc.*) se réunir; SPORTS se rencontrer; ***to ~ halfway*** trouver un compromis **2.** (*become acquainted*) se rencontrer; (*be introduced*) faire connaissance; ***we've met before*** nous nous connaissons; ***haven't we met before?*** on se connaît, non? **3.** (*join*) se rencontrer; (*converge*) se rencontrer, converger; (*intersect*) se croiser; (*touch*) se rencontrer, se croiser; ***our eyes met*** nos regards se sont croisés **III** *n* (*US* ATHLETICS) rencontre *f* ◆ **meet up** *v/i* se retrouver ◆ **meet with** *v/t insep* **1.** *opposition*, *success*, rencontrer; *accident* avoir; *approval* susciter; ***I was met with a blank stare*** on m'opposa un regard sans expression **2.** *person* retrouver
meeting [ˈmiːtɪŋ] *n* **1.** rencontre *f*; (*arranged*) rendez-vous *m*; (*business meeting*) réunion *f*; ***the minister had a ~ with the ambassador*** le ministre a rencontré l'ambassadeur **2.** (*of committee*) réunion *f*; (*of members*, *employees*) assemblée *f*; ***the committee has three ~s a year*** le comité se réunit trois fois par an **3.** SPORTS meeting *m*; (*between teams*, *opponents*) rencontre *f* **meeting place** *n* lieu *m* de rendez-vous
mega- [ˈmegə-] *pref* méga- **megabyte** [ˈmegəˌbaɪt] *n* IT mégaoctet *m*
megalomania [ˌmegələʊˈmeɪnɪə] *n* mégalomanie *f* **megalomaniac** [ˌmegələʊˈmeɪnɪæk] *n* mégalomane *m/f*
megaphone *n* mégaphone *m* **megastar** *n* superstar *f* **megastore** *n* mégastore *m*
melancholic [ˌmelənˈkɒlɪk] *adj* mélancolique **melancholy** [ˈmelənkəlɪ] **I** *adj* mélancolique; *place* triste **II** *n* mélancolie *f*
mellow [ˈmeləʊ] **I** *adj* ⟨**+er**⟩ **1.** *wine*, *flavor* velouté; *color*, *light* doux(douce); *voice* mélodieux(-euse) **2.** *person* mûri par l'âge, tranquille **II** *v/i* (*person*) s'adoucir
melodic [mɪˈlɒdɪk] *adj* mélodique **melodically** [mɪˈlɒdɪkəlɪ] *adv* de façon mélodique **melodious** [mɪˈləʊdɪəs] *adj* mélodieux(-euse)
melodrama [ˈmeləʊˌdrɑːmə] *n* mélodrame *m* **melodramatic** [ˌmeləʊdrəˈmætɪk] *adj* mélodramatique **melodramatically** [ˌmeləʊdrəˈmætɪkəlɪ] *adv* de façon mélodramatique
melody [ˈmelədɪ] *n* mélodie *f*
melon [ˈmelən] *n* melon *f*
melt [melt] **I** *v/t* **1.** *lit* fondre; *butter* faire fondre **2.** *fig heart etc.* faire fondre, attendrir **II** *v/i* **1.** fondre **2.** (*fig: person*) s'attendrir, fondre ◆ **melt away** *v/i* **1.** *lit* fondre totalement **2.** *fig* disparaître totalement; (*crowd*) se disperser; (*anger*) se dissiper ◆ **melt down** *v/t sep* fondre
meltdown [ˈmeltdaʊn] *n* fusion *f*; (*disas-*

ter) fusion *f* du cœur d'une centrale **melting pot** ['meltɪŋpɒt] *n fig* creuset *m*

member ['membəʳ] *n* **1.** membre *m*; ***~ of the family*** membre de la famille; ***if any ~ of the audience ...*** si un membre du public…; ***the ~ states*** les états membres **2.** (*Br* PARL) membre *m*; ***~ of parliament*** membre *m* du parlement **membership** ['membəʃɪp] *n* **1.** adhésion *f* (***of*** de) **2.** (*number of members*) ensemble *m* des membres **membership card** *n* carte *f* de membre **membership fee** *n* cotisation *f*

membrane ['membreɪn] *n* membrane *f*

memento [mə'mentəʊ] *n* ⟨*pl* **-(e)s**⟩ souvenir *m* (***of*** de)

memo ['meməʊ] *n abbr* = **memorandum** note *f* **memoir** ['memwɑːʳ] *n* **1.** mémoire *m* **2. memoirs** *pl* mémoires *mpl* **memo pad** *n* bloc-notes *m* **memorable** ['memərəbl] *adj* inoubliable; (*important*) mémorable **memorandum** [ˌmemə'rændəm] *n* ⟨*pl* **memoranda**⟩ note *f* **memorial** [mɪ'mɔːrɪəl] **I** *adj* commémoratif(-ive) **II** *n* monument *m* (***to*** à) **Memorial Day** *n US* Memorial Day (*jour férié, le dernier lundi du mois de mai, en souvenir des soldats morts à la guerre*) **memorial service** *n* commémoration *f* **memorize** ['meməraɪz] *v/t* mémoriser

memory ['memərɪ] *n* **1.** mémoire *f*; ***from ~*** de mémoire; ***to lose one's ~*** perdre la mémoire; ***to commit sth to ~*** mémoriser; ***~ for faces*** mémoire des visages; ***if my ~ serves me right*** si ma mémoire est bonne **2.** (*thing remembered*) souvenir *m* (***of*** de); ***I have no ~ of it*** je n'en ai aucun souvenir; ***he had happy memories of his father*** il gardait de bons souvenirs de son père; ***in ~ of*** en souvenir de **3.** IT mémoire *f* **memory bank** *n* IT bloc *m* de mémoire **memory expansion card** *n* IT carte *f* d'extension mémoire **memory stick** *n* IT carte *f* mémoire

men [men] *pl* = **man**

menace ['menɪs] **I** *n* **1.** menace *f* (***to*** pour) **2.** (*infml nuisance*) danger *m* (public) *infml*; ***she's a ~ on the roads*** en voiture, c'est un vrai danger public **II** *v/t* menacer **menacing** ['menɪsɪŋ] *adj* menaçant; ***to look ~*** avoir un air menaçant **menacingly** ['menɪsɪŋlɪ] *adv* d'un air menaçant; ***..., he said ~*** dit-il d'un air ton menaçant

mend [mend] **I** *n* ***to be on the ~*** s'améliorer **II** *v/t* **1.** réparer; *clothes* raccommoder **2.** ***to ~ one's ways*** s'amender; ***you'd better ~ your ways*** tu ferais bien de t'amender **III** *v/i* (*bone*) se reconstituer

menial ['miːnɪəl] *adj* de domestique, subalterne

meningitis [ˌmenɪn'dʒaɪtɪs] *n* méningite *f*

menopause ['menəʊpɔːz] *n* ménopause *f*

men's room ['menzruːm] *n esp US* toilettes *fpl* (pour hommes)

menstrual cycle *n* cycle *m* menstruel **menstruate** ['menstrʊeɪt] *v/i* avoir ses règles **menstruation** [ˌmenstrʊ'eɪʃən] *n* menstruation *f*

menswear ['menzwɛəʳ] *n* vêtements *mpl* pour hommes

mental ['mentl] *adj* **1.** mental; *strain* nerveux(-euse); ***to make a ~ note of sth*** prendre mentalement note de qc; ***~ process*** processus mental **2.** (*infml mad*) dingue *infml* **mental arithmetic** *n* calcul *m* mental **mental block** *n* ***to have a ~*** faire un blocage **mental breakdown** *n* dépression *f* nerveuse **mental health** *n* santé *f* mentale **mental hospital** *n* hôpital *m* psychiatrique **mental illness** *n* maladie *f* mentale **mentality** [men'tælɪtɪ] *n* mentalité **mentally** ['mentəlɪ] *adv* mentalement; ***~ handicapped*** handicapé mental; ***he is ~ ill*** c'est un malade mental

menthol ['menθɒl] *n* menthol *m*

mention ['menʃən] **I** *n* mention *f*; ***to get** or **receive a ~*** être mentionné; ***to give sb / sth a ~*** mentionner qn / qc; ***there is no ~ of it*** on n'en fait aucune mention; ***his contribution deserves special ~*** sa participation mérite une mention spéciale **II** *v/t* mentionner (***to sb*** à qn); ***not to ~ ...*** sans compter…; ***France and Spain, not to ~ Italy*** la France, l'Espagne, sans compter l'Italie; ***don't ~ it!*** il n'y a pas de quoi!; ***to ~ sb in one's will*** coucher qn sur son testament

mentor ['mentɔːʳ] *n* mentor *m*

menu ['menjuː] *n* (*bill of fare*) carte *f*; (*dishes*) menu *m* (*also* IT); ***may we see the ~?*** peut-on avoir la carte?; ***what's on the ~?*** qu'y a-t-il au menu? **menu bar** *n* IT barre *f* de menu **menu-driven** *adj* IT piloté par menus

MEP *abbr* = **Member of the European Parliament** député *m* au Parlement européen

mercenary ['mɜːsɪnərɪ] **I** *adj* (*greedy*) intéressé; ***don't be so ~*** ne soyez pas si intéressé **II** *n* mercenaire *m*

merchandise ['mɜːtʃəndaɪz] *n* marchandise *f* **merchant** ['mɜːtʃənt] *n* négociant *m*, marchand *m*; ***corn ~*** négociant en maïs **merchant bank** *n Br* banque *f* d'affaires **merchant marine** *n US* marine *f* marchande **merchant navy** *n Br* marine *f* marchande

merciful ['mɜːsɪfʊl] *adj* clément (***to sb*** envers qn) **mercifully** ['mɜːsɪfəlɪ] *adv* **1.** *act, treat sb* avec clémence **2.** (*fortunately*) heureusement **merciless** *adj* impitoyable **mercilessly** *adv* impitoyablement

Mercury ['mɜːkjʊrɪ] *n* Mercure *m*

mercury ['mɜːkjʊrɪ] *n* mercure *m*

mercy ['mɜːsɪ] *n* **1.** *no pl* (*compassion*) miséricorde *f*; ***to beg for ~*** demander grâce; ***to have ~/no ~ on sb*** avoir/n'avoir aucune pitié pour qn; ***to show sb no ~*** être sans pitié envers qn; ***to be at the ~ of sb/sth*** être à la merci de qn/qc; ***we're at your ~*** nous sommes à votre merci **2.** (*infml blessing*) délivrance *f*

mere [mɪəʳ] *adj* **1.** simple; ***he's a ~ clerk*** c'est un simple employé; ***a ~ 3%/two hours*** seulement 3%/deux heures; ***the ~ thought of food made me hungry*** la seule idée de la nourriture me donne faim **2.** ***the ~st ...*** le simple...

merely ['mɪəlɪ] *adv* simplement, purement

merge [mɜːdʒ] **I** *v/i* **1.** se mêler; (*colors*) se fondre; (*roads*) se rejoindre; (*US* AUTO) fusionner; ***to ~ with sth*** se mélanger à qc; ***to ~ (in) with/into the crowd*** se fondre dans la foule; ***to ~ into sth*** se fondre dans qc **2.** COMM fusionner **II** *v/t* **1.** joindre; IT *files* fusionner **2.** COMM faire fusionner **merger** ['mɜːdʒəʳ] *n* COMM fusion *f*

meringue [mə'ræŋ] *n* meringue *f*

merit ['merɪt] **I** *n* (*achievement*) accomplissement *m*; (*advantage*) mérite *m*; ***a work of great literary ~*** un ouvrage d'une grande valeur littéraire; ***she was elected on ~*** elle a été élue pour sa valeur; ***to judge a case on its ~s*** juger un cas en toute impartialité; ***to pass an exam with ~*** réussir un examen avec mention **II** *v/t* mériter

mermaid ['mɜːmeɪd] *n* sirène *f*

merrily ['merɪlɪ] *adv* joyeusement **merriment** ['merɪmənt] *n* joie *f*, gaieté *f*; (*laughter*) rires *mpl* **merry** ['merɪ] *adj* ⟨**+er**⟩ **1.** joyeux(-euse); ***Merry Christmas!*** joyeux Noël! **2.** (*Br infml tipsy*) pompette *infml* **merry-go-round** ['merɪgəʊraʊnd] *n* manège *m*

mesh [meʃ] **I** *n* **1.** (*hole*) maille *f* **2.** (*wire mesh*) grille *f* **II** *v/i* **1.** MECH s'engrener *m* (***with*** avec) **2.** (*fig: views*) s'accorder

mesmerize ['mezməraɪz] *v/t* hypnotiser; *fig* subjuguer; ***the audience sat ~d*** le public était subjugué **mesmerizing** ['mezməraɪzɪŋ] *adj effect, smile* envoûtant

mess[1] [mes] **I** *n* **1.** désordre *m*; (*dirty*) saleté *f*; ***to be (in) a ~*** être sale; (*disorganized*) être en désordre; (*fig: one's life etc.*) être dans le pétrin *infml*; ***to be a ~*** (*piece of work*) être bâclé *infml*; (*person*) (*in appearance*) ne pas être présentable; (*psychologically*) être déboussolé *infml*; ***to make a ~*** (*be untidy*) déranger; (*be dirty*) salir *infml*; ***to make a ~ of*** gâcher; ***you've really made a ~ of things*** vous avez vraiment tout gâché *infml*; ***what a ~!*** quelle pagaille!; *fig* quel gâchis! *infml*; ***I'm not tidying up your ~*** pas question que je range ton chantier **2.** (*predicament*) pétrin *infml* **3.** (*euph excreta*) saletés *fpl*; ***the cat has made a ~ on the carpet*** le chat a fait des saletés sur le tapis **II** *v/i* = **mess around** *II* ◆ **mess around** *or Br* **about** *infml* **I** *v/t sep person* embêter *infml* **II** *v/i* **1.** (*play the fool*) faire l'idiot **2.** (*do nothing*) glandouiller *infml* **3.** (*tinker*) tripatouiller *infml* (***with sth*** qc); (*as hobby etc.*) bricoler (***with sth*** qc) *infml* **4.** ***to mess around*** *or* ***about with sb*** coucher avec qn *infml* ◆ **mess up** *v/t sep* gâcher; (*make dirty*) salir; (*botch*) saboter; *life* bousiller *infml*; ***that's really messed things up*** ça a vraiment tout gâché

mess[2] *n* MIL mess *m*; (*on ships*) carré *m*

message ['mesɪdʒ] *n* **1.** message *m*; ***to give sb a ~*** (*verbal*) transmettre un message à qn; ***would you give John a ~ (for me)?*** pouvez-vous transmettre un message (de ma part) à John?; ***to send sb a ~*** envoyer un message à qn; ***to leave a ~ for sb*** (*written, verbal*) laisser un message pour qn; ***can I take a ~ (for him)?*** (*on telephone*) puis-je

prendre un message? **2.** (*moral*) message *m*; ***to get one's ~ across to sb*** se faire comprendre **3.** *fig*, *infml* ***to get the ~*** piger *infml* **message board** *n* INTERNET tableau *m* des messages **messenger** ['mesɪndʒəʳ] *n* messager(-ère) *m(f)*
Messiah [mɪ'saɪə] *n* messie *m*
messily ['mesɪlɪ] *adv* mal, n'importe comment
mess kit *n US* gamelle *f*
messy ['mesɪ] *adj* ⟨**+er**⟩ **1.** (*dirty*) sale **2.** (*untidy*) mal tenu, peu soigné; ***he's a ~ eater*** il mange comme un cochon **3.** *fig situation* compliqué; *process* délicat
met [met] *past*, *past part* = **meet**
meta- ['metə-] *pref* méta- **metabolic** [ˌmetə'bɒlɪk] *adj* métabolique **metabolism** [me'tæbəlɪzəm] *n* métabolisme *m*
metal ['metl] *n* métal *m* **metal detector** *n* détecteur *m* de métaux **metallic** [mɪ'tælɪk] *adj* métallique; ***~ paint*** peinture métallisée; ***~ blue*** bleu métallisé; ***a ~ blue car*** une voiture bleu métallisé **metallurgy** [me'tælədʒɪ] *n* métallurgie *f* **metalwork** *n* ferronnerie *f*; ***we did ~ at school*** on a fait de la ferronnerie à l'école
metamorphosis [ˌmetə'mɔːfəsɪs] *n* ⟨*pl* **metamorphoses**⟩ métamorphose *f*
metaphor ['metəfəʳ] *n* métaphore *f* **metaphorical** [ˌmetə'fɒrɪkəl] *adj* métaphorique **metaphorically** [ˌmetə'fɒrɪkəlɪ] *adv* métaphoriquement; ***~ speaking*** pour parler métaphoriquement
metaphysical [ˌmetə'fɪzɪkəl] *adj* métaphysique
mete [miːt] *v/t* ***to ~ out punishment to sb*** infliger une punition à qn
meteor ['miːtɪəʳ] *n* météore *m* **meteoric** [ˌmiːtɪ'ɒrɪk] *adj fig* fulgurant **meteorite** ['miːtɪəraɪt] *n* météorite *m or f*
meteorological [ˌmiːtɪərə'lɒdʒɪkəl] *adj* météorologique **meteorologist** [ˌmiːtɪə'rɒlədʒɪst] *n* météorologue *m/f* **meteorology** [ˌmiːtɪə'rɒlədʒɪ] *n* météorologie *f*
meter[1] ['miːtəʳ] **I** *n* (*gas*, *water etc.*) compteur *m*; (*parking meter*) parcmètre *m*; ***to turn the water off at the ~*** couper l'eau au compteur **II** *v/t* mesurer à l'aide d'un compteur
meter[2], *Br* **metre** ['miːtəʳ] *n* **1.** mètre *m* **2.** POETRY mètre
methane ['miːθeɪn] *n* méthane *m*
method ['meθəd] *n* méthode *f*; ***~ of payment*** mode de paiement **methodical** [mɪ'θɒdɪkəl] *adj* méthodique **methodically** [mɪ'θɒdɪkəlɪ] *adv* méthodiquement
Methodist ['meθədɪst] **I** *adj* méthodiste **II** *n* méthodiste *m/f*
meths [meθs] *n sg*, *abbr* = **methylated spirits** **methylated spirits** ['meθɪleɪtɪd'spɪrɪts] *n sg* alcool *m* à brûler
meticulous [mɪ'tɪkjʊləs] *adj* méticuleux(-euse); ***to be ~ about sth*** être méticuleux dans qc **meticulously** [mɪ'tɪkjʊləslɪ] *adv* méticuleusement
me time ['miːtaɪm] *n* temps *m* pour moi
met office ['metˌɔfɪs] *n Br* météo *f* (*britannique*)
metre *n Br* = **meter** **metric** ['metrɪk] *adj* métrique; ***to go ~*** adopter le système métrique
metronome ['metrənəʊm] *n* métronome *m*
metropolis [mɪ'trɒpəlɪs] *n* métropole *f* **metropolitan** [ˌmetrə'pɒlɪtən] *adj* citadin; (*area*) urbain **metrosexual** [ˌmetrə'seksjʊəl] *adj* métrosexuel(le)
mettle ['metl] *n* courage *m*
mew [mjuː] **I** *n* miaulement *m* **II** *v/i* miauler
Mexican ['meksɪkən] **I** *adj* mexicain **II** *n* Mexicain(e) *m(f)* **Mexico** ['meksɪkəʊ] *n* Mexique *m*
mezzanine ['mezəniːn] *n* mezzanine *f*
mg *abbr* = **milligram(s)** mg *m*
MI5 *Br abbr* = **Military Intelligence, section 5** *service de sécurité britannique*
MI6 *Br abbr* = **Military Intelligence, section 6** *service de renseignement britannique*
miaow [miː'aʊ] *Br* **I** *n* miaulement *m* **II** *v/i* miauler
mice [maɪs] *pl* = **mouse**
mickey ['mɪkɪ] *n* (*Br infml*) ***to take the ~ out of sb*** se moquer de qn *infml*; ***are you taking the ~?*** tu te moques de moi? *infml*
micro- *pref* micro- **microbe** ['maɪkrəʊb] *n* microbe *m* **microbiology** *n* microbiologie *f* **microchip** *n* puce *f* **microcomputer** *n* micro-ordinateur *m* **microcosm** *n* microcosme *m* **microfiber**, *Br* **microfibre** *n* microfibre *f* **microfiche** *n* microfiche *f* **microfilm** *n* microfilm *m* **microlight** *n* U.L.M. *m*, ultraléger *m* motorisé **microorganism** *n*

micro-organisme *m* **microphone** *n* microphone *m* **microprocessor** *n* microprocesseur *m* **micro scooter** *n* trottinette *f* **microscope** *n* microscope *m* **microscopic** [ˌmaɪkrəˈskɒpɪk] *adj* (*in size*) microscopique; ***in ~ detail*** dans les moindres détails **microsurgery** *n* microchirurgie *f* **microwavable** [ˈmaɪkrəʊweɪvəbl] *adj qui peut être cuit au micro-ondes* **microwave** *n* (*oven*) micro-ondes *m* **microwave oven** *n* four *m* à micro-ondes

mid [mɪd] *adj* ***in ~ June*** à la mi-juin, au milieu du mois de juin; ***in the ~ 1950s*** au milieu des années 50; ***temperatures in the ~ eighties*** des températures avoisinant les 29 degrés; ***to be in one's ~ forties*** avoir dans les quarante-cinq ans; ***in ~ morning/ afternoon*** au milieu de la matinée/l'après-midi; ***a ~-morning break*** une pause en milieu de matinée; ***a ~-morning snack*** un casse-croûte en milieu de matinée; ***in ~ air*** en vol; ***in ~ flight*** en plein vol **midday** [ˈmɪdˈdeɪ] **I** *n* midi *m*; ***at ~*** à midi **II** *adj attr* de midi; ***~ meal*** repas de midi; ***~ sun*** soleil de midi

middle [ˈmɪdl] **I** *n* milieu *m*; ***in the ~ of the table*** au centre de la table; ***in the ~ of the night / day*** en pleine nuit / en plein jour; ***in the ~ of nowhere*** dans un coin perdu; ***in the ~ of summer*** en plein été; ***in the ~ of May*** au milieu du mois de mai, à la mi-mai; ***we were in the ~ of lunch*** nous étions en train de déjeuner; ***to be in the ~ of doing sth*** être en train de faire qc; ***down the ~*** au milieu **II** *adj* du milieu; ***to be in one's ~ twenties*** avoir dans les vingt-cinq ans **middle age** *n* la cinquantaine **middle-aged** *adj* d'une cinquantaine d'années **Middle Ages** *pl* Moyen Âge **Middle America** *n* (*class*) *l'Amérique moyenne* **middle-class** *adj* des classes moyennes **middle class(es)** *n pl* classe(s) moyenne(s) *f(pl)* **middle-distance runner** *n* coureur(-euse) *m(f)* de demi-fond **Middle East** *n* Moyen-Orient *m* **Middle England** *n Br* (*fig middle classes*) l'Angleterre *f* moyenne **middle finger** *n* majeur *m* **middle-income** *adj family* à revenus moyens **middleman** *n* intermédiaire *m* **middle management** *n* cadres *mpl* moyens **middle name** *n* deuxième prénom; ***modesty is my ~*** *fig* je suis on ne peut plus modeste **middle-of-the-road** *adj* **1.** (*moderate*) modéré **2.** (*conventional*) grand public **middle school** *n Br école pour enfants de 8 à 13 ans* **middling** [ˈmɪdlɪŋ] *adj* moyen, médiocre; ***how are you? — ~*** comment ça va? — comme ci comme ça *infml* **midfield** [ˌmɪdˈfiːld] **I** *n* milieu *m* du terrain **II** *adj* du milieu du terrain; ***~ player*** milieu de terrain

midge [mɪdʒ] *n* moucheron *m*

midget [ˈmɪdʒɪt] **I** *n* nain(e) *m(f)* **II** *adj* miniature

Midlands *pl* ***the ~*** les Midlands (*comtés du centre de l'Angleterre*) **midlife crisis** *n* crise *f* de la quarantaine

midnight **I** *n* minuit *m*; ***at ~*** à minuit **II** *adj attr* de minuit; ***~ mass*** messe de minuit; ***the ~ hour*** minuit **midpoint** *n* milieu *m* **midriff** [ˈmɪdrɪf] *n* estomac *m*, ventre *m* **midst** [mɪdst] *n*; ***in the ~ of*** au milieu *m* de; ***in our ~*** parmi nous **midstream** *n* ***in ~*** *lit* au milieu du courant; *fig* en plein milieu **midsummer** **I** *n* milieu *m* de l'été **II** *adj* d'été **Midsummer's Day** *n* la Saint-Jean **midterm** *adj* de milieu du trimestre ***~ elections*** POL *élections législatives qui interviennent au milieu du mandat présidentiel* **midway** **I** *adv* à mi-chemin; ***~ between ... and...*** à mi-chemin entre… et…; ***~ through sth*** au milieu de qc **II** *adj* ***we've now reached the ~ point or stage in the project*** nous sommes maintenant arrivés à la moitié du projet **midweek** **I** *adv* en milieu de semaine **II** *adj attr* ***he booked a ~ flight*** il a réservé un vol en milieu de semaine **Midwest** *n* ***the ~*** le Midwest **Midwestern** *adj* du Midwest

midwife [ˈmɪdwaɪf] *n* ⟨*pl* **-wives**⟩ sage-femme *f*

midwinter [ˌmɪdˈwɪntəʳ] **I** *n* milieu *m* de l'hiver **II** *adj* d'hiver

miff [mɪf] *v/t infml* ***to be ~ed about sth*** être fâché au sujet de qc

might[1] [maɪt] *past* = **may**; ***they ~ be brothers*** ils sont peut-être frères; ***as you ~ expect*** comme on pouvait s'y attendre; ***you ~ try Smith's*** vous pourriez peut-être essayer chez Smith; ***he ~ at least have apologized*** il aurait pu au moins s'excuser; ***I ~ have known*** j'aurais dû m'en douter; ***she was thinking of what ~ have been*** elle pensait à ce qui aurait pu se passer

might² *n* puissance *f*; ***with all one's ~*** de toutes ses forces **mightily** ['maɪtɪlɪ] *adv infml* drôlement *infml* ***~ impressive*** drôlement impressionnant *infml*; ***I was ~ relieved*** j'étais drôlement soulagé *infml*
mightn't ['maɪtnt] *contr* = **might not**
mighty ['maɪtɪ] **I** *adj* **1.** *army* puissant **2.** (*massive*) imposant; *cheer* grand **II** *adv* (*esp US infml*) rudement *infml*
migraine ['miːgreɪn] *n* migraine *f*
migrant ['maɪgrənt] **I** *adj* ***~ bird*** oiseau *m* migrateur; ***~ worker*** travailleur itinérant **II** *n* **1.** (*bird*) migrateur *m* **2.** (*worker*) travailleur(-euse) *m*(*f*) itinérant(e) **migrate** [maɪ'greɪt] *v/i* émigrer; (*birds*) migrer **migration** [maɪ'greɪʃən] *n* migration *f* **migratory** [maɪ'greɪtərɪ] *adj* ***~ worker*** travailleur itinérant; ***~ birds*** oiseaux migrateurs
mike [maɪk] *n infml* micro *m*
Milan [mɪ'læn] *n* Milan
mild [maɪld] **I** *adj* ⟨**+er**⟩ doux(douce); *breeze, cigarettes* léger(-ère) **II** *n Br bière anglaise légère*
mildew ['mɪldjuː] *n* moisissure *f*; (*on plants*) mildiou *m*
mildly ['maɪldlɪ] *adv* légèrement; *say* doucement; ***to put it ~*** pour dire les choses avec modération **mildness** ['maɪldnɪs] *n* (*of person*) douceur *f*; (*of breeze*) légèreté *f*
mile [maɪl] *n* mile *m*; ***how many ~s per gallon does your car do?*** combien consomme votre voiture?; ***a fifty-~ journey*** un trajet de 50 miles; ***~s (and ~s)*** *infml* des kilomètres; ***they live ~s away*** ils habitent très loin; ***sorry, I was ~s away*** *infml* excusez-moi, j'étais dans la lune; ***it stands out a ~*** ça se voit vraiment; ***he's ~s better at tennis*** il est bien meilleur au tennis **mileage** ['maɪlɪdʒ] *n* nombre *m* de miles; (*on odometer*) ≈ kilométrage *m* **mileometer** [maɪ'lɒmɪtəʳ] *n Br* ≈ compteur *m* kilométrique **milestone** ['maɪlstəʊn] *n* événement *m* marquant, jalon *m*
militant ['mɪlɪtənt] **I** *adj* militant **II** *n* militant(e) *m*(*f*)
militarism ['mɪlɪtərɪzəm] *n* militarisme *m* **militaristic** [ˌmɪlɪtə'rɪstɪk] *adj* militariste
military ['mɪlɪtərɪ] **I** *adj* militaire; ***~ personnel*** personnel militaire **II** *n* ***the ~*** l'armée *f* **military base** *n* base *f* militaire **military police** *n* police *f* militaire **military policeman** *n* policier *m* militaire **military service** *n* service *m* militaire; ***to do one's ~*** faire son service militaire; ***he's doing his ~*** il fait son service militaire
militia [mɪ'lɪʃə] *n* milice *f* **militiaman** [mɪ'lɪʃəmən] *n* ⟨*pl* **-men**⟩ milicien *m*
milk [mɪlk] **I** *n* lait *m*; ***it's no use crying over spilled ~*** *prov* ce qui est fait est fait **II** *v/t* traire **milk bar** *n* milk-bar *m* **milk chocolate** *n* chocolat *m* au lait **milk float** *n Br* camionnette *f* de laitier **milking** ['mɪlkɪŋ] *n* traite *f* **milkman** *n* laitier *m* **milkshake** *n* milk-shake *m* **milk tooth** *n Br* dent *f* de lait **milky** ['mɪlkɪ] *adj* ⟨**+er**⟩ au lait; (*made with milk*) lacté; ***~ coffee*** café avec beaucoup de lait **Milky Way** [ˌmɪlkɪ'weɪ] *n* Voie *f* lactée
mill [mɪl] *n* **1.** moulin *m*; ***in training you're really put through the ~*** *infml* on nous met vraiment à l'épreuve pendant la formation **2.** (*paper mill etc*) usine *f*; (*for cloth*) filature *f* ◆ **mill around** *or* (*Br*) **about** *v/i* grouiller
millennium [mɪ'lenɪəm] *n* ⟨*pl* **-s** *or* **millennia**⟩ millénaire *m*
miller ['mɪləʳ] *n* meunier(-ière) *m*(*f*)
millet ['mɪlɪt] *n* millet *m*
milli- ['mɪlɪ-] *pref* milli-; ***millisecond*** milliseconde **milligram** *or Br* **milligramme** *n* milligramme *m* **milliliter**, *Br* **millilitre** *n* millilitre *m* **millimeter**, *Br* **millimetre** *n* millimètre *m*
million ['mɪljən] *n* million *m*; ***4 ~ people*** 4 millions de personnes; ***for ~s and ~s of years*** pendant des millions d'années; ***she's one in a ~*** *infml* c'est une perle rare *infml*; ***~s of times*** *infml* des milliers de fois **millionaire** [ˌmɪljə'nɛəʳ] *n* millionnaire *m/f* **millionairess** [ˌmɪljə'nɛəres] *n* millionnaire *f*
millionth ['mɪljənθ] **I** *adj* **1.** (*fraction*) millionième *m* **2.** (*in series*) millionième **II** *n* millionième *m/f*
millipede ['mɪlɪpiːd] *n* mille-pattes *m*
millpond *n* bassin *m* de retenue
millstone ['mɪlstəʊn] *n* meule *f*; ***to be a ~ around sb's neck*** être un boulet pour qn
mime [maɪm] **I** *n* **1.** (*art*) mime *m* **2.** (*artist*) mime *m/f* **II** *v/t* mimer **III** *v/i* mimer **mime artist** *n* mime *m/f*
mimic ['mɪmɪk] **I** *n* imitateur(-trice) *m*(*f*); ***he's a very good ~*** c'est un très bon imitateur **II** *v/t* imiter **mimicry** ['mɪmɪkrɪ] *n* imitation *f*

min. **1.** *abbr* = **minute(s)** min, mn **2.** *abbr* = **minimum** min.

mince [mɪns] **I** *n Br* viande *f* hachée **II** *v/t* hacher; ***he doesn't ~ his words*** il ne mâche pas ses mots **III** *v/i* (*walk*) marcher en se trémoussant **mincemeat** *n préparation de fruits secs et d'épices* **mince pie** *n tartelette de Noël garnie avec un mélange de fruits secs et d'épices* **mincer** ['mɪnsəʳ] *n Br* hachoir *m*

mind [maɪnd] **I** *n* **1.** (*intellect*) esprit *m*; ***it's all in the ~*** c'est psychologique; ***to blow sb's ~*** *infml* en boucher un coin à qn *infml*; ***to have a logical ~*** avoir un esprit logique; ***state*** *or* ***frame of ~*** état d'esprit; ***to put*** *or* ***set one's ~ to sth*** se concentrer sur qc; ***he had something on his ~*** quelque chose le tracassait; ***I have a lot on my ~*** j'ai beaucoup de soucis; ***you are always on my ~*** je pense sans cesse à toi; ***keep your ~ on the job*** ne vous laissez pas distraire; ***she couldn't get the song out of her ~*** elle n'arrivait pas à s'ôter la chanson de la tête; ***to take sb's ~ off sth*** distraire qn de qc; ***my ~ isn't on my work*** je n'ai pas la tête au travail; ***the idea never entered my ~*** l'idée ne m'a jamais traversé l'esprit; ***nothing was further from my ~*** j'étais bien loin de penser à ça; ***in my ~'s eye*** en pensée; ***to bring sth to ~*** rappeler qc; ***it's a question of ~ over matter*** c'est un problème de pouvoir de l'esprit sur la matière **2.** (*inclination*) envie *f*; (*intention*) intention *f*; ***I have a good ~ to ...*** j'ai bien envie de... **3.** (*opinion*) avis *m*; ***to make up one's ~*** se décider; ***to change one's ~*** changer d'avis (***about*** au sujet de); ***to be in two ~s about sth*** être indécis à propos de qc; ***to have a ~ of one's own*** (*person*) savoir ce qu'on veut; (*hum, machine etc.*) faire comme bon lui semble **4.** (*sanity*) raison *f*; ***to lose one's ~*** perdre la raison; ***nobody in his right ~*** aucune personne sensée **5.** ***to bear sth in ~*** ne pas oublier qc; ***to bear sb in ~*** penser à qn; ***with this in ~ ...*** dans cette optique...; ***to have sb/sth in ~*** penser à qn/qc; ***it puts me in ~ of sb/sth*** ça me rappelle qn/qc; ***to go out of one's ~*** devenir fou; ***I'm bored out of my ~*** je m'ennuie à mourir **II** *v/t* **1.** (*care about*) ***I don't ~ the cold*** le froid ne me dérange pas; ***I don't ~ what he does*** il peut faire ce qu'il veut; ***do you ~ coming with me?*** est-ce que ça vous dérange de venir avec moi?; ***would you ~ opening the door?*** pourriez-vous ouvrir la porte?; ***do you ~ my smoking?*** est-ce que ça vous dérange si je fume?; ***don't ~ me*** ne faites pas attention à moi; ***I wouldn't ~ a cup of tea*** je prendrais bien une tasse de thé; ***never ~ that now*** n'y pensez plus; ***never ~ him*** ne t'occupe pas de lui **2.** *US* (*obey*) obéir **3.** *Br* (*be careful of*) surveiller; (*look after*) garder; (*pay attention to*) faire attention à; ***~ what you're doing!*** regarde ce que tu fais!; ***~ your language!*** surveille ton langage!; ***~ the step!*** attention à la marche!; ***~ your head!*** attention à ta tête!; ***~ your own business*** occupe-toi de tes affaires **III** *v/i* **1.** *esp Br* (*care, worry*) ***nobody seemed to ~*** cela ne semblait gêner personne; ***I'd prefer to stand, if you don't ~*** je préfère rester debout, si cela ne vous fait rien; ***do you ~?*** vous permettez?; ***do you ~!*** *iron* ne vous gênez pas!; ***I don't ~ if I do*** je ne dis pas non; ***never ~*** tant pis; (*in exasperation*) peu importe; ***never ~, you'll find another*** ce n'est pas grave, tu en trouveras un autre; ***oh, never ~, I'll do it myself*** ça n'a pas d'importance, je le ferai moi-même; ***never ~ about that now!*** n'y pensez plus!; ***I'm not going to finish school, never ~ go to university*** je ne vais pas continuer l'école, encore moins aller à l'université **2.** *Br* ***~ you get that done*** n'oubliez pas de le faire; ***~ you*** ceci dit; ***~ you, he did try*** remarquez, il a essayé; ***he's quite good, ~ you*** il est très compétent, ceci dit ◆ **mind out** *v/i Br* faire attention (***for*** à)

mind-blowing *adj infml* fantastique **mind-boggling** *adj infml* ahurissant **-minded** [-'maɪndɪd] *adj suf* ***she's very politically-minded*** elle s'intéresse beaucoup à la politique **minder** ['maɪndəʳ] *n* (*Br infml*) ange *m* gardien **mindful** ['maɪndfʊl] *adj* ***to be ~ of sth*** être attentif à qc **mindless** *adj destruction* gratuit; *routine* ennuyeux(-euse) **mind-reader** *n* voyant(e) *m*(*f*) **mindset** *n* mentalité *f*

mine[1] [maɪn] *poss pr* le mien *m*, la mienne *f*; ***this car is ~*** cette voiture est à moi; ***his friends and ~*** ses amis et les miens; ***a friend of ~*** un ami à moi, un de mes amis; ***a favorite*** (*US*) *or* ***favourite*** (*Br*) ***expression of ~***

une de mes expressions préférées

mine² **I** *n* **1.** MIN mine *f*; ***to work down the~s*** travailler à la mine **2.** MIL *etc.* mine *f* **3.** *fig* ***he is a ~ of information*** c'est une véritable mine de renseignements **II** *v/t coal* extraire **III** *v/i* ***to ~ for sth*** extraire qc **minefield** ['maɪnfi:ld] *n* champ *m* de mines; ***to enter a (political) ~*** se retrouver en terrain (politiquement) miné **miner** ['maɪnəʳ] *n* mineur *m*

mineral ['mɪnərəl] **I** *n* minéral *m* **II** *adj* minéral; ***~ deposits*** gisements minéraux **mineral water** *n* eau *f* minérale

minesweeper ['maɪnswi:pəʳ] *n* dragueur *m* de mines

mingle ['mɪŋgl] *v/i* se mélanger; (*people*) se mêler; (*at party*) se mêler aux gens

mini- ['mɪnɪ-] *pref* mini(-) **miniature** ['mɪnɪtʃəʳ] **I** *n* ART miniature *f*; (*bottle*) bouteille *f* miniature; ***in ~*** en miniature **II** *adj attr* miniature **miniature golf** *n* golf *m* miniature **minibar** *n* minibar *m* **mini-break** *n* miniséjour *m* **minibus** *n esp Br* minibus *m* **minicab** *n Br* ≈ radio-taxi *m* **minicam** *n* caméra *f* de poche **Minidisc®** ['mɪnɪdɪsk] *n* MUS minidisque *m*; ***~ player*** lecteur de minidisques

minim ['mɪnɪm] *n* (*Br* MUS) blanche *f*

minimal ['mɪnɪml] *adj* minime; ***at ~ cost*** pour un coût insignifiant; ***with ~ effort*** à moindre effort **minimalism** ['mɪnɪməlɪzəm] *n* minimalisme *m* **minimize** ['mɪnɪmaɪz] *v/t* réduire au minimum; (*downplay*) minimiser **minimum** ['mɪnɪməm] **I** *n* minimum *m*; ***what is the ~ you will accept?*** quel est le montant minimum que vous êtes prêt à accepter?; ***a ~ of 2 hours/10 people*** un minimum de 2 heures/10 personnes; ***to keep sth to a ~*** limiter qc au minimum **II** *adj attr* minimum, minimal; ***~ age*** âge minimum; ***~ temperature*** température minimale **minimum wage** *n* salaire *m* minimum

mining ['maɪnɪŋ] *n* MIN exploitation *f* minière **mining industry** *n* l'industrie *f* minière **mining town** *n* ville *f* minière

minion ['mɪnɪən] *n fig* sous-fifre *m*

miniskirt ['mɪnɪskɜ:t] *n* minijupe *f*

minister ['mɪnɪstəʳ] **I** *n* **1.** POL ministre *m/f* **2.** ECCL pasteur *m* **II** *v/i* ***to ~ to sb*** donner des soins à qn; ***to ~ to sb's needs*** pourvoir aux besoins de qn **ministerial** [ˌmɪnɪ'stɪərɪəl] *adj* POL ministériel(le); ***~ post*** poste de ministre; ***his ~ duties*** ses fonctions ministérielles **ministry** ['mɪnɪstrɪ] *n* **1.** POL ministère *m*; ***~ of education*** le ministère de l'Éducation **2.** ECCL ***to go into the ~*** devenir pasteur

mink [mɪŋk] *n* vison *m*; ***~ coat*** un manteau de vison

minor ['maɪnəʳ] **I** *adj* **1.** (*smaller*) mineur; (*less important*) de peu d'importance; *offense, operation* léger(-ère); ***~ road*** route secondaire **2.** MUS mineur; ***~ key*** mode mineur; ***G ~*** sol mineur **II** *n* **1.** JUR mineur(e) *m(f)* **2.** (*US* UNIV) matière *f* secondaire **III** *v/i* (*US* UNIV) ***to minor in French*** prendre le français comme matière secondaire

Minorca [mɪ'nɔ:kə] *n* Minorque *f*

minority [maɪ'nɒrɪtɪ] **I** *n* minorité *f*; ***to be in a** or **the ~*** être en minorité **II** *adj attr* minoritaire; ***~ group*** minorité; ***(ethnic) ~ students*** étudiants appartenant à une minorité (ethnique) **minority government** *n* gouvernement minoritaire

minor league *adj* ***~ baseball*** *US* division *f* secondaire de base-ball

minster ['mɪnstəʳ] *n* cathédrale *f*

minstrel ['mɪnstrəl] *n* ménestrel *m*

mint¹ [mɪnt] **I** *n* fortune *f*; ***to be worth a ~*** *infml* valoir une fortune **II** *adj* ***in ~ condition*** en parfait état **III** *v/t coin* frapper; *expression* forger

mint² *n* **1.** BOT menthe *f* **2.** (*sweet*) bonbon *m* à la menthe **mint sauce** *n* sauce *f* à la menthe **mint tea** *n* thé *m* à la menthe

minus ['maɪnəs] **I** *prep* **1.** moins; ***$100 ~ taxes*** 100 dollars hors taxe **2.** (*without*) sans **II** *adj* négatif(-ive); ***~ point*** inconvénient; ***~ three degrees*** moins trois degrés; ***an A ~*** un A moins (*note inférieure à A*) **III** *n* (*sign*) moins *m*

minuscule ['mɪnɪskju:l] *adj* minuscule

minus sign *n* signe *m* moins

minute¹ ['mɪnɪt] *n* **1.** (*of time*) minute *f*; ***it's 23 ~s after 3*** il est 3 heures 23; ***in a ~*** dans une minute; ***this ~!*** tout de suite; ***I shan't be a ~*** j'en ai pour une minute; ***just a ~!*** un instant!; ***any ~ (now)*** d'une minute à l'autre; ***tell me the ~ he comes*** préviens-moi dès qu'il arrive; ***do you have a ~?*** *US*, ***have you got a minute?*** *Br* vous avez une minute?; ***I don't believe for a** or **one ~ that …*** je ne crois pas un instant que…; ***at***

the last ~ à la dernière minute **2.** (*official note*) ***~s*** compte rendu *m*; ***to take the ~s*** faire le compte rendu

minute² [maɪ'njuːt] *adj* (*small*) minuscule; *detail* minutieux(-euse)

minute hand ['mɪnɪthænd] *n* grande aiguille *f*

minutiae [mɪ'njuːʃiː] *pl* menus détails *mpl*

miracle ['mɪrəkəl] *n* miracle *m*; ***to work*** *or* ***perform ~s*** *lit* faire des miracles; ***I can't work ~s*** je ne peux pas faire de miracle; ***by some ~*** *fig* par miracle; ***it'll take a ~ for us*** *or* ***we'll need a ~ to be finished on time*** à moins d'un miracle, nous ne finirons pas à temps **miracle drug** *n* remède *m* miracle **miraculous** [mɪ'rækjʊləs] *adj* **1.** *escape* miraculeux (-euse); ***that is nothing / little short of ~*** c'est un vrai miracle **2.** (*wonderful*) merveilleux(-euse) **miraculously** [mɪ'rækjʊləslɪ] *adv* miraculeusement; ***~ the baby was unhurt*** le bébé en est sorti miraculeusement indemne

mirage ['mɪrɑːʒ] *n* mirage *m*

mire ['maɪəʳ] *n* boue *f*

mirror ['mɪrəʳ] **I** *n* miroir *m*; AUTO rétroviseur *m* **II** *v/t* refléter **mirror image** *n* copie *f* conforme

mirth [mɜːθ] *n* hilarité *f*

misadventure [ˌmɪsəd'ventʃəʳ] *n* mésaventure *f*

misanthrope ['mɪzənθrəʊp] *n* misanthrope *m/f*

misapply ['mɪsə'plaɪ] *v/t* mal appliquer

misapprehension ['mɪsˌæprɪ'henʃən] *n* méprise *f*; ***he was under the ~ that ...*** il s'imaginait à tort que…

misappropriate ['mɪsə'prəʊprɪeɪt] *v/t* voler; *money* détourner

misbehave ['mɪsbɪ'heɪv] *v/i* mal se conduire

miscalculate ['mɪs'kælkjʊleɪt] **I** *v/t* mal calculer; (*misjudge*) mal évaluer **II** *v/i* se tromper dans ses calculs; (*misjudge*) se tromper **miscalculation** ['mɪsˌkælkjʊ'leɪʃən] *n* (*wrong estimation*) erreur *f* de calcul; (*misjudgment*) mauvais calcul *m*

miscarriage ['mɪsˌkærɪdʒ] *n* **1.** MED fausse couche *f* **2.** ***~ of justice*** erreur *f* judiciaire **miscarry** [ˌmɪs'kærɪ] *v/i* MED faire une fausse couche

miscellaneous [ˌmɪsɪ'leɪnɪəs] *adj* divers; *collection* varié ***~ expenses / income*** frais / revenus divers

mischief ['mɪstʃɪf] *n* **1.** (*roguery*) malice *f*; (*foolish behavior*) bêtises *fpl*; ***he's always getting into ~*** il trouve toujours une bêtise à faire; ***to keep out of ~*** être sage **2.** ***to cause ~*** faire des bêtises **3.** (*damage*) dégâts *mpl*; ***to do sb a ~*** (*physically*) faire mal à qn; (*mentally*) faire du tort à qn **mischievous** ['mɪstʃɪvəs] *adj* (*roguish*) espiègle; ***her son is really ~*** son fils est très espiègle **mischievously** ['mɪstʃɪvəslɪ] *adv* (*roguishly*) *smile, say* malicieusement

misconceived ['mɪskən'siːvd] *adj idea* faux(fausse) **misconception** [ˌmɪskən'sepʃən] *n* idée *f* fausse

misconduct [ˌmɪs'kɒndʌkt] *n* mauvaise conduite *f*; ***gross ~*** faute *f* grave

misconstrue ['mɪskən'struː] *v/t* mal interpréter; ***you have ~d my meaning*** vous avez mal interprété ce que j'ai voulu dire

misdemeanor, *Br* **misdemeanour** [ˌmɪsdɪ'miːnəʳ] *n* JUR délit *m*

misdiagnose ['mɪsdaɪəgnəʊz] *v/t* MED ***to misdiagnose an illness*** faire une erreur de diagnostic

misdirect ['mɪsdɪ'rekt] *v/t letter* mal adresser; *person* mal renseigner

miser ['maɪzəʳ] *n* avare *m/f*

miserable ['mɪzərəbl] *adj* **1.** (*unhappy*) malheureux(-euse); (*ill-tempered*) morose; ***to make life ~ for sb, to make sb's life ~*** rendre la vie insupportable à qn **2.** *weather* épouvantable; *existence* pitoyable; *place* sinistre **3.** (*contemptible*) minable; *sum* misérable; ***to be a ~ failure*** être complètement nul **miserably** ['mɪzərəblɪ] *adv* **1.** (*unhappily*) d'un air malheureux **2.** *fail* lamentablement

miserable ≠ pauvre

Miserable = malheureux :

a miserable, rainy day. I felt miserable all day.

une journée triste et pluvieuse. J'ai eu le moral au plus bas toute la journée.

miserly ['maɪzəlɪ] *adj* avare; *offer* dérisoire; ***a ~ $8*** la somme dérisoire de 8 dollars; ***to be ~ with sth*** être avare de qc

misery ['mɪzərɪ] *n* **1.** (*sadness*) tristesse *f*

2. (*suffering*) souffrances *fpl*; (*wretchedness*) misère *f*; ***to make sb's life a ~*** rendre la vie insupportable à qn; ***to put an animal out of its ~*** achever un animal; ***put me out of my ~!*** *fig* abrège mon supplice!

misfire ['mɪs'faɪəʳ] *v/i* (*engine*) avoir des ratés; (*plan*) rater; (*joke*) tomber à plat

misfit ['mɪsfɪt] *n* marginal(e) *m*(*f*)

misfortune [mɪs'fɔːtʃuːn] *n* **1.** (*ill fortune*) malheur *m* **2.** (*bad luck*) malchance *f*; ***it was my ~*** *or* ***I had the ~ to …*** j'ai eu la malchance de…

misgiving [mɪs'gɪvɪŋ] *n* doute *m*; ***I had ~s about the scheme*** j'avais des doutes quant au projet

misguided ['mɪs'gaɪdɪd] *adj* malavisé; *opinions* peu judicieux(-euse)

mishandle ['mɪs'hændl] *v/t case* mal gérer

mishap ['mɪshæp] *n* incident *m*; ***he's had a slight ~*** il lui est arrivé un petit incident

mishear ['mɪs'hɪəʳ] ⟨*past, past part* **misheard**⟩ **I** *v/t* mal entendre **II** *v/i* mal entendre

mishmash ['mɪʃmæʃ] *n* méli-mélo *m*

misinform ['mɪsɪn'fɔːm] *v/t* mal informer; ***you've been ~ed*** on vous a mal informé **misinformation** ['mɪsɪnfə'meɪʃən] *n* mauvaise information *f*

misinterpret ['mɪsɪn'tɜːprɪt] *v/t* mal interpréter; ***he ~ed her silence as agreement*** il a interprété à tort son silence comme un accord **misinterpretation** ['mɪsɪnˌtɜːprɪ'teɪʃən] *n* mauvaise interprétation *f*

misjudge ['mɪs'dʒʌdʒ] *v/t* mal juger **misjudgement** [ˌmɪs'dʒʌdʒmənt] *n* erreur *f* de jugement

mislay [ˌmɪs'leɪ] ⟨*past, past part* **mislaid**⟩ *v/t* égarer

mislead [ˌmɪs'liːd] ⟨*past, past part* **misled**⟩ *v/t* induire en erreur; ***you have been misled*** on vous a induit en erreur **misleading** [ˌmɪs'liːdɪŋ] *adj* trompeur (-euse) **misled** [ˌmɪs'led] *past, past part* = **mislead**

mismanage ['mɪs'mænɪdʒ] *v/t company, affair* mal gérer **mismanagement** *n* mauvaise gestion *f*

mismatch [mɪs'mætʃ] *n* ***to be a ~*** être mal assorti

misogynist [mɪ'sɒdʒɪnɪst] *n* misogyne *m/f*

misplace ['mɪs'pleɪs] *v/t* mal placer

misprint ['mɪsprɪnt] *n* faute *f* d'impression

mispronounce ['mɪsprə'naʊns] *v/t* mal prononcer

misquote ['mɪs'kwəʊt] *v/t* citer inexactement

misread ['mɪs'riːd] ⟨*past, past part* **misread**⟩ *v/t* mal lire; (*misinterpret*) mal interpréter

misrepresent ['mɪsˌreprɪ'zent] *v/t* présenter sous un faux jour

miss¹ [mɪs] **I** *n* **1.** (*shot*) coup *m* manqué; ***his first shot was a ~*** son premier essai fut un coup manqué; ***it was a near ~*** *fig* on l'a échappé belle; ***we had a near ~ with that car*** on a failli rentrer dans cette voiture **2.** ***to give sth a ~*** *infml* se passer de qc **II** *v/t* **1.** (*fail to catch, attend etc.: by accident*) rater; (*fail to hear or perceive*) ne pas saisir; ***to ~ breakfast*** sauter le petit-déjeuner; (*be too late for*) rater le petit-déjeuner; ***they ~ed each other in the crowd*** ils se sont manqués dans la foule; ***to ~ the boat*** *or* ***bus*** *fig* manquer le coche; ***he ~ed school for a week*** il a manqué l'école pendant une semaine; ***~ a turn*** laissez passer un tour; ***he doesn't ~ much*** *infml* rien ne lui échappe **2.** (*fail to achieve*) *prize* ne pas obtenir; ***he narrowly ~ed being first / becoming president*** il a bien failli être premier / devenir président **3.** (*avoid*) *obstacle* éviter; (*escape*) échapper à; ***the car just ~ed the tree*** la voiture a évité l'arbre de justesse **4.** (*overlook*) ne pas remarquer **5.** (*regret absence of*) regretter; ***I ~ him*** il me manque; ***he won't be ~ed*** personne ne le regrettera **III** *v/i* (*not hit, not catch*) manquer son coup; (*shooting*) rater ◆ **miss out I** *v/i infml* être lésé; ***to ~ on sth*** ne pas profiter de qc **II** *v/t Br sep* omettre; *last line etc.* oublier

miss² *n* ***Miss*** Mademoiselle *f*

misshapen ['mɪs'ʃeɪpən] *adj* déformé

missile ['mɪsaɪl] *n* **1.** (*stone etc.*) projectile *m* **2.** (*rocket*) missile *m*

missing ['mɪsɪŋ] *adj* (*lost*) *person* disparu; *object* perdu; (*not there*) manquant; ***to be ~ / have gone ~*** avoir disparu; ***to go ~*** disparaître; ***~ in action*** porté disparu **missing person** *n* personne *f* disparue

mission ['mɪʃən] *n* mission *f*; ***~ accomplished*** mission accomplie

missionary ['mɪʃənrɪ] **I** *n* missionnaire

m/f **II** *adj* missionnaire
misspell ['mɪs'spel] ⟨*past, past part* **misspelled** *or* **misspelt**⟩ *v/t* mal orthographier
misspent [ˌmɪs'spent] *adj* ***I regret my ~ youth*** je regrette l'époque de ma folle jeunesse
mist [mɪst] *n* brume *f* ◆ **mist over** *v/i* (*a.* **mist up**) *eyes, mirror* s'embuer
mistake [mɪ'steɪk] **I** *n* erreur *f*; ***to make a ~*** (*in writing etc.*) faire une erreur; (*be mistaken*) se tromper; ***to make the ~ of asking too much*** faire l'erreur de trop en demander; ***by ~*** par erreur; ***there must be some ~*** il doit y avoir erreur **II** *v/t* ⟨*past* **mistook**⟩ ⟨*past part* **mistaken**⟩ se tromper de; ***there's no mistaking her writing*** il est impossible de ne pas reconnaître son écriture; ***there's no mistaking what he meant*** on ne peut pas se méprendre sur ses intentions; ***there was no mistaking his anger*** sa colère ne faisait aucun doute; ***to ~ A for B*** prendre A pour B; ***to be ~n about sth / sb*** se tromper sur qc / qn; ***to be ~n in thinking that …*** penser à tort que…; ***if I am not ~n …*** si je ne m'abuse… **mistaken** [mɪ'steɪkən] *adj idea* faux (fausse); ***a case of ~ identity*** une erreur d'identité **mistakenly** [mɪ'steɪkənlɪ] *adv* par erreur
mister ['mɪstəʳ] *n* monsieur *m*
mistime ['mɪs'taɪm] *v/t* faire au mauvais moment
mistletoe ['mɪsltəʊ] *n* gui *m*
mistook [mɪ'stʊk] *past* = **mistake**
mistranslate ['mɪstrænz'leɪt] *v/t* mal traduire
mistreat [ˌmɪs'triːt] *v/t* maltraiter **mistreatment** *n* mauvais traitement *m*
mistress ['mɪstrɪs] *n* **1.** (*of house, dog*) maîtresse *f* **2.** (*lover*) maîtresse *f*
mistrust ['mɪs'trʌst] **I** *n* méfiance *f* (***of*** à l'égard de) **II** *v/t* se méfier de **mistrustful** *adj* méfiant; ***to be ~ of sb / sth*** se méfier de qn / qc
misty ['mɪstɪ] *adj* ⟨**+er**⟩ brumeux(-euse)
misunderstand ['mɪsʌndə'stænd] ⟨*past, past part* **misunderstood**⟩ **I** *v/t* mal comprendre; ***don't ~ me …*** comprenez-moi bien… **II** *v/i* ***I think you've misunderstood*** je crois que vous avez mal compris **misunderstanding** ['mɪsʌndə'stændɪŋ] *n* malentendu *m*; ***there must be some ~*** il doit y avoir un malentendu **misunderstood** ['mɪsʌndə'stʊd] **I** *past part* = **misunderstand II** *adj* incompris
misuse ['mɪs'juːs] **I** *n* mauvais usage *m*; ***~ of power / authority*** abus de pouvoir/d'autorité **II** *v/t* faire mauvais usage de; *word* employer à tort; *authority* abuser de
mite[1] [maɪt] *n* ZOOL acarien *m*
mite[2] *adv infml* ***a ~ surprised*** un tantinet surpris *infml*
mitigate ['mɪtɪgeɪt] *v/t* atténuer; ***mitigating circumstances*** circonstances atténuantes
mitt [mɪt] *n* **1.** = **mitten 2.** (*baseball glove*) gant *m* **mitten** ['mɪtn] *n* moufle *f*
mix [mɪks] **I** *n* mélange *m*; (*for cake*) préparation *f*; ***a real ~ of people*** toutes sortes de gens **II** *v/t* mélanger; *drinks* (*prepare*) préparer; *dough* malaxer; *salad* remuer; ***you shouldn't ~ your drinks*** tu ne devrais pas faire des mélanges de boissons; ***to ~ sth into sth*** incorporer qc à qc; ***I never ~ business with or and pleasure*** je ne mélange jamais les affaires et le plaisir **III** *v/i* **1.** (*combine*) se mélanger **2.** (*go together*) aller ensemble **3.** (*people*) (*mingle*) être sociable; (*associate*) aller vers les gens; ***he finds it hard to ~*** il a du mal à aller vers les gens ◆ **mix in** *v/t sep egg* incorporer ◆ **mix up** *v/t sep* **1.** (*get in a muddle*) embrouiller, mélanger; (*confuse*) confondre **2.** ***to be mixed up in sth*** être mêlé à qc; ***he's got himself mixed up with that gang*** il s'est mis à fréquenter cette bande
mixed [mɪkst] *adj* mélangé; *economy, school* mixte; *reactions, reviews* mitigé; ***~ nuts*** mélange de fruits secs; ***of ~ race or parentage*** métis; ***a class of ~ ability*** une classe de niveau hétérogène; ***to have ~ feelings about sth*** être partagé au sujet de qc **mixed-ability** *adj group* sans groupes de niveau **mixed bag** *n* mélange *m* **mixed blessing** *n* ***it's a ~*** ça a du bon et du mauvais **mixed doubles** *pl* SPORTS double *m* mixte **mixed grill** *n Br* assortiment *m* de grillades **mixed-race** *adj* métis(se) **mixed-up** *adj attr*, **mixed up** *adj pred* en désordre; (*muddled*) *ideas* embrouillé; *person* perturbé; ***I'm all mixed up*** je ne sais plus où j'en suis; ***he got all mixed up*** il s'est complètement embrouillé **mixer** ['mɪksəʳ] *n* **1.** (*food mixer*) mixeur

m; (*cement mixer*) bétonnière *f* **2.** boisson *f* non-alcoolisée (*que l'on mélange avec certains alcools*) **3.** *US* (*party*) soirée-rencontre *f*
mixture ['mɪkstʃəʳ] *n* mélange *m*; (*cake mixture*) préparation *f*; ***fold the eggs into the cheese ~*** incorporez les œufs à la préparation au fromage **mix-up** ['mɪksʌp] *n* confusion *f*; (*mistake*) malentendu *m*; ***there seemed to be some ~ about which train ...*** je crois qu'il y a eu confusion en ce qui concerne le train…; ***there must have been a ~*** il y a dû y avoir un malentendu
ml 1. *abbr* = **milliliter** ml *m* **2.** *abbr* = **mile**
mm *abbr* = **millimeter(s)** mm *m*
mo. [məʊ] *n infml abbr* = **month**
moan [məʊn] **I** *n* **1.** (*groan*) gémissement *m* **2.** *Br* ***to have a ~ about sth*** râler contre qc *infml* **II** *v/i* **1.** (*groan*) gémir **2.** (*grumble*) râler (***about*** contre) **III** *v/t* ***..., he ~ed*** ..., dit-il en gémissant
moaning ['məʊnɪŋ] *n* **1.** gémissements *mpl* **2.** (*grumbling*) plaintes *fpl*
moat [məʊt] *n* fossé *m*; (*of castle*) douves *fpl*
mob [mɒb] **I** *n* **1.** (*crowd*) foule *f*; (*violent*) cohue *f* **2.** *infml* (*criminal gang*) gang *m* **II** *v/t* assaillir
mobile ['məʊbaɪl] **I** *adj* **1.** *person* mobile; ***be ~*** (*have car*) être motorisé; (*willing to travel*) être mobile; (*after breaking leg etc*) pouvoir marcher **2.** *X-ray unit, laboratory* mobile **II** *n* **1.** (*decoration*) mobile *m* **2.** *Br* (*cell phone*) portable *m* **mobile home** *n US* maison *f* déplaçable; *Br* camping-car *m*
mobile phone *n esp Br* (téléphone *m*) portable *m* **mobility** [məʊ'bɪlɪtɪ] *n* mobilité *f*; ***a car gives you ~*** une voiture permet de se déplacer **mobilization** [ˌməʊbɪlaɪ'zeɪʃən] *n* mobilisation *f* **mobilize** ['məʊbɪlaɪz] **I** *v/t* mobiliser **II** *v/i* mobiliser
moccasin ['mɒkəsɪn] *n* mocassin *m*
mocha ['mɒkə] *n* moka *m*
mock [mɒk] **I** *n* **mocks** (*Br* SCHOOL *infml*) examen *m* blanc **II** *adj attr* faux (fausse); *interview, execution* simulé; ***~ leather*** faux cuir **III** *v/t* se moquer de **IV** *v/i* se moquer; ***don't ~*** ne te moque pas **mockery** ['mɒkərɪ] *n* **1.** moquerie *f*; (*travesty*) parodie *f* **2.** ***to make a ~ of sth*** tourner qc en dérision **mocking** ['mɒkɪŋlɪ] *adj* moqueur(-euse) **mockingly** ['mɒkɪŋlɪ] *adv* de façon moqueuse
MOD *Br abbr* = **Ministry of Defence** ministère *m* de la Défense
modal ['məʊdl] *adj* modal; ***~ verb*** verbe modal
mod cons ['mɒd'kɒnz] *pl* (*Br infml*) *abbr* = **modern conveniences** confort *m*; ***with ~*** tout confort
mode [məʊd] *n* **1.** (*way, form*) mode *m*; ***~ of transport*** moyen de transport **2.** IT mode *m*
model ['mɒdl] **I** *n* **1.** modèle *m*; (*miniature*) maquette *f*; (*fashion model*) mannequin *m*; (*male model*) mannequin *m* (homme) **2.** (*perfect example*) modèle *m* (***of*** de); ***to hold sb up as a ~*** citer qn en exemple **II** *adj* **1.** miniature; ***~ railroad*** (*US*) *or* ***railway*** *Br* train miniature **2.** (*perfect*) modèle; ***~ student*** étudiant modèle **III** *v/t* **1.** ***to ~ X on Y*** calquer X sur Y; ***X is modeled*** (*US*) *or* ***modelled*** (*Br*) ***on Y*** X est calqué sur Y; ***the system was modeled*** (*US*) *or* ***modelled*** (*Br*) ***on the American one*** ce système est calqué sur le modèle américain; ***to ~ oneself on sb*** prendre modèle sur qn **2.** *dress etc.* présenter **IV** *v/i* FASHION être mannequin; (*for artist, photographer*) poser **modeling**, *Br* **modelling** ['mɒdlɪŋ] *n* ***to do some ~*** FASHION travailler comme mannequin
modem ['məʊdem] *n* modem *m*
moderate ['mɒdərɪt] **I** *adj success* modéré; *increase, improvement* moyen(ne); *demands, drinker* raisonnable; ***a ~ amount*** une somme raisonnable **II** *n* POL modéré(e) *m(f)* **III** *v/t* modérer **moderately** ['mɒdərɪtlɪ] *adv* **1.** *increase, decline* modérément; ***a ~ priced suit*** un costume à un prix raisonnable **2.** *eat, exercise* avec modération **moderation** [ˌmɒdə'reɪʃən] *n* modération *f*; ***in ~*** avec modération
modern ['mɒdən] *adj* moderne; ***Modern Greek*** *etc.* grec moderne **modern-day** [ˌmɒdən'deɪ] *adj* d'aujourd'hui; ***~ America*** l'Amérique d'aujourd'hui **modernism** ['mɒdənɪzəm] *n* modernisme *m* **modernist** ['mɒdənɪst] **I** *adj* moderniste **II** *n* moderniste *m/f* **modernization** [ˌmɒdənaɪ'zeɪʃən] *n* modernisation *f* **modernize** ['mɒdənaɪz] *v/t* moderniser **modern languages** *pl* langues *fpl* vivantes
modest ['mɒdɪst] *adj* **1.** modeste; *price* modique; ***to be ~ about one's suc-***

cesses ne pas se vanter de ses succès; ***on a ~ scale*** à un niveau modeste **2.** (*demure*) pudique **modesty** ['mɒdɪstɪ] *n* **1.**; (*of house*) simplicité *f*; (*of wage*) modicité *f*; (*lack of conceit*) modestie *f* **2.** (*demureness*) pudeur *f*

modicum ['mɒdɪkəm] *n* ***a ~*** **(*of*)** un minimum (de)

modification [ˌmɒdɪfɪ'keɪʃən] *n* modification *f*; ***to make ~s to sth*** apporter des modifications à qc **modifier** ['mɒdɪfaɪəʳ] *n* GRAM modificateur *m* **modify** ['mɒdɪfaɪ] *v/t* modifier **modular** ['mɒdjʊləʳ] *adj* modulaire; (*esp Br* SCHOOL, UNIV) en plusieurs modules

modulate ['mɒdjʊleɪt] *v/t & v/i* MUS, RADIO moduler **modulation** [ˌmɒdjʊ'leɪʃən] *n* MUS, RADIO modulation *f*

module ['mɒdjuːl] *n* module *m*

mohair ['məʊhɛəʳ] *n* mohair *m*

moist [mɔɪst] *adj* ⟨**+er**⟩ humide (***from, with*** de); *cake* moelleux(-euse) **moisten** ['mɔɪsn] *v/t* humidifier **moisture** ['mɔɪstʃəʳ] *n* humidité *f* **moisturizer** ['mɔɪstʃəraɪzəʳ], **moisturizing cream** *n* crème *f* hydratante

molar (tooth) ['məʊləʳ(ˌtuːθ)] *n* molaire *f*

molasses [məʊ'læsɪz] *n US* mélasse *f*

mold[1], *Br* **mould** [məʊld] **I** *n* **1.** (*shape*) moule *m* **2.** *fig* ***to be cast in*** *or* ***from the same/a different ~*** (*people*) être / ne pas être coulé dans le même moule; ***to break the ~*** *fig* sortir des sentiers battus **II** *v/t* façonner (***into*** en)

mold[2], *Br* **mould** *n* (*fungus*) moisissure *f*

Moldavia [mɔːl'deɪvɪə] *n* Moldavie *f*

moldy, *Br* **mouldy** ['məʊldɪ] *adj* ⟨**+er**⟩ moisi; ***to go ~*** (*food*) moisir

mole[1] [məʊl] *n* ANAT grain *m* de beauté

mole[2] *n* ZOOL taupe *f*; (*infml secret agent*) taupe *f infml* **molehill** *n* taupinière *f*

molecular [məʊ'lekjʊləʳ] *adj* moléculaire **molecule** ['mɒlɪkjuːl] *n* molécule *f*

molest [məʊ'lest] *v/t* agresser (sexuellement)

mollusc ['mɒləsk] *n* mollusque *m*

mollycoddle ['mɒlɪˌkɒdl] *v/t* dorloter

molt, *Br* **moult** [məʊlt] *v/i* (*bird*) muer; (*mammals*) perdre ses poils

molten ['məʊltən] *adj* en fusion

mom [mɒm] (*US infml*) *n* maman *f*

moment ['məʊmənt] *n* moment *m*; ***any ~ now***, **(*at*)** ***any ~*** d'un moment à l'autre; ***at the ~*** en ce moment; ***not at the ~*** pas en ce moment; ***at this*** **(*particular*)** ***~ in time*** à l'heure qu'il est; ***for the ~*** pour le moment; ***not for a*** *or* ***one ~ ...*** pas un seul instant...; ***I didn't hesitate for a ~*** je n'ai pas hésité un seul instant; ***in a ~*** dans un instant; ***to leave things until the last ~*** attendre le dernier moment; ***just a ~!, wait a ~!*** un instant!; ***I shan't be a ~*** j'en ai pour un instant; ***I have just this ~ heard about it*** je l'apprends à l'instant; ***we haven't a ~ to lose*** nous n'avons pas un moment à perdre; ***not a ~'s peace*** pas un moment de tranquillité; ***one ~ she was laughing, the next she was crying*** elle passait du rire aux larmes; ***the ~ I saw him I knew ...*** dès que je l'ai vu, j'ai su...; ***tell me the ~ he comes*** prévenez-moi dès qu'il arrive; ***the ~ of truth*** l'heure de vérité; ***the movie has its ~s*** le film a du bon *infml* **momentarily** ['məʊməntərɪlɪ] *adv* **1.** momentanément **2.** *US* dans un instant **momentary** ['məʊməntərɪ] *adj* momentané; ***there was a ~ silence*** il y a eu un moment de silence

momentous [məʊ'mentəs] *adj* capital

momentum [məʊ'mentəm] *n* élan *m*; ***to gather*** *or* ***gain ~*** *lit* prendre de la vitesse; *fig* gagner du terrain; ***to lose ~*** être en perte de vitesse

Mon. *abbr* = **Monday** lun.

monarch ['mɒnək] *n* monarque *m* **monarchist** ['mɒnəkɪst] *n* monarchiste *m/f* **monarchy** ['mɒnəkɪ] *n* monarchie *f*

monastery ['mɒnəstərɪ] *n* monastère *m* **monastic** [mə'næstɪk] *adj* monastique; ***~ order*** ordre monastique

Monday ['mʌndɪ] *n* lundi *m*; → **Tuesday**

monetary ['mʌnɪtərɪ] *adj* monétaire; ***~ policy*** politique monétaire; ***~ union*** union *f* monétaire **monetary unit** *n* unité *f* monétaire

money ['mʌnɪ] *n* argent *m*; ***to make ~*** (*person*) gagner de l'argent; (*business*) rapporter de l'argent; ***to lose ~*** perdre de l'argent; ***to be in the ~*** *infml* rouler sur l'or *infml*; ***what's the ~ like in this job?*** ça paye comment ce travail?; ***to earn good ~*** bien gagner sa vie; ***to get one's ~'s worth*** en avoir pour son argent; ***to put one's ~ where one's mouth is*** *infml* joindre le geste à la parole **money belt** *n* ceinture *f* porte-billets **moneybox** *n esp Br* tirelire *f* **money laundering** *n* blanchiment *m* d'argent **moneylender** *n* prêteur(-euse) *m(f)* **money market** *n* marché *m* monétaire **money order** *n* mandat *m* postal **money-spinner** *n infml* mine *f* d'or **money supply** *n* masse *f* monétaire

money ≠ monnaie

Money = argent de manière générale. Monnaie se traduit par **change** ou parfois **coins** :

× I need some money for the payphone.

✓ I need some change for the payphone.

J'ai besoin de monnaie pour le téléphone.

mongrel ['mʌŋgrəl] *n* bâtard *m*
monitor ['mɒnɪtəʳ] **I** *n* **1.** SCHOOL ***book*~** responsable *m/f* des livres de la classe **2.** (TV, TECH *screen*) moniteur *m* **3.** (*observer*) surveillant(e) *m(f)* **II** *v/t* **1.** *telephone conversation* écouter; *TV program* surveiller **2.** (*check*) contrôler, surveiller
monk [mʌŋk] *n* moine *m*
monkey ['mʌŋkɪ] **I** *n* singe *m*; (*fig child*) coquin(e) *m(f)*; ***I don't give a ~'s*** (*Br infml*) je m'en fiche *infml* **II** *v/i* ***to ~ around*** *infml* faire le pitre; ***to ~ around with sth*** jouer avec qc **monkey business** *n infml* ***no ~!*** pas de bêtises! **monkey wrench** *n* clé *f* à molette
mono ['mɒnəʊ] **I** *n* mono *f inv* **II** *adj* mono
monochrome ['mɒnəkrəʊm] *adj* monochrome
monocle ['mɒnəkəl] *n* monocle *m*
monogamous [mɒ'nɒgəməs] *adj* monogame **monogamy** [mɒ'nɒgəmɪ] *n* monogamie *f*
monolingual [ˌmɒnə'lɪŋgwəl] *adj* monolingue
monolithic [ˌmɒnəʊ'lɪθɪk] *adj fig* monolithique
monolog, *Br* **monologue** ['mɒnəlɒg] *n* monologue *m*
monopolization [məˌnɒpəlaɪ'zeɪʃən] *n lit* monopolisation *f* **monopolize** [mə'nɒpəlaɪz] *v/t lit market* avoir le monopole de; *fig* monopoliser **monopoly** [mə'nɒpəlɪ] *n lit* monopole *m*
monorail ['mɒnəreɪl] *n* monorail *m*
monosyllabic [ˌmɒnəʊsɪ'læbɪk] *adj fig* qui parle par monosyllabes
monotone ['mɒnətəʊn] *n* ton *m* monocorde; (*voice*) voix *f* monocorde **monotonous** [mə'nɒtənəs] *adj* monotone; ***it's getting ~*** ça devient monotone **monotony** [mə'nɒtənɪ] *n* monotonie *f*
monoxide [mɒ'nɒksaɪd] *n* monoxyde *m*
monsoon [mɒn'suːn] *n* mousson *f*; ***the ~s, the ~ season*** la mousson
monster ['mɒnstəʳ] **I** *n* monstre *m* **II** *attr* (*enormous*) colossal **monstrosity** [mɒn'strɒsɪtɪ] *n* (*thing*) horreur *f* **monstrous** ['mɒnstrəs] *adj* **1.** (*huge*) colossal **2.** (*horrible*) monstrueux(-euse)
montage [mɒn'tɑːʒ] *n* montage *m*
Montenegro *n* Monténégro *m*
month [mʌnθ] *n* mois *m*; ***in*** *or* ***for ~s*** pendant des mois; ***it went on for ~s*** ça a duré des mois; ***one ~'s salary*** un mois de salaire; ***by the ~*** au mois
monthly ['mʌnθlɪ] **I** *adj* mensuel(le); ***a ~ magazine*** un mensuel; ***~ salary*** salaire mensuel; ***they have ~ meetings*** ils se réunissent tous les mois; ***to pay on a ~ basis*** payer au mois **II** *adv* mensuellement; ***twice ~*** deux fois par mois **III** *n* mensuel *m*
monty ['mɒntɪ] *n* (*Br infml*) ***the full ~*** le tout
monument ['mɒnjʊmənt] *n* monument *m* (***to*** à) **monumental** [ˌmɒnjʊ'mentl] *adj* monumental; ***on a ~ scale*** sur une très grande échelle
moo [muː] *v/i* mugir
mooch [muːtʃ] *infml v/i* traînasser *infml*; ***I spent all day just ~ing around*** *or* (*Br*) ***about the house*** j'ai passé la journée à traînasser à la maison *infml*
mood[1] [muːd] *n* (*of party etc.*) ambiance *f*; (*of one person*) humeur *f*; ***he's in one of his ~s*** il est de mauvaise humeur; ***he was in a good/bad ~*** il était de bonne / mauvaise humeur; ***to be in a cheerful ~*** être d'humeur joyeuse; ***to be in a festive/forgiving ~*** être d'humeur à faire la fête/à pardonner; ***I'm in no ~ for laughing*** je ne suis pas d'humeur à rire; ***to be in the ~ for sth*** avoir envie de qc; ***to be in the ~ to do sth*** avoir envie de faire qc; ***to be in no ~ to do sth*** ne pas être d'humeur à faire qc; ***I'm not in the ~ to work*** je ne suis pas d'humeur à travailler; ***I'm not in the ~*** ça ne me dit rien
mood[2] *n* GRAM mode *m*; ***indicative ~*** indicatif
moodiness ['muːdɪnɪs] *n* humeur *f* changeante; (*sullenness*) humeur *f*

maussade **moody** ['muːdɪ] *adj* ⟨**+er**⟩ lunatique; (*bad-tempered*) maussade

moon [muːn] *n* lune *f*; ***is there a ~ tonight?*** est-ce qu'on voit la lune ce soir?; ***when the ~ is full*** à la pleine lune; ***to promise sb the ~*** promettre la lune à qn; ***to be over the ~*** (*Br infml*) être aux anges ◆ **moon about** *or* **around** *v/i Br* paresser; ***to moon about*** *or* ***around (in) the house*** traînasser à la maison *infml*

moonbeam *n* rayon *m* de lune **moonless** *adj* sans lune **moonlight I** *n* clair *m* de lune; ***it was ~*** c'était au clair de lune **II** *v/i infml* travailler au noir **moonlighting** *n infml* travail *m* au noir **moonlit** *adj* éclairé par la lune **moonshine** *n* (*moonlight*) clair *m* de lune

moor[1] [mʊəʳ] *n esp Br* lande *f*

moor[2] **I** *v/t* amarrer **II** *v/i* mouiller **mooring** ['mʊərɪŋ] *n* (*place*) mouillage *m*; ***~s*** (*ropes*) amarres *fpl*

moose [muːs] *n* ⟨*pl* -⟩ orignal *m*

moot [muːt] *adj* ***it's a ~ point*** c'est discutable

mop [mɒp] **I** *n* (*floor mop*) balai *m* à franges; ***her ~ of curls*** sa tignasse bouclée **II** *v/t floor* laver; ***to ~ one's brow*** s'éponger le front ◆ **mop up I** *v/t sep water etc.* éponger; ***she mopped up the sauce with a piece of bread*** elle sauça son assiette **II** *v/i* tout nettoyer

mope [məʊp] *v/i* se morfondre *infml* ◆ **mope around** *or* (*Br*) **about** *v/i* passer son temps à se morfondre; ***to mope about*** *or* ***around the house*** traîner à la maison

moped ['məʊped] *n* mobylette *f*

moral ['mɒrəl] **I** *adj* moral; ***~ values*** valeurs morales; ***to give sb ~ support*** soutenir qn moralement **II** *n* **1.** (*lesson*) morale *f* **2. morals** *pl* (*principles*) moralité *f*

morale [mɒ'rɑːl] *n* moral *m*; ***to boost sb's ~*** remonter le moral à qn

moralistic [ˌmɒrə'lɪstɪk] *adj* moraliste **morality** [mə'rælɪtɪ] *n* moralité *f* **moralize** ['mɒrəlaɪz] *v/i* moraliser **morally** ['mɒrəlɪ] *adv* (*ethically*) moralement

morass [mə'ræs] *n* bourbier *m* ***a ~ of problems*** des problèmes à n'en plus finir

moratorium [ˌmɒrə'tɔːrɪəm] *n* moratoire *m*

morbid ['mɔːbɪd] *adj* morbide ***don't be so ~!*** ne sois pas si morbide!

more [mɔːʳ] **I** *n*, *pron* plus; ***~ and ~*** de plus en plus; ***three ~*** trois de plus; ***many/much ~*** beaucoup plus; ***not many/much ~*** pas beaucoup plus; ***no ~*** pas plus; ***some ~*** encore; ***there isn't/aren't any ~*** il n'y en a plus; ***is/are there any ~?*** est-ce qu'il y en a encore?; ***even ~*** encore plus; ***let's say no ~ about it*** n'en parlons plus; ***there's ~ to come*** ce n'est pas fini; ***what ~ do you want?*** que veux-tu de plus?; ***there's ~ to it*** c'est moins simple que cela n'en a l'air; ***there's ~ to bringing up children than ...*** pour élever des enfants, il ne suffit pas de…; ***and what's ~, ...*** et qui plus est…; ***(all) the ~*** d'autant plus; ***the ~ you give him, the ~ he wants*** plus il en a, plus il en veut; ***the ~ the merrier*** plus on est de fous, plus on rit **II** *adj* plus de; (*in addition*) encore de; ***two ~ bottles*** encore deux bouteilles; ***a lot/a little ~ money*** beaucoup plus/un peu plus d'argent; ***a few ~ weeks*** quelques semaines de plus; ***no ~ squabbling!*** arrêtez de vous disputer!; ***do you want some ~ coffee?*** voulez-vous encore un peu de café?; ***do you want some ~ books?*** voulez-vous d'autres livres?; ***there isn't any ~ wine*** il n'y a plus de vin; ***there aren't any ~ books*** il ne reste plus de livres **III** *adv* **1.** plus; ***~ and ~*** de plus en plus; ***it will weigh/grow a bit ~*** cela va peser/pousser un peu plus; ***to like sth ~*** préférer qc; ***~ than*** plus que; (*with number*) plus de; ***it will ~ than meet the demand*** cela suffira largement; ***he's ~ lazy than stupid*** il est plus paresseux qu'idiot; ***no ~ than*** pas plus que; (*with number*) pas plus de; ***he's ~ like a brother to me*** il est plutôt comme un frère pour moi; ***once ~*** encore une fois; ***no ~, not any ~*** plus; ***to be no ~*** (*thing*) ne plus exister; ***if he comes here any ~ ...*** s'il revient…; ***~ or less*** plus ou moins; ***neither ~ nor less, no ~, no less*** ni plus ni moins **2.** (*comp of adj, adv*) plus (***than*** que); ***~ beautiful*** plus beau; ***~ and ~ beautiful*** de plus en plus beau; ***~ seriously*** plus sérieusement; ***no ~ stupid than I am*** pas plus bête que moi **moreover** [mɔː'rəʊvəʳ] *adv* de plus

morgue [mɔːg] *n* morgue *f*

Mormon ['mɔːmən] **I** *adj* mormon; ***the ~ church*** l'Église mormone **II** *n* mormon(e) *m(f)*

morning ['mɔːnɪŋ] **I** *n* matin *m*; ***in the ~*** le matin; (*tomorrow*) demain matin; ***early in the ~*** tôt le matin; (*tomorrow*) tôt demain matin; ***7 in the ~*** 7 heures du matin; ***at 2 in the ~*** à 2 heures du matin; ***this / yesterday ~*** ce / hier matin; ***tomorrow ~*** demain matin; ***it was the ~ after*** c'était un lendemain de fête **II** *attr* matinal; (*regular*) du matin; ***~ flight*** vol dans la matinée **morning paper** *n* journal *m* du matin **morning sickness** *n* nausées *fpl* (de la grossesse)

Morocco [mə'rɒkəʊ] *n* Maroc *m*

moron ['mɔːrɒn] *n infml* crétin(e) *m(f)* **moronic** [mə'rɒnɪk] *adj infml* idiot

morose [mə'rəʊs] *adj* morose **morosely** [mə'rəʊslɪ] *adv* avec morosité

morphine ['mɔːfiːn] *n* morphine *f*

morphology [mɔː'fɒlədʒɪ] *n* morphologie *f*

morse [mɔːs] *n* (*a.* **Morse code**) morse *m*

morsel ['mɔːsl] *n* (*of food*) morceau *m*

mortal ['mɔːtl] **I** *adj* mortel(le); ***to deal sb / sth a ~ blow*** porter un coup mortel à qn / qc; ***~ enemy*** ennemi mortel **II** *n* mortel(le) *m(f)* **mortality** [mɔː'tælɪtɪ] *n* mortalité *f* ***~ rate*** taux de mortalité **mortally** ['mɔːtəlɪ] *adv* mortellement; ***~ ill*** condamné **mortal sin** *n* péché *m* mortel

mortar ['mɔːtər] *n* mortier *m* **mortarboard** ['mɔːtə͵bɔːd] *n* UNIV ≈ mortier *m* (*chapeau*)

mortgage ['mɔːgɪdʒ] **I** *n* prêt *m* immobilier; (*on own property*) hypothèque *f* (**on** sur); ***a ~ for $100,000*** un prêt immobilier de 100 000 $ **II** *v/t* hypothéquer **mortgage rate** *n* taux *m* de crédit immobilier

mortician [͵mɔː'tɪʃən] *n US* entrepreneur *m* de pompes funèbres

mortify ['mɔːtɪfaɪ] *v/t* mortifier

mortuary ['mɔːtjʊərɪ] *n US* entreprise *f* de pompes funèbres; *Br* morgue *f*

mosaic [məʊ'zeɪɪk] *n* mosaïque *f*

Moscow ['mɒskəʊ] *n* Moscou

Moselle [məʊ'zel] *n* Moselle *f*

Moslem ['mɒzlem] **I** *adj* musulman **II** *n* musulman(e) *m(f)*

mosque [mɒsk] *n* mosquée *f*

mosquito [mɒ'skiːtəʊ] *n* ⟨*pl* **-es**⟩ moustique *m*

moss [mɒs] *n* mousse *f* **mossy** ['mɒsɪ] *adj* ⟨**+er**⟩ couvert de mousse

most [məʊst] **I** *adj sup* **1.** le plus de; ***who has (the) ~ money?*** qui a le plus d'argent?; ***for the ~ part*** pour la plupart; (*by and large*) en général **2.** (*the majority of*) la plupart de; ***~ people*** la plupart des gens **II** *n*, *pron* (*the largest part*) la plus grande partie; (*the largest number*) la plupart; ***I gave ~ of it away*** j'en ai donné la plus grande partie; ***~ of them*** la plupart d'entre eux; ***~ of the money*** la plus grande partie de l'argent; ***~ of his friends*** la plupart de ses amis; ***~ of the day*** la plus grande partie de la journée; ***~ of the time*** la plupart du temps; ***at ~*** au plus; ***to make the ~ of sth*** (*make good use of*) utiliser au mieux qc; (*enjoy*) profiter au maximum de qc **III** *adv* **1.** *sup* le plus; ***the ~ beautiful story*** la plus belle histoire; ***what ~ displeased him ..., what displeased him ~ ...*** ce qui lui déplaisait le plus…; ***~ of all*** surtout **2.** (*very*) très; ***~ likely*** très probablement

mostly ['məʊstlɪ] *adv* (*principally*) surtout; (*most of the time*) le plus souvent; (*by and large*) en général; ***they are ~ women*** ce sont surtout des femmes

MOT [͵eməʊ'tiː] *Br* **I** *n* ***MOT (test)*** ≈ contrôle *m* technique; ***my car failed its ~*** ma voiture a été recalée au contrôle technique **II** *v/t* ***I got my car ~'d*** (*successfully*) ma voiture a passé le contrôle technique avec succès

motel [məʊ'tel] *n* motel *m*

moth [mɒθ] *n* **1.** papillon *m* de nuit **2.** (*wool-eating*) mite *f* **mothball** *n* boule *f* de naphtaline

mother ['mʌðər] **I** *n* mère *f*; ***she's a ~ of three*** elle est mère de trois enfants **II** *attr* maternel(le) **III** *v/t* (*cosset*) materner **motherboard** *n* IT carte *f* mère **mother country** *n* mère *f* patrie **mother figure** *n* figure *f* maternelle **motherhood** *n* maternité *f*

mother-in-law *n* ⟨*pl* **mothers-in-law**⟩ belle-mère *f* **motherland** *n* patrie *f* **motherly** ['mʌðəlɪ] *adj* maternel(le) **mother-of-pearl** [͵mʌðərəv'pɜːl] **I** *n* nacre *f* **II** *adj* en nacre **Mother's Day** *n* ≈ la fête *f* des mères **mother-to-be** *n* ⟨*pl* **mothers-to-be**⟩ future mère *f* **mother tongue** *n* langue *f* maternelle

motif [məʊ'tiːf] *n* ART, MUS, SEWING motif *m*

motion ['məʊʃən] **I** *n* **1.** mouvement *m*; ***to be in ~*** être en mouvement; (*train etc.*) être en marche; ***to set*** *or* ***put sth***

in ~ mettre qc en route; ***to go through the ~s of doing sth*** faire qc machinalement **2.** (*proposal*) motion *f* **II** *v/t* ***to ~ sb to do sth*** faire signe à qn de faire qc; ***he ~ed me to a chair*** il m'a fait signe de m'asseoir **III** *v/i* ***to ~ to sb to do sth*** faire signe à qn de faire qc **motionless** *adj* immobile; ***to stand ~*** se tenir immobile **motion picture** *n esp US* film *m* **motion sickness** *n* MED mal *m* des transports

motivate ['məʊtɪveɪt] *v/t* motiver **motivated** *adj* motivé; ***he's not ~ enough*** il n'est pas assez motivé **motivation** [ˌməʊtɪ'veɪʃən] *n* motivation *f* **motive** ['məʊtɪv] *n* motif *m*; (*for crime*) mobile *m* **motiveless** ['məʊtɪvlɪs] *adj crime* sans mobile

motley ['mɒtlɪ] *adj* hétéroclite; (*multicoloured*) multicolore

motor ['məʊtəʳ] **I** *n* **1.** moteur *m* **2.** (*Br infml car*) bagnole *f infml* **II** *attr* **1.** PHYSIOL moteur(-trice) **2.** (*relating to motor vehicles*) automobile **motorbike** *n* moto *f* **motorboat** *n* bateau *m* à moteur **motorcade** ['məʊtəkeɪd] *n* cortège *m* (de voitures) **motorcar** *n* (*Br form*) automobile *f*

motorcycle *n* moto *f* **motorcycling** *n* motocyclisme *m* **motorcyclist** *n* motocycliste *m/f* **motor industry** *n* industrie *f* automobile **motoring** *esp Br* **I** *adj attr* automobile; ***~ offense*** infraction *f* au code de la route **II** *n* ***school of ~*** auto-école *f* **motorist** *n* automobiliste *m/f* **motorize** ['məʊtəraɪz] *v/t* motoriser; ***to be ~d*** être motorisé **motor lodge** *n US* motel *m* **motor mechanic** *n* mécanicien(ne) *m(f)* **motor racing** *n* course *f* automobile **motor sport** *n* sport *m* automobile **motor vehicle** *n form* véhicule *m* automobile

motorway *n Br* autoroute *f*; ***~ driving*** conduite sur autoroute

mottled ['mɒtld] *adj* tacheté

motto ['mɒtəʊ] *n* ⟨*pl* **-es**⟩ devise *f*

mould *etc. Br* = **mold** *etc.*

moult *v/i Br* = **molt**

mound [maʊnd] *n* **1.** (*hill*) butte *f*; (*earthwork*) remblai *m*; BASEBALL monticule *m* **2.** (*pile*) tas *m*; (*of books*) pile *f*

Mount [maʊnt] *n* mont *m* ***~ Etna*** *etc.* le mont Etna, *etc.*; ***~ Everest*** le mont Everest; ***on ~ Sinai*** sur le mont Sinaï

mount [maʊnt] **I** *n* **1.** (*horse etc.*) monture *f* **2.** (*of machine*) support *m*; (*of jewel*) monture *f*; (*of picture*) carton *m* de montage **II** *v/t* **1.** (*climb onto*) monter sur **2.** (*place in / on mount*) fixer; *picture, jewel* monter **3.** *attack, expedition* monter; *campaign* organiser; ***to ~ a guard*** monter la garde **4.** (*mate with*) monter **III** *v/i* **1.** (*get on*) monter; (*on horse*) se mettre en selle **2.** (*a.* **mount up**) monter; (*evidence*) s'accumuler; ***the death toll has ~ed to 800*** le bilan a atteint 800 morts; ***pressure is ~ing on him to resign*** la pression augmente pour qu'il démissionne

mountain ['maʊntɪn] *n* montagne *f*; ***in the ~s*** à la montagne; ***to make a ~ out of a molehill*** en faire une montagne **mountain bike** *n* vélo *m* tout-terrain, V.T.T. *m* **mountain chain** *n* chaîne *f* de montagnes **mountaineer** [ˌmaʊntɪ'nɪəʳ] *n* alpiniste *m/f* **mountaineering** [ˌmaʊntɪ'nɪərɪŋ] *n* alpinisme *m* **mountainous** ['maʊntɪnəs] *adj* montagneux (-euse); (*fig huge*) énorme **mountain range** *n* chaîne *f* de montagnes **mountainside** *n* flanc *m* d'une montagne

mounted ['maʊntɪd] *adj* (*on horseback*) à cheval **Mountie** ['maʊntɪ] *n infml membre de la police montée canadienne*

mounting ['maʊntɪŋ] *adj* croissant; ***there is ~ evidence against them*** les preuves s'accumulent contre eux

mourn [mɔːn] **I** *v/t* pleurer; *fig* se lamenter sur **II** *v/i* pleurer; ***to ~ for** or **over sb*** pleurer qn **mourner** ['mɔːnəʳ] *n* proche *m/f* du défunt **mournful** *adj person, occasion* triste; *cry* mélancolique **mourning** ['mɔːnɪŋ] *n* (*period etc.*) deuil *m*; (*dress*) vêtements *mpl* de deuil; ***to be in ~ for sb*** être en deuil de qn; ***next Tuesday has been declared a day of national ~*** une journée de deuil national a été décrétée pour mardi prochain

mouse [maʊs] *n* ⟨*pl* **mice**⟩ souris *f* (*also* IT) **mouse button** *n* IT bouton *m* de souris **mouse click** *n* IT clic *m* de souris **mousehole** *n* trou *m* de souris **mouse pad**, *Br* **mouse mat** *n* tapis *m* de souris **mousetrap** *n* souricière *f* **mousey** *adj* = **mousy**

mousse [muːs] *n* **1.** mousse *f* **2.** (*a.* **styling mousse**) mousse *f* (coiffante)

moustache *n Br* = **mustache**

mousy, mousey ['maʊsɪ] *adj* ⟨**+er**⟩ *color* châtain terne

mouth [maʊθ] **I** *n* (*of person*) bouche *m*; (*of animal*) gueule *f*; (*of bottle*) goulot *m*; (*of cave*) entrée *f*; (*of river*) embouchure *f*; ***to keep one's (big) ~ shut (about sth)*** *infml* ne pas l'ouvrir (au sujet de qc) *infml*; ***me and my big ~!*** *infml* j'ai encore mis les pieds dans le plat! *infml*; ***he has three ~s to feed*** il a trois bouches à nourrir **II** *v/t* (*soundlessly*) articuler silencieusement **mouthful** ['maʊθfʊl] *n* (*of drink*) gorgée *f*; (*of food*) bouchée *f*; *fig* (*difficult word*) mot *m* compliqué **mouth organ** *n* harmonica *m* **mouthpiece** *n* embouchure *f*; *fig* porte-parole *m inv* **mouth-to--mouth** *adj* ***~ resuscitation*** bouche-à-bouche **mouthwash** *n* bain *m* de bouche **mouthwatering** *adj* appétissant; *fig* alléchant

movable ['muːvəbl] *adj* mobile

move [muːv] **I** *v/t* **1.** *objects, furniture* déplacer; *wheel* faire tourner; (*move away*) éloigner; (*shift about*) remuer; *vehicle* changer de place; (*remove*) *obstacle* enlever; *chess piece etc.* jouer; (*take away*) *arm, hand* bouger; *patient* (*transfer*) transférer; *employee* muter; ***to ~ sth to a different place*** changer qc de place; ***I can't ~ this handle*** je n'arrive pas à bouger la poignée; ***you'll have to ~ these books*** tu vas devoir déplacer ces livres; ***his parents ~d him to another school*** ses parents l'ont changé d'école **2.** (*change location / timing of*) déplacer; *postpone* reporter; ***we've been ~d to a new office*** nous avons emménagé dans de nouveaux bureaux; ***to ~ house*** *Br* déménager **3.** (*cause emotion in, upset*) émouvoir; ***to be ~d*** être ému; ***to ~ sb to tears*** émouvoir qn jusqu'aux larmes; ***to ~ sb to do sth*** inciter qn à faire qc **II** *v/i* **1.** bouger; (*vehicle*) rouler; ***the wheel began to ~*** la roue commença à tourner; ***the traffic isn't moving*** ça n'avance pas; ***nothing ~d*** rien n'a bougé; ***don't ~!*** ne bougez pas!; ***to keep moving*** ne pas s'arrêter; ***to keep sb / sth moving*** faire avancer qn / qc; ***to ~ away from sth*** s'éloigner de qc; ***to ~ closer to sth*** se rapprocher de qc; ***things are moving at last*** les choses avancent enfin; ***to ~ with the times*** évoluer avec son temps; ***to ~ in royal circles*** fréquenter la famille royale **2.** (*move house*) déménager; ***we ~d to London*** nous nous sommes installés à Londres; ***we ~d to a bigger house*** nous avons emménagé dans une maison plus grande; ***they ~d to Germany*** ils sont partis vivre en Allemagne **3.** (*change place*) se déplacer; (*in vehicle*) rouler; ***he has ~d to room 52*** il est maintenant dans la chambre 52; ***she has ~d to a different company*** elle travaille maintenant pour une autre société; ***~!*** pousse-toi!; (*go away*) va-t'en!; ***don't ~*** ne bouge pas **4.** (*go fast, infml*) foncer *infml*; ***he can really ~*** il fonce drôlement vite **5.** (*act, fig*) agir; ***we'll have to ~ quickly*** il va falloir agir vite **III** *n* **1.** (*in game*) coup *m*; *fig* (*step*) démarche *f*; (*measure taken*) mesure *f*; ***it's my ~*** c'est à moi de jouer; ***to make a ~*** se décider; ***to make the first ~*** *fig* faire le premier pas **2.** (*movement*) mouvement *m*; ***to watch sb's every ~*** surveiller les moindres faits et gestes de qn; ***it's time we made a ~*** il est temps d'y aller; ***she made a ~ to help him*** *fig* elle alla vers lui pour l'aider; ***to be on the ~*** être en déplacement; ***to get a ~ on*** (*infml hurry up*) s'activer; ***get a ~ on!*** active-toi! *infml* **3.** (*of house etc.*) déménagement *m*; (*to different job*) changement *m* d'emploi ◆ **move about** *v/t & v/i sep Br* = **move around** ◆ **move along I** *v/t sep* faire avancer; ***they are trying to move things along*** ils essaient de faire avancer les choses **II** *v/i* (*along seat etc.*) se pousser; (*along pavement*) avancer ◆ **move around I** *v/t sep* déplacer **II** *v/i* remuer; (*travel*) se déplacer; ***I can hear him moving around*** je l'entends marcher ◆ **move aside I** *v/t sep* écarter **II** *v/i* s'écarter ◆ **move away I** *v/t sep* éloigner; ***to move sb away from sb / sth*** éloigner qn de qn / qc **II** *v/i* **1.** (*leave*) s'éloigner; (*vehicle*) partir; (*move house*) déménager (**from** de) **2.** *fig* s'éloigner (**from** de) ◆ **move back I** *v/t sep* **1.** (*to former place*) remettre; (*into old house*) faire revenir (**into** à/dans) **2.** (*to the rear*) *things* reculer; *car* faire reculer **II** *v/i* **1.** (*to former place*) retourner; (*into house*) revenir habiter (**into** à/dans) **2.** (*to the rear*) reculer; ***~, please!*** reculez, s'il vous plaît! ◆ **move down I** *v/t sep* (*downwards*) descendre; (*along*) pousser **II** *v/i* (*downward*) descendre; (*along*) se pousser; (*in bus etc.*) avancer; ***he had to ~ a year*** (*pupil*) il a dû descendre d'une classe ◆ **move forward I** *v/t sep* **1.** *person, car* faire avancer; *chair* avancer **2.** *fig event* avancer **II** *v/i* (*person, car*) avancer ◆ **move in** *v/i* **1.** (*into accommodation*) emménager (**-to** dans) **2.** (*come closer*) avancer (**on** sur); (*workers*) s'installer ◆ **move off I** *v/t sep* enlever **II** *v/i* (*go away*) partir ◆ **move on I** *v/t sep* faire circuler; ***the policeman moved them on*** l'agent les fit circuler **II** *v/i* (*people, vehicles*) avancer; ***it's about time I was moving on*** (*fig, to new job etc.*) il est grand temps de passer à autre chose; ***time is moving on*** le temps passe ◆ **move out I** *v/t sep* **1.** (*of room*) faire partir **2.** *troops* retirer; ***they moved everybody out of the danger zone*** ils ont fait évacuer tout le monde de la zone dangereuse **II** *v/i* (*of house*) déménager; (*withdraw*) *troops* partir ◆ **move over I** *v/t sep* déplacer; ***the driver moved the car over to the side*** le conducteur se rangea sur le côté **II** *v/i* se pousser; ***~!*** pousse-toi!; ***to ~ to a new system*** passer à un autre système ◆ **move up I** *v/t sep* faire monter; (*promote*) faire monter en grade; *pupil* faire passer dans une classe supérieure; ***they moved him up two places*** ils l'ont fait avancer de deux places **II** *v/i fig* faire du chemin

moveable *adj* = **movable**

movement ['muːvmənt] *n* **1.** mouvement *m*; (*fig trend*) mouvement *m* (**toward** vers); ***the ~ of traffic*** la circulation **2.** (*transport*) acheminement *m* **3.** MUS mouvement *m* **mover** ['muːvər] *n* **1.** (*walker, dancer etc.*) ***he is a good/poor ~*** il bouge bien / il est raide **2.** ***he's a fast ~*** *infml* c'est un tombeur *infml*

movie ['muːvɪ] *n esp US* film *m*; **(*the*) *~s*** le cinéma; ***to go to the ~s*** aller au cinéma **moviegoer** *n* cinéphile *m/f* **movie star** *n* vedette *f* de cinéma **movie theater** *n US* cinéma *m*

moving ['muːvɪŋ] *adj* **1.** en mouvement **2.** (*touching*) émouvant **moving company** *n US* entreprise *f* de déménagement

mow [məʊ] ⟨*past* **mowed**⟩ ⟨*past part* **mown** *or* **mowed**⟩ **I** *v/t* tondre **II** *v/i* tondre la pelouse ◆ **mow down** *v/t sep fig* faucher

mower ['məʊər] *n* tondeuse *f* (à gazon)

mown [məʊn] *past part* = **mow**

MP (*Br* POL) *abbr* = **Member of Parliament**

MP3® *n* MP3 *m*; ***~ player*** lecteur *m* MP3

MPEG ['empeg] *n abbr* = **Moving Pictures Experts Group** MPEG *m*

mpg *abbr* = **miles per gallon**

mph *abbr* = **miles per hour**

MPV *n abbr* = **multi-purpose vehicle** monospace *m*

Mr. ['mɪstər] *abbr* = **Mister** M.

MRI *n* MED *abbr* = **magnetic resonance imaging** I.R.M. *f*

Mrs. ['mɪsɪz] *abbr* = **Mistress** Mme

MS *n abbr* = **multiple sclerosis**

Ms. [mɪz] *n* ≈ Mme (*titre utilisé pour éviter de préciser madame ou mademoiselle*)

M.Sc. *abbr* = **Master of Science**

MSP (*Br* POL) *abbr* = **Member of the Scottish Parliament** député(e) *m*(*f*) du parlement écossais

Mt. *abbr* = **Mount**

mth. *abbr* = **month**

much [mʌtʃ] **I** *pron* beaucoup; ***how ~ is it?*** ça coûte combien?; ***not ~*** pas beaucoup; ***but that ~ I do know*** je sais au moins ça; ***we don't see ~ of each other*** nous ne nous voyons pas souvent; ***it's not up to ~*** (*Br infml*) ça ne vaut pas grand-chose; ***I'm not ~ of a cook*** je ne suis pas très bon cuisinier; ***that wasn't ~ of a party*** ce n'était pas très réussi comme fête; ***I find that a bit (too) ~ after all I've done for him*** *Br* je trouve ça un peu fort après tout ce que j'ai fait pour lui; ***that insult was too ~ for me*** cette insulte dépassait les bornes; ***this job is too ~ for me*** ce travail est trop dur pour moi; ***far too ~*** beaucoup trop; **(*just*) *as ~*** autant; ***not as ~*** pas autant; ***as ~ as you want*** autant que vous voulez; ***as ~ as $2m*** jusqu'à 2 millions de dollars; ***as ~ again*** encore autant; ***I thought as ~*** c'est bien ce que je pensais; ***so ~*** tant; ***I couldn't make ~ of that chapter*** je n'ai pas compris grand-chose à ce chapitre **II** *adj* beaucoup de; ***that ~ wine*** ça de vin **III** *adv* **1.** beaucoup; ***a ~-admired woman*** une femme très admirée; ***so ~*** tellement; ***too ~*** trop; ***I like it very ~*** j'aime beaucoup ça; ***I don't like him ~*** je ne l'aime pas beaucoup; ***thank you very ~*** merci beaucoup; ***I don't ~ care*** *or* ***care ~*** je m'en moque; ***however ~ he tries...*** il a beau essayer…; ***~ as I like him...*** j'ai beau l'apprécier… **2.** (*by far*) de beaucoup; ***I would ~ rather stay*** je préférerais de beaucoup rester; ***it's not so ~ a problem of modernization as …*** ce n'est pas tant une question de modernisation que de… **3.** (*almost*) ***they are produced in ~ the same way*** ils sont fabriqués à peu près de la même façon

muck [mʌk] *n* (*mud*) boue *f*; (*dirt*) saleté *f*; (*manure*) fumier *m* ◆ **muck about** *or* **around** (*Br infml*) **I** *v/t sep* ***to muck sb about*** se ficher de qn *infml* **II** *v/i* **1.** perdre son temps **2.** (*tinker*) jouer (***with*** avec) ◆ **muck in** *v/i* (*Br infml*) mettre la main à la pâte *infml* ◆ **muck out** *Br* **I** *v/t sep* nettoyer **II** *v/i* nettoyer les écuries ◆ **muck up** *v/t sep* (*infml spoil*) bousiller *infml*

mucky ['mʌkɪ] *adj* ⟨**+er**⟩ sale; ***you ~ pup!*** (*Br infml*) petit cochon!

mucous ['mjuːkəs] *adj* muqueux(-euse)

mucus ['mjuːkəs] *n* mucus *m*

mud [mʌd] *n* **1.** boue *f* **2.** *fig* ***his name is ~*** *infml* il est tombé en disgrâce

muddle ['mʌdl] **I** *n* désordre *m*; (*mix-up*) confusion *f*; ***to get in(to) a ~*** *things* être en désordre; *person* s'embrouiller; ***to get oneself in(to) a ~ over sth*** s'embrouiller dans qc; ***to be in a ~*** *things* être en désordre; *person* ne plus s'y retrouver **II** *v/t* embrouiller; *two things* confondre ◆ **muddle along** *v/i* se débrouiller *infml* ◆ **muddle through** *v/i* se tirer d'affaire ◆ **muddle up** *v/t sep* = **muddle** *II*

muddled ['mʌdld] *adj* en désordre; *thoughts* confus; ***to get ~ (up)*** *things* être en désordre; *person* s'embrouiller

muddy ['mʌdɪ] *adj* ⟨**+er**⟩ couvert de boue; *ground* boueux(-euse); ***I'm all ~*** je suis couvert de boue **mudflap** *n esp Br* pare-boue *m inv* **mudguard** *n* garde-boue *m inv* **mudpack** *n* masque *m* à l'argile

muesli ['mjuːzlɪ] *n* muesli *m*

muff[1] [mʌf] *n* manchon *m*

muff[2] *v/t infml* rater *infml*

muffin ['mʌfɪn] *n* **1.** muffin *m* (*petit cake rond*) **2.** *Br* muffin *m* (*petit pain rond*)

muffle ['mʌfl] *v/t* étouffer **muffled** ['mʌfld] *adj* étouffé **muffler** ['mʌfləʳ] *n* (*US* AUTO) silencieux *m*

mug [mʌg] **I** *n* **1.** (*cup*) mug *m* (*grande tasse*); (*for beer*) chope *f* **2.** (*esp Br infml dupe*) andouille *f infml* **II** *v/t* agresser ◆ **mug up** *v/t sep* (*Br infml*: *a.* **mug up on**) potasser *infml*; ***to mug sth/one's French up, to ~ on sth/one's French*** potasser qc / son français

mugger ['mʌgəʳ] *n* agresseur *m* **mugging** ['mʌgɪŋ] *n* agression *f*

muggy ['mʌgɪ] *adj* ⟨**+er**⟩ lourd; *heat* humide

mulch [mʌltʃ] HORT **I** *n* paillis *m* **II** *v/t* couvrir de paillis

mule[1] [mjuːl] *n* (*male*) mulet *m*; (*female*) mule *f*; (***as***) ***stubborn as a ~*** têtu comme une mule

mule[2] *n* (*slipper*) mule *f*

◆ **mull over** *v/t sep* réfléchir longuement à

mulled wine [ˌmʌld'waɪn] *n* vin *m* chaud

multicolored, *Br* **multicoloured** *adj* multicolore; *material* bariolé **multicultural** *adj* multiculturel(le) **multifocals** ['mʌltɪˌfəʊkəlz] *pl* lentilles *fpl* multifocales; (*spectacles*) lunettes *fpl* multifocales **multilateral** *adj* POL multilatéral **multilingual** *adj* multilingue **multimedia** *adj* multimédia **multimillionaire** *n* multimillionnaire *m/f* **multinational I** *n* multinationale *f* **II** *adj* multinational **multiparty** *adj* POL multipartite

multiple ['mʌltɪpl] **I** *adj* multiple; ***~ collision*** carambolage; ***he died of ~ injuries*** il est mort des suites de ses nombreuses blessures **II** *n* MATH multiple *m*; ***eggs are usually sold in ~s of six*** les œufs se vendent généralement par multiples de six **multiple choice** *adj* à choix multiple **multiple sclerosis** *n* sclérose *f* en plaques **multiplex** ['mʌltɪpleks] **I** *n* (*cinema*) cinéma *m* multisalle **II** *adj* TECH multiplex **multiplication** [ˌmʌltɪplɪ'keɪʃən] *n* MATH multiplication *f* **multiplication sign** *n* MATH signe *m* de multiplication **multiplication table** *n* MATH table *f* de multiplication; ***he knows his ~s*** il connaît ses tables de multiplication **multiplicity** [ˌmʌltɪ'plɪsɪtɪ] *n* multiplicité *f*

multiply ['mʌltɪplaɪ] **I** *v/t* MATH multiplier; ***4 multiplied by 6 is 24*** 4 multiplié par 6 égale 24 **II** *v/i fig* se multiplier

multipurpose *adj* polyvalent **multiracial** *adj* multiracial **multistory**, *Br* **multistorey** *adj* à plusieurs étages; ***~ apartments*** *US*, ***multistorey flats*** *Br* grand immeuble; ***~ car park*** *Br* parking à plusieurs niveaux **multitasking** *n* IT traitement *m* multitâche

multitude ['mʌltɪtjuːd] *n* multitude *f*; ***a ~ of*** une multitude de

multivitamin I *n* multivitamine *f* II *adj* multivitaminé
mum[1] [mʌm] *adj infml* ***to keep ~*** ne pas souffler mot (***about*** de)
mum[2] *n* (*Br infml*) = **mom**
mumble ['mʌmbl] *v/t & v/i* marmonner
mumbo jumbo ['mʌmbəʊ'dʒʌmbəʊ] *n* (*empty ritual, superstition*) balivernes *fpl*; (*gibberish*) charabia *m*
mummy[1] ['mʌmɪ] *n* (*corpse*) momie *f*
mummy[2] *n* (*Br infml mother*, **mommy** *US*) maman *f*
mumps [mʌmps] *n sg* oreillons *mpl*
munch [mʌntʃ] I *v/t* mâcher II *v/i* mastiquer
mundane [ˌmʌn'deɪn] *adj fig* banal
Munich ['mjuːnɪk] *n* Munich
municipal [mjuː'nɪsɪpəl] *adj* municipal; ***~ elections*** élections municipales **municipality** [mjuːˌnɪsɪ'pælɪtɪ] *n* municipalité *f*
munition [mjuː'nɪʃən] *n usu pl* munitions *fpl*
mural ['mjʊərəl] *n* peinture *f* murale
murder ['mɜːdəʳ] I *n* **1.** *lit* meurtre *m*, assassinat *m*; ***the ~ of John F. Kennedy*** l'assassinat de John F. Kennedy **2.** *fig, infml* ***it was ~*** c'était l'enfer *infml*; ***it'll be ~*** ça va être l'enfer *infml*; ***he gets away with ~*** il peut tout se permettre II *v/t lit* tuer **murderer** ['mɜːdərəʳ] *n* meurtrier(-ère) *m(f)* **murderess** ['mɜːdərɪs] *n* meurtrière *f* **murderous** ['mɜːdərəs] *adj* meurtrier(-ère); ***~ attack*** attaque meurtrière
murk [mɜːk] *n* **1.** obscurité *f* **2.** (*in water*) aspect *m* trouble **murky** ['mɜːkɪ] *adj* ⟨**+er**⟩ trouble; *street* sombre; *past* trouble; ***it's really ~ outside*** il fait vraiment sombre dehors
murmur ['mɜːməʳ] I *n* murmure *m*; ***there was a ~ of discontent*** il y eut un murmure de mécontentement; ***without a ~*** sans broncher II *v/t* murmurer III *v/i* murmurer (***about, against*** contre) **murmuring** ['mɜːmərɪŋ] *n* murmures *mpl*; ***~s (of discontent)*** des murmures de désapprobation (***from*** provenant de)
muscle ['mʌsl] *n* muscle *m*; (*fig power*) force *f*; ***he never moved a ~*** il est resté complètement immobile ◆ **muscle in** *v/i infml* intervenir (***on*** dans)
muscle building *n* musculation *f*
muscl(e)y ['mʌsəlɪ] *adj infml* musclé *infml* **muscular** ['mʌskjʊləʳ] *adj* **1.** musculaire; ***~ cramp*** *or* ***spasm*** crampe musculaire **2.** *torso* musclé **muscular dystrophy** *n* myopathie *f*
muse [mjuːz] I *v/i* songer (***about, on*** à) II *n* muse *f*
museum [mjuː'zɪəm] *n* musée *m*
mush [mʌʃ] *n* bouillie *f*
mushroom ['mʌʃrʊm] I *n* champignon *m* II *attr* aux champignons III *v/i* (*grow rapidly*) proliférer; ***holiday apartments are ~ing in the town*** les appartements de vacances prolifèrent dans la ville; ***unemployment has ~ed*** le chômage a augmenté rapidement
mushy ['mʌʃɪ] *adj* ⟨**+er**⟩ en bouillie; *consistency* pâteux(-euse); ***to go ~*** être réduit en bouillie **mushy peas** *pl Br* ≈ purée *f* de petits pois
music ['mjuːzɪk] *n* musique *f*; (*written score*) partition *f*; ***to set*** *or* ***put sth to ~*** mettre qc en musique; ***it was (like) ~ to my ears*** ça ne pouvait pas me faire plus plaisir; ***to face the ~*** *fig* faire front
musical ['mjuːzɪkəl] I *adj* **1.** musical; (*person*) musicien(ne); ***~ note*** note de musique **2.** (*tuneful*) mélodieux(-euse) II *n* comédie *f* musicale **musical box** *n* boîte *f* à musique **musical chairs** *n sg* chaises *fpl* musicales **musical instrument** *n* instrument *m* de musique **musically** ['mjuːzɪkəlɪ] *adv* musicalement **musical score** *n* (*written*) partition *f*; (*for movie etc.*) musique *f* **music box** *n* boîte *f* à musique **music hall** *n esp Br* music-hall *m*
musician [mjuː'zɪʃən] *n* musicien(ne) *m(f)* **music stand** *n* pupitre *m*
musk [mʌsk] *n* musc *m* **musky** ['mʌskɪ] *adj* ⟨**+er**⟩ musqué ***~ smell*** *or* ***scent*** parfum musqué
Muslim ['mʊzlɪm] *adj, n* = **Moslem**
muslin ['mʌzlɪn] *n* mousseline *f*
muss [mʌs] (*US infml*) *v/t* (*a.* **muss up**) ***to ~ up sb's hair*** décoiffer qn
mussel ['mʌsl] *n* moule *f*
must [mʌst] I *v/aux present tense only* **1.** devoir; ***you ~ (go and) see this church*** *esp Br* il faut que vous visitiez cette église; ***if you ~ know*** *Br* si vous voulez tout savoir; ***~ I?*** est-ce qu'il le faut?; ***I ~ have lost it*** je dois l'avoir perdu; ***he ~ be older than that*** il doit être plus vieux que ça; ***I ~ have been dreaming*** je dois avoir rêvé; ***you ~ be crazy!*** tu es fou! **2.** (*in neg sentences*) ***I ~n't forget that*** il ne faut pas que je l'oublie II *n infml*

a sense of humor (*US*) *or* ***humour*** (*Br*) ***is a~*** le sens de l'humour est indispensable
mustache, *Br* **moustache** [mə'stɑːʃ] *n* moustache *f*
mustard ['mʌstəd] **I** *n* moutarde *f* **II** *attr* à la moutarde
muster ['mʌstər] *v/t* (*fig*: *a.* **muster up**) *courage* rassembler
mustn't ['mʌsnt] *contr* = **must not**
musty ['mʌstɪ] *adj* ⟨**+er**⟩ (*smell*) de moisi; (*room*) qui sent le renfermé
mutant ['mjuːtənt] *n* mutant(e) *m*(*f*)
mutation [mjuː'teɪʃən] *n* mutation *f*
mute [mjuːt] *adj* muet(te) **muted** ['mjuːtɪd] *adj* sourd; *fig* voilé
mutilate ['mjuːtɪleɪt] *v/t* mutiler **mutilation** [ˌmjuːtɪ'leɪʃən] *n* mutilation *f*
mutinous ['mjuːtɪnəs] *adj* NAUT mutiné; *fig* rebelle **mutiny** ['mjuːtɪnɪ] **I** *n* mutinerie *f* **II** *v/i* se mutiner
mutter ['mʌtər] **I** *n* marmonnement *m* **II** *v/t* marmonner **III** *v/i* marmonner; (*with discontent*) grommeler **muttering** ['mʌtərɪŋ] *n* grommellement *m*
mutton ['mʌtn] *n* mouton *m*
mutual ['mjuːtjʊəl] *adj trust*, *efforts etc.* mutuel(le); *interest etc.* commun; ***the feeling is ~*** c'est réciproque **mutually** ['mjuːtjʊəlɪ] *adv* mutuellement
Muzak® ['mjuːzæk] *n* musique *f* d'ambiance
muzzle ['mʌzl] **I** *n* **1.** (*snout*) museau *m* **2.** (*for dog etc.*) muselière *f* **3.** (*of gun*) canon *m* **II** *v/t animal* museler
MW *abbr* = **medium wave** P.O. *fpl*
my [maɪ] *poss adj* mon(ma); (*plural*) mes; ***I've hurt my leg*** je me suis fait mal à la jambe; ***in my country*** dans mon pays
myriad ['mɪrɪəd] **I** *n* myriade *f*; ***a ~ of*** une myriade de **II** *adj* innombrable
myrrh [mɜːr] *n* myrrhe *f*
myself [maɪ'self] *pers pr* **1.** moi-même; (*reflexive*) me; (*before vowel*) m'; (*after prep*) moi(-même); ***I said to ~*** je me suis dit; ***singing to ~*** en chantonnant; ***I wanted to see*** (***it***) ***for ~*** je voulais voir par moi-même **2.** *emph* ***my wife and ~*** ma femme et moi-même; ***I thought so ~*** c'est ce que je pensais; ***... if I say so*** *or* ***it ~*** si je puis me permettre; (***all***) ***by ~*** tout seul **3.** (*one's normal self*) ***I'm not*** (***feeling***) ***~ today*** je ne me sens pas dans mon assiette aujourd'hui; ***I just tried to be ~*** j'ai juste essayé de rester moi-même
mysterious [mɪ'stɪərɪəs] *adj* mystérieux (-euse); ***for some ~ reason*** pour une raison inconnue
mystery ['mɪstərɪ] *n* mystère *m*; ***to be shrouded*** *or* ***surrounded in ~*** être entouré de mystère **mystery story** *n* histoire *f* policière **mystery tour** *n Br* voyage *m* surprise
mystic ['mɪstɪk] *n* mystique *m*/*f* **mystical** ['mɪstɪkəl] *adj* mystique **mysticism** ['mɪstɪsɪzəm] *n* mysticisme *m*
mystified ['mɪstɪfaɪd] *adj* perplexe; ***I am ~ as to how this could happen*** je n'arrive pas à m'expliquer comment ça a pu arriver **mystify** ['mɪstɪfaɪ] *v/t* rendre perplexe; (*of tricks*) mystifier **mystifying** ['mɪstɪfaɪɪŋ] *adj* inexplicable
mystique [mɪ'stiːk] *n* attrait *m* mystérieux
myth [mɪθ] *n* mythe *m* (*a fig*) **mythical** ['mɪθɪkəl] *adj* **1.** (*of myth*) mythique; ***the ~ figure/character of Arthur*** Arthur, personnage mythique **2.** *proportions* fabuleux(-euse) **3.** (*unreal*) fictif (-ive) **mythological** [ˌmɪθə'lɒdʒɪkəl] *adj* mythologique **mythology** [mɪ'θɒlədʒɪ] *n* mythologie *f*

N

N, n [en] *n* N, n *m inv*
N. *abbr* = **north** N.
n/a *abbr* = **not applicable** néant
nab [næb] *v/t infml* **1.** (*catch*) pincer *infml* **2.** (*take*) piquer *infml*; ***somebody had ~bed my seat*** quelqu'un m'avait piqué ma place
nadir ['neɪdɪər] *n* **1.** ASTRON nadir *m* **2.** *fig* point *m* le plus bas
naff [næf] *adj* (*Br infml*) **1.** (*stupid*) bête **2.** *design*, *car* ringard(e) *infml*
nag[1] [næg] **I** *v/t* (*find fault with*) critiquer sans arrêt; (*pester*) harceler; ***don't ~ me*** ne me casse pas les pieds; ***to ~ sb about sth*** harceler qn à propos de qc; ***to ~ sb to do sth*** harceler qn pour qu'il fasse

qc; ***he's constantly ~ging me for money*** il me harcèle constamment pour que je lui donne de l'argent **II** *v/i* (*find fault*) faire sans arrêt des remarques; (*be insistent*) être casse-pieds; ***stop ~ging*** arrête de me casser les pieds **III** *n* râleur (-euse) *m(f)*; (*pestering*) casse-pieds *m(f) inv*

nag² *n* rosse *f*

nagging ['nægɪŋ] *adj pain, doubt* persistant

nail [neɪl] **I** *n* **1.** (*on finger*) ongle *m* **2.** (*tack*) clou *m*; ***as hard as ~s*** impitoyable; ***to hit the ~ on the head*** *fig* mettre le doigt dessus; ***to be a ~ in sb's coffin*** *fig* enfoncer davantage qn **II** *v/t* **1.** clouer; ***to ~ sth to the floor*** clouer qc au sol **2.** *infml* (*catch*) pincer *infml*; (*charge*) inculper ◆ **nail down** *v/t sep* clouer

nail-biting *adj infml* palpitant **nailbrush** *n* brosse *f* à ongles **nail clippers** *pl* coupe-ongles *m inv* **nailfile** *n* lime *f* à ongles **nail polish** *n* vernis *m* à ongles **nail polish remover** *n* dissolvant *m* **nail scissors** *pl* ciseaux *mpl* à ongles **nail varnish** *n Br* vernis *m* à ongles

naïve [naɪ'iːv] *adj* ⟨**+er**⟩ naïf(-ïve)

naked ['neɪkɪd] *adj* nu; ***invisible to the ~ eye*** invisible à l'œil nu

name [neɪm] **I** *n* **1.** nom *m*; ***what's your ~?*** comment vous appelez-vous?; ***my ~ is ...*** je m'appelle...; ***what's the ~ of this street?*** quel est le nom de cette rue?; ***a man by the ~ of Gunn*** un homme qui s'appelle Gunn; ***to know sb by ~*** connaître qn de nom; ***to refer to sb/sth by ~*** désigner qn/qc par son nom; ***what ~ shall I say?*** (*on telephone*) c'est de la part de qui?; (*before showing sb in*) qui dois-je annoncer?; ***in the ~ of*** au nom de; ***I'll put your ~ down*** je vais vous inscrire (**for** pour); ***to call sb ~s*** insulter qn; ***not to have a penny/cent to one's ~*** être sans le sou **2.** (*reputation*) réputation *f*; ***to have a good/bad ~*** avoir une bonne/mauvaise réputation; ***to get a bad ~*** se faire une mauvaise réputation; ***to give sb a bad ~*** faire une mauvaise réputation à qn; ***to make a ~ for oneself as*** se faire un nom en tant que **II** *v/t* **1.** *person* appeler; *ship etc.* baptiser; ***I ~ this child/ship X*** je baptise cet enfant/ce bateau X; ***the child is ~d Peter*** l'enfant s'appelle Peter; ***they refused to ~ the victim*** ils ont refusé de nommer la victime; ***to ~ ~s*** donner des noms; ***~ three US states*** citez trois États américains; ***you ~ it, he's done it*** il a tout essayé **2.** (*appoint*) nommer, désigner; ***to ~ sb as leader*** nommer qn dirigeant, désigner qn comme dirigeant; ***they ~d her as the winner of the award*** elle a été désignée pour recevoir le prix; ***to ~ sb as one's heir*** nommer qn son héritier **name-dropping** *n infml* ***he does an awful lot of ~*** il se vante sans arrêt de connaître des gens en vue **nameless** *adj* sans nom; (*anonymous*) anonyme; ***a person who shall remain ~*** une personne que je ne nommerai pas **namely** ['neɪmlɪ] *adv* à savoir **nameplate** *n* plaque *f* **namesake** *n* homonyme *m/f* **name tag** *n* (*badge*) badge *m* (*portant le nom de la personne*)

nana, *Br* **nan** ['næn(ə)] *n* mémé *f*

nan bread ['nɑːn'bred] *n* nan *m* (*pain indien*)

nanny ['nænɪ] *n* nounou *f*

nanotechnology [ˌnænəʊtek'nɒlədʒɪ] *n* nanotechnologie *f*

nap [næp] **I** *n* sieste *f*; ***afternoon ~*** sieste; ***to have or take a ~*** faire une sieste **II** *v/i* ***to catch sb ~ping*** *fig* prendre qn au dépourvu

nape [neɪp] *n* ***~ of the/one's neck*** nuque *f*

napkin ['næpkɪn] *n* serviette *f* (de table)

Naples ['neɪplz] *n* Naples

nappy ['næpɪ] *n Br* couche *f* **nappy rash** *n Br* érythème *m* fessier; ***Jonathan's got ~*** Jonathan a les fesses rouges et irritées

narcissism [nɑː'sɪsɪzəm] *n* narcissisme *m* **narcissistic** [ˌnɑːsɪ'sɪstɪk] *adj* narcissique

narcotic [nɑː'kɒtɪk] *n* **1.** **~(*s*)** stupéfiant *m* **2.** MED narcotique *m*

narrate [nə'reɪt] *v/t* raconter **narration** [nə'reɪʃən] *n* narration *f*; (*for documentary*) commentaire *m* **narrative** ['nærətɪv] **I** *n* (*story, account*) récit *m* **II** *adj* narratif(-ive) **narrator** [nə'reɪtə^r] *n* narrateur(-trice) *m(f)*; ***first-person ~*** narrateur à la première personne

narrow ['nærəʊ] **I** *adj* ⟨**+er**⟩ étroit; *waist, nose* mince; *lead* faible; ***the French suffered a ~ defeat against the Welsh*** les Français ont perdu de peu contre les Gallois; ***to have a ~ escape*** l'échapper belle **II** *v/t road etc.* rétrécir; ***they de-***

cided to ~ the focus of their investigation ils ont décidé de restreindre le champ de l'enquête **III** *v/i* se rétrécir ◆ **narrow down** *v/t sep* (***to*** à) réduire; ***that narrows it down a bit*** ça se précise un peu

narrowly ['nærəʊlɪ] *adv* **1.** *avoid, escape* de justesse; *fail* de peu; ***he ~ escaped being knocked down*** il a failli se faire renverser **2.** *define* rigoureusement; ***to focus too ~ on sth*** se concentrer trop étroitement sur qc **narrow-minded** *adj* étroit d'esprit **narrow-mindedly** *adv* de façon bornée **narrow-mindedness** *n* étroitesse *f* d'esprit

nasal ['neɪzəl] *adj* **1.** ANAT, MED nasal **2.** LING nasal; *voice* nasillard **nasal spray** *n* pulvérisateur *m* nasal

nastily ['nɑːstɪlɪ] *adv* méchamment; ***to speak ~ to sb*** parler méchamment à qn **nasty** ['nɑːstɪ] *adj* ⟨**+er**⟩ **1.** (*unpleasant*) désagréable; *weather, habit, surprise, fall* mauvais; *situation, accident* grave; *virus* méchant; *bend* dangereux(-euse); ***that's a ~-looking cut*** c'est une vilaine entaille; ***to turn ~*** (*person*) devenir mauvais; (*weather*) se gâter; ***to call sb ~ names*** insulter qn **2.** (*malicious*) méchant; ***he has a ~ temper*** il a un sale caractère; ***to be ~ about sb*** parler méchamment de qn; ***that was a ~ thing to say / do*** c'était méchant de dire / faire ça; ***what a ~ man!*** quel homme déplaisant!

nation ['neɪʃən] *n* nation *f*; ***to address the ~*** s'adresser à la nation; ***the whole ~ watched him do it*** la nation tout entière l'a regardé faire

national ['næʃənəl] **I** *adj* national; ***the ~ average*** la moyenne nationale; ***~ character*** caractère national; ***~ language*** langue nationale **II** *n* ressortissant(e) *m(f)*; ***foreign ~*** ressortissant étranger **national anthem** *n* hymne *m* national **national costume, national dress** *n* costume *m* national **national debt** *n* dette *f* publique **national flag** *n* drapeau *m* national **National Front** *n Br* ≈ Front *m* national **National Guard** *n esp US* garde *f* nationale (*milice fédérale américaine*) **National Health (Service)** *n Br* ≈ Sécurité *f* sociale; ***I got it on the ~*** ≈ ça m'a été remboursé par la Sécurité sociale **national holiday** *n US* fête *f* nationale **national insurance** *n Br assurance sociale britannique*; ***~ contributions*** ≈ cotisations sociales **nationalism** ['næʃnəlɪzəm] *n* nationalisme *m* **nationalist** ['næʃnəlɪst] **I** *adj* nationaliste **II** *n* nationaliste *m/f* **nationalistic** [ˌnæʃnə'lɪstɪk] *adj* nationaliste

nationality [ˌnæʃə'nælɪtɪ] *n* nationalité *f*; ***what ~ is he?*** quelle est sa nationalité?; ***she is of German ~*** elle est de nationalité allemande **nationalize** ['næʃnəlaɪz] *v/t* nationaliser **National Lottery** *n Br loterie nationale britannique* **nationally** ['næʃnəlɪ] *adv* (*nationwide*) dans tout le pays **national park** *n* parc *m* national **national security** *n* sécurité *f* nationale **national service** *n* service *m* militaire **National Trust** *n Br fondation britannique dont la vocation est la protection du patrimoine* **nationwide** ['neɪʃənˌwaɪd] **I** *adj* national **II** *adv* dans tout le pays; ***we have 300 branches ~*** nous avons 300 agences réparties dans tout le pays

native ['neɪtɪv] **I** *adj* natal; *population* indigène; *resources* du pays; *wit etc.* inné; ***~ town*** ville natale; ***~ language*** langue maternelle; ***a ~ German*** une personne née en Allemagne; ***an animal ~ to India*** un animal indigène à l'Inde **II** *n* **1.** (*person*) natif(-ive) *m(f)*; (*in colonies*) indigène *m/f*; ***a ~ of Britain*** une personne née en Grande-Bretagne **2.** ***to be a ~ of …*** (*plant, animal*) être indigène à…

Native American I *adj* indien(ne) d'Amérique **II** *n* Indien(ne) *m(f)* d'Amérique **native country** *n* pays *m* natal **native speaker** *n* locuteur(-trice) *m(f)* natif(-ive); ***I'm not a ~ of English*** l'anglais n'est pas ma langue maternelle

nativity [nə'tɪvɪtɪ] *n* ***the Nativity*** la Nativité; ***~ play*** *pièce jouée par des enfants et représentant des scènes de la Nativité*

NATO ['neɪtəʊ] *abbr* = **North Atlantic Treaty Organization** O.T.A.N. *f*

natter ['nætər] (*Br infml*) **I** *v/i* papoter *infml* **II** *n* ***to have a ~*** papoter *infml*

natty ['nætɪ] *adj* ⟨**+er**⟩ *infml* chic *inv*

natural ['nætʃrəl] **I** *adj* **1.** naturel(le); ***~ resources*** ressources naturelles; ***it is (only) ~ for him to think …*** il est (tout à fait) normal qu'il pense…; ***the ~ world*** la nature; ***to die of ~ causes*** mourir de mort naturelle; ***~ remedy*** remède naturel; ***she is a ~ blonde*** c'est une vraie blonde **2.** *ability* inné; ***a ~ talent*** un talent inné; ***he is a ~ comedian*** il a un sens inné de la comédie **3.** *parents* naturel(le) **II** *n* **1.** MUS (*symbol*) bécarre *m*; ***D ~*** ré bécarre **2.** (*infml person*) ***he's a ~*** on dirait qu'il a fait ça toute sa vie **natural childbirth** *n* accouchement *m* naturel **natural disaster** *n* catastrophe *f* naturelle **natural gas** *n* gaz *m* naturel **natural history** *n* histoire *f* naturelle **naturalist** ['nætʃrəlɪst] *n* naturaliste *m/f* **naturalistic** [ˌnætʃrə'lɪstɪk] *adj* naturaliste **naturalization** [ˌnætʃrəlaɪ'zeɪʃən] *n* naturalisation *f*; ***~ papers*** déclaration de naturalisation **naturalize** ['nætʃrəlaɪz] *v/t person* naturaliser; ***to become ~d*** se faire naturaliser **naturally** ['nætʃrəlɪ] *adv* **1.** naturellement; (*of course*) bien sûr **2.** (*by nature*) de nature; ***he is ~ artistic / lazy*** c'est un artiste-né / il est paresseux de nature; ***to do what comes ~*** suivre son instinct; ***it comes ~ to him*** ça lui vient naturellement **natural science** *n* sciences *fpl* naturelles

nature ['neɪtʃə[r]] *n* **1.** nature *f*; ***Nature*** la nature; ***laws of ~*** les lois de la nature; ***it is not in my ~ to say that*** ce n'est pas dans ma nature de dire ça; ***it is in the ~ of young people to want to travel*** c'est dans la nature des jeunes de vouloir voyager **2.** (*of object*) nature *f*; ***the ~ of the case is such that ...*** la nature de l'affaire est telle que ... **3.** (*type*) genre *m*; ***things of this ~*** les choses de ce genre; ***... or something of that ~*** ... ou quelque chose du même genre **nature reserve** *n* réserve *f* naturelle **nature study** *n* sciences *fpl* naturelles **nature trail** *n* sentier *m* de découverte de la nature

naturism ['neɪtʃərɪzəm] *n esp Br* naturisme *m* **naturist** ['neɪtʃərɪst] *Br* **I** *n* naturiste *m/f* **II** *adj* naturiste; ***~ beach*** plage naturiste

naughtily ['nɔːtɪlɪ] *adv* avec malice; *behave* mal **naughty** ['nɔːtɪ] *adj* ⟨+er⟩ **1.** *child* vilain; *dog* méchant; ***it was ~ of him to break it*** ce n'est pas bien qu'il l'ait cassé **2.** *Br joke, word* coquin

nausea ['nɔːsɪə] *n* MED nausée *f* **nauseating** ['nɔːsɪeɪtɪŋ] *adj* écœurant **nauseous** ['nɔːsɪəs] *adj* MED ***that made me (feel) ~*** ça m'a donné la nausée

nautical ['nɔːtɪkəl] *adj* nautique **nautical mile** *n* mille *m* marin

nav *n* = **navigation system**

naval ['neɪvəl] *adj* naval; *hospital, power* maritime; *history* de la marine **naval base** *n* base *f* navale **naval battle** *n* bataille *f* navale **naval officer** *n* officier *m* de marine

nave [neɪv] *n* (*of church*) nef *f*

navel ['neɪvəl] *n* ANAT nombril *m* **navel piercing** *n* piercing *m* au nombril

navigable ['nævɪgəbl] *adj* navigable **navigate** ['nævɪgeɪt] **I** *v/i* (*in plane, ship*) naviguer; ***I don't know the route, you'll have to ~*** (*in car*) je ne connais pas le chemin, tu vas devoir lire la carte **II** *v/t* **1.** *aircraft* piloter; *ship* gouverner **2.** (*journey through*) naviguer sur; *plane* parcourir **navigation** [ˌnævɪ'geɪʃən] *n* navigation *f*; (*in car*) indications *fpl* **navigation system** *n* système *m* de navigation **navigator** ['nævɪgeɪtə[r]] *n* NAUT, AVIAT navigateur(-trice) *m(f)*

navy ['neɪvɪ] **I** *n* **1.** marine *f*; ***to serve in the ~*** être dans la marine **2.** (*a.* **navy blue**) bleu *m* marine **II** *adj* **1.** *attr* de la marine **2.** (*a.* **navy-blue**) bleu marine *inv*

NB *abbr* = **nota bene** NB

NBC 1. *US abbr* = **National Broadcasting Company** NBC *f* (*chaîne de télévision américaine*) **2.** MIL *abbr* = **nuclear, biological and chemical** N. B.C.

NE *abbr* = **north-east** NE

near [nɪə[r]] ⟨+er⟩ **I** *adv* **1.** près; ***he lives quite ~*** il habite tout près; ***you live ~er/~est*** vous habitez plus près/c'est vous qui habitez le plus près; ***could you move ~er together?*** pouvez-vous vous rapprocher?; ***that was the ~est I ever got to winning*** je n'avais jamais été aussi proche de la victoire; ***to be ~ at hand*** être à portée de la main; *stores* être tout près **2.** (*accurately*); ***as ~ as I can tell*** à ma connaissance; ***~ enough*** *Br* à peu près; ***that's ~ enough*** *Br* ça peut aller **3.** (*almost*) presque; ***he very ~ succeeded*** il a bien failli réussi **4.** (*negative*) ***it's nowhere ~ enough*** c'est loin d'être suffisant; ***we're not ~er (to) solving the problem*** le problème est toujours loin d'être résolu; ***he is nowhere*** *or* ***not anywhere ~ as clever as you*** il est loin d'être aussi intelligent que toi **II** *prep* (*a.* **near to**) **1.** près de; ***the hotel is very ~ (to) the station*** l'hôtel est tout près de la gare; ***move the***

chair ~er (to) the table rapproche la chaise de la table; ***to get ~/~er (to) sb/sth*** s'approcher / se rapprocher de qn / qc; ***keep ~ me*** restez près de moi; ***~ here/there*** près d'ici / de là; ***don't come ~ me*** ne vous approchez pas de moi; ***~ (to) where …*** près d'où …; ***to be ~est to sth*** être le plus proche de qc; ***take the chair ~est (to) you*** asseyez-vous sur la chaise la plus proche; ***to be ~ (to) tears*** être au bord des larmes; ***the project is ~ (to) completion*** le projet touche à sa fin **2.** (*in time*) proche de; ***~ death*** sur le point de mourir; ***come back ~er (to) 3 o'clock*** revenez vers 3 heures; ***~ the end of the play*** vers la fin de la pièce; ***I'm ~ the end of the book*** j'ai presque fini le livre; ***her birthday is ~ (to) mine*** son anniversaire est proche du mien **3.** (*similar to*) ***German is ~er (to) Dutch than English is*** l'allemand ressemble plus au néerlandais que l'anglais **III** *adj* **1.** proche; ***to be ~*** être proche; ***to be ~er/~est*** être plus proche / le plus proche; ***it looks very ~*** ça a l'air d'être tout près; ***his answer was ~er than mine/~est*** sa réponse était meilleure que la mienne / la meilleure **2.** *fig* ***we had a ~ disaster*** nous avons frôlé la catastrophe; ***his ~est rival*** son rival le plus proche; ***round up the figure to the ~est dollar*** arrondissez la somme à un dollar près; ***$50 or ~est offer*** COMM 50 $ à débattre; ***that's the ~est thing you'll get to an answer*** c'est ce que vous obtiendrez de mieux comme réponse; ***my ~est and dearest*** mes proches **IV** *v/t* approcher de; ***to be ~ing sth*** *fig* toucher à; *disaster* frôler; ***she was ~ing fifty*** elle allait sur ses cinquante ans; ***to ~ completion*** toucher à sa fin **V** *v/i* approcher **nearby** [nɪə'baɪ] **I** *adv* (*a.* **near by**) (*near here*) près d'ici; (*near there*) près de là **II** *adj* proche **Near East** *n* Proche-Orient *m*; ***in the ~*** au Proche-Orient

nearly ['nɪəlɪ] *adv* presque; ***I ~ laughed*** j'ai failli rire; ***we are ~ there*** nous y sommes presque; ***he very ~ drowned*** il a bien failli se noyer; ***it's not ~ as easy as you think*** c'est loin d'être aussi facile que tu crois **nearly-new** [ˌnɪəlɪ'new] *adj Br* d'occasion; ***~ shop*** magasin d'occasion **near miss** *n* AVIAT quasi-collision *f* **nearside** *Br* AUTO **I** *adj* du côté gauche **II** *n* côté *m* gauche **near-sighted** *adj* myope **near thing** *n* ***that was a ~*** il s'en est fallu de peu

neat [niːt] *adj* ⟨**+er**⟩ **1.** (*tidy*) bien rangé; *person* ordonné; *appearance*, *work* soigné; ***~ and tidy*** *place* bien entretenu; *person* très soigné **2.** *fit* parfait **3.** *solution* ingénieux(-euse); *trick* habile **4.** *esp Br* ***to drink one's whisky ~*** boire son whisky sec **5.** (*US infml excellent*) super *infml* **neatly** ['niːtlɪ] *adv* **1.** (*tidily*) avec soin **2.** (*skilfully*) habilement

neatness *n* ordre *m*; (*of appearance, work*) aspect *m* soigné

necessarily ['nesɪsərɪlɪ] *adv* forcément; ***not ~*** pas forcément

necessary ['nesɪsərɪ] **I** *adj* **1.** nécessaire; ***it is ~ to book well in advance*** il est nécessaire de réserver longtemps à l'avance; ***is it really ~ for me to come?*** est-ce qu'il faut vraiment que je vienne?; ***it's not ~ for you to come*** il n'est pas nécessaire que tu viennes; ***all the ~ qualifications*** toutes les qualifications requises; ***if ~*** si nécessaire; ***when ~*** quand c'est nécessaire; ***that won't be ~*** cela ne sera pas nécessaire; ***to make the ~ arrangements*** prendre les dispositions nécessaires; ***to do everything ~*** faire tout ce qu'il faut **2.** *change* inévitable **II** *n usu pl* ***the ~ or necessaries*** le nécessaire **necessitate** [nɪ'sesɪteɪt] *v/t* nécessiter **necessity** [nɪ'sesɪtɪ] *n* nécessité *f*; ***out of ~*** par nécessité; ***the bare necessities*** le strict nécessaire

neck [nek] *n* **1.** cou *m*; ***to break one's ~*** se casser le cou; ***to risk one's ~*** risquer sa vie; ***to save one's ~*** sauver sa vie; ***to be up to one's ~ in work*** être submergé de travail; ***to stick one's ~ out*** prendre des risques; ***in this ~ of the woods*** *infml* dans le coin **2.** (*of dress etc.*) col *m*; ***a high ~*** un col montant **neck and neck** *adv* à égalité **necklace** ['neklɪs] *n* collier *m* **neckline** *n* encolure *f* **necktie** *n esp US* cravate *f*

nectar ['nektəʳ] *n* nectar *m*

nectarine ['nektərɪn] *n* nectarine *f*

née [neɪ] *adj* née; ***Mrs Smith, ~ Jones*** Mme Smith, née Jones

need [niːd] **I** *n* **1.** *no pl* (*necessity*) besoin *m* (**for** de); ***if ~ be*** si besoin est; ***(there is) no ~ for sth*** (il n'y a) pas besoin de qc; ***(there is) no ~ to do sth*** (il est) inutile de faire qc; ***to be (badly) in ~ of sth*** avoir (grand) besoin de qc; ***in ~ of repair*** qui a besoin d'être réparé; ***to have***

no ~ of sth ne pas avoir besoin de qc **2.** *no pl* (*misfortune*) besoin *m*; ***in time(s) of ~*** dans les moments difficiles; ***those in ~*** ceux qui sont dans le besoin **3.** (*requirement*) besoin *m*; ***your ~ is greater than mine*** vous en avez plus besoin que moi; ***there is a great ~ for ...*** il y a un grand besoin de... **II** *v/t* avoir besoin de; ***much ~ed*** dont on a grand besoin; ***just what I ~ed*** tout à fait ce qu'il me fallait; ***that's all I ~ed*** *iron* il ne manquait plus que ça; ***this incident ~s some explanation*** cet incident nécessite des explications; ***it ~s a coat of paint*** ça a besoin d'un coup de peinture; ***the floor ~s polishing*** le sol a besoin d'être ciré; ***to ~ to do sth*** avoir besoin de faire qc; ***not to ~ to do sth*** ne pas avoir besoin de faire qc; ***you shouldn't ~ to be told*** on ne devrait pas avoir besoin de te le dire **III** *v/aux* **1.** (*positive*) ***~ he go?*** a-t-il besoin d'y aller?; ***no-one ~ go or ~s to go home yet*** il n'est pas encore l'heure de rentrer chez soi; ***you only ~ed to ask*** il suffisait de demander **2.** (*negative*) ***we ~n't have gone*** ce n'était pas la peine d'y aller; ***you ~n't have bothered*** ce n'était pas la peine que tu te donnes du mal; ***that ~n't be the case*** ce n'est pas forcément le cas

needle ['niːdl] *n* aiguille *f*; ***it's like looking for a ~ in a haystack*** autant chercher une aiguille dans une botte de foin

needless ['niːdlɪs] *adj* inutile; *violence* gratuit; ***~ to say, ...*** il va sans dire que ... **needlessly** ['niːdlɪslɪ] *adv* inutilement; *destroy*, *kill* pour rien; ***you are worrying quite ~*** vous vous inquiétez inutilement

needlework ['niːdlwɜːk] *n* travaux *mpl* d'aiguille

needy ['niːdɪ] **I** *adj* ⟨**+er**⟩ dans le besoin; (*of affection*) en manque d'affection **II** *n* ***the ~*** les nécessiteux

negate [nɪ'geɪt] *v/t* nier; (*nullify*) annuler **negative** ['negətɪv] **I** *adj* négatif (-ive) **II** *n* **1.** négation *f*; ***to answer in the ~*** répondre par la négative; ***put this sentence into the ~*** mettez cette phrase à la forme négative **2.** PHOT négatif *m* **III** *int* négatif

neglect [nɪ'glekt] **I** *v/t* négliger; ***to ~ to do sth*** omettre de faire qc **II** *n* négligence *f*; (*state*) abandon *m*; ***to be in a state of ~*** être à l'abandon **neglected** *adj* négligé; *garden etc.* à l'abandon; *child*, *friend* délaissé **neglectful** *adj* négligent

négligé(e) ['neglɪʒeɪ] *n* négligé *m*

negligence ['neglɪdʒəns] *n* négligence *f*

negligent ['neglɪdʒənt] *adj* négligent

negligently ['neglɪdʒəntlɪ] *adv* négligemment

negligible ['neglɪdʒəbl] *adj* négligeable

negotiable [nɪ'gəʊʃɪəbl] *adj* négociable ***these terms are ~*** ces conditions sont négociables **negotiate** [nɪ'gəʊʃɪeɪt] **I** *v/t* **1.** (*discuss*) négocier **2.** *bend* négocier, prendre **II** *v/i* négocier (**for** pour) **negotiation** [nɪˌgəʊʃɪ'eɪʃən] *n* négociation *f*; ***the matter is still under ~*** l'affaire est toujours en cours de négociation **negotiator** [nɪ'gəʊʃɪeɪtəʳ] *n* négociateur(-trice) *m(f)*

Negro ['niːgrəʊ] *pej andobs* **I** *adj* noir **II** *n* Noir(e) *m(f)*

neigh [neɪ] *v/i* hennir

neighbor, *Br* **neighbour** ['neɪbəʳ] *n* voisin(e) *m(f)*; (*at table*) voisin(e) *m(f)* de table

neighborhood, *Br* **neighbourhood** ['neɪbəhʊd] *n* (*district*) quartier *m*; (*people*) voisins *mpl* **neighboring**, *Br* **neighbouring** ['neɪbərɪŋ] *adj* voisin; ***~ village*** village voisin **neighborly**, *Br* **neighbourly** ['neɪbəlɪ] *adj person* aimable; *act* de bon voisinage

neither ['naɪðəʳ] **I** *adv* ***~ ... nor ...*** ni ... ni ...; ***he ~ knows nor cares*** il n'en sait rien et ça lui est égal **II** *cj* non plus; ***if you don't go, ~ shall I*** si tu n'y vas pas, je n'irai pas non plus; ***he didn't do it (and) ~ did his sister*** il ne l'a pas fait et sa sœur non plus **III** *adj* aucun(e); ***~ one of them*** ni l'un ni l'autre **IV** *pron* aucun(e), ni l'un(e) ni l'autre; ***~ of them*** ni l'un ni l'autre

neoclassical *adj* néoclassique

neon ['niːɒn] *adj attr* au néon

neon sign *n* (*name*, *advertisement*) enseigne *f* lumineuse (au néon)

nephew ['nevjuː, 'nefjuː] *n* neveu *m*

Neptune ['neptjuːn] *n* ASTRON Neptune *f*; MYTH Neptune *m*

nerd [nɜːd] *n infml* ringard(e) *m(f)* *infml*; ***computer ~*** fou d'informatique

nerve [nɜːv] *n* **1.** nerf *m*; ***to get on sb's ~s*** *infml* taper sur les nerfs de qn; ***to touch a ~*** toucher un point sensible **2.** *no pl* (*courage*) courage *m*; ***to lose one's ~*** perdre courage; ***to have the ~ to do sth*** avoir le courage de faire qc

3. *no pl* (*infml impudence*) culot *m* *infml*; ***to have the ~ to do sth*** avoir le culot de faire qc *infml*; ***he has a ~!*** il a du culot! *infml* **nerve center**, *Br* **nerve centre** *n fig* centre *m* névralgique **nerve-racking, nerve-wracking** *adj* angoissant, éprouvant

nervous ['nɜːvəs] *adj* **1.** *disorder* nerveux(-euse); ***~ tension*** tension nerveuse **2.** (*timid*) craintif(-ive); (*on edge*) énervé; ***to be*** *or* ***feel ~*** (*be afraid*) avoir peur; (*be worried*) être inquiet; (*be on edge*) être énervé; ***I am ~ about the test*** je suis inquiet pour l'examen; ***I was a little ~ about giving him the job*** j'hésitais un peu à lui donner le travail; ***I am ~ about diving*** j'ai peur de plonger **nervous breakdown** *n* dépression *f* nerveuse **nervous energy** *n* vitalité *f* **nervously** ['nɜːvəslɪ] *adv* (*apprehensively*) nerveusement; (*on edge*) avec nervosité **nervous system** *n* système *m* nerveux **nervous wreck** *n infml* ***to be a ~*** être à bout de nerfs

nest [nest] **I** *n* **1.** nid *m* **2.** (*of boxes etc.*) jeu *m* **II** *v/i* faire son nid **nest egg** *n fig* pécule *m*

nestle ['nesl] *v/i* ***to ~ up to sb*** se blottir contre qn; ***to ~ against sb*** se blottir contre qn; ***the village nestling in the hills*** le village niché dans les collines

Net [net] *n infml* ***the ~*** IT le Net *infml*

net[1] [net] **I** *n* **1.** filet *m*; ***to slip through the ~*** (*criminal*) passer à travers les mailles du filet **2.** *Br* (*for drapes*) voilage *m* **II** *v/t fish* prendre au filet

net[2] *adj* **1.** *price*, *weight* net(te); ***~ disposable income*** revenu disponible net **2.** *fig* final; ***~ result*** résultat final

netball *n Br* netball *m* **net curtain** *n Br* voilage *m*

Netherlands ['neðələndz] *pl* ***the ~*** les Pays-Bas *mpl*

netiquette ['netɪket] *n* IT nétiquette *f*

net profit *n* bénéfice *m* net

netspeak *n* (INTERNET, *infml*) jargon *m* du Net *infml*

netting ['netɪŋ] *n* filet *m*; (*wire netting*) grillage *m*; *Br* (*for drapes etc.*) voilage *m*

nettle ['netl] **I** *n* BOT ortie *f*; ***to grasp the ~*** *fig* prendre le taureau par les cornes **II** *v/t fig, infml person* irriter

net weight *n* poids *m* net

network ['netwɜːk] **I** *n* **1.** réseau *m* **2.** ELEC, IT, RADIO, TV réseau *m*; ***~ driver/server*** IT gestionnaire / serveur de réseau **II** *v/t program* diffuser sur l'ensemble du réseau; IT mettre en réseau **III** *v/i* (*people*) établir un réseau de relations **networking** ['netwɜːkɪŋ] *n* **1.** IT mise *f* en réseau **2.** (*making contacts*) établissement *m* d'un réseau de relations

neurological [ˌnjʊərə'lɒdʒɪkəl] *adj* neurologique **neurologist** [njʊə'rɒlədʒɪst] *n* neurologue *m/f* **neurology** [njʊə'rɒlədʒɪ] *n* neurologie *f* **neurosis** [njʊə'rəʊsɪs] *n* ⟨*pl* **neuroses**⟩ névrose *f* **neurosurgery** ['njʊərəʊˌsɜːdʒərɪ] *n* neurochirurgie *f* **neurotic** [njʊə'rɒtɪk] **I** *adj* névrosé; ***to be ~ about sth*** être obsédé par qc **II** *n* névrosé(e) *m(f)*

neuter ['njuːtə[r]] **I** *adj* GRAM neutre **II** *v/t cat*, *dog* castrer

neutral ['njuːtrəl] **I** *adj* neutre; (*colorless*) terne **II** *n* **1.** (*person*) personne *f* neutre **2.** AUTO point *m* mort; ***to be in ~*** être au point mort; ***to put the car in ~*** mettre la voiture au point mort **neutrality** [njuː'trælɪtɪ] *n* neutralité *f* **neutralize** ['njuːtrəlaɪz] *v/t* neutraliser

neutron ['njuːtrɒn] *n* neutron *m*

never ['nevə[r]] *adv* **1.** (ne ...) jamais; ***~ again*** plus jamais; ***~ before*** jamais auparavant; ***~ even*** même pas **2.** (*emph not*) ***I ~ slept a wink*** *infml* je n'ai pas fermé l'œil; ***The U.S.A. were beaten — ~!*** (*Br infml*) les États-Unis ont été battus — pas possible! *infml*; ***well I ~ (did)!*** (*Br infml*) ça par exemple! *infml*; ***~ fear*** n'aie pas peur **never-ending** ['nevər'endɪŋ] *adj* interminable **nevertheless** [ˌnevəðə'les] *adv* néanmoins

new [njuː] *adj* ⟨**+er**⟩ nouveau(-velle); ***the ~ people at number five*** les gens qui viennent d'emménager au numéro cinq; ***that's nothing ~*** ce n'est pas nouveau; ***what's ~?*** *infml* quoi de neuf? *infml*; ***I'm ~ to this job*** je débute dans ce travail; ***she's ~ to the game*** SPORTS elle vient de découvrir ce sport; *fig* elle fait ses premières armes **New Age Traveller** *n Br* voyageur(-euse) *m(f)* New Age **new blood** *n fig* sang *m* neuf **newborn** *adj* nouveau-né **newcomer** *n* nouveau(-velle) venu(e) *m(f)*; (*in job etc.*) novice *m/f* (**to** dans); ***they are ~s to this town*** ils viennent d'arriver dans cette ville **New England** *n*

Nouvelle-Angleterre *f* **newfangled** *adj* très mode **new-found** *adj happiness* de fraîche date; *confidence* récent **Newfoundland** ['njuːfəndlənd] *n* Terre-Neuve *f* **newish** ['njuːɪʃ] *adj* presque neuf(neuve) **newly** ['njuːlɪ] *adv* nouvellement; **~ *made*** que l'on vient de faire; *bread, cake etc.* qui vient de sortir du four; **~ *arrived*** récemment arrivé; **~ *married*** jeune marié **newlyweds** ['njuːlɪwedz] *pl infml* jeunes mariés *mpl* **new moon** *n* nouvelle lune *f*; ***there's a ~ tonight*** c'est la nouvelle lune ce soir

news [njuːz] *n no pl* **1.** (*report*) nouvelles *fpl*; (*recent development*) nouvelle *f*; ***a piece of ~*** une nouvelle; ***I have no ~ of him*** je ne sais pas ce qu'il est devenu; ***there is no ~*** il n'y a rien de nouveau; ***have you heard the ~?*** tu es au courant?; ***tell us your ~*** donne-nous de tes nouvelles; ***I have ~ for you*** *iron* j'ai une surprise pour vous; ***good ~*** bonnes nouvelles; ***that's bad ~ for ...*** c'est une mauvaise nouvelle pour ...; ***who will break the ~ to him?*** qui va lui annoncer la nouvelle?; ***that is ~ to me!*** première nouvelle! **2.** PRESS, RADIO, TV informations *fpl*; ***~ in brief*** nouvelles brèves; ***financial ~*** rubrique financière; ***it was on the ~*** c'était aux informations; ***to be in the ~*** faire parler de soi dans les médias **news agency** *n* agence *f* de presse **newsagent** *n Br* marchand(e) *m(f)* de journaux **news bulletin** *n* bulletin *m* d'informations **newscaster** *n* présentateur(-trice) *m(f)* des informations **newsdealer** *n US* marchand(e) *m(f)* de journaux **newsflash** *n* flash *m* d'information **newsgroup** *n* INTERNET forum *m* de discussion **news headlines** *pl* titres *mpl* de l'actualité **newsletter** *n* circulaire *f*, bulletin *m*; INTERNET lettre *f* d'information

newspaper ['njuːzˌpeɪpəʳ] *n* journal *m*; ***daily ~*** quotidien **newspaper article** *n* article *m* de journal **newsreader** *n Br* présentateur(-trice) *m(f)* des informations **newsroom** *n* salle *f* de rédaction **newsstand** *n* kiosque *m* à journaux

new-style ['njuːstaɪl] *adj* nouveau style

news vendor *n* vendeur(-euse) *m(f)* de journaux **newsworthy** ['njuːzwɜːðɪ] *adj* ***to be ~*** valoir la peine d'être publié

newt [njuːt] *n* triton *m*

New Testament *n* ***the ~*** le Nouveau Testament **new wave I** *n* nouvelle vague *f* **II** *adj attr* de la nouvelle vague **New World** *n* ***the ~*** le Nouveau Monde

New Year *n* nouvel an *m*; (*New Year's Day*) jour *m* de l'an; ***to see in the ~*** réveillonner (à la Saint-Sylvestre); ***Happy ~!*** bonne année!; ***at ~*** au nouvel an; **~ *resolution*** résolution pour la nouvelle année **New Year's Day** *n* jour *m* de l'an

New Year's Eve *n* Saint-Sylvestre *f*

New York *n* New York

New Zealand I *n* la Nouvelle-Zélande *f* **II** *adj attr* néo-zélandais

New Zealander *n* Néo-Zélandais(e) *m(f)*

next [nekst] **I** *adj* prochain; ***he came back the ~ day*** il est revenu le jour suivant; **(*the*) ~ *time*** la prochaine fois; **(*the*) ~ *moment*** l'instant d'après; ***from one moment to the ~*** d'un instant à l'autre; ***this time ~ week*** dans huit jours exactement; ***the year after ~*** dans deux ans; ***the ~ day but one*** le surlendemain; ***who's ~?*** à qui le tour?, c'est à qui?; ***you're ~*** après, c'est votre tour; ***my name is ~ on the list*** mon nom est le prochain sur la liste; ***the ~ but one*** pas le prochain, celui d'après; ***the ~ thing I knew I ...*** et tout d'un coup, je ...; (*after fainting etc.*) la première chose dont je me souviens, c'est que je ...; ***the ~ size up/down*** la taille au-dessus / au-dessous **II** *adv* **1.** (*the next time*) ensuite; (*afterwards*) après; ***what shall we do ~?*** qu'allons-nous faire maintenant?; ***whatever ~?*** (*in surprise*) et quoi encore? *infml* **2. ~ *to sb/sth*** à côté de qn / qc; ***the ~ to last row*** l'avant-dernier rang; **~ *to nothing*** presque rien; **~ *to impossible*** presque impossible **3. *the ~ best*** le deuxième choix; ***this is the ~ best thing*** à défaut, c'est le mieux; ***the ~ oldest boy*** le second par ordre d'âge décroissant **III** *n* prochain(e) *m(f)* **next door** ['neks'dɔːʳ] *adv* à côté; ***let's go ~*** allons chez les voisins; ***they live ~ to us*** ils habitent à côté de chez nous; ***he has the room ~ to me*** sa chambre est juste à côté de la mienne; ***we live ~ to each other*** nous sommes voisins; ***the boy ~*** le garçon d'à côté **next-door** ['neks'dɔːʳ] *adj* ***the ~ neighbor*** (*US*) *or* ***neighbour*** *Br* le voisin d'à côté; ***we are ~ neighbors*** (*US*) *or* ***neighbours*** *Br* nous sommes voisins; ***the ~ house*** la maison d'à côté **next of kin** *n* ⟨*pl* -⟩ parent *m* le plus proche

NFL *US abbr* = **National Football League** Fédération *f* américaine de football

NGO *abbr* = **nongovernmental organization** ONG *f*

NHS *Br abbr* = **National Health Service**

nib [nɪb] *n* plume *f*

nibble ['nɪbl] **I** *v/t* grignoter **II** *v/i* grignoter (***at sth*** qc) **III** *n* **~s** *Br* amuse-gueules *mpl*

nice [naɪs] *adj* ⟨**+er**⟩ **1.** sympathique; *smell*, *meal*, *work* bon(ne); *weather*, *car* beau(belle); *feeling* agréable; ***to have a ~ time*** bien s'amuser; ***have a ~ day!*** *esp US* bonne journée!; ***the ~ thing about Venice*** ce qui est bien à Venise; ***it's ~ to see you again*** ça fait plaisir de vous revoir; ***it's been ~ meeting you*** ça m'a fait plaisir de faire votre connaissance; ***I had a ~ rest*** je me suis bien reposé; ***~ one!*** bien joué! **2.** (*intensifier*) bien; ***a ~ long bath*** un bon bain, bien long; ***~ and warm*** agréablement chaud; ***take it ~ and easy*** vas-y doucement **3.** (*Br iron*) ***you're in a ~ mess*** te voilà dans de beaux draps *infml*; ***that's a ~ way to talk to your mother*** en voilà une façon de parler à ta mère **nice-looking** ['naɪs'lʊkɪŋ] *adj* joli; *woman*, *man* beau(belle); ***to be ~*** être beau **nicely** ['naɪslɪ] *adv* (*pleasantly*) gentiment; (*well*) *go*, *speak*, *behave*, *placed* bien; ***to be coming along ~*** bien se présenter; ***to ask ~*** demander poliment; ***say thank you ~!*** dis merci poliment!; ***that will do ~*** *Br* c'est parfait; ***he's doing very ~ for himself*** (*Br iron*) il s'en sort très bien; ***to be ~ spoken*** s'exprimer bien; ***~ done*** bien fait **niceties** ['naɪsɪtɪz] *pl* subtilités *fpl*

niche [niːʃ] *n* niche *f*; *fig* créneau *m*

nick¹ [nɪk] **I** *n* **1.** entaille *f* **2.** ***in the ~ of time*** juste à temps **3.** (*Br infml*) ***in good / bad ~*** en bon / mauvais état **II** *v/t* entailler; ***to ~ oneself*** *infml* se couper

nick² **I** *v/t* **1.** (*Br infml arrest*) pincer *infml* **2.** (*Br infml steal*) piquer *infml* **II** *n* (*Br infml prison*) taule *f infml*

nickel ['nɪkl] *n* **1.** (*metal*) nickel *m* **2.** *US* pièce *f* de cinq cents **nickel-plated** ['nɪkl'pleɪtɪd] *adj* nickelé

nickname ['nɪkneɪm] **I** *n* surnom *m* **II** *v/t* ***they ~d him Baldy*** ils l'ont surnommé Baldy (*le Chauve*)

nicotine ['nɪkətiːn] *n* nicotine *f* **nicotine patch** *n* patch *m* de nicotine

niece [niːs] *n* nièce *f*

nifty ['nɪftɪ] *adj* ⟨**+er**⟩ *infml* chouette *infml*; *gadget* pratique; ***a ~ little car*** une petite voiture pratique

niggardly ['nɪgədlɪ] *adj person* avare; *amount* maigre

niggle ['nɪgl] *Br* **I** *v/i* (*complain*) toujours trouver quelque chose à redire (***about*** au sujet de) **II** *v/t* (*worry*) embêter **niggling** ['nɪglɪŋ] *adj doubt* obsédant; *pain* persistant; *feeling* tenace

nigh [naɪ] **I** *adj obs*, *liter* près de **II** *adv* ***~ on*** presque

night [naɪt] **I** *n* nuit *f*; (*evening*) soir *m*; THEAT soirée *f*; ***last ~*** la nuit dernière, hier soir; ***tomorrow ~*** demain soir; ***on Friday ~*** vendredi soir; ***11 o'clock at ~*** 11 heures du soir; ***6 o'clock at ~*** 6 heures du soir; ***she works at ~*** elle travaille de nuit; ***in / during the ~*** pendant la nuit; ***the ~ before*** la veille au soir; ***the ~ before last*** avant-hier soir; ***to spend the ~ at a hotel*** passer la nuit à l'hôtel; ***to have a good / bad ~*** *or* ***~'s sleep*** passer une bonne / mauvaise nuit; ***~-~!*** *infml* bonne nuit!; ***all ~ (long)*** toute la nuit; ***to have a ~ out*** sortir; ***to have an early ~*** se coucher tôt; ***to be on ~s*** être de nuit **II** *adv* **~s** *esp US* la nuit **nightcap** *n* (*drink*) boisson *f* avant d'aller se coucher **nightclub** *n* boîte *f* de nuit **nightdress** *n* chemise *f* de nuit **nightfall** *n* ***at ~*** à la tombée de la nuit **nightgown** *n* chemise *f* de nuit **nightie** ['naɪtɪ] *n infml* chemise *f* de nuit **nightingale** ['naɪtɪŋgeɪl] *n* rossignol *m* **nightlife** *n* vie *f* nocturne **night-light** *n* (*for child etc.*) veilleuse *f* **nightly** ['naɪtlɪ] **I** *adj* (*every night*) de toutes les nuits; (*every evening*) de tous les soirs **II** *adv* (*every night*) toutes les nuits; (*every evening*) tous les soirs **nightmare** ['naɪtmɛəʳ] *n* cauchemar *m*; ***that was a ~ of a journey*** ce voyage a été un cauchemar **night owl** *n infml* couche-tard *m/f*, oiseau *m* de nuit *infml* **night safe** *n* coffre *m* de nuit **night school** *n* cours *mpl* du soir **night shift** *n* équipe *f* de nuit; ***to be on ~*** être de nuit **nightshirt** *n* chemise *f* de nuit (*d'homme*) **nightspot** *n* boîte *f* de nuit **night stick** *n US* matraque *f* **night-**

time I *n* nuit *f*; ***at ~*** la nuit II *adj attr* nocturne; ***~ temperature*** température nocturne **night watchman** *n* veilleur *m* de nuit

nihilistic [ˌnaɪɪˈlɪstɪk] *adj* nihiliste

nil [nɪl] *n* (*zero*) zéro; (*nothing*) néant; ***the score was one-~*** *Br* le score a été de un à zéro; → **zero**

Nile [naɪl] *n* Nil *m*

nimble [ˈnɪmbl] *adj* ⟨**+er**⟩ (*quick*) rapide; (*agile*) agile; *mind* vif(vive) **nimbly** [ˈnɪmblɪ] *adv* lestement

nine [naɪn] I *adj* neuf; ***~ times out of ten*** neuf fois sur dix II *n* neuf *m*; ***dressed (up) to the ~s*** sur son trente et un *infml*; ***to call 911*** (*US*) *or* ***999*** *Br* appeler les urgences; → **six** **nine-eleven, 9/11** [ˌnaɪnɪˈlevn] *n* le onze septembre

nineteen [ˈnaɪnˈtiːn] I *adj* dix-neuf II *n* dix-neuf *m*; ***she talks ~ to the dozen*** (*Br infml*) c'est un vrai moulin à paroles → **six**

nineteenth [ˈnaɪnˈtiːnθ] I *adj* **1.** (*in series*) dix-neuvième **2.** (*as fraction*) dix-neuvième II *n* **1.** dix-neuvième *m*/*f* **2.** (*fraction*) dix-neuvième *m*; → **sixteenth**

ninetieth [ˈnaɪntɪɪθ] I *adj* **1.** (*in series*) quatre-vingt-dixième **2.** (*as fraction*) quatre-vingt-dixième II *n* **1.** quatre-vingt-dixième *m*/*f* **2.** (*fraction*) quatre-vingt-dixième *m*

nine-to-five [ˌnaɪntəˈfaɪv] *adj* de bureau; ***~ job*** travail de bureau (*de 9 heures à 17 heures*)

ninety [ˈnaɪntɪ] I *adj* quatre-vingt-dix II *n* quatre-vingt-dix *m*; → **sixty**

ninth [naɪnθ] I *adj* **1.** (*in series*) neuvième **2.** (*as fraction*) neuvième II *n* **1.** neuvième *m*/*f* **2.** (*fraction*) neuvième *m*; → **sixth**

nip[1] [nɪp] I *n* **1.** (*pinch*) pinçon *m*; (*bite: from animal etc.*) morsure *f* **2.** ***there's a ~ in the air*** il fait frisquet aujourd'hui *infml* II *v/t* **1.** (*pinch*) pincer; ***the dog ~ped his ankle*** le chien lui a mordillé la cheville **2.** ***to ~ sth in the bud*** *fig* tuer qc dans l'œuf III *v/i Br infml* filer *infml*; ***to ~ up(stairs)*** monter en courant; ***I'll just ~ down to the shops*** je vais juste faire une course ◆ **nip out** *v/i Br infml* sortir

nip[2] *n* (*infml drink*) goutte *f*

nipple [ˈnɪpl] *n* ANAT mamelon *m*; (*US: on baby's bottle*) tétine *f*

nippy [ˈnɪpɪ] *adj* ⟨**+er**⟩ **1.** (*Br infml*) rapide; *car* nerveux(-euse) **2.** *weather* frisquet(te) *infml*

nit [nɪt] *n* **1.** ZOOL lente *f* **2.** (*Br infml*) crétin(e) *m*(*f*) *infml* **nit-pick** [ˈnɪtpɪk] *v*/*i infml* chercher la petite bête

nitrate [ˈnaɪtreɪt] *n* nitrate *m*

nitric acid [ˌnaɪtrɪkˈæsɪd] *n* acide *m* nitrique

nitrogen [ˈnaɪtrədʒən] *n* azote *m*

nitty-gritty [ˈnɪtɪˈgrɪtɪ] *n infml* ***to get down to the ~*** passer aux choses sérieuses

nitwit [ˈnɪtwɪt] *n infml* crétin(e) *m*(*f*) *infml*

No., no. *abbr* = **number** n° *m*

no [nəʊ] I *adv* **1.** (*negative*) non; ***to answer no*** répondre non **2.** (*with comp*) ***I can bear it no longer*** je n'en peux plus; ***I have no more money*** je n'ai plus d'argent; ***he returned to England in an aircraft carrier no less*** il est rentré en Angleterre en porte-avions, rien que ça II *adj* pas de, aucun; ***no one person could do it*** personne ne pourrait le faire; ***no other man*** aucun autre homme; ***it's of no interest*** ça n'a aucun intérêt; ***it's no use*** *or* ***no good*** ça ne sert à rien; ***no smoking*** défense de fumer; ***there's no telling what he'll do*** impossible de dire ce qu'il va faire; ***there's no denying it*** c'est indéniable; ***there's no pleasing him*** il n'est jamais satisfait; ***he's no genius*** ce n'est pas un génie; ***this is no place for children*** ce n'est pas un endroit pour les enfants; ***in no time*** en un rien de temps; ***at no little expense*** à grands frais; ***there is no such thing*** cela n'existe pas; ***I'll do no such thing*** je n'en ferai rien III *n* ⟨*pl* **-es**⟩ non *m*; (*no vote*) voix *f* contre; ***I won't take no for an answer*** je n'accepterai pas de refus

Nobel [ˈnəʊbel] *n* ***~ prize*** prix *m* Nobel; ***~ peace prize*** prix Nobel de la paix

nobility [nəʊˈbɪlɪtɪ] *n no pl* **1.** (*people*) noblesse *f* **2.** (*quality*) noblesse *f* **noble** [ˈnəʊbl] I *adj* ⟨**+er**⟩ **1.** (*aristocratic*) noble; ***to be of ~ birth*** être de naissance noble **2.** (*fine*) *person, deed, thought* noble II *n* noble *m*/*f* **nobleman** *n* noble *m*, aristocrate *m* **noblewoman** *n* noble *f*, aristocrate *f* **nobly** [ˈnəʊblɪ] *adv* **1.** (*finely*) noblement; (*bravely*) héroïquement **2.** (*infml selflessly*) généreusement

nobody [ˈnəʊbədɪ] I *pron* personne; ~

else personne d'autre; **~ *else but you can do it*** personne ne peut le faire à part toi; **~ *else offered to give them money*** personne d'autre n'a proposé de leur donner l'argent; ***like ~'s business*** comme personne **II** *n* moins *m/f* que rien

no-claim(s) bonus ['nəʊˌkleɪm(z)-'bəʊnəs] *n Br* INSUR bonus *m*

nocturnal [nɒk'tɜːnl] *adj* nocturne; **~ *animal*** animal nocturne

nod [nɒd] **I** *n* signe *m* de tête; (*in assent*) signe *m* de tête affirmatif; ***to give a ~*** faire un signe de la tête; (*in assent*) faire un signe de tête affirmatif **II** *v/i* faire un signe de tête; (*in assent*) faire un signe de tête affirmatif; ***to ~ to sb*** faire un signe de tête à qn; ***to ~ toward sth*** montrer qc de la tête **III** *v/t* ***to ~ one's head*** faire un signe de tête ◆ **nod off** *v/i* s'endormir

node [nəʊd] *n* **1.** nœud *m* **2.** IT nœud *m*

nodule ['nɒdjuːl] *n* nodule *m*

no-frills *adj attr deal* de base; *style* tout simple **no-go area** *n* zone *f* interdite **no-good** *adj* bon(ne) à rien **no--holds-barred** *adj* où tous les coups sont permis

noise [nɔɪz] *n* bruit *m*; (*loud, irritating*) vacarme *m*; ***what was that ~?*** c'était quoi ce bruit?; ***the ~ of the traffic*** le bruit de la circulation; ***it made a lot of ~*** ça a fait beaucoup de bruit; ***don't make a ~!*** ne fais pas de bruit!; ***stop making such a ~*** arrête de faire tout ce bruit **noiselessly** ['nɔɪzlɪslɪ] *adv* sans bruit, silencieusement **noise level** *n* niveau *m* sonore **noisily** ['nɔɪzɪlɪ] *adv* bruyamment

noisy ['nɔɪzɪ] *adj* ⟨**+er**⟩ bruyant; ***this is a ~ house*** cette maison est bruyante

nomad ['nəʊmæd] *n* nomade *m/f* **nomadic** [nəʊ'mædɪk] *adj* nomade; **~ *lifestyle*** mode de vie nomade

no-man's-land ['nəʊmænzlænd] *n* terrain *m* vague; MIL no man's land *m*

nominal ['nɒmɪnl] *adj* **1.** (*in name only*) nominal **2.** (*small*) dérisoire **nominal value** *n* valeur *f* nominale

nominate ['nɒmɪneɪt] *v/t* **1.** (*appoint*) nommer; ***he was ~d chairman*** il a été nommé président **2.** (*propose*) proposer; ***he was ~d for the presidency*** il a été proposé comme candidat à la présidence; ***to ~ sb for sth*** proposer qn pour qc **nomination** [ˌnɒmɪ'neɪʃən] *n* **1.** (*appointment*) nomination *f* **2.** (*proposal*) proposition *f* de candidat

nominative ['nɒmɪnətɪv] GRAM **I** *n* nominatif *m* **II** *adj* ***the ~ case*** le nominatif

nominee [ˌnɒmɪ'niː] *n* candidat(e) *m*(*f*) désigné(e)

nonaggression [nɒn-] *n* **~ *treaty*** pacte *m* de non-agression **nonalcoholic** *adj* non alcoolisé **nonattendance** *n* absence *f* (***at*** à)

nonchalance ['nɒnʃələns] *n* nonchalance *f* **nonchalant** ['nɒnʃələnt] *adj* nonchalant **nonchalantly** ['nɒnʃələntlɪ] *adv* nonchalamment

noncommissioned *adj* MIL **~ *officer*** sous-officier *m* **noncommittal** *adj* évasif(-ive); ***to be ~ about ...*** ne pas se prononcer au sujet de ... **noncommittally** *adv* de manière évasive **nonconformist** **I** *n* non-conformiste *m/f* **II** *adj* non-conformiste **nondescript** ['nɒndɪskrɪpt] *adj taste, color* indéfinissable; *appearance* quelconque **nondrinker** *n* personne *f* qui ne boit pas **nondriver** *n* personne *f* qui ne conduit pas

none [nʌn] **I** *pron* aucun(e); **~ *of the boys*** aucun des garçons; **~ *of them*** aucun d'entre eux; **~ *of the girls*** aucune des filles; **~ *of this*** rien de ceci; **~ *of the cake*** pas une miette de gâteau; **~ *of this is any good*** tout est mauvais; ***do you have any bread? — ~ (at all)*** vous avez du pain? — non, pas une miette; ***do you have any apples? — ~ (at all)*** vous avez des pommes? — non, aucune; ***there is ~ left*** il n'y en a plus; ***their guest was ~ other than ...*** leur invité n'était autre que ...; ***he would have ~ of it*** il ne voulait rien savoir **II** *adv* ***to be ~ the wiser*** ne pas en savoir plus pour autant; ***she looks ~ the worse for her ordeal*** cette épreuve ne semble pas l'avoir trop marquée; ***he was ~ too happy about it*** il n'était pas ravi; **~ *too sure*** pas tellement sûr; **~ *too easy*** pas si facile

nonentity [nɒ'nentɪtɪ] *n* être *m* insignifiant **nonessential** [nɒnɪ'senʃəl] **I** *adj* accessoire **II** **nonessentials** *n pl* accessoires *mpl*

nonetheless [ˌnʌnðə'les] *adv* néanmoins

nonevent *n infml* non-événement *m infml* **nonexecutive** *adj* **~ *director*** administrateur *m* **nonexistent** *adj* inexistant; ***discipline is ~ here*** la discipline est inexistante ici **non-fat** *adj* sans matière grasse **nonfattening** *adj* qui ne fait pas grossir; ***fruit is ~*** les fruits ne font pas grossir **nonfiction I** *n* ouvrages *mpl* non littéraires **II** *adj* ***~ book*** ouvrage *m* non littéraire **nonflammable** *adj* ininflammable **nonmember** *n* ***open to ~s*** ouvert au public **nonnegotiable** *adj* non négociable; ***the price is ~*** le prix n'est pas négociable

no-no ['nəʊnəʊ] *n infml* ***that's a ~!*** c'est hors de question!

no-nonsense ['nəʊˌnɒnsəns] *adj* pragmatique

nonpayment *n* non-paiement *m* **nonplussed** ['nɒn'plʌst] *adj* dérouté, perplexe; ***completely ~*** complètement dérouté **nonpolitical** *adj* apolitique **nonprofit**, *Br* **non-profit making** *adj* à but non lucratif **nonredeemable** *adj* FIN non remboursable **nonrenewable** *adj* non renouvelable **nonresident** *n* non-résident(e) *m(f)*; *(in hotel)* client(e) *m(f)* de passage; ***open to ~s*** ouvert aux hôtes de passage **nonreturnable** *adj* ***~ bottle*** bouteille *f* non consignée; ***~ deposit*** arrhes *fpl* non remboursables

nonsense ['nɒnsəns] *n no pl* absurdité *f*; *(silly behavior)* idioties *fpl*; ***~!*** n'importe quoi!; ***I've had enough of this ~*** j'en ai assez de ces idioties!; ***what's all this ~ about a cut in salary?*** c'est quoi ces histoires de diminution de salaire?; ***he will stand no ~ from anybody*** il ne se laissera marcher sur les pieds par personne **nonsensical** [nɒn'sensɪkəl] *adj* absurde

nonslip *adj* antidérapant **nonsmoker** *n* non-fumeur(-euse) *m(f)* **nonsmoking** *adj* non-fumeurs; ***we have a ~ policy*** nous avons une politique antitabac **nonstarter** *n (fig idea)* ***to be a ~*** être voué à l'échec **nonstick** *adj* antiadhésif (-ive) **nonstop I** *adj train* direct; *journey* sans arrêt; ***~ flight*** vol sans escale **II** *adv work* sans arrêt; *fly* sans escale **nonswimmer** *n* personne *f* qui ne sait pas nager **nontaxable** *adj* non imposable **nontoxic** *adj* non toxique **nonverbal** *adj* non verbal **nonviolence** *n* non-violence *f* **nonviolent** *adj* pacifique; *crime, offender* non-violent

noodle ['nuːdl] *n* COOK nouille *f*

nook [nʊk] *n* coin *m*; ***in every ~ and cranny*** dans tous les coins et recoins

nookie, nooky ['nʊkɪ] *n infml* ***to have a bit of ~*** faire une partie de jambes en l'air *infml*

noon [nuːn] **I** *n* midi *m*; ***at ~*** à midi **II** *adj* de midi

no-one, no one ['nəʊwʌn] *pron* = **nobody**

noontime *esp US* **I** *n* midi *m*; ***at ~*** à midi **II** *adj* de midi

noose [nuːs] *n* nœud *m* coulant

nope [nəʊp] *adv infml* non, nan *infml*

no place *adv (esp US infml)* = **nowhere**

nor [nɔːr] *cj* **1.** ni; ***neither ... ~*** ni ... ni ... **2.** *(and not)* ***I won't go, ~ will you*** je n'irai pas et toi non plus; ***~ do I*** moi non plus

Nordic ['nɔːdɪk] *adj* nordique; ***~ walking*** marche nordique

norm [nɔːm] *n* norme *f*

normal ['nɔːməl] **I** *adj* normal; *(customary)* habituel(le); ***it's ~ practice*** c'est normal; ***he is not his ~ self*** il n'est pas lui-même; ***a higher than ~ risk of infection*** un risque d'infection supérieur à la normale **II** *n no pl* ***below ~*** en dessous de la normale; ***her temperature is below / above ~*** sa température est au-dessus / en dessous de la normale; ***when things are back to*** *or* ***return to ~*** quand les choses reviennent à la normale; ***carry on as ~*** continuez comme si de rien n'était **normality** [nɔː'mælɪtɪ] *n* normalité *f*; ***to return to ~*** redevenir normal **normally** ['nɔːməlɪ] *adv* **1.** *(usually)* généralement **2.** *(in normal way)* normalement

Norman ['nɔːmən] **I** *adj* normand; ***the ~ Conquest*** la conquête normande **II** *n* Normand(e) *m(f)* **Normandy** ['nɔːməndɪ] *n* Normandie *f*

Norse [nɔːs] *adj* nordique

north [nɔːθ] **I** *n* nord *m*; ***in the ~*** dans le nord; ***from the ~*** du nord; ***to the ~ of*** au nord de; ***the wind is in the ~*** le vent est au nord; ***to face ~*** être exposé au nord; ***the North of Scotland*** le nord de l'Écosse **II** *adj attr* du nord **III** *adv* vers le nord; ***~ of*** au nord de **North Africa** *n* Afrique *f* du Nord **North America** *n* Amérique *f* du Nord **North American I** *adj* nord-américain **II** *n* Nord-Américain(e) *m(f)* **North Atlantic** *n* Atlantique *m* nord **northbound** *adj carriageway, traffic* en direction du nord **northeast I** *n* nord-est *m*; ***in the ~*** dans le nord-est; ***from the ~*** du nord-est **II** *adj* du nord-est; ***~ England*** l'Angleterre du Nord-Est **III** *adv* vers le nord-est; ***~ of*** au nord-est de **northeasterly** *adj* de nord-est **northerly** ['nɔːðəlɪ] *adj* de nord

northern ['nɔːðən] *adj* du nord; ***Northern Irish*** d'Irlande du Nord **northerner** ['nɔːðənəʳ] *n* habitant(e) *m(f)* du Nord; ***he is a ~*** il vient du Nord **Northern Ireland** *n* Irlande *f* du Nord **northernmost** ['nɔːðənməʊst] *adj* le plus au nord **North Pole** *n* pôle *m* Nord **North Sea I** *n* mer *f* du Nord **II** *adj* de la mer du Nord **North-South divide** *n* fossé *m* Nord-Sud **northward I** *adj* au nord **II** *adv* (*a.* **northwards**) vers le nord **northwest I** *n* nord-ouest *m* **II** *adj* nord-ouest; ***~ England*** l'Angleterre du Nord-Ouest **III** *adv* vers le nord-ouest; ***~ of*** au nord-ouest de **northwesterly** *adj* de nord-ouest

Norway ['nɔːweɪ] *n* Norvège *f*

Norwegian [nɔː'wiːdʒən] **I** *adj* norvégien(ne) **II** *n* **1.** Norvégien(ne) *m(f)* **2.** LING norvégien *m*

Nos., nos. *abbr* = **numbers** n° (*numéros*)

nose [nəʊz] **I** *n* nez *m*; ***to hold one's ~*** se boucher le nez; ***my ~ is bleeding*** je saigne du nez; ***follow your ~*** continuez tout droit; ***she always has her ~ in a book*** elle a toujours le nez fourré dans un livre *infml*; ***to do sth under sb's ~*** faire qc sous le nez de qn; ***it was right under his ~*** c'était juste sous son nez; ***he can't see beyond*** *or* ***further than the end of his ~*** il ne voit pas plus loin que le bout de son nez; ***to get up sb's ~*** (*Br cars*) taper sur les nerfs de qn *infml*; ***to poke one's ~ into sth*** *fig* mettre son nez dans qc; ***you keep your ~ out of this*** *infml* tu ne te mêles pas de ça *infml*; ***to cut off one's ~ to spite one's face*** (*prov*) se punir soi-même; ***to look down one's ~ at sb / sth*** prendre qn / qc de haut; ***to pay through the ~*** *infml* payer le prix fort; ***~ to tail*** (*Br cars*) pare-chocs contre pare-chocs **II** *v/t* ***the car ~d its way into the stream of traffic*** la voiture s'est introduite lentement dans le flot de circulation ◆ **nose around** *or Br* **about** *v/i* fureter, fouiner *infml*

nosebleed *n* saignement *m* de nez; ***to have a ~*** saigner du nez **nosedive I** *n* AVIAT piqué *m*; ***the company's profits took a ~*** les bénéfices de l'entreprise ont chuté brutalement **II** *v/i* (*plane*) descendre en piqué; *fig* chuter brutalement **nosedrops** *pl* gouttes *fpl* pour le nez **nose ring** *n* anneau *m* de nez **nosey** *adj* = **nosy**

nosh [nɒʃ] *n US* en-cas *m*; *Br sl* (*food*) bouffe *f infml*

no-smoking *adj* = **nonsmoking**

nostalgia [nɒ'stældʒɪə] *n* nostalgie *f* (***for*** pour); ***to feel ~ for sth*** avoir la nostalgie de qc **nostalgic** [nɒ'stældʒɪk] *adj* nostalgique; (*wistful*) mélancolique; ***to feel ~ for sth*** être nostalgique de qc

nostril ['nɒstrəl] *n* narine *f*; (*of horse etc.*) naseau *m*

nosy ['nəʊzɪ] *adj* ⟨**+er**⟩ *infml* curieux (-euse), fouineur(-euse) *infml* **nosy parker** [ˌnəʊzɪ'pɑːkəʳ] *n* (*Br infml*) fouineur(-euse) *m(f)* *infml*

not [nɒt] *adv* **1.** ne … pas; ***he told me ~ to do that*** il m'a dit de ne pas le faire; ***~ a word*** pas un mot; ***~ a bit*** pas du tout; ***~ one of them*** aucun d'entre eux; ***~ a thing*** absolument rien; ***~ any more*** plus (maintenant); ***~ yet*** pas encore; ***~ even*** même pas; ***~ so*** (*as reply*) pas du tout; ***he's decided ~ to do it — I should think*** il a décidé de ne pas le faire — j'espère bien!; ***~ at all*** (*in no way*) pas du tout; (*you're welcome*) je vous en prie; ***~ that I care*** non pas que cela me fasse quelque chose; ***~ that I know of*** pas que je sache; ***it's ~ that I don't believe him*** non pas que je ne le croie pas **2.** (*in tag questions*) ***it's hot, isn't it?*** il fait chaud, n'est-ce pas? *infml*; ***isn't it hot?*** il fait chaud, non?; ***isn't he naughty!*** qu'est-ce qu'il est sot!; ***you are coming, aren't you?*** vous venez, n'est-ce pas?

notable ['nəʊtəbl] *adj* **1.** (*eminent*) notable; (*big*) considérable **2.** (*conspicuous*) remarquable; ***with a few ~ exceptions*** à quelques notables exceptions près **notably** ['nəʊtəblɪ] *adv* **1.** (*strikingly*) notamment **2.** (*in particular*) particulièrement; ***most ~*** avant tout

notary (public) ['nəʊtərɪ('pʌblɪk)] *n* notaire *m*

notch [nɒtʃ] *n* entaille *f* ◆ **notch up** *v/t sep points*, *success* marquer

note [nəʊt] **I** *n* **1.** note *f*; (*letter*) mot *m*; ***~s*** (*summary*) notes *fpl*; (*draft*) brouillon *m*; ***to speak without ~s*** parler sans notes; ***to leave sb a ~*** laisser un mot à qn; ***to take*** *or* ***make ~s*** prendre des notes; ***to take*** *or* ***make a ~ of sth*** noter qc **2.** *no pl* ***to take ~ of sth*** noter qc, prendre note de qc **3.** *no pl* ***nothing of ~*** rien d'important **4.** (MUS *sign*) note *f*; (*quality sound*) son *m*; ***to play the right ~*** jouer la bonne note; ***to play the wrong ~*** faire une fausse note; ***to strike the right ~*** *fig* être bien dans le ton; ***on a personal ~*** d'un point de vue personnel; ***on a more positive ~*** sur une note plus positive; ***to sound a ~ of caution*** inviter à la prudence; ***there was a ~ of warning in his voice*** il y avait un avertissement discret dans sa voix **5.** (*Br* FIN) billet *m*; ***a $5 ~, a five-dollar ~*** un billet de 5 dollars **II** *v/t* **1.** (*notice*) constater **2.** (*pay attention to*) prendre bonne note de **3.** = **note down ◆ note down** *v/t sep* noter

notebook ['nəʊtbʊk] *n* carnet *m*; **~** (***computer***) ordinateur *m* portable (*de petite taille*) **noted** ['nəʊtɪd] *adj* célèbre (***for*** pour) **notelet** ['nəʊtlɪt] *n Br* carte-lettre *f* **notepad** *n* bloc-notes *m* **notepaper** *n* papier *m* à lettres **noteworthy** *adj* remarquable

nothing ['nʌθɪŋ] **I** *n, pron, adv* rien; ***it was reduced to ~*** ça a été réduit à néant; ***it was all or ~*** c'était tout ou rien; ***$500 is ~ to her*** elle n'en est pas à 500 dollars près; ***it came to ~*** ça n'a rien donné; ***I can make ~ of it*** je n'y comprends rien; ***he thinks ~ of doing that*** il trouve tout naturel de le faire; ***think ~ of it!*** mais je vous en prie!; ***there was ~ doing at the club*** (*Br infml*) il ne se passait jamais rien dans cette boîte; ***for ~*** pour rien; ***there's ~ (else) for it but to leave*** *Br* il ne reste plus qu'à partir; ***there was ~ in it for me*** je n'avais rien à y gagner; ***there's ~ in the rumor*** (*US*) *or* ***rumour*** *Br* il n'y a rien de vrai dans cette rumeur; ***there's ~ to it*** *infml* c'est simple comme bonjour; ***~ but*** ne … que; ***~ else*** rien d'autre; ***~ more*** rien de plus; ***I'd like ~ more than that*** il n'y a rien que j'aimerais plus que ça; ***~ much*** pas grand-chose; ***~ if not polite*** tout sauf malpoli; ***~ new*** rien de nouveau; ***it was ~ like as big*** c'était loin d'être aussi grand **II** *n* **1.** MATH zéro *m* **2.** (*thing, person*) nullité *f*; ***thank you — it was ~*** merci — de rien; ***what's wrong with you? — (it's) ~*** qu'est-ce qui t'arrive? — rien **nothingness** *n* néant *m*

no through road *n* ***it's a ~*** c'est une voie sans issue

notice ['nəʊtɪs] **I** *n* **1.** (*warning*) avertissement *m*; (*written notification*) notification *f*; (*of future event*) annonce *f*; ***we need three weeks' ~*** il faut qu'on soit prévenu trois semaines à l'avance; ***to give ~ of sth*** annoncer qc; ***to give sb ~ of sth*** prévenir qn de qc; ***he didn't give us much ~*** il ne nous a pas donné beaucoup de temps; ***on short ~*** *US* ***at short ~*** *Br* à court terme; ***at a moment's ~*** immédiatement; ***at three days' ~*** dans un délai de trois jours; ***until further ~*** jusqu'à nouvel ordre **2.** (*on notice board etc.*) avis *m*; (*sign*) pancarte *f*; (*of birth*) faire-part *m*; ***I saw a ~ in the paper about the concert*** j'ai vu une annonce pour le concert dans le journal **3.** (*to end employment, residence*) préavis *m*; ***to give sb ~*** donner son congé à qn; ***to give*** *or* ***hand*** *or* ***turn*** (*US*) ***in one's ~*** donner sa démission; ***a month's ~*** un mois de préavis; ***she gave me/I was given a month's ~*** elle m'a donné/j'ai eu un mois de préavis **4.** ***to take ~ of sth*** remarquer qc; (*heed*) faire attention à qc; ***to take no ~ of sb/sth*** ne pas faire attention à qn/qc; ***take no ~!*** ne faites pas attention!; ***to bring sth to sb's ~*** faire remarquer qc à qn; (*in letter etc.*) porter qc à la connaissance de qn **II** *v/t* remarquer; (*recognize*) reconnaître; ***without my noticing it*** sans que je ne m'en aperçoive; ***I ~d her hesitating*** j'ai remarqué qu'elle hésitait; ***to get oneself ~d*** se faire connaître; (*negatively*) attirer l'attention sur soi **noticeable** ['nəʊtɪsəbl] *adj* perceptible; (*visible*) visible; (*obvious*) manifeste; *relief etc.* manifeste; ***the stain is very ~*** la tache se voit beaucoup; ***it is ~ that …*** on remarque que … **noticeably** ['nəʊtɪsəblɪ] *adv* nettement; *relieved etc.* visiblement **notice board** ['nəʊtɪsbɔːd] *n esp Br* panneau *m* d'affichage

notification [ˌnəʊtɪfɪ'keɪʃən] *n* avis *m*

notify ['nəʊtɪfaɪ] *v/t* signaler; ***to ~ sb of sth*** signaler qc à qn; *authorities* saisir qn de qc

notion ['nəʊʃən] *n* (*idea*) idée *f*; (*conception*) conception *f*; (*vague knowledge*) notion *f*; ***I have no ~ of time*** je n'ai pas la notion du temps; ***he got the ~ (into his head) that she wouldn't help him*** il s'est mis en tête qu'elle ne l'aiderait pas

notoriety [ˌnəʊtəˈraɪətɪ] *n* triste réputation *f* **notorious** [nəʊˈtɔːrɪəs] *adj* notoire; *gambler* invétéré; ***a ~ woman*** une femme de mauvaise réputation **notoriously** [nəʊˈtɔːrɪəslɪ] *adv* notoirement; ***it is ~ difficult to treat*** tout le monde sait que c'est difficile à traiter; ***to be ~ unreliable*** être connu pour son manque de fiabilité

notwithstanding [ˌnɒtwɪθˈstændɪŋ] *form* **I** *prep* malgré, nonobstant *form* **II** *adv* néanmoins

nougat [ˈnuːgɑː] *n* nougat *m*

nought [nɔːt] *n* **1.** (*number*) zéro *m* **2.** *liter* rien *m*; ***to come to ~*** n'aboutir à rien **noughties** [ˈnɔːtɪz] *pl infml la première décennie du XXIe siècle*

noun [naʊn] *n* substantif *m*, nom *m*

nourish [ˈnʌrɪʃ] *v/t* **1.** *lit* nourrir; *person* entretenir **2.** *fig hopes etc.* nourrir, entretenir **nourishing** [ˈnʌrɪʃɪŋ] *adj* nourrissant **nourishment** *n* nourriture *f*

nouveau riche [ˌnuːvəʊˈriːʃ] *n* ⟨*pl* **-x -s**⟩ nouveau riche *m*

Nov. *abbr* = **November** nov.

Nova Scotia [ˈnəʊvəˈskəʊʃə] *n* Nouvelle-Écosse *f*

novel[1] [ˈnɒvəl] *n* roman *m*

novel[2] *adj* original

novelist [ˈnɒvəlɪst] *n* romancier(-ière) *m*(*f*) **novella** [nəˈvelə] *n* roman *m* court

novelty [ˈnɒvəltɪ] *n* **1.** nouveauté *f*; ***the ~ has worn off*** l'attrait de la nouveauté est passé **2.** (*trinket*) gadget *m*

November [nəʊˈvembəʳ] *n* novembre *m*; → **September**

novice [ˈnɒvɪs] *n fig* novice *m*/*f*, débutant(e) *m*(*f*) (***at*** en)

now [naʊ] **I** *adv* maintenant; (*immediately*) en ce moment; (*at this very moment*) à présent; (*nowadays*) actuellement; ***just ~*** maintenant; (*immediately*) à l'instant même; ***it's ~ or never*** c'est maintenant ou jamais; ***what is it ~?*** qu'est-ce qu'il y a encore?; ***by ~*** entre-temps; ***before ~*** auparavant; ***we'd have heard before ~*** nous en aurions déjà été informés; ***for ~*** pour l'instant; ***even ~*** même maintenant; ***any day ~*** maintenant n'importe quel jour; ***from ~ on(ward)*** à partir de maintenant, désormais; ***between ~ and the end of the week*** d'ici à la fin de la semaine; ***in three days from ~*** dans trois jours; ***(every) ~ and then, ~ and again*** de temps à autre **II** *cj* ~ (***that***) ***you've seen him*** maintenant que vous l'avez vu **III** *int* eh bien; ***~, ~!*** allez allez!; ***well ~*** eh bien!; ***~ then*** bon; ***~, why didn't I think of that?*** mais pourquoi je n'y ai pas pensé?

nowadays [ˈnaʊədeɪz] *adv* aujourd'hui, de nos jours

no way *adv* → **way**

nowhere [ˈnəʊwɛəʳ] *adv* nulle part; ***they have ~ to go*** ils n'ont nulle part où aller; ***there was ~ to hide*** il n'y avait aucun endroit où se cacher; ***to appear out of ~*** apparaître comme par magie; ***we're getting ~*** nous n'avançons pas; ***rudeness will get you ~*** vous n'obtiendrez rien en étant impoli

no-win situation [ˌneʊwɪnsɪtjʊˈeɪʃən] *n* ***it's a ~*** c'est une situation inextricable

noxious [ˈnɒkʃəs] *adj* **1.** (*harmful*) nuisible **2.** (*toxic*) nocif(-ive)

nozzle [ˈnɒzl] *n* (*of printer*) buse *f*; (*of vacuum cleaner*) embout *m*; (*of hose*) ajutage *m*

nuance [ˈnjuːɑːns] *n* nuance *f*

nubile [ˈnjuːbaɪl] *adj* nubile

nuclear [ˈnjuːklɪəʳ] *adj* nucléaire; *fuel* nucléaire **nuclear deterrent** *n* force *f* de dissuasion nucléaire **nuclear disarmament** *n* désarmement *m* nucléaire **nuclear energy** *n* = **nuclear power** **nuclear family** *n* famille *f* nucléaire **nuclear-free** *adj* antinucléaire **nuclear missile** *n* missile *m* nucléaire **nuclear physics** *n* physique *f* nucléaire **nuclear power** *n* (*energy*) énergie *f* nucléaire; POL puissance *f* nucléaire **nuclear power station** *n* centrale *f* nucléaire **nuclear reactor** *n* réacteur *m* nucléaire **nuclear reprocessing plant** *n* usine *f* de retraitement des déchets nucléaires **nuclear test** *n* essai *m* nucléaire **nuclear war** *n* guerre *f* nucléaire **nuclear waste** *n* déchets *mpl* nucléaires **nuclear weapon** *n* arme *f* nucléaire

nucleus [ˈnjuːklɪəs] *n* **nuclei** *pl* noyau *m*

nude [njuːd] **I** *adj* nu; ART de nu; ***~ figure*** nu *m* **II** *n* ART nu *m*; ***in the ~*** nu

nudge [nʌdʒ] **I** *v/t* donner un coup de coude à **II** *n* coup *m* de coude

nudist ['nju:dɪst] *n* nudiste *m/f* **nudist beach** *n* plage *f* de nudistes **nudity** ['nju:dɪtɪ] *n* nudité *f*

nugget ['nʌgɪt] *n* pépite *f*; (*fig: of information*) élément *m* important

nuisance ['nju:sns] *n* **1.** (*person*) plaie *f*, peste *f*; ***sorry to be a ~*** désolé de vous importuner; ***to make a ~ of oneself*** être une plaie **2.** (*thing*) ***to be a ~*** être un fléau; (*annoying*) être une plaie; ***what a ~!*** quelle plaie! **nuisance call** *n* TEL appel *m* anonyme

null [nʌl] *adj* JUR nul(le), invalide **nullify** ['nʌlɪfaɪ] *v/t* invalider

numb [nʌm] **I** *adj* ⟨**+er**⟩ engourdi; (*emotionally*) insensible; ***hands ~ with cold*** mains engourdies par le froid **II** *v/t* (*cold*) engourdir; (*injection*) endormir; *fig* paralyser

number ['nʌmbəʳ] **I** *n* **1.** MATH nombre *m*; (*numeral*) chiffre *m* **2.** (*amount*) quantité *f*; ***a ~ of problems*** un certain nombre de problèmes; ***large ~s of people*** un grand nombre de personnes; ***on a ~ of occasions*** à maintes reprises; ***boys and girls in equal ~s*** garçons et filles en nombre égal; ***in a small ~ of cases*** dans un petit nombre de cas; ***ten in ~*** au nombre de dix; ***to be found in large ~s*** se trouver en grand nombre; ***in small / large ~s*** en petit / grand nombre; ***any ~ can play*** le nombre de joueurs est sans importance **3.** (*of house etc.*) numéro *m*; ***at ~ 4*** au (numéro) 4; ***the ~ 47 bus*** le bus 47; ***I've called the wrong ~*** j'ai fait un faux numéro; ***it was a wrong ~*** c'était un faux numéro; ***the ~ one tennis player*** *infml* le joueur de tennis numéro un *infml*; ***the single went straight to*** *or* ***straight in at ~ one*** le single s'est classé directement numéro un; ***to look after ~ one*** *infml* penser avant tout à soi **4.** (*act*) numéro *m*; (*dress*) modèle *m* **5.** ***one of their ~*** un d'entre eux; ***one of our ~*** un des nôtres **II** *v/t* **1.** (*give a number to*) numéroter **2.** (*amount to*) compter (***among*** parmi); ***the group ~ed 50*** le groupe comptait 50 personnes; ***his days are ~ed*** ses jours sont comptés **numbering** ['nʌmbərɪŋ] *n* numérotation *f* **numberplate** *n Br* plaque *f* minéralogique **numbers lock** *n* IT verrouillage *m* du clavier numérique

numbly ['nʌmlɪ] *adv* d'un air hébété **numbness** ['nʌmnɪs] *n* engourdissement *m*

numeracy ['nju:mərəsɪ] *n* notions *fpl* de calcul **numeral** ['nju:mərəl] *n* chiffre *m*, nombre *m* **numerate** ['nju:mərɪt] *adj* qui sait compter; ***to be ~*** savoir compter **numeric** [nju:'merɪk] *adj* **~ *keypad*** pavé *m* numérique **numerical** [nju:'merɪkəl] *adj order, superiority* numérique **numerically** [nju:'merɪkəlɪ] *adv* numériquement; ***~ controlled*** à commande numérique **numerous** ['nju:mərəs] *adj* nombreux(-euse); ***on ~ occasions*** à de nombreuses occasions

nun [nʌn] *n* religieuse *f*

nurse [nɜ:s] **I** *n* **1.** infirmière *f*; ***male ~*** infirmier *m* **2.** (*nanny*) nourrice *f* **II** *v/t* **1.** soigner; ***to ~ sb back to health*** faire recouvrir à qn la santé grâce à ses soins; ***he stood there nursing his bruised arm*** il était debout et tenait son bras blessé **2.** (*suckle*) *child* allaiter

nursery ['nɜ:sərɪ] *n* **1.** (*institution*) garderie *f*; (*all-day*) crèche *f* **2.** AGR, HORT pépinière *f* **3.** (*room*) chambre *f* d'enfants **nursery nurse** *n Br* puéricultrice *f* **nursery rhyme** *n* comptine *f* **nursery school** *n* (école *f*) maternelle *f* **nursery school teacher** *n* professeur(e) *m*(*f*) d'école maternelle, instituteur (-trice) *m*(*f*) de maternelle **nursery slope** *n* (*Br* SKI) piste *f* pour débutants

nursing ['nɜ:sɪŋ] **I** *n* **1.** (*care*) soins *mpl* **2.** (*profession*) profession *f* d'infirmière **II** *adj attr* d'infirmier(-ière); ***~ staff*** le personnel infirmier; ***the ~ profession*** la profession d'infirmière; (*nurses collectively*) les infirmières **nursing home** *n* maison *f* de santé

nurture ['nɜ:tʃəʳ] *v/t talent* développer; *idea* nourrir

nut [nʌt] *n* **1.** BOT (*hazelnut*) noisette *f*; (*walnut*) noix *f*; (*almond*) amande *f*; ***a tough ~ to crack*** *fig* un dur à cuire **2.** (*infml person*) cinglé(e) *m*(*f*) *infml* **3.** MECH écrou *m* **nutcase** *n infml* cinglé(e) *m*(*f*) *infml* **nutcracker** *n*, **nutcrackers** *pl* casse-noix *m*, casse-noisette *m* **nutmeg** *n* (noix *f* de) muscade *f*

nutrient ['nju:trɪənt] *n* substance *f* nutritive **nutrition** [nju:'trɪʃən] *n* nutrition *f* **nutritional** *adj* nutritionnel(le); ***~ value*** valeur nutritive; ***~ information*** information nutritionnelle **nutritionist** [nju:'trɪʃənɪst] *n* nutritionniste *m/f* **nutritious** [nju:'trɪʃəs] *adj* nour-

rissant
nuts [nʌts] *adj pred infml* ***to be ~*** être dingue *infml*; ***to be ~ about sb/sth*** être dingue de qn/qc *infml* **nutshell** ['nʌtʃel] *n* ***in a ~*** *fig* en un mot **nutter** ['nʌtəʳ] *n* (*Br infml*) dingue *infml*; (*dangerous*) cinglé(e) *m*(*f*) *infml*; ***he's a ~*** il est cinglé *infml* **nutty** ['nʌtɪ] *adj* ⟨**+er**⟩ **1.** (*like nuts*) au goût de noisette; (*with nuts*) aux noisettes **2.** (*infml crazy*) dingue *infml*
nuzzle ['nʌzl] **I** *v/t* renifler **II** *v/i* ***to ~*** (***up***) ***against sb*** (*person*, *animal*) se blottir contre qn
NW *abbr* = **north-west** NO *m*
nylon ['naɪlɒn] **I** *n* **1.** TEX nylon® *m* **2. nylons** *pl* bas *mpl* (en) nylon® **II** *adj* en nylon®; ***~ shirt*** chemise en nylon®
nymph [nɪmf] *n* MYTH nymphe *f*
nymphomaniac [ˌnɪmfəʊ'meɪnɪæk] *n* nymphomane *f*
NZ *abbr* = **New Zealand**

O

O, o [əʊ] *n* O, o *m*
oaf [əʊf] *n* mufle *m*
oak [əʊk] *n* chêne *m*
OAP *Br abbr* = **old-age pensioner**
oar [ɔːʳ] *n* rame *f*
oasis [əʊ'eɪsɪs] *n* ⟨*pl* **oases**⟩ oasis *f*
oat [əʊt] *n usu pl* avoine *f*; ***~s*** *pl* COOK avoine **oatcake** ['əʊtkeɪk] *n Br* crêpe *f* à l'avoine
oath [əʊθ] *n* **1.** JUR serment *m*; ***to take*** *or* ***swear an ~*** jurer; JUR prêter serment; ***he took an ~ of loyalty to the government*** il a juré loyauté au gouvernement; ***to be under ~*** JUR être sous serment **2.** (*curse*) juron *m*
oatmeal ['əʊtmiːl] *n no pl* bouillie *f* d'avoine, porridge *m*
OBE *abbr* = **Officer of the Order of the British Empire**
obedience [ə'biːdɪəns] *n no pl* obéissance *f* **obedient** [ə'biːdɪənt] *adj* obéissant; ***to be ~*** être obéissant; ***to be ~ to*** obéir à **obediently** [ə'biːdɪəntlɪ] *adv* docilement
obelisk ['ɒbɪlɪsk] *n* ARCH obélisque *m*
obese [əʊ'biːs] *adj* obèse **obesity** [əʊ'biːsɪtɪ] *n* obésité *f*
obey [ə'beɪ] **I** *v/t* obéir à; *rules* se plier à; ***I expect to be ~ed*** j'entends qu'on m'obéisse **II** *v/i* obéir
obituary [ə'bɪtjʊərɪ] *n* nécrologie *f*
object¹ ['ɒbdʒɪkt] *n* **1.** (*thing*) objet *m*; ***he was an ~ of scorn*** il faisait l'objet de railleries **2.** (*aim*) objectif *m*; ***the ~ of the exercise*** l'objectif de cet exercice; ***that defeats the ~*** cela va à l'encontre de l'objectif recherché **3.** ***money is no ~*** l'argent n'est pas un problème **4.** GRAM complément *m* d'objet
object² [əb'dʒekt] **I** *v/i* être contre, refuser; (*protest*) protester; (*raise objection*) faire une objection; ***to ~ to sth*** être contre qc; ***I don't ~ to that*** je ne suis pas contre; ***he ~s to my drinking*** il n'aime pas que je boive; ***I ~ to people smoking in my house*** je refuse que les gens fument dans ma maison; ***I ~ to him bossing me around*** je refuse qu'il me dise ce que je dois faire **II** *v/t* objecter **objection** [əb'dʒekʃən] *n* objection *f* (***to*** à); ***to make an ~*** (***to sth***) faire une objection (à qc); ***I have no ~ to his going away*** je ne vois pas d'objection à ce qu'il s'en aille; ***are there any ~s?*** y a-t-il des objections?; ***~!*** JUR objection! **objectionable** [əb'dʒekʃənəbl] *adj* désagréable; *behaviour* répréhensible; ***he's a most ~ person*** c'est quelqu'un de très désagréable
objective [əb'dʒektɪv] **I** *adj* objectif (-ive) **II** *n* (*aim*) objectif *m* **objectivity** [ˌɒbdʒek'tɪvɪtɪ] *n* objectivité *f*
objector [əb'dʒektəʳ] *n* opposant(-e) *m*(*f*) (***to*** à)
objet d'art ['ɒbʒeɪ'dɑː] *n* objet *m* d'art
obligation [ˌɒblɪ'geɪʃən] *n* obligation *f*; ***to be under an ~ to do sth*** être dans l'obligation de faire qc **obligatory** [ɒ'blɪgətərɪ] *adj* obligatoire; ***~ subject*** matière obligatoire; ***biology is ~*** la biologie est obligatoire; ***attendance is ~*** la présence est obligatoire; ***identity cards were made ~*** les cartes d'identité sont devenues obligatoires **oblige** [ə'blaɪdʒ] **I** *v/t* **1.** (*compel*, *because of duty*) obliger (***sb to do sth*** qn à faire qc); ***to feel ~d to do sth*** se sentir obligé de faire qc; ***you are not ~d to answer this***

question vous n'êtes pas obligé de répondre à cette question **2.** (*do a favor to*); ***much ~d!*** merci beaucoup!; ***I am much ~d to you for this!*** je vous en suis très reconnaissant! **II** *v/i* rendre service; ***she is always ready to ~*** elle est toujours prête à rendre service; ***anything to ~*** tout pour rendre service; ***should you need further detail, I will be happy to ~*** c'est avec plaisir que je vous enverrai des renseignements supplémentaires si vous le souhaitez **obliging** [ə'blaɪdʒɪŋ] *adj* serviable, obligeant **obligingly** [ə'blaɪdʒɪŋlɪ] *adv* obligeamment

oblique [ə'bliːk] **I** *adj* **1.** *line*, *angle* oblique **2.** *fig* de biais **II** *n* oblique *f* **obliquely** [ə'bliːklɪ] *adv fig* de biais

obliterate [ə'blɪtəreɪt] *v/t* effacer; *city* raser

oblivion [ə'blɪvɪən] *n* oubli *m*; ***to fall into ~*** tomber dans l'oubli **oblivious** [ə'blɪvɪəs] *adj* ***to be ~ of*** *or* ***to sth*** (*unaware*) ne pas avoir conscience de qc; (*deliberately ignore*) ne pas se soucier de qc; ***he was quite ~ of his surroundings*** il ne se souciait pas du tout de ce qui l'entourait **obliviously** [ə'blɪvɪəslɪ] *adv* ***to carry on ~*** continuer comme si de rien n'était

oblong ['ɒblɒŋ] **I** *adj* oblong(-ongue) **II** *n* rectangle *m*

obnoxious [ɒb'nɒkʃəs] *adj* odieux (-euse); ***an ~ person*** quelqu'un d'odieux **obnoxiously** [ɒb'nɒkʃəslɪ] *adv* odieusement, de façon odieuse

oboe ['əʊbəʊ] *n* hautbois *m*

obscene [əb'siːn] *adj* obscène; *amount of money* scandaleux(-euse); ***~ publication*** publication obscène **obscenity** [əb'senɪtɪ] *n* obscénité *f*; ***he used an ~*** il a dit une obscénité

obscure [əb'skjʊəʳ] **I** *adj* (*hard to understand*, *unknown*) obscur; ***for some ~ reason*** pour une raison que je ne m'explique pas **II** *v/t* cacher **obscurely** [əb'skjʊəlɪ] *adv* obscurément **obscurity** [əb'skjʊərɪtɪ] *n* **1.** (*of style*, *argument*) obscurité *f* **2.** *no pl* (*of birth*, *origins*) obscurité *f*; ***to live in ~*** vivre dans l'obscurité; ***to sink into ~*** sombrer dans l'obscurité

obsequious [əb'siːkwɪəs] *adj* obséquieux(-euse) (***to(wards)*** devant)

observable [əb'zɜːvəbl] *adj* visible **observance** [əb'zɜːvəns] *n* (*of law*) respect *m*, observation *f* **observant** [əb'zɜːvənt] *adj* observateur(-trice); ***that's very ~ of you*** c'est bien observé de ta part **observation** [ˌɒbzə'veɪʃən] *n* **1.** observation *f*; ***to keep sb/sth under ~*** garder qn/qc en observation; (*by police*) garder qn/qc sous surveillance; ***he's in the hospital for ~*** il est à l'hôpital en observation **2.** (*remark*) observation *f*, remarque *f* **observatory** [əb'zɜːvətrɪ] *n* observatoire *m* **observe** [əb'zɜːv] *v/t* **1.** observer; (*police*) surveiller **2.** (*remark*) observer, faire remarquer **3.** (*rule*, *custom*) respecter; (*anniversary etc.*,) marquer; ***to ~ a minute's silence*** observer une minute de silence **observer** [əb'zɜːvəʳ] *n* observateur(-trice) *m(f)*

obsess [əb'ses] *v/t* ***to be ~ed by*** *or* ***with sb/sth*** être obsédé par qn/qc **obsession** [əb'seʃən] *n* obsession *f* (***with*** de); ***this ~ with order*** cette obsession de l'ordre **obsessive** [əb'sesɪv] *adj* obsessionnel(le), obsessif(-ive); ***to be ~ about sth*** avoir l'obsession de qc; ***to become ~*** (*activity*) devenir obsessionnel; (*person*) devenir obsédé **obsessively** [əb'sesɪvlɪ] *adv* de manière obsessionnelle

obsolescent [ˌɒbsə'lesnt] *adj* obsolescent **obsolete** ['ɒbsəliːt] *adj* obsolète; ***to become ~*** devenir obsolète

obstacle ['ɒbstəkl] *n* obstacle *m*; ***to be an ~ to sth*** être un obstacle à qc

obstetrician [ˌɒbstə'trɪʃən] *n* obstétricien(ne) *m(f)* **obstetrics** [ɒb'stetrɪks] *n sg* obstétrique *f*

obstinacy ['ɒbstɪnəsɪ] *n* obstination *f* **obstinate** ['ɒbstɪnɪt] *adj* obstiné

obstruct [əb'strʌkt] *v/t* **1.** (*block*) bloquer; (*view*) boucher; ***you're ~ing my view*** tu me bouches la vue **2.** (*hinder*) entraver; SPORTS faire une obstruction à; ***to ~ the police*** entraver le travail de la police; ***to ~ the course of justice*** entraver l'exercice de la justice **obstruction** [əb'strʌkʃən] *n* **1.** (*hindering*) obstruction *f*; ***to cause an ~*** gêner la circulation **2.** (*obstacle*) obstacle *m*; ***there is an ~ in the pipe*** le tuyau est bouché **obstructive** [əb'strʌktɪv] *adj behaviour* obstructionniste

obtain [əb'teɪn] *v/t* obtenir; ***to ~ sth through hard work*** obtenir qc à force de travail; ***to ~ sth for sb*** procurer qc à qn; ***they ~ed the release of the hos-***

tages ils ont obtenu la libération des otages **obtainable** [əb'teɪnəbl] *adj* disponible

obtrusive [əb'truːsɪv] *adj* importun; *building* gênant

obtuse [əb'tjuːs] *adj* GEOMETRY *person* obtus

obverse ['ɒbvɜːs] *n* (*of coin, medal*) face *f*

obvious ['ɒbvɪəs] *adj* évident; (*not subtle*) flagrant; *fact, dislike* manifeste; ***that's the ~ solution*** c'est la solution la plus évidente; ***for ~ reasons*** pour des raisons évidentes; ***it was ~ he didn't want to come*** il n'avait manifestement pas envie de venir; ***it's quite ~ he doesn't understand*** il ne comprend manifestement pas; ***I would have thought that was perfectly ~*** je pensais que c'était parfaitement clair; (*noticeable*) je pensais que c'était parfaitement visible; ***with the ~ exception of ...*** à l'exception, bien sûr, de ... **obviously** ['ɒbvɪəslɪ] *adv* de toute évidence; ***he's ~ French*** il est français de toute évidence; ***~!*** évidemment!; ***~ he's not going to like it*** il est évident que cela ne va pas lui plaire; ***he's ~ not going to get the job*** il est évident qu'il n'obtiendra pas le poste; ***~ if you can't come, phone us*** évidemment, si tu ne peux pas venir, tu nous appelles

occasion [ə'keɪʒən] *n* **1.** (*point in time*) fois *f*; ***on that ~*** cette fois-là; ***on another ~*** une autre fois; ***on several ~s*** à plusieurs reprises; **(*on*) *the first ~*** la première fois; ***to rise to the ~*** relever le défi **2.** (*special time, reason*) occasion *f*; ***on the ~ of his birthday*** à l'occasion de son anniversaire; ***should the ~ arise*** si l'occasion se présente **occasional** *adj* occasionnel(le); ***he likes an*** *or* ***the ~ cigar*** il aime fumer un cigare de temps en temps; ***she made ~ visits to England*** elle allait de temps en temps en Angleterre **occasionally** *adv* occasionnellement, de temps en temps; ***very ~*** rarement

occult [ɒ'kʌlt] **I** *adj* occulte **II** *n* sciences *fpl* occultes

occupancy ['ɒkjʊpənsɪ] *n* occupation *f*; (*period*) séjour *m*; ***~ rate*** coefficient de remplissage **occupant** ['ɒkjʊpənt] *n* (*of house, car*) occupant(e) *m*(*f*); (*of post*) titulaire *m*/*f*

occupation [ˌɒkjʊ'peɪʃən] *n* **1.** (*employment*) profession *f*; ***what is his ~?*** quelle est sa profession? **2.** (*pastime*) occupation *f* **3.** MIL occupation *f*; ***army of ~*** armée d'occupation **occupational** [ˌɒkjʊ'peɪʃənl] *adj disease, hazard* professionnel(le); ***~ injury*** accident du travail **occupational pension (scheme)** *n Br* plan *m* de retraite complémentaire **occupational therapy** *n* ergothérapie *f*

occupied ['ɒkjʊpaɪd] *adj* **1.** *house, seat* occupé; ***a room ~ by four people*** une pièce occupée par quatre personnes **2.** MIL *etc., country* occupé **3.** (*busy*) occupé; ***to keep sb ~*** occuper qn; ***he kept his mind ~*** il s'occupait l'esprit **occupier** ['ɒkjʊpaɪəʳ] *n* (*of house*) occupant(e) *m*(*f*)

occupy ['ɒkjʊpaɪ] *v/t* **1.** (*house, seat, country, post*) occuper **2.** (*space*) prendre, occuper; *time* occuper **3.** (*busy*) occuper; ***I needed to ~ my mind in order to stay sane*** j'avais besoin de m'occuper l'esprit pour ne pas devenir folle

occur [ə'kɜːʳ] *v/i* **1.** (*event*) arriver, se passer; (*difficulty, change*) survenir; ***that doesn't ~ very often*** cela n'arrive pas souvent **2.** (*be found*) exister **3.** (*come to mind*) venir à l'esprit (***to sb*** à qn); ***it ~s to me that ...*** je me dis que ...; ***it just ~red to me*** ça m'est juste venu à l'esprit; ***it never ~red to me*** ça ne m'est jamais venu à l'esprit; ***it didn't even ~ to him to ask*** ça ne lui est même pas venu à l'esprit de demander **occurrence** [ə'kʌrəns] *n* **1.** (*event*) fait *m* **2.** ***further ~s of this nature must be avoided*** il faut éviter que d'autres événements de cette nature ne se reprodui-

occasion

Le mot anglais **occasion** signifie opportunité ou circonstance. Il ne s'applique jamais à un article de seconde main.

I haven't had the occasion to discuss it with her yet. I send you my very best wishes on this happy occasion.

Je n'ai pas encore eu l'occasion d'en discuter avec elle. Je vous envoie tous mes vœux à l'occasion de cet heureux évènement.

sent; ***there will be an increased ~ of storms*** il y aura un plus grand nombre de tempêtes

ocean ['əʊʃən] *n* océan *m* **ocean-going** ['əʊʃəngəʊɪŋ] *adj* de haute mer **Oceania** [ˌəʊʃɪ'eɪnɪə] *n* Océanie *f* **ocean liner** *n* paquebot *m* **oceanography** [ˌəʊʃə'nɒgrəfɪ] *n* océanographie *f*

o'clock [ə'klɒk] *adv* ***at 5 ~*** à 5 heures; ***5 ~ in the morning/evening*** 5 heures du matin/du soir; ***the 9 ~ train*** le train de 9 heures

Oct. *abbr* = **October** octobre *m*

octagon ['ɒktəgən] *n* octogone *m* **octagonal** [ɒk'tægənl] *adj* octogonal

octane ['ɒkteɪn] *n* octane *m*

octave ['ɒktɪv] *n* MUS octave *f*

October [ɒk'təʊbəʳ] *n* octobre *m*; → **September**

octopus ['ɒktəpəs] *n* pieuvre *f*; FOOD poulpe *m*

OD *infml v/i* faire une overdose

odd [ɒd] **I** *adj* **1.** (*peculiar*) bizarre; *person* spécial; ***how ~!*** comme c'est bizarre!; ***the ~ thing about it is that …*** ce qui est bizarre dans tout ça c'est que …; ***it seemed ~ to me*** ça me paraissait bizarre **2.** *number* impair **3.** *shoe*, *glove* dépareillé; ***he is the ~ one out*** (*doesn't belong*) il est en marge du groupe; (*in character*) il est différent des autres; ***in each group underline the word which is the ~ man*** *or* ***one out*** *esp Br* dans chaque groupe de mots, soulignez l'intrus **4.** *Br* ***600-~ dollars*** 600 dollars et des poussières **5.** (*surplus*) ***the ~ one left over*** quelques restes **6.** *Br* ***at ~ times*** de temps en temps; ***he likes the ~ drink*** il aime bien boire un verre de temps en temps; ***he does all the ~ jobs*** il fait tous les petits boulots **II** *adv infml* bizarrement; ***he was acting a bit ~*** *Br* il se comportait un peu bizarrement **oddball** ['ɒdbɔːl] *infml n* original(e) *m*(*f*) **oddity** ['ɒdɪtɪ] *n* (*odd thing*) curiosité *f* **odd-jobman** [ˌɒd'dʒɒbmæn] *Br* homme *m* à tout faire **oddly** ['ɒdlɪ] *adv* bizarrement; ***an ~ shaped room*** une pièce d'une drôle de forme **oddment** *n usu pl* chute *f*

odds [ɒdz] *pl* **1.** BETTING cote *f*; ***the ~ are 6 to 1*** la cote est de 6 contre 1; ***to pay over the ~*** (*Br infml*) payer une fortune **2.** (*chances*) chances *fpl*; ***the ~ are that …*** il y a de fortes chances que …; ***the ~ were against us*** la chance n'était pas avec nous; ***the ~ were in our favor*** (*US*) *or* ***favour*** *Br* la chance était avec nous; ***against all the ~*** contre toute attente **3.** ***to be at ~ with sb over sth*** être en désaccord avec qn à propos de qc **odds and ends** *pl* bricoles *fpl* **odds-on** ['ɒdzɒn] **I** *adj* ***the ~ favorite*** (*US*) *or* ***favourite*** *Br* le grand favori **II** *adv Br* ***it's ~ that …*** il y a de fortes chances que …

ode [əʊd] *n* ode *f* (**to, on** à)

odious ['əʊdɪəs] *adj person* odieux (-euse); *action* abject

odometer [ɒ'dɒmɪtəʳ] *n* compteur *m* (kilométrique)

odor, *Br* **odour** ['əʊdəʳ] *n* odeur *f* **odorless**, *Br* **odourless** *adj* inodore

Odyssey ['ɒdɪsɪ] *n* Odyssée *f*

OECD *abbr* = **Organization for Economic Cooperation and Development** OCDE

oesophagus *n Br* = **esophagus**

oestrogen ['iːstrəʊdʒən] *n Br* = **estrogen**

of [ɒv, əv] *prep* **1.** de; ***the wife of the doctor*** l'épouse du docteur; ***a friend of ours*** un ami à nous; ***the first of May*** le premier mai; ***that damn dog of theirs*** *infml* leur satané chien *infml*; ***it is very kind of you*** c'est très gentil à vous; ***south of Paris*** au sud de Paris; ***a quarter of six*** *US* six heures moins le quart; ***fear of God*** la peur de Dieu; ***his love of his father*** son amour pour son père; ***the whole of the house*** toute la maison; ***half of the house*** la moitié de la maison; ***how many of them died?*** combien d'entre eux sont morts?; ***there were six of us*** nous étions six; ***he is not one of us*** il n'est pas avec nous; ***one of the best*** l'un des meilleurs; ***he asked the six of us to lunch*** il nous a invités tous les six à déjeuner; ***of the ten only one was absent*** sur les dix, un seul était absent; ***today of all days!*** il fallait que ça tombe aujourd'hui!; ***you of all people should have known*** si quelqu'un devait le savoir, c'était toi; ***he warned us of the danger*** il nous a prévenus du danger; ***what of it?*** et puis quoi? **2.** (*indicating cause*) de; ***he died of cancer*** il est mort d'un cancer; ***he died of hunger*** il est mort de faim; ***it tastes of garlic*** ça a un goût d'ail **3.** (*indicating material*) de, en **4.** (*indicating quality etc.,*) ***a man of courage*** un homme courageux; ***a girl of ten*** une fillette de dix ans; ***the city of Paris*** la ville de Paris; ***that idiot of a waiter*** cet imbécile de serveur **5.** (*in time phrases*) ***of late*** dernièrement; ***of an evening*** *infml* le soir

off [ɒf] **I** *adv* **1.** (*distance*) ***the house is 5 km ~*** la maison est à 5 km; ***it's a long way ~*** c'est loin d'ici; (*time*) ***August isn't very far ~*** le mois d'août sera vite là **2.** (*departure*) ***to be / go ~*** partir; ***he's ~ to school*** il part à l'école; ***I must be ~*** il faut que j'y aille; ***where are you ~ to?*** où est-ce que tu vas?; ***~ we go!*** on y va!; ***they're ~*** SPORTS ils sont partis; ***she's ~ again*** (*infml complaining etc.,*) voilà qu'elle recommence **3.** (*removal*) ***he helped me ~ with my coat*** il m'a aidé à enlever mon manteau; ***the handle has come ~*** la poignée s'est détachée **4.** (*discount*) ***3% ~*** 3 % de réduction; ***to give sb $5 ~*** faire une remise de 5 $ à qn; ***he let me have $5 ~*** il m'a fait une remise de 5 $ **5.** (*not at work*) ***to have time ~ to do sth*** avoir du temps libre pour faire qc; ***I've got a day ~*** j'ai pris ma journée; ***to be ~*** être en congé; ***to be ~ sick*** être malade **6.** ***~ and on, on and ~*** en pointillés; ***straight ~*** tout de suite **II** *adj* **1.** *attr day etc.,*; ***I'm having an ~ day today*** je ne suis pas dans mon assiette aujourd'hui **2.** *pred* (*Br not fresh*) passé; ***this milk is off*** ce lait a tourné; ***to go ~*** se gâter; *milk* tourner **3.** *pred match, talks* annulé; ***I'm afraid veal is ~ today*** désolé, nous n'avons plus de veau aujourd'hui; ***their engagement is ~*** ils ont annulé leurs fiançailles **4.** *TV, light, machine* éteint; *tap* fermé; ***the electricity was ~*** il y a eu une coupure d'électricité **5.** ***they are badly / well ~*** ils sont pauvres / aisés; ***he is better ~ staying in England*** il a tout intérêt à rester en Angleterre; ***he was quite a bit ~ in his calculations*** il s'est pas mal trompé dans ses calculs **6.** *pred* (*Br infml*) ***that's a bit ~!*** c'est un peu fort! **III** *prep* **1.** de; ***he jumped ~ the roof*** il a sauté du toit; ***I got it ~ my friend*** *infml* je l'ai eu par mon ami; ***we live ~ cheese on toast*** on se nourrit de toasts au fromage fondu; ***he got $2 ~ the shirt*** il a eu un rabais de 2 $ sur la chemise; ***20% ~ the whole collection*** 20 % sur toute la collection; ***the lid had been left ~ the tin*** le couvercle n'avait pas été remis sur la boîte **2.** ***the house was just ~ the main road*** la maison était juste en retrait de la route principale; ***a road ~ Bank Street*** une rue qui donne sur Bank Street; ***~ the map*** pas sur la carte; ***I'm ~ dairy products*** je ne mange plus de produits laitiers **off air** *adv* TV, RADIO hors antenne; ***to go ~*** (*broadcast*) rendre l'antenne

offal ['ɒfəl] *n no pl* abats *mpl*

offbeat *adj* original **off-center**, *Br* **off-centre** **I** *adj* décentré **II** *adv* sur le côté **off chance** *n* ***I just did it on the ~*** je l'ai fait au cas où; ***I came on the ~ of seeing her*** je suis venue au cas où je la verrais **off-color**, *Br* **off-colour** *adj* (*esp Br unwell*) ***to feel / be ~*** ne pas se sentir / ne pas être dans son assiette; ***he looked a bit ~*** il n'avait pas l'air dans son assiette **off-duty** *adj attr* qui n'est pas en service; ***there was an ~ policeman there*** il y avait un policier qui n'était pas en service

offence *n Br* = **offense**

offend [ə'fend] **I** *v/t* (*hurt*) vexer; (*be disagreeable to*) choquer **II** *v/i* commettre un délit ◆ **offend against** *v/t insep good manners, good taste* être un outrage à

offended [ə'fendɪd] *adj* vexé; ***to be ~ by sth*** être vexé par qc **offender** [ə'fendəʳ] *n* contrevenant(e) *m*(*f*); ***sex ~*** délinquant sexuel **offending** [ə'fendɪŋ] *adj* **1.** *person* responsable **2.** (*causing problem*) en cause

offense, *Br* **offence** [ə'fens] *n* **1.** JUR délit *m*; (*minor*) infraction *f*; ***to commit an ~*** commettre un délit; ***it is an ~ to copy / forge …*** la reproduction / falsification de … est un délit **2.** *no pl* (*to sb's feelings*) affront *m*; (*to decency*) atteinte *f*; ***to cause ~ to sb*** offenser qn, vexer qn; ***to take ~ at sth*** se formaliser de qc; ***no ~ to the Germans, of course!*** sans vouloir offenser les Allemands, bien sûr!; ***no ~*** (***meant***) je ne voulais vexer personne **3.** (*US part of team*) attaquants *mpl* **offensive** [ə'fensɪv] **I** *adj* **1.** MIL offensif(-ive) **2.** *smell* repoussant; *movie* choquant; *language, remark, behavior* insultant; ***to find sth ~*** *movie* trouver qc choquant; *remark, behavior* trouver qc insultant; ***to find sb ~*** trouver qn odieux; ***he was ~ to her*** il a tenu des propos insultants à son égard **II** *n* MIL, SPORTS offensive *f*; ***to take the ~***

prendre l'offensive; ***to go on to the ~*** passer à l'offensive **offensively** [ə'fensɪvlɪ] *adv* (*unpleasantly*) désagréablement; (*abusively*) de façon insultante

offer ['ɒfəʳ] **I** *n* offre *f*, proposition *f*; ***did you have many ~s of help?*** est-ce que tu as eu beaucoup de propositions d'aide?; ***any ~s?*** faites vos offres; ***he made me an ~*** (***of $50***) il m'a fait une offre (de 50 $); ***on ~*** *Br* (*on special offer*) en promotion **II** *v/t* **1.** offrir, proposer; *reward*, *prize* offrir; ***to ~ to do sth*** proposer de faire qc; (*offer one's services*) se proposer pour faire qc; ***he ~ed to help*** il a proposé son aide; ***did he ~ to?*** est-ce qu'il s'est proposé?; ***to ~ an opinion*** donner son avis; ***to ~ one's resignation*** donner sa démission **2.** *resistance* opposer **III** *v/i* se proposer; ***did he ~?*** est-ce qu'il s'est proposé? **offering** *n* offre *f*; REL offrande *f*

offhand [ˌɒf'hænd] **I** *adj* désinvolte; ***to be ~ with sb*** faire preuve de désinvolture avec qn **II** *adv* au pied levé; ***I couldn't tell you ~*** comme ça, au pied levé, je ne saurais pas te dire

office ['ɒfɪs] *n* **1.** bureau *m*; (*branch*) agence *f*; ***at the ~*** au bureau **2.** (*position*) fonction *f*; ***to take ~*** prendre ses fonctions; ***to be in*** *or* ***hold ~*** être en fonction **office block** *n Br* immeuble *m* de bureaux **office chair** *n* fauteuil *m* de bureau **office holder** *n* titulaire *m/f* du poste **office hours** *pl* heures *fpl* de bureau; (*on sign*) heures *fpl* d'ouverture des bureaux; ***to work ~*** faire les heures de bureau **office job** *n* travail *m* de bureau **office manager(ess)** *n* responsable *m/f* de bureau **office party** *n* fête *f* d'entreprise

officer ['ɒfɪsəʳ] *n* **1.** MIL, NAUT, AVIAT officier *m* **2.** (*official*) responsable *m/f* **3.** (*police officer*) agent *m*

office supplies *pl* fournitures *fpl* de bureau **office worker** *n* agent *m* administratif

official [ə'fɪʃəl] **I** *adj* officiel(le); ***~ language*** langue officielle; ***is that ~?*** c'est officiel? **II** *n* (*railway official etc.,*) agent *m*; (*of club, trade union*) officiel(le) *m*(*f*); ***a government ~*** un fonctionnaire du gouvernement **officialdom** [ə'fɪʃəldəm] *n pej* bureaucratie *f* **officialese** [əˌfɪʃə'liːz] *n* jargon *m* administratif **officially** [ə'fɪʃəlɪ] *adv* officiellement **officiate** [ə'fɪʃɪeɪt] *v/t* officier (***at*** à) **officious** [ə'fɪʃəs] *adj* officieux(-euse)

offing ['ɒfɪŋ] *n* ***in the ~*** imminent

off key *adj pred* MUS faux(fausse) **off-licence** *n Br* magasin *m* de vins et spiritueux **off limits** *adj pred* ***this area is ~*** la zone est interdite; ***this room is ~ to*** *or* ***for the kids*** cette pièce est interdite aux enfants; → **limit off line** IT **I** *adj pred* hors ligne **II** *adv* hors ligne; ***to go ~*** se déconnecter **off-load** *v/t goods* décharger; *passengers* faire descendre **off-peak** *adj* ***~ electricity*** électricité aux heures creuses; ***at ~ times, during ~ hours*** durant les heures creuses; ***~ service*** RAIL service en période bleue **off-putting** *adj esp Br behavior*, *sight* rebutant; *idea* dissuasif(-ive); (*daunting*) décourageant **off-road** *adj driving* tout terrain; ***~ vehicle*** véhicule tout terrain **off-screen** *adj*, *adv* FILM, TV hors écran **off season** *n* basse saison *f*, saison *f* creuse; ***in the ~*** à la saison creuse **off-season** *adj* hors saison **offset** ['ɒfset] ⟨*past*, *past part* **offset**⟩ *v/t* compenser **offshoot** ['ɒfʃuːt] *n fig* (*of organization*) ramification *f* **offshore** ['ɒfʃɔːʳ] **I** *adj* **1.** *island* près des côtes; *wind* de terre; *oilfield* offshore **2.** FIN offshore **II** *adv* ***20 miles ~*** à 20 miles au large de la côte **offside** ['ɒf'saɪd] **I** *adj* **1.** SPORTS hors jeu; ***to be ~*** (*player*) être hors jeu **2.** (*Br* AUTO) du côté conducteur **II** *n* (*Br* AUTO) côté *m* conducteur **III** *adv* SPORTS en hors-jeu **offspring** ['ɒfsprɪŋ] *n pl* (*form*, *hum*, *of people*) progéniture *f*; (*of animals*) rejetons *mpl* **offstage** ['ɒf'steɪdʒ] **I** *adj* de coulisses; *voice* off **II** *adv go*, *walk* dans les coulisses; *stand* en coulisses **off-street parking** *n* (*single place*) place *f* de parking privée; (*spaces*) places *fpl* de parking privées **off-the-cuff** *adj* impromptu **off-the-rack** *adj attr*, **off the rag** *adj pred US*, **off-the-peg** *adj attr*, **off the peg** *adj pred Br* de prêt-à-porter **off-the-record** *adj attr*, **off the record** *adj pred* officieux(-euse); (*confidential*) confidentiel(le) **off-the-shoulder** *adj dress* sans bretelles **off-the-wall** *adj attr*, **off the wall** *adj pred infml* loufoque *infml* **off-white I** *adj* blanc cassé **II** *n* blanc *m* cassé

oft [ɒft] *adv liter* souvent

often ['ɒfən] *adv* souvent; ***more ~ than***

not le plus souvent; ***every so ~*** de temps à autre; ***how ~ do you go swimming?*** tu vas souvent à la piscine?; ***it is not ~ that …*** ce n'est pas souvent que …

ogle ['əʊgl] *v/t* lorgner

ogre ['əʊgəʳ] *n fig* ogre *m*

oh [əʊ] *int* oh; ***oh good!*** très bien!; ***oh well, never mind*** bon, tant pis; ***oh dear!*** oh là là!

OHP *abbr* = **overhead projector**

oil [ɔɪl] **I** *n* **1.** huile *f* **2.** (*petroleum*) pétrole *m*; ***to strike ~*** trouver du pétrole **3.** ART ***to paint in ~s*** faire de la peinture à l'huile **II** *v/t* huiler **oilcan** *n* bidon *m* d'huile **oil company** *n* compagnie *f* pétrolière **oilfield** *n* champ *m* pétrolifère **oil-fired** *adj* au fioul; ***~ power station*** centrale thermique au fioul **oil lamp** *n* lampe *f* à huile **oil paint** *n* peinture *f* à l'huile **oil painting** *n* (*picture*) huile *f*; (*art*) peinture *f* à l'huile **oil platform** *n* plateforme *f* pétrolière **oil refinery** *n* raffinerie *f* de pétrole **oil rig** *n* plateforme *f* de forage **oil slick** *n* (*small*) nappe *f* de mazout; (*vast*) marée *f* noire **oil spill** *n* (*on land*) déversement *m* accidentel d'hydrocarbures; (*at sea*) marée *f* noire **oil tanker** *n* (*ship*) pétrolier *m*; (*lorry*) camion-citerne *m* transportant des hydrocarbures **oil well** *n* puits *m* de pétrole **oily** ['ɔɪlɪ] *adj* huileux(-euse); *hair, skin, food* gras (grasse); *fingers* graisseux(-euse); ***~ fish*** poisson gras

ointment ['ɔɪntmənt] *n* pommade *f*

OK, okay ['əʊ'keɪ] *infml* **I** *int* OK *infml*, d'accord; ***OK, OK!*** bon, bon!; ***OK, let's go!*** allez, on y va! **II** *adj* bon(bonne); ***that's OK with*** *or* ***by me*** pour moi c'est bon; ***is it OK (with you) if …?*** ça ne te dérange pas si …?; ***how's your mother? — she's OK*** comment va ta mère? – ça va *infml*; ***I feel OK*** je me sens bien; ***to be OK (for time)*** être dans les temps; ***is that OK?*** c'est bon?; ***what do you think of him? — he's OK*** comment tu le trouves ? — il est plutôt sympa *infml* **III** *adv* **1.** (*well*) bien; (*not too badly*) pas mal; ***to do OK*** bien s'en tirer; ***can you manage it OK?*** tu vas y arriver? **2.** (*admittedly*) d'accord; ***OK it's difficult but …*** d'accord, c'est difficile mais … **IV** *v/t plan* approuver; ***you have to OK it with the boss*** il faut que tu aies l'approbation du chef

ol' [əʊl] *adj* (*esp US infml*) = **old**

old [əʊld] **I** *adj* **1.** vieux(vieille); ***~ people*** *or* ***folk(s)*** les personnes âgées; ***~ Mr Smith, ~ man Smith*** *esp US* le vieux M. Smith; ***40 years ~*** 40 ans; ***at ten months ~*** à dix mois; ***two-year- ~*** de deux ans; ***the ~ (part of) town*** la vieille ville; ***in the ~ days*** autrefois; ***the good ~ days*** le bon vieux temps **2.** (*former*) ancien(ne); ***my ~ school*** mon ancienne école; ***an ~ model*** un ancien modèle **3.** *infml* ***she dresses any ~ how*** elle s'habille n'importe comment; ***any ~ thing*** n'importe quoi; ***any ~ bottle*** n'importe quelle bouteille; ***good ~ Tim*** ce bon vieux Tim; ***always the same ~ excuse*** toujours la même excuse **II** *n pl* (*old people*) ***the ~*** les personnes âgées

old age *n* vieillesse *f*; ***in her ~*** quand elle était vieille **old-age pension** *n Br* pension *f* de vieillesse **old-age pensioner** *n Br* retraité(e) *m(f)* **old boy** *n* (*Br* SCHOOL) ancien élève *m* **olden** ['əʊldən] *adj liter* ***in ~ times*** *or* ***days*** autrefois

old-fashioned ['əʊld'fæʃnd] *adj* démodé **old girl** *n* (*Br* SCHOOL) ancienne élève *f* **Old Glory** *n* (*US flag*) drapeau *m* des États-Unis **old hand** *n* vétéran *m* (***at sth*** de qc) **old lady** *n infml* ***my ~*** ma moitié *infml* **old maid** *n* vieille fille *f neg!* **old man** *n infml* ***my ~*** mon vieux *infml, neg!* **old people's home** *n* maison *f* de retraite **old-style** *adj* à l'ancienne **Old Testament** *n* BIBLE Ancien Testament **old-timer** *n* (*veteran*) vétéran *m*; (*old man*) vieux *m* **old wives' tale** *n* conte *m* de bonne femme

O level ['əʊlevl] *n* (*Br obs*) ≈ brevet *m* des collèges; ***to do one's ~s*** passer le brevet des collèges

oligarchy ['ɒlɪgɑːkɪ] *n* oligarchie *f*

olive ['ɒlɪv] **I** *n* **1.** olive *f*; (*a.* **olive tree**) olivier *m* **2.** (*color*) vert *m* olive **II** *adj* (*a.* **olive-colored**) vert olive **olive oil** *n* huile *f* d'olive

Olympic [əʊ'lɪmpɪk] **I** *adj* olympique; ***~ medalist*** (*US*) *or* ***medallist*** *Br* médaillé olympique **II** *n* **Olympics** *pl* ***the ~s*** les jeux Olympiques **Olympic champion** *n* champion(ne) *m(f)* olympique **Olympic Games** *pl* ***the ~*** les jeux Olympiques

ombudsman ['ɒmbʊdzmən] *n* ⟨*pl* **-men**⟩ médiateur(-trice) *m(f)*

omelet, *Br* **omelette** ['ɒmlɪt] *n* omelette *f*

omen ['əʊmen] *n* présage *m*
ominous ['ɒmɪnəs] *adj* inquiétant; *clouds* menaçant; ***that's ~*** c'est inquiétant; ***that sounds / looks ~*** *fig* ça n'annonce rien de bon **ominously** *adv say* sur un ton menaçant; ***the house was ominously silent*** il régnait dans la maison un silence inquiétant
omission [əʊ'mɪʃən] *n (omitting)* omission *f*; *(thing left out)* oubli *m*
omit [əʊ'mɪt] *v/t* **1.** *(leave out)* omettre **2.** *(fail)* omettre (***to do sth*** de faire qc); *(accidentally)* oublier
omnibus ['ɒmnɪbəs] *n (a.* **omnibus edition**) *(book)* recueil *m*
omnipotence [ɒm'nɪpətəns] *n no pl* omnipotence *f* **omnipotent** [ɒm'nɪpətənt] *adj* omnipotent
omnipresent ['ɒmnɪ'prezənt] *adj* omniprésent
omniscient [ɒm'nɪsɪənt] *adj* omniscient
omnivore ['ɒmnɪˌvɔːʳ] *n* omnivore *m/f* **omnivorous** [ɒm'nɪvərəs] *adj lit* omnivore; ***an ~ reader*** un lecteur vorace
on [ɒn] **I** *prep* **1.** *(indicating position)* sur; ***the book is on the table*** le livre est sur la table; ***he put the book on the table*** il a posé le livre sur la table; ***he hung it on the wall*** il l'a accroché au mur; ***on the coast*** sur la côte; ***with a smile on her face*** le sourire aux lèvres; ***a ring on his finger*** une bague au doigt; ***on TV / the radio*** à la télévision / radio; ***on DVD*** sur DVD; ***on computer*** sur ordinateur; ***who's on his show?*** qui est dans son spectacle?; ***I have no money on me*** je n'ai pas d'argent sur moi; ***on the train / bus / plane*** dans le train / le bus / l'avion; → **onto** **2.** *(by means of)* ***we went on the train / bus*** nous avons pris le train / le bus; ***on a bicycle*** à bicyclette; ***to run on oil*** marcher au fioul; ***on the violin*** au violon; ***on drums*** à la batterie **3.** *(about)* sur **4.** *(in expressions of time)* le / la; ***on Sunday*** dimanche; ***on Sundays*** le dimanche; ***on December first*** le premier décembre; ***on or around the twentieth*** le vingt ou autour du vingt **5.** *at the time of* ***on examination*** à l'examen; ***on hearing this he left*** en entendant cela il est parti **6.** *(as a result of)* sur; ***on sb's orders*** sur l'ordre de qn; ***on receiving my letter*** dès qu'il a reçu ma lettre **7.** *(indicating membership)* ***he is on the committee*** il est au comité; ***he is on the teaching staff*** il fait partie du personnel enseignant **8.** *(compared with)* par rapport à; ***prices are up on last year('s)*** les prix ont augmenté par rapport à l'année dernière; ***year on year*** d'une année sur l'autre **9.** ***to be on drugs*** avoir pris de la drogue; ***what is he on?*** *infml* à quoi est-ce qu'il carbure? *infml*; ***I'm on $48,000 a year*** je gagne 48 000$ par an; ***he retired on a good pension*** il est parti avec une bonne retraite; ***dinner's on me*** c'est moi qui paie le repas **II** *adv* **1.** ***he screwed the lid on*** il a vissé le couvercle; ***she had nothing on*** elle était toute nue; ***he had his hat on crooked*** son chapeau était de travers; ***sideways on*** de profil **2.** ***from that day on*** à partir de ce jour-là; ***she went on and on about the sacrifices she had made*** elle a fait tout un discours sur les sacrifices qu'elle avait faits; ***he's always on at me to get my hair cut*** *Br* il me harcèle pour que je me fasse couper les cheveux; ***she's always on about her experiences in Italy*** *(Br infml)* elle parle sans arrêt de ce qu'elle a fait en Italie; ***what's he on about?*** *(Br infml)* qu'est-ce qu'il raconte? *infml* **III** *adj* **1.** *lights, TV* allumé; *electricity* en marche; ***to leave the engine on*** laisser tourner le moteur; ***the "on" switch*** l'interrupteur de marche **2.** *lid* fermé **3.** *(taking place)* ***there's a game on at the moment*** il y a un match en ce moment; ***there's a game on tomorrow*** il y a un match demain; ***I have nothing on tonight*** je n'ai rien de prévu ce soir; ***what's on in London?*** qu'est-ce qui passe en ce moment à Londres?; ***the search is on for a new managing director*** on recherche un nouveau directeur général; ***to be on*** *(in theater)* être à l'affiche; *(in cinema, on TV, radio)* passer; ***what's on tonight?*** qu'est-ce qu'il y a à la télé ce soir?; ***tell me when Madonna is on*** dis-moi quand ce sera Madonna **4.** ***you're on!*** c'est d'accord!; ***are you on for dinner?*** tu es partant pour aller dîner?; ***it's just not on*** *(Br infml)* ça ne se fait pas
once [wʌns] **I** *adv* **1.** une fois; ***~ a week*** une fois par semaine; ***~ again*** *or* ***more*** une fois de plus; ***~ again we find that …*** une fois de plus nous trouvons que …; ***~ or twice*** *fig* une ou deux fois; ***~ and for all*** une fois pour toutes; **(*every*)** ***~ in a***

while de temps en temps; (***just***) ***this ~*** juste pour cette fois; ***for ~*** pour une fois; ***he was ~ famous*** il était célèbre à une époque; ***~ upon a time there was …*** il était une fois … **2.** ***at ~*** (*immediately*) tout de suite; (*at the same time*) en même temps; ***all at ~*** tous en même temps; (*suddenly*) tout à coup; ***they came all at ~*** ils sont venus tous en même temps **II** *cj* une fois que; ***~ you understand, it's easy*** une fois que tu as compris, c'est facile; ***~ you've finished, come and show me*** une fois que tu auras fini, viens me montrer; ***~ the sun had set, it turned cold*** une fois que le soleil a été couché, il s'est mis à faire froid

oncoming ['ɒnkʌmɪŋ] *adj car* roulant en sens inverse; ***the ~ traffic*** la circulation en sens inverse

one [wʌn] **I** *adj* **1.** (*number*) un; ***~ person too many*** une personne en trop; ***~ girl was pretty, the other was ugly*** une fille était jolie, l'autre était laide; ***the baby is ~*** (***year old***) le bébé a un an; ***it is ~*** (***o'clock***) il est une heure; ***~ hundred dollars*** cent dollars **2.** ***~ day …*** un jour …; ***~ day next week*** un jour de la semaine prochaine; ***~ day soon*** un jour prochain **3.** ***~ Mr Smith*** un certain M. Smith; ***my ~*** (***and only***) ***hope*** mon seul espoir; ***the ~ and only Brigitte Bardot*** Brigitte Bardot, la seule, l'unique; ***they all came in the ~ car*** ils sont venus à une seule voiture; ***~ and the same thing*** la même chose **II** *pron* **1.** celui / celle; ***the ~ who …*** celui qui …; ***he/that was the ~*** c'était lui / celui-là; ***the red ~*** le rouge; ***he has some very fine ~s*** il en a de très beaux; ***my ~*** *infml* le mien; ***not*** (***a single***) ***~ of them*** pas un (seul) d'entre eux; ***any ~*** n'importe lequel; ***every ~*** tous; ***this ~*** celui-ci; ***that ~*** celui-là; ***which ~?*** lequel?; ***I am not much of a ~ for cakes*** *infml* je ne suis pas très gâteaux *infml*; ***he's never ~ to say no*** il ne dit jamais non; ***I, for ~, …*** pour ma part, …; ***~ by ~*** un par un; ***~ after the other*** l'un après l'autre; ***take ~ or the other*** prends l'un ou l'autre; ***he is ~ of us*** il est avec nous **2.** *esp Br* (*impers*) (*nom*) on; ***~ must learn*** on doit apprendre; ***to hurt ~'s foot*** se faire mal au pied **III** *n* (*written figure*) un *m*; ***in ~s and twos*** seul ou par deux; (***all***) ***in ~*** tout en un; ***to be ~ up on sb*** *infml* avoir un avantage sur qn; ***Rangers were ~ up*** les Rangers avaient l'avantage **one-act play** *n* pièce *f* en un acte **one another** = **each other**; → **each** **one-armed bandit** *n infml* machine *f* à sous **one-day** *adj course* d'une journée **one-dimensional** *adj fig* plat **one-man band** *n* homme-orchestre *m*; *fig*, *infml* ***for years the magazine was a one-man band*** pendant des années, c'est une seule personne qui a tout fait dans le magazine **one-man show** *n* one man show *m* **one-night stand** *n fig* aventure *f* sans lendemain **one-off** (*Br infml*) **I** *adj* unique **II** *n* ***a ~*** une chose exceptionnelle; ***that mistake was just a ~*** cette erreur ne se reproduira pas **one-one, one-on-one** *adj*, *adv*, *n*, *Br* **one-to-one** **I** *adj meeting* en tête à tête; ***~ tuition*** cours particulier **II** *adv* en tête à tête **III** *n* ***to have a ~ with sb*** avoir un tête-à-tête avec qn **one-parent family** *n esp Br* famille *f* monoparentale **one-party** *adj* POL ***~ state*** État à parti unique **one-piece** **I** *adj* une pièce **II** *n* (*bathing costume*) maillot *m* une pièce **one-room** *attr*, **one-roomed** *adj* ***~ apartment*** (*US*) *or* ***flat*** *Br* studio *m*

onerous ['ɒnərəs] *adj* pénible

oneself [wʌn'self] *pron esp Br* **1.** (*dir and indir*) se, s'; (*after prep*) soi, soi-même **2.** *emph* soi-même; → **myself**

one-sided *adj* **1.** (*biased*) partial **2.** (*unequal*) *match* inégal; ***a ~ conversation*** une conversation à sens unique **one-time** *adj* ancien(ne) **one-to-one** *adj*, *adv*, *n Br* = **one-one, one-on-one** **one-touch** *adj* en une seule pression de touche **one-track** *adj* ***he's got a ~ mind*** il ne pense qu'à ça **one-way** *adj traffic etc.*, à sens unique; ***~ street*** rue à sens unique; ***~ system*** sens unique; ***~ ticket*** (*US* RAIL) aller simple; ***~ trip*** aller simple **one-woman** *adj* ***~ company*** entreprise dirigée par une seule femme; ***~ show*** one woman show

ongoing ['ɒngəʊɪŋ] *adj* en cours; (*long-term*) *development*, *relationship* continu; ***an ~ crisis*** une crise qui dure; ***this is an ~ situation*** cette situation perdure

onion ['ʌnjən] *n* oignon *m* **onion soup** *n* soupe *f* à l'oignon

on line [ɒn'laɪn] IT *adj pred*, *adv* en ligne; ***to go ~*** se connecter, aller en ligne **on-line** ['ɒnlaɪn] *adj attr* IT en ligne; ***~ banking*** opérations bancaires en ligne

onlooker ['ɒnlʊkəʳ] *n* badaud(e) *m*(*f*),

curieux(-ieuse) *m(f)*

only ['əʊnlɪ] **I** *adj attr* seul; ***he's an ~ child*** il est fils unique; ***the ~ one*** le seul; ***the ~ person*** la seule personne; ***the ~ people*** les seules personnes; ***he was the ~ one to leave*** il a été le seul à partir; ***the ~ thing*** la seule chose; ***the ~ thing I have against it is that ...*** la seule objection que j'ai c'est que ...; ***the ~ problem is ...*** le seul problème est ...; ***my ~ wish*** mon seul souhait **II** *adv* seulement; ***it's ~ five o'clock*** il est seulement cinq heures; ***~ yesterday*** pas plus tard qu'hier; ***I ~ hope he gets here in time*** j'espère seulement qu'il arrivera à temps; ***you ~ have to ask*** vous n'avez qu'à demander; ***"members ~"*** "réservé aux membres"; ***I'd be ~ too pleased to help*** je serais ravi de vous aider; ***if ~ that hadn't happened*** si seulement ça n'était pas arrivé; ***we ~ just caught the train*** on a failli rater le train; ***he has ~ just arrived*** il vient à peine d'arriver; ***not ~ ... but also ...*** non seulement ... mais en plus ... **III** *cj* seulement; ***I would do it myself, ~ I haven't time*** je le ferais bien moi-même, seulement je n'ai pas le temps

ono *abbr Br* = **or near(est) offer**

on-off switch ['ɒn'ɒfswɪtʃ] *n* interrupteur *m* de marche-arrêt

onrush ['ɒnrʌʃ] *n* (*of people*) ruée *f*

on-screen I *adj* **1.** IT sur écran **2.** TV, FILM à l'écran **II** *adv* TV, FILM à l'écran; IT sur écran

onset ['ɒnset] *n* début *m*; (*of illness*) déclenchement *m*

onshore ['ɒnʃɔːʳ] **I** *adj pipeline* terrestre; ***~ wind*** vent de mer **II** *adv* (*a.* **on shore**) sur la côte

onside [ɒn'saɪd] *adv* FTBL ***to be ~*** ne pas être hors jeu

on-site [ɒn'saɪt] *adj* sur site

onslaught ['ɒnslɔːt] *n* assaut *m* (**on** contre)

on-the-job training ['ɒnðəˌdʒɒb'treɪnɪŋ] *n* formation *f* sur le tas **on-the-spot** [ˌɒnðə'spɒt] *adj fine, decision* immédiat; *reporting* sur les lieux

onto ['ɒntʊ] *prep* **1.** (*upon*) sur; *bus, train* dans; ***to clip sth ~ sth*** accrocher qc à qc; ***to get ~ the committee*** devenir membre du comité **2.** ***to come ~ the market*** arriver sur le marché; ***to get ~ the next chapter*** passer au chapitre suivant; ***to be ~*** *or* ***on to sb*** (*find sb out*) avoir qn dans le collimateur *infml*; (*police*) être sur la piste de qn; ***I think we're ~ something*** je crois qu'on va faire une découverte

onus ['əʊnəs] *n no pl* responsabilité *f*; (*burden*) poids *m*; ***the ~ is on him to prove they're guilty*** c'est à lui qu'il incombe de prouver leur culpabilité

onward ['ɒnwəd] **I** *adj* ***~ flight*** correspondance *f*; ***~ journey*** suite du voyage **II** *adv* (*a.* **onwards**) vers l'avant; ***we are flying to Geneva then onward(s) to Delhi*** nous prenons l'avion pour Genève puis une correspondance pour Delhi; ***from this time ~*** à partir de ce moment-là

oomph [ʊmf] *n* (*infml energy*) punch *m infml*

ooze [uːz] **I** *n* vase *f* **II** *v/i lit* suinter **III** *v/t* **1.** ***is the wound oozing blood?*** la plaie saigne-t-elle?; ***my shoes were oozing water*** l'eau sortait de mes chaussures **2.** *fig confidence* déborder de; ***he simply oozes charm*** il est le charme personnifié ◆ **ooze out** *v/i* suinter; (*water etc.,*) sortir

op [ɒp] *n infml* = **operation**

opaque [əʊ'peɪk] *adj* opaque

open ['əʊpən] **I** *adj* **1.** ouvert; *view* dégagé (**to** sur); ***to hold the door ~*** tenir la porte ouverte; ***the baker is ~*** la boulangerie est ouverte; ***in the ~ air*** à l'air libre; ***"road ~ to traffic"*** "route ouverte à la circulation"; ***to be ~ to sb*** (*competition, membership, possibility*) être accessible à qn; (*place, park*) être ouvert à qn; ***~ to the public*** ouvert au public; ***she gave us an ~ invitation to visit*** elle nous a invités à venir quand nous voulons; ***to be ~ to suggestions*** être ouvert aux suggestions; ***I'm ~ to persuasion*** je ne demande qu'à être persuadé; ***to keep one's options ~*** ne pas s'engager; ***to keep an ~ mind*** garder l'esprit ouvert; ***to be ~ to debate*** être ouvert au débat **2.** (*officially in use*) *building, road* ouvert **3.** ***to be ~ to criticism*** être critiquable; ***to lay oneself ~ to criticism / attack*** prêter le flanc à la critique; ***to be ~ to abuse*** être la porte ouverte aux abus **II** *n* ***in the ~*** (*outside*) dehors; (*on open ground*) dans la nature; ***to bring sth out into the ~*** révéler qc au grand jour **III** *v/t* **1.** ouvrir **2.** (*officially*) *exhibition* faire le vernissage de; *building* inaugurer **3.** *trial, account, store,* *school*, *debate* ouvrir; ***to ~ fire*** MIL ouvrir le feu (**on** sur) **IV** *v/i* **1.** s'ouvrir; ***I couldn't get the box to ~*** je ne suis pas arrivé à ouvrir la boîte **2.** (*store*, *museum*) ouvrir **3.** (*start*) commencer; ***the play ~s next week*** la première de la pièce aura lieu la semaine prochaine ◆ **open on to** *v/t insep* (*door*) ouvrir sur ◆ **open out I** *v/i* **1.** (*river*, *street*) s'élargir (***into*** pour devenir) **2.** (*map*) se déplier **II** *v/t sep map* déplier ◆ **open up I** *v/i* **1.** *fig* (*prospects*) s'ouvrir **2.** (*become expansive*) s'ouvrir; ***to get sb to ~*** amener qn à s'ouvrir **3.** (*unlock doors*) ouvrir; ***~!*** ouvrez! **II** *v/t sep* ouvrir

open-air *adj* en plein air; *swimming pool* découvert **open-air concert** *n* concert *m* en plein air **open-air swimming pool** *n* piscine *f* découverte **open-air theater**, *Br* **open-air theatre** *n* théâtre *m* en plein air **open day** *n Br* journée *f* portes ouvertes **open-ended** *adj fig contract* à durée indéterminée; *offer* extensible

opener ['əʊpnəʳ] *n* (*for tins*) ouvre-boîte *m*; (*for bottles*) ouvre-bouteilles *m* **open-face sandwich** *n US* canapé *m* **open-heart surgery** *n* opération *f* à cœur ouvert **open house** *n* ***to keep ~*** laisser toujours sa porte ouverte **opening** ['əʊpnɪŋ] **I** *n* **1.** ouverture *f*; (*clearing*) trouée *f* **2.** (*beginning*) début *m* **3.** (*official opening*) inauguration *f*; (*of freeway*) ouverture *f* **4.** (*vacancy*) débouché *m* **II** *attr* (*initial*) d'ouverture; *remarks* introductif(-ive); ***~ speech*** discours d'ouverture **opening ceremony** *n* cérémonie *f* d'ouverture **opening hours** *pl* heures *fpl* d'ouverture **opening night** *n* première *f* **opening time** *n* horaires *mpl* d'ouverture; ***what are the bank's ~s?*** quels sont les horaires d'ouverture de la banque? **openly** ['əʊpənlɪ] *adv* ouvertement; (*publicly*) publiquement; ***he was ~ gay*** il ne cachait pas son homosexualité **open-minded** *adj* à l'esprit ouvert, ouvert **open-mouthed** [ˌəʊpn'maʊðd] *adj* la bouche ouverte **open-necked** *adj shirt* col ouvert **openness** ['əʊpnnɪs] *n* ouverture *f*; (*of debate*, *funding*) transparence *f* **open-plan** *adj* ***~ office*** bureau paysager **open sandwich** *n Br* canapé *m* **Open University** *n Br cours d'enseignement à distance*, ≈ CNED; ***to do an ~ course*** prendre des cours d'enseignement à distance

opera ['ɒpərə] *n* opéra *m*; ***to go to the ~*** aller à l'opéra

operable ['ɒpərəbl] *adj* MED opérable

opera house *n* opéra *m* **opera singer** *n* chanteur(-euse) *m*(*f*) d'opéra

operate ['ɒpəreɪt] **I** *v/i* **1.** (*machine*) marcher, fonctionner (***by***, ***on*** à); ***to ~ at maximum capacity*** fonctionner à pleine capacité **2.** (*law*) s'appliquer; (*system*) fonctionner **3.** (*carry on business*) ***the company operates in several countries*** la société est implantée dans plusieurs pays; ***I don't like the way he ~s*** je n'aime pas sa façon de fonctionner **4.** MED opérer (***on sb*** qn); ***to be ~d on*** subir une opération **II** *v/t* **1.** (*person*) *machine* faire marcher; (*lever etc.*,) actionner **2.** *business* gérer

operatic [ˌɒpə'rætɪk] *adj* lyrique

operating ['ɒpəreɪtɪŋ] *adj attr* **1.** TECH, COMM de fonctionnement; ***~ costs*** *or* ***expenses*** coûts *or* dépenses d'exploitation **2.** MED d'opération **operating room** *n* (*US* MED) salle *f* d'opération **operating system** *n* IT système *m* d'exploitation **operating theatre** *n* (*Br* MED) bloc *m* opératoire

operation [ˌɒpə'reɪʃən] *n* **1.** fonctionnement *m*, marche *f*; ***to be in ~*** (*machine*) être en marche; (*law*) être en vigueur; ***to come into ~*** (*law*) entrer en vigueur; (*plan*) entrer en application **2.** MED opération *f* (**on** de); ***to have an ~*** se faire opérer; ***to have a heart ~*** se faire opérer du cœur; ***to have an ~ for a hernia*** se faire opérer d'une hernie **3.** (*enterprise*) société *f* **4.** MIL opération *f* **5.** IT opération *f* **operational** [ˌɒpə'reɪʃənl] *adj* **1.** (*ready for use*) *machine*, *army unit etc.*, opérationnel(le) **2.** (*in use*) *machine*, *airport* en fonctionnement; *army unit etc.*, opérationnel(le) **3.** TECH, COMM d'exploitation; *problems* de fonctionnement **operative** ['ɒpərətɪv] **I** *adj measure* actif(-ive); *law* en vigueur; *system* opérationnel(le) **II** *n* (*of machinery*) ouvrier(-ière); (*spy*) agent *m*

operator ['ɒpəreɪtəʳ] *n* **1.** TEL standardiste *m*/*f* **2.** (*of machinery*, *computer etc.*,) opérateur(-trice) *m*/*f* **3.** (*private company*) opérateur *m*; (*company owner*) exploitant(e) *m*(*f*) **4.** *infml* ***to be a smooth ~*** avoir plus d'un tour dans son sac

operetta [ˌɒpə'retə] *n* opérette *f*

ophthalmic [ɒf'θælmɪk] *adj* ophtalmique **ophthalmologist** [ˌɒfθæl'mɒlədʒɪst] *n* ophtalmologue *m/f*

opinion [ə'pɪnjən] *n* opinion *f*, avis *m* (***about, on*** sur); ***in my ~*** à mon avis; ***in the ~ of the experts*** de l'avis des experts; ***to be of the ~ that …*** être d'avis que …; ***to ask sb's ~*** demander l'avis de qn; ***it is a matter of ~*** c'est une question d'opinion; ***to have a good*** *or* ***high / low*** *or* ***poor ~ of sb / sth*** avoir une bonne / mauvaise opinion de qn / qc; ***it is the ~ of the court that …*** l'avis du tribunal est que …; ***to seek*** *or* ***get a second ~*** *esp* MED obtenir un deuxième avis **opinionated** [ə'pɪnjəneɪtɪd] *adj* qui a des opinions très tranchées **opinion poll** *n* sondage *m* (d'opinion)

opium ['əʊpɪəm] *n* opium *m*

opponent [ə'pəʊnənt] *n* adversaire *m/f*

opportune ['ɒpətjuːn] *adj time*, *event* opportun; ***at an ~ moment*** au moment opportun **opportunism** [ˌɒpə'tjuːnɪzəm] *n* opportunisme *m* **opportunist** [ˌɒpə'tjuːnɪst] **I** *n* opportuniste *m/f* **II** *adj* opportuniste

opportunity [ˌɒpə'tjuːnɪtɪ] *n* **1.** occasion *f*; ***at the first ~*** à la première occasion; ***to take the ~ to do sth*** profiter de l'occasion pour faire qc; ***as soon as I get the ~*** dès que j'aurai l'occasion **2.** (*to better oneself*) chance *f*; ***opportunities for promotion*** chances de promotion; ***equality of ~*** égalité des chances

oppose [ə'pəʊz] *v/t* **1.** (*be against*) être contre; (*fight against*) s'opposer à; *orders*, *plans* contrecarrer; ***he ~s the strike*** il est contre la grève **2.** (*candidate*) s'opposer à **opposed** *adj* **1.** *pred* contre, opposé; ***to be ~ to sb / sth*** être contre qn / qc; ***I am ~ to everything he says*** je suis en désaccord avec tout ce qu'il dit **2.** ***as ~ to*** plutôt que **opposing** [ə'pəʊzɪŋ] *adj team* adverse; *views* opposé; ***to be on ~ sides*** être dans deux camps opposés

opposite ['ɒpəzɪt] **I** *adj* opposé (***to, from*** à); (*facing*) en face; ***to be ~*** être en face; ***see graph on the ~ page*** voir graphique ci-contre; ***in the ~ direction*** en sens inverse, dans la direction opposée; ***the ~ sex*** le sexe opposé; ***it had the ~ effect*** cela a eu l'effet inverse **II** *n* inverse *m*, opposé *m*; ***quite the ~!*** au contraire! **III** *adv* en face; ***they sat ~*** ils se sont assis en face **IV** *prep* en face de; ***~ one another*** en face l'un de l'autre; ***they live ~ us*** ils habitent en face de chez nous **opposite number** *n Br* homologue *m/f* **opposition** [ˌɒpə'zɪʃən] *n* **1.** opposition *f*; ***the Opposition*** (*esp Br* PARL) l'opposition **2.** SPORTS opposition *f*

oppress [ə'pres] *v/t* **1.** (*tyrannize*) opprimer **2.** (*weigh down*) oppresser **oppression** [ə'preʃən] *n* oppression *f* **oppressive** [ə'presɪv] *adj* **1.** *regime* oppressif(-ive) **2.** *fig* oppressant; *mood* pesant

opt [ɒpt] *v/i* ***to ~ for sth*** opter pour qc; ***to ~ to do sth*** choisir de faire qc ◆ **opt in** *v/i* choisir de participer; (*to scheme*) choisir d'adhérer ◆ **opt out** *v/i* décider de ne pas participer; (*of scheme*) se retirer (***of*** de); (*Br*: *hospital*) choisir l'autonomie vis-à-vis des pouvoirs publics

optic ['ɒptɪk], **optical** *adj* optique **optical character reader** *n* IT lecteur *m* optique de caractères **optical disk** *n* disque *m* optique **optical fiber**, *Br* **optical fibre** *n* fibre *f* optique **optical illusion** *n* illusion *f* d'optique **optician** [ɒp'tɪʃən] *n US* opticien(ne) *m(f)* **optic nerve** *n* nerf *m* optique **optics** *n sg* optique *f*

optimal ['ɒptɪml] *adj* optimal

optimism ['ɒptɪmɪzəm] *n* optimisme *m* **optimist** ['ɒptɪmɪst] *n* optimiste *m/f* **optimistic** [ˌɒptɪ'mɪstɪk] *adj* optimiste; ***to be ~ about sth*** être optimiste à propos de qc; ***I'm not very ~ about it*** je ne suis pas très optimiste à ce sujet **optimistically** [ˌɒptɪ'mɪstɪkəlɪ] *adv* avec optimisme

optimize ['ɒptɪmaɪz] *v/t* optimiser **optimum** ['ɒptɪməm] *adj* optimum, optimal

option ['ɒpʃən] *n* **1.** (*choice*) choix *m*, option *f*; (*course of action*) possibilité *f*; ***you have the ~ of leaving or staying*** vous avez le choix entre partir ou rester; ***to give sb the ~ of doing sth*** donner la possibilité à qn de faire qc; ***I have no ~*** je n'ai pas le choix; ***he had no ~ but to come*** il n'avait pas d'autre solution que de venir; ***to keep one's ~s open*** ne pas s'engager **2.** *Br* UNIV, SCHOOL option *f* **optional** *adj* (*not compulsory*) facultatif(-ive); (*not basic*) *trim*, *mirror etc.*, en option; ***"evening dress ~"*** "tenue de soirée facultative"; ***~ extras*** options; ***~ subject*** SCHOOL, UNIV matière

optionnelle
optometrist [ɒp'tɒmətrɪst] *n* optométriste *m/f*
opt-out ['ɒptaʊt] *adj attr Br* **~ clause** clause de non-participation
or [ɔːʳ] *cj* **1.** ou; (*with negative*) ni; **he could not read or write** il ne savait ni lire ni écrire; **in a day or two** dans un ou deux jours **2.** (*that is*) ou (plutôt); **Rhodesia, or rather, Zimbabwe** la Rhodésie, ou plutôt le Zimbabwe **3.** (*otherwise*) sinon; **you'd better go or (else) you'll be late** tu devrais y aller, sinon tu vas être en retard; **stop or I'll shoot!** arrêtez ou je tire!
oracle ['ɒrəkl] *n* oracle *m*
oral ['ɔːrəl] **I** *adj* **1.** oral; *vaccine* par voie orale; *hygiene* bucco-dentaire **2.** (*verbal*) oral **II** *n* oral *m* **orally** ['ɔːrəlɪ] *adv* oralement **oral sex** *n* rapports *mpl* sexuels bucco-génitaux
orange ['ɒrɪndʒ] **I** *n* **1.** (*fruit*) orange *f*; (*drink*) jus *m* d'orange **2.** (*color*) orange *m* **II** *adj* **1.** *taste* d'orange; *drink*, *sauce* à l'orange **2.** (*color*) orange **orange juice** *n* jus *m* d'orange **Orange Order** *n* ordre *m* orangiste **orange squash** *n Br* orangeade *f*
orang-outang, orang-utan [ɔːˌræŋuː'tæŋ, -n] *n* orang-outang *m*
orator ['ɒrətəʳ] *n* orateur(-trice) *m(f)* **oratory** ['ɒrətərɪ] *n* art *m* oratoire
orbit ['ɔːbɪt] **I** *n* (*path*) orbite *f*; **to be in ~ (around the earth)** tourner en orbite (autour de la terre); **to go into ~ (around the sun)** entrer en orbite (autour du soleil) **II** *v/t* graviter autour de **orbital** ['ɔːbɪtl] *n Br* (*a.* **orbital motorway**) (autoroute *f*) périphérique *m*
orchard ['ɔːtʃəd] *n* verger *m*; **apple ~** verger de pommiers; **cherry ~** cerisaie
orchestra ['ɔːkɪstrə] *n* orchestre *m* **orchestral** [ɔː'kestrəl] *adj* orchestral; **~ music** musique symphonique **orchestra pit** *n* fosse *f* d'orchestre **orchestrate** ['ɔːkɪstreɪt] *v/t* orchestrer **orchestrated** ['ɔːkɪstreɪtɪd] *adj fig campaign* orchestré
orchid ['ɔːkɪd] *n* orchidée *f*
ordain [ɔː'deɪn] *v/t* **1.** ECCL *priest* ordonner **2.** (*decree*) décréter; (*ruler*) ordonner
ordeal [ɔː'diːl] *n* épreuve *f*; (*torment*) calvaire *m*
order ['ɔːdəʳ] **I** *n* **1.** (*sequence*) ordre *m*; **are they in ~/in the right ~?** est-ce qu'ils sont dans l'ordre / dans le bon ordre?; **in ~ of preference / merit** par ordre de préférence / de mérite; **to put sth in (the right) ~** mettre qc en ordre; **to be in the wrong ~** être dans le désordre **2.** (*system, discipline*) ordre *m*, discipline *f*; **his passport was in ~** son passeport était en règle; **to put one's affairs in ~** mettre ses affaires en ordre; **to keep ~** maintenir l'ordre; **to keep the children in ~** tenir les enfants; **to be out of ~** (*at meeting etc.*) être en infraction; *fig* avoir des propos déplacés; **to call the meeting to ~** rappeler l'assistance à l'ordre; **congratulations are in ~** il paraît qu'il faut vous féliciter **3.** (*working condition*) état de marche; **to be out of ~** ne plus fonctionner, être hors-service; **"out of ~"** "hors service" **4.** (*command*) ordre *m*, consigne *f*; **I don't take ~s from anyone** je ne reçois d'ordres de personne; **to be under ~s to do sth** avoir reçu l'ordre de faire qc **5.** (*in restaurant etc.*, COMM) commande *f*; (*contract to supply*) commande *f*; **to place an ~ with sb** passer une commande à qn; **to be on ~** être commandé; **two ~s of French fries** *esp US* deux portions de frites; **made to ~** fait sur commande **6. in ~ to do sth** afin de faire qc; **in ~ that** afin que **7.** (*fig class, degree*) ordre *m*, degré *m*; **something in the ~ of ten per cent** quelque chose de l'ordre de 10%; **something in the ~ of one in ten applicants** quelque chose de l'ordre d'un postulant sur dix **8.** (ECCL: *of monks etc.*) ordre *m* **9. orders** *pl* **(holy) ~s** ECCL ordres *mpl*; **to take (holy) ~s** entrer dans les ordres **II** *v/t* **1.** (*command*) ordonner, commander; **to ~ sb to do sth** ordonner à qn de faire qc; **to ~ sb's arrest** ordonner l'arrestation de qn; **he ~ed his gun to be brought (to him)** il ordonna qu'on lui apporte son pistolet **2.** *one's affairs* mettre en ordre **3.** *goods, dinner, taxi* commander (**from sb** à qn) **III** *v/i* commander ◆ **order around** *or Br* **about** *v/t sep* donner des ordres à
order confirmation *n* confirmation *f* de commande **order form** *n* bon *m* de commande
orderly ['ɔːdəlɪ] **I** *adj* **1.** (*methodical*) ordonné, rangé; *person* méthodique; **in an ~ manner** de façon méthodique **2.** *demonstration* méthodique **II** *n* (**medi-**

cal) ~ aide-soignant(e) *m*(*f*); MIL ordonnance *f*, planton *m*
ordinal number *n* MATH nombre *m* ordinal
ordinarily ['ɔːdnrɪlɪ] *adv* ordinairement, habituellement
ordinary ['ɔːdnrɪ] **I** *adj* ordinaire; (*average*) ordinaire; ***the ~ Englishman*** l'homme de la rue **II** *n* ***out of the ~*** hors du commun; ***nothing / something out of the ~*** rien / quelque chose d'exceptionnel
ordination [ˌɔːdɪ'neɪʃən] *n* ordination *f*
ordnance ['ɔːdnəns] MIL *n* (*artillery*) artillerie *f*
ore [ɔːʳ] *n* minerai *m*
oregano [ˌɒrɪ'gɑːnəʊ] *n* origan *m*
organ ['ɔːgən] *n* **1.** organe *m*; (*mouthpiece*) porte-parole *m*, organe *m* **2.** MUS orgue *m* **organ donor** *n* donneur (-euse) *m*(*f*) d'organes
organic [ɔː'gænɪk] *adj* **1.** (SCI, MED, *fig*) organique **2.** *vegetables* biologique, bio *infml*; ***~ wine*** vin bio; ***~ meat*** viande bio **organically** [ɔː'gænɪkəlɪ] *adv* organiquement; *farm also* organiquement, sans engrais chimiques **organic chemistry** *n* chimie *f* organique **organic farm** *n* ferme *f* bio(logique)
organism ['ɔːgənɪzəm] *n* organisme *m*
organist ['ɔːgənɪst] *n* organiste *m*/*f*
organization [ˌɔːgənaɪ'zeɪʃən] *n* **1.** organisation *f*, organisme *m* **2.** (*arrangement*) organisation *f* **3.** COMM cadres *mpl* **organizational** *adj* organisationnel(le) **organize** ['ɔːgənaɪz] *v*/*t* (*systematize*) organiser; (*arrange*) organiser; *time* (*into groups*) organiser, gérer; *food*, *for party* s'occuper de; ***to get*** (***oneself***) ***~d*** (*get ready*) s'organiser, se préparer; (*sort things out*) s'organiser; ***to ~ things so that ...*** faire le nécessaire pour que...; ***they ~d*** (***it***) ***for me to go to London*** ils m'ont organisé un voyage à Londres **organized** ['ɔːgənaɪzd] *adj* organisé; ***he isn't very ~*** il n'est pas très organisé; ***you have to be ~*** il faut être organisé **organizer** ['ɔːgənaɪzəʳ] *n* **1.** organisateur(-trice) *m*(*f*) **2.** = **personal organizer**
organ transplant *n* (*operation*) transplantation *f* d'organe
orgasm ['ɔːgæzəm] *n* orgasme *f*
orgy ['ɔːdʒɪ] *n* orgie *f*
orient ['ɔːrɪənt] **I** *n* (*a.* **Orient**) orient *m* **II** *v*/*t* = **orientate** **oriental** [ˌɔːrɪ'entl] *adj* oriental; ***~ rug*** tapis d'Orient
orientate ['ɔːrɪənteɪt] **I** *v*/*r* s'orienter (*by* à, *by the map* sur une carte) **II** *v*/*t* orienter (***toward*** vers); *thinking* orienter (***toward*** vers); ***money-~d*** axé sur l'argent; ***family-~d*** axé sur la famille **orientation** [ˌɔːrɪən'teɪʃən] *n fig* orientation *f*; (*leaning*) orientation *f* (***toward*** vers); ***sexual ~*** orientation sexuelle **-oriented** ['ɔːrɪəntɪd] *adj suf* axé sur, qui favorise **orienteering** [ˌɔːrɪən'tɪərɪŋ] *n* course *f* d'orientation
orifice ['ɒrɪfɪs] *n* orifice *m*
origin ['ɒrɪdʒɪn] *n* origine *f*; (*of person*) origine; ***to have its ~ in sth*** prendre son origine dans qc; ***country of ~*** pays d'origine; ***nobody knew the ~ of that story*** personne ne connaissait l'origine de cette histoire
original [ə'rɪdʒɪnl] **I** *adj* **1.** (*first*) original, premier(-ière); ***~ inhabitants*** premiers habitants; ***~ version*** (*of book*) édition originale; (*of movie*) version originale **2.** *painting*, *idea*, *writer* original **II** *n* original(e) *m*(*f*) **originality** [əˌrɪdʒɪ'nælɪtɪ] *n* originalité *f* **originally** [ə'rɪdʒənəlɪ] *adv* à l'origine, originellement **original sin** *n* péché *m* originel
originate [ə'rɪdʒɪneɪt] **I** *v*/*t* être à l'origine de **II** *v*/*i* **1.** être originaire de; ***to ~ from a country*** être originaire d'un pays **2.** (*US*: *bus etc.*) provenir (***in*** de)
originator [ə'rɪdʒɪneɪtəʳ] *n* (*of idea*) auteur *m*
Orkney Islands ['ɔːknɪ'aɪləndz], **Orkneys** *pl* les Orcades *fpl*
ornament ['ɔːnəmənt] *n* **1.** (*decorative object*) objet *m* décoratif; (*on mantelpiece etc.*) bibelot *m* **2.** *no pl* (*ornamentation*) ornement *m* **ornamental** *adj* ornemental; ***to be purely ~*** être purement décoratif; ***~ garden*** jardin d'agrément **ornamentation** [ˌɔːnəmen'teɪʃən] *n* ornementation *f* **ornate** [ɔː'neɪt] *adj* orné; *style* fleuri **ornately** [ɔː'neɪtlɪ] *adv* dans un style très orné; *written* dans un style très fleuri
ornithologist [ˌɔːnɪ'θɒlədʒɪst] *n* ornithologiste *m*/*f* **ornithology** [ˌɔːnɪ'θɒlədʒɪ] *n* ornithologie *f*
orphan ['ɔːfən] **I** *n* orphelin(e) *m*(*f*); ***the accident left him an ~*** l'accident le laissa orphelin **II** *v*/*t* rendre orphelin; ***to be ~ed*** se retrouver orphelin **orphanage** ['ɔːfənɪdʒ] *n* orphelinat *m*
orthodontic [ˌɔːθəʊ'dɒntɪk] *adj* ortho-

dontique

orthodox ['ɔːθədɒks] *adj* **1.** REL orthodoxe; ***the Orthodox (Eastern) Church*** l'église orthodoxe **2.** *fig* orthodoxe **orthodoxy** ['ɔːθədɒksɪ] *n* **1.** (*of view, method, approach etc.*) orthodoxie *f* **2.** (*orthodox belief, practice etc.*) orthodoxie *f*

orthopedic, *Br* **orthopaedic** [ˌɔːθəʊ'piːdɪk] *adj* orthopédique; **~ *surgeon*** chirurgien orthopédique

oscillate ['ɒsɪleɪt] *v/i* PHYS osciller; *fig* fluctuer

ostensible [ɒ'stensəbl] *adj*, prétendu, apparent **ostensibly** [ɒ'stensəblɪ] *adv* prétendument, soit-disant

ostentation [ˌɒsten'teɪʃən] *n* (*of wealth, skills etc.*) étalage *m* **ostentatious** [ˌɒsten'teɪʃəs] *adj* **1.** (*pretentious*) ostentatoire, prétentieux(-euse) **2.** (*conspicuous*) ostentatoire

osteopath ['ɒstɪəpæθ] *n* ostéopathe *m/f*

ostracize ['ɒstrəsaɪz] *v/t* frapper d'ostracisme

ostrich ['ɒstrɪtʃ] *n* autruche *f*

other ['ʌðəʳ] **I** *adj, pron* autre; **~ *people*** les autres; ***any ~ questions?*** d'autres questions?; ***no ~ questions*** pas d'autre question; ***it was none ~ than my father*** c'était mon père en personne; ***the ~ day*** l'autre jour; ***some ~ time*** (*in future*) une autre fois; ***every ~ ...*** tous les autres...; **~ *than*** (*except*) autre que; ***some time or ~*** à un moment ou à un autre; ***some writer or ~*** je ne sais plus quel écrivain; ***he doesn't like hurting ~s*** il n'aime pas blesser les autres; ***there are 6 ~s*** il y en a encore six; ***there were no ~s there*** il n'y en avait pas d'autres; ***something / someone or ~*** je ne sais plus quoi / qui; ***can you tell one from the ~?*** arrivez--vous à les distinguer l'un de l'autre? **II** *adv* ***I've never seen her ~ than with her husband*** je ne l'ai jamais vue autrement qu'avec son mari; ***somehow or ~*** d'une façon ou d'une autre; ***somewhere or ~*** quelque part, ici ou là

otherwise ['ʌðəwaɪz] **I** *adv* **1.** (*in a different way*) autrement; ***I am ~ engaged*** *form* je suis déjà prise; ***Richard I, ~ known as the Lionheart*** Richard Ier, surnommé Richard Cœur-de- Lion; ***you seem to think ~*** *Br* vous n'avez pas l'air d'accord **2.** (*in other respects*) à part cela **II** *cj* (*or else*) sinon **otherworldly** [ˌʌðə'wɜːldlɪ] *adj* détaché

OTT *infml abbr* = **over the top**

otter ['ɒtəʳ] *n* loutre *f*

ouch [aʊtʃ] *int* aïe

ought [ɔːt] *v/aux* ***I ~ to do it*** je devrais le faire; ***he ~ to have come*** il aurait dû venir; ***~ I to go too? — yes, you ~ (to)/no, you ~n't (to)*** est-ce qu'il faudrait que j'y aille aussi? — oui / non; ***~n't you to have left by now?*** est-ce que vous ne devriez pas être partis?; ***you ~ to see that movie*** vous devriez voir ce film; ***you ~ to have seen his face*** vous auriez dû voir sa tête; ***she ~ to have been a teacher*** elle aurait dû être enseignante; ***he ~ to win the race*** il devrait remporter la course; ***he ~ to have left by now*** il devrait être parti maintenant; ***... and I ~ to know!*** ... et je suis bien placée pour le savoir!

ounce [aʊns] *n* once *f*; ***there's not an ~ of truth in it*** il n'y a pas une once de vérité là-dedans

our ['aʊəʳ] *poss adj* notre, nos; ***Our Father*** Notre Père; → **my**

ours ['aʊəz] *poss pr* le nôtre, la nôtre; → **mine**

ourselves [ˌaʊə'selvz] *pers pr* (*dir, indir obj +prep*) nous; *emph* nous-mêmes; → **myself**

oust [aʊst] *v/t* chasser; *politician* évincer; ***to ~ sb from office / his position*** évincer qn d'un service / de son poste; ***to ~ sb from power*** chasser qn du pouvoir

out [aʊt] **I** *adv* **1.** (*not in container, car etc.*) à l'extérieur; (*not in building, room*) dehors; ***to be ~*** être sorti; ***they are ~ shopping*** ils sont sortis faire des courses; ***she was ~ all night*** elle n'est pas rentrée de la nuit; ***~ here / there*** ici / là; ***~ you go!*** allez sortez!; ***at weekends I like to be ~ and about*** le week-end, j'aime bien me balader; ***we had a day ~ in London*** on a pris un jour de congé pour aller à Londres; ***the book is ~*** (*from library*) ce livre est déjà emprunté; ***school is ~*** les cours sont finis; ***the tide is ~*** c'est marée basse; ***their secret was ~*** leur secret n'en était plus un; ***~ with it!*** *infml* allez, parle! *infml*; ***before the day is ~*** avant la fin de la journée **2.** ***when he was ~ in Russia*** quand il était en Russie; ***to go ~ to China*** partir en Chine; ***the boat was ten miles ~*** le bateau était à une quinzaine de kilomètres du rivage **3.**

to be ~ (*sun*, *stars*) briller; (*moon*) être levé; (*flowers*) être sorti; (*be published*) être publié; ***when will it be ~?*** (*be published*) quand sort-il en librairie?; ***there's a warrant ~ for him*** *or* ***for his arrest*** il y a un mandat d'arrêt contre lui **4.** (*light*, *fire*) éteint; SPORTS K-O; (*stain*) disparu; ***to be ~*** (*unconscious*) être évanoui **5.** *Br* ***his calculations were ~*** ses calculs étaient faux; ***you're not far ~*** vous n'êtes pas loin (du compte); ***we were $5 ~*** il nous manquait 5 dollars **6.** ***to be ~ for sth*** être résolu à faire qc; ***he's ~ to get her*** il a résolu sa perte; ***he's just ~ to make money*** il ne cherche qu'à gagner de l'argent **II** *n* → **in** **III** *prep* en dehors de; ***to go ~ the door*** sortir; → **out of** **IV** *v/t homosexual* révéler l'homosexualité de **out-and-out** ['aʊtən'aʊt] *adj liar* fieffé; *racist*, *lie* véritable; *winner* à tout crin **outback** ['aʊtbæk] *n* (*in Australia*) ***the ~*** l'intérieur du pays **outbid** 〈*past*, *past part* **outbid**〉 *v/t* surenchérir sur **outboard** *adj* ***~ motor*** moteur hors-bord **outbound** *adj* ***~ flight*** vol au départ **outbox** ['aʊtbɒks] *n* EMAIL boîte *f* d'envoi, *US* corbeille *f* d'envoi **outbreak** ['aʊtbreɪk] *n* début, déclenchement *m* **outbuilding** ['aʊtbɪldɪŋ] *n* annexe *f* **outburst** ['aʊtbɜːst] *n* accès *m*, explosion *f*; ***~ of anger*** un accès de colère **outcast** ['aʊtkɑːst] *n* proscrit *m*, paria *m* **outclass** [ˌaʊt'klɑːs] *v/t* surclasser **outcome** ['aʊtkʌm] *n* issue *f*, résultat *m* **outcrop** ['aʊtkrɒp] *n* GEOL ***an ~*** (***of rock***) un affleurement rocheux *m* **outcry** ['aʊtkraɪ] *n* tollé *m* (***against*** contre); (*public protest*) protestations *fpl*, tollé (général) (***against*** contre); ***to cause an ~ against sb / sth*** provoquer une levée de boucliers contre qn / qc **outdated** *adj idea* démodé; *equipment*, *method* désuet (-ète); *practice* suranné **outdid** *past* = **outdo** **outdistance** *v/t* distancer **outdo** [ˌaʊt'duː] 〈*past* **outdid**〉 〈*past part* **outdone**〉 *v/t* surpasser (***sb in sth*** qn en qc); ***but Jimmy was not to be ~ne*** mais on ne pouvait surpasser Jimmy **outdoor** ['aʊtdɔːʳ] *adj* de plein air, en plein air; ***~ café*** café en plein air; (*in street*) café en terrasse; ***~ clothes*** vêtements d'extérieur; ***~ swimming pool*** piscine en plein air

outdoors ['aʊt'dɔːz] **I** *adv* dehors; ***to go ~*** sortir au grand air **II** *n* ***the great ~*** *hum* les grands espaces

outer ['aʊtəʳ] *adj attr* extérieur **Outer London** *n* la banlieue de Londres **outermost** ['aʊtəməʊst] *adj* le plus extérieur, le plus reculé **outer space** *n* cosmos *m*

outfit ['aʊtfɪt] *n* **1.** (*clothes*) tenue *f*; (*fancy dress*) déguisement *m* **2.** (*infml organization*) équipe *f* **outfitter** ['aʊtfɪtəʳ] *n US* magasin *m* d'articles de sport et camping ***gentlemen's ~'s*** *Br* magasin de vêtements pour hommes; ***sports ~'s*** *Br* magasin de sports **outflank** *v/t* MIL déborder **outflow** *n* (*of water etc.*) écoulement *m*; (*of money*) sorties *fpl*; (*of refugees*) exode *m* **outgoing** [ˌaʊt'gəʊɪŋ] **I** *adj* **1.** *office holder*, *call* sortant; *flight* en partance **2.** *personality* ouvert **II** *pl esp Br* ***~s*** dépenses *fpl* **outgrow** [ˌaʊt'grəʊ] 〈*past* **outgrew**〉 〈*past part* **outgrown**〉 *v/t* **1.** *clothes* ne plus entrer dans **2.** *habit* ne plus s'intéresser à **outhouse** ['aʊthaʊs] *n* appentis *m*

outing ['aʊtɪŋ] *n* **1.** sortie *f*; ***school / firm's ~*** excursion scolaire/d'entreprise; ***to go on an ~*** faire une sortie **2.** (*of homosexual*) outing *m*

outlandish [ˌaʊt'lændɪʃ] *adj* exotique; *appearance* étrange **outlast** [ˌaʊt'lɑːst] *v/t* (*thing*, *idea etc.*) survivre à **outlaw** ['aʊtlɔː] **I** *n* (*in Western etc.*) hors-la-loi *m* **II** *v/t* mettre hors-la-loi **outlay** ['aʊtleɪ] *n* dépense *f*, mise *f* de fonds **outlet** ['aʊtlet] *n* **1.** (*for water etc.*) sortie *f*; (*of river*) embouchure *f* **2.** (*store*) point *m* de vente **3.** (*fig*, *for emotion*) exutoire *m* **outline** ['aʊtlaɪn] **I** *n* **1.** (*silhouette*) contour *m*, silhouette *f* ***he drew the ~ of a head*** il dessina les contours d'une tête **2.** (*fig summary*) plan *m*, esquisse *f*; ***just give*** (***me***) ***the broad ~s*** donnez-moi juste les grandes lignes **II** *v/t* **1.** ***the mountain was ~d against the sky*** la montagne se détachait sur le ciel **2.** (*summarize*) donner les grandes lignes de **outlive** [ˌaʊt'lɪv] *v/t person* survivre à; ***to have ~d its usefulness*** avoir fait son temps **outlook** ['aʊtlʊk] *n* **1.** (*view*) vue *f*, perspective *f* (***over, on to*** sur) **2.** (*prospects*, *Met*) prévisions *fpl* **3.** (*attitude*) point *m* de vue; ***his ~*** (***up***)***on life*** sa conception de la vie; ***narrow ~*** étroitesse de vue **outlying** *adj* (*distant*) isolé; (*outside town*) périphérique; ***~ district*** quartier périphérique **outmaneuver**, *Br* **outmanœuvre** *v/t fig* manœuvrer plus habilement (que) **outmoded** *adj technology* démodé **outnumber** [ˌaʊtˈnʌmbəʳ] *v/t* dépasser en nombre; ***we were ~ed (by them)*** ils nous dépassaient en nombre

out of *prep* **1.** (*outside*, *away from*, *position*) en dehors de; (*motion*) hors de; ***I'll be ~ town*** je ne serai pas là, je serai en voyage; ***~ the country*** hors du pays; ***he went ~ the door*** il sortit; ***to look ~ the window*** regarder par la fenêtre; ***I saw him ~ the window*** je l'ai vu par la fenêtre; ***to keep ~ the sun*** rester à l'abri du soleil; ***~ danger*** hors de danger; ***he's ~ the tournament*** il ne participe pas au tournoi; ***he feels ~ it*** *infml* il ne se sent pas dans le coup; ***10 miles ~ London*** à 15 km de Londres **2.** (*cause*, *origins*) ***~ curiosity*** par curiosité; ***to drink ~ a glass*** boire dans un verre; ***made ~ silver*** fait en argent **3.** (*from among*) ***in seven cases ~ ten*** dans sept cas sur dix; ***he picked one ~ the pile*** il en prit un dans la pile **4.** ***we are ~ money*** nous n'avons plus d'argent

out-of-bounds *adj* ***~ area*** zone interdite **out-of-court** *adj* à l'amiable **out-of--date** *adj attr*, **out of date** *adj pred* **1.** *methods*, *ideas* dépassé **2.** *ticket*, *food* périmé **out-of-doors** *adv* = **outdoors** **out-of-place** *adj attr*, **out of place** *adj pred remark etc.* déplacé **out-of--pocket** *adj attr*, **out of pocket** *adj pred Br* ***to be out of pocket*** en être de sa poche; ***I was £5 out of pocket*** j'en ai été de 5 £ de ma poche **out-of-the-way** *adj attr*, **out of the way** *adj pred* (*remote*) écarté, perdu **out-of-town** *adj cinema* excentré, à la périphérie de la ville **outpace** *v/t* distancer **outpatient** *n* malade *m* en consultation externe; ***~s' (department)*** service des consultations externes **outperform** *v/t* être plus performant que **outplay** *v/t* SPORTS dominer **outpost** *n* avant-poste *m* **outpouring** *n often pl* épanchements *mpl* **output** [ˈaʊtpʊt] *n* production *f*; ELEC puissance *f*; (*of computer*) sortie *f*

outrage [ˈaʊtreɪdʒ] **I** *n* **1.** (*wicked deed*) atrocité *f* **2.** (*injustice*) scandale *m* **3.** (*sense of outrage*) indignation *f* (***at*** face à) **II** *v/t person* scandaliser **outraged** [ˈaʊtreɪdʒd] *adj* outré, scandalisé (***at, about*** par) **outrageous** [aʊtˈreɪdʒəs] *adj price*, *behavior*, *demand*, *lie* scandaleux(-euse); *clothes etc.* extravagant *infml*; ***it's absolutely ~ that ...*** il est absolument scandaleux que ... **outrageously** [aʊtˈreɪdʒəslɪ] *adv expensive* scandaleusement

outrage ≠ insulte
Outrage = atrocité, scandale : **The price you charge for eating here is an absolute outrage.** Les prix que vous pratiquez dans ce restaurant sont absolument scandaleux.

outran *past* = **outrun**

outrider [ˈaʊtraɪdəʳ] *n* (*on motorcycle*) motard *m* (*appartenant à une escorte*)

outright [aʊtˈraɪt] **I** *adv* **1.** *reject* en bloc; *own* totalement; ***to win ~*** gagner haut--la-main **2.** (*at once*) sur le coup; ***he was killed ~*** il a été tué sur le coup **3.** (*openly*) franchement **II** *adj* total; *lie* pur et simple; *majority* net(te); *winner* incontesté

outrun 〈*past* **outran**〉〈*past part* **outrun**〉 *v/t* dépasser; (*outdistance*) distancer **outset** *n* début *m*; ***at the ~*** au début **outshine** 〈*past*, *past part* **outshone**〉 *v/t fig* éclipser

outside [ˈaʊtˈsaɪd] **I** *n* extérieur *m*; ***the ~ of the car is green*** la carrosserie de la voiture est verte; ***to open the door from the ~*** ouvrir la porte de l'extérieur; ***to overtake on the ~*** *Br* doubler à droite **II** *adj* **1.** (*external*) extérieur; ***an ~ broadcast from Wimbledon*** une émission réalisée en extérieur depuis Wimbledon; ***~ line*** TEL ligne extérieure **2.** ***an ~ chance*** une chance minime **III** *adv* (*of house*, *room*, *vehicle*) à l'extérieur; ***to be ~*** être dehors; ***to go ~*** sortir **IV** *prep* (*a.* **outside of**) hors de; ***~ California*** hors de la Californie; ***~ London*** hors de Londres; ***to go ~ sth*** sortir de qc; ***he went ~ the house*** il sortit de la maison; ***~ the door*** devant la porte; ***the car ~ the house*** la voiture devant la maison; ***~ office hours*** en dehors des heures de bureau **outside lane** *n Br* voie *f* de droite (*en cas de conduite à gauche*) **outside line** *n* TEL ligne *f* extérieure **outsider** [ˌaʊtˈsaɪdəʳ] *n* étranger(-ère) **outside toilet** *n* toilettes *fpl* extérieures **outside wall** *n* mur *m* extérieur **outside world** *n* monde *m* extérieur

outsize *adj* énorme **outskirts** *pl* (*of town*) banlieue *f*, faubourgs *mpl* **outsmart** *v/t infml* être plus finaud que **outsource** ['aʊtsɔːs] *v/t* ECON *work* sous-traiter **outspoken** [ˌaʊt'spəʊkən] *adj person*, *speech*, *attack* franc(he); (*book*) qui dit les choses franchement

outstanding [ˌaʊt'stændɪŋ] *adj* **1.** (*exceptional*) exceptionnel(le); *talent*, *beauty* remarquable **2.** (*prominent*) frappant **3.** *business* inachevé; *amount*, *bill* impayé; **~ debts** dettes **outstandingly** [ˌaʊt'stændɪŋlɪ] *adv good*, *beautiful* exceptionnellement

outstay *v/t* ***I don't want to ~ my welcome*** je ne veux pas abuser de votre hospitalité **outstretched** *adj* déployé; *arms also* grand ouvert **outstrip** *v/t fig* devancer (***in*** en) **outtake** *n* coupure *f* **out tray** *n* corbeille *f* sortie **outvote** *v/t* mettre en minorité

outward ['aʊtwəd] **I** *adj* **1.** *appearance* extérieur; ***he put on an ~ show of confidence*** il afficha une grande assurance **2.** ***~ journey*** voyage *m* aller; ***~ flight*** vol *m* aller **II** *adv* vers l'extérieur; ***~ bound*** *ship* en partance **outwardly** ['aʊtwədlɪ] *adv* en apparence **outwards** ['aʊtwədz] *adv* vers l'extérieur

outweigh *v/t* l'emporter sur **outwit** *v/t* se montrer plus malin que

outworker *n* **1.** (*away from the office / factory*) télétravailleur(-euse) *m(f)* **2.** (*homeworker*) travailleur(-euse) *m(f)* à domicile

oval ['əʊvəl] *adj* ovale

ovary ['əʊvərɪ] *n* ANAT ovaire *m*

ovation [əʊ'veɪʃən] *n* ovation *f*; ***to give sb an ~*** faire une ovation à qn

oven ['ʌvn] *n* COOK four *m*; ***to cook in a hot / moderate / slow ~*** cuire à four chaud / moyen / doux; ***it's like an ~ in here*** on se croirait dans un four ici **oven glove** *n Br* manique *f* **ovenproof** *adj* qui va au four **oven-ready** *adj* prêt à cuire

over ['əʊvər] **I** *prep* **1.** (*indicating motion or position*) sur; ***he spilled coffee ~ it*** il a renversé du café dessus; ***to hit sb ~ the head*** frapper qn sur la tête; ***to look ~ the wall*** regarder par-dessus le mur; ***~ the page*** de l'autre côté de la page; ***he looked ~ my shoulder*** il regarda par-dessus mon épaule; ***the house ~ the road*** la maison en face; ***it's just ~ the road from us*** c'est juste en face de chez nous; ***the bridge ~ the river*** le pont sur la rivière; ***we're ~ the main obstacles now*** nous avons éliminé les principaux obstacles **2.** (*across every part of*) ***they came from all ~ England*** ils venaient de toute l'Angleterre; ***you've got ink all ~ you*** vous avez de l'encre partout **3.** (*more than*, *longer than*) plus de, plus longtemps que; (*during*) pendant; ***~ and above that*** en plus de ça; ***well ~ a year ago*** il y a bien un an; ***~ Christmas*** à Noël; ***~ the summer*** pendant l'été; ***~ the years*** avec les années; ***the visits were spread ~ several months*** les visites s'étalaient sur plusieurs mois **4.** ***let's discuss that ~ dinner*** discutons-en au dîner; ***they'll be a long time ~ it*** ils passeront longtemps là-dessus; ***~ the phone*** au téléphone; ***a voice came ~ the intercom*** une voix se fit entendre dans l'interphone **5.** (*about*) à propos de; ***it's not worth arguing ~*** ça ne vaut pas la peine de se disputer à ce propos **II** *adv* **1.** (*across*, *on the other side*) ***come ~ tonight*** venez chez nous ce soir; ***he is ~ here / there*** il est ici / là-bas; ***~ to you!*** à vous!; ***and now ~ to Paris where …*** et maintenant, rejoignons Paris, où…; ***to go ~ to America*** partir en Amérique; ***famous the world ~*** célèbre dans le monde entier; ***I've been looking for it all ~*** je le cherche partout; ***I am aching all ~*** j'ai mal partout; ***he was shaking all ~*** il tremblait de tout son corps; ***I'm wet all ~*** je suis trempé; ***that's Fred all ~*** ça, c'est tout Fred **2.** (*ended*) terminé; ***the danger was ~*** il n'y avait plus de danger; ***when this is ~*** quand ce sera fini; ***it's all ~ between us*** c'est fini entre nous **3.** ***to start ~*** (*US*) *or* (***all***) ***~ again*** *Br* tout recommencer à zéro; ***~ and ~*** (***again***) indéfiniment; ***he did it five times ~*** il l'a fait cinq fois **4.** (*remaining*) restant; ***there was no meat*** (***left***) ***~*** il ne restait pas de viande **5.** ***children of 8 and ~*** les enfants de 8 ans et plus; ***three hours or ~*** trois heures, voire plus **6.** TEL ***come in, please, ~*** à vous de parler, terminé; ***~ and out*** terminé **overact** *v/i* en faire trop **overactive** *adj* trop actif (-ive) **overage** [ˌəʊvər'eɪdʒ] *adj* surplus *m*, excédent *m*

overall[1] [ˌəʊvər'ɔːl] **I** *adj* **1.** global; ***~ majority*** majorité absolue; ***~ control*** mainmise, majorité **2.** (*general*) général **II** *adv* **1.** en tout; ***he came second ~*** SPORTS il a terminé second au classement général **2.** (*in general*) en général

overall[2] ['əʊvərɔːl] *n Br* blouse *f* **overalls** ['əʊvərɔːlz] *pl* combinaison *f*; (*US dungarees*) salopette *f*

overambitious *adj* trop ambitieux (-euse) **overanxious** *adj* trop inquiet (-iète) **overarm** *adj, adv* (*esp Br* SPORTS) *throw* par en-dessus **overate** *past* = **overeat** **overawe** *v/t* (*intimidate*) intimider **overbalance** *v/i* perdre l'équilibre

overbearing [ˌəʊvə'bɛərɪŋ] *adj* autoritaire

overboard ['əʊvəbɔːd] *adv* **1.** NAUT par-dessus bord; ***to fall ~*** tomber par-dessus bord; ***man ~!*** un homme à la mer! **2.** *fig, infml* ***there's no need to go ~ (about it)*** pas la peine de s'emballer *infml* **overbook** *v/i* faire une surréservation **overburden** *v/t fig* surcharger **overcame** *past* = **overcome** **overcast** *adj* couvert **overcautious** *adj* trop prudent **overcharge** [ˌəʊvə'tʃɑːdʒ] **I** *v/t person* faire payer trop cher (***for*** pour); ***they ~d me by $2*** on m'a fait payer 2 dollars de trop **II** *v/i* faire payer trop cher (***for*** pour) **overcoat** ['əʊvəkəʊt] *n* pardessus *m* **overcome** [ˌəʊvə'kʌm] ⟨*past* **overcame**⟩ ⟨*past part* **overcome**⟩ *v/t enemy, obstacle* vaincre; *nerves*, dominer; ***he was ~ by the fumes*** il a été asphyxié par les émanations; ***he was ~ by emotion*** il succomba à l'émotion; ***he was ~ by remorse*** il succomba au remords; ***~ (with emotion)*** vaincu par l'émotion **overcompensate** *v/i* ***to ~ for sth*** surcompenser qc **overconfident** *adj* trop confiant **overcook** *v/t* faire trop cuire **overcrowded** *adj* bondé; (*overpopulated*) surpeuplé **overcrowding** *n* encombrement *m*, entassement *m*; (*of town*) surpeuplement *m*

overdo [ˌəʊvə'duː] ⟨*past* **overdid**⟩ ⟨*past part* **overdone**⟩ *v/t* **1.** (*exaggerate*) exagérer; ***you are ~ing it*** (*going too far*) tu vas trop loin; (*tiring yourself*) tu tires trop sur la corde; ***you've overdone it with the garlic*** tu as eu la main lourde en ail *infml* **2.** *meat, vegetables* trop faire cuire **overdone** *adj* **1.** (*exaggerated*) exagéré **2.** *meat vegetables* trop cuit **overdose I** *n lit* surdose *f*, overdose *f* **II** *v/i* faire une overdose; ***to ~ on heroin*** faire une overdose d'héroïne

overdraft *n Br* découvert *m*; ***to have an ~ of $100*** (*be in debt*) avoir un découvert de 100 dollars **overdraft facility** *n Br* autorisation *f* de découvert **overdrawn** [əʊvə'drɔːn] *adj* FIN *account* à découvert; ***to be ~ by $100*** avoir un découvert de 100 dollars

overdress [ˌəʊvə'dres] *v/t* ***to be ~ed*** être habillé trop chic **overdue** *adj* en retard; *sum of money* dû; ***long ~*** qui se fait attendre **overeager** *adj* trop empressé **overeat** ⟨*past* **overate**⟩ ⟨*past part* **overeaten**⟩ *v/i* trop manger **overeating** *n* excès *mpl* de table **overemphasis** *n* importance *f* exagérée **overemphasize** *v/t* accorder trop d'importance à **overenthusiastic** *adj* trop enthousiaste **overestimate I** *v/t* surestimer **II** *n* surestimation *f* **overexcited** *adj person, children* surexcité **overexpose** *v/t* PHOT surexposer **overfamiliar** *adj* ***to be ~ with sb*** être trop familier avec qn; ***I'm not ~ with their methods*** je ne connais pas bien leurs méthodes **overfeed** ⟨*past, past part* **overfed**⟩ *v/t* suralimenter **overfill** *v/t* trop remplir

overflow ['əʊvəfləʊ] **I** *n* (*outlet*) déversoir *m* **II** *v/t* ***the river has ~ed its banks*** la rivière est sortie de son lit **III** *v/i* **1.** (*liquid, river, container*) déborder; (*room*) être plein; ***full to ~ing*** *bowl, cup* plein à ras bord; *room* plein à craquer; ***the crowd at the meeting ~ed into the street*** le trop plein de participants au meeting se déversèrent dans la rue **2.** *fig* déborder (***with*** de) **overflow pipe** *n* trop plein *m*

overgrown *adj* envahi (***with*** par) **overhang** [ˌəʊvə'hæŋ] *vb* ⟨*past, past part* **overhung**⟩ **I** *v/t* (*rocks*) surplomber **II** *n* surplomb *m* **overhaul** ['əʊvəhɔːl] **I** *n* révision *m* **II** *v/t engine* réviser; *plans* remanier

overhead[1] [ˌəʊvə'hed] *adv* au-dessus; (*in the sky*) dans le ciel; ***a plane flew ~*** un avion passa dans le ciel

overhead[2] ['əʊvəhed] *n US* frais *mpl* généraux

overhead cable *n* câble *m* aérien **overhead projector** *n* rétroprojecteur *m* **overheads** ['əʊvəhedz] *pl Br* = **overhead**[2] **overhear** [ˌəʊvə'hɪəʳ] ⟨*past,*

past part **overheard**〉 *v/t* entendre par hasard; ***we don't want him to ~ us*** nous ne voulons pas qu'il nous entende; ***I ~d them plotting*** je les ai entendus comploter **overheat I** *v/t engine* trop faire chauffer; *room* surchauffer **II** *v/i* (*engine*) chauffer **overheated** *adj* trop chauffé; *room* surchauffé **overhung** *past, past part* = **overhang overimpressed** *adj* ***I'm not ~ with him*** il ne m'impressionne pas particulièrement

overjoyed [ˌəʊvə'dʒɔɪd] *adj* ravi (***at, by, with*** de)

overkill *n* ***to be ~*** être excessif **overladen** *adj* surchargé **overlaid** *past, past part* = **overlay overland I** *adj* par voie de terre **II** *adv* par voie de terre **overlap** ['əʊvəlæp] **I** *n* chevauchement *m* **II** *v/i* **1.** (*tiles*) se chevaucher **2.** (*dates*) se chevaucher; (*ideas*) s'entremêler **III** *v/t* faire chevaucher **overlay** [ˌəʊvə'leɪ] *vb* 〈*past, past part* **overlaid**〉 *v/t* recouvrir **overleaf** *adv* au dos; ***the illustration ~*** l'illustration au verso **overload** *v/t* ELEC, MECH surcharger **overlook** [ˌəʊvə'lʊk] *v/t* **1.** (*look onto*) donner sur; ***a room ~ing the park*** une chambre donnant sur le parc **2.** (*not notice*) laisser échapper, oublier **3.** (*ignore*) laisser passer; ***I am prepared to ~ it this time*** je suis prêt à laisser passer pour cette fois

overly ['əʊvəlɪ] *adv* trop

overnight ['əʊvə'naɪt] **I** *adv* pendant la nuit; ***we drove ~*** nous avons roulé de nuit; ***to stay ~*** (***with sb***) passer la nuit (chez qn) **II** *adj* **1.** d'une nuit; ***~ accommodation*** hébergement pour la nuit **2.** (*fig sudden*) du jour au lendemain; ***an ~ success*** un succès soudain **overnight bag** *n* nécessaire *m* de voyage **overnight stay** *n* étape *f* d'une nuit

overpass *n US* autopont *m* **overpay** 〈*past, past part* **overpaid**〉 *v/t* trop payer **overpopulated** *adj* surpeuplé **overpopulation** *n* surpopulation *f*

overpower [ˌəʊvə'paʊə^r] *v/t* vaincre, dominer **overpowering** [ˌəʊvə'paʊərɪŋ] *adj* accablant; *smell* suffocant; *person* irrésistible; ***I felt an ~ desire …*** j'eus l'irrésistible envie…

overprice *v/t* ***at $50 it's ~d*** à 50 dollars, c'est vendu trop cher **overproduction** *n* surproduction *f* **overprotective** *adj* trop protecteur(-trice) **overran** *past* = **overrun overrate** *v/t* ***to be ~d*** être surfait **overreach** *v/i* présumer de ses forces **overreact** *v/i* réagir de façon excessive (***to*** à)

override [ˌəʊvə'raɪd] 〈*past* **overrode**〉 〈*past part* **overridden**〉 *v/t decision* annuler **overriding** [ˌəʊvə'raɪdɪŋ] *adj principle* primordial; *priority* essentiel(le)

overripe *adj fruit* trop mûr **overrode** *past* = **override overrule** [ˌəʊvə'ruːl] *v/t* rejeter; *decision* annuler; ***we were ~d*** notre avis a été rejeté **overrun** [ˌəʊvə'rʌn] 〈*past* **overran**〉 〈*past part* **overrun**〉 **I** *v/t* **1.** (*weeds*) envahir; ***to be ~ by tourists/mice*** être envahi par les touristes/les souris **2.** (*troops*) envahir **3.** *mark* dépasser **II** *v/i* (*in time*) dépasser; ***his speech overran by ten minutes*** son discours a débordé de 10 minutes

overseas ['əʊvə'siːz] **I** *adj* **1.** (*beyond the ocean*) outremer; *market* étranger (-ère) **2.** (*abroad*) étranger; ***an ~ visitor*** un visiteur étranger; ***~ trip*** voyage à l'étranger **II** *adv* ***to be ~*** être à l'étranger; ***to go ~*** partir à l'étranger; ***from ~*** de l'étranger

oversee 〈*past* **oversaw**〉 〈*past part* **overseen**〉 *v/t* surveiller **overseer** *n* surveillant(e) *m(f)*; (*foreman*) contremaître *m* **oversensitive** *adj* hypersensible **overshadow** *v/t* éclipser **overshoot** [ˌəʊvə'ʃuːt] 〈*past, past part* **overshot**〉 *v/t target, runway* dépasser **oversight** ['əʊvəsaɪt] *n* omission *f*; ***through an ~*** par inadvertance **oversimplification** *n* simplification *f* excessive **oversimplify** *v/t* simplifier à l'extrême **oversleep** 〈*past, past part* **overslept**〉 *v/i* dormir trop longtemps, ne pas se réveiller à l'heure **overspend** [əʊvə'spend] *vb* 〈*past, past part* **overspent**〉 *v/i* trop dépenser; ***we've overspent by $10*** on a dépensé10 dollars de trop **overstaffed** *adj* en sureffectif **overstate** *v/t* exagérer **overstatement** *n* exagération *f* **overstay** *v/t* = **outstay overstep** *v/t* dépasser; ***to ~ the mark*** *Br* dépasser les bornes **overstretch** [əʊvə'stretʃ] *v/t fig resources* solliciter à outrance; ***to ~ oneself*** vouloir en faire trop **oversubscribe** *v/t* FIN sursouscrire; ***the zoo outing was ~d*** il y a eu trop d'inscriptions pour la sortie au zoo

overt [əʊ'vɜːt] *adj hostility* manifeste

overtake [ˌəʊvə'teɪk] 〈*past* **overtook**〉 〈*past part* **overtaken**〉 **I** *v/t* **1.** *competi-*

tor, runner devancer (*Br car*) doubler, dépasser **2.** (*by fate*) frapper **II** *v/i* doubler, dépasser **overtaking** [ˌəʊvə'teɪkɪŋ] *n Br* dépassement *m* **overtax** *v/t fig* abuser de **over-the-counter** *adj drugs* en vente libre **overthrow** *vb* ⟨*past* **overthrew**⟩ ⟨*past part* **overthrown**⟩ **I** *n* (*of dictator etc.*) renversement *m* **II** *v/t* renverser **overtime** ['əʊvətaɪm] **I** *n* **1.** heures *fpl* supplémentaires; ***I am doing ~*** je fais des heures supplémentaires **2.** (*US* SPORTS) prolongations *fpl* **II** *adv* ***to work ~*** faire des heures supplémentaires **overtime pay** *n* rémunération *f* des heures supplémentaires **overtone** ['əʊvətəʊn] *n fig* nuance *f* **overtook** *past* = **overtake**

overture ['əʊvətjʊəʳ] *n* **1.** MUS ouverture *f* **2.** *usu pl* ***to make ~s to sb*** faire des ouvertures à qn

overturn [ˌəʊvə'tɜːn] **I** *v/t* **1.** *lit* renverser; *boat* faire chavirer **2.** *fig regime* renverser; *ban, conviction* annuler **II** *v/i* (*chair*) se renverser; (*boat*) chavirer **overuse I** *n* utilisation *f* excessive **II** *v/t* abuser de **overview** *n* vue *f* d'ensemble (**of** de) **overweight** ['əʊvə'weɪt] *adj person* en surpoids; ***to be five kilos ~*** peser 5 kilos de trop; ***you're ~*** vous êtes en surpoids

overwhelm [ˌəʊvə'welm] *v/t* **1.** accabler, submerger ***he was ~ed when they gave him the gift*** il fut bouleversé lorsqu'ils lui offrirent le cadeau **2.** (*fig, with praise, work*) accabler **overwhelming** [ˌəʊvə'welmɪŋ] *adj* écrasant; *desire* irrépressible; ***they won despite ~ odds*** ils sortirent vainqueurs alors que tout était contre eux **overwhelmingly** [ˌəʊvə'welmɪŋlɪ] *adv reject* en masse; *positive* extrêmement

overwork I *n* surcharge *f* de travail **II** *v/t person* surmener **III** *v/i* se surmener **overwrite** ⟨*past* **overwrote**⟩ ⟨*past part* **overwritten**⟩ *v/t & v/i* IT écraser **overwrought** [ˌəʊvə'rɔːt] *adj* à bout de nerfs **overzealous** [ˌəʊvə'zeləs] *adj* trop zélé

ovulate ['ɒvjʊleɪt] *v/i* ovuler **ovulation** [ˌɒvjʊ'leɪʃən] *n* ovulation *f*

owe [əʊ] **I** *v/t* **1.** *money* devoir (***sb sth, sth to sb*** qc à qn); ***how much do I ~ you?*** (*in store etc.*) je vous dois combien? **2.** *loyalty* devoir (***to sb*** à qn) **3.** *life, success* devoir (***sth to sb*** qc à qn); ***you ~ it to yourself to keep fit*** vous vous devez de rester en forme; ***you ~ me an explanation*** vous me devez une explication **II** *v/i* ***to ~ sb for sth*** être redevable de qc à qn; ***I still ~ him for the meal*** je lui dois toujours le repas **owing** ['əʊɪŋ] **I** *adj* dû; ***how much is still ~?*** quelle somme reste due? **II** *prep* ***~ to*** en raison de; ***~ to the circumstances*** en raison des circonstances

owl [aʊl] *n* hibou *m*, chouette *f*

own[1] [əʊn] *v/t* **1.** (*possess*) posséder; ***who ~s that?*** à qui appartient cela?; ***he looks as if he ~s the place*** il se croit en pays conquis **2.** (*admit*) reconnaître ◆ **own up** *v/i* avouer; ***to ~ to sth*** avouer qc; ***he owned up to stealing the money*** il a avoué avoir volé l'argent

own[2] **I** *adj attr* propre; ***his ~ car*** sa propre voiture; ***he does his ~ cooking*** il se fait la cuisine tout seul; ***thank you, I'm quite capable of finding my ~ way out*** merci, je suis tout à fait capable de retrouver la sortie **II** *pron* **1.** ***to make sth one's ~*** s'approprier qc; ***a house of one's ~*** une maison à soi; ***I have money of my ~*** j'ai de l'argent à moi; ***it has a beauty all its ~*** *or* ***of its ~*** il possède une beauté qui lui est propre **2.** ***to get one's ~ back on sb*** *esp Br* se venger de qn; (***all***) ***on one's ~*** tout seul; ***on its ~*** tout seul; ***the goalkeeper came into his ~ with a series of brilliant saves*** le gardien de but a montré ce qu'il savait faire avec une série de superbes arrêts **own brand** *n* marque *f* de distributeur

owner ['əʊnəʳ] *n* (*of dogs, car, store*) propriétaire *m/f*; (*of firm*) directeur (-trice) *m*(*f*) **owner-occupier** *n* occupant(e)-propriétaire *m*(*f*) **ownership** ['əʊnəʃɪp] *n* propriété *f*; ***under new ~*** changement de propriétaire

own goal *n Br* but *m* marqué contre son camp; ***to score an ~*** marquer contre son camp

ox [ɒks] *n* ⟨*pl* **-en**⟩ bœuf

Oxbridge ['ɒksbrɪdʒ] **I** *n universités d'Oxford et de Cambridge* **II** *adj people* diplômé d'Oxford ou Cambridge

oxide ['ɒksaɪd] *n* CHEM oxyde *m* **oxidize** ['ɒksɪdaɪz] **I** *v/t* oxyder **II** *v/i* s'oxyder

oxtail soup [ˌɒksteɪl'suːp] *n* soupe *f* de queue de bœuf

oxygen ['ɒksɪdʒən] *n* oxygène *m* **oxygen mask** *n* masque *m* à oxygène

oyster ['ɔɪstəʳ] *n* huître *f*; ***the world's his ~*** le monde lui appartient

oz. *abbr* = **ounce(s)**
ozone ['əʊzəʊn] *n* ozone *f* **ozone--friendly** *adj* qui préserve la couche d'ozone **ozone layer** *n* couche *f* d'ozone; ***a hole in the ~*** un trou dans la couche d'ozone

P

P, p [piː] *n* P, p *m*
p. 1. *abbr* = **page** p. *f* **2.** *abbr* = **penny, pence**
PA 1. *abbr* = **personal assistant 2.** *abbr* = **public address (system)**
pa [pɑː] *n infml* papa *m*
p. a. *abbr* = **per annum**
pace [peɪs] **I** *n* **1.** (*step*) pas *m*; ***to put sb through his ~s*** *fig* mettre qn à l'épreuve **2.** (*speed*) allure *f*; ***at a good ~*** à bonne allure; ***at a slow ~*** lentement; ***at one's own ~*** à son propre rythme; ***to keep ~ with sth*** se maintenir au niveau de qc; ***to set the ~*** donner l'allure; ***to quicken one's ~*** accélérer l'allure; (*working*) augmenter la cadence; ***I'm getting old, I can't stand the ~ any more*** *infml* je me fais vieux, je n'arrive plus à suivre **II** *v/t* arpenter **III** *v/i* ***to ~ up and down*** marcher de long en large
pacemaker ['peɪsmeɪkəʳ] *n* **I** MED stimulateur *m* cardiaque **II** SPORTS meneur(-euse) *m(f)* de train
Pacific [pə'sɪfɪk] *n* ***the ~ (Ocean)*** le Pacifique, l'océan *m* Pacifique; ***a ~ island*** une île du Pacifique; ***the ~ Rim*** ceinture *f* du Pacifique **Pacific Standard Time** *n* heure *f* du Pacifique
pacifier ['pæsɪfaɪəʳ] *n* (*US*: *for baby*) tétine *f* **pacifism** ['pæsɪfɪzəm] *n* pacifisme *m* **pacifist** ['pæsɪfɪst] *n* pacifiste *m/f* **pacify** ['pæsɪfaɪ] *v/t baby*, *critics* apaiser, calmer
pack [pæk] **I** *n* **1.** (*on animal*) bât *m* **2.** (*backpack*) sac *m* à dos; MIL sac *m* d'ordonnance **3.** (*packet*) paquet *m*; (*esp US*: *of cigarettes*) paquet *m*; ***a ~ of six*** un paquet de six **4.** (*of wolves*) meute *f* **5.** (*pej group*) bande *f*; ***a ~ of thieves*** une bande de voleurs; ***it's all a ~ of lies*** ce n'est qu'un tissu de mensonges **6.** *esp Br* (*of cards*) jeu *m* **II** *v/t* **1.** *crate etc.* remplir; *meat in tin etc.* mettre en boîte **2.** *case* faire; *clothes etc.* mettre dans une valise; ***the box was ~ed full of explosives*** la boîte était bourrée d'explosifs; ***to be ~ed*** (*full*) être plein à craquer *infml*; ***a weekend ~ed with excitement*** un week-end plein d'animation **3.** *soil etc.* tasser; ***the snow on the path was ~ed hard*** la neige formait une couche compacte sur le chemin; ***the movie ~s a real punch*** *fig* le film a un sacré punch **III** *v/i* **1.** (*person*) s'entasser **2.** ***the crowds ~ed into the stadium*** la foule s'entassait dans le stade; ***we all ~ed into one car*** nous nous sommes tous entassés dans une seule voiture **3.** *infml* ***to send sb ~ing*** envoyer paître qn ◆ **pack away** *v/t sep* ranger; ***I've packed all your books away in the attic*** j'ai mis tous tes livres au grenier ◆ **pack in I** *v/t sep* **1.** *people* entasser **2.** (*Br infml*) *job* plaquer *infml*; *activity* arrêter; ***pack it in!*** laisse tomber! *infml* **II** *v/i* (*Br infml*) (*engine*) tomber en panne; (*person*) être serré ◆ **pack off** *v/t sep* ***she packed them off to bed*** elle les envoya se coucher ◆ **pack out** *v/t* ***to be packed out*** être plein à craquer ◆ **pack up I** *v/t sep* mettre dans une valise **II** *v/i* **1.** faire sa valise; ***he just packed up and left*** il a fait sa valise et il est parti **2.** (*Br infml*) (*engine*) rendre l'âme *hum*; (*person*) laisser tomber *infml*
package ['pækɪdʒ] **I** *n* contrat *m* global, (*US vacation*) voyage *m* organisé; ***software ~*** progiciel **II** *v/t goods* colis *m* **package deal** *n* contrat *m* global **package tour** *or Br* **package holiday** *n* voyage *m* organisé **packaging** ['pækɪdʒɪŋ] *n* **1.** (*material*) emballage *m* **2.** (*presentation*) conditionnement *m*
packed lunch [pækt'lʌntʃ] *n Br* panier--repas *m*
packet ['pækɪt] *n esp Br* **1.** paquet *m*, colis *m*; (*of cigarettes small box*) paquet *m* **2.** (*Br infml*) ***to make a ~*** se faire un fric fou *infml*; ***that must have cost a ~*** ça a dû coûter bonbon *infml* **packet soup** *n esp Br* soupe *f* en sachet
pack ice *n* banquise *f*
packing ['pækɪŋ] *n* (*act*) emballage *m*,

empaquetage *m*; (*material*) emballage *m*; ***to do one's ~*** faire ses valises **packing case** *n* caisse *f* d'emballage
pact [pækt] *n* pacte *m*; ***to make a ~ with sb*** faire un pacte avec qn
pad[1] [pæd] *v/i* ***to ~ around*** *Br* aller et venir à pas feutrés
pad[2] **I** *n* **1.** (*for comfort etc.*) coussinet *m*; (*for protection*) protection *f*; (*brake pad etc.*) plaquette *f* **2.** (*of paper*) bloc *m* **3.** (*infml home*) piaule *f infml* **II** *v/t* matelasser ◆ **pad out** *v/t sep fig essay* délayer *infml*
padded ['pædɪd] *adj shoulders, bra, seat* rembourré; ***~ envelope*** enveloppe matelassée **padding** ['pædɪŋ] *n* (*material*) rembourrage *m*
paddle ['pædl] **I** *n* **1.** (*oar*) pagaie *f* **2.** *Br* ***to have a ~*** aller barboter **II** *v/t boat* pagayer **III** *v/i* **1.** (*in boat*) pagayer **2.** *Br* (*in water*) barboter **paddle boat** *n* bateau *m* à aubes; (*small*) pédalo *m* **paddle steamer** *n* bateau *m* à aubes **paddling pool** ['pædlɪŋˌpuːl] *n Br* pataugeoire *f*
paddock ['pædək] *n* enclos *m*; (*of racecourse*) paddock *m*
paddy ['pædɪ] *n* (*a.* **paddy field**) rizière *f*
padlock ['pædlɒk] **I** *n* cadenas *m* **II** *v/t* cadenasser
paediatric *etc. Br* = **pediatric** *etc.*
paedophile *Br* = **pedophile** *etc.*
pagan ['peɪgən] **I** *adj* païen(ne) **II** *n* païen(ne) *m(f)* **paganism** ['peɪgənɪzəm] *n* paganisme *m*
page[1] [peɪdʒ] **I** *n* (*Br a.* **pageboy**) groom *m* **II** *v/t* ***to ~ sb*** faire appeler qn; ***paging Mr Cousin*** on appelle Mr Cousin
page[2] *n* page *f*; ***on ~ 14*** (sur la) page 14; ***write on both sides of the ~*** écrivez au recto et au verso; ***to be on the same ~*** (*US in agreement*) être d'accord
pageant ['pædʒənt] *n* (*show*) reconstitution *f* historique; (*procession*) procession *f* **pageantry** ['pædʒəntrɪ] *n* apparat *f*
pageboy *n* groom *m*; (*Br at wedding*) page *m* **page break** *n* IT saut *m* de page **page number** *n* numéro *m* de page **page preview** *n* IT aperçu *m* avant impression **page printer** *n* IT imprimante *f* page par page **pager** ['peɪdʒəʳ] *n* TEL récepteur *m* d'appel **pagination** [ˌpædʒɪ'neɪʃən] *n* pagination *f*
pagoda [pə'gəʊdə] *n* pagode *f*
paid [peɪd] **I** *past, past part* = **pay** **II** *adj* **1.** *work* rémunéré **2.** *esp Br* ***to put ~ to sth*** gâcher qc; ***that's put ~ to my weekend*** ça m'a gâché le week-end **III** *n* ***the low / well ~*** les bas / hauts salaires **paid-up** ['peɪd'ʌp] *adj* ***fully ~ member*** membre ayant sa carte
pail [peɪl] *n* seau
pain [peɪn] **I** *n* **1.** douleur *f*; (*mental*) souffrance *f*, peine *f*; ***to be in ~*** souffrir; ***he screamed in ~*** il hurla de douleur; ***chest ~s*** douleurs de poitrine; ***my ankle is causing me a lot of ~*** ma cheville me fait beaucoup souffrir; ***I felt a ~ in my leg*** j'ai ressenti une douleur à la jambe **2. pains** *pl* (*efforts*) efforts *mpl*, peine *f*; ***to be at*** (***great***) ***~s to do sth*** se donner du mal pour faire qc; ***to take ~s to do sth*** se donner du mal pour faire qc; ***she takes great ~s with her appearance*** elle soigne beaucoup son apparence **3.** ***on*** *or* ***under ~ of death*** sous peine de mort **4.** (*infml: a.* **pain in the neck** *or* **arse** *Br sl*) ***to be a*** (***real***) ***~*** être une vraie plaie *infml* **II** *v/t* (*mentally*) peiner, faire de la peine à; ***it ~s me to see their ignorance*** leur ignorance me fait de la peine **pained** [peɪnd] *adj expression* peiné
painful ['peɪnfʊl] *adj injury* douloureux (-euse); (*distressing*) pénible; ***is it ~?*** est-ce que ça fait mal? **painfully** ['peɪnfəlɪ] *adv* **1.** (*physically*) douloureusement; *move* péniblement **2.** (*very*) très; *thin* effroyablement; ***it was ~ obvious*** il était plus qu'évident **painkiller** ['peɪnkɪləʳ] *n* calmant *m* **painless** *adj* indolore; ***don't worry, it's quite ~*** *infml* ne t'en fais pas, ça ne fait pas mal du tout **painstaking** ['peɪnzˌteɪkɪŋ] *adj* rigoureux(-euse) **painstakingly** ['peɪnzˌteɪkɪŋlɪ] *adv* avec soin
paint [peɪnt] **I** *n* **1.** peinture *f*; (*on car*) peinture *f* **2. paints** *pl* couleurs, peinture; ***box of ~s*** boîte *f* de peinture *or* couleurs **II** *v/t* **1.** *wall* peindre; *car* peindre; ***to ~ one's face*** (*with make-up*) se maquiller; ***to ~ the town red*** *infml* faire la noce *infml* **2.** *picture* peindre; ***he ~ed a very convincing picture of life on the moon*** il a peint un tableau très réussi de la vie sur la lune **III** *v/i* peindre, faire de la peinture; (*decorate*) peindre **paintbox** *n* boîte *f* de peinture **paintbrush** *n* pinceau *m*
painter ['peɪntəʳ] *n* ART peintre *m*; (*decorator*) peintre-décorateur *m*
painting ['peɪntɪŋ] *n* **1.** (*picture*) tableau

m **2.** *no pl* ART peinture *f* **paint pot** *n* pot *m* de peinture **paint stripper** *n* décapant *m* **paintwork** *n* (*on wall, car etc.*) peinture *f*

pair [pɛəʳ] **I** *n* paire; ***these socks are a ~*** ces chaussettes vont ensemble; ***a ~ of scissors*** une paire de ciseaux; ***a new ~ of pants*** un nouveau pantalon; ***a new ~ of shoes*** une nouvelle paire de chaussures; ***I only have one ~ of hands*** je n'ai que deux mains; ***to be*** *or* ***have a safe ~ of hands*** être de toute confiance; ***in ~s*** à deux; *hunt, go out* par deux **II** *v/t* ***I was ~ed with Bob for the next round*** on m'a mis avec Bob pour le tour suivant ◆ **pair off I** *v/t sep* répartir en paires **II** *v/i* s'arranger deux par deux, former des couples (***with*** avec)

pajamas, *Br* **pyjamas** [pəˈdʒɑːməz] *pl* pyjama *m*

pak-choi [pækˈtʃɔɪ] *n Br* pak-choï *m*

Paki [ˈpækɪ] (*Br pej, infml*) **I** *n* (*person*) Pakistanais(e) *m(f)* **II** *adj* pakistanais **Pakistan** [ˌpɑːkɪsˈtɑːn] *n* Pakistan *m* **Pakistani** [ˌpɑːkɪsˈtɑːnɪ] **I** *adj* pakistanais **II** *n* Pakistanais(e) *m(f)*

pal [pæl] *n infml* copain(copine) *m(f) infml*, pote *m*

palace [ˈpælɪs] *n* palais *m*; ***royal ~*** palais royal

palatable [ˈpælətəbl] *adj* **1.** agréable au goût **2.** *fig* acceptable **palate** [ˈpælɪt] *n lit* palais *m*

palatial [pəˈleɪʃəl] *adj* grandiose

palaver [pəˈlɑːvəʳ] *n infml* histoires *fpl*, chichis *infml*

pale [peɪl] **I** *adj* ⟨**+er**⟩ pâle; (*unhealthily*) blanc(he), blême; *light, moon* blafard; ***~ green*** vert pâle **II** *v/i* (*person*) pâlir; ***to ~ (into insignificance) alongside sth*** perdre de son importance par rapport à qc **paleness** [ˈpeɪlnɪs] *n* pâleur *f*

Palestine [ˈpælɪstaɪn] *n* Palestine *f* **Palestinian** [ˌpæləˈstɪnɪən] **I** *adj* palestinien(ne) **II** *n* Palestinien(ne) *m(f)*

palette [ˈpælɪt] *n* palette *f* **palette knife** *n* couteau *m* à palette

palisade [ˌpælɪˈseɪd] *n* palissade *f*

pallbearer [ˈpɔːlˌbɛərəʳ] *n* porteur *m* de cercueil

pallet [ˈpælɪt] *n* palette *f*

pallid [ˈpælɪd] *adj* pâle; (*unhealthy looking*) blême **pallor** [ˈpæləʳ] *n* pâleur *f*

pally [ˈpælɪ] *adj* ⟨**+er**⟩ (*Br infml*) ***they're very ~*** ils sont copains *infml*; ***to be ~ with sb*** être copain avec qn *infml*; ***to get ~ with sb*** devenir copain avec qn *infml*

palm¹ [pɑːm] *n* BOT palmier *m*

palm² *n* ANAT paume *f*; ***he had the audience in the ~ of his hand*** il tenait le public sous sa coupe; ***to read sb's ~*** lire dans les lignes de la main de qn ◆ **palm off** *v/t sep infml junk* refiler (***on(to) sb*** à) *infml*; *person* refiler *infml*; ***they palmed him off on me*** ils me l'ont refilé *infml*

palmcorder [ˈpɑːmkɔːdəʳ] *n* Palmcorder® *m* **palmistry** [ˈpɑːmɪstrɪ] *n* chiromancie *f*

palm leaf *n* feuille *f* de palmier **palm oil** *n* huile *f* de palme **Palm Sunday** *n* dimanche *m* des Rameaux

palmtop *n* IT ordinateur *m* de poche

palm tree *n* palmier *m*

palpable [ˈpælpəbl] *adj* palpable **palpably** [ˈpælpəblɪ] *adv* manifestement

palpitate [ˈpælpɪteɪt] *v/i* (*heart*) palpiter **palpitation** [ˌpælpɪˈteɪʃən] *n* palpitation *f*; ***to have ~s*** avoir des palpitations

palsy [ˈpɔːlzɪ] *n* paralysie *f*

paltry [ˈpɔːltrɪ] *adj* misérable; ***he gave some ~ excuse*** il a fourni une excuse dérisoire

pamper [ˈpæmpəʳ] *v/t* dorloter

pamphlet [ˈpæmflɪt] *n* (*informative*) brochure *f*; (*political, flyer*) pamphlet *m*

pan [pæn] *n* COOK poêle *f*; (*saucepan*) casserole *f* ◆ **pan out** *v/i infml* bien se dérouler; ***it didn't ~*** ça n'a pas marché *infml*

panache [pəˈnæʃ] *n* panache *m*

Panama [ˌpænəˈmɑː] *n* ***~ Canal*** canal de Panama

Pan-American [ˈpænəˈmerɪkən] *adj* panaméricain

pancake [ˈpænkeɪk] *n* crêpe *f*; (*stuffed also*) galette *f*

pancreas [ˈpæŋkrɪəs] *n* pancréas *m*

panda [ˈpændə] *n* panda *m* **panda car** *n Br* voiture *f* de police

pandemonium [ˌpændɪˈməʊnɪəm] *n* tumulte *m*, tohu-bohu *m*

pander [ˈpændəʳ] *v/i* se prêter à une exigence (*to*); ***to ~ to sb's whims*** se plier aux caprices de qn

p and p *abbr Br* = **post(age) and packing**

pane [peɪn] *n* vitre *f*, carreau *m*

panel [ˈpænl] *n* **1.** (*of wood*) panneau *m*

2. (*of instruments etc.*) tableau *m*; ***instrument ~*** tableau de bord; (*on machine*) pupitre *m* **3.** (*of interviewers etc.*) groupe *m*; (*of experts*) comité *m*; (*in discussion*) panel *m*; (*in quiz*) groupe *m*; ***a ~ of judges*** un jury **panel discussion** *n* débat *m* **paneled**, *Br* **panelled** *adj* lambrissé **panel game** *n* (*on radio*) jeu *m* radiophonique; (*on television*) jeu *m* télévisé **paneling**, *Br* **panelling** ['pænəlıŋ] *n* lambris *mpl* **panelist**, *Br* **panellist** *n* intervenant(e) *m(f)*; (*on radio*, *TV*) invité(e) *m(f)*

pang [pæŋ] *n* ***a ~ of conscience*** un remords; ***a ~ of jealousy*** une pointe de jalousie; ***~s of hunger*** crampes d'estomac

panic ['pænık] *vb* ⟨*past*, *past part* **panicked**⟩ **I** *n* panique *f*; ***in a blind ~*** dans la panique absolue; ***to flee in ~*** fuir dans la panique; ***the country was thrown into a*** (***state of***) ***~*** le pays s'est retrouvé dans un état de panique **II** *v/i* paniquer *infml*; ***don't ~*** pas de panique *infml* **III** *v/t* paniquer *infml* **panic attack** *n* PSYCH crise *f* d'angoisse; ***to have a ~*** avoir une crise d'angoisse **panicky** ['pænıkı] *adj person* angoissé; ***to feel ~*** être angoissé **panic-stricken** ['pænıkˌstrıkən] *adj* pris de panique; *look* paniqué

pannier ['pænıəʳ] *n* (*on motor-cycle etc.*) sacoche *f*

panorama [ˌpænə'rɑːmə] *n* panorama *m* (***of*** de) **panoramic** [ˌpænə'ræmık] *adj* panoramique **panoramic view** *n* vue *f* panoramique; ***a ~ of the hills*** une vue panoramique des montagnes

pansy ['pænzı] *n* **1.** BOT pensée *f* **2.** (*Br pej homosexual*) homosexuel *m*, tante *f infml neg!*

pant [pænt] *v/i* haleter; ***to ~ for breath*** avoir une respiration haletante

panther ['pænθəʳ] *n* panthère *f*

panties ['pæntız] *pl* slip *m*, culotte *f*; ***a pair of ~*** un slip

pantomime ['pæntəmaım] *n* **1.** (*in GB*) pièce *f* de théâtre burlesque (*jouée à Noël*) **2.** (*mime*) mime *m*

pantry ['pæntrı] *n* cellier *m*

pants [pænts] **I** *pl* (*esp US trousers*) pantalon *m*; (*Br underpants*) slip *m*; ***a pair of ~*** un pantalon; ***to charm the ~ off sb*** *infml* taper dans l'œil de qn *infml* **II** *adj* (*Br infml awful*) ***to be ~*** (*Br infml*) nul(le) *infml* **pantsuit** ['pæntsuːt] *n US* tailleur- pantalon *m* **pantyhose** ['pæntı-] *n US* collants *mpl* **panty-liner** *n* protège-slip *m*

papal ['peıpəl] *adj* papal

papaya [pə'paıə] *n* papayer *m*; (*fruit*) papaye *f*

paper ['peıpəʳ] **I** *n* **1.** papier *m*; ***to get*** *or* ***put sth down on ~*** mettre qc par écrit **2.** (*newspaper*) journal *m*; ***in the ~s*** dans les journaux **3. papers** *pl* (*identity papers*) papiers *mpl* (d'identité) **4.** (*Br exam*) UNIV épreuve *f*; SCHOOL rédaction *f* **5.** (*academic*) communication *f* **II** *v/t room* tapisser **paperback** *n* livre *m* de poche **paper bag** *n* sac *m* en papier **paperboy** *n* jeune livreur *m* de journaux **paper chain** *n* guirlande *f* de papier **paperclip** *n* trombone *m* **paper cup** *n* gobelet *m* en carton **paper feed** *n* IT alimentation *f* en papier **paper girl** *n* jeune livreuse *f* de journaux **paper money** *n* papier-monnaie *m* **paper plate** *n* assiette *f* en carton **paper round** *n Br* = **paper route paper route** *n US* ***to do a ~*** distribuer les journaux **paper shop** *n Br* magasin *m* de journaux **paper-thin** *adj* fin comme du papier à cigarettes **paper tissue** *n* mouchoir *m* en papier **paper tray** *n* IT bac *m* d'alimentation en papier **paperweight** *n* presse-papiers *m* **paperwork** *n* tâches *fpl* administratives

papier mâché ['pæpıeı'mæʃeı] **I** *n* papier *m* mâché **II** *adj* en papier mâché

paprika ['pæprıkə] *n* paprika *m*

par [pɑːʳ] *n* **1.** ***to be on a ~ with sb / sth*** être à égalité avec qn / qc **2.** ***below ~*** *fig* en dessous de la moyenne; ***I'm feeling below ~*** je me sens patraque *infml* **3.** GOLF par *m*; ***~ three*** par trois; ***that's ~ for the course for him*** *fig*, *infml* il a l'habitude

parable ['pærəbl] *n* parabole *f*

paracetamol [ˌpærə'siːtəmɒl] *n Br* paracétamol *m*

parachute ['pærəʃuːt] **I** *n* parachute *m* **II** *v/i* (*a.* **parachute down**) descendre en parachute **parachute drop** *n* (*of supplies*) parachutage *m* **parachute jump** *n* saut *m* en parachute **parachutist** ['pærəʃuːtıst] *n* parachutiste *m/f*

parade [pə'reıd] **I** *n* (*procession*) défilé *m*; (MIL, *of circus display*) parade *f*; ***to be on ~*** MIL défiler **II** *v/t* **1.** *troops* faire défiler; *placards* brandir **2.** (*show*

off) étaler **III** *v/i* MIL défiler; ***to ~ through the town*** (*strikers*) défiler dans les rues; ***to ~ up and down*** (*show off*) parader
paradise ['pærədaɪs] *n* paradis *m*; ***a windsurfer's ~*** un paradis pour les planchistes; ***an architect's ~*** un paradis pour les architectes
paradox ['pærədɒks] *n* paradoxe *m* **paradoxical** [ˌpærə'dɒksɪkəl] *adj* paradoxal **paradoxically** [ˌpærə'dɒksɪkəlɪ] *adv* paradoxalement
paraffin ['pærəfɪn] *n* paraffine *f*
paragliding ['pærəglaɪdɪŋ] *n* parapente *m*
paragraph ['pærəgrɑːf] *n* paragraphe *m*
paralegal ['pærəˌliːgəl] *esp US n* assistant(e) *m(f)* juridique
parallel ['pærəlel] **I** *adj* parallèle; ***~ to*** *or* ***with*** parallèle à; ***~ interface*** IT interface parallèle; ***the two systems developed along ~ lines*** les deux systèmes se sont développés en parallèle **II** *adv* ***to run ~*** être parallèle (***to sth*** à qc) **III** *n fig* parallèle *f*; ***to be without ~*** ne pas avoir d'équivalent; ***to draw a ~ between X and Y*** établir un parallèle entre X et Y **IV** *v/t fig* égaler; ***a case ~led only by …*** un cas uniquement égalé par …
Paralympics [ˌpærə'lɪmpɪks] *n* SPORTS Jeux *mpl* paralympiques
paralysis [pə'ræləsɪs] *n* ⟨*pl* **paralyses**⟩ paralysie *f* **paralytic** [ˌpærə'lɪtɪk] (*Br infml very drunk*) ivre mort **paralyze** ['pærəlaɪz] *v/t* **1.** *lit* paralyser **2.** *fig* paralyser **paralyzed** *adj* **1.** *lit* paralysé; ***he was left ~*** il est resté paralysé; ***~ from the waist down*** paralysé des deux jambes **2.** *fig* ***to be ~ with fear*** être paralysé par la peur **paralyzing** ['pærəlaɪzɪŋ] *adj fig* paralysant
paramedic [ˌpærə'medɪk] *n* auxiliaire *m/f* médical; (*in ambulance*) ambulancier(-ière) *m(f)*
parameters [pə'ræmətəz] *pl* limites *fpl*
paramilitary [ˌpærə'mɪlɪtərɪ] *adj* paramilitaire
paramount ['pærəmaʊnt] *adj* essentiel(le); ***to be ~*** être essentiel; ***of ~ importance*** de la plus haute importance
paranoia [ˌpærə'nɔɪə] *n* paranoïa *f* **paranoid** ['pærənɔɪd] *adj* paranoïaque, parano *infml*; ***or am I just being ~?*** ou est-ce que je suis parano?; ***to be ~ about sth*** avoir très peur de qc
paranormal [ˌpærə'nɔːməl] **I** *adj* paranormal **II** *n* ***the ~*** le paranormal
parapet ['pærəpɪt] *n* (*on rampart, of bridge*) parapet *m*; ***to put one's head above the ~*** *fig* prendre un risque
paraphernalia [ˌpærəfə'neɪlɪə] *pl* attirail *m hum*
paraphrase ['pærəfreɪz] *v/t* paraphraser
paraplegic [ˌpærə'pliːdʒɪk] *n* paraplégique *m/f*
parasite ['pærəsaɪt] *n* parasite *m*
parasol ['pærəsɒl] *n* (*for person*) ombrelle *f*; (*for table*) parasol *m*
paratrooper ['pærətruːpə^r] *n* parachutiste *m/f* **paratroops** ['pærətruːps] *pl* unités *fpl* parachutistes
parboil ['pɑːbɔɪl] *v/t* faire bouillir à demi
parcel ['pɑːsl] *n esp Br* colis *m*; paquet *m*
◆ **parcel up** *v/t sep* emballer
parcel bomb *n Br* colis *m* piégé
parched [pɑːtʃt] *adj* desséché; ***I'm ~*** j'ai très soif
parchment ['pɑːtʃmənt] *n* parchemin *m*
pardon ['pɑːdn] **I** *n* **1.** JUR grâce *f*; ***to grant sb a ~*** accorder une grâce à qn **2.** ***to beg sb's ~*** demander pardon à qn; ***~?*** *Br*, ***I beg your ~?*** *Br* pardon?; ***I beg your ~*** (*apology*) je vous demande pardon; (*in surprise*) pardon? **II** *v/t* **1.** JUR gracier **2.** (*forgive*) pardonner; ***to ~ sb for sth*** pardonner qc à qn; ***~ me, but could you …?*** pardonnez-moi, mais pourriez-vous …?; ***~ me!*** pardon!; ***~ me?*** *US* pardon?
◆ **pare down** *v/t sep fig expenses* réduire
parent ['pɛərənt] *n* père *m*; mère *f*; ***parents*** les parents **parentage** ['pɛərəntɪdʒ] *n* ascendance *f*; ***children of racially mixed ~*** des enfants de couples mixtes **parental** [pə'rentl] *adj* parental **parental leave** *n* congé *m* parental **parent company** *n* maison *f* mère

> **parent**
>
> **Parent** ne signifie pas n'importe quel membre de la famille. Le mot désigne uniquement le père ou la mère.

parenthesis [pə'renθɪsɪs] *n* ⟨*pl* **parentheses**⟩ parenthèse *f*; ***in ~*** entre parenthèses
parenthood ['pɛərənthʊd] *n* parentalité *f* **parents-in-law** *pl* beaux-parents *mpl*

parent-teacher association *n* SCHOOL association *f* de parents d'élèves

parish ['pærɪʃ] *n* paroisse *f* **parish church** *n Br* église *f* paroissiale **parish council** *n Br* conseil *m* municipal **parishioner** [pə'rɪʃənəʳ] *n* paroissien(ne) *m(f)* **parish priest** *n* prêtre *m* de paroisse; curé *m*

parity ['pærɪtɪ] *n* **1.** (*equality*) parité *f* **2.** FIN, SCI, IT parité *f*

park [pɑːk] **I** *n* parc *m*; ***national ~*** parc national **II** *v/t* **1.** *car, bike* garer; ***a ~ed car*** une voiture en stationnement **2.** (*infml put*) s'installer; ***he ~ed himself right in front of the fire*** il s'est installé juste devant la cheminée **III** *v/i* se garer; ***there was nowhere to ~*** il n'y avait pas de place pour se garer; ***to find a place to ~*** trouver une place pour se garer **park-and-ride** *n* parking *m* relais **park bench** *n* banc *m* public

parking ['pɑːkɪŋ] *n* stationnement *m*; ***there's no ~ on this street*** on ne peut pas se garer dans cette rue; ***"no ~"*** "stationnement interdit"; ***"parking for 50 cars"*** "50 places de parking" **parking attendant** *n* gardien(ne) *m(f)* de parking **parking bay** *n* place *f* de parking **parking fine** *n* contravention *f* **parking garage** *n US* (*multi-storey*) parking *m* aérien; (*underground*) parking *m* souterrain

parking lot *n US* parking *m* (découvert) **parking meter** *n* parcmètre *m* **parking place** *n* place *f* de parking **parking space** *n* place *f* de stationnement **parking ticket** *n* contravention *f*

Parkinson's (disease) ['pɑːkɪnsənz(dɪ'ziːz)] *n* maladie *f* de Parkinson

park keeper *n Br* gardien(ne) *m(f)* **parkland** *n* parc *m* **park ranger, park warden** *n* (*in national park*) gardien(ne) *m(f)* **parkway** *n US* route *f* bordée d'arbres

parliament ['pɑːləmənt] *n* parlement *m*; ***the British ~*** le Parlement britannique; ***the Swiss ~*** le Parlement suisse; ***the Austrian ~*** le Parlement autrichien **parliamentary** [ˌpɑːlə'mentərɪ] *adj* parlementaire; ***~ seat*** siège parlementaire **parliamentary candidate** *n* candidat(e) *m(f)* aux élections législatives **parliamentary election** *n* élections *fpl* législatives

parlor, *Br* **parlour** ['pɑːləʳ] *n* (*beauty parlor etc.*) salon *m*; ***ice-cream ~*** glacier **parlor game**, *Br* **parlour game** *n* jeu *m* d'intérieur

parody ['pærədɪ] **I** *n* **1.** parodie *f* (***of*** de) **2.** (*travesty*) parodie *f* **II** *v/t* parodier

parole [pə'rəʊl] **I** *n* JUR liberté *f* conditionnelle; (*temporary release*) liberté *f* provisoire; ***to let sb out on ~*** mettre qn en liberté conditionnelle; (*temporarily*) mettre qn en liberté provisoire; ***to be on ~*** être en liberté conditionnelle; (*temporarily*) être en liberté provisoire **II** *v/t* mettre en liberté conditionnelle; (*temporarily*) mettre en liberté provisoire

parquet ['pɑːkeɪ] *n* parquet *m*; ***~ floor*** parquet

parrot ['pærət] *n* perroquet *m*; ***he felt as sick as a ~*** (*Br infml*) il était malade comme un chien *infml* **parrot-fashion** ['pærətfæʃən] *adv Br* ***to repeat sth ~*** répéter qc comme un perroquet; ***to learn sth ~*** apprendre qc par cœur

parry ['pærɪ] *v/t & v/i fig* esquiver; BOXING parer

parsley ['pɑːslɪ] *n* persil *m*

parsnip ['pɑːsnɪp] *n* panais *m*

parson ['pɑːsn] *n* pasteur *m* **parsonage** ['pɑːsənɪdʒ] *n* presbytère *m*

part [pɑːt] **I** *n* **1.** partie *f*; ***the best ~*** la plus grande partie; ***in ~*** en partie; ***a ~ of the country I don't know*** une région du pays que je ne connais pas; ***in some ~s of the city*** dans certains quartiers de la ville; ***for the most ~*** dans l'ensemble; ***in the latter ~ of the year*** dans la dernière partie de l'année; ***it's all ~ of growing up*** cela fait partie des étapes pour devenir adulte; ***it is ~ and parcel of the job*** cela fait partie intégrante du travail; ***spare ~*** pièce détachée **2.** GRAM ***~ of speech*** partie du discours **3.** (*of series*) épisode *m*; (*of serial*) partie *f*; ***end of ~ one*** TV fin du premier épisode **4.** (*share, role*) rôle *m*; THEAT; ***to play one's ~*** *fig* jouer son rôle; ***to take ~ in sth*** participer à qc; ***who is taking ~?*** qui est-ce qui participe?; ***he's taking ~ in the play*** il joue dans la pièce; ***he looks the ~*** *fig* il a la tête de l'emploi; ***to play a ~*** jouer un rôle; ***to play no ~ in sth*** (*person*) ne jouer aucun rôle dans qc; ***we want no ~ of it*** nous ne voulons pas nous en mêler **5.** **parts** *pl* (*region*) lieux *mpl*; ***from all ~s*** de toutes parts; ***in*** *or* ***around these ~s*** dans ces contrées; ***in foreign ~s*** dans des régions étrangères; ***he's not from these ~s*** il n'est pas d'ici **6.** (*side*) parti *m*; ***to take sb's ~*** prendre le parti de qn; ***for my ~*** pour ma part; ***on my ~*** de ma part; ***on the ~ of*** de la part de **7.** (*US*: *in hair*) raie *f* **II** *adv* en partie; ***~ one and ~ the other*** en partie l'un et en partie l'autre; ***~ iron and ~ copper*** en partie en fer et en partie en cuivre **III** *v/t* **1.** *hair* faire une raie dans **2.** (*separate*) séparer; ***to ~ sb from sb / sth*** séparer qn de qn / qc; ***till death us do ~*** jusqu'à ce que la mort nous sépare; ***to ~ company with sb / sth*** quitter qn / qc **IV** *v/i* **1.** (*divide*) se séparer; (*drapes*) s'ouvrir; ***her lips ~ed in a smile*** elle fit un grand sourire **2.** (*separate*) (*people*) se séparer; (*things*) s'ouvrir; ***to ~ from sb*** quitter qn; ***we ~ed friends*** nous nous sommes quittés en bons termes; ***to ~ with sth*** se séparer de qc; ***to ~ with money*** dépenser son argent

parterre ['pɑːtɛəʳ] *n US* parterre *m*

part exchange *n* reprise *f*; ***to offer sth in ~*** proposer qc avec une reprise

partial ['pɑːʃəl] *adj* partiel(le); ***a ~ success*** une réussite partielle; ***to make a ~ recovery*** se rétablir partiellement **partially** ['pɑːʃəlɪ] *adv* partiellement; ***~ deaf*** malentendant **partially sighted** *adj* malvoyant

participant [pɑː'tɪsɪpənt] *n* participant(e) *m(f)* (**in** à) **participate** [pɑː'tɪsɪpeɪt] *v/i* participer (**in** à); ***to ~ in sport*** SCHOOL faire du sport **participation** [pɑːˌtɪsɪ'peɪʃən] *n* participation *f*

participle ['pɑːtɪsɪpl] *n* participe *m*

particle ['pɑːtɪkl] *n* particule *f*

particular [pə'tɪkjʊləʳ] **I** *adj* **1.** ***this ~ house*** cette maison en particulier; ***in this ~ instance*** dans ce cas précis; ***one ~ city*** une ville en particulier **2.** (*special*) spécial; ***in ~*** en particulier; ***the wine in ~ was excellent*** le vin en particulier était excellent; ***nothing in ~*** rien de particulier; ***is there anything in ~ you'd like?*** est-ce qu'il y a quelque chose de précis qui te ferait plaisir?; ***did you want to speak to anyone in ~?*** est-ce que vous souhaitez parler à qn en particulier?; ***for no ~ reason*** sans raison particulière; ***at a ~ time*** à une heure précise; ***at that ~ time*** à cette époque en particulier; ***to be of ~ concern to sb*** inquiéter qn particulièrement **3.** (*fussy*) maniaque; (*choosy*) difficile; ***he is very ~ about cleanliness*** il est très maniaque en matière de propreté; ***he's ~ about his car*** il est maniaque pour sa voiture **II** *n* **particulars** *pl* détails *mpl*; (*about person*) coordonnées *fpl*; ***for further ~s apply to ...*** pour de plus amples détails, veuillez contacter ... **particularly** [pə'tɪkjʊləlɪ] *adv* particulièrement; ***do you want it ~ for tomorrow?*** tu le veux absolument demain?; ***not ~*** pas particulièrement; ***it's important, ~ since ...*** c'est important, surtout que ...

parting ['pɑːtɪŋ] **I** *n* **1.** séparation *f* **2.** (*Br*: *in hair*) raie *f* **II** *adj* d'adieu; ***his ~ words*** ses mots d'adieu

partisan [ˌpɑːtɪ'zæn] *n* MIL partisan(e) *m(f)*, maquisard *m*

partition [pɑː'tɪʃən] **I** *n* **1.** partition *f*, séparation *f* **2.** (*wall*) cloison *f* **II** *v/t country* séparer; *room* cloisonner

part load *n* COMM charge *f* partielle

partly ['pɑːtlɪ] *adv* en partie

partner ['pɑːtnəʳ] *n* partenaire *m/f* **partnership** ['pɑːtnəʃɪp] *n* **1.** partenariat *m*; ***to do sth in ~ with sb*** faire qc en partenariat avec qn **2.** COMM association *f*; ***to enter into a ~*** conclure une association; ***to go into ~ with sb*** s'associer avec qn

part owner *n* copropriétaire *m/f* **part payment** *n* règlement *m* partiel **part-time** **I** *adj* à temps partiel ***~ job*** travail à temps partiel; ***I'm just ~*** je ne travaille qu'à temps partiel; ***on a ~ basis*** à temps partiel **II** *adv* ***can I do the job ~?*** est-ce que je peux faire le travail à temps partiel?; ***she only teaches ~*** elle enseigne à temps partiel; ***she is studying ~*** elle est étudiante à temps partiel

party ['pɑːtɪ] **I** *n* **1.** (POL, JUR, *fig*) parti *m*; ***to be a member of the ~*** être membre du parti; ***a third ~*** un tiers **2.** (*group*) groupe *m*; ***a ~ of tourists*** un groupe de touristes **3.** (*celebration*) fête *f*; (*formal*) réception *f*; ***to have a ~*** faire une fête; ***at the ~*** à la fête; (*more formal*) à la réception **II** *v/i infml* faire la fête **party dress** *n* robe *f* de soirée **partygoer** *n* fêtard(e) *m(f)* *infml* **party political broadcast** *n Br* message *m* télévisé d'un parti politique **party pooper** *n infml* rabat-joie *m/f*

pass [pɑːs] **I** *n* **1.** (*permit*) autorisation *f*; MIL *etc.* laissez-passer *m* **2.** GEOG col *m* **3.** SPORTS passe *f* **4.** ***things had come to***

such a ~ that ... les choses en étaient arrivées à un tel point que ... **5.** ***to make a ~ at sb*** faire des avances à qn *infml* **II** *v/t* **1.** (*move past*) croiser; ***he ~ed me without even saying hello*** il m'a croisé sans me dire bonjour **2.** (*overtake*) doubler **3.** *frontier etc.* passer **4.** (*hand*) faire passer; ***they ~ed the photograph around*** ils se sont passé la photo l'autre; ***~ (me) the salt, please*** passe-moi le sel s'il te plaît; ***the characteristics which he ~ed to his son*** les traits qu'il a transmis à son fils **5.** *test* réussir; *candidate* admettre **6.** *motion* voter; PARL adopter **7.** SPORTS ***to ~ the ball to sb*** passer le ballon à qn **8.** ***~ the thread through the hole*** passer le fil par le chas de l'aiguille **9.** *time* passer; ***he did it to ~ the time*** il l'a fait pour passer le temps **10.** JUR *sentence* prononcer; *judgment* rendre; ***to ~ comment (on sth)*** faire un commentaire sur qc **11.** ***to ~ blood*** avoir du sang dans les urines; ***to ~ water*** uriner **III** *v/i* **1.** (*move past*) se croiser; ***the street was too narrow for the cars to ~*** la rue était trop étroite pour que deux voitures puissent se croiser; ***we ~ed in the corridor*** nous nous sommes croisés dans le couloir **2.** (*overtake*) doubler **3.** ***what has ~ed between us*** ce qui s'est passé entre nous; ***if you ~ by the drugstore ...*** si tu passes devant la pharmacie; ***the procession ~ed down the street*** le cortège descendit la rue; ***the virus ~es easily from one person to another*** le virus se transmet facilement d'une personne à l'autre; ***the land has now ~ed into private hands*** le terrain est passé aux mains de particuliers; ***to ~ out of sight*** disparaître du champ de vision; ***the thread ~es through this hole*** le fil passe par ce trou **4.** (*time*: *a.* **pass by**) passer; (*deadline*) passer **5.** (*anger, era etc.*) passer; (*storm*) s'éloigner; (*rain*) passer; ***to let an opportunity ~*** laisser passer une occasion **6.** (*be acceptable*) ***to let sth ~*** laisser passer qc; ***let it ~!*** laisse faire! **7.** (*be accepted*) passer (***for or as sth*** pour qc); ***this little room has to ~ for an office*** cette petite pièce doit faire office de bureau; ***she could ~ for 25*** elle pourrait passer pour une jeune femme de 25 ans **8.** (*in test*) réussir **9.** SPORTS faire une passe; ***to ~ to sb*** faire une passe à qn **10.** CARD passer; (***I***) ***~!*** je passe ◆ **pass around** *v/t sep* faire passer *or* circuler; ***to be passed around*** circuler ◆ **pass away** *v/i* (*euph die*) décéder, s'éteindre *euph* ◆ **pass by I** *v/i* passer; (*car etc.*) circuler; (*time*) passer **II** *v/t sep* (*ignore*) passer à côté de; ***life has passed her by*** elle est passée à côté de la vie ◆ **pass down** *v/t sep traditions*, *characteristics* transmettre (***to*** à) ◆ **pass off I** *v/i* **1.** (*be taken as*) passer (***as*** pour) **2.** *Br* (*take place*) se passer **II** *v/t sep* ***to pass sb/sth off as sth*** faire passer qn/qc pour qc ◆ **pass on I** *v/i* **1.** (*euph die*) décéder **2.** (*proceed*) passer (***to*** à) **II** *v/t sep news*, *cost etc.* faire passer; *disease* transmettre, passer; ***pass it on!*** faites passer!; ***take a leaflet and pass them on*** prends un prospectus et fais-les passer ◆ **pass out** *v/i* (*faint*) s'évanouir ◆ **pass over** *v/t sep subject* survoler; *remark* ne pas tenir compte de ◆ **pass through** *v/i* ***I'm only passing through*** je ne fais que passer ◆ **pass up** *v/t sep chance* rater

> **pass**
>
> **Pass an exam** = réussir à un examen. Passer un examen = **sit** ou **take an exam/test** :
>
> **I'm so pleased you passed your exam. Congratulations!**
>
> Je suis vraiment content que tu aies réussi à ton examen. Félicitations !

passable [ˈpɑːsəbl] *adj* **1.** franchissable **2.** (*tolerable*) passable

passage [ˈpæsɪdʒ] *n* **1.** (*transition*) passage *m*; ***in or with the ~ of time*** au fur et à mesure que le temps passe **2.** (*right of passage*) libre passage *m* **3.** (*corridor*) passage *m*; ***secret ~*** passage secret **4.** (*in book*, *Mus*) passage *m*; ***a ~ from Shakespeare*** un passage de Shakespeare **passageway** [ˈpæsɪdʒweɪ] *n* passage *m*

passbook [pɑːsbʊk] *n Br* livret *m* de banque

passenger [ˈpæsɪndʒəʳ] *n* **1.** (*on bus, ship, plane*) passager(-ère) *m*(*f*); (*on taxi*) client(e) *m*(*f*); (*on train*) voyageur (-euse) *m*(*f*) **2.** (*in car, on motorcycle*)

passager(-ère) *m(f)* **passenger aircraft** *n* avion *m* de tourisme **passenger door** *n* portière *f* passager **passenger ferry** *n* ferry *m* (pour passagers) **passenger seat** *n* place *f* du passager
passer-by ['pɑːsə'baɪ] *n* ⟨*pl* **passers-by**⟩ passant(e) *m(f)* **passing** ['pɑːsɪŋ] **I** *n* **1.** passage *m*; ***to mention sth in ~*** mentionner qc en passant **2.** (*overtaking*) dépassement *m* **3.** (*euph death*) disparition *f* **4.** FTBL passes *fpl* **II** *adj* **1.** *car* qui passe; ***with each ~ day*** chaque jour qui passe **2.** *thought, interest* éphémère; *comments* bref(brève); ***to make*** (***a***) ***~ reference to sth*** faire une brève référence à qc; ***to bear a ~ resemblance to sb / sth*** avoir une vague ressemblance avec qn / qc
passion ['pæʃən] *n* passion *f*; ***to have a ~ for sth*** avoir une passion pour qc; ***his ~ is Mozart*** sa passion c'est Mozart **passionate** ['pæʃənɪt] *adj* passionné; ***to be ~ about sth*** être passionné à propos de qc **passionately** ['pæʃənɪtlɪ] *adv* passionnément; ***to be ~ fond of sth*** aimer passionnément qc **passion fruit** *n* fruit *m* de la passion **Passion play** *n* mystère *m* de la Passion **Passion Week** *n* semaine *f* de la Passion
passive ['pæsɪv] **I** *adj* **1.** passif(-ive) **2.** GRAM passif(-ive); ***~ form*** forme passive **II** *n* GRAM passif *m*; ***in the ~*** au passif **passively** ['pæsɪvlɪ] *adv* passivement; *accept* sans rien dire; *watch etc.* sans réagir **passive smoking** *n* tabagisme *m* passif
passkey ['pɑːskiː] *n* passe-partout *m*, passe *m*
Passover ['pɑːsəʊvə^r] *n* Pâque *f* juive
passport ['pɑːspɔːt] *n* passeport *m*; *fig* passeport *m* (***to*** pour) **passport control** *n esp Br* contrôle *m* des passeports **passport holder** *n* titulaire *m/f* d'un passeport; ***are you a British ~?*** êtes-vous titulaire d'un passeport britannique? **passport office** *n* bureau *m* de délivrance des passeports
password ['pɑːswɜːd] *n* mot *m* de passe
past [pɑːst] **I** *adj* **1.** passé; ***for some time ~*** pendant une époque éloignée; ***all that is now ~*** tout cela c'est du passé maintenant; ***in the ~ week*** au cours de la semaine passée **2.** GRAM ***~ tense*** passé **II** *n* passé *m*; ***in the ~*** autrefois; ***to be a thing of the ~*** être une chose d'un autre âge; ***that's all in the ~ now*** tout cela c'est du passé maintenant; ***the verb is in the ~*** le verbe est au passé **III** *prep* **1.** (*motion*) passé; (*position beyond*) au-delà de **2.** (*time*); ***ten*** (***minutes***) ***~ three*** trois heures dix; ***half ~ four*** quatre heures et demie; ***a quarter ~ nine*** neuf heures et quart; ***it's ~ 12*** il est plus de midi; ***the trains run at a quarter ~ the hour*** les trains circulent à toutes les heures un quart; ***it's*** (***well***) ***~ your bedtime*** ton heure pour aller te coucher est largement dépassée **3.** (*beyond*) au-delà de; ***~ forty*** après quarante ans; ***the patient is ~ saving*** le patient ne peut plus être sauvé; ***we're ~ caring*** ça nous est égal maintenant; ***to be ~ sth*** avoir dépassé qc; ***I wouldn't put it ~ him*** *infml* ça ne m'étonnerait pas de lui **IV** *adv* ***to walk ~*** passer; ***to run ~*** courir
pasta ['pæstə] *n* pâtes *fpl*
paste [peɪst] **I** *n* **1.** (*for sticking*) colle *f* **2.** (*spread*) pâte *f*; (*tomato paste*) concentré *m* **II** *v/t wallpaper etc.* encoller; IT coller; ***to ~ sth to sth*** coller qc sur qc
pastel ['pæstl] **I** *n* (*crayon, color*) pastel *m* **II** *adj attr* ***~ color*** (*US*) *or* ***colour*** *Br* couleur pastel; ***~ drawing*** dessin au pastel
pasteurize ['pæstəraɪz] *v/t* pasteuriser
pastille ['pæstɪl] *n* pastille *f*
pastime ['pɑːstaɪm] *n* passe-temps *m*
pastor ['pɑːstə^r] *n* pasteur *m* **pastoral** ['pɑːstərəl] *adj land* bucolique; ART, MUS, ECCL pastoral
past participle *n* participe *m* passé **past perfect** *n* plus-que-parfait *m*
pastry ['peɪstrɪ] *n* pâte *f*; (*cake etc.*) pâtisserie *f*; ***pastries*** *pl* pâtisseries
pasture ['pɑːstʃə^r] *n* **1.** (*field*) pâturage *m*; ***to move on to ~s new*** *fig* partir pour de nouveaux horizons **2.** *no pl* (*a.* **pasture land**) pâturage *m*
pasty[1] ['peɪstɪ] *adj color* de papier mâché; *look* blafard
pasty[2] ['pæstɪ] *n Br* feuilleté *m* à la viande et aux légumes
pasty-faced ['peɪstɪ'feɪst] *adj look* de papier mâché
pat[1] [pæt] *n* **1.** (*of butter*) morceau *m* **2.** ***cow ~*** bouse de vache
pat[2] *adv* ***to know sth off ~*** savoir qc sur le bout des doigts *infml*; ***to learn sth off ~*** apprendre qc par cœur
pat[3] **I** *n* tape *f*; ***he gave his nephew a ~ on the head*** il tapota son neveu sur la tête; ***to give one's horse a ~*** flatter son

cheval; ***to give sb a ~ on the back*** *fig* féliciter qn; ***that's a ~ on the back for you*** c'était une façon de te féliciter **II** *v/t* donner une tape à; ***to ~ sb on the shoulder*** tapoter qn sur l'épaule; ***to ~ sth dry*** tapoter qc pour le sécher; ***to ~ sb on the back*** *lit* donner une tape à qn dans le dos; *fig* féliciter qn ◆ **pat down** *v/t sep* faire une fouille corporelle à; *hair* aplatir

patch [pætʃ] **I** *n* **1.** (*for mending*) pièce *f* **2.** (*eye patch*) bandeau *m* **3.** (*small area, stain*) tache *f*; (*of land*) coin *m*; (*of garden*) bout *m*; (*part*) morceau *m*; (*of ice*) plaque *f*; (*Br infml, of policeman etc.*) secteur *m*; ***a ~ of blue sky*** un coin de ciel bleu; ***he's going through a bad ~*** il traverse une mauvaise passe; ***it's/he's not a ~ on …*** (*Br infml*) c'est / il est loin de valoir… **II** *v/t* rapiécer ◆ **patch up** *v/t sep* rafistoler; *quarrel* régler; ***I want to patch things up between us*** je veux arranger les choses entre nous

patchwork ['pætʃwɜːk] *n* patchwork *m*; ***~ quilt*** *Br* dessus de lit en patchwork

patchy ['pætʃɪ] *adj* **1.** *knowledge* fragmentaire **2.** *lit beard* clairsemé; ***~ fog*** nappes de brouillard

pâté ['pæteɪ] *n* pâté *m*

patent ['peɪtənt] **I** *n* brevet *m* **II** *v/t* breveter **patent leather** *n* cuir *m* vernis; ***~ shoes*** chaussures en cuir verni **patently** ['peɪtəntlɪ] *adv* de toute évidence; ***~ obvious*** absolument évident

paternal [pə'tɜːnl] *adj* paternel(le); ***my ~ grandmother*** *etc.* ma grand-mère *etc.* paternelle **paternity** [pə'tɜːnɪtɪ] *n* paternité *f* **paternity leave** *n* congé *m* de paternité

path [pɑːθ] *n* chemin *m*, sentier *m*; (*trajectory*) trajectoire *f*, passage *m*; IT chemin *m*

pathetic [pə'θetɪk] *adj* **1.** (*piteous*) pitoyable, affligeant; ***a ~ sight*** un spectacle affligeant **2.** (*poor*) minable; ***honestly you're ~*** vraiment, tu es minable **pathetically** [pə'θetɪkəlɪ] *adv* **1.** (*piteously*) pitoyablement; ***~ thin*** maigre à faire pitié **2.** *slow* lamentablement

path name *n* IT nom *m* de chemin

pathological [ˌpæθə'lɒdʒɪkəl] *adj lit, fig* pathologique **pathologically** [ˌpæθə'lɒdʒɪkəlɪ] *adv* pathologiquement **pathologist** [pə'θɒlədʒɪst] *n* pathologiste *m/f* **pathology** [pə'θɒlədʒɪ] *n* (*science*) pathologie *f*

pathway ['pɑːθweɪ] *n* chemin *m*, sentier *m*

patience ['peɪʃəns] *n* **1.** patience *f*; ***to lose ~*** (***with sb / sth***) perdre patience (avec qn / qc); ***to try*** *or* ***test sb's ~*** mettre à l'épreuve la patience de qn **2.** (*Br* CARD) réussite *f*; ***to play ~*** faire une réussite

patient ['peɪʃənt] **I** *adj* patient; ***to be ~ with sb / sth*** être patient avec qn / qc **II** *n* patient(e) *m(f)* **patiently** ['peɪʃəntlɪ] *adv* patiemment

patio ['pætɪəʊ] *n* patio *m*; ***~ door(s)*** *Br* des portes-fenêtres

patriarchal [ˌpeɪtrɪ'ɑːkəl] *adj* patriarcal **patriarchy** [ˌpeɪtrɪ'ɑːkɪ] *n* patriarcat *m*

patriot ['peɪtrɪət] *n* patriote *m/f* **patriotic** [ˌpætrɪ'ɒtɪk] *adj* patriotique **patriotically** [ˌpætrɪ'ɒtɪkəlɪ] *adv* patriotiquement **patriotism** ['pætrɪətɪzəm] *n* patriotisme *m*

patrol [pə'trəʊl] **I** *n* (*police*) ronde *f*; MIL patrouille *f*; ***the navy carry out*** *or* ***make weekly ~s of the area*** la marine effectue des patrouilles hebdomadaires sur la zone; ***to be on ~*** MIL patrouiller; (*police*) faire une ronde **II** *v/t* MIL patrouiller dans; (*policeman, watchman*) faire une ronde dans **III** *v/i* MIL patrouiller; (*policeman, watchman*) faire sa ronde **patrol car** *n* voiture *f* de police **patrolman** *n US* agent *m* de police **patrol wagon** *n US* fourgon *m* cellulaire **patrolwoman** *n US* femme *f* agent de police

patron ['peɪtrən] *n* (*of store, restaurant, hotel*) client(e) *m(f)*; (*of society*) bienfaiteur(-trice) *m(f)*; (*of artist*) protecteur(-trice) *m(f)*; ***~ of the arts*** mécène *m* **patronage** ['pætrənɪdʒ] *n* soutien *m*; ***his lifelong ~ of the arts*** son soutien des arts pendant toute sa vie **patronize** ['pætrənaɪz] *v/t* **1.** (*treat condescendingly*) traiter avec condescendance **2.** (*support*) apporter son soutien à **patronizing** ['pætrənaɪzɪŋ] *adj* condescendant; (*tone*) de condescendance; ***to be ~ toward sb*** être condescendant avec qn **patron saint**

patron ≠ propriétaire

Pour traduire propriétaire, dites **boss** ou **owner** ou **proprietor**.

[ˌpeɪtrən'seɪnt] *n* saint(e) patron(ne) *m(f)*
patter ['pætəʳ] **I** *n* **1.** (*of feet*) trottinement *m*; (*of rain*) crépitement *m* **2.** (*of salesman etc.*) bagout *m infml* **II** *v/i* (*feet*) trottiner; (*rain*: *a.* **patter down**) tambouriner
pattern ['pætən] **I** *n* **1.** modèle *m*; (*design*) motif *m*; (*fig*: *set*) schéma *m*; ***to make a ~*** faire un modèle; ***flower ~*** motif floral; ***there's no ~ to these crimes*** ces crimes n'ont pas de schéma commun; ***the ~ of events*** la tournure des événements; ***eating ~s*** habitudes alimentaires; ***to follow the usual ~*** suivre le schéma habituel **2.** SEWING patron *m*; KNITTING modèle *m* **3.** (*fig model*) modèle *m* **II** *v/t* (*esp US model*) ***to ~ sth on sth*** modeler qc sur qc; ***to be ~ed on sth*** être modelé sur qc **patterned** *adj* à motifs
paunch [pɔːntʃ] *n* ventre *m*, bedaine *f infml*
pauper ['pɔːpəʳ] *n* indigent(e) *m(f)*
pause [pɔːz] **I** *n* pause *f*; (*silence*) silence *m*; ***a pregnant ~*** un silence lourd de signification; ***there was a ~ while …*** il y a eu un temps d'arrêt pendant que …; ***without a ~*** sans s'arrêter **II** *v/i* s'arrêter; (*speaker*) faire une pause; ***he ~d for breath*** il s'est arrêté pour reprendre son souffle; ***to ~ for thought*** s'arrêter pour réfléchir; ***he spoke for thirty minutes without once pausing*** il a parlé pendant trente minutes sans faire une seule pause; ***it made him ~*** cela l'a fait s'arrêter un instant
pave [peɪv] *v/t* paver (**in, with** de); *road* couvrir; ***to ~ the way for sb / sth*** *fig* ouvrir la voie à qn / qc **pavement** ['peɪvmənt] *n* (*US road surface*) revêtement *m*; (*Br sidewalk*) trottoir *m*
pavilion [pə'vɪlɪən] *n* pavillon *m*; (*Br* SPORTS) vestiaire *m*
paving stone ['peɪvɪŋstəʊn] *n* (*small*) pavé *m*; (*large*) dalle *f*
paw [pɔː] **I** *n* (*of animal*) patte *f*; (*pej, infml hand*) main *f*; patte *f infml* **II** *v/t infml* (*touch*) tripoter *infml* **III** *v/i infml* ***to ~ at sb / sth*** tripoter qn / qc *infml*
pawn¹ [pɔːn] *n* (CHESS; *fig*) pion *m*
pawn² *v/t* mettre en gage **pawnbroker** *n* prêteur(-euse) *m(f)* sur gages **pawnbroker's, pawnshop** *n* crédit *m* municipal
pay [peɪ] *vb* ⟨*past, past part* **paid**⟩ **I** *n* paye *f*; (*salary*) salaire *m*; MIL solde *m*; ***three months' ~*** trois mois de salaire; ***what's the ~ like?*** est-ce que ça paye bien?; ***it comes out of my ~*** c'est prélevé sur ma paye **II** *v/t* **1.** *person, bill, debt* payer; ***how much is there still to ~?*** combien est-ce qu'il reste à payer?; ***to be*** *or* ***get paid*** être payé; ***to ~ the price for sth*** payer cher qc **2.** ***to ~ (sb) a visit, to ~ a visit to sb*** rendre visite à qn; ***to ~ a place a visit, to ~ a visit to a place*** visiter un endroit; ***to ~ a visit to the doctor*** aller voir le médecin **III** *v/i* **1.** payer; ***they ~ well for this sort of work*** ils payent bien pour ce genre de travail; ***to ~ for sth*** payer qc; ***it's already paid for*** c'est déjà payé; ***to ~ for sb*** payer pour qn; ***I'll ~ for you this time*** c'est moi qui t'invite cette fois-ci; ***they paid for her to go to America*** ils lui ont payé son voyage pour l'Amérique **2.** (*be profitable*) payer; ***crime doesn't ~*** (*prov*) le crime ne paie pas **3.** (*fig suffer*) ***to ~ for sth*** payer qc; ***you'll ~ for that!*** tu le paieras!; ***to make sb ~ (for sth)*** faire payer qc à qn ◆ **pay back** *v/t sep* **1.** *money* rembourser **2.** ***to pay sb back*** (*for insult*) rendre à qn la monnaie de sa pièce ◆ **pay in** *v/i*, *v/t sep* déposer; ***to pay money into an account*** déposer de l'argent sur un compte ◆ **pay off I** *v/t sep debt, mortgage* rembourser **II** *v/i* être concluant ◆ **pay out I** *v/t sep money* débourser **II** *v/i* payer ◆ **pay up** *v/i* payer
payable ['peɪəbl] *adj* payable; (*due*) dû; ***to make a check*** (*US*) *or* ***cheque*** (*Br*) ***~ to sb*** faire un chèque à l'ordre de qn
pay-and-display *adj Br* ***~ parking space*** place *f* de parking à horodateur
pay-as-you-earn *attr* ***~ tax system*** système de prélèvement fiscal à la source **pay-as-you-go (cell phone)** *n* téléphone *m* portable à carte prépayée
payback *n* (*fig revenge*) vengeance *f*; ***it's ~ time*** l'heure de la vengeance est arrivée **pay check**, *Br* **paycheque** *n* chèque *m* de paye **pay claim** *n* revendication *f* salariale **payday** *n* jour *m* de paye
PAYE *Br abbr* = **pay-as-you-earn**
payee [peɪ'iː] *n* bénéficiaire *m/f* **payer** ['peɪəʳ] *n* payeur(-euse) *m(f)* **pay increase** *n* augmentation *f* de salaire
paying ['peɪɪŋ] *adj* ***~ guest*** hôte *m/f*

payant(e) **paying-in slip** [ˌpeɪɪŋˈɪn-ˌslɪp] *n Br* bordereau *m* de versement
payment [ˈpeɪmənt] *n* (*paying*) paiement *m*, règlement *m*; (*of debt, mortgage*) remboursement *m*; (*of interest etc. sum paid*) versement *m*; ***three monthly ~s*** trois versements mensuels; ***in ~ of a debt*** en remboursement d'une dette; ***on ~ of*** sur paiement de; ***to make a ~*** opérer un règlement; ***to stop ~s*** stopper les paiements **payoff** *n* **1.** (*final payment*) solde *m* **2.** (*infml bribe*) dessous-de-table *m* **payout** *n* (*from insurance*) versement *m* **pay packet** *n Br* enveloppe *f* de paie **pay-per-view** *attr* à la carte **payphone** *n* téléphone *m* public **pay raise**, *Br* **pay rise** *n* augmentation *f* de salaire **payroll** *n* registre *m* des salariés ***they have 500 people on the ~*** ils ont un effectif de 500 salariés **paystub**, *Br* **payslip** *n* fiche *f* de paye, bulletin *m* de salaire **pay talks** *pl* négociations *fpl* salariales **pay television, pay TV** *n* télévision *f* payante
PC *Br* **1.** *abbr* = **personal computer** micro-ordinateur *m*, micro *m* **2.** *abbr* = **politically correct 3.** *Br abbr* = **Police Constable**
p.c.m. *abbr* = **per calendar month** par mois
PDA *n* IT *abbr* = **personal digital assistant** assistant *m* numérique de poche
PDF *n* IT *abbr* = **portable document format** PDF
PDQ *infml abbr* = **pretty damned quick** illico *infml*
PDSA *Br abbr* = **People's Dispensary for Sick Animals** dispensaire *m* vétérinaire
P.E. *abbr* = **physical education** EPS *f*
pea [piː] *n* petit pois *m*
peace [piːs] *n* **1.** paix *f*; ***to be at ~ with sb/sth*** être en paix avec qn/qc; ***the two countries are at ~*** les deux pays sont en paix l'un avec l'autre; ***to make (one's) ~ (with sb)*** faire la paix avec qn; ***to make ~ between …*** favoriser la paix entre …; ***to keep the ~*** (JUR, *citizen*) maintenir la paix **2.** (*tranquility*) tranquillité *f*; ***~ of mind*** tranquillité *f* d'esprit; ***~ and quiet*** le calme et la tranquillité; ***to give sb some ~*** laisser qn tranquille; ***to give sb no ~*** ne pas laisser qn en paix; ***to get some ~*** avoir un peu la paix **peace campaigner** *n* militant(e) *m(f)* pour la paix **peaceful** *adj* tranquille, paisible; (*peaceable*) pacifique; *sleep etc.* paisible **peacefully** *adv* tranquillement, paisiblement; ***to die ~*** mourir paisiblement **peacefulness** *n* tranquillité *f*; (*of place*) calme *m*; ***the ~ of the demonstration*** le calme de la manifestation **peacekeeper** *n* soldat *m* du maintien de la paix **peacekeeping I** *n* maintien *m* de la paix **II** *adj* de maintien de la paix; ***~ troops*** troupes de maintien de la paix; ***UN troops have a purely ~ role*** les troupes de l'ONU ont un rôle de maintien de la paix uniquement; ***a ~ operation*** une opération de maintien de la paix **peace-loving** *adj* pacifiste **peacemaker** *n* artisan *m* de la paix **peace process** *n* processus *m* de paix **peace talks** *pl* pourparlers *mpl* de paix **peacetime** *n* temps *m* de paix
peach [piːtʃ] **I** *n* (*fruit*) pêche *f* **II** *adj* pêche
peacock *n* paon *m* **pea-green** *adj* vert prairie
peak [piːk] **I** *n* **1.** (*of mountain*) cime *f*, sommet *m*; (*point*) point *m* culminant **2.** (*of cap*) visière *f* **3.** (*maximum*) apogée *f*; ***when his career was at its ~*** à l'apogée de sa carrière **II** *adj attr* ***in ~ condition*** en parfait état; ***at ~ time*** TV, RADIO aux heures de grande écoute; RAIL aux heures de pointe **III** *v/i* culminer; (*athlete*) atteindre son plus haut niveau; ***inflation ~ed at 9%*** l'inflation a culminé à 9% **peaked** [piːkt] *adj* **1.** *US complexion, face* pâle; *look, child* pâlichon **2.** *Br cap etc.* à visière **peak hours** *pl* (*of traffic*) heures *fpl* de pointe; TEL, ELEC heures *fpl* pleines **peak rate** *n* TEL tarif *m* rouge **peak season** *n* pleine saison *f* **peak-time** *adj Br* aux heures de pointe; ***~ traffic*** circulation aux heures de pointe; ***~ train services*** les services de train aux heures de pointe **peak times** *pl* heures *fpl* de pointe
peaky [ˈpiːkɪ] *adj* (*Br infml*) = **peaked** *1*
peal [piːl] **I** *n* ***~ of bells*** sonnerie de cloches; ***~s of laughter*** éclats de rire; ***~ of thunder*** grondements de tonnerre **II** *v/i* (*bell*) sonner
peanut [ˈpiːnʌt] *n* cacahuète *f*; ***the pay is ~s*** le salaire est minable *infml* **peanut butter** *n* beurre *m* de cacahuètes
peapod [ˈpiːpɒd] *n* gousse *f* de petit pois
pear [pɛəʳ] *n* **1.** poire *f* **2.** (*tree*) poirier *m*
pearl [pɜːl] **I** *n* perle *f* de culture; ***~ of wisdom*** perle de sagesse **II** *adj* ***~ neck-***

lace collier de perles **pearly-white** ['pɜːlɪ'waɪt] *adj* blanc nacré; *teeth* blanc(he)
pear-shaped ['peəʃeɪpt] *adj* ***to go ~*** (*Br fig, infml*) capoter, tourner en eau de boudin *infml*
peasant ['pezənt] **I** *n lit* paysan(ne) *m(f)* **II** *adj attr* de la campagne; ***~ boy*** garçon de la campagne; ***~ farmer*** paysan(ne) *m(f)*, petit(e) agriculteur(-trice) *m(f)* **peasantry** ['pezəntrɪ] *n* paysannerie *f*
peat [piːt] *n* tourbe *f*
pebble ['pebl] *n* caillou *m*; (*bigger*) galet *m* **pebbly** ['peblɪ] *adj* de galets
pecan [pɪ'kæn] *n* pécan *m*
peck [pek] **I** *n* (*infml kiss*) bise *f* **II** *v/t* (*bird*) picorer **III** *v/i fig* picorer (***at sth*** qc) **pecking order** ['pekɪŋˌɔːdəʳ] *n* ordre *m* hiérarchique **peckish** ['pekɪʃ] *adj* (*Br infml*) ***I'm*** (***feeling***) ***a bit ~*** j'ai une petite faim *infml*
pecs [peks] *pl infml abbr* = **pectorals** pectoraux *mpl*; ***big ~*** gros pectoraux
peculiar [pɪ'kjuːlɪəʳ] *adj* **1.** (*strange*) étrange, curieux(-euse) **2.** (*exclusive*) propre; ***to be ~ to sth*** être propre à qc; ***his own ~ style*** son style bien à lui **peculiarity** [pɪˌkjuːlɪ'ærɪtɪ] *n* **1.** (*strangeness*) étrangeté *f* **2.** (*unusual feature*) singularité *f* **peculiarly** [pɪ'kjuːlɪəlɪ] *adv American* singulièrement; *difficult* particulièrement
pedagogical [ˌpedə'gɒdʒɪkəl] *adj form* pédagogique
pedal ['pedl] **I** *n* (*on bin etc.*) pédale *f* **II** *v/i* pédaler; ***he ~ed for all he was worth*** il a pédalé aussi vite qu'il pouvait **pedal bin** *n Br* poubelle *f* à pédale **pedal boat** *n* pédalo® *m*, bateau *m* à pédale **pedal car** *n* voiture *f* à pédale
pedantic [pɪ'dæntɪk] *adj* tatillon(ne); ***to be ~ about sth*** être tatillon à propos de qc
peddle ['pedl] *v/t* faire du trafic de; ***to ~ drugs*** faire du trafic de drogue
pedestal ['pedɪstl] *n* piédestal *m*; ***to put*** *or* ***set sb*** (***up***) ***on a ~*** *fig* placer qn sur un piédestal
pedestrian [pɪ'destrɪən] **I** *n* piéton(ne) *m(f)* **II** *adj attr* ***~ lights*** feux *mpl* pour les piétons; ***~ precinct*** *or* (*US*) ***zone*** zone piétonne *or* piétonnière **pedestrian crossing** *n Br* passage *m* pour piétons **pedestrianize** [pɪ'destrɪənaɪz] *v/t* transformer en zone piétonnière
pediatric, *Br* **paediatric** [ˌpiːdɪ'ætrɪk] *adj* pédiatrique **pediatrician**, *Br* **paediatrician** [ˌpiːdɪə'trɪʃən] *n* pédiatre *m/f* **pediatrics**, *Br* **paediatrics** [ˌpiːdɪ'ætrɪks] *n* pédiatrie *f*
pedicure ['pedɪkjʊəʳ] *n* soin *m* des pieds
pedigree ['pedɪgriː] **I** *n* pedigree *m* **II** *attr* avec pedigree
pedophile, *Br* **paedophile** ['piːdəfaɪl] *n* pédophile *m/f*
pee [piː] *infml* **I** *n* pipi *m baby talk*; ***to take a ~*** faire pipi *infml* **II** *v/i* faire pipi *infml*
peek [piːk] **I** *n* coup *m* d'œil; ***to take*** *or* ***have a ~*** jeter un coup d'œil (***at*** à); ***to get a ~ at sb / sth*** avoir un aperçu de qn / qc **II** *v/i* jeter un coup d'œil (***at*** à)
peel [piːl] **I** *n* épluchure *f*, pelure *f* **II** *v/t* éplucher, peler **III** *v/i* (*wallpaper*) se décoller; (*paint*) s'écailler; (*skin*) peler ◆ **peel away** *v/i* se décoller (***from*** de) ◆ **peel off I** *v/t sep* enlever; *tape, wallpaper* décoller; *wrapper, glove* ôter **II** *v/i* = **peel away**
peep¹ [piːp] **I** *n* (*of bird etc.*) piaillement *m*; (*Br: of horn*) coup *m* de klaxon®; (*Br, infml: of person*) son *m*; ***~! ~!*** *Br* (*of horn*) tut tut! **II** *v/i* (*bird etc.*) piailler; (*horn*) se faire entendre **III** *v/t Br* ***I ~ed my horn at him*** je l'ai klaxonné
peep² **I** *n* (*look*) coup *m* d'œil; ***to get a ~ at sth*** avoir un aperçu de qc; ***to take a ~*** (***at sth***) jeter un coup d'œil (à qc) **II** *v/i* jeter un coup d'œil (***at*** à); ***to ~ from behind sth*** regarder en se cachant derrière qc; ***no ~ing!, don't ~!*** interdiction de regarder!, ne regarde pas! ◆ **peep out** *v/i* se montrer; ***the sun peeped out from behind the clouds*** le soleil s'est montré de derrière les nuages
peephole *n* trou *m*; (*in door*) judas *m*
Peeping Tom ['piːpɪŋ'tɒm] *n* voyeur *m* **peepshow** *n* peep-show *m*
peer¹ [pɪəʳ] *n* **1.** (*noble*) pair *m* **2.** (*equal*) collègue; ***he was well-liked by his ~s*** il était très apprécié par ses collègues
peer² *v/i* ***to ~ at sb / sth*** regarder attentivement qn / qc; (*short-sightedly*) essayer de voir; ***to ~ through the fog*** essayer de voir à travers le brouillard
peerage ['pɪərɪdʒ] *n* **1.** (*peers*) pairie *f* **2.** (*rank*) pairie *f*; ***to get a ~*** être anobli **peer group** *n* (*children*) enfants *mpl* du même âge; (*adults*) personnes *fpl* du même âge; ***in her ~*** SCHOOL avec les enfants de son âge **peer pressure** *n* pression *f* du groupe

peeved [piːvd] *adj infml* agacé **peevish** ['piːvɪʃ] *adj* grognon(ne)
peg [peg] **I** *n* (*stake*) piquet *m*; (*tent peg*) piquet *m*; (*Br clothespin*) pince *f* à linge; ***to buy clothes off the ~*** acheter du prêt-à-porter; ***to take** or **bring sb down a ~ or two*** *infml* rabaisser le caquet à qn **II** *v/t* (*with stake*) planter; (*with clothespin*) accrocher avec des pinces à linge; (*with tent peg*) fixer avec des piquets
pejorative [pɪ'dʒɒrɪtɪv] *adj* péjoratif (-ive) **pejoratively** [pɪ'dʒɒrɪtɪvlɪ] *adv* péjorativement
pekin(g)ese [ˌpiːkɪ'niːz] *n* ⟨*pl* **-**⟩ (*dog*) pékinois *m*
pelican *n* pélican *m* **pelican crossing** *n Br* passage *m* pour piétons
pellet ['pelɪt] *n* boulette *f*; (*for gun*) plomb *m*
pelt [pelt] **I** *v/t* bombarder (***at sb*** qn); ***to ~ sb / sth (with sth)*** bombarder qn / qc (de qc) **II** *v/i* (*infml go fast*) rouler à toute allure *infml* **III** *n infml* ***at full ~*** à toute allure *infml* ◆ **pelt down** *v/i* ***it's pelting down*** il pleut des cordes
pelvis ['pelvɪs] *n* bassin *m*
pen[1] [pen] *n* stylo *m*; (*fountain pen*) stylo *m* (à) plume; (*ball-point pen*) stylo *m* (à) bille; ***to put ~ to paper*** prendre la plume
pen[2] *n* (*for cattle etc.*) enclos *m*; (*for sheep, pigs*) parc *m*, enclos *m*
penal ['piːnl] *adj* pénal; *institution* pénitentiaire; ***~ reform*** réforme pénale **penal code** *n* code *m* pénal **penal colony** *n* colonie *f* pénitentiaire **penalize** ['piːnəlaɪz] *v/t* **1.** pénaliser **2.** *fig* pénaliser **penal system** *n* système *m* pénitentiaire **penalty** ['penəltɪ] *n* **1.** (*punishment*) sanction *f*; (*for late payment*) pénalité *f*; ***the ~ (for this) is death*** la sanction pour cela est la mort; ***"penalty $50"*** "amende de 50 dollars"; ***to carry the death ~*** être passible de la peine de mort; ***to pay the ~*** payer le prix **2.** SPORTS pénalité *f*; FTBL tir *m* de réparation, penalty *m* **penalty area** *n* surface *f* de réparation **penalty kick** *n* coup *m* de pied de pénalité; FTBL coup *m* de pied de réparation, penalty *m* **penalty point** *n* AUTO, JUR, SPORTS point *m* de pénalité; FTBL point *m* de réparation, point *m* de penalty **penalty shoot-out** *n* FTBL tirs *mpl* au but **penalty spot** *n* FTBL tir *m* de réparation, penalty *m*
penance ['penəns] *n* (REL, *fig*) pénitence *f*; ***to do ~*** faire pénitence
pence [pens] *n pl Br* = **penny**
pencil ['pensl] **I** *n* crayon *m* de papier **II** *attr* au crayon ◆ **pencil in** *v/t sep* (*provisionally*) noter provisoirement; ***can I pencil you in for Tuesday?*** je peux vous noter pour mardi pour l'instant?
pencil case *n* trousse *f* (à crayons) **pencil sharpener** *n* taille-crayon *m*
pendant ['pendənt] *n* pendentif *m*
pending ['pendɪŋ] **I** *adj* en attente; ***to be ~*** (*decision etc.*) être en suspens **II** *prep* ***~ a decision*** en attendant une décision
pendulum ['pendjʊləm] *n* pendule *m*
penetrate ['penɪtreɪt] **I** *v/t* pénétrer; *walls etc.* traverser **II** *v/i* pénétrer; (*go right through*) transpercer **penetrating** ['penɪtreɪtɪŋ] *adj gaze* pénétrant; *analysis* clairvoyant **penetration** [ˌpenɪ'treɪʃən] *n* pénétration *f* (***into*** dans); (*going right through*) percement *m* (***of*** de); (*during sex*) pénétration *f* **penetrative** ['penɪtrətɪv] *adj* ***~ sex*** rapports sexuels avec pénétration
pen friend *n Br* correspondant(e) *m*(*f*)
penguin ['peŋgwɪn] *n* manchot *m*
penicillin [ˌpenɪ'sɪlɪn] *n* pénicilline *f*
peninsula [pɪ'nɪnsjʊlə] *n* péninsule *f*; (*small*) presqu'île *f*
penis ['piːnɪs] *n* pénis *m*
penitence ['penɪtəns] *n* repentir *m* **penitent** *adj* repentant **penitentiary** [ˌpenɪ'tenʃərɪ] *n esp US* établissement *m* pénitentiaire
penknife ['pennaɪf] *n* couteau *m* de poche, canif *m*
penniless ['penɪlɪs] *adj* sans le sou; ***to be ~*** être sans le sou
penny ['penɪ] *n* ⟨*pl* **pennies**⟩ *or* (*sum*) **pence** *US* cent *m*; *Br* penny *m*; ***to spend a ~*** (*Br infml*) aller au petit coin *infml*; ***the ~ dropped*** (*Br infml*) ça a enfin fait tilt *infml*
pen pal *n infml* correspondant(e) *m*(*f*)
pension ['penʃən] *n* retraite *f*, pension *f*; ***company ~*** retraite d'entreprise; ***to get a ~*** percevoir une pension de retraite
pensioner ['penʃənəʳ] *n* retraité(e) *m*(*f*) **pension fund** *n* caisse *f* de retraite **pension plan** *or Br* **pension scheme** *n* plan *m* de retraite
pensive ['pensɪv] *adj* pensif(-ive) **pensively** ['pensɪvlɪ] *adv* pensivement
pentagon ['pentəgən] *n* ***the Pentagon*** le Pentagone **pentathlon** [pen'tæθlən] *n* pentathlon *m*

Pentecost ['pentɪkɒst] *n* Pentecôte *f*
penthouse ['penthaʊs] *n* penthouse *m*
pent up *adj pred*, **pent-up** ['pent'ʌp] *adj attr emotions etc.* réprimé
penultimate [pe'nʌltɪmɪt] *adj* avant-dernier(-ière)
people ['piːpl] *pl* **1.** gens *mpl*, personnes *fpl*; ***French ~*** les Français; ***all ~ with red hair*** toutes les personnes aux cheveux roux; ***some ~ don't like it*** certains n'aiment pas ça; ***why me of all ~?*** pourquoi moi?; ***of all ~ who do you think I should meet?*** tu ne devineras jamais qui j'ai rencontré; ***what do you ~ think?*** vous autres, qu'en pensez-vous?; ***poor ~*** les gens pauvres; ***disabled ~*** les personnes handicapées; ***middle-aged ~*** les personnes d'âge mûr; ***old ~*** les personnes âgées; ***city ~*** les gens de la ville; ***country ~*** les gens de la campagne; ***some ~!*** il y des gens qui exagèrent!; ***some ~ have all the luck*** il y en a qui ont toujours de la chance **2.** (*inhabitants*) habitants; ***Madrid has over 5 million ~*** il y a plus de 5 millions d'habitants à Madrid **3.** (*one*, *they*) les gens; ***~ say that ...*** les gens disent que ...; ***what will ~ think!*** qu'est-ce que les gens vont penser! **4.** (*nation*, *masses*) peuple *m*; ***People's Republic*** *etc.* République populaire *etc.* **people carrier** *n* AUTO monospace *m*
pep [pep] *n infml* tonus *m* ◆ **pep up** *v/t sep infml* booster; *food* relever; *person* remonter
pepper ['pepəʳ] *n* **1.** (*spice*) poivre *m* **2.** (*vegetable*); poivron *m* ***two ~s*** deux poivrons **peppercorn** *n* grain *m* de poivre **pepper mill** *n* moulin *m* à poivre **peppermint** *n* menthe *f* poivrée **pepper shaker**, *Br* **pepper pot** *n* poivrière *f* **peppery** ['pepərɪ] *adj* poivré
pep talk *n infml* mots *mpl* d'encouragement ***to give sb a ~*** dire des mots d'encouragement à qn
per [pɜːʳ] *prep* par; ***$500 ~ annum*** 500 dollars par an; ***60 miles ~ hour*** 60 miles à l'heure; ***$2 ~ dozen*** 2 dollars la douzaine **per capita** [pə'kæpɪtə] *adj* par tête
perceive [pə'siːv] *v/t* percevoir; (*realize*) se rendre compte de; ***to ~ oneself as ...*** se percevoir comme ...
percent, *Br* **per cent** [pə'sent] *n* pour cent; ***a 10 ~ discount*** un rabais de 10 pour cent; ***a ten ~ increase*** une augmentation de dix pour cent; ***I'm 99 ~ certain that ...*** je suis sûr à 99 pour cent que ... **percentage** [pə'sentɪdʒ] **I** *n* pourcentage *m*; (*proportion*) proportion *f*; ***what ~?*** quel pourcentage? **II** *attr* ***on a ~ basis*** au pourcentage
perceptible [pə'septəbl] *adj* perceptible; *improvement* sensible **perceptibly** [pə'septəblɪ] *adv* sensiblement **perception** [pə'sepʃən] *n* **1.** *no pl* perception *f*; ***his powers of ~*** sa force de perception **2.** (*conception*) perception *f* (**of** de) **3.** *no pl* (*perceptiveness*) perspicacité *f* **perceptive** [pə'septɪv] *adj* perspicace **perceptiveness** *n* perspicacité *f*
perch [pɜːtʃ] **I** *n* (*of bird*) perchoir *m*; (*in tree*) branche *f* **II** *v/i* se percher; (*alight*) se poser **perched** [pɜːtʃt] *adj* **1.** (*situated*) ***~ on*** posé sur; ***a village ~ on a hillside*** un village perché en haut d'une colline **2.** (*seated*) ***to be ~ on sth*** être juché sur qc **3.** ***with his glasses ~ on the end of his nose*** ses lunettes au bout du nez
percolator ['pɜːkəleɪtəʳ] *n* percolateur *m*
percussion [pə'kʌʃən] *n* MUS percussions *fpl* **percussion instrument** *n* MUS instrument *m* à percussion **percussionist** [pə'kʌʃənɪst] *n* percussionniste *m/f*
perennial [pə'renɪəl] *adj plant* vivace; (*perpetual*) perpétuel(le)
perfect ['pɜːfɪkt] **I** *adj* **1.** parfait; ***to be ~ for doing sth*** être idéal pour faire qc; ***the ~ moment*** le moment idéal; ***in a ~ world*** dans un monde parfait **2.** (*absolute*) véritable; ***a ~ stranger*** un parfait inconnu **3.** GRAM ***~ tense*** parfait *m* **II** *n* GRAM parfait *m*; ***present ~*** passé *m* composé; ***in the present ~*** au passé composé **III** *v/t* parfaire; *technique* perfectionner **perfection** [pə'fekʃən] *n* **1.** perfection *f* **2.** (*perfecting*) perfectionnement *m* **perfectionist** [pə'fekʃənɪst] *n* perfectionniste *m/f* **perfectly** ['pɜːfɪktlɪ] *adv* **1.** (*completely*) parfaitement; ***the climate suited us ~*** le climat nous convenait parfaitement; ***I understand you ~*** je vous comprends parfaitement **2.** (*absolutely*) tout à fait; ***we're ~ happy about it*** nous en sommes tout à fait contents; ***you know ~ well that ...*** tu sais parfaitement que ...; ***to be ~ honest, ...*** pour être tout à fait

honnête, ...; ***a ~ good car*** une très bonne voiture
perform [pəˈfɔːm] **I** *v/t play* jouer; *part* remplir; *miracle, operation* accomplir; *task* exécuter **II** *v/i* **1.** (*appear*) se produire **2.** (*car, etc.*) marcher, fonctionner; (*football team*) jouer bien; (*candidate*) bien s'en tirer; ***to ~ well*** (*company etc.*) obtenir de bons résultats; ***the choir ~ed very well*** le chœur a très bien chanté
performance [pəˈfɔːməns] *n* **1.** (*of play etc.*) représentation *f*; (*cinema*) séance *f*; (*by actor*) interprétation *f*; (*of a part*) interprétation *f*; ***the actor gave a splendid ~*** l'acteur a joué de façon magnifique; ***we are going to hear a ~ of Beethoven's 5th*** nous allons écouter la cinquième symphonie de Beethoven en concert **2.** (*of task*) exécution *f*; (*of operation*) accomplissement *m* **3.** (*of vehicle, sportsman*) performance *f*; (*of candidate*) résultats *mpl*; ***he put up a good ~*** il a fait une bonne performance **4.** (*Br infml palaver*) histoire *f* **performer** [pəˈfɔːməʳ] *n* artiste *m/f*, interprète *m/f* **performing** [pəˈfɔːmɪŋ] *adj animal* savant; ***the ~ arts*** les arts *mpl* du spectacle
perfume [ˈpɜːfjuːm] *n* (*substance, smell*) parfum *m* **perfumed** *adj* **1.** (*also fig*) parfumé **2.** *flowers* odorant
perhaps [pəˈhæps, præps] *adv* peut-être; ***~ the greatest exponent of the art*** peut-être le plus grand défenseur de l'art; ***~ so*** peut-être que oui; ***~ not*** peut-être que non; ***~ I could keep it for a day or two?*** je pourrais peut-être le garder un jour ou deux?
peril [ˈperɪl] *n* péril *m*, danger *m*; ***he is in great ~*** il court un grand danger **perilous** [ˈperɪləs] *adj* périlleux(-euse) **perilously** [ˈperɪləslɪ] *adv* périlleusement; ***we came ~ close to bankruptcy*** nous avons été au bord de la faillite; ***she came ~ close to falling*** elle a failli tomber
perimeter [pəˈrɪmɪtəʳ] *n* MATH périmètre *m*
period [ˈpɪərɪəd] *n* **1.** (*length of time*) période *f*; (*age*) époque *f*; (*menstruation*) règles *fpl*; ***for a ~ of eight weeks*** pendant huit semaines; ***for a three-month ~*** pour une période de trois mois; ***at that ~*** à cette époque; ***a ~ of cold weather*** une période de froid; ***she missed a ~*** elle n'a pas eu ses règles **2.** SCHOOL ≈ heure *f*; ***double ~*** ≈ deux heures **3.** (*US full stop*) point *m*; ***I'm not going ~!*** *US* je n'y vais pas, un point c'est tout! *infml* **periodic** [ˌpɪərɪˈɒdɪk] *adj* périodique **periodical** [ˌpɪərɪˈɒdɪkəl] **I** *adj* = **periodic II** *n* périodique *m* **periodically** [ˌpɪərɪˈɒdɪkəlɪ] *adv* périodiquement; (*regularly also*) régulièrement **period pains** *pl esp Br* règles *fpl* douloureuses
peripheral [pəˈrɪfərəl] **I** *adj* périphérique; *fig* secondaire; ***~ role*** rôle secondaire **II** *n* IT périphérique *m* **periphery** [pəˈrɪfərɪ] *n* périphérie *f*
periscope [ˈperɪskəʊp] *n* périscope *m*
perish [ˈperɪʃ] *v/i liter* (*die*) périr **perishable** [ˈperɪʃəbl] **I** *adj food* périssable **II** *pl* ***~s*** denrées *fpl* périssables **perished** *adj* (*Br infml: with cold*) frigorifié *infml* **perishing** [ˈperɪʃɪŋ] *adj* (*Br infml*) très froid; ***I'm ~*** je suis frigorifié *infml*
perjury [ˈpɜːdʒərɪ] *n* faux témoignage *m*; ***to commit ~*** faire un faux témoignage
perk [pɜːk] *n* avantage *m* ◆ **perk up I** *v/t sep* ***to perk sb up*** (*make lively*) ragaillardir qn; (*make cheerful*) remonter le moral à qn **II** *v/i* (*liven up*) s'animer; (*cheer up*) reprendre le moral
perky [ˈpɜːkɪ] *adj* ⟨**+er**⟩ guilleret(te)
perm [pɜːm] *abbr of* **permanent wave I** *n* permanente *f* **II** *v/t* ***to ~ sb's hair*** faire une permanente à qn **permanence** [ˈpɜːmənəns], **permanency** *n* permanence *f* **permanent** [ˈpɜːmənənt] **I** *adj* permanent; *arrangement, position* stable; *job, relationship, effect* durable; *damage* irréversible; *staff* permanent; ***~ employees*** employés permanents; ***on a ~ basis*** durablement; ***~ memory*** IT mémoire permanente; ***~ address*** adresse fixe **II** *n US* = **perm** *I* **permanently** [ˈpɜːmənəntlɪ] *adv* en permanence; *fixed* définitivement; *damage* de manière irréversible; *change* définitivement; *tired* constamment; *closed* en permanence; ***~ employed*** embauché de manière permanente; ***are you living ~ in Oxford?*** est-ce que vous résidez à Oxford? **permanent wave** *n* → **perm** *I*
permeable *adj* perméable **permeate I** *v/t* pénétrer dans **II** *v/i* se répandre (*into* dans, *through* dans)
permissible [pəˈmɪsɪbl] *adj* permis (***for sb*** à qn)

permission [pə'mɪʃən] *n* permission *f*, autorisation *f*; ***to get ~*** obtenir l'autorisation; ***to get sb's ~*** obtenir l'autorisation de qn; ***to give ~*** donner l'autorisation; ***to give sb ~*** (***to do sth***) donner à qn l'autorisation (de faire qc); ***to ask sb's ~*** demander l'autorisation à qn
permissive [pə'mɪsɪv] *adj* permissif (-ive); ***the ~ society*** la société permissive
permit [pə'mɪt] **I** *v/t* permettre, autoriser; ***to ~ sb to do sth*** permettre à qn de faire qc; ***to ~ oneself to do sth*** se permettre de faire qc **II** *v/i* permettre; ***weather ~ting*** si le temps le permet **III** *n* permis *m*; ***~ holder*** détenteur de permis; ***"permit holders only"*** (*for parking*) "réservé aux personnes autorisées"
pernickety [pə'nɪkɪtɪ] *adj* (*Br infml*) pinailleur(-euse) *infml*
perpendicular [ˌpɜːpən'dɪkjʊləʳ] **I** *adj* perpendiculaire (***to*** à) **II** *n* perpendiculaire *f*
perpetrate ['pɜːpɪtreɪt] *v/t* commettre, perpétrer **perpetration** [ˌpɜːpɪ'treɪʃən] *n* perpétration *f* **perpetrator** ['pɜːpɪtreɪtəʳ] *n* auteur *m*; ***the ~ of this crime*** l'auteur de ce crime
perpetual [pə'petjʊəl] *adj* perpétuel(le) **perpetuate** [pə'petjʊeɪt] *v/t* perpétuer
perplex [pə'pleks] *v/t* rendre perplexe **perplexed** [pə'plekst] *adj* perplexe **perplexedly** [pə'pleksɪdlɪ] *adv* avec perplexité **perplexing** [pə'pleksɪŋ] *adj* curieux(-euse)
persecute ['pɜːsɪkjuːt] *v/t* persécuter **persecution** [ˌpɜːsɪ'kjuːʃən] *n* persécution *f* (***of*** de) **persecutor** ['pɜːsɪkjuːtəʳ] *n* persécuteur(-trice) *m*(*f*)
perseverance [ˌpɜːsɪ'vɪərəns] *n* persévérance *f* **persevere** [ˌpɜːsɪ'vɪəʳ] *v/i* persévérer; ***to ~ in one's attempts to do sth*** persévérer dans ses tentatives pour faire qc **persevering** [ˌpɜːsɪ'vɪərɪŋ] *adj* persévérant **perseveringly** [ˌpɜːsɪ'vɪərɪŋlɪ] *adv* avec persévérance
Persia ['pɜːʃə] *n* Perse *f* **Persian** ['pɜːʃən] *adj* persan; ***the ~ Gulf*** le golfe Persique **Persian carpet** *n* tapis *m* de Perse
persist [pə'sɪst] *v/i* (*persevere*) insister; (*be tenacious*) s'obstiner (***in*** dans); (*continue*) poursuivre; ***we shall ~ in*** *or* ***with our efforts*** nous devons poursuivre nos efforts **persistence** [pə'sɪstəns], **persistency** *n* (*tenacity*) obstination *f*; (*perseverance*) persévérance *f* **persistent** *adj attempts*, *demands* répété; *person* obstiné; *threats* continuel(le); *pain* persistant; *noise* incessant; ***~ offender*** *Br* multirécidiviste *m*/*f* **persistently** *adv deny*, *ask* à plusieurs reprises; *claim* continuellement; *criticize* sans cesse
person ['pɜːsn] *n* **1.** ⟨*pl* **people**⟩ *or* (*form*) **-s** personne *f*; ***I like him as a ~*** je l'aime bien en tant que personne; ***I know no such ~*** je ne connais personne de ce nom; ***any ~*** tout le monde; ***per ~*** par personne; ***I'm more of a cat ~*** je préfère les chats **2.** ⟨*pl* **-s**⟩ GRAM personne *f*; ***first ~ singular*** première personne du singulier **3.** ⟨*pl* **-s**⟩ (*body*) corps *m*; ***in ~*** en personne **personable** ['pɜːsnəbl] *adj* bien de sa personne
personal ['pɜːsənl] *adj* personnel(le); ***it's nothing ~ but …*** ça n'a rien de personnel mais …; ***~ call*** appel personnel; ***~ friend*** ami intime; ***her ~ life*** sa vie personnelle **personal ad** *n infml* petite annonce *f* personnelle **personal allowance** *n Br* (*for tax purposes*) abattement *m* personnel **personal assistant** *n* secrétaire *m*/*f* de direction, assistant(e) *m*(*f*) **personal column** *n Br* annonces *fpl* personnelles
personal computer *n* ordinateur *m* individuel **personal hygiene** *n* hygiène *f* intime **personality** [ˌpɜːsə'nælɪtɪ] *n* personnalité *f* **personal loan** *n* prêt *m* personnel **personally** ['pɜːsənəlɪ] *adv* personnellement; ***~, I think that …*** personnellement, je pense que …; ***to hold sb ~ responsible*** tenir qn pour personnellement responsable; ***to be ~ involved*** être personnellement impliqué **personal organizer** *n* agenda *m* (à feuillets mobiles); (*electronic*) agenda *m* électronique **personal stereo** *n* baladeur *m*, walkman® *m* **personal trainer** *n* entraîneur *m* personnel
personification [pɜːˌsɒnɪfɪ'keɪʃən] *n* incarnation *f*; ***he is the ~ of good taste*** il est l'incarnation du bon goût **personify** [pɜː'sɒnɪfaɪ] *v/t* incarner; ***evil personified*** le mal incarné
personnel [ˌpɜːsə'nel] **I** *n sg or pl* **1.** personnel *m*; (*on plane*, *ship*) équipage *m*; MIL troupes *fpl* **2.** (*personnel department*) service *m* du personnel **II** *attr* du personnel **personnel department**

n service *m* du personnel **personnel manager** *n* chef *m/f* du personnel
perspective [pə'spektɪv] *n* perspective *f*; ***try to get things in ~*** essaye de replacer les choses dans leur contexte; ***to get sth out of ~*** *fig* déformer qc; ***to see things from a different ~*** voir les choses d'un point de vue différent
Perspex® ['pɜːspeks] *n Br* plexiglas® *m*
perspiration [ˌpɜːspə'reɪʃən] *n* (*perspiring*) transpiration *f*; (*sweat*) sueur *f* **perspire** [pə'spaɪəʳ] *v/i* transpirer
persuade [pə'sweɪd] *v/t* persuader; (*convince*) convaincre; ***to ~ sb to do sth*** persuader qn de faire qc; ***to ~ sb out of doing sth*** persuader qn de ne pas faire qc; ***to ~ sb that …*** persuader qn que …; ***she is easily ~d*** elle se laisse facilement convaincre **persuasion** [pə'sweɪʒən] *n* **1.** (*persuading*) persuasion *f*; ***her powers of ~*** son pouvoir de persuasion **2.** (*belief*) confession *f* **persuasive** [pə'sweɪsɪv] *adj salesman* persuasif(-ive); *arguments etc.* convaincant; ***he can be very ~*** il peut être très persuasif; (*convincing*) il peut être très convaincant **persuasively** [pə'sweɪsɪvlɪ] *adv* de façon persuasive **persuasiveness** *n* (*of person*) pouvoir *m* de persuasion; (*of argument etc.*) force *f* de persuasion
pert [pɜːt] *adj* ⟨**+er**⟩ coquin
perturbed [pə'tɜːbd] *adj* perturbé
perverse [pə'vɜːs] *adj* (*contrary*) contrariant; (*perverted*) pervers **perversely** [pə'vɜːslɪ] *adv* (*paradoxically*) paradoxalement; *decide* par esprit de contradiction **perversion** [pə'vɜːʃən] *n* **1.** (*esp sexual*, PSYCH) perversion *f* **2.** (*of truth etc.*) déformation *f* **perversity** [pə'vɜːsɪtɪ] *n* perversité *f* **pervert** [pə'vɜːt] **I** *v/t truth* altérer; ***to ~ the course of justice*** JUR entraver le cours de la justice **II** *n* pervers(e) *m*(*f*) sexuel(le) **perverted** [pə'vɜːtɪd] *adj* pervers
pesky ['peskɪ] *adj* ⟨**+er**⟩ (*esp US infml*) empoisonnant *infml*
pessary ['pesərɪ] *n* (*contraceptive*) pessaire *m*
pessimism ['pesɪmɪzəm] *n* pessimisme *m* **pessimist** ['pesɪmɪst] *n* pessimiste *m/f* **pessimistic** [ˌpesɪ'mɪstɪk] *adj* pessimiste; ***I'm rather ~ about it*** je suis plutôt pessimiste à ce sujet; ***I'm ~ about our chances of success*** je suis pessimiste quant à nos chances de réussite **pessimistically** [ˌpesɪ'mɪstɪkəlɪ] *adv* avec pessimisme
pest [pest] *n* **1.** ZOOL animal *m* nuisible; (*insect*) insecte *m* nuisible; ***~ control*** (*rats*) dératisation; (*insects*) désinsectisation **2.** *fig* (*person*) casse-pieds *m/f*, peste *f*; (*thing*) fléau *m*
pester ['pestəʳ] *v/t* harceler; ***she ~ed me for the book*** elle m'a cassé les pieds pour avoir le livre *infml*; ***to ~ sb to do sth*** harceler qn pour qu'il fasse qc
pesticide ['pestɪsaɪd] *n* pesticide *m*
pet [pet] **I** *adj attr* **1.** ***her ~ dogs*** ses chiens **2.** (*favorite*) préféré; ***~ theory*** théorie favorite; ***a ~ name*** un surnom **II** *n* **1.** (*animal*) animal *m* domestique **2.** (*favorite*) chouchou(te) *m*; ***teacher's ~*** chouchou du prof **III** *v/t* (*stroke*) caresser
petal ['petl] *n* pétale *m*
Pete [piːt] *n* ***for ~'s sake*** *infml* bon sang! *infml*
peter out [ˌpiːtər'aʊt] *v/i* disparaître; (*noise*) cesser petit à petit; (*interest*) tarir
petit bourgeois ['petɪ'bʊəʒwɑː] *adj* petit bourgeois **petite** [pə'tiːt] *adj* menu; *size* petit **petite bourgeoisie** [petɪˌbʊəʒwɑː'ziː] *n* petite bourgeoisie *f*
petition [pə'tɪʃən] **I** *n* pétition *f*; ***to get up a ~*** organiser une pétition *f* **II** *v/t* (*hand petition to*) adresser une pétition à **III** *v/i* faire une pétition
pet passport *n Br* passeport *m* pour animal domestique
petrified ['petrɪfaɪd] *adj fig* pétrifié; ***I was ~ (with fear)*** j'étais pétrifié (de peur); ***she is ~ of spiders*** elle a une peur panique des araignées; ***to be ~ of doing sth*** être terrifié à l'idée de faire qc **petrify** ['petrɪfaɪ] *v/t* (*frighten*) terrifier; ***he really petrifies me*** il me terrifie vraiment; ***a ~ing experience*** une expérience terrifiante; ***to be petrified by sth*** être terrifié par qc
petrochemical ['petrəʊ'kemɪkəl] *n* produit *m* pétrochimique
petrol ['petrəl] *n Br* essence *f* **petrol bomb** *n Br* cocktail *m* Molotov **petrol can** *n Br* bidon *m* à essence **petrol cap** *n Br* bouchon *m* de réservoir d'essence
petroleum [pɪ'trəʊlɪəm] *n* pétrole *m*
petrol gauge *n Br* jauge *f* d'essence
petrol pump *n Br* pompe *f* à essence
petrol station *n Br* station-service *f*
petrol tank *n Br* réservoir *m* (d'essen-

ce) **petrol tanker** *n Br* pétrolier *m*, tanker *m*
petticoat ['petɪkəʊt] *n* jupon *m*
pettiness ['petɪnɪs] *n* (*small-mindedness*) mesquinerie *f*
petting ['petɪŋ] *n* caresses *fpl*; ***heavy ~*** pelotage *m infml*
petty ['petɪ] *adj* ⟨**+er**⟩ **1.** (*trivial*) insignifiant **2.** (*small-minded*) mesquin **petty bourgeois** *adj* = **petit bourgeois petty bourgeoisie** *n* = **petite bourgeoisie petty cash** *n* petite caisse *f* **petty crime** *n no pl* (*illegal activities*) petite délinquance *f* **petty theft** *n* larcin *m*
petulant ['petjʊlənt] *adj* irritable; *child* rétif(-ive)
pew [pjuː] *n* ECCL banc *m* d'église; (*Br hum chair*) siège *m*
phallic ['fælɪk] *adj* phallique; ***~ symbol*** symbole phallique **phallus** ['fæləs] *n* ⟨*pl* **-es** *or* **phalli**⟩ phallus *m*
phantasy *n* = **fantasy**
phantom ['fæntəm] **I** *n* spectre *m*; (*ghost*) fantôme *m* **II** *adj attr* (*imagined*) fantôme; (*mysterious*) mystérieux (-euse)
Pharaoh ['fɛərəʊ] *n* pharaon *m*
pharmaceutical [ˌfɑːmə'sjuːtɪkəl] **I** *adj* pharmaceutique **II** *n usu pl* produits *mpl* pharmaceutiques; ***~(s) company*** entreprise pharmaceutique
pharmacist ['fɑːməsɪst] *n* pharmacien(ne) *m*(*f*) **pharmacology** [ˌfɑːmə'kɒlədʒɪ] *n* pharmacologie *f* **pharmacy** ['fɑːməsɪ] *n* pharmacie *f*
phase [feɪz] **I** *n* phase *f*; ***a passing ~*** une passade; ***he's just going through a ~*** ça lui passera **II** *v/t* ***a ~d withdrawal*** un retrait progressif ◆ **phase in** *v/t sep* introduire progressivement ◆ **phase out** *v/t sep* supprimer progressivement
phat [fæt] *adj sl* super *infml*, génial *infml*, top *infml*
Ph.D. *n abbr* = **Doctor of Philosophy** doctorat *m*; ***~ thesis*** une thèse de doctorat; ***to do one's ~*** faire une thèse (de doctorat); ***to get one's ~*** obtenir son doctorat; ***he has a ~ in English*** il a un doctorat d'anglais
pheasant ['feznt] *n* faisan *m*
phenix, *Br* **phoenix** ['fiːniks] *n* phénix *m*; ***like a ~ from the ashes*** comme le phénix qui renaît de ses cendres
phenomena [fɪ'nɒmɪnə] *pl* = **phenomenon phenomenal** [fɪ'nɒmɪnl] *adj figure* phénoménal; *person* fabuleux (-euse); ***at a ~ rate*** à une vitesse phénoménale **phenomenally** [fɪ'nɒmɪnəlɪ] *adv* prodigieusement; *bad etc.* phénoménalement **phenomenon** [fɪ'nɒmɪnən] *n* ⟨*pl* **phenomena**⟩ phénomène *m*
phew [fjuː] *int* **1.** (*relief*) ouf! **2.** (*disgust*) pouah!
phial ['faɪəl] *n esp Br* fiole *f*; (*for serum*) ampoule *f*
philanderer [fɪ'lændərəʳ] *n* courir après les femmes
philanthropist [fɪ'lænθrəpɪst] *n* philanthrope *m*/*f* **philanthropy** [fɪ'lænθrəpɪ] *n* philanthropie *f*
-phile [-faɪl] *n, suf* -phile
philharmonic [ˌfɪlɑː'mɒnɪk] **I** *adj* philharmonique **II** *n*; ***Philharmonic*** Philarmonie *f*
Philippines ['fɪlɪpiːnz] *pl* Philippines *fpl*
philistine ['fɪlɪstaɪn] *n fig* béotien(ne) *m*(*f*), philistin *m*
philology [fɪ'lɒlədʒɪ] *n* philologie *f*
philosopher [fɪ'lɒsəfəʳ] *n* philosophe *m*/*f* **philosophic(al)** [ˌfɪlə'sɒfɪk(əl)] *adj* philosophique; *fig* philosophe; ***to be philosophical about sth*** prendre qc avec philosophie **philosophically** [ˌfɪlə'sɒfɪkəlɪ] *adv* philosophiquement; *fig* avec philosophie **philosophize** [fɪ'lɒsəfaɪz] *v/i* philosopher (***about, on*** sur) **philosophy** [fɪ'lɒsəfɪ] *n* philosophie *f*
phishing *n* phishing *m*, hameçonnage *m*
phlegm [flem] *n* flegme *m* **phlegmatic** [fleg'mætɪk] *adj* flegmatique
-phobe [-fəʊb] *n suf* -phobe **phobia** ['fəʊbɪə] *n* phobie *f*; ***she has a ~ about it*** elle en a la phobie **-phobic** [-'fəʊbɪk] *adj suf* -phobique
phoenix *Br* = **phenix**
phone [fəʊn] **I** *n* téléphone *m*; ***to be on the ~*** (*be a subscriber*) avoir le téléphone; (*be speaking*) être au téléphone; ***I'll give you a ~*** (*Br infml*) je te passerai un coup de fil *infml* **II** *v/t person* téléphoner à **III** *v/i* téléphoner ◆ **phone back** *v/t & v/i sep* rappeler ◆ **phone in I** *v/i* téléphoner; ***to ~ sick*** appeler pour dire qu'on est malade **II** *v/t sep order* passer par téléphone ◆ **phone up I** *v/i* téléphoner **II** *v/t sep* téléphoner à
phone bill *n* facture *f* de téléphone
phone booth *n* **1.** téléphone *m* public **2.** (*US call box*) cabine *f* téléphonique
phonecard *n* carte *f* de téléphone, télé-

carte® *f* **phone-in** *n Br* émission *f* à ligne ouverte

phonetic [fəʊ'netɪk] *adj* phonétique **phonetically** [fəʊ'netɪkəlɪ] *adv* phonétiquement **phonetics** [fəʊ'netɪks] *n sg* phonétique *f*

phony *Br*, **phoney** ['fəʊnɪ] (*infml*) **I** *adj* **1.** (*fake*) faux(fausse); ***a ~ company*** une société bidon *infml*; ***the ~ war*** la drôle de guerre **2.** (*insincere*) *person* pas franc(he) **II** *n* (*thing*) faux *m*; (*bogus person*) imposteur *m*; (*show-off*) frimeur(-euse) *m(f)*

phosphate ['fɒsfeɪt] *n* CHEM phosphate *m* **phosphorescent** [ˌfɒsfə'resnt] *adj* phosphorescent **phosphorus** ['fɒsfərəs] *n* phosphore *m*

photo ['fəʊtəʊ] *n* photo *f* **photo booth** *n* photomaton® *m* **photocopier** *n* photocopieuse *f*, photocopieur *m* **photocopy I** *n* photocopie *f* **II** *v/t* photocopier **III** *v/i* ***this won't ~*** cela ne rendra rien (si on fait une photocopie) **photo finish** *n* photo-finish *f* **Photofit®** *n Br* (*a.* **Photofit picture**) portrait-robot *m* **photogenic** [ˌfəʊtəʊ'dʒenɪk] *adj* photogénique

photograph ['fəʊtəgræf] **I** *n* photo *f*, photographie *f*; ***to take a ~ (of sb/sth)*** prendre une photo (de qn / qc); ***~ album*** album de photos **II** *v/t* photographier, prendre en photo

photographer [fə'tɒgrəfəʳ] *n* photographe *m/f* **photographic** [ˌfəʊtə'græfɪk] *adj* photographique

photography [fə'tɒgrəfɪ] *n* photographie *f* **photojournalism** *n* photoreportage *m*, photojournalisme *m* **photojournalist** *n* reporter *m* photographe, photojournaliste *m/f*

photon ['fəʊtɒn] *n* photon *m*

photo opportunity *n* séance *f* photo **photo session** *n* séance *f* photo **photosynthesis** *n* photosynthèse *f*

phrasal verb [ˌfreɪzəl'vɜːb] *n* verbe *m* à particule **phrase** [freɪz] **I** *n* **1.** GRAM syntagme *m*; (*spoken*) locution *f* **2.** (*expression*) expression *f*; (*idiom*) idiotisme *m* **II** *v/t* formuler, exprimer **phrase book** *n* guide *m* de conversation

phrase ≠ phrase

Phrase = expression. La traduction du mot français phrase est **sentence**.

pH-value [piː'eɪtʃvæljuː] *n* pH *m*

physalis [faɪ'seɪlɪs] *n* physalis *m*

physical ['fɪzɪkəl] **I** *adj* **1.** physique; (*of the body*) corporel(le); ***you don't get enough ~ exercise*** tu ne fais pas assez d'exercice physique **2.** (*of physics*) physique; ***it's a ~ impossibility*** c'est matériellement impossible **II** *n* visite *f* médicale; MIL tests *mpl* de sélection **physical education** *n* éducation *f* physique **physical education teacher** *n* professeur(e) *m(f)* d'éducation physique **physical fitness** *n* forme *f* physique **physically** ['fɪzɪkəlɪ] *adv* physiquement; *restrain* de force; ***to be ~ sick*** vomir; ***~ impossible*** matériellement impossible; ***they removed him ~ from the meeting*** ils l'ont fait partir de force de la réunion; ***as long as is ~ possible*** tant que c'est matériellement possible **physical science** *n* sciences *fpl* physiques **physical therapist** *n US* kinésithérapeute *m/f* **physical therapy** *n US* kinésithérapie *f* **physician** [fɪ'zɪʃən] *n* médecin *m*

physicist ['fɪzɪsɪst] *n* physicien(ne) *m(f)*

physics ['fɪzɪks] *n* (*sing subject*) physique *f*

physio ['fɪzɪəʊ] *n* (*esp Br infml*) (*person*) kiné *m/f infml*; (*treatment*) kiné *f infml* **physiological** [ˌfɪzɪə'lɒdʒɪkəl] *adj* physiologique **physiology** [ˌfɪzɪ'ɒlədʒɪ] *n* physiologie **physiotherapist** [ˌfɪzɪə'θerəpɪst] *n Br* = **physical therapist** **physiotherapy** [ˌfɪzɪə'θerəpɪ] *n Br* = **physical therapy**

physique [fɪ'ziːk] *n* physique *m*

pianist ['pɪənɪst] *n* pianiste *m/f*

piano ['pjænəʊ] *n* (*upright*) piano *m* droit; (*grand piano*) piano *m* à queue **piano player** *n* pianiste *m/f* **piano teacher** *n* professeur *m/f* de piano

piccolo ['pɪkələʊ] *n* piccolo *m*

pick [pɪk] **I** *n* **1.** (*pickax*) pioche *f*, pic *m* **2.** (*choice*) choix *m*; ***she could have her ~ of any man in the room*** elle pouvait avoir n'importe quel homme de l'assistance; ***to have first ~*** choisir en premier; ***take your ~!*** choisissez! **3.** (*best*) meilleur(e) *m/f* **II** *v/t* **1.** (*choose*) choisir; ***to ~ a team*** sélectionner une équipe; ***to ~ sb to do sth*** choisir qn pour faire qc; ***to ~ sides*** former les équipes; ***to ~ one's way through sth*** avancer avec précaution à travers qc

2. *scab* gratter; *hole* faire; ***to ~ one's nose*** se curer le nez; ***to ~ a lock*** crocheter une serrure; ***to ~ sth to pieces*** *fig* descendre en flammes qc; ***to ~ holes in sth*** *fig* trouver des failles dans qc; ***to ~ a fight*** (***with sb***) chercher la bagarre (avec qn); ***to ~ sb's pocket*** faire les poches de qn; ***to ~ sb's brains*** (***about sth***) faire appel aux lumières de qn (à propos de qc) **3.** *flowers*, *fruit* cueillir **III** *v/i* (*choose*) choisir; ***to ~ and choose*** faire le difficile ◆ **pick at** *v/t insep* ***to ~ one's food*** picorer dans son assiette ◆ **pick off** *v/t sep* (*remove*) enlever; (*pluck*) cueillir ◆ **pick on** *v/t insep esp Br* s'en prendre à; ***why ~ me?*** *infml* pourquoi s'en prendre à moi?; ***~ somebody your own size!*** *infml* prends un adversaire à ta taille! ◆ **pick out** *v/t sep* **1.** (*choose*) choisir **2.** (*remove*) enlever **3.** (*distinguish*) repérer **4.** MUS ***to ~ a tune*** retrouver un air ◆ **pick over** *or* **through** *v/t insep* trier ◆ **pick up I** *v/t sep* **1.** (*take up*) ramasser; (*momentarily*) soulever; ***to ~ a child in one's arms*** prendre un enfant dans ses bras; ***to pick oneself up*** se relever; ***to ~ the phone*** décrocher le téléphone; ***you just have to ~ the phone*** tu n'as qu'à appeler; ***to ~ the check*** payer l'addition; ***to ~ a story*** s'emparer d'une affaire; ***to ~ the pieces*** ramasser les morceaux **2.** (*get*) prendre; (*buy*) dénicher; *habit* prendre; *illness* attraper; (*earn*) gagner; ***to pick sth up at a sale*** trouver qc en solde; ***to ~ speed*** prendre de la vitesse; ***he picked up a few extra points*** il a gagné quelques points supplémentaires **3.** *skill*, *language*, *word etc.* acquérir; *accent* prendre; *information*, *idea* trouver; ***you'll soon pick it up*** tu t'y mettras rapidement; ***where did you ~ that idea?*** où est-ce que tu as trouvé cette idée? **4.** *person*, *goods* (passer) prendre; (*bus etc.*) *passengers* prendre; (*in car*) emmener; (*arrest*) cueillir *infml* **5.** *infml girl* ramasser *infml* **6.** RADIO *station* capter **7.** (*identify*) identifier **II** *v/i* **1.** (*improve*) s'améliorer; (*business*) reprendre **2.** ***to ~ where one left off*** reprendre là où on s'est arrêté

pickax, *Br* **pickaxe** ['pɪkæks] *n* pioche *f*, pic *m*

picket ['pɪkɪt] **I** *n* (*of strikers*) piquet *m* de grève **II** *v/t factory* faire le piquet de grève devant **picketing** *n* piquets *mpl* de grève **picket line** *n* piquet *m* de grève; ***to cross a ~*** traverser un piquet de grève

picking ['pɪkɪŋ] *n* **pickings** *pl* (*profits*) bénéfices *mpl*

pickle ['pɪkl] **I** *n* **1.** (*food*) pickles *mpl* (*petits légumes macérés dans du vinaigre*) **2.** *infml* ***he was in a bit of a ~*** il était dans de beaux draps *infml*; ***to get*** (***oneself***) ***into a ~*** se mettre dans de beaux draps *infml* **II** *v/t* conserver dans du vinaigre **pickled** *adj* conservé dans du vinaigre

pickpocket ['pɪk,pɒkɪt] *n* voleur(-euse) *m*(*f*) à la tire, pickpocket *m* **pick-up** ['pɪkʌp] *n* **1.** (*a.* **pick-up truck**) camionnette *f* (découverte), pick-up *m* **2.** (*collection*) arrêt *m*; ***~ point*** (*for people*) point *m* de ramassage; (*for goods*) point *m* de chargement **picky** ['pɪkɪ] *adj* ⟨+er⟩ *infml* maniaque; *eater* difficile

picnic ['pɪknɪk] *vb* ⟨*past*, *past part* **picnicked**⟩ **I** *n* pique-nique *m*; ***to have a ~*** faire un pique-nique; ***to go for*** *or* ***on a ~*** aller pique-niquer **II** *v/i* pique-niquer **picnic basket, picnic hamper** *n* panier *m* à pique-nique **picnic site** *n* aire *f* de pique-nique **picnic table** *n* table *f* de pique-nique

picture ['pɪktʃəʳ] **I** *n* **1.** image *f*; (*drawing*) dessin *m*; (***as***) ***pretty as a ~*** joli comme un cœur; ***to give you a ~ of what life is like here*** pour que vous puissiez vous faire une idée de la vie ici; ***to be in the ~*** être au courant; ***to put sb in the ~*** mettre qn au courant; ***I get the ~*** *infml* j'ai pigé *infml*; ***his face was a ~*** si vous aviez vu sa tête!; ***she was the ~ of health*** elle respirait la santé **2.** FILM film *m*; ***the ~s*** *Br* le cinéma; ***to go to the ~s*** *Br* aller au cinéma **II** *v/t* s'imaginer; ***to ~ sth to oneself*** se représenter qc **picture book** *n* livre *m* d'images **picture frame** *n* cadre *m* **picture gallery** *n* musée *m* de peinture **picture postcard** *n* carte *f* postale (illustrée) **picturesque** [,pɪktʃə'resk] *adj*, pittoresque **picturesquely** [,pɪktʃə'reskli] *adv* pittoresquement

piddling ['pɪdlɪŋ] *adj infml* insignifiant

pie [paɪ] *n* tourte *f*; (*individual*) petite tourte *f*; ***that's all ~ in the sky*** *infml* ce sont des promesses en l'air; ***as easy as ~*** *infml* simple comme bonjour; ***she***

has a finger in every ~ *fig, infml* elle se mêle de tout *infml*

piece [piːs] *n* **1.** morceau *m*; (*part of set*) partie *f*; (*component*) pièce *f*; (*of glass etc.*) bout *m*; (*in draughts etc.*) pion *m*; (*in chess*) pièce *f*; ***a 50c ~*** une pièce de 50 cents; ***a ~ of cake*** un morceau de gâteau; ***a ~ of furniture*** un morceau de bois; ***a ~ of news*** une nouvelle; ***a ~ of information*** un renseignement; ***a ~ of advice*** un conseil; ***a ~ of luck*** un coup de chance; ***a ~ of work*** un travail; ***~ by ~*** morceau par morceau; ***to take sth to ~s*** démonter qc; ***to come to ~s*** (*collapsible furniture etc.*) se démonter; ***to fall to ~s*** (*book etc.*) tomber en morceaux; ***to be in ~s*** (*taken apart*) être en pièces détachées; (*broken*) être en morceaux; ***to smash sth to ~s*** briser en mille morceaux; ***he tore the letter*** (***in***)***to ~s*** il a déchiré la lettre en petits morceaux; ***he tore me to ~s during the debate*** il m'a descendu pendant le débat **2.** ***to go to ~s*** (*crack up*) craquer *infml*; (*lose grip*) s'effondrer; ***all in one ~*** sain et sauf; ***are you still in one ~ after your trip?*** tu es revenu entier de ton voyage?; ***to give sb a ~ of one's mind*** dire ses quatre vérités à qn ◆ **piece together** *v/t sep fig* reconstituer; *evidence* rassembler

piecemeal **I** *adv* petit à petit **II** *adj* fragmentaire **piecework** *n* travail *m* à la pièce

pie chart *n* graphique *m* circulaire, camembert *m infml*

pier [pɪəʳ] *n* jetée *f*

pierce [pɪəs] *v/t* percer; (*knife, bullet*) transpercer; *fig* transpercer; ***to have one's ears ~d*** se faire percer les oreilles **pierced** *adj object* troué; *nipple* percé **piercing** [ˈpɪəsɪŋ] **I** *adj* perçant; *wind, stare* pénétrant **II** *n* piercing *m*

piety [ˈpaɪətɪ] *n* pitié *f*

pig [pɪg] **I** *n* **1.** cochon *m*, porc *m*; (*greedy*) goinfre *m infml*; ***to make a ~ of oneself*** se goinfrer *infml*; ***~s might fly*** (*Br prov*) quand les poules auront des dents **2.** (*sl policeman*) flic *m sl* **II** *v/r* ***to ~ oneself*** *infml* se goinfrer *infml* ◆ **pig out** *v/i infml* s'empiffrer *infml*

pigeon [ˈpɪdʒən] *n* pigeon *m* **pigeonhole** [ˈpɪdʒənhəʊl] **I** *n* (*in desk etc.*) casier *m* **II** *v/t fig* cataloguer

piggy [ˈpɪgɪ] *adj* (*+er*), *attr* ***~ eyes*** yeux de cochons **piggyback** [ˈpɪgɪbæk] *n* ***to give sb a ~*** porter qn sur son dos **piggy bank** *n* tirelire *f* **pig-headed** *adj* obstiné, tête de mule **piglet** [ˈpɪglɪt] *n* porcelet *m*

pigment [ˈpɪgmənt] *n* pigment *m*

Pigmy *n* = **Pygmy**

pigpen *n US* = **pigsty** **pigsty** *n* porcherie *f* **pigswill** *n Br* pâtée *f* pour les porcs **pigtail** *n* natte *f*

pike [paɪk] *n* (*fish*) pique *f*

pilchard [ˈpɪltʃəd] *n* pilchard *m*, sardine *f*

pile [paɪl] **I** *n* **1.** pile *f*; ***to put things in a ~*** empiler des choses; ***to be in a ~*** être en pile; ***at the bottom / top of the ~*** *fig* en bas / haut de l'échelle **2.** (*infml large amount*) tas *minfml*; ***~s of money*** beaucoup d'argent; ***a ~ of things to do*** des tas de choses à faire*infml* **II** *v/t* empiler; ***a table ~d high with books*** une table avec des piles de livres; ***the table was ~d high with gifts*** la table était couverte de cadeaux ◆ **pile in I** *v/i infml* s'entasser (***-to*** dans); (*get in*) monter **II** *v/t sep* entasser (***-to*** dans) ◆ **pile on I** *v/i infml* s'entasser (***-to*** dans) **II** *v/t sep lit* amonceler (***-to*** dans); ***she piled rice on***(***to***) ***my plate*** elle m'a servie une assiette de riz bien remplie; ***they are really piling on the pressure*** ils font vraiment monter la pression ◆ **pile out** *v/i infml* partir en masse (***of*** de) ◆ **pile up I** *v/i* s'entasser; (*traffic*) bouchonner; (*evidence*) s'amonceler **II** *v/t sep* entasser

piles [paɪlz] *pl* hémorroïdes *fpl*

pile-up [ˈpaɪlʌp] *n* carambolage *m*

pilfer [ˈpɪlfəʳ] *v/t* chaparder

pilgrim [ˈpɪlgrɪm] *n* pèlerin *m*; ***the Pilgrim Fathers*** les (Pères) Pèlerins **pilgrimage** [ˈpɪlgrɪmɪdʒ] *n* pèlerinage *m*; ***to go on a ~*** faire un pèlerinage

pill [pɪl] *n* pilule *f*; ***the ~*** la pilule; ***to be / go on the ~*** prendre / commencer à prendre la pilule

pillar [ˈpɪləʳ] *n* pilier *m*; ***a ~ of society*** un pilier de la société **pillar box** *n Br* boîte *f* aux lettres (*publique*)

pillion [ˈpɪljən] *adv* ***to ride ~*** être derrière

pillow [ˈpɪləʊ] *n* oreiller *m* **pillowcase** *n* taie *f* d'oreiller **pillow fight** *n* bataille *f* de polochons **pillowslip** *n* = **pillowcase** **pillow talk** *n* confidences *fpl* sur l'oreiller

pilot [ˈpaɪlət] **I** *n* **1.** AVIAT pilote *m* **2.** TV ~

(***episode***) (épisode *m*) pilote *m* **II** *v/t plane* piloter **pilot light** *n* veilleuse *f* **pilot scheme** *n esp Br* projet-pilote *m* **pilot study** *n* étude *f* pilote

pimp [pɪmp] *n* proxénète *m*, maquereau *m infml*

pimple ['pɪmpl] *n* bouton *m*

PIN [pɪn] *n abbr* = **personal identification number**; ~ ***number*** code *m* confidentiel

pin [pɪn] **I** *n* **1.** SEWING épingle *f*; (*tie pin*, *hair pin*) épingle *f*; MECH goupille *f*; (*small nail*) clou *m*; ***a two-~ plug*** une prise à deux fiches; ***I have ~s and needles in my foot*** j'ai des fourmis dans le pied; ***you could have heard a ~ drop*** on aurait entendu une mouche voler **2.** *esp US* (*brooch*) broche *f*; (*badge*) badge *m* **II** *v/t* **1.** ***to ~ sth to sth*** épingler qc sur qc; ***to ~ one's hair back*** attacher ses cheveux en arrière (avec des épingles) **2.** *fig* ***to ~ sb to the ground*** clouer qn au sol; ***to ~ sb's arm behind his back*** maintenir le bras de qn derrière son dos; ***to ~ one's hopes on sb/sth*** mettre tous ses espoirs en qn/dans qc; ***to ~ the blame*** (***for sth***) ***on sb*** *infml* rejeter la responsabilité (de qc) sur qn ◆ **pin down** *v/t sep* **1.** (*weight down*) maintenir; ***to pin sb down*** (*on floor*) immobiliser qn au sol **2.** (*fig identify*) identifier; ***to pin sb down*** (***to sth***) (*date etc.*) obliger qn à s'engager (sur qc) ◆ **pin up** *v/t sep notice* afficher

pinafore ['pɪnəfɔːʳ] *n* tablier *m*

pinball ['pɪnbɔːl] *n* flipper *m*; ~ ***machine*** flipper *m*

pincers ['pɪnsəz] *pl* **1.** pince *f*; ***a pair of ~*** des tenailles *fpl* **2.** ZOOL pince *f*

pinch [pɪntʃ] **I** *n* **1.** (*with fingers*) pincement *m* **2.** COOK pincée *f* **3.** ***to feel the ~*** être gêné; ***in*** (*US*) *or* ***at*** (*Br*) ***a ~*** à la rigueur **II** *v/t* **1.** (*with fingers*) pincer; ***to ~ sb's arm*** pincer le bras de qn; ***to ~ oneself*** se pincer **2.** (*Br infml steal*) piquer *infml*; ***don't let anyone ~ my seat*** ne laisse personne me piquer ma place *infml*; ***he ~ed Johnny's girlfriend*** il a piqué à Johnny sa petite amie *infml* **III** *v/i* (*shoe*) serrer

pincushion [pɪnˌkuʃən] *n* pelote *f* à épingles

pine¹ [paɪn] *n* pin *m*

pine² *v/i* **1.** ***to ~ for sb/sth*** se languir de qn/qc **2.** (*pine away*) dépérir ◆ **pine away** *v/i* dépérir

pineapple ['paɪnˌæpl] *n* ananas *m*; ~ ***juice*** jus d'ananas

pine cone *n* pomme *f* de pin **pine forest** *n* pinède *f* **pine needle** *n* aiguille *f* de pin **pine tree** *n* pin *m* **pine wood** *n* (*material*) pin *m*

ping pong ['pɪŋpɒŋ] *n* ping-pong *m*; ~ ***ball*** balle de ping-pong

pink [pɪŋk] **I** *n* (*color*) rose *m* **II** *adj* rose; *cheeks* bien rose; ***to go*** *or* ***turn ~*** rosir

pinnacle ['pɪnəkl] *n fig* apogée *m*

PIN number *n* code *m* confidentiel

pinpoint **I** *n* pointe *f* d'épingle; ***a ~ of light*** une infime lueur **II** *v/t* (*locate*) localiser avec précision; (*identify*) identifier **pinprick** *n* piqûre *f* d'épingle **pinstripe** *adj* à rayures très fine; ***~d suit*** costume *m* rayé

pint [paɪnt] *n* **1.** (*measure*) pinte *f* (*0,473 l aux États-Unis et 0,568 l au Royaume-Uni*) **2.** *Br* (*of milk*, *beer*) pinte *f*; ***to have a ~*** boire un verre; ***to go*** (***out***) ***for a ~*** aller boire un verre; ***he likes a ~*** il aime bien boire une bière *infml*; ***she's had a few ~s*** *infml* elle avait bu quelques bières *infml*

pin-up *n* (*picture*) photo *f* de pin-up; (*woman*) pin-up *f*; (*man*) idole *f*

pioneer [ˌpaɪəˈnɪəʳ] **I** *n fig* pionnier (-ière) *m*(*f*) **II** *v/t fig* lancer; ***to ~ the use of sth*** lancer l'usage de qc **pioneering** [ˌpaɪəˈnɪərɪŋ] *adj attr research* novateur(-trice); ~ ***spirit*** esprit pionnier

pious ['paɪəs] *adj* pieux(-euse)

pip¹ [pɪp] *n Br* **1.** BOT pépin *m* **2.** RADIO, TEL ***the ~s*** les bips; (*in telephone*) tonalité *f* de crédit épuisé

pip² *v/t* (*Br infml*) ***to ~ sb at the post*** coiffer qn au poteau

pipe [paɪp] **I** *n* **1.** (*for water etc.*) tuyau *m*; (*fuel pipe*) conduite *f* **2.** MUS ***~s*** (*bagpipes*) cornemuse *f* **3.** (*for smoking*) pipe *f*; ***to smoke a ~*** fumer la pipe **II** *v/t water etc.* amener par tuyau ◆ **pipe down** *v/i infml* mettre la sourdine *infml* ◆ pipe up *v/i infml* se faire entendre; ***suddenly a little voice piped up*** soudain, une petite voix s'est fait entendre

pipe dream *n* projet *m* chimérique; ***that's just a ~*** ce n'est qu'un projet chimérique **pipeline** *n* canalisation *f*; *for oil* oléoduc *m*; *for gas* gazoduc *m*; ***to be in the ~*** *fig* être prévu; ***the pay raise hasn't come through yet but it's in the ~*** l'augmentation de salaire n'a pas encore eu lieu mais elle est prévue **piper** ['paɪpəʳ] *n* (*on bagpipes*) joueur(-euse) *m*(*f*) de cornemuse **pipe tobacco** *n* tabac *m* à pipe **piping** ['paɪpɪŋ] **I** *n* (*pipework*) tuyauterie *f* **II** *adv* **~ *hot*** très chaud

piquant ['piːkənt] *adj* piquant

pique [piːk] *n* dépit *m*; ***he resigned in a fit of ~*** il a démissionné dans un accès de dépit

piracy ['paɪərəsɪ] *n* piraterie *f*; (*of record*) piratage *m* **pirate** ['paɪərɪt] **I** *n* pirate *m* **II** *v/t idea* pirater; ***a ~d copy of the record*** une copie pirate du disque; ***~d edition*** une édition pirate

pirouette [ˌpɪrʊ'et] *n* pirouette *f*

Pisces ['paɪsiːz] *pl* Poissons *mpl*; ***I'm*** (***a***) **~** je suis Poissons

piss [pɪs] *sl* **I** *n* pisse *f vulg*; ***to have a ~*** pisser *vulg*; ***to take the ~ out of sb / sth*** (*Br sl*) se foutre de la gueule de qn / qc *vulg* **II** *v/i* pisser *vulg*; ***it's ~ing with rain*** (*Br infml*) il pleut comme vache qui pisse *sl* **III** *v/r* pisser dans sa culotte *vulg*; ***we ~ed ourselves*** (***laughing***) (*Br sl*) on s'est pissé dessus (de rire) *sl* ◆ **piss about** *or* **around** *v/i* (*Br infml*) glandouiller *infml* ◆ **piss down** *v/i* (*Br infml*) ***it's pissing down*** il pleut comme vache qui pisse *sl* ◆ **piss off I** *v/i* (*esp Br sl*) foutre le camp *sl*; ***~!*** (*go away*) fous le camp! *sl* **II** *v/t* (*esp Br infml*) faire chier *vulg*; ***to be pissed off with sb / sth*** en avoir ras le bol de qn / qc *infml*

piss artist *n* (*Br infml*) (*drunk*) poivrot(e) *m*(*f*) *infml*; (*boaster*) vantard(e) *m*(*f*); (*incompetent*) minable *m*/*f infml* **pissed** [pɪst] *adj infml* (*US angry*) en rogne; *infml* (*Br drunk*) bourré *infml* **piss-take** *n* (*Br sl*) mise *f* en boîte *infml* **piss-up** *n* (*Br sl*) beuverie *f infml*

pistachio [pɪ'stɑːʃɪəʊ] *n* pistache *f*

piste [piːst] *n* SKI piste *f*

pistol ['pɪstl] *n* pistolet *m*

piston ['pɪstən] *n* piston *m*

pit[1] [pɪt] **I** *n* **1.** (*hole*) fosse *f*; (*Br mine*) mine *f*; ***to have a sinking feeling in the ~ of one's stomach*** avoir un pincement au cœur; ***he works down the ~*** (***s***) *Br* il est mineur (de fond) **2.** SPORTS ***to make a ~ stop*** faire un arrêt au stand (de ravitaillement) **3.** (THEAT *orchestra pit*) fauteuils *mpl* d'orchestre **4.** ***it's the ~s*** *infml* c'est pourri *infml* **II** *v/t* **1.** trouer; ***the moon is ~ted with craters*** la lune est criblée de cratères **2.** ***to ~ one's wits against sb / sth*** jouer au plus fin avec qn / qc; ***A is ~ted against B*** A se mesure à B

pit[2] *US* **I** *n* noyau *m* **II** *v/t* dénoyauter

pita (bread) ['pɪtə] *n US* pain *m* pita

pit babe *n infml* pin-up *f infml*

pitch I *n* **1.** (*throw*) lancement *m* **2.** (*infml sales pitch*) boniment *m* **3.** PHON hauteur *f*; (*of instrument, voice*) ton *m* **4.** (*fig degree*) degré *m* **5.** (*Br* SPORTS) terrain *m* **6.** (*Br*: *in market etc.*) emplacement *m* **II** *v/t* **1.** *ball* lancer **2.** (MUS *hit*) *note* donner; ***she ~ed her voice higher*** elle a haussé le ton de la voix **3.** *fig* ***the production must be ~ed at the right level for London audiences*** la pièce doit être adaptée pour le public londonien **4.** *tent* planter **III** *v/i* **1.** (*fall*) tomber; ***to ~ forward*** tomber en avant **2.** AVIAT, NAUT tanguer **3.** BASEBALL lancer la balle ◆ **pitch in** *v/i infml* donner un coup de main *infml*; ***so we all pitched in together*** alors on a tous donné un coup de main *infml*

pitch-black *adj* noir comme du charbon **pitch-dark** *adj* noir comme dans un four

pitcher[1] ['pɪtʃəʳ] *n esp US* pichet *m*

pitcher[2] *n* BASEBALL lanceur *m*

pitchfork ['pɪtʃfɔːk] *n* fourche *f*

piteous ['pɪtɪəs] *adj* pitoyable

pitfall ['pɪtfɔːl] *n fig* piège *m*

pith [pɪθ] *n* BOT moelle *f*; (*of orange, lemon etc.*) peau *f* blanche; (*fig core*) essence *f*

pitiful ['pɪtɪfʊl] *adj* **1.** *sight, story* pitoyable; *cry* déchirant; ***to be in a ~ state*** être dans un état pitoyable **2.** (*wretched*) lamentable **pitifully** ['pɪtɪfəlɪ] *adv* **1.** pitoyablement **2.** *inadequate* lamentablement **pitiless** ['pɪtɪlɪs] *adj* impitoyable

pits [pɪts] *pl* → **pit**[1]

pitta (bread) ['piːtə] *n Br* = **pita (bread)**

pittance ['pɪtəns] *n* somme *f* dérisoire

pity ['pɪtɪ] **I** *n* **1.** pitié *f*; ***for ~'s sake!*** par pitié!; ***to have*** *or* ***take ~ on sb*** avoir pitié de qn; ***to move sb to ~*** exciter la compassion de qn **2.** (***what a***) ***~!*** quel dommage!; ***what a ~ he can't come*** quel dommage qu'il ne puisse pas venir; ***more's the ~!*** c'est bien dommage!; ***it is a ~ that …*** c'est dommage que …; ***it would be a ~ if he lost*** *or* ***were to lose this job*** ce serait dommage qu'il perde son travail **II** *v/t* avoir pitié de

pivot ['pɪvət] ⟨*past, past part* **pivoted**⟩ *v/i* pivoter; ***to ~ on sth*** *fig* reposer sur qc **pivotal** ['pɪvətl] *adj fig* essentiel(le)
pixel ['pɪksl] *n* IT pixel *m*
pizza ['piːtsə] *n* pizza *f* **pizzeria** [ˌpiːtsə'riːə] *n* pizzeria *f*
placard ['plækɑːd] *n* pancarte *f*
placate [plə'keɪt] *v/t* calmer
place [pleɪs] **I** *n* **1.** (*general*) endroit *m*; ***water is coming through in several ~s*** l'eau s'infiltre à plusieurs endroits; ***from ~ to ~*** d'un endroit à l'autre; ***in another ~*** à un autre endroit; ***we found a good ~ to watch the procession from*** nous avons trouvé un bon endroit pour regarder le défilé; ***in the right / wrong ~*** au bon / mauvais endroit; ***some / any ~*** quelque / nulle part; ***a poor man with no ~ to go*** un pauvre homme qui n'a nulle part où aller; ***this is no ~ for you*** ce n'est pas un endroit pour toi; ***it was the last ~ I expected to find him*** c'était le dernier endroit où je m'attendais à le trouver; ***this isn't the ~ to discuss politics*** ce n'est pas l'endroit pour discuter de politique; ***I can't be in two ~s at once!*** je ne peux pas être partout à la fois **2.** (*location, district*) endroit *m*; (*town*) lieu *m*; ***in this ~*** ici **3.** (*home*) ***come round to my ~*** passez chez moi; ***let's go back to my ~*** retournons chez moi; ***I've never been to his ~*** je n'ai jamais été chez lui; ***at Peter's ~*** chez Peter **4.** (*at table, in team, at university*) place *f*; (*job*) poste *m*, place *f*; SPORTS position *f*; ***~s for 500 students*** des places pour 500 étudiants; ***to give up one's ~*** (*in a line*) céder sa place; ***to lose one's ~*** (*in a line*) perdre sa place; (*in book*) perdre sa page; (*on page*) perdre sa ligne; ***to take the ~ of sb / sth*** prendre la place de qn / qc; ***to win first ~*** arriver premier **5.** (*in hierarchy*) place *f*; ***people in high ~s*** les gens haut placés; ***to know one's ~*** savoir rester à sa place; ***it's not my ~ to comment*** ce n'est pas à moi de faire des commentaires; ***to keep*** *or* ***put sb in his ~*** remettre qn à sa place **6.** MATH ***to three decimal ~s*** jusqu'à la troisième décimale **7.** ***~ of birth*** lieu *m* de naissance; ***~ of residence*** domicile; ***~ of work*** lieu de travail; ***in ~s*** par endroits; ***everything was in ~*** tout était à sa place; ***the legislation is already in ~*** la loi est déjà en vigueur; ***to be out of ~*** (*in the wrong place*) être déplacé; ***to look out of ~*** détonner; ***all over the ~*** (*everywhere*) partout; ***in ~ of*** à la place de; ***to fall into ~*** se mettre en place; ***in the first ~*** (*firstly*) tout d'abord; ***she shouldn't have been there in the first ~*** elle n'aurait même pas dû être là; ***to take ~*** avoir lieu; ***to go ~s*** (*travel*) voyager **II** *v/t* **1.** (*put*) mettre; (*lay down*) poser; ***she slowly ~d one foot in front of the other*** elle posa lentement un pied devant l'autre; ***she ~d a finger on her lips*** elle a mis un doigt sur ses lèvres; ***to ~ a strain on sth*** mettre qc à rude épreuve; ***to ~ confidence in sb / sth*** placer sa confiance en qn / qc; ***to be ~d*** (*town etc.*) être situé; ***how are you ~d for time?*** comment êtes-vous situé en terme de temps?; ***we are well ~d for the stores*** nous sommes bien placés, à proximité des magasins **2.** (*rank*) placer; ***that should be ~d first*** cela devrait venir en premier; ***the British runner was ~d third*** le coureur britannique s'est classé troisième; ***Liverpool are well ~d in the league*** Liverpool est bien classé **3.** *order* passer (***with sb*** auprès de qn)
placebo [plə'siːbəʊ] *n* MED placebo *m*
place mat *n* set *m* de table **placement** *n* **1.** (*act*) placement *m*; (*finding job for*) placement *m* **2.** *Br* (*period: of trainee*) stage *m*; ***I'm here on a six-month ~*** (*for in-service training etc.*) je suis ici pour un stage de six mois; (*on secondment*) je suis détaché ici pour six mois **place name** *n* nom *m* de lieu **place setting** *n* couvert *m*
placid ['plæsɪd] *adj* placide; *person* calme
plagiarism ['pleɪdʒjərɪzəm] *n* plagiat *m* **plagiarize** ['pleɪdʒjəraɪz] *v/t* plagier
plague [pleɪg] **I** *n* MED peste *f*; (BIBLE, *fig*) plaie *f*; ***the ~*** la peste; ***to avoid sb / sth like the ~*** fuir qn / qc comme la peste **II** *v/t* harceler, tourmenter; ***to be ~d by doubts*** être rongé par le doute; ***to ~ sb with questions*** harceler qn de questions
plaice [pleɪs] *n no pl* carrelet *m*, plie *f*
plain [pleɪn] **I** *adj* ⟨**+er**⟩ **1.** clair; *truth* pur; (*obvious*) évident; ***it is ~ to see that …*** c'est évident que …; ***to make sth ~ to sb*** faire comprendre qc à qn; ***the reason is ~ to see*** la raison est évidente; ***I'd like to make it quite ~ that …***

j'aimerais faire bien comprendre que … **2.** (*simple*) simple; *food* simple; *color, paper* uni **3.** (*sheer*) pur **4.** (*not beautiful*) ordinaire **II** *adv* **1.** (*infml simply*) tout simplement **2.** ***I can't put it ~er than that*** je ne peux pas être plus explicite **III** *n* GEOG plaine *f*; ***the ~s*** les plaines **plain chocolate** *n Br* chocolat *m* noir **plain-clothes** *adj* ***~ policeman*** policier en civil **plain flour** *n Br* farine

plainly ['pleɪnlɪ] *adv* **1.** (*clearly*) manifestement; *remember, visible* bien; ***~, these new techniques are impractical*** manifestement, ces nouvelles techniques ne sont pas applicables **2.** (*frankly*) franchement **3.** (*unsophisticatedly*) simplement **plain-spoken** *adj* direct, franc(he); ***to be ~*** appeler les choses par leur nom

plaintiff ['pleɪntɪf] *n* plaignant(e) *m(f)*

plait [plæt] **I** *n esp Br* tresse *f* **II** *v/t esp Br* tresser

plan [plæn] **I** *n* plan *m*, projet *m*; (*town plan*) plan *m*; ***~ of action*** plan d'action; ***the ~ is to meet at six*** l'idée est de se retrouver à 6 heures; ***to make ~s*** (***for sth***) faire des projets (pour qc); ***have you any ~s for tonight?*** est-ce que vous avez prévu quelque chose pour ce soir?; ***according to ~*** comme prévu **II** *v/t* **1.** organiser, planifier; *buildings etc.* concevoir **2.** (*intend*) projeter; ***we weren't ~ning to*** ce n'était pas dans nos intentions **III** *v/i* faire des projets; ***to ~ ahead*** s'y prendre à l'avance ◆ **plan on** *v/t insep* **1.** ***to ~ doing sth*** compter faire qc **2.** ***to ~ sth*** prévoir qc ◆ **plan out** *v/t sep* préparer dans tous les détails

plane *n* **1.** (*aeroplane*) avion *m*; ***to go by ~*** aller en avion **2.** *fig* plan *m* **planeload** ['pleɪnləʊd] *n* cargaison *f*

planet ['plænɪt] *n* planète *f* **planetarium** [ˌplænɪ'teərɪəm] *n* planétarium *m*

plank [plæŋk] *n* planche *f*

plankton ['plæŋktən] *n* plancton *m*

planned [plænd] *adj* planifié **planner** ['plænəʳ] *n* urbaniste *m/f* **planning** ['plænɪŋ] *n* planification *f*; ***~ permission*** permis de construire

plant [plɑːnt] **I** *n* **1.** BOT plante *f*; ***rare/tropical ~s*** plante rare / tropicale **2.** *no pl* (*equipment*) matériel *m*; (*factory*) usine *f*; ***~ manager*** *US* directeur d'usine **II** *attr* ***~ life*** flore *f* **III** *v/t* **1.** *plants, field* planter **2.** (*place*) planter; *bomb* poser; *kiss* planter **3.** ***to ~ sth on sb*** *infml* dissimuler qc sur qn ◆ **plant out** *v/t sep* repiquer

plantation [plæn'teɪʃən] *n* plantation *f*

planter ['plɑːntəʳ] *n* **1.** planteur(-euse) *m(f)* **2.** (*plant pot*) pot *m* **plant pot** *n esp Br* pot *m* de fleurs

plaque [plæk] *n* **1.** (*on building etc.*) plaque *f* **2.** (*on teeth*) plaque *f* dentaire

plasma ['plæzmə] *n* plasma *m*

plaster ['plɑːstəʳ] **I** *n* **1.** BUILD plâtre *m* **2.** (ART, MED: *a.* **plaster of Paris**) plâtre *m*; ***to have one's leg in ~*** *Br* avoir la jambe dans le plâtre **3.** (*Br sticking plaster*) sparadrap *m* **II** *v/t* **1.** *wall* plâtrer **2.** *infml* ***to ~ one's face with make-up*** se maquiller outrageusement; ***~ed with mud*** couvert de boue **plaster cast** *n* MED plâtre *m* **plastered** ['plɑːstəd] *adj pred infml* bourré *infml*; ***to get ~*** se bourrer *infml*

plastic ['plæstɪk] **I** *n* **1.** plastique *m*; ***~s*** plastique *m* **2.** (*infml credit cards*) cartes *fpl* de crédit **II** *adj* en plastique **plastic bag** *n* sac *m* (en) plastique **plastic explosive** *n* plastic *m*

Plasticine® ['plæstɪsiːn] *n Br* pâte *f* à modeler

plastic surgeon *n* spécialiste *m/f* de chirurgie esthétique **plastic surgery** *n* chirurgie *f* esthétique; ***she decided to have ~ on her nose*** elle a décidé de se faire refaire le nez **plastic wrap** *n US* film *m* alimentaire

plate [pleɪt] *n* **1.** assiette *f*; ***to have sth handed to one on a ~*** (*Br fig, infml*) recevoir qc sur un plateau *infml*; ***to have a lot on one's ~*** *fig, infml* avoir du pain sur la planche *infml* **2.** TECH, PHOT plaque *f*; (*name plate*) plaque *f*

plateau ['plætəʊ] *n* ⟨*pl* **-s** *or* **-x**⟩ GEOG plateau *m*

plateful ['pleɪtfʊl] *n* assiettée *f*, assiette *f*

platform ['plætfɔːm] *n* plate-forme *f*; (*stage*) estrade *f*; RAIL quai *m*; IT plate-forme *f* **platform shoe** *n* chaussure *f* à semelle compensée

platinum ['plætɪnəm] *n* platine *m*

platitude ['plætɪtjuːd] *n* platitude *f*

platonic [plə'tɒnɪk] *adj* platonique

platoon [plə'tuːn] *n* MIL section *f*

platter ['plætəʳ] *n* assiette *f*; (*serving dish*) plat *m*; ***to have sth handed to one on a*** (***silver***) ***~*** *fig* recevoir qc sur un plateau (d'argent)

plausibility [ˌplɔːzə'bɪlɪtɪ] *n* plausibilité *f* **plausible** ['plɔːzəbl] *adj* plausible, vraisemblable

play [pleɪ] **I** *n* **1.** jeu *m*; **~ *on words*** jeu de mots; ***to abandon ~*** SPORTS abandonner; ***to be in ~/out of ~*** (*ball*) être en jeu / hors jeu **2.** THEAT pièce *f*; RADIO pièce *f* radiophonique; TV dramatique *f*; ***the ~s of Shakespeare*** les pièces de Shakespeare **3.** *fig* ***to come into ~*** entrer en jeu; ***to bring sth into ~*** mettre qc en œuvre **II** *v/t* jouer à; ***to play bridge / badminton*** jouer au bridge / badminton; ***to ~ sb (at a game)*** jouer (un match) contre qn; ***to ~ a joke on sb*** jouer un tour à qn; ***to ~ a trick on sb*** faire une farce à qn; ***to ~ it safe*** ne prendre aucun risque; ***to ~ the fool*** faire l'imbécile; ***to ~ the piano*** jouer du piano **III** *v/i* jouer; (THEAT *be performed*) être joué; ***to go out to ~*** aller jouer dehors; ***can Johnny come out to ~?*** est-ce que Johnny peut venir jouer?; ***to ~ at cowboys and Indians*** jouer aux cow-boys et aux Indiens; ***to ~ at being a fireman*** jouer au pompier; ***to ~ in defense*** SPORTS jouer en défense; ***to ~ in goal*** être le goal; ***what are you ~ing at?*** *infml* à quoi tu joues? *infml*; ***to ~ for money*** jouer de l'argent; ***to ~ for time*** *fig* essayer de gagner du temps; ***to ~ into sb's hands*** *fig* faire le jeu de qn; ***to ~ to sb*** MUS jouer pour qn ◆ **play around** *or Br* **about** *v/i* jouer; ***to play around with sth*** retourner qc dans sa tête; ***he's been playing around (with another woman)*** il a eu une aventure (avec une autre femme) *infml* ◆ **play along** *v/i* être coopératif; ***to ~ with a suggestion*** faire semblant d'approuver une suggestion; ***to ~ with sb*** entrer dans le jeu de qn ◆ **play back** *v/t sep recording* repasser; *answering machine* réécouter ◆ **play down** *v/t sep* minimiser ◆ **play off** *v/t sep* ***to play X off against Y*** jouer X contre Y ◆ **play on I** *v/i* continuer à jouer **II** *v/t insep* (*a.* **play upon**) *sb's fears* jouer sur; ***the hours of waiting played on my nerves*** les heures d'attente m'ont tapé sur les nerfs *infml* ◆ **play through** *v/t insep a few bars etc.* jouer ◆ **play up I** *v/i* (*Br infml cause trouble*) faire des siennes **II** *v/t sep* (*Br infml*) ***to play sb up*** énerver qn ◆ **play upon** *v/t insep* = **play on** *II* ◆ **play with** *v/t insep* ***we don't have much time to ~*** nous n'avons pas beaucoup de temps à notre disposition; ***to ~ oneself*** se masturber

play-acting *n fig* comédie *f* **playbill** *n US* affiche *f* (de théâtre) **playboy** *n* play-boy *m*

player ['pleɪəʳ] *n* joueur(-euse) *m(f)* **playful** *adj child* espiègle; *animal* joueur(-euse) ***the dog is just being ~*** le chien veut juste jouer **playfulness** *n* (*of child, animal*) espièglerie *f* **playground** *n* aire *f* de jeu; SCHOOL cour *f* de récréation **playgroup** *n* ≈ garderie *f* **playhouse** *n* **1.** (*US doll's house*) maison *f* de poupée **2.** THEAT théâtre *m* **playing card** ['pleɪɪŋ] *n* carte *f* à jouer **playing field** *n* terrain *m* de sport **playmate** *n* camarade *m/f* de jeu **play-off** *n* match *m* de qualification **play park** *n* terrain *m* de jeu **playpen** *n* parc *m* (*pour bébé*) **playschool** *n Br* ≈ garderie *f* **playtime** *n* SCHOOL récréation *f* **playwright** ['pleɪraɪt] *n* dramaturge *m/f*

plaza ['plɑːzə] *n* place *f*; (*US shopping complex*) centre *m* commercial

plc *Br abbr* = **public limited company** ≈ SA

plea [pliː] *n* **1.** appel *m*; ***to make a ~ for sth*** lancer un appel pour qc **2.** JUR défense *f* **plead** [pliːd] ⟨*past, past part* **pleaded**⟩ *or* (*Scot, US*) **pled I** *v/t ignorance* invoquer **II** *v/i* **1.** ***to ~ for sth*** demander instamment qc; ***to ~ with sb to do sth*** supplier qn de faire qc; ***to ~ with sb for sth*** plaider auprès de qn pour qc **2.** JUR plaider; ***to ~ guilty / not guilty*** plaider coupable / non coupable **pleading** ['pliːdɪŋ] *adj* suppliant **pleadingly** ['pliːdɪŋlɪ] *adv say* d'un ton suppliant; *look* d'un air suppliant

pleasant ['pleznt] *adj* agréable; *news* bon(ne); *person* aimable; *manner* affable **pleasantly** ['plezntlɪ] *adv* aimablement; *smile* d'un air affable; *speak* d'un ton affable **pleasantness** *n* amabilité *f* **pleasantry** ['plezntrɪ] *n* plaisanterie *f*

please [pliːz] **I** *int* s'il te plaît, s'il vous plaît; **(*yes,*) ~** oui, s'il te plaît; (*enthusiastic*) oh oui, volontiers; ***~ pass the salt, pass the salt, ~*** passez-moi le sel, s'il vous plaît; ***may I? — ~ do!*** vous permettez? — je vous en prie! **II** *v/i* **1.** **(*just*) *as you ~*** comme vous voudrez; ***to do as one ~s*** agir à sa guise **2.** (*cause satisfaction*) satisfaire **III** *v/t* (*give pleasure to*) plaire à; ***the idea ~d him*** l'idée lui a plu; ***just to ~ you*** seulement pour te faire plaisir; ***it ~s me to see him so happy*** cela me fait plaisir de le voir si heureux; ***you can't ~ everybody*** on ne peut pas plaire à tout le monde; ***there's no pleasing him*** il n'y a jamais moyen de le contenter; ***he is easily ~d*** il n'est pas difficile; ***eager to ~*** désireux de plaire **IV** *v/r* ***to ~ oneself*** faire comme on veut; ***~ yourself!*** comme tu veux!; ***you can ~ yourself about where you sit*** vous pouvez choisir où vous vous asseyez **pleased** *adj* (*happy*) heureux(-euse); (*satisfied*) content; ***to be ~*** (***about sth***) être content (de qc); ***I'm ~ to hear that …*** je suis heureux d'apprendre que …; ***~ to meet you*** enchanté; ***we are ~ to inform you that …*** nous avons le plaisir de vous faire savoir que …; ***to be ~ with sb / sth*** être content de qn / qc; ***I was only too ~ to help*** j'étais ravie de rendre service **pleasing** ['pliːzɪŋ] *adj* agréable; *sight* réjouissant

pleasurable ['pleʒərəbl] *adj* (très) agréable; *anticipation* heureux(-euse)

pleasure ['pleʒəʳ] *n* **1.** plaisir *m*; ***it's a ~,*** (***my***) ***~*** je vous en prie; ***with ~*** avec plaisir; ***it's my very great ~ …*** j'ai l'honneur …; ***to have the ~ of doing sth*** avoir le plaisir de faire qc; ***to do sth for ~*** faire qc pour le plaisir; ***to get ~ out of doing sth*** prendre plaisir à faire qc; ***he takes ~ in annoying me*** il prend plaisir à m'embêter **2.** (*amusement*) plaisir *m*; ***business or ~?*** travail ou plaisir?; ***it's a ~ to meet you*** je suis enchanté de vous rencontrer; ***he's a ~ to teach*** c'est un plaisir que de lui donner un cours **pleasure boat** *n* bateau *m* de plaisance

pleat [pliːt] **I** *n* pli *m* **II** *v/t* plisser **pleated** ['pliːtɪd] *adj* plissé; ***~ skirt*** jupe *f* plissée

plectrum ['plektrəm] *n* plectre *m*

pled [pled] *US*, *Scot past*, *past part* = **plead**

pledge [pledʒ] **I** *n* **1.** (*token*) gage *m*; ***as a ~ of*** en gage de **2.** (*promise*) promesse *f*; ***election ~s*** promesses électorales **II** *v/t* **1.** (*pawn*) mettre en gage **2.** (*promise*) promettre; ***to ~ support for sb / sth*** promettre son soutien à qn / qc; ***to ~*** (***one's***) ***allegiance to sb / sth*** promettre allégeance à qn / qc

plenary ['pliːnərɪ] *adj* ***~ session*** séance *f* plénière; ***~ powers*** pleins pouvoirs *mpl*

plentiful ['plentɪfʊl] *adj* abondant; *minerals etc.* en abondance; ***to be in ~ supply*** être en abondance

plenty ['plentɪ] **I** *n* **1.** abondance *f*; ***in ~*** en abondance; ***three kilos will be ~*** trois kilos suffiront largement; ***there's ~ here for six*** il y a plus qu'assez pour six; ***that's ~, thanks!*** c'est largement suffisant, merci!; ***you've had ~*** tu en a eu bien assez; ***to see ~ of sb*** beaucoup voir qn; ***there's ~ to do*** il y a largement de quoi s'occuper; ***there's ~ more where that came from*** quand il n'y en a plus, il y en a encore; ***there are still ~ left*** il en reste encore beaucoup **2.** ***~ of*** beaucoup de; ***~ of time*** beaucoup de temps; ***~ of eggs*** beaucoup d'œufs; ***there is no longer ~ of oil*** il n'y a plus de grandes réserves de pétrole; ***a country with ~ of natural resources*** un pays riche en ressources naturelles; ***has everyone got ~ of potatoes?*** tout le monde a eu suffisamment de pommes de terre?; ***there will be ~ to drink*** il y aura suffisamment à boire; ***he had been given ~ of warning*** on l'avait suffisamment prévenu; ***to arrive in ~ of time*** arriver en avance; ***there's ~ of time*** il y a largement le temps; ***take ~ of exercise*** faites beaucoup d'exercice **II** *adv* (*esp US infml*) ***I like it ~*** j'aime beaucoup ça

pliable ['plaɪəbl], **pliant** *adj* **1.** flexible; *leather* souple **2.** (*docile*) docile

pliers ['plaɪəz] *pl* (*a.* **pair of pliers**) pinces *fpl*

plight [plaɪt] *n* état *m* critique; (*of economy etc.*) situation *f* critique; ***the country's economic ~*** les difficultés économiques du pays

plod [plɒd] *v/i* **1.** (*trudge*) marcher d'un pas lourd; ***to ~ up a hill*** gravir péniblement une colline; ***to ~ along*** avancer d'un pas lent **2.** *fig* ***to ~ away at sth*** peiner sur qc

plonk[1] [plɒŋk] *v/t* (*esp Br infml*: *a.* **plonk down**) poser (bruyamment); ***to ~ oneself*** (***down***) se laisser tomber

plonk[2] *n* (*Br infml wine*) pinard *m infml*

plonker ['plɒŋkəʳ] *n* (*Br infml*) **1.** (*stupid person*) imbécile *m* **2.** (*penis*) bite *f sl*

plop [plɒp] **I** *n* ploc *m*; (*in water*) plouf *m* **II** *v/i* **1.** (*in liquid*) faire plouf **2.** (*infml fall*) tomber

plot [plɒt] **I** *n* **1.** AGR parcelle *f*; (*building plot*) terrain *m* (à bâtir); *Br* (*allotment*) lotissement *m*; ***a ~ of land*** un terrain **2.** (*US*, *of building*) plan *m* **3.** (*conspiracy*) complot *m* **4.** LIT, THEAT intrigue *f*; ***to***

lose the ~ *fig, infml* perdre l'objectif de vue **II** *v/t* **1.** (*plan*) comploter; ***they ~ted to kill him*** ils complotaient de le tuer **2.** *course* déterminer; (*on map*) tracer point par point **III** *v/i* ***to ~ against sb*** comploter contre qn **plotter** ['plɒtəʳ] *n* IT conspirateur(-trice) *m(f)*

plough *Br* = **plow** ***the Plough*** ASTRON la Grande Ourse, le Grand Chariot **ploughman's lunch** *n Br fromage, pickles et pain*

plow, *Br* **plough** [plaʊ] **I** *n* charrue *f* **II** *v/t & v/i* AGR labourer ◆ **plow back** *v/t sep* COMM réinvestir (***into*** dans) ◆ **plow into I** *v/t insep car etc.* se jeter contre **II** *v/t sep money* investir *infml* ◆ **plow through I** *v/t insep* **1.** ***we plowed through the snow*** nous avons avancé péniblement dans la neige; ***the car plowed through the fence*** la voiture a défoncé la barrière **2.** *infml* ***to ~ a novel*** *etc.* lire un roman avec peine **II** *v/t sep* **1.** ***we plowed our way through the long grass*** nous avons avancé péniblement à travers les hautes herbes **2.** *infml* ***to plow one's way through a novel*** *etc.* livre un roman avec peine ◆ **plow up** *v/t sep* labourer

plowing, *Br* **ploughing** ['plaʊɪŋ] *n* labour *m*, labourage *m* **plowman**, *Br* **ploughman** *n* laboureur *m*

ploy [plɔɪ] *n* stratagème *m*

pls *abbr* = **please** svp

pluck [plʌk] *v/t* **1.** *fruit, flower* cueillir; *chicken* plumer; *eyebrows* épiler; *guitar* pincer les cordes de; ***to ~ (at) sb's sleeve*** tirer qn par la manche; ***she was ~ed from obscurity to become a movie star*** elle a été sortie de l'anonymat pour devenir une vedette de cinéma; ***he was ~ed to safety*** il a été mis en sécurité; ***to ~ sth out of the air*** dire qc qui vient à l'esprit; ***to ~ up (one's) courage*** rassembler son courage **2.** (*a.* **pluck out**) *hair* arracher

plucky ['plʌkɪ] *adj* ⟨**+er**⟩ *action, person, smile* courageux(-euse)

plug [plʌg] **I** *n* **1.** (*stopper*) bouchon *m*; (*for leak*) tampon *m*; (*in barrel*) bonde *f*; ***to pull the ~ on sb / sth*** *fig, infml* laisser tomber qn / qc **2.** ELEC prise *f*; (AUTO *spark plug*) bougie *f* **3.** (*infml*: *piece of publicity*) coup *m* de pub *infml*; ***to give sb / sth a ~*** faire de la pub pour qn / qc *infml* **II** *v/t* **1.** *hole* boucher; *leak* colmater **2.** (*infml publicize*) faire de la pub pour ◆ **plug away** *v/i infml* bosser dur *infml*; ***to ~ at sth*** bosser sur qc *infml*; ***keep plugging away*** continue à bosser ◆ **plug in I** *v/t sep* brancher; ***to be plugged in*** être branché **II** *v/i* se brancher ◆ **plug up** *v/t sep hole* boucher

plug-and-play *attr* IT prêt à l'emploi **plughole** *n Br* trou *m* (d'écoulement); ***to go down the ~*** *fig, infml* tomber à l'eau *infml*

plum [plʌm] **I** *n* **1.** (*fruit*) prune *f* **2.** (*tree*) prunier *m* **II** *adj attr infml job* en or *infml*

plumage ['pluːmɪdʒ] *n* plumage *m*

plumb [plʌm] **I** *adv* **1.** *infml* (*completely*) complètement **2.** (*exactly*) exactement **II** *v/t* ***to ~ the depths of despair*** toucher le fond du désespoir; ***to ~ new depths*** atteindre un niveau encore plus bas ◆ **plumb in** *v/t sep Br* raccorder

plumber ['plʌməʳ] *n* plombier *m*

plumbing ['plʌmɪŋ] *n* (*fittings*) plomberie *f*

plume [pluːm] *n* plume *f*; (*on helmet*) panache *m*; ***~ of smoke*** volute de fumée

plummet ['plʌmɪt] *v/i* (*plane etc.*) plonger, piquer; (*sales, shares etc.*) dégringoler, chuter; ***the euro has ~ted to £0.60*** l'euro a chuté à 0,60 £

plump [plʌmp] **I** *adj* ⟨**+er**⟩ rondelet(te); *legs etc.* dodu; *face* rond; *chicken etc.* dodu; *fruit* charnu **II** *v/t* ***to ~ sth down*** laisser tomber lourdement qc; ***she ~ed herself down in the armchair*** elle s'est affalée dans le fauteuil ◆ **plump for** *v/t insep* se décider pour ◆ **plump up** *v/t sep cushion* secouer (pour redonner du volume)

plumpness ['plʌmpnɪs] *n* (*of legs etc.*) caractère *m* potelé; (*of face*) rondeur *f*; (*of chicken*) embonpoint *m*

plum pudding *n* pudding *m* de Noël **plum tomato** *n* olivette *f*

plunder ['plʌndəʳ] **I** *n* pillage *m* **II** *v/t* **1.** *place* mettre à sac **2.** *thing* piller **III** *v/i* piller

plunge [plʌndʒ] **I** *v/t* **1.** (*thrust*) enfoncer; (*into water etc.*) plonger; ***he ~d the knife into his victim's back*** il a enfoncé le couteau dans le dos de sa victime **2.** *fig* ***to ~ the country into war*** plonger le pays dans la guerre; ***~d into darkness*** plongé dans l'obscurité **II** *v/i* **1.** (*dive*) plonger **2.** (*rush*) tomber précipitamment; (*sales*) chuter; ***to ~ to***

one's death faire une chute mortelle; ***he ~d into the crowd*** il s'est jeté dans la foule **III** *v/r* (*into job etc.*) se jeter à corps perdu (***into*** dans) **IV** *n* **1.** chute *f*; ***shares took a ~*** les actions ont chuté **2.** (*dive*) plongeon *m*; ***to take the ~*** *fig, infml* se jeter à l'eau ◆ **plunge in I** *v/t sep knife* enfoncer; *hand* plonger; (*into water*) plonger; ***he was plunged straight in*** (***at the deep end***) *fig* il a plongé tête baissé *infml* **II** *v/i* (*dive*) plonger

plunger ['plʌndʒəʳ] *n* piston *m* **plunging** ['plʌndʒɪŋ] *adj* **1.** *neckline* plongeant **2.** *prices* en chute libre

pluperfect ['pluː'pɜːfɪkt] **I** *n* plus-que-parfait *m* **II** *adj* ***~ tense*** le plus-que-parfait

plural ['plʊərəl] **I** *adj* GRAM pluriel(le); ***~ ending*** marque du pluriel **II** *n* pluriel *m*; ***in the ~*** au pluriel

plus [plʌs] **I** *prep* plus; (*together with*) en plus de; ***~ or minus 10%*** plus ou moins 10% **II** *adj* **1.** ***a ~ figure*** un nombre positif; ***on the ~ side*** à l'actif du compte; ***~ 10 degrees*** 10 degrés au-dessus de zéro **2.** ***he got B ~*** il a eu B plus, ≈ il a eu 15 sur 20; ***50 pages ~*** plus de 50 pages **III** *n* (*sign*) signe *m* plus; (*positive factor*) plus *m*; (*extra*) avantage *m*

plush [plʌʃ] *adj* ⟨**+er**⟩ *infml* luxueux (-euse); ***a ~ hotel*** un hôtel de luxe

plus sign *n* signe *m* plus

Pluto ['pluːtəʊ] *n* ASTRON Pluton *f*

plutonium [pluː'təʊnɪəm] *n* plutonium *m*

ply [plaɪ] *v/t* **1.** *trade* exercer **2.** ***to ~ sb with questions*** presser qn de questions; ***to ~ sb with drink***(***s***) ne pas arrêter de remplir le verre de qn

plywood ['plaɪwʊd] *n* contreplaqué *m*

PM (*Br infml*) *abbr* = **Prime Minister** Premier ministre *m*

p.m. *abbr* = **post meridiem**; de l'après-midi / du soir; ***2 p.m.*** deux heures de l'après-midi; ***12 p.m.*** midi

PMS [piːem'es] *n abbr* = **pre-menstrual syndrome** SPM *m* (*syndrome prémenstruel*)

PMT [piːem'tiː] *n Br abbr* = **pre-menstrual tension** TPM *f* (*tension prémenstruelle*)

pneumatic drill [njuːˌmætɪk'drɪl] *n Br* marteau-piqueur *m*

pneumonia [njuː'məʊnɪə] *n* pneumonie *f*

P.O. *abbr* = **post office**

poach¹ [pəʊtʃ] *v/t egg, fish* pocher; ***~ed egg*** œuf *m* poché

poach² **I** *v/t* braconner; *fig idea* voler; *customers* racoler **II** *v/i lit* braconner (***for sth*** qc) **poacher** ['pəʊtʃəʳ] *n* braconnier *m* **poaching** ['pəʊtʃɪŋ] *n* braconnage *m*

P.O. box *n* BP *f* (*boîte postale*)

pocket ['pɒkɪt] **I** *n* **1.** poche *f*; (*in suitcase, file etc.*) poche *f*; POOL GAME blouse *f*; ***to be in sb's ~*** *fig* être à la solde de qn; ***to live in each other's*** *or* ***one another's ~s*** (*Br fig*) être inséparable **2.** (*resources*) ***to be a drain on one's ~*** grever le budget de qn; ***to pay for sth out of one's own ~*** payer qc de sa poche **3.** (*area*) poche *f*; ***~ of resistance*** poche de résistance **II** *adj* de poche **III** *v/t* (*put in one's pocket*) empocher **pocketbook** *n* **1.** (*notebook*) calepin *m* **2.** (*esp US purse*) portefeuille *m* **pocket calculator** *n* calculatrice *f* de poche **pocketful** *n* ***a ~*** une poche pleine **pocketknife** *n* couteau *m* de poche, canif *m* **pocket money** *n esp Br* argent *m* de poche **pocket-size**(**d**) *adj* de poche; ***~ camera*** appareil photo miniature; ***~ TV*** télé miniature

pockmarked ['pɒkmɑːkt] *adj face* grêlé; *surface* criblé de trous

pod [pɒd] **I** *n* BOT cosse *f* **II** *v/t peas* écosser

podcast, podcasting *n* podcast *m*

podgy ['pɒdʒɪ] *adj* ⟨**+er**⟩ (*Br infml*) boulot(te) *infml*; *face* bouffi; ***~ fingers*** doigts boudinés

podiatrist [pɒ'diːətrɪst] *n esp US* pédicure *m/f*

podium ['pəʊdɪəm] *n* estrade *f*; *for winner* podium *m*

poem ['pəʊɪm] *n* poème *m*

poet ['pəʊɪt] *n* (*male*) poète *m*; (*female*) poète *m*, poétesse *f* **poetic** [pəʊ'etɪk] *adj* poétique **poetic license** *n* licence *f* poétique **poet laureate** ['pəʊɪt'lɔːrɪɪt] *n* poète *m* lauréat **poetry** ['pəʊɪtrɪ] *n* **1.** poésie *f*; ***to write ~*** écrire des poèmes **2.** *fig* ***~ in motion*** un instant de pure beauté

pogrom ['pɒgrəm] *n* pogrom *m*

poignancy ['pɔɪnjənsɪ] *n* caractère *m* poignant **poignant** ['pɔɪnjənt] *adj* poignant

point [pɔɪnt] **I** *n* **1.** point *m*; ***~s for / against*** avantages / désavantages; ***to***

win on ~s gagner aux points; (***nought***) ***~ seven*** (***0.7***) zéro virgule sept (0,7); ***up to a ~*** jusqu'à un certain point **2.** (*of needle*) pointe *f* **3.** (*place*, *time*) point *m*; ***at this ~*** (*then*) à ce moment-là; (*now*) maintenant; ***from that ~ on*** à partir de ce moment-là; ***at what ~ …?*** à quel endroit …?; ***at no ~*** jamais; ***at no ~ in the book*** à aucun endroit du livre; ***~ of departure*** point de départ; ***severe to the ~ of cruelty*** sévère au point d'être cruel; ***the ~ of no return*** *fig* le point de non-retour; ***~ of view*** point de vue; ***from my ~ of view*** de mon point de vue; ***from the ~ of view of productivity*** du point de vue de la productivité; ***to be on the ~ of doing sth*** être sur le point de faire qc; ***he was on the ~ of telling me the story when …*** il était sur le point de me raconter l'histoire quand … **4.** (*matter*, *question*) point *m*; ***a useful ~*** une indication utile; ***~ by ~*** point par point; ***my ~ was …*** ce que je voulais dire, c'était …; ***you have a ~ there*** c'est juste; ***to make a ~*** faire une remarque; ***he made the ~ that …*** il fit remarquer que …; ***you've made your ~!*** ça va, j'ai compris!; ***what ~ are you trying to make?*** où est-ce que tu veux en venir?; ***I take your ~, ~ taken*** d'accord; ***do you take my ~?*** est-ce que tu vois ce que je veux dire?; ***a ~ of interest*** un point intéressant; ***a ~ of law*** un point de droit **5.** (*purpose*) intérêt *m*; ***there's no ~ in staying*** ça ne sert à rien de rester; ***I don't see the ~ of carrying on*** je ne vois pas l'intérêt de continuer; ***what's the ~?*** à quoi bon?; ***the ~ of this is …*** l'intérêt de ceci est …; ***what's the ~ of trying?*** à quoi bon essayer?; ***the ~ is that …*** le fait est que …; ***that's the whole ~*** justement; ***that's the whole ~ of doing it this way*** tout l'intérêt était justement de le faire de cette manière; ***the ~ of the story*** la morale de l'histoire; ***that's not the ~*** là n'est pas la question; ***to get*** *or* ***see the ~*** comprendre; ***do you see the ~ of what I'm saying?*** tu comprends ce que je veux dire?; ***to miss the ~*** ne pas comprendre; ***he missed the ~ of what I was saying*** il n'a pas compris ce que je voulais dire; ***to come to the ~*** en venir au fait; ***to keep*** *or* ***stick to the ~*** ne pas s'éloigner du sujet; ***beside the ~*** hors de propos; ***I'm afraid that's beside the ~*** je suis désolé, ça n'a rien à voir; ***a case in ~*** un exemple typique; ***to make a ~ of doing sth*** mettre un point d'honneur à faire qc **6.** (*characteristic*) caractéristique *f*; ***good / bad ~s*** qualités / défauts **II points** *pl* (RAIL, *Br*) aiguillage *m* **III** *v/t* **1.** *gun etc.* braquer, pointer (***at*** sur) **2.** (*show*) indiquer; ***to ~ the way*** indiquer le chemin **3.** *toes* pointer **IV** *v/i* **1.** (*with finger etc.*) montrer (du doigt) (***at, to sb / sth*** qn / qc); ***it's rude to ~*** (***at strangers***) ce n'est pas poli de montrer du doigt (les inconnus); ***he ~ed toward the house*** il montra la maison du doigt **2.** (*indicate*) indiquer; ***everything ~s that way*** tout nous amène à cette conclusion; ***all the signs ~ to success*** tous les signes indiquent que tout ira bien **3.** (*gun etc.*) être braqué sur; (*building*) donner sur ◆ **point out** *v/t sep* montrer; ***to point sth out to sb*** montrer qc à qn; (*mention*) faire remarquer qc à qn; ***could you point him out to me?*** tu peux me montrer qui c'est?; ***may I ~ that …?*** puis-je vous faire remarquer que …?

point-blank [ˈpɔɪntˈblæŋk] **I** *adj* à bout portant; *refusal* catégorique; ***at ~ range*** à bout portant **II** *adv fire* à bout portant; *ask* de but en blanc; *refuse* catégoriquement

pointed [ˈpɔɪntɪd] *adj* **1.** pointu **2.** *question*, *look* lourd de sous-entendus; *reference* explicite; *comment*, *remark* acerbe; *absence*, *gesture* ostensible; ***that was rather ~*** c'est plutôt clair

pointedly [ˈpɔɪntɪdlɪ] *adv speak* d'un ton plein de sous-entendus; *refer* explicitement; *stay away* ostensiblement

pointer [ˈpɔɪntəʳ] *n* **1.** (*indicator*) indication *f* **2.** (*stick*) baguette *f* **3.** IT pointeur *m* **4.** *fig* indication *f* **pointless** *adj* inutile; ***it is ~ her going*** *or* ***for her to go*** il est inutile qu'elle y aille; ***a ~ exercise*** une perte de temps **pointlessly** *adv* inutilement **pointlessness** *n* inutilité *f*

poise [pɔɪz] **I** *n* **1.** (*of head, body*) port *m*; (*grace*) grâce *f* **2.** (*self-possession*) sang-froid *m* **II** *v/t* mettre en équilibre; ***to hang ~d*** (*bird*) planer; (*sword*) être suspendu; ***the tiger was ~d ready to spring*** le tigre se tenait prêt à bondir; ***we sat ~d on the edge of our chairs*** nous étions assis sur le bord de nos chaises **poised** *adj* **1.** (*ready*) prêt; ***to be ~ to do sth*** être prêt à faire qc; ***to be ~ for sth*** être prêt pour qc; ***the en-***

emy are ~ to attack l'ennemi est prêt pour l'attaque; ***he was ~ to become champion*** il allait devenir champion; ***to be ~ on the brink of sth*** être à deux doigts de qc **2.** (*self-possessed*) posé

poison ['pɔɪzn] **I** *n* poison *m* **II** *v/t* empoisonner; *atmosphere, rivers* contaminer; ***to ~ sb's mind against sb*** monter qn contre qn **poisoned** *adj* empoisonné **poisoning** ['pɔɪznɪŋ] *n* empoisonnement *m*

poisonous ['pɔɪznəs] *adj plant* vénéneux(-euse); ***~ snake*** serpent venimeux **poison-pen letter** *n* lettre *f* anonyme (*d'insulte ou de menace*)

poke [pəʊk] **I** *n* coup *m*; ***to give sb/sth a ~*** (*with stick*) donner un coup à qn/dans qc; (*with finger*) pousser qn/qc du doigt **II** *v/t* **1.** (*jab*) (*with stick*) pousser; (*with finger*) enfoncer; ***to ~ the fire*** tisonner le feu; ***he accidentally ~d me in the eye*** il m'a mis le doigt dans l'œil par inadvertance **2.** ***to ~ one's finger into sth*** enfoncer son doigt dans qc; ***he ~d his head around the door*** il a passé la tête par la porte **3.** *hole* faire **III** *v/i* ***to ~ at sth*** toucher qc du bout du doigt; ***she ~d at her food with a fork*** elle jouait avec sa nourriture du bout de sa fourchette ◆ **poke around** *or Br* **about** *v/i* **1.** (*prod*) fouiller **2.** (*infml nose around*) fouiner *infml* ◆ **poke out I** *v/i* dépasser **II** *v/t sep* **1.** (*extend*) sortir **2.** ***he poked the dirt out with his fingers*** il a sorti la saleté avec ses doigts; ***to poke sb's eye out*** crever les yeux à qn

poker ['pəʊkər] *n* CARD poker *m* **poker-faced** ['pəʊkə'feɪst] *adj* au visage impassible

poky ['pəʊkɪ] *adj* ⟨+er⟩ *pej* exigu(ë); ***it's so ~ in here*** c'est si exigu ici

Poland ['pəʊlənd] *n* Pologne *f*

polar ['pəʊlər] *adj* polaire **polar bear** *n* ours *m* polaire **polar circle** *n* cercle *m* polaire **polarize** ['pəʊləraɪz] **I** *v/t* polariser **II** *v/i* se polariser

Polaroid® ['pəʊlərɔɪd] *n* (*camera*) polaroïd® *m*; (*photograph*) photo polaroïd®

Pole [pəʊl] *n* Polonais(e) *m*(*f*)

pole[1] [pəʊl] *n* poteau *m*; (*for vaulting*) perche *f*

pole[2] *n* GEOG, ASTRON, ELEC pôle *m*; ***they are ~s apart*** ils sont aux antipodes l'un de l'autre

polemical [pɒ'lemɪkəl] *adj* polémique

pole position *n* MOTORING RACING pole position *f*; ***to be*** *or* ***start in ~*** être en pole position **pole star** *n* étoile *f* Polaire **pole vault** *n* saut *m* à la perche **pole-vaulter** *n* sauteur(-euse) *m*(*f*) à la perche, perchiste *m/f*

police [pə'liːs] **I** *n* police *f*; ***to join the ~*** entrer dans la police; ***he is in the ~*** il est dans la police; ***hundreds of ~*** des centaines de policiers **II** *v/t* maintenir l'ordre dans **police car** *n* voiture *f* de police **police constable** *n Br* agent *m* de police **police dog** *n* chien *m* policier **police force** *n* police *f* **police headquarters** *n sg or pl* quartier *m* général de la police

policeman, policewoman *n* agent *m* de police, femme *f* agent de police **police officer** *n* fonctionnaire *m/f* de la police **police presence** *n* présence *f* policière **police station** *n* commissariat *m* de police **policing** [pə'liːsɪŋ] *n* maintien *m* de l'ordre

policy[1] ['pɒlɪsɪ] *n* **1.** politique *f*; (*principle*) principe *m*; ***our ~ on recruitment*** notre politique de recrutement; ***a ~ of restricting immigration*** une politique de limitation de l'immigration; ***a matter of ~*** une question de principe; ***your ~ should always be to give people a second chance*** par principe, vous devriez toujours donner une seconde chance aux gens; ***my ~ is to wait and see*** ma politique, c'est de voir venir **2.** (*prudence*) (bonne) politique *f*; ***it was good/bad ~*** c'était une bonne/mauvaise politique

policy[2] *n* (*a.* **insurance policy**) police *f* d'assurance; ***to take out a ~*** souscrire une police d'assurance

polio ['pəʊlɪəʊ] *n* polio *f*

Polish ['pəʊlɪʃ] **I** *adj* polonais **II** *n* LING polonais *m*

polish ['pɒlɪʃ] **I** *n* **1.** (*shoe polish*) cirage *m*; (*floor polish*) encaustique *f*; (*furniture polish*) cire *f*; (*metal polish*) produit *m* d'entretien; (*nail polish*) vernis *m* **2.** ***to give sth a ~*** faire briller qc; *floor* cirer qc **3.** (*shine*) éclat *m* **II** *v/t lit* faire briller; *floor* cirer ◆ **polish off** *v/t sep infml food* finir, liquider *infml* ◆ **polish up** *v/t sep* **1.** faire briller **2.** *fig style* peaufiner; *one's French* perfectionner; *work* parfaire

polished ['pɒlɪʃt] *adj* **1.** *furniture* poli; *floor* ciré **2.** *style etc.* peaufiné; *per-*

formance impeccable

polite [pə'laɪt] *adj* ⟨**+er**⟩ poli; ***to be ~ to sb*** être poli avec qn **politeness** [pə'laɪtnɪs] *n* politesse *f*

political [pə'lɪtɪkəl] *adj* politique **political asylum** *n* asile *m* politique; ***he was granted ~*** on lui a accordé l'asile politique **political correctness** *n* politiquement correct *m* **politically** [pə'lɪtɪkəlɪ] *adv* politiquement **politically correct** *adj* politiquement correct **politically incorrect** *adj* qui n'est pas politiquement correct **political party** *n* parti *m* politique **political prisoner** *n* prisonnier(-ière) *m(f)* politique

politician [ˌpɒlɪ'tɪʃən] *n* (*male*) homme *m* politique; (*female*) femme *f* politique

politics ['pɒlɪtɪks] *n* politique *f*; (*views*) opinions *fpl* politiques; ***to go into ~*** entrer en politique; ***interested in ~*** intéressé par la politique; ***office ~*** politique interne

polka ['pɒlkə] *n* polka *f* **polka dot** ['pɒlkədɒt] **I** *n* pois *m* **II** *adj* à pois

poll [pəʊl] **I** *n* **1.** POL (*voting*) vote *m*; (*election*) scrutin *m*; ***a ~ was taken among the villagers*** un vote a eu lieu parmi les villageois; ***they got 34% of the ~*** ils ont eu 34% des voix **2.** **~*s*** (*election*) élections *fpl*; ***to go to the ~s*** aller aux urnes, aller voter; ***a crushing defeat at the ~s*** une défaite écrasante aux élections **3.** (*opinion poll*) sondage *m*; ***a telephone ~*** un sondage téléphonique **II** *v/t* **1.** *votes* réunir **2.** (*in opinion poll*) sonder

pollen ['pɒlən] *n* pollen *m* **pollen count** *n* taux *m* de pollen **pollinate** ['pɒlɪneɪt] *v/t* polliniser **pollination** [ˌpɒlɪ'neɪʃən] *n* pollinisation *f*

polling ['pəʊlɪŋ] *n* élections *fpl* **polling booth** *n Br* isoloir *m* **polling card** *n Br* carte *f* d'électeur **polling day** *n Br* jour *m* des élections **polling station, polling place** *n* bureau *m* de vote

poll tax *n* capitation *f*

pollutant [pə'luːtənt] *n* polluant *m*

pollute [pə'luːt] *v/t* polluer **polluter** [pə'luːtəʳ] *n* pollueur(-euse) *m(f)*

pollution [pə'luːʃən] *n* (*of atmosphere, environment*) pollution *f*

polo ['pəʊləʊ] *n* polo *m* **polo neck** *Br* **I** *n* (*sweater*) col *m* roulé **II** *adj* **~ *sweater*** pull *m* à col roulé

poltergeist ['pɒltəgaɪst] *n* esprit *m* frappeur

polyester [ˌpɒlɪ'estəʳ] *n* polyester *m*

polygamy [pɒ'lɪgəmɪ] *n* polygamie *f*

polystyrene® [ˌpɒlɪ'staɪriːn] *Br* **I** *n* polystyrène *m* **II** *adj* en polystyrène

polysyllabic [ˌpɒlɪsɪ'læbɪk] *adj* polysyllabique

polytechnic [ˌpɒlɪ'teknɪk] *n Br* ≈ IUT m (*institut universitaire de technologie*)

polythene ['pɒlɪθiːn] *n Br* polyéthylène *m*, polythène *m*; **~ *bag*** sac *m* en plastique

polyunsaturated [ˌpɒlɪʌn'sætʃəreɪtɪd] *adj* polyinsaturé; **~ *fats*** graisses polyinsaturées

pomegranate ['pɒməˌgrænɪt] *n* grenade *f*

pomp [pɒmp] *n* pompe *f*

pompom ['pɒmpɒm] *n* pompon *m*

pomposity [pɒm'pɒsɪtɪ] *n* (*of person*) manières *fpl* pompeuses; (*of language*) ton *m* pompeux **pompous** ['pɒmpəs] *adj person* suffisant; *language* pompeux(-euse) **pompously** ['pɒmpəslɪ] *adv speak* sur un ton pompeux; *write* dans un style pompeux; *behave* pompeusement

poncy ['pɒnsɪ] *adj* ⟨**+er**⟩ (*Br infml*) *walk, actor* efféminé *infml*

pond [pɒnd] *n* étang *m*

ponder ['pɒndəʳ] **I** *v/t* réfléchir à **II** *v/i* réfléchir (***on, over*** sur)

ponderous ['pɒndərəs] *adj* pesant

pong [pɒŋ] (*Br infml*) **I** *n* puanteur *f*; ***there's a bit of a ~ in here*** ça schlingue un peu ici *infml* **II** *v/i* schlinguer *infml*

pony ['pəʊnɪ] *n* poney *m* **ponytail** *n* queue *f* de cheval; ***she was wearing her hair in a ~*** elle avait une queue de cheval **pony trekking** *n Br* randonnée *f* à cheval

poo [puː] *n, v/i baby talk* = **pooh** *II, III*

pooch [puːtʃ] *n infml* clebs *m infml*

poodle ['puːdl] *n* caniche *m*

poof(ter) ['pʊf(təʳ)] *n* (*obs Br pej, infml*) tapette *f pej, infml*

pooh [puː] **I** *int* bah! **II** *n baby talk* caca *m baby talk*; ***to do a ~*** faire caca *baby talk* **III** *v/i baby talk* faire caca *baby talk*

pool¹ [puːl] *n* **1.** flaque *f* **2.** (*of rain*) flaque *f* (d'eau) **3.** (*of liquid*) flaque *f*; ***a ~ of blood*** une mare de sang **4.** (*swimming pool*) piscine *f*; (*building*) piscine *f*; ***to go to the*** (***swimming***) **~** aller à la piscine

pool² **I** *n* **1.** (*fund*) fonds *m* commun **2.** (*typing pool*) bureau *m* de dactylos **3.**

(*car pool*) groupe de personnes pratiquant le covoiturage **4. pools** *pl Br* ***the ~s*** ≈ le loto sportif; ***to do the ~s*** ≈ jouer au loto sportif; ***he won £1000 on the ~s*** ≈ il a gagné 1000£ au loto sportif **5.** (*table ballgame*) billard *m* américain **II** *v/t resources* mettre en commun; *efforts* unir

pool attendant *n* maître *m* nageur **pool hall** *n* salle *f* de billard **pool table** *n* table *f* de billard

poop [puːp] *v/t* (*infml exhaust*) crever *infml*

pooper scooper ['puːpə'skuːpər] *n infml* ramasse-crottes *m infml*

poor [pʊər] **I** *adj* ⟨**+er**⟩ **1.** pauvre; ***to get** or **become ~er*** s'appauvrir; ***he was now one thousand dollars (the) ~er*** il avait perdu mille dollars; ***you ~ (old) thing*** *infml* pauvre petit *infml*; ***~ you!*** mon pauvre!; ***she's all alone, ~ woman*** elle est toute seule, la pauvre; ***~ things, they look cold*** les pauvres, ils ont l'air d'avoir froid; ***~ relation*** (*Br fig*) parent *m* pauvre **2.** (*not good*) mauvais; (*meager*) maigre; *leadership* médiocre; ***a ~ substitute*** un piètre substitut; ***a ~ chance of success*** peu de chances de réussite; ***that's ~ consolation*** c'est une maigre consolation; ***he has a ~ grasp of the subject*** il maîtrise mal le sujet **II** *pl* ***the ~*** les pauvres *mpl* **poorly** ['pʊəlɪ] **I** *adv* **1.** pauvrement; ***~ off*** *Br* pauvre **2.** (*badly*) mal; ***~-attended*** peu fréquenté; ***~-educated*** qui n'a pas un bon niveau d'instruction; ***~-equipped*** mal équipé; ***to do ~ (at sth)*** mal s'en sortir (à qc) **II** *adj pred* (*Br sick*) souffrant; ***to be** or **feel ~*** être souffrant

pop¹ [pɒp] *n* (*esp US infml*) (*father*) papa *m*

pop² **I** *n* **1.** (*sound*) bruit *m* sec **2.** (*fizzy drink*) boisson *f* gazeuse **II** *adv* ***to go ~*** (*cork*) sauter; (*balloon*) éclater; ***~!*** crac! **III** *v/t* **1.** *balloon* crever **2.** (*esp Br infml put*) mettre; ***to ~ a letter into the postbox*** *Br* mettre une lettre à la boîte; ***he ~ped his head round the door*** *Br* il a passé la tête par la porte; ***to ~ a jacket on*** *Br* mettre une veste; ***to ~ the question*** faire sa demande (en mariage) **IV** *v/i infml* **1.** (*cork*) sauter; (*balloon*) éclater; (*ears*) se déboucher; ***his eyes were ~ping out of his head*** il avait les yeux exorbités **2.** *Br* ***to ~ along/down to the baker's*** faire un saut à la boulangerie; ***I'll just ~ upstairs*** je fais un saut à l'étage; ***~ round sometime*** passe me voir à l'occasion ◆ **pop back** (*Br infml*) **I** *v/t sep* remettre; ***pop it back in(to) the box*** remets-la dans la boîte **II** *v/i* revenir ◆ **pop in** (*Br infml*) **I** *v/t sep* mettre dans; ***to pop sth in(to) sth*** mettre qc dans qc **II** *v/i* (*visit*) ne faire que passer; ***to ~ for a short chat*** passer pour discuter rapidement; ***we just popped into the pub*** on est passé rapidement au pub; ***just ~ any time*** passe quand tu veux ◆ **pop off** *v/i* (*Br infml go off*) partir *infml* (**to** pour) ◆ **pop out** *v/i infml* **1.** (*eyes*) sortir **2.** (*Br* (*go out*)) sortir; ***he has just popped out for a beer*** il est allé se prendre une petite bière; ***he has just popped out to the shops*** il est juste allé faire des courses ◆ **pop up** *infml* **I** *v/t sep head* redresser **II** *v/i* **1.** (*appear suddenly*) apparaître inopinément; (*head*) surgir **2.** (*come up*) sortir *infml*; (*go up*) se pointer *infml*

pop concert *n esp Br* concert *m* de pop

popcorn *n* pop-corn *m*

Pope [pəʊp] *n* pape *m*

pop group *Br n* groupe *m* de pop **popgun** *n* pistolet *m* à bouchon **pop icon** *n* icône *f* pop

poplar ['pɒplər] *n* peuplier *m*

pop music *n* musique *f* pop

poppy ['pɒpɪ] *n* pavot *m*; (*wild*) coquelicot *m* **Poppy Day** *n Br* ≈ Armistice (*dimanche de novembre consacré à la commémoration des soldats britanniques morts pendant les deux Guerres mondiales*) **poppy seed** *n* graine *f* de pavot

Popsicle® ['pɒpsɪkl] *n US* sucette *f* glacée

pop singer *n* chanteur(-euse) *m(f)* de pop **pop song** *n* chanson *f* pop **pop star** *n* pop star *f*

populace ['pɒpjʊlɪs] *n* population *f*; (*masses*) populace *f pej*

popular ['pɒpjʊlər] *adj* **1.** (*well-liked*) populaire (**with** auprès de); ***he was a very ~ choice*** il était le plus populaire **2.** (*for general public*) grand public; *music* populaire; ***~ appeal*** appel populaire; ***~ science*** science pour tous **3.** *belief* populaire; ***contrary to ~ opinion*** contrairement aux idées reçues; ***fruit teas are becoming increasingly ~*** les thés aux fruits sont de plus en plus appréciés

4. POL *support* de la population; *vote* universel; *demand* général; ***~ uprising*** insurrection populaire; ***by ~ request*** à la demande générale **popular culture** *n* culture *f* populaire **popularity** [ˌpɒpjʊ'lærɪtɪ] *n* popularité *f*; ***he'd do anything to win ~*** il ferait n'importe quoi pour être populaire; ***the sport is growing in ~*** le sport devient de plus en plus populaire **popularize** ['pɒpjʊləraɪz] *v/t* **1.** (*make well-liked*) rendre populaire **2.** (*make understandable*) *science, ideas* vulgariser **popularly** ['pɒpjʊləlɪ] *adv* généralement; ***he is ~ believed to be rich*** les gens croient qu'il est riche; ***to be ~ known as sb / sth*** être connu de tous sous le nom de qn / qc

populate ['pɒpjʊleɪt] *v/t* (*inhabit*) peupler; (*colonize*) coloniser; ***~d by*** peuplé par; ***this area is ~d mainly by immigrants*** ce quartier est principalement peuplé d'immigrés; ***densely ~d areas*** des régions à forte densité de population; ***densely ~d cities*** des villes densément peuplées

population [ˌpɒpjʊ'leɪʃən] *n* (*of town, region, country*) population *f*; (*number of inhabitants*) population *f*; ***the growing ~ of London*** l'accroissement de la population de Londres **populous** ['pɒpjʊləs] *adj country, town* très peuplé

pop-up ['pɒpʌp] **I** *adj book* animé; ***~ menu*** IT menu flottant *or* surgissant **II** *n* IT fenêtre *f* intruse, pop-up *m*

porcelain ['pɔːsəlɪn] **I** *n* porcelaine *f* **II** *adj* en porcelaine

porch [pɔːtʃ] *n US* véranda *f*; *Br* porche *m*

porcupine ['pɔːkjʊpaɪn] *n* porc-épic *m*

pore [pɔːʳ] *n* pore *m*; ***in / from every ~*** *fig* par tous ses pores ◆ **pore over** *v/t insep* être plongé dans; ***to ~ one's books*** être plongé dans ses livres

pork [pɔːk] *n* porc *m* **pork chop** *n* côtelette *f* de porc **pork pie** *n Br* ≈ pâté *m* en croûte **pork sausage** *n Br* saucisse *f* de porc **porky** ['pɔːkɪ] *infml* **I** *adj* ⟨**+er**⟩ (*fat*) gras(se) **II** *n* bobard *m infml*

porn [pɔːn] *infml* **I** *n* porno *m infml*; ***soft ~*** porno soft; ***hard ~*** porno hard **II** *adj* (de) porno *infml*; ***~ shop*** *Br* sex shop *infml* **porno** ['pɔːnəʊ] *infml* **I** *n* porno *m infml* **II** *adj* porno *infml* **pornographic** [ˌpɔːnə'græfɪk] *adj* pornographique **pornographically** [ˌpɔːnə'græfɪkəlɪ] *adv* pornographiquement **pornography** [pɔː'nɒgrəfɪ] *n* pornographie *f*

porous ['pɔːrəs] *adj rock* poreux(-euse)

porridge ['pɒrɪdʒ] *n Br* bouillie *f* de flocons d'avoine, porridge *m*

port¹ [pɔːt] *n* port *m*; ***~ of call*** port d'escale; ***any ~ in a storm*** (*prov*) nécessité fait loi (*prov*)

port² *n* IT port *m*

port³ **I** *n* (NAUT, AVIAT *left side*) bâbord *m* **II** *adj* de bâbord

port⁴ *n* (*a.* **port wine**) porto *m*

portable ['pɔːtəbl] **I** *adj* **1.** *computer, toilets* portable; *generator* portatif(-ive); ***easily ~*** facile à transporter; ***~ radio*** radio portable **2.** *software* portable **II** *n* (*computer*) portable *m*, ordinateur *m* portable; (*TV*) téléviseur *m* portable

portal ['pɔːtl] *n* IT portail *m*

porter ['pɔːtəʳ] *n* (*of office etc.*) gardien(ne) *m(f)*; *Br* (*hospital porter*) brancardier(-ière) *m(f)*; (*at hotel*) portier *m*; RAIL porteur(-euse) *m(f)*

portfolio [pɔːt'fəʊlɪəʊ] *n* **1.** FIN portefeuille *m* **2.** (*of artist*) portfolio *m*

porthole ['pɔːthəʊl] *n* hublot *m*

portion ['pɔːʃən] *n* **1.** (*piece*) portion *f*; (*of ticket*) partie *f*; ***my ~*** ma part **2.** (*of food*) portion *f*

portrait ['pɔːtrɪt] *n* portrait *m*; ***to have one's ~ painted*** se faire peindre; ***to paint a ~ of sb*** peindre le portrait de qn **portrait painter** *n* portraitiste *m/f*

portray [pɔː'treɪ] *v/t* **1.** représenter **2.** (*paint*) peindre **portrayal** [pɔː'treɪəl] *n* description *f*

Portugal ['pɔːtjʊgəl] *n* Portugal *m*

Portuguese [ˌpɔːtjʊ'giːz] **I** *adj* portugais; ***he is ~*** il est portugais **II** *n* **1.** Portugais(e) *m(f)* **2.** LING portugais *m*

pose [pəʊz] **I** *n* pose *f* **II** *v/t* **1.** *question* poser **2.** *difficulties* poser, comporter; *threat* constituer **III** *v/i* **1.** (*model*) poser; ***to ~ (in the) nude*** poser nu **2.** ***to ~ as*** poser en **poser** ['pəʊzəʳ] *n* poseur (-euse) *m(f)*

posh [pɒʃ] *infml adj* ⟨**+er**⟩ chic

position [pə'zɪʃən] **I** *n* **1.** position *f*; (*of microphone, statue etc.*) emplacement *m*; (*of town, house etc.*) situation *f*; (*of plane, ship,* SPORTS) position *f*; MIL emplacement *m*; ***to be in ~*** être en place; ***to be out of ~*** être déplacé; ***what ~ do you play?*** à quelle place jouez-vous?; ***he was in fourth ~*** il était en quatrième position **2.** (*posture*) posture *f*; (*in love-making*) position *f*; ***in a sitting ~*** en position assise **3.** (*standing*) position *f*; (*job*) poste *m*; ***a ~ of trust*** un poste de confiance; ***to be in a ~ of power*** être en position de pouvoir **4.** (*fig situation*) situation *f*; ***to be in a ~ to do sth*** être en mesure de faire qc **5.** (*fig point of view*) position *f*, opinion *f*; ***what is the government's ~ on ...?*** quelle est la position du gouvernement sur ...? **II** *v/t microphone*, *guards* placer; *soldiers* poster; IT *cursor* positionner; ***he ~ed himself where he could see her*** il s'est mis à un endroit d'où il pouvait la voir

positive ['pɒzɪtɪv] **I** *adj* **1.** (*affirmative*) positif(-ive); *criticism* constructif(-ive); ***~ pole*** pôle positif; ***he is a very ~ person*** c'est quelqu'un de très positif; ***to take ~ action*** prendre des mesures visant à réduire les inégalités **2.** *answer* affirmatif(-ive); *evidence* irréfutable; ***to be ~ that ...*** être certain que ...; ***to be ~ about*** *or* ***of sth*** être sûr de qc; ***are you sure? — ~*** tu es sûr? — sûr et certain; ***this is a ~ disgrace*** c'est une véritable honte; ***a ~ genius*** un véritable génie **II** *adv* **1.** MED ***to test ~*** être positif **2.** ***to think ~*** être positif **positive feedback** *n* ***to get ~*** (***about sb / sth***) recevoir des réactions positives (sur qn / qc) **positively** ['pɒzɪtɪvlɪ] *adv* **1.** (*affirmatively*) de façon positive **2.** (*definitely*) formellement; ***to test ~ for drugs*** faire l'objet d'un contrôle antidopage positif **3.** (*absolutely*) carrément; (*emph actively*) activement; ***Jane doesn't mind being photographed, she ~ loves it*** cela ne dérange pas Jane qu'on la photographie, en fait elle adore ça

posse ['pɒsɪ] *n US* détachement *m*; *fig* petite troupe *f*

possess [pə'zes] *v/t* posséder, avoir; *form facts* disposer de; ***to be ~ed by demons*** être possédé par des démons; ***like a man ~ed*** comme un possédé; ***whatever ~ed you to do that?*** qu'est-ce qui t'a pris de faire ça?

possession [pə'zeʃən] *n* possession *f*; ***to have sth in one's ~*** avoir qc en sa possession; ***to have ~ of sth*** posséder qc; ***to take ~ of sth*** prendre possession de qc; ***to get ~ of sth*** obtenir qc; ***to be in ~ of sth*** être en possession de qc; ***all his ~s*** tous ses biens **possessive** [pə'zesɪv] **I** *adj* possessif(-ive); ***to be ~ about sth*** ne pas vouloir partager qc **II** *n* GRAM possessif *m* **possessively** [pə'zesɪvlɪ] *adv* (*about things*, *toward people*) d'une façon possessive **possessiveness** [pə'zesɪvnɪs] *n* possessivité *f* (*about* avec; *toward* envers) **possessive pronoun** *n* GRAM pronom *m* possessif **possessor** [pə'zesə^r] *n* propriétaire *m*/*f*

possibility [ˌpɒsə'bɪlɪtɪ] *n* possibilité *f*; ***there's not much ~ of success*** il n'y a pas beaucoup de chances que ça marche; ***the ~ of doing sth*** la possibilité de faire qc; ***it's a distinct ~ that ...*** il est bien possible que ...; ***there is a ~ that ...*** il est possible que ...

> **possibility**
>
> La meilleure traduction du mot français possibilité est souvent **opportunity** :
>
> ✓ **There are more opportunities to get a good job in the city.**
> × **There are more possibilities to get a good job in the city.**
>
> Il y a plus de possibilités de trouver un bon poste en ville.
>
> Dans d'autres cas, **can** ou **could,** ou encore une locution comme **have time** sont les traductions qui conviennent le mieux :
>
> ✓ **If you have time, we could go to a movie.**
> × **If you have the possibility, we could go to a movie.**
>
> Si vous avez la possibilité, on pourrait aller au cinéma.

possible ['pɒsəbl] **I** *adj* possible; ***anything is ~*** tout est possible; ***as soon as ~*** dès que possible; ***the best ~ ...*** le meilleur ... possible; ***if*** (***at all***) ***~*** si possible; ***it's just ~ that I'll see you before then*** il n'est pas impossible que je vous vois encore avant; ***no ~ excuse*** aucune excuse possible; ***the only ~ choice, the only choice ~*** le seul choix possible; ***it will be ~ for you to return the same day*** vous pourrez rentrer le même jour; ***to make sth ~*** rendre qc possible; ***to make it ~ for sb to do sth*** faire en sorte que que qn puisse faire qc; ***where ~*** quand c'est possible; ***wherever ~*** dans la mesure du possible **II** *n* ***he is a ~ for the Mexican team*** c'est un joueur éventuel pour l'équipe mexicaine **possibly** ['pɒsəblɪ] *adv* **1.** ***I couldn't ~ do that*** je ne peux absolument pas le faire; ***nobody could ~ tell the difference*** personne ne pourrait voir la différence; ***very** or **quite ~*** c'est tout à fait possible; ***how could he ~ have known that?*** mais comment est-ce qu'il aurait pu le savoir?; ***he did all he ~ could*** il a fait tout son possible; ***I made myself as comfortable as I ~ could*** je me suis installé aussi confortablement que j'ai pu; ***if I ~ can*** si je peux **2.** (*perhaps*) peut-être; ***~ not*** peut-être pas

post¹ [pəʊst] **I** *n* (*pole*) poteau *m*; (*lamp post*) réverbère; (*telegraph post*) poteau *m* télégraphique; ***a wooden ~*** un poteau en bois; ***finishing ~*** poteau d'arrivée **II** *v/t* (*display*: *a.* **post up**) afficher

post² **I** *n* **1.** (*Br job*) poste *m*, situation *f*; ***to take up a ~*** entrer en fonction; ***to hold a ~*** occuper un poste **2.** MIL poste *m*; ***a border ~*** un poste militaire **II** *v/t* (*send*) envoyer; MIL poster

post³ **I** *n* (*Br mail*) poste *f*; ***by ~*** par la poste; ***it's in the ~*** c'est déjà parti par la poste; ***to catch the ~*** (*person*) avoir la levée; ***to miss the ~*** (*person*) manquer la levée; ***there is no ~ today*** (*no delivery*) il n'y a pas de courrier aujourd'hui; (*no letters*) il n'y a pas eu de courrier aujourd'hui; ***has the ~ been?*** le facteur est passé? **II** *v/t* **1.** (*Br put in the post*) mettre à la poste; (*in letterbox*) poster; (*send by post*) envoyer par la poste; (IT *by e-mail*) envoyer par email; (*on internet*) poster; ***I ~ed it to you on Monday*** je te l'ai envoyé lundi **2.** ***to keep sb ~ed*** tenir qn au courant ◆ **post off** *v/t sep Br* expédier

post- [pəʊst-] *pref* post-

postage ['pəʊstɪdʒ] *n* affranchissement *m*, frais *mpl* de port; ***~ and handling*** frais de port et de manutention; ***~ paid*** port payé **postage stamp** *n* timbre-poste *m*

postal ['pəʊstl] *adj* postal **postal address** *n* adresse *f* postale **postal code** *n Br* code *m* postal **postal order** *n Br* mandat *m* postal **postal service** *n* service *m* postal **postal vote** *n Br* vote *m* par correspondance; ***to have a ~*** voter par correspondance **postal worker** *n* employé(e) *m(f)* des postes, postier (-ière) *m(f)*

postbag *n Br* sac *m* postal **postbox** *n Br* boîte *f* à *or* aux lettres

postcard *n* carte *f* postale; ***picture ~*** carte postale illustrée **post code** *n Br* code *m* postal

postdate *v/t* postdater **postedit** *v/t & v/i* IT retravailler

poster ['pəʊstəʳ] *n* affiche *f*, poster *m*

posterior [pɒ'stɪərɪəʳ] *n hum* postérieur *m hum*

posterity [pɒ'sterɪtɪ] *n* postérité *f*

post-free *adj*, *adv* (en) port payé **postgraduate** **I** *n* ≈ étudiant(e) *m(f)* de troisième cycle *m* **II** *adj* ≈ de troisième cycle; ***~ course*** ≈ troisième cycle; ***~ degree*** ≈ diplôme de troisième cycle; ***~ student*** ≈ étudiant de troisième cycle

posthumous ['pɒstjʊməs] *adj* posthume **posthumously** ['pɒstjʊməslɪ] *adv* à titre posthume

posting ['pəʊstɪŋ] *n* (*transfer*, *assignment*) affectation *f*; ***he's got a new ~*** il a eu une nouvelle affectation

Post-it®, Post-it note *n* post-it® *m*

postman *n Br* facteur *m* **postmark** **I** *n* cachet *m* de la poste **II** *v/t* tamponner; ***the letter is ~ed "New Jersey"*** la lettre porte le cachet du New Jersey

postmodern *adj* postmoderne **postmodernism** *n* postmodernisme *m* **postmortem** [ˌpəʊst'mɔːtəm] *n* (*a.* **postmortem examination**) autopsie *f* **postnatal** *adj* postnatal

post office *n* bureau *m* de poste, poste *f*; ***the Post Office*** la Poste; ***~ box*** boîte postale **post-paid** **I** *adj* port payé; *envelope* pré-affranchi **II** *adv* port payé

postpone [pəʊst'pəʊn] *v/t* reporter; ***it has been ~d till Tuesday*** elle a été reportée à mardi **postponement** *n* (*act*, *result*) report *m* **postscript(um)** ['pəʊstskrɪpt(əm)] *n* (*to letter*) post-scriptum *m*; (*to book etc.*) postface *f*

posture ['pɒstʃəʳ] **I** *n* posture *f*; *pej* pose *f* **II** *v/i* poser

post-war *adj* d'après-guerre; ***~ era*** années *fpl* d'après-guerre

postwoman *n esp Br* factrice *f*

pot [pɒt] **I** *n* **1.** pot *m*; (*teapot*) théière *f*; ***to go to ~*** *infml* (*person*, *business*) aller à la ruine; (*plan*, *arrangement*) tomber à l'eau *infml* **2.** (*Br infml*) ***to have ~s of money*** rouler sur l'or **3.** (*infml marijuana*) herbe *f infml* **II** *v/t* **1.** *plant* mettre en pot **2.** BILLIARDS *ball* mettre

potassium [pə'tæsɪəm] *n* potassium *m*

potato [pə'teɪtəʊ] *n* ⟨*pl* **-es**⟩ pomme *f* de terre **potato chip** *n* **1.** *esp US* chips *f* **2.** (*Br chip*) frite *f* **potato crisp** *n Br* chips *f* **potato masher** *n* presse-purée *m* **potato peeler** *n* épluche-légumes *m*, économe *m* **potato salad** *n* salade *f* de pommes de terre

potbellied ['pɒt'belɪd] *adj* ventru; (*through hunger*) au ventre ballonné **potbelly** *n* (*from overeating*) gros ventre *m*; (*from malnutrition*) ventre *m* ballonné

potency ['pəʊtənsɪ] *n* (*of drug etc.*) puissance *f*; (*of image*) puissance *f*, force *f*

potent ['pəʊtənt] *adj* fort; *argument etc.* convaincant; *reminder* impressionnant

potential [pəʊ'tenʃəl] **I** *adj* potentiel(le) **II** *n* potentiel *m*; ***~ for growth*** potentiel de croissance; ***to have ~*** avoir du potentiel; ***he shows a lot of ~*** il a beaucoup de potentiel; ***to achieve** or **fulfill** or **realize one's ~*** réaliser son potentiel; ***to have great ~ (as / for)*** avoir beaucoup de potentiel (en tant que / pour); ***to have the ~ to do sth*** être tout à fait capable de faire qc; ***to have no ~*** ne pas avoir de potentiel; ***to have little ~*** avoir peu de potentiel; ***she has management ~*** elle a l'étoffe d'un manager **potentially** [pəʊ'tenʃəlɪ] *adv* potentiellement; ***~, these problems are very serious*** ces problèmes pourraient devenir très sérieux

pothole ['pɒthəʊl] *n* **1.** (*in road*) nid-de-poule *m* **2.** GEOL caverne *f*

potion ['pəʊʃən] *n* potion *f*

pot luck *n* ***to take ~*** s'en remettre au hasard; ***we took ~ and went to the nearest bar*** nous avons tenté notre chance et nous sommes allés au bar le plus proche **pot plant** *n* plante *f* verte

potpourri [ˌpəʊ'pʊrɪ] *n lit* pot-pourri *m*

pot roast *n* rôti *m* braisé **pot shot** *n* ***to take a ~ at sb / sth*** tirer à vue sur qn / qc

potted ['pɒtɪd] *adj* **1.** *meat* en terrine; ***~ plant*** plante *f* verte **2.** (*shortened*) abrégé

potter¹ ['pɒtə^r] *n* potier(-ière) *m*(*f*)

potter² *Br v/i* = **putter**

pottery ['pɒtərɪ] *n* (*workshop, craft*) poterie *f*; (*pots*) poteries *fpl*; (*glazed*) faïencerie *f*

potting compost *n Br* terreau *m* **potting shed** *n Br* cabane *f* de jardin

potty¹ ['pɒtɪ] *n* pot *m* (*d'enfant*); ***~-trained*** propre

potty² *adj* ⟨**+er**⟩ (*Br infml mad*) toqué *infml*; ***to drive sb ~*** rendre qn dingue *infml*; ***he's ~ about her*** il est fou d'elle

pouch [paʊtʃ] *n* petit sac *m*

poultice ['pəʊltɪs] *n* cataplasme *m*

poultry ['pəʊltrɪ] *n* volaille *f* **poultry farm** *n* élevage *m* de volaille(s) **poultry farmer** *n* aviculteur(-trice) *m*(*f*)

pounce [paʊns] **I** *n* bond *m* **II** *v/i* (*cat etc.*) bondir; *fig* sauter; ***to ~ on sb / sth*** sauter sur qn / qc

pound¹ [paʊnd] *n* **1.** (*weight*) livre *f* (= *453,6 grammes*); ***two ~s of apples*** deux livres de pommes; ***by the ~*** à la livre **2.** (*UK money*) livre *f*; ***five ~s*** cinq livres

pound² **I** *v/t* **1.** (*strike*) marteler; *table* taper contre; *door* tambouriner contre; (*waves*) battre contre; (*guns*) pilonner **2.** (*pulverize*) *corn etc.* écraser **II** *v/i* battre; (*heart*) battre fort; (*waves*) battre (**on, against** contre); (*drums*) battre; (*stamp*) taper ◆ **pound away** *v/i* se briser; (*music, guns*) pilonner; ***he was pounding away at the typewriter*** il tapait comme un fou sur sa machine à écrire

pound³ *n* (*for stray dogs*) fourrière *f*; (*esp Br: for cars*) fourrière *f*

-pounder [-'paʊndə^r] *n suf* de … livres; ***quarter-pounder*** hamburger d'un quart de livre

pounding ['paʊndɪŋ] **I** *n* (*of heart, waves*) battement *m*; (*of music, feet etc.*) martèlement *m*; (*of guns*) pilonnage *m*; ***the ship took a ~*** le bateau a été fortement secoué **II** *adj heart* battant à tout rompre; *feet* qui trépigne; *drums, waves, headache* d'une violence inouïe

pour [pɔː^r] **I** *v/t liquid, sugar etc.* verser; *drink* servir; ***to ~ sth for sb*** servir qc à qn; ***to ~ money into a project*** injecter énormément d'argent dans un projet **II** *v/i* **1.** couler à flots; ***the sweat ~ed off him*** il ruisselait de sueur; ***it's ~ing (with rain)*** il pleut à verse **2.** (*pour out tea etc.*) verser; ***this jug doesn't ~ well*** cette carafe ne verse pas bien ◆ **pour away** *v/t sep* vider ◆ **pour in** *v/i* affluer; (*donations*) arriver en masse ◆ **pour out** **I** *v/i* sortir en masse (**of** de); (*words*) sortir en flots (***of*** de) **II** *v/t sep* **1.** *liquid, sugar etc.* verser; *drink* servir **2.** *fig feelings* donner libre cours à; ***to ~ one's heart*** (***to sb***) s'épancher (auprès de qn)

pouring ['pɔːrɪŋ] *adj* ***~ rain*** pluie *f* battante

pout [paʊt] **I** *n* moue *f* **II** *v/i* **1.** faire la moue **2.** (*sulk*) faire la tête

poverty ['pɒvətɪ] *n* pauvreté *f*; ***to be below the ~ line*** être en dessous du seuil de pauvreté **poverty-stricken** ['pɒvətɪstrɪkən] *adj* misérable; ***to be ~*** être sans le sou

POW *abbr* = **prisoner of war**

powder ['paʊdə^r] **I** *n* **1.** poudre *f*; (*talcum powder etc.*) talc *m* **2.** (*dust*) poussière *f* **II** *v/t face* poudrer; ***to ~ one's nose*** *euph* aller se refaire une beauté *euph* **powdered** ['paʊdəd] *adj* **1.** *face* poudré **2.** (*in powder form*) en poudre; ***~ sugar*** *US* sucre glace **powdered milk** *n* lait *m* en poudre **powder keg** *n* baril *m* de poudre; *fig* poudrière *f* **powder room** *n euph* toilettes *fpl* (pour dames) **powdery** ['paʊdərɪ] *adj* **1.** (*like powder*) poudreux(-euse) **2.** (*crumbly*) friable

power ['paʊə^r] **I** *n* **1.** *no pl* (*physical strength*) puissance *f*; (*force*: *of blow etc.*) force *f*; (*fig*: *of argument etc.*) force *f*; ***the ~ of love*** la force de l'amour; ***purchasing*** *or* ***spending ~*** pouvoir d'achat **2.** (*faculty*) faculté *f*; ***his ~s of hearing*** son ouïe; ***mental ~s*** facultés mentales **3.** (*capacity etc.*) capacité *f*; ***he did everything in his ~*** il a fait tout ce qui était en son pouvoir **4.** (*nation*) puissance *f*; ***a naval ~*** une puissance navale **5.** (*no pl authority*) pouvoir *m*; (JUR, *parental*) autorité *f*; (*usu pl authorization*) pouvoirs *mpl*; ***he has the ~ to act*** il a le pouvoir d'agir; ***the ~ of the police*** le pouvoir de la police; ***to be in sb's ~*** être à la merci de qn; ***~ of attorney*** JUR procuration *f*; ***the party in ~*** le parti au pouvoir; ***to fall from ~*** être destitué; ***to come into ~*** accéder au pouvoir; ***I have no ~ over her*** je n'ai pas d'autorité sur elle **6.** (*person etc. having authority*) autorité *f*; ***to be the ~ behind the throne*** être celui qui tire les ficelles; ***the ~s that be*** *infml* les autorités; ***the ~s of evil*** les forces du mal **7.** (*nuclear power etc.*) énergie *f*; ***they cut off the ~*** (*electricity*) ils ont coupé le courant **8.** (*of machine*) puissance *f*; ***on full ~*** à puissance maximale **9.** MATH puissance *f*; ***to the ~*** (***of***) ***4*** à la puissance 4 **10.** *infml* ***that did me a ~ of good*** ça m'a rudement fait du bien *infml* **II** *v/t* (*engine*) faire marcher; (*fuel*) faire fonctionner; ***~ed by electricity*** qui fonctionne à l'électricité ◆ **power down** *v/t sep* éteindre ◆ **power up** *v/i, v/t sep* allumer

power-assisted *adj* AUTO, TECH assisté; ***~ steering*** direction assistée **power base** *n* réseau *m* d'influence **power cable** *n* câble *m* électrique **power cut** *n Br* coupure *f* de courant; (*accidental*) panne *f* de courant **power drill** *n* perceuse *f* électrique **power-driven** *adj* à moteur **power failure** *n* panne *f* de courant

powerful ['paʊəfʊl] *adj* **1.** (*influential*) puissant, influent **2.** (*strong*) puissant, fort; *build, smell* fort; *kick, storm* violent; *detergent* puissant; *swimmer* excellent **3.** *fig speaker, movie, performance, argument* fort **powerfully** ['paʊəfəlɪ] *adv* **1.** *influence* fortement; ***~ built*** solidement bâti **2.** *fig speak* de façon persuasive; ***~ written*** écrit dans un style puissant **powerhouse** *n fig* personne *f* très influente (***behind*** derrière) **powerless** *adj* impuissant; ***to be ~ to resist*** être incapable de résister; ***the government is ~ to deal with inflation*** le gouvernement est impuissant à traiter l'inflation **power plant** *n* centrale *f* électrique **power point** *n* (*Br* ELEC) centrale *f* électrique **power politics** *pl* politique *f* de la force armée **power sharing** *n* POL partage *m* du pouvoir

power station *n Br* = **power plant** **power steering** *n* AUTO direction *f* assistée **power structure** *n* répartition *f* des pouvoirs **power struggle** *n* lutte *f* de pouvoir **power supply** *n* ELEC alimentation *f* électrique **power tool** *n* outil *m* électrique

PR [piːˈɑːʳ] *n abbr* = **public relations** relations *fpl* publiques

practicability [ˌpræktɪkəˈbɪlɪtɪ] *n* faisabilité *f* **practicable** ['præktɪkəbl] *adj* réalisable

practical ['præktɪkəl] *adj* pratique; ***for*** (***all***) ***~ purposes*** en pratique; ***to be of no ~ use*** n'avoir aucune utilité pratique **practicality** [ˌpræktɪˈkælɪtɪ] *n* **1.** *no pl* (*of plan etc.*) aspect *m* pratique **2.** (*practical detail*) détail *m* pratique **practical joke** *n* farce *f* **practical joker** *n* farceur (-euse) *m*(*f*) **practically** ['præktɪkəlɪ] *adv* pratiquement; **~ *speaking*** sur le plan pratique

practice ['præktɪs] **I** *n* **1.** (*custom*) pratique *f*; ***this is normal business ~*** c'est une pratique courante en affaires; ***that's common ~*** cela se fait couramment **2.** (*exercise*, *rehearsal*) pratique *f*; SPORTS pratique *f*; **~ *makes perfect*** *prov* c'est en forgeant qu'on devient forgeron *prov*; ***this piece of music needs a lot of ~*** ce morceau (de musique) nécessite énormément de pratique; ***to do 10 minutes' ~*** s'exercer dix minutes; ***to be out of ~*** être rouillé; ***to have a ~ session*** faire une séance d'exercices; (*rehearse*) répéter; SPORTS faire une séance d'entraînement **3.** (*not theory*, *of doctor etc.*) pratique *f*; ***in ~*** en pratique; ***that won't work in ~*** dans la pratique, cela ne marchera pas; ***to put sth into ~*** mettre qc en en pratique **II** *Br* **practise** *v/t* **1.** pratiquer; *song* travailler; *self-denial* pratiquer, s'entraîner à; ***to ~ the violin*** travailler le violon; ***to ~ doing sth*** s'entraîner à faire qc; ***I'm practicing my French on him*** je m'entraîne à parler français avec lui **2.** *profession*, *religion* pratiquer, exercer; ***to ~ law*** exercer la profession d'avocat **III** *v/i* **1.** (*to acquire skill*) pratiquer, s'entraîner **2.** (*doctor etc.*) pratiquer, exercer **practice teacher** *n* (*US* SCHOOL) enseignant(e) *m(f)* stagiaire **practicing**, *Br* **practising** ['præktɪsɪŋ] *adj* **1.** *professional* en exercice **2.** *person* pratiquant

practise *v/t* & *v/i Br* = **practice** *v*

practitioner [præk'tɪʃənər] *n* (*medical practitioner*) praticien(ne) *m(f)*

pragmatic [præg'mætɪk] *adj* pragmatique **pragmatically** [præg'mætɪkəlɪ] *adv* avec pragmatisme **pragmatism** ['prægmətɪzəm] *n* pragmatisme *m* **pragmatist** ['prægmətɪst] *n* pragmatiste *m/f*

Prague [prɑːg] *n* Prague *f*

prairie ['prɛərɪ] *n* plaine *f* herbeuse; (*in North America*) Grande Prairie *f*

praise [preɪz] **I** *v/t* louer, faire l'éloge de; ***to ~ sb for having done sth*** louer qn d'avoir fait qc **II** *n* louanges *fpl*, éloge *m*; ***a hymn of ~*** un cantique; ***he made a speech in ~ of their efforts*** dans son discours, il loua leurs efforts; ***to win ~*** (*person*) s'attirer des louanges; ***I have nothing but ~ for him*** je n'ai qu'à me féliciter de lui; **~ *be!*** Dieu soit loué! **praiseworthy** ['preɪzˌwɜːðɪ] *adj* digne d'éloges

praline ['prɑːliːn] *n* praline *f*

pram [præm] *n Br* landau *m*

prance [prɑːns] *v/i* caracoler; (*jump around*) gambader

prank [præŋk] *n* farce *f*, tour *m*; ***to play a ~ on sb*** jouer un tour à qn **prankster** ['præŋkstər] *n* farceur(-euse) *m(f)*

prat [præt] *n* (*Br infml*) couillon *m infml*

prattle ['prætl] **I** *n* jacasserie *f* **II** *v/i* jacasser

prawn [prɔːn] *n* crevette *f*

pray [preɪ] *v/i* prier; ***to ~ for sb / sth*** prier pour qn / qc; ***to ~ for sth*** (*want it badly*) prier pour obtenir qc

prayer [prɛər] *n* prière *f*; (*service*) office *m*; ***to say one's ~s*** faire sa prière

prayer book *n* livre *m* de prières

prayer meeting *n* réunion *f* de prière

preach [priːtʃ] **I** *v/t* prêcher; ***to ~ a sermon*** faire un prêche; ***to ~ the gospel*** prêcher l'évangile **II** *v/i* prêcher; ***to ~ to the converted*** (*prov*) prêcher les convertis **preacher** ['priːtʃər] *n* prédicateur(-trice) *m(f)* **preaching** ['priːtʃɪŋ] *n* prédication *f*

prearrange ['priːə'reɪndʒ] *v/t* organiser à l'avance **prearranged** ['priːə'reɪndʒd], **pre-arranged** *adj meeting* organisé à l'avance; *location* fixé à l'avance

precarious [prɪ'kɛərɪəs] *adj* précaire; *situation* précaire; ***at a ~ angle*** dans une position précaire **precariously** [prɪ'kɛərɪəslɪ] *adv* précairement; ***to be ~ balanced*** être en équilibre précaire; **~ *perched on the edge of the table*** perché au bord de la table dans une position précaire

precaution [prɪ'kɔːʃən] *n* précaution *f*; ***security ~s*** mesures de sécurité; ***fire ~s*** précautions contre les incendies; ***to take ~s against sth*** prendre des précautions contre qc; ***do you take ~s?*** (*euph use contraception*) vous prenez vos précautions?; ***to take the ~ of doing sth*** prendre la précaution de faire qc **precautionary** [prɪ'kɔːʃənərɪ] *adj* préventif(-ive); **~ *measure*** mesure préventive

precede [prɪ'siːd] *v/t* précéder **precedence** ['presɪdəns] *n* (*of person*) préséance *f* (**over** sur); (*of problem etc.*) priorité *f* (**over** sur); ***to take ~ over***

sb/ sth avoir la priorité sur qn / qc; ***to give ~ to sb/ sth*** donner la priorité à qn / qc **precedent** ['presɪdənt] *n* précédent *m*; ***without ~*** sans précédent; ***to establish*** *or* ***create*** *or* ***set a ~*** créer un précédent **preceding** [prɪ'siːdɪŋ] *adj* précédent

precinct ['priːsɪŋkt] *n* **1.** *US* (*police precinct*) commissariat *m* (de quartier) *f*; (*area*) circonscription *f*; *Br* (*shopping precinct*) centre *m* commercial; *Br* (*pedestrian precinct*) zone *f* piétonne **2. precincts** *pl Br* environs *mpl*

precious ['preʃəs] **I** *adj* (*costly*, *rare*) précieux(-euse); (*treasured*) chéri **II** *adv infml* ***~ little/ few*** bien peu; ***~ little else*** pas grand-chose d'autre **precious metal** *n* métal *m* précieux **precious stone** *n* pierre *f* précieuse

precipice ['presɪpɪs] *n* précipice *m*

precipitate [prə'sɪpɪteɪt] *v/t* (*hasten*) précipiter **precipitation** [prɪˌsɪpɪ'teɪʃən] *n* **1.** METEO précipitations *fpl* **2.** (*haste*) précipitation *f*

precise [prɪ'saɪs] *adj* précis, exact; (*meticulous*) précis, méticuleux(-euse); ***at that ~ moment*** à ce moment précis; ***please be more ~*** soyez plus précis, je vous prie; ***18, to be ~*** 18, pour être très précis; ***or, to be more ~, …*** ou, pour être plus précis… **precisely** [prɪ'saɪslɪ] *adv* précisément; ***at ~ 7 o'clock, at 7 o'clock ~*** à 7 heures précises; ***that is ~ why I don't want it*** c'est précisément la raison pour laquelle je n'en veux pas; ***or more ~ …*** ou plus précisément… **precision** [prɪ'sɪʒən] *n* précision *f*

preclude [prɪ'kluːd] *v/t* écarter, exclure

precocious [prɪ'kəʊʃəs] *adj* précoce

preconceived [ˌpriːkən'siːvd] *adj* préconçu; ***to have ~ ideas about sth*** avoir des idées préconçues sur qc **preconception** [ˌpriːkən'sepʃən] *n* idée *f* préconçue

precondition [ˌpriːkən'dɪʃən] *n* condition *f* préalable

precook [priː'kʊk] *v/t* précuire

precursor [priː'kɜːsəʳ] *n* précurseur *m*; (*herald*) signe *m* avant-coureur

predate [ˌpriː'deɪt] *v/t* (*precede*) précéder, prédater; *check* antidater

predator ['predətəʳ] *n* prédateur *m* **predatory** ['predətərɪ] *adj behavior* de prédateur

predecessor ['priːdɪsesəʳ] *n* (*person*) prédécesseur *m*

predestine [priː'destɪn] *v/t* prédestiner

predetermined [ˌpriːdɪ'tɜːmɪnd] *adj outcome* déterminé d'avance; *position* prédéterminé

predicament [prɪ'dɪkəmənt] *n* situation *f* difficile

predict [prɪ'dɪkt] *v/t* prédire **predictability** [prəˌdɪktə'bɪlɪtɪ] *n* caractère *m* prévisible **predictable** [prɪ'dɪktəbl] *adj reaction*, *person* prévisible; ***to be ~*** être prévisible; ***you're so ~*** tu es tellement prévisible **predictably** [prɪ'dɪktəblɪ] *adv react* de façon prévisible; ***~ (enough), he was late*** comme on pouvait s'y attendre, il était en retard **prediction** [prɪ'dɪkʃən] *n* prédiction *f*

predictive text *m* T9 *m*

predispose [ˌpriːdɪ'spəʊz] *v/t* prédisposer; ***to ~ sb toward sb/ sth*** prédisposer qn à l'égard de qn / qc **predisposition** [ˌpriːdɪspə'zɪʃən] *n* prédisposition *f* (***to*** à)

predominance [prɪ'dɒmɪnəns] *n* prédominance *f*; ***the ~ of women in the office*** la prédominance des femmes au bureau **predominant** *adj idea* prédominant; *person*, *animal* dominant **predominantly** *adv* principalement **predominate** [prɪ'dɒmɪneɪt] *v/i* (*in numbers*) prédominer; (*in influence etc.*) prédominer, prévaloir

pre-election [ˌpriːɪ'lekʃən] *adj* préélectoral; ***~ promise*** promesse préélectorales

pre-eminent [priː'emɪnənt] *adj* prééminent

pre-empt [priː'empt] *v/t* anticiper **pre-emptive** [priː'emptɪv] *adj* de préemption; ***~ attack*** attaque préventive; ***~ right*** (*US* FIN) droit *m* de préemption

preen [priːn] **I** *v/t* lisser **II** *v/i* (*bird*) se lisser les plumes **III** *v/r* ***to ~ oneself*** (*bird*) se lisser les plumes

pre-existent [ˌpriːɪg'zɪstənt] *adj* préexistant

prefabricated [ˌpriː'fæbrɪkeɪtɪd] *adj* préfabriqué; ***~ building*** bâtiment *m* en préfabriqué

preface ['prefɪs] *n* préface *f*

prefect ['priːfekt] *n* (*Br* SCHOOL) élève *m/f* de terminale en charge de la discipline

prefer [prɪ'fɜːʳ] *v/t* (*like better*, *be more fond of*) aimer mieux (**to** que), préférer (**to** à); ***he ~s coffee to tea*** il préfère le café au thé; ***I ~ it that way*** je le préfère comme ça; ***which (of them) do you ~?*** (*of people*) qui préférez-vous?; (*of things*) lequel préférez-vous?; ***to ~ to do sth*** préférer faire qc; ***I ~ not to say*** je préfère ne rien dire; ***would you ~ me to drive?*** tu préfères que je conduise?; ***I would ~ you to do it today*** *or* ***that you did it today*** je préfèrerais que tu le fasses aujourd'hui **preferable** ['prefərəbl] *adj* ***X is ~ to Y*** X est préférable à Y; ***anything would be ~ to sharing an apartment with Sophie*** tout vaudrait mieux que de partager un appartement avec Sophie; ***it would be ~ to do it that way*** il serait préférable de procéder ainsi; ***infinitely ~*** infiniment préférable **preferably** ['prefərəblɪ] *adv* de préférence; ***tea or coffee? — coffee, ~*** thé ou café? café, de préférence; ***but ~ not Tuesday*** mais de préférence, pas mardi **preference** ['prefərəns] *n* **1.** (*liking*) préférence *f*; ***just state your ~*** dites simplement ce que vous préférez; ***I have no ~*** je n'ai pas de de préférence **2.** ***to give ~ to sb/sth*** donner la préférence à qn / qc (***over*** sur) **preferential** [prefə'renʃəl] *adj* privilégié, de faveur; ***to give sb ~ treatment*** offrir un traitement de faveur à qn; ***to get ~ treatment*** bénéficier d'un traitement de faveur

prefix ['priːfɪks] *n* GRAM préfixe *m*

pregnancy ['pregnənsɪ] *n* grossesse *f*; (*of animal*) gestation *f* **pregnancy test** *n* test *m* de grossesse **pregnant** ['pregnənt] *adj* **1.** *woman* enceinte; *animal* grosse, pleine; ***3 months ~*** enceinte de trois mois; ***Gill was ~ by her new boyfriend*** Gill était enceinte de son nouveau petit ami; ***to become*** *or* ***get ~*** (*woman*) tomber enceinte **2.** *fig pause* lourd de sens

preheat [priː'hiːt] *v/t* préchauffer

prehistoric [ˌpriːhɪ'stɒrɪk] *adj* préhistorique **prehistory** [ˌpriː'hɪstərɪ] *n* préhistoire *f*

prejudge [priː'dʒʌdʒ] *v/t* préjuger de; (*negatively*) condamner à l'avance

prejudice ['predʒʊdɪs] **I** *n* préjugé *m*; ***his ~ against ...*** ses préjugés contre...; ***to have a ~ against sb/sth*** avoir des préjugés contre qn / qc; ***racial ~*** préjugés racistes **II** *v/t* prévenir (contre) **prejudiced** ['predʒʊdɪst] *adj person* qui a des préjugés (***against*** contre); ***to be ~ in favor of sb/sth*** avoir des préjugés en faveur de qn / qc; ***to be racially ~*** avoir des préjugés raciaux

preliminary [prɪ'lɪmɪnərɪ] **I** *adj measures*, *report*, *tests* préliminaire; *stage* initial; ***~ round*** série initiale **II** *n* (*preparatory measure*) préliminaire *m*; SPORTS épreuve *f* éliminatoire; ***preliminaries*** (JUR) préliminaires; (SPORTS) éliminatoires **preliminary hearing** *n* JUR première audience *f*

prelude ['preljuːd] *n fig* prélude *m*

premarital [priː'mærɪtl] *adj* avant le mariage

premature ['premətʃʊəʳ] *adj* prématuré; *action* prématuré; ***the baby was three weeks ~*** le bébé est né trois semaines avant terme; ***~ baby*** enfant prématuré; ***~ ejaculation*** éjaculation précoce **prematurely** ['premətʃʊəlɪ] *adv* prématurément; ***he was born ~*** il est né avant terme

premeditated [priː'medɪteɪtɪd] *adj* prémédité

premenstrual syndrome, premenstrual tension *n* syndrome *m* prémenstruel

premier ['premɪəʳ] **I** *adj* premier(-ière) **II** *n* Premier ministre *m*

première ['premɪeəʳ] **I** *n* première *f* **II** *v/t* donner la première de

Premier League, Premiership ['premɪəʃɪp] *n* (*Br* FTBL) ≈ championnat *m* de première division

premise ['premɪs] *n* **1.** *esp* LOGIC prémisse *f* **2. premises** *pl* (*of factory etc.*) locaux *mpl*; (*store*) local *m*; ***business ~s*** locaux commerciaux; ***that's not allowed on these ~s*** cela n'est pas autorisé dans ces locaux

premium ['priːmɪəm] **I** *n* (*bonus*) prime *f*; (*surcharge*) prime *f*; (*insurance premium*) prime *f* **II** *adj* **1.** (*top-quality*) de première qualité; ***~ gas*** *US* supercarburant **2.** ***~ price*** prix fort; ***callers are charged a ~ rate of $1.50 a minute*** les usagers doivent payer un tarif spécial de 1,50 $ par minute **premium-rate** ['priːmɪəmˌreɪt] *adj* TEL à tarif spécial

premonition [ˌpriːmə'nɪʃən] *n* **1.** (*presentiment*) pressentiment *m* **2.** (*forewarning*) prémonition *f*

prenatal [priː'neɪtl] *adj* prénatal

preoccupation [priːˌɒkjʊ'peɪʃən] *n* préoccupation *f*; ***her ~ with making money was such that ...*** elle était tellement préoccupée de gagner de l'argent que…; ***that was his main ~*** c'était sa principale préoccupation **preoccupied** *adj* préoccupé; ***to be ~ with sth*** être préoccupé par qc; ***he has been (looking) rather ~ recently*** il avait l'air assez préoccupé ces derniers temps **preoccupy** [priː'ɒkjʊpaɪ] *v/t* préoccuper

prepackaged [priː'pækɪdʒd], **prepacked** *adj* préemballé

prepaid [priː'peɪd] **I** *past part* = **prepay II** *adj goods* payé d'avance; *envelope* prépayé; ***~ cell phone*** téléphone portable à carte prépayée

preparation [ˌprepə'reɪʃən] *n* préparation *f*, préparatifs *mpl*; (*of meal etc.*) préparation *f*; ***in ~ for sth*** préparatifs en vue de qc; ***~s for war/a trip*** préparatifs de guerre / pour un voyage; ***to make ~s*** faire des préparatifs **preparatory** [prɪ'pærətərɪ] *adj* préparatoire; ***~ work*** travail préparatoire

prepare [prɪ'peəʳ] **I** *v/t* préparer (*sb for sth* qn à qc; *sth for sth* qc pour qc); *meal, room* préparer; ***~ yourself for a shock!*** prépare-toi à recevoir un choc! **II** *v/i* ***to ~ for sth*** se préparer à qc; ***the country is preparing for war*** le pays se prépare à la guerre; ***to ~ to do sth*** se préparer à faire qc **prepared** [prɪ'peəd] *adj* **1.** (*a.* **ready prepared**) prêt (***for*** à); ***~ meal*** repas tout prêt; ***~ for war*** prêt pour la guerre **2.** (*willing*) ***to be ~ to do sth*** être disposé à faire qc

prepay [priː'peɪ] ⟨*past, past part* **prepaid**⟩ *v/t* payer d'avance

pre-pay ['priːpeɪ] *adj attr* payé d'avance, prépayé

preponderance [prɪ'pɒndərəns] *n* prépondérance *f*

preposition [ˌprepə'zɪʃən] *n* préposition *f*

prepossessing [ˌpriːpə'zesɪŋ] *adj* avenant

preposterous [prɪ'pɒstərəs] *adj* absurde

preprinted ['priː'prɪntɪd] *adj* préimprimé

preprogram ['priː'prəʊgræm] *v/t* préprogrammer

prerecord [ˌpriːrɪ'kɔːd] *v/t* préenregistrer

prerequisite [ˌpriː'rekwɪzɪt] *n* condition *f* préalable

prerogative [prɪ'rɒgətɪv] *n* prérogative *f*

Presbyterian [ˌprezbɪ'tɪərɪən] **I** *adj* presbytérien(ne) **II** *n* presbytérien(ne) *m(f)*

preschool ['priː'skuːl] *adj attr* préscolaire; ***of ~ age*** d'âge préscolaire; ***~ education*** enseignement préscolaire

prescribe [prɪ'skraɪb] *v/t* **1.** (*order*) prescrire **2.** MED prescrire (***sth for sb*** qc à qn) **prescription** [prɪ'skrɪpʃən] *n* MED ordonnance *f*; ***on ~*** sur ordonnance **prescription charge** *n* ≈ ticket *m* modérateur **prescription drugs** *pl* médicaments *m(pl)* délivrés sur ordonnance

preseason ['priː'siːzn] *adj* SPORTS pré-saison *f*

preselect [ˌpriːsɪ'lekt] *v/t* prérégler

presence ['prezns] *n* **1.** présence *f*; ***in sb's ~, in the ~ of sb*** en présence de qn; ***to make one's ~ felt*** signaler sa présence; ***a police ~*** une présence policière **2.** (*bearing*) présence *f*; (*a.* **stage presence**) présence scénique **presence of mind** *n* présence d'esprit

present¹ ['preznt] **I** *adj* **1.** (*in attendance*) présent; ***to be ~*** être présent; ***all those ~*** toutes les personnes présentes **2.** (*existing in sth*) présent **3.** (*at the present time*) actuel(le); *year etc.* en cours; ***at the ~ moment*** actuellement; ***the ~ day*** (*nowadays*) aujourd'hui, de nos jours; ***until the ~ day*** jusqu'à présent; ***in the ~ circumstances*** dans les circonstances actuelles **4.** GRAM présent; ***in the ~ tense*** au présent; ***~ participle*** participe présent **II** *n* **1.** présent *m*; ***at ~*** à présent; ***up to the ~*** jusqu'à présent; ***there's no time like the ~*** (*prov*) il ne faut jamais remettre au lendemain ce que l'on peut faire le jour-même *prov*; ***that will be all for the ~*** ce sera tout pour le moment **2.** GRAM présent *m*; ***~ continuous*** présent continu *or* progressif

present² ['preznt] **I** *n* (*gift*) présent *m*, cadeau *m*; ***I got it as a ~*** je l'ai reçu en cadeau **II** *v/t* **1.** ***to ~ sb with sth, to ~ sth to sb*** remettre qc à qn; (*as a gift*) offrir qc à qn **2.** (*put forward*) présenter **3.** *opportunity* donner; ***his action ~ed us with a problem*** son geste nous a posé un problème **4.** RADIO, TV, THEAT présenter; (*commentator*) présenter **5.** (*introduce*) présenter; ***to ~ Mr X to Miss Y*** présenter Mr X à Melle Y; ***may I ~ Mr X?*** *form* puis-je vous présenter Mr X? **III** *v/r* (*opportu-*

nity etc.) se présenter; ***he was asked to ~ himself for interview*** on lui a demandé de se présenter pour un entretien **presentable** [prɪ'zentəbl] *adj* présentable; ***to look ~*** (*person*) bien présenter; ***to make oneself ~*** s'arranger **presentation** [ˌprezən'teɪʃən] *n* **1.** (*of gift, prize etc.*) remise *f*; (*ceremony*) remise *f*; ***to make the ~*** assurer la remise (d'un prix) **2.** (*of report etc.*) présentation *f*; (JUR, *of evidence*) présentation *f* **3.** (*manner of presenting*) présentation *f* **4.** THEAT représentation *f*; TV, RADIO présentation *f*

present-day ['preznt'deɪ] *adj attr* d'aujourd'hui, contemporain; ***~ France*** la France d'aujourd'hui *or* contemporaine

presenter [prɪ'zentəʳ] *n* (*esp Br*: TV, RADIO) présentateur(-trice) *m*(*f*)

presently ['prezntlɪ] *adv* **1.** (*soon*) bientôt, prochainement **2.** (*at present*) en ce moment

preservation [ˌprezə'veɪʃən] *n* **1.** (*maintaining*) maintien *m* **2.** (*to prevent decay*) conservation *f*; ***to be in a good state of ~*** être en bon état de conservation **preservative** [prɪ'zɜːvətɪv] *n* conservateur *m* **preserve** [prɪ'zɜːv] **I** *v/t* **1.** conserver; *dignity* garder; *memory* conserver **2.** (*from decay*) préserver; *wood* entretenir **II** *n* **1.** **preserves** *pl* COOK confiture *f*; ***peach ~*** confiture de pêche **2.** (*domain*) domaine *m*; ***this was once the ~ of the wealthy*** c'était autrefois l'apanage des riches **preserved** *adj* **1.** *food* en conserve **2.** (*conserved*) conservé; ***well-~*** bien conservé

preservative ≠ préservatif

Beware of eating food that contains too many preservatives.

Attention à ne pas consommer d'aliments qui contiennent trop de conservateurs.

preset [priː'set] ⟨*past, past part* **preset**⟩ *v/t* régler à l'avance, prérégler

preside [prɪ'zaɪd] *v/i* (*at meeting etc.*) présider (***at sth*** qc); ***to ~ over an organization*** *etc.* présider une organisation

presidency ['prezɪdənsɪ] *n* présidence *f*

president ['prezɪdənt] *n* président(e) *m*(*f*); (*esp US*: *of company*) président directeur général *m* **presidential** [ˌprezɪ'denʃəl] *adj* POL présidentiel(le) **presidential campaign** *n* campagne *f* présidentielle **presidential candidate** *n* candidat(e) *m*(*f*) à la présidence **presidential election** *n* élection *f* présidentielle

press [pres] **I** *n* **1.** (*machine, newspapers etc.*) presse *f*; ***to get a bad ~*** avoir mauvaise presse **2.** TYPO presse *f*; ***to go to ~*** être mis sous presse **3.** (*push*) pression *f* **II** *v/t* **1.** (*push, squeeze*) presser, serrer (***to*** contre); *button, pedal* appuyer (sur) **2.** (*iron*) repasser **3.** (*urge*) presser; ***to ~ sb hard*** talonner qn; ***to ~ sb for an answer*** presser qn de répondre; ***to be ~ed for time*** être pressé par le temps **III** *v/i* **1.** (*exert pressure*) insister **2.** (*urge*) faire pression (***for*** pour) **3.** (*move*) poursuivre, persévérer; ***to ~ ahead*** (***with sth***) *fig* persévérer dans qc ◆ **press on** *v/i* (*with journey*) poursuivre, continuer

press agency *n* agence *f* de presse **press box** *n* tribune *f* de presse **press conference** *n* conférence *f* de presse **press cutting** *n* (*Br, from newspaper*) coupure *f* de presse **press-gang** *v/t* (*esp Br infml*) ***to ~ sb into doing sth*** forcer la main à qn pour qu'il fasse qc **pressing** ['presɪŋ] *adj issue* pressant; *task* urgent **press office** *n* office *m* de presse **press officer** *n* responsable *m/f* des relations avec la presse **press photographer** *n* photographe *m/f* de presse **press release** *n* communiqué *m* de presse **press stud** *n Br* bouton-pression *m* **press-up** *n Br* pompe *f infml*

pressure ['preʃəʳ] *n* pression; ***at high ~*** à haute pression; ***at full ~*** à la pression maximum; ***parental ~*** pression parentale; ***to be under ~ to do sth*** être contraint de faire qc; ***to be under ~ from sb*** subir la pression de qn; ***to put ~ on sb*** faire pression sur qn; ***the ~s of modern life*** la tension de la vie moderne **pressure cooker** *n* autocuiseur *m* **pressure gauge** *n* jauge *f* de pression, manomètre *m* **pressure group** *n* groupe *m* de pression **pressurize** ['preʃəraɪz] *v/t* **1.** *cabin* pressuriser **2.** ***to ~ sb into doing sth*** faire pression sur qn pour qu'il fasse qc **pressurized** *adj* **1.** *container* pressurisé **2.** *gas* sous pression **3.** ***to feel ~*** se sentir sous pression; ***to***

feel ~ into doing sth se sentir contraint de faire qc
prestige [pre'stiːʒ] *n* prestige *m* **prestigious** [pre'stɪdʒəs] *adj* prestigieux (-euse); ***to be ~*** être prestigieux
presumably [prɪ'zjuːməblɪ] *adv* vraisemblablement; ***~ he'll come later*** il viendra vraisemblablement plus tard
presume [prɪ'zjuːm] **I** *v/t* présumer, supposer; ***~d dead*** présumé mort; ***to be ~d innocent*** être présumé innocent; ***he is ~d to be living in Spain*** on suppose qu'il vit en Espagne **II** *v/i* **1.** (*suppose*) présumer, supposer **2.** (*be presumptuous*) ***I didn't want to ~*** je ne voulais pas abuser **presumption** [prɪ'zʌmpʃən] *n* (*assumption*) présomption *f* **presumptuous** [prɪ'zʌmptjʊəs] *adj* présomptueux(-euse); ***it would be ~ of me to ...*** il serait présomptueux de ma part de...
presuppose [ˌpriːsə'pəʊz] *v/t* présupposer
pre-tax [priː'tæks] *adj* avant impôt; ***~ profit*** bénéfices avant impôts
pretend I *v/t* (*feign*) faire semblant de; feindre de; ***to ~ to be interested*** faire semblant d'être intéressé; ***to ~ to be sick*** faire semblant d'être malade; ***to ~ to be asleep*** feindre de dormir **II** *v/i* faire semblant; ***he is only ~ing*** il fait semblant; ***let's stop ~ing*** cessons de faire semblant
pretense, *Br* **pretence** [prɪ'tens] *n* **1.** ***it's all a ~*** c'est de la comédie! **2.** (*feigning*) simulacre *m*; ***to make a ~ of doing sth*** faire semblant de faire qc **3.** (*pretext*) prétexte *m*; ***on** or **under the ~ of doing sth*** sous prétexte de faire qc **pretension** *n* (*claim*) prétention *f* **pretentious** [prɪ'tenʃəs] *adj style, book* prétentieux(-euse) **pretentiously** [prɪ'tenʃəslɪ] *adv say* prétentieusement **pretentiousness** *n* prétention *f*
preterite ['pretərɪt] **I** *adj* ***the ~ tense*** le prétérit **II** *n* prétérit *m*
pretext ['priːtekst] *n* prétexte *m*; ***on** or **under the ~ of doing sth*** sous prétexte de faire qc
prettily ['prɪtɪlɪ] *adv* joliment **prettiness** ['prɪtɪnɪs] *n* beauté *f*; (*of place*) beauté *f*, charme *m*
pretty ['prɪtɪ] **I** *adj* ⟨+er⟩ **1.** joli; *speech* beau; ***to be ~*** être joli; ***she's not just a ~ face!*** *infml* elle a aussi la tête bien faite!; ***it wasn't a ~ sight*** ce n'était pas joli à voir **2.** *infml* considérable; ***it'll cost a ~ penny*** ça va coûter une sacrée somme *infml* **II** *adv* (*rather*) plutôt; ***~ well finished*** pratiquement fini; ***how's the patient? — ~ much the same*** comment va le patient? – à peu près pareil
prevail [prɪ'veɪl] *v/i* **1.** (*gain mastery*) prévaloir (***over, against*** contre) **2.** (*be widespread*) prédominer **prevailing** *adj conditions* actuel(le) *wind* dominant; *opinion* courant **prevalence** ['prevələns] *n* prédominance *f*; (*of disease*) fréquence *f* **prevalent** ['prevələnt] *adj* prédominant; *opinion, disease* courant, fréquent; *conditions* actuel(le)
prevent [prɪ'vent] *v/t* empêcher; *disease* prévenir; ***to ~ sb (from) doing sth*** empêcher qn de faire qc; ***the gate is there to ~ them from falling down the stairs*** la barrière les empêche de tomber dans l'escalier; ***to ~ sb from coming*** empêcher qn de venir; ***to ~ sth (from) happening*** empêcher qc d'arriver **preventable** [prɪ'ventəbl] *adj* évitable **prevention** [prɪ'venʃən] *n* prévention *f*; (*of disease*) prévention *f* (***of*** de) **preventive** [prɪ'ventɪv] *adj* préventif(-ive)
preview ['priːvjuː] **I** *n* **1.** (*of movie*) avant-première *f*; (*of exhibition*) vernissage *m*; ***to give sb a ~ of sth*** *fig* donner à qn un aperçu de qc **2.** (FILM, TV *trailer*) bande-annonce *f* (***of*** de) **II** *v/t* (*view beforehand*) voir en avant-première; (*show beforehand*) donner en avant-première
previous ['priːvɪəs] *adj* précédent; *page, day* précédent; ***the ~ page/year*** l'année / la page précédente; ***the/a ~ holder of the title*** le / un précédent tenant du titre; ***in ~ years*** les années précédentes; ***he's already been the target of two ~ attacks*** il a déjà été la cible de deux attaques; ***on a ~ occasion*** précédemment; ***I have a ~ engagement*** je suis déjà pris; ***no ~ experience necessary*** aucune expérience requise; ***to have a ~ conviction*** avoir un casier judiciaire; ***~ owner*** propriétaire précédent **previously** ['priːvɪəslɪ] *adv* précédemment
pre-war ['priː'wɔːr] *adj* d'avant-guerre
prey [preɪ] **I** *n* proie *f*; ***bird of ~*** oiseau de proie; ***to fall ~ to sb/sth*** *fig* devenir la proie de qn / qc **II** *v/i* ***to ~ (up)on*** (*animals*) chasser; (*swindler etc.*) faire sa

victime de; (*doubts*) s'emparer de; ***it ~ed (up)on his mind*** l'idée le tourmentait

price [praɪs] **I** *n* **1.** prix *m*; ***the ~ of coffee*** le prix du café; ***to go up*** *or* ***rise / to go down*** *or* ***fall in ~*** augmenter / baisser; ***they range in ~ from $10 to $30*** les prix s'échelonnent de 10 à 30 dollars; ***what is the ~ of that?*** combien est-ce que ça coûte?; ***at a ~*** à un prix élevé; ***the ~ of victory*** le prix de la victoire; ***but at what ~!*** mais à quel prix!; ***not at any ~*** pour rien au monde; ***to put a ~ on sth*** évaluer qc **2.** (BETTING *odds*) cote *f* **II** *v/t* (*fix price of*) fixer le prix de; (*put price label on*) étiqueter (***at*** à); ***it was ~d at $5*** (*marked $5*) le prix indiqué était de 5 dollars; (*cost $5*) ça coûtait 5 dollars; ***tickets ~d at $20*** tickets vendus 20 dollars; ***reasonably ~d*** à prix raisonnable **price bracket** *n* = **price range price cut** *n* réduction *f* de prix **price increase** *n* augmentation *f* de prix **priceless** *adj* qui n'a pas de prix; *joke* tordant; *person* impayable *infml* **price limit** *n* prix *m* maximum **price list** *n* tarif *m* **price range** *n* fourchette *f* de prix **price rise** *n* augmentation *f* de prix **price tag** *n* étiquette *f* de prix **price war** *n* guerre *f* des prix **pricey** ['praɪsɪ] *adj infml* chérot *infml* **pricing** ['praɪsɪŋ] *n* tarification *f*

prick [prɪk] **I** *n* **1.** piqûre *f*; ***~ of conscience*** remords **2.** (*sl penis*) bitte *f sl* **3.** (*sl person*) con *m sl* **II** *v/t* piquer; ***to ~ one's finger*** se piquer le doigt; ***to ~ one's finger (on sth)*** se piquer le doigt (avec qc); ***she ~ed his conscience*** elle aiguisa ses remords ◆ **prick up** *v/t sep* ***to ~ its / one's ears*** dresser ses oreilles/l'oreille

prickle ['prɪkl] **I** *n* **1.** (*sharp point*) épine *f*, piquant *m* **2.** (*sensation*) picotement *m*; (*tingle*) fourmillement *m* **II** *v/i* piquer; (*tingle*) fourmiller **prickly** ['prɪklɪ] *adj* ⟨**+er**⟩ **1.** *plant*, *animal* hérissé de piquants; *sensation* de picotement; (*tingling*) de fourmillement **2.** *fig person* irritable

pride [praɪd] **I** *n* orgueil *m*; (*arrogance*) arrogance *f*; ***to take (a) ~ in sth*** être fier de qc; ***to take (a) ~ in one's appearance*** soigner son apparence; ***her ~ and joy*** sa fierté; ***to have*** *or* ***take ~ of place*** avoir la place d'honneur **II** *v/r* ***to ~ oneself on sth*** s'enorgueillir de faire qc

priest [priːst] *n* prêtre *m* **priestess** ['priːstɪs] *n* prêtresse *f*

prim [prɪm] *adj* ⟨**+er**⟩ (*a.* **prim and proper**) collet monté; *woman*, *manner* guindé

primaeval *adj Br* = **primeval primal** ['praɪməl] *adj* primitif(-ive)

primarily ['praɪmərɪlɪ] *adv* principalement **primary** ['praɪmərɪ] **I** *adj* premier (-ière), principal; ***our ~ concern*** notre principale préoccupation; ***of ~ importance*** de toute première importance **II** *n* **1.** (*US election*) primaire **2.** (*esp Br primary school*) école *f* primaire **primary color**, *Br* **primary colour** *n* couleur *f* primaire **primary education** *n Br* enseignement *m* primaire **primary election** *n US* élection *f* primaire **primary school** *n esp Br* école *f* primaire **primary school teacher** *n esp Br* enseignant(e) *m(f)* du primaire

prime [praɪm] **I** *adj* **1.** premier(-ière); *target*, *cause* principal; *candidate* principal; ***~ suspect*** principal suspect; ***of ~ importance*** de toute première importance; ***my ~ concern*** ma principale préoccupation **2.** (*excellent*) excellent **II** *n* ***in the ~ of life*** dans la fleur de l'âge; ***he is in his ~*** il est dans la fleur de l'âge **primed** *adj person* préparé **prime minister** *n* premier *m* ministre **prime number** *n* MATH nombre *m* premier **prime time** *n* heure *f* de grande écoute, prime time *m*

primeval [praɪ'miːvəl] *adj* primitif(-ive)

primitive ['prɪmɪtɪv] *adj* primitif(-ive)

primly ['prɪmlɪ] *adv* de manière guindée

primrose ['prɪmrəʊz] *n* BOT primevère *f*

primula ['prɪmjʊlə] *n* primevère *f*

prince [prɪns] *n* (*king's son*, *ruler*) prince *m* **princely** ['prɪnslɪ] *adj* princier(-ière) **princess** [prɪn'ses] *n* princesse *f*

principal ['prɪnsɪpəl] **I** *adj* principal; ***my ~ concern*** ma principale préoccupation **II** *n* (*of school*) directeur(-trice) *m(f)* **principality** [ˌprɪnsɪ'pælɪtɪ] *n* principauté *f* **principally** ['prɪnsɪpəlɪ] *adv* principalement

principle ['prɪnsɪpl] *n* principe *m*; (*no pl integrity*) principe *m*; ***in / on ~*** en principe; ***a man of ~(s)*** un homme de principes; ***it's a matter of ~, it's the ~ of the thing*** c'est une question de principe **principled** ['prɪnsɪpld] *adj* de principe

print [prɪnt] **I** *n* **1.** (*characters*) caractère

m; (*printed matter*) texte *f* imprimé; ***out of ~*** épuisé; ***to be in ~*** disponible; ***in large ~*** en gros caractères **2.** (*picture*) gravure *f* **3.** PHOT épreuve *f* **4.** (*of foot etc.*) empreinte *f*; ***a thumb ~*** une empreinte de pouce **II** *v/t* **1.** *book* imprimer; IT imprimer **2.** (*write clearly*) écrire en caractères d'imprimerie **III** *v/i* **1.** imprimer **2.** (*write clearly*) écrire en caractères d'imprimerie ◆ **print out** *v/t sep* IT imprimer

printed ['prɪntɪd] *adj* imprimé; (*written in capitals*) écrit en majuscules; ***~ matter/papers*** imprimés

printer ['prɪntəʳ] *n* imprimante *f* **print head** *n* IT tête *f* d'impression **printing** ['prɪntɪŋ] *n* (*process*) impression *f* **printing press** *n* presse *f* (d'imprimerie) **printmaking** *n* gravure *f* **print-out** *n* IT sortie *f* papier **print queue** *n* IT queue *f* d'impression **printwheel** ['prɪntwheel] *n* IT marguerite *f* (d'imprimante)

prior ['praɪəʳ] *adj* **1.** précédent; (*earlier*) antérieur; ***a ~ engagement*** une obligation; ***~ to sth*** antérieur à qc; ***~ to this/that*** antérieurement à ceci/cela; ***~ to going out*** avant de sortir **2.** *obligation* plus important

prioritize [praɪ'ɒrɪtaɪz] *v/t* **1.** (*arrange in order of priority*) donner un ordre de priorité à **2.** (*make a priority*) donner la priorité à **priority** [praɪ'ɒrɪtɪ] *n* priorité *f*; (*thing having precedence*) priorité *f*; ***a top ~*** une priorité absolue; ***it must be given top ~*** c'est une priorité absolue; ***to give ~ to sth*** donner la priorité à qc; ***in order of ~*** par ordre de priorité; ***to get one's priorities right*** savoir évaluer ses priorités; ***high on the list of priorities*** *or* ***the ~ list*** en tête des priorités les plus pressantes; ***low on the list of priorities*** *or* ***the ~ list*** loin dans la liste des priorités

prise *v/t Br* = **prize²**

prison ['prɪzn] **I** *n* prison *f*; ***to be in ~*** être en prison; ***to go to ~ for 5 years*** aller en prison pour cinq ans; ***to send sb to ~*** envoyer qn en prison **II** *attr* de prison, pénitentiaire

prisoner ['prɪznəʳ] *n* prisonnier(-ière) *m(f)*; ***to hold sb ~*** garder qn prisonnier; ***to take sb ~*** faire qn prisonnier; ***~ of war*** prisonnier de guerre **prison officer** *n Br* surveillant(e) *m(f)* de prison

pristine ['prɪstiːn] *adj condition* parfait, immaculé

privacy ['prɪvəsɪ, 'praɪvəsɪ] *n* intimité *f*, vie *f* privée; ***in the ~ of one's own home*** tranquillement chez soi; ***in the strictest ~*** dans la plus stricte intimité

private ['praɪvɪt] **I** *adj* **1.** privé; *matter* privé; (*secluded*) isolé; *wedding* célébré dans l'intimité; *person* secret; ***to keep sth ~*** garder le secret sur qc; ***his ~ life*** sa vie privée **2.** ***~ and confidential*** personnel et confidentiel; ***~ address*** adresse personnelle; ***~ education*** enseignement privé; ***~ individual*** particulier; ***~ limited company*** société privée; ***~ tutor*** professeur particulier **II** *n* **1.** MIL (simple) soldat *m*; ***Private X*** le soldat X **2. privates** *pl* (*genitals*) parties *fpl* (génitales) **3.** ***in ~*** en privé; ***we must talk in ~*** nous devons parler en privé **private company** *n* société *f* privée **private detective** *n* détective *m/f* privé(e) **private enterprise** *n* entreprise *f* privée; (*free enterprise*) libre entreprise *f* **private investigator** *n* détective *m/f* privé(e) **privately** ['praɪvɪtlɪ] *adv* **1.** (*not publicly*) en privé; *have operation* à titre privé; ***the meeting was held ~*** la réunion s'est tenue à huis clos; ***~ owned*** privé **2.** (*secretly*) secrètement **private parts** *pl* parties *fpl* (génitales) **private practice** *n Br* cabinet *m* privé; ***he is in ~*** il exerce dans le privé **private property** *n* propriété *f* privée **private school** *n* école *f* privée **private secretary** *n* secrétaire *m/f* particulier(-ière) **private sector** *n* secteur *m* privé **private tuition** *n* cours *m* particulier **privatization** [ˌpraɪvətaɪ'zeɪʃən] *n* privatisation *f* **privatize** ['praɪvətaɪz] *v/t* privatiser

privilege ['prɪvɪlɪdʒ] *n* privilège *m*; (*honor*) honneur *m* **privileged** ['prɪvɪlɪdʒd] *adj person* privilégié; ***for a ~ few*** pour quelques privilégiés; ***to be ~ to do sth*** avoir le privilège de faire qc; ***I was ~ to meet him*** j'ai eu le privilège de faire sa connaissance

Privy Council [ˌprɪvɪ'kaʊnsəl] *n* Conseil *m* privé

prize¹ [praɪz] **I** *n* prix *m* **II** *adj* **1.** *sheep* primé **2.** ***~ medal*** médaille du vainqueur **3.** ***~ competition*** concours primé **III** *v/t* attacher un grand prix à; ***to ~ sth highly*** faire grand cas de qc; ***~d possession*** bien le plus précieux

prize², *Br* **prise** [praɪz] *v/t* ***to ~ sth open*** ouvrir qc en faisant levier; ***to ~ the lid***

off forcer le couvercle d'une boîte
prize day *n* (*Br* SCHOOL) (jour de la) distribution *f* des prix **prize draw** *n* tombola *f* **prize money** *n* argent *m* du prix **prizewinner** *n* gagnant(e) *m(f)* **prizewinning** *adj* gagnant; ***~ ticket*** ticket gagnant
pro¹ [prəʊ] *n infml* professionnel(le) *m(f)*
pro² **I** *prep* (*in favor of*) pro **II** *n* ***the ~s and cons*** le pour et le contre
pro- *pref* pro; ***~European*** pro-européen
proactive [prəʊ'æktɪv] *adj* dynamique, qui fait preuve d'initiative
probability [ˌprɒbə'bɪlɪtɪ] *n* probabilité *f*; ***in all ~*** selon toute probabilité; ***what's the ~ of that happening?*** quelles sont les chances que cela se produise?
probable ['prɒbəbl] *adj* probable
probably ['prɒbəblɪ] *adv* probablement; ***most ~*** très probablement; ***~ not*** probablement pas
probation [prə'beɪʃən] *n* **1.** JUR ≈ sursis avec mise à l'épreuve; ***to put sb on ~ (for a year)*** ≈ mettre qn en sursis avec mise à l'épreuve (d'un an); ***to be on ~*** ≈ être en sursis avec mise à l'épreuve **2.** (*of employee*) essai *m*; (*probation period*) période *f* d'essai **probationary** [prə'beɪʃnərɪ] *adj* d'essai; ***~ period*** période d'essai; JUR de sursis, avec mise à l'épreuve **probation officer** *n* agent *m* de probation
probe [prəʊb] **I** *n* (*investigation*) enquête *f* (*into*) **II** *v/t* enquêter sur **III** *v/i* enquêter (***for*** sur); ***to ~ into sb's private life*** fouiller dans la vie privée de qn **probing** ['prəʊbɪŋ] **I** *n* enquête *f*, investigations *fpl*; ***all this ~ into people's private affairs*** toutes ces investigations dans la vie privée des gens **II** *adj* inquisiteur(-trice)
problem ['prɒbləm] *n* problème *m*; ***what's the ~?*** quel est le problème?; ***he has a drink(ing) ~*** il a un problème d'alcoolisme; ***I had no ~ in getting the money*** je n'ai eu aucun problème pour obtenir l'argent; ***no ~!*** *infml* pas de problème! **problematic(al)** [ˌprɒblə'mætɪk(əl)] *adj* problématique **problem-solving** *n* résolution *f* de problème
procedure [prə'siːdʒəʳ] *n* procédure *f*; ***what would be the correct ~ in such a case?*** quelle serait la marche à suivre dans ce cas? **proceed** [prə'siːd] **I** *v/i* **1.** *form* ***please ~ to gate 3*** veuillez vous rendre à la porte 3 **2.** (*form go on*) poursuivre; (*vehicle*) circuler **3.** (*continue*) poursuivre, passer (***with*** à); ***can we now ~ to the next item on the agenda?*** pouvons-nous passer au point suivant de l'ordre du jour?; ***everything is ~ing smoothly*** tout se déroule sans accroc; ***negotiations are ~ing well*** les négociations progressent de façon satisfaisante; ***you may ~*** (*speak*) vous pouvez poursuivre **4.** (*set about sth*) procéder **II** *v/t* ***to ~ to do sth*** se mettre à faire qc **proceeding** [prə'siːdɪŋ] *n* **1.** (*action*) procédure *f* **2.** **proceedings** *pl* (*function*) cérémonie *f*; (*of conference*) actes *mpl* **3.** **proceedings** *pl esp* JUR procédure *f*; ***to take ~s against sb*** engager une procédure contre qn **proceeds** ['prəʊsiːdz] *pl* (*yield*, *from raffle*, *takings*) recette *f*
process ['prəʊses] **I** *n* processus *m*; (*specific technique*) procédé *m*; ***in the ~*** au cours de l'opération; ***in the ~ of learning*** en cours d'apprentissage; ***to be in the ~ of doing sth*** être en train de faire qc **II** *v/t data*, *waste*, *application* traiter; *food* préparer; *film* développer **processing** ['prəʊsesɪŋ] *n* (*of data*, *waste*, *application*) traitement *m*; (*of food*) préparation *f*; (*of film*) développement *m* **processing language** *n* IT langage *m* de traitement **processing plant** *n* usine *f* de traitement **processing speed** *n* IT vitesse *f* de traitement
procession [prə'seʃən] *n* (*organized*) procession *f*; (*line*) défilé *m*; ***carnival ~*** défilé du carnaval
processor ['prəʊsesəʳ] *n* IT processeur *m*
proclaim [prə'kleɪm] *v/t* proclamer, déclarer; ***the day had been ~ed a holiday*** ce jour avait été décrété férié **proclamation** [ˌprɒklə'meɪʃən] *n* proclamation *f*
procrastinate [prəʊ'kræstɪneɪt] *v/i* tergiverser; ***he always ~s*** il tergiverse toujours **procrastination** [prəʊˌkræstɪ'neɪʃən] *n* procrastination *f*
procreate ['prəʊkrɪeɪt] *v/i* procréer **procreation** [ˌprəʊkrɪ'eɪʃən] *n* procréation *f*
procure [prə'kjʊəʳ] *v/t* (*obtain*, *bring about*)) procurer; ***to ~ sth for sb*** procurer qc à qn; se procurer qc

prod [prɒd] **I** *n* **1.** *lit* petite poussée *f*, coup *m* léger; ***to give sb a ~*** pousser doucement qn **2.** *fig* ***to give sb a ~*** pousser qn **II** *v/t* **1.** *lit* pousser doucement; ***he ~ded the hay with his stick*** il donna de petits coups dans le foin avec sa canne; ***..., he said, ~ding the map with his finger*** dit-il, en appuyant du doigt sur la carte **2.** *fig* pousser (***into sth*** à qc) **III** *v/i* pousser à la roue

prodigiously [prəˈdɪdʒəslɪ] *adv talented etc.* prodigieusement

prodigy [ˈprɒdɪdʒɪ] *n* prodige *m*; ***child ~*** enfant *m* prodige

produce [ˈprɒdjuːs] **I** *n no pl* AGR produit *m*; ***~ of Italy*** produit d'Italie **II** *v/t* **1.** (*yield*) produire; *heat*, *article*, *ideas* produire; ***the sort of environment that ~s criminal types*** un contexte typiquement générateur de criminalité **2.** (*show*) *purse* sortir (***from, out of*** de); *proof*, *results*, *documents* produire **3.** *play*, *movie* produire **4.** (*cause*) provoquer **III** *v/i* (*factory*, *tree*) produire

producer [prəˈdjuːsəʳ] *n* producteur (-trice) *m(f)*; THEAT metteur *m* en scène

-producing [-prəˈdjuːsɪŋ] *adj suf* producteur(-trice); ***oil-producing country*** pays producteur de pétrole; ***wine-producing area*** région vinicole

product [ˈprɒdʌkt] *n* produit *m*; ***food ~s*** produits alimentaires; ***~ range*** IND gamme de produits

production [prəˈdʌkʃən] *n* **1.** production *f*; (*of heat*, *crop*, *article*, *ideas*) production *f*; ***to put sth into ~*** lancer la production de qc; ***is it still in ~?*** est-ce que ça se fabrique toujours?; ***to take sth out of ~*** arrêter de produire qc **2.** (*of ticket*, *documents*) production *f*; (*of proof*) présentation *f* **3.** (*of play*) mise *f* en scène; (*of movie*) production *f* **production costs** *pl* coûts *mpl* de fabrication **production line** *n* chaîne *f* de fabrication **productive** [prəˈdʌktɪv] *adj* fructueux(-euse); *land* fertile; *business* fructueux(-euse); ***to lead a ~ life*** avoir une vie fructueuse **productively** [prəˈdʌktɪvlɪ] *adv* de façon productive **productivity** [ˌprɒdʌkˈtɪvɪtɪ] *n* productivité *f*; (*of land*, *business*) productivité *f*

Prof. *abbr* = **Professor** Pr.

profess [prəˈfes] **I** *v/t interest* professer, affirmer; *disbelief* affirmer; *ignorance* avouer; ***to ~ to be sth*** affirmer *or* prétendre être qc **II** *v/r* ***to ~ oneself satisfied*** se déclarer satisfait (***with*** de)

profession [prəˈfeʃən] *n* **1.** profession *f*; ***the teaching ~*** la profession d'enseignant; ***by ~*** de profession **2.** ***the medical ~*** le corps médical; ***the whole ~*** toute la profession **3.** ***~ of faith*** profession de foi

professional [prəˈfeʃənl] **I** *adj* **1.** professionnel(le); *opinion* de professionnel; *football* professionnel(le); ***~ army*** armée de métier; ***our relationship is purely ~*** notre relation est purement professionnelle; ***he's now doing it on a ~ basis*** il le fait maintenant de façon professionnelle; ***in his ~ capacity as ...*** en tant que professionnel de...; ***to be a ~ singer*** *etc.* être chanteur professionnel; ***to seek / take ~ advice*** demander / prendre l'avis d'un professionnel; ***to turn ~*** passer professionnel **2.** *work* de professionnel; *person*, *approach* professionnel(le); *performance* de grande qualité **II** *n* professionnel(le) *m(f)* **professionalism** [prəˈfeʃnəlɪzəm] *n* professionnalisme *m* **professionally** [prəˈfeʃnəlɪ] *adv* professionnellement; ***he plays ~*** il joue en professionnel; ***to know sb ~*** connaître qn dans le cadre du travail

professor [prəˈfesəʳ] *n US* professeur *m* (*titulaire d'une chaire et enseignant*) *m*; *Br* professeur (*titulaire d'une chaire*)

proficiency [prəˈfɪʃənsɪ] *n* ***her ~ as a***

professor

Aux États-Unis, **professor** désigne un enseignant à l'université, jamais au collège ou au lycée. Au Royaume-Uni, un **professor** est un professeur titulaire d'une chaire ; un enseignant du supérieur non titulaire d'une chaire s'appelle lecturer.

He was one of my favorite professors at college. (*US*); **the professor of physics at Cambridge University** (*Br*); **a lowly lecturer in sociology at Bath University** (*Br*)

C'était l'un de mes profs préférés à la fac. (*US*) ; le titulaire de la chaire de physique à l'université de Cambridge (*Br*) ; un petit prof de sociologie à l'université de Bath (*Br*)

secretary ses compétences de secrétaire; ***his ~ in English*** sa maîtrise de l'anglais; ***her ~ in translating*** ses compétences de traductrice **proficient** [prə'fɪʃənt] *adj* compétent; ***he is just about ~ in French*** il se débrouille à peine en français; ***to be ~ in Japanese*** maîtriser le japonais

profile ['prəʊfaɪl] **I** *n* profil *m*; (*picture*) profil *m*; (*biographical profile*) profil *m*; ***in ~*** de profil; ***to keep a low ~*** adopter un profil bas **II** *v/t* profiler

profit ['prɒfɪt] **I** *n* **1.** COMM profit *m*; ***~ and loss statement*** *US* constat de profits et pertes; ***to make a ~*** (***out of*** *or* ***on sth***) réaliser un bénéfice (sur qc); ***to show*** *or* ***yield a ~*** rapporter un bénéfice; ***to sell sth at a ~*** vendre qc à profit; ***the business is now running at a ~*** l'entreprise est à présent bénéficiaire **2.** *fig* profit *m*; ***you might well learn something to your ~*** vous pourriez en tirer un enseignement profitable **II** *v/i* tirer profit *or* avantage (***by, from*** de) **profitability** [ˌprɒfɪtə'bɪlɪtɪ] *n* rentabilité *f* **profitable** ['prɒfɪtəbl] *adj* COMM rentable; *fig* payant **profiteering** [ˌprɒfɪ'tɪərɪŋ] *n* bénéfices *mpl* excessifs **profit-making** *adj* **1.** rentable **2.** (*profit-orientated*) à but lucratif **profit margin** *n* marge *f* bénéficiaire **profit-sharing** *n* participation *f* aux bénéfices **profit warning** *n* COMM *annonce d'une baisse des bénéfices d'une entreprise*

pro forma (invoice) [ˌprəʊ'fɔːmə(ɪnvɔɪs)] *n* facture *f* pro forma

profound [prə'faʊnd] *adj sorrow, regret* profond; *thinker, idea* profond; *knowledge* approfondi; *hatred, ignorance* profond; *influence, implications* en profondeur **profoundly** [prə'faʊndlɪ] *adv different* profondément; ***~ deaf*** très sourd

profusely [prə'fjuːslɪ] *adv bleed* abondamment; *thank* avec effusion; ***he apologized ~*** il se répandit en excuses **profusion** [prə'fjuːʒən] *n* profusion *f*

prognosis [prɒg'nəʊsɪs] *n* ⟨*pl* **prognoses**⟩ pronostic *m*

program ['prəʊgræm] **I** *n* **1.** IT programme *m* **2.** *n* programme *m*; ***what's the ~ for tomorrow?*** quel est le programme pour demain? **II** *v/t* programmer **programmable** ['prəʊgræməbl] *adj* programmable

programme *Br* = **program programmer** ['prəʊgræmə^r] *n* programmeur (-euse) *m*(*f*) **programming** ['prəʊgræmɪŋ] *n* programmation *f*; ***~ language*** langage de programmation

progress ['prəʊgres] **I** *n* **1.** *no pl* (*movement forward*) progrès *m*; ***we made slow ~ through the mud*** nous avancions péniblement dans la boue; ***in ~*** en cours; ***"silence please, meeting in ~"*** "silence, réunion en cours"; ***the work still in ~*** les travaux toujours en cours **2.** *no pl* (*advance*) progression *f*; ***to make*** (***good***/ ***slow***) ***~*** progresser (rapidement / lentement) **II** *v/i* **1.** (*move forward*) progresser, avancer **2.** ***as the work ~es*** à mesure que le travail avance; ***as the game ~ed*** au fur et à mesure que la partie se déroulait; ***while negotiations were actually ~ing*** tandis que les négociations avançaient **3.** (*improve*) progresser; ***how far have you ~ed?*** jusqu'où avez-vous progressé?; ***as you ~ through the ranks*** à mesure que vous gravissez les échelons **progression** [prə'greʃən] *n* progression *f*; (*development*) évolution *f*; ***his ~ from a junior clerk to managing director*** son évolution du poste de petit employé à celui de directeur général **progressive** [prə'gresɪv] *adj* progressif(-ive) **progressively** [prə'gresɪvlɪ] *adv* progressivement **progress report** *n* compte-rendu *m*

prohibit [prə'hɪbɪt] *v/t* interdire, défendre; ***to ~ sb from doing sth*** interdire à qn de faire qc; ***"smoking ~ed"*** "interdit de fumer" **prohibitive** [prə'hɪbɪtɪv] *adj* prohibitif(-ive); ***the costs of producing this model have become ~*** les coûts de production de ce modèle sont devenus prohibitifs

project¹ ['prɒdʒekt] *n* **1.** projet *m*; (*plan*) projet *m*; SCHOOL dossier; UNIV mémoire *m*; (*in primary school*) projet *m* scolaire **2.** *US* ≈ HLM *m*

project² [prə'dʒekt] **I** *v/t* **1.** *movie, emotions* projeter (***onto*** sur); ***to ~ one's voice*** projeter sa voix **2.** *plan* projeter; *costs* prévoir **3.** (*propel*) propulser **II** *v/i* (*jut out*) dépasser (***from*** de) **projectile** [prə'dʒektaɪl] *n* projectile *m* **projection** [prə'dʒekʃən] *n* **1.** (*of movies, feelings*) projection *f* **2.** (*estimate*) projection *f*; (*of cost*) prévision *f* **projectionist** [prə'dʒekʃnɪst] *n* projectionniste *m*/*f* **projector** [prə'dʒektə^r] *n* FILM pro-

jecteur *m*
proletarian [ˌprəʊlə'tɛərɪən] *adj* prolétaire **proletariat** [ˌprəʊlə'tɛərɪət] *n* prolétariat *m*
pro-life [ˌprəʊ'laɪf] *adj* contre l'avortement et l'euthanasie
proliferate [prə'lɪfəreɪt] *v/i* (*number*) proliférer **proliferation** [prəˌlɪfə'reɪʃən] *n* prolifération *f* **prolific** [prə'lɪfɪk] *adj* **1.** *writer* prolifique **2.** (*abundant*) prolifique
prolog, *Br* **prologue** ['prəʊlɒg] *n* prologue *m*
prom [prɒm] *n infml* (*US ball*) bal *m* (*universitaire ou scolaire*); (*Br concert*) concert-promenade *m* **promenade** [ˌprɒmɪ'nɑːd] *n* (*US ball*) bal *m* (*universitaire ou scolaire*); (*esp Br esplanade*) promenade *f*; **~ concert** *Br* concert-promenade
prominence ['prɒmɪnəns] *n* (*of ideas*) importance *f*; (*of politician etc.*) rôle *m* éminent; ***to rise to* ~** se hisser au premier rang **prominent** ['prɒmɪnənt] *adj* **1.** *cheekbones* saillant, *teeth* en avant; ***to be* ~** avancer, saillir **2.** *markings* frappant; *feature* marquant; *position*, *publisher* en vue; ***put it in a ~ position*** mets-le bien en vue **3.** *role* important; (*significant*) significatif(-ive) **prominently** ['prɒmɪnəntlɪ] *adv place* bien en vue; ***he figured ~ in the case*** il a joué un rôle important dans l'affaire
promiscuity [ˌprɒmɪ'skjuːɪtɪ] *n* promiscuité *f* sexuelle **promiscuous** [prə'mɪskjʊəs] *adj* (*sexually*) aux mœurs légères; ***to be* ~** avoir des mœurs légères; ***~ behavior*** promiscuité sexuelle
promise ['prɒmɪs] **I** *n* **1.** promesse *f*; ***their ~ of help*** leur promesse d'assistance; ***is that a ~?*** c'est promis?; ***to make sb a* ~** faire une promesse à qn; ***I'm not making any ~s*** je ne promets rien; ***~s, ~s!*** toujours des promesses! **2.** (*prospect*) promesse *f*, possibilité *f*; ***to show* ~** donner à espérer **II** *v/t* promettre; (*forecast*) prévoir; ***to ~ (sb) to do sth*** promettre (à qn) de faire qc; ***to ~ sb sth, to ~ sth to sb*** promettre qc à qn; ***to ~ sb the earth*** promettre la lune à qn; ***~ me one thing*** promettez-moi une chose; ***I won't do it again, I* ~** je ne le ferai plus, c'est promis; ***it ~d to be another scorching day*** encore une journée caniculaire en perspective **III** *v/i* promettre; (***do you***) ***~?*** promis?; ***~!*** (*I promise*) promis!; ***I'll try, but I'm not promising*** je vais essayer mais je ne promets rien **IV** *v/r* ***to ~ oneself sth*** se promettre qc; ***I've ~d myself never to do it again*** je me suis promis de ne jamais recommencer **promising** ['prɒmɪsɪŋ] *adj*, prometteur(-euse) **promisingly** ['prɒmɪsɪŋlɪ] *adv* d'une façon prometteuse
promontory ['prɒməntrɪ] *n* promontoire *m*
promote [prə'məʊt] *v/t* **1.** (*in rank*) promouvoir; ***our team was ~d*** (*esp Br* FTBL) notre équipe est passée dans la division supérieure **2.** (*foster*) encourager **3.** (*advertise*) promouvoir **promoter** [prə'məʊtər] *n* organisateur(-trice) *m*(*f*) **promotion** [prə'məʊʃən] *n* **1.** (*in rank*) promotion *f*; (*of team*) promotion *f*; ***to get*** *or* ***win* ~** obtenir une promotion; (*team*) passer dans la division supérieure **2.** (*fostering*) promotion *f* **3.** (*advertising*) publicité *f* (**of** de); (*advertising campaign*) promotion *f*
prompt [prɒmpt] **I** *adj* ⟨**+er**⟩ rapide; *action* rapide; (*on time*) ponctuel(le) **II** *adv* ***at 6 o'clock* ~** à 6 heures précises **III** *v/t* **1.** (*motivate*) ***to ~ sb to do sth*** pousser qn à faire qc, inciter qn à faire qc **2.** *feelings* provoquer, susciter **3.** (*help with speech*) souffler (***sb*** à qn); THEAT souffler (***sb*** à qn) **IV** *n* IT invite *f* **prompter** ['prɒmptər] *n* souffleur (-euse) *m*(*f*) **promptly** ['prɒmptlɪ] *adv* **1.** rapidement, sans tarder; ***they left ~ at 6*** ils sont partis à 18 heures précises **2.** (*without further ado*) sans plus de cérémonie
prone [prəʊn] *adj* **1.** ***to be*** *or* ***lie* ~** être étendu sur le ventre; ***in a ~ position*** allongé sur le ventre **2.** ***to be ~ to sth*** être enclin à qc; ***to be ~ to do sth*** être enclin à faire qc **proneness** ['prəʊnnɪs] *n* tendance *f* (**to** à)
prong [prɒŋ] *n* dent *f*, pointe *f* **-pronged** [-prɒŋd] *adj suf*; ***a three-pronged attack*** une attaque en trois points
pronoun ['prəʊnaʊn] *n* pronom *m*
pronounce [prə'naʊns] *v/t* **1.** *word etc.* prononcer; ***English is hard to* ~** la prononciation de l'anglais est difficile **2.** (*declare*) déclarer, prononcer; ***the doctors ~d him unfit for work*** les médecins l'ont déclaré inapte au travail; ***to ~ oneself in favor of / against sth*** se prononcer en faveur / contre qc **pronounced**

adj prononcé; *accent* prononcé; ***he has a ~ limp*** il boite de façon très prononcée **pronouncement** *n* déclaration *f*; ***to make a ~*** faire une déclaration **pronunciation** [prəˌnʌnsɪ'eɪʃən] *n* prononciation *f*

proof [pruːf] *n* **1.** preuve *f* (***of*** de); ***as ~ of*** comme preuve de; ***that is ~ that …*** cela prouve que…; ***show me your ~*** donnez-moi la preuve; ***~ of purchase*** preuve d'achat **2.** (*of alcohol*) teneur *f*; ***70 ~*** ≈ à 40 ° **proofread** *v/t & v/i* corriger les épreuves (de)

prop[1] [prɒp] **I** *n lit* support *m*; *fig* soutien *m* **II** *v/t* ***to ~ the door open*** caler la porte pour qu'elle reste ouverte; ***to ~ oneself / sth against sth*** s'appuyer / appuyer qc contre qc ◆ **prop up** *v/t sep*; *wall* étayer; ***to prop oneself / sth up against sth*** s'appuyer / appuyer qc contre qc; ***to prop oneself up on sth*** se caler contre qc

prop[2] *abbr* = **proprietor**

propaganda [ˌprɒpə'gændə] *n* propagande *f*

propagate ['prɒpəgeɪt] *v/t* (*disseminate*) propager **propagation** [ˌprɒpə'geɪʃən] *n* (*dissemination*) propagation *f*

propane ['prəʊpeɪn] *n* propane *m*

propel [prə'pel] *v/t* propulser **propeller** [prə'peləʳ] *n* hélice *f*

proper ['prɒpəʳ] *adj* **1.** (*actual*) vrai, véritable; ***a ~ job*** *Br* un vrai travail **2.** (*fitting*, *infml real*) correct; ***in the ~ way*** dans les règles; ***it's only right and ~*** ce n'est que justice; ***to do the ~ thing*** faire ce qui convient; ***the ~ thing to do would be to apologize*** la chose à faire, ce serait de s'excuser **3.** (*seemly*) convenable **4.** (*prim and proper*) guindé **properly** ['prɒpəlɪ] *adv* **1.** (*correctly*) correctement **2.** (*in seemly fashion*) convenablement, comme il faut **proper name, proper noun** *n* nom *m* propre

property ['prɒpətɪ] *n* **1.** (*characteristic*) propriété *f*, caractéristique *f*; ***healing properties*** propriétés curatives **2.** (*thing owned*) propriété *f*, possession *f*; ***it's common ~*** *lit* ça appartient à tout le monde; *fig* c'est de notoriété publique **3.** (*building*) propriété *f*; (*office*) bureaux *mpl*; (*land*) terres *fpl*; (*estate*) immobilier *m*; (*no pl houses etc.*) propriétés *fpl*; ***~ in New York is expensive*** l'immobilier à New York est cher **property developer** *n* promoteur *m* immobilier **property market** *n* marché *m* de l'immobilier

prophecy ['prɒfɪsɪ] *n* prophétie *f* **prophesy** ['prɒfɪsaɪ] **I** *v/t* prophétiser **II** *v/i* faire des prophéties **prophet** ['prɒfɪt] *n* prophète *m* **prophetic** [prə'fetɪk] *adj*, prophétique **prophetically** [prə'fetɪkəlɪ] *adv* prophétiquement

proponent [prə'pəʊnənt] *n* partisan *m*

proportion [prə'pɔːʃən] *n* **1.** (*in number*) proportion *f* (***of x to y*** de x par rapport à y); (*in size*) proportion *f*, dimensions *fpl*; ***~s*** (*size*) dimensions; (*of building etc.*) taille; ***to be in / out of ~*** (***to one another***) (*in number*) être bien / mal équilibré (l'un par rapport à l'autre); (*in size*, ART) être bien / mal proportionné; (*in time*, *effort etc.*) en / hors de proportion avec; ***to be in / out of ~ to sth*** être en / hors de proportion avec qc; (*in size*) être proportionné / disproportionné par rapport à qc; ***to get sth in ~*** ART respecter les proportions; *fig* remettre les choses à leur place; ***he has let it all get out of ~*** *fig* il a laissé les choses prendre des proportions incroyables; ***it's out of all ~!*** c'est totalement exagéré!; ***sense of ~*** sens des proportions **2.** (*part*) partie *f*, pourcentage *m*; (*share*) part *f*; ***a certain ~ of the population*** une certaine partie de la population; ***the ~ of drinkers in our society is rising constantly*** le pourcentage de gens qui boivent dans notre société est en augmentation constante **proportional** [prə'pɔːʃənl] *adj* proportionnel(le) (***to*** à) **proportional representation** *n* POL représentation *f* proportionnelle **proportionate** [prə'pɔːʃnɪt] *adj* proportionnel(le) **proportionately** [prə'pɔːʃnɪtlɪ] *adv* proportionnellement

proposal [prə'pəʊzl] *n* proposition *f* (***on, about*** à propos de); (*proposal of marriage*) demande *f* en mariage; ***to make sb a ~*** demander qn en mariage **propose** [prə'pəʊz] **I** *v/t* **1.** (*suggest*) proposer; ***to ~ marriage to sb*** proposer le mariage à qn **2.** (*have in mind*) compter; ***how do you ~ to pay for it?*** comment comptez-vous payer? **II** *v/i* faire sa demande en mariage (*to*) **proposition** [ˌprɒpə'zɪʃən] **I** *n* (*proposal*) proposition *f*; (*argument*) argument *m* **II** *v/t* ***he ~ed me*** il m'a fait des avances

proprietor [prə'praɪətəʳ] *n* (*of house*,

propose ≠ suggérer

Le mot **propose** est beaucoup moins fréquent que le mot français proposer :

✓ **Can I suggest some wine?**
✗ **Can I propose you some wine?**

Puis-je vous proposer un verre de vin ?

newspaper) propriétaire *m/f*; *Br* (*of pub*) tenancier *m*
propriety [prə'praɪətɪ] *n* (*decency*) bienséance *f*
propulsion [prə'pʌlʃən] *n* propulsion *f*
pro rata ['prəʊ'rɑːtə] *adj*, *adv* au pro rata; ***on a ~ basis*** au pro rata
proscribe [prəʊ'skraɪb] *v/t* (*forbid*) proscrire
prose [prəʊz] *n* **1.** prose *f* **2.** (*style*) prose *f*
prosecute ['prɒsɪkjuːt] **I** *v/t* poursuivre (en justice) (***for*** pour); ***"trespassers will be ~d"*** "défense d'entrer, sous peine de poursuites" **II** *v/i* représenter la partie civile; ***Mr Jones, prosecuting, said ...*** Mr Jones, représentant de la partie civile, a affirmé… **prosecution** [ˌprɒsɪ'kjuːʃən] *n* (JUR *act of prosecuting*) poursuite *f* (en justice); (*in court side*) partie *f* plaignante (***for*** pour); (***the***) ***counsel for the ~*** le ministère public; ***witness for the ~*** témoin à charge **prosecutor** ['prɒsɪkjuːtər] (*a.* **public prosecutor**) *n* procureur *m* général
prospect ['prɒspekt] *n* (*outlook*) perspective *f* (***of*** de); ***a job with no ~s*** un emploi sans avenir **prospective** [prə'spektɪv] *adj attr* (*likely to happen*) éventuel(le); *son-in-law* futur; *buyer* possible; ***~ earnings*** des gains possibles
prospectus [prə'spektəs] *n* brochure *f*; SCHOOL, UNIV livret *m*
prosper ['prɒspər] *v/i* réussir; (*financially*) prospérer **prosperity** [prɒs'perɪtɪ] *n* prospérité *f* **prosperous** ['prɒspərəs] *adj person*, *business*, *economy* prospère **prosperously** ['prɒspərəslɪ] *adv live* de manière prospère
prostate (gland) ['prɒsteɪt(ˌglænd)] *n* prostate *f*
prostitute ['prɒstɪtjuːt] **I** *n* prostitué(e) *m(f)* **II** *v/r* se prostituer **prostitution** [ˌprɒstɪ'tjuːʃən] *n* prostitution *f*
prostrate ['prɒstreɪt] **I** *adj* (*on stomach*) à plat ventre; (*with grief*) accablé **II** *v/r* se prosterner (***before*** devant)
protagonist [prəʊ'tægənɪst] *n esp* LIT protagoniste *m/f*
protect [prə'tekt] **I** *v/t* défendre (*against* contre, *from* de); (*person*, *animal*) protéger (*against* contre, *from* de); IT protéger; ***don't try to ~ the culprit*** n'essayez pas de protéger le coupable **II** *v/i* se protéger (***against*** contre)
protection [prə'tekʃən] *n* protection *f* (*against* contre, *from* de); ***to be under sb's ~*** être sous la protection de qn **protectionism** [prə'tekʃənɪzəm] *n* protectionnisme *m* **protective** [prə'tektɪv] *adj attitude* protecteur(-trice); *equipment* protecteur(-trice); ***the mother is very ~ toward her children*** la mère est très protectrice à l'égard de ses enfants **protective clothing** *n* vêtements *mpl* de protection **protective custody** *n* détention *f* visant à protéger la personne **protectively** [prə'tektɪvlɪ] *adv* de manière protectrice **protector** [prə'tektər] *n* **1.** (*defender*) protecteur (-trice) *m(f)* **2.** (*protective wear*) protection *f*
protégé, protégée ['prɒtəʒeɪ] *n* protégé(e) *m(f)*
protein ['prəʊtiːn] *n* protéine *f*
protest ['prəʊtest] **I** *n* protestation *f*; (*demonstration*) manifestation *f*; ***in ~*** en signe de protestation; ***to make a ~*** élever une protestation **II** *v/i* protester (*against* contre; *about* à propos de); (*demonstrate*) manifester (*against* contre; *about* à propos de) **III** *v/t* **1.** *innocence* protester de **2.** (*dispute*) contester
Protestant ['prɒtɪstənt] **I** *adj* protestant **II** *n* protestant(e) *m(f)*
protestation [ˌprɒte'steɪʃən] *n* (*protest*) protestation *f* **protester** [prə'testər] *n* protestataire *m/f*; (*in demo*) manifestant(e) *m(f)* **protest march** *n* manifestation *f*
protocol ['prəʊtəkɒl] *n* protocole *m*
proton ['prəʊtɒn] *n* proton *m*
prototype ['prəʊtəʊtaɪp] *n* prototype *m*
protracted [prə'træktɪd] *adj* prolongé; *dispute* interminable
protrude [prə'truːd] *v/i* saillir (***from*** de); (*ears*) être décollé **protruding** [prə'truːdɪŋ] *adj* saillant; *ears* décollé; *chin*, *ribs* saillant
proud [praʊd] **I** *adj* fier(fière) (***of*** de); ***it***

made his parents feel very ~ ça a fait la fierté de ses parents; ***to be ~ that …*** être fier de ce que…; ***to be ~ to do sth*** être fier de faire qc **II** *adv* ***to do oneself ~*** ne rien se refuser; ***to do sb ~*** traiter qn comme un roi **proudly** ['praʊdlɪ] *adv* fièrement

prove [pruːv] ⟨*past* **proved**⟩ ⟨*past part* **proved** *or* **proven**⟩ **I** *v/t* prouver; ***he ~d that …*** il prouva que…; ***to ~ sb innocent*** prouver l'innocence de qn; ***he was ~d right*** il s'avéra qu'il avait raison; ***he did it just to ~ a point*** il a simplement fait cela pour prouver ce qu'il avançait **II** *v/i* ***to ~ (to be) useful*** s'avérer utile; ***the accident ~d fatal*** l'accident fut mortel **III** *v/r* **1.** (*show one's value etc.*) se révéler **2.** ***to ~ oneself to be sth*** se révéler être qc **proven** ['pruːvən] **I** *past part* = **prove II** *adj* éprouvé

proverb ['prɒvɜːb] *n* proverbe *m* **proverbial** [prə'vɜːbɪəl] *adj lit, fig* proverbial

provide [prə'vaɪd] **I** *v/t* fournir; *food, money, ideas, electricity* fournir; ***X ~d the money and Y (~d) the expertise*** X a fourni les fonds et Y le savoir-faire; ***candidates must ~ their own pens*** les candidats doivent se munir de stylos; ***to ~ sth for sb*** (*supply*) fournir qc à qn; (*make available*) mettre qc à la disposition de qn; ***to ~ sb with sth*** *with food etc.* approvisionner qn en qc; (*equip*) équiper qn en qc **II** *v/r* ***to ~ oneself with sth*** se munir de qc ◆ **provide against** *v/t insep* se prémunir contre ◆ **provide for** *v/t insep* pourvoir à; *emergencies* parer à

provided (that) [prə'vaɪdɪd('ðæt)] *cj* pourvu que, à condition que

providence ['prɒvɪdəns] *n* providence *f*

provider [prə'vaɪdəʳ] *n* (*for family*) celui (celle) qui subvient aux besoins de la famille **providing (that)** [prə'vaɪdɪŋ ('ðæt)] *cj* à condition que

province ['prɒvɪns] *n* **1.** province *f* **2. provinces** *pl* ***the ~s*** la province **provincial** [prə'vɪnʃəl] *adj* provincial

provision [prə'vɪʒən] *n* **1.** (*supplying*) (*for others*) fourniture *f*; (*of food, water etc.*) approvisionnement *m* (*of* en, *to sb* de qn) **2.** (*supply*) provision *f* (**of** de) **3. *~s*** *pl* (*food*) provisions **4.** (*arrangement*) disposition *f*; (*stipulation*) clause *f*; ***with the ~ that …*** avec une clause selon laquelle…; ***to make ~ for sb / sth*** prendre des dispositions pour qn / qc **provisional** [prə'vɪʒənl] *adj* provisoire, à titre provisoire; *offer* provisoire; ***~ driving licence*** *Br* permis de conduire provisoire **provisionally** [prə'vɪʒnəlɪ] *adv* provisoirement **proviso** [prə'vaɪzəʊ] *n* stipulation *f*, condition *f*; ***with the ~ that …*** à condition que…

provocation [ˌprɒvə'keɪʃən] *n* provocation *f*; ***he acted under ~*** il a réagi à une provocation; ***he hit me without any ~*** il m'a frappé sans aucune provocation de ma part **provocative** [prə'vɒkətɪv] *adj* provocateur(-trice), provocant; *remark* provocateur(-trice); *behavior* provocant **provocatively** [prə'vɒkətɪvlɪ] *adv* de façon provocante; *say, behave* de façon provocatrice; ***~ dressed*** habillée de façon provocante **provoke** [prə'vəʊk] *v/t* provoquer; *animal, reaction* provoquer; ***to ~ an argument*** (*person*) provoquer une discussion; ***to ~ sb into doing sth*** provoquer qn pour qu'il fasse qc **provoking** [prə'vəʊkɪŋ] *adj* exaspérant, agaçant

prow [praʊ] *n* proue *f*

prowess ['praʊɪs] *n* (*skill*) savoir-faire *m*; ***his (sexual) ~*** ses prouesses (sexuelles)

prowl [praʊl] **I** *n* rôder; ***to be on the ~*** (*cat, boss*) rôder **II** *v/i* (*a.* **prowl around**) rôder; ***he ~ed around the house*** il a rôdé dans la maison **prowler** ['praʊləʳ] *n* rôdeur(-euse) *m(f)*

proximity [prɒk'sɪmɪtɪ] *n* proximité *f*; ***in close ~ to*** à proximité de

proxy ['prɒksɪ] *n* ***by ~*** par procuration

prude [pruːd] *n* prude *m/f* ***to be a ~*** être prude

prudence ['pruːdəns] *n* (*of person*) prudence *f*; (*of action*) caractère *m* prudent **prudent** *adj person, action* prudent **prudently** *adv* prudemment, avec prudence

prudish ['pruːdɪʃ] *adj* prude

prune[1] [pruːn] *n* pruneau *m*

prune[2] *v/t* (*a.* **prune down**) tailler; *fig expenditure* réduire **pruning** ['pruːnɪŋ] *n* taille *f*; *fig* (*of expenditure*) réduction *f*

Prussia ['prʌʃə] *n* Prusse *f*

pry[1] [praɪ] *v/i* fouiller; (*in drawers etc.*) fouiller (**in** dans); ***I don't mean to ~, but …*** sans vouloir être indiscret…; ***to ~ into sb's affairs*** mettre son nez dans les affaires de qn

pry² *v/t US* = **prise**
prying ['praɪɪŋ] *adj* indiscret(-ète)
P.S. *abbr* = **postscript** PS *m*
psalm [sɑːm] *n* psaume *m*
pseudonym ['sjuːdənɪm] *n* pseudonyme *m*
P.S.T. *US abbr* = **Pacific Standard Time** heure *f* du Pacifique
psych [saɪk] *v/t infml* ***to ~ sb*** (***out***) intimider qn ◆ **psych out** *v/t sep infml* voir clair dans le jeu de qn ◆ **psych up** *v/t sep infml* motiver *infml*; ***to psych oneself up*** se préparer psychologiquement
psyche ['saɪkɪ] *n* psychisme *m*
psychedelic [ˌsaɪkɪ'delɪk] *adj* psychédélique
psychiatric [ˌsaɪkɪ'ætrɪk] *adj* psychiatrique; *illness* psychiatrique, mental; ***~ hospital*** hôpital psychiatrique; ***~ nurse*** infirmière psychiatrique **psychiatrist** [saɪ'kaɪətrɪst] *n* psychiatre *m/f* **psychiatry** [saɪ'kaɪətrɪ] *n* psychiatrie *f*
psychic ['saɪkɪk] **I** *adj* **1.** parapsychique; *powers* surnaturel(le); ***you must be ~!*** tu dois être médium! **2.** PSYCH psychique **II** *n* médium *m/f*
psycho ['saɪkəʊ] *n infml* psychopathe *m/f*
psychoanalysis [ˌsaɪkəʊə'næləsɪs] *n* psychanalyse *f* **psychoanalyst** [ˌsaɪkəʊ'ænəlɪst] *n* psychanalyste *m/f* **psychoanalyze**, *Br* **psychoanalyse** [ˌsaɪkəʊ'ænəlaɪz] *v/t* psychanalyser
psychological [ˌsaɪkə'lɒdʒɪkəl] *adj* psychologique; ***he's not really ill, it's all ~*** il n'est pas vraiment malade, c'est psychologique **psychologically** [ˌsaɪkə'lɒdʒɪkəlɪ] *adv* psychologiquement **psychological thriller** *n* FILM, LIT thriller *m* psychologique **psychologist** [saɪ'kɒlədʒɪst] *n* psychologue *m/f* **psychology** [saɪ'kɒlədʒɪ] *n* (*science*) psychologie *f*
psychopath ['saɪkəʊpæθ] *n* psychopathe *m/f*
psychosomatic [ˌsaɪkəʊsəʊ'mætɪk] *adj* psychosomatique
psychotherapist [ˌsaɪkəʊ'θerəpɪst] *n* psychothérapeute *m/f* **psychotherapy** [ˌsaɪkəʊ'θerəpɪ] *n* psychothérapie *f*
psychotic [saɪ'kɒtɪk] *adj* psychotique
pt. *abbr* = **part**, **pint**, **point**
PTA *abbr* = **parent-teacher association**
p.t.o. *abbr* = **please turn over** TSVP
pub [pʌb] *n esp Br* pub *m* ***let's go to the ~*** et si on allait au pub **pub-crawl** ['pʌbkrɔːl] *n* (*esp Br infml*) ***to go on a ~*** faire la tournée des pubs
puberty ['pjuːbətɪ] *n* puberté *f*; ***to reach ~*** arriver à la puberté
pubic ['pjuːbɪk] *adj* pubien(ne); ***~ hair*** poils pubiens
public ['pʌblɪk] **I** *adj* public(-ique); ***to be ~ knowledge*** être de notoriété publique; ***to become ~*** être rendu public; ***at ~ expense*** avec les fonds publics; ***~ pressure*** pression de l'opinion publique; ***a ~ figure*** une personnalité très connue; ***in the ~ eye*** très en vue; ***to make sth ~*** rendre qc public; (*officially*) porter qc à la connaissance du public; ***~ image*** image de marque; ***in the ~ interest*** dans l'intérêt public **II** *n sg or pl* public *m*; ***in ~*** en public; *admit* publiquement; ***the*** (***general***) ***~*** le grand public; ***the viewing ~*** les téléspectateurs **public access channel** *n* chaîne *f* de TV octroyant un temps d'antenne à des groupements de particuliers **public address system** *n* (système de) sonorisation *f*
publican ['pʌblɪkən] *n Br* patron(ne) *m(f)* de pub
publication [ˌpʌblɪ'keɪʃən] *n* publication *f*
public company *n* société *f* anonyme **public convenience** *n Br* toilettes *fpl* publiques **public defender** *n US* avocat(e) *m(f)* de l'assistance judiciaire **public enemy** *n* ennemi *m* public **public gallery** *n* tribune *f* réservée au public **public health** *n* santé *f* publique **public holiday** *n* jour *m* férié **public housing** *n US* logement *m* social **public inquiry** *n* enquête *f* officielle
publicist ['pʌblɪsɪst] *n* publicitaire *m/f*
publicity [pʌb'lɪsɪtɪ] *n* **1.** publicité *f* **2.** COMM publicité *f* **publicity campaign** *n* campagne *f* de publicité **publicity stunt** *n* coup *m* de pub *infml* **publicity tour** *n* tournée *f* publicitaire **publicize** ['pʌblɪsaɪz] *v/t* **1.** (*make public*) rendre public **2.** *movie*, *product* faire de la publicité pour
public law *n* droit *m* public **public life** *n* vie *f* publique **public limited company** *n* société *f* à responsabilité limitée
publicly ['pʌblɪklɪ] *adv* publiquement; ***~ funded*** financé par des fonds publics
public money *n* fonds *mpl* publics
public opinion *n* opinion *f* publique

public ownership *n* nationalisation *f*; ***under** or **in ~*** nationalisé **public property** *n* biens *mpl* publics **public prosecutor** *n Br* procureur *m* général **public relations** *n sg or pl* relations *fpl* publiques; ***~ exercise*** opération de relations publiques **public school** *n Br* public school *f*, grande école *f* privée; *US* école *f* publique **public sector** *n* secteur *m* public **public servant** *n* fonctionnaire *m*/*f* **public service** *n* (*Civil Service*) fonction *f* publique **public speaking** *n* art *m* oratoire; ***I'm no good at ~*** je ne suis pas un bon orateur **public spending** *n* dépenses *fpl* publiques **public television** *n US* télévision *f* publique **public transportation**, *Br* **public transport** *n* transports *mpl* publics **public utility** *n* service *m* public

publish ['pʌblɪʃ] *v*/*t* publié, édité; ***~ed by X*** édité chez X; ***"published monthly"*** "publication mensuelle" **publisher** ['pʌblɪʃəʳ] *n* (*person*) éditeur(-trice) *m*(*f*); (*firm*: *a.* **publishers**) maison *f* d'édition **publishing** ['pʌblɪʃɪŋ] *n* édition *f*; ***~ company*** maison d'édition

puck [pʌk] *n* SPORTS palet *m*

pucker ['pʌkəʳ] **I** *v*/*t* (*a.* **pucker up**, *for kissing*) avancer les lèvres **II** *v*/*i* (*a.* **pucker up**) (*lips*, *to be kissed*) s'avancer

pud [pʊd] *n* (*Br infml*) = **pudding** **pudding** ['pʊdɪŋ] *n Br* **1.** (*dessert*) pudding *m*; (*instant whip etc.*) dessert *m*; ***what's for ~?*** qu'y a-t-il au dessert? **2.** ***black ~*** boudin *m* noir

puddle ['pʌdl] *n* flaque *f*

pudgy ['pʌdʒɪ] *adj* ⟨**+er**⟩ grassouillet(te)

puff [pʌf] **I** *n* **1.** (*on cigarette etc.*) bouffée *f* (**at, of** de); (*of engine*) teuf-teuf *m*; ***a ~ of wind*** une bourrasque de vent; ***a ~ of smoke*** une bouffée de fumée; ***our hopes vanished in a ~ of smoke*** nos espoirs sont partis en fumée; ***to be out of ~*** (*Br infml*) être essoufflé **2.** COOK ***cream ~*** ≈ chou *m* à la crème **II** *v*/*t smoke* envoyer **III** *v*/*i* (*person*, *train*) souffler; ***to ~*** (***away***) ***on a cigar*** tirer des bouffées sur son cigare ◆ **puff out** *v*/*t sep* **1.** *chest*, *cheeks* gonfler **2.** (*emit*) envoyer des nuages de fumée ◆ **puff up I** *v*/*t sep feathers* gonfler **II** *v*/*i* (*face etc.*) enfler

puffed [pʌft] *adj* (*Br infml*) essoufflé

puffin ['pʌfɪn] *n* macareux *m*

puffiness ['pʌfɪnɪs] *n* gonflement *m*

puff paste, *Br* **puff pastry** *n* pâte *f* feuilletée **puffy** ['pʌfɪ] *adj* ⟨**+er**⟩ *face* bouffi

puke [pjuːk] *sl* **I** *v*/*i* gerber *sl*; ***he makes me ~*** il me donne envie de gerber *sl* **II** *n* dégueulis *m sl* ◆ **puke up** *v*/*i infml* gerber *sl*

pull [pʊl] **I** *n* traction *f*; (*short*) coup *m*; (*attraction*) attraction *f*; ***he gave the rope a ~*** il tira un coup sur la corde; ***I felt a ~ at my sleeve*** je sentis qu'on me tirait par la manche **II** *v*/*t* **1.** tirer; *tooth* arracher; *beer* tirer; ***to ~ a gun on sb*** braquer une arme sur qn; ***he ~ed the dog behind him*** il tira le chien à sa suite; ***to ~ a door shut*** fermer la porte derrière soi **2.** *handle*, *rope* tirer; ***he ~ed her hair*** il lui tira les cheveux; ***to ~ sth to pieces*** (*fig criticize*) démolir qc; ***to ~ sb's leg*** *fig*, *infml* faire marcher qn*infml*, taquiner qn; ***~ the other one*** (***, it's got bells on***) (*Br infml*) mon œil, oui! *infml*; ***she was the one ~ing the strings*** c'était elle qui tirait les ficelles **3.** *muscle* se froisser, se claquer *infml* **4.** *crowd* attirer **III** *v*/*i* **1.** tirer (**on, at** sur); ***to ~ to the left*** (*car*) tirer à gauche; ***to ~ on one's cigarette*** tirer sur sa cigarette **2.** (*car etc.*) se mouvoir; ***he ~ed across to the left-hand lane*** il prit la file de gauche; ***he ~ed into the side of the road*** il alla se ranger sur le côté de la route; ***to ~ alongside*** s'arrêter en bordure de route; ***to ~ off the road*** quitter la route **3.** (*Br infml*, *sexually*) tirer *vulg* ◆ **pull ahead** *v*/*i* ***to ~ of sb / sth*** (*in race etc.*) passer devant qn / qc; (*in contest*) prendre la tête ◆ **pull apart I** *v*/*t sep* **1.** (*separate*) démonter; *radio etc.* démonter **2.** *fig*, *infml* (*search*) mettre sens dessus dessous; (*criticize*) mettre en pièces *infml* **II** *v*/*i* (*by design*) se démonter ◆ **pull away I** *v*/*t sep* retirer brusquement; ***she pulled it away from him*** elle l'éloigna brusquement de lui; (*from his hands*) elle le lui arracha des mains **II** *v*/*i* (*move off*) s'écarter; ***the car pulled away from the others*** la voiture se détacha des autres ◆ **pull back** *v*/*t sep* retirer ◆ **pull down I** *v*/*t sep* **1.** (*move down*) baisser **2.** *buildings* démolir **II** *v*/*i* (*blind etc.*) descendre ◆ **pull in I** *v*/*t sep* **1.** *rope*, ramener, *stomach* rentrer; ***to pull sb / sth in*** (***to***) ***sth*** faire rentrer qn / qc à l'intérieur de qc **2.** *crowds* attirer **II** *v*/*i* **1.** (*into station*) entrer (***into*** dans) **2.** (*stop*) s'arrêter

◆ **pull off** *v/t sep* **1.** *wrapping, cover* enlever; *clothes* enlever, ôter **2.** (*infml succeed in*) réussir ◆ **pull on** *v/t sep coat etc.* mettre ◆ **pull out I** *v/t sep* **1.** (*extract*) arracher (***of*** de); *tooth, page* arracher; ***to pull the rug out from under sb*** *fig* couper l'herbe sous le pied de qn **2.** (*withdraw*) retirer; *troops* retirer **II** *v/i* **1.** (*come out*) sortir **2.** (*elongate*) se rallonger **3.** (*withdraw*) se retirer (***of*** de); (*troops*) se retirer **4.** (*train etc.*) quitter (***of sth*** qc); ***the car pulled out from behind the truck*** la voiture a déboîté de derrière le camion ◆ **pull over I** *v/t sep* **1.** (*move over*) traîner **2.** (*topple*) faire tomber **3.** ***the police pulled him over*** la police l'a arrêté **II** *v/i* (*car, driver*) s'arrêter (sur le côté) ◆ **pull through I** *v/t sep lit* faire passer; ***to pull sb / sth through sth*** *lit* faire passer qn / qc par qc; ***to pull sb through a difficult time*** tirer qn d'affaire **II** *v/i fig* s'en tirer; ***to ~ sth*** *fig* se tirer de qc ◆ **pull together I** *v/i fig* agir de concert **II** *v/r* se ressaisir ◆ **pull up I** *v/t sep* **1.** (*raise*) remonter **2.** (*uproot*) arracher **3.** *chair* approcher **II** *v/i* (*stop*) s'arrêter

pull-down ['pʊldaʊn] *adj bed* escamotable; ***~ menu*** IT menu déroulant

pulley ['pʊlɪ] *n* **1.** (*wheel*) poulie *f* **2.** (*block*) moufle *f*

pull-out I *n* (*withdrawal*) retrait *m* **II** *attr supplement* détachable **pullover** *n* pull *m*

pulp [pʌlp] **I** *n* **1.** bouillie *f*; ***to beat sb to a ~*** *infml* réduire qn en bouillie **2.** (*of fruit etc.*) pulpe *f* **II** *v/t fruit etc.* réduire en purée; *paper* réduire en pâte

pulpit ['pʊlpɪt] *n* REL chaire *f*

pulsate [pʌl'seɪt] *v/i* battre fort **pulse** [pʌls] **I** *n* ANAT pouls *m*; PHYS pulsation *f*; ***to feel sb's ~*** prendre le pouls de qn; ***he still has*** *or* ***keeps his finger on the ~ of economic affairs*** il continue à se tenir au courant de l'économie **II** *v/i* battre

pulverize ['pʌlvəraɪz] *v/t* pulvériser

pummel ['pʌml] *v/t* marteler

pump¹ [pʌmp] **I** *n* pompe *f* **II** *v/t* vider; *stomach* faire un lavage de; ***to ~ water out of sth*** pomper l'eau de qc; ***to ~ money into sth*** injecter de l'argent dans qc; ***to ~ sb*** (***for information***) soutirer (des informations) à qn; ***to ~ iron*** *infml* faire de la gonflette *infml* **III** *v/i* (*water*) couler à flots; *blood* battre fort ***the piston ~ed up and down*** le piston montait et descendait ◆ **pump in** *v/t sep* refouler ◆ **pump out** *v/t sep* pomper ◆ **pump up** *v/t sep tire etc.* gonfler; *prices* gonfler, monter

pump² *n* (*US court shoe*) ballerine *f*; *Br* (*gym shoe*) chausson *m* de gymnastique

pumpkin ['pʌmpkɪn] *n* potiron *m*, citrouille *f*

pun [pʌn] *n* jeu *m* de mots

Punch [pʌntʃ] *n Br* ***~ and Judy show*** ≈ spectacle de Guignol; ***to be*** (***as***) ***pleased as ~*** *infml* être heureux comme un roi

punch¹ [pʌntʃ] **I** *n* **1.** (*blow*) coup *m* de poing **2.** *no pl* (*fig vigor*) force *f* **II** *v/t* donner un coup de poing; ***I wanted to ~ him in the face*** j'avais envie de lui mettre mon poing sur la figure

punch² **I** *n* (*hole puncher*) perforateur *m*, *ticket etc.* poinçonneuse *f* **II** *v/t ticket etc.* poinçonner; *holes* faire un trou dans ◆ **punch in** *v/t sep* IT *data* introduire

punch³ *n* (*drink*) punch *m*; (*hot*) grog *m*

punchbag *n Br* sac *m* de sable, punching-bag *m* **punchbowl** *n* bol *m* à punch **punching bag** ['pʌntʃɪŋˌbæg] *n US* sac *m* de sable, punching-bag *m* **punch line** *n* chute *f* (d'une plaisanterie) **punch-up** *n* (*Br infml*) baston *f infml*

punctual ['pʌŋktjʊəl] *adj* ponctuel(le); ***to be ~*** être ponctuel **punctuality** [ˌpʌŋktjʊ'ælɪtɪ] *n* ponctualité *f* **punctually** ['pʌŋktjʊəlɪ] *adv* ponctuellement

punctuate ['pʌŋktjʊeɪt] *v/t* **1.** GRAM ponctuer **2.** (*intersperse*) ponctuer **punctuation** [ˌpʌŋktjʊ'eɪʃən] *n* ponctuation *f*

puncture ['pʌŋktʃəʳ] **I** *n* **1.** (*in tire etc.*) crevaison *f* **2.** (*flat tire*) pneu *m* crevé **II** *v/t* perforer; *tire* crever

pundit ['pʌndɪt] *n* expert(e) *m*(*f*)

pungent ['pʌndʒənt] *adj* piquant; *smell* âcre

punish ['pʌnɪʃ] *v/t* **1.** punir; ***he was ~ed by a fine*** il a été sanctionné par une amende; ***the other team ~ed us for that mistake*** l'équipe adverse nous a fait payer cette erreur **2.** (*fig, infml drive hard*) malmener; *oneself* ne pas se ménager **punishable** ['pʌnɪʃəbl] *adj* punissable; ***to be ~ by 2 years' imprisonment*** être passible de deux ans

de prison **punishing** ['pʌnɪʃɪŋ] *adj routine, workload* épuisant
punishment ['pʌnɪʃmənt] *n* **1.** (*penalty*) sanction *f*; (*punishing*) punition *f*; ***you know the ~ for such offenses*** vous connaissez la sanction pour ce genre de délit **2.** *fig, infml* ***to take a lot of ~*** (*car etc.*) en voir de toutes les couleurs
Punjabi [pʌn'dʒɑːbɪ] **I** *adj* pendjabi **II** *n* **1.** Pendjabi *m/f* **2.** LING pendjabi *m*
punk [pʌŋk] **I** *n* **1.** (*a.* **punk rocker**) punk *m/f*; (*a.* **punk rock**) punk *m* **2.** (*US infml hoodlum*) voyou *m* **II** *adj* punk
punter ['pʌntəʳ] *n* **1.** (*Br infml*) (*better*) parieur(-euse) *m*(*f*) **2.** (*esp Br infml customer etc.*) client(e) *m*(*f*)
puny ['pjuːnɪ] *adj* ⟨**+er**⟩ *person* chétif (-ive); *effort* piteux(-euse)
pup [pʌp] *n* chiot *m*
pupil[1] ['pjuːpl] *n* (SCHOOL, *fig*) élève *m/f*
pupil[2] *n* ANAT pupille *f*
puppet ['pʌpɪt] *n* (*glove puppet*) marionnette *f*; (*string puppet, also fig*) pantin *m* **puppeteer** [pʌpɪ'tɪəʳ] *n* marionnettiste *m/f* **puppet regime** *n* gouvernement *m* fantoche **puppet show** *n* spectacle *m* de marionnettes
puppy ['pʌpɪ] *n* chiot *m*
purchase ['pɜːtʃɪs] **I** *n* achat *m*; ***to make a ~*** faire un achat **II** *v/t* acheter **purchase order** *n* bon *m* de commande **purchase price** *n* prix *m* d'achat **purchaser** ['pɜːtʃɪsəʳ] *n* acheteur(-euse) **purchasing** ['pɜːtʃɪsɪŋ] *adj department* des achats; *price, power* d'achat
pure [pjʊəʳ] *adj* ⟨**+er**⟩ pur; ***in ~ disbelief*** totalement incrédule; ***by ~ chance*** totalement par hasard; ***malice ~ and simple*** de la méchanceté pure et simple **purebred** ['pjʊəbred] *adj* de race
purée ['pjʊəreɪ] **I** *n* purée *f*; ***tomato ~*** concentré de tomates **II** *v/t* réduire en purée
purely ['pjʊəlɪ] *adv* purement; ***~ and simply*** purement et simplement
purgatory ['pɜːgətərɪ] *n* REL purgatoire *m*
purge [pɜːdʒ] *v/t* purger
purification [ˌpjʊərɪfɪ'keɪʃən] *n* purification *f* **purification plant** *n* station *f* d'épuration **purify** ['pjʊərɪfaɪ] *v/t* purifier
puritan ['pjʊərɪtə] **I** *adj* puritain **II** *n* puritain(e) *m*(*f*) **puritanical** [ˌpjʊərɪ'tænɪkəl] *adj* puritain
purity ['pjʊərɪtɪ] *n* pureté *f*
purple ['pɜːpl] **I** *adj* violet(te); *face* cramoisi **II** *n* (*color*) violet *m*, pourpre *m*
purpose ['pɜːpəs] *n* **1.** (*intention*) intention *f*; (*set goal*) objectif *m*; ***on ~*** exprès; ***what was your ~ in doing this?*** quel était ton objectif en faisant cela?; ***for our ~s*** pour ce que nous voulons faire; ***for the ~s of this meeting*** pour les besoins de cette réunion; ***for all practical ~s*** en pratique; ***to no ~*** en pure perte **2.** *no pl* (*determination*) détermination *f*; ***to have a sense of ~*** avoir un but dans la vie **purpose-built** *adj Br* conçu pour un usage spécifique **purposeful** *adj* résolu **purposefully** *adv* dans un but précis
purr [pɜːʳ] **I** *v/i* (*cat, person, engine*) ronronner **II** *n* ronronnement *m*
purse [pɜːs] **I** *n* **1.** (*US woman's bag*) sac *m* à main **2.** (*for money*) porte-monnaie *m*; ***to hold the ~ strings*** (*Br fig*) tenir les cordons de la bourse **II** *v/t* ***to ~ one's lips*** pincer les lèvres
pursue [pə'sjuː] *v/t* poursuivre; *success, happiness* rechercher; *studies* poursuivre; *subject* développer **pursuer** [pə'sjuːəʳ] *n* poursuivant(e) *m*(*f*) **pursuit** [pə'sjuːt] *n* **1.** (*of person, goal*) poursuite *f* (***of*** de); (*of knowledge, happiness*) poursuite *f* (***of*** de); (*of pleasure*) poursuite *f* (***of*** de); ***he set off in ~*** il se lança à leur poursuite; ***to go in ~ of sb / sth*** se mettre à la recherche de qn / qc; ***in hot ~ of sb*** aux trousses de qn *infml*; ***to set off / be in hot ~ of sb / sth*** se lancer / être à la poursuite de qn / qc; ***in (the) ~ of his goal*** à la poursuite de son objectif **2.** (*occupation*) occupation *f*; (*pastime*) passe-temps *m*
pus [pʌs] *n* pus *m*
push [pʊʃ] **I** *n* **1.** (*a.short*) poussée *f* ***to give sb / sth a ~*** pousser qn / qc; ***to give a car a ~*** pousser une voiture; ***he needs a little ~ now and then*** *fig* il a besoin qu'on le pousse de temps en temps; ***to get the ~*** (*Br infml*) (*employee*) se faire virer *infml* (***from*** de); (*boyfriend*) se faire plaquer *infml*; ***to give sb the ~*** (*Br infml*) *employee* virer qn *infml*; *boyfriend* plaquer qn *infml*; ***at a ~*** *infml* si c'est nécessaire; ***if / when ~ comes to shove*** *infml* au pire **2.** (*effort*) effort *m* important; MIL poussée *f* **II** *v/t* **1.** (*shove*) pousser; (*quickly*) appuyer sur; *button* appuyer sur; ***to ~ a door open / shut*** ouvrir / fermer une porte (*en la poussant*);

he ~ed his way through the crowd il se fraya un passage à travers la foule; ***he ~ed the thought to the back of his mind*** il repoussa cette idée **2.** *fig product* promouvoir; *drugs* vendre; ***to ~ home one's advantage*** tirer parti d'un avantage; ***don't ~ your luck*** ne pousse pas trop le bouchon; ***he's ~ing his luck trying to do that*** il y va fort en essayant de faire ça **3.** (*fig put pressure on*) pousser; ***to ~ sb into doing sth*** pousser qn à faire qc; ***they ~ed him to the limits*** ils l'ont poussé jusqu'à ses dernières limites; ***that's ~ing it*** *infml* c'est un peu fort; ***to be ~ed (for time)*** *infml* être à la bourre *infml*; ***to ~ oneself hard*** se donner à fond **III** *v/i* (*shove*) pousser; (*press, apply pressure*) appuyer ◆ **push ahead** *v/i* activer; ***to ~ with one's plans*** activer ses projets ◆ **push around** *v/t sep* **1.** *lit* pousser **2.** (*fig, infml bully*) *child* malmener; *adult* donner des ordres à ◆ **push aside** *v/t sep* repousser; (*quickly*) écarter brusquement; *fig* écarter ◆ **push away** *v/t sep* repousser; (*quickly*) repousser vivement ◆ **push back** *v/t sep people, cover* repousser; *hair* ramener en arrière ◆ **push by** *v/i* = **push past** ◆ **push down I** *v/t sep* **1.** (*press down*) appuyer sur **2.** (*knock over*) faire tomber **II** *v/i* (*press down*) appuyer ◆ **push for** *v/t insep* réclamer ◆ **push forward** *v/i* = **push ahead** ◆ **push in I** *v/t sep* pousser; (*quickly*) enfoncer; ***to push sb / sth in(to) sth*** pousser qn / qc dans qc; ***to push one's way in*** s'introduire de force **II** *v/i* (*lit: in queue etc.*) se faufiler ◆ **push off I** *v/t sep* faire tomber; (*quickly*) renverser; ***to push sb off sth*** faire tomber qn de qc **II** *v/i* (*Br infml leave*) filer *infml*; ***~!*** allez, dégage! *infml* ◆ **push on** *v/i* (*with journey*) continuer; (*with job*) persévérer ◆ **push out** *v/t sep* faire sortir; (*quickly*) écarter; ***to push sb / sth out of sth*** écarter qn / qc de qc; ***to push one's way out (of sth)*** s'ouvrir un passage (à travers qc) ◆ **push over** *v/t sep* (*knock over*) renverser ◆ **push past** *v/i* dépasser ◆ **push through I** *v/t sep* **1.** enfoncer; (*quickly*) passer; ***to push sb / sth through sth*** faire passer qn / qc à travers qc; ***she pushed her way through the crowd*** se frayer un chemin à travers la foule **2.** *bill* faire voter, faire passer **II** *v/i* (*through crowd*) se frayer un chemin ◆ **push to** *v/t always separate door* fermer ◆ **push up** *v/t sep* **1.** *lit* remonter; (*quickly*) relever **2.** (*fig raise*) augmenter

push-bike *n* (*Br infml*) vélo *m* **push-button** *n* bouton *m*, touche *f*; ***~ telephone*** téléphone à touches **pushchair** *n Br* poussette *f* **pusher** ['pʊʃəʳ] *n* (*infml, of drugs*) trafiquant(e) *m*(*f*), dealer(-euse) *m*(*f*) *infml* **pushover** ['pʊʃəʊvəʳ] *n infml* (*job etc.*) jeu *m* d'enfant **push-start** *v/t* pousser pour faire démarrer **push-up** *n US* pompe *f* **pushy** ['pʊʃɪ] *adj* ⟨**+er**⟩ *infml* arriviste *pej*

pussy ['pʊsɪ] *n* **1.** (*cat*) chat *m*, minet(te) *m*(*f*) **2.** (*sl female genitals*) chatte *f vulg* **pussycat** ['pʊsɪkæt] *n baby talk* minou *m baby talk*

put [pʊt] ⟨*past, past part* **put**⟩ *v/t* **1.** (*place*) mettre, placer; (*lay down*) poser; (*push in*) enfoncer; ***they ~ a plank across the stream*** ils ont placé une planche en travers du cours d'eau; ***to ~ sth in a drawer*** mettre qc dans un tiroir; ***he ~ his hand in his pocket*** il mit sa main dans sa poche; ***~ the dog in the kitchen*** mets le chien dans la cuisine; ***to ~ sugar in one's coffee*** mettre du sucre dans son café; ***to ~ sb in a good mood*** mettre qn de bonne humeur; ***to ~ a lot of effort into sth*** consacrer beaucoup d'énergie à qc; ***to ~ money into sth*** mettre de l'argent dans qc; ***~ the lid on the box*** mets le couvercle sur la boîte; ***he ~ his head on my shoulder*** il a mis la tête sur mon épaule; ***her aunt ~ her on the train*** sa tante l'a mise dans train; ***to ~ money on a horse*** miser de l'argent sur un cheval; ***to ~ one's hand over sb's mouth*** couvrir la bouche de qn avec la main; ***he ~ his head around the door*** il passa la tête par l'entrebâillement de la porte; ***to ~ a glass to one's lips*** porter un verre à sa bouche; ***she ~ the shell to her ear*** elle plaça le coquillage contre son oreille; ***to ~ sb to bed*** mettre qn au lit; ***to ~ sb to great expense*** occasionner de grosses dépenses à qn; ***we'll each ~ $5 toward it*** on y mettra chacun 5 dollars; ***they ~ her to work on the new project*** ils la font travailler sur le nouveau projet; ***to stay ~*** rester; (*person not move*) ne pas bouger; ***just stay ~!*** ne bougez pas! **2.** (*write*) écrire;

comma mettre; (*draw*) tracer; ***to ~ a cross against sb's name*** mettre une croix devant le nom de qn; ***to ~ a tick against sb's name*** cocher le nom de qn **3.** *question* poser; *proposal* soumettre ***I ~ it to you that ...*** je maintiens que...; ***it was ~ to me that ...*** on m'a déclaré que... **4.** (*express*) exprimer; ***that's one way of ~ting it*** c'est une façon de présenter la chose; ***how shall I ~ it?*** comment dire?; ***to ~ it bluntly*** pour parler franc **5.** (*rate*) estimer (***at*** à); ***he ~s money before his family's happiness*** il fait passer l'argent avant sa famille ◆ **put across** *v/t sep ideas* faire comprendre (***to sb*** à qn); ***to put oneself across*** se mettre en valeur ◆ **put aside** *v/t sep* **1.** *book etc.* poser **2.** (*save for later*) mettre de côté **3.** (*fig forget*) laisser de côté; *anger* oublier; *differences* ignorer ◆ **put away** *v/t sep* **1.** (*tidy away*) ranger; ***to put the car away*** ranger la voiture **2.** (*save*) mettre de côté **3.** (*infml consume*) s'envoyer *infml* **4.** (*in prison*) boucler *infml* ◆ **put back** *v/t sep* **1.** (*replace*) remettre **2.** (*esp Br postpone*) remettre à plus tard; *plans*, *production*, *watch* retarder ◆ **put by** *v/t sep Br* mettre de côté ◆ **put down** *v/t sep* **1.** (*set down*) *object* poser; ***put it down on the floor*** pose-la par terre; ***I couldn't put that book down*** je ne pouvais plus lâcher ce livre; ***to ~ the phone*** raccrocher **2.** *umbrella* fermer; *lid* fermer **3.** (*land*) poser **4.** *rebellion* mater **5.** (*pay*) verser **6.** *esp Br pet* faire piquer **7.** (*write down*) noter; (*on form*) inscrire; ***to put one's name down for sth*** s'inscrire pour qc; ***you can put me down for $ 10*** vous pouvez m'inscrire pour 10 dollars; ***put it down under sundries*** mettez-le dans la rubrique divers **8.** (*attribute*) attribuer (***to*** à) ◆ **put forward** *v/t sep* **1.** *suggestion* émettre; *person* (*for job etc.*) proposer; (*as candidate*) suggérer **2.** *esp Br meeting* avancer (***to*** à); *watch etc.* avancer ◆ **put in I** *v/t sep* **1.** (*place in*) mettre **2.** (*insert in speech etc.*) insérer; (*add*) ajouter **3.** *claim* présenter **4.** *central heating* installer **5.** *time* passer (***with*** à); ***to ~ a few hours' work at the weekend*** travailler quelques heures pendant le week-end; ***to ~ a lot of work on sth*** travailler beaucoup à qc **II** *v/i* ***to ~ for sth*** *for job* poser sa candidature pour qc; *for rise* demander qc ◆ **put inside** *v/t sep* (*infml*, *in prison*) mettre à l'ombre *infml* ◆ **put off** *v/t sep* **1.** (*postpone*) reporter; *decision* reporter, remettre; *sth unpleasant* remettre à plus tard; ***to put sth off for 10 days / until January*** remettre qc de 10 jours / au mois de janvier **2.** (*be evasive with*) déconcerter **3.** (*discourage*) rebuter; ***to put sb off sth*** dégoûter qn de qc; ***don't let his rudeness put you off*** ne vous laissez pas rebuter par sa grossièreté; ***are you trying to put me off?*** est-ce que vous essayez de me décourager?; ***to put sb off doing sth*** décourager qn de faire qc **4.** (*distract*) déranger; ***I'd like to watch you if it won't put you off*** j'aimerais bien regarder, si ça ne vous dérange pas **5.** (*switch off*) éteindre ◆ **put on** *v/t sep* **1.** *coat* mettre, enfiler; *hat* mettre, se coiffer de; *make-up* mettre; *fig front* prendre, se donner; ***to ~ one's make-up*** se maquiller **2.** ***to ~ weight*** prendre du poids; ***to ~ a pound*** grossir d'une livre; ***ten pence was ~ the price of petrol*** *Br* l'essence a augmenté de 10 pence **3.** *play* donner; *exhibition* organiser; *bus* mettre en service; *fig act* faire semblant, jouer **4.** (*on telephone*) ***to put sb on to sb*** passer qn à qn; ***would you put him on?*** pouvez-vous me le passer? **5.** *TV* allumer; ***to put the kettle on*** mettre la bouilloire à chauffer **6.** ***to put sb on to sth*** (*inform about*) indiquer qc à qn ◆ **put out** *v/t sep* **1.** *rubbish etc.* sortir; *cat* faire sortir; ***to put the washing out*** (***to dry***) étendre le linge à l'extérieur; ***to put sb out of business*** obliger qn à fermer boutique; ***that goal put them out of the competition*** ce but les a éliminés du tournoi; ***she could not put him out of her mind*** elle n'arrivait pas à l'oublier **2.** *hand* tendre; *tongue* tirer; ***to put one's head out of the window*** passer la tête par la fenêtre **3.** *cutlery* mettre, disposer **4.** *statement* faire; *appeal* lancer; (*on TV*, *radio*) lancer **5.** *fire*, *light* éteindre **6.** (*vex*) ***to be ~*** (***by sth***) être fâché (de qc) **7.** (*inconvenience*) ***to put sb out*** déranger qn; ***to put oneself out*** (***for sb***) se mettre en quatre pour qn *infml* ◆ **put over** *v/t sep* = **put across** ◆ **put through** *v/t sep* **1.** *reform* faire passer, faire accepter **2.** (*cause to undergo*) soumettre; ***he has***

put his family through a lot (***of suffering***) il a soumis sa famille à rude épreuve **3.** (*by telephone*) *person*, *call* passer (***to*** à) ◆ **put together** *v/t sep* (*in same room*, *seat together*, *etc.*) mettre ensemble; (*assemble*) assembler; *menu* composer; *collection* constituer; ***he's better than all the others ~*** il vaut mieux que tous les autres réunis ◆ **put up** *v/t sep* **1.** *hand* lever; *umbrella* ouvrir; *hair* relever **2.** *flag* hisser; *picture*, *decorations* accrocher; *notice* afficher; *building*, *fence* construire; *tent* monter **3.** (*increase*) augmenter **4.** ***to put sth up for sale*** mettre qc en vente; ***to put one's child up for adoption*** faire adopter son enfant; ***to ~ resistance*** opposer une résistance; ***to put sb up to sth*** pousser qn à qc **5.** (*accommodate*) s'accommoder (de) ◆ **put up with** *v/t insep* supporter; ***I won't ~ that*** je ne supporterai pas cela

put-down *n* dénigrement *m* **put-on** *infml adj* affecté

putrefy ['pjuːtrɪfaɪ] *v/i* se putréfier **putrid** ['pjuːtrɪd] *adj* putride

putt [pʌt] **I** *n* putt *m* **II** *v/t & v/i* putter

putter ['pʌtəʳ] *v/i* **1.** *Br* **potter** (*do jobs*) s'occuper de choses et d'autres; (*wander*) se balader; ***she ~s away in the kitchen for hours*** elle s'occupe des heures durant à la cuisine; ***to ~ around the house*** s'occuper de choses et d'autres dans la maison; ***to ~ around the stores*** faire un tour dans les magasins **2.** se balader sans se presser ***to ~ along the road*** (*car*, *driver*) rouler tranquillement

putty ['pʌtɪ] *n* mastic *m*

puzzle ['pʌzl] **I** *n* **1.** (*wordgame*, *mystery*) casse-tête *m*, énigme *f* **2.** (*jigsaw*) puzzle *m* **II** *v/t* **1.** laisser perplexe; ***to be ~d about sth*** être perplexe à propos de qc **2.** ***to ~ sth out*** élucider qc **III** *v/i* ***to ~ over sth*** essayer d'élucider qc **puzzled** ['pʌzld] *adj look*, *person* perplexe **puzzlement** ['pʌzlmənt] *n* perplexité *f* **puzzling** ['pʌzlɪŋ] *adj* curieux(-euse); *story*, *question* qui laisse perplexe

Pygmy, Pigmy ['pɪgmɪ] **I** *n* Pygmée *m/f* **II** *adj* pygmée

pyjamas *Br pl* = **pajamas**

pylon ['paɪlən] *n* pylône *m*

pyramid ['pɪrəmɪd] *n* pyramide *f*

pyre ['paɪəʳ] *n* bûcher *m* funéraire

Pyrenean [pɪrə'niːən] *adj* pyrénéen(ne)

Pyrenees [pɪrə'niːz] *pl* Pyrénées *fpl*

Pyrex® ['paɪreks] *n* Pyrex® *m*

python ['paɪθən] *n* python *m*

Q

Q, q [kjuː] *n* Q *m*, q *m*

qtr. *abbr* = **quarter**

quack [kwæk] **I** *n* coin-coin *m*, cancanement *m* **II** *v/i* faire coin-coin, cancaner

quad bike ['kwɒdˌbaɪk] *n Br* quad *m* **quadrangle** ['kwɒdræŋgl] *n* **1.** MATH quadrilatère *m* **2.** ARCH cour *f* **quadruple** ['kwɒdrʊpl] **I** *adj* quadruple **II** *v/t* quadrupler **III** *v/i* quadrupler **quadruplet** [kwɒ'druːplɪt] *n* quadruplé(e) *m(f)*

quagmire ['kwægmaɪəʳ] *n* bourbier *m*

quail [kweɪl] *n* ORN caille *f*

quaint [kweɪnt] *adj* ⟨**+er**⟩ (*picturesque*) pittoresque; *pub* pittoresque, qui a du cachet; *idea* bizarre

quake [kweɪk] *v/i* trembler (***with*** de); (*earth etc.*) trembler

Quaker ['kweɪkəʳ] *n* Quaker(esse) *m(f)*

qualification [ˌkwɒlɪfɪ'keɪʃən] *n* **1.** qualification *f*; *Br* (*document*) diplôme *m*; (*prerequisite*) titres *mpl* requis **2.** (*qualifying*) qualification *f* **3.** (*limitation*) réserve *f* **qualified** ['kwɒlɪfaɪd] *adj* **1.** (*trained*) qualifié; (*with degree*) diplômé; ***~ engineer*** technicien diplômé; ***highly ~*** hautement qualifié; ***to be ~ to do sth*** être compétent pour faire qc; ***he is / is not ~ to teach*** il a/n'a pas qualité pour enseigner; ***he was not ~ for the job*** il n'était pas qualifié pour ce poste; ***to be well ~ for sth*** être très qualifié pour qc; ***he is fully ~*** il a tous les diplômes requis **2.** (*entitled*) habilité **3.** (*limited*) conditionnel(le)

qualify ['kwɒlɪfaɪ] **I** *v/t* **1.** qualifier; ***to ~ sb to do sth*** (*entitle*) habiliter qn à faire qc **2.** *statement* nuancer **II** *v/i* **1.** (*acquire degree etc.*) obtenir son diplôme; ***to ~ as a lawyer / doctor*** obtenir son diplôme d'avocat / de médecin; ***to ~ as a teacher*** obtenir son diplôme d'enseignant **2.** SPORTS se qualifier (***for*** pour) **3.** (*fulfill conditions*) remplir les conditions requises (***for*** pour); ***does he ~ for admission to the club?*** est-ce qu'il remplit les conditions d'admission au club? **qualifying** ['kwɒlɪfaɪɪŋ] *adj* SPORTS épreuve *f* éliminatoire; ***~ game / group*** match / groupe de qualification

quality ['kwɒlɪtɪ] **I** *n* **1.** qualité *f*; ***of good ~*** de bonne qualité; ***they vary in ~*** ils sont de qualité variable **2.** (*characteristics*) qualité *f* **3.** (*of sound*) qualité *f* **II** *attr* **1.** de qualité; ***~ goods*** produits de qualité **2.** (*infml good*) extra; *newspaper* de qualité **quality time** *n* temps de qualité

qualm [kwɑːm] *n* **1.** (*scruple*) scrupule *m*; ***without a ~*** sans état d'âme **2.** (*misgiving*) appréhension *f*

quandary ['kwɒndərɪ] *n* dilemme *m*; ***he was in a ~ about what to do*** il ne parvenait pas à décider quoi faire

quango ['kwæŋgəʊ] *n Br abbr* = **quasi-autonomous nongovernmental organization** organisme *m* semi-public

quantify ['kwɒntɪfaɪ] *v/t* quantifier

quantitative ['kwɒntɪtətɪv] *adj* quantitatif(-ive) **quantitatively** ['kwɒntɪtətɪvlɪ] *adv* quantitativement

quantity ['kwɒntɪtɪ] *n* **1.** quantité *f*; (*amount*) quantité *f*; (*proportion*) quantité *f* (***of*** de); ***in ~, in large quantities*** en (grande) quantité; ***in equal quantities*** en quantités égales **2.** (MATH, *fig*) quantité *f*

quantum leap ['kwɒntəm] *n fig* bond *m* en avant **quantum mechanics** *n sg* mécanique *f* quantique

quarantine ['kwɒrəntiːn] **I** *n* quarantaine *f*; ***to put sb in ~*** mettre qn en quarantaine **II** *v/t* mettre en quarantaine

quarrel ['kwɒrəl] **I** *n* (*dispute*) querelle *f*, dispute *f* ***they have had a ~*** ils se sont disputés; ***I have no ~ with him*** je n'ai rien contre lui **II** *v/i* **1.** se disputer (*with* avec, *about*, *over* à propos de) **2.** (*find fault*) trouver qc à redire (***with*** à) **quarreling**, *Br* **quarrelling** ['kwɒrəlɪŋ] *n* disputes *fpl* **quarrelsome** ['kwɒrəlsəm] *adj* querelleur(-euse)

quarry[1] ['kwɒrɪ] **I** *n* carrière *f* **II** *v/t* exploiter

quarry[2] *n* (*prey*) proie *f*

quarter ['kwɔːtər] **I** *n* **1.** (*of amount area*) quart *m*; ***to divide sth into ~s*** diviser en quatre; ***a ~/three-~s full*** au quart / aux trois-quarts plein; ***a mile and a ~*** un mile un quart; ***a ~ of a mile*** un quart de mile; ***for a ~ (of) the price*** au quart du prix; ***a ~ of an hour*** un quart d'heure; ***a ~ of seven, a ~ to seven*** *Br* sept heures moins le quart; ***a ~ after six, a ~ past six*** *Br* six heures et quart; ***an hour and a ~*** une heure et quart; ***in these ~s*** dans ces eaux-là *infml* **2.** (*fourth of year*) trimestre *m* **3.** *US* pièce *f* de 25 cents **4.** (*side*) côté *m*; (*place*) quartier *m*; ***he won't get help from that ~*** il n'obtiendra aucune aide de ce côté; ***in various ~s*** de différents côtés; ***at close ~s*** à proximité **5. quarters** *pl* (*lodgings*) résidence *f*; MIL quartiers *mpl* **6.** (*mercy in battle*) quartier *m*; ***he gave no ~*** il n'a pas fait de quartier **II** *adj* d'un quart; ***~ pound*** quart de livre **III** *v/t* diviser en quatre **quarterback** *n* (*US* FTBL) quarterback *m* **quarterfinal** *n* quart *m* de finale **quarterfinalist** *n* quart-de-finaliste *m/f* **quarterly** ['kwɔːtəlɪ] **I** *adj* trimestriel(le) **II** *adv* tous les trois mois **III** *n* publication *f* trimestrielle **quarter note** *n* (*US* MUS) noire *f* **quarter-pipe** *n* SPORTS quarter-pipe *m* **quarter-pounder** *n* COOK gros hamburger *m*

quartet(te) [kwɔː'tet] *n* quatuor *m*

quartz ['kwɔːts] *n* quartz *m*

quash [kwɒʃ] *v/t* **1.** JUR *verdict* casser **2.** *rebellion* étouffer

quaver ['kweɪvər] **I** *n* **1.** (*in voice*) tremblement *m* **2.** (*esp Br* MUS) croche *f* **II** *v/i* trembloter **quavering** ['kweɪvərɪŋ], **quavery** *adj voice* chevrotant; *notes* tremblotant

quay [kiː] *n* quai *m*; ***alongside the ~*** le long du quai **quayside** ['kiːsaɪd] *n* quai *m*

queasiness ['kwiːzɪnɪs] *n* nausée *f* **queasy** ['kwiːzɪ] *adj* ⟨**+er**⟩ nauséeux(-euse); ***I feel ~*** j'ai mal au cœur

queen [kwiːn] *n* **1.** reine *f* **2.** CHESS reine *f*; CARD dame *f* ***~ of spades*** dame de pique **queen bee** *n* reine *f* des abeilles **queenly** ['kwiːnlɪ] *adj* de reine, royal **queen mother** *n* reine *f* mère **queen's English** [kwiːnz] *n* anglais *m* britannique (*châtié*) **Queen's Speech** *n allocution de la reine à la rentrée parlementaire*

queer [kwɪər] **I** *adj* ⟨**+er**⟩ **1.** (*strange*) bizarre; (*eccentric*) excentrique; ***he's ~ in the head*** *infml* il est un peu toqué *infml* **2.** (*suspicious*) bizarre, louche; ***there's something ~ about it*** il y a quelque chose de bizarre là-dedans **3.** (*Br infml*) ***I feel ~*** (*unwell*) je me sens patraque *infml* **4.** (*pej*, *infml homosexual*) homo *infml*, pédé *pej*, *infml* **II** *n* (*pej*, *infml homosexual*) homo *m infml*, tante *f pej*, *infml*

quell [kwel] *v/t riot* réprimer

quench [kwentʃ] *v/t* étancher sa soif

query ['kwɪərɪ] **I** *n* question *f*; IT interrogation *f* **II** *v/t* **1.** *statement* mettre en doute; *bill* poser des questions sur **2.** ***to ~ sth with sb*** interroger qn à propos de qc **3.** IT interroger

quest [kwest] *n* quête *f* (**for** de); (*for knowledge etc.*) recherche *f* (**for** sur)

question ['kwestʃən] **I** *n* **1.** question *f* (**to** à); ***to ask sb a ~*** poser une question à qn; ***don't ask so many ~s*** ne pose pas tant de questions; ***a ~ of time*** une question de temps; ***it's a ~ of whether ...*** la question est de savoir si… **2.** *no pl* (*doubt*) doute *m*; ***without ~*** incontestablement; ***your sincerity is not in ~*** votre sincérité n'est pas mise en doute; ***to call sth into ~*** remettre qc en question **3.** *no pl* ***there's no ~ of a strike*** il n'est pas question de faire grève; ***that's out of the ~*** c'est hors de question; ***the person in ~*** la personne en question **II** *v/t* **1.** poser des questions (**about** sur); (*police etc.*) interroger (**about** à propos); ***my father started ~ing me about where I'd been*** mon père a commencé à me demander où j'étais allée; ***they were ~ed by the immigration authorities*** ils ont été interrogés par les services de l'immigration **2.** (*doubt*) mettre en doute; (*dispute*) contester **questionable** ['kwestʃənəbl] *adj* discutable, douteux (-euse); *figures* discutable **questioner** ['kwestʃənəʳ] *n* animateur(-trice) *m*(*f*) de jeu TV **questioning** ['kwestʃənɪŋ] **I** *adj look* interrogateur(-trice) **II** *n* interrogatoire *m*; (*of candidate*) interrogation *f*; ***after hours of ~ by the immigration authorities*** après des heures d'interrogatoire par les services de l'immigration; ***they brought him in for ~*** ils l'amenèrent pour l'interroger **questioningly** ['kwestʃənɪŋlɪ] *adv* d'un air interrogateur **question mark** *n* point *m* d'interrogation **questionnaire** [ˌkwestʃə'nɛəʳ] *n* questionnaire *m* **question tag** *n* LING tournure *f* interrogative de fin de phrase

queue [kjuː] **I** *n Br* queue *f*, file *f* d'attente; ***to form a ~*** former une file d'attente; ***to stand in a ~*** faire la queue; ***to join the ~*** prendre la queue; ***a ~ of cars*** une file de voitures; ***a long ~ of people*** une longue file d'attente **II** *v/i* (*Br*: *a.* **queue up**) faire la queue; (*form a queue*) former une file; (*people*) former une file d'attente; ***they were queuing for the bus*** ils attendaient le bus (en faisant la queue); ***to ~ for bread*** faire la queue pour acheter du pain

quibble ['kwɪbl] *v/i* (*be petty-minded*) chipoter (***over, about*** sur); (*argue*) ergoter (***over, about*** sur); ***to ~ over details*** ergoter sur les détails

quiche [kiːʃ] *n* quiche *f*

quick [kwɪk] **I** *adj* ⟨**+er**⟩ **1.** rapide; ***be ~!*** faites vite!; ***and be ~ about it*** et que ça saute *infml*; ***you were ~*** tu as fait vite; ***he's a ~ worker*** il travaille vite; ***it's ~er by train*** c'est plus rapide en train; ***what's the ~est way to the station?*** qu'est-ce qui est le plus rapide pour aller à la gare? **2.** *kiss* rapide; *speech*, *rest* bref(brève); ***let me have a ~ look*** laissez-moi jeter un rapide coup d'œil; ***to have a ~ chat*** discuter en vitesse; ***could I have a ~ word?*** puis-je vous parler rapidement?; ***I'll just write him a ~ note*** je vais lui laisser un petit mot; ***time for a ~ beer*** on se boit une petite bière? **3.** *mind*, *person*, *eye* vif(vive); *temper* soupe au lait **II** *adv* ⟨**+er**⟩ vite **quicken** ['kwɪkən] **I** *v/t* (*a.* **quicken up**) accélérer **II** *v/i* (*a.* **quicken up**) s'accélerer **quick fix** *n* solution *f* à court terme **quickly** ['kwɪklɪ] *adv* vite, rapidement **quickness** ['kwɪknɪs] *n* (*speed*) vitesse *f*, rapidité *f* **quicksand** *n* sable *m* mouvant **quick-tempered** *adj* prompt à s'emporter; ***to be ~*** être prompt à s'emporter **quick-witted** *adj* vif(vive) d'esprit

quid [kwɪd] *n* ⟨*pl* **-**⟩ (*Br infml*) livre *f* sterling; ***20 ~*** 20 livres

quiet ['kwaɪət] **I** *adj* ⟨**+er**⟩ **1.** calme, tranquille; *person*, *area*, *time* calme; *music*, *voice* doux(douce); ***she was as ~ as a mouse*** elle ne faisait aucun bruit; (***be***) ***~!*** silence!; ***to keep ~*** (*not speak*) rester sans parler; (*not make noise*) ne pas faire de bruit; ***that book should***

keep him ~ ce livre devrait l'occuper un moment; ***to keep ~ about sth*** ne rien dire de qc; ***to go ~*** se taire; (*music etc.*) s'arrêter; ***things are very ~ at the moment*** c'est très calme en ce moment; ***business is ~*** les affaires sont calmes; ***to have a ~ word with sb*** dire un mot en particulier à qn; ***he kept the matter ~*** il n'a pas ébruité l'affaire **2.** *character* calme, tranquille; *child* calme **3.** *wedding* discret(-ète); *dinner* tranquille **II** *n* calme *m*, tranquillité *f*; ***in the ~ of the night*** dans le silence de la nuit; ***on the ~*** *Br* en douce *inf* **III** *v/t* = **quieten**

quieten ['kwaiətn] *v/t Br sb* calmer ◆ **quieten down** *Br* **I** *v/i* (*become silent*) se taire; (*become calm*) se calmer; ***~, boys!*** calmez-vous, les garçons!; ***things have quietened down a lot*** les choses se sont bien calmées **II** *v/t sep person* calmer; ***to quieten things down*** calmer la situation

quietly ['kwaiətli] *adv* calmement, tranquillement; (*peacefully*) paisiblement; (*secretly*) discrètement; ***to live ~*** vivre tranquillement; ***he's very ~ spoken*** il a une voix très calme; ***to be ~ confident*** être calme et assuré; ***I was ~ sipping my wine*** je sirotais tranquillement mon vin; ***he refused to go ~*** il a refusé de partir sans faire d'histoires; ***he slipped off ~*** il s'est éclipsé en douce *infml* **quietness** *n* **1.** silence *m* **2.** (*peacefulness*) calme *m*

quilt [kwɪlt] *n* édredon *m*; (*Br*) couette *f*

quintet(te) [kwɪn'tet] *n* MUS quintette *m*

quintuplet [kwɪn'tjuːplɪt] *n* quintuplé(e) *m(f)*

quip [kwɪp] **I** *n* bon mot *m* **II** *v/t & v/i* dire avec malice, plaisanter

quirk [kwɜːk] *n* bizarrerie *f*; (*of fate*) caprice *m*; ***by a strange ~ of fate*** par un étrange caprice du destin **quirky** ['kwɜːkɪ] *adj* ⟨**+er**⟩ bizarre, original

quit [kwɪt] *vb* ⟨*past, past part* **quitted** *or* **quit**⟩ **I** *v/t* **1.** *town, army, job* quitter; ***I've given her notice to ~ the apartment*** *form* je lui ai donné son congé pour l'appartement **2.** (*infml stop*) arrêter; ***to ~ doing sth*** arrêter de faire qc **II** *v/i* **1.** (*leave job*) partir; ***notice to ~*** congé **2.** (*go away*) partir **3.** (*accept defeat*) abandonner

quite [kwaɪt] *adv* **1.** (*to some degree*) plutôt; ***~ likely*** assez probable; ***~ a few*** un certain nombre; ***I ~ like this painting*** j'aime assez ce tableau; ***yes, I'd ~ like to*** oui, ça me plairait assez **2.** *Br* (*entirely*) tout à fait; *emph* parfaitement; ***I am ~ happy where I am*** je suis parfaitement heureux comme je suis; ***it's ~ impossible to do that*** c'est tout à fait impossible de faire ça; ***you're being ~ impossible*** tu es vraiment impossible; ***are you ~ finished?*** vous avez fini?; ***I ~ agree with you*** je suis tout à fait d'accord avec vous; ***that's ~ another matter*** c'est une tout autre affaire; ***that's ~ enough for me*** ça me suffit amplement; ***that's ~ enough of that*** ça suffit vraiment; ***it was ~ some time ago*** cela fait déjà un certain temps; ***not ~*** pas exactement; ***not ~ tall enough*** pas tout à fait assez grand; ***I don't ~ see what he means*** je ne vois pas très bien ce qu'il veut dire; ***you don't ~ understand*** vous ne comprenez pas; ***it was not ~ midnight*** c'était un peu avant minuit; ***sorry! — that's ~ all right*** excusez-moi! — ce n'est pas grave; ***I'm ~ all right, thanks*** ça va très bien, merci; ***thank you — that's ~ all right*** merci — il n'y a pas de quoi **3.** (*really*) vraiment; ***she's ~ a girl*** *etc.* c'est une sacrée fille *infml*; ***it's ~ delightful*** c'est vraiment charmant; ***it was ~ a shock*** ça a vraiment été un choc; ***it was ~ a party*** ça a été une sacrée fête *infml*; ***it was ~ an experience*** ça a été une sacrée expérience *infml*

quits [kwɪts] *adj* quitte; ***to be ~ with sb*** être quitte envers qn; ***shall we call it ~?*** restons-en là, d'accord?; (*when owing money*) nous sommes quittes, d'accord?

quiver ['kwɪvəʳ] *v/i* frémir, trembler (**with** de); (*lips, eyelids*) trembloter

quiz [kwɪz] **I** *n* **1.** jeu *m* **2.** (*US* SCHOOL *infml*) interrogation *f* écrite **II** *v/t* **1.** interroger (**about** sur) **2.** (*US* SCHOOL *infml*) interroger **quizmaster** *n* RADIO, TV animateur(-trice) *m(f)* d'un jeu **quiz show** *n* jeu *m* télévisé **quizzical** ['kwɪzɪkəl] *adj look* interrogateur(-trice) **quizzically** ['kwɪzɪkəlɪ] *adv look* d'un air interrogateur; *smile* d'un air narquois

Quorn® [kwɔːn] *n Br protéines végétales de substitution*

quota ['kwəʊtə] *n* **1.** (*of work*) part *f* **2.** (*permitted amount*) quota *m*

quotation [kwəʊ'teɪʃən] *n* **1.** citation *f* **2.** FIN cotation *f* **3.** (COMM *estimate*) devis *m* **quotation marks** *pl* guillemets *mpl* **quote** [kwəʊt] **I** *v/t* **1.** citer; ***he was ~d as saying that …*** il aurait dit que… **2.** *example* citer **3.** COMM *price* indiquer; *reference* coter **II** *v/i* **1.** faire des citations **2.** COMM établir un devis **III** *n* **1.** citation *f* **2.** ***in ~s*** entre guillemets **3.** COMM devis *m*

R

R, r [ɑːʳ] *n* R *m*, r *m*
R. *abbr* = **river**
rabbi ['ræbaɪ] *n* rabbin *m*
rabbit ['ræbɪt] **I** *n* lapin *m* **II** *v/i* (*Br infml*: *a.* **rabbit on**) bavasser *infml* **rabbit hole** *n* terrier *m*
rabble ['ræbl] *n* foule *f*; (*pej lower classes*) populace *f*
rabies ['reɪbiːz] *n* rage *f*
RAC *abbr* = **Royal Automobile Club** *club automobile britannique*
raccoon *n* = **racoon**
race[1] [reɪs] **I** *n* course *f*; ***100 meters ~*** (course du) 100 mètres; ***to run a ~*** (***against sb***) participer à une course (contre qn); ***to go to the ~s*** aller aux courses; ***a ~ against time*** une course contre la montre **II** *v/t* faire la course (avec); SPORTS faire courir (sur); ***I'll ~ you to school*** on fait la course pour le premier qui arrive à l'école **III** *v/i* **1.** (*compete*) courir, faire la course; ***to ~ against sb*** faire la course avec qn **2.** (*rush*) courir à toute allure; ***to ~ after sb / sth*** courir à toute allure après qn / qc; ***he ~d through his work*** il expédia son travail à toute allure **3.** (*engine, heart, mind*) s'emballer; (*pulse*) se précipiter
race[2] *n* (*ethnic group*) race *f*, ethnie *f*; ***of mixed ~*** métis
racecourse *n Br* champ *m* de course **racehorse** *n* cheval *m* de course **race relations** *n pl* relations *fpl* interraciales **racetrack** *n* piste *f*
racial ['reɪʃəl] *adj* racial, ethnique; ***~ discrimination*** discrimination raciale; ***~ equality*** égalité raciale; ***~ harassment*** harcèlement racial; ***~ minority*** minorité ethnique **racially** ['reɪʃəlɪ] *adv offensive*, *abused* d'un point de vue racial; ***a ~ motivated attack*** une agression raciste
racing ['reɪsɪŋ] *n* (*horse-racing*) course *f* de chevaux; (*motor racing*) course *f* automobile; ***he often goes ~*** il va souvent aux courses **racing bicycle** *n* vélo *m* de course **racing car** *n* voiture *f* de course **racing driver** *n* pilote *m*/*f* de course **racing pigeon** *n* pigeon *m* voyageur de compétition
racism ['reɪsɪzəm] *n* racisme *m* **racist** ['reɪsɪst] **I** *n* raciste *m*/*f* **II** *adj* raciste
rack[1] [ræk] **I** *n* **1.** (*for hats etc.*) étagère *f*; (*for plates*) égouttoir *m* **2.** (*luggage rack*) filet *m* à bagages; (*on car*) galerie *f* **II** *v/t* **1.** (*to cause pain*) torturer **2.** ***to ~ one's brains*** se creuser la cervelle
rack[2] *n* ***to go to ~ and ruin*** (*country*) se délabrer
racket[1] ['rækɪt] *n* SPORTS raquette *f*
racket[2] *n* **1.** (*uproar*) vacarme *m*; ***to make a ~*** faire du vacarme **2.** (*infml dishonest business*) escroquerie *f infml*; ***the drugs ~*** le trafic de drogue
racketeering [ˌrækɪ'tɪərɪŋ] *n* **1.** racket *m* **2.** (*organized crime*) escroquerie *f*
raconteur [ˌrækɒn'tɜːʳ] *n* conteur (-euse) *m*(*f*)
racoon [rə'kuːn] *n* raton *m* laveur
racquet ['rækɪt] *n* (*Br* SPORTS) raquette *f* **racquetball** ['rækɪtˌbɔːl] *n no pl* ≈ squash *m*
racy ['reɪsɪ] *adj* scabreux(-euse)
radar ['reɪdɑːʳ] *n* radar *m*
radiance ['reɪdɪəns] *n* (*of sun, smile*) éclat *m*, rayonnement *m* **radiant** ['reɪdɪənt] *adj* radieux(-euse); ***to be ~ with joy*** rayonner de joie **radiantly** ['reɪdɪəntlɪ] *adv* **1.** ***~ happy*** rayonnant de bonheur; ***~ beautiful*** d'une beauté éclatante **2.** *liter shine* avec éclat **radiate** ['reɪdɪeɪt] **I** *v/i* rayonner; (*heat, light*) irradier **II** *v/t honesty, calm* respirer **radiation** [ˌreɪdɪ'eɪʃən] *n* (*of heat etc.*) rayonnement *m*; (*rays*) radiation *f*; ***contaminated by*** *or* ***with ~*** irradié **radiator** ['reɪdɪeɪtəʳ] *n* radiateur *m*; AUTO radiateur *m*
radical ['rædɪkəl] **I** *adj* radical **II** *n* POL

radical(e) *m(f)*
radicchio [rə'dɪkɪəʊ] *n* trévise *f*
radio ['reɪdɪəʊ] **I** *n* **1.** radio *f*; (*a.* **radio set**) (poste *m* de) radio *f*; ***to listen to the ~*** écouter la radio; ***on the ~*** à la radio; ***he was on the ~ yesterday*** il est passé à la radio hier **2.** (*in cab etc.*) radio *f*; ***over the ~*** par radio **II** *v/t person* envoyer un message radio à; *message* envoyer **III** *v/i* ***to ~ for help*** demander du secours par radio **radioactive** *adj* radioactif(-ive) **radioactivity** *n* radioactivité *f* **radio alarm (clock)** *n* radio-réveil *m* **radio broadcast** *n* émission *f* de radio **radio cassette recorder** *n Br* radiocassette *f* **radio contact** *n* contact *m* radio **radio-controlled** *adj* radioguidé **radiology** [ˌreɪdɪ'ɒlədʒɪ] *n* radiologie *f* **radio program** *n* émission *f* de radio **radio station** *n* station *f* de radio **radiotherapy** *n* radiothérapie *f*
radish ['rædɪʃ] *n* **1.** radis *m* (noir) **2.** (*small red*) radis *m*
radius ['reɪdɪəs] *n* **radii** *pl* MATH rayon *m*; ***within a 6 mile ~*** dans un rayon de 6 miles
RAF *abbr* = **Royal Air Force**
raffle ['ræfl] **I** *n* tombola *f* **II** *v/t* (*a.* **raffle off**) mettre en tombola **raffle ticket** *n* ticket *m* de tombola
raft [rɑːft] *n* radeau *m*
rafter ['rɑːftəʳ] *n* chevron *m*
rag [ræg] *n* **1.** chiffon *m*; (*for cleaning*) chiffon *m*; ***in ~s*** en haillons; ***to go from ~s to riches*** (*by luck*) passer de la misère à la fortune; (*by work*) monter spectaculairement dans l'échelle sociale; ***to lose one's ~*** *infml* se mettre en colère, péter un câble *sl* **2.** (*pej*, *infml newspaper*) journal *m*, torchon *m infml* **ragbag** *n fig* fourre-tout *m* **rag doll** *n* poupée *f* de chiffon
rage [reɪdʒ] **I** *n* rage *f*; ***to be in a ~*** être en rage; ***to fly into a ~*** se mettre en rage; ***fit of ~*** crise de rage; ***to send sb into a ~*** mettre qn en rage; ***to be all the ~*** *infml* être très tendance *infml* **II** *v/i person* être furieux(-euse); *storm*, *fire* faire rage
ragged ['rægɪd] *adj person* déguenillé; *clothes* en lambeaux; *beard* négligé; *coastline* déchiqueté; *edge* rugueux (-euse)
raging ['reɪdʒɪŋ] *adj person* furieux (-euse); *thirst* dévorant; *storm* déchaîné; ***~ toothache*** rage de dents; ***he was ~*** il était furieux
raid [reɪd] **I** *n* raid *m*; (*air raid*) raid *m*; (*police raid*) descente *f* **II** *v/t* **1.** *lit* MIL faire un raid sur; (*person*) attaquer; (*police*) faire une descente dans; (*thieves*) attaquer **2.** *fig*, *hum* faire une razzia dans **raider** ['reɪdəʳ] *n* (*thief*) voleur(-euse) *m(f)*; (*in bank*) cambrioleur(-euse)
rail[1] [reɪl] *n* **1.** (*on stairs etc.*) rampe *f*; NAUT bastingage *m*; (*curtain rail*) tringle *f*; ***towel ~*** porte-serviettes *m* **2.** (*for train*) rail *m*; ***to go off the ~s*** (*Br fig: mentally*) dérailler *infml* **3.** (*rail travel*) train *m*; ***to travel by ~*** voyager en train
rail[2] *v/i* ***to ~ at sb / sth*** s'insurger contre qn / qc; ***to ~ against sb / sth*** s'insurger contre qn / qc
railcard *n* (*Br* RAIL) abonnement *m* (ferroviaire) **rail company** *n* compagnie *f* de chemin de fer
railing ['reɪlɪŋ] *n* (*rail*) balustrade *f*; (*fence*: *a.* **railings**) grille *f*
railroad *n US* voie *f* de chemin de fer; ***~ car*** wagon *m* **railroad crossing**, *Br* **railway crossing** *n* passage *m* à niveau **railroad track**, *Br* **railway track** *n* voie *f* ferrée **rail strike** *n* grève *f* des chemins de fer
railway ['reɪlweɪ] *n Br* **1.** chemin *m* de fer **2.** (*track*) voie *f* de chemin de fer **railway carriage** *n Br* (*for goods*) wagon *m*; (*for passengers*) voiture *f* **railway engine** *n Br* locomotive *f* **railway line** *n Br* ligne *f* de chemin de fer; (*track*) voie *f* de chemin de fer **railway network** *n Br* réseau *m* ferroviaire
rain [reɪn] **I** *n* **1.** pluie *f* **2.** (*fig*: *of blows*) pluie *f* **II** *v/i impersonal* pleuvoir; ***it is ~ing*** il pleut; ***when it rains it pours*** (*US prov*), ***it never rains but it pours*** (*Br prov*) un malheur n'arrive jamais seul *prov* **III** *v/t impersonal* ***it's ~ing cats and dogs*** *infml* il tombe des cordes ◆ **rain down** *v/i* (*blows etc.*) pleuvoir (***upon*** sur) ◆ **rain out**, *Br* **rain off** *v/t sep* ***to be rained out*** être stoppé à cause de la pluie
rainbow ['reɪnbəʊ] *n* arc-en-ciel *m* **rainbow trout** *n* truite *f* arc-en-ciel **rain check** *n esp US* ***I'll take a ~ on that*** *fig*, *infml* je vais faire l'impasse pour cette fois **rain cloud** *n* nuage *m* de pluie **raincoat** *n* imperméable *m* **raindrop** *n* goutte *f* de pluie **rainfall** *n* pré-

cipitations *fpl* **rain forest** *n* forêt *f* tropicale **rainstorm** *n* pluie *f* torrentielle **rainswept** ['reɪnswept] *adj attr* battu par la pluie **rainwater** *n* eau *f* de pluie
rainy ['reɪnɪ] *adj* pluvieux(-euse); **~ *season*** saison des pluies; ***to save sth for a ~ day*** *fig* garder une poire pour la soif
raise [reɪz] **I** *v/t* **1.** *object, arm* soulever; *blinds* remonter; *eyebrow* hausser; THEAT *curtain* lever; ***to ~ one's glass to sb*** lever son verre à la santé de qn; ***to ~ sb from the dead*** ressusciter qn des morts; ***to ~ one's voice*** hausser le ton; ***to ~ sb's hopes*** donner à espérer à qn **2.** (*in height or amount*) augmenter (***by*** de) **3.** *statue* ériger **4.** *question* poser, soulever; *objection* émettre; *suspicion* soulever; ***to ~ a cheer*** déclencher des hourras; ***to ~ a smile*** faire sourire **5.** *children, animals* élever; *crops* cultiver; ***to ~ a family*** élever une famille **6.** *army* lever; *taxes* augmenter; *funds* lever **II** *n* (*in salary*) augmentation *f* ◆ **raise up** *v/t sep* soulever; ***he raised himself up on his elbow*** il s'est soulevé en s'appuyant sur un coude
raised [reɪzd] *adj platform* surélevé; *arm* en l'air; **~ *voices*** éclats de voix
raisin ['reɪzən] *n* raisin *m* sec
rake [reɪk] **I** *n* râteau *m* **II** *v/t* ratisser **III** *v/i* ***to ~ around*** fouiller ◆ **rake in** *v/t sep infml money* palper *infml* ◆ **rake up** *v/t sep* **1.** *leaves* ratisser **2.** *fig* ***to ~ the past*** ressasser le passé
rally ['rælɪ] **I** *n* **1.** rassemblement *m*; (*with speaker*) meeting *m*; AUTO rallye *m*; ***electoral ~*** meeting électoral; ***peace ~*** rassemblement pour la paix **2.** TENNIS *etc.* échange *m* **II** *v/t* rassembler; ***to ~ one's strength*** rassembler tout son courage; ***~ing cry*** cri de ralliement **III** *v/i* **1.** (*sick person*) se rétablir; ST EX remonter **2.** (*troops*) se rassembler ◆ **rally around I** *v/t insep leader* se rassembler autour de **II** *v/i* se rassembler
RAM [ræm] *n* IT *abbr* = **random access memory** RAM; mémoire *f* vive; ***1 gigabyte of ~*** un gigaoctet de RAM
ram [ræm] **I** *n* bélier *m* **II** *v/t* (*push*) planter; (*crash into*) rentrer dans; (*pack*) entasser; ***to ~ home a message*** faire clairement comprendre un message; ***to ~ sth down sb's throat*** *infml* rabâcher qc à qn *infml*; ***the car ~med a lamppost*** la voiture est rentrée dans un réverbère ◆ **ram down** *v/t sep earth* enfoncer dans
ramble ['ræmbl] **I** *n* (*esp Br hike*) randonnée *f* (pédestre); ***to go on a ~*** faire une randonnée **II** *v/i* **1.** (*esp Br go on hike*) randonner **2.** (*in speech*) radoter *infml*; (*pej*: *a.* **ramble on**) gloser **rambler** ['ræmbləʳ] *n esp Br* randonneur (-euse) *m(f)* **rambling** ['ræmblɪŋ] **I** *adj* **1.** *speech* décousu; *old person* qui radote *infml*; **~ *garden*** jardin à l'anglaise **2.** **~ *club*** *esp Br* club de randonnée **II** *n* **1.** (*esp Br hiking*) randonnée *f*; ***to go ~*** faire de la randonnée **2.** (*in speech*: *a.* **ramblings**) divagations *fpl*
ramification [ˌræmɪfɪ'keɪʃən] *n lit* ramification *f*
ramp [ræmp] *n* rampe *f* d'accès
rampage [ræm'peɪdʒ] **I** *n* ***to be / go on the ~*** tout saccager **II** *v/i* (*a.* **rampage around**) se déchaîner
rampant ['ræmpənt] *adj growth* rampant; *evil* qui rôde; *inflation* galopant; ***to be ~*** être généralisé; ***to run ~*** (*condition*) être très répandu
rampart ['ræmpɑːt] *n* rempart *m*
ramshackle ['ræmˌʃækl] *adj building* délabré; *group* désorganisé
ramsons ['ræmzns] *n sg* BOT ail *m* des ours
ran [ræn] *past* = **run**
ranch [rɑːntʃ] *n* ranch *m*; **~ *hand*** garçon *m* de ferme
rancid ['rænsɪd] *adj* rance
R & D [ɑːrən'diː] *n abbr* = **research and development** R&D
random ['rændəm] **I** *n* ***at ~*** au hasard; *shoot, take* au hasard; ***a few examples taken at ~*** quelques exemples pris au hasard; ***I (just) chose one at ~*** j'en ai choisi un (complètement) au hasard **II** *adj selection* au hasard; *sequence* aléatoire; **~ *drug test*** contrôle antidopage par sondage **random access** *n* IT accès *m* aléatoire **random access memory** *n* IT mémoire *f* vive **randomly** ['rændəmlɪ] *adv* au hasard **random number** *n* nombre *m* aléatoire **random sample** *n* échantillon *m* aléatoire
randy ['rændɪ] *adj Br* excité, d'humeur coquine
rang [ræŋ] *past* = **ring²**
range [reɪndʒ] **I** *n* **1.** (*of gun*) portée *f*; ***at a ~ of*** à une portée de; ***at close ~*** de très près; ***to be out of ~*** être hors de portée; (*of gun*) être hors de portée; ***within (firing) ~*** dans le champ de tir; **~ *of vision***

portée de vue **2.** (*selection*) variété *f*; (*of goods*) gamme *f*; (*of sizes*) choix *m* (**of** de); (*of abilities*) diversité *f*; (*mountain range*) chaîne *f*; ***a wide ~*** une grande variété; ***in this price ~*** dans cette fourchette de prix; ***a ~ of prices*** un éventail de prix; ***we have the whole ~ of models*** nous avons toute la gamme de modèles; ***we cater for the whole ~ of customers*** nous pourvoyons aux besoins de tous les types de clients **3.** (*a.* **shooting range**) MIL champ *m* de tir; (*rifle range*) pas *m* de tir **II** *v/i* **1.** ***to ~ from … to*** aller de … à; (*temperature*, *value*) varier de … à; (*interests*) aller de … à **2.** (*roam*) se promener **ranger** ['reɪndʒəʳ] *n* **1.** (*of forest etc.*) garde *m* forestier **2.** *US* (*mounted patrolman*) policier *m* à cheval

rank[1] [ræŋk] **I** *n* **1.** MIL grade *m*; ***officer of high ~*** officier de grade élevé **2.** (*status*) rang *m*; ***a person of ~*** une personne de rang **3.** (*row*) rangée *f* **4.** (*Br taxi rank*) station *f* **5.** (MIL *formation*) rang *m*; ***to break ~(s)*** rompre le(s) rang(s); ***the ~s*** MIL les hommes de troupe; ***the ~ and file of the party*** la base du parti; ***to rise from the ~s*** gravir les échelons; *fig* sortir du lot **II** *v/t* ***to ~ sb among the best*** classer qn parmi les meilleurs; ***where would you ~ this wine?*** dans quelle catégorie est-ce que vous classeriez ce vin? **III** *v/i* ***to ~ among*** se classer parmi; ***to ~ above sb*** être dans une position hiérarchique supérieure à qn; ***to ~ high among the world's statesmen*** être classé à un rang élevé parmi les hommes d'État de la planète; ***he ~s high among her friends*** il fait partie de ses meilleurs amis; ***to ~ 6th*** être classé 6ème

rank[2] *adj* **1.** *smell* putride; ***to be ~*** sentir horriblement mauvais **2.** *attr injustice* total; *outsider* parfait

rankings ['ræŋkɪŋz] *pl* SPORTS ***the ~*** le classement

rankle ['ræŋkl] *v/i* ***to ~ with sb*** rester sur le cœur de qn

ransack ['rænsæk] *v/t closets* dévaliser; *house* piller; *town* mettre à sac

ransom ['rænsəm] **I** *n* rançon *f*; ***to hold sb for ~*** (*US lit*) rançonner qn **II** *v/t* rançonner

rant [rænt] **I** *v/i* déblatérer *infml*; (*talk nonsense*) divaguer *infml*; ***to ~ (and rave)*** tempêter, pester; ***what's he ~ing about?*** qu'est-ce qu'il a encore à pester? *infml* **II** *n* diatribe *f* **ranting** ['ræntɪŋ] *n* (*outburst*) coup *m* de colère; (*incoherent talk*) divagation *f*

rap[1] [ræp] **I** *n* coup *m* sec; ***he got a ~ on the knuckles for that*** *fig* il s'est fait taper sur les doigts pour ça **II** *v/t table* pianoter sur; *window* frapper à; ***to ~ sb's knuckles*** *fig* taper sur les doigts de qn **III** *v/i* ***to ~ at*** *or* ***on the door*** frapper à la porte

rap[2] MUS **I** *n* rap *m* **II** *v/i* faire du rap

rape[1] [reɪp] **I** *n* viol *m* **II** *v/t* violer

rape[2] *n* (*plant*) colza *m*

rapid ['ræpɪd] **I** *adj decline*, *rise*, *descent* rapide **II** *n* **rapids** *pl* GEOG rapides *mpl* **rapidity** [rə'pɪdɪtɪ] *n* promptitude *f*; (*of decline*, *rise*) rapidité *f* **rapidly** ['ræpɪdlɪ] *adv act*, *decline*, *rise* rapidement

rapist ['reɪpɪst] *n* violeur *m*

rappel [ræ'pel] *v/i US* descendre en rappel

rapport [ræ'pɔːʳ] *n* relation *f*, rapports *mpl*; ***the ~ I have with my father*** la relation que j'ai avec mon père

rapt [ræpt] *adj attention* soutenu; *audience* attentif(-ive); ***~ in thought*** perdu dans ses pensées

rapture ['ræptʃəʳ] *n* (*delight*) ravissement *m*; (*ecstasy*) extase *f*; ***to be in ~s*** être en extase (*over* à propos de, *about* au sujet de); ***to go into ~s*** (***about sb/sth***) s'extasier (sur qn / qc) **rapturous** ['ræptʃərəs] *adj applause* à tout rompre

rare [rɛəʳ] *adj* **1.** rare; ***with very ~ exceptions*** à de très rares exceptions; ***it's ~ for her to come*** il est rare qu'elle vienne **2.** *steak* bleu **rarefied** ['rɛərɪfaɪd] *adj atmosphere* confiné

rarely ['rɛəlɪ] *adv* rarement

raring ['rɛərɪŋ] *adj* ***to be ~ to go*** *infml* piaffer d'impatience

rarity ['rɛərɪtɪ] *n* rareté *f*

rascal ['rɑːskəl] *n* gredin *m*; (*child*) coquin(e) *m*(*f*)

rash[1] [ræʃ] *n* MED rougeurs *fpl*, éruption *f* cutanée MED; ***to come out in a ~*** se couvrir de rougeurs

rash[2] *adj* imprudent; *person* impétueux (-euse); ***don't do anything ~*** ne fais pas d'imprudence

rasher ['ræʃəʳ] *n* tranche *f*; ***~ of bacon*** tranche de lard

rashly ['ræʃlɪ] *adv* sans réfléchir, sur un coup de tête **rashness** ['ræʃnɪs] *n* précipitation *f*; (*of person*) imprudence *f*

rasp [rɑːsp] **I** *n* (*tool*) râpe *f*; (*noise*) bruit *m* rauque **II** *v/i* parler d'une voix éraillée; (*breath*) être gêné

raspberry ['rɑːzbərɪ] **I** *n* framboise *f*; (*plant*) framboisier *m*; ***to blow a ~*** (***at sth***) *infml* faire 'pff' **II** *adj* aux framboises

rasping ['rɑːspɪŋ] **I** *adj* éraillé; *cough* rauque **II** *n* son *m* rauque

rat [ræt] *n* ZOOL rat *m*; (*pej, infml person*) salaud *m infml*

rate [reɪt] **I** *n* **1.** (*ratio*) taux *m*; (*speed*) rythme *m*; (*of unemployment*) taux *m*; ***the failure ~ on this course*** le taux d'échec de ce cours; ***the failure ~ for small businesses*** le taux d'échec pour les petites entreprises; ***at a ~ of 100 liters an hour*** au taux de 100 litres à l'heure; ***at a ~ of knots*** *infml* à vitesse grand V *infml*; ***at the ~ you're going you'll be dead before long*** à ce rythme tu ne vas pas faire de vieux os; ***at any ~*** en tout cas **2.** COMM, FIN tarif *m*; ST EX taux *m*; ***~ of exchange*** taux de change; ***what's the ~ at the moment?*** quel est le taux de change en ce moment?; ***what's the ~ of pay?*** quel est le taux de salaire?; ***~ of interest*** taux d'intérêt; ***~ of taxation*** taux d'imposition; ***insurance ~s*** taux d'assurance; ***there is a reduced ~ for children*** il y a un tarif réduit pour les enfants; ***to pay sb at the ~ of $100 per hour*** payer qn au tarif de 100 dollars de l'heure **II** *v/t* **1.** (*estimate value of*) classer; ***to ~ sb / sth among …*** classer qn / qc parmi …; ***how does he ~ that movie?*** quelle note donne-t-il à ce film?; ***to ~ sb / sth as sth*** évaluer qn / qc comme qc; ***to ~ sb / sth highly*** avoir beaucoup de considération pour qn / qc **2.** (*deserve*) mériter **3.** (*infml think highly of*) bien considérer; ***I really ~ him*** j'ai beaucoup d'estime pour lui; ***I never rated him*** je ne l'ai jamais bien considéré **III** *v/i* ***to ~ as …*** être classé comme …; ***to ~ among …*** être classé parmi …

rather ['rɑːðər] *adv* **1.** plutôt; ***I would ~ be happy than rich*** je préférerais être heureux (plutôt) que riche; ***I'd ~ not*** je ne préfère pas; ***I'd ~ not go*** je préfère ne pas y aller; ***it would be better to phone ~ than*** (***to***) ***write*** il serait préférable de téléphoner plutôt que d'écrire **2.** (*more accurately*) plutôt; ***he is, or ~ was, a soldier*** c'est, ou plutôt c'était, un soldat; ***a car, or ~ a limousine*** une voiture, ou pour être précis, une limousine **3.** (*considerably*) très; (*somewhat*) un peu; ***it's ~ more difficult than you think*** *Br* c'est beaucoup plus difficile que tu ne le penses; ***I ~ think …*** *Br* j'ai plutôt l'impression …; ***I ~ like them*** je les aime assez

ratification [ˌrætɪfɪ'keɪʃən] *n* ratification *f* **ratify** ['rætɪfaɪ] *v/t* ratifier

rating ['reɪtɪŋ] *n* **1.** (*assessment*) classement *m*, cote *f* **2.** (*category*) indice *m*; ***to boost ~s*** TV augmenter l'indice d'écoute

ratio ['reɪʃɪəʊ] *n* proportion *f*, rapport *m*; ***the ~ of men to women*** la proportion hommes femmes; ***in a ~ of 100 to 1*** dans un rapport de 100 pour 1

ration ['ræʃən, (*US*) 'reɪʃən] **I** *n* ration *f*; ***~s*** (*food*) rations **II** *v/t* rationner; ***he ~ed himself to five cigarettes a day*** il s'est rationné à cinq cigarettes par jour

rational ['ræʃənl] *adj* rationnel(le); *solution* raisonnable **rationale** [ræʃə'nɑːl] *n* logique *f* **rationality** [ˌræʃə'nælɪtɪ] *n* rationalité *f* **rationalize** ['ræʃnəlaɪz] *v/t & v/i* rationaliser **rationally** ['ræʃnəlɪ] *adv* rationnellement

rationing ['ræʃənɪŋ] *n* rationnement *m*

rat race *n* jungle *f* urbaine

rattle ['rætl] **I** *v/i* brinquebaler; (*keys*) cliqueter; (*bottles, chains*) s'entrechoquer **II** *v/t* **1.** *keys* faire cliqueter; *bottles, chains* entrechoquer; *windows* faire trembler **2.** (*infml alarm*) *person* agacer **III** *n* **1.** (*of chains*) cliquetis *m*; (*of bottles*) choc *m* **2.** (*child's*) hochet *m* ◆ **rattle off** *v/t sep* débiter *infml* ◆ **rattle on** *v/i infml* parler sans arrêt (***about*** de) ◆ **rattle through** *v/t insep Br speech, work etc.* expédier

rattlesnake ['rætlsneɪk] *n* serpent *m* à sonnette **rattling** ['rætlɪŋ] **I** *n* choc *m*; (*of chains*) cliquetis *m*; (*of bottles*) choc *m* **II** *adj chains* qui cliquettent; *bottles* qui s'entrechoquent; ***a ~ noise*** un bruit d'objets qui s'entrechoquent

ratty ['rætɪ] *adj infml* **1.** (*US run-down*) miteux(-euse) *infml* **2.** (*Br irritable*) grincheux(-euse)

raucous ['rɔːkəs] *adj voice, laughter* bruyant; *bird cry* rauque

raunchy ['rɔːntʃɪ] *adj infml person* lascif (-ive); *movie, novel* salace

ravage ['rævɪdʒ] **I** *n* ***~s*** (*of war, disease*)

les ravages (***of*** de) **II** *v/t* ravager
rave [reɪv] **I** *v/i* s'exciter; (*furiously*) tempêter; (*infml*: *enthusiastically*) s'emballer (***about, over*** pour) **II** *n* **1.** *infml* rave *f sl* **2.** *infml* ***a ~ review*** *infml* une critique dithyrambique
raven ['reɪvən] *n* grand corbeau *m*
ravenous ['rævənəs] *adj* affamé; *appetite* féroce; ***I'm ~*** j'ai une faim de loup **ravenously** ['rævənəslɪ] *adv eat* voracement; ***to be ~ hungry*** avoir une faim de loup
ravine [rə'viːn] *n* ravin *m*
raving ['reɪvɪŋ] **I** *adj* (*delirious*) hystérique; ***a ~ lunatic*** *infml* un type complètement dingue *infml* **II** *adv* ***~ mad*** *infml* fou(folle) à lier *infml*
ravishing ['rævɪʃɪŋ] *adj woman*, *sight* ravissant; *beauty* ravageur(-euse) **ravishingly** ['rævɪʃɪŋlɪ] *adv* ***~ beautiful*** d'une beauté ravageuse
raw [rɔː] **I** *adj* **1.** *meat* cru; *sewage* brut; ***to get a ~ deal*** ne pas être bien traité **2.** *emotion*, *energy* brut; *courage* à l'état pur; *account* non dégrossi; ***~ data*** IT données brutes **3.** *recruit* nouveau (-elle) **4.** *skin* à vif **5.** *wind* vif(vive) **II** ***in the ~*** *infml* dans le vif **raw material** *n* matière *f* première
ray [reɪ] *n* rayon *m*; ***a ~ of hope*** une lueur d'espoir; ***a ~ of sunshine*** *fig* un rayon de soleil
raze [reɪz] *v/t* ***to ~ sth to the ground*** raser qc
razor ['reɪzəʳ] *n* rasoir *m*; ***electric ~*** rasoir électrique **razor blade** *n* lame *f* de rasoir **razor-sharp** *adj knife* très coupant; *fig mind* très vif(vive)
razzmatazz ['ræzmə'tæz] *n* (*esp Br infml*) folklore *m*, cirque *m infml*
RC *abbr* = **Roman Catholic** catholique
Rd. *abbr* = **Road**
re [riː] *prep* ADMIN *etc.* au sujet de
reach [riːtʃ] **I** *n* portée *f*; (*of influence*) portée *f*; ***within / out of sb's ~*** à la / hors de portée de qn; ***within arm's ~*** à portée de la main; ***keep out of ~ of children*** ne pas laisser à la portée des enfants; ***within easy ~ of the ocean*** à proximité de l'océan; ***I keep it within easy ~*** je le garde dans un endroit facilement accessible **II** *v/t* **1.** (*arrive at*) arriver à; *point* atteindre; *town*, *country* parvenir à, arriver à; *agreement*, *conclusion* parvenir à; ***when we ~ed him he was dead*** quand nous avons atteint l'endroit où il se trouvait, il était mort; ***to ~ the street you have to cross the yard*** pour atteindre la rue il faut traverser le jardin; ***this advertisement is geared to ~ a younger audience*** cette publicité est conçue en direction d'un jeune public; ***you can ~ me at my hotel*** vous pouvez me joindre à mon hôtel **2.** ***to be able to ~ sth*** pouvoir atteindre qc; ***can you ~ it?*** est-ce que tu peux l'atteindre? **3.** (*go down to etc.*) descendre jusqu'à **III** *v/i* ***to ~ for sth*** tendre le bras pour attraper qc; ***can you ~?*** est-ce que tu peux l'attraper? ◆ **reach across** *v/i* tendre le bras ◆ **reach down** *v/i* (*drapes etc.*) arriver (***to*** jusqu'à); (*person*) se baisser (***for*** pour prendre) ◆ **reach out I** *v/t sep* ***he reached out his hand for the cup*** il a tendu la main pour attraper la tasse **II** *v/i* tendre la main; ***to ~ for sth*** tendre la main pour attraper qc ◆ **reach over** *v/i* = **reach across** ◆ **reach up** *v/i* **1.** (*level*) atteindre (***to sth*** qc) **2.** (*person*) baisser le bras (***for*** pour attraper)
reachable ['riːtʃəbl] *adj* accessible
react [riː'ækt] *v/i* réagir (***to*** à); ***to ~ against*** réagir contre **reaction** [riː'ækʃən] *n* réaction *f* (*to* à, *against* contre)
reactivate [riː'æktɪveɪt] *v/t* réactiver
reactor [riː'æktəʳ] *n* PHYS réacteur *m*
read[1] [riːd] *vb* ⟨*past*, *past part* **read**⟩ **I** *v/t* **1.** lire; (*to sb*) à qn; (*understand*) interpréter; ***~ my lips!*** *infml* écoutez-moi bien!; ***to take sth as read*** *fig* prendre qc pour argent comptant; ***to ~ sb's mind*** lire les pensées de qn; ***don't ~ too much into his words*** n'attache pas trop d'importance à ce qu'il a dit **2.** *thermometer etc.* afficher **3.** (*meter*) relever **II** *v/i* **1.** lire (***to sb*** à qn); ***to ~ aloud*** *or* ***out loud*** lire à voix haute **2.** ***this paragraph ~s well*** ce paragraphe est bien écrit; ***the letter ~s as follows*** voici ce que dit la lettre **III** *n* ***she enjoys a good ~*** elle aime bien lire; ***to be a good ~*** être agréable à lire ◆ **read back** *v/t sep* (*to sb*) relire ◆ **read off** *v/t sep* annoncer; (*without pause*) lire sans s'arrêter ◆ **read on** *v/i* continuer à lire ◆ **read out** *v/t sep* lire à voix haute ◆ **read over** *or* **through** *v/t sep* bien lire ◆ **read up** *v/i* lire des livres, faire des lectures (***on*** sur)
read[2] [red] **I** *past*, *past part* = **read**[1] **II** *adj*

he is well ~ il est très cultivé
readable ['riːdəbl] *adj* **1.** (*legible*) lisible **2.** (*worth reading*) digne d'être lu
reader ['riːdəʳ] *n* **1.** lecteur(-trice) *m(f)* **2.** (*book*) livre *m* de lecture **readership** ['riːdəʃɪp] *n* lectorat *m*
readily ['redɪlɪ] *adv* directement; (*easily*) facilement; *admit* volontiers; ***~ available*** directement disponible **readiness** ['redɪnɪs] *n* empressement *m*, bonne volonté *f*
reading ['riːdɪŋ] *n* **1.** (*action*) lecture *f* **2.** (*reading matter*) lecture *f* **3.** (*recital*) lecture *f* (*also* PARL); ***the Senate gave the bill its first ~*** le Sénat a examiné la loi en première lecture **4.** (*interpretation*) interprétation *f* **5.** (*from meter*) relevé *m* **reading age** *n* ***a ~ of 7*** le niveau de lecture d'un enfant de 7 ans **reading book** *n* livre *m* de lecture **reading glasses** *pl* lunettes *fpl* de vue (*pour lire*) **reading list** *n* liste *f* d'ouvrages recommandés **reading matter** *n* lecture *f*
readjust [ˌriːə'dʒʌst] **I** *v/t instrument* régler; (*correct*) corriger; *prices* réajuster **II** *v/i* se réadapter (***to*** à) **readjustment** *n* (*of instrument*) réglage *m*; (*correction*) correction *f*; (*of prices*) réajustement *m*
read only memory [riːd] *n* IT mémoire *f* morte **readout** *n* IT *etc*. affichage *m*, relevé *m* **read-write head** [riːd] *n* IT tête *f* de lecture-écriture **read-write memory** *n* IT mémoire *f* lecture-écriture
ready ['redɪ] **I** *adj* **1.** prêt; *excuse* tout trouvé; *smile* facile; *supply* rapide; ***~ to do sth*** (*willing*) prêt à faire qc; ***he was ~ to cry*** il était prêt à pleurer; ***~ to leave*** prêt à partir; (*for journey*) prêt pour le départ; ***~ to use*** prêt à l'emploi; ***~ to serve*** prêt à être servi; ***~ for action*** prêt à agir; ***~ for anything*** prêt à tout; ***"dinner's ~"*** "à table"; ***are you ~ to go?*** es-tu prêt à partir; ***are you ~ to order?*** êtes-vous prêt à passer la commande?; ***well, I think we're ~*** bon, je crois que nous sommes prêts; ***I'm not quite ~ yet*** je ne suis pas tout à fait prêt; ***everything is ~ for his visit*** tout est en place pour sa visite; ***~ for boarding*** prêt pour l'embarquement; ***I'm ~ for him!*** je l'attends de pied ferme!; ***to get (oneself) ~*** se préparer; ***to get ~ to go out*** se préparer pour sortir; ***to get ~ for sth*** se préparer pour qc; ***to get sth / sb ~ (for sth)*** préparer qc / qn (pour qc); ***~ and waiting*** fin prêt; ***~ when you are*** je suis prêt; ***~, steady, go!*** *Br* un, deux, trois, partez! **2.** *reply* tout prêt; *wit* vif(vive) **3.** ***~ money*** argent liquide; ***~ cash*** liquide; ***to pay in ~ cash*** payer en liquide **II** *n* ***at the ~*** *fig* prêt à l'emploi; ***with his pen at the ~*** avec son stylo prêt à écrire **ready-cooked** *adj* cuisiné **ready-made** *adj* **1.** *drapes* prêt à poser; *meal* cuisiné **2.** *replacement* tout trouvé; ***~ solution*** solution toute trouvée **ready meal** *n Br* plat *m* cuisiné **ready-to-eat** *adj* prêt à manger **ready-to-serve** *adj* cuisiné **ready-to-wear** *adj attr*, **ready to wear** *adj pred* de prêt-à-porter
reaffirm [ˌriːə'fɜːm] *v/t* **1.** (*assert again*) réaffirmer **2.** *doubts* réitérer
real [rɪəl] **I** *adj* **1.** (*genuine*) vrai; (*complete*) véritable; (*true*) réel(le); *idiot*, *disaster* véritable; ***in ~ life*** dans la vie réelle; ***the danger was very ~*** le danger était bien réel; ***it's the ~ thing, this whiskey!*** ce whisky, c'est vraiment du bon!; ***it's not the ~ thing*** ce n'est pas du bon; (*not genuine*) ce n'est pas du vrai; ***it's a ~ shame*** c'est vraiment dommage; ***he doesn't know what ~ contentment is*** il ne sait pas ce que c'est que la véritable satisfaction; ***that's what I call a ~ car*** c'est ce que j'appelle une voiture; ***in ~ trouble*** dans de graves difficultés **2.** FIN *cost* réel(le); ***in ~ terms*** en termes réels **II** *adv* (*esp US infml*) vraiment *infml*; ***~ soon*** bientôt **III** *n* ***for ~*** pour de vrai *infml* **real coffee** *n* (vrai) café *m* **real estate** *n US* immobilier *m* **realism** ['rɪəlɪzəm] *n* réalisme *m* **realist** ['rɪəlɪst] *n* réaliste *m/f* **realistic** [rɪə'lɪstɪk] *adj* réaliste **realistically** [rɪə'lɪstɪkəlɪ] *adv hope for* de façon réaliste
reality [riː'ælɪtɪ] *n* réalité *f*; ***to become ~*** devenir réalité; ***in ~*** (*in fact*) en réalité; (*actually*) en fait; ***the realities of the situation*** les réalités de la situation **reality check** *n* constat *m* réaliste
realization [ˌrɪəlaɪ'zeɪʃən] *n* **1.** (*of hope*) réalisation *f*; (*of potential*) accomplissement *m* **2.** (*awareness*) prise *f* de conscience
realize ['rɪəlaɪz] **I** *v/t* **1.** (*become aware of*) réaliser; (*be aware of*) s'apercevoir de; (*understand*) comprendre; (*notice*) remarquer, se rendre compte de; (*discover*) découvrir; ***does he ~ the problems?*** a-t-il conscience des problèmes;

I've just ~d I won't be here je viens de me rendre compte que je ne serai pas là; ***he didn't ~ she was cheating him*** il ne s'est pas rendu compte qu'elle le trompait; ***I ~d I didn't have any money on me*** je me suis aperçu que je n'avais pas un sou sur moi; ***I made her ~ that I was right*** je lui ai fait prendre conscience que j'avais raison; ***yes, I ~ that*** oui, j'en ai conscience **2.** *hope, potential* réaliser; *price, interest* rapporter; (*goods*) produire **II** *v/i* ***didn't you ~?*** tu ne t'es pas rendu compte?; (*notice*) tu n'as pas remarqué?; ***I've just ~d*** j'y pense soudain; (*noticed*) je viens juste de remarquer; ***I should have ~d*** j'aurais dû m'en rendre compte

realize

Le mot anglais n'a pas toujours le sens de réaliser (un but, une aspiration, etc). Il peut aussi vouloir dire comprendre, se rendre compte de :

I didn't realize he was standing right behind me, or I wouldn't have said that. She had managed to realize her dream of owning her own café.

Je ne m'étais pas rendu compte qu'il était juste derrière moi, sinon je n'aurais pas dit ça. Elle avait réalisé son rêve en devenant propriétaire d'un café.

real-life ['riːl'laɪf] *adj event* vécu; *person* réel(le); *story* vrai
reallocate [rɪ'æləʊkeɪt] *v/t* redistribuer
really ['rɪəlɪ] *adv, int* vraiment; ***I ~ don't know*** je ne sais vraiment pas; ***I don't ~ think so*** je ne pense pas vraiment; ***well yes, I ~ think we should*** oui, je pense vraiment que nous devrions; ***before he ~ understood*** avant qu'il ne comprenne vraiment; ***~ and truly*** véritablement; ***I ~ must say ...*** je dois dire absolument ...; ***~!*** (*in indignation*) vraiment!; ***not ~!*** pas vraiment
realm [relm] *n liter* monde *m*; *fig* domaine *m*; ***within the ~s of possibility*** dans le domaine du possible
real time *n* IT temps *m* réel
Realtor® ['rɪəltɔːr] *n US* agent *m* immobilier
reap [riːp] *v/t* (*harvest*) récolter, moissonner; *reward* récolter
reappear [ˌriːə'pɪər] *v/i* réapparaître **reappearance** [ˌriːə'pɪərəns] *n* réapparition *f*
reappoint [ˌriːə'pɔɪnt] *v/t* renommer (**to** à)
reappraisal [ˌriːə'preɪzəl] *n* réévaluation *f* **reappraise** [ˌriːə'preɪz] *v/t* réévaluer
rear¹ [rɪər] **I** *n* (*back part*) arrière *m*; (*of train, plane*) queue *f*, arrière *m*; (*infml buttocks*) derrière *m infml*; ***at the ~*** à l'arrière (***of*** de); ***to(ward) the ~ of the plane*** vers l'arrière de l'avion; ***at** or **to the ~ of the building*** (*outside*) derrière le bâtiment; (*inside*) au fond du bâtiment; ***from the ~*** par derrière; ***to bring up the ~*** fermer la marche **II** *adj* **1.** (*carriage*) de queue **2.** AUTO arrière; ***~ door*** portière arrière; ***~ lights*** feux arrière; ***~ wheel*** roue arrière
rear² **I** *v/t* **1.** *esp Br animals, family* élever **2.** ***racism ~ed its ugly head*** le racisme a refait surface **II** *v/i* (*horse*: *a.* **rear up**) ruer
rearm [ˌriː'ɑːm] **I** *v/t country, troops* réarmer **II** *v/i* se réarmer **rearmament** [ˌriː'ɑːməmənt] *n* (*of country*) réarmement *m*
rearmost ['rɪəməʊst] *adj* du fond
rearrange [ˌriːə'reɪndʒ] *v/t furniture* changer la disposition de; *plans, order* réorganiser; *meeting* reporter **rearrangement** *n* (*of furniture*) déplacement *m*; (*of plans, order*) réorganisation *f*; (*of meeting*) report *m*
rear-view mirror ['rɪəˌvjuː'mɪrər] *n* rétroviseur *m*
reason ['riːzn] **I** *n* **1.** (*justification*) raison *f* (***for*** de); ***~ for living*** raison de vivre; ***my ~ for going*** ma raison d'y aller; ***what's the ~ for this celebration?*** quelle est la raison de cette fête?; ***I want to know the ~ why*** je veux savoir pourquoi; ***and that's the ~ why ...*** et c'est la raison pour laquelle ...; ***I have good ~/every ~ to believe that ...*** j'ai de bonnes / toutes les raisons de penser que ...; ***there is ~ to believe that ...*** on a de bonnes raisons de penser que ...; ***for that very ~*** pour cette raison précise; ***for no ~ at all*** sans aucune raison; ***for no particular ~*** sans raison particulière; ***why did you do that? — no particular ~*** pourquoi est-ce que tu as fait ça? —

pour rien; ***for ~s best known to himself / myself*** pour une raison qu'il est / que je suis seul à connaître; ***all the more ~ for doing it*** raison de plus pour le faire; ***by ~ of*** du fait de **2.** *no pl* (*mental faculty*) raison *f* **3.** *no pl* (*common sense*) raison *f*; ***to listen to ~*** écouter la voix de la raison; ***that stands to ~*** cela va sans dire; ***we'll do anything within ~ to …*** nous ferons tout ce qui raisonnablement possible pour …; ***you can have anything within ~*** vous pouvez avoir tout ce qui est raisonnablement possible **II** *v/i* **1.** (*think logically*) raisonner **2.** ***to ~*** (***with sb***) raisonner qn **III** *v/t* (*a.* **reason out**) trouver une solution à

reasonable ['riːznəbl] *adj* **1.** raisonnable; *chance* grand; *claim* légitime; *amount* certain; *excuse*, *offer* raisonnable; (*in price*) raisonnable; ***to be ~ about sth*** se montrer raisonnable à propos de qc; ***beyond*** (***all***) ***~ doubt*** sans aucun doute possible; ***it would be ~ to assume that …*** il serait raisonnable de supposer que … **2.** (*quite good*) convenable; ***with a ~ amount of luck*** avec un peu de chance **reasonably** ['riːznəblɪ] *adv* **1.** *behave* raisonnablement; ***~ priced*** à un prix raisonnable **2.** (*quite*) relativement **reasoned** *adj argument* raisonné **reasoning** ['riːznɪŋ] *n* **1.** raisonnement *m* **2.** (*arguing*) ergotage *m*

reassemble [ˌriːə'sembl] **I** *v/t* **1.** *people* regrouper **2.** *machine* remonter **II** *v/i* (*troops*) se regrouper

reassert [ˌriːə'sɜːt] *v/t* réaffirmer

reassess [ˌriːə'ses] *v/t* réévaluer; *proposals* reconsidérer

reassurance [ˌriːə'ʃʊərəns] *n* **1.** (*security*) réconfort *m* **2.** (*confirmation*) assurance *f* **reassure** [ˌriːə'ʃʊə^r] *v/t* **1.** (*comfort*) rassurer; (*make feel secure*) sécuriser **2.** (*verbally*) rassurer **reassuring** [ˌriːə'ʃʊərɪŋ] *adj* rassurant **reassuringly** [ˌriːə'ʃʊərɪŋlɪ] *adv behave*, *disregard* de façon rassurante; *drive* prudemment

reawaken [ˌriːə'weɪkən] **I** *v/t person* réveiller à nouveau; *interest* réveiller **II** *v/i* se réveiller à nouveau; (*interest*) se réveiller **reawakening** [ˌriːə'weɪknɪŋ] *n* réveil *m*

rebate ['riːbeɪt] *n* (*discount*) rabais *m*; (*money back*) remboursement *m*

rebel ['rebl] **I** *n* rebelle *m/f* **II** *adj attr* rebelle **III** *v/i* se rebeller **rebellion** [rɪ'beljən] *n* rébellion *f* **rebellious** [rɪ'beljəs] *adj* rebelle **rebelliously** [rɪ'beljəslɪ] *adv* de façon rebelle

rebirth [ˌriː'bɜːθ] *n* renaissance *f*

reboot [ˌriː'buːt] *v/t & v/i* IT redémarrer

reborn [ˌriː'bɔːn] *adj* ***to feel ~*** se sentir renaître

rebound [rɪ'baʊnd] **I** *v/i* (*ball*) rebondir (***against, off*** contre) **II** *n* (*of ball*) rebond *m*; ***she married him on the ~*** elle s'est mariée par dépit amoureux

rebrand [rɪ'brænd] *v/t product* changer la marque de

rebuild [ˌriː'bɪld] *v/t house*, *country* rebâtir, reconstruire; *relationship* reconstruire **rebuilding** [ˌriː'bɪldɪŋ] *n* (*of house*, *wall*) réédification *f*, reconstruction *f*; (*of society*, *relationship*) reconstruction *f*

recall [rɪ'kɔːl] **I** *v/t* **1.** (*summon back*) rappeler; ***Ferguson was ~ed to the Scotland squad*** *Br* Ferguson a été rappelé dans la sélection écossaise **2.** (*remember*) se rappeler **3.** IT *file* rappeler **II** *n* (*summoning back*) rappel *m*

recap ['riːkæp] *infml* **I** *n* récapitulatif *m* **II** *v/t & v/i* récapituler

recapture [ˌriː'kæptʃə^r] **I** *v/t animal*, *prisoner* recapturer; *territory* reprendre; *title etc.* récupérer **II** *n* (*of animal*) nouvelle capture *f*; (*of prisoner*) capture *f*; (*of territory*) reprise *f*; (*of title etc.*) récupération *f*

recede [rɪ'siːd] *v/i* (*tide*) descendre; (*hope*) s'amenuiser; ***his hair is receding*** il perd ses cheveux **receding** [rɪ'siːdɪŋ] *adj chin* fuyant; ***~ hairline*** front très dégarni

receipt [rɪ'siːt] *n* **1.** *no pl* réception *f*, ***to pay on ~*** (***of the goods***) payer à la réception (des marchandises) **2.** (*Br paper*) reçu *m*, récépissé *m* **3.** COMM, FIN ***~s*** encaissements *mpl*, recettes *fpl*

receive [rɪ'siːv] *v/t* **1.** recevoir; *setback* essuyer; *recognition* recevoir **2.** *offer*, *news*, *new play* recevoir; ***to ~ a warm welcome*** recevoir un accueil chaleureux **3.** TEL, RADIO, TV recevoir; ***are you receiving me?*** est-ce que vous me recevez? **receiver** [rɪ'siːvə^r] *n* **1.** (*of goods*) destinataire *m/f* **2.** FIN, JUR ***to call in the ~*** placer la société en redressement judiciaire **3.** TEL combiné **receivership** *n* ***to go into ~*** être mis en redressement judiciaire **receiving end** [rɪ'siːvɪŋend] *n infml* ***to be on***

the ~ of sth faire les frais de qc *infml*

recent ['riːsənt] *adj* récent; *event* dernier(-ière); *news* récent; *invention, addition* nouveau(-elle); ***the ~ improvement*** la récente amélioration; ***a ~ decision*** une décision récente; ***a ~ publication*** une publication récente; ***his ~ arrival*** son arrivée récente; ***her ~ trip*** son récent voyage; ***he is a ~ arrival*** il est tout frais arrivé; ***in ~ years*** ces dernières années; ***in ~ times*** ces derniers temps

recently ['riːsəntlɪ] *adv* récemment; ***~ he has been doing it differently*** dernièrement, il a procédé différemment; ***as ~ as*** pas plus tard que; ***quite ~*** il n'y a pas si longtemps

receptacle [rɪ'septəkl] *n* réceptacle

reception [rɪ'sepʃən] *n no pl* (*of person*, RADIO, TV) réception *f*; (*of book etc.*) accueil *m*; ***to give sb a warm ~*** faire un accueil chaleureux à qn; ***at ~*** (*in hotel etc.*) à la réception **reception desk** *n* réception *f* **receptionist** [rɪ'sepʃənɪst] *n* réceptionniste *m/f* **receptive** [rɪ'septɪv] *adj person, audience* réceptif (-ive)

recess [rɪ'ses] *n* **1.** (*of Parliament*) vacances *fpl* parlementaires; (*US* SCHOOL) récréation *f* **2.** (*alcove*) niche

recession [rɪ'seʃən] *n* ECON récession *f*

recharge [ˌriː'tʃɑːdʒ] **I** *v/t battery* recharger; ***to ~ one's batteries*** *fig* recharger ses batteries **II** *v/i* se recharger **rechargeable** [ˌriː'tʃɑːdʒəbl] *adj battery* rechargeable

recipe ['resɪpɪ] *n* recette *f*; ***that's a ~ for disaster*** cela mène tout droit à la catastrophe

recipient [rɪ'sɪpɪənt] *n* lauréat(e) *m(f)*

reciprocal [rɪ'sɪprəkəl] *adj* (*mutual*) mutuel(le); (*done in return*) réciproque **reciprocate** [rɪ'sɪprəkeɪt] *v/i* rendre la pareille

recital [rɪ'saɪtl] *n* récital *m* **recite** [rɪ'saɪt] *v/t & v/i* réciter

reckless ['reklɪs] *adj behavior* imprudent; *driver* dangereux(-euse); *attempt* téméraire **recklessly** ['reklɪslɪ] *adv behave, disregard* imprudemment; *drive* dangereusement; *attempt* avec inconscience **recklessness** *n* (*of person*) imprudence *f*; (*of driver*) attitude *f* dangereuse; (*of attempt*) inconscience *f*

reckon ['rekən] *v/t* **1.** (*calculate*) calculer; ***he ~ed the cost to be $40.51*** il a calculé que le coût serait de 40,51 dollars **2.** (*judge*) considérer (***among*** parmi) **3.** *esp Br* (*think*) penser; (*estimate*) estimer; ***what do you ~?*** qu'en penses-tu?; ***I ~ he must be about forty*** je pense qu'il doit avoir une quarantaine d'années ◆ **reckon on** *v/t insep Br* compter sur; ***I was reckoning on doing that tomorrow*** je comptais faire ça demain ◆ **reckon up** *Br* **I** *v/t sep* calculer **II** *v/i* calculer (***with sth*** qc) ◆ **reckon with** *v/t insep* compter avec

reckoning ['rekənɪŋ] *n* calculs *mpl*; ***the day of ~*** le jour du Jugement dernier

reclaim [rɪ'kleɪm] **I** *v/t* **1.** *land from sea* gagner sur la mer **2.** *tax* se faire rembourser; *lost item* récupérer **II** *n* ***baggage*** *or* ***luggage ~*** retrait des bagages

recline [rɪ'klaɪn] *v/i* (*person*) s'allonger; (*seat*) s'incliner; ***she was reclining on the sofa*** elle était allongée dans le canapé

recluse [rɪ'kluːs] *n* reclus(e) *m(f)*; ***he lives like a ~*** il vit en reclus

recognition [ˌrekəg'nɪʃən] *n* **1.** (*acknowledgement*) reconnaissance *f*; ***in ~ of*** en reconnaissance de **2.** (*identification*) reconnaissance *f*; ***it has changed beyond ~*** il est méconnaissable **recognizable** ['rekəgnaɪzəbl] *adj* reconnaissable **recognizably** ['rekəgnaɪzəblɪ] *adv* de façon reconnaissable

recognize ['rekəgnaɪz] *v/t* **1.** (*know again*) reconnaître; (*identify, be aware*) reconnaître (***by*** à); (*admit*) reconnaître **2.** (*acknowledge*) reconnaître (*as* comme; *to be* comme étant)

recoil [rɪ'kɔɪl] *v/i* (*person*) reculer; (*in disgust*) avoir un mouvement de recul

recollect [ˌrekə'lekt] **I** *v/t* se souvenir de **II** *v/i* se souvenir **recollection** [ˌrekə'lekʃən] *n* (*memory*) souvenir *m* (***of*** de); ***I have no ~ of it*** je n'en ai aucun souvenir

recommend [ˌrekə'mend] *v/t* **1.** recommander (***as*** comme); ***what do you ~ for a cough?*** que recommandez-vous pour la toux?; ***to ~ sb / sth to sb*** recommander qn / qc à qn; ***to ~ doing sth*** recommander de faire qc; ***to ~ against doing sth*** déconseiller de faire qc **2.** (*make acceptable*) ***this book has little to ~ it*** il n'y a pas grand-chose à dire de positif sur ce livre **recommendation** [ˌrekəmen'deɪʃən] *n* recommandation *f*; ***letter of ~*** lettre de recommandation **recommended price** [ˌrekəˈmendɪdˈpraɪs] *n* prix *m* conseillé

reconcile [ˈrekənsaɪl] *v/t people* réconcilier; *differences* effacer; ***they became** or **were ~d*** ils se sont réconciliés; ***to become ~d to sth*** se résigner à qc **reconciliation** [ˈrekənˌsɪlɪˈeɪʃən] *n* (*of persons*) reconciliation *f*

reconnaissance [rɪˈkɒnɪsəns] *n* AVIAT, MIL reconnaissance *f*; ***~ mission*** mission de reconnaissance

reconsider [ˌriːkənˈsɪdəʳ] **I** *v/t decision* reconsidérer; *facts* réexaminer **II** *v/i* ***there's time to ~*** il est encore temps de changer d'avis **reconsideration** [ˈriːkənˌsɪdəˈreɪʃən] *n* (*of decision*) remise *f* en cause; (*of facts*) réexamen *m*

reconstruct [ˌriːkənˈstrʌkt] *v/t* reconstruire, rebâtir; *crime* reconstituer **reconstruction** [ˌriːkənˈstrʌkʃən] *n* reconstruction *f*; (*of crime*) reconstitution *f*

record [rɪˈkɔːd][1] **I** *v/t* (*person*) enregistrer; (*diary etc.*) écrire; (*in register*) inscrire; *one's thoughts* noter **II** *v/i* enregistrer **record**[2] *n* **1.** (*account*) compte-rendu *m*; (*of meeting*) rapport *m*; (*official document*) procès-verbal *m*; (*of past etc.*) archive *f*; ***to keep a ~ of sth*** noter qc; (*official*) garder une trace de qc; ***to keep a personal ~ of sth*** noter personnellement qc; ***it is on ~ that …*** il est noté que …; (*in files*) les archives confirment que …; ***he's on ~ as having said …*** d'après le compte rendu il aurait déclaré …; ***to set the ~ straight*** mettre les choses au clair; ***just to set the ~ straight*** juste pour que les choses soient claires; ***for the ~*** pour mémoire; ***off the ~*** entre nous **2.** (*police record*) casier *m* judiciaire; ***~s*** (*files*) dossiers; ***he's got a ~*** il a un casier judiciaire **3.** (*history*) passé *m*, réputation *f*; (*achievements*) antécédents *mpl*; ***to have an excellent ~*** avoir une excellente réputation; ***he has a good ~ of service*** il a de bons antécédents de service; ***to have a good safety ~*** avoir de bons antécédents en matière de sécurité **4.** MUS disque *m* **5.** (SPORTS, *fig*) record *m*; ***to hold the ~*** détenir le record; ***~ amount*** quantité record **6.** IT enregistrement *m* **record-breaking** [ˈrekɔːd] *adj* (SPORTS, *fig*) record **record company** [ˈrekɔːd] *n* maison *f* de disque **recorded** [rɪˈkɔːdɪd] *adj music* enregistré; ***~ message*** message enregistré **recorded delivery** *n Br* ***by ~*** par envoi recommandé **recorder** [rɪˈkɔːdəʳ] *n* **1.** ***cassette ~*** magnétophone *m*; ***tape ~*** magnétophone *m* **2.** MUS flûte *f* à bec **record holder** [ˈrekɔːdhəʊldəʳ] *n* SPORTS (*male*) recordman *m*, (*female*) recordwoman *f* **recording** [rɪˈkɔːdɪŋ] *n* (*of sound*) enregistrement *m*

record player [ˈrekɔːdpleɪəʳ] *n* platine *f* tourne-disque

recount [rɪˈkaʊnt] *v/t* (*relate*) raconter

re-count [ˌriːˈkaʊnt] **I** *v/t* recompter **II** *n* recomptage *m*

recoup [rɪˈkuːp] *v/t amount* récupérer; *losses* se rattraper de

recourse [rɪˈkɔːs] *n* recours *m*

recover [rɪˈkʌvəʳ] **I** *v/t sth lost property* retrouver; *balance* reprendre; *stolen goods* récupérer; *body* trouver; *debts* recouvrer; IT *file* récupérer; ***to ~ consciousness*** reprendre conscience; ***to ~ oneself** or **one's composure*** retrouver son calme; ***he's not quite ~ed*** il n'est pas tout à fait rétabli **II** *v/i* se rétablir **recovery** [rɪˈkʌvərɪ] *n* **1.** (*of property*) récupération *f*; (*of body*) découverte *f*; (*of losses*) recouvrement *m* **2.** (*after illness*, ST EX, FIN) rétablissement *m*; ***to be on the road to ~*** être en bonne voie de rétablissement; ***he is making a good ~*** il se rétablit bien **recovery room** *n* salle *f* de réveil **recovery vehicle** *n* dépanneuse *f*

recreate [ˌriːkriːˈeɪt] *v/t atmosphere* recréer; *scene* reconstituer

recreation [ˌrekrɪˈeɪʃən] *n* distraction *f* **recreational** [ˌrekrɪˈeɪʃənəl] *adj* ludique; ***~ facilities*** équipements de loisir **recreational drug** *n* drogue *f* récréative

recrimination [rɪˌkrɪmɪˈneɪʃən] *n* récrimination *f*

recruit [rɪˈkruːt] **I** *n* MIL recrue *f* (***to*** de); (*to club*) nouvel(le) adhérent(e) *m*(*f*) (***to*** à); (*to staff*) nouveau membre *m* (***to*** de) **II** *v/t soldier*, *member* recruter; *staff* recruter, embaucher **III** *v/i* MIL recruter; (*employer*) embaucher **recruitment** *n* (*of soldiers*, *members*) recrutement *m*; (*of staff*) recrutement *m*, embauche *f* **recruitment agency** *n* agence *f* de recrutement

rectangle [ˈrekˌtæŋgl] *n* rectangle *m* **rectangular** [rekˈtæŋgjʊləʳ] *adj* rectangulaire

rectify ['rektɪfaɪ] *v/t* rectifier; *problem* régler
rector ['rektəʳ] *n* UNIV recteur(-trice) *m(f)*
rectum ['rektəm] *n* ⟨*pl* **-s** *or* **recta**⟩ rectum *m*
recuperate [rɪ'ku:pəreɪt] **I** *v/i* récupérer **II** *v/t losses* recouvrer **recuperation** [rɪˌku:pə'reɪʃən] *n* récupération *f*; (*of losses*) recouvrement *m*
recur [rɪ'kɜ:ʳ] *v/i* se reproduire; (*error, event*) se reproduire, se répéter; (*idea*) revenir; (*symptom*) réapparaître **recurrence** [rɪ'kʌrəns] *n* reproduction *f*; (*of error, event, idea*) répétition *f* **recurrent** [rɪ'kʌrənt] *adj idea, illness, dream, problem* récurrent **recurring** [rɪ'kɜ:rɪŋ] *adj attr* = **recurrent**
recyclable [ˌri:'saɪkləbl] *adj* recyclable
recycle [ˌri:'saɪkl] *v/t* recycler; ***made from ~d paper*** fabriqué avec du papier recyclé **recycling** [ˌri:'saɪklɪŋ] *n* recyclage *m*; ***~ site*** centre de recyclage **recycling bin** *n* poubelle *f* de recyclage
red [red] **I** *adj* rouge; ***the lights are ~*** AUTO le feu est rouge; ***~ as a beet*** rouge comme une tomate; ***to go ~ in the face*** rougir; ***she turned ~ with embarrassment*** elle était rouge de confusion **II** *n* rouge *m*; ***to go through the lights on ~*** brûler un feu rouge; ***to be in the ~*** être dans le rouge *or* à découvert; ***to be $1000 in the red*** être à découvert de 1000 dollars; ***this pushed the company into the ~*** cela a fait basculé la société dans le rouge; ***to see ~*** *fig* voir rouge **red alert** *n* alerte *f* rouge; ***to be on ~*** être en alerte rouge **red cabbage** *n* chou *m* rouge **red card** *n* FTBL carton *m* rouge; ***to show sb the ~*** *also fig* mettre un carton rouge à qn **red carpet** *n* tapis *m* rouge; ***to roll out the ~ for sb, to give sb the ~ treatment*** *infml* sortir le tapis rouge pour qn **Red Cross** *n* Croix *f* Rouge **redcurrant** *n esp Br* groseille *f* **red deer** *n* cerf *m* commun **redden** ['redn] *v/i* (*face, person*) rougir **reddish** ['redɪʃ] *adj* rougeâtre
redecorate [ˌri:'dekəreɪt] *v/t & v/i* (*paper*) retapisser; (*paint*) repeindre
redeemable [rɪ'di:məbl] *adj coupons* échangeable **redeeming** [rɪ'di:mɪŋ] *adj quality* rédempteur(-trice); ***his ~ feature*** ce qui le sauve
redefine [ˌri:dɪ'faɪn] *v/t* redéfinir
redemption [rɪ'dempʃən] *n* ***beyond*** *or* ***past ~*** *fig* irrécupérable
redeploy [ˌri:dɪ'plɔɪ] *v/t troops* redéployer; *staff* réaffecter **redeployment** *n* (*of troops*) redéploiement *m*; (*of staff*) réaffectation
redesign [ˌri:dɪ'zaɪn] *v/t* transformer
redevelop [ˌri:dɪ'veləp] *v/t area* réhabiliter **redevelopment** *n* réhabilitation *f*
red-eyed *adj* aux yeux rouges **red-faced** *adj* rouge **red-haired** *adj* roux(rousse) **red-handed** *adv* ***to catch sb ~*** prendre qn la main dans le sac **redhead** *n* roux (rousse) *m(f)* **red-headed** *adj* roux (rousse) **red herring** *n fig* élément *m* destiné à noyer le poisson **red-hot** *adj lit* rouge; ***~ favorite*** grand favori
redial [ri:'daɪəl] TEL **I** *v/t & v/i* recomposer **II** *n* ***automatic ~*** rappel *m* automatique
redirect [ˌri:daɪ'rekt] *v/t letter* faire suivre; (*forward*) réexpédier; *traffic* dévier
rediscover [ˌri:dɪ'skʌvəʳ] *v/t* redécouvrir **rediscovery** [ˌri:dɪ'skʌvərɪ] *n* redécouverte *f*
redistribute [ˌri:dɪ'strɪbju:t] *v/t wealth, work* redistribuer **redistribution** [ˌri:dɪstrɪ'bju:ʃən] *n* (*of wealth, work*) redistribution *f*
red-letter day *n* jour *m* mémorable **red light** *n lit* lumière *f* rouge; (*traffic light*) feu *m* rouge; ***to go through the ~*** AUTO brûler un feu rouge; ***the red-light district*** le quartier des prostituées **red meat** *n* viande *f* rouge **redneck** *n pej* ≈ beauf *m pej* **redness** ['rednɪs] *n* rougeur *f*; (*of hair*) rousseur *f*
redo [ˌri:'du:] *v/t* refaire
redouble [ˌri:'dʌbl] *v/t efforts* redoubler
red rag *n* ***it's like a ~ to a bull*** ça a le don de le mettre hors de lui
redress [rɪ'dres] *v/t grievance, balance* redresser
Red Sea *n* mer *f* Rouge **red tape** *n fig* paperasserie *f infml*
reduce [rɪ'dju:s] **I** *v/t* réduire, diminuer; *taxes, costs* baisser; (*shorten*) écourter; (*in price*) solder; ***to ~ speed*** AUTO réduire sa vitesse; ***it has been ~d to nothing*** il ne reste plus rien; ***to ~ sb to tears*** faire pleurer qn; ***she was ~d to tears*** elle a fondu en larmes **II** *v/i* (*esp US slim*) maigrir **reduced** *adj* réduit; *goods* soldé; ***in ~ circumstances*** dans le besoin; ***at a ~ price*** à prix réduit **reduction** [rɪ'dʌkʃən] *n* **1.** *no pl* (*in sth*) réduction *f*,

diminution *f*; (*in taxes, costs*) baisse *f*; (*in size*) diminution *f*; (*shortening*) raccourcissement *m*; (*of goods*) rabais *m* **2.** (*amount reduced*) (*in temperature, prices*) baisse *f*; (*of speed*) diminution *f*

redundancy [rɪ'dʌndənsɪ] *n* redondance *f*; (*Br* IND) licenciement *m* **redundancy payment** *n* (*Br* IND) indemnité *f* de licenciement **redundant** [rɪ'dʌndənt] *adj* **1.** redondant **2.** (*Br* IND) licencié; ***to make sb ~*** licencier qn; ***to be made ~*** être licencié

red wine *n* vin *m* rouge

reed [riːd] *n* BOT roseau *m*

re-educate [ˌriː'edjʊkeɪt] *v/t* rééduquer

reef [riːf] *n* récif *m*

reek [riːk] **I** *n* puanteur *f* **II** *v/i* empester (***of sth*** qc)

reel [riːl] **I** *n* bobine *f*; FISH moulinet *m* **II** *v/i* (*person*) être ébranlé; ***the blow sent him ~ing*** le coup l'a projeté en arrière; ***the whole country is still ~ing from the shock*** le pays tout entier est encore sous le choc ◆ **reel off** *v/t sep list* débiter *infml*

re-elect [ˌriːɪ'lekt] *v/t* réélire **re-election** [ˌriːɪ'lekʃən] *n* réélection *f*

re-emerge [ˌriːɪ'mɜːdʒ] *v/i* (*object, swimmer*) refaire surface

re-enact [ˌriːɪ'nækt] *v/t event, crime* reconstituer **re-enactment** *n* (*of event, crime*) reconstitution *f*

re-enter [ˌriː'entəʳ] *v/t* **1.** *room* revenir dans; *country* entrer à nouveau dans; *race* participer à nouveau à; *competition* se représenter à **2.** *name* proposer à nouveau **re-entry** [ˌriː'entrɪ] *n also* SPACE rentrée *f*; (*into country*) retour (***into*** dans)

re-establish [ˌriːɪ'stæblɪʃ] *v/t order, control, dialog* rétablir **re-establishment** *n* (*of order, control, dialog*) rétablissement *m*; (*in a position, office*) réintégration *f*

re-examination ['riːɪgˌzæmɪ'neɪʃən] *n* réexamen *m* **re-examine** [ˌriːɪg'zæmɪn] *v/t* réexaminer

ref.[1] [ref] *n* (SPORTS *infml*) *abbr* = **referee** arbitre *m/f*

ref.[2] *abbr* = **reference (number)**

refectory [rɪ'fektərɪ] *n* (*in college*) réfectoire *m*

refer [rɪ'fɜːʳ] **I** *v/t matter* soumettre (***to*** à); ***to ~ sb to sb/sth*** adresser qn à qn/qc; ***to ~ sb to a specialist*** envoyer qn chez un spécialiste **II** *v/i* **1.** ***to ~ to*** (*mention*) faire référence à; (*words*) mentionner; ***I am not ~ring to you*** je ne parle pas de vous; ***what can he be ~ring to?*** à quoi peut-il bien faire référence? **2.** ***to ~ to*** *to notes* regarder ◆ **refer back I** *v/i* **1.** (*person, remark*) renvoyer (***to*** à) **2.** (*consult again*) revenir (***to*** sur) **II** *v/t sep matter* soumettre; ***he referred me back to you*** il m'a renvoyé vers vous

referee [ˌrefə'riː] **I** *n* **1.** arbitre *m/f* **2.** (*Br: for job*) personne *f* pouvant fournir des références **II** *v/t, v/i* arbitrer

reference ['refrəns] *n* **1.** (*act of mentioning*) référence *f* (***to sb/sth*** à qn/qc); (*allusion*) allusion *f* (***to*** à); ***to make (a) ~ to sth*** faire référence à qc; ***in or with ~ to*** en ce qui concerne; COMM eu égard à **2.** (*testimonial, a.* **references**) références *fpl* **3.** (*in book etc.*) note *f*, référence *f* **4.** *esp US* (*for job*) références *fpl* **reference book** *n* ouvrage *m* de référence **reference library** *n* bibliothèque *f* de consultation sur place **reference number** *n* numéro *m* de référence

referendum [ˌrefə'rendəm] *n* ⟨*pl* **referenda**⟩ référendum *m*; ***to hold a ~*** organiser un référendum

refill [ˌriː'fɪl] **I** *v/t* remplir **II** *n* (*for lighter*) recharge *f*; (*for pen*) cartouche *f*; ***would you like a ~?*** (*infml drink*) est-ce que je te ressers? **refillable** [ˌriː'fɪləbl] *adj* rechargeable

refine [rɪ'faɪn] *v/t* **1.** *oil, sugar* raffiner **2.** *techniques* perfectionner **refined** *adj taste, person* raffiné **refinement** [rɪ'faɪnmənt] *n* **1.** *no pl* (*of person, style*) raffinement *m* **2.** (*in technique etc.*) perfectionnement *m* (***in sth*** dans qc) **refinery** [rɪ'faɪnərɪ] *n* raffinerie *f*

reflect [rɪ'flekt] **I** *v/t* réfléchir; *fig* refléter; ***to be ~ed in sth*** se refléter dans qc; ***I saw myself ~ed in the mirror*** j'ai vu mon reflet dans le miroir; ***to ~ the fact that …*** refléter le fait que … **II** *v/i* réfléchir (*on* sur; *about* à propos de) ◆ **reflect (up)on** *v/t insep* réfléchir à

reflection [rɪ'flekʃən] *n* **1.** (*image*) reflet *m*; ***to see one's ~ in a mirror*** voir son reflet dans un miroir **2.** *no pl* (*consideration*) réflexion *f*; ***(up)on ~*** réflexion faite; ***on further ~*** après réflexion; ***this is no ~ on your ability*** cela n'a rien à voir avec vos compétences **reflective** [rɪ'flektɪv] *adj clothing* réfléchissant

reflex ['riːfleks] **I** *adj* réflexe **II** *n* réflexe *m* **reflexive** [rɪ'fleksɪv] GRAM **I** *adj* réfléchi **II** *n* forme *f* réflexive **reflexology** [ˌriːflek'sɒlədʒɪ] *n* MED réflexologie *f*
reform [rɪ'fɔːm] **I** *n* réforme *f* **II** *v/t* réformer; *person* rééduquer **III** *v/i* (*person*) s'amender
reformat [riː'fɔːmæt] *v/t* IT *disk* reformater
Reformation [ˌrefə'meɪʃən] *n* ***the ~*** la Réforme **reformed** [rɪ'fɔːmd] *adj* réformé; *communist* ancien(ne); ***he's a ~ character*** il s'est amendé **reformer** [rɪ'fɔːməʳ] *n* POL réformiste *m/f*; REL réformateur(-trice) *m(f)*
refrain [rɪ'freɪn] *v/i* s'abstenir; ***he ~ed from comment*** il s'est abstenu de faire tout commentaire; ***please ~ from smoking*** prière de ne pas fumer
refresh [rɪ'freʃ] *v/t* **1.** rafraîchir; ***to ~ oneself*** (*with a bath*) se rafraîchir; ***to ~ one's memory*** se rafraîchir la mémoire; ***let me ~ your memory*** laissez-moi vous rafraîchir la mémoire **2.** IT *screen* rafraîchir **refreshing** [rɪ'freʃɪŋ] *adj* rafraîchissant; *change* qui fait du bien; *sleep* réparateur(-trice) **refreshingly** [rɪ'freʃɪŋlɪ] *adv* ***~ refined*** d'un raffinement vivifiant
refreshment [rɪ'freʃmənt] *n* (***light***) ***~s*** un buffet
refrigerate [rɪ'frɪdʒəreɪt] *v/t* réfrigérer; ***"refrigerate after opening"*** "après ouverture, conserver au frais" **refrigeration** [rɪˌfrɪdʒə'reɪʃən] *n* réfrigération *f*
refrigerator [rɪ'frɪdʒəreɪtəʳ] *n* réfrigérateur *m*
refuel [ˌriː'fjʊəl] *v/t & v/i* ravitailler
refuge ['refjuːdʒ] *n* refuge *m* (***from*** contre); (*social service*) structure *f* d'accueil; ***a ~ for battered women*** une structure d'accueil pour femmes battues; ***to seek ~*** chercher refuge; ***to take ~*** se réfugier (***in*** dans)
refugee [ˌrefjʊ'dʒiː] *n* réfugié(e) *m(f)*
refund [rɪ'fʌnd] **I** *v/t money* rembourser; ***to ~ the difference*** rembourser la différence **II** *n* (*of money*) remboursement *m*; ***to get a ~*** (***on sth***) se faire rembourser (qc); ***they wouldn't give me a ~*** ils n'ont pas voulu me rembourser; ***I'd like a ~ on this blouse, please*** je voudrais que vous me remboursiez ce chemisier s'il vous plaît **refundable** [rɪ'fʌndəbl] *adj* remboursable
refurbish [ˌriː'fɜːbɪʃ] *v/t* remettre à neuf
refurnish [ˌriː'fɜːnɪʃ] *v/t* remeubler
refusal [rɪ'fjuːzəl] *n* refus *m*; ***to get a ~*** se heurter à un refus
refuse[1] [rɪ'fjuːz] **I** *v/t offer, invitation* refuser, décliner; *permission* refuser; ***to ~ to do sth*** refuser de faire qc; ***I ~ to be blackmailed*** je refuse que l'on me fasse chanter; ***they were ~d permission to leave*** on leur a refusé la permission de partir **II** *v/i* refuser
refuse[2] ['refjuːs] *n* ordures *fpl*; (*food waste*) déchets *mpl* **refuse collection** *n* ramassage *m* des ordures **refuse dump** *n* décharge *f* (publique)

refuse ≠ refus

Le nom ne signifie pas refus mais ordures, déchets. Le verbe, cependant, signifie refuser, décliner :

The refuse truck comes on the first Thursday of the month. He refused point-blank to hand over the money.

Le ramassage des ordures se fait le premier jeudi du mois. Il a refusé tout net de donner l'argent.

refute [rɪ'fjuːt] *v/t* nier
reg. [redʒ] *adj abbr* = **registered**
regain [rɪ'geɪn] *v/t* retrouver; *control, title* reprendre; ***to ~ consciousness*** reprendre connaissance; ***to ~ one's strength*** récupérer (ses forces); ***to ~ one's balance*** retrouver l'équilibre; ***to ~ possession of sth*** rentrer en possession de qc; ***to ~ the lead*** (*in sport*) reprendre la tête (du classement)
regal ['riːgəl] *adj* royal; *fig* majestueux (-euse)
regale [rɪ'geɪl] *v/t* (*with stories*) régaler
regard [rɪ'gɑːd] **I** *v/t* **1.** considérer; ***to ~ sb/sth as sth*** considérer qn/qc comme qc; ***to be ~ed as …*** être considéré comme …; ***he is highly ~ed*** il est tenu en grande estime **2.** ***as ~s that*** en ce qui le concerne **II** *n* **1.** (*concern*) considération *f* (***for*** pour); ***to have some ~ for sb/sth*** avoir de la considération pour qn/qc; ***to show no ~ for sb/sth*** ne faire aucun cas de qn/qc **2.** ***in this ~*** à cet égard; ***with*** *or* ***in ~ to*** en ce qui concerne **3.** (*respect*) respect *m*; ***to hold sb in***

high ~ tenir qn en haute estime **4. regards** *pl* ***to send sb one's ~s*** envoyer son bon souvenir à qn; ***give him my ~s*** transmettez-lui mon meilleur souvenir; (***kindest***) ***~s*** meilleurs souvenirs **regarding** [rɪ'gɑːdɪŋ] *prep* en ce qui concerne, quant à **regardless I** *adj* ***~ of*** sans tenir compte de; ***~ of what it costs*** sans se soucier de ce que ça coûte **II** *adv* quand même

regatta [rɪ'gætə] *n* régate *f*

regd. *abbr* = **registered**

regenerate [rɪ'dʒenəreɪt] *v/t* régénérer; ***to be ~d*** être régénéré **regeneration** [rɪˌdʒenə'reɪʃən] *n* régénération *f*

regent ['riːdʒənt] *n* régent(e) *m(f)*

regime [reɪ'ʒiːm] *n* POL régime *m*

regiment ['redʒɪmənt] *n* MIL régiment *m*

region ['riːdʒən] *n* région *f*; ***in the ~ of 5 kg*** environ 5 kg **regional** ['riːdʒənl] *adj* régional

register ['redʒɪstəʳ] **I** *n* (*book*) registre *m*; *Br* (*at school*) cahier *m* d'appel; (*in hotel*) registre *m*; (*of members etc.*) liste *f*; ***~ of births, deaths and marriages*** *Br* registre d'état civil **II** *v/t* enregistrer; (*in book*) inscrire; *fact* enregistrer; *birth* déclarer; *company* faire enregistrer; *vehicle* immatriculer; *student* inscrire; ***he is ~ed*** (***as***) ***blind*** ≈ il est titulaire d'une carte d'invalidité (*pour cécité*) **III** *v/i* (*on list*) s'inscrire; (*in hotel*) signer le registre; (*student*) s'inscrire; ***to ~ with the police*** se déclarer à la police; ***to ~ for a class*** s'inscrire à un cours **registered** *adj* **1.** *name* déposé; *company* inscrit au registre du commerce **2.** POST recommandé; ***by ~ mail*** par envoi recommandé **Registered Trademark** *n* marque *f* déposée

registrar [ˌredʒɪ'strɑːʳ] *n* (*Br* ADMIN) officier *m* de l'état civil **registrar's office** (*Br* ADMIN) bureau *m* de l'état civil **registration** [ˌredʒɪ'streɪʃən] *n* **1.** (*by authorities*) inscription *f*; (*in files*, *of company*, *fact*) enregistrement *m* **2.** (*by individual*, COMM) déclaration *f*; (*of student*) inscription *f* **registration number** *n* (*Br* AUTO) numéro *m* d'immatriculation **registry** ['redʒɪstrɪ] *n* **1.** enregistrement *m* **2.** (*Br registry office*) bureau *m* de l'état civil **registry office** *n Br* bureau *m* de l'état civil; ***to get married in a ~*** se marier civilement

regress [rɪ'gres] *v/i form* reculer; (*fig: society*) régresser

regret [rɪ'gret] **I** *v/t* regretter; ***to ~ the fact that ...*** regretter que ...; ***I ~ to say that ...*** j'ai le regret de dire que ...; ***we ~ any inconvenience caused*** nous sommes désolés pour la gêne occasionnée; ***you won't ~ it!*** vous ne le regretterez pas! **II** *n* regret *m*; ***I have no ~s*** je n'ai aucun regret; ***he sends his ~s*** il a envoyé ses excuses **regretfully** [rɪ'gretfəlɪ] *adv* (*with regret*) à regret; (*unfortunately*) regrettablement **regrettable** [rɪ'gretəbl] *adj* regrettable **regrettably** [rɪ'gretəblɪ] *adv* malheureusement

regroup [ˌriː'gruːp] *v/i* regrouper

regular ['regjʊləʳ] **I** *adj* **1.** régulier (-ière); *surface* uni; *employment* fixe; *size*, *time* normal; ***at ~ intervals*** à intervalles réguliers; ***on a ~ basis*** régulièrement; ***to be in ~ contact*** avoir des contacts réguliers; ***to eat ~ meals*** manger à des heures régulières; ***he has a ~ place in the team*** il a régulièrement sa place dans l'équipe; ***a ~ customer*** un(e) habitué(e); ***his ~ pub*** *Br* le pub où il va d'habitude **2.** (*esp US ordinary*) ordinaire; ***he's just a ~ guy*** c'est juste un type comme les autres *infml* **II** *n* (*in store etc.*) bon(ne) client(e) *m(f)*; (*in bar*) habitué(e) *m(f)* **regularity** [ˌregjʊ'lærɪtɪ] *n* régularité *f* **regularly** ['regjʊləlɪ] *adv* régulièrement

regulate ['regjʊleɪt] *v/t* régler; *traffic* réguler **regulation** [ˌregjʊ'leɪʃən] *n* **1.** (*regulating*) réglementation *f*; (*of traffic*) régulation *f* **2.** (*rule*) règlement *m*; ***~s*** (*of society*) règlement *m*; ***to be contrary to ~s*** être contraire au règlement **regulator** ['regjʊleɪtəʳ] *n* (*instrument*) régulateur *m* **regulatory** [regjʊ'leɪtərɪ] *adj* ***~ authority*** pouvoir *m* de contrôle

regurgitate [rɪ'gɜːdʒɪteɪt] *v/t* régurgiter

rehab ['riːˌhæb] *abbr* = **rehabilitation** **rehabilitate** [ˌriːə'bɪlɪteɪt] *v/t ex-criminal* réinsérer; *drug addict* réhabiliter **rehabilitation** ['riːəˌbɪlɪ'teɪʃən] *n* (*of ex-criminal*) réinsertion *f*; (*of drug addict*) réhabilitation *f*

rehearsal [rɪ'hɜːsəl] *n* THEAT, MUS répétition *f* **rehearse** [rɪ'hɜːs] *v/t & v/i* THEAT, MUS répéter; ***to ~ what one is going to say*** préparer ce qu'on va dire

reheat [ˌriː'hiːt] *v/t* réchauffer

rehouse [ˌriː'haʊz] *v/t* reloger

reign [reɪn] **I** *n* règne *m* **II** *v/i* régner (***over*** sur) **reigning** ['reɪnɪŋ] *adj attr* régnant; *champion* en titre
reimburse [ˌriːɪm'bɜːs] *v/t costs, person* rembourser **reimbursement** [ˌriːɪm'bɜːsmənt] *n* (*of person, loss, expenses*) remboursement *m*
rein [reɪn] *n* rêne *f*; ***to keep a tight ~ on sb / sth*** tenir la bride haute à qn / qc; ***to give sb free ~ to do sth*** donner carte blanche à qn pour faire qc ◆ **rein in** *v/t sep horse* serrer la bride à; *passions* contenir; *spending* modérer
reincarnate [ˌriːɪn'kɑːneɪt] *v/t* réincarner; ***to be ~d*** se réincarner **reincarnation** [ˌriːɪnkɑː'neɪʃən] *n* réincarnation *f*
reindeer ['reɪndɪəʳ] *n* ⟨*pl* **-**⟩ renne *m*
reinforce [ˌriːɪn'fɔːs] *v/t* renforcer; ***to ~ the message*** donner plus de poids au message **reinforcement** *n* renforcement *m*; ***~s*** (MIL, *fig*) renforts *mpl*
reinsert [ˌriːɪn'sɜːt] *v/t* réinsérer
reinstate [ˌriːɪn'steɪt] *v/t person* réintégrer (***in*** dans); *death penalty* rétablir **reinstatement** [ˌriːɪn'steɪtmənt] *n* (*of person*) réintégration *f*; (*of death penalty*) rétablissement *m*
reintegrate [ˌriː'ɪntɪgreɪt] *v/t* réintégrer (***into*** dans) **reintegration** ['riːˌɪntɪ'greɪʃən] *n* réintégration *f*
reintroduce [ˌriːɪntrə'djuːs] *v/t measure* réintroduire
reinvent [ˌriːɪn'vent] *v/t* ***to ~ the wheel*** réinventer la roue; ***to ~ oneself*** faire peau neuve
reissue [ˌriː'ɪʃjuː] **I** *v/t book, recording* rééditer; *stamps* émettre de nouveau **II** *n* (*of book, recording*) réédition *f*; (*of stamps*) nouvelle émission *f*
reiterate [riː'ɪtəreɪt] *v/t* réitérer
reject [rɪ'dʒekt] **I** *v/t idea, request etc.* rejeter (*also* MED); (*stronger*) repousser **II** *n* COMM article *m* de rebut; ***~ goods*** marchandises de rebut **rejection** [rɪ'dʒekʃən] *n* (*of idea, request, offer etc.*) rejet *m*
rejoice [rɪ'dʒɔɪs] *v/i* se réjouir **rejoicing** [rɪ'dʒɔɪsɪŋ] *n* réjouissance *f*
rejoin [ˌriː'dʒɔɪn] *v/t person* rejoindre; *club* adhérer à nouveau à
rejuvenate [rɪ'dʒuːvɪneɪt] *v/t* rajeunir; *fig* donner une cure de jouvence à
rekindle [ˌriː'kɪndl] *v/t fig passions* ranimer; *interest* raviver
relapse [rɪ'læps] **I** *n* MED rechute *f* **II** *v/i* MED faire une rechute
relate [rɪ'leɪt] **I** *v/t* **1.** *story* raconter; *details* rapporter **2.** (*associate*) rapprocher (***to, with*** à) **II** *v/i* **1.** (*refer*) se rapporter (***to*** à) **2.** (*form relationship*) entretenir des rapports (***to*** avec)
related [rɪ'leɪtɪd] *adj* **1.** (*in family*) parent (***to*** de); ***~ by marriage*** parent par alliance **2.** (*connected*) apparenté; *elements, issues* connexe; ***to be ~ to sth*** être lié à qc; ***the two events are not ~*** les deux événements n'ont pas de rapport entre eux; ***two closely ~ questions*** deux questions étroitement liées; ***health-~ problems*** problèmes de santé; ***earnings-~ pensions*** retraites proportionnelles aux salaires **relation** [rɪ'leɪʃən] *n* **1.** (*person*) parent(e) *m*(*f*); ***he's a/no ~ (of mine)*** il est/n'est pas de ma famille **2.** (*relationship*) relation *f*; ***to bear no ~ to*** n'avoir aucun rapport avec; ***to bear little ~ to*** avoir peu de rapport avec; ***in ~ to*** (*as regards*) en ce qui concerne; (*compared with*) par rapport à **3. relations** *pl* (*dealings*) relations *fpl*; ***to have business ~s with sb*** être en relations d'affaires avec qn
relationship [rɪ'leɪʃənʃɪp] *n* **1.** (*in family*) liens *mpl* de parenté (***to*** avec); ***what is your ~ (to him)?*** quels sont vos liens de parenté avec lui? **2.** (*between events etc.*) rapport *m*; (*relations*) relations *fpl*; ***to have a (sexual) ~ with sb*** avoir une liaison avec qn; ***to have a good ~ with sb*** être en bons rapport avec qn
relative ['relətɪv] **I** *adj* **1.** (*comparative*, SCI) relatif(-ive); ***in ~ terms*** en termes relatifs **2.** (*respective*) respectif(-ive) **3.** (*relevant*) ***~ to*** relatif à **4.** GRAM relatif (-ive) **II** *n* = **relation** *1* **relatively** ['relətɪvlɪ] *adv* relativement
relax [rɪ'læks] **I** *v/t* relâcher; *muscles* relâcher, décontracter; *mind* détendre **II** *v/i* se détendre; (*rest*) se relaxer; (*calm down*) se calmer; ***~!*** du calme! **relaxation** [ˌriːlæk'seɪʃən] *n* détente *f*, relaxation *f*; ***reading is her form of ~*** elle se détend en lisant; ***~ technique*** technique de relaxation **relaxed** [rɪ'lækst] *adj person, atmosphere* détendu, décontracté; ***to feel ~*** (*physically, mentally*) se sentir détendu; ***to feel ~ about sth*** ne pas s'en faire pour qc **relaxing** [rɪ'læksɪŋ] *adj* reposant, relaxant
relay ['riːleɪ] **I** *n* (SPORTS, *a.* **relay race**) relais *m* **II** *v/t* **1.** RADIO, TV *etc.* relayer, retransmettre **2.** *message* transmettre

(***to sb*** à qn)

release [rɪ'liːs] **I** *v/t* **1.** *animal, person* libérer **2.** (*let go of*) lâcher; *handbrake* desserrer; PHOT *shutter* déclencher; ***to ~ one's hold*** lâcher prise; ***to ~ one's hold on sth*** lâcher qc **3.** *movie, record* sortir **4.** *news, statement* publier **5.** *energy* dégager; *pressure* faire sortir **II** *n* **1.** (*of animal, person*) libération *f* **2.** (*letting go*) lâcher *m*; (*mechanism*) déclenchement *m* **3.** (*of movie, record*) sortie *f*; (*movie*) film *m*; (*CD*) album *m*; ***on general ~*** visible dans toutes les salles **4.** (*of news, statement*) publication *f* **5.** (*of energy*) libération *f*

relegate ['relɪgeɪt] *v/t* reléguer; SPORTS reléguer (***to*** à, en); ***to be ~d*** (*Br* SPORTS) être relégué **relegation** [ˌrelɪ'geɪʃən] *n* relégation *f*

relent [rɪ'lent] *v/i* (*person*) se calmer, se radoucir **relentless** *adj* **1.** *attitude* implacable **2.** *pain, cold* tenace; *search* acharné **3.** (*merciless*) impitoyable **relentlessly** *adv* **1.** *maintain* inexorablement **2.** *hurt* avec acharnement **3.** (*mercilessly*) impitoyablement

relevance ['reləvəns], **relevancy** *n* pertinence *f*; ***to be of particular ~ (to sb)*** être particulièrement pertinent (pour qn) **relevant** ['reləvənt] *adj* pertinent (***to*** pour); *authority, person* compétent; *time* approprié

reliability [rɪˌlaɪə'bɪlɪtɪ] *n* fiabilité *f* **reliable** [rɪ'laɪəbl] *adj* fiable; *firm* sérieux (-euse) **reliably** [rɪ'laɪəblɪ] *adv* de manière fiable; ***I am ~ informed that …*** je sais de source sûre que …

reliance [rɪ'laɪəns] *n* confiance *f* (***on*** en) **reliant** [rɪ'laɪənt] *adj* ***to be ~*** dépendre (***on, upon*** de)

relic ['relɪk] *n* relique *f*

relief [rɪ'liːf] **I** *n* **1.** (*from pain*) soulagement *m*; ***that's a ~!*** quel soulagement!; ***it was a ~ to find it*** j'ai été soulagé de le retrouver; ***it was a ~ to get out of the office*** ça m'a fait du bien de sortir du bureau **2.** (*assistance*) secours *m* **3.** (*substitute*) relève *f* **II** *attr* **1.** (*aid*) humanitaire; ***the ~ effort*** l'aide humanitaire **2.** (*replacement*) *driver etc.* suppléant **relief supplies** *pl* secours *mpl* **relief workers** *pl* membres *mpl* d'une organisation humanitaire **relieve** [rɪ'liːv] *v/t* **1.** *person* soulager; ***to feel ~d*** se sentir soulagé; ***to be ~d at sth*** être soulagé par qc; ***to ~ sb of sth*** *of duty* décharger qn de qc **2.** *pain* soulager; (*completely*) remédier à; *pressure, symptoms* diminuer; ***to ~ oneself*** *euph* se soulager *euph* **3.** (*take over from*) relayer, relever

religion [rɪ'lɪdʒən] *n* religion *f*; (*set of beliefs*) croyance *f*; ***the Christian ~*** la religion chrétienne

religious [rɪ'lɪdʒəs] *adj* **1.** religieux (-euse); ***~ leader*** chef *m* religieux **2.** *person* croyant **religiously** [rɪ'lɪdʒəslɪ] *adv* (*fig conscientiously*) religieusement

relinquish [rɪ'lɪŋkwɪʃ] *v/t* abandonner; *title* renoncer à; ***to ~ one's hold on sb / sth*** renoncer à qn / qc

relish ['relɪʃ] **I** *n* **1.** ***to do sth with ~*** faire qc avec délectation **2.** COOK ***tomato ~*** condiment *m* à la tomate **II** *v/t* savourer; *idea, task* se réjouir de; ***I don't ~ the thought of getting up at 5 a. m.*** l'idée de me lever à 5 heures du matin ne m'enchante guère

relive [ˌriː'lɪv] *v/t* revivre

reload [ˌriː'ləʊd] *v/t* recharger

relocate [ˌriːləʊ'keɪt] **I** *v/t* transférer **II** *v/i* (*individual*) changer de lieu de travail; (*company*) se réimplanter **relocation** [ˌriːləʊ'keɪʃən] *n* transfert *m*, mutation *f*; (*of company*) délocalisation *f*

reluctance [rɪ'lʌktəns] *n* répugnance *f*; ***to do sth with ~*** faire qc à contrecœur **reluctant** *adj* réticent; ***he is ~ to do it*** il hésite à le faire; ***he seems ~ to admit it*** il n'a pas l'air de vouloir le reconnaître **reluctantly** *adv* à contrecœur

rely [rɪ'laɪ] *v/i* ***to ~ (up)on sb / sth*** compter sur qn / qc; (*dependent*) dépendre de qn / qc; ***I ~ on him for my income*** je dépends de lui pour mes revenus

remain [rɪ'meɪn] *v/i* rester; ***all that ~s is for me to wish you every success*** il ne me reste plus qu'à vous souhaiter beaucoup de succès; ***that ~s to be seen*** c'est ce que nous verrons; ***to ~ silent*** garder le silence **remainder** [rɪ'meɪndəʳ] *n* **1.** reste *m* **2. remainders** *pl* COMM fin(s) *f*(*pl*) de série **remaining** [rɪ'meɪnɪŋ] *adj* restant; ***the ~ four*** les quatre qui restent **remains** [rɪ'meɪnz] *pl* (*of meal*) restes *mpl*; (*archaeological remains*) vestiges *mpl*; ***human ~*** restes humains

remake [ˌriː'meɪk] ⟨*past, past part* **remade**⟩ *v/t* refaire; ***to ~ a movie*** faire un remake d'un film

remand [rɪ'mɑːnd] **I** *v/t* JUR ***he was ~ed in custody*** il a été placé en détention provisoire **II** *n* ***to be on ~*** *in prison* être en détention provisoire; *on bail* être en liberté provisoire

remark [rɪ'mɑːk] **I** *n* remarque *f* **II** *v/i* faire remarquer; ***to ~ (up)on sth*** faire des remarques sur qc; ***nobody ~ed on it*** personne n'a fait de remarque à ce sujet **remarkable** [rɪ'mɑːkəbl] *adj* remarquable; *escape* incroyable **remarkably** [rɪ'mɑːkəblɪ] *adv* extrêmement; ***~ little*** extrêmement peu

remarry [ˌriː'mærɪ] *v/i* se remarier

remedial [rɪ'miːdɪəl] *adj attr class, course* de rattrapage; *measures* de redressement; MED curatif(-ive)

remedy ['remədɪ] **I** *n* remède *m* (***for*** pour) **II** *v/t fig problem, situation* remédier à

remember [rɪ'membəʳ] **I** *v/t* **1.** (*recall*) se souvenir de, se rappeler; (*bear in mind*) penser à; ***we must ~ that he's only a child*** nous ne devons pas oublier que c'est seulement un enfant; ***to ~ to do sth*** penser à faire qc; ***I ~ doing it*** je me souviens de l'avoir fait; ***I can't ~ the word*** le mot m'échappe; ***do you ~ when …?*** tu te rappelles quand …?; ***I don't ~ a thing about it*** je n'en ai pas le moindre souvenir; (*about book etc.*) je ne me souviens de rien; ***I can never ~ phone numbers*** je ne retiens jamais les numéros de téléphone **2.** ***~ me to your mother*** rappelez-moi au bon souvenir de votre mère **II** *v/i* se souvenir; ***I can't ~*** je ne me souviens pas; ***not as far as I ~*** pas que je m'en souvienne **remembrance** [rɪ'membrəns] *n* souvenir *m*; ***in ~ of*** en souvenir de **Remembrance Day** *n Br* ≈ le 11 novembre, ≈ l'Armistice

remind [rɪ'maɪnd] *v/t* rappeler (***of sth*** qc); ***you are ~ed that …*** nous vous rappelons que …; ***that ~s me!*** à propos! **reminder** [rɪ'maɪndəʳ] *n* rappel *m*; (***letter of***) **~** (lettre de) rappel; ***his presence was a ~ of …*** sa présence rappelait …

reminisce [ˌremɪ'nɪs] *v/i* évoquer (***about sth*** qc) **reminiscent** [ˌremɪ'nɪsənt] *adj* ***to be ~ of sth*** rappeler qc, faire penser à qc

remission [rɪ'mɪʃən] *n form* **1.** (*Br* JUR) remise *f* **2.** MED rémission *f*; ***to be in ~*** (*patient, illness*) être en rémission

remittance [rɪ'mɪtəns] *n* versement *m* (***to*** à) **remittance advice** *n* avis *m* de versement

remnant ['remnənt] *n* reste *m*; *fig* vestige *m*

remodel [ˌriː'mɒdl] *v/t* remanier; *fig* réorganiser

remorse [rɪ'mɔːs] *n* remords *m* (***at, over*** de); ***without ~*** (*merciless*) sans pitié **remorseful** *adj* plein de remords; ***to feel ~*** être plein de remords **remorseless** *adj* (*fig merciless*) impitoyable **remorselessly** [rɪ'mɔːslɪslɪ] *adv* implacablement; (*fig mercilessly*) impitoyablement

remote [rɪ'məʊt] **I** *adj* ⟨**+er**⟩ **1.** *place* éloigné; *possibility* vague; (*isolated*) isolé; IT à distance; ***in a ~ spot*** dans un lieu isolé **2.** (*aloof*) distant **3.** (*remote-controlled*) *handset* à distance **II** *n* (*remote control*) télécommande *f* **remote access** *n* TEL, IT accès *m* à distance **remote control** *n* commande *f* à distance; RADIO, TV télécommande *f* **remote-controlled** *adj* télécommandé **remotely** [rɪ'məʊtlɪ] *adv* **1.** ***it's just ~ possible*** c'est vaguement possible; ***he didn't say anything ~ interesting*** il n'a rien dit d'un tant soit peu intéressant; ***I'm not ~ interested in her*** elle ne m'intéresse pas le moins du monde **2.** *situated* loin de tout **remoteness** [rɪ'məʊtnɪs] *n* **1.** (*isolation*) isolement *m* **2.** (*aloofness*) attitude *f* distante

removable [rɪ'muːvəbl] *adj cover* amovible **removal** [rɪ'muːvəl] *n* **1.** enlèvement *m*; (*of troops*) retrait *m*; (*of obstacle*) suppression *f* **2.** (*Br house moving*) déménagement *m* **removal firm** *n Br* entreprise *f* de déménagement **removal van** *n Br* camion *m* de déménagement

remove [rɪ'muːv] *v/t* enlever; *bandage, clothes* enlever, ôter; *stain* enlever, faire partir; *troops* retirer; *word* supprimer; *obstacle* écarter; *doubt* chasser; *fear* dissiper; ***to ~ sth from sb*** enlever qc à qn; ***to ~ one's clothes*** se déshabiller; ***to be far ~d from …*** être loin de …; ***a cousin once ~d*** un cousin au deuxième degré

remunerate [rɪ'mjuːnəreɪt] *v/t* rémunérer; (*reward*) récompenser **remuneration** [rɪˌmjuːnə'reɪʃən] *n* rémunération *f*

Renaissance [rɪ'neɪsɑ̃ːns] *n* Renaissance *f*

rename [ˌriː'neɪm] *v/t* rebaptiser; *file* renommer; ***Leningrad was ~d St Peters-***

burg Leningrad a été rebaptisée Saint-Pétersbourg

render [ˈrendəʳ] *v/t* **1.** *form service* rendre; ***to ~ assistance*** prêter assistance **2.** (*form make*) rendre **rendering** [ˈrendərɪŋ] *n* rendu *m*; (*of music, poem*) interprétation *f*

rendezvous [ˈrɒndɪvuː] *n* **1.** (*place*) lieu *m* de rendez-vous, rendez-vous *m* **2.** (*agreement to meet*) rendez-vous *m*

rendition [renˈdɪʃən] *n form* = **rendering**

rendition flight *n* transfert *m* spécial par avion

renegade [ˈrenɪgeɪd] **I** *n* renégat(e) *m(f)* **II** *adj* rebelle

renegotiate [ˌriːnɪˈgəʊʃɪeɪt] *v/t* renégocier

renew [rɪˈnjuː] *v/t contract, attack, attempts, etc.* renouveler **renewable** [rɪˈnjuːəbl] *adj contract, resource* renouvelable **renewal** [rɪˈnjuːəl] *n* (*of attack, attempts*) reprise *f*; (*of contract, etc.*) renouvellement *m* **renewed** *adj* ***~ efforts*** efforts renouvelés; ***~ strength*** force accrue; ***~ outbreaks of rioting*** reprise des émeutes

renounce [rɪˈnaʊns] *v/t right, terrorism, violence* renoncer à

renovate [ˈrenəʊveɪt] *v/t* rénover **renovation** [ˌrenəʊˈveɪʃən] *n* rénovation *f*

renown [rɪˈnaʊn] *n* renommée *f*, renom *m*; ***of great ~*** de renom **renowned** [rɪˈnaʊnd] *adj* renommé, réputé (***for*** pour)

rent [rent] **I** *n* (*for house*) loyer *m*; (*for farm*) fermage *m* **II** *v/t* **1.** *house* louer; *farm* louer, prendre à ferme; *car, video etc.* louer **2.** (*a.* **rent out**) louer, donner en location **III** *v/i* (*rent house*) se louer; (*rent farm*) se louer **rental** [ˈrentl] *n* (*amount paid*) prix *m* de la location; ***~ car*** voiture de location; ***~ library*** *US* bibliothèque de prêt (payante) **rent boy** *n* (*Br infml*) jeune *m* prostitué **rent collector** *n* personne *f* chargée d'encaisser les loyers **rent-free** *adj* exempt de loyer **rent-free** *adv* sans payer de loyer

renunciation [rɪˌnʌnsɪˈeɪʃən] *n* (*of right, terrorism, violence*) renonciation *f* (***of*** à)

reoffend [ˌriːəˈfend] *v/i* commettre à nouveau un délit

reopen [ˌriːˈəʊpən] **I** *v/t school, store, debate* rouvrir; JUR *case* rouvrir **II** *v/i* rouvrir **reopening** [ˌriːˈəʊpnɪŋ] *n* (*of store etc.*) réouverture *f*

reorder [ˌriːˈɔːdəʳ] **I** *v/t* commander de nouveau **II** *v/i* faire une nouvelle commande

reorganization [riːˌɔːgənaɪˈzeɪʃən] *n* réorganisation *f* **reorganize** [ˌriːˈɔːgənaɪz] *v/t* réorganiser

rep. [rep] COMM *abbr* = **representative** représentant(e) *m(f)* (de commerce); ***travel ~*** ≈ guide *m/f*

repaid [ˌriːˈpeɪd] *past, past part* = **repay**

repaint [ˌriːˈpeɪnt] *v/t* repeindre

repair [rɪˈpɛəʳ] **I** *v/t* réparer **II** *n* **1.** *lit* réparation *f*; ***to be under ~*** (*machine*) être en réparation; ***beyond ~*** irréparable; ***closed for ~s*** fermé pour cause de travaux **2.** *no pl* ***to be in bad ~*** être en mauvais état **repairable** [rɪˈpɛərəbl] *adj* réparable **repair shop** *n Br* atelier *m* de réparations **reparation** [ˌrepəˈreɪʃən] *n* (*for damage*) réparation *f*; (*usu pl: after war*) réparations *fpl*

repartee [ˌrepɑːˈtiː] *n* repartie *f*

repatriation [ˈriːˌpætrɪˈeɪʃən] *n* rapatriement *m*

repay [ˌriːˈpeɪ] ⟨*past, past part* **repaid**⟩ *v/t money* rembourser; *expenses* indemniser; *debt* s'acquitter de; *kindness* récompenser; ***I'll ~ you on Saturday*** je te rembourserai samedi; ***how can I ever ~ you?*** comment pourrais-je jamais vous remercier? **repayable** [ˌriːˈpeɪəbl] *adj* remboursable **repayment** [ˌriːˈpeɪmənt] *n* (*of money*) remboursement *m* **repayment mortgage** *n* ≈ prêt-logement *m*

repeal [rɪˈpiːl] **I** *v/t law* abroger **II** *n* abrogation *f*

repeat [rɪˈpiːt] **I** *v/t* répéter (***to sb*** à qn); ***to ~ oneself*** se répéter **II** *v/i* répéter; ***~ after me*** répétez après moi **III** *n* RADIO,

rent ≠ l'argent que rapporte un capital

Rent = loyer :

He couldn't pay his rent that month.

(✗ He lived on his rents.

✓ He lived on his income.)

Il n'a pas pu payer son loyer ce mois-là.

(Il vivait de ses rentes.)

TV rediffusion *f* **repeated** [rɪ'piːtɪd] *adj* répété **repeatedly** [rɪ'piːtɪdlɪ] *adv* à plusieurs reprises **repeat function** *n* IT fonction *f* de répétition **repeat performance** *n* ***he gave a ~*** *fig* il a refait exactement pareil **repeat prescription** *n* (*Br* MED) ordonnance *f* de renouvellement

repel [rɪ'pel] *v/t* **1.** *attack*, *insects* repousser **2.** (*disgust*) dégoûter **repellent** [rɪ'pelənt] **I** *adj* (*disgusting*) repoussant, répugnant **II** *n* (*insect repellent*) insectifuge *m*

repent [rɪ'pent] **I** *v/i* se repentir (***of*** de) **II** *v/t* se repentir de **repentance** [rɪ'pentəns] *n* repentir *m* **repentant** [rɪ'pentənt] *adj* repentant

repercussion [ˌriːpə'kʌʃən] *n* répercussion *f* (***on*** sur); ***that is bound to have ~s*** cela aura sûrement des répercussions; ***to have ~s on sth*** se répercuter sur qc

repertoire ['repətwɑːʳ] *n* THEAT, MUS répertoire *m* **repertory** ['repətərɪ] *n* **1.** (*a.* **repertory theatre**) théâtre *m* de répertoire **2.** = **repertoire**

repetition [ˌrepɪ'tɪʃən] *n* répétition *f* **repetitive** [rɪ'petɪtɪv] *adj* qui se répète; *work* répétitif(-ive); ***to be ~*** être répétitif

rephrase [ˌriː'freɪz] *v/t* reformuler

replace [rɪ'pleɪs] *v/t* **1.** (*put back*, *standing up*, *flat*) remettre à sa place; ***to ~ the receiver*** TEL raccrocher **2.** *person*, *parts* remplacer; ***to ~ sb / sth with sb / sth*** remplacer qn / qc par qn / qc **replaceable** [rɪ'pleɪsəbl] *adj* remplaçable **replacement** *n* **1.** remplaçant(e) *m*(*f*); ***~ part*** pièce *f* de rechange **2.** (*act*) remplacement *m*

replay ['riːpleɪ] SPORTS **I** *n* nouvelle rencontre *f* **II** *v/t* rejouer

replenish [rɪ'plenɪʃ] *v/t* remplir (de nouveau)

replica ['replɪkə] *n* (*of painting*) réplique *f*; (*of ship*, *building etc.*) copie *f* exacte **replicate** ['replɪkeɪt] *v/t* reproduire

reply [rɪ'plaɪ] **I** *n* réponse *f*; ***in ~*** en réponse; ***in ~ to your letter*** en réponse à votre courrier **II** *v/t* répondre; ***to ~ (to sb) that …*** répondre (à qn) que … **III** *v/i* répondre (***to sth*** à qc)

report [rɪ'pɔːt] **I** *n* **1.** rapport *m* (***on*** sur); PRESS, RADIO, TV reportage *m* (***on*** sur); ***to give a ~ on sth*** faire un rapport sur qc; RADIO, TV faire un reportage sur qc; ***an official ~ on the motor industry*** un rapport officiel sur l'industrie automobile; (***school***) ***~*** *Br* bulletin scolaire **2.** rumeur *f*; ***there are ~s that …*** il y a des rumeurs selon lesquelles … **II** *v/t* **1.** *findings* rendre compte de; (*officially*) rapporter; ***he is ~ed as having said …*** il aurait dit … **2.** *accident*, *crime* signaler (***to sb*** à qn); ***to ~ sb for sth*** signaler qn pour qc; ***nothing to ~*** rien à signaler **III** *v/i* **1.** ***to ~ for duty*** se présenter au travail; ***to ~ sick*** se faire porter malade **2.** (*give a report*) faire un rapport (***on*** sur) ◆ **report back** *v/i* donner son rapport (***to sb*** à qn) ◆ **report to** *v/t insep* (*in organization*) travailler sous l'autorité de

reported [rɪ'pɔːtɪd] *adj* signalé **reportedly** [rɪ'pɔːtɪdlɪ] *adv* à ce qu'on dit **reported speech** *n* GRAM discours *m* indirect **reporter** [rɪ'pɔːtəʳ] *n* RADIO, TV reporter *m/f*; PRESS journaliste *m/f*; (*on the spot*) reporter *m/f*

reposition [ˌriːpə'zɪʃən] *v/t* repositionner

repository [rɪ'pɒzɪtərɪ] *n* dépôt *m*

repossess [ˌriːpə'zes] *v/t* reprendre possession de **repossession** [ˌriːpə'zeʃən] *n* reprise *f* de possession

reprehensible [ˌreprɪ'hensɪbl] *adj* répréhensible

represent [ˌreprɪ'zent] *v/t* ALSO PARL, JUR représenter **representation** [ˌreprɪzen'teɪʃən] *n* ALSO PARL, JUR représentation *f* **representative** [ˌreprɪ'zentətɪv] **I** *adj* (***of*** de) représentatif (-ive); ***a ~ body*** un groupe représentatif; ***~ assembly*** assemblée représentative **II** *n* COMM représentant(e) *m*(*f*) (de commerce); JUR représentant(e) *m*(*f*); (*US* POL) député *m*

repress [rɪ'pres] *v/t* réprimer; PSYCH refouler **repressed** [rɪ'prest] *adj* réprimé; PSYCH refoulé **repression** [rɪ'preʃən] *n* répression *f*; PSYCH refoulement *m* **repressive** *adj* répressif(-ive)

reprieve [rɪ'priːv] **I** *n* JUR grâce *f*; *fig* sursis *m* **II** *v/t* ***he was ~d*** JUR il a été gracié

reprimand ['reprɪmɑːnd] **I** *n* réprimande *f*; (*official*) blâme *m* **II** *v/t* réprimander

reprint [ˌriː'prɪnt] **I** *v/t* réimprimer **II** *n* réimpression *f*

reprisal [rɪ'praɪzəl] *n* représailles *fpl*

reproach [rɪ'prəʊtʃ] **I** *n* reproche *m*; ***a look of ~*** un regard de reproche; ***beyond ~*** irréprochable **II** *v/t* reprocher;

to ~ sb for having done sth reprocher à qn d'avoir fait qc **reproachful** *adj* réprobateur(-trice) **reproachfully** *adv look* avec un air de reproche; *say* sur un ton de reproche

reprocess [ˌriːˈprəʊses] *v/t sewage*, *atomic waste* retraiter **reprocessing plant** [ˌriːˈprəʊsesɪŋˈplɑːnt] *n* usine *f* de retraitement

reproduce [ˌriːprəˈdjuːs] **I** *v/t* reproduire **II** *v/i* BIOL se reproduire **reproduction** [ˌriːprəˈdʌkʃən] *n* **1.** (*procreation*) reproduction *f* **2.** (*copying*, *copy*) copie *f* **reproductive** [ˌriːprəˈdʌktɪv] *adj* reproducteur(-trice)

reptile [ˈreptaɪl] *n* reptile *m*

republic [rɪˈpʌblɪk] *n* république *f* **republican** [rɪˈpʌblɪkən] **I** *adj* républicain **II** *n* républicain(e) *m*(*f*) **republicanism** [rɪˈpʌblɪkənɪzəm] *n* républicanisme *m*

repugnance [rɪˈpʌgnəns] *n* répugnance *f*, aversion *f* (***toward, for*** envers) **repugnant** [rɪˈpʌgnənt] *adj* répugnant

repulse [rɪˈpʌls] *v/t* MIL repousser; ***sb is ~d by sth*** *fig* qn est dégoûté par qc **repulsion** [rɪˈpʌlʃən] *n* répulsion *f* (***for*** pour) **repulsive** [rɪˈpʌlsɪv] *adj* repoussant; ***to be ~ to sb*** être repoussant aux yeux de qn

reputable [ˈrepjʊtəbl] *adj* de bonne réputation; *firm* honorable **reputation** [ˌrepjʊˈteɪʃən] *n* réputation *f*; (*bad reputation*) mauvaise réputation *f*; ***he has a ~ for being …*** il a la réputation d'être …; ***to have a ~ for honesty*** être réputé pour son honnêteté; ***you don't want to get*** (***yourself***) ***a ~, you know*** tu ne voudrais pas ternir ta réputation, non? **repute** [rɪˈpjuːt] *v/t* ***he is ~d to be …*** il est réputé pour être …; ***he is ~d to be the best*** c'est le meilleur, à ce qu'on dit **reputedly** [rɪˈpjuːtɪdlɪ] *adv* à ce qu'on dit

request [rɪˈkwest] **I** *n* demande *f*; ***at sb's ~*** à la demande de qn; ***on ~*** à la demande **II** *v/t* demander; RADIO *record* demander; ***to ~ sth of*** *or* ***from sb*** demander qc à qn **request stop** *n Br* arrêt *m* facultatif

requiem mass [ˌrekwɪəmˈmæs] *n* messe *f* de requiem

require [rɪˈkwaɪəʳ] *v/t* **1.** (*need*) avoir besoin de; *action* demander; ***what certificates are ~d?*** quels sont les certificats requis?; ***if ~d*** s'il le faut; ***as ~d*** suivant les besoins **2.** ***to ~ sb to do sth*** exiger de qn qu'il fasse qc **required** *adj* requis; ***the ~ amount*** la somme requise **requirement** *n* **1.** (*need*) besoin *m*, exigence *f*; (*desire*) désirs *mpl*; ***to meet sb's ~s*** satisfaire aux besoins de qn **2.** (*condition*) condition *f* (requise)

reran [ˌriːˈræn] *past* = **rerun**

reread [ˌriːˈriːd] ⟨*past*, *past part* **reread**⟩ *v/t* relire

reroute [ˌriːˈruːt] *v/t bus* dérouter

rerun [ˌriːˈrʌn] *vb* ⟨*past* **reran**⟩ ⟨*past part* **rerun**⟩ **I** *v/t tape* passer de nouveau; *program* IT exécuter de nouveau; TV rediffuser; *race* courir de nouveau **II** *n* (*of program*) rediffusion *f*

resat [ˌriːˈsæt] *Br past*, *past part* = **resit**

reschedule [ˌriːˈskedʒʊəl, (*esp Brit*) ˌriːˈʃedjuːl] *v/t time of meeting* changer l'heure de

rescue [ˈreskjuː] **I** *n* (*saving*) sauvetage *m*; ***to come to sb's ~*** venir en aide à qn; ***it was Bob to the ~*** Bob est venu à la rescousse; ***~ attempt*** opération de sauvetage **II** *v/t* (*save*) sauver, secourir **rescuer** [ˈreskjʊəʳ] *n* sauveteur *m* **rescue services** *pl* services *mpl* de secours

research [rɪˈsɜːtʃ] **I** *n* recherche(s) *f*(*pl*) (***into, on*** sur); ***to do ~*** faire de la recherche; ***to carry out ~ into the effects of sth*** faire des recherches sur les effets de qc **II** *v/i* faire des recherches; ***to ~ into sth*** faire des recherches sur qc **III** *v/t* faire des recherches pour **research assistant** *n* assistant(e) *m*(*f*) de recherche **researcher** [rɪˈsɜːtʃəʳ] *n* chercheur(-euse) *m*(*f*)

resemblance [rɪˈzembləns] *n* ressemblance *f*; ***to bear a strong ~ to sb*** / ***sth*** ressembler beaucoup à qn / qc **resemble** [rɪˈzembl] *v/t* ressembler à; ***they ~ each other*** ils se ressemblent

resent [rɪˈzent] *v/t remarks* ne pas aimer du tout; *person* en vouloir à; ***he ~ed her for the rest of his life*** il lui en a voulu le reste de sa vie; ***he ~ed the fact that …*** il a mal accepté le fait que …; ***to ~ sb's success*** ne pas accepter la réussite de qn; ***I ~ that*** je n'apprécie pas du tout **resentful** *adj* plein de ressentiment; (*jealous*) jaloux(-ouse) (***of*** de); ***to be ~ about sth*** éprouver de l'amertume propos de qc; ***to be ~ of sb*** éprouver du ressentiment à l'égard de qn; ***to feel ~ toward sb for doing sth*** en vouloir à qn d'avoir fait qc **resentment** *n* ressentiment *m* (***of*** envers)

reservation [ˌrezəˈveɪʃən] *n* **1.** (*doubt*) réserve *f*; ***without ~*** sans réserve; ***with ~s*** avec certaines réserves; ***to have ~s about sb / sth*** avoir des doutes à propos de qn / qc **2.** (*booking*) réservation *f*; ***to make a ~*** réserver; ***to have a ~*** (***for a room***) avoir une réservation (pour une chambre) **3.** (*of land*) réserve *f*

reserve [rɪˈzɜːv] **I** *v/t* **1.** (*keep*) réserver; ***to ~ judgement*** réserver son jugement; ***to ~ the right to do sth*** se réserver le droit de faire qc **2.** (*book*) réserver **II** *n* **1.** (*store*) stock *m* (***of*** de); FIN réserve *f*; ***to keep sth in ~*** tenir qc en réserve; *Br* (*land*) transformer qc en réserve **2.** (*reticence*) réserve *f* **3.** SPORTS remplaçant(e) *m*(*f*) **reserved** *adj* réservé **reservist** [rɪˈzɜːvɪst] *n* MIL réserviste *m*/*f*

reservoir [ˈrezəvwɑːʳ] *n lit* réservoir *m*

reset [ˌriːˈset] ⟨*past*, *past part* **reset**⟩ *v/t* **1.** *watch* remettre à l'heure; *machine* réinitialiser; IT redémarrer; ***~ switch** or **button*** IT bouton de redémarrage **2.** MED *bone* remettre

resettle [ˌriːˈsetl] *v/t refugees* installer (ailleurs); *land* repeupler **resettlement** *n* (*of refugees*) nouvelle implantation *f*; (*of land*) repeuplement *m*

reshape [ˌriːˈʃeɪp] *v/t clay etc.* refaçonner; *policy* restructurer

reshuffle [ˌriːˈʃʌfl] **I** *v/t cards* battre de nouveau; *fig boardroom* remanier **II** *n fig* remaniement *m*

reside [rɪˈzaɪd] *v/i form* résider **residence** [ˈrezɪdəns] *n* **1.** (*house*) résidence *f*; (*for students*) résidence *f* (universitaire) **2.** *no pl* ***country of ~*** pays *m* de résidence; ***place of ~*** lieu *m* de résidence; ***after 5 years' ~ in the U.S.*** après avoir résidé aux États-Unis pendant 5 ans **residence permit** *n* permis *m* de séjour **residency** [ˈrezɪdənsɪ] *n* **1.** *US* = **residence** *2* **2.** *US* (*of doctor*) ≈ internat *m* **3.** *Br* résidence *f* officielle **resident** [ˈrezɪdənt] **I** *n* **1.** résident(e) *m*(*f*); (*in town*) habitant(e) *m*(*f*); (*in hotel*) client(e) *m*(*f*), pensionnaire *m*/*f*; ***"residents only"*** "interdit sauf riverains" **2.** *US* ≈ interne *m*/*f* **II** *adj* résident; *staff* attitré; *population* fixe; ***the ~ population*** la population fixe **residential** [ˌrezɪˈdenʃəl] *adj* résidentiel(le); ***~ property*** immeuble résidentiel; ***~ street*** rue résidentielle **residential area** *n* zone *f* d'habitation **residential home** *n* résidence *f*

residual [rɪˈzɪdjʊəl] *adj* restant **residue** [ˈrezɪdjuː] *n* restes *mpl*; CHEM résidu *m*

resign [rɪˈzaɪn] **I** *v/t* **1.** *post* démissionner de **2.** ***to ~ oneself to sth*** se résigner à qc; ***to ~ oneself to doing sth*** se résigner à faire qc **II** *v/i* (*senator*, *president*, *employee*) démissionner, donner sa démission; ***to ~ from office*** démissionner de ses fonctions; ***to ~ from one's job*** démissionner **resignation** [ˌrezɪɡˈneɪʃən] *n* **1.** (*of senator*, *president*, *employee*, *civil servant*) démission *f*; ***to hand in one's ~*** donner sa démission **2.** (*mental state*) résignation *f* (***to*** à) **resigned** *adj person* résigné; ***to become ~ to sth*** se résigner à qc; ***to be ~ to one's fate*** s'être résigné à son destin

resilience [rɪˈzɪlɪəns] *n* **1.** (*of material*) élasticité *f* **2.** (*fig*, *of person*) résilience *f* **resilient** *adj* **1.** *material* élastique; ***to be ~*** être élastique **2.** *fig person* résistant

resin [ˈrezɪn] *n* résine *f*

resist [rɪˈzɪst] **I** *v/t* (*oppose*) s'opposer à; *advances*, *attack*, *temptation*, *sb* résister à; ***I couldn't ~*** (***eating***) ***another piece of cake*** j'ai pas pu m'empêcher de manger une autre part de gâteau **II** *v/i* résister

resistance [rɪˈzɪstəns] *n* résistance *f* (***to*** à); ***to meet with ~*** rencontrer de la résistance; ***to offer no ~ to*** (*to attacker*, *advances etc.*) n'opposer aucune résistance à; (*to proposals*) ne pas s'opposer à **resistant** *adj* (*material*, MED) résistant (***to*** à)

resit [ˌriːˈsɪt] *vb* ⟨*past*, *past part* **resat**⟩ *Br* **I** *v/t exam* repasser **II** *n Br* deuxième session *f*

resolute [ˈrezəluːt] *adj* résolu; *refusal* ferme **resolutely** [ˈrezəluːtlɪ] *adv* résolument; ***to be ~ opposed to sth*** être résolument opposé à qc **resolution** [ˌrezəˈluːʃən] *n* **1.** (*decision*) résolution *f*; *esp* POL résolution *f*; (*intention*) résolution *f* **2.** *no pl* (*resoluteness*) fermeté *f* **3.** *no pl* (*of problem*) résolution *f* **4.** IT résolution *f* **resolve** [rɪˈzɒlv] **I** *v/t* **1.** *differences*, *problem* résoudre; *dispute*, *issue* apporter une solution à **2.** ***to ~ to do sth*** décider de faire qc **II** *n no pl* résolution *f* **resolved** [rɪˈzɒlvd] *adj* résolu, décidé

resonate [ˈrezəneɪt] *v/i* résonner

resort [rɪˈzɔːt] **I** *n* **1.** recours *m*; ***as a last ~*** en dernier recours; ***you were my last ~*** tu étais mon dernier recours **2.** (*place*) lieu *m* de vacances; ***seaside ~*** station *f* balnéaire **II** *v/i* ***to ~ to sth*** avoir recours à qc, recourir à qc; ***to ~ to violence*** avoir recours à la violence

resound [rɪ'zaʊnd] *v/i* résonner (***with*** de) **resounding** [rɪ'zaʊndɪŋ] *adj noise, success, victory* retentissant; *laugh* sonore; *defeat* écrasant; ***the response was a ~ "no"*** la réponse a été un "non" catégorique **resoundingly** [rɪ'zaʊndɪŋlɪ] *adv* bruyamment; ***to be ~ defeated*** connaître un échec retentissant

resource [rɪ'sɔːs] **I** *n* **resources** *pl* ressources *fpl*; ***financial ~s*** ressources financières; ***mineral ~s*** ressources en minerais; ***natural ~s*** ressources naturelles; ***human ~s*** ressources humaines **II** *v/t project* financer **resourceful** *adj adv* ingénieux(-euse) **resourcefully** *adv* d'une manière ingénieuse **resourcefulness** *n* ingéniosité *f*

respect [rɪ'spekt] **I** *n* **1.** (*esteem*) respect *m* (***for*** pour); ***to have ~ for*** avoir du respect pour; ***I have the highest ~ for his ability*** j'ai énormément de respect pour ses compétences; ***to hold sb in*** (***great***) ***~*** avoir beaucoup de respect pour qn **2.** (*consideration*) considération *f* (***for*** pour); ***to treat with ~*** *person* traiter avec considération; *clothes etc.* traiter avec soin; ***she has no ~ for other people*** elle n'a aucune considération pour les autres; ***with*** (***due***) ***~, I still think that …*** sauf votre respect, je crois toujours que … **3.** (*reference*) ***with ~ to …*** en ce qui concerne … **4.** (*aspect*) égard *m*; ***in some ~s*** à certains égards; ***in many ~s*** à bien des égards; ***in this ~*** à cet égard **5. respects** *pl* ***to pay one's ~s to sb*** *Br* présenter ses respects à qn; ***to pay one's last ~s to sb*** *Br* rendre un dernier hommage à qn **II** *v/t* respecter; ***a ~ed company*** une entreprise respectée **respectability** [rɪˌspektə'bɪlɪtɪ] *n* respectabilité *f* **respectable** [rɪ'spektəbl] *adj* respectable; *clothes, behavior* convenable, comme il faut; *score* honorable; ***in ~ society*** entre gens respectables; ***a perfectly ~ way to earn one's living*** une manière tout à fait respectable de gagner sa vie **respectably** [rɪ'spektəblɪ] *adv dress, behave* convenablement, comme il faut **respectful** *adj* respectueux(-euse) (***toward*** envers); ***to be ~ of sth*** être respectueux envers qc **respectfully** *adv* respectueusement **respecting** [rɪ'spektɪŋ] *prep* concernant, relatif à **respective** [rɪ'spektɪv] *adj* respectif (-ive); ***they each have their ~ merits*** ils ont chacun leurs mérites respectifs **respectively** [rɪ'spektɪvlɪ] *adv* respectivement; ***the girls' dresses are green and blue ~*** les robes des filles sont respectivement verte et bleue

respiration [ˌrespɪ'reɪʃən] *n* respiration *f* **respiratory** [rɪ'spɪrətərɪ] *adj* respiratoire

respite ['respaɪt] *n* **1.** (*rest*) répit *m* (***from*** de); (*easing off*) relâche *f* **2.** (*reprieve*) sursis *m*

resplendent [rɪ'splendənt] *adj person* resplendissant

respond [rɪ'spɒnd] *v/i* **1.** (*reply*) répondre (***to*** à); ***to ~ to a question*** répondre à une question **2.** (*react*) réagir (***to*** à); ***the patient ~ed to treatment*** le malade a bien réagi au traitement **response** [rɪ'spɒns] *n* **1.** (*reply*) réponse *f*; ***in ~*** (***to***) en réponse (à) **2.** (*reaction*) réaction *f*; ***to meet with no ~*** ne pas susciter de réaction

responsibility [rɪˌspɒnsə'bɪlɪtɪ] *n* **1.** *no pl* responsabilité *f*; ***to take ~*** (***for sth***) prendre la responsabilité (de qc); ***that's his ~*** c'est à lui de s'en occuper **2.** (*duty*) devoir *m* (***to*** de)

responsible [rɪ'spɒnsəbl] *adj* **1.** (*answerable*) responsable; (*to blame*) responsable (***for*** de); ***what's ~ for the hold-up?*** à quoi est dû le retard?; ***who is ~ for breaking the window?*** qui a cassé la vitre?; ***to hold sb ~ for sth*** tenir qn responsable de qc; ***she is ~ for popularizing the sport*** c'est elle qui a rendu le sport populaire **2.** *attitude* responsable; *job* à responsabilités **responsibly** [rɪ'spɒnsəblɪ] *adv act* avec sérieux, de façon responsable

responsive [rɪ'spɒnsɪv] *adj person* réceptif(-ive); *steering* qui répond bien

rest[1] [rest] **I** *n* **1.** (*relaxation*) détente *f*; (*pause*) pause *f*; (*on vacation*) repos *m*; ***a day of ~*** un jour de repos; ***I need a ~*** j'ai besoin de repos; (*vacation*) j'ai besoin de vacances; ***to have a ~*** (*relax*) se reposer; (*pause*) faire une pause; ***to have a good night's ~*** passer une bonne nuit; ***give it a ~!*** *infml* laisse tomber!; ***to lay to ~*** *euph* porter en terre; ***to set at ~*** *fears, doubts* dissiper; ***to put sb's***

mind at ~ tranquilliser qn; ***to come to ~*** (*ball etc.*) s'arrêter; (*bird*) se poser **2.** (*support*) support *m* **II** *v/i* **1.** (*take rest*) se reposer; (*relax*) se détendre; ***she never ~s*** elle ne se repose jamais; ***to be ~ing*** se trouver sans engagement; ***may he ~ in peace*** qu'il repose en paix **2.** (*decision etc.*) appartenir (***with*** à); ***the matter must not ~ there*** l'affaire ne doit pas en rester là; ***let the matter ~!*** restons-en là!; (***you may***) ***~ assured that …*** soyez assuré que … **3.** (*lean*) s'appuyer (*on* sur, *against* contre); (*roof, etc.*) reposer (***on*** sur); (*gaze etc.*) se poser (***on*** sur); (*case*) reposer (***on*** sur); ***her elbows were ~ing on the table*** ses coudes étaient appuyés sur la table; ***her head was ~ing on the table*** elle avait la tête appuyée sur la table **III** *v/t* **1.** *one's eyes* reposer; ***to feel ~ed*** se sentir reposé **2.** *ladder, elbow* poser (*against* contre, *on* sur); ***to ~ one's hand on sb's shoulder*** poser sa main sur l'épaule de qn

rest² *n* (*remainder*) reste *m*; ***the ~ of the boys*** les autres garçons; ***she's no different from the ~*** elle n'est pas différente des autres; ***all the ~ of the money*** tout l'argent qui reste; ***all the ~ of the books*** tous les autres livres

restart [ˌriːˈstɑːt] **I** *v/t race* reprendre; *game* recommencer; *engine* relancer, remettre en marche; *machine* remettre en marche **II** *v/i* (*engine, machine*) se remettre en marche

restate [ˌriːˈsteɪt] *v/t* **1.** (*express again*) *argument* répéter; *case* exposer de nouveau **2.** (*express differently*) reformuler; *case* réexposer

restaurant [ˈrestərɒnt] *n* restaurant *m*

restaurant car *n* (*Br* RAIL) wagon-restaurant *m*

restful [ˈrestfʊl] *adj color* reposant; *place* paisible **rest home** *n* maison *f* de retraite **restive** [ˈrestɪv] *adj* rétif (-ive) **restless** [ˈrestlɪs] *adj* (*unsettled*) nerveux(-euse); (*wanting to move on*) agité **restlessness** *n* nervosité *f*; (*desire to move on*) agitation *f*

restock [ˌriːˈstɒk] *v/t shelves* réapprovisionner

restoration [ˌrestəˈreɪʃən] *n* (*of order*) restauration *f*; (*to office*) rétablissement *m* (***to*** à); (*of work of art*) restauration *f* **restore** [rɪˈstɔːʳ] *v/t* **1.** (*give back*) rendre; (*bring back*) rapporter; *order* restaurer; ***~d to health*** rétabli **2.** (*to job*) rétablir (***to*** à); ***to ~ to power*** ramener au pouvoir **3.** *painting etc.* restaurer

restrain [rɪˈstreɪn] *v/t person* retenir; *animal, madman, prisoner* maîtriser; ***to ~ sb from doing sth*** empêcher qn de faire qc; ***to ~ oneself*** se dominer **restrained** *adj person* maître(sse) de soi; *manner* mesuré **restraint** *n* **1.** (*restriction*) contrainte *f*; ***without ~*** sans contrainte **2.** (*moderation*) retenue *f*; ***to show a lack of ~*** manquer de retenue; ***he said with great ~ that …*** il a dit en faisant preuve d'une grande retenue que …; ***wage ~*** limitation des salaires

restrict [rɪˈstrɪkt] *v/t* restreindre, limiter (***to*** à) **restricted** *adj view* restreint, limité; *diet* strict; *information* confidentiel(le); ***within a ~ area*** (*within limited area*) dans une zone limitée **restricted area** *n* zone *f* à accès limité **restriction** [rɪˈstrɪkʃən] *n* restriction *f* (***on sth*** à qc); (*of freedom, authority*) limitation *f* (***on sth*** à qc); ***to place ~s on sth*** imposer des restrictions à qc **restrictive** [rɪˈstrɪktɪv] *adj* restrictif(-ive)

rest room *n US* toilettes *fpl*

restructure [ˌriːˈstrʌktʃəʳ] COMM, IND **I** *v/t* restructurer **II** *v/i* se restructurer **restructuring** [ˌriːˈstrʌktʃərɪŋ] *n* COMM, IND restructuration *f*

rest stop *n* (*US* AUTO *place*) aire *f* de repos; (*break*) pause *f*

result [rɪˈzʌlt] **I** *n* **1.** résultat *m*; ***as a ~ he failed*** par conséquent, il a échoué; ***as a ~ of this*** par conséquent; ***as a ~ of which he …*** à la suite de quoi il …; ***to be the ~ of*** résulter de **2.** (*of election etc.*) résultat *m*; ***~s*** (*of test*) résultats *mpl*; ***to get ~s*** (*person*) obtenir de bons résultats; ***as a ~ of my inquiry*** à la suite de ma demande; ***what was the ~?*** SPORTS quel a été le résultat? **II** *v/i* résulter (***from*** de) ◆ **result in** *v/t insep* entraîner, avoir pour résultat; ***this resulted in him being late*** ça l'a mis en retard

resume [rɪˈzjuːm] **I** *v/t* **1.** (*restart*) recommencer; *journey* continuer **2.** *command* reprendre **II** *v/i* reprendre

résumé [ˈreɪzjuːmeɪ] *n* **1.** (*US document*) CV *m* **2.** résumé *m*

resumption [rɪˈzʌmpʃən] *n* (*of activity, journey, classes*) reprise *f*

resurface [ˌriːˈsɜːfɪs] *v/i* (*diver*) remonter à la surface; *fig* refaire surface
resurgence [rɪˈsɜːdʒəns] *n* résurgence *f*
resurrect [ˌrezəˈrekt] *v/t fig custom, career* reprendre **resurrection** [ˌrezəˈrekʃən] *n* **1.** ***the Resurrection*** REL la Résurrection **2.** (*fig, of custom*) résurrection *f*
resuscitate [rɪˈsʌsɪteɪt] *v/t* MED réanimer **resuscitation** [rɪˌsʌsɪˈteɪʃən] *n* MED réanimation *f*
retail [ˈriːteɪl] **I** *n* détail *m* **II** *v/i* **to ~ at ...** se vendre (au détail) à **III** *adv* au détail **retailer** [ˈriːteɪləʳ] *n* détaillant(e) *m(f)* **retailing** [ˈriːteɪlɪŋ] *n* vente *f* au détail **retail park** *n Br* centre *m* commercial **retail price** *n* prix *m* de détail **retail therapy** *n hum* cure *f* de shopping *infml* **retail trade** *n* vente *f* au détail
retain [rɪˈteɪn] *v/t* **1.** (*keep*) garder; *possession* conserver; *flavor* garder; *moisture* maintenir **2.** (*computer*) *information* garder en mémoire
retake [ˌriːˈteɪk] ⟨*past* **retook**⟩⟨*past part* **retaken**⟩ *v/t* **1.** MIL reprendre **2.** *test* repasser (*also* SPORTS)
retaliate [rɪˈtælɪeɪt] *v/i* se venger; (*for insults etc.*) user de représailles (***against sb*** à l'encontre de qn); (SPORTS, *in fight, in argument*) riposter; ***he ~d by pointing out that ...*** il a rétorqué que ...; ***then she ~d by calling him a pig*** elle a alors riposté en le traitant de porc **retaliation** [rɪˌtælɪˈeɪʃən] *n* représailles *fpl*; (*in argument*) riposte *f*; ***in ~*** par mesure de représailles
retarded [rɪˈtɑːdɪd] *adj* attardé; ***mentally ~*** attardé mental
retch [retʃ] *v/i* avoir des haut-le-cœur
retd. *abbr* = **retired**
retell [ˌriːˈtel] ⟨*past, past part* **retold**⟩ *v/t* raconter de nouveau; (*novelist*) faire un nouveau récit de
retention [rɪˈtenʃən] *n* maintien *m*; (*of possession*) conservation *f*; (*of water*) rétention *f*
rethink [ˌriːˈθɪŋk] *vb* ⟨*past, past part* **rethought**⟩ **I** *v/t* repenser **II** *n infml* ***we'll have to have a ~*** nous allons devoir y réfléchir à nouveau
reticence [ˈretɪsəns] *n* réticence *f* **reticent** [ˈretɪsənt] *adj* réservé
retina [ˈretɪnə] *n* ⟨*pl* **-e** *or* **-s**⟩ rétine *f*
retinue [ˈretɪnjuː] *n* escorte *f*
retire [rɪˈtaɪəʳ] *v/i* **1.** (*from job*) prendre sa retraite; (*player etc.*) arrêter; ***to ~ from business*** se retirer des affaires **2.** (*withdraw*, SPORTS) abandonner; (*jury*) se retirer; ***to ~ from public life*** se retirer de la vie publique **retired** *adj worker* à la retraite; ***he is ~*** il est à la retraite; ***~ people*** les retraités; ***a ~ worker*** un retraité **retirement** *n* **1.** (*stopping work*) retraite *f*; ***~ at 65*** la retraite à 65 ans; ***to come out of ~*** reprendre du service (*après avoir pris sa retraite*) **2.** SPORTS abandon *m* **retirement age** *n* âge *m* de la retraite **retirement home** *n* maison *f* de retraite **retirement pension** *n* retraite *f*, pension *f* de retraite

retire ≠ retirer

Retire = prendre sa retraite :

She was lucky enough to retire at age 60.

Elle a eu la chance de pouvoir prendre sa retraite à 60 ans.

retold [ˌriːˈtəʊld] *past, past part* = **retell**
retook [ˌriːˈtʊk] *past* = **retake**
retrace [rɪˈtreɪs] *v/t past* reconstituer; ***to ~ one's steps*** revenir sur ses pas
retract [rɪˈtrækt] *v/t offer, statement* retirer **retraction** [rɪˈtrækʃən] *n* (*of offer, statement*) rétractation *f*
retrain [ˌriːˈtreɪn] **I** *v/t* recycler **II** *v/i* se recycler **retraining** [ˌriːˈtreɪnɪŋ] *n* recyclage *m*
retreat [rɪˈtriːt] **I** *n* **1.** MIL retraite *f*; ***to beat a (hasty) ~*** *fig* battre en retraite **2.** (*place*) retraite *f* **II** *v/i* MIL battre en retraite
retrial [ˈriːtraɪəl] *n* JUR révision *f* de procès
retribution [ˌretrɪˈbjuːʃən] *n* châtiment *m*
retrievable [rɪˈtriːvəbl] *adj* IT *data* accessible; (*after a crash*) récupérable **retrieval** [rɪˈtriːvəl] *n* (*recovering*) récupération *f*; (IT: *of information*) extraction *f*; (*after a crash*) récupération *f* **retrieve** [rɪˈtriːv] *v/t* (*recover*) récupérer; (*rescue*) sauver; IT retrouver; (*after a crash*) récupérer **retriever** [rɪˈtriːvəʳ] *n* (*breed*) chien *m* d'arrêt, retriever *m*
retro- *pref* rétro- **retroactive** [ˌretrəʊˈæktɪv] *adj* rétroactif(-ive) **retroactively** [ˌretrəʊˈæktɪvlɪ] *adv* rétroactive-

ment **retrograde** ['retrəʊgreɪd] *adj* rétrograde; **~ *step*** pas rétrograde **retrospect** ['retrəʊspekt] *n* ***in ~*** rétrospectivement; ***in ~, what would you have done?*** avec le recul, qu'est-ce que vous auriez fait? **retrospective** [ˌretrəʊ'spektɪv] *adj* rétrospectif(-ive); ***a ~ look*** (***at***) un regard en arrière sur **retrospectively** [ˌretrəʊ'spektɪvlɪ] *adv* (*in retrospect*) rétrospectivement

retroviral, anti-retroviral *adj* rétroviral, anti-rétroviral

retry [riː'traɪ] *v/t* JUR *case, person* juger de nouveau

return [rɪ'tɜːn] **I** *v/i* (*come back*) revenir; (*go back*) rentrer; (*symptoms, fears*) réapparaître; ***to ~ to Chicago*** rentrer à Chicago; ***to ~ to the group*** rejoindre le groupe; ***to ~ to school*** rentrer (en classe); ***to ~ to*** (***one's***) ***work*** (*after pause*) se remettre au travail; ***to ~ to a subject*** revenir à un sujet; ***to ~ home*** rentrer **II** *v/t* **1.** (*give back*) rendre (***to sb*** à qn); (*bring back*) rapporter (***to sb*** à qn); (*put back*) remettre; (*send back*) *letter etc.* renvoyer (***to*** à); ***to ~ sb's call*** rappeler qn; ***to ~ a book to the shelf / box*** remettre un livre sur le rayon / dans le carton; ***to ~ fire*** MIL riposter par le feu **2.** ***to ~ a verdict of guilty on sb*** JUR déclarer qn coupable **3.** FIN *profit* rapporter **III** *n* **1.** (*coming / going back*) retour *m*; ***on my ~*** à mon retour; ***~ home*** retour à la maison; ***by ~ of post*** *Br* par retour du courrier; ***many happy ~s*** (***of the day***)***!*** *esp Br* bon anniversaire! **2.** (*giving back*) remise *f*; (*bringing back*) retour *m*; (*putting back*) remise *f* en place **3.** (*Br*: *a.* **round-trip ticket**) aller et retour *m*, aller-retour *m* **4.** (*from investments*) rapport *m* (***on*** sur); (*on capital*) retour *m* (***on*** sur) **5.** *fig* ***in ~*** en retour; ***in ~ for*** en échange de **6.** ***tax ~*** déclaration de revenus **7.** TENNIS retour *m* **returnable** [rɪ'tɜːnəbl] *adj* (*reusable*) consigné; ***~ bottle*** bouteille réutilisable; (*with deposit*) bouteille consignée **return fare** *n Br* prix *m* aller-retour **return flight** *n Br* vol *m* aller-retour **return journey** *n Br* retour *m* **return key** *n* IT touche *f* retour

return ticket *n Br* aller et retour *m*, aller--retour *m* **return visit** *n* (*to place*) nouvelle visite *f*; ***to make a ~ to a place*** retourner dans un lieu

reunification [riːˌjuːnɪfɪ'keɪʃən] *n* réunification *f*

reunion [rɪ'juːnjən] *n* (*gathering*) réunion *f* **reunite** [ˌriːjuː'naɪt] **I** *v/t* réunir; ***they were ~d at last*** ils étaient enfin réunis **II** *v/i* (*countries etc.*) se réunifier

reusable [ˌriː'juːzəbl] *adj* réutilisable

reuse [ˌriː'juːz] *v/t* réutiliser

Rev., *Br* **Revd.** *abbr* = **Reverend**

rev [rev] **I** *v/i* (*driver*) appuyer sur l'accélérateur **II** *v/t engine* faire monter le régime de ◆ **rev up** *v/t & v/i* AUTO = **rev**

revalue [ˌriː'væljuː] *v/t* FIN réévaluer

revamp [ˌriː'væmp] *v/t infml book, image* remanier; *company* réorganiser

reveal [rɪ'viːl] *v/t* **1.** (*make visible*) découvrir; (*show*) révéler **2.** *truth* révéler, faire connaître; *identity, name, details* révéler; ***he could never ~ his feelings for her*** il n'a jamais pu faire connaître ce qu'il éprouvait pour elle; ***what does this ~ about the motives of the hero?*** qu'est-ce que cela nous apprend sur les motivations du héros? **revealing** [rɪ'viːlɪŋ] *adj* révélateur(-trice); *skirt etc.* suggestif(-ive)

revel ['revl] **I** *v/i* s'amuser; ***to ~ in sth*** se délecter de qc; ***to ~ in doing sth*** prendre grand plaisir à faire qc **II** *n* **revels** *pl* divertissements *mpl*

revelation [ˌrevə'leɪʃən] *n* révélation *f*

reveler, *Br* **reveller** ['revləʳ] *n* fêtard(e) *m(f)* **revelry** ['revlrɪ] *n usu pl* festivités *fpl*

revenge [rɪ'vendʒ] *n* vengeance *f*; SPORTS revanche *f*; ***to take ~ on sb*** (***for sth***) se venger (de qc) sur qn; ***to get one's ~*** se venger; SPORTS prendre sa revanche; ***in ~ for*** pour se venger de

revenue ['revənjuː] *n* (*of state*) recettes *fpl*; (*of individual*) revenu *m*; (*tax revenue*) recettes *fpl* fiscales

reverberate [rɪ'vɜːbəreɪt] *v/i* (*sound*) retentir, résonner

reverence ['revərəns] *n* vénération *f*; ***to treat sth with ~*** traiter qc avec considération

reverend ['revərənd] **I** *adj* ***the Reverend Robert Stanley*** le révérend Robert Stanley **II** *n* (*Protestant*) pasteur *m*; (*Catholic*) abbé *m* (*Anglican*) révérend *m*

reverently ['revərəntlɪ] *adv* avec déférence

reversal [rɪ'vɜːsəl] *n* (*of order, policy*) renversement *m*; (*of decision, process*) revirement *m* **reverse** [rɪ'vɜːs] **I** *adj* (*opposite*) inverse **II** *n* **1.** (*opposite*) contraire *m*; ***quite the ~!*** au contraire! **2.** (*back*) verso *m* **3.** AUTO marche *f* arrière; ***in ~*** en marche arrière; ***to put a/the car into ~*** passer en marche arrière **III** *v/t* **1.** *order, process* inverser; *policy* changer du tout au tout; *decision* revenir sur; ***to ~ the charges*** (*Br* TEL) téléphoner en PCV **2.** ***to ~ one's car into a tree*** *esp Br* heurter un arbre en faisant une marche arrière **IV** *v/i* (*esp Br: in car*) faire marche arrière **reverse gear** *n* AUTO marche *f* arrière **reversible** [rɪ'vɜːsəbl] *adj decision* révocable; *process* réversible **reversible jacket** *n* veste *f* réversible **reversing light** [rɪ'vɜːsɪŋlaɪt] *n Br* feu *m* de recul

reversion [rɪ'vɜːʃən] *n* (*to former state*) retour (***to*** à) **revert** [rɪ'vɜːt] *v/i* (*to former state*) revenir (***to*** à)

review [rɪ'vjuː] **I** *n* **1.** (*look back*) examen *m* (***of*** de); (*report*) compte rendu *m* (***of*** de) **2.** (*re-examination*) nouvel examen *m*; ***the agreement comes up for ~*** *or* ***comes under ~ next year*** l'accord doit être révisé l'an prochain; ***his salary is due for ~ in January*** son salaire doit être réexaminé en janvier **3.** (*of book etc.*) critique *f* **II** *v/t* **1.** *the past etc.* passer en revue **2.** *situation, case* réexaminer **3.** *book etc.* faire la critique de **4.** (*US: before test*) réviser **reviewer** [rɪ'vjuːər] *n* critique *m/f*

revise [rɪ'vaɪz] **I** *v/t* **1.** (*change*) revenir sur **2.** (*Br for test*) réviser **II** *v/i Br* réviser **revised** *adj* **1.** modifié; *offer* revu **2.** *edition* revu et corrigé **revision** [rɪ'vɪʒən] *n* **1.** (*of opinion*) révision *f* **2.** (*Br, for test*) révision *f* **3.** (*revised version*) version *f* revue et corrigée

revisit [ˌriː'vɪzɪt] *v/t* réexaminer

revitalize [ˌriː'vaɪtəlaɪz] *v/t* redonner de la vitalité à

revival [rɪ'vaɪvəl] *n* **1.** (*of play*) reprise *f* **2.** (*return: of custom etc.*) reprise *f*; ***an economic ~*** une reprise économique **revive** [rɪ'vaɪv] **I** *v/t person* ranimer; *economy* relancer; *memories* raviver; *custom* rétablir; *career* redémarrer; ***to ~ interest in sth*** faire renaître l'intérêt pour qc **II** *v/i* (*person, from fainting*) reprendre connaissance; (*from fatigue*) reprendre des forces; (*trade*) reprendre

revoke [rɪ'vəʊk] *v/t law* abroger; *decision* revenir sur; *license* retirer

revolt [rɪ'vəʊlt] **I** *n* révolte *f* **II** *v/i* se révolter (***against*** contre) **III** *v/t* révolter; ***I was ~ed by it*** ça m'a révolté **revolting** [rɪ'vəʊltɪŋ] *adj* (*repulsive*) répugnant; *meal* dégoûtant; (*infml unpleasant*) *color, dress* affreux(-euse); *person* épouvantable

revolution [ˌrevə'luːʃən] *n* **1.** révolution *f* **2.** (*turn*) tour *m* **revolutionary** [ˌrevə'luːʃnərɪ] **I** *adj* révolutionnaire **II** *n* révolutionnaire *m/f* **revolutionize** [ˌrevə'luːʃənaɪz] *v/t* révolutionner

revolve [rɪ'vɒlv] **I** *v/t* faire tourner **II** *v/i* tourner **revolver** [rɪ'vɒlvər] *n* revolver *m* **revolving door** [rɪ'vɒlvɪŋ] *n* tambour *m*

revue [rɪ'vjuː] *n* THEAT spectacle *m* de music-hall; (*satirical*) revue *f*

revulsion [rɪ'vʌlʃən] *n* répugnance *f* (***at*** devant)

reward [rɪ'wɔːd] **I** *n* récompense *f*; ***the ~s of this job*** la récompense de son travail **II** *v/t* récompenser **reward card** *n* COMM carte *f* de fidélité **rewarding** [rɪ'wɔːdɪŋ] *adj* gratifiant, valorisant; *work* rémunérateur(-trice); ***bringing up a child is ~*** élever un enfant est une occupation gratifiante

rewind [ˌriː'waɪnd] ⟨*past, past part* **rewound**⟩ *v/t tape* rembobiner; ***~ button*** bouton de rembobinage

reword [ˌriː'wɜːd] *v/t* reformuler

rewound [ˌriː'waʊnd] *past, past part* = **rewind**

rewrite [ˌriː'raɪt] ⟨*past* **rewrote**⟩ ⟨*past part* **rewritten**⟩ *v/t* (*write out again*) réécrire; (*recast*) remanier; ***to ~ the record books*** inscrire un nouveau record

rhapsody ['ræpsədɪ] *n* MUS rhapsodie *f*; *fig* concert *m*

rhetoric ['retərɪk] *n* rhétorique *f* **rhetorical** [rɪ'tɒrɪkəl] *adj* rhétorique **rhetorically** [rɪ'tɒrɪkəlɪ] *adv* de façon rhétorique

rheumatic [ruː'mætɪk] *adj* rhumatismal **rheumatism** ['ruːmətɪzəm] *n* rhumatisme *m*

Rhine [raɪn] *n* Rhin *m*

rhino ['raɪnəʊ], **rhinoceros** *n* rhinocéros *m*

rhododendron [ˌrəʊdə'dendrən] *n* rhododendron *m*

rhombus ['rɒmbəs] *n* losange *m*

rhubarb ['ruːbɑːb] *n* rhubarbe *f*

rhyme [raɪm] **I** *n* **1.** (*rhyming word*) rime *f*; ***there's no ~ or reason to it*** c'est sans rime ni raison **2.** (*poem*) vers *m*; (*for* *children*) comptine *f* ***in ~*** en vers **II** *v/i* rimer

rhythm ['rɪðm] *n* rythme *m* **rhythmic(al)** ['rɪðmɪk(əl)] *adj* rythmique **rhythmically** *adv* en rythme

rib [rɪb] **I** *n* côte *f*; ***to poke sb in the ~s*** donner un coup dans les côtes de qn **II** *v/t* (*infml tease*) charrier *infml* **ribbed** [rɪbd] *adj* nervuré

ribbon ['rɪbən] *n* **1.** (*for hair*) ruban *m*; (*for typewriter*) ruban *m*; (*fig*, *strip*) bande *f* **2.** ***to tear sth to ~s*** déchiqueter qc

rib cage *n* cage *f* thoracique

rice [raɪs] *n* riz *m* **rice pudding** *n* gâteau *m* de riz

rich [rɪtʃ] **I** *adj* riche; *style* travaillé; *food soil* riche; *smell* fort; ***that's ~!*** *iron* c'est un peu fort! *infml*; ***to be ~ in sth*** être riche en qc; ***~ in protein*** riche en protéines; ***~ in minerals*** riche en minéraux; ***a ~ diet*** une alimentation riche **II** *n* **1.** ***the ~*** *pl* les riches **2. riches** *pl* richesse *f* **richly** ['rɪtʃlɪ] *adv dress*, *decorate* richement; *rewarded* grandement; ***he ~ deserves it*** il le mérite amplement

richness *n* richesse *f* (**in** en); (*of style*) somptuosité *f*; (*of food*, *soil*) richesse *f*; ***the ~ of his voice*** la chaleur de sa voix

rickety ['rɪkɪtɪ] *adj furniture etc.* branlant

ricochet ['rɪkəʃeɪ] **I** *n* ricochet *m* **II** *v/i* ricocher (**off** sur)

rid [rɪd] ⟨*past*, *past part* **rid** *or* **ridded**⟩ *v/t* ***to ~ of*** se débarrasser de; ***to ~ oneself of sb / sth*** se débarrasser de qn / qc; ***to get ~ of sb / sth*** se débarrasser de qn / qc; ***to be ~ of sb / sth*** être débarrassé de qn / qc; ***get ~ of it*** jette-le; ***you are well ~ of him*** tu es bien mieux sans lui **riddance** ['rɪdəns] *n* ***good ~!*** *infml* bon débarras! *infml*

ridden ['rɪdn] **I** *past part* = **ride II** *adj* ***debt-~*** criblé de dettes; ***disease-~*** rongé par la maladie

riddle[1] ['rɪdl] *v/t* ***~d with holes*** criblé de trous; ***~d with woodworm*** rongé par les vers; ***~d with corruption*** pourri par la corruption; ***~d with mistakes*** rempli de fautes

riddle[2] *n* devinette *f*; ***to speak in ~s*** parler par énigmes

ride [raɪd] *vb* ⟨*past* **rode**⟩ ⟨*past part* **ridden**⟩ **I** *n* promenade *f*; (*on horse*) promenade *f* à cheval; (*for pleasure*) tour *m*; ***to go for a ~*** aller faire un tour; (*on horse*) aller faire une promenade à cheval; ***cycle ~*** promenade à bicyclette; ***to go for a ~ in the car*** aller faire une promenade en voiture; ***I just went along for the ~*** *fig*, *infml* j'y suis allé pour rigoler *infml infml*; ***to take sb for a ~*** (*infml deceive*) mener qn en bateau *infml*; ***he gave me a ~ into town in his car*** il m'a emmené en ville avec sa voiture; ***can I have a ~ on your bike?*** est-ce que je peux faire un tour sur ton vélo? **II** *v/i* **1.** (*on a horse etc.*, SPORTS) monter; ***to ~ on a horse*** monter à cheval; ***to go riding*** faire du cheval **2.** (*in vehicle*, *by cycle*) monter; ***he was riding on a bicycle*** il faisait du vélo **III** *v/t* monter; ***to ~ a bicycle / motorbike*** faire du vélo / de la moto ◆ **ride on** *v/t insep* (*reputation*) dépendre de ◆ **ride up** *v/i* (*skirt etc.*) remonter

rider ['raɪdəʳ] *n* (*on horse*) cavalier(-ière) *m*(*f*); (*on bicycle*) cycliste *m/f*; (*on motorcycle*) motocycliste *m/f*

ridge [rɪdʒ] *n* (*on fabric etc.*) côte *f*; (*of mountains*) crête *f*; ***a ~ of hills*** des collines en crête; ***a ~ of mountains*** une chaîne de montagnes; ***a ~ of high pressure*** METEO une ligne de haute pression

ridicule ['rɪdɪkjuːl] **I** *n* ridicule *m* **II** *v/t* ridiculiser **ridiculous** [rɪ'dɪkjʊləs] *adj* ridicule; ***don't be ~*** ne dis pas de bêtises; ***to make oneself*** (***look***) ***~*** se ridiculiser; ***to be made to look ~*** être ridiculisé; ***to go to ~ lengths*** (***to do sth***) faire n'importe quoi (pour faire qc) **ridiculously** [rɪ'dɪkjʊləslɪ] *adv* ridiculement

riding ['raɪdɪŋ] *n* équitation *f*; ***I enjoy ~*** j'aime l'équitation

rife [raɪf] *adj* courant; ***to be ~*** sévir; ***~ with*** infesté de

rifle[1] ['raɪfl] *v/t* (*a.* **rifle through**) fouiller

rifle[2] *n* (*gun*) fusil *m*, carabine *f* **rifle range** *n* champ *m* de tir

rift [rɪft] *n* fissure *f*; *fig* division *f*, scission *f*

rig [rɪg] **I** *n* (*oil rig*) tour *f* de forage; (*offshore*) plate-forme *f*; *US* (*truck*) semi-remorque *m* **II** *v/t fig election etc.* truquer

right [raɪt] **I** *adj* **1.** juste; ***he thought it ~ to warn me*** il a cru bon de m'avertir; ***it seemed only ~ to give him the money*** cela paraissait juste de lui donner l'argent; ***it's only ~*** (***and proper***) ce n'est que justice; ***to be ~*** (*person*) avoir raison; (*answer*) être juste; ***what's the ~ time?*** quelle est l'heure exacte?; ***you're ~*** tu as raison; ***you were ~ to refuse*** tu as eu raison de refuser; ***to put ~*** *error* rectifier; *situation* redresser; ***I tried to put things ~ after their fight*** j'ai essayé d'arranger les choses après leur dispute; ***what's the ~ thing to do in this case?*** que faut-il faire dans ce cas-là?; ***to do sth the ~ way*** faire qc comme il faut; ***Mr./Miss. Right*** *infml* l'homme idéal / la femme idéale; ***we will do what is ~ for the country*** nous ferons ce qui est nécessaire pour le pays; ***the medicine soon put him ~*** le médicament l'ai aidé à se rétablir rapidement; ***he's not ~ in the head*** *infml* il est dérangé *infml* **2.** ***~!*** bien!; ***that's ~!*** c'est ça!; ***so they came in the end — is that ~?*** et finalement, ils sont venus – c'est vrai?; ***~ enough!*** bien vu! **3.** (*not left*) droit **II** *adv* **1.** (*directly*) directement; (*exactly*) juste; ***~ in front of you*** juste devant toi; ***~ away*** tout de suite; ***~ now*** (*at this moment*) tout de suite; (*immediately*) maintenant; ***~ here*** ici même; ***~ in the middle*** en plein au milieu; ***~ at the beginning*** tout au début; ***I'll be ~ with you*** je suis à vous tout de suite **2.** (*completely*) complètement **3.** (*correctly*) bien; ***nothing goes ~ for them*** rien ne marche pour eux **4.** (*not left*) à droite; ***turn ~*** tournez à droite **III** *n* **1.** *no pl* (*moral*, *legal*) droit *m*; ***to be in the ~*** être dans son droit; (***to have***) ***a ~ to sth*** avoir droit à qc; ***he is within his ~s*** il est dans son droit; ***by ~s*** en toute justice; ***she's famous in her own ~*** elle est célèbre elle-même **2. rights** *pl* COMM droits *mpl* **3.** ***to put*** *or* ***set sth to ~s*** rétablir qc; ***to put the world to ~s*** refaire le monde **4.** (*not left*) droite *f*; ***to drive on the ~*** rouler à droite; ***to keep to the ~*** tenir sa droite; ***on my ~*** à ma droite; ***on*** *or* ***to the ~ of the church*** à droite de l'église; ***the Right*** POL la droite **IV** *v/t* **1.** (*make upright*) redresser **2.** *wrong* redresser **right angle** *n* angle *m* droit; ***at ~s to*** perpendiculaire à **right-angled** *adj* à angle droit **right-click** IT **I** *v/i* cliquer avec le bouton droit de la souris **II** *v/t* cliquer avec le bouton droit de la souris sur **righteous** ['raɪtʃəs] *adj* **1.** juste **2.** *anger* légitime **rightful** ['raɪtfʊl] *adj* légitime **rightfully** ['raɪtfəlɪ] *adv* légitimement; ***they must give us what is ~ ours*** ils doivent nous donner ce qui nous appartient de droit **right-hand** *adj* ***~ drive*** voiture avec la conduite à droite **right-handed** *adj* droitier (-ière) **right-hander** *n* droitier(-ière) *m*(*f*) **right-hand man** *n fig* main *f* droite **rightly** ['raɪtlɪ] *adv* à juste titre; ***they are ~ regarded as …*** ils sont considérés à juste titre comme …; ***if I remember ~*** si je me souviens bien; ***and ~ so*** et à juste titre **right-minded** *adj* bien pensant **right of way** *n* (*across property*) droit *m* de passage; AUTO priorité *f* **right wing** *n* POL droite *f* **right-wing** *adj* POL de droite; ***~ extremist*** un membre de l'extrême droite **right-winger** *n* SPORTS ailier *m* droit; POL personne *f* de droite

rigid ['rɪdʒɪd] *adj material*, *system*, *principles* rigide; ***~ with fear*** paralysé par la peur; ***to be bored ~*** s'ennuyer à mourir **rigidity** [rɪ'dʒɪdɪtɪ] *n* (*of board*, *material*, *system*) rigidité *f*; (*of character*) raideur *f*; (*of discipline*, *principles*) sévérité *f* **rigidly** ['rɪdʒɪdlɪ] *adv* **1.** *lit stand etc.* droit comme un i **2.** *fig treat* sévèrement

rigor, *Br* **rigour** ['rɪgə[r]] *n* ***rigors*** (*of climate etc.*) rigueur *f* **rigorous** ['rɪgərəs] *adj person*, *method*, *tests* rigoureux (-euse); *measures* de rigueur **rigorously** ['rɪgərəslɪ] *adv enforce*, *test* rigoureusement **rigour** *n Br* = **rigor**

rim [rɪm] *n* (*of cup*, *hat*) bord *m*; (*of spectacles*) monture *f*; (*of wheel*) jante *f* **rimmed** [rɪmd] *adj* bordé; ***gold-~ spectacles*** des lunettes avec une monture dorée

rind [raɪnd] *n* (*of cheese*) croûte *f*; (*of bacon*) couenne *f*; (*of fruit*) peau *f*; (*grated*) zest *m*

ring[1] [rɪŋ] **I** *n* cercle *m*; (*on finger*) bague *f*, anneau *m*; (*at circus*) manège *m*; (*in boxing*) ring *m*; ***to run ~s around sb*** *infml* faire bien mieux que qn **II** *v/t* (*surround*) entourer; (*put ring around*) entourer

ring[2] *vb* ⟨*past* **rang**⟩ ⟨*past part* **rung**⟩ **I** *n* **1.** (*sound*) sonnerie *f*; ***there was a ~ at the door*** on a sonné à la porte **2.** (*esp Br* TEL) coup *m* de fil *infml*; ***to give sb a ~*** passer un coup de téléphone à qn **II** *v/i* **1.** (*make sound*) retentir; (*bell*, *alarm clock*, *phone*) sonner; ***the*** (***door***)***bell rang*** on a sonné (à la porte) **2.** (*esp Br* TEL) sonner **3.** (*sound*) sembler; ***to ~ true*** sembler vrai **III** *v/t* **1.** *bell* faire sonner; ***to ~ the doorbell*** sonner; ***that***

~s a bell *fig*, *infml* ça me dit quelque chose **2.** (*Br*: *a.* **ring up**) appeler ◆ **ring back** *v/i*, *v/t sep Br* rappeler ◆ **ring off** *v/i* (*Br* TEL) raccrocher ◆ **ring out** *v/i* (*bell*, *shot*) retentir ◆ **ring up** *v/t sep* **1.** (*Br* TEL) appeler **2.** (*cashier*) enregistrer

ring binder *n* classeur *m* **ring finger** *n* annulaire *m* **ringing** ['rɪŋɪŋ] **I** *adj bell* qui sonne; ***~ tone*** (*Br* TEL) sonnerie **II** *n* (*of bell*, *alarm clock*, *phone*) sonnerie *f*; (*in ears*) bourdonnement *m* **ringleader** *n* meneur(-euse) *m*(*f*) **ringmaster** *n* Monsieur Loyal **ring road** *n Br* autoroute *f* de ceinture **ring tone, ringtone** *n* TEL sonnerie *f*

rink [rɪŋk] *n* **1.** patinoire *f* **2.** (*roller-skating rink*) piste *f* de patins à roulettes

rinse [rɪns] **I** *n* rinçage *m*; (*colorant*) couleur *f*; ***to give sth a ~*** rincer qc; ***give your mouth a ~*** rincez-vous la bouche **II** *v/t clothes*, *hair* rincer; *mouth* se rincer ◆ **rinse out** *v/t sep* rincer

riot ['raɪət] **I** *n* (POL, *fig*) émeute *f*; ***to run ~*** (*people*) se déchaîner; (*vegetation*) prendre le dessus **II** *v/i* participer à une émeute **rioter** ['raɪətə^r] *n* émeutier (-ière) *m*(*f*) **rioting** ['raɪətɪŋ] *n* émeutes *fpl* **riotous** ['raɪətəs] *adj person* agité; *behavior* bagarreur(-euse)

rip [rɪp] **I** *n* accroc *m* **II** *v/t* déchirer; ***to ~ open*** déchirer (*pour ouvrir*) **III** *v/i* **1.** se déchirer **2.** *infml* ***to let ~*** se déchaîner *infml* ◆ **rip off** *v/t sep* **1.** *lit clothing* arracher **2.** *infml person* arnaquer *infml* ◆ **rip up** *v/t sep* déchirer

ripe [raɪp] *adj* **1.** mûr; ***to live to a ~ old age*** vivre vieux; ***to be ~ for the picking*** être bon à saisir **2.** *infml smell* nauséabond **ripen** ['raɪpən] **I** *v/t* faire mûrir **II** *v/i* mûrir **ripeness** ['raɪpnɪs] *n* maturité *f*

rip-off ['rɪpɒf] *n infml* escroquerie *f*; (*cheat*) arnaque *f infml*; (*copy*) copie *f*

ripple ['rɪpl] **I** *n* **1.** ondulation *f* **2.** ***a ~ of laughter*** une onde de rires **II** *v/i* (*water*) gargouiller **III** *v/t water* faire gargouiller; *muscles* rouler

rise [raɪz] *vb* ⟨*past* **rose**⟩ ⟨*past part* **risen**⟩ **I** *n* **1.** (*increase*) augmentation *f*, hausse *f* (***in sth*** de qc); (*in number*) augmentation *f*; ***a (pay) ~*** *Br* une augmentation de salaire; ***there has been a ~ in the number of participants*** le nombre de participants a augmenté **2.** (*of sun*) lever *m*; (*fig*: *to fame etc.*) montée *f* (***to*** vers) **3.** (*small hill*) butte *f*; (*slope*) montée *f* **4.** ***to give ~ to sth*** donner lieu à qc **II** *v/i* **1.** (*from sitting*, *lying*) se lever; ***~ and shine!*** *infml* debout! **2.** (*go up*) monter; (*curtain*, *sun*) se lever; (*bread*) lever; (*voice*) s'élever; ***to ~ to the surface*** remonter à la surface; ***her spirits rose*** elle a repris le moral; ***to ~ to a crescendo*** monter en crescendo; ***to ~ to fame*** devenir célèbre; ***he rose to be President*** il a gravi les échelons jusqu'à la présidence **3.** (*ground*) monter **4.** (*a.* **rise up**) (*revolt*) grandir; ***to ~ (up) in protest at sth*** s'élever pour protester contre qc ◆ **rise above** *v/t insep level* dépasser; *insults etc.* passer outre ◆ **rise up** *v/i* (*person*) se lever; (*mountain etc.*) s'élever

risen ['rɪzn] *past part* = **rise rising** ['raɪzɪŋ] **I** *n* **1.** (*rebellion*) soulèvement *m* **2.** (*of sun*) lever *m*; (*of prices*) hausse *f* **II** *adj* **1.** *sun* levant; *tide* montant **2.** (*increasing*) croissant; *crime* en augmentation **3.** *fig* ***a ~ politician*** un homme politique qui monte

risk [rɪsk] **I** *n* risque *m*; ***health ~*** risque pour la santé; ***to take ~s / a ~*** prendre des risques / un risque; ***to run the ~ of doing sth*** courir le risque de faire qc; ***"cars parked at owners' ~"*** "les voitures stationnées sont laissées à la responsabilité des propriétaires"; ***to be at ~*** être en danger; ***to put sb / sth at ~*** mettre qn / qc en danger; ***fire ~*** risque d'incendie **II** *v/t* risquer; ***you'll ~ losing your job*** vous risquez de perdre votre emploi **risky** ['rɪskɪ] *adj* risqué

risqué ['riːskeɪ] *adj* osé

> **risqué**
>
> Ce mot d'origine française a changé de sens en anglais: il signifie aujourd'hui osé :
>
> **His jokes were a bit too risqué for my taste.**
>
> Ses plaisanteries étaient un peu trop osées à mon goût.

rite [raɪt] *n* rite *m*; ***burial ~s*** les rites funéraires

ritual ['rɪtjʊəl] **I** *adj* **1.** rituel(le) **2.** *visit* rituel(le) **II** *n* rituel *m*

rival ['raɪvəl] **I** *n* rival(e) *m*(*f*) (*for* pour, *to* pour); COMM concurrent(e) *m*(*f*) **II**

adj groups rival; *claims* opposé **III** *v/t* COMM faire concurrence à; ***his achievements ~ yours*** ses succès font concurrence aux tiens **rivalry** ['raɪvəlrɪ] *n* rivalité *f*; COMM concurrence *f*

river ['rɪvə^r] *n* rivière *f*; (*bigger*) fleuve *m*; ***down ~*** en aval; ***up ~*** en amont; ***the ~ Seine*** la Seine **riverbed** *n* lit *m* de la rivière *or* du fleuve **riverside** *n* bord *m* de la rivière *or* du fleuve; ***on/by the ~*** au bord de la rivière

rivet ['rɪvɪt] **I** *n* rivet *m* **II** *v/t fig attention* river; ***his eyes were ~ed to the screen*** il avait les yeux rivés sur l'écran **riveting** ['rɪvɪtɪŋ] *adj* fascinant

road [rəʊd] *n* **1.** route *f*; ***by ~*** (*send sth*) par la route; (*travel*) en voiture; ***across the ~*** (***from us***) de l'autre côté de la route; ***my car is off the ~ just now*** ma voiture n'est pas en état de rouler en ce moment; ***this vehicle shouldn't be on the ~*** cette voiture ne devrait pas avoir le droit de rouler; ***to take to the ~*** prendre la route; ***to be on the ~*** (*traveling*) être sur la route; (*theater company*) être en tournée; ***is this the ~ to London?*** est-ce que c'est la route pour aller à Londres?; ***to have one for the ~*** *infml* boire un verre pour la route **2.** *fig* voie *f*; ***you're on the right ~*** tu es sur la bonne voie; ***on the ~ to ruin*** sur la voie de la perdition **road accident** *n* accident *m* de la route **roadblock** *n* barrage *m* (routier) **road hog** *n infml* chauffard(e) *m*(*f*) *infml* **road map** *n* carte *f* routière **road rage** *n* violence *f* au volant **road safety** *n* sécurité *f* routière **road show** *n* THEAT spectacle *m* de tournée **roadside** *n* bas-côté *m*, bord *m* de la route; ***by the ~*** sur le bord de la route **roadsign** *n* panneau *m* de signalisation routière **road tax** *n Br* ≈ vignette *f* automobile **road transport** *n* transport *m* routier **roadway** *n* chaussée *f* **roadwork** *n*, *Br* **roadworks** *pl* travaux *mpl* **roadworthy** *adj* en état de rouler

roam [rəʊm] **I** *v/t* errer; ***to ~ the streets*** vagabonder dans les rues **II** *v/i* errer

◆ **roam around** *v/i* vagabonder

roar [rɔːʳ] **I** *v/i* (*lion*) rugir; (*bull*) mugir; (*person*) hurler (***with*** de); (*wind, engine*) hurler; ***to ~ at sb*** vociférer contre qn **II** *v/t* (*a.* **roar out**) hurler; ***to ~ one's approval*** grogner en signe d'approbation **III** *n no pl* (*of lion*) rugissement *m*; (*of bull*) mugissement *m*; (*of person, wind, engine*) hurlement *m*; (*of traffic*) grondement *m*; ***~s of laughter*** des hurlements de rire; ***the ~s of the crowd*** les hurlements de la foule **roaring I** *adj lion* rugissant; ***a ~ success*** un succès retentissant; ***to do a ~ trade*** (***in sth***) faire des affaires en or (en vendant qc) **II** *n* = **roar** *III*

roast [rəʊst] **I** *n* rôti *m* **II** *adj pork* rôti; *potatoes* cuit au four; ***~ chicken*** poulet rôti; ***~ beef*** rôti de bœuf **III** *v/t meat* faire rôtir; *coffee beans* torréfier **IV** *v/i* **1.** (*meat*) rôtir **2.** (*infml: person*) étouffer *infml* **roasting** *adj* (*infml hot*) très chaud *infml* **roasting tin, roasting tray** *n* plat *m* à rôtir

rob [rɒb] *v/t person* voler; *bank* cambrioler; ***to ~ sb of sth*** voler qc à qn; ***I've been ~bed!*** au voleur!

robber ['rɒbəʳ] *n* voleur(-euse) *m*(*f*), cambrioleur(-euse) *m*(*f*)

robbery ['rɒbərɪ] *n* vol *m*; (*burglary*) cambriolage *m* (***of*** de); ***armed ~*** vol à main armée; ***bank ~*** cambriolage d'une banque

robe [rəʊb] *n* (*for monk, lawyer*) robe *f*; (*esp US: for house*) peignoir *m*

robin ['rɒbɪn] *n* rouge-gorge *m*

robot ['rəʊbɒt] *n* robot *m*

robust [rəʊ'bʌst] *adj* robuste; *cheese* corsé

rock[1] [rɒk] **I** *v/t* **1.** (*swing*) secouer; (*gently*) bercer **2.** (*shake*) *town, building* ébranler; *fig, infml* ***to ~ the boat*** *fig* jouer les trouble-fête **II** *v/i* **1.** (*gently*) se balancer **2.** (*violently: building, tree*) être ébranlé **III** *n* MUS rock *m*

rock[2] *n* **1.** (*substance*) pierre *f*; (*rock face*) rocher *m*; GEOL roche *f* **2.** (*large mass*) rocher *m*; (*smaller*) pierre *f*; ***the Rock*** (***of Gibraltar***) le Rocher (de Gibraltar); ***as solid as a ~*** *structure* solide comme un roc; *firm, marriage* très solide; ***on the ~s*** (*infml with ice*) avec des glaçons; (*marriage etc.*) branlant *infml*

rock bottom *n* ***to be at ~*** être au plus bas; ***to hit ~*** toucher le fond **rock-bottom** *adj infml* ***~ prices*** des prix les plus bas **rock-climber** *n* varappeur(-euse) *m*(*f*) **rock climbing** *n* escalade *f*, varappe *f* **rockery** ['rɒkərɪ] *n Br* rocaille *f*

rocket[1] ['rɒkɪt] **I** *n* fusée *f* **II** *v/i* (*prices*) monter en flèche

rocket[2] *n* (*Br* COOK) roquette *f*

rocket science *n lit* ***it's not ~*** *infml* ce n'est pas sorcier **rock face** *n* paroi *f* rocheuse **rock fall** *n* chute *f* de pierres **rock garden** *n* rocaille *f* **Rockies** ['rɒkɪz] *pl* ***the ~*** les Rocheuses **rocking chair** ['rɒkɪŋ] *n* rocking-chair *m*, fauteuil *m* à bascule **rocking horse** *n* cheval *m* à bascule **rock pool** *n* petit bassin *m* d'eau de mer **rock star** *n* MUS rock-star *f*

rocky[1] ['rɒkɪ] *adj (unsteady)* branlant

rocky[2] *adj mountain* rocheux(-euse); *road* rocailleux(-euse) **Rocky Mountains** *pl* ***the ~*** les Montagnes Rocheuses

rod [rɒd] *n* barre *f*; *(in machinery)* tige *f*; *(for fishing)* canne *f*

rode [rəʊd] *past* = **ride**

rodent ['rəʊdənt] *n* rongeur *m*

rodeo ['rəʊdɪəʊ] *n* rodéo *m*

roe[1] [rəʊ] *n* ⟨*pl* **-(s)**⟩ *(species: a.* **roe deer**) chevreuil *m*; ***~buck*** chevreuil mâle; ***~ deer*** *(female)* chevrette

roe[2] *n* ⟨*pl* **-**⟩ *(of fish)* laitance *f*

rogue [rəʊg] **I** *n (scoundrel)* vaurien(ne) *m(f)*; *(scamp)* canaille *f* **II** *adj* **1.** *(maverick)* solitaire **2.** *(abnormal)* véreux (-euse)

role [rəʊl] *n* rôle *m* **role model** *n* PSYCH modèle *m* **role-play I** *v/i* faire un jeu de rôle **II** *v/t* jouer **role-playing** *n* jeu *m* de rôle

roll [rəʊl] **I** *n* **1.** rouleau *m*; *(of flesh)* bourrelet *m* **2.** (COOK: *a.* **bread roll**) petit pain *m* **3.** *(of thunder)* grondement *m*; *(somersault,* AVIAT) tonneau *m*; *(of drums)* roulement *m*; ***to be on a ~*** *infml* être dans une période de chance **4.** *(register)* registre *m*; ***honor ~*** *US*, ***roll of honour*** *Br* *(in war)* liste des soldats morts au champ d'honneur; *(in school)* tableau d'honneur **II** *v/i* **1.** *(person, object)* rouler; *(ship)* tanguer; ***to ~ down the hill*** rouler dans la descente; ***tears were ~ing down her cheeks*** des larmes roulaient sur ses joues; ***to ~ in the mud*** se rouler dans la boue; ***he's ~ing in it*** *infml* il est plein aux as *infml* **2.** *(camera)* tourner **III** *v/t ball* faire rouler; *cigarette* rouler; *pastry* étirer; ***to ~ one's eyes*** lever les yeux au ciel; ***he ~ed himself in a blanket*** il s'est roulé dans une couverture; ***kitchen and dining room ~ed into one*** la cuisine et la salle à manger ne faisaient qu'une pièce ◆ **roll around** *v/i (balls)* rouler; *(person, dog)* se rouler; *(infml: with laughter)* être écroulé *infml* ◆ **roll back I** *v/t sep* réduire **II** *v/i* être réduit ◆ **roll down I** *v/i* se dérouler **II** *v/t sep window* baisser ◆ **roll out** *v/t sep pastry* étirer ◆ **roll over I** *v/i* se retourner; *(vehicle)* faire un tonneau; *(person)* se retourner **II** *v/t sep* retourner ◆ **roll up I** *v/i* ***~!*** approchez! **II** *v/t sep* enrouler; *sleeves* retrousser

roller ['rəʊləʳ] *n (for lawn)* rouleau *m*; *(for hair)* bigoudi *m*, rouleau *m*; ***to put one's hair in ~s*** se mettre des bigoudis **rollerball pen** *n* stylo *m* à bille **roller blind** *n Br* store *m* enrouleur **roller coaster** *n* montagnes *fpl* russes **roller skate** *n* patin *m* à roulettes **roller-skate** *v/i* faire du patin à roulettes **roller-skating** *n* patin *m* à roulettes **rolling** ['rəʊlɪŋ] *adj* **1.** *hills, landscape* vallonné **2.** *program* continu **rolling pin** *n* rouleau *m* à pâtisserie **rollneck** *n* col *m* roulé **rollneck(ed)** *adj* à col roulé **roll-on** *n* distributeur *m* à bille **rollover** *n (Br: in National Lottery)* ***~ week*** semaine de super-cagnotte; ***~ jackpot*** super-cagnotte **roll-up** *n (Br infml)* (cigarette *f*) roulée *f*

roly-poly ['rəʊlɪ'pəʊlɪ] *adj infml* rondelet(te)

ROM [rɒm] *n* IT *abbr* = **read only memory** ROM

Roman ['rəʊmən] **I** *n* **1.** Romain(e) *m(f)* **2.** (TYPO: *a.* **Roman type**) caractère *m* romain **II** *adj* romain; ***~ times*** époque romaine **Roman Catholic I** *adj* catholique; ***the ~ Church*** l'église romaine **II** *n* catholique *m/f* **Roman Catholicism** *n* catholicisme *m*

romance [rəʊ'mæns] **I** *n* **1.** *(brief)* flirt *m* **2.** *(love story)* histoire *f* d'amour **3.** *no pl* *(romanticism)* romantisme *m* **II** *adj* ***Romance*** *language etc.* roman

Romanesque [ˌrəʊmə'nesk] *adj* roman

Romania [rəʊ'meɪnɪə] *n* Roumanie *f* **Romanian I** *adj* roumain **II** *n* **1.** Roumain(e) **2.** *(language)* roumain *m*

Roman numeral *n* chiffre *m* romain

romantic [rəʊ'mæntɪk] *adj* romantique **romanticism** [rəʊ'mæntɪsɪzəm] *n* romantisme *m* **romanticize** [rəʊ'mæntɪsaɪz] *v/t* romancer

Romany ['rəʊmənɪ] **I** *n* **1.** tzigane *m/f* **2.** LING tzigane *m* **II** *adj culture* tzigane

Rome [rəʊm] *n* Rome; ***when in ~ (do as the Romans do)*** *(prov)* il faut s'adapter aux coutumes de chaque pays; **~ *wasn't built in a day*** (*Prov*) Rome ne s'est pas faite en un jour *prov*

romp [rɒmp] **I** *n* THEAT comédie *f*; (*sexual*) ébats *mpl* **II** *v/i* (*children*) jouer bruyamment; ***to ~ home*** (*win*) gagner; ***to ~ through sth*** gagner qc haut la main

roof [ruːf] *n* toit *m*; (*of tunnel*) plafond *m*; ***the ~ of the mouth*** la voûte du palais; ***without a ~ over one's head*** sans abri; ***to live under the same ~ as sb*** vivre sous le même toit que qn; ***to go through the ~*** (*infml*: *person*) grimper aux rideaux *infml*; (*prices etc.*) monter en flèche **roof rack** *n Br* galerie *f* **rooftop** *n* toit *m*; ***to shout sth from the ~s*** *fig* crier qc sur tous les toits *infml*

rook [rʊk] *n* **1.** (*bird*) corbeau *m* freux **2.** CHESS tour *f*

rookie ['rʊkɪ] *n* (*esp* MIL *sl*) bleu(e) *m*(*f*) *infml*

room [ruːm] *n* **1.** (*in building*) pièce *f*; (*public hall etc.*) salle *f* **2.** *no pl* (*space*) place *f*; *fig* marge *f*; ***there is ~ for two*** (***people***) il y a de la place pour deux (personnes); ***to make ~ for sb / sth*** faire de la place pour qn / qc; ***there is ~ for improvement*** les choses peuvent être améliorées; ***~ for maneuver*** *US*, ***room for manoeuvre*** *Br* marge de manœuvre **roomful** *n* ***a ~ of people*** une salle pleine de gens **roommate** *n US* colocataire *m*/*f*; (*Br*) colocataire *m*/*f*, coturne *m*/*f infml* **room service** *n* service *m* dans les chambres **room temperature** *n* température *f* ambiante **roomy** ['ruːmɪ] *adj* spacieux(-euse)

roost [ruːst] **I** *n* (*pole*) perchoir *m*; ***to come home to ~*** *fig* se retourner contre les responsables **II** *v/i* percher pour dormir

rooster ['ruːstəʳ] *n* coq *m*

root [ruːt] **I** *n* **1.** racine *f*; ***by the ~s*** par les racines; ***to take ~*** prendre racine; ***her ~s are in Scotland*** elle a des racines en Écosse; ***to put down ~s in a country*** s'installer pour longtemps dans un pays; ***to get to the ~(s) of the problem*** prendre le problème à la racine **2.** LING racine *f* **II** *v/i* prendre racine ◆ **root around** *v/i* fouiller (***for*** à la recherche de) ◆ **root for** *v/t insep* ***to ~ sb*** être de tout cœur avec qn ◆ **root out** *v/t sep fig* éradiquer

root beer *n US boisson gazeuse sans alcool à base de plantes* **rooted** *adj* enraciné; ***to stand ~ to the spot*** rester figé sur place **root vegetable** *n* légume-racine *m*

rope [rəʊp] *n* corde *f*; NAUT cordage *m*; ***to know the ~s*** *infml* connaître les ficelles (du métier); ***to show sb the ~s*** *infml* montrer à qn les ficelles du métier; ***to learn the ~s*** *infml* apprendre les ficelles du métier ◆ **rope in** *v/t sep* (*esp Br fig*) réquisitionner *infml*; ***how did you get roped into that?*** comment est-ce que tu t'es laissé embobiné là-dedans? *infml* ◆ **rope off** *v/t sep* fermer avec une corde

rope ladder *n* échelle *f* de corde

rosary ['rəʊzərɪ] *n* REL chapelet *m*

rose[1] [rəʊz] *past* = **rise**

rose[2] **I** *n* rose *f*; ***everything's coming up ~s*** *infml* tout baigne *infml*; ***to come up smelling of ~s*** *infml* ressortir blanc comme neige; ***that will put the ~s back in your cheeks*** *Br* cela va te remettre d'aplomb **II** *adj* rose

rosé ['rəʊzeɪ] **I** *adj* rosé **II** *n* rosé *m*

rosebush *n* rosier *m* **rosehip** *n* cynorhodon *m*

rosemary ['rəʊzmərɪ] *n* romarin *m*

rosette [rəʊ'zet] *n* rosette *f*

roster ['rɒstəʳ] *n* registre *m*

rostrum ['rɒstrəm] *n* ⟨*pl* **rostra**⟩ estrade *f*

rosy ['rəʊzɪ] *adj* rose; ***to paint a ~ picture of sth*** peindre un portrait idyllique de qc

rot [rɒt] **I** *n* **1.** pourriture *f*; ***to stop the ~*** arrêter les dégâts; ***then the ~ set in*** *fig* puis les choses sont allées de mal en pis **2.** (*Br infml nonsense*) balivernes *fpl infml* **II** *v/i* pourrir; (*teeth, plant*) pourrir; ***to ~ in jail*** moisir en prison **III** *v/t* faire pourrir

rota ['rəʊtə] *n Br* roulement *m*

rotary ['rəʊtərɪ] *adj* rotatif(-ive)

rotate [rəʊ'teɪt] **I** *v/t* faire tourner; *crops* alterner **II** *v/i* **1.** tourner **2.** (*take turns*) faire un roulement **rotating** [rəʊ'teɪtɪŋ] *adj* tournant **rotation** [rəʊ'teɪʃən] *n* rotation *f*; (*taking turns*) roulement *m*; ***in ~*** par roulement; ***crop ~*** rotation des cultures

rote [rəʊt] *n* ***by ~*** *learn* par cœur

rotten ['rɒtn] *adj* **1.** pourri; (*fig corrupt*) pourri; ***~ to the core*** *fig* pourri jusqu'à l'os; ***~ apple*** *fig* mauvais élément **2.** *infml* (*poor*) pourri *infml*; (*dreadful*) lamentable *infml*; (*mean*) pourri; ***to***

be ~ at sth être minable à qc; ***what ~ luck!*** quelle déveine!; ***that was a ~ trick*** c'était un tour dégueulasse; ***that's a ~ thing to say*** c'est vraiment dégueulasse de dire ça; ***to feel ~*** se sentir vraiment patraque; ***to look ~*** avoir mauvaise mine; ***to feel ~ about doing sth*** se sentir mal à l'idée de faire qc; ***to spoil sb ~*** pourrir qn *infml* **rotting** ['rɒtɪŋ] *adj* qui pourrit; *fruit* pourri

rotund [rəʊ'tʌnd] *adj person* aux formes rebondies; *object* rond

rough [rʌf] **I** *adj* **1.** *ground* accidenté; *surface*, *cloth* rugueux(-euse); *skin* rêche **2.** (*coarse*) *person*, *manners* fruste; *estimate* grossier(-ière), approximatif (-ive); ***~ sketch*** ébauche *f*; ***at a ~ guess*** à peu près; ***to have a ~ idea*** avoir une vague idée **3.** (*violent*) *person*, *treatment* brutal; *game*, *sport* violent; *neighborhood* chaud, violent; *sea* agité **4.** *infml* ***he had a ~ time (of it)*** il en a bavé *infml*; ***to give sb a ~ time*** en faire baver à qn *infml*; ***to get a ~ ride*** en baver *infml*; ***to give sb a ~ ride*** en faire baver à qn *infml*; ***when the going gets ~ …*** quand les choses vont mal …; ***to feel ~*** *Br* ne pas se sentir bien **II** *adv live* dans la rue; ***to sleep ~*** *Br* dormir à la dure **III** *n* **1.** ***to take the ~ with the smooth*** prendre les choses comme elles viennent **2.** (*draft*) brouillon *m*; ***in ~*** au brouillon **roughage** ['rʌfɪdʒ] *n* fibres *fpl* **rough-and-ready** *adj method* sommaire; *person* fruste **rough-and--tumble** *n* (*play*) chahut *m*; (*fighting*) bagarre *f* **rough copy** *n* copie *f* brute **rough draft** *n* brouillon *m* **roughen** ['rʌfn] *v/t skin*, *cloth* durcir; *surface* rendre rugueux(-euse) **roughly** ['rʌflɪ] *adv* **1.** (*not gently*) brutalement **2.** (*approximately*) environ; ***~ (speaking)*** en gros; ***~ half*** environ la moitié; ***~ similar*** à peu près pareil **roughness** *n* **1.** (*of ground*) caractère *m* accidenté; (*of surface*, *skin*, *cloth*) rugosité *f* **2.** (*coarseness*, *of person*, *manners*) rudesse *f* **rough paper** *n Br* (papier *m*) brouillon *m* **roughshod** *adv* ***to run ~ over sb/sth*** ne pas tenir compte de qn / qc

roulette [ruː'let] *n* roulette *f*

round [raʊnd] **I** *adj* rond; ***~ number*** chiffre rond **II** *adv esp Br* ***there was a wall right ~ or all ~*** il y avait un mur tout autour; ***you'll have to go ~*** tu vas devoir faire le tour; ***the long way ~*** le chemin le plus long; ***to go ~ and ~*** tourner en rond; ***I asked him ~ for a drink*** je l'ai invité à venir prendre un verre; ***I'll be ~ at 8 o'clock*** j'arriverai à 8h00; ***for the second time ~*** pour la deuxième fois; ***all year ~*** toute l'année; ***all ~*** *lit* globalement; (*esp Br fig: for everyone*) pour tout le monde **III** *prep* **1.** *esp Br* autour; ***all ~ the house*** (*inside*) dans toute la maison; (*outside*) tout autour de la maison; ***to look ~ a house*** visiter une maison; ***to show sb ~ a town*** faire visiter une ville à qn; ***they went ~ the cafés looking for him*** ils l'ont cherché dans tous les cafés **2.** (*approximately*) aux alentours de; ***~ (about*** *esp Br*) ***7 o'clock*** aux alentours de 7 heures; ***~ (about*** *esp Br*) ***$800*** aux alentours de 800 dollars **IV** *n* (*delivery round*) tournée *f*, (*of talks*) série *f*; SPORTS rencontre *f*; ***qualifying ~*** match de qualification; ***~(s)*** (*of policeman*) ronde(s); (*of doctor*) visite(s); ***to make the ~s*** (*story etc.*) faire le tour; ***he does a paper ~*** *Br* il distribue des journaux; ***a ~ (of drinks)*** une tournée; ***~ of ammunition*** cartouche; ***a ~ of applause*** des applaudissements; ***let's have a ~ of applause*** on les applaudit bien fort **V** *v/t* ***to ~ a corner*** tourner au coin; ***to ~ a bend*** prendre un virage ◆ **round down** *v/t sep number* arrondir au chiffre inférieur ◆ **round off** *v/t sep series*, *réunion* clore; *meal* terminer ◆ **round up** *v/t sep* **1.** *people* rameuter *infml*; *cattle* regrouper; *criminals* encercler **2.** *number* arrondir au chiffre supérieur

roundabout ['raʊndəbaʊt] **I** *adj answer* indirect; ***to come by a ~ route*** faire un détour; ***to say sth in a ~ way*** dire qc de manière détournée **II** *n* (*Br*: *in playground*) tourniquet *m*; AUTO rond-point *m* **rounded** *adj edges* arrondi; *shape* bombé **roundly** ['raʊndlɪ] *adv condemn*, *criticize* sans appel; ***~ defeated*** battu à plate couture **round-the-clock** *adj* 24 heures sur 24

round trip *n* aller-retour *m*

round-trip ticket *n US* AVIAT aller-retour *m* **roundup** *n* (*of cattle*) regroupement *m*; (*of people*) rassemblement *m*; ***a news ~*** le point sur l'actualité; ***our sports ~*** notre résumé sportif

rouse [raʊz] *v/t* **1.** (*from sleep etc.*) réveiller **2.** (*stimulate*) *person* stimuler; *admiration*, *interest* susciter; *hatred*, *suspi-*

cions déchaîner **rousing** ['raʊzɪŋ] *adj speech* mobilisateur(-trice); *music* exaltant

rout [raʊt] **I** *n* débâcle *f* **II** *v/t* mettre en déroute

route [ruːt, (*US*) raʊt] **I** *n* **1.** itinéraire *m*, chemin *m*; (*bus service*) trajet *m*; *fig* chemin *m* **2.** (*US delivery round*) trajet *m* **II** *v/t train* acheminer; *telephone call* transférer; IT router; ***my baggage was ~d through Amsterdam*** mes bagages ont été acheminés via Amsterdam

route ≠ voie de communication

Route = itinéraire :

I'm trying to get to Lyon, but I don't know the route.

Je vais à Lyon, mais je ne connais pas la route.

routine [ruː'tiːn] **I** *n* **1.** routine *f* **2.** DANCING enchaînement *m* **II** *adj* de routine; ***~ examination*** examen de routine; ***it was quite ~*** c'était assez banal; ***reports of bloodshed had become almost ~*** les comptes-rendus de massacres sont devenus chose banale **routinely** [ruː'tiːnlɪ] *adv use* régulièrement; *test* systématiquement

roving ['rəʊvɪŋ] *adj* ***he has a ~ eye*** il est coureur de jupon

row¹ [rəʊ] *n* rangée *f*; ***4 failures in a ~*** 4 défaites d'affilée; ***arrange them in ~s*** mettez-les en rangées

row² [rəʊ] **I** *v/t* ***to ~ a boat*** faire avancer une embarcation à la rame **II** *v/i* ramer; SPORTS faire de l'aviron

row³ [raʊ] **I** *n* (*Br infml*) (*noise*) vacarme *m*; (*quarrel*) dispute *f*; ***to make a ~*** faire du vacarme *infml*; ***to have a ~ with sb*** se disputer avec qn; ***to get a ~*** se faire engueuler *infml* **II** *v/i* (*quarrel*) se disputer

rowan ['raʊən] *n* sorbier *m*

rowboat ['rəʊˌbəʊt] *n US* barque *f*; SPORTS bateau *m* d'aviron

rowdy ['raʊdɪ] *adj* (*noisy*) tapageur (-euse); *football fans* chahuteur(-euse); *behavior* excité

rower ['rəʊəʳ] *n* **1.** rameur(-euse) *m(f)* **2.** (*rowing machine*) rameur *m*

row house ['rəʊˌhaʊs] *n US* ≈ maison *f* de ville

rowing¹ ['rəʊɪŋ] *n* aviron *m*

rowing² ['raʊɪŋ] *n* (*Br arguing*) disputes *fpl*

rowing boat ['rəʊɪŋ-] *n Br* barque *f*; SPORTS bateau *m* d'aviron **rowing machine** ['rəʊɪŋ-] *n* rameur *m*

royal ['rɔɪəl] **I** *adj* royal; ***the ~ family*** la famille royale **II** *n infml* membre *m* de la famille royale **Royal Air Force** *n Br* Royal Air Force *f* (*armée de l'air britannique*) **royal-blue** *adj* bleu roi **Royal Highness** *n* ***Your ~*** votre Altesse Royale **Royal Mail** *n Br* service *m* postal britannique **Royal Marines** *pl Br* force *f* d'infanterie marine britannique **Royal Navy** *Br n* Royal Navy *f* (*marine britannique*) **royalty** ['rɔɪəltɪ] *n* **1.** (*collectively*) royauté *f*; ***he's ~*** il est membre de la famille royale **2. royalties** *pl* (*from book*) droits *mpl* d'auteur

R.P. *abbr* = **received pronunciation** prononciation *f* standard

rpm *abbr* = **revolutions per minute** tr / mn

R.S.V.P. *abbr* = **répondez s'il vous plaît** R.S.V.P.

Rt. Hon. *Br abbr* = **Right Honourable**; ***the ~ John Williams MP*** le très honorable député John Williams

rub [rʌb] **I** *n* friction *f*; ***to give sth a ~*** frictionner qc **II** *v/t* frotter, frictionner; ***to ~ lotion into sth*** frictionner de la lotion sur qc; ***to ~ one's hands*** (***together***) se frotter les mains; ***to ~ sb's nose in sth*** *fig* mettre à qn le nez dans qc *infml*; ***to ~ elbows*** (*esp US*) *or* ***shoulders*** (*esp Br*) ***with all sorts of people*** *fig* fréquenter toutes sortes de gens; ***to ~ sb the wrong way*** *US* prendre qn à rebrousse-poil **III** *v/i* frotter (***against*** contre); (*collar*) frotter; ***the cat ~bed against my legs/ the tree*** le chat s'est frotté contre ma jambe/l'arbre ◆ **rub down** *v/t sep person* frictionner ◆ rub in *v/t sep* **1.** *lotion* faire pénétrer (***-to*** dans) **2.** *fig* ***don't rub it in!*** n'en rajoute pas! ◆ **rub off** *v/i* enlever (en frottant); ***to ~ on sb*** *fig* déteindre sur qn ◆ **rub out** *v/t sep US* (*kill*) descendre *infml*; *Br* (*with eraser*) effacer ◆ **rub up I** *v/t sep* ***to rub sb up the wrong way*** *Br* prendre qn à rebrousse-poil **II** *v/i* ***the cat rubbed up against my leg*** le chat s'est frotté contre ma jambe

rubber ['rʌbəʳ] **I** *n* (*material*) caoutchouc *m*; (*US sl contraceptive*) capote *f infml*; (*Br eraser*) gomme *f* **II** *adj* en caoutchouc **rubber band** *n* élastique *m* **rubber dinghy** *n* canot *m* pneumatique **rubber stamp** *n* tampon *m* en caoutchouc **rubber-stamp** *v/t fig, infml* approuver **rubbery** ['rʌbərɪ] *adj material* caoutchouteux(-euse)

rubbish ['rʌbɪʃ] *esp Br* **I** *n* **1.** ordures *fpl*; (*fig trashy record etc.*) camelote *f*; ***household ~*** ordures ménagères **2.** (*infml nonsense*) âneries *fpl*, conneries *fpl sl*; ***don't talk ~!*** arrête de dire des âneries!; ***this film was ~***; le film était nul **II** *attr infml* **1.** = **rubbishy 2.** ***I'm ~ at it*** je suis nul pour ça *infml* **rubbish bin** *n Br* poubelle *f* **rubbish collection** *n Br* ramassage *m* des ordures **rubbish dump** *n Br* décharge *f* **rubbishy** ['rʌbɪʃɪ] *adj* (*Br infml*) *goods* de mauvaise qualité; *movie, ideas* nul(le) *infml*

rubble ['rʌbl] *n* décombres *fpl*; (*smaller pieces*) gravats *mpl*

ruby ['ruːbɪ] **I** *n* (*stone*) rubis *m* **II** *adj* de rubis

ruck [rʌk] *n* (*wrinkle*) pli *m* ◆ **ruck up** *v/i* (*shirt etc.*) froisser; (*rug*) redonner forme à

rucksack ['rʌksæk] *n esp Br* sac *m* à dos

ruckus ['rʌkəs] *n infml* boucan *m infml*

rudder ['rʌdəʳ] *n* gouvernail *m*

ruddy ['rʌdɪ] *adj complexion* rougeaud

rude [ruːd] *adj* **1.** (*impolite*) impoli, mal élevé; (*stronger*) grossier(-ière); (*rough*) fruste; ***to be ~ to sb*** être impoli avec qn; ***it's ~ to stare*** c'est mal élevé de fixer les gens; ***don't be so ~!*** ne sois pas grossier! **2.** (*obscene*) obscène; ***a ~ gesture*** un geste obscène **3.** *reminder* brutal **rudely** ['ruːdlɪ] *adv* **1.** (*impolitely*) de façon impolie; (*stronger*) grossièrement; (*roughly*) brutalement **2.** (*obscenely*) avec obscénité **3.** *remind* brutalement **rudeness** ['ruːdnɪs] *n* (*impoliteness*) impolitesse *f*, manque *m* d'éducation; (*stronger*) grossièreté *f*

> **rude ≠ rude**
>
> **Rude** = grossier, mal élevé :
>
> × **He had a rude voice.**
> ✓ **The shop assistant was quite rude.**
>
> Le vendeur a été très grossier.

rudimentary [ˌruːdɪ'mentərɪ] *adj equipment, system* rudimentaire; ***~ knowledge*** connaissances de base **rudiments** ['ruːdɪmənts] *pl* rudiments *mpl*

rueful ['ruːfʊl] *adj* contrit, coupable

ruffian ['rʌfɪən] *n* voyou *m*; (*violent*) brute *f*

ruffle ['rʌfl] *v/t* **1.** *hair* ébouriffer; *feathers* hérisser; *surface* froisser; ***the bird ~d (up) its feathers*** l'oiseau secoua ses plumes **2.** (*fig upset*) agacer; ***to ~ sb's feathers*** froisser qn **ruffled** *adj* **1.** (*flustered*) froissé **2.** *bedclothes* froissé; *hair* ébouriffé **3.** *shirt* froissé

rug [rʌg] *n* **1.** tapis *m*; ***to pull the ~ from under sb*** *fig* faire échouer les projets de qn **2.** (*blanket*) couverture *f*

rugby ['rʌgbɪ] *n* (*a.* **rugby football**) rugby *m*

rugged ['rʌgɪd] *adj* accidenté; *mountains* escarpé; *features* rude

ruin ['ruːɪn] **I** *n* **1.** *no pl* (*of thing, person*) ruine *f*; (*of event*) effondrement *m*; (*financial, social*) ruine *f*; ***the palace was going to ~*** or ***falling into ~*** le palais tombait en ruine; ***to be the ~ of sb*** être la ruine de qn **2.** (*building*) ruine *f*; ***~s*** (*of building*) les ruines; (*of hopes*) les restes; ***to be*** or ***lie in ~s*** *lit* être en ruine; *fig* être anéanti **II** *v/t* (*destroy*) détruire; (*financially, socially*) ruiner; (*spoil*) gâcher **ruined** ['ruːɪnd] *adj* **1.** *building* en ruine **2.** *career* terminé, fichu *infml*

rule [ruːl] **I** *n* **1.** règle *f*; ADMIN règlement *m*; ***to play by the ~s*** respecter les règles; ***to bend the ~s*** faire une entorse au règlement; ***to be against the ~s*** être contre le règlement; ***to do sth by ~*** faire qc dans les règles; ***as a ~ of thumb*** en règle générale **2.** (*authority*) administration *f*; (*period*) règne *m*; ***the ~ of law*** l'autorité de la loi **II** *v/t* **1.** (*govern*) régner; *fig emotions etc.* dominer; ***to ~ the roost*** *fig* faire la loi *infml*; ***to be ~d by emotions*** agir sous l'influence de ses émotions; ***he let his heart ~ his head*** il laissait son cœur dominer son esprit **2.** JUR, ADMIN déclarer **3.** *line* tracer; ***~d paper*** papier réglé **III** *v/i* **1.** (*reign*) régner (***over*** sur) **2.** JUR statuer, rendre un jugement (*against* contre, *in favor of* en faveur de, *on* sur) ◆ **rule out** *v/t sep fig* exclure

ruler ['ruːləʳ] *n* **1.** (*for measuring*) règle *f* **2.** (*sovereign*) dirigeant(e) *m*(*f*) **ruling**

['ruːlɪŋ] **I** *adj body* dirigeant; ***the ~ party*** le parti au pouvoir **II** *n* ADMIN, JUR décision *f*, jugement *m*

rum [rʌm] *n* rhum *m*

Rumania *etc.* [ruː'meɪnɪə] = **Romania** *etc.*

rumble ['rʌmbl] **I** *n* (*of thunder*) roulement *m*; (*of stomach*) gargouillement *m*; (*of train*) grondement *m* **II** *v/i* (*thunder*) gronder; (*stomach*) gargouiller; (*train*) gronder

ruminate ['ruːmɪneɪt] *v/i fig* ruminer (***over, about, on*** à propos de)

rummage ['rʌmɪdʒ] **I** *n* **1.** ***to have a ~ in sth*** fouiller qc **2.** **~** (***sale***) *vente d'objets d'occasion au profit d'une œuvre caritative* **II** *v/i* (*a.* **rummage around**) fureter (*among*, *in* dans, *for* à la recherche de)

rumor, *Br* **rumour** ['ruːməʳ] **I** *n* rumeur *f*; ***~ has it that …*** le bruit court que …; ***there are ~s of war*** il y a des rumeurs de guerre **II** *v/t* ***it is ~ed that …*** le bruit court que …; ***he is ~ed to be in San Fransisco*** le bruit court qu'il est à San Francisco; ***he is ~ed to be rich*** d'après la rumeur, il serait riche

rump [rʌmp] *n* croupe *f*; (*infml*: *of person*) croupe *f*; ***~ steak*** rumsteck

rumple ['rʌmpl] *v/t* (*a.* **rumple up**) *clothes* froisser **rumpled** *adj clothes* froissé; *hair* décoiffé

rumpus ['rʌmpəs] *n infml* boucan *m infml*; ***to make a ~*** (*make noise*) faire du boucan *infml*; (*complain*) faire du potin *infml* **rumpus room** *n US* salle *f* de jeu

run [rʌn] *vb* ⟨*past* **ran**⟩⟨*past part* **run**⟩ **I** *n* **1.** course *f*; ***to go for a 2 mile ~*** aller courir 2 miles; ***he set off at a ~*** il est parti en courant; ***to break into a ~*** se mettre à courir; ***to make a ~ for it*** s'enfuir en courant; ***on the ~*** (*from the police etc.*) en cavale *infml*; ***we have them on the ~!*** nous avons réussi à les inquiéter!; ***they gave them a ~ for their money*** *infml* ils en ont eu pour leur argent *infml* **2.** (*route*) trajet; ***the school run*** les trajets pour emmener les enfants à l'école; ***in the long / short ~*** à long / court terme **3.** ***to have the ~ of a place*** avoir un lieu à sa disposition **4.** (*series*) série *f*; ***the play had a three-month ~*** la pièce est restée à l'affiche pendant trois mois; ***a ~ of bad luck*** une série noire **5.** (*great demand*) ***~ on*** rush sur **6.** piste *f* ***ski ~*** piste de ski **7.** (*enclosure*) enclos *m* **8.** (*infml diarrhea*) ***the ~s*** la courante *infml* **II** *v/i* **1.** courir; (*flee*) s'enfuir; ***she came ~ning out*** elle est sortie en courant; ***he's trying to ~ before he can walk*** *fig* il veut mettre la charrue avant les bœufs; ***to ~ for the bus*** courir pour attraper le bus; ***she ran to meet him*** elle a couru à sa rencontre; ***she ran to help him*** elle a couru à son aide; ***to ~ for one's life*** se sauver en courant; ***~ for it!*** sauvez-vous! **2.** (*story*) être publié; (*lyrics*) dire; ***he ran down the list*** il a parcouru la liste; ***a shiver ran down her spine*** un frisson lui a parcouru le dos; ***to ~ in the family*** être de famille **3.** (*as candidate*) se présenter; ***to ~ for President*** se présenter à la présidence **4.** ***I'm ~ning late*** je suis en retard; ***all planes are ~ning late*** tous les avions ont du retard; ***the project is ~ning late / to schedule*** le projet a du retard / est dans les temps; ***supplies are ~ning low*** les réserves sont en baisse; ***his blood ran cold*** son sang s'est glacé dans ses veines; ***to ~ dry*** (*river*) s'assécher; ***to be ~ning at*** (*stand*) se trouver à; ***interest rates are ~ning at record levels / 15%*** les taux d'intérêt ont atteint des niveaux record / 15% **5.** (*water, tears, tap, nose*) couler; (*river, electric current*) passer; (*eyes*) pleurer; (*paint*) couler; (*dye*) déteindre; ***where the river ~s into the sea*** à l'endroit où le fleuve se jette dans la mer **6.** (*play, contract*) durer; ***the expenditure ~s into thousands of dollars*** les dépenses s'élèvent à des milliers de dollars **7.** (*bus etc.*) circuler; ***the train doesn't ~ on Sundays*** le train ne circule pas le dimanche **8.** (*function*) marcher; IT fonctionner ***to ~ on diesel*** marcher au diesel; ***the radio ~s off batteries*** la radio marche avec des piles; ***things are ~ning smoothly*** les choses se déroulent bien **9.** (*road*) passer; ***to ~ around sth*** (*wall etc.*) faire le tour de qc; ***the railway line ~s for 300 miles*** la voie ferrée se poursuit sur 300 miles; ***to ~ through sth*** (*theme*) passer qc en revue **III** *v/t* **1.** ***to ~ errands*** faire des courses; ***to ~ its course*** suivre son cours; ***to ~ a temperature*** avoir de la température; ***to ~ sb off his feet*** *infml* épuiser qn *infml*; ***I'll run a bath for you*** je vais te faire couler un bain **2.** *vehicle* entretenir; *extra buses* faire circuler; ***he ran the car***

into a tree il est rentré dans un arbre avec la voiture; ***this company ~s a bus service*** cette société opère un service de bus **3.** *machine* faire fonctionner; *computer* utiliser; *software* exécuter; *program* lancer; *test* faire; ***I can't afford to ~ a car*** je n'ai pas les moyens d'avoir une voiture; ***this car is cheap to ~*** cette voiture ne revient pas cher **4.** (*manage*) diriger; *store* faire tourner; (*organize*) *course of study*, *competition* organiser; ***he ~s a small hotel*** il gère un petit hôtel; ***I want to ~ my own life*** je veux mener ma vie seul; ***she's the one who really ~s everything*** c'est elle qui gère tout **5.** ***to ~ one's fingers over sth*** passer les doigts sur qc; ***to ~ one's fingers through one's hair*** se passer les doigts dans les cheveux **6.** *rope*, *pipe* faire passer **7.** PRESS *article* publier **8.** *movie* passer ◆ **run about** *v/i Br* = **run around** ◆ **run across I** *v/i lit* traverser **II** *v/t insep person* rencontrer; *object* tomber sur ◆ **run after** *v/t insep* courir après ◆ **run along** *v/i* y aller; ***~!*** va t'en! ◆ **run around** *v/i* courir ◆ **run away** *v/i* **1.** s'enfuir; (*from home*) faire une fugue **2.** (*water*) s'échapper ◆ **run away with** *v/t insep prize* remporter; ***he lets his enthusiasm ~ him*** il se laisse dépasser par son enthousiasme ◆ **run back I** *v/i lit* revenir en courant **II** *v/t sep person* ramener ◆ **run down I** *v/i* **1.** (*lit*: *person*) descendre en courant **2.** (*battery*) être à plat **3.** (*supplies*) s'épuiser **II** *v/t sep* **1.** (*knock down*) heurter; (*run over*) renverser **2.** *stocks* épuiser **3.** (*disparage*) critiquer ◆ **run in** *v/i lit* entrer en courant ◆ **run into** *v/t insep* (*meet*) tomber sur; (*collide with*) rentrer dans; ***to ~ trouble*** rencontrer des difficultés; ***to ~ problems*** avoir des problèmes ◆ **run off I** *v/i* = **run away** *I1* **II** *v/t sep copy* imprimer, tirer ◆ **run on** *v/i* **1.** *lit* continuer à courir **2.** *fig* continuer, se poursuivre; ***it ran on for four hours*** cela a continué pendant des heures **3.** ***time is running on*** l'heure tourne ◆ **run out** *v/i* **1.** (*person*) ne plus avoir; (*liquid*) s'épuiser; (*through leak*) s'échapper **2.**; (*supplies*) s'épuiser; ***time ran out*** il n'y avait plus assez de temps ◆ **run out of** *v/t insep* ***he ran out of supplies*** ses provisions se sont épuisées; ***I ran out of gas*** je suis tombé en panne d'essence; ***she ran out of time*** elle n'a pas eu assez de temps; ***we're running out of time*** nous n'allons pas avoir assez de temps ◆ **run over I** *v/i* **1.** (*to neighbor etc.*) courir chez **2.** (*overflow*) déborder **II** *v/t insep details* passer en revue; *notes* parcourir **III** *v/t sep* (*in vehicle*) renverser ◆ **run through I** *v/i lit* courir à travers **II** *v/t insep* **1.** *play* répéter; *ceremony*, *list* récapituler **2.** = **run over** *II* ◆ **run to** *v/t insep* ***the poem runs to several hundred lines*** le poème a plusieurs centaines de vers ◆ **run up I** *v/i lit* monter en courant; (*approach quickly*) se précipiter (**to** vers); ***to ~ against difficulties*** se heurter à des difficultés **II** *v/t sep* **1.** *flag* hisser **2.** ***to ~ a huge bill*** avoir une grosse facture; ***to ~ a debt*** accumuler des dettes

runaround ['rʌnəraʊnd] *n infml* ***to give sb the ~*** se défiler *infml* **runaway** ['rʌnəweɪ] **I** *n* fugueur(-euse) *m(f)* **II** *adj* **1.** *person* fugueur(-euse); *horse* emballé; ***a ~ train*** un train fou **2.** *fig winner* incontesté; ***a ~ success*** une réussite éclatante **rundown** ['rʌndaʊn] *n infml* ***to give sb a ~ on sth*** faire un bref exposé de qc à qn **run-down** [ˌrʌn'daʊn] *adj* (*dilapidated*) délabré; (*tired*) fatigué

rung[1] [rʌŋ] *past part* = **ring**[2]

rung[2] *n* (*of ladder*) barreau *m*

run-in ['rʌnɪn] *n infml* prise *f* de bec *infml*; (*stronger*) empoignade *f* **runner** ['rʌnə^r] *n* **1.** (*athlete*) coureur(-euse) *m(f)* **2.** (*on skate*) patin *m*; (*for drawer*) coulisse *f* **3.** ***to do a ~*** (*Br infml*) se tirer *infml* **runner bean** *n Br* haricot *m* d'Espagne **runner-up** ['rʌnər'ʌp] *n* second(e) *m(f)*; ***the runners-up*** l'équipe placée deuxième au classement **running** ['rʌnɪŋ] **I** *n* **1.** course *f*; ***to be in the ~*** avoir des chances de gagner; ***to be out of the ~*** n'avoir aucune chance de gagner **2.** (*management*) direction *f*; (*of country*, *store*) gestion *f*; (*of course*) organisation *f* **3.** (*of machine*) fonctionnement *m* **II** *adj water* courant; *tap* ouvert **III** *adv* (**for**) ***five days ~*** pendant cinq jours de suite; ***for the third year ~*** pour la troisième année consécutive; ***sales have fallen for the third year ~*** les ventes ont chuté pour la troisième année consécutive **running battle** *n fig* éternel combat *m* **running commentary** *n* RADIO, TV commentaire *m* en direct **running costs** *pl* coûts *mpl* d'exploitation; (*of car*) coût *m* d'entretien **running mate** *n* (*US* POL) candidat(e) *m*(*f*) à la vice-présidence **running shoe** *n* chaussures *fpl* de jogging **running total** *n* total *m* cumulé; ***to keep a ~ of sth*** *lit* calculer le total cumulé de qc; *fig* faire ses comptes **runny** ['rʌnɪ] *adj egg* baveux(-euse); *nose* qui coule; *eyes* qui pleurent; *sauce* liquide **run-of-the-mill** *adj* ordinaire **run-through** *n* répétition *f*; ***let's have a final ~*** nous allons faire une dernière répétition **run-up** *n* SPORTS course *f* d'élan; *fig* course *f*; ***in the ~ to the election*** durant la course aux élections **runway** *n* AVIAT piste *f*; (*US* FASHION) passerelle *f*

rupture ['rʌptʃəʳ] **I** *n* rupture *f* **II** *v/t* rompre; ***to ~ oneself*** *infml* se faire une hernie **III** *v/i* se rompre; *organ*, *pipe* éclater **ruptured** *adj pipe* éclaté

rural ['rʊərəl] *adj* rural; *landscape* champêtre; ***~ land*** campagne **rural life** *n* vie *f* rurale **rural population** *n* population *f* rurale

ruse [ruːz] *n* ruse *f*

rush [rʌʃ] **I** *n* **1.** (*of crowd*) bousculade *f*; (*of air*) bouffée *f*; ***they made a ~ for the door*** il y a eu une bousculade vers la porte; ***there was a ~ for the seats*** tout le monde s'est précipité sur les places assises; ***there's been a ~ on these goods*** il y a eu une ruée sur ces marchandises; ***the Christmas ~*** la ruée de Noël; ***a ~ of orders*** un afflux de commandes; ***she had a ~ of blood to the head*** le sang lui est monté à la tête **2.** (*hurry*) hâte *f*; (*stronger*) précipitation *f*; ***to be in a ~*** être pressé; ***I did it in a ~*** je l'ai fait à la hâte; ***is there any ~ for this?*** est-ce que c'est urgent?; ***it all happened in such a ~*** tout s'est passé tellement vite **II** *v/i* (*hurry*) se presser, se dépêcher; (*stronger*) se précipiter, se ruer; (*run*) courir; (*wind*, *water*) s'engouffrer; ***they ~ed to help her*** ils se sont précipités pour l'aider; ***I'm ~ing to finish it*** je me dépêche de finir ça; ***don't ~, take your time*** ne vous pressez pas, prenez votre temps; ***you shouldn't just go ~ing into things*** tu ne devrais pas te précipiter pour faire les choses; ***to ~ through*** *town* traverser à toute allure; *work* faire à la va-vite; ***to ~ past*** (*person*) passer en courant; (*vehicle*) passer en trombe; ***to ~ in*** *etc.* se précipiter à l'intérieur; ***the ambulance ~ed to the scene*** l'ambulance s'est précipitée sur les lieux; ***the blood ~ed to his face*** il a rougi **III** *v/t* **1.** (*do hurriedly*) hâter; (*do badly*) bâcler *pej*; (*force to hurry*) presser; ***to be ~ed off one's feet*** *Br* être débordé *infml*; ***to ~ sb to the hospital*** transporter qn d'urgence à l'hôpital **2.** (*charge at*) sauter sur ◆ **rush about** *v/i Br* = **rush around** ◆ **rush at** *v/t insep lit* se précipiter vers **rush around** *v/i* se dépêcher ◆ **rush down** *v/i* (*person*) descendre vite; (*very fast*, *also water etc.*) dévaler ◆ **rush out I** *v/i* sortir en courant; ***he rushed out and bought one*** il s'est précipité pour en acheter un **II** *v/t sep troops*, *supplies* envoyer d'urgence ◆ **rush through** *v/t sep order* traiter en priorité; *legislation* adopter rapidement

rushed [rʌʃt] *adj* **1.** *meal* précipité; *decision* hâtif(-ive) **2.** (*busy*) débordé

rush hour(s) *n pl* heure(s) *f*(*pl*) de pointe; ***rush-hour traffic*** la circulation aux heures de pointe **rush job** *n* travail *m* fait en vitesse; (*pej bad work*) travail *m* bâclé *infml*

Russia ['rʌʃə] *n* Russie *f*

Russian ['rʌʃən] **I** *adj* russe **II** *n* **1.** Russe *m/f* **2.** LING russe *m*

rust [rʌst] **I** *n* rouille *f* **II** *v/t lit* faire rouiller **III** *v/i* rouiller **rusted** ['rʌstɪd] *adj esp US* rouillé

rustic ['rʌstɪk] *adj* rustique; *style* campagnard

rustiness ['rʌstɪnɪs] *n* rouille *f*; *fig* manque *m* d'entraînement (***of*** de)

rustle ['rʌsl] **I** *n* frémissement *m*; (*of foliage*) bruissement *m* **II** *v/i* (*leaves*, *papers*) bruire; (*foliage*, *skirts*) faire un bruit léger ◆ **rustle up** *v/t sep infml meal* préparer vite fait *infml*; *money* se débrouiller pour trouver; ***can you ~ a cup of coffee?*** est-ce que tu peux faire une tasse de café?

rustler ['rʌsləʳ] *n* (*cattle thief*) voleur (-euse) *m*(*f*) de bétail **rustling** ['rʌslɪŋ] **I** *adj* ***~ leaves*** le bruissement des feuilles **II** *n* **1.** (*of leaves*, *paper*) bruissement *m*; (*of fabric*) froufrou *m* **2.** (*cattle theft*) vol *m* de bétail

rustproof ['rʌstpruːf] *adj* antirouille

rusty ['rʌstɪ] *adj lit* rouillé; ***I'm a bit ~*** je suis un peu rouillé; ***to get ~*** *lit* rouiller; (*fig: person*) perdre la main

rut [rʌt] *n* (*in path*) ornière *f*; *fig* impasse *f*; ***to be in a ~*** *fig* s'encroûter *infml*; ***to get into a ~*** *fig* tomber dans la routine
rutabaga [ˌruːtəˈbeɪgə] *n US* rutabaga *m*
ruthless [ˈruːθlɪs] *adj person*, *deed* intraitable; *treatment* impitoyable **ruthlessly** *adv suppress* impitoyablement; ***~ ambitious*** d'une ambition impitoyable **ruthlessness** *n* (*of person*, *deed*) caractère *m* intraitable; (*of treatment*) caractère *m* impitoyable
RV *US abbr* = **recreational vehicle** camping-car *m*
Rwanda [rʊˈændə] *n* Rwanda *m*
rye [raɪ] *n* (*grain*) seigle *m* **rye whiskey** *n US* whisky *m* (*à base de seigle*)

S

S, s [es] *n* S, s *m*
's 1. ***he's*** = **he is / has**; ***what's*** = **what is / has / does? 2.** ***John's book*** le livre de John; ***my brother's car*** la voiture de mon frère; ***at the butcher's*** à la boucherie **3.** ***let's*** = **let us**
Sabbath [ˈsæbəθ] *n* sabbat *m*
sabotage [ˈsæbətɑːʒ] **I** *n* sabotage *m* **II** *v/t* saboter **saboteur** [ˌsæbəˈtɜːʳ] *n* saboteur(-euse) *m(f)*
saccharin(e) [ˈsækərɪn] *n* saccharine *f*
sachet [ˈsæʃeɪ] *n US* sachet *m*; *Br* (*of shampoo*) dosette *f*
sack [sæk] **I** *n* **1.** sac *m*; ***2 ~s of coal*** deux sacs de charbon **2.** *infml* ***to hit the ~*** aller se pieuter *sl* **3.** (*Br infml*) ***to get the ~*** se faire virer *infml*; ***to give sb the ~*** virer qn *infml* **II** *v/t* (*Br infml dismiss*) virer *infml* **sackful** [ˈsækfʊl] *n* sac *m* plein; ***two ~s of potatoes*** deux sacs de pommes de terre **sacking** [ˈsækɪŋ] *n* (*Br infml dismissal*) renvoi *m*
sacrament [ˈsækrəmənt] *n* sacrement *m*
sacred [ˈseɪkrɪd] *adj* sacré; *building*, *rite* religieux(-euse), sacré
sacrifice [ˈsækrɪfaɪs] **I** *n* sacrifice *m*; ***to make ~s*** faire des sacrifices **II** *v/t* sacrifier (***sth to sb*** qc à qn) **sacrificial** [ˌsækrɪˈfɪʃəl] *adj* du sacrifice
sacrilege [ˈsækrɪlɪdʒ] *n* sacrilège *m*
SAD MED *abbr* = **seasonal affective disorder** dépression *f* saisonnière, TAS *m* (trouble affectif saisonnier)
sad [sæd] *adj* ⟨**+er**⟩ **1.** triste; *loss* douloureux(-euse); ***to feel ~*** être triste; ***he was ~ to see her go*** il était triste de la voir partir **2.** (*infml pathetic*) minable *infml* **sadden** [ˈsædn] *v/t* attrister
saddle [ˈsædl] **I** *n* selle *f* **II** *v/t* **1.** *horse* seller **2.** *infml* ***to ~ sb with sb / sth*** refiler qc à qn / qc *infml*; ***to ~ oneself with sb / sth*** se mettre qn / qc sur les bras *infml*; ***how did I get ~d with him?*** comment est-ce que je me suis retrouvé avec lui sur les bras? *infml* **saddlebag** *n* sacoche *f* (de selle)
sadism [ˈseɪdɪzəm] *n* sadisme *m* **sadist** [ˈseɪdɪst] *n* sadique *m/f* **sadistic** [səˈdɪstɪk] *adj* sadique **sadistically** [səˈdɪstɪkəlɪ] *adv* avec sadisme
sadly [ˈsædlɪ] *adv* **1.** avec tristesse; ***she will be ~ missed*** elle sera regretté de tous **2.** (*unfortunately*) malheureusement **3.** (*woefully*) tristement; ***to be ~ mistaken*** se tromper lourdement **sadness** *n* tristesse *f*; ***our ~ at his death*** la tristesse que nous avons éprouvée à sa mort
s.a.e. *Br abbr* = **stamped addressed envelope**
safari [səˈfɑːrɪ] *n* safari *m*; ***to be on ~*** faire un safari; ***to go on ~*** aller faire un safari **safari park** *n* réserve *f* d'animaux sauvages
safe¹ [seɪf] *n* coffre-fort *m*
safe² *adj* ⟨**+er**⟩ sûr; (*out of danger*) en sécurité; (*not dangerous*) pas dangereux(-euse); *method* sans risque; ***to keep sth ~*** garder qc en lieu sûr; ***~ trip!*** soyez prudents!; ***thank God you're ~*** Dieu merci tu n'as rien; ***~ and sound*** sain(e) et sauf(sauve); ***the secret is ~ with me*** avec moi, le secret est bien gardé; ***not ~*** dangereux; ***is it ~ to light a fire?*** est-ce que l'on peut faire du feu sans risque?; ***it is ~ to eat*** on peut le manger sans risque; ***it is ~ to assume or a ~ assumption that …*** on peut supposer sans trop s'avancer que…; ***it's ~ to say that …*** on peut dire à coup sûr que…; ***to be on the ~ side*** pour plus de sûreté; ***better ~ than sorry*** deux pré-

cautions valent mieux qu'une *prov* **safe-conduct** *n* sauf-conduit *m* **safe-deposit box** *n* coffre(-fort) *m* (*à la banque*) **safeguard I** *n* garantie *f*, sauvegarde *f* **II** *v/t* sauvegarder (***against*** contre); *interests* protéger **III** *v/i* ***to ~ against sth*** se protéger contre qc **safe haven** *n fig* refuge *m* **safe keeping** *n* ***in ~*** en lieu sûr; ***to give sb sth for ~*** confier qc à qn **safely** ['seɪflɪ] *adv* (*unharmed*) sans encombre; (*without risk*) sans risque; (*not dangerously*) sans danger; ***we were all ~ inside*** nous étions tous en sécurité à l'intérieur; ***I think I can ~ say …*** je pense que je peux dire avec certitude que …; ***the election is now ~ out of the way*** les élections sont derrière nous; ***to put sth away ~*** ranger qc en lieu sûr; ***once the children are ~ tucked up in bed*** quand les enfants seront au lit **safe passage** *n* libre passage *m* **safe seat** *n* (*Br* POL) *siège de député qui va habituellement toujours au même parti* **safe sex** *n* rapports *mpl* sexuels protégés

safety ['seɪftɪ] *n* sécurité *f*; ***for his (own) ~*** pour sa (propre) sécurité; ***(there's) ~ in numbers*** plus on est nombreux, moins il y a de danger; ***to reach ~*** être en sécurité; ***when we reached the ~ of the opposite bank*** lorsque nous avons été en sécurité sur l'autre berge **safety belt** *n* ceinture *f* de sécurité **safety catch** *n* (*on gun*) cran *m* de sûreté **safety harness** *n* harnais *m* de sécurité **safety margin** *n* marge *f* de sécurité **safety measure** *n* mesure *f* de sécurité **safety net** *n* filet *m* (de protection) **safety pin** *n* épingle *f* de sûreté **safety precaution** *n* mesure *f* de sécurité **safety technology** *n* matériel *m* de sécurité

saffron ['sæfrən] *n* safran *m*

sag [sæg] *v/i* (*in the middle*) s'affaisser; (*shoulders*) s'affaisser; (*spirit*) faiblir

saga ['sɑːgə] *n* saga *f*; *fig* feuilleton *m*

sage [seɪdʒ] *n* BOT sauge *f*

sagging ['sægɪŋ] *adj* **1.** *ceiling* affaissé; *rope* détendu **2.** *skin* distendu **saggy** ['sægɪ] ⟨**+er**⟩ *adj mattress* défoncé; *bottom* flasque

Sagittarius [ˌsædʒɪ'tɛərɪəs] *n* Sagittaire *m*; ***he's (a) ~*** il est Sagittaire

Sahara [sə'hɑːrə] *n* Sahara *m*; ***the ~ Desert*** le désert du Sahara

said [sed] **I** *past, past part* = **say II** *adj form* ledit(ladite)

sail [seɪl] **I** *n* **1.** voile *f*; (*of windmill*) aile *f*; ***to set ~ (for …)*** prendre la mer (pour…) **2.** (*trip*) tour *m* (en mer); ***to go for a ~*** faire un tour (en bateau) **II** *v/t ship* manœuvrer; ***to ~ the Atlantic*** traverser l'Atlantique (en bateau) **III** *v/i* **1.** NAUT faire de la voile; ***are you flying? — no, ~ing*** tu y vas en avion?— non, en bateau **2.** (*leave*) partir (***for*** pour) **3.** *fig* (*swan etc.*) glisser; (*moon*) se déplacer; (*ball*) voler; ***she ~ed past / out of the room*** elle est passée dans la pièce / elle est sortie de la pièce d'un pas majestueux; ***she ~ed through the interview*** elle a réussi l'entretien sans problème **sailboard** *n* planche *f* à voile **sailboarding** *n* SPORTS planche *f* à voile **sailboat** *n US* bateau *m* à voiles, voilier *m* **sailing** ['seɪlɪŋ] *n* SPORTS voile *f* **sailing boat** *n Br* bateau *m* à voiles, voilier *m* **sailing ship** *n* voilier *m*

sailor ['seɪlə[r]] *n* marin *m*

saint [seɪnt] *n* saint(e) *m(f)*; ***St John*** saint Jean; ***St Mark's (Church)*** (église) Saint-Marc **saintly** ['seɪntlɪ] *adj* ⟨**+er**⟩ saint; *fig*, *pej* de sainte nitouche **Saint Valentine's Day** [sənt'væləntaɪnzˌdeɪ] *n* Saint-Valentin *f*

sake [seɪk] *n* ***for the ~ of …*** pour…; ***for my ~*** pour moi; (*to please me*) pour me faire plaisir; ***for your own ~*** pour ton bien; ***for the ~ of your career*** pour ta carrière; ***for heaven's ~!*** *infml* pour l'amour de Dieu! *infml*, pour l'amour du ciel! *infml*; ***for heaven's*** *or* ***Christ's ~ shut up*** *infml* pour l'amour du ciel, tais-toi! *infml*; ***for old times' ~*** en souvenir du passé; ***for the ~ of those who …*** par égard pour ceux qui…; ***and all for the ~ of a few dollars*** et tout ça pour quelques malheureux dollars

salable *adj* = **saleable**

salad ['sæləd] *n* salade *f* **salad bar** *n* buffet *m* de salades variées **salad bowl** *n* saladier *m* **salad cream** *n Br* sauce *f* pour crudités **salad dressing** *n* vinaigrette *f*

salami [sə'lɑːmɪ] *n* salami *m*

salaried ['sælərɪd] *adj* ***~ post*** poste salarié; ***~ employee*** salarié(e) *m(f)* **salary** ['sælərɪ] *n* salaire *m*; ***what is his ~?*** combien gagne-t-il? **salary increase** *n* augmentation *f* de salaire

sale [seɪl] *n* **1.** (*selling*) vente *f*; (*instance*) transaction *f*; (*auction*) vente *f* aux enchères; ***for ~*** à vendre; ***to put sth up for ~*** mettre qc en vente; ***is it up for ~?*** est-ce à vendre?; ***"not for ~"*** "cet article n'est pas à vendre"; ***to be on ~*** être en vente; ***~s*** *pl* (*turnover*) chiffre *m* d'affaires **2. sales** *sg* (*department*) service *m* des ventes **3.** (*at reduced prices*) promotions *fpl*; (*at end of season*) soldes *mpl*; ***in the ~, on ~*** *US* en solde **saleable, salable** ['seɪləbl] *adj* (*marketable*) commercialisable; (*in saleable condition*) vendable; *skill* monnayable

sales clerk *n US* vendeur(-euse) *m*(*f*) **sales department** *n* service *m* des ventes **sales figures** *pl* chiffre *m* d'affaires **salesgirl** *n* vendeuse *f* **salesman** *n* vendeur *m*; (*representative*) représentant *m* **sales manager** *n* directeur(-trice) *m*(*f*) commercial(e) **salesperson** *n* vendeur(-euse) *m*(*f*) **sales pitch** *n* baratin *m* publicitaire

sales rep *n infml*, **sales representative** *n* représentant(e) *m*(*f*) **sales tax** *n* taxe *f* à l'achat **saleswoman** *n* vendeuse *f*; (*representative*) représentante *f*

saliva [sə'laɪvə] *n* salive *f* **salivate** ['sælɪveɪt] *v/i* saliver

sallow ['sæləʊ] *adj* cireux(-euse); *color* blafard

salmon ['sæmən] *n* ⟨*pl* **-**⟩ saumon *m*

salmonella [ˌsælmə'nelə] *n* salmonelle *f*

salon ['sælɒn] *n* salon *m*

saloon [sə'luːn] *n* (*Br* AUTO) berline *f*

saloon bar *n Br* bar *m*

salt [sɔːlt] **I** *n* sel *m*; (*for icy roads*) sel *m*; ***to take sth with a grain*** (*US*) *or* ***pinch*** (*Br*) ***of ~*** *fig* ne pas prendre qc au pied de la lettre; ***to rub ~ into sb's wounds*** *fig* remuer le couteau dans la plaie **II** *adj* ***~ water*** eau *f* salée **III** *v/t* **1.** (*cure*) saler, mettre dans la saumure; (*flavor*) saler **2.** *road* saler **saltcellar** ['sɔːltselər] *n Br* salière *f* **salted** *adj* salé **salt shaker** *n US* salière *f* **saltwater** *adj ~* ***fish*** poisson *m* de mer **salty** ['sɔːltɪ] *adj* ⟨**+er**⟩ salé; ***~ water*** eau salée

salute [sə'luːt] **I** *n* salut *m*; (*of guns*) salve *f*; ***in ~*** en guise de salut; ***a 21-gun ~*** une salve de 21 coups de canon **II** *v/t* MIL *person, flag etc.* saluer **III** *v/i* MIL faire un salut

salvage ['sælvɪdʒ] **I** *n* **1.** (*act*) sauvetage *m* **2.** (*objects*) objets *mpl* récupérés **II** *v/t* sauver (***from*** de); *fig* préserver (***from*** de) **salvage operation** *n* opération *f* de sauvetage

salvation [sæl'veɪʃən] *n* salut *m* **Salvation Army** *n* Armée *f* du Salut

salve [sælv] *n* baume *m*

Samaritan [sə'mærɪtən] *n* Samaritain(e) *m*(*f*); ***good ~*** bon Samaritain

same [seɪm] **I** *adj* même; ***the ~*** le même; ***they were both wearing the ~ dress*** elles portaient toutes les deux la même robe; ***they both live in the ~ house*** ils vivent tous les deux dans la même maison; ***they are all the ~*** ils sont tous pareils; ***that's the ~ tie I have*** c'est la même cravate que la mienne; ***she just wasn't the ~ person*** ce n'était plus la même; ***it's the ~ thing*** c'est la même chose; ***see you tomorrow, ~ time ~ place*** à demain, même heure, même lieu; ***we sat at the ~ table as usual*** nous avons pris notre table habituelle; ***how are you? — ~ as usual*** comment vas-tu? — comme d'habitude; ***he is the ~ age as his wife*** il a le même âge que sa femme; (***on***) ***the very ~ day*** le même jour; ***in the ~ way*** de la même façon **II** *pron* **1. *the ~*** le même(la même); ***and I would do the ~ again*** et si c'était à refaire, je recommencerais; ***he left and I did the ~*** il est parti et j'ai fait de même; ***another drink? — thanks,*** (***the***) ***~ again*** un autre verre? — oui merci, la même chose; ***~ again, Joe*** encore un, Joe; ***she's much the ~*** elle n'a pas beaucoup changé; (*in health*) son état est stationnaire; ***he will never be the ~ again*** il ne sera plus jamais le même; ***frozen chicken is not the ~ as fresh*** le poulet congelé, ce n'est pas la même chose que le poulet frais; ***it's always the ~*** c'est toujours la même chose; ***it comes*** *or* ***amounts to the ~*** cela revient au même **2. *to pay everybody the ~*** payer tout le monde au même tarif; ***things go on just the ~*** (***as always***) rien ne change; ***it's not the ~ as before*** ce n'est plus comme avant; ***I still feel the ~ about you*** mes sentiments à ton égard n'ont pas changé; ***if it's all the ~ to you*** si ça t'est égal; ***all*** *or* ***just the ~*** (*nevertheless*) tout de même; ***thanks all the ~*** merci quand même; ***~ here*** moi aussi; ***~ to you*** à toi aussi **same-day** ['seɪmdeɪ] *adj delivery* garanti le jour même **same-sex** ['seɪmseks] *adj* homosexuel(le)

samosa *n* samosa *m*

sample ['sɑːmpl] **I** *n* échantillon *m* (***of*** de); (*of blood etc.*) prélèvement *m*; ***a ~ of the population*** un échantillon de la population **II** *adj attr* d'échantillons; ***a ~ section of the population*** un échantillon représentatif de la population **III** *v/t* **1.** *food* goûter; *atmosphere* tester; ***to ~ wines*** déguster des vins **2.** MUS sampler

sanatorium [ˌsænə'tɔːrɪəm] *n* ⟨*pl* **sanatoria**⟩ sanatorium *m*

sanction ['sæŋkʃən] **I** *n* **1.** (*permission*) approbation *f* **2.** (*enforcing measure*) sanction *f* **II** *v/t* approuver

sanctity ['sæŋktɪtɪ] *n* caractère *m* sacré; (*of rights*) inviolabilité *f*

sanctuary ['sæŋktjʊərɪ] *n* **1.** (*holy place*) sanctuaire *m* **2.** (*refuge*) asile *m* **3.** *esp Br* (*for animals*) refuge *m*

sand [sænd] **I** *n* sable *m*; ***~s*** (*of desert*) désert *m* (de sable); (*beach*) plage *f* (de sable) **II** *v/t* **1.** (*smooth*) poncer **2.** (*sprinkle with sand*) sabler ◆ **sand down** *v/t sep* poncer

sandal ['sændl] *n* sandale *f*

sandalwood ['sændlwʊd] *n* santal *m*

sandbag *n* sac *m* de sable **sandbank** *n* banc *m* de sable **sand castle** *n* château *m* de sable **sand dune** *n* dune *f* **sandpaper I** *n* papier *m* de verre **II** *v/t* poncer (au papier de verre) **sandpit** *n Br* bac *m* à sable **sandstone I** *n* grès *m* **II** *adj* en grès **sandstorm** *n* tempête *f* de sable

sandwich ['sænwɪdʒ] **I** *n* sandwich *m*; ***open ~*** canapé *m* **II** *v/t* (*a.* **sandwich in**) intercaler **sandwich bar** *n* sandwicherie *f* **sandwich board** *n* panneau *m* publicitaire (*porté par un homme-sandwich*)

sandy ['sændɪ] *adj* ⟨**+er**⟩ **1.** de sable; ***~ beach*** plage de sable **2.** (*color*) couleur sable; *hair* blond roux

sane [seɪn] *adj* ⟨**+er**⟩ *person* sensé; PSYCH sain (d'esprit)

San Francisco *n* San Francisco

sang [sæŋ] *past* = **sing**

sanitarium [ˌsænɪ'tɛərɪəm] *n US* = **sanatorium**

sanitary ['sænɪtərɪ] *adj* hygiénique **sanitary napkin** *n US n* serviette *f* hygiénique **sanitary towel** *n Br* serviette *f* hygiénique **sanitation** [ˌsænɪ'teɪʃən] *n* système *m* sanitaire; (*toilets etc.*) sanitaires *mpl* **sanitation man** *n* ⟨*pl* **sanitation men**⟩ *US* éboueur *m*

sanity ['sænɪtɪ] *n* (*mental balance*) santé *f* mentale; (*esp of individual*) bon sens *m*

sank [sæŋk] *past* = **sink**[1]

San Marino *n* Saint-Marin

Sanskrit ['sænskrɪt] **I** *adj* sanscrit **II** *n* sanscrit *m*

Santa (Claus) ['sæntə('klɔːz)] *n* le Père Noël

sap[1] [sæp] *n* BOT sève *f*

sap[2] *v/t fig* saper; ***to ~ sb's strength*** miner qn

sapling ['sæplɪŋ] *n* jeune arbre *m*

sapphire ['sæfaɪəʳ] *n* saphir *m*

sarcasm ['sɑːkæzəm] *n* sarcasme *m* **sarcastic** [sɑː'kæstɪk] *adj* sarcastique; ***to be ~ about sth*** faire une remarque sarcastique sur qc **sarcastically** [sɑː'kæstɪkəlɪ] *adv* d'un air sarcastique

sardine [sɑː'diːn] *n* sardine *f*; ***packed (in) like ~s*** serrés comme des sardines

Sardinia [sɑː'dɪnɪə] *n* Sardaigne *f*

sardonic [sɑː'dɒnɪk] *adj* sardonique **sardonically** [sɑː'dɒnɪkəlɪ] *adv smile, say* d'un air sardonique

sarnie ['sɑːnɪ] *n* (*Br infml*) sandwich *m*

SARS [sɑːz] MED *abbr* = **severe acute respiratory syndrome** SRAS *m*

SASE *n US abbr* = **self-addressed stamped envelope**

sash [sæʃ] *n* écharpe *f* **sash window** *n* fenêtre *f* à guillotine

Sat. *abbr* = **Saturday** sam. (*samedi*)

sat [sæt] *past, past part* = **sit**

Satan ['seɪtən] *n* Satan *m* **satanic** [sə'tænɪk] *adj* satanique

satchel ['sætʃəl] *n* cartable *m*

satellite ['sætəlaɪt] *n* satellite *m* **satellite dish** *n* antenne *f* parabolique **satellite television** *n* télévision *f* par satellite **satellite town** *n* ville *f* satellite

satiate ['seɪʃɪeɪt] *v/t appetite etc.* assouvir; *person* rassasier

satin ['sætɪn] **I** *n* satin *m* **II** *adj* en satin; *skin* satiné

satire ['sætaɪəʳ] *n* satire *f* (***on*** contre) **satirical** [sə'tɪrɪkəl] *adj movie etc.* satirique; (*mocking*) narquois **satirically** [sə'tɪrɪkəlɪ] *adv* d'une manière satirique; (*mockingly, jokingly*) d'une façon narquoise **satirist** ['sætərɪst] *n* satiriste *m/f* **satirize** ['sætəraɪz] *v/t* faire la satire de

satisfaction [ˌsætɪs'fækʃən] *n* **1.** (*of person, needs etc.*) satisfaction *f*; (*of conditions*) accomplissement *m* **2.** (*state*) (sentiment *m* de) satisfaction *f*; ***to feel a sense of ~ at sth*** éprouver un sentiment de satisfaction à propos de qc; ***she would not give him the ~ of seeing how annoyed she was*** elle ne voulait pas lui faire le plaisir de lui montrer à quel point elle était contrariée; ***we hope the meal was to your complete ~*** nous espérons que le repas vous a donné entière satisfaction; ***to get ~ out of sth*** retirer des satisfactions de qc; (*find pleasure*) trouver du plaisir dans qc; ***he gets ~ out of his job*** il retire des satisfactions de son travail; ***I get a lot of ~ out of listening to music*** j'ai beaucoup de plaisir à écouter de la musique **3.** (*redress*) réparation *f* **satisfactorily** [ˌsætɪsˈfæktərɪlɪ] *adv* de manière satisfaisante; ***does that answer your question ~?*** est-ce que cela répond à votre question?; ***was it done ~?*** est-ce que cela a été fait de manière satisfaisante?

satisfactory [ˌsætɪsˈfæktərɪ] *adj* satisfaisant; (*just good enough*) convenable; *excuse* valable; (*in school work*) satisfaisant; ***he is in a ~ condition*** MED son état est satisfaisant; ***this is just not ~!*** ce n'est pas satisfaisant!; (*not enough*) ça ne suffit pas! **satisfied** [ˈsætɪsfaɪd] *adj* (*content*) satisfait; (*convinced*) convaincu; ***to be ~ with sth*** être satisfait de qc; (***are you***) ***~?*** *iron* tu es content? *iron*

satisfy [ˈsætɪsfaɪ] **I** *v/t* **1.** satisfaire; *customers* contenter; *hunger, requirements* satisfaire; *conditions* remplir **2.** (*convince*) convaincre **II** *v/r* ***to ~ oneself that …*** s'assurer que … **satisfying** [ˈsætɪsfaɪɪŋ] *adj* satisfaisant; *meal* substantiel(le)

satsuma [ˌsætˈsuːmə] *n* satsuma *f*

saturate [ˈsætʃəreɪt] *v/t* **1.** (*with liquid*) imprégner; (*rain*) tremper **2.** *fig market* saturer **saturation point** *n fig* point *m* de saturation; ***to reach ~*** arriver à saturation

Saturday [ˈsætədɪ] *n* samedi *m*; → **Tuesday**

Saturn [ˈsætən] *n* ASTRON, MYTH ASTRON Saturne *f*; MYTH Saturne *m*

sauce [sɔːs] *n* sauce *f*; ***white ~*** sauce blanche, sauce béchamel **saucepan** [ˈsɔːspən] *n* casserole *f*

saucer [ˈsɔːsəʳ] *n* soucoupe *f*, sous-tasse *f*

saucy [ˈsɔːsɪ] *adj* ⟨+er⟩ (*cheeky*) impertinent; (*suggestive*) grivois

Saudi Arabia [ˈsaʊdɪəˈreɪbɪə] *n* Arabie *f* Saoudite

sauna [ˈsɔːnə] *n* sauna *m*

saunter [ˈsɔːntəʳ] *v/i* flâner; ***he ~ed up to me*** il s'est approché de moi tranquillement

sausage [ˈsɒsɪdʒ] *n* saucisse *f*; ***not a ~*** (*Br infml*) des clous *infml* **sausagemeat** *n* chair *f* à saucisse **sausage roll** *n Br* ≈ friand *m* à la saucisse

sauté [ˈsəʊteɪ] *v/t potatoes* faire sauter; (*sear*) faire revenir

savage [ˈsævɪdʒ] **I** *adj* féroce; *fighter, conflict* violent; *animal* féroce; *measures* brutal; ***to make a ~ attack on sb*** *fig* attaquer sauvagement qn **II** *n* sauvage *m/f* **III** *v/t* **1.** (*animal*) attaquer férocement **2.** (*fig criticize*) attaquer violemment **savagely** [ˈsævɪdʒlɪ] *adv attack, fight* brutalement; *criticize* violemment **savagery** [ˈsævɪdʒərɪ] *n* (*cruelty*) férocité *f*; (*of attack*) brutalité *f*

save [seɪv] **I** *n* FTBL *etc.* arrêt *m*; ***what a ~!*** quel arrêt!; ***to make a ~*** arrêter la balle **II** *v/t* **1.** (*rescue*) sauver; ***to ~ sb from sth*** sauver qn de qc; ***he ~d me from falling*** il m'a empêché de tomber; ***to ~ sth from sth*** sauver qc de qc; ***to ~ the day*** sauver la mise; ***God ~ the Queen!*** *Br* vive la reine!; ***to be ~d by the bell*** *infml* être sauvé par le gong *infml*; ***to ~ one's neck*** *or* ***ass*** (*US sl*) *or* ***butt*** (*US infml*) sauver sa peau *infml*; ***to ~ sb's neck*** *or* ***ass*** (*US sl*) *or* ***butt*** (*US infml*) sortir qn du pétrin *infml* **2.** (*put by*) mettre de côté; *time, money* économiser; *strength* ménager; (*save up*) *strength, fuel etc.* garder; (*collect*) *stamps etc.* collectionner; ***~ some of the cake for me*** garde-moi un peu de gâteau; ***~ me a seat*** garde-moi une place; ***~ it for later, I'm busy now*** *infml* garde ça pour plus tard, je suis occupé maintenant; ***to ~ the best for last*** garder le meilleur pour la fin; ***going by plane will ~ you four hours on the train journey*** en avion, vous mettrez quatre heures de moins qu'en train; ***he's saving himself for the right woman*** il se réserve pour la femme de sa vie **3.** ***it ~d us having to do it again*** ça nous a évité de devoir recommencer **4.** *goal, penalty* arrêter; ***well ~d!*** bel arrêt! **5.** IT sauvegarder; ***to ~ a file to sth*** sauvegarder un fichier sur qc **III** *v/i* (*with money*) faire des économies; ***to ~ for sth*** économiser pour qc ◆ **save up I** *v/i* mettre de l'argent de côté (***for*** pour) **II** *v/t sep* (*not spend*) faire des économies

saver ['seɪvəʳ] *n* (*with money*) épargnant(e) *m(f)*

saving ['seɪvɪŋ] *n* **1.** *no pl* (*rescue*) sauvetage *m* **2.** *no pl* (REL) salut *m* **3.** *no pl* (*of money*) économie *f* **4.** (*of cost etc.*) économies *fpl*; (*amount saved*) économies *fpl* **5. savings** *pl* économies *fpl*; (*in account*) épargne *f*; ***~s and loan association*** *US* ≈ caisse *f* d'épargne-logement **savior**, *Br* **saviour** ['seɪvjəʳ] *n* sauveur *m*

savor, *Br* **savour** ['seɪvəʳ] *v/t* **1.** *form* savourer, déguster **2.** *fig*, *liter* savourer

savory, *Br* **savoury** ['seɪvərɪ] **I** *adj* (*not sweet*) salé **II** *n Br* canapé *m*

saw[1] [sɔː] *past* = **see**[1]

saw[2] *vb* ⟨*past* **sawed**⟩ ⟨*past part* **sawed** *or* **sawn**⟩ **I** *n* scie *f* **II** *v/t & v/i* scier; ***to ~ sth in two*** scier qc en deux ◆ **saw off** *v/t sep* scier

sawdust ['sɔːdʌst] *n* sciure *f* **sawed-off** ['sɔːd'ɒf], *Br* **sawn-off** ['sɔːn'ɒf] *adj* ***~ shotgun*** carabine *f* à canon scié **sawn** [sɔːn] *past part esp Br* = **saw**[2]

Saxon ['sæksn] **I** *n* **1.** Saxon(ne) *m(f)* **2.** LING saxon *m* **II** *adj* saxon(ne) **Saxony** ['sæksənɪ] *n* Saxe *f*

saxophone ['sæksəfəʊn] *n* saxophone *m*

say [seɪ] *vb* ⟨*past*, *past part* **said**⟩ **I** *v/t & v/i* **1.** dire; *prayer* faire; (*pronounce*) prononcer; ***~ after me …*** répétez après moi …; ***you can ~ what you like*** (***about it / me***) tu peux dire ce que tu veux (de ça / moi); ***I never thought I'd hear him ~ that*** je n'aurais jamais pensé l'entendre dire ça; ***that's not for him to ~*** ce n'est pas à lui de le dire; ***though I ~ it myself*** mais ce n'est pas à moi de dire ça; ***well, all I can ~ is …*** eh bien, tout ce que je peux dire, c'est …; ***who ~s?*** qui est-ce qui dit ça?; ***what does it mean? — I wouldn't like to ~*** qu'est-ce que cela signifie? – je ne sais pas non plus; ***having said that, I must point out …*** mais je dois toutefois indiquer …; ***what have you got to ~ for yourself?*** qu'est-ce que tu as comme excuse?; ***if you don't like it, ~ so*** si ça ne te plaît pas, dis-le; ***if you ~ so*** si tu le dis **2.** ***it ~s in the papers that …*** les journaux disent que …; ***the rules ~ that …*** le règlement dit que…; ***what does the weather forecast ~?*** qu'annonce la météo?; ***that ~s a lot about his state of mind*** ça en dit long sur son état d'esprit; ***that's not ~ing much*** ça ne veut rien dire; ***there's no ~ing what might happen*** il est impossible de dire ce qui pourrait arriver; ***there's something/a lot to be said for being based in New York*** il y a des avantages / beaucoup d'avantages à être basé à New York **3.** ***if it happens on, ~, Wednesday?*** si ça a lieu, disons, mercredi? **4.** (*in suggestions*) ***what would you ~ to a whiskey?*** que diriez-vous d'un whisky?; ***shall we ~ $50?*** disons 50 dollars?; ***what do you ~?*** qu'en dis-tu?; ***I wouldn't ~ no to a cup of coffee*** je ne dirais pas non pour une tasse de café **5.** (*exclamatory*) ***~, what a great idea!*** *esp US* dis donc, quelle bonne idée!; ***I should ~ so!*** et comment!; ***you don't ~!*** sans blague!; ***you said it!*** tu l'as dit!; ***you can ~ that again!*** c'est le cas de le dire!; ***~ no more!*** ça va, j'ai compris!; ***~s you!*** *infml* que tu dis! *infml*; ***~s who?*** *infml* ah oui? *infml* **6.** (***it's***) ***easier said than done*** c'est plus facile à dire qu'à faire; ***no sooner said than done*** aussitôt dit, aussitôt fait; ***when all is said and done*** tout compte fait; ***they ~ …, it is said …*** on dit que …; ***he is said to be very rich*** on dit qu'il est très riche; ***it goes without ~ing that …*** il va sans dire que …; ***that is to ~*** c'est-à-dire; ***to ~ nothing of the costs*** *etc.* sans parler des coûts *etc.*; ***enough said!*** assez parlé! **II** *n* **1.** ***let him have his ~*** laissez-le s'exprimer **2.** ***to have a/no ~ in sth*** avoir / ne pas avoir son mot à dire pour qc; ***to have the last*** *or* ***final ~*** (***in sth***) être celui qui prend la décision finale (pour qc) **saying** ['seɪɪŋ] *n* dicton *m*; (*proverb*) proverbe *m*; ***as the ~ goes*** comme dit le proverbe

scab [skæb] *n* (*on cut*) croûte *f*

scaffold ['skæfəld] *n* (*on building*) échafaudage *m*; (*for execution*) échafaud *m* **scaffolding** ['skæfəldɪŋ] *n* échafaudage *m*; ***to put up ~*** mettre des échafaudages

scalawag ['skæləwæg] *n US* polisson(ne) *m(f) infml*

scald [skɔːld] *v/t* ébouillanter **scalding**

['skɔːldɪŋ] *adv* **~ hot** bouillant
scale¹ [skeɪl] *n* (*of fish*) écaille *f*
scale² *n* (**pair of**) **~s** *pl*, **~** *form* balance *f*
scale³ *n* **1.** échelle *f*; (*table*) grille *f* **2.** (*instrument*) appareil *m* de mesure **3.** MUS gamme *f*; **the ~ of G** la gamme de sol **4.** (*of map etc.*) échelle *f*; **on a ~ of 2.5 km to the cm** à une échelle de 1 cm pour 2,5 km; (**drawn / true**) **to ~** à l'échelle **5.** (*fig size*) importance *f*; **to entertain on a small ~** faire une petite fête; **small in ~** à petite échelle; **it's similar but on a smaller ~** c'est la même chose, mais en plus petit; **on a national ~** à l'échelle nationale ◆ **scale down** *v/t sep* réduire
scale⁴ *v/t wall* escalader
scallion [skælɪən] *n US* = **spring onion**
scallop ['skɒləp] *n* ZOOL coquille *f* Saint-Jacques
scallywag ['skælɪwæg] *n* (*Br infml*) = **scalawag**
scalp [skælp] *n* cuir *m* chevelu
scalpel ['skælpəl] *n* scalpel *m*
scaly ['skeɪlɪ] *adj* ⟨**+er**⟩ couvert d'écailles
scam [skæm] *n* (*infml deception*) escroquerie *f*
scamp [skæmp] *n infml* polisson(ne) *m*(*f*)
scamper ['skæmpəʳ] *v/i* (*person*) gambader; (*mice*) trottiner
scan [skæn] **I** *v/t* parcourir du regard; (*person*) scruter; *newspaper* lire en diagonale; *horizon* promener son regard sur; *luggage* passer au scanner **II** *n* MED scanographie *f*; (*in pregnancy*) échographie *f* ◆ **scan in** *v/t sep* IT scanner
scandal ['skændl] *n* **1.** scandale *m*; **to cause / create a ~** causer / faire un scandale; (*amongst neighbors etc.*) faire des histoires **2.** *no pl* (*gossip*) ragots *mpl*; **the latest ~** les derniers ragots **scandalize** ['skændəlaɪz] *v/t* scandaliser **scandalous** ['skændələs] *adj* scandaleux(-euse)
Scandinavia [ˌskændɪ'neɪvɪə] *n* Scandinavie *f* **Scandinavian I** *adj* scandinave **II** *n* Scandinave *m/f*
scanner ['skænəʳ] *n* IT, MED scanner *m*, scanneur *m*
scant [skænt] *adj* ⟨**+er**⟩ maigre; *success* relatif(-ive); **to pay ~ attention to sth** ne prêter guère attention à qc **scantily** ['skæntɪlɪ] *adv* chichement **scanty** ['skæntɪ] *adj* ⟨**+er**⟩ *information* maigre; *clothing* réduit au minimum
scapegoat ['skeɪpgəʊt] *n* bouc *m* émissaire; **to use sb / sth one's ~** prendre qn / qc comme un bouc émissaire; **to make sb / sth one's ~** faire de qn / qc un bouc émissaire
scar [skɑːʳ] **I** *n* cicatrice *f*; (*fig: emotional*) blessure *f* **II** *v/t* **he was ~red for life** *lit* il en a gardé une cicatrice à vie; *fig* il a été marqué à vie
scarce [skɛəs] *adj* ⟨**+er**⟩ (*in short supply*) peu abondant; (*rare*) rare; **to make oneself ~** *infml* se sauver
scarcely ['skɛəslɪ] *adv* à peine; (*not really*) guère; **~ anything** presque rien; **I ~ know what to say** je ne sais trop que dire **scarceness** ['skɛəsnɪs], **scarcity** *n* (*shortage*) pénurie *f*; (*rarity*) rareté *f*
scare [skɛəʳ] **I** *n* (*fright*) frayeur *f*; (*alarm*) bruit *m* alarmant (**about** à propos de); **to give sb a ~** faire peur à qn; **to cause a ~** déclencher la panique **II** *v/t* faire peur à; (*worry*) inquiéter; (*frighten*) effrayer; **to be easily ~d** avoir peur facilement; (*easily worried*) être inquiet facilement; **to ~ sb to death** *infml* faire une peur bleue à qn *infml* **III** *v/i* **I don't ~ easily** je ne m'effraye pas facilement ◆ **scare away** *or* **off** *v/t sep* effrayer; *people* faire fuir
scarecrow *n* épouvantail *m* **scared** [skɛəd] *adj* effrayé; **to be ~** (**of sb / sth**) avoir peur (de qn / qc); **to be ~ to death** *infml* être mort de peur; **she was too ~ to speak** elle avait trop peur pour parler; **he's ~ of telling her the truth** il a peur de lui dire la vérité **scare tactics** *pl* terrorisme *m* psychologique
scarf [skɑːf] *n* ⟨*pl* **scarves**⟩ (*neck scarf*) écharpe *f*; (*head scarf*) foulard *m*
scarlet ['skɑːlɪt] *adj* écarlate; **to go ~** devenir écarlate
scarves [skɑːvz] *pl* = **scarf**
scary ['skɛərɪ] *adj* ⟨**+er**⟩ *infml* effrayant; *movie* qui fait peur; **it was pretty ~** ça faisait plutôt peur; **that's a ~ thought** c'est une idée qui fait peur
scathing ['skeɪðɪŋ] *adj* cinglant; *look* haineux(-euse); **to be ~** faire des remarques cinglantes (**about** à propos de); **to make a ~ attack on sb / sth** attaquer avec virulence qn / qc
scatter ['skætəʳ] **I** *v/t* **1.** (*distribute*) distribuer; *seeds* semer à la volée (**on, onto** sur) **2.** (*disperse*) disperser **II** *v/i* se dis-

perser (***to*** dans) **scatterbrained** ['skætəˌbreɪnd] *adj infml* écervelé **scattered** *adj population* dispersé; *objects* éparpillé; *showers* intermittent

scavenge ['skævɪndʒ] **I** *v/t* récupérer **II** *v/i lit* fouiller; ***to ~ for sth*** fouiller pour trouver qc **scavenger** ['skævɪndʒəʳ] *n* (*animal*) charognard *m*; *fig* fouilleur (-euse) *m*(*f*) de poubelles

scenario [sɪ'nɑːrɪəʊ] *n* scénario *m*

scene [siːn] *n* **1.** (*setting*) scène *f*, décor *m*; (*of play*) scène *f*; ***the ~ of the crime*** la scène du crime; ***to set the ~*** mettre au courant de la situation; ***a change of ~*** un changement d'air; ***to appear on the ~*** faire son apparition; ***the police were first on the ~*** la police est arrivée la première sur les lieux **2.** (*incident, fuss*, THEAT) scène *f*; ***behind the ~s*** dans les coulisses; ***to make a ~*** faire une scène **3.** (*sight*) spectacle *m*; (*tableau*) tableau *m* **4.** *infml* milieu *m*; ***the drug ~*** le milieu de la drogue; ***that's not my ~*** ce n'est pas mon truc *infml*

scenery ['siːnərɪ] *n* **1.** (*landscape*) paysage *m*; ***do you like the ~?*** tu aimes la vue? **2.** THEAT décor(s) *m*(*pl*) **scenic** ['siːnɪk] *adj* (*route*) panoramique; (*picturesque*) pittoresque; ***to take the ~ route*** prendre l'itinéraire touristique; *hum* prendre le chemin des écoliers

scent [sent] *n* **1.** (*smell*) odeur *f* **2.** (*perfume*) parfum *m* **3.** (*of animal*) piste *f*; ***to put*** *or* ***throw sb off the ~*** faire perdre la piste à qn **scented** ['sentɪd] *adj soap, flower* parfumé; ***~ candle*** bougie parfumée

scepter, *Br* **sceptre** ['septəʳ] *n* sceptre *m*

sceptic *etc. Br* = **skeptic** *etc.*

schedule ['skedʒʊəl, (*esp Brit*) 'ʃedjuːl] **I** *n* (*of events*) calendrier *m*; (*of work*) planning *m*; (*esp US timetable*) horaires *mpl*; ***according to ~*** comme prévu; ***the train is behind ~*** le train a du retard; ***the bus was on ~*** le bus était à l'heure; ***the building will be opened on ~*** le bâtiment sera inauguré à la date prévue; ***the work is ahead of / behind ~*** les travaux sont en avance / retard sur les prévisions; ***we are working to a very tight ~*** nous avons un planning très serré **II** *v/t* programmer, prévoir; ***the work is ~d for completion in 3 months*** les travaux doivent être achevés dans 3 mois; ***it is ~d to take place tomorrow*** ça doit avoir lieu demain; ***she is ~d to speak tomorrow*** d'après le programme, elle parle demain; ***the plane is ~d to take off at 2 o'clock*** le décollage de l'avion est prévu à 2 heures **scheduled** ['skedʒʊəld, (*esp Brit*) 'ʃedjuːld] *adj departure etc.* prévu **scheduled flight** *n* vol *m* régulier

schematic [skɪ'mætɪk] *adj* schématique **schematically** [skɪ'mætɪkəlɪ] *adv* schématiquement

scheme [skiːm] **I** *n* **1.** (*plan*) plan *m*; (*project*) projet *m*; (*insurance scheme*) régime *m*; (*idea*) idée *f* **2.** (*plot*) complot *m* **3.** (*of room etc.*) arrangement *m* **II** *v/i* comploter **scheming** ['skiːmɪŋ] **I** *n* machinations *fpl*; (*of politicians etc.*) intrigues *fpl* **II** *adj methods, businessman, politician* intrigant

schizophrenia [ˌskɪtsəʊ'friːnɪə] *n* schizophrénie *f* **schizophrenic** [ˌskɪtsəʊ'frenɪk] *n* schizophrène *m/f*

scholar ['skɒləʳ] *n* érudit(e) *m*(*f*) **scholarly** ['skɒləlɪ] *adj* érudit; (*learned*) savant **scholarship** *n* **1.** (*learning*) érudition *f* **2.** (*award*) bourse *f* (d'études); ***~ holder*** boursier(-ière) *m*(*f*)

school¹ [skuːl] *n* **1.** école *f*; *US* fac *f infml*; ***at ~*** à l'école; *US* à la fac *infml*; ***to go to ~*** aller à l'école; *US* aller à la fac *infml*; ***there's no ~ tomorrow*** il n'y a pas école demain **2.** (UNIV *department*) département *m*; (*of medicine, law*) faculté *f*

school² *n* (*of fish*) banc *m*

school age *n* âge *m* scolaire **schoolboy** *n* élève *m* **school bus** *n* car *m* de ramassage scolaire **schoolchildren** *pl* élèves *mpl* **school days** *pl* années *fpl* d'école **school fees** *pl* frais *mpl* de scolarité **schoolfriend** *n esp Br* camarade *m/f* de classe **schoolgirl** *n* élève *f* **schooling** ['skuːlɪŋ] *n* instruction *f*, études *fpl* **school-leaver** *n Br* jeune *m/f* qui a terminé sa scolarité **school lunch** *n* déjeuner *m* à la cantine **schoolmate** *n Br* camarade *m/f* de classe **school meals** *pl* déjeuners *mpl* à la cantine **school report** *n* bulletin *m* scolaire **schoolteacher** *n* enseignant(e) *m*(*f*) **school uniform** *n* uniforme *m* scolaire **schoolwork** *n* travail *m* scolaire **schoolyard** *n* cour *f* de l'école

science ['saɪəns] *n* science(s) *f*(*pl*); (*natural science*) sciences *fpl* naturelles **sci-**

ence fiction *n* science-fiction *f* **scientific** [ˌsaɪən'tɪfɪk] *adj* scientifique **scientifically** [ˌsaɪən'tɪfɪkəlɪ] *adv* scientifiquement; **~ *proven*** scientifiquement prouvé **scientist** ['saɪəntɪst] *n* scientifique *m/f* **sci-fi** ['saɪfaɪ] *n infml* = **science fiction** SF *f infml*

Scillies ['sɪlɪz], **Scilly Isles** *pl* Sorlingues *fpl*, îles *fpl* Scilly

scintillating ['sɪntɪleɪtɪŋ] *adj fig performance* brillant; *person*, *speech* brillant, spirituel(le)

scissors ['sɪzəz] *n pl* ciseaux *mpl*; ***a pair of ~*** une paire de ciseaux

scoff[1] [skɒf] *v/i* se moquer; ***to ~ at sb/sth*** se moquer de qn / qc

scoff[2] (*Br infml*) *v/t* engloutir *infml*, bouffer *infml*

scold [skəʊld] **I** *v/t* réprimander (***for*** pour) **II** *v/i* grogner **scolding** ['skəʊldɪŋ] *n* **1.** réprimande *f* **2.** (*act*) gronderie *f*

scollop *n* = **scallop**

scone [skɒn] *n Br* scone *m*

scoop [skuːp] **I** *n* (*instrument*) pelle *f*; (*for ice cream*) cuillère *f* à glace; (*of ice cream*) boule *f* **II** *v/t* **1.** (*with scoop*) vider; *liquid* écoper **2.** *prize* remporter ◆ **scoop out** *v/t sep* **1.** (*take out*) vider; *liquid* écoper **2.** *melon* évider ◆ **scoop up** *v/t sep* ramasser; *liquid* puiser; ***she scooped the child up*** elle a ramassé l'enfant

scooter ['skuːtəʳ] *n* trottinette *f*; (*motor scooter*) scooter *m*

scope [skəʊp] *n* **1.** (*of investigation, knowledge*) ampleur *f*; (*of duties, department*) étendue *f*; ***sth is beyond the ~ of sth*** qc dépasse le cadre de qc; ***this project is more limited in ~*** ce projet est moins ambitieux **2.** (*opportunity*) possibilité *f*; ***there is ~ for further growth in the tourist industry*** il peut y avoir davantage de croissance dans l'industrie touristique; ***to give sb ~ to do sth*** permettre à qn de faire qc

scorch [skɔːtʃ] **I** *n* (*a.* **scorch mark**) brûlure *f* (légère) **II** *v/t* brûler (légèrement) **scorching** ['skɔːtʃɪŋ] *adj sun* de plomb; *day* de canicule

score [skɔːʳ] **I** *n* **1.** (*points*) points *mpl*; (*of game*) score *m*; (*final score*) score *m* (final); ***the ~ was U.S.A 3, Mexico 0*** le score était de 3 à 0 pour les États-Unis contre le Mexique; ***to keep ~*** compter les points; ***what's the ~?*** quel est le score?; ***to know the ~*** *fig* savoir de quoi il retourne *infml* **2.** (*grudge*) compte *m*; ***to settle old ~s*** régler ses comptes; ***to have a ~ to settle with sb*** avoir un compte à régler avec qn **3.** MUS partition *f*; (*of movie*) musique *f*, bande *f* originale **4.** (*line*) tracer **5.** (*20*) vingt; ***~s of …*** (*many*) des dizaines de … **6.** ***on that ~*** à ce sujet **II** *v/t* **1.** marquer; ***I ~d ten points*** j'ai marqué dix points **2.** (*mark*) entailler **III** *v/i* **1.** (*win points etc.*) marquer; FTBL *etc.* marquer un but; ***to ~ well / badly*** avoir un bon / mauvais résultat **2.** (*keep score*) compter les points ◆ **score off** *v/t sep* (*delete*) rayer ◆ **score out** *or* **through** *v/t sep esp Br* rayer

scoreboard *n* tableau *m* d'affichage; (*on TV*) tableau *m* des résultats **scoreline** ['skɔːlaɪn] *n* (*Br* SPORTS) score *m* **scorer** ['skɔːrəʳ] *n* **1.** FTBL *etc.* marqueur(-euse) *m*(*f*) **2.** (SPORTS *official*) personne *f* qui marque les points

scorn ['skɔːn] **I** *n* mépris *m*; ***to pour ~ on sb / sth*** traiter qn / qc avec mépris **II** *v/t* mépriser; (*condescendingly*) dédaigner **scornful** *adj* méprisant; *person* dédaigneux(-euse); ***to be ~ of sb / sth*** mépriser qn / qc; (*verbally*) railler qn / qc **scornfully** ['skɔːnfəlɪ] *adv* avec mépris

Scorpio ['skɔːpɪəʊ] *n* Scorpion *m*; ***he's (a) ~*** il est Scorpion

scorpion ['skɔːpɪən] *n* scorpion *m*

Scot [skɒt] *n* Écossais(e) *m*(*f*) **Scotch** [skɒtʃ] **I** *adj* écossais **II** *n* (*Scotch whiskey*) scotch *m* **Scotch tape**® *n US* scotch® *m*, ruban *m* adhésif

scot-free ['skɒt'friː] *adv* ***to get off ~*** s'en tirer à bon compte

Scotland ['skɒtlənd] *n* Écosse *f* **Scots** [skɒts] **I** *adj* écossais **II** *n* LING écossais *m*; ***the ~*** (*people*) les Écossais

Scotsman *n* Écossais *m*

Scotswoman *n* Écossaise *f*

Scottish ['skɒtɪʃ] *adj* écossais

scoundrel ['skaʊndrəl] *n* gredin *m*

scour[1] ['skaʊəʳ] *v/t pan* récurer

scour[2] *v/t area* fouiller (***for*** pour); *newspaper* chercher (***for sth*** qc)

scourer ['skaʊərəʳ] *n* (*sponge*) tampon *m* à récurer

scourge [skɜːdʒ] *n* fléau *m*

scouring pad ['skaʊərɪŋpæd] *n* = **scourer**

Scouse [skaʊs] (*Br infml*) **I** *adj* originaire de Liverpool **II** *n* **1.** (*person*) originaire *m/f* de Liverpool **2.** (*dialect*) dialecte *m* de Liverpool

scout [skaʊt] **I** *n* **1.** (MIL *person*) éclaireur *m* **2.** ***to have a ~ around for sth*** aller en reconnaissance pour qc **3.** ***Scout*** (*boy scout*) scout *m*; (*US girl scout*) scoute *f* **4.** (*talent scout*) dénicheur(-euse) *m*(*f*) de futurs grands joueurs **II** *v/i* aller en reconnaissance; ***to ~ for sth*** explorer pour trouver qc **III** *v/t area, country* explorer ◆ **scout around** *v/i* aller à la recherche (***for*** de)

scouting ['skaʊtɪŋ] *n* (*looking*) recherche *f* (***for*** de); (*for talent*) recherche *f* de talent **scoutmaster** ['skaʊtmɑːstəʳ] *n* chef *m* scout

scowl [skaʊl] **I** *n* air *m* renfrogné **II** *v/i* se renfrogner; ***to ~ at sb*** jeter un regard mauvais à qn

scrabble ['skræbl] *v/i* (*a.* **scrabble around**) gratter; (*among movable objects*) tâtonner

scraggly ['skræglɪ] *adj* ⟨**+er**⟩ *US beard, hair* en bataille; *plant* difforme

scraggy ['skrægɪ] *adj* ⟨**+er**⟩ (*scrawny*) maigre, famélique

scram [skræm] *v/i infml* ficher le camp *infml*; ***~!*** fiche le camp! *infml*

scramble ['skræmbl] **I** *n* **1.** (*climb*) ascension *f* difficile **2.** (*dash*) bousculade *f* **II** *v/t* **1.** *pieces* mélanger **2.** *eggs* brouiller **3.** TEL *message* crypter **III** *v/i* **1.** (*climb*) escalader péniblement; ***to ~ out*** sortir péniblement; ***he ~d to his feet*** il se remit debout tant bien que mal; ***to ~ up sth*** grimper péniblement qc **2.** ***to ~ for sth*** se disputer pour avoir qc; *for ball etc.* se bousculer pour avoir qc; *for good site* faire des pieds et des mains pour qc **scrambled egg(s)** [ˌskræmbld'eg(z)] *n pl* œufs *mpl* brouillés

scrap [skræp] **I** *n* **1.** (*small piece*) petit bout *m*; *fig* bout *m*; (*of paper*) morceau *m*; (*of news*) fragment *m*; ***there isn't a ~ of food*** il n'y a absolument rien à manger; ***a few ~s of information*** quelques fragments d'information; ***not a ~ of evidence*** pas l'ombre d'une preuve **2.** (*usu pl leftover*) restes *mpl* **3.** (*waste material*) déchets *mpl*; (*metal*) ferraille *f*; ***to sell sth for ~*** vendre qc à la casse **II** *v/t car* envoyer à la casse; *idea* abandonner **scrapbook** ['skræpbʊk] *n* album *m* **scrap car** *n* voiture *f* mise à la ferraille *infml*

scrape [skreɪp] **I** *n* (*mark*) éraflure *f* **II** *v/t* **1.** *plate, shoes, potatoes etc.* gratter; *saucepan* racler; ***to ~ a living*** vivoter; ***that's really scraping the (bottom of the) barrel*** *fig* c'est vraiment tout ce qui reste **2.** (*mark*) *car* érafler, rayer; *wall* frôler; *arm* effleurer **3.** (*grate against*) racler **III** *v/i* (*grate*) racler (***against*** contre); (*rub*) frotter (***against*** contre); ***the car just ~d past the gatepost*** la voiture a frôlé le montant (du portail) ◆ **scrape by** *v/i lit* se faufiler; *fig* réussir de justesse ◆ **scrape off** *v/t sep* enlever en grattant ◆ **scrape out** *v/t sep* enlever en grattant ◆ **scrape through I** *v/i* (*in test*) réussir de justesse *infml* **II** *v/t insep gap* passer de justesse; *test* réussir de justesse *infml* ◆ **scrape together** *v/t sep money* rassembler en raclant les fonds de tiroir

scraper ['skreɪpəʳ] *n* (*tool*) racloir *m*

scrap heap *n* tas *m* de ferraille; ***to be thrown on the ~*** (*person*) être jeté comme une vieille savate; ***to end up on the ~*** (*person*) être mis au rebut

scrapings ['skreɪpɪŋz] *pl* (*of food*) restes *mpl*; (*potato scrapings*) épluchures *fpl*

scrap merchant *n* ferrailleur *m* **scrap metal** *n* ferraille *f* **scrap paper** *n esp Br* (papier *m* de) brouillon *m* **scrappy** ['skræpɪ] *adj* ⟨**+er**⟩ décousu; *game* confus **scrapyard** ['skræpjɑːd] *n esp Br* dépôt *m* de ferraille, casse *f*

scratch [skrætʃ] **I** *n* (*mark*) égratignure *f*; (*act*) ***to have a ~*** *Br* se gratter; ***to start from ~*** partir de zéro; ***to learn a language from ~*** apprendre une langue à partir de zéro; ***to be up to ~*** (*Br infml*) être à la hauteur **II** *v/t* griffer; (*leave scratches on*) rayer; ***she ~ed the dog's ear*** elle a gratté le chien à l'oreille; ***to ~ one's head*** se gratter la tête; ***to ~ the surface of sth*** *fig* effleurer qc **III** *v/i* **1.** gratter; (*scratch oneself*) se gratter **2.** MUS scratcher ◆ **scratch around** *v/i fig, infml* essayer de dénicher (***for sth*** qc)

scratchcard ['skrætʃkɑːd] *n Br* carte *f* à gratter **scratching** ['skrætʃɪŋ] *n* MUS scratch *m*, scratching *m* **scratch pad** *n* (*US* IT) bloc-notes *m* **scratch paper** *n US* brouillon *m* **scratchy** ['skrætʃɪ] *adj* ⟨**+er**⟩ *sound, pen* qui grince; *sweater* qui gratte

scrawl [skrɔːl] **I** *n* gribouillage *m*; (*handwriting*) pattes *fpl* de mouche *infml* **II** *v/t* gribouiller
scrawny ['skrɔːnɪ] *adj* ⟨**+er**⟩ maigre
scream [skriːm] **I** *n* **1.** cri *m* aigu; (*of engines*) hurlement *m*; ***to give a ~*** pousser un cri **2.** *fig*, *infml* ***to be a ~*** être tordant *infml* **II** *v/t* hurler; ***to ~ sth at sb*** hurler qc à qn; ***to ~ one's head off*** *infml* crier à pleins poumons **III** *v/i* crier; (*wind*, *engine*) hurler; ***to ~ at sb*** crier après qn; ***to ~ for sth*** crier pour demander qc; ***to ~ in*** *or* ***with pain*** hurler de douleur; ***to ~ with laughter*** rire aux éclats **screaming** ['skriːmɪŋ] **I** *adj* qui crie; *tires* qui crisse; *wind*, *engine* qui hurle **II** *n* ***to have a ~ game*** se crier dessus mutuellement
screech [skriːtʃ] **I** *n* cri *m* strident **II** *v/t* crier à tue-tête; *high notes* hurler **III** *v/i* pousser des cris stridents; ***to ~ with laughter*** hurler de rire; ***to ~ with delight*** pousser des hurlements de joie
screen [skriːn] **I** *n* **1.** (*protective*) écran *m*; (*for privacy etc.*) paravent *m*; *fig* rideau *m* **2.**; FILM, TV écran *m*; ***stars of the ~*** les vedettes de l'écran; ***the big ~*** le grand écran; ***the small ~*** le petit écran **3.** IT écran *m*; ***on ~*** sur écran; ***to work on ~*** travailler sur écran **II** *v/t* **1.** (*hide*) masquer; (*protect*) faire écran; ***he ~ed his eyes from the sun*** il s'est protégé les yeux du soleil **2.** *TV program* passer à l'écran; *movie* projeter **3.** *applicants* présélectionner; *calls* filtrer; MED dépister **III** *v/i* ***to ~ for sth*** MED dépister qc ◆ **screen off** *v/t sep* séparer (*par un rideau*, *une cloison*, *etc.*)
screening ['skriːnɪŋ] *n* **1.** (*of applicants*) procédure *f* de sélection sur dossier **2.** (*of movie*) projection *f*; TV passage *m* à l'écran **screenplay** *n* scénario *m* **screen-printing** *n* sérigraphie *f* **screensaver** *n* IT économiseur *m* d'écran **screenwriter** *n* scénariste *m/f*
screw [skruː] **I** *n* MECH vis *m*; ***he has a ~ loose*** *infml* il lui manque une case *infml*; ***to turn the ~ on sb*** *infml* augmenter la pression sur qn **II** *v/t* **1.** (*using screws*) visser (*to* à, *onto* sur); ***she ~ed her handkerchief into a ball*** elle a roulé son mouchoir en boule **2.** (*sl have sex with*) baiser *sl*; ***~ you!*** *sl* va te faire foutre! *vulg*, va te faire voir! *infml* **III** *v/i* (*sl have sex*) baiser *sl* ◆ **screw down** *v/t sep* visser à fond ◆ **screw in I** *v/t sep* visser (***-to*** dans) **II** *v/i* se visser (***-to*** dans) ◆ **screw off I** *v/t sep* dévisser **II** *v/i* se dévisser ◆ **screw on I** *v/t sep* fixer; ***to screw sth on(to) sth*** fixer qc sur qc; *lid*, *top* visser qc sur qc **II** *v/i* se fixer; (*with screws*) se visser ◆ **screw together I** *v/t sep* fixer avec une vis **II** *v/i* se visser ◆ **screw up I** *v/t sep* **1.** *paper* chiffonner; *eyes* plisser; ***to ~ one's face*** faire la grimace; ***to ~ one's courage*** prendre son courage à deux mains **2.** (*infml spoil*) bousiller *infml* **3.** *infml sb* perturber; ***he's so screwed up*** il est tellement perturbé **II** *v/i* (*infml make a mess*) merder *infml* (***on sth*** pour qc)
screwdriver ['skruːdraɪvəʳ] *n* tournevis *m* **screw top** *n* couvercle *m* vissé
scribble ['skrɪbl] **I** *n* gribouillage *m* **II** *v/t* gribouiller; ***to ~ sth on sth*** gribouiller qc sur qc; ***to ~ sth down*** griffonner qc **III** *v/i* gribouiller
scribe [skraɪb] *n* scribe *m*
scrimp [skrɪmp] *v/i* lésiner; ***to ~ and save*** économiser sur tout
script [skrɪpt] *n* **1.** (*writing*) écriture *f* **2.** (*of play*) texte *m*; (*screenplay*) scénario *m*
scripture ['skrɪptʃəʳ] *n* ***Scripture, the Scriptures*** les Écritures
scriptwriter ['skrɪpt,raɪtəʳ] *n* scénariste *m/f*
scroll [skrəʊl] **I** *n* **1.** rouleau *m*; (*decorative*) spirale *f* **2.** IT défilement *m* **II** *v/i* IT défiler ◆ **scroll down** *v/t sep* faire défiler de haut en bas ◆ **scroll up** *v/t sep* faire défiler de bas en haut
scroll bar *n* IT barre *f* de défilement
Scrooge [skruːdʒ] *n* harpagon *m*
scrotum ['skrəʊtəm] *n* scrotum *m*
scrounge [skraʊndʒ] *infml* **I** *v/t* se faire offrir (***off, from sb*** par qn) **II** *v/i* vivre aux crochets *infml* (***off sb*** de qn) **III** *n* ***to be on the ~*** *Br* être un parasite **scrounger** ['skraʊndʒəʳ] *n infml* profiteur(-euse) *m*(*f*)
scrub¹ [skrʌb] *n* (*scrubland*) brousse *f*
scrub² **I** *n* nettoyage *m* à la brosse; ***to need a ~*** avoir besoin d'un bon nettoyage **II** *v/t* frotter; *vegetables* brosser ◆ **scrub down** *v/t sep* nettoyer à fond ◆ scrub out *v/t sep pans etc.* récurer
scrub brush ['skrʌb,brʌʃ], *Br* **scrubbing brush** ['skrʌbɪŋ,brʌʃ] *n* brosse *f* à récurer **scrubland** ['skrʌblænd] *n* → **scrub¹**

scruff[1] [skrʌf] *n* ***by the ~ of the neck*** par la peau du cou
scruff[2] *n* (*Br infml messy person*), personne *f* peu soignée
scruffily ['skrʌfɪlɪ] *adv infml* sans soin
scruffy ['skrʌfɪ] *adj* ⟨**+er**⟩ *infml* débraillé *infml*
scrum [skrʌm] *n* RUGBY mêlée *f*; (*Br of reporters etc.*) bousculade *f*
scrumptious ['skrʌmpʃəs] *adj infml* délicieux(-euse)
scrunch [skrʌntʃ] **I** *v/t* ***to ~ sth*** (***up***) ***into a ball*** faire une boule de qc **II** *v/i* écraser
scruple ['skruːpl] *n* scrupule *m*; ***~s*** scrupules; ***to have no ~s about sth*** n'avoir aucun scrupule à propos de qc **scrupulous** ['skruːpjʊləs] *adj* scrupuleux (-euse); ***he is not too ~ in his business dealings*** dans les affaires, il est sans scrupules; ***to be ~ about sth*** faire très attention à qc **scrupulously** ['skruːpjʊləslɪ] *adv* (*conscientiously*) scrupuleusement; (*meticulously*) soigneusement; *clean* de manière irréprochable; *fair* d'une manière scrupuleuse
scrutinize ['skruːtɪnaɪz] *v/t* **1.** (*examine*) examiner minutieusement; (*check*) vérifier **2.** (*stare at*) scruter **scrutiny** ['skruːtɪnɪ] *n* **1.** (*examination*) examen *m* minutieux; (*checking*) contrôle *m* minutieux **2.** (*stare*) regard *m* insistant
scuba diving ['skuːbə] *n* plongée *f* sous-marine
scud [skʌd] *v/i* courir (à toute allure); (*clouds*) filer à toute allure
scuff [skʌf] **I** *v/t* érafler **II** *v/i* traîner les pieds
scuffle ['skʌfl] **I** *n* bagarre *f* **II** *v/i* se bagarrer
sculpt [skʌlpt] *v/t* = **sculpture** *II*
sculptor ['skʌlptəʳ] *n* sculpteur(-trice) *m*(*f*)
sculpture ['skʌlptʃəʳ] **I** *n* (*art*; *work*, *object*) sculpture *f* **II** *v/t* sculpter; (*in stone*) tailler
scum [skʌm] *n* **1.** (*on liquid*) écume *f*; (*residue*) mousse *f* **2.** *pej*, *infml* ordure *f infml*; ***the ~ of the earth*** le rebut du genre humain **scumbag** ['skʌmbæg] *n infml* ordure *f infml*
scupper ['skʌpəʳ] *v/t* **1.** NAUT couler **2.** (*Br infml ruin*) saborder
scurrilous ['skʌrɪləs] *adj* calomnieux (-euse)
scurry ['skʌrɪ] *v/i* (*person*) décamper; (*animals*) détaler; ***they all scurried out of the classroom*** ils se sont précipités hors de la salle de classe
scuttle[1] ['skʌtl] *v/i* (*person*, *animals*) courir; (*spiders etc.*) filer
scuttle[2] *v/t* NAUT écoutille *f*
scythe [saɪð] *n* faux *f*
SE *abbr* = **south-east** SE (*sud-est*)
sea [siː] *n esp Br* mer *f*; ***by ~*** en bateau; ***by the ~*** au bord de la mer; ***at ~*** en mer; ***to be all at ~*** *fig* nager complètement *infml*; ***to go to ~*** prendre la mer; ***heavy ~s*** mer agitée **sea anemone** *n* anémone *f* de mer **seabed** *n* fonds *mpl* marins **sea bird** *n* oiseau *m* de mer **seaboard** *n US* littoral *m* **sea breeze** *n* brise *f* du large **sea change** *n* profond changement *m* **sea defenses**, *Br* **sea defences** *pl* ouvrages *mpl* de défense (*contre la mer*) **seafish** *n* poisson *m* de mer
seafood *n* fruits *mpl* de mer; ***~ restaurant*** restaurant de fruits de mer **seafront** *n* bord *m* de mer **seagull** *n* mouette *f* **sea horse** *n* hippocampe *m*
seal[1] [siːl] *n* ZOOL phoque *m*
seal[2] **I** *n* **1.** (*in wax*) sceau *m*; ***~ of approval*** approbation **2.** (*airtight closure*) joint *m* (d'étanchéité) **II** *v/t* sceller; (*with wax*) sceller; *area* boucler; (*make air- or watertight*) fermer hermétiquement; (*fig finalize*) régler; ***~ed envelope*** enveloppe scellée; ***my lips are ~ed*** je serai muet; ***this ~ed his fate*** cela a décidé de son sort ◆ **seal in** *v/t sep* enfermer (hermétiquement) ◆ **seal off** *v/t sep* condamner ◆ **seal up** *v/t sep* fermer hermétiquement; *parcel* sceller
sea level *n* niveau *m* de la mer **sea lion** *n* lion *m* de mer
seam [siːm] *n* couture *f*; ***to come apart at the ~s*** se découdre; ***to be bursting at the ~s*** être plein à craquer **seamstress** ['semstrɪs] *n* couturière *f*
seamy ['siːmɪ] *adj* ⟨**+er**⟩ *club*, *person*, *past* sordide; *area* mal famé
séance ['seɪɑ̃ːns] *n* séance *f*
search [sɜːtʃ] **I** *n* (*for lost object etc.*) recherches *fpl* (***for sth*** de qc); (*of baggage etc.*) fouille *f*; IT recherche *f*; ***to go in ~ of sb / sth*** partir à la recherche de qn / qc; ***to carry out a ~ of a house*** perquisitionner une maison; ***they arranged a ~ for the missing child*** ils ont organisé des recherches pour retrouver l'enfant; ***to do a ~*** (***and replace***) IT faire une recherche (et remplacer) **II** *v/t* fouiller

(***for*** pour trouver); *records* examiner en détail; *memory* fouiller; ***to ~ a place for sb / sth*** fouiller un endroit pour retrouver qn / qc **III** *v/i* chercher (***for sb / sth*** qn / qc) ◆ **search around** *v/i* chercher un peu partout (***in*** dans) ◆ **search out** *v/t sep* chercher partout ◆ **search through** *v/t insep* fouiller; *papers* chercher dans

search engine *n* IT moteur *m* de recherche **searcher** ['sɜːtʃəʳ] *n*; ***the ~s*** l'équipe de secours **searching** ['sɜːtʃɪŋ] *adj look* inquisiteur(-trice); *question* pénétrant **searchlight** *n* projecteur *m* **search party** *n* équipe *f* de secours **search warrant** *n* mandat *m* de perquisition

searing ['sɪərɪŋ] *adj heat* torride

seashell *n* coquillage *m* **seashore** *n* rivage *m*; ***on the ~*** au bord de la mer **seasick** *adj* ***to be ~*** avoir le mal de mer **seasickness** *n* mal *m* de mer **seaside** **I** *n Br* bord *m* de la mer; ***at the ~*** au bord de la mer; ***to go to the ~*** aller à la mer **II** *attr* du bord de la mer; *town* au bord de la mer **seaside resort** *n* station *f* balnéaire

season ['siːzn] **I** *n* **1.** (*of the year*) saison *f*; ***rainy ~*** saison des pluies **2.** (*social season etc.*) saison *f*; ***hunting ~*** saison de la chasse; ***strawberries are in ~ / out of ~ now*** c'est / ce n'est pas la saison des fraises en ce moment; ***their bitch is in ~*** leur chienne est en chaleur; ***to go somewhere out of / in ~*** aller quelque part hors saison / en haute saison; ***at the height of the ~*** au plus fort de la saison; ***the ~ of good will*** la trêve de Noël; ***"Season's greetings"*** "Joyeux Noël et bonne année" **3.** THEAT saison *f*; ***a ~ of Dustin Hoffman movies*** un cycle Dustin Hoffman **II** *v/t food* assaisonner **seasonal** ['siːzənl] *adj* saisonnier (-ière); ***~ fruit*** fruit de saison **seasonally** ['siːzənəlɪ] *adv* ***~ adjusted*** corrigé des variations saisonnières **seasoned** *adj* **1.** *food* assaisonné **2.** *timber* séché **3.** (*fig experienced*) expérimenté **seasoning** ['siːznɪŋ] *n* COOK assaisonnement *m* **season ticket** *n* RAIL, THEAT carte *f* d'abonnement

seat [siːt] **I** *n* (*chair, on committee*) siège *m*; (*place to sit*) place *f*; (*usu pl seating*) places *fpl* assises; (*of pants*) fond *m*; ***will you keep my ~ for me?*** tu peux me garder ma place? **II** *v/t* asseoir; ***to ~ oneself*** s'asseoir; ***to be ~ed*** être assis; ***please be ~ed*** asseyez-vous, je vous en prie; ***the table / sofa ~s 4*** c'est une table / un canapé pour 4; ***the hall ~s 900*** la salle peut accueillir 900 personnes

seat belt *n* ceinture *f* de sécurité; ***to fasten one's ~*** attacher sa ceinture de sécurité **seating** ['siːtɪŋ] *n* sièges *mpl* **seating arrangements** *pl* placement *m* des gens

sea view *n esp Br* vue *f* sur la mer **sea water** *n* eau *f* de mer **seaweed** *n* algues *fpl* **seaworthy** *adj* en état de naviguer

sec. [sek] *abbr* = **second(s)** seconde(s) *f(pl)*; ***wait a ~*** *infml* attends un instant!

secluded [sɪ'kluːdɪd] *adj spot* retiré **seclusion** [sɪ'kluːʒən] *n* solitude *f*; (*of spot*) isolement *m*

second[1] ['sekənd] **I** *adj* (*one of many*) deuxième; (*one of two*) second; ***the ~ floor*** *US* le premier étage; *Br* le deuxième étage; ***to be ~*** être le deuxième; ***in ~ place*** SPORTS *etc.* en deuxième place; ***to be*** *or* ***lie in ~ place*** occuper la deuxième place; ***to finish in ~ place*** terminer deuxième; ***to be ~ in command*** MIL commander en second; ***~ time around*** la deuxième fois; ***you won't get a ~ chance*** l'occasion ne se représentera pas **II** *adv* **1.** deuxième; ***the ~ largest house*** la deuxième plus grande maison; ***to come / lie ~*** arriver deuxième **2.** (*secondly*) deuxièmement **III** *v/t motion* appuyer **IV** *n* **1.** (*of time*) seconde *f*; (*infml short time*) instant *m*; ***just a ~!*** un instant!; ***it won't take a ~*** ça ne prendra qu'un instant; ***I'll only be a ~*** j'en ai pour deux secondes; (*back soon*) je reviens tout de suite **2.** ***the ~*** (*in order*) le(la) deuxième; (*of two*) le(la) second(e) **3.** (*esp Br* AUTO) ***~ (gear)*** deuxième *f* **4.** **seconds** *pl* (*infml second helping*) deuxième portion *f*, rab *m infml* **5.** COMM ***~s*** *pl* articles *mpl* de second choix

second[2] [sɪ'kɒnd] *v/t Br* détacher

secondary ['sekəndərɪ] *adj* **1.** secondaire **2.** *education* secondaire; ***~ school*** établissement secondaire **second best** **I** *n* deuxième *m/f*; ***I won't settle for ~*** je ne vais pas me contenter du deuxième **II** *adv* ***to come off ~*** se faire battre **second-best** *adj* deuxième; (*inferior*) de second ordre **second class** *n* seconde *f* (classe *f*) **second-class** **I** *adj ticket*, *mail* de seconde classe; ~

stamp timbre pour courrier ordinaire **II** *adv travel* en seconde; ***to send sth ~*** envoyer qc en courrier ordinaire **second cousin** *n* cousin(e) *m(f)* issu(e) de germain **second-degree** *adj attr* au second degré **second-guess** *v/t* **1.** ***to ~ sb*** essayer d'anticiper ce que qn va faire **2.** *US* critiquer après coup **second hand** *n* trotteuse *f* **second-hand I** *adj* d'occasion; *fig information* de seconde main; ***a ~ car*** une voiture d'occasion; ***~ bookstore*** magasin de livres d'occasion **II** *adv* d'occasion **secondly** ['sekəndlɪ] *adv* deuxièmement; (*secondarily*) en second lieu

secondment [sɪ'kɒndmənt] *n Br* détachement *m*; ***to be on ~*** être en détachement

second name *n* deuxième *m* nom; *Br* nom *m* de famille **second nature** *n* ***to become ~*** (***to sb***) devenir une seconde nature (chez qn) **second-rate** *adj pej* médiocre **second sight** *n* don *m* de double vue; ***you must have ~*** vous devez avoir le don de double vue **second thought** *n* ***without a ~*** sans hésiter; ***I didn't give it a ~*** je l'ai fait sans hésiter; ***to have ~s about sth*** changer d'avis (à propos de qc); ***on ~s maybe I'll do it myself*** réflexion faite, je vais peut-être le faire moi-même **Second World War** *n* ***the ~*** la Seconde Guerre mondiale

secrecy ['siːkrəsɪ] *n* (*of person, event*) secret *m*; ***in ~*** en secret, secrètement

secret ['siːkrɪt] **I** *adj* secret(-ète); ***to keep sth ~*** (***from sb***) cacher qc (à qn) **II** *n* secret *m*; ***to keep sb / sth a ~*** (***from sb***) cacher qn / qc (à qn); ***to tell sb a ~*** dire un secret à qn; ***in ~*** en secret; ***they met in ~*** ils se voyaient en cachette; ***to let sb in on*** *or* ***into a ~*** révéler un secret à qn; ***to keep a ~*** garder un secret; ***can you keep a ~?*** tu peux garder un secret?; ***to make no ~ of sth*** ne pas cacher qc; ***the ~ of success*** le secret de la réussite **secret agent** *n* agent *m* secret

secretarial [ˌsekrə'tɛərɪəl] *adj job* de secrétariat; ***~ work*** travail de secrétariat; ***~ staff*** secrétariat

secretary ['sekrətrɪ] *n* secrétaire *m/f*; (*of society*) secrétaire *m/f*; (POL *minister*) ministre *m/f* **secretary-general** *n* ⟨*pl* **secretaries-general, secretary-generals**⟩ secrétaire *m/f* général(e) **Secretary of State** *n US* secrétaire *m/f* d'État, ≈ ministre *m/f* des Affaires étrangères; *Br* ministre *m/f*

secrete [sɪ'kriːt] *v/t & v/i* MED sécréter

secretion [sɪ'kriːʃən] *n* (MED *substance*) sécrétion *f*

secretive ['siːkrətɪv] *adj person* secret (-ète); *organization* impénétrable; ***to be ~ about sth*** faire mystère de qc **secretly** ['siːkrətlɪ] *adv* en secret; *meet, film* en cachette; (*privately*) secrètement **secret police** *n* police *f* secrète **secret service** *n* services *mpl* secrets **secret weapon** *n* arme *f* secrète

sect [sekt] *n* secte *f* **sectarian** [sek'tɛərɪən] *adj* sectaire; *differences* confessionnel(le); ***~ violence*** violence motivé par le sectarisme

section ['sekʃən] *n* **1.** (*part*) section *f*; (*of book, document*) partie *f*; (*of road*) tronçon *m*; (*of orange*) quartier *m*; ***the string ~*** les cordes *fpl* **2.** (*department*, MIL) groupe *m* (de combat); (*esp of academy etc.*) section *f* **3.** (*diagram, cutting*) section *f* ◆ **section off** *v/t sep* séparer

sector ['sektəʳ] *n also* IT secteur *m*

secular ['sekjʊləʳ] *adj* séculier(-ière), laïque; *music* profane

secure [sɪ'kjʊəʳ] **I** *adj* ⟨**+er**⟩ sûr; (*emotionally*) en sécurité; *income* assuré; *grip, door, knot* solide; ***~ in the knowledge that …*** avec la certitude que …; ***to make sb feel ~*** sécuriser qn; ***financially ~*** à l'abri des soucis financiers **II** *v/t* **1.** (*fasten*) attacher; *door* bien fermer; (*make safe*) protéger (***from, against*** contre) **2.** (*obtain*) obtenir; *votes, order* obtenir; (*buy*) acheter; ***to ~ sth for sb*** obtenir qc pour qn **securely** [sɪ'kjʊəlɪ] *adv* (*firmly*) solidement; (*safely*) bien

security [sɪ'kjʊərɪtɪ] *n* **1.** sécurité *f*; (*security measures*) mesures *fpl* de sécurité; (*security department*) service *m* de sécurité *f*; (*guarantor*) caution *f*; ***for ~*** par mesure de sécurité **2. securities** *pl* FIN valeurs *fpl*, titres *mpl*; ***securities market*** marché *m* des valeurs, marché *m* des titres **security camera** *n* caméra *f* de surveillance **security check** *n* contrôle *m* de sécurité **security firm** *n* société *f* de surveillance **security gap** *n* faille *f* dans la sécurité **security guard** *n* vigile *m* **security man** *n* homme *m* de la sécurité; ***one of the security men*** un des hommes de la sécurité **security risk** *n* danger *m* la sécurité (de l'État ou d'une organisation)

sedan [sɪ'dæn] *n* **1.** (*a.* **sedan chair**) chaise *f* à porteurs **2.** (*US* AUTO) berline *f*

sedate [sɪ'deɪt] **I** *adj* ⟨**+er**⟩ posé; *life* calme **II** *v/t* donner un calmant à; ***he was heavily ~d*** on lui avait donné une forte dose de calmants **sedation** [sɪ'deɪʃən] *n* sédation *f*; ***to put sb under ~*** mettre qn sous calmants **sedative** ['sedətɪv] *n* calmant *m*, sédatif *m*

sedentary ['sedntərɪ] *adj* sédentaire; ***to lead a ~ life*** mener une vie sédentaire

sediment ['sedɪmənt] *n* dépôt *m*; (*in river*) sédiment *m*

seduce [sɪ'dju:s] *v/t* séduire **seduction** [sɪ'dʌkʃən] *n* séduction *f* **seductive** [sɪ'dʌktɪv] *adj* séduisant; *offer* alléchant

see[1] [si:] ⟨*past* **saw**⟩ ⟨*past part* **seen**⟩ **I** *v/t* **1.** voir; (*check*) vérifier; ***to ~ sb do sth*** voir qn faire qc; ***I saw it happen*** j'ai vu comment c'est arrivé; ***I wouldn't like to ~ you unhappy*** je ne voudrais pas que tu sois malheureux; ***~ page 8*** voir page 8; ***what does she ~ in him?*** qu'est-ce qu'elle lui trouve?; ***you must be ~ing things*** tu dois avoir des hallucinations; ***worth ~ing*** qui vaut la peine d'être vu; ***we'll ~ if we can help*** nous verrons si nous pouvons faire quelque chose; ***that remains to be ~n*** ça reste à voir; ***let's ~ what happens*** voyons ce qui se passe; ***I ~ you still haven't done that*** je vois que tu ne l'as toujours pas fait; ***try to ~ it my way*** essayez de le considérer de mon point de vue; ***I don't ~ it that way*** ce n'est pas comme ça que je vois la chose **2.** (*visit*) voir; (*on business*) rendre visite à; ***to call*** *or* ***go and ~ sb*** aller voir qn; ***to ~ the doctor*** aller chez le médecin **3.** (*meet with*) voir; (*talk to*) parler à; (*receive*) recevoir; ***the doctor will ~ you now*** le docteur va vous recevoir maintenant; ***I'll have to ~ my wife about that*** il faut que j'en parle à ma femme; ***~ you*** (***soon***)***!*** à bientôt!; ***~ you later!*** à plus tard! **4.** (*have relationship with*) voir, fréquenter; ***I'm not ~ing anyone*** je ne sors avec personne **5.** ***to ~ sb to the door*** reconduire qn jusqu'à la porte **6.** (*visualize*) s'imaginer; ***I can't ~ that working*** je ne pense pas que ça va marcher **7.** (*experience*) vivre; ***I've never ~n anything like it!*** je n'ai jamais vu quelque chose comme ça; ***it's ~n a lot of hard wear*** ça a beaucoup servi **8.** (*understand*) comprendre; (*recognize*) reconnaître; ***I can ~ I'm going to be busy*** je vois que je vais être bien occupé; ***I fail to*** *or* ***don't ~ how anyone could …*** je ne comprends pas comment quelqu'un peut …; ***I ~ from this report that …*** je vois d'après ce rapport que …; (***do you***) ***~ what I mean?*** vous voyez ce que je veux dire!; (*didn't I tell you!*) tu vois maintenant!; ***I ~ what you mean*** je vois ce que vous voulez dire; (*you're right*) oui, tu as raison; ***to make sb ~ sth*** faire comprendre qc à qn **9.** ***~ that it is done by tomorrow*** faites en sorte que cela soit fait pour demain **II** *v/i* **1.** voir; ***who was it? — I couldn't/didn't ~*** c'était qui?— je n'ai pas vu; ***as far as the eye can ~*** à perte de vue; ***~ for yourself!*** voyez vous-même!; ***will he come? — we'll soon ~*** est-ce qu'il va venir? — nous le saurons bientôt; ***you'll ~!*** tu verras! **2.** (*find out*) (aller) voir; ***is he there? — I'll ~*** il est là? — je vais aller voir; ***~ for yourself!*** allez voir vous-même! **3.** (*understand*) comprendre; ***as far as I can ~ …*** à ce que je vois…; ***he's dead, don't you ~?*** tu ne comprends pas qu'il est mort?; ***as I ~ from your report*** comme je le vois dans votre rapport; ***it's too late,*** (***you***) ***~*** c'est trop tard, vous voyez; (***you***) ***~, it's like this*** c'est comme ça, voyez-vous; ***I ~!*** je vois!; (*after explanation*) ah bon! **4.** (*consider*) ***we'll ~*** on verra; ***let me ~, let's ~*** voyons un peu ◆ **see about** *v/t insep* (*attend to*) s'occuper de; ***he came to ~ a job*** il est venu pour un job ◆ **see in I** *v/i* regarder à l'intérieur **II** *v/t sep* ***to see the New Year in*** faire le réveillon du nouvel an ◆ **see into** *v/t insep* s'enquérir de ◆ **see off** *v/t sep* **1.** (*bid farewell to*) dire au revoir à; ***are you coming to see me off*** (***at the airport*** *etc.*)***?*** tu m'accompagnes (à l'aéroport *etc.*)? **2.** (*chase off*) mettre à la porte ◆ **see out I** *v/i* regarder dehors; ***I can't ~ of the window*** je n'arrive pas à voir par la fenêtre **II** *v/t sep* (*show out*) raccompagner à la porte (**of** de); ***I'll see myself out*** ce n'est pas la peine de me raccompagner ◆ **see through I** *v/i lit* voir à travers **II** *v/t insep fig deceit* voir clair dans **III** *v/t always separate* **1.** (*help through difficult time*) aider; ***he had***

$100 to see him through the week il avait 100 dollars pour finir la semaine **2.** *job* mener à bonne fin ◆ **see to** *v/t insep* s'occuper de

see² *n* évêché *m*

seed [siːd] **I** *n* **1.** (BOT, *single*) graine *f*; (*of grain etc.*) semence *f*; (*in fruit*) pépin *m*; (*grain*) semences *fpl*, graines *fpl*; (*fig: of idea*) germe *m* (***of*** de); ***to sow the ~s of doubt*** (***in sb's mind***) semer le doute (dans l'esprit de qn) **2.** SPORTS ***the number one ~*** tête *f* de série numéro un **II** *v/t* SPORTS ***~ed number one*** classé numéro un **seedling** ['siːdlɪŋ] *n* semis *m*

seedy ['siːdɪ] *adj* ⟨**+er**⟩ miteux(-euse)

seeing ['siːɪŋ] **I** *n* vue *f*, vision *f*; ***I'd never have thought it possible but ~ is believing*** je n'aurais jamais cru cela possible, mais voir, c'est croire **II** *cj* ~ (***that*** *or* ***as***) étant donné (que) **Seeing Eye Dog** *n US* chien *m* d'aveugle

seek [siːk] ⟨*past*, *past part* **sought**⟩ *v/t* chercher; *fame* rechercher; ***to ~ sb's advice*** demander conseil à qn; ***to ~ to do sth*** chercher à faire qc ◆ **seek out** *v/t sep* aller chercher

seem [siːm] *v/i* sembler, avoir l'air; ***he ~s younger than he is*** il a l'air plus jeune qu'il n'est; ***he doesn't ~ (to be) able to concentrate*** il n'a pas l'air capable de se concentrer; ***things aren't what they ~*** les choses ne sont pas ce que l'on pourrait croire; ***I ~ to have heard that before*** il me semble avoir déjà entendu ça; ***what ~s to be the trouble?*** de quoi s'agit-il?; (*doctor*) qu'est-ce qui ne va pas?; ***it ~s to me that …*** il me semble que …; ***we are not welcome, it ~s*** nous ne sommes manifestement pas les bienvenus; ***so it ~s*** il semblerait; ***how does it ~ to you?*** qu'en penses-tu?; ***how did she ~ to you?*** comment l'as-tu trouvée?; ***it ~s a shame to leave now*** il semble dommage de partir maintenant; ***it just doesn't ~ right*** il y a quelque chose qui ne va pas; ***I can't ~ to do it*** je n'arrive pas à le faire; ***it only ~s like it*** ça n'en a que l'apparence; ***I ~ to remember telling him that*** il me semble me rappeler lui avoir dit ça **seeming** ['siːmɪŋ] *adj attr* apparent, soi-disant **seemingly** ['siːmɪŋlɪ] *adv* apparemment

seen [siːn] *past part* = **see¹**

seep [siːp] *v/i* suinter; ***to ~ through sth*** suinter à travers qc

seesaw ['siːsɔː] *n* bascule *f*

seethe [siːð] *v/i* **1.** (*be crowded*) grouiller (***with*** de) **2.**; (*be angry*) être furieux

see-through ['siːθruː] *adj* transparent

segment ['segmənt] *n* segment *m*; (*of orange*) morceau *m*, quartier *m*; (*of circle*) segment *m*

segregate ['segrɪgeɪt] *v/t individuals* isoler; *group of population* séparer **segregation** [ˌsegrɪ'geɪʃən] *n* ségrégation *f*

seismic ['saɪzmɪk] *adj* sismique; *fig changes*, *events* cataclysmique; *forces* gigantesque

seize [siːz] *v/t* saisir; (*confiscate*) confisquer; *town*, *power* s'emparer de; *opportunity* saisir; ***to ~ sb's arm, to ~ sb by the arm*** prendre qn par le bras; ***to ~ the day*** vivre dans l'instant; ***to ~ control of sth*** prendre le contrôle de qc ◆ **seize on** *or* **upon** *v/t insep idea* se saisir de ◆ **seize up** *v/i* **1.** (*engine*) se gripper **2.** *infml* ***my back seized up*** j'ai le dos coincé *infml*

seizure ['siːʒəʳ] *n* **1.** (*confiscation*) saisie *f*; (*capture*) capture *f* **2.** MED crise *f*; (*apoplexy*) attaque *f*

seldom ['seldəm] *adv* rarement

select [sɪ'lekt] **I** *v/t & v/i* choisir, sélectionner; SPORTS sélectionner **II** *adj* (*exclusive*) de premier choix; (*chosen*) choisi; ***a ~ few*** quelques privilégiés **selection** [sɪ'lekʃən] *n* **1.** (*choosing*) sélection *f*, choix *m* **2.** (*thing selected*) sélection *f*; ***to make one's ~*** faire son choix **3.** (*range*) choix *m* (***of*** de) **selective** [sɪ'lektɪv] *adj* sélectif(-ive) **selector** [sɪ'lektəʳ] *n* SPORTS sélectionneur (-euse) *m*(*f*)

self [self] *n* ⟨*pl* **selves**⟩ moi *m*; ***he showed his true ~*** il a montré son vrai visage; ***he's his old ~ again, he's back to his usual ~*** il est redevenu lui-même **self-absorbed** *adj* égocentrique **self-addressed** *adj envelope* à son nom et adresse **self-addressed stamped envelope** *n US* enveloppe *f* affranchie à son nom et adresse **self-adhesive** *adj* autoadhésif(-ive) **self-appointed** *adj* autoproclamé **self-assertive** *adj* très sûr de soi **self-assured** *adj* sûr de soi, plein d'assurance **self-awareness** *n* prise *f* de conscience de soi **self-belief** *n* confiance *f* en soi **self-catering** *Br* **I** *n* meublé *m* avec cuisine équipée; ***to go ~*** louer un meublé pour les vacances **II** *adj* meublé (avec cuisine équipée) **self-centered**, *Br* **self-centred** *adj* égocentrique **self-confessed** *adj* qui le reconnaît lui-même **self-confidence** *n* confiance *f* en soi **self-confident** *adj* sûr de soi **self-conscious** *adj* intimidé; ***to be ~ about sth*** être gêné par qc **self-consciously** *adv* (*uncomfortably*) timidement **self-consciousness** *n* gêne *f* **self-contained** *adj* **1.** *person* indépendant **2.** (*self-sufficient*) autosuffisant **3.** *group* fermé; *Br apartment* indépendant, avec entrée particulière **self-control** *n* maîtrise *f* de soi **self-deception** *n* aveuglement *m* **self-defense**, *Br* **self-defence** *n* autodéfense *f*; JUR légitime défense *f* **self-delusion** *n* aveuglement *m* **self-denial** *n* abnégation *f* **self-deprecating** *adj person* qui se dénigre; *remark* critique envers soi-même; ***to be ~*** (*person*) se dénigrer soi-même **self-destruct I** *v/i* s'autodétruire **II** *adj attr* ***~ button*** bouton d'autodestruction **self-destruction** *n* autodestruction *f* **self-destructive** *adj* autodestructeur(-trice) **self-determination** *n* autodétermination *f* **self-discipline** *n* autodiscipline *f* **self-doubt** *n* manque *m* de confiance en soi **self-educated** *adj* autodidacte **self-effacing** *adj* effacé **self-employed** *adj* indépendant, à son compte; *journalist* indépendant **self-esteem** *n* amour-propre *m*; ***to have high / low ~*** avoir une bonne / mauvaise opinion de soi **self-evident** *adj* évident **self-explanatory** *adj* qui se passe d'explication **self-government** *n* autonomie *f* **self-help** *n* efforts *mpl* personnels **self-important** *adj* suffisant **self-improvement** *n* progrès *mpl* personnels **self-indulgence** *n* amour *m* de son propre confort; (*in eating*) habitude *f* de ne rien se refuser **self-indulgent** *adj* qui aime son confort; (*in eating*) qui ne se refuse rien **self-inflicted** *adj wounds* que l'on s'inflige à soi-même **self-interest** *n* intérêt *m* (personnel)

selfish ['selfɪʃ] *adj* égoïste; ***for ~ reasons*** par égoïsme **selfishly** ['selfɪʃlɪ] *adv* égoïstement, en égoïste **selfishness** ['selfɪʃnɪs] *n* égoïsme *m*

self-justification *n* autojustification *f* **self-knowledge** *n* connaissance *f* de soi

selfless ['selflɪs] *adj* désintéressé, altruiste **selflessly** ['selflɪslɪ] *adv* de façon désintéressée, par altruisme **selflessness** ['selflɪsnɪs] *n* désintéressement *m*, altruisme *m*

self-made *adj* qui a réussi par ses propres moyens; ***~ man*** self-made man *m*; ***he's a ~ millionaire*** il est devenu millionnaire par ses propres moyens **self-opinionated** [ˌselfə'pɪnjəneɪtɪd] *adj* entêté **self-perception** *n* perception *f* de soi-même **self-pity** *n* apitoiement *m* sur soi-même **self-portrait** *n* autoportrait *m* **self-possessed** *adj* maître(sse) de soi **self-preservation** *n* instinct *m* de préservation **self-raising** *adj Br* = **self-rising** **self-reliant** *adj* autonome **self-respect** *n* respect *m* de soi; ***have you no ~?*** tu n'as pas d'amour-propre? **self-respecting** *adj* qui se respecte; ***no ~ person would ...*** aucune personne qui se respecte ne ... **self-restraint** *n* retenue *f* **self-righteous** *adj* autosatisfait **self-rising**, *Br* **self-raising** *adj flour* avec levure incorporée **self-sacrifice** *n* abnégation *f* **self-satisfied** *adj* content de soi, suffisant

self-service I *adj* libre-service **II** *n* self *m* **self-sufficiency** *n* (*of person*) autosuffisance *f*; (*of country*) autarcie *f*; (*of community*) indépendance *f* **self-sufficient** *adj person* autosuffisant; *country* qui vit en autarcie **self-taught** *adj* autodidacte; ***he is ~*** il est autodidacte **self-worth** *n* confiance *f* en soi

sell [sel] ⟨*past, past part* **sold**⟩ **I** *v/t* **1.** vendre (***sb sth, sth to sb*** qc à qn); ***what are you ~ing it for?*** combien vous en voulez?; ***to be sold on sb / sth*** *infml* être emballé par qn / qc *infml* **2.** (*stock*) écouler; (*deal in*) être dans le commerce de **3.** (*promote the sale of*) faire vendre; ***to ~ oneself*** se vendre (***to*** à) **4.** (*fig betray*) vendre; ***to ~ sb down the river*** *infml* trahir qn **II** *v/i* (*person*) vendre (***to sb*** à qn); (*article*) se vendre; ***why are they selling?*** pourquoi est-ce qu'ils vendent? ◆ **sell off** *v/t sep* liquider; (*quickly, cheaply*) brader ◆ **sell out I** *v/t sep* vendre tout son stock de; ***we're sold out of ice cream*** nous n'avons plus de glace en magasin **II** *v/i* **1.** épuiser son stock; ***we sold out in two days*** nous avons tout vendu en deux jours **2.** *infml* ***he sold out to the enemy*** il est

passé à l'ennemi ◆ **sell up** *Br v/i* tout vendre
sell-by date ['selbaɪˌdeɪt] *n Br* date *f* limite de vente **seller** ['seləʳ] *n* **1.** vendeur(-euse) *m(f)* **2.** ***this book is a good ~*** ce livre se vend bien **selling** ['selɪŋ] *n* vente *f* **selling point** *n* point *m* fort **selloff** ['selɒf] *n US* (*of stocks*) vente *f*; *Br* (*of business*) vente *f*
Sellotape® ['seləʊteɪp] *Br* **I** *n* scotch® *m*, ruban *m* adhésif **II** *v/t* ***to sellotape*** (***down***) scotcher, coller avec du ruban adhésif
sellout ['selaʊt] *n* THEAT, SPORTS ***to be a ~*** être joué à guichets fermés
selves [selvz] *pl* = **self**
semantics [sɪ'mæntɪks] *n sg* sémantique *f*
semaphore ['seməfɔːʳ] *n* sémaphore *m*
semblance ['sembləns] *n* semblant *m*, apparence *f* (***of*** de)
semen ['siːmən] *n* sperme *m*
semester [sɪ'mestəʳ] *n* semestre *m*
semi ['semɪ] *n* **1.** *infml* = **semifinal 2.** (*Br infml*) = **semidetached semi-** *pref* demi- **semicircle** *n* demi-cercle *m* **semicolon** *n* point-virgule *m* **semiconscious** *adj* à demi conscient **semidetached** *Br* **I** *adj* ***~ house*** maison m *f* jumelle **II** *n* maison *f* jumelle **semifinal** *n* demi-finale *f*; ***~s*** demi-finales **semifinalist** *n* demi-finaliste *m/f*
seminar ['semɪnɑːʳ] *n* séminaire *m*, colloque *m*
seminary ['semɪnərɪ] *n* séminaire *m*
semiprecious *adj*; ***~ stone*** pierre semi-précieuse **semiquaver** *n Br* double croche *f* **semiskilled** *adj worker* spécialisé **semi-skimmed milk** *n Br* lait *m* demi-écrémé **semitrailer** *n Br* semi-remorque *m*
semolina [ˌsemə'liːnə] *n* semoule *f*
sen *abbr* = **senior**
Sen. *US abbr* = **senator**
senate ['senɪt] *n* sénat *m* **senator** ['senɪtəʳ] *n* sénateur(-trice) *m(f)*
send [send] ⟨*past*, *past part* **sent**⟩ *v/t* **1.** *letter* envoyer; *signal* émettre; ***it ~s the wrong signal*** *or* ***message*** *fig* cela risque d'être mal interprété; ***to ~ sb for sth*** envoyer qn chercher qc; ***she ~s her love*** elle t'envoie ses amitiés; ***~ him my best wishes*** envoie-lui mes amitiés **2.** (*propel*) *arrow*, *ball* envoyer; (*hurl*) lancer; ***the blow sent him sprawling*** le coup l'a envoyé par terre; ***to ~ sth off course*** faire dévier qc de sa route; ***this sent him into a fury*** ça l'a rendu furieux; ***this sent him*** (***off***) ***into fits of laughter*** ça l'a fait beaucoup rire; ***to ~ prices soaring*** faire monter les prix en flèche ◆ **send away I** *v/t sep* envoyer **II** *v/i* ***to ~ for sth*** se faire envoyer qc ◆ **send back** *v/t sep* renvoyer ◆ send down *v/t sep* **1.** *temperature*, *prices* faire baisser **2.** *Br prisoner* envoyer en prison (***for*** pour) ◆ **send for** *v/t insep* **1.** *person* faire appeler; *doctor* faire venir; *help* envoyer chercher; (*person in authority*) *student* convoquer; ***I'll ~ you when I want you*** je vous ferai appeler quand j'aurai besoin de vous **2.** *catalog* se faire envoyer ◆ **send in** *v/t sep* envoyer; *person* faire entrer; *troops* envoyer ◆ **send off I** *v/t sep* **1.** *packet* envoyer, expédier **2.** *children to school* envoyer **3.** (*Br* SPORTS) expulser (***for*** pour); ***send him off, ref!*** expulsion! **II** *v/i* = **send away** *II* ◆ **send on** *v/t sep* **1.** *letter* faire suivre **2.** *luggage etc.* expédier à l'avance **3.** SPORTS (*substitute*) envoyer sur le terrain ◆ **send out** *v/t sep* **1.** (*of room*) faire sortir (***of*** de); ***she sent me out to buy a paper*** elle m'a envoyé acheter un journal **2.** *signals* émettre; *light* diffuser **3.** *invitations* envoyer ◆ **send out for I** *v/t insep* envoyer chercher **II** *v/t sep* ***to send sb out for sth*** envoyer qn chercher qc ◆ **send up** *v/t sep* (*Br infml satirize*) parodier
sender ['sendəʳ] *n* expéditeur(-trice) *m(f)* **sendoff** *n* ***to give sb a good ~*** faire des adieux chaleureux à qn
senile ['siːnaɪl] *adj* sénile
senior ['siːnɪəʳ] **I** *adj* (*in age*) aîné, plus âgé; (*in rank*) supérieur; *rank*, *civil servant* de grade supérieur; *officer* supérieur; *editor etc.* en chef; ***he is ~ to me*** il est plus âgé que moi; ***the ~ management*** la direction; ***~ consultant*** senior consultant m; ***my ~ officer*** mon officier supérieur; ***J. B. Leblanc, Senior*** J. B. Leblanc père **II** *n* SCHOOL élève *m/f* de terminale; (*US* UNIV) ≈ étudiant(e) *m/f* de licence; ***he is two years my ~*** il est de deux ans mon aîné **senior citizen** *n* personne *f* du troisième âge, senior *m/f* **senior high school**, *Br* **senior school** *n* ≈ lycée *m* **seniority** [ˌsiːnɪ'ɒrɪtɪ] *n* (*in rank*) niveau *m* de responsabilité; MIL supériorité *f*; (*in*

civil service etc.) ancienneté *f* **senior partner** *n* associé(e) *m*(*f*) principal(e)

sensation [sen'seɪʃən] *n* **1.** (*feeling*) sensation *f*; (*of cold etc.*) impression *f*; ***the ~ of falling*** la sensation de tomber **2.** (*success*) sensation *f*; ***to cause a ~*** faire sensation **sensational** *adj* **1.** qui fait sensation; *book* à sensation **2.** (*infml very good etc.*) sensationnel(le) *infml*

sense [sens] **I** *n* **1.** sens *m*; ***~ of smell*** odorat *m* **2. senses** *pl* ***to come to one's ~s*** revenir à la raison **3.** (*feeling*) sentiment *m*; ***to have a ~ that ...*** avoir le sentiment que ...; ***~ of duty*** sentiment du devoir; ***a false ~ of security*** une illusion de sécurité **4.** (***common***) **~** bon sens *m*; ***he had the*** (***good***) ***~ to ...*** il a eu le bon sens de ...; ***there is no ~ in doing that*** cela n'a pas de sens; ***to talk ~*** dire quelque chose de sensé; ***to make sb see ~*** faire entendre raison à qn; ***to make ~*** (*sentence etc.*) avoir du sens; (*be rational*) être raisonnable; ***it doesn't make ~ doing it that way*** c'est absurde de le faire comme ça; ***he/his theory doesn't make ~*** ça ne se tient pas; ***it all makes ~ now*** tout s'explique maintenant; ***to make ~ of sth*** arriver à comprendre qc **5.** (*meaning*) sens *m*, signification *f*; ***in every ~ of the word*** dans tous les sens du terme **6.** ***in a ~*** dans un sens; ***in every ~*** dans tous les sens; ***in what ~?*** dans quel sens? **II** *v/t* sentir (intuitivement) **senseless** *adj* **1.** (*unconscious*) sans connaissance **2.** (*stupid*) stupide, insensé; (*futile*) absurde

sensibility [ˌsensɪ'bɪlɪtɪ] *n* sensibilité *f*; ***sensibilities*** susceptibilités

sensible ['sensəbl] *adj* sensé, raisonnable **sensibly** ['sensəblɪ] *adv* raisonnablement; ***he very ~ ignored the question*** il a sagement ignoré la question

sensitive ['sensɪtɪv] *adj* (*emotionally*) sensible; (*easily upset*) susceptible; (*physically sensitive*) sensible; (*understanding*) compréhensif(-ive); *movie* plein de sensibilité; *fig topic* délicat, sensible; ***to be ~ about sth*** être susceptible sur qc; ***she is very ~ to criticism*** elle est facilement blessée par les critiques; ***he has access to some highly ~ information*** il a accès à certaines informations hautement confidentielles **sensitively** ['sensɪtɪvlɪ] *adv* (*sympathetically*) avec sensibilité **sensitivity** [ˌsensɪ'tɪvɪtɪ] *n* (*emotional*) sensibilité *f*; (*getting easily upset, physical sensitivity*) susceptibilité *f*; (*understanding*) compréhension *f*; (*fig: of topic*) caractère *m* délicat

> **sensible ≠ sensible**
>
> **Sensible** = sensé, raisonnable :
>
> **He was a very sensitive person. (He was a very sensible person** voudrait dire que c'est quelqu'un qui avait la tête sur les épaules.)
>
> C'était quelqu'un de très sensible.

sensor ['sensə^r] *n* détecteur *m* **sensory** ['sensərɪ] *adj* des sens; ***~ organ*** organe sensoriel

sensual ['sensjʊəl] *adj* sensuel(le) **sensuality** [ˌsensjʊ'ælɪtɪ] *n* sensualité *f* **sensuous** ['sensjʊəs] *adj* voluptueux (-euse), sensuel(le) **sensuously** ['sensjʊəslɪ] *adv* avec volupté, voluptueusement

sent [sent] *past, past part* = **send**

sentence ['sentəns] **I** *n* **1.** GRAM phrase *f*; ***~ structure*** structure de phrase **2.** JUR condamnation *f*, sentence *f*; ***the judge gave him a 6-month ~*** le juge l'a condamné à 6 mois de prison **II** *v/t* JUR prononcer une condamnation contre; ***to ~ sb to sth*** condamner qn à qc

> **sentence**
>
> **Sentence** = phrase, mais aussi condamnation et condamner.

sentient ['sentɪənt] *adj* sensible, doué de sensation

sentiment ['sentɪmənt] *n* **1.** (*feeling*) sentiment *m* **2.** (*sentimentality*) sentimentalité *f* **3.** (*opinion*) sentiment *m* **sentimental** [ˌsentɪ'mentl] *adj* sentimental *also value*; ***for ~ reasons*** pour des raisons sentimentales

sentry ['sentrɪ] *n* sentinelle *f*; ***to be on ~ duty*** être de faction

Sep. *abbr* = **September**

separable ['sepərəbl] *adj* séparable

separate ['seprət] **I** *adj* **1.** séparé (***from*** de); *accounts* distinct; *beds* à part; *entrance* particulier(-ière); ***a ~ issue*** un autre sujet; ***on two ~ occasions*** à deux occasions différentes; ***on a ~ occasion*** à une autre occasion; ***they live ~ lives*** ils mènent des vies complètement séparées; ***to keep two things ~*** pour ne pas mélanger deux choses **2.** (*individual*) particulier(-ière); ***everybody has a ~ task*** ils ont tous des tâches distinctes **II** *n* **separates** *pl* vêtements *mpl* à coordonner **III** *v/t* séparer; (*divide up*) diviser (***into*** en); ***he is ~d from his wife*** il est séparé de sa femme **IV** *v/i* se séparer

separated ['sepəreɪtɪd] *adj* séparé; ***the couple are ~*** ils sont séparés **separately** ['seprətlɪ] *adv* séparément **separation** [ˌsepə'reɪʃən] *n* séparation *f* **separatist** ['sepərətɪst] **I** *adj* séparatiste **II** *n* séparatiste *m/f*

Sept. *abbr* = **September**

September [sep'tembəʳ] **I** *n* septembre *m*; ***the first of ~*** le premier septembre; ***on ~ 19th*** le 19 septembre; ***in ~*** en septembre, au mois de septembre; ***at the beginning / end of ~*** début / fin septembre **II** *adj attr* de septembre

septic ['septɪk] *adj* ***to turn ~*** s'infecter

septic tank *n* fosse *f* septique

sepulcher, *Br* **sepulchre** ['sepəlkəʳ] *n* sépulcre *m*, tombeau *m*

sequel ['siːkwəl] *n* conséquence *f* (***to*** de); (*of book, movie*) suite *f* (***to*** de)

sequence ['siːkwəns] *n* **1.** ordre *m*, suite *f*; ***~ of words*** suite de mots; ***in ~*** par ordre **2.** FILM séquence *f* **sequencer** ['siːkwənsəʳ] *n* IT séquenceur *m*

sequin ['siːkwɪn] *n* paillette *f*

Serb [sɜːb] *n* Serbe *m/f* **Serbia** ['sɜːbɪə] *n* Serbie *f* **Serbian** ['sɜːbɪən] **I** *adj* serbe **II** *n* **1.** Serbe *m/f* **2.** LING serbe *m*

serenade [ˌserə'neɪd] **I** *n* sérénade *f* **II** *v/t* donner une sérénade à

serene [sə'riːn] *adj* serein, calme **serenity** [sɪ'renɪtɪ] *n* sérénité *f*

sergeant ['sɑːdʒənt] *n* **1.** MIL sergent *m* **2.** POLICE ≈ brigadier *m* **sergeant major** *n US* adjudant-chef *m*; *Br* sergent-major *m*

serial ['sɪərɪəl] **I** *adj* en série; IT série **II** *n* (*novel*) roman-feuilleton *m*; (*in periodical, TV, radio*) feuilleton *m*; ***it was published as a ~*** ça a été publié sous forme de feuilleton **serialize** ['sɪərɪəlaɪz] *v/t* publier en feuilleton; RADIO, TV diffuser en feuilleton; (*put into serial form*) adapter en feuilleton **serial killer** *n* tueur(-euse) *m(f)* en série **serial number** *n* (*on goods*) numéro *m* de série **serial port** *n* IT port *m* série

series ['sɪərɪz] *n* ⟨*pl* -⟩ (*of movies, talks*) série *f*

serious ['sɪərɪəs] *adj* sérieux(-euse); *offer, suggestion* sérieux(-euse), sincère; *contender* sérieux(-euse); *accident, mistake, illness* grave; ***to be ~ about doing sth*** envisager sérieusement de faire qc; ***I'm ~*** (***about it***) je suis sérieux (à ce propos); ***he is ~ about her*** il a des intentions sérieuses à son égard; ***you can't be ~!*** vous plaisantez!; ***to give ~ thought*** *or* ***consideration to sth*** bien réfléchir à qc; ***to earn ~ money*** *infml* gagner un bon paquet *infml* **seriously** ['sɪərɪəslɪ] *adv* **1.** sérieusement; *interested, threaten* avec sérieux; (*not jokingly*) sans plaisanter; *wounded* grièvement; *worried* sérieusement; ***to take sb / sth ~*** prendre qn / qc au sérieux; ***to take oneself too ~*** se prendre trop au sérieux; ***~?*** sérieusement?; ***do you mean that ~?*** tu le penses sérieusement?; ***there is something ~ wrong with that*** il y a quelque chose qui ne va vraiment pas **2.** (*infml really*) franchement *infml*; ***~ rich*** très riche **seriousness** *n* sérieux *m*; (*of accident, injury*) gravité *f*

sermon ['sɜːmən] *n* **1.** ECCL sermon *m* **2.** (*homily*) homélie *f*; (*scolding*) sermon *m*

serotonin [ˌserə'təʊnɪn] *n* MED, BIOL sérotonine *f*

serrated [se'reɪtɪd] *adj* en dents de scie; ***~ knife*** couteau-scie *m*

servant ['sɜːvənt] *n* domestique *m/f*

serve [sɜːv] **I** *v/t* **1.** (*work for*) être au service de; (*be of use*) servir; ***if my memory ~s me correctly*** si j'ai bonne mémoire; ***to ~ its purpose*** faire l'affaire; ***it ~s a variety of purposes*** cela sert à plusieurs choses; ***it ~s no useful purpose*** cela ne sert à rien; ***it has ~d us well*** il nous a bien servi; ***his knowledge of history ~d him well*** ses connaissances historiques lui ont bien servi; (***it***) ***~s you right!*** *infml* c'est bien fait pour toi! *infml* **2.** (*work out*) *apprenticeship, term* faire; *sentence* purger **3.** *customers, food* servir; ***are you being ~d?*** est-ce qu'on s'occupe de vous?; ***I'm being ~d, thank you*** on s'occupe de moi, merci; ***dinner is ~d*** (*host, hostess*) le dîner est servi; ***"serves three"*** (*on packet etc.*) "pour 3 personnes" **4.** TENNIS *etc.* servir

II *v/i* **1.** (*do duty*) servir; ***to ~ on a committee*** être membre d'un comité; ***it ~s to show …*** cela sert à montrer … **2.** (*at table*) faire le service; (*waiter etc.*) servir **3.** TENNIS *etc.* servir, être au service **III** *n* TENNIS *etc.* service *m* ◆ **serve out** *v/t sep time* effectuer; *apprenticeship*, *term* finir; *sentence* purger ◆ **serve up** *v/t sep food* servir

server ['sɜːvər] *n* **1.** TENNIS serveur (-euse) *m*(*f*) **2.** IT serveur *m*

service ['sɜːvɪs] **I** *n* **1.** service *m*; ***her ~s to industry / the country*** les services qu'elle a rendus à l'industrie / la nation; ***to be of ~*** être utile; ***to be of ~ to sb*** rendre service à qn; ***to be at sb's ~*** être au service de qn; ***can I be of ~ to you?*** je peux vous être utile?; ***out of ~*** hors service **2.** MIL service *m* **3.** (*in store etc.*) service *m* **4.** (*bus service etc.*) ligne *f*; ***there's no ~ to Oban on Sundays*** il n'y a pas de bus pour Oban le dimanche **5.** ECCL service *m* **6.** (*of machines*) entretien *m*; (AUTO *major service*) révision *f*; ***my car is in for a ~*** ma voiture est en révision **7.** (*tea set*) service *m* **8.** TENNIS service *m* **9. services** *pl* (*commercial*) prestations *fpl* de service; (*gas etc.*) station-service *f* **II** *v/t* **1.** *machine* réviser; ***to send a car to be ~d*** faire réviser une voiture **2.** FIN *debt* servir les intérêts de **service charge** *n* service *m* **service industry** *n* industrie *f* de services **serviceman** *n* militaire *m* **service provider** *n* IT prestataire *m* de services **service sector** *n* secteur *m* tertiaire **service station** *n* station-service *f*; (*Br service area*) aire *f* de repos avec station-service **servicewoman** *n* femme *f* soldat

serviette [ˌsɜːvɪ'et] *n Br* serviette *f* (de table)

serving ['sɜːvɪŋ] **I** *adj politician* en exercice **II** *n* (*helping*) portion *f* **serving dish** *n* plat *m* (de service) **serving spoon** *n* cuillère *f* de service

sesame seed ['sesəmɪ] *n* graines *fpl* de sésame

session ['seʃən] *n* séance *f*; JUR, PARL session *f*; ***to be in ~*** être en séance; JUR, POL être en session; ***photo ~*** séance de photo

set [set] *vb* ⟨*past, past part* **set**⟩ **I** *n* **1.** jeu *m*, série *f*; (*of two*) paire *f*; (*of cutlery etc.*) service *m*; ***a ~ of tools*** une panoplie d'outils; ***a ~ of teeth*** une dentition, (*false*) un dentier **2.** (*of people*) groupe *m*, bande *f* **3.** TENNIS set *m* **4.** THEAT scène *f*; FILM plateau *m* **5.** (*TV etc.*) appareil *m*; ***~ of headphones*** casque *m* **6.** (*of shoulders*) position *f* **II** *adj* **1.** ***he is ~ to become the new champion*** il est prêt pour devenir le nouveau champion; ***to be ~ to continue all week*** vouloir à tout prix continuer toute la semaine **2.** (*ready*) prêt; ***are we all ~?*** nous sommes tous prêts?; ***all ~?*** prêt?; ***to be all ~ to do sth*** être prêt pour faire qc; ***we're all ~ to go*** nous sommes prêts à partir **3.** (*rigid*) fixe; *expression* figé; ***to be ~ in one's ways*** tenir à ses habitudes **4.** (*fixed*) fixé; *task* décidé d'avance; ***~ books*** livres au programme; ***~ menu*** menu *m*; ***~ meal*** menu **5.** (*resolved*) résolu; ***to be dead ~ on doing sth*** tenir absolument à faire qc; ***to be (dead) ~ against sth / doing sth / sb doing sth*** s'opposer (formellement) à qc/à faire qc/à ce que qn fasse qc **III** *v/t* **1.** (*place*) poser, placer, mettre; ***to ~ a value / price on sth*** estimer qc; ***to ~ sth in motion*** mettre qc en marche; ***to ~ sth to music*** mettre qc en musique; ***to ~ a dog on sb*** lâcher un chien sur qn; ***to ~ the police on sb*** signaler qn à la police; ***to ~ sth right*** corriger qc; ***to ~ things right*** arranger les choses; ***to ~ sb right (about sth)*** détromper qn (à propos de qc); ***to ~ sb straight*** éclairer qn **2.** *controls* mettre (***at*** à); *clock* régler (*by* sur, *to* à); *record* établir; *trap* poser; ***to ~ a trap for sb*** *fig* tendre un piège à qn **3.** *target etc.* fixer; *task*, *question*, *homework* donner (***sb*** à qn); *test* choisir les questions de; *time*, *date* fixer **4.** *gem* sertir (***in*** dans); *table* mettre **5.** ***a house ~ on a hillside*** une maison située à flanc de coteau; ***the book is ~ in Rome*** l'action du livre se passe à Rome; ***he ~ the book in 19th century France*** il a choisi de situer l'action du livre dans la France du 19e siècle **6.** *bone* MED réduire **IV** *v/i* **1.** (*sun*) se coucher **2.** (*cement*) prendre, durcir; (*bone*) se ressouder ◆ **set about** *v/t insep* **1.** se mettre à; ***to ~ doing sth*** se mettre à faire qc **2.** (*attack*) attaquer ◆ **set apart** *v/t sep* (*distinguish*) distinguer de ◆ **set aside** *v/t sep money*, *book etc.* mettre de côté; *time* prévoir; *land* réserver; *differences* laisser de côté ◆ **set back** *v/t sep* **1.** ***to be ~ from the road*** être en retrait de la route **2.** (*retard*) retarder **3.** (*infml cost*) coûter ◆ **set down** *v/t sep suitcase* déposer ◆ **set in** *v/i* (*start*) commencer; (*panic*) s'installer; (*night*) tomber ◆ **set off I** *v/t sep* **1.** (*ignite*) faire partir **2.** (*start*) provoquer; ***that set us all off laughing*** ça nous a fait tous rire **3.** (*enhance*) mettre en valeur **II** *v/i* (*depart*) se mettre en route; (*in car*) partir; ***to ~ on a trip*** partir en voyage; ***to ~ for Spain*** partir en Espagne; ***the police ~ in pursuit*** la police s'est lancée à leur poursuite ◆ **set on** *v/t insep sep Br dogs* se jeter sur, attaquer ◆ **set out I** *v/t sep* (*display*) exposer; (*arrange*) disposer **II** *v/i* **1.** (*depart*) = **set off** *II* **2.** (*intend*) chercher à; (*start*) commencer à ◆ **set to** *v/t insep* ***to ~ work*** se mettre au travail; ***to ~ work doing*** *or* ***to do sth*** se mettre à faire qc ◆ **set up I** *v/i* ***to ~ in business*** monter une affaire **II** *v/t sep* **1.** *statue* ériger; *stall* placer; *meeting* convenir de; ***to set sth up for sb*** préparer qc pour qn **2.** (*establish*) établir; *school*, *system* fonder; ***to set sb up in business*** lancer qn dans les affaires; ***to be ~ for life*** avoir assuré ses vieux jours; ***to ~ camp*** établir un camp; ***they've ~ home in Spain*** ils se sont installés en Espagne **3.** (*infml frame*) ***to set sb up*** monter un coup contre qn; ***I've been ~*** je suis victime d'un coup monté ◆ **set upon** *v/t insep* se jeter sur, attaquer

setback *n* contretemps *m*

settee [se'tiː] *n Br* canapé *m*

setting ['setɪŋ] *n* **1.** (*of sun*) coucher *m* **2.** (*surroundings*) cadre *m*; (*of novel etc.*) décor *m* **3.** (*on dial etc.*) réglage *m*

settle ['setl] **I** *v/t* **1.** (*decide*) décider; (*sort out*) régler; *problem* résoudre; *dispute* régler; ***to ~ one's affairs*** mettre en ordre ses affaires; ***to ~ a case out of court*** régler à l'amiable; ***that's ~d then*** alors, c'est réglé; ***that ~s it*** comme ça le problème est réglé **2.** *account*, *bill* régler **3.** *nerves* calmer **4.** (*place*) installer; (*upright*) placer; ***to ~ oneself comfortably in an armchair*** s'installer confortablement dans un fauteuil **5.** *land* coloniser **II** *v/i* **1.** (*put down roots*) s'établir; (*in country*, *town*) s'installer; (*as settler*) s'établir **2.** (*become calm*) se calmer **3.** (*person*) s'installer; (*bird*) se poser; (*dust*) retomber **4.** JUR ***to ~*** (***out of court***) arriver à un règlement (à l'amiable) ◆ **settle back** *v/i* s'incliner en arrière ◆ **settle down I** *v/i* **1.**; → **settle** *III1*; ***it's time he settled down*** il est temps qu'il se range; ***to marry and ~*** se marier et avoir une vie stable; ***to ~ at school*** s'habituer à l'école; ***to ~ in a new job*** s'habituer à un nouveau travail; ***~, children!*** calmez-vous, les enfants; ***to ~ to work*** se mettre au travail; ***to ~ to watch TV*** s'installer pour regarder la télé **2.** = **settle** *II2* **II** *v/t sep* (*calm down*) calmer ◆ **settle for** *v/t insep* accepter ◆ **settle in** *v/i* (*in house*, *town*) s'installer; (*in job*, *school*) s'habituer à; ***how are you settling in?*** est-ce que tu t'adaptes bien? ◆ **settle on** *or* **upon** *v/t insep* choisir ◆ **settle up** *v/i* régler (la note); ***to ~ with sb*** régler qn

settled ['setld] *adj weather* stable; *way of life* réglé **settlement** ['setlmənt] *n* **1.** (*sorting out*) résolution *f*; (*of problem etc.*) solution *f*; (*of dispute etc.*) règlement *m*; (*contract etc.*) conclusion *f*; ***an out-of-court ~*** JUR un accord à l'amiable; ***to reach a ~*** arriver à un accord **2.** (*of money*) règlement *m* (**on** de) **3.** (*colony*) colonie *f*; (*colonization*) colonisation *f* **settler** ['setləʳ] *n* colon *m*

set-top box ['settɒp'bɒks] *n* TV décodeur *m*

setup ['setʌp] *n* **1.** (*infml situation*) situation *f* **2.** (*way of organization*) fonctionnement *m* **3.** IT configuration *f* **4.** (*infml rigged contest*) coup *m* monté

seven ['sevn] **I** *adj* sept **II** *n* sept *m*; → **six sevenfold** ['sevnfəʊld] **I** *adj* septuple **II** *adv* au septuple

seventeen ['sevn'tiːn] **I** *adj* dix-sept **II** *n* dix-sept *m*

seventeenth ['sevn'tiːnθ] **I** *adj* dix-septième **II** *n* **1.** (*fraction*) dix-septième *m* **2.** (*of series*) dix-septième *m*/*f*

seventh ['sevnθ] **I** *adj* septième **II** *n* **1.** (*fraction*) septième *m* **2.** (*in series*) septième *m*/*f*; → **sixth**

seventieth ['sevntɪɪθ] **I** *adj* soixante-dixième **II** *n* **1.** (*fraction*) soixante-dixième *m* **2.** (*in series*) soixante-dixième *m*/*f*

seventy ['sevntɪ] **I** *adj* soixante-dix **II** *n* soixante-dix *m*

sever ['sevəʳ] **I** *v/t* (*cut through*) couper; (*cut off*) sectionner; *fig ties*, *relations* rompre **II** *v/i* se rompre

several ['sevrəl] **I** *adj* (*some*) plusieurs; ***I've seen him ~ times already*** je l'ai déjà vu plusieurs fois **II** *pron* plusieurs; **~ *of the houses*** plusieurs maisons; **~ *of us*** plusieurs d'entre nous

severance pay ['sevərəns,peɪ] *n* indemnité *f* de licenciement

severe [sɪ'vɪəʳ] *adj* ⟨**+er**⟩ *damage* grave; *blow, expression, punishment, test* sévère; *pain* vif(vive); *storm* violent; sévère; *weather* rigoureux(-euse); *manner* austère **severely** [sɪ'vɪəlɪ] *adv affect, damage, disabled* gravement; *disrupt, limit* sérieusement; *criticize, punish* sévèrement **severity** [sɪ'verɪtɪ] *n* (*of punishment, test*) sévérité *f*; (*of blow, storm etc.*) violence *f*; (*of injury, blow, storm etc.*) gravité *f*

sew [səʊ] ⟨*past* **sewed**⟩ ⟨*past part* **sewn**⟩ *v/t & v/i* coudre; ***to ~ sth on*** coudre qc ◆ **sew up** *v/t sep* **1.** *lit* recoudre; *opening* fermer par une couture **2.** *fig* conclure; ***we have the game all sewn up*** nous avons le match dans la poche

sewage ['sjuːɪdʒ] *n* eaux *fpl* usées **sewage works** *n sg or pl Br* champ *m* d'épandage

sewer ['sjʊəʳ] *n* égout *m* **sewerage** ['sjʊərɪdʒ] *n* égouts *mpl*

sewing ['səʊɪŋ] *n* (*activity*) couture *f*; (*piece of work*) ouvrage *m* **sewing machine** *n* machine *f* à coudre **sewn** [səʊn] *past part* = **sew**

sex [seks] **I** *n* **1.** BIOL sexe *m* **2.** (*sexuality*) sexualité *f*; (*sexual intercourse*) rapports *mpl* sexuels, relations *fpl* sexuelles; ***to have ~*** faire l'amour, avoir des relations sexuelles **II** *adj attr* sexuel(le) **sex appeal** *n* sex-appeal *m* **sex change** *n* changement *m* de sexe **sex discrimination** *n* discrimination *f* sexuelle **sex drive** *n* pulsion *f* sexuelle **sex education** *n* éducation *f* sexuelle **sexism** ['seksɪzəm] *n* sexisme *m* **sexist** ['seksɪst] **I** *n* sexiste *m/f* **II** *adj* sexiste **sex life** *n* vie *f* sexuelle **sex maniac** *n* obsédé(e) *m(f)* sexuel(le) **sex offender** *n* délinquant(e) *m(f)* sexuel(le) **sex shop** *n Br* sex-shop *m* **sex symbol** *n* sex-symbol *m*

sextet(te) [seks'tet] *n* sextuor *m*

sextuplet [seks'tjuːplɪt] *n* sextuplé(e) *m(f)*

sexual ['seksjʊəl] *adj* sexuel(le) **sexual abuse** *n* sévices *mpl* sexuels, violence *f* sexuelle **sexual equality** *n* égalité *f* des sexes **sexual harassment** *n* harcèlement *m* sexuel **sexual intercourse** *n* rapports *mpl* sexuels **sexuality** [,seksjʊ'ælɪtɪ] *n* sexualité *f* **sexually** ['seksjʊəlɪ] *adv* sexuellement; **~ *transmitted disease*** maladie sexuellement transmissible; ***to be ~ attracted to sb*** avoir une attirance sexuelle pour qn **sexual organ** *n* organe *m* sexuel **sexual partner** *n* partenaire *m/f* sexuel(le) **sex worker** *n euph* travailleur(-euse) *m(f)* du sexe **sexy** ['seksɪ] *adj* ⟨**+er**⟩ *infml* sexy *infml*

shabbily ['ʃæbɪlɪ] *adv lit* pauvrement; *fig* de manière peu élégance **shabbiness** ['ʃæbɪnɪs] *n fig* mesquinerie *f* **shabby** ['ʃæbɪ] *adj* ⟨**+er**⟩ *lit* miteux (-euse) *infml*; *fig* mesquin

shack [ʃæk] *n* cabane *f*

shackle ['ʃækl] **I** *n usu pl* chaînes *fpl*, fers *mpl* **II** *v/t* enchaîner, mettre aux fers

shade [ʃeɪd] **I** *n* **1.** ombre *f*; ***30° in the ~*** 30° à l'ombre; ***to provide ~*** faire de l'ombre **2.** (*lampshade*) abat-jour *m*; (*esp US blind*) store *m*; **~s** (*infml sunglasses*) lunettes *fpl* de soleil **3.** (*of color*) nuance *f*, ton *m*; (*fig, of meaning*) nuance *f* **4.** (*small quantity*) tantinet *m infml*; ***it's a ~ too long*** c'est un tout petit peu trop long **II** *v/t* **1.** (*protect from light*) abriter du soleil; ***he ~d his eyes with his hand*** il s'abrita les yeux de la main **2.** ***to ~ sth in*** ombrer qc **shading** ['ʃeɪdɪŋ] *n* ART ombres *fpl*

shadow ['ʃædəʊ] **I** *n* **1.** ombre *f*; ***in the ~s*** dans l'obscurité; ***to be in sb's ~*** *fig* être dans l'ombre de qn; ***to be just a ~ of one's former self*** n'être plus que l'ombre de soi-même **2.** (*trace*) ombre *f*; ***without a ~ of a doubt*** sans l'ombre d'un doute **II** *attr* (*Br* POL) fantôme **III** *v/t* (*follow*) prendre en filature **shadow cabinet** *n* (*Br* POL) cabinet *m* fantôme **shadowy** ['ʃædəʊɪ] *adj* ombragé; ***a ~ figure*** *fig* une personne louche

shady ['ʃeɪdɪ] *adj* ⟨**+er**⟩ **1.** *place* ombragé; *tree* qui donne de l'ombre **2.** (*infml dubious*) louche

shaft [ʃɑːft] *n* **1.** (*of tool etc.*) manche *m*; (*of light*) puits *m*; MECH arbre *m* **2.** (*of elevator*) cage *f*

shag [ʃæg] (*Br sl*) **I** *n* baise *f vulg*; ***to have a ~*** baiser *vulg* **II** *v/t & v/i* baiser *vulg*

shaggy ['ʃægɪ] *adj* ⟨**+er**⟩ (*long-haired*) à longs poils; (*unkempt*) hirsute

shake [ʃeɪk] *vb* ⟨*past* **shook**⟩ ⟨*past part* **shaken**⟩ **I** *n* **1.** secousse *f*; ***to give a rug a ~*** secouer un tapis; ***with a ~ of her head*** en hochant la tête en signe de refus; ***to be no great ~s*** *infml* ne pas casser des briques *infml* (**at** en) **2.** (*milkshake*) milk-shake *m* **II** *v/t head*, *object* secouer; *building* (*shock*) trembler; ***to ~ one's fist at sb*** menacer qn du poing; ***to ~ hands*** se serrer la main; ***to ~ hands with sb*** serrer la main à qn; ***it was a nasty accident, he's still rather badly ~n*** c'était un grave accident, il est encore très secoué; ***she was badly ~n by the news*** elle a été très secouée par la nouvelle **III** *v/i* (*earth*, *hand*, *voice*) trembler; ***to ~ like a leaf*** trembler comme une feuille; ***he was shaking all over*** il tremblait de tous ses membres; ***to ~ in one's shoes*** *infml* être mort de trouille *infml*; ***~ (on it)!*** *infml* tope là! *infml* ◆ **shake off** *v/t sep dust* secouer; *illness*, *feeling*, *pursuer* se débarrasser de ◆ **shake out** *v/t sep lit* secouer ◆ **shake up** *v/t sep* **1.** *bottle*, *liquid* agiter **2.** (*upset*) secouer; ***he was badly shaken up by the accident*** il a été très secoué par l'accident; ***she's still a little shaken up*** elle est encore un peu secouée **3.** *management*, *recruits* secouer les puces à *infml*; *country*, *industry*, *system* réorganiser de fond en comble; ***to shake things up*** mettre les choses en mouvement

shaken ['ʃeɪkən] *past part* = **shake**

shake-up ['ʃeɪkʌp] *n* (*infml reorganization*) grande réorganisation *f* **shakily** ['ʃeɪkɪlɪ] *adv* en chancelant; *pour* d'une main tremblante **shaking** ['ʃeɪkɪŋ] *n* tremblement *m* **shaky** ['ʃeɪkɪ] *adj* ⟨**+er**⟩ *chair* branlant; *voice*, *hands* tremblant; ***to get off to a ~ start*** *fig* partir sur un mauvais pied; ***to be on ~ ground*** *fig* être sur un terrain mouvant

shall [ʃæl] ⟨*past* **should**⟩ *v/mod* **1.** *Br* (*future*) ***I ~*** *or* ***I'll go to France this year*** j'irai en France cette année; ***no, I ~ not*** *or* ***I shan't*** non **2.** ***what ~ we do?*** qu'allons-nous faire?; ***let's go in, ~ we?*** rentrons, voulez-vous?; ***I'll buy 3, ~ I?*** et si j'en achetais trois?

shallot [ʃə'lɒt] *n* échalote *f*

shallow ['ʃæləʊ] **I** *adj* peu profond; *person* superficiel(le); *soil* mince **II** *n* **shallows** *pl* bas-fond *m* **shallowness** ['ʃæləʊnɪs] *n* (*of water*, *soil*) manque *m* de profondeur; (*of person*, *novel*) superficialité *f*, caractère *m* superficiel

sham [ʃæm] **I** *n* **1.** (*pretense*) comédie *f*; ***their marriage had become a ~*** leur mariage n'en avait plus que le nom **2.** (*person*) imposteur *m* **II** *adj* ***a ~ marriage*** un mariage de convenance **III** *v/t* feindre, simuler **IV** *v/i* jouer la comédie

shamble ['ʃæmbl] *v/i* marcher en traînant les pieds

shambles ['ʃæmblz] *n sg* confusion *f*; (*esp of room etc.*) désordre *m*; ***the room was a ~*** la pièce était en désordre; ***the economy is in a ~*** l'économie est en plein chaos; ***the game was a ~*** le match a été une véritable pagaille *infml*

shame [ʃeɪm] **I** *n* **1.** (*feeling*, *cause of shame*) honte *f*; ***he hung his head in ~*** il a baissé la tête de honte; *fig* il a eu honte; ***to bring ~ upon sb*** faire honte de qn, déshonorer qn; ***to bring ~ upon oneself*** se déshonorer; ***have you no ~?*** tu n'as pas honte?; ***to put sb / sth to ~*** *fig* faire honte à qn / qc; ***~ on you!*** tu devrais avoir honte! **2.** dommage *m*; ***it's a ~ you couldn't come*** c'est dommage que vous n'ayez pas pu venir; ***what a ~!*** quel dommage! **II** *v/t* faire honte à **shamefaced** ['ʃeɪm'feɪst] *adj* honteux (-euse), penaud **shamefacedly** *adv* d'un air honteux, d'un air penaud **shameful** ['ʃeɪmfʊl] *adj* honteux (-euse), déplorable **shameless** ['ʃeɪmlɪs] *adj* éhonté

shampoo [ʃæm'puː] **I** *n* (*liquid*) shampoing *m* **II** *v/t person* faire un shampoing à; *carpet*, *hair* shampouiner

shamrock ['ʃæmrɒk] *n* trèfle *m*; (*leaf*) (feuille *f* de) trèfle *m*

shandy ['ʃændɪ] *n Br* panaché *m*

shan't [ʃɑːnt] *contr* = **shall not**; ***~!*** *infml* pas question! *infml*

shantytown ['ʃæntɪ'taʊn] *n* bidonville *m*

shape [ʃeɪp] **I** *n* **1.** (*form*, *outline*, *guise*) forme *f*; (*figure*) figure *f*; ***what ~ is it?*** il a quelle forme?; ***it's rectangular*** *etc.* ***in ~*** il est rectangulaire *etc.*; ***to take ~*** *lit* prendre forme; *fig* prendre forme, prendre tournure; ***of all ~s and sizes*** de toutes les formes et de toutes les tailles; ***I don't accept gifts in any ~ or form*** je n'accepte absolument aucun cadeau **2.** *fig* ***to be in good / bad ~*** (*sportsman*) être en bonne / mauvaise condition;

(*healthwise*) être en bonne / mauvaise forme; ***to be out of ~*** (*physically*) ne pas être en forme **II** *v/t lit clay etc.* façonner (***into*** en); *fig ideas* formuler; *development* influencer ◆ **shape up** *v/i* ***to ~ well*** prendre bonne tournure

shaped [ʃeɪpt] *adj* façonné; ***~ like a …*** en forme de … **-shaped** [-ʃeɪpt] *adj suf* en forme de **shapeless** ['ʃeɪplɪs] *adj* informe **shapely** ['ʃeɪplɪ] *adj* ⟨**+er**⟩ *figure* bien proportionné; *legs* galbé

shard [ʃɑːd] *n* tesson *m* (de poterie)

share [ʃɛəʳ] **I** *n* **1.** part *f* (***in or of*** dans *or* de); ***I want my fair ~*** je veux ma part; ***he didn't get his fair ~*** il n'a pas la part qui lui revenait; ***to take one's ~ of the blame*** accepter sa part de responsabilité; ***to do one's ~*** fournir sa part d'efforts **2.** FIN part *f*; (*in a company*) action *f* **II** *v/t* partager **III** *v/i* partager; ***to ~ and ~ alike*** donner à chacun sa part; ***to ~ in sth*** partager qc; *in success* prendre part à qc ◆ **share out** *v/t sep* partager

share capital *n* capital *m* action **shareholder** *n* actionnaire *m/f* **share index** *n* indice *m* de la Bourse **shareware** *n* IT shareware *m*

shark [ʃɑːk] *n* **1.** requin *m* **2.** (*infml swindler*) escroc *m*; ***loan ~*** usurier(-ière) *m*(*f*)

sharp [ʃɑːp] **I** *adj* ⟨**+er**⟩ **1.** aigu(ë); *point, angle* aigu(ë); (*intelligent*) vif(vive); *drop* brusque; *pain* cuisant; *person* dégourdi; *temper* vif(vive), brusque **2.** (*pej cunning*) malin(-igne) **3.** MUS *note* aigu(ë); (*raised a semitone*) dièse; *f* **~** fa dièse **II** *adv* ⟨**+er**⟩ **1.** MUS trop haut **2.** (*punctually*) précisément; ***at 5 o'clock ~*** à 5 heures précises **3.** *Br* ***look ~!*** grouille-toi! *infml*; ***to pull up ~*** s'arrêter brusquement **sharpen** ['ʃɑːpən] *v/t knife* aiguiser; *pencil* tailler **sharpener** ['ʃɑːpnəʳ] *n* **1.** aiguisoir *m* à couteaux **2.** (*pencil sharpener*) taille-crayons *m* **sharp-eyed** [ˌʃɑːp'aɪd] *adj* à la vue perçante **sharpness** *n* **1.** tranchant *m*; (*of point etc.*) netteté *f*; (*intelligence*) intelligence *f* **2.** (*of pain*) acuité *f* **sharp-tongued** *adj* caustique **sharp-witted** *adj* à l'esprit vif

shat [ʃæt] *past, past part* = **shit**

shatter ['ʃætəʳ] **I** *v/t* **1.** *lit* briser; *hopes* ruiner; ***the blast ~ed all the windows*** l'explosion a fait voler en éclat toutes les fenêtres **2.** (*Br fig, infml*) ***I'm ~ed!*** je suis crevé! *infml* **II** *v/i* se briser; (*windscreen*) voler en éclat **shattering** ['ʃætərɪŋ] *adj* **1.** *blow, explosion* dévastateur(-trice); *defeat* écrasant **2.** (*fig, infml exhausting*) crevant *infml* **3.** *infml news* bouleversant

shave [ʃeɪv] *vb* ⟨*past* **shaved**⟩ ⟨*past part* **shaved** *or* **shaven**⟩ **I** *n* rasage *m*; ***to have a ~*** se raser; ***that was a close ~*** *fig* on l'a échappé belle **II** *v/t* raser **III** *v/i* (*person*) se raser; (*razor*) raser ◆ **shave off** *v/t sep* raser

shaven ['ʃeɪvn] *adj head etc.* rasé **shaver** ['ʃeɪvəʳ] *n* (*razor*) rasoir *m* électrique **shaver outlet**, *Br* **shaver point** *n* prise *f* pour rasoir électrique **shaving** ['ʃeɪvɪŋ] *n* **1.** rasage *m* **2. shavings** *pl* copeaux *mpl*

shawl [ʃɔːl] *n* châle *m*

she [ʃiː] **I** *pron* elle; (*of boats etc.*) il, elle **II** *n animal* femelle *f*; *baby* fille *f* **she-** *pref* femelle; ***~bear*** ourse *f*

sheaf [ʃiːf] *n* ⟨*pl* **sheaves**⟩ (*of corn*) gerbe *f*; (*of papers*) liasse *f*

shear [ʃɪəʳ] ⟨*past* **sheared**⟩ ⟨*past part* **shorn**⟩ *v/t sheep* tondre ◆ **shear off** *v/i* se détacher

shears [ʃɪəz] *pl* cisailles *fpl*; (*for hedges*) taille-haie f

sheath [ʃiːθ] *n* **1.** (*for sword etc.*) fourreau *m* **2.** *Br* (*contraceptive*) préservatif *m* **sheathe** [ʃiːð] *v/t sword* rengainer

sheaves [ʃiːvz] *pl* = **sheaf**

shed[1] [ʃed] ⟨*past, past part* **shed**⟩ *v/t* **1.** *hair etc.* perdre; ***to ~ its skin*** muer; ***to ~ a few pounds*** perdre quelques kilos **2.** *tears* verser **3.** *light* répandre; ***to ~ light on sth*** *fig* éclairer

shed[2] *n* remise *f*; (*cattle shed*) grange *f*

she'd [ʃiːd] *contr* = **she would, she had**

sheen [ʃiːn] *n* lustre *m*

sheep [ʃiːp] *n* ⟨*pl* **-**⟩ mouton *m*; ***to separate the ~ from the goats*** *fig* séparer le bon grain de l'ivraie **sheepdog** ['ʃiːpdɒg] *n* chien *m* de berger **sheepish** ['ʃiːpɪʃ] *adj* penaud **sheepskin** ['ʃiːpskɪn] *n* peau *f* de mouton

sheer [ʃɪəʳ] **I** *adj* ⟨**+er**⟩ **1.** (*absolute*) absolu, pur; ***by ~ chance*** par pure chance; ***by ~ hard work*** grâce au travail uniquement; ***~ hell*** enfer total *infml* **2.** *drop* à-pic *m*; ***there is a ~ drop of 200 feet*** il y a un à-pic de 200 pieds **3.** *cloth etc.* extra-fin **II** *adv* **1.** abruptement **2.** (*vertically*) à pic

sheet [ʃiːt] *n* **1.** (*for bed*) drap *m* **2.** (*of paper*) bout *m*; (*big*) feuille *f* **3.** (*of* *metal, glass, ice*) plaque *f*; ***a ~ of ice covered the lake*** le lac était recouvert d'une couche de glace **sheet ice** *n* plaque *f* de glace **sheeting** ['ʃiːtɪŋ] *n* ***plastic ~*** feuillet *m* de plastique **sheet metal** *n* tôle *f* **sheet music** *n* partitions *fpl*

sheik(h) [ʃeɪk] *n* cheikh *m*

shelf [ʃelf] *n* ⟨*pl* **shelves**⟩ étagère *f*; (*for books*) étagère *f*; (*in store*) rayon *m*; ***shelves*** (*bookcase*) bibliothèque *f* **shelf life** *n lit* durée *f* de conservation; *fig* durée *f* de vie

shell [ʃel] **I** *n* **1.** (*of egg, nut, mollusk*) coquille *f*; (*on beach*) coquillage *m* **2.** (*of snail*) coquille *f*; (*of tortoise*) carapace *f*; ***to come out of one's ~*** *fig* sortir de sa coquille **3.** (*of building*) carcasse *f*; (*of car*) carrosserie *f* **4.** MIL obus *m*; (*esp US cartridge*) cartouche *f* **II** *v/t* **1.** *peas etc.* écosser; *eggs, nuts* éplucher **2.** MIL bombarder ◆ **shell out** *infml* **I** *v/t sep* casquer *infml* **II** *v/i* ***to ~ for sth*** casquer pour qc *infml*

she'll [ʃiːl] *contr* = **she will**

shellfire *n* tirs *mpl* d'obus **shellfish** *n* COOK fruits *mpl* de mer **shelling** ['ʃelɪŋ] *n* pilonnage *m* (**of** de) **shell-shocked** *adj* ***to be ~*** *lit* être commotionné; *fig* être sous le choc **shell suit** *n Br* survêtement *m*

shelter ['ʃeltəʳ] **I** *n* (*protection*) asile *m*; (*place*) refuge *m*; (*air-raid shelter*) abri *m*; *Br* (*bus shelter*) abribus® *m*; (*for the night*) hébergement *m*; ***a ~ for homeless people*** un asile pour les sans-abri; ***to take ~*** se mettre à l'abri; ***to run for ~*** courir s'abriter; ***to provide ~ for sb*** donner asile à qn; (*accommodation*) héberger qn **II** *v/t* abriter (**from** de); *criminal* cacher **III** *v/i* ***there was nowhere to ~*** (*from rain etc.*) il n'y avait nulle part où s'abriter; ***we ~ed in a doorway*** nous nous sommes abrités sous un porche **sheltered** ['ʃeltəd] *adj place* abrité; *life* bien protégé **sheltered housing** *n Br* logements dans des résidences (*pour personnes handicapées ou âgées*)

shelve [ʃelv] *v/t problem* laisser en suspens; *plan* mettre en suspens **shelves** [ʃelvz] *pl* = **shelf** **shelving** ['ʃelvɪŋ] *n* rayonnages *mpl*; (*material*) étagères *fpl*

shepherd ['ʃepəd] **I** *n* berger *m* **II** *v/t* guider **shepherd's pie** *n* ≈ hachis *m* Parmentier

sherbet ['ʃɜːbət] *n* **1.** (*US water ice*) sorbet *m* **2.** (*Br powder*) poudre *f* acidulée

sheriff ['ʃerɪf] *n* shérif *m*; *Scot* shérif *m* (*officier de la Couronne*)

sherry ['ʃerɪ] *n* xérès *m*, sherry *m*

she's [ʃiːz] *contr* = **she is**, **she has**

Shetland ['ʃetlənd] *n*, **Shetland Islands** *pl*, **Shetlands** *pl* îles *fpl* Shetland

shiatsu [ʃiː'ætsuː] *n* shiatsu *m*

shield [ʃiːld] **I** *n* MIL, HERALDRY écu *m*; (*on machine*) écran *m* de protection; *fig* bouclier *m* **II** *v/t* protéger (***sb from sth*** qn de qc); ***she tried to ~ him from the truth*** elle voulut l'épargner en lui cachant la vérité

shift [ʃɪft] **I** *n* **1.** (*change*) changement *m*; (*in place*) déplacement *m*; ***a ~ in public opinion*** un revirement de l'opinion publique **2.** (AUTO *gear shift*) changement *m* de vitesse **3.** (*at work*) poste *m*, équipe *f*; ***to work (in) ~s*** travailler en équipe **II** *v/t* **1.** (*move*) déplacer; *Br furniture* déplacer; *arm* bouger; *Br* (*from one place to another*) déplacer, transférer; *Br rubble* remuer; ***to ~ the blame onto somebody else*** faire porter la faute à qn d'autre; ***~ the table over to the wall*** *Br* pousser la table contre le mur **2.** (*US* AUTO) ***to ~ gears*** changer les vitesses **III** *v/i Br* (*move*) bouger, changer de place; ***~ over!*** pousse-toi!; ***he refused to ~*** *fig* il refusa de bouger **shift key** *n* IT touche *f* de majuscule **shiftwork** *n* travail *m* par équipe; ***to do ~*** travailler par équipe

shifty ['ʃɪftɪ] *adj* ⟨**+er**⟩ fuyant

shilling ['ʃɪlɪŋ] *n* (*Br obs*) shilling *m*

shimmer ['ʃɪməʳ] **I** *n* chatoiement *m* **II** *v/i* chatoyer

shin [ʃɪn] **I** *n* tibia *m*; (*of meat*) jarret *m*; ***to kick sb on the ~*** donner un coup de pied à qn dans les tibias **II** *v/i Br* ***to ~ up*** grimper **shinbone** ['ʃɪnbəʊn] *n* tibia *m*

shine [ʃaɪn] *vb* ⟨*past, past part* **shone**⟩ **I** *n* éclat *m*; ***she's taken a real ~ to him*** *infml* elle s'est vraiment toquée de lui *infml* **II** *v/t* **1.** ⟨*past, past part usu* **shined**⟩ éclairer; *shoes* faire briller **2.** ***to ~ a light on sth*** mettre qc en lumière **III** *v/i* briller; (*metal*) briller; (*sun, lamp*) briller, luire; ***to ~ at / in sth*** *fig* exceller en qc ◆ **shine down** *v/i* briller

shingle ['ʃɪŋgl] *n no pl* galets *mpl*

shingles ['ʃɪŋglz] *n sg* MED zona *m*

shining ['ʃaɪnɪŋ] *adj* luisant; *light* brillant; ***a ~ light*** *fig* une lueur d'espoir; ***he's my knight in ~ armor*** (*US*) *or* ***armour*** *Br* c'est mon prince charmant

shiny ['ʃaɪnɪ] *adj* ⟨**+er**⟩ brillant

ship [ʃɪp] **I** *n* bateau *m*; ***on board ~*** à bord **II** *v/t* (*transport*) envoyer; *grain etc.* transporter; (*esp by sea*) transporter ◆ **ship out** *v/t sep grain etc.* envoyer, expédier

shipbuilding *n* construction *f* navale **shipmate** *n* compagnon *m* de bord **shipment** *n* expédition *f*; (*of grain etc.*) cargaison *f*; (*by sea*) expédition *f* **shipping** ['ʃɪpɪŋ] **I** *n no pl* **1.** navigation *f*; (*ships*) navires *mpl* **2.** (*transportation*) transport *m*; (*by rail etc.*) transport *m* ferroviaire **II** *adj attr* ***~ costs*** coût de transport **shipping company** *n* compagnie *f* de navigation **shipping lane** *n* couloir *m* de navigation **shipping note** *n* permis *m* d'embarquement **shipshape** ['ʃɪpʃeɪp] *adj*, *adv* en ordre, bien rangé **shipwreck I** *n* naufrage *m* **II** *v/t* ***to be ~ed*** faire naufrage **shipyard** *n* chantier *m* naval

shirk [ʃɜːk] **I** *v/t* éviter de faire **II** *v/i* tirer au flanc

shirt [ʃɜːt] *n* (*men's*) chemise *f*; FTBL maillot *m*; (*women's*) chemisier *m*; ***keep your ~ on*** (*Br infml*) ne vous énervez pas! **shirtsleeve** ['ʃɜːtsliːv] *n* **shirtsleeves** *pl* bras *mpl* de chemise; ***in his/ their ~s*** en bras de chemise

shit [ʃɪt] *vb* ⟨*past*, *past part* **shat**⟩ *sl* **I** *n* **1.** merde *f vulg*; ***to take a ~*** (aller) chier *vulg*; ***to have the ~s*** avoir la chiasse *vulg*; ***to be up ~ creek*** (***without a paddle***) être dans la merde (jusqu'au cou) *sl*; ***to be in deep ~*** être dans une vraie merde *sl*; ***I don't give a ~*** je m'en tape *sl*; ***tough ~!*** tant pis! *infml* **2.** (*person*) salaud(salope) *m*(*f*) *sl* **II** *adj attr* dégueulasse, de merde *sl* **III** *v/i* chier *vulg* **IV** *v/r* ***to ~ oneself*** (*with fear*) chier dans son froc *vulg* **V** *int* merde! *infml* **shitface** *sl*, **shithead** *sl n* salaud (salope) *m*(*f*) *sl*, connard(-asse) *m*(*f*) *vulg* **shit-hot** *adj* (*sl*) super bon **shitless** *adj* ***to be scared ~*** *sl* avoir une trouille bleue *infml* **shitty** ['ʃɪtɪ] *adj* ⟨**+er**⟩ *infml* merdique *infml*

shiver ['ʃɪvəʳ] **I** *n* frisson; ***a ~ ran down my spine*** un frisson m'a parcouru le dos; ***his touch sent ~s down her spine*** son contact la fit frissonner; ***it gives me the ~s*** *fig* ça me donne des frissons **II** *v/i* frissonner (***with*** de)

shoal [ʃəʊl] *n* (*of fish*) banc *m*

shock¹ [ʃɒk] **I** *n* **1.** (*of explosion*, *impact*) choc *m*, secousse *f* **2.** ELEC décharge *f*; MED choc *m* **3.** (*emotional*) choc *m*; ***to suffer from ~*** avoir subi un choc; ***to be in*** (***a state of***) ***~*** être en état de choc; ***a ~ to one's system*** un choc pour qn; ***it comes as a ~ to hear that …*** il est choquant d'apprendre que…; ***to give sb a ~*** faire peur à qn; ***it gave me a nasty ~*** ça m'a fait drôlement peur; ***to get the ~ of one's life*** avoir la peur de sa vie; ***he is in for a ~!*** *infml* ça va lui faire un choc! *infml* **II** *v/t* (*emotionally*) bouleverser; (*make indignant*) choquer; ***to be ~ed by sth*** être choqué par qc

shock² *n* (*a.* **shock of hair**) crinière *f*

shock absorber ['ʃɒkəbˌzɔːbəʳ] *n* amortisseur *m* **shocked** [ʃɒkt] *adj* bouleversé; (*outraged*) choqué **shocking** ['ʃɒkɪŋ] *adj* **1.** affreux(-euse), épouvantable; ***~ pink*** rose bonbon **2.** (*Br infml very bad*) nul(le); ***what a ~ thing to say!*** c'est vraiment nul de dire ça! *infml* **shock tactics** *pl fig* tactique *f* de choc **shock troops** *pl* troupes *fpl* de choc **shock wave** *n lit* onde *f* de choc; *fig* répercussion *f*

shod [ʃɒd] *past*, *past part* = **shoe**

shoddy ['ʃɒdɪ] *adj* ⟨**+er**⟩ *goods*, *work* de mauvaise qualité

shoe [ʃuː] *vb* ⟨*past*, *past part* **shod**⟩ **I** *n* **1.** chaussure *f*; ***I wouldn't like to be in his ~s*** je n'aimerais pas être à sa place; ***to put oneself in sb's ~s*** se mettre à la place de qn; ***to step into*** *or* ***fill sb's ~s*** prendre la place de qn **2.** (*horseshoe*) fer *m* à cheval **II** *v/t horse* ferrer **shoehorn** *n* chausse-pied *m* **shoelace** *n* lacet *m* de chaussure **shoemaker** *n* bottier *m* **shoe polish** *n* cirage *m* **shoe shop** *n Br* magasin *m* de chaussures **shoe size** *n* pointure *f*; ***what ~ are you?*** quelle pointure faites-vous? **shoestring** *n* **1.** (*US shoelace*) lacet *m* de chaussure **2.** *fig* ***to be run on a ~*** fonctionner avec trois fois rien **shoestring budget** *n* petit budget **shoetree** *n* embauchoir *m*

shone [ʃɒn] *past*, *past part* = **shine**

shoo [ʃuː] *v/t* ***to ~ sb away*** chasser qn

shook [ʃʊk] *past* = **shake**

shoot [ʃuːt] *vb* ⟨*past*, *past part* **shot**⟩ **I** *n* **1.** BOT pousse *f* **2.** (*photo shoot*) séance *f* photo **II** *v/t* **1.** MIL, *sports etc.* tirer **2.** (*hit*) toucher; (*wound*) blesser; (*kill*) abattre; ***to ~ sb dead*** abattre qn; ***he shot himself*** il s'est tiré une balle; ***he shot himself in the foot*** il s'est tiré une balle dans le pied; *fig infml* il a agi contre son propre intérêt; ***he was shot in the leg*** il a reçu une balle dans la jambe **3.** ***to ~ sb a glance*** lancer un regard à qn; ***to ~ the lights*** brûler un feu rouge **4.** PHOT *movie* tourner **5.** *infml drug* se shooter à *infml* **III** *v/i* **1.** (*with gun*, SPORTS) tirer; (*as hunter*) chasser; ***stop or I'll ~!*** arrêtez ou je tire!; ***to ~ at sb / sth*** tirer sur qn / qc **2.** (*move rapidly*) se déplacer rapidement; ***to ~ into the lead*** se propulser en tête; ***he shot down the stairs*** il dévala l'escalier; ***to ~ to fame*** accéder rapidement à la célébrité; ***~ing pains*** douleurs lancinantes **3.** PHOT shooter *infml*; FILM tourner ◆ **shoot down** *v/t sep plane* abattre ◆ **shoot off** *v/i* (*rush off*) partir comme une flèche ◆ **shoot out I** *v/i* (*emerge*) sortir comme une flèche (**of** de) **II** *v/t sep hand etc.* tendre brusquement ◆ **shoot up I** *v/i* **1.** (*hand, prices*) monter en flèche; (*grow rapidly, children*) pousser à toute allure; (*buildings*) pousser comme des champignons **2.** (*infml*: DRUGS) se shooter *infml* **II** *v/t sep infml drug* shooter à *infml*

shooting ['ʃuːtɪŋ] *n* **1.** (*shots*, SPORTS) tir *m* **2.** (*murder*) meurtre *m* **3.** HUNT chasse *f*; ***to go ~*** aller à la chasse **4.** FILM tournage *m* **shooting gallery** *n* stand *m* de tir **shooting range** *n* champ *m* de tir **shooting star** *n* étoile *f* filante

shoot-out ['ʃuːtaʊt] *n* fusillade *f*

shop [ʃɒp] **I** *n* **1.** *esp Br* boutique *f*; (*large*) magasin *m*; ***to go to the ~s*** *Br* aller faire des courses; ***to close up*** (*US*) *or* ***shut up*** (*Br*) ~ fermer boutique; ***to talk ~*** parler affaires **2.** *Br* ***to do one's weekly ~*** faire les courses de la semaine **II** *v/i* faire des courses; ***to go ~ping*** faire les boutiques; ***to ~ for fish*** chercher du poisson ◆ **shop around** *v/i* comparer les prix (**for** pour acheter)

shop assistant *n Br* vendeur(-euse) *m(f)* **shop floor** *n* ***on the ~*** parmi les ouvriers **shop front** *n esp Br* devanture *f* **shopkeeper** *n esp Br* commerçant(e) *m(f)* **shoplifter** *n* voleur(-euse) *m(f)* à l'étalage **shoplifting** *n* vol *m* à l'étalage **shopper** ['ʃɒpəʳ] *n* client(e) *m(f)*, personne *f* qui fait ses courses

shopping ['ʃɒpɪŋ] *n* (*act*) courses *fpl*, shopping *m*; *Br* (*goods bought*) courses *fpl*; ***to do one's ~*** faire ses courses **shopping bag** *n* cabas *m*, sac *m* à provisions **shopping basket** *n* panier *m* **shopping cart** *n US* Caddie® *m* **shopping center**, *Br* **shopping centre** *n* centre *m* commercial **shopping channel** *n* TV chaîne *f* de téléachat **shopping list** *n* liste *f* de courses **shopping mall** *n* centre *m* commercial **shopping spree** *n* séance *f* de shopping **shopping street** *n* rue *f* commerçante **shopping trolley** *n Br* = **shopping cart**

shopsoiled *adj Br* = **shopworn** **shop steward** *n* délégué(e) *m(f)* syndical(e) **shop window** *n* vitrine *f* **shopworn** *adj US* défraîchi

shore¹ [ʃɔːʳ] *n* **1.** (*lake shore*) rive *f*; (*beach*) rivage *m*; ***a house on the ~s of the lake*** une maison sur les rives du lac **2.** ***on ~*** à terre

shore² *v/t* (*a.* **shore up**) étayer

shoreline *n* littoral *m*

shorn [ʃɔːn] **I** *past part* = **shear II** *adj* tondu

short [ʃɔːt] **I** *adj* ⟨**+er**⟩ **1.** court; *person* petit; ***a ~ time ago*** il y a peu de temps; ***in a ~ while*** dans un petit moment; ***time is ~*** il n'y a pas beaucoup de temps; ***~ and sweet*** bref mais bien; ***in ~*** en bref; ***she's called Pat for ~*** son diminutif, c'est Pat; ***Pat is ~ for Patricia*** Pat est le diminutif de Patricia **2.** (*curt*) *reply* bref(brève); (*rude*) sec(sèche); *manner* brusque; ***to have a ~ temper*** être irascible; ***to be ~ with sb*** être brusque avec qn **3.** (*insufficient*) insuffisant; ***to be in ~ supply*** manquer; ***we are $3 ~*** il nous manque 3 dollars; ***we are seven ~*** il nous en manque sept; ***we are not ~ of volunteers*** nous ne manquons pas de bénévoles; ***to be ~ of time*** manquer de temps; ***I'm ~*** (**of cash**) *infml* je suis fauché *infml*; ***we are $2,000 ~ of our target*** il nous manque 2 000 dollars par rapport à notre objectif; ***not far or much ~ of $100*** pas loin de 100 dollars **II** *adv* **1.** ***to fall ~*** (*shot*) ne pas être atteindre son but; (*supplies etc.*) manquer; ***to fall ~ of sth*** ne plus avoir qc en quantité suffisante; ***to go ~*** (**of food** *etc.*) *Br* manquer de (nourriture *etc.*); ***we are running ~*** (**of time**) il ne nous reste pas beaucoup de temps; ***water is running ~*** on commence à manquer d'eau **2.** (*abruptly*) brusquement; ***to pull up ~*** tirer brusquement; ***to stop***

~ (*while talking*) s'interrompre brusquement; ***I'd stop ~ of murder*** je n'irais pas jusqu'au meurtre; ***to be caught ~*** (*infml unprepared*) être pris de court; (*without money, supplies*) être à court; *Br* (*need the bathroom*) être pressé (d'aller aux toilettes) *infml* **3.** ***~ of*** (*except*) sauf; ***nothing ~ of a revolution can …*** en dehors d'une révolution, rien ne peut…; ***it's little ~ of madness*** ça confine à la folie; ***~ of telling him a lie …*** sauf à lui mentir… **III** *n* (*Br infml short drink*) petit verre *m infml*; (*short movie*) court-métrage *m* **shortage** ['ʃɔːtɪdʒ] *n* (*of people*) manque *m* (***of*** de); ***a ~ of staff*** un manque de personnel **shortbread** *n* sablé *m* **short-change** *v/t* ***to ~ sb*** *lit* ne pas rendre suffisamment de monnaie à qn **short circuit** *n* court-circuit *m* **short-circuit I** *v/t* court-circuiter **II** *v/i* se mettre en court-circuit **shortcoming** *n* (*esp pl*) défaut *m*; (*of person, system*) défaut *m* **shortcrust** *n* (*a.* **shortcrust pastry**) *Br* pâte *f* brisée **short cut** *n* raccourci *m* **shorten** ['ʃɔːtn] *v/t* raccourcir; *name* abréger; *dress, program etc.* raccourcir **shortfall** *n* insuffisance *f* **short-haired** *adj* aux cheveux courts **shorthand** *n* sténo(graphie) *f*; ***to take sth down in ~*** prendre qc en sténo **short-handed** *adj* ***to be ~*** manquer de personnel **shorthand typist** *n Br* sténo-dactylo *f* **short haul** *n* transport *m* à courte-distance **short-haul jet** *n* court-courrier *m* **short list** *n esp Br* ***to be on the ~*** être sur la liste des candidats présélectionnés **short-list** *v/t esp Br* ***to ~ sb*** présélectionner qn **short-lived** *adj* éphémère; ***to be ~*** (*success etc.*) être éphémère **shortly** ['ʃɔːtlɪ] *adv* (*soon*) bientôt; *before, afterward* rapidement **shortness** ['ʃɔːtnɪs] *n* (*of person*) petite taille *f*; ***~ of breath*** souffle court **short-range** ['ʃɔːt'reɪndʒ] *adj* à courte portée; ***~ missile*** missile à courte portée **shorts** [ʃɔːts] *pl* **1.** short *m* **2.** (*esp US underwear*) caleçon *m* **short-sighted** *adj* myope **short-sightedness** *n lit* myopie *f*; *fig* manque *m* de clairvoyance **short-sleeved** *adj* à manches courtes **short-staffed** *adj* ***to be ~*** manquer de personnel **short story** *n* nouvelle *f* **short-tempered** *adj* irascible **short term** *n* ***in the ~*** à court-terme **short-term** *adj* à court-terme; ***on a ~ basis*** à court-terme **short-term** *adv* à court-terme **short-term contract** *n* contrat à court-terme **short-wave** *adj* ***a ~ radio*** une radio à ondes courtes

shot[1] [ʃɒt] **I** *past, past part* = **shoot II** *n* **1.** (*from gun etc.* coup *m* de feu, FTBL *etc.*) tir *m*; (*throw*) lancer *m*; TENNIS, GOLF coup *m*; ***to take a ~ at goal*** effectuer un tir au but; ***to fire a ~ at sb / sth*** tirer un coup de feu sur qn / qc; ***to call the ~s*** *fig* mener le jeu *infml*; ***like a ~*** *infml run away* comme une flèche *infml*; *do sth, agree* avec empressement **2.** (*no pl lead shot*) plomb *m* **3.** (*person*) tireur(-euse) *m*(*f*) **4.** (*attempt*) tentative *f*; ***to have a ~ (at it)*** (*try*) essayer; ***to give sth one's best ~*** *infml* faire de son mieux pour qc **5.** (*injection, immunization*) piqûre *f*; (*of alcohol*) petit verre *m* **6.** PHOT photo *f*; ***out of ~*** hors champ **7.** (*shot-putting*) ***the ~*** le lancer de poids; (*weight*) le poids

shot[2] *adj* ***~ to pieces*** taillé en pièces

shotgun *n* fusil *m* de chasse **shot put** *n* (*event*) lancer *m* de poids **shot-putter** *n* lanceur(-euse) *m*(*f*) de poids

should [ʃʊd] *pastof* **shall** *v/mod* **1.** (*expressing duty, advisability*) ***I ~ do that*** je devrais faire ça; ***I ~ have done it*** j'aurais dû le faire; ***which is as it ~ be*** comme il se doit; ***you really ~ see that movie*** tu devrais vraiment voir ce film; ***he's coming to apologize — I ~ think so*** il vient s'excuser—j'espère bien; ***… and I ~ know*** et je sais de quoi je parle; ***how ~ I know?*** comment le saurais-je? **2.** (*expressing probability*) ***he ~ be there by now*** il devrait être là à présent; ***this book ~ help you*** ce livre devrait t'aider; ***this ~ be good!*** *infml* ça promet d'être bien! *infml* **3.** (*in tentative statements*) ***I ~ think there were about 40*** je dirais qu'ils étaient une quarantaine; ***~ I open the window?*** est-ce que j'ouvre la fenêtre?; ***I ~ like to know …*** *Br* j'aimerais savoir…; ***I ~ like to apply for the job*** *Br* j'aimerais poser ma candidature à ce poste **4.** (*expressing surprise*) ***who ~ I see but Anne!*** et alors qui je vois? Anne!; ***why ~ he want to do that?*** pourquoi voudrait-il faire ça? **5.** *Br* (*subj, conditional*) ***I ~ go if …*** j'irais si…; ***if they ~ send for me*** s'ils venaient me chercher…; ***I ~n't (do that) if I were you*** à ta place, je ne ferais pas cela

shoulder ['ʃəʊldəʳ] **I** *n* épaule *f*; (*of*

meat) épaule *f*; ***to shrug one's ~s*** hausser les épaules; ***to cry on sb's ~*** pleurer sur l'épaule de qn; ***a ~ to cry on*** une épaule sur laquelle pleurer; ***~ to ~*** côte à côte **II** *v/t fig responsibilities* endosser
shoulder bag *n* sac *m* à bandoulière
shoulder blade *n* omoplate *f* **shoulder-length** *adj hair* mi-long(ue)
shoulder pad *n* épaulette *f* **shoulder strap** *n* (*of satchel, bag etc.*) bandoulière *f* **shouldersurfing** *n* piratage *m* de codes PIN
shouldn't ['ʃʊdnt] *contr* = **should not**
shout [ʃaʊt] **I** *n* cri *m*; ***~s of laughter*** des éclats de rire; ***to give a ~*** crier; ***to give sb a ~*** *Br* appeler qn en criant; ***give me a ~ when you're ready*** (*Br infml*) appelle-moi quand tu seras prêt **II** *v/t* crier; (*call*) appeler en criant; ***to ~ a warning to sb*** crier pour prévenir qn **III** *v/i* (*call out*) appeler en criant; (*loudly*) appeler à grands cris; (*angrily*) hurler; ***to ~ for sb / sth*** appeler qn / qc (en criant); ***she ~ed for Jane to come*** elle a crié à Jane de venir; ***to ~ at sb*** appeler qn; (*abusively*) crier après qn; ***to ~ to sb*** appeler qn en criant; ***to ~ for help*** appeler au secours; ***it was nothing to ~ about*** *infml* ce n'était pas la peine d'en faire tout un pataquès *infml* **IV** *v/r* ***to ~ oneself hoarse*** s'égosiller ◆ **shout down** *v/t sep person* huer ◆ **shout out** *v/t sep* pousser un cri
shouting ['ʃaʊtɪŋ] *n* (*act*) cri *m*; (*sound*) cri *m*
shove [ʃʌv] **I** *n* poussée *f*; ***to give sb a ~*** pousser qn; ***to give sth a ~*** *door* pousser qc **II** *v/t* **1.** (*push*) pousser; (*with one short push*) pousser; (*jostle*) bousculer **2.** (*infml put*) ***to ~ sth on(to) sth*** flanquer qc sur qc *infml*; ***to ~ sth in(to) sth*** fourrer qc dans qc; ***he ~d a book into my hand*** il m'a fourré un livre dans la main **III** *v/i* (*jostle*) bousculer ◆ **shove back** *v/t sep infml* **1.** *chair etc.* repousser **2.** (*replace*) remettre en place; (*into pocket etc.*) remettre ◆ **shove off** (*Br infml leave*) ficher le camp *infml* ◆ **shove over** *v/i* (*a.* **shove up**) (*Br infml*) se pousser
shovel ['ʃʌvl] **I** *n* pelle *f* **II** *v/t* pelleter
show [ʃəʊ] *vb* ⟨*past* **showed**⟩ ⟨*past part* **shown**⟩ **I** *n* **1.** ***~ of force*** démonstration de force; ***~ of hands*** vote à main levée; ***to put up a good / poor ~*** (*esp Br infml*) faire bonne / mauvaise figure **2.** (*appearance*) démonstration *f*; (*of hatred, affection*) démonstration *f*; ***it's just for ~*** c'est juste pour l'effet **3.** (*exhibition*) exposition *f*; ***fashion ~*** défilé de mode; ***to be on ~*** être exposé **4.** THEAT spectacle *m*; TV, RADIO émission *f*; ***to go to a ~*** (*esp Br: in theater*) aller au spectacle; ***the ~ must go on*** le spectacle continue **5.** *infml* ***he runs the ~*** c'est lui qui tient la baraque *infml* **II** *v/t* **1.** montrer; *movie* projeter; (*at exhibition*) exposer; *ticket* présenter; (*prove*) démontrer; *kindness* manifester; *respect* faire preuve de; ***~ me how to do it*** montrez-moi comment faire; ***it's been ~n on television*** c'est passé à la télévision; ***to ~ one's face*** se montrer; ***he has nothing to ~ for all his effort*** malgré ses efforts, ça ne lui rapporte rien; ***I'll ~ him!*** *infml* il va voir! *infml*; ***that ~ed him!*** *infml* ça lui apprendra! *infml*; ***it all*** *or* ***just goes to ~ that ...*** c'est la preuve que…; ***it ~ed signs of having been used*** il n'était visiblement pas neuf; ***to ~ sb in*** faire entrer qn; ***to ~ sb out*** raccompagner qn à la sortie; ***to ~ sb to the door*** raccompagner qn à la porte; ***they were ~n around the factory*** on leur a fait visiter l'usine **2.** (*register*) marquer; (*thermometer*) indiquer; ***as ~n in the illustration*** comme on le voit sur l'image; ***the roads are ~n in red*** les routes sont indiquées en rouge **III** *v/i* (*be visible*) se voir; (*movie*) passer; ***the dirt doesn't ~*** la saleté ne se voit pas; ***it just goes to ~!*** vous m'en direz tant! ◆ **show around** *v/t sep* faire visiter ◆ **show in** *v/t sep* faire entrer ◆ **show off I** *v/i* poser pour la galerie (***to, in front of*** devant), frimer *infml* (***to, in front of*** devant) **II** *v/t sep* **1.** *knowledge, medal* faire étalage de; *new car* faire admirer (***to sb*** à qn) **2.** (*enhance*) *beauty, picture, figure* mettre en valeur ◆ **show out** *v/t sep* reconduire à la sortie ◆ **show round** *v/t sep Br* faire visiter ◆ **show up I** *v/i* **1.** (*be seen*) se voir; (*stand out*) se remarquer **2.** (*infml turn up*) se pointer *infml* **II** *v/t sep* **1.** (*highlight*) faire ressortir **2.** *flaws* faire apparaître **3.** (*shame*) faire honte; ***he always gets drunk and shows her up*** il boit toujours trop et il lui fait honte
show biz *n infml* = **show business**
show business *n* show business *m*, monde *m* du spectacle; ***to be in ~*** être

dans le show business **showcase** *n* vitrine *f* **showdown** *n infml* épreuve *f* de force

shower ['ʃaʊəʳ] **I** *n* **1.** (*of rain etc.*) averse *f*; (*of bullets*) pluie *f* **2.** (*shower bath*) douche *f*; ***to take*** *or* ***have a ~*** prendre une douche **II** *v/t* ***to ~ sb with sth*** *praise etc.* combler qn de qc **III** *v/i* (*wash*) se doucher **shower cubicle** *n* cabine *f* de douche **shower curtain** *n* rideau *m* de douche **showery** ['ʃaʊərɪ] *adj* pluvieux(-euse)

showing ['ʃəʊɪŋ] *n* (*of movie*) séance *f*; (*of program*) performance *f* **showing-off** ['ʃəʊɪŋ'ɒf] *n* vantardise *f* **show-jumping** *n* concours *m* de saut d'obstacles **showmanship** ['ʃəʊmənʃɪp] *n* (*of person*) sens *m* du spectacle **shown** [ʃəʊn] *past part* = **show** **show-off** *n infml* frimeur(-euse) *m*(*f*) *infml* **show-piece** *n* joyau *m* **showroom** *n* showroom *m*, salon *m* d'exposition **show stopper** *n infml* numéro *m* exceptionnel **show trial** *n* grand procès *m* **showy** ['ʃəʊɪ] *adj* ⟨**+er**⟩ voyant; *décor* tape-à-l'œil

shrank [ʃræŋk] *past* = **shrink**

shrapnel ['ʃræpnl] *n* éclats *mpl* d'obus

shred [ʃred] **I** *n* (*scrap*) lambeau *m*; *fig* parcelle *f*; (*of truth*) once *f*; ***not a ~ of evidence*** pas l'ombre d'une preuve; ***his reputation was in ~s*** sa réputation était en lambeaux; ***to tear sth to ~s*** lacérer qc; *fig* mettre en pièces **II** *v/t* **1.** *food* couper en lanières; (*grate*) *carrots* râper; *cabbage* couper en lanières; *paper* (*in shredder*) déchiqueter **2.** (*tear*) déchiqueter **shredder** ['ʃredəʳ] *n* râpe *f*; (*esp for wastepaper*) déchiqueteuse *f*

shrew [ʃruː] *n* musaraigne *f*; *fig* mégère *f*

shrewd [ʃruːd] *adj* ⟨**+er**⟩ *person* perspicace *infml*; *move*, *investment*, *argument* habile; *assessment*, *mind* judicieux (-euse); *smile* rusé **shrewdness** ['ʃruːdnɪs] *n* (*of person*, *move*) perspicacité *f*; (*of investment*, *argument*) habileté *f*

shriek [ʃriːk] **I** *n* cri *m* perçant; ***~s of laughter*** éclats de rire **II** *v/t* hurler, crier **III** *v/i* hurler, crier; ***to ~ with laughter*** hurler de rire

shrift [ʃrɪft] *n* ***to give sb / sth short ~*** expédier qn / qc

shrill [ʃrɪl] **I** *adj* ⟨**+er**⟩ perçant **II** *v/i* crier d'une voix aiguë

shrimp [ʃrɪmp] *n* crevette *f*

shrine [ʃraɪn] *n* **1.** sanctuaire *m* **2.** (*tomb*) sépulture *f*

shrink [ʃrɪŋk] *vb* ⟨*past* **shrank**⟩ ⟨*past part* **shrunk**⟩ **I** *v/t* rétrécir **II** *v/i* **1.** rétrécir; (*clothes etc.*) rétrécir; (*fig*, *popularity*) diminuer **2.** (*fig recoil*) se dérober; ***to ~ from doing sth*** hésiter à faire qc; ***to ~ away from sb*** avoir un mouvement de recul devant qn **III** *n infml* psy *m/f infml* **shrinkage** ['ʃrɪŋkɪdʒ] *n* (*of material*) rétrécissement *m*; COMM pertes *fpl* **shrink-wrap** ['ʃrɪŋkræp] *v/t* emballer sous film plastique

shrivel ['ʃrɪvl] **I** *v/t plants* flétrir **II** *v/i* se flétrir; (*plants*, *fruit*, *skin*) se flétrir ◆ **shrivel up** *v/i*, *v/t sep* = **shrivel**

shriveled, *Br* **shrivelled** ['ʃrɪvld] *adj* ratatiné; *body part* flétri; *fruit* ratatiné

shroud [ʃraʊd] **I** *n* linceul *m* **II** *v/t fig* envelopper; ***to be ~ed in mystery*** être enveloppé de mystère

Shrove Tuesday [ˌʃrəʊv'tjuːzdɪ] *n Br* Mardi gras

shrub [ʃrʌb] *n* arbrisseau *m* **shrubbery** ['ʃrʌbərɪ] *n* massif *m* d'arbustes

shrug [ʃrʌg] **I** *n* haussement *m* d'épaules; ***to give a ~*** hausser les épaules **II** *v/t* hausser ◆ **shrug off** *v/t sep* ignorer

shrunk [ʃrʌŋk] *past part* = **shrink**

shrunken ['ʃrʌŋkən] *adj* rabougri; *old person* rabougri

shuck [ʃʌk] *US v/t* (*shell*) écailler; *peas* écosser

shudder ['ʃʌdəʳ] **I** *n* frisson *m*; ***to give a ~*** (*person*) frissonner; (*ground*) trembler; ***she realized with a ~ that …*** elle frémit en se rendant compte que… **II** *v/i* (*person*) frissonner; (*ground*) trembler; (*train*) être ébranlé; ***the train ~ed to a halt*** le train s'immobilisa après une secousse; ***I ~ to think*** je n'ose pas y penser

shuffle ['ʃʌfl] **I** *n* **1.** pas *m* traînant **2.** (*change around*) réorganisation *f* **II** *v/t* **1.** ***to ~ one's feet*** traîner les pieds **2.** *cards* battre; ***he ~d the papers on his desk*** il remua les papiers qui se trouvaient sur son bureau **3.** *fig Br cabinet* remanier **III** *v/i* **1.** (*walk*) traîner les pieds **2.** CARD battre (les cartes) **shuffling** ['ʃʌflɪŋ] *adj* traînant

shun [ʃʌn] *v/t publicity*, *light* fuir

shunt [ʃʌnt] *v/t* RAIL aiguiller

shut [ʃʌt] *vb* ⟨*past*, *past part* **shut**⟩ **I** *v/t* *eyes*, *door*, *book*, *office etc.* fermer; ***~ your mouth!*** *infml* ferme-la! *infml*; ***to***

~ sb/sth in(to) sth enfermer qn/qc dans qc **II** *v/i* se fermer, fermer; (*eyes*) se fermer **III** *adj* fermé; ***sorry sir, we're ~*** *Br* désolé monsieur, nous sommes fermés; ***the door swung ~*** la porte se referma ◆ **shut away** *v/t sep* (*put away*) enfermer; (*in sth*) enfermer, mettre sous clé (***in*** dans); ***to shut oneself away*** s'enfermer ◆ **shut down I** *v/t sep store, factory* fermer **II** *v/i* (*store, factory etc.*) fermer; (*engine*) s'arrêter ◆ **shut in** *v/t sep* enfermer ◆ **shut off I** *v/t sep* **1.** *gas etc.* couper; *light, engine* arrêter; ***the kettle shuts itself off*** la bouilloire s'arrête toute seule **2.** (*isolate*) isoler **II** *v/i* s'arrêter ◆ **shut out** *v/t sep* **1.** *person* enfermer dehors; *light, world* empêcher d'entrer; ***she closed the door to ~ the noise*** elle ferma la porte pour ne plus entendre le bruit **2.** *fig memory* chasser ◆ **shut up I** *v/t sep* **1.** *house* fermer **2.** (*imprison*) enfermer **3.** (*infml silence*) clouer le bec (à) *infml*; ***that'll shut him up*** ça lui clouera le bec *infml* **II** *v/i infml* la fermer *infml*; ***~!*** ferme-la! *infml*

shutter [ˈʃʌtəʳ] *n* volet *m*; PHOT obturateur *m* **shutter release** *n* PHOT déclencheur *m* d'obturateur

shuttle [ˈʃʌtl] **I** *n* **1.** (*of loom*) navette *f* **2.** (*shuttle service*) navette *f*; (*plane etc.*) navette *f*; (*space shuttle*) navette (spatiale) *f* **II** *v/t* transporter **III** *v/i* (*people*) faire la navette; (*goods*) être transporté **shuttle bus** *n* navette *f* **shuttlecock** *n Br* volant *m* (de badminton) **shuttle service** *n* (service de) navette *f*

shy [ʃaɪ] **I** *adj* ⟨**+er**⟩ timide; *animal* farouche; ***don't be ~*** ne sois pas timide; ***to be ~ of/with sb*** être intimidé par qn; ***to feel ~*** être intimidé **II** *v/i* (*horse*) broncher (***at*** devant) ◆ **shy away** *v/i* (*horse*) broncher; (*person*) rechigner; ***to ~ from sth*** rechigner devant qc

shyly [ˈʃaɪlɪ] *adv* timidement **shyness** [ˈʃaɪnɪs] *n* timidité *f*; (*esp of animals*) caractère *m* sauvage

Siamese [ˌsaɪəˈmiːz] *adj* siamois **Siamese twins** *pl* siamois(es) *m*(*f*)*pl*

Siberia [saɪˈbɪərɪə] *n* Sibérie *f*

sibling [ˈsɪblɪŋ] *n form* frère *m*, sœur *f*

Sicily [ˈsɪsɪlɪ] *n* Sicile *f*

sick [sɪk] **I** *n Br* (*vomit*) vomi *m* **II** *adj* ⟨**+er**⟩ **1.** (*ill*) malade; ***the ~*** les malades; ***to be (out) ~*** être (absent) malade; ***to call in ~*** se faire porter malade; ***she's out ~ with tonsillitis*** elle est absente, elle a une angine **2.** (*vomiting or about to vomit*) ***to be ~*** avoir la nausée; (*esp cat, baby*) vomir; ***he was ~ all over the carpet*** il a vomi partout sur la moquette; ***I think I'm going to be ~*** je crois que je vais vomir; ***I felt ~*** j'avais la nausée; ***the smell makes me feel ~*** cette odeur me donne envie de vomir; ***it makes you ~ the way he's always right*** *infml* c'est écœurant qu'il ait toujours raison comme ça; ***I am worried ~*** je me fais un sang d'encre **3.** (*infml fed up*) ***to be ~ of sth/sb*** en avoir ras-le--bol de qc/qn*infml*; ***to be ~ of doing sth*** en avoir ras-le-bol de faire qc *infml*; ***I'm ~ and tired of it*** j'en ai par-dessus la tête *infml*; ***I'm ~ of the sight of her*** je l'ai assez vue *infml* **4.** (*infml tasteless*) malsain; *joke* de mauvais goût; *person* malsain **sickbag** *n* sachet *m* (*à l'usage des passagers malades dans les avions*) **sickbay** *n* infirmerie *f* **sickbed** *n* lit *m* de malade **sicken** [ˈsɪkn] **I** *v/t* (*disgust*) écœurer; (*upset greatly*) dégoûter **II** *v/i* tomber malade; ***he's definitely ~ing for something*** il couve sûrement quelque chose **sickening** [ˈsɪknɪŋ] *adj lit* écœurant; (*upsetting*) répugnant; (*disgusting, annoying*) exaspérant

sickle [ˈsɪkl] *n* faucille *f*

sick leave *n* congé *m* maladie ***to be on ~*** être en congé maladie; ***employees are allowed six weeks' ~ per year*** les employés ont droit à six semaines de congé maladie par an **sickly** [ˈsɪklɪ] *adj* ⟨**+er**⟩ *appearance* maladif(-ive); *sentimentality, smile, color* mièvre; *smell* écœurant **sickness** *n* MED maladie *f*; ***in ~ and in health*** pour le meilleur et pour le pire **sickness benefit** *n Br* ≈ indemnités journalières **sick note** *n* (*Br infml*) mot *m* d'absence **sick pay** *n* indemnité *f* de maladie (*à la charge de l'employeur*)

side [saɪd] **I** *n* **1.** côté *m*; (*of mountain*) flanc *m*; (*of business etc.*) domaine *m*; ***this ~ up!*** "haut"; ***by/at the ~ of sth*** à côté de qc; ***the path goes down the ~ of the house*** le chemin contourne la maison; ***it's this/the other ~ of Manhattan*** c'est de ce/l'autre côté de Manhattan; ***the enemy attacked them on*** *or* ***from all ~s*** l'ennemi attaqua de tous les côtés; ***he moved over/stood to one ~*** il s'est mis/est resté sur le côté;

he stood to one ~ and did nothing *lit* il est resté sur le côté et n'a rien fait; *fig* il s'en est tenu là; ***to put sth on one ~*** mettre qc de côté; ***I'll put that issue on*** *or* ***to one ~*** je laisserai cette question de côté; ***on the other ~ of the boundary*** de l'autre côté de la frontière; ***this ~ of Christmas*** d'ici Noël; ***from ~ to ~*** d'un côté à l'autre; ***by sb's ~*** aux côtés de qn; ***~ by ~*** côte à côte; ***I'll be by your ~*** *fig* je te soutiendrai; ***on one's father's ~*** du côté du père de qn; ***your ~ of the story*** votre version de l'histoire; ***to look on the bright ~*** (*be optimistic*) être optimiste; (*look on the positive side*) voir le bon côté des choses **2.** (*edge*) côté *m*; ***at the ~ of the road*** sur le côté de la route; ***on the far ~ of the wood*** à l'autre extrémité du bois **3.** *US* (*of fries*) portion *f* **4.** ***we'll take $50 just to be on the safe ~*** on va prendre 50 dollars pour être tranquilles; ***to get on the right ~ of sb*** se mettre bien avec qn; ***on the right ~ of the law*** dans la légalité; ***to make a bit*** (***of money***) ***on the ~*** *infml* se faire un peu d'argent à côté *infml*; ***on the large ~*** un peu grand **5.** SPORTS *Br* équipe *f*; *fig* camp *m*; ***with a few concessions on the government ~*** avec quelques concessions du côté du gouvernement; ***to change ~s*** changer de camp; SPORTS camp *m*; ***to take ~s*** prendre parti; ***to take ~s with sb*** prendre le parti de qn; ***to be on sb's ~*** être du côté de qn **II** *adj attr* latéral; (*not main*) secondaire; ***~ road*** route secondaire **III** *v/i* ***to ~ with/against sb*** se ranger du côté de / contre qn **sideboard** *n* buffet *m* bas **sideburns** *pl* pattes *fpl*; (*longer*) rouflaquettes *fpl infml* **sidecar** *n* side-car *m* **-sided** [-saɪdɪd] *adj suf*; ***one-sided*** unilatéral **side dish** *n* plat *m* d'accompagnement **side effect** *n* effet *m* secondaire **sidekick** *n infml* acolyte *m/f pej* **sidelight** *n* (*Br* AUTO) feu *m* de position **sideline I** *n* (*extra business*) activité *f* secondaire **II** *v/t* ***to be ~d*** être sur la touche **sidelines** *pl* (ligne *f* de) touche *f*; ***to be on the ~*** *fig* attendre en coulisses **sidelong** *adj* ***to give sb a ~ glance*** lancer un regard de côté à qn **side-on** *adj* ***~ collision*** choc latéral; ***~ view*** vue latérale **side order** *n* COOK portion *f* **side salad** *n* salade *f* d'accompagnement **sideshow** *n* attractions *fpl* **side step** *n* pas *m* de côté; SPORTS esquive *f* **sidestep I** *v/t* éviter **II** *v/i* esquiver **side street** *n* petite rue *f* **sidetrack I** *n esp US* = **siding II** *v/t* dévier; ***I got ~ed onto something else*** j'ai dévié vers autre chose; (*from topic*) je me suis écarté du sujet **side view** *n* vue *f* de côté **sidewalk** *n US* trottoir *m* **sidewalk café** *n US* café *m* avec terrasse **sideward I** *adj movement* de côté; *glance* de biais **II** *adv move* latéralement **sidewards** ['saɪdwədz] *adv* = **sideward** *I* **sideways** ['saɪdweɪz] **I** *adj movement* de côté; *glance* de biais **II** *adv* **1.** *move* latéralement; ***it goes in ~*** ça se rentre latéralement **2.** *sit* de profil; ***~ on*** le long de (***to sth*** qc) **3.** (*in career*) ***to move ~*** être muté (*sans promotion*) **siding** ['saɪdɪŋ] *n* voie *f* de garage; (*dead end*) impasse *f*

sidle ['saɪdl] *v/i* ***to ~ up to sb*** se glisser jusqu'à qn

SIDS *n* MED *abbr* = **sudden infant death syndrome** mort *f* subite du nourrisson

siege [siːdʒ] *n* (*of town*) siège *m*; (*by police*) siège *m*; ***to be under ~*** être assiégé; ***to lay ~ to a town*** assiéger une ville

sieve [sɪv] **I** *n* tamis *m*, passoire *f* **II** *v/t* = **sift** *I*

sift [sɪft] **I** *v/t lit* tamiser **II** *v/i fig* fouiller; ***to ~ through the evidence*** passer les preuves au crible ◆ **sift out** *v/t sep stones* enlever (à l'aide d'un tamis); *applicants* passer au crible

sigh [saɪ] **I** *n* soupir *m*; ***a ~ of relief*** un soupir de soulagement **II** *v/i* soupirer; (*wind*) gémir; ***to ~ with relief*** soupirer de soulagement **III** *v/t* soupirer

sight [saɪt] **I** *n* **1.** (*faculty*) vue *f*; ***long ~*** hypermétropie *f*, presbytie *f*; ***short ~*** myopie *f*; ***to lose/regain one's ~*** perdre / recouvrer la vue **2.** ***it was my first ~ of Paris*** c'était la première fois que je voyais Paris; ***to hate sb at first ~*** détester qn au premier coup d'œil; ***to shoot on ~*** tirer à vue; ***love at first ~*** coup de foudre; ***to know sb by ~*** connaître qn de vue; ***to catch ~ of sb/sth*** apercevoir qn / qc; ***to lose ~ of sb/sth*** perdre qn / qc de vue **3.** (*sth seen*) vue *f*; ***the ~ of blood makes me sick*** la vue du sang me rend malade; ***I hate the ~ of him*** je ne peux pas le voir; ***what a horrible ~!*** quel horrible spectacle!; ***it was a ~ for sore eyes*** ça faisait plaisir à voir; ***you're a ~ for sore eyes*** quel plaisir de vous voir; ***to be*** *or* ***look a ~*** *infml* (*funny*) payer *infml*; (*horrible*) avoir une allure épouvantable **4.** (*range of vision*) champ *m* de vision; ***to be in*** *or* ***within ~*** être en vue; ***to keep out of ~*** ne pas se montrer; ***to keep sb / sth out of ~*** cacher qc / qn; ***keep out of my ~!*** hors de ma vue!; ***to be out of ~*** être hors de vue; ***don't let it out of your ~*** ne le perdez pas de vue; ***out of ~, out of mind*** (*Prov*) loin des yeux, loin du cœur *prov* **5.** *usu pl* (*of city etc.*) curiosité *f*; ***to see the ~s of a town*** visiter une ville **6.** (*on telescope etc.*) lunette *f*; (*on gun*) viseur *m*; ***to set one's ~s too high*** *fig* viser trop haut; ***to lower one's ~s*** *fig* viser moins haut; ***to set one's ~s on sth*** *fig* viser qc **II** *v/t* (*see*) apercevoir **sighting** ['saɪtɪŋ] *n* observation *f* ***there were three reported sightings of UFOs*** trois personnes ont déclaré avoir observé un OVNI **sightless** *adj person* aveugle **sight-read** *v/t & v/i* déchiffrer

sightseeing **I** *n* tourisme *m*; ***to go ~*** faire du tourisme **II** *adj* ***~ tour*** circuit touristique; (*in town*) visite guidée **sightseer** *n* touriste *m/f*

sign [saɪn] **I** *n* **1.** (*gesture, written symbol*) signe *m* **2.** (*indication*, MED) signe *m* (*of* de,); (*evidence, trace*) signe *m* (**of** de); ***a ~ of the times*** un signe des temps; ***it's a ~ of a true expert*** c'est la marque d'un véritable expert; ***there is no ~ of their agreeing*** rien ne prouve qu'ils soient d'accord; ***to show ~s of sth*** montrer des signes de qc; ***there was no ~ of life in the village*** il n'y avait aucun signe de vie dans le village; ***there was no ~ of him*** il n'y avait aucune trace de lui; ***is there any ~ of him yet?*** a-t-on retrouvé sa trace? **3.** (*road sign*) panneau *m*; (*store sign*) enseigne *f* **II** *v/t* **1.** *letter, contract, book* signer; ***to ~ the register*** signer le registre; ***to ~ one's name*** apposer sa signature; ***he ~s himself J.G. Jones*** il signait J.G. Jones **2.** *football player etc.* signer **III** *v/i Br* (*with signature*) signer; ***Fellows has just ~ed for United*** Fellows vient de signer avec United ◆ **sign away** *v/t sep* signer sa renonciation à ◆ **sign for** *v/t insep* signer, accepter ◆ **sign in** **I** *v/t sep* inscrire **II** *v/i* remplir sa fiche à l'hôtel ◆ **sign off** *v/i* RADIO, TV terminer l'émission; (*in letter*) conclure ◆ **sign on** **I** *v/t sep* = **sign up** *I* **II** *v/i* **1.** = **sign up** *II* **2.** *Br* ***to ~*** (*as unemployed*) pointer; ***he's still signing on*** il est toujours au chômage ◆ **sign out** **I** *v/i* signer le registre en partant **II** *v/t sep* retirer contre décharge ◆ **sign up** **I** *v/t sep* (*enlist*) engager; *employees* embaucher **II** *v/i* se faire embaucher; (*employees, players*) se faire embaucher; (*for class*) s'inscrire

signal ['sɪgnl] **I** *n* **1.** (*sign*) signe *m*; (*as part of code*) signal *m* **2.** RAIL signal *m*; ***the ~ is at red*** le signal est rouge **II** *v/t* (*indicate*) indiquer; *arrival etc.* avertir de; ***to ~ sb to do sth*** faire signe à qn de faire qc **III** *v/i* faire signe; ***he signaled*** (*US*) *or* ***signalled*** (*Br*) ***to the waiter*** il fit signe au serveur **signal box** *n Br* poste *m* de signalisation **signalman** *n* RAIL aiguilleur *m*

signatory ['sɪgnətərɪ] *n* signataire *m/f*

signature ['sɪgnətʃə^r] *n* signature *f*; (*of artist*) signature *f* **signature tune** *n Br* indicatif *m*

signet ring ['sɪgnɪtˌrɪŋ] *n* chevalière *f*

significance [sɪg'nɪfɪkəns] *n* signification *f*; ***what is the ~ of this?*** qu'est-ce que cela signifie?; ***of no ~*** de peu d'importance **significant** *adj* **1.** (*having consequence*) significatif(-ive); (*important*) important **2.** (*meaningful*) révélateur(-trice); ***it is ~ that …*** il est révélateur que… **significantly** *adv* **1.** (*considerably*) considérablement; ***it is not ~ different*** la différence est minime **2.** (*meaningfully*) de façon significative

signify ['sɪgnɪfaɪ] *v/t* **1.** (*mean*) signifier **2.** (*indicate*) signifier

signing ['saɪnɪŋ] *n* **1.** (*of document*) signature *f* **2.** *Br* (*of football player etc.*) signature *f* **sign language** *n* langage *m* des signes **signpost** *n* poteau *m* indicateur

Sikh [siːk] *n* Sikh *m/f*

silence ['saɪləns] **I** *n* silence *m*; ***~!*** silence!; ***in ~*** en silence; ***there was ~*** il eut un silence; ***there was a short ~*** il y eut un bref silence; ***to break the ~*** rompre le silence **II** *v/t* faire taire

silent ['saɪlənt] *adj* silencieux(-euse); ***to fall ~*** se taire; ***be ~!*** taisez-vous!; ***~ movie*** (*esp US*) *or* **film** *esp Br* film muet; ***to be ~*** (*person*) ne rien dire; ***to keep*** *or* ***remain ~*** garder le silence **silently** ['saɪləntlɪ] *adv* en silence **silent partner** *n* (*US* COMM) commanditaire *m*

silhouette [ˌsɪluː'et] **I** *n* silhouette *f* **II** *v/t* ***to be ~d against sth*** se détacher sur qc

silicon chip [ˌsɪlɪkən'tʃɪp] *n* puce *f*
silicone ['sɪlɪkəʊn] *n* silicone *m*
silk [sɪlk] **I** *n* soie *f* **II** *adj* en soie **silken** ['sɪlkən] *adj* soyeux(-euse) **silkiness** ['sɪlkɪnɪs] *n* soyeux *m* **silky** ['sɪlkɪ] *adj* ⟨**+er**⟩ soyeux(-euse); *voice* doux (douce); ***~ smooth*** doux et soyeux
sill [sɪl] *n* rebord *m*
silliness ['sɪlɪnɪs] *n* bêtise *f*, stupidité *f*
silly ['sɪlɪ] *adj* ⟨**+er**⟩ bête; ***don't be ~*** (*say silly things*) ne dis pas de bêtises; ***it was a ~ thing to say*** c'était vraiment bête de dire ça; ***I hope he doesn't do anything ~*** j'espère qu'il ne va pas faire de bêtise; ***he was ~ to resign*** il a été idiot de démissionner; ***I feel ~ in this hat*** je me sens ridicule avec ce chapeau; ***to make sb look ~*** donner l'air ridicule à qn
silt [sɪlt] **I** *n* limon *m*; (*river mud*) vase *f* **II** *v/i* (*a.* **silt up**) s'envaser
silver ['sɪlvəʳ] **I** *n* argent *m*; (*coins*) pièces *fpl*; (*objects*) argenterie *f* **II** *adj* en argent **silver birch** *n* bouleau *m* blanc **silver foil** *n Br* papier *m* d'aluminium **silver jubilee** *n Br* vingt-cinquième anniversaire *m* **silver medal** *n* médaille *f* d'argent **silver paper** *n Br* papier *m* d'aluminium **silverware** *n* argenterie *f* **silver wedding** *n Br* noces *fpl* d'argent **silvery** ['sɪlvərɪ] *adj* argenté
SIM card ['sɪmˌkɑːd] *n* TEL *abbr* = **Subscriber Identity Module card** carte *f* SIM
similar ['sɪmɪləʳ] *adj* similaire; *amount, size* similaire; ***she and her sister are very ~, she is very ~ to her sister*** elle ressemble beaucoup à sa sœur; ***they are very ~ in character*** ils se ressemblent beaucoup, de caractère; ***~ in size*** de taille similaire; ***to taste ~ to sth*** avoir le même goût que qc **similarity** [ˌsɪmɪ'lærɪtɪ] *n* similarité *f* (***to*** à) **similarly** ['sɪmɪləlɪ] *adv* de façon similaire; (*equally*) de même
simile ['sɪmɪlɪ] *n* comparaison *f*
simmer ['sɪməʳ] **I** *v/t* laisser frémir **II** *v/i* frémir ◆ **simmer down** *v/i* se calmer
simple ['sɪmpl] *adj* ⟨**+er**⟩ **1.** simple; ***the camera is ~ to use*** l'appareil photo est facile d'utilisation; ***it's as ~ as ABC*** simple comme bonjour; ***"chemistry made ~"*** "la chimie simplifiée"; ***in ~ terms*** pour parler simplement; ***the ~ fact is ...*** le fait est ... **2.** (*simple-minded*) simple d'esprit **simple-minded** ['sɪmpl'maɪndɪd] *adj* simple d'esprit **simplicity** [sɪm'plɪsɪtɪ] *n* simplicité *f* **simplification** [ˌsɪmplɪfɪ'keɪʃən] *n* simplification *f* **simplified** ['sɪmplɪfaɪd] *adj* simplifié **simplify** ['sɪmplɪfaɪ] *v/t* simplifier **simplistic** [sɪm'plɪstɪk] *adj* simpliste **simply** ['sɪmplɪ] *adv* simplement, avec simplicité; (*merely*) simplement, seulement
simulate ['sɪmjʊleɪt] *v/t emotions* simuler; *illness, conditions* simuler **simulation** [ˌsɪmjʊ'leɪʃən] *n* **1.** (*of emotions*) simulation *f* **2.** (*reproduction*) simulation *f*
simultaneous [ˌsɪməl'teɪnɪəs] *adj* simultané **simultaneously** [ˌsɪməl'teɪnɪəslɪ] *adv* simultanément
sin [sɪn] **I** *n* péché; ***to live in ~*** *infml* vivre dans le péché *hum* **II** *v/i* pécher (***against*** contre)
since [sɪns] **I** *adv* (*in the meantime*) depuis; (*up to now*) depuis; ***ever ~*** depuis ce moment-là; ***long ~*** il y a longtemps; ***not long ~*** il y a peu de temps **II** *prep* depuis; ***ever ~ 1900*** depuis 1900; ***I've been coming here ~ 1992*** je viens ici depuis 1992; ***he left in June, ~ when we have not heard from him*** il est parti en juin et depuis, nous n'avons plus de nouvelles de lui; ***how long is it ~ the accident?*** il y a combien de temps que cet accident a eu lieu?; ***~ when?*** *infml* depuis quand? **III** *cj* **1.** (*time*) depuis; ***ever ~ I've known him*** depuis que je le connais **2.** (*because*) puisque

> **since**
>
> Ne jamais utiliser **since** avec les nombres :
>
> **✗ I have known him since six years.**
> **✓ I have known him for 6 years.**
>
> Je le connais depuis 6 ans.

sincere [sɪn'sɪəʳ] *adj* sincère **sincerely** [sɪn'sɪəlɪ] *adv* sincèrement; ***yours ~*** *Br* cordialement **sincerity** [sɪn'serɪtɪ] *n* sincérité *f*
sinew ['sɪnjuː] *n* tendon *m*
sinful ['sɪnfʊl] *adj* coupable
sing [sɪŋ] ⟨*past* **sang**⟩ ⟨*past part* **sung**⟩ *v/t & v/i* chanter; ***to ~ the praises of sb / sth*** chanter les louanges de qn / qc

◆ **sing along** *v/i* chanter ensemble
Singapore [ˌsɪŋgəˈpɔːʳ] *n* Singapour *m*
singe [sɪndʒ] **I** *v/t* brûler légèrement; *eyebrows* roussir **II** *v/i* roussir
singer [ˈsɪŋəʳ] *n* chanteur(-euse) *m(f)*
singer-songwriter [ˌsɪŋəˈsɒŋraɪtəʳ] *n* auteur-compositeur-interprète *m/f*
singing [ˈsɪŋɪŋ] *n* (*of person, bird*) chant *m*
single [ˈsɪŋgl] **I** *adj* **1.** (*one only*) seul; ***every ~ day*** chaque jour; ***not a ~ thing*** absolument rien; ***in ~ figures*** en chiffres inférieurs à 10 **2.** (*not double etc.*) simple; *Br ticket* aller-simple **3.** (*not married*) célibataire; ***~ people*** les célibataires **II** *n* (*Br ticket*) aller *m* simple; (*room*) chambre *f* simple; (*record*) single *m*; ***two ~s to Ayr*** *Br* deux allers simples pour Ayr ◆ **single out** *v/t sep* (*choose*) choisir; (*distinguish*) distinguer (***from*** entre)
single bed *n* lit *m* à une place **single combat** *n* combat *m* singulier **single cream** *n Br* crème *f* liquide **single currency** *n* monnaie *f* unique **single-density** *adj* IT *disk* simple densité **single European market** *n* marché *m* unique européen **single file** *n* ***in ~*** en file indienne **single-handed I** *adj* tout(e) seul(e) **II** *adv* (*a.* **single-handedly**) tout seul **single-minded** *adj* résolu; ***to be ~ about doing sth*** être résolu à faire qc **single-mindedness** *n* détermination *f* **single mother** *n* mère *f* célibataire **single parent** *n* parent *m* isolé **single-parent** *adj* ***a ~ family*** une famille monoparentale
single room *n* chambre *f* pour une personne **singles** [ˈsɪŋglz] *n sg or pl* SPORTS simple *m* **single-sex** *adj* ***a ~ school*** une école non mixte **single-sided** *adj* IT *disk* simple **single-story**, *Br* **single-storey** *adj* à un seul étage
singly [ˈsɪŋglɪ] *adv* séparément
singsong [ˈsɪŋsɒŋ] *n Br* ***we often have a ~*** on chante souvent ensemble
singular [ˈsɪŋgjʊləʳ] **I** *adj* **1.** GRAM singulier **2.** (*outstanding*) singulier(-ière) **II** *n* singulier *m*; ***in the ~*** au singulier **singularly** [ˈsɪŋgjʊləlɪ] *adv* singulièrement
sinister [ˈsɪnɪstəʳ] *adj person* sinistre; *development* funeste
sink¹ [sɪŋk] ⟨*past* **sank**⟩ ⟨*past part* **sunk**⟩ **I** *v/t* **1.** *ship, object* couler; ***to be sunk in thought*** être plongé dans ses pensées **2.** *fig theory* faire comprendre **3.** *shaft* enfoncer; *hole* creuser; ***to ~ money into sth*** injecter de l'argent dans qc **4.** *teeth* enfoncer; ***to ~ one's teeth into a juicy steak*** mordre à pleines dents dans un steak bien juteux **II** *v/i* couler; (*sun*) se coucher; (*land*) s'affaisser; *person, object* couler; ***to ~ to the bottom*** couler par le fond; ***he sank up to his knees in the mud*** il s'enfonça dans la boue jusqu'aux genoux; ***the sun sank beneath the horizon*** le soleil sombra à l'horizon; ***to ~ to one's knees*** tomber à genoux ◆ **sink in** *v/i* **1.** (*into mud etc.*) s'enfoncer **2.** (*infml be understood*) rentrer *infml*; ***it's only just sunk in that it really did happen*** on vient juste de comprendre que c'est réellement arrivé *infml*
sink² *n* évier *m*
sinking [ˈsɪŋkɪŋ] **I** *n* (*of ship*) naufrage *m*; (*deliberately*) torpillage *m*; (*of shaft*) affaissement *m*; (*of well*) effondrement *m* **II** *adj* ***a ~ ship*** en perdition; ***~ feeling*** sentiment *m* d'angoisse
sinner [ˈsɪnəʳ] *n* pécheur(-eresse) *m(f)*
sinuous [ˈsɪnjʊəs] *adj* sinueux(-euse)
sinus [ˈsaɪnəs] *n* ANAT sinus *m*
sip [sɪp] **I** *n* gorgée *f* **II** *v/t* siroter; (*daintily*) boire à petites gorgées **III** *v/i* ***to ~ at sth*** siroter qc
siphon [ˈsaɪfən] *n* siphon *m* ◆ **siphon off** *v/t sep* **1.** *lit* absorber; *gas* siphonner; (*into container*) siphonner **2.** *fig money* détourner
sir [sɜːʳ] *n* **1.** (*in address*) Monsieur *m*; ***no, ~*** non, Monsieur; MIL non, mon commandant (lieutenant etc); ***Dear Sir (or Madam), ...*** cher Monsieur (ou Madame) **2.** (*knight etc.*) ***Sir*** sir *m* **3.** (SCHOOL *Br infml teacher*) monsieur; ***please ~!*** s'il vous plaît, monsieur!

sir

Sir s'utilise fréquemment en anglais américain quand on ne connaît pas son interlocuteur, notamment s'il est plus âgé que le locuteur :

That's nice of you to say, sir.

C'est très aimable de votre part.

sire [ˈsaɪəʳ] *v/t* engendrer
siren [ˈsaɪərən] *n* sirène *f*
sirloin [ˈsɜːlɔɪn] *n* COOK aloyau *m*

sirup *n US* = **syrup**
sissy ['sɪsɪ] *infml n* mauviette *f*
sister ['sɪstəʳ] *n* **1.** sœur *f* **2.** (*Br nurse*) infirmière *f* (chef)
sister-in-law *n* ⟨*pl* **sisters-in-law**⟩ belle-sœur *f*
sit [sɪt] *vb* ⟨*past, past part* **sat**⟩ **I** *v/i* **1.** (*be sitting*) être assis (***in / on*** dans / sur); (*sit down*) s'asseoir (***in / on*** dans / sur); *bird* être posé; ***a place to ~*** un endroit où s'asseoir; ***~ by / with me*** asseyez-vous à côté de / avec moi; ***to ~ for a painter*** poser pour un peintre; ***don't just ~ there, do something!*** ne reste pas comme ça, fais quelque chose! **2.** (*assembly*) siéger; ***to ~ on a committee*** siéger dans un comité **3.** (*object be placed*) se trouver **II** *v/t* **1.** (*a.* **sit down**) asseoir (*in* dans, *on* sur); *object* placer; ***to ~ a child on one's knee*** asseoir un enfant sur ses genoux **2.** *Br examination* présenter **III** *v/r* ***to ~ oneself down*** s'asseoir ◆ **sit around** *v/i* traîner ◆ **sit back** *v/i* s'installer confortablement; (*fig do nothing*) se détendre ◆ **sit down** *v/i lit* s'asseoir; ***to ~ in a chair*** s'asseoir dans un fauteuil ◆ **sit in** *v/i* (*attend*) assister (***on sth*** à qc) ◆ **sit on** *v/t insep committee* ne pas s'occuper de ◆ **sit out** *v/t sep* **1.** *meeting* rester jusqu'à la fin; *storm* attendre la fin **2.** *dance* ne pas prendre part ◆ **sit through** *v/t insep* attendre la fin de ◆ **sit up I** *v/i* **1.** (*be sitting upright*) se tenir assis bien droit; (*action*) s'asseoir **2.** (*sit straight*) se redresser; ***~!*** redresse-toi!; ***to make sb ~ (and take notice)*** *fig, infml* étonner qn **II** *v/t sep* redresser
sitcom ['sɪtkɒm] *n infml* sitcom *m*
sit-down ['sɪtdaʊn] **I** *n* (*Br infml rest*) pause *f* **II** *adj attr* ***a ~ meal*** déjeuner autour d'une table
site [saɪt] **I** *n* **1.** site *m* **2.** ARCHEOL site *m* **3.** (*building site*) chantier *m* **4.** (*camping site*) terrain *m* **5.** IT site *m* **II** *v/t* situer; ***to be ~d*** être situé
sits vac *pl abbr Br* = **situations vacant** offres *fpl* d'emploi
sitter ['sɪtəʳ] *n* **1.** ART modèle *m/f* **2.** (*baby-sitter*) baby-sitter *m/f* **sitting** ['sɪtɪŋ] **I** *adj* assis; ***to be in a ~ position*** être en position assise; ***to get into a ~ position*** se mettre en position assise **II** *n* (*of committee, parliament, for portrait*) session *f*; ***they have two ~s for lunch*** ils ont deux services pour le déjeuner **sitting duck** *n fig* cible *f* facile **sitting room** *n esp Br* salon *m*
situate ['sɪtjʊeɪt] *v/t* placer **situated** *adj* situé; ***it is ~ in the main street*** il est dans la rue principale; ***a pleasantly ~ house*** une maison agréablement située
situation [ˌsɪtjʊ'eɪʃən] *n* **1.** emplacement *m*; (*state of affairs also*) situation *f* **2.** (*job*) situation *f*; ***"situations vacant"*** *Br* "offres d'emploi"; ***"situations wanted"*** *Br* "demandes d'emploi" **situation comedy** *n* comédie *f* de situation
six [sɪks] **I** *adj* six; ***she is ~ (years old)*** elle a six ans; ***at (the age of) ~*** à six ans; ***it's ~ (o'clock)*** il est six heures; ***there are ~ of us*** nous sommes six; ***~ and a half*** six et demi **II** *n* six *m*; ***to divide sth into ~*** diviser qc en six; ***they are sold in ~es*** c'est vendu par paquets de six; ***to knock sb for ~*** (*Br infml*) lessiver qn *infml* **sixfold I** *adj* sextuple **II** *adv* au sextuple **six hundred I** *adj* six cents **II** *n* six cents **sixish** ['sɪksɪʃ] *adj* environ six **six million I** *adj* six millions **II** *n* six millions *m* **six-pack** *n* pack *m* de six; (*muscles*) abdos *infml*
sixteen ['sɪks'tiːn] **I** *adj* seize **II** *n* seize *m*
sixteenth ['sɪks'tiːnθ] **I** *adj* seizième; ***a ~ part*** un seizième; ***a ~ note*** (*esp US* MUS) une double-croche **II** *n* **1.** (*fraction*) seizième *m* **2.** (*in series*) seizième *m/f* **3.** (*date*) ***the ~*** le seize
sixth [sɪksθ] **I** *adj* sixième; ***a ~ part*** un sixième; ***he was*** *or* ***came ~*** il est arrivé sixième; ***he was ~ from the left*** il était le sixième en partant de la gauche **II** *n* **1.** (*fraction*) sixième *m* **2.** (*in series*) sixième *m/f*; ***Charles the Sixth*** Charles VI **3.** (*date*) ***the ~*** le six; ***on the ~*** le six; ***the ~ of September, September the ~*** le six septembre **III** *adv* ***he did it ~*** (*the sixth person to do it*) il a été le sixième à le faire; (*the sixth thing he did*) il l'a fait en sixième **sixth form** *n Br* ≈ classes de première et de terminale **sixth grade** *n* (*US* SCHOOL) ≈ CM2 *m*
six thousand I *adj* six mille **II** *n* six mille *m*
sixtieth ['sɪkstɪɪθ] **I** *adj* soixantième; ***a ~ part*** un soixantième **II** *n* **1.** (*fraction*) soixantième *m* **2.** (*in series*) soixantième *m/f*

sixty ['sɪkstɪ] **I** *adj* soixante; ***~-one*** soixante et un; ***sixty-two*** soixante-deux **II** *n* soixante *m*; ***the sixties*** les années 60; ***to be in one's sixties*** être sexagénaire; ***to be in one's late sixties*** approcher des soixante-dix ans; ***to be in one's early sixties*** avoir un peu plus de soixante ans; → **six sixtyish** ['sɪkstɪɪʃ] *adj* environ soixante

six-year-old ['sɪksjɪərəʊld] **I** *adj* de six ans **II** *n* enfant *m/f* de six ans

size [saɪz] *n* taille *f*; (*of shoes*) pointure *f*; (*of problem also*) ampleur *f*; ***waist ~*** tour de taille; ***dress ~*** taille de robe; ***he's around your ~*** il fait à peu près votre taille; ***what ~ is it?*** quelle taille ça fait?; (*clothes etc.*) quelle taille est-ce?; ***it's two ~s too big*** c'est deux tailles au-dessus; ***do you want to try it for ~?*** vous voulez essayer pour voir si c'est votre taille? ◆ **size up** *v/t sep* jauger

sizeable ['saɪzəbl] *adj* assez grand

-size(d) [-saɪz(d)] *adj suf* de taille ...; ***medium-size(d)*** de taille moyenne

size zero taille *f* zéro

sizzle ['sɪzl] *v/i* grésiller

skate[1] [skeɪt] *n* (*fish*) raie *f*

skate[2] **I** *n* (*ice skate*) patin *m* à glace; (*roller skate*) patin *m* à roulettes, roller *m*; ***get your ~s on*** (*Br fig, infml*) grouille-toi *infml* **II** *v/i* patiner; (*roller-skate*) faire du patin à roulettes, faire du roller; ***he ~d across the pond*** il a traversé l'étang en patinant ◆ **skate around** *or* **over** *v/t insep* ignorer; *problem* esquiver

skateboard ['skeɪtbɔːd] *n* skateboard *m*, planche *f* à roulettes **skateboarding** ['skeɪtbɔːdɪŋ] *n* skateboard *m*, planche *f* à roulettes **skateboard park** *n* skatepark *m* **skater** ['skeɪtəʳ] *n* patineur(-euse) *m(f)*; (*roller-skater*) patineur(-euse) *m(f)* à roulettes **skating** ['skeɪtɪŋ] *n* patinage *f*; (*roller-skating*) patinage *f* à roulettes, roller *m* **skating rink** *n* patinoire *f*; (*for roller-skating*) piste *f* pour patins à roulettes

skeletal ['skelɪtl] *adj person* squelettique; *trees* rachitique **skeleton** ['skelɪtn] **I** *n* squelette *m*; ***a ~ in one's closet*** (*US*) *or* ***cupboard*** *Br* un cadavre dans le placard **II** *adj plan etc.* squelettique; ***~ service*** service réduit au strict minimum

skeptic, *Br* **sceptic** ['skeptɪk] *n* sceptique *m/f* **skeptical**, *Br* **sceptical** ['skeptɪkəl] *adj* sceptique; ***to be ~ about*** *or* ***of sth*** être sceptique à propos de qc **skepticism**, *Br* **scepticism** ['skeptɪsɪzəm] *n* scepticisme *m* (***about*** à propos de)

sketch [sketʃ] **I** *n* croquis *m*; (*draft also*) esquisse *f*; THEAT sketch *m* **II** *v/t* esquisser **III** *v/i* faire des esquisses ◆ **sketch out** *v/t sep* esquisser

sketchbook ['sketʃbʊk] *n* carnet *m* à croquis **sketching** ['sketʃɪŋ] *n* ART croquis *m* **sketch pad** *n* bloc *m* à dessins **sketchy** ['sketʃɪ] *adj* ⟨**+er**⟩ *account* peu détaillé

skew [skjuː] *v/t* (*make crooked*) dévier; (*fig distort*) biaiser

skewer ['skjʊəʳ] **I** *n* brochette *f* **II** *v/t* embrocher

ski [skiː] **I** *n* ski *m* **II** *v/i* faire du ski; ***they ~ed down the slope*** ils ont descendu la pente à skis

skid [skɪd] **I** *n* AUTO *etc.* dérapage *m* **II** *v/i* (*car, objects*) déraper; (*person*) glisser **skidmark** ['skɪdmɑːk] *n* trace *f* de dérapage

skier ['skiːəʳ] *n* skieur(-euse) *m(f)* **skiing** ['skiːɪŋ] *n* ski *m*; ***to go ~*** aller faire du ski **ski-jumping** *n* saut *m* à skis

skilful *etc. Br* = **skillful** *etc.*

ski lift *n* remontée *f* mécanique

skill [skɪl] *n* **1.** *no pl* (*skilfulness*) adresse *f* **2.** (*acquired technique*) technique *f*; (*ability*) habileté *f* **skilled** *adj* **1.** (*skillful*) habile (***at*** à) **2.** (*trained*) qualifié; (*requiring skill*) de spécialiste **skilled worker** *n* ouvrier(-ière) *m(f)* qualifié(e)

skillet ['skɪlɪt] *n* poêlon *m*

skillful, *Br* **skilful** ['skɪlfʊl] *adj* habile **skillfully**, *Br* **skilfully** ['skɪlfəlɪ] *adv* habilement; *play the piano* avec adresse; *paint, sculpt etc.* avec habileté

skim [skɪm] *v/t* **1.** (*remove*) enlever; *milk* écrémer **2.** (*pass low over*) raser **3.** (*read quickly*) parcourir ◆ **skim through** *v/t insep book etc.* parcourir

skim milk, *Br* **skimmed milk** [ˌskɪm(d)'mɪlk] *n* lait *m* écrémé

skimp [skɪmp] *v/i* lésiner (***on*** sur) **skimpily** ['skɪmpɪlɪ] *adv dressed* légèrement **skimpy** ['skɪmpɪ] *adj* ⟨**+er**⟩ sommaire; *clothes* minuscule

skin [skɪn] **I** *n* peau *f*; (*fur*) peau *f*; (*of fruit etc.*) peau *f*; ***to be soaked to the ~*** être trempé jusqu'aux os; ***that's no ~ off my nose*** ce n'est pas mon problème; ***to save one's own ~*** sauver sa peau; ***to jump out of one's ~*** *infml* sauter au plafond *infml*; ***to get under sb's ~*** (*infml irritate*) taper sur les nerfs de qn *infml*; (*fascinate, music, voice*) avoir dans la peau; (*person*) fasciner qn; ***to have a thick/thin ~*** *fig* être insensible/susceptible; ***by the ~ of one's teeth*** *infml* de justesse **II** *v/t* **1.** *animal* dépouiller **2.** (*graze*) érafler **skinflint** *n infml* radin(e) *m(f) infml* **skin graft** *n* greffe *f* de peau **skinhead** *n* skinhead *m/f* **skinny** ['skɪnɪ] *adj* ⟨**+er**⟩ *infml* maigre

skint [skɪnt] *adj* (*Br infml*) ***to be ~*** être fauché *infml*

skintight ['skɪn'taɪt] *adj* moulant

skip¹ [skɪp] **I** *n* saut *m* **II** *v/i* sautiller; (*with rope*) sauter à la corde **III** *v/t* **1.** *school etc.* sécher *infml*; *chapter etc.* sauter; ***my heart ~ped a beat*** mon cœur a fait un bond; ***to ~ lunch*** sauter le déjeuner **2.** *US* ***to ~ rope*** sauter à la corde **3.** (*US infml*) ***to ~ town*** quitter la ville ◆ **skip over** *v/t insep* sauter par-dessus ◆ **skip through** *v/t insep book* feuilleter

skip² *n* (*Br* BUILD) benne *f*

ski pass *n* forfait *m* de ski **ski pole** *n* bâton *m* de ski

skipper ['skɪpəʳ] **I** *n* capitaine *m/f* **II** *v/t* commander

skipping ['skɪpɪŋ] *n* saut *m* à la corde **skipping rope** *n Br* corde *f* à sauter

ski resort *n* station *f* de ski

skirmish ['skɜːmɪʃ] *n* MIL escarmouche *f*; (*scrap, fig*) accrochage *m*

skirt [skɜːt] **I** *n* jupe *f* **II** *v/t* (*a.* **skirt around**) contourner **skirting (board)** ['skɜːtɪŋ(ˌbɔːd)] *n Br* plinthe *f*

ski run *n* piste *f* de ski **ski stick** *n* bâton *m* de ski **ski tow** *n* téléski *m*

skitter ['skɪtəʳ] *v/i* glisser

skittish ['skɪtɪʃ] *adj* capricieux(-euse)

skive [skaɪv] (*Br infml*) *v/i* tirer au flanc *infml*; (*from school etc.*) sécher *infml* ◆ **skive off** *v/i* (*Br infml*) se défiler *infml*

skulk [skʌlk] *v/i* (*move*) rôder en se cachant; (*lurk*) se cacher

skull [skʌl] *n* crâne *m*; ***~ and crossbones*** tête *f* de mort

skunk [skʌŋk] *n* mouffette *f*

sky [skaɪ] *n* ciel *m*; ***in the ~*** dans le ciel **sky-blue** *adj* bleu ciel **skydiving** *n* parachutisme *m* (en chute libre) **sky-high I** *adj prices* exorbitant; *confidence* énorme **II** *adv* en flèche; ***to blow a bridge ~*** *infml* faire sauter un pont; ***to blow a theory ~*** *infml* démolir une théorie **skylight** *n* lucarne *f* **skyline** *n* (*horizon*) ligne *f* d'horizon; (*of city*) ligne *f* des toits **sky marshal** *n* (*esp US* AVIAT) agent *m* de sécurité (*à bord d'un avion*) **skyscraper** *n* gratte-ciel *m*

slab [slæb] *n* **1.** (*of wood, stone etc.*) bloc *m* **2.** (*slice*) pavé *m*; (*of cake*) grosse tranche *f*

slack [slæk] **I** *adj* ⟨**+er**⟩ **1.** (*not tight*) desserré **2.** (*negligent*) négligent **3.** COMM *period* creux(-euse); ***business is ~*** les affaires marchent au ralenti **II** *n* (*of rope etc.*) mou *m*; ***to cut sb some ~*** *fig, infml* faciliter les choses à qn **III** *v/i* se relâcher

slacken ['slækn] **I** *v/t* **1.** (*loosen*) relâcher **2.** (*reduce*) ralentir **II** *v/i* (*speed*) diminuer; (*rate of development*) ralentir ◆ **slacken off** *v/i* (*diminish*) diminuer; (*work*) ralentir

slackness ['slæknɪs] *n* **1.** (*of rope, reins*) manque *m* de tension **2.** (*of business, market etc.*) ralentissement *m*

slag [slæg] *n* **1.** scories *fpl* **2.** (*Br sl woman*) salope *f pej, sl* ◆ **slag off** *v/t sep* (*Br infml*) engueuler *infml*

slain [sleɪn] *past part* = **slay**

slalom ['slɑːləm] *n* slalom *m*

slam [slæm] **I** *n* (*of door etc.*) claquement *m* **II** *v/t* **1.** (*close*) claquer; ***to ~ the door in sb's face*** claquer la porte au nez de qn **2.** (*infml throw*) balancer *infml*; ***to ~ the brakes on*** *infml* freiner à mort *infml* **3.** (*infml criticize*) critiquer; *person* descendre en flammes *infml* **III** *v/i* claquer; ***to ~ into sth*** s'écraser contre qc ◆ **slam down** *v/t sep* poser brutalement; *phone* raccrocher brutalement

slander ['slɑːndəʳ] **I** *n* calomnie *f* **II** *v/t* calomnier

slang [slæŋ] **I** *n* **1.** jargon *m* **2.** (*army slang etc.*) argot *m* **II** *adj* d'argot, argotique

slant [slɑːnt] **I** *n* inclinaison *f*; ***to put a ~ on sth*** incliner qc; ***to be on a ~*** être incliné **II** *v/t* incliner **III** *v/i* pencher **slanting** ['slɑːntɪŋ] *adj* incliné

slap [slæp] **I** *n* claque *f*; ***a ~ across the face*** *lit* une gifle; ***a ~ in the face*** *fig* une gifle; ***to give sb a ~ on the back*** donner à qn une grande claque dans le dos; *fig* féliciter qn; ***to give sb a ~ on the wrist***

fig, infml réprimander qn **II** *adv infml* en plein **III** *v/t* (*hit*) donner une claque à; ***to ~ sb's face*** gifler qn; ***to ~ sb on the back*** donner une claque dans le dos à qn ◆ **slap down** *v/t sep infml* poser brusquement ◆ **slap on** *v/t sep infml* **1.** (*apply carelessly*) appliquer à la va-vite *infml* **2.** *fig tax, money* coller *infml*

slap-bang *adv* (*esp Br infml*) ***it was ~ in the middle*** c'était en plein milieu; ***to run ~ into sb/sth*** heurter qn/qc de plein fouet **slapdash** *adj* bâclé *pej*

slapper ['slæpəʳ] *n* (*Br infml*) garce *f infml* **slap-up meal** *n* (*Br infml*) repas *m* extra *infml*

slash [slæʃ] **I** *n* **1.** (*action*) coupe *f*; (*wound*) entaille *f* **2.** TYPO barre *f* oblique **II** *v/t* **1.** (*cut*) entailler; *face* balafrer; *tires* crever **2.** *infml price* casser *infml*

slat [slæt] *n* lame *f*

slate [sleɪt] **I** *n* (*rock, roof slate*) ardoise *f*; ***put it on the ~*** (*Br infml*) ajoutez-le à mon ardoise; ***to wipe the ~ clean*** *fig* faire table rase (du passé) **II** *adj* d'ardoise **III** *v/t* (*Br infml criticize*) critiquer; *person* démolir *infml* **slating** ['sleɪtɪŋ] *n* (*Br infml*) critique *f* en règle; ***to get a ~*** se faire passer un savon *infml*; (*play, performance etc.*) se faire descendre en flammes

slaughter ['slɔːtəʳ] **I** *n* (*of animals*) abattage *m*; (*of persons*) massacre *m* **II** *v/t* abattre; *persons lit* massacrer; *fig* écraser *infml* **slaughterhouse** ['slɔːtəhaʊs] *n* abattoir *m*

Slav [slɑːv] **I** *adj* slave **II** *n* slave *m/f*

slave [sleɪv] **I** *n* esclave *m/f* **II** *v/i* trimer; ***to ~ (away) at sth*** s'escrimer sur qc **slave-driver** *n* négrier(-ière) *m(f)* **slave labor**, *Br* **slave labour** *n* **1.** (*work*) travail *m* fait par les esclaves **2.** (*work force*) personnes *fpl* utilisées comme esclaves

slaver ['slævəʳ] *v/i* baver; ***to ~ over sb/sth*** baver devant qn/qc

slavery ['sleɪvərɪ] *n* esclavage *m*

Slavic ['slɑːvɪk], **Slavonic I** *adj* slave **II** *n* slave *m/f*

slay [sleɪ] ⟨*past* **slew**⟩ ⟨*past part* **slain**⟩ *v/t* tuer **slaying** ['sleɪɪŋ] *n* (*esp US murder*) meurtre *m*

sleaze [sliːz] *n* (*infml depravity*) perversion *f*; (*esp* POL *corruption*) corruption *f* **sleazy** ['sliːzɪ] *adj* ⟨**+er**⟩ *infml* sordide

sled *n* (*Santa Claus*) traîneau *m*; (*sport*) luge *f*

sledge [sledʒ] *Br* = **sled sledge (-hammer)** ['sledʒ(ˌhæməʳ)] *n* marteau *m* de forgeron, masse *f*

sleek [sliːk] *adj* ⟨**+er**⟩ *fur* lisse et brillant; (*in appearance*) soigné

sleep [sliːp] *vb* ⟨*past, past part* **slept**⟩ **I** *n* sommeil *m*; ***to go to ~*** s'endormir; ***to drop off to ~*** (*person*) s'endormir; ***to be able to get to ~*** réussir à dormir; ***try and get some ~*** essaye de dormir un peu; ***to have a ~*** dormir un peu; ***to have a good night's ~*** bien dormir; ***to put sb to ~*** endormir qn; ***to put to ~*** *euph animal* faire piquer; ***that movie sent me to ~*** je me suis endormi pendant ce film **II** *v/t* (*accommodate*); ***the house ~s 10*** on peut dormir à 10 dans cette maison **III** *v/i* dormir; ***to ~ like a log*** dormir comme une souche; ***to ~ late*** faire la grasse matinée ◆ **sleep around** *v/i infml* coucher avec n'importe qui *infml* ◆ **sleep in** *v/i* (*lie in*) faire la grasse matinée; (*infml oversleep*) ne pas se réveiller à temps ◆ **sleep off** *v/t sep infml* ***to sleep it off*** cuver son vin *infml* ◆ **sleep on I** *v/i* dormir **II** *v/t insep problem etc.* attendre le lendemain pour résoudre ◆ **sleep through** *v/t insep* dormir sans se réveiller; ***to ~ the alarm (clock)*** ne pas entendre le réveil sonner

sleeper ['sliːpəʳ] *n* **1.** (*person*) dormeur (-euse) *m(f)*; ***to be a light ~*** avoir le sommeil léger **2.** (*Br* RAIL) train-couchettes *m* **sleepily** ['sliːpɪlɪ] *adv say* d'un ton endormi; *look* d'un air endormi **sleeping bag** *n* sac *m* de couchage **sleeping car** *n* wagon-lit *m* **sleeping partner** *n Br* commanditaire *m* **sleeping pill** *n* somnifère *m* **sleeping policeman** *n Br* gendarme *m* couché, ralentisseur *m* **sleepless** *adj* sans sommeil; ***a ~ night*** une nuit blanche **sleepover** *n* nuit *f* chez un(e) ami(e) **sleepwalk** *v/i* être somnambule; ***he was ~ing*** il marchait en dormant **sleepy** ['sliːpɪ] *adj* ⟨**+er**⟩ **1.** (*drowsy*) qui a envie de dormir; (*not yet awake*) endormi **2.** *place* endormi

sleet [sliːt] **I** *n* neige *f* fondue **II** *v/i* ***it was ~ing*** il tombait de la neige fondue

sleeve [sliːv] *n* **1.** manche *f*; ***to roll up one's ~s*** *lit* remonter ses manches; ***to have sth up one's ~*** *fig, infml* avoir qc en réserve **2.** (*for record etc.*) pochette *f* **sleeveless** ['sliːvlɪs] *adj* sans manches

sleigh [sleɪ] *n* traîneau *m*

slender ['slendəʳ] *adj* mince; *lead* maigre; *chance* faible

slept [slept] *past, past part* = **sleep**

sleuth [slu:θ] *n infml* limier *m*

slew *past* = **slay**

slice [slaɪs] **I** *n* **1.** *lit* tranche *f* **2.** *fig* part *f*; ***a ~ of luck*** un coup de chance **II** *v/t* **1.** (*cut*) couper; *bread etc.* couper en tranches **2.** *ball* couper **III** *v/i* couper; ***to ~ through sth*** trancher qc ◆ **slice off** *v/t sep* couper net

sliced *adj bread, sausage* en tranches **slicer** ['slaɪsəʳ] *n* (*cheese-slicer etc.*) couteau *m* à fromage; (*machine bread-slicer*) trancheuse *f*; (*bacon-slicer*) coupe-jambon *m*

slick [slɪk] **I** *adj* ⟨**+er**⟩ **1.** (*often pej clever*) rusé; *answer* facile; *performance* bien fait; *style* superficiel(le) **2.** (*US slippery*) glissant **II** *n* (*oil slick*) nappe *f* de pétrole ◆ **slick back** *v/t sep* ***to slick one's hair back*** se lisser en arrière les cheveux

slide [slaɪd] *vb* ⟨*past, past part* **slid**⟩ **I** *n* **1.** (*chute*) glissade *f*; (*in playground*) toboggan *m* **2.** (*fig fall*) chute *f* **3.** (*Br: for hair*) barrette *f* **4.** PHOT diapositive *f*; (*microscope slide*) porte-objet *m* **II** *v/t* (*push*) faire glisser; (*slip*) glisser **III** *v/i* **1.** (*slip*) glisser; ***to let things ~*** *fig* laisser les choses aller à la dérive **2.** (*move smoothly*) se laisser glisser **3.** ***he slid into the room*** il s'est glissé dans la pièce **slide projector** *n* projecteur *m* de diapositives **slide show** *n* projection *f* de diapositives, diaporama *m* **sliding door** *n* porte *f* coulissante

slight [slaɪt] **I** *adj* ⟨**+er**⟩ **1.** *person* mince **2.** (*trivial*) petit; *change* insignifiant; *problem* léger(-ère); ***the wall's at a ~ angle*** le mur est légèrement incliné; ***to have a ~ cold*** être légèrement enrhumé; ***just the ~est bit short*** un tout petit peu trop court; ***it doesn't make the ~est difference*** cela n'a pas la moindre importance; ***I wasn't the ~est bit interested*** je n'étais pas le moins du monde intéressé; ***he is upset by/ at the ~est thing*** il est contrarié pour un rien; ***I don't have the ~est idea (of) what he's talking about*** je n'ai pas la moindre idée de ce dont il parle **II** *n* (*affront*) affront *m* (**on** envers) **III** *v/t* (*offend*) humilier **slightly** ['slaɪtlɪ] *adv* **1.** ***~ built person*** aux attaches fines **2.** (*to a slight extent*) légèrement; *know* un peu; ***~ injured*** légèrement blessé; ***he hesitated ~*** il a hésité un peu

slim [slɪm] **I** *adj* ⟨**+er**⟩ **1.** svelte; *waist, volume* mince **2.** *chances* faible, mince; *majority* faible **II** *v/i Br* maigrir ◆ **slim down I** *v/t sep fig business etc.* réduire **II** *v/i* (*person*) maigrir

slime [slaɪm] *n* vase *f* **sliminess** ['slaɪmɪnɪs] *n* viscosité *f*

slimline ['slɪmlaɪn] *adj Br diary* mini; *figure* mince **slimming** ['slɪmɪŋ] *Br* **I** *adj* qui amincit; ***black is ~*** le noir amincit **II** *n* régime *m* amaigrissant **slimness** ['slɪmnɪs] *n* sveltesse *f*; (*of waist, volume*) minceur *f*

slimy ['slaɪmɪ] *adj* ⟨**+er**⟩ visqueux(-euse)

sling [slɪŋ] *vb* ⟨*past, past part* **slung**⟩ **I** *n* **1.** écharpe *f*; ***to have one's arm in a ~*** avoir le bras en écharpe **2.** (*weapon*) fronde *f* **II** *v/t* (*throw*) lancer; ***he slung the box onto his back*** il a mis la caisse sur son dos ◆ **sling out** *v/t sep infml* flanquer dehors *infml*

slink [slɪŋk] ⟨*past, past part* **slunk**⟩ *v/i* se déplacer furtivement; ***to ~ off*** partir en catimini

slip [slɪp] **I** *n* **1.** (*mistake*) erreur *f*; ***to make a (bad) ~*** faire une (grave) erreur; ***a ~ of the tongue*** un lapsus **2.** ***to give sb the ~*** *infml* fausser compagnie à qn **3.** (*undergarment*) combinaison *f* **4.** (*of paper*) fiche *f*; ***~s of paper*** morceaux de papier **II** *v/t* **1.** (*move smoothly*) pousser; (*slide*) glisser; ***she ~ped the dress over her head*** elle a enfilé sa robe par le haut; ***to ~ a disc*** MED se faire une hernie discale **2.** (*escape from*) échapper à; ***it ~ped my mind*** cela m'a complètement échappé **III** *v/i* **1.** (*slide, person*) glisser; (*feet*) glisser, déraper; *knife* déraper; ***it ~ped out of her hand*** ça lui a glissé des doigts; ***the beads ~ped through my fingers*** les perles m'ont glissé entre les doigts; ***to let sth ~ through one's fingers*** laisser qc filer entre ses doigts; ***to let (it) ~ that …*** laisser échapper que … **2.** (*move quickly*) passer; (*move smoothly*) se glisser **3.** (*standards etc.*) baisser ◆ **slip away** *v/i* s'éloigner doucement ◆ **slip back** *v/i* **1.** revenir discrètement **2.** (*quickly*) revenir rapidement ◆ **slip behind** *v/i* s'esquiver ◆ **slip by** *v/i* (*person*) se faufiler; (*years*) passer ◆ **slip down** *v/i* **1.**

(*fall*) glisser et tomber **2.** (*go down*) descendre ◆ **slip in I** *v/i* entrer doucement **II** *v/t sep* **1.** ***to slip sth into sb's pocket*** glisser qc dans la poche de qn **2.** (*mention*) placer ◆ **slip off I** *v/i* s'éloigner doucement **II** *v/t sep shoes* enlever ◆ **slip on** *v/t sep* mettre ◆ **slip out** *v/i* **1.** (*leave*) sortir discrètement **2.** (*be revealed*) être révélé ◆ **slip past** *v/i* = **slip by** ◆ **slip up** *v/i* (*infml err*) faire une gaffe *infml* (**over, in** en, dans)

slip-ons *pl* (*a.* **slip-on shoes**) chaussures *fpl* sans lacets

slipper ['slɪpəʳ] *n* chausson *m*, pantoufle *f*

slippery ['slɪpərɪ] *adj* **1.** *ground, shoes, fish* glissant; ***he's on the ~ slope*** (*Br fig*) il est sur un terrain glissant **2.** *pej, infml person* fuyant; ***a ~ customer*** un personnage suspect **slippy** ['slɪpɪ] *adj Br* glissant

slip road ['slɪprəʊd] *n* (*Br: onto freeway*) bretelle *f* d'accès; (*off freeway*) sortie *f*

slipshod ['slɪpʃɒd] *adj* négligé

slip-up ['slɪpʌp] *n infml* gaffe *f*

slit [slɪt] *vb* ⟨*past, past part* **slit**⟩ **I** *n* fente *f* **II** *v/t* fendre; ***to ~ sb's throat*** trancher la gorge à qn

slither ['slɪðəʳ] *v/i* déraper; (*snake*) glisser

sliver ['slɪvəʳ] *n* **1.** (*of wood etc.*) éclat *m* **2.** (*slice*) petite tranche *f*

slob [slɒb] *n infml* rustaud(e) *m*(*f*) *infml*

slobber ['slɒbəʳ] *v/i* baver

slog [slɒg] *infml* **I** *n* travail *m* pénible **II** *v/i* ***to ~ away*** (***at sth***) trimer sur qc *infml*

slogan ['sləʊgən] *n* slogan *m*

slop [slɒp] **I** *v/i* ***to ~ over*** (***into sth***) se renverser (dans qc) **II** *v/t* (*spill*) renverser; (*pour out*) répandre

slope [sləʊp] **I** *n* **1.** (*angle*) pente *f*; (*of roof*) inclinaison *f* **2.** (*sloping ground*) côte *f*; ***on a ~*** dans une côte; ***halfway up the ~*** à mi-pente **II** *v/i* être incliné; ***the picture is sloping to the left / right*** le tableau penche vers la gauche / droite; ***his handwriting ~s to the left*** son écriture penche vers la gauche ◆ **slope down** *v/i* descendre en pente ◆ slope up *v/i* monter

sloping ['sləʊpɪŋ] *adj* **1.** *road* (*upward*) qui monte; (*downward*) qui descend; *roof, floor* incliné; *garden* en pente **2.** (*not aligned*) tombant

sloppiness ['slɒpɪnɪs] *n infml* négligence *f*; (*of work, writing*) manque *m* de soin *infml*

sloppy ['slɒpɪ] *adj* ⟨**+er**⟩ *infml* **1.** (*careless*) négligé *infml*; *work* peu soigné *infml* **2.** (*sentimental*) à l'eau de rose *infml*

slosh [slɒʃ] *infml* **I** *v/t* (*splash*) éclabousser **II** *v/i* ***to ~*** (***around***) clapoter; ***to ~ through mud / water*** patauger dans la boue/l'eau

slot [slɒt] *n* (*opening*) fente *f*; (*groove*) rainure *f*; IT emplacement *m*; TV créneau *m* horaire ◆ **slot in I** *v/t sep* insérer; ***to slot sth into sth*** insérer qc dans qc **II** *v/i* s'insérer; ***suddenly everything slotted into place*** et soudain, tout s'est emboîté ◆ **slot together I** *v/i* (*parts*) s'emboîter **II** *v/t sep* emboîter

slot machine *n* (*for gambling*) machine *f* à sous

slouch [slaʊtʃ] **I** *n* (*posture*) allure *f* avachie **II** *v/i* (*stand, sit*) être avachi; ***he was ~ed over his desk*** il était avachi sur son bureau

Slovak ['sləʊvæk] **I** *adj* slovaque **II** *n* **1.** Slovaque *m/f* **2.** LING slovaque *m* **Slovakia** [sləʊ'vækɪə] *n* Slovaquie *f*

Slovene ['sləʊviːn] **I** *adj* slovène **II** *n* **1.** Slovène *m/f* **2.** LING slovène *m* **Slovenia** [sləʊ'viːnɪə] *n* Slovénie *f* **Slovenian** [sləʊ'viːnɪən] *adj, n* = **Slovene**

slovenly ['slʌvnlɪ] *adj* négligé

slow [sləʊ] **I** *adj* ⟨**+er**⟩ **1.** lent; (*stupid*) qui a l'esprit lent; ***it's ~ work*** c'est un travail qui avance lentement; ***he's a ~ learner*** il n'apprend pas vite; ***it was ~ going*** cela n'avançait pas vite; ***to get off to a ~ start*** (*race*) avoir des difficultés au démarrage; (*project*) être lent à démarrer; ***to be ~ to do sth*** mettre du temps à faire qc; ***to be ~ in doing sth*** mettre du temps à faire qc; ***he is ~ to make up his mind*** il met du temps à se décider; ***to be*** (***20 minutes***) ***~*** (*clock*) retarder (de 20 minutes) **2.** (COMM *slack*) stagnant; ***business is ~*** les affaires stagnent **II** *adv* ⟨**+er**⟩ lentement **III** *v/i* ralentir; (*drive / walk more slowly*) ralentir ◆ **slow down** *or* **up I** *v/i* ralentir; (*drive / walk more slowly*) ralentir **II** *v/t sep lit, fig* ralentir; ***you just slow me up*** *or* ***down*** tu me ralentis

slowcoach *n* (*Br infml*) = **slowpoke**

slowdown *n* ralentissement *m* (**in, of** dans, de) **slow lane** *n* AUTO voie *f* réservée aux véhicules lents **slowly** ['sləʊlɪ] *adv* lentement; ***~ but surely*** lentement mais sûrement **slow motion** *n* ***in ~*** au ralenti **slow-moving** *adj* lent; *traffic* au ralenti **slowness** ['sləʊnɪs] *n* lenteur *f*; ***their ~ to act*** la lenteur avec laquelle ils agissent **slowpoke** ['sləʊpəʊk] *n* (*US infml*) lambin(e) *m*(*f*) *infml*

sludge [slʌdʒ] *n* boue *f*; (*sediment*) dépôt *m*

slug[1] [slʌg] *n* limace *f*

slug[2] *n infml* ***a ~ of whiskey*** un coup de whisky *infml*

sluggish ['slʌgɪʃ] *adj* lent

sluice [sluːs] **I** *n* écluse *f*; MIN rigole *f* **II** *v/t ore* laver à grande eau; ***to ~ sth*** (***down***) laver à grande eau qc **III** *v/i* ***to ~ out*** couler à flot

slum [slʌm] **I** *n* (*usu pl area*) quartier *m* pauvre; (*house*) taudis *m* **II** *v/t & v/i* (*infml*: *a.* **slum it**) vivre à la dure

slumber ['slʌmbəʳ] *liter* **I** *n* sommeil *m* paisible **II** *v/i* dormir paisiblement

slump [slʌmp] **I** *n* (*in numbers etc.*) forte *f* baisse; (*in sales*) effondrement *m* (***in sth*** de qc); (*state*) niveau *m* le plus bas; FIN effondrement *m* des cours **II** *v/i* **1.** (*a.* **slump off**, *prices*) s'effondrer; (*sales*) baisser brutalement; (*fig*: *morale etc.*) être ébranlé **2.** (*sink*) s'affaisser; ***he was ~ed over the wheel*** il était affaissé sur le volant; ***he was ~ed on the floor*** il était effondré par terre

slung [slʌŋ] *past, past part* = **sling**

slunk [slʌŋk] *past, past part* = **slink**

slur [slɜːʳ] **I** *n* (*insult*) insulte *f* **II** *v/t* mal articuler; *words* avaler

slurp [slɜːp] **I** *v/t & v/i infml* faire du bruit en buvant **II** *n* aspiration *f* bruyante

slurred [slɜːd] *adj* mal articulé

slush [slʌʃ] *n* neige *f* fondue **slushy** ['slʌʃɪ] *adj* ⟨**+er**⟩ *snow* fondu

slut [slʌt] *infml n* pute *f pej, sl*

sly [slaɪ] **I** *adj* ⟨**+er**⟩ **1.** (*cunning*) rusé **2.** (*mischievous*) *look*, *wink* sournois **II** *n* ***on the ~*** en cachette *hum*

smack [smæk] **I** *n* **1.** tape *f*, claque *f*; (*sound*) bruit *m* sec; ***you'll get a ~*** tu vas t'en prendre une *infml* **2.** (*infml kiss*) ***to give sb a ~ on the cheek*** faire une grosse bise à qn sur la joue *infml* **II** *v/t* (*slap*) donner une claque à; ***to ~ a child*** frapper un enfant; ***I'll ~ your bottom*** je vais te donner une fessée *infml* **III** *adv infml* en plein; ***to be ~ in the middle of sth*** être en plein milieu de qc

small [smɔːl] **I** *adj* ⟨**+er**⟩ petit; *supply* maigre; *amount* faible; *voice* petit; ***a ~ number of people*** un nombre réduit de personnes; ***the ~est possible number of books*** le moins de livres possible; ***to feel ~*** *fig* se sentir honteux **II** *n* ***the ~ of the back*** le creux des reins **III** *adv* ***to chop sth up ~*** couper qc en petits morceaux **small arms** *pl* armes *fpl* légères **small business** *n* petite entreprise *f* **small change** *n* (petite) monnaie *f* **small fry** *pl fig* menu fretin *m* **small hours** *pl* premières heures *fpl* (du jour); ***in the*** (***wee***) ***~*** au petit matin **smallish** ['smɔːlɪʃ] *adj* assez petit; ***he is ~*** il est assez petit **small letter** *n* minuscule *f* **small-minded** *adj* mesquin **smallness** *n* petitesse *f*; (*of sum*) modicité *f* **smallpox** *n* variole *f* **small print** *n esp Br* ***the ~*** le texte en petits caractères **small-scale** *adj model* à petite échelle; *project* de peu d'envergure **small screen** *n* TV ***on the ~*** à la télévision **small-sized** *adj* petit **small talk** *n* menus propos *mpl*; ***to make ~*** faire la conversation **small-time** *adj infml crook* à la petite semaine **small-town** *adj* provincial

smarmy ['smɑːmɪ] *adj* ⟨**+er**⟩ (*Br infml*) flagorneur(-euse)

smart [smɑːt] **I** *adj* ⟨**+er**⟩ **1.** (*clever*) intelligent; *pej* malin(-igne); IT, MIL intelligent; ***that wasn't very ~*** (***of you***) ce n'était pas très malin (de ta part) **2.** *esp Br* chic; *appearance*, *person*, *clothes* élégant; ***the ~ set*** le beau monde **3.** (*quick*) rapide; *pace* vif(vive) **II** *v/i* brûler; ***to ~ from sth*** *fig* souffrir de qc **smart alec(k)** *n infml* petit(e) futé(e) *m*(*f*) *infml* **smartass** ['smɑːtæs] , *Br* **smartarse** ['smɑːtɑːs] *sl n* petit(e) malin(-igne) *m*(*f*) *infml* **smart bomb** *n* bombe *f* intelligente **smart card** *n* carte *f* à puce, carte *f* à mémoire **smarten** ['smɑːtn] (*a.* **smarten up**) **I** *v/t house* rendre plus élégant; *appearance* rendre plus soigné *infml*; ***to ~ oneself up*** (*dress up*) *Br* se faire élégant *infml*; (*generally*) arranger; ***you'd better ~ up your ideas*** *infml* tu ferais bien de te secouer *infml* **II** *v/i* (*dress up*) *Br* se faire beau (belle) *infml*; (*improve appearance*) devenir plus élégant **smartly** ['smɑːtlɪ] *adv* **1.** (*elegantly*) avec élégance **2.** (*cleverly*) intelligemment **3.** (*quickly*) rapidement **smart money** *n* FIN réserve *f* d'argent; ***the ~ is on him winning*** dans les milieux bien informés, on le donne gagnant **smartness** ['smɑːtnɪs] *n* **1.** (*elegance*) chic *m*; (*of appearance*) élégance *f* **2.** (*cleverness*) intelligence *f* **smartphone** ['smɑtfəʊn] *n* TEL smartphone *m*

smash [smæʃ] **I** *v/t* **1.** fracasser; *window* casser; *record* pulvériser **2.** (*strike*) frapper **II** *v/i* **1.** (*break*) se briser; ***it ~ed into a thousand pieces*** ça s'est brisé en mille morceaux **2.** (*crash*) s'écraser; ***the car ~ed into the wall*** la voiture est allée s'écraser contre le mur **III** *n* **1.** (*noise*) fracas *m* **2.** (*collision*) accident *m*; (*esp with another vehicle*) collision *f* **3.** (*blow*) coup *m* violent; TENNIS smash *m* **4.** (*infml*: *a.* **smash hit**) succès *m* foudroyant ◆ **smash in** *v/t sep* enfoncer ◆ **smash up** *v/t sep* tout casser; *car* démolir

smashed [smæʃt] *adj pred* (*infml drunk*) bourré *infml* **smash hit** *n infml* succès *m* foudroyant *infml*

smashing ['smæʃɪŋ] *adj* (*esp Br infml*) super *infml*

smattering ['smætərɪŋ] *n* ***a ~ of French*** un peu de français

SME *abbr* = **small and medium-sized enterprises** PME *fpl* (*petites et moyennes entreprises*)

smear [smɪəʳ] **I** *n* trace *f*; *fig* diffamation *f*; *Br* MED frottis *m* **II** *v/t* **1.** *grease* étaler; (*spread*) tartiner; (*make dirty*) faire des traces sur; *face* barbouiller **2.** *fig person* calomnier **III** *v/i* (*paint*, *ink*) s'étaler **smear campaign** *n* campagne *f* de diffamation **smear test** *n Br* MED frottis *m*

smell [smel] *vb* ⟨*past*, *past part* **smelt**⟩ (*esp Brit*) *or* **smelled I** *n* odeur *f*; ***it has a nice ~*** cela sent bon; ***there's a strange ~ in here*** cela sent bizarre ici; ***to have a ~ at sth*** sentir qc **II** *v/t* **1.** *lit* sentir; ***can*** *or* ***do you ~ burning?*** tu sens qu'il y a quelque chose qui brûle? **2.** *fig danger* pressentir; ***to ~ trouble*** voir venir les problèmes; ***to ~ a rat*** *infml* flairer quelque chose de louche **III** *v/i* sentir; ***to ~ of sth*** sentir qc; ***his breath ~s*** il a mauvaise haleine **smelly** ['smelɪ] *adj* ⟨**+er**⟩ qui sent mauvais; ***it's ~ in here*** ça sent mauvais ici

smelt[1] [smelt] *esp Br past*, *past part* = **smell**

smelt[2] *v/t ore* fondre; *metal* extraire par fusion

smile [smaɪl] **I** *n* sourire *m*; ***she gave a little ~*** elle a eu un petit sourire; ***to give sb a ~*** sourire à qn **II** *v/i* sourire; ***he's always smiling*** il sourit tout le temps; ***to ~ at sb*** sourire à qn; ***to ~ at sth*** sourire de qc **smiley** ['smaɪlɪ] *adj face*, *person* souriant **smiling** ['smaɪlɪŋ] *adj* souriant **smilingly** ['smaɪlɪŋlɪ] *adv* en souriant

smirk [smɜːk] **I** *n* petit sourire *m* satisfait **II** *v/i* sourire d'un air satisfait

smith [smɪθ] *n* forgeron *m*

smithereens [ˌsmɪðə'riːnz] *pl* ***to smash sth to ~*** briser qc en mille morceaux

smithy ['smɪðɪ] *n* forge *f*

smitten ['smɪtn] *adj* ***he's really ~ with her*** *infml* il est fou d'elle

smock [smɒk] *n Br* sarrau *m*; (*as top*) blouse *f*

smog [smɒg] *n* smog *m*

smoke [sməʊk] **I** *n* fumée *f*; ***to go up in ~*** brûler; *fig* partir en fumée; ***to have a ~*** fumer (une cigarette) **II** *v/t* **1.** *cigarette* fumer **2.** *fish etc.* fumer **III** *v/i* fumer **smoke alarm** *n* détecteur *m* de fumée **smoked** *adj fish* fumé **smoke detector** *n* détecteur *m* de fumée **smoke-free** ['sməʊkfriː] *adj* non-fumeurs **smokeless** *adj fuel* sans fumée

smoker ['sməʊkəʳ] *n* fumeur(-euse) *m*(*f*); ***to be a heavy ~*** être un gros fumeur **smoke screen** *n fig* tentative *f* de dissimulation **smoke signal** *n* signal *m* de fumée **smoking** ['sməʊkɪŋ] *n* tabagisme *m*; ***"no ~"*** "défense de fumer" **smoking car** *n* voiture *f* fumeurs **smoking compartment** *n Br* compartiment *m* fumeurs **smoky** ['sməʊkɪ] *adj* ⟨**+er**⟩ *fire* qui fume; *atmosphere* enfumé; *flavor* fumé

smolder, *Br* **smoulder** ['sməʊldəʳ] *v/i* couver **smoldering**, *Br* **smouldering** ['sməʊldərɪŋ] *adj* **1.** *fire*, *resentment* qui couve **2.** ***a ~ look*** un regard provocant

smooch [smuːtʃ] *infml v/i* se bécoter *infml*

smooth [smuːð] **I** *adj* ⟨**+er**⟩ **1.** *hair*, *surface* lisse; *gear change* en douceur; *flight* sans problème; *paste* onctueux (-euse); *flavor* moelleux(-euse); ***as ~ as silk*** doux comme de la soie; ***worn ~*** *steps* patiné; *knife* émoussé; *tire* lisse **2.** *transition* en douceur; *relations* sans problème **3.** (*polite*: *often pej*) mielleux (-euse) **II** *v/t surface* lisser; *dress* défroisser; *fig feelings* calmer ◆ **smooth back** *v/t sep hair* ramener doucement en arrière ◆ **smooth down** *v/t sep feathers* lisser; *dress* défroisser ◆ **smooth out** *v/t sep crease* faire disparaître; *fig difficulty* aplanir ◆ **smooth over** *v/t sep fig quarrel* arranger

smoothie ['smuːðɪ] *n* (*drink*) smoothie *m* (*jus de fruit épais*) **smoothly** ['smuːðlɪ] *adv change gear* en douceur; ***to run ~*** (*engine*) bien tourner; ***to go ~*** bien se passer; ***to run ~*** (*event*) bien se passer **smoothness** *n* **1.** poli *m*; (*of surface*) aspect *m* lisse **2.** (*of flight*) calme *m* **3.** (*of transition*) absence *f* de problème

smother ['smʌðəʳ] **I** *v/t* **1.** *person, fire* étouffer; *fig yawn* réprimer **2.** (*cover*) recouvrir; ***fruit ~ed in cream*** des fruits recouverts de crème **II** *v/i* étouffer

smoulder *v/i Br* = **smolder**

SMS TEL *abbr* = **Short Message Service** sms *m*

smudge [smʌdʒ] **I** *n* tache *f* (*also of ink*) **II** *v/t* salir **III** *v/i* s'étaler

smug [smʌg] *adj* ⟨**+er**⟩ suffisant

smuggle ['smʌgl] **I** *v/t* passer en contrebande; ***to ~ sb/sth in*** faire entrer qn/qc clandestinement; ***to ~ sb/sth out*** faire sortir qn/qc clandestinement **II** *v/i* faire de la contrebande **smuggler** ['smʌgləʳ] *n* contrebandier(-ière) *m(f)* **smuggling** ['smʌglɪŋ] *n* contrebande *f*

smugly ['smʌglɪ] *adv say* d'un ton suffisant; *smile* d'un air suffisant **smugness** ['smʌgnɪs] *n* suffisance *f*

smutty ['smʌtɪ] *adj* ⟨**+er**⟩ *fig* grossier (-ière)

snack [snæk] *n* en-cas *m*; ***to have a ~*** manger quelque chose

snack bar *n* snack *m*

snag [snæg] **I** *n* **1.** hic *m infml*; ***there's a ~*** il y a un hic *infml*; ***to hit a ~*** tomber sur un os *infml* **2.** (*in clothes*) accroc *m* **II** *v/t* faire un accroc à; ***I ~ged my tights*** j'ai accroché mes collants

snail [sneɪl] *n* escargot *m*; ***at a ~'s pace*** comme un escargot **snail mail** *n hum* poste *f*

snake [sneɪk] *n* serpent *m* **snakebite** *n* **1.** morsure *f* de serpent **2.** (*drink*) *cocktail contenant une quantité égale de bière et de cidre* **snakeskin** [sneɪkskɪn] *adj* en peau de serpent

snap [snæp] **I** *n* **1.** (*sound*) bruit *m* sec; (*of sth breaking*) craquement *m* **2.** *esp Br* PHOT instantané *m* **3.** CARD ≈ bataille *f* **4.** ***cold ~*** coup de froid **II** *adj attr* fait sans réflexion **III** *int* ***I bought a green one — ~!*** (*Br infml*) j'ai acheté un vert — moi aussi! **IV** *v/t* **1.** *fingers* faire claquer **2.** (*break*) casser **3.** *esp Br* PHOT prendre en photo **V** *v/i* **1.** (*click*) faire un bruit sec; (*break*) se casser net; ***to ~ shut*** se refermer avec un bruit sec **2.** (*speak sharply*) parler d'un ton cassant; ***to ~ at sb*** rembarrer qn *infml* **3.** (*of dog etc., fig*) essayer d'attraper (***at sth*** qc) **4.** *infml* ***something ~ped*** (***in him***) quelque chose s'est cassé (en lui) *infml* ◆ **snap off** *v/t sep* casser net ◆ **snap out I** *v/t sep* ***to snap sb out of sth*** tirer qn de qc **II** *v/i* ***to ~ of sth*** se sortir de qc; ***~ of it!*** ne fais pas la tête! ◆ **snap up** *v/t sep* sauter sur

snap fastener *n US* bouton-pression *m*, pression *f* **snappy** ['snæpɪ] *adj* ⟨**+er**⟩ **1.** *infml* ***and make it ~!*** grouille-toi! *infml* **2.** *infml phrase* plein de punch *infml*

snapshot ['snæpʃɒt] *n* photo *f*

snare [snɛəʳ] *n* (*trap*) piège *m*

snarl [snɑːl] **I** *n* grognement *m* **II** *v/i* gronder en montrant les dents; ***to ~ at sb*** lancer un grondement à qn ◆ **snarl up** *v/t sep infml traffic* se bloquer

snatch [snætʃ] **I** *n* fragment *m*; (*of conversation*) bribes *fpl*; (*of music*) mesures *fpl* **II** *v/t* **1.** (*grab*) saisir; ***to ~ sth from sb*** arracher qc à qn; ***to ~ sth out of sb's hand*** arracher qc des mains de qn **2.** ***to ~ some sleep*** réussir à dormir un peu; ***to ~ a quick meal*** manger sur le pouce; ***to ~ defeat from the jaws of victory*** perdre alors que la victoire était assurée **3.** *infml* (*steal*) voler *infml*; *purse* piquer *infml*; (*kidnap*) enlever **III** *v/i* essayer de saisir (***at sth*** qc) ◆ **snatch away** *v/t sep* enlever d'un geste vif (***sth from sb*** qc à qn)

sneak [sniːk] **I** *n* faux jeton *m infml* **II** *v/t* ***to ~ sth into a room*** introduire qc dans une pièce; ***to ~ a look at sb/sth*** lancer un coup d'œil furtif à qn/qc **III** *v/i* ***to ~ away*** *or* ***off*** s'esquiver; ***to ~ in*** entrer furtivement; ***to ~ past sb*** passer à côté de qn sans se faire voir; ***to ~ up on sb*** s'approcher de qn sans faire de bruit

sneakers ['sniːkəz] *pl esp US* tennis *mpl* **sneaking** ['sniːkɪŋ] *adj attr* ***to have a ~ feeling that …*** ne pas pouvoir

s'empêcher de penser que ... **sneak preview** *n* (*of movie etc.*) avant-première *f* **sneaky** ['sni:kɪ] *adj* ⟨**+er**⟩ *pej*, *infml* sournois *infml*
sneer [snɪəʳ] **I** *n* ricanement *m* **II** *v/i* ricaner; (*look sneering*) regarder d'un air méprisant; ***to ~ at sb*** railler qn **sneering** ['snɪərɪŋ] *adj* sarcastique **sneeringly** ['snɪərɪŋlɪ] *adv* sarcastiquement
sneeze [sni:z] **I** *n* éternuement *m* **II** *v/i* éternuer; ***not to be ~d at*** à ne pas dédaigner
snide [snaɪd] *adj* narquois
sniff [snɪf] **I** *n* reniflement *m*; ***have a ~ at this*** renifle ça **II** *v/t* renifler; *air* respirer **III** *v/i* (*person*) renifler, sentir l'odeur de; (*dog*) renifler, flairer; ***to ~ at sth*** *lit* renifler qc; ***not to be ~ed at*** *Br* à ne pas dédaigner ◆ **sniff around** *infml v/i* (*for information*) fouiner *infml* ◆ **sniff out** *v/t sep lit*, *fig*, *infml* flairer
sniffle ['snɪfl] *n*, *v/i* = **snuffle**
snigger ['snɪgəʳ] *Br* **I** *n* ricanement *m* **II** *v/i* ricaner (***at, about*** à propos de)
snip [snɪp] **I** *n* **1.** (*cut*) petit coup *m* **2.** (*esp Br infml*) ***at only £2 it's a real ~*** à seulement 2 £, c'est vraiment une affaire **II** *v/t* ***to ~ sth off*** couper qc
sniper ['snaɪpəʳ] *n* tireur *m* isolé, sniper *m*
snippet ['snɪpɪt] *n* petit bout *m*; (*of information*) fragment *m*; ***~s of (a) conversation*** des bribes de conversation
snivel ['snɪvl] *v/i* pleurnicher **sniveling**, *Br* **snivelling** ['snɪvlɪŋ] *adj* larmoyant
snob [snɒb] *n* snob *m/f* **snobbery** ['snɒbərɪ] *n* snobisme *m* **snobbish** ['snɒbɪʃ] *adj* snob; ***to be ~ about sth*** faire preuve de snobisme en matière de qc
snog [snɒg] (*Br infml*) **I** *n* ***to have a ~ with sb*** se bécoter *infml* **II** *v/i* se bécoter *infml* **III** *v/t* bécoter *infml*
snooker ['snu:kəʳ] *n* snooker *m* (*sorte de billard*)
snoop [snu:p] **I** *n* **1.** fouineur(-euse) *m(f)* **2.** ***I'll have a ~ around*** je vais jeter un coup d'œil discret **II** *v/i* se mêler des affaires des autres; ***to ~ around*** fourrer son nez partout
snooty ['snu:tɪ] *adj* ⟨**+er**⟩ *infml* condescendant **snootily** *adv infml* avec condescendance
snooze [snu:z] **I** *n* petit somme *m*; ***to have a ~*** faire un petit somme **II** *v/i* faire un somme
snore [snɔ:ʳ] **I** *n* ronflement *m* **II** *v/i* ronfler **snoring** ['snɔ:rɪŋ] *n* ronflements *mpl*
snorkel ['snɔ:kl] *n* tuba *m* **snorkeling**, *Br* **snorkelling** ['snɔ:kəlɪŋ] *n* plongée *f* (avec masque et tuba)
snort [snɔ:t] **I** *n* grognement *m*; (*of boar*) grommellement *m* **II** *v/i* grogner; (*boar*) grommeler **III** *v/t* (*person*) grogner
snot [snɒt] *n infml* morve *f infml* **snotty** ['snɒtɪ] *adj* ⟨**+er**⟩ *infml* prétentieux (-euse)
snout [snaʊt] *n* museau *m*
snow [snəʊ] **I** *n* neige *f*; ***as white as ~*** blanc comme neige **II** *v/i* neiger ◆ **snow in** *v/t sep* (*usu pass*) ***to be** or **get snowed in*** être bloqué par la neige ◆ **snow under** *v/t sep* (*infml*, *usu pass*) ***to be snowed under with work*** être complètement submergé de travail
snowball **I** *n* boule *f* de neige **II** *v/i* se lancer des boules de neige **snowboard** **I** *n* surf *m* (des neiges) **II** *v/i* faire du surf (des neiges) **snowboarding** *n* surf *m* (des neiges) **snowbound** *adj* bloqué par la neige **snowcapped** *adj* enneigé **snow-covered** *adj* enneigé **snowdrift** *n* congère *f* **snowdrop** *n* perce-neige *f* **snowfall** *n* chute *f* de neige **snowflake** *n* flocon *m* de neige **snowman** *n* bonhomme *m* de neige **snowmobile** *n* autoneige *f*, motoneige *f* **snowplow**, *Br* **snowplough** *n* chasse-neige *m* **snowstorm** *n* tempête *f* de neige **snow-white** *adj* blanc(he) comme neige **snowy** ['snəʊɪ] *adj* ⟨**+er**⟩ *weather* neigeux(-euse); *hills* enneigé
SNP *abbr* = **Scottish National Party** Parti *m* national écossais (*parti indépendantiste*)
snub [snʌb] **I** *n* rebuffade *f* **II** *v/t* **1.** *person* snober **2.** (*ignore*) rejeter
snub nose *n* nez *m* retroussé
snuff [snʌf] **I** *n* tabac *m* à priser **II** *v/t candle* (*a.* **snuff out**) moucher
snuffle ['snʌfl] **I** *n* reniflement *m*; ***to have the ~s*** *infml* être légèrement enrhumé **II** *v/i* renifler (*with cold*, *from crying*)
snug [snʌg] *adj* ⟨**+er**⟩ (*cozy*) douillet(te); (*close-fitting*) bien ajusté
snuggle ['snʌgl] *v/i* se pelotonner; ***to ~ up (to sb)*** se blottir (contre qn); ***I like to ~ up with a book*** j'aime m'installer confortablement avec un livre
snugly ['snʌglɪ] *adv* **1.** (*cozily*) douillet-

tement **2.** (*tightly*) *close* parfaitement; *fit* juste bien

so [səʊ] **I** *adv* **1.** si, tellement; *pleased* très; *love*, *hate* tellement; ***That's so last year*** *infml* C'est complètement out; ***I so hate you*** *infml* Je te hais!; ***so much tea*** tellement de thé; ***so many flies*** tellement de mouches; ***he was so stupid (that)*** il a été tellement stupide (que); ***not so ... as*** pas aussi ... que; ***I am not so stupid as to believe that*** *or* ***that I believe that*** je ne suis pas assez stupide pour croire ça; ***would you be so kind as to open the door?*** auriez-vous la gentillesse d'ouvrir la porte; ***how are things? — not so bad!*** comment ça va? — pas si mal!; ***that's so kind of you*** c'est tellement gentil de votre part; ***so it was that ...*** c'est ainsi que ...; ***and so it was*** et c'était ainsi; ***by so doing he has ...*** en faisant cela, il a ...; ***and so on*** *or* ***forth*** et ainsi de suite **2.** (*replacing sentence*) ***I hope so*** j'espère que oui; (*emphatic*) j'espère bien; ***I think so*** je crois; ***I never said so*** je n'ai jamais dit ça; ***I told you so*** je te l'avais bien dit; ***why? — because I say so*** pourquoi? — parce que c'est comme ça; ***I suppose so*** (*very well*) au temps pour moi; (*I believe so*) je crois bien; ***so I believe*** c'est ce que je crois; ***so I see*** oui, je vois; ***so be it*** soit; ***if so*** dans ce cas-là; ***he said he would finish it this week, and so he did*** il a dit qu'il le finirait cette semaine, et c'est ce qu'il a fait; ***how so?*** comment (ça se fait)?; ***or so they say*** en tout cas c'est ce qu'ils disent; ***it is so!*** il en est ainsi!; ***that is so*** c'est bien ça; ***is that so?*** pas possible! **3.** (*unspecified amount*) ***how high is it? — oh, about so high*** c'est haut comment? — oh, c'est haut comme ça; ***a week or so*** une semaine environ; ***50 or so*** une cinquantaine **4.** (*likewise*) aussi; ***so am / would I*** moi aussi **5.** ***he walked past and didn't so much as look at me*** il est passé et ne m'a même pas regardé; ***he didn't say so much as thank you*** il n'a même pas dit merci; ***so much for that!*** *infml* tout ça pour ça! *infml*; ***so much for his promises*** il n'a pas respecté ses promesses **II** *cj* **1.** (*expressing purpose*) pour; ***we hurried so as not to be late*** nous nous sommes dépêchés pour ne pas être en retard **2.** (*therefore, in questions, exclamations*) alors; ***so you see ...*** comme vous voyez ...; ***so you're Spanish?*** alors comme ça, tu es Espagnol?; ***so there you are!*** te voilà donc!; ***so what did you do?*** et alors vous avez fait quoi?; ***so (what)?*** *infml* et alors?; ***I'm not going, so there!*** *infml* je n'y vais pas, voilà!

soak [səʊk] **I** *v/t* **1.** (*wet*) tremper **2.** (*steep*) faire tremper (***in*** dans) **II** *v/i* ***leave it to ~*** laissez-le tremper; ***to ~ in a bath*** prendre un bain; ***rain has ~ed through the ceiling*** la pluie a traversé le plafond **III** *n* ***I had a long ~ in the bath*** j'ai pris un bon bain ◆ **soak up** *v/t sep liquid*, *atmosphere*, *sunshine* absorber

soaked [səʊkt] *adj* trempé; ***his T-shirt was ~ in sweat*** son T-shirt était trempé de sueur; ***to be ~ to the skin*** être mouillé jusqu'aux os **soaking** ['səʊkɪŋ] **I** *adj* trempé **II** *adv* ***~ wet*** trempé

so-and-so ['səʊənsəʊ] *n infml* **1.** ***~ up at the shop*** machin Chouette, du magasin *infml* **2.** *pej* ***you old ~*** espèce de vieux schnock *infml*

soap [səʊp] **I** *n* savon *m*, savonnette *f* **II** *v/t* savonner **soapbox** *n* ***to get up on one's ~*** *fig* faire un discours improvisé **soap opera** *n infml* feuilleton *m infml* **soap powder** *n* lessive *f* en poudre **soapsuds** *pl* mousse *f* de savon **soapy** ['səʊpɪ] *adj* ⟨**+er**⟩ savonneux(-euse); ***~ water*** eau savonneuse

soar [sɔːʳ] *v/i* **1.** (*a.* **soar up**) monter en flèche **2.** (*fig*, *building*) s'élancer; (*cost*) monter en flèche; (*popularity*, *hopes*) grandir démesurément; (*spirits*) remonter en flèche **soaring** ['sɔːrɪŋ] *adj bird* essor *m*; *prices* hausse *f*

sob [sɒb] **I** *n* sanglot *m*; ***..., he said with a ~*** ..., dit-il en sanglotant **II** *v/t & v/i* sangloter ◆ **sob out** *v/t sep* ***to sob one's heart out*** pleurer à chaudes larmes

sobbing ['sɒbɪŋ] **I** *n* sanglots *mpl* **II** *adj* sanglotant

sober ['səʊbəʳ] *adj* sobre; *expression*, *occasion* grave; (*not showy*) sobre ◆ **sober up I** *v/t sep lit* dessoûler **II** *v/i lit* dessoûler

sobering ['səʊbərɪŋ] *adj* qui fait réfléchir

Soc. *abbr* = **society**

so-called [ˌsəʊ'kɔːld] *adj* prétendu; (*supposed*) soi-disant

soccer ['sɒkəʳ] *n* football *m*; **~ *player*** footballeur(-euse) *m(f)*

soccer

Nom donné aux États-Unis au football tel qu'il se pratique en Europe, pour le distinguer du football américain.

sociable ['səʊʃəbl] *adj* (*gregarious, friendly*) sociable

social ['səʊʃəl] *adj* **1.** *life, status* social; *event* mondain; *visit* de courtoisie; **~ *reform*** réforme sociale; **~ *justice*** justice sociale; ***to be a ~ outcast/misfit*** être un paria/un inadapté social; ***a room for ~ functions*** une pièce pour recevoir; ***there isn't much ~ life around here*** il n'y a pas beaucoup d'activités dans le coin; ***how's your ~ life these days?*** *infml* qui est-ce que tu vois en ce moment? *infml*; ***to have an active ~ life*** voir beaucoup de monde; ***to be a ~ smoker*** fumer uniquement en société; ***a ~ acquaintance*** une relation **2.** *evening, person* mondain **social anthropology** *n* anthropologie *f* sociale **social climber** *n pej* arriviste *m/f*, parvenu(e) *m(f)* **social club** *n* club *m* (de rencontres) **social democracy** *n* social-démocratie *f* **social democrat** *n* social-démocrate *m/f* **socialism** ['səʊʃəlɪzəm] *n* socialisme *m* **socialist** ['səʊʃəlɪst] **I** *adj* socialiste **II** *n* socialiste *m/f* **socialite** ['səʊʃəlaɪt] *n infml* mondain(e) *m(f)* **socialize** ['səʊʃəlaɪz] *v/i* ***to ~ with sb*** fréquenter qn **socially** ['səʊʃəlɪ] *adv* en société; *deprived etc.* socialement; ***to know sb ~*** fréquenter qn en dehors du travail **social networking site** *n* réseau *m* social **social science** *n* sciences *fpl* humaines **social security** *n US* ≈ sécurité *f* sociale; (*scheme*) ≈ sécurité *f* sociale; *Br* aide *f* sociale; ***to be on ~*** *US* avoir la sécurité sociale; *Br* recevoir l'aide sociale **social services** *pl* services *mpl* sociaux **social studies** *n sg or pl* sciences *fpl* sociales **social work** *n* assistance *f* sociale **social worker** *n* assistant(e) social(e) *m(f)*

society [sə'saɪətɪ] *n* **1.** (*social community*) société *f* **2.** (*club*) club *m*; UNIV association *f*

sociologist [ˌsəʊsɪ'ɒlədʒɪst] *n* sociologue *m/f* **sociology** [ˌsəʊsɪ'ɒlədʒɪ] *n* sociologie *f*

sock[1] [sɒk] *n* chaussette *f*; (*knee-length*) chaussette *f* montante; ***to pull one's ~s up*** (*Br infml*) se secouer *infml*; ***put a ~ in it!*** (*Br infml*) la ferme! *infml*; ***to work one's ~s off*** *infml* s'éreinter au travail *infml*

sock[2] *v/t* (*infml hit*) flanquer une beigne à *infml*; ***he ~ed her right in the eye*** il lui a donné un coup en plein dans l'œil *infml*

socket ['sɒkɪt] *n* **1.** (*of eye*) orbite *f* **2.** (*of joint*) glène *f*; ***to pull sb's arm out of its ~*** démettre l'épaule de qn **3.** ELEC prise *f* de courant (*femelle*); MECH douille *f*

sod[1] [sɒd] *n* (*turf*) motte *f* (de gazon)

sod[2] (*Br infml*) **I** *n* salaud *m infml*; ***the poor ~s*** les pauvres couillons *infml* **II** *v/t* **~ *it!*** merde alors! *vulg*; **~ *him*** il m'emmerde! *sl* qu'il aille se faire foutre! *vulg* ◆ **sod off** *v/i* (*Br infml*) **~*!*** va te faire voir! *infml*

soda ['səʊdə] *n* **1.** (*drink*) soda *m* **2.** CHEM soude *f*; (*caustic soda*) soude *f* caustique

sod all *n* (*Br infml nothing*) que dalle!

soda siphon *n* siphon *m* (d'eau de Seltz) **soda water** *n* eau *f* de Seltz

sodden ['sɒdn] *adj* trempé

sodding ['sɒdɪŋ] (*Br infml*) **I** *adj* foutu *infml*, putain de *vulg* **II** *adv* foutrement *infml*, vachement *infml*

sodium ['səʊdɪəm] *n* sodium *m* **sodium bicarbonate** *n* bicarbonate *m* de soude **sodium chloride** *n* chlorure *m* de sodium

sodomy ['sɒdəmɪ] *n* sodomie *f*

sofa ['səʊfə] *n* canapé *m*; **~ *bed*** canapé-lit *m*

soft [sɒft] *adj* ⟨**+er**⟩ **1.** mou(molle); *skin* doux(douce); *hair* soyeux(-euse); *drink* non alcoolisé; **~ *cheese*** fromage à pâte molle; **~ *porn movie*** film porno soft **2.** (*gentle*) gentil(le); *light, music* doux (douce) **3.** (*weak*) indulgent; ***to be ~ on sb*** être indulgent envers qn **4.** *job, life* pépère *infml* **5.** (*kind*) *smile* doux (douce); ***to have a ~ spot for sb*** *infml* avoir un faible pour qn **softball** *n* softball *m* **soft-boiled** *adj* à la coque **soft-centered** *adj* fourré

soften ['sɒfn] **I** *v/t* adoucir; *effect* atténuer **II** *v/i* s'adoucir; (*voice*) s'atténuer ◆ **soften up I** *v/t sep* **1.** *lit* ramollir

2. *fig opposition* réduire; (*by bullying*) intimider **II** *v/i* (*material*) s'assouplir
softener ['sɒfnə^r] *n* (*fabric softener*) produit *m* assouplissant **soft focus** *n* FILM, PHOT flou *m* artistique **soft fruit** *n Br* fruits rouges *mpl* **soft furnishings** *pl Br* tissus *mpl* d'ameublement **soft-hearted** *adj* compatissant **softie** ['sɒftɪ] *n* (*infml*: *too tender-hearted*) tendre *m/f*; (*sentimental*) sentimental(e) *m(f)*; (*effeminate*, *cowardly*) mauviette *f* **softly** ['sɒftlɪ] *adv* (*gently*) légèrement; (*not loud*) doucement; ***to be ~ spoken*** avoir la voix douce **softness** *n* mollesse *f*; (*of skin*) douceur *f* **soft skills** *pl* compétences *fpl* relationnelles **soft-spoken** *adj person* à la voix douce; ***to be ~*** avoir la voix douce **soft target** *n* cible *f* vulnérable **soft top** *n* AUTO décapotable *f* **soft toy** *n Br* peluche *f*
software *n* logiciel *m* **software company** *n* éditeur *m* de logiciels **software package** *n* progiciel *m* **softy** *n infml* = **softie**
sogginess ['sɒgɪnɪs] *n* aspect *m* détrempé; (*of food*) aspect *m* pâteux; (*of cake*, *bread*) texture *f* ramolli **soggy** ['sɒgɪ] *adj* ⟨**+er**⟩ détrempé; *food* pâteux (-euse); *bread* ramolli
soil[1] [sɔɪl] *n* terre *f*, sol *m*; ***native ~*** pays natal; ***British ~*** sol britannique
soil[2] *v/t lit* salir; *fig* souiller **soiled** [sɔɪld] *adj* sale; *goods* défraîchi
solace ['sɒlɪs] *n* consolation *f*
solar ['səʊlə^r] *adj* solaire; ***~ power*** énergie *f* solaire **solar eclipse** *n* éclipse *f* de soleil **solar energy** *n* énergie *f* solaire **solarium** [səʊ'lɛərɪəm] *n* ⟨*pl* **solaria**⟩ solarium *m* **solar-powered** *adj* (à énergie) solaire **solar power plant** *n* centrale *f* solaire **solar system** *n* système *m* solaire
sold [səʊld] *past*, *past part* = **sell**
soldier ['səʊldʒə^r] *n* soldat *m*
sole[1] [səʊl] *n of foot* plante *f*; *of shoe* semelle *f*
sole[2] *n* (*fish*) sole *f*
sole[3] *adj reason* seul; *responsibility* entier(-ière); *use* exclusif(-ive); ***with the ~ exception of …*** à la seule exception de …; ***for the ~ purpose of …*** dans l'unique but de … **solely** ['səʊllɪ] *adv* uniquement
solemn ['sɒləm] *adj person*, *warning*, *promise* solennel(le); *duty* sacré **solemnity** [sə'lemnɪtɪ] *n* solennité *f* **solemnly** ['sɒləmlɪ] *adv swear* solennellement; *say* d'un ton solennel
soliciting [sə'lɪsɪtɪŋ] *n* racolage *m* **solicitor** [sə'lɪsɪtə^r] *n* (JUR, *Br*) ≈ notaire *m*, ≈ avocat *m*; *US avocat conseil attaché à une municipalité*
solid ['sɒlɪd] **I** *adj* **1.** dur; *gold*, *rock* massif(-ive); *layer*, *traffic etc.* compact; *line* continu; (*heavily-built*) *person* solide comme un roc; *house*, *relationship* solide; *piece of work*, *character*, *knowledge* sérieux; ***to be frozen ~*** être complètement gelé; ***the square was packed ~ with cars*** la place était pleine de voitures; ***they worked for two ~ days*** ils ont travaillé deux jours sans s'arrêter **2.** *reason* sérieux(-euse) **3.** *support* indéfectible **II** *adv* **1.** (*completely*) complètement **2.** ***for eight hours ~*** huit heures d'affilée **III** *n* **1.** solide *m* **2. solids** *pl* (*food*) aliments *mpl* solides
solidarity [ˌsɒlɪ'dærɪtɪ] *n* solidarité *f*
solidify [sə'lɪdɪfaɪ] *v/i* solidifier **solidity** [sə'lɪdɪtɪ] *n* solidité *f* **solidly** ['sɒlɪdlɪ] *adv* **1.** *stuck*, *secured* solidement; ***~ built*** *house* solidement construit; *person* bien bâti **2.** *argued* fermement **3.** (*uninterruptedly*) sans arrêt **4.** ***to be ~ behind sb / sth*** soutenir qn / qc sans réserve
solitary ['sɒlɪtərɪ] *adj* **1.** *life*, *person* solitaire; *place* isolé; ***a few ~ houses*** quelques maisons isolées; ***a ~ person*** un(e) solitaire **2.** *example*, *goal* seul **solitary confinement** *n* isolement *m* cellulaire; ***to be held in ~*** être détenu en isolement cellulaire **solitude** ['sɒlɪtjuːd] *n* solitude *f*
solo ['səʊləʊ] **I** *n* solo *m*; ***piano ~*** solo *m* de piano **II** *adj* en solo **III** *adv* en solitaire; MUS en solo; ***to go ~*** entamer une carrière solo **soloist** ['səʊləʊɪst] *n* soliste *m/f*
solstice ['sɒlstɪs] *n* solstice *m*
soluble ['sɒljʊbl] *adj* **1.** soluble; ***~ in water*** soluble dans l'eau **2.** *problem* soluble **solution** [sə'luːʃən] *n* solution *f* (***to*** de)
solvable ['sɒlvəbl] *adj problem* soluble
solve [sɒlv] *v/t problem* résoudre; *mystery*, *crime* élucider **solvent** ['sɒlvənt] **I** *adj* FIN solvable **II** *n* CHEM solvant *m*
somber, *Br* **sombre** ['sɒmbə^r] *adj* (*gloomy*) sombre; *news* pessimiste; *music* triste **somberly**, *Br* **sombrely**

['sɒmbəlɪ] *adv say* d'un ton morne; *watch* d'un air sombre

some [sʌm] **I** *adj* **1.** (*with plural nouns*) des; (*a few*) quelques; ***did you bring ~ CDs?*** tu as apporté des CD?; ***~ records of mine*** quelques-uns de mes disques; ***would you like ~ more cookies?*** est-ce que vous voulez encore des biscuits? **2.** (*with singular nouns*) du, de la, de l'; (*a little*) un peu de; ***there's ~ ink on your shirt*** il y a de l'encre sur ta chemise; ***~ more coffee?*** encore un peu de café? **3.** (*certain*) certain; ***~ people say …*** certains disent …; ***~ people just don't care*** il y a des gens qui ne s'en font pas; ***in ~ ways*** dans un sens **4.** (*indeterminate*) n'importe quel(le); ***~ book or other*** un livre; ***~ woman, whose name I forget …*** une femme dont j'ai oublié le nom; ***in ~ way or another*** d'une façon ou d'une autre; ***or ~ such*** ou une chose de ce genre; ***or ~ such name*** ou un nom de ce genre; ***~ time or other*** un jour ou l'autre; ***~ other time*** une autre fois; ***~ day*** un de ces jours; ***~ day next week*** un jour la semaine prochaine **5.** (*intensifier*) ***it took ~ courage*** il a fallu du courage; (***that was***) ***~ party!*** ça a été une super fête! *infml*; ***this might take ~ time*** ça va prendre du temps; ***quite ~ time*** pas mal de temps; ***to speak at ~ length*** parler assez longuement **6.** (*in exclamations, iron*) ***~ help you are*** tu parles d'une aide *infml*; ***~ people!*** il y a des gens, je vous jure! *infml* **II** *pron* **1.** (*referring to plural nouns*) (*a few*) quelques-un(e)s; (*certain ones*) certain(e)s; (*in "if" clauses, questions*) en; ***~ of these books*** certains de ces livres; ***~ of them are here*** certains d'entre eux sont ici; ***~ …, others …*** certains …, d'autres …; ***they're delicious, try ~*** ils sont délicieux, goûtez-les; ***I've still got ~*** j'en ai encore **2.** (*referring to singular nouns*) (*a little*) un peu; (*a certain amount*) une partie; (*in "if" clauses, questions*) en; ***I drank ~ of the milk*** j'ai bu une partie du lait; ***have ~!*** prenez-en!; ***it's cake, would you like ~?*** c'est du gâteau, vous en voulez?; ***try ~ of this cake*** goûte donc un peu de ce gâteau; ***would you like ~ money / coffee? — no, I have ~*** tu veux de l'argent / du café? — non, j'en ai; ***do you have money? — no, but he has ~*** tu as de l'argent? — non, mais il en a; ***~ of it had been eaten*** on en avait mangé une partie; ***he only believed ~ of it*** il n'en a cru qu'une partie; ***~ of the finest poetry in the English language*** quelques-uns des plus beaux poèmes écrits en anglais **III** *adv* environ

somebody ['sʌmbədɪ] **I** *pron* quelqu'un; ***~ else*** quelqu'un d'autre; ***~ or other*** je ne sais qui; ***~ knocked at the door*** quelqu'un a frappé à la porte; ***we need ~ French*** il nous faut un Français; ***you must have seen ~*** tu as bien dû voir quelqu'un **II** *n* ***to be*** (***a***) ***~*** être quelqu'un **someday** ['sʌmdeɪ] *adv* un jour

somehow ['sʌmhaʊ] *adv* d'une manière ou d'une autre

someone ['sʌmwʌn] *pron* = **somebody** *I*

someplace ['sʌmpleɪs] *adv* (*US infml*) *be, go* quelque part; ***~ else*** *be, go* ailleurs

somersault ['sʌməsɔːlt] **I** *n* culbute *f*; SPORTS saut *m* périlleux; *fig* volte-face *f*; ***to do a ~*** *fig* faire volte-face; SPORTS faire un saut périlleux **II** *v/i* (*person*) faire la culbute; SPORTS faire un saut périlleux

something ['sʌmθɪŋ] **I** *pron* **1.** quelque chose; ***~ small*** *etc.* quelque chose de petit; ***~ or other*** quelque chose; ***there's ~ I don't like about him*** il y a chez lui quelque chose que je n'aime pas; ***well, that's ~*** eh bien, ce n'est pas rien; ***he's ~ to do with the F.B.I.*** il a quelque chose à voir avec le F.B.I; ***her name is Rachel ~*** elle s'appelle Rachel quelque chose; ***three hundred and ~*** trois cents et quelques; ***or ~*** *infml* ou quelque chose dans ce genre-là; ***are you drunk or ~?*** *infml* tu es bourré ou quoi? *infml*; ***she's called Marie or ~ like that*** elle s'appelle Marie ou quelque chose comme ça **2.** (*infml something special*) ***it was ~ else*** (*esp US*) *or* ***quite ~*** c'était vraiment fantastique **II** *n* ***a little ~*** un petit quelque chose; ***a certain ~*** un certain je ne sais quoi **III** *adv* ***~ over 200*** plus de 200; ***~ like 200*** quelque chose comme 200; ***you look ~ like him*** tu lui ressembles un peu; ***it's ~ of a problem*** c'est un petit peu problématique; ***~ of a surprise*** une certaine surprise

-something [-sʌmθɪŋ] *suf* ***he's twenty-something*** il a une vingtaine d'années

sometime ['sʌmtaɪm] *adv* un de ces

jours; **~ or other it will have to be done** il faudra bien le faire un jour ou l'autre; **write to me ~ soon** écris-moi vite; **~ before tomorrow** d'ici demain

sometimes ['sʌmtaɪmz] *adv* parfois

somewhat ['sʌmwɒt] *adv* quelque peu; **the system is ~ less than perfect** le système ne fonctionne pas tout à fait comme il faut

somewhere ['sʌmwɛəʳ] *adv* **1.** *be, go* quelque part; **~ else** ailleurs; **to take one's business ~ else** faire ses affaires ailleurs; **from ~** de quelque part; **I know ~ where ...** je sais où ...; **I needed ~ to live in Boston** j'ai besoin d'un logement à Boston; **we just wanted ~ to go after school** on voulait juste un endroit où aller après les cours; **~ around here** quelque part par ici; **~ romantic** un endroit romantique; **the ideal place to go is ~ like New York** l'idéal, c'est d'aller dans une ville comme New York; **don't I know you from ~?** on s'est déjà rencontrés, non? **2.** *fig* **~ around 40° C** environ 40° C; **~ around $50** environ 50 dollars; **now we're getting ~** enfin, nous avançons

son [sʌn] *n* fils *m*; (*as address*) mon garçon; **Son of God** fils de Dieu; **he's his father's ~** c'est bien le fils de son père; **~ of a bitch** (*esp US sl*) fils *m* de pute *vulg*

sonar ['səʊnɑːʳ] *n* sonar *m*

sonata [sə'nɑːtə] *n* sonate *f*

song [sɒŋ] *n* **1.** chanson *f*; (*singing, bird song*) chant *m*; **to burst into ~** se mettre à chanter **2.** (*Br fig, infml*) **to make a ~ and dance about sth** faire toute une histoire à propos de qc; **to be on ~** être en pleine forme; **it was going for a ~** c'était à vendre pour une bouchée de pain **songbird** *n* oiseau *m* chanteur **songbook** *n* recueil *m* de chansons **songwriter** *n* (*of words*) parolier(-ière) *m(f)*; (*of music*) compositeur(-trice) *m(f)* (de chansons)

sonic ['sɒnɪk] *adj* sonore

son-in-law ['sʌnɪnlɔː] *n* ⟨*pl* **sons-in--law**⟩ gendre *m*, beau-fils *m*

sonnet ['sɒnɪt] *n* sonnet *m*

soon [suːn] *adv* bientôt; (*early*) tôt; (*quickly*) vite; **it will ~ be Christmas** c'est bientôt Noël; **~ after his death** peu après sa mort; **how ~ can you be ready?** dans combien de temps peux--tu être prêt?; **we got there too ~** nous sommes arrivés trop tôt; **as ~ as** dès que; **as ~ as possible** dès que possible; **when can I have it? — as ~ as you like** quand est-ce que je peux l'avoir? — quand tu veux; **I would (just) as ~ you didn't tell him** je préférerais que tu ne le lui dises pas **sooner** ['suːnəʳ] *adv* **1.** (*time*) plus tôt; **no ~ had we arrived than ...** à peine étions-nous arrivés que ...; **no ~ said than done** aussitôt dit aussitôt fait **2.** (*preference*) **I would ~ not do it** je préférerais ne pas le faire

soot [sʊt] *n* suie *f*

soothe [suːð] *v/t* calmer **soothing** ['suːðɪŋ] *adj* relaxant; (*pain-relieving*) apaisant

sophisticated [sə'fɪstɪkeɪtɪd] *adj* **1.** (*worldly*) raffiné; *audience* averti; *dress* élégant; **she thinks she looks more ~ with a cigarette** elle pense qu'elle a l'air plus chic avec une cigarette **2.** (*complex*) complexe; *method* élaboré; *device* perfectionné **3.** (*subtle*) subtil; *system, approach* sophistiqué **sophistication** [səˌfɪstɪ'keɪʃən] *n* **1.** (*worldliness*) raffinement *m*; (*of audience*) haut niveau *m* **2.** (*complexity*) complexité *f*; (*of method*) caractère *m* élaboré; (*of device*) degré *m* de perfectionnement **3.** (*subtlety*) subtilité *f*; (*of system, approach*) sophistication *f*

sophomore ['sɒfəmɔːʳ] *n US* étudiant(e) *m(f)* de deuxième année

sopping ['sɒpɪŋ] *adj* (*a.* **sopping wet**) détrempé; *person* trempé jusqu'aux os

soppy ['sɒpɪ] *adj* (*Br infml*) *book, song* à l'eau de rose *infml*; *person* sentimental

soprano [sə'prɑːnəʊ] **I** *n* soprano *m/f* **II** *adj* soprano

sorbet ['sɔːbeɪ] *n* sorbet *m*

sorcerer ['sɔːsərəʳ] *n* sorcier *m* **sorcery** ['sɔːsərɪ] *n* sorcellerie *f*

sordid ['sɔːdɪd] *adj* sordide; **spare me the ~ details** épargne-moi les détails sordides

sore [sɔːʳ] **I** *adj* ⟨**+er**⟩ **1.** douloureux (-euse); (*inflamed*) irrité; **to have a ~ throat** avoir mal à la gorge; **my eyes are ~** j'ai mal aux yeux; **my wrist feels ~** j'ai mal au poignet; **to have ~ muscles** avoir des courbatures musculaires; **a ~ point** *fig* un sujet à éviter; **to be in ~ need of sth** avoir grandement besoin de qc **2.** (*esp US infml angry*) en rogne (*about sth* à propos de qc, *at* *sb* contre qn) **II** *n* MED plaie *f* **sorely** ['sɔːlɪ] *adv tempted* fortement; *needed* cruellement; *missed* énormément; ***he has been ~ tested*** *or* ***tried*** il a été mis à rude épreuve; ***to be ~ lacking*** faire cruellement défaut **soreness** ['sɔːnɪs] *n* (*ache*) douleur *f*

sorority [sə'rɒrɪtɪ] *n* (*US* UNIV) association *f* d'étudiantes

sorrow ['sɒrəʊ] *n no pl* (*sadness*) chagrin *m*; (*grief*) peine *f*; (*trouble*) ennuis *mpl*; ***to drown one's ~s*** noyer son chagrin **sorrowful** *adj* triste **sorrowfully** *adv* tristement

sorry ['sɒrɪ] *adj* ⟨+er⟩ désolé; *excuse* mauvais; ***I was ~ to hear that*** j'ai été désolé d'apprendre cela; ***we were ~ to hear about your mother's death*** nous avons été très tristes d'apprendre la mort de votre mère; ***I can't say I'm ~ he lost*** je ne suis vraiment pas désolée qu'il ait perdu; ***this work is no good, I'm ~ to say*** je suis désolé, mais ce travail n'est pas bon; ***to be*** *or* ***feel ~ for sb*** plaindre qn; ***to be*** *or* ***feel ~ for oneself*** se plaindre; ***I feel ~ for the child*** je plains l'enfant; ***you'll be ~ (for this)!*** vous le regretterez!; ***~!*** pardon!; ***I'm/he's ~*** je suis / il est désolé; ***can you lend me $5? — ~*** tu peux me prêter 5 dollars – non, désolé; ***~?*** (*pardon*) *Br* pardon?; ***he's from England, ~ Scotland*** il est d'Angleterre, non, pardon, d'Écosse; ***to say ~ (to sb for sth)*** demander pardon (à qn pour qc); ***I'm ~ about that vase*** je suis désolé pour le vase; ***I'm ~ about (what happened on) Thursday*** je suis désolé pour (ce qui est arrivé) jeudi; ***to be in a ~ state*** (*person*) être dans un triste état; (*object*) être dans un piteux état

sort [sɔːt] **I** *n* **1.** (*kind*) sorte *f*; (*type, model*) genre *m*; ***a ~ of*** une sorte de; ***an odd ~ of novel*** un roman bizarre; ***what ~ of (a) man is he?*** quel genre d'homme est-ce?; ***he's not the ~ of man to do that*** ce n'est pas le genre d'homme à faire cela; ***this ~ of thing*** *Br* ce genre de chose; ***all ~s of things*** toutes sortes de choses; ***something of the ~*** quelque chose dans ce genre-là; ***he's some ~ of administrator*** c'est une sorte d'administrateur; ***he has some ~ of job with …*** il a un job quelconque chez …; ***you'll do nothing of the ~!*** *Br* tu n'en feras rien!; ***that's the ~ of person I am*** c'est comme ça que je suis; ***I'm not that ~ of girl*** mais pour qui me prenez-vous?; ***he's a good ~*** *Br* c'est un brave garçon; ***he's not my ~*** *Br* ce n'est pas mon genre; ***I don't trust his ~*** *Br* je ne fais pas confiance aux gens de son espèce; ***to be out of ~s*** *Br* ne pas être dans son assiette **2.** IT tri *m* **II** *adv* ***~ of*** *infml* plutôt; ***is it tiring? — ~ of*** c'est fatiguant? – un peu; ***it's ~ of finished*** c'est fini en fait; ***aren't you pleased? — ~ of*** tu n'es pas content? – si, si; ***is this how he did it? — well, ~ of*** c'est comme ça qu'il l'a fait? – en quelque sorte **III** *v/t* **1.** trier **2.** *Br* ***to get sth ~ed*** régler qc; ***everything is ~ed*** tout est réglé **IV** *v/i* **1.** ***to ~ through sth*** faire le tri dans qc **2.** IT trier ◆ **sort out** *v/t sep* **1.** (*arrange*) régler; (*select*) trier **2.** *problem* résoudre; *situation* venir à bout de; ***the problem will sort itself out*** le problème va se résoudre tout seul; ***to sort oneself out*** résoudre ses problèmes **3.** (*esp Br infml*) ***to sort sb out*** régler son compte à qn *infml*

sort code *n* FIN code *m* guichet **sorting office** ['sɔːtɪŋˌɒfɪs] *n Br* centre *m* de tri

SOS *n* SOS *m*

so-so ['səʊ'səʊ] *adj pred, adv infml* comme ci comme ça *infml*

soufflé ['suːfleɪ] *n* soufflé *m*

sought [sɔːt] *past, past part* = **seek**

sought-after ['sɔːtɑːftəʳ] *adj* recherché

soul [səʊl] *n* **1.** âme *f*; ***All Souls' Day*** le jour des Morts; ***God rest his ~!*** que Dieu ait son âme!; ***poor ~!*** *infml* mon pauvre!; ***he's a good ~*** il est bien brave; ***not a ~*** pas un chat **2.** (*inner being*) être *m*; ***he loved her with all his ~*** il l'aimait de tout son être **3.** (*finer feelings*) cœur *m* **4.** MUS soul *f* **soul-destroying** ['səʊldɪˌstrɔɪɪŋ] *adj* abrutissant **soulful** *adj* tendre **soulless** *adj person* sans âme; *place* perdu **soul mate** *n* âme *f* sœur **soul-searching** *n* introspection *f*

sound[1] [saʊnd] **I** *adj* ⟨+er⟩ **1.** *constitution* sain; *condition* impeccable; ***to be of ~ mind*** *esp* JUR être sain d'esprit **2.** (*dependable*) fiable; *argument* solide; *person* sérieux(-euse); *advice* sensé **3.** (*thorough*) complet(-ète) **4.** *sleep* profond **II** *adv* ⟨+er⟩ ***to be ~ asleep*** être profondément endormi

sound[2] **I** *n* bruit *m*; PHYS, MUS son *m*;

(*verbal*, FILM *etc.*) son *m*; ***don't make a ~*** ne faites pas de bruit; ***not a ~ was to be heard*** on n'entendait pas le moindre bruit; ***I don't like the ~ of it*** ça ne me dit rien qui vaille; ***from the ~ of it he had a hard time*** on dirait qu'il a eu une mauvaise passe **II** *v/t* ***~ your horn*** klaxonne; ***to ~ the alarm*** sonner l'alarme; ***to ~ the retreat*** sonner la retraite **III** *v/i* **1.** (*emit sound*) sonner, se faire entendre **2.** (*give impression*) avoir l'air; ***he ~s angry*** il a l'air en colère; ***he ~s French*** (***to me***) il a l'air d'être français (à mon avis); ***he ~s like a nice man*** il a l'air charmant; ***it ~s like a sensible idea*** ça a l'air d'être une idée pleine de bon sens; ***how does it ~ to you?*** qu'en penses-tu? ◆ **sound off** *v/i infml* se vanter (***about*** de) ◆ **sound out** *v/t sep* ***to sound sb out about sth*** tâter le terrain auprès de qn à propos de qc

sound barrier *n* mur *m* du son **sound bite** *n* petite phrase *f* **sound card** *n* IT carte *f* son **sound effects** *pl* bruitage *m* **sound engineer** *n* ingénieur *m* du son **sounding board** ['saʊndɪŋˌbɔːd] *n* ***he used the committee as a ~ for his ideas*** *fig* il a d'abord testé ses idées sur les membres du comité **soundlessly** ['saʊndlɪslɪ] *adv move* sans bruit

soundly ['saʊndlɪ] *adv built* solidement; *defeat* à plate couture; *based* sainement; ***our team was ~ beaten*** notre équipe a été battue à plate couture; ***to sleep ~*** dormir profondément **soundness** ['saʊndnɪs] *n* **1.** (*good condition*) santé *f*; (*of building*) solidité *f* **2.** (*validity*, *dependability*) fiabilité *f*; (*of argument*, *analysis*) justesse *f*; (*of economy*, *currency*) bonne santé *f*; (*of idea*, *advice*, *move*, *policy*) bon sens *m*

soundproof *adj* insonorisé **soundtrack** *n* bande *f* sonore

soup [suːp] *n* soupe *f* **soup kitchen** *n* soupe *f* populaire **soup plate** *n* assiette *f* à soupe **soup spoon** *n* cuillère *f* à soupe

sour ['saʊəʳ] **I** *adj* ⟨**+er**⟩ **1.** *wine*, *smell* aigre; ***to go*** *or* ***turn ~*** *lit* tourner **2.** *fig expression* revêche; ***it's just ~ grapes*** c'est juste du dépit **II** *v/i* (*fig*: *relationship*) se dégrader

source [sɔːs] **I** *n* source *f*; (*of troubles etc.*) origine *f*; ***he is a ~ of embarrassment to us*** c'est une source d'embarras pour nous; ***I have it from a good ~ that ...*** je tiens de source sûre que ... **II** *v/t* COMM rechercher des fournisseurs de **source code** *n* IT code *m* source

sour cream, *Br* **soured cream** [ˌsaʊə(d)'kriːm] *n* crème *f* aigre **sourness** ['saʊənɪs] *n* (*of lemon*, *milk*, *smell*) aigreur *f*; (*fig*: *of expression*) caractère *m* revêche

south [saʊθ] **I** *n* sud *m*; ***in the ~ of*** dans le sud de; ***to the ~ of*** au sud de; ***from the ~*** du sud; ***the wind is in the ~*** le vent est au sud; ***the South of France*** le sud de la France, le Midi; ***which way is ~?*** où est le sud?; ***down ~*** dans le sud **II** *adj* sud; ***South German*** de l'Allemagne du Sud **III** *adv* au sud; (*toward the south*) vers le sud; ***to be further ~*** être plus au sud; ***~ of*** au sud de, **South Africa** *n* Afrique *f* du Sud **South African I** *adj* sud-africain; ***he's ~*** il est sud-africain **II** *n* Sud-Africain(e) *m*(*f*) **South America** *n* Amérique *f* du sud **South American I** *adj* sud-américain; ***he's ~*** il est sud-américain **II** *n* Sud-Américain(e) *m*(*f*) **southbound** *adj* en direction du sud **southeast I** *n* sud-est *m*; ***from the ~*** du sud-est **II** *adj* sud-est **III** *adv* au sud-est, vers le sud-est; ***~ of*** au sud-est de **Southeast Asia** *n* Asie *f* du Sud-Est **southeasterly** *adj* de sud-est **southeastern** *adj* du sud-est; ***~ England*** l'Angleterre du Sud-Est **southerly** ['sʌðəlɪ] *adj* au sud; *wind* de sud

southern ['sʌðən] *adj* du sud; (*Mediterranean*) méditerranéen(ne) **southerner** ['sʌðənəʳ] *n* habitant(e) *m*(*f*) du Sud; *US* sudiste *m*/*f* **southernmost** ['sʌðənməʊst] *adj* le plus au sud **south-facing** *adj wall* au sud; *garden* exposé au sud **South Korea** *n* Corée *f* du Sud **South Korean I** *adj* sud-coréen(ne) **II** *n* Sud-Coréen(ne) *m*(*f*) **South Pacific** *n* Pacifique *m* Sud **South Pole** *n* pôle *m* Sud **South Seas** *pl* mers *fpl* du Sud **south-south-east I** *adj* sud-sud-est **II** *adv* au sud-sud-est, vers le sud-sud-est **south-south-west I** *adj* sud-sud-ouest **II** *adv* au sud-sud-ouest, vers le sud-sud-ouest; ***~ of*** au sud-sud-ouest de **southward(s) I** *adj* sud **II** *adv* au sud, vers le sud **southwest I** *n* sud-ouest *m*; ***from the ~*** du sud-ouest **II** *adj* sud-ouest **III** *adv* au sud-ouest, vers le sud-ouest ***~ of*** au sud-ouest de **southwesterly** *adj* de

sud-ouest **southwestern** *adj* du sud-ouest
souvenir [ˌsuːvəˈnɪəʳ] *n* souvenir *m* (**of** de)
sovereign [ˈsɒvrɪn] **I** *n* (*monarch*) souverain(e) *m(f)* **II** *adj* souverain **sovereignty** [ˈsɒvrəntɪ] *n* souveraineté *f*
soviet [ˈsəʊvɪət] HIST **I** *n* soviet *m* **II** *adj attr* soviétique **Soviet Union** *n* HIST Union *f* soviétique
sow[1] [səʊ] ⟨*past* **sowed**⟩ ⟨*past part* **sown** *or* **sowed**⟩ *v/t corn* ensemencer; *seed* semer; ***this field has been ~n with barley*** ce champ a été ensemencé avec de l'orge; ***to ~ (the seeds of) hatred / discord*** semer la haine / discorde
sow[2] [saʊ] *n* (*pig*) truie *f*
sowing [ˈsəʊɪŋ] *n* (*action*) semailles *fpl*
sown [səʊn] *past part* = **sow**[1]
soya [ˈsɔɪə], **soy** *n* soja *m* **soya bean** *n esp Br* = **soybean soya milk** *n esp Br* lait *m* de soja **soya sauce** *n Br* = **soy sauce soybean** [ˈsɔɪbiːn] *n US* soja *m* **soy sauce** *n* sauce *f* au soja
spa [spɑː] *n* (*town*) ville *f* d'eau
space [speɪs] **I** *n* **1.** espace *m*; (*outer space*) espace *m*; ***to stare into ~*** regarder dans le vide **2.** *no pl* (*room*) place *f*; ***to take up a lot of ~*** prendre beaucoup de place; ***to clear / leave some ~ for sb / sth*** faire / laisser de la place pour qn / qc; ***parking ~*** place de stationnement **3.** (*gap*) espace *m*; (*between objects, words, lines*) espace *m*; (*parking space*) place *f*; ***to leave a ~ for sb / sth*** laisser de la place pour qn / qc **4.** (*of time*) laps *m*; ***in a short ~ of time*** pendant un court laps de temps; ***in the ~ of …*** en l'espace de … **II** *v/t* (*a.* **space out**) espacer; ***~ them out more, ~ them further out*** *or* ***further apart*** espacez-les davantage **space-bar** *n* TYPO barre *f* d'espacement
spacecraft *n* vaisseau *m* spatial **spaced out** [ˌspeɪstˈaʊt] *adj* (*infml confused etc.*) dans le coaltar *infml*; (*on drugs*) défoncé *infml*
space flight *n* voyage *m* dans l'espace **space heater** *n esp US* radiateur *m* **spaceman** *n* spationaute *m* **space rocket** *n* fusée *f* interplanétaire **space-saving** *adj* qui gagne de la place **spaceship** *n* vaisseau *m* spatial
space shuttle *n* navette *f* spatiale **space sickness** *n* mal *m* de l'espace **space station** *n* station *f* spatiale **spacesuit** *n* combinaison *f* spatiale **space travel** *n* voyages *mpl* dans l'espace **space walk** *n* marche *f* dans l'espace **spacewoman** *n* spationaute *f* **spacing** [ˈspeɪsɪŋ] *n* espacement *m*; (*between two objects*) écartement *m*; (*a.* **spacing out**) échelonnement *m*; ***single ~*** TYPO interligne simple **spacious** [ˈspeɪʃəs] *adj* spacieux(-euse) **spaciousness** [ˈspeɪʃəsnɪs] *n* grandes dimensions *fpl*; (*of garden, park*) grandeur *f*
spade [speɪd] *n* **1.** (*tool*) bêche *f*; (*children's spade*) pelle *f* **2.** CARD pique *m*; ***the Queen of Spades*** la dame de pique
spaghetti [spəˈgetɪ] *n* spaghetti *mpl*
Spain [speɪn] *n* Espagne *f*
spam [spæm] IT **I** *n* spam *m* **II** *v/t* spammer **spamming** [ˈspæmɪŋ] *n* IT spamming *m*
span[1] [spæn] **I** *n* **1.** (*of hand*) envergure *f*; (*of bridge etc.*) travée *f* **2.** (*time span*) durée *f* **3.** (*range*) étendue *f* **II** *v/t* **1.** (*rope*) enjamber **2.** (*encircle*) couvrir **3.** (*in time*) s'étendre
span[2] *obs past* = **spin**
Spaniard [ˈspænjəd] *n* Espagnol(e) *m(f)*
spaniel [ˈspænjəl] *n* épagneul *m*
Spanish [ˈspænɪʃ] **I** *adj* espagnol; ***he is ~*** il est espagnol **II** *n* **1.** ***the ~*** les Espagnols **2.** LING espagnol *m*
spank [spæŋk] **I** *n* fessée *f* **II** *v/t* donner une fessée à; ***to ~ sb's bottom*** donner une fessée à qn **spanking** [ˈspæŋkɪŋ] *n* fessée *f*
spanner [ˈspænəʳ] *n Br* clé *f*; ***to throw a ~ in the works*** *fig* créer un problème
spar [spɑːʳ] *v/i* BOXING s'entraîner (à la boxe); *fig* se disputer (***about*** au sujet de)
spare [spɛəʳ] **I** *adj* de rechange; (*surplus*) en trop; ***~ bed*** un lit de libre; ***have you any ~ string?*** est-ce que vous pouvez me donner de la ficelle?; ***I have a ~ one*** j'en ai encore un; ***take a ~ pen*** prends un stylo de réserve; ***take some ~ clothes*** prends des vêtements de rechange; ***when you have a few minutes ~*** quand vous aurez quelques minutes de libre **II** *n* pièce *f* de rechange; (*tire*) roue *f* de secours **III** *v/t* **1.** *usu neg expense* reculer devant; *effort* ménager; ***no expense ~d*** peu importe le prix **2.** *money etc.* épargner; *room* avoir; *time* accorder; ***to ~ sb sth*** accorder qc à qn; *money* passer qc à qn; ***can you ~ the time to do it?*** tu as le temps de le faire?;

there is none to ~ il y a juste ce qu'il faut; ***to have a few minutes to ~*** avoir quelques minutes d'avance; ***I got to the airport with two minutes to ~*** je suis arrivé à l'aéroport avec deux minutes d'avance **3.** (*do without*) se passer de; ***can you ~ this?*** vous n'en avez pas besoin?; ***to ~ a thought for sb / sth*** avoir une pensée pour qn / qc **4.** (*show mercy to*) épargner; ***to ~ sb's life*** épargner la vie de qn **5.** (*save*) ***to ~ sb sth*** épargner qc à qn; ***to ~ oneself sth*** s'épargner qc; ***~ me the details*** épargne-moi les détails

spare part *n* pièce *f* de rechange **spare ribs** *pl* COOK travers *m* de porc **spare room** *n* chambre *f* d'ami **spare time** *n* temps *m* libre **spare tire**, *Br* **spare tyre** *n* roue *f* de secours **sparing** ['spɛərɪŋ] *adj* modéré **sparingly** ['spɛərɪŋlɪ] *adv* en petite quantité; *spend*, *drink*, *eat* avec modération; ***to use sth ~*** utiliser qc avec modération

spark [spɑːk] **I** *n* étincelle *f*; ***a bright ~*** *iron* un petit futé *iron* **II** *v/t* (*a.* **spark off**) provoquer; *argument*, *explosion* déclencher; *fig* susciter **sparkle** ['spɑːkl] **I** *n* scintillement *m* **II** *v/i* briller (**with** de); ***her eyes ~d with excitement*** ses yeux brillaient d'excitation **sparkler** ['spɑːkləʳ] *n* cierge *m* magique **sparkling** ['spɑːklɪŋ] *adj* étincelant; *wine* mousseux(-euse); ***~ (mineral) water*** eau (minérale) gazeuse; ***~ wine*** (*as type*) mousseux *m*; (*slightly sparkling*) pétillant *m*; ***in ~ form*** dans une forme éblouissante **spark plug** *n* bougie *f*

sparring partner ['spɑːrɪŋpɑːtnəʳ] *n* partenaire *m/f* d'entraînement

sparrow ['spærəʊ] *n* moineau *m*

sparse [spɑːs] *adj* épars; *hair* clairsemé; *furnishings*, *resources* rare **sparsely** ['spɑːslɪ] *adv* faiblement; *populated* peu **sparseness** ['spɑːsnɪs] *n* manque *m*; (*of population*) faible densité *f*

Spartan ['spɑːtən] *adj* (*fig*: *a.* **spartan**) spartiate

spasm ['spæzəm] *n* MED spasme *m* **spasmodic** [spæz'mɒdɪk] *adj* MED spasmodique; *fig* intermittent

spastic ['spæstɪk] **I** *adj* handicapé(e) moteur **II** *n* handicapé(e) *m(f)* moteur

spat [spæt] *past*, *past part* = **spit**[1]

spate [speɪt] *n* (*of river*) crue *f*; *fig* (*of orders etc.*) avalanche *f*; (*of thefts*) série *f*

spatter ['spætəʳ] **I** *v/t* éclabousser; ***to ~ sb with water*** éclabousser qn avec de l'eau **II** *v/i* ***it ~ed all over the room*** ça a giclé dans toute la pièce **III** *n* ***a ~ of rain*** quelques gouttes de pluie

spatula ['spætjʊlə] *n* spatule *f*; MED abaisse-langue *m*

spawn [spɔːn] **I** *n* (*of frogs*) œufs *mpl*, frai *m* **II** *v/i* frayer **III** *v/t* *fig* faire naître

speak [spiːk] ⟨*past* **spoke**⟩ ⟨*past part* **spoken**⟩ **I** *v/t* **1.** parler; *one's thoughts* exprimer; ***to ~ one's mind*** dire ce que l'on pense **2.** *language* parler **II** *v/i* **1.** parler (*about* de, *on* de); (*converse*) s'entretenir (**with** avec); ***to ~ to*** *or* ***with sb*** parler à *or* avec qn; ***did you ~?*** tu m'as parlé?; ***I'm not ~ing to you*** je ne te parle pas; ***I'll ~ to him about it*** (*euph admonish*) je lui en parlerai; ***~ing of X ...*** à propos de X …; ***it's nothing to ~ of*** cela ne vaut pas la peine qu'on en parle; ***to ~ well of sb / sth*** dire du bien de qn / qc; ***so to ~*** pour ainsi dire; ***roughly ~ing*** en gros; ***strictly ~ing*** à proprement parler; ***generally ~ing*** en règle générale; ***~ing personally ...*** personnellement …; ***~ing as a member ...*** en tant que membre …; ***to ~ in public*** parler en public **2.** TEL ***~ing!*** lui-même!, elle-même!; ***Jones ~ing!*** Jones à l'appareil!; ***who is ~ing?*** qui est à l'appareil? **III** *n suf* ***Euro-~*** eurojargon *m* ◆ **speak for** *v/t insep* ***to ~ sb*** parler pour qn; ***speaking for myself ...*** personnellement …; ***~ yourself!*** parle pour toi!; ***to ~ itself*** être évident ◆ **speak out** *v/i* parler franchement; ***to ~ against sth*** s'élever contre qc ◆ **speak up** *v/i* **1.** (*raise voice*) parler plus fort **2.** *fig* ***to ~ for sb / sth*** parler en faveur de qn / qc; ***what's wrong? ~!*** qu'est-ce qui ne va pas? dis-le!

speaker ['spiːkəʳ] *n* **1.** (*in dialog*) interlocuteur(-trice) *m(f)* **2.** (*of language*) ***all French ~s*** tous les francophones **3.** (*public speaker*) orateur (-trice) *m(f)*; ***Speaker*** PARL *US* Président(e) *m(f)* de la Chambre des représentants; *Br* Président(e) *m(f)* de la Chambre des communes **4.** (*loudspeaker*) haut-parleur *m*; (*on hi-fi etc.*) baffle *m* **speaking** ['spiːkɪŋ] *n* art *m* de parler **-speaking** *adj suf* qui parle …; ***English-speaking*** anglophone **speaking terms** *pl* ***to be on ~ with***

sb adresser à nouveau la parole à qn
spear [spɪəʳ] *n* lance *f* **spearmint** ['spɪəmɪnt] *n* menthe *f* verte
spec [spek] *n infml* ***on ~*** à tout hasard
special ['speʃəl] **I** *adj* (*particular*) spécial; (*out of ordinary also*) exceptionnel(le); *occasion* particulier(-ière); *friend* intime; ***I have no ~ person in mind*** je ne pense à personne en particulier; ***nothing ~*** rien de spécial; ***he's very ~ to her*** il lui est très cher; ***what's so ~ about her?*** qu'est-ce qu'elle a d'exceptionnel?; ***what's so ~ about that?*** qu'est-ce que cela a d'extraordinaire?; ***to feel ~*** se sentir exceptionnel; ***~ discount*** promotion *f* **II** *n* TV, RADIO émission *f* spéciale; COOK plat *m* du jour; ***chef's ~*** spécialité *f* de la maison **special agent** *n* agent *m* secret **special delivery** *n* exprès *m*; ***by ~*** en exprès
specialist ['speʃəlɪst] **I** *n* spécialiste *m/f* ALSO MED **II** *adj attr* spécialisé **speciality** [ˌspeʃɪ'ælɪtɪ] *n Br* = **specialty specialization** [ˌspeʃəlaɪ'zeɪʃən] *n* spécialisation *f* (***in*** dans); (*special subject*) spécialité *f* **specialize** ['speʃəlaɪz] *v/i* se spécialiser (***in*** dans) **specially** ['speʃəlɪ] *adv* particulièrement; (*specifically*) spécialement; ***don't go to the post office ~ for me*** ne vas pas à la poste exprès pour moi **special needs** *pl Br* ***~ children*** enfants *mpl* ayant des problèmes de scolarité **special offer** *n* promotion *f* **special school** *n Br* école *f* spécialisée **specialty** ['speʃəltɪ], *Br* **speciality** *n* spécialité *f*
species ['spiːʃiːz] *n* ⟨*pl* -⟩ espèce *f*
specific [spə'sɪfɪk] *adj* (*definite*) spécifique; (*precise*) précis; *example* particulier(-ière); ***9.3, to be ~*** 9,3 pour être précis; ***can you be more ~?*** vous pouvez être plus explicite?; ***he was quite ~ on that point*** il s'est montré très explicite sur ce point **specifically** [spə'sɪfɪkəlɪ] *adv* **1.** *mention* spécifiquement; *designed* tout spécialement **2.** (*precisely*) précisément; (*in particular*) en particulier **specification** [ˌspesɪfɪ'keɪʃən] *n* **1.** ***~s*** *pl* spécifications *fpl*; (*of car, machine*) caractéristiques *fpl* **2.** (*stipulation*) stipulation *f* **specified** *adj* spécifié **specify** ['spesɪfaɪ] *v/t* spécifier, préciser; (*stipulate*) stipuler
specimen ['spesɪmɪn] *n* spécimen *m*; (*of urine etc.*) échantillon *m*; (*sample*) échantillon *m*; ***a beautiful*** *or* ***fine ~*** un magnifique spécimen
speck [spek] *n* tache *f*; (*of dust*) grain *m*
speckle ['spekl] **I** *n* tacheture *f* **II** *v/t* tacheter
specs [speks] *pl infml* spécifications *fpl*
spectacle ['spektəkl] *n* **1.** (*show*) spectacle *m*; ***to make a ~ of oneself*** se donner en spectacle **2. spectacles** *pl* (*a.* **pair of spectacles**) lunettes *fpl* **spectacle case** *n* étui *m* à lunettes
spectacular [spek'tækjʊləʳ] *adj* spectaculaire; *scenery* impressionnant **spectacularly** [spek'tækjʊləlɪ] *adv* de manière spectaculaire; *good* extraordinairement
spectate [spek'teɪt] *v/i infml* assister (***at*** à)
spectator [spek'teɪtəʳ] *n* spectateur (-trice) *m(f)*
specter, *Br* **spectre** ['spektəʳ] *n* spectre *m*
spectrum ['spektrəm] *n* ⟨*pl* **spectra**⟩ *fig* éventail *m*
speculate ['spekjʊleɪt] *v/i* **1.** avancer des hypothèses (***about, on*** sur) **2.** FIN spéculer (*in* en, *on* sur) **speculation** [ˌspekjʊ'leɪʃən] *n* spéculation *f* (***on*** sur) **speculator** ['spekjʊleɪtəʳ] *n* spéculateur(-trice) *m(f)*
sped [sped] *past, past part* = **speed**
speech [spiːtʃ] *n* **1.** *no pl* (*faculty of speech*) parole *f*; ***freedom of ~*** liberté *f* d'expression **2.** (*oration*) discours *m* (***on, about*** sur); ***to give*** *or* ***make a ~*** faire un discours **3.** (*Br* GRAM) ***direct / indirect*** *or* ***reported ~*** discourt direct / indirect *or* rapporté **speech bubble** *n* bulle *f* **speech defect** *n* défaut *m* d'élocution **speechless** *adj* muet(te) (***with*** de); ***his remark left me ~*** sa remarque m'a laissé sans voix **speech recognition** *n* IT reconnaissance *f* vocale; ***~ software*** logiciel de reconnaissance vocale **speech therapist** *n* orthophoniste *m/f* **speech therapy** *n* orthophonie *f*
speed [spiːd] *vb* ⟨*past, past part* **sped** *or* **speeded**⟩ **I** *n* **1.** vitesse *f*; (*of moving object or person*) rapidité *f*; ***at ~*** à grande vitesse; ***at high / low ~*** à grande / faible vitesse; ***at full*** *or* ***top ~*** à toute vitesse; ***at a ~ of ...*** à une vitesse de ...; ***to gather ~*** prendre de la vitesse; *fig* s'accélérer; ***to bring sb up to ~*** *infml* mettre qn à niveau; ***full ~ ahead!*** NAUT en avant

toute! **2.** (AUTO, TECH *gear*) vitesse *f* **II** *v/i* **1.** 〈*past*, *past part* **sped**〉 filer; ***the years sped by*** les années ont passé à toute vitesse **2.** 〈*past*, *past part* **speeded**〉 (AUTO *exceed speed limit*) conduire trop vite ◆ **speed off** 〈*past*, *past part* **speeded** *or* **sped off**〉 *v/i* s'enfuir à toutes jambes ◆ **speed up** 〈*past*, *past part* **speeded up**〉 **I** *v/i* (*car*, *work*) accélérer; (*person*) aller plus vite **II** *v/t sep* accélérer

speedboat *n* vedette *f* **speed bump** *n* dos d'âne *m*, ralentisseur *m* **speed camera** *n* POLICE radar *m* **speed dial(-ing)** *n* (*esp US* TEL) numérotation *f* abrégée **speed dating** speed dating *m* **speedily** ['spiːdɪlɪ] *adv* rapidement; *reply*, *return* promptement **speeding** ['spiːdɪŋ] *n* excès *m* de vitesse; ***to get a ~ fine*** avoir une amende pour excès de vitesse

speed limit *n* limitation *f* de vitesse; ***a 30 mph ~*** une vitesse limitée à 30 miles par heure **speedometer** [spɪ'dɒmɪtəʳ] *n* compteur *m* de vitesse **speed ramp** *n* AUTO ralentisseur *m* **speed skating** *n* patinage *m* de vitesse **speed trap** *n* contrôle *m* de vitesse **speedway** *n* **1.** SPORTS piste *f* de vitesse pour motos **2.** (*US expressway*) voie *f* express **speedy** ['spiːdɪ] *adj* 〈+**er**〉 rapide; ***we wish Joan a ~ recovery*** nous souhaitons à Joan un prompt rétablissement

spell[1] [spel] *n* sort *m*; (*incantation*) formule *f* magique; ***to be under a ~*** *lit* être ensorcelé; *fig* être sous le charme; ***to put a ~ on sb*** *lit* jeter un sort à qn; *fig* ensorceler qn; ***to be under sb's ~*** *fig* être envoûté par qn; ***to break the ~*** rompre le charme

spell[2] *n* (*period*) période *f*; ***for a ~*** pendant un moment; ***cold ~*** périodes *fpl* de froid; ***dizzy ~*** vertige *m*; ***a short ~ of sunny weather*** une brève période ensoleillée; ***they're going through a bad ~*** ils traversent une mauvaise passe

spell[3] 〈*past*, *past part* **spelt**〉 (*esp Brit*) *or* **spelled I** *v/i* épeler; ***she can't ~*** elle fait des fautes d'orthographe **II** *v/t* **1.** écrire; (*aloud*) épeler; ***how do you ~ "onyx"?*** comment est-ce que tu épelles "onyx"?; ***how do you ~ your name?*** comment s'écrit votre nom?; ***what do these letters ~?*** quel mot ces lettres forment-elles? **2.** (*denote*) signifier ◆ **spell out** *v/t sep* (*spell aloud*) épeler; (*read slowly*) déchiffrer; (*explain*) expliquer bien clairement

spellbinding ['spelbaɪndɪŋ] *adj* envoûtant **spellbound** ['spelbaʊnd] *adj fig* envoûté **spellbound** *adv fig* sous le charme

spellchecker *n* IT correcteur *m* orthographique **speller** ['speləʳ] *n* ***to be a good ~*** être bon en orthographe

spelling ['spelɪŋ] *n* orthographe *f* (*also of a word*) **spelling mistake** *n* faute *f* d'orthographe **spelt** [spelt] *esp Br past*, *past part* = **spell**[3]

spend [spend] 〈*past*, *past part* **spent**〉 *v/t* **1.** *money* dépenser (***on*** en); *energy* gaspiller; *time* passer **2.** *time*, *evening* passer; ***to ~ the night*** passer la nuit; ***he ~s his time reading*** il passe son temps à lire **spending** ['spendɪŋ] *n no pl* dépenses *fpl*; ***~ cuts*** réductions des dépenses **spending money** *n* argent *m* de poche **spending power** *n* pouvoir *m* d'achat **spending spree** *n* folie *f*; ***to go on a ~*** faire des folies **spent** [spent] **I** *past*, *past part* = **spend II** *adj cartridge* utilisé; *person* harassé de fatigue

sperm [spɜːm] *n* spermatozoïde *m*; (*fluid*) sperme *m* **sperm bank** *n* banque *f* de sperme **spermicide** ['spɜːmɪsaɪd] *n* spermicide *m*

spew [spjuː] **I** *v/i* **1.** (*infml vomit*) dégueuler *infml* **2.** (*a.* **spew out**) vomir; (*esp liquid*) jaillir **II** *v/t* **1.** (*a.* **spew up**) (*infml vomit*) dégueuler *infml* **2.** (*fig*: *a.* **spew out**) *lava* vomir; *water* cracher

sphere [sfɪəʳ] *n* **1.** sphère *f* **2.** *fig* sphère *f*; (*of knowledge etc.*) domaine *m*; ***his ~ of influence*** sa sphère d'influence **spherical** ['sferɪkəl] *adj* sphérique

sphincter ['sfɪŋktəʳ] *n* ANAT sphincter *m*

spice [spaɪs] *n* **1.** épice *f* **2.** *fig* piquant *m* ◆ **spice up** *v/t fig* pimenter

spiced *adj* COOK épicé; ***~ wine*** vin chaud; ***highly ~*** très épicé

spick-and-span [ˌspɪkən'spæn] *adj* impeccable

spicy ['spaɪsɪ] *adj* 〈+**er**〉 épicé; *fig story etc.* croustillant

spider ['spaɪdəʳ] *n* araignée *f* **spider veins** *pl* MED télangiectasies *fpl* **spiderweb** ['spaɪdəweb] *n US* toile *f* d'araignée **spidery** ['spaɪdərɪ] *adj writing* en pattes de mouche

spike [spaɪk] **I** *n* (*on railing*) pointe *f* de

fer; (*on plant*) épi *m*; (*on shoe*) pointe *f* **II** *v/t drink* corser **spiky** ['spaɪkɪ] *adj* ⟨**+er**⟩ *leaf* pointu; *hair* hérissé

spill [spɪl] *vb* ⟨*past, past part* **spilt**⟩ (*esp Brit*) *or* **spilled I** *n* fait *m* de déverser; ***oil ~*** déversement *m* accidentel de pétrole **II** *v/t* renverser; ***to ~ the beans*** vendre la mèche; ***to ~ the beans about sth*** vendre la mèche à propos de qc **III** *v/i* se répandre; (*large quantity*) se déverser ◆ **spill out** *v/i* (*liquid*) se répandre; (*money*) sortir; (*fig: people*) sortir en masse ◆ **spill over** *v/i* (*liquid*) déborder

spilt [spɪlt] *esp Br past, past part* = **spill**

spin [spɪn] *vb* ⟨*past* **spun**⟩ *or* (*old*) **span** ⟨*past part* **spun**⟩ **I** *n* **1.** (*revolution*) tournoiement *m*; *Br* (*on washing machine*) essorage *m* **2.** (*on ball*) rotation *f*; ***to put ~ on the ball*** donner de l'effet à la balle **3.** (*political*) manipulation *f*; ***to put a different ~ on sth*** (*interpretation*) présenter qc sous un angle différent **4.** AVIAT vrille *f*; ***to go into a ~*** tomber en vrille **II** *v/t* **1.** (*spider*) filer **2.** (*turn*) faire tourner; *washing* essorer; SPORTS *ball* donner de l'effet à **III** *v/i* **1.** (*person*) filer **2.** (*revolve*) tourner; (*plane etc.*) tomber en vrillant; *Br* (*in washing machine*) essorer; ***to ~ around and around*** continuer à tourner; ***the car spun out of control*** la voiture, devenue incontrôlable, a dérapé; ***to send sb / sth ~ning*** envoyer rouler qn / qc; ***my head is ~ning*** j'ai la tête qui tourne ◆ **spin around I** *v/i* tourner **II** *v/t sep* faire tourner ◆ **spin out** *v/t sep infml money* faire durer *infml*; *vacation* prolonger; *story* faire traîner en longueur

spinach ['spɪnɪtʃ] *n* épinards *mpl*

spinal column ['spaɪnl] *n* colonne *f* vertébrale **spinal cord** *n* moelle *f* épinière

spindle ['spɪndl] *n* fuseau *m* **spindly** ['spɪndlɪ] *adj* ⟨**+er**⟩ grêle

spin doctor *n* (POL *infml*) conseiller (-ère) *m(f)* en relations publiques (*d'un parti politique*) **spin-drier** *n Br* essoreuse *f* **spin-dry** *v/t & v/i Br* essorer **spin-dryer** *n Br* = **spin-drier**

spine [spaɪn] *n* **1.** ANAT colonne *f* vertébrale **2.** (*of book*) dos *m* **3.** (*spike*) épine *f* **spine-chilling** ['spaɪntʃɪlɪŋ] *adj infml* à vous glacer le sang **spineless** ['spaɪnlɪs] *adj fig person* sans caractère; *compromise*, *refusal* mou(molle) **spine-tingling** ['spaɪntɪŋglɪŋ] *adj* (*frightening*) à vous glacer le sang

spin-off ['spɪnɒf] *n* avantage *m* inattendu; (*byproduct*) dérivé *m*

spinster ['spɪnstəʳ] *n* célibataire *f*; *pej* vieille fille *f pej*

spiny ['spaɪnɪ] *adj* ⟨**+er**⟩ épineux(-euse)

spiral ['spaɪərəl] **I** *adj* en spirale **II** *n* spirale *f* **III** *v/i* (*a.* **spiral up**) monter en spirale **spiral staircase** *n* escalier *m* en colimaçon

spire [spaɪəʳ] *n* flèche *f*

spirit ['spɪrɪt] **I** *n* **1.** esprit *m*; (*mood*) disposition *f*; ***I'll be with you in ~*** je serai avec toi en pensée; ***to enter into the ~ of sth*** participer de bon cœur à qc; ***that's the ~!*** *infml* c'est ça l'idée! *infml*; ***to take sth in the right / wrong ~*** prendre qc du bon / mauvais côté **2.** *no pl* (*courage*) courage *m*; (*vitality*) entrain *m* **3.** **spirits** *pl* (*state of mind*) état *m* d'esprit; (*courage*) courage *m*; ***to be in high ~s*** être enjoué; ***to be in good / low ~s*** avoir / ne pas avoir le moral; ***to keep up one's ~s*** ne pas se laisser abattre; ***my ~s rose*** j'ai repris courage; ***her ~s fell*** elle a perdu courage **4.** **spirits** *pl esp Br* (*alcohol*) spiritueux *mpl* **II** *v/t* ***to ~ sb / sth away*** faire disparaître qn / qc comme par enchantement **spirited** *adj* **1.** énergique **2.** (*courageous*) courageux(-euse) **spirit level** *n esp Br* niveau *m* à bulle **spiritual** ['spɪrɪtjʊəl] *adj* spirituel(le); *person* d'une grande spiritualité; ***~ life*** vie spirituelle **spirituality** [ˌspɪrɪtjʊ'ælɪtɪ] *n* spiritualité *f*

spit[1] [spɪt] *vb* ⟨*past, past part* **spat**⟩ **I** *n* crachat *m* **II** *v/t* cracher **III** *v/i* cracher; (*fat*) crépiter; ***to ~ at sb*** cracher sur qn; ***it is ~ting (with rain)*** *Br* il tombe quelques gouttes de pluie ◆ **spit out** *v/t sep* recracher; *words* lancer; ***spit it out!*** *fig, infml* allez, accouche! *infml*

spit[2] *n* **1.** COOK broche *f* **2.** (*of land*) pointe *f*

spite [spaɪt] **I** *n* **1.** méchanceté *f* **2.** ***in ~ of*** en dépit de; ***it was a success in ~ of him*** ça a réussi malgré lui; ***in ~ of the fact that …*** malgré le fait que … **II** *v/t* vexer **spiteful** ['spaɪtfʊl] *adj* malveillant

spitting image [ˌspɪtɪŋ'ɪmɪdʒ] *n infml* ***to be the ~ of sb*** être le portrait tout craché de qn *infml*

spittle ['spɪtl] *n* crachat *m*

splash [splæʃ] **I** *n* **1.** (*spray*) éclaboussement *m*; (*noise*) plouf *m*; ***to make a ~*** *fig* faire grand bruit; (*news*) faire sensation **2.** (*sth splashed*) éclaboussure *f*; (*of color*) tache *f*; (*patch*) tache *f* **II** *v/t water etc.* éclabousser; (*pour*) verser; *person*, *object* asperger **III** *v/i* (*liquid*) faire des éclaboussures; (*rain*) éclabousser; (*when playing*) barboter ◆ **splash around** *v/i* patauger; (*in water*) barboter ◆ **splash out** *v/i* (*Br infml*) ***to ~ on sth*** craquer sur qc *infml*

splat [splæt] *n* flac *m*

splatter ['splætəʳ] **I** *n* éclaboussures *fpl*; (*of paint etc.*) taches *fpl* **II** *v/i* gicler **III** *v/t* éclabousser; (*with paint etc.*) tacher

splay [spleɪ] **I** *v/t fingers* écarter; *feet* tourner en dehors **II** *v/i* ***he was ~ed out on the ground*** il était étalé sur le sol

spleen [spliːn] *n* ANAT rate *f*; *fig* mauvaise humeur *f*

splendid ['splendɪd] *adj* **1.** (*excellent*) splendide; *rider etc.*, *idea* excellent **2.** (*magnificent*) magnifique **splendidly** ['splendɪdlɪ] *adv* **1.** (*magnificently*) magnifiquement **2.** (*excellently*) à merveille **splendor**, *Br* **splendour** ['splendəʳ] *n* splendeur *f*

splint [splɪnt] *n* attelle *f*; ***to put a ~ on sth*** mettre une attelle à qc

splinter ['splɪntəʳ] *n* éclat *m* **splinter group** *n* groupe *m* dissident

split [splɪt] *vb* ⟨*past*, *past part* **split**⟩ **I** *n* **1.** fissure *f* (**in** dans); (*esp in wall*, *rock*, *wood*) fente *f* (**in** dans) **2.** (*fig division*) scission *f* (**in** dans); POL, ECCL schisme *m* (**in** dans); ***a three-way ~ of the profits*** un partage des bénéfices en trois **3.** *pl* ***to do the ~s*** faire le grand écart **II** *adj* fendu (**on, over** sur) **III** *v/t* (*cleave*) fendre; *atom* fissionner; *work*, *costs*, *etc.* (se) partager; ***to ~ hairs*** *infml* couper les cheveux en quatre *infml*; ***to ~ sth open*** ouvrir qc en le coupant en deux; ***to ~ one's head open*** se blesser au crâne; ***to ~ sth into three parts*** diviser qc en trois parts; ***to ~ sth three ways*** diviser qc en trois; ***to ~ the difference*** (*lit: with money etc.*) couper la poire en deux **IV** *v/i* **1.** se fendre (*also wood*, *stone*); POL, ECCL se diviser (**on, over** sur); ***to ~ open*** se fendre; ***my head is ~ting*** *fig* j'ai atrocement mal à la tête **2.** (*infml leave*) filer *infml* ◆ **split off** *v/i* se détacher (en se fendant); *fig* se séparer (**from** de) ◆ **split up I** *v/t sep work* partager; *party* diviser; *two people* séparer; *crowd* disperser **II** *v/i* se briser; (*divide*) se diviser; (*meeting*, *crowd*) se disperser; (*partners*) se séparer

split ends *pl* fourches *fpl* **split screen** *n* IT écran *m* divisé **split second** *n* ***in a ~*** en un rien de temps **split-second** *adj* ***~ timing*** précision *f* à la seconde près **splitting** ['splɪtɪŋ] *adj headache* atroce

splodge [splɒdʒ], **splotch** *US n* éclaboussure *f*; (*of cream etc.*) tache *f*

splurge (out) on ['splɜːdʒ('aʊt)ɒn] *v/t insep infml* faire des folies en achetant

splutter ['splʌtəʳ] **I** *n* (*of engine*) bafouillage *m* **II** *v/i* bafouiller; (*fat*) crépiter **III** *v/t* bafouiller

spoil [spɔɪl] *vb* ⟨*past*, *past part* **spoilt**⟩ (*Brit*) *or* **spoiled I** *n usu pl* butin *m* **II** *v/t* **1.** (*ruin*) abîmer; *town*, *looks etc.* défigurer; *life* gâcher; ***to ~ sb's fun*** gâcher le plaisir de qn; ***it ~ed our evening*** ça nous a gâché la soirée **2.** *children* gâter; ***to be ~ed for choice*** avoir l'embarras du choix **III** *v/i* **1.** (*food*) s'abîmer **2.** ***to be ~ing for a fight*** chercher la bagarre *infml* **spoiler** ['spɔɪləʳ] *n* **1.** AUTO becquet *m* **2.** PRESS *article dont la parution détourne l'attention d'un journal concurrent* **spoilsport** ['spɔɪlspɔːt] *n infml* rabat-joie *m/f infml* **spoilt** [spɔɪlt] *Br* **I** *past*, *past part* = **spoil II** *adj child* gâté

spoke¹ [spəʊk] *n* rayon *m*

spoke² *past* = **speak spoken** ['spəʊkən] **I** *past part* = **speak II** *adj* parlé; ***his ~ English is better than …*** il parle mieux anglais que … **spokesman** ['spəʊksmən] *n* ⟨*pl* **-men**⟩ porte-parole *m* **spokesperson** ['spəʊkspɜːsən] *n* porte-parole *m/f* **spokeswoman** ['spəʊkswʊmən] *n* ⟨*pl* **-women**⟩ porte-parole *f*

sponge [spʌndʒ] **I** *n* **1.** éponge *f* **2.** (COOK, *a.* **sponge cake**) biscuit *m* de Savoie **II** *v/t* (*infml scrounge*) se faire payer *infml* (**from** par) ◆ **sponge down** *v/t sep person* laver à l'éponge; *walls also* nettoyer à l'éponge; *horse* éponger ◆ **sponge off** *v/t sep stain*, *liquid* enlever à l'éponge ◆ **sponge off** *or* **on** *v/t insep infml* ***to ~ sb*** vivre aux crochets de qn

sponge bag *n Br* trousse *f* de toilette **sponge cake** *n* biscuit *m* de Savoie **sponge pudding** *n Br* ≈ biscuit de savoie (*cuit à la vapeur*) **sponger**

['spʌndʒər] *n infml* parasite *m/f* **spongy** ['spʌndʒɪ] *adj* ⟨**+er**⟩ spongieux (-euse)

sponsor ['spɒnsər] **I** *n* parrain *m*, marraine *f*; (*for event*) sponsor *m*; TV, SPORTS sponsor *m*; (*for fund-raising*) donateur(-trice) *m*(*f*) **II** *v/t* parrainer; (*financially*) sponsoriser **sponsored** *adj Br walk etc.* sponsorisé **sponsorship** ['spɒnsəʃɪp] *n* parrainage *m*; TV, SPORTS sponsoring *m*

spontaneity [ˌspɒntə'neɪətɪ] *n* spontanéité *f* **spontaneous** [spɒn'teɪnɪəs] *adj* spontané **spontaneously** [spɒn'teɪnɪəslɪ] *adv* spontanément (*voluntarily also*)

spoof [spuːf] *infml n* parodie *f* (**of** de)

spook [spuːk] *infml* **I** *n* (*ghost*) revenant *m*; (*spy*) espion(ne) *m*(*f*) **II** *v/t esp US* faire peur à **spooky** ['spuːkɪ] *adj* ⟨**+er**⟩ *infml* **1.** sinistre **2.** (*strange*) dingue; ***it was real ~*** ça faisait vraiment froid dans le dos

spool [spuːl] *n* bobine *f*

spoon [spuːn] **I** *n* cuillère *f* **II** *v/t* verser avec une cuillère ◆ **spoon out** *v/t sep* servir avec une cuillère

spoon-feed ['spuːnfiːd] ⟨*past, past part* **spoon-fed**⟩ *v/t baby* nourrir à la cuillère; *fig* mâcher le travail à **spoonful** ['spuːnfʊl] *n* cuillerée *f*

sporadic [spə'rædɪk] *adj* sporadique **sporadically** [spə'rædɪkəlɪ] *adv* sporadiquement; (*occasionally also*) de manière sporadique

spore [spɔːr] *n* spore *f*

sporran ['spɒrən] *n* escarcelle *f* en peau (*portée sur le devant du kilt*)

sport [spɔːt] **I** *n* **1.** sport *m*; ***to be good at ~s*** être très sportif **2. sports** [spɔːts] *pl* (*a.* **sports meeting**) réunion *f* sportive **3.** (*amusement*) divertissement *m* **4.** *infml* ***to be a*** (***good***) ***~*** être chic *infml*; ***be a ~!*** sois sympa! *infml* **II** *v/t beard, tie* arborer **III** *adj attr US* = **sports sporting** ['spɔːtɪŋ] *adj* sportif(-ive); *fig* généreux(-euse); (*decent*) décent; ***~ events*** manifestations sportives **sports**, *also US* **sport** *in cpds* de sport **sports bra** *n* soutien-gorge *m* de sport **sports car** *n* voiture *f* de sport **sports center**, *Br* **sports centre** *n* complexe *m* sportif **sports field, sports ground** *n Br* terrain *m* de sport **sports jacket** *n Br* veste *f* sport **sportsman** [-mən] *n* sportif *m* **sportsmanlike** *adj* sportif (-ive); *fig* chic *infml* **sportsmanship** *n* esprit *m* sportif **sportsperson** *n* sportif(-ive) *m*(*f*) **sportswear** *n* **1.** vêtements *mpl* de sport **2.** (*leisure wear*) vêtements *mpl* décontractés **sportswoman** *n* sportive *f* **sporty** ['spɔːtɪ] *adj* ⟨**+er**⟩ *infml person* sportif(-ive); *car* de sport

spot [spɒt] **I** *n* **1.** point *m*; ZOOL tache *f*; (*place*) endroit *m*; ***~s of blood*** taches de sang; ***a pleasant ~*** un endroit agréable; ***on the ~*** sur le champ **2.** MED *etc.* tache *f*; *Br* (*pimple*) bouton *m*; ***to break out*** *or* ***come out in ~s*** avoir une éruption de boutons **3.** (*Br infml*) ***a ~ of*** un peu de; ***we had a ~ of rain/a few ~s of rain*** nous avons eu un peu de pluie / quelques averses; ***a ~ of bother*** des ennuis; ***we're in a ~ of bother*** nous avons des ennuis **4.** ***to be in a*** (***tight***) ***~*** être dans le pétrin *infml*; ***to put sb on the ~*** mettre qn dans l'embarras **II** *v/t* tacher; *difference, opportunity* repérer; *mistake* trouver **spot check** *n* contrôle *m* surprise **spotless** *adj* impeccable **spotlessly** *adv* ***~ clean*** impeccable **spotlight spotlighted** *n* **1.** (*lamp*) projecteur *m*; (*small*) spot *m* **2.** (*light*) feu *m*; ***to be in the ~*** *lit* être sous le feu du projecteur; *fig* être en vedette **spot-on** *adj* (*Br infml*) en plein dans le mille **spotted** *adj* tacheté; (*with dots*) à pois; ***~ with blood*** taché de sang **spotty** ['spɒtɪ] *adj* ⟨**+er**⟩ (*pattern*) irrégulier (-ière)

spouse [spaʊs] *n form* conjoint(e) *m*(*f*)

spout [spaʊt] **I** *n* **1.** bec *m*; (*on faucet*) brise-jet *m*; ***up the ~*** (*Br infml*: *plans etc.*) fichu *infml* **2.** (*of water etc.*) jet *m* **II** *v/t* **1.** (*fountain etc.*) faire jaillir **2.** *infml nonsense* débiter **III** *v/i* (*water etc.*) jaillir (**from** de); ***to ~ out*** (***of sth***) jaillir (de qc)

sprain [spreɪn] **I** *n* entorse *f* **II** *v/t* fouler; ***to ~ one's ankle*** se faire une entorse à la cheville

sprang [spræŋ] *past* = **spring**

sprawl [sprɔːl] **I** *n* (*posture*) attitude *f* affalée *infml*; (*of buildings etc.*) étendue *f*; ***urban ~*** agglomération *f* **II** *v/i* (*fall*) tomber; (*lounge*) être affalé *infml*; (*town*) s'étaler; ***to send sb ~ing*** faire tomber qn de tout son long **III** *v/t* ***to be ~ed over sth / on sth*** (*body*) être affalé sur qc *infml* **sprawling** ['sprɔːlɪŋ] *adj city* tentaculaire; *house* de grandes dimensions; *figure* affalé *infml*

spray[1] [spreɪ] *n* (*bouquet*) gerbe *f*

spray[2] **I** *n* **1.** nuage *m* de gouttelettes; (*of ocean*) embruns *mpl* **2.** (*implement*) bombe *f* aérosol **3.** (*hairspray etc.*) spray *m* **II** *v/t plants etc.* faire des pulvérisations sur; (*with insecticide*) pulvériser; *hair, perfume* vaporiser **III** *v/i* asperger; (*water*) éclabousser **spray can** *n* bombe *f* **sprayer** ['spreɪəʳ] *n* = **spray**[2] *I2*

spread [spred] *vb* ⟨*past, past part* **spread**⟩ **I** *n* **1.** (*of wings*) envergure *f*; (*of interests*) gamme *f*; ***middle-age ~*** embonpoint *m* dû à l'âge *infml* **2.** (*growth*) extension *f*; (*spatial*) propagation *f* **3.** (*infml, of food etc.*) festin *m* **4.** (*for bread*) pâte *f* à tartiner; ***cheese ~*** fromage à tartiner **5.** PRESS, TYPO double page *f*; ***a full-page / double ~*** une page entière / une double page; (*advertisement*) une page entière / une double page de publicité **II** *v/t* **1.** (*a.* **spread out**) *rug* étendre; *goods* étaler; *arms, hands, legs* écarter; ***he was lying with his arms and legs ~ out*** il était allongé, les bras et les jambes écartés **2.** *bread, surface* tartiner; *butter etc.* étaler; *table* couvrir; ***~ the paint evenly*** étalez la peinture de façon homogène; ***to ~ a cloth over sth*** recouvrir qc d'un tissu **3.** (*distribute*: *a.* **spread out**) étaler (***over*** sur); *sand* répandre **4.** *news, disease* propager *panic* répandre **III** *v/i* s'étaler (***over, across*** sur); (*liquid, smile*) se répandre (***over, across*** dans); (*towns*) s'étendre; (*smell, disease, trouble, fire*) gagner du terrain; ***to ~ to sth*** atteindre qc ◆ **spread around** *v/t sep toys etc.* étaler ◆ **spread out I** *v/t sep* = **spread** *II 1, 3* **II** *v/i* **1.** (*fields etc.*) s'étendre **2.** (*runners*) se répartir

spread-eagle ['spredˌiːgl] *v/t* ***to lie ~d*** être étendu bras et jambes écartés **spreadsheet** ['spredʃiːt] *n* IT tableur *m*

spree [spriː] *n* ***spending*** *or* ***shopping ~*** folie de shopping *m*; ***drinking ~*** beuverie *f infml*; ***to go on a ~*** (*drinking*) aller faire la tournée des bars; (*spending*) faire des folies

sprig [sprɪg] *n* brin *m*

sprightly ['spraɪtlɪ] *adj* ⟨**+er**⟩ *tune* vif (vive); *old person* gaillard

spring [sprɪŋ] *vb* ⟨*past* **sprang**⟩ *or* (*US*) **sprung** ⟨*past part* **sprung**⟩ **I** *n* **1.** (*source*) source *f* **2.** (*season*) printemps *m*; ***in*** (***the***) ***~*** au printemps **3.** (*leap*) bond *m* **4.** MECH ressort *m* **5.** *no pl* ***with a ~ in one's step*** d'un pas allègre **II** *adj attr* **1.** (*seasonal*) printanier(-ière) **2.** ***~ mattress*** matelas *m* à ressorts **III** *v/t* ***to ~ a leak*** (*pipe*) se mettre à fuir; (*ship*) commencer à faire eau; ***to ~ sth on sb*** *fig* annoncer de but en blanc qc à qn **IV** *v/i* **1.** (*leap*) bondir; ***to ~ open*** s'ouvrir brusquement; ***to ~ to one's feet*** se lever d'un bond; ***tears sprang to her eyes*** les larmes lui sont montées aux yeux; ***to ~ into action*** passer à l'action; ***to ~ to mind*** venir à l'esprit; ***to ~ to sb's defense*** prendre vivement la défense de qn; ***to ~*** (***in***)***to life*** revivre **2.** (*a.* **spring forth**, *fig, idea*) jaillir (***from*** de); (*interest etc.*) venir (***from*** de) ◆ **spring up** *v/i* (*plant*) lever brusquement; (*weeds, building*) surgir de terre; (*person*) se lever précipitamment; (*fig*: *firm*) naître

spring binder *n* classeur *m* à ressort **springboard** *n* tremplin *m* **spring-clean** *Br* **I** *v/t* nettoyer de fond en comble **II** *v/i* faire un grand nettoyage (de printemps) **spring-cleaning** *n Br* grand nettoyage *m* (de printemps) **spring-loaded** *adj* tendu par un ressort **spring onion** *n Br* ciboule *f* **spring roll** *n* rouleau *m* de printemps **springtime** *n* printemps *m* **spring water** *n* eau *f* de source **springy** ['sprɪŋɪ] *adj* ⟨**+er**⟩ souple; *rubber etc.* élastique

sprinkle ['sprɪŋkl] *v/t water* arroser; *sugar, cake etc.* saupoudrer **sprinkler** ['sprɪŋkləʳ] *n* arroseur *m*; (*for firefighting*) extincteur *m* automatique **sprinkling** ['sprɪŋklɪŋ] *n* (*of rain*) arrosage *m*; (*of sugar etc.*) saupoudrage *m*; ***a ~ of people*** quelques rares personnes

sprint [sprɪnt] **I** *n* sprint *m*; ***a ~ finish*** un sprint (à l'arrivée) **II** *v/i* (*in race*) sprinter; (*dash*) foncer **sprinter** ['sprɪntəʳ] *n* sprinteur(-euse) *m*(*f*)

sprout [spraʊt] **I** *n* **1.** (*of plant*) pousse *f*; (*from seed*) germe *m* **2.** *Br* (*Brussels sprout*) chou *m* de Bruxelles; ***~s*** *pl* choux *mpl* de Bruxelles **II** *v/t leaves* faire; *horns etc.* mettre; *infml beard* se laisser pousser **III** *v/i* **1.** (*grow*) pousser; (*seed, potatoes etc.*) germer **2.** (*a.* **sprout up**, *plants*) bien pousser; (*buildings*) pousser comme des champignons

spruce[1] [spruːs] *n* (*a.* **spruce fir**) épicéa *m*

spruce[2] *adj* ⟨**+er**⟩ pimpant ◆ **spruce**

up *v/t sep house* donner un coup de neuf à; ***to spruce oneself up*** se faire beau
sprung [sprʌŋ] **I** *past part* = **spring II** *adj* à ressorts
spud [spʌd] *n esp Br infml* patate *f infml*
spun [spʌn] *past, past part* = **spin**
spur [spɜːʳ] **I** *n* éperon *m*; *fig* aiguillon *m* (***to*** pour); ***on the ~ of the moment*** sur le moment; ***a ~-of-the-moment decision*** une décision prise sur le moment **II** *v/t* (*a.* **spur on**, *fig*) inciter, encourager
spurious ['spjʊərɪəs] *adj claim, argument* sans fondement; *account, claimant* faux(fausse); *interest* feint
spurn [spɜːn] *v/t* dédaigner
spurt [spɜːt] **I** *n* **1.** (*flow*) giclée *f* **2.** (*of speed*) accélération *f*; ***a final ~*** une accélération finale; ***to put a ~ on*** SPORTS piquer un sprint; *fig* donner un coup de collier; ***to work in ~s*** travailler par à-coups **II** *v/i* **1.** (*gush*: *a.* **spurt out**) jaillir, gicler (***from*** de) **2.** (*run*) piquer un sprint **III** *v/t* ***the wound ~ed blood*** le sang a giclé de la blessure
sputter ['spʌtəʳ] *v/i* (*fat*) crépiter; (*engine*) toussoter; (*in speech*) bredouiller (***about*** à propos de)
spy [spaɪ] **I** *n* espion(ne) *m(f)* **II** *v/t* repérer **III** *v/i* faire de l'espionnage; ***to ~ on sb*** espionner qn ◆ **spy out** *v/t sep* reconnaître; ***to ~ the land*** *fig* reconnaître le terrain
spy hole *n* judas *m*
sq. *abbr* = **square**; ***sq m*** mètre carré
squabble ['skwɒbl] **I** *n* dispute *f* **II** *v/i* se chamailler *infml* (***about, over*** à propos de) **squabbling** ['skwɒblɪŋ] *n* chamailleries *fpl infml*
squad [skwɒd] *n* MIL escouade *f*; (*special unit*) section *f*; (*police squad*) brigade *f*; SPORTS sélection *f*
squadron ['skwɒdrən] *n* AVIAT escadron *m*; NAUT escadrille *f*
squalid ['skwɒlɪd] *adj house, conditions* sordide **squalor** ['skwɒləʳ] *n* conditions *fpl* sordides; ***to live in ~*** vivre dans des conditions sordides
squander ['skwɒndəʳ] *v/t* gaspiller; *opportunity* gâcher
square [skwɛəʳ] **I** *n* **1.** carré *m*; (*on paper, chessboard etc.*) case *f*; ***cut it in ~s*** coupe-le en carrés; ***to go back to ~ one*** *fig*, ***to start*** (***again***) ***from ~ one*** *fig* repartir de zéro; ***we're back to ~ one*** nous voilà revenus à la case départ **2.** (*in town*) place *f* **II** *adj* ⟨**+er**⟩ **1.** (*in shape*) carré; ***to be a ~ peg in a round hole*** ne pas être à sa place **2.** MATH carré; ***3 ~ miles*** 3 miles carrés; ***3 meters ~*** 3 mètres carrés **3.** *attr meal* vrai **4.** *Br fig* ***we are*** (***all***) ***~*** SPORTS nous sommes à égalité; *fig* nous sommes quittes **III** *v/t* **1.** *Br* ***to ~ a match*** mettre deux équipes à égalité **2.** MATH élever au carré; ***3 ~d is 9*** 3 au carré égale 9 ◆ **square up** *v/i* (*boxers, fighters*) se mettre en garde; ***to ~ to sb*** se mettre en garde devant qn; *fig* affronter qn
square bracket *n* crochet *m* **squared** *adj Br paper* quadrillé **squarely** ['skwɛəlɪ] *adv* (*directly*) en plein; (*fig firmly*) fermement; ***to hit sb ~ in the stomach*** frapper qn en plein dans l'estomac; ***to place the blame for sth ~ on sb*** rejeter toute la responsabilité de qc sur qn **square root** *n* racine *f* carrée
squash[1] [skwɒʃ] **I** *n* **1.** (*Br fruit concentrate*) sirop *m*; ***orange squash*** orangeade *f*; ***lemon squash*** citronnade *f* **2.** *Br* ***it's a bit of a ~*** on est un peu serrés **II** *v/t* **1.** écraser **2.** (*squeeze*) entasser; ***to be ~ed up against sb*** être coincé contre qn **III** *v/i* se serrer; ***could you ~ up?*** pourriez-vous vous serrer?
squash[2] *n* SPORTS squash *m*
squash[3] *n no pl US* courge *f*
squat [skwɒt] **I** *adj* ⟨**+er**⟩ trapu **II** *v/i* **1.** être accroupi **2.** (*a.* **squat down**) s'accroupir **3.** ***to ~*** (***in a house***) squatter (une maison) **III** *n* (*infml place*) squat *m* **squatter** ['skwɒtəʳ] *n* (*in house*) squatter *m*, squatteur(-euse) *m(f)*
squawk [skwɔːk] **I** *n* cri *m* perçant; ***he let out a ~*** il a laissé échapper un cri strident **II** *v/i* pousser des cris stridents
squeak [skwiːk] **I** *n* (*of hinge etc.*) grincement *m*; (*of person, mouse*) petit cri *m* aigu; (*of animal*) glapissement *m*; (*fig, infml sound*) couinement *m* **II** *v/i* (*door etc.*) grincer; (*person*) parler d'une voix aiguë; (*animal*) glapir; (*mouse*) pousser de petits cris aigus ◆ **squeak by** *or* **through** *v/i* (*infml narrowly succeed*) réussir de justesse
squeaky ['skwiːkɪ] *adj* ⟨**+er**⟩ qui grince; *voice* aigu(ë) **squeaky-clean** [ˌskwiːkɪ'kliːn] *adj infml* blanc(he) comme neige
squeal ['skwiːl] **I** *n* (*of pig*) cri *m* perçant; ***with a ~ of brakes*** dans un crissement de freins; ***~s of laughter*** hurle-

ments de rire **II** *v/i* (*pig etc.*) pousser des cris perçants; ***to ~ with delight*** pousser des cris de joie

squeamish ['skwi:mɪʃ] *adj* hypersensible; ***I'm not ~*** (*not easily nauseated, shocked*) je ne suis pas impressionnable

squeeze [skwi:z] **I** *n* (*act*) pression *f*; (*hug*) étreinte *f*; ***to give sth a ~*** serrer qc; ***it was a tight ~*** c'était très juste **II** *v/t* serrer; *tube, orange* presser; ***to ~ clothes into a case*** faire entrer des vêtements dans une valise; ***I'll see if we can ~ you in*** je vais voir si nous pouvons vous trouver une petite place; ***we ~d another song in*** nous avons glissé une autre chanson au programme **III** *v/i* ***you should be able to ~ through*** tu devrais pouvoir passer; ***to ~ in*** réussir à se glisser à l'intérieur; ***to ~ past sb*** passer devant qn; ***to ~ onto the bus*** réussir à monter dans le bus; ***to ~ up a little*** se serrer un peu

squelch [skweltʃ] **I** *n* clapotement *m* **II** *v/i* (*mud*) clapoter; (*shoes*) faire un bruit d'eau

squid [skwɪd] *n* calamar *m*

squiggle ['skwɪgl] *n* gribouillis *m* **squiggly** ['skwɪglɪ] *adj* ⟨**+er**⟩ ondulé

squint [skwɪnt] **I** *n* MED strabisme *m*; ***to have a ~*** loucher **II** *v/i* loucher; (*in light*) plisser les yeux **III** *adj* (*crooked*) de travers

squirm [skwɜ:m] *v/i* se tortiller

squirrel ['skwɪrəl] *n* écureuil *m*

squirt [skwɜ:t] **I** *n* **1.** giclée *f* **2.** (*pej, infml small person*) demi-portion *f pej, infml* **II** *v/t liquid* faire gicler; *person* asperger **III** *v/i* gicler

squishy ['skwɪʃɪ] *adj* ⟨**+er**⟩ *infml* mou (molle)

Sri Lanka [ˌsri:'læŋkə] *n* Sri Lanka *m*

St. 1. *abbr* = **Street** rue *f* **2.** *abbr* = **Saint** St(e)

stab [stæb] **I** *n* **1.** coup *m* de couteau; ***~ wound*** blessure à l'arme blanche; ***a ~ of pain*** un élancement; ***she felt a ~ of jealousy*** elle a senti un pincement de jalousie; ***a ~ in the back*** *fig* un coup de poignard dans le dos **2.** *infml* ***to take a ~ at sth*** essayer qc **II** *v/t* poignarder; (*several times*) donner des coups de couteau à; ***to ~ sb*** (***to death***) tuer qn à coups de couteau; ***he was ~bed through the arm / heart*** le coup de couteau lui a traversé le bras / le cœur; ***to ~ sb in the back*** poignarder qn dans le dos **stabbing** ['stæbɪŋ] **I** *n* agression *f* à l'arme blanche **II** *adj pain* lancinant

stability [stə'bɪlɪtɪ] *n* stabilité *f* **stabilize** ['steɪbəlaɪz] **I** *v/t* stabiliser **II** *v/i* se stabiliser

stable¹ ['steɪbl] *adj* ⟨**+er**⟩ *job* stable; *character* équilibré

stable² *n* écurie *f*; ***riding ~s*** centre d'équitation **stableboy, stableman** *n* valet *m* d'écurie

stack [stæk] **I** *n* **1.** (*pile*) tas *m*; (*neat*) pile *f* **2.** *infml* ***~s*** des tas *infml* **II** *v/t* empiler; *shelves* remplir; ***to ~ up*** empiler; ***the cards*** *or* ***odds are ~ed against us*** *fig* nous sommes dans une situation défavorable

stadium ['steɪdɪəm] *n* ⟨*pl* **-s** *or* **stadia**⟩ stade *m*

staff [stɑ:f] **I** *n* **1.** (*personnel*) personnel *m*; ***we don't have enough ~ to complete the project*** nous manquons de personnel pour finir le projet; ***a member of ~*** *Br* un membre du personnel; SCHOOL un membre du personnel enseignant; ***to be on the ~*** faire partie du personnel **2.** ⟨*pl* **-s**⟩ *or* (*old*) **staves** (*stick*) bâton *m* **3.** (MIL *general staff*) état-major *m* **4.** (*US* MUSIC) portée *f* **II** *v/t* pourvoir en personnel; ***the kitchens are ~ed by foreigners*** le personnel des cuisines est composé d'étrangers **staffed** *adj* ***to be well ~*** avoir suffisamment de personnel **staffing** ['stɑ:fɪŋ] *n* recrutement *m* **staff meeting** *n* conseil *m* des professeurs **staff nurse** *n Br* infirmier(-ière) *m*(*f*) diplômé(e) **staffroom** *n* salle *f* des professeurs

stag [stæg] *n* (ZOOL *deer*) cerf *m*

stage [steɪdʒ] **I** *n* **1.** (THEAT, *fig*) scène *f*; ***the ~*** (*profession*) le théâtre; ***to be on / go on the ~*** (*as career*) faire du théâtre; ***to go on ~*** (*actor*) monter sur scène; ***to leave the ~*** quitter la scène; ***the ~ was set*** *fig* tout était en place; ***to set the ~ for sth*** *fig* préparer le terrain pour qc **2.** (*podium*) estrade *f* **3.** (*period*) stade *m*; (*of process*) phase *f*; ***at this ~ such a thing is impossible*** à ce stade, c'est impossible; ***at this ~ in the negotiations*** à ce stade des négociations; ***in the final ~(s)*** dans la dernière phase, au dernier stade; ***what ~ is your paper at?*** où en est ton article?; ***we have reached a ~ where …*** nous sommes arrivés à un stade de où…; ***to be at the experimental ~*** être en cours d'expérimentation **4.**

(*part of race etc.*) étape *f*; ***in*** (***easy***) ***~s*** par (petites) étapes **II** *v/t play*, *accident* mettre en scène; *event*, *protest* organiser **stagecoach** *n* diligence *f* **stage fright** *n* trac *m* **stage manager** *n* régisseur(-euse) *m*(*f*) **stage set** *n* décor *m*

stagger ['stægəʳ] **I** *v/i* chanceler; (*weakly*) vaciller; (*drunkenly*) tituber **II** *v/t* **1.** (*fig amaze*) stupéfier **2.** *vacations* étaler; *seats* disposer en quinconce **staggered** ['stægəd] *adj* **1.** (*amazed*) stupéfait **2.** *hours* échelonné **staggering** ['stægərɪŋ] *adj* **1.** ***to be a ~ blow*** (***to sb / sth***) être un coup terrible (pour qn / qc) **2.** (*amazing*) stupéfiant

stagnant ['stægnənt] *adj* (*still*) stagnant; (*foul*) *water* croupissant; *air* confiné **stagnate** [stæg'neɪt] *v/i* (*not move*) stagner; (*become foul*, *water*) croupir **stagnation** [stæg'neɪʃən] *n* stagnation *f*

stag night *n Br* enterrement *m* de vie de garçon

staid [steɪd] *adj* ⟨**+er**⟩ guindé; *color* sobre

stain [steɪn] **I** *n lit*, *fig* tache *f*; ***a blood ~*** une tache de sang **II** *v/t* tacher; (*color*) colorer; (*with woodstain*) teindre **stained** *adj fingers*, *clothes* taché; *glass* coloré; ***~-glass window*** vitrail; ***~ with blood*** taché de sang **stainless steel** [ˌsteɪnlɪs'stiːl] *n* acier *m* inoxydable

stair [stɛəʳ] *n* **1.** (*step*) marche *f* **2.** *usu pl* (*stairway*) escalier *m*; ***at the top of the ~s*** en haut de l'escalier **staircase** *n* escalier *m* **stairlift** *n* monte-escalier *m* **stairway** *n* escalier *m* **stairwell** *n* cage *f* d'escalier

stake [steɪk] **I** *n* **1.** (*post*) pieu *m*; (*for plant*) tuteur *m* **2.** (*for execution*) poteau *m* **3.** (*bet*) enjeu *m*; (*financial interest*) intérêts *mpl*; ***to be at ~*** être en jeu; ***he has a lot at ~*** il a gros à perdre; ***to have a ~ in sth*** *in business* avoir des intérêts dans qc **4.** **stakes** *pl* (*prize*) prix *m*; ***to raise the ~s*** augmenter la mise **II** *v/t* **1.** (*a.* **stake up**) *plant* tuteurer; *fence* soutenir avec des piquets **2.** (*risk*) risquer, jouer (**on** sur); ***to ~ one's reputation on sth*** risquer sa réputation sur qc; ***to ~ a claim to sth*** revendiquer qc **stakeholder** ['steɪkhəʊldəʳ] *n* partie *f* prenante

stalactite ['stæləktaɪt] *n* stalactite *f*

stalagmite ['stæləgmaɪt] *n* stalagmite *f*

stale [steɪl] *adj* ⟨**+er**⟩ *bread*, *cake* rassis; (*in smell*) qui sent le renfermé; *air* confiné; ***to go ~*** (*food*) rassir, se dessécher

stalemate ['steɪlmeɪt] *n* impasse *f*; (*in chess*) pat *m*; ***to reach ~*** *fig* finir dans une impasse

stalk[1] [stɔːk] *v/t* traquer

stalk[2] *n* (*of plant*) tige *f*; (*cabbage stalk*) trognon *m*

stalker ['stɔːkəʳ] *n personne obsessionnelle qui en harcèle une autre en la suivant en permanence*

stall [stɔːl] **I** *n* **1.** (*in stable*) stalle *f* **2.** (*at market etc.*) étal *m* **3.** **stalls** *pl* (*Br*: THEAT, FILM) orchestre *m* **II** *v/t* **1.** AUTO caler; AVIAT faire décrocher **2.** *person* faire attendre; *process* retarder **III** *v/i* **1.** (*engine*) caler; AVIAT décrocher **2.** (*delay*) temporiser; ***to ~ for time*** essayer de gagner du temps

stallion ['stæljən] *n* étalon *m*

stalwart ['stɔːlwət] *n* fidèle *m/f*

stamina ['stæmɪnə] *n* endurance *f*

stammer ['stæməʳ] **I** *n* bégaiement *m*; ***he has a bad ~*** il est affligé d'un bégaiement prononcé **II** *v/t* (*a.* **stammer out**) bredouiller **III** *v/i* bégayer

stamp [stæmp] **I** *n* **1.** (*postage stamp*) timbre *m* **2.** (*rubber stamp*, *impression*) tampon *m* **II** *v/t* **1.** ***to ~ one's foot*** taper du pied **2.** ***a ~ed addressed envelope*** une enveloppe timbrée avec l'adresse **3.** (*with rubber stamp*) tamponner **III** *v/i* (*walk*) marcher lourdement ◆ **stamp on I** *v/t sep pattern*, *design* imprimer; ***to ~ one's authority on sth*** marquer qc du sceau de son autorité **II** *v/t insep* (*with foot*) écraser avec le pied ◆ **stamp out** *v/t sep fire* piétiner pour éteindre; *fig crime* éradiquer

stamp album *n* album *m* de timbres **stamp collection** *n* collection *f* de timbres **stamp duty** *n Br* droit *m* de timbre

stampede [stæm'piːd] **I** *n* (*of cattle*) débandade *f*; (*of people*) ruée *f* (**on** sur) **II** *v/i* s'enfuir; (*crowd*) se ruer (**for** sur)

stamp tax *n US* droit *m* de timbre

stance [stæns] *n* position *f*

stand [stænd] *vb* ⟨*past*, *past part* **stood**⟩ **I** *n* **1.** *fig* position *f* (**on** sur); ***to take a ~*** prendre position **2.** MIL résistance *f*; ***to make a ~*** résister **3.** (*market stall etc.*) étal *m*, stand *m* **4.** (*for support*) support *m*; (*music stand*) pupitre *m* **5.** (*Br* SPORTS) tribune *f*; ***to take the ~*** JUR venir à la barre **II** *v/t* **1.** (*place*) mettre, poser

2. *pressure etc.* supporter; *heat, test* résister à **3.** (*infml put up with*) supporter; ***I can't ~ being kept waiting*** je ne supporte pas qu'on me fasse attendre **4.** ***to ~ trial*** passer en jugement (***for*** pour) **III** *v/i* **1.** être debout, rester debout; (*get up*) se lever, se mettre debout; (*offer*) tenir, rester valable; ***don't just ~ there!*** ne reste pas là à ne rien faire!; ***to ~ as a candidate*** *Br* se présenter comme candidat **2.** (*measure, tree etc.*) mesurer **3.** (*record*) s'élever (***at*** à) **4.** *fig* ***we ~ to gain a lot*** nous avons des chances de gagner beaucoup; ***what do we ~ to gain by it?*** qu'avons-nous à y gagner?; ***I'd like to know where I ~*** (***with him***) j'aimerais savoir à quoi m'en tenir (avec lui); ***where do you ~ on this issue?*** quelle est votre position sur cette question?; ***as things ~*** étant donné la situation; ***as it ~s*** tel quel; ***to ~ accused of sth*** être accusé de qc; ***to ~ firm*** tenir bon; ***nothing now ~s between us*** plus rien ne nous sépare ◆ **stand apart** *v/i lit, fig* se tenir à l'écart ◆ **stand around** *v/i* rester là ◆ **stand aside** *v/i lit* s'écarter ◆ **stand back** *v/i* (*move back*) reculer ◆ **stand by I** *v/i* **1.** ***to ~ and do nothing*** rester là sans rien faire **2.** (*be on alert*) se tenir prêt **II** *v/t insep* ***to ~ sb*** soutenir qn ◆ **stand down** *v/i* (*withdraw*) se désister ◆ **stand for** *v/t insep* **1.** (*represent*) vouloir dire **2.** (*put up with*) supporter **3.** *Br* ***to ~ election*** se présenter aux élections ◆ **stand in** *v/i* assurer le remplacement ◆ **stand out** *v/i* (*be noticeable*) ressortir, se détacher; ***to ~ against sth*** contraster avec qc ◆ **stand over** *v/t insep* (*supervise*) surveiller ◆ **stand up I** *v/i* **1.** (*get up*) se mettre debout, se lever; (*be standing*) être debout; ***~ straight!*** tiens-toi droit! **2.** (*argument*) tenir debout; JUR être valable **3.** ***to ~ for sb/sth*** défendre qn/qc; ***to ~ to sb*** tenir tête à qn **II** *v/t sep* **1.** (*put upright*) mettre debout **2.** *infml sb* poser un lapin à

standard ['stændəd] **I** *n* **1.** (*norm*) norme *f*; (*criterion*) critère *m*; (*usu pl moral standards*) principe *m*; ***to be up to ~*** avoir le niveau requis; ***he sets himself very high ~s*** il est très exigeant envers lui-même; ***by any ~(s)*** indiscutablement; ***by today's ~(s)*** selon les critères actuels **2.** (*level*) niveau *m*; ***~ of living*** niveau de vie **3.** (*flag*) étendard *m* **II** *adj* **1.** (*usual*) habituel(le), normal; (*average*) standard; (*widely referred to*) courant; ***to be ~ practice*** être pratique courante **2.** LING standard; ***~ English/French*** anglais/français standard

standard class *n* RAIL deuxième classe *f*

standardization [ˌstændədaɪ'zeɪʃən] *n* (*of style*) homogénéisation *f*; (*of format, sizes, approach*) normalisation *f*

standardize ['stændədaɪz] *v/t* homogénéiser; *format, approach* normaliser

standard lamp *n Br* lampadaire *m* de salon

stand-by ['stændbaɪ] **I** *n* **1.** (*person*) remplaçant(e) *m(f)*; (*thing*) matériel *m* de secours; (*ticket*) billet *m* stand-by **2.** ***on ~*** (*passenger*) en stand-by; (*troops, crew*) prêt à intervenir **II** *adj attr* stand-by; ***~ ticket*** billet stand-by

stand-in ['stændɪn] *n* remplaçant(e) *m(f)*

standing ['stændɪŋ] **I** *n* **1.** (*social*) position *f*; (*professional*) situation *f* **2.** (*repute*) réputation *f* **3.** (*duration*) durée *f*; ***her husband of five years' ~*** son mari depuis cinq ans **II** *adj attr* **1.** (*permanent*) permanent; *army* de métier; ***it's a ~ joke*** c'est devenu une source de plaisanterie **2.** (*from a standstill*) debout; ***~ room only*** places debout uniquement; ***to give sb a ~ ovation*** se lever pour applaudir qn

standing charge *n Br* frais *mpl* d'abonnement

standing order *n* (*Br* FIN) virement *m* automatique; ***to pay sth by ~*** payer qc par virement automatique

standing stone *n Br* pierre *f* levée

standoff *n* impasse *f*

standoffish [ˌstænd'ɒfɪʃ] *adj infml* distant

standoffishly [ˌstænd'ɒfɪʃ] *adv infml* de façon distante

standpoint *n* point *m* de vue; ***from the ~ of the teacher*** du point de vue de l'enseignant

standstill *n* arrêt *m*; ***to be at a ~*** (*traffic, factory*) être paralysé; ***to bring production to a ~*** arrêter la production; ***to come to a ~*** (*person, vehicle*) s'immobiliser; (*traffic, industry etc.*) être paralysé

stand-up *adj attr* ***~ comedian*** comique (*qui se produit seul en scène*); ***~ comedy*** spectacle solo comique

stank [stæŋk] *past* = **stink**

stanza ['stænzə] *n* strophe *f*

staple[1] ['steɪpl] **I** *n* (*for paper*) agrafe *f* **II** *v/t* agrafer

staple[2] **I** *adj* de base **II** *n* **1.** (*product*) article *m* de base **2.** (*food*) aliment *m* de base

stapler ['steɪplə^r] *n* agrafeuse *f*

star [stɑː^r] **I** *n* **1.** étoile *f*; ***the Stars and Stripes*** la bannière étoilée (*drapeau américain*); ***you can thank your lucky ~s that…*** tu peux remercier le ciel de… **2.** (*person*) vedette *f*, star *f* **II** *adj attr* vedette; **~ *player*** vedette **III** *v/t* FILM *etc.* ***to ~ sb*** avoir qn pour vedette; ***a movie ~ring Greta Garbo*** un film avec Greta Garbo dans le rôle principal **IV** *v/i* FILM *etc.* être la vedette

starboard ['stɑːbəd] **I** *n* tribord *m* **II** *adj* de tribord **III** *adv* à tribord

starch [stɑːtʃ] **I** *n* amidon *m* **II** *v/t* amidonner

stardom ['stɑːdəm] *n* célébrité *f*

stare [stɛə^r] **I** *n* regard *m* fixe **II** *v/t* ***the answer was staring us in the face*** la réponse était là, sous notre nez; ***to ~ defeat in the face*** regarder la défaite en face **III** *v/i* (*vacantly, in surprise*) avoir le regard fixe; ***to ~ at sb / sth*** regarder fixement qn / qc

starfish ['stɑːfɪʃ] *n* étoile *f* de mer **star fruit** *n* carambole *f*

staring ['stɛərɪŋ] *adj* curieux(-euse); **~ *eyes*** regard fixe

stark [stɑːk] **I** *adj* ⟨**+er**⟩ *contrast* brutal; *reality* dur; *choice* difficile; *landscape* austère **II** *adv* **~ *raving mad*** *infml* complètement dingue *infml*; **~ *naked*** tout nu

starlight ['stɑːlaɪt] *n* lumière *f* des étoiles

starling ['stɑːlɪŋ] *n* étourneau *m*

starlit *adj* étoilé **starry** ['stɑːrɪ] *adj* ⟨**+er**⟩ *night* étoilé; **~ *sky*** ciel étoilé **star sign** *n* signe *m* (du zodiaque) **star-spangled banner** *n* ***The Star-spangled Banner*** la bannière étoilée (*drapeau américain*) **star-studded** ['stɑːstʌdɪd] *adj fig* **~ *cast*** distribution prestigieuse

start[1] [stɑːt] **I** *n* sursaut *m*; ***to give a ~*** sursauter; ***to give sb a ~*** faire sursauter qn; ***to wake with a ~*** se réveiller en sursaut **II** *v/i* sursauter

start[2] **I** *n* **1.** (*beginning*) début *m*; (*departure*) départ *m*; ***for a ~*** pour commencer, d'abord; ***from the ~*** dès le début; ***from ~ to finish*** du début à la fin; ***to get off to a good ~*** bien démarrer; *fig* prendre un bon départ; ***to make a ~*** (***on sth***) commencer (qc) **2.** (*advantage*, SPORTS) avance *f* (***over*** sur) **II** *v/t* **1.** *career, new job, trip* commencer; *argument* engager; ***to ~ work*** commencer à travailler **2.** *machine* mettre en marche *race* donner le signal de départ de; *conversation* entamer; *fight* déclencher; *engine* (faire) démarrer; *fire* allumer; *enterprise* monter **III** *v/i* commencer; (*engine*) démarrer; ***~ing from Tuesday*** à partir de mardi; ***to ~*** (***off***) ***with*** (*firstly*) pour commencer; (*at the beginning*) au début; ***I'd like soup to ~*** (***off***) ***with*** pour commencer, je voudrais une soupe; ***to get ~ed*** s'y mettre; (*on journey*) se mettre en route; ***to ~ on a task / trip*** entreprendre une tâche / un voyage; ***to ~ talking*** or ***to talk*** commencer à parler; ***he ~ed by saying…*** il a commencé par dire… ◆ **start back** *v/i* rebrousser chemin ◆ **start off I** *v/i* (*begin*) commencer; (*on trip*) se mettre en route; ***to ~ with*** = **start**[2] *III* **II** *v/t sep* déclencher; ***that started the dog off*** (***barking***) ça a fait aboyer le chien; ***to start sb off on sth*** aider qn à démarrer dans qc; ***a few stamps to start you off*** quelques timbres pour t'aider à démarrer ◆ **start out** *v/i* (*begin*) débuter; (*on trip*) se mettre en route (***for*** pour) ◆ **start up I** *v/i* (*begin*) commencer; (*machine*) se mettre en marche; (*motor*) démarrer **II** *v/t sep* **1.** (*switch on*) mettre en marche **2.** (*begin*) fonder; *conversation* entamer

starter ['stɑːtə^r] *n* **1.** SPORTS partant(e) *m*(*f*) **2.** (*Br infml first course*) entrée *f* **3.** ***for ~s*** *infml* pour commencer **starting gun** *n* pistolet *m* du starter **starting point** *n* point *m* de départ

startle ['stɑːtl] *v/t* faire sursauter **startling** ['stɑːtlɪŋ] *adj news, coincidence, change, discovery* surprenant

start-up ['stɑːtʌp] *n* **~ *costs*** frais d'établissement

starvation [stɑː'veɪʃən] *n* famine *f*; ***to die of ~*** mourir de faim **starve** [stɑːv] **I** *v/t* **1.** (*a.* **starve out**) affamer; (*a.* **starve to death**) laisser mourir de faim; ***to ~ oneself*** se priver de nourriture **2.** *fig* ***to ~ sb of sth*** priver qn de qc **II** *v/i* souffrir de la faim; (*a.* **starve to death**) mourir de faim; ***you must be starving!*** tu dois mourir de faim! **starving** ['stɑːvɪŋ] *adj lit, fig* affamé

stash [stæʃ] *v/t* (*infml*: *a.* **stash away**) *money* planquer *infml*

state [steɪt] **I** *n* **1.** (*condition*) état *m*; **~ *of mind*** état d'esprit; ***the present ~ of the economy*** l'état actuel de l'économie;

he's in no (fit) ~ to do that il n'est pas en état de faire ça; ***what a ~ of affairs!*** quelle situation!; ***look at the ~ of your hands!*** regarde dans quel état sont tes mains!; ***the room was in a terrible ~*** la chambre était sens dessus dessous; ***to get into a ~*** **(*about sth*)** (*Br infml*) se mettre dans tous ses états (à cause de qc) *infml*; ***to be in a terrible ~*** (*Br infml*) être dans un état lamentable; ***to lie in ~*** être exposé solennellement **2.** POL (*federal state*) État *m*; ***the States*** les États-Unis; ***the State of Florida*** l'État de Floride **II** *v/t* déclarer; *name* indiquer; *purpose* exposer; ***to ~ that ...*** déclarer que...; ***to ~ one's case*** présenter ses arguments; ***as ~d in my letter I ...*** comme indiqué dans ma lettre, je... **state** *in cpds control* de l'État; *industry* d'État **stated** *adj* **1.** (*declared*) déclaré, indiqué **2.** (*fixed*) prévu, prescrit **State Department** *n US* ≈ ministère *m* des Affaires étrangères **state education** *n* enseignement *m* public **state-funded** *adj* financé par l'État **state funding** *n* financement *m* public **statehouse** *n US siège de l'assemblée législative d'un État* **stateless** *adj* apatride **stately** ['steɪtlɪ] *adj* ⟨**+er**⟩ *person* plein de dignité, majestueux(-euse); ***~ home*** manoir *m* ancestral (*généralement ouverte au public*)

statement ['steɪtmənt] *n* **1.** (*of thesis, problem*) exposé *m* **2.** (*claim*) déclaration *f*; (*official*) communiqué *m*; (*to police*) déposition *f*; ***to make a ~ to the press*** faire une déclaration à la presse **3.** (FIN: *a.* **bank statement**) relevé *m* (de compte)

state-of-the-art [ˌsteɪtəvðiː'ɑːt] *adj* de pointe; ***~ technology*** techniques de pointe **state-owned** *adj* nationalisé **state school** *n Br* école *f* publique **state secret** *n* secret *m* d'État **stateside** (*US infml*) **I** *adj* des États-Unis **II** *adv* aux États-Unis **statesman** ['steɪtsmən] *n* ⟨*pl* **-men**⟩ homme *m* d'État **statesmanlike** *adj* digne d'un homme d'État **statesmanship** *n* qualités *fpl* d'homme État **stateswoman** ['steɪtswʊmən] *n* ⟨*pl* **-women**⟩ femme *f* d'État

static ['stætɪk] **I** *adj* stationnaire; (*not moving*) statique; ***~ electricity*** électricité statique **II** *n* PHYS électricité *f* statique

station ['steɪʃən] *n* **1.** (*police station*) poste *m* (de police) **2.** (*railroad station*) gare *f*; (*bus station*) gare *f* routière **3.** RADIO station *f*; TV chaîne *f* **4.** (*position*) poste *m* **5.** (*rank*) rang *m*, condition *f*

stationary ['steɪʃənərɪ] *adj* immobile; ***to be ~*** (*traffic*) être à l'arrêt

stationer ['steɪʃənə^r] *n* papetier(-ière) *m*(*f*) **stationery** ['steɪʃənərɪ] *n* articles *mpl* de papeterie; (*writing paper*) papier *m* à lettres

station house *n* (*US* POLICE) poste *m* (de police) **stationmaster** *n* chef *m* de gare **station wagon** *n US* break *m*

statistic [stə'tɪstɪk] *n* chiffre *m*, statistique *f* **statistical** *adj* statistique **statistically** *adv* statistiquement **statistics** *n* **1.** *sg* statistique *f* **2.** *pl* (*data*) statistiques *fpl*

statue ['stætjuː] *n* statue *f*; ***Statue of Liberty*** statue de la Liberté **statuesque** [ˌstætjʊ'esk] *adj* sculptural

stature ['stætʃə^r] *n* **1.** taille *f*; (*esp of man*) stature *f*; ***of short ~*** de petite stature **2.** *fig* stature *f*

status ['steɪtəs] *n* statut *m*; ***equal ~*** égalité; ***marital ~*** situation de famille **status quo** [ˌsteɪtəs'kwəʊ] *n* statu quo *m inv* **status symbol** *n* (*showing rank*) signe *m* de réussite sociale; (*showing wealth*) signe *m* extérieur de richesse

statute ['stætjuːt] *n* loi *f*; (*of organization*) statut *m* **statute book** *n* recueil *m* de lois **statutory** ['stætjʊtərɪ] *adj* légal; (*in organization*) statutaire

staunch[1] [stɔːntʃ] *adj* ⟨**+er**⟩ *ally, support* inconditionnel; *Catholic* fervent

staunch[2] *v/t flow* endiguer; *bleeding* arrêter

staunchly ['stɔːntʃlɪ] *adv* inconditionnellement; *defend* ardemment; *Catholic* résolument

stave [steɪv] *n* **1.** (*stick*) bâton *m* **2.** MUS portée *f* ◆ **stave off** *v/t sep attack* parer; *threat* conjurer; *defeat* retarder

stay [steɪ] **I** *n* séjour *m* **II** *v/t* ***to ~ the night*** passer la nuit **III** *v/i* **1.** (*remain*) rester; ***to ~ for*** *or* ***to supper*** rester dîner **2.** (*reside*) loger; ***to ~ at a hotel*** descendre à l'hôtel; ***I ~ed in Italy for a few weeks*** j'ai passé quelques semaines en Italie; ***when I was ~ing in Italy*** quand je séjournais en Italie; ***he is ~ing at our house for the weekend*** il passe le week-end chez nous; ***my brother came to ~*** mon frère est venu s'installer chez moi ◆ **stay away** *v/i* rester à distance (***from*** de); (*from person*) ne pas s'approcher ◆ **stay behind** *v/i* rester; (SCHOOL: *as punishment*) rester après la classe ◆ **stay down** *v/i* (*keep down*) rester baissé; SCHOOL redoubler ◆ **stay in** *v/i* (*at home*) rester à la maison; (*in position*) tenir ◆ **stay off** *v/t insep* ***to ~ school*** ne pas aller à l'école ◆ **stay on** *v/i* (*lid etc.*) tenir; (*light*) rester allumé; ***to ~ at school*** poursuivre sa scolarité ◆ **stay out** *v/i* rester dehors; (*not come home*) ne pas rentrer; ***to ~ of sth*** ne pas se mêler de qc; ***he never managed to ~ of trouble*** il a toujours trouvé le moyen d'avoir des ennuis ◆ **stay up** *v/i* **1.** (*person*) veiller, rester debout **2.** (*tent*) tenir; (*picture*) rester en place; ***his pants won't ~*** son pantalon descend tout le temps

St Bernard [sənt'bɜːnəd] *n* saint-bernard *m inv*

STD 1. (*Br* TEL) *abbr* = **subscriber trunk dialling** automatique *m* **2.** *abbr* = **sexually transmitted disease** MST *f* **STD code** [estiː'diːkəʊd] *n* indicatif *m* de zone

stead [sted] *n* ***to stand sb in good ~*** être très utile à qn **steadfast** ['stedfəst] *adj* inébranlable

steadily ['stedɪlɪ] *adv* **1.** *walk* d'un pas ferme; *look* fixement **2.** (*constantly*) de manière constante; *rain* sans interruption; ***the atmosphere in the country is getting ~ more tense*** l'atmosphère dans le pays est de plus en plus tendue **3.** (*reliably*) avec sérieux **4.** (*regularly*) régulièrement

steady ['stedɪ] **I** *adj* ⟨**+er**⟩ **1.** *hand* ferme; *voice* assuré; *job* stable; *boyfriend* attitré; ***to hold sth ~*** tenir qc fermement; *ladder* tenir qc **2.** *progress* constant; *drizzle* persistant; *income* régulier (-ière); ***at a ~ pace*** à un rythme régulier **3.** (*reliable*) sérieux(-euse) **II** *adv* ***~!*** (*carefully*) attention!; ***to go ~*** (***with sb***) *infml* sortir avec qn *infml* **III** *v/t nerves* calmer; ***to ~ oneself*** reprendre son équilibre

steak [steɪk] *n* steak *m*; (*of fish*) pavé *m*

steal [stiːl] *vb* ⟨*past* **stole**⟩ ⟨*past part* **stolen**⟩ **I** *v/t* voler; ***to ~ sth from sb*** voler qc à qn; ***to ~ the show*** ravir la vedette; ***to ~ a glance at sb*** jeter un regard furtif à qn **II** *v/i* **1.** (*thieve*) voler **2.** ***to ~ away*** *or* ***off*** s'esquiver; ***to ~ up on sb*** s'approcher de qn sans faire de bruit

stealth [stelθ] *n* ruse *f*; ***by ~*** par des moyens détournés **stealthily** ['stelθɪlɪ] *adv* furtivement **stealthy** ['stelθɪ] *adj* ⟨**+er**⟩ furtif(-ive)

steam [stiːm] **I** *n* vapeur *f*; ***full ~ ahead*** NAUT en avant toute!; ***to pick up ~*** *fig* démarrer; ***to let off ~*** se défouler; ***to run out of ~*** *fig* s'essouffler **II** *v/t* (faire) cuire à la vapeur **III** *v/i* fumer ◆ **steam up I** *v/t sep window* embuer; ***to be*** (***all***) ***steamed up*** être couvert de buée; *fig, infml* être en boule *infml* **II** *v/i* se couvrir de buée

steamboat *n* bateau *m* à vapeur **steam engine** *n* locomotive *f* à vapeur **steamer** ['stiːməʳ] *n* **1.** (*ship*) bateau *m* à vapeur **2.** COOK cuiseur *m* à vapeur **steam iron** *n* fer *m* à vapeur **steamroller** *n* rouleau *m* compresseur **steamship** *n* navire *m* à vapeur **steamy** ['stiːmɪ] *adj* ⟨**+er**⟩ plein de vapeur; *fig affair* torride

steel [stiːl] **I** *n* acier *m* **II** *adj attr* en acier **III** *v/t* ***to ~ oneself for sth*** se préparer à affronter qc; ***to ~ oneself to do sth*** s'armer de courage pour faire qc **steel band** *n* steel band *m* **steely** ['stiːlɪ] *adj* ⟨**+er**⟩ *expression* inflexible

steep[1] [stiːp] *adj* ⟨**+er**⟩ **1.** escarpé; ***it's a ~ climb*** la montée est raide **2.** *fig, infml price* excessif(-ive)

steep[2] *v/t* **1.** (*in liquid*) faire macérer; *washing* faire tremper **2.** *fig* ***to be ~ed in sth*** être imprégné de qc; ***~ed in history*** imprégné d'histoire

steepen ['stiːpən] *v/i* (*slope*) devenir plus raide; (*ground*) devenir plus escarpé

steeple ['stiːpl] *n* clocher *m* **steeplechase** ['stiːpltʃeɪs] *n* (*for horses*) steeple-chase *m*; (*for runners*) steeple *m*

steepness ['stiːpnɪs] *n* raideur *f*

steer[1] [stɪəʳ] **I** *v/t* conduire, diriger; *ship* gouverner, barrer **II** *v/i* (*in car*) conduire; (*in ship*) être à la barre

steer[2] *n* bouvillon *m*

steering ['stɪərɪŋ] *n* (*in car etc.*) direction *f* **steering wheel** *n* volant *m*

stellar ['steləʳ] *adj* stellaire

stem [stem] **I** *n* (*of plant, shrub, grain*) tige *f*; (*of glass*) pied *m*; (*of word*) radical *m* **II** *v/t* (*stop*) enrayer **III** *v/i* ***to ~ from sth*** provenir de qc; (*have as origin*) être le résultat de qc **stem cell** *n*

BIOL, MED cellule *f* souche
stench [stentʃ] *n* puanteur *f*
stencil ['stensl] *n* pochoir *m*
step [step] **I** *n* **1.** (*pace, move*) pas *m*; ***to take a ~*** faire un pas; ***~ by ~*** petit à petit; ***to watch one's ~*** regarder où l'on met les pieds; ***to be one ~ ahead of sb*** *fig* avoir une petite avance sur qn; ***to be in ~*** *lit* marcher en cadence; *fig* être en phase; ***to be out of ~*** *lit* ne pas marcher en cadence; *fig* être en décalage; ***the first ~ is to form a committee*** la première mesure consiste à former un comité; ***that would be a ~ back / in the right direction for him*** ce serait pour lui un pas en arrière / dans la bonne direction; ***to take ~s to do sth*** prendre des mesures pour faire qc **2.** (*stair*) marche *f*; (*in process*) étape *f*; ***~s*** (*outdoors*) perron; ***mind the ~*** attention à la marche **3. steps** *pl* (*Br stepladder*) escabeau *m* **II** *v/i* faire un pas; ***to ~ into / out of sth*** marcher / ne pas marcher dans qc; ***to ~ on(to) sth*** *train* monter dans qc; ***to ~ on sth*** marcher sur qc; ***he ~ped on my foot*** il m'a marché sur le pied; ***to ~ inside / outside*** entrer / sortir; ***~ on it!*** (*in car*) appuie sur le champignon! *infml* ◆ **step aside** *v/i* **1.** *lit* s'écarter **2.** *fig* se désister ◆ **step back** *v/i* *lit* reculer, faire un pas en arrière ◆ **step down** *v/i* **1.** *lit* descendre **2.** (*fig resign*) démissionner ◆ **step forward** *v/i* faire un pas en avant; *fig* se porter volontaire ◆ **step in** *v/i* **1.** *lit* entrer (***-to*** dans) **2.** *fig* intervenir ◆ **step off** *v/t insep* (*off bus*) descendre; ***to ~ the sidewalk*** descendre du trottoir ◆ **step up I** *v/t sep* augmenter; *campaign, search* intensifier; *pace* accélérer **II** *v/i* ***to ~ to sb*** s'approcher de qn; ***he stepped up onto the stage*** il est monté sur la scène
step- *pref* beau-(belle-); ***stepbrother*** demi-frère
stepladder ['step,lædəʳ] *n* escabeau *m*
step machine *n* SPORTS stepper *m*
stepping stone ['stepɪŋ,stəʊn] *n* pierre *f* de gué; *fig* tremplin *m*
stereo ['sterɪəʊ] **I** *n* stéréo *f*; (*stereo system*) chaîne *f* stéréo **II** *adj* stéréo
stereotype ['sterɪə,taɪp] **I** *n fig* stéréotype *m* **II** *attr* stéréotypé **stereotyped** *adj*, **stereotypical** [,stɪərɪə'tɪpɪkl] *adj* stéréotypé
sterile ['steraɪl] *adj* stérile **sterility** [ste'rɪlɪtɪ] *n* (*of animal, soil, person*) stérilité *f* **sterilization** [,sterɪlaɪ'zeɪʃən] *n* stérilisation *f* **sterilize** ['sterɪlaɪz] *v/t* stériliser
sterling ['stɜːlɪŋ] **I** *adj* **1.** FIN sterling; ***in pounds ~*** en livres sterling **2.** *fig* remarquable **II** *n no article* livre *f* sterling; ***in ~*** en livres sterling
stern¹ [stɜːn] *n* NAUT arrière *m*, poupe *f*
stern² *adj* ⟨**+er**⟩ (*strict*) sévère; *test* rude **sternly** ['stɜːnlɪ] *adv say, rebuke, look* sévèrement
steroid ['stɪərɔɪd] *n* stéroïde *m*
stethoscope ['steθəskəʊp] *n* stéthoscope *m*
stew [stjuː] **I** *n* **1.** ragoût *m* **2.** *infml* ***to be in a ~ (over sth)*** être dans tous ses états (à cause de qc) **II** *v/t meat* cuire en ragoût; *fruit* faire cuire en compote **III** *v/i* ***to let sb ~*** laisser qn mijoter
steward ['stjuːəd] *n* steward *m*; (*on estate etc.*) régisseur *m*; (*at meeting*) membre *m* du service d'ordre
stewardess [,stjuːə'des] *n* hôtesse *f*
stick¹ [stɪk] *n* **1.** bâton *m*; (*twig*) brindille *f*; (*hockey stick*) crosse *f*; ***to give sb / sth some / a lot of ~*** *Br infml* critiquer / éreinter qn / qc *infml*; ***to get the wrong end of the ~*** (*Br fig, infml*) comprendre de travers; ***in the ~s*** en pleine campagne **2.** (*of celery etc.*) branche *f*
stick² ⟨*past, past part* **stuck**⟩ **I** *v/t* **1.** (*with glue etc.*) coller **2.** (*pin*) punaiser **3.** *knife* enfoncer, planter; ***he stuck a knife into her arm*** il lui a enfoncé un couteau dans le bras **4.** (*infml put*) mettre, coller *infml*; (*esp in sth*) fourrer *infml*; ***~ it on the shelf*** pose-le sur l'étagère **II** *v/i* **1.** (*glue etc.*) coller (***to*** à), adhérer (***to*** à); ***the name seems to have stuck*** apparemment le nom lui est resté **2.** (*become caught*) se bloquer; (*drawer*) se coincer **3.** (*sth pointed*) s'enfoncer (***in*** dans); ***it stuck in my foot*** ça s'est planté dans mon pied **4.** ***his toes are ~ing through his socks*** ses orteils sortent par les trous de ses chaussettes **5.** (*stay*) rester; ***to ~ in sb's mind*** rester dans l'esprit de qn ◆ **stick around** *v/i infml* rester là; ***~!*** reste! ◆ **stick at** *v/t insep* (*persist*) persévérer dans; ***to ~ it*** persévérer ◆ **stick by** *v/t insep sb* soutenir; *rules* respecter ◆ **stick down** *v/t sep* **1.** (*glue*) coller **2.** (*infml put down*) coller *infml* ◆ **stick in** *v/t sep* (*glue, put in*) coller; *knife etc.* enfoncer, planter; ***to***

stick sth in(to) sth *knife* enfoncer qc dans qc ◆ **stick on** *v/t sep* **1.** *label* coller **2.** (*add*) recoller ◆ **stick out I** *v/i* dépasser, sortir (***of*** de); (*ears*) être décollé; (*fig be noticeable*) ressortir, se remarquer **II** *v/t sep* allonger, sortir ◆ **stick to** *v/t insep* **1.** (*adhere to*) coller à; *principles etc.* rester fidèle à; (*follow*) *rules* respecter; *diet* suivre **2.** *task* s'en tenir à ◆ **stick together** *v/i* (*fig: partners etc.*) se serrer les coudes ◆ **stick up I** *v/t sep* **1.** (*with tape etc.*) afficher **2.** *infml* ***stick 'em up!*** haut les mains!; ***three students stuck up their hands*** trois étudiants ont levé la main **II** *v/i* (*nail etc.*) sortir; (*hair, collar*) rebiquer *infml* ◆ **stick up for** *v/t insep* prendre la défense de; ***to ~ oneself*** se défendre tout seul ◆ **stick with** *v/t insep* rester fidèle à

sticker ['stɪkəʳ] *n* (*label*) autocollant *m*; (*price sticker*) étiquette *f* de prix

stickler ['stɪkləʳ] *n* ***to be a ~ for sth*** être à cheval sur qc

stick-up *n infml* braquage *m infml*

sticky ['stɪkɪ] *adj* ⟨**+er**⟩ **1.** collant; *atmosphere* humide; (*sweaty*) *hands* moite; ***~ tape*** *Br* ruban adhésif **2.** *fig*, *infml situation* délicat, difficile; ***to go through a ~ patch*** traverser une mauvaise passe; ***to come to a ~ end*** *Br* mal finir

stiff [stɪf] *adj* ⟨**+er**⟩ raide, rigide; *paste* ferme; *drink* fort; *opposition, competition* acharné; *brush, test* dur; *price* élevé; *door* dur (à ouvrir); ***to be (as) ~ as a board*** *or* ***poker*** être tout raide **stiffen** ['stɪfn] (*a.* **stiffen up**) **I** *v/t* raidir **II** *v/i* se raidir

stifle ['staɪfl] **I** *v/t* étouffer **II** *v/i* étouffer **stifling** ['staɪflɪŋ] *adj* **1.** *heat* étouffant; ***it's ~ in here*** on étouffe ici **2.** *fig* étouffant

stigma ['stɪgmə] *n* ⟨*pl* **-s**⟩ honte *f* **stigmatize** ['stɪgmətaɪz] *v/t* ***to ~ sb as sth*** stigmatiser qn comme étant qc

stile [staɪl] *n* ≈ échalier *m*

stiletto [stɪ'letəʊ] *n* talon *m* aiguille

still[1] [stɪl] **I** *adj, adv* ⟨**+er**⟩ **1.** (*motionless*) immobile; *waters* tranquille; ***to keep ~*** rester immobile; ***to hold sth ~*** empêcher qc de bouger; ***to lie ~*** ne pas bouger; ***time stood ~*** le temps s'était arrêté **2.** (*quiet*) silencieux(-euse), calme; ***be ~!*** *US* arrête de bouger! **II** *adj Br drink* non gazeux(-euse) **III** *n* FILM photo *f* de plateau

still[2] **I** *adv* **1.** encore, toujours; (*for emphasis, in negative*) toujours; ***is he ~ coming?*** est-ce qu'il vient toujours?; ***do you mean you ~ don't believe me?*** est-ce que tu veux dire que tu ne me crois toujours pas?; ***it ~ hasn't come*** il n'est toujours pas arrivé; ***there are ten weeks ~ to go*** il reste dix semaines; ***worse ~, …*** pire encore, … **2.** (*infml nevertheless*) quand même; ***~, it was worth it*** ça valait quand même la peine; ***~, he's not a bad person*** malgré tout, il n'est pas méchant **II** *cj* malgré tout

stillbirth *n* naissance *f* d'un enfant mort-né **stillborn** *adj* mort-né; ***the child was ~*** l'enfant était mort-né **still life** *n* ⟨*pl* **still lifes**⟩ nature *f* morte **stillness** ['stɪlnɪs] *n* **1.** (*motionlessness*) immobilité *f* **2.** (*quietness*) tranquillité *f*

stilt [stɪlt] *n* échasse *f* **stilted** ['stɪltɪd] *adj* guindé

stimulant ['stɪmjʊlənt] *n* stimulant *m* **stimulate** ['stɪmjʊleɪt] *v/t body, mind, growth, economy* stimuler **stimulating** ['stɪmjʊleɪtɪŋ] *adj* stimulant **stimulation** [ˌstɪmjʊ'leɪʃən] *n* **1.** (*intellectual, sexual*) stimulation *f* **2.** (*of economy*) stimulation *f* **stimulus** ['stɪmjʊləs] *n* ⟨*pl* **stimuli**⟩ stimulant *m*; PHYSIOL stimulus *m*

sting [stɪŋ] *vb* ⟨*past, past part* **stung**⟩ **I** *n* **1.** (*organ*) dard *m*; ***to take the ~ out of sth*** *fig* rendre qc moins douloureux; ***to have a ~ in its tail*** (*story, movie*) réserver une mauvaise surprise à la fin; (*remark*) ne pas être innocent **2.** (*act, wound*) piqûre *f* **3.** (*pain, from needle, nettle etc.*) piqûre *f* **II** *v/t* (*insect, jellyfish*) piquer; ***she was stung by the nettles*** elle a été piquée par des orties; ***to ~ sb into action*** inciter qn à agir en le piquant au vif **III** *v/i* **1.** (*insect, nettle, jellyfish etc.*) piquer **2.** (*comments*) être blessant **stinging** ['stɪŋɪŋ] *adj pain, blow* cuisant *comment, attack* blessant *rain* cinglant; *cut* qui fait mal; *ointment* qui pique **stinging nettle** *n* ortie *f*

stingy ['stɪndʒɪ] *adj* ⟨**+er**⟩ *infml person* radin *infml*; *sum* misérable

stink [stɪŋk] *vb* ⟨*past* **stank**⟩ ⟨*past part* **stunk**⟩ **I** *n* **1.** puanteur *f* (***of*** de) **2.** (*infml fuss*) scandale *m*; ***to kick up*** *or* ***make a ~*** faire un scandale **II** *v/i* puer, empester **stinking** ['stɪŋkɪŋ] **I** *adj* **1.** *lit* puant **2.**

infml pourri *infml*, nul(le) *infml* **II** *adv infml* **~ rich** *Br* plein aux as *infml*
stinky ['stɪŋkɪ] *adj* ⟨**+er**⟩ *infml* puant
stint [stɪnt] **I** *n* (*allotted work*) période *f* de travail; (*share*) part *f* de travail; ***a 2-hour ~*** deux heures de travail; ***he did a five-year ~ on the oil rigs*** il a fait cinq ans sur les plates-formes pétrolières; ***would you like to do a ~ at the wheel?*** est-ce que tu veux prendre le volant un moment? **II** *v/i* ***to ~ on sth*** lésiner sur qc
stipend ['staɪpend] *n* (*US*: *for student*) indemnité *f* de stage; (*esp Br*: *for official*) traitement *m*
stipulate ['stɪpjʊleɪt] *v/t* **1.** (*demand*) stipuler **2.** *amount*, *price*, *quantity* stipuler
stir [stɜːʳ] **I** *n* **1.** *lit* ***to give sth a ~*** *tea etc.* remuer qc **2.** (*fig excitement*) agitation *f*; ***to cause a ~*** susciter de l'émoi **II** *v/t* **1.** *tea*, *cake mixture* remuer **2.** (*move*) agiter **3.** *fig emotions* éveiller; *imagination* exciter **III** *v/i* (*move*) bouger; (*leaves*) s'agiter; (*animal*) remuer ◆ **stir up** *v/t sep* **1.** *liquid* remuer **2.** *fig* provoquer; *the past* réveiller; *opposition* attiser; ***to ~ trouble*** provoquer des problèmes
stir-fry ['stɜːˌfraɪ] **I** *n* sauté *m* **II** *v/t* faire sauter **stirring** ['stɜːrɪŋ] *adj* entraînant; (*stronger*) passionnant, grisant
stirrup ['stɪrəp] *n* étrier *m*
stitch [stɪtʃ] **I** *n* **1.** point *m*; (*in knitting etc.*) maille *f*; ***to need ~es*** MED avoir besoin de points de suture **2.** (*pain*) point *m* de côté; ***to be in ~es*** *infml* se tordre de rire *infml* **II** *v/t* **1.** SEWING coudre **2.** MED suturer, recoudre **III** *v/i* coudre ◆ **stitch up** *v/t sep* **1.** *seam* coudre; *wound* suturer, recoudre **2.** (*Br infml frame*) ***I've been stitched up*** on m'a fait porter le chapeau *infml*
stitching ['stɪtʃɪŋ] *n* **1.** (*seam*) couture *f* **2.** (*embroidery*) broderie *f*
stoat [stəʊt] *n* hermine *f*
stock [stɒk] **I** *n* **1.** (*supply*) réserves *fpl* (***of*** de); COMM stock *m* (***of*** de); ***to have sth in ~*** avoir qc en stock; ***to be in ~/out of ~*** être en stock / épuisé; ***to keep sth in ~*** stocker qc; ***to take ~ of sth*** *of one's life* faire le point sur qc, faire le bilan de qc **2.** (*livestock*) bétail *m* **3.** COOK bouillon *m* **4.** FIN ***~s and shares*** valeurs *fpl* mobilières **II** *adj attr* COMM en stock; *fig* tout fait **III** *v/t* **1.** *goods* avoir (en stock) **2.** *shelves* remplir; *store* approvisionner ◆ **stock up I** *v/i* s'approvisionner (***on*** en); ***I must ~ on rice, I've almost run out*** il faut que je fasse des provisions de riz, je n'en ai presque plus **II** *v/t sep shop* approvisionner; *larder* remplir
stockbroker *n* agent *m* de change **stock company** *n* FIN société *f* anonyme par actions **stock control** *n* contrôle *m* des stocks **stock cube** *n* cube *m* de bouillon **stock exchange** *n* Bourse *f* **stockholder** *n US* actionnaire *m/f*
stockily ['stɒkɪlɪ] *adv* ***~ built*** trapu
stocking ['stɒkɪŋ] *n* bas *m*; (*knee-length*) mi-bas *f*; ***in one's ~(ed) feet*** en bas
stockist ['stɒkɪst] *n Br* stockiste *m/f*
stock market *n* marché *m* boursier
stockpile I *n* stock *m*, réserves *fpl* (***of*** de); (*of weapons*) stock *m* **II** *v/t* stocker **stock room** *n* réserve *f* **stocktaking** *n* inventaire *m*
stocky ['stɒkɪ] *adj* ⟨**+er**⟩ trapu
stockyard ['stɒkjɑːd] *n* parc *m* à bestiaux
stodgy ['stɒdʒɪ] *adj* ⟨**+er**⟩ *food* bourratif(-ive)
stoical ['stəʊɪkəl] *adj* stoïque **stoically** ['stəʊɪkəlɪ] *adv* stoïquement **stoicism** ['stəʊɪsɪzəm] *n fig* stoïcisme *m*
stoke [stəʊk] *v/t fire* alimenter
stole[1] [stəʊl] *n* étole *f*
stole[2] *past* = **steal stolen** ['stəʊlən] **I** *past part* = **steal II** *adj* volé; ***to receive ~ goods*** recevoir des marchandises volées
stomach ['stʌmək] *n* estomac *m*; (*belly*) ventre *m*; (*fig appetite*) envie *f* (***for*** de); ***to lie on one's ~*** être à plat ventre; ***to have a pain in one's ~*** avoir mal à l'estomac *or* au ventre; ***on an empty ~*** *take medicine etc.* à jeun **stomach ache** *n* maux *mpl* d'estomac *or* de ventre **stomach upset** *n* indigestion *f*
stomp [stɒmp] *v/i* marcher d'un pas lourd
stone [stəʊn] **I** *n* **1.** pierre *f*; ***a ~'s throw from ...*** à deux pas de…; ***to leave no ~ unturned*** remuer ciel et terre **2.** (*Br weight*) ≈ 6,35 kg **II** *adj* en pierre **III** *v/t* **1.** (*kill*) lapider **2.** *infml* ***to be ~d*** être défoncé *infml* **Stone Age** *n* âge *m* de la pierre **stone-broke** *adj* (*US infml*) fauché *infml* **stone circle** *n Br* cromlech *m* **stone-cold I** *adj* complètement froid **II** *adv* ***~ sober*** complètement so-

bre **stone-deaf** *adj* complètement sourd **stonemason** *n* tailleur *m* de pierre **stonewall** *v/i fig* tergiverser **stonework** *n* maçonnerie *f* (*de pierre*) **stony** ['stəʊnɪ] *adj* ⟨**+er**⟩ pierreux (-euse); *fig silence* glacial; *face* dur **stony-broke** *adj* (*Br infml*) fauché *infml* **stony-faced** ['stəʊnɪ'feɪst] *adj* au visage dur

stood [stʊd] *past, past part* = **stand**

stool [stuːl] *n* **1.** (*seat*) tabouret *m*; ***to fall between two ~s*** être assis entre deux chaises **2.** (*esp* MED *feces*) selles *fpl*

stoop[1] [stuːp] **I** *n* dos *m* voûté **II** *v/i* se pencher (***over*** sur); (*a.* **stoop down**) se baisser; ***to ~ to sth*** *fig* s'abaisser à qc

stoop[2] *n US* perron *m*

stop [stɒp] **I** *n* **1.** ***to come to a ~*** (*car, machine, conversation*) s'arrêter; (*traffic*) être arrêté; (*fig: project*) être interrompu; ***to put a ~ to sth*** mettre un terme à qc **2.** (*stay*) escale *f*; (*break*) arrêt *m*; ***we made three ~s*** nous nous sommes arrêtés trois fois **3.** (*for bus etc.*) arrêt *m* **4.** ***to pull out all the ~s*** *fig* remuer ciel et terre **II** *v/t* **1.** *engine, thief, attack, progress, traffic* arrêter; *noise* empêcher **~ *thief!*** au voleur! **2.** *activity, game, work, production* arrêter, interrompre; *nonsense, noise* arrêter **3.** (*cease*) arrêter, cesser; ***to ~ doing sth*** arrêter *or* cesser de faire qc; ***to ~ smoking*** arrêter de fumer; ***I'm trying to ~ smoking*** j'essaie d'arrêter de fumer; ***~ it!*** ça suffit! **4.** (*suspend*) *fighting, proceedings* interrompre; *check* faire opposition à **5.** (*stop sth from happening, stop sb from doing*) empêcher; ***to ~ oneself*** se retenir; ***there's no ~ping him*** *infml* rien ne pourra l'arrêter; ***there's nothing ~ping you*** *or* ***to ~ you*** rien ne t'en empêche; ***to ~ sb*** (***from***) ***doing sth*** empêcher qn de faire qc; ***to ~ oneself from doing sth*** se retenir de faire qc **III** *v/i* **1.** (*train, car, driver, pedestrian, machine*) s'arrêter; ***~ right there!*** arrêtez-vous là!; ***we ~ped for a drink at a bar*** nous nous sommes arrêtés pour boire un verre dans un bar; ***to ~ at nothing*** (***to do sth***) *fig* ne reculer devant rien (pour faire qc); ***to ~ dead*** *or* ***in one's tracks*** s'arrêter net **2.** (*finish, cease*) s'arrêter, cesser; (*heart*) s'arrêter; (*production*) cesser; (*payments*) être terminé; ***to ~ doing sth*** arrêter *or* cesser de faire qc; ***he ~ped in mid sentence*** il s'est arrêté au milieu de sa phrase; ***if you had ~ped to think*** si tu avais pris le temps de réfléchir; ***he never knows when*** *or* ***where to ~*** il ne sait pas s'arrêter **3.** (*Br infml stay*) rester, loger (*at* dans, *with* chez) ◆ **stop by** *v/i* passer ◆ **stop off** *v/i* faire étape (***at sb's place*** chez qn) ◆ **stop over** *v/i* faire une halte (***in*** à); AVIAT faire escale ◆ **stop up** *v/t sep* boucher

stopcock *n* robinet *m* d'arrêt **stopgap** *n* bouche-trou *m* **stoplight** *n esp US* feu *m* rouge **stopover** *n* halte *f*; AVIAT escale *f* **stoppage** ['stɒpɪdʒ] *n* **1.** (*temporary*) interruption *f* **2.** (*strike*) arrêt *m* de travail **stopper** ['stɒpə^r] *n* bouchon *m* **stop sign** *n* stop *m* **stopwatch** *n* chronomètre *m*

storage ['stɔːrɪdʒ] *n* (*of goods, water, data*) stockage *m*; ***to put sth into ~*** entreposer qc **storage capacity** *n* (*of computer*) capacité *f* de stockage **storage device** *n* IT dispositif *m* de stockage **storage heater** *n Br* radiateur *m* à accumulation **storage space** *n* (*in house*) espace *m* de rangement

store [stɔː^r] **I** *n* **1.** (*stock*) stock *m*, provision *f* (***of*** de); *fig* réserve *f* (***of*** de); ***~s*** *pl* (*supplies*) provisions *fpl*; ***to have*** *or* ***keep sth in ~*** avoir qc en réserve; ***to be in ~ for sb*** attendre qn; ***what has the future in ~ for us?*** que nous réserve l'avenir? **2.** (*place*) entrepôt *m* **3.** (*large store*) magasin *m*; (*department store*) grand magasin *m* **II** *v/t* ranger; *furniture* entreposer; *information* stocker; ***to ~ sth away*** garder qc en réserve; ***to ~ sth up*** emmagasiner qc; *fig* enregistrer qc dans sa mémoire **store card** *n* carte *f* de crédit (*d'un magasin*) **store detective** *n* vigile *m* (*d'un magasin*) **storehouse** *n* entrepôt *m* **storekeeper** *n esp US* commerçant(e) *m*(*f*) **storeroom** *n* réserve *f*

storey *n Br* = **story**[2]

stork [stɔːk] *n* cigogne *f*

storm [stɔːm] **I** *n* **1.** tempête *f*; (*thunderstorm*) orage *m*; (*strong wind*) ouragan *m* **2.** (*fig: of abuse*) torrent *m* (***of*** de); (*of criticism*) tempête *f*, avalanche *f* (***of*** de); ***to take sth by ~*** prendre qc d'assaut; *fig* connaître un succès foudroyant auprès de qc; ***to take sb by ~*** captiver qn **II** *v/t* prendre d'assaut **III** *v/i* **1.** (*talk angrily*) tempêter (***at*** contre) **2.** ***to ~ out of a room*** sortir d'une pièce comme un ouragan **storm cloud** *n* nuage *m* d'orage

storm troopers *pl* membres *mpl* d'une section d'assaut **stormy** ['stɔːmɪ] *adj* ⟨**+er**⟩ orageux(-euse)

story[1] ['stɔːrɪ] *n* **1.** (*tale*) histoire *f*; ***the ~ goes that ...*** on raconte que...; ***to cut a long ~ short*** bref; ***it's the (same) old ~*** c'est toujours la même histoire **2.** (PRESS *newspaper story*) article *m* **3.** (*infml lie*) ***to tell stories*** raconter des histoires

story[2], *Br* **storey** ['stɔːrɪ] *n* étage *m*; ***a nine-~ building*** un immeuble de neuf étages; ***he fell from the third-~ window*** il est tombé de la fenêtre du troisième étage

storybook *n* livre *m* d'histoires **story line** *n* intrigue *f* **storyteller** *n* conteur (-euse) *m(f)*

stout [staʊt] **I** *adj* ⟨**+er**⟩ **1.** *person* corpulent **2.** *stick*, *shoes* solide **3.** *defense* acharné **II** *n Br* stout *f* (*bière brune forte*); (*sweet stout*) *stout adoucie par la présence de lactose*

stove [stəʊv] *n* poêle *m*; (*for cooking*) cuisinière *f*; ***gas ~*** cuisinière à gaz

stow [stəʊ] *v/t* (*a.* **stow away**) ranger (***in*** dans) ◆ **stow away** *v/i* s'embarquer clandestinement

stowaway ['stəʊəweɪ] *n* passager(-ère) *m(f)* clandestin(e)

straddle ['strædl] *v/t* chevaucher; *fig border* être à cheval sur

straggle ['strægl] *v/i* **1.** (*houses*, *trees*) être disséminé; (*plant*) pousser de façon désordonnée **2.** ***to ~ behind*** être à la traîne derrière **straggler** ['stræglə^r] *n* retardataire *m/f*

straight [streɪt] **I** *adj* ⟨**+er**⟩ **1.** *skirt etc.* droit; *answer* franc(he); *hair* raide; (*honest*) *person*, *dealings* honnête; ***to be ~ with sb*** être franc avec qn; ***your tie isn't ~*** ta cravate n'est pas droite; ***the picture isn't ~*** le tableau est de travers; ***is my hat on ~?*** est-ce que mon chapeau est bien mis?; ***to keep a ~ face*** garder son sérieux; ***with a ~ face*** d'un air sérieux **2.** (*clear*) clair; ***to get things ~ in one's mind*** mettre de l'ordre dans ses idées **3.** *drink* sec(sèche); *choice* simple **4.** ***for the third ~ day*** *US* pour le troisième jour consécutif; ***to have ten ~ wins*** gagner dix fois de suite *or* d'affilée **5.** *pred room* en ordre; ***to put things ~*** (*clarify*) mettre les choses au clair; ***let's get this ~*** entendons-nous bien; ***to put*** *or* ***set sb ~ about sth*** éclairer qn sur qc; ***if I give you five dollars, then we'll be ~*** *infml* si je te donne cinq dollars, nous serons quittes **6.** (*infml heterosexual*) hétéro *infml* **II** *adv* **1.** (*in straight line*) droit, en ligne droite; (*directly*) droit, directement; ***~ through sth*** à travers qc; ***it went ~ up in the air*** il est monté droit dans les airs; ***~ ahead*** tout droit; ***to drive ~ on*** rouler tout droit **2.** (*immediately*) directement; ***~ away*** tout de suite, immédiatement; ***to come ~ to the point*** aller droit au fait **3.** ***to think ~*** avoir les idées claires; ***to see ~*** bien voir **4.** (*frankly*) franchement, carrément; ***~ out*** *infml* tout net **5.** *drink* sans glace et sans eau **III** *n* (*on race track*) ligne *f* droite **straightaway** [ˌstreɪtə'weɪ] *adv US* tout de suite

straighten ['streɪtn] **I** *v/t* **1.** *legs* tendre; *picture* remettre droit, redresser; *tie* ajuster **2.** (*make neat*) mettre de l'ordre dans **II** *v/i* (*road etc.*) redevenir droit; (*person*) se redresser **III** *v/r* ***to ~ oneself*** se redresser ◆ **straighten out I** *v/t sep* **1.** *legs etc.* tendre **2.** *problem* résoudre; ***to straighten oneself out*** rentrer dans le droit chemin; ***to straighten things out*** arranger les choses **II** *v/i* (*road etc.*) redevenir droit; (*hair*) devenir raide ◆ **straighten up I** *v/i* se redresser **II** *v/t sep* **1.** (*make straight*) redresser **2.** (*tidy*) ranger, mettre de l'ordre dans

straight-faced ['streɪt'feɪst] *adj* ***to be ~*** avoir l'air sérieux **straightforward** *adj person* direct; *explanation* franc(he); *choice*, *process* simple; *instructions* clair **straight-laced** *adj* collet monté **straight-out** *adj infml* franc(he)

strain[1] [streɪn] **I** *n* **1.** MECH tension *f* (***on*** sur); *fig* tension *f* nerveuse; (*effort*) effort *m*; (*pressure*, *of job etc. also*) pression *f* (***of*** de); ***to take the ~ off sth*** réduire la pression qui s'exerce sur qc; ***to be under a lot of ~*** être très stressé; ***I find it a ~*** je trouve ça fatigant; ***to put a ~ on sb / sth*** stresser qn / qc **2.** (*muscle-strain*) froissement *m*; (*on eyes etc.*) fatigue *f* **II** *v/t* **1.** (*stretch*) tendre **2.** *rope* tendre; *nerves* mettre à l'épreuve; *resources* grever; ***to ~ one's ears to ...*** tendre l'oreille pour...; ***don't ~ yourself!*** *iron*, *infml* surtout ne te fatigue pas! *iron*, *infml* **3.** MED *muscle* se froisser; *back* se faire mal à; *eyes* se fatiguer **4.** (*filter*) passer; *vegetables* égoutter **III**

v/i (*pull*) tirer fort; (*fig strive*) faire beaucoup d'efforts

strain[2] *n* **1.** (*streak*) tendance *f*; (*hereditary*) prédisposition *f* **2.** (*breed, of animal*) race *f*; (*of plants*) variété *f*; (*of virus etc.*) souche *f*

strained *adj expression, relationship, atmosphere* tendu; *conversation* forcé

strainer ['streɪnəʳ] *n* COOK passoire *f*

strait [streɪt] *n* **1.** GEOG détroit *m* **2.** **straits** *pl fig* ***to be in dire ~s*** être dans une mauvaise passe **straitjacket** *n* camisole *f* de force **strait-laced** [ˌstreɪt'leɪst] *adj* collet monté

strand[1] [strænd] *v/t* ***to be ~ed*** (*ship, fish*) être échoué; ***to be*** (***left***) ***~ed*** (*person*) se retrouver coincé; ***to leave sb ~ed*** laisser qn en plan

strand[2] *n* (*of hair*) mèche *f*; (*of thread*) brin *m*

strange [streɪndʒ] *adj* ⟨**+er**⟩ **1.** (*odd*) étrange, bizarre; ***to think/find it ~ that …*** trouver étrange que… **2.** (*unfamiliar*) inconnu; *activity* mal connu ***don't talk to ~ men*** ne parle pas à des inconnus; ***I felt rather ~ at first*** ça m'a fait assez bizarre au début; ***I feel ~ in a skirt*** je me sens bizarre en jupe **strangely** ['streɪndʒlɪ] *adv* (*oddly*) bizarrement, étrangement; ***~ enough*** chose curieuse **strangeness** *n* **1.** (*oddness*) étrangeté *f* **2.** (*unfamiliarity*) manque *m* de familiarité

stranger ['streɪndʒəʳ] *n* inconnu(e) *m(f)*; (*foreigner*) étranger(-ère) *m(f)*; ***I'm a ~ here myself*** je ne suis pas d'ici; ***he is no ~ to London*** il connaît assez bien Londres; ***hello, ~!*** *infml* tiens, un revenant!

strangle ['stræŋgl] *v/t* étrangler **strangled** *adj cry* étouffé **stranglehold** ['stræŋglˌhəʊld] *n fig* mainmise *f* (**on** sur) **strangulation** [ˌstræŋgjʊ'leɪʃən] *n* strangulation *f*

strap [stræp] **I** *n* lanière *f*; (*esp for safety*) sangle *f*; (*in bus etc.*) poignée *f*; (*watch strap*) bracelet *m*; (*shoulder strap*) bandoulière *f* **II** *v/t* **1.** attacher (***to*** à); ***to ~ sb/sth down*** attacher qn/qc avec une sangle; ***to ~ sb in*** attacher la ceinture (de sécurité) de qn; ***to ~ oneself in*** attacher sa ceinture de sécurité **2.** (MED: *a.* **strap up**) mettre un bandage à **3.** *infml* ***to be ~ped*** (***for cash***) être un peu juste *infml* **strapless** *adj* sans bretelles

strapping ['stræpɪŋ] *adj infml* costaud *infml*

Strasbourg ['stræzbɜːg] *n* Strasbourg

strata ['strɑːtə] *pl* = **stratum**

strategic [strə'tiːdʒɪk] *adj* stratégique **strategically** [strə'tiːdʒɪkəlɪ] *adv also fig* stratégiquement; ***to be ~ placed*** être situé à un endroit stratégique **strategist** ['strætɪdʒɪst] *n* stratège *m* **strategy** ['strætɪdʒɪ] *n* stratégie *f*

stratosphere ['strætəʊsfɪəʳ] *n* stratosphère *f*

stratum ['strɑːtəm] *n* ⟨*pl* **strata**⟩ strate *f*

straw [strɔː] **I** *n* **1.** (*stalk, collectively*) paille *f*; ***that's the final ~!*** *infml* c'est la goutte d'eau qui fait déborder le vase!, c'est le bouquet! *infml*; ***to clutch at ~s*** se raccrocher à de faux espoirs; ***to draw the short ~*** tirer le mauvais numéro **2.** (*drinking straw*) paille *f* **II** *adj attr* de *or* en paille

strawberry ['strɔːbərɪ] *n* fraise *f*

straw poll, straw vote *n* sondage *m* d'opinion; (*in election*) vote *m* blanc

stray [streɪ] **I** *v/i* (*a.* **stray away**) errer; (*a.* **stray around**) vagabonder; (*fig: thoughts*) vagabonder; ***to ~*** (***away***) ***from sth*** s'éloigner de qc **II** *adj bullet* perdu; *dog* errant; *hairs* fou **III** *n* (*dog, cat*) animal *m* errant

streak [striːk] **I** *n* filet *m*; (*fig trace*) trace *f*; ***~s*** (*in hair*) mèches; ***~ of lightning*** éclair; ***a winning ~*** une période de chance; ***a mean ~*** une tendance à la mesquinerie **II** *v/t* tacher; ***the sky was ~ed with red*** il y avait des traînées rouges dans le ciel; ***hair ~ed with gray*** des cheveux grisonnants **III** *v/i* **1.** (*lightning*) déchirer le ciel *lit*; (*infml move quickly*) passer comme un éclair **2.** (*run naked*) traverser un lieu public nu en courant **streaker** ['striːkəʳ] *n* streaker *m* (*personne traversant un lieu public nue en courant*) **streaky** ['striːkɪ] *adj* ⟨**+er**⟩ marbré; ***~ bacon*** *Br* bacon entrelardé

stream [striːm] **I** *n* **1.** (*small river*) cours *m* d'eau; (*current*) courant *m* **2.** (*of liquid, people, words*) flot *m* **II** *v/i* **1.** ruisseler; (*eyes*) ruisseler; ***the walls were ~ing with water*** les murs ruisselaient d'eau; ***her eyes were ~ing with tears*** ses yeux ruisselaient de larmes **2.** (*flag, hair*) flotter au vent ◆ **stream down** *v/i* (*liquid*) ruisseler (sur); ***tears streamed down her face*** les larmes ruisselaient sur son visage ◆ **stream in** *v/i* entrer à flots ◆ **stream out** *v/i* sortir à flots (**of** de); (*liquid also*) se déverser (**of** de)

streamer ['striːmər] *n* serpentin *m*

streaming ['striːmɪŋ] *adj windows, eyes* ruisselant; ***I have a ~ cold*** *Br* j'ai un énorme rhume **streamlined** ['striːmlaɪnd] *adj* aérodynamique; *fig* dégraissé

street [striːt] *n* rue *f*; ***in*** *or* ***on the ~*** dans la rue; ***to live in*** *or* ***on a ~*** vivre dans une rue; ***it's right up my ~*** (*Br fig, infml*) c'est tout à fait mon truc *infml*; ***to be ~s ahead of sb*** *fig, infml* dépasser qn largement; ***to take to the ~s*** (*demonstrators*) descendre dans la rue **streetcar** *n US* tramway *m* **street lamp, street light** *n* lampadaire *m* **street map** *n* plan *m* de la ville **street party** *n* fête *f* de rue **street people** *pl* SDF *mpl* **street plan** *n* plan *m* des rues **street sweeper** *n* **1.** (*person*) balayeur (-euse) *m(f)* **2.** (*machine*) balayeuse *f* **streetwear** *n* FASHION streetwear *m* **streetwise** *adj* dégourdi

strength [streŋθ] *n* **1.** force *f*; (*of person, feelings*) force *f*; (*of evidence*) solidité *f*; ***on the ~ of sth*** en vertu de qc; ***to save one's ~*** économiser ses forces; ***to go from ~ to ~*** aller de mieux en mieux; ***to be at full ~*** être au grand complet; ***to turn out in ~*** arriver en force **2.** (*of constitution*) forces *fpl*; ***when she has her ~ back*** quand ses forces seront revenues **3.** (*of solution*) titre *m* **strengthen** ['streŋθən] **I** *v/t* fortifier **II** *v/i* se fortifier

strenuous ['strenjʊəs] *adj* **1.** (*exhausting*) ardu **2.** *attempt, effort* acharné **strenuously** ['strenjʊəslɪ] *adv* **1.** *exercise, deny* avec acharnement **2.** vigoureusement

stress [stres] **I** *n* **1.** tension *f*; MECH contrainte *f*; MED stress *m*; (*pressure*) pression *f*; (*tension*) tension *f* nerveuse; ***to be under ~*** être stressé **2.** (*accent*) accent *m*; (*fig emphasis*) insistance *f*; ***to put*** *or* ***lay*** (***great***) ***~ on sth*** insister sur qc; *fact* mettre l'accent sur qc **II** *v/t* (*emphasize*) insister sur **stress ball** *n* balle *f* antistress **stressed** *adj* stressé **stressed out** *adj* stressé **stressful** *adj* stressant

stretch [stretʃ] **I** *n* **1.** (*stretching*) étirement *m*; ***to have a ~*** s'étirer; ***to be at full ~*** (*Br lit*) fonctionner à plein régime; (*Br fig: person*) faire son maximum; *Br* (*factory etc.*) fonctionner à plein régime *infml*; ***by no ~ of the imagination*** sans gros effort d'imagination; ***not by a long ~*** loin de là! **2.** (*expanse*) étendue *f*; (*of road, trip etc.*) partie *f* **3.** (*stretch of time*) période *f*; ***for hours at a ~*** deux heures de suite; ***three days at a ~*** trois jours de suite **II** *adj attr* ***~ pants*** pantalon (en) stretch **III** *v/t* **1.** étirer; *elastic* étirer; *shoes* élargir; (*spread*) *wings etc.* déployer; *rope* tendre; *athlete* s'étirer; ***to ~ sth tight*** bien tendre qc; ***to ~ one's legs*** se dégourdir les jambes; ***to ~ sb / sth to the limit(s)*** exploiter qn / qc au maximum; ***to be fully ~ed*** (*esp Br, person*) avoir atteint la limite de ses possibilités **2.** *truth* exagérer; *rules* contourner ***that's ~ing it too far*** c'est aller un peu loin **IV** *v/i* (*after sleep etc.*) s'étirer; (*be elastic*) s'allonger; (*area, authority*) s'étendre (*to* à, *over* sur); (*money*) permettre d'acheter; (*food*) permettre de tenir (**to** jusqu'à); (*become looser*) s'allonger; ***to ~ to reach sth*** tendre le bras pour atteindre qc; ***he ~ed across and touched her cheek*** il tendit la main pour lui effleurer la joue; ***the fields ~ed away into the distance*** les champs s'étendaient au loin; ***our funds won't ~ to that*** nos fonds ne nous le permettront pas **V** *v/r* (*after sleep etc.*) s'étirer ◆ **stretch out I** *v/t sep arms, hand* tendre; *story* faire durer **II** *v/i* (*infml lie down*) s'allonger; (*countryside*) s'étendre

stretcher ['stretʃər] *n* MED brancard *m*

stretchy ['stretʃɪ] *adj* ⟨**+er**⟩ élastique

strew [struː] ⟨*past* **strewed**⟩ ⟨*past part* **strewed** *or* **strewn**⟩ *v/t* répandre; *flowers, gravel* éparpiller; *floor etc.* joncher

stricken ['strɪkən] *adj liter* frappé; *ship* dévasté; ***to be ~ by drought*** être dévasté par la sécheresse **-stricken** *adj suf* (*with emotion*) accablé de; (*by catastrophe*) frappé par; ***grief-stricken*** accablé de chagrin

strict [strɪkt] *adj* ⟨**+er**⟩ strict; ***in the ~ sense of the word*** au sens strict du mot; ***in*** (***the***) ***~est confidence*** à titre strictement confidentiel; ***there is a ~ time limit on that*** il y a un délai à respecter impérativement **strictly** ['strɪktlɪ] *adv* strictement; (*precisely*) rigoureusement; ***~ forbidden*** strictement interdit; ~ ***business*** strictement pour affaires; ~ ***personal*** strictement personnel; ~ ***speaking*** strictement parlant; ***not ~ true*** pas tout à fait vrai; ~ ***between ourselves*** strictement entre nous; ***unless ~ necessary*** sauf si c'est absolument nécessaire; ***the car park is ~ for the use of residents*** le parking est strictement réservé aux résidents **strictness** ['strɪktnɪs] *n* sévérité *f*

stride [straɪd] *vb* ⟨*past* **strode**⟩ ⟨*past part* **stridden**⟩ **I** *n* (*step*) grand pas *m*; *fig* grand pas *m*; ***to take sth in ~*** (*US*) *or* ***in one's ~*** *Br* accepter qc sans sourciller; ***to put sb off his/her ~*** faire perdre le rythme à qn **II** *v/i* marcher à grands pas

strife [straɪf] *n* conflit *m*

strike [straɪk] *vb* ⟨*past* **struck**⟩ ⟨*past part* **struck**⟩ **I** *n* **1.** grève *f*; ***to be on ~*** être en grève; ***to come out on ~, to go on ~*** se mettre en grève **2.** (*of oil etc.*) découverte *f* **3.** MIL attaque *f* **II** *v/t* **1.** (*hit, sound*) frapper; *table* frapper du poing (sur); (*blow, disaster*) frapper; *note* frapper; ***to be struck by lightning*** être frappé par la foudre; ***to ~ the hour*** sonner l'heure; ***to ~ 4*** sonner 4 heures **2.** (*collide with, person, car*) heurter; *ground* heurter **3.** (*occur to*) frapper; ***that ~s me as a good idea*** ça me semble être une bonne idée; ***it struck me how …*** (*occurred to me*) j'ai pris conscience que…; (*I noticed*) j'ai remarqué que… **4.** (*impress*) impressionner; ***how does it ~ you?*** quelle impression cela vous fait-il?; ***she struck me as being very competent*** j'ai eu l'impression qu'elle était très compétente **5.** *fig truce* conclure; *pose* prendre; ***to ~ a match*** gratter une allumette; ***to be struck dumb*** en rester muet **6.** *oil, path* découvrir; ***to ~ gold*** *fig* trouver un filon **III** *v/i* **1.** (*hit*) frapper; (*lightning*) frapper; MIL *etc.* attaquer; ***to be/come within striking distance of sth*** être/venir tout près de Londres **2.** (*clock*) sonner l'heure **3.** (*workers*) faire grève ◆ **strike back** *v/i, v/t sep* se venger (de) ◆ **strike out I** *v/i* (*hit out*) tenter de frapper; ***to ~ at sb*** tenter de frapper qn; ***to ~ on one's own*** *lit* s'établir à son compte; *fig* se débrouiller seul **II** *v/t sep* rayer ◆ **strike up** *v/t insep* **1.** *tune* se mettre à jouer **2.** *friendship, conversation* entamer

striker ['straɪkəʳ] *n* **1.** (*worker*) gréviste *m/f* **2.** FTBL buteur *m* **striking** ['straɪkɪŋ] *adj resemblance etc.* frappant; *person, color* que l'on remarque **strikingly** ['straɪkɪŋlɪ] *adv similar, attractive* remarquablement **striking distance** *n* (*of missile etc.*) portée *f*

Strimmer® ['strɪməʳ] *n* Strimmer® *m* (*coupe-bordures*)

string [strɪŋ] *vb* ⟨*past, past part* **strung**⟩ **I** *n* **1.** ficelle *f*; (*of puppet*) fil *m*; (*of vehicles*) file *f*; (*fig series*) série *f*; (*of lies*) succession *f*; ***to pull ~s*** *fig* user de son influence; ***with no ~s attached*** sans conditions d'engagement **2.** (*of instrument, racquet etc.*) corde *f*; ***to have two ~s*** *or* ***a second ~*** *or* ***more than one ~ to one's bow*** *fig* avoir plus d'une corde à son arc **3. strings** *pl* ***the ~s*** les instruments à cordes *fpl*; (*players*) les cordes **II** *v/t violin etc.* monter ◆ **string along** *infml v/t sep* ***to string sb along*** suivre qn ◆ **string together** *v/t sep sentences* enchaîner ◆ **string up** *v/t sep* suspendre

string bean *n US* haricot *m* vert **stringed** [strɪŋd] *adj* ~ ***instrument*** instrument à cordes

stringent ['strɪndʒənt] *adj standards, laws* strict; *rules, testing* rigoureux (-euse)

string instrument *n* instrument *m* à cordes **string vest** *n Br* tricot *m* de corps **stringy** ['strɪŋɪ] *adj* ⟨**+er**⟩ *meat* filandreux(-euse)

strip [strɪp] **I** *n* **1.** bande *f* **2.** (*Br* SPORTS) tenue *f* **II** *v/t* **1.** *person* déshabiller; *wallpaper* enlever; *bed* défaire; *paint* décaper **2.** (*fig deprive of*) priver (**of** de) **III** *v/i* (*remove clothes*) se déshabiller; (*perform striptease*) faire un strip-tease; ***to ~ naked*** se déshabiller complètement ◆ **strip down I** *v/t sep engine* démonter **II** *v/i* ***to ~ to one's underwear*** se mettre en sous-vêtements ◆ **strip off I** *v/t sep clothes* enlever; *paper* arracher **II** *v/i* se déshabiller

strip cartoon *n Br* bande *f* dessinée **strip club** *n* boîte *f* de strip-tease *infml*

stripe [straɪp] *n* rayure *f* **striped** [straɪpt] *adj* rayé

strip lighting *n esp Br* éclairage *m* au néon **stripper** ['strɪpəʳ] *n* **1.** strip-teaseuse *f*; ***male ~*** strip-teaseur **2.** (*paint stripper*) décapant *m* **strip-search I**

n fouille *f* corporelle **II** *v/t* fouiller au corps **striptease** *n* strip-tease *f*; ***to do a ~*** faire un strip-tease
stripy ['straɪpɪ] *adj* ⟨**+er**⟩ *infml* rayé
strive [straɪv] ⟨*past* **strove**⟩ ⟨*past part* **striven**⟩ *v/i* ***to ~ to do sth*** s'évertuer à faire qc; ***to ~ for sth*** rechercher qc
strobe [strəʊb] *n* lumière *f* stroboscopique
strode [strəʊd] *past* = **stride**
stroke [strəʊk] **I** *n* coup *m*; MED attaque *f*; (SWIMMING *movement*) mouvement *m* (des bras); (*type of stroke*) nage *f*; (*of brush*) coup *m*; ***he doesn't do a ~*** (***of work***) il ne fait rien; ***a ~ of genius*** un trait de génie; ***a ~ of luck*** un coup de chance; ***we had a ~ of luck*** on a eu un coup de chance; ***at a*** *or* ***one ~*** d'un coup; ***on the ~ of twelve*** à midi sonnant; ***to have a ~*** MED avoir une attaque **II** *v/t* caresser
stroll [strəʊl] **I** *n* promenade *f*; ***to go for*** *or* ***take a ~*** aller faire un tour **II** *v/i* se balader; ***to ~ around the town*** se balader dans la ville; ***to ~ up to sb*** passer voir qn en se baladant **stroller** ['strəʊlə^r] *n* (*US pushchair*) poussette *f*
strong [strɒŋ] **I** *adj* ⟨**+er**⟩ **1.** fort; (*physically*) *person*, *light* fort; *wall* solide; *constitution*, *heart* robuste; *teeth* sain; *character*, *views*, *argument* solide; *candidate*, *solution* sérieux(-euse); ***his ~ point*** son (point) fort; ***there is a ~ possibility that …*** il y a de fortes chances pour que; ***a group 20 ~*** un groupe de 20 personnes; ***a ~ drink*** un alcool **2.** (*committed*) fervent **II** *adv* ⟨**+er**⟩ *infml* ***to be going ~*** (*old person*, *thing*) être toujours solide **strongbox** *n* coffre-fort *m* **stronghold** *n fig* fief *m* **strongly** ['strɒŋlɪ] *adv* fortement; *support*, *protest* vigoureusement; *constructed*, *built* solidement; *believe* fermement; ***to feel ~ about sth*** prendre qc très à cœur; ***I feel very ~ that …*** je suis convaincu que…; ***to be ~ in favor of sth*** être très favorable à qc; ***to be ~ opposed to sth*** être fermement opposé à qc **strong-minded** [ˌstrɒŋ'maɪndɪd] *adj* déterminé **strong point** *n* point *m* fort **strongroom** *n* chambre *f* forte **strong-willed** [ˌstrɒŋ'wɪld] *adj* résolu; *pej* obstiné
stroppy ['strɒpɪ] *adj* ⟨**+er**⟩ (*Br infml*) de mauvais poil *infml*; *children* ronchon(ne) *infml*
strove [strəʊv] *past* = **strive**
struck [strʌk] **I** *past*, *past part* = **strike II** *adj pred* ***to be ~ with sb / sth*** (*impressed*) être impressionné par qn / qc
structural ['strʌktʃərəl] *adj* structurel(le); (*of building*) *alterations*, *damage* structural **structurally** ['strʌktʃərəlɪ] *adv* structurellement; ***~ sound*** sain d'un point de vue structurel **structure** ['strʌktʃə^r] **I** *n* (*organization*) structure *f*; (TECH *thing constructed*) structure *f* **II** *v/t* structurer; *argument* structurer **structured** ['strʌktʃəd] *adj society*, *approach* structuré
struggle ['strʌgl] **I** *n* lutte *f*, bagarre *f* (***for*** pour); (*fig effort*) efforts *mpl*; ***to put up a ~*** résister; ***it is a ~*** ça demande beaucoup d'efforts **II** *v/i* **1.** (*contend*) lutter; (*in self-defense*) se battre; (*financially*) avoir des difficultés; (*fig strive*) se débattre; ***to ~ with sth*** être aux prises avec qc; ***this firm is struggling*** cette entreprise se débat pour subsister; ***are you struggling?*** est-ce que vous avez du mal à joindre les deux bouts? **2.** ***to ~ to one's feet*** se mettre debout avec difficulté; ***to ~ on*** *lit* poursuivre la lutte; *fig* continuer à se battre **struggling** ['strʌglɪŋ] *adj artist etc*. qui essaie de perce
strum [strʌm] *v/t tune* jouer; *guitar* gratter
strung [strʌŋ] *past*, *past part* = **string**
strut[1] [strʌt] *v/i* se pavaner
strut[2] *n* (*horizontal*) entretoise *f*; (*vertical*) étai *m*
stub [stʌb] **I** *n* (*of pencil*) bout *m*; (*of tail*) moignon *m*; (*of cigarette*) mégot *m*; (*of ticket*) talon *m* **II** *v/t* ***to ~ one's toe*** (***on*** *or* ***against sth***) se cogner l'orteil contre qc; ***to ~ out a cigarette*** écraser sa cigarette
stubble ['stʌbl] *n no pl* barbe *f* piquante
stubborn ['stʌbən] *adj* **1.** *person* obstiné; *animal*, *child* têtu; ***to be ~ about sth*** être buté à propos de qc **2.** *refusal* obstiné; *stain* tenace **stubbornly** ['stʌbənlɪ] *adv* **1.** *refuse*, *say* opiniâtrement **2.** (*persistently*) obstinément **stubbornness** ['stʌbənnɪs] *n* (*of person*) obstination *f*; (*of animal*, *child*) entêtement *m*
stubby ['stʌbɪ] *adj* ⟨**+er**⟩ *tail* court
stuck [stʌk] **I** *past*, *past part* = **stick**[2] **II** *adj* **1.** (*baffled*) dérouté (***on, over*** par) ***to be ~*** être coincé; ***to get ~*** sécher **2.** ***to be ~*** (*door etc.*) être coincé; ***to get ~*** se

coincer **3.** (*trapped*) ***to be ~*** être coincé **4.** *infml* ***she is ~ for sth*** elle est à court de qc; ***to be ~ with sb / sth*** se retrouver avec qn / qc **5.** (*Br infml*) ***to get ~ into sth*** se mettre à qc **stuck-up** [ˌstʌk'ʌp] *adj infml* bêcheur(-euse)

stud[1] [stʌd] **I** *n* **1.** (*decorative*) clou *m* décoratif; (*Br*: *on boots*) clou *m* à souliers **2.** (*earring*) clou *m* d'oreille **II** *v/t* (*usu pass*) clouter

stud[2] *n* (*group of horses*: *for breeding*) haras *m*; (*stallion*) étalon *m*; (*infml man*) tombeur *m infml*

student ['stjuːdənt] **I** *n* UNIV étudiant(e) *m*(*f*); (*esp US*: *at school*) élève *m*/*f*; ***he is a French ~*** UNIV c'est un étudiant français **II** *adj attr* d'étudiant; ***~ nurse*** élève-infirmier(-ière); ***~ teacher*** *n* enseignant(e) stagiaire **student loan** *n* prêt *m* étudiant

stud farm *n* haras *m*

studio ['stjuːdɪəʊ] *n* studio *m* **studio apartment**, *Br* **studio flat** *n* studio *m*

studious ['stjuːdɪəs] *adj person* studieux(-euse) **studiously** ['stjuːdɪəslɪ] *adv* d'une manière délibérée; *avoid* soigneusement

study ['stʌdɪ] **I** *n* **1.** (*studying*, *esp* UNIV) études *fpl*; (*of evidence*) étude *f*; ***African studies*** UNIV études africaines **2.** (*piece of work*) étude *f* (***of*** de) **3.** (*room*) bureau *m* **II** *v/t* étudier; *text etc.* étudier; (*research into*, *examine*) étudier **III** *v/i* étudier; *esp* SCHOOL étudier; ***to ~ to be a teacher*** suivre une formation d'enseignant; ***to ~ for an examination*** préparer un examen

stuff [stʌf] **I** *n* **1.** choses *fpl*; (*possessions*) affaires *fpl*; ***there is some good ~ in that book*** *Br* il y a de bonnes choses dans ce livre; ***it's good ~*** *Br* c'est très bien; ***this book is strong ~*** ce livre est très fort; ***he brought me some ~ to read*** il m'a apporté de la lecture; ***books and ~*** des livres et tout ça; ***and ~ like that*** et d'autres trucs du même genre *infml*; ***all that ~ about how he wants to help us*** tout son truc comme quoi il veut nous aider; ***~ and nonsense*** n'importe quoi! *infml* **2.** *infml* ***that's the ~!*** c'est ça! bravo!; ***to do one's ~*** faire ce qu'on a à faire; ***to know one's ~*** connaître son affaire **II** *v/t* **1.** *container* bourrer; *hole* combler; *object*, *books* fourrer (***into*** dans); ***to ~ one's face*** *infml* s'empiffrer *infml*; ***to be ~ed up*** avoir le nez bouché **2.** *cushion* bourrer; *pie* garnir; ***a ~ed toy*** une peluche **3.** (*Br infml*) ***get ~ed!*** va te faire voir! *infml*; ***you can ~ your job*** *etc.* ton boulot, tu peux te le garder! *infml* **III** *v/r* ***to ~ oneself*** s'empiffrer *infml* **stuffed animal** *n US* animal *m* empaillé **stuffing** ['stʌfɪŋ] *n* (*of pillow*, *pie*) farce *f*; (*in toys*) rembourrage *m* **stuffy** ['stʌfɪ] *adj* ⟨**+er**⟩ **1.** *room* mal aéré **2.** (*narrow-minded*) guindé

stumble ['stʌmbl] *v/i* trébucher; (*in speech*) buter; ***to ~ on sth*** *fig* trébucher sur qc **stumbling block** ['stʌmblɪŋblɒk] *n fig* ***to be a ~ to sth*** être la pierre d'achoppement de qc

stump [stʌmp] **I** *n* (*of tree*) souche *f*; (*of limb*) moignon *m*; (*of pencil*, *tail*) bout *m*; ***on the ~*** *US* en tournée électorale **II** *v/t fig*, *infml* ***you have me ~ed*** tu m'as coupé la chique *infml* ◆ **stump up** (*Br infml*) **I** *v/t insep* cracher *infml* **II** *v/i* casquer *infml* (***for sth*** pour qc)

stumpy ['stʌmpɪ] *adj* ⟨**+er**⟩ *person*, *legs* courtaud

stun [stʌn] *v/t* (*make unconscious*) assommer; (*daze*) étourdir; (*fig shock*) étourdir; (*amaze*) stupéfier; ***he was ~ned by the news*** (*bad news*) il a été assommé par la nouvelle; (*good news*) il a été étourdi par la nouvelle

stung [stʌŋ] *past*, *past part* = **sting**

stunk [stʌŋk] *past part* = **stink**

stunned [stʌnd] *adj* (*unconscious*) assommé; (*dazed*) étourdi; (*fig shocked*) étourdi; (*amazed*) stupéfait; ***there was a ~ silence*** il y eut un silence abasourdi **stunning** ['stʌnɪŋ] *adj fig news* stupéfiant *infml*; *dress*, *view* fantastique **stunningly** ['stʌnɪŋlɪ] *adv* remarquablement; *beautiful* superbement

stunt[1] [stʌnt] *n* (*in movie*) cascade *f*; (*publicity stunt*, *trick*) coup *m* de publicité

stunt[2] *v/t growth* retarder **stunted** ['stʌntɪd] *adj child*, *plant* chétif(-ve)

stuntman ['stʌntmæn] *n* cascadeur *m*

stupendous [stjuː'pendəs] *adj* prodigieux(-euse)

stupid ['stjuːpɪd] *adj* **1.** stupide; (*foolish also*) bête; ***don't be ~*** ne sois pas bête; ***that was a ~ thing to do*** c'était vraiment bête de faire ça; ***to make sb look ~*** ridiculiser qn **2.** ***to bore sb ~*** ennuyer qn mortellement **stupidity** [stjuː'pɪdɪtɪ] *n* stupidité *f* **stupidly** ['stjuː-

pıdlı] *adv* (*unintelligently*) stupidement; (*foolishly also*) bêtement; *grin* niaisement
stupor ['stju:pəʳ] *n* stupeur *f*; ***to be in a drunken ~*** s'être abruti d'alcool
sturdily ['stɜ:dılı] *adv* solidement; ***~ built*** *person* bien bâti **sturdy** ['stɜ:dı] *adj* ⟨**+er**⟩ *person* bien bâti; *material* costaud; *building*, *car* solide
stutter ['stʌtəʳ] **I** *n* bégaiement *m*; ***he has a ~*** il bégaie **II** *v/t & v/i* bégayer
sty [staı] *n* porcherie *f*
sty(e) [staı] *n* MED orgelet *m*
style [staıl] **I** *n* **1.** style *m*; ***~ of management*** style de gestion; ***that house is not my ~*** cette maison n'est pas mon style; ***the man has ~*** cet homme a de la classe; ***to do things in ~*** faire les choses avec style; ***to celebrate in ~*** fêter un événement avec classe **2.** (*type*) modèle *m*; ***a new ~ of car*** *etc.* un nouveau modèle de voiture **3.** FASHION mode *f*; (*cut*) coupe *f*; (*hairstyle*) coiffure *f* **II** *v/t hair* coiffer **-style** [staıl] *adj suf* de style **styling** ['staılıŋ] *n* ***~ mousse*** mousse de coiffage **stylish** ['staılıʃ] *adj* **1.** chic; *movie* de grande classe **2.** *clothes* élégant **stylishly** ['staılıʃlı] *adv* **1.** (*elegantly*) élégamment; *furnished* avec goût **2.** *dress* avec élégance **stylist** ['staılıst] *n* (*hair stylist*) styliste *m/f* **stylized** ['staılaızd] *adj* stylisé
suave ['swɑ:v] *adj*, doucereux(-euse) *pej* **suavely** ['swɑ:vlı] *adv* d'une manière doucereuse *pej*
subcategory *n* sous-catégorie *f* **subcommittee** *n* sous-comité *m* **subconscious** **I** *adj* inconscient **II** *n* ***the ~*** le subconscient **subconsciously** *adv* inconsciemment **subcontinent** *n* sous-continent *m* **subcontract** *v/t* sous-traiter (***to*** à) **subcontractor** *n* sous-traitant *m* **subdivide** *v/t* subdiviser
subdue [səb'dju:] *v/t rebels* soumettre; *rioters* contenir; *fig* maîtriser **subdued** *adj lighting* doux(douce); *voice* bas(se); *person* réservé; *atmosphere* sombre
subheading *n* sous-titre *m* **subhuman** *adj* sous-humain
subject ['sʌbdʒıkt] **I** *n* **1.** POL sujet *m*; (*of king etc.*) sujet *m* **2.** GRAM sujet *m* **3.** (*topic*) sujet *m*; ***to change the ~*** changer de sujet; ***on the ~ of …*** au sujet de…; ***while we're on the ~*** à ce propos **4.** SCHOOL, UNIV matière *f* **II** *adj* ***to be ~ to sth*** *to change* être sujet à qc; *to law*, *approval* être soumis à qc; ***all trains are ~ to delay*** tous les trains sont sujets à des retards; ***~ to flooding*** exposé aux inondations; ***to be ~ to taxation*** être imposable; ***offers are ~ to availability*** offres selon disponibilité **III** *v/t* ***to ~ sb to sth*** soumettre qn à qc **subjective** [səb'dʒektıv] *adj* **1.** subjectif(-ive) **2.** GRAM ***~ case*** nominatif *m* **subjectively** [səb'dʒektıvlı] *adv* subjectivement
subject matter ['sʌbdʒıktmætəʳ] *n* (*theme*) sujet *m*; (*content*) substance *f*
subjugate ['sʌbdʒʊgeıt] *v/t* assujettir
subjunctive [səb'dʒʌŋktıv] **I** *adj* subjonctif(-ive); ***the ~ mood*** le subjonctif **II** *n* subjonctif *m*
sublet [ˌsʌb'let] ⟨*past*, *past part* **sublet**⟩ *v/t & v/i* sous-louer (***to*** à)
sublime [sə'blaım] *adj beauty*, *scenery* sublime
submachine gun [ˌsʌbmə'ʃi:ngʌn] *n* mitraillette *f*
submarine ['sʌbməˌri:n] *n* sous-marin *m*
submenu ['sʌbˌmenju:] *n* IT sous-menu *m*
submerge [səb'mɜ:dʒ] **I** *v/t* submerger; ***to ~ sth in water*** immerger qc dans l'eau **II** *v/i* submerger **submerged** *adj rocks*, *wreck* submergé; ***the house was completely ~*** la maison était totalement inondée
submission [səb'mıʃən] *n* **1.** ***to force sb into ~*** soumettre qn **2.** (*presentation*) présentation *f* **submissive** [səb'mısıv] *adj* soumis *pej* (***to*** à) **submit** [səb'mıt] **I** *v/t* (*put forward*) soumettre (*to*); *application* déposer (***to*** à) **II** *v/i* (*yield*) se soumettre; ***to ~ to sth*** *to sb's orders*, *judgement*, *pressure* se soumettre à qc; ***to ~ to blackmail*** se soumettre au chantage **III** *v/r* ***to ~ oneself to sth*** se soumettre à qc
subnormal [ˌsʌb'nɔ:məl] *adj temperature* inférieur à la normale; *esp Br person* arriéré
subordinate [sə'bɔ:dnıt] **I** *adj officer* subordonné; *rank*, *role* subalterne; ***to be ~ to sb / sth*** être subordonné à qn / qc **II** *n* subordonné(e) *m(f)*, subalterne *m/f* **subordinate clause** *n* GRAM (proposition *f*) subordonnée *f*
subplot ['sʌbˌplɒt] *n* intrigue *f* secondaire
subpoena [sə'pi:nə] JUR **I** *n* citation *f* à comparaître **II** *v/t* citer à comparaître

sub-post office *n Br* bureau *m* de poste local **subroutine** *n* IT sous-programme *m*
subscribe [səb'skraɪb] *v/i* **1.** ***to ~ to a magazine*** s'abonner à une revue **2.** (*support*) ***to ~ to sth*** *to opinion*, *theory* souscrire à qc **subscriber** [səb'skraɪbəʳ] *n* (*to paper*) abonné(e) *m*(*f*); TEL abonné(e) *m*(*f*) **subscription** [səb'skrɪpʃən] *n* (*money*) cotisation *f*; (*to newspaper etc.*) abonnement *m* (*to*); ***to take out a ~ to sth*** s'abonner à qc
subsection ['sʌbˌsekʃən] *n* paragraphe *m*; JUR article *m*
subsequent ['sʌbsɪkwənt] *adj* suivant; (*in time*) ultérieur **subsequently** ['sʌbsɪkwəntlɪ] *adv* (*afterward*) par la suite; (*from that time*) à partir de ce moment
subservient [səb'sɜːvɪənt] *adj pej* asservi (***to*** à)
subside [səb'saɪd] *v/i* (*flood*, *fever*) diminuer; (*land*, *building*) s'affaisser; (*storm*, *noise*) se calmer **subsidence** [səb'saɪdəns] *n* affaissement *m*
subsidiary [səb'sɪdɪərɪ] **I** *adj* subsidiaire; ***~ role*** rôle accessoire; ***~ subject*** sujet secondaire; ***~ company*** filiale **II** *n* filiale *f*
subsidize ['sʌbsɪdaɪz] *v/t* subventionner **subsidized** ['sʌbsɪdaɪzd] *adj* subventionné **subsidy** ['sʌbsɪdɪ] *n* subvention *f*
subsist [səb'sɪst] *v/i form* vivre (***on*** de) **subsistence** [səb'sɪstəns] *n* (*means of subsistence*) moyens *mpl* de subsistance **subsistence level** *n* minimum *m* vital **subsoil** *n* sous-sol *m*
substance ['sʌbstəns] *n* **1.** substance *f* **2.** *no pl* (*weight*) solidité *f*; ***a man of ~*** un homme riche **substance abuse** *n* abus *m* de stupéfiants
substandard [ˌsʌb'stændəd] *adj* de qualité inférieure
substantial [səb'stænʃəl] *adj* **1.** *person* aisé; *building* solide; *book* riche; *meal* copieux(-euse) **2.** *loss*, *amount*, *part*, *improvement* important **3.** (*weighty*) solide **substantially** [səb'stænʃəlɪ] *adv* **1.** (*considerably*) considérablement **2.** (*essentially*) en grande partie
substation ['sʌbˌsteɪʃən] *n* ELEC sous--station *f*
substitute ['sʌbstɪtjuːt] **I** *n* substitut *m*; SPORTS remplaçant(e) *m*(*f*); ***to find a ~ for sb*** trouver un remplaçant à qn; ***to use sth as a ~*** utiliser qc comme substitut **II** *adj attr* remplaçant **III** *v/t* ***to ~ A for B*** remplacer A par B **IV** *v/i* ***to ~ for sb*** remplacer qn **substitute teacher** *n US* suppléant(e) *m*(*f*) **substitution** [ˌsʌbstɪ'tjuːʃən] *n* substitution *f* (***of X for Y*** de X à Y); SPORTS remplacement *m* (***of X for Y*** de X par Y)
subterfuge ['sʌbtəfjuːdʒ] *n* (*trickery*, *trick*) subterfuge *m*
subterranean [ˌsʌbtə'reɪnɪən] *adj* souterrain
subtitle ['sʌbtaɪtl] **I** *n* sous-titre *m* (*also* FILM) **II** *v/t movie* sous-titrer
subtle ['sʌtl] *adj* **1.** (*delicate*) subtil; *flavor*, *hint* subtil **2.** *point* subtil; *pressure* délicat **subtlety** ['sʌtltɪ] *n* subtilité *f* **subtly** ['sʌtlɪ] *adv* subtilement; ***~ different*** subtilement différent
subtotal ['sʌbtəʊtl] *n* sous-total *m*
subtract [səb'trækt] *v/t & v/i* soustraire (***from*** de) **subtraction** [səb'trækʃən] *n* soustraction *f*
subtropical [ˌsʌb'trɒpɪkəl] *adj* subtropical
suburb ['sʌbɜːb] *n* banlieue *f*; ***in the ~s*** en banlieue **suburban** [sə'bɜːbən] *adj* de banlieue; ***~ street*** rue de banlieue **suburbia** [sə'bɜːbɪə] *n usu pej* banlieue *f*; ***to live in ~*** habiter en banlieue
subversion [səb'vɜːʃən] *n no pl* subversion *f* **subversive** [səb'vɜːsɪv] *adj* subversif(-ive)
subway ['sʌbweɪ] *n* passage *m* souterrain; (*esp US* RAIL) métro *m*
subzero [ˌsʌb'zɪərəʊ] *adj* au-dessous de zéro
succeed [sək'siːd] **I** *v/i* **1.** réussir; ***I ~ed in doing it*** j'ai réussi à le faire **2.** ***to ~ to the throne*** monter sur le trône **II** *v/t* (*come after*) succéder; ***to ~ sb in a po-***

succeed

Succeed = principalement réussir, mais aussi parfois succéder, remplacer :

the desire to succeed in life.
George VI was succeeded by his daughter, Elizabeth II.

le désir de réussir dans la vie.
George VI a été remplacé sur le trône par sa fille, Élisabeth II.

sition / in office succéder à qn à un poste / une fonction **succeeding** [sək'siːdɪŋ] *adj* suivant; ***~ generations*** les générations suivantes

success [sək'ses] *n* réussite *f*; ***without ~*** sans succès; ***to make a ~ of sth*** mener qc à bien; ***to meet with ~*** réussir

successful [sək'sesfʊl] *adj person* qui a réussi; *talks*, *operation*, *marriage* réussi; ***to be ~ at doing sth*** réussir à faire qc **successfully** [sək'sesfəlɪ] *adv* avec succès

succession [sək'seʃən] *n* **1.** succession *f*; ***in ~*** successivement; ***in quick*** *or* ***rapid ~*** coup sur coup **2.** (*to throne*) succession *f*; ***her ~ to the throne*** sa succession au trône **successive** [sək'sesɪv] *adj* successif(-ive); ***for the third ~ time*** pour la troisième fois de suite **successor** [sək'sesəʳ] *n* successeur *m* (*to*); (*to throne*) héritier(-ière) *m*(*f*)

succinct [sək'sɪŋkt] *adj* succinct **succinctly** [sək'sɪŋktlɪ] *adv* succinctement

succulent ['sʌkjʊlənt] *adj* succulent

succumb [sə'kʌm] *v/i* succomber (***to*** à)

such [sʌtʃ] **I** *adj* tel(le), pareil(le); ***~ a person*** une telle personne; ***~ a thing*** une chose pareille; ***I said no ~ thing*** je n'ai jamais dit ça; ***you'll do no ~ thing*** vous n'en ferez rien; ***there's no ~ thing*** ça n'existe pas; ***~ as*** comme; ***writers ~ as Agatha Christie, ~ writers as Agatha Christie*** des écrivains comme Agatha Christie; ***I'm not ~ a fool as to believe that*** je ne suis pas bête au point de croire ça; ***he did it in ~ a way that …*** il l'a fait ça de telle façon que…; ***~ beauty!*** quelle merveille! **II** *adv* si, tellement; ***it's ~ a long time ago*** c'était il y a tellement longtemps **III** *pron* ***~ is life!*** ainsi va la vie!; ***as ~*** en tant que tel(le); ***~ as?*** comme?; ***~ as it is*** tel qu'il est **such-and-such** ['sʌtʃən'sʌtʃ] *infml adj* ***~ a town*** telle ville **suchlike** ['sʌtʃˌlaɪk] *infml* **I** *adj* de ce genre **II** *pron* et autres, du même genre

suck [sʌk] **I** *v/t* sucer; sucer; *lollipop*, *candy*, *thumb* sucer **II** *v/i* **1.** téter (***at sth*** qc) sucer **2.** (*US infml*) être nul(le) *infml*; ***this city ~s*** cette ville est nulle *infml* ◆ **suck in** *v/t sep air* aspirer; *stomach* rentrer ◆ **suck up I** *v/t sep* aspirer **II** *v/i infml* ***to ~ to sb*** faire du lèche-bottes à qn

sucker ['sʌkəʳ] *n* **1.** (*rubber sucker*, ZOOL) ventouse *f* **2.** (*infml fool*) pigeon *m infml*; ***to be a ~ for sth*** ne pas pouvoir résister à qc **suckle** ['sʌkl] **I** *v/t child*, *animal* allaiter **II** *v/i* allaiter **suction** ['sʌkʃən] *n* succion *f*

sudden ['sʌdn] **I** *adj* soudain; *bend* brusque; ***this is all so ~*** tout cela est si soudain **II** *n* ***all of a ~*** tout d'un coup **suddenly** ['sʌdnlɪ] *adv* soudain **suddenness** ['sʌdnnɪs] *n* soudaineté *f*

sudoku [su'dɒku] *n* sudoku *m*

suds [sʌdz] *pl* mousse *f* (*de savon*)

sue [suː] **I** *v/t* JUR poursuivre en justice; ***to ~ sb for sth*** poursuivre qn en justice pour qc **II** *v/i* JUR intenter un procès; ***to ~ for divorce*** entamer une procédure de divorce

suede [sweɪd] **I** *n* daim *m* **II** *adj* en daim

suet ['sʊɪt] *n* graisse *f* de rognon

Suez Canal *n* canal *m* de Suez

suffer ['sʌfəʳ] **I** *v/t* (*be subjected to*) subir; *headache*, *effects etc.* souffrir (de) **II** *v/i* souffrir (*from* de,); ***he was ~ing from shock*** il était en état de choc; ***you'll ~ for this!*** tu me le paieras! **sufferer** ['sʌfərəʳ] *n* MED malade (***from*** de) **suffering** ['sʌfərɪŋ] *n* souffrance *f*

suffice [sə'faɪs] *form* **I** *v/i* suffire **II** *v/t* ***~ it to say …*** je me contenterai de dire … **sufficiency** [sə'fɪʃənsɪ] *n* (*adequacy*) quantité *f* suffisante **sufficient** [sə'fɪʃənt] *adj* suffisant; *reason* suffisant; ***to be ~*** être suffisant **sufficiently** [sə'fɪʃəntlɪ] *adv* suffisamment; ***a ~ large number*** un nombre suffisamment important

suffix ['sʌfɪks] *n* LING suffixe *m*

suffocate ['sʌfəkeɪt] **I** *v/t* étouffer **II** *v/i* s'étouffer **suffocating** ['sʌfəkeɪtɪŋ] *adj lit*, *fig* étouffant ***it's ~ in here*** on étouffe ici **suffocation** [ˌsʌfə'keɪʃən] *n* étouffement *f*

suffrage ['sʌfrɪdʒ] *n* suffrage *m*

sugar ['ʃʊgəʳ] *n* sucre *m* **sugar bowl** *n* sucrier *m* **sugar candy** *n* (*US sweet*) bonbon *m* **sugar cane** *n* canne *f* à sucre **sugar-coated** *adj* dragéifié **sugar cube** *n* morceau *m* de sucre **sugar-free** *adj* sans sucre **sugary** ['ʃʊgərɪ] *adj taste* sucré; (*full of sugar*) très sucré

suggest [sə'dʒest] *v/t* **1.** (*propose*) suggérer; ***are you ~ing I should tell a lie?*** voulez-vous dire que je devrais mentir? **2.** *explanation* proposer **3.** (*indicate*) indiquer; ***what are you trying to ~?*** que voulez-vous laisser entendre par là?

suggest

On ne dit pas **suggest me the answer**, mais **suggest the answer to me**.

suggestion [sə'dʒestʃən] *n* **1.** (*proposal*) proposition *f*; ***Rome was your ~*** c'est toi qui as proposé Rome; ***I'm open to ~s*** je suis ouvert à toutes les propositions **2.** (*hint*) indication *f* **3.** (*trace*) soupçon *m*, trace *f* **suggestive** [sə'dʒestɪv] *adj remark etc.* suggestif(-ive)
suicidal [ˌsʊɪ'saɪdl] *adj* suicidaire; ***she was ~*** elle était suicidaire **suicide** ['sʊɪsaɪd] *n* suicide *m*; ***to commit ~*** se suicider **suicide attack** *n* attentat *m* suicide **suicide attacker** *n*, **suicide bomber** *n* bombe *f* humaine **suicide note** *n* lettre *f* de suicide
suit [suːt] **I** *n* **1.** costume *m*; (*woman's*) tailleur *m*; ***~ of armor*** armure *f* **2.** CARD couleur *f*; ***to follow ~*** *fig* faire de même **II** *v/t* **1.** aller à; (*climate*, *job*) convenir à; (*please*) arranger; ***~s me!*** *infml* ça me va!; ***that would ~ me nicely*** (*arrangement*) ça m'irait très bien; ***when would it ~ you to come?*** quand cela vous arrangerait-il de venir?; ***to be ~ed for/to*** convenir pour; ***he is not ~ed to be a doctor*** il n'est pas fait pour être médecin; ***they are well ~ed*** (***to each other***) ils sont faits l'un pour l'autre; ***you can't ~ everybody*** on ne peut pas plaire à tout le monde **2.** (*clothes*) aller (à) **III** *v/r* ***he ~s himself*** il fait ce qui l'arrange; ***you can ~ yourself whether you come or not*** viens ou non, comme ça t'arrange; ***~ yourself!*** comme tu voudras! **suitability** [ˌsuːtə'bɪlɪtɪ] *n* (*for job etc*) fait *m* de convenir

suit ≠ suite

Suit = convenir :

That color really suits you.

Cette couleur te va vraiment bien.

suitable ['suːtəbl] *adj* adéquat; (*appropriate*) approprié; ***to be ~ for sb*** convenir à qn; (*movie*, *job*) être conseillé à qn; ***to be ~ for sth*** convenir pour qc; ***none of the dishes is ~ for freezing*** aucun de ces plats ne se congèle; ***the most ~ man for the job*** l'homme le mieux indiqué pour ce poste **suitably** ['suːtəblɪ] *adv* de façon appropriée; ***~ impressed*** favorablement impressionné
suitcase ['suːtkeɪs] *n* valise *f*
suite [swiːt] *n* (*of rooms*, MUS) suite *f*; ***3-piece ~*** *Br* salon 3-pièces
suitor ['suːtəʳ] *n* **1.** (*obs*, *of woman*) soupirant **2.** JUR plaignant(e) *m*(*f*)
sulfate, *Br* **sulphate** ['sʌlfeɪt] *n* sulfate *m*
sulfur, *Br* **sulphur** ['sʌlfəʳ] *n* soufre *m* **sulfuric acid**, *Br* **sulphuric acid** [sʌlˌfjʊərɪk'æsid] *n* acide *m* sulfurique
sulk [sʌlk] **I** *v/i* bouder **II** *n* ***to have a ~*** bouder **sulkily** ['sʌlkɪlɪ] *adv* en boudant **sulky** ['sʌlkɪ] *adj* ⟨**+er**⟩ boudeur (-euse)
sullen ['sʌlən] *adj* maussade **sullenly** ['sʌlənlɪ] *adv* d'un air maussade **sullenness** ['sʌlənnɪs] *n* (*of person*) caractère *m* maussade
sultan ['sʌltən] *n* sultan *m*
sultana [sʌl'tɑːnə] *n* (*Br fruit*) raisin *m* de Smyrne
sultry ['sʌltrɪ] *adj atmosphere* étouffant; *voice*, *look* sensuel(le)
sum [sʌm] *n* **1.** somme *f* **2.** (*esp Br calculation*) calcul *m*; ***to do ~s*** faire du calcul; ***that was the ~*** (***total***) ***of his achievements*** c'était l'ensemble de son œuvre ◆ **sum up I** *v/t sep* **1.** (*summarize*) résumer **2.** (*evaluate*) se faire une idée (de) **II** *v/i* récapituler
summarize ['sʌməraɪz] *v/t* résumer **summary** ['sʌmərɪ] *n* résumé *m*
summer ['sʌməʳ] **I** *n* été *m*; ***in*** (***the***) ***~*** en été **II** *adj attr* d'été, estival **summer holidays** *pl Br* vacances *fpl* d'été **summer school** *n* université *f* d'été **summertime** *n* été *m* **summery** ['sʌmərɪ] *adj* estival
summing-up [ˌsʌmɪŋ'ʌp] *n* JUR résumé *m*
summit ['sʌmɪt] *n* sommet *m*
summon ['sʌmən] *v/t* **1.** *fire service*, *help etc.* appeler; *meeting* convoquer **2.** JUR assigner ◆ **summon up** *v/t sep courage*, *strength* rassembler
summons ['sʌmənz] *n* JUR citation *f*
sumptuous ['sʌmptjʊəs] *adj* somptueux(-euse); *food etc.* divin
Sun. *abbr* = **Sunday** dimanche *m*
sun [sʌn] *n* soleil *m*; ***you've caught the ~*** *Br* tu as attrapé un coup de soleil; ***he's***

tried everything under the ~ il a tout essayé **sunbathe** *v/i* prendre un bain de soleil **sunbathing** *n* bain *m* de soleil **sunbeam** *n* rayon *m* de soleil **sun bed** *n* lit *m* de bronzage **sun block** *n* écran *m* total **sunburn** *n* coup *m* de soleil **sunburned** *adj* ***to get ~*** attraper des coups de soleil

sundae ['sʌndeɪ] *n* coupe *f* de glace avec Chantilly

Sunday ['sʌndɪ] **I** *n* dimanche *m*; → **Tuesday II** *adj attr* du dimanche, dominical **Sunday school** *n* catéchisme *m*

sundial *n* cadran *m* solaire **sundown** *n* coucher *m* de soleil; ***at / before ~*** au / avant le coucher du soleil **sun-drenched** *adj* inondé de soleil **sun-dried** *adj* séché au soleil **sunflower** *n* tournesol *m*

sung [sʌŋ] *past part* = **sing**

sunglasses *pl* lunettes *fpl* de soleil **sunhat** *n* chapeau *m* de soleil

sunk [sʌŋk] *past part* = **sink**[1] **sunken** ['sʌŋkən] *adj treasure* immergé; *garden* en contrebas

sun lamp *n* lampe *f* à U.V. **sunlight** *n* lumière *f* du soleil; ***in the ~*** au soleil **sunlit** *adj* ensoleillé **sun lounger** *n* *Br* chaise *f* longue

sunny ['sʌnɪ] *adj* ⟨+**er**⟩ ensoleillé; ***to look on the ~ side (of things)*** voir le bon côté des choses

sunrise *n* lever *m* du soleil; ***at ~*** au lever du soleil **sunroof** *n* toit *m* ouvrant **sunscreen** *n* écran *m* solaire

sunset *n* coucher *m* de soleil; ***at ~*** au coucher de soleil **sunshade** *n* parasol *m*

sunshine *n* lumière *f* du soleil **sunstroke** *n* ***to get ~*** avoir une insolation **suntan** *n* bronzage *m*; ***to get a ~*** bronzer; ***~ lotion*** lotion solaire **suntanned** *adj* bronzé **sunup** *n US* lever *m* du soleil; ***at ~*** au lever du soleil

super ['suːpəʳ] *adj* (*esp Br infml*) super *infml*

superb [suː'pɜːb] *adj* superbe **superbly** [suː'pɜːblɪ] *adv* superbement

supercilious ['suːpə'sɪlɪəs] *adj* hautain **superciliously** ['suːpə'sɪlɪəslɪ] *adv* d'un air hautain

superficial [ˌsuːpə'fɪʃəl] *adj* superficiel(le) **superficially** [ˌsuːpə'fɪʃəlɪ] *adv* superficiellement

superfluous [sʊ'pɜːflʊəs] *adj* superflu

superglue® *n* super glue® *f* **superhighway** *n US* autoroute *f*; ***the information ~*** l'autoroute de l'information **superhuman** *adj* surhumain

superimpose [ˌsuːpərɪm'pəʊz] *v/t* ***to ~ sth on sth*** superposer qc à qc; PHOT mettre en surimpression

superintendent [ˌsuːpərɪn'tendənt] *n* (*US*: *in building*) gardien(ne) *m(f)*; (*of police*, *Br*) commissaire *m/f* de police; *US* directeur(-trice) *m(f)*

superior [sʊ'pɪərɪəʳ] **I** *adj* **1.** (*better*) supérieur (***to*** à); *ability* supérieur (***to sb / sth*** à qn / qc); ***he thinks he's so ~*** il se croit vraiment supérieur **2.** (*excellent*) excellent **3.** (*in rank*) supérieur; ***~ officer*** officier supérieur; ***to be ~ to sb*** être le supérieur de qn **4.** *forces*, *strength* supérieur (***to*** à) **5.** (*snobbish*) imbu de sa supériorité **II** *n* (*in rank*) supérieur *m*

superiority [sʊˌpɪərɪ'ɒrɪtɪ] *n* **1.** supériorité *f* **2.** (*excellence*) excellence *f* **3.** (*in rank*) supériorité *f*

superlative [sʊ'pɜːlətɪv] **I** *adj* sans pareil; GRAM superlatif(-ive) **II** *n* superlatif *m*

supermarket ['suːpəˌmɑːkɪt] *n* supermarché **supernatural** [ˌsuːpə'nætʃərəl] **I** *adj* surnaturel(le) **II** *n* ***the ~*** le surnaturel **superpower** ['suːpəˌpaʊəʳ] *n* POL superpuissance *f* **superscript** ['suːpəˌskrɪpt] *adj* exposant *m*

supersede [ˌsuːpə'siːd] *v/t* supplanter

supersize *n* taille *f* maxi

supersonic [ˌsuːpə'sɒnɪk] *adj* supersonique **superstar** ['suːpəstɑːʳ] *n* superstar *f*

superstition [ˌsuːpə'stɪʃən] *n* superstition *f* **superstitious** [ˌsuːpə'stɪʃəs] *adj* superstitieux(-euse); ***to be ~ about sth*** être superstitieux à propos de qc

superstore ['suːpəstɔːʳ] *n* hypermarché *m* **superstructure** ['suːpəˌstrʌktʃəʳ] *n* superstructure *f* **supertanker** ['suːpəˌtæŋkəʳ] *n* supertanker *m*

supervise ['suːpəvaɪz] **I** *v/t* surveiller **II** *v/i* surveiller **supervision** [ˌsuːpə'vɪʒən] *n* (*action*) surveillance *f*; (*of work*) direction *f* **supervisor** ['suːpəvaɪzəʳ] *n* (*of work*) chef *m* de rayon; (*Br* UNIV) directeur(-trice) *m(f)* **supervisory board** *n* COMM, IND comité *m* de surveillance

supper ['sʌpəʳ] *n* (*meal*) dîner *m*; (*snack*) souper *m*; ***to have ~*** dîner **suppertime** ['sʌpətaɪm] *n* heure *f* du dîner; heure *f* du souper; ***at ~*** au dîner, au sou-

per
supplant [sə'plɑːnt] *v/t* supplanter
supple ['sʌpl] *adj* ⟨**+er**⟩ souple
supplement ['sʌplɪmənt] **I** *n* **1.** supplément *m* (***to*** à); (*food supplement*) complément *m* alimentaire **2.** (*color supplement etc.*) supplément *m* illustré **II** *v/t* compléter; augmenter **supplementary** [ˌsʌplɪ'mentərɪ] *adj* supplémentaire
suppleness ['sʌplnɪs] *n* souplesse *f*; (*of person*) souplesse *f*
supplier [sə'plaɪəʳ] *n* COMM fournisseur (-euse) *m(f)*
supply [sə'plaɪ] **I** *n* **1.** (*supplying*) fourniture *f*, alimentation *f*; (*delivery*) approvisionnement (***to*** à); ECON offre *f*; ***electricity ~*** alimentation en électricité; ***~ and demand*** l'offre et la demande; ***to cut off the ~*** (*of gas, water etc.*) couper l'alimentation **2.** (*stock*) réserve *f*, stock *m*; ***supplies*** *pl* provisions *fpl*; ***to get*** *or* ***lay in supplies*** *or* ***a ~ of sth*** faire des provisions de qc; ***a month's ~*** du stock pour un mois; ***to be in short ~*** manquer de; ***to be in good ~*** être abondant; ***medical supplies*** matériel médical **II** *v/t* **1.** *food etc.* fournir; (*deliver*) approvisionner; (*put at sb's disposal*) fournir; ***pens and paper are supplied by the firm*** les stylos et le papier sont fournis par l'entreprise **2.** approvisionner (***with*** en) *person*, *army* fournir; COMM livrer
supply teacher *n Br* remplaçant(e) *m(f)*
support [sə'pɔːt] **I** *n* (*person*) soutien *m*; (*fig*: *no pl backing*) appui *m*; ***to give ~ to sb / sth*** soutenir qn / qc; ***to lean on sb for ~*** s'appuyer sur qn; ***in ~ of*** à l'appui de **II** *attr* de soutien **III** *v/t* **1.** *lit* soutenir; (*weight*) porter **2.** *fig* soutenir; *plan*, *theory* soutenir; (*give moral support to*) appuyer; *family* subvenir aux besoins de; ***he ~s Arsenal*** *Br* c'est un supporter d'Arsenal; ***which team do you ~?*** *Br* quelle équipe soutenez-vous?; ***without his family to ~ him*** sans l'aide financière de sa famille **IV** *v/r* (*physically*) s'appuyer (***on*** sur); (*financially*) subvenir à ses propres besoins
support band *n* groupe *m* de première partie
supporter [sə'pɔːtəʳ] *n* supporteur (-trice) *m(f)* **support group** *n* groupe *m* de soutien **supporting** [sə'pɔːtɪŋ] *adj* **1.** ***~ role*** rôle secondaire **2.** TECH d'appui **supporting actor** *n* FILM, THEAT second rôle *m* **supporting actress** *n* FILM, THEAT second rôle *m* **supportive** [sə'pɔːtɪv] *adj fig* d'un grand soutien; ***if his parents had been more ~*** si ses parents l'avaient davantage soutenu
suppose [sə'pəʊz] *v/t* **1.** (*imagine*) supposer; (*assume*) croire; ***let us ~ we are living in the 8th century*** supposons que nous vivions au VIIIe siècle; ***let us ~ that X equals 3*** soit X égal à 3; ***I don't ~ he'll come*** je ne pense pas qu'il viendra; ***I ~ that's the best thing, that's the best thing, I ~*** je suppose que c'est ce qu'il y a de mieux; ***you're coming, I ~?*** je suppose que vous venez?; ***I don't ~ you could lend me a dollar?*** tu ne peux pas me prêter un dollar, je suppose?; ***will he be coming? — I ~ so*** est-ce qu'il viendra? – je pense, oui; ***you ought to be leaving — I ~ so*** tu devrais partir – probablement; ***don't you agree with me? — I ~ so*** tu n'es pas d'accord? – si, sûrement; ***I don't ~ so*** je ne pense pas; ***so you see, it can't be true — I ~ not*** tu vois, ça ne peut pas être vrai – non, sans doute; ***he can't refuse, can he? — I ~ not*** il ne peut quand même pas refuser? – je ne pense pas, non; ***he's ~d to be coming*** il est censé venir; ***~ you have a wash?*** et si tu allais te laver? **2.** (*ought*) ***to be ~d to do sth*** être censé faire qc; ***he's the one who's ~d to do it*** c'est lui qui est censé le faire; ***he isn't ~d to find***

> **support**
>
> Faites attention à la différence entre le verbe anglais **support** et le verbe français supporter. **Support** veut dire soutenir physiquement ou, quand il s'agit du nom, appui. Le mot a aussi d'autres significations plus figurées :
>
> **I support the Red Sox. The bridge was supported by two massive stone columns. Thank you for your support.**
>
> Je supporte les Red Sox. Le pont était soutenu par deux énormes colonnes en pierre. Merci de votre soutien.

out il n'est pas censé savoir **supposed** [sə'pəʊzd] *adj* supposé; *insult* prétendu **supposedly** [sə'pəʊzɪdlɪ] *adv* soi-disant **supposing** [sə'pəʊzɪŋ] *cj* à supposer que, en supposant que; ***but ~ ...*** mais en supposant que…; ***~ he can't do it?*** à supposer qu'il ne puisse pas le faire?

suppress [sə'pres] *v/t* supprimer; *information* dissimuler **suppression** [sə'preʃən] *n* suppression *f*; (*of appetite*) disparition *f*; (*of information*, *evidence*) suppression *f*

supremacy [sʊ'preməsɪ] *n* suprématie *f*

supreme [sʊ'priːm] *adj* **1.** (*in authority*) suprême; *court* suprême **2.** *indifference etc.* suprême **supreme commander** *n* commandant *m* en chef **supremely** [sʊ'priːmlɪ] *adv* *confident*, *important* suprêmement; ***she does her job ~ well*** elle travaille extrêmement bien

surcharge ['sɜːtʃɑːdʒ] *n* surtaxe *f*

sure [ʃʊəʳ] **I** *adj* ⟨**+er**⟩ sûr; *method* sûr; ***it's ~ to rain*** il va sûrement pleuvoir; ***be ~ to turn the gas off*** n'oublie pas de fermer le gaz; ***be ~ to go and see her*** va la voir sans faute; ***to make ~*** (*check*) vérifier; ***make ~ the window's closed*** vérifiez que la fenêtre est fermée; ***make ~ you take your keys*** pense à prendre tes clefs; ***I've made ~ that there's enough coffee*** j'ai veillé à ce qu'il y ait assez de café; ***I'll find out for ~*** je trouverai sans aucun doute; ***do you know for ~?*** en êtes-vous certain?; ***I'm ~ she's right*** je suis sûr qu'elle a raison; ***do you want to see that movie? — I'm not ~*** veux-tu voir ce film? —je ne suis pas sûr; ***I'm not so ~ about that*** je n'en suis pas sûr; ***to be ~ of oneself*** (*generally*) être sûr de soi **II** *adv* **1.** *infml* ***will you do it? — ~!*** tu vas le faire?—sûr! *infml* **2.** ***and ~ enough he did come*** et effectivement, il est venu **surely** ['ʃʊəlɪ] *adv* **1.** sûrement; ***~ not!*** sûrement pas; ***~ someone must know*** il y a bien quelqu'un qui doit savoir; ***but ~ you can't expect us to believe that*** vous ne pensez tout de même pas qu'on va croire ça **2.** (*inevitably*) inévitablement **3.** (*confidently*) à coup sûr; ***slowly but ~*** lentement mais sûrement

surf [sɜːf] **I** *n* vagues *fpl* **II** *v/i* surfer **III** *v/t* ***to ~ the Net*** *infml* surfer sur le Net *infml*

surface ['sɜːfɪs] **I** *n* **1.** surface *f*; ***on the ~*** en surface; (*of person*) à première vue **2.** MIN ***on the ~*** à la surface **II** *adj attr* **1.** superficiel(le), de surface **2.** (*not by air*) au sol **III** *v/i* remonter à la surface **surface area** *n* superficie *f* **surface mail** *n* ***by ~*** en courrier par voie de terre **surface-to-air** *adj attr* ***~ missile*** missile sol-air

surfboard ['sɜːfbɔːd] *n* (planche *f* de) surf *m*

surfeit ['sɜːfɪt] *n* surabondance *f* (***of*** de)

surfer ['sɜːfəʳ] *n* surfeur(-euse) *m*(*f*)

surfing ['sɜːfɪŋ] *n* surf *m*

surge [sɜːdʒ] **I** *n* (*of water*) brusque montée *f*; ELEC surtension *f*; ***he felt a sudden ~ of rage*** la rage l'envahit soudain; ***a ~ in demand*** une forte augmentation de la demande **II** *v/i* (*river*) couler à flots; ***they ~d toward him*** ils bondirent dans sa direction; ***to ~ ahead/forward*** se lancer en avant

surgeon ['sɜːdʒən] *n* chirurgien(ne) *m*(*f*) **surgery** ['sɜːdʒərɪ] *n* **1.** chirurgie *f*; ***to have ~*** se faire opérer; ***to need heart ~*** devoir se faire opérer du cœur; ***to undergo ~*** subir une intervention chirurgicale **2.** (*Br room*) cabinet *m* médical; (*consultation*) consultation *f*; ***~ hours*** horaires des consultations **surgical** ['sɜːdʒɪkəl] *adj* chirurgical **surgically** ['sɜːdʒɪkəlɪ] *adv* chirurgicalement **surgical mask** *n* masque *m* chirurgical

surly ['sɜːlɪ] *adj* ⟨**+er**⟩ hargneux(-euse)

surmise [sɜː'maɪz] *v/t* conjecturer

surmount [sɜː'maʊnt] *v/t* surmonter

surname ['sɜːneɪm] *n* nom *m* de famille

surpass [sɜː'pɑːs] **I** *v/t* surpasser **II** *v/r* se surpasser

surplus ['sɜːpləs] *n* excédent *m* (***of*** de) *adj* en trop; (*of countable objects*) surplus *m*

surprise [sə'praɪz] **I** *n* surprise *f*; ***in ~*** par surprise; ***it came as a ~ to us*** ça a été une surprise pour nous; ***to give sb a ~*** faire une surprise à qn; ***to take sb by ~*** prendre qn par surprise; ***~, ~, it's me!*** vous allez être étonnés, c'est moi!; ***~, ~!*** *iron* attention, surprise! **II** *attr* surprise **III** *v/t* surprendre; ***I wouldn't be ~d if ...*** je ne serais pas surpris si…; ***go on, ~ me!*** allez, annonce! **surprising** [sə'praɪzɪŋ] *adj* surprenant **surprisingly** [sə'praɪzɪŋlɪ] *adv* étonnam-

ment; ***not ~ it didn't work*** comme il fallait s'y attendre, ça n'a pas marché
surreal [sə'rɪəl] *adj* surréaliste **surrealism** [sə'rɪəlɪzəm] *n* surréalisme *m*
surrender [sə'rendəʳ] **I** *v/i* se rendre (***to*** à); (*to police*) se rendre (*to*); ***I ~!*** je me rends! **II** *v/t* MIL livrer; *title*, *lead* céder **III** *n* **1.** MIL reddition *f* (***to*** à) **2.** (*handing over*) remise *f* (***to*** à); (*of title*, *lead*) cession *f*
surrogate ['sʌrəgɪt] *attr* de substitution **surrogate mother** *n* mère *f* porteuse
surround [sə'raʊnd] **I** *n esp Br* ***the ~s*** les bordures **II** *v/t* entourer; MIL cerner
surrounding [sə'raʊndɪŋ] *adj* environnant; ***in the ~ area*** dans les environs
surroundings [sə'raʊndɪŋz] *pl* environs *mpl* **surround sound** *n* surround sound *m*, son *m* surround **surround-sound** *adj attr speakers* (à effet) surround
surveillance [sɜː'veɪləns] *n* surveillance *f*; ***to be under ~*** être sous surveillance; ***to keep sb under ~*** garder qn sous surveillance
survey ['sɜːveɪ] **I** *n* **1.** (SURVEYING: *of land*) relèvement *m*; *Br* (*of house*) expertise *f*; (*report*) enquête *f* **2.** (*inquiry*) investigation *f* (***of, on*** de); (*by opinion poll etc.*) sondage (***of, on*** de) **II** *v/t* **1.** (*look at*) inspecter **2.** (*study*) étudier **3.** SURVEYING *land* relever; *Br building* expertiser **surveyor** [sə'veɪəʳ] *n* **1.** (*land surveyor*) arpenteur *m* **2.** (*building surveyor*) géomètre-expert *m*
survival [sə'vaɪvəl] *n* survie *f*
survive [sə'vaɪv] **I** *v/i* survivre; (*treasures*) subsister; (*custom*) survivre; ***only five copies ~*** *or* ***have ~d*** il ne subsiste que cinq copies **II** *v/t* survivre à **surviving** [sə'vaɪvɪŋ] *adj* **1.** (*still living*) survivant **2.** (*remaining*) survivant **survivor** [sə'vaɪvəʳ] *n* survivant(e) *m*(*f*); JUR survivant(e) *m*(*f*); ***he's a ~*** (*fig*, *in politics etc.*) il s'en sortira toujours
susceptible [sə'septəbl] *adj* ***~ to sth*** *to flattery etc.* sensible à qc; *to colds* sujet à qc
suspect ['sʌspekt] **I** *adj* suspect **II** *n* suspect(e) *m*(*f*) **III** *v/t person* suspecter *m* (***of sth*** de qc); (*think likely*) soupçonner; ***I ~ her of having stolen it*** je la soupçonne de l'avoir volé; ***the ~ed bank robber*** *etc.* le braqueur présumé; ***he ~s nothing*** il ne se doute de rien; ***does he ~ anything?*** se doute-t-il de quelque chose?; ***I ~ed as much*** je m'en doutais; ***he was taken to the hospital with a ~ed heart attack*** il a été transporté à l'hôpital, pour une crise cardiaque croit-on
suspend [sə'spend] *v/t* **1.** (*hang*) suspendre (***from*** à) **2.** *payment*, *talks*, *flights* suspendre; ***he was given a ~ed sentence*** il a été condamné avec sursis **3.** *person* suspendre; SPORTS suspendre **suspender** [sə'spendəʳ] *n usu pl* **1.** *US* **suspenders** *pl* bretelles *fpl* **2.** *Br* jarretelle *f*; ***~ belt*** porte-jarretelles *m*
suspense [sə'spens] *n* suspense *m*; ***the ~ is killing me*** je n'en peux plus d'attendre; ***to keep sb in ~*** tenir qn en suspens **suspension** [sə'spenʃən] *n* **1.** (*of payment*, *flights*, *talks*) suspension *f* **2.** (*of person*) suspension *f*; SPORTS suspension *f* **3.** AUTO suspension *f* **suspension bridge** *n* pont *m* suspendu
suspicion [sə'spɪʃən] *n* soupçon *m*, méfiance *f*; ***to arouse sb's ~s*** éveiller les soupçons de qn; ***to have one's ~s about sth / sb*** avoir des soupçons à propos de qn / qc; ***to be under ~*** faire l'objet de soupçons; ***to arrest sb on ~ of murder*** arrêter qn sur une présomption de meurtre **suspicious** [sə'spɪʃəs] *adj* **1.** (*feeling suspicion*) soupçonneux(-euse) (***of*** de); ***to be ~ about sth*** se méfier de qc **2.** (*causing suspicion*) suspect **suspiciously** [sə'spɪʃəslɪ] *adv* **1.** (*with suspicion*) avec méfiance **2.** (*causing suspicion*, *probably*) de façon suspecte
suss [sʌs] *v/t* (*Br infml*) ***to ~ sb out*** savoir à qui on a affaire; ***I can't ~ him out*** je n'arrive pas à le cerner; ***I've got him ~ed*** (***out***) je sais à qui j'ai affaire; ***to ~ sth out*** découvrir qc
sustain [sə'steɪn] *v/t* **1.** *weight* soutenir; *life* subvenir aux besoins (de); *body* soutenir **2.** *effort*, *growth* soutenir; JUR ***objection ~ed*** objection retenue **3.** *injury*, *damage* encourir **sustainability** *n* durabilité *f* **sustainable** [sə'steɪnəbl] *adj*; *development*, *resources* durable; *level* viable **sustained** [sə'steɪnd] *adj* soutenu **sustenance** ['sʌstɪnəns] *n* nourriture *f*
SW *abbr* **1.** = **south-west** S-O *m* **2.** = **short wave** O.C. *fpl*
swab [swɒb] *n* MED tampon *m* (*pour prélèvement*)
swag [swæg] *n infml* butin *m*

swagger ['swægəʳ] *v/i* **1.** (*strut*) se pavaner **2.** (*boast*) se vanter
swallow[1] ['swɒləʊ] **I** *n* gorgée *f* **II** *v/t & v/i* avaler ◆ **swallow down** *v/t sep* avaler ◆ **swallow up** *v/t sep fig* engloutir
swallow[2] *n* (*bird*) hirondelle *f*
swam [swæm] *past* = **swim**
swamp [swɒmp] **I** *n* marécage *m* **II** *v/t* inonder
swan [swɒn] **I** *n* cygne *m* **II** *v/i* (*Br infml*) ***to ~ off*** partir tranquillement; ***to ~ around*** (***the house***) déambuler d'un air important *infml*
swap [swɒp] **I** *n* ***to do a ~*** (***with sb***) faire un échange (avec qn) **II** *v/t stamps, stories, insults* échanger; ***to ~ sth for sth*** échanger qc contre qc; ***to ~ places with sb*** changer de place avec qn; ***to ~ sides*** changer de côté **III** *v/i* échanger
swarm [swɔːm] **I** *n* essaim *m* **II** *v/i* essaimer; ***to ~ with*** grouiller de
swarthy ['swɔːðɪ] *adj* basané
swat [swɒt] **I** *v/t fly* écraser **II** *n* (*fly swat*) tapette *f* à mouches
swathe [sweɪð] *v/t* envelopper (***in*** dans)
sway [sweɪ] **I** *n* **1.** (*of hips*) roulement *m* **2.** ***to hold ~ over sb*** avoir une influence sur qn **II** *v/i* (*trees*) se balancer; (*hanging object*) osciller; (*building, person*) vaciller; ***she ~s as she walks*** elle se déhanche en marchant **III** *v/t* **1.** *hips* rouler **2.** (*influence*) influencer
swear [swɛəʳ] *vb* 〈*past* **swore**〉 〈*past part* **sworn**〉 **I** *v/t allegiance, oath* jurer; ***I ~ it!*** je le jure!; ***to ~ sb to secrecy*** faire jurer le secret à qn **II** *v/i* **1.** (*solemnly*) jurer; ***to ~ to sth*** jurer qc **2.** (*use swearwords*) jurer, dire des gros mots; ***to ~ at sb*** injurier qn; ***to swear at sth*** jurer contre qc ◆ **swear by** *v/t insep infml* jurer par ◆ **swear in** *v/t sep witness etc.* faire prêter serment à
swearing ['swɛərɪŋ] *n* jurons *mpl*, grossièretés *fpl* **swearword** ['swɛəwɜːd] *n* juron *m*
sweat [swet] **I** *n* sueur *f*, transpiration *f* **II** *v/i* suer, transpirer; ***to ~ like a pig*** *infml* suer comme une bête *infml* ◆ **sweat out** *v/t sep* ***to sweat it out*** *fig, infml* éliminer en faisant de l'exercice; (*sit and wait*) attendre fébrilement
sweatband ['swetbænd] *n* bandeau *m*; (*in hat*) bandeau *m* absorbant
sweater ['swetəʳ] *n* pull *m* **sweat pants** *pl esp US* pantalon *m* de jogging **sweatshirt** *n* sweatshirt *m* **sweatshop** *n pej* atelier *m* clandestin **sweaty** ['swetɪ] *adj hands* moite; *body* suant *socks* mouillé de sueur; ***I'm really ~*** je suis en nage
Swede [swiːd] *n* Suédois(e) *m(f)*
swede [swiːd] *n Br* rutabaga *m*
Sweden ['swiːdn] *n* Suède *f*
Swedish ['swiːdɪʃ] **I** *adj* suédois; ***he is ~*** il est suédois **II** *n* **1.** LING suédois *m* **2.** ***the ~*** les Suédois
sweep [swiːp] *vb* 〈*past, past part* **swept**〉 **I** *n* **1.** coup *m* de balai; ***to give sth a ~*** donner un coup de balai à qc **2.** (*chimney sweep*) ramoneur *m* **3.** (*of arm*) geste *m*; ***to make a clean ~*** *fig* (*to win*) l'emporter haut la main; (*start anew*) faire table rase **4.** (*of river*) courbe *f* **II** *v/t* **1.** *floor, snow* balayer; *chimney* ramoner; ***to ~ sth under the carpet*** *fig* escamoter qc **2.** (*scan*) balayer (***for*** à la recherche de) **3.** (*move quickly over, wind*) balayer; (*waves, violence*) déferler sur; (*disease*) ravager **III** *v/i* **1.** (*with broom*) balayer **2.** (*move, person*) se déplacer rapidement; (*vehicle*) passer à toute vitesse; (*majestically*) se déplacer majestueusement; (*river*) décrire une boucle; ***the disease swept through Europe*** la maladie s'est propagée à travers l'Europe ◆ **sweep along** *v/t sep* entraîner ◆ **sweep aside** *v/t sep* rejeter ◆ **sweep away** *v/t sep leaves etc.* balayer; (*avalanche, flood etc.*) emporter ◆ **sweep off** *v/t sep* ***he swept her off her feet*** *fig* il lui a fait perdre la tête ◆ **sweep out I** *v/i* balayer **II** *v/t sep room, dust* balayer ◆ **sweep up I** *v/i* (*with broom*) balayer **II** *v/t sep* balayer
sweeper ['swiːpəʳ] *n* (*carpet sweeper*) balai *m* mécanique **sweeping** ['swiːpɪŋ] *adj* **1.** *curve* très prononcé; *staircase* majestueux **2.** *fig change* radical
sweet [swiːt] **I** *adj* sucré; (*kind*) gentil(le); ***to have a ~ tooth*** aimer les sucreries **II** *n Br* **1.** (*candy*) bonbon *m* **2.** (*dessert*) dessert *m* **sweet-and-sour** *adj* aigre-doux(douce) **sweetcorn** *n* maïs *m* **sweeten** ['swiːtn] *v/t* sucrer; ***to ~ the pill*** *fig* faire accepter, dorer la pilule *infml* **sweetener** ['swiːtnəʳ] *n* COOK édulcorant *m* **sweetheart** ['swiːthɑːt] *n* amoureux(-euse) *m(f)* **sweetly** ['swiːtlɪ] *adv say*, doucement, *scented* délicatement; *smile* suavement **sweetness** *n* douceur *f* **sweet potato** *n* patate *f* douce **sweet shop** *n Br* ma-

gasin *m* de bonbons **sweet-talk** *v/t infml* ***to ~ sb into doing sth*** baratiner qn pour qu'il fasse qc *infml*

swell [swel] *vb* ⟨*past* **swelled**⟩ ⟨*past part* **swollen** *or* **swelled**⟩ **I** *n* (*of sea*) houle *f* **II** *adj* (*esp US obs excellent*) super *infml* **III** *v/t sail, numbers* gonfler **IV** *v/i* **1.** (*ankle etc.*: *a.* **swell up**) enfler **2.** (*river*) grossir; (*sails*: *a.* **swell out**) se gonfler; (*in number*) augmenter **swelling** ['swelɪŋ] **I** *n* **1.** bosse *f*, gonflement *m*; MED œdème *m* **2.** (*of population etc.*) masse *f* **II** *adj attr numbers* croissant

swelter ['sweltəʳ] *v/i* étouffer **sweltering** ['sweltərɪŋ] *adj day* étouffant; *heat* écrasant; ***it's ~ in here*** *infml* on étouffe ici

swept [swept] *past, past part* = **sweep**

swerve [swɜːv] **I** *n* écart *m* **II** *v/i* faire un écart; (*car*) se déporter; (*ball*) dévier; ***the road ~s*** (***around***) ***to the right*** la route fait une boucle vers la droite; ***the car ~d in and out of the traffic*** la voiture faisait des zigzags entre les autres voitures **III** *v/t car etc.* déporter; *ball* dévier

swift [swɪft] *adj* rapide **swiftly** ['swɪftlɪ] *adv* rapidement; *react* promptement

swig [swɪg] *infml* **I** *n* rasade *f infml*; ***to have*** *or* ***take a ~ of beer*** boire une rasade de bière **II** *v/t* (*a.* **swig down**) boire d'un trait

swill [swɪl] **I** *n* **1.** (*animal food*) pâtée *f* **2.** *Br* ***to give sth a ~*** (***out***) = **swill** *III* **II** *v/t* **1.** (*esp Br*: *a.* **swill out**) laver à grande eau; *cup* rincer **2.** *infml beer etc.* se gorger de *infml*

swim [swɪm] *vb* ⟨*past* **swam**⟩ ⟨*past part* **swum**⟩ **I** *n* baignade *f*; ***that was a nice ~*** nous nous sommes bien baignés; ***to have a ~*** aller se baigner **II** *v/t* nager; *river* traverser à la nage **III** *v/i* nager; ***my head is ~ming*** j'ai la tête qui tourne **swimmer** ['swɪməʳ] *n* nageur(-euse) *m(f)* **swimming** ['swɪmɪŋ] *n* natation *f*; ***do you like ~?*** est-ce que tu aimes la natation? **swimming bath** *n usu pl Br* piscine *f* couverte **swimming cap** *n Br* bonnet *m* de bain **swimming costume** *n Br* maillot *m* de bain **swimming instructor** *n* maître-nageur *m* **swimming pool** *n* piscine *f* **swimming trunks** *pl Br* caleçon *m* de bain **swimsuit** ['swɪmsuːt] *n* maillot *m* de bain

swindle ['swɪndl] **I** *n* escroquerie *f* **II** *v/t person* escroquer; ***to ~ sb out of sth*** escroquer qc à qn **swindler** ['swɪndləʳ] *n* escroc *m*

swine [swaɪn] *n* **1.** ⟨*pl* **-**⟩ *obs, form* porc *m* **2.** ⟨*pl* **-s**⟩ (*pej, infml man*) salaud *m infml*

swing [swɪŋ] *vb* ⟨*past, past part* **swung**⟩ **I** *n* **1.** oscillation *f*; (*to and fro*) balancement *m*; (*fig,* POL) revirement *m*; ***to go with a ~*** *fig* bien marcher; ***to be in full ~*** battre son plein; ***to get into the ~ of sth*** *of new job etc.* se faire à qc; ***to get into the ~ of things*** *infml* se mettre dans le bain *infml* **2.** (*seat for swinging*) balançoire *f* **II** *v/t* **1.** faire osciller; (*to and fro*) balancer; *arms* balancer; (*dangle*) laisser pendre; ***he swung himself over the wall*** il est passé par-dessus le mur en se faisant basculer **2.** *election* faire basculer; ***his speech swung the decision in our favor*** son discours a fait basculer la décision en notre faveur **III** *v/i* se balancer; (*on swing*) faire de la balançoire; (*dangle*) pendre; ***to ~ open*** s'ouvrir; ***to ~ shut*** se fermer; ***to ~ into action*** se mettre à l'œuvre ◆ **swing around** **I** *v/i* (*person*) tourner; (*car, plane*) faire un tour **II** *v/t sep* faire tourner ◆ **swing back** *v/i* osciller ◆ **swing to** *v/i* (*door*) se fermer

swing door *n Br* porte *f* battante **swinging** ['swɪŋɪŋ] *adj* ***~ door*** *US* porte battante

swipe [swaɪp] **I** *n* (*blow*) coup *m*; ***to take a ~ at sb / sth*** donner un coup à qn / qc **II** *v/t* **1.** *person, ball etc.* taper **2.** (*infml steal*) rafler *infml* **3.** *card* glisser dans un lecteur de piste **swipe card** *n* carte *f* électronique à piste, badge *m*

swirl [swɜːl] **I** *n* tourbillon *m* **II** *v/t* faire tournoyer **III** *v/i* tournoyer

swish [swɪʃ] **I** *n* (*of cane*) sifflement *m*; (*of skirts, water*) bruissement *m* **II** *v/t cane* faire siffler; *tail* battre; *skirt, water* faire bruire **III** *v/i* (*cane*) siffler; (*skirts, water*) bruire

Swiss [swɪs] **I** *adj* suisse; ***he is ~*** il est suisse; ***the ~-German part of Switzerland*** la partie suisse-allemande de la Suisse **II** *n* Suisse *m/f*; ***the ~*** *pl* les Suisses **Swiss army knife** *n* couteau *m* suisse **Swiss franc** *n* franc *m* suisse **Swiss French** *n* **1.** (*person*) Suisse *m/f* romand(e) **2.** LING suisse *m* romand **Swiss German** *n* **1.** (*person*) Suisse *m/f* allemand(e) **2.** LING suisse *m* allemand

Swiss roll *n Br* gâteau *m* roulé
switch [swɪtʃ] **I** *n* **1.** ELEC *etc.* interrupteur *m* **2.** (*change*) changement *m*; (*in plans*) permutation *f* (**in** dans); (*exchange*) échange *m* **II** *v/t* **1.** (*change*) changer; *plans* permuter; *allegiance* changer (***to*** pour); *attention*, *conversation* détourner (***to*** vers); ***to ~ sides*** changer de camp; ***to ~ channels*** changer de chaîne **2.** (*move*) *production* reconvertir **3.** (*exchange*) échanger; (*a.* **switch over, switch around**) *objects* changer **4.** ELEC permuter **III** *v/i* (*change*: *a.* **switch over**) passer (***to*** à); TV mettre (***to*** sur); (*exchange*: *a.* **switch around, switch over**) changer ◆ **switch around I** *v/t sep* (*swap around*) permuter; (*rearrange*) réorganiser **II** *v/i* = **switch** *III* ◆ **switch back I** *v/i* TV remettre (***to*** sur) **II** *v/t sep* ***to switch the light back on*** rallumer la lumière ◆ **switch off I** *v/t sep light*, *TV* éteindre; *machine* arrêter; *water supply* couper **II** *v/i* (*light*, *TV*) s'éteindre; *machine* s'arrêter; *person infml* décrocher *infml* ◆ **switch on I** *v/t sep gas* allumer; *machine* mettre en route, allumer; *TV*, *light* allumer; *engine* démarrer **II** *v/i* (*machine*) se mettre en route; (*light*) s'allumer ◆ **switch over I** *v/i* = **switch** *III* **II** *v/t sep* = **switch** *II3*
switchboard *n* TEL standard *m*
Switch card® *n Br* carte *f* bancaire de paiement; ≈ carte *f* bleue®
Switzerland ['swɪtsələnd] *n* Suisse *f*; ***to ~*** en Suisse
swivel ['swɪvl] **I** *attr* orientable, pivotant **II** *v/t* (*a.* **swivel around**) faire pivoter **III** *v/i* (*a.* **swivel around**) pivoter
swollen ['swəʊlən] **I** *past part* = **swell II** *adj* enflé; *stomach* ballonné; *river* gros(se)
swoon [swuːn] *v/i fig* se pâmer (***over sb / sth*** devant qn / qc)
swoop [swuːp] **I** *v/i* (*lit*: *a.* **swoop down**, *bird*) plonger (***on*** sur); (*fig*, *police*) fondre (***on*** sur) **II** *n* (*of bird*) descente *f* en piqué; ***at*** *or* ***in one ~*** d'un seul coup
swop *n*, *v/t & v/i Br* = **swap**
sword [sɔːd] *n* épée *f* **swordfish** *n* espadon *m*
swore [swɔːʳ] *past* = **swear** **sworn** [swɔːn] **I** *past part* = **swear II** *adj enemy* juré; ***~ statement*** JUR déclaration sous serment
swot [swɒt] (*Br infml*) **I** *v/i* bûcher *infml*; ***to ~ up*** (***on***) ***one's maths*** potasser ses maths *infml* **II** *n pej* bûcheur (-euse) *m*(*f*) *infml*
swum [swʌm] *past part* = **swim**
swung [swʌŋ] *past*, *past part* = **swing**
sycamore ['sɪkəmɔːʳ] *n* sycomore *m*; (*US plane tree*) faux platane *m*
syllable ['sɪləbl] *n* syllabe *f*
syllabus ['sɪləbəs] *n* ⟨*pl* **-es** *or* **syllabi**⟩ (*esp Br*: SCHOOL, UNIV) programme *m* d'enseignement
symbol ['sɪmbəl] *n* symbole *m* (***of*** de) **symbolic(al)** [sɪm'bɒlɪk(əl)] *adj* symbolique (***of*** de); ***to be ~ of sth*** être symbolique de qc **symbolism** ['sɪmbəlɪzəm] *n* symbolisme *m* **symbolize** ['sɪmbəlaɪz] *v/t* symboliser
symmetrical [sɪ'metrɪkəl] *adj* symétrique **symmetrically** [sɪ'metrɪkəlɪ] *adv* symétriquement **symmetry** ['sɪmɪtrɪ] *n* symétrie *f*
sympathetic [ˌsɪmpə'θetɪk] *adj* **1.** (*showing pity*) compatissant; (*understanding*) compréhensif(-ive); (*well--disposed*) attentif(-ive); ***to be*** *or* ***feel ~ to(ward) sb*** (*showing pity*) être compatissant envers qn; (*understanding*) être compréhensif avec qn; (*being well-disposed*) être attentif à qn; ***he was most ~ when I told him all my troubles*** il a été très attentif lorsque je lui ai parlé de tous mes problèmes **2.** (*likeable*) sympathique **sympathetically** [ˌsɪmpə'θetɪkəlɪ] *adv* (*showing pity*) avec compassion; (*with understanding*) avec compréhension; (*well--disposed*) avec attention **sympathize** ['sɪmpəθaɪz] *v/i* (*feel compassion*) compatir (*with sth* à qc; *with sb* aux malheurs de qn); (*understand*) comprendre (***with sb*** qn); (*agree*) approuver (***with sth*** qc) (*esp* POL); ***to ~ with sb over sth*** être d'accord avec qn à propos de qc; ***I really do ~*** (*have pity*) je compatis vraiment; (*understand your feelings*) je comprends tout à fait **sympathizer** ['sɪmpəθaɪzəʳ] *n* sympathisant(e) *m*(*f*)

sympathetic ≠ agréable

Sympathetic = compatissant, compréhensif :

(✗ **I just love Bob. He's real sympathetic.**
✓ **I just love Bob. He's real nice.**)

> ✓ **I had a problem at home, but fortunately my boss was really sympathetic.**
>
> (J'aime beaucoup Bob. Il est très sympathique.)
>
> J'ai eu un problème personnel, mais heureusement mon chef s'est montré très compréhensif.

sympathy ['sɪmpəθɪ] *n* **1.** (*pity*) compassion *f* (**for** pour); ***to feel ~ for sb*** avoir de la compassion pour qn; ***my / our deepest sympathies*** toutes mes / nos condoléances **2.** (*understanding*) compréhension *f*; (*agreement*) approbation *f*; ***to be in ~ with sb / sth*** approuver qn / qc; ***to come out*** *or* ***strike in ~*** IND faire grève par solidarité
symphony ['sɪmfənɪ] *n* symphonie *f* **symphony orchestra** *n* orchestre *m* symphonique
symptom ['sɪmptəm] *n lit*, *fig* symptôme *m* **symptomatic** [ˌsɪmptə'mætɪk] *adj* symptomatique (**of** de)
synagogue ['sɪnəgɒg] *n* synagogue *f*
sync [sɪŋk] *n* (FILM, TV *infml*) *abbr* = **synchronization**; ***in ~*** synchrone; ***out of ~*** déphasé **synchronization** [ˌsɪŋkrənaɪ'zeɪʃən] *n* synchronisation *f* **synchronize** ['sɪŋkrənaɪz] **I** *v/t* synchroniser (**with** avec); *movements, clocks* synchroniser; FILM synchroniser (**with** avec) **II** *v/i* FILM faire la synchronisation (**with** avec); (*movements*) être synchronisé (**with** avec)
syndicate ['sɪndɪkɪt] *n* syndicat *m*; COMM association *f*; PRESS association *f*; (*crime syndicate*) syndicat *m*
syndrome ['sɪndrəʊm] *n* MED, SOCIOL syndrome *m*
synod ['sɪnəd] *n* synode *m*
synonym ['sɪnənɪm] *n* synonyme *m* **synonymous** [sɪ'nɒnɪməs] *adj* synonyme
synopsis [sɪ'nɒpsɪs] *n* ⟨*pl* **synopses**⟩ synopsis *f*; (*of article, book*) synthèse *f*
syntax ['sɪntæks] *n* syntaxe *f*
synthesis ['sɪnθəsɪs] *n* ⟨*pl* **syntheses**⟩ synthèse *f* **synthesize** ['sɪnθəsaɪz] *v/t* synthétiser **synthesizer** ['sɪnθəˌsaɪzəʳ] *n* MUS synthétiseur *m* **synthetic** [sɪn'θetɪk] **I** *adj* synthétique; ***~ alcohol / drugs*** alcool / drogues de synthèse **II** *n* synthétique *m*; ***~s*** les synthétiques
syphon *n* = **siphon**
Syria ['sɪrɪə] *n* Syrie *f*
syringe [sɪ'rɪndʒ] MED *n* seringue *f*
syrup, *also US* **sirup** ['sɪrəp] *n* sirop *m*
system ['sɪstəm] *n* système *m*; ***digestive ~*** système digestif; ***it was a shock to his ~*** cela a été un vrai choc pour lui; ***to get sth out of one's ~*** *fig*, *infml* exorciser qc; ***~ software*** logiciel système **systematic** [ˌsɪstə'mætɪk] *adj* systématique **systematize** ['sɪstəmətaɪz] *v/t* systématiser **systems administrator** *n* IT administrateur(-trice) *m*(*f*) de système **systems analyst** *n* analyste *m*/*f* de systèmes **systems disk** *n* IT disque *m* système **systems engineer** *n* ingénieur (*e*) *m*(*f*) système **systems software** *n* logiciel *m* système

T

T, t [tiː] *n* T, t
ta [tɑː] *int* (*Br infml*) merci
tab¹ [tæb] *n* **1.** (*loop*) languette *f* **2.** (*name tab*, *of owner*) étiquette *f* pour vêtement; (*of maker*) étiquette *f* de fabricant; ***to keep ~s on sb / sth*** *infml* surveiller qn / qc de près **3.** ***to pick up the ~*** régler la note
tab² IT *etc. n* tabulateur *m*; (*on typewriter*) taquet *m* de tabulation
tabby ['tæbɪ] *n* (*a.* **tabby cat**) chat *m* tigré
tab key *n* touche *f* de tabulation
table ['teɪbl] **I** *n* **1.** table *f*; ***at the ~*** à table; ***to sit at ~*** être assis à table; ***to sit down at a ~*** se mettre à table; ***to turn the ~s*** (***on sb***) renverser la situation (au détriment de qn) **2.** (*people at a table*) tablée *f* **3.** (*of figures etc.*) tableau *m*; (***multiplication***) ***~s*** tables (de multiplication); ***~ of contents*** (*in book*) table *f* des matières; (*in magazine*) sommaire *m* **II** *v/t* **1.** *motion etc.* présenter **2.** (*US postpone*) *bill* ajourner

tablecloth *n* nappe *f* **table lamp** *n* lampe *f* de chevet **table manners** *pl* manières *fpl* à table; ***to have good / bad table manners*** bien / mal se tenir à table **tablespoon** *n* cuillère *f* à soupe **tablespoonful** *n* cuillerée *f* à soupe

tablet ['tæblɪt] *n* **1.** PHARM comprimé *m*, cachet *m* **2.** (*of soap*) barre *f*

table tennis *n* tennis *m* de table

tabloid ['tæblɔɪd] *n* (*a.* **tabloid newspaper**) tabloïde *m*; *pej* journal *m* à sensation **tabloid press** *n* presse *f* à sensation

taboo, tabu [tə'buː] **I** *n* tabou *m*; ***to be a ~*** être tabou **II** *adj* tabou

tacit ['tæsɪt] *adj* tacite **tacitly** ['tæsɪtlɪ] *adv* tacitement

taciturn ['tæsɪtɜːn] *adj* taciturne

tack [tæk] **I** *n* **1.** (*nail*) clou *m*; (*esp US drawing pin*) punaise *f* **2.** (NAUT *course*) bordée *f*; ***to try another ~*** *fig* essayer une méthode différente **3.** (*for horse*) sellerie *f* **II** *v/t* **1.** (*with nail*) clouer (**to** à); (*with pin*) punaiser (**to** à) **2.** (*Br* SEWING) faufiler, bâtir **III** *v/i* NAUT tirer des bords ◆ **tack on** *v/t sep fig* rajouter (**-to** à)

tackle ['tækl] **I** *n* **1.** (*equipment*) attirail *m* **2.** SPORTS tacle *m* **II** *v/t* **1.** (*physically*, SPORTS) tacler; *Br* (*verbally*) confronter (*Br about* à propos de) **2.** *problem* s'attaquer à; (*cope with*) supporter; *fire* maîtriser

tacky[1] ['tækɪ] *adj* collant

tacky[2] *adj infml* vulgaire; *area* minable; *clothes* de mauvais goût

tact [tækt] *n no pl* tact *m* **tactful** ['tæktfʊl] *adj* diplomate; ***to be ~ about sth*** être plein de tact à propos de qc **tactfully** ['tæktfəlɪ] *adv* avec tact

tactic ['tæktɪk] *n* tactique *f* **tactical** ['tæktɪkəl] *adj* tactique **tactically** ['tæktɪkəlɪ] *adv* tactiquement **tactician** [tæk'tɪʃən] *n* tacticien(ne) *m(f)* **tactics** ['tæktɪks] *n sg* tactique *f*

tactless ['tæktlɪs] *adj* indélicat **tactlessly** ['tæktlɪslɪ] *adv* sans tact

tadpole ['tædpəʊl] *n* têtard *m*

taffeta ['tæfɪtə] *n* taffetas *m*

taffy ['tæfɪ] *n US* ≈ barbe *f* à papa

tag [tæg] **I** *n* **1.** (*label*) étiquette *f*; (*on clothes*) étiquette *f* **2.** (*loop*) bride *f* **II** *v/t garment, goods* (*with price*) marquer ◆ **tag along** *v/i* ***why don't you ~?*** *infml* et si tu venais avec nous? ◆ **tag on** *v/t sep* rajouter (**to** à)

tahini [tə'hiːnɪ] *n no pl* tahin(é) *m*, purée *f* de sésame

tail [teɪl] **I** *n* **1.** queue *f*; ***to turn ~*** tourner les talons; ***he was right on my ~*** il me talonnait **2.** **~*s*** *pl* (*on coin*) pile **3.** **tails** *pl* (*jacket*) queue *f* de pie **II** *v/t person* filer *infml*; *car etc.* prendre en filature ◆ **tail back** *v/i Br* être ralenti ◆ **tail off** *v/i* (*diminish*) diminuer; (*sounds*) disparaître progressivement; (*sentence*) s'arrêter

tailback *n Br* ralentissement *m* **tail end** *n* fin *f* **tail-light** *n* AUTO feu *m* arrière

tailor ['teɪləʳ] **I** *n* tailleur *m* **II** *v/t* **1.** *dress etc.* faire **2.** *fig vacation, policy* adapter (**to** à); *products* concevoir (**to** en fonction de) **tailor-made** [ˌteɪlə'meɪd] *adj* sur mesure; ***a job ~ for you*** un travail fait pour toi

tailpipe *n US* tuyau *m* d'échappement **tailwind** *n* vent *m* arrière

taint [teɪnt] **I** *n* (*fig blemish*) marque *f* **II** *v/t fig reputation* ternir **tainted** ['teɪntɪd] *adj* **1.** *fig reputation* terni **2.** (*contaminated*) *food* avarié; *air* vicié

Taiwan [taɪ'wɑːn] *n* Taïwan *f*

take [teɪk] *vb* ⟨*past* **took**⟩ ⟨*past part* **taken**⟩ **I** *v/t* **1.** prendre; (*remove from its place*) retirer; ***to ~ sth from sb*** prendre qc à qn **2.** (*carry*) prendre; (*take with one*) emporter; ***let me ~ your suitcase*** laissez-moi porter votre valise; ***I'll ~ you to the airport*** je t'emmène à l'aéroport; ***this bus will ~ you into town*** ce bus vous emmènera en ville; ***this road will ~ you to Paris*** cette route vous conduira à Paris **3.** (*capture*) capturer; *town etc.* prendre; ***to ~ sb prisoner*** faire qn prisonnier **4.** (*accept*) accepter; *job, command, phone call* prendre; ***~ that!*** prends ça!; ***~ it from me!*** crois-moi!; ***let's ~ it from the beginning of Act 2*** nous allons reprendre au début de l'acte 2; ***to be ~n sick*** tomber malade; (***you can***) ***~ it or leave it*** c'est à prendre ou à laisser **5.** (*occupy, possess*) prendre; ***~ a seat!*** asseyez-vous!; ***this seat is ~n*** cette place est prise **6.** *photo* prendre *test, course, walk, trip* faire; *examination* passer; *church service* dire **7.** (*teach*) *subject* enseigner; *class* donner un cours à; *lesson* prendre; ***who ~s you for Latin?*** *Br US* qui vous enseigne le latin?; ***to ~*** (***the chair at***) ***a meeting*** présider une réunion **8.** *taxi, train* prendre; *bend* (*car*) prendre; ***to ~ the plane*** prendre l'avion; ***we took a wrong turn*** (*US*) *or* ***turning*** *Br* nous avons pris la mauvaise route **9.** *drugs* prendre; ***to ~ a sip*** boire une gorgée; ***do you ~ sugar?*** est-ce que tu prends du sucre? **10.** *details* noter; ***to ~ notes*** prendre des notes **11.** ***to ~ the measurements of a room*** mesurer une pièce; ***to ~ sb's temperature*** prendre la température de qn **12.** *climate* supporter; *weight* supporter; ***I can ~ it*** je le supporte; ***I just can't ~ any more*** je ne peux plus le supporter **13.** *news* prendre; ***she never knows how to ~ him*** elle ne sait jamais comment elle doit le prendre; ***she took his death badly*** elle a très mal vécu son décès **14.** ***I would ~ that to mean ...*** j'interprèterais cela comme ... **15.** (*assume*) supposer; ***to ~ sb / sth for*** prendre qn / qc pour; ***to take sb / sth to be ...*** penser que qn / qc est ... **16.** (*extract*) ôter (***from*** de) **17.** (*require*) prendre; *clothes size* faire; ***the journey ~s 3 hours*** le voyage prend 3 heures; ***it ~s five hours ...*** il faut cinq heures; ***it took ten men to complete it*** il a fallu dix hommes pour le terminer; ***it took a lot of courage*** cela a demandé beaucoup de courage; ***it ~s time*** cela prend du temps; ***it took a long time*** cela a pris longtemps; ***it took me a long time*** il m'a fallu longtemps; ***it won't ~ long*** ça ne sera pas long; ***she's got what it ~s*** *infml* elle a la carrure qu'il faut *infml* **18.** (*have room for*) pouvoir contenir **19.** GRAM prendre; (*preposition*) se construire avec; ***verbs that take "être"*** les verbes qui se construisent avec l'auxiliaire "être" **II** *n* FILM prise *f* ◆ **take aback** *v/t sep* désarçonner; ***I was completely taken aback*** j'ai été complètement désarçonné ◆ **take after** *v/t insep* tenir de; (*in looks*) ressembler à ◆ **take along** *v/t sep* emmener ◆ **take apart** *v/t sep lit engine* démonter; *fig, infml* mettre sens dessus dessous ◆ **take around** *v/t sep* (*show around*) montrer ◆ **take away** *v/t sep* **1.** (*subtract*) soustraire; ***6 ~ 2*** 6 moins 2 **2.** (*remove*) retirer (***from sb*** à qn); (*lead, carry away*) emporter (***from*** de); (*fetch*) *person* emmener; ***to take sb / sth away*** (***with one***) emmener qn / qc (avec soi) **3.** *food* emporter; ***pizza to ~*** pizza à emporter ◆ **take back** *v/t sep* **1.** (*get back*) reprendre; *toy etc.* rapporter; (*fig retract*) retirer **2.** (*return*) rapporter; ***that takes me back*** cela me ramène longtemps en arrière **3.** *employee* réembaucher ◆ **take down** *v/t sep* **1.** *lit* descendre; *decorations* enlever; ***to take one's pants down*** baisser son pantalon **2.** *tent* démonter **3.** (*write down*) noter ◆ **take home** *v/t sep $400 per week* gagner ◆ **take in** *v/t sep* **1.** (*bring in*) amener; ***I'll take the car in*** (***to work***) ***on Monday*** je prendrai la voiture (pour aller au travail) lundi **2.** *stray dog* recueillir; ***she takes in lodgers*** elle prend des locataires **3.** *dress* raccourcir **4.** *surroundings* s'habituer à; (*understand*) *meaning* saisir; *sights* absorber; *situation* comprendre **5.** (*deceive*) tromper; ***to be taken in by sb / sth*** être dupé par qn / qc ◆ **take off I** *v/i* **1.** (*plane*) décoller; (*fig: project*) décoller; (*career*) progresser **2.** (*infml leave*) filer *infml* **II** *v/t sep* **1.** *hat* ôter, enlever; *lid* enlever; (*deduct*) soustraire; (*from price*) déduire; *coat etc.* ôter, enlever; ***to take sth off sb*** prendre qc à qn; ***he took his clothes off*** il a enlevé ses vêtements; ***to take sb's mind off sth*** faire oublier qc à qn; ***it will take your mind off it*** ça te changera les idées; ***to take the weight off one's feet*** s'asseoir; ***to take sb / sth off sb's hands*** débarrasser qn de qn / qc **2.** *Monday* prendre; ***to take time off*** (***work***) prendre des congés **3.** (*Br imitate*) imiter ◆ **take on** *v/t sep* **1.** *job* prendre; *responsibility* endosser; (*employ*) embaucher; ***when he married her he took on more than he bargained for*** quand il l'a épousé il ne savait pas ce qui l'attendait **2.** *opponent* affronter ◆ **take out** *v/t sep* **1.** (*bring out*) sortir (***of*** de) **2.** (*to theater etc.*) emmener; ***to take the dog out*** (***for a walk***) sortir le chien; ***to take sb out to*** *or* ***for dinner*** inviter qn au restaurant **3.** (*pull out*) retirer; *tooth, nail* arracher (***of*** de); ***to take sth out of sth*** sortir qc de qc; ***to take time out from sth*** prendre des congés sur qc; ***to take time out from doing sth*** s'arrêter de faire qc; ***to take sth out on sb*** *infml* déverser qc sur qn *infml*; ***to take it out on sb*** se défouler sur qn; ***to take it out of sb*** (*tire*) épuiser qn **4.** (*from bank*) retirer **5.** *insurance, mortgage* prendre **6.** *US* = **take away** *3* ◆ **take over I** *v/i* (*assume govern-*

ment) prendre le pouvoir; (*new boss etc.*) prendre la suite; (*tourists etc.*) envahir *infml*; ***to ~*** (***from sb***) prendre la suite de qn; ***he's sick so I have to ~*** il est malade donc il faut que je le remplace **II** *v/t sep* (*take control of*) prendre le contrôle de ◆ **take round** *v/t sep Br* **1.** ***I'll take it round*** (***to her place***) je le porterai chez elle **2.** (*show around*) montrer ◆ **take to** *v/t insep* **1.** *person* se faire à; ***sb takes to a place*** qn se fait à un endroit; ***I don't know how she'll ~ him*** je ne sais pas s'il va lui plaire; ***to ~ doing sth*** se mettre à faire qc; ***to ~ drink*** se mettre à boire **2.** *hills* se réfugier dans ◆ **take up** *v/t sep* **1.** enlever; *carpet* enlever; *dress* raccourcir; *conversation* entamer **2.** (*upstairs etc.*) *visitor* faire monter; *thing* monter **3.** *time* prendre; *space* prendre **4.** *photography* se mettre à; ***to ~ painting*** se mettre à la peinture **5.** *cause* défendre; ***to ~ a position*** *lit* prendre un poste; ***to be taken up with sb / sth*** (*busy*) être occupé avec qn / qc **6.** *challenge*, *invitation* accepter; *post* prendre; ***he left to ~ a job as a teacher*** il est parti pour prendre un poste d'enseignant; ***to ~ residence*** s'installer (***at, in*** à); ***to take sb up on his / her invitation / offer*** accepter l'invitation/l'offre de qn; ***I'll take you up on that*** je te prends au mot ◆ **take upon** *v/t insep* ***he took it upon himself to answer for me*** il a décidé de répondre à ma place

take-home pay *n* salaire *m* net **taken** ['teɪkən] **I** *past part* = **take II** *adj* ***to be ~ with sb / sth*** être charmé par qn / qc

takeoff *n* **1.** AVIAT décollage *m*; (*moment of leaving ground*) envol *m*; ***ready for ~*** prêt pour le décollage **2.** *Br* imitation *f*; ***to do a ~ of sb*** faire une imitation de qn

takeout, *Br* **takeaway I** *n* **1.** (*meal*) plat *m* à emporter; ***let's get a ~*** on va prendre un plat à emporter **2.** (*restaurant*) restaurant *m* de plats à emporter **II** *adj attr food* à emporter **takeover** *n* COMM rachat *m* **taker** ['teɪkə^r] *n* ***any ~s?*** *fig* y a-t-il des preneurs?; ***there were no ~s*** *fig* il n'y a pas eu preneur

taking ['teɪkɪŋ] *n* **1.** ***it's yours for the ~*** il est à toi si tu le veux **2. takings** *pl Br* COMM recette *f*

talc [tælk], **talcum, talcum powder** *n* talc *m*

tale [teɪl] *n* **1.** histoire *f*; LIT conte *m*; ***at least he lived to tell the ~*** au moins, il était encore là pour en parler; ***thereby hangs a ~*** c'est toute une histoire **2.** *Br* ***to tell ~s*** rapporter, cafarder *infml* (***to*** à); ***to tell ~s about sb*** raconter des histoires sur qn *infml* (***to*** à)

talent ['tælənt] *n* talent *m* **talented** ['tæləntɪd] *adj* doué

talisman ['tælɪzmən] *n* ⟨*pl* **-s**⟩ talisman *m*

talk [tɔːk] **I** *n* **1.** discussion *f*; ***to have a ~*** discuter (***with sb about sth*** avec qn à propos de qc); ***could I have a ~ with you?*** puis-je vous parler en privé?; ***to hold*** *or* ***have ~s*** entrer en pourparlers **2.** *no pl* (*talking*) propos *mpl*; (*rumor*) rumeur *f*; ***he's all ~*** (*and no action*) il parle beaucoup; ***there is some ~ of him returning*** le bruit court qu'il va revenir; ***it's the ~ of the town*** on ne parle que de ça **3.** (*lecture*) communication *f*; ***to give a ~*** faire une communication (***on*** sur) **II** *v/i* **1.** parler (***of, about*** de); (*have conversation*) avoir une conversation (***of, about*** sur, à propos de); ***to ~ to*** *or* ***with sb*** parler à *or* avec qn (***about*** à propos de); ***could I ~ to Mr. Smith please?*** pourrais-je parler à M. Smith?; ***it's easy*** *or* ***all right for you to ~*** *infml* c'est facile à dire *infml*; ***don't ~ to me like that!*** ne me parle pas sur ce ton!; ***that's no way to ~ to your parents*** qu'est-ce que c'est que cette façon de parler à ses parents?; ***to get ~ing to sb*** se mettre à parler à qn; ***you can ~!*** *infml* tu peux parler!; ***to ~ to oneself*** parler tout seul; ***now you're ~ing!*** voilà qui est mieux!; ***he's been ~ing of going overseas*** il parle de partir à l'étranger; ***~ing of movies ...*** à propos de cinéma ...; ***~ about rude!*** tu parles d'un mal élevé!; ***to make sb ~*** faire parler qn; ***we're ~ing about at least $2,000*** cela va chercher dans les 2000 dollars au moins **2.** (*chatter*) bavarder; ***stop ~ing!*** arrêtez de bavarder **3.** (*gossip*) faire des commérages **III** *v/t a language* parler; *nonsense* dire; *business* parler; ***we're ~ing big money*** *etc.* ***here*** *infml* il s'agit d'une très grosse affaire; ***to ~ sb into doing sth*** persuader qn de faire qc; ***to ~ oneself into doing sth*** se persuader de faire qc ***to ~ sb out of sth*** convaincre qn de ne pas faire qc ◆ **talk back** *v/i* (*be cheeky*) répondre

(*to sb* à qn) ◆ **talk down** *v/i* ***to ~ to sb*** rabaisser qn ◆ **talk over** *v/t sep* discuter de ◆ **talk round** *v/t always separate Br* tourner autour de ◆ **talk through** *v/t sep* parler en détail de; ***to talk sb through sth*** expliquer qc à qn
talkative ['tɔːkətɪv] *adj* bavard **talker** ['tɔːkəʳ] *n* orateur(-trice) **talking** ['tɔːkɪŋ] *n* bavardage *m*; ***no ~ please!*** on se tait!; ***his constant ~*** son bavardage constant **talking point** *n* sujet *m* de conversation **talking-to** *n infml* ***to give sb a good ~*** passer un savon à qn *infml* **talk show** *n* talk-show *m* **talk time** *n* (*on cell phone*) autonomie *f* en conversation
tall [tɔːl] *adj* **1.** *person* grand; ***how ~ are you?*** combien tu mesures?; ***she is 6 ft ~*** elle fait 1m 80 **2.** *building*, *tree* grand **3.** *infml* ***that's a ~ order*** cela va être difficile
tally ['tælɪ] **I** *n* ***to keep a ~ of*** tenir le compte de **II** *v/t* (*a.* **tally up**) concorder
talon ['tælən] *n* serre *f*
tambourine [ˌtæmbə'riːn] *n* tambourin *m*
tame [teɪm] **I** *adj* **1.** *animal* apprivoisé **2.** (*dull*) *adventure*, *story*, *joke etc.* fade *infml* **II** *v/t dog*, *fox* apprivoiser; *lion*, *elephant* dompter
Tampax® ['tæmpæks] *n* tampax® *m*, tampon *m* avec applicateur
◆ **tamper with** *v/t insep* toucher à; *system* trafiquer *infml*
tampon ['tæmpən] *n* tampon *m* (hygiénique)
tan [tæn] **I** *n* **1.** (*suntan*) bronzage *m*; ***to get a ~*** bronzer; ***she has a lovely ~*** elle a un beau bronzage **2.** (*color*) marron *m* clair **II** *adj* marron clair **III** *v/i* bronzer
tandem ['tændəm] *n* tandem *m*; ***in ~*** (***with***) *fig* en tandem (avec)
tang [tæŋ] *n* **1.** (*smell*) odeur *f* âcre **2.** (*taste*) goût *m* acidulé
tangent ['tændʒənt] *n* ***to go off at a ~*** *fig* partir sur la tangente
tangerine [ˌtændʒə'riːn] *n* mandarine *f*
tangible ['tændʒəbl] *adj fig result* concret; *proof* tangible
tangle ['tæŋgl] **I** *n lit* enchevêtrement *m*; *fig* bourbier *m*; ***to get into a ~*** être dans le pétrin **II** *v/t* ***to get ~d*** être emmêlé ◆ **tangle up** *v/t sep* ***to get tangled up*** s'emmêler
tangy ['tæŋɪ] *adj* acidulé
tank [tæŋk] *n* **1.** (*container*) cuve *f*; (*esp for water*) réservoir *m*; (*oxygen tank*) réservoir *m* à oxygène **2.** MIL tank *m*
tanker ['tæŋkəʳ] *n* **1.** (*boat*) tanker *m*, bateau-citerne *m* **2.** (*vehicle*) camion-citerne *m* **tankful** ['tæŋkfʊl] *n* plein *m* **tank top** *n* débardeur *m*
tanned [tænd] *adj Br person* bronzé
tannin ['tænɪn] *n* tanin *m*
Tannoy® ['tænɔɪ] *n Br* haut-parleur *m*
tantalizing ['tæntəlaɪzɪŋ] *adj* alléchant
tantrum ['tæntrəm] *n* caprice *m*; ***to have a ~*** faire un caprice
Taoiseach ['tiːʃæx] *n Ir* Premier ministre *m* (de la république d'Irlande)
tap[1] [tæp] **I** *n esp Br* robinet *m*; ***on ~*** (*beer etc.*) à la pression **II** *v/t fig market* percer; ***to ~ telephone wires*** mettre un téléphone sur écoute ◆ **tap into** *v/t insep system* pénétrer dans; (*exploit*) *fear* exploiter; ***to ~ foreign markets*** pénétrer les marchés étrangers
tap[2] **I** *n* **1.** (*knock*) petit coup *m* **2.** (*touch*) tape *f* **II** *v/t & v/i* taper; ***he ~ped me on the shoulder*** il m'a tapé sur l'épaule; ***to ~ at the door*** frapper à la porte **tap-dance** *v/i* faire des claquettes
tape [teɪp] **I** *n* **1.** ruban *m*; (*sticky paper*) ruban *m* adhésif; (*Scotch tape ® etc.*) scotch® **2.** (*magnetic strip*) bande *f* (magnétique); (*case*) cassette *f*; ***on ~*** enregistré **II** *v/t* (*tape-record*) enregistrer; (*video-tape*) enregistrer ◆ **tape down** *v/t sep* coller ◆ **tape over I** *v/t insep* enregistrer sur **II** *v/t sep* ***to tape A over B*** coller A sur B ◆ **tape up** *v/t sep packet* fermer avec du scotch®
tape deck *n* lecteur *m* de cassettes **tape measure** *n* mètre *m* ruban
taper ['teɪpəʳ] *v/i* s'effiler; *pant legs* se rétrécir ◆ **taper off** *v/i fig* diminuer peu à peu
tape-record *v/t* enregistrer **tape recorder** *n* magnétophone *m*; (*cassette recorder*) magnétophone *m* **tape recording** *n* enregistrement *m*
tapestry ['tæpɪstrɪ] *n* tapisserie *f*
tapeworm ['teɪpwɜːm] *n* ver *m* solitaire
tapioca [ˌtæpɪ'əʊkə] *n* tapioca *m*
tap water *n* eau *f* du robinet
tar [tɑːʳ] **I** *n* goudron *m* **II** *v/t* goudronner
tarantula [tə'ræntjʊlə] *n* tarentule *f*
tardy ['tɑːdɪ] *adj* (*US late*) ***to be ~*** (*person*) être en retard
target ['tɑːgɪt] **I** *n* cible *f*; (SPORTS, *fig*) cible *f*, objectif *m*; ***to be on ~*** (*missile*) suivre sa cible; (*shot at goal*) être en

plein dans la cible; ***to be off ~*** (*missile*) avoir dévié de sa cible; (*shot at goal*) être à côté de la cible; ***production is above / below ~*** la production est au-delà / en-deçà de l'objectif; ***to be on ~*** (*project*) être dans les temps **II** *v/t audience* cibler **target group** *n* groupe *m* cible

tariff ['tærɪf] *n* **1.** (*tax*) taxe *f* **2.** (*Br: in hotels*) tarif *m*

tarmac ['tɑːmæk] **I** *n Br* ***Tarmac®*** bitume *m*; ***the ~*** (*at airport*) le tarmac **II** *v/t* goudronner

tarnish ['tɑːnɪʃ] **I** *v/t* **1.** *metal* ternir **2.** *fig reputation* entacher, ternir **II** *v/i* (*metal*) se ternir

tarot card ['tɑːrəʊkɑːd] *n* carte *f* de tarot

tarpaulin [tɑː'pɔːlɪn] *n* bâche *f*; NAUT prélart *m*

tarragon ['tærəgən] *n* estragon *m*

tart[1] [tɑːt] *adj flavor* acide; *fruit* pas mûr

tart[2] *n* COOK tarte *f*; (*individual*) tartelette *f*

tart[3] *n* (*Br infml prostitute*) prostituée *f*, pute *f sl*, *neg!* ◆ **tart up** *v/t sep* (*Br infml*) retaper *infml*; *oneself* se faire beau *infml*

tartan ['tɑːtən] **I** *n* (*pattern*) tartan *m*; (*material*) tartan *m* **II** *adj* écossais

tartar(e) sauce [ˌtɑːtə'sɔːs] *n* sauce *f* tartare

task [tɑːsk] *n* tâche *f*, travail *m*; ***to set sb a ~*** donner un travail à qn; ***to take sb to ~*** critiquer ouvertement qn (***for, about*** pour, à propos de) **task bar** *n* IT barre *f* des tâches **task force** *n* groupe *m* de travail **taskmaster** *n* ***he's a hard ~*** c'est un chef très exigeant

tassel ['tæsəl] *n* gland *m*, houppe *f*

taste [teɪst] **I** *n* goût *m*; (*sense*) goût *m*; (*small amount*) petit morceau *m*; ***I don't like the ~*** je n'aime pas le goût; ***to have a ~ (of sth)*** *lit* goûter qc; *fig* avoir un échantillon de qc; ***to acquire a ~ for sth*** prendre goût à qc; ***it's an acquired ~*** c'est un goût qui se cultive; ***my ~ in music*** mes goûts musicaux; ***to be to sb's ~*** être du goût de qn; ***it is a matter of ~*** c'est une question de goût; ***for my ~ …*** à mon goût …; ***she has very good ~*** elle a très bon goût; ***a man of ~*** un homme de goût; ***in good ~*** de bon aloi; ***in bad ~*** de mauvais goût **II** *v/t* **1.** *flavor* goûter **2.** (*take a little*) goûter **3.** *wine* déguster **4.** *fig freedom* goûter à **III** *v/i* ***to ~ good*** *or* ***nice*** avoir bon goût; ***it ~s all right to me*** je ne trouve pas qu'il y ait un mauvais goût; (*I like it*) je trouve ça bon; ***to ~ of sth*** avoir un goût de qc **tasteful** *adj* de bon goût **tastefully** *adv* avec goût **tasteless** *adj* de mauvais goût **tasty** ['teɪstɪ] *adj dish* savoureux(-euse); ***his new girlfriend is very ~*** *Br infml* sa nouvelle petite amie est canon *infml*

tattered ['tætəd] *adj clothes* en lambeaux; *sheet* à moitié déchiré **tatters** ['tætəz] *pl* ***to be in ~*** (*clothes*) être en lambeaux; (*confidence*) être détruit

tattoo [tə'tuː] **I** *v/t* tatouer **II** *n* tatouage *m*

tatty ['tætɪ] *adj infml* miteux(-euse); *clothes* déguenillé

taught [tɔːt] *past, past part* = **teach**

taunt [tɔːnt] **I** *n* provocation *f* **II** *v/t* narguer (***about*** à propos)

Taurus ['tɔːrəs] *n* ASTRON, ASTROL Taureau *m*; ***he's (a) ~*** il est Taureau

taut [tɔːt] *adj* tendu; *muscles* bandé; ***to pull sth ~*** tirer sur qc pour le tendre **tauten** ['tɔːtn] **I** *v/t rope* tendre; *muscle* bander **II** *v/i* être tendu

tavern ['tævən] *n obs* taverne *f*

tax [tæks] **I** *n* taxe *f*, impôt *m*; ***before ~*** avant impôt; ***after ~*** après impôt; ***to put a ~ on sb / sth*** mettre une taxe sur qn / qc **II** *v/t* **1.** imposer, taxer **2.** *fig patience* éprouver **taxable** ['tæksəbl] *adj* imposable; ***~ income*** revenu imposable **tax allowance** *n* crédit *m* d'impôt; (*tax-free income*) exonération *f* fiscale **taxation** [tæk'seɪʃən] *n* imposition *f*; (*money collected*) charges *fpl* fiscales **tax bill** *n* avis *m* d'imposition **tax bracket** *n* tranche *f* d'imposition **tax-deductible** *adj* déductible des impôts **tax demand** *n* avis *m* d'imposition **tax disc** *n Br* ≈ vignette *f* automobile **tax-exempt** *adj US income* exonéré d'impôt **tax-free** *adj, adv* hors taxe **tax haven** *n* paradis *m* fiscal

taxi ['tæksɪ] **I** *n* taxi *m*; ***to go by ~*** prendre un taxi **II** *v/i* AVIAT rouler **taxicab** ['tæksɪkæb] *n esp US* taxi *m*

taxidermist ['tæksɪdɜːmɪst] *n* taxidermiste *m/f*

taxi driver *n* chauffeur *m* de taxi

tax inspector *n Br* inspecteur(-trice) *m*(*f*) des impôts

taxi stand, *Br* **taxi rank** *n* station *f* de taxis

taxman *n* ***the ~ gets 35%*** le service des

impôts reçoit 35% **taxpayer** *n* contribuable *m/f* **tax return** *n* déclaration *f* d'impôts

TB *abbr* = **tuberculosis** tuberculose *f*

T-bone steak ['tiːbəʊn'steɪk] *n* double entrecôte *f*

tea [tiː] *n* **1.** thé *m*; ***a cup of ~*** une tasse de thé **2.** *Br* (*afternoon tea*) thé *m* avec des gâteaux; (*meal*) dîner *m* **tea bag** *n* sachet *m* de thé **tea break** *n Br* pause-thé *f* **tea caddy** *n Br* boîte *f* à thé **teacake** *n Br* ≈ pain *m* aux raisins

teach [tiːtʃ] *vb* 〈*past, past part* **taught**〉 **I** *v/t* enseigner, apprendre; ***to ~ sb sth*** enseigner qc à qn; (*teacher*) enseigner; ***to ~ sb to do sth*** apprendre à qn à faire qc; ***the accident taught me to be careful*** l'accident m'a appris à faire attention; ***who taught you to drive?*** qui vous a appris à conduire?; ***that'll ~ her*** cela lui apprendra; ***that'll ~ you to break the speed limit*** cela t'apprendra à respecter les limites de vitesse **II** *v/i* enseigner; ***he can't ~*** (*no ability*) il est très mauvais professeur

teacher ['tiːtʃəʳ] *n* professeur(e) *m(f)*, enseignant(e) *m(f)*; (*in primary school*) maître(sse) *m(f)* (d'école), professeur(e) *m(f)* des écoles; ***English ~s*** professeurs d'anglais **teacher-training** [ˌtiːtʃə'treɪnɪŋ] *n* (*for primary school*) formation *f* des professeurs des écoles; (*for secondary school*) formation *f* des enseignants; ***~ college*** institut de formation des enseignants

tea chest *n Br* caisse *f* à thé

teaching ['tiːtʃɪŋ] *n* **1.** enseignement *m*; ***she enjoys ~*** elle aime enseigner **2.** (*doctrine*: *a.* **teachings**) enseignements *mpl*

teaching time *n* heures *fpl* d'enseignement

tea cloth *n Br* torchon *m* **tea cozy**, *Br* **tea cosy** *n* couvre-théière *m* **teacup** *n* tasse *f* à thé

teak [tiːk] *n* (*wood*) teck *m*

tea leaf *n* feuille *f* de thé

team [tiːm] *n* équipe *f* ◆ **team up** *v/i* (*people*) faire équipe (***with*** avec)

team effort *n* travail *m* d'équipe **team game** *n* jeu *m* d'équipe **team-mate** *n* coéquipier(-ière) *m(f)* **team member** *n* membre *m* d'une équipe **team spirit** *n* esprit *m* d'équipe **teamwork** ['tiːmwɜːk] *n* travail *m* d'équipe

tea party *n* thé *m* **teapot** *n* théière *f*

tear¹ [tɛəʳ] *vb* 〈*past* **tore**〉 〈*past part* **torn**〉 **I** *v/t* déchirer; *hole* faire; ***to ~ sth in two*** déchirer qc en deux; ***to ~ sth to pieces*** déchirer qc en petits morceaux; *fig play etc.* démolir qc; ***to ~ sth open*** ouvrir qc en le déchirant; ***to ~ one's hair*** (***out***) s'arracher les cheveux; ***to be torn between two things*** *fig* être déchiré entre deux choses **II** *v/i* **1.** (*material etc.*) déchirer; ***~ along the dotted line*** déchirez en suivant les pointillés **2.** (*move quickly*) se ruer **III** *n* déchirure *f* ◆ **tear along** *v/i* foncer ◆ **tear apart** *v/t sep place* mettre à sac; *country* déchirer; ***it tore me apart to leave you*** cela m'a déchiré de te quitter ◆ **tear at** *v/t insep* déchiqueter ◆ **tear away** *v/t sep* ***if you can tear yourself away*** si tu arrives à t'extraire d'ici ◆ **tear down** *v/t sep poster* déchirer; *house* démolir ◆ **tear into** *v/t insep* (*attack verbally*) se jeter sur; (*critic*) incendier ◆ **tear off I** *v/i* **1.** (*rush off*) filer **2.** (*check*) se déchirer **II** *v/t sep wrapping* déchirer précipitamment; *clothes* enlever à la hâte ◆ **tear out I** *v/i* se détacher **II** *v/t sep* détacher (***of*** de) ◆ **tear up** *v/t sep* **1.** *paper etc.* déchirer **2.** *post* refuser **3.** *ground* défoncer

tear² [tɪəʳ] *n* larme *f*; ***in ~s*** en larmes; ***there were ~s in her eyes*** elle avait les yeux pleins de larmes; ***the news brought ~s to her eyes*** la nouvelle lui a fait monter les larmes aux yeux; ***the ~s were running down her cheeks*** les larmes coulaient sur ses joues

tearaway ['tɛərəweɪ] *n* (*Br infml*) garnement *m*

teardrop *n* larme *f* **tearful** ['tɪəfʊl] *adj face* larmoyant; *farewell* déchirant; ***to become ~*** se mettre à pleurer **tearfully** ['tɪəfəlɪ] *adv look* avec des larmes dans les yeux; *say* avec des larmes dans la voix **tear gas** *n* gaz *m* lacrymogène

tearoom ['tiːruːm] *n Br* salon *m* de thé

tear-stained ['tɪəsteɪnd] *adj* mouillé de larmes

tease [tiːz] **I** *v/t person* taquiner; (*make fun of*) charrier (***about*** à propos de) **II** *v/i* taquiner **III** *n* (*infml person*) taquin(e) *m(f)* *infml*

tea service, tea set *n* service *m* à thé **teashop** *n* salon *m* de thé

teasing ['tiːzɪŋ] *adj manner* taquin

teaspoon *n* **1.** cuillère *f* à café **2.** (*a.* **teaspoonful**) cuillerée *f* à café **tea strain-**

er *n* passoire *f* à thé

teat [tiːt] *n* (*of animal*) mamelle *f*; (*Br: on bottle*) tétine *f*

teatime *n Br* (*for afternoon tea*) heure *f* du thé; (*mealtime*) heure *f* du dîner; ***at ~*** à l'heure du thé **tea towel** *n Br* torchon *m* à vaisselle **tea wagon**, *Br* **tea trolley** *n* table *f* roulante

technical ['teknɪkəl] *adj* **1.** technique **2.** (*of particular branch*) technique; ***~ dictionary*** dictionnaire technique; ***~ term*** terme technique **technical college** *n esp Br* ≈ lycée *m* d'enseignement professionnel **technical drawing** *n* dessin *m* industriel **technicality** [ˌteknɪ'kælɪtɪ] *n* (*technical detail*) détail *m* technique; (*fig*, JUR) vice *m* de forme **technically** ['teknɪkəlɪ] *adv* **1.** techniquement **2.** ***~ speaking*** d'un point de vue technique **technical school** *n US* école *f* d'enseignement technique **technical support** *n* IT assistance *f* technique **technician** [tek'nɪʃən] *n* technicien(ne) *m*(*f*)

technique [tek'niːk] *n* technique *f*

technological [ˌteknə'lɒdʒɪkəl] *adj* technologique **technologically** [teknə'lɒdʒɪklɪ] *adv* technologiquement **technologist** [tek'nɒlədʒɪst] *n* technologue *m*/*f*

technology [tek'nɒlədʒɪ] *n* technologie *f*; ***communications ~*** technologie des communications

teddy (**bear**) ['tedɪ(ˌbɛəʳ)] *n* ours *m* en peluche

tedious ['tiːdɪəs] *adj* lassant **tedium** ['tiːdɪəm] *n* ennui *m*

tee [tiː] *n* GOLF tee *m*

teem [tiːm] *v/i* **1.** (*with insects etc.*) grouiller (***with*** de) **2.** ***it's ~ing with rain*** il pleut des cordes *infml* **teeming** ['tiːmɪŋ] *adj rain* battant

teen [tiːn] *adj movie* pour adolescent; ***~ idol*** idole des adolescents **teenage** ['tiːneɪdʒ] *adj* adolescent; *son*, *girl* adolescent; ***~ idol*** idole des adolescents **teenaged** ['tiːneɪdʒd] *adj* adolescent; ***~ boy*/ *girl*** adolescent / adolescente **teenager** ['tiːnˌeɪdʒəʳ] *n* adolescent(e) *m*(*f*) **teens** [tiːnz] *pl* adolescence *f*; ***to be in one's ~*** être adolescent

teeny(weeny) ['tiːnɪ('wiːnɪ)] *adj infml* tout petit

tee shirt *n* = **T-shirt**

teeter ['tiːtəʳ] *v/i* vaciller; ***to ~ on the brink*** *or* ***edge of sth*** *lit* être au bord de qc; *fig* friser qc

teeth [tiːθ] *pl* = **tooth** **teethe** [tiːð] *v/i* faire ses dents **teething ring** ['tiːðɪŋ] *n* anneau *m* de dentition **teething troubles** *pl* (*fig*) problèmes *mpl* initiaux

teetotal [ˌtiː'təʊtl] *adj person* qui ne boit jamais d'alcool, sobre **teetotaler**, *Br* **teetotaller** [ˌtiː'təʊtləʳ] *n* personne *f* qui ne boit jamais d'alcool

TEFL *abbr* = **Teaching of English as a Foreign Language**

tel. *abbr* = **telephone** (**number**) Tél.

telebanking ['telɪˌbæŋkɪŋ] *n* opérations *fpl* bancaires à distance, télébanque *f*

telecommunications [ˌtelɪkəmjuːnɪ'keɪʃənz] *n* **1.** *pl* télécommunications *fpl* **2.** *sg* (*science*) télécommunication *f*

telecommuting ['telɪkəmˌjuːtɪŋ] *n* télétravail *m*

telegram ['telɪgræm] *n* télégramme *m*

telegraph ['telɪgrɑːf] *v/t* télégraphier **telegraph pole** *n Br* poteau *m* télégraphique

telepathic [ˌtelɪ'pæθɪk] *adj* télépathique; ***you must be ~!*** tu dois être téléphathe!

telepathy [tɪ'lepəθɪ] *n* télépathie *f*

telephone ['telɪfəʊn] **I** *n* téléphone *m*; ***there's somebody on the ~ for you*** il y a quelqu'un qui te demande au téléphone; ***do you have a ~?*** avez-vous un numéro de téléphone où l'on peut vous joindre?; ***he's on the ~*** (*is using the telephone*) il est au téléphone; ***by ~*** par téléphone; ***I've just been on the ~ to him*** je viens de l'avoir au téléphone; ***I'll get on the ~ to her*** je vais l'appeler **II** *v/t Br* téléphoner à **III** *v/i Br* téléphoner; ***to ~ for an ambulance*** appeler une ambulance **telephone banking** *n* opérations *fpl* bancaires par téléphone **telephone booth**, *Br* **telephone box** *n* cabine *f* téléphonique **telephone call** *n* appel *m* téléphonique **telephone directory** *n* annuaire *m* téléphonique **telephone exchange** *n* central *m* (téléphonique) **telephone kiosk** *n Br* cabine *f* téléphonique **telephone line** *n* ligne *f* (téléphonique) fixe **telephone number** *n* numéro *m* de téléphone **telephone operator** *n esp US* opérateur (-trice) *m*(*f*) **telephone pole** *n US* poteau *m* (télégraphique)

telephoto (**lens**) ['telɪˌfəʊtəʊ('lenz)] *n* téléobjectif *m*

telesales ['telɪseɪlz] *n sg or pl Br* télévente *f*

telescope ['telɪskəʊp] *n* télescope *m* **telescopic** [ˌtelɪ'skɒpɪk] *adj aerial etc.* télescopique **telescopic lens** *n* téléobjectif *m*

Teletext® ['telɪtekst] *n Br* télétexte *m*

televise ['telɪvaɪz] *v/t* retransmettre

television ['telɪˌvɪʒən] *n* télévision *f*; (*set*) (poste *m* de) télévision *f*; ***to watch ~*** regarder la télévision; ***to be on ~*** passer à la télévision; ***what's on ~?*** qu'est-ce qu'il y a à la télévision? **television camera** *n* caméra *f* de télévision **television licence** *n Br* redevance *f* télévisuelle **television screen** *n* écran *m* de télévision **television set** *n* téléviseur *m*

teleworker ['telɪwɜːkəʳ] *n* télétravailleur(-euse) *m(f)* **teleworking** *n* télétravail *m*

telex ['teleks] **I** *n* télex *m* **II** *v/t message* envoyer par télex; *person* envoyer un télex à

tell [tel] ⟨*past, past part* **told**⟩ **I** *v/t* **1.** *story* raconter (***sb sth, sth to sb*** qc à qn); (*say, order*) dire (***sb sth*** qc à qn); ***to ~ lies*** dire des mensonges; ***to ~ tales*** *Br* rapporter *infml*; ***to ~ sb's fortune*** dire la bonne aventure à qn; ***to ~ sb a secret*** dire un secret à qn; ***to ~ sb about sth*** parler de qc à qn; ***I can't ~ you how pleased I am*** vous ne pouvez pas savoir comme je suis content; ***could you ~ me the way to the art gallery, please?*** pourriez-vous m'indiquer le chemin pour aller au musée des beaux-arts, s'il vous plaît?; (***I'll***) ***~ you what, let's go to the cinema*** tu sais ce qu'on va faire, on va aller au cinéma; ***don't ~ me you can't come!*** ne me dis pas que tu ne peux pas venir!; ***I won't do it, I ~ you!*** je ne le ferais pas, je te préviens; ***I told you so*** je vous l'avais bien dit; ***we were told to bring sandwiches with us*** on nous a dit d'apporter des sandwichs; ***don't you ~ me what to do!*** ne me dis pas ce que j'ai à faire!; ***do as*** *or* ***what you are told!*** fais ce qu'on te demande! **2.** (*distinguish, discern*) voir; ***to ~ the time*** dire l'heure; ***to ~ the difference*** voir la différence; ***you can ~ that he's clever*** ça se voit qu'il est intelligent; ***you can't ~ whether it's moving*** on n'arrive pas à voir si ça bouge; ***to ~ sb / sth by sth*** distinguer qn / qc par qc; ***I can't ~ butter from margarine*** je ne fais pas la différence entre le beurre et la margarine; ***to ~ right from wrong*** distinguer le bien du mal **3.** (*know*) savoir; ***how can I ~ that?*** comment puis-je savoir ça? **II** *v/t insep* dire; ***I won't ~ you again*** je ne le répéterai pas; ***you're ~ing me!*** c'est à moi que tu dis ça! **III** *v/i* **1.** (*be sure*) savoir; ***as*** *or* ***so far as one can ~*** autant que je sache; ***who can ~?*** comment savoir?; ***you never can ~, you can never ~*** on ne sait jamais **2.** (*talk*) dire; ***promise you won't ~*** jure que tu ne diras rien ◆ **tell off** *v/t sep infml* disputer (***for*** pour); ***he told me off for being late*** il m'a disputé pour mon retard ◆ **tell on** *v/t insep* (*infml inform on*) rapporter *infml*

teller ['teləʳ] *n* (*in bank*) caissier(-ière) *m(f)*

telling ['telɪŋ] **I** *adj* **1.** (*effective*) efficace **2.** (*revealing*) révélateur(-trice) **II** *n* **1.** (*narration*) narration *f* **2.** ***there is no ~ what he may do*** on ne peut pas savoir ce qu'il peut faire **telling-off** [ˌtelɪŋ'ɒf] *n* (*Br infml*) ***to give sb a good ~*** passer un bon savon à qn *infml* **telltale** ['telteɪl] *n Br* rapporteur(-euse) *m(f)*

telly ['telɪ] *n* (*Br infml*) télé *f infml*; ***on ~*** à la télé; ***to watch ~*** regarder la télé; → **television**

temerity [tɪ'merɪtɪ] *n* témérité *f pej*

temp [temp] **I** *n* intérimaire *m/f* **II** *v/i* faire de l'intérim

temper ['tempəʳ] *n* (*mood*) tempérament *m*; ***to be in a ~*** être énervé; ***to be in a good / bad ~*** être de bonne / mauvaise humeur; ***she has a quick ~*** elle s'énerve vite; ***he has a terrible ~*** il a très mauvais caractère; ***to lose one's ~*** s'énerver (***with sb*** avec qn); ***to keep one's ~*** ne pas s'énerver (***with sb*** avec qn); ***to fly into a ~*** se mettre en rogne; ***he has quite a ~*** il a un sacré caractère

temperament ['tempərəmənt] *n* (*disposition*) tempérament *m*; (*of a people*) caractère *m* **temperamental** [ˌtempərə'mentl] *adj* **1.** soupe au lait **2.** *car* capricieux(-euse) *hum*

temperate ['tempərɪt] *adj climate* tempéré

temperature ['temprɪtʃəʳ] *n* température *f*; ***to take sb's ~*** prendre la température de qn; ***he has a ~*** il a de la température; ***he has a ~ of 39° C*** il a 39° de température

-tempered [-'tempəd] *adj suf* ***bad~*** de

mauvaise humeur
tempestuous [ˌtem'pestjʊəs] *adj fig* tempétueux(-euse)
temping agency ['tempɪŋˌeɪdʒənsɪ] *n* agence *f* d'intérim
template, templet ['templɪt] *n* modèle *m*
temple[1] ['templ] *n* REL temple *m*
temple[2] *n* ANAT tempe *f*
tempo ['tempəʊ] *n* (MUS, *fig*) tempo *m*
temporarily ['tempərərɪlɪ] *adv* temporairement **temporary** ['tempərərɪ] *adj* temporaire; *address* provisoire; ***she is a ~ resident here*** elle est en résidence temporaire ici
tempt [tempt] *v/t* tenter; ***to ~ sb to do*** *or* ***into doing sth*** inciter qn à faire qc; ***I am ~ed to accept*** je suis tenté d'accepter; ***may I ~ you to have a little more wine?*** vous reprendrez bien un peu de vin?; ***to ~ fate*** *or* ***providence*** *fig* tenter le diable; (*in words*) vendre la peau de l'ours **temptation** [temp'teɪʃən] *n* tentation *f*; ***to yield to*** *or* ***to give way to ~*** succomber à la tentation **tempting** ['temptɪŋ] *adj* tentant **temptingly** ['temptɪŋlɪ] *adv* d'une manière tentante
ten [ten] **I** *adj* dix **II** *n* dix *m*; → **six**
tenacious [tɪ'neɪʃəs] *adj* tenace **tenacity** [tɪ'næsɪtɪ] *n* ténacité *f*
tenancy ['tenənsɪ] *n* ***conditions of ~*** conditions de location; (*of farm*) métayage *m* **tenant** ['tenənt] *n* locataire *m/f*; (*of farm*) métayer(-ère) *m(f)*
tend[1] [tend] *v/t* s'occuper de; *sheep* garder; *machine* entretenir
tend[2] *v/i* **1.** ***to ~ to be/ do sth*** avoir tendance à être / faire qc; ***the lever ~s to stick*** le levier a tendance à se coincer; ***that would ~ to suggest that ...*** cela tendrait à suggérer que ... **2.** ***to ~ toward*** (*measures etc.*) avoir tendance à; (*person, views etc.*) pencher vers **tendency** ['tendənsɪ] *n* tendance *f*; ***artistic tendencies*** tendances artistiques; ***to have a ~ to be/ do sth*** avoir tendance à être / faire qc
tender[1] ['tendər] **I** *v/t money, services* proposer; *resignation* donner **II** *n* COMM soumission *f*
tender[2] *adj* **1.** *spot* sensible; *plant, meat* tendre; ***at the ~ age of 7*** à l'âge tendre de 7 ans **2.** (*affectionate*) tendre; *kiss* tendre; ***~ loving care*** tendresse et affection **tenderhearted** [ˌtendə'hɑːtɪd] *adj* tendre **tenderly** ['tendəlɪ] *adv* tendrement **tenderness** ['tendənɪs] *n* **1.** (*soreness*) sensibilité *f* **2.** (*affection*) tendresse *f*
tendon ['tendən] *n* tendon *m*
tenement ['tenɪmənt] *n* (*a.* **tenement house**) immeuble *m* (d'habitation)
Tenerife [ˌtenə'riːf] *n* Ténérife *f*
tenfold ['tenfəʊld] **I** *adj* dix fois **II** *adv* par dix; ***to increase ~*** décupler
tenner ['tenər] *n* (*Br infml*) billet *m* de dix livres
tennis ['tenɪs] *n* tennis *m* **tennis ball** *n* balle *f* de tennis **tennis court** *n* court *m* de tennis **tennis player** *n* joueur (-euse) *m(f)* de tennis **tennis racket, tennis racquet** *n* raquette *f* de tennis
tenor ['tenər] **I** *n* ténor *m* **II** *adj* MUS ténor
tenpins ['tenpɪnz], *Br* **tenpin bowling** [ˌtenpɪn'bəʊlɪŋ] *n* bowling *m*
tense[1] [tens] *n* GRAM temps *m*; ***present ~*** présent; ***past ~*** passé; ***future ~*** futur
tense[2] **I** *adj atmosphere, muscles, situation* tendu; *person* crispé; ***to grow ~*** (*person*) se crisper **II** *v/t* tendre **III** *v/i* se tendre ◆ **tense up** *v/i* se crisper
tension ['tenʃən] *n lit* tension *f*; (*nervous strain*) tension *f*
tent [tent] *n* tente *f*
tentacle ['tentəkl] *n* ZOOL tentacule *f tech*
tentative ['tentətɪv] *adj* (*not definite*) incertain; *offer* provisoire; (*hesitant*) *conclusion, suggestion* incertain; *smile* hésitant; ***we have a ~ arrangement to play tennis tonight*** nous avons vaguement prévu de jouer au tennis ce soir **tentatively** ['tentətɪvlɪ] *adv* (*hesitantly*) *smile* de façon hésitante; (*gingerly*) *move* avec précaution; (*provisionally*) *agree* provisoirement
tenterhooks ['tentəhʊks] *pl* ***to be on ~*** être sur le gril *infml*; ***to keep sb on ~*** mettre qn sur le gril
tenth [tenθ] **I** *adj* (*in series*) dixième; ***a ~ part*** un dixième **II** *n* **1.** (*fraction*) dixième *m* **2.** (*in series*) dixième *m/f*; → **sixth**
tent peg *n* sardine *f* **tent pole** *n* piquet *m* de tente
tenuous ['tenjʊəs] *adj fig connection etc.* ténu; *position* précaire; ***to have a ~ grasp of sth*** ne pas avoir une bonne maîtrise de qc
tenure ['tenjʊər] *n* **1.** *US* (*of teacher*) titularisation *f* **2.** (*holding of office*) titu-

larisation *f*; (*period of office*) fonction *f* **3. *during her ~ of the farm*** pendant qu'elle avait la charge de la ferme
tepid ['tepɪd] *adj* tiède
term [tɜːm] **I** *n* **1.** (*period of time*) durée *f*; (*limit*) terme *m*; ***~ of office*** mandat; ***~ of imprisonment*** durée d'emprisonnement; ***elected for a three-year ~*** élu pour un mandat de trois ans; ***in the short ~*** à court terme **2.** SCHOOL (*three in year*) trimestre *m*; (*two in year*) semestre *m*; UNIV trimestre *m* **3.** (*expression*) terme *m*; ***in simple ~s*** en termes simples **4. *in ~s of production we are doing well*** en termes de production, nous avons de bons résultats **5. terms** *pl* (*conditions*) conditions *fpl*; ***~s of surrender / payment*** conditions de capitulation / paiement; ***on equal ~s*** d'égal à égal; ***to come to ~s*** (***with sth***) accepter qc **6. terms** *pl* ***to be on good / bad ~s with sb*** être en bons / mauvais termes avec qn **II** *v/t* appeler
terminal ['tɜːmɪnl] **I** *adj* (*final*) terminal; MED incurable; ***to be in ~ decline*** être en déclin irréversible **II** *n* **1.** RAIL terminus *m*; (*for streetcar, buses*) terminus *m*; ***air*** *or* ***airport ~*** aérogare; ***railroad*** (*US*) *or* ***railway*** (*Br*) ***~*** terminus ferroviaire **2.** ELEC borne *f* **3.** IT terminal *m* **terminally** ['tɜːmɪnəlɪ] *adv* ***to be ~ ill*** être mourant **terminal station** *n* RAIL gare *f* de terminus
terminate ['tɜːmɪneɪt] **I** *v/t* mettre fin à; *contract etc.* résilier; *pregnancy* interrompre **II** *v/i* se terminer **termination** [ˌtɜːmɪ'neɪʃən] *n* (*bringing to an end*) cessation *f*; (*of contract etc. cancellation*) résiliation *f*; ***~ of pregnancy*** interruption de grossesse
terminology [ˌtɜːmɪ'nɒlədʒɪ] *n* terminologie *f*
terminus ['tɜːmɪnəs] *n* RAIL, BUS terminus *m*
termite ['tɜːmaɪt] *n* termite *m*
terrace ['terəs] *n* **1.** terrasse *f* **2.** (*Br row of houses*) rangée *f* de maisons attenantes **terraced** ['terəst] *adj* **1.** *hillside etc.* en terrasses **2.** *esp Br* ***~ house*** maison en rangée
terrain [te'reɪn] *n* terrain *m*
terrestrial [tɪ'restrɪəl] *adj* terrestre
terrible ['terəbl] *adj* terrible; ***I feel ~*** (*feel sick*) je ne me sens pas bien du tout; (*feel guilty*) je culpabilise beaucoup **terribly** ['terəblɪ] *adv* extrêmement; *disappointed, sorry* vraiment; *sing* atrocement; *important* extrêmement *infml*; ***I'm not ~ good with money*** je ne suis pas très doué pour gérer l'argent
terrier ['terɪə^r] *n* terrier *m*
terrific [tə'rɪfɪk] *adj* génial *infml*; *speed* fulgurant *infml*; ***that's ~ news*** c'est une super nouvelle *infml*; ***~!*** génial! *infml*
terrified ['terɪfaɪd] *adj* terrifié; ***to be ~ of sth*** avoir très peur de qc; ***he was ~ in case ...*** il était terrifié à l'idée que ...
terrify ['terɪfaɪ] *v/t* terrifier **terrifying** ['terɪfaɪɪŋ] *adj* *movie* terrifiant; *thought, sight* effrayant; *speed* vertigineux(-euse)
territorial [ˌterɪ'tɔːrɪəl] *adj* territorial **Territorial Army** *n Br* armée *f* de réservistes volontaires **territory** ['terɪtərɪ] *n* territoire *m*; (*of animals*) territoire *m*; *fig* domaine *m*
terror ['terə^r] *n* **1.** *no pl* (*fear*) terreur *f* (**of** de) **2.** (*terrible event*) événement *m* terrible **terrorism** ['terərɪzəm] *n* terrorisme *m*; ***an act of ~*** un acte terroriste **terrorist** ['terərɪst] **I** *n* terroriste *m/f* **II** *adj attr* terroriste; ***~ attack*** attaque terroriste **terrorize** ['terəraɪz] *v/t* terroriser
terse [tɜːs] *adj* laconique **tersely** ['tɜːslɪ] *adv* de façon laconique; *say, answer* sèchement
TESL *abbr* = **Teaching of English as a Second Language**
TESOL *abbr* = **Teaching of English as a Second or Other Language**
test [test] **I** *n* test *m*; SCHOOL contrôle *m*; UNIV épreuve *f*; MED analyse *f*; (*driving test*) examen *m* du permis de conduire; (*check*) test *m*; ***he gave them a vocabulary ~*** il leur a fait faire un test de vocabulaire; ***to put sb / sth to the ~*** mettre qn / qc à l'épreuve **II** *adj attr* d'essai **III** *v/t* **1.** tester; SCHOOL faire passer un test à; *fig* tester **2.** (*chemically*) tester; ***to ~ sth for sugar*** tester qc pour connaître la teneur en sucre **IV** *v/i* tester ◆ **test out** *v/t sep* tester (**on** sur)
testament ['testəmənt] *n* BIBLE ***Old / New Testament*** Ancien / Nouveau Testament
test case *n* jugement *m* qui fait jurisprudence **test-drive** *v/t* essai *m* sur route
testicle ['testɪkl] *n* testicule *m*
testify ['testɪfaɪ] **I** *v/t* ***to ~ that ...*** JUR attester que ... **II** *v/i* JUR témoigner
testimonial [ˌtestɪ'məʊnɪəl] *n* **1.** (*rec-*

ommendation) recommandation *f* **2.** SPORTS témoignage *m* **testimony** ['testɪmənɪ] *n* témoignage *m*; ***to bear ~ to sth*** témoigner de qc

testing ['testɪŋ] *adj* difficile

test match *n* (*Br* SPORTS) match *m* international

testosterone [te'stɒstərəʊn] *n* testostérone *f*

test results *pl* résultats *mpl* d'analyse **test tube** *n* éprouvette *f* **test-tube baby** *n* bébé *m* éprouvette

testy ['testɪ] *adj* irrité

tetanus ['tetənəs] *n* tétanos *m*

tether ['teðə^r] **I** *n lit* longe *f*; ***he was at the end of his ~*** (*fig*, *infml desperate*) il était au bout du rouleau *infml* **II** *v/t* (*a.* **tether up**) attacher

text [tekst] **I** *n* texte *m* **II** *v/t* ***to ~ sb*** envoyer un sms à qn

textbook ['tekstbʊk] **I** *n* manuel *m* **II** *adj* ***~ case*** cas d'école

textile ['tekstaɪl] *n* textile *m*; ***~s*** le textile

text message *n* sms *m* **text messaging** *n* TEL messagerie *f* SMS **textual** ['tekstjʊəl] *adj* textuel(le)

texture ['tekstʃə^r] *n* (*of food*, *material*) texture *f*

Thai [taɪ] **I** *adj* thaï **II** *n* **1.** Thaïlandais(e) *m*(*f*) **2.** (*language*) thaï *m* **Thailand** ['taɪlænd] *n* Thaïlande *f*

Thames [temz] *n* Tamise *f*

than [ðæn] *cj* plutôt que; ***I'd rather do anything ~ that*** je ferais n'importe quoi plutôt que ça; ***no sooner had I sat down ~ he began to talk*** je ne m'étais pas sitôt assis qu'il a commencé à parler; ***who better to help us ~ he?*** qui serait mieux placé que lui pour nous aider?

thank [θæŋk] *v/t* remercier; ***he has his brother to ~ for this*** il peut remercier son frère pour ça; ***~ you*** merci; ***~ you very much*** merci beaucoup; ***no ~ you*** non merci; ***yes, ~ you*** oui, s'il vous plaît; ***~ you for coming — not at all, ~ YOU!*** merci d'être venu — pas du tout, c'est vous qu'il faut remercier!; ***to say ~ you*** dire merci (***to sb*** à qn); ***~ goodness*** *or* ***heavens*** *or* ***God*** *infml* Dieu merci **thankful** *adj* reconnaissant (***to sb*** à qn); ***to be ~ to sb for sth*** être reconnaissant à qn de qc **thankfully** *adv* **1.** avec reconnaissance **2.** (*luckily*) heureusement **thankless** *adj* peu gratifiant

thanks [θæŋks] **I** *pl* remerciements *mpl*; ***to accept sth with ~*** accepter qc avec gratitude; ***and that's all the ~ I get*** et voilà tous les remerciements que j'ai; ***to give ~ to God*** remercier le ciel; ***~ to*** grâce à; ***it's all ~ to you that we're so late*** c'est ta faute si nous sommes autant en retard; ***it was no ~ to him that …*** ce n'est pas grâce à lui que … **II** *int infml* merci (**for** pour); ***many ~*** merci beaucoup (**for** pour); ***~ a lot*** merci beaucoup; ***~ for nothing!*** *iron* ne me remerciez pas! **Thanksgiving** (**Day**) ['θæŋksgɪvɪŋ(deɪ)] *n US jour férié aux États-Unis tombant le 4ème jeudi de novembre* **thank you** *n* merci *m*; ***thank-you letter*** lettre de remerciement

> **Thanksgiving**
>
> **Thanksgiving**, le quatrième jeudi de novembre, est l'une des dates les plus importantes du calendrier festif des États-Unis. Cette fête commémore traditionnellement un repas que les premiers colons anglais auraient partagé avec des Indiens. **Thanksgiving** marque le début des fêtes de fin d'année; c'est aussi l'une des périodes les plus chargées de l'année sur les routes et dans les transports en commun, beaucoup d'Américains se déplaçant pour rejoindre leurs proches à l'occasion du dîner de **Thanksgiving**. Au menu : dinde rôtie, purée de pommes de terre, sauce aux airelles et tarte au potiron.

that[1] [ðæt] **I** *dem pr* ⟨*pl* **those**⟩ **1.** cela, ça; ***what is ~?*** qu'est-ce que c'est que ça?; ***~ is Joe*** (***over there***) c'est Joe (là-bas); ***if she's as stupid as*** (***all***) ***~*** si elle est aussi stupide que ça; ***… and all ~*** … et tout ça; ***like ~*** comme cela; ***~ is*** (***to say***) c'est-à-dire; ***oh well, ~'s ~*** eh bien, c'est comme ça; ***you can't go and ~'s ~*** tu n'iras pas, un point c'est tout; ***well, ~'s ~ then*** bon, eh bien voilà; ***~'s it!*** c'est ça!; (*the right way*) c'est comme ça!; (*the last straw*) cette fois, ça suffit!; ***after / before ~*** après / avant cela; ***you can get it in any supermarket and quite cheaply at ~*** vous le trouverez dans n'importe quel supermarché et bon marché en plus; ***what do you mean by ~?*** que voulez-vous dire par là?; (*annoyed*) qu'est-ce que vous insinuez?; ***as for ~*** quant à cela **2.** (*opposed to "this" and "these"*) celui-là; ***~'s the one I like, not this one*** c'est celui-là que j'aime, pas celui-ci **3.** (*followed by rel pron*) ***this theory is different from ~ which …*** cette théorie diffère de celle-là qui …; ***~ which we call …*** celui que nous appelons … **II** *dem adj* ⟨*pl* **those**⟩ ce(cette); ***what was ~ noise?*** qu'est-ce que c'était que ce bruit?; ***~ dog!*** ce chien alors!; ***~ poor girl!*** cette pauvre fille!; ***I like ~ one*** j'aime celui-là; ***I'd like ~ one, not this one*** je voudrais celui-là, pas celui-ci; ***~ dog of yours!*** votre satané chien! *infml* **III** *adv infml* aussi; ***it's not ~ good*** *etc.* ce n'est pas aussi bon que ça

that[2] *rel pr* que, qui; ***all ~ …*** tout ce qui; ***the best*** *etc.* ***~ …*** le meilleur qui …; ***the girl ~ I told you about*** la fille dont je t'ai parlé

that[3] *cj* que; ***she promised ~ she would come*** elle a promis qu'elle viendrait; ***~ things*** *or* ***it should come to this!*** on n'aurait jamais imaginé que les choses en arriveraient là!

thatched [θætʃt] *adj* (*with straw*) en chaume; ***~ roof*** toit de chaume

thaw [θɔː] **I** *v/t* faire dégeler **II** *v/i* dégeler; (*snow*) fondre **III** *n* dégel *m* ◆ **thaw out I** *v/i* dégeler **II** *v/t sep lit* réchauffer

the [ðə, (*vor Vokal, betont*) ðiː] **I** *definite article* (*singular*) le, la, l'; (*plural*) les ***in ~ room*** dans la pièce; ***all ~ windows*** toutes les fenêtres; ***have you invited ~ Browns?*** est-ce que tu as invité les Brown?; ***Henry ~ Eighth*** Henry VIII; ***by ~ hour*** à l'heure; ***the car does thirty miles to ~ gallon*** la voiture fait 9,3 litres aux cent; ***to play ~ piano*** jouer du piano **II** *adv* (*with comp*) ***all ~ more reason to …*** raison de plus pour …; ***~ more he has ~ more he wants*** plus il en a, plus il en veut; ***~ sooner ~ better*** le plus tôt sera le mieux

theater, *Br* **theatre** ['θɪətəʳ] *n* **1.** théâtre *m*; ***to go to the ~*** aller au théâtre; ***what's on at the ~?*** qu'est-ce qu'on joue au théâtre? **2.** (*Br operating room*) salle *f* d'opération **theater company** *n* compagnie *f* théâtrale **theatergoer** *n* amateur(-trice) *m(f)* de théâtre **theatrical** [θɪ'ætrɪkəl] *adj* théâtral

theft [θeft] *n* vol *m*

their [ðɛəʳ] *poss adj* **1.** (*singular*) leur; (*plural*) leurs **2.** (*infml belonging to him or her*) (*singular*) son, sa; (*plural*) ses → **my**

theirs [ðɛəz] *poss pr* **1.** le leur, la leur, les leurs **2.** (*infml belonging to him or her*) le sien, la sienne; → **mine**[1]

them [ðem] *pers pr pl* ***both of ~*** tous les deux; ***neither of ~*** ni l'un ni l'autre; ***a few of ~*** quelques-uns d'entre eux; ***none of ~*** aucun d'entre eux; ***it's ~*** ce sont eux

theme [θiːm] *n* thème *m* **theme music** *n* FILM thème *m* musical; TV musique *f* de générique **theme park** *n* parc *m* à thème **theme tune** *n* = **theme music**

themselves [ðəm'selvz] *pers pr pl* **1.** (*reflexive*) se **2.** *emph* eux-mêmes, elles-mêmes; → **myself**

then [ðen] **I** *adv* **1.** (*next*) ensuite; (*in that case*) alors; ***and ~ what happened?*** et que s'est-il passé ensuite?; ***I don't want that — ~ what DO you want?*** je ne veux pas ça — eh bien alors qu'est-ce que tu veux?; ***but ~ that means that …*** mais alors cela veut dire que …; ***all right ~*** bon d'accord; ***(so) I was right ~*** donc j'avais raison; ***but ~ …*** mais alors …; ***but ~ again he is my friend*** mais bon, c'est mon ami; ***now ~, what's the matter?*** alors, que se passe-t-il?; ***come on ~*** allez **2.** (*at this time*) à ce moment; (*in those days*) à cette époque; ***there and ~*** sur le champ; ***from ~ on (-ward)*** à partir de ce moment-là; ***before ~*** avant cela; ***they had gone by ~*** ils étaient déjà partis; ***we'll be ready by ~*** d'ici-là nous serons prêts; ***since ~*** depuis; ***until ~*** jusque là **II** *adj attr* de l'époque

theologian [ˌθɪə'ləʊdʒɪən] *n* théologien(ne) *m(f)* **theological** [ˌθɪə'lɒdʒɪkəl] *adj* théologique **theology** [θɪ'ɒlədʒɪ] *n* théologie *f*

theoretic(al) [θɪə'retɪk(əl)] *adj* théorique **theoretically** *adv* théoriquement **theorize** ['θɪəraɪz] *v/i* théoriser **theory** ['θɪərɪ] *n* théorie *f*; ***in ~*** en théorie

therapeutic(al) [ˌθerə'pjuːtɪk(əl)] *adj* thérapeutique **therapist** ['θerəpɪst] *n* thérapeute *m/f* **therapy** ['θerəpɪ] *n* thérapie *f*; ***to be in ~*** faire une thérapie

there [ðɛəʳ] **I** *adv* là; ***look, ~'s Joe*** regarde, voilà Joe; ***it's under ~*** il est là-dessous; ***put it in ~*** mets-le là-dedans; ***~ and back*** aller retour; ***is Gordon ~ please?*** (*on telephone*) est-ce que Gordon est là s'il vous plaît?; ***you've got me ~*** vous m'avez eu; ***~ is / are*** il y a; (*there exists / exist also*) il existe; ***~ were three of us*** nous étions trois; ***~ is a mouse in the room*** il y a une souris dans la pièce; ***is ~ any beer?*** est-ce qu'il y a de la bière; ***afterward ~ was coffee*** après, il y a eu du café; ***~ seems to be no-one at home*** on dirait qu'il n'y a personne; ***hi ~!*** salut; ***so ~!*** et toc! *infml*; ***~ you are*** (*giving sb sth*) voilà; (*on finding sb*) te voilà; ***~ you are, you see*** eh bien voilà **II** *int* ***~! ~!*** allons, allons!; ***stop crying now, ~'s a good boy*** ne pleure plus, c'est fini, tu es un grand garçon; ***now ~'s a good boy, don't tease your sister*** sois gentil, arrête de taquiner ta sœur; ***hey, you ~!*** *infml* hé, vous là-bas *infml* **thereabouts** [ˌðɛərə'baʊts] *adv* ***fifteen people or ~*** quinze personnes environ **thereafter** [ˌðɛər'ɑːftəʳ] *adv form* par la suite **thereby** [ˌðɛə'baɪ] *adv* ainsi

therefore ['ðɛəfɔːʳ] *adv* par conséquent; ***so ~ I was wrong*** donc j'avais tort **there's** [ðɛəz] *contr* = **there is**, **there has** **thereupon** [ˌðɛərə'pɒn] *adv* (*then*) sur ce

thermal ['θɜːməl] **I** *adj* **1.** PHYS thermique **2.** *Br clothing* thermo-protecteur (-trice) **II** *n* **thermals** *pl* (*infml thermal underwear*) sous-vêtements *mpl* thermo-protecteurs **thermal spring** *n* source *f* thermale

thermometer [θə'mɒmɪtəʳ] *n* thermomètre *m*

Thermos® ['θɜːməs] *n* (*a.* **Thermos bottle** *or* (*Br*) **flask**) thermos® *m or f*

thermostat ['θɜːməstæt] *n* thermostat *m*

thesaurus [θɪ'sɔːrəs] *n* ≈ dictionnaire *m* analogique

these [ðiːz] *adj*, *pron* ceux-ci, celles-ci; → **this**

thesis ['θiːsɪs] *n* ⟨*pl* **theses**⟩ UNIV **1.** (*for Ph.D.*) thèse *m* **2.** (*for diploma*) mémoire *m*

thespian ['θespɪən] *liter*, *hum* **I** *adj* du théâtre **II** *n* (*man*) homme *m* de théâtre; (*woman*) femme *f* de théâtre

they [ðeɪ] *pers pr pl* **1.** ils; ***~ are very good people*** ils sont très gentils; ***~ who*** eux qui **2.** (*people in general*) ***~ say that …*** on dit que …; ***~ are thinking of changing the law*** ils envisagent de changer la loi; ***if anyone looks at this closely, ~ will notice …*** *infml* si on y regarde de près, on remarque … **they'd** [ðeɪd] *contr* = **they had**, **they would** **they'll** [ðeɪl] *contr* = **they will** **they're** [ðɛəʳ] *contr* = **they are** **they've** [ðeɪv] *contr* = **they have**

thick [θɪk] **I** *adj* **1.** *lips*, *liquid*, *fog*, *smoke* épais(se); *hair*, *forest* dense; *accent* fort; ***a wall three feet ~*** un mur épais de trois pieds **2.** (*Br infml*) *person* bête; ***to get sth into*** *or* ***through sb's ~ head*** mettre qc dans la petite tête de qn *infml* **II** *n* ***in the ~ of it*** en plein dedans; ***through ~ and thin*** coûte que coûte **III** *adv spread*, *cut* épais; ***the snow lay ~*** il y avait une bonne épaisseur de neige; ***the jokes came ~ and fast*** les blagues fusaient **thicken** ['θɪkən] **I** *v/t sauce etc.* épaissir **II** *v/i* **1.** épaissir **2.** (*fig: mystery*) se compliquer; ***aha, the plot ~s!*** tiens tiens, l'intrigue se complique!

thicket ['θɪkɪt] *n* fourré *m*

thickly ['θɪklɪ] *adv spread*, *cut* épais; *populated* fortement **thickness** ['θɪknɪs] *n* **1.** épaisseur *f* **2.** (*layer*) épaisseur *f* **thickset** *adj* trapu **thick-skinned** *adj fig* à la peau dure

thief [θiːf] *n* ⟨*pl* **thieves**⟩ voleur(-euse) *m*(*f*) **thieve** [θiːv] *v/t & v/i* voler

thigh [θaɪ] *n* cuisse *f* **thigh-length** *adj* ***~ boots*** cuissardes

thimble ['θɪmbl] *n* dé *m* à coudre

thin [θɪn] **I** *adj* **1.** mince; (*narrow*) étroit; *hair* fin; ***he's going ~ on top*** il perd ses cheveux; ***to be ~ on the ground*** *fig* être rare; ***to vanish into ~ air*** *fig* disparaître dans la nature **2.** *fig smile* faux(fausse); *plot* léger(-ère) **II** *adv spread*, *cut* finement; *lie* en fine couche **III** *v/t paint* délayer; *trees* éclaircir; *blood* fluidifier **IV** *v/i* (*fog*) se dissiper; (*crowd*) se disperser ◆ **thin down** *v/t sep paint* délayer ◆ **thin out I** *v/i* (*crowd*) se disperser; (*trees*) s'éclaircir **II** *v/t sep* éclaircir; *forest* éclaircir

thing [θɪŋ] *n* **1.** chose *f*; ***a ~ of beauty*** une merveille; ***she likes sweet ~s*** elle aime les choses sucrées; ***what's that ~?*** qu'est-ce que c'est que cette chose?; ***I don't have a ~ to wear*** je n'ai rien à me mettre; ***poor little ~*** pauvre petit; ***you poor ~!*** mon pauvre chéri! **2.** **things** *pl* (*equipment*, *belongings*) affaires *fpl*; ***do you have your swimming ~s?*** est-ce que tu as tes affaires de piscine? **3.** (*affair, subject*) chose *f*; ***the odd ~ about it is …*** ce qu'il y a de bizarre à ce propos c'est …; ***it's a good ~ I came*** c'est une bonne chose que je sois venu; ***he's on to*** *or* ***onto a good ~*** *infml* il est sur une bonne affaire *infml*; ***what a (silly) ~ to do*** quelle idiotie; ***there is one/one other ~ I want to ask you*** il y a une dernière chose que j'aimerais vous demander; ***I must be hearing ~s!*** j'entends des voix!; ***~s are going from bad to worse*** les choses vont de mal en pis; ***as ~s stand at the moment, as ~s are …*** dans l'état actuel des choses; ***how are ~s (with you)?*** comment ça va?; ***it's been one ~ after the other*** les ennuis n'ont pas arrêté de s'enchaîner; ***if it's not one ~ it's the other*** quand ce n'est pas une chose, c'en est une autre; ***(what) with one ~ and another I haven't had time to do it*** avec tout ce que j'ai eu à faire, je n'ai pas eu le temps; ***it's neither one ~ nor the other*** c'est ni fait ni à faire; ***one ~ led to another*** de fil en aiguille; ***for one ~ it doesn't make sense*** d'abord ça n'a pas de sens; ***not to understand a ~*** ne pas comprendre un traître mot; ***he knows a ~ or two about cars*** il s'y connaît un peu en voitures; ***it's just one of those ~s*** c'est comme ça; ***the latest ~ in ties*** la dernière mode en matière de cravate; ***the postman comes first ~ in the morning*** le facteur passe très tôt le matin; ***I'll do that first ~ in the morning*** je ferai ça en premier demain matin; ***last ~ at night*** tard le soir; ***the ~ is to know when …*** il faut savoir quand …; ***yes, but the ~ is …*** oui mais le problème c'est que …; ***the ~ is we don't have enough money*** le problème est que nous n'avons pas assez d'argent; ***to do one's own ~*** *infml* faire ce que l'on a envie; ***she has this ~ about Sartre*** (*infml can't stand*) elle a une véritable aversion pour Sartre; (*is fascinated by*) elle a une véritable fascination pour Sartre **thingamajig** ['θɪŋəmɪˌdʒɪg] *n* machin *m*

think [θɪŋk] *vb* ⟨*past, past part* **thought**⟩ **I** *v/i* réfléchir; ***to ~ to oneself*** penser; ***to act without ~ing*** agir sans réfléchir; ***it makes you ~*** cela fait réfléchir; ***I need time to ~*** j'ai besoin de temps pour réfléchir; ***it's so noisy you can't hear yourself ~*** il y a tellement de bruit qu'on ne s'peut pas se concentrer; ***now let me ~*** attends que je réfléchisse; ***it's a good idea, don't you ~?*** c'est une bonne idée, tu ne trouves pas?; ***just ~*** imagine; ***listen, I've been ~ing, …*** écoute, je pensais, …; ***sorry, I just wasn't ~ing*** excusez-moi, je n'ai pas réfléchi **II** *v/t* **1.** penser; ***what do you ~?*** qu'en penses-tu?; ***I ~ you'd better go*** je crois que tu ferais mieux d'y aller; ***I ~ so*** je pense que oui; ***I ~ so too*** moi aussi, je pense que oui; ***I don't ~ so, I shouldn't ~ so*** je ne pense pas; ***I should ~ so!*** j'espère bien!; ***I should ~ not!*** j'espère que non!; ***what do you ~ I should do?*** qu'est-ce que tu crois que je devrais faire?; ***I ~ I'll go for a walk*** je crois que je vais aller me promener; ***do you ~ you can manage?*** tu penses que tu vas y arriver?; ***I never thought to ask you*** je n'avais pas pensé à te le demander; ***I thought so*** c'est bien ce je pensais **2.** ***you must ~ me very rude*** tu dois me trouver très mal élevé **3.** (*imagine*) penser; ***I don't know what to ~*** je ne sais pas quoi penser; ***that's what you ~!*** c'est ce que tu crois!; ***who do you ~ you are!*** pour qui tu te prends?; ***anyone would ~ he was dying*** on se serait imaginé qu'il était mourant; ***who would have thought it?*** qui l'aurait cru?; ***to ~ that she's only ten!*** quand je pense qu'elle n'a que dix ans! **III** *n Br* ***have a ~ about it*** réfléchis; ***to have a good ~*** bien réfléchir ◆ **think about** *v/t insep* **1.** (*reflect on*) réfléchir à; ***I'll ~ it*** j'y réfléchirai; ***what are you thinking about?*** à quoi penses-tu?; ***to think twice about sth*** réfléchir à qc à deux fois; ***that'll give him something to ~*** ça lui occupera l'esprit **2.** (*progressive half intend to*) envisager **3.**; → **think of** *1, 4* ◆ **think ahead** *v/i* anticiper ◆ **think back** *v/i* se remémorer (***to sth*** qc) ◆ **think of** *v/t insep* **1.** penser à; ***he thinks of nobody but himself*** il ne pense à personne d'autre qu'à lui-même; ***what was I thinking of!*** *infml* où avais-je la tête?; ***come to ~ it*** maintenant que j'y pense; ***I can't ~ her name*** je n'arrive pas à me souvenir de son nom **2.** (*imagine*) imaginer **3.** *solution, idea* trouver; ***who thought of that idea?*** qui a trouvé cette idée? **4.** (*have opinion of*) avoir une opinion de; ***to think highly of sb / sth*** avoir une haute opinion de qn / qc; ***to think little*** *or* ***not to think much of sb / sth*** ne pas avoir une haute opinion de qn / qc; ***I told him what I thought of him*** je lui ai dit ce que je pensais de lui ◆ **think over** *v/t sep* réfléchir à ◆ **think through** *v/t sep* mûrement réfléchir à ◆ **think up** *v/t sep* inventer; ***who thought up that idea?*** qui a eu cette idée?

thinker ['θɪŋkəʳ] *n* penseur(-euse) *m(f)*

thinking ['θɪŋkɪŋ] **I** *adj* pensant **II** *n* ***to my way of ~*** à ma façon de penser

think-tank ['θɪŋktæŋk] *n* groupe *m* de réflexion

thinly ['θɪnlɪ] *adv* **1.** finement **2.** *fig disguised* à peine **thinner** ['θɪnəʳ] *n* diluant *m* **thinness** ['θɪnnɪs] *n* minceur *f*; (*of material, paper*) finesse *f*; (*of person*) maigreur *f* **thin-skinned** ['θɪnskɪnd] *adj fig* susceptible

third [θɜːd] **I** *adj* **1.** (*in series*) troisième; ***to be ~*** arriver troisième; ***in ~ place*** SPORTS *etc.* à la troisième place; ***she came ~ in her class*** elle est troisième de sa classe; ***he came ~ in the race*** il est arrivé troisième à la course; ***~ time lucky*** la troisième fois sera la bonne **2.** (*of fraction*) ***a ~ part*** un tiers **II** *n* **1.** (*of series*) troisième *m/f* **2.** (*fraction*) troisième *m*; → **sixth** **third-class** *adv, adj* non urgent; ***~ degree*** (*Br* UNIV) ≈ licence *f* sans mention **third-degree** *adj attr* ***~ burn*** MED brûlure au troisième degré **thirdly** ['θɜːdlɪ] *adv* troisièmement **third-party** *Br adj attr* ***~ insurance*** assurance au tiers **third person** **I** *adj* de la troisième personne **II** *n* ***the ~ singular*** GRAM la troisième personne du singulier **third-rate** *adj* médiocre **Third World** **I** *n* tiers-monde *m* **II** *attr* du tiers-monde

thirst [θɜːst] *n* soif *f*; ***to die of ~*** mourir de soif

> **thirst**
>
> On ne dit jamais **have thirst** mais **be thirsty** :
>
> **Are you thirsty? Would you like something to drink?**
>
> Est-ce que tu as soif ? Veux-tu quelque chose à boire ?

thirsty ['θɜːstɪ] *adj* ***to be / feel ~*** avoir soif

thirteen ['θɜː'tiːn] **I** *adj* treize **II** *n* treize *m*

thirteenth ['θɜː'tiːnθ] **I** *adj* (*in series*) treizième; ***a ~ part*** un treizième **II** *n* **1.** (*in series*) treizième *m/f* **2.** (*fraction*) treizième *m*; → **sixth**

thirtieth ['θɜːtɪɪθ] **I** *adj* (*in series*) trentième; ***a ~ part*** un trentième **II** *n* **1.** (*in series*) trentième *m/f* **2.** (*fraction*) trentième *m*; → **sixth**

thirty ['θɜːtɪ] **I** *adj* trente; ***a ~-second note*** (*US* MUS) une triple croche **II** *n* trente *m*; ***the thirties*** (*era*) les années trente; ***he is in his thirties*** il a la trentaine; → **sixty**

this [ðɪs] **I** *dem pr* ⟨*pl* **these**⟩ ***what is ~?*** qu'est-ce que c'est?; ***~ is John*** voici John; ***these are my children*** voici mes enfants; ***~ is where I live*** c'est ici que j'habite; ***under ~*** là-dessous; ***it ought to have been done before ~*** ça aurait dû être fait avant; ***what's all ~?*** qu'est-ce que c'est que tout ça?; ***~ and that*** ceci, cela; ***we talked about ~, that and the other*** on a parlé de choses et d'autres; ***it was like ~*** c'était comme ça; ***~ is Mary (speaking)*** c'est Mary à l'appareil; ***~ is it!*** (*now*) ça y est!; (*showing sth*) c'est comme ça!; (*exactly*) c'est ça! **II** *dem adj* ⟨*pl* **these**⟩ ce(t), cette; ***~ month*** ce mois-ci; ***~ man*** cet homme; ***~ week*** cette semaine; ***~ time last week*** il y a une semaine exactement; ***~ time*** cette fois; ***these days*** de nos jours; ***to run ~ way and that*** courir dans tous les sens; ***I met ~ guy who …*** *infml* j'ai rencontré un type qui …; ***~ friend of hers*** son satané copain *infml* **III** *adv* ça; ***it was ~ long*** il était long comme ça

thistle ['θɪsl] *n* chardon *m*

thong [θɒŋ] *n* **1.** (*fastening*) lanière *f* **2.** (*G-string*) string *m* **3. thongs** (*US, Australian footwear*) tongs *fpl*

thorn [θɔːn] *n* épine *f*; ***to be a ~ in sb's flesh*** *or* ***side*** *fig* être un problème pour qn **thorny** ['θɔːnɪ] *adj lit* épineux (-euse); *fig* délicat

thorough ['θʌrə] *adj search* approfondi; *person* méticuleux(-euse); ***she's a ~ nuisance*** c'est une véritable plaie **thoroughbred** **I** *n*; (*horse*) pur-sang *m* **II** *adj* pur-sang **thoroughfare** *n* artère *f*

thoroughly ['θʌrəlɪ] *adv* **1.** abondamment **2.** (*extremely*) extrêmement; *convinced* tout à fait; ***we ~ enjoyed our meal*** nous avons vraiment apprécié le repas; ***I ~ enjoyed myself*** je me suis beaucoup amusé; ***I ~ agree*** je suis tout à fait d'accord **thoroughness** ['θʌrənɪs] *n* sérieux *m*

those [ðəʊz] *pl of* **that I** *dem pr* ceux, celles; ***what are ~?*** qu'est-ce que c'est?; ***whose are ~?*** à qui sont celles-là?; ***above ~*** au-dessus de ceux-ci; ***~ who want to go, may*** ceux qui veulent partir, le peuvent; ***there are ~ who say …*** il y en a qui disent … **II** *dem adj* ces *obs, liter*; ***it was just one of ~ days*** c'était une journée sans; ***he is one of ~ people who …*** il fait partie de ces gens qui …

though [ðəʊ] **I** *cj* bien que; ***even ~*** bien que; ***strange ~ it may seem …*** aussi bizarre que cela puisse paraître …; ***~ I say it*** *or* ***so myself*** sans me lancer des fleurs; ***as ~*** comme si **II** *adv* **1.** (*nevertheless*) cependant; ***he didn't do it ~*** cependant, il ne l'a pas fait; ***nice day — rather windy ~*** belle journée — il y a un peu trop de vent, cependant **2.** (*really*) ***but will he ~?*** mais le fera-t-il vraiment?

thought [θɔːt] **I** *past, past part* = **think II** *n* **1.** *no pl* pensée *f*; ***to be lost in ~*** être perdu dans ses pensées **2.** (*idea, opinion*) avis *m*; (*sudden*) idée *f*; ***that's a ~!*** c'est une idée!; ***it's the ~ that counts, not how much you spend*** c'est l'intention qui compte, et pas le prix **3.** *no pl* (*consideration*) considération *f*; ***to give some ~ to sth*** réfléchir à qc; ***I never gave it a moment's ~*** je n'y ai pas pensé une minute **thoughtful** *adj* **1.** *expression, person* réfléchi; *present* délicat **2.** (*considerate*) plein d'attention; (*attentive*) attentionné **thoughtfully** *adv* **1.** *say* de façon réfléchie **2.** (*considerately*) avec attention; (*attentively*) de façon attentionnée **thoughtfulness** *n* **1.** (*of expression, person*) sérieux *m* **2.** (*consideration*) prévenance *f*; (*attentiveness*) attention *f* **thoughtless** *adj* inconsidéré **thoughtlessly** ['θɔːtlɪslɪ] *adv* (*inconsiderately*) de façon inconsidérée **thoughtlessness** ['θɔːtlɪsnɪs] *n* (*lack of consideration*) manque de considération **thought-provoking** ['θɔːtprəvəʊkɪŋ] *adj* qui donne à réfléchir; ***a ~ paper*** une communication qui donne à réfléchir

thousand ['θaʊzənd] **I** *adj* mille; ***a ~*** mille; ***a ~ times*** mille fois; ***a ~ and one*** mille un; ***I have a ~ and one things to do*** *infml* j'ai mille choses à faire **II** *n* mille *m*; ***people arrived in their ~s*** les gens arrivaient par milliers

thousandth ['θaʊzəntθ] **I** *adj* (*in series*) millième; ***a*** *or* ***one ~ part*** un millième **II** *n* **1.** (*in series*) millième *m/f* **2.** (*fraction*) millième *m*; → **sixth**

thrash [θræʃ] **I** *v/t* **1.** (*beat*) rouer de coups **2.** *infml opponent* battre à plate couture **3.** *arms, legs* agiter **II** *v/i* ***to ~ around*** se débattre **thrashing** ['θræʃɪŋ] *n* (*beating*) raclée *f*; ***to give sb a good ~*** donner une bonne raclée à qn

thread [θred] **I** *n* **1.** (*of cotton etc.*) fil *m*; ***to hang by a ~*** *fig* ne tenir qu'à un fil **2.** (*fig: of story*) fil *m*; ***he lost the ~ of what he was saying*** il a perdu le fil de ce qu'il disait **3.** INTERNET fil *m* de discussion **II** *v/t* **1.** *needle* enfiler; *beads* enfiler (**on** sur) **2.** ***to ~ one's way through the crowd*** *etc.* se faufiler à travers la foule **threadbare** ['θredbɛəʳ] *adj* élimé

threat [θret] *n* **1.** menace *f*; ***to make a ~*** (***against sb***) lancer une menace (contre qn); ***under ~ of sth*** sous la menace de qc **2.** (*danger*) menace (**to** contre)

threaten ['θretn] **I** *v/t* menacer; *violence* menacer; ***don't you ~ me!*** arrêtez de me menacer!; ***to ~ to do sth*** menacer de faire qc; ***to ~ sb with sth*** menacer qn avec qc; ***the rain ~ed to spoil the harvest*** la pluie menaçait de gâcher la récolte **II** *v/i* (*danger, storm etc.*) menacer **threatened** ['θretnd] *adj* **1.** ***he felt ~*** il s'est senti menacé **2.** (*under threat*) menacé **threatening** ['θretnɪŋ] *adj* menaçant; ***a ~ letter*** une lettre de menace; ***~ behavior*** comportement menaçant

three [θriː] **I** *adj* trois **II** *n* trois *m*; ***~'s a crowd*** on est mieux à deux; → **six**

three-D I *n* ***to be in ~*** être en 3D **II** *adj* tridimensionnel **three-dimensional** *adj* tridimensionnel **threefold I** *adj* triple **II** *adv* triplement, trois fois **three-fourths** *n US* = **three-quarters three-piece suite** *n Br* costume *m* trois pièces **three-quarter** *attr* trois-quarts **three-quarters I** *n* les trois-quarts *mpl*; ***~ of an hour*** trois-quarts d'heure **II** *adv* aux trois-quarts **threesome** *n* groupe *m* de trois; ***in a ~*** à trois

threshold ['θreʃhəʊld] *n* seuil *m*

threw [θruː] *past* = **throw**
thrifty ['θrɪftɪ] *adj* économe
thrill [θrɪl] **I** *n* frisson *m*; ***it was quite a ~ for me*** j'ai trouvé ça très excitant **II** *v/t person* (*story*) enthousiasmer; (*experience*) exciter; ***I was ~ed to get your letter*** j'ai été vraiment ravi d'avoir ta lettre; ***to be ~ed to bits*** *infml* être super content *infml*; (*esp child*) être aux anges **thriller** ['θrɪləʳ] *n* thriller *m* **thrilling** ['θrɪlɪŋ] *adj* excitant; *book*, *experience* palpitant
thrive [θraɪv] *v/i* (*be in good health*) être en pleine forme; (*do well*, *business*) prospérer ◆ **thrive on** *v/t insep* ***the baby thrives on milk*** le lait réussit très bien au bébé; ***he thrives on praise*** il se nourrit de louanges
thriving ['θraɪvɪŋ] *adj plant* resplendissant; *person*, *community* florissant
thro' [θruː] *abbr* = **through**
throat [θrəʊt] *n* (*external*) gorge *f*; (*internal*) gorge *f*; ***to cut sb's ~*** égorger qn; ***to clear one's ~*** s'éclaircir la gorge; ***to ram*** *or* ***force one's ideas down sb's ~*** *infml* imposer ses idées à qn
throb [θrɒb] *v/i* battre; (*painfully*: *wound*) lancer; (*strongly*) élancer violemment; (*fig*: *with life*) fourmiller (***with*** de); ***my head is ~bing*** j'ai des élancements dans la tête **throbbing I** *n* (*of engine*) vrombissement *m*; (*of pulse*) battement *m* **II** *adj pain*, *place* lancinant; *headache* violent
throes [θrəʊz] *pl fig* ***we are in the ~ of moving*** nous sommes en plein déménagement
thrombosis [θrɒm'bəʊsɪs] *n* thrombose *f*
throne [θrəʊn] *n* trône *m*; ***to come to the ~*** accéder au trône
throng [θrɒŋ] **I** *n* foule *f* **II** *v/i* se presser **III** *v/t* envahir; ***to be ~ed with*** être envahi de
throttle ['θrɒtl] **I** *v/t lit person* étrangler **II** *n* (AUTO *etc. lever*) accélérateur *m*; ***at full ~*** à pleins gaz
through [θruː] **I** *prep* **1.** à travers; ***to get ~ a hedge*** passer à travers une haie; ***to get ~ a red light*** passer au feu rouge; ***to be halfway ~ a book*** être à la moitié d'un livre *infml*; ***that happens halfway ~ the book*** cela intervient à la moitié du livre; ***all ~ his life*** durant toute sa vie; ***he won't live ~ the night*** il ne passera pas la nuit; ***~ the mail*** (*US*) ***or post*** *Br* par la poste **2.** *US* ***Monday ~ Friday*** du lundi au vendredi **II** *adv* ***~ and ~*** jusqu'au bout des ongles; ***to let sb ~*** laisser passer qn; ***to be wet ~*** être trempé jusqu'aux os; ***to read sth ~*** lire qc complètement; ***he's ~ in the other office*** il est dans l'autre bureau **III** *adj pred* **1.** (*finished*) ***to be ~ with sb / sth*** en avoir fini avec qn / qc; ***I'm ~ with him*** je ne veux plus le voir **2.** (*Br* TEL) ***to be ~*** (***to sb / London***) avoir qn / Londres en ligne; ***to get ~*** (***to sb / London***) joindre qn / Londres au téléphone **through flight** *n* vol *m* direct
throughout [θrʊ'aʊt] **I** *prep* **1.** (*place*) dans tout; ***~ the world*** dans le monde entier **2.** (*time*) durant tout; ***~ his life*** durant toute sa vie **II** *adv* **1.** ***to be carpeted ~*** avoir de la moquette partout **2.** (*time*) pendant tout le temps **through ticket** *n* ***can I get a ~ to Salt Lake City?*** puis-je avoir un billet direct jusqu'à Salt Lake City? **through traffic** *n* autres directions *fpl* **throughway** *n US* autoroute *f* à péage
throw [θrəʊ] *vb* ⟨*past* **threw**⟩ ⟨*past part* **thrown**⟩ **I** *n* **1.** (*of ball etc.*) lancer *m*; ***it's your ~*** c'est à toi de lancer; ***have another ~*** lance à nouveau **2.** (*for furniture*) jeté *m* **II** *v/t* **1.** lancer; *water* jeter; ***to ~ the dice*** jeter les dés; ***to ~ sth to sb*** lancer qc à qn; ***to ~ sth at sb*** jeter qc sur qn; ***to ~ a ball 20 meters*** lancer un ballon à 20 mètres; ***to ~ oneself into the job*** se lancer dans le travail; ***to ~ doubt on sth*** jeter le doute sur qc **2.** *switch* actionner **3.** (*infml disconcert*) déconcerter **4.** *party* organiser *infml*; *fit* faire *infml* **III** *v/i* lancer ◆ **throw around** *v/t always separate* **1.** (*scatter*) disperser; *fig money* jeter par les fenêtres **2.** (*toss*) balancer ◆ **throw away** *v/t sep* **1.** (*discard*) jeter **2.** (*waste*) gâcher; *money* gaspiller (*on sth* sur qc, *on sb* sur qn) ◆ **throw down** *v/t sep* jeter par terre; ***it's throwing it down*** (*infml raining*) il pleut à verse ◆ **throw in** *v/t sep* **1.** *extra* rajouter gratuitement **2.** *fig* ***to ~ the towel*** jeter l'éponge *infml* ◆ **throw off** *v/t sep clothes*, *pursuer*, *cold* se débarrasser de ◆ **throw on** *v/t sep clothes* enfiler en vitesse ◆ **throw open** *v/t sep door* ouvrir grand ◆ **throw out** *v/t sep* **1.** *garbage etc.* jeter **2.** *idea*, *bill* rejeter; *case* débouter **3.** *person* renvoyer (***of*** de) **4.** *cal-*

culations etc. fausser ◆ **throw together** *v/t sep* **1.** (*make quickly*) préparer en vitesse **2.** *people* faire rencontrer ◆ **throw up I** *v/i infml* vomir; ***it makes you want to ~*** ça donne envie de vomir **II** *v/t sep* **1.** *ball, hands* lancer **2.** (*vomit up*) vomir **3.** (*produce*) produire; *questions* engendrer

throwback *n* (*fig return*) retour *m* (***to*** à)

thrower ['θrəʊəʳ] *n* lanceur(-euse) *m*(*f*) **thrown** [θrəʊn] *past part* = **throw**

thru *prep, adv, adj US* = **through**

thrush[1] [θrʌʃ] *n* ORN grive *f*

thrush[2] *n* MED muguet *m*; (*of vagina*) mycose *f*

thrust [θrʌst] *vb* ⟨*past, past part* **thrust**⟩ **I** *n* **1.** coup *m*; (*of knife*) coup *m* **2.** TECH propulsion *f* **II** *v/t* **1.** fourrer; ***to ~ one's hands into one's pockets*** fourrer ses mains dans ses poches **2.** *fig* ***I had the job ~ upon me*** on m'a forcé à accepter le travail; ***to ~ one's way through a crowd*** se frayer un passage à travers la foule **III** *v/i* se précipiter (***at*** sur); (*with knife*) se jeter (***at*** sur) ◆ **thrust aside** *v/t sep* pousser sur le côté

thruway ['θruːweɪ] *n US* autoroute *f* à péage

thud [θʌd] **I** *n* bruit *m* sourd; ***he fell to the ground with a ~*** il est tombé à terre en faisant un bruit sourd **II** *v/i* faire un bruit sourd

thug [θʌg] *n* voyou *m*

thumb [θʌm] **I** *n* pouce *m*; ***to be under sb's ~*** être sous la coupe de qn; ***she has him under her ~*** elle le mène par le bout du nez; ***the idea was given the ~s up / down*** l'idée a été bien accueillie / rejetée **II** *v/t* ***to ~ a ride*** *infml* faire du stop ◆ **thumb through** *v/t insep book* feuilleter

thumb index *n* répertoire *m* à onglets **thumbnail** *n* IT vignette *f* **thumbtack** *n US* punaise *f*

thump [θʌmp] **I** *n* (*blow*) coup *m*; (*noise*) bruit *m* sec **II** *v/t table* donner un coup sur; *infml person* frapper; ***he ~ed his fist on the desk*** il a tapé son poing sur le bureau; ***he ~ed the box down on my desk*** il a posé le carton brutalement sur mon bureau **III** *v/i* (*heart*) battre vite; ***he ~ed on the door*** il a frappé à la porte à grands coups

thunder ['θʌndəʳ] **I** *n* tonnerre *m* **II** *v/i* tonner **III** *v/t* (*shout*) crier **thunderbolt** *n lit* foudre *f* **thunderclap** *n* coup *m* de tonnerre **thundercloud** *n* nuage *m* d'orage **thunderous** ['θʌndərəs] *adj* tonitruant

thunderstorm *n* orage *m* **thunderstruck** *adj fig* abasourdi

Thurs. *abbr* = **Thursday** jeudi *m*

Thursday ['θɜːzdɪ] *n* jeudi *m*; → **Tuesday**

thus [ðʌs] *adv* **1.** (*in this way*) ainsi **2.** (*consequently*) ainsi **3.** (*+past part or adj*) ***~ far*** jusque-là

thwack [θwæk] **I** *n* (*blow*) coup *m* sec; (*noise*) bruit *m* sec **II** *v/t* faire claquer

thwart [θwɔːt] *v/t* contrecarrer

thyme [taɪm] *n* thym *m*

thyroid ['θaɪrɔɪd] *n* (*a.* **thyroid gland**) (glande *f*) thyroïde *f*

tic [tɪk] *n* MED tic *m*

tick[1] [tɪk] **I** *n* **1.** (*of clock etc.*) tic-tac *m* **2.** (*Br infml moment*) seconde *f*; ***I'll be ready in a ~*** *or* ***two ~s*** je serai prêt dans une seconde *or* deux secondes *infml* **3.** (*Br mark*) marque *f* **II** *v/i* **1.** (*clock*) faire tic-tac **2.** *infml* ***what makes him ~?*** qu'est-ce qui le fait courir? **III** *v/t Br name, box* cocher ◆ **tick off** *v/t sep Br* **1.** *name etc.* cocher **2.** (*infml scold*) gronder *infml* ◆ **tick over** *v/i Br* **1.** (*engine*) tourner **2.** *fig* vivoter

tick[2] *n* ZOOL tique *f*

ticket ['tɪkɪt] *n* **1.** (*rail ticket, plane ticket, lottery ticket*) billet *m*; (*bus ticket*) ticket *m*; THEAT *etc.* place *f*; (*for dry cleaner's etc.*) ticket *m*; (*price ticket*) étiquette *f* **2.** JUR contravention *f* **ticket collector** *n* contrôleur(-euse) *m*(*f*) **ticket inspector** *n* contrôleur(-euse) *m*(*f*) **ticket machine** *n* **1.** (*public transport*) billetterie *f* automatique **2.** (*in parking lot*) caisse *f* automatique

ticket office *n* RAIL guichet; THEAT billetterie *f*

ticking ['tɪkɪŋ] *n* (*of clock*) tic-tac *m*

ticking-off [ˌtɪkɪŋ'ɒf] *n* (*Br infml*) engueulade *f*

tickle ['tɪkl] **I** *v/t* **1.** *lit* chatouiller **2.** (*fig, infml amuse*) amuser **II** *v/i* chatouiller **III** *n* chatouille *f*; ***to have a ~ in one's throat*** avoir un chat dans la gorge **ticklish** ['tɪklɪʃ] *adj* chatouilleux(-euse); ***~ cough*** toux d'irritation

tidal ['taɪdl] *adj* marin **tidal wave** *n lit* raz-de-marée *f*

tidbit ['tɪdbɪt], *Br* **titbit** *n* **1.** bon morceau *m* **2.** (*information*) information *f* juteuse

tiddlywinks ['tɪdlɪwɪŋks] *n* jeu *m* de puce

tide [taɪd] *n* **1.** *lit* marée *f*; **(*at*) *high* ~** (à) marée haute; **(*at*) *low* ~** (à) marée basse; ***the* ~ *is in* / *out*** la mer est haute / basse; ***the* ~ *comes in very fast*** la marée monte très vite **2.** *fig* ***the* ~ *of public opinion*** la vague d'opinion publique; ***to swim against* / *with the* ~** aller dans le sens du courant/à contre-courant; ***the* ~ *has turned*** le vent a tourné ◆ **tide over** *v/t always separate* ***is that enough to tide you over?*** est-ce que cela sera suffisant pour te dépanner?

tidiness ['taɪdɪnɪs] *n esp Br* (*of room*, *desk*) ordre *m*

tidy ['taɪdɪ] **I** *adj* **1.** *esp Br* (*orderly*) ordonné; *appearance* soigneux(-euse); *room* rangé; ***to keep sth* ~** garder qc en ordre **2.** (*infml considerable*) coquet **II** *v/t* ranger ◆ **tidy away** *v/t sep* ranger ◆ **tidy out** *v/t sep* ranger ◆ **tidy up I** *v/i* ranger **II** *v/t sep* ranger; *essay* mettre au propre

tie [taɪ] **I** *n* **1.** (*a.* **neck tie**) cravate *f* **2.** (*fig bond*) lien *m*; ***family* ~*s*** liens familiaux **3.** (*hindrance*) frein *m* (***on*** à) **4.** (SPORTS *etc. result*) égalité *f*; (*drawn match*) match *m* nul; ***there was a* ~ *for second place*** pour la deuxième place, il y a eu un ex æquo **II** *v/t* **1.** attacher (***to*** à); ***to* ~ *a knot in sth*** faire un nœud à qc; ***my hands are* ~*d*** *fig* je ne fais pas ce que je veux **2.** (*fig link*) lien *m* **3.** ***the game was* ~*d*** ils ont fait match nul **III** *v/i* SPORTS faire match nul; (*in competition*) arriver ex æquo; ***they* ~*d for first place*** ils sont arrivés premiers ex æquo ◆ **tie back** *v/t sep* attacher ◆ **tie down** *v/t sep* **1.** *lit* amarrer (***to*** à) **2.** (*fig restrict*) enchaîner (***to*** à) ◆ **tie in** *v/i* ***to* ~ *with sth*** correspondre à qc ◆ **tie on** *v/t sep* ***to tie sth on*(*to*) *sth*** attacher qc sur qc ◆ **tie up** *v/t sep* **1.** *packet* ficeler; *shoelaces* attacher **2.** *boat* amarrer; *animal* attacher (***to*** à); *prisoner* ligoter **3.** FIN *capital* bloquer **4.** (*link*) ***to be tied up with sth*** être lié à qc **5.** (*keep busy*) être pris par qc

tie-break, tie-breaker *n* jeu *m* décisif

tier [tɪəʳ] *n* (*of cake*) étage *m*; (*of stadium*) gradin *m*; *fig* niveau *m*

tiff [tɪf] *n infml* querelle *f*

tiger ['taɪgəʳ] *n* tigre *m*

tight [taɪt] **I** *adj* **1.** *clothes*, *bend*, *space* serré; ~ ***curls*** boucles serrées **2.** (*stiff*) tendu; (*firm*) *screw*, *lid*, *embrace* serré; *security* renforcé; ***to have* / *keep a* ~ *hold of sth*** *lit* bien tenir qc **3.** *rope* tendu; *knot* serré **4.** *race* disputé; *schedule* serré **5.** (*difficult*) *situation* difficile; ***money is a bit* ~ *just now*** je n'ai pas beaucoup d'argent en ce moment; ***in a* ~ *spot*** *fig* en difficulté **6.** *voice* noué; *smile* forcé **7.** (*Br infml miserly*) radin *infml* **II** *adv hold*, *shut*, *stretch* bien; ***to hold sb* / *sth* ~** bien tenir qn / qc; ***to pull sth* ~** bien tirer sur qc; ***sleep* ~!** dors bien!; ***hold* ~!** accrochez-vous! **III** *adj suf* ***watertight*** étanche **tighten** ['taɪtn] (*a.* **tighten up**) **I** *v/t* **1.** *knot*, *screw* serrer; (*re-tighten*) resserrer; *muscles* raffermir; *rope* tendre; ***to* ~ *one's grip on sth*** *lit* resserrer sa prise sur qc; *fig* reprendre qc en main **2.** *fig security* renforcer **II** *v/i* (*rope*) se tendre; (*knot*) se resserrer ◆ **tighten up I** *v/i* **1.** = **tighten** *II* **2.** ***to* ~ *on security*** renforcer la sécurité **II** *v/t sep* **1.** = **tighten** *II* **2.** *procedure* durcir

tightfisted [ˌtaɪt'fɪstɪd] *adj* radin *infml* **tight-fitting** *adj* ajusté **tightknit** *adj community* très soudé **tight-lipped** *adj* **1.** (*silent*) bouche cousue **2.** (*angry*) *person* excédé; *smile* pincé **tightly** ['taɪtlɪ] *adv* **1.** serré; *wrapped* bien; *stretch* bien; ~ ***fitting*** ajusté **2.** ~ ***packed*** bien tassé **3.** (*rigorously*) strictement **tightness** ['taɪtnɪs] *n* **1.** (*of clothes*) étroitesse *f* **2.** (*tautness*, *of rope*, *skin*) tension *f* **3.** (*in chest*) serrement *m* **tightrope** ['taɪtrəʊp] *n* corde *f* raide; ***to walk a* ~** *fig* marcher sur une corde raide **tightrope walker** *n* funambule *m*/*f*

tights [taɪts] *pl Br* collants *mpl*; ***a pair of* ~** un collant

tile [taɪl] **I** *n* (*on roof*) tuile *f*; (*ceramic tile*) carreau *m*; (*carpet tile*, *lino tile*) carré *m* **II** *v/t roof* couvrir (de tuiles); *floor*, *wall* carreler **tiled** [taɪld] *adj floor*, *wall* carrelé; ~ ***roof*** toit de tuiles

till[1] [tɪl] *prep*, *cj* = **until**

till[2] *n Br* caisse *f*

tilt [tɪlt] **I** *n* (*slope*) inclinaison *f* **II** *v/t* incliner **III** *v/i* s'incliner ◆ **tilt back I** *v/i* s'incliner vers l'arrière **II** *v/t sep* incliner vers l'arrière ◆ **tilt forward I** *v/i* s'incliner vers l'avant **II** *v/t sep* incliner vers l'avant ◆ **tilt up I** *v/i* s'incliner **II** *v/t sep bottle* incliner

timber ['tɪmbəʳ] *n* **1.** bois *m*; (*for building*) bois *m* d'œuvre **2.** (*beam*) poutre *f*

timber-framed ['tɪmbə'freɪmd] *adj* **~ house** maison à colombage

time [taɪm] **I** *n* **1.** temps *m*; ***how ~ flies!*** comme le temps passe vite!; ***only ~ will tell whether …*** seul l'avenir nous dira si …; ***it takes ~ to do that*** cela prend du temps pour faire ça; ***to take*** (***one's***) **~** (***over sth***) prendre son temps (pour qc); ***in*** (***the course of***) **~** avec le temps; ***in*** (***next to***) ***no ~*** très vite; ***at this moment in ~*** à ce moment précis; ***to have a lot of ~ for sb / sth*** avoir beaucoup de temps pour qn / qc; (*fig be for*) beaucoup apprécier qn / qc; ***to have no time for sb / sth*** ne pas être disponible pour qn / qc; (*fig against*) ne pas supporter qn / qc; ***to make ~*** (***for sb / sth***) se rendre disponible (pour qn / qc); ***in*** *or* ***given ~*** avec du temps; ***don't rush, do it in your own ~*** ne te presse pas, fais-le à ton rythme; ***for some ~ past*** depuis quelque temps; ***I don't know what she's saying half the ~*** *infml* la moitié du temps, je ne comprends pas ce qu'elle dit; ***in two weeks' ~*** dans deux semaines; ***for a ~*** pendant un temps; ***not before ~*** *Br* ce n'est pas trop tôt; ***this is hardly the ~ or the place to …*** ce n'est pas vraiment le moment ni le lieu pour …; ***this is no ~ to argue*** ce n'est pas le moment de se disputer; ***there are ~s when …*** il y a des moments où …; ***at the*** *or* ***that ~*** à cette époque; ***at the present ~*** en ce moment; ***sometimes …***, (***at***) ***other ~s …*** parfois …, et parfois …; ***this ~ last year*** l'année dernière à la même époque; ***my ~ is up*** je n'ai plus le temps; ***it happened before my ~*** cela s'est passé avant que j'arrive; ***of all ~*** il a fallu que ça tombe à ce moment-là; ***he is ahead of his ~*** il est en avance sur son temps; ***in Victorian ~s*** à l'époque de la reine Victoria; ***~s are hard*** les temps sont durs; ***to be behind the ~s*** être démodé; (*be out of touch*) être dépassé par son temps; ***all the ~*** (*always*) tout le temps; (*all along*) toujours; ***to be in good ~*** être en avance; ***all in good ~*** cela viendra; ***he'll let you know in his own good ~*** il vous le fera savoir quand il sera prêt; (***for***) ***a long ~*** pendant longtemps; ***I'm going away for a long ~*** je pars pour longtemps; ***it's a long ~*** (***since …***) cela fait longtemps (que …); (***for***) ***a short ~*** pendant un petit moment; ***a short ~ ago*** il y a un petit moment; ***for the ~ being*** (*provisionally*) pour le moment; (*temporarily*) pour l'instant; ***when the ~ comes*** quand le moment viendra; ***at ~s*** parfois; ***at all ~s*** tout le temps; ***by the ~ it finished*** quand cela a été fini; ***by the ~ we arrive*** d'ici à ce que l'on arrive; ***by that ~ we knew*** on savait déjà à ce moment-là; ***by that ~ we'll know*** d'ici là nous saurons; ***by this ~*** d'ici là; ***by this ~ tomorrow*** d'ici demain à cette heure; ***from ~ to ~*** de temps en temps; ***this ~ of the year*** cette époque de l'année; ***now's the ~ to do it*** c'est le moment de le faire **2.** ***what ~ is it?, what's the ~?*** quelle heure est-il?; ***what ~ do you make it?*** quelle heure tu as?; ***the ~ is 2.30*** il est 2h30; ***local ~*** heure locale; ***it's ~*** (***for me***) ***to go, it's ~ I was going, it's ~ I went*** il est temps que je m'en aille; ***to tell the ~*** lire l'heure; ***to make good ~*** être en avance; ***it's about ~ he was here*** (*he has arrived*) le voilà enfin; (*he has not arrived*) il devrait être là; (***and***) ***about ~ too!*** ce n'est pas trop tôt!; ***ahead of ~*** en avance; ***behind ~*** en retard; ***at any ~ during the day*** à n'importe quel moment de la journée; ***not at this ~ of night!*** pas à cette heure-ci de la nuit!; ***at one ~*** à une époque; ***at any ~*** n'importe quand; ***at no ~*** jamais; ***at the same ~*** *lit* en même temps; ***they arrived at the same ~ as us*** ils sont arrivés en même temps que nous; ***but at the same ~, you must admit that …*** mais en même temps, tu dois reconnaître que …; ***in / on ~*** à temps; ***to be in ~ for sth*** être à temps pour qc; ***on ~*** à l'heure **3.** (*occasion*) fois *f*; ***this ~*** cette fois; ***every*** *or* ***each ~ …*** chaque fois; ***for the last ~*** pour la dernière fois; ***and he's not very smart at the best of ~s*** et la plupart du temps, il n'est pas très malin; ***~ and*** (***~***) ***again, ~ after ~*** maintes fois; ***I've told you a dozen ~s …*** je t'ai déjà dit cent fois; ***nine ~s out of ten …*** neuf fois sur dix …; ***three ~s a week*** trois fois par semaine; ***they came in one / three*** *etc.* ***at a ~*** ils sont entrés un / trois à la fois *etc.*; ***four at a ~*** quatre par quatre; ***for weeks at a ~*** pendant des semaines; (***the***) ***next ~*** la prochaine fois; (***the***) ***last ~*** la dernière fois **4.** MATH ***2 ~s 3 is 6*** 2 fois 3 - 6; ***it was ten ~s the size of …*** il était dix fois plus gros que … **5.** ***to have the ~ of one's life*** s'amuser follement; ***what a ~ we had*** *or* ***that***

was! qu'est-ce qu'on s'est amusés!; ***to have a hard ~*** vivre des moments difficiles; ***to give sb a tough ~*** (***of it***) en faire baver à qn; ***we had a good ~*** nous nous sommes bien amusés; ***have a good ~!*** amuse-toi bien! **6.** (*rhythm*) tempo *m*; ***to keep ~*** garder le tempo **II** *v/t* **1.** ***to ~ sth perfectly*** prévoir qc parfaitement **2.** (*with stopwatch*) chronométrer; ***to ~ sb over 1000 meters*** chronométrer qn sur 1000 mètres; ***~ how long it takes you, ~ yourself*** regarde combien de temps ça te prendra; (*with stopwatch*) chronomètre-toi **time bomb** *n* bombe *f* à retardement **time-consuming** *adj* qui prend du temps, chronophage **time difference** *n* décalage *m* horaire **time frame, timeframe** *n* calendrier *m* **time-honored**, *Br* **time-honoured** *adj* consacré par l'usage **time-lag** *n* décalage *m* **time-lapse** *adj* ***~ photography*** prise *f* de vue image par image **timeless** ['taɪmlɪs] *adj* intemporel(le); (*everlasting*) éternel(le) **time limit** *n* délai *m*; (*for the completion of a job*) date *f* d'échéance **timely** ['taɪmlɪ] *adj* opportun **time management** *n* gestion *f* du temps **time-out** *n US* **1.** FTBL temps *m* mort **2.** ***to take ~*** prendre du temps pour soi **timer** ['taɪməʳ] *n* minuteur *m*; (*switch*) minuterie *f* **time-saving** *adj* qui fait gagner du temps **timescale** *n* échelle *f* temporelle **timeshare I** *n* multipropriété *f* **II** *adj attr* en multipropriété **time sheet** *n* feuille *f* de présence **time signal** *n Br* bip *m* sonore **time signature** *n* indication *f* de la mesure **time span** *n* période *f* **time switch** *n* minuterie *f*

timetable *n* TRANSPORT horaire *m*; (*Br* SCHOOL) emploi *m* du temps; ***to have a busy ~*** *Br* avoir un emploi du temps chargé **time zone** *n* fuseau *m* horaire

timid ['tɪmɪd] *adj* timide **timidly** ['tɪmɪdlɪ] *adv say* timidement; *enter* craintivement

timing ['taɪmɪŋ] *n* (*choice of time*) moment *m* choisi; ***the ~ of the statement was wrong*** le moment choisi pour la déclaration n'était pas bon

tin [tɪn] *n* **1.** tôle *f*; CHEM étain *m* **2.** (*esp Br can*) boîte *f* de conserve **tin can** *n* boîte *f* de conserve

tinder ['tɪndəʳ] *n* petit bois *m*

tinfoil ['tɪnfɔɪl] *n* (*aluminium foil*) papier *m* d'aluminium

tinge [tɪndʒ] **I** *n* soupçon *m*; (*of color*) touche *f* **II** *v/t* **1.** (*color*) rehausser **2.** *fig* ***~d with ...*** empreint de ...

tingle ['tɪŋgl] **I** *v/i* picoter (***with*** de) **II** *n* picotement *m* **tingling** ['tɪŋglɪŋ] **I** *n* picotements *mpl* **II** *adj* ***~ sensation*** des picotements **tingly** ['tɪŋglɪ] *adj* qui picote; ***my arm feels*** (***all***) ***~*** j'ai des picotements dans le bras

tinker ['tɪŋkəʳ] **I** *n* (*Br pej*) ***you little ~!*** *infml* espèce de petit voyou! *infml* **II** *v/i* **1.** bricoler *infml* (***with sth, on sth*** qc) **2.** (*unskilfully*) trifouiller *infml* (***with sth*** qc)

tinkle ['tɪŋkl] **I** *v/i* **1.** (*bells etc.*) tinter **2.** (*infml urinate*) pisser *infml* **II** *n* tintement *m* **tinkling** ['tɪŋklɪŋ] **I** *n* (*of bells, glass etc.*) tintement *m* **II** *adj bells* qui tinte

tinned [tɪnd] *adj Br* en conserve; ***~ food*** les conserves

tinnitus ['tɪnɪtəs] *n* MED acouphène *m*

tinny ['tɪnɪ] *adj sound* nasillard **tin-opener** *n Br* ouvre-boîte *m*

tinsel ['tɪnsəl] *n* guirlandes *fpl*

tint [tɪnt] **I** *n* teinte *f*; (*for hair*) teinture *f* **II** *v/t hair* teindre **tinted** ['tɪntɪd] *adj* teinté

tiny ['taɪnɪ] *adj* minuscule; *baby* tout petit; ***~ little*** tout petit

tip[1] [tɪp] **I** *n* bout *m*; (*of umbrella*) embout *m* ***on the ~s of one's toes*** sur la pointe des pieds; ***it's on the ~ of my tongue*** je l'ai sur le bout de la langue; ***the ~ of the iceberg*** *fig* la partie visible de l'iceberg **II** *v/t* ***steel-~ped*** avec un embout en acier

tip[2] **I** *n* **1.** (*gratuity*) pourboire *m* **2.** (*advice*) conseil *m* **II** *v/t* **1.** *waiter* donner un pourboire à **2.** ***to be ~ped to win*** être donné comme gagnant ◆ **tip off** *v/t sep* avertir (***about*** à propos de)

tip[3] **I** *v/t* (*tilt*) pencher; (*pour also, empty*) verser; (*overturn*) renverser; ***to ~ sth backward/forward*** pencher qc à l'arrière/l'avant; ***to ~ the balance*** *fig* faire pencher la balance **II** *v/i* (*incline*) s'incliner **III** *n Br for garbage* dépotoir *m*; (*for coal*) crassier *m*; (*infml untidy place*) dépotoir *m* ◆ **tip back I** *v/i* (*chair*) s'incliner; (*person*) se pencher en arrière **II** *v/t sep* incliner; *head* pencher ◆ **tip out I** *v/t sep* vider; *load* décharger **II** *v/i* se décharger; (*liquid*) se vider ◆ **tip over** *v/i, v/t sep* (*overturn*) renverser ◆ **tip up** *v/i, v/t sep* (*tilt*) pencher; (*overturn*) renverser

tip-off ['tɪpɒf] *n infml* renseignement *m*

Tipp-Ex® ['tɪpeks] *Br* **I** *n* correcteur *m* liquide **II** *v/t* ***to ~*** (***out***) effacer au correcteur liquide

tipsy ['tɪpsɪ] *adj* éméché

tiptoe I *v/i* marcher sur la pointe des pieds **II** *n* ***on ~*** sur la pointe des pieds

tip-up truck *n* camion *m* benne

tirade [taɪ'reɪd] *n* tirade *f*

tire[1] [taɪəʳ] **I** *v/t* fatiguer **II** *v/i* se lasser; ***to ~ of sb / sth*** se lasser de qn / qc; ***she never ~s of talking about her son*** elle ne se lasse jamais de parler de son fils ◆ **tire out** *v/t sep* fatiguer

tire[2], *Br* **tyre** [taɪəʳ] *n* pneu *m*

tired ['taɪəd] *adj* fatigué; ***~ out*** épuisé; ***to be ~ of sb / sth*** en avoir assez de qn / qc; ***to get ~ of sb / sth*** se lasser de qn / qc **tiredness** *n* fatigue *f* **tireless** *adj* infatigable **tiresome** ['taɪəsəm] *adj* fatigant **tiring** ['taɪərɪŋ] *adj* fatigant

tissue ['tɪʃuː] *n* **1.** (ANAT, *fig*) tissu *m* **2.** (*handkerchief*) mouchoir *m* **3.** (*a.* **tissue paper**) papier *m* de soie

tit[1] [tɪt] *n* (*bird*) mésange *f*

tit[2] *n* ***~ for tat strategy*** la stratégie consistant à rendre les coups qu'on a reçu

tit[3] *n* (*sl breast*) nichon *m sl*; ***he gets on my ~s*** *Br* il me gonfle *sl*

titbit ['tɪtbɪt] *n Br* = **tidbit**

titillate ['tɪtɪleɪt] *v/t person, senses* émoustiller; *interest* titiller

title ['taɪtl] *n* **1.** titre *m* **2.** (*form of address*) civilité *f* **title deed** *n* titre *m* de propriété **titleholder** *n* SPORTS tenant(e) *m*(*f*) du titre **title page** *n* TYPO page *f* de titre **title role** *n* rôle-titre *m*

titter ['tɪtəʳ] **I** *v/t & v/i* glousser **II** *n* gloussement *m*

T-junction ['tiːˌdʒʌŋkʃən] *n Br* intersection *f* en T

TM *abbr* = **trademark**

to [tuː] **I** *prep* **1.** (*toward*) à; ***to go to the airport / the opera*** aller à l'aéroport/ l'opéra; ***to go to the doctor's*** aller chez le docteur; ***to go to France / London*** aller en France/à Londres; ***to the left / west*** à gauche/l'ouest; ***I have never been to India*** je ne suis jamais allé en Inde **2.** (*as far as, until*) jusqu'à; ***to count*** (***up***) ***to 20*** compter jusqu'à 20; ***it's 90 miles to Paris*** il y a 90 miles jusqu'à Paris; ***8 years ago to the day*** il y a 8 ans aujourd'hui **3.** ***he nailed it to the wall / floor*** *etc.* il l'a cloué au mur / sol *etc.*; ***they tied him to the tree*** ils l'ont attaché à l'arbre **4.** (*with indirect object*) ***to give sth to sb*** donner qc à qn; ***I said to myself ...*** je me suis dit ...; ***to mutter to oneself*** marmonner dans sa barbe; ***he is kind to everyone*** il est gentil avec tout le monde; ***it's a great help to me*** cela m'aide beaucoup; ***he has been a good friend to us*** c'est un ami sur lequel nous pouvons compter; ***to Lottie*** (*toast*) à Lottie; ***to drink to sb*** boire à la santé de qn **5.** (*with position*) ***close to sb / sth*** près de qn / qc; ***at right angles to the wall*** à angle droit du mur; ***to the west*** (***of***)/***the left*** (***of***) à l'ouest (de)/gauche (de) **6.** (*with time*) moins; ***20*** (***minutes***) ***to 2*** 2 heures moins 20 **7.** (*in relation to*) à; ***they won by four goals to two*** ils ont gagné quatre deux; ***3 to the power of 4*** 3 à la puissance 4 **8.** (*per*) par **9.** ***what would you say to a beer?*** que dirais-tu d'une bière?; ***there's nothing to it*** c'est très simple; ***that's all there is to it*** il n'y a rien d'autre à en dire; ***to the best of my knowledge*** autant que je sache; ***it's not to my taste*** ce n'est pas de mon goût **10.** (*infinitive*) ***to begin to do sth*** commencer à faire qc; ***he decided to come*** il a décidé de venir; ***I want to do it*** je veux le faire; ***I want him to do it*** je veux qu'il le fasse; ***to work to live*** gagner sa vie; ***to get to the point, ...*** pour en venir à l'essentiel, ...; ***I arrived to find she had gone*** j'ai découvert qu'elle était partie quand je suis arrivé **11.** (*omitting verb*) ***I don't want to*** je ne veux pas; ***I'll try to*** j'essaierai; ***you have to*** il faut que tu le fasses; ***I'd love to*** ce serait avec plaisir; ***buy it, it would be silly not to*** achète-le, tu aurais tort de ne pas le faire **12.** ***there's no-one to help us*** il n'y a personne pour nous aider; ***he was the first to arrive*** il a été le premier arrivé; ***who was the last to see her?*** qui l'a vue en dernier; ***what is there to do here?*** qu'est-ce qu'il y a à faire ici?; ***to be ready to do sth*** (*willing*) être partant pour faire qc; ***it's hard to understand*** c'est difficile à comprendre **II** *adj* ***to shut the door*** fermer la porte **III** *adv* ***to and fro*** de long en large; ***to walk to and fro*** marcher de long en large

toad [təʊd] *n* crapaud *m* **toadstool** ['təʊdstuːl] *n* champignon *m* (vénéneux)

toast[1] [təʊst] **I** *n* pain *m* grillé; ***a piece of ~*** une tranche de pain grillé **II** *v/t* faire griller
toast[2] **I** *n* toast *m*; ***to drink a ~ to sb*** boire un toast à la santé de qn; ***to propose a ~*** porter un toast (***to*** à); ***she was the ~ of the town*** on ne parlait que d'elle **II** *v/t* ***to ~ sb / sth*** porter un toast à qn / qc
toaster ['təʊstər] *n* grille-pain *m* **toast rack** *n* porte-toasts *m*
tobacco [tə'bækəʊ] *n* tabac *m* **tobacconist** [tə'bækənɪst] *n* buraliste *m/f*; *Br* (*store*) (bureau *m* de) tabac *m*
to-be [tə'biː] *adj* ***the bride-~*** la future mariée; ***the mother-~*** la future maman
toboggan [tə'bɒgən] **I** *n* luge *f* **II** *v/i* ***to go ~ing*** faire de la luge
today [tə'deɪ] *adv*, *n* **1.** aujourd'hui; ***a week / two weeks ~*** dans une semaine / deux semaines aujourd'hui; ***a year ago ~*** il y a un an aujourd'hui; ***from ~*** à partir d'aujourd'hui; ***later ~*** plus tard aujourd'hui; ***~'s paper*** le journal d'aujourd'hui; ***what's ~'s date?*** on est le combien aujourd'hui?; ***to be here ~ and gone tomorrow*** *fig* être la vedette d'un jour **2.** (*these days*) de nos jours; ***the youth of ~*** la jeunesse d'aujourd'hui
toddle ['tɒdl] *v/i* **1.** (*child*) faire ses premiers pas **2.** (*infml*: *a.* **toddle off**) s'en aller **toddler** ['tɒdlər] *n* petit enfant *m*
to-do [tə'duː] *n infml* histoire *f*, grabuge *m*
toe [təʊ] **I** *n* orteil *m*, doigt *m* de pied; (*of sock*) bout *m*; ***to tread*** *or* ***step on sb's ~s*** *lit* marcher sur les pieds de qn; *fig* marcher sur les plates-bandes de qn *infml*; ***to be on one's ~s*** *fig* être sur ses gardes **II** *v/t fig* ***to ~ the line*** s'exécuter
TOEFL *abbr* = **Test of English as a Foreign Language** examen *m* d'anglais langue étrangère
toehold *n* prise *f*; *fig* avantage *m* **toenail** *n* ongle *m* de pied
toff [tɒf] *n* (*Br infml*) aristo *m/f infml*
toffee ['tɒfɪ] *n Br* (*substance*, *sweet*) caramel *m*
tofu ['tɒfuː] *n* tofu *m*
together [tə'geðər] **I** *adv* ensemble; ***to do sth ~*** faire qc en même temps; (*with one another*) faire qc ensemble; ***to go ~*** (*game*) aller ensemble; ***all ~ now*** cette fois, tous ensemble **II** *adj infml* sensé
toggle ['tɒgl] **I** *n* (*on shoe*, *windcheater*) stoppeur *m*; (*on duffle coat*) bouton *m* **II** *v/i* IT basculer **toggle key** *n* IT touche *f* à bascule **toggle switch** *n* interrupteur *m* à bascule
togs [tɒgz] *pl infml* fringues *fpl infml*
toil [tɔɪl] **I** *v/i* (*liter work*) bûcher (***at, over*** sur) **II** *n liter* labeur *m*
toilet ['tɔɪlɪt] *n* toilettes *fpl*; ***to go to the ~*** *esp Br* aller aux toilettes; ***she's in the ~*** *Br* elle est aux toilettes **toilet bag** *n Br* trousse *f* de toilette **toilet brush** *n* brosse *f* WC **toilet paper** *n* papier *m* hygiénique **toiletries** ['tɔɪlɪtrɪz] *pl* produits *mpl* de toilette **toilet roll** *n Br* rouleau *m* de papier hygiénique **toilet seat** *n* lunette *f* de WC **toilet tissue** *n* papier *m* hygiénique **toilet water** *n* eau *f* de toilette
to-ing and fro-ing [ˌtuːɪŋən'frəʊɪŋ] *n esp Br* allers *mpl* et venues
token ['təʊkən] **I** *n* **1.** (*sign*) symbole *m*; ***by the same ~*** du même coup **2.** (*for gambling etc.*) jeton *m* **3.** (*Br gift certificate*) chèque-cadeau *m* **II** *attr* symbolique; ***~ gesture*** geste symbolique
Tokyo ['təʊkɪəʊ] *n* Tokyo
told [təʊld] *past*, *past part* = **tell**
tolerable ['tɒlərəbl] *adj* tolérable **tolerance** ['tɒlərəns] *n* tolérance *f* (***of, for, toward*** envers, à l'égard de) **tolerant** ['tɒlərənt] *adj* **1.** tolérant (***of, toward, with*** vis-à-vis de) **2.** TECH ***to be ~ of heat*** supporter la chaleur **tolerate** ['tɒləreɪt] *v/t* **1.** *noise etc.* tolérer **2.** *person, behavior* tolérer **toleration** [ˌtɒlə'reɪʃən] *n* tolérance *f*
toll[1] [təʊl] **I** *v/t & v/i* sonner le glas **II** *n* glas *m*
toll[2] *n* **1.** (*bridge toll*) péage *m* **2.** ***the death ~ on the roads*** le nombre de victimes sur les routes **tollbooth** *n* cabine *f* de péage **toll bridge** *n* pont *m* à péage **toll-free** (*US* TEL) *adj* **I** *call* vert **II** *adv* gratuitement **toll road** *n* route *f* à péage
tomahawk ['tɒməhɔːk] *n* tomahawk *m*
tomato [tə'mɑːtəʊ, (*US*) tə'meɪtəʊ] *n* ⟨*pl* **-es**⟩ tomate *f* **tomato ketchup** *n* ketchup *m* **tomato puree** *n* concentré *m* de tomate
tomb [tuːm] *n* (*grave*) tombe *f*; (*building*) tombeau *m*
tomboy ['tɒmbɔɪ] *n* garçon *m* manqué
tombstone ['tuːmstəʊn] *n* pierre *f* tombale
tomcat ['tɒmkæt] *n* matou *m*

tomorrow [tə'mɒrəʊ] *adv, n* demain *m*; (*future*) demain; ***a week ~*** dans une semaine demain; ***two weeks ~*** dans deux semaines demain; ***a year ago ~*** il y aura un an demain; ***the day after ~*** après-demain; ***~ morning / evening*** demain matin / soir; ***early ~*** tôt demain; (***as***) ***from ~*** à partir de demain; ***see you ~!*** à demain!; ***~'s paper*** le journal de demain

ton [tʌn] *n* **1.** tonne *f*; ***it weighs a ~*** *fig, infml* il pèse une tonne **2. tons** *pl* (*infml lots*) des tonnes de

tone [təʊn] **I** *n* tonalité *f* (*also* MUS); (*US note*) note *f*; (*quality of sound*) sonorité *f*; (*of color*) tonalité *f*; ***... he said in a friendly ~*** ... dit-il d'un ton amical; ***to lower the tone of the neighborhood*** faire baisser le standing du quartier **II** *v/t muscles* raffermir ◆ **tone down** *v/t sep* adoucir; *demands* atténuer ◆ **tone up** *v/t sep muscles* raffermir

tone-deaf [təʊn'def] *adj* ***he's ~*** il n'a aucune oreille

toner ['təʊnər] *n* **1.** (*for copier*) toner *m* **2.** (*cosmetic*) lotion *f* tonique **toner cartridge** *n* cartouche *f* de toner

tongs [tɒŋz] *pl* **1.** pinces *fpl*; ***a pair of ~*** des pinces **2.** *Br* (*electric*) pince *f*

tongue [tʌŋ] *n* langue *f*; ***to put*** *or* ***stick one's ~ out at sb*** tirer la langue à qn; ***to hold one's ~*** tenir sa langue **tongue in cheek** *adj pred remark* pince-sans-rire **tongue-tied** *adj* ***to be ~*** rester muet(te) **tongue twister** *n* phrase *f* de diction

tonic ['tɒnɪk] *n* **1.** MED tonique *m* **2. ~** (***water***) schweppes® *m*

tonight [tə'naɪt] **I** *adv* (*this evening*) ce soir; (*during the night*) cette nuit; ***see you ~!*** à ce soir! **II** *n* ***~'s party*** la fête de ce soir

tonne [tʌn] *n* tonne *f*

tonsil ['tɒnsl] *n* amygdale *f* **tonsillitis** [ˌtɒnsɪ'laɪtɪs] *n* amygdalite *f*

too [tuː] *adv* **1.** (*+adj or adv very*) ***~ much*** trop; ***~ many*** trop; ***he's had ~ much to drink*** il a trop bu; ***don't worry ~ much*** ne t'en fais pas trop; ***~ right!*** *infml* un peu oui! *infml*; ***all ~ ...*** bien trop ...; ***he wasn't ~ interested*** il n'a pas eu l'air très intéressé; ***I'm not ~ sure*** je ne suis pas sûr **2.** (*also*) aussi **3.** (*moreover*) en plus

took [tʊk] *past* = **take**

tool [tuːl] *n* outil *m* **toolbar** *n* IT barre *f* d'outil **toolbox** *n* boîte *f* à outils **toolkit** *n* trousse *f* à outil **tool shed** *n* remise *f* à outils

toot [tuːt] **I** *v/t* ***to ~ a horn*** (*in car*) klaxonner **II** *v/i* (*in car*) klaxonner

tooth [tuːθ] *n* ⟨*pl* **teeth**⟩ dent *f*; ***to have a ~ out*** se faire arracher une dent; ***to get one's teeth into sth*** *fig* s'investir dans qc; ***to fight ~ and nail*** se défendre bec et ongles; ***to lie through*** *or* ***in one's teeth*** mentir comme un arracheur de dents; ***I'm fed up to the*** (***back***) ***teeth with that*** *infml* j'en ai ras le bol de ça *infml*

toothache *n* mal *m* de dents

toothbrush *n* brosse *f* à dents **tooth decay** *n* carie *f* **toothpaste** *n* dentifrice *m* **toothpick** *n* cure-dent *m*

top [tɒp] **I** *n* **1.** (*highest part*) haut *m*; (*of spire etc., fig: of league etc.*) cime *f*; (*of mountain*) sommet *m*; (*of tree*) faîte *m*; (*of road*) haut *m*; (*of table, sheet*) dessus *m*; ***at the ~*** au sommet; ***at the ~ of the page / stairs*** en haut de la page / des escaliers; ***at the ~ of the league*** au sommet du classement; ***at the ~ of the table*** à la place d'honneur; ***to be ~ of the class*** être premier de la classe; ***near the ~*** près du sommet; ***five lines from the ~*** à quatre lignes du haut; ***from ~ to toe*** des pieds à la tête; ***from ~ to bottom*** de fond en comble; ***at the ~ of one's voice*** aussi tue-tête; ***off the ~ of my head*** *fig* sans réfléchir; ***to go over the ~*** en faire trop; ***that's a bit over the ~*** c'est un peu exagéré **2.** (*upper surface*) dessus; ***to be on ~*** être dessus; *fig* dominer; ***it was on ~ of / on the ~ of the closet*** *etc.* il était sur le placard; ***on ~ of*** (*in addition to*) en plus de; ***things are getting on ~ of me*** je ne maîtrise plus rien; ***and, on ~ of that ...*** et en plus de ça ...; ***he felt he was on ~ of the situation*** il se sentait maître de la situation; ***to come out on ~*** l'emporter **3.** (*infml: of body*) tête *f*; ***to blow one's ~*** péter un câble *infml* **4.** (*working surface*) plan *m* de travail **5.** (*bikini top*) haut *m*; (*blouse*) haut *m* **6.** (*lid, of jar*) couvercle *m*; (*of bottle*) capsule *f*; (*of pen*) capuchon *m*; (*of car*) cinquième *f* **II** *adj* (*upper*) le plus haut(la plus haute); (*highest*) dernier(-ière); (*best*) le meilleur(la meilleure); ***today's ~ story*** le scoop du jour; ***on the ~ floor*** au dernier étage; ***at ~ speed*** à toute allure; ***in ~ form*** en pleine forme **III** *adv* **1.** ***to come ~*** SCHOOL se classer premier **2.** ***three***

hours ~s *infml* trois heures maxi *infml* **IV** *v/t* **1.** (*cover*) recouvrir; ***fruit ~ped with cream*** des fruits recouverts de crème **2.** ***to ~ the list*** venir en tête **3.** (*fig surpass*) dominer; ***and to ~ it all ...*** *infml* et pour couronner le tout … ◆ **top off** *v/t sep* **1.** compléter **2.** *US* = **top up** ◆ **top up** *v/t sep Br* remplir; *income* compléter; ***can I top you up?*** *infml* je te ressers?

top gear *n* vitesse *f* la plus élevée (*d'une boîte de vitesse*) **top hat** *n* haut-de-forme *m* **top-heavy** *adj* trop lourd du haut

topic ['tɒpɪk] *n* sujet *m*; ***~ of conversation*** sujet de conversation **topical** ['tɒpɪkəl] *adj* d'actualité

topless I *adj* aux seins nus **II** *adv* seins nus **top-level** *adj* du plus haut niveau; *negotiations* au plus haut niveau **top management** *n* cadres *mpl* dirigeants **topmost** *adj* le plus haut(la plus haute) **top-of-the-line**, *Br* **top-of-the-range** *adj attr* haut de gamme **topping** ['tɒpɪŋ] *n* COOK (*for pizza*) garniture *f*; ***with a ~ of cream*** *etc.* recouvert de crème **top-quality** *adj attr* de la meilleure qualité; ***~ product*** des produits de la meilleure qualité

topple ['tɒpl] **I** *v/i* **1.** verser **2.** (*fall*) basculer **II** *v/t fig government etc.* renverser ◆ **topple down** *v/t insep* faire tomber ◆ **topple over** *v/i* basculer

top-ranking *adj* le plus haut placé; ***a ~ tennis player*** un joueur de tennis tête de série **top-secret** *adj* top-secret **topsoil** *n* AGR couche *f* arable

topsy-turvy [ˌtɒpsɪ'tɜːvɪ] *infml adj* (*lit, fig in disorder*) sens dessus dessous

top-up ['tɒpʌp] *Br* **I** *n infml* ***would you like a ~?*** est-ce que je vous ressers? **II** *adj* prépayé **top-up card** *n* (*for cell phone*) carte *f* prépayée

torch [tɔːtʃ] *n* torche *f*; (*Br flashlight*) lampe *f* torche

tore [tɔːʳ] *past* = **tear**¹

torment ['tɔːment] **I** *n* tourment *m*; ***to be in ~*** être déchiré **II** *v/t* tourmenter

torn [tɔːn] *past part* = **tear**¹

tornado [tɔː'neɪdəʊ] *n* ⟨*pl* **-es**⟩ tornade *f*

torpedo [tɔː'piːdəʊ] **I** *n* ⟨*pl* **-es**⟩ torpille *f* **II** *v/t* torpiller

torpor ['tɔːpəʳ] *n* (*lethargy*) torpeur *f*; (*apathy*) apathie *f*

torrent ['tɒrənt] *n* torrent *m*; (*fig: of words*) torrent *m*; ***a ~ of abuse*** un flot d'injures **torrential** [tɒ'renʃəl] *adj rain* torrentiel(le)

torso ['tɔːsəʊ] *n* torse *m*

tortoise ['tɔːtəs] *n* tortue *f* **tortoiseshell** ['tɔːtəsʃel] *n* écaille *f*

tortuous ['tɔːtjʊəs] *adj lit path* tortueux (-euse); *fig* alambiqué **torture** ['tɔːtʃəʳ] **I** *n* torture *f* **II** *v/t* **1.** *lit* torturer **2.** (*fig torment*) torturer, tourmenter **torture chamber** *n* salle *f* de torture **torturer** ['tɔːtʃərəʳ] *n lit* tortionnaire *m/f*

Tory ['tɔːrɪ] (*Br* POL) **I** *n* conservateur (-trice) *m*(*f*) **II** *adj* conservateur(-trice)

toss [tɒs] **I** *n* **1.** (*throw*) lancer *m* **2.** (*of coin*) tirage *m* à pile ou face; ***to win the ~*** gagner à pile ou face **II** *v/t* **1.** (*throw*) lancer; *salad* tourner; *Br pancake* faire sauter; ***to ~ sth to sb*** lancer qc à qn; ***to ~ a coin*** jouer à pile ou face; ***to ~ sb for sth*** jouer qc à pile ou face avec qn **2.** (*move*) secouer; ***to ~ one's head*** secouer la tête **III** *v/i* **1.** (*ship*) remuer; ***to ~ and turn*** se tourner et se retourner dans son lit **2.** (*with coin*) jouer à pile ou face; ***to ~ for sth*** jouer qc à pile ou face ◆ **toss around** *v/t sep* (*move*) remuer; *ball* taper dans; *fig ideas* lancer ◆ **toss away** *v/t sep* jeter ◆ **toss out** *v/t sep garbage* jeter; *person* mettre dehors ◆ **toss up** *v/t sep* ***to toss up a coin*** tirer à pile ou face

toss-up ['tɒsʌp] *n* ***it was a ~ whether...*** *infml* c'était pile ou face pour savoir …

tot [tɒt] *n* **1.** (*child*) bambin *m infml* **2.** (*esp Br: of alcohol*) petit verre *m* ◆ **tot up** *v/t sep* (*esp Br infml*) additionner

total ['təʊtl] **I** *adj stranger, amount, eclipse* total; ***what is the ~ number of rooms you have?*** combien avez-vous de pièces au total?; ***to be in ~ ignorance (of sth)*** être dans l'ignorance totale (de qc) **II** *n* total *m*; (*money, figures*) total *m*; ***a ~ of 50 people*** un total de 50 personnes; ***this brings the ~ to $100*** cela nous fait un total de 100 dollars; ***in ~*** au total **III** *v/t* **1.** (*amount to*) s'élever à **2.** (*add: a.* **total up**) additionner **totalitarian** [ˌtəʊtælɪ'tɛərɪən] *adj* totalitaire **totally** ['təʊtəlɪ] *adv* totalement

tote bag ['təʊtbæg] *n US* fourre-tout *m*

totem pole ['təʊtəmpəʊl] *n* totem *m*

totter ['tɒtəʳ] *v/i* chanceler

touch [tʌtʃ] **I** *n* **1.** (*sense of touch*) toucher *m*; ***to be cold to the ~*** être froid au toucher **2.** (*act of touching*); ***at the***

~ of a button en appuyant sur un bouton **3.** (*skill*) main *f*; (*style*) touche *f*; **he's losing his ~** il perd la main; **a personal ~** une touche personnelle **4.** *fig* geste *m*; **a nice ~** un geste sympathique; **to put the finishing ~es to sth** mettre la dernière main à qc **5.** (*small quantity*) soupçon *m*; **to have a ~ of flu** être un peu grippé **6. to be in ~ with sb** être en contact avec qn; **to keep in ~ with developments** se tenir au courant des évolutions; **I'll be in ~!** je vous tiens au courant!; **keep in ~!** donne-nous de tes nouvelles!; **to be out of ~** ne plus être en contact; **you can get in ~ with me at this number** vous pouvez me joindre à ce numéro; **to get in ~ with sb** prendre contact avec qn; **to lose ~ (with sb)** perdre qn de vue; **to put sb in ~ with sb** mettre qn en relation avec qn **7.** FTBL touche *f*; **in ~** en touche **II** *v/t* **1.** toucher; (*get hold of*) prendre; **her feet hardly ~ed the ground** *fig* elle ne touchait plus terre **2.** *criminal* toucher; (*use*) toucher à; **the police can't ~ me** la police ne peut pas me toucher **3.** (*move emotionally*) toucher; (*affect*) affecter **III** *v/i* toucher; **don't ~!** ne touchez pas! ◆ **touch up** *v/t sep paintwork* retoucher ◆ **touch (up)on** *v/t insep subject* aborder; **he barely touched on the question** il a à peine abordé la question

touch-and-go [ˌtʌtʃən'gəʊ] *adj* **to be ~** être moins une; **it's ~ whether ...** ce n'est pas sûr que ... **touchdown** ['tʌtʃdaʊn] *n* **1.** AVIAT, SPACE toucher *m* des roues **2.** (*US* FTBL) essai *m*, franchissement *m* de l'en-but en possession du ballon **touched** [tʌtʃt] *adj pred* (*moved*) touché **touching** ['tʌtʃɪŋ] *adj* touchant **touchingly** ['tʌtʃɪŋlɪ] *adv* de manière touchante **touchline** *n* (*esp Br* SPORTS) ligne *f* de touche **touchpaper** *n* papier *m* à combustion lente **touch-sensitive** *adj* **~ screen** écran tactile **touch-tone** *adj* à touches **touch-type** *v/i* taper à la machine (*sans regarder ses doigts*) **touchy** ['tʌtʃɪ] *adj* susceptible (**about** à propos de); *subject* délicat

tough [tʌf] *adj* dur; (*resistant*) solide; *cloth* résistant; *opponent, problem* corsé; *city* violent; *journey* rude; *choice* difficile; **(as) ~ as shoe leather** (*US hum, infml*) *or* **old boots** (*Br hum, infml*) dur comme de la semelle *infml*; **he'll get over it, he's ~** il s'en remettra, il est solide *infml*; **to get ~ (with sb)** *fig* devenir dur (avec qn); **it was ~ going** ça a été dur; **to have a ~ time of it** passer un mauvais moment; **I had a ~ time controlling my anger** j'ai eu du mal à contrôler ma colère; **she's a ~ customer** ce n'est pas quelqu'un de facile *infml*; **it was ~ on the others** *infml* c'était dur pour les autres; **~ (luck)!** *infml* pas de chance!

toughen ['tʌfn] *v/t glass* renforcer ◆ **toughen up I** *v/t sep person* endurcir; *regulations* renforcer **II** *v/i* s'endurcir; **to ~ on sth** renforcer les mesures sur qc

toughness ['tʌfnɪs] *n* (*of meat etc.*) dureté *f*; (*of person*) dureté *f*; (*resistance*) résistance *f*; (*of bargaining, opponent, fight, controls*) rudesse *f*

toupee ['tuːpeɪ] *n* postiche *m*

tour [tʊəʳ] **I** *n* **1.** visite *f*; (*of town, exhibition etc.*) visite *f* (**of** de); (*a.* **guided tour**) visite *f* guidée (**of** de); (*by bus*) excursion *f*; **to go on a ~ of Manhattan** faire une excursion dans Manhattan **2.** (*a.* **tour of inspection**) inspection *f* (**of** de) **3.** THEAT tournée *f* (**of** de); **to take a play on ~** présenter une pièce en tournée **II** *v/t* **1.** *country etc.* visiter; (*travel around*) voyager dans; **to ~ the world** faire le tour du monde **2.** *town, exhibition* visiter **3.** THEAT **they are ~ing France for a year** ils font une tournée en France pendant un an **III** *v/i* **1.** (*on vacation*) faire du tourisme; **we're ~ing (around)** nous faisons du tourisme **2.** THEAT tourner; **to be ~ing** être en tournée **tour de force** ['tʊədə'fɔːs] *n* tour *m* de force **tour guide** *n* accompagnateur(-trice) *m(f)* **touring** ['tʊərɪŋ] *n* tourisme *m* **tourism** ['tʊərɪzəm] *n* tourisme *m*

tourist ['tʊərɪst] **I** *n* touriste *m/f* **II** *attr* touristique; **~ season** saison touristique **tourist-class** *adj* classe *f* touristes **tourist guide** *n* guide *m* touristique **tourist information centre** *n Br* centre *m* d'information touristique **tourist office** *n* office *m* du tourisme

tournament ['tʊənəmənt] *n* tournoi *m*

tourniquet ['tʊənɪkeɪ] *n* garrot *m*

tour operator *n Br* tour-opérateur *m*

tousled ['taʊzld] *adj hair* ébouriffé

tout [taʊt] *infml* **I** *n Br* (*ticket scalper*)

vendeur(-euse) *m(f)* à la sauvette **II** *v/i Br* ***to ~ for business*** faire du démarchage; ***to ~ for customers*** racoler *infml*

tow [təʊ] **I** *n* ***to give sb a ~*** remorquer qn; ***in ~*** *fig* à sa suite **II** *v/t* remorquer; *trailer* tirer ◆ **tow away** *v/t sep car* emmener à la fourrière

toward(s) [tə'wɔːd(z)] *prep* **1.** (*with motion*) vers; ***to sail ~ China*** naviguer vers la Chine; ***it's further north, ~ Dortmund*** c'est plus au nord, en direction Dortmund; ***~ the south*** vers le sud; ***he turned ~ her*** il s'est tourné vers elle; ***with his back ~ the wall*** dos contre le mur; ***they are working ~ a solution*** ils sont en train d'essayer de trouver une solution; ***to get some money ~ sth*** recevoir de l'argent pour payer qc **2.** (*in relation to*) envers; ***what are your feelings ~ him?*** quels sont tes sentiments envers lui? **3.** ***~ ten o'clock*** aux alentours de dix heures; ***~ the end of the year*** vers la fin de l'année

towbar ['təʊbaːʳ] *n Br* barre *f* de remorquage

towel ['taʊəl] *n* serviette *f* (de toilette) ◆ **towel down** *v/t sep* essuyer avec une serviette

towelling ['taʊəlɪŋ] *n Br* tissu *m* éponge

tower ['taʊəʳ] **I** *n* **1.** tour *f* **2.** *fig* ***a ~ of strength*** un roc **3.** IT tour *f* **II** *v/i* dominer ◆ **tower above** *or* **over** *v/t insep* **1.** (*buildings etc.*) surplomber **2.** (*people*) être plus grand que

tower block *n Br* tour *f* **towering** ['taʊərɪŋ] *adj fig achievement* remarquable

town [taʊn] *n* ville *f*; ***to go into ~*** aller en ville; ***he's out of ~*** il est absent; ***to go to ~ on sth*** *fig, infml* mettre le paquet sur qc *infml* **town center**, *Br* **town centre** *n* centre-ville *m* **town council** *n* ≈ conseil *m* municipal **town councilor**, *Br* **town councillor** *n* ≈ conseiller(-ère) *m(f)* municipal(e)

town hall *n* ≈ mairie *f* **town house** *n* maison *f* de ville; (*type of house*) maison *f* mitoyenne **town planner** *n* urbaniste *m/f* **town planning** *n* urbanisme *m* **townsfolk** ['taʊnzfəʊk] *pl* gens *mpl* de la ville **township** ['taʊnʃɪp] *n US* administration *f* urbaine; (*in South Africa*) township *m* **townspeople** ['taʊnzpiːpl] *pl* citadins *mpl*

towpath *n* chemin *m* de halage **towrope** *n* AUTO câble *m* de remorquage **tow truck** *n US* dépanneuse *f*

toxic ['tɒksɪk] *adj* toxique **toxic waste** *n* déchets *mpl* toxiques **toxin** ['tɒksɪn] *n* toxine *f*

toy [tɔɪ] **I** *n* jouet *m* **II** *v/i* ***to ~ with an idea*** *etc.* caresser une idée **toy boy** *n infml* gigolo *m infml* **toyshop** *n Br* magasin *m* de jouets

trace [treɪs] **I** *n* trace *f*; ***I can't find any ~ of your file*** je ne retrouve aucune trace de votre dossier; ***to sink without ~*** disparaître sans laisser de trace **II** *v/t* **1.** (*copy*) calquer; (*with tracing paper*) décalquer **2.** *progress* suivre; *steps* retracer; ***to ~ a phone call*** retrouver l'auteur d'un appel téléphonique; ***she was ~d to ...*** on a retrouvé sa trace dans ... **3.** (*find*) retrouver; ***I can't ~ your file*** je n'arrive pas à retrouver votre dossier ◆ **trace back** *v/t sep descent* faire remonter; *problem etc.* identifier l'origine de (***to*** à)

tracing paper ['treɪsɪŋpeɪpəʳ] *n* papier *m* calque

track [træk] **I** *n* **1.** piste *f*; ***to be on sb's ~*** être sur les talons de qn; ***to keep ~ of sb / sth*** (*follow*) suivre qn / qc; ***to keep track of sb***; (*keep up to date with*) rester en contact avec qn; ***to keep ~ of sth*** se tenir au courant de qc; ***how do you keep ~ of the time without a watch?*** comment peux-tu faire attention à l'heure sans montre?; ***I can't keep ~ of your girlfriends*** je n'arrive plus à tenir le compte de tes petites amies; ***to lose ~ of sb / sth*** (*lose contact with*) perdre qn / qc de vue; ***to lose track of sth***; (*not be up to date with*) décrocher de qc; ***to lose ~ of time*** perdre la notion du temps; ***to lose ~ of what one is saying*** perdre le fil de ce que l'on dit **2.** *fig* ***we must be making ~s*** *infml* il faut qu'on rentre; ***he stopped dead in his ~s*** il s'est arrêté net **3.** (*path*) sentier *m*; ***to be on ~*** *fig* se dérouler comme prévu; ***to be on the right / wrong ~*** *fig* être sur le bon / mauvais chemin; ***to get sth back on ~*** remettre qc sur le bon chemin **4.** RAIL voie *f*; (*US platform*) quai *m* **5.** SPORTS piste *f*; ATHLETICS piste *f* **6.** (*song etc.*) morceau *m* **II** *v/t animal* traquer ◆ **track down** *v/t sep* retrouver (***to*** à); *thing* dénicher

track-and-field *adj* athlétisme *m* **trackball** *n* IT boule *f* de commande; (*in mouse*) boule *f* de souris **tracker dog**

['trækədɒg] *n* chien *m* de pistage **track event** *n* manifestation *f* d'athlétisme **track record** *n fig* ***to have a good ~*** avoir de bons antécédents **tracksuit** *n* survêtement *m*

tractor ['træktə^r] *n* tracteur *m*

trade [treɪd] **I** *n* **1.** commerce *m*; ***how's ~?*** comment va le commerce?; ***to do a good ~*** bien vendre **2.** (*line of business*) filière *f* **3.** (*job*) métier *m*; ***he's a bricklayer by ~*** il est maçon de métier **II** *v/t* échanger; ***to ~ sth for sth else*** échanger qc pour autre chose **III** *v/i* COMM faire du commerce; ***to ~ in sth*** faire du commerce de qc ◆ **trade in** *v/t sep* ***I'll trade in my car for a new one*** on me reprend mon ancienne voiture quand j' en achète une neuve

trade barrier *n* barrière *f* douanière **trade deficit** *n* déficit *m* commercial **trade fair** *n esp Br* foire *f* commerciale **trademark** *n lit* marque *f* (de fabrique) **trade name** *n* raison *f* sociale **trade-off** *n* compromis *m*; ***there's always a ~*** il y a toujours un compromis **trader** ['treɪdə^r] *n* négociant(e) *m(f)*; ST EX opérateur(-trice) *m(f)* boursier(-ière) **trade route** *n* route *f* commerciale **trade school** *n* école *f* de commerce **trade secret** *n* secret *m* professionnel **tradesman** *n* **1.** (*trader*) commerçant *m* **2.** (*plumber etc.*) artisan *m* **tradespeople** *pl* commerçants *mpl* **trades union** *n Br* = **trade union**

trade union *n Br* syndicat *m* **trade unionist** *n Br* syndicaliste *m/f* **trading** ['treɪdɪŋ] *n* commerce *m* (***in*** en) **trading estate** *n Br* zone *f* industrielle **trading links** *pl* liens *mpl* commerciaux **trading partner** *n* partenaire *m/f* commercial(e)

tradition [trə'dɪʃən] *n* tradition *f* **traditional** [trə'dɪʃənl] *adj* traditionnel(le); ***it's ~ for us to …*** c'est une tradition pour nous de … **traditionalist** [trə'dɪʃnəlɪst] *n* traditionaliste *m/f* **traditionally** [trə'dɪʃnəlɪ] *adv* traditionnellement; ***turkey is ~ eaten at Christmas*** c'est la tradition de manger de la dinde à Noël

traffic ['træfɪk] **I** *n* **1.** circulation *f* (automobile) **2.** (*usu pej trading*) trafic *m* (***in*** de) **II** *v/i usu pej* faire du trafic (***in*** de) **traffic calming** *n Br* réduction *f* de la vitesse de la circulation (automobile); ***~ measures*** mesures pour ralentir la circulation **traffic circle** *n US* rond-point *m* **traffic cone** *n* cone *m* de signalisation **traffic island** *n* îlot *m* central **traffic jam** *n* embouteillage *m* **trafficker** ['træfɪkə^r] *n usu pej* trafiquant(e) *m(f)* **trafficking** ['træfɪkɪŋ] *n* trafic *m* (***in*** de)

traffic lights *pl n* feux *mpl* tricolores **traffic police** *pl* police *f* de la route **traffic policeman** *n* agent *m* de la circulation **traffic signals** *pl* = **traffic lights** **traffic warden** *n Br* contractuel(le) *m(f)*

tragedy ['trædʒɪdɪ] *n* tragédie *f*; (*no pl tragic quality*) tragique *m* **tragic** ['trædʒɪk] *adj* tragique **tragically** ['trædʒɪkəlɪ] *adv* ***her career ended ~ at the age of 19*** sa carrière s'est tragiquement terminée alors qu'elle avait 19 ans; ***her husband's ~ early death*** la disparition tragique de son mari alors qu'il était encore jeune

trail [treɪl] **I** *n* **1.** trace *f*; ***to be on sb's ~*** être sur la trace de qn **2.** (*path*) piste *f*, chemin *m* **II** *v/t* **1.** (*drag*) tirer; (*US tow*) remorquer **2.** *rival* perdre **III** *v/i* **1.** (*on floor*) traîner **2.** (*walk*) traîner **3.** (*in competition etc.*) perdre; ***to ~ by 3 points*** avoir 3 points de retard ◆ **trail away** *or* **off** *v/i* (*voice*) se perdre (***into*** dans) ◆ **trail behind** *v/i* traîner (derrière); (*in competition etc.*) se traîner (derrière)

trailer ['treɪlə^r] *n* **1.** AUTO remorque *f*; (*esp US*: *of truck*) remorque *f* **2.** *US* caravane *f* **3.** FILM, TV bande-annonce *f*

train[1] [treɪn] *n* **1.** RAIL train *m*; ***to go by ~*** prendre le train; ***to take the 11 o'clock ~*** prendre le train de 11 heures; ***to change ~s*** faire une correspondance; ***on the ~*** dans le train **2.** (*line*) file *f* **3.** (*of events*) enchaînement *m*; ***~ of thought*** cheminement de la pensée **4.** (*of dress*) traîne *f*

train[2] **I** *v/t* **1.** *person* former; *animal* dresser; SPORTS entraîner; ***this dog has been ~ed to kill*** ce chien a été dressé pour tuer **2.** (*aim*) *gun*, *telescope* braquer (***on*** sur) **3.** *plant* palisser (***over*** sur) **II** *v/i* **1.** *esp* SPORTS s'entraîner (***for*** pour) **2.** (*study*) faire une formation; ***he ~ed as a teacher*** il a fait une formation de professeur

train driver *n* conducteur(-trice) *m(f)* de train

trained [treɪnd] *adj worker* formé; *nurse*

diplômé; ***to be highly ~*** être hautement qualifié
trainee [treɪ'niː] *n* stagiaire *m/f*; (*academic*) stagiaire *m/f*; (*technical*) apprenti(e) *m(f)*; (*management*) cadre *m/f* stagiaire **trainee teacher** *n* (*in primary school*) instituteur(-trice) *m(f)* stagiaire; (*in secondary school*) professeur *m* stagiaire **trainer** ['treɪnəʳ] *n* **1.** SPORTS entraîneur(-euse) *m(f)*; (*of animals*) dresseur(-euse) *m(f)* **2.** (*Br shoe*) basket *f*
training ['treɪnɪŋ] *n* **1.** formation *f* **2.** SPORTS entraînement *m*; ***to be in ~*** être en entraînement **training center**, *Br* **training centre** *n* centre *m* de formation **training course** *n* cours *m* de formation **training ground** *n* SPORTS terrain *m* d'entraînement **training scheme** *n* programme *m* de formation **training shoes** *pl Br* chaussures *mpl* de sport
trainload *n* (*of goods*) train *m* entier; ***~s of vacationers*** (*US*) *or* ***holiday makers*** *Br* des trains entiers de vacanciers **train service** *n* service *m* de train **train set** *n* petit train *m* **trainspotting** *n Br passion de l'observation et du répertoriage des trains*
traipse [treɪps] *infml v/i* vadrouiller *infml*
trait [treɪt, treɪ] *n* trait *m* de caractère
traitor ['treɪtəʳ] *n* traître(sse) *m(f)*
trajectory [trə'dʒektərɪ] *n* trajectoire *f*
tram [træm] *n esp Br* tramway *m*, tram *m*; ***to go by ~*** prendre le tram
tramp [træmp] **I** *v/i* (*walk heavily*) marcher lourdement **II** *v/t* (*walk*) *streets* sillonner **III** *n* **1.** (*vagabond*) bohémien(ne) *m(f)*; (*in town*) clochard(e) *m(f)* **2.** (*sound*) bruit *m* **3.** (*infml loose woman*) traînée *f infml*, *pej*
trample ['træmpl] *v/t* piétiner; ***to ~ sth underfoot*** écraser qc en marchant dessus ◆ **trample down** *v/t sep* écraser ◆ **trample on** *v/t insep* piétiner
trampoline ['træmpəlɪn] *n* trampoline *m*
trance [trɑːns] *n* transe *f*; ***to go into a ~*** entrer en transe
tranquil ['træŋkwɪl] *adj* tranquille; *life* paisible **tranquility**, *Br* **tranquillity** [træŋ'kwɪlɪtɪ] *n* tranquillité *f* **tranquilize**, *Br* **tranquillize** ['træŋkwɪlaɪz] *v/t* tranquilliser **tranquilizer**, *Br* **tranquillizer** ['træŋkwɪlaɪzəʳ] *n* tranquillisant *m*
transact [træn'zækt] *v/t* effectuer; *business also*, *deal* négocier **transaction** [træn'zækʃən] *n* (*piece of business*) transaction *f*; FIN, ST EX opération *f*
transatlantic ['trænsət'læntɪk] *adj* transatlantique
transcend [træn'send] *v/t* transcender
transcribe [træn'skraɪb] *v/t manuscripts* transcrire; *speech* retranscrire **transcript** ['trænskrɪpt] *n* (*of proceedings*) procès-verbal *m*; (*copy*) transcription *f*
transfer [træns'fɜːʳ] **I** *v/t* transférer (***to*** à); *prisoner*, *player* transférer (***to*** dans); *account*, *money* transférer (***to*** vers, sur, à); ***he ~red the money from the box to his pocket*** il a transféré l'argent de la boîte à sa poche **II** *v/i* (*move*) être transféré (***to*** à) **III** *n* transfert *m*; (*of prisoner, player, account, money*) transfert *m*; (*of employee*) mutation *f* **transferable** [træns'fɜːrəbl] *adj* transférable **transfer list** *n Br* FTBL liste *f* des transferts **transfer passenger** *n esp* AVIAT passager(-ère) *m(f)* en transit
transfix [træns'fɪks] *v/t fig* ***he stood as though ~ed*** il se tenait là comme pétrifié
transform [træns'fɔːm] *v/t* transformer (***into*** en); *ideas*, *life* transformer; *person*, *caterpillar* métamorphoser **transformation** [ˌtrænsfə'meɪʃən] *n* transformation *f*; (*of person, caterpillar etc.*) métamorphose *f*
transfusion [træns'fjuːʒən] *n* (*a.* **blood transfusion**) transfusion *f* sanguine; (***blood***) ***~ service*** service de transfusion
transgression [træns'greʃən] *n* **1.** (*of law*) transgression *f* **2.** (*sin*) péché *m*
transient ['trænzɪənt] **I** *adj life* bref (brève); *pleasure* éphémère **II** *n US* sans domicile fixe *m/f*
transistor [træn'zɪstəʳ] *n* ELEC transistor *m*
transit ['trænzɪt] *n* transit *m*; (*of goods*) transport *m*; ***the books were damaged in ~*** les livres ont été endommagés pendant le transport **transit camp** *n* camp *m* de transit **transition** [træn'zɪʃən] *n* transition *f* (***from … to*** de … à); ***period of ~, ~ period*** période de transition **transitional** [træn'zɪʃənl] *adj* transitionnel(le) **transitive** ['trænzɪtɪv] *adj* transitif(-ive) **transitory** ['trænzɪtərɪ] *adj life* transitoire; *joy* passager(-ère);

the ~ nature of sth la nature transitoire de qc **Transit (van)**® *n Br* camionnette *f*
translatable [trænz'leɪtəbl] *adj* traduisible
translate [trænz'leɪt] **I** *v/t* **1.** *lit* traduire; ***to ~ sth from French (in)to English*** traduire qc du français vers l'anglais; ***it is ~d as …*** cela se traduit … **2.** *fig* traduire **II** *v/i* **1.** *lit* traduire **2.** *fig* se traduire
translation [trænz'leɪʃən] *n* traduction *f* (***from*** de); *fig* restitution *f*; ***to do a ~ of sth*** faire une traduction de qc; ***it loses something in ~*** il perd quelque chose une fois traduit **translator** [trænz'leɪtə^r] *n* traducteur(-trice) *m(f)*
translucent [trænz'luːsnt] *adj glass etc.* translucide; *skin* diaphane
transmission [trænz'mɪʃən] *n* **1.** transmission *f*; (*of heat*, *program*) transmission *f*; ***~ rate*** TEL taux de transmission **2.** AUTO transmission *f* **transmit** [trænz'mɪt] **I** *v/t message*, *illness* transmettre; *heat etc.* communiquer; *TV program* émettre **II** *v/i* se transmettre **transmitter** [trænz'mɪtə^r] *n* TECH émetteur *m*
transparency [træns'pærənsɪ] *n* **1.** transparence *f* **2.** PHOT transparent *m*
transparent [træns'pærənt] *adj* **1.** transparent **2.** *fig lie* transparent; ***you're so ~*** tu es tellement transparent
transpire [træn'spaɪə^r] *v/i* **1.** (*become clear*) apparaître **2.** (*happen*) se produire
transplant [træns'plɑːnt] **I** *v/t* **1.** HORT repiquer **2.** MED greffer, transplanter **II** *n* greffe *f*
transport ['trænspɔːt] **I** *n* **1.** *esp Br* (*of goods*) transport *m*; ***do you have your own ~?*** *Br* avez-vous votre propre moyen de transport? **2.** (*US shipment*) transport *m* **II** *v/t* transporter **transportation** [ˌtrænspɔː'teɪʃən] *n esp US* transport *m*; ***public ~*** transports en commun; ***~ will be provided*** le transport sera assuré **transport café** *n Br* routier *m* **transport plane** *n* avion *m* de transport **transport system** *n esp Br* système *m* de transport
transsexual [trænz'seksjʊəl] *n* transsexuel(le) *m(f)*
transverse ['trænzvɜːs] *adj* transversal
transvestite [trænz'vestaɪt] *n* travesti *m*
trap [træp] **I** *n* **1.** piège *m*; ***to set a ~ for sb*** *fig* tendre un piège à qn; ***to fall into a ~*** tomber dans un piège **2.** *infml* ***shut your ~!*** ferme-la! *infml* **II** *v/t* **1.** *animal* prendre au piège **2.** *fig person* piéger **3.** ***to be ~ped*** (*miners etc.*) être coincé; ***to be ~ped in the snow*** être bloqué par la neige; ***my arm was ~ped behind my back*** j'avais le bras coincé derrière le dos; ***to ~ one's finger in the door*** se coincer le doigt dans la porte **trap door** *n* trappe *f*; THEAT trappe *f*
trapeze [trə'piːz] *n* trapèze *m*
trappings ['træpɪŋz] *pl fig* apparat *m*; ***~ of office*** les signes de la fonction
trash [træʃ] **I** *n* **1.** (*US refuse*) ordures *fpl* **2.** (*poor quality item*) cochonnerie *f infml*; (*movie etc.*) navet *m infml* **3.** (*pej*, *infml people*) racaille *f pej* **II** *v/t infml place* saccager **trash can** *n US* poubelle *f* **trashy** ['træʃɪ] *adj goods* minable; ***~ novel*** roman nul
trauma ['trɔːmə] *n* traumatisme *m* **traumatic** [trɔː'mætɪk] *adj* traumatisant
traumatize ['trɔːmətaɪz] *v/t* traumatiser
travel ['trævl] **I** *v/i* **1.** voyager; ***he ~s to work by car*** il va à son travail en voiture; ***they have traveled*** (*US*) *or* ***travelled*** (*Br*) ***a long way*** ils viennent de loin; ***to ~ around the world*** faire le tour du monde; ***to ~ around a country*** voyager dans tout un pays **2.** (*go*, *move*) se déplacer; (*sound*, *light*) aller; ***to ~ at 80 mph*** faire du 80 miles à l'heure; ***his eye traveled*** (*US*) *or* ***travelled*** (*Br*) ***over the scene*** son regard balaya la scène **II** *v/t area* voyager dans; *distance* parcourir **III** *n* **1.** *no pl* (*traveling*) voyages *mpl* **2. travels** *pl* voyages *mpl*; ***if you meet him on your ~s*** si tu le rencontres au cours de tes voyages; ***he's going on his ~s tomorrow*** il part en voyage demain
travel agency *n* agence *f* de voyage **travel agent** *n* voyagiste *m/f*; ***~('s)*** (*travel agency*) agence de voyage **travel brochure** *n* brochure *f* touristique **travel expenses** *pl esp US* frais *mpl* de déplacement **travel insurance** *n* assurance *f* voyage **traveled**, *Br* **travelled** ['trævld] *adj* ***well-~*** *person* qui a beaucoup voyagé; *route* très fréquenté
traveler, *Br* **traveller** ['trævlə^r] *n* voyageur(-euse) *m(f)* **traveler's check**, *Br* **traveller's cheque** *n* traveller's cheque *m*, chèque *m* de voyage
traveling, *Br* **travelling** ['trævlɪŋ] *n* voyages *mpl* **traveling expenses** *pl* frais *mpl* de voyage; (*on business*) frais

mpl de déplacement **traveling salesman** *n* représentant(e) *m(f)* **travel-sick** *adj Br* malade durant les transports **travel-sickness** *n Br* mal *m* des transports
travesty ['trævɪstɪ] *n* LIT travesti *m*; ***a ~ of justice*** une parodie de justice
trawl [trɔːl] **I** *v/i* ***to ~*** (***for fish***) pêcher au chalut **II** *v/t esp Br Internet etc.* ratisser **trawler** ['trɔːləʳ] *n* chalutier *m*
tray [treɪ] *n* plateau *m*; (*for papers*) corbeille *f*
treacherous ['tretʃərəs] *adj* **1.** *person* traître **2.** (*unreliable*) peu fiable; (*dangerous*) traître; *corner* dangereux (-euse); *trip* périlleux(-euse) **treachery** ['tretʃərɪ] *n* traîtrise *f*
treacle ['triːkl] *n Br* mélasse *f*
tread [tred] *vb* ⟨*past* **trod**⟩ ⟨*past part* **trodden**⟩ **I** *n* **1.** (*noise*) pas *m* **2.** (*of tire*) sculpture *f* **II** *v/i* **1.** (*walk*) marcher **2.** *Br* (*bring foot down*) poser le pied (***on*** sur); ***he trod on my foot*** il m'a marché sur le pied; ***to ~ carefully*** *fig* jouer finement **III** *v/t path* (*make*) tracer; (*follow*) suivre; ***to ~ a fine line between …*** être à la limite entre …; ***it got trodden underfoot*** il a été piétiné; ***to ~ water*** nager sur place; *fig* faire du sur-place **treadle** ['tredl] *n* (*of sewing machine*, *lathe*) pédale *f* **treadmill** ['tredmɪl] *n fig* train-train *m*; SPORTS tapis *m* de jogging
treason ['triːzn] *n* trahison *f* (***to*** envers)
treasure ['treʒəʳ] **I** *n* trésor *m* **II** *v/t* chérir; ***I shall ~ this memory*** je chérirai ce souvenir **treasure hunt** *n* chasse *f* au trésor **treasurer** ['treʒərəʳ] *n* (*of club*) trésorier(-ière) *m(f)*; (*city treasurer*) responsable *m/f* financier(-ière) **treasure trove** *n* trésor *m*; (*market*) mine *f* **treasury** ['treʒərɪ] *n* **1.** POL ***the Treasury Department*** *US*, ***the Treasury*** *Br* le ministère des Finances **2.** (*of society*) le service financier
treat [triːt] **I** *v/t* **1.** traiter; ***the doctor is ~ing him for nervous exhaustion*** le médecin le traite pour épuisement nerveux **2.** (*consider*) traiter (***as*** comme); ***to ~ sth seriously*** prendre qc au sérieux **3.** (*pay for*); ***to ~ sb to sth*** offrir qc à qn; ***to ~ oneself to sth*** s'offrir qc **II** *n* (*outing*, *present*) gâterie *f*; ***I thought I'd give myself a ~*** j'avais envie de me faire plaisir; ***I'm taking them to the circus as*** *or* ***for a ~*** je les emmène au cirque en cadeau; ***it's my ~*** je vous l'offre
treatise ['triːtɪz] *n* traité *m* (***on*** de)
treatment ['triːtmənt] *n* traitement *m*; ***their ~ of foreigners*** leur façon de traiter les étrangers; ***to be having ~ for sth*** recevoir un traitement pour qc
treaty ['triːtɪ] *n* traité *m*; ***the Treaty of Rome*** le traité de Rome
treble[1] ['trebl] **I** *adj* triple **II** *v/t* tripler **III** *v/i* tripler
treble[2] *n* (MUS *boy's voice*) soprano *m*; (*highest part*) aigu *m* **treble clef** *n* MUS clé *f* de sol
tree [triː] *n* arbre *m*; ***an oak ~*** un chêne; ***money doesn't grow on ~s*** l'argent ne pousse pas **tree house** *n* cabane *f* (dans un arbre) **tree line** *n* limite *f* de la forêt **tree-lined** *adj* bordé d'arbres **tree structure** *n* IT arborescence *f* **treetop** *n* cime *f* (d'un arbre) **tree trunk** *n* tronc *m*
trek [trek] **I** *v/i* marcher; faire un trek *infml*; ***they ~ked across the desert*** ils ont fait un trek dans le désert **II** *n* trek *m* **trekking** ['trekɪŋ] *n* trekking *m*
trellis ['trelɪs] *n* treillage *m*
tremble ['trembl] *v/i* trembler (***with*** de)
trembling ['tremblɪŋ] **I** *adj* tremblant **II** *n* tremblement *m*
tremendous [trə'mendəs] *adj* **1.** énorme; *number*, *crowd* immense; ***a ~ success*** un énorme succès **2.** (*very good*) formidable *infml*; ***she has done a ~ job*** elle a fait un travail formidable **tremendously** [trə'mendəslɪ] *adv* énormément; *grateful*, *difficult* extrêmement; ***they enjoyed themselves ~*** ils se sont énormément amusés
tremor ['treməʳ] *n* MED tremblement *m*; (*earth tremor*) secousse *f*
trench [trentʃ] *n* MIL tranchée *f* **trench warfare** *n* guerre *f* de tranchée
trend [trend] *n* **1.** (*tendency*) tendance *f*; ***upward ~*** tendance à la hausse; ***to set a ~*** donner le ton **2.** (*fashion*) mode *f*; ***the latest ~*** la dernière mode **trendily** ['trendɪlɪ] *adv* à la mode **trendsetter** ['trendsetəʳ] *n* innovateur(-trice) *m(f)*
trendy ['trendɪ] *adj* tendance *infml*; *image* branché *infml*; ***to be ~*** être tendance; ***it's no longer ~ to smoke*** fumer n'est plus tendance *infml*
trepidation [ˌtrepɪ'deɪʃən] *n* appréhension *f*
trespass ['trespəs] *v/i* (*on property*) entrer illégalement (***on sth*** dans qc); ***"no***

~ing" "entrée interdite" **trespasser** ['trespəsəʳ] *n* intrus(e) *m(f)*; ***"trespassers will be prosecuted"*** "défense d'entrer sous peine de poursuites"
trestle table [ˌtresl'teɪbl] *n* table *f* à tréteaux
trial ['traɪəl] *n* **1.** JUR procès *m*; (*hearing*) audience *f*; ***to be on ~ for theft*** passer devant le tribunal pour vol; ***at the ~*** lors du procès; ***to bring sb to ~*** intenter un procès à qn; ***~ by jury*** procès avec jury **2.** (*test*) essai *m*; ***~s*** (*of machine*) essais; ***to give sth a ~*** essayer qc; ***on ~*** à l'essai; ***by ~ and error*** par tâtonnements **3.** (*hardship*) vicissitude *f*; (*nuisance*) désagrément *m* (***to*** à); ***~s and tribulations*** tribulations **trial offer** *n* offre *f* d'essai **trial period** *n* période *f* d'essai **trial run** *n* banc *m* d'essai
triangle ['traɪæŋgl] *n* triangle *m*; MUS triangle *m* **triangular** [traɪ'æŋgjʊləʳ] *adj* MATH triangulaire
triathlon [traɪ'æθlən] *n* SPORTS triathlon *m*
tribal ['traɪbəl] *adj* tribal **tribe** [traɪb] *n* tribu *f*
tribulation [ˌtrɪbjʊ'leɪʃən] *n* tribulation *f*; ***~s*** tribulations
tribunal [traɪ'bjuːnl] *n* tribunal *m*
tribune ['trɪbjuːn] *n* (*platform*) tribune *f*
tributary ['trɪbjʊtərɪ] *n* affluent *m*
tribute ['trɪbjuːt] *n* hommage *m*; ***to pay ~ to sb / sth*** rendre hommage à qn / qc; ***to be a ~ to sb*** être tout à l'honneur de qn
trice [traɪs] *n Br* ***in a ~*** dans deux secondes
triceps ['traɪseps] *n* ⟨*pl* **-(es)**⟩ triceps *mpl*
trick [trɪk] **I** *n* **1.** (*ruse*) ruse *f*; (*trap*) piège *m*; ***it's a ~ of the light*** c'est un effet de la lumière **2.** (*mischief*) tour *m*; ***to play a ~ on sb*** jouer un tour à qn; ***unless my eyes are playing ~s on me*** à moins que ma vue ne me joue des tours; ***he's up to his (old) ~s again*** il recommence son petit manège **3.** (*skillful act*) artifice *m*; ***that should do the ~*** *infml* cela devrait faire l'affaire *infml* **4.** ***to have a ~ of doing sth*** avoir le chic pour faire qc **II** *attr cigar* truqué **III** *v/t* tromper *infml*; ***to ~ sb into doing sth*** convaincre qn de faire qc par la ruse; ***to ~ sb out of sth*** convaincre qn de ne pas faire qc par une entourloupe *infml*
trickery ['trɪkərɪ] *n* tromperie *f*, entourloupe *f infml* **trickiness** ['trɪkɪnɪs] *n* délicatesse *f*
trickle ['trɪkl] **I** *v/i* **1.** (*liquid*) couler (doucement); ***tears ~d down her cheeks*** les larmes coulaient sur ses joues; ***the sand ~d through his fingers*** le sable coulait entre ses doigts **2.** *fig* ***to ~ in*** (*people*) arriver au compte-goutte; (*donations*) arriver doucement **II** *n* **1.** (*of liquid*) filet *m*; (*stream*) ruisseau *m* **2.** *fig* ***there is a ~ of people*** il y a quelques personnes par-ci par-là
trick or treat *n phrase dite pour Halloween par des enfants déguisés réclamant des bonbons en simulant des menaces* **trick question** *n* question *f* piège **tricky** ['trɪkɪ] *adj* **1.** (*difficult*) difficile; (*fiddly*) délicat **2.** *situation, problem* délicat **3.** ***a ~ customer*** une personne difficile
tricycle ['traɪsɪkl] *n* tricycle *m*
tried-and-tested ['traɪdənd'testɪd], **tried and tested** *adj* éprouvé
trifle ['traɪfl] *n* **1.** broutille *f*; ***a ~ hot*** *etc.* un tantinet chaud **2.** (*Br* COOK) ≈ diplomate *m* (*dessert composé de couches de crème, crème anglaise, gelée et fruits*) ◆ **trifle with** *v/t insep affections* plaisanter avec; ***he is not a person to be trifled with*** ce n'est pas qn avec qui il faut plaisanter
trifling ['traɪflɪŋ] *adj* minime
trigger ['trɪgəʳ] **I** *n* (*of gun*) gâchette *f*; ***to pull the ~*** appuyer sur la gâchette **II** *v/t* (*a.* **trigger off**) déclencher
trigonometry [ˌtrɪgə'nɒmɪtrɪ] *n* trigonométrie *f*
trill [trɪl] **I** *n* **1.** (*of bird, voice*) trille *m* **2.** MUS trille *m* **3.** PHON roulé *m* **II** *v/t* (*person*) rouler **III** *v/i* (*bird*) triller; (*person*) faire des trilles
trillion ['trɪljən] *n* billion *m*; (*obs Br*) trillion *m*
trilogy ['trɪlədʒɪ] *n* trilogie *f*
trim [trɪm] **I** *adj* **1.** *appearance* soigné **2.** *person* svelte; ***to stay ~*** rester svelte **II** *n* **1.** *Br* ***to get into ~*** se remettre en forme **2.** ***to give sth a ~*** tailler qc **3.** (*of garment*) galon *m* **III** *v/t* **1.** *hair* couper; *hedge* tailler **2.** *fig essay* raccourcir **3.** *Christmas tree* décorer ◆ **trim back** *v/t sep hedge, roses* tailler; *costs, staff* réduire ◆ **trim down** *v/t sep essay* raccourcir (***to*** jusqu'à) ◆ **trim off** *v/t sep* couper
trimmings ['trɪmɪŋz] *pl* accompagne-

ments *mpl* (traditionnels) *mpl*; ***roast beef with all the ~*** du rosbif et tout ce qui va avec

Trinity ['trɪnɪtɪ] *n* Trinité *f*

trinket ['trɪŋkɪt] *n* babiole *f*

trio ['trɪəʊ] *n* trio *m*

trip [trɪp] **I** *n* **1.** (*journey*) voyage *m*; (*excursion*) excursion *f*; (*esp shorter*) petit voyage *m*; ***let's go on a ~ to the seaside*** allons faire un saut au bord de la mer; ***he is away on a ~*** il est parti en voyage; ***to take a ~ (to)*** faire une excursion à **2.** (*infml*: *on drugs*) trip *m infml* **II** *v/i* buter (***on, over*** sur); ***a phrase which ~s off the tongue*** une expression facile à prononcer **III** *v/t* faire un croche-pied à ◆ **trip over** *v/i* trébucher (***sth*** sur qc) ◆ **trip up I** *v/i* **1.** *lit* trébucher **2.** *fig* faire une erreur **II** *v/t sep* **1.** faire trébucher **2.** *fig* faire tromper

tripartite [ˌtraɪ'pɑːtaɪt] *adj* tripartite

tripe [traɪp] *n* **1.** COOK tripes *fpl* **2.** *fig, infml* conneries *fpl sl*

triple ['trɪpl] **I** *adj* triple **II** *adv* triplement **III** *v/t* tripler **IV** *v/i* tripler **triple jump** *n* triple saut *m*

triplet ['trɪplɪt] *n* triplé(e) *m(f)*

triplicate ['trɪplɪkɪt] *n* ***in ~*** en trois exemplaires

tripod ['traɪpɒd] *n* PHOT trépied *m*

trip switch *n* ELEC disjoncteur *m*

tripwire *n* fil *m* de détente

triumph ['traɪʌmf] **I** *n* triomphe *m*; ***in ~*** en triomphe **II** *v/i* triompher (***over*** sur) **triumphant** [traɪ'ʌmfənt] *adj* triomphant; ***to emerge ~*** sortir triomphant **triumphantly** [traɪ'ʌmfəntlɪ] *adv* triomphalement

trivia ['trɪvɪə] *pl* **1.** (*unimportant details*) détails *mpl* inutiles **2.** (*facts*) faits *mpl* insolites **trivial** ['trɪvɪəl] *adj* trivial; (*loss, mistake* insignifiant **trivialize** ['trɪvɪəlaɪz] *v/t* banaliser

trod [trɒd] *past* = **tread trodden** ['trɒdn] *past part* = **tread**

trolley ['trɒlɪ] *n* **1.** (*US*: *vehicle*) tramway *m* **2.** (*Br*: *in supermarket*) chariot *m*; *Br* (*in station*) chariot *m* à bagages; (*in factory etc.*) chariot *m* de manutention **3.** (*Br tea trolley*) table *f* roulante **trolleybus** *n* trolleybus *m* **trolley car** *n US* tramway *m*

trombone [trɒm'bəʊn] *n* MUS trombone *m*

troop [truːp] **I** *n* **1.** (MIL: *of cavalry*) troupe *f*; (*unit*) commando *m* **2. troops** *pl* MIL troupes *fpl*; ***200 ~s*** 200 troupes **3.** (*of people*) troupe *f* **II** *v/i* ***to ~ out*** sortir en masse; ***to ~ past sth*** passer en masse devant qc **troop carrier** ['truːpˌkærɪəʳ] *n* véhicule *m* de transport des troupes **trooper** ['truːpəʳ] *n* MIL troupier *m*; (*US state trooper*) agent *m* de police

trophy ['trəʊfɪ] *n* trophée *m*

tropic ['trɒpɪk] *n* **1.** ***Tropic of Cancer/Capricorn*** tropique du Cancer / Capricorne **2. tropics** *pl* tropiques *mpl* **tropical** ['trɒpɪkəl] *adj* tropical **tropical rainforest** *n* forêt *f* tropicale humide

trot [trɒt] **I** *n* **1.** trot *m* **2.** (*Br infml*) ***for five days on the ~*** pendant cinq jours d'affilée; ***he won three games on the ~*** il a gagné trois matchs d'affilée **II** *v/i* trotter

trotter ['trɒtəʳ] *n* (*of animal*) trotteur *m*

trouble ['trʌbl] **I** *n* **1.** problèmes *mpl*; (*bothersome*) ennuis *mpl*; ***to be in ~*** avoir des ennuis; ***to be in ~ with sb*** avoir des ennuis avec qn; ***to get into ~*** s'attirer des ennuis; (*with authority*) avoir des ennuis (***with*** avec); ***to keep** or **stay out of ~*** se tenir tranquille; ***to make ~*** (*cause an argument etc.*) faire des histoires *infml*; ***that's/you're asking for ~*** tu cherches les ennuis; ***to look for ~, to go around looking for ~*** chercher la bagarre; ***there'll be ~ if he finds out*** il va y avoir du grabuge s'il l'apprend; ***what's the ~?*** qu'est-ce qui ne va pas?; ***the ~ is that ...*** le problème c'est que ...; ***money ~s*** ennuis d'argent; ***the child is nothing but ~ to his parents*** cet enfant ne cause que des ennuis à ses parents; ***he's been no ~ at all*** (*of child*) il a été très gentil **2.** (*bother*) dérangement *m*; ***it's no ~ (at all)!*** cela ne me dérange pas (du tout)!; ***thank you — (it was) no ~*** merci — il n'y a pas de quoi; ***it's not worth the ~*** ça ne vaut pas le dérangement; ***it's more ~ than it's worth*** le jeu n'en vaut pas la chandelle; ***to take the ~ (to do sth)*** prendre la peine (de faire qc); ***to go to a lot of ~ (over** or **with sth)*** se donner beaucoup de mal (pour qc); ***to put sb to a lot of ~*** beaucoup déranger qn **3.** MED troubles *mpl*; *fig* ennuis *mpl*; ***heart ~*** problèmes cardiaques; ***engine ~*** ennuis de moteur **4.** (*unrest*) tensions *fpl*; ***there's ~ at the factory*** il y a des tensions à l'usine **II** *v/t* **1.** (*worry*) inquiéter; (*disturb*) troubler; ***to be ~d by sth*** être troublé par qc **2.**

(*bother*) déranger; ***I'm sorry to ~ you, but …*** je suis désolé de vous déranger, mais … **troubled** ['trʌbld] *adj* inquiet (-iète); *sleep* agité; *relationship* mouvementé **trouble-free** *adj process* sans problèmes **troublemaker** *n* perturbateur(-trice) *m(f)* **troubleshooter** *n* expert(e) *m(f)*; (POL, IND *mediator*) médiateur(-trice) *m(f)* **troublesome** *adj* gênant; *person*, *problem* encombrant **trouble spot** *n* point *m* chaud

trough [trɒf] *n* auge *f*

trounce [traʊns] *v/t* SPORTS écraser

troupe [truːp] *n* THEAT troupe *f*

trouser leg ['traʊzəʳ] *n Br* jambe *f* de pantalon

trousers ['traʊzɪz] *pl Br* (*a.* **pair of trousers**) un pantalon; ***she was wearing ~*** elle portait un pantalon; ***to wear the ~*** *fig*, *infml* porter la culotte **trouser suit** *n Br* tailleur-pantalon *m*

trout [traʊt] *n* truite *f*

trowel ['traʊəl] *n* truelle *f*

truancy ['trʊənsɪ] *n* absentéisme *m* scolaire **truant** ['trʊənt] *n* élève *m/f* en état d'absentéisme; ***to play ~ (from school)*** *Br* faire l'école buissonnière *infml*

truce [truːs] *n* trêve *f*

truck [trʌk] *n* **1.** *vehicle* camion *m* **2.** (*Br* RAIL) wagon *m* **truck driver** *n* camionneur(-euse) *m(f)*; (*long distance*) routier(-ière) *m(f)* **trucker** ['trʌkəʳ] *n esp US* camionneur(-euse) *m(f)*; (*long distance*) routier(-ière) *m(f)* **truck farm** *n US* jardin *m* maraîcher **trucking** ['trʌkɪŋ] *n esp US* transport *m* routier **truckload** *n* chargement *m* plein **truckstop** *n US* (restaurant *m*) routier *m*

trudge [trʌdʒ] *v/i* ***to ~ out*** s'aventurer

true [truː] **I** *adj* **1.** vrai; (*genuine*) véritable; ***to come ~*** (*dream*, *prophecy*) se réaliser; ***that's ~*** c'est vrai; ***~!*** exact!; ***we mustn't generalize, (it's) ~, but …*** il ne faut pas généraliser, il est vrai, mais …; ***the reverse is ~*** l'inverse est vrai; ***the frog is not a ~ reptile*** la grenouille n'est pas un véritable reptile; ***spoken like a ~ football fan*** voilà qui est digne d'un vrai supporter de foot; ***~ love*** le véritable amour; (*person*) loyal; ***to be ~ of sb / sth*** être vrai pour qn / qc **2.** *account* véridique; ***to be a ~ likeness*** être très ressemblant; ***in the ~ sense (of the word)*** au sens propre du terme **3.** (*faithful*) fidèle; ***to be ~ to sb*** être fidèle envers qn; ***to be ~ to one's word*** tenir sa parole; ***~ to life*** vrai; ART ressemblant **4.** *wall* d'aplomb **5.** ***~ north*** nord géographique **6.** MUS *note* juste **II** *n* ***to be out of ~*** *upright* ne pas être d'aplomb **true-life** [ˌtruː'laɪf] *adj attr* vécu

truffle ['trʌfl] *n* truffe *f*

truly ['truːlɪ] *adv* **1.** vraiment; ***(really and) ~?*** vraiment?; ***I am ~ sorry*** je suis vraiment désolé **2.** *serve*, *love* sincèrement

trump [trʌmp] **I** *n* atout *m*; ***to come up ~s*** (*Br infml*) sauver la situation **II** *v/t* CARD couper; *fig* battre **trump card** *n* atout *m*; ***to play one's ~*** *lit*, *fig* jouer son atout

trumpet ['trʌmpɪt] *n* MUS trompette *f*

truncate [trʌŋ'keɪt] *v/t* tronquer

truncheon ['trʌntʃən] *n esp Br* matraque *f*

trundle ['trʌndl] **I** *v/t* **1.** (*push*) pousser **2.** (*pull*) tirer **II** *v/i* ***to ~ along*** avancer lentement

trunk [trʌŋk] *n* **1.** (*of tree*) tronc *m*; (*of body*) torse *m* **2.** (*US* AUTO) coffre *m* **3.** (*of elephant*) trompe *f* **4.** (*case*) malle *f* **5. trunks** *pl* (*for swimming*) caleçon *m* de bain; ***a pair of ~s*** un caleçon **trunk call** *n* (*Br* TEL) appel *m* longue distance **trunk road** *n Br* grand axe *m*

truss [trʌs] *n* MED bandage *m* herniaire ◆ **truss up** *v/t sep* COOK ficeler; *infml person* ligoter

trust [trʌst] **I** *n* **1.** confiance *f* (***in*** en); ***to put one's ~ in sb*** placer sa confiance en qn; ***position of ~*** position de confiance **2.** JUR, FIN fidéicommis *m* **3.** (COMM: *a.* **trust company**) société *f* fiduciaire **II** *v/t* **1.** faire confiance à; *person* avoir confiance en; ***to ~ sb to do sth*** confier à qn la charge de faire qc; ***to ~ sb with sth*** confier qc à qn; ***can he be ~ed not to lose it?*** est-ce qu'on peut être sûr qu'il ne va pas le perdre? **2.** *iron*, *infml* ***~ you!*** ça ne m'étonne pas de toi!; ***~ him to break it!*** ça ne m'étonne pas qu'il l'ait cassé! **3.** (*hope*) espérer **III** *v/i* avoir confiance; ***to ~ in sb*** faire confiance à qn; ***to ~ to luck*** croiser les doigts **trusted** ['trʌstɪd] *adj method* éprouvé; *friend* de confiance **trustee** [trʌs'tiː] *n* **1.** (*of estate*) commissaire *m* fiduciaire **2.** (*of institution*) administrateur(-trice) *m(f)*; ***~s*** administrateurs **trust fund** *n*

fonds *m* en fidéicommis **trusting** ['trʌstɪŋ] *adj person* confiant **trustworthy** ['trʌst,wɜːðɪ] *adj* fiable
truth [truːθ] *n* ⟨*pl* **-s**⟩*no pl* vérité *f*; ***to tell the ~ …*** à dire vrai …; ***the ~ of it is that …*** la vérité c'est que …; ***there's some ~ in that*** c'est en partie vrai; ***in ~*** en vérité **truthful** *adj* honnête **truthfulness** *n* honnêteté *f*
try [traɪ] **I** *n* essai *m*; ***to have a ~*** essayer; ***let me have a ~*** laisse-moi essayer; ***to have a ~ at doing sth*** essayer de faire qc; ***it was a good ~*** c'était une bonne tentative **II** *v/t* **1.** (*attempt*) essayer; ***to ~ one's best*** faire de son mieux; ***to ~ one's hand at sth*** s'essayer à qc; ***I'll ~ anything once*** j'ai envie de tout essayer **2.** (*try out*) essayer; *drugstore* tester; ***~ sitting on it*** réfléchis-y à tête reposée **3.** (*taste*) *beer, olives* goûter **4.** *patience* éprouver **5.** JUR *person* juger; ***to be tried for theft*** être jugé pour vol **III** *v/i* essayer; ***~ and arrive on time*** essaie d'arriver à l'heure; ***~ as he might, he didn't succeed*** il a eu beau essayer, il n'a pas réussi; ***he didn't even ~*** il n'a même pas essayé ◆ **try for** *v/t insep* essayer d'avoir ◆ **try on** *v/t sep clothes* essayer ◆ **try out** *v/t sep* tester (***on*** sur)
trying ['traɪɪŋ] *adj* éprouvant
tsar [zɑːʳ] *n* tsar *m*
T-shirt ['tiːʃɜːt] *n* tee-shirt *m*
tsunami *n* tsunami *m*
tsp. *pl* **tsps.** *abbr* = **teaspoonful(s)**, **teaspoon(s)** c. à. c.
tub [tʌb] *n* **1.** (*infml bath tub*) baignoire *f* **2.** bac *m*; (*for rainwater*) baquet *m*; (*for washing*) bassine *f*; (*of ice cream*) pot *m*
tuba ['tjuːbə] *n* tuba *m*
tubby ['tʌbɪ] *adj infml* rondelet(te)
tube [tjuːb] *n* **1.** (*pipe*) tube *m*; (*of rubber*) tuyau *m* **2.** (*of toothpaste*) tube *m*; (*of sweets*) tube *m* **3.** (*Br London underground*) métro *m* **4.** ANAT, TV tube *m*
tuber ['tjuːbəʳ] *n* BOT tubercule *m*
tuberculosis [tjʊ,bɜːkjʊ'ləʊsɪs] *n* tuberculose *f*
tube station *n Br* station *f* de métro **tubing** ['tjuːbɪŋ] *n* tuyauterie *f*
TUC *Br abbr* = **Trades Union Congress** *confédération des syndicats britanniques*
tuck [tʌk] **I** *n* SEWING pli *m* **II** *v/t* (*put*) mettre; ***to ~ sth under one's arm*** se mettre qc sous le bras ◆ **tuck away** *v/t sep* cacher; ***he tucked it away in his pocket*** il l'a rangé dans sa poche ◆ **tuck in I** *v/i* (*Br infml*) commencer de manger; ***~!*** allez-y, mangez! *infml*; ***to ~ to sth*** attaquer qc **II** *v/t sep flap etc.* replier; ***to tuck one's shirt in(to) one's pants, to tuck one's shirt in*** rentrer sa chemise dans son pantalon; ***to tuck sb in*** (*in bed*) border qn ◆ **tuck up** *v/t sep Br* ***to tuck sb up (in bed)*** border qn
tuck shop *n Br* magasin *m* de bonbons dans une école
Tue., Tues. *abbr* = **Tuesday** mardi
Tuesday ['tjuːzdɪ] *n* mardi *m*; ***on ~*** mardi; ***on ~s, on a ~*** le mardi; ***on ~ morning/evening*** mardi matin / soir; ***on ~ mornings*** le mardi matin; ***last / next / this ~*** mardi dernier / prochain / qui vient; ***a year (ago) last ~*** il y a un an mardi dernier; ***~'s newspaper*** le journal du mardi; ***~ December 5th*** mardi 5 décembre
tuft [tʌft] *n* touffe *f*; ***a ~ of hair*** une touffe de cheveux
tug [tʌg] **I** *v/t* tirer; ***she ~ged his sleeve*** elle a tiré sa manche **II** *v/i* tirer (***at sth*** sur qc) **III** *n* **1.** ***to give sth a ~*** tirer sur qc **2.** (*a.* **tugboat**) remorqueur *m* **tug-of-war** *n* tir *m* à la corde
tuition [tjʊ'ɪʃən] *n* cours *mpl* particuliers
tulip ['tjuːlɪp] *n* tulipe *f*
tumble ['tʌmbl] **I** *n* (*fall*) chute *f* **II** *v/i* dégringoler; (*fig: prices*) chuter; ***to ~ over sth*** s'entraver dans qc ◆ **tumble down** *v/i* (*person, object*) dégringoler; ***to ~ the stairs*** dégringoler dans les escaliers ◆ **tumble over** *v/i* tomber en cascade
tumbledown *adj* délabré **tumble drier, tumble dryer** *n Br* sèche-linge *m* **tumbler** ['tʌmbləʳ] *n* (*glass*) gobelet *m*
tummy ['tʌmɪ] *n infml* ventre *m*
tumor, *Br* **tumour** ['tjuːməʳ] *n* tumeur *f*
tumult ['tjuːmʌlt] *n* tumulte *m*; ***his mind was in a ~*** il avait l'esprit tourmenté **tumultuous** [tjuː'mʌltjʊəs] *adj* tumultueux(-euse)
tuna (fish) ['tjuːnə('fɪʃ)] *n* thon *m*
tundra ['tʌndrə] *n* toundra *f*
tune [tjuːn] **I** *n* **1.** (*melody*) air *m*; ***to change one's ~*** *fig* changer de refrain *infml*; ***to call the ~*** *fig* donner les ordres; ***to the ~ of $100*** pour une somme de 100 dollars **2.** ***to sing in ~/out of ~*** chanter juste / faux; ***the piano is out of ~*** le piano est désaccordé; ***to be in***

~ with sb / sth *fig* être en phase avec qn / qc **II** *v/t* **1.** MUS *instrument* accorder **2.** RADIO, TV, AUTO régler ◆ **tune in I** *v/i* RADIO se brancher sur; ***to ~ to Radio London*** se brancher sur Radio Londres **II** *v/t sep radio* régler (***to*** sur) ◆ **tune up** *v/i* MUS s'accorder

tuneful ['tju:nfʊl] *adj* harmonieux (-euse)

tunefully ['tju:nfəlɪ] *adv* de façon harmonieuse

tungsten ['tʌŋstən] *n* tungstène *m*

tunic ['tju:nɪk] *n* **1.** tunique *f* **2.** (*of uniform*) vareuse *f*

Tunisia [tju:'nɪzɪə] *n* Tunisie *f*

tunnel ['tʌnl] **I** *n* tunnel *m*; MIN galerie *f*; ***at last we can see the light at the end of the ~*** *fig* nous voyons enfin le bout du tunnel **II** *v/i* creuser un tunnel (*into* dans, *through* à travers) **tunnel vision** *n* MED rétrécissement *m* concentrique du champ de vision; *fig* vision *f* rétrécie

tuppence ['tʌpəns] *n Br* ***not to care ~ about sth*** se ficher de qc *infml*

turban ['tɜ:bən] *n* turban *m*

turbine ['tɜ:baɪn] *n* turbine *f*

turbo-charged ['tɜ:bəʊˌtʃɑ:dʒd] *adj* à turbocompresseur

turbot ['tɜ:bət] *n* turbot *m*

turbulence ['tɜ:bjʊləns] *n* (*of career, period*) agitation *f*; ***air ~*** turbulences **turbulent** ['tɜ:bjʊlənt] *adj* turbulent; *career, period* agité

turd [tɜ:d] *n sl* crotte *infml f*

tureen [tə'ri:n] *n* soupière *f*

turf [tɜ:f] *n* ⟨*pl* **-s** *or* **turves**⟩ (*no pl lawn*) gazon *m*; (*square of grass*) gazon *m*

turgid ['tɜ:dʒɪd] *adj fig* turgide

Turk [tɜ:k] *n* Turc(Turque) *m*(*f*)

Turkey ['tɜ:kɪ] *n* Turquie *f*

turkey ['tɜ:kɪ] *n* dinde *f*

Turkish ['tɜ:kɪʃ] **I** *adj* turc(turque); ***she is ~*** elle est turque **II** *n* LING turc *m* **Turkish delight** *n* loukoum *m*

turmeric ['tɜ:mərɪk] *n* curcuma *m*

turmoil ['tɜ:mɔɪl] *n* émoi *m*; (*confusion*) tourmente *f*; ***her mind was in a ~*** la confusion régnait dans son esprit

turn [tɜ:n] **I** *n* **1.** (*movement*) tour *m*; ***to give sth a ~*** faire tourner qc **2.** (*in road*) virage *m*; (*side road*) route *f*; (*side street*) rue *f*; SPORTS virage *m*; ***take the left-hand ~*** prendre la route à gauche; ***"no left ~"*** "interdiction de tourner à gauche"; ***things took a ~ for the worse*** les choses ont soudain empiré; ***at the ~ of the century*** au début du siècle; ***~ of phrase*** tournure; ***he was thwarted at every ~*** il a été contrarié à tout bout de champ **3.** tour *m*; ***it's your ~*** c'est ton tour; ***it's your ~ to wash the dishes*** c'est ton tour de faire la vaisselle; ***it's my ~ next*** après c'est mon tour; ***wait your ~*** attends ton tour; ***to miss a ~*** rater son tour; ***to take*** (***it in***) ***~s to do sth*** faire qc à tour de rôle; ***to answer in ~*** répondre chacun à son tour; (*2 people*) répondre l'un après l'autre; ***out of ~*** *fig* mal à propos **4.** ***to do sb a good ~*** rendre service à qn; ***one good ~ deserves another*** (*Prov*) c'est un prêté pour un rendu **II** *v/t* **1.** (*rotate*) tourner; ***to ~ the key in the lock*** tourner la clé dans la serrure; ***he ~ed his head toward me*** il a tourné la tête dans ma direction; ***as soon as his back is ~ed*** dès qu'il a le dos tourné; ***the sight of all that food quite ~ed my stomach*** la vue de cette nourriture m'a soulevé l'estomac; ***he can ~ his hand to anything*** il sait tout faire **2.** (*turn over / around*) tourner **3.** (*direct*) ***to ~ one's attention to sth*** porter son attention sur qc; ***to ~ a gun on sb*** braquer un pistolet sur qn **4.** (*transform*) transformer (***in***(***to***) en); ***to ~ the lights down low*** baisser les lumières très bas; ***to ~ a profit*** *esp US* faire un bénéfice; ***to ~ sth into a movie*** faire un film de qc; ***to ~ sb loose*** laisser partir qn **III** *v/i* **1.** (*rotate*) se tourner; ***he ~ed to me and smiled*** il s'est tourné vers moi et a souri; ***to ~ upside down*** se retourner **2.** (*change direction: person, car*) tourner; (*turn around*) tourner; (*person*) tourner; (*tide*) changer; ***to ~*** (***to the***) ***left*** tourner à gauche **3.** ***I don't know which way to ~*** je ne sais pas ce que je dois faire; ***to ~ to sb*** se tourner vers qn; ***our thoughts ~ to those who …*** nos pensées vont vers ceux qui …; ***to ~ to sth*** se mettre à parler de qc; ***~ to page 306*** allez à la page 306; ***the conversation ~ed to the accident*** la conversation a dévié sur l'accident **4.** (*leaves*) changer de couleur; (*weather*) changer; ***to ~ to stone*** se changer en pierre; ***his admiration ~ed to scorn*** son admiration s'est transformée en mépris; ***to ~ into sth*** se transformer en qc; ***the whole thing ~ed into a nightmare*** ça a dégénéré en cauchemar **5.** (*become*) devenir; ***to ~ violent*** devenir violent; ***to ~ red*** (*leaves etc.*) devenir rouge; (*person*) rougir; (*traffic lights*) passer au rouge; ***he has just ~ed 18*** il vient d'avoir 18 ans; ***it has ~ed 2 o'clock*** 2 heures viennent de sonner ◆ **turn against I** *v/t insep* se tourner contre **II** *v/t insep sep* ***to turn sb against sb*** tourner qn contre qn ◆ **turn around I** *v/t sep* tourner autour; *argument* retourner; *company* redresser **II** *v/t insep corner* passer **III** *v/i* (*face other way*) se tourner; (*go back*) faire demi-tour; ***one day she'll just ~ and leave you*** un de ces jours, elle va arriver et te dire qu'elle te quitte; (*person*) faire volte-face; (*car etc.*) faire demi-tour ◆ **turn away I** *v/i* se détourner **II** *v/t sep* **1.** *head* tourner **2.** *person* refuser ◆ **turn back I** *v/i* **1.** faire demi-tour; (*look back*) se retourner; ***there's no turning back now*** *fig* il n'est pas question de revenir en arrière maintenant **2.** (*in book*) revenir en arrière (***to*** à) **II** *v/t sep* **1.** *bedclothes* rabattre **2.** *person* refouler; ***they were turned back at the frontier*** ils ont été refoulés à la frontière **3.** *clock* reculer; ***to turn the clock back fifty years*** *fig* faire un retour en arrière de cinquante ans ◆ **turn down I** *v/t sep* **1.** *bedclothes* rabattre; *collar* plier; *corner of page* replier **2.** *heat*, *lights* baisser; *volume* baisser **3.** *offer*, *invitation* refuser **II** *v/t insep* ***he turned down a side street*** il a tourné dans une petite rue ◆ **turn in I** *v/i* **1.** ***the car turned in at the top of the drive*** la voiture a tourné en haut de l'allée **2.** (*infml go to bed*) aller au lit **II** *v/t sep infml* ***to turn sb in*** dénoncer qn; ***to turn oneself in*** se rendre ◆ **turn into** *v/t insep* = **turn** *II4*, *III4* ◆ **turn off I** *v/i* fermer **II** *v/t sep* **1.** *light*, *radio* éteindre; *gas* couper; *faucet* fermer; *TV program*, *electricity*, *machine* éteindre **2.** *infml* ***to turn sb off*** dégoûter qn ◆ **turn on** *sep* **I** *v/t* **1.** *gas*, *machine*, *television* allumer; *light* mettre; *faucet* ouvrir **2.** *infml* ***sth turns sb on*** qc anime qn; ***whatever turns you on*** quel que soit ce qui vous fait vibrer *infml* **3.** (*infml*: *sexually*) exciter *infml*; ***she really turns me on*** elle m'excite vraiment *infml* **II** *v/t insep* (*turn against*) se retourner contre; (*attack*) attaquer ◆ **turn out I** *v/i* **1.** (*appear*, *attend*) venir **2.** (*police*) arriver **3.** ***the car turned out of the drive*** la voiture est sortie de l'allée **4.** (*transpire*) s'avérer; ***he turned out to be the murderer*** il s'est avéré être le meurtrier **5.** (*develop*) se passer; ***how did it ~?*** (*what happened?*) que s'est-il passé?; (*cake etc.*) qu'est-ce que cela a donné?; ***as it turned out*** en fin de compte; ***everything will ~ all right*** tout finira bien; ***it turned out nice in the afternoon*** *Br* ça s'est dégagé dans l'après-midi **II** *v/t sep* **1.** *light* éteindre **2.** (*produce*) produire **3.** (*expel*) expulser (***of*** de) **4.** *pockets* vider **5.** (*usu pass*) ***well turned-out*** bien mis ◆ **turn over I** *v/i* **1.** (*person*) se retourner; (*car*) faire un tonneau; ***he turned over on(to) his stomach*** il s'est mis sur le ventre **2.** ***please ~*** (*with pages*) tourner s.v.p. **3.** (AUTO: *engine*) démarrer **4.** TV changer de chaîne; RADIO changer de station (***to*** pour) **II** *v/t sep* **1.** retourner; *mattress* retourner; (*turn upside down*) mettre à l'envers; *page* tourner **2.** (*hand over*) remettre (***to*** à) ◆ **turn round** *Br* **I** *v/i* (*face other way*) se tourner; (*go back*) faire demi-tour; ***one day she'll just ~ and leave you*** un de ces jours, elle va arriver et te dire qu'elle te quitte **II** *v/t insep* ***we turned round the corner*** nous avons tourné à l'angle **III** *v/t sep* **1.** *head* tourner; *box* retourner **2.** = **turn around** *I* ◆ **turn to** *v/t insep* ***to ~ sb/sth***; → **turn** *III 3* ◆ **turn up I** *v/i* **1.** (*arrive*) venir; ***I was afraid you wouldn't ~*** j'avais peur que tu ne viennes pas **2.** (*be found*) réapparaître **3.** (*happen*) se présenter **4.** ***a turned-up nose*** un nez retroussé; ***to ~ at the ends*** remonter sur les bords **II** *v/t sep* **1.** *collar* remonter; *skirt* faire un ourlet à; ***to ~ one's nose at sth*** *fig* renâcler devant qc **2.** *heat*, *volume* monter; *radio* monter le son de

turnaround ['tɜːnəraʊnd], **turnround** *n* **1.** (*a.* **turnabout**: *in position*) revirement *m* **2.** (*of situation*, *company*) retournement *m* **turncoat** ['tɜːnkəʊt] *n* ***he's a ~*** il a retourné sa veste **turning** ['tɜːnɪŋ] *n* (*in road*) bifurcation *f*; ***the second ~ on the left*** la deuxième route à gauche **turning point** *n* tournant *m*

turnip ['tɜːnɪp] *n* navet *m*

turn-off *n* **1.** petite route *f*; (*on highway*) bretelle *f* **2.** *infml* ***it was a real ~*** ça coupait vraiment l'envie **turnout** ['tɜːnaʊt] *n* (*attendance*) participation *f*; ***there was a good ~*** (*for a game etc.*) il y avait beaucoup de spectateurs **turnover** ['tɜːnəʊvəʳ] *n* (*total business*) chiffre *m* d'affaires; (*of capital*) volume *m*; (*of staff*) roulement *m* **turnpike** *n* *US* autoroute *f* à péage **turnround** *n* = **turnaround turn signal** *n* (*US* AUTO) clignotant *m* **turnstile** *n* tourniquet *m* **turntable** *n* (*on record player*) platine *f* **turn-up** *n Br* **1.** (*on pants*) revers *m* **2.** *infml* surprise *f*; ***that's a ~ for the books*** c'est à marquer dans les annales

turpentine ['tɜːpəntaɪn] *n* térébenthine *f*

turquoise ['tɜːkwɔɪz] **I** *n* (*color*) turquoise *m* **II** *adj* turquoise

turret ['tʌrɪt] *n* ARCH tourelle *f*; (*on tank*) tourelle *f*

turtle ['tɜːtl] *n* tortue *f* d'eau **turtleneck (sweater)** *n* (pull *m* à) col *m* cheminée

turves [tɜːvz] *pl* = **turf**

Tuscany ['tʌskənɪ] *n* Toscane *f*

tusk [tʌsk] *n* (*of elephant*) défense *f*

tussle ['tʌsl] **I** *n* bagarre *f* **II** *v/i* se bagarrer (***with sb for sth*** avec qn pour qc)

tutor ['tjuːtəʳ] **I** *n* **1.** (*private teacher*) précepteur(-trice) *m*(*f*) **2.** (*Br* UNIV) professeur *m* **II** *v/t* donner des cours à **tutorial** [tjuː'tɔːrɪəl] **I** *n* (*Br* UNIV) ≈ travaux *mpl* dirigés **II** *adj* ***~ group*** groupe de travaux dirigés

tutu ['tuːtuː] *n* tutu *m*

tux [tʌks] *infml*, **tuxedo** *n* smoking *m*

TV [tiː'viː] *n infml abbr* = **television** télé *f infml*; (*set*) télé *f infml*; ***on TV*** à la télé; ***TV program*** (*US*) *or* ***programme*** *Br* émission de télé; → **television**

twang [twæŋ] *v/i* (*guitar, rubber band etc.*) vibrer

tweak [twiːk] **I** *v/t* (*pull gently*) pincer **II** *n* (*gentle pull*) ***to give sth a ~*** tirer sur qc

twee [twiː] *adj* (*Br infml*) mièvre

tweed [twiːd] **I** *n* (*cloth*) tweed *m* **II** *adj* en tweed

tweet [twiːt] **I** *n* (*of birds*) gazouillis *m* **II** *v/i* gazouiller

tweezers ['twiːzəz] *pl* (*a.* **pair of tweezers**) une pince à épiler

twelfth [twelfθ] **I** *adj* douzième; ***a ~ part*** un douzième **II** *n* **1.** (*in series*) douzième *m/f* **2.** (*fraction*) douzième *m*; → **sixth Twelfth Night** *n* veille de l'Épiphanie *f*; (*evening*) veillée *f* de l'Épiphanie

twelve [twelv] **I** *adj* douze; ***~ noon*** midi **II** *n* douze *m*; → **six**

twentieth ['twentɪɪθ] **I** *adj* vingtième; ***a ~ part*** un vingtième **II** *n* **1.** (*in series*) vingtième *m/f* **2.** (*fraction*) vingtième *m*; → **sixth**

twenty ['twentɪ] **I** *adj* vingt **II** *n* vingt *m*; → **sixty twenty-four seven, 24/7 I** *n* magasin *m* ouvert en permanence **II** *adj attr* 24 heures sur 24, 7 jours sur 7; ***~ service*** service 24 heures sur 24, 7 jours sur 7

twerp [twɜːp] *n infml* crétin(e) *m*(*f*) *infml*

twice [twaɪs] *adv* deux fois; ***~ as much/many*** deux fois plus; ***~ as long as ...*** deux fois plus long que ...; ***~ a week*** deux fois par semaine; ***I'd think ~ before trusting him with it*** j'y réfléchirais à deux fois avant de le lui confier

twiddle ['twɪdl] *v/t* tortiller; ***to ~ one's thumbs*** se tourner les pouces

twig [twɪg] *n* brindille *f*

twilight ['twaɪlaɪt] *n* crépuscule *m*; ***at ~*** au crépuscule

twin [twɪn] **I** *n* jumeau(jumelle) *m*(*f*); ***her ~*** (*sister*) sa jumelle; (*brother*) son jumeau **II** *adj attr* **1.** jumeau(jumelle); ***~ boys/girls*** jumeaux/jumelles **2.** (*double*) ***~ peaks*** sommets jumeaux **III** *v/t Br town* jumeler; ***Cheltenham is ~ned with Annecy*** Cheltenham est jumelée avec Annecy **twin beds** *pl* lits *mpl* jumeaux **twin brother** *n* frère *m* jumeau

twine [twaɪn] **I** *n* ficelle *f* **II** *v/t* ficeler **III** *v/i* s'entortiller (***around*** autour)

twinge [twɪndʒ] *n* pincement *m*; ***a ~ of pain*** un pincement de douleur

twinkle ['twɪŋkl] **I** *v/i* scintiller **II** *n* étincelle *f*; ***with a ~ in his/her eye*** avec un pétillement dans les yeux **twinkling** ['twɪŋklɪŋ] *n* ***in the ~ of an eye*** en un éclair

twin sister *n* sœur *f* jumelle **twin town** *n Br* ville *f* jumelée

twirl [twɜːl] **I** *v/t* faire tourner **II** *v/i* tournoyer **III** *n* tour *m*; (*in dance*) tour *m*; ***give us a ~*** fais un tour sur toi-même

twist [twɪst] **I** *n* **1.** ***to give sth a ~*** serrer qc **2.** (*bend*) torsion *f*; (*fig: in story etc.*) rebondissement *m* **3.** (*Br infml*) ***to drive sb round the ~*** rendre qn dingue *infml* **II** *v/t* **1.** (*turn*) tourner; (*coil*) enrouler (***into*** dans); ***to ~ the top off a jar*** dévisser le couvercle d'un pot; ***to ~ sth around sth*** enrouler qc autour de qc **2.** (*distort*) déformer; *words* déformer; ***to ~ sth out of shape*** déformer qc; ***she had to ~ my arm*** *fig* je me suis fait prier; ***to ~ one's ankle*** se tordre la cheville; ***his face was ~ed with pain*** il avait le visage tordu de douleur **III** *v/i* (*wind*) tourbillonner; (*plant*) s'enrouler; (*road, river*) serpenter ◆ **twist around I** *v/i* s'enrouler; (*road etc.*) serpenter **II** *v/t sep* enrouler autour ◆ **twist off I** *v/i* ***the top twists off*** le couvercle se dévisse **II** *v/t sep* dévisser ◆ **twist round** *v/t sep Br* = **twist around** *II*

twisted ['twɪstɪd] *adj rope* enroulé; (*bent*) tordu; (*tangled, fig, pej warped*) tordu; *ankle* foulé; ***bitter and ~*** aigri

twit [twɪt] *n infml* idiot(e) *m(f) infml*

twitch [twɪtʃ] **I** *n* (*tic*) tic *m* **II** *v/i* (*muscles*) se contracter **III** *v/t nose* froncer

twitter ['twɪtəʳ] **I** *v/i* gazouiller **II** *n* (*of birds*) gazouillement *m*

two [tuː] **I** *adj* deux; ***to cut sth in ~*** couper qc en deux; ***~ by ~, in ~s*** deux par deux; ***in ~s and threes*** en groupes de deux et de trois; ***to put ~ and ~ together*** *fig* faire le rapprochement; ***~'s company, three's a crowd*** on est mieux à deux; ***~ can play at that game*** *infml* on peut jouer à ce jeu à deux; → **six** **II** *n* deux *m*; ***just the ~ of us*** rien que nous deux **two-dimensional** *adj* en deux dimensions; (*fig superficial*) creux(-euse) **two-door** *adj* à deux portes **two-edged** *adj* ***a ~ sword*** *fig* une arme à double tranchant **two-faced** *adj fig* hypocrite **twofold** *adj* double; ***a ~ increase*** un doublement; ***the advantages are ~*** les avantages sont doubles **two-handed** *adj* à deux mains **two-legged** *adj* à deux pattes; ***a ~ animal*** un animal à deux pattes **two-percent milk** *n US* lait à 2% de matières grasses **two-piece** *adj* à deux pièces **two-pin plug** *n* prise *f* à deux broches **two-seater** *adj* deux places **twosome** *n* (*people*) binôme *m* **two-story**, *Br* **two-storey** *adj* à deux étages **two-time** *v/t infml boyfriend* tromper **two-way** *adj relationship* à deux sens; ***~ traffic*** circulation dans les deux sens **two-way radio** *n* émetteur-récepteur *m*

tycoon [taɪ'kuːn] *n* magnat *m*

type¹ [taɪp] *n* **1.** (*kind*) type *m*; (*of plant*) espèce *f*; (*character*) genre *m*; ***different ~s of roses*** différentes espèces de roses; ***what ~ of car is it?*** quel type de voiture est-ce?; ***Cheddar-~ cheese*** du fromage du genre Cheddar; ***they're totally different ~s of person*** ce sont des personnes d'un genre totalement différent; ***that ~ of behavior*** (*US*) *or* ***behaviour*** *Br* ce type de comportement; ***it's not my ~ of movie*** ce n'est pas mon genre de film; ***he's not my ~*** il n'est pas mon type **2.** (*infml man*) type *m*

type² **I** *n* TYPO caractère *m*; ***large ~*** gros caractères **II** *v/t* taper **III** *v/i* taper ◆ **type in** *v/t sep* taper; *esp* IT saisir ◆ **type out** *v/t sep* taper

typecast ⟨*past, past part* **typecast**⟩ *v/t* THEAT donner toujours le même rôle à **typeface** *n* police *f* de caractères **typescript** *n* tapuscrit *m* **typewriter** *n* machine *f* à écrire **typewritten** *adj* tapé à la machine

typhoid ['taɪfɔɪd] *n* (*a.* **typhoid fever**) (fièvre *f*) typhoïde *f*

typhoon [taɪ'fuːn] *n* typhon *m*

typhus ['taɪfəs] *n* typhus *m*

typical ['tɪpɪkəl] *adj* typique (**of** de); ***~ male!*** c'est bien un homme!

typing ['taɪpɪŋ] *n* frappe *f* **typing error** *n* faute *f* de frappe

typist ['taɪpɪst] *n* (*professional*) opérateur(-trice) *m(f)* de saisie

tyrannic(al) [tɪ'rænɪk(əl)] *adj* tyrannique **tyrannically** [tɪ'rænɪkəlɪ] *adv* tyranniquement **tyrannize** ['tɪrənaɪz] *v/t* tyranniser **tyranny** ['tɪrənɪ] *n* tyrannie *f* **tyrant** ['taɪərənt] *n* tyran *m*

tyre *Br n* = **tire**

tzar *n* = **tsar**

U

U, u [juː] *n* U, u
ubiquitous [juːˈbɪkwɪtəs] *adj* omniprésent
udder [ˈʌdəʳ] *n* pis *m*
UFO [ˌjuːefˈəʊ, ˈjuːfəʊ] *abbr* = **unidentified flying object** OVNI *m*
ugliness [ˈʌglɪnɪs] *n* laideur *f*
ugly [ˈʌglɪ] *adj* laid; *situation* affreux (-euse); ***to turn ~*** *infml* tourner au vinaigre *infml*
UHF *abbr* = **ultrahigh frequency** UHF
UHT *abbr* = **ultra heat treated** UHT; ***~ milk*** lait UHT
U.K. *abbr* = **United Kingdom** Royaume-Uni *m*
Ukraine [juːˈkreɪn] *n* ***the ~*** l'Ukraine **Ukrainian** [juːˈkreɪnɪən] **I** *adj* ukrainien(ne); ***he is ~*** il est ukrainien **II** *n* **1.** (*person*) Ukrainien(ne) *m*(*f*) **2.** LING ukrainien *m*
ulcer [ˈʌlsəʳ] *n* MED ulcère *m*
ulterior [ʌlˈtɪərɪəʳ] *adj purpose* ultérieur; ***~ motive*** arrière-pensée
ultimata [ˌʌltɪˈmeɪtə] *pl* = **ultimatum ultimate** [ˈʌltɪmɪt] **I** *adj* **1.** (*final*) ultime; *decision* ultime; *control* dernier(-ière); ***~ goal*** objectif ultime; ***what is your ~ ambition in life?*** quelle est ta véritable ambition dans la vie? **2.** (*perfect*) suprême; ***the ~ insult*** l'insulte suprême **II** *n* summum *m*; ***that is the ~ in comfort*** c'est le summum du confort **ultimately** [ˈʌltɪmɪtlɪ] *adv* (*in the end*) au bout du compte **ultimatum** [ˌʌltɪˈmeɪtəm] *n* ⟨*pl* **-s** *or* **ultimata**⟩ ultimatum *m*; ***to deliver an ~ to sb*** adresser un ultimatum à qn
ultrahigh frequency *n* ultra-haute fréquence **ultrasound** *n* **1.** ultrasons *mpl* **2.** (*scan*) échographie *f* **ultraviolet** *adj* ultraviolet
umbilical cord [ʌmˌbɪlɪkəlˈkɔːd] *n* cordon *m* ombilical
umbrella [ʌmˈbrelə] *n* parapluie *m* **umbrella organization** *n* organisme *m* de tutelle
umpire [ˈʌmpaɪəʳ] **I** *n* arbitre *m*/*f* **II** *v*/*t* arbitrer **III** *v*/*i* arbitrer (***in sth*** qc)
umpteen [ˈʌmpˈtiːn] *adj infml* des tas *infml* **umpteenth** [ˈʌmpˈtiːnθ] *adj infml* énième; ***for the ~ time*** pour la énième fois
U.N. *abbr* = **United Nations** ONU *f*
unabated [ˌʌnəˈbeɪtɪd] *adj* sans relâche; ***the storm continued ~*** la tempête a continué avec la même vigueur
unable [ˌʌnˈeɪbl] *adj pred* ***to be ~ to do sth*** ne pas pouvoir faire qc
unabridged [ˌʌnəˈbrɪdʒd] *adj* intégral
unacceptable [ˌʌnəkˈseptəbl] *adj terms, excuse, offer, conditions* inacceptable; ***it's quite ~ that we should be expected to …*** il est tout à fait inacceptable d'exiger de nous que nous …; ***it's quite ~ for young children to …*** il est inacceptable que les jeunes enfants … **unacceptably** [ˌʌnəkˈseptɪblɪ] *adv* de façon inacceptable; *high* beaucoup trop; *bad* bien trop
unaccompanied [ˌʌnəˈkʌmpənɪd] *adj person* non accompagné
unaccountable [ˌʌnəˈkaʊntəbl] *adj* (*inexplicable*) inexplicable **unaccountably** [ˌʌnəˈkaʊntəblɪ] *adv* inexplicablement; *disappear* sans explication **unaccounted for** [ˌʌnəˈkaʊntɪdˈfɔːʳ] *adj* non comptabilisé; ***$30 is still ~*** il y a toujours une différence de caisse de 30 dollars; ***three passengers are still ~*** trois passagers n'ont toujours pas été retrouvés
unaccustomed [ˌʌnəˈkʌstəmd] *adj* ***to be ~ to sth*** ne pas avoir l'habitude de qc; ***to be ~ to doing sth*** ne pas avoir l'habitude de faire qc
unacquainted [ˌʌnəˈkweɪntɪd] *adj pred* ***to be ~ with sth*** ne pas connaître qc
unadulterated [ˌʌnəˈdʌltəreɪtɪd] *adj* **1.** sans mélange **2.** *fig nonsense* pur; *bliss* à l'état pur
unadventurous [ˌʌnədˈventʃərəs] *adj life* peu mouvementé; *style* sans relief; *person* timoré
unaffected [ˌʌnəˈfektɪd] *adj* **1.** (*not damaged*) épargné **2.** (*not influenced*)

> **umbrella ≠ ombrelle**
>
> **Umbrella** = parapluie :
>
> **She put up her umbrella against the rain.**
>
> Elle a ouvert son parapluie pour se protéger de la pluie.

indifférent; (*not involved*) non impliqué; (*unmoved*) indifférent; ***he remained quite ~ by all the noise*** il est resté complètement indifférent au bruit

unafraid [ˌʌnəˈfreɪd] *adj* ***to be ~ of sb/sth*** ne pas avoir peur de qn / qc

unaided [ʌnˈeɪdɪd] *adv* sans aide

unalike [ˌʌnəˈlaɪk] *adj pred* dissemblable

unalterable [ʌnˈɒltərəbl] *adj fact* inaltérable; *laws* immuable **unaltered** [ʌnˈɒltəd] *adj* intact

unambiguous [ˌʌnæmˈbɪgjʊəs] *adj* non ambigu(ë) **unambiguously** [ˌʌnæmˈbɪgjʊəslɪ] *adv* sans ambiguïté

unambitious [ˌʌnæmˈbɪʃəs] *adj person, plan* manquant d'ambition; *theatrical production* conventionnel(le)

unamused [ˌʌnəˈmjuːzd] *adj* ***she was ~ (by this)*** elle n'a pas trouvé ça drôle

unanimous [juːˈnænɪməs] *adj* unanime; *decision* à l'unanimité; ***they were ~ in their condemnation of him*** ils l'ont condamné à l'unanimité; ***by a ~ vote*** à l'unanimité **unanimously** [juːˈnænɪməslɪ] *adv* à l'unanimité

unannounced [ˌʌnəˈnaʊnst] **I** *adj* imprévu **II** *adv* à l'improviste

unanswered [ʌnˈɑːnsəd] *adj* sans réponse

unapologetic [ˌʌnəˌpɒləˈdʒetɪk] *adj* sans concession; ***he was so ~ about it*** il n'a pas du tout jugé bon de s'excuser

unappealing [ˌʌnəˈpiːlɪŋ] *adj* peu attrayant; *prospect* peu engageant

unappetizing [ʌnˈæpɪtaɪzɪŋ] *adj* peu appétissant; *prospect* peu engageant

unappreciated [ˌʌnəˈpriːʃɪeɪtɪd] *adj* non reconnu; ***she felt she was ~ by him*** elle se sentait sous-estimée par lui **unappreciative** [ˌʌnəˈpriːʃɪətɪv] *adj* ingrat; *audience* critique

unapproachable [ˌʌnəˈprəʊtʃəbl] *adj* d'un abord difficile

unarmed [ʌnˈɑːmd] *adj*, *adv* non armé

unashamed [ˌʌnəˈʃeɪmd] *adj* éhonté **unashamedly** [ˌʌnəˈʃeɪmɪdlɪ] *adv* de façon éhontée; *say*, *admit* ouvertement; *romantic*, *in favor of*, *partisan* sans vergogne

unassuming [ˌʌnəˈsjuːmɪŋ] *adj* modeste

unattached [ˌʌnəˈtætʃt] *adj* **1.** (*not fastened*) détaché **2.** (*emotionally*) sans attaches

unattainable [ˌʌnəˈteɪnəbl] *adj* inaccessible

unattended [ˌʌnəˈtendɪd] *adj children*, *baggage* sans surveillance; ***to leave sth ~*** *car*, *baggage* laisser qc sans surveillance; *store* laisser qc sans personnel; ***to be*** *or* ***go ~ to*** (*wound*, *injury*) ne pas être soigné

unattractive [ˌʌnəˈtræktɪv] *adj place*, *person*, *offer* peu attrayant

unauthorized [ʌnˈɔːθəraɪzd] *adj* non autorisé

unavailable [ˌʌnəˈveɪləbl] *adj* indisponible; *person* non disponible; ***the Senator was ~ for comment*** (*not there*) le sénateur n'était pas disponible pour répondre (*not willing*) le sénateur n'a pas souhaité répondre

unavoidable [ˌʌnəˈvɔɪdəbl] *adj* inévitable **unavoidably** [ˌʌnəˈvɔɪdəblɪ] *adv* inévitablement; ***to be ~ detained*** être empêché pour des raisons indépendantes de sa volonté

unaware [ˌʌnəˈwɛəʳ] *adj pred* ***to be ~ of sth*** ne pas avoir conscience de qc; ***I was ~ of his presence*** je ne savais pas qu'il était là; ***I was ~ that there was a meeting going on*** j'ignorais qu'il y avait une réunion **unawares** [ˌʌnəˈwɛəz] *adv* ***to catch*** *or* ***take sb ~*** prendre qn au dépourvu

unbalanced [ʌnˈbælənst] *adj* **1.** *painting*, *diet* déséquilibré; *report* peu objectif(-ive) **2.** (*a.* **mentally unbalanced**) atteint de troubles psychiques

unbearable *adj*, **unbearably** *adv* [ʌnˈbɛərəbl, -ɪ] insupportable

unbeatable [ʌnˈbiːtəbl] *adj* imbattable

unbeaten [ʌnˈbiːtn] *adj* invaincu; *record* qui na pas été battu

unbecoming [ˌʌnbɪˈkʌmɪŋ] *adj behavior*, *language etc.* choquant; *clothes* qui ne met pas en valeur

unbelievable [ˌʌnbɪˈliːvəbl] *adj* incroyable **unbelievably** [ˌʌnbɪˈliːvəblɪ] *adv* incroyablement **unbeliever** [ˌʌnbɪˈliːvəʳ] *n* athée *m/f*

unbias(s)ed [ʌnˈbaɪəst] *adj* impartial

unblemished [ʌnˈblemɪʃt] *adj* sans tâches; ***~ skin*** peau nette

unblock [ʌnˈblɒk] *v/t* déboucher

unbolt [ʌnˈbəʊlt] *v/t* déverrouiller; ***he left the door ~ed*** il a fermé la porte sans la verrouiller

unborn [ʌnˈbɔːn] *adj* à naître

unbowed [ʌnˈbaʊd] *adj fig* insoumis

unbreakable [ʌn'breɪkəbl] *adj glass* incassable; *rule* inflexible
unbridgeable [ʌn'brɪdʒəbl] *adj* infranchissable
unbridled [ʌn'braɪdld] *adj passion* effréné
unbroken [ʌn'brəʊkən] *adj* **1.** (*intact*) intact **2.** (*continuous*) continu **3.** *record* invaincu
unbuckle [ʌn'bʌkl] *v/t* détacher
unburden [ʌn'bɜːdn] *v/t fig* ***to ~ oneself to sb*** confier ses problèmes à qn
unbutton [ʌn'bʌtn] *v/t* déboutonner
uncalled-for [ʌn'kɔːldfɔːʳ] *adj* (*unnecessary*) déplacé
uncannily [ʌn'kænɪlɪ] *adv* étrangement; ***to look ~ like sb / sth*** ressembler étrangement à qn / qc **uncanny** [ʌn'kænɪ] *adj* étrange; ***to bear an ~ resemblance to sb*** ressembler étrangement à qn
uncared-for [ʌn'kɛədfɔːʳ] *adj garden* à l'abandon; *child* délaissé **uncaring** [ʌn'kɛərɪŋ] *adj* désinvolte; *parents* indifférent
unceasing [ʌn'siːsɪŋ] *adj* incessant
unceasingly [ʌn'siːsɪŋlɪ] *adj* incessamment
uncensored [ʌn'sensəd] *adj* non censuré
unceremoniously [ˌʌnserɪ'məʊnɪəslɪ] *adv* (*abruptly*) sans cérémonie
uncertain [ʌn'sɜːtn] *adj* **1.** (*unsure*) incertain; ***to be ~ of*** *or* ***about sth*** ne pas être sûr de qc **2.** *weather* incertain **3.** ***in no ~ terms*** très clairement
uncertainty [ʌn'sɜːtntɪ] *n* (*state*) incertitude *f*; (*indefiniteness*) caractère *m* indéterminé; (*doubt*) caractère *m* incertain; ***there is still some ~ as to whether …*** l'incertitude persiste quant à …
unchallenged [ʌn'tʃælɪndʒd] *adj* non contesté
unchanged [ʌn'tʃeɪndʒd] *adj* inchangé **unchanging** [ʌn'tʃeɪndʒɪŋ] *adj* immuable
uncharacteristic [ˌʌnkærəktə'rɪstɪk] *adj* ***it's ~ of her not to call*** cela ne lui ressemble pas de ne pas appeler **uncharacteristically** [ˌʌnkærəktə'rɪstɪklɪ] *adv* étonnamment
uncharitable [ʌn'tʃærɪtəbl] *adj remark*, *attitude* peu charitable; *view*, *person* dur
uncharted [ʌn'tʃɑːtɪd] *adj* ***to enter ~ territory*** *fig* entrer en terre inconnue
unchecked [ʌn'tʃekt] *adj* (*unrestrained*) incontrôlé; ***to go ~*** (*advance*) échapper au contrôle
uncivil [ʌn'sɪvɪl] *adj* discourtois **uncivilized** [ʌn'sɪvɪlaɪzd] *adj* inélégant
unclaimed [ʌn'kleɪmd] *adj prize* non réclamé
unclassified [ʌn'klæsɪfaɪd] *adj* **1.** (*not arranged*) non classé **2.** (*not secret*) non confidentiel(le)
uncle ['ʌŋkl] *n* oncle *m*
unclean [ʌn'kliːn] *adj* sale
unclear [ʌn'klɪəʳ] *adj* peu clair; ***it's ~ whether …*** il n'est pas clair que …; ***to be ~ about sth*** ne pas savoir exactement qc
unclog [ʌn'klɒg] *v/t* déboucher
uncoil [ʌn'kɔɪl] **I** *v/t* dérouler **II** *v/i*, *v/r* (*snake*) se dérouler
uncollected [ˌʌnkə'lektɪd] *adj garbage* non ramassé; *tax* non perçu
uncombed [ʌn'kəʊmd] *adj* non coiffé
uncomfortable [ʌn'kʌmfətəbl] *adj* **1.** inconfortable **2.** *feeling* mal à l'aise; *silence* gêné; ***to feel ~*** être mal à l'aise; ***I felt ~ about it*** cela me gênait; ***to put sb in an ~ position*** mettre qn dans une position gênante **3.** *fact*, *position* gênant **uncomfortably** [ʌn'kʌmfətəblɪ] *adv* **1.** inconfortablement **2.** (*uneasily*) mal à l'aise **3.** (*unpleasantly*) de façon désagréable
uncommon [ʌn'kɒmən] *adj* **1.** (*unusual*) inhabituel(le) **2.** (*outstanding*) extraordinaire
uncommunicative [ˌʌnkə'mjuːnɪkətɪv] *adj* peu communicatif(-ive)
uncomplaining [ˌʌnkəm'pleɪnɪŋ] *adj* qui ne se plaint pas
uncomplicated [ʌn'kɒmplɪkeɪtɪd] *adj* simple
uncomplimentary [ˌʌnkɒmplɪ'mentərɪ] *adj* peu flatteur(-euse)
uncomprehending [ˌʌnkɒmprɪ'hendɪŋ] *adj* perplexe
uncomprehendingly [ˌʌnkɒmprɪ'hendɪŋlɪ] *adv* sans comprendre
uncompromising [ʌn'kɒmprəmaɪzɪŋ] *adj* sans compromis; *commitment* absolu
unconcerned [ˌʌnkən'sɜːnd] *adj* (*unworried*) insouciant; (*indifferent*) détaché; ***to be ~ about sth*** ne pas se soucier de qc; ***to be ~ by sth*** ne pas être gêné par qc
unconditional [ˌʌnkən'dɪʃənl] *adj* inconditionnel(le); *surrender* sans condi-

tions; *support* absolu
unconfirmed [ˌʌnkən'fɜːmd] *adj* non confirmé
unconnected [ˌʌnkə'nektɪd] *adj* ***the two events are ~*** les deux événements ne sont pas liés
unconscious [ʌn'kɒnʃəs] **I** *adj* **1.** MED inconscient; ***the blow knocked him ~*** le coup l'a assommé **2.** *pred* ***to be ~ of sth*** ne pas avoir conscience de qc; ***I was ~ of the fact that …*** je n'étais pas conscient du fait que … **3.** PSYCH inconscient; ***at** or **on an ~ level*** à un niveau inconscient **II** *n* PSYCH ***the ~*** l'inconscient **unconsciously** [ʌn'kɒnʃəslɪ] *adv* inconsciemment
unconstitutional [ˌʌnkɒnstɪ'tjuːʃnəl] *adj* inconstitutionnel(le) **unconstitutionally** [ˌʌnkɒnstɪ'tjuːʃnəlɪ] *adv* inconstitutionnellement
uncontaminated [ˌʌnkən'tæmɪneɪtɪd] *adj* non contaminé; *people fig* préservé
uncontested [ˌʌnkən'testɪd] *adj* incontesté; *election* remporté sans opposition
uncontrollable [ˌʌnkən'trəʊləbl] *adj rage* incontrôlable; *desire* irrépressible **uncontrollably** [ˌʌnkən'trəʊləblɪ] *adv* de façon incontrôlée; *weep*, *laugh* sans pouvoir s'arrêter
unconventional [ˌʌnkən'venʃənl] *adj* peu conventionnel(le)
unconvinced [ˌʌnkən'vɪnst] *adj* sceptique (***of*** à propos de); ***his arguments leave me ~*** ses arguments m'ont laissé sceptique **unconvincing** [ˌʌnkən'vɪnsɪŋ] *adj* peu convaincant; ***rather ~*** peu vraisemblable **unconvincingly** [ˌʌnkən'vɪnsɪŋlɪ] *adv* de façon peu convaincante
uncooked [ʌn'kʊkt] *adj* cru
uncool [ʌn'kuːl] *adj infml* pas cool *infml*
uncooperative [ˌʌnkəʊ'ɒpərətɪv] *adj attitude* peu coopératif(-ive); *witness* qui refuse de coopérer
uncoordinated [ˌʌnkəʊ'ɔːdɪneɪtɪd] *adj* désordonné
uncork [ʌn'kɔːk] *v/t* déboucher
uncorroborated [ˌʌnkə'rɒbəreɪtɪd] *adj* non corroboré
uncountable [ʌn'kaʊntəbl] *adj* GRAM non comptable
uncouple [ʌn'kʌpl] *v/t* détacher
uncouth [ʌn'kuːθ] *adj person* rustre; *behavior* balourd
uncover [ʌn'kʌvəʳ] *v/t lit* retirer la couverture de; *fig truth* découvrir
uncritical [ʌn'krɪtɪkəl] *adj* complaisant (***of, about*** à propos de)
uncritically [ʌn'krɪtɪkəlɪ] *adj* de façon complaisante
uncross [ʌn'krɒs] *v/t* décroiser; ***he ~ed his legs*** il a décroisé les jambes; ***she ~ed her arms*** elle a décroisé les bras
uncrowded [ʌn'kraʊdɪd] *adj* peu encombré
uncrowned [ʌn'kraʊnd] *adj lit*, *fig* non couronné, sans couronne
uncultivated [ʌn'kʌltɪveɪtɪd] *adj* inculte
uncurl [ʌn'kɜːl] *v/i* se dérouler
uncut [ʌn'kʌt] *adj* **1.** brut; ***~ diamond*** diamant brut **2.** (*unabridged*) intégral
undamaged [ʌn'dæmɪdʒd] *adj lit*, *fig* intact
undaunted [ʌn'dɔːntɪd] *adj* sans se laisser décourager
undecided [ˌʌndɪ'saɪdɪd] *adj person* hésitant; ***he is ~ as to whether he should go or not*** il hésite et ne sait pas s'il va y aller ou non; ***to be ~ about sth*** hésiter à propos de qc
undefeated [ˌʌndɪ'fiːtɪd] *adj team*, *champion* invaincu
undelete ['ʌndɪ'liːt] *v/t* IT ***to ~ sth*** récupérer qc qui a été effacé
undemanding [ˌʌndɪ'mɑːndɪŋ] *adj* peu exigeant; *task* peu fatigant
undemocratic [ˌʌndemə'krætɪk] *adj* antidémocratique
undemocratically [ˌʌndemə'krætɪkəlɪ] *adv* de façon antidémocratique
undemonstrative [ˌʌndɪ'mɒnstrətɪv] *adj* peu démonstratif(-ive)
undeniable [ˌʌndɪ'naɪəbl] *adj* indéniable **undeniably** [ˌʌndɪ'naɪəblɪ] *adv* indéniablement; ***the ~ successful actor …*** l'acteur à la réussite indéniable …
under ['ʌndəʳ] **I** *prep* **1.** sous; ***~ it*** dessous; ***to come out from ~ the bed*** sortir de dessous le lit; ***it's ~ there*** il est là-dessous; ***~ an hour*** en moins d'une heure; ***there were ~ 50 of them*** ils n'étaient pas 50; ***he died ~ the anesthetic*** (*US*) ***or anaesthetic*** *Br* il est décédé en cours d'anesthésie; ***~ construction*** en construction; ***the matter ~ discussion*** la question qui fait l'objet de la discussion; ***to be ~ the doctor*** être suivi par un médecin; ***~ an assumed name*** sous un nom d'emprunt **2.** (*according to*) en vertu de **II** *adv* **1.** (*beneath*) dessous;

(*unconscious*) assommé; ***to go ~*** couler **2.** (*less*) moins de **under-** *pref* (*in rank*) moins de; ***for the ~twelves*** pour les moins de douze ans **underachiever** *n* ***Johnny is an ~*** Johnny est un élève apte à faible rendement **underage** *adj attr* qui n'a pas atteint l'âge légal **underarm I** *adj* **1.** aux aisselles **2.** *throw* à la cuillère **II** *adv* à la cuillère **undercarriage** *n* AVIAT train *m* d'atterrissage **undercharge** *v/t* ne pas faire payer assez; ***he ~d me by 50 cents*** il m'a fait cadeau de 50 cents sans le vouloir **underclass** *n* sous-prolétariat *m* **underclothes** *pl* sous-vêtements *mpl* **undercoat** *n* (*paint*) sous-couche *f*; (*of animal*) sous-poil *m* **undercook** *v/t* ne pas faire cuire assez longtemps **undercover I** *adj* clandestin; ***~ agent*** agent secret **II** *adv* ***to work ~*** travailler dans la clandestinité **undercurrent** *n* courant *m* profond **undercut** ⟨*past, past part* **undercut**⟩ *v/t competitor, fare* vendre moins cher que **underdeveloped** *adj* sous-développé **underdog** *n* ***the ~*** l'opprimé **underdone** *adj* pas assez cuit; *steak* saignant **underestimate** [ˌʌndər'estɪmeɪt] **I** *v/t* sous-estimer **II** *n* sous-estimation *f* **underfoot** *adv* sous les pieds; ***it is wet ~*** le sol est humide; ***to trample sb/sth ~*** piétiner qn/qc **underfunded** *adj* insuffisamment financé **underfunding** *n* financement *m* insuffisant **undergo** ⟨*past* **underwent**⟩ ⟨*past part* **undergone**⟩ *v/t process* subir; *training* acquérir; *test, operation* subir; ***to ~ repairs*** faire l'objet de réparations **undergrad** *infml*, **undergraduate I** *n* ≈ étudiant(e) *m(f)* de DEUG ou licence **II** *attr course* ≈ pour étudiants de DEUG ou licence

underground ['ʌndəgraʊnd] **I** *adj* **1.** *lake, passage* souterrain **2.** (*fig secret*) clandestin **3.** (*alternative*) underground **II** *adv* **1.** sous terre; MIN au fond de la mine; ***3 m ~*** 3 m sous terre **2.** *fig* ***to go ~*** passer dans la clandestinité **III** *n* **1.** (*Br* RAIL) métro *m* **2.** (*movement*) mouvement *m* clandestin; (*subculture*) underground *m* **underground station** *n* (*Br* RAIL) station *f* de métro

undergrowth *n* sous-bois *m* **underhand** *adj* à la cuillère **underinvestment** *n* sous-investissement **underlie** ⟨*past* **underlay**⟩ ⟨*past part* **underlain**⟩ *v/t fig* sous-tendre **underline** *v/t* souligner **underlying** *adj* **1.** *rocks* sous-jacent **2.** *cause, problem* sous-jacent; *tension* latent **undermine** *v/t* **1.** (*weaken*) saper **2.** *fig* ébranler

underneath [ˌʌndə'niːθ] **I** *prep* (*place*) sous; (*direction*) par-dessous; ***~ it*** dessous; ***to come out from ~ sth*** sortir de dessous qc **II** *adv* dessous **III** *n* dessous *m*

undernourished *adj* sous-alimenté **underpants** *pl* slip *m*; ***a pair of ~*** un slip **underpass** *n* passage *m* souterrain **underpin** *v/t fig argument, claim* étayer; *economy, market etc.* sous-tendre **underpopulated** *adj* sous-peuplé **underprivileged** *adj* défavorisé **underqualified** *adj* sous-qualifié **underrated** *adj* sous-estimé **undersea** *adj* sous-marin **undershirt** *n US* maillot *m* de corps **undershorts** *pl US* shorty *m* **underside** *n* dessous *m* **undersigned** *n* ***we the ~*** nous, soussignés **undersized** *adj* trop petit **underskirt** *n* jupon *m* **understaffed** *adj office, hospital* manquant de personnel

understand [ˌʌndə'stænd] ⟨*past, past part* **understood**⟩ **I** *v/t* **1.** comprendre; ***I don't ~ Russian*** je ne comprends pas le russe; ***what do you ~ by "pragmatism"?*** qu'entendez-vous par "pragmatisme"? **2.** ***I ~ that you are going to Australia*** je crois savoir que vous allez en Australie; ***I understood*** (***that***) ***he was overseas*** je croyais qu'il était à l'étranger; ***am I to ~ that …?*** dois-je comprendre que …; ***as I ~ it, …*** d'après ce que je comprends, … **II** *v/i* **1.** comprendre; ***but you don't ~, I must have the money now*** mais vous ne comprenez pas, il me faut l'argent maintenant **2.** (*believe*) ***so I ~*** c'est ce que j'ai compris **understandable** [ˌʌndə'stændəbl] *adj* compréhensible **understandably** [ˌʌndə'stændəblɪ] *adv* naturellement **understanding** [ˌʌndə'stændɪŋ] **I** *adj* compréhensif(-ive) **II** *n* **1.** (*intelligence*) compréhension *f*; (*knowledge*) connaissance *f*; (*sympathy*) compréhension *f*; ***my ~ of the situation is that …*** ce que je comprends dans cette situation c'est que …; ***it was my ~ that …*** j'avais compris que … **2.** (*agreement*) accord *m*; ***to come to an ~ with sb*** parvenir à un accord avec qn; ***Susie and I have an ~*** Susie et moi-même nous sommes mis d'accord **3.** (*assumption*) ***on the ~ that …*** à condition que …

understate [ˌʌndəˈsteɪt] *v/t* sous-estimer **understated** [ˌʌndəˈsteɪtɪd] *adj movie etc.* sous-estimé; *colors* discret (-ète); *performance* sobre **understatement** [ˈʌndəˌsteɪtmənt] *n* euphémisme *m*

understood [ˌʌndəˈstʊd] **I** *past, past part* = **understand II** *adj* **1.** (*clear*) compris; ***to make oneself ~*** se faire comprendre; ***do I make myself ~?*** je me suis bien fait comprendre?; ***I thought that was ~!*** je pensais que c'était compris! **2.** (*believed*) estimé; ***he is ~ to have left*** on croit comprendre qu'il est parti

understudy [ˈʌndəˌstʌdɪ] *n* THEAT suppléant(e) *m(f)* **undertake** [ˌʌndəˈteɪk] ⟨*past* **undertook**⟩ ⟨*past part* **undertaken**⟩ *v/t* **1.** *job* entreprendre **2.** (*agree*) ***to ~ to do sth*** s'engager à faire qc **undertaker** [ˈʌndəˌteɪkəʳ] *n* entrepreneur (-euse) *m(f)* de pompes funèbres; (*company*) entreprise *f* de pompes funèbres **undertaking** [ˌʌndəˈteɪkɪŋ] *n* (*enterprise*) entreprise *f*; (*project*) projet *m* **undertone** *n* **1.** ***in an ~*** à mi-voix **2.** *fig* ***an ~ of racism*** un relent de racisme **undertook** *past* = **undertake undertow** *n* courant *m* de fond **undervalue** *v/t person* sous-estimer **underwater I** *adj* sous-marin **II** *adv* sous l'eau **underwear** *n* sous-vêtements *mpl* **underweight** *adj* présentant une insuffisance pondérale; ***to be ~*** être maigre **underwent** *past* = **undergo underworld** *n* pègre *f* **underwrite** ⟨*past* **underwrote**⟩ ⟨*past part* **underwritten**⟩ *v/t* (*guarantee*) garantir; (*insure*) souscrire

undeserved [ˌʌndɪˈzɜːvd] *adj* immérité **undeservedly** [ˌʌndɪˈzɜːvɪdlɪ] *adv* de façon imméritée **undeserving** [ˌʌndɪˈzɜːvɪŋ] *adj* non mérité

undesirable [ˌʌndɪˈzaɪərəbl] **I** *adj effect* indésirable; *influence* néfaste; *character* peu recommandable **II** *n* (*person*) indésirable *m/f*

undetected [ˌʌndɪˈtektɪd] *adj* non décelé; ***to go ~*** passer inaperçu

undeterred [ˌʌndɪˈtɜːd] *adj* non découragé; ***the teams were ~ by the weather*** les équipes ne se sont pas laissées démonter par le mauvais temps

undeveloped [ˌʌndɪˈveləpt] *adj* chétif (-ive); *land* non bâti

undid [ʌnˈdɪd] *past* = **undo**

undies [ˈʌndɪz] *pl infml* sous-vêtements *mpl*

undignified [ʌnˈdɪgnɪfaɪd] *adj* (*inelegant*) indigne

undiluted [ˌʌndaɪˈluːtɪd] *adj* non dilué; *fig truth* pure

undiminished [ˌʌndɪˈmɪnɪʃt] *adj* intact

undiplomatic [ˌʌndɪpləˈmætɪk] *adj* manquant de diplomatie

undiplomatically [ˌʌndɪpləˈmætɪkəlɪ] *adv* de façon peu diplomate

undisciplined [ʌnˈdɪsɪplɪnd] *adj person* indiscipliné

undisclosed [ˌʌndɪsˈkləʊzd] *adj* non révélé; *fee* non divulgué

undiscovered [ˌʌndɪˈskʌvəd] *adj* inconnu

undisputed [ˌʌndɪˈspjuːtɪd] *adj* incontestable

undisturbed [ˌʌndɪˈstɜːbd] *adj papers* non dérangé; *sleep* ininterrompu; *village* paisible

undivided [ˌʌndɪˈvaɪdɪd] *adj attention, loyalty* entier(-ière); *support* absolu

undo [ʌnˈduː] ⟨*past* **undid**⟩ ⟨*past part* **undone**⟩ *v/t* **1.** (*unfasten*) défaire; *button, dress* déboutonner; *knot, packet* défaire **2.** *decision* annuler; IT *command* annuler (frappe) **undoing** [ʌnˈduːɪŋ] *n* perte *f* **undone** [ʌnˈdʌn] **I** *past part* = **undo II** *adj* **1.** (*unfastened*) défait; ***to come ~*** se défaire **2.** *task* non fait; ***to leave sth ~*** laisser qc en plan

undoubted [ʌnˈdaʊtɪd] *adj* indubitable **undoubtedly** [ʌnˈdaʊtɪdlɪ] *adv* indubitablement

undreamed-of [ʌnˈdriːmdɒv], *Br* **undreamt-of** [ʌnˈdremtɒv] *adj* inespéré

undress [ʌnˈdres] **I** *v/t* déshabiller; ***to get ~ed*** se déshabiller **II** *v/i* se déshabiller

undrinkable [ʌnˈdrɪŋkəbl] *adj* (*unpleasant*) imbuvable; (*poisonous*) non potable

undulating [ˈʌndjʊleɪtɪŋ] *adj countryside* vallonné; *path* ondulant

unduly [ʌnˈdjuːlɪ] *adv* outre mesure; *optimistic* exagérément; ***you're worrying ~*** tu te fais du souci à tort

undying [ʌnˈdaɪɪŋ] *adj love* éternel(le)

unearth [ʌnˈɜːθ] *v/t* déterrer; *fig evidence* découvrir **unearthly** [ʌnˈɜːθlɪ] *adj calm* étrange; *infml racket* impossible *infml*

unease [ʌnˈiːz] *n* malaise *m* **uneasily** [ʌnˈiːzɪlɪ] *adv* avec gêne; *sleep* d'un sommeil agité **uneasiness** [ʌn'iːzɪnɪs] *n* (*awkwardness*) malaise *m*; (*anxiety*) inquiétude *f* **uneasy** [ʌn'iːzɪ] *adj silence* gêné; *peace*, *alliance* incertain; *feeling* de malaise; ***to be ~*** (*ill at ease*) être mal à l'aise; (*worried*) être inquiet; ***I am*** *or* ***feel ~ about it*** ça me met mal à l'aise; ***to make sb ~*** mettre qn mal à l'aise; ***to grow*** *or* ***become ~ about sth*** se sentir inquiet à propos de qc

uneconomic(al) [ʌnˌiːkə'nɒmɪk(əl)] *adj* peu économique

uneducated [ˌʌn'edjʊkeɪtɪd] *adj* sans instruction

unemotional [ˌʌnɪ'məʊʃənl] *adj* impassible

unemployed [ˌʌnɪm'plɔɪd] **I** *adj person* sans emploi **II** *pl* ***the ~*** *pl* les chômeurs, les demandeurs d'emploi

unemployment [ˌʌnɪm'plɔɪmənt] *n* chômage *m* **unemployment compensation**, *Br* **unemployment benefit** *n* allocations *fpl* chômage

unending [ʌn'endɪŋ] *adj* (*everlasting*) interminable; (*incessant*) incessant

unenthusiastic [ˌʌnɪnθjuːzɪ'æstɪk] *adj* peu enthousiaste **unenthusiastically** [ˌʌnɪnθjuːzɪ'æstɪkəlɪ] *adv* sans enthousiasme

unenviable [ʌn'envɪəbl] *adj* peu enviable

unequal [ʌn'iːkwəl] *adj* inégal; ***~ in length*** de longueur inégale; ***to be ~ to a task*** ne pas être à la hauteur d'une tâche **unequaled**, *Br* **unequalled** *adj* inégalé

unequivocal [ˌʌnɪ'kwɪvəkəl] *adj* **1.** sans équivoque; *proof* indubitable **2.** *support* sans équivoque **unequivocally** [ˌʌnɪ'kwɪvəkəlɪ] *adv* sans équivoque; *state*, *answer*, *support* sans équivoque

unerring [ʌn'ɜːrɪŋ] *adj accuracy* infaillible

unethical [ʌn'eθɪkəl] *adj* contraire à l'éthique

uneven [ʌn'iːvən] *adj surface*, *contest* inégal; *number* impair **unevenly** [ʌn'iːvənlɪ] *adv spread*, *share* inégalement **unevenness** [ʌn'iːvənnɪs] *n* (*of surface*, *color*, *pace*, *contest*) irrégularité *f*; (*of distribution*) inégalité *f*

uneventful [ˌʌnɪ'ventfʊl] *adj day*, *life* sans histoires

unexceptional [ˌʌnɪk'sepʃənl] *adj* qui n'a rien d'exceptionnel

unexciting [ˌʌnɪk'saɪtɪŋ] *adj* peu enthousiasmant; (*boring*) sans grand intérêt

unexpected [ˌʌnɪk'spektɪd] *adj* inattendu **unexpectedly** [ˌʌnɪk'spektɪdlɪ] *adv* de manière imprévue; *arrive*, *happen* à l'improviste

unexplained [ˌʌnɪk'spleɪnd] *adj mystery* inexpliqué

unexplored [ˌʌnɪk'splɔːd] *adj* inexploré

unfailing [ʌn'feɪlɪŋ] *adj* inépuisable; *support*, *accuracy* à toute épreuve

unfair [ʌn'fɛəʳ] *adj* injuste; ***to be ~ to sb*** être injuste envers qn **unfair dismissal** *n* licenciement *m* abusif **unfairly** [ʌn'fɛəlɪ] *adv* irrégulièrement; *accuse*, *dismissed* injustement **unfairness** [ʌn'fɛənɪs] *n* injustice *f*

unfaithful [ʌn'feɪθfʊl] *adj lover* infidèle **unfaithfulness** [ʌn'feɪθfʊlnɪs] *n* (*of lover*) infidélité *f*

unfamiliar [ˌʌnfə'mɪljəʳ] *adj* peu familier; *subject*, *person* que l'on connaît mal; ***~ territory*** *fig* en territoire inconnu; ***to be ~ with sth*** mal connaître qc; *with machine etc.* peu familier **unfamiliarity** [ˌʌnfəmɪlɪ'ærɪtɪ] *n* (*of surroundings*) caractère *m* inconnu; (*of subject*, *person*) nouveauté *f*; ***because of my ~ with …*** en raison de mon manque de connaissance de…

unfashionable [ʌn'fæʃnəbl] *adj* démodé; *district* peu chic; *subject* qui n'est plus dans l'air du temps

unfasten [ʌn'fɑːsn] **I** *v/t buttons* défaire; *horse etc.* détacher **II** *v/i* ouvrir

unfavorable, *Br* **unfavourable** [ʌn'feɪvərəbl] *adj* défavorable **unfavorably**, *Br* **unfavourably** [ʌn'feɪvərəblɪ] *adv react*, *regard* défavorablement; ***to compare ~ with sth*** mal supporter la comparaison avec qc

unfeasible [ʌn'fiːzəbl] *adj* infaisable

unfeeling [ʌn'fiːlɪŋ] *adj* insensible

unfinished [ʌn'fɪnɪʃt] *adj* inachevé; *work of art* inachevé; ***~ business*** des affaires à régler

unfit [ʌn'fɪt] *adj* **1.** (*unsuitable*) impropre; (*incompetent*) inapte; ***to be ~ to do sth*** (*physically*) être inapte à faire qc; (*mentally*) ne pas être en état de faire qc; ***~ to drive*** ne pas être en état de conduire; ***he is ~ to be a lawyer*** inapte au métier d'avocat; ***to be ~ for (human) consumption*** être impropre à la consommation **2.** (SPORTS *injured*) blessé; (*in health*) pas en état; ***~ (for military***

service) inapte (au service); ***to be ~ for work*** ne pas être en état de reprendre (le travail)
unflagging [ʌn'flægɪŋ] *adj enthusiasm, interest* inépuisable
unflappable [ʌn'flæpəbl] *adj infml* imperturbable; ***to be ~*** être imperturbable
unflattering [ʌn'flætərɪŋ] *adj* peu flatteur(-euse)
unflinching [ʌn'flɪntʃɪŋ] *adj* impitoyable; *support* à toute épreuve
unfocus(s)ed [ʌn'fəʊkəst] *adj eyes* dans le vague; *debate* imprécis; *campaign* mal ciblé
unfold [ʌn'fəʊld] **I** *v/t paper* déplier; *wings* déployer; *arms* ouvrir **II** *v/i* (*story*) se dérouler
unforced [ʌn'fɔːst] *adj* non forcé
unforeseeable [ˌʌnfɔː'siːəbl] *adj* imprévisible **unforeseen** [ˌʌnfɔː'siːn] *adj* imprévu; ***due to ~ circumstances*** en raison de circonstances imprévues
unforgettable [ˌʌnfə'getəbl] *adj* inoubliable
unforgivable [ˌʌnfə'gɪvəbl] *adj* impardonnable **unforgivably** [ˌʌnfə'gɪvəblɪ] *adv* de façon impardonnable **unforgiving** [ˌʌnfə'gɪvɪŋ] *adj* impitoyable
unformatted [ʌn'fɔːmætɪd] *adj* IT non formaté
unforthcoming [ˌʌnfɔːθ'kʌmɪŋ] *adj* réticent; ***to be ~ about sth*** se montrer réticent à propos de qc
unfortunate [ʌn'fɔːtʃnɪt] *adj* malheureux(-euse); *person* malheureux(-euse), malchanceux (-euse); *event, error* fâcheux(-euse); ***to be ~*** (*person*) jouer de malchance; ***it is ~ that ...*** il est regrettable que...
unfortunately [ʌn'fɔːtʃnɪtlɪ] *adv* malheureusement
unfounded [ʌn'faʊndɪd] *adj* infondé; *allegations* sans fondements
unfriendliness [ʌn'frendlɪnɪs] *n* froideur *f* **unfriendly** [ʌn'frendlɪ] *adj* inamical, froid (***to sb*** envers qn)
unfulfilled [ˌʌnfʊl'fɪld] *adj* inaccompli; *person* insatisfait, *life* vide
unfurl [ʌn'fɜːl] **I** *v/t flag, sail* déployer **II** *v/i* se déployer
unfurnished [ʌn'fɜːnɪʃt] *adj* non meublé
ungainly [ʌn'geɪnlɪ] *adj* gauche
ungenerous [ʌn'dʒenərəs] *adj* peu généreux(-euse)
ungodly [ʌn'gɒdlɪ] *adj infml hour* impossible *infml*
ungraceful [ʌn'greɪsfʊl] *adj* sans grâce, gauche
ungracious [ʌn'greɪʃəs] *adj* désagréable; (*gruff*) *grunt, answer, refusal* peu aimable **ungraciously** [ʌn'greɪʃəslɪ] *adv say, respond* avec mauvaise grâce
ungrammatical [ˌʌngrə'mætɪkəl] *adj* non grammatical, incorrect **ungrammatically** [ˌʌngrə'mætɪkəlɪ] *adv* de façon non grammaticale, incorrectement
ungrateful [ʌn'greɪtfʊl] *adj* ingrat (***to*** envers) **ungratefully** [ʌn'greɪtfəlɪ] *adv* de manière ingrate
unguarded [ʌn'gɑːdɪd] *adj* **1.** (*undefended*) sans surveillance **2.** (*fig careless*) irréfléchi; ***in an ~ moment he ...*** dans un moment d'inattention
unhampered [ʌn'hæmpəd] *adj* non entravé
unhappily [ʌn'hæpɪlɪ] *adv* d'un air malheureux **unhappiness** [ʌn'hæpɪnɪs] *n* **1.** tristesse *f* **2.** (*discontent*) mécontentement *m*
unhappy [ʌn'hæpɪ] *adj* ⟨**+er**⟩ **1.** malheureux(-euse); *look* triste **2.** (*not pleased*) mécontent (***about*** de); (*uneasy*) inquiet(-iète); ***to be ~ with sb/sth*** être mécontent de qn/qc; ***to be ~ about doing sth*** ne pas aimer faire qc; ***if you feel ~ about it*** (*worried*) si cela vous inquiète
unharmed [ʌn'hɑːmd] *adj* indemne
unhealthy [ʌn'helθɪ] *adj* **1.** *person* malade; *complexion* maladif(-ive) **2.** *life, interest* malsain; ***it's an ~ relationship*** c'est une relation malsaine
unheard [ʌn'hɜːd] *adj* ***to go ~*** ne pas être entendu **unheard-of** *adj* (*unknown*) inconnu; (*unprecedented*) sans précédent, inouï
unheeded [ʌn'hiːdɪd] *adj* ***to go ~*** être ignoré
unhelpful [ʌn'helpfʊl] *adj person* peu secourable; *advice* peu utile; ***you are being very ~*** vous ne m'êtes pas d'un grand secours **unhelpfully** [ʌn'helpfəlɪ] *adv* sans apporter grand-chose
unhesitating [ʌn'hezɪteɪtɪŋ] *adj* spontané **unhesitatingly** [ʌn'hezɪteɪtɪŋlɪ] *adv* spontanément
unhindered [ʌn'hɪndəd] *adj* (*by baggage etc.*) non encombré; (*by regulations*) non entravé

unhitch [ʌn'hɪtʃ] *v/t horse* (*from post*) détacher; (*from wagon*) dételer; *engine* décrocher
unholy [ʌn'həʊlɪ] *adj* ⟨**+er**⟩ REL *alliance* contre nature; *mess* invraisemblable; *hour* impossible *infml*
unhook [ʌn'hʊk] **I** *v/t latch* décrocher; *dress* dégrafer **II** *v/i* se dégrafer
unhurried [ʌn'hʌrɪd] *adj pace*, *person* posé **unhurriedly** [ʌn'hʌrɪdlɪ] *adv* sans se presser
unhurt [ʌn'hɜːt] *adj* indemne
unhygienic [ˌʌnhaɪ'dʒiːnɪk] *adj* peu hygiénique
unicorn ['juːnɪˌkɔːn] *n* licorne *f*
unidentifiable ['ʌnaɪ'dentɪˌfaɪəbl] *adj object*, *smell*, *sound* non identifiable; *body* impossible à identifier **unidentified** [ˌʌnaɪ'dentɪfaɪd] *adj* non identifié
unification [ˌjuːnɪfɪ'keɪʃən] *n* (*of country*) unification *f*
uniform ['juːnɪfɔːm] **I** *adj length*, *color* uniforme; *temperature* constant **II** *n* uniforme *m*; ***in ~*** en uniforme; ***out of ~*** en civil **uniformity** [ˌjuːnɪ'fɔːmɪtɪ] *n* uniformité *f*; (*of temperature*) stabilité *f* **uniformly** ['juːnɪfɔːmlɪ] *adv measure*, *paint*, *tax* uniformément; *heat* de façon égale; *treat* de façon égale; *pej* sans discernement *pej*
unify ['juːnɪfaɪ] *v/t* unifier
unilateral [ˌjuːnɪ'lætərəl] *adj* unilatéral **unilaterally** [ˌjuːnɪ'lætərəlɪ] *adv* unilatéralement
unimaginable [ˌʌnɪ'mædʒɪnəbl] *adj* inimaginable **unimaginative** *adj*, **unimaginatively** *adv* [ˌʌnɪ'mædʒɪnətɪv, -lɪ] peu imaginatif(-ive)
unimpaired [ˌʌnɪm'pɛəd] *adj* intact
unimpeachable [ˌʌnɪm'piːtʃəbl] *adj reputation*, *character*,, *honesty*, *person* irréprochable; *proof* irréfutable
unimpeded [ˌʌnɪm'piːdɪd] *adj* sans obstacle
unimportant [ˌʌnɪm'pɔːtənt] *adj* sans importance
unimposing [ˌʌnɪm'pəʊzɪŋ] *adj* peu imposant
unimpressed [ˌʌnɪm'prest] *adj* peu impressionné; ***I was ~ by his story*** je n'étais pas convaincu par son histoire **unimpressive** [ˌʌnɪm'presɪv] *adj* peu impressionnant
uninformed [ˌʌnɪn'fɔːmd] *adj* (*not knowing*) qui n'est pas au courant (***about*** de); (*ignorant also*) ignorant; *criticism* non étayé; *comment*, *rumor* infondé; ***to be ~ about sth*** ne pas être informé sur qc
uninhabitable [ˌʌnɪn'hæbɪtəbl] *adj* inhabitable **uninhabited** [ˌʌnɪn'hæbɪtɪd] *adj* inhabité
uninhibited [ˌʌnɪn'hɪbɪtɪd] *adj person* sans inhibitions
uninitiated [ˌʌnɪ'nɪʃɪeɪtɪd] **I** *adj* non initié **II** *n* ***the ~*** *pl* les profanes
uninjured [ʌn'ɪndʒəd] *adj* indemne
uninspired [ˌʌnɪn'spaɪəd] *adj performance* peu inspiré **uninspiring** [ˌʌnɪn'spaɪərɪŋ] *adj idea* sans intérêt
uninstall [ˌʌnɪn'stɔːl] *v/t* IT désinstaller
unintelligent [ˌʌnɪn'telɪdʒənt] *adj* inintelligent
unintelligible [ˌʌnɪn'telɪdʒɪbl] *adj person*, *speech*, inintelligible; *writing* illisible
unintended [ˌʌnɪn'tendɪd], **unintentional** *adj* involontaire **unintentionally** [ˌʌnɪn'tenʃnəlɪ] *adv* involontairement
uninterested [ʌn'ɪntrɪstɪd] *adj* indifférent; ***to be ~ in sth*** être indifférent à qc **uninteresting** [ʌn'ɪntrɪstɪŋ] *adj* inintéressant
uninterrupted [ˌʌnɪntə'rʌptɪd] *adj* ininterrompu; *view* continu
uninvited [ˌʌnɪn'vaɪtɪd] *adj guest* qui n'a pas été invité **uninviting** [ˌʌnɪn'vaɪtɪŋ] *adj prospect* peu attrayant
union ['juːnjən] **I** *n* (*act*, *association*) union *f*; (*labor union*) syndicat *m*; (*student union*) association *f* **II** *adj attr* (*labor union*) syndical **unionist** ['juːnjənɪst] **I** *n* **1.** *Br* (*trade unionist*) syndicaliste *m*/*f* **2.** POL unioniste *m*/*f* **II** *adj* POL unioniste **Union Jack** *n* Union Jack *m* (*drapeau du Royaume-Uni*)
unique [juː'niːk] *adj* unique; (*outstanding*) exceptionnel(le); ***such cases are not ~ to Britain*** de tels cas ne sont pas propres à la Grande-Bretagne **uniquely** [juː'niːklɪ] *adv* (*solely*) uniquement; (*outstandingly*) exceptionnellement
unisex ['juːnɪseks] *adj* unisexe
unison ['juːnɪzn] *n* MUS unisson *m*; ***in ~*** à l'unisson; ***to act in ~ with sb*** *fig* agir de concert avec qn
unit ['juːnɪt] *n* unité *f*; (*set of equipment*) unité *f*; (*of machine*) élément *m*; (*of educational book*) unité *f*; ***~ of length*** unité de longueur

unite [juːˈnaɪt] **I** *v/t* unir; (*ties*) attacher **II** *v/i* s'unir; ***to ~ in doing sth*** s'unir pour faire qc; ***to ~ in grief / opposition to sth*** s'unir dans le chagrin/l'opposition à qc

united [juːˈnaɪtɪd] *adj* uni; *people*, *front*, *nation* uni; ***a ~ Ireland*** une Irlande unie; ***to be ~ in the*** *or* ***one's belief that …*** partager la même conviction selon laquelle…

United Arab Emirates *pl* Émirats *mpl* arabes unis

United Kingdom *n* Royaume-uni *m*

United Nations (Organization) *n* (Organisation *f* des) Nations Unies *fpl*

United States (of America) *pl* États-Unis *mpl* (d'Amérique)

unity [ˈjuːnɪtɪ] *n* unité *f*; ***national ~*** unité *f* nationale

universal [ˌjuːnɪˈvɜːsəl] *adj* universel(le); *peace* universel(le); *approval* général **universally** [ˌjuːnɪˈvɜːsəlɪ] *adv* universellement

universe [ˈjuːnɪvɜːs] *n* univers *m*

university [ˌjuːnɪˈvɜːsɪtɪ] **I** *n* université *f*; ***which ~ does he go to?*** à quelle université va-t-il?; ***to be at / go to ~*** être / aller à l'université; ***to be at / go to New York University*** être / aller à l'université de New York **II** *adj attr* universitaire; *education* universitaire; ***~ teacher*** professeur d'université

unjust [ʌnˈdʒʌst] *adj* injuste (***to*** envers) **unjustifiable** [ʌnˈdʒʌstɪfaɪəbl] *adj* injustifiable **unjustifiably** [ʌnˈdʒʌstɪfaɪəblɪ] *adv expensive*, *critical*, *act* sans justification; *criticize*, *dismiss* sans justification **unjustified** [ʌnˈdʒʌstɪfaɪd] *adj* injustifié **unjustly** [ʌnˈdʒʌstlɪ] *adv judge*, *treat* injustement

unkempt [ʌnˈkempt] *adj* négligé; *hair* en bataille

unkind [ʌnˈkaɪnd] *adj* ⟨**+er**⟩ (*not nice*) peu aimable; (*cruel*) méchant; ***don't be (so) ~!*** ne sois pas si méchant! **unkindly** [ʌnˈkaɪndlɪ] *adv* méchamment; (*cruelly*) cruellement **unkindness** *n* manque *m* de gentillesse; (*cruelty*) cruauté *f*

unknowingly [ʌnˈnəʊɪŋlɪ] *adv* inconsciemment

unknown [ʌnˈnəʊn] **I** *adj* inconnu; ***~ territory*** territoire inconnu **II** *n* ***the ~*** l'inconnu; ***a journey into the ~*** un voyage dans l'inconnu **III** *adv* ***~ to me*** à mon insu

unlawful [ʌnˈlɔːfʊl] *adj* illicite, illégal **unlawfully** [ʌnˈlɔːfəlɪ] *adv* illicitement, illégalement; *imprison* illégalement

unleaded [ʌnˈledɪd] **I** *adj* sans plomb **II** *n* sans-plomb *m*

unleash [ʌnˈliːʃ] *v/t fig* lâcher

unleavened [ʌnˈlevnd] *adj* sans levain

unless [ənˈles] *cj* à moins que; (*at beginning of sentence*) sauf; ***don't do it ~ I tell you to*** ne le fais que si je te le dis; ***~ I tell you to, don't do it*** ne le faites pas, sauf si je vous en donne l'ordre; ***~ I am mistaken …*** si je ne me trompe…

unlicensed [ʌnˈlaɪsənst] *adj premises* ne possédant pas de licence de débit de boissons

unlike [ʌnˈlaɪk] *prep* **1.** contrairement à, à la différence de **2.** (*uncharacteristic of*) ***to be quite ~ sb*** ne pas ressembler à qn **3.** ***this house is ~ their former one*** cette maison ne ressemble pas du tout à celle qu'ils avaient avant

unlikeable [ʌnˈlaɪkəbl] *adj* peu sympathique

unlikely [ʌnˈlaɪklɪ] *adj* ⟨**+er**⟩ improbable; ***it is (most) ~ that …*** il est peu probable que…, ***it is not ~ that …*** il n'est pas impossible que…; ***she is ~ to come*** il est peu probable qu'elle vienne; ***he's ~ to be chosen*** il est peu probable qu'il soit choisi; ***in the ~ event of war*** dans l'éventualité peu probable d'une guerre

unlimited [ʌnˈlɪmɪtɪd] *adj access* illimité

unlisted [ʌnˈlɪstɪd] *adj company* ne figurant pas dans l'annuaire; *items* ne figurant pas sur la liste ***the number is ~*** (*US* TEL) le numéro est sur liste rouge

unlit [ˌʌnˈlɪt] *adj road* non éclairé; *lamp*, *fire*, *cigarette* non allumé

unload [ʌnˈləʊd] **I** *v/t ship*, *gun*, *baggage*, *car* décharger **II** *v/i* (*ship*, *truck*) décharger

unlock [ʌnˈlɒk] *v/t door etc.* déverrouiller; ***the door is ~ed*** la porte n'est pas fermée à clé; ***to leave a door ~ed*** laisser une porte ouverte

unloved [ʌnˈlʌvd] *adj* mal-aimé

unluckily [ʌnˈlʌkɪlɪ] *adv* malheureusement; ***~ for him*** malheureusement pour lui **unlucky** [ʌnˈlʌkɪ] *adj* ⟨**+er**⟩ *person*, *action*, *loser* malchanceux(-euse); *coincidence* malencontreux(-euse); ***to be ~*** être malchanceux; (*bring bad luck*) porter malheur; ***it was ~ for her that***

she was seen malheureusement pour elle, quelqu'un l'a vue; **~ *number*** chiffre porte-malheur
unmanageable [ʌn'mænɪdʒəbl] *adj size* peu maniable; *number*, *situation* ingérable; *person*, *hair* rebelle
unmanly [ʌn'mænlɪ] *adj* efféminé
unmanned [ʌn'mænd] *adj* sans équipage
unmarked [ʌn'mɑːkt] *adj* **1.** (*unstained*) sans tache; (*without marking*) sans marque; *police car* banalisé; *grave* sans nom **2.** *esp Br* SPORTS *player* démarqué **3.** SCHOOL *papers* non corrigé
unmarried [ʌn'mærɪd] *adj* non marié; **~ *mother*** mère célibataire
unmask [ʌn'mɑːsk] *v/t lit*, *fig* démasquer
unmatched [ʌn'mætʃt] *adj* sans égal (***for*** pour); **~ *by anyone*** absolument inégalé
unmentionable [ʌn'menʃnəbl] *adj* qu'il ne faut pas mentionner
unmissable ['ʌn'mɪsəbl] *adj* à ne pas manquer; ***to be ~*** être un must
unmistak(e)able [ˌʌnmɪ'steɪkəbl] *adj* évident; (*visually*) reconnaissable **unmistak(e)ably** [ˌʌnmɪ'steɪkəblɪ] *adv* sans doute possible
unmitigated [ʌn'mɪtɪgeɪtɪd] *adj infml disaster*, *success* total
unmotivated [ʌn'məʊtɪveɪtɪd] *adj* sans motif; *attack* injustifié
unmoved [ʌn'muːvd] *adj person* insensible; ***they were ~ by his playing*** ils sont restés insensibles à son jeu
unnamed [ʌn'neɪmd] *adj* (*anonymous*) anonyme
unnatural [ʌn'nætʃrəl] *adj* non naturel; ***to die an ~ death*** mourir de mort non naturelle **unnaturally** [ʌn'nætʃrəlɪ] *adv* de façon anormale; (*extraordinarily also*) *loud*, *anxious* anormalement
unnecessarily [ʌn'nesɪsərɪlɪ] *adv* sans raison; *strict* inutilement **unnecessary** [ʌn'nesɪsərɪ] *adj* superflu; (*not requisite*) inutile
unnerve [ʌn'nɜːv] *v/t* déconcerter; (*gradually*) démonter; (*discourage*) démoraliser; ***~d by their reaction*** déconcerté par leur réaction **unnerving** [ʌn'nɜːvɪŋ] *adj* déconcertant
unnoticed [ʌn'nəʊtɪst] *adj* inaperçu
unobservant [ˌʌnəb'zɜːvənt] *adj* peu observateur(-trice); ***to be ~*** ne pas être observateur **unobserved** [ˌʌnəb'zɜːvd] *adj* sans être vu
unobstructed [ˌʌnəb'strʌktɪd] *adj view* dégagé
unobtainable [ˌʌnəb'teɪnəbl] *adj* impossible à obtenir; *goal* inaccessible
unobtrusive [ˌʌnəb'truːsɪv, -lɪ] *adj*, *adj* discret(-ète) **unobtrusively** [ˌʌnəb'truːsɪvlɪ] *adv* discrètement
unoccupied [ʌn'ɒkjʊpaɪd] *adj person* qui ne fait rien; *house* inoccupé; *seat* libre
unofficial [ˌʌnə'fɪʃəl] *adj* officieux (-euse) **unofficially** [ˌʌnə'fɪʃəlɪ] *adv* officieusement
unopened [ʌn'əʊpənd] *adj* fermé
unorganized [ʌn'ɔːgənaɪzd] *adj* inorganisé; *person also* qui ne sait pas s'organiser; *life* désorganisé
unoriginal [ˌʌnə'rɪdʒɪnəl] *adj* peu original
unorthodox [ʌn'ɔːθədɒks] *adj* peu orthodoxe
unpack [ʌn'pæk] **I** *v/t* défaire **II** *v/i* défaire ses bagages
unpaid [ʌn'peɪd] *adj* bénévole
unparalleled [ʌn'pærəleld] *adj* sans pareil
unpatriotic [ˌʌnpætrɪ'ɒtɪk] *adj* peu patriote
unpaved [ʌn'peɪvd] *adj* non pavé
unperfumed [ʌn'pɜːfjuːmd] *adj* sans parfum
unperturbed [ˌʌnpə'tɜːbd] *adj* imperturbable (***by*** face à)
unpick [ʌn'pɪk] *v/t* découdre
unpin [ʌn'pɪn] *v/t dress*, *hair* enlever les épingles de
unplanned [ʌn'plænd] *adj* imprévu
unplayable [ʌn'pleɪəbl] *adj* injouable; *sports field* impraticable
unpleasant [ʌn'pleznt] *adj person*, *remark* désagréable; ***to be ~ to sb*** être désagréable envers qn **unpleasantly** [ʌn'plezntlɪ] *adv reply* de manière désagréable; *warm* désagréablement **unpleasantness** [ʌn'plezntnɪs] *n* **1.** (*quality*) caractère *m* désagréable; (*of person*) côté *m* désagréable **2.** (*bad feeling*) sentiment *m* désagréable
unplug [ʌn'plʌg] *v/t radio*, *lamp*, *plug* débrancher
unpolluted [ˌʌnpə'luːtɪd] *adj* non pollué
unpopular [ʌn'pɒpjʊlə^r] *adj person* impopulaire (***with sb*** auprès de qn); *decision* impopulaire **unpopularity** [ʌnˌpɒpjʊ'lærɪtɪ] *n* impopularité *f*

unpractical [ʌn'præktɪkəl] *adj* peu pratique
unprecedented [ʌn'presɪdəntɪd] *adj* sans précédent
unprepared [ˌʌnprɪ'peəd] *adj* qui n'est pas préparé; ***to be ~ for sth*** (*be surprised*) être pris au dépourvu par qc
unprepossessing [ˌʌnpriːpə'zesɪŋ] *adj* qui ne paie pas de mine
unpretentious [ˌʌnprɪ'tenʃəs] *adj* sans prétention
unprincipled [ʌn'prɪnsɪpld] *adj* sans scrupules
unprintable [ʌn'prɪntəbl] *adj* impubliable
unproductive [ˌʌnprə'dʌktɪv] *adj meeting* stérile; *factory* improductif(-ive)
unprofessional [ˌʌnprə'feʃənl] *adj* peu professionnel(le)
unprofitable [ʌn'prɒfɪtəbl] *adj business etc.* peu rentable; *fig* inutile; ***the company was ~*** la société ne faisait pas de profit
unpromising [ʌn'prɒmɪsɪŋ] *adj* peu prometteur(-euse); ***to look ~*** ne pas avoir l'air très prometteur
unpronounceable [ˌʌnprə'naʊnsɪbl] *adj* imprononçable; ***that word is ~*** ce mot est imprononçable
unprotected [ˌʌnprə'tektɪd] *adj skin, sex* non protégé
unproven [ʌn'pruːvən], **unproved** *adj* non prouvé
unprovoked [ˌʌnprə'vəʊkt] *adj* injustifié
unpublished [ʌn'pʌblɪʃt] *adj* inédit
unpunished [ʌn'pʌnɪʃt] *adj* ***to go ~*** rester impuni
unqualified [ʌn'kwɒlɪfaɪd] *adj* **1.** non qualifié; ***to be ~*** ne pas être qualifié; ***he is ~ to do it*** il n'est pas qualifié pour le faire **2.** *success* non mérité
unquenchable [ʌn'kwentʃəbl] *adj thirst, desire, optimism* insatiable
unquestionable [ʌn'kwestʃənəbl] *adj authority* incontestable **unquestionably** [ʌn'kwestʃənəblɪ] *adv* incontestablement **unquestioning** [ʌn'kwestʃənɪŋ] *adj* inconditionnel(le)
unquestioningly [ʌn'kwestʃənɪŋlɪ] *adv accept, obey* aveuglément
unravel [ʌn'rævəl] **I** *v/t knitting* défaire; (*untangle*) débrouiller; *mystery* élucider **II** *v/i* (*knitting*) se défaire; *fig* s'effilocher
unreadable [ʌn'riːdəbl] *adj writing, book* illisible
unreal [ʌn'rɪəl] *adj* irréel(le); ***this is just ~!*** (*infml unbelievable*) on croit rêver! *infml*; ***he's ~*** il est incroyable **unrealistic** [ˌʌnrɪə'lɪstɪk] *adj* irréaliste **unrealistically** [ˌʌnrɪə'lɪstɪkəlɪ] *adv high, low* invraisemblablement; *optimistic* excessivement
unreasonable [ʌn'riːznəbl] *adj expectations, person* déraisonnable; ***to be ~ about sth*** (*be overdemanding*) ne pas être raisonnable à propos de qc; ***it is ~ to ...*** il n'est pas raisonnable de…; ***you are being very ~!*** vous n'êtes vraiment pas raisonnable!; ***an ~ length of time*** une durée excessive **unreasonably** [ʌn'riːznəblɪ] *adv long, strict etc.* excessivement; ***you must prove that your employer acted ~*** vous devez prouver que votre employeur a agi de manière abusive; ***not ~*** pas excessivement
unrecognizable [ʌn'rekəgnaɪzəbl] *adj* méconnaissable **unrecognized** [ʌn'rekəgnaɪzd] *adj* méconnu; ***to go ~*** rester méconnu
unrefined [ˌʌnrɪ'faɪnd] *adj petroleum etc.* non raffiné
unregulated [ʌn'regjʊleɪtɪd] *adj* non réglementé
unrehearsed [ˌʌnrɪ'hɜːst] *adj* (*spontaneous*) spontané
unrelated [ˌʌnrɪ'leɪtɪd] *adj* **1.** ***the two events are ~*** les deux événements n'ont aucun lien (***to*** avec) **2.** (*by family*) sans lien de parenté
unrelenting [ˌʌnrɪ'lentɪŋ] *adj pressure, pain, pace* continu; *person, struggle* obstiné; *heat* implacable
unreliability ['ʌnrɪˌlaɪə'bɪlɪtɪ] *n* manque *m* de fiabilité **unreliable** [ˌʌnrɪ'laɪəbl] *adj* peu fiable
unremarkable [ˌʌnrɪ'mɑːkəbl] *adj* quelconque
unremitting [ˌʌnrɪ'mɪtɪŋ] *adj efforts* incessant
unrepeatable [ˌʌnrɪ'piːtəbl] *adj words* trop grossier pour être répété
unrepentant [ˌʌnrɪ'pentənt] *adj* impénitent
unreported [ˌʌnrɪ'pɔːtɪd] *adj events* non mentionné; *crime* non signalé
unrepresentative [ˌʌnreprɪ'zentətɪv] *adj* ***~ of sth*** non représentatif de qc
unrequited [ˌʌnrɪ'kwaɪtɪd] *adj love* non réciproque

unreserved [ˌʌnrɪˈzɜːvd] *adj apology, support* sans réserve
unresolved [ˌʌnrɪˈzɒlvd] *adj* non résolu
unresponsive [ˌʌnrɪˈspɒnsɪv] *adj* (*physically*) qui ne réagit pas; (*emotionally*) sans réaction; ***to be ~*** rester sans réaction (***to*** face à); ***an ~ audience*** un public passif
unrest [ʌnˈrest] *n* agitation *f*
unrestrained [ˌʌnrɪˈstreɪnd] *adj* non contenu; *joy* non réfréné
unrestricted [ˌʌnrɪˈstrɪktɪd] *adj* **1.** *power, growth* absolu; *access* libre **2.** *view* illimité
unrewarded [ˌʌnrɪˈwɔːdɪd] *adj* non récompensé; ***to go ~*** rester sans récompense **unrewarding** [ˌʌnrɪˈwɔːdɪŋ] *adj* peu gratifiant
unripe [ʌnˈraɪp] *adj* vert
unroll [ʌnˈrəʊl] **I** *v/t* dérouler **II** *v/i* se dérouler
unruffled [ʌnˈrʌfld] *adj person* imperturbable
unruly [ʌnˈruːlɪ] *adj* ⟨**+er**⟩ indiscipliné
unsaddle [ʌnˈsædl] *v/t horse* desseller
unsafe [ʌnˈseɪf] *adj* peu sûr; (*dangerous*) dangereux(-euse); *sex* non protégé; ***this is ~ to eat / drink*** mieux vaut ne pas manger / boire ça; ***it is ~ to walk there at night*** l'endroit n'est pas sûr pour se promener le soir; ***to feel ~*** ne pas se sentir en sécurité
unsaid [ʌnˈsed] *adj* ***to leave sth ~*** passer qc sous silence
unsalable, *Br* **unsaleable** [ʌnˈseɪləbl] *adj* invendable; ***to be ~*** être invendable
unsanitary [ʌnˈsænɪtrɪ] *adj* insalubre
unsatisfactory [ˌʌnsætɪsˈfæktərɪ] *adj* insatisfaisant; *figures* peu satisfaisant; SCHOOL qui laisse à désirer; ***this is highly ~*** cela n'est pas du tout satisfaisant
unsatisfied [ʌnˈsætɪsfaɪd] *adj person* insatisfait; ***the book's ending left us ~*** le dénouement du livre nous a laissés sur notre faim **unsatisfying** [ʌnˈsætɪsfaɪɪŋ] *adj* peu gratifiant; *meal* insuffisant
unsaturated [ʌnˈsætʃəreɪtɪd] *adj* CHEM non saturé
unsavory, *Br* **unsavoury** [ʌnˈseɪvərɪ] *adj smell* nauséabond; *appearance* repoussant; *subject, characters* déplaisant
unscathed [ʌnˈskeɪðd] *adj lit* indemne; *fig* non affecté
unscented [ʌnˈsentɪd] *adj* sans parfum
unscheduled [ʌnˈʃedjuːld] *adj stop* imprévu; *meeting* improvisé
unscientific [ˌʌnsaɪənˈtɪfɪk] *adj* non scientifique
unscramble [ʌnˈskræmbl] *v/t* TEL déchiffrer
unscrew [ʌnˈskruː] *v/t* dévisser
unscrupulous [ʌnˈskruːpjʊləs] *adj* sans scrupules
unsealed [ʌnˈsiːld] *adj* décacheté, ouvert
unseasonable [ʌnˈsiːznəbl] *adj* qui n'est pas de saison **unseasonably** [ʌnˈsiːznəblɪ] *adv* pour la saison
unseat [ʌnˈsiːt] *v/t rider* désarçonner
unseeded [ʌnˈsiːdɪd] *adj* non classé
unseeing [ʌnˈsiːɪŋ] *adj* aveugle
unseemly [ʌnˈsiːmlɪ] *adj* inconvenant
unseen [ʌnˈsiːn] *adj* invisible; (*unobserved*) inaperçu
unselfconscious [ˌʌnselfˈkɒnʃəs] *adj* naturel(le) **unselfconsciously** [ˌʌnselfˈkɒnʃəslɪ] *adv* avec naturel
unselfish [ʌnˈselfɪʃ] *adj* généreux (-euse) **unselfishly** [ʌnˈselfɪʃlɪ] *adv* généreusement
unsentimental [ˌʌnsentɪˈmentl] *adj* peu sentimental
unsettle [ʌnˈsetl] *v/t* (*agitate*) troubler; *person* (*news*) perturber **unsettled** *adj* **1.** *question* non réglé **2.** *weather, market* instable; ***to be ~*** être instable; (*thrown off balance*) être inquiet; ***to feel ~*** se sentir insatisfait **unsettling** [ʌnˈsetlɪŋ] *adj change* inquiétant; *thought, news* perturbateur(-trice)
unshak(e)able [ʌnˈʃeɪkəbl] *adj* inébranlable **unshak(e)ably** [ʌnˈʃeɪkəblɪ] *adv* fermement **unshaken** [ʌnˈʃeɪkən] *adj* inébranlable
unshaven [ʌnˈʃeɪvn] *adj* pas rasé
unsightly [ʌnˈsaɪtlɪ] *adj* laid
unsigned [ʌnˈsaɪnd] *adj painting* non signé; *letter* sans signature
unskilled [ʌnˈskɪld] *adj* non qualifié; ***~ worker*** ouvrier spécialisé; ***~ labor*** (*US*) *or* ***labour*** *Br* (*workers*) main d'œuvre non qualifiée
unsociable [ʌnˈsəʊʃəbl] *adj* peu sociable
unsocial [ʌnˈsəʊʃəl] *adj Br* ***to work ~ hours*** travailler en dehors des horaires normaux
unsold [ʌnˈsəʊld] *adj* invendu; ***to be left ~*** ne pas être vendu
unsolicited [ˌʌnsəˈlɪsɪtɪd] *adj* non sollicité

unsolved [ʌn'sɒlvd] *adj problem etc.* non résolu; *crime* non élucidé
unsophisticated [ˌʌnsə'fɪstɪkeɪtɪd] *adj person, tastes, style, machine* simple
unsound [ʌn'saʊnd] *adj* **1.** *construction* précaire; ***structurally ~*** *building* en mauvais état **2.** *argument* peu solide; *advice* peu judicieux(-euse); JUR *conviction* infondé; ***of ~ mind*** JUR qui ne jouit pas de toutes ses facultés mentales; ***environmentally ~*** non viable sur le plan écologique; ***the company is ~*** la société n'est pas solide
unsparing [ʌn'speərɪŋ] *adj* **1.** (*lavish*) généreux(-euse); ***to be ~ in one's efforts*** ne pas ménager ses efforts **2.** (*unmerciful*) *criticism* implacable; ***the report was ~ in its criticism*** le rapport ne ménageait pas ses critiques
unspeakable [ʌn'spiːkəbl] *adj* indicible, innommable **unspeakably** [ʌn'spiːkəblɪ] *adv* indiciblement, épouvantablement
unspecified [ʌn'spesɪfaɪd] *adj time, amount* non spécifié; *location* non précisé
unspectacular [ˌʌnspek'tækjʊləʳ] *adj* anodin
unspoiled [ʌn'spɔɪld], **unspoilt** *adj* préservé
unspoken [ʌn'spəʊkən] *adj thoughts* inexprimé; *agreement* tacite
unsporting [ʌn'spɔːtɪŋ], **unsportsmanlike** *adj* qui manque de fair-play
unstable [ʌn'steɪbl] *adj* instable
unsteadily [ʌn'stedɪlɪ] *adj walk* d'un pas chancelant; *speak* d'une voix mal assurée **unsteady** [ʌn'stedɪ] *adj hand* tremblant; *steps* mal assuré; *ladder* branlant
unstinting [ʌn'stɪntɪŋ] *adj support* sans réserve; ***to be ~ in one's efforts*** ne pas ménager ses efforts
unstoppable [ʌn'stɒpəbl] *adj* irrépressible
unstressed [ʌn'strest] *adj* PHON non accentué
unstructured [ʌn'strʌktʃəd] *adj* non structuré
unstuck [ʌn'stʌk] *adj* ***to come ~*** (*stamp*) se décoller; (*infml*: *plan*) tomber à l'eau *infml*; ***where they came ~ was ...*** ils se sont retrouvés le bec dans l'eau quand ... *infml*
unsubstantiated [ˌʌnsəb'stænʃɪeɪtɪd] *adj rumor* non confirmé; ***these reports remain ~*** ces rapports ne sont pas confirmés
unsubtle [ʌn'sʌtl] *adj* lourd
unsuccessful [ˌʌnsək'sesfʊl] *adj candidate* malheureux(-euse); *attempt* infructueux(-euse); ***to be ~ in doing sth*** ne pas réussir à faire qc; ***to be ~ in one's efforts to do sth*** ne pas réussir à faire qc malgré ses efforts **unsuccessfully** [ˌʌnsək'sesfəlɪ] *adv* en vain; *try, apply* sans succès
unsuitability [ˌʌnsuːtə'bɪlɪtɪ] *n* inadéquation *f*; ***his ~ for the job*** son inadéquation au poste **unsuitable** [ʌn'suːtəbl] *adj* qui ne convient pas; *candidate* inadapté; ***~ for children*** ne convient pas aux enfants; ***she is ~ for him*** elle n'est pas faite pour lui **unsuitably** [ʌn'suːtəblɪ] *adv dressed* (*for weather conditions, for occasion*) de façon inappropriée **unsuited** [ʌn'suːtɪd] *adj* ***to be ~ for*** *or* ***to sth*** être inapte à qc; ***to be ~ to sb*** être incompatible avec qn
unsure [ʌn'ʃʊəʳ] *adj person* qui manque d'assurance; ***to be ~ of oneself*** ne pas être sûr de soi; ***to be ~ (of sth)*** ne pas être sûr (de qc); ***I'm ~ of him*** je ne suis pas sûre de lui
unsurpassed [ˌʌnsə'pɑːst] *adj* sans égal
unsurprising [ˌʌnsə'praɪzɪŋ] *adj* attendu **unsurprisingly** [ˌʌnsə'praɪzɪŋlɪ] *adv* comme on pouvait s'y attendre
unsuspecting [ˌʌnsə'spektɪŋ] *adj adv* qui ne se doute de rien **unsuspectingly** [ˌʌnsə'spektɪŋlɪ] *adv* sans se douter de rien
unsweetened [ˌʌn'swiːtnd] *adj* non sucré, sans sucre ou édulcorant ajoutés
unswerving [ʌn'swɜːvɪŋ] *adj loyalty* à toute épreuve
unsympathetic [ˌʌnsɪmpə'θetɪk] *adj* **1.** (*unfeeling*) indifférent **2.** (*unlikable*) antipathique **unsympathetically** [ˌʌnsɪmpə'θetɪkəlɪ] *adv* avec indifférence
unsystematic [ˌʌnsɪstɪ'mætɪk] *adj* non systématique **unsystematically** [ˌʌnsɪstɪ'mætɪkəlɪ] *adv* sans méthode
untalented [ʌn'tælɪntɪd] *adj* sans talent
untamed [ʌn'teɪmd] *adj animal, jungle, beauty* sauvage
untangle [ʌn'tæŋgl] *v/t* démêler
untapped [ʌn'tæpt] *adj resources, market* inexploité
untenable [ʌn'tenəbl] *adj* intenable

untested [ʌn'testɪd] *adj* non vérifié, jamais essayé
unthinkable [ʌn'θɪŋkəbl] *adj* impensable **unthinking** [ʌn'θɪŋkɪŋ] *adj* (*thoughtless*) inconsidéré; (*uncritical*) irréfléchi **unthinkingly** [ʌn'θɪŋkɪŋlɪ] *adv* sans réfléchir
untidily [ʌn'taɪdɪlɪ] *adv esp Br* sans soin **untidiness** [ʌn'taɪdɪnɪs] *n esp Br* (*of room*) désordre *m*; (*of person*) aspect *m* négligé **untidy** [ʌn'taɪdɪ] *adj* ⟨**+er**⟩ *esp Br* (*room*) en désordre; (*person*) négligé
untie [ʌn'taɪ] *v/t knot* défaire; *packet* ouvrir; *person*, *apron* détacher
until [ən'tɪl] **I** *prep* jusqu'à; ***from morning ~ night*** du matin (jusqu')au soir; ***~ now*** jusqu'à maintenant; ***~ then*** jusque là; ***not ~*** (*in future*) pas avant; (*in past*) jusqu'à; ***I didn't leave him ~ the following day*** je suis restée avec lui jusqu'au lendemain **II** *cj* jusqu'à; ***not ~*** (*in future*) pas avant que; (*in past*) tant que …ne …pas; ***he won't come ~ you invite him*** tant que vous ne l'inviterez pas, il ne viendra pas; ***they did nothing ~ we came*** ils n'ont rien fait tant qu'on n'a pas été là
untimely [ʌn'taɪmlɪ] *adj death* prématuré; ***to come to*** *or* ***meet an ~ end*** connaître une fin prématurée
untiring [ʌn'taɪərɪŋ] *adj* inlassable, infatigable **untiringly** [ʌn'taɪərɪŋlɪ] *adv* inlassablement
untitled [ʌn'taɪtld] *adj painting* sans titre
untold [ʌn'təʊld] *adj story* jamais raconté; *damage*, *suffering* indescriptible; ***this story is better left ~*** mieux vaut passer cette histoire sous silence; ***~ thousands*** des milliers et des milliers
untouchable [ʌn'tʌtʃəbl] *adj* intouchable **untouched** [ʌn'tʌtʃt] *adj* **1.** auquel on n'a pas touché; *bottle etc.* intact **2.** (*unharmed*) indemne
untrained [ʌn'treɪnd] *adj person* sans formation; *voice* non travaillé; *mind* non formé ***to the ~ eye*** pour un œil non entraîné
untranslatable [ˌʌntrænz'leɪtəbl] *adj* intraduisible
untreated [ʌn'triːtɪd] *adj* non traité
untried [ʌn'traɪd] *adj person* qui n'a pas été jugé; *method* non éprouvé
untroubled [ʌn'trʌbld] *adj* ***to be ~ by the news*** ne pas être ébranlé par la nouvelle; ***he seemed ~ by the heat*** il ne semblait pas gêné par la chaleur
untrue [ʌn'truː] *adj* faux(fausse)
untrustworthy [ʌn'trʌstˌwɜːðɪ] *adj* qui n'est pas digne de confiance
untruthful [ʌn'truːθfʊl] *adj statement* mensonger(-ère); *person* menteur (-euse) **untruthfully** [ʌn'truːθfəlɪ] *adv* de façon mensongère
untypical [ʌn'tɪpɪkl] *adj* peu typique (***of*** de)
unusable [ʌn'juːzəbl] *adj* inutilisable
unused[1] [ʌn'juːzd] *adj* (*new*) neuf (neuve); (*not made use of*) inutilisé
unused[2] [ʌn'juːst] *adj* ***to be ~ to sth*** ne pas avoir l'habitude de qc; ***to be ~ to doing sth*** ne pas être habitué à faire qc
unusual [ʌn'juːʒʊəl] *adj* (*uncommon*) inhabituel(le); (*exceptional*) exceptionnel(le); ***it's ~ for him to be late*** il est exceptionnel qu'il arrive en retard; ***that's ~ for him*** ça ne lui ressemble pas; ***that's not ~ for him*** ça n'est pas rare chez lui; ***how ~!*** comme c'est original; *iron* comme c'est intéressant? **unusually** [ʌn'juːʒʊəlɪ] *adv* contrairement à l'habitude; ***~ for her, she was late*** contrairement à son habitude, elle était en retard
unvarying [ʌn'vɛərɪɪŋ] *adj* invariable
unveil [ʌn'veɪl] *v/t statue*, *plan* dévoiler
unverified [ʌn'verɪfaɪd] *adj* non vérifié
unwaged [ʌn'weɪdʒd] *adj* non salarié
unwanted [ʌn'wɒntɪd] *adj* **1.** (*unwelcome*) malvenu **2.** (*superfluous*) superflu
unwarranted [ʌn'wɒrəntɪd] *adj* injustifié
unwavering [ʌn'weɪvərɪŋ] *adj resolve* inébranlable; *course* ferme
unwelcome [ʌn'welkəm] *adj visitor* importun; *news*, *reminder* fâcheux(-euse) ***to make sb feel ~*** faire sentir à qn qu'il n'est pas le bienvenu **unwelcoming** [ʌn'welkəmɪŋ] *adj manner* froid; *place* hostile
unwell [ʌn'wel] *adj pred* souffrant; ***he's rather ~*** il est souffrant
unwholesome [ʌn'həʊlsəm] *adj* malsain; *food* mauvais; *desire* malsain
unwieldy [ʌn'wiːldɪ] *adj tool*, *object* peu maniable; (*clumsy*) *body*, *system* lourd
unwilling [ʌn'wɪlɪŋ] *adj* peu disposé; *accomplice* involontaire; ***to be ~ to do sth*** ne pas vouloir faire qc; ***to be ~ for sb to do sth*** ne pas vouloir que qn fasse qc
unwillingness [ʌn'wɪlɪŋnɪs] *n* réticen-

ce *f*

unwind [ʌn'waɪnd] ⟨*past*, *past part* **unwound**⟩ **I** *v/t* dérouler **II** *v/i* (*infml relax*) se relaxer

unwise [ʌn'waɪz] *adj* imprudent **unwisely** [ʌn'waɪzlɪ] *adv* imprudemment

unwitting [ʌn'wɪtɪŋ] *adj accomplice*, *victim*, *involvement* involontaire **unwittingly** [ʌn'wɪtɪŋlɪ] *adv* involontairement

unworkable [ʌn'wɜːkəbl] *adj* impraticable

unworldly [ʌn'wɜːldlɪ] *adj life* d'ascète

unworried [ʌn'wʌrɪd] *adj* qui ne s'inquiète pas

unworthy [ʌn'wɜːðɪ] *adj* indigne (*of*)

unwound [ʌn'waʊnd] *past*, *past part* = **unwind**

unwrap [ʌn'ræp] *v/t* déballer

unwritten [ʌn'rɪtn] *adj story*, *constitution* non écrit; *agreement* tacite **unwritten law** *n* JUR droit *m* coutumier; *fig* règle *f* admise tacitement

unyielding [ʌn'jiːldɪŋ] *adj* inflexible

unzip [ʌn'zɪp] *v/t* **1.** *zip* ouvrir; *pants* défaire la fermeture **2.** IT *file* dézipper, extraire

up [ʌp] **I** *adv* **1.** (*in or to high position*) en haut; ***up there*** là-haut; ***on your way up*** quand vous monterez; ***to climb all the way up*** monter jusqu'en haut; ***halfway up*** à mi-chemin de la montée; ***5 floors up*** au 5e étage; ***I looked up*** j'ai relevé la tête; ***this side up*** "haut"; ***a little further up*** un peu plus haut; ***to go a little further up*** monter un peu plus haut; ***from up on the hill*** du haut de la colline; ***up on top of the closet*** sur le placard; ***up in the sky*** dans le ciel; ***the temperature was up in the thirties*** les températures dépassaient les 30°; ***the sun is up*** le soleil est levé; ***to move up into the lead*** passer dans les premiers **2.** ***to be up*** (*building*) se dresser; (*notice*) être affiché; (*shelves*) être monté; ***the new houses went up very quickly*** les nouvelles maisons se sont construites très rapidement; ***to be up*** (***and running***) (*computer system etc.*) fonctionner; ***to be up and running*** être opérationnel; ***to get sth up and running*** rendre qc opérationnel **3.** (*not in bed*) levé; ***to be up and about*** être debout **4.** (*north*) au nord; ***up in Alaska*** en Alaska; ***to go up to Michigan*** aller *or* monter dans le Michigan; ***to live up north*** vivre dans le nord; ***to go up north*** aller dans le nord **5.** (*in price*, *value*) en augmentation (***on*** par rapport à) **6.** *Br* ***to be 3 goals up*** mener par trois buts (***on*** devant) **7.** *infml* ***what's up?*** quoi de neuf?; ***something is up*** (*wrong*) il y a quelque chose qui cloche; (*happening*) il se passe quelque chose **8.** (*knowledgeable*) au fait; ***to be well up on sth*** être très au fait de qc **9.** ***time's up*** c'est l'heure; ***to eat sth up*** finir de manger qc **10.** ***it was up against the wall*** il était posé contre le mur; ***to be up against an opponent*** se heurter à un adversaire; ***I fully realize what I'm up against*** je suis parfaitement conscient de ce à quoi je suis confronté; ***they were really up against it*** ils avaient vraiment du mal à s'en tirer; ***to walk up and down*** faire les cent pas; ***to be up for sale*** être à vendre; ***to be up for discussion*** être prévu comme sujet de discussion; ***to be up for election*** (*candidate*) se présenter à une élection; ***up to*** jusqu'à; ***up to now*** jusqu'à maintenant; ***up to here*** jusqu'ici; ***to count up to 100*** compter jusqu'à 100; ***up to $ 100*** jusqu'à 100 dollars; ***what page are you up to?*** à quelle page en êtes-vous?; ***I don't feel up to it*** je ne me sens pas de taille; (*not well enough*) je ne me sens pas d'attaque *infml*; ***it isn't up to much*** ça ne vaut pas grand-chose; ***it isn't up to his usual standard*** il nous a habitués à mieux; ***it's up to us to help him*** c'est à nous de l'aider; ***if it were up to me*** si cela ne tenait qu'à moi; ***it's up to you whether you go or not*** à toi de voir si tu y vas ou non; ***it isn't up to me*** ce n'est pas à moi de décider; ***that's up to you*** à toi de voir; ***what color shall I choose?***—(***it's***) ***up to you*** quelle couleur est-ce que je prends?—à toi de voir; ***it's up to the government to do it*** c'est au gouvernement de le faire; ***what's he up to?*** (*doing*) qu'est-ce qu'il fabrique? *infml infml*; (*planning etc.*) qu'est-ce qu'il mijote? *infml*; ***what have you been up to?*** qu'est-ce que tu fabriquais? *infml*; ***he's up to no good*** il fricote quelque chose *infml* **II** *prep* ***further up the page*** un peu plus haut sur la même page; ***to live up the hill*** vivre sur la colline; ***to go up the hill*** gravir la colline; ***they live further up***

the street ils vivent un peu plus haut dans la rue; ***he lives up a dark alley*** il habite en haut d'une ruelle sombre; ***up the street from me*** plus haut dans la rue par rapport à chez moi; ***he went off up the street*** il est parti en remontant la rue; ***the water goes up this pipe*** l'eau monte par cette canalisation; ***to go up to sb*** s'approcher de qn **III** *n* ***ups and downs*** des hauts et des bas **IV** *adj escalator* qui monte **V** *v/t infml price* augmenter

up-and-coming ['ʌpən'kʌmɪŋ] *adj* ***an ~ star*** une étoile montante

up-and-down ['ʌpən'daʊn] *adj* **1.** *lit* ***~ movement*** mouvement de haut en bas **2.** *fig career etc.* en dents de scie

up arrow *n* IT flèche *f* vers le haut

upbeat ['ʌpbiːt] *adj infml* (*cheerful*) entraînant; (*optimistic*) optimiste; ***to be ~ about sth*** être optimiste à propos de qc

upbringing ['ʌpbrɪŋɪŋ] *n* éducation *f*; ***we had a strict ~*** on a eu une éducation stricte

upcoming [ʌp'kʌmɪŋ] *adj* (*coming soon*) prochain

update [ʌp'deɪt] **I** *v/t* mettre à jour; ***to ~ sb on sth*** mettre qn au courant des dernières nouvelles à propos de qc **II** *n* **1.** mise *f* à jour **2.** (*progress report*) actualisation *f*

upend [ʌp'end] *v/t box* retourner

upfront ['ʌp'frʌnt] **I** *adj* **1.** *person* franc(he); ***to be ~ about sth*** être franc à propos de qc **2.** ***an ~ fee*** honoraires payés d'avance **II** *adv pay* d'avance; ***we'd like 20% ~*** nous souhaiterions 20%d'avance

upgrade ['ʌpˌgreɪd] **I** *n* **1.** IT (*of version*) mise à jour *f* **2.** *US* montée *f* **II** *v/t employee* promouvoir; (*improve*) améliorer; *computer* passer à une version plus puissante de **upgrad(e)able** [ʌp'greɪdəbl] *adj computer* extensible (***to*** jusqu'à)

upheaval [ʌp'hiːvəl] *n fig* bouleversement *m*; ***social / political ~s*** agitation sociale / politique

upheld [ʌp'held] *past*, *past part* = **uphold**

uphill ['ʌp'hɪl] **I** *adv* en montant; ***to go ~*** (*road*) monter; (*car*) monter une côte **II** *adj road* qui monte; *fig struggle* ardu

uphold [ʌp'həʊld] ⟨*past*, *past part* **upheld**⟩ *v/t tradition*, *right* défendre; *the law* faire respecter; *decision* confirmer; JUR *verdict* confirmer

upholster [ʌp'həʊlstəʳ] *v/t* tapisser; (*cover*) recouvrir; ***~ed furniture*** meubles tapissier **upholstery** [ʌp'həʊlstərɪ] *n* tapisserie *f*

upkeep ['ʌpkiːp] *n* (*running*) frais *mpl* d'entretien; (*maintenance*) entretien *m*

upland ['ʌplənd] **I** *n* (*usu pl*) hautes terres *fpl* **II** *adj* des hautes terres

uplift ['ʌplɪft] *v/t* ***with ~ed arms*** les bras levés; ***to feel ~ed*** se sentir remonté **uplifting** [ʌp'lɪftɪŋ] *adj experience*, *story* tonique

upload ['ʌpləʊd] *v/t* IT télécharger (vers un serveur)

up-market ['ʌp'mɑːkɪt] *esp Br* **I** *adj person* cultivé; *image*, *hotel* haut de gamme **II** *adv* ***his store has gone ~*** sa boutique est devenue haut de gamme

upon [ə'pɒn] *prep* = **on**

upper ['ʌpəʳ] **I** *adj* supérieur; ANAT, GEOG supérieur; ***temperatures in the ~ thirties*** des températures approchant les 30 °; ***~ body*** tronc *m* **II** *n* **uppers** *pl* (*of shoe*) empeigne *f* **upper-case** *adj* majuscule **upper circle** *n* (*Br* THEAT) deuxième balcon *m* **upper class** *n* ***the ~es*** l'aristocratie et la grande bourgeoisie **upper-class** *adj* aristocratique; *sport*, *attitude* aristocratique **Upper House** *n* PARL Chambre *f* haute **uppermost** ['ʌpəʳməʊst] *adj* le plus important; ***safety is ~ in my mind*** la sécurité est au premier plan de mes préoccupations **upper school** *n Br* grandes classes *fpl*

upright ['ʌpraɪt] **I** *adj* droit **II** *adv* droit; ***to pull sb ~*** aider qn à se relever; ***to pull oneself ~*** se redresser **III** *n* montant *m*

uprising ['ʌpraɪzɪŋ] *n* soulèvement *m*

upriver ['ʌp'rɪvəʳ] *adv* en amont

uproar ['ʌprɔːʳ] *n* vacarme *m*; ***the whole room was in ~*** la salle était en proie au tumulte **uproariously** [ʌp'rɔːrɪəslɪ] *adv laugh* aux éclats

uproot [ʌp'ruːt] *v/t plant* déraciner; ***he ~ed his whole family*** (***from their home***) ***and moved to New York*** il a déraciné toute sa famille pour s'installer à New York

upset [ʌp'set] *vb* ⟨*past*, *past part* **upset**⟩ **I** *v/t* **1.** (*knock over*) renverser **2.** (*experience*, *news*, *death*) bouleverser; (*question etc.*) déranger; (*offend*) vexer; (*annoy*) contrarier; ***don't ~ yourself*** ne vous en faites pas **3.** *calculations* fausser; ***the rich food ~ his stomach*** il ne digère pas la cuisine trop grasse **II** *adj* **1.** (*about accident etc.*) bouleversé (***about*** par); (*about bad news etc.*) perturbé (***about*** par); (*sad*) triste (***about*** à cause de); (*distressed*) peiné (***about*** par); (*annoyed*) contrarié (***about*** par); (*hurt*) vexé (***about*** par); ***she was pretty ~ about it*** ça l'a beaucoup bouleversée; (*distressed, worried*) ça l'a beaucoup inquiétée; (*annoyed*) ça l'a beaucoup contrariée; (*hurt*) ça l'a beaucoup vexée; ***she was ~ about something*** quelque chose n'allait pas; ***she was ~ about the news*** la nouvelle l'a bouleversée; ***would you be ~ if I decided not to go after all?*** ça vous ennuierait beaucoup je décidais de ne plus y aller?; ***to get ~*** être triste (***about*** à cause de); ***don't get ~ about it, you'll find another*** ne sois pas triste, tu en trouverai un autre; ***to feel ~*** être peiné; ***to sound/look ~*** avoir l'air bouleversé **2.** ***to have an ~ stomach*** avoir l'estomac dérangé **III** *n* (*disturbance*) désordre *m*; (*emotional*) bouleversement *m*; (*infml unexpected defeat etc.*) désastre *m*; ***stomach ~*** indigestion *f* **upsetting** [ʌp'setɪŋ] *adj* (*saddening*) attristant; (*stronger*) bouleversant; (*disturbing*) *situation* perturbant; (*annoying*) contrariant; ***that must have been very ~ for you*** ça a dû énormément vous affecter; ***it is ~ (for them) to see such terrible things*** c'est bouleversant de voir des choses aussi terribles; ***the divorce was very ~ for the child*** le divorce a beaucoup perturbé l'enfant

upshot ['ʌpʃɒt] *n* ***the ~ of it all was that ...*** la conséquence de tout cela fut que…

upside down ['ʌpsaɪd'daʊn] *adv* à l'envers; ***to turn sth ~*** *lit* retourner qc; *fig* mettre sens dessus dessous **upside-down** ['ʌpsaɪd'daʊn] *adj* ***to be ~*** (*picture*) être à l'envers; (*world*) être sens dessus dessous

upstage [ʌp'steɪdʒ] *v/t* ***to ~ sb*** *fig* éclipser qn

upstairs [ʌp'stɛəz] **I** *adv* en haut; ***the people ~*** les gens du dessus **II** *adj* du dessus **III** *n* haut *m*

upstanding [ʌp'stændɪŋ] *adj* droit

upstart ['ʌpstɑːt] *n* parvenu(e) *m(f)*

upstate ['ʌpsteɪt] *US* **I** *adj* de l'intérieur; ***to live in ~ New York*** vivre dans le nord de l'état de New York **II** *adv* au nord de l'état; (*with movement*) vers le nord de l'état

upstream ['ʌpstriːm] *adv* en amont

upsurge ['ʌpsɜːdʒ] *n* montée *f*; (*of fighting*) recrudescence *f*

upswing ['ʌpswɪŋ] *n* mouvement *m* ascendant

uptake ['ʌpteɪk] *n infml* ***to be quick on the ~*** avoir l'esprit vif; ***to be slow on the ~*** être lent à la détente *infml*

uptight ['ʌp'taɪt] *adj* (*infml nervous*) à cran; (*inhibited*) coincé *infml*; (*angry*) énervé; ***to get ~*** (***about sth***) être tendu (à propos de qc)

up-to-date ['ʌptə'deɪt] *adj attr*, **up to date** *adj pred* à jour; *information* actualisé; ***to keep ~ with the news*** se tenir au courant de l'actualité; ***to keep sb up to date*** tenir qn au courant; ***to bring sb up to date on developments*** mettre qn au courant des dernières nouvelles développements

up-to-the-minute ['ʌptəðə'mɪnɪt] *adj* de dernière minute

uptown ['ʌptaʊn] *US* **I** *adj* (*in residential area*) des quartiers résidentiels; *store* du centre ville **II** *adv* dans les quartiers résidentiels; (*with movement*) vers les quartiers résidentiels

uptrend ['ʌptrend] *n* ECON tendance *f* à la hausse

upturn ['ʌptɜːn] *n fig* amélioration *f* **upturned** *adj box etc.* retourné; *face* tourné vers le haut; *collar* relevé; ***~ nose*** nez retroussé

upward ['ʌpwəd] **I** *adj* ascendant **II** *adv esp US* **1.** *move* en montant; ***to look ~*** regarder vers le haut; ***face ~*** le visage tourné vers le haut **2.** ***prices from $4 ~*** prix à partir de 4 dollars et plus; ***~ of 3000*** plus de 3000 **upwards** ['ʌpwədz] *adv esp Br* = **upward**

upwind ['ʌpwɪnd] *adj*, *adv* du côté du vent; ***to be ~ of sb*** être au vent par rapport à qc

uranium [jʊə'reɪnɪəm] *n* uranium *m*

Uranus [jʊə'reɪnəs] *n* ASTRON Uranus *m*

urban ['ɜːbən] *adj* urbain; ***~ decay*** dégradation urbaine **urban development** *n* développement *m* urbain **urbanization** [ˌɜːbənaɪ'zeɪʃən] *n* urbanisation *f* **urbanize** ['ɜːbənaɪz] *v/t* urbaniser *pej*

urchin ['ɜːtʃɪn] *n* gamin(e) *m(f)*

urge [ɜːdʒ] **I** *n* (*need*) besoin *m*; (*drive*) fort désir *m*; (*physical, sexual*) pulsion *f*; ***to feel the ~ to do sth*** éprouver une forte envie de faire qc; ***I resisted the ~ (to contradict him)*** j'ai résisté à l'envie (de le contredire) **II** *v/t* **1.** ***to ~ sb to do sth*** (*plead with*) inciter fortement qn à faire qc; (*earnestly recommend*) conseiller vivement à qn de faire qc; ***to ~ sb to accept*** presser qn d'accepter; ***to ~ sb onward*** pousser qn à aller de l'avant **2.** *measure etc.* pousser à l'adoption de; ***to ~ caution*** inciter à la prudence ◆ **urge on** *v/t sep* talonner

urgency ['ɜːdʒənsɪ] *n* urgence *f*; ***it's a matter of ~*** c'est une affaire très urgente

urgent ['ɜːdʒənt] *adj* urgent; ***is it ~?***; est-ce que c'est urgent?; ***the letter was marked "urgent"*** la lettre portait l'inscription "urgent" **urgently** ['ɜːdʒəntlɪ] *adv required* en urgence; *talk* de toute urgence; ***he is ~ in need of help*** il a besoin d'aide très rapidement

urinal ['jʊərɪnl] *n Br* (*room*) urinoir *m*; (*vessel*) urinal *m* **urinate** ['jʊərɪneɪt] *v/i* uriner **urine** ['jʊərɪn] *n* urine *f*

URL IT *abbr* = **uniform resource locator** URL *m*

urn [ɜːn] *n* **1.** urne *f* **2.** (*a.* **tea urn**) fontaine *f*

U.S. *abbr* = **United States** USA *mpl*

us [ʌs] *pers pr* (*dir and indir obj*) nous; ***give it (to) us*** donnez-le nous; ***who, us?*** qui ça, nous?; ***younger than us*** plus jeune que nous; ***it's us*** c'est nous; ***us and them*** eux et nous

U.S.A. *abbr* = **United States of America** USA *mpl*

usable ['juːzəbl] *adj* utilisable **usage** ['juːzɪdʒ] *n* **1.** (*custom*) usage *m*; ***it's common ~*** ça se fait couramment **2.** LING usage *m*

USB *n* IT *abbr* = **universal serial bus** USB; ***~ interface*** interface USB

use¹ [juːz] **I** *v/t* **1.** *idea*, *word*, *method*, *force* utiliser; *drugs* faire usage (de); ***I have to ~ the toilet before I go*** *Br* je voudrais aller aux toilettes avant de partir; ***to ~ sth for sth*** utiliser qc à qc; ***what did you ~ the money for?*** à quoi avez-vous utilisé cet argent?; ***what sort of fuel do you ~?*** quel carburant utilisez-vous?; ***why don't you ~ a hammer?*** pourquoi n'utilisez-vous pas un marteau?; ***to ~ sb's name*** utiliser le nom de qn; ***~ your imagination!*** servez-vous de votre imagination!; ***I'll have to ~ some of your men*** j'aurai besoin de quelques uns de vos hommes; ***I could ~ a drink*** *infml* je prendrais bien un verre **2.** (*make use of*, *exploit*) *information*, *one's training*, *talents*, *resources*, *opportunity* utiliser; ***you can ~ the leftovers to make a soup*** vous pouvez utiliser les restes pour faire une soupe **3.** (*use up*, *consume*) consommer **4.** (*pej exploit*) se servir (de); ***I feel (I've just been) ~d*** j'ai l'impression qu'on s'est servi de moi **II** *n* **1.** (*of calculator*, *word*, *method*, *force*) utilisation *f*; (*of personnel etc.*) recours (à) *m*; (*of drugs*) consommation *f*; ***directions for ~*** mode d'emploi; ***for the ~ of*** à l'usage de; ***for external ~*** à usage externe; ***ready for ~*** prêt à l'emploi; *machine* prêt à fonctionner; ***to make ~ of sth*** utiliser qc; ***can you make ~ of that?*** est-ce que ça peut vous servir?; ***in ~*** en service; ***out of ~*** au rebut **2.** (*exploitation*, *making use of*) utilisation *f*; (*way of using*) usage *m*; ***to make ~ of sth*** faire usage de qc; ***to put sth to good ~*** utiliser qc à bon escient; ***it has many ~s*** il y a plusieurs utilisations possibles; ***to find a ~ for sth*** trouver une utilisation à qc; ***to have no ~ for*** ne pas avoir besoin de **3.** (*usefulness*) utilité *f*; ***to be of ~ to sb*** être utile à qn; ***is this (of) any ~ to you?*** cela peut-il vous servir?; ***he's no ~ as a goalkeeper*** comme gardien de but, il ne vaut rien; ***it's no ~ you*** *or* ***your protesting*** ça ne vous servira à rien de protester; ***what's the ~ of telling him?*** à quoi bon lui dire?; ***what's the ~ in trying?*** à quoi bon essayer?; ***it's no ~*** ça ne sert à rien; ***ah, what's the ~!*** à quoi bon? **4.** (*right*) usage JUR; ***to have the ~ of a car*** avoir l'usage d'une voiture; ***to give sb the ~ of sth*** donner à qn l'usage de qc; ***to have lost the ~ of one's arm*** avoir perdu l'usage d'un bras ◆ **use up** *v/t sep* consommer; *scraps etc.* utiliser, finir; ***the butter is all used up*** il ne reste plus de beurre

use² [juːs] *v/aux* ***I didn't ~ to smoke*** je ne fumais pas

use-by-date ['juːzbaɪˌdeɪt] *n esp Br* date *f* limite de consommation

used¹ [juːzd] *adj* (*second-hand*) d'occasion; (*soiled*) *towel etc.* usagé

used² [juːst] *v/aux* (*only in past*) ***I ~ to swim every day*** j'allais nager tous les jours; ***he ~ to be a singer*** il était chanteur; ***there ~ to be a field here*** autrefois, il y avait un champ ici; ***things aren't what they ~ to be*** les choses ne sont plus ce qu'elles étaient; ***life is more hectic than it ~ to be*** la vie est plus mouvementée qu'avant

used[3] [juːst] *adj* ***to be ~ to sb / sth*** être habitué à qn / qc; ***to be ~ to doing sth*** avoir l'habitude de faire qc; ***I'm not ~ to it*** je ne suis pas habitué à cela; ***to get ~ to sb / sth*** s'habituer à qn / qc; ***to get ~ to doing sth*** s'habituer à faire qc

useful ['juːsfʊl] *adj* **1.** *tool, contribution, person, discussion* utile; ***to make oneself ~*** se rendre utile; ***to come in ~*** *Br* s'avérer utile; ***that's a ~ thing to know*** c'est bon à savoir **2.** *infml player* compétent; *score* honorable **usefulness** *n* utilité *f*

useless ['juːslɪs] *adj* **1.** inutile; (*unusable*) inutilisable; ***to be ~ to sb*** n'être d'aucune utilité à qn; ***it is ~ (for you) to complain*** inutile de vous plaindre; ***he's ~ as a tennis player*** il ne vaut rien au tennis; ***to be ~ at doing sth*** être nul pour faire qc; ***I'm ~ at languages*** je suis nul en langues; ***to feel ~*** se sentir inutile **2.** (*pointless*) inutile *f* **uselessness** ['juːslɪsnɪs] *n* (*worthlessness*) incompétence *f*; (*of sth unusable*) inutilité *f*

user ['juːzəʳ] *n* utilisateur(-trice) *m*(*f*) **user-friendly** *adj* convivial **user group** *n* groupe *m* d'utilisateurs **user identification** *n* IT nom *m* d'utilisateur **user-interface** *n esp* IT interface *f* utilisateur

usher ['ʌʃəʳ] **I** *n* portier *m* **II** *v/t* ***to ~ sb into a room*** introduire qn dans une pièce ◆ **usher in** *v/t sep* introduire

usherette [ˌʌʃə'ret] *n* ouvreuse *f*

U.S.S.R. HIST *abbr* = **Union of Soviet Socialist Republics** URSS *f*

usual ['juːʒʊəl] **I** *adj* (*customary*) habituel(le); (*normal*) normal; ***beer is his ~ drink*** il boit généralement de la bière; ***when shall I come? — oh, the ~ time*** à quelle heure est-ce que je viens? — comme d'habitude; ***as is ~ with second-hand cars*** comme souvent le cas avec les voitures d'occasion; ***it wasn't ~ for him to arrive early*** il n'arrivait généralement pas en avance; ***to do sth in the*** *or* ***one's ~ way*** *or* ***manner*** faire qc comme à l'habitude; ***as ~*** comme d'habitude; ***business as ~*** rien à signaler; (*in store*) le magasin reste ouvert pendant la durée des travaux; ***to carry on as ~*** continuer comme d'habitude; ***later than ~*** plus tard que d'habitude; ***less than ~*** moins que d'habitude **II** *n infml*; ***what sort of mood was he in? — the ~*** comment allait-il? — comme d'habitude

usually ['juːʒʊəlɪ] *adv* d'habitude; ***is he ~ so rude?*** il est toujours aussi mal élevé?

usurp [juː'zɜːp] *v/t* usurper; *person* évincer **usurper** [juː'zɜːpəʳ] *n* usurpateur(-trice) *m*(*f*)*a fig*

usury ['juːʒʊrɪ] *n* usure *f*

utensil [juː'tensl] *n* ustensile *m*

uterus ['juːtərəs] *n* utérus *m*

utility [juː'tɪlɪtɪ] *n* **1.** ***public ~*** (*company*) entreprise *f* de service public; (*service*) service *m* public **2.** IT utilitaire *m* **3.** *Br* (*vehicle*) utilitaire *m* **utility company** *n* entreprise *f* de service public **utility program** *n* IT programme *m* (utilitaire) **utility room** *n Br* ≈ buanderie *f* **utilization** [ˌjuːtɪlaɪ'zeɪʃən] *n* utilisation *f*; (*of resources*) exploitation *f* **utilize** ['juːtɪlaɪz] *v/t* utiliser

utmost ['ʌtməʊst] **I** *adj ease* le(la) plus grand(e); *caution* extrême; ***with the ~ speed*** le plus vite possible; ***it is of the ~ importance that …*** il est de la plus haute importance que … **II** *n* ***to do one's ~ (to do sth)*** faire tout son possible (pour faire qc)

utter[1] ['ʌtəʳ] *adj* total; *misery* extrême

utter[2] *v/t* proférer; *word* prononcer; *cry* pousser

uttermost ['ʌtəməʊst] *n*, *adj* = **utmost**

U-turn ['juːtɜːn] *n* demi-tour *m*; ***to do a ~*** *fig* faire volte-face

V

V, v [viː] *n* V, V *m*
V, v *abbr* = **versus**
vacancy ['veɪkənsɪ] *n* **1.** (*in boarding house*) chambre *f* libre; ***do you have any vacancies for August?*** il vous reste des chambres libres en août?; ***"no vacancies"*** "complet"; ***"vacancies"*** "chambres libres" **2.** (*job*) poste *m* vacant, poste *m* à pourvoir; ***we have a ~ in our sales department*** nous avons un poste à pourvoir au service des ventes; ***vacancies*** *pl* postes à pourvoir **vacant** ['veɪkənt] *adj* **1.** *post* vacant, à pourvoir; *WC*, *seat* libre; *house* inoccupé; ***~ lot*** terrain à vendre **2.** *stare* absent **vacate** [və'keɪt] *v/t seat*, *post* quitter; *premises* vider
vacation [və'keɪʃən] **I** *n* **1.** UNIV vacances *fpl* **2.** *US* vacances *fpl*; ***on ~*** en vacances; ***to take a ~*** prendre des vacances; ***where are you going for your ~?*** où passez-vous vos vacances?; ***to go on ~*** partir en vacances **II** *v/i US* passer ses vacances **vacationer** [veɪ'keɪʃənər], **vacationist** *n US* vacancier(-ière) *m(f)*
vaccinate ['væksɪneɪt] *v/t* vacciner **vaccination** [ˌvæksɪ'neɪʃən] *n* vaccination *f* **vaccine** ['væksiːn] *n* vaccin *m*
vacillate ['væsɪleɪt] *v/i lit*, *fig* hésiter
vacuum ['vækjʊəm] *n* **I** *n* **1.** vide *m* **2.** (*vacuum cleaner*) aspirateur *m* **II** *v/t* passer l'aspirateur sur *or* dans **vacuum bottle** *n US* thermos® *m* **vacuum cleaner** *n* aspirateur *m* **vacuum flask** *n Br* thermos® *m* **vacuum-packed** *adj* emballé sous vide
vagabond ['vægəbɒnd] *n* vagabond(e) *m(f)*
vagina [və'dʒaɪnə] *n* vagin *m*
vagrant ['veɪgrənt] *n* vagabond(e) *m(f)*; (*in town*) clochard(e) *m(f)*
vague [veɪg] *adj* ⟨**+er**⟩ **1.** (*not clear*) vague; *report* imprécis; *outline* flou; ***I don't have the ~st idea*** je n'en ai pas la moindre idée; ***there's a ~ resemblance*** il y a une vague ressemblance **2.** (*absent-minded*) distrait **vaguely** ['veɪglɪ] *adv* vaguement; ***to be ~ aware of sth*** être vaguement conscient de qc; ***they're ~ similar*** ils sont vaguement semblables; ***it sounded ~ familiar*** ça me disait vaguement quelque chose
vain [veɪn] *adj* **1.** ⟨**+er**⟩ (*about looks*) vaniteux(-euse); (*about qualities*) prétentieux(-euse) **2.** (*useless*) vain; ***in ~*** en vain **vainly** ['veɪnlɪ] *adv* (*to no effect*) en vain
valedictory [ˌvælɪ'dɪktərɪ] **I** *adj form* d'adieu **II** *n* (*US* SCHOOL) discours *m* d'adieu
valentine ['væləntaɪn] *n* **~** (***card***) carte *f* de Saint-Valentin; ***St Valentine's Day*** la Saint-Valentin
valet ['væleɪ] *n* valet *m* de chambre; ***~ service*** service *m* de nettoyage
valiant ['væljənt] *adj* courageux(-euse); ***she made a ~ effort to smile*** elle a fait un courageux effort pour sourire
valid ['vælɪd] *adj passport* en cours de validité; *ticket*, *claim*, *argument*, *excuse*, *reason* valable; ***that's a ~ point*** c'est une remarque pertinente **validate** ['vælɪdeɪt] *v/t document* valider; *claim* prouver la justesse de **validity** [və'lɪdɪtɪ] *n* (*of ticket*, *passport*) validité *f*; (*of claim*) bien-fondé *m*; (*of argument*) justesse *f*
valley ['vælɪ] *n* vallée *f*; (*big and flat*) dépression *f*; ***to go up/down the ~*** remonter / descendre la vallée
valor, *Br* **valour** ['vælər] *n liter* courage *m*
valuable ['væljʊəbl] **I** *adj* de valeur; *help*, *time* précieux(-euse) **II** *n* **valuables** *pl* objets *mpl* de valeur **valuation** [ˌvæljʊ'eɪʃən] *n* estimation *f*, expertise *f*
value ['væljuː] **I** *n* **1.** valeur *f*; (*usefulness*) utilité *f*; ***to be of ~*** avoir de la valeur; ***of no ~*** sans valeur; ***what's the ~ of your house?*** quelle est la valeur de votre maison?; ***it's good ~*** on en a pour son argent; ***to get ~ for money*** en avoir pour son argent; ***this TV was good ~*** cette télé était très avantageuse; ***to the ~ of $500*** d'une valeur de 500$ **2.** **values** *pl* (*moral standards*) valeurs *fpl* **II** *v/t* évaluer; ***to be ~d at $100*** être estimé *or* évalué à 100$; ***I ~ her*** (***highly***) je l'apprécie (beaucoup) **value-added tax** [ˌvæljuː'ædɪdtæks] *n Br* taxe *f* sur la valeur ajoutée **valued** ['væljuːd] *adj* précieux(-euse)
valve [vælv] *n* ANAT valvule *f*; TECH sou-

pape *f*, valve *f*

vampire ['væmpaɪəʳ] *n* vampire *m*

van [væn] *n* **1.** AUTO camionnette *f* **2.** (*Br* RAIL) fourgon *m*

vandal ['vændəl] *n fig* vandale *m/f*; ***it was damaged by ~s*** ça a été abîmé par des vandales **vandalism** ['vændəlɪzəm] *n* vandalisme *m* **vandalize** ['vændəlaɪz] *v/t* vandaliser; *building* saccager

vanguard ['vængɑːd] *n* avant-garde *f*

vanilla [və'nɪlə] **I** *n* vanille *f* **II** *adj* à la vanille

vanish ['vænɪʃ] *v/i* disparaître; (*hopes*) s'évanouir

vanity ['vænɪtɪ] *n* vanité *f* **vanity case** *n* vanity-case *m*

vantage point ['vɑːntɪdʒpɔɪnt] *n* MIL position *f* avantageuse

vapor, *Br* **vapour** ['veɪpəʳ] *n* vapeur *f*; (*steamy*) buée *f*

variability [ˌveərɪə'bɪlɪtɪ] *n* (*of weather*, *mood*) variabilité *f* **variable** ['veərɪəbl] **I** *adj* **1.** variable; *mood* changeant **2.** *speed* variable **II** *n* variable *f* **variance** ['veərɪəns] *n* ***to be at ~ with sth*** être en désaccord avec qc **variant** ['veərɪənt] **I** *n* variante *f* **II** *adj* autre **variation** [ˌveərɪ'eɪʃən] *n* **1.** (*varying*) variation *f*; (*of temperature*, *prices*) écart *m* **2.** (*different form*) variation *f*

varicose veins [ˌværɪkəʊs'veɪnz] *pl* varices *fpl*

varied ['veərɪd] *adj* varié; *interests* divers; ***a ~ group of people*** un groupe de gens variés **variety** [və'raɪətɪ] *n* **1.** (*diversity*) diversité *f* **2.** (*assortment*) assortiment *m*; COMM choix *m* (***of*** de); ***in a ~ of colors*** (*US*) *or* ***colours*** *Br* dans de nombreuses couleurs; ***for a ~ of reasons*** pour diverses raisons **3.** (*type*) type *m*; (*of potato*) variété *f* **variety show** *n* THEAT spectacle *m* de variétés; TV émission *f* de variétés **various** ['veərɪəs] *adj* **1.** (*different*) divers, différent **2.** (*several*) divers, plusieurs **variously** ['veərɪəslɪ] *adv* de diverses manières

varnish ['vɑːnɪʃ] **I** *n lit* vernis *m* **II** *v/t* vernir

vary ['veərɪ] **I** *v/i* **1.** (*diverge*, *differ*) varier (***from*** de); ***opinions ~ on this point*** les opinions divergent sur ce point **2.** (*be different*) varier; ***the price varies from store to store*** le prix varie d'un magasin à l'autre; ***it varies*** c'est variable **3.** (*fluctuate*) fluctuer; (*prices*) varier **II** *v/t* (*alter*) varier; (*give variety*) diversifier **varying** ['veərɪɪŋ] *adj* (*changing*) variable; (*different*) différent; ***of ~ sizes*** de tailles différentes; ***of ~ abilities*** de compétences variées

vase [vɑːz, (*US*) veɪz] *n* vase *m*

vasectomy [væ'sektəmɪ] *n* vasectomie *f*

vassal ['væsəl] *n* vassal *m*

vast [vɑːst] *adj* ⟨**+er**⟩ vaste; *knowledge*, *improvement* grand; *majority*, *wealth* immense; ***a ~ expanse*** une vaste étendue **vastly** ['vɑːstlɪ] *adv* considérablement; *experienced* extrêmement; ***he is ~ superior to her*** il est beaucoup plus compétent qu'elle **vastness** ['vɑːstnɪs] *n* (*of area*, *knowledge*, *size*) immensité *f*

VAT ['viːeɪ'tiː, væt] *Br abbr* = **value-added tax** TVA *f* (*taxe sur la valeur ajoutée*)

vat [væt] *n* cuve *f*

Vatican ['vætɪkən] *n* Vatican *m*

vault[1] [vɔːlt] *n* **1.** (*cellar*) cave *f* **2.** (*tomb*) caveau *m* **3.** (*in bank*) salle *f* des coffres **4.** ARCH voûte *f*

vault[2] **I** *n* saut *m* **II** *v/i* sauter **III** *v/t* sauter d'un bond

VCR *abbr* = **video cassette recorder** magnétoscope *m*

VD *abbr* = **venereal disease** maladie *f* vénérienne, IST *f* (*infection sexuellement transmissible*)

VDU *abbr* = **visual display unit**

veal [viːl] *n* veau *m*; ***~ cutlet*** escalope *f* de veau

veer [vɪəʳ] *v/i* (*wind*) virer (***to*** au); (*ship*) virer (de bord); (*car*, *road*) virer; ***the car ~ed to the left*** la voiture a viré à gauche; ***the car ~ed off the road*** la voiture a quitté la route; ***to ~ off course*** dévier de sa route; ***he ~ed away from the subject*** il s'est éloigné du sujet

veg [vedʒ] *esp Br n no pl*, *abbr* = **vegetable**

vegan ['viːgən] **I** *n* végétalien(ne) *m*(*f*) **II** *adj* végétalien(ne); ***to be ~*** être végétalien

vegetable ['vedʒɪtəbl] *n* légume *m* **vegetable oil** *n* COOK huile *f* végétale **vegetarian** [ˌvedʒɪ'teərɪən] **I** *n* végétarien(ne) *m*(*f*) **II** *adj* végétarien(ne); ***~ cheese*** fromage végétarien **vegetate** ['vedʒɪteɪt] *v/i fig* végéter **vegetation** [ˌvedʒɪ'teɪʃən] *n* végétation *f* **veggie** ['vedʒɪ] *infml* **I** *n* **1.** (*vegetarian*) végétarien(ne) *m(f)* **2. veggies** *pl US* = **vegetables II** *adj* végétarien(ne) **veggieburger** ['vedʒɪˌbɜːgəʳ] *n* hamburger *m* végétarien

vehemence ['viːɪməns] *n* véhémence *f*

vehement ['viːɪmənt] *adj* véhément; *opponent* ardent; *supporter* passionné **vehemently** ['viːɪməntlɪ] *adv* avec véhémence; *love* passionnément; *protest* vigoureusement; *attack*, *hate* violemment

vehicle ['viːɪkl] *n a. fig* véhicule *m*

veil [veɪl] **I** *n* voile *m*; ***to draw** or **throw a ~ over sth*** jeter un voile sur qc; ***under a ~ of secrecy*** sous le voile du secret **II** *v/t fig* ***the town was ~ed by mist*** la ville était couverte d'un voile de brume **veiled** [veɪld] *adj threat etc.* voilé

vein [veɪn] *n* **1.** veine *f*; ***~s and arteries*** les veines et les artères; ***the ~ of humor*** (*US*) *or* ***humour*** (*Br*) ***which runs through the book*** l'humour sous-jacent dans le livre **2.** (*fig mood*) esprit *m*; ***in the same ~*** dans le même esprit

Velcro® ['velkrəʊ] *n* Velcro® *m*

velocity [və'lɒsɪtɪ] *n* vélocité *f*

velvet ['velvɪt] **I** *n* velours *m* **II** *adj* de *or* en velours

vendetta [ven'detə] *n* vendetta *f*

vending machine ['vendɪŋmə'ʃiːn] *n* distributeur *m* automatique **vendor** ['vendɔːʳ] *n* marchand(e) *m(f)*; ***street ~*** marchand ambulant

veneer [və'nɪəʳ] *n lit* placage *m*; *fig* vernis *m*; ***he had a ~ of respectability*** il avait un vernis de respectabilité

venerable ['venərəbl] *adj* vénérable **venerate** ['venəreɪt] *v/t* vénérer

venereal disease [vɪ'nɪərɪəldɪˌziːz] *n* maladie *f* vénérienne

Venetian blind *n* store *m* vénitien

vengeance ['vendʒəns] *n* vengeance *f*; ***with a ~*** *infml* très fort **vengeful** ['vendʒfʊl] *adj* vengeur(-eresse)

Venice ['venɪs] *n* Venise *f*

venison ['venɪsən] *n* venaison *f*

venom ['venəm] *n lit, fig* venin *m* **venomous** ['venəməs] *adj* venimeux (-euse); ***~ snake*** serpent venimeux

vent [vent] **I** *n* (*for gas, liquid*) orifice *m*, conduit *m*; (*for feelings*) exutoire *m*; ***to give ~ to one's feelings*** laisser libre cours à ses sentiments **II** *v/t feelings* donner libre cours à; ***to ~ one's spleen (on sb)*** décharger sa bile (sur qn) **ventilate** ['ventɪleɪt] *v/t* ventiler, aérer

ventilation [ˌventɪ'leɪʃən] *n* ventilation *f*, aération *f* **ventilation shaft** *n* conduit *m* d'aération **ventilator** ['ventɪleɪtəʳ] *n* **1.** ventilateur *m* **2.** MED respirateur *m*; ***to be on a ~*** être sous respirateur

ventriloquist [ven'trɪləkwɪst] *n* ventriloque *m/f*

venture ['ventʃəʳ] **I** *n* (*project*) entreprise *f*; (*adventure*) aventure *f*; ***mountain-climbing is his latest ~*** l'escalade est sa plus récente aventure; ***the astronauts on their ~ into the unknown*** les spationautes dans leur aventure vers l'inconnu **II** *v/t* **1.** *life*, *money* risquer (**on** sur) **2.** *guess* risquer; *opinion* hasarder; ***I would ~ to say that …*** j'oserais dire que … **III** *v/i* s'aventurer; ***to ~ out of doors*** se risquer à sortir ◆ **venture out** *v/i* se risquer à sortir

venture capital *n* capital *m* risque

venue ['venjuː] *n* (*meeting place*) lieu *m*; SPORTS terrain *m*

Venus ['viːnəs] *n* Vénus *f*

veracity [və'ræsɪtɪ] *n* (*of report*) véracité *f*

veranda(h) [və'rændə] *n* véranda *f*

verb [vɜːb] *n* verbe *m*

verbal ['vɜːbəl] *adj* **1.** *agreement* verbal; ***~ abuse*** violence verbale; ***~ attack*** attaque verbale **2.** *skills* langagier(-ière) **verbally** ['vɜːbəlɪ] *adv* oralement, verbalement; *threaten* verbalement; ***to ~ abuse sb*** injurier qn

verbatim [vɜː'beɪtɪm] **I** *adj* textuel(le), mot à mot **II** *adv* textuellement, mot pour mot

verbose [vɜː'bəʊs] *adj* prolixe

verdant ['vɜːdənt] *adj liter* verdoyant

verdict ['vɜːdɪkt] *n* verdict *m*; ***a ~ of guilty*** un verdict de culpabilité; ***a ~ of not guilty*** un verdict d'acquittement; ***what's the ~?*** quel est le verdict?; ***what's your ~ on this wine?*** que pensez-vous de ce vin?; ***to give one's ~ about** or **on sth*** se prononcer sur qc

verge [vɜːdʒ] *n* (*fig*, *Br lit*) bord *m*; ***to be on the ~ of ruin*** être au bord de la ruine; ***to be on the ~ of tears*** être au bord des larmes; ***to be on the ~ of doing sth*** être sur le point de faire qc ◆ **verge on** *v/t insep* friser; ***she was verging on madness*** elle frisait la folie

verify ['verɪfaɪ] *v/t* (*check up*) contrôler; (*confirm*) confirmer

veritable ['verɪtəbl] *adj genius* véritable; ***a ~ disaster*** une véritable catastrophe

vermin ['vɜːmɪn] *n no pl* (*animal*) animal *m* nuisible; (*insects*) vermine *f*

vermouth ['vɜːməθ] *n* vermout(h) *m*

vernacular [və'nækjʊləʳ] *n* **1.** (*dialect*) dialecte *m* **2.** (*not official language*) langue *f* vernaculaire

verruca [ve'ruːkə] *n Br* verrue *f*

versatile ['vɜːsətaɪl] *adj* aux talents variés **versatility** [ˌvɜːsə'tɪlɪtɪ] *n* variété *f* de talents

> **versatile ≠ qui change facilement d'avis**
>
> **Versatile** = aux talents variés :
>
> **I love this jacket; it's so versatile.**
>
> J'adore cette veste ; elle va avec tout.

verse [vɜːs] *n* **1.** (*stanza*) strophe *f* **2.** *no pl* (*poetry*) poésie *f*; ***in ~*** en vers **3.** (*of Bible*) verset *m* **versed** [vɜːst] *adj* (*a.* **well versed**) versé (***in*** dans); ***he's well ~ in the art of judo*** il connaît très bien l'art du judo

version ['vɜːʃən] *n* version *f*

versus ['vɜːsəs] *prep* par opposition à; SPORTS contre

vertebra ['vɜːtɪbrə] *n* ⟨*pl* **-e**⟩ vertèbre *f* **vertebrate** ['vɜːtɪbrət] *n* vertébré *m*

vertical ['vɜːtɪkəl] *adj* vertical; ***~ cliffs*** falaises à pic; ***~ stripes*** rayures verticales; ***there is a ~ drop from the cliffs into the ocean below*** les falaises tombent à pic dans l'océan **vertically** ['vɜːtɪkəlɪ] *adv* verticalement

vertigo ['vɜːtɪgəʊ] *n* vertige *m*; ***he suffers from ~*** il a le vertige

verve [vɜːv] *n* verve *f*

very ['verɪ] **I** *adv* **1.** très; ***I'm ~ sorry*** je suis vraiment désolé; ***that's not ~ funny*** ce n'est pas très drôle; ***I'm not ~ good at math*** je ne suis pas très bon en maths; ***~ little*** très peu; ***~ much*** beaucoup; ***thank you ~ much*** merci beaucoup; ***I liked it ~ much*** ç'a m'a beaucoup plu; ***~ much bigger*** beaucoup plus grand **2.** (*absolutely*) ***~ best quality*** toute première qualité; ***~ last*** tout dernier; ***~ first*** tout premier; ***at the ~ latest*** au plus tard; ***to do one's ~ best*** faire vraiment de son mieux; ***at the ~ most*** tout au plus; ***at the ~ least*** tout au moins; ***to be in the ~ best of health*** être en excellente santé; ***they are the ~ best of friends*** ils sont les meilleurs amis du monde **3.** ***the ~ same hat*** exactement le même chapeau; ***we met again the ~ next day*** nous nous sommes revus dès le lendemain; ***my ~ own car*** ma voiture à moi; ***~ well, if that's what you want*** très bien, si c'est ce que vous voulez; ***I couldn't ~ well say no*** je ne pouvais pas vraiment dire non **II** *adj* **1.** (*exact*) ***that ~ day*** le jour même; ***at the ~ heart of the organization*** au cœur même de l'organisation; ***before my ~ eyes*** sous mes propres yeux; ***the ~ thing I need*** exactement ce qu'il me faut; ***the ~ thing!*** c'est exactement ce qu'il me faut! **2.** (*extreme*) tout; ***in the ~ beginning*** au tout début; ***at the ~ end*** à la toute fin; ***at the ~ back*** tout au fond; ***go to the ~ end of the road*** allez tout au bout de la rue **3.** ***the ~ thought of it makes me shiver*** rien que d'y penser j'en ai froid dans le dos; ***the ~ idea!*** *Br* quelle idée alors!

vessel ['vesl] *n* **1.** NAUT navire *m* **2.** (*form receptacle*) récipient *m*

vest[1] [vest] *n* **1.** *US* gilet *m* **2.** *Br* maillot *m* de corps

vest[2] *v/t form* ***to have a ~ed interest in sth*** avoir un intérêt direct dans qc

vestibule ['vestɪbjuːl] *n* vestibule *m*; (*of hotel*) hall *m* d'entrée

vestige ['vestɪdʒ] *n* vestige *m*

vestment ['vestmənt] *n* (*of priest*) vêtement *m* sacerdotal; (*ceremonial robe*) habit *m* de cérémonie

vestry ['vestrɪ] *n* sacristie *f*

vet [vet] **I** *n* **1.** *abbr* = **veterinarian** **2.** *US abbr* = **veteran** **II** *v/t* vérifier

veteran ['vetərən] *n* vétéran *m*

veterinarian [ˌvetərɪ'nɛərɪən] *n US* vétérinaire *m/f* **veterinary** ['vetərɪnərɪ] *adj* vétérinaire **veterinary medicine** *n* médecine *f* vétérinaire **veterinary practice** *n* cabinet *m* vétérinaire **veterinary surgeon** *n Br* vétérinaire *m/f*

veto ['viːtəʊ] **I** *n* ⟨*pl* **-es**⟩ veto *m*; ***power of ~*** droit de veto **II** *v/t* opposer son veto à

vetting ['vetɪŋ] *n* vérification *f*

vexed [vekst] *adj question* délicat **vexing** ['veksɪŋ] *adj* contrariant

VHF RADIO *abbr* = **very high frequency** VHF *f*

via ['vaɪə] *prep place, city* via; *means* par; ***they got in ~ the window*** ils sont entrés par la fenêtre
viability [ˌvaɪə'bɪlɪtɪ] *n* (*of plan, project*) chances *fpl* de réussite; (*of firm*) viabilité *f* **viable** ['vaɪəbl] *adj alternative, company, option* viable; *plan* qui a des chances de réussir; ***the company is not economically ~*** l'entreprise n'est pas viable économiquement; ***a ~ form of government*** une forme de gouvernement viable
viaduct ['vaɪədʌkt] *n* viaduc *m*
vibes [vaɪbz] *pl infml* ***this town is giving me bad ~*** cette ville me fait une mauvaise impression
vibrant ['vaɪbrənt] *adj* **1.** *community, economy, personality etc.* dynamique **2.** *color* éclatant
vibrate [vaɪ'breɪt] **I** *v/i* retentir (***with*** de); (*machine, string*) vibrer **II** *v/t* faire vibrer **vibration** [vaɪ'breɪʃən] *n* (*of string, machine*) vibration *f* **vibrator** [vaɪ'breɪtəʳ] *n* vibromasseur *m*
vicar ['vɪkəʳ] *n* pasteur *m* **vicarage** ['vɪkərɪdʒ] *n* presbytère *m*
vice[1] [vaɪs] *n* vice *m*
vice[2] *n Br* = **vise**
vice-chairman *n* vice-président *m* **vice-chairwoman** *n* vice-présidente *f* **vice chancellor** *n* (*Br* UNIV) ≈ président(e) *m(f)* de l'université **vice president** *n* vice-président(e) *m(f)*
vice versa ['vaɪs'vɜːsə] *adv* vice versa
vicinity [vɪ'sɪnɪtɪ] *n* voisinage *m*; ***in the ~*** à proximité (***of*** de); ***in the ~ of $500*** dans les 500$
vicious ['vɪʃəs] *adj* **1.** *animal* méchant; *blow, attack* violent; ***to have a ~ temper*** être colérique **2.** (*nasty*) méchant **vicious circle** *n* cercle *m* vicieux **viciously** ['vɪʃəslɪ] *adv* (*violently*) violemment; *murder* brutalement
victim ['vɪktɪm] *n* victime *f*; ***to fall ~ to sth*** être la victime de qc **victimize** ['vɪktɪmaɪz] *v/t* brimer
victor ['vɪktəʳ] *n* vainqueur *m*
Victorian [vɪk'tɔːrɪən] **I** *n* victorien(ne) *m(f)* **II** *adj* victorien(ne)
victorious [vɪk'tɔːrɪəs] *adj army, campaign* victorieux(-euse); ***to be ~ over sb / sth*** remporter la victoire sur qn / qc
victory ['vɪktərɪ] *n* victoire *f*; ***to win a ~ over sb / sth*** remporter une victoire sur qn / qc
video ['vɪdɪəʊ] **I** *n* **1.** (*movie*) vidéo *f* **2.** (*recorder*) magnétoscope *m* **II** *v/t* enregistrer **video camera** *n* caméra *f* vidéo **video cassette** *n* cassette *f* vidéo **video conferencing** *n* vidéoconférence *f* **video diary** *n* journal *m* vidéo **video disk** *n* vidéodisque *m* **video game** *n* jeu *m* vidéo **video library** *n* vidéothèque *f* **video nasty** *n Br vidéo violente et souvent pornographique* **videophone** *n* visiophone *m* **video recorder** *n esp Br* magnétoscope *m* **video-recording** *n* enregistrement *m* sur magnétoscope **video rental** *n* location *f* vidéo; ***~ store*** (*US*) *or* ***shop*** (*Br*) magasin de location vidéo **video shop** *n Br* magasin *m* de location vidéo **video store** *n* magasin *m* de location vidéo **video tape** *n* cassette *f* vidéo **video-tape** *v/t* enregistrer sur cassette vidéo
vie [vaɪ] *v/i* rivaliser; ***to ~ with sb for sth*** disputer qc à qn
Vienna [vɪ'enə] **I** *n* Vienne *f* **II** *adj* viennois
Vietnam [ˌvjet'næm] *n* Vietnam *m* **Vietnamese** [ˌvjetnə'miːz] **I** *adj* vietnamien(ne) **II** *n* Vietnamien(ne) *m(f)*
view [vjuː] **I** *n* **1.** (*range of vision*) vue *f*; ***to come into ~*** apparaître; ***to keep sth in ~*** ne pas perdre qc de vue; ***the house is within ~ of the ocean*** de la maison, on voit l'océan; ***hidden from ~*** caché aux regards **2.** (*prospect, sight*) vue *f*; ***a good ~ of the ocean*** une belle vue sur l'océan; ***a room with a ~*** une chambre avec vue; ***he stood up to get a better ~*** il s'est levé pour mieux voir **3.** (*photograph etc.*) vue *f* **4.** (*opinion*) opinion *f*; ***in my ~*** à mon avis; ***to have ~s on sth*** avoir une opinion sur qc; ***what are his ~s on this?*** quelle est son opinion sur ce point?; ***I have no ~s on that*** je n'ai pas d'opinion là-dessus; ***to take the ~ that ...*** estimer que ...; ***an overall ~ of a problem*** une vue d'ensemble d'un problème; ***in ~ of*** étant donné **5.** (*intention*) intention *f*; ***with a ~ to doing sth*** en vue de faire qc **II** *v/t* **1.** (*see*) voir **2.** *house* visiter **3.** *problem etc.* considérer **III** *v/i* (*watch television*) regarder la télévision **viewer** ['vjuːəʳ] *n* TV téléspectateur(-trice) *m(f)* **viewfinder** ['vjuːˌfaɪndəʳ] *n* viseur *m* **viewing** ['vjuːɪŋ] *n* **1.** (*of house etc.*) visite *f* **2.** TV visionnage *m* **viewing figures** *pl* TV indices *mpl* d'audience **viewpoint** ['vjuːpɔɪnt] *n* **1.** point *m* de vue; ***from***

the ~ of economic growth du point de vue de la croissance économique; **to see sth from sb's ~** voir qc du point de vue de qn **2.** (*for scenic view*) point *m* de vue

vigil ['vɪdʒɪl] *n* veille *f* **vigilance** ['vɪdʒɪləns] *n* vigilance *f* **vigilant** ['vɪdʒɪlənt] *adj* vigilant; **to be ~ about sth** être vigilant sur qc **vigilante** [ˌvɪdʒɪ'læntɪ] **I** *n* membre *m* d'un groupe d'autodéfense **II** *adj attr* d'autodéfense

vigor, *Br* **vigour** ['vɪgəʳ] *n* vigueur *f* **vigorous** ['vɪgərəs] *adj activity* énergique; *opponent* vigoureux(-euse) **vigorously** ['vɪgərəslɪ] *adv* vigoureusement **vigour** *n Br* = **vigor**

Viking ['vaɪkɪŋ] **I** *n* Viking *m/f* **II** *adj* viking

vile [vaɪl] *adj* infâme; *weather* abominable

villa ['vɪlə] *n* villa *f*

village ['vɪlɪdʒ] *n* village *m* **village hall** *n* salle *f* des fêtes **villager** ['vɪlɪdʒəʳ] *n Br* villageois(e) *m(f)*

villain ['vɪlən] *n* (*scoundrel*) vaurien(ne) *m(f)*; (*infml criminal*) bandit *m*; (*in novel*) traître(sse) *m(f)*

vim [vɪm] *n infml* énergie *f*

vinaigrette [ˌvɪnɪ'gret] *n* vinaigrette *f*

vindicate ['vɪndɪkeɪt] *v/t* **1.** *action* justifier **2.** (*exonerate*) disculper **vindication** [ˌvɪndɪ'keɪʃən] *n* **1.** (*of opinion*, *action*, *decision*) justification *f* **2.** (*exoneration*) disculpation *f*

vindictive [vɪn'dɪktɪv] *adj* vindicatif (-ive) **vindictiveness** *n* **1.** caractère *m* vindicatif **2.** (*of mood*) intransigeance *f*

vine [vaɪn] *n* (*grapevine*) vigne *f*

vinegar ['vɪnɪgəʳ] *n* vinaigre *m*

vine leaf *n* feuille *f* de vigne **vineyard** ['vɪnjəd] *n* vignoble *m*

vintage ['vɪntɪdʒ] **I** *n* (*of wine*, *fig*) millésime *m* **II** *adj attr* (*old*) très ancien(ne); (*high quality*) millésimé **vintage car** *n* voiture *f* de collection **vintage wine** *n* grand vin *m* **vintage year** *n* **a ~ for wine** une bonne année pour le vin

vinyl ['vaɪnɪl] *n* vinyle *m*

viola [vɪ'əʊlə] *n* MUS alto *m*

violate ['vaɪəleɪt] *v/t* **1.** *treaty* violer; *law* enfreindre; *rights* violer **2.** *holy place* profaner **violation** [ˌvaɪə'leɪʃən] *n* **1.** (*of law*, *rights*) violation *f* (**of** de); **a ~ of a treaty** la violation d'un traité; **traffic ~** infraction au code de la route **2.** (*of holy place*) profanation *f*; (*of privacy*) violation *f* (**of** de)

violence ['vaɪələns] *n* **1.** (*strength*) violence *f* **2.** (*of actions*, *people*) violence *f*; **act of ~** acte de violence; **was there any ~?** y a-t-il eu des violences?

violent ['vaɪələnt] *adj* violent; *dislike* vif (vive); **to have a ~ temper** être sujet à des colères violentes; **to turn ~** devenir violent **violently** ['vaɪələntlɪ] *adv* violemment; **to be ~ against sth** *or* **opposed to sth** être violemment opposé à qc; **to be ~ sick** *or* **ill** être pris de violents vomissements; **to cough ~** avoir de violentes quintes de toux

violet ['vaɪəlɪt] **I** *n* BOT violette *f*; (*color*) violet *m* **II** *adj* violet(te)

violin [ˌvaɪə'lɪn] *n* violon *m* **violinist** [ˌvaɪə'lɪnɪst], **violin player** *n* violoniste *m/f*

VIP *n* VIP *m hum*, *infml*, personnalité *f* de marque; **he got / we gave him ~ treatment** il a été traité comme un VIP *hum*, *infml*

viral ['vaɪərəl] *adj* viral; **~ infection** infection virale

virgin ['vɜːdʒɪn] **I** *n* vierge *f*; **the Virgin Mary** la Vierge Marie; **he's still a ~** il est toujours puceau **II** *adj fig forest etc.* vierge; **~ olive oil** huile d'olive vierge **virginity** [vɜː'dʒɪnɪtɪ] *n* virginité *f*

Virgo ['vɜːgəʊ] *n* Vierge *f*; **he's (a) ~** il est Vierge

virile ['vɪraɪl] *adj lit* viril **virility** [vɪ'rɪlɪtɪ] *n lit* virilité *f*

virtual ['vɜːtjʊəl] *adj attr* **1.** *certainty* quasi-; **she was a ~ prisoner** elle était quasiment prisonnière; **it was a ~ admission of guilt** c'était quasiment un aveu **2.** IT virtuel(le) **virtually** ['vɜːtjʊəlɪ] *adv* **1.** pratiquement, presque; **to be ~ certain** être pratiquement certain **2.** IT virtuellement **virtual reality** *n* réalité *f* virtuelle

virtue ['vɜːtjuː] *n* **1.** (*moral quality*, *chastity*) vertu *f* **2.** (*advantage*) avantage *m*; **by ~ of** en raison de

virtuoso [ˌvɜːtjʊ'əʊzəʊ] **I** *n esp* MUS virtuose *m/f* **II** *adj* de virtuose

virtuous ['vɜːtjʊəs] *adj* **1.** vertueux (-euse) **2.** (*pej self-satisfied*) suffisant **virtuously** ['vɜːtjʊəslɪ] *adv* (*pej say*) d'un ton satisfait

virulent ['vɪrʊlənt] *adj* MED, *fig* virulent

virus ['vaɪərəs] *n* MED, IT virus *m*; **polio ~**

virus de la polio; ***she has a ~*** *infml* elle a attrapé un virus **virus scanner** *n* IT antivirus *m*
visa ['viːzə] *n* visa *m*
vis-à-vis ['viːzəviː] *prep* par rapport à
viscose ['vɪskəʊs] *n* viscose *f*
viscount ['vaɪkaʊnt] *n* vicomte *m* **viscountess** ['vaɪkaʊntɪs] *n* vicomtesse *f*
vise [vaɪs], *Br* **vice** *n* étau *m*
visibility [ˌvɪzɪ'bɪlɪtɪ] *n* visibilité *f*; ***poor ~*** mauvaise visibilité **visible** ['vɪzəbl] *adj* **1.** visible; ***~ to the naked eye*** visible à l'œil nu; ***to be ~ from the road*** être visible depuis la route; ***with a ~ effort*** avec un effort manifeste **2.** (*obvious*) évident; ***at management level women are becoming increasingly ~*** on voit de plus en plus de femmes à des postes de direction **visibly** ['vɪzəblɪ] *adv* visiblement
vision ['vɪʒən] *n* **1.** (*power of sight*) vue *f*; ***within ~*** à portée de vue **2.** (*foresight*) clairvoyance *f* **3.** (*in dream*) vision *f* **4.** (*image*) spectacle *m* enchanteur; ***she's a real ~ of loveliness*** elle est vraiment ravissante **visionary** ['vɪʒənərɪ] **I** *adj* visionnaire **II** *n* visionnaire *m/f*
visit ['vɪzɪt] **I** *n* visite *f*; ***to pay sb a ~*** rendre visite à qn; ***to pay sth a ~*** aller voir qc; ***to pay a ~*** *euph* aller au petit coin *euph*; ***to have a ~ from sb*** avoir la visite de qn; ***to be on a ~ to London*** être en séjour à Londres **II** *v/t* **1.** *friend* aller voir, rendre visite à; *doctor* aller voir **2.** *place of interest* visiter **3.** (*inspect*) inspecter **III** *v/i* ***come and ~ some time*** passe nous voir à l'occasion; ***I'm only ~ing*** je suis de passage **visiting** ['vɪzɪtɪŋ] *adj expert* de passage; *dignitary* en visite officielle **visiting hours** *pl* heures *fpl* de visite **visiting time** *n* heures *fpl* de visite
visitor ['vɪzɪtəʳ] *n* **1.** (*at house*) invité(e) *m(f)*; (*in hotel*) client(e) *m(f)*; ***to have ~s/a ~*** avoir de la visite **2.** (*tourist*) visiteur(euse) *m(f)*
visor ['vaɪzəʳ] *n* (*on cap, helmet*) visière *f*; AUTO pare-soleil *m*
vista ['vɪstə] *n* vue *f*
visual ['vɪzjʊəl] *adj* visuel(le) **visual aids** *pl* supports *mpl* visuels **visual arts** *n* ***the ~*** les arts plastiques **visual display unit** *n* écran *m* de visualisation **visualize** ['vɪzjʊəlaɪz] *v/t* se représenter **visually** ['vɪzjʊəlɪ] *adv* visuellement; ***~ attractive*** attirant visuellement **visually handicapped, visually impaired** *adj* malvoyant
vital ['vaɪtl] *adj* **1.** (*of life, necessary for life*) vital **2.** (*essential*) essentiel(le); ***of ~ importance*** d'une importance capitale; ***this is ~*** c'est essentiel; ***how ~ is this?*** est-ce vraiment essentiel? **3.** (*critical*) crucial; *error* fondamental **vitality** [vaɪ'tælɪtɪ] *n* (*energy*) vitalité *f* **vitally** ['vaɪtəlɪ] *adv* ***~ important*** d'une importance capitale **vital signs** *pl* MED signes *mpl* vitaux **vital statistics** *pl* statistiques *fpl* démographiques; (*infml: of woman*) mensurations *fpl*
vitamin ['vɪtəmɪn] *n* vitamine *f*
vitro ['viːtrəʊ]; → **in vitro**
viva ['vaɪvə] *n Br* = **viva voce**
vivacious [vɪ'veɪʃəs] *adj* plein de vivacité **vivaciously** [vɪ'veɪʃəslɪ] *adv say, laugh* avec vivacité
viva voce ['vaɪvə'vəʊtʃɪ] *n Br* épreuve *f* orale
vivid ['vɪvɪd] *adj color, light, imagination* vif(vive); *description* vivant; *example* frappant; ***in ~ detail*** avec des détails saisissants; ***the memory of that day is still quite ~*** les souvenirs de cette journée sont encore très vifs; ***to be a ~ reminder of sth*** rappeler qc de façon saisissante **vividly** ['vɪvɪdlɪ] *adv colored, shine* vivement; *portray* de façon vivante; *demonstrate* de façon saisissante; ***the red stands out ~ against its background*** le rouge ressort nettement par rapport à l'arrière-plan **vividness** ['vɪvɪdnɪs] *n* (*of color, imagination, memory, style, description*) vivacité *f*; (*of light*) éclat *m*
vivisection [ˌvɪvɪ'sekʃən] *n* vivisection *f*
viz [vɪz] *adv* c.-à-d. (*c'est-à-dire*)
V-neck *n* décolleté *m* en V **V-necked** *adj* à encolure en V
vocabulary [vəʊ'kæbjʊlərɪ] *n* vocabulaire *m*
vocal ['vəʊkəl] **I** *adj* **1.** (*using voice*) vocal **2.** (*opponent, critic*) véhément; ***to be/become ~*** se faire entendre **II** *n* ***~s: Van Morrison*** chant : Van Morrison; ***featuring Madonna on ~s*** avec Madonna au chant; ***backing ~s*** chœurs; ***lead ~s ...*** chant en solo ... **vocal cords** *pl* cordes *fpl* vocales **vocalist** ['vəʊkəlɪst] *n* chanteur(-euse) *m(f)*
vocation [vəʊ'keɪʃən] *n* REL *etc.* vocation *f* **vocational** [vəʊ'keɪʃənl] *adj* professionnel(le); *education* technique et

professionnel(le); ~ ***training*** formation technique et professionnelle **vocational school** *n US* ≈ lycée *m* technique
vociferous [vəʊ'sɪfərəs] *adj* véhément
vodka ['vɒdkə] *n* vodka *f*
vogue [vəʊg] *n* mode *f*; ***to be in ~*** être à la mode
voice [vɔɪs] **I** *n* **1.** voix *f*; ***I've lost my ~*** je n'ai plus de voix; ***in a deep ~*** d'une voix grave; ***in a low ~*** à voix basse; ***to like the sound of one's own ~*** aimer s'écouter parler; ***his ~ has broken*** il a mué; ***to give ~ to sth*** exprimer qc **2.** GRAM voix *f*; ***the passive ~*** la voix passive **II** *v/t* exprimer **voice-activated** *adj* IT à commande vocale **voice mail** *n* messagerie *f* vocale **voice-operated** *adj* à commande vocale **voice-over** *n* voix *f* off **voice recognition** *n* reconnaissance *f* vocale
void [vɔɪd] **I** *n* vide *m* **II** *adj* **1.** (*empty*) vide; ***~ of any sense of decency*** dénué de toute pudeur **2.** JUR nul(le)
vol. *abbr* = **volume** t. (*tome*)
volatile ['vɒlətaɪl] *adj* **1.** CHEM volatil **2.** *person* (*in moods*) lunatique; *relationship*, *situation* instable
vol-au-vent ['vɒləʊvɑː] *n* vol-au-vent *m*
volcanic [vɒl'kænɪk] *adj lit* volcanique **volcano** [vɒl'keɪnəʊ] *n* volcan *m*
vole [vəʊl] *n* campagnol *m*
volition [vɒ'lɪʃən] *n* volition *f*; ***of one's own ~*** de son propre gré
volley ['vɒlɪ] **I** *n* **1.** (*of shots*) salve *f* **2.** TENNIS volée *f* **II** *v/t* ***to ~ a ball*** TENNIS reprendre une balle de volée **III** *v/i* TENNIS faire une volée **volleyball** ['vɒlɪˌbɔːl] *n* volley(-ball) *m*
volt [vəʊlt] *n* volt *m* **voltage** ['vəʊltɪdʒ] *n* voltage *m*
volume ['vɒljuːm] *n* **1.** (*book*) volume *m*, tome *m*; ***a six-~ dictionary*** un dictionnaire en six tomes; ***that speaks ~s*** *fig* ça en dit long (***for*** sur) **2.** (*of container*) capacité *f* **3.** (*amount*) volume *m* (***of*** de); ***the ~ of traffic*** le volume de la circulation **4.** (*sound*) volume *m*; ***turn the ~ up / down*** monte / baisse le volume **volume control** *n* RADIO, TV bouton *m* de réglage du volume **voluminous** [və'luːmɪnəs] *adj* volumineux(-euse) *lofty*
voluntarily ['vɒləntərɪlɪ] *adv* de son plein gré; (*unpaid*) bénévolement
voluntary ['vɒləntərɪ] *adj* **1.** volontaire; ***~ worker*** bénévole **2.** *body* bénévole; ***a ~ organization for social work*** une organisation bénévole d'assistance sociale **voluntary redundancy** *n* départ *m* volontaire; ***to take ~*** partir volontairement **volunteer** [ˌvɒlən'tɪəʳ] **I** *n* volontaire *m/f*; ***any ~s?*** il y a des volontaires? **II** *v/t help* donner de son plein gré; *information* fournir (spontanément) **III** *v/i* **1.** se porter volontaire; ***to ~ for sth*** se proposer pour qc; ***to ~ to do sth*** se proposer pour faire qc; ***who will ~ to clean the windows?*** qui est volontaire pour nettoyer les fenêtres? **2.** MIL s'engager comme volontaire (***for*** dans)
voluptuous [və'lʌptjʊəs] *adj woman* voluptueux(-euse)
vomit ['vɒmɪt] **I** *n* vomi *m* **II** *v/t* vomir **III** *v/i* vomir
voracious [və'reɪʃəs] *adj person* vorace; *collector* avide; ***she is a ~ reader*** c'est une lectrice avide
vote [vəʊt] **I** *n* (*act of voting*) vote *m*; (*result*) voix *f*; (*franchise*) droit *m* de vote; ***to put sth to the ~*** soumettre qc au vote; ***to take a ~ on sth*** voter sur qc; ***he won by 22 ~s*** il a gagné avec une marge de 22 voix; ***the Democratic ~*** le vote démocratique **II** *v/t* **1.** (*elect*) élire; ***he was ~d chairman*** il a été élu président **2.** (*infml judge*) proposer; ***I ~ we go back*** je propose qu'on rentre **III** *v/i* voter; ***to ~ for / against sth*** voter pour / contre qc ◆ **vote in** *v/t sep law* voter; *person* élire ◆ **vote on** *v/t insep* soumettre au vote ◆ **vote out** *v/t sep* ne pas réélire; *amendment* rejeter
voter ['vəʊtəʳ] *n* électeur(-trice) *m*(*f*) **voting** ['vəʊtɪŋ] *n* vote *m*; ***a system of ~*** un système de vote; ***~ was heavy*** le taux de participation a été élevé **voting booth** *n* isoloir *m* **voting paper** *n* bulletin *m* de vote
vouch [vaʊtʃ] *v/i* ***to ~ for sb / sth*** répondre de qn / qc; (*legally*) se porter garant de qn / qc **voucher** ['vaʊtʃəʳ] *n* bon *m*
vow [vaʊ] **I** *n* vœu *m*, serment *m*; REL vœu *m*; ***to make a ~ to do sth*** faire vœu de faire qc; ***to take one's ~s*** prononcer ses vœux **II** *v/t* jurer
vowel ['vaʊəl] *n* voyelle *f*; ***~ sound*** son *m* vocalique
voyage ['vɔɪɪdʒ] *n* voyage *m*; (*by sea*) traversée *f*; ***to go on a ~*** partir en voyage
voyeur [vwɑː'jɜːʳ] *n* voyeur(-euse) *m*(*f*)
vs. *abbr* = **versus**
V-sign ['viːsaɪn] *n Br* (*victory*) signe *m*

de la victoire; (*rude*) ≈ doigt *m* d'honneur *infml*; ***he gave me the ~*** ≈ il m'a fait un doigt d'honneur *infml*
vulgar ['vʌlgəʳ] *adj pej* vulgaire *pej*
vulnerability [ˌvʌlnərə'bɪlɪtɪ] *n* vulnérabilité *f* **vulnerable** ['vʌlnərəbl] *adj* vulnérable; ***to be ~ to disease*** être fragile face à la maladie; ***to be ~ to attack*** être exposé aux attaques
vulture ['vʌltʃəʳ] *n* vautour *m*
vulva ['vʌlvə] *n* vulve *f*

W

W, w ['dʌbljuː] *n* W, W *m*
W. *abbr* = **west** O (*ouest*)
wacky ['wækɪ] *adj* ⟨**+er**⟩ *infml* loufoque *infml*
wad [wɒd] *n* (*of cotton etc.*) tampon *m*; (*of papers, banknotes*) liasse *f* **wadding** ['wɒdɪŋ] *n* (*for packing*) rembourrage *m*
waddle ['wɒdl] *v/i* se dandiner
wade [weɪd] *v/i* barboter ◆ **wade in** *v/i* **1.** *lit* entrer dans l'eau **2.** (*Br fig, infml*) se mettre de la partie *infml* ◆ **wade into** *v/t insep* (*Br fig, infml attack*) ***to ~ sb / sth*** s'attaquer à qn / qc ◆ **wade through** *v/t insep lit* avancer péniblement dans
waders ['weɪdəz] *pl* cuissardes *fpl* **wading pool** ['weɪdɪŋpuːl] *n US* petit bassin *m*
wafer ['weɪfəʳ] *n* **1.** (*cookie*) gaufrette *f* **2.** ECCL hostie *f* **wafer-thin** ['weɪfə'θɪn] *adj* très fin
waffle[1] ['wɒfl] *n* COOK gaufre *f*
waffle[2] (*Br infml*) **I** *n* verbiage *m* **II** *v/i* (*a.* **waffle on**) parler pour ne rien dire *infml*
waffle iron *n* gaufrier *m*
waft [wɑːft] **I** *n* bouffée *f* **II** *v/t* porter **III** *v/i* flotter; ***a delicious smell ~ed up from the kitchen*** une délicieuse odeur provenait de la cuisine
wag[1] [wæg] **I** *v/t tail* remuer; ***to ~ one's finger at sb*** menacer qn du doigt **II** *v/i* (*tail*) remuer
wag[2] *n* (*wit, clown*) farceur(-euse) *m(f)*
wage[1] [weɪdʒ] *n usu pl* salaire *m*
wage[2] *v/t war* faire; ***to ~ war against sth*** *fig* faire la guerre à qc
wage claim *n* revendication *f* salariale **wage earner** *n* salarié(e) *m(f)* **wage increase** *n* augmentation *f* de salaire **wage packet** *n Br* paie *f*
wager ['weɪdʒəʳ] *n* pari *m* (**on** sur); ***to make a ~*** faire un pari
wages ['weɪdʒɪz] *pl* salaire *m* **wage settlement** *n* accord *m* salarial
waggle ['wægl] **I** *v/t* agiter **II** *v/i* remuer
wagon ['wægən] *n* **1.** (*horse-drawn*) chariot *m*; (*covered wagon*) chariot *m* (bâché) **2.** (*Br* RAIL) wagon *m* **wagonload** ['wægənləʊd] *n* charretée *f*
wail [weɪl] **I** *n* (*of baby*) vagissement *m*; (*of mourner*) lamentations *fpl*; (*of sirens, wind*) hurlement *m* **II** *v/i* (*baby*) vagir; (*cat*) feuler; (*mourner*) pousser des lamentations; (*siren, wind*) hurler
waist [weɪst] *n* taille *f* **waistband** *n* ceinture *f* **waistcoat** *n Br* gilet *m* **waist-deep** *adj* à hauteur de la taille; ***we stood ~ in water*** nous avions de l'eau jusqu'à la taille **waist-high** *adj* à hauteur de la taille **waistline** *n* taille *f*
wait [weɪt] **I** *v/i* **1.** attendre (***for sth / sb*** qn / qc); ***to ~ for sb to do sth*** attendre que qn fasse qc; ***it was definitely worth ~ing for*** ça valait vraiment la peine d'attendre; ***well, what are you ~ing for?*** eh bien, qu'est-ce que tu attends?; ***this work is still ~ing to be done*** ce travail reste encore à faire; ***~ a minute*** *or* ***moment*** *or* ***second*** attendez une minute *or* un instant *or* une seconde; (***just***) ***you ~!*** attends un peu!; ***I can't ~*** j'ai hâte; (*out of curiosity*) je meurs d'impatience; ***I can't ~ to see his face*** j'ai hâte de voir sa tête; ***I can't ~ to try out my new boat*** j'ai hâte d'essayer mon nouveau bateau; ***"repairs while you ~"*** "réparations minute"; ***~ and see!*** attends voir! *infml* **2.** ***to ~ at table*** *Br* faire le service **II** *v/t* **1.** ***to ~ one's turn*** attendre son tour **2.** *US* ***to ~ a table*** faire le service **III** *n* attente *f*; ***to have a long ~*** attendre longtemps; ***to lie in ~ for sb / sth*** guetter qn / qc ◆ **wait around** *v/i* attendre (***for sb*** qn) ◆ **wait on** *v/t insep* **1.** (*a.* **wait upon**) servir **2.**

US ***to ~ table*** faire le service **3.** (*wait for*) attendre ◆ **wait up** *v/i* ne pas aller se coucher; ***don't ~ for me*** ne m'attends pas pour aller te coucher

waiter ['weɪtəʳ] *n* serveur *m*; ***~!*** garçon! **waiting** ['weɪtɪŋ] *n* attente *f*; ***I hate all this ~ (around)*** je déteste devoir attendre si longtemps **waiting list** *n* liste *f* d'attente

waiting room *n* salle *f* d'attente

waitress ['weɪtrɪs] **I** *n* serveuse *f*; ***~!*** Mademoiselle *or* Madame! **II** *v/i* travailler comme serveuse **waitressing** ['weɪtrɪsɪŋ] *n* travail *m* de serveuse

waive [weɪv] *v/t rights, fee* renoncer à; *rules* suspendre **waiver** ['weɪvəʳ] *n* JUR dérogation *f* (***of*** à)

wake[1] [weɪk] *n* NAUT sillage *m*; ***in the ~ of*** *fig* à la suite de

wake[2] ⟨*past* **woke**⟩ ⟨*past part* **woken** *or* **waked**⟩ **I** *v/t* réveiller **II** *v/i* se réveiller; ***he woke to find himself in prison*** il s'est réveillé en prison ◆ **wake up I** *v/i* se réveiller; ***to ~ to sth*** *fig* se rendre compte de qc **II** *v/t sep lit* réveiller

waken ['weɪkən] **I** *v/t* réveiller **II** *v/i* (*liter, Scot*) se réveiller **waking** ['weɪkɪŋ] *adj* ***~ hours*** heures de veille

Wales [weɪlz] *n* pays *m* de Galles; ***the Prince of ~*** le prince de Galles

walk [wɔːk] **I** *n* **1.** (*stroll*) promenade *f*; (*hike*) randonnée *f*; SPORTS marche *f*; ***it's 10 minutes' ~*** c'est à 10 minutes à pied; ***it's a long ~ to the park*** le parc est loin à pied; ***to go for a ~*** se promener; ***to take the dog for a ~*** promener le chien **2.** (*gait*) démarche *f* **3.** (*route*) chemin *m*; (*signposted etc.*) sentier *m* (balisé); ***he knows some good ~s in Yosemite*** il connaît de belles randonnées dans le Yosemite **4.** ***from all ~s of life*** de tous les horizons **II** *v/t dog* promener; *distance* parcourir; ***to ~ sb home*** raccompagner qn (chez lui *or* elle); ***to ~ the streets*** (*prostitute*) faire le trottoir; (*aimlessly*) se promener dans les rues **III** *v/i* **1.** marcher; ***to learn to ~*** apprendre à marcher; ***to ~ in one's sleep*** marcher en dormant; ***to ~ with a stick*** marcher avec une canne **2.** (*not ride*) aller à pied; (*stroll*) faire une promenade; (*hike*) faire une randonnée; ***you can ~ there in 5 minutes*** à pied, vous y serez en 5 minutes; ***to ~ home*** rentrer à la maison à pied ◆ **walk around** *v/i* se promener ◆ **walk away** *v/i* partir; ***to ~ with a prize*** *etc.* remporter un prix *etc.* haut la main ◆ **walk in on** *v/t insep* surprendre ◆ **walk into** *v/t insep room* entrer dans; *person* se cogner à; *wall* rentrer dans; ***to ~ a trap*** tomber dans un piège; ***he just walked into the first job he applied for*** *Br* il a obtenu facilement le premier emploi auquel il avait postulé; ***to walk right into sth*** *lit* rentrer dans qc ◆ **walk off I** *v/t sep* ***to ~ one's lunch*** *etc.* faire une promenade digestive **II** *v/i* s'en aller ◆ **walk off with** *v/t insep infml* **1.** (*take*) (*unintentionally*) prendre par erreur; (*intentionally*) faucher *infml* **2.** *prize* remporter haut la main ◆ **walk on I** *v/t insep grass etc.* marcher sur **II** *v/i* (*continue walking*) continuer à marcher ◆ **walk out** *v/i* **1.** (*quit*) partir; ***to ~ of a meeting*** quitter une réunion (en signe de protestation); ***to ~ on sb*** laisser tomber qn; *girlfriend etc.* quitter qn **2.** (*strike*) se mettre en grève ◆ **walk over** *v/t insep* ***to walk all over sb*** *infml* (*dominate*) marcher sur les pieds de qn *infml*; (*treat harshly*) brimer qn ◆ **walk up** *v/i* **1.** (*ascend*) monter **2.** (*approach*) s'approcher (***to*** de); ***a man walked up to me/her*** un homme s'est approché de moi/d'elle

walkabout *n* (*esp Br: by king etc.*) ***to go on a ~*** prendre un bain de foule **walkaway** *n US* (*easy victory*) victoire *f* facile **walker** ['wɔːkəʳ] *n* **1.** (*stroller*) promeneur(-euse) *m(f)*; *esp Br* (*hiker*) randonneur(-euse) *m(f)*; SPORTS marcheur(-euse) *m(f)*; ***to be a fast ~*** marcher vite **2.** (*for baby*) trotteur *m*; (*for invalid*) déambulateur *m* **walkie-talkie** ['wɔːkɪ'tɔːkɪ] *n* talkie-walkie *m* **walk-in** ['wɔːkɪn] *adj* ***a ~ closet*** un placard de plain-pied **walking** ['wɔːkɪŋ] **I** *n esp Br* marche *f* (à pied); (*as recreation*) promenade *f* (à pied); (*hiking*) randonnée *f*; ***we did a lot of ~ while we were in Wales*** nous avons fait beaucoup de marche (à pied) au pays de Galles **II** *adj attr miracle etc.* ambulant; ***at (a) ~ pace*** au pas; ***the ~ wounded*** les blessés capables de marcher; ***it's within ~ distance*** on peut y aller à pied **walking boots** *pl esp Br* chaussures *fpl* de randonnée **walking frame** *n* déambulateur *m* **walking stick** *n* canne *f* **Walkman**® ['wɔːkmən] *n* walkman® *m* **walk-on** *adj* ***~ part*** THEAT rôle *m* de figuration **walkout** *n* (*strike*) grève *f* surprise; ***to stage a ~*** (*from conference etc.*) partir (en signe de protestation) **walkover** *n esp Br* = **walkaway** **walkway** *n* passage *m* pour piétons

wall [wɔːl] *n* (*outside*) mur *m*; (*inside*) mur *m*, paroi *f*; ***the Great Wall of China*** la Grande Muraille de Chine; ***to go up the ~*** (*Br infml*) devenir dingue *infml*; ***I'm climbing the ~s*** *infml* je suis en train de devenir dingue *infml*; ***he drives me up the ~*** *infml* il me rend dingue *infml*; ***this constant noise is driving me up the ~*** *infml* ce bruit constant me rend dingue *infml*; ***to go to the ~*** (*Br infml*) faire faillite ◆ **wall off** *v/t sep* séparer par un mur

wall chart *n* planche *f* murale **wall clock** *n* pendule *f* murale

wallet ['wɒlɪt] *n* portefeuille *m*

wallop ['wɒləp] *v/t* (*esp Br infml*) (*hit*) flanquer une torgnole à *infml*

wallow ['wɒləʊ] *v/i* **1.** (*lit: animal*) se vautrer **2.** *fig* ***to ~ in self-pity*** *etc.* s'apitoyer sur son propre sort

wall painting *n* peinture *f* murale **wallpaper** **I** *n* papier *m* peint **II** *v/t* tapisser **wall socket** *n* prise *f* murale **wall-to-wall** *adj* ***~ carpeting*** moquette *f*

wally ['wɒlɪ] *n* (*Br infml*) andouille *f infml*

walnut ['wɔːlnʌt] *n* **1.** (*nut*) noix *f* **2.** (*walnut tree*) noyer *m*

walrus ['wɔːlrəs] *n* morse *m*

waltz [wɔːls] **I** *n* valse *f* **II** *v/i* danser la valse ◆ **waltz in** *v/i infml* entrer en dansant; ***to come waltzing in*** se pointer *infml* ◆ **waltz off** *v/i infml* réussir les doigts dans le nez *infml* ◆ **waltz off with** *v/t insep infml prizes* gagner haut la main

wan [wɒn] *adj person*, *light* blafard, blême; *smile* pâle

wand [wɒnd] *n* (*magic wand*) baguette *f* magique

wander ['wɒndəʳ] **I** *n Br* balade *f*; ***to go for a ~ around the shops*** aller faire un tour dans les magasins **II** *v/t* ***to ~ the streets*** errer dans les rues **III** *v/i* **1.** errer (***through, about*** dans); (*leisurely*) flâner; ***he ~ed past me in a dream*** il est passé devant moi comme dans un rêve; ***he ~ed over to me*** il est venu vers moi; ***the children had ~ed out onto the street*** les enfants étaient sortis dans la rue **2.** *fig* vagabonder; ***to let one's mind ~*** laisser son esprit vagabonder; ***during the lecture his mind ~ed a little*** pendant la conférence, il pensait de temps en temps à autre chose; ***to ~ off the subject*** s'éloigner du sujet ◆ **wander around** *v/i* déambuler ◆ **wander in** *v/i* entrer d'un pas nonchalant ◆ **wander off** *v/i* s'éloigner; ***he must have wandered off somewhere*** il a dû partir quelque part

wandering ['wɒndərɪŋ] *adj refugees* errant; *thoughts* vagabond; *path* en lacets; ***to have ~ hands*** *hum* avoir les mains baladeuses

wane [weɪn] **I** *n* ***to be on the ~*** *fig* décroître **II** *v/i a. fig* décroître

wangle ['wæŋgl] *infml v/t* soutirer; ***to ~ money out of sb*** soutirer de l'argent à qn

wank [wænk] (*Br vulg*) *v/i* (*a.* **wank off**) se branler *vulg* **wanker** ['wæŋkəʳ] *n* (*Br vulg*) branleur *m vulg*; (*idiot*) débile *m infml*

wanna ['wɒnə] *contr* = **want to**; ***I ~ go*** je veux partir **wannabe** ['wɒnəˌbiː] *infml* **I** *n personne qui rêve de devenir célèbre, riche, etc.*; ***young model ~s*** des jeunes qui rêvent de devenir mannequins **II** *adj qui rêve de devenir*; ***~ pop stars*** ceux qui rêvent de devenir des pop stars

want [wɒnt] **I** *n* **1.** (*lack*) manque *m* (**of** de); ***for ~ of*** par manque de; ***though it wasn't for ~ of trying*** mais ce n'était pas faute d'avoir essayé **2.** (*need*) besoin *m*; (*wish*) souhait *m*; ***to be in ~ of sth*** avoir besoin de qc **II** *v/t* **1.** (*desire*) vouloir; (*more polite*) désirer; ***to ~ to do sth*** vouloir faire qc; ***I ~ you to come here*** je veux que vous veniez ici; ***I ~ it done now*** je veux que ça soit fait tout de suite; ***what does he ~ with me?*** qu'est-ce qu'il me veut?; ***I don't ~ strangers coming in*** je ne veux pas que des étrangers viennent ici **2.** (*need*) avoir besoin de; ***you ~ to see a lawyer*** *Br* tu devrais voir un avocat; ***he ~s to be more careful*** (*Br infml*) il faut qu'il fasse attention; ***"wanted"*** "recherché"; ***he's a ~ed man*** il est recherché; ***to feel ~ed*** se sentir apprécié; ***you're ~ed on the phone*** on vous demande au téléphone; ***all the soup ~s is a little salt*** *Br* la soupe manque juste un peu de sel **III** *v/i* **1.** (*desire*) vouloir; ***you can go if you ~ (to)*** tu peux y aller si tu veux; ***I don't ~ to*** je ne veux pas; ***do as you ~***

fais comme tu veux **2.** ***they ~ for nothing*** ils ne manquent de rien **want ad** *n US* petite annonce *f* **wanting** ['wɒntɪŋ] *adj* ***it's good, but there is something ~*** c'est bien, mais il manque quelque chose; ***his courage was found ~*** il a manqué de courage

wanton ['wɒntən] *adj destruction* gratuit

WAP [wæp] *n* IT *abbr* = **Wireless Application Protocol** WAP *m*

war [wɔːʳ] *n* guerre *f*; ***this is ~!*** *fig* c'est la guerre!; ***the ~ against disease*** la lutte contre la maladie; ***~ of words*** dispute; ***to be at ~*** être en guerre; ***to declare ~*** déclarer la guerre (***on*** à); ***to go to ~*** (*start*) entrer en guerre (***against*** contre); ***to make ~*** faire la guerre (***on, against*** contre); ***I hear you've been in the ~s recently*** (*Br infml*) j'apprends que tu as été très mal en point dernièrement *infml*

warble ['wɔːbl] **I** *n* gazouillis *mpl* **II** *v/i* gazouiller **III** *v/t* chanter en gazouillant

war correspondent *n* correspondant(e) *m(f)* de guerre **war crime** *n* crime *m* de guerre **war criminal** *n* criminel(le) *m(f)* de guerre

ward [wɔːd] *n* **1.** (*part of hospital*) service *m*; (*room*) salle *f* **2.** (JUR *person*) pupille *m/f*; ***~ of court*** pupille sous tutelle judiciaire **3.** *Br* ADMIN arrondissement *m*; (*election ward*) circonscription *f* électorale ◆ **ward off** *v/t sep* éviter

warden ['wɔːdn] *n* (*US of prison*) directeur(-trice) *m(f)*; (*game warden*) gardien(ne) *m(f)*; UNIV directeur (-trice) *m(f)* de résidence universitaire; (*Br of youth hostel*) directeur(-trice) *m(f)* d'auberge de jeunesse

warder ['wɔːdəʳ] *n Br* gardien(ne) *m(f)* de prison

wardrobe ['wɔːdrəʊb] *n* **1.** *esp Br* (*closet*) armoire *f* **2.** (*clothes*) garde-robe *f*

warehouse ['wɛəhaʊs] *n* entrepôt *m*

wares [wɛəz] *pl* marchandises *fpl*

warfare ['wɔːfɛəʳ] *n* guerre *f*; (*techniques*) art *m* de la guerre **war game** *n* IT wargame *m* **warhead** *n* ogive *f* **war hero** *n* héros *m* militaire **warhorse** *n lit*, *fig* cheval *m* de bataille

warily ['wɛərɪlɪ] *adv* prudemment; (*suspiciously*) avec méfiance; ***to tread ~*** y aller avec précaution **wariness** ['wɛərɪnɪs] *n* précaution *f*; (*mistrust*) méfiance *f*

warlike *adj* guerrier(ère) **warlord** *n* chef *m* militaire

warm [wɔːm] **I** *adj* ⟨**+er**⟩ **1.** chaud; (*hearty*) chaleureux(-euse); ***I am*** *or* ***feel ~*** j'ai chaud; ***come and get ~*** viens te réchauffer **2.** (*in games*) ***you're getting ~!*** tu chauffes! **II** *n Br* ***to get into the ~*** aller au chaud; ***to give sth a ~*** réchauffer qc **III** *v/t* réchauffer **IV** *v/i* ***the milk was ~ing on the stove*** le lait chauffait sur la cuisinière; ***I ~ed to him*** je me suis pris de sympathie pour lui ◆ **warm up** **I** *v/i* se réchauffer; *discussion* s'animer; *game* devenir intéressant; SPORTS s'échauffer **II** *v/t sep engine* faire chauffer; *food etc.* réchauffer

warm-blooded ['wɔːm'blʌdɪd] *adj* à sang chaud; *fig* qui a le sang chaud **warm-hearted** ['wɔːm'hɑːtɪd] *adj person* chaleureux(-euse) **warmly** ['wɔːmlɪ] *adv* chaudement; *welcome* chaleureusement; *recommend* vivement

warmth [wɔːmθ] *n* chaleur *f* (*a fig*)

warm-up ['wɔːmʌp] *n* SPORTS échauffement *m*; ***the teams had a ~ before the game*** les équipes se sont échauffées avant le match

warn [wɔːn] *v/t* prévenir, avertir (***of*** de); (*police etc.*) alerter; ***to ~ sb not to do sth*** déconseiller à qn de faire qc; ***to ~ sb against sth*** déconseiller qc à qn; ***to ~ sb about sth*** mettre qn en garde contre qc; ***I'm ~ing you*** je vous préviens; ***you have been ~ed!*** vous êtes prévenu!; ***to ~ sb that …*** (*inform*) prévenir qn que…; ***you might have ~ed us that you were coming*** tu aurais pu nous prévenir que tu viendrais ◆ **warn off** *v/t sep* ***he warned me off*** il m'a demandé de partir

warning ['wɔːnɪŋ] **I** *n* avertissement *m*; ***without ~*** sans prévenir; (*start to rain, etc.*) tout à coup; ***they had no ~ of the enemy attack*** ils n'avaient pas été alertés de l'offensive ennemie; ***he had plenty of ~*** (*early enough*) il a été prévenu suffisamment à l'avance; ***to give sb a ~*** donner un avertissement à qn; ***let this be a ~ to you*** que cela vous serve d'avertissement; ***please give me a few days' ~*** merci de me prévenir quelques jours à l'avance **II** *adj* d'avertissement **warning light** *n* voyant *m* (lumineux)

warp [wɔːp] **I** *v/t wood* gauchir **II** *v/i wood* gauchir

warpath *n* ***on the ~*** sur le sentier de la guerre
warped [wɔːpt] *adj* **1.** *lit* gauchi **2.** *fig sense of humor* tordu; *judgement* perverti
warrant ['wɒrənt] **I** *n* mandat *m*; ***a ~ of arrest*** un mandat d'arrêt; ***death ~*** ordre d'exécution **II** *v/t* **1.** (*justify*) justifier **2.** (*merit*) mériter **3.** (*guarantee*) garantir **warranted** *adj* **1.** (*justified*) justifié **2.** (*guaranteed*) garanti **warranty** ['wɒrəntɪ] *n* COMM garantie *f*; ***it's still under ~*** il est encore sous garantie
warren ['wɒrən] *n* (*rabbit warren*) terrier *m*; *fig* dédale *m*
warring ['wɔːrɪŋ] *adj sides* en conflit; *factions* adverse **warrior** ['wɒrɪə[r]] *n* guerrier(-ère) *m(f)*
Warsaw ['wɔːsɔː] *n* Varsovie; ***the ~ Pact*** le pacte de Varsovie
warship ['wɔːʃɪp] *n* navire *m* de guerre
wart [wɔːt] *n* verrue *f*
wartime **I** *n* temps *m* de guerre; ***in ~*** en temps de guerre **II** *adj* de guerre; ***in ~ England*** dans l'Angleterre des années de guerre **wartorn** *adj* déchiré par la guerre
wary ['wɛərɪ] *adj* ⟨**+er**⟩ prudent; ***to be ~ of sb / sth*** se méfier de qn / qc; ***to be ~ of*** *or* ***about doing sth*** hésiter à faire qc; ***be ~ of talking to strangers*** évite de parler à des inconnus
war zone *n* zone *f* de guerre
was [wɒz] *past* = **be**
wash [wɒʃ] **I** *n* **1.** ***to give sb / sth a ~*** laver qn / qc; ***to have a ~*** se laver **2.** (*laundry*) lessive *f* **II** *v/t* **1.** laver; *parts of body* se laver; ***to ~ the dishes*** faire la vaisselle; ***to ~ one's hands of sb / sth*** se désintéresser de qn / se laver les mains de qc **2.** (*carry*) emporter; ***to be ~ed downstream*** être emporté par le courant; ***to ~ ashore*** rejeter sur la côte **III** *v/i* **1.** (*have a wash*) se laver **2.** (*do laundry*) faire la lessive; (*Br do dishes*) faire la vaisselle; ***a material that ~es well*** un tissu résistant au lavage **3.** *ocean etc.* baigner; ***the waves ~ed over the shore*** les vagues balayaient la côte ◆ **wash away** *v/t sep lit* (*carry away*) emporter; (*erode*) éroder ◆ **wash down** *v/t sep* **1.** *walls* lessiver **2.** *food* arroser; (*digest*) faire descendre ◆ **wash off** **I** *v/i* partir au lavage; (*with water*) partir à l'eau **II** *v/t sep* faire partir au lavage; (*with water*) faire partir à l'eau; ***wash that grease off your hands*** lave-toi les mains pour enlever le cambouis ◆ **wash out** **I** *v/i* partir au lavage; (*with water*) partir à l'eau **II** *v/t sep* **1.** (*clean*) laver; *mouth* se laver **2.** *stain* faire partir au lavage; (*with water*) faire partir à l'eau **3.** *game etc.* annuler ◆ **wash over** *v/t insep* ***he lets everything just ~ him*** il ne se laisse démonter par rien ◆ **wash up** **I** *v/i* **1.** (*Br clean dishes*) faire la vaisselle **2.** (*US have a wash*) se laver **II** *v/t sep* **1.** *Br dishes* laver; ***to wash the dishes up*** faire la vaisselle **2.** *ocean, etc.* rejeter
washable ['wɒʃəbl] *adj* lavable **washbag** *n* trousse *f* de toilette **washbasin** *n* lavabo *m* **washcloth** *n US* gant *m* de toilette **washed out** *adj pred*, **washed-out** [ˌwɒʃt'aʊt] *adj attr infml* épuisé; ***to look ~*** avoir l'air épuisé **washer** ['wɒʃə[r]] *n* **1.** TECH joint *m* **2.** (*washing machine*) machine *f* à laver
washing ['wɒʃɪŋ] *n Br* lavage *m*; (*clothes*) lessive *f*; ***to do the ~*** faire la lessive **washing line** *n Br* corde *f* à linge
washing machine *n* machine *f* à laver **washing powder** *n Br* lessive *f* **washing-up** *n Br* vaisselle *f*; ***to do the ~*** faire la vaisselle **washing-up liquid** *n Br* produit *m* pour la vaisselle **washout** *n infml* fiasco *m* **washroom** *n* **1.** (*for laundry*) buanderie *f* **2.** *US* (*toilets*) toilettes *fpl*
wasn't ['wɒznt] *contr* = **was not**
wasp [wɒsp] *n* guêpe *f*
wastage ['weɪstɪdʒ] *n* déchets *mpl*; (*action*) gaspillage *m*
waste [weɪst] **I** *adj* (*superfluous*) superflu; (*left over*) de rebut; *energy* perdu; *water* usé; *land* en friche; ***~ material*** déchets **II** *n* **1.** gaspillage *m*; ***it's a ~ of time*** c'est une perte de temps; ***it's a ~ of effort*** c'est un effort inutile; ***to go to ~*** *food, money, etc.* être gaspillé; *training, talent, etc.* ne servir à rien **2.** (*waste material*) déchets *mpl*; (*garbage*) ordures *fpl* **3.** (*land*) terrain *m* vague **III** *v/t* gaspiller (**on** pour); *life* gâcher; *opportunity, time* perdre; ***you're wasting your time*** vous perdez votre temps; ***don't ~ my time*** ne me fais pas perdre de temps; ***you didn't ~ much time getting here!*** *infml* vous avez été rapides!; ***all our efforts were ~d*** tous nos efforts ont été inutiles; ***I wouldn't ~ my breath***

talking to him je ne me fatiguerais pas à lui parler; ***Beethoven is ~d on him*** il est incapable d'apprécier Beethoven ◆ **waste away** *v/i* (*physically*) dépérir
wastebasket ['weɪstbɑːskɪt], **wastebin** *n esp US* corbeille *f* à papier **wasted** ['weɪstɪd] *adj* **1.** ***I've had a ~ journey*** je me suis déplacé pour rien **2.** (*emaciated*) décharné **waste disposal** *n* élimination *f* des déchets **waste disposal unit** *n* broyeur *m* d'ordures **wasteful** ['weɪstfʊl] *adj* gaspilleur(-euse); *process* peu rentable **wastefulness** *n* (*of person*) gaspillage *m*; (*in method*, *organization*, *of process*, *etc.*) manque *m* de rentabilité **wasteland** *n* terres *fpl* à l'abandon; (*in town*) terrain *m* vague **wastepaper** *n* vieux papiers *mpl*
wastepaper basket *n* corbeille *f* à papier **waste pipe** *n* tuyau *m* de vidange **waste product** *n* déchets *mpl*
watch[1] [wɒtʃ] *n* montre *f*
watch[2] **I** *n* surveillance *f*; ***to be on the ~ for sb / sth*** guetter qn / qc; ***to keep ~*** monter la garde; ***to keep a close ~ on sb / sth*** surveiller qn / qc de près; ***to keep ~ over sb / sth*** surveiller qn / qc **II** *v/t* **1.** *children*, *house*, *suspect*, *etc.* surveiller **2.** *match*, *movie*, *person* regarder; ***to ~ TV*** regarder la télé; ***to ~ sb doing sth*** regarder qn faire qc; ***I'll come and ~ you play*** je vais venir te voir jouer; ***he just stood there and ~ed her drown*** il la regarda se noyer sans bouger; ***I ~ed her coming down the street*** je la regardais descendre la rue; ***~ the road!*** fais attention à la route!; ***~ this!*** regarde!; ***just ~ me!*** tu n'as qu'à me regarder!; ***we are being ~ed*** on nous surveille **3.** (*be careful of*) faire attention à; *time* surveiller; (***you'd better***) ***~ it!*** *infml* gare à toi!; ***~ yourself*** fais attention; ***~ your language!*** surveille ton langage!; ***~ how you go!*** attention à ce que tu fais!; (*on icy surface etc.*) regarde où tu mets les pieds! **III** *v/i* (*observe*) regarder; ***to ~ for sb / sth*** guetter qn / qc; ***they ~ed for a signal from the soldiers*** ils attendaient un signal des soldats; ***to ~ for sth to happen*** attendre que qc se produise ◆ **watch out** *v/i* **1.** (*look carefully*) ***to ~ for sb / sth*** guetter qn / qc **2.** (*be careful*) faire attention (***for*** à); ***~!*** fais attention! ◆ **watch over** *v/t insep* surveiller
watchdog *n lit* chien(ne) *m*(*f*) de garde; *fig* gardien(ne) *m*(*f*); (*organization*) organisme *m* de contrôle **watchful** ['wɒtʃfʊl] *adj* vigilant; ***to keep a ~ eye on sb / sth*** avoir qn / qc à l'œil
watchmaker *n* horloger(-ère) *m*(*f*)
watchman *n* gardien *m*; ***night ~*** gardien de nuit **watchstrap** *n* bracelet *m* de montre **watchtower** *n* tour *f* de guet **watchword** *n* (*password*) mot *m* de passe; (*motto*) mot *m* d'ordre
water ['wɔːtəʳ] **I** *n* **1.** eau *f*; ***to be under ~*** *swimmer* être sous l'eau; *house* être inondé; ***to take in ~*** (*ship*) prendre l'eau; ***to hold ~*** *container* être étanche; *idea* tenir debout; ***~s*** eaux; ***to pass ~*** uriner **2.** (*fig phrases*) ***to keep one's head above ~*** se maintenir à flot; ***to pour cold ~ on sb's plans*** décourager qn dans ses projets; ***to get*** (***oneself***) ***into deep ~***(***s***) se retrouver dans de beaux draps; ***a lot of ~ has flowed under the bridge since then*** il a coulé beaucoup d'eau sous les ponts depuis; ***to get into hot ~*** *infml* se fourrer dans un beau pétrin *infml* (***over*** avec) **II** *v/t* **1.** *plant*, *garden* arroser **2.** *horses* donner à boire à **III** *v/i* **1.** *mouth* ***my mouth ~ed*** j'en ai eu l'eau à la bouche; ***to make sb's mouth ~*** faire venir l'eau à la bouche de qn **2.** *eye* pleurer; ***the smoke made his eyes ~*** la fumée le faisait pleurer ◆ **water down** *v/t sep* **1.** *liquids* couper d'eau **2.** *fig* atténuer
water bed *n* lit *m* d'eau **waterborne** *adj* ***a ~ disease*** une maladie hydrique **water bottle** *n* bouteille *f* d'eau; (*flask*) gourde *f* **water butt** *n Br* citerne *f* à eau de pluie **water cannon** *n* canon *m* à eau **water closet** *n esp Br* toilettes *fpl* **watercolor**, *Br* **watercolour** **I** *n* aquarelle *f* **II** *attr* à l'aquarelle; ***a ~ painting*** une aquarelle **water cooler** *n* distributeur *m* d'eau réfrigérée **watercourse** *n* **1.** (*stream*) cours *m* d'eau; (*artificial*) canal *m* **2.** (*bed*) lit *m* **watercress** *n* cresson *m* **watered-down** [ˌwɔːtəd'daʊn] *adj* **1.** *liquids* coupé d'eau **2.** *fig* atténué **waterfall** *n* chute *f* d'eau **waterfowl** *pl* gibier *m* d'eau **waterfront** **I** *n* quais *mpl*; (*at seaside*) front *m* de mer; ***we drove down to the ~*** nous avons roulé jusqu'au bord de l'eau **II** *attr* sur les quais; (*at seaside*) face à la mer **water gun**, *Br* **water pistol** *n* pistolet *m* à eau **water heater** *n*

chauffe-eau *m inv* **watering can** ['wɔːtərɪŋ] *n* arrosoir *m* **watering hole** *n* (*for animals*) point *m* d'eau **water jump** *n* rivière *f* (*obstacle d'une course de chevaux*) **water level** *n* niveau *m* de l'eau **water lily** *n* nénuphar *m* **water line** *n* ligne *f* de flottaison **waterlogged** *adj field* détrempé; *boat* plein d'eau **water main** *n* (*pipe*) conduite *f* d'eau principale **watermark** *n* (*on paper*) filigrane *m* **watermelon** *n* pastèque *f* **water meter** *n* compteur *m* d'eau **water mill** *n* moulin *m* à eau **water pistol** *n Br* = **water gun** **water pollution** *n* pollution *f* de l'eau **water polo** *n* water polo *m* **water power** *n* énergie *f* hydraulique **waterproof I** *adj watch* étanche; *clothes*, *roof* imperméable; *make-up* résistant à l'eau **II** *n* **~s** *esp Br* vêtements *mpl* imperméables **III** *v/t* imperméabiliser **water-repellent** *adj* hydrofuge; *material* imperméable **water-resistant** *adj* imperméable; *sunscreen* résistant à l'eau **watershed** *n fig* tournant *m* **waterside I** *n* bord *m* de l'eau **II** *attr* au bord de l'eau **water-ski I** *n* ski *m* nautique **II** *v/i* faire du ski nautique **water-skiing** *n* ski *m* nautique **water slide** *n* toboggan *m* aquatique **water softener** *n* adoucisseur *m* d'eau **water-soluble** *adj* soluble dans l'eau **water sports** *pl* sports *mpl* nautiques **water supply** *n* alimentation *f* en eau **water table** *n* nappe *f* phréatique **water tank** *n* réservoir *m* d'eau **watertight** *adj* **1.** *compartment* étanche **2.** *alibi* en béton **water tower** *n* château *m* d'eau **waterway** *n* voie *f* d'eau **water wings** *pl* flotteurs *mpl* **waterworks** *n sg or pl* **1.** (*system*) adduction *f* d'eau; (*pumping station*) station *f* de production d'eau potable **2.** (*fountain*) jet *m* d'eau **3.** (*infml*, *hum*) ***to turn on the ~*** pleurer à chaudes larmes **watery** ['wɔːtərɪ] *adj* trop dilué; *coffee* trop léger; *eye* larmoyant; *sun* pâle

watt [wɒt] *n* watt *m*

wave [weɪv] **I** *n* **1.** (*of water*, PHYS, *fig*) vague *f*; ***a ~ of strikes*** une vague de grèves; ***to make ~s*** *fig*, *infml* faire des vagues **2.** (*of hand*) signe *m* de la main ***to give sb a ~*** faire signe à qn; ***with a ~ of his hand*** d'un signe de la main **II** *v/t* (*wave around*) agiter; ***to ~ sb goodbye*** dire au revoir de la main à qn; ***he ~d his hat*** il agita son chapeau; ***he ~d me over*** il m'a fait signe d'avancer **III** *v/i* **1.** *person* faire un signe de la main; ***to ~ at*** *or* ***to sb*** faire un signe de la main à qn **2.** *flag* flotter; *branches* remuer ◆ **wave aside** *v/t sep fig suggestions etc.* écarter ◆ wave on *v/t sep* ***the policeman waved us on*** l'agent nous a fait signe d'avancer

wavelength ['weɪvleŋθ] *n* longueur *f* d'onde; ***we're not on the same ~*** *fig* nous ne sommes pas sur la même longueur d'ondes

waver ['weɪvər] *v/i* **1.** *flame* vaciller; *voice* trembler **2.** *courage*, *support* faiblir **3.** (*hesitate*) hésiter (***between*** entre) **wavering** ['weɪvərɪŋ] *adj* **1.** *voice* tremblant **2.** *loyalty*, *determination*, *etc.* chancelant

wavy ['weɪvɪ] *adj* ⟨**+er**⟩ ondulé; ***~ line*** trait ondulé

wax[1] [wæks] **I** *n* **1.** cire *f* **2.** (*ear wax*) cérumen *m* **3.** (*for skis*) fart *m* **II** *adj* de cire; ***~ crayon*** crayon à la cire **III** *v/t car* lustrer; *floor* cirer; *skis* farter *m*; *legs* épiler à la cire

wax[2] *v/i* (*moon*) croître; ***to ~ and wane*** *fig* croître et décliner

waxworks *n sg or pl Br* personnages *mpl* en cire; (*museum*) musée *m* de cire

way [weɪ] **I** *n* **1.** (*road*) chemin *m*; ***across*** *or* ***over the ~*** en face; ***to ask the ~*** demander son chemin; ***along the ~*** en cours de route; *learn skill*, *etc.* au fil du temps; ***to go the wrong ~*** se tromper de chemin; ***it went down the wrong ~*** (*food*) j'ai avalé de travers; ***there's no ~ out*** *fig* il n'y a pas de solution; ***to find a ~ in*** trouver un moyen d'entrer; ***the ~ up*** la montée; ***the ~ there / back*** l'aller / le chemin du retour; ***prices are on the ~ up / down*** les prix montent / descendent; ***to bar the ~*** barrer le passage; ***to be*** *or* ***stand in sb's ~*** empêcher qn de passer; ***to get in the ~*** gêner le passage; *fig* gêner; ***he lets nothing stand in his ~*** il est prêt à tout pour arriver à ses fins; ***get out of the / my ~!*** pousse-toi!; ***to get sth out of the ~*** *work* se débarrasser de qc; *problems* régler qc; ***to stay out of sb's ~*** (*not get in the way*) ne pas gêner qn; (*avoid*) éviter qn; ***to stay out of the ~*** rester à l'écart; ***stay out of my ~!*** pousse-toi!; *fig* ne m'embête pas!; ***to make ~ for sb / sth*** *lit* laisser passer qn / qc; *fig* laisser la voie libre à qn / ouvrir la voie à qc; ***the***

~ to the station le chemin de la gare; **can you tell me the ~ to the beach, please?** pouvez-vous m'indiquez le chemin de la plage, s'il vous plaît?; **the store is on the ~** on passe devant le magasin; **to stop on the ~** s'arrêter en chemin; **on the ~** (**here**) en venant (ici); **they're on their ~** ils sont en route; **if it is out of your ~** si cela vous fait faire un détour; **to go out of one's ~ to do sth** *fig* se donner du mal pour faire qc; **please, don't go out of your ~ for us** *fig* ne vous dérangez pas pour nous; **to get under ~** *person* se mettre en route; *project* démarrer; **to be well under ~** être bien avancé; **the ~ in** l'entrée; **on the ~ in** en entrant; **the ~ out** la sortie; **please show me the ~ out** pouvez-vous m'indiquer la sortie, s'il vous plaît?; **can you find your own ~ out?** vous pensez pouvoir trouver la sortie?; **on the ~ out** en sortant; **to be on the ~ out** *fig, infml* être dépassé; **I know my ~ around the town** je connais bien la ville; **can you find your ~ home?** savez-vous comment rentrer?; **to make one's ~ to somewhere** se rendre quelque part; **I made my own ~ there** j'y suis allé tout seul; **to make one's ~ home** rentrer; **to push one's ~ through the crowd** se frayer un chemin à travers la foule; **to go one's own ~** *fig* n'en faire qu'à sa tête; **they went their separate ~s** ils sont partis chacun de leur côté; *fig* chacun a suivi son propre chemin; **to pay one's ~** payer sa part; *company, project, machine* être rentable **2.** (*direction*) sens *m*; **which ~ are you going?** dans quelle direction allez-vous?; **look both ~s** regardez des deux côtés; **to look the other ~** *fig* fermer les yeux; **if a good job comes my ~** si un travail intéressant se présente; **to split sth three/ten ~s** partager qc en trois/dix; **it's the wrong ~ up** c'est dans le mauvais sens; **"this ~ up"** "haut"; **it's the other ~ around** c'est à l'envers; **put it the right ~ up/the other ~ around** posez-le dans le bon sens/l'autre sens; **this ~, please** par ici, s'il vous plaît; **look this ~** regardez par ici; **he went that ~** il est parti par là; **this ~ and that** de-ci de-là; **every which ~** partout **3.** (*distance*) **a little ~ away** *or* **off** pas très loin; **all the ~ there** tout le trajet; *fig* jusqu'au bout; **I'm behind you all the ~** *fig* vous avez mon soutien jusqu'au bout; **that's a long ~ away** c'est loin; **a long ~ out of town** loin de la ville; **he's come a long ~ since then** *fig* il a fait du chemin depuis; **he'll go a long ~** *fig* il ira loin; **to have a long ~ to go** *journey* avoir beaucoup de route à faire; *work* être loin d'avoir fini; **it should go a long ~ toward solving the problem** cela devrait beaucoup aider à régler le problème; **not by a long ~** loin de là **4.** (*manner*) façon *f*; **that's his ~ of saying thank you** c'est sa façon de remercier; **that's the French ~ of doing it** c'est comme ça qu'on fait en France; **to learn the hard ~** être à dure école; **~ of thinking** façon de penser; **what a ~ to live!** (*unpleasant*) quelle vie!; **to get one's** (**own**) **~** arriver à ses fins; **have it your own ~!** fais comme tu veux!; **one ~ or another/the other** d'une façon ou d'une autre; **it does not matter** (**to me**) **one ~ or the other** ça m'est égal; **either ~** de l'une ou l'autre façon; (*in any case*) de toute façon; **no ~!** *infml* pas question!; **there's no ~ I'm going to agree** *infml* il n'est pas question que j'accepte; **that's no ~ to speak to your mother** on ne parle pas comme ça à sa mère; **you can't have it both ~s** tu ne peux pas tout avoir; **he wants it both ~s** il veut tout avoir; **this ~** (*like this*) comme ceci; **that ~** (*like that*) comme ça; **the ~** (**that**) **...** (*how*) la façon dont…; **the ~ she walks** la façon dont elle marche; **that's not the ~ we do things here** ce n'est pas comme ça que nous procédons ici; **you could tell by the ~ he was dressed** ça se voyait à sa façon de s'habiller; **that's the ~ it goes!** c'est comme ça!; **the ~ things are going** au train où vont les choses; **do it the ~ I do** fais comme moi; **to show sb the ~ to do sth** montrer à qn comment faire qc; **show me the ~ to do it** montre-moi comment il faut faire; **that's not the right ~ to do it** ce n'est pas comme ça qu'il faut faire **5.** (*method, habit*) **there are many ~s of going about it** il y a de nombreuses façons de s'y prendre; **the best ~ is to wash it** le mieux c'est de le laver; **he has a ~ with children** il sait s'y prendre avec les enfants; **~ of life** mode de vie **6.** (*respect*) égard *m*; **in a ~** dans un certain sens; **in no ~** en aucune façon; **in many/**

some ~s à bien des / certains égards; ***in more ~s than one*** à plus d'un titre **7.** (*state*) état *m*; ***he's in a bad ~*** il va mal **II** *adv infml* **~ *up*** très haut; ***it's ~ too big*** c'est bien trop grand; ***that was ~ back*** c'était il y a bien longtemps; ***his guess was ~ out*** il s'est complètement trompé **waylay** ⟨*past, past part* **waylaid**⟩ *v/t* (*stop*) arrêter **way-out** *adj infml* bizarre **wayside** *n* (*of path*) bord *m* du chemin; (*of road*) bord *m* de la route; ***to fall by the ~*** *fig* tomber à l'eau **wayward** ['weɪwəd] *adj* qui n'en fait qu'à sa tête; *behaviour* imprévisible

WC *esp Br abbr* = **water closet** W.-C. *mpl*

we [wiː] *pron* nous

weak [wiːk] *adj* ⟨**+er**⟩ faible; *structure* fragile; *tea* léger(-ère); ***he was ~ from hunger*** il était affaibli par la faim; ***to go ~ at the knees*** avoir les jambes en coton; ***what are his ~ points?*** quels sont ses points faibles? **weaken** ['wiːkən] **I** *v/t* affaiblir; *walls* fragiliser; *hold* relâcher **II** *v/i* s'affaiblir; (*in negotiation, etc.*) faiblir **weakling** ['wiːklɪŋ] *n* mauviette *f* **weakly** ['wiːklɪ] *adv* faiblement **weakness** *n* faiblesse *f*; (*weak point*) point *m* faible; ***to have a ~ for sth*** avoir un faible pour qc **weak-willed** ['wiːk'wɪld] *adj* faible

wealth [welθ] *n* **1.** richesse *f*; (*private fortune*) fortune *f* **2.** *fig* abondance *f*

wealthy ['welθɪ] **I** *adj* ⟨**+er**⟩ riche **II** *n* ***the ~*** *pl* les riches

wean [wiːn] *v/t baby* sevrer ***to ~ sb off sb / sth*** détourner qn de qn / qc

weapon ['wepən] *n lit, fig* arme *f* **weaponry** ['wepənrɪ] *n* armes *fpl*

wear [wɛəʳ] *vb* ⟨*past* **wore**⟩ ⟨*past part* **worn**⟩ **I** *n* **1.** ***to get a lot of ~ out of a jacket*** porter beaucoup une veste; ***there isn't much ~ left in this carpet*** cette moquette est bien défraîchie; ***for everyday ~*** pour porter tous les jours **2.** (*clothing*) tenue *f* **3.** (*damage*: *a.* **wear and tear**) usure *f*; ***to show signs of ~*** *lit* commencer à être usé; ***to look the worse for ~*** *lit drapes, carpets, etc.* commencer à être fatigué; *fig* être fatigué; ***I felt a bit the worse for ~*** (*Br infml*) je n'étais pas très frais **II** *v/t* **1.** porter; ***what shall I ~?*** qu'est-ce que je vais mettre?; ***I don't have a thing to ~!*** je n'ai rien à me mettre! **2.** (*damage*) user; ***to ~ holes in sth*** trouer qc; ***to ~ smooth*** (*by handling, walking*) user; *sharp edges* polir **III** *v/i* **1.** (*last*) durer **2.** (*become worn*) s'user; ***to ~ smooth*** s'user; *sharp edges* devenir lisse; ***my patience is ~ing thin*** je suis presque à bout de patience ◆ **wear away I** *v/t sep steps* user; *rock* éroder; *inscription* effacer **II** *v/i* s'user; *inscription* s'effacer ◆ **wear down I** *v/t sep* **1.** *lit* user **2.** *fig opposition* miner; *person* épuiser **II** *v/i* s'user ◆ **wear off** *v/i* **1.** (*diminish*) se dissiper; ***don't worry, it'll ~!*** ne t'inquiète pas, ça passera! **2.** (*disappear*) disparaître ◆ **wear on** *v/i* passer lentement; (*discussion*) se poursuivre lentement; ***as the evening*** *etc.* ***wore on*** au fur et à mesure que la soirée *etc.* passait ◆ **wear out I** *v/t sep* **1.** *lit carpet, clothes, etc.* user **2.** *fig* épuiser; ***to be worn out*** être épuisé; (*mentally*) être à bout; ***to wear oneself out*** s'épuiser **II** *v/i clothes, carpets* s'user ◆ **wear through** *v/i* se trouer

wearable ['wɛərəbl] *adj* (*not worn out etc.*) mettable

wearily ['wɪərɪlɪ] *adv say, smile* avec lassitude; *move* péniblement **weariness** *n* (*physical*) fatigue *f*; (*mental*) lassitude *f*

wearing ['wɛərɪŋ] *adj* (*exhausting*) lassant

weary ['wɪərɪ] *adj* ⟨**+er**⟩ épuisé; (*fed up*) abattu; *smile* las(se); ***to grow ~ of sth*** se lasser de qc

weasel ['wiːzl] *n* belette *f*

weather ['weðəʳ] **I** *n* temps *m*; ***in cold ~*** par temps froid; ***what's the ~ like?*** quel temps fait-il?; ***to be under the ~*** *infml* ne pas être très en forme **II** *v/t* **1.** *storms, etc.* essuyer **2.** (*a.* **weather out**) *crisis* survivre à; ***to ~ the storm*** tenir le coup **III** *v/i rock, etc.* s'éroder **weather-beaten** *adj face* hâlé; *stone* abîmé par les intempéries **weather chart** *n* carte *f* météorologique **weathercock** *n* girouette *f* **weather conditions** *pl* conditions *fpl* météorologiques **weathered** ['weðəd] *adj* abîmé par les intempéries **weather forecast** *n* prévisions *fpl* météorologiques **weatherman** *n* présentateur *m* météo **weatherproof** *adj clothes* imperméable; *building* étanche **weather report** *n* bulletin *m* météorologique **weather vane** *n* girouette *f*

weave [wiːv] *vb* ⟨*past* **wove**⟩ ⟨*past part*

woven〉 **I** *v/t* **1.** *cloth* tisser; *cane* tresser; ***she wove the flowers into a crown*** elle a entrelacé les fleurs pour en faire une couronne **2.** *fig plot* tramer; *details* incorporer (***into*** dans) **3.** 〈*past also* **weaved**〉 ***to ~ one's way through sth*** se faufiler à travers qc **II** *v/i* **1.** *lit* tisser **2.** 〈*past also* **weaved**〉 (*twist and turn*) se faufiler **weaver** ['wiːvəʳ] *n* tisserand(e) *m(f)*

web [web] *n* **1.** toile *f* **2.** IT ***the Web*** le Web **webbed** [webd] *adj* ***~ feet*** pieds palmés **web browser** IT *n* navigateur *m* **webcam** IT *n* webcam *f* **webcast** *n* IT webcast *m* **web designer** *n* INTERNET concepteur(-trice) *m(f)* de sites Web **webmaster** IT *n* webmaster *m*, webmestre *m* **web page** IT *n* page *f* Web **website** IT *n* site *m* Web

Wed. *abbr* = **Wednesday** mer.

wed [wed] *obs* 〈*past, past part* **wed** *or* **wedded**〉 *v/i* se marier

we'd [wiːd] *contr* = **we would**, **we had**

wedding ['wedɪŋ] *n* mariage *m*; ***to have a church ~*** se marier à l'église; ***to go to a ~*** aller à un mariage **wedding anniversary** *n* anniversaire *m* de mariage **wedding cake** *n* gâteau *m* de mariage **wedding day** *n* jour *m* du mariage **wedding dress** *n* robe *f* de mariée **wedding reception** *n* réception *f* de mariage **wedding ring** *n* alliance *f* **wedding vows** *pl* échange *m* des consentements

wedge [wedʒ] **I** *n* **1.** (*of wood, etc.*) cale *f* **2.** *fig* ***to drive a ~ between two people*** semer la discorde entre deux personnes **3.** (*of cheese, cake, etc.*) morceau *m* **II** *v/t* **1.** caler; ***to ~ a door open / shut*** maintenir une porte ouverte / fermée avec une cale **2.** *fig* ***to ~ oneself / sth*** se glisser / enfoncer qc (***in*** dans); ***to be ~d between two people*** être coincé entre deux personnes ◆ **wedge in** *v/t sep* faire rentrer ***to be wedged in***; *person, etc.* être coincé

Wednesday ['wenzdɪ] *n* mercredi *m*; → **Tuesday**

Weds. *Br abbr* = **Wednesday** mer.

wee[1] [wiː] *adj* 〈**+er**〉 *Scot* petit

wee[2] (*Br infml*) **I** *n* pipi *infml m*; ***to have*** *or* ***do a ~*** faire pipi *infml* **II** *v/i* faire pipi *infml*

weed [wiːd] **I** *n* **1.** mauvaise herbe *f* **2.** (*Br infml person*) mauviette *f* **II** *v/t & v/i* désherber ◆ **weed out** *v/t sep fig* éliminer

weeding ['wiːdɪŋ] *n* ***to do some ~*** enlever quelques mauvaises herbes **weedkiller** ['wiːdkɪləʳ] *n* herbicide *m* **weedy** ['wiːdɪ] *adj* 〈**+er**〉 (*Br infml*) *person* chétif(-ive)

week [wiːk] *n* semaine *f*; ***it'll be ready in a ~*** ça sera prêt dans une semaine; ***my husband works away during the ~*** mon mari est en déplacement pendant la semaine; ***~ in, ~ out*** semaine après semaine; ***twice a ~*** deux fois par semaine; ***a ~ today*** dans une semaine; ***a ~ from Tuesday*** mardi en huit; ***a ~ (ago) last Monday*** il y a eu une semaine lundi; ***for ~s*** pendant des semaines; ***a ~'s vacation*** (*US*) *or* ***holiday*** *Br* une semaine de vacances; ***a 40-hour ~*** une semaine de 40 heures; ***two ~s' vacation*** (*US*) *or* ***holiday*** *Br* deux semaines de vacances

weekday **I** *n* jour *m* de la semaine; (*working day*) jour *m* ouvrable **II** *attr morning* de la semaine

weekend **I** *n* week-end *m*; ***to go / be away for the ~*** partir / être en week-end; ***on*** (*US*) *or* ***at*** (*Br*) ***the~*** (*this weekend*) ce week-end; (*every weekend*) le week-end; ***to take a long ~*** prendre un week-end prolongé **II** *attr* du week-end; ***~ bag*** sac de voyage

weekly ['wiːklɪ] **I** *adj* hebdomadaire **II** *adv* chaque semaine; ***twice ~*** deux fois par semaine **III** *n* hebdomadaire *m*

weep [wiːp] *vb* 〈*past, past part* **wept**〉 *v/t & v/i* pleurer (***over*** sur); ***to ~ with*** *or* ***for joy*** pleurer de joie **weepy** ['wiːpɪ] *infml adj* 〈**+er**〉 *person* au bord des larmes; *infml movie* sentimental

wee-wee ['wiːwiː] *n, v/i baby talk* = **wee**[2]

weigh [weɪ] **I** *v/t* **1.** *lit* peser; ***could you ~ these bananas for me?*** pouvez-vous me peser ces bananes? **2.** *fig words etc.* peser **II** *v/i* **1.** *lit* peser **2.** (*fig be a burden*) être un fardeau (***on*** pour) **3.** (*fig be important*) ***his age ~ed against him*** son âge jouait contre lui ◆ **weigh down** *v/t sep* **1.** courber; ***she was weighed down with packages*** elle pliait sous le poids des paquets **2.** *fig* peser sur ◆ **weigh out** *v/t sep* peser ◆ **weigh up** *v/t sep* examiner; *person* juger

weighing scales *pl* balance *f*

weight [weɪt] **I** *n* **1.** poids *m*; ***it's 100***

pounds in ~ ≈ ça pèse 45 kilos; ***the branches broke under the ~ of the snow*** les branches ont cassé sous le poids de la neige; ***to gain*** *or* ***put on ~*** grossir; ***to lose ~*** maigrir; ***it's worth its ~ in gold*** cela vaut son pesant d'or; ***to lift ~s*** soulever des poids; ***she's quite a ~*** elle est drôlement lourde **2.** (*fig burden*) poids *m*; ***that's a ~ off my mind*** ça m'ôte un poids **3.** (*fig importance*) poids *m*; ***to carry ~*** *factor* avoir du poids; *person* avoir de l'influence; ***to add ~ to sth*** donner du poids à qc; ***to pull one's ~*** faire sa part du travail; ***to throw one's ~ around*** faire l'important **II** *v/t* **1.** (*make heavier*) alourdir **2.** *fig* ***to be ~ed in favor*** (*US*) *or* ***favour*** (*Br*) ***of sb/sth*** être favorable à qn/qc **weightlessness** *n* apesanteur *f* **weightlifting** *n* haltérophilie *f* **weight loss** *n no pl* perte *f* de poids **weight training** *n* musculation *f* **weighty** ['weɪtɪ] *adj* ⟨**+er**⟩ *fig argument* de poids; *responsibility* important

weir [wɪəʳ] *n* (*barrier*) barrage *m*

weird [wɪəd] *adj* ⟨**+er**⟩ (*eerie*) surnaturel(le); (*infml odd*) bizarre **weirdo** ['wɪədəʊ] *n infml* cinglé(e) *m*(*f*) *infml*

welcome ['welkəm] **I** *n* accueil *m*; ***to give sb a warm ~*** faire un accueil chaleureux à qn **II** *adj* bienvenu; *news* bon(ne); ***the money is very ~*** cet argent tombe très bien; ***to make sb ~*** faire bon accueil à qn; ***you're ~!*** je vous en prie!; ***you're ~ to use my room*** n'hésitez pas à utiliser ma chambre **III** *v/t* accueillir; *news*, *announcement* se réjouir de; ***they ~d him home with a big party*** ils ont organisé une grande réception pour fêter son retour **IV** *int* ***~ to our house/to Canada!*** bienvenue chez nous/au Canada!; ***~ back!*** content de vous revoir! **welcoming** ['welkəmɪŋ] *adj* d'accueil; *smile*, *room* accueillant

weld [weld] *v/t* TECH souder **welder** ['weldəʳ] *n* soudeur(-euse) *m*(*f*)

welfare ['welfɛəʳ] *n* **1.** (*wellbeing*) bien-être *m* **2.** (*welfare work*) travail *m* social **3.** (*US money from state*) aide *f* sociale; ***to be on ~*** toucher l'aide sociale **welfare benefits** *pl US* prestations *fpl* sociales **welfare services** *pl* ≈ services *mpl* d'assistance sociale **welfare state** *n* État *m* providence

well[1] [wel] **I** *n* (*for water*, *oil*) puits *m* **II** *v/i* monter; ***tears ~ed in her eyes*** les larmes lui montèrent aux yeux ◆ **well up** *v/i* jaillir; *fig* monter; ***tears welled up in her eyes*** les larmes lui montèrent aux yeux

well[2] ⟨*comp* **better**⟩ ⟨*sup* **best**⟩ **I** *adv* **1.** bien; ***to do ~ at school*** bien travailler à l'école; ***to do ~ in an examination*** bien réussir un examen; ***his business is doing ~*** ses affaires marchent bien; ***the patient is doing ~*** le malade se rétablit bien; ***if you do ~ you'll be promoted*** si tu t'en sors bien, tu seras promu; ***~ done!*** bravo!; ***~ played!*** bien joué!; ***everything went ~*** tout s'est bien passé; ***to speak/think ~ of sb*** dire du bien de qn/avoir de l'estime pour qn; ***to do ~ out of sth*** bien s'en sortir avec qc; ***you might as ~ go*** tu ferais aussi bien d'y aller; ***are you coming? — I might as ~*** tu viens? — pourquoi pas?; ***we were ~ beaten*** nous avons été largement battus; ***I know only too ~ how you're feeling*** je ne sais que trop bien comment tu te sens; ***~ and truly*** bel et bien; ***it was ~ worth the trouble*** cela en valait vraiment la peine; ***~ out of sight*** bien caché; (*far*) bien loin; ***~ past midnight*** bien après minuit; ***it continued ~ into 1996/the night*** ça a duré une bonne partie de 1996/de la nuit; ***he's ~ over fifty*** il a bien plus de cinquante ans **2.** (*probably*) ***I may ~ be late*** il est fort possible que je sois en retard; ***it may ~ be that …*** il se pourrait bien que…; ***you may ~ be right*** il se peut bien que tu aies raison; ***you may ~ ask!*** *iron* bonne question!; ***I couldn't very ~ stay*** je ne pouvais guère rester **3.** ***as ~*** (*too*) aussi; (*in addition*) en plus; ***x as ~ as y*** x comme y **II** *adj* **1.** (*in good health*) ***get ~ soon!*** bon rétablissement!; ***are you ~?*** vous allez bien?; ***I'm very ~*** je vais très bien; ***she's not been ~ lately*** elle ne va pas très bien ces derniers temps; ***I don't feel at all ~*** je ne me sens pas bien du tout **2.** (*satisfactory*) bien; ***that's all very ~, but …*** c'est bien beau tout ça, mais…; ***it's all very ~ for you to suggest …*** c'est bien beau de suggérer…; ***it's all very ~ for you*** c'est facile pour toi; ***it would be as ~ to ask first*** nous ferions mieux de demander d'abord; ***it's just as ~ he came*** heureusement qu'il est venu; ***all's ~ that ends ~*** tout est bien qui finit bien **III** *int* bon;

(*doubtfully*) eh bien; ***~, ~!*** tiens, tiens!; ***~ I never!*** ça alors!; ***very ~ then!*** bon d'accord!; (*indignantly*) puisque c'est comme ça …! **IV** *n* ***to wish sb ~*** souhaiter bonne chance à qn

we'll [wiːl] *contr* = **we shall**, **we will**

well-adjusted *adj attr*, **well adjusted** *adj pred* PSYCH équilibré **well-advised** *adj attr*, **well advised** *adj pred* ***to be well advised to …*** avoir intérêt à… **well-balanced** *adj attr*, **well balanced** *adj pred person*, *diet* équilibré **well-behaved** *adj attr*, **well behaved** *adj pred child* bien élevé; *animal* bien dressé **wellbeing** *n* bien-être *m inv* **well-bred** *adj attr*, **well bred** *adj pred* (*of good family*) de bonne famille; (*well-behaved*) bien élevé **well-built** *adj attr*, **well built** *adj pred person* bien bâti **well-connected** *adj attr*, **well connected** *adj pred* ***to be well connected*** avoir des relations; (*of good family*) être de bonne famille **well-deserved** *adj attr*, **well deserved** *adj pred* bien mérité **well-disposed** *adj attr*, **well disposed** *adj pred* bien disposé; ***to be well disposed toward(s) sb / sth*** être bien disposé envers qn / être favorable à qc **well-done** *adj attr*, **well done** *adj pred steak* bien cuit **well-dressed** *adj attr*, **well dressed** *adj pred* bien habillé **well-earned** *adj attr*, **well earned** *adj pred* bien mérité **well-educated** *adj attr*, **well educated** *adj pred* cultivé **well-equipped** *adj attr*, **well equipped** *adj pred studio*, *army* bien équipé **well-established** *adj attr*, **well established** *adj pred practice*, *company* bien établi **well-fed** *adj attr*, **well fed** *adj pred* bien nourri **well-founded** *adj attr*, **well founded** *adj pred* fondé **well-informed** *adj attr*, **well informed** *adj pred* bien informé

wellington (**boot**) ['welɪŋtən('buːt)] *n Br* botte *f* en caoutchouc

well-kept *adj attr*, **well kept** *adj pred garden* bien entretenu; *hair* bien coiffé; *nails* soigné; *secret* bien gardé **well-known** *adj attr*, **well known** *adj pred* connu; ***it's well known that …*** tout le monde sait que… **well-loved** *adj attr*, **well loved** *adj pred* bien-aimé **well-mannered** *adj attr*, **well mannered** *adj pred* bien élevé **well-meaning** *adj attr*, **well meaning** *adj pred* bien intentionné **well-nigh** *adv* presque; ***~ impossible*** presque impossible **well-off** *adj attr*, **well off** *adj pred* (*affluent*) aisé **well-paid** *adj attr*, **well paid** *adj pred* bien payé **well-read** *adj attr*, **well read** *adj pred* cultivé **well-spoken** *adj attr*, **well spoken** *adj pred* ***to be well spoken*** bien s'exprimer **well-stocked** *adj attr*, **well stocked** *adj pred* bien approvisionné **well-timed** *adj attr*, **well timed** *adj pred* bien calculé; *arrival* opportun **well-to-do** *adj* aisé **well-wisher** *n* (*of cause*) sympathisant(e) *m(f)*; ***cards from ~s*** des cartes d'encouragement **well-worn** *adj attr*, **well worn** *adj pred carpet etc.* usé; *path* battu

welly ['welɪ] *n* (*Br infml*) botte *f* en caoutchouc

Welsh [welʃ] **I** *adj* gallois **II** *n* **1.** LING gallois *m* **2. the Welsh** *pl* les Gallois *mpl* **Welshman** *n* Gallois *m* **Welsh rabbit, Welsh rarebit** *n toast au fromage fondu* **Welshwoman** *n* Galloise *f*

wend [wend] *v/t* ***to ~ one's way home*** être sur le chemin du retour

went [went] *past* = **go**

wept [wept] *past*, *past part* = **weep**

were [wɜː] *2nd person sg*, *1st*, *2nd*, *3rd person pl pret* = **be**

we're [wɪəʳ] *contr* = **we are**

weren't [wɜːnt] *contr* = **were not**

werewolf ['wɪəwʊlf] *n* loup-garou *m*

west [west] **I** *n* **1.** ouest *m*; ***the ~*** (*part of a country*) l'ouest; ***in the ~*** à l'ouest; ***to the ~*** à l'ouest; ***to the ~ of*** à l'ouest de; ***to come from the ~*** venir de l'ouest **2.** ***the West*** (*Western nations*) l'Occident *m* **II** *adj* ouest *inv*; *wind* d'ouest **III** *adv* à l'ouest; *travel* vers l'ouest; ***it faces ~*** il est orienté à l'ouest; ***~ of*** à l'ouest de **westbound** ['westbaʊnd] *adj traffic etc.* en direction de l'ouest; ***to be ~*** aller vers l'ouest **westerly** ['westəlɪ] *adj* à l'ouest; ***~ wind*** vent d'ouest; ***in a ~ direction*** vers l'ouest

western ['westən] **I** *adj* de l'ouest; *world*, *etc.* occidental; ***Western Europe*** l'Europe occidentale **II** *n* western *m* **Western Isles** *pl* ***the ~*** les Hébrides **westernize** ['westənaɪz] *v/t pej* occidentaliser **westernmost** ['westənməʊst] *adj* le plus à l'ouest **West Germany** *n* Allemagne *f* de l'Ouest **West Indian** **I** *adj* antillais **II** *n* Antillais(e) *m(f)* **West Indies** *pl* Antilles *fpl* **Westminster** ['west,mɪnstəʳ] *n* (*a.* **City of Westminster**) *quartier du centre de*

Londres où se trouve le Parlement **Westphalia** [west'feɪlɪə] *n* Westphalie *f* **westward** ['westwəd], **westwardly I** *adj direction* vers l'ouest **II** *adv* (*a.* **westwards**) vers l'ouest

wet [wet] *vb* ⟨*past, past part* **wet** *or* **wetted**⟩ **I** *adj* ⟨**+er**⟩ **1.** mouillé; *paint* frais (fraîche); *climate* humide; (*rainy*) pluvieux(-euse); ***to be ~ through*** être complètement trempé; ***"wet paint"*** *esp Br* "peinture fraîche"; ***to be ~ behind the ears*** *infml* manquer d'expérience; ***yesterday was ~*** il a plu hier **2.** (*Br infml weak*) mou(molle) **II** *n* **1.** (*moisture*) humidité *f* **2.** (*rain*) pluie *f* **III** *v/t* mouiller; ***to ~ one's lips*** s'humecter les lèvres; ***to ~ the bed / oneself*** faire pipi au lit / dans sa culotte; ***I nearly ~ myself*** *infml* j'étais plié de rire *infml* **wet blanket** *n infml* rabat-joie *m inv* **wetness** ['wetnɪs] *n* humidité *f* **wet nurse** *n* nourrice *f* **wet suit** *n* combinaison *f* de plongée

we've [wiːv] *contr* = **we have**

whack [wæk] **I** *n* (*infml blow*) coup *m*; ***to give sth a ~*** flanquer un coup à qc *infml* **II** *v/t infml* frapper **whacked** [wækt] *adj* (*Br infml exhausted*) crevé *infml* **whacking** ['wækɪŋ] *adj* (*Br infml*) énorme; ***~ great*** absolument énorme

whacky ['wækɪ] *adj* ⟨**+er**⟩ *infml* = **wacky**

whale [weɪl] *n* **1.** baleine *f* **2.** *infml* ***to have a ~ of a time*** bien s'amuser **whaling** ['weɪlɪŋ] *n* chasse *f* à la baleine

wharf [wɔːf] *n* ⟨*pl* **-s** *or* **wharves**⟩ quai *m*

what [wɒt] **I** *pron* **1.** (*interrog*) (*as subject*) qu'est-ce qui; (*as object*) qu'est-ce que; (*before vowel*) qu'est-ce qu'; (*after prep*) quoi; ***~ is this?*** qu'est-ce que c'est?; ***~'s the weather like?*** comment est le temps?; ***you need (a) ~?*** quoi, qu'est-ce qu'il te faut?; ***~ is it now?*** qu'est-ce qu'il y a maintenant?; ***~'s that to you?*** qu'est-ce que ça peut te faire?; ***~ for?*** pour quoi faire?; ***~'s that tool for?*** à quoi sert cet outil?; ***~ did you do that for?*** pourquoi as-tu fait ça?; ***~ about some lunch?*** et si on allait déjeuner?; ***you know that restaurant? — ~ about it?*** tu connais ce restaurant? — oui, et alors?; ***~ of*** *or* ***about it?*** et alors?; ***~ if …?*** et si…?; ***so ~?*** *infml* et alors?; ***~ does it matter?*** qu'est-ce que ça peut faire?; ***you ~?*** *infml* quoi?; ***~-d'you-call-him / -it*** *infml* Machin / machin *infml* **2.** (*rel*) (*as subject*) ce qui; (*rel*) (*as object*) ce que; ***that's exactly ~ I want*** c'est exactement ce que je veux; ***do you know ~ you are looking for?*** savez-vous ce que vous cherchez?; ***he didn't know ~ he was objecting to*** il ne savait pas à quoi il s'opposait; ***~ I'd like is a cup of tea*** ce que j'aimerais c'est une tasse de thé; ***~ with one thing and the other*** avec tout ça; ***and ~'s more*** et qui plus est; ***he knows ~'s ~*** *infml* il s'y connaît; ***(I'll) tell you ~*** *infml* écoute **II** *adj* **1.** (*interrog*) quel(le); ***~ age is he?*** quel âge a-t-il?; ***~ good would that be?*** *infml* à quoi bon?; ***~ sort of*** quelle sorte de; ***~ else*** quoi d'autre; ***~ more could you ask for?*** que demander de plus? **2.** (*rel*) ***~ little I had*** le peu que j'avais; ***buy ~ food you like*** achète ce que tu veux pour manger **3.** (*in interj*) ***~ luck!*** quelle chance!; ***~ a fool I am!*** que je suis bête! **III** *int* ***~!*** quoi!; ***is he cute, or ~?*** il est mignon, hein?

whatever [wɒt'evər] **I** *pron* (*as subject*) tout ce qui; (*as object*) tout ce que; (*no matter what*) quoi que + *subj*; ***~ you like*** ce que tu veux; ***shall we go? — ~ you say*** on y va? — comme vous voudrez; ***~ it is*** quoi que ce soit; ***… or ~ they're called*** … si c'est comme ça qu'ils s'appellent; ***~ does he want?*** qu'est-ce qu'il peut bien vouloir?; ***~ do you mean?*** mais qu'est-ce que tu veux dire? **II** *adj* **1.** ***~ book you choose*** quel que soit le livre que tu choisisses; ***~ else you do*** quoi que tu fasses **2.** (*with neg*) ***it's of no use ~*** ça ne sert strictement à rien **what's** [wɒts] *contr* = **what is**, **what has** **whatsit** ['wɒtsɪt] *n infml* machin *m infml* **whatsoever** [ˌwɒtsəʊ'evər] *pron, adj* = **whatever**

wheat [wiːt] *n* blé *m* **wheat germ** *n* germe *m* de blé

wheedle ['wiːdl] *v/t* ***to ~ sth out of sb*** soutirer qc à qn par des cajoleries

wheel [wiːl] **I** *n* roue *f*; (*steering wheel*) volant *m*; ***at the ~*** au volant **II** *v/t* (*push*) pousser; *suitcase* tirer **III** *v/i* (*turn*) faire demi-tour; *birds* tournoyer ◆ **wheel around** *v/i* (*turn*) faire demi-tour; *birds* tournoyer

wheelbarrow *n* brouette *f* **wheelchair** *n* fauteuil *m* roulant **wheel clamp** *n Br* sabot *m* de Denver **-wheeled** *adj suf* ***three-~*** à trois roues **wheelie bin**

['wiːlɪˌbɪn] *n* (*Br infml*) conteneur *m* à ordures **wheeling and dealing** ['wiːlɪŋən'diːlɪŋ] *n* combines *fpl*
wheeze [wiːz] *v/i asthmatic* respirer péniblement; *animal* souffler; *machines* siffler **wheezy** ['wiːzɪ] *adj* ⟨**+er**⟩ *old man* poussif(-ive); *cough* sifflant; *voice* d'asthmatique
when [wen] **I** *adv* **1.** quand **2.** (*rel*) ***on the day*** **~** le jour où **II** *cj* **1.** quand, lorsque; ***you can go ~ I have finished*** tu pourras partir quand j'aurai terminé **2.** (*although*) alors que
whenever [wen'evəʳ] **I** *cj* **1.** (*each time*) chaque fois que **2.** (*at whatever time*) quand; (*as soon as*) dès que; **~ *you like!*** quand tu veux! **II** *adv* **1.** (*regardless of when*) n'importe quand
where [wɛəʳ] *adv* **I** *adv* où; **~ *are you going (to)?*** où allez-vous?; **~ *are you from?*** d'où êtes-vous? **II** *cj* **1.** où; ***the bag is ~ you left it*** le sac est là où tu l'as laissé **2.** (*the place that*) là que; ***that's ~ I used to live*** c'est là que j'habitais; ***this is ~ we got to*** c'est là que nous en sommes **whereabouts** [ˌwɛərə'baʊts] **I** *adv* où **II** *n sg or pl* ***nothing is known of his ~*** personne ne sait où il est **whereas** [wɛər'æz] *cj* (*whilst*) tandis que; (*since*) attendu que
wherever [wɛər'evəʳ] **I** *cj* **1.** (*no matter where*) où que + *subj* **2.** (*in or to whatever place*) où; **~ *that is*** *or* ***may be*** peu importe où **3.** (*everywhere*) partout où **II** *adv* **1.** (*where*) où donc; **~ *did you get that hat?*** où donc as-tu trouvé ce chapeau? **2.** (*no matter where*) n'importe où
whet [wet] *v/t appetite etc.* aiguiser
whether ['weðəʳ] *cj* **1.** (*if*) si **2.** (*no matter whether*) **~ *you approve or not*** que tu sois d'accord ou pas
which [wɪtʃ] **I** *adj* quel(le); **~ *one?*** lequel/laquelle?; ***to tell ~ key is ~*** distinguer une clé de l'autre; ***... by ~ time I was asleep*** ... et je dormais déjà **II** *pron* **1.** (*interrog*) lequel(laquelle); (*pl*) lesquels(lesquelles); **~ *of the children*** lequel des enfants?; **~ *is ~?*** lequel est-ce? **2.** (*rel*) (*subject*) qui; (*object*) que; (*after prep*) lequel(laquelle); (*pl*) lesquels(lesquelles); ***the bear ~ I saw*** l'ours que j'ai vu; ***the shelf on ~ I put it*** l'étagère sur laquelle je l'ai posé **3.** (*with clause antecedent*) (*subject*) ce qui; (*object*) ce que; ***it rained, ~ upset her plans*** il a plu, ce qui a bouleversé ses projets; **~ *reminds me ...*** ce qui me rappelle... **whichever** [wɪtʃ'evəʳ] **I** *adj* **1.** quel(le) que soit; (*pl*) quels(quelles) que soient; **~ *flight you take*** quel que soit le vol que vous prenez **2.** (*no matter which*) ***choose ~ color you like*** choisis la couleur que tu veux, peu importe laquelle **II** *pron* (*subject*) celui(celle) qui; (*object*) celui(celle) que; **~ *(of you) has the money*** celui (d'entre vous) qui a l'argent
whiff [wɪf] *n* bouffée *f*; (*smell*) odeur *f*; (*fig trace*) signe *m*
while [waɪl] **I** *n* moment *m*; ***for a ~*** pendant un moment; ***a good*** *or* ***long ~*** *Br* longtemps; ***for quite a ~*** pendant un bon moment; ***a little*** *or* ***short ~*** un instant; ***it'll be ready in a short ~*** ce sera près dans un instant; ***a little ~ ago*** il y a un petit moment; ***a long ~ ago*** *Br* il y a longtemps; ***to be worth (one's) ~ to ...*** valoir la peine de... **II** *cj* **1.** pendant que; (*as long as*) tant que; ***she fell asleep ~ reading*** elle s'est endormie en lisant; ***he became famous ~ still young*** il est devenu célèbre alors qu'il était encore jeune **2.** (*whereas*) alors que **3.** (*although*) bien que + *subj*; **~ *one must admit there are difficulties ...*** bien qu'il faille reconnaître qu'il y a des difficultés... ◆ **while away** *v/t sep time* passer
whilst [waɪlst] *cj Br* = **while** *II*
whim [wɪm] *n* caprice *m*; ***on a ~*** sur un coup de tête
whimper ['wɪmpəʳ] **I** *n* gémissement *m* **II** *v/i* gémir
whimsical ['wɪmzɪkəl] *adj* fantasque; *tale* farfelu
whine [waɪn] **I** *n* gémissement *m*; (*complaint*) plainte *f* **II** *v/i* **1.** gémir **2.** (*complain*) se plaindre; *child* pleurnicher
whinge [wɪndʒ] (*Br infml*) *v/i* pleurnicher
whining ['waɪnɪŋ] **I** *n* (*of dog*) gémissements *mpl* **II** *adj* **1.** (*complaining*) *voice* geignard **2.** *sound* strident; *dog* qui gémit
whinny ['wɪnɪ] **I** *n* hennissement *m* **II** *v/i* hennir
whip [wɪp] **I** *n* **1.** fouet *m* **2.** (*riding whip*) cravache *f* **II** *v/t* **1.** fouetter; *egg whites* battre; ***the new headmistress will soon ~ the school into shape*** *fig* le nouveau proviseur aura vite fait de re-

dresser l'établissement **2.** *fig* **he ~ped his hand out of the way** il retira vite sa main **III** *v/i* (*move quickly*: *person*) filer ◆ **whip off** *v/t sep clothes* se débarrasser de; *tablecloth* enlever en un tour de main ◆ **whip out** *v/t sep camera* sortir en un tour de main ◆ **whip up** *v/t sep infml meal* préparer en vitesse *infml*; *fig interest* susciter; *support* obtenir

whiplash ['wɪplæʃ] *n* (MED: *a.* **whiplash injury**) coup *m* du lapin **whipped cream** [wɪpt'kriːm] *n* crème *f* fouettée

whirl [wɜːl] **I** *n* (*spin*) tourbillon *m*; **to give sth a ~** (*fig*, *infml try out*) essayer qc **II** *v/t* faire tourbillonner; **to ~ sb / sth around** faire tournoyer qn / qc **III** *v/i* tourbillonner; **to ~ around** *person* se retourner brusquement; *dancer* tournoyer; *water* tourbillonner; **my head is ~ing** j'ai la tête qui tourne **whirlpool** ['wɜːlpuːl] *n* tourbillon *m*; (*in health club*) bain *m* à remous **whirlwind** ['wɜːlwɪnd] *n* tornade *f*; *fig* tourbillon *m*; **a ~ romance** une folle histoire d'amour

whirr [wɜːʳ] **I** *n* (*of wings*) bruissement *m*; (*of machine*) ronflement *m*; (*louder*) vrombissement *m* **II** *v/i wings* bruire; *machine* ronfler; (*louder*) vrombir

whisk [wɪsk] **I** *n* COOK fouet *m*; (*electric*) batteur *m* **II** *v/t* **1.** COOK battre **2. she ~ed it out of my hand** elle me l'a brusquement enlevé des mains ◆ **whisk away** *or* **off** *v/t sep* **he whisked her away to the Bahamas** il l'a emmenée aux Bahamas

whisker ['wɪskəʳ] *n* poil *m*; **~s** moustaches; (*side whiskers*) favoris; **by a ~** de justesse

whiskey, *Br* **whisky** ['wɪskɪ] *n* whisky *m*

whisper ['wɪspəʳ] **I** *n* chuchotement *m*; (*rumor*) bruit *m*; **to talk in ~s** parler à voix basse **II** *v/t* chuchoter; **to ~ sth to sb** chuchoter qc à qn **III** *v/i* chuchoter **whispering** ['wɪspərɪŋ] *n* chuchotements *mpl*

whist [wɪst] *n* whist *m*

whistle ['wɪsl] **I** *n* **1.** (*sound*) sifflement *m* **2.** (*instrument*) sifflet *m*; **to blow a ~** donner un coup de sifflet **II** *v/t & v/i* siffler; **to ~ at sb** siffler qn **whistle-stop** ['wɪslˌstɒp] *attr* **~ tour** (*a.* POL) tournée *f* éclair

white [waɪt] **I** *adj* ⟨+er⟩ blanc(he); *coffee*, *tea* au lait; **as ~ as a sheet** blanc comme un linge **II** *n* (*color*, *of egg*, *of eye*) blanc *m*; (*person*) Blanc(he) *m*(*f*) **whiteboard** *n* tableau *m* blanc **white coffee** *n Br* café *m* au lait **white-collar** *adj* **~ worker** employé(e) *m*(*f*) de bureau; **~ job** poste *m* d'employé de bureau **white goods** *pl* COMM appareils *mpl* ménagers; (*linen*) blanc *m* **white-haired** *adj* aux cheveux blancs **Whitehall** *n* (*British government*) *gouvernement britannique* (*dont le siège se trouve sur l'avenue Whitehall à Londres*) **white-hot** *adj* chauffé à blanc **White House** *n* **the ~** la Maison-Blanche **white lie** *n* pieux mensonge *m* **white meat** *n* viande *f* blanche **whiten** ['waɪtn] *v/t & v/i* blanchir **whiteness** ['waɪtnɪs] *n* blancheur *f*; (*of skin*) pâleur *f* **White-Out**® *n US* correcteur *m* liquide **whiteout** *n* voile *m* blanc (*visibilité nulle à cause de la neige*) **white paper** *n* POL livre *m* blanc (**on** sur) **white sauce** *n* sauce *f* blanche **white spirit** *n Br* white-spirit *m* **white stick** *n* canne *f* blanche **white tie** *n* **a ~ occasion** une soirée habillée **white trash** *n* (*US pej*, *infml*) racaille *f* blanche *pej*, *infml* **whitewash** **I** *n* blanc *m* de chaux; *fig* maquillage *m* de la vérité **II** *v/t* blanchir à la chaux; *fig* blanchir **white-water rafting** *n* rafting *m* **white wedding** *n* mariage *m* en blanc **white wine** *n* vin *m* blanc

Whit Monday [ˌwɪt'mʌndɪ] *n Br* lundi *m* de Pentecôte **Whitsun** ['wɪtsən] *Br n* Pentecôte *f* **Whit Sunday** [ˌwɪt'sʌndɪ] *n Br* dimanche *m* de Pentecôte **Whitsuntide** ['wɪtsəntaɪd] *n Br* Pentecôte *f*

whittle ['wɪtl] *v/t* tailler au couteau ◆ **whittle away** *v/t sep* réduire ◆ **whittle down** *v/t sep* réduire (**to** à)

whiz(z) [wɪz] **I** *n infml* as *m infml*; **a computer ~** un as de l'informatique *infml* **II** *v/i* (*arrow*) siffler **whiz(z) kid** *n infml* prodige *m*

who [huː] *pron* **1.** (*interrog*) qui; **~ do you think you are?** tu te prends pour qui?; **~ did you stay with?** chez qui avez-vous logé? **2.** (*rel*) qui; **any man ~ ...** tout homme qui ... **who'd** [huːd] *contr* = **who had**, **who would** **whodun(n)it** [huː'dʌnɪt] *n infml* polar *m infml*

whoever [huː'evəʳ] *pron* **1.** quiconque **2.** (*no matter who*) **~ it is** qui que ce soit **3.** (*emphatic*) qui donc

whole [həʊl] **I** *adj* entier(-ère); *truth*

tout; ***the ~ lot*** le tout; (*of people*) tous; ***a ~ lot better*** *infml* bien mieux; ***the ~ thing*** le tout; ***the figures don't tell the ~ story*** on ne sait pas ce que cachent les chiffres **II** *n* ***the ~ of the month*** tout le mois; ***the ~ of the time*** tout le temps; ***the ~ of London*** tout Londres; ***as a ~*** dans son ensemble; ***on the ~*** dans l'ensemble **wholefood** *adj attr esp Br diet* naturel(le); ***~ shop*** magasin diététique **wholehearted** *adj* inconditionnel(le) **wholeheartedly** *adv* sans réserve **wholemeal** *Br adj* complet(-ète) **wholesale** ['həʊlseɪl] **I** *n* (vente *f* en) gros *m* **II** *adj attr* **1.** COMM de gros **2.** *fig* en masse **III** *adv* **1.** en gros; *pay* au prix de gros **2.** *fig* en masse **wholesaler** ['həʊlseɪləʳ] *n* grossiste *m/f* **wholesale trade** *n* commerce *m* de gros **wholesome** ['həʊlsəm] *adj* sain; *advice, lesson* salutaire **whole-wheat** ['həʊlwiːt] *n* complet (-ète)

who'll [huːl] *contr* = **who will, who shall**

wholly ['həʊlɪ] *adv* totalement

whom [huːm] *pron* **1.** (*interrog*) qui **2.** (*rel*) ***my cousin, ~ I saw last month…*** ma cousine, que j'ai vue le mois dernier…; ***…, all of ~ were drunk*** …, qui étaient tous ivres; ***none / all of ~*** dont aucun / tous

whoop [huːp] *v/i* **1.** (*shout*) crier **2.** (*cough*) avoir des quintes de toux coquelucheuse **whooping cough** ['huːpɪŋˌkɒf] *n* coqueluche *f*

whoosh [wuːʃ] **I** *n* (*of water*) jaillissement *m*; (*of air*) bouffée *f* **II** *v/i* passer en trombe; (*air*) siffler

whopping ['wɒpɪŋ] *adj infml* énorme

whore [hɔːʳ] *n pej, infml* pute *pej, infml f*

whorl [wɜːl] *n* spirale *f*; (*of shell*) spire *f*

who's [huːz] *contr* = **who has, who is**

whose [huːz] *poss pr* **1.** (*interrog*) à qui; ***~ is this?*** à qui c'est?; ***~ car was it?*** c'était la voiture de qui? **2.** (*rel*) dont

why [waɪ] **I** *adv* pourquoi; ***~ not ask him?*** pourquoi ne pas lui demander?; ***~ wait?*** pourquoi attendre?; ***that's ~*** voilà pourquoi **II** *int* ***~, of course, that's right!*** oh, mais bien sûr, c'est juste!; ***~, if it isn't Charles!*** tiens, voilà Charles!

wick [wɪk] *n* mèche *f*

wicked ['wɪkɪd] *adj* **1.** méchant; (*immoral*) vicieux(-euse); *smile* malicieux (-euse); ***that was a ~ thing to do*** c'était vraiment méchant de faire ça; ***it's ~ to tell lies*** ce n'est pas bien de mentir **2.** (*sl very good*) super *infml* **wickedly** ['wɪkɪdlɪ] *adv smile, look, grin* malicieusement; *behave* méchamment **wickedness** ['wɪkɪdnɪs] *n* **1.** méchanceté *f*; (*immorality*) cruauté *f* **2.** (*mischievousness*) malice *f*

wicker ['wɪkəʳ] *adj attr* en osier **wicker basket** *n* panier *m* en osier **wickerwork** **I** *n* (*articles*) vannerie *f* **II** *adj* en osier

wide [waɪd] **I** *adj* ⟨+er⟩ **1.** large; *experience, variety* grand; *choice* vaste; *eyes* écarquillé; ***it is one foot ~*** ≈ ça fait trente centimètres de large; ***the big ~ world*** le vaste monde **2.** ***it was ~ of the target*** c'était loin de la cible **II** *adv* **1.** grand; ***~ apart*** espacé; ***open ~!*** ouvrez grand!; ***the law is ~ open to abuse*** cette loi est une porte ouverte aux abus **2.** ***to go ~ of sth*** passer à côté de qc **-wide** [-waɪd] *adj suf* ***Europe-wide*** dans toute l'Europe **wide-angle (lens)** *n* PHOT objectif *m* grand-angle **wide area network** *n* IT réseau *m* étendu **wide-awake** *adj attr*, **wide awake** *adj pred* complètement éveillé **wide-eyed** *adj* aux yeux écarquillés **widely** ['waɪdlɪ] *adv* largement; (*by or to many people*) généralement; *differing* radicalement; ***his remarks were ~ publicized*** on a beaucoup parlé de ses commentaires; ***a ~ read student*** un étudiant très cultivé

widen ['waɪdn] **I** *v/t road* élargir; *passage* agrandir; *appeal, scope* accroître **II** *v/i* s'élargir; (*interests etc.*) s'accroître ◆ **widen out** *v/i* s'élargir (***into*** en)

wideness ['waɪdnɪs] *n* largeur *f* **wide-open** *adj attr*, **wide open** *adj pred* **1.** *window* grand ouvert; *eyes* écarquillé **2.** *contest etc.* ouvert **wide-ranging, wide-reaching** *adj* de vaste portée **wide-screen** *adj* FILM grand écran; ***~ television set*** téléviseur grand écran **widespread** *adj* répandu; ***to become ~*** se répandre

widow ['wɪdəʊ] **I** *n* veuve *f* **II** *v/t* ***he was ~ed in 1998*** il a perdu sa femme en 1998; ***she was twice ~ed*** elle est deux fois veuve **widowed** ['wɪdəʊd] *adj* veuf (veuve) **widower** ['wɪdəʊəʳ] *n* veuf *m*

width [wɪdθ] *n* largeur *f*; ***six feet in ~*** ≈ 1,80 mètre de large; ***what is the ~ of the fabric?*** quelle est la largeur du tissu?

widthways ['wɪdθweɪz] *adv* dans le sens de la largeur

wield [wiːld] *v/t pen, sword* manier; *ax* brandir; *power* exercer

wife [waɪf] *n* ⟨*pl* **wives**⟩ femme *f*, épouse *f*

wi-fi *n* wi-fi *m*

wig [wɪg] *n* perruque *f*

wiggle ['wɪgl] **I** *v/t* remuer *hips* tortiller de **II** *v/i* remuer; *worm* se tortiller **wiggly** ['wɪglɪ] *adj* qui se tortille; **~ line** ligne sinueuse; (*drawn*) trait ondulé

wigwam ['wɪgwæm] *n* wigwam *m*

wiki *n* wiki *m*

wild [waɪld] **I** *adj* ⟨**+er**⟩ **1.** (*not domesticated*) sauvage; **~ animals** animaux sauvages; ***a lion is a ~ animal*** le lion est un animal sauvage **2.** *weather, ocean* déchaîné **3.** (*excited, riotous*) fou(folle) (**with** de); ***to be ~ about sb / sth*** *infml* être dingue de qn / qc *infml* **4.** (*infml angry*) furieux(-euse) (**with, at** contre); ***it drives me ~*** ça me rend fou **5.** (*extravagant*) extravagant; *exaggeration* grossier(-ère); *imagination* délirant; ***never in my ~est dreams*** jamais dans mes rêves les plus fous **6.** (*wide of the mark*) au hasard; **~ throw** coup au hasard; ***it was just a ~ guess*** c'était une hypothèse au hasard **II** *adv grow* à l'état sauvage; ***to let one's imagination run ~*** laisser libre cours à son imagination; ***he lets his kids run ~*** *pej* il laisse tout faire à ses enfants **III** *n* ***in the ~*** dans la nature; ***the ~s*** les régions sauvages **wildcat strike** *n* grève *f* sauvage **wilderness** ['wɪldənɪs] *n* désert *m*; *fig* jungle *f* **wildfire** *n* ***to spread like ~*** se répandre comme une traînée de poudre **wildfowl** *n no pl* gibier *m* à plumes **wild-goose chase** *n* recherche *f* inutile **wildlife** *n* faune *f* et flore *f*; **~ sanctuary** réserve naturelle **wildly** ['waɪldlɪ] *adv* furieusement; (*excitedly*) frénétiquement; *exaggerated* grossièrement **wildness** ['waɪldnɪs] *n* état *m* sauvage; *of storm* violence *f*

wile [waɪl] *n usu pl* ruse *f*

wilful *Br* = **willful**

will[1] [wɪl] ⟨*past* **would**⟩ **I** *v/mod* **1.** (*future*) ***I'm sure that he ~ come*** je suis certain qu'il viendra; ***you ~ come to see us, won't you?*** vous viendrez nous voir, n'est-ce pas?; ***you won't lose it, ~ you?*** tu ne vas pas le perdre, hein? **2.** (*emphatic*) **~ *you be quiet!*** voulez-vous vous taire!; ***he says he ~ go and I say he won't*** il dit qu'il va y aller et moi je dis que non; ***he ~ interrupt all the time*** il faut toujours qu'il interrompe **3.** (*expressing willingness, capability*) ***he won't sign*** il ne veut pas signer; ***he wouldn't help me*** il n'a pas voulu m'aider; ***wait a moment, ~ you?*** un instant, s'il te plaît; ***the door won't open*** la porte ne s'ouvre pas **4.** (*in questions*) **~ *you have some more tea?*** voulez-vous encore du thé?; **~ *you accept these conditions?*** êtes-vous prêt à accepter ces conditions?; ***there isn't any tea, ~ coffee do?*** il n'y a pas de thé, voulez-vous du café? **5.** (*tendency*) ***sometimes he ~ go to the pub*** il va parfois au pub **II** *v/i* vouloir; ***as you ~!*** comme vous voulez!

will[2] **I** *n* **1.** volonté *f*; ***to have a ~ of one's own*** n'en faire qu'à sa tête (*a. hum*); ***the ~ to live*** l'envie de vivre; ***against one's ~*** contre son gré; ***at ~*** à volonté; ***of one's own free ~*** de son propre gré; ***with the best ~ in the world*** avec la meilleure volonté du monde **2.** (*testament*) testament *m* **II** *v/t* vouloir; ***to ~ sb to do sth*** vouloir que qn fasse qc

willful, *Br* **wilful** ['wɪlfʊl] *adj* **1.** (*self-willed*) volontaire **2.** *damage* délibéré

willie *n* (*Br infml penis*) zizi *m infml*

willies ['wɪlɪz] *pl infml* ***it / he gives me the ~*** ça / il me fiche la trouille *infml*

willing ['wɪlɪŋ] *adj* **1.** ***to be ~ to do sth*** être prêt à faire qc; ***he was ~ for me to take it*** il voulait bien que je le prenne **2.** *helpers* de bonne volonté

willingly ['wɪlɪŋlɪ] *adv* volontiers **willingness** ['wɪlɪŋnɪs] *n* empressement *m*

willow ['wɪləʊ] *n* (*a.* **willow tree**) saule *m*

willpower ['wɪlˌpaʊəʳ] *n* volonté *f*

willy ['wɪlɪ] *n* (*Br infml*) = **willie**

willy-nilly ['wɪlɪ'nɪlɪ] *adv* **1.** *choose* au hasard **2.** (*willingly or not*) bon gré mal gré

wilt [wɪlt] *v/i* **1.** (*flowers*) se faner **2.** (*person*) dépérir

wily ['waɪlɪ] *adj* ⟨**+er**⟩ rusé

wimp [wɪmp] *n infml* poule *f* mouillée

win [wɪn] *vb* ⟨*past, past part* **won**⟩ **I** *n* victoire *f* **II** *v/t* gagner; *contract* obtenir; *victory* remporter **III** *v/i* gagner; ***OK, you ~, I was wrong*** d'accord, tu as raison, je me suis trompé; ***whatever I do, I just can't ~*** quoi que je fasse, j'ai toujours tort ◆ **win over** *v/t sep* convaincre ◆ **win round** *v/t sep Br* = **win over**

wince [wɪns] *v/i* grimacer; (*flinch*) tressaillir

winch [wɪntʃ] **I** *n* treuil *m* **II** *v/t* hisser à l'aide d'un treuil

wind[1] [wɪnd] **I** *n* **1.** vent *m*; ***the ~ is from the east*** le vent vient de l'est; ***to put the ~ up sb*** (*Br infml*) ficher la trouille à qn *infml*; ***to get ~ of sth*** avoir vent de qc; ***to throw caution to the ~s*** oublier toute prudence **2.** *Br* (*from bowel*) gaz *mpl*; ***to break ~*** lâcher des gaz **II** *v/t* ***he was ~ed by the ball*** le coup de ballon lui a coupé le souffle

wind[2] [waɪnd] *vb* ⟨*past*, *past part* **wound**⟩ **I** *v/t* **1.** *bandage*, *turban*, *etc.* enrouler **2.** *handle* donner un tour de; *clock*, *toy* remonter **3.** ***to ~ one's way*** serpenter **II** *v/i river etc.* serpenter; *ivy* s'enrouler ◆ **wind around I** *v/t insep sep* enrouler autour de; ***wind it twice around the post*** enroule-le deux fois autour du poteau; ***to wind itself around sth*** s'enrouler autour de qc **II** *v/i road* serpenter **III** *v/t insep road* contourner ◆ **wind back** *v/t sep tape* rembobiner ◆ **wind down I** *v/t sep* **1.** *windows* baisser **2.** *operations* réduire progressivement **II** *v/i* **1.** (*infml relax*) décompresser **2.** *party* tirer à sa fin ◆ **wind forward** *or* **on** *v/t sep movie* faire avancer ◆ **wind round** *v/t & v/i sep Br* = **wind around** ◆ **wind up I** *v/t sep* **1.** *window*, *mechanism* remonter; ***to be wound up about sth*** *Br fig* être énervé à cause de qc **2.** (*Br fig*, *infml*) *person* taquiner **3.** (*end*) conclure; *company* liquider **II** *v/i infml* finir; ***to ~ in the hospital*** finir à l'hôpital; ***to ~ doing sth*** finir par faire qc

windbreak ['wɪnd] *n* brise-vent *m inv* **windcheater**, *Br* **Windbreaker®** *n* coupe-vent *m inv* **wind-chill factor** *n* indice *m* de refroidissement éolien **winded** ['wɪndɪd] *adj* essoufflé **wind energy** *n* énergie *f* éolienne **windfall** ['wɪndfɔːl] *n* fruit *m* que le vent a fait tomber; *fig* aubaine *f*; FIN profit *m* inattendu **wind farm** ['wɪndfɑːm] *n* champ *m* d'éoliennes

winding ['waɪndɪŋ] *adj* sinueux(-euse) **winding staircase** *n* escalier *m* en colimaçon **winding-up** *n* (*of project*) conclusion *f*; (*of company*, *society*) liquidation *f*

wind instrument ['wɪnd] *n* instrument *m* à vent **windmill** *n* moulin *m* à vent

window ['wɪndəʊ] *n* fenêtre *f*; (*store window*) vitrine *f*; (*in airplane*, *boat*) hublot *m* **window box** *n* jardinière *f* **windowcleaner** *n* laveur(-euse) *m*(*f*) de vitres **window display** *n* étalage *m* **window-dressing** *n* étalage *m*; *fig* façade *f infml*; ***that's just ~*** ce n'est qu'une façade **window ledge** *n* = **windowsill** **windowpane** *n* vitre *f* **window-shopping** *n* lèche-vitrines *m*; ***to go ~*** faire du lèche-vitrines **windowsill** *n* rebord *m* de fenêtre

windpipe ['wɪnd] *n* trachée *f* **wind power** *n* énergie *f* éolienne **windshield**, *Br* **windscreen** *n* pare-brise *m* **windshield washer**, *Br* **windscreen washer** *n* lave-glace *m* **windshield wiper**, *Br* **windscreen wiper** *n* essuie-glace *m* **windsurf** *v/i* faire de la planche à voile **windsurfer** *n* **1.** (*person*) véliplanchiste *m/f* **2.** (*board*) planche *f* à voile **windsurfing** *n* planche *f* à voile **windswept** *adj beach* venteux(-euse); *person* ébouriffé **wind tunnel** *n* tunnel *m* aérodynamique **wind turbine** *n* éolienne *f*

wind-up ['waɪndʌp] *n* (*Br infml joke*) blague *f*

windy ['wɪndɪ] *adj* ⟨**+er**⟩ venteux(-euse); ***it's ~*** il y a du vent

wine [waɪn] **I** *n* vin *m*; ***cheese and ~ party*** ≈ dégustation *f* de vins et fromages **II** *adj* (*color*) lie-de-vin *inv* **wine bar** *n* bar *m* à vin(s) **wine bottle** *n* bouteille *f* de vin **wine cellar** *n* cave *f* (à vin) **wineglass** *n* verre *m* à vin **wine growing** *adj* viticole; ***~ region*** région viticole **wine list** *n* carte *f* des vins **wine tasting** *n* dégustation *f* de vins

wing [wɪŋ] **I** *n* **1.** aile *f*; (*Br fender*) garde-boue *m inv*; ***to take sb under one's ~*** *fig* prendre qn sous son aile; ***to spread one's ~s*** *fig* élargir ses horizons; ***to play on the*** (***left*** / ***right***) ***~*** SPORTS être ailier (gauche / droit) **2. wings** *pl* THEAT coulisses *fpl*; ***to wait in the ~s*** attendre dans les coulisses **II** *v/t* ***to ~ one's way*** voler **III** *v/i* voler **winger** ['wɪŋəʳ] *n* SPORTS ailier *m* **wing nut** *n* écrou *m* à oreilles **wingspan** *n* envergure *f*

wink [wɪŋk] **I** *n* clin *m* d'œil; ***I didn't sleep a ~*** *infml* je n'ai pas fermé l'œil de la nuit **II** *v/t* ***to ~ an eye at sb*** faire un clin d'œil à qn **III** *v/i* (*meaningfully*) faire un clin d'œil; ***to ~ at sb*** faire un

clin d'œil à qn
winkle ['wɪŋkl] *n Br* bigorneau *m*
winner ['wɪnəʳ] *n* (*competition*) gagnant(e) *m(f)*; (*of battle*) vainqueur *m*; ***to be onto a ~*** *infml* partir gagnant
winning ['wɪnɪŋ] **I** *adj* **1.** *person*, *entry* gagnant; *goal* décisif(-ive) **2.** *smile* charmeur(-euse) **II** *n* **winnings** *pl* gains *mpl* **winning post** *n Br* poteau *m* d'arrivée
wino ['waɪnəʊ] *n infml* poivrot(e) *m(f) infml*
winter ['wɪntəʳ] **I** *n* hiver *m* **II** *adj attr* d'hiver **Winter Olympics** *pl* jeux *mpl* Olympiques d'hiver **winter sports** *pl* sports *mpl* d'hiver **wintertime** *n* hiver *m* **wintery** ['wɪntərɪ], **wintry** *adj* d'hiver
wipe [waɪp] **I** *n* lingette *f*; ***to give sth a ~*** essuyer qc **II** *v/t* **1.** essuyer; ***to ~ sb / sth dry*** bien essuyer qn / qc; ***to ~ sb / sth clean*** nettoyer qn / qc; ***to ~ one's eyes*** s'essuyer les yeux; ***to ~ one's nose*** se moucher; ***to ~ one's feet*** s'essuyer les pieds; ***to ~ the floor with sb*** *fig*, *infml* démolir qn *infml* **2.** *tape* effacer ◆ **wipe away** *v/t sep* essuyer ◆ **wipe off** *v/t sep* effacer; ***wipe that smile off your face*** *infml* ravale ce sourire *infml*; ***to be wiped off the map*** *or* ***the face of the earth*** être rayé de la carte ◆ **wipe out** *v/t sep* **1.** *bowl* nettoyer **2.** *sth on blackboard* effacer **3.** *disease* éradiquer; *race* exterminer; *enemy* anéantir **4.** *debt* amortir ◆ **wipe up I** *v/t sep* essuyer **II** *v/i* essuyer la vaisselle
wire [waɪəʳ] **I** *n* **1.** fil *m* de fer; (*for electricity*) fil *m* électrique; ***you have your ~s crossed there*** *infml* tu as compris de travers **2.** TEL télégramme *m* **3.** (*microphone*) micro *m* caché **II** *v/t* **1.** *plug* brancher; *house* faire l'installation électrique de **2.** TEL télégraphier à **3.** (*fix with wire*) relier avec du fil de fer ◆ **wire up** *v/t sep lights* brancher
wireless ['waɪəlɪs] **I** *n* (*esp Br obs*) radio *f* **II** *adj program* de radio; *technology* sans fil; ***~ phone*** téléphone sans fil **Wireless Application Protocol** *n* IT protocole *m* WAP **wire netting** *n Br* grillage *m* **wiretap** *v/t phone*, *conversation* mettre sur écoute; *building* installer des micros dans **wiring** ['waɪərɪŋ] *n* installation *f* électrique **wiry** ['waɪərɪ] *adj* ⟨**+er**⟩ *person* sec(sèche) et nerveux (-euse); *hair* rêche
wisdom ['wɪzdəm] *n* sagesse *f* **wisdom tooth** *n* dent *f* de sagesse
wise [waɪz] *adj* ⟨**+er**⟩ sage; *move*, *etc.* judicieux(-euse); ***the Three Wise Men*** les Rois mages; ***I'm none the ~r*** *infml* je ne suis pas plus avancé; ***nobody will be any the ~r*** *infml* personne n'en saura rien; ***you'd be ~ to let him know*** il serait prudent de le prévenir; ***to get ~ to sb / sth*** *infml* comprendre le petit jeu de qn / ouvrir les yeux sur qc *infml*; ***to be ~ to sb / sth*** *infml* y voir clair dans le jeu de qn / être au courant de qc; ***he fooled her twice, then she got ~ to him*** il l'a trompée deux fois, puis elle a compris son petit jeu **-wise** *adv suf* **1.** (*with regard to*) en ce qui concerne **2.** (*in the direction of*) dans le sens de **3.** (*as*) comme **wisecrack** *n* pointe *f*; ***to make a ~ (about sb / sth)*** lancer une pointe (sur qn / qc) **wise guy** *n infml* gros malin *m infml* **wisely** ['waɪzlɪ] *adv* sagement; (*sensibly*) prudemment
wish [wɪʃ] **I** *n* souhait *m* (**for** de); ***I have no great ~ to see him*** je n'ai pas spécialement envie de le voir; ***to make a ~*** faire un vœu; ***with best ~es*** cordialement; (*for birthday*, *Christmas*) meilleurs vœux; ***he sends his best ~es*** il vous fait ses amitiés **II** *v/t* souhaiter; ***he ~es to be alone*** il souhaite être seul; ***how he ~ed that his wife was*** *or* ***were there*** comme il aurait aimé que sa femme soit là; ***~ you were here*** je regrette que tu ne sois pas là; ***to ~ sb good luck*** souhaiter bonne chance à qn ◆ **wish for** *v/t insep* souhaiter; ***to ~ sth*** souhaiter qc ◆ **wish on** *or* **upon** *v/t insep sep infml* souhaiter à; ***to wish sth on*** *or* ***upon sb*** souhaiter qc à qn; ***I wouldn't wish him on anybody*** je ne souhaite à personne d'avoir affaire à lui
wishful ['wɪʃfʊl] *adj* ***that's just ~ thinking*** c'est prendre ses désirs pour des réalités
wishy-washy ['wɪʃɪˌwɒʃɪ] *adj person* mou(molle); *color* délavé; *argument* faible
wisp [wɪsp] *n* (*of straw etc.*) brin *m*; (*of hair*) mèche *f*; (*of cloud*, *smoke*) traînée *f* **wispy** ['wɪspɪ] *adj* ⟨**+er**⟩ ***~ clouds*** légers nuages; ***~ hair*** cheveux épars
wistful ['wɪstfʊl] *adj* nostalgique **wistfully** *adv* avec nostalgie
wit [wɪt] *n* **1.** (*understanding*) intelligen-

ce *f*; ***to be at one's ~s' end*** ne plus savoir que faire; ***to be scared out of one's ~s*** avoir une peur bleue; ***to have one's ~s about one*** avoir de la présence d'esprit **2.** (*wittiness*) esprit *m* **3.** (*person*) homme *m*/femme *f* d'esprit

witch [wɪtʃ] *n* sorcière *f* **witchcraft** *n* sorcellerie *f* **witch doctor** *n* sorcier *m* **witch-hunt** ['wɪtʃhʌnt] *n* chasse *f* aux sorcières

with [wɪð, wɪθ] *prep* **1.** avec; ***are you pleased ~ it?*** vous en êtes content?; ***bring a book ~ you*** apportez un livre; ***~ no ...*** sans...; ***~ a smile/a wave*** en souriant/faisant un geste de la main; ***to walk ~ a stick*** marcher avec une canne; ***put it ~ the rest*** mettez-le avec les autres; ***how are things ~ you?*** comment ça va?; ***it varies ~ the temperature*** ça varie en fonction de la température; ***is he ~ us or against us?*** est-ce qu'il est avec nous ou contre nous?; ***I'll be ~ you in a moment*** je suis à vous dans un instant **2.** (*at house of, on person*) chez; ***I live ~ my aunt*** je vis chez ma tante; ***10 years ~ the company*** 10 ans dans la société **3.** (*characteristics*) à; ***the woman ~ blue eyes*** la femme aux yeux bleus; ***someone ~ experience*** quelqu'un qui a de l'expérience **4.** (*cause*) de; ***to shiver ~ cold*** trembler de froid **5.** (*while sb / sth is*) ***you can't go ~ your mother sick*** tu ne peux pas partir alors que ta mère est malade; ***~ the window open*** avec la fenêtre ouverte **6.** (*infml: expressing comprehension*) ***I'm not ~ you*** je ne vous suis pas; ***to be ~ it*** (*alert*) être vif

withdraw [wɪθ'drɔː] 〈*past* **withdrew**〉 〈*past part* **withdrawn**〉 **I** *v/t charge, offer, money, etc.* retirer **II** *v/i* se retirer; (*move away*) reculer **withdrawal** [wɪθ'drɔːəl] *n* (*of objects, charge, money, etc.*) retrait *m*; (*of words*) rétraction *f*; (*from drugs*) état *m* de manque; ***to make a ~ from a bank*** faire un retrait à la banque **withdrawn** [wɪθ'drɔːn] **I** *past part* = **withdraw II** *adj person* renfermé **withdrew** [wɪθ'druː] *past* = **withdraw**

wither ['wɪðəʳ] *v/i* **1.** *lit* se faner; *limb* s'atrophier **2.** *fig hope* s'évanouir

◆ **wither away** *v/i* = **wither**

withered ['wɪðəd] *adj* flétri **withering** ['wɪðərɪŋ] *adj heat* desséchant; *look* foudroyant

withhold [wɪθ'həʊld] 〈*past, past part* **withheld**〉 *v/t* retenir; (*refuse*) refuser; ***to ~ sth from sb*** cacher qc à qn

within [wɪð'ɪn] **I** *prep* (*inside*) dans; *time* en moins de; *distance* à moins de; ***to be ~ 50 feet of the finish*** f se trouver à moins de 200 mètres de la ligne d'arrivée; ***is it ~ walking distance?*** est-ce qu'on peut y aller à pied? **II** *adv obs, liter* à l'intérieur; ***from ~*** de l'intérieur

without [wɪð'aʊt] **I** *prep* sans; ***~ speaking*** sans parler; ***~ my noticing it*** sans que je le remarque **II** *adv obs, liter* à l'extérieur; ***from ~*** de l'extérieur

withstand [wɪθ'stænd] 〈*past, past part* **withstood**〉 *v/t* résister à

witless ['wɪtlɪs] *adj* ***to be scared ~*** avoir une peur bleue

witness ['wɪtnɪs] **I** *n* **1.** (*person*) témoin *m*; ***~ for the defense*** (*US*) *or* ***defence*** *Br* témoin à décharge **2.** (*evidence*) témoignage *m*; ***to bear ~ to sth*** témoigner de qc **II** *v/t* **1.** *accident* être témoin de; *scenes, changes* assister à **2.** *document* contresigner; ***to ~ a signature*** signer comme témoin **witness stand**, *Br* **witness box** *n* barre *f* des témoins

witty ['wɪtɪ] *adj* 〈**+er**〉 spirituel(le)

wives [waɪvz] *pl* = **wife**

wizard ['wɪzəd] *n* **1.** magicien *m*; (*sorcerer*) sorcier *m* **2.** *infml* champion(ne) *m(f)*

wizened ['wɪznd] *adj* ratatiné; *skin* desséché

wk. *abbr* = **week** sem.

WMD *abbr* = **weapons of mass destruction**

wobble ['wɒbl] **I** *n* tremblement *m* **II** *v/i jelly, hand, voice* trembler; *chair* être branlant; *cyclist* aller de travers; *tooth* bouger **III** *v/t* faire bouger **wobbly** ['wɒblɪ] *adj* 〈**+er**〉 *chair* bancal; *jelly* qui tremble; *voice, hand* tremblant; *tooth* qui bouge; ***to feel ~*** ne pas être dans son assiette

woe [wəʊ] *n* **1.** (*liter, hum sorrow*) malheur *m*; ***~!*** hélas!; ***~ is me!*** pauvre de moi!; ***~ betide him who ...!*** malheur à celui qui...! **2.** (*esp pl trouble*) difficulté *f* **woeful** ['wəʊfʊl] *adj* malheureux (-euse); *lack* lamentable

wok [wɒk] *n* COOK wok *m*

woke [wəʊk] *past* = **wake woken** ['wəʊkn] *past part* = **wake**

wolf [wʊlf] **I** *n* 〈*pl* **wolves**〉 loup *m*; ***to cry ~*** crier au loup **II** *v/t* (*infml: a.* **wolf**

down) *food* engloutir **wolf whistle** *infml n* sifflement *m* d'admiration *au passage d'une fille* **wolves** [wʊlvz] *pl* = **wolf**

woman ['wʊmən] **I** *n* ⟨*pl* **women**⟩ femme *f*; ***cleaning ~*** femme de ménage **II** *adj attr* ***~ doctor*** femme médecin; ***~ driver*** conductrice **womanhood** ['wʊmənhʊd] *n* **1.** (*womanliness*) féminité *f*; ***to reach ~*** devenir une femme **2.** (*women*) les femmes *fpl* **womanize** ['wʊmənaɪz] *v/i* courir les femmes **womanizer** ['wʊmənaɪzə^r] *n* coureur *m* de jupons

womb [wuːm] *n* utérus *m*

women ['wɪmɪn] *pl* = **woman women's lib** ['wɪmɪnz] *n infml* mouvement *m* de libération de la femme **women's refuge** *n* foyer *m* pour femmes **women's room** *n US* toilettes *fpl* pour dames

won [wʌn] *past*, *past part* = **win**

wonder ['wʌndə^r] **I** *n* **1.** (*feeling*) émerveillement *m*; ***in ~*** émerveillé **2.** (*cause of wonder*) merveille *f*; ***it is a ~ that ...*** c'est étonnant que...; ***no ~ (he refused)!*** ce n'est pas étonnant (qu'il ait refusé)!; ***to do** or **work ~s*** faire des merveilles; ***~s will never cease!*** cela relève du miracle! **II** *v/t* se demander; ***I ~ what he'll do now*** je me demande ce qu'il va faire maintenant; ***I ~ why he did it*** je me demande pourquoi il a fait ça; ***I was ~ing if you'd like to come too*** est-ce que vous aimeriez vous joindre à nous? **III** *v/i* **1.** (*ask oneself*) se poser des questions; ***why do you ask? — oh, I was just ~ing*** pourquoi tu me demandes ça? — oh, comme ça, pour rien; ***to ~ about sth*** se poser des questions sur qc; ***I expect that will be the end of the matter — I ~!*** j'imagine que l'affaire va être classée — je n'en suis pas si sûr!; ***to ~ about doing sth*** se demander si l'on va faire qc; ***John, I've been ~ing, is there really any point?*** John, je me demande si cela en vaut vraiment la peine **2.** (*be surprised*) s'étonner de; ***I ~ (that) he ...*** cela m'étonne qu'il... **wonderful** ['wʌndəfəl] *adj* merveilleux(-euse) **wonderfully** ['wʌndəfəlɪ] *adv* merveilleusement **wondrous** ['wʌndrəs] *obs*, *liter adj* merveilleux(-euse)

wonky ['wɒŋkɪ] *adj* ⟨**+er**⟩ (*Br infml*) *chair* branlant; *grammar* qui cloche; *marriage* qui bat de l'aile; *machine* détraqué; ***your collar's all ~*** ton col est tout de travers

won't [wəʊnt] *contr* = **will not**

woo [wuː] *v/t person* courtiser; *fig audience etc.* chercher à plaire à

wood [wʊd] **I** *n* **1.** (*material*) bois *m*; ***knock on ~!*** *US*, ***touch ~*** *Br* touchons du bois! **2.** (*small forest*: *a.* **woods**) bois *m*; ***we're not out of the ~s yet*** *fig* nous ne sommes pas encore tirés d'affaire; ***he can't see the ~ for the trees*** (*Br prov*) les arbres lui cachent la forêt *prov* **II** *adj attr* (*made of wood*) en bois **wood carving** *n* sculpture *f* sur bois **woodcutter** *n* graveur(-euse) *m*(*f*) sur bois; (*of logs*) bûcheron(ne) *m*(*f*) **wooded** ['wʊdɪd] *adj* boisé

wooden ['wʊdn] *adj* **1.** en bois **2.** *fig performance* raide **wooden spoon** *n lit* cuillère *f* en bois (*a. fig*) **woodland** *n* bois *mpl* **woodpecker** *n* pic *m*, pivert *m* **woodpile** *n* tas *m* de bois **woodwind** *n* (*music instrument*) bois *m*; ***the ~ section*** les bois **woodwork** *n* **1.** (*carpentry*) menuiserie *f*; (*cabinet-making*) ébénisterie *f* **2.** (*beams*) charpente *f*; (*skirting boards*, *doors*, *etc.*) boiseries *fpl*; ***to come out of the ~*** *fig* apparaître comme par magie **woodworm** *n* ver *m* de bois **woody** ['wʊdɪ] *adj* ⟨**+er**⟩ (*in texture*) de bois; *smell* boisé

woof [wʊf] **I** *n* (*of dog*) aboiement *m* **II** *v/i* aboyer; ***~, ~!*** ouaf, ouaf!

wool [wʊl] **I** *n* laine *f*; (*cloth*) lainage *m*; ***to pull the ~ over sb's eyes*** *infml* embobiner qn *infml* **II** *adj* en laine

woolen, *Br* **woollen** ['wʊlən] **I** *adj* en laine **II** *n* **woolens** *pl* (*garments*, *fabrics*) lainages *mpl* **wooly**, *Br* **woolly** ['wʊlɪ] *adj* ⟨**+er**⟩ en laine; ***winter woolies*** (*US underwear*) sous-vêtements chauds; ***winter woollies*** (*Br sweaters etc.*) lainages

woozy ['wuːzɪ] *adj* ⟨**+er**⟩ *infml* dans les vapes *infml*

Worcester sauce ['wʊstə'sɔːs] *n* sauce *f* Worcester (*sauce épicée à base de soja et de vinaigre*)

word [wɜːd] **I** *n* **1.** mot *m*; (*promise*, *in song*) parole *f*; ***foreign ~s*** mots étrangers; ***~ for ~*** mot pour mot; *translation* mot à mot; ***~s cannot describe it*** les mots ne suffisent pas à le décrire; ***too funny for ~s*** vraiment trop drôle; ***to put one's thoughts into ~s*** trouver les mots pour exprimer ce que l'on pense; ***to put sth into ~s*** exprimer qc; ***in a ~*** en un mot; ***in other ~s*** autrement dit; ***in one's own ~s*** à sa façon; ***the last ~ in …*** *fig* ce qui se fait de mieux en matière de …; ***a ~ of advice*** un bon conseil; ***by ~ of mouth*** de bouche à oreille; ***to say a few ~s*** dire quelques mots; ***to be lost for ~s*** ne pas savoir quoi dire; ***to take sb at his ~*** prendre qn au mot; ***to have a ~ with sb*** (*talk to*) parler à qn (***about*** de qc); (*reprimand*) dire deux mots à qn; ***John, could I have a ~?*** John, est-ce que je peux vous parler un instant?; ***you took the ~s out of my mouth*** c'est ce que j'allais dire; ***to put in*** *or* ***say a*** (***good***) ***~ for sb*** glisser un mot en faveur de qn; ***don't say a ~ about it*** n'en parle à personne; ***to have ~s with sb*** (*argue*) se disputer avec qn; ***~ of honor*** (*US*) *or* ***honour*** *Br* parole d'honneur; ***a man of his ~*** un homme de parole; ***to keep one's ~*** tenir parole; ***take my ~ for it*** croyez-moi; ***it's his ~ against mine*** c'est sa parole contre la mienne; ***just say the ~*** tu n'as qu'un mot à dire **2. words** *pl* (*text*) paroles *fpl* **3.** *no pl* (*news*) nouvelles *fpl*; ***is there any ~ from John yet?*** est-ce que vous avez des nouvelles de John?; ***to send ~*** donner des nouvelles; ***to send ~ to sb*** informer qn; ***to spread the ~*** *infml* faire passer le message **II** *v/t* formuler **word game** *n* jeu *m* de lettres **wording** ['wɜːdɪŋ] *n* formulation *f* **word order** *n* ordre *m* des mots **word-perfect** *adj Br* ***to be ~ in sth*** savoir qc sur le bout des doigts **wordplay** *n* jeu *m* de mots

word processing *n* traitement *m* de texte **word processor** *n* (*machine*) traitement *m* de texte **wordy** ['wɜːdɪ] *adj* ⟨**+er**⟩ verbeux(-euse)

wore [wɔːʳ] *past* = **wear**

work [wɜːk] **I** *n* **1.** travail *m*; (ART, LIT *product*) œuvre *f*; ***he doesn't like ~*** il n'aime pas le travail; ***that's a good piece of ~*** c'est du bon travail; ***is this all your own ~?*** vous avez tout fait vous-même?; ***when ~ begins on the new bridge*** quand les travaux du nouveau pont vont commencer; ***to be at ~*** (***on sth***) travailler (à qc); ***nice ~!*** bravo!; ***you need to do some more ~ on your accent*** il faut que tu travailles plus ton accent; ***to get to ~ on sth*** se mettre à travailler à qc; ***let's get to ~!*** mettons-nous au travail!; ***to get some ~ done*** avancer dans son travail; ***to put a lot of ~ into sth*** beaucoup travailler sur qc; ***to get on with one's ~*** continuer son travail; ***to be*** (***out***) ***at ~*** être au travail; ***to go out to ~*** travailler au-dehors; ***to be out of ~*** être au chômage; ***to be in ~*** *Br* avoir un emploi; ***how long does it take you to get to ~?*** vous mettez combien de temps pour aller au travail?; ***at ~*** au travail; ***to be off ~*** (*on holiday*) être en congé; (*ill*) être en congé maladie; ***a ~ of art*** une œuvre d'art; ***a fine piece of ~*** un beau travail **2. works** [wɜːks] *sg or pl* (*Br factory*) usine *f*; ***steel ~s*** aciérie **3.** *infml* **the works** *pl* tout le tralala *infml* **II** *v/i* **1.** *person* travailler (***at*** à) **2.** (*function, be successful*) marcher; (*medicine, spell*) être efficace; ***it won't ~*** ça ne va pas marcher; ***to get sth ~ing*** réussir à faire marcher qc **3.** ***to ~ loose*** se desserrer; ***OK, I'm ~ing around to it*** c'est bon, je m'en occupe **III** *v/t* **1.** faire travailler; ***to ~ sb hard*** faire travailler dur qn **2.** *machine* faire marcher **3.** ***to ~ it*** (***so that …***) *infml* s'arranger (pour que …) **4.** *wood, land* travailler; ***~ the flour in gradually*** incorporez la farine petit à petit **5.** ***to ~ sth loose*** desserrer qc; ***to ~ one's way to the top*** gravir un à un tous les échelons; ***he ~ed his way up from nothing*** il est parti de rien

◆ **work in** *v/t sep* (*rub in*) faire pénétrer ◆ **work off** *v/t sep fat* perdre; *energy* dépenser; *anger* passer ◆ **work on** *v/t insep* **1.** *book* travailler à; *accent* travailler; *case* travailler sur; ***we haven't solved the case yet but we're still working on it*** nous n'avons pas encore résolu l'affaire mais nous continuons d'y travailler **2.** *assumption* se baser sur; *principle* (*person*) partir de; (*machine*) reposer sur **3.** *person* essayer de convaincre; ***I'm still working on him*** j'essaie toujours de le convaincre

◆ **work out I** *v/i* **1.** (*puzzle etc.*) se résoudre **2.** ***that works out at $ 105*** ça fait 105 dollars; ***it works out more expensive*** ça revient plus cher **3.** (*succeed*) marcher; ***things didn't ~ for him*** les choses ont plutôt mal tourné pour lui; ***things didn't ~ that way*** les choses se sont passées différemment **4.** (*in gym etc.*) s'entraîner **II** *v/t sep* **1.** *problem* résoudre; *sum* calculer; *solution* trouver; ***work it out for yourself*** à toi de trouver la réponse **2.** *scheme* mettre au point **3.** (*understand*) comprendre; (*find out*) découvrir; ***I can't ~ why it went wrong*** je n'arrive pas à comprendre pourquoi ça n'a pas marché ◆ **work through** *v/t insep problem* réussir à résoudre; ***I worked my way through the crowd/the papers*** je me suis frayé un chemin à travers la foule/j'ai lu les journaux un par un ◆ **work up** *v/t sep courage* trouver; ***to ~ enthusiasm*** s'enthousiasmer; ***to ~ an appetite*** se mettre en appétit; ***to ~ a sweat*** transpirer; ***to get worked up*** se mettre dans tous ses états ◆ **work up to** *v/t insep proposal etc.* en venir à

workable ['wɜːkəbl] *adj plan, system* réalisable; *solution* possible **workaholic** [ˌwɜːkə'hɒlɪk] *n infml* bourreau *m* de travail **workbench** *n* établi *m* **workbook** *n* cahier *m* d'exercices **workday** *n esp US* **1.** (*hours of work*) journée *f* de travail **2.** (*not weekend*) jour *m* ouvrable

worker ['wɜːkəʳ] *n* travailleur(-euse) *m(f)* **work ethic** *n* ≈ conscience *f* professionnelle **workforce** *n* main-d'œuvre *f* **workhorse** *n* **1.** (*horse*) cheval *m* de labour **2.** *fig* (*person*) bourreau *m* de travail; (*machine*) machine *f* à toute épreuve **working** ['wɜːkɪŋ] **I** *adj* **1.** *population* actif(-ive); *woman* qui travaille; ***~ man*** ouvrier **2.** (*used for working*) de travail; ***~ hours*** heures de travail; ***in good ~ order*** en bon état de marche; ***~ knowledge*** connaissances suffisantes **3.** *farm* actif(-ive) **II** *n* **workings** *pl* (*way sth works*) mécanisme *m*; ***in order to understand the ~s of this machine*** pour comprendre le fonctionnement de cette machine **working class** *n* (*a.* **working classes**) classe *f* ouvrière **working-class** *adj* ouvrier (-ère); ***to be ~*** appartenir à la classe ouvrière **working environment** *n* conditions *fpl* de travail **working lunch** *n* déjeuner *m* d'affaires **working party** *n Br* groupe *m* de travail **working relationship** *n* ***to have a good ~ with sb*** bien travailler avec qn **workload** *n* charge *f* de travail **workman** *n* ouvrier *m* **workmanship** ['wɜːkmənʃɪp] *n* exécution *f* **work-out** *n* SPORTS séance *f* d'entraînement **work permit** *n* permis *m* de travail **workplace** *n* lieu *m* de travail; ***in the ~*** sur le lieu de travail **workroom** *n* salle *f* de travail **works** *pl* = **work** *I 2, 3* **works council** *n esp Br* comité *m* d'entreprise **worksheet** *n* feuille *f* de travail

workshop *n* atelier *m*; ***a music ~*** un atelier musical **work station** *n* poste *m* de travail **work surface** *n Br* plan *m* de travail **worktop** *n Br* plan *m* de travail

world [wɜːld] *n* monde *m*; ***in the ~*** dans le monde; ***all over the ~*** dans le monde entier; ***he jets all over the ~*** il parcourt le monde en avion; ***to go around the ~*** faire le tour du monde; ***to feel** or **be on top of the ~*** être aux anges; ***it's not the end of the ~!*** *infml* ce n'est pas la fin du monde!; ***it's a small ~*** le monde est petit; ***to live in a ~ of one's own*** vivre dans un monde à soi; ***the Third World*** le tiers-monde; ***the business ~*** le monde des affaires; ***woman of the ~*** femme du monde; ***to go down in the ~*** déchoir; ***to go up in the ~*** faire du chemin; ***he had the ~ at his feet*** il avait le monde à ses pieds; ***to lead the ~ in sth*** être au premier rang mondial pour qc; ***to come into the ~*** venir au monde; ***to have the best of both ~s*** gagner sur les deux tableaux; ***out of this ~*** *infml* extraordinaire; ***to bring sb into the ~*** mettre qn au monde; ***nothing in the ~*** rien au monde; ***who in the ~...?*** qui donc ...?; ***to do sb a ~ of good*** faire un bien fou à qn; ***to mean the ~ to sb*** être tout pour qn; ***to think the ~ of sb*** ne jurer que par qn

world champion *n* champion(ne) *m(f)* du monde **world championship** *n* championnat *m* du monde **world-class** *adj* de niveau mondial **world-famous** *adj* de renommée mondiale **world leader** *n* **1.** POL dirigeant(e) *m(f)* mondial(e); ***the ~s*** les dirigeants mondiaux **2.** COMM leader *m* mondial **worldly** ['wɜːldlɪ] *adj* ⟨**+er**⟩ **1.** *success, goods* matériel(le) **2.** *attitude* matérialiste **3.** *person* qui a l'expérience du monde; *manner* qui montre une expérience du monde **world music** *n* world music *f* **world peace** *n* paix *f* mondiale **world power** *n* puissance *f* mondiale **world record** *n* record *m* du monde **world record holder** *n* détenteur (-trice) *m(f)* du record du monde **world trade** *n* commerce *m* mondial **world-view** *n* vision *f* du monde **World War One, World War I** *n* la Première Guerre mondiale **World War Two, World War II** *n* la Seconde Guerre mondiale **world-weary** *adj* las (lasse) de tout **worldwide** **I** *adj* mondial **II** *adv* dans le monde entier **World Wide Web** *n* Web *m*

worm [wɜːm] **I** *n* **1.** ver *m*; ***~s*** MED vers; ***to open a can of ~s*** découvrir un sac de nœuds **2.** IT, INTERNET ver *m* informatique **II** *v/t* ***to ~ one's way through sth*** passer par qc en rampant; ***to ~ one's way into a group*** s'infiltrer dans un groupe

worn [wɔːn] **I** *past part* = **wear** **II** *adj coat, carpet, tire* usé **worn-out** ['wɔːnˌaʊt] *adj attr*, **worn out** *adj pred carpet* usé; *person* épuisé

worried ['wʌrɪd] *adj* inquiet(-ète) (***about, by*** au sujet de)

worry ['wʌrɪ] **I** *n* souci *m*; ***no worries!*** *infml* pas de problème! **II** *v/t* **1.** (*concern*) inquiéter; ***to ~ oneself sick*** *or* ***silly*** (***about*** *or* ***over sth***) *infml* être malade d'inquiétude (à propos de *or* pour qc) *infml* **2.** (*bother*) ennuyer; ***to ~ sb with sth*** ennuyer qn avec qc **III** *v/i* s'inquiéter (***about, over*** au sujet de, pour); ***don't ~!, not to ~!*** ne t'inquiète pas!; ***don't ~, I'll do it*** ne t'inquiète pas, je le ferai; ***don't ~ about letting me know*** ce n'est pas la peine de me prévenir

worrying ['wʌrɪɪŋ] *adj problem* inquiétant; ***it's very ~*** c'est très inquiétant

worse [wɜːs] **I** *adj comp* = **bad** pire; (*in health*) plus mal; ***the patient is getting ~*** l'état du malade s'est aggravé; ***and to make matters ~*** et pour ne rien arranger; ***it could have been ~*** cela aurait pu être pire; ***~ luck!*** ce n'est pas de chance! **II** *adv comp* = **badly** plus mal; ***to be ~ off than …*** se retrouver dans une situation pire que …; (*financially*) être plus pauvre que … **III** *n* pire *m*; ***there is ~ to come*** le pire reste à venir **worsen** ['wɜːsn] *v/t & v/i* empirer

worship ['wɜːʃɪp] **I** *n* **1.** culte *m*; ***place of ~*** lieu de culte **2.** *Br* ***Your Worship*** (*to judge*) Monsieur le Juge; (*to mayor*) Monsieur le Maire **II** *v/t* vénérer

worst [wɜːst] **I** *adj sup* = **bad** pire; ***the ~ possible time*** le plus mauvais moment **II** *adv sup* = **badly** le plus mal **III** *n* ***the ~*** le pire; ***the ~ is over*** le plus mauvais moment est passé; ***at ~*** au pire; ***if ~ comes to ~, if the ~ comes to the ~*** *Br* dans le pire des cas **worst-case scenario** ['wɜːstkeɪssɪ'nɑːrɪəʊ] *n* scénario *m* catastrophe

worth [wɜːθ] **I** *adj* ***it's ~ $5*** ça vaut 5 dollars; ***it's not ~ $5*** ça ne vaut pas 5 dollars; ***what's this ~?*** qu'est-ce que ça vaut?; ***it's ~ a great deal to me*** (*sentimentally*) ça a beaucoup de valeur pour moi; ***will you do this for me? — what's it ~ to you?*** pouvez-vous faire ça pour moi? — vous êtes prêt à payer combien?; ***he's ~ all his brothers put together*** il vaut tous ses frères réunis; ***for all one is ~*** de son mieux; ***you need to exploit the idea for all it's ~*** il faut que tu exploites cette idée jusqu'au bout; ***for what it's ~, I personally don't think …*** prenez-le pour ce que ça vaut, mais personnellement je ne pense pas que …; ***to be ~ it*** valoir la peine; ***it's not ~ the trouble*** cela n'en vaut pas la peine; ***to be ~ a visit*** valoir le détour; ***is there anything ~ seeing?*** est-ce qu'il y a des choses à voir?; ***it's hardly ~ mentioning*** ça ne vaut pas vraiment la peine d'en parler **II** *n* valeur *f*; ***hundreds of dollars' ~ of books*** pour plusieurs centaines de dollars de livres **worthless** ['wɜːθlɪs] *adj* sans valeur; *person* qui n'est bon(ne) à rien **worthwhile** ['wɜːθ'waɪl] *adj* qui en vaut la peine; *occupation* utile; *cause* louable; ***to be ~*** valoir la peine **worthy** ['wɜːðɪ] *adj* ⟨**+er**⟩ **1.** digne; *cause* louable **2.** *pred* ***to be ~ of sb / sth*** être digne de qn / qc

would [wʊd] *pastof* **will¹** *v/mod* **1.** (*conditional*) ***if you asked him he ~ do it*** si vous le lui demandiez, il le ferait; ***if you had asked him he ~ have done it*** si vous le lui aviez demandé, il l'aurait fait; ***you ~ think …*** on pourrait penser … **2.** *emph* ***I ~n't know*** je ne saurais dire; ***you ~!*** c'est bien de toi!; ***you ~ say that, ~n't you!*** je m'attendais à ce que tu dises ça!; ***it ~ have to rain*** naturellement, il fallait qu'il pleuve; ***he ~n't listen*** il n'a pas voulu écouter **3.** (*conjecture*) ***it ~ seem so*** on dirait; ***you ~n't have a cigarette, ~ you?*** vous n'auriez pas une cigarette par hasard? **4.** (*wish*) ***what ~ you have me do?*** que voulez-vous que je fasse? **5.** (*in questions*) ***~ he come?*** est-ce qu'il viendrait?; ***~ you mind closing the window?*** est-ce que cela vous dérangerait de fermer la fenêtre?; ***~ you like some tea?*** voulez-vous du thé? **6.** (*habit*) ***he ~ paint it each year*** il le repeignait chaque année

would-be ['wʊdbiː] *adj attr* potentiel(le); ***a ~ poet*** un poète en herbe **wouldn't** ['wʊdnt] *contr* = **would not**

wound[1] [wuːnd] **I** *n* blessure *f*; ***to open** or **re-open old ~s** fig* rouvrir une plaie **II** *v/t lit, fig* blesser **III** *n* ***the ~ed*** *pl* les blessés

wound[2] [waʊnd] *past, past part* = **wind**[2]

wove [wəʊv] *past* = **weave** **woven** ['wəʊvən] *past part* = **weave**

WPC *Br n abbr* = **Woman Police Constable** *femme agent de police*

wrack [ræk] *n, v/t* = **rack**[1], **rack**[2]

wrangle ['ræŋgl] **I** *n* dispute *f* **II** *v/i* se disputer (***about*** à propos de)

wrap [ræp] **I** *n* **1.** (*garment*) châle *m* **2.** ***under ~s*** *lit* emballé; *fig* secret(-ète) **II** *v/t parcel* emballer; *blanket* envelopper; *scarf* enrouler; ***shall I ~ it for you?*** je vous fais un paquet-cadeau?; ***to ~ sth around sth*** enrouler qc autour de qc; ***to ~ one's arms around sb*** enlacer qn ◆ **wrap up I** *v/t sep* **1.** *parcel* emballer; (*in blanket*) envelopper **2.** *infml deal* conclure; ***that wraps things up for today*** c'est fini pour aujourd'hui **II** *v/i* (*warmly*) se couvrir

wrapper ['ræpəʳ] *n* emballage *m*; (*of candies*) papier *m* **wrapping** *n* emballage *m* **wrapping paper** *n* papier *m* d'emballage; (*decorative*) papier *m* cadeau

wrath [rɒθ] *n* colère *f*

wreak [riːk] *v/t damage* provoquer, causer; *anger* assouvir

wreath [riːθ] *n* ⟨*pl* **-s**⟩ couronne *f*

wreathe [riːð] *v/t* **1.** enrouler; *mist* envelopper **2.** *person* couronner; *grave* orner

wreck [rek] **I** *n* **1.** épave *f*; ***car ~*** *US* accident **2.** (*person*) loque *f*; ***I'm a ~, I feel a ~*** je suis à bout; (*exhausted*) je suis épuisé **II** *v/t* **1.** *ship* provoquer le naufrage de; *car, train* détruire; *furniture, machine* casser **2.** *fig plans, chances* ruiner; *marriage, career, sb's life* briser; *party* gâcher **wreckage** ['rekɪdʒ] *n* (*of ship, plane, car*) épave *f* **wrecker** ['rekəʳ] *n* (*US breakdown van*) dépanneuse *f*

wren [ren] *n* roitelet *m*

wrench [rentʃ] **I** *n* **1.** (*tool*) clé *f*; (*monkey wrench*) clé *f* anglaise **2.** (*tug*) mouvement *m* violent; ***to be a ~*** *fig* être un déchirement **3.** (*injury*) entorse *f* **II** *v/t* **1.** (*tug*) tirer violemment sur; ***to ~ a door open*** ouvrir une porte de force **2.** MED se faire une entorse à; ***to ~ one's ankle*** se faire une entorse à la cheville

wrest [rest] *v/t* ***to ~ sth from sb*** arracher violemment qc à qn; *leadership, title* ravir qc à qn

wrestle ['resl] **I** *v/t* lutter contre **II** *v/i* **1.** *lit* lutter (***for sth*** pour qc) **2.** *fig* se débattre (***with*** avec) **wrestler** ['resləʳ] *n* lutteur(-euse) *m(f)*; *freestyle* catcheur (-euse) *m(f)* **wrestling** ['reslɪŋ] *n* lutte *f*; *freestyle* catch *m*

wretch [retʃ] *n* **1.** (*miserable*) malheureux(-euse) *m(f)* **2.** (*nuisance*) misérable *m/f*; (*child*) polisson(ne) *m(f)* **wretched** ['retʃɪd] *adj* **1.** (*poor*) misérable **2.** (*unhappy*) malheureux (-euse) **3.** *weather* affreux(-euse)

wriggle ['rɪgl] **I** *v/t toes* remuer; ***to ~ one's way through sth*** se faufiler dans qc en se tortillant **II** *v/i* (*a.* **wriggle around**) (*worm*) se tortiller; (*fish*) frétiller; (*person*) gigoter; ***to ~ free*** se dégager en se tortillant ◆ **wriggle out** *v/i* se dégager (**of** de); ***he's wriggled*** (***his way***) ***out of it*** il s'est débrouillé pour éviter de le faire

wring [rɪŋ] *vb* ⟨*past, past part* **wrung**⟩ *v/t* **1.** (*a.* **wring out**) *clothes etc.* essorer; ***to ~ sth out of sb*** arracher qc à qn **2.** *hands* tordre; ***to ~ sb's neck*** tordre le cou à qn

wringing ['rɪŋɪŋ] *adj* (*a.* **wringing wet**) trempé

wrinkle ['rɪŋkl] **I** *n* (*in clothes, paper*) pli *m*; (*on skin*) ride *f* **II** *v/t* froisser; ***to ~ one's nose*** faire la grimace; ***to ~ one's brow*** froncer les sourcils **III** *v/i fabric* se froisser; *skin etc.* se rider; *brow* se plisser **wrinkled** ['rɪŋkld] *adj skirt* froissé; *skin* ridé; *brow* plissé; *apple, old man* ratatiné **wrinkly** ['rɪŋklɪ] *adj* ⟨**+er**⟩ ridé

wrist [rɪst] *n* poignet *m* **wristband** ['rɪstˌbænd] *n* SPORTS poignet *m* **wristwatch** *n* montre-bracelet *f*

writ [rɪt] *n* JUR acte *m* judiciaire

write [raɪt] ⟨*past* **wrote**⟩ ⟨*past part* **written**⟩ **I** *v/t* écrire; *check* faire; *notes* prendre; ***he wrote me a letter*** il m'a écrit une lettre; ***he wrote himself a note so that he wouldn't forget*** il l'a noté pour ne pas oublier; ***how is that written?*** comment ça s'écrit?; ***to ~ sth to disk*** écrire qc sur disque; ***it was written all over his face*** ça se lisait sur son visage **II** *v/i* écrire; ***to ~ sb*** écrire à qn; ***we ~ each other*** nous nous écrivons; ***that's nothing to ~ home about*** *infml* ça ne casse pas des briques *infml* ◆ **write back** *v/i* répondre (*à une lettre*) ◆ **write down** *v/t sep* (*make a note of*) noter; (*put in writing*) mettre par écrit ◆ **write in** *v/i* écrire (***to*** pour); ***to ~ for sth*** écrire pour demander qc ◆ **write off I** *v/i* = **write in II** *v/t sep* **1.** FIN passer aux profits et pertes **2.** *fig* faire une croix sur **3.** (*Br car etc.*) démolir; *insurance company* mettre à la casse ◆ **write out** *v/t sep* **1.** *notes* mettre au propre; *name etc.* écrire **2.** *check* faire ◆ **write up** *v/t sep notes* mettre au propre; *report* rédiger; *event* faire un compte-rendu de

write-off *n* ***to be a ~*** (*Br car*) être bon(ne) pour la casse; (*infml vacation etc.*) être une perte de temps **write-protected** [ˈraɪtprəˌtektɪd] *adj* IT protégé en écriture

writer [ˈraɪtəʳ] *n* auteur *m*; (*as profession*) écrivain *m* **write-up** [ˈraɪtʌp] *n* compte rendu *m*; (*of movie*) critique *f*

writhe [raɪð] *v/i* se tordre (***with, in*** de)

writing [ˈraɪtɪŋ] *n* écriture *f*; (*inscription*) inscription *f*; ***she's taken up ~*** elle a commencé à écrire; ***in ~*** par écrit; ***his ~s*** ses écrits; ***the ~ is on the wall for them*** ils ne vont pas y échapper **writing desk** *n* secrétaire *m* (*meuble*) **writing pad** *n* bloc-notes *m* **written** [ˈrɪtn] **I** *past part* = **write II** *adj examination, statement, etc.* écrit; ***the ~ word*** l'écrit

wrong [rɒŋ] **I** *adj* **1.** mauvais; *note* faux (fausse); ***to be ~*** *answer* être faux; *person* avoir tort; *watch* ne pas être à l'heure; ***it's all ~*** ça ne va pas du tout; (*not true*) c'est complètement faux; ***I was ~ about him*** je me suis trompé sur son compte; ***to take a ~ turning*** se tromper de chemin; *fig* se tromper; ***to do the ~ thing*** faire ce qu'il ne fallait pas; ***the ~ side of the fabric*** l'envers du tissu; ***you've come to the ~ man*** *or* ***person / place*** vous ne vous adressez pas à la bonne personne / vous n'êtes pas au bon endroit; ***to do sth the ~ way*** s'y prendre mal pour faire qc; ***something is ~*** il y a quelque chose qui ne va pas; ***there's something ~ with the car*** la voiture a un problème; ***is anything ~?*** quelque chose ne va pas?; ***there's nothing ~*** tout va bien; ***what's ~?*** qu'est-ce qui ne va pas?; ***what's ~ with you?*** qu'est-ce que tu as?; ***I hope there's nothing ~ at home*** j'espère qu'il n'est rien arrivé chez vous **2.** (*morally*) mal; (*unfair*) injuste; ***it's ~ to steal*** c'est mal de voler; ***that was ~ of you*** ce n'était pas bien de ta part; ***it's ~ that he should have to ask*** ce n'est pas normal qu'il doive demander; ***what's ~ with working on Sundays?*** qu'est-ce qu'il y a de mal à travailler le dimanche?; ***I don't see anything ~ in*** *or* ***with that*** je ne vois rien de mal à ça **II** *adv* mal; ***to get sth ~*** se tromper à propos de qc; ***he got the answer ~*** il n'a pas donné la bonne réponse; ***you've got him (all) ~*** (*he's not like that*) vous vous trompez (complètement) sur son compte; ***to go ~*** (*on route*) faire fausse route; (*in calculation*) se tromper; *plan etc.* mal tourner; ***you can't go ~*** vous ne pouvez pas vous tromper **III** *n* mal *m*; (*injustice*) injustice *f*; ***to be in the ~*** avoir tort; ***as far as she's concerned, he can do no ~*** selon elle, il a toujours raison **IV** *v/t* ***to ~ sb*** faire du tort à qn **wrong-foot** [ˌrɒŋˈfʊt] *v/t* prendre à contre-pied **wrongful** [ˈrɒŋfʊl] *adj* injuste **wrongfully** [ˈrɒŋfəlɪ] *adv* injustement **wrongly** [ˈrɒŋlɪ] *adv* (*improperly*) mal; (*incorrectly*) incorrectement; *accused* à tort

wrote [rəʊt] *past* = **write**

wrought [rɔːt] *v/t* ***the accident ~ havoc with his plans*** l'accident a bouleversé ses projets; ***the storm ~ great destruction*** la tempête a fait des ravages **wrought-iron** [ˌrɔːtˈaɪən] *adj* en fer forgé; ***~ gate*** grille en fer forgé

wrung [rʌŋ] *past, past part* = **wring**

wry [raɪ] *adj* ironique

wt. *abbr* = **weight** poids *m*

WTO *abbr* = **World Trade Organization** OMC *f*

WWW IT *abbr* = **World Wide Web** Web *m*

X

X, x [eks] *n* **1.** X, x *m* **2.** (MAT, *fig*) X *m*; ***Mr. X*** monsieur X; ***X marks the spot*** l'endroit est marqué d'une croix
xenophobia [ˌzenəˈfəʊbɪə] *n* xénophobie *f* **xenophobic** [ˌzenəˈfəʊbɪk] *adj* xénophobe
Xerox® [ˈzɪərɒks] **I** *n* (*copy*) photocopie *f* **II** *v/t* photocopier
XL *abbr* = **extra large** XL
Xmas [ˈeksməs, ˈkrɪsməs] *n* = **Christmas** Noël *m*
X-ray [ˈeksˈreɪ] **I** *n* rayon *m* X; (*a.* **X-ray photograph**) radio *f*; ***to take an ~ of sth*** faire une radio de qc **II** *v/t person* faire une radio à; *chest* faire une radio de; *baggage* passer aux rayons X
xylophone [ˈzaɪləfəʊn] *n* xylophone *m*

Y

Y, y [waɪ] *n* Y, y *m*
yacht [jɒt] **I** *n* yacht *m*; (*with sails*) voilier *m* **II** *v/i* ***to go ~ing*** faire de la navigation de plaisance **yachting** [ˈjɒtɪŋ] *n* navigation *f* de plaisance **yachtsman** [ˈjɒtsmən] *n* ⟨*pl* **-men**⟩ plaisancier *m* **yachtswoman** [ˈjɒtswʊmən] *n* ⟨*pl* **-women**⟩ plaisancière *f*
Yale lock® [ˈjeɪlˌlɒk] *n* serrure *f* à goupilles
Yank [jæŋk] *Br infml*, *pej n* Amerloque *m/f infml*, *pej*
yank [jæŋk] **I** *n* coup *m* sec **II** *v/t* tirer violemment sur; ***to ~ sth*** tirer violemment sur qc ◆ **yank out** *v/t sep* arracher
Yankee [ˈjæŋkɪ] *n* **1.** *US* habitant(e) *m*(*f*) du Nord (*des États-Unis*) **2.** *Br infml*, *pej* Amerloque *m/f infml*, *pej*
yap [jæp] **I** *v/i* **1.** (*dog*) japper **2.** (*talk*) jacasser **II** *n* (*of dog*) jappement *m*
yard[1] [jɑːd] *n* MEASURE yard *m*
yard[2] *n* **1.** *US* (*garden*) jardin *m*; ***in the ~*** dans le jardin **2.** (*for storage*) dépôt *m*; ***builder's ~*** chantier de construction; ***shipbuilding ~*** chantier de construction navale; ***goods ~***, ***freight ~*** *US* dépôt de marchandises **3.** *Br* cour *f*
yardstick [ˈjɑːdstɪk] *n fig* point *m* de référence
yarn [jɑːn] *n* **1.** TEX fil *m* **2.** (*tale*) longue histoire *f*; ***to spin a ~*** raconter une histoire
yawn [jɔːn] **I** *v/i* bâiller **II** *v/t* dire en bâillant **III** *n* bâillement *m* **yawning** [ˈjɔːnɪŋ] **I** *adj chasm etc.* béant **II** *n* bâillements *mpl*
yd. *abbr* = **yard**[1]
yeah [jɛə] *adv infml* ouais *infml*
year [jɪəʳ] *n* **1.** année *f*; ***last ~*** l'année dernière; ***every other ~*** tous les deux ans; ***three times a ~*** trois fois par an; ***in the ~ 1989*** en 1989; ***~ after ~*** année après année; ***~ by ~***, ***from ~ to ~*** d'année en année; ***~ in***, ***~ out*** année après année; ***all (the) ~ round*** toute l'année; ***as (the) ~s go by*** au fil des années; ***~s (and ~s) ago*** il y a (bien) des années; ***a ~ last January*** il y a un an en janvier; ***it'll be a ~ in*** *or* ***next January*** ça fera un an en janvier; ***a ~ from now*** dans un an; ***a hundred-~-old tree*** un arbre vieux de cent ans; ***he is six ~s old*** *or* ***six ~s of age*** il a six ans; ***he is in his fortieth ~*** il est dans sa quarantième année; ***I haven't laughed so much in ~s*** cela fait des années que je n'avais pas autant ri; ***to get on in ~s*** prendre de l'âge **2.** (UNIV, SCHOOL, *of coin*, *wine*) année *f*; ***the academic ~*** l'année universitaire; ***first-~ student***, ***first ~*** *Br* étudiant de première année; ***she was in my ~ at school*** *Br* elle était dans ma classe au lycée **yearbook** *n* almanach *m* (*d'une école*, *d'une université*, *etc.*) **yearlong** [ˈjɪəˈlɒŋ] *adj* d'un an **yearly** [ˈjɪəlɪ] **I** *adj* annuel(le) **II** *adv* tous les ans
yearn [jɜːn] *v/i* languir (***after***, ***for*** après) **yearning** [ˈjɜːnɪŋ] *n* désir *m* ardent (***for*** de)
yeast [jiːst] *n no pl* levure *f*
yell [jel] **I** *n* hurlement *m* **II** *v/t* & *v/i* (*a.* **yell out**) hurler (***with*** de); ***he ~ed at her*** il a crié après elle; ***just ~ if you need help*** vous n'avez qu'à m'appeler si vous

avez besoin d'aide

yellow ['jeləʊ] **I** *adj* ⟨**+er**⟩ **1.** jaune **2.** (*infml cowardly*) lâche **II** *n* jaune *m* **III** *v/i* jaunir **yellow card** *n* FTBL carton *m* jaune **yellow fever** *n* fièvre *f* jaune **yellow line** *n Br* ligne *f* jaune (*indiquant un stationnement réglementé*); ***double ~*** double ligne jaune (*indiquant un stationnement interdit*); ***to be parked on a (double) ~*** ≈ être en stationnement irrégulier **Yellow Pages®** *n sg* ***the ~*** les pages *fpl* jaunes

yelp [jelp] **I** *n* (*of animal*) jappement *m*; (*of person*) glapissement *m*; ***to give a ~*** (*animal*) japper; (*person*) glapir **II** *v/i* (*animal*) japper; (*person*) glapir

yes [jes] **I** *adv* oui; (*answering neg question*) si; ***to say ~*** dire oui; ***he said ~ to all my questions*** il a répondu oui à toutes mes questions; ***if they say ~ to an increase*** s'ils acceptent une augmentation; ***she says ~ to everything*** elle dit oui à tout; ***~ indeed*** mais certainement **II** *n* oui *m*

yesterday ['jestədeɪ] **I** *n* hier *m* **II** *adv* hier; ***~ morning*** hier matin; ***he was home all (day) ~*** il est resté chez lui toute la journée d'hier; ***the day before ~*** avant-hier; ***a week ago ~*** il y a huit jours

yet [jet] **I** *adv* **1.** (*still, thus far*) encore; ***they haven't ~ returned*** *or* ***returned ~*** ils ne sont pas encore revenus; ***not ~*** pas encore; ***not just ~*** pas tout de suite; ***we've got ages ~*** il nous reste encore beaucoup de temps; ***I've ~ to learn how to do it*** je n'ai pas encore appris à le faire; ***~ again*** encore une fois; ***another arrived and ~ another*** il en est arrivé un autre puis encore un autre **2.** (*with interrog*) déjà; ***has he arrived ~?*** est-ce qu'il est déjà arrivé?; ***do you have to go just ~?*** es-tu déjà obligé de partir? **II** *cj* cependant; (*but*) mais

yew [juː] *n* (*a.* **yew tree**) if *m*

Y-fronts® ['waɪfrʌnts] *pl Br* slip *m* kangourou

Yiddish ['jɪdɪʃ] **I** *adj* yiddish **II** *n* LING yiddish *m*

yield [jiːld] **I** *v/t* **1.** *crop, fruit* produire; *profit* rapporter; *result* donner; *clue* fournir; ***this ~ed a weekly increase of 20%*** cela a produit une augmentation de 20% par semaine **2.** (*surrender*) céder; ***to ~ sth to sb*** céder qc à qn; ***to ~ ground to sb*** céder du terrain à qn **II** *v/i* céder; ***he ~ed to her requests*** il a cédé à ses exigences; ***to ~ to temptation*** succomber à la tentation; ***to ~ under pressure*** *fig* céder à la pression; ***to ~ to oncoming traffic*** AUTO céder le passage aux véhicules venant en sens inverse; ***"yield"*** (*US, Ir* AUTO) "cédez le passage" **III** *n* (*of land, business*) rendement *m*; (*profit*) bénéfice *m*

yob [jɒb], **yobbo** *n* (*Br infml*) voyou *m*

yodel ['jəʊdl] *v/t & v/i* iodler

yoga ['jəʊgə] *n* yoga *m*

yoghourt, yog(h)urt ['jɒgət] *n* yaourt *m*

yoke [jəʊk] *n* joug *m*

yokel ['jəʊkəl] *n pej* péquenot *m pej*

yolk [jəʊk] *n* (*of egg*) jaune *m* d'œuf

you [juː] *pron* **1.** (*familiar*) (*sing*) (*subject*) tu; *object* te; *before vowels* t'; *after prep* toi; (*pl and polite*: *sing, pl*) vous; ***all of ~*** (*pl*) vous tous; ***if I were ~*** si j'étais toi *or* vous; ***it's ~*** c'est toi *or* vous; ***now there's a bargain for ~!*** voilà ce que j'appelle une bonne affaire!; ***that hat just isn't ~*** *infml* ce chapeau n'est pas ton style **2.** (*indef*) ***~ never know*** on ne sait jamais; ***it's not good for ~*** ce n'est pas bon pour la santé **you'd** [juːd] *contr* = **you would**, **you had** **you'd've** ['juːdəv] *contr* = **you would have** **you'll** [juːl] *contr* = **you will**, **you shall**

young [jʌŋ] **I** *adj* ⟨**+er**⟩ jeune; ***they have a ~ family*** ils ont des enfants en bas âge; ***he is ~ at heart*** il est jeune d'esprit; ***at a ~ age*** jeune **II** *adv marry* jeune **III** *pl* **1.** (*people*) ***the ~*** les jeunes **2.** (*animals*) petits *mpl* **youngest** ['jʌŋgɪst] **I** *adj attr, sup* = **young** le(la) plus jeune **II** *n* ***the ~*** le(la) plus jeune; (*pl*) les plus jeunes **youngish** ['jʌŋɪʃ] *adj* assez jeune **young offender** *n Br* jeune délinquant(e) *m*(*f*) **youngster** ['jʌŋstə[r]] *n* jeune *m*/*f*; (*child*) enfant *m*/*f*; ***he's just a ~*** ce n'est qu'un enfant

your [jɔː[r], jə[r]] *poss adj* (*familiar*) (*sing*) ton(ta); (*pl*) tes; (*polite*: *sing*) votre; (*polite*: *pl*) vos; ***one of ~ friends*** un de tes *or* vos amis; ***the climate here is bad for ~ health*** le climat d'ici est mauvais pour la santé **you're** [jʊə[r], jɔː[r]] *contr* = **you are**

yours [jɔːz] *poss pr* (*familiar*: *sing*) le tien(la tienne); (*pl*) les tiens(les tiennes); (*polite*: *sing*) le vôtre(la vôtre); (*polite*: *pl*) les vôtres; ***this is my book and that is ~*** voici mon livre et voilà le tien *or* le vôtre; ***a cousin of ~*** un de tes

or vos cousins; ***that is no business of ~*** cela ne te *or* vous regarde pas; **~** (*in letter*) bien à toi *or* vous; **~ *faithfully*** (*on letter*) ≈ je vous prie d'agréer, Madame, Monsieur, mes salutations distinguées
yourself [jɔːˈself, jəˈself] *pron* ⟨*pl* **yourselves**⟩ **1.** (*reflexive*) (*familiar*) (*sing*) te; *after prep* toi; (*pl and polite*) vous; ***did you hurt ~?*** tu t'es *or* vous vous êtes fait mal?; ***you never speak about ~*** tu ne parles jamais de toi *or* vous ne parlez jamais de vous **2.** *emph* (*familiar*) (*sing*) toi-même; (*polite*) (*sing*) vous-même; (*pl*: *familiar*, *polite*) vous-mêmes; ***you ~ told me, you told me ~*** tu me l'as dit toi-même *or* vous me l'avez dit vous-même; ***you are not ~ today*** tu n'es pas dans ton *or* vous n'êtes pas dans votre assiette aujourd'hui; ***you will see for ~*** tu verras toi-même *or* vous verrez vous-même; ***did you do it by ~?*** tu l'as *or* vous l'avez fait tout seul?
youth [juːθ] *n* **1.** *no pl* jeunesse *f*; ***in my ~*** dans ma jeunesse **2.** ⟨*pl* **-s**⟩ (*young man*) jeune *m* **3. youth** *pl* (*young men and women*) jeunes *mpl* **youth club** *n Br* ≈ maison *f* des jeunes **youthful** [ˈjuːθfʊl] *adj* jeune; *enthusiasm*, *innocence* juvénile; *mistake* de jeunesse **youthfulness** [ˈjuːθfʊlnɪs] *n* jeunesse *f*
youth hostel *n* auberge *f* de jeunesse
youth worker *n Br* éducateur(-trice) *m*(*f*)
you've [juːv] *contr* = **you have**
yowl [jaʊl] *v/i* (*person*, *dog*) hurler; (*cat*) miauler
Yugoslav [ˈjuːgəʊˈslɑːv] **I** *adj* yougoslave **II** *n* Yougoslave *m/f* **Yugoslavia** [ˈjuːgəʊˈslɑːvɪə] *n* HIST Yougoslavie *f* **Yugoslavian** [ˈjuːgəʊˈslɑːvɪən] *adj* yougoslave
Yuletide [ˈjuːltaɪd] *n* époque *f* de Noël
yummy [ˈjʌmɪ] *infml adj* ⟨**+er**⟩ *food* délicieux(-euse)
yuppie, yuppy [ˈjʌpɪ] **I** *n* yuppie *m/f* (*jeune cadre dynamique*) **II** *adj* de yuppie

Z

Z, z [zed, (*US*) ziː] *n* Z, z *m*
zap [zæp] *infml* **I** *v/t* (IT *delete*) supprimer **II** *v/i* (*infml change channel*) zapper
zeal [ziːl] *n no pl* zèle *m* **zealot** [ˈzelət] *n* fanatique *m/f* **zealous** [ˈzeləs] *adj* zélé **zealously** [ˈzeləslɪ] *adv* avec zèle
zebra [ˈzebrə] *n* zèbre *m* **zebra crossing** *n Br* passage *m* pour piétons
zenith [ˈzenɪθ] *n* (ASTRON, *fig*) zénith *m*
zero [ˈzɪərəʊ] **I** *n* ⟨*pl* **-(e)s**⟩ zéro *m*; ***below ~*** au-dessous de zéro; ***the needle is at*** *or* ***on ~*** l'aiguille est sur le zéro **II** *adj* **~ *degrees*** zéro degré; **~ *growth*** croissance zéro **zero-emission** *adj* à émission zéro **zero gravity** *n* apesanteur *f* **zero hour** *n* (MIL, *fig*) heure *f* H **zero tolerance** *n* tolérance *f* zéro
zest [zest] *n* **1.** (*enthusiasm*) entrain *m*; **~ *for life*** joie de vivre **2.** (*in style*) piquant *m* **3.** (*of lemon etc.*) zeste *m*
zigzag [ˈzɪgzæg] **I** *n* zigzag *m*; ***in a ~*** en zigzag **II** *adj* en zigzag **III** *v/i* zigzaguer
Zimbabwe [zɪmˈbɑːbwɪ] *n* Zimbabwe *m*
Zimmer® [ˈzɪməʳ] *n* (:*a.* **Zimmer frame**) *Br* déambulateur *m*
zinc [zɪŋk] *n* zinc *m*
Zionism [ˈzaɪənɪzəm] *n* sionisme *m*
zip [zɪp] **I** *n* **1.** (*infml energy*) entrain *m* **2.** (*US zip code*) **3.** (*Br fastener*) fermeture *f* Éclair® **II** *v/t* IT *file* compresser; ***~ped file*** fichier compressé **III** *v/i infml* ***to ~ past*** passer comme une flèche ◆ **zip up I** *v/t sep* ***to ~ a dress*** remonter la fermeture d'une robe; ***will you zip me up please?*** tu peux remonter ma fermeture, s'il te plaît? **II** *v/i* ***it zips up at the back*** il y a une fermeture Éclair® dans le dos
zip code *n US* code *m* postal **zip fastener** *n Br* fermeture *f* Éclair® **zip file** *n* IT fichier *m* compressé
zipper [ˈzɪpəʳ] *n US* fermeture *f* Éclair®
zit [zɪt] *n* (*infml spot*) bouton *m*
zodiac [ˈzəʊdiæk] *n* zodiaque *m*; ***signs of the ~*** signes du zodiaque
zombie [ˈzɒmbɪ] *n fig* zombi *m*; ***like ~s/a ~*** comme des zombis / un zombi
zone [ˈzəʊn] *n* zone *f*; (*US postal zone*) zone *f* postale; ***no-parking ~*** zone à stationnement interdit

zoo [zuː] *n* zoo *m* **zoo keeper** *n* gardien(ne) *m*(*f*) de zoo **zoological** [ˌzʊə'lɒdʒɪkəl] *adj* zoologique **zoologist** [zʊ'ɒlədʒɪst] *n* zoologiste *m/f* **zoology** [zʊ'ɒlədʒɪ] *n* zoologie *f*

zoom [zuːm] **I** *n* (PHOT: *a.* **zoom lens**) zoom *m* **II** *v/i* **1.** *infml* filer à toute vitesse; ***we were ~ing along at 90*** ≈ nous filions à 150 kilomètres à l'heure **2.** AVIAT monter en chandelle ◆ **zoom in** *v/i* PHOT faire un zoom; ***to ~ on sth*** faire un zoom sur qc

zucchini [zuː'kiːnɪ] *n US* courgette *f*

Zurich ['zjʊərɪk] *n* Zurich

French grammar

1. Nouns

1.1 Gender

Nouns in French are either masculine or feminine, even if they apply to things rather than people.

These are usually masculine:

- Words referring to men, boys, male animals; days, months, seasons; languages; metric weights and measures; English nouns adopted into French: *le taureau* the bull; *le printemps* Spring; *le français* French.
- Words ending in a consonant (there are many exceptions!): *un hôpital* a hospital; *le danger* danger.
- Words ending in *-age*, *-ment*, *-oir*, *-sme*, *-eau*, *-eu*, *-ou*, *-ier*, *-in*, *consonant + -on*: *le couloir* the corridor; *un cadeau* a gift; *le blouson* the jacket.

These are usually feminine:

- Words referring to women, girls and female animals: *la dame* the lady; *une vache* a cow.
- Words ending in *-e* (there are many exceptions!): *une île* an island; *la guerre* war.
- Words ending in *-ance*, *-anse*, *-ence*, *-ense*, *-ion*, *-té*, *-tié*: *la danse* dance; *la beauté* beauty.

1.2 Forming feminine nouns

Many French nouns referring to a male can be made feminine by adding an *-e* to the end: *un ami* a (male) friend → *une amie* a (female) friend; *un français* a Frenchman → *une française* a Frenchwoman.

If a masculine noun already ends in *-e*, the feminine is often the same: *un élève* → *une élève*.

Sometimes there is a slightly more complex change to the end of the word:

un fermier	→	*une fermière*	a farmer
un lecteur	→	*une lectrice*	a reader
un menteur	→	*une menteuse*	a liar
un danseur	→	*une danseuse*	a dancer
un mécanicien	→	*une mécanicienne*	a mechanic
le cadet	→	*la cadette*	the younger or the youngest
un professionnel	→	*une professionnelle*	a professional
un breton	→	*une bretonne*	a Breton
un paysan	→	*une paysanne*	a farmer
mon époux	→	*mon épouse*	my husband/wife
un veuf	→	*une veuve*	a widower/widow

A few words are always masculine, whether the person is male or female: *un témoin* a witness. A few are always feminine: *une personne* a person; *une connaissance* an acquaintance. With professions, the tendency is to use *le* or *la* as appropriate: *le/la ministre* the minister; *un/une professeur* a teacher.

1.3 Forming plural nouns

To make a French noun plural, you usually add an *-s*: *une pomme* (an apple) → *des pommes* (some apples).

If the singular noun ends in *-s*, *-x* or *-z*, the plural form is the same: *mon fils* (my son)→ *mes fils* (my sons).

Nouns ending in *-eau* or *-eu* usually add an *-x* in the plural: *un château* (a castle) → *des châteaux* (castles).

Most nouns ending in *-ou* take an *-s* in the plural (*un trou* (a hole) → *des trous* (holes)), but a few take *-x*: *les bijoux* (jewels), *les choux* (cabbages), *les genoux* (knees).

If a singular noun ends in *-al* or *-ail*, the plural ending is usually *-aux*: *un journal* (a newspaper) → *des journaux* (newspapers).

2. Articles

2.1 Definite article

The definite article in English is ***the***; it indicates a noun that has been mentioned already or that is specific in some way. Its French equivalent depends on whether the noun in question is masculine or feminine, and singular or plural (gender and number).

	Singular	Plural
Masculine	**le (l')** *le garçon* the boy *l'arbre* the tree	**les** *les chats* the cats
Feminine	**la (l')** *la pomme* the apple *l'eau* the water	**les** *les femmes* the women

In front of a noun that starts with a vowel (*a*, *e*, *i*, *o* or *u*) and most words starting with *h*, *le* and *la* become *l'*.

2.2 Combined forms

When you use *de* (of, from) in front of *le* or *les*, the words combine to become *du* or *des*:

le centre du village the centre of the village; *le père des filles* the girls' father

When you use *à* (at, to, in) in front of *le* or *les*, the words combine to become *au* or *aux*:

Je vais au supermarché. I'm going to the market. *Dis bonjour aux enfants!* Say hello to the children!

2.3 Indefinite article

The indefinite article in English is ***a*** (***an***); it indicates a noun that has not been mentioned before or that is not specific. The French equivalent depends on gender and number.

	Singular	Plural
Masculine	**un** *un garçon* a boy	**des** *des chats* (some/any) cats
Feminine	**une** *une pomme* an apple	**des** *des femmes* (some/any) women

In English we say ***some*** or ***any*** in the plural, although sometimes we do not use a word at all. In French you can never leave out *des*:

Je voudrais des frites. I'd like (some) fries. *Avez-vous des enfants?* Do you have (any) children?

2.4 Articles that show quantity

When you are talking about an unspecified amount or quantity, you use *du/de la/des*, which often corresponds to ***some*** or ***any***.

	Singular	Plural
Masculine	**du (de l')** *du lait* (some/any) milk *de l'argent* (some/any) money	**des** *des chiens* (some/any) dogs
Feminine	**de la (de l')** *de la viande* (some/any) meat *de l'eau* (some/any) water	**des** *des pommes* (some/any) apples

In front of a noun that starts with a vowel and most words starting with *h*, *du* and *de la* become *de l'*.

Sometimes there is no corresponding word in English:

Il faut acheter du lait. We need to buy milk.

2.5 *De* after negative constructions and before adjectives

In negative sentences when you are using a construction like *ne ... pas* or *ne ... jamais*, *un/une/des* and *du/de la/de l'/des* become *de* (*d'* in front of a vowel or most words beginning with *h*):

Nous n'avons pas d'enfants. We don't have (any) children. *Il n'y a plus de pain.* There's no more bread.

This also happens when an adjective comes before the noun:

J'ai vu de beaux paysages en Écosse. I saw some beautiful scenery in Scotland.

3. Adjectives

3.1 Agreement

In French, adjectives agree with the noun or pronoun to which they relate. The ending of the adjective depends on gender and number.

	Singular	**Plural**
Masculine	**-** *content* happy	**-s** *contents*
Feminine	**-e** *contente*	**-es** *contentes*

3.2 Forming feminine adjectives

To make the masculine form feminine, add an *-e*: *il est content* he is happy; *elle est contente* she is happy.

If the masculine adjective ends in an *-e*, no extra *-e* is added for the feminine: *un chapeau rouge* a red hat → *une chemise rouge* a red shirt.

Sometimes there is a slightly more complex change:

*ch**er***	→	*ch**ère***	expensive
*cad**et***	→	*cad**ette***	younger or youngest
*discr**et***	→	*discr**ète***	discreet
*professionn**el***	→	*professionn**elle***	professional
*par**eil***	→	*par**eille***	the same, similar

*flatt**eur***	→	*flatt**euse***	flattering
*canad**ien***	→	*canad**ienne***	Canadian
*b**on***	→	*b**onne***	good
*b**as***	→	*b**asse***	low
*nerv**eux***	→	nerv***euse***	nervous
*vi**f***	→	vi***ve***	lively, sharp

Some common adjectives are irregular in the feminine:

beau	→	*belle*	beautiful, handsome, lovely
blanc	→	*blanche*	white
doux	→	*douce*	soft, gentle
faux	→	*fausse*	wrong, false
favori	→	*favorite*	favorite
fou	→	*folle*	crazy
frais	→	*fraîche*	fresh, cool
gentil	→	*gentille*	sweet, kind
gros	→	*grosse*	big, fat
long	→	*longue*	long
nouveau	→	*nouvelle*	new
nul	→	*nulle*	useless
roux	→	*rousse*	red(-haired)
sec	→	*sèche*	dry
vieux	→	*vieille*	old

Four of these have a special masculine singular form that is used in front of a vowel and most words starting with *h*: *beau* → *bel*; *fou* → *fol*; *nouveau* → *nouvel*; *vieux* → *vieil*.

Nous avons visité un très bel endroit. We visited a really beautiful place.

Je m'accrochais à ce fol espoir. I clung on to this mad hope.

Il a emménagé dans son nouvel appartement. He moved into his new apartment.

Je te présente mon vieil ami Georges. I'd like you to meet my old friend George.

3.3 Forming plural adjectives

To make a singular adjective plural, add -s for the masculine and -es for the feminine:

Ils sont contents. They are happy. *Elles sont contentes*. They are happy.

If the masculine singular ends in *-s* or *-x*, no extra *-s* is added for the masculine plural:

> *un chanteur anglais* an English singer → *des chanteurs anglais* some English singers
> (but *une chanteuse anglaise* → *des chanteuses anglaises*)

If the masculine singular ends in *-eau*, the masculine plural is usually *-eaux*: *un beau chat* a beautiful cat → *deux beaux chats* two beautiful cats.

If the masculine singular ends in *-al*, the masculine plural is usually *-aux*: *un régime brutal* a brutal regime → *des régimes brutaux* brutal regimes.

3.4 Word order

French adjectives usually come after the nouns they describe: *le président américain* the American president; *une route dangereuse* a dangerous road.

Some common adjectives are usually found before the noun: *une belle maison* a beautiful house; *une mauvaise choix* a bad choice. These adjectives are:

beau	beautiful, handsome, lovely
bon	good, right
court	short
grand	big, tall
gros	fat
haut	high, tall
jeune	young
joli	pretty
long	long
mauvais	bad
meilleur	best
nouveau	new
petit	small
premier	first
vieux	old

4. Verbs

4.1 Infinitive: stem and ending

Regular French verbs fall into two main groups, called conjugations. The base form of these verbs (listed in this dictionary) is called the infinitive and ends in *-er* (e.g. *donner* to give) or *-ir* (e.g. *finir* to finish). Other verbs are considered to be irregular.

The infinitive can be used:

- On its own, as the subject of a sentence: *Fumer, c'est mauvais pour la santé*. Smoking is bad for you.
- In sets of instructions, e.g. recipes: *Ajouter le sucre aux œufs*. Add the sugar to the eggs.
- After certain adjectives, to which it is linked by *à* or *de*: *Ce n'est pas facile à faire*. It's not easy to do.
- After certain other verbs, to which it may be linked by *à* or *de*, or by nothing at all: *Tu as oublié d'inviter Claire!* You forgot to invite Claire! *J'espère venir plus tard*. I'm hoping to come later.

To use a verb with a pronoun or noun, you use the infinitive without its *-er* or *-ir* ending (e.g. *donn-*, *fin-*). This is called the stem. To this stem you add an ending, depending on pronoun/ noun and tense.

Donner and *finir* are set out in full in the back of the dictionary. Once you have learnt the endings for these verbs, you can work out the different tenses of all the regular verbs that end in *-er* and *-ir*.

Forming certain tenses of some irregular verbs ending in *-er* (e.g. *essayer* to try, *appeler* to call) involves a few spelling changes. These patterns are set out on in the back of the dictionary

Other verbs are less predictable; these are the irregular verbs. The most important are set out on in the back of the dictionary. Verbs ending in *-re* (e.g. *conduire* to drive/lead, *mettre* to put (on), *prendre* (to take)) fall into this category.

4.2 Present tense

In English, we have different ways of talking about the present time: We're going to the beach today. We go to the beach every day. There is only one equivalent form in French: *Nous allons à la plage aujourd'hui. Nous allons à la plage tous les jours.*

As in English, the present can be used to refer to the future: *Demain nous allons voir le nouveau James Bond.* We're going to see the new James Bond tomorrow.

The present is also used with *depuis* to talk about an event that started in the past and is still going on: *J'habite à New York depuis dix ans.* I've lived in New York for ten years.

The forms of the present tense of regular *-er* and *-ir* verbs are as follows:

	donner stem **donn-**	**finir** stem **fin-**
je	donn***e***	fin***is***
tu	donn***es***	fin***is***
il, elle, on	donn***e***	fin***it***
nous	donn***ons***	fin***issons***
vous	donn***ez***	fin***issez***
ils, elles	donn***ent***	fin***issent***

4.3 Reflexive verbs

Verbs like *se laver* (to wash) and *s'appeler* (to be called) are called reflexives because the action 'reflects' back on the subject of the verb, i. e. it happens to the subject and not to someone or something else. A reflexive often corresponds to the idea of *yourself* in English:

Le chat se lave. The cat's having a wash (= it's washing itself).
Je me suis habillé. I got dressed (= I dressed myself).

Reflexive verbs use the usual form of the verb (in the right person and tense) with a reflexive pronoun in front of it:

Je m'appelle Vivienne. My name is Vivienne. *Tu te couches?* Are you going to bed?

Subject pronoun	Reflexive pronoun
je	**me** (**m'** before a vowel or most words starting with *h*)
tu	**te** (**t'**)
il, elle, on	**se** (**s'**)
nous	**nous**
vous	**vous**
ils, elles	**se** (**s'**)

4.4 Imperfect tense

The imperfect tense is used in French to talk about things that used to happen or to be true in the past, or to describe something or someone in the past:

J'allais à la plage tous les jours. I went to the beach every day. *Il n'était pas très fort en maths*. He wasn't very good at math.

It can also refer to something that was happening when another thing happened: *Je faisais mes devoirs quand maman est entrée*. I was doing my homework when mom came in.

The forms of the imperfect tense of regular -er and -ir verbs are as follows:

	donner stem **donn-**	**finir** stem **fin-**
je	donn***ais***	fin***issais***
tu	donn***ais***	fin***issais***
il, elle, on	donn***ait***	fin***issait***
nous	donn***ions***	fin***issions***
vous	donn***iez***	fin***issiez***
ils, elles	donn***aient***	fin***issaient***

4.5 Perfect tense

The perfect is the tense you use to talk about an event in the past that has been completed:

J'ai vu Sophie en ville. I saw Sophie downtown. *Il a plu hier soir.* It rained last night.

The English equivalent will sometimes contain the verb ***have***:

Elle a beaucoup maigri. She's lost a lot of weight.

The perfect tense is often found with the imperfect to refer to the thing that happened (perfect) while something else was going on (imperfect):

Je faisais mes devoirs quand maman est entrée. I was doing my homework when mom came in.

The perfect tense is made up of two elements: the present tense of the verb *avoir* or *être* + the past participle of the main verb.

The forms of the past participle are as follows:

donner stem **donn-**	**finir** stem **fin-**
donn*é*	fin*i*

The forms of the perfect tense of regular *-er* and *-ir* verbs that use *avoir* (the majority) are as follows:

	donner past participle **donné**	**finir** past participle **fin*i***
j'	***ai*** donné	***ai*** fin*i*
tu	***as*** donné	***as*** fin*i*
il, elle, on	***a*** donné	***a*** fin*i*
nous	***avons*** donné	***avons*** fin*i*
vous	***avez*** donné	***avez*** fin*i*
ils, elles	***ont*** donné	***ont*** fin*i*

A few French verbs take *être* and not *avoir*:

aller (to go), *arriver* (to arrive), *descendre* (to come/go up), *devenir* (to become), *entrer* (to come/go in), *monter* (to come/go up), *mourir* (to die), *naître* (to be born), *partir* (to leave), *rentrer* (to return), *rester* (to stay), *retourner* (to return), *revenir* (to come/go back), *sortir* (to go out), *tomber* (to fall), *venir* (to come).

Reflexive verbs also form their perfect tense with *être*:

Je me suis couché de bonne heure. I went to bed early.

If a verb forms its perfect tense with *être*, the past participle has to agree with the subject of the verb: *elle est descendue* she came/went down; *ils se sont douchés* they had a shower.

The forms of the perfect tense of regular *-er* and *-ir* verbs that use *être* are as follows:

	aller past participle **all*é***	**partir** past participle **part*i***
je (masc) (fem)	***suis*** **all*é*** ***suis*** **all*ée***	***suis*** part***i*** ***suis*** part***ie***
tu (masc) (fem)	***es*** **all*é*** ***es*** **all*ée***	***es*** part***i*** ***es*** part***ie***
il **elle** **on**	***est*** **all*é*** ***est*** **all*ée*** ***est*** **all*é***	***est*** part***i*** ***est*** part***ie*** ***est*** part***i***
nous (masc) (fem)	***sommes*** **all*és*** ***sommes*** **all*ées***	***sommes*** part***is*** ***sommes*** part***ies***
vous (masc sg) (fem sg) (masc pl) (fem pl)	***êtes*** **all*é*** ***êtes*** **all*ée*** ***êtes*** **all*és*** ***êtes*** **all*ées***	***êtes*** part***i*** ***êtes*** part***ie*** ***êtes*** part***is*** ***êtes*** part***ies***
ils **elles**	***sont*** **all*és*** ***sont*** **all*ées***	***sont*** part***is*** ***sont*** part***ies***

The past participle of verbs that take *avoir* does not usually agree with the subject, unless there is a direct object that comes before the verb:

Elle a vu sa sœur hier. She saw her sister yesterday. → *Elle l'a vue hier.* She saw her yesterday.

4.6 Pluperfect tense

The pluperfect is used to talk about an event in the past that happened and was completed before something else happened. It is often signalled in English by the word ***had***:

Il avait mangé avant de se mettre en route. He had eaten before setting out. *Elle avait beaucoup maigri.* She had lost a lot of weight.

The pluperfect is made up of the imperfect tense of the verb *avoir* or *être* + past participle.

The same verbs that take *être* in the perfect do so in the pluperfect. The same rules for agreement of the past participle also apply.

The forms of the pluperfect tense of regular *-er* and *-ir* verbs are as follows:

	donner/aller past participle **donné/allé**	**finir/partir** past participle **fin*i*/part*i***
j'	***avais*** donné ***étais*** allé(*e*)	***avais*** fin*i* ***étais*** part*i*(*e*)
tu	***avais*** donné ***étais*** allé(*e*)	***avais*** fin*i* ***étais*** part*i*(*e*)
il, elle, on	***avait*** donné ***était*** allé(*e*)	***avait*** fini ***était*** part*i*(*e*)
nous	***avions*** donné ***étions*** allé(*e*)*s*	***avions*** fini ***étions*** part*i*(*e*)*s*
vous	***aviez*** donné ***étiez*** allé(*e*)(*s*)	***aviez*** fin*i* ***étiez*** part*i*(*e*)(*s*)
ils, elles	***avaient*** donné ***étaient*** allé(*e*)*s*	***avaient*** fin*i* ***étaient*** part*i*(*e*)*s*

4.7 Future and future perfect tenses

The future tense refers to something that will happen or be true at some future time. You often find the word ***will*** in an English future tense, but this is shown by the ending of the verb in French:

Elle appellera demain matin. She will call in the morning. *Ils nous montreront ce qu'il faut faire*. They'll show us what to do.

The forms of the future tense of regular *-er* and *-ir* verbs are as follows:

	donner stem **donn-**	**finir** stem **fin-**
je	donn***erai***	fin***irai***
tu	donn***eras***	fin***iras***
il, elle, on	donn***era***	fin***ira***
nous	donn***erons***	fin***irons***
vous	donn***erez***	fin***irez***
ils, elles	donn***eront***	fin***iront***

The future perfect is used to express what will have happened by a certain point in the future. It is mainly used after words like *quand*, when it corresponds to a perfect tense in English:

Appelle-moi quand tu auras fini. Call me when you've finished.

4.8 Conditional

The present conditional is used to talk about things that would be true or would happen if something else were true. You often find the word ***would*** in an English conditional, but in French this is shown by the form of the verb:

Ils viendraient s'ils pouvaient. They'd come if they could.

You can also use it when you need to be polite or want to say what you would like:

Je voudrais un kilo de poires. I'd like a kilo of pears. *Pourriez-vous m'aider?* Could you help me?

The forms of the present conditional of regular *-er* and *-ir* verbs are as follows:

	donner stem **donn-**	**finir** stem **fin-**
je	donn***erais***	fin***irais***
tu	donn***erais***	fin***irais***
il, elle, on	donn***erait***	fin***irait***
nous	donn***erions***	fin***irions***
vous	donn***eriez***	fin***iriez***
ils, elles	donn***eraient***	fin***iraient***

The perfect conditional is formed with the conditional of *avoir* or *être* + past participle. It expresses what would or could have happened, or what someone would have liked: *J'aurais bien aimé venir avec vous*. I would have liked to come with you.

4.9 Imperative

The imperative is used to give an order or instruction. There are forms that correspond to *tu*, *vous* and *nous* (these words are omitted). *Revenez!* Come back! *Donne cette lettre à ta mère*. Give this letter to your mother. *Allons-y!* Let's go!

	donner	**finir**
(tu)	donn***e***	fin***is***
(nous)	donn***ons***	fin***issons***
(vous)	donn***ez***	fin***issez***

If you are using an object pronoun in a command, it goes after the verb and a hyphen is used to link them: *Attendez-nous!* Wait for us!

If you are telling someone not to do something, though, the pronoun goes before the verb: *Ne nous attendez pas!* Don't wait for us!

This is also true for reflexive verbs: *Amusez-vous bien!* Have a great time! *Ne t'assieds pas!* Don't sit down!

4.10 Passive

The active form of a verb is used in ordinary sentences when the subject of the verb carries out the action. The object of the sentence is the person or thing affected by that action: *Un chien m'a mordu*. A dog bit me. In passive constructions, the action of the verb affects the subject, rather than the object: *J'ai été mordu par un chien*. I was bitten by a dog. To be used in this way, verbs must be transitive, i. e. they must be able to take a direct object.

To form the passive, use *être* + past participle. The participle agrees with the subject of the verb. Here are the present tense passive forms of a regular *-er* verb:

	***être payé* to be paid**
je (masc) (fem)	***suis*** payé ***suis*** pay***ée***
tu(masc) (fem)	***es*** payé ***es*** pay***ée***
il **elle** **on**	***est*** payé ***est*** pay***ée*** ***est*** payé
nous (masc) (fem)	***sommes*** pay***és*** ***sommes*** pay***ées***
vous (masc sg) (fem sg) (masc pl) (fem pl)	***êtes*** payé ***êtes*** pay***ée*** ***êtes*** pay***és*** ***êtes*** pay***ées***
ils **elles**	***sont*** pay***és*** ***sont*** pay***ées***

Other tenses can be formed by changing the tense of *être*:

Tu seras payé 15 dollars l'heure. You will be paid 15 dollars an hour.

In French you cannot make an indirect object the subject of a passive sentence, although you can in English. Passive constructions like *I was given a gift* are impossible in French because *I* relates to an indirect object (*the gift was given* **to** *me*) and not a direct one.

In practice, French-speakers often avoid the passive by:

- Using *on*: *Il paraît qu'on va construire une nouvelle piscine.* Apparently, a new swimming pool's going to be built.
- Using a reflexive verb: *Ce plat se mange avec un vin rosé bien frais*. This dish is eaten with a well-chilled rosé.

4.11 Present participle

To form the present participle, take the *nous* form of the present tense, take off the *-ons* ending and add *-ant*:

donnons	→	*donn-*	→	*donnant*
finissons	→	*finiss-*	→	*finissant*

This form of the verb is used:

- To correspond to an *-ing* form in English: *Voyant la lumière, je suis entrée.* Seeing the light, I went in.
- After *en*, when it can often be translated as *while*, *by* or *on*: *Il s'est coupé le doigt en préparant le dîner.* He cut his finger while getting dinner ready.
- As an adjective, when it must agree with the noun or pronoun: *C'était une visite très intéressante.* It was a very interesting visit.

The French present participle is never used to form tenses in the way that English *-ing* forms are:

Are you coming? (= present tense; *Est-ce que tu viens?*); I was reading (= imperfect tense; *Je lisais*) when you called.

4.12 Subjunctive

The subjunctive is very rare in English, only cropping up in set phrases such as *If I were you.* It is used more often in French, usually to express a wish, a doubt or some other emotion when two verbs have different subjects: *Je doute qu'il vienne.* I doubt he'll come.

Note that an infinitive construction is not possible in French when the subjects of the two verbs are not the same: *Voulez-vous que je fasse du café?* Would you like me to make some coffee?

Use a subjunctive after:

- Verbs like *avoir peur que* (fear that), *douter que* (doubt that), *préférer que* (prefer that), *souhaiter que* (wish that), *vouloir que* (want that).
- Some impersonal constructions, e.g. *il faut que* (you etc must), *il vaut mieux que* (it would be better that), *il est possible/probable/dommage/nécessaire que* (it is possible/probable/a shame/necessary that).
- Certain conjunctions, e.g. *afin/pour que* (so that), *bien que* (although), *jusqu'à ce que* (until), *à moins que* (unless), *avant que* (before), *de peur/crainte que* (for fear that).

The forms of the present subjunctive of regular *-er* and *-ir* verbs are as follows:

	donner stem **donn-**	**finir** stem **fin-**
je	donn***e***	fin***isse***
tu	donn***es***	fin***isses***
il, elle, on	donn***e***	fin***isse***
nous	donn***ions***	fin***issions***
vous	donn***iez***	fin***issiez***
ils, elles	donn***ent***	fin***issent***

The subjunctive has perfect, imperfect and pluperfect tenses.

Conjugation of French verbs

Regular verbs ending in *-er*

donner (*give*)

Simple tenses

	Indicatif **Présent**	**Imparfait**	**Passé simple**	**Futur**
je	donn***e***	donn***ais***	donn***ai***	donn***erai***
tu	donn***es***	donn***ais***	donn***as***	donn***eras***
il	donn***e***	donn***ait***	donn***a***	donn***era***
nous	donn***ons***	donn***ions***	donn***âmes***	donn***erons***
vous	donn***ez***	donn***iez***	donn***âtes***	donn***erez***
ils	donn***ent***	donn***aient***	donn***èrent***	donn***eront***

	Subjonctif	**Impératif**	**Conditionnel**
je	donn***e***		donn***erais***
tu	donn***es***	donn***e***!	donn***erais***
il	donn***e***		donn***erait***
nous	donn***ions***	donn***ons***!	donn***erions***
vous	donn***iez***	donn***ez***!	donn***eriez***
ils	donn***ent***		donn***eraient***

Participe présent: donn***ant*** **Participe passé:** donn***é***

Compound tenses

	Indicatif **Passé composé**	**Plus-que- parfait**	**Futur antérieur**
j'	ai donné	avais donné	aurai donné
tu	as donné	avais donné	auras donné
il	a donné	avait donné	aura donné
nous	avons donné	avions donné	aurons donné
vous	avez donné	aviez donné	aurez donné
ils	ont donné	avaient donné	auront donné

	Subjonctif	**Conditionnel passé**
j'	aie donné	aurais donné
tu	aies donné	aurais donné
il	ait donné	aurait donné
nous	ayons donné	aurions donné
vous	ayez donné	auriez donné
ils	aient donné	auraient donné

Infinitif passé: avoir donn***é***

Irregular verbs ending in *-er*

avancer ⟨-ç-⟩ (*advance*)

Présent	Imparfait	Passé simple	Participe présent
nous avan***ç***ons	j'avan***ç***ais tu avan***ç***ais il avan***ç***ait ils avan***ç***aient	j'avan***ç***ai tu avan***ç***as il avan***ç***a nous avan***ç***âmes vous avan***ç***âtes	(en) avan***ç***ant

diriger ⟨-ge-⟩ (*lead*)

Présent	Imparfait	Passé simple	Participe présent
nous diri***ge***ons	je diri***ge***ais tu diri***ge***ais il diri***ge***ait ils diri***ge***aient	je diri***ge***ai tu diri***ge***as il diri***ge***a nous diri***ge***âmes vous diri***ge***âtes	(en) diri***ge***ant

peser ⟨-è-⟩ (*weigh*)

Présent	Futur	Passé simple	Impératif
je p***è***se tu p***è***ses il p***è***se ils p***è***sent	je p***è***serai tu p***è***seras *etc.*	je p***è***serais tu p***è***serais *etc.*	p***è***se!

céder ⟨-è-⟩ (*yield*)

Présent			Impératif
je c***è***de tu c***è***des il c***è***de ils c***è***dent	(*but*: je céderai *etc.*)		c***è***de!

projeter ⟨-tt-⟩ (*throw*)

Présent	Futur	Conditionnel	Impératif
je proje***tt***e tu proje***tt***es il proje***tt***e ils proje***tt***ent	je proje***tt***erai tu proje***tt***eras *etc.*	je proje***tt***erais tu proje***tt***erais *etc.*	proje***tt***e!

épeler ⟨**-ll-**⟩ (*spell*)

Présent	Futur	Conditionnel	Impératif
j'épe***ll***e tu épe***ll***es il épe***ll***e ils épe***ll***ent	j'épe***ll***erai tu épe***ll***eras *etc.*	j'épe***ll***erais tu épe***ll***erais *etc.*	épe***ll***e!

employer ⟨**-oi-**⟩ (*use*)

Présent	Futur	Conditionnel	Impératif
j'empl***oi***e tu empl***oi***es il empl***oi***e ils empl***oi***ent	j'empl***oi***erai tu empl***oi***eras *etc.*	j'empl***oi***erais tu empl***oi***erais *etc.*	empl***oi***e!

appuyer ⟨**-ui-**⟩ (*lean*)

Présent	Futur	Conditionnel	Impératif
j'app***ui***e tu app***ui***es il app***ui***e ils app***ui***ent	j'app***ui***erai tu app***ui***eras *etc.*	j'app***ui***erais tu app***ui***erais *etc.*	app***ui***e!

essayer ⟨**-ay-** *or* **-ai-**⟩ (*try*)

Présent			Futur		
j'essaye [ʒesɛj]	*or*	j'ess**ai**e [ʒesɛ]	j'essayerai [ʒesɛjʀe]	*or*	j'ess**ai**erai [ʒesɛʀe]
tu essayes	*or*	tu ess***ai***es	tu essayeras	*or*	tu ess***ai***eras
il essaye	*or*	il ess***ai***e	*etc.*		
ils essayent	*or*	ils ess***ai***ent			

Impératif			Conditionnel		
			j'essayerais	*or*	j'ess***ai***erais
essaye	*or*	ess***ai***e!	tu essayerais	*or*	tu ess***ai***erais
				etc	

Regular verbs ending in *-ir*

finir (*finish*)

Simple tenses

	Indicatif Présent	Imparfait	Passé simple	Futur
je	fin***is***	fin***issais***	fin***is***	fin***irai***
tu	fin***is***	fin***issais***	fin***is***	fin***iras***
il	fin***it***	fin***issait***	fin***it***	fin***ira***
nous	fin***issons***	fin***issions***	fin***îmes***	fin***irons***
vous	fin***issez***	fin***issiez***	fin***îtes***	fin***irez***
ils	fin***issent***	fin***issaient***	fin***irent***	fin***iront***

	Subjonctif		Impératif	Conditionnel
je	fin***isse***			fin***irais***
tu	fin***isses***		fin***is***!	fin***irais***
il	fin***isse***			fin***irait***
nous	fin***issions***		fin***issons***!	fin***irions***
vous	fin***issiez***		fin***issez***!	fin***iriez***
ils	fin***issent***			fin***iraient***

Participe présent: fin***issant*** **Participe passé:** fin***i***

Compound tenses

	Indicatif Passé composé	Plus-que- parfait	Futur antérieur
j'	ai fini	avais fini	aurai fini
tu	as fini	avais fini	auras fini
il	a fini	avait fini	aura fini
nous	avons fini	avions fini	aurons fini
vous	avez fini	aviez fini	aurez fini
ils	ont fini	avaient fini	auront fini

	Subjonctif	Conditionnel passé
j'	aie fini	aurais fini
tu	aies fini	aurais fini
il	ait fini	aurait fini
nous	ayons fini	aurions fini
vous	ayez fini	auriez fini
ils	aient fini	auraient fini

Infinitif passé: avoir fini

Irregular verbs

For all irregular verbs we have given in the dictionary the basic form from which all other forms may be derived.

Auxiliary verb **avoir** (*have*):
j'ai, tu as, il a, nous avons, vous avez, ils ont; j'avais; j'eus; j'aurai; que j'aie, qu'il ait, que nous ayons; aie!, ayons!, ayez!; ayant; avoir eu.

Simple tenses

	Indicatif **Présent**	**Imparfait**	**Passé simple**	**Futur**
j'	***ai***	***avais***	***eus***	***aurai***
tu	***as***	avais	eus	auras
il	***a***	avait	eut	aura
nous	***avons***	avions	eûmes	aurons
vous	***avez***	aviez	eûtes	aurez
ils	***ont***	avaient	eurent	auront

	Subjonctif	**Impératif**	**Conditionnel**
j'	***aie***		aurais
tu	aies	***aie***!	aurais
il	***ait***		aurait
nous	***ayons***	***ayons***!	aurions
vous	ayez	***ayez***!	auriez
ils	aient		auraient

Participe présent: *ayant* **Participe passé: *eu***

Compound tenses

	Indicatif **Passé composé**	**Plus-que- parfait**	**Futur antérieur**
j'	ai ***eu***	avais ***eu***	aurai ***eu***
tu	as ***eu***	avais ***eu***	auras ***eu***
etc.		*etc.*	*etc.*

	Subjonctif	**Conditionnel passé**
j'	aie ***eu***	aurais ***eu***
tu	aies ***eu***	aurais ***eu***
etc.		*etc.*

Infinitif passé: *avoir eu*

Auxiliary verb **être** (*be*):
je suis, tu es, il est, nous sommes, vous êtes, ils sont; j'étais; je fus; je serai; que je sois, qu'il soit, que nous soyons; sois!, soyons!, soyez!; étant; avoir été.

Simple tenses

	Indicatif Présent	Imparfait	Passé simple	Futur
je (j')	***suis***	***étais***	***fus***	***serai***
tu	***es***	étais	fus	seras
il	***est***	était	fut	sera
nous	***sommes***	étions	fûmes	serons
vous	***êtes***	étiez	fûtes	serez
ils	***sont***	étaient	furent	seront

	Subjonctif	Impératif	Conditionnel
je	***sois***		serais
tu	sois	***sois***!	serais
il	***soit***		serait
nous	***soyons***	***soyons***!	serions
vous	soyez	***soyez***!	seriez
ils	soient		seraient

Participe présent: ***étant*** **Participe passé:** ***été***

Compound tenses

	Indicatif Passé composé	Plus-que- parfait	Futur antérieur
j'	ai ***été***	avais ***été***	aurai ***été***
tu	as ***été***	avais ***été***	auras ***été***
il	a ***été***	avait ***été***	aura ***été***
nous	avons ***été***	avions ***été***	aurons ***été***
vous	avez ***été***	aviez ***été***	aurez ***été***
ils	ont ***été***	avaient ***été***	auront ***été***

	Subjonctif	Conditionnel passé
j'	aie ***été***	aurais ***été***
tu	aies ***été***	aurais ***été***
il	ait ***été***	aurait ***été***
nous	ayons ***été***	aurions ***été***
vous	ayez ***été***	auriez ***été***
ils	aient ***été***	auraient ***été***

Infinitif passé: ***avoir été***

aller (*go*):
je vais, tu vas, il va, nous allons, ils vont; j'allais; j'allai; j'irai; que j'aille, que nous allions; va!, *but*: vas-y! [vazi]; allant; être allé.

	Indicatif Présent	Imparfait	Passé simple	Futur
je (j')	***vais***	***allais***	***allai***	***irai***
tu	***vas***	allais	allas	iras
il	***va***	allait	alla	ira
nous	***allons***	allions	allâmes	irons
vous	allez	alliez	allâtes	irez
ils	***vont***	allaient	allèrent	iront

	Subjonctif	Impératif	Conditionnel
j'	***aille***		irais
tu	ailles	***va***! (***vas-y***!, va-t'en!)	irais
il	aille		irait
nous	***allions***	allons!	irions
vous	alliez	allez!	iriez
ils	aillent		iraient

Part. prés. ***allant*** **Part. passé:** ***allé*** **Inf. passé:** ***être allé***

conduire (*lead, drive*):
je conduis, il conduit, nous conduisons; je conduisais; je conduisis; je conduirai; que je conduise; conduisant; conduit.

	Indicatif Présent	Imparfait	Passé simple	Futur
je	***conduis***	***conduisais***	***conduisis***	***conduirai***
tu	conduis	conduisais	conduisis	conduiras
il	***conduit***	conduisait	conduisit	conduira
nous	***conduisons***	conduisions	conduisîmes	conduirons
vous	conduisez	conduisiez	conduisites	conduirez
ils	conduisent	conduisaient	conduisirent	conduiront

	Subjonctif	Impératif	Conditionnel
je	***conduise***		conduirais
tu	conduises	conduis!	conduirais
il	conduise		conduirait
nous	conduisions	conduisons!	conduirions
vous	conduisiez	conduisez!	conduiriez
ils	conduisent		conduiraient

Part. prés.: ***conduisant*** **P. passé:** ***conduit*** **Inf. passé:** avoir ***conduit***

devoir (*must*):
je dois, il doit, nous devons, ils doivent; je devais; je dus; je devrai; que je doive; devant; dû, due.

	Indicatif Présent	Imparfait	Passé simple	Futur
je	***dois***	***devais***	***dus***	***devrai***
tu	dois	devais	dus	devras
il	***doit***	devait	dut	devra
nous	***devons***	devions	dûmes	devrons
vous	devez	deviez	dûtes	devrez
ils	***doivent***	devaient	durent	devront

	Subjonctif		Impératif	Conditionnel
je	***doive***			devrais
tu	doives		dois!	devrais
il	doive			devrait
nous	devions		devons!	devrions
vous	deviez		devez!	devriez
ils	doivent			devraient

Part. prés.: ***devant*** **Part. passé:** ***dû, due*** **Inf. passé:** avoir ***dû***

faire (*make*, *do*):
je fais, il fait, nous faisons [f(ə)zõ], vous faites, ils font; je faisais [f(ə)zɛ]; je fis; je ferai; que je fasse, que nous fassions; faisant [f(ə)zɑ̃]; fait.

	Indicatif Présent	Imparfait	Passé simple	Futur
je	***fais***	***faisais***	***fis***	***ferai***
tu	fais	faisais	fis	feras
il	***fait***	faisait	fit	fera
nous	***faisons***	faisions	fîmes	ferons
vous	***faites*** (!)	faisiez	fîtes	ferez
ils	***font***	faisaient	firent	feront

	Subjonctif		Impératif	Conditionnel
je	***fasse***			ferais
tu	fasses		fais!	ferais
il	fasse			ferait
nous	***fassions***		faisons!	ferions
vous	fassiez		faites!	feriez
ils	fassent			feraient

Part. prés.: ***faisant*** **Part. passé:** ***fait*** **Inf. passé:** avoir ***fait***

falloir (*must, have to*):
il faut; il fallait; il fallut; il a fallu; il faudra; qu'il faille; qu'il fallût.
Used only in the third person singular.

	Indicatif Présent	Imparfait	Passé simple	Futur
il	***faut***	***fallait***	***fallut***	***faudra***
	Subjonctif		**Impératif**	**Conditionnel**
il	***faille***		–	faudrait

Part. prés.: – **Part. passé:** ***fallu*** **Inf. passé:** avoir ***fallu***

mettre (*put*):
je mets, il met, nous mettons; je mettais; je mis; je mettrai; que je mette; mettant; mis.

	Indicatif Présent	Imparfait	Passé simple	Futur
je	***mets***	***mettais***	***mis***	***mettrai***
tu	mets	mettais	mis	mettras
il	***met***	mettait	mit	mettra
nous	***mettons***	mettions	mîmes	mettrons
vous	mettez	mettiez	mîtes	mettrez
ils	mettent	mettaient	mirent	mettront
	Subjonctif		**Impératif**	**Conditionnel**
je	***mette***			mettrais
tu	mettes		mets!	mettrais
il	mette			mettrait
nous	mettions		mettons!	mettrions
vous	mettiez		mettez!	mettriez
ils	mettent			mettraient

Part. prés.: ***mettant*** **Part. passé:** ***mis*** **Inf. passé:** avoir ***mis***

peindre (*paint*):
je peins, il peint, nous peignons; je peignais; je peignis; je peindrai; que je peigne; peignant; peint.

	Indicatif Présent	Imparfait	Passé simple	Futur
je	***peins***	***peignais***	***peignis***	***peindrai***
tu	peins	peignais	peignis	peindras
il	***peint***	peignait	peignit	peindra
nous	***peignons***	peignions	peignîmes	peindrons
vous	peignez	peigniez	peignîtes	peindrez
ils	peignent	peignaient	peignirent	peindront

	Subjonctif	Impératif	Conditionnel
je	***peigne***		peindrais
tu	peignes	peins!	peindrais
il	peigne		peindrait
nous	peignions	peignons!	peindrions
vous	peigniez	peignez!	peindriez
ils	peignent		peindraient

Part. prés.: ***peignant*** **Part. passé:** ***peint*** **Inf. passé:** avoir ***peint***

plaire (*please*):
je plais, il plaît, nous plaisons; je plaisais; je plus; je plairai; que je plaise; plaisant; plu (*inv*).

	Indicatif Présent	Imparfait	Passé simple	Futur
je	***plais***	***plaisais***	***plus***	***plairai***
tu	plais	plaisais	plus	plairas
il	***plaît***	plaisait	plut	plaira
nous	***plaisons***	plaisions	plûmes	plairons
vous	plaisez	plaisiez	plûtes	plairez
ils	plaisent	plaisaient	plurent	plairont

	Subjonctif	Impératif	Conditionnel
je	***plaise***		plairais
tu	plaises	plais!	plairais
il	plaise		plairait
nous	plaisions	plaisons!	plairions
vous	plaisiez	plaisez!	plairiez
ils	plaisent		plairaient

Part. prés.: ***plaisant*** **Part. passé:** ***plu*** **Inf. passé:** avoir ***plu***

pouvoir (*be able*):
je peux *or literary* je puis (*but always* puis-je? *in interrogative*), tu peux, il peut, nous pouvons, ils peuvent; je pouvais; je pus; je pourrai; que je puisse; pouvant; pu (*inv*).

	Indicatif Présent	Imparfait	Passé simple	Futur
je	***peux*** (***puis***)	***pouvais***	***pus***	***pourrai***
tu	***peux***	pouvais	pus	pourras
il	***peut***	pouvait	put	pourra
nous	***pouvons***	pouvions	pûmes	pourrons
vous	pouvez	pouviez	pûtes	pourrez
ils	***peuvent***	pouvaient	purent	pourront

	Subjonctif	Impératif	Conditionnel
je	***puisse***		pourrais
tu	puisses	–	pourrais
il	puisse		pourrait
nous	puissions	–	pourrions
vous	puissiez	–	pourriez
ils	puissent		pourraient

Part. prés.: ***pouvant*** **Part. passé:** ***pu*** **Inf. passé:** avoir ***pu***

prendre (*take*):
je prends, il prend, nous prenons, ils prennent; je prenais; je pris; je prendrai; que je prenne, que nous prenions; prenant; pris.

	Indicatif Présent	Imparfait	Passé simple	Futur
je	***prends***	***prenais***	***pris***	***prendrai***
tu	prends	prenais	pris	prendras
il	***prend***	prenait	prit	prendra
nous	***prenons***	prenions	prîmes	prendrons
vous	prenez	preniez	prîtes	prendrez
ils	***prennent***	prenaient	prirent	prendront

	Subjonctif	Impératif	Conditionnel
je	***prenne***		prendrais
tu	prennes	prends!	prendrais
il	prenne		prendrait
nous	***prenions***	prenons!	prendrions
vous	preniez	prenez!	prendriez
ils	prennent		prendraient

Part. prés.: ***prenant*** **Part. passé:** ***pris*** **Inf. passé:** avoir ***pris***

recevoir (*receive*, *get*):
je reçois, il reçoit, nous recevons, ils reçoivent; je recevais; je reçus; je recevrai; que je reçoive, que nous recevions; recevant; reçu.

	Indicatif Présent	Imparfait	Passé simple	Futur
je	***reçois***	***recevais***	***reçus***	***recevrai***
tu	reçois	recevais	reçus	recevras
il	***reçoit***	recevait	reçut	recevra
nous	***recevons***	recevions	reçûmes	recevrons
vous	recevez	receviez	reçûtes	recevrez
ils	***reçoivent***	recevaient	reçurent	recevront
	Subjonctif		**Impératif**	**Conditionnel**
je	***reçoive***			recevrais
tu	reçoives		reçois!	recevrais
il	reçoive			recevrait
nous	***recevions***		recevons!	recevrions
vous	receviez		recevez!	recevriez
ils	reçoivent			recevraient

Part. prés.: ***recevant*** **Part. passé:** ***reçu*** **Inf. passé:** avoir ***reçu***

savoir (*know*):
je sais, il sait, nous savons; je savais; je sus; je saurai; que je sache, que nous sachions; sachant; su.

	Indicatif Présent	Imparfait	Passé simple	Futur
je	***sais***	***savais***	***sus***	***saurai***
tu	sais	savais	sus	sauras
il	***sait***	savait	sut	saura
nous	***savons***	savions	sûmes	saurons
vous	savez	saviez	sûtes	saurez
ils	savent	savaient	surent	sauront
	Subjonctif		**Impératif**	**Conditionnel**
je	***sache***			saurais
tu	saches		sache!	saurais
il	sache			saurait
nous	***sachions***		sachons!	saurions
vous	sachiez		sachez!	sauriez
ils	sachent			sauraient

Part. prés.: ***sachant*** **Part. passé:** ***su*** **Inf. passé:** avoir ***su***

sentir (*feel*):
je sens, il sent, nous sentons; je sentais; je sentis; je sentirai; que je sente; sentant; senti.

	Indicatif Présent	Imparfait	Passé simple	Futur
je	***sens***	***sentais***	***sentis***	***sentirai***
tu	sens	sentais	sentis	sentiras
il	***sent***	sentait	sentit	sentira
nous	***sentons***	sentions	sentîmes	sentirons
vous	sentez	sentiez	sentîtes	sentirez
ils	sentent	sentaient	sentirent	sentiront

	Subjonctif	Impératif	Conditionnel
je	***sente***		sentirais
tu	sentes	sens!	sentirais
il	sente		sentirait
nous	sentions	sentons!	sentirions
vous	sentiez	sentez!	sentiriez
ils	sentent		sentiraient

Part. prés.: ***sentant*** **Part. passé:** ***senti*** **Inf. passé:** avoir ***senti***

valoir (*be worth, cost*):
je vaux, il vaut, nous valons; je valais; je valus; je vaudrai; que je vaille, que nous valions; valant; valu.

	Indicatif Présent	Imparfait	Passé simple	Futur
je	***vaux***	***valais***	***valus***	***vaudrai***
tu	vaux	valais	valus	vaudras
il	***vaut***	valait	valut	vaudra
nous	***valons***	valions	valûmes	vaudrons
vous	valez	valiez	valûtes	vaudrez
ils	valent	valaient	valurent	vaudront

	Subjonctif	Impératif	Conditionnel
je	***vaille***		vaudrais
tu	vailles	vaux!	vaudrais
il	vaille		vaudrait
nous	***valions***	valons!	vaudrions
vous	valiez	valez!	vaudriez
ils	vaillent		vaudraient

Part. prés.: ***valant*** **Part. passé:** ***valu*** **Inf. passé:** avoir ***valu***

venir (*come*):
je viens, il vient, nous venons, ils viennent; je venais; je vins, nous vînmes; je viendrai; que je vienne, que nous venions; venant; être venu.

	Indicatif Présent	**Imparfait**	**Passé simple**	**Futur**
je	***viens***	***venais***	***vins***	***viendrai***
tu	viens	venais	vins	viendras
il	***vient***	venait	vint	viendra
nous	***venons***	venions	***vînmes***	viendrons
vous	venez	veniez	vîntes	viendrez
ils	***viennent***	venaient	vinrent	viendront

	Subjonctif	**Impératif**	**Conditionnel**
je	***vienne***		viendrais
tu	viennes	viens!	viendrais
il	vienne		viendrait
nous	***venions***	venons!	viendrions
vous	veniez	venez!	viendriez
ils	viennent		viendraient

Part. prés.: ***venant*** **Part. passé:** ***venu*** **Inf. passé:** ***être venu***

vouloir (*wish*):
je veux, il veut, nous voulons, ils veulent; je voulais; je voulus; je voudrai; que je veuille, que nous voulions; voulant; voulu; *polite imperative* veuillez.

	Indicatif Présent	**Imparfait**	**Passé simple**	**Futur**
je	***veux***	***voulais***	***voulus***	***voudrai***
tu	veux	voulais	voulus	voudras
il	***veut***	voulait	voulut	voudra
nous	***voulons***	voulions	voulûmes	voudrons
vous	voulez	vouliez	voulûtes	voudrez
ils	***veulent***	voulaient	voulurent	voudront

	Subjonctif	**Impératif**	**Conditionnel**
je	***veuille***		voudrais
tu	veuilles	veuille!	voudrais
il	veuille		voudrait
nous	***voulions***	veuillons!	voudrions
vous	vouliez	***veuillez***!	voudriez
ils	veuillent		voudraient

Part. prés.: ***voulant*** **Part. passé:** ***voulu*** **Inf. passé:** avoir ***voulu***

Grammaire anglaise

1. Noms

1.1 Articles (*a, an, the*)

L'anglais possède trois articles: ***a*** ou ***an*** et ***the***: *a cup*, *an airplane*, *the door.*

a est l'article indéfini, l'équivalent de *un* ou *une*. L'article indéfini se met devant un nom qui n'a pas été mentionné auparavant ou qui n'est pas spécifique.

an est uniquement utilisé devant un nom commençant par une voyelle (*a*, *e*, *i*, *o*, *u*): *an apple*, *an egg*, *an ice cream*, *an orange*, *an umbrella*.

the est l'article défini, équivalent de *le*, *la*, *l'* et *les*. L'article défini se met devant un nom qui a déjà été mentionné ou qui est spécifique: *the cup*, *the cup I broke yesterday*. *Close the door behind you, please*. Ferme la porte derrière toi, s'il te plaît.

1.2 Pas d'article

Contrairement au français, certains noms s'emploient sans article, par exemple lorsqu'on parle de quelque chose d'abstrait de manière générale (*I don't eat meat.* Je ne mange pas de viande. *Life is wonderful.* La vie est merveilleuse.) ou lorsqu'on utilise un nom pluriel de façon générale (*Cars are generally bad for the environment in some way.* Les voitures sont généralement néfastes pour l'environnement, à un degré ou à un autre.).

Notez qu'en anglais, contrairement au français, on met un article devant les professions et on dit: *He is a doctor.* (Il est médecin.) **et non pas**: *He is doctor.*

1.3 Noms pluriels

La plupart des noms en anglais ont un pluriel en *-s* ou *-es*.

Les noms se terminant en *-ch* forment leur pluriel en ajoutant *-es* au nom singulier: *church* devient *churches* au pluriel.

Les noms se terminant en *-y* forment leur pluriel en changeant le *-y* en *-ies*: *story* devient *stories* au pluriel.

Les noms qui se terminent en *-o* prennent *-es* au pluriel: *potato* devient *potatoes*.

Certains noms fréquents ont un pluriel irrégulier:

man → *men*
woman → *women*
child → *children*
foot → *feet*
mouse → *mice*

Chaque fois qu'un nom a un pluriel irrégulier, il est indiqué dans l'entrée du dictionnaire.

2. Verbes – le passif

Les verbes transitifs peuvent être utilisés à la forme active ou passive. Voici une construction active avec le verbe transitif to solve:

We solved the problem without much difficulty. Nous avons résolu le problème sans trop de difficultés.

Voici la même phrase au passif:

The problem was solved without much difficulty. Le problème a été résolu sans trop de difficultés.

L'objet de la construction active (*problem*) devient le sujet de la construction passive au moyen du verbe *to be*. On peut également utiliser *get* + le participe passé du verbe:

I got cheated by online fraudsters. J'ai été victime d'une fraude en ligne.

Souvent, la personne qui exécute l'action du verbe (l'agent) est incluse dans les constructions passives après la préposition, comme dans *by online fraudsters* dans la phrase ci-dessus.

3. Verbes – le présent

Lorsqu'on parle du présent, on peut utiliser deux formes verbales différentes en anglais: le présent simple et le présent progressif (parfois appelé présent continu).

3.1 Présent simple

Il peut être utilisé pour décrire un **état** qui existe au moment où vous parlez ou écrivez, comme dans:

Paul has brown hair. Paul a les cheveux châtain. *Denver is in Colorado.* Denver se trouve au Colorado. *She lives in Paris.* Elle habite à Paris.

Le présent simple peut également décrire une **habitude** ou des actions qui sont répétées, notamment si celles-ci se produisent régulièrement:

I get up at 7 a.m. Je me lève à 7h00 du matin. *I usually get up at 7 a.m.* Je me lève généralement à 7h00 du matin. *I play tennis every Tuesday.* Je joue au tennis tous les mardis. *We often have pizza.* Nous mangeons souvent de la pizza.

Le présent simple est également utilisé pour décrire un **fait**, tel que: *Water freezes at 0 °C (or 32 °F).* L'eau gèle à 0 °C (ou 32 °F).

Notez qu'après les expressions comme *This is the first time …* le temps qui convient en anglais ***n'est pas*** le présent, comme en français. Ainsi nous disons: *This is the first time I have been to Paris.* C'est la première fois que je viens à Paris. **et non pas** *This is the first time I am in Paris.*

3.2 Présent progressif

Le présent progressif (appelé parfois présent continu) n'a pas de forme équivalente en français. On peut l'utiliser pour parler d'une action **temporaire** qui **se passe maintenant**. Le présent continu dans cet usage est en gros semblable à la construction française être en train de faire quelque chose. Pour former le présent progressif, il faut prendre le verbe *to be* et ajouter le participe présent, qui se termine toujours en *-ing* comme dans:

She is sitting on the beach, reading. Elle est assise sur la plage, en train de lire. Comparez: *Every day she sits on the beach reading.* Chaque jour elle s'assied sur la plage pour lire.

What is she doing? She's reading. Que fait-elle? Elle est en train de lire. Comparez: *What does she do? She's a teacher.* Qu'est-ce qu'elle fait comme travail? Elle est professeur.

Le présent progressif s'utilise également pour décrire un **projet futur certain** ou une action. Cet usage est semblable à l'utilisation du présent simple en français:

We are leaving for Europe tomorrow. Nous partons pour l'Europe demain. *We're meeting our friends at the airport.* Nous retrouvons nos amis à l'aéroport.

On peut également utiliser le présent progressif avec le mot always pour montrer que l'on désapprouve le comportement répété de quelqu'un:

He is always complaining. Il est toujours en train de se plaindre. *You are always leaving your laundry all over the floor.* Tu laisses toujours ton linge sale traîner par terre.

Notez que certains verbes ne peuvent pas être utilisés au présent continu, comme *be*, *believe*, *know*, *like*, *agree*, *need*. Reportez-vous aux entrées du dictionnaire pour ces verbes.

3.3 Subjonctif

Notez que le subjonctif est très rare en anglais, et n'intervient que dans des expressions telles que *If I were you* (Si j'étais toi) and *Were I to go*, … (Si j'allais …). Il peut se traduire en anglais de différentes façons:

Traduit en anglais par un infinitif :

Voulez-vous que je fasse du café?
Would you like me to make some coffee?

Je voudrais que vous m'expliquiez comment cela est arrivé.
I would like you to explain how that happened.

Ils préfèrent que nous payions d'avance.
They prefer us to pay in advance.

Traduit en anglais par un verbe à l'indicatif :

J'espère que nous arriverons avant que le film ne commence.
I hope we get there before the film begins.

Je leur ai prêté de l'argent afin qu'ils puissent partir en vacances cet été.
I have lent them some money so they can go on holiday this summer.

4. Verbes – le passé

4.1 Simple past

Le simple past est utilisé lorsqu'on parle d'un événement ou d'une situation **spécifiques** qui sont **terminés** et situés dans le **passé**. Une indication du moment où l'événement est intervenu ou s'est terminé est souvent donnée, tel que *in 2006* dans le premier exemple ci-dessous:

Notez que le simple past peut se traduire en français soit par le passé simple soit par le passé composé :

She died in 2006. Elle est décédée en 2006. *Francis the First succeeded Louis the Twelfth.* François Ier succéda sur le trône à Louis XII.

Et parfois, avec certains verbes, par l'imparfait:
I knew her mother well. Je connaissais bien sa mère.

Notez que le passif se forme au moyen du passé du verbe *to be* + le participe passé:
The building was completed ahead of schedule. L'immeuble a été terminé en avance par rapport à la date prévue.

Notez que la forme négative des verbes au passé simple se forme au moyen du passé du verbe *to do* + l'infinitif du verbe:

I did not (ou *didn't*) *know her name.* Je ne connaissais pas son nom.

Le simple past est également utilisé pour décrire un **état de fait passé**, comme dans:

She was still married at that time. À l'époque, elle était encore mariée. *It was the norm to have a dishwasher in well-off families.* C'était la norme d'avoir un lave-vaisselle dans les familles aisées.

Notez que le simple past s'utilise lorsqu'on n'attache pas d'importance à la durée de l'événement passé. Si on attache de l'importance à la durée, c'est le passé progressif qui sera utilisé.

4.2 Present perfect (*have* + forme en *-ed*)

Le present perfect se forme avec *have* ou *has* + le participe passé (forme en *-ed*) du verbe. On peut utiliser le present perfect dans les cinq situations suivantes:

Lorsqu'on s'intéresse au moment présent mais que l'on veut mentionner un événement ou une situation qui sont arrivés **récemment** et qui influent sur ce qui se passe en ce moment ou ce que vous ressentez **maintenant**:

> *Why are you panting like that? – I've just run up three flights of stairs.* Pourquoi es-tu aussi essoufflé? Je viens de monter trois étages en courant. *I have just come from the principal's office, and I've got some news to tell you.* Je sors du bureau du proviseur, et j'ai des choses à vous dire. *The cat's caught another mouse!* Le chat vient d'attraper une autre souris!

Dans ce cas, le français préfère utiliser un présent pour montrer que l'action vient de se passer ou que le fait énoncé reste valable aujourd'hui.

Notez qu'en anglais américain, il est plus courant de dire: *I just came from the principal's office.* C'est là l'une des différences entre l'anglais britannique et l'anglais américain. En anglais britannique il est plus courant d'utiliser le present perfect dans cette situation.

En anglais américain, une question comporte généralement *did* dans la question tag: *Did you eat yet?* Est-ce que tu as déjà mangé? Mais en anglais britannique on dirait normalement: *Have you eaten yet?* Est-ce que tu as déjà mangé?

Lorsque l'événement ou la situation ont existé dans le passé et que la situation est **encore actuelle**:

> *She has lived here for 3 years.* Elle vit ici depuis trois ans.

Comparez: *She lived here for 3 years.* Elle a vécu ici pendant trois ans. Dans ce cas, elle n'habite plus ici. L'action est terminée et **n'est plus actuelle**.

Lorsque l'événement ou la situation ont **changé avec le temps**:

You've grown a lot since I last saw you. Tu as beaucoup grandi depuis la dernière fois que je t'ai vu.

Pour décrire des **expériences** (souvent utilisé avec **ever** ou **never** dans des tournures négatives):

Have you ever been to France? Êtes-vous déjà allé en France? *I've never been to France.* Je ne suis jamais allé en France. *She has been to France many times.* Elle est allée en France de nombreuses fois.

Have you ever flown first class? Est-ce que tu as déjà pris un vol en première classe? *I've never seen that movie.* Je n'ai jamais vu ce film.

Pour décrire une action que l'on **attendait, mais qui ne s'est pas passée**:

The bus has not arrived yet. Le bus n'est toujours pas arrivé. *Why haven't you finished your breakfast?* (en anglais américain *Why didn't you finish your breakfast?*) Pourquoi est-ce que tu n'as pas fini ton petit déjeuner?

Dans la première phrase, on utilise le présent en français car on pense que le bus va finir par arriver. Dans la deuxième, l'action semble terminée donc on préfère utiliser le passé composé.

4.3 Passé progressif (*be* + forme en *-ing*)

Parfois appelée passé continu, cette forme s'emploie pour parler d'une activité du passé qui s'est étalée sur une **période de temps limitée** mais n'est toujours pas terminée:

We were trying to move house, but could not find a home that we liked. Nous voulions déménager, mais nous n'avons pas trouvé de maison qui nous plaisait. *She was living with her parents at the time.* Elle habitait avec ses parents à l'époque.

Le passé continu se forme en utilisant la forme passée du verbe *to be* + le participe présent (la forme en *-ing*).

Le passé continu est également utilisé pour décrire une action qui était en train de se dérouler lorsqu'il y a eu une **interruption** ou un **changement**:

We were sitting around the campfire, when we heard rustling in the bushes. Nous étions assis autour du feu de camp lorsque nous avons entendu du bruit dans les fourrés. *I was home playing computer games when you phoned.* J'étais chez moi en train de jouer à des jeux vidéo quand tu as appelé. *It began to rain while they were playing basketball in the yard.* Il a commencé à pleuvoir pendant qu'ils jouaient au basket dans la cour.

Notez que certains verbes ne peuvent pas être utilisés à la forme progressive, présente ou passée: *belong*, *know*, *prefer*, *understand* ou *deserve*. Il ne faut donc pas dire: *That book was belonging to me.* **mais** *That book belonged to me.* Ce livre m'appartenait.

4.4 Present perfect continu (*have been + -ing*)

Parfois appelé la forme progressive du present perfect, ce temps s'emploie dans deux situations:

Lorsque la situation s'est déroulée **pendant un laps de temps** et continue de se dérouler:

How long have you been learning English? Depuis quand apprenez-vous l'anglais?

Lorsque la **raison** de la situation actuelle est une activité qui s'est déroulée avant. Cela se produit souvent dans des réponses à la question Why?:

Why are you all dirty? – I've been cleaning the car. Pourquoi est-ce que tu es tout sale? – J'ai nettoyé la voiture. *What happened here? It's a mess. – We've been playing with the dog.* Qu'est-ce qu'il s'est passé ici? C'est le bazar. – On a joué avec le chien.

Les verbes qui ne peuvent pas s'employer aux temps continus ou progressifs ne peuvent pas non plus s'employer au present perfect continu. Ainsi on ne peut pas dire *I have been believing this for a long time.* On dira par contre: *I believed this for a long time.* J'ai cru cela pendant longtemps.

4.5 Past perfect (*had* + forme en *–ed*)

Ce temps, qu'on nommait autrefois le **pluperfect** désigne une action qui s'est déroulée **avant un autre action passée**:

We had just had dinner when the doorbell rang. Nous venions de finir de manger lorsque quelqu'un a sonné.

Le past perfect peut également s'employer à la forme continue, comme dans:

She had been living in New York for a year, when her husband decided to join her. Cela faisait un an qu'elle habitait à New York lorsque son mari a décidé de la rejoindre.

4.6 *Used to*

Cette expression décrit une action ou une situation qui se produisait par le passé mais ne se produit plus actuellement:

We used to visit our grandma every Saturday. Nous allions voir notre grand-mère tous les samedis. *He used to love rap when he was younger.* Il adorait le rap quand il était plus jeune.

5. Verbes – expression du futur

Il y a de nombreuses façons d'évoquer le futur en anglais, et de nombreuses formes du verbe s'emploient suivant le contexte.

5.1 *Will*

On peut ajouter *will* (généralement contracté en -*'ll*) avant l'infinitif pour parler d'une action future:

She will be here at 6 p.m. Elle arrivera à 18h00. *I'll see if I can come.* Je verrai si je peux venir.

La forme négative est *won't*: *She won't be here until 6 p.m.* Elle n'arrivera pas avant 18h00.

Les questions concernant le futur sont souvent formées au moyen de questions tag telles que *will she?* ou *won't you?*, comme dans:

She won't be here until 6 p.m., will she? Elle n'arrivera pas avant 18h00, si? *She will be here by 6 p.m., won't she?* Elle arrivera avant 18h00, non?

Si le verbe du tag est à la forme affirmative, le locuteur s'attend à entendre la réponse *no*. Si le verbe du tag est à la forme négative, le locuteur s'attend à entendre la réponse *yes*.

Sinon, on forme les questions en mettant le verbe *will* (ou *won't*) devant le sujet, comme dans: *Will you have time to visit us?* Aurez-vous le temps de venir nous voir? *Won't we be too late for the movie?* On ne va pas être trop en retard pour le film?

5.2 *Be going to* + verbe

Cette tournure s'emploie aussi lorsqu'on veut parler du futur:

She is going to buy a new car. Elle va s'acheter une nouvelle voiture. *Are you going to get her a gift?* Est-ce que tu vas lui faire un cadeau?

5.3 *Be + -ing*

Il est également courant d'utiliser le présent continu pour parler du futur, notamment de projets futurs comme dans: *We're taking a vacation in July.* Nous prenons des vacances en juillet.

5.4 *Will be + -ing*

Le futur progressif se forme en employant *will be* suivi du participe présent, comme dans: *They will be taking a vacation in July.* Ils vont prendre des vacances en juillet.

6. Conditionnels

Lorsqu'on veut dire qu'une chose qui se passe dépend d'une autre chose en train de se passer, on a de grandes chances d'employer une structure conditionnelle.

Condition	Résultat – verbe positif
***If** I had the money* **Si** j'avais l'argent	*I would go to California.* j'irais en Californie.

Condition	Résultat – verbe négatif
***Unless** you loan me the money* **À moins** que tu ne me prêtes de l'argent,	*I can't go to California.* je ne pourrai pas aller en Californie.

6.1 *When* ou *if*

When peut souvent remplacer if dans des phrases conditionnelles, par exemple:

He always comes to see us if/when he comes to New York. Il vient toujours nous voir s'il/quand il vient à New York.

If the ocean dried up, the Earth would be in trouble. **et non pas** *When the ocean dried up, the Earth would be in trouble.*

Il faut utiliser *when* dans des phrases qui décrivent des événements qui vont se passer, et *if* pour des événements qui pourraient peut-être se passer, comme dans:

When you come to see me, we can talk. Quand tu viendras me voir, nous pourrons parler. (= Tu vas venir me voir.)

Notez que contrairement au français, en anglais *when* est suivi d'un verbe au présent simple:

If you come to see me, we can/could talk then. Si tu viens me voir, nous pourrons/pourrions parler à ce moment-là. (= Tu viendras peut-être me voir mais ce n'est pas sûr.)

6.2 Formes du conditionnel

Différentes formes du verbe sont employées selon que la situation décrite est **probable** ou non (voir tableau ci-dessous):

	Condition	**Verbe principal**
Conditionnel présent **probable** (premier conditionnel)	**Présent** *If you go to the Louvre* Si tu vas au Louvre	***will*** + verbe; ***might*** + verbe; ***could*** + verbe; ***should*** + verbe *you will/might/could/should really enjoy yourself.* tu vas/risques de/devrais vraiment adorer.

	Condition	Verbe principal
peu probable (second conditionnel)	**Passé** *If she were working that day/* *If she was* (fam) *working that day,* Si elle travaillait ce jour-là,	***would*** + verbe; ***could*** + verbe; ***should*** (rare) + verbe *you would be able to speak to her.* tu pourrais lui parler.
Conditionelle passé **probable** ou **vrai**	**Passé** *When/If I went to see my Mom,* Lorsque j'allais voir ma mère, *If I didn't go to see my Dad,* Si je n'allais pas voir mon père,	***used to*** + verbe; ***would*** + verbe *I used to bring her flowers.* je lui apportais toujours des leurs. *he would complain* il se plaignait.
ne s'est pas passé (troisième conditionnel)	***Had*** + participe passé (*-ed*) *If she had called ahead of time,* Si elle avait appelé au préalable, *If I had realized she was mad,* Si je m'étais rendu compte qu'elle était folle,	***Would have*** + passé; ***could have*** + passé; ***might have*** + passé *we might have been home when she arrived.* nous aurions peut-être été à la maison quand elle est arrivée. *I would have explained what happened.* j'aurais expliqué ce qui s'était passé.

	Condition	Verbe principal
Conditionnel futur		
probable	**Présent** *If you come tonight,* Si tu viens ce soir,	Futur – ***will*** *you will be on time, won't you?* tu seras à l'heure, n'est-ce pas?
peu probable	**Passé** *If I had the time,* Si j'avais le temps,	***would*** + verbe *I would go traveling.* je ferais des voyages.

7. Verbes modaux

Les principaux verbes modaux en anglais sont: *can*, *could*, *will*, *would*, *shall*, *should*, *must*, *may*, *ought to* et *might*. Certaines autres expressions fonctionnent un peu comme des modaux, comme *have to* ou *had better*. Les verbes modaux expriment des idées telles que la **capacité**, la **certitude**, l'**obligation** et la **probabilité**. Les modaux sont des verbes irréguliers qui sont utilisés avec la forme de base du verbe sans *to*, comme dans: *I can play the piano*. Je sais jouer du piano.

Capacité	***can*** (ou ***be able to***)	*She can ride a bike*. Elle sait faire du vélo. *Is he able to swim*? Est-ce qu'il sait nager ?
Conseil	***should, ought to, must***	*You should* (or *ought to*) *be in bed with that cold.* Tu devrais être au lit avec un rhume pareil. *You must see this movie. It's fantastic.* Il faut que tu voies ce film. Il est fantastique.

Obligation	***must, ought to, should***	*We really must leave by 11.* Il faut vraiment que nous partions avant 11h. *This essay ought to be finished before the end of the semester.* Cette rédaction doit être terminée avant la fin du semestre. *You should help out if you can.* Tu devrais donner un coup de main si tu peux.
Permission	***can, could, may, might*** (rare)	*You can leave now if you want.* Vous pouvez partir maintenant si vous le souhaitez. *You may leave now.* Vous pouvez vous retirer. *May I speak to you for a moment?* Puis-je vous parler un moment? *Could I have a few minutes of your time?* Puis-je vous demander quelques minutes d'attention? *Might I have a word?* Pourrais-je vous dire un mot?
Possibilité	***can, could, may, be able to***	*We can come on Monday.* Nous pouvons venir lundi. *She could make a very fine teacher.* Elle ferait un très bon professeur. *Christmas Day may be on a Monday this year.* Il est possible que Noël tombe un lundi cette année. *I can be there by 7.* Je peux être là-bas pour 7h. *I will be able to be there by 7.* Je pourrai être là-bas pour 7h.

Probabi-lité	***may, might, could, should, ought to***	*She may/might feel annoyed, but there's no reason to be.* Il est fort possible/possible qu'elle soit énervée, mais elle n'a aucune raison de l'être. *It could be that she has left the country.* Il se peut qu'elle ait quitté le pays. *It should be all right, but ask Jason for confirmation.* Ça devrait être bon, mais demande à Jason pour être sûr. *Jason says it ought to be all right.* Jason dit que ça devrait être bon. *It could/might be a problem.* Cela pourrait être/risque d'être un problème. *It ought not to be too difficult.* Cela ne devrait pas être trop compliqué. *The company should make a profit next year.* La société devrait faire des bénéfices l'année prochaine.
Intention	***will, would, shall*** (*Br*)	*I will make sure it's done.* Je m'assurerai que cela soit fait. *I wouldn't do that if I were you.* Je ne ferais pas ça si j'étais toi. *He said he would pay us back.* Il a dit qu'il nous rembourserait. *Will you finish everything up here? We shall.* Allez-vous tout terminer en haut? Oui, on va finir.
Certitude	***will, must***	*He will know the answer to that question.* Il connaîtra la réponse à cette question. *He must be feeling guilty about it.* Il doit se sentir coupable.

Habitude	*would, used to*	*She would always go for a walk on Sunday mornings.* Elle allait toujours faire un tour à pied le dimanche matin. *The two old friends used to play checkers on the veranda.* Les deux vieux amis avaient l'habitude de jouer aux dames sous la véranda.

La forme interrogative des phrases comportant des verbes modaux se construit en inversant le verbe et le sujet de façon à ce que le modal vienne en premier, comme dans: *Can you help us? Must you go? Should we send her an email?*

Could et *would* sont les temps passés de *can* et *will* ; ils ont également les emplois expliqués dans le tableau ci-dessus.

8. Adjectifs

8.1 Position – avant le nom

Contrairement au français, l'adjectif vient pratiquement toujours **devant le nom** qu'il modifie, même lorsqu'il y a plusieurs adjectifs. Voir ci-dessous pour l'ordre des adjectifs.

8.2 Comparatifs et superlatifs

Les adjectifs réguliers qui ne sont composés que d'une syllabe prennent la terminaison *-er* ou *-est* pour former le comparatif ou le superlatif. Si l'adjectif se termine en *-e*, il suffit d'ajouter *-r* ou *-st*. Si l'adjectif se termine par *-d*, *-g*, *-t*, il faut parfois redoubler la consonne avant d'ajouter *-er* ou *-est*, mais vérifiez toujours dans l'entrée du dictionnaire pour voir à quels adjectifs cela s'applique:

	Comparatif	Superlatif
fast	*faster*	*fastest*
fine	*finer*	*finest*
mad	*madder*	*maddest*
mais *hard*	*harder*	*hardest*

A/the fast car. A/the faster car. The fastest car. Une/la voiture rapide. Une/la voiture plus rapide. La voiture la plus rapide.

Notez qu'il faut utiliser *the* avec le superlatif.

Les adjectifs réguliers de deux syllabes ou plus prennent *more* ou *the most* devant l'adjectif:

	Comparatif	**Superlatif**
beautiful	*more beautiful*	*the most beautiful*

A beautiful woman. Une femme très belle. *She was more beautiful than I remembered.* Elle était plus belle que dans mon souvenir. *She was the most beautiful woman I had ever seen.* C'était la plus belle femme que j'avais jamais vue.

Les adjectifs réguliers de deux syllabes qui se terminent en *-y* perdent le *-y*, qui est remplacé par *-ier* ou *-iest* pour former le comparatif et le superlatif:

	Comparatif	**Superlatif**
happy	happier	happiest

8.3 Ordre des adjectifs devant le nom

Si vous souhaitez utiliser plus d'un adjectif devant un nom, l'ordre des mots est relativement fixe, mais compliqué. L'ordre de base est montré ci-dessous:

Opinion	**Taille**	**Âge**	**Forme**
A beautiful	*big*	*old*	*round*

Couleur	**Origine**	**Matériau**	**Objectif**	**Nom**
dark	*French*	*oak*	*dining*	*table.*

Une magnifique et grande vieille table de salle à manger française, ronde, en chêne foncé.

Verbes irréguliers anglais

Infinitif	Prétérit	Participe passé	Français
arise	arose	arisen	*se produire*
awake	awoke	awoken, awaked	*se réveiller*
be	was, were	been	*être*
bear	bore	borne	*porter, supporter*
beat	beat	beaten	*battre, vaincre*
become	became	become	*devenir*
begin	began	begun	*commencer*
behold	beheld	beheld	*voir*
bend	bent	bent	*plier*
beseech	besought	besought	*supplier*
beset	beset	beset	*assaillir*
bet	bet, betted	bet, betted	*parier*
bid	bid, bade	bid, bidden	*offrir, proposer*
bind	bound	bound	*attacher*
bite	bit	bitten	*mordre*
bleed	bled	bled	*saigner*
blow	blew	blown	*souffler*
break	broke	broken	*casser*
breed	bred	bred	*élever*
bring	brought	brought	*apporter*
broadcast	broadcast, broadcasted	broadcast, broadcasted	*émettre, diffuser*
browbeat	browbeat	browbeaten	*intimider*
build	built	built	*construire*
burn	burnt, burned	burnt, burned	*brûler*
burst	burst	burst	*éclater*
buy	bought	bought	*acheter*
can	could	(been able)	*pouvoir*
cast	cast	cast	*jeter, lancer*
catch	caught	caught	*attraper*
choose	chose	chosen	*choisir*
cling	clung	clung	*s'accrocher, coller*
clothe	clothed, clad	clothed, clad	*habiller, vêtir*
come	came	come	*venir*
cost	cost	cost	*coûter*
creep	crept	crept	*se glisser*
cut	cut	cut	*couper*
deal	dealt	dealt	*donner, distribuer*
dig	dug	dug	*creuser*
dive	dived, dove	dived	*plonger*

Infinitif	Prétérit	Participe passé	Français
do	did	done	*faire*
draw	drew	drawn	*dessiner, tirer*
dream	dreamed, dreamt	dreamed, dreamt	*rêver*
drink	drank	drunk	*boire*
drive	drove	driven	*conduire*
dwell	dwelt, dwelled	dwelt, dwelled	*habiter*
eat	ate	eaten	*manger*
fall	fell	fallen	*tomber*
feed	fed	fed	*nourrir*
feel	felt	felt	*toucher, sentir*
fight	fought	fought	*lutter, se battre*
find	found	found	*trouver*
flee	fled	fled	*s'enfuir*
fling	flung	flung	*jeter*
fly	flew	flown	*voler*
forbid	forbade	forbidden	*interdire*
forecast	forecast	forecast	*prévoir*
forego	forewent	foregone	*renoncer à*
foresee	foresaw	foreseen	*prévoir, anticiper*
foretell	foretold	foretold	*prédire*
forget	forgot	forgotten	*oublier*
forgive	forgave	forgiven	*pardonner*
forsake	forsook	forsaken	*quitter*
forswear	forswore	forsworn	*abjurer*
freeze	froze	frozen	*geler*
get	got	got (*Am* gotten)	*avoir*
give	gave	given	*donner*
go	went	gone	*aller*
grind	ground	ground	*écraser*
grow	grew	grown	*grandir, devenir*
hang	hung, hanged	hung, hanged	*pendre, accrocher*
have	had	had	*avoir*
hear	heard	heard	*entendre*
hew	hewed	hewn, hewed	*couper*
hide	hid	hidden	*cacher*
hit	hit	hit	*frapper*
hold	held	held	*tenir*
hurt	hurt	hurt	*faire mal à, blesser*
keep	kept	kept	*garder*
kneel	knelt, kneeled	knelt, kneeled	*s'agenouiller*
knit	knitted, knit	knitted, knit	*tricoter*

Infinitif	Prétérit	Participe passé	Français
know	knew	known	*savoir*
lay	laid	laid	*mettre, poser*
lead	led	led	*conduire*
lean	leant, leaned	leant, leaned	*appuyer*
leap	leapt, leaped	leapt, leaped	*sauter*
learn	learnt, learned	learnt, learned	*apprendre*
leave	left	left	*quitter*
lend	lent	lent	*prêter*
let	let	let	*laisser*
lie	lay	lain	*être allongé*
light	lit, lighted	lit, lighted	*allumer, éclairer*
lose	lost	lost	*perdre*
make	made	made	*faire*
may	might	–	*pouvoir*
mean	meant	meant	*signifier*
meet	met	met	*rencontrer*
mishear	misheard	misheard	*mal entendre*
mislay	mislaid	mislaid	*égarer, perdre*
mislead	misled	misled	*induire en erreur*
misread	misread	misread	*mal lire*
misspell	misspelt, misspelled	misspelt, misspelled	*mal orthographier*
mistake	mistook	mistaken	*se tromper sur*
misunder-stand	misunderstood	misunderstood	*mal comprendre*
mow	mowed	mown, mowed	*tondre*
must	(had to)	(had to)	*devoir*
offset	offset	offset	*compenser*
outbid	outbid	outbid	*surenchérir sur*
outdo	outdid	outdone	*surpasser*
outgrow	outgrew	outgrown	*ne plus entrer dans*
outrun	outran	outrun	*dépasser*
outshine	outshone	outshone	*éclipser*
overcome	overcame	overcome	*vaincre, dominer*
overdo	overdid	overdone	*exagérer*
overeat	overate	overeaten	*trop manger*
overfeed	overfed	overfed	*suralimenter*
overhang	overhung	overhung	*surplomber*
overhear	overheard	overheard	*entendre par hasard*
overlay	overlaid	overlaid	*recouvrir*
overpay	overpaid	overpaid	*trop payer*

Infinitif	Prétérit	Participe passé	Français
override	overrode	overridden	*annuler*
overrun	overran	overrun	*envahir, dépasser*
oversee	oversaw	overseen	*surveiller*
overshoot	overshot	overshot	*dépasser*
oversleep	overslept	overslept	*dormir trop long-temps*
overspend	overspent	overspent	*trop dépenser*
overtake	overtook	overtaken	*devancer*
overthrow	overthrew	overthrown	*renverser*
pay	paid	paid	*payer*
put	put	put	*mettre, placer*
quit	quit, quitted	quit, quitted	*quitter*
read	read	read	*lire*
remake	remade	remade	*refaire*
repay	repaid	repaid	*rembourser*
reread	reread	reread	*relire*
reset	reset	reset	*remettre*
retell	retold	retold	*raconter de nouveau*
rethink	rethought	rethought	*repenser*
rid	rid, ridded	rid, ridded	*se débarrasser de*
ride	rode	ridden	*monter*
ring	rang	rung	*sonner*
rise	rose	risen	*se lever*
run	ran	run	*courir*
saw	sawed	sawed, sawn	*scier*
say	said	said	*dire*
see	saw	seen	*voir*
seek	sought	sought	*chercher*
sell	sold	sold	*vendre*
send	sent	sent	*envoyer*
set	set	set	*poser, mettre*
sew	sewed	sewn	*coudre*
shake	shook	shaken	*secouer, trembler*
shall	should	–	
shave	shaved	shaved, shaven	*raser, se raser*
shear	sheared	shorn, sheared	*se détacher, tondre*
shed	shed	shed	*verser*
shine	shone	shone	*briller*
shit	shit, shat	shit	*chier*
shoe	shoed, shod	shoed, shod	*ferrer*
shoot	shot	shot	*tirer*

Infinitif	Prétérit	Participe passé	Français
show	showed	shown	*montrer*
shrink	shrank	shrunk	*rétrécir*
shut	shut	shut	*fermer*
sing	sang	sung	*chanter*
sink	sank	sunk	*couler*
sit	sat	sat	*s'asseoir*
slay	slew	slain	*tuer*
sleep	slept	slept	*dormir*
slide	slid	slid	*glisser*
sling	slung	slung	*lancer*
slink	slunk	slunk	*se déplacer furtivement*
slit	slit	slit	*fendre*
smell	smelt, smelled	smelt, smelled	*sentir*
sow	sowed	sown, sowed	*semer, ensemencer*
speak	spoke	spoken	*parler*
speed	sped, speeded	sped, speeded	*filer*
spell	spelt, spelled	spelt, spelled	*épeler*
spend	spent	spent	*dépenser*
spill	spilt, spilled	spilt, spilled	*renverser*
spin	spun, span	spun	*tourner*
spit	spat	spat	*cracher*
split	split	split	*fendre*
spoil	spoiled, spoilt	spoiled, spoilt	*abîmer*
spread	spread	spread	*étendre*
spring	sprang, sprung	sprung	*bondir*
stand	stood	stood	*mettre, poser, supporter, être/se mettre debout*
steal	stole	stolen	*voler*
stick	stuck	stuck	*coller*
sting	stung	stung	*piquer*
stink	stank	stunk	*puer, empester*
strew	strewed	strewed, strewn	*répandre*
stride	strode	stridden	*marcher à grands pas*
strike	struck	struck, stricken	*frapper, faire grève*
strive	strove	striven	*s'évertuer, essayer*
swear	swore	sworn	*jurer*
sweep	swept	swept	*balayer*
swell	swelled	swollen, swelled	*gonfler*

Infinitif	Prétérit	Participe passé	Français
swim	swam	swum	*nager*
swing	swung	swung	*osciller*
take	took	taken	*prendre*
teach	taught	taught	*enseigner, apprendre*
tear	tore	torn	*déchirer*
tell	told	told	*dire, raconter*
think	thought	thought	*penser*
throw	threw	thrown	*lancer*
thrust	thrust	thrust	*fourrer, se précipiter*
tread	trod	trodden	*marcher*
typecast	typecast	typecast	*donner toujours le même rôle à*
undercut	undercut	undercut	*vendre moins cher que*
undergo	underwent	undergone	*subir*
underlie	underlay	underlain	*sous-tendre*
understand	understood	understood	*comprendre*
undertake	undertook	undertaken	*entreprendre*
underwrite	underwrote	underwritten	*garantir, souscrire*
undo	undid	undone	*défaire*
unwind	unwound	unwound	*dérouler, se détendre*
uphold	upheld	upheld	*défendre*
upset	upset	upset	*renverser, bouleverser*
wake	woke, waked	woken, waked	*réveiller*
waylay	waylaid	waylaid	*arrêter*
wear	wore	worn	*porter*
weave	wove, weaved	woven, weaved	*tisser*
wed	wedded, wed	wedded, wed	*se marier, épouser*
weep	wept	wept	*pleurer*
wet	wetted, wet	wetted, wet	*mouiller*
will	would	–	*vouloir*
win	won	won	*gagner, obtenir*
wind	wound	wound	*enrouler*
withdraw	withdrew	withdrawn	*(se) retirer*
withhold	withheld	withheld	*retenir*
withstand	withstood	withstood	*résister à*
wring	wrung	wrung	*essorer, tordre*
write	wrote	written	*écrire*

Time and numbers – Le temps et les nombres

Cardinal numbers		Les nombres cardinaux
zero, nought	0	zéro
one	1	un
two	2	deux
three	3	trois
four	4	quatre
five	5	cinq
six	6	six
seven	7	sept
eight	8	huit
nine	9	neuf
ten	10	dix
eleven	11	onze
twelve	12	douze
thirteen	13	treize
fourteen	14	quatorze
fifteen	15	quinze
sixteen	16	seize
seventeen	17	dix-sept
eighteen	18	dix-huit
nineteen	19	dix-neuf
twenty	20	vingt
twenty-one	21	vingt et un
thirty	30	trente
thirty-one	31	trente et un
forty	40	quarante
forty-one	41	quarante et un
fifty	50	cinquante
sixty	60	soixante
seventy	70	soixante-dix
eighty	80	quatre-vingts
ninety	90	quatre-vingt-dix
one hundred, a hundred	100	cent
two hundred	200	deux cents
three hundred and fifty	350	trois cent cinquante
three hundred and seventy-two	372	trois cent soixante-douze
five hundred	500	cinq cents

one thousand, a thousand	1000	mille
two thousand	2000	deux mille
three thousand five hundred	3500	trois mille cinq cents
sixteen thousand seven hundred and sixty-two	16.762	seize mille sept cent soixante-deux
a hundred thousand	100.000	cent mille
five hundred thousand	500.000	cinq cent mille
a million, one million	1.000.000	un million
a billion, one billion	1.000.000.000	un milliard

Ordinal numbers		**Les nombres ordinaux**
first	1er, 1re	premier, première
second	2e	deuxième
third	3e	troisième
fourth	4e	quatrième
fifth	5e	cinquième
sixth	6e	sixième
seventh	7e	septième
eighth	8e	huitième
ninth	9e	neuvième
tenth	10e	dixième
eleventh	11e	onzième
twelfth	12e	douzième
thirteenth	13e	treizième
fourteenth	14e	quatorzième
fifteenth	15e	quinzième
sixteenth	16e	seizième
seventeenth	17e	dix-septième
eighteenth	18e	dix-huitième
nineteenth	19e	dix-neuvième
twentieth	20e	vingtième
twenty-first	21e	vingt et unième
twenty-second	22e	vingt-deuxième
thirtieth	30e	trentième
fortieth	40e	quarantième
fiftieth	50e	cinquantième

sixtieth	60e	soixantième
seventieth	70e	soixante-dixième
eightieth	80e	quatre-vingtième
hundredth	100e	centième
six hundredth	600e	six centième
thousandth	1 000e	millième

Time	**Les moments de la journée**
morning	matin
mid-morning (around 11 a. m.)	milieu de matinée
afternoon	après-midi
evening	soirée
night	nuit
noon, 12 o'clock	midi
midnight	minuit
early	tôt
late	tard

Days of the week	**Les jours de la semaine**
Monday	lundi
Tuesday	mardi
Wednesday	mercredi
Thursday	jeudi
Friday	vendredi
Saturday	samedi
Sunday	dimanche

Abbreviations and symbols – Abbréviations et symboles

also	*a*	aussi
abbreviation	*abbr*	abréviation
abbreviation	*abr*	abréviation
	abs	absolu
abusive	*abus*	abusif
adjective	*adj*	adjectif
	adj indéf	adjectif indéfini
possessive adjective	*adj poss*	adjectif possessif
adjectival	*adjt*	adjectivement
administration	ADMIN	administration
adverb	*adv*	adverbe
adverbial	*advt*	adverbialement
agriculture	AGR	agriculture
anatomy	ANAT	anatomie
architecture	ARCH	architecture
archeology	ARCHEOL	archéologie
archeology	ARCHÉOL	archéologie
slang	*arg*	argot
astrology	ASTROL	astrologie
astronomy	ASTRON	astronomie
attributive	*attr*	devant le nom
predicative	*attrib*	attribut
automobiles	AUTO	automobile
aviation	AVIAT	aviation
Bible, biblical language	BIBL	Bible, langage biblique
biology	BIOL	biologie
botany	BOT	botanique
British	*Br*	anglais britannique
British	*brit*	anglais britannique
building	BUILD	bâtiment
Canadian	*Can*	anglais canadien
Catholic	CATH	catholique
hunting	CH	chasse
railway	CH DE FER	chemin de fer
chemistry	CHEM	chimie
chemistry	CHIM	chimie
conjunction	*cj*	conjonction
collective	*coll*	terme collectif
commerce	COMM	commerce
comparative	*comp*	comparatif
conjunction	*conj*	conjonction
building	CONSTR	construction
contraction	*contr*	contraction
cooking	COOK	cuisine et gastronomie
couture, sewing	COUT	couture
cooking	CUIS	cuisine et gastronomie
definite	*déf*	défini
demonstrative adjective	*dem adj*	adjectif démonstratif
demonstrative pronoun	*dem pr*	pronom démonstratif
dialect	*dial*	dialecte
diplomacy	DIPL	diplomatie

ecclesiastical	ECCL	ecclésiastique
ecology	ÉCOL	écologie
economics	ECON	économie
economics	ÉCON	économie
Church	ÉGL	Église
electricity	ELEC	électrotechnique
electricity	ÉLEC	électrotechnique
emphatic	*emph*	emphasis
children's language	*enf*	langage des enfants
attributive	*épith*	épithète
euphemistic	*euph*	euphémique
feminine	*f*	féminin
informal	*fam*	familiar, informal
figurative	*fig*	(au sens) figuré
finance	FIN	finance
fishing	FISH	pêche
soccer, football	FOOT	football
formal	*form*	formel
feminine plural	*fpl*	féminin pluriel
soccer, football	FTBL	football
geography	GEOG	géographie
geography	GÉOG	géographie
geology	GEOL	géologie
geology	GÉOL	géologie
geometry	GÉOM	géométrie
grammar	GRAM	grammaire
history	HIST	histoire, historique
horticulture	HORT	horticulture
humor	HUM	humoristique
hunting	HUNT	chasse
in compounds	*in cpds*	dans les composés
indicative	*ind*	indicatif
infinitive	*inf*	infinitif
informal	*infml*	familier
IT	INFORM	informatique
insurance	INSUR	assurances
interjection	*int*	interjection
invariable	*inv*	invariable
ironic	*iron*	ironique
information technology	IT	technologie de l'information
gardening, horticulture	JARD	jardinage
jurisprudence	JUR	droit, langage juridique
linguistics	LING	linguistique
literature	LIT	littérature
literary	*liter*	littéraire
literary	*litt*	littéraire
literature	LITTÉR	littérature
masculine	*m*	masculin
masculine/feminine	*m/f*	masculin/feminin
marine, seafaring	MAR	marine
mathematics	MATH	mathématiques
mechanics	MECH	mechanics
medicine	MED	médecine
medicine	MÉD	médecine
metallurgy	MÉTALL	métallurgie
meteorology	METEO	météorologie

meteorology	MÉTÉO	météorologie
military	MIL	militaire
mineralogy	MIN	minéralogie
mining	MIN	industrie minière
mineralogy	MINÉR	minéralogie
masculine, plural	*mpl*	masculin pluriel
music	MUS	musique
mythology	MYTH	mythologie
noun	*n*	substantif
nautical	NAUT	navigation
negative	*neg*	négatif
negative	*nég*	négatif
nuclear physics	NUCL	physique nucléaire
cardinal number	*num/c*	nombre cardinal
ordinal number	*num/o*	nombre ordinal
object	*obj*	objet
direct object	*obj dir*	complément d'objet direct
obsolete	*obs*	obsolète
optical	OPT	optique
ornithology	ORN	ornithologie
ornithology	ORNITH	ornithologie
by extension	*par ext*	par extension
parliament	PARL	Parlement
past participle	*past part*	participe passé
painting	PEINT	peinture
pejorative	*pej*	péjoratif
pejorative	*péj*	péjoratif
personal pronoun	*pers pr*	pronom personnel
pharmacology	PHARM	pharmacie
philosophy	PHIL	philosophie
phonetics	PHON	phonétique
photography	PHOT	photographie
physics	PHYS	physique
physiology	PHYSIOL	physiologie
plural	*pl*	pluriel
joking	*plais*	plaisanterie
poetic	*poét*	poétique
politics	POL	politique
popular	*pop*	populaire
possessive adjective	*poss adj*	adjectif possessif
possessive pronoun	*poss pr*	pronom possessif
past participle	*pp*	participe passé
present participle	*ppr*	participe présent
demonstrative pronoun	*pr dém*	pronom démonstratif
indefinite pronounc	*pr ind*	pronom indéfini
interrogative pronoun	*pr interrog*	pronom interrogatif
personal pronoun	*pr pers*	pronom personnel
possessive pronoun	*pr poss*	pronom possessif
relative pronoun	*pr rel*	pronom relatif
predicative	*pred*	attribut
prefix	*pref*	préfixe
preposition	*prep*	préposition
preposition	*prép*	préposition
present	*pres*	présent
pronoun	*pron*	pronom
proverb	*prov*	proverbe

psychology	PSYCH	psychologie
registered trademark	®	marque déposée
radio	RAD	radio
railway	RAIL	chemin de fer
religion	REL	religion
relative pronoun	*rel pr*	pronom relatif
rhetoric	RHÉT	rhétorique
science	SC	science
science	SCI	science
Scottish	*Scot*	écossais
sculpture	SCULP	sculpture
separable (phrasal verb)	*sep*	séparable ('phrasal verb' anglais)
singular	*sg*	singulier
slang	*sl*	argot
sociology	SOCIOL	sociologie
stock exchange	ST EX	Bourse
elevated style	*st/s*	style soutenu
subjunctive	*subj*	subjonctif
noun	*subst*	substantif
suffix	*suf*	suffixe
superlative	*sup*	superlatif
technical term	*t/t*	terme technique
technical	TECH	technique, technologie
telecommunications	TEL	téléphone
telecommunications	TÉL	téléphone
textiles	TEX	textiles
textiles	TEXT	textiles
theater	THÉ	théatre
theater	THEAT	théatre
typography	TYPO	typographie
university	UNIV	université
American English	*US*	Anglais américain
verb	*v*	verbe
auxiliary verb	*v/aux*	verbe auxiliaire
intransitive verb	*v/i*	verbe intransitig
impersonal verb	*v/imp*	verbe impersonnel
modal verb	*v/mod*	verbe modal
reflexive verb	*v/pr*	verbe pronominal
reflexive verb	*v/r*	verbe réfléchi
transitive verb	*v/t*	verbe transitif
transitive verb indirect	*v/t indir*	verbe transitif indirect
inseparable transitive verb	*v/t insep*	verbe transitif inséparable
verb	*vb*	verbe
veterinerary science	VÉT	médecine vétérinaire
winegrowing	VIT	viticulture
vulgar	*vulg*	vulgaire
zoology	ZOOL	zoologie
and	&	et
phrasal verb	◆	verbe à particule, « phrasal verb »
swung dash, tilde, replaces headword	~	tilde, remplace le mot d'entrée
plus, and, with	+	plus, et, avec
equals	=	égal
corresponds to	≈	correspond à
see	→	voir